コ・メディカル版

ステッドマン医学辞典

【英和・和英】

STEDMAN'S MEDICAL DICTIONARY FOR THE HEALTH PROFESSIONS AND NURSING

MEDICAL VIEW

PLATE 1: ANTERIOR AND POSTERIOR VIEW OF THE SKULL

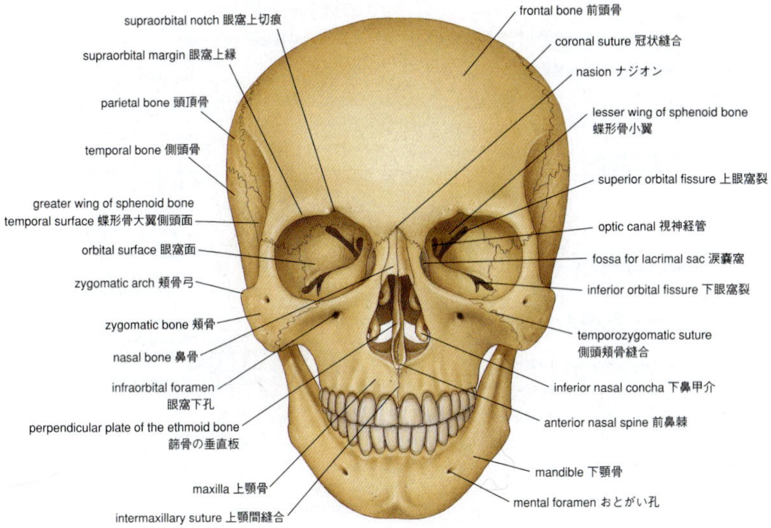
supraorbital notch 眼窩上切痕
supraorbital margin 眼窩上縁
parietal bone 頭頂骨
temporal bone 側頭骨
greater wing of sphenoid bone temporal surface 蝶形骨大翼側頭面
orbital surface 眼窩面
zygomatic arch 頬骨弓
zygomatic bone 頬骨
nasal bone 鼻骨
infraorbital foramen 眼窩下孔
perpendicular plate of the ethmoid bone 篩骨の垂直板
maxilla 上顎骨
intermaxillary suture 上顎間縫合
frontal bone 前頭骨
coronal suture 冠状縫合
nasion ナジオン
lesser wing of sphenoid bone 蝶形骨小翼
superior orbital fissure 上眼窩裂
optic canal 視神経管
fossa for lacrimal sac 涙嚢窩
inferior orbital fissure 下眼窩裂
temporozygomatic suture 側頭頬骨縫合
inferior nasal concha 下鼻甲介
anterior nasal spine 前鼻棘
mandible 下顎骨
mental foramen おとがい孔

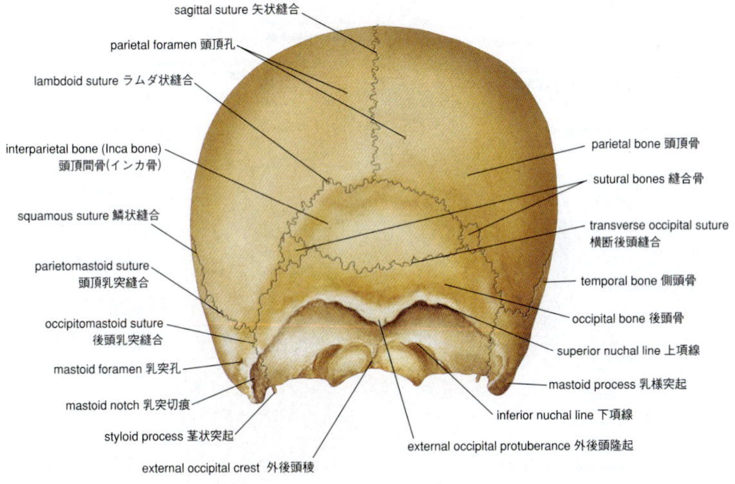
sagittal suture 矢状縫合
parietal foramen 頭頂孔
lambdoid suture ラムダ状縫合
interparietal bone (Inca bone) 頭頂間骨(インカ骨)
squamous suture 鱗状縫合
parietomastoid suture 頭頂乳突縫合
occipitomastoid suture 後頭乳突縫合
mastoid foramen 乳突孔
mastoid notch 乳突切痕
styloid process 茎状突起
external occipital crest 外後頭稜
parietal bone 頭頂骨
sutural bones 縫合骨
transverse occipital suture 横断後頭縫合
temporal bone 側頭骨
occipital bone 後頭骨
superior nuchal line 上項線
mastoid process 乳様突起
inferior nuchal line 下項線
external occipital protuberance 外後頭隆起

PLATE 2: LATERAL VIEW AND SAGITTAL SECTION OF THE SKULL

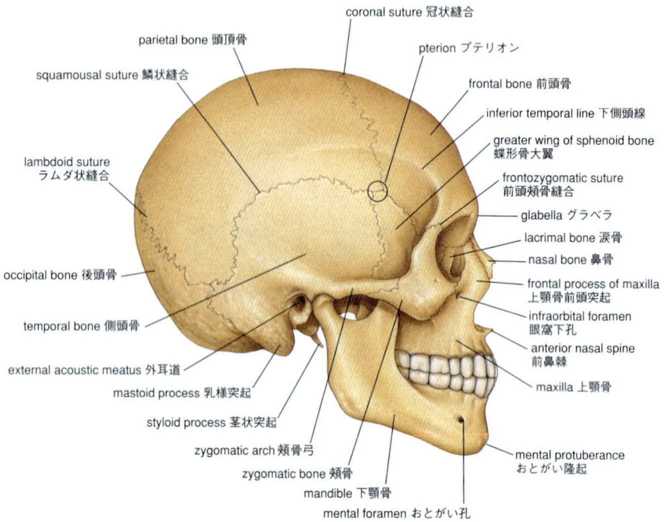

coronal suture 冠状縫合
parietal bone 頭頂骨
pterion プテリオン
squamousal suture 鱗状縫合
frontal bone 前頭骨
inferior temporal line 下側頭線
greater wing of sphenoid bone 蝶形骨大翼
lambdoid suture ラムダ状縫合
frontozygomatic suture 前頭頬骨縫合
glabella グラベラ
lacrimal bone 涙骨
nasal bone 鼻骨
occipital bone 後頭骨
frontal process of maxilla 上顎骨前頭突起
infraorbital foramen 眼窩下孔
temporal bone 側頭骨
anterior nasal spine 前鼻棘
external acoustic meatus 外耳道
maxilla 上顎骨
mastoid process 乳様突起
styloid process 茎状突起
zygomatic arch 頬骨弓
mental protuberance おとがい隆起
zygomatic bone 頬骨
mandible 下顎骨
mental foramen おとがい孔

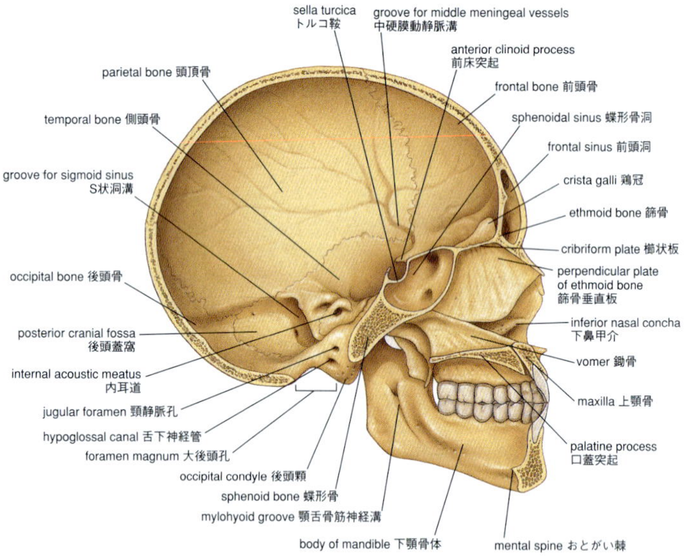

sella turcica トルコ鞍
groove for middle meningeal vessels 中硬膜動静脈溝
anterior clinoid process 前床突起
parietal bone 頭頂骨
frontal bone 前頭骨
temporal bone 側頭骨
sphenoidal sinus 蝶形骨洞
frontal sinus 前頭洞
groove for sigmoid sinus S状洞溝
crista galli 鶏冠
ethmoid bone 篩骨
cribriform plate 櫛状板
perpendicular plate of ethmoid bone 篩骨垂直板
occipital bone 後頭骨
inferior nasal concha 下鼻甲介
posterior cranial fossa 後頭蓋窩
vomer 鋤骨
internal acoustic meatus 内耳道
maxilla 上顎骨
jugular foramen 頸静脈孔
hypoglossal canal 舌下神経管
palatine process 口蓋突起
foramen magnum 大後頭孔
occipital condyle 後頭顆
sphenoid bone 蝶形骨
mylohyoid groove 顎舌骨筋神経溝
body of mandible 下顎骨体
mental spine おとがい棘

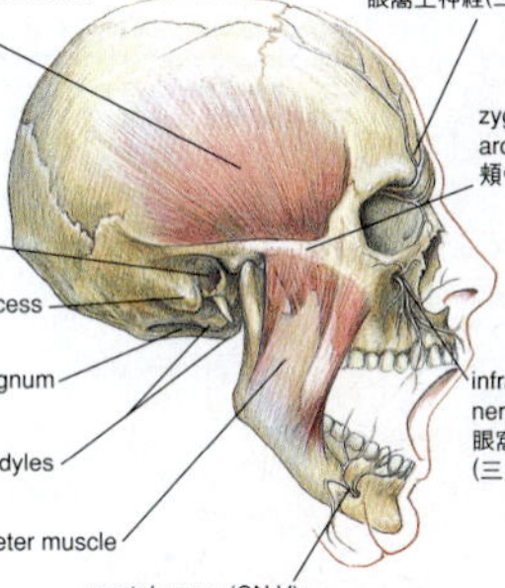
temporalis muscle
側頭筋
supraorbital nerve (CN V)
眼窩上神経(三叉神経)
zygomatic arch
頬骨弓
external acoustic meatus
外耳道
mastoid process
乳様突起
foramen magnum
大後頭孔
infraorbital nerve (CN V)
眼窩下神経
(三叉神経)
occipital condyles
後頭顆
masseter muscle
咬筋
mental nerve (CN V)
おとがい神経(三叉神経)

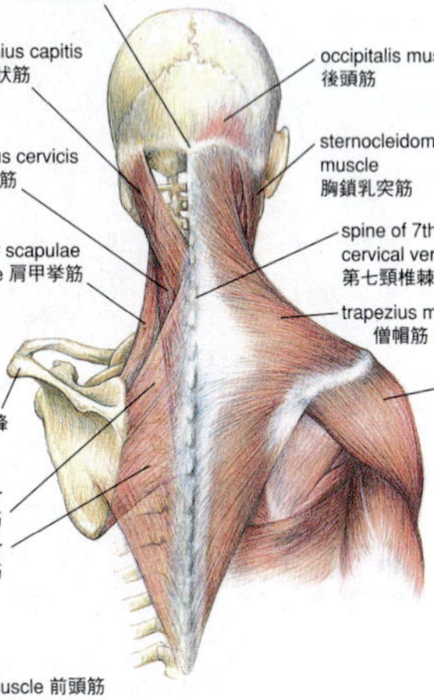
external occipital protuberance
外後頭隆起
splenius capitis
頭板状筋
occipitalis muscle
後頭筋
splenius cervicis
頸板状筋
sternocleidomastoid muscle
胸鎖乳突筋
spine of 7th cervical vertebra
第七頸椎棘突起
levator scapulae muscle 肩甲挙筋
trapezius muscle
僧帽筋
deltoid muscle
三角筋
acromion 肩峰
rhomboid muscle: minor
小菱形筋
major
大菱形筋

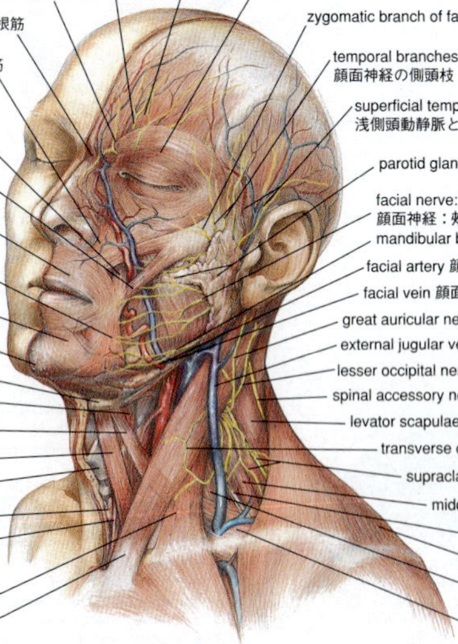
supraorbital nerve 眼窩上神経
frontalis muscle 前頭筋
supratrochlear nerve 滑車上神経
orbicularis oculi muscle 眼輪筋
procerus muscle 鼻根筋
zygomatic branch of facial nerve 顔面神経の頬骨枝
levator labii superioris muscle 上唇挙筋
temporal branches of facial nerve
顔面神経の側頭枝
levator anguli oris muscle 口角挙筋
superficial temporal vessels and nerve
浅側頭動静脈と神経
zygomaticus major muscle 大頬骨筋
parotid gland and duct 耳下腺と耳下腺管
orbicularis oris muscle 口輪筋
facial nerve: buccal branch
顔面神経：頬枝
depressor anguli oris muscle
口角下制筋
mandibular branch 下顎枝
facial artery 顔面動脈
depressor labii inferioris muscle
下唇下制筋
facial vein 顔面静脈
great auricular nerve 大耳介神経
mentalis muscle おとがい筋
external jugular vein 外頸静脈
hyoid bone 舌骨
lesser occipital nerve 小後頭神経
spinal accessory nerve 脊髄副神経
thyrohyoid muscle 甲状舌骨筋
levator scapulae muscle 肩甲挙筋
omohyoid muscle 肩甲舌骨筋
transverse cervical nerve 頸横神経
sternohyoid muscle 胸骨舌骨筋
supraclavicular nerves 鎖骨上神経
thyroid cartilage 甲状軟骨
middle scalene muscle 中斜角筋
thyroid gland 甲状腺
brachial plexus 腕神経叢
sternothyroid muscle 胸骨甲状筋
trapezius muscle 僧帽筋
sternocleidomastoid muscle:
clavicular head
胸鎖乳突筋：鎖骨頭
anterior scalene muscle
前斜角筋
sternal head
胸骨頭
omohyoid muscle
肩甲舌骨筋

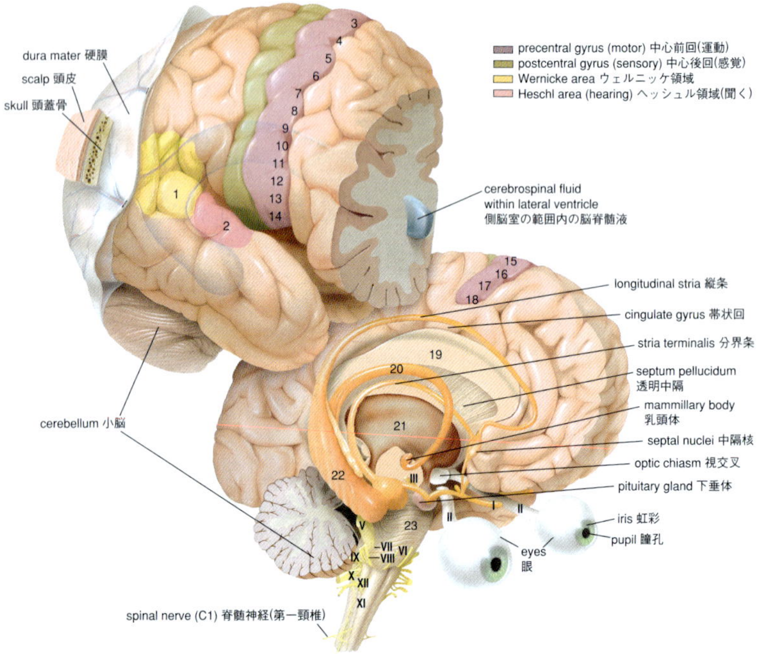

precentral gyrus (motor) 中心前回(運動)
postcentral gyrus (sensory) 中心後回(感覚)
Wernicke area ウェルニッケ領域
Heschl area (hearing) ヘッシュル領域(聞く)
dura mater 硬膜
scalp 頭皮
skull 頭蓋骨
cerebrospinal fluid
within lateral ventricle
側脳室の範囲内の脳脊髄液
longitudinal stria 縦条
cingulate gyrus 帯状回
stria terminalis 分界条
septum pellucidum
透明中隔
mammillary body
乳頭体
septal nuclei 中隔核
optic chiasm 視交叉
pituitary gland 下垂体
iris 虹彩
pupil 瞳孔
eyes
眼
cerebellum 小脳
spinal nerve (C1) 脊髄神経(第一頸椎)
1 2 3 4 5 6 7 8 9 10 11 12 13 14 15 16 17 18 19 20 21 22 23
I II III V VI VII VIII IX X XI XII

1 Wernicke area ウェルニッケ領域
2 Heschl area ヘッシュル領域
3 hip 股関節
4 trunk 体幹
5 shoulder 肩
6 elbows 肘
7 wrist 手首
8 fingers 指
9 brow 額
10 eyelid 眼瞼
11 nose 鼻
12 lips 口唇
13 tongue 舌
14 larynx 喉頭
15 hip 股関節
16 knee 膝
17 ankle 足関節
18 toes 足指
19 corpus callosum 脳梁
20 fornix 円蓋
21 thalamus 視床
22 hippocampus 海馬
23 pons 橋

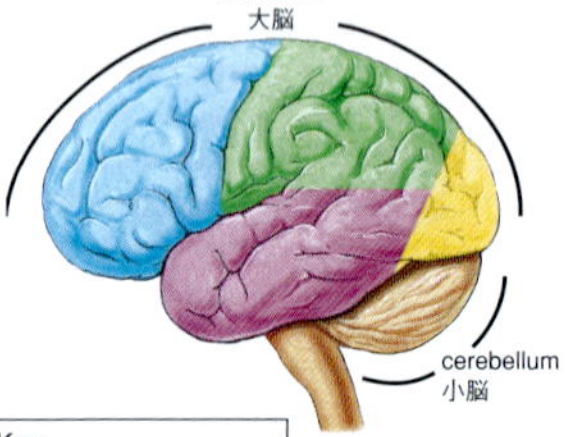

cerebrum
大脳
cerebellum
小脳

Key

- frontal lobe 前頭葉
- parietal lobe 頭頂葉
- temporal lobe 側頭葉
- occipital lobe 後頭葉

Key

Cranial nerves 脳神経

I olfactory nerve — smell 嗅神経—嗅覚
II optic nerve — sight 視神経—視力
III oculomotor nerve — eye movement 動眼神経—眼球運動
IV trochlear nerve — eye movement (not illustrated)
滑車神経—眼球運動(例示せず)
V trigeminal nerve — face (sensory) 三叉神経—顔面(感覚)
VI abducens nerve — eye movement 外転神経—眼球運動
VII facial nerve — face (motor), taste 顔面神経—顔面(運動)，味覚
VIII vestibulocochlear nerve — hearing and balance
内耳神経—聴力と平衡
IX glossopharyngeal nerve — swallowing, taste, sensation
舌咽神経—えん下，味覚，知覚
X vagus nerve — gastrointestinal tract, swallowing, heart rate, peristalsis
迷走神経—胃腸管，えん下，心拍，蠕動
XI accessory nerve — shoulder muscles 副神経—肩の筋肉
XII hypoglossal nerve — tongue 舌下神経—舌

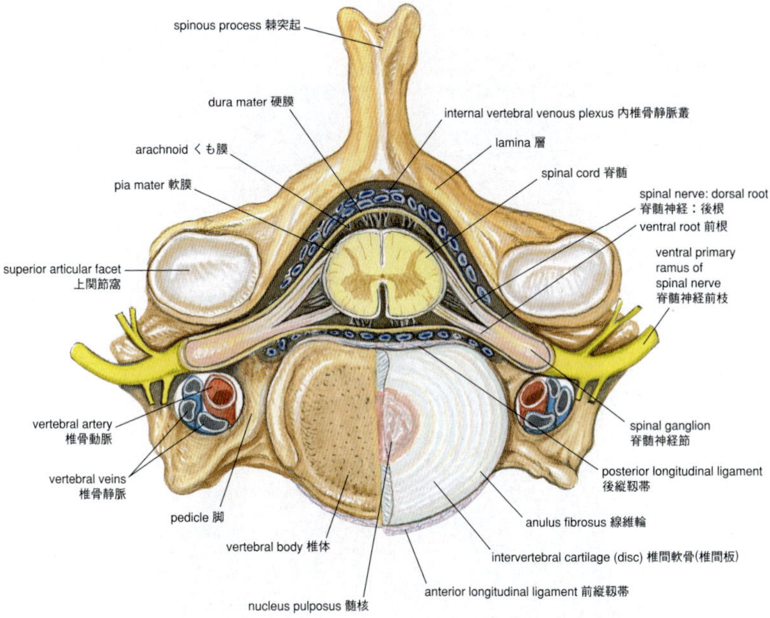
spinous process 棘突起
dura mater 硬膜
internal vertebral venous plexus 内椎骨静脈叢
arachnoid くも膜
lamina 層
pia mater 軟膜
spinal cord 脊髄
spinal nerve: dorsal root
脊髄神経：後根
ventral root 前根
ventral primary
ramus of
spinal nerve
脊髄神経前枝
superior articular facet
上関節窩
vertebral artery
椎骨動脈
vertebral veins
椎骨静脈
pedicle 脚
vertebral body 椎体
nucleus pulposus 髄核
anterior longitudinal ligament 前縦靱帯
intervertebral cartilage (disc) 椎間軟骨(椎間板)
anulus fibrosus 線維輪
posterior longitudinal ligament
後縦靱帯
spinal ganglion
脊髄神経節

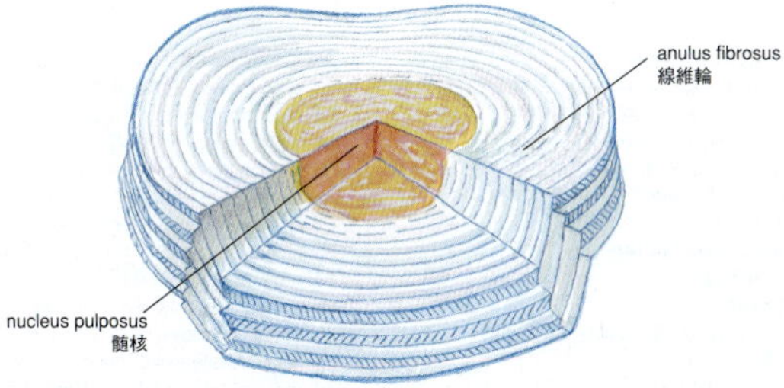
anulus fibrosus
線維輪
nucleus pulposus
髄核

PLATE 6: NERVOUS SYSTEM OF THORAX AND UPPER LIMB, ANTERIOR VIEW

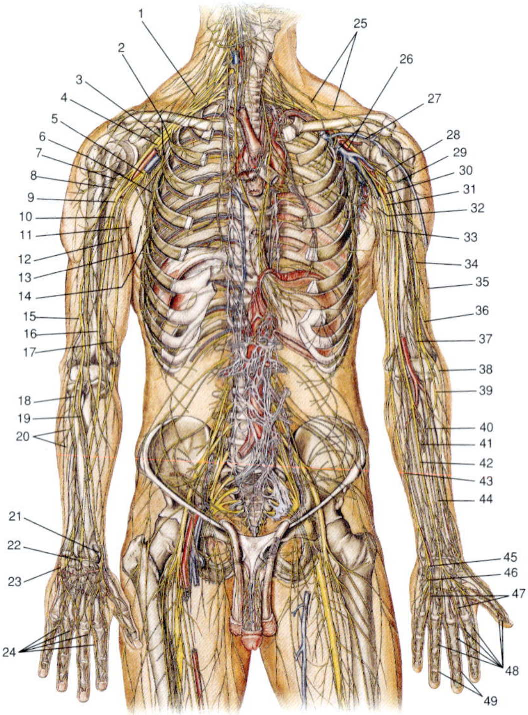
1
2
3
4
5
6
7
8
9
10
11
12
13
14
15
16
17
18
19
20
21
22
23
24
25
26
27
28
29
30
31
32
33
34
35
36
37
38
39
40
41
42
43
44
45
46
47
48
49

1 suprascapular nerve 肩甲上神経
2 medial and lateral pectoral nerves 中側・外側胸筋神経
3 brachial plexus: lateral cord 腕神経叢：外側索
4 brachial plexus: posterior cord 腕神経叢：後索
5 brachial plexus: medial cord 腕神経叢：内側索
6 subscapular nerve 肩甲下神経
7 axillary nerve 腋窩神経
8 musculocutaneous nerve 筋皮神経
9 median nerve 正中神経
10 radial nerve 橈骨神経
11 intercostobrachial nerve 肋間上腕神経
12 ulnar nerve 尺骨神経
13 thoracodorsal nerve 胸背神経
14 long thoracic nerve 長胸神経
15 radial nerve 橈骨神経
16 median nerve 正中神経
17 ulnar nerve 尺骨神経
18 radial nerve: deep branch 橈骨神経：深枝
19 radial nerve: superficial branch 橈骨神経：浅枝
20 radial nerve: muscular branches 橈骨神経：筋枝
21 radial nerve: superficial branch 橈骨神経：浅枝
22 median nerve 正中神経
23 ulnar nerve: dorsal branch 尺骨神経：背枝
24 dorsal digital nerves 背側指神経
25 supraclavicular nerves 鎖骨上神経
26 axillary vein and artery 腋窩静脈・動脈
27 cephalic vein 橈側皮静脈
28 musculocutaneous nerve 筋皮神経
29 axillary nerve 腋窩神経
30 median nerve 正中神経
31 ulnar nerve 尺骨神経
32 medial brachial cutaneous nerve 内側上腕皮神経
33 medial antebrachial cutaneous nerve 内側前上腕皮神経
34 radial nerve 橈骨神経
35 posterior brachial cutaneous nerve 後上腕皮神経
36 posterior antebrachial cutaneous nerve 後前腕皮神経
37 lateral antebrachial cutaneous nerve 外側前腕皮神経
38 radial nerve: superficial branch 橈骨神経：浅枝
39 radial nerve: deep branch 橈骨神経：深枝
40 anterior interosseous nerve 前骨間神経
41 posterior interosseous nerve 後骨間神経
42 median nerve 正中神経
43 ulnar nerve 尺骨神経
44 lateral antebrachial cutaneous nerve 外側前腕皮神経
45 ulnar nerve: superficial branch 尺骨神経：浅枝
46 ulnar nerve: deep branch 尺骨神経：深枝
47 common palmar digital nerves 総掌側指神経
48 proper palmar digital nerves 固有掌側指神経
49 articular branches 関節枝

PLATE 7: MUSCULAR AND SKELETAL ANATOMY OF WRIST AND HAND, PALMAR VIEW

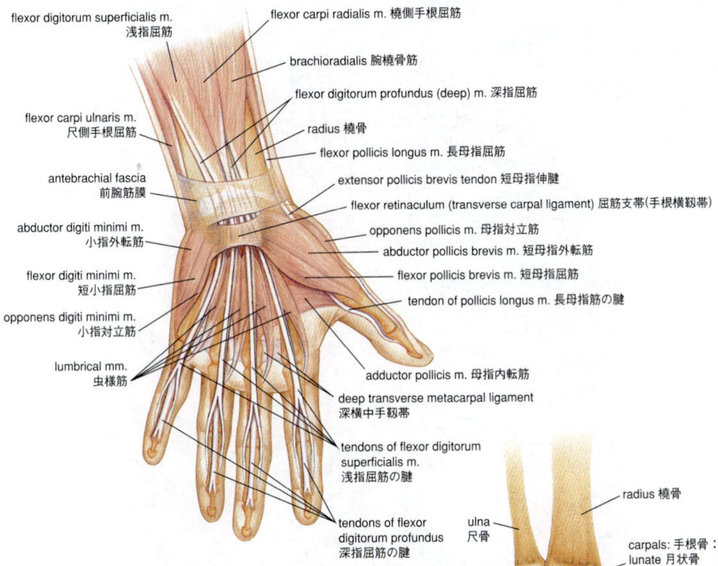
flexor digitorum superficialis m. 浅指屈筋
flexor carpi radialis m. 橈側手根屈筋
brachioradialis 腕橈骨筋
flexor digitorum profundus (deep) m. 深指屈筋
flexor carpi ulnaris m. 尺側手根屈筋
radius 橈骨
flexor pollicis longus m. 長母指屈筋
antebrachial fascia 前腕筋膜
extensor pollicis brevis tendon 短母指伸腱
flexor retinaculum (transverse carpal ligament) 屈筋支帯(手根横靱帯)
abductor digiti minimi m. 小指外転筋
opponens pollicis m. 母指対立筋
abductor pollicis brevis m. 短母指外転筋
flexor digiti minimi m. 短小指屈筋
flexor pollicis brevis m. 短母指屈筋
opponens digiti minimi m. 小指対立筋
tendon of pollicis longus m. 長母指筋の腱
lumbrical mm. 虫様筋
adductor pollicis m. 母指内転筋
deep transverse metacarpal ligament 深横中手靱帯
tendons of flexor digitorum superficialis m. 浅指屈筋の腱
tendons of flexor digitorum profundus 深指屈筋の腱

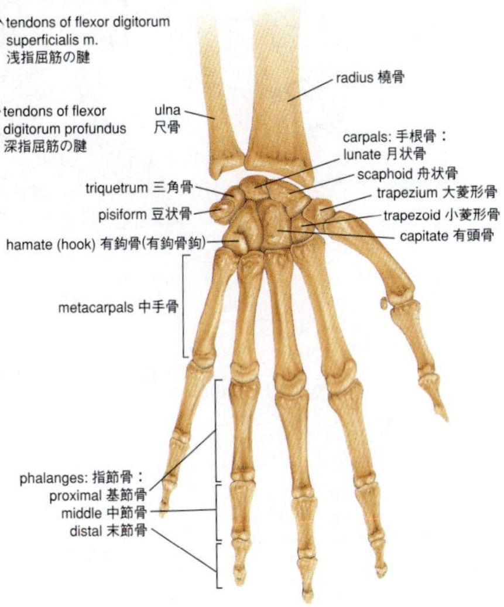
radius 橈骨
ulna 尺骨
carpals: 手根骨：
lunate 月状骨
scaphoid 舟状骨
triquetrum 三角骨
trapezium 大菱形骨
pisiform 豆状骨
trapezoid 小菱形骨
capitate 有頭骨
hamate (hook) 有鉤骨(有鉤骨鉤)
metacarpals 中手骨
phalanges: 指節骨：
proximal 基節骨
middle 中節骨
distal 末節骨

PLATE 8: VISCERA OF THORAX, ANTERIOR VIEW

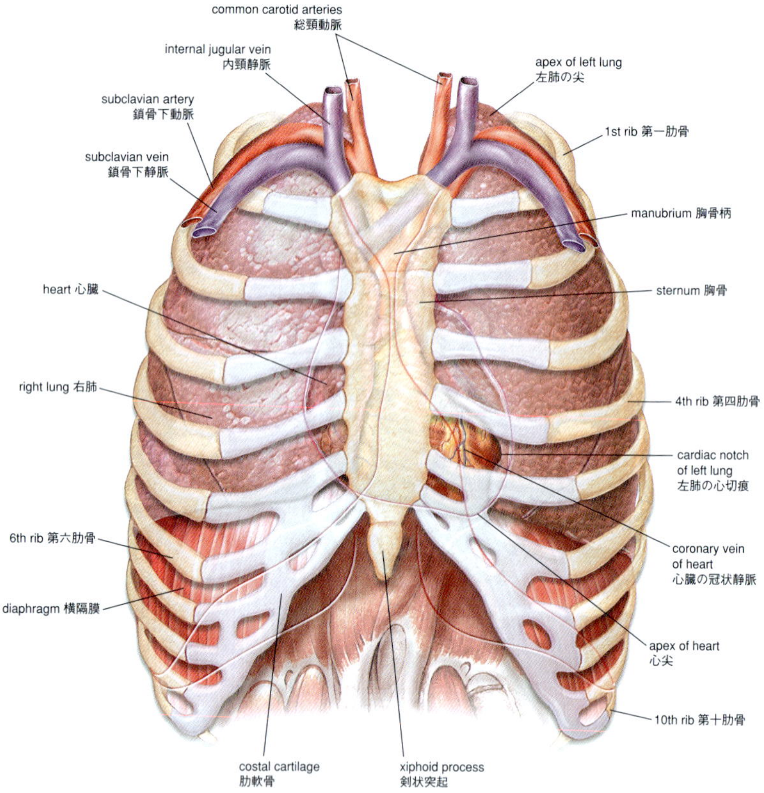

common carotid arteries
総頸動脈
internal jugular vein
内頸静脈
subclavian artery
鎖骨下動脈
subclavian vein
鎖骨下静脈
apex of left lung
左肺の尖
1st rib 第一肋骨
manubrium 胸骨柄
heart 心臓
sternum 胸骨
right lung 右肺
4th rib 第四肋骨
cardiac notch
of left lung
左肺の心切痕
6th rib 第六肋骨
coronary vein
of heart
心臓の冠状静脈
diaphragm 横隔膜
apex of heart
心尖
10th rib 第十肋骨
costal cartilage
肋軟骨
xiphoid process
剣状突起

PLATE 9: ANATOMY OF HEART, ANTERIOR VIEW

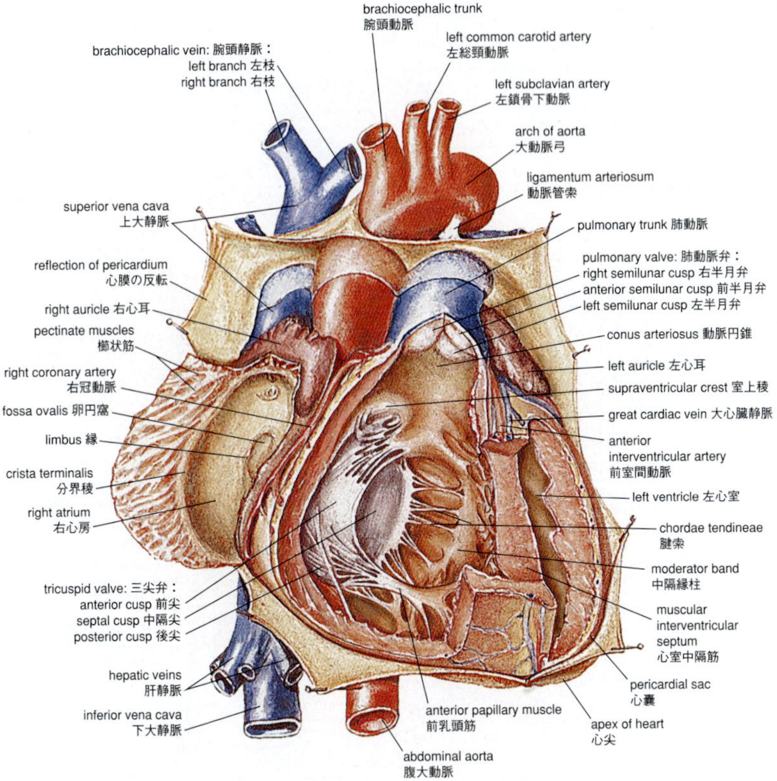

brachiocephalic trunk
腕頭動脈
left common carotid artery
左総頸動脈
brachiocephalic vein: 腕頭静脈：
left branch 左枝
right branch 右枝
left subclavian artery
左鎖骨下動脈
arch of aorta
大動脈弓
ligamentum arteriosum
動脈管索
superior vena cava
上大静脈
pulmonary trunk 肺動脈
reflection of pericardium
心膜の反転
pulmonary valve: 肺動脈弁：
right semilunar cusp 右半月弁
anterior semilunar cusp 前半月弁
left semilunar cusp 左半月弁
right auricle 右心耳
pectinate muscles
櫛状筋
conus arteriosus 動脈円錐
left auricle 左心耳
right coronary artery
右冠動脈
supraventricular crest 室上稜
fossa ovalis 卵円窩
great cardiac vein 大心臓静脈
limbus 縁
anterior
interventricular artery
前室間動脈
crista terminalis
分界稜
left ventricle 左心室
right atrium
右心房
chordae tendineae
腱索
moderator band
中隔縁柱
tricuspid valve: 三尖弁：
anterior cusp 前尖
septal cusp 中隔尖
posterior cusp 後尖
muscular
interventricular
septum
心室中隔筋
hepatic veins
肝静脈
pericardial sac
心嚢
inferior vena cava
下大静脈
anterior papillary muscle
前乳頭筋
apex of heart
心尖
abdominal aorta
腹大動脈

PLATE 10: ABDOMINAL VISCERA, ANTERIOR VIEW

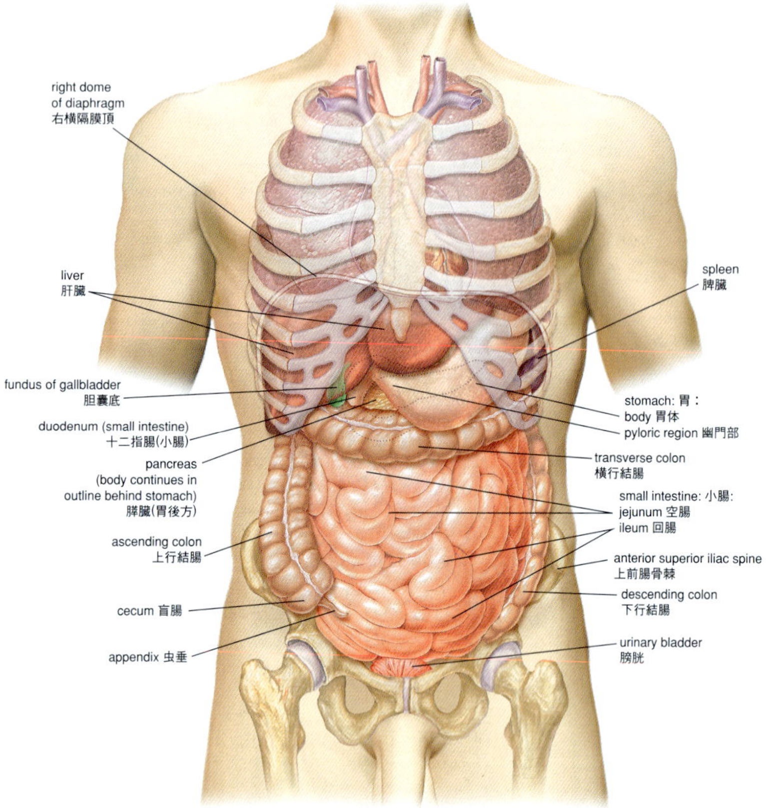
right dome
of diaphragm
右横隔膜頂
liver
肝臓
fundus of gallbladder
胆嚢底
duodenum (small intestine)
十二指腸(小腸)
pancreas
(body continues in
outline behind stomach)
膵臓(胃後方)
ascending colon
上行結腸
cecum 盲腸
appendix 虫垂
spleen
脾臓
stomach: 胃：
body 胃体
pyloric region 幽門部
transverse colon
横行結腸
small intestine: 小腸:
jejunum 空腸
ileum 回腸
anterior superior iliac spine
上前腸骨棘
descending colon
下行結腸
urinary bladder
膀胱

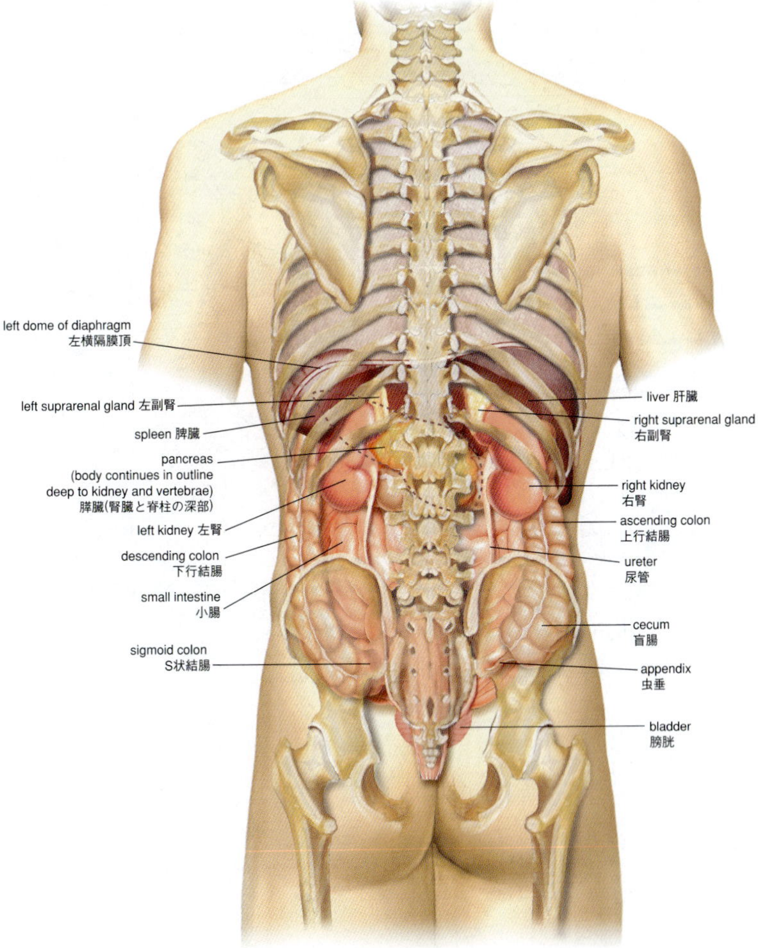
left dome of diaphragm
左横隔膜頂
left suprarenal gland 左副腎
spleen 脾臓
pancreas
(body continues in outline
deep to kidney and vertebrae)
膵臓(腎臓と脊柱の深部)
left kidney 左腎
descending colon
下行結腸
small intestine
小腸
sigmoid colon
S状結腸
liver 肝臓
right suprarenal gland
右副腎
right kidney
右腎
ascending colon
上行結腸
ureter
尿管
cecum
盲腸
appendix
虫垂
bladder
膀胱

PLATE 12: MALE UROGENITAL SYSTEM, MIDSAGITTAL VIEW

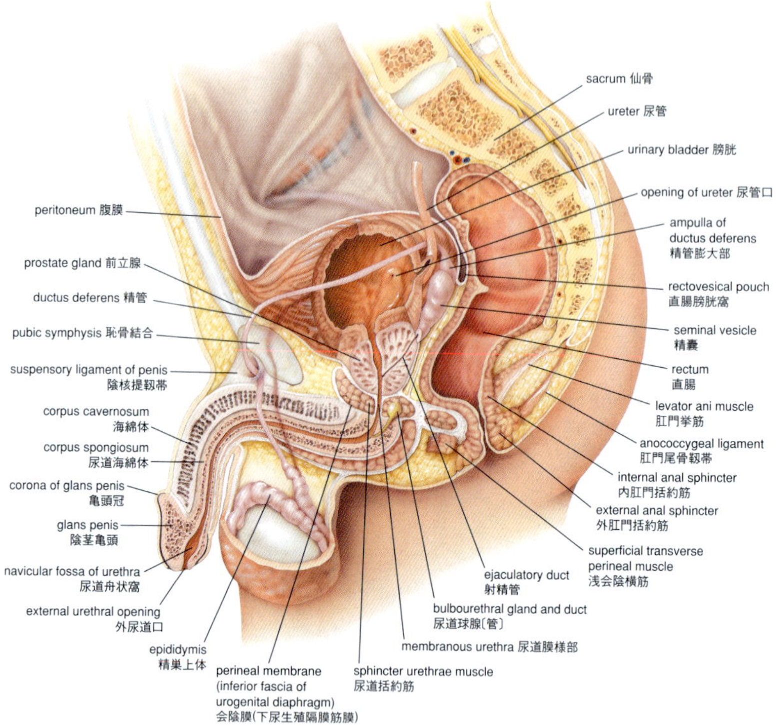
sacrum 仙骨
ureter 尿管
urinary bladder 膀胱
opening of ureter 尿管口
ampulla of ductus deferens 精管膨大部
rectovesical pouch 直腸膀胱窩
seminal vesicle 精嚢
rectum 直腸
levator ani muscle 肛門挙筋
anococcygeal ligament 肛門尾骨靱帯
internal anal sphincter 内肛門括約筋
external anal sphincter 外肛門括約筋
superficial transverse perineal muscle 浅会陰横筋
ejaculatory duct 射精管
bulbourethral gland and duct 尿道球腺〔管〕
membranous urethra 尿道膜様部
sphincter urethrae muscle 尿道括約筋
perineal membrane (inferior fascia of urogenital diaphragm) 会陰膜(下尿生殖隔膜筋膜)
epididymis 精巣上体
external urethral opening 外尿道口
navicular fossa of urethra 尿道舟状窩
glans penis 陰茎亀頭
corona of glans penis 亀頭冠
corpus spongiosum 尿道海綿体
corpus cavernosum 海綿体
suspensory ligament of penis 陰核提靱帯
pubic symphysis 恥骨結合
ductus deferens 精管
prostate gland 前立腺
peritoneum 腹膜

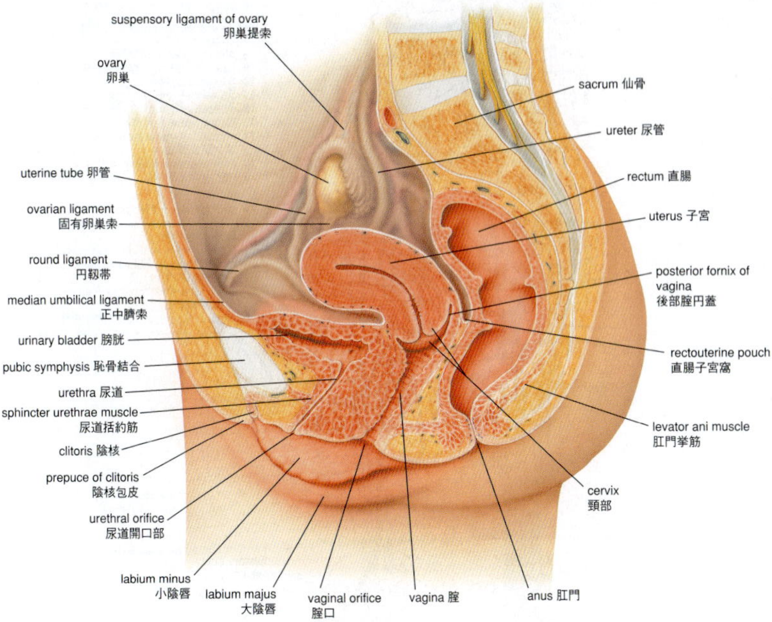
suspensory ligament of ovary
卵巣提索
ovary
卵巣
sacrum 仙骨
ureter 尿管
uterine tube 卵管
rectum 直腸
ovarian ligament
固有卵巣索
uterus 子宮
round ligament
円靱帯
posterior fornix of vagina
後部腟円蓋
median umbilical ligament
正中臍索
urinary bladder 膀胱
rectouterine pouch
直腸子宮窩
pubic symphysis 恥骨結合
urethra 尿道
sphincter urethrae muscle
尿道括約筋
levator ani muscle
肛門挙筋
clitoris 陰核
prepuce of clitoris
陰核包皮
cervix
頸部
urethral orifice
尿道開口部
labium minus
小陰唇
labium majus
大陰唇
vaginal orifice
腟口
vagina 腟
anus 肛門

PLATE 14: NERVOUS SYSTEM OF PELVIS AND LOWER LIMB, ANTERIOR VIEW

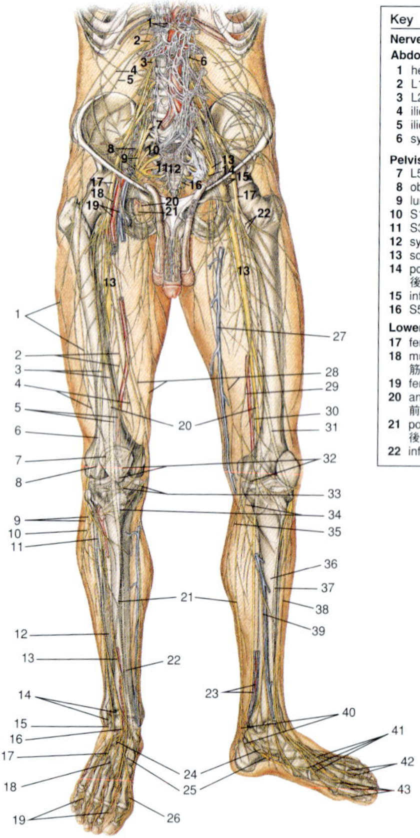

Key

Nerves of lower limb 下肢の神経

Abdomen 腹部

- **1** hepatic plexus 肝神経叢
- **2** L1 nerve L1神経
- **3** L2 nerve L2神経
- **4** iliohypogastric nerve 腸骨下腹神経
- **5** ilioinguinal nerve 腸骨鼡径神経
- **6** sympathetic trunk 交感神経幹

Pelvis and perineum 骨盤と会陰

- **7** L5 nerve L5神経
- **8** obturator nerve 閉鎖神経
- **9** lumbosacral trunk 腰仙骨神経幹
- **10** S1 nerve S1神経
- **11** S3 nerve S3神経
- **12** sympathetic trunk 交感神経幹
- **13** sciatic nerve 坐骨神経
- **14** posterior femoral cutaneous nerve 後大腿皮神経
- **15** inferior gluteal nerves 下殿神経
- **16** S5 nerve S5神経

Lower limb 下肢

- **17** femoral nerve 大腿神経
- **18** muscular branch (femoral nerve) 筋枝(大腿神経)
- **19** femoral artery and vein 大腿動静脈
- **20** anterior branch (obturator nerve) 前枝(閉鎖神経)
- **21** posterior branch (obturator nerve) 後枝(閉鎖神経)
- **22** inferior cluneal nerves 下殿皮神経

1 lateral femoral cutaneous branches 外側大腿皮枝
2 femoral nerve: muscular branches 大腿神経：筋枝
3 anterior cutaneous branches 前皮枝
4 articular branches 関節枝
5 popliteal artery and vein 膝窩動静脈
6 common fibular (peroneal) nerve 総腓骨神経
7 common fibular (peroneal) nerve: articular branch 総腓骨神経：関節枝
8 lateral sural cutaneous nerve 外側腓腹皮神経
9 peroneal nerve: muscular branches 腓骨神経：筋枝
10 superficial peroneal nerve 浅腓骨神経
11 deep peroneal nerve 深腓骨神経
12 fibula 腓骨
13 deep peroneal nerve (anterior) 深腓骨神経(前)
14 sural nerve: lateral calcaneal branches 腓腹神経：外側踵骨枝
15 lateral dorsal cutaneous nerve 外側足背皮神経
16 medial dorsal cutaneous nerve 内側足背皮神経
17 intermediate dorsal cutaneous nerve 中間足背皮神経
18 lateral plantar nerve: deep branch 外側足底神経：深枝
19 dorsal digital nerves 背側指神経
20 tibial nerves 脛骨神経
21 sural nerve 腓腹神経
22 tibial nerve 脛骨神経
23 posterior tibial artery and vein 後脛骨動静脈
24 lateral plantar nerves 外側足底神経
25 medial plantar nerves 内側足底神経
26 proper digital nerves 固有指神経
27 great saphenous vein 大伏在静脈
28 obturator nerve: cutaneous branches 閉鎖神経：皮枝
29 saphenous nerve 伏在神経
30 posterior femoral cutaneous nerve 後大腿皮神経
31 common peroneal nerve 総腓骨神経
32 tibial nerve: muscular branches 脛骨神経：筋枝
33 saphenous nerve: infrapatellar branches 伏在神経：膝蓋下枝
34 medial sural cutaneous nerves 内側腓腹皮神経
35 lateral sural cutaneous nerves 外側腓腹皮神経
36 tibia 脛骨
37 deep peroneal nerve 深腓骨神経
38 superficial peroneal nerve 浅腓骨神経
39 saphenous nerve 伏在神経
40 medial calcaneal branches 内側踵骨枝
41 common digital nerves 総指神経
42 dorsal digital nerves 背側指神経
43 proper digital nerves 固有指神経

PLATE 15: MUSCULAR AND SKELETAL ANATOMY OF ANKLE AND FOOT, ANTERIOR VIEW

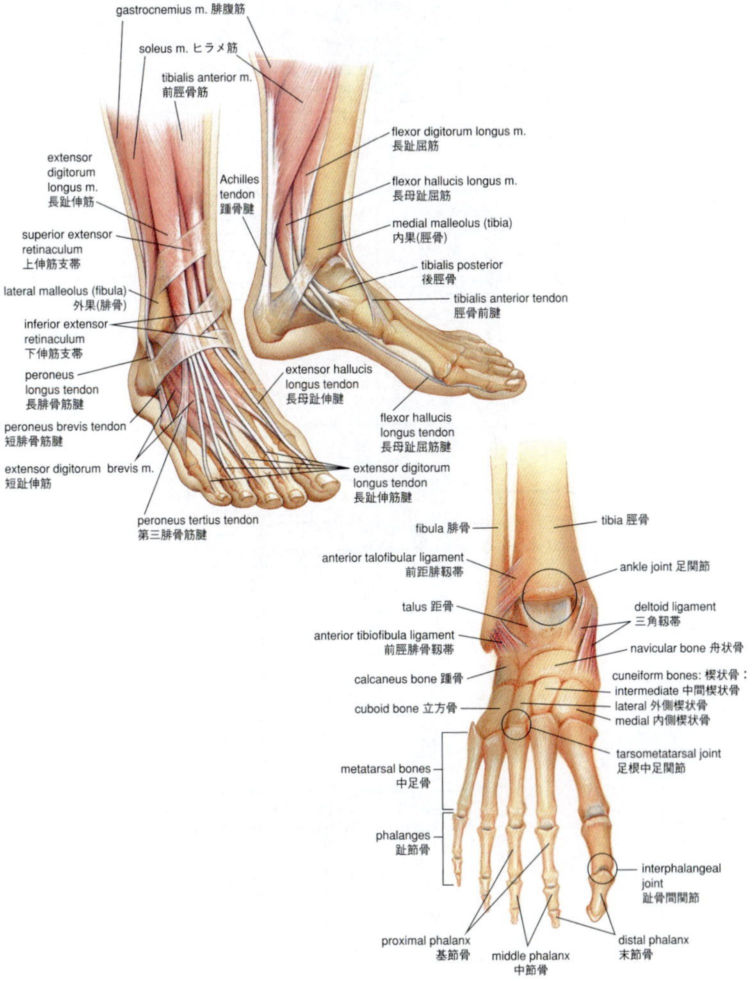

gastrocnemius m. 腓腹筋
soleus m. ヒラメ筋
tibialis anterior m. 前脛骨筋
extensor digitorum longus m. 長趾伸筋
superior extensor retinaculum 上伸筋支帯
lateral malleolus (fibula) 外果(腓骨)
inferior extensor retinaculum 下伸筋支帯
peroneus longus tendon 長腓骨筋腱
peroneus brevis tendon 短腓骨筋腱
extensor digitorum brevis m. 短趾伸筋
peroneus tertius tendon 第三腓骨筋腱
Achilles tendon 踵骨腱
extensor hallucis longus tendon 長母趾伸腱
extensor digitorum longus tendon 長趾伸筋腱
flexor digitorum longus m. 長趾屈筋
flexor hallucis longus m. 長母趾屈筋
medial malleolus (tibia) 内果(脛骨)
tibialis posterior 後脛骨
tibialis anterior tendon 脛骨前腱
flexor hallucis longus tendon 長母趾屈筋腱
fibula 腓骨
tibia 脛骨
anterior talofibular ligament 前距腓靱帯
ankle joint 足関節
talus 距骨
deltoid ligament 三角靱帯
anterior tibiofibula ligament 前脛腓骨靱帯
navicular bone 舟状骨
calcaneus bone 踵骨
cuneiform bones: 楔状骨：
intermediate 中間楔状骨
lateral 外側楔状骨
medial 内側楔状骨
cuboid bone 立方骨
tarsometatarsal joint 足根中足関節
metatarsal bones 中足骨
phalanges 趾節骨
interphalangeal joint 趾骨間関節
proximal phalanx 基節骨
middle phalanx 中節骨
distal phalanx 末節骨

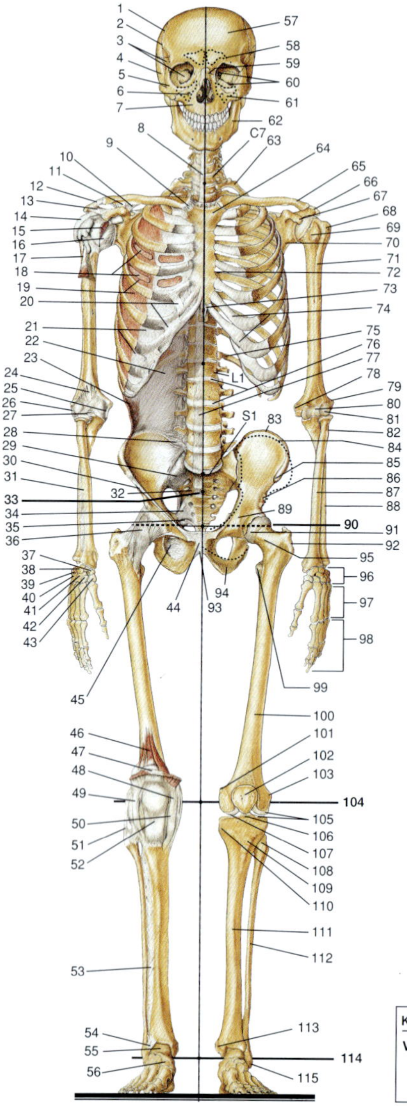
1
2
3
4
5
6
7
8
9
10
11
12
13
14
15
16
17
18
19
20
21
22
23
24
25
26
27
28
29
30
31
32
33
34
35
36
37
38
39
40
41
42
43
44
45
46
47
48
49
50
51
52
53
54
55
56
57
58
59
60
61
62
C7
63
64
65
66
67
68
69
70
71
72
73
74
75
76
77
L1
78
79
80
81
S1
83
82
84
85
86
87
88
89
90
91
92
93
94
95
96
97
98
99
100
101
102
103
104
105
106
107
108
109
110
111
112
113
114
115

Key
Vertebrae 椎骨
C 頸椎
S 仙椎
L 腰椎

1 coronal suture 冠状縫合
2 parietal 頭頂骨
3 sphenoid 蝶形骨
4 temporal 側頭部
5 zygomatic 頬骨
6 infraorbital foramen 眼窩下孔
7 maxilla 上顎骨
8 anterior longitudinal ligament 前縦靱帯
9 anterior sternoclavicular ligament 前胸鎖靱帯
10 superior transverse scapular ligament 上肩甲横靱帯
11 coracoclavicular ligament 烏口鎖骨靱帯
12 acromioclavicular ligament 肩鎖靱帯
13 coracoacromial ligament 烏口肩峰靱帯
14 subdeltoid bursa 三角筋下包
15 subscapularis muscle 肩甲下筋
16 articular capsule 関節包
17 biceps brachii muscle (long head) 上腕二頭筋(長頭)
18 internal intercostal muscles 内肋間筋
19 external intercostal muscles 外肋間筋
20 interchondral ligaments 軟骨間靱帯
21 external intercostal membranes 外肋間膜
22 thoracolumbar fascia 胸腰筋膜
23 transverse muscle of abdomen 腹横筋
24 articular capsule 関節包
25 ulnar collateral ligament 肘関節の内側側副靱帯
26 radial collateral ligament 肘関節の外側側副靱帯
27 anular ligament 輪状靱帯
28 iliolumbar ligament 腸腰靱帯
29 anterior sacroiliac ligament 前仙腸靱帯
30 inguinal ligament 鼡径靱帯
31 interosseous membrane 前腕骨間膜
32 sacrum 仙骨
33 center of gravity 重心
34 sacrospinous ligament 仙棘靱帯
35 sacrotuberal ligament 仙結節靱帯
36 iliofemoral ligament 腸骨大腿靱帯
37 scaphoid 手の舟状骨
38 lunate 月状骨
39 triquetrum 三角骨
40 hamate 有鉤骨
41 capitate 有頭骨
42 trapezoid 小菱形骨
43 trapezium 大菱形骨
44 pubic symphysis 恥骨結合
45 obturator membrane 閉鎖膜
46 articularis genus muscle 膝関節筋
47 quadriceps femoris tendon 大腿四頭筋腱
48 tibial collateral ligament 膝関節の内側側副靱帯
49 lateral patellar retinaculum 外側膝蓋支帯
50 medial patellar retinaculum 内側膝蓋支帯
51 fibular collateral ligament 膝関節の外側側副靱帯
52 patellar ligament 膝蓋靱帯
53 interosseous membrane 下腿骨間膜
54 anterior tibiofibular ligament 前脛腓靱帯
55 talus 距骨
56 medial cuneiform 内側楔状骨
57 frontal 前頭骨
58 outline of frontal sinus 前頭洞の輪郭
59 nasal 鼻骨
60 superior and inferior orbital fissures 上下眼窩裂
61 outline of maxillary sinus 上顎洞の輪郭
62 mandible 下顎骨
63 1st rib 第一肋骨
64 manubrium 胸骨柄
65 clavicle 鎖骨
66 acromion 肩峰
67 coracoid process 烏口突起
68 greater tubercle 大結節
69 lesser tubercle 小結節
70 scapula 肩甲骨
71 humerus 上腕骨
72 sternum 胸骨
73 xiphoid process 剣状突起
74 costal cartilages 肋軟骨
75 12th rib 第十二肋骨
76 intervertebral discs 椎間円板
77 anterior longitudinal ligament 前縦靱帯
78 medial epicondyle 内側上顆
79 lateral epicondyle 外側上顆
80 trochlea 滑車
81 capitulum 小頭
82 radial tuberosity 橈骨粗面
83 ilium 腸骨
84 outline of female pelvis 女性骨盤の輪郭
85 anterior superior iliac spine 上前腸骨棘
86 anterior inferior iliac spine 下前腸骨棘
87 radius 橈骨
88 ulna 尺骨
89 pubis 恥骨
90 transverse axis 横軸
91 head of femur 大腿骨頭
92 greater trochanter 大転子
93 arcuate pubic ligament 恥骨弓靱帯
94 ischium 坐骨
95 neck of femur 大腿骨頸
96 carpals 手根骨
97 metacarpals 中手骨
98 phalanges 指節骨
99 lesser trochanter 小転子
100 femur 大腿骨
101 medial epicondyle 内側上顆
102 patella 膝蓋
103 lateral epicondyle 外側上顆
104 transverse axis 横軸
105 lateral condyle of femur and tibia 大腿骨・脛骨外側顆
106 intercondylar eminence 顆間隆起
107 medial condyle of femur 大腿骨内側顆
108 head of fibula 腓骨頭
109 tibial tuberosity 脛骨粗面
110 medial condyle of tibia 脛骨内側顆
111 tibia 脛骨
112 fibula 腓骨
113 medial malleolus 内果
114 transverse axis 横軸
115 lateral malleolus 外果

PLATE 17: SKELETAL ANATOMY, POSTERIOR VIEW

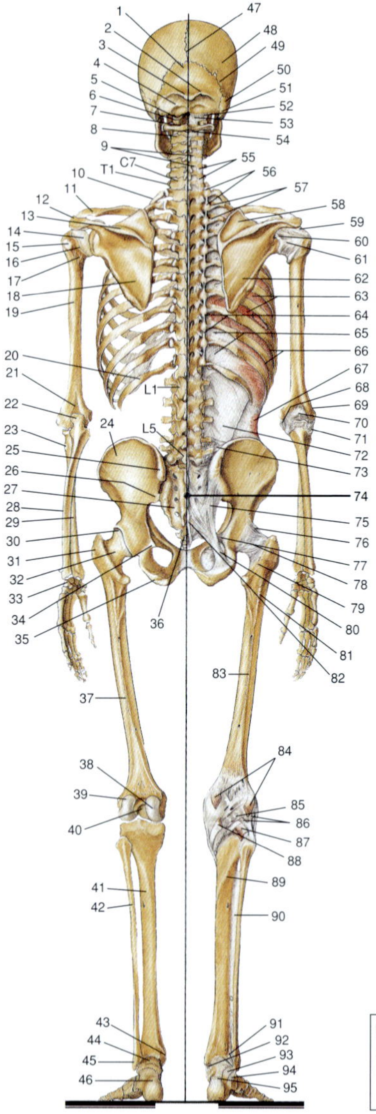
1
2
3
4
5
6
7
8
9
C7
T1
10
11
12
13
14
15
16
17
18
19
20
21
22
23
24
25
26
27
28
29
30
31
32
33
34
35
36
37
38
39
40
41
42
43
44
45
46
L1
L5
47
48
49
50
51
52
53
54
55
56
57
58
59
60
61
62
63
64
65
66
67
68
69
70
71
72
73
74
75
76
77
78
79
80
81
82
83
84
85
86
87
88
89
90
91
92
93
94
95

Key

Vertebrae 椎骨
- **C** 頸椎
- **T** 仙椎
- **L** 腰椎

1 occipital 後頭骨
2 superior nuchal line 上項線
3 external occipital protuberance 外後頭隆起
4 inferior nuchal line 下項線
5 occipital condyle 後頭顆
6 superior articular process 上関節突起
7 atlas (C1) 環椎(第一頸椎)
8 axis (C2) 軸椎(第二頸椎)
9 ligamenta flava 黄色靱帯
10 1st rib 第一肋骨
11 clavicle 鎖骨
12 acromion 肩峰
13 spine of scapula 肩甲棘
14 head of humerus 上腕骨頭
15 greater tubercle 大結節
16 anatomic neck 解剖頸
17 surgical neck 外科頸
18 scapula 肩甲骨
19 humerus 上腕骨
20 12th rib 第十二肋骨
21 olecranon fossa 肘頭窩
22 olecranon 肘頭
23 radial tuberosity 橈骨粗面
24 ilium 腸骨
25 posterior superior iliac spine 上後腸骨棘
26 posterior inferior iliac spine 下後腸骨棘
27 sacrum 仙骨
28 ulna 尺骨
29 radius 橈骨
30 head of femur 大腿骨頭
31 greater trochanter 大転子
32 neck of femur 大腿骨頸
33 pisiform 豆状骨
34 ischial spine 坐骨棘
35 ischial tuberosity 坐骨結節
36 coccyx 尾骨
37 femur 大腿骨
38 medial condyle of femur 大腿骨内側顆
39 lateral condyle of femur 大腿骨外側顆
40 intercondylar fossa 顆間窩
41 tibia 脛骨
42 fibula 腓骨
43 medial malleolus 内果
44 talus 距骨
45 lateral malleolus 外果
46 calcaneus 踵骨
47 sagittal suture 矢状縫合
48 parietal 頭頂骨
49 lambdoid suture ラムダ状縫合
50 temporal 側頭骨
51 mastoid process 乳様突起
52 articular capsule 関節包
53 posterior atlanto-occipital membrane 後環椎後頭膜
54 posterior atlantoaxial membrane 後環軸膜
55 articular capsules 関節包
56 transverse processes 横突起
57 lateral costotransverse ligaments 外側肋横突靱帯
58 supraspinous fossa 棘上窩
59 coracohumeral ligament 烏口上腕靱帯
60 inferior transverse scapular ligament 下肩甲横靱帯
61 articular capsule 関節包
62 infraspinous fossa 棘下窩
63 internal intercostal muscles 内肋間筋
64 intertransverse ligaments 横突間靱帯
65 internal intercostal membrane 内肋間膜
66 external intercostal muscles 外肋間筋
67 transverse muscle of abdomen 腹横筋
68 ulnar collateral ligament 肘関節の内側側副靱帯
69 lateral epicondyle 外側上顆
70 articular capsule 関節包
71 radial collateral ligament 肘関節の外側側副靱帯
72 thoracolumbar fascia (anterior layer) 胸腰筋膜(前層)
73 iliolumbar ligament 腸腰靱帯
74 center of gravity 重心
75 posterior sacroiliac ligament 後仙腸靱帯
76 iliofemoral ligament 腸骨大腿靱帯
77 sacrospinous ligament 仙棘靱帯
78 ischiofemoral ligament 坐骨大腿靱帯
79 intertrochanteric crest 転子間稜
80 sacrotuberal ligament 仙結節靱帯
81 gluteal tuberosity 殿筋粗面
82 dorsal sacrococcygeal ligament 背側仙尾骨靱帯
83 linea aspera 粗線
84 gastrocnemius muscle 腓腹筋
85 oblique popliteal ligament 斜膝窩靱帯
86 arcuate popliteal ligament 弓状膝窩靱帯
87 popliteus muscle 膝窩筋
88 semimembranosus muscle 半膜様筋
89 soleal line ヒラメ筋線
90 interosseous membrane 下腿骨間膜
91 posterior tibiofibular ligament 後脛腓靱帯
92 deltoid ligament 三角靱帯
93 posterior talofibular ligament 後距腓靱帯
94 calcaneofibular ligament 踵腓靱帯
95 calcaneal tendon 踵骨腱

PLATE 18: MUSCULAR SYSTEM, ANTERIOR VIEW

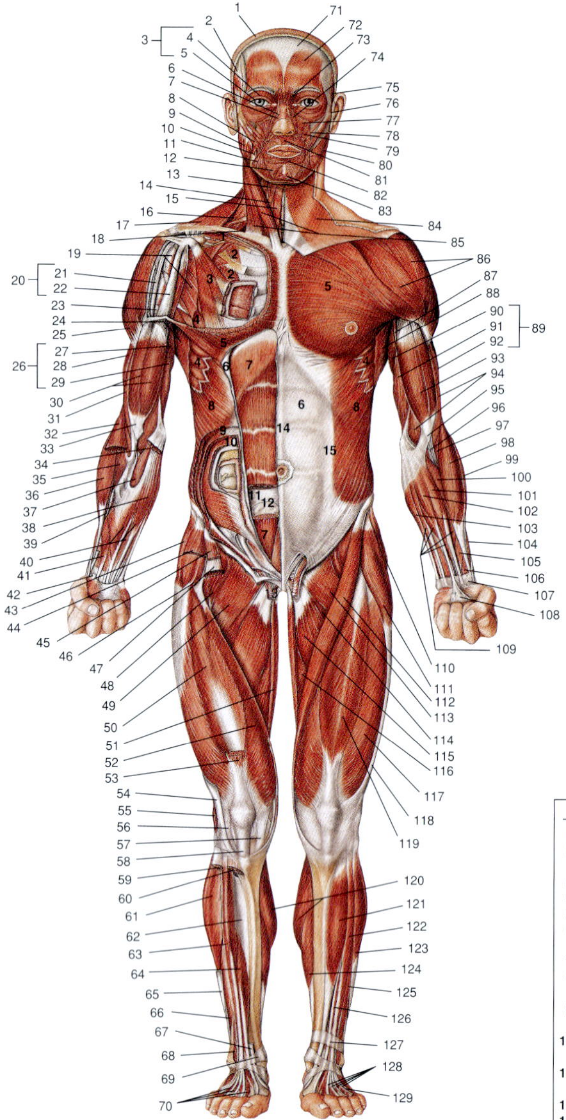

Key

l.	ligament
ll.	ligaments
m.	muscle
mm.	muscles
t.	tendon
tt.	tendons

1 subclavius m. 鎖骨下筋
2 external intercostal mm. 外肋間筋
3 pectoralis minor m. 小胸筋
4 serratus anterior m. 前鋸筋
5 pectoralis major m. 大胸筋
6 rectus sheath (anterior layer) 腹直筋鞘(前層)
7 rectus abdominis m. 腹直筋
8 external abdominal oblique m. 外腹斜筋
9 internal abdominal oblique m. 内腹斜筋
10 transversus abdominis m. 腹横筋
11 rectus sheath (posterior layer) 腹直筋鞘(後層)
12 arcuate line 分界線
13 cremaster m. 挙睾筋
14 linea alba 白線
15 aponeurosis of external abdominal oblique m. 外腹斜筋腱膜

1 skin 皮膚
2 temporalis m. 側頭筋
3 orbicularis oculi muscle 眼輪筋
4 orbital part 眼窩部
5 palpebral part 眼瞼部
6 procerus m. 鼻根筋
7 nasalis m. 鼻筋
8 zygomaticus major m. 大頬骨筋
9 masseter m. 咬筋
10 buccinator m. 頬筋
11 depressor anguli oris m. 口角下制筋
12 depressor labii inferioris m. 下唇下制筋
13 thyrohyoid m. 甲状舌骨筋
14 omohyoid muscle (superior belly) 肩甲舌骨筋(上腹)
15 sternohyoid m. 胸骨舌骨筋
16 levator scapulae m. 肩甲挙筋
17 trapezius m. 僧帽筋
18 scalenus medius m. 中斜角筋
19 subscapular m. 肩甲下筋
20 biceps brachii muscle 上腕二頭筋
21 long head 長頭
22 short head 短頭
23 teres major m. 大円筋
24 latissimus dorsi m. 広背筋
25 deltoid m. 三角筋
26 triceps brachii muscle 上腕三頭筋
27 long head 長頭
28 lateral head 外側頭
29 medial head 内側頭
30 biceps brachii m. 上腕二頭筋
31 brachialis m. 上腕筋
32 brachioradialis m. 腕橈骨筋
33 bicipital aponeurosis 二頭筋腱膜
34 flexor carpi radialis 橈側手根屈筋
35 supinator m. 回外筋
36 extensor carpi radialis longus m. 長橈側手根伸筋
37 flexor digitorum profundus m. 深指屈筋
38 flexor carpi ulnaris m. 尺側手根屈筋
39 pronator teres m. 円回内筋
40 flexor digitorum superficialis m. 浅指屈筋
41 flexor pollicis longus m. 長母指屈筋
42 flexor carpi radialis t. 橈側手根屈筋腱
43 gluteus medius m. 中殿筋
44 tensor fasciae latae m. 大腿筋膜張筋
45 sartorius m. 縫工筋
46 gluteus minimus m. 小殿筋
47 rectus femoris m. 大腿直筋
48 iliopsoas m. 腸腰筋
49 pectineus m. 恥骨筋
50 vastus intermedius m. 中間広筋
51 gracilis m. 大腿薄筋
52 vastus medialis m. 内側広筋
53 rectus femoris m. 大腿直筋
54 iliotibial tract 腸脛靱帯
55 biceps femoris m. 大腿二頭筋
56 lateral patellar retinaculum 外側膝蓋支帯
57 medial patellar retinaculum 内側膝蓋支帯
58 patellar l. 膝蓋靱帯
59 peroneus longus m. 長腓骨筋
60 tibialis anterior m. 前脛骨筋
61 soleus m. ヒラメ筋
62 interosseous membrane 下腿骨間膜
63 extensor digitorum longus m. 長趾(指)伸筋
64 extensor hallucis longus m. 長母趾(指)伸筋
65 peroneus longus t. 長腓骨筋腱
66 peroneus brevis m. 短腓骨筋
67 tibialis anterior t. 脛骨前腱
68 peroneus tertius m. 第三腓骨筋
69 inferior extensor retinaculum 下伸筋支帯
70 extensor digitorum brevis m. 短指伸筋
71 galea aponeurotica 帽状腱膜
72 frontalis m. 前頭筋
73 corrugator supercilii m. 皺眉筋
74 levator labii superioris alaeque nasi m. 上唇鼻翼挙筋
75 auricularis muscles: superior 上耳介筋
76 auricularis muscles: anterior 前耳介筋
77 levator labii superioris m. 上唇挙筋
78 zygomaticus minor m. 小頬骨筋
79 levator anguli oris m. 口角挙筋
80 risorius m. 笑筋
81 depressor septi m. 鼻中隔下制筋
82 orbicularis oris m. 口輪筋
83 mentalis m. おとがい筋
84 platysma m. 広頸筋
85 sternocleidomastoid m. 胸鎖乳突筋
86 deltoid m. 三角筋
87 coracobrachialis m. 烏口腕筋
88 latissimus dorsi m. 広背筋
89 triceps brachii muscle 上腕三頭筋
90 long head 長頭
91 medial head 内側頭
92 lateral head 外側頭
93 biceps brachii m. 上腕二頭筋
94 brachialis m. 上腕筋
95 bicipital aponeurosis 二頭筋腱膜
96 biceps brachii t. 上腕二頭筋腱
97 supinator m. 回外筋
98 brachioradialis m. 腕橈骨筋
99 extensor carpi radialis longus m. 長橈側手根伸筋
100 pronator teres m. 円回内筋
101 flexor carpi radialis m. 橈側手根屈筋
102 flexor carpi ulnaris m. 尺側手根屈筋
103 palmaris longus m. 長掌筋
104 abductor pollicis longus m. 長母指外転筋
105 flexor pollicis longus m. 長母指屈筋
106 pronator quadratus m. 方形回内筋
107 flexor retinaculum 屈筋支帯
108 palmar aponeurosis 手掌腱膜
109 flexor digitorum superficialis m. 浅指屈筋
110 gluteus medius m. 中殿筋
111 tensor fasciae latae m. 大腿筋膜張筋
112 sartorius m. 縫工筋
113 pectineus m. 恥骨筋
114 adductor brevis muscle 短内転筋
115 adductor longus muscle 長内転筋
116 adductor magnus muscle 大内転筋
117 vastus lateralis m. 外側広筋
118 iliotibial tract 腸脛靱帯
119 rectus femoris m. 大腿直筋
120 gastrocnemius m. 腓腹筋
121 tibialis anterior m. 前脛骨筋
122 extensor digitorum longus m. 長趾(指)伸筋
123 peroneus longus m. 長腓骨筋
124 soleus m. ヒラメ筋
125 peroneus brevis m. 短腓骨筋
126 extensor hallucis longus m. 長母趾(指)伸筋
127 superior extensor retinaculum 上伸筋支帯
128 extensor digitorum longus m. 長趾(指)伸筋
129 peroneus tertius t. 第三腓骨筋腱

PLATE 19: MUSCULAR SYSTEM, POSTERIOR VIEW

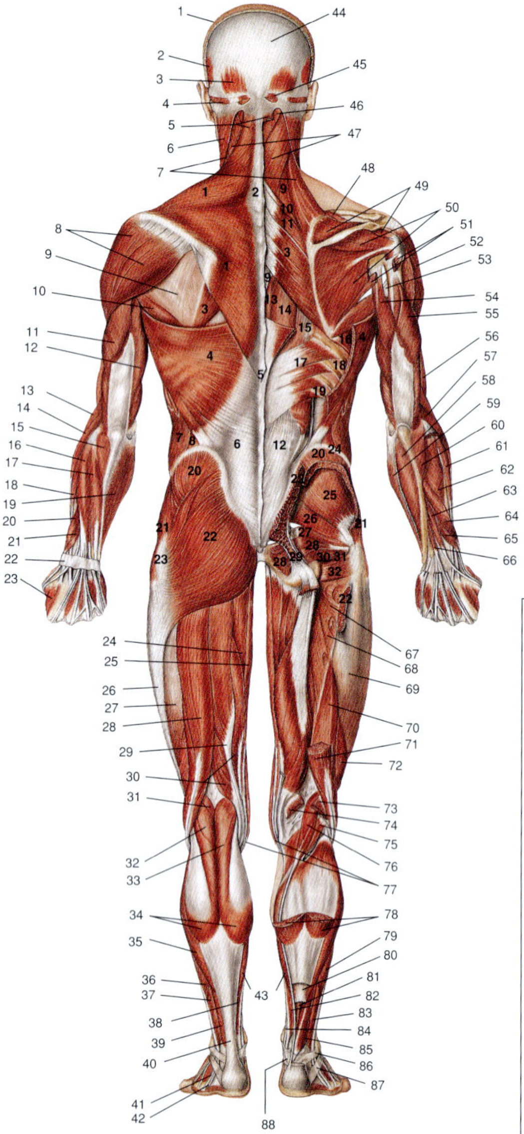
1–43
44–88

Key

l. ligament
ll. ligaments
m. muscle
mm. muscles
t. tendon
tt. tendons

1 trapezius m. 僧帽筋
2 spine of C7 第七頸椎棘突起
3 rhomboid major m. 大菱形筋
4 latissimus dorsi m. 広背筋
5 spine of T12 第十二胸椎棘突起
6 thoracolumbar fascia 胸腰筋膜
7 external abdominal oblique m. 外腹斜筋
8 internal abdominal oblique m. 内腹斜筋
9 splenius cervicis m. 頸板状筋
10 serratus posterior superior m. 上後鋸筋
11 rhomboid minor m. 小菱形筋
12 erector spinae mm. 脊柱起立筋
13 spinalis thoracis m. 胸棘筋
14 longissimus thoracis m. 胸最長筋
15 iliocostalis lumborum m. 腰腸肋筋
16 serratus anterior m. 前鋸筋
17 serratus posterior inferior m. 下後鋸筋
18 external intercostal m. 外肋間筋
19 12th rib 第十二肋骨
20 gluteus medius m. 中殿筋
21 tensor fasciae latae m. 大腿筋膜張筋
22 gluteus maximus m. 大殿筋
23 greater trochanter 大転子
24 iliac crest 腸骨稜
25 gluteus minimus m. 小殿筋
26 piriformis m. 梨状筋
27 superior gemellus m. 上双子筋
28 obturator internus m. 内閉鎖筋
29 sacrotuberal l. 仙結節靱帯
30 inferior gemellus m. 下双子筋
31 obturator externus m. 外閉鎖筋
32 quadratus femoris m. 足底方形筋

1 skin 皮膚
2 superior auricular m. 上耳介筋
3 occipitalis m. 後頭筋
4 posterior auricular m. 後耳介筋
5 trapezius m. 僧帽筋
6 sternocleidomastoid m. 胸鎖乳突筋
7 levator scapulae m. 肩甲挙筋
8 deltoid m. 三角筋
9 infraspinatus m. (covered by fascia) 棘下筋(筋膜におおわれている)
10 teres major m. 大円筋
11 triceps brachii muscle: lateral head 上腕三頭筋：外側頭
12 triceps brachii muscle: long head 上腕三頭筋：長頭
13 brachioradialis m. 腕橈骨筋
14 extensor carpi radialis longus m. 長橈側手根伸筋
15 anconeus m. 肘筋
16 extensor digitorum m. 指伸筋
17 extensor carpi ulnaris m. 尺側手根伸筋
18 extensor carpi radialis brevis m. 短橈側手根伸筋
19 flexor carpi ulnaris m. 尺側手根屈筋
20 abductor pollicis longus m. 長母指外転筋
21 extensor pollicis brevis m. 短母指伸筋
22 extensor retinaculum 伸筋支帯
23 dorsal interosseous m. 背側骨間筋
24 adductor magnus m. 大内転筋
25 gracilis m. 大腿薄筋
26 iliotibial tract 腸脛靱帯
27 vastus lateralis m. 外側広筋
28 biceps femoris m. 大腿二頭筋
29 semitendinosus m. 半腱様筋
30 semimembranosus m. 半膜様筋
31 plantaris m. 足底筋
32 gastrocnemius muscle: lateral head 腓腹筋：外側頭
33 gastrocnemius muscle: medial head 腓腹筋：内側頭
34 gastrocnemius m. 腓腹筋
35 soleus m. ヒラメ筋
36 peroneus muscles: longus 長腓骨筋
37 peroneus muscles: brevis 短腓骨筋
38 flexor digitorum longus mm. 長趾(指)屈筋
39 flexor hallucis longus m. 長母趾(指)屈筋
40 calcaneal t. 踵骨腱
41 peroneus tendons: brevis 短腓骨筋腱
42 peroneus tendons: longus 長腓骨筋腱
43 soleus mm. ヒラメ筋
44 galea aponeurotica 帽状腱膜
45 occipitalis minor m. 小後頭筋
46 semispinalis capitis m. 頭半棘筋
47 splenius capitis m. 頭板状筋
48 omohyoid muscle (inferior belly) 肩甲舌骨筋(下腹)
49 supraspinatus m. 棘上筋
50 infraspinatus m. 棘下筋
51 teres minor m. 小円筋
52 deltoid m. 三角筋
53 teres major m. 大円筋
54 triceps brachii muscle: long head 上腕三頭筋：長頭
55 triceps brachii muscle: lateral head 上腕三頭筋：外側頭
56 brachialis m. 上腕筋
57 extensor carpi radialis longus m. 長橈側手根伸筋
58 flexor digitorum profundus m. 深指屈筋
59 flexor carpi ulnaris m. 尺側手根屈筋
60 anconeus m. 肘筋
61 extensor carpi radialis brevis m. 短橈側手根伸筋
62 supinator m. 回外筋
63 extensor pollicis longus m. 長母指伸筋
64 abductor pollicis longus m. 長母指外転筋
65 extensor pollicis brevis m. 短母指伸筋
66 extensor indicis m. 示指伸筋
67 adductor muscles: minimus 小内転筋
68 adductor muscles: magnus 大内転筋
69 vastus lateralis m. 外側広筋
70 biceps femoris muscle: short head 大腿二頭筋：短頭
71 biceps femoris muscle: long head 大腿二頭筋：長頭
72 vastus lateralis m. 外側広筋
73 gastrocnemius muscle: lateral head 腓腹筋：外側頭
74 gastrocnemius muscle: medial head 腓腹筋：内側頭
75 popliteus m. 膝窩筋
76 plantaris m. 足底筋
77 sartorius mm. 縫工筋
78 gastrocnemius m. 腓腹筋
79 peroneus longus m. 長腓骨筋
80 aponeurosis of soleus m. ヒラメ筋の腱膜
81 tibialis posterior m. 後脛骨筋
82 flexor digitorum longus mm. 長趾(指)屈筋
83 peroneus brevis m. 短腓骨筋
84 tibialis posterior t. 後脛骨腱
85 flexor hallucis longus m. 長母趾(指)屈筋
86 superior peroneal retinaculum 上腓骨筋支帯
87 inferior peroneal retinaculum 下腓骨筋支帯
88 flexor retinaculum 屈筋支帯

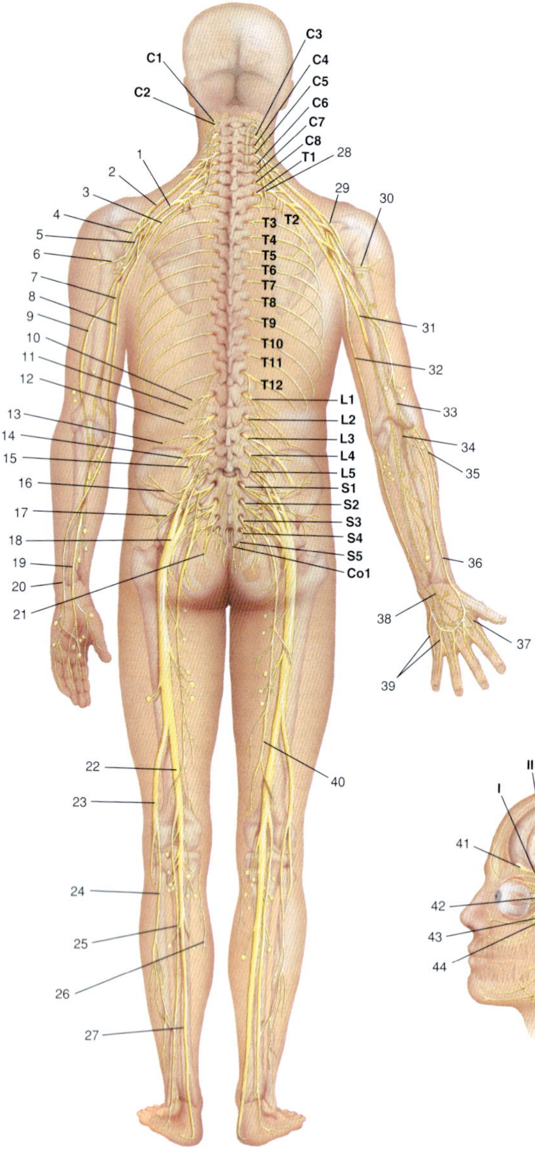
C1
C2
C3
C4
C5
C6
C7
C8
T1
28
1
2
3
4
5
6
7
8
9
10
11
12
13
14
15
16
17
18
19
20
21
29
30
T2
T3
T4
T5
T6
T7
T8
T9
T10
T11
T12
31
32
L1
L2
L3
L4
L5
S1
S2
S3
S4
S5
Co1
33
34
35
36
37
38
39
22
23
24
25
26
27
40

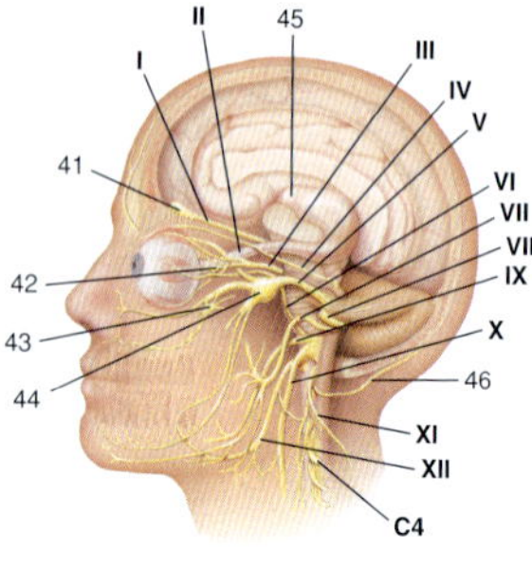
I
II
45
III
IV
V
VI
VII
VIII
IX
X
41
42
43
44
46
XI
XII
C4

1 posterior cord 後神経束
2 lateral cord 外側神経束
3 medial cord 内側神経束
4 musculocutaneous nerve 筋皮神経
5 median nerve 正中神経
6 axillary nerve 腋窩神経
7 median nerve 正中神経
8 ulnar nerve 尺骨神経
9 radial nerve 橈骨神経
10 iliohypogastric nerve 腸骨下腹神経
11 ilioinguinal nerve 腸骨鼡径神経
12 genitofemoral nerve 陰部大腿神経
13 lateral femoral cutaneous nerve 外側大腿皮神経
14 femoral nerve 大腿神経
15 obturator nerve 閉鎖神経
16 superior gluteal nerve 上殿神経
17 inferior gluteal nerve 下殿神経
18 sciatic nerve 坐骨神経
19 median nerve 正中神経
20 ulnar nerve 尺骨神経
21 pudendal nerve 陰部神経
22 tibial nerve 脛骨神経
23 common fibular nerve (peroneal) 総腓骨神経(腓骨)
24 lateral cutaneous sural nerve 外側腓腹皮神経
25 medial cutaneous sural nerve 内側腓腹皮神経
26 saphenous nerve 伏在神経
27 tibial nerve 脛骨神経
28 long thoracic nerve 長胸神経
29 musculocutaneous nerve 筋皮神経
30 axillary nerve 腋窩神経
31 median nerve 正中神経
32 ulnar nerve 尺骨神経
33 radial nerve 橈骨神経
34 deep branch of radial nerve 橈骨神経の深枝
35 lateral cutaneous nerve of forearm 外側前腕皮神経
36 superficial branch of radial nerve 橈骨神経の浅枝
37 dorsal digital nerve 背側指神経
38 median nerve 正中神経
39 ulnar nerve 尺骨神経
40 posterior femoral cutaneous nerve 後大腿皮神経
41 olfactory bulb 嗅球
42 ciliary ganglion 毛様体神経節
43 pterygopalatine ganglion 翼口蓋神経節
44 trigeminal ganglion 三叉神経節
45 thalamus 視床
46 greater occipital nerve 大後頭神経

Key

Peripheral nerve origins 末梢神経起源

C5, C6	axillary nerve 腋窩神経
L4, L5, S1, S2	common fibular (peroneal) nerve 総腓骨神経
L2, L3, L4	femoral nerve 大腿神経
L1, L2	genitofemoral nerve 陰部大腿神経
L1	iliohypogastric nerve 腸骨下腹神経
L1	ilioinguinal nerve 腸骨鼡径神経
L5, S1, L2	inferior gluteal nerve 下殿神経
C5, C6, C7	lateral cord 外側神経束
L2, L3	lateral femoral cutaneous nerve 外側大腿皮神経
C5, C6, C7	long thoracic nerve 長胸神経
C8, T1	medial cord 内側神経束
C6, C7, C8, T1	median nerve 正中神経
C5, C6, C7	musculocutaneous nerve 筋皮神経
L2, L3, L4	obturator nerve 閉鎖神経
C5, C6, C7, C8, T1	posterior cord 後神経束
S1, S2, S3	posterior femoral cutaneous nerve 後大腿皮神経
S2, S3, S4	pudendal nerve 陰部神経
C5, C6, C7, C8	radial nerve 橈骨神経
L4, L5, S1, S2, S3	sciatic nerve 坐骨神経
C6, C7, C8	superficial branch of radial nerve 橈骨神経の浅枝
L4, L5, S1	superior gluteal nerve 上殿神経
L4, L5, S1, S2, S3	tibial nerve 脛骨神経
C8, T1	ulnar nerve 尺骨神経

Key

Cranial nerves 脳神経

I olfactory nerve 嗅神経
II optic nerve 視神経
III oculomotor nerve 動眼神経
IV trochlear nerve 滑車神経
V trigeminal nerve 三叉神経
VI abducens nerve 外転神経
VII facial nerve 顔面神経
VIII vestibulocochlear nerve 内耳神経
IX glossopharyngeal nerve 舌咽神経
X vagus nerve 迷走神経
XI accessory nerve 副神経
XII hypoglossal nerve 舌下神経

PLATE 21: ARTERIAL SYSTEM, ANTERIOR VIEW

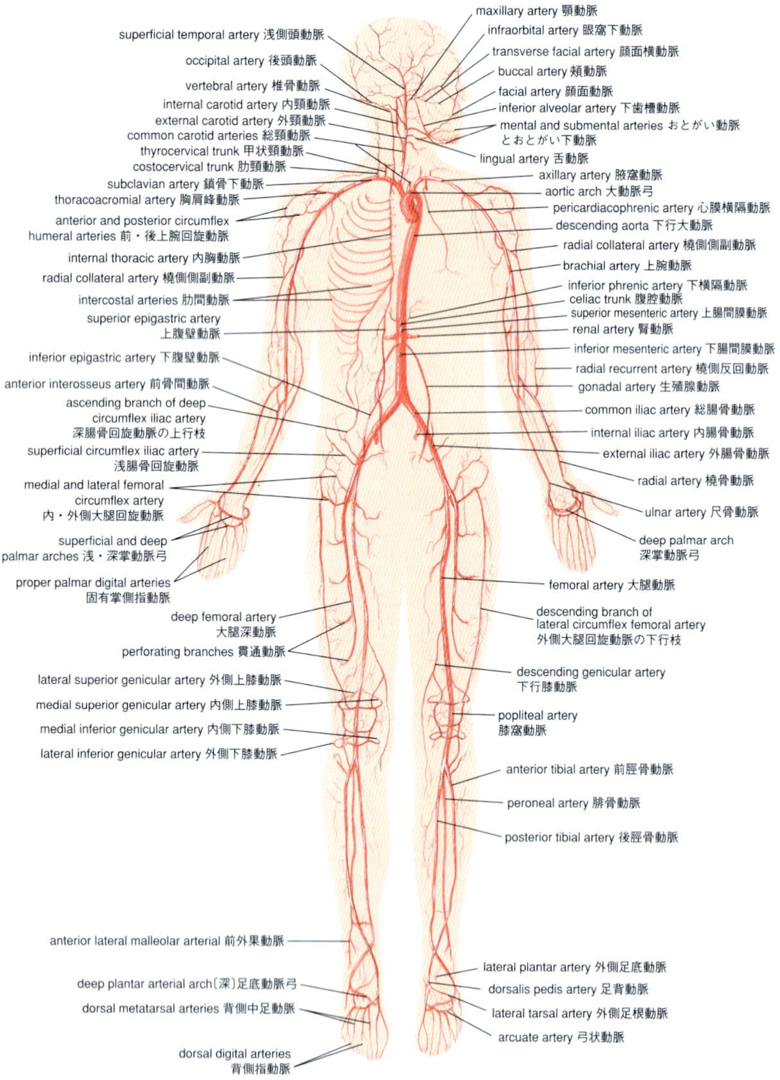

superficial temporal artery 浅側頭動脈
occipital artery 後頭動脈
vertebral artery 椎骨動脈
internal carotid artery 内頸動脈
external carotid artery 外頸動脈
common carotid arteries 総頸動脈
thyrocervical trunk 甲状頸動脈
costocervical trunk 肋頸動脈
subclavian artery 鎖骨下動脈
thoracoacromial artery 胸肩峰動脈
anterior and posterior circumflex humeral arteries 前・後上腕回旋動脈
internal thoracic artery 内胸動脈
radial collateral artery 橈側側副動脈
intercostal arteries 肋間動脈
superior epigastric artery 上腹壁動脈
inferior epigastric artery 下腹壁動脈
anterior interosseus artery 前骨間動脈
ascending branch of deep circumflex iliac artery 深腸骨回旋動脈の上行枝
superficial circumflex iliac artery 浅腸骨回旋動脈
medial and lateral femoral circumflex artery 内・外側大腿回旋動脈
superficial and deep palmar arches 浅・深掌動脈弓
proper palmar digital arteries 固有掌側指動脈
deep femoral artery 大腿深動脈
perforating branches 貫通動脈
lateral superior genicular artery 外側上膝動脈
medial superior genicular artery 内側上膝動脈
medial inferior genicular artery 内側下膝動脈
lateral inferior genicular artery 外側下膝動脈
anterior lateral malleolar arterial 前外果動脈
deep plantar arterial arch〔深〕足底動脈弓
dorsal metatarsal arteries 背側中足動脈
dorsal digital arteries 背側指動脈
maxillary artery 顎動脈
infraorbital artery 眼窩下動脈
transverse facial artery 顔面横動脈
buccal artery 頬動脈
facial artery 顔面動脈
inferior alveolar artery 下歯槽動脈
mental and submental arteries おとがい動脈 とおとがい下動脈
lingual artery 舌動脈
axillary artery 腋窩動脈
aortic arch 大動脈弓
pericardiacophrenic artery 心膜横隔動脈
descending aorta 下行大動脈
radial collateral artery 橈側側副動脈
brachial artery 上腕動脈
inferior phrenic artery 下横隔動脈
celiac trunk 腹腔動脈
superior mesenteric artery 上腸間膜動脈
renal artery 腎動脈
inferior mesenteric artery 下腸間膜動脈
radial recurrent artery 橈側反回動脈
gonadal artery 生殖腺動脈
common iliac artery 総腸骨動脈
internal iliac artery 内腸骨動脈
external iliac artery 外腸骨動脈
radial artery 橈骨動脈
ulnar artery 尺骨動脈
deep palmar arch 深掌動脈弓
femoral artery 大腿動脈
descending branch of lateral circumflex femoral artery 外側大腿回旋動脈の下行枝
descending genicular artery 下行膝動脈
popliteal artery 膝窩動脈
anterior tibial artery 前脛骨動脈
peroneal artery 腓骨動脈
posterior tibial artery 後脛骨動脈
lateral plantar artery 外側足底動脈
dorsalis pedis artery 足背動脈
lateral tarsal artery 外側足根動脈
arcuate artery 弓状動脈

PLATE 22: VENOUS SYSTEM, ANTERIOR VIEW

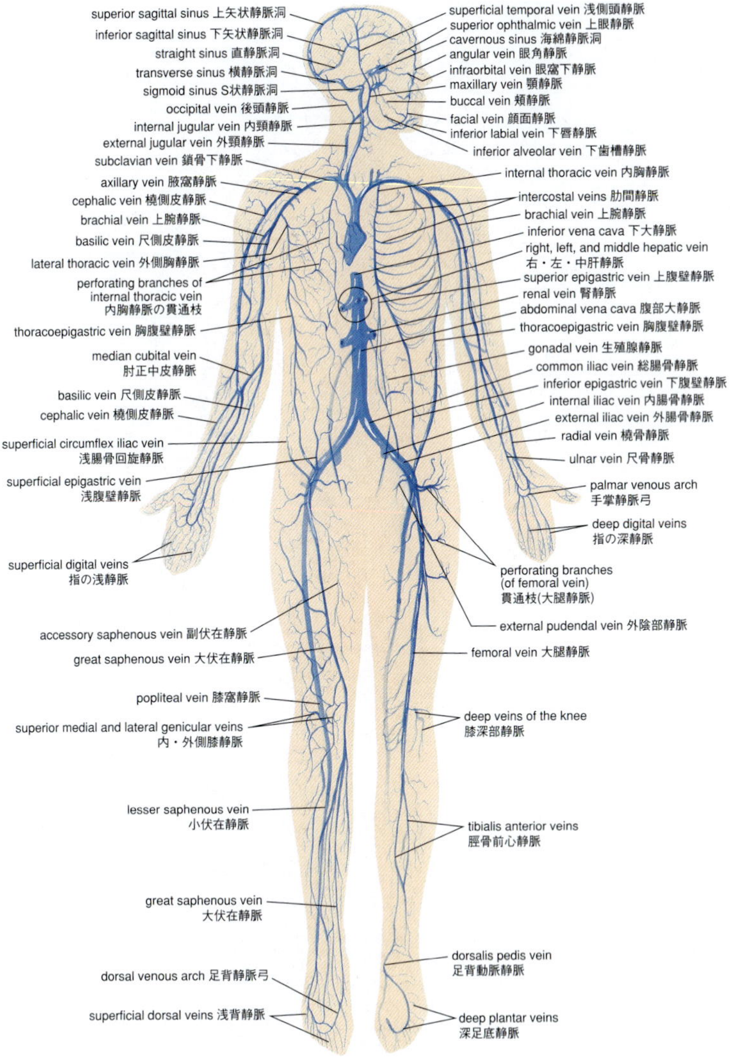
superior sagittal sinus 上矢状静脈洞
inferior sagittal sinus 下矢状静脈洞
straight sinus 直静脈洞
transverse sinus 横静脈洞
sigmoid sinus S状静脈洞
occipital vein 後頭静脈
internal jugular vein 内頸静脈
external jugular vein 外頸静脈
subclavian vein 鎖骨下静脈
axillary vein 腋窩静脈
cephalic vein 橈側皮静脈
brachial vein 上腕静脈
basilic vein 尺側皮静脈
lateral thoracic vein 外側胸静脈
perforating branches of internal thoracic vein 内胸静脈の貫通枝
thoracoepigastric vein 胸腹壁静脈
median cubital vein 肘正中皮静脈
basilic vein 尺側皮静脈
cephalic vein 橈側皮静脈
superficial circumflex iliac vein 浅腸骨回旋静脈
superficial epigastric vein 浅腹壁静脈
superficial digital veins 指の浅静脈
accessory saphenous vein 副伏在静脈
great saphenous vein 大伏在静脈
popliteal vein 膝窩静脈
superior medial and lateral genicular veins 内・外側膝静脈
lesser saphenous vein 小伏在静脈
great saphenous vein 大伏在静脈
dorsal venous arch 足背静脈弓
superficial dorsal veins 浅背静脈
superficial temporal vein 浅側頭静脈
superior ophthalmic vein 上眼静脈
cavernous sinus 海綿静脈洞
angular vein 眼角静脈
infraorbital vein 眼窩下静脈
maxillary vein 顎静脈
buccal vein 頬静脈
facial vein 顔面静脈
inferior labial vein 下唇静脈
inferior alveolar vein 下歯槽静脈
internal thoracic vein 内胸静脈
intercostal veins 肋間静脈
brachial vein 上腕静脈
inferior vena cava 下大静脈
right, left, and middle hepatic vein 右・左・中肝静脈
superior epigastric vein 上腹壁静脈
renal vein 腎静脈
abdominal vena cava 腹部大静脈
thoracoepigastric vein 胸腹壁静脈
gonadal vein 生殖腺静脈
common iliac vein 総腸骨静脈
inferior epigastric vein 下腹壁静脈
internal iliac vein 内腸骨静脈
external iliac vein 外腸骨静脈
radial vein 橈骨静脈
ulnar vein 尺骨静脈
palmar venous arch 手掌静脈弓
deep digital veins 指の深静脈
perforating branches (of femoral vein) 貫通枝(大腿静脈)
external pudendal vein 外陰部静脈
femoral vein 大腿静脈
deep veins of the knee 膝深部静脈
tibialis anterior veins 脛骨前心静脈
dorsalis pedis vein 足背動脈静脈
deep plantar veins 深足底静脈

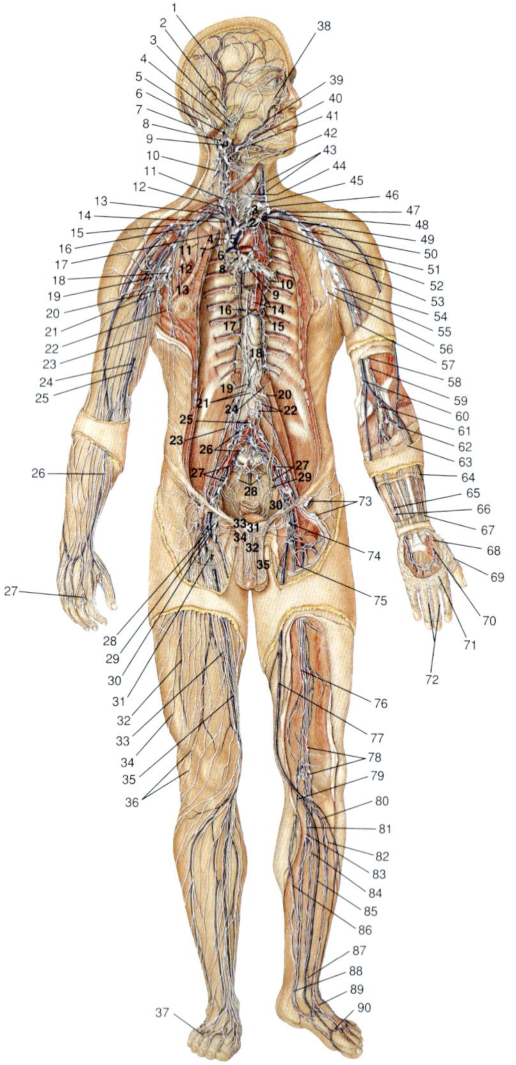
1
2
3
4
5
6
7
8
9
10
11
12
13
14
15
16
17
18
19
20
21
22
23
24
25
26
27
28
29
30
31
32
33
34
35
36
37
38
39
40
41
42
43
44
45
46
47
48
49
50
51
52
53
54
55
56
57
58
59
60
61
62
63
64
65
66
67
68
69
70
71
72
73
74
75
76
77
78
79
80
81
82
83
84
85
86
87
88
89
90

1 superficial temporal artery and vein 浅側頭動静脈
2 anterior auricular nodes 前方洞房結節
3 superficial parotid nodes 浅耳下腺リンパ節
4 deep parotid node 深耳下腺リンパ節
5 posterior auricular nodes 後部洞房結節
6 parotid salivary node 耳下腺唾液節
7 occipital nodes 後頭リンパ節
8 superior deep cervical nodes 上深頸リンパ節
9 right internal jugular vein 右内頸静脈
10 superior deep cervical nodes 上深頸リンパ節
11 inferior deep cervical nodes 下深頸リンパ節
12 right jugular trunk 右頸リンパ本幹
13 right subclavian trunk 右鎖骨下リンパ本幹
14 right bronchomediastinal trunk 右気管支縦隔リンパ本幹
15 deltopectoral nodes 三角筋胸筋リンパ節
16 subclavian axillary group 鎖骨下腋窩群
17 right internal thoracic trunk 右内胸リンパ本幹
18 central axillary group 中心腋窩群
19 pectoral axillary group 胸腋窩リンパ節群
20 subscapular axillary group 肩甲下腋窩群
21 brachial nodes 上腕結節
22 anterior axillary group 前方腋窩群
23 superficial lymph vessels 浅リンパ管
24 basilic vein 尺側皮静脈
25 supratrochlear nodes 滑車上結節
26 cephalic vein 橈側皮静脈
27 interdigital lymph vessels from palmar cutaneous plexus
手掌皮膚神経叢からの指間リンパ管
28 superficial inguinal nodes 浅鼡径リンパ節
29 deep subinguinal node 深鼡径下リンパ節
30 great saphenous vein (cut) 大伏在静脈(断面)
31 superficial subinguinal nodes 浅鼡径下リンパ節

Key

1 right brachiocephalic vein 右腕頭静脈
2 left brachiocephalic vein 左腕頭静脈
3 left common carotid artery 左総頸動脈
4 anterior superior mediastinal nodes 前上縦隔結節
5 superior vena cava 上大静脈
6 right cardiac lymph branch 右噴門リンパ分枝
7 internal thoracic node 内胸リンパ節
8 right tracheobronchial nodes 右気管気管支リンパ節
9 left tracheobronchial nodes 左気管気管支リンパ節
10 right and left bronchopulmonary nodes 右・左気管支肺リンパ節
11 internal thoracic lymph vessel ending in subclavicular nodes
鎖骨下結節で終わる内胸リンパ管
12 interpectoral nodes 胸筋間リンパ節
13 lymph vessels from deep part of breast 胸深部からのリンパ管
14 posterior mediastinal nodes 後縦隔リンパ節
15 intercostal nodes and lymph vessels 肋間リンパ節とリンパ管
16 thoracic duct 胸管
17 thoracic aorta 胸大動脈
18 descending right and left intercostal lymph trunks
下行性の右・左肋間リンパ軀幹
19 cisterna chyli 乳び槽
20 intestinal trunk 腸リンパ本幹
21 right and left lumbar trunks 右・左腰リンパ本幹
22 lumbar nodes 腰リンパ節
23 testicular lymph vessels 睾丸リンパ管
24 retroaortic node (lumbar nodes) 大動脈後リンパ節(腰リンパ節)
25 preaortic node (lumbar nodes) 大動脈前リンパ節(腰リンパ節)
26 common iliac nodes 総腸骨リンパ節
27 internal iliac artery and nodes 内腸骨動脈と結節
28 sacral nodes 仙骨リンパ節
29 lymph vessels to internal iliac nodes 内腸骨リンパ節へのリンパ管
30 obturator vessels and nerve 閉鎖動静脈と神経
31 presymphysial node 恥骨結合リンパ節
32 collecting lymph vessels from glans penis 陰茎亀頭からのリンパ管
33 superficial lymph vessels from the penis 陰茎からの浅リンパ管
34 lymph vessels from the scrotum 陰嚢からのリンパ管
35 lymph vessels of testis and epididymis
精巣と精巣上体のリンパ管

32 anterior femoral cutaneous vein 前大腿皮静脈
33 superficial lymphatic vessels 浅リンパ管
34 lymph vessels from back of thigh 後大腿からのリンパ管
35 great saphenous vein 大伏在静脈
36 lymph vessels from back of leg 脚の後ろからのリンパ管
37 interdigital lymph vessels from plantar plexus
足底神経叢からの指間リンパ管
38 facial node 顔面静脈リンパ節
39 buccal node 頬リンパ節
40 supramandibular node 上下顎結節
41 submandibular nodes 顎下リンパ節
42 submental nodes 顎下結節
43 inferior deep cervical nodes 深下頸リンパ節
44 prelaryngeal nodes 喉頭前リンパ節
45 left jugular trunk 左頸リンパ本幹
46 thoracic duct 胸管
47 left subclavian trunk 左鎖骨下リンパ本幹
48 left subclavian artery and vein 左鎖骨下動脈と静脈
49 subclavian axillary group 鎖骨下腋窩群
50 left bronchomediastinal trunk 左気管支縦隔リンパ本幹
51 pretracheal nodes 気管前リンパ節
52 central axillary group 中心腋窩群
53 left internal thoracic trunk 左内胸リンパ本幹
54 lateral axillary group 外側腋窩リンパ節群
55 subscapular axillary group 肩甲下腋窩群
56 pectoral axillary group 胸筋腋窩リンパ節群
57 brachial artery and veins and deep lymphatic vessels
上腕動静脈と深リンパ管
58 brachial node 上腕結節
59 deep lymphatic vessels 深リンパ管
60 supratrochlear nodes 滑車上結節
61 deep cubital nodes 深肘リンパ節
62 radial node 橈骨結節
63 radial artery 橈骨動脈
64 cephalic vein 橈側皮静脈
65 ulnar artery 尺骨動脈
66 ulnar node 尺骨結節
67 radial node 橈骨結節
68 lymph vessels accompanying the palmar arches
手掌弓伴行リンパ管
69 lateral lymph vessels of the thumb 母指の横のリンパ管
70 lymphatic network リンパ・ネットワーク
71 lymph vessels passing to the network of the hand
手のネットワークに繋がるリンパ管
72 lymph vessels of the fingers 指のリンパ管
73 superficial inguinal nodes 浅鼡径リンパ節
74 deep inguinal nodes 深鼡径リンパ節
75 deep lymphatic vessels 深リンパ管
76 femoral artery and vein with deep lymphatic vessels
深リンパ管と大腿動静脈
77 great saphenous vein 大伏在静脈
78 popliteal nodes (in back of knee) 膝窩リンパ節(後膝)
79 small saphenous vein with lymph vessels
リンパ管と小伏在静脈
80 anterior tibial artery and veins and lymph vessels
前脛骨動静脈とリンパ管
81 posterior tibial artery and veins and lymph vessels
後脛骨動静脈とリンパ管
82 anterior tibial node 前脛骨リンパ節
83 posterior tibial node 後脛骨リンパ節
84 peroneal artery and veins and lymph vessels
腓骨動静脈とリンパ管
85 great saphenous vein 大伏在静脈
86 small saphenous vein 小伏在静脈
87 peroneal artery and veins and lymph vessels
腓骨動静脈とリンパ管
88 posterior tibial artery and veins and lymph vessels
後脛骨動静脈とリンパ管
89 dorsalis pedis artery and vein and lymph vessels
足背動静脈とリンパ管
90 dorsal venous arch 足背静脈弓

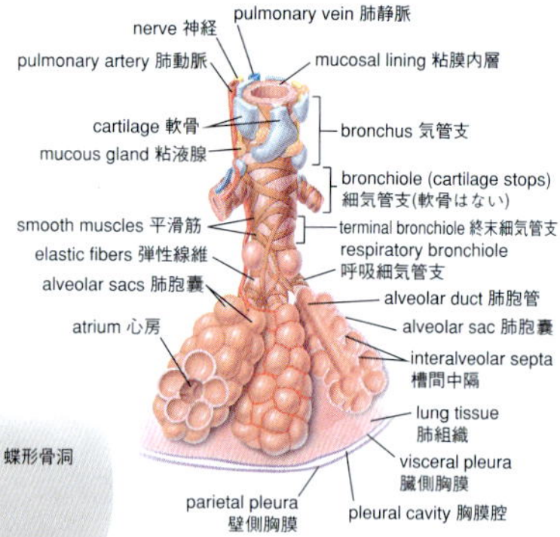
pulmonary vein 肺静脈
nerve 神経
pulmonary artery 肺動脈
mucosal lining 粘膜内層
cartilage 軟骨
mucous gland 粘液腺
bronchus 気管支
bronchiole (cartilage stops)
細気管支(軟骨はない)
smooth muscles 平滑筋
terminal bronchiole 終末細気管支
elastic fibers 弾性線維
respiratory bronchiole
呼吸細気管支
alveolar sacs 肺胞嚢
alveolar duct 肺胞管
atrium 心房
alveolar sac 肺胞嚢
interalveolar septa
槽間中隔
lung tissue
肺組織
visceral pleura
臓側胸膜
parietal pleura
壁側胸膜
pleural cavity 胸膜腔

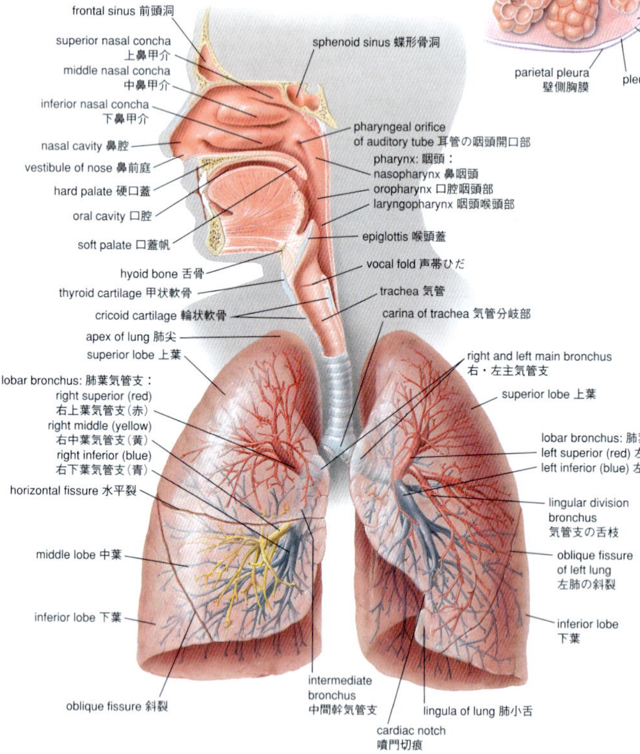
frontal sinus 前頭洞
superior nasal concha
上鼻甲介
middle nasal concha
中鼻甲介
sphenoid sinus 蝶形骨洞
inferior nasal concha
下鼻甲介
nasal cavity 鼻腔
pharyngeal orifice
of auditory tube 耳管の咽頭開口部
vestibule of nose 鼻前庭
pharynx: 咽頭：
nasopharynx 鼻咽頭
hard palate 硬口蓋
oropharynx 口腔咽頭部
oral cavity 口腔
laryngopharynx 咽頭喉頭部
soft palate 口蓋帆
epiglottis 喉頭蓋
hyoid bone 舌骨
vocal fold 声帯ひだ
thyroid cartilage 甲状軟骨
trachea 気管
cricoid cartilage 輪状軟骨
carina of trachea 気管分岐部
apex of lung 肺尖
superior lobe 上葉
right and left main bronchus
右・左主気管支
lobar bronchus: 肺葉気管支：
right superior (red)
右上葉気管支(赤)
right middle (yellow)
右中葉気管支(黄)
right inferior (blue)
右下葉気管支(青)
superior lobe 上葉
lobar bronchus: 肺葉気管支：
left superior (red) 左上葉気管支(赤)
left inferior (blue) 左下葉気管支(青)
horizontal fissure 水平裂
lingular division
bronchus
気管支の舌枝
middle lobe 中葉
oblique fissure
of left lung
左肺の斜裂
inferior lobe 下葉
inferior lobe
下葉
intermediate
bronchus
中間幹気管支
oblique fissure 斜裂
lingula of lung 肺小舌
cardiac notch
噴門切痕

PLATE 25: DIGESTIVE SYSTEM, ANTERIOR VIEW

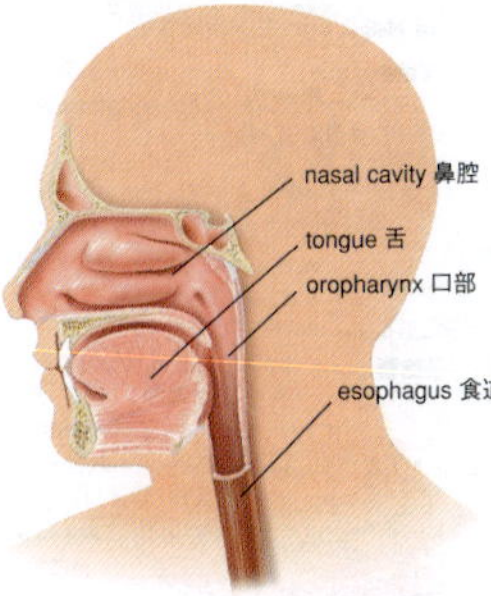
nasal cavity 鼻腔
tongue 舌
oropharynx 口部
esophagus 食道

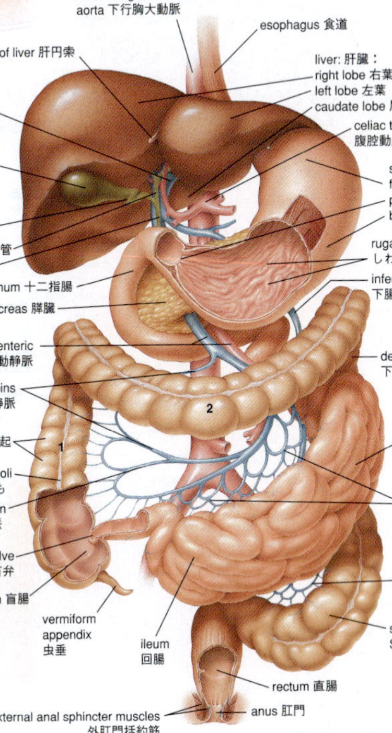
descending thoracic aorta 下行胸大動脈
esophagus 食道
round ligament of liver 肝円索
liver: 肝臓：
right lobe 右葉
left lobe 左葉
caudate lobe 尾状葉
portal vein 門脈
celiac trunk 腹腔動脈
gallbladder 胆嚢
stomach: 胃：
fundus 基底部
pyloris 幽門部
body 体
cystic duct 胆嚢管
common hepatic duct 総肝管
common bile duct 総胆管
rugae (gastric folds) しわ(胃粘膜ひだ)
duodenum 十二指腸
inferior mesenteric vein 下腸間膜静脈
pancreas 膵臓
superior mesenteric vein and artery 上腸間膜動静脈
descending colon 下行結腸
right and middle colic veins 右・中結腸静脈
2
haustra 結腸膨起
1
jejunum 空腸
taenia coli 結腸ひも
iliocolic vein 回結腸静脈
jejunal and ileal veins 空回腸静脈
ileocecal valve 回盲弁
sigmoid veins S状結腸静脈
cecum 盲腸
vermiform appendix 虫垂
ileum 回腸
sigmoid colon S状結腸
rectum 直腸
external anal sphincter muscles 外肛門括約筋
anus 肛門
1 ascending colon 上行結腸
2 transverse colon 横行結腸

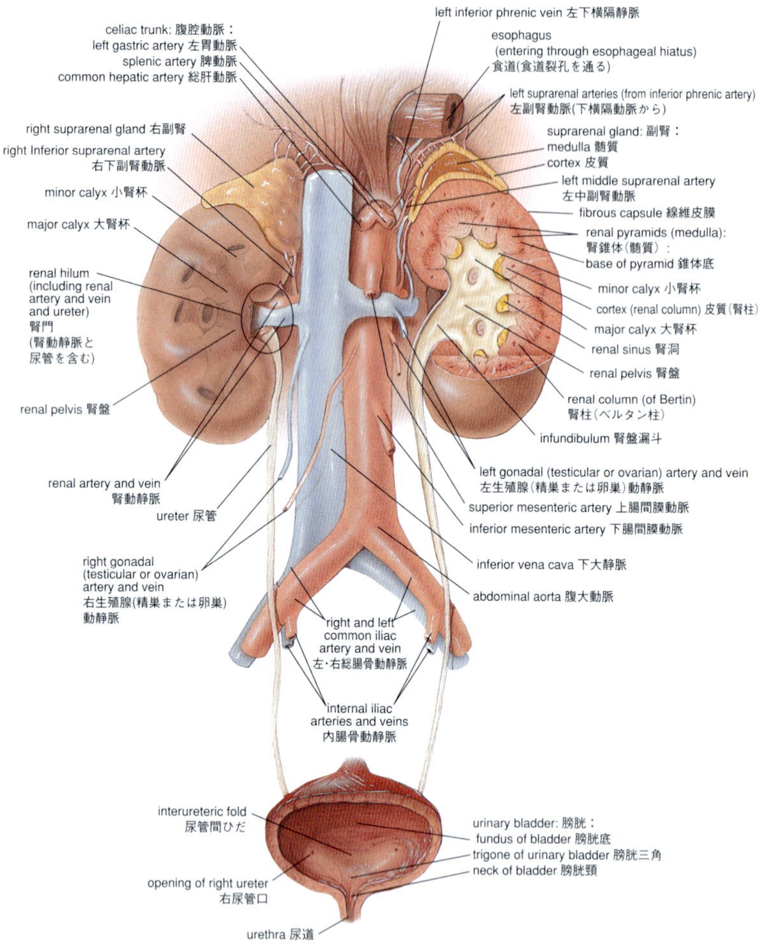
celiac trunk: 腹腔動脈：
left gastric artery 左胃動脈
splenic artery 脾動脈
common hepatic artery 総肝動脈
right suprarenal gland 右副腎
right Inferior suprarenal artery 右下副腎動脈
minor calyx 小腎杯
major calyx 大腎杯
renal hilum (including renal artery and vein and ureter) 腎門 (腎動静脈と尿管を含む)
renal pelvis 腎盤
renal artery and vein 腎動静脈
ureter 尿管
right gonadal (testicular or ovarian) artery and vein 右生殖腺(精巣または卵巣)動静脈
right and left common iliac artery and vein 左・右総腸骨動静脈
internal iliac arteries and veins 内腸骨動静脈
interureteric fold 尿管間ひだ
opening of right ureter 右尿管口
urethra 尿道
left inferior phrenic vein 左下横隔静脈
esophagus (entering through esophageal hiatus) 食道(食道裂孔を通る)
left suprarenal arteries (from inferior phrenic artery) 左副腎動脈(下横隔動脈から)
suprarenal gland: 副腎：
medulla 髄質
cortex 皮質
left middle suprarenal artery 左中副腎動脈
fibrous capsule 線維皮膜
renal pyramids (medulla): 腎錐体(髄質)：
base of pyramid 錐体底
minor calyx 小腎杯
cortex (renal column) 皮質(腎柱)
major calyx 大腎杯
renal sinus 腎洞
renal pelvis 腎盤
renal column (of Bertin) 腎柱(ベルタン柱)
infundibulum 腎盤漏斗
left gonadal (testicular or ovarian) artery and vein 左生殖腺(精巣または卵巣)動静脈
superior mesenteric artery 上腸間膜動脈
inferior mesenteric artery 下腸間膜動脈
inferior vena cava 下大静脈
abdominal aorta 腹大動脈
urinary bladder: 膀胱：
fundus of bladder 膀胱底
trigone of urinary bladder 膀胱三角
neck of bladder 膀胱頸

コ・メディカル版

ステッドマン医学辞典

【英和・和英】

STEDMAN'S
MEDICAL DICTIONARY
FOR THE
HEALTH PROFESSIONS
AND NURSING

MEDICAL VIEW

本書では，厳密な指示・副作用・投薬スケジュール等について記載されていますが，これらは変更される可能性があります。本書で言及されている薬品については，製品に添付されている製造者による情報を十分にご参照ください。

Stedman's Medical Dictionary for the Health Professions and Nursing
Illustrated Sixth Edition

Published by Medical View Co., Ltd.
2-30 Ichigaya-hommuracho, Shinjuku-ku, Tokyo 162-0845, Japan

監修の言葉

100年を越える長い歴史を有し，最も良心的かつ正確な医学辞典として世界中で高く評価されているStedman's Medical Dictionaryの第23版の日本語訳として，メジカルビュー社から『ステッドマン医学大辞典』が刊行されたのは，1980年であった。その後原本の改訂に歩調を合わせて日本語版『ステッドマン医学大辞典』の改訂が重ねられ，2008年2月に第6版が出版された。日本語版の『ステッドマン医学大辞典』では原著の優れた点をそのまま受け継ぐばかりでなく，充実した和英索引，外国人名のカタカナ表記，同義語，類義語の併記など，日本語版独自の創意工夫がなされてきた。その結果，日本語版『ステッドマン医学大辞典』は初版の発売以来，読者の間で高い評価を得，医学会で広く愛用されてきた。さらに最新の第6版では医学ならびに周辺科学の進歩を反映すべく，免疫学，疫学，胎生学，遺伝学，神経学等の分野を中心に大幅な改訂が行われ，その内容が一段と充実した物となった。また掲載写真の全面改変，カラー化した多数のイラストの導入等も行われ，御蔭で第6版は発売以来好評を博している。

以上のような優れた内容の『ステッドマン医学大辞典』をナースの方々にも利用していただくため，『ナース版 ステッドマン医学辞典』が私の監修により1998年1月に刊行された。初版の『ナース版 ステッドマン医学辞典』では，『ステッドマン医学大辞典第4版』の中からナースにとって必要な医学用語40,000語が厳選収載された。このナース版にも当然の事ながら元の日本語大辞典の特徴となっている充実した和英索引がそのまま引き継がれ，35,000語に及ぶ収載が行われた。また人体解剖図を32頁に渡ってカラーイラストで掲載し，基本的な解剖用語を視覚でもって理解できるようになっていた。

この度ステッドマンのナース版原著が... for the Health Professions and Nursingと名称を改めた事を契機に，日本語版の名称を『コ・メディカル版 ステッドマン医学辞典』と変えて新たに刊行される事となった。この『コ・メディカル版』では広く健康関連分野の方々のご要望に応えるべく，看護学に加えてリハビリテーション医学，スポーツ医学，運動生理学，放射線学分野の用語が大幅に追加されている。また代替医療や保険医療制度に関する用語が重点的に掲載され，単語数も5,000語増加して45,000語となり，和英の索引も同じく5,000語増えて40,000語となった。

我が国の医療の国際化ならびにコ・メディカル領域のみならず看護学校・看護短期大学の4年制大学への移行の動きがある中で，医療の場における英語の必要性が益々高まっている事は周知の如くであるが，英和・和英の訳がさらに一層充実した今回の『コ・メディカル版 ステッドマン医学辞典』の刊行はこの様な医療の現場における需要に答えた企画といえるであろう。『コ・メディカル版 ステッドマン医学辞典』は携帯に便利なようにハンディサイズとなっている。この医学辞典が親版である『ステッドマン医学大辞典』と同様に，医療の教育，ならびに医療の現場で広く愛用される事を強く信じて，監修の言葉の締めくくりとする。

2010年2月

自治医科大学　学長

高久　史麿

刊行にあたって

『ナース版 ステッドマン医学辞典』改訂第2版を刊行した2003年より7年が経過し，医学・医療における国際化の進展はますます著しいものがあります。そして国際化の波は医師だけに限らず，看護師，理学療法士，作業療法士を初めとするコ・メディカル職にも及んでいます。医療の高度化・複雑化に伴って，医療行為の細分化・分業化が進み，以前は医師が行っていた業務がコ・メディカル・スタッフの手に委ねられるようにもなりつつあります。こうした時代の変化に応じて，コ・メディカル・スタッフも海外の文献や専門書を調べ，高度な専門知識を備えてチーム医療を実現することが求められるようになってきました。

このような中，『ナース版 ステッドマン医学辞典』の原著が“Stedman's Medical Dictionary for the Health Professions and Nursing, 6th edition”（2008）と改題したのに伴って，日本版も『コ・メディカル版』と書名を改めることにいたしました。

今回，装いも新たに刊行される『コ・メディカル版』には以下のような特徴があります。

① 新規に収載された語は約5,000語，部分改訂語は約10,000語を数え，総収載語は約45,000語になります。

② 見出し語の配列は，『ステッドマン医学大辞典』における主見出し語・副見出し語による親子関係の配列ではなく，一律にアルファベット順に配列されています。

③ 看護学，リハビリテーション医学，スポーツ医学，運動生理学，放射線学分野などの分野の用語を大幅に追加しました。

④ 医学用語には，単に訳語だけでなく，必要に応じてそれぞれ充実した解説が記載され，医学用語辞典としての機能を併せ持っています。

⑤ 約40,000語に及ぶ和英索引により，そのまま和英辞典として使用できる機能を備えております。

⑥ カラーイラストの人体解剖図により，基本的な解剖用語を視覚的に理解できるようになっています。

『コ・メディカル版 ステッドマン医学辞典』は，多様な国際化のニーズに対応し，十二分にその機能を発揮できるものと確信しております。本書が，コ・メディカル・スタッフの日常の医学英語研修に少しでもお役にたてれば，望外の望みであります。

2010年3月

株式会社メジカルビュー社

代表取締役社長　浅原 実郎

コ・メディカル版 ステッドマン医学辞典
編集委員会

総 監 修

高久　史麿

自治医科大学　学長

編集委員

青木　光広
医療法人札幌第一病院　副院長

青山　隆夫
東京理科大学薬学部薬学科　薬物治療学
教授

阿部　一幸
東京医科大学　医学英語　講師

有阪　治
獨協医科大学医学部　小児科学　教授

稲田　陽一
聖マリアンナ医科大学　物理学分野（生理学）
講師

稲山　誠一
東洋医科学研究所　所長

今井　壯一
日本獣医生命科学大学　獣医寄生虫学　教授

井廻　道夫
昭和大学医学部　内科学講座消化器内科学
部門　教授

上原　譽志夫
共立女子大学家政学部　食物栄養学科
臨床栄養学　教授

大石　実
日本大学医学部　内科学系神経内科学分野
准教授

太田　伸生
東京医科歯科大学大学院医歯学総合研究科
国際環境寄生虫病学分野　教授

大橋　靖雄
東京大学大学院医学系研究科　生物統計学
教授

大林　民典
がん・感染症センター 都立駒込病院
臨床検査科　部長

小川　郁
慶應義塾大学医学部　耳鼻咽喉科　教授

小澤　敬也
自治医科大学　内科学講座血液学部門　教授

小田　哲子
東邦大学医学部　解剖学（微細形態学分野）
講師

鹿島　晴雄
慶應義塾大学医学部　精神神経科学教室
教授

木原　和徳
東京医科歯科大学大学院医歯学総合研究科
泌尿器科学　教授

木村　健二郎
聖マリアンナ医科大学　腎臓高血圧内科
教授

栗原　伸公
神戸女子大学家政学部　公衆衛生学　教授

黒澤　博身
榊原サピアタワークリニック　院長

小瀧　一
国際医療福祉大学　薬学部　教授

坂井　建雄
順天堂大学医学部　解剖学・生体構造科学
教授

佐藤　幹二
東京女子医科大学大学院医学研究科
病態治療学分野　教授

佐藤　健次
東京医科歯科大学大学院保健衛生学研究科
形態・生体情報解析学分野　教授

佐藤　二美
東邦大学医学部　医学科解剖学
（生体構造学分野）　教授

澤　　充
日本大学医学部　視覚科学系眼科学分野
教授

塩貝　敏之
恵心会 京都武田病院　脳神経科学診療科
部長

須田　英明
東京医科歯科大学大学院医歯学総合研究科
歯髄生物学分野　教授

多湖　正夫
帝京大学医学部附属溝口病院放射線科　教授

武谷　雄二
東京大学大学院医学系研究科　産科婦人科学
教授

谷　憲三朗
九州大学生体防御医学研究所　ゲノム機能
制御学部門　ゲノム病態学分野　教授

辻本　元
東京大学大学院農学生命科学研究科
獣医内科学　教授

堤　晴彦
埼玉医科大学総合医療センター
高度救命救急センター　教授

寺田　一志
東邦大学医学部附属佐倉病院　放射線科
教授

長野　昭
浜松医科大学　名誉教授

中村　真理子
東京慈恵会医科大学　教育センター　准教授

名川　弘一
東京大学大学院医学系研究科　腫瘍外科学
教授

貫和　敏博
東北大学大学院医学系研究科　呼吸器病態学
分野　教授

百束　比古
日本医科大学　形成外科　教授

堀　　均
徳島大学ソシオテクノサイエンス研究部
ライフシステム部門生命情報工学　教授

増田　豊
昭和大学薬学部　治療ニーズ探索学教室
教授

松村　讓兒
杏林大学医学部　解剖学　教授

宮田　哲郎
東京大学大学院医学系研究科　血管外科学
准教授

宮地　良樹
京都大学大学院医学研究科　皮膚生命科学
講座皮膚科学　教授

山田　安彦
東京薬科大学薬学部　臨床薬効解析学　教授

和田　攻
日本労働文化協会　理事長

渡邉　聡明
帝京大学医学部　外科　教授

編集協力

赤尾　信明
東京医科歯科大学

池　和憲
日本獣医生命科学大学

市村　浩一郎
順天堂大学

大谷　壽一
東京大学

大関　健志
東京薬科大学

甲斐崎　祥一
東京大学

川上　理
東京医科歯科大学

川島　伸之
東京医科歯科大学

神崎　晶
慶應義塾大学

久具　宏司
東京大学

佐藤　英貴
東京大学

澤井　直
順天堂大学

澤野　誠
埼玉医科大学

志村　直人
獨協医科大学

高柳　理早
東京薬科大学

谷岡　未樹
京都大学

寺原　敦朗
東邦大学

田　亮介
慶應義塾大学

遠田　譲
東京女子医科大学

中川　敦夫
慶應義塾大学

野村　健介
慶應義塾大学

福島　啓太郎
獨協医科大学

前田　正幸
三重大学

増田　均
癌研有明病院

門澤　秀一
明石市立市民病院

山田　治美
国際医療福祉大学

吉川　信一郎
慶應義塾大学

〈敬称略・五十音順・平成 22 年 4 月現在〉

ナース版 ステッドマン医学辞典 改訂第2版
編集委員会

ナース版 ステッドマン医学辞典 第1版
編集委員会

A Message from the Publisher

Stedman's, first produced as Dunglison's *New Dictionary of Medical Science and Literature* in 1833, has a long standing tradition of excellence. With this new edition of *Stedman's Medical Dictionary for the Health Professions and Nursing, Illustrated,* we strove to continue this reputation of excellence, providing our readers with our most comprehensive dictionary to date, delivered in both the print and electronic mediums.

With our last edition of *Stedman's Medical Dictionary for the Health Professions and Nursing,* we removed the word "Concise" from our title. This was done in the hopes of dispelling the misconception that the dictionary was a smaller, scaled-down version of the larger *Stedman's Medical Dictionary.* While this dictionary is built upon the foundation terminology of the Stedman's Medical Dictionary Series as a whole, *Stedman's Medical Dictionary for the Health Professions and Nursing* has numerous terms, images, and appendices that are entirely unique to this edition.

Starting with the previous edition, readers may have also noticed that we added the word "Nursing" to the title. Whereas we have no intention of steering away from our readership of health professionals (of which we assuredly consider nursing a part), we believed that collaborating with and extending our consultant board to include a diverse group of nursing consultants would ensure that we provide even more well-rounded definitions for the core medical terminology encountered by all health professionals. Thus, "Nursing" was added to the title separately from "Health Professions" simply as a means of highlighting the fact that the core medical terminology was newly reviewed and enhanced by our expert team of nursing consultants.

This new edition features more than 4,000 new entries, 54,000 terms overall, and over 900 illustrations, all of which have been reviewed by consultants and revised as necessary. *Stedman's Medical Dictionary for the Health Professions and Nursing, Illustrated 6th Edition*, provides students, educators, and practitioners access to the core language of medicine, health professions, and nursing. With particular emphasis on and coverage of Athletic Training, Embryology, Exercise Science, Health Information Management, Massage Therapy, Medical Assisting, Medical Transcription, Occupational Therapy, Nursing, Pharmacy/Pharmacy Technology, and Weapons of Mass Destruction/Mass Casualty Weapons/Bioterrorism, this new edition meets the needs of our readers throughout the health professions and nursing.

Our revision process includes a significant collaboration with our readers. We have again increased our representation in the health professions and nursing fields, working with over 45 consultants to ensure that our content is of the utmost quality, currency, and accuracy. A full listing of our consultants can be found in our front matter material. Our consultants worked tirelessly to review and enhance our terminology, as well as our robust art program, including two full inserts and our substantial Appendices section. This section now features three new appendices: Commonly Used Herbs and Their Side Effects/or Drug Interactions; General Cancer Classification, Staging, and Grouping Systems; Pain Assessment Tools. We have also continued our efforts to recognize our readers in other parts of the world. As with the previous edition, the sixth edition includes consultants from outside the United States, international content in our appendices, and provides British spellings for appropriate terms.

Acknowledgments

As always, we at Lippincott Williams & Wilkins are grateful to all of our consultants from the medical, nursing, and health professions disciplines for their help in reviewing, writing, and revising the thousands of entries in this dictionary. Without them, none of the terminology presented here would be relevant or useful. We are also indebted to the many reviewers who assisted us in making critical decisions about the presentation of the dictionary, the actual dictionary entries themselves, and the content presented in this new edition. Finally, we continue to be thankful to have Dr. John H. Dirckx as a long-standing member of our dictionary team. His expertise, love of language, and consistent availability to consult with us cannot be replaced.

The development of this new edition, *Stedman's Medical Dictionary for the Health Professions and Nursing, Illustrated, 6th Edition*, has greatly benefited from the experience and expertise of Raymond Lukens, Chief Copyeditor, whose patience, dedication, and hard work have given this edition an unparallel level of quality. Our thanks must also go out to Kathryn Cadle, who worked countless hours to ensure that all of the content corrections made by our consultants, copyeditors, and in-house editorial team were made accurately and in a timely fashion. We would also like to thank Susan Caldwell for her assistance and quality work in helping us prepare the art program for this edition. A key ingredient to making sure we are successful is making sure we listen to our customers. Representing our customers are the Publishing Representatives who worked with us to ensure we were meeting our customers' needs in all aspects of development. We are indebted to our colleagues at Lippincott Williams & Wilkins, including Tiffany Piper, Managing Editor; Margie Orzech, Manufacturing Coordinator; Jennifer Clements, Art Program Consultant; Zhan Caplan, Senior Marketing Manager; and David Horne, Senior Software Development Manager. Without the Lippincott Williams & Wilkins team's commitment to our readers and to the quality expected of Stedman's publications, this new edition would not have been possible. Finally, we must thank you, the reader. We have appreciated all of the input we have received from previous editions and thank you for your continued support of our dictionary.

Your Medical Word Resource Publisher

We strive to provide our readers of students, educators, and practitioners with the most up-to-date and accurate medical language references. We, as always, welcome any suggestions you may have for improvements, changes, corrections, and additions—whatever makes it possible for this Stedman's product to serve you better.

Julie K. Stegman
Senior Publisher

Eric Branger
Senior Product Manager

Stedman's Medical Dictionary for the Health Professions and Nursing, Illustrated, 6th Edition
Lippincott Williams & Wilkins
Baltimore, Maryland

Consultants in the Health Professions and Nursing

Naomi Adams, RN, BN, CLNC — ESL
CEO, Adams Medical-Legal Consulting, Woodbridge, VA USA;
Instructor, Practical Nursing Program MCI@ECPI College of Technology, Manassas, VA, USA

Amy S. Alfriend, RN, MPH, COHN-S/CM — Nursing
Assistant Director, Division of Occupational and Environmental Medicine, Johns Hopkins University, School of Medicine, Baltimore, MD, USA

Debra Kay Arver, RDH, BSDH, Masters Candidate — Dental Hygiene
Dental Hygiene Instructor, Argosy University Health Sciences, Department of Dental Hygiene, Eagan, MN, USA

Tricia Berry, OTR/L, MATL — Medical Assisting
Director of Clinical Placement, Kaplan University, Johnston, IA, USA

Dolores Bertoti, MS, PT — Physical Therapy
Associate Professor and Department Chair, Alvernia College, Reading, PA, USA

Mary Ellen Camire, PhD — Nutrition
Professor, Department of Food Science and Human Nutrition, University of Maine, Orono, ME, USA

Philip Docking, EdD, MSc, Cert Ed, RN MFPHC — Nursing
Associate Director, Education and Development, HMI Institute of Health Sciences, Singapore

Mark Drnach, PT, DPT, MBA, PCS — Physical Therapy
Clinical Associate Professor, Department of Physical Therapy, Wheeling Jesuit University, Wheeling, WV, USA

Michelle R. Easton, PharmD — Pharmacy
Assistant Dean, Professional and Student Affairs and Associate Professor, School of Pharmacy, University of Charleston, Charleston, WV, USA

Nancy L. Evans, RN, MS — Nursing
Professor of Nursing, Bristol Community College, Fall River, MA, USA

Mary Kaye Griffin, BSH RT(R)(M) — Radiology Technology
Radiology Program Director, Spencerian College, Louisville, KY, USA

Joyce P. Griffin-Sobel, PhD, RN, AOCN, APRN.BC, CNE — Nursing Oncology
Director, Undergraduate Programs, Bellevue School of Nursing, Hunter College, New York, NY, USA

Kerri Hines, RN, BSN — Nursing
San Jacinto College, Houston, TX, USA

Nicholas M. Hipskind, PhD, CCC-A — Audiology
Professor Emeritus, Department of Speech and Hearing Sciences, Indiana University, Bloomington, IN, USA

Nancy Hislop, RN, BSN
Online Instructor, Globe University/Minnesota School of Business, Richfield, MN, USA
Medical Terminology

Marian Kovatchitch, MS, RN
Dean of Academic Affairs, St. Elizabeth College of Nursing, Utica, NY, USA
Nursing

Kathy A. Locke, BA, CMA, RMA
Program Coordinator, School of Health Science, Northwestern Business College, Bridgeview, IL, USA
Medical Assisting

James M. Madsen, MD, MPH, FCAP, FACOEM COL, MC-FS, USA
Scientific Advisor, Chemical Casualty Care Division, U.S. Army Medical Research Institute of Chemical Defense (USAMRICD), APG-EA, MD; Associate Professor of Preventive Medicine and Biometrics; Assistant Professor of Pathology; Assistant Professor of Military and Emergency Medicine; Assistant Professor of Emerging Infectious Diseases, Uniformed Services University of the Health Sciences, Bethesda, MD, USA
Weapons of Mass Destruction/Bioterrorism

Connie R. Mahon, MS, CLS
Microbiologist, Center for Drug Evaluation and Research, U.S. Food and Drug Administration, Rockville, MD, USA
Clinical Lab Sciences, Bacteriology and Mycology

Gail Metzger, MS, OTR/L
Assistant Professor, Department of Occupational Therapy, Alvernia College, Reading, PA, USA
Occupational Therapy

Laurie Milliken, PhD
Associate Professor, Department of Exercise and Health Sciences, University of Massachusetts, Boston, MA, USA
Exercise Science

Keith L. Moore, MSc, PhD, FIAC, FRSM
Professor Emeritus, Division of Anatomy, Department of Surgery, Faculty of Medicine, University of Toronto, Toronto, Ontario, Canada; Recipient of the 2007 Henry Gray/Elsevier Distinguished Educator Award, awarded by the American Association of Anatomists
Embryology and British Medical Terminology

Marilyn H. Oermann, PhD, RN, FAAN
Professor and Division Chair, School of Nursing; Editor, Journal of Nursing Care Quality; The University of North Carolina at Chapel Hill, Chapel Hill, NC, USA
Nursing

Kathleen M. O'Malley, CPhT
American Medical Careers, Flint, MI, USA
Pharm Tech

Wanda Pierson, RN, MSN, PhD
Chair, Nursing Department, Langara College, Vancouver, BC, Canada
Nursing

Susan Polasek, MA, RD, LD
Austin, TX, USA
Nutrition

Lisa Radak, RT(R)(T)(CT)
Academic Clinical Coordinator, Radiation Therapy Program, Baker College of Jackson, Jackson, MI, USA
Radiation Therapy

Deneen Raysor, BS, CPT
Exercise Physiologist, Aquatic and Fitness Center, Philadelphia, PA, USA
Physiology

Jo Ann Runewicz, RN.C, MSN, EdD
Drexel University, Philadelphia, PA, USA
Nursing

Georgina Sampson, RHIA
Professor, Rasmussen College, Brooklyn Park, MN, USA
Health Information Technology

Susan Slajus, MBA, RHIA
Davenport University, Grand Rapids, MI, USA
Health Information Technology

Carlotta South, AAS, ADN, RN
San Jacinto College North, Houston, TX, USA
Nursing

Linda Spang, EMT-P, RMA, JD
Department Coordinator Allied Health, MA Program Director, Davenport University, Lansing, MI, USA
Emergency Medical Services

Margaret M. Spieth, MAEd, CMT
Faculty, Medical Transcription Program, Moraine Park Technical College, West Bend, WI, USA
Medical Transcription

Scott Stanley, EdD, RRT, FAARC
Assistant Dean for Undergraduate Affairs, Health and Liberal Arts Director of the Respiratory Care Programs School of Professional and Continuing Studies Northeastern University Boston, MA, USA
Respiration Therapy

Erin K. Stauder, MS, CCC/SLP
Speech-Language Pathologist, Loyola College in Maryland, Baltimore, MD, USA
Speech-Language Pathology

Nona K. Stinemetz, LPN
Vatterott College, Des Moines, IA, USA
Medical Terminology

Robin Sylvis, RDH, MS
Director, International Business Development, The CoreMedical Group, Salem, NH, USA
Dental Hygiene

Geoffrey Tabin, MD
Professor of Ophthalmology and Visual Sciences, Moran Eye Center, University of Utah, Salt Lake City, UT, USA
Ophthalmology and Optometry

Nina Thierer, CMA, BS, CPC, CCAT
Ivy Tech Community College Northeast, Fort Wayne, IN, USA
Medical Assisting

Walter R. Thompson, PhD, FACSM, FAACVPR Professor, Department of Kinesiology and Health, College of Education; Professor, Division of Nutrition, School of Health Professions, College of Health and Human Sciences, Georgia State University, Atlanta, GA, USA	Exercise Science
Kelly S. Ullmer, ND, LDHS, OTR Sheboygan, WI, USA	Alternative/ Holistic Medicine
Amy Carson VonKadich, MEd, RTT Radiation Therapy Program Director, New Hampshire Technical Institute, Concord, NH, USA	Radiology Technology
Bruce J. Walz, PhD Professor and Chair, Department of Emergency Health Services, University of Maryland, Baltimore County, Baltimore, MD, USA	Emergency Medical Service
Marsha Wamsley, RN, MS Associate Professor of Nursing, Sinclair Community College, Dayton, OH, USA	Nursing
Ruth Werner, LMP, NCTMB Faculty, Myotherapy College of Utah, Layton, UT, USA	Massage Therapy
Barry M. Westling, MS, RRT-NPS, RPFT Administrative Director, Respiratory Care Education, San Joaquin Valley College, Visalia, CA, USA	Respiratory Therapy

Consultants to the Stedman's Dictionaries

Steven Ades, MD, FRCPC Associate Professor of Medicine and Oncology, McGill University Health Center, Montreal, Quebec, Canada	Oncology
R. Donald Allison, PhD Associate Scientist, Department of Biochemistry and Molecular Biology, University of Florida College of Medicine, Gainesville, FL, USA	Biochemistry
David A. Bloom, MD The Jack Lapides Professor of Urology, University of Michigan, Ann Arbor, MI, USA	Genitourinary Surgery
Jane Bruner, PhD Chair, Department of Biological Sciences, California State University, Stanislaus, Turlock, CA, USA	Bacteriology
Kathleen E. Cavanagh, BSC, DVM Fonthill, ON, Canada	Veterinary Medicine
Mitchell Charap, MD, FACP The Abraham Sunshine Associate Professor of Clinical Medicine, Associate Chair for Postgraduate Programs, Program Director, Department of Medicine, NYU School of Medicine, New York, NY, USA	Internal Medicine
George P. Chrousos, MD, FAAP, MACP, MACE Professor and Chairman, First Department of Pediatrics, Athens University Medical School, Aghia Sophia Children's Hospital, Athens, Greece	Endocrinology
Mark B. Constantian, MD St. Joseph Hospital, Southern New Hampshire Medical Center, Nashua, NH, USA	Plastic/ Reconstructive Surgery
Arthur F. Dalley, II, PhD Professor of Cell and Developmental Biology and Director, Gross Anatomy Program, Department of Cell and Developmental Biology, Vanderbilt University School of Medicine, Nashville, TN, USA; Adjunct Professor for Anatomy, Belmont University School of Physical Therapy, Nashville, TN, USA	Gross Anatomy
Ivan Damjanov, MD, PhD Professor of Pathology, University of Kansas School of Medicine, Kansas City, KS, USA	Pathology/ Anatomy
John A. Day, Jr., MD, FCCP Assistant Professor of Medicine, University of Massachusetts Medical School, Worcester, MA, USA	Pulmonary Diseases
John H. Dirckx, MD Dayton, Ohio, USA	Etymologies and High Profile Terms

Thomas W. Filardo, MD | Chief Lexicographer and New Terms Editor
Physician-Consultant, Evendale, OH, USA

Benjamin K. Fisher, MD, FRCP(C) | Dermatology
Professor Emeritus, University of Toronto Medical School, Toronto, Ontario, Canada

Lee A. Fleisher, MD | Anesthesiology
Robert D. Dripps Professor and Chair of Anesthesiology and Critical Care, Professor of Medicine, University of Pennsylvania School of Medicine, Philadelphia, PA, USA

Robert J. Fontana, MD | Gastroenterology
Associate Professor of Medicine, University of Michigan, Ann Arbor, MI, USA

Paul J. Friedman, MD | Radiology
Professor Emeritus, Department of Radiology, University of California, San Diego, CA, USA

Leslie P. Gartner, PhD | Histology
Professor of Anatomy, Department of Biomedical Sciences, Dental School, University of Maryland at Baltimore, Baltimore, MD, USA

Douglas J. Gould, PhD | Gross Anatomy
Associate Professor, University of Kentucky College of Medicine, Lexington, KY, USA

Steven Gutman, MD, MBA | Stains/Procedures
Director, Office of In Vitro Diagnostics, Center for Devices and Radiological Health, Food and Drug Administration, Rockville, MD, USA

Duane E. Haines, PhD | Neuroanatomy
Professor and Chairman of Anatomy, Professor of Neurosurgery and of Neurology, University of Mississippi Medical Center, Jackson, MS, USA

Nicola C. Y. Ho, MD | Genetics
Assistant Professor of Pediatrics and Active Staff of Johns Hopkins Medical Institutions, Baltimore, MD, USA

Iain H. Kalfas MD, FACS | Neurosurgery
Chairman, Department of Neurosurgery, Cleveland Clinic Foundation, Cleveland, OH, USA

John B. Kerrison, MD | Ophthalmology
Assistant Professor of Ophthalmology, Neurology, and Neurosurgery, Wilmer Eye Institute, Johns Hopkins Hospital, Baltimore, MD, USA

Jeffrey L. Kishiyama | Immunology
Associate Clinical Professor of Medicine, University of California, San Francisco, CA, USA

John M. Last, MD, FRACP, FRCPC, FFPH(UK) — Medical Statistics/Epidemiology
Professor Emeritus, Department of Epidemiology and Community Medicine, University of Ottawa, Ottawa, Ontario, Canada

James L. Lear, MD — Nuclear Medicine
Founder, Scientific Imaging, Inc., Larkspur, CO, USA; Professor and Director, Division of Nuclear Medicine, University of Colorado Health Sciences Center, Denver, CO, USA

Joseph LoCicero, III, MD — Thoracic Surgery
Professor and Chair, Department of Surgery, University of South Alabama, Mobile, AL, USA

Lisa Marcucci, MD — Biography/Eponyms
Fellow, Division of Critical Care, Department of Surgery, Johns Hopkins University, Baltimore, MD, USA

Keith L. Moore, PhD, FIAC, FRSM — Embryology
Professor Emeritus in Division of Anatomy, Department of Surgery, Faculty of Medicine, University of Toronto, Toronto, Ontario, Canada; Member of Federative International Committee on Anatomical Terminology of the International Federation of Associations of Anatomists

Marianna M. Newkirk, MSc, PhD — Rheumatology
Associated Professor of Medicine, Physiology, Microbiology and Immunology, McGill University, Montreal, Quebec, Canada

J. Patrick O'Leary, MD — General Surgery
Associate Dean for Clinical Affairs, The Isidore Cohn, Jr. Professor and Chairman of Surgery, LSU Health Sciences Center, New Orleans, LA, USA

Stephen J. Peroutka, MD, PhD — Biotechnology
Consultant, Hillsborough, CA, USA

Sharon T. Phelan, MD, FACOG — Obstetrics/Gynecology
Professor, Department of Obstetrics and Gynecology, University of New Mexico, Albuquerque, NM, USA

Richard A. Prayson, MD — Neuropathology
Section Head of Neuropathology, Department of Anatomic Pathology, Cleveland Clinic Foundation, Cleveland, OH, USA

William Reichel, MD — Geriatrics
Affiliated Scholar, Center for Clinical Bioethics, Georgetown University, School of Medicine, Washington, DC, USA

George S. Schuster, DDS, MS, PhD — Dentistry
Ione and Arthur Merritt Professor, Chair, Department of Oral Biology and Maxillofacial Pathology, Medical College of Georgia, School of Dentistry, Augusta, GA, USA

Linda N. Sevier, MD — Pediatrics
Pediatric Faculty, The Children's Hospital at Sinai, Baltimore, MD, USA

James B. Snow, Jr., MD, FACS — Otorhinolaryngology
Former Director, National Institute on Deafness and Other Communication Disorders, National Institutes of Health, Bethesda, MD, USA; Professor Emeritus of Otorhinolaryngology, University of Pennsylvania, Philadelphia, PA, USA

Roger M. Stone, MD, MS, FAAEM, FACEP — Emergency Medicine
Clinical Assistant Professor, Emergency Medicine Residency, University of Maryland School of Medicine, Baltimore, MD, USA; EMS Medical Director, Montgomery and Caroline Counties, MD, USA

Janet L. Stringer, MD, PhD — Pharmacology/Toxicology
Associate Professor of Pharmacology and Neuroscience, Baylor College of Medicine, Houston, TX, USA

Deanna A. Sutton, PhD, MT, SM(ASCP), RM, SM(NRM) — Medical Mycology
Assistant Professor, Department of Pathology, Administrative Director, Fungus Testing Laboratory, University of Texas Health Science Center at San Antonio, San Antonio, TX, USA

Alexandra Valsamakis, MD, PhD — Virology
Assistant Professor of Pathology, Johns Hopkins School of Medicine, Baltimore, MD, USA

Galen S. Wagner, MD — Cardiology
Duke University Medical Center, Durham, NC, USA

Dr. Brian J. Ward — Parasitology/Tropical Medicine
Chief, McGill University Division of Infectious Diseases, Departments of Medicine & Microbiology, McGill University, Montreal, Quebec, Canada

Asa J. Wilbourn, MD — Neurology
Director, EMG Laboratory, Cleveland Clinic; Clinical Professor of Neurology, Case University School of Medicine, Cleveland, OH, USA

Helaine R. Wolpert, MD — Clinical Pathology/Hematology/Laboratory Medicine
Anatomic and Clinical Pathologist, Newton, MA, USA

Douglas B. Woodruff, MD — Psychiatry/Psychology
Private Practice, Baltimore, MD, USA

David B. Young, PhD — Physiology
Professor, Physiology and Biophysics, University of Mississippi Medical Center, Jackson, MS, USA

Joseph D. Zuckerman, MD — Orthopaedics
Professor & Chairman, Department of Orthopaedic Surgery, NYU – Hospital for Joint Diseases, New York, NY, USA

Illustration Sources

Courtesy of Acuson Corporation, Mountain View, CA (Doppler ultrasonography).

Jennifer Anderson @ USDA-NRCS PLANTS Database (poison ivy).

From Anderson SC, Poulson K. *Anderson's Atlas of Hematology.* Baltimore, MD: Lippincott Williams & Wilkins; 2003 (bacteria: spirochetes; keratocyte; beta-thalassemia major; chronic lymphocytic leukemia; Heinz bodies; Hodgkin disease; lymphocyte; microcytosis; non-Hodgkin lymphoma).

Courtesy of Benjamin Barankin, MD, Edmonton, Alberta, Canada (elephantiasis; nodulocystic acne of the back; acrodermatitis; actinic granuloma; hypertropic actinic keratoses; amyloidosis; atopic dermatitis; Becker nevus; bullous pemphigoid; calcinosis; cellulitis surrounding ulcer; chemotherapy; cherry angiomas; cold urticaria; congenital nevus; contact dermatitis; cutis rhomboidalis nuchae; dermatitis; pigmented dermatofibroma; dermatomyositis on the knee; discoid lupus erythematosus; dry gangrene; dystrophia unguium; epidermolysis bullosa; erysipelas; erythema caloricum; erythema nodosum; erythroderma; erythromelalgia; ganglion; gouty tophus; graft-versus-host disease; granuloma; herpes zoster; herpetic whitlow; hyperpigmentation; hyperplasia; hypopigmentation; ichthyosis vulgaris; keratosis follicularis; Langerhans cell histiocytosis; lichen planus; livedo reticularis; Marfan syndrome; Mycobacterium marinum infection; mycosis fungoides; necrosis; nevus; nummular eczema; chronic paronychia; pemphigus vulgaris; pilomatrixoma; plantar warts; pneumonia; pseudopelade; psoriasis; psoriatic arthritis; pyoderma gangrenosum; aphthous ulcer; scabies; seborrheic dermatitis; seborrheic keratoses; secondary syphilis; skin tag; squamous cell carcinoma; stasis dermatitis; thromboangiitis obliterans; tinea; verruca; vitiligo; xanthogranuloma; xerosis; herpes simplex infection; rheumatoid nodules: elbow; impetigo: forearms, hands; subcutaneous hematoma; arachnid bite; birthmark: strawberry hemangioma; cheilitis; comedones; contact dermatitis; cradle cap; cutaneous lymphoma; Darier disease: nails; geographic tongue; metastatic lymphoma; molluscum contagiosum; onycholysis: nails; onychomycosis: nails; psoriasis; rheumatoid arthritis; scleroderma; seborrheic dermatitis; seborrheic keratosis; shingles; trichotillomania: hair).

From Barker LR, Burton JR, Zieve PD. *Principles of Ambulatory Medicine.* 4th ed. Baltimore, MD: Williams & Wilkins; 1995 (gout).

Courtesy of Baschat A, MD, Center for Advanced Fetal Care, University of Maryland School of Medicine, Baltimore, MD (Doppler flow sonogram).

From Bear MF, Connors BW, and Parasido, MA. *Neuroscience: Exploring the Brain.* 2nd ed. Baltimore, PA: Lippincott Williams & Wilkins; 2001 (alarm reaction; mitochondrion & cellular respiration).

From Bear MF, Connors BW, Paradiso MA. *Neuroscience: Exploring the Brain.* 3rd ed. Baltimore, MD: Lippincott Williams & Wilkins; 2006 (placement of eeg electrodes; Brodmann areas).

From Beckmann CRB, Ling FW, Laube DW, Smith RP, Barzansky BM, Herbert WN. *Obstetrics and Gynecology.* 4th ed. Baltimore, MD: Lippincott Williams & Wilkins; 2002 (multifocal duct carcinoma; scirrhous carcinoma).

Courtesy of Bennett J, PhD, National Institutes of Health, Bethesda, MD (brain MRI).

From Berg D, Worzala K. *Atlas of Adult Physical Diagnosis.* Philadelphia, PA: Lippincott Williams & Wilkins; 2005 (wheal; tongue; nodular malignant melanoma).

From Bickley LS, Szilagyi P. *Bates' Guide to Physical Examination and History Taking.* 8th ed. Philadelphia: Lippincott Williams & Wilkins; 2003 (sounds in recording blood pressure; carotid pulse; milestones in normal child development; ecchymosis; macules; pustules; vesicles).

From Blackbourne LH. *Advanced Surgical Recall.* 2nd ed. Baltimore, MD: Lippincott Williams & Wilkins; 2004 (jack-knife prone position; kidney position).

From Brant WE, Helms CA. *Fundamentals of Diagnostic Radiology.* 2nd ed. Baltimore: Lippincott Williams & Wilkins; 1998 (upper gastrointestinal series; breast cancer; mammography; normal breast).

From Brant WE, Helmes CA. *Fundamentals of Diagnostic Radiology.* 3rd ed. Philadelphia, PA: Lippincott Williams & Wilkins; 2007 (bladder stones, fused PET-CT image of physiologic colon activity; rheumatoid arthritis: shoulder).

From Bucholz RW, Heckman JD. *Rockwood & Green's Fractures in Adults.* 5th ed. Philadelphia, PA: Lippincott Williams & Wilkins; 2001 (dislocations; Klippel-Feil deformity; avulsion fracture, compression fracture, fatigue fracture, hangman's fracture, MR angiography, spiral fracture).

Courtesy of Center for Disease Control and Prevention, Atlanta, GA (bacteria: bacilli; chickenpox; measles; mumps; rubella).

From Chung EK. Visual Diagnosis in Pediatrics. Philadelphia, PA: Lippincott Williams & Wilkins; 2006 (mastiodities).

From Clay JH, Pounds DM. *Basic Clinical Massage Therapy: Integrating Anatomy and Treatment.* Baltimore: Lippincott Williams & Wilkins; 2003 (achilles tendon; adductor hallucis muscle; adductor magnus muscle; ankle joint; anterior border of the tibia; arm; atlas; axial skeleton; brachial plexus; calcaneus; carpal bones; cervical vertebrae; crura of the diaphragm; deltoid muscle; diaphragm; elbow joint; erector spinae muscles; extensor digitorum brevis muscle; extensor digitorum longus muscle; extensor digitorum muscle, extensor retinaculum; external oblique muscle; facial bones; plantar fascia; femur; flexor digiti minimi brevis muscle of hand; flexor digitorum brevis muscle; flexor digitorum profundus muscle; flexor digitorum superficialis muscle; forearm; glenohumeral joint; gluteus maximus muscle; gluteus medius muscle; hamstring; humerus; hypothenar eminence; iliac crest; iliotibial tract; ilium; infraspinatus muscle; inguinal ligament; inguinal region; internal oblique muscle; latissimus dorsi muscle; lumbrical muscles of hand; maxilla; median nerve; metacarpophalangeal joint; multifidus muscles; muscles of the head; nasal cavity; obturator externus muscle; obturator internus muscle; occipital bone; orbicularis oris muscle; palmar interosseous muscle; pectoral region; pelvic diaphragm; pelvic girdle; platysma muscle; popliteal fossa; popliteus muscle; pronator quadratus muscle; pubic bone; quadratus lumborum muscle; quadratus plantae muscle; quadriceps; rectus abdominis muscle; rib (II-XI); rotatores muscles; sacral foramen; sacrum; scapula; sciatic nerve; serratus anterior muscle; shoulder girdle; shoulder joint; soft palate; soleus muscle; splenius capitis muscle; subscapularis muscle; supinator muscle; temporalis muscle; thoracic cage; thoracolumbar fascia; thyroid; tibialis anterior muscle; transversus abdominis muscle; trapezius muscle; triceps brachii muscle; vastus lateralis muscle; vertebral column; zygomaticus major muscle).

From Cohen BJ. *Medical Terminology.* 4th ed. Philadelphia: Lippincott Williams & Wilkins; 2003 (osteoarthritis; volvulus of the sigmoid colon; greenstick fracture; percutaneous endoscopic gastrostomy tube).

From Cohen BJ, Wood DL. *Memmler's The Human Body in Health and Disease.* 9th ed. Philadelphia: Lippincott Williams & Wilkins; 2000 (erythrocyte).

From Cormack DH. *Essential Histology.* Philadelphia: Lippincott-Raven; 1997 (microtubule).

From Crapo JD, Glassroth J, Karlinsky JB, King TE Jr. *Baum's Textbook of Pulmonary Diseases.* 7th ed. Philadelphia: Lippincott Williams & Wilkins; 2004 (arteriography: arteriovenous fistula; rheumatoid nodules: lower lung zones; ankylosing spondylitis; *Aspergillus fumigatus* infection; bony blastomycosis; lung collapse; thoracoscopes).

From Daffner RH. *Clinical Radiology: The Essentials.* 2nd ed. Baltimore: Williams & Wilkins; 1998 (rheumatoid arthritis; spondylosis; multiple sclerosis; radiography).

From Dart RC. *Medical Toxicology.* 3rd ed. Philadelphia, PA: Lippincott Williams & Wilkins; 2004 (right index bleb: snakebite).

Courtesy of Day JA, MD, University of Massachusetts Medical School, Worcester, MA (adult respiratory distress syndrome; interstitial lung disease).

From Dean D, Herbener TE. *Cross-Sectional Human Anatomy.* Baltimore, MD: Lippincott Williams & Wilkins; 2000 (3D CT; carpal tunnel syndrome; Pott fracture).

Courtesy of Dr. Philip Docking, Eatons Hill, QLD, Australia (laryngeal mask; nebulizer; Yankauer suction catheter).

From Effeney DJ, Stoney RJ. *Wylie's Atlas of Vascular Surgery: Disorders of the Extremities.* Philadelphia, PA: Lippincott Williams & Wilkins; 1993 (Raynaud phenomenon).

From Eisenberg RL. *Clinical Imaging: An Atlas of Differential Diagnosis.* 4th ed. Philadelphia: Lippincott Williams & Wilkins; 2003 (arteriography: Marfan syndrome; *Pneumocystis jiroveci* pneumonia).

From Engleberg NC, Demody T, DiRita V. *Schaechter's Mechanisms of Microbial Disease.* 4th ed. Philadelphia, PA: Lippincott Williams & Wilkins; 2006 (congenital cytomegalovirus).

From Erkonen WE, Smith WL. *Radiology 101: Basics and Fundamentals of Imaging.* Philadelphia: Lippincott Williams & Wilkins, 1998 (intravenous urogram).

From Eroschenko VP PhD. *di Fiore's Atlas of Histology with Functional Correlations.* 9th ed. Baltimore: Lippincott Williams & Wilkins; 2000 (bone).

From Fleisher GR, Ludwig S, Baskin MN. *Atlas of Pediatric Emergency Medicine.* Philadelphia, PA: Lippincott Williams & Wilkins; 2004 (Legg-Calvé-Perthes disease; gonorrhea infection; herpes zoster; pyogenic granuloma; scabies; scabies mite; *Staphylococcus aureus* infection; tick bite; tinea corporis; wheal).

From Farhi DC, et al. *Pathology of Bone Marrow and Blood Cells.* Philadelphia: Lippincott Williams & Wilkins; 2004 (dacryocytes; elliptocytes).

From Feigenbaum H, Armstrong WF, Ryan T. *Feigenbaum's Echocardiography.* 6th ed. Philadelphia, PA: Lippincott Williams & Wilkins; 2004 (two-dimensional echocardiography).

From Feinsilver SH, Fein A. *A Textbook on Bronchoscopy.* Baltimore, MD: Lippincott Williams & Wilkins; 1995 (bronchus; carina; trachea; vocal folds).

From Gartner LW, Hiatt JL. *Color Atlas of Histology.* 3rd ed. Baltimore, MD: Lippincott Williams & Wilkins; 1999 (neutrophil; eosinophil; basophil; myocyte).

From Gartner LP, Hiatt JL. *Color Atlas of Histology.* 4th ed. Baltimore, MD: Lippincott Williams & Wilkins; 2006 (spiral organ of Corti).

Courtesy of General Electric Medical Systems, Milwaukee, WI (meniscal tear; nuclear lung scan, gamma camera).

From Gladwin M, Bagby M. *Clinical Aspects of Dental Materials.* 2nd ed. Baltimore, MD: Lippincott Williams & Wilkins; 2004 (restoration).

From Gold DH, Weingeist TA. *Color Atlas of the Eye in Systemic Disease.* Baltimore, MD: Lippincott Williams & Wilkins; 2001 (chronic tophaceous gout; Chédiak-Higashi syndrome; orbital tumor; plaque).

From Goodheart HP. *A Photo Guide of Common Skin Disorders: Diagnosis and Management.* Baltimore, MD: Lippincott Williams & Wilkins; 1999 (morpheaform, nodular, and ulcerated basal cell carcinoma).

From Goodheart HP. *Goodheart's Photoguide of Common Skin Disorders.* 2nd ed. Philadelphia, PA: Lippincott Williams & Wilkins; 2003 (superficial basal cell carcinoma; alopecia areata; angioedema due to bee sting; sarcoidosis; scleroderma; melasma; bulla; burrows; chronic paronychia: nails; cryptococcosis; excoriation; fissure; furuncle; head lice; hirsutism; jellyfish sting; lichenification; linea nigra and striae gravidarum; Lyme disease; onychoschizia: nails; petechiae; purpura; spider angioma; telangiectasis; tinea capitis; tinea pedis; warts; hot tub foliculitis).

From Haines DE PhD. *Neuroanatomy: An Atlas of Structures, Sections, and Systems.* 6th ed. Baltimore, MD: Lippincott Williams & Wilkins; 2004 (filum terminale; CT myelogram).

Courtesy of Hawke M, MD, Toronto, Canada (acute otitis media; cholesteatoma; normal tympanic membrane; otitis externa; tympanosclerosis).

From Hall JC. *Sauer's Manual of Skin Diseases.* 8th ed. Philadelphia, PA: Lippincott Williams & Wilkins; 2000 (papules).

From Hall JC. *Sauer's Manual of Skin Diseases.* 9th ed. Philadelphia, PA: Lippincott Williams & Wilkins; 2006 (exfoliative dermatitis; xanthelasma palpebrarum).

From Harris JH Jr, Harris WH. *The Radiology of Emergency Medicine.* 3rd ed. Philadelphia, PA: Lippincott-Raven; 2000 (Barton fracture; Galeazzi fracture; Smith fracture).

From Harwood-Nuss A, Wolfson AB, et al. *The Clinical Practice of Emergency Medicine.* 3rd ed. Philadelphia, PA: Lippincott Williams & Wilkins; 2001 (croup; direct trauma injury; osteosarcoma; Monteggia fracture).

Reprinted with permission from Hertig AT, Rock J, Adams EC. A description of a 34 human ova within the first 17 days of development. *American Journal of Anatomy* 98:435, 1956. Courtesy of Carnegie Institution of Washington, Washington, DC (human blasocyst).

Reprinted with permission from Heuser CH. A presomite embryo with a definate chorda canal. *Contributions in Embryology* 23:253, 1932. Courtesy of Carnegie Institution of Washington, Washington, DC (18 day human embryo).

Courtesy of Hoag Memorial Presbyterian Hospital, Bloomington, IN (bone scan).

From Hosley JB, Molle-Matthews E. *Lippincott's Pocket Guide to Medical Assisting.* Philadelphia, PA: Lippincott Williams & Wilkins; 1998 (dorsal recumbent position; Fowler position; lithotomy position; prone position; high Fowler position; Sims position; sitting position; standing position; supine position).

Courtesy of Dr. Norman Jacobs. From Center for Disease Control and Prevention, Atlanta, GA (bacteria: diplococci).

From Kelsen DP, Daly JM, Kern SE, Lebin B, Tepper JE. *Gastroinstestinal Oncology: Principles and Practice.* Philadelphia, PA: Lippincott Williams & Wilkins; 2002 (barium enema study; endoscopy: adenocarcinoma; gallbladder carcinoma; endoscopy: non-Hodgkin lymphoma).

From Koneman EW, Allen SD, Janda WM, Schreckenberger PC, Winn WC Jr. *Color Atlas and Textbook of Diagnostic Microbiology.* 5th ed. Philadelphia, PA: Lippincott; 1997 (Enterobius vermicularis).

From Koval KJ, Zuckerman JD. *Atlas of Orthopaedic Surgery: A Multimedial Reference.* Philadelphia, PA: Lippincott Williams & Wilkins; 2004 (beach chair position; knee-chest position; lateral decubitus position).

Reprinted with permission from Krumlauf R. Hox genes and pattern formation in the branchial region of the vertebrate head. *Trends in Genetics* 9:106-112, 1993 (human embryo).

From Langlais RP, Miller CS. *Color Atlas of Common Oral Diseases.* 3rd ed. Baltimore, MD: Lippincott Williams & Wilkins; 2003 (angular cheilosis; ameloblastoma; attrition; bilateral cleft lip; cleft palate; cold sores; dental caries, class II and III; dentigerous cyst; erosion; hypohidrotic ectodermal dysplasia; thrush).

From Langland OE, Langlais RP. *Principles of Dental Imaging.* Baltimore, MD: Williams & Wilkins; 1997 (apical granuloma; apical periodontal cyst).

From *LifeART Emergency 3* (CD-ROM). Baltimore, MD: Lippincott Williams & Wilkins; 2000 (rule of nines; adult vs. pediatric airway).

From *LifeART Emergency 4* (CD-ROM). Baltimore, MD: Lippincott Williams & Wilkins; 2001 (oropharyngeal tube; jaw thrust).

From *LifeART Nursing 1* (CD-ROM). Baltimore, MD: Lippincott Williams & Wilkins; 2000 (Brudzinski sign; central venous pressure catheterization; intracranial pressure monitoring; venipuncture).

From *LifeART Nursing 2* (CD-ROM). Baltimore, MD: Lippincott Williams & Wilkins; 2000 (rigidity).

From *LifeART Nursing 3* (CD-ROM). Baltimore, MD: Lippincott Williams & Wilkins; 2000 (cricothyrotomy; tympanic thermometer; vasectomy).

From *LifeART Super Anatomy 1* (CD-ROM). Baltimore, MD: Lippincott Williams & Wilkins; 2002 (surgical incisions).

From *LWW's Organism Central* (CD-ROM). Baltimore, MD: Lippincott Williams & Wilkins; 2001 (*Entamoeba histolytica*).

From Marks R. *Skin Disease in Old Age.* Philadelphia, PA: JB Lippincott; 1987 (ulcer).

From McClatchey KD. *Clinical Laboratory Medicine.* 2nd ed. Philadelphia: Lippincott Williams & Wilkins; 2002 (staphylococci; streptococci; *Aspergillus fumigatus; Borrelia; Candida albicans; Cryptococcus neofor-*

mans; Fusarium solani; Haemophilus influenzae; Microsporum canis; Neisseria gonorrhoeae; Pneumocystis carinii; Staphylococcus aureus; Trichophyton tonsurans; Zygomycetes; zygomycosis).

From McConnell TH. *The Nature of Disease, Pathology for Health Professions.* Baltimore, MD: Lippincott Williams & Wilkins; 2007 (congestive splenomegaly in cirrhosis).

From McKenzie SB, Clare N, Burns C, Larson L, Metz J. *Textbook of Hematology.* 2nd ed. Baltimore, MD: Williams & Wilkins; 1996 (Philadelphia chromosome translocation; hemolytic anemia; anisocytosis; macrocytosis; microcytic, hypochromic anemia; poikilocytosis; rouleaux; sickle cell anemia).

Courtesy of Mission Hospital Regional Medical Center, Mission Viejo, CA (breech fetus; colon polypectomy; esophageal varices).

Robert H. Mohlenbrock @ USDA-NRCS PLANTS Database / USDA SCS. 1991. *Southern wetland flora: Field office guide to plant species.* South National Technical Center, Fort Worth, TX (poison oak and sumac).

From Moore KL, Dalley AF. *Clinical Oriented Anatomy.* 4th ed. Baltimore, MD: Lippincott Williams & Wilkins; 1999 (swallowing; tracheostomy).

Courtesy of Dr. P. Motta. From Sadler T. *Langman's Medical Embryology.* 9th ed [image bank]. Baltimore, MD: Lippincott Williams & Wilkins; 2003 (zona pellucida).

From the National Pressure Ulcer Advisory Panel. Reston, VA (ulcers).

From Nettina, SM. *The Lippincott Manual of Nursing Practice.* 7th ed. Philadelphia, PA: Lippincott Williams & Wilkins; 2001 (Gardner-Wells traction tongs; Venturi mask; lentigo maligna melanoma).

From Neville BW, Damm DD, White DK. *Color Atlas of Clinical Oral Pathology.* 2nd ed. Baltimore, MD: Williams & Wilkins, 1998 (leukoplakia; hairy tongue).

Courtesy of Newport Diagnostic Center, Newport Beach, CA (Alzheimer disease).

From *Nursing Procedures.* 4th ed. Ambler, PA: Lippincott Williams & Wilkins; 2004 (electrocardiography photo; flow rates for IV drips; nasopharyngeal airway; oropharyngeal airway).

From Oatis CA. *Kinesiology: The Mechanics and Pathomechanics of Human Movement.* Baltimore, MD: Lippincott Williams & Wilkins; 2003 (articular cartilage; medial meniscus: top image; pinch patterns; scoliosis).

Courtesy of Olympus Corporation of Tokyo (colonoscope).

Courtesy of Philips Ultrasound, Bothell, WA (obstetrical sonography).

From Pillitteri A. *Maternal and Child Nursing.* 4th ed. Philadelphia, PA: Lippincott Williams & Wilkins; 2003 (Ambu bag; male and female condom drawings; meninges; multiple gestation; ventriculoperitoneal shunt; common sites of endometriosis formation).

From Pizzo PA, Poplack DG. *Principles and Practice of Pediatric Oncology.* 5th ed. Philadelphia, PA: Lippincott Williams & Wilkins; 2006 (astrocytoma).

Courtesy of Potter B, DDS. School of Dentistry, Medical College of Georgia, Augusta, GA (bitewing radiograph; cephalometry; dentition; endosteal implants; molar tooth; radiolucent area; panoramic radiograph).

From Pray WS. *Nonprescription Product Therapeutics.* Baltimore, MD: Lippincott Williams & Wilkins; 1999 (androgenic alopecia: female & male pattern).

From Premkumar K. *The Massage Connection: Anatomy and Physiology.* Baltimore, MD: Lippincott Williams & Wilkins; 2003 (wound healing).

From Premkumar K. *The Massage Connection, Anatomy and Physiology.* 2nd ed. Baltimore, MD: Lippincott Williams and Wilkins; 2004 (Golgi tendon organ).

From Riordan CL, McDonough M, Davidson JM, et al. Noncontact laser Doppler imaging in burn depth analysis of the extremities. *Journal of Burn Care & Rehabilitation* 24:177-86, 2003 (burns).

From Robinson HBG, Miller AS. *Colby, Kerr, and Robinson's Color Atlas of Oral Pathology.* Philadelphia, PA: JB Lippincott; 1990 (candidiasis).

From Rosdahl DB. *Textbook of Basic Nursing.* 7th ed. Philadelphia, PA: Lippincott Williams & Wilkins; 1999 (auscultation of the lungs).

From Rubin E, Farber JL. *Pathology.* 3rd ed. Philadelphia, PA: Lippincott Williams & Wilkins; 1999 (*Ascaris*; berry aneurysm; cholelithiasis; budding of virions from the plasma membrane of HIV-infected cell; spina bifida with meningomyelocele; adenocarcinoma; adenovirus: bronchiolitis; crust; Cytomegalovirus vs. normal respiratory tract; bancroftian filariasis infestation; fibroadenoma; *Haemophilus influenzae* meningitis; Hepatitis A virus; Hepatitis B virus; keloid).

From Rubin E, et al. *Rubin's Pathology: Clinicopathologic Foundations of Medicine.* 4th ed. Philadelphia, PA: Lippincott Williams & Wilkins; 2005 (bronchiolar carcinoma; diabetic retinopathy).

From Rubin R, Strayer DS, et al. *Rubin's Pathology: Clinicopathologic Foundations of Medicine.* 5th ed. Baltimore, MD: Lippincott Williams & Wilkins; 2008 (endometriosis nodules; subdural hematoma; cerebral hemorrhage; anthracosilicosis; centrilobular emphysema; alcoholic cirrhosis; Crohn disease; panacinar emphysema; gastric ulcer; acute hemorrhagic cystitis; hydronephrosis; hyperplastic polyp; interstitial cystitis; jaundice; Meckel diverticulum; multiple myeloma; Paget disease; chronic pyelonephritis; staghorn calculi; development of subdural hematoma; arterial thrombus; trichobezoar; ulcerative colitis; gallbladder carcinoma; myocardial hypertrophy; cataract).

From Sadler TW, PhD. *Langman's Medical Embryology.* 8th ed. Philadelphia, PA: Lippincott Williams & Wilkins; 2000 (histologic development of the lung; liver development in the embryo; metanephric diverticulum; stages in development of the pancreas; respiratory diverticulum).

From Sadler T. *Langman's Medical Embryology.* 9th ed [image bank]. Baltimore, MD: Lippincott Williams & Wilkins; 2003 (human blastocyst; fetus; dwarfism; 22/23 day human embryo; fetus; human embryo: 3rd week; zygote and morula).

From Salter RD. *Textbook of Disorders and Injuries of the Musculoskeletal System.* 2nd ed. Baltimore, MD: Williams & Wilkins; 1983 (bursitis).

From Sanders CV, Nesbitt LT Jr. *The Skin and Infection: A Color Atlas and Text.* Baltimore, MD: Williams & Wilkins; 1995 (Kaposi sarcoma; AIDS; tinea capitis: trichophyton tonsurans infection; toxic epidermal necrolysis).

From Sauer GC, Hall JC. *Manual of Skin Diseases.* 7th ed. Philadelphia, PA: Lippincott-Raven Publishers; 1996 (acne).

Courtesy of Scheie Eye Institute, Philadelphia, PA (normal retina; retinal detachment). Reprinted with permission from The Skin Cancer Foundation, New York, NY (squamous cell carcinoma).

Reprinted with permission from The Skin Cancer Foundation, New York, NY. *Basal Bell Carcinoma: The Most Common Skin Cancer.* Copyright (c) 1986, Revised 1999 (basal cell carcinoma).

From Smeltzer SC, Bare BG. *Brunner & Suddarth's Textbook of Medical-Surgical Nursing.* 9th ed. Philadelphia, PA: Lippincott Williams & Wilkins; 2000 (arterial aneurysm; progression of atherosclerosis; breast self-examination; hives; wounds; gangrene of the toes; securing nasogastric and nasoenteric tubes; Trousseau sign; tuberculin test; thoracoscopy; esophagogastroduodenoscopy; colonoscopy).

From Smeltzer SC, Bare BG, Hinkle JL, Cheever KH. *Brunner & Suddarth's Textbook of Medical-Surgical Nursing.* 11th ed. Philadelphia, PA: Lippincott Williams & Wilkins; 2008 (anesthetic delivery methods; anatomy of autonomic nervous system; cardiomyopathies that lead to congestive heart failure; implantable cardioverter defibrillator; cochlear implant; injection sites for spinal and epidural anesthesia; insulin pump; intravenous cannulation sites; knee joint; laproscopic cholecystectomy; knee ligaments, tendons, and menisci; osteophytes; pannus; deep peptic ulcer; common GI causes of peritonitis; pharyngitis; oral structures; pitting edema; shingles; anatomic structures of skin; Kaposi sarcoma; electrocardiography strip; impetigo: nostril; color flow duplex image: popliteal artery).

From Snell R. *Clinical Anatomy.* 7th ed. Philadelphia, PA: Lippincott Williams & Wilkins; 2003 (mature placenta; medial meniscus: bottom image; umbilical cord).

Courtesy of Larry Staugger, Oregon State Public Health Laboratory. From Center for Disease Control and Prevention, Atlanta, GA (bacteria: bacilli).

Courtesy of Stoelting Co., Wood Dale, IL (Adson forceps).

Reprinted with permission from Streeter GL. Developmental horizons in human embryos: age groups XV, XVl, XVll, and XVlll [the third issue of a survey of the Carnegie Collection]. *Contributions in Embryology* 32:133, 1948. Courtesy of Carnegie Institution of Washington, Washington, DC (28-somite human embryo; yolk sac).

From Sun T. *Parasitic Disorders: Pathology, Diagnosis, and Management.* 2nd ed. Baltimore, MD: Lippincott Williams & Wilkins; 1999 (*Entamoeba coli; Giardia lamblia;* hookworm; *Isospora belli*; nematode; cestode; trematode; *Taenia saginata; Trichinella spiralis; Wuchereria bancrofti*).

From Swischuk LE. *Imaging of the Newborn, Infant, and Young Child.* 4th ed. Philadelphia, PA: Lippincott Williams & Wilkins; 1997 (Wilms tumor; neuroblastoma).

From Tasman W, Jaeger E. *The Wills Eye Hospital Atlas of Clinical Ophthalmology.* 2nd ed. Baltimore, MD: Lippincott Williams & Wilkins; 2001 (mature cataract with complete opacification of lens; Goldenhar syndrome; blepharitis; drusen; *Candida albicans* infection; conjunctivitis; corneal foreign body; corneal ulcer; cotton wool spots; endophthalmitis; episcleritis; *Fusarium* infection; hyphema; keratoacanthoma; milia; normal angiogram; normal macula; orbital cellulites; *Phthiriasis pubis* infestation; retinoblastoma causing glaucoma; retinoblastoma; rhabdomyosarcoma; tumor).

From Taylor C, Lillis C, LeMone P. *Fundamentals of Nursing: The Art and Science of Nursing Care.* 4th ed. Philadelphia, PA: Lippincott Williams & Wilkins; 2001 (nasal cannula; lumbar puncture).

From Taylor C, Lillis C, LeMone P, Lynn P. *Fundamentals of Nursing: The Art and Science of Nursing Care.* 6th ed. Philadelphia, PA: Lippincott Williams & Wilkins; 2008 (stoma; injections; apical pulse; lateral view of female breast; location of lymph nodes of the neck; sphygmomanometer; parts of needle and syringe; transcutaneous electrical nerve stimulation; Z-track method).

Courtesy of Wang F, MD, Orange, CA (perfusion scan, ventilation scan).

From Weber J, Kelley J. *Health Assessment in Nursing.* 2nd ed. Philadelphia, PA: Lippincott Williams & Wilkins; 2003 (Hegar sign; pain scales; cerumen; bunion; cherry angiomas; patches; scar).

Courtesy of Welch Allyn, Inc., Skaneateles Falls, NY (exostosis; glaucoma; ophthalmoscope; otomycosis; otoscope; otoscopy; perforation).

From Westheimer R, Lopater S. *Human Sexuality: A Psychosocial Perspective.* Baltimore, MD: Lippincott Williams & Wilkins; 2002 (female condom photograph).

From Willis MC. *Medical Terminology: A Programmed Learning Approach to the Language of Health Care.* Baltimore, MD: Lippincott Williams & Wilkins; 2002 (atherectomy devices; incentive spirometer; 8-week embryo).

From Willis MC. *Medical Terminology: The Language of Health Care.* Baltimore, MD: Williams & Wilkins; 1996 (lesions; rhythm).

From Winn WC Jr, et al. *Koneman's Color Atlas and Textbook of Diagnostic Microbiology.* 6th ed. Philadelphia, PA: Lippincott; 2005 (*Plasmodium vivax*).

Courtesy of World Health Organization, Washington, DC (polio).

From Yamada T, et al. *Atlas of Gastroenterology.* 3rd ed. Philadelphia, PA: Lippincott Williams & Wilkins; 2003 (diverticulosis; ulcerative colitis).

From Yochum TR, Rowe LJ. *Essentials of Skeletal Radiology.* 2nd ed. Baltimore, MD: Lippincott Williams & Wilkins; 1996 (myositis ossificans).

Artwork Credits

Artwork in this edition of *Stedman's Medical Dictionary for the Health Professions and Nursing* was created or adapted by the following individuals (see Illustration Sources for sources of adaptions):

Anatomical Chart Company: umbilical cord prolapse, tooth anatomy, left kidney and adrenal gland, malignant melanoma, nephrolithiasis, bony orbit, conception, respiration, Lund-Browder chart, blood cell development, all artwork in the anatomy insert, all rights reserved.

Mary Anna Barratt-Dimes, Parkton, MD: tympanogram

Susan Caldwell, Parsonsburg, MD: apgar score, arterial blood gases, normal body temperature by age

Jonathon Clements, Baltimore, MD: hearing aids, male condom photograph

Neil O. Hardy, Westport, CT: ectopic pregnancy, eye, facial nerves, Foley catheter, types of fractures, gastric bypass, glaucoma, gestation, antibody, arteriole, asthma, auditory ossicles, biopsy, segmental bronchi, capillary bed, dental caries, cerebral cortex, coronary arteries, frontal section of ear, embolism, enterostomy tubes, types of epithelium, Heimleich maneuver, invertebral disc herniation, hyperopia, hyphema, ileostomy, indirect ingiunal hernia, innervation of the hand and wrist, intestines, pancreas, joints, laryngeal cartilages, Le Fort classification of facial fractures, lungs and respiratory anatomy, metered dose inhaler, mouth, myopia, neuroglia, typical efferent neurons, nutrient absorption, nystagmus, olfaction, otitis externa, otitis media, pancreas, percussion, percutaneous transluminal angioplasty, permanent dentition, polyps, postural drainage, pulmonary circulation, peripheral pulses, quadrants of abdomen, layers of the retina, scoliosis, skeletal muscle, spirometry, spondylolosthesis, vascular stent, talipes cavus and talipes planus, temporomandibular joint, vertical banded gastroplasty, digital clubbing, cochlea, cranial nerves, deciduous dentition, decubitus ulcer, dental implant, dermatomes, DNA, abdominal regions, alveolar abscess, amniocentesis, palpation technique, varicosis, venous valves, ventricles of the brain, vision, electrocardiography, colostomy, heart valves, bronchoscopy, computed tomography, MRI machine, computer monitors

Siri Mills, Munich, Germany: human heart, sympathetic trunk

Barbara Proud, Wilmington, DE: female condom photograph

Michael Schenk, Jackson, MS: bomb calorimeter, carpal tunnel syndrome, finger deformities and fractures, grasp patterns, sliding esophageal and paraesophageal hernias, muscles of mastication, skinfold measurement sites

Mikki Senkarik, San Antonio, TX: thoracoscopy, esophagogastroduodenoscopy, colonoscopy

凡　　例

本辞典の体裁

I　見出し語

II　発音記号

III　訳語

IV　説明文

ad·sorp·tion (ad-sōrp′shŭn). 吸着（ある固形物質がガス，液体，溶液，または懸濁液中の他の物質を表面に吸い付けたり，結合させたりする性質．*cf.* absorption）．

V　類義語

V　参照語

rhythm (ridth′ŭm). ***1*** リズム，調律（調子の整ったリズミカルな時間や運動．2種またはそれ以上の異なった，または反対の状態の規則的な変化）．***2*** 周期．= rhythm method. ***3*** 律動，リズム（心電図または脳波上の電気活動の規則的な発生．→wave）．***4*** 単一の拍動により構成される心臓の連続性をもった拍動．

rhythm meth·od リズム法（月経周期で受精可能な時期を避けて性交する自然避妊法）．= rhythm (3).

類義語の該当語義区分

訳語が異なる

語義区分

品詞（品詞が異なる場合のみ示す）

ab·sor·bent (ăb-sōr′bĕnt). ***1*** 〘adj.〙吸収性の（気体，液体，光線，熱などを吸着または吸収する力のある）．= absorptive. ***2*** 〘n.〙吸収剤（***1***のような作用をもつ物質）．***3*** 〘n.〙吸収剤（麻酔器や基礎代謝測定装置のような再吸収を行う回路から，二酸化炭素を除去するための物質（通常は腐食剤））．

ab·sorp·tion (ăb-sōrp′shŭn). 吸収（①気体，液体，光，熱などを取り込むこと．*cf.* adsorption. ②放射線科学において，組織・媒体内を放射線が通過する場合にそれに取り込まれるエネルギーをいう．③放射線あるいは医学物理学においては，核物質の1秒間の崩壊数．放射能．単位（SI）はベクレル）．

訳語が同じ

見出し語の略または記号

adult T-cell leu·ke·mia (ATL) 成人T細胞白血病．= adult T-cell lymphoma.

I　見出し語

1）本辞典の見出し語は単語ごとではなく，一文字ごとのアルファベット順に配列した。句読点，スペース，数字などはアルファベット順配列から除外した。また，前置詞，接続詞，冠詞も除外した。

arterial
arteria lacrimalis
arterial blood

artery of bulb of vestibule
artery to ductus deferens
artery of the pancreastic tail

diphasic
2,5-**diphenyloxazole**
diphtheria

2）音節の切れ目は中丸（・）で示した。見出し語の中丸が行末にきた場合はそのまま中丸を用い，ハイフンは省略した。

vis•cer•al lay•er of se•rous per•i•car•di•um　心膜臓側板（直接心臓に接している，漿膜性心膜の内層）．

3）医学略語や記号は主見出し語として配列し，その語に対する説明文はフルスペルの見出し語の方に掲載した。また，相互参照できるようにフルスペルの見出し語のすぐ後に（　）でくくって示してある。

Cyt　シトシンの記号．

cy•to•sine (Cyt) (sī′tō-sēn)．シトシン（核酸中に見出されるピリミジンの１つ）．

II　発音記号

1）発音記号は見出し語のすぐ後に（　）でくくって示した。
2）英語以外の語に関しては，出来うるかぎり本来の発音に近いものを記した。
3）個々の発音については，次頁の発音記号例解を参照。

発音記号例解

母音

	〈国際音声記号〉（IPA）	〈例〉
ā	[ei]	d*a*y, tr*ai*t, g*au*ge
a	[æ]	m*a*t, d*a*mage, f*a*r
ă	[ə]	*a*bout, hep*a*titis, dat*a*, tart*a*r
ah	[ɑ(:)]	f*a*ther, wh*a*t
aw	[ɔ:]	r*aw*, f*a*ll, c*au*se
ē	[i:]	*e*go, h*e*re, b*ea*d, b*ee*t, arter*y*
e	[e]	b*e*d, h*ea*d, th*e*rapy, t*e*ratoma
ĕ	[ə]	*e*rythrocyte, gen*e*sis, syst*e*m, low*e*r
ī	[ai]	*i*sle, l*i*e, p*y*re, bacill*i*
i	[i]	*i*gloo, h*i*p, *i*rr*i*tate
ĭ	[ɪ]	penc*i*l, c*i*rcus

	〈国際音声記号〉（IPA）	〈例〉
ō	[ou]	*o*val, f*o*rm, g*o*
o	[ɔ(:)]	g*o*t, b*ou*ght
ŏ	[ə]	*o*ven, bott*o*m, mot*o*r
ow	[au]	c*ow*, h*ou*r
oy	[ɔɪ]	b*oy*, *oi*l
ū	[u:]	pr*u*ne, fr*ui*t, gen*u*, f*oo*d
yū	[ju:]	c*u*be, *u*rine, b*eau*ty, val*ue*
u	[u]	p*u*t, w*oo*l
ŭ	[ʌ]	*u*pset, p*u*tt, murm*u*r, t*ou*gh

子音

	〈国際音声記号〉（IPA）	〈例〉
b	[b]	*b*ad, ta*b*
ch	[tʃ]	*ch*ild, it*ch*
d	[d]	*d*og, ba*d*
dh	[ð]	*th*is, smoo*th*
f	[f]	*f*it, de*f*ect, *ph*ase, hy*ph*en, tou*gh*
g	[g]	*g*ot, ba*g*
h	[h]	*h*it, be*h*old
j	[dʒ]	*j*ade, *g*ender, ri*g*id, e*dg*e
k	[k]	*c*ut, ti*c*, ta*ch*ycardia
ks	[ks]	e*x*tra, ta*x*
kw	[kw]	*qu*ick, a*qu*a
l	[l]	*l*aw, ki*ll*
m	[m]	*m*e, ti*m*id, bu*m*

	〈国際音声記号〉（IPA）	〈例〉
n	[n]	*n*o, te*n*der, ru*n*
ng	[ŋ]	ri*ng*
p	[p]	*p*an, u*p*set, to*p*
r	[r]	*r*ot, at*r*opy, ta*r*
s	[s]	*s*o, di*s*till, *c*enter, coun*c*il
sh	[ʃ]	*sh*ow, wi*sh*, so*c*ial
t	[t]	*t*en, ba*tt*er, pu*t*
th	[θ]	*th*in
v	[v]	*v*ote, o*v*en, ner*v*e
w	[w]	*w*e, a*w*ake
y	[j]	*y*es, law*y*er
z	[z]	*z*ero, di*s*ease, face*s*
zh	[ʒ]	a*z*ure, vi*s*ion, mea*s*ure

III 訳語

1）訳語は見出し語・発音記号の後に示した。ただし，適切な訳語のないものは記載されていない。

2）一般医学用語は，日本医学会医学用語委員会編『医学用語辞典』（南山堂）および各科の学会選定用語集の趣旨になるべく沿うように編集した。

3）化合物名のカタカナ書きによる訳語は，文部科学省『学術用語集 化学編』（日本化学会）の字訳の原則に沿うようにしたが，慣用されている訳語を採用したものもある。

4）人名を付した用語の人名部分のカタカナ表記は，英語・独・仏語で欧米の一流医学雑誌に多数の論文を発表している大石実博士を中心に，各国外国人の協力を得て，母国語での発音に基づき行った。このため，従来の英語式やローマ字式発音に基づくカタカナ表記とは異なるものも多々ある。日本語として定着しているものは母国語式発音の後に（ ）で慣用されているカタカナ表記を付した。

5）複数の語義を有する見出し語では語義に応じて区分し，***1***，***2***，***3***…を用いた。

6）語義区分が品詞別になされている場合には，その品詞名を〚n.〛，〚v.〛，〚adj.〛，〚adv.〛など略記して付した。

7）訳語中の（ ）は，①直前の語と取り替えてもよいことを，②難読の漢字の読み仮名，また逆に仮名の漢字を示す。

8）訳語中の〔 〕は省略してもよいことを示す。

IV 説明文

1）説明文は見出し語の訳語の後に（ ）でくくって示した。

2）説明文中の分類には①，②，③…，またはⅰ，ⅱ，ⅲ …を用いた。

3）ラテン語の生物学術名（属名，種名），および *in vitro*，*in vivo* などは斜体で表記した。

4）原語の掲載が必要と思われるところは，原語を出して後に（ ）で訳語を入れるか，訳語の後に原語を並記するか，いずれかを採用した。先に記す語が原語か訳語かは，いずれが説明文の主内容かにより異なる。

5）人名の付く用語，耳慣れない地名や固有名詞の付く用語は，その人名や固有名詞の部分を原語表記とした。

V 類義・参照語

1）類義語は原則として見出し語・訳語・説明文の後に＝を付して示した。

2）紙面の節約を図るために，類義関係にある複数の見出し語のうちの１つ（最も一般的な語）にだけ説明文を付し相互参照を適用した。

> **ker•a•tome** (ker′a-tōm). 角膜切開刀，槍状刀（角膜を切るために用いるナイフ）. = keratotome.
>
> **ker•a•to•tome** (ker′a-tō-tōm). 角膜切開刀，槍状刀. = keratome.

3) 語義区分のある場合には，それぞれの語義に充当する類義語を語義区分された訳語・説明文の後に置いたが，すべての語義に一括して充当するものは見出し語の後に付した。

> **a•chro•mat•o•phil** (a-krō-mat′ō-fil). = achromophil.
> ***1*** 〖adj.〗 不染色性の（組織染色法や細菌染色法…）.
> ***2*** 〖n.〗 不染色性細胞，不染色性組織（通常の…）.

4) 化学，薬理学関係の用語の類義語（化学式も含む）は，見出し語の訳語の後にセミコロン（；）を付して示した。

> **al•co•hol** (al′kō-hol). ***1*** アルコール（炭素に…）.
> ***2*** エチルアルコール；CH_3CH_2OH（酵母と…）.

5) 本辞典では様々な形の参照を用いて情報を整理・統合し，各項目間の有機的な結合を図った。また，一部簡略化のために以下のような参照記号も使用した。

> ⇀　“…を参照”に相当し，強い参照指示
> →　“…をも参照”に相当し，⇀ よりも弱い参照指示
> *cf.*　“比較せよ（confer）”

VI　用字・用語

1) 見出し語の訳語・説明文では，常用漢字・新仮名遣いを原則としたが，常用漢字にこだわらず，意を伝えやすいように配慮した。
2) 簡略化を図るため，正式ではない略字でも頻繁に使用されているものは用いた。例として，弯（彎），蛍（螢），沪（濾，瀘）などがある。

VII　略語・記号

本辞典で用いる略語・記号類を下記に一覧表として示す。

acc.	accusative	p.	participle
adj.	adjective	pl.	plural
adv.	adverb	sing.	singular
cf.	L. *confer,* compare	v.	verb
CI	Colour Index		
EC	Enzyme Commission	註	訳者註記
gen.	genitive	⇀	…を参照
n.	noun	→	…をも参照

A

α (al′fa). アルファ（→alpha）.

A *1* adenine; alanine の略. *2* 下付き文字の場合は肺胞ガス alveolar gas を示す. *3* 吸光度，吸収度の記号. 通常は大文字のイタリック体を用いる. *4* ポリヌクレオチド中のアデノシンまたはアデニル酸の記号. ポリペプチド中のアラニンまたはアラニルの記号. 多基質酵素触媒反応の最初の基質を表す記号.

°A 絶対温度の記号. 現在は K (kelvin) を用いる.

Å オングストロームの記号.

A^- 陰イオンの記号.

A absorbance の略.

a *1* ante（前に）; area; asymmetric; auris; artery の略. *2* atto- の記号. *3* 下付き文字で，体循環動脈血を示す.

a 比吸光係数 specific absorption coefficient の記号. absorptivity の略.

a-, an- 無，不，非を意味する接頭語. ラテン語 *in-* および英語 *un-* と同意.

AA, aa amino acid; aminoacyl; Alcoholics Anonymous の略.

AAA *1* abdominal aortic aneurysm（腹部大動脈瘤）の略. 通常，AAA の外科的矯正として処置. *2* area agency on aging の略.

AAAI American Academy of Allergy and Immunology の略.

AAC augmentative and alternative communication の略.

AACN American Association of Colleges of Nursing の略.

AAD antibiotic-associated diarrhea の略.

AAHAM American Association of Healthcare Administrative Management の略.

AAI ankle-arm index の略.

AAMA American Association of Medical Assistants の略.

AAMC Association of American Medical Colleges（米国医科大学協会）の略.

AAMT American Association for Medical Transcription の略.

AAN American Academy of Nursing の略.

AANA American Association of Nurse Anesthetists の略.

AANN American Association of Neurological Nurses; American Association of Neuroscience Nurses の略.

A-aO_2 dif·fer·ence 肺胞-動脈血間酸素分圧差（肺胞腔酸素分圧と動脈血酸素分圧の差あるいは勾配. 通常は 10 mmHg 未満であるが，心臓または血管に大きな右左シャントがあると，増大する. →alveolar air equation）. = alveolar-arterial oxygen tension difference.

AAOHN American Association of Occupational Health Nurses の略.

AAOP American Academy of Orthotists and Prosthetists の略.

AAPA American Academy of Physician Assistants の略.

AAPB American Association of Pathologists and Bacteriologists の略.

AAPC American Academy of Professional Coders の略.

AAPMR American Academy of Physical Medicine and Rehabilitation の略.

Aar·on sign エアロン徴候（急性虫垂炎の場合，McBurney 点を続けて強く押すと，上腹部または前胸部に疼痛や異常を感じること）.

AARP American Association of Retired Persons の略.

AART American Academy of Respiratory Therapy の略.

AASH adrenal androgen-stimulating hormone の略.

AAUP American Association of University Professors の略.

Ab antibody の略.

ab-, abs- *1* …から，…を離れて，遠くに，を表す接頭語. *2* CGS 電磁単位系の電気単位を，CGS 静電単位系の電気単位（接頭語は stat-）や，メートル法あるいは国際単位系（SI）の電気単位（これらの単位では接頭語を使用しない）から区別するために用いる接頭語.

a·bac·te·ri·al (ā′bak-tēr′ē-ăl). 非細菌性の（細菌によって引き起こされたのではない，あるいは特徴づけられるものではない）.

A·bad·ie sign of ta·bes dor·sa·lis 脊髄ろうのアバディ徴候（アキレス腱反射が消失すること）.

ab·am·pere (ab-am′pēr). アブアンペア（電流の電磁単位，10 絶対アンペアに等しい. 1 アブアンペアの電流は，導線でつくる半径 1 cm の輪の中心に置いた単位磁極に 2π ダインの力を及ぼす）.

A band A 帯（ミオシン線維を含む筋肉の横紋. 光学顕微鏡下では暗く，偏光下では明るく見える）.

a·bap·i·cal (ă-bap′i-kăl). 先端を外れた，頂点と反対側の.

a·bar·og·no·sis (ā-bar′ŏg-nō′sis). 重量感覚喪失（手に持った物の重量を見積ったり，異なる重量の物を鑑別したりする能力の喪失. 一次性感覚が正常な場合は，反対側の頭頂葉の病変で起こる）.

a·ba·si·a (ă-bā′zē-ă). 歩行不能〔症〕，失歩（→gait）.

a·ba·si·a-a·sta·si·a (ă-bā′zē-ă-ă-stā′zē-ă). →astasia-abasia.

a·ba·si·a tre·pi·dans 振せん性歩行不能〔症〕（下肢の振せんによる歩行不能）.

a·ba·sic, a·ba·tic (ă-bā′sik, ă-bat′ik). *1* 歩行不能〔症〕の，失歩の. *2* 無塩基の（DNA のピリミジン部位の欠失についていう）.

ab·ax·i·al, ab·ax·ile (ab-ak′sē-ăl, -ak′sīl). *1* 軸を外れて. *2* 軸の反対端に位置する.

Ab·be-Est·lan·der op·er·a·tion アッベーエストランダー法（欠損を修復するための，口腔の片方の唇からもう片方の唇への組織弁の移植術）.

Ab·be flap アッベ唇〔皮〕弁，アビー皮弁（下口唇の三角弁．通常は正中部に作成される．口唇動脈で栄養され上口唇へ移植される）.

Ab·bott ar·ter·y アボット動脈（異常血管で，後内側の近位下行大動脈から起始する．大動脈縮窄症の修復時に重要）.

Ab·bott meth·od アボット法（外力により弯曲を部分的に矯正した後，一連のギプスジャケットを使用する側弯の治療法）.

Ab·bott stain for spores アボット胞子染色〔法〕（胞子はアルカリ性メチレンブルーで青色に染まり，菌体はエオシン対比染色で桃色に染まる）.

Ab·bott tube アボット管. = Miller-Abbott tube.

ab·bre·vi·a·ted new drug ap·pli·ca·tion 簡略新薬申請（既に製造販売の許可を得ている医薬品（先発医薬品）と同じ有効成分を持つ医薬品（後発医薬品）を製造販売するために製薬会社が行う簡易版の承認申請）.

ABC ***1*** 一次および二次循環救命処置で用いる略語で，常に確保すべき気道（airway），呼吸（breathing），循環（circulation）を指す．***2*** American Board for Certification in Orthotics and Prosthetics の略.

ABCDE 二次外傷救命処置で用いる略語で，常に確保すべき気道（airway），呼吸（breathing），循環（circulation）および，常に把握しておくべき頸椎（cervical spine），障害（disability），被曝（exposure）の状態を指す.

ab·do·men (ab′dŏ-mĕn). 腹，はら（胸郭と骨盤の間にある体幹の一部で，背部の椎骨部は含まないが，解剖学者によっては骨盤を含むとする者もいる．腹腔の大部分を占める．人為的に定めた平面により 9 部位に分割される．→abdominal regions）. = venter（1）.

ab·dom·i·nal (ab-dom′ĭ-năl). 腹の.

ab·dom·i·nal an·gi·na, an·gi·na ab·do·mi·nis 腹部アンギナ，腹部狭心症（食後の一定時間にしばしば起こる間欠的腹部痛で，動脈硬化または他の動脈疾患による不十分な腸間膜循環により引き起こされる）. = intestinal angina.

ab·dom·i·nal a·or·ta 腹大動脈（下行大動脈のうち第十二胸椎の高さにある横隔膜の大動脈裂孔より遠位（下方）にある部分）. = pars abdominalis aortae; aorta abdominalis; abdominal part of aorta.

ab·dom·i·nal as·sess·ment 腹腔診断（医療提供者による腹部の専門的評価．評価は，視察，聴診，触診というあらかじめ規定された手順で行われる）.

ab·dom·i·nal au·ra 腹部前兆（吐気，倦怠感，腹痛，空腹感などの腹部不快感を特徴とするてんかんの前兆．発作による自律神経機能障害を反映するものもある．→aura（1））.

ab·dom·i·nal cav·i·ty 腹腔（腹壁，横隔膜，骨盤によって囲まれた腔所．通常は骨盤上口の面を仮定して，それより下方を骨盤腔とよんで区別しているが，しかし後者を腹腔に含めても差しつかえはない．腹腔内には消化器の大部分，脾臓，腎臓，副腎などの器官が収容されている．→abdominopelvic cavity）. = enterocele（2）.

ab·dom·i·nal ges·ta·tion 腹腔妊娠（胎芽が腹腔内で発育するもので異所性妊娠の一種）.

ab·dom·i·nal guard·ing 腹壁防御（炎症を起こした腹部臓器を圧迫から守るため，触診で認められる腹壁の筋肉の痙攣．通常，虫垂炎，憩室炎，広汎な膀胱炎における腹膜壁側表面の炎症の結果生じる）.

ab·dom·i·nal her·ni·a 腹部ヘルニア（腹壁を通過，または腹壁の内部へ突出するヘルニア）. = laparocele.

ab·dom·i·nal hys·ter·ec·to·my 腹式子宮摘出〔術〕（腹壁を切開して子宮を摘出すること）. = abdominohysterectomy.

ab·dom·i·nal hys·ter·ot·o·my 腹式子宮切開〔術〕（腹壁切開による子宮切開．abdominohysterotomy, celiohysterotomy, laparohysterotomy, laparouterotomy ともいう）. = abdominohysterotomy.

ab·dom·i·nal os·ti·um of u·ter·ine tube 卵管腹腔口（卵管采をもつ卵巣端の部分）.

ab·dom·i·nal pad 腹〔部〕当てガーゼ，腹部パッド. = laparotomy pad.

ab·dom·i·nal part of a·or·ta = abdominal aorta.

ab·dom·i·nal preg·nan·cy 腹腔妊娠（腹腔内に卵子が着床し発育すること．通常は卵管妊娠の早期破裂により二次的に生じる．ごくまれに最初から腹腔内に着床することもある）. = abdominocyesis（1）.

ab·dom·i·nal pres·sure 腹圧（膀胱周囲の圧．直腸圧，胃圧，または腹腔圧により定量される）.

ab·dom·i·nal quad·rant 腹腔四分円（腹部を中間点を通り水平垂直に四分割したうちの一部分）.

ab·dom·i·nal re·flex 腹壁反射（腹部皮膚への刺激に対する腹壁筋の収斂）.

ab·dom·i·nal re·gions 腹の部位（腹の局所解剖学的細分で，幽門横断面・棘間面・鎖骨中央面によって仕切られる左右下肋部・左右側腹部・左右鼡径部，不対の上骨部・臍部・恥骨部である）.

ab·dom·i·nal res·pi·ra·tion 腹式呼吸（主に横隔膜の作用により行われる呼吸）.

ab·dom·i·nal sec·tion 開腹〔術〕. = celiotomy.

ab·dom·i·nal tes·tis 腹腔〔内〕精巣（最初の後腹膜腔または腹腔に存在する位置のまま鼡径輪を通過して下降しない状態の停留精巣）.

abdomino-, abdomin- 腹に関する連結形.

ab·dom·i·no·cen·te·sis (ab-dom′i-nō-sen-tē′sis). 腹腔穿刺.

ab·dom·i·no·cy·e·sis (ab-dom′i-nō-sī-ē′sis). ***1*** = abdominal pregnancy. ***2*** = secondary abdominal pregnancy.

ab·dom·i·no·cys·tic (ab-dom′i-nō-sis′tik). = abdominovesical.

ab·dom·i·no·gen·i·tal (ab-dom′i-nō-gen′i-

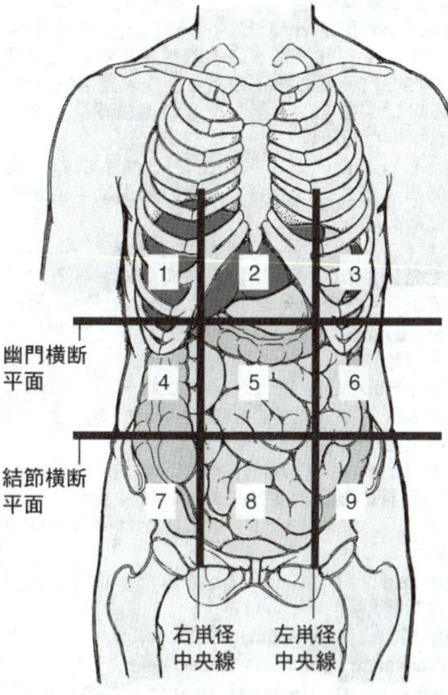
1
2
3
幽門横断
平面
4
5
6
結節横断
平面
7
8
9
右鼡径
中央線
左鼡径
中央線

abdominal regions

1：右下肋部，2：上腹部(心窩部)，3：左下肋部，4：右外腰部，5：臍部，6：左外腰部，7：右腸骨部，8：下腹部(恥骨上部)，9：左腸骨部

tăl). 腹部性器の（腹と生殖器に関する）.

ab·dom·i·no·hys·ter·ec·to·my (ab-dom′i-nō-his′tŏr-ek′tō-mē). = abdominal hysterectomy.

ab·dom·i·no·hys·ter·ot·o·my (ab-dom′i-nō-his-ter-ot′ō-mē). = abdominal hysterotomy.

ab·dom·i·no·pel·vic (ab-dom′i-nō-pel′vik). 腹骨盤の（腹部と骨盤部とについて，特に腹腔と骨盤腔を一括して扱う場合にいう）.

ab·dom·i·no·pel·vic cav·i·ty 腹骨盤腔（連続している腹腔と骨盤腔とを併せていう. →abdominal cavity）.

ab·dom·i·no·per·i·ne·al (ab-dom′i-nō-per-i-nē′ăl). 腹部会陰の（腹部と会陰の両方に関連した，の意味で，直腸の腹会陰式切除術といったように使われる）.

ab·dom·i·no·per·i·ne·al re·sec·tion 腹会陰式直腸切断術（S状結腸，直腸，肛門および周囲の皮膚の切除とS状結腸瘻(人工肛門)造設を含む外科的癌治療法. 同時にあるいは順次に腹部操作と会陰操作が行われる）.

ab·dom·i·no·plas·ty (ab-dom′i-nō-plas-tē). 腹壁形成〔術〕（整(美)容的目的のために腹壁に施行される手術）. = tummy tuck.

ab·dom·i·nos·co·py (ab-dom′i-nos′kō-pē). 腹腔鏡検査〔法〕. = peritoneoscopy.

ab·dom·i·no·scro·tal (ab-dom′i-nō-skrō′tăl). 腹部陰嚢の（腹と陰嚢に関する）.

ab·dom·i·no·tho·rac·ic (ab-dom′i-nō-thŏr-as′ik). 腹胸の（腹と胸郭の両方に関する）.

ab·dom·i·no·tho·rac·ic arch 胸腹弓（胸骨下端と左右の肋骨弓とでつくられる線で，胸壁と腹壁との前外側部での境界線をなしている）.

ab·dom·i·no·vag·i·nal (ab-dom′i-nō-vaj′i-năl). 腹部腟の（腹と腟の両方に関する）.

ab·dom·i·no·ves·i·cal (ab-dom′i-nō-ves′i-kăl). 腹部膀胱の，腹部胆嚢の（腹と膀胱，あるいは腹と胆嚢に関する）. = abdominocystic.

ab·duce (ab-dūs′). = abduct.

ab·du·cens (ab-dū′senz). 外転の. = abducent (1).

ab·du·cens nerve 外転神経. = abducent nerve.

ab·du·cens oc·u·li 眼外側直筋. = lateral rectus muscle.

ab·du·cent (ab-dū′sĕnt). ***1***〘adj.〙外転の（特に正中矢状面から遠ざかって）. = abducens. ***2***〘n.〙外転神経. = abducent nerve.

ab·du·cent nerve［CN VI］ 外転神経（第六脳神経[CN VI]. 眼の外側直筋を支配する小運動神経. 菱形窩面直下の橋被蓋の背側部から起こり，延髄と橋の後縁の間の裂溝(橋延髄溝)で脳から出る. 斜台の硬膜にはいり，海綿静脈洞を通って進み，上眼窩裂を通って眼窩にはいる）. = nervus abducens; abducens nerve; abducent(2); sixth cranial nerve.

ab·duct (ab-dŭkt′). 外転する（正中矢状面から遠ざかる方向へ動かす）. = abduce.

ab·duc·tion (ab-dŭk′shŭn). ***1*** 外転（四肢の場合は体の正中矢状面から，指の場合は手または足の正中矢状面から，四肢または指が遠ざかる方向への運動）. ***2*** 外ひき，外転（側頭方向への単眼の回転(ひき運動)）. ***3*** 外転位（***1***，***2*** のような運動の結果として生じた位置. *cf.* adduction）.

ab·duc·tor (ab-dŭk′tŏr). 外転筋.

ab·duc·tor di·gi·ti mi·ni·mi mus·cle of foot 足の小指外転筋（足底筋群の最表層の筋の1つ. 起始：踵骨隆起の外側および内側隆起. 停止：足の第五指基節骨外側. 作用：足の小指の外転と屈曲. 神経支配：外側足底神経）.

ab·duc·tor di·gi·ti mi·ni·mi mus·cle of hand 手の小指外転筋（小指球筋の表層のもの. 起始：豆状骨と豆鉤靱帯. 停止：小指基節骨底内側. 作用：小指の外転と屈曲. 神経支配：尺骨神経）.

ab·duc·tor hal·lu·cis mus·cle 足の母指外転筋（足底筋群第三層のもの. 起始：踵骨隆起の内側突起，屈筋支帯，足底腱膜. 停止：足の母指の基節骨内側. 作用：足の母指の外転. 神経支配：内側足底神経）. = musculus abductor hallucis.

ab·duc·tor pol·li·cis brev·is mus·cle 短母指外転筋（母指球筋のうち表層のもの. 起始：大菱形骨隆起，屈筋支帯. 停止：母指基節骨外側. 神経支配：正中神経. 作用：母指の外転）. = musculus abductor pollicis brevis; short abductor muscle of thumb.

ab·duc·tor pol·li·cis long·us mus·cle 長母指外転筋（前腕後区(背面)の筋の1つで，その

腱は手首に浮き出てみえる．起始：橈骨・尺骨・骨間膜の背面．停止：第一中手骨底外側．神経支配：橈骨神経．作用：母指の外転，母指の伸展の補助）．= musculus abductor pollicis longus; long abductor muscle of thumb; musculus extensor ossis metacarpi pollicis.

ab·duc·tor spas·mod·ic dys·pho·ni·a 外転型痙攣性発声障害（痙攣性発声障害の気息型．声門が過度にかつ長時間開いているために母音のなかに無声の音素がはいり込む）．

Ab·egg rule アーベックの法則（ある元素の最大陽原子価と最大陰原子価の絶対値の和は 8 に等しいという法則．例えば，炭素の原子価は+ 4 と − 4，酸素は+ 6 と − 2）．

A·bell-Ken·dall meth·od アベル-ケンダル法（全血清コレステロールの測定の標準法．この方法は，ビリルビン，蛋白，ヘモグロビンによる干渉を避ける）．

ab·em·bry·on·ic (ab′em-brē-on′ik)．胚子外の（胚盤胞で胚結節（初期胚）が位置するのと反対側の部分についていう）．

ab·em·bry·on·ic pole 胚子の反対側の極（胚結節がある胚子極の反対側の極）．

ab·er·rant (ab-er′ănt)．***1*** 異常の（正常とは異なる．植物学や動物学において，同種のなかの異型個体についていう）．***2*** 迷入〔性〕の，迷走〔性〕の（横道へそれて正常な経過や型からはずれる，ある種の管，血管，神経についていう）．***3*** 異所の．= ectopic (1)．

ab·er·rant goi·ter 異所性甲状腺腫（過剰甲状腺の腫脹）．= aberrant goitre.

aberrant goitre [Br.]. = aberrant goiter.

ab·er·ra·tion (ab′ĕr-ā′shŭn)．***1*** 収差，迷入（正常な進路または様式からの偏位）．***2*** 異常（発育または成長が正常の状態から逸脱すること．→chromosome aberration）．

abetalipoproteinaemia [Br.]. = abetalipoproteinemia.

a·be·ta·lip·o·pro·tein·e·mi·a (ā-bā′tă-lip′ō-prō′tēn-ē′mē-ă)．無 *β*-リポ蛋白血症（低比重 *β*-リポ蛋白欠損症，血中の有棘赤血球の存在，網膜色素変性，吸収不良，食事中のトリグリセリドによる上部腸管の吸収細胞の膨張および神経筋異常を特徴とする疾患．常染色体劣性遺伝）．= abetalipoproteinaemia; Bassen-Kornzweig syndrome.

ab·frac·tion (ab-frak′shŭn)．アブフラクション（壊れること．壊すこと）．

ABG arterial blood gas（動脈血血液ガス）; airbone gap の略．

ABI acquired brain injury; ankle-brachial index の略．

ab·i·ent (ab′ē-ĕnt)．背向的な（回避，あるいはひきこもりの特徴を表す）．

a·bil·i·ties (ă-bil′i-tēz)．能力（主として遺伝的に前もって規定され，個人的な熟練を要する筋肉運動の基礎をなす特徴（視力，身体構成，数値的論証など））．

a·bi·o·gen·e·sis (ā′bī-ō-jen′ĕ-sis)．偶然発生（生命のない物質から生命を持った生体が自発性に発生すること．→spontaneous generation）．

a·bi·ot·ic (ā-bī-ot′ik)．***1*** 生命力のない，非生物の．***2*** 生命のない．

Ab·i·o·tro·phi·a (ab′ē-ō-trō′fē-a)．アビオトロフィア属（元来さまざまな感染，特に亜急性細菌性心内膜炎と関連のある，「栄養学的変異，あるいは栄養学的欠損」をもつ連鎖球菌とみなされていた細菌属）．

ab·i·ot·ro·phy (ab′ē-ot′trŏ-fē)．無生活力（遺伝的に決定された形質で，その発現は年齢依存的である）．

abl エイブル（マウス白血病ウイルスの Abelson 株で発見され，慢性骨髄性白血病におけるフィラデルフィア染色体転座に含まれる癌遺伝子）．

a·blas·te·mic (ā′blas-tē′mik)．非生殖性の，非芽性の．

ab·late (ab-lāt′)．剥離する，離解する，切除する，切断する（生体の一部を除去する，またはその機能を破壊する）．

ab·la·tion (ab-lā′shŭn)．剥離，離解，切除，切断（外科的処置，変性，あるいは腐食させる物質により，生体の一部を除去またはその機能を破壊すること）．

ab·lu·ted (ă-blū′tĕd)．洗浄された（清潔に洗われた状態）．

a·blu·tion (ă-blū′shŭn)．洗浄，沐浴．

ABN advance beneficiary notice の略．

ab·ner·val, ab·neu·ral (ab-nĕr′văl, ab-nūr′ăl)．神経から離れる方向の（特に神経線維がはいる点から離れる方向に筋線維を通過する電流についていう）．

ab·nor·mal·i·ty (ab′nōr-mal′i-tē)．***1*** 異常〔性〕（異常である状態または性質）．***2*** 奇形，変形，変則，障害，機能不全．

ab·nor·mal oc·clu·sion 不正咬合（正常の範囲でないと考えられるような歯の配列）．

ab·nor·mal ST seg·ment = isoelectric period.

ab·nor·mal tone 異常音（筋肉の機能障害において生じている，増大もしくは減少した筋肉音）．

ABO haemolytic disease of the newborn [Br.]. = ABO hemolytic disease of the newborn.

ABO he·mo·lyt·ic dis·ease of the new·born (HDN) ABO 型新生児溶血性疾患（ABO 型血液型抗原に関しての母体と胎児の不適合による胎児赤芽球症．胎児が母体にはない A または B 抗原をもち，これが母体にはいると母体は胎児の赤血球溶血の原因になる免疫抗体を産出する）．= ABO haemolytic disease of the newborn.

ab·o·rad, ab·o·ral (ab-ōr′ad, -ăl)．口から遠ざかる方向の．orad の対語．

a·bort (ă-bōrt)．***1*** 自然流産する（子宮外で成育できる以前に胎芽または胎児を出産する）．***2*** 頓挫する（病気の進行がその初期でとどまる）．***3*** 発育しない（未発達なため成育，発達がとどまる）．***4*** 人工流産する（生存可能限界以前に，胎児および付属物を除去すること）．

a·bort·ed sys·to·le 頓挫収縮（心室収縮の衰弱による橈骨動脈脈拍の収縮拍の欠如）．

a·bor·ti·fa·cient (ă-bōr′ti-fā′shĕnt)．***1*** 〖adj.〗流産させる．= abortive (3)．***2*** 〖n.〗流産を促す物

質．

a·bor·tion (ă-bōr′shŭn). *1* 流産（子宮外で成育可能(妊娠約 20 週(註日本は 22 週)未満または胎児の体重 500 g 以下)な胎芽または胎児を娩出すること．37 週未満ではあるが育成可能な状態に達した後に生まれる早産とは区別される．自然流産と人工流産がある）．*2* 中絶（正常の妊娠終了以前にその経過を中断させる方法およびその過程）．

a·bor·tion·ist (ă-bōr′shŭn-ist). 人工流産施行者（人工流産を行う人）．

a·bor·tion pill 流産誘発剤（現在用いられているのは(日本では使用不可)，黄体ホルモン拮抗薬とプロスタグランジン(アラキドン酸から生合成される生理活性物質の一群)の組み合わせであり，これを妊娠初期(妊娠 7 週以内)に服用し，胎芽もしくは胎児を排出する方法）．

a·bor·tive (ă-bōr′tiv). *1* 頓挫性の（完了しない(例えば，疾病の発作が完全に進行しない)うちに治まる場合などをいう）．*2* 不全型の．= rudimentary. *3* 流産の．= abortifacient(1)．

a·bor·tive trans·duc·tion 不発〔形質〕導入，不全〔形質〕導入，不稔〔形質〕導入（供与菌の遺伝子片が受容菌のゲノムに組み込まれない導入．したがって，受容菌が分裂するとき娘細胞の一方にのみ伝達される）．

a·bor·tus (ă-bōr′tŭs). 流産児（流産の結果出てくるもの）．

ABP androgen binding protein の略．

ABR auditory brainstem response の略．

a·bra·chi·a (ă-brā′kē-ă). 無腕〔症〕（腕の先天的欠損．→amelia）．

a·bra·chi·o·ceph·a·ly, a·bra·chi·o·ce·pha·li·a (ă-brā′kē-ō-sef′ă-lē, -se-fā′lē-ă). 無腕無頭〔症〕（腕と頭の先天的欠損）．

a·brade (ă-brād′). *1* 磨耗する（機械的行為で磨滅する）．*2* 剥離する，掻爬する，擦過する（ある部分から一部分または全部の表層を削り取る）．

a·brad·ed wound 擦過創．= abrasion(1)．

A·brams heart re·flex エーブラムズ心臓反射（前胸部の皮膚が刺激されるときに生じる心筋の収縮）．

a·bra·sion (ă-brā′zhŭn). *1* 擦過傷，表皮剥脱（すり傷，または皮膚や粘膜の限局性表皮剥離）．= abraded wound. *2* 剥離，剥脱，掻爬〔術〕（表面の一部を削り取ること）．*3* 磨耗（歯科において誤った歯の磨き方，異物，歯ぎしり，あるいはそれに類似した原因で歯が病的にすり減ること．→bruxism, abrade. *cf.* attrition）．= grinding.

a·bra·sive (ă-brā′siv). *1* 〖adj.〗剥離の，剥脱の，磨耗の．*2* 〖n.〗表皮剥脱材（表皮剥脱に用いる物質）．*3* 〖n.〗研磨剤（歯科において用いる，磨耗，削合，または研磨用の物質）．

a·bra·sive·ness (ă-brā′siv-nes). 摩損性（①摩擦により表面の磨耗をもたらす物質の特性．②他の物体を引っ掻いたり，すり減らすことが可能な性質）．

ab·re·ac·tion (ab-rē-ak′shŭn). 解除反応，解放反応（Freud の精神分析において，過去の抑圧された不快な体験を意識野に再現させることにより，情動の解放あるいはカタルシスが行われる現象）．

a·bro·si·a (ā-brō′zē-ă). 絶食（食事を絶つこと）．

ab·rup·tion (ab-rŭp′shŭn). 剥離（くっついているものを引きはがす，分離する，あるいは引き離すこと）．

ab·rup·ti·o pla·cen·tae 常位胎盤早期剥離，常位胎盤早剥（正常な位置にある胎盤が早期に剥離すること）．

ab·scess (ab′ses). 膿瘍（①膿状の滲出物の限局性集積で，しばしば腫脹や他の炎症徴候を伴う．②固形組織内の液化壊死によって形成された窩洞）．

ab·scis·sion (ab-sĭ′zhŭn). 切除，切断．

ab·sco·pal (ab-skō′păl). アブスコパル（組織に放射線を照射する場合に，直接照射されていない組織に対しても二次的に効果の及ぶ現象）．

ab·sco·pal ef·fect アブスコパル効果（放射線照射後にみられる一種の反応で，放射線を実際に吸収した部分以外の場所に生じる）．

ab·sence (ab′sĕns). アプサンス，アブサンス，欠神（意識障害の発作で，ときに頭部の筋肉の痙攣を伴い，過換気で通常，誘発できる）．

ab·sence sei·zure アプサンス発作，欠神発作（その人の外的または内的な進行中の出来事の相互作用認識や記憶の障害を特徴とする発作．精神錯乱，外部認識低下，内的または外的刺激に対する反応不能，健忘の要素を含むことがある）．

Ab·sid·i·a (ab-sid′ē-ă). アブシディア属（一般に自然界にみられるケカビ科の真菌類の一属．好熱性の種は，45°C を超えるような堆肥の中でも生存し，またヒトにムコール菌症(接合真菌症)を引き起こすことがある）．

ab·sinthe (ab′sinth). アブサン（アブシンチウム，アニス，ウイキョウその他の薬草の香りをつけた 60—75%エタノールを含むリキュール．その毒性と依存性のため，長く米国およびその他の国々で禁止されている．活性成分はツヨン(ツジョン)）．= wormwood.

ab·so·lute en·dur·ance 絶対耐久性（個人間の筋力のばらつきを含んだり，考慮にいれたりせずに存在している筋肉の耐久性）．

ab·so·lute hu·mid·i·ty 絶対湿度（一定体積の気体または空気中に実際に存在する水蒸気の量）．

ab·so·lute hy·per·o·pi·a 絶対遠視（顕在遠視で，調節の努力をしても克服できないもの）．

ab·so·lute rate ox·y·gen up·take 絶対酸素吸収率（エネルギー消費量，あるいはキロカロリーに換算した，酸素摂取量の割合）．

ab·so·lute re·frac·to·ry pe·ri·od 絶対不応期（刺激の強さにかかわらず，いかなる反応も起こらない興奮後の期間）．

ab·so·lute scale = Kelvin scale.

ab·so·lute tem·per·a·ture (*T*) 絶対温度（絶対零度からケルビン目盛りで測定される温度）．

ab·so·lute u·nit 絶対単位（場所や時間に関係なく常に一定の値をとる単位で，重力に依存せずに導かれる単位).

ab·so·lute ze·ro 絶対零度（考えられる最低の温度，すなわちその温度では熱となる運動がもはや存在しないとみなされ，−273.15℃または0 Kと定められる).

ab·sorb (ăb-sōr′b). 吸収する（①吸収によって取り込む. ②透過光の強度を減少させる).

ab·sorb·a·ble gel·a·tin film 吸収性ゼラチン膜（プレート上にゼラチン-ホルムアルデヒド溶液を乾燥させることによりつくられた滅菌性・非抗原性・吸収性の，水に不溶のゼラチンの薄いシート．硬膜や胸膜などでの欠損の閉鎖や修復に用いる．1—6か月間で吸収される).

ab·sorb·a·ble su·ture 吸収性縫合材（治癒の過程のあいだに身体中の酵素によって溶解する縫合物質．傷を閉じるために深部組織が内部の縫合層を必要とする場合に使用).

ab·sor·bance (*A*, A), ab·sor·ban·cy, ab·sorb·en·cy 吸光度，吸収度（分光計測法で用いられ，透過光の強さに対する入射光の強さの比を対数で表した値). = extinction(2); optic density.

ab·sorb·an·cy in·dex ***1*** = specific absorption coefficient. ***2*** = molar absorption coefficient.

ab·sorbed dose 吸収線量（照射を受けた物質の単位質量当たりに吸収されるエネルギー量．放射線治療において，旧単位はラド(rad，100 ergs/g)であったが，現在のSI単位系ではグレイ(Gy，100 J/kgまたは100 rad)である).

ab·sor·bent (ăb-sōr′bĕnt). ***1***〚adj.〛吸収性の（気体，液体，光線，熱などを吸着または吸収する力のある). = absorptive. ***2***〚n.〛吸収剤（***1***のような作用をもつ物質). ***3***〚n.〛吸収剤（麻酔器や基礎代謝測定装置のような再呼吸を行う回路から，二酸化炭素を除去するための物質(通常は腐食剤)).

ab·sorb·ent gauze ガーゼ（外科手術あるいは傷の包帯として用いられる，折りたたまれるか巻かれるかしている白色の木綿の布).

ab·sorp·ti·om·etry (ăb-sōrp′shē-om′ĕ-trē). 吸収測定法（例えば放射線の吸収の測定法).

ab·sorp·tion (ăb-sōrp′shŭn). 吸収（①気体，液体，光，熱などを取り込むこと. *cf.* adsorption. ②放射線科学において，組織・媒体内を放射線が通過する場合にそれに取り込まれるエネルギーをいう. ③放射線あるいは医学物理学においては，核物質の1秒間の崩壊数．放射能．単位(SI)はベクレル).

ab·sorp·tion chro·ma·tog·ra·phy 吸収クロマトグラフィ. = chromatography.

ab·sorp·tion co·ef·fi·cient 吸収係数（①液体100 mLを飽和する分圧1気圧の気体のmL数の，0℃ 1気圧における換算値. ②物質の1モル溶液の厚さ1 cmの層を通して吸収される光量で，Beer-Lambert法則の定数．この場合は吸光係数ともいう. ③物質内を通過する際の散乱および他種のエネルギーへの変換の両者によるX線強度の減衰率をいう).

ab·sorp·tion lines 吸収線（太陽の周囲および地球の大気圏によって吸収された太陽スペクトルの黒線).

ab·sorp·tion spec·trum 吸収スペクトル（光が溶液や半透明物質を通過して部分的に吸収された後に観察されるスペクトル．多くの分子配置についてそれぞれ特徴的な光吸収の型があり，検出および定量分析に用いることができる).

ab·sorp·tive (ăb-sōrp′tiv). = absorbent(1).

ab·sorp·tiv·i·ty (*a*) (ab-sōrp-tiv′i-tē). ***1*** = specific absorption coefficient. ***2*** = molar absorption coefficient.

ab·sti·nence (ab′sti-nĕns). 禁断，離脱，禁欲（ある種の食物，アルコール飲料，非合法の薬剤または性交を断つこと).

ab·stract (ab′strakt). ***1*** 散剤（流エキス剤を蒸発させて粉末にし，乳糖を加えて摩砕したもの). ***2*** 抄録（論文や講演などの要約または要旨).

ab·strac·tion (ăb-strak′shŭn). ***1*** 抽出（物質の揮発成分の蒸留または分離). ***2*** 極度の精神集中. ***3*** 抽出（生薬から散剤をつくること). ***4*** 低位歯（歯またはその関連組織が正常な咬合平面より低位置にある不正咬合). ***5*** 抽象（全体の概念のなかから，ある一面を選び出す過程).

ab·stract think·ing 抽象的思考（概念や一般原理で思考すること．例えば，テーブルと椅子を家具として理解すること．具象的思考と対比される).

ab·ter·mi·nal (ab-ter′mi-năl). 末端から離れる方向の（末端から離れて中心に向かう方向の．筋肉内の電流の流れについていう).

a·bu·li·a (ā-bū′lē-ă). 無為（①自発的行動や決定する能力が喪失または障害されている状態. ②会話，動作，思考，および情緒的反応の減少で，両側前頭葉疾患で一般にみられる).

a·bu·lic (ā-bū′lĭk). 無為の.

a·buse (ă-byūs′). ***1*** 乱用（何かを誤って使用，特に過度に使用すること). ***2*** 虐待（小児虐待，あるいは性的虐待におけるような，不法な，有害な，あるいは攻撃的な扱い).

a·but·ment (ă-bŭt′mĕnt). 橋脚歯，アバットメント（歯科において，固定または可撤義歯の維持あるいは固定源のために用いる，天然歯または植立された代替歯).

AC, ac, a.c. ***1*** alternating current; ラテン語 *ante cibum*（食前に）の略. ***2*** シアン化水素のNATOコード.

Ac アクチニウムの元素記号．アセチルの記号.

AC: A accommodative convergence-accommodation ratioの略.

A·ca·ci·a (ă-kā′shē-ă). アカシア（アカシアセネガおよびその他のマメ科アカシア種由来のゴム状滲出物を乾燥させ，粘液あるいはシロップに調製したもの．皮膚軟化薬，保護作用のある賦形剤，医薬品や食品中の懸濁剤として用いる．以前は輸液として用いられた). = gum arabic.

A·cad·e·my of Cer·ti·fied So·cial Work·ers (ACSW) ソーシャルワーカーアカデミー(1960年に創立された専門組織で，ソーシャルワーカーが従事する分野において，適度の専門知識を習得しかつ維持していると証明する認定書を発行する).

a·cal·cu·li·a (ā-kal′kyū-lē-ă). 失算〔症〕，計算

不能〔症〕（簡単な数字の問題を解く能力の欠如を特徴とする失語症の一型．大脳半球の損傷でみられる．しばしば痴呆の初期徴候である）．

a·can·tha (ā-kan′thă). ***1*** 棘，棘状の突起．***2*** 〔椎骨の〕棘突起．

acanthaesthesia [Br.]. = acanthesthesia.

a·can·tha·me·bi·a·sis (ā-kan′thă-mē-bī′ă-sis). アカントアメーバ症（土壌や水中の自由生活性アメーバである *Acanthamoeba* 属の感染で，壊死性の皮膚あるいは組織侵襲，劇症で通常は致命的な原発性アメーバ性髄膜脳炎を起こす）. = acanthamoebiasis.

A·can·tha·moe·ba **me·di·um** アカントアメーバ培地（大腸菌 *Escherichia coli* を重畳した無栄養寒天平板培地．*Acanthamoeba* 属や *Naegleria* 属を組織標本や土壌から検出するための培地）．

acanthamoebiasis [Br.]. = acanthamebiasis.

a·can·thes·the·si·a (ă-kan′thes-thē′zē-ă). 棘感覚，アカンセスセジア（針で刺されるような感覚異常）. = acanthaesthesia.

a·can·thi·on (ă-kan′thē-on). アカンチオン（前鼻棘の先端）．

acantho- 棘突起，有棘の，を意味する連結形．

a·can·tho·cyte (ă-kan′thō-sīt). 有棘赤血球（有棘赤血球増加症にみられるような，多数のとげ状の細胞質突起を有する赤血球）. = acanthrocyte.

a·can·tho·cy·to·sis (ă-kan′thō-sī-tō′sis). 有棘赤血球増加〔症〕（大部分の赤血球が有棘赤血球であるという珍しい状態．無 β-リポ蛋白血症に通常はみられる特徴）. = acanthrocytosis.

a·can·thoid (ă-kan′thoyd). とげ状の．

ac·an·thol·y·sis (ak′an-thol′i-sis). 棘細胞離開，棘融解（個々の表皮角化細胞がその周囲の有棘細胞から分離または融解すること．尋常性天疱瘡や Darier 病のような疾患にみられる）．

ac·an·tho·ma (ak′an-thō′mă). 棘細胞腫（表皮有棘細胞の増殖によって形成された腫瘍．→ keratoacanthoma）．

a·can·tho·me·a·tal line 前鼻棘外耳孔線（アカンチオンと外耳道の間の仮想線．頭蓋のX線写真撮影の際，位置決めするときに用いる）．

a·can·thor·rhex·is (ă-kan-thŏ-rek′sis). 表皮有棘層の細胞間橋が破壊される現象で，接触皮膚炎などで認められる．一spongiosis.

ac·an·tho·sis (ak-an-thō′sis). 表皮肥厚〔症〕，有棘層肥厚，アカントシス（表皮有棘層の厚みが増すこと）．

ac·an·tho·sis ni·gri·cans 黒色表皮〔肥厚〕症，黒色表皮腫（ビロード状で良性の乳頭状増殖と色素沈着からなる皮疹で，腋窩，頸部，肛門性器部，鼡径部に生じる．成人の場合は内臓の悪性腫瘍，内分泌障害，または肥満症を伴うことがある．小児には良性の遺伝型がみられる）．

ac·an·thot·ic (ak-an-thot′ik). 表皮肥厚〔症〕の，有棘層肥厚の，アカントシスの．

a·can·thro·cytes (ă-kan′thrŏ-sīts). = acanthocyte(1).

a·can·thro·cy·to·sis (ă-kan′thrō-sī-tō′sis). = acanthocytosis.

a·cap·ni·a (ă-kap′nē-ă). 炭酸欠乏〔症〕（血液中の二酸化炭素が欠乏すること．ときに hypocapnia(低炭酸症)と誤用される）．

a·car·di·a (ā-kahr′dē-ă). 無心症（心臓の先天的欠損．この状態は一卵性双胎または接着双生児の一方が胎盤血液供給を独占すると，小さいほうの寄生体にしばしば生じる．三胎においても起こりうる）．

ac·a·ri·a·sis (ak′ăr-ī′ă-sĭs). ダニ症（ダニ類が寄生する(通常は皮膚)ことによって生じる疾患の総称. 一mange). = acaridiasis; acarinosis.

a·car·i·cide (ă-kar′i-sīd). ダニ駆除薬（ダニ目のダニを殺す薬剤．一般にダニを殺す化学物質を表すのに用いる語）．

ac·a·rid (ak′ă-rid). ダニ（コナダニ科に属する小型のダニの一般名）．

A·car·i·dae (ă-kar′i-dē). コナダニ科（ダニ目の一科で，通常は 0.5 mm かそれ以下の特別に小さなダニからなる分類上の大グループ．乾燥した果実，肉類，穀類，ひき割り，粉などに多く発生し，それらの産物を頻繁に扱って過敏となった人々に，しばしば重篤な皮膚炎を起こす）．

ac·ar·i·di·a·sis (ak-ăr-i-dī′ă-sis). = acariasis.

Ac·a·ri·na (ak-ă-rī′nă). ダニ目（蛛形綱の一目で，マダニおよびその他の小型ダニを含む）．

ac·a·rine (ak′ă-rīn). ダニ類（ダニ目に属するダニ）．

ac·ar·i·no·sis (ak′ă-ri-nō′sis). = acariasis.

ac·a·ro·der·ma·ti·tis (ak′ă-rō-dĕr-mă-tī′tis). ダニ皮膚炎（ダニによって生じた皮膚の炎症または発疹）．

ac·a·ro·pho·bi·a (ak′ă-rō-fō′bē-ă). ダニ恐怖〔症〕，微細物恐怖〔症〕（小寄生生物，小粒子，かゆみに対する病的な恐れ）．

Ac·a·rus (ak′ă-rŭs). コナダニ属（コナダニ科の一属）．

Ac·a·rus sca·bi·e·i *Sarcoptes scabiei* の旧名．

a·car·y·ote (ă-kar′ē-ōt). = akaryocyte.

ACBE air contrast barium enema の略．

ac·cel·er·ant (ak-sel′ĕr-ănt). = accelerator(3).

ac·cel·er·at·ed hy·per·ten·sion 加速性の高血圧（血圧が異常に速く上昇する状態で，通常，急性増悪の徴候を伴う）．

ac·cel·er·at·ed id·i·o·ven·tric·u·lar rhyth·m 促進型心室固有調律（心室ペースメーカーが生じさせる頻拍）．

ac·cel·er·a·ted junc·tion·al rhythm 促進型接合部調律（1分間に60拍から100拍の割合で房室接合部から起こる心臓活動の活性化）．

ac·cel·er·a·tion-de·cel·er·a·tion in·ju·ry 加速-減速損傷. = whiplash injury.

ac·cel·er·a·tion in·ju·ry 加速障害（静止状態にある身体に突然動きが加えられ場合に生じる持続性の障害で，特に自動車に追突された際の頭頸部への障害をさす）．

ac·cel·er·a·tor (ak-sel′ĕr-ā-tŏr). = accelerant. ***1*** 加速装置，アクセルレータ，促進因子（行動または機能の速度を増すもの）．***2*** 促進神経，促進物質(因子)（生理学において，動きや反応を速める神経，筋肉，または物質）．***3*** 促進剤（化学反応を速める触媒). *4* 加速器 (原子核物理学において, ターゲットと核反応を起こさせるために荷電粒子(例えば陽子)を加速する装置. 原子内の構造の研究や放射性核種の生成や放射線治療に用いられる).

ac·cel·er·a·tor fac·tor 促進因子. = factor V.

ac·cel·er·a·tor fi·bers 心拍促進線維 (交感神経幹の上・中・下頸神経節から出る節後性交感神経線維. 神経インパルスを心臓に伝え, 心拍の速度と力を増す).

accelerator fibres [Br.]. = accelerator fibers.

ac·cel·er·a·tor glob·u·lin (AcG, ac-g) 促進性グロブリン (トロンボプラスチンとカルシウムイオンの存在下で, プロトロンビンのトロンビン転換を促進する血清中物質. ━factor V; serum accelerator globulin).

ac·cel·er·a·tor nerves 促進神経 (心臓の交感神経支配を行っている心肺内臓神経の一部で, 交感神経幹の上・中・下の各頸神経節の神経節細胞から起こり, 無髄の遠心性神経でこれが刺激されると心拍数が増大する).

ac·cen·tu·a·tor (ak-sen′chū-ā-tŏr). 染色強化剤 (アニリンのような物質. これにより他の方法では望めない組織または組織要素と染料との結合が可能になる).

ac·cep·ta·ble dai·ly in·take (ADI) ━acceptable intake.

ac·cept·a·ble in·take (AI) 摂取許容量 (推奨される一日あたりの栄養素の摂取量をあらわす値で, データ不足で推定平均必要量(EAR)が確定できず, 推奨栄養所要量(RDA)が算出できない場合に用いられる. AI は, 当該栄養素の必要量の平均と分布を決定するにはさらに研究が必要とされる場合に使用される. →Dietary Reference Intake).

ac·cept·a·ble mac·ro·nu·tri·ent dis·tri·bu·tion range (AMDR) 多量栄養素許容分布域 (十分量摂取することで慢性疾患のリスクを減少する栄養素摂取量の範囲. 全エネルギー量に対するパーセントで表す. AMDR は蛋白質, 炭水化物, 脂肪, リノール酸(n-6)および α リノレン酸(n-3)多価不飽和脂肪酸について定められている).

ac·cep·tor (ak-sept′ŏr). アクセプタ, 受容体 (アミン基, メチル基, カルバモイル基などの化学基を, 他の化合物(供与体)から受け取る化合物).

ac·cess (ak′ses). アクセス, 近付く手段(接近あるいは侵入する方法・手段. 歯科において, ⓘう食を除去し, 修復する際, 歯の切削器具の操作および術部の明視化に必要な空間. ⓘⓘ根管の洗浄, 形成, および充填といった一連の根管治療において必要とされる適切な髄腔開拡のための歯冠部の穴).

ac·ces·si·bil·i·ty (ak-ses′ă-bil′i-tē). アクセシビリティ, 利便性 (環境及び所属する社会においてある事物が利用可能であるかどうかについての度合. 障害を持つ人々と, サービスおよび物理的な空間両方へのアクセスを想定して, 広範に適用される. →health-related quality of life; Amerivans with Disabilities Act).

ac·ces·so·ry (ak-ses′ŏr-ē). 副の, 副存の, 付属の, 補助的の (解剖学において, ある種の筋肉, 神経, 腺などについて主なものに対して補助的あるいは過剰なものであることをいう).

ac·ces·so·ry cell アクセサリー細胞. = antigen-presenting cell.

ac·ces·so·ry ce·phal·ic vein 副橈側皮静脈 (前腕の橈側縁に沿って流れ, 肘の近くで橈側皮静脈に加わる変異の多い静脈). = vena cephalica accessoria.

ac·ces·so·ry gland 副腺 (腺状構造の小塊で, 大きい主腺から分離しているが, 近くにあり, 構造が似ているところから, 機能も似ているものと思われる).

ac·ces·so·ry hem·i·a·zy·gos vein 副半奇静脈 (第四から第七左肋間静脈の合流によって形成され, 第五・第六・第七胸椎体の側面に沿って下行し, 大動脈, 食道, および胸管の背後で正中線を横切り奇静脈へ注ぐ. ときには半奇静脈と合体している). = vena hemiazygos accessoria.

ac·ces·so·ry lig·a·ments 副靱帯, 補助靱帯 (関節周囲の靱帯で, 関節包の一部となっている. 関節包内にあるときも, 外側にあるときもある).

ac·ces·so·ry mol·e·cules アクセサリー分子 (T 細胞上にみられる接着分子で, 細胞同士の結合活性化やシグナル伝達に関与する).

ac·ces·so·ry nerve [CN XI] 副神経 (第十一脳神経[CN XI]. 脳と脊髄の 2 つの根より起こる. 前者は延髄の外側から, 後者は脊髄の上位 5 つの頸節の腹外側部から出た後, 合体して副神経幹をなし, 次いで再び内枝と外枝に分かれる. 内枝は主に脳根の線維を含み, 頸静脈孔の中で迷走神経と合流して咽頭, 喉頭, 軟口蓋に分布する. 外枝は独立に頸静脈孔を通り抜け, 胸鎖乳突筋と僧帽筋に分布する. 当初副神経には脳根と脊髄根があるとされてきたが, 最近では脳根は迷走神経の一部と考えられるようになっている). = nervus accessorius; eleventh cranial nerve.

ac·ces·so·ry nip·ple 副乳 (乳腺堤に沿って残存した余分な乳房組織).

ac·ces·so·ry ob·tu·ra·tor ar·ter·y 副閉鎖動脈 (下腹壁動脈の恥骨枝と閉鎖動脈の恥骨枝との吻合枝で, 閉鎖管を通して大量に血液を送る場合に用いられる名称). = arteria obturatoria accessoria.

ac·ces·so·ry or·gans of the eye 副眼器 (眼瞼, 睫毛, 眉毛, 涙器, 結膜嚢, および外眼筋からなる眼球付属器).

ac·ces·so·ry pan·cre·at·ic duct 副膵管 (膵臓頭部の導管で, その 1 本の分枝は膵管に結合し, 他の 1 本は膵管とは独立して小十二指腸乳頭に開口する). = ductus pancreaticus accessorius; Bernard duct; Santorini canal; Santorini duct.

ac·ces·so·ry phren·ic nerves 副横隔神経 (第五頸神経から起こる副次的線維. しばしば鎖骨下神経の枝として下行して横隔神経に合流する). = nervi phrenici accessorii.

ac·ces·so·ry spleen 副脾 (脾臓の領域, 腹膜ひだの中, または他部にときにみられる脾臓組織からなる小球塊). = lien accessorius.

ac·ces·so·ry su·pra·re·nal 副副腎（副腎から分離した副腎皮質組織の島で，通常は後腹膜組織，腎臓，あるいは生殖器に見出される). = adrenal rest.

ac·ces·so·ry symp·tom 随伴症状（ある病気に常にではないが合併する症状. pathognomonic symptom (特徴的症状) とは異なる). = concomitant symptom.

ac·ces·so·ry ver·te·bral vein 副椎骨静脈（椎骨静脈に伴うが，第七頸椎の横突起の孔を通過し独立して腕頭静脈にはいる静脈). = vena vertebralis accessoria.

ac·ci·dent (ak′si-dĕnt). 事故，災害，偶発症候（傷害に導く，計画したり企図したのではないが，ときには予言できる出来事. 例えば，交通，産業，家庭内の出来事や，病気の経過中に起こるもの).

ac·ci·den·tal hy·po·ther·mi·a 偶発性低体温（寒冷環境にさらされて体温が故意にでなく低下することで，特に新生児，乳幼児，および老年者に，また特に手術中に起こる).

ac·ci·den·tal my·i·a·sis 偶発的ハエウジ症（汚染した食物の摂取による胃腸ハエウジ症).

ac·ci·den·tal par·a·site = incidental parasite.

ac·ci·dent-prone (ak′si-dĕnt-prōn). 事故を起こしやすい（平均的な人に想定されるよりもはるかに多くの事故を起こす).

acclimatisation [Br.]. = acclimatization.

ac·cli·ma·ti·za·tion, ac·cli·ma·tion (ă-klī′mă-tī-zā′shŭn, ak-li-mā′shŭn). 気候順化（馴化），気候順応，風土順化（馴化），風土順応（異なった気候，特に気温や高度などの環境変化に対して個体が生理的調節を行い適合していくこと). = acclimatisation.

ac·com·mo·dat·ing re·sis·tance 調節性抵抗（等運動性試験または訓練において筋収縮速度を調節するために筋収縮に抵抗を加えること).

ac·com·mo·da·tion (ă-kom′ŏ-dā′shŭn). 調節，順応，適応（①調整や馴化を行うこと，またはその状態. ②感覚運動理論において，経験に適合するように先験的な図式や認識予想を変えること).

ac·com·mo·da·tion re·flex 〔遠近〕調節反射（はっきりした網膜像を維持するため水晶体が厚くなる現象（毛様体筋の収縮および提靱帯の弛緩による)).

ac·com·mo·da·tive (ă-kom′ŏ-dā-tiv). 調節〔性〕の.

ac·com·mo·da·tive as·the·no·pi·a 調節性眼精疲労（屈折異常とそれによる毛様体筋の極端な収縮によって起こる眼精疲労).

ac·com·mo·da·tive con·ver·gence ac·com·mo·da·tion ra·ti·o (AC:A) 調節性輻輳対調節比（AC/A 比）（両眼を同一の対象物に向るのに必要な輻輳量（輻輳のプリズムジオプターで算出したもの）を調節量（ジオプターで算出）で割った値). 註通常は，accommodative convergence/accommodation ratio (AC/A ratio) と表記する.

ac·com·mo·da·tive in·suf·fi·cien·cy 調節不全（近方視のための適切な調節の欠如).

ac·cor·di·on graft アコーディオン様移植片（伸張させて広い範囲をおおえるように多数の細隙をつくった皮膚の移植片).

ac·cou·cheur's hand 産科医の手（テタニーまたは筋ジストロフィ患者における手の形状. 手指は中手指節関節で屈曲し指骨関節で伸展し，母指は手掌側に内転屈曲している. 腟の診察を行うときの医師の手の形状に似ていることから名付けられた). = obstetric hand.

ac·counts pay·a·ble (AP, A/P) 買掛金（開業医や病院が業者や従業員に対して有する金額の総計).

ac·counts re·ceiv·a·ble (AR, A/R) 売掛金（開業医に対して患者および/または保険業者が有している金額の総計).

ac·cred·i·ta·tion (ă-kred′i-tā′shŭn). 認定（何らかの権威者による承認，認定，あるいは推奨).

ac·cre·ti·o cor·dis 心膜癒着，心癒着（心膜が隣接する心外構造に癒着すること).

ac·cre·tion (ă-krē′shŭn). ***1*** 付着成長（すでにある物体と同じ性質をもつ物体が周囲に付着して増加すること. 例えば，結晶の成長). ***2*** 付着物（歯科において，歯の表面または窩洞内に沈着した異物（通常，歯垢または歯石)). ***3*** 癒着.

ac·cre·tion·ar·y growth 付着成長（細胞間質の増加による成長).

ac·cul·tur·a·tion (ă-kŭl′chŭr-ā′shŭn). 文化的適応（初めて触れる国や文化の慣習，価値観，信条および振る舞いに人やグループが適応すること).

ac·cur·a·cy (ak′kyūr-ā-sē). 正確度（測定値または測定値に基づく推定値が測定項目の真の値を表す度合い. 臨床検査室において，ある検査法の正確度は，その検査法による結果を標準的な検査法または確立された基準法の結果と比べることができれば決定できる).

ACE angiotensin-converting enzyme の略.

a·cel·lu·lar (ā-sel′yū-lăr). 無細胞の（①細胞がまったくない. ②単細胞で多細胞とはならず，単細胞単位で完成されている単細胞生物に対して用いる語).

a·cen·tric (ā-sen′trik). 無動原体の，非中枢性の，中心外の（中心のない. 細胞遺伝学において，動原体のない染色体断片についていう).

a·ce·phal·gic mi·graine 無頭痛性片頭痛（古典的片頭痛で目のチカチカはあるが頭痛のないもの).

a·ce·pha·li·a, a·ceph·a·lism (ā-sĕ-fā′lē-ă, ā-sef′ă-lizm). = acephaly.

a·ceph·a·lo·car·di·a (ā-sef′ă-lō-kahr′dē-ă). 無頭無心症（寄生双生児における頭部と心臓の欠損).

a·ceph·a·lo·chei·ri·a, a·ceph·a·lo·chi·ri·a (ā-sef′ă-lō-kī′rē-ă). 無頭無手症（頭部と手の先天的欠損).

a·ceph·a·lo·gas·ter·i·a (ā-sef′ă-lō-gas-tēr′ē-ă). 無頭無胴症（寄生双生児にみられるような，先天的に頭部，胸部，腹部が欠損し，骨盤と脚しかない状態).

a·ceph·a·lo·po·di·a (ā-sef′ă-lō-pō′dē-ă). 無頭無足症（頭部と足の先天的欠損).

a·ceph·a·lo·sto·mi·a (ă-sef′ă-lō-stō′mē-ă). 無頭有口症（頭部の大部分が先天的に欠損しているが，口に似た開口部がある状態).

a·ceph·a·lo·tho·ra·ci·a (ā-sef′ă-lō-thōr-ā′sē-ă). 無頭無胸症（頭部と胸部の先天的欠損).

a·ceph·a·lous (ā-sef′ă-lŭs). 無頭の.

a·ceph·a·lus (ā-sef′ă-lŭs). 無頭の胎児.

a·ceph·a·ly (ā-sef′ă-lē). 無頭症（頭部の先天的欠損). = acephalia; acephalism.

acet-, aceto- 酢酸の炭素 2 個のフラグメントを示す連結形.

ac·e·tab·u·la (as-ĕ-tab′yū-lă). acetabulum の複数形.

ac·e·tab·u·lar (as-ĕ-ta′byū-lăr). 寛骨臼の，股臼の.

ac·e·tab·u·lar fos·sa 寛骨臼窩（寛骨切痕の上方にある寛骨臼底部のある陥凹部). = fossa acetabuli.

ac·e·tab·u·lec·to·my (as′ĕ-ta-byū-lek-tŏ-mē). 寛骨臼切除〔術〕，股臼切除〔術〕.

ac·e·tab·u·lo·plas·ty (as-ĕ-ta-byū-lō-plas-tē). 寛骨臼形成〔術〕，股臼形成〔術〕（できるだけ正常な状態に寛骨臼を修復するための手術).

ac·e·tab·u·lum, pl. ac·e·tab·u·la (as-ĕ-tab′yū-lŭm, -lă). 寛骨臼（寛骨の外部表面の杯状くぼみ．その中に大腿骨頭がはまる). = cotyloid cavity.

ac·e·tal (as′ĕ-tăl). アセタール（アルデヒド 1 モルにアルコール 2 モルを付加した生成物. → hemiacetal; hemiketal; ketal).

ac·et·al·de·hyde (as′ĕ-tal′dĕ-hīd). アセトアルデヒド（アルコール代謝の中間体).

ac·e·tate (as′ĕ-tāt). アセテート（酢酸塩またはエステル).

ac·e·tate-CoA li·gase 酢酸 CoA リガーゼ. = acetyl-CoA ligase.

ac·e·tate thi·o·ki·nase アセテートチオキナーゼ. = acetyl-CoA ligase.

ac·e·to·ac·e·tate (as′ĕ-tō-as′ĕ-tāt). アセト酢酸塩（アセト酢酸塩またはアセト酢酸イオン．ケトン体生成で生成するケトン体の 1 つ).

ac·e·to·a·ce·tic ac·id アセト酢酸（ケトン体の一種で，飢餓状態や糖尿病の場合に過剰に生成され，尿中にみられる). = diacetic acid.

ac·e·to·a·ce·tyl-CoA (as′ĕ-tō-ă-sē′til). アセトアセチル CoA（脂肪酸が酸化されるときやケトン体の生成に生じる中間物質．アセチル CoA 2 モルからも生成される．アセチル CoA と縮合して重要な *β*-ヒドロキシ-*β*-メチル-グリタリル CoA を生成するのが主な役割である). = acetyl-coenzyme A; active acetate.

ac·e·to·a·ce·tyl-CoA thi·o·lase アセトアセチル CoA チオラーゼ. = acetyl-CoA acetyltransferase.

acetonaemia [Br.]. = acetonemia.

ac·e·tone (as′ĕ-tōn). アセトン（無色の揮発性，引火性の液体．健常者の尿中に微量に存在するが，糖尿病患者の尿および血中には大量にみられ，その際，尿と呼気がしばしばエーテル臭を発する．それはケトン体の 1 つである．合成品は医薬品や商業製品の調製の際に溶媒として用いられる).

ac·e·tone bod·y アセトン体. = ketone body.

ac·e·ton·e·mi·a (as′ĕ-tŏ-nē′mē-ă). アセトン血〔症〕（血液中に比較的多量のアセトンまたはアセトン体が存在すること). = acetonaemia.

ac·e·to·nu·ri·a (as′e-tō-nyūr′ē-ă). アセトン尿〔症〕（尿中に多量のアセトンが排出すること).

ace·to·whit·en·ing (ă-sē′tō-wīt′ĕn-ing). 酢酸白化（3—5％の酢酸を皮膚または粘膜に塗ると白色化する現象のことで，細胞の蛋白や核の密度が増加している場合に陽性となる．外陰部の皮膚，粘膜，子宮頸部によく用いられ，生検目的に扁平上皮化した部分を検出したり，尖圭コンジローム condyloma acuminatum をみつけたりするのに使われる). = cervicoscopy; visual inspection with acetic acid.

a·ce·tyl (Ac) (as′ĕ-til). アセチル（CH_3CO- 基．酢酸分子から水酸基が遊離したもの).

a·ce·tyl-ac·ti·vat·ing en·zyme アセチル活性化酵素. = acetyl-CoA ligase.

a·cet·y·lase (a-set′il-ās). アセチラーゼ（アセチル CoA のついたグルタミン酸塩から *N*-アセチルグルタミン酸塩を生成したり，またはその逆反応の場合，アセチル化または脱カルボキシル化に関与する酵素．通常は acetyltransferase とよばれる).

a·cet·y·la·tion (a-set′i-lā′shŭn). アセチル化（アセチル誘導体を生成すること).

a·ce·tyl·cho·line (ACh) アセチルコリン（コリン酢酸エステルで，コリン作動性神経における神経伝達物質であり，心臓抑制，血管拡張，胃腸のぜん動を起こし，その他の副交感神経作用を有する).

ac·e·tyl·cho·lin·est·er·ase (AChE) アセチルコリンエステラーゼ（アセチルコリンを加水分解するコリンエステラーゼ).

a·ce·tyl-CoA (as′ĕ-til). アセチル CoA（CoA と酢酸の縮合物で CoAS～$COCH_3$ で表す．炭素 2 個のフラグメントを転移する場合，特にトリカルボン酸回路や脂肪酸合成経路へはいるときの中間体).

a·ce·tyl-CoA a·ce·tyl·trans·fer·ase アセチル CoA アセチルトランスフェラーゼ（アセチル CoA 2 分子からアセトアセチル CoA を生成し，CoA 1 分子を遊離させるアセチルトランスフェラーゼ．ケトン体生成やステロール合成の重要段階である). = acetoacetyl-CoA thiolase; acetyl-CoA thiolase.

a·ce·tyl-CoA li·gase アセチル CoA リガーゼ（酢酸，CoA，および ATP により AMP，二リン酸，アセチル CoA への反応を触媒するリガーゼの一種．酢酸の活性化反応の重要な段階である). = acetate thiokinase; acetate-CoA ligase; acetyl-activating enzyme; acetyl-CoA synthetase.

a·ce·tyl-CoA syn·the·tase アセチル CoA シンテターゼ. = acetyl-CoA ligase.

a·ce·tyl-CoA thi·o·lase アセチル CoA チオラーゼ. = acetyl-CoA acetyltransferase.

a·ce·tyl-co·en·zyme A = acetoacetyl-CoA.

a·ce·tyl·sal·i·cy·lic ac·id (ASA) アセチルサリチル酸（aspirin の一般名）.

a·ce·tyl·trans·fer·ase (as′e-til-trans′fĕr-ās). アセチルトランスフェラーゼ（アセチル基を化合物 A から B へ転移させる酵素. →choline acetyltransferase）. = transacetylase.

AcG, ac-g accelerator globulin の略.

ACh acetylcholine の略.

a·cha·la·si·a (ak-ă-lā′zē-ă). アカラシア，弛緩不能症，無弛緩〔症〕，噴門痙攣，噴門無弛緩〔症〕（弛緩しないことで，特に幽門や噴門などの内臓開口部または括約筋についていう）.

ach·a·la·si·a of the car·di·a 噴門アカラシア. = esophageal achalasia.

ach·a·la·si·a of the up·per sphinc·ter 上部括約筋アカラシア. = cricopharyngeal achalasia.

AChE acetylcholinesterase; anticholinesterase の略.

ache (āk). 疼痛，痛み（鈍い局在のはっきりしない痛みで，通常，激痛よりも軽い痛み）.

a·chei·ri·a (ă-kī′rē-ă). ***1*** 欠手症（片手または両手の先天的欠損）. ***2*** 手無感覚〔症〕（片手または両手における所有感覚の欠如を伴う知覚消失）. ***3*** 体側感覚消失（患者が体のどちら側に刺激を加えられたかがわからない体側知覚困難症の一型）.

a·chei·rop·o·dy, a·chi·rop·o·dy (ă-kī-rop′ō-dē, ă-kī-rop′ō-dē). 欠手欠足症（手足の先天的欠損. 常染色体劣性遺伝）.

a·chei·rous, a·chi·rous (ă-kī′rŭs, ă-kī′rŭs). 欠手症の.

a·chene (ă-kēn′). 痩果（小さな一種果(植物学)）.

a·chieve·ment age 成就年齢（標準学力テストによって決定される暦年齢と学力年齢との関係）.

a·chieve·ment quo·tient 学力指数，達成率（児童の学習量を示す指数. 同年齢，同一教育水準の児童との比，百分率または相関指数で表したもの）.

a·chieve·ment test アチーブメント試験（後天的に獲得した能力，例えば，読字や計算などの特定の領域の能力の測定に用いられる標準化された検査. 潜在能力や学習能力の有用な指標である知能検査と対比される）.

A·chil·les re·flex, A·chil·les ten·don re·flex アキレス〔腱〕反射（踵骨腱を強くたたかれたときに生じる腓腸筋の収縮）. = ankle reflex; triceps surae reflex.

A·chil·les squeeze test アキレス把握テスト（ふくらはぎを握っても，足底屈が生じない場合は，本テスト陽性とする）.

A·chil·les ten·don アキレス腱. = tendo calcaneus.

a·chil·lo·bur·si·tis (ă-kil′ō-bŭr-sī′tis). アキレス腱滑液包炎，アキレス腱滑液嚢炎（アキレス腱の近くにある滑液包の炎症）. = retrocalcaneobursitis.

a·chil·lo·dyn·i·a (ă-kil′ō-din′ē-ă). アキレス腱痛〔症〕（踵骨とアキレス腱の間にある嚢の炎症（アキレス腱滑液包炎）による痛み）.

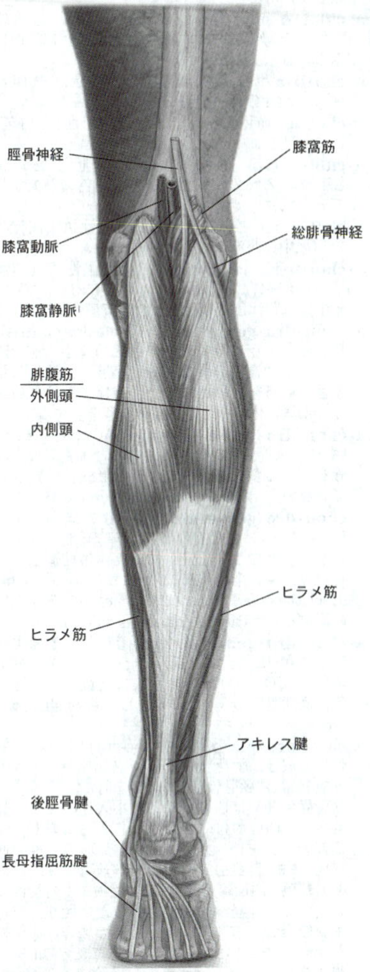
脛骨神経
膝窩筋
総腓骨神経
膝窩動脈
膝窩静脈
腓腹筋
外側頭
内側頭
ヒラメ筋
ヒラメ筋
アキレス腱
後脛骨腱
長母指屈筋腱

Achilles tendon

a·chil·lor·rha·phy (ak′il-ōr′ă-fē). アキレス腱縫合〔術〕.

a·chil·lot·o·my (ak′il-ot′ō-mē). アキレス腱切り〔術〕（アキレス腱の切離）.

ach·ing (āk′ing). うずく痛み（鈍い持続的な痛み）.

a·chlor·hy·dri·a (ă-klōr-hī′drē-ă). 塩酸欠乏〔症〕，無遊離塩酸症，無酸症（胃液の塩酸が欠

如していること).

a·chlor·o·phyl·lous (ā-klōr-of′i-lŭs). 無葉緑素性 (葉緑素(クロロフィル)を欠く. (真)菌にみられる).

a·cho·li·a (ā-kō′lē-ă). 胆汁欠乏〔症〕, 無胆汁〔症〕 (胆汁分泌の抑制または欠乏).

a·chol·ic (ā-kol′ik). 無胆汁の (無胆汁(白色)便におけるように, 便中に胆汁がない).

a·chol·u·ri·a (ā-kō-lyūr′ē-ă). 無胆汁色素尿〔症〕 (ある種の黄疸で, 尿の胆汁色素が欠如している状態).

a·chol·u·ric (ā-kō-lyūr′ik). 無胆汁色素尿〔症〕の (尿中に胆汁がない).

a·chol·u·ric jaun·dice 無胆汁尿性黄疸 (血漿中に非抱合ビリルビンが過剰に存在するが, 尿中には胆汁色素は存在しない黄疸).

a·chon·dro·gen·e·sis (ā-kon-drō-jen′ĕ-sis). 軟骨無発生症 (新生児期の致死的な小人症で四肢すべての高度の骨異形成, 小肢症, 拡大した頭蓋, 下部脊椎と恥骨骨化の遅延または欠如を伴った短い体幹をもつ. 様々な型を有する).

a·chon·dro·gen·e·sis type IA 軟骨無発生症 IA 型 (血管過形成を伴った軟骨と細胞過形成の骨を有する軟骨無発生症. 遺伝形式は確定されていない). = Houston-Harris syndrome.

a·chon·dro·gen·e·sis type IB 軟骨無発生症 IB 型 (高度に整合性のとれていない軟骨内骨化を有する軟骨無発生症. 常染色体劣性遺伝形式をとり, 第 5 染色体長腕の DTDST (diastrophic dysplasia sulfate transporter gene)の突然変異に起因する). = Parenti-Fraccaro syndrome.

a·chon·dro·gen·e·sis type II 軟骨無発生症 II 型 (第 12 染色体長腕のコラーゲンタイプ II 遺伝子(COL2A1)の突然変異に起因する. 常染色体優性遺伝形式をとる). = Langer-Saldino syndrome.

a·chon·dro·pla·si·a (ā-kon-drō-plā′zē-ă). 軟骨無形成症, 軟骨形成不全症 (軟骨から骨への転換異常(内軟骨性骨化障害)を特徴とするこの軟骨異栄養症は四肢短縮型の小人症のなかで最も多い. 四肢の付着部の短縮による低身長, 前額部の突出を伴った大きな頭, 顔面中央部の低形成(鼻根部陥凹), 過剰な腰椎前弯, 肘関節の伸展制限, 内反膝, 三尖手, X 線検査上特徴的な骨格所見, 神経学的所見を伴った水頭症, 脊柱管狭窄などを有する. ほとんどの場合, 孤発性ながら常染色体優性遺伝をとることが知られ, 第 4 染色体短腕の線維芽細胞増殖因子受容体 3 遺伝子(FGFR3)の突然変異による). = achondroplastic dwarfism.

a·chon·dro·plas·tic (ā-kon-drō-plas′tik). 軟骨無形成症の (軟骨無形成症に関する, またはそれに特徴的なことについていう).

a·chon·dro·plas·tic dwarf·ism = achondroplasia.

achrestic anaemia [Br.]. = achrestic anemia.

a·chres·tic a·ne·mi·a 非利用性貧血 (骨髄, 循環血液の変化が悪性貧血の場合に酷似した慢性進行性大赤血球性貧血の一型で, しばしば致命的. ビタミン B_{12} を用いる療法には一過性かあるいはまったく反応しない. 舌炎, 胃腸障害, 中枢神経系疾患, 発熱などはみられず, 軽度の出血または溶血がある).

a·chro·ma·cyte (ā-krō′mă-sīt). = achromocyte.

a·chro·mat·ic (ā′krō-mat′ik). *1* 〘adj.〙 無色の. *2* 〘adj.〙 難染性の (容易に染色されない). *3* 〘n.〙 非染色性 (染色体異常によらない屈折光).

a·ch·ro·mat·ic lens 色消しレンズ (色収差を少なくするために屈折度の異なる 2 種類以上のレンズを組み合わせたもの).

a·ch·ro·mat·ic ob·jec·tive 色消し対物レンズ (2 色に対する色収差および 1 色に対する球面収差を補正した対物レンズ).

a·ch·ro·mat·ic vi·sion 全色盲. = achromatopsia.

a·chro·ma·tism (ā-krō′mă-tizm). *1* 無色, 無色収差. *2* 色消し, 色収差矯正 (屈折率と分散の異なるガラスを組み合わせて行う色収差の補正).

a·chro·mat·o·cyte (ā-krō-mat′ō-sīt). = achromocyte.

a·chro·mat·o·phil (ā-krō-mat′ō-fil). = achromophil. *1* 〘adj.〙 不染色性の (組織染色法や細菌染色法によって染色されない性質). = achromophilic; achromophilous. *2* 〘n.〙 不染色性細胞, 不染色性組織(通常の方法では染色できない細胞や組織).

a·chro·ma·top·si·a, a·chro·ma·top·sy (ă-krō-mă-top′sē-ă, ă-krō′mă-top-sē). 全色盲, 色覚障害の完全型 (重症の色覚障害で, 眼振, 羞明, 視力低下, 昼盲を伴う). = achromatic vision; monochromatism(2).

a·chro·ma·tous (ă-krō′mă-tŭs). 無色の.

a·chro·ma·tu·ri·a (ă-krō-mă-tyūr′ē-ă). 無色尿〔症〕 (無色または非常に色の薄い尿の排泄).

a·chro·mi·a (ā-krō′mē-ă). *1* 色素脱失 (皮膚および虹彩の自然な色素沈着の欠乏または消失で, 先天的あるいは後天的であると思われる. → depigmentation). *2* 不染色性 (細胞または組織における染料を受け入れる能力の欠如).

a·chro·mic (ā-krō′mik). 無色の.

A·chro·mo·bac·ter (a′krō-mō-bak′tĕr). アクロモバクター属 (臨床上の重要性は明確でないグラム陰性の細菌属で, *Alcaligenes* 属や *Ochrobactrum* 属の菌種と密接に関係している).

a·chro·mo·cyte (ă-krō′mō-sīt). 無色赤血球 (低色素性, 三日月形の赤血球. 赤血球の人工的破壊によりヘモグロビンを失ったと考えられる). = achromacyte; achromatocyte; crescent bodies; ghost corpuscle; phantom corpuscle; Ponfick shadow; selenoid bodies; semilunar bodies; shadow(3); Traube corpuscle.

a·chro·mo·phil (ă-krō′mŏ-fil). = achromatophil.

a·chro·mo·phil·ic, a·chro·moph·i·lous (ā-krō-mŏ-fil′ik, ā-krō-mŏ′fi-lŭs). = achromatophil (1).

a·chy·li·a (ā-kī′lē-ă). *1* 〔消化酵素〕分泌欠乏〔症〕 (胃液または他の消化分泌液の欠乏). *2* 乳び欠乏〔症〕.

a·chy·lous (ă-kī′lŭs). *1* 〔消化酵素〕分泌欠乏〔症〕の (胃液または他の消化分泌液が不足して

いる）．*2* 乳び欠乏〔症〕の．

ac·id (as′id)．*1*〚n.〛酸（極性溶媒(例えば水)中では水素イオンを生成する化合物．イオン化水素の一部または全部を電気的陽性の元素または基と置換し塩をつくる）．*2*〚n.〛酸性物質（一般に，酸味をもつ化学物質の総称で，酸味は水素イオンによる）．*3*〚adj.〛酸味の．*4*〚adj.〛酸の，酸性の（酸に関する，酸性反応を起こす）．

acidaemia [Br.]. = acidemia.

ac·id-ash di·et 酸性食. = alkaline-ash diet.

ac·id-base bal·ance 酸塩基平衡（血漿中の酸と塩基が正常な平衡状態にあること．水素イオン濃度 pH で表される．身体からの排泄と身体の代謝で消費される酸性および塩基性物質の相対量に対して摂取と身体の代謝で生じた酸性および塩基性物質の相対量によって決まる．正常な酸–塩基平衡は等しい濃度の水素イオンと水酸基イオンを有する中性の状態ではなく，いくぶん水酸基イオンが過剰な，よりアルカリ性の状態である）．

ac·id-base reg·u·la·tion 酸塩基調節（体液の pH は 1.0 から 7.45 に及ぶ．調節は化学的緩衝(炭酸水素，リン酸塩，蛋白質)と肺の二酸化炭素の排出・保持による）．

ac·id cell 酸性細胞. = parietal cell.

ac·i·de·mi·a (as-i-dē′mē-ă)．酸血症（血中の水素イオン濃度が増加するか，または pH が正常値以下に下がっている状態）. = acidaemia.

ac·id-fast (as′id-fast)．抗酸性の（塩基性フクシンなどの染料で染色した後，酸アルコールでは脱色できないバクテリアを表す．例えば，ミコバクテリアと少数のノカルジア）．

ac·id fuch·sin [CI 42685]．酸性フクシン（ローザニリンとパラローザニリンのビスルホン酸およびトリスルホン酸の各ナトリウム塩の混合物．指示染料として，また細胞質およびコラーゲンの染色に用いる）．

a·ci·dic dyes 酸性染料（溶液中で電離し負に荷電したイオン，すなわちアニオンを生じる染料．これらはフェノールのナトリウム塩およびカルボン酸染料からなる．溶液は中性，あるいはわずかにアルカリ性傾向を示す．例えば，エオシン，アニリンブルーなど）．

a·cid·i·fied se·rum test 酸性化血清試験（酸性化新鮮血清中での，患者の赤血球溶解．発作性夜間血色素尿症に特異的にみられる）. = Ham test.

a·cid·i·fy (ă-sid′i-fī)．酸性化する（①酸性にする．②酸性になる）．

ac·id in·di·ges·tion 胃酸過多（過酸症が原因の消化障害．しばしば，俗にいう胸焼け pyrosis と同義に用いる）．

a·cid·i·ty (ă-sid′i-tē)．酸性度（①酸性の程度．②溶液の酸の強さの程度）．

a·cid·o·phil, a·cid·o·phile (ă-sid′ō-fil, ă-sid′ō-fīl)．*1* = acidophilic. *2* 下垂体前葉の酸性色素で染まる細胞の１つ．*3* 好酸性微生物（高酸性培養で良好に生育する微生物）．

a·cid·o·phil ad·e·no·ma 好酸性腺腫（細胞質が酸性の色素に染まる下垂体前葉腫瘍．成長ホルモン分泌性のことが多い）. = eosinophil adenoma.

ac·i·do·phil·ic (as′i-dō-fil′ik)．好酸性の，酸親和〔性〕の（酸性染料に対して親和性を有する．エオシンのような酸性染料に染まる細胞または組織成分についていう）. = acidophil (1); acidophile; oxychromatic.

ac·i·do·sis (as-i-dō′sis)．アシドーシス（動脈血中の水素イオン濃度が正常(40 nmol/L または pH 7.4)よりも増加した病的状態．炭酸ガスや酸性の代謝産物の蓄積で生じる．また，アルカリ化合物濃度の減少によっても生じる．代謝性，呼吸性などに分けられる）．

ac·id per·fu·sion test 酸灌流試験. = Bernstein test.

ac·id phos·pha·tase 酸性ホスファターゼ（至適 pH 7.0 以下(数種のアイソザイムでは，pH 5.4 である)のホスファターゼ．前立腺に著しく存在する）．

ac·id stain 酸性染料（陰イオンが色素分子の着色成分である色素．例えば，エオシン）．

ac·id sul·fate 酸性硫酸. = bisulfate; acid sulfate.

acid sulphate [Br.]. = acid sulfate.

ac·id tide 酸性時機（絶食中に起こる尿の酸度の一時的増加）．

a·cid·u·lous (a-sid′yū-lŭs)．弱酸性の，酸味のある．

ac·i·du·ri·a (as′i-dyūr′ē-ă)．酸性尿〔症〕（①酸性尿を排泄すること．②ある種の酸を異常量排泄すること．酸性尿の個々の型については，aminoaciduria, ketoaciduria のように特定の酸の名称を頭に付す）．

ac·i·du·ric (as′i-dyūr′ik)．耐酸性の（酸性環境に耐えるバクテリアについていう）．

ac·i·nar (as′i-năr)．腺房の，細葉の. = acinic.

ac·i·nar cell 腺房細胞（腺房にある分泌細胞．特に膵液や酵素を分泌する膵臓の細胞をさし，膵管の細胞や Langerhans 島細胞と区別される）. = acinous cell.

Ac·i·ne·to·bac·ter (as-i-nē′tō-bak′tĕr)．アシネトバクター属（モラクセラ科の非運動性・好気性細菌の一属．ときに院内感染の原因となり，しばしばそれらは多くの抗生物質に耐性をもっている．また免疫的に無防備なヒトに重篤な一次感染症を起こすこともある）. = Lingelsheimia.

ac·i·ni (as′i-nī)．acinus の複数形．

a·cin·ic (ă-sin′ik). = acinar.

a·cin·ic cell ad·e·no·car·ci·no·ma 腺房細胞腺癌（ブドウ状腺，特に唾液腺の分泌細胞に発生する腺癌）．

a·cin·i·form (ă-sin′i-fōrm)．小胞状の，房状の，細葉状の. = acinous.

ac·i·ni·tis (as-in-ī′tis)．小胞炎，細葉炎（腺房や細葉の炎症）．

ac·i·nose (as′i-nōs). = acinous.

ac·i·no·tu·bu·lar gland 細葉性管状腺. = tubuloacinar gland.

ac·i·nous (as′i-nŭs)．〔小〕胞状の，房状の，細葉状の（腺房またはブドウ状構造に類似する）. = aciniform; acinose.

ac·i·nous cell = acinar cell.

ac·i·nous gland 細葉状腺（腺単位がブドウの

A

房状で非常に小さい管腔をもつ．例えば，膵臓の外分泌部分）．

a-c interval a–c 間隔（頸静脈波の a 波と c 波の起点間の時間）．

ac·i·nus, gen. & pl. **ac·i·ni** (as′i-nŭs, as′i-nī)．腺房，細葉，小胞（微細なブドウの形をした，細葉状腺の分泌部分の 1 つ．acinus を alveolus（胞）と同義とする専門家もいるが，acinus の導管への狭窄した開口部によって，両者を区別している専門家もいる）．

AC joint acromioclavicular joint の略．

Ac·knowl·edg·ment of Re·ceipt of No·tice of Pri·va·cy Prac·ti·ces 診療プライバシーへの配慮を受けたことの確認（患者が HIPAA 遵守の医療供給者からプライバシーについての配慮を受けたことを示すために署名をする書式）．

ac·la·sis (ak′lă-sis)．病的組織結合（正常組織と病的組織との間の連続状態）．

ACLS advanced cardiac life support の略．

ac·mes·the·si·a (ak′mes-thē′zē-ă)．*1* 鋭利感覚（針で触るのを感じること）．*2* 鋭尖触知感覚（小さい感覚点で感じる皮膚感覚）．

ac·ne (ak′nē)．痤瘡，アクネ（脂腺系に発生する炎症性の毛孔性，丘疹性，膿疱性の皮疹）．

ac·ne con·glo·ba·ta 集簇性痤瘡（重症の嚢腫性痤瘡で，嚢腫性病変，膿瘍，相互に連絡のある洞および肥厚性結節性の瘢痕を特徴とする．通常，顔面に限る）．

ac·ne cos·me·ti·ca 化粧品痤瘡（化粧品に含まれる，面ぽう形成をきたす成分を反復して外用することによって生じる軽症の非炎症性痤瘡）．

ac·ne er·y·the·ma·to·sa 紅斑性痤瘡．= rosacea.

ac·ne·form, ac·ne·i·form (ak′nē-fōrm, ak-nē′i-fōrm)．痤瘡様の．

ac·ne ful·mi·nans 激症痤瘡（重症の瘢痕性痤瘡で，発熱，多発関節痛，痂皮を伴う潰瘍局面，体重減少，貧血を伴うこともある）．

ac·ne·gen·ic (ak′nē-jen′ik)．痤瘡（にきび）誘発的な（にきびを誘発させたりその重症度を引き上げたりする）．

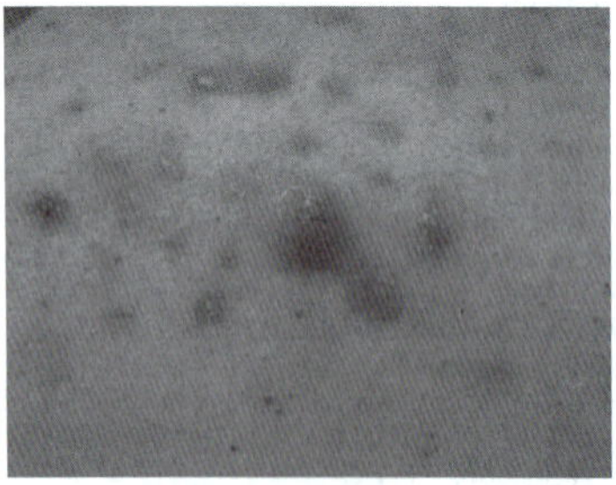

nodulocystic acne of the back

ac·ne in·du·ra·ta 硬結性痤瘡（大きな丘疹と膿疱，大きな瘢痕および肥厚性瘢痕を有する深在性の痤瘡）．

ac·ne ke·loid 痤瘡ケロイド（深達性の毛包炎の病巣部に生じる線維性丘疹からなる慢性の発疹．通常は頸部後側の髪の生え際に生じる）．= dermatitis papillaris capillitii; folliculitis keloidalis.

ac·ne ke·ra·to·sa 角化〔性〕痤瘡（毛孔から突出する角栓からなる丘疹性の発疹で，炎症を伴う）．

ac·ne me·di·ca·men·to·sa 薬物性痤瘡（薬剤によって生じる，あるいは悪化する痤瘡）．

ac·ne ne·crot·i·ca mil·i·ar·is 粟粒性壊疽性痤瘡．= acne varioliformis.

ac·ne pa·pu·lo·sa 丘疹性痤瘡（丘疹性皮疹が大部分を占める尋常性痤瘡）．

ac·ne punc·ta·ta 点状痤瘡（黒色開放性面ぽうを有する痤瘡）．

ac·ne pus·tu·lo·sa 膿疱性痤瘡（膿疱性皮疹が大部分を占める尋常性痤瘡）．

ac·ne ro·sa·ce·a しゅさ（酒皶）性痤瘡，赤鼻．= rosacea.

ac·ne va·ri·o·li·for·mis 痘瘡状痤瘡（主に前額とこめかみの毛嚢に生じる化膿性感染症．臍窩を有する痂皮性発疹の消退後に瘢痕が形成される）．= acne necrotica miliaris.

ac·ne vul·ga·ris 尋常性痤瘡（主に顔面，上背，前胸にみられる発疹で，面ぽう，嚢腫，丘疹，および膿疱からなり炎症を伴う．主として思春期および青年期の大半の人にみられ，男性ホルモン刺激による皮脂分泌の亢進や角栓による毛孔の閉塞により生じる．痤瘡プロピオンバクテリウム *Propionibacterium acnes* の増殖にも関連する．毛包が化膿して瘢痕化することがある）．

ACOEM (ā′com)．American College of Occupational and Environmental Medicine の略．

ac·o·nite (ak′ŏ-nīt)．アコニット（キンポウゲ科トリカブト *Aconitum napellus* の根を乾燥したもの．強力で速効力のある毒薬で，トリカブトまたはレイジンソウとして一般的には知られている．以前は，解熱薬，利尿薬，発汗薬，鎮痛薬，心臓および呼吸機能改善薬，外用鎮痛薬として用いた）．= fu tzu; monkshood.

***cis*-ac·o·nit·ic ac·id** シス-アコニット酸（クエン酸の脱水物．トリカルボン酸サイクルの酵素結合中間体）．

a·co·re·a (ă-kōr′ē-ă)．無瞳孔〔症〕（瞳孔の先天的欠損）．

a·corn (ā′kōrn)．→oak.

A·cos·ta dis·ease アコスタ病．= altitude sickness.

-acousis, -acusis *1* 聴覚や聴く能力を意味する接尾語．*2* →audio-; audition. = hearing.

a·cous·ma (ă-kūs′mă)．要素幻聴（単純な非言語音（耳鳴りや鈴の音）の幻聴）．

a·cous·tic, a·cous·ti·cal (ă-kūs′tik, -tik-al)．聴覚の，聴音の（音の知覚に関する）．

a·cous·tic me·a·tus = meatus acusticus. *1* 外耳道（側頭骨の鼓室部を通して耳介から鼓膜へ至る通路で，骨性（内側）部分と線維軟骨性（外側）部分，すなわち軟骨性外耳道からなる）．*2*

内耳道（後頭蓋窩の内耳道口から外側に側頭骨錐体部を通って，薄い骨板によって前庭と境を接する内耳道底に至る管で，迷路動脈および静脈とともに顔面神経，内耳神経が通る）.

a·cous·tic nerve 内耳神経. = vestibulocochlear nerve.

a·cous·tic neu·ro·ma, a·cous·tic neu·ri·le·mo·ma 聴神経腫（一acoustic neurilemoma）.

a·cous·tic ra·di·a·tion 聴放線（内側膝状体から出て大脳皮質の横側頭回に至る線維．これらは内包のレンズ下部を経る）. = radiatio acustica.

a·cous·tic re·flex 聴覚反射（強大音に反応して生じるあぶみ骨筋の収縮．中耳のインピーダンスを増加させることで，強大音から内耳を保護する）. = stapedial reflex.

a·cous·tic re·flex thres·hold（ART） 音響性耳小骨筋反射域値（中耳のあぶみ骨筋を収縮させるのに必要な音の最低強度）.

a·cous·tics (ă-kūs′tiks). 音響学（音に関する科学）.

a·cous·tic stim·u·la·tion test 聴覚刺激試験（ブザーを用いて胎児を刺激し一過性頻脈を誘発して胎児の well-being を評価するテスト）.

a·cous·tic sur·round = sound field.

a·cous·tic trau·ma·tic hear·ing loss 音響外傷性難聴（強音圧の音響負荷に起因する感音難聴）.

ACP acyl carrier protein の略.

ac·quired (ă-kwīrd′). 後天〔性〕の，獲得〔性〕の（遺伝性でない疾病，素因，異常などについていう）.

ac·quired brain in·ju·ry（ABI） = traumatic brain injury.

ac·quired cen·tric 後天性中心位. = centric occlusion.

ac·quired char·ac·ter 獲得形質（個体の生存中に環境の影響を受けて，植物や動物が身につける形質）.

ac·quired drives 獲得性衝動，後天的欲求. = secondary drives.

ac·quired ep·i·lep·tic a·pha·si·a 後天性てんかん性失語症. = Landau-Kleffner syndrome.

acquired hyperlipoproteinaemia [Br.]. = acquired hyperlipoproteinemia.

ac·quired hy·per·lip·o·pro·tein·e·mi·a 後天性高リポ蛋白血〔症〕，後天性リポ蛋白過剰血〔症〕（甲状腺疾患など，原発性疾患の結果として発生するもの．非家族性）. = acquired hyperlipoproteinaemia.

ac·quired im·mu·ni·ty 獲得免疫，後天免疫（感染性因子あるいは抗原に対して個体が接触した結果，得られる抵抗性．能動的(active)・特異的(specific)なものとしては,(顕性，不顕性にかかわらず)自然に起こった感染または意図的なワクチン接種によるものがあり，受動的(passive)なものとしては，他の個体または動物の産生した抗体の直接移入によるものがある．この抗体の移入の方法としては母体から胎児にというように人為的でないものと，意図的注入によるものとがある）.

ac·quired im·mu·no·de·fi·cien·cy syn·drome 後天性免疫不全症候群. = AIDS.

acquired naevus [Br.]. = acquired nevus.

ac·quired ne·vus 後天性母斑（メラノサイト母斑で，出生時に認められず，幼児期または成人になってから現れるもの）. = acquired naevus.

ac·quired tox·o·plas·mo·sis in a·dults 成人後天性トキソプラスマ症（発熱，脳脊髄炎，脈絡網膜炎，斑点状丘疹，関節痛，筋痛，心筋炎，肺炎を起こすことがある．リンパ節炎型は成人罹患者に一般にみられ，発熱，リンパ節炎，倦怠，頭痛が発現する．エイズ患者の症状によくみられる）.

ac·qui·si·tion (ak-wĭ-zish′ŭn). 獲得，習得（心理学において，条件刺激と無条件刺激を一対にする連続試験における条件反射の強度の増加を経験的に証明すること）.

ac·ral (ak′răl). 先端の，肢端の（先端部分(例えば，四肢，指，耳など)に関する，またはそれらを侵す）.

A·cra·ni·a (ă-krā′nē-ă). 無頭類（脊索，鰓裂，および神経索はあるが，脊椎，肋骨，または頭蓋がない脊索動物門の一群．例えば，ナメクジウオ属 *Amphioxus*，ホヤ類，ウミタル類）.

a·cra·ni·a (ă-krā′nē-ă). 無頭蓋症，無頭症（頭蓋が完全にまたは部分的に欠損していること．無脳症に合併する）.

a·cra·ni·al (ă-krā′nē-ăl). 無頭蓋症(体)の，無頭症(体)の.

Ac·re·mo·ni·um (ak′rĕ-mō′nē-ŭm). アクレモニウム属（モニリア目モニリア科の真菌類の一属で，真菌性菌腫の原因となる．角膜真菌症やときには他の感染症の原因となり，また抗生物質のセファロスポリンを産生する）.

ac·ri·dine orange [CI 46005]. アクリジンオレンジ; 3,6-bis (dimethylamino) acridine hydrochloride(核酸に対して異染性染色に有効な塩基性蛍光色素．悪性の細胞に対し，子宮頸部スミアのスクリーニングにも用いる).

acro- ***1*** 四肢，先端，末端，頂点，頂上を意味する連結形．***2*** 極端な，を意味する連結形.

acroaesthesia [Br.]. = acroesthesia.

ac·ro·ag·no·sis (ak′rō-ag-nō′sis). 先端(肢端)失認，四肢感覚性認識欠如（肢の感覚認識の喪失または障害．四肢の体感の欠如）.

acroanaesthesia [Br.]. = acroanesthesia.

ac·ro·an·es·the·si·a (ak′rō-an-es-thē′zē-ă). 先端(肢端)知覚麻痺（1 本以上の四肢の麻痺）. = acroanaesthesia.

ac·ro·a·tax·i·a (ak′rō-ă-tak′sē-ă). 先端(肢端)運動失調（四肢の末端部分，すなわち手，手指，足，足指の運動失調．*cf.* proximoataxia）.

ac·ro·blast (ak′rō-blast). アクロブラスト，精子先端形成体（多数の Golgi 成分からなる，発育する精子細胞の一成分．前先体顆粒群を含む）.

ac·ro·brach·y·ceph·a·ly (ak′rō-brak-i-sef′ă-lē). 尖短頭〔症〕（冠状縫合が早期に閉じられたため，頭蓋の前後径が異常に短い頭蓋骨癒合症の一型）.

ac·ro·cen·tric (ak′rō-sen′trik). 末端動原体型の，端部動原体型の，端部着糸型の（末端付近に動原体が存在する染色体についていう．正常染色体でみられる）．

ac·ro·cen·tric chro·mo·some 末端動原体型染色体（動原体が，一方の端に非常に近づいて存在するため短腕が非常に小さく，しばしば付随体を伴っている染色体）．

ac·ro·ce·phal·ic (ak′rō-sĕ-fal′ik). 尖頭〔症〕の，塔状頭〔症〕の. = oxycephalic.

ac·ro·ceph·a·lo·syn·dac·ty·ly (ak′rō-sef′ă-lō-sin-dak′ti-lē). 尖頭合指症（頭蓋骨癒合による尖頭，皮膚，さらには骨癒合を伴う合指症を特徴とする先天性症候群）．

ac·ro·ceph·a·lous (ak′rō-sef′ă-lŭs). 尖頭〔症〕の，塔状頭蓋〔症〕の. = oxycephalic.

ac·ro·ceph·a·ly, ac·ro·ce·pha·li·a (ak′rō-sef′ă-lē, ak′rō-sĕ-fā′lē-ă). 尖頭〔症〕，塔状頭蓋〔症〕. = oxycephaly.

ac·ro·chor·don (ak′rō-kōr′dŏn). 〔先端〕線維性軟ゆう(疣). = skin tag.

ac·ro·cy·a·no·sis (ak′rō-sī-ă-nō′sis). 先端(肢端)チアノーゼ（手，まれには足が常時冷たく青色である循環障害. Raynaud 現象に関連する場合もある）. = Crocq disease; Raynaud sign.

ac·ro·cy·a·not·ic (ak′rō-sī-ă-not′ik). 先端(肢端)チアノーゼの．

ac·ro·der·ma·ti·tis (ak′rō-dĕr-mă-tī′tis). 先端(肢端)皮膚炎（四肢の皮膚の炎症）．

ac·ro·der·ma·ti·tis chron·i·ca a·troph·i·cans 慢性萎縮性先端(肢端)皮膚炎（徐々に進行するライム病の皮膚症状で，最初に，足，手，肘あるいは膝に現れて硬結性紅斑性の局面からなるが，これがやがて萎縮をきたす）．

ac·ro·der·ma·ti·tis con·tin·u·a 稽留性先端(肢端)皮膚炎. = pustulosis palmaris et plantaris.

ac·ro·der·ma·ti·tis en·ter·o·path·i·ca 腸性先端(肢端)皮膚炎（進行性，遺伝性の亜鉛代謝不全で乳幼児(発生は生後 3 週間-18 か月)にみられ，多くは初めに水疱，出血，痂皮などの皮疹が一肢または開口部の周囲に現れ，続いて脱毛，下痢または他の胃腸障害が起こる．生涯にわたる亜鉛の経口投与により改善する．常染色体劣性遺伝）．

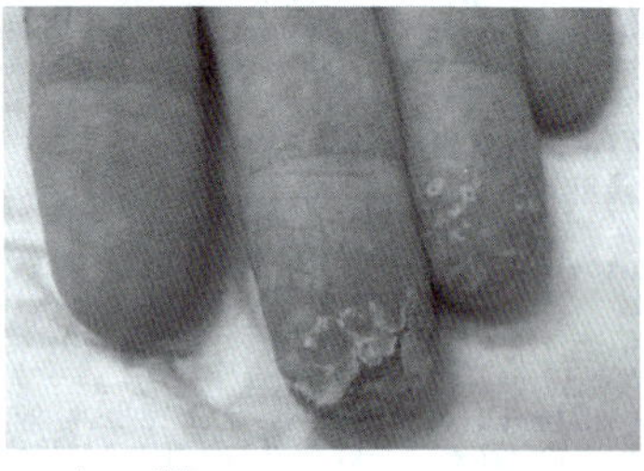

acrodermatitis

ac·ro·der·ma·ti·tis per·stans 固定性先端(肢端)皮膚炎，持続性先端(肢端)皮膚炎. = pustulosis palmaris et plantaris.

ac·ro·der·ma·to·sis (ak′rō-dĕr′mă-tō′sis). 先端(肢端)皮膚病（四肢の末端部にみられる皮膚病変）．

ac·ro·dyn·i·a (ak′rō-din′ē-ă). 先端(肢端)疼痛〔症〕（①身体の末梢部分または先端部分の痛み．②ほとんど過去において水銀中毒のみによって起こった症候群．小児の場合は四肢・胸・鼻の紅斑，胃腸症状，および多発神経炎を特徴とし，成人の場合は食欲不振，羞明，発汗，および頻拍を特徴とする. = dermatopolyneuritis; erythredema; erythroedema; Feer disease; pink disease; polyneuropathy(3); Swift disease）．

ac·ro·es·the·si·a (ak′rō-es-thē′zē-ă). = acroaesthesia. ***1*** 知覚鋭敏（極度の知覚過敏）. ***2*** 先端(肢端)知覚過敏（1 本以上の四肢にみられる知覚過敏）．

ac·rog·no·sis (ak′rog-nō′sis). 四肢体感，四肢感覚認知（四肢の正常な体感あるいは感覚認知）．

ac·ro·ker·a·to·sis (ak′rō-ker-ă-tō′sis). 肢端角化症（手指背面および足指背面，ときには耳介辺縁や鼻尖部にみられる，通常は結節状の皮膚角質層の増殖）．

ac·ro·me·gal·ic (ak′rō-mĕ-gal′ik). 先端巨大症の，末端肥大症の．

ac·ro·meg·a·ly (ak′rō-meg′ă-lē). 先端巨大症，末端肥大症（成長ホルモンの過剰分泌による，身体の末梢部，特に頭，顔，手足の進行性肥大を特徴とする疾患．臓器肥大症および代謝異常が起こり，糖尿病が生じることも多い）．

ac·ro·mel·al·gi·a (ak′rō-mĕ-lal′jē-ă). 先端(肢端)疼痛〔症〕（→erythromelalgia）．

ac·ro·me·li·a (ak′rō-mē′lē-ă). 遠位肢・中間肢短縮症. = acromesomelia.

ac·ro·mel·ic (ak′rō-mē′lik). 先端の，肢端の（四肢の末梢部を侵す）．

ac·ro·mes·o·me·li·a (ak′rō-mez′ō-mē′lē-ă). 遠位肢・中間肢短縮症（四肢遠位端の短縮が著明な小人症の一型．常染色体劣性遺伝）. = acromelia.

ac·ro·mes·o·mel·ic dwarf·ism 遠位中間肢短縮性小人症（獅子鼻と前腕や下肢，指，つま先のような，とりわけ四肢の遠位部の短縮を特徴とする小人症．常染色体劣性遺伝）．

ac·ro·met·a·gen·e·sis (ak′rō-met-ă-jen′ĕ-sis). 肢端過剰発育，四肢過剰発育（四肢が異常発育をして変形を生じること）．

a·cro·mi·al (ă-krō′mē-ăl). 肩峰の．

a·cro·mi·al an·gle 肩峰角（肩峰の後部と外側部との接合部で突出する部分）. = angulus acromii.

a·cro·mi·al pro·cess 肩峰. = acromion.

a·cro·mi·o·cla·vic·u·lar (ă-krō′mē-ō-klă-vik′yū-lăr). 肩峰鎖骨の，肩鎖の（肩峰と鎖骨に関する．鎖骨と肩甲骨の肩峰との間にある靱帯や関節についていう）. = scapuloclavicular(1).

a·cro·mi·o·cla·vic·u·lar joint (AC joint) 肩鎖関節（鎖骨の肩峰末端と肩峰の内側縁の間

にある平面関節).

a·cro·mi·o·cor·a·coid (ă-krō′mē-ō-kōr′ă-koyd). 肩峰烏口突起の. = coracoacromial.

a·cro·mi·o·hu·mer·al (ă-krō′mē-ō-hyū′mĕr-ăl). 肩峰上腕骨の（肩峰と上腕骨に関する).

a·cro·mi·on (ă-krō′mē-on). 肩峰（関節窩上にかかる広く平坦な突起として突き出た肩甲棘の外側端. 鎖骨と関節をなし，三角筋および僧帽筋の一部と付着する). = acromial process.

a·cro·mi·o·scap·u·lar (ă-krō′mē-ō-skap′yū-lăr). 肩峰肩甲骨の（肩峰と肩甲骨体の両方に関する).

a·cro·mi·o·tho·rac·ic (ă-krō′mē-ō-thōr-as′ik). 肩峰胸郭の，肩峰胸〔動脈〕の. = thoracoacromial.

a·cro·mi·o·tho·rac·ic ar·ter·y 胸肩峰動脈. = thoracoacromial artery.

ac·ro·my·o·to·ni·a, ac·ro·my·ot·o·nus (ak′rō-mī-ō-tō′nē-ă, ak-rō-mī-ot′ō-nŭs). 先端(肢端)筋緊張〔症〕（四肢だけに現れる筋緊張症. 手足の痙性変形を起こす).

ac·ro·nym (ak′rō-nim). 頭字語（句を構成するそれぞれの単語，あるいは選択された単語の頭の文字を取って作られた発音可能な単語(例えばAIDS)).

ac·ro·os·te·ol·y·sis (ak′rō-os-tē-ol′i-sis). 先端(肢端)骨溶解症（手足の末節骨の骨溶解を伴って手掌や足底に潰瘍性病変が現れる先天性疾患).

acroparesthaesia [Br.]. = acroparesthesia.

ac·ro·par·es·the·si·a (ak′rō-par-es-thē′zē-ă). 先端(肢端)異常感覚，先端(肢端)触覚異常（①1本以上の四肢の異常感覚. ②中年女性に最もしばしばみられる手の夜間の異常感覚. 以前は胸郭出口の病変によるとされていたが，現在は手根管症候群の古典的症状とされている). = acroparesthaesia.

a·crop·e·tal (ă-krop′ĕ-tăl). 求頂〔性〕の（頂点に向かう方向).

ac·ro·pho·bi·a (ak′rŏ-fō′bē-ă). 高所恐怖〔症〕（高所に対する病的な恐れ).

ac·ro·pus·tu·lo·sis (ak′rō-pŭs-chū-lō′sis). 先端(肢端)膿疱症（手足の膿疱性発疹で，しばしばみられる乾癬の一病型).

ac·ro·scle·ro·sis, ac·ro·scle·ro·der·ma (ak′rō-skler-ō′sis, ak′rō-skler-ō-dĕr′mă). 先端(肢端)硬化〔症〕（指の皮膚が固く引き締まった状態で，手足の軟組織の萎縮と末節骨の骨粗しょう症を伴う. Raynaud 現象とともに生じる進行性全身性硬化症の限局型. →CREST syndrome). = sclerodactyly; sclerodactylia.

ac·ro·sin (ak′rō-sin). アクロシン（精子中に存在するセリンプロテイナーゼ. トリプシンと同様の基質特異性をもつ).

ac·ro·so·mal cap 先体〔帽〕（精子の核の前部をおおう崩壊性の薄い被覆. 先体顆粒由来のもの).

ac·ro·so·mal gran·ule 先体顆粒（先体小胞内に1個存在する顆粒で糖蛋白に富む. 前先体顆粒の融合によって生じる).

ac·ro·so·mal ves·i·cle 先体小胞（精子完成時に Golgi 装置からつくられる小胞. 小胞内の先体小顆粒とともに核極の上方に薄層をなして広がり，先体帽を形成する).

ac·ro·some (ak′rō-sōm). 先体，アクロソーム（先帽状の器官または Golgi 器官に由来する嚢. 精子細胞の核の前方 2/3 をおおっている. 先体内には精子が卵細胞に侵入する際の酵素が存在すると考えられている).

a·crot·ic (ă-krot′ik). 無脈の，脈拍触知不能の（脈拍が非常に弱いこと，あるいは脈拍の欠如を特徴とする).

ac·ro·tism (ak′rō-tizm). 無脈〔状態〕，脈拍触知不能（脈拍の欠如あるいは触知不可能なこと).

a·cryl·ic res·in base アクリルレジン床，アクリル樹脂床（歯槽突起の組織に合わせてアクリルレジンで形成されたもので，義歯の人工歯を支持するのに用いる).

ACS acute corony syndrome の略.

ACSW Academy of Certified Social Workers の略.

ACT (akt). activated clotting time の略.

ACTH adrenocorticotropic hormone の略.

ACTH-pro·duc·ing ad·e·no·ma ACTH 産生腺腫（ACTH を産生する細胞より構成されている下垂体腫瘍. 好塩基性腺腫のことが多い. Cushing 病や Nelson 症候群を呈する).

ac·tig·ra·phy (ak-tig′ră-fē). アクティグラフィー，睡眠覚醒判定装置（動きの監視，特に睡眠障害を査定するために行われる. →wheeze).

ac·tin (ak′tin). アクチン（アクトミオシンが分解してできる蛋白成分の1つ. 線維状(F-アクチン)または球状(G-アクチン)として存在しうる).

ac·tin fil·a·ment アクチンフィラメント（筋線維や他の細胞にみられる収縮機構の構成要素の1つ. 骨格筋のアクチンフィラメントは幅約 5 nm，長さ約 100 μm で，横走する Z フィラメントに付着している).

act·ing out 行動化，行為化（情緒を放出することで情緒的葛藤を表現する顕在化した行為).

ac·tin·ic (ak-tin′ik). 化学線の，化学作用をもつ（電磁波のうち化学的活性を与える光線に関する).

ac·tin·ic der·ma·ti·tis 光線性皮膚炎. = photodermatitis.

ac·tin·ic gran·u·lo·ma 日光肉芽腫（日光照射部の環状皮疹で，組織学的には巨細胞や組織球による真皮弾力線維の食作用がみられる). = Miescher granuloma.

ac·tin·ic ker·a·to·sis 光線〔性〕角化症，日光〔性〕角化症（色白の高齢者の顔面や手の露光部に生じる前癌性のいぼ状病変. 角質増殖が強いと皮角を形成することがある. また治療をしていない患者では低頻度ではあるが悪性度の低い有棘細胞(扁平上皮)癌を生じることがある).

ac·tin·ides (ak′tin-īdz). アクチナイド（原子番号 89 から 103 までの元素で，周期律表のランタニドに対応する).

ac·tin·i·um (Ac) (ak-tin′ē-ŭm). アクチニウム（原子番号 89，原子量 227.05. 安定同位元素はなく，ウランおよびトリウムの崩壊物質としてのみ自然界に存在する).

actino- 光線を意味する連結形. あらゆる種類の

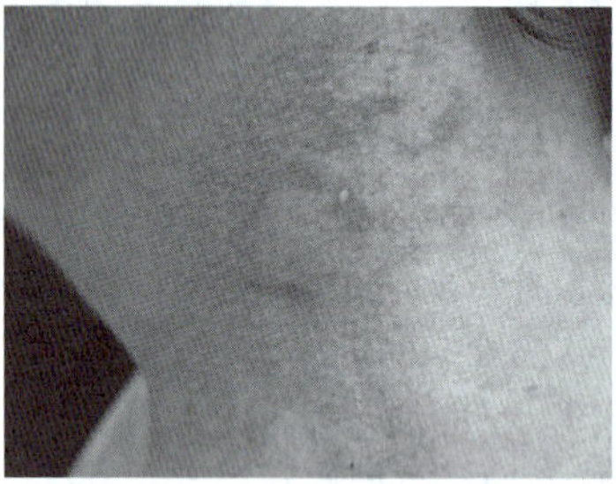

actinic granuloma: neck

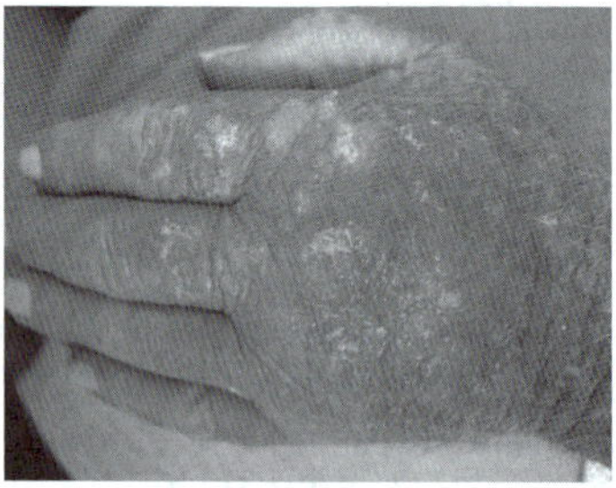

actinic keratoses: hand

放射線または放線部分をもつすべての構造に対して用いる. →radio-.

Ac·ti·no·ba·cil·lus (ak′tin-ō-bă-sil′lŭs). アクチノバチルス属(非運動性, 非胞子形成, 好気性, 条件通性嫌気性の微細な細菌の一属(ブルセラ科)で, グラム陰性の杆状菌と点在する球状菌とからなる. この細菌の代謝は発酵である. 動物に対して病原性である. 標準種は *Actinobacillus lignieresii*).

ac·ti·no·der·ma·ti·tis (ak′ti-nō-dĕr′mă-tī′tis). 光線皮膚炎. = photodermatitis.

Ac·ti·no·ma·du·ra (ak′ti-nō-mă-dūr′ă). 好気性で, グラム陽性の, 分枝する非抗酸性糸状細菌の一属. 気中菌糸を形成することもある. *A. pelletieri* は菌腫の媒介種.

Ac·ti·no·ma·du·ra la·ti·na 南米における菌腫に関与する細菌種.

Ac·ti·no·ma·du·ra ma·du·rae 好気性放線菌類. 放線菌腫の原因.

Ac·ti·no·ma·du·ra pel·le·ti·e·ri ─*Actinomadura latina*.

Ac·ti·no·my·ces (ak′ti-nō-mī′sēz). 放線菌属, アクチノミセス属(放線菌科の非運動性, 非胞子形成で発育の遅い嫌気から通性嫌気性細菌の一属で, グラム陽性で不規則に染まる線状体を有する. この微生物はヒトや動物に対して病原性があり, ヒトに慢性の化膿性感染症を起こすことがある. 16種以上が記載されている. 標準種は *Actinomyces bovis*).

Ac·ti·no·my·ces bo·vis ウシ放線菌(ウシの放線菌症を起こす細菌の一種. ヒトへの感染性は立証されていない. 放線菌属 *Actinomyces* の標準種).

Ac·ti·no·my·ces is·ra·el·i·i イスラエル放線菌(ヒトの放線菌症を起こす最も一般的な放線菌の一種. ときにはウシにも感染する).

Ac·ti·no·my·ce·ta·ce·ae (ak′ti-nō-mī-sē-tā′shē-ē). 放線菌科(非胞子形成, 非運動性, 元来は通性嫌気性(好気性, 嫌気性の種がある)の細菌の一科で, 組織内または培養のある段階で分枝したフィラメント(線状体)を形成する傾向を有する. グラム陽性, 非抗酸性, 主に類ジフテリア細胞よりなる. 本科には放線菌属 *Actinomyces* (標準属), *Arachnia* 属, *Bacterionema* 属, *Bifidobacterium* 属, *Rothia* 属の各属がある).

Ac·ti·no·my·ce·ta·les (ak′ti-nō-mī-sē-tā′lēs). 放線菌目(細菌の一目で, カビ様, 杆菌様, こん棒状, または真正分枝する傾向が確実にある線状体からなり, 内生胞子を欠くが, ときには分生子を形成する. ミコバクテリア科, 放線菌科, ノカルジア科が含まれる).

ac·ti·no·my·ce·tes (ak′ti-nō-mī′sē-tēz). 放線菌類(放線菌属 *Actinomyces* に属す菌をさして用いる語. ときに, 誤って放線菌科, 放線菌目に属する菌をさして用いる).

ac·ti·no·my·ce·to·ma (ak′tin-ō-mī′sĕ-tō′mă). 放線菌腫(高次細菌による菌腫. *cf.* eumycetoma).

ac·ti·no·my·co·ma (ak′ti-nō-mī-kō′mă). 放線菌腫(放線菌によって起こる腫脹. ─mycetoma).

ac·ti·no·my·co·sis (ak′ti-nō-mī-kō′sis). 放線菌症, アクチノミセス症(主にウシとヒトの細菌性疾患で, ウシの場合はウシの放線菌 *Actinomyces bovis*, ヒトの場合はイスラエル放線菌 *Actinomyces israelii* および *Arachnia propionica* によって起こる. これらの放線菌類は, 口腔および喉頭の正常細菌フローラの一部であるが, 組織内に導入されると, 最後に細かい黄色の顆粒(硫黄顆粒)を含む粘質膿を排出する慢性破壊性膿瘍または肉芽腫を生じる場合がある. ヒトの場合は, 一般に頸顔面部, 腹部, 胸部を侵し, ウシの場合は, 一般に下顎にみられる).

ac·ti·no·my·cot·ic (ak′ti-nō-mī-kot′ik). 放線菌〔症〕の, アクチノミセス〔症〕の.

ac·ti·no·ther·a·py (ak′ti-nō-thār′ă-pē). 紫外線療法, 化学線療法(皮膚科における日光または紫外線による療法).

ac·tion (ak′shŭn). *1* 行為, 活動機能(生体機能の活動, その行動様式またはその行動の結果). *2* 作用(物理的, 化学的, 精神的な力または能力を発揮すること).

ac·tion cur·rent 活動電流(効果的に刺激されている筋線維内に発生する電流. 通常, 収縮後に生じる).

ac·tion po·ten·tial 活動電位(興奮が起こる

とき，神経，筋肉，または他の興奮組織に起こる膜電位の変化）.

ac·ti·vat·ed char·coal 活性炭（下痢の治療に，あるいは種々の中毒の解毒薬として用いる）.

ac·ti·vat·ed clot·ting time（ACT） 活性凝固時間（心血管外科において，最も一般的に用いられる凝固試験）.

ac·ti·vat·ed par·tial throm·bo·plas·tin time（aPTT） 活性化部分トロンボプラスチン時間（カルシウムとリン脂質試薬を添加後，血漿がフィブリン塊を形成するのに要する時間．内因系凝固機能の評価に用いる）.

ac·ti·va·tion（ak′ti-vā′shŭn）. ***1*** 活性化（活性化する行為）. ***2*** 活性化，賦活，活動化（温度を上昇させたり光量子を吸収させたりして，原子または分子のエネルギー含量を増加させ，その原子や分子の反応性を高めること）. ***3*** 賦活，活動化（脳波で，異常活動を引き出すために，光，音，電気，または化学薬品で脳を刺激する方法）. ***4*** 活性化，活動化（活動電位が起こる点まで末梢神経線維を刺激すること）. ***5*** 活性化（受精または人工的な手段で卵子の細胞分裂を刺激すること）. ***6*** 放射化（放射性にすること）.

ac·ti·va·tion en·er·gy 活性化エネルギー（安定した分子を反応性の分子に変換するために必要となる最小限のエネルギー）.

ac·ti·va·tor（ak′ti-vā-tŏr）. ***1*** 活性薬，活性化剤（他の物質または触媒を活性化，またはある過程や反応を加速する物質）. ***2*** 賦活体，賦活物質（前駆賦活体の化学分解でつくられ，他の物質の酵素活性を誘発するフラグメント）. ***3*** 物質を放射性にする装置で，中性子発生装置またはサイクロトロンなどをいう. ***4*** 歯や歯槽突起に接触し，活性化された筋機能によって生じる力を受動的にそれらに伝達する可撤型筋機能矯正装置. ***5*** RNA ポリメラーゼによる転写が起こる前に DNA 配列に結合する蛋白.

ac·tive ac·e·tate 活性アセテート. = acetoacetyl-CoA.

ac·tive an·a·phy·lax·is 能動〔性〕アナフィラキシー（受身アナフィラキシーとは異なり，特異抗原によって，あらかじめ感作された被検者に抗原の再接種後起こる反応）.

ac·tive chron·ic hep·a·ti·tis 活動性慢性肝炎（実質内へ進展する慢性門脈炎症を伴う肝炎で，B 型または C 型肝炎の自己免疫性続発症）. = posthepatitic cirrhosis.

ac·tive con·ges·tion 能動性うっ血（一部分への動脈血流量の増加によるうっ血）.

ac·tive cool-down 積極的クールダウン. = active recovery.

active hyperaemia［Br.］. = active hyperemia.

ac·tive hy·per·e·mi·a 能動性（能動的）充血（拡張毛細血管に動脈血液が充満する充血）. = active hyperaemia; fluxionary hyperemia.

ac·tive im·mu·ni·ty 能動免疫，活動免疫（− acquired immunity）.

ac·tive in·gre·di·ent 有効成分（薬理的な活動を発現する医薬品の何らかの成分）. = active pharmaceutical ingredient

ac·tive la·bor 分娩陣痛（頸管の連続的な熟化と子宮口開大を伴う陣痛．*cf.* prodromal labor）.

ac·tive meth·yl 活性メチル（メチル基転移反応に携わることのできる第四級のアンモニウムイオン，または第三級のスルホニウムイオンに付いているメチル基）.

ac·tive pharm·a·ceu·ti·cal in·gre·di·ent（API） = active ingredient.

ac·tive prin·ci·ple 有効成分（薬の成分，通常はアルカロイドかグリコシドで，それがあることによって物質に特有の治療効果を与える）.

ac·tive range of mo·tion（AROM） 自動可動域（随意的に関節を動かしたときの運動域）.

ac·tive re·cov·er·y 積極的回復（激しい運動をひとしきり行った直後に徐々に強度を減少させながら運動して回復を得ること．これは回復時の筋肉の血流を維持することにより乳酸除去を促進させるものである）. = active cool-down; tapering-off.

ac·tive re·pres·sor 活性リプレッサ（オペレータ遺伝子と直接結合して，オペレータとその構造遺伝子の作用を制御し，蛋白合成を抑制するリプレッサ．活性リプレッサが誘導物質により抑制されることにより，蛋白が合成される．誘導可能な酵素系の調節における恒常性維持機構の 1 つ）.

ac·tive site 活性部位（実際の反応が進む酵素分子の部分．基質の反応を起こすため，基質との相互作用ができるように空間的に配列された 1 個またはそれ以上の残基または原子からなると考えられている）.

ac·tive splint 動的副子. = dynamic splint.

ac·tive trans·port 能動輸送（イオンまたは分子の細胞粘膜横断．受動拡散でなく，細胞内で進行する分解産物反応を伴う熱消費反応により生じる．能動輸送では，電気化学的勾配に対して活動が生じる）.

ac·tiv·in（ak′ti-vin）. アクチビン（分娩中に最高濃度となる胎盤ホルモン）.

ac·tiv·i·ties of dai·ly liv·ing（ADL） 日常生活動作（入浴，服を着ること，食事の準備など，平均的人間が 1 日の過程で日常的に行う動作．これらの動作を行えないならば他人に依存することになり，自分で自分の面倒をみることができないことになる．作業療法の主な目標は，患者が日常生活動作を行えるようにすることである）.

ac·tiv·i·ties of dai·ly liv·ing scale 日常生活動作スケール（目盛り）（動作，自己ケア，身づくろいなどに関する簡単な質問に対する答えに基づいた，身体活動とその制限の尺度となるスケール．リハビリテーション，作業療法，看護などで広く使用されている）.

ac·tiv·i·ty（ak-tiv′i-tē）. ***1*** 活性，活動（脳波記録法において，神経性電気エネルギーがあること）. ***2*** 活性度（物理化学において，質量作用の法則が完全に当てはまる理想濃度．真の濃度に対する活性度を活性度係数 activity coefficient（γ）といい，無限希釈状態では 1.00 となる）. ***3*** 〔酵素〕活性（酵素において，一定条件，一定時間当たり消費する基質（または生成する生成物）

の量．代謝回転数 turnover number）．*4* 放射能壊変速度（単位時間の物質量の核変換．（壊変）数，単位キュリー(Ci)，ミリキュリー(mCi)，ベクレル(Bq)，メガベクレル(MBq)．→radioactivity）．

ac·tiv·i·ty ad·ap·ta·tion 活動〔度〕適応，活動〔度〕調節（活動状況を変化させることによって良い性能を引き出し，特定の治療目標を達成する過程）．

ac·tiv·i·ty a·nal·y·sis 行動(活動)分析（行動または運動の構成要素を明らかにするために，そのパターンを検証すること）．= biomechanical analysis.

ac·tiv·i·ty co·ef·fi·cient (γ) 活性度係数（→activity(2)）．

ac·tiv·i·ty de·mands 活動需要（活動を構成する要素で，当該の活動が成功裡に実行されるために存在していなければならないもの．これらには，適切な目的，空間，社会的構成要素，配列あるいはタイミング，行為，根底にある身体機能，および身体構造が，含まれる）．

ac·tiv·i·ty grad·ing 活動の評価（必要とされるパフォーマンスを徐々に上げたり下げたりするためや，最高のパフォーマンスを確実にするための活動を得る過程，道具，材料，あるいは環境の段階的な変化）．= sport-specific training.

ac·tiv·i·ty group 活動(実行)グループ（実行手技や職業上の技量を獲得し，維持することに対して，関心や問題を共有する個人を支援するよう計画されたグループ）．

ac·tiv·i·ty in·tol·er·ance 活動に対する不耐性（何らかの理由により減少したエネルギーが原因で，日常的な活動を行うことが不可能な状態）．

ac·tiv·i·ty pat·tern a·nal·y·sis 行動(活動)パターン分析．= activity analysis(2)．

ac·tiv·i·ty syn·the·sis 行動(活動)統合（評価や介入に見合った活動をするために，人間および人間以外の環境構成要素を結合する過程）．

ac·to·my·o·sin (ak′tō-mī′ō-sin)．アクトミオシン（アクチンとミオシンからなる蛋白複合体．筋線維中の基本的収縮性物質で，MgATP で活性化される）．

ac·tu·al cau·ter·y 真性焼灼器（電気焼灼器のように，化学的方法ではなく直接熱を作用させる焼灼器）．

a·cu·i·ty (ă-kyū′i-tē)．*1* 明瞭度．*2* 重症度．

a·cu·le·ate (ă-kyū′lē-āt)．とげのある，刺針のある，とがった．

ac·u·men·tin (ak′yū-men′tin)．アクメンチン，アキュメンチン（好中球およびマクロファージの運動性蛋白でアクチンと連結してフィラメントの長さを調節する）．

a·cu·mi·nate (ă-kyū′mi-nāt)．尖形の，先鋭形の，先細の．

a·cu·pres·sure (ak′yū-presh-ūr)．指圧（治療目的ではりのツボに圧を加える方法）．

ac·u·punc·ture (ak′yū-pungk′shūr)．刺鍼術(法)，はり(鍼)（①長く細い針を用いた穿刺で，昔の東洋の治療システム．②最近では，はり麻酔法 acupuncture anesthesia または無痛法をいう）．

ac·u·punc·ture an·es·the·si·a はり麻酔〔法〕（身体の特定部分への針の経皮挿入あるいは刺激により，他の領域の感覚消失をつくり出す）．

ac·u·punc·ture points 経穴(つぼ)（疾病に随伴するエネルギーの流れの障害を鍼が矯正すると考えられている，体表にある点）．

a·cute (ă-kyūt′)．急性の（①健康効果に関して，通常，発症が急な，短い，持続性でない，の意味．ときに重症な，の意味で不正確に用いられることがある．②暴露に関して，短い，強い，短期間の，の意味．ときに強い短期間の暴露として特異的に用いられる）．

a·cute ab·do·men 急性腹症（虫垂炎のように，痛み，圧痛，筋硬直を伴い，緊急の手術を要する腹部の重篤な急性疾患）．= surgical abdomen.

a·cute a·dre·no·cor·ti·cal in·suf·fi·cien·cy 急性副腎皮質不全（慢性の副腎皮質不全，または比較的大量の副腎皮質ステロイドホルモンを投与されて副腎皮質機能低下症のある患者が，他の疾患を併発したり外傷を生じ，副腎皮質ホルモンが大量に必要になったときに生じる重篤な副腎皮質機能低下症．嘔気，嘔吐，低血圧を特徴とし，しばしば高体温，低ナトリウム血，高カリウム血，低血糖をも伴い，放置すると死に至る）．= addisonian crisis; adrenal crisis.

a·cute Af·ri·can sleep·ing sick·ness 急性アフリカ睡眠病．= Rhodesian trypanosomiasis.

a·cute an·te·ri·or po·li·o·my·e·li·tis 急性灰白髄炎，急性脊髄前角炎（大脳，脳幹，脊髄の運動ニューロンの細胞死や不可逆性損傷による疾患で，ピコルナウイルス科の小さな RNA エンテロウイルスの感染が原因である．以前はポリオウイルスの 3 型のうちの 1 つが原因のことが多かったが，現在はコクサッキーウイルス A および B，エコーウイルスが原因のことが多い）．

a·cute as·cend·ing pa·ral·y·sis 急性上行性麻痺（脚から始まり，体幹，腕，首を進行性に巻き込み，1—3 週間で死亡することもある急速麻痺）．

a·cute bul·bar po·li·o·my·e·li·tis 急性延髄灰白髄炎（延髄の神経細胞を侵し，下側運動脳神経に麻痺を起こす灰白髄炎ウイルス感染）．

a·cute care 急患治療（深刻な疾病・外傷に対する短期治療）．

a·cute care hos·pi·tal 急性医療病院（入院患者の平均入院期間が 30 日間以下である病院）．

a·cute com·pres·sion tri·ad 急性加圧三徴（心臓タンポナーデによる静脈圧上昇，動脈圧低下，心音減衰）．= Beck triad.

a·cute cor·o·nar·y syn·drome (ACS) 急性冠症候群（冠動脈における血流の減少(例えば不安定狭心症，急性心筋梗塞など)による臨床的な症候群に対する一般的な呼称）．= acute myocardial infarction; preinfarction angina; unstable angina.

a·cute dis·ease 急性疾患（症状が突然現れ，短期間で治まる疾患）．

a·cute dis·sem·i·nat·ed en·ceph·a·lo·

my·e·li·tis 急性播種性脳脊髄炎（脳と脊髄の全体に局所脱髄がみられる中枢神経系の急性脱髄疾患．この過程は，感染後，発疹後，および種痘後の脳脊髄炎に共通である）．

a·cute ef·fects 急性影響（短期間続く，体調悪化や疾患の徴候や症状）．

a·cute ep·i·dem·ic leu·ko·en·ceph·a·li·tis 急性流行〔性〕白質脳炎（発熱の急性発症，次いで起こる痙攣，せん妄，および昏睡を特徴とする疾患．中枢神経系の血管周囲脱髄および出血巣を伴う）．= Strümpell disease(2)．

a·cute ful·mi·nat·ing me·nin·go·coc·ce·mi·a 急性電撃性髄膜炎菌血症（急速に進行する髄膜炎菌 *Neisseria meningitidis* の全身感染．通常，髄膜炎は併発しない．発疹(通常，点状出血や紫斑)，高熱，低血圧を特徴とする．数時間以内に死亡に至ることが多い）．

a·cute gran·u·lo·cyt·ic leu·ke·mi·a = myeloblastic leukemia.

acute haemorrhagic conjunctivitis [Br.]. = acute hemorrhagic conjunctivitis.

acute haemorrhagic pancreatitis [Br.]. = acute hemorrhagic pancreatitis.

a·cute hem·or·rhag·ic con·junc·ti·vi·tis 急性出血性結膜炎（眼瞼腫脹，流涙，結膜出血，濾胞を伴い，ほとんど Enterovirus70 型が原因となる，特異的な急性流行性結膜炎）．

a·cute hem·or·rhag·ic pan·cre·a·ti·tis 急性出血性膵炎（膵臓の急性炎症で，壊死と腺組織への出血を伴う．臨床的には急激な腹痛，嘔気，発熱，白血球増加が著しい．遊出した膵酵素(トリプシンとリパーゼ)の作用により，膵表面と大網上に脂肪壊死の部分がみられる）．

a·cute id·i·o·path·ic pol·y·neu·ri·tis 急性特発性多発〔性〕神経炎（神経学的症候群で恐らく免疫介在疾患，しばしば，ある種のウイルス感染の続発症と思われる．四肢の感覚異常および筋脱力または弛緩麻痺を特徴とし，特徴的な検査所見としては細胞数の上昇を伴わない脳脊髄液の蛋白の上昇がある）．

a·cute in·fec·tion 急性感染症（経過の長い(または短い)重度の感染症のうち，発症が急激なもの）．

a·cute in·flam·ma·tion 急性炎〔症〕（非常に急速に発現し，進行が速い炎症一般をいう．通常，2，3日しか持続しないが，数日から数週間にもわたって持続することもある．組織学的に浮腫，充血，多形核白血球の浸潤を特徴とする）．

a·cute in·flam·ma·tor·y de·my·e·li·nat·ing pol·y·ra·dic·u·lo·neu·rop·a·thy 急性炎症性脱髄性多発根神経障害（Guillain-Barré 症候群の古典型．神経線維の障害は主に脱髄による．→acute motor axonal neuropathy）．

a·cute in·ter·mit·tent por·phyr·i·a, a·cute por·phyr·i·a 急性間欠性ポルフィリン症，急性ポルフィリン症．= intermittent acute porphyria.

a·cute is·che·mic stroke (AIS) 急性虚血性脳卒中（脳動脈閉塞に伴う循環障害は様々な程度の神経脱落症状を来す．全発作の 85%は虚血性脳卒中が原因となっている．急性虚血性脳卒中の多くは，アテローム性動脈硬化による血栓形成または塞栓によって引き起こされる．次に多い原因は，通常心房細動によって引き起こされる心原性脳塞栓症である）．= brain attack; cerebral vascular attack.

a·cute i·so·lat·ed my·o·car·di·tis 急性孤立性心筋炎（原因不明の急性間質性心筋炎．心内膜と心外膜は侵されない）．= Fiedler myocarditis.

a·cute lung in·ju·ry 急性肺損傷（外傷性または疾患との関連で起こる肺機能の急激な低下．生命の危険を伴うこともある）．

acute lymphocytic leukaemia [Br.]. = acute lymphocytic leukemia.

a·cute lym·pho·cy·tic leu·ke·mi·a (ALL) → lymphocytic leukemia. = acute lymphocytic leukaemia.

a·cute ma·lar·i·a 急性マラリア（間欠性または弛張性のマラリアの一型．全身症状を伴う発熱に先行する悪寒が発汗期で終わる．感染細胞からメロゾイトが遊離して起こる熱発作は，典型的には三日熱型マラリア(三日熱または卵形マラリア)では 48 時間毎に，四日熱マラリアでは 72 時間毎に，悪性三日熱(熱帯熱)マラリアでは不定であるが頻繁で通常はおよそ 48 時間毎に起こるが，多くの場合，周期性は明瞭ではない）．

a·cute mas·sive liv·er ne·cro·sis 急性広汎性肝壊死（肝臓実質細胞が広範にわたり急速に死滅し，ときに臓器全体が脂肪変性をきたす病変．壊死はウイルス性劇症肝炎，薬物中毒などにより生じ，黄疸を伴う）．

a·cute mo·tor ax·o·nal neu·rop·a·thy 急性運動性軸索性神経障害（多発根神経障害の急性純粋運動性の軸索変性型．Guillain-Barré 症候群の亜型．季節性(春または夏)に中国農村部の小児にみられることが多い．*Campylobacter jejuni* による下痢の流行後にみられる）．

a·cute pos·ter·i·or mul·ti·fo·cal plac·oid pig·ment ep·i·the·li·op·a·thy (APMPPE) 急性後部多発性斑状網膜色素上皮症（視力低下と網膜色素上皮の多発性，クリーム様色調の斑状病巣を呈する急性，炎症性の限局性疾患で視力の回復とともに寛解する）．

a·cute my·e·lo·blas·tic leu·ke·mi·a (AML) = myeloblastic leukemia.

a·cute my·o·car·di·al in·farc·tion (AMI) = acute coronary syndrome.

a·cute nec·ro·tiz·ing en·ceph·a·li·tis 急性壊死性脳炎（脳実質の破壊を特徴とする脳炎の急性型で単純ヘルペスと他のウイルスに起因する）．

a·cute nec·ro·tiz·ing hem·or·rhag·ic en·ceph·a·lo·my·e·li·tis 急性壊死性出血性脳脊髄炎（主に小児と若年成人を侵す中枢神経系の劇症の脱髄性疾患．ほとんど常に呼吸器感染が先行し，発熱，頭痛，錯乱，項部硬直が突発し，まもなく局所痙攣，片麻痺，四肢麻痺，脳幹症候，昏睡が起こる）．= Hurst disease.

a·cute nec·ro·tiz·ing ul·cer·a·tive gin·gi·vi·tis (ANUG) 急性壊死性潰瘍性歯肉炎

(→necrotizing ulcerative gingivitis).

a·cute pan·cre·a·ti·tis 急性膵炎（膵臓の炎症で，しばしば膵酵素による組織破壊を伴う．重症の場合には膵の壊死や出血，ショックにつながることもある）．

a·cute phase re·ac·tion 急性期反応（炎症反応において，血中のある種の蛋白の合成の変化をさす．この反応は，微生物感染の際に，非特異的な防御機構によって宿主を直ちに保護する働きをする）．= acute phase response.

a·cute phase re·sponse = acute phase reaction.

acute promyelocytic leukaemia [Br.]. = acute promyelocytic leukemia.

a·cute pro·my·e·lo·cyt·ic leu·ke·mi·a 急性前骨髄球性白血病（異常な前骨髄球および骨髄球の骨髄浸潤，低フィブリノゲン血漿および凝血障害を伴った，重篤な出血障害を呈する白血病）．

a·cute pul·mo·nar·y al·ve·o·li·tis 急性肺胞炎（びまん性肺胞障害，薬剤誘起性肺疾患，急性免疫性障害を含む間質性肺疾患患者に起こる）．

a·cute re·nal fail·ure（ARF） 急性腎不全（尿細管傷害による腎機能の急激な低下．高窒素血症，体液・電解質異常，代謝性アシドーシスといった徴候が見られる．通常，虚血や腎毒性物質によって引き起こされる）．

a·cute res·pi·ra·to·ry dis·tress syn·drome（ARDS） 急性呼吸促迫症候群．= adult respiratory distress syndrome.

a·cute res·pi·ra·to·ry fail·ure（ARF） 急性呼吸不全（低酸素血症あるいは高炭酸ガス血症をもたらす急性ないし慢性肺機能喪失）．

a·cute ret·i·nal ne·cro·sis（ARN） 急性網膜壊死（免疫不全症例に生じるウイルス性症候群．網膜辺縁に円周状に進展する障害を特徴とし，網膜剥離 retinal detachment を生じる）．

a·cute rhi·ni·tis 急性鼻炎（鼻粘膜の急性カタル性炎症．くしゃみ，流涙，大量の水様粘液の分泌が特徴．かぜウイルスの 1 つによって感染することが多い）．= coryza.

a·cute sen·sor·y-mo·tor ax·o·nal neu·rop·a·thy 急性感覚運動性軸索性神経障害（運動線維と感覚線維の両方を侵す，急性軸索変性性多発根神経障害．Guillain-Barré 症候群の亜型）．

a·cute sit·u·a·tion·al re·ac·tion 急性環境性反応．= stress reaction.

a·cute try·pan·o·so·mi·a·sis 急性トリパノソーマ症．= Rhodesian trypanosomiasis.

a·cute tu·ber·cu·lo·sis 急性粟粒結核〔症〕（血中に結核菌が散布されて起こる急激な致命的疾患．種々の器官と組織に粟粒結核結節を形成し，強い中毒症状を示す）．= disseminated tuberculosis.

a·cute vi·ral con·junc·ti·vi·tis 急性ウイルス結膜炎（特に下円蓋部の濾胞を特徴とする結膜の急性炎症．アデノウイルス 8 型および 19 型によって引き起こされる）．= pinkeye(1).

a·cute yel·low at·ro·phy of the liv·er 急性黄色肝萎縮（肝臓実質細胞が広範にわたり急速に死滅し，ときに臓器全体が脂肪変性をきたす病変．壊死はウイルス性劇症肝炎，薬物中毒などにより生じ，黄疸を伴う）．= Rokitansky disease.

a·cy·a·not·ic (ā-sī′ă-not′ik). 非青色性の，無チアノーゼの（チアノーゼの欠如を特徴とする）．

a·cy·clic com·pound 非環式化合物（鎖が環を形成していない有機化合物）．= open chain compound.

ac·yl (as′il). アシル（有機酸からカルボキシル基の水酸基を除いた有機基）．

ac·yl·am·i·dase (as′il-am′i-dās). アシルアミダーゼ．= amidase.

ac·yl car·ri·er pro·tein（ACP） アシル担体蛋白（アセチル CoA（ブチリル CoA，プロピオニル CoA の場合もある）およびマロニル CoA をパルミチン酸に変換するため必要なすべての酵素を含む，細胞質中にある複合体の蛋白の 1 つ．この複合体は哺乳類組織および酵母中で固く結び付いているが，大腸菌 *Escherichia coli* 中の複合体は容易に解離される．このようにして分離した ACP は分子量約 10,000 の熱安定蛋白で，この中にある SH 基は脂肪酸合成においてアシル中間体をチオエステルとして結合させる．この SH 基は 4′-phosphopantetheine の一部であり，ACP phosphodiesterase によりアポ蛋白に付き，CoA の場合と同じ役割を果たす．ACP は，脂肪酸合成プロセスの全段階に関与する）．

ac·yl-CoA (as′il-kō-ā). アシル CoA（カルボン酸と CoA の縮合物で，特に脂肪の酸化および合成に重要な中間代謝物）．

ac·yl-CoA de·hy·dro·ge·nase（NADPH） アシル CoA デヒドロゲナーゼ（NADPH を水素供与体として，鎖長 4 から 16 のエノイル CoA 誘導体を可逆的還元し，アシル CoA と $NADP^+$ を生成する反応を触媒する酵素）．

ac·yl·trans·fer·ase (as′il-trans′fĕr-ās). [EC class 2.3]. アシルトランスフェラーゼ（アシル CoA から各種受容体へのアシル基転移を触媒する酵素）．= transacylases.

a·cys·ti·a (ā-sis′tē-ă). 無膀胱症（膀胱の先天的欠損）．

A.D. ラテン語 *auris dextrd*（右耳）の略．JCAHO は，類似の略語との混同を避けるために right ear は完全表記するように指導している．

ad- 増加，付着，方向，近似，を意味する接頭語．

-ad 解剖学用語における接尾語で，語の主部が示す身体の部分の方へ，に向かって，を意味する．

ADA U.S. Americans with Disabilities Act; American Dental Association; American Diabetes Association; American Dietetic Association の略．

a·dac·ty·lous (ā-dak′ti-lŭs). 無指症の（手または足の指がない）．

a·dac·ty·ly (ā-dak′ti-lē). 無指症（手または足の指の先天的欠損を特徴とする状態）．

ad·a·man·ti·no·ma (ad′ă-man′ti-nō′mă). アダマンチノーム，アダマンチノーマ．= ameloblastoma.

ad·a·man·to·blas·to·ma (ad′ă-man′tō-blas-

A

tō′mă). →ameloblastoma.

Ad·am's ap·ple laryngeal prominence の俗語.

Ad·ams·ite (DM) (ad′ămz-īt). アダムサイト(軍事訓練や暴動鎮圧時に使用される催吐剤. NATO コード DM. →riot-control agent; vomiting agent).

Ad·ams-Stokes dis·ease アダムズ-ストークス病. = Adams-Stokes syndrome.

Ad·ams-Stokes syn·drome アダムズ(アダムス)-ストークス症候群（脈拍の結滞，めまい，失神，痙攣，ときには Cheyne-Stokes 呼吸が特徴の症候群で，通常，高度房室ブロックまたは洞不全症候群の結果起こる). = Adams-Stokes disease; Morgagni disease; Spens syndrome; Stokes-Adams syndrome.

ad·an·so·ni·an clas·si·fi·ca·tion アダンソン分類〔法〕（生物のすべての形質に，等しい重み付けを行うことを基礎とする生物分類法. この原理は，数量分類学に最大に応用されている).

ad·ap·ta·tion (ad′ap-tā′shŭn). 適応，順応，調節（①生態学を含めて，環境に耐えるだけの高度の能力のある表現型を有するために，種族が優先的に生存するということ. ②器官や組織の機能あるいは組成などが，新しい条件に適合するように有利に変化すること. ③光の強度に対する網膜の感度の調節. ④強さが一定の反復性または持続性刺激に対して，反応を修飾する感覚器受容体の特性. ⑤整復材料，箔，歯冠を歯や鋳型に密着させるために行う仕上げ，凝縮または形成. ⑥絶えず変化する環境に応じて，個人の思考，感情，行動，生理機能が連続的に変化する動的過程. ⑦ホメオスタシス応答).

a·dapt·er, a·dap·tor (ă-dap′tĕr, ă-dap′tŏr). アダプタ（①2つの装置(器官)の結合部. ②電流を望む形に変える変換器).

a·dap·tive be·hav·ior scales 適応行動評価尺度（精神遅滞児および発達遅延児の技能を，環境とのかかわりにおいて行動学的に評価するものであり，発達段階からみた3因子で構成されている. ⅰ個人的自足，例えば，食事，着替え，ⅱ社会的自足，例えば，買物，会話，ⅲ個人的および社会的責任，例えば，余暇時間の活用，業務遂行. →intelligence).

a·dap·tive hy·per·tro·phy 順応性肥大（膀胱などの管腔臓器壁の肥厚で，流出障害があるときに生じる).

a·dap·tive ther·mo·gen·e·sis 適応性熱産生(環境温度や摂食の影響を受け調節される熱の生産.

ad·ap·tom·e·ter (ad′ap-tom′ĕ-tĕr). 〔明暗〕順応計（網膜の暗順応の経過を決定し最小明度閾値を測定するための装置).

ADAT advance diet as tolerated の略.

ADD attention deficit disorder の略.

ad·der·wort (ad′ĕr-wōrt). = bistort.

ad·dict (ad′ikt). 常用者，常習者（特に有害または非合法と考えられる物質や行為を常用または常習する者).

ad·dic·tion (ă-dik′shŭn). 嗜癖（ある物質または行為に対する制御不能の心理的および身体的な常習性の依存).

ad·dic·tion se·ver·i·ty in·dex (ASI) 嗜癖重症度指標（物質乱用・依存の重症度を評価するために用いられる測定手段).

Addison anaemia [Br.]. = Addison anemia.

Ad·di·son a·ne·mi·a アディソン(アジソン)貧血. = pernicious anemia; Addison anaemia.

Ad·di·son dis·ease アディソン(アジソン)病. = chronic adrenocortical insufficiency.

ad·di·so·ni·an cri·sis アディソン(アジソン)〔病〕発症，アディソン(アジソン)〔病〕クリーゼ. = acute adrenocortical insufficiency.

ad·di·tive (ad′i-tiv). ***1*** 〚n.〛 添加物（食物などの素材の本来の成分ではなく，保存などの特定の目的を果たすために意図的に添加される物質). ***2*** 〚adj.〛 添加する，または添加される傾向にある. 添加を意味する. ***3*** 〚adj.〛相加的な（計量研究(例えば，遺伝学，疫学，生理学，統計学など)において，2つ以上の因子の同時の影響がそれぞれの単独での影響の和に等しいという性質. *cf.* synergism).

ad·di·tive ef·fect 相加効果（2つ以上の物質あるいは作用を併用した結果生じる総合効果が，個々の効果の算術的な和と等しくなるような場合に，その総合効果のことを示す).

ad·dres·sin (ă-dres′in). アドレシン（細胞表面にある分子で他の分子を特定の場所に導くホーミング装置として役立つ).

ad·dress·in li·gands アドレスリガンド（リンパ球上に存在する特異的なホーミングレセプタに対応するリガンド).

ad·duct (ă-dŭkt′). 内転する（正中矢状面の方へ引き寄せる).

ad·duc·tion (ă-dŭk′shŭn). ***1*** 内転（四肢の場合は体の正中矢状面へ向かって，指の場合は手または足の正中矢状面へ向かって，四肢または指が近づく方向への運動). ***2*** 内ひき，内転（鼻側方向への単眼の回転(ひき運動)). ***3*** 内転位（***1***，***2*** の運動の結果として生じた位置. *cf.* abduction).

ad·duc·tor (ă-dŭk′tŏr). 内転筋（正中矢状面，手足の指の場合には中指，または第2足指の長軸へ向かう方向へ身体の部分を引っ張る筋).

ad·duc·tor brev·is mus·cle 短内転筋（大腿内側区の筋の1つ. 起始：恥骨上枝. 停止：粗線内側唇の上 1/3. 作用：大腿の内転. 神経支配：閉鎖神経). = musculus adductor brevis; short adductor muscle.

ad·duc·tor ca·nal 内転筋管（大腿の中 1/3 の内側広筋と内転筋との間にある間隙が，縫工筋により上からおおわれ管になったもので，大腿動脈および静脈・伏在神経の通路となり，内転筋裂孔に終わる). = canalis adductorius; Hunter canal.

ad·duc·tor hal·lu·cis mus·cle 足の母指内転筋（足底筋群第三層のもの. 起始：横頭は，第二-第五指の中足指関節の関節包. 斜頭は，外側楔状骨および第三・第四中足骨底. 停止：足の基節骨底の外側. 作用：足の母指の内転. 神経支配：外側足底神経). = musculus adductor hallucis.

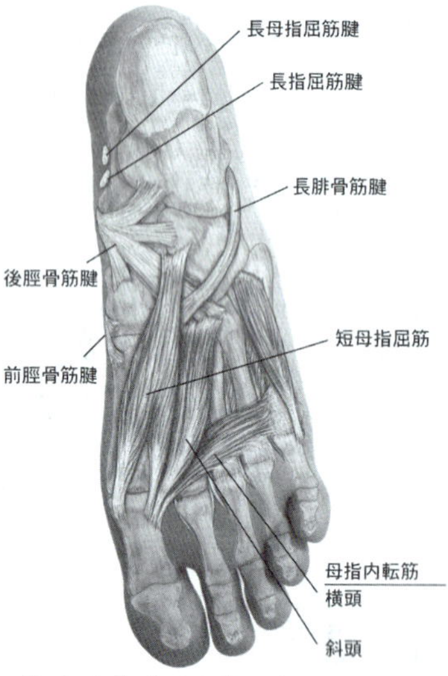
長母指屈筋腱
長指屈筋腱
長腓骨筋腱
後脛骨筋腱
短母指屈筋
前脛骨筋腱
母指内転筋
横頭
斜頭
adductor hallucis muscle

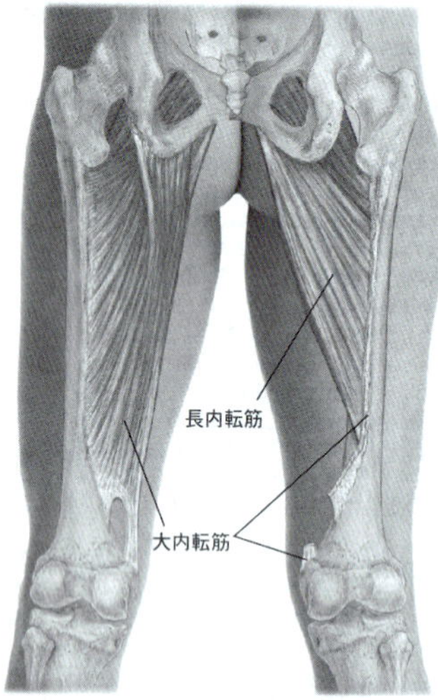
長内転筋
大内転筋
adductor magnus muscle

ad·duc·tor lon·gus mus·cle 長内転筋（大腿内側区の筋の1つ．起始：恥骨結合および恥骨稜．停止：粗線内側唇の中央1/3．作用：大腿の内転．神経支配：閉鎖神経）. = musculus adductor longus; long adductor muscle.

ad·duc·tor mag·nus mus·cle 大内転筋（大腿内側区の筋の1つ．起始：坐骨結節，坐骨恥骨枝．停止：粗線，大腿骨内転筋結節．作用：大腿の内転と伸展．神経支配：閉鎖神経，坐骨神経）. = musculus adductor magnus; great adductor muscle.

ad·duc·tor min·i·mus mus·cle 小内転筋（大腿内側区の筋の1つで大内転筋の上部を構成する小さく偏平な筋．粗線上部に付着）. = musculus adductor minimus.

ad·duc·tor pol·li·cis mus·cle 手の母指内転筋（手掌固有筋の1つ．起始：第三中手骨幹からの横頭と，第二中手骨底前面，小菱形骨，有頭骨からの斜頭の2頭．停止：手の母指基節骨底の内側縁．作用：手の母指の内転．神経支配：尺骨神経）. = musculus adductor pollicis.

ad·duc·tor spas·mod·ic dys·pho·ni·a 内転型痙攣性発声障害（痙攣性発声障害の1つのタイプ．正門が過度に閉塞するために発声の開始と持続が影響を受ける）.

ad·duc·tor tu·ber·cle of fe·mur 内転筋結節（大腿骨内側上顆の上方にある突起で，大内転筋の腱が付着している）.

ADE adverse drug effect の略.

Ade adenine の略.

a·den·drit·ic, a·den·dric (ā-den-drit′ik, ā-den′drik). 樹状突起のない.

ad·e·nec·to·my (ad′ĕ-nek′tŏ-mē). 腺切除〔術〕.

ad·e·nec·to·pi·a (ad′ĕ-nek-tō′pē-ă). 腺転位〔症〕（腺が正常の解剖学的位置以外にあること）.

a·den·i·form (ă-den′i-fōrm). = adenoid (1).

ad·e·nine (A, Ade) アデニン（RNA および DNA に含まれる2つの重要なプリンの1つ（他方はグアニン）．身体にとって重要な各種の遊離ヌクレオチド）.

ad·e·nine de·ox·y·ri·bo·nu·cle·o·tide アデニンデオキシリボヌクレオチド. = deoxyadenylic acid.

ad·e·nine nu·cle·o·tide アデニンヌクレオチド. = adenylic acid.

ad·e·ni·tis (ad′ĕ-nī′tis). 腺炎（リンパ節または腺の炎症）.

ad·e·ni·za·tion (ad′ĕ-nī-zā′shŭn). 腺様化（腺様構造への変化）.

adeno-, aden- 腺との関連を表す連結形．ラテン語 glandul-, glandi- に相当する.

ad·e·no·ac·an·tho·ma (ad′ĕ-nō-ak′an-thō′mă). 腺棘細胞腫（主として腺上皮からなる悪性新生物（腺癌）．通常は高分化型で，腫瘍細胞の扁平上皮（または上皮様）化生病巣を伴う）. = adenoid squamous cell carcinoma.

ad·e·no·blast (ad′ĕ-nō-blast). 腺芽細胞（増殖中の胎芽細胞で，腺実質形成能を有する）.

ad·e·no·car·ci·no·ma (ad′ĕ-nō-kahr′si-nō′mă). 腺癌（腺または腺様の上皮細胞の悪性新生物）.

ad·e·no·car·ci·no·ma in Bar·rett e·soph·a·gus バレット食道腺癌（円柱上皮（Barrett 粘膜）になった食道の部分にできた腺癌）.

ad·e·no·car·ci·no·ma·tous (ad′ĕ-nō-kahr′si-nō′mă-tŭs). 腺癌の（腺上皮に発生する悪性腫瘍に属する）.

ad·e·no·cel·lu·li·tis (ad′ĕ-nō-sel′yū-lī′tis). 腺フレグモーネ，腺蜂巣炎（腺(通常はリンパ節)およびそれに隣接する結合組織の炎症）.

ad·e·no·chon·dro·ma (ad′ĕ-nō-kon-drō′mă). 腺軟骨腫. = pulmonary hamartoma.

ad·e·no·cys·to·ma (ad′ĕ-nō-sis-tō′mă). 腺嚢腫（腫瘍腺上皮が嚢胞を形成する腺腫）.

ad·e·no·cyte (ad′ĕ-nō-sīt). 腺分泌細胞.

ad·e·no·fi·bro·ma (ad′ĕ-nō-fī-brō′mă). 腺線維腫（腺および線維組織からなる良性新生物）.

ad·e·no·fi·bro·my·o·ma (ad′ĕ-nō-fī′brō-mī-ō′mă). 腺線維筋腫. = adenomatoid tumor.

ad·e·no·fi·bro·sis (ad′ĕ-nō-fī-brō′sis). 腺線維症. = sclerosing adenosis.

ad·e·nog·en·ous (ad′ĕ-noj′en-ŭs). 腺組織由来の.

ad·e·no·hy·po·phy·si·al (ad′ĕ-nō-hī-pō-fiz′ē-ăl). 腺下垂体の.

a·de·no·hy·po·phy·si·al pouch 腺性下垂体嚢. = hypophysial diverticulum.

ad·e·no·hy·poph·y·sis (ad′ĕ-nō-hī-pof′i-sis). 腺性下垂体（末端部，中間部，漏斗部からなる下垂体前葉. →hypophysis）. = lobus anterior hypophyseos; anterior lobe of hypophysis.

ad·e·no·hy·poph·y·si·tis (ad′ĕ-nō-hī-pof-i-sī′tis). 〔脳〕下垂体炎（下垂体前葉を侵す炎症および線維症. 妊娠に伴うことが多い）.

ad·e·noid (ad′ĕ-noyd). ***1***〚adj.〛腺様の. = adeniform; lymphoid (2). ***2***〚n.〛→adenoids.

ad·e·noi·dal-pha·ryn·ge·al-con·junc·ti·val vi·rus アデノイド-咽喉-結膜親性ウイルス. = adenovirus.

ad·e·noid cys·tic car·ci·no·ma 腺様嚢胞癌（丸い腺様の腔あるいは嚢胞を有する大型の上皮塊を特徴とする癌の一組織型. 嚢胞は粘液または膠原質を含んでいることが多く，少数または多数の上皮細胞層が，間質に介在することなく境界をなして，スイスチーズのスライスのような篩状型を形成している. 腺様嚢胞癌は唾液腺に最も多く発生し，神経周囲組織へ浸潤したり血行性に転移することが多い）. = cylindromatous carcinoma.

ad·e·noid·ec·to·my (ad′ĕ-noyd-ek′tō-mē). アデノイド切除〔術〕，咽頭扁桃切除〔術〕（鼻咽腔におけるアデノイド組織を除去する手術）.

ad·e·noid fa·ci·es アデノイド顔〔貌〕（アデノイド肥大の小児の，口を開けた遅鈍状の顔貌で，鼻閉を伴う）.

ad·e·noid·i·tis (ad′ĕ-noyd-ī′tis). アデノイド咽頭炎，アデノイド扁桃炎（鼻咽頭のリンパ様組織の炎症）.

ad·e·noids (ad′ĕ-noydz). アデノイド，腺様増殖〔症〕（①鼻咽頭の破嚢されていないリンパ組織の正常な集簇. pharyngeal tonsils ともよばれる. ②小児の大きな（正常な）咽頭扁桃の一般的な専門用語）.

ad·e·noid squa·mous cell car·ci·no·ma = adenoacanthoma.

ad·e·noid tis·sue = lymphatic tissue.

ad·e·no·li·po·ma (ad′ĕ-nō-li-pō′mă). 腺脂肪腫（腺および脂肪組織よりなる良性腫瘍）.

ad·e·no·lip·o·ma·to·sis (ad′ĕ-nō-lip′ō-mă-tō′sis). 腺脂肪腫症（多発性の腺脂肪腫の発生を特徴とする病態）.

ad·e·no·ma (ad′ĕ-nō′mă). 腺腫，アデノーマ（良性の腫瘍で，その腫瘍細胞が基質中に腺または腺様構造を形成する. 通常，境界が明らかで，周囲組織を圧迫する傾向があり，浸潤や侵襲はむしろ少ない）.

a·de·no·ma·la·ci·a (ad′ĕ-nō-mă-lā′shē-ă). 腺軟化症（腺の異常な軟化）.

ad·e·no·ma·toid (ad′ĕ-nō′mă-toyd). 腺腫様の.

ad·e·no·ma·toid o·don·to·gen·ic tu·mor 腺様歯原性腫瘍（青年または若年成人にみられる，良性の上皮性歯原性腫瘍で，X 線写真上，通常，埋伏歯の歯冠を取り囲む透過像と不透過像が混在した境界明瞭な病変としてみられる. 組織学的には，円柱細胞の腺管状配列が特徴であり，紡錘形の細胞と徐々に異栄養性石灰化をうけるアミロイド様の沈着物が散在する）. = ameloblastic adenomatoid tumor.

ad·e·no·ma·toid tu·mor 類腺腫瘍（男性の精巣上体，女性の生殖路に生じる小さな良性腫瘍. 線維組織からなり，結合した腺様の空間は中皮細胞におおわれている）. = adenofibromyoma; Recklinghausen tumor.

ad·e·no·ma·to·sis (ad′ĕ-nō′mă-tō′sis). 腺腫症（多発性腺発育過剰を特徴とする状態）.

ad·e·no·ma·tous (ad′ĕ-nō′mă-tŭs). 腺腫〔様〕の（腺腫およびある型の腺過形成に関する）.

ad·e·no·ma·tous goi·ter 腺腫性甲状腺腫（甲状腺の腫脹. 1 個以上の被嚢性腺腫または多数の非被嚢性コロイド小節がその組織内で増殖して生じる）. = adenomatous goitre.

adenomatous goitre [Br.]. = adenomatous goiter.

ad·e·no·ma·tous hy·per·pla·si·a 腺腫様増殖. = complex endometrial hyperplasia.

ad·e·no·ma·tous pol·yp 腺腫様ポリープ（腺上皮から由来する良性新生物組織からなる）.

ad·e·no·ma·tous pol·y·po·sis co·li 大腸腺腫性ポリポーシス. = familial adenomatous polyposis.

a·de·no·meg·a·ly (ad′ĕ-nō-meg′ă-lē). 副腎過形成（副腎の肥大）.

ad·e·no·mere (ad′ĕ-nō-mēr). 腺節（発育中の腺の実質における構造単位で器官の機能を営む部分になっていくところ）.

ad·e·no·my·o·ma (ad′ĕ-nō-mī-ō′mă). 腺筋腫（腺要素を有する筋（通常は平滑筋）の良性新生物. 子宮と子宮靱帯に最も多く発生する）.

ad·e·no·my·o·sis (ad′ĕ-nō-mī-ō′sis). 腺筋症（筋肉（通常は平滑筋）における腺腫様組織の異所性発生またはびまん性移植）.

ad·e·nop·a·thy (ad′ĕ-nop′ă-thē). アデノパシー，腺症（リンパ節の腫脹または病的肥大）.

ad·e·no·sal·pin·gi·tis (ad′ĕ-nō-sal′pin-jī′tis). 腺性卵管炎. = salpingitis isthmica nodosa.

ad·e·no·sar·co·ma (ad′ĕ-nō-sahr-kō′mă). 腺肉腫（同一部位の中胚葉性組織と腺上皮に，同時または連続して発生する悪性新生物）.

a·den·o·sine (Ado) (ă-den′ō-sēn). アデノシン（①アデニンとD-リボースの縮合物．すべての核酸および種々のアデニンヌクレオチドの加水分解生成物に検出されるヌクレオシド．②放射性核種心筋灌流の研究で運動負荷の代わりに用いられる強力な冠血管拡張薬）. = gamma (γ)-beta (β)-D-ribofuranosyladenine.

a·den·o·sine 3′, 5′-cy·clic mon·o·phos·phate (cAMP) アデノシン3′,5′-サイクリック一リン酸（ホスホリラーゼキナーゼの活性化物質で他の酵素のエフェクター．筋肉内でアデニル酸シクラーゼによりATPから合成され，ホスホジエステラーゼにより5′-AMPに分解される．ときに第二メッセンジャーといわれることもある．関連のある化合物(2′,3′)も知られている）. = cyclic AMP.

a·den·o·sine 5′-di·phos·phate (ADP) アデノシン5′-二リン酸（アデノシンとピロリン酸との縮合物．ATPの末端リン酸基の加水分解によりATPから生成される）.

a·den·o·sine di·phos·phate アデノシン二リン酸（→adenosine 5′-diphosphate）.

a·den·o·sine mon·o·phos·phate (AMP) アデノシン一リン酸（特にアデノシン5′-一リン酸をいう．→adenylic acid）.

a·den·o·sine phos·phate アデノシンホスフェート（特にアデノシン3′-リン酸または5′-リン酸．→adenylic acid）.

a·den·o·sine 5′-phos·pho·sul·fate (APS) アデノシン5′-ホスホ硫酸（PAPS(活性硫酸塩)の生成経路の中間体）.

adenosine 5′-phosphosulphate [Br.]. = adenosine 5′-phosphosulfate.

a·den·o·sine tri·phos·pha·tase (ATPase) アデノシントリホスファターゼ，ATPアーゼ（アデノシン5′-三リン酸の末端のリン酸を解離させる反応を触媒する酵素で，種々の細胞膜，ミトコンドリア，およびミオシンと関係のある横紋筋筋節のA帯において，細胞化学的に検出される）.

a·den·o·sine 5′-tri·phos·phate (ATP) アデノシン5′-三リン酸; adenosine(5) pyrophosphate（その5′位でエステル化されたリン酸がついたアデノシン．RNAでのアデニンヌクレオチドの中間的前駆物質．細胞の主要エネルギー伝達体である）.

ad·e·no·sis (ad′ĕ-nō′sis). 腺疾患（多かれ少なかれ全身性の腺疾患について，まれに用いる語）.

ad·e·not·o·my (ad′ĕ-not′ŏ-mē). アデノイド切除〔術〕，咽頭扁桃切除〔術〕.

ad·e·no·ton·sil·lec·to·my (ad′ĕ-nō-ton′sil-lek′tŏ-mē). アデノイド口蓋扁桃摘出〔術〕.

Ad·e·no·vi·ri·dae (ad′ĕ-nō-vir′i-dē). アデノウイルス科（一般にアデノウイルスとして知られている二重鎖のDNAを有するウイルスの一科で，哺乳類と鳥類に感染し，細胞の核内で増殖する）.

ad·e·no·vi·rus (ad′ĕ-nō-vī′rŭs). アデノウイルス（アデノウイルス科のウイルス．40タイプ以上がヒトに感染して上部気道症状，急性呼吸器病，結膜炎，胃腸炎，出血性膀胱炎，および新生児の重篤な感染症を起こすことが知られている）. = adenoidal-pharyngeal-conjunctival virus.

ad·e·nyl (ad′ĕ-nil). アデニル（アデニンの基またはイオン）.

a·den·y·late (ă-den′i-lāt). アデニレート（アデニル酸塩またはエステル）.

a·den·y·late cy·clase アデニレート(アデニル酸)シクラーゼ（ATPに作用して3′,5′-サイクリックAMPとピロリン酸塩を生成する酵素．第二メッセンジャーの制御や生成の重要段階）. = 3′,5′-cyclic AMP synthetase.

a·den·y·late ki·nase アデニレート(アデニル酸)キナーゼ（MgADPの1分子によるADPの1分子の可逆的リン酸化によりMgATPおよびAMPを生成する反応を触媒するホスホトランスフェラーゼ）.

ad·e·nyl·ic ac·id アデニル酸（アデノシンとリン酸の縮合物．すべての核酸の加水分解生成物の中に見出されるヌクレチオド．→AMP）. = adenine nucleotide.

ad·eps, gen. ad·i·pis (ad′eps, ad′i-pis). *1* 〖adj.〗脂肪の，脂肪組織の．*2* 〖n.〗ラード，豚脂（軟膏の調製に用いる）.

ad·eps la·nae 羊毛脂（*Ovis aries* 種(牛科)の羊の毛より得られる脂質成分．クリームや軟膏の皮膚軟化性基剤として用いられる）. = lanolin.

ad·e·quate in·take (AI) 目安量（観察的または実験的に定められた，健常人のグループ(複数のグループ)により摂取されている栄養素量の近似値や推定値に基づいて推奨される摂取量．十分量であるが，RDAが決められない時に使用される）.

ad·e·quate stim·u·lus 適当刺激，適合刺激（特定の受容器が特定の刺激に反応して特異的興奮を生じる場合の刺激をいう．例えば，光と音波はそれぞれ視覚受容体または聴覚受容体を刺激する）.

a·der·mi·a (ā-dĕr′mē-ă). 無皮膚〔症〕（皮膚の先天的欠損）.

a·der·mo·gen·e·sis (ă-dĕr′mō-jen′ĕ-sis). 皮膚発育不全〔症〕（皮膚再生ができないか不完全なこと．特に欠損した皮膚の不完全な修復をいう）.

ADH alcohol dehydrogenase; antidiuretic hormoneの略.

ADHA American Dental Hygienists Associationの略.

ADHD attention deficit hyperactivity disorderの略.

ad·her·ence (ad-hēr′ĕns). *1* 粘着性（あるものにくっつくこと，またはそのような性質．→adhesion）．*2* 指示順守度（患者が，いったん了承した治療法をほとんど監視なしで継続する度

合．*cf.* compliance (2); maintenance).

ad·hes·i·ol·y·sis (ad-hē′zē-ol′i-sis). 癒着切離，癒着切断（癒着索状帯の切離．腹腔鏡あるいは開腹術によって行う）．

ad·he·sion (ad-hē′zhŭn). ***1*** 癒着，癒合，粘着，付着（2 つの表面や部分の付着または結合の過程．特に創傷や隣接する筋膜層の相対向する面の癒合）. = conglutination (1). ***2*** 索状帯（胸腔および腹腔内では，相対する漿膜面を結合させる炎症性の帯状物）. ***3*** 付着力（異種の分子同士の間の物理的引力）．

ad·he·sion mol·e·cules 接着分子（ヘルパーT 細胞とアクセサリー細胞，ヘルパー T 細胞と B 細胞，細胞傷害性 T 細胞と標的細胞の相互作用に関与する分子）．

ad·he·si·ot·o·my (ad-hē′zē-ot′ō-mē). 癒着切離〔術〕，癒着剥離〔術〕（癒着の外科的切離）．

ad·he·sive (ad-hē′siv). ***1*** 〚adj.〛 癒着性の，粘着性の．***2*** 〚n.〛 接着剤（表面へ付着する，あるいは表面間を癒合する物質）．

ad·he·sive ab·sor·bent dress·ing 接着吸収包帯（接着剤をコーティングしたフイルムに，吸収性のガーゼを張った滅菌の絆創膏）. = adhesive bandage.

ad·he·sive ban·dage 接着ガーゼ包帯，ガーゼ付絆創膏. = adhesive absorbent dressing.

ad·he·sive cap·su·li·tis 癒着性関節包炎（関節包の炎症性肥厚により関節の運動制限をきたした状態で，肩関節拘縮の原因のなかで最も多いものである）．

ad·he·sive in·flam·ma·tion 癒着性炎〔症〕（滲出液中の線維素の量が多いために，隣接する組織との軽微な癒着を起こすもので，創傷の一次治癒などにみられる）．

ad·he·sive o·ti·tis 癒着性中耳炎（長期の耳管機能障害の結果，鼓膜が永続的に陥凹し，鼓室が閉塞状態になることにより生じる中耳の炎症）．

ad·he·sive per·i·car·di·tis 癒着性心膜炎（2 層の心膜，心膜と心臓，または心膜と隣接臓器の間に癒着のある心膜炎）．

ad·he·sive per·i·to·ni·tis 癒着性腹膜炎（線維性滲出液が生じ，腸管と種々の他器官が癒着している形態の腹膜炎）．

ad·he·sive pleu·ri·sy 癒着性胸膜炎. = dry pleurisy.

ad·he·sive vag·i·ni·tis 癒着〔性〕腟炎（腟粘膜の炎症で，腟壁間の癒着を伴う）．

ADI *acceptable daily intake* の略．

a·di·a·ba·tic (ā′dē-ă-bat′ik). 断熱（ある系とその周囲との間に熱の出入りがない熱力学的状態(過程)）．

ad·i·ad·o·cho·ki·ne·si·a (ă-dī′ă-dō-kō-kin-ē′zē-ă). = adiadochokinesis.

ad·i·ad·o·cho·ki·ne·sis (ă-dī′ă-dō-kō-kin-ē′sis). 変換運動障害，拮抗〔運動〕反復不能〔症〕（急速交互運動ができないこと．小脳機能障害の臨床所見の 1 つ．*cf.* diadochokinesia). = adiadochokinesia.

a·di·a·pho·re·sis (ā′dī-ă-fŏr-ē′sis). 無汗〔症〕. = anhidrosis.

a·di·a·pho·ri·a (ă-dī′ă-fōr′ē-ă). 不応性（一連の刺激を与えられた後で刺激に対して反応が減退すること）．

A·die syn·drome, A·die pu·pil アーディー症候群（内眼筋への副交感神経支配の症候性節後脱神経．通常はこれら神経の異所性再生所見を伴う．縮瞳筋（虹彩括約筋）の麻痺による対光反応の減弱と近見反応増強．深部腱反射が非対称性に減弱する．→tonic pupil). = Holmes-Adie pupil; Holmes-Adie syndrome; pupillotonic pseudostrabismus.

adip-, adipo- 脂肪に関する連結形．ギリシア語の lip-, lipo-に相当．→lipo-.

ad·i·pis (ad′i-pis). adeps の属格．

ad·i·po·cel·lu·lar (ad′i-pō-sel′yū-lăr). 脂肪細胞性の（脂肪性でかつ細胞性の組織，または脂肪細胞の多い結合組織に関する）．

ad·i·po·cer·a·tous (ad′i-pō-ser′ă-tŭs). 死ろうの. = lipoceratous.

ad·i·po·cere (ad′i-pō-sēr). 死ろう（死んだ動物の組織(死体組織)が，空気に触れず適温下に置かれた場合，ときに変化して生じるろう状の脂肪物質）. = lipocere.

ad·i·po·cyte (ad′i-pō-sīt). = fat cell.

ad·i·po·cy·to·kines (ad′i-pō-sī′tō-kēnz). = adipokines.

ad·i·po·gen·e·sis (ad′i-pō-jen′ĕ-sis). 脂質生成，脂肪生成. = lipogenesis.

ad·i·po·gen·ic, ad·i·pog·e·nous (ad′i-pō-jen′ik, ad′i-poj′ĕ-nŭs). 脂質生成の，脂肪生成の. = lipogenic.

ad·i·poid (ad′i-poyd). 脂肪様の. = lipoid.

ad·i·po·kines (ad′i-pō′kēnz). アディポカイン（人間の脂肪細胞，特に内臓蓄積脂肪から分泌される自己分泌・傍分泌因子．サイトカイン，急性相反応物質，成長因子，その他の炎症性メディエーターを含む．高血圧，インスリン抵抗性，アテローム性動脈硬化の病因に関与していることが多い）. = adipocytokines.

ad·i·po·ki·net·ic (ad′i-pō-ki-net′ik). 脂肪動員物質の（貯留脂質の動員を引き起こす物質または因子についていう）．

ad·i·po·ki·nin, ad·i·po·ki·net·ic hor·mone (ad′i-pō-kī′nin, ad′i-pō-ki-net′ik hōr′mōn). アジポキニン〔ホルモン〕，脂肪動員ホルモン（脂肪組織からの脂肪の動員を促進する下垂体前葉ホルモン）．

ad·i·po·nec·tin (ad′i-pō-nek′tin). アディポネクチン（脂肪組織より産生されて全身の血液に分泌される蛋白ホルモン．末梢組織のインスリンに対する感受性を促進する）．

ad·i·pose (ad′i-pōs). 脂肪の．

ad·i·pose cell = fat cell.

ad·i·pose de·gen·er·a·tion = fatty degeneration.

ad·i·pose fos·sae 脂肪窩（乳房にある脂肪の蓄積した皮下の空間）．

ad·i·pose in·fil·tra·tion 脂肪浸潤（正常な成人脂肪細胞が，通常は存在しない部位に増殖する状態）．

ad·i·pose tis·sue (AT) 脂肪組織（網状線維

に囲まれ，小葉群に並べられた，あるいは小血管の経路に沿った，主として脂肪細胞からなる結合組織）. = fat(1).

ad·i·po·sis (ad′i-pō′sis). 脂肪症，脂肪過多〔症〕，肥満〔症〕（身体における脂肪の局所的または全身的過剰蓄積）. = lipomatosis; liposis(1); steatosis(1).

ad·i·po·sis car·di·ac·a = fatty heart(2).

ad·i·pos·i·ty (ad′i-pos′i-tē). ***1*** 肥満〔症〕. = obesity. ***2*** 皮下または内臓に脂肪組織が過剰に蓄積した状態.

ad·i·po·so·gen·i·tal dys·tro·phy 脂肪性器性ジストロフィ. = dystrophia adiposogenitalis.

ad·i·po·su·ri·a (ad′i-pō-syūr′ē-ă). 脂肪尿〔症〕. = lipuria.

ad·i·tus, pl. **ad·i·tus** (ad′i-tŭs, ad′i-tŭs). 口，入口. = aperture; inlet.

ad·junc·tive ther·a·py 補助的療法（一次治療と組み合わせ，その効果を増強するために行われる補助的な治療の総称）.

ad·just·ment (ă-jŭst′mĕnt). ***1*** = spinal adjustment. ***2*** = occlusal adjustment.

ad·just·ment dis·or·der 適応障害（①精神障害の１つで，症状の発展が環境的ストレスと関係しているもの，およびライフイベントと関係し，ストレスの解消とともに軽快することが予期されるもの．②特定の心理ストレスまたはストレッサーに対する不適応反応を本質とする障害で，ストレッサーの出現から数週間以内に生じ，6か月以上継続する）.

ad·ju·vant (ad′jū-vănt). ***1*** 佐剤，補助薬（主要成分の作用機構に所定の増強効果を期待して，処方調剤の際に加える薬剤）. ***2*** アジュバント，抗原性補強剤（免疫学において，抗原性を増強するために用いる賦形剤）. ***3*** アジュバント，補助療法（治療の効果を増強・拡大するために加えられる付加的治療．例えば，手術療法に加えられる化学療法）. ***4*** アジュバント，付加療法（顕微鏡的な遺残病変から，臨床的癌の再発を防ぐため根治的治療に付加される治療）.

ADL 日常生活動作の略語. →activities of daily living scale.

ad·ler·i·an psy·chol·o·gy アードラー心理学（人間の社会性，支配欲(権力への意志)，および補償によって劣等感を克服しようとする欲求を強調するような人間行動についての学説）. = individual psychology.

ad lib. ラテン語 *ad libitum*（適宜に）の略.

ad·min·i·stra·tion (ad-min′ĭ-strā′shŭn). ***1*** 管理，行政(集団や全体の業務や活動の管理). ***2*** 管理者(実行機能を負った人). ***3*** 投与，投薬(薬の投与やその他の治療を行うこと).

ad·mit·tance (ad-mit′ăns). = immittance.

ad·mit·ting di·ag·nosis 入院時診断（患者が医療施設への入院を認められた際に用いられる，患者の状態や疾患に関する蓋然的な判定）.

ad·mit·ting phys·i·cian 入院受け入れ医師（保健医療施設に，公式かつ合法的に患者の入院を受け入れる医師）.

ad·mix·ture (ad′miks-chŭr). 混合物（混合で得られるもの）.

ADN Associate Degree in Nursing の略.

ad·neu·ral, ad·ner·val (ad-nūr′ăl, ad-nĕr′văl). ***1*** 神経の近くの. ***2*** 神経の方へ向かう（筋肉内を神経の進入点に向かって流れる電流についていう）.

ad·nex·a, sing. **ad·nex·um** (ad-nek′să, ad-nek′sŭm). 付属器（→appendage). = annexa.

ad·nex·al (ad-nek′săl). 付属器の. = annexal.

ad·nex·al ad·e·no·ma 付属器腺腫（皮膚付属器に生じる腺腫，あるいは皮膚付属器に類似した構造を形成する腺腫）.

ad·nex·um (ad-nek′sŭm). adnexa の単数形.

Ado アデノシンの記号.

ad·o·les·cence (ad′ŏ-les′ĕns). 青年期，青春期（思春期に始まり完全な成長および身体的な成熟に至る人生の期間）.

ad·o·les·cent (ad′ŏ-les′ĕnt). ***1***〖adj.〗青年期の，青春期の. ***2***〖n.〗青年（成長の段階にある個体）.

ad·o·les·cent med·i·cine 青年期医学（約13—21歳の年齢層にある若者の治療を扱う医学の一分野）. = hebiatrics.

a·don·is (ă-don′is). アドニス草（キンポウゲ科のフクジュソウ属 *Adonis vernalis* から得られる薬草．東欧に植生し，その地域ではうっ血性心疾患の治療に用いられる．ストロファンチジンと強心配糖体を含む）.

a·dop·tive im·mu·no·ther·a·py 養子免疫療法（免疫をもった個体の感作リンパ球．血清中の抗体やγグロブリンなどを注入することによって免疫能を受動的に伝達する治療法．プラスミドDNAワクチンが現在研究されている）.

ADP adenosine 5′-diphosphate の略.

ADR adverse drug reaction の略.

ad·re·nal (ă-drē′năl). ***1***〖adj.〗腎傍の，腎上の（腺としての副腎についていう）. ***2***〖n.〗副腎，腎上体（本体のみならず，これから遊離・分離した組織をも含む. →suprarenal).

ad·re·nal an·dro·gen-stim·u·lat·ing hor·mone (AASH) 副腎アンドロゲン刺激性ホルモン（思春期に副腎性アンドロゲンの分泌を促進すると想定されている下垂体ホルモン）.

ad·re·nal cor·ti·cal car·ci·no·ma 副腎皮質細胞癌（副腎皮質に発生する癌で，男性化あるいはCushing症候群を起こすことがある）.

ad·re·nal cri·sis 副腎発症，副腎クリーゼ. = acute adrenocortical insufficiency.

ad·re·nal·ec·to·my (ă-drē′năl-ek′tŏ-mē). 副腎摘出〔術〕，副摘（1つまたは両側の副腎摘出）.

ad·re·nal gland 副腎. = suprarenal gland.

ad·re·nal hy·per·ten·sion 副腎性高血圧〔症〕（副腎髄質の褐色細胞腫または過剰反応，または副腎皮質の機能性腫瘍による高血圧）.

ad·ren·a·line (ă-dren′ă-lin). アドレナリン. = epinephrine.

a·dre·nal·i·tis (ă-drē′năl-ī′tis). 副腎炎（副腎の炎症）.

a·dre·na·lop·a·thy (ă-drē′nă-lop′ă-thē). 副腎疾患（副腎の何らかの病的状態）. = adrenopathy.

ad·re·nal rest 副副腎. = accessory suprarenal.

ad·ren·ar·che (adʹrĕ-nahr-kē). 副腎皮質徴候発現（男性ホルモンやその前駆体が副腎皮質より分泌されることにより惹起される思春期の生理的変化）.

ad·re·ner·gic (adʹrĕ-nĕrʹjik). アドレナリン作用(作動)〔性〕の（①神経伝達物質としてノルエピネフリンを用いる自律神経系の神経細胞または神経線維についていう. *cf.* cholinergic. ②交感神経系の作用と類似した作用をする薬物についていう. →α-adrenergic receptors; β-adrenergic receptors）.

ad·re·ner·gic block·ade アドレナリン遮断，アドレナリン作用(作動)遮断（薬剤を用いて，効果器細胞のアドレナリン作用性交感神経インパルスに対する反応を阻止(交感神経遮断性)したり，エピネフリン，その関連アミンに対する効果器細胞の反応を阻止(抗アドレナリン性)する選択的遮断）.

ad·re·ner·gic block·ing a·gent 抗アドレナリン薬，アドレナリン遮断薬（交感神経のアドレナリン作用性神経の活動を遮断または抑制する化合物(交感神経遮断薬). またエピネフリン，ノルエピネフリン，その他のアドレナリン性アミンに対する反応を選択的に遮断または抑制する化合物(抗アドレナリン薬). α-およびβ-アドレナリン受容体遮断薬の2種類がある）.

ad·re·ner·gic bron·cho·di·la·tors アドレナリン作用性気管支拡張薬（交感神経作用性気管支拡張薬の一分類. 気管支やその他の器官のレセプタを刺激することによって効力を発揮する. 3つのグループ(α-アドレナリン作用性気管支拡張薬，β_1-アドレナリン作用性気管支拡張薬，およびβ_2-アドレナリン作用性気管支拡張薬)に分類される. 註抗ぜん息薬だが，気管支ぜん息の病態を気道の炎症ととらえるため，ステロイド剤なども含まれる）.

ad·re·ner·gic fi·bers アドレナリン性線維，アドレナリン作用(作動)性線維（アドレナリン様伝達物質，ノルエピネフリン(ノルアドレナリン)の媒介によって，神経インパルスを他の神経細胞(または平滑筋，腺細胞)へ伝導する神経線維）. = adrenergic fibres.

adrenergic fibres [Br.]. = adrenergic fibers.

ad·re·ner·gic neu·ro·nal block·ing a·gent アドレナリン作用(作動)性ニューロン遮断薬（交感神経終末からのノルエピネフリンの放出を阻害する薬物(例えば，グアネチジン)）.

ad·re·ner·gic re·cep·tors アドレナリン作用(作動)性レセプタ(受容体)（効果器官組織中の反応性部位で，そのほとんどは交感神経系により神経支配されている. このような受容体はノルエピネフリンやエピネフリン，またはそのいずれかか，その他種々のアドレナリン作用薬によって活性化される. 受容体の活性化は，細動脈筋の収縮や気管支筋の弛緩などの効果器官組織の機能に変化をもたらす）. = adrenoceptor.

a·dren·ic (ă-drēʹnik). 副腎の.

adreno-, adrenal-, adren- 副腎を表す連結形.

ad·re·no·cep·tive (ă-drēʹnō-sepʹtiv). アドレナリン受容〔体〕の（化学伝達物質の一種であるアドレナリンが結合する効果器細胞の部位についていう. *cf.* cholinoceptive）.

ad·re·no·cor·ti·cal (ă-drēʹnō-kōrʹti-kăl). 副腎皮質の.

ad·re·no·cor·ti·cal in·suf·fi·cien·cy 副腎皮質不全（種々の程度の副腎皮質機能の喪失）. = hypocorticoidism.

ad·re·no·cor·ti·co·mi·met·ic (ă-drēʹnō-kōrʹti-kō-mi-metʹik). 副腎皮質〔様〕作用の（副腎皮質機能に類似する）.

ad·re·no·cor·ti·co·tro·pic hor·mone (ACTH) 副腎皮質刺激ホルモン（脳下垂体前葉のホルモン. 副腎皮質の栄養と発育を支配し，その機能活性を高め，副腎外の脂肪代謝活性ももつ）. = adrenotropin; corticotropin.

ad·re·no·cor·ti·co·tro·pic re·leas·ing fac·tor ACTH 分泌刺激因子（視床下部で産生され，下垂体より ACTH の分泌を促進するホルモン）.

ad·re·no·cor·ti·co·tro·pin (ă-drēʹnō-kōrʹti-kō-trōʹpin). アドレノコルチコトロピン，アドレノコルチコトロフィン（副腎皮質を刺激する脳下垂体前葉のホルモン）.

ad·re·no·gen·ic, ad·re·nog·e·nous (ă-drēʹnō-jenʹik, adʹrĕ-nojʹĕ-nŭs). 副腎由来の.

ad·re·no·gen·i·tal syn·drome 副腎性器症候群（副腎皮質の増殖または悪性腫瘍に起因する疾患群に対する一般名. 女性の男性化，男性の女性化，または小児の早発の性的発達が特徴である. 特に，アンドロゲン様効果またはエストロゲン様効果を有する副腎皮質ホルモンの過剰や異常分泌型を代表する）.

ad·re·no·leu·ko·dys·tro·phy (ALD) 副腎脳白質ジストロフィ（進行性の盲，難聴，知能低下，痙性麻痺や副腎の萎縮を特徴とする中枢神経系のまれな疾患. X 連鎖劣性遺伝形式をとり，主に男性を侵す）.

ad·re·no·lyt·ic (ă-drēʹnō-litʹik). 抗アドレナリン〔性〕の（エピネフリン，ノルエピネフリン，およびそれに関連する交感神経様作用薬の作用との拮抗または阻害についていう. →adrenergic blocking agent）.

a·dre·no·med·ul·lary hor·mones 副腎髄質ホルモン（副腎の髄質により産生されるホルモン. 特にエピネフリンやノルエピネフリンなどのカテコールアミンのこと）.

ad·re·no·meg·a·ly (ă-drēʹnō-megʹă-lē). 副腎腫脹（片側または両側の副腎腫脹）.

ad·re·no·mi·met·ic (ă-drēʹnō-mi-metʹik). アドレナリン〔様〕作用(作動)の（副腎髄質やアドレナリン作用性神経から放出されるエピネフリンやノルエピネフリンに類似した作用を有することについていう. あまり正確ではない語である sympathomimetic に代わる用語. *cf.* adrenergic; cholinomimetic）.

ad·re·no·mi·met·ic a·mine = sympathomimetic amine.

ad·re·no·my·e·lo·neu·rop·a·thy (ă-drēʹnō-mīʹĕ-lō-nūr-opʹă-thē). 副腎脊髄神経障害（長期間持続する副腎不全，性腺機能低下症，進行性の脊髄障害，末梢神経障害，括約筋の障害を呈する成人男子の疾患．副腎脳白質ジストロフィの変異型と考えられている）．

ad·re·nop·a·thy (ad′ren-op′ă-thē)．副腎疾患．= adrenalopathy.

ad·re·no·pause (ă-drē′nō-pawz)．副腎機能停止（年齢とともに副腎機能が低下する状態．menopause と類語）．

ad·re·no·re·cep·tor (ă-drē′nō-rē-sep′tŏr)．= adrenergic receptor.

ad·re·no·tro·pin (ă-drē′nō-trō′pin)．アドレノトロフィン，アドレノトロピン．= adrenocorticotropic hormone.

Ad·son for·ceps アドソン摂子（一方の先端に歯が2つ，他方に1つ付いた小さな母指摂子）．

Ad·son test アドソン試験（胸郭出口症候群の試験．患者は座って頭部を伸展し病変側に回転する．深吸気により，病変側の橈骨動脈拍が減少するかまったく消失する．Adson 試験が陽性の患者すべてが胸郭出口症候群とは限らない）．

ad·sorb (ad-sōrb′)．吸着する（吸着により吸い上げる）．

ad·sorb·ent (ad-sōr′bĕnt)．吸着剤，吸着薬（①吸着する物質，すなわち，共有結合によらずに表面に他の物質を付着させる特性をもつ固形物質，例えば，活性炭．②免疫吸着で用いる抗原または抗体）．

ad·sorp·tion (ad-sōrp′shŭn)．吸着（ある固形物質がガス，液体，溶液，または懸濁液中の他の物質を表面に吸い付けたり，結合させたりする性質．*cf.* absorption）．

ad·sorp·tion the·o·ry of nar·co·sis 麻酔の吸着説（薬剤は吸着されて細胞表面に集中し，透過性と代謝に変化をきたす）．

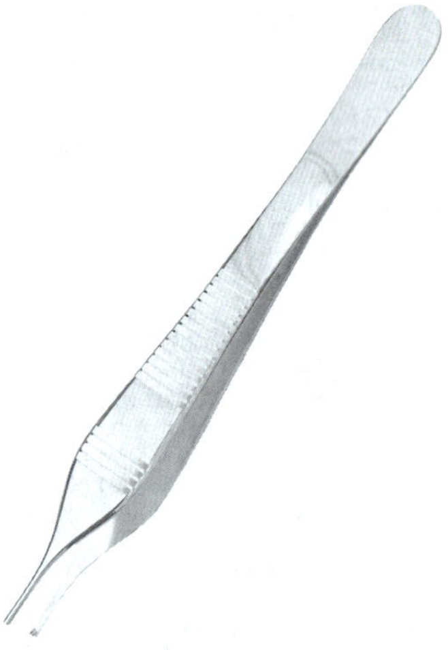

Adson forceps with teeth

ad·ter·mi·nal (ad-tĕr′mi-năl)．末端へ向かう（神経終末，筋の停止点，またはある構造物の先端の方向へ向かうことについていう）．

a·dult (ă-dŭlt′)．***1***〘adj.〙成人の，成虫の，成体の．***2***〘n.〙成人，成虫，成体．

a·dul·ter·ant (ă-dŭl′tĕr-ănt)．不純物（混合物．好ましくない影響を与えたり，治癒的価値や金銭的価値を低減させるために活性物質を希釈すると考えられる付加物）．

a·dul·ter·a·tion (ă-dŭl′tĕr-ā′shŭn)．不純物混和（その物質の成分ではないものを故意に添加することにより，その物質を変えること．通常は結果として品質低下のみられることを意味して用いる語）．

a·dult-on·set fo·ve·o·mac·u·lar vi·tel·li·form dys·tro·phy 成人発症型卵黄様黄斑ジストロフィ（50代の患者に見られる常染色体優性遺伝疾患で，軽度の視力低下と，中央に過剰の色素斑を伴う円形黄色病巣）．

a·dult lac·tase de·fi·cien·cy 成人性乳糖分解酵素欠損症（成人における牛乳不耐症で，吸収不全を伴う．遺伝性のものは成人になるまで発症しないこともある．小腸の上皮細胞が障害された場合には乳糖分解酵素欠損症を常に成人で生じうる）．= lactose intolerance.

a·dult pseu·do·hy·per·tro·phic mus·cu·lar dys·tro·phy 成人偽肥大性筋ジストロフィ（晩発性筋ジストロフィで，しばしば10代か20代に発症し，比較的軽症の経過をたどる）．

a·dult res·pi·ra·to·ry dis·tress syn·drome (ARDS) 成人呼吸促進症候群（多様な原因により惹起される急性肺傷害．傍血管肺水腫に加え，間質・肺胞腔内肺水腫や出血を認め，硝子膜，膠原線維の増殖やピノサイトーシス(飲細胞運動)の亢進した膨満上皮細胞をみる点などが特徴的である）．= wet lung (2); white lung (2).

a·dult rick·ets 後発くる病，成人性くる病．= osteomalacia.

a·dult T-cell leu·ke·mi·a (ATL) 成人T細胞白血病．= adult T-cell lymphoma.

a·dult T-cell lym·pho·ma (ATL) 成人T細胞リンパ腫（ヒトT細胞ウイルスに関連して生じる，急性から亜急性の疾患．症状は，リンパ節腫脹，肝脾腫，皮膚病変，末梢血への浸潤，および高カルシウム血症である）．= adult T-cell leukemia.

a·dust (ă-dŭst′)．乾いた，焼けた，焦げた（過度の熱で乾燥または燃焼した）．

ad·vance ben·e·fic·i·ar·y no·tice (ABN) 事前受益者通知（患者もしくはその代理人の署名がなされた文書で，介護供給者にメディケアが支払いを拒否した場合の業務料金を患者に請求することを承認する文書）．= notice of noncoverage.

ad·vanced car·di·ac life sup·port (ACLS) 二次救命処置（高度な救急医療．除細動，気道管理，薬品・薬剤の投与を含む．通常，まずは救急医療技師が医師や看護師の指示に従い挿管や除細動を行う．その後も患者が外傷センターに到着するまで，様々な処置が続けられる．*cf.* basic life support).

ad·vance dir·ec·tive 事前指示〔書〕（署名した患者が末期疾患療養中に知的不能となったり，永久に昏睡状態(持続性植物状態)となったとき，どのような種類および程度の医療ケアを行って欲しいかについて指示を与える法的な書類）. = durable power of attorney(1).

ad·vanced mul·ti·ple-beam e·qual·i·za·tion ra·di·og·ra·phy（AMBER） アンバー撮影法（異なったエネルギーのX線を用いる走査式均等濃度X線撮影法の一種).

ad·vanced prac·tice nurse 上級診療看護師（看護の学位の取得を通して学特殊な知識と技能を得たものとして登録された看護師．ナース・プラクティショナー，専門看護師，看護助産師，および看護麻酔技師が，この範疇に含まれる).

Ad·vanced Trau·ma Life Sup·port（ATLS） 上級外傷生命支持（外傷を負った患者の救急看護に取り組む学問的課程).

ad·vance·ment (ăd-vans′mĕnt). 前位縫合（組織をさらに遠位に移すことができるように，付着部で部分的に切断したり，はずしたりする手術手技).

ad·vance·ment flap 前進弁. = bipedicle flap.

ad·ven·ti·ti·a (ad′vĕn-tish′ā). 外膜（器官，血管，その他の構造の漿膜でおおわれていない部分をおおっている結合組織性の膜). = tunica adventitia.

ad·ven·ti·tial (ad′vĕn-tish′āl). 外膜の（血管または他の構造物の外皮や外膜に関する). = adventitious(3).

ad·ven·ti·tial cell 外膜細胞. = pericyte.

ad·ven·ti·tial neu·ri·tis 周膜性神経炎（神経鞘の炎症. →perineuritis).

ad·ven·ti·tious (ad′vĕn-tish′ŭs). ***1*** 外来性の，外因性の（外的な要因から生じてくること．あるいは普通でない場所または形で起こること．→extrinsic). ***2*** 自然的または遺伝的ではなく，偶発的あるいは自発的な. ***3*** = adventitial.

ad·ven·ti·tious cyst 外因性囊胞. = pseudocyst(1).

ad·ven·ti·tious lung sounds 肺副雑音（正常では聞こえない呼吸音で，次の2通りがある．ⓘ連続性：一定のピッチの音楽的音．例えば，ぜん鳴，乾性ラ音．ⓘⓘ不連続性：断続的，プツプツあるいは水泡性音(ラ音)).

ad·verse drug ef·fect（ADE） = adverse drug reaction.

ad·verse drug re·ac·tion（ADR）, ad·verse drug e·vent 薬物有害反応（予防，診断，治療の目的で薬物を投与したときに現れる，意図しなかった望ましくない有害作用). = adverse drug effect.

ad·verse e·vent 有害事象（看護において，患者の状態に起因するのではなく，医療行為に起因する障害をいう).

ad·verse re·ac·tion 有害反応（予防，診断，治療の過程で生じるあらゆる種類の望ましくない結果).

ad·vo·cate (ad′vō-kāt). 擁護者（他人のために，話をする人).

a·dy·nam·ic il·e·us 麻痺性イレウス（腸壁麻痺による腸管の閉塞で，通常，限局性または広汎性腹膜炎あるいはショックにより生じる). = paralytic ileus.

ae- この形で始まり以下に記載のない語については e- の項参照.

A-E am·pu·ta·tion 肘上切断，上腕切断（*a*bove-the-*e*lbow amputation の頭文字).

AED automated external defibrillator の略.

A·e·des (ā-ē′dēz). ヤブカ属（熱帯および亜熱帯地域に広く分布する，最も一般的な小型のカの属).

A·e·des at·lan·ti·cus デング熱，黄熱病，脳炎の原因となるウイルスを媒介することが知られているカ科の種.

A·e·des dor·sa·lis 西部ウマ脳炎の二次的または擬似媒介種.

A·e·des mel·an·im·on 西部ウマ脳炎およびカリフォルニア群脳炎の媒介種.

A·e·des mitch·el·lae 東部ウマ脳炎の二次的または擬似媒介種.

A·e·des ni·gro·mac·u·lis 西部ウマ脳炎およびカリフォルニア群脳炎の二次的または擬似媒介種.

A·e·des tae·ni·o·rhyn·chus ベネズエラウマ脳炎の媒介種で，カリフォルニア群脳炎の二次的または擬似媒介種.

A·e·des tri·se·ri·a·tus カリフォルニア群脳炎の媒介種.

A·e·des tri·vit·ta·tus カリフォルニア群脳炎の媒介種.

A·e·des vex·ans カリフォルニア群脳炎の媒介種および東部ウマ脳炎の二次的または擬似媒介種.

-aemia [Br.]. =-emia.

ae·quor·in (ē-kwōr′in). エクオリン（クラゲ *Aequorea* から単離された発光蛋白で，微少量のカルシウムイオンでさえも青色光線を発する．細胞内注入により，細胞での遊離カルシウムイオンの測定に用いられる. →fura-2).

aer-, aero- 空気，ガスを表す連結形.

aer·ate (ār′āt). 通気する，空気（酸素または炭酸ガス）を通す(①(血液に)酸素を供給する．②精製中，空気を循環し曝気させる．③(液体に)ガス，特に二酸化炭素ガスを供給または充填する).

aer·a·tion (ār-ā′shŭn). 通気充填（液体に空気またはガスを充填するプロセス．特に酸素を肺の血液に送ることをいう).

aer·i·al sick·ness 航空病. = altitude sickness.

aer·obe (ār′ōb). 好気性生物（①酸素の存在下で生息または成長できる生物．②呼吸反応連鎖において，最終の電子受容体として酸素を利用しうる生物).

aer·o·bic (ār-ō′bik). = aerophilic; aerophilous. ***1*** 好気〔性〕の，有酸素〔性〕の（空気中に生息する). ***2*** 好気性生物に関する.

aer·o·bic cap·ac·i·ty = maximal oxygen consumption.

aer·o·bic pow·er = maximal oxygen consumption.

aer·o·bic res·pi·ra·tion 有気呼吸（分子状酸素が消費され，二酸化炭素と水とが生成される呼吸の一形態）.

aer·o·bics (ār-ō′biks). エアロビクス（持続的な激しい運動に基づく身体調整のプログラムで，心臓血管および呼吸の適正の改善を意図するものである．

aer·o·bic sys·tem 好気性システム（身体作業を行う際に通常用いられる生理学的(肺性，心臓血管性，筋性)および生化学的(好気性解糖，クエン酸サイクル，電子伝達鎖)機能の組合せ).

aer·o·bi·o·sis (ār′ō-bī-ō′sis). 好気生活（酸素を含有する大気中で生活すること）.

aer·o·bi·ot·ic (ār′ō-bī-ot′ik). 好気生活の.

aer·o·cele (ār′ō-sēl). 気瘤（自然にできた小さな窩内にガスが貯留している状態）.

aer·o·col·pos (ār′ō-kōl′pōs). 腟内空気貯留（腟内にガスが充満している状態）.

aer·o·don·tal·gi·a (ār′ō-don-tal′jē-ă). 航空性歯痛（大気圧の増加または減少によって起こる歯痛）.

aer·o·dy·nam·ics (ār′ō-dī-nam′iks). 空気力学，航空力学（空気，その他の気体の運動，それらを動かす力およびそのような動きの結果についての研究）.

aer·o·dy·nam·ic the·o·ry 空気力学理論（発声時の声帯振動は近接した声帯を通り過ぎた呼気により生じるという一般に認められている理論．これに対し，発声時の声帯運動はその声帯振動周波数に固有の喉頭筋収縮の結果生じるという概念は現在受け入れられていない）.

aer·o·gas·tral·gi·a (ār′ō-gas-tral′jē-ă). 胃内空気貯留痛（空気を飲み込むことによる胃の膨張が原因で起こる痛み）.

aer·o·gen·ic, aer·og·e·nous (ār′ō-jen′ik, ăr-oj′ĕ-nŭs). 醸気の，ガス産生の.

aer·o·med·i·cine (ār′ō-med′i-sin). = aviation medicine.

aer·o·mo·nad (ār′ō-mō′nad). アエロモナス菌（*Aeromonas* 属の種についていう通称）.

Aer·o·mon·as (ār-ō-mō′năs). アエロモナス属（オキシダーゼ陽性，好気性あるいは通性嫌気性のグラム陰性細菌の一属(ビブリオ科)で，杆菌状のものから球状のものまである．運動性細胞は通常，単一の極べん毛を有しているが，非運動性の種もある．その代謝は，酸化および発酵の両者による．水中や下水中に見出されるが，淡水動物や海水動物，およびヒトの病原体となるものもある．標準種は *Aeromonas hydrophila*）.

aer·o·pha·gi·a, aer·oph·a·gy (ār′ō-fā′jē-ă, -of′ă-jē). 空気えん(嚥)下〔症〕，呑気〔症〕（空気の異常えん下．さくへきにみられる）.

aer·o·phil, aer·o·phile (ār′ō-fil, -fīl). *1* 〖adj.〗好気の（空気を好む）. *2* 〖n.〗好気性生物（特に偏性好気性菌をいう）.

aer·o·phil·ic, aer·oph·i·lous (ār′ō-fil′ik, ār-of′i-lŭs). = aerobic.

aer·o·pho·bi·a (ār′ō-fō′bē-ă). 空気恐怖〔症〕（新鮮な空気や動いている空気に対する病的な恐れ）.

aer·o·pi·e·so·ther·a·py (ār′ō-pī-ē′sō-thār′ă-pē). 気圧療法（圧縮あるいは希薄化した空気による疾患の治療）.

aeroplane splint [Br.]. = airplane splint.

aer·o·si·nus·i·tis (ār′ō-sī′nŭ-sī′tis). 航空〔性〕副鼻腔炎（大気圧に比例する腔内の圧力差によって惹起される副鼻腔の炎症．副鼻腔口閉塞による二次的なもので，ときとして高度飛行時あるいは高所から降下する際に起こる）. = barosinusitis.

aer·o·sol (ār′ō-sol). エーロゾル〔剤〕，エアロゾル，煙霧質（①治療，殺虫，その他の目的として細かい霧状に空気中や気体中，蒸気中に放散される液体または微粒子状の物質．②局所的適用，吸入，身体開口部への導入を目的として，圧力をかけて装填された治療的または化学的に活性な成分を含有するもの）.

aer·o·sol gen·er·a·tor エーロゾル発生器，煙霧発生器（吸引療法や実験に用いる空気で運ばれる小粒子の懸濁物を生じる器械）.

aer·o·space med·i·cine 〔航空〕宇宙医学（航空医学と宇宙医学の両分野を結合した医学の一分野）.

aer·o·sphere (ār′ō-sfēr). 空気球（生命を維持するのに十分な酸素を含む，地表近くの大気層）.

aer·o·tax·is (ār′ō-tak′sis). 走気性（空気または酸素の供給に対する生物の運動）.

aer·o·ther·a·py (ār′ō-thār′ă-pē). 空気治療（空気圧や空気組成を調節することで疾病を処置すること）.

aer·o·ti·tis me·di·a 航空〔性〕中耳炎（大気圧に比例した鼓室内の減圧による中耳の急性または慢性の炎症．耳管閉塞に続発する．しばしば高所から降下する際に起こる）. = barotitis media.

aer·o·tol·er·ant (ār′ō-tol′ĕr-ănt). 空気耐性〔の〕（酸素のある場所での生存が可能であること．ある種の嫌気性微生物で用いられる）.

aer·o·trop·ism (ār′o-trō′pizm). 空気向性（空気または酸素の供給に対する生物の運動）.

aes·cu·la·pi·an (es′kyū-lā′pē-ăn). 医薬と医術の神 Aesculapius に関する.

aesthesia [Br.]. = esthesia.

aesthesio- = esthesio-.

aesthesiogenesis [Br.]. = esthesiogenesis.

aesthesiogenic [Br.]. = esthesiogenic.

aesthesiometer [Br.]. = esthesiometer.

aesthesiometry [Br.]. = esthesiometry.

aesthesioneurosis [Br.]. 感覚性神経障害，感覚障害性神経症. = esthesioneurosis.

aesthesiophysiology [Br.]. = esthesiophysiology.

aesthesodic [Br.]. = esthesiodic.

aesthetic [Br.]. = esthetic.

aesthetics [Br.]. = esthetics.

aestival [Br.]. = estival.

aestivation [Br.]. = estivation.

aestivoautumnal [Br.]. = estivoautumnal.

aetiologic [Br.]. = etiologic.

aetiological [Br.]. = etiologic.

aetiology [Br.]. = etiology.

AFB acid-fast bacillus(抗酸性杆菌)の略.

a·fe·brile (ā-feb′ril). 無熱〔性〕の. = apyretic.

a·fe·tal (ā-fē′tăl). 胎児と無関係の.

af·fect (a′fekt). 情動（ある考えに結び付いた情動的感情，調子，気分で，外的発現を含む）.

af·fec·tion (ă-fek′shŭn). ***1*** 情動，感情，愛情. ***2*** 疾患，障害（身体あるいは精神の異常な状態）.

af·fec·tive (a-fek′tiv). 感情の（気分，情緒，気持ち，感受性，または精神状態についていう）.

af·fec·tive dis·or·der 情動障害（気分の不安定を特徴とする一種の精神病）.

af·fec·tive per·son·al·i·ty 情動的性格（感情や気分の持続的障害に見受けられる慢性的行動パターン．うつ状態として表出され，全体的な心的生活をいろどる情緒的特徴に関連している）.

af·fec·tive psy·cho·sis 情動精神病，感情精神病（著しい情動的特徴をもつ精神病）.

af·fer·ent (af′ĕr-ĕnt). 求心〔性〕の，輸入の（ある種の動脈，静脈，リンパ管，神経で，中心部，中枢部へ流入するものについていう．*cf.* efferent）. = centripetal(1).

af·fer·ent fi·bers 求心性線維（インパルスを神経節または脳や脊髄の中枢神経系へ伝導する神経線維）.

af·fer·ent glo·mer·u·lar ar·te·ri·ole 糸球体輸入細動脈（血液を糸球体に運ぶ腎臓の小葉間動脈の分枝）. = arteriola glomerularis afferens.

af·fer·ent lym·phat·ic 輸入リンパ管（リンパ節にはいってくるリンパ管，あるいはリンパをリンパ節へ運んでくるリンパ管）.

af·fer·ent nerve 求心性神経（末梢から中枢にインパルスを伝達する神経）. = centripetal nerve.

af·fer·ent ves·sel 輸入管（血液をある部分へ運び込む動脈）.

af·fin·i·ty (ă-fin′i-tē). ***1*** 親和力（化学において，ある原子を他の原子と結合させ，複合体や化合物を形成する力）. ***2*** 親和性，結合性（色素による組織の選択染色，または色素，化学薬品，その他の物質の組織による選択的取込み）. ***3*** アフィニティ（抗体の Fab 部位と抗原決定基間の結合強度）.

af·flux (af′lŭks). 流入（身体部位に，あるいはその方向に流れ込んでいく）.

af·ford·ance (ă-fōr′dăns). アフォーダンス（個人と，特定の型の動作を促進する環境のあいだに存在している関係．例えばスライディング・ボードは，子供が坂を上って滑り降りる機会を提供する）.

a·fi·bril·lar (ā-fī′bri-lăr). 原線維のない（原線維をもたない生物学的構造についていう）.

afibrinogenaemia [Br.]. = afibrinogenemia.

a·fi·brin·o·gen·e·mi·a (ā-fī′brin-ō-jĕ-nē′mē-ă). 無線維素原血〔症〕，無フィブリノ〔ー〕ゲン血〔症〕（血漿フィブリノゲンの欠如．→hypofibrinogenemia）. = afibrinogenaemia.

A·fip·i·a (ă-fip′ē-ă). アフィピア属（オキシダーゼ陽性，運動性，非発酵性のグラム陰性菌の一属で，プロテオバクテリア綱に位置している．形態は変化に富み，染色性の弱い杆菌あるいは糸状菌としてみられる．10 種以上が知られており，当初ネコ引っ掻き病の原因として報告されたが，これらの病原因子としての役割は今のところ不明のまま残されている．標準種は *Afipia felis*）.

AFO ankle-foot orthotic の略.

AFORMED phe·nom·e·non AFORMED 現象（*a*lternating *f*ailure *o*f *r*esponse, *m*echanical, to *e*lectrical *d*epolarization の頭文字．交互脈が進展して交代性の脱分極が血液をまったく駆出できなくなり，拡張期の充満が長くなる．次に続く心拍では大きな駆出が生じる．高心拍数の場合には心拍出量および血圧は一見正常にみえる）.

AFP α-fetoprotein の略.

Af·ri·can sleep·ing sick·ness アフリカ睡眠病（→Gambian trypanosomiasis; Rhodesian trypanosomiasis）.

Af·ri·can tick-bite fe·ver アフリカダニ熱（アフリカ南部の *Rickettsia africae* による熱性疾患．感染したマダニ *Amblyomma* の刺咬部に黒斑がみられるのとリンパ節炎が特徴である）.

Af·ri·can try·pan·o·so·mi·a·sis アフリカトリパノソーマ症（熱帯アフリカの重篤な風土病．ガンビアまたは西アフリカトリパノソーマ症とローデシアまたは東アフリカトリパノソーマ症の 2 種がある）.

af·ter·birth (af′tĕr-bĕrth). 後産，胎盤娩出（胎児娩出後に子宮から排出される胎盤と卵膜）. = secundines.

af·ter·im·age (af′tĕr-im′ăj). 残像（刺激が終わった後でも，視覚反応が残る現象）.

af·ter·im·pres·sion (af′tĕr-im-presh′ŭn). 残感覚. = aftersensation.

af·ter·load (af′tĕr-lōd). 後負荷（①筋の収縮時に，調節可能な支持から重しを持ち上げたり，安静時にはさらされていない一定の対抗する力に対して働くように筋肉を調節すること．②このようにして収縮時にかけられる負荷または力）.

af·ter·load·ing ra·di·a·tion アフターローディング放射線治療（初めに局所カテーテルを留置した後，線源の装填を行うことによる放射線照射方法）.

af·ter·pains (af′tĕr-pānz). 後陣痛（分娩後に起こる子宮の有痛性痙攣性収縮）.

af·ter·per·cep·tion (af′tĕr-pĕr-sep′shŭn). 後認知（作用が停止した後に刺激を感知すること．*cf.* palinopsia）.

af·ter·po·ten·tial (af′tĕr-pŏ-ten′shăl). 後電位（刺激された神経において，主電位またはスパイクの後に起こる電位の小変化．オシログラフでは，この変化は最初陰性に振れ，続いて陽性に振れる）.

af·ter·sen·sa·tion (af′tĕr-sen-sā′shŭn). 残感覚（刺激が終わった後も持続する自覚的感覚）. = afterimpression.

af·ter·sound (af′tĕr-sownd). 残音（音刺激中止後も主観的に聴性感覚が持続している状態）.

af·ter·taste (af′tĕr-tāst). 後味(あとあじ)（刺激物質との接触が終わった後に残る自覚的味

覚).

a·func·tion·al oc·clu·sion 無(非)機能性〔不正〕咬合（歯列として正常に機能できないような不正咬合).

Ag *1* 銀の元素記号. *2* antigen の略.

AGA approprate for gestational age の略.

a·ga·lac·ti·a, a·ga·lac·to·sis (ā′gal-ak′shē-ă, ā′gal-ak-tō′sis). アガラクシア, 乳汁分泌欠如（分娩後の乳汁分泌の欠如).

a·ga·lac·tor·rhe·a (ā′gal-ak′tō-rē′ă). 乳汁分泌不全（乳汁の流出または分泌欠如).

agalactorrhoea [Br.]. = agalactorrhea.

a·ga·lac·tous (ā′gal-ak′tŭs). 乳汁分泌欠如の, 無乳〔症〕の（アガラクシアまたは母乳の減少や欠如に関する).

a·ga·mete (ā′gam′ēt). 非配偶体（無性生殖により産生される細胞).

a·gam·ic, a·ga·mous (ā-gam′ik, ag′ă-mŭs). 非配偶子性の（分裂や出芽などによる無性生殖についていう).

agammaglobulinaemia [Br.]. = agammaglobulinemia.

a·gam·ma·glob·u·lin·e·mi·a (ā-gam′ă-glob′yū-li-nē′mē-ă). 無ガンマグロブリン血〔症〕（血清中のガンマグロブリン分画がきわめて低濃度か欠如していること. ときには広義に, 免疫グロブリン一般の欠乏をいうこともある. →hypogammaglobulinemia). = agammaglobulinaemia.

a·gan·gli·on·ic (ā′gang-glē-on′ik). 神経節細胞欠損の.

a·gan·gli·o·no·sis (ā-gang′glē-ō-nō′sis). 神経節細胞欠損（神経節が欠如している状態. 例えば, 先天性巨大結腸の特徴としてあげられる筋層間神経叢の神経節細胞の欠損).

a·gar (ā′gahr). 寒天, 寒天培地（海草(紅藻類)に含まれる複合多糖類(硫酸化ガラクタン). 培地の凝固剤として用いる. 100°C で溶け, 49°C になるまで固まらないという有益な性質がある).

a·gas·ta·che (ă-gas′tă-kē). アガスタケ, 川緑, 藿香（香料として使用されることのある植物 (*Agastache rugosa*). 伝統的な中国医薬で, 妊娠障害において有効と言われる). = Korean mint.

a·gas·tric (ā-gas′trik). 無胃の（胃または消化管のない).

AGC automatic gain control の略.

AGCUS atypical glandular cells of undetermined significance の略.

age (āj). *1* 〚n.〛年齢（出生以来経てきた期間). *2* 〚n.〛期（肉体的な発育, 平衡, および衰退によって区分した人生の時期. 例えば, ヒトの場合, 乳児期, 小児期, 青年(青春)期, 成年期, 中年(壮年)期, 初老期, 老年期の 7 期に分けられる). *3* 〚v.〛年をとる（予防可能な疾病や外傷によらずに, 生体機能の減退や死の可能性の増大と結び付くような構造の変化が徐々に進展する). *4* 〚v.〛熟成させる, ねかす（長く生きてきた人や, 長く存在し続けてきた物に特徴的な外見を人工的に起こさせる). *5* 〚v.〛時効〔硬化〕する（歯科において, アマルガム用に合金を加熱すること. これにより硬化はさらに遅く, 強さは増大し, 流れは減少し, そして寿命は安定する. 時効(aging)は内部歪を軽減することにより起こる).

age·ism (āj′izm). 年齢差別（年齢のために人々, あるいはグループに対して, 異なる価値観を付与したり, 不平等な機会を与えようとする行為および態度).

A·gen·cy for Health·care Re·search and Qual·i·ty (AHRQ) 保健向上研究部門（医療実践と質を改善し, コストを削減し, 患者の安全を増大し, 医療事故が生じないような取組みを行い, 効果的なサービスへの幅広いアクセスを提供するよう計画された研究調査をサポートするグループ. 加えて調査結果を患者看護の改善に転換する. かつて健康管理政策研究局 (the Agency for Health Care Policy and Research; AHCPR)と呼ばれていた).

a·gen·e·sis (ā-jen′ĕ-sis). 無発育（ある部分の欠如, 形成不全).

a·gen·i·tal·ism (ā-jen′i-tăl-izm). 無性器〔症〕（性器の先天的欠損).

a·gen·o·so·mi·a (ā′jen-ō-sō′mē-ă). 性器発育不全奇形（胎児における性器の著明な不完全形成または欠如. 通常, 不完全な腹壁を通す腹部内臓の突出を伴う).

A·gent 15 エージェント 15（無能力化化学兵器のひとつで, イラクで 1980 年代に開発されたといわれている. QNB と同じか類似するものと考えられている).

a·gent (ā′jĕnt). *1* 〔作用〕物質(因子), 作用(作動)薬, 薬（効果を生み出すことのできる活性力または活性物質). *2* 外的病原因子（疾病, 微生物, 化学物質, 放射線などで, その存在が, あるいは欠乏症の場合にはそれがないことが, 病気を起こしたり悪化させたりするもの).

a·gen·tic (ā-jen′tik). エージェンティック（自己の発展と個人的に選んだ目標に向けた, 自分で方向付けをした行為をさす語).

age-re·lat·ed mac·u·lar de·gen·er·a·tion 加齢性黄斑変性. = macular degeneration.

a·geu·si·a (ă-gū′sē-ă). 無味覚〔症〕（味感覚の欠如).

ag·ger (aj′ĕr). 堤, 隆起（低い高まりをいう).

ag·glom·er·ate (ă-glom′ĕr-āt). 凝集した, 凝塊形成した.

ag·glu·ti·nant (ă-glū′ti-nănt). 凝着剤（部分間を結合または膠着させる物質).

ag·glu·ti·na·tion (ă-glū′ti-nā′shŭn). *1* 凝集反応, 凝集〔作用〕（懸濁した細菌, 細胞, 他の粒子などに付着が生じ, 塊を形成するようになるまでの過程. 凝集反応は沈降反応に類似するが, 粒子はさらに大きく, 溶液状態というよりも懸濁状態になっている). *2* 膠着（創傷面の癒着).

ag·glu·ti·na·tive (ă-glū′ti-nă-tiv). 凝集〔性〕の（凝集反応を起こす, あるいは起こす能力がある).

ag·glu·ti·nin (ă-glū′ti-nin). 凝集素（①凝集反応の形成を刺激したり, または免疫学的に類似の反応抗原を含有する細菌やその他の細胞の凝集を起こす抗体. ②特異的凝集抗体以外で,(例えば植物性凝集素)有機粒子をある条件下で凝集させるもの).

ag·glu·tin·o·gen (ă-glū-tin′ō-jen). 凝集原(特異凝集素(抗体)の産生を刺激する抗原物質. 抗原または抗原でおおわれた粒子をもつ細胞を凝集させる). = agglutogen.

ag·glu·tin·o·gen·ic (ă-glū′tin-ō-jen′ik). 凝集素産生の(凝集素の産生を可能とする). = agglutogenic.

ag·glu·tin·o·phil·ic (ă-glū′tin-ō-fil′ik). 好凝集性の(顕著な凝集反応が容易に行われる).

ag·glu·to·gen (ă-glū′tō-jen). = agglutinogen.

ag·glu·to·gen·ic (ă-glū′tō-jen′ik). = agglutinogenic.

ag·gra·va·tion (ag′ră-vā′shŭn). 深刻化(過酷さが激化すること).

ag·gre·can (ag′rē-kan). アグレカン(骨硬化症の原因遺伝子候補で, 第15染色体長腕25—26に存在する).

ag·gre·gate (ag′rē-gāt). ***1*** 〚v.〛凝集する, 集合する. ***2***(ag′grē-găt). 〚n.〛凝集物, 集合体(集団または群をなす個々の単位の集まり).

ag·gre·gat·ed fol·li·cle →Peyer patches.

ag·gre·ga·tion (ag′rē-gā′shŭn). 凝集(個別ではあるが類似した単位で集まった塊. 一群になったもの).

ag·gres·sion (ă-gresh′ŭn). 攻撃〔性〕(怒り, 敵意, 激怒など, 情動の運動成分としての, 他人に対するごう慢な, 激しいまたは攻撃的な言語や肉体行為).

ag·gres·sive (ă-gres′iv). 攻撃的な(①攻撃をさす. ②競合的または侵略的行動様式, 病原生物, あるいは病気の過程を表す).

ag·gres·sive an·gi·o·myx·o·ma 浸潤性血管粘液腫(若年婦人の性器に発生する局所浸潤性は強いが転移性のない腫瘍).

a·gil·i·ty (ă-jil′i-tē). 敏捷性(正しい身体の姿勢を保つ際に, すばやく加速, 減速, 堅牢化, そして方向転換する能力).

ag·ing (ā′jing). 加齢, 老齢化, 老化(①年をとっていく過程で, 特に完全な生体機能を維持するのに十分な数の細胞を補充できないことによって起こる. これは特に有糸分裂が不可能な細胞(例えば, ニューロン)に影響を及ぼす. ②時間依存性で不可逆的な変化が種に固有な構造に起こり, 成熟した生体が徐々に退歩すること. このため外界のストレスに対処する能力が必然的に低下し, その結果, 死の確率が増加する. ③心血管系では機能する細胞が徐々に線維性の結合組織に置き変わる. ④人口学の用語で, 時を経るごとに集団における高齢者の割合が増加することを意味する).

ag·ing re·port エージング・レポート(医療支払いにおける, 通常コンピュータプログラムによって行われる報告で, 医療提供者に負っている金銭および, 支払い不足の理由に関する情報をつまびらかにする. 支払いの受け取り損ねのないようにするために利用される).

ag·i·tat·ed de·pres·sion 激越性うつ病(興奮と情動不安のみられるうつ病).

ag·i·to·pha·si·a (aj′i-tō-fā′zē-ă). 速話症(非常に速い話し方のため, 単語を不完全に話したり文から落としたりすること).

a·glos·so·sto·mi·a (ā′glos-ō-stō′mē-ă). 無舌閉口体(舌の先天的欠損で, 形成異常の(通常は閉じた)口を有する).

a·glu·ti·tion (ā′glū-tish′ŭn). えん(嚥)下不能. = dysphagia.

a·gly·cos·u·ri·a (ā′glī-kō-syūr′ē-ă). 無糖尿(尿中の糖質の欠如).

a·gly·cos·u·ric (ā′glī-kō-syūr′ik). 無糖尿〔性〕の.

ag·mi·nat·ed fol·li·cle →Peyer patches.

ag·na·thi·a (āg-nā′thē-ă). 無顎〔症〕(通常, 両耳の接近を伴う下顎の先天的欠損. →otocephaly; synotia).

ag·na·thous (āg′nā-thŭs). 無顎〔症〕の.

ag·no·gen·ic (ag′nō-jen′ik). 原因不明の. = idiopathic.

ag·no·si·a (ag-nō′zē-ă). 失認, 認知不能〔症〕(一次受容体や知能の障害に起因しない, 種々の感覚刺激の意味を認識したり理解したりする能力の障害. 失認は大脳の種々の部位の病変で起こる認識障害).

-agogue, -agog 誘導, 促進, 刺激, 促進物または刺激物を示す接尾語.

a·gom·pho·sis, a·gom·phi·a·sis (ā′gom-fō′sis, ā′gom-fī′ă-sis). 無歯症. = anodontia.

a·go·nad·al (ā′gō-nad′ăl). 性腺欠損の.

ag·o·nal (ag′ŏ-năl). 瀕死の, 死の.

ag·o·nist (ag′ŏn-ist). ***1*** 作動筋, 主動筋(対立筋または拮抗筋に対して, 収縮状態にある筋肉). ***2*** 作用(作動)薬, アゴニスト(受容体と結合して薬物作用を発揮する薬物. 親和性と内活性がある).

ag·o·ny (ag′ŏ-nē). アゴニー, 死戦(肉体または精神の激しい痛みや苦悶).

ag·o·ra·pho·bi·a (ag′ŏr-ă-fō′bē-ă). 広場恐怖〔症〕(自宅の慣れた状況を離れることや開けた場所に行くことに対する不合理な恐れを特徴とする精神疾患. そのため, 外の生活状況の多くをいやがったり避けたりする. パニック発作を伴うことが多い).

ag·or·a·pho·bic (ag′ŏr-ă-fō′bik). 広場恐怖〔症〕の(広場恐怖症に関する, またはそれに特徴的な).

-agra 急性疼痛が突然襲うことを意味する接尾語.

a·gram·ma·tism (ā-gram′ă-tizm). 失文法〔症〕(文法的な文を構成する能力の欠如, および理解できない言葉または正しくない言葉の使用を特徴とする失語症の一型. 優位脳半球の病巣によって引き起こされる. 語字を言い落としながら話す).

a·gran·u·lar en·do·plas·mic re·tic·u·lum 滑面小胞体(リボソーム顆粒をもたない小胞体で, 複合脂質や脂肪酸の合成, 薬剤の解毒, 炭水化物の合成, および Ca^{2+} の分離に関与している).

a·gran·u·lo·cyte (ā-grăn′ŭ-lō-sīt). 無顆粒〔白血〕球(無顆粒の白血球, 例えば単球やリンパ球).

a·gran·u·lo·cy·to·sis (ā′gran′yŭ-lō-sī-tō′sis). 顆粒球減少〔症〕(多核白血球数の大幅な減少

(しばしば顆粒球 500/mm^3 以下)を伴う，顕著な白血球減少を特徴とする急性病態．皮膚はもとより，のど，腸管，および他の粘膜に感染潰瘍が発生しやすい)．

a·gran·u·lo·plas·tic (ā′gran′yū-lō-plas′tik). 無顆粒球形成の（無顆粒細胞を形成でき，顆粒細胞を形成できない）．

a·graph·i·a (ă-graf′ē-ă). 失書〔症〕，書字不能〔症〕（肢の異常がないのに適切に書けないこと．しばしば失語と失読を伴う．大脳の種々の部位，特に角回付近の病変が原因となる）．= anorthography; logagraphia.

a·graph·ic (ă-graf′ik). 失書〔症〕の，書字不能〔症〕の．

a·gree·ment (ă-grē′mĕnt). 同意（信条，意見，活動計画などにおける一致させようとした結果，あるいはその行為そのもの）．

ag·re·tope (ag′rĕ-tōp). アグレトープ（ペプチド抗原上で，主要組織適合抗原(MHC)と結合する部位）．

ag·ri·mo·ny (ag′ri-mō-nē). キンミズヒキ（多年生のハーブ(*Agrimonia eupatoria, A. herba*)で，錠剤や煎じた薬湯乾燥した形で，および局所的(怪我の治療，収斂薬)に使用される）．= cocklebur(1); sticklewort.

a·gryp·ni·a (ă-grip′nē-ă). 不眠（延々と長い時間睡眠を得ることが困難な状態）．

a·gue (ā′gyū). 間欠性の発熱．

a·gue·weed (ā′gyū-wēd). = boneset.

AGUS atypical glandular cells of undetermined significance の頭文字. →Bethesda system.

a·gy·ri·a (ā-jī′rē-ă). 無脳回〔症〕，脳回欠損（大脳皮質の脳回の先天的欠損または発育不良）．= lissencephalia.

AHA American Hospital Association の略.

AH con·duc·tion time →atrioventricular conduction.

AHDI Association for Healthcare Documentation Integrity の略.

AHF antihemophilic factorA の略.

AHI apnea-hypopnea index の略.

AHIMA American Health Information Management Association の略.

AH in·ter·val AH 間隔（心房波の最初の振れの開始から，His 束(H)電位の最初の振れの開始までの時間．房室伝導時間(通常は 50—120 msec)にほぼ一致する）．

AHRQ Agency for Healthcare Research and Quality の略.

A·hu·ma·da-del Cas·ti·llo syn·drome アウマダ-デル・カスティーヨ症候群（高プロラクチン血症ならびに下垂体腺腫に特徴的にみられる妊娠とは無関係の非生理的乳汁分泌および無月経）．

AI acceptable intake; adequate intake の略.

Ai·car·di syn·drome エカルディ症候群（半接合の男性では致死性の X 連鎖優性遺伝疾患．脳梁無形成，〝孔〟を伴う脈絡膜網膜異常，口蓋裂を伴うことも伴わないこともある兎唇，痙攣，特徴的脳波変化を特徴とする）．

AID artificial insemination donor(非配偶者間人工授精)の略.

AIDS (ādz). エイズ（ヒト免疫不全ウイルス(HIV-1)感染によって誘発される細胞性免疫不全．*Pneumocystis carinii* 肺炎，Kaposi 肉腫，口腔毛髪状白斑，サイトメガロウイルス症，結核，鳥結核菌 *Mycobacterium avium* 複合体(MAC)病，カンジダ食道炎，クリプトスポリジウム症，イソスポーラ症，クリプトコッカス症，非 Hodgkin リンパ腫，進行性多巣性白質脳症(PML)，帯状疱疹，リンパ腫といった日和見感染症を特徴とする．HIV は性交，感染血液の付着した針の共有(静注麻薬常用者)，感染血液のその他の接触(医療従事者の針事故)を介して，細胞成分の豊富な体液(特に血液と精液)によってヒトからヒトへ伝搬する．HIV の第 1 の標的は，CD4 を表面に有する細胞で，主としてヘルパー T リンパ球である）．= acquired immunodeficiency syndrome.

AIDS quack·er·y エイズいかさま医療（HIV は AIDS を引き起こさず，抗レトロウイルス剤は毒であると伝える，正当性が実証されていない治療術．HIV/AIDS は貧困，人種差別，政策の結果であると示唆する信者もいる）．

AIDS-re·lat·ed com·plex (ARC) エイズ関連複合体（エイズ発症に至る状態で，まだ免疫不全にはなっていない．発熱とリンパ腺症，下痢，体重減少，軽度の日和見感染，血球減少などの症状を呈している状態）．

AIH artificial insemination (homologous)(配偶者間人工授精)の略.

ai·lu·ro·pho·bi·a (ī′lūr-ō-fō′bē-ă). ネコ恐怖〔症〕，恐猫〔症〕（ネコに対する病的な恐れまたは嫌忌）．

ai·nhum (ī-nyum′). アイユーム（通常，小趾の足趾底ひだに発生する緩慢な進行性の痛みを伴う線維性絞窄で，徐々に足指の自然離断に至る．熱帯地方の黒人男性に最も多い）．

AIR 5-aminoimidazole ribose 5′phosphate; 5-aminoimidazole ribotide の略.

air (ār). ***1*** 〖n.〗空気（飽和水蒸気を除いた後の以下の近似体積百分率を有する混合気体．酸素 20.95，窒素 78.08，アルゴン 0.93，二酸化炭素 0.03，その他の気体 0.01）．***2*** 〖v.〗換気する．= ventilate.

air a·bra·sion エアーアブレーション（ぞうげ質やエナメル質を切削あるいは除去する目的で，酸化アルミニウムのような粗い粒子を高圧下で使用すること）．

air-bone gap (ABG) 骨伝導と気導による聴力閾値の差. →conductive hearing loss.

air·borne in·fec·tion 空気伝搬感染（空気中の粒子，粉塵，あるいは小滴核によって感染体が伝播する機序）．

air·borne pre·cau·tions 風媒性注意（液滴噴霧による感染病原体の伝達を防ぐために講ずる処置．風媒注意には，マスクや空気フィルターシステムの使用が含まれる）．

air·bras·ive (ār-brā′siv). 空気を動力源とする研磨装置．空気および水の圧力を使用し，特殊加工した重炭酸ナトリウムのスラリー混合物を，ハンドピースのノズルを通して流すようになっ

A

ている．

air bron·cho·gram エアブロンコグラム（空気で満たされた気管支が，液体で満たされた気腔により取り囲まれているX線像）．

air cells *1* 肺胞．= pulmonary alveoli. *2* 含気蜂巣（頭蓋骨の空気を含む空隙）．

air-con·di·tion·er lung 空調肺（好熱性放線菌やその他の微生物によって汚染された，強制換気によって起こる外因性アレルギー性肺胞炎）．

air con·duc·tion 気導，空気伝導（聴覚において，外耳道および中耳構造を経て内耳へはいる音の伝導）．

air con·trast bar·i·um en·e·ma（ACBE） = air contrast enema.

air con·trast en·e·ma 注腸二重造影（高濃度のバリウムで大腸粘膜をコートした後，空気を送り込み二重造影する放射線検査）．= air contrast barium enema; double contrast enema.

air em·bo·lism 空気塞栓症（血管系内の気泡による塞栓症．静脈空気塞栓は静脈ライン，特に中心静脈路に空気がはいり，実質的に肺血流を遮断して症状を示すほど多量の場合をいう．動脈空気塞栓は通常は医原性で心肺バイパス cardiopulmonary bypass や他の血管内操作によって起こるが，まれに貫通性肺外傷でも起こる．動脈内の少量の空気でも冠動脈や脳動脈で塞栓を起こせば死に至る．また心房や心室中隔欠損などがある場合，静脈系から動脈系に達すれば同様の症状を呈する）．

air-flu·i·dized bed 空気流動ベッド，エアーベッド（皮膚の整合性を促進し，皮膚の崩壊を防ぐという意図に基づくベッド．マットレス内にセラミックの小球に，温度調節がなされた空気の流れを恒常的に吹き付け，骨性突出物の圧から逃れ，使用者の体重を均等に保つ）．

air hun·ger 空気飢餓〔感〕（アシドーシス患者などにみられる著しく深い換気で，肺胞換気を増加させ，また炭酸ガスをより呼出しようとするために生じる．→Kussmaul respiration）．

air med·i·cal trans·port 航空患者移送（医療現場および外傷事故現場からの航空機による患者の移送，または航空機を用いた相互施設間の移送のことで，ヘリコプターが最も頻繁に用いられる）．

air·plane splint 飛行機副子（腕を外転し，だいたい肩の高さで前腕を中等度に屈曲させ，腋窩に支持支柱を入れて肢立を保つようにする複雑な副子）．= aeroplane splint.

air pol·lu·tion 大気汚染（煙や有害気体による空気の汚染．主として自動車排気，工場設備，燃焼廃物などから出るような炭素，硫黄，および窒素の酸化物による．→smog）．

air·port ma·lar·i·a 空港マラリア（航空機によって運ばれた感染ハマダラカによる偶発的な輸入マラリア）．

air-pu·ri·fy·ing res·pi·ra·tor 濾過式呼吸用保護具（環境空気から特定の物質を除去するフィルターを用いた，ろ過式の呼吸用保護具）．

air sick·ness 航空酔い（飛行機に乗ることによって起こる動揺病の一種．→motion sickness）．

air splint 空気副子(副木)（肢の一部または全部を動かないようにするために使われる，空気で膨らませる可塑性の副子）．

air·trap·ping（ār′trap-ing）．空気とらえこみ，エアトラッピング（呼気時に肺全体あるいは一部での緩徐あるいは不完全な呼出．気道の局所的閉塞あるいは肺気腫を意味する）．

air ves·i·cles 肺胞．= pulmonary alveoli.

air·way（ār′wā）．*1* 気道（呼吸時，空気が通過する気道の部分）．*2* エアウェイ（麻酔と蘇生において，呼吸に対する閉塞を矯正する器具のこと．特に，口咽頭・鼻咽頭エアウェイ，気管内エアウェイ，気管切開チューブをいう）．

air·way a·nat·o·my 気道解剖学（木を倒立させた形に似た気管気管支の構造．3種類の気道，軟骨性気道(気管，主気管支，および小気管支約5分岐)，膜性細気管支(非軟骨性気道約8分岐)，および呼吸細気管支(約5分岐のガス交換能のある，あるいは肺胞道)を含む）．

air·way man·age·ment 気道管理（挿管あるいは挿管せずに，開放気道を維持する補助手段）．

air·way ob·struc·tion 気道閉塞（通常，呼気相で気流の減少をきたす呼吸機能障害の型．閉塞は限局性(例えば，腫瘍，狭窄，異物)あるいは広汎(例えば，肺気腫，ぜん息)でありうる）．

air·way pres·sure re·lease ven·ti·la·tion（APRV） 気道圧解除換気法（機械的換気法の一つ）．

air·way re·sis·tance 気道抵抗（生理学用語．換気下にみられる上気道，下気道における閉塞や乱流による気体流に対する抵抗．肺あるいは胸部のコンプライアンス低下に基づく膨張に対する抵抗と，吸気中の抵抗は区別される）．

Air·y disc エアリーディスク（絞りが増加すると像の径が減少するように，瞳孔絞りのエッジによる回折のために，網膜上への遠方にある光源により生じる円形の不鮮明像）．

AIS acute ischemic stroke の略．

AIT（āt）．auditory integration training の略．

A-K am·pu·ta·tion 膝上切断，大腿切断（*a*bove-the-*k*nee amputation の頭文字）．

ak·a·mu·shi dis·ease = tsutsugamushi disease.

a·kar·y·o·cyte, a·kar·y·ote（ā-kar′ē-ō-sīt, ā-kar′ē-ōt）．無核細胞（赤血球のように，核(細胞核)のない細胞）．= acaryote.

a·ka·thi·si·a（ak-ă-thiz′ē-ă）．静座不能（座った姿勢の保持不能を特徴とする症候群で，運動性不穏状態，および筋肉の震え感を伴う．抗精神病薬や精神安定薬の副作用として起こることもある）．

a·ker·a·to·sis（ā-ker-ă-tō′sis）．角質欠如（表皮の角質層の欠損または欠如）．

Ak·er·lund de·for·mi·ty オーケールンド変形（十二指腸球部のニッシェのある陥凹または切痕．X線でみられる）．

akinaesthesia［Br.］. = akinesthesia.

a·ki·ne·si·a, a·ki·ne·sis（ā′ki-nē′sē-ă, ā′ki-nē′sis）．運動不能〔症〕（錐体外路疾患による随意運動力の欠如または喪失）．

a·kin·es·the·si·a (ā-kin′es-thē′zē-ă). 運動〔感〕覚消失（運動や位置を感じる能力がないこと．動きを知覚する感覚，筋感覚の欠如）．= akinaesthesia.

a·ki·net·ic, a·ki·ne·sic (ā′ki-net′ik, ā′ki-nē′sik). 無動〔症〕の，失動〔症〕の，運動不能〔症〕の．

a·ki·net·ic mu·tism 無動無言〔症〕（亜急性または慢性の意識変容．患者は間欠的に意識清明になるが，下行性運動神経路が正常であるにもかかわらず，反応はみられない．様々な脳病変による）．

Al アルミニウムの元素記号．

ALA δ-aminolevulinic acid の略．*cf.* Ala.

Ala アラニン，またはその一置換基あるいは二置換基を示す記号．

a·la, gen. & pl. a·lae (ā′lă, ā′lē). 翼（①翼状の解剖学的構造．②線虫類にみられるクチクラの顕著な縦方向の隆起で，成虫に存在する（ぎょう虫 *Enterobius vermicularis*）こともあるが，通常は幼虫期に認められる（回虫 *Ascaris lumbricoides*））．

Al·a·gille syn·drome アラジル症候群（幼少期に明らかとなる常染色体優性遺伝．肝内胆管欠乏による黄疸で発症する．特異顔貌として顔面は狭く先の尖った顎，広い前額，鼻筋の通った鼻，落ちくぼんだ眼などがある．また眼球の後部胎生環，心・血管奇形，脊椎の欠損，腎障害などもみられる）．

a·la·li·a (ă-lā′lē-ă). 構語障害（無言症，発声不能．→aphonia）．

a·la mi·nor os·sis sphe·noi·da·lis 蝶形骨小翼．= lesser wing of sphenoid bone.

a·la na·si 鼻翼，こばな．

A·land Is·land al·bi·nism オーラン島白子〔症〕．= ocular albinism.

al·a·nine (A, Ala) アラニン; 2-aminopropionic acid; α-aminopropionic acid（その L-立体異性体は蛋白に広く存在するアミノ酸の1つ）．

al·a·nine a·mi·no·trans·fer·ase (ALT) アラニンアミノトランスフェラーゼ（アミノ基を L-アラニンから 2-ケトグルタル酸へ，またはその逆（L-グルタミン酸からピルビン酸塩）へ転移する酵素．その血中濃度はウイルス性肝炎や心筋梗塞で高い）．= glutamic-pyruvic transaminase; serum glutamic-pyruvic transaminase.

al·a·nine-glu·cose cy·cle アラニン-グルコースサイクル（筋肉内で，グルコース由来のピルビン酸から合成されるアラニンは，血液から肝臓に取り込まれてグルコースと尿素に変換される．肝臓はグルコースを血液内に放出し，エネルギー基質として筋肉へ輸送する）．

a·la of nose 鼻翼，こばな（前鼻孔外壁の側方拡張部分）．= wing of nose.

Al·an·son am·pu·ta·tion アランソン切断術（断端が円錐状をした環状切断）．

al·a·nyl (al′ă-nil). アラニル（アラニンのアシル基）．

a·lar (ā′lăr). ***1*** 翼の，翼のある．***2*** 腋窩の．= axillary. ***3*** 翼状の（鼻，蝶形骨，仙骨などの構造物の翼についていう）．

ALARA (ă-lahr′ă). アララ（放射線の診断，治療その他における利用上の哲理である，*a*s *l*ow *a*s *r*easonably *a*chievable（できうるかぎり低線量を用いる）の頭文字）．

a·lar lam·i·na of neu·ral tube 〔神経管の〕翼板．= alar plate of neural tube.

a·larm re·ac·tion 警告反応（身体が損傷やストレスに対する適応反応として示す種々の現象．例えば，賦活される内分泌活動．汎適応症候群の第1期）．

a·lar plate of neu·ral tube 〔神経管の〕翼板（神経管外側壁の背側部分）．= alar lamina of neural tube.

a·lar spine 蝶形骨棘．= sphenoidal spine.

a·lar·yn·ge·al speech 無喉頭発声（喉頭全摘後に得られる発声の形式．外部の振動源や体内の振動源としての咽頭食道部位を使うことによりなされる．気管，食道発声は喉頭全摘後，外科的に形成された永久的気管食道瘻から咽頭へ空気を吐くことにより行われる．→esophageal speech. →artificial larynx）．

al·ba (al′bă). = white matter.

Al·bar·ran test アルバラン試験（腎機能不全の試験．腎臓が正常な場合，大量の水を飲むと

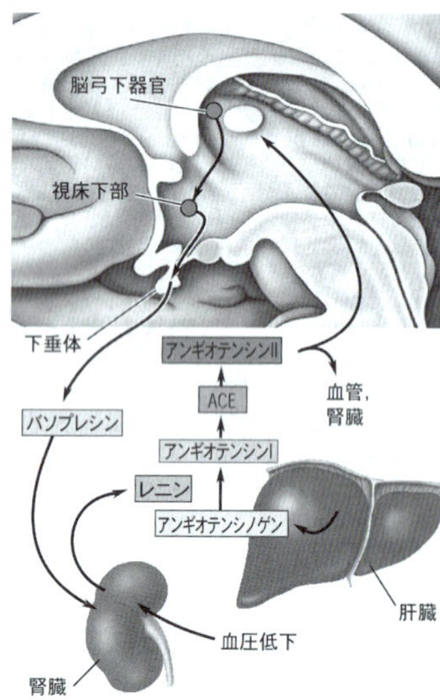
脳弓下器官
視床下部
下垂体
アンギオテンシンII
ACE
血管，
腎臓
バソプレシン
アンギオテンシンI
レニン
アンギオテンシノゲン
肝臓
血圧低下
腎臓

alarm reaction
血液量が減少したり血圧が低下すると，腎臓はレニンを産生する。血流に放出されたレニンはアンギオテンシンIIの合成を促進し，アンギオテンシンIIは脳弓下器官のニューロンを刺激する。脳弓下器官のニューロンは視床下部を刺激して，抗利尿ホルモン（バソプレシン）の産生を増加させる。

A

それに比例して尿排出量が増すが，尿細管上皮に損傷があると増加はみられない）．

Al·bers-Schön·berg dis·ease アルベルス-シェーンベルク病．= osteopetrosis.

Al·bert dis·ease アルベルト病（アキレス腱滑液包炎のことで，時に同部に石灰化を伴う場合もある．外傷あるいは足に合わない靴の着用により発症する）．= Schantz disease.

Al·bert su·ture アルベルト（アルベル）縫合（Czerny 法の変法で，最初の縫い目の層が腸壁の全層を通っているもの）．

al·bi·cans, pl. **al·bi·can·ti·a** (al′bi-kanz, -kan′shē-ă)．***1*** 〘adj.〙白い．= white. ***2*** 〘n.〙白体．= corpus albicans.

al·bi·du·ri·a (al-bi-dyūr′ē-ă)．白色尿，水様尿（乳び尿のように低比重で，色の薄いまたは白色の尿）．= albinuria.

Al·bi·ni nod·ules アルビーニ小〔結〕節（新生児に胎生組織の残遺物としてときにみられる，心臓の僧帽弁と三尖弁の辺縁の細小線維性結節）．

al·bi·nism (al′bi-nizm)．白皮症，白子〔症〕（メラニン産生異常により，皮膚・毛髪・眼の，あるいは眼のみの色素が欠乏または欠損する遺伝的（通常は常染色体劣性遺伝）疾患群．→ocular albinism; piebaldism）．

al·bi·no (al-bī′nō)．白子（白皮症を有する個体）．

al·bi·no rats シロネズミ，ダイコクネズミ（毛が白く目が桃色のラット．実験室での実験に広く用いる）．

al·bi·not·ic (al-bi-not′ik)．白皮症の，白子〔症〕の．

al·bi·nu·ri·a (al-bi-nyūr′ē-ă)．= albiduria.

Al·bright dis·ease オールブライト病．= McCune-Albright syndrome.

Al·bright he·red·i·tar·y os·te·o·dys·tro·phy オールブライト遺伝性骨形成異常〔症〕，オールブライト遺伝性骨ジストロフィ（異所性石灰化・骨化，骨格異常，特に第四中手骨の短縮を伴う遺伝性上皮小体機能亢進症．知能は正常な場合と知能低下の場合とがある．遺伝型には種々あり，常染色体優性型は第 20 染色体長腕のグアニンヌクレオチド結合蛋白遺伝子（GNAS1）の突然変異によって起こる．この他に劣性型と X 連鎖型とがある．→pseudohypoparathyroidism）．= Albright syndrome (2).

Al·bright syn·drome オールブライト症候群（①= McCune-Albright syndrome. ②= Albright hereditary osteodystrophy）．

al·bu·gin·e·a (al-bū-jin′ē-ă)．白膜（精嚢の白膜のような，白っぽい線維層．→tunica albuginea）．

al·bu·men (al-bū′mĕn)．→albumin. = ovalbumin.

al·bu·min (al-bū′min)．アルブミン（ほとんどは単純蛋白で，動植物の組織および体液中に広く分布している一群である．アルブミンは水に溶け，強い酸によって溶液から沈殿，酸性または中性溶液中で熱によって凝固する）．

al·bu·min:glob·u·lin ra·ti·o アルブミン/グロブリン比（血清あるいは尿中のグロブリンに対するアルブミンの比率．血清中の正常比はおよそ 1.55）．

al·bu·mi·noid (al-bū′min-oyd)．***1*** 〘adj.〙アルブミン様の．***2*** 〘n.〙蛋白．***3*** 〘n.〙アルブミノイド，類アルブミン（角質と軟骨質，および眼の水晶体に存在する，中性溶媒に不溶の単純蛋白．ケラチン，エラスチン，コラーゲンなどがある）．= scleroprotein.

al·bu·min·ous (al-bū′min-ŭs)．アルブミン〔性〕の，蛋白〔性〕の．

al·bu·min·ur·i·a (al-bū′mi-nyūr′ē-ă)．蛋白尿〔症〕，アルブミン尿〔症〕（蛋白（主にアルブミンだがグロブリンも）が尿中に存在していること．一般に疾患の存在を示すが，ときには一時的または一過性の機能障害の結果起こる）．= proteinuria (2).

al·bu·min·ur·ic (al-bū′mi-nyūr′ik)．蛋白尿〔症〕の．

Al·ca·lig·e·nes fae·ca·lis アルカリ大便菌（周毛性で運動性をもつか，あるいは非運動性の非発酵性グラム陰性桿菌（アクロモバクター科）．偏性好気性であるが，いくつかの菌種は硝酸塩あるいは亜硝酸塩の存在下で無気呼吸ができる．代謝は呼吸によって行い，発酵はせず，炭水化物を利用しない．腸管内や腐敗物，乳製品，水，土壌中に最もよく観察され，人の呼吸器や消化管，免疫力の低下した入院患者の創傷から単離されうる．しばしば院内敗血症を含む日和見感染の原因となる）．

al·cap·ton (al-kap′tŏn)．アルカプトン．= homogentisic acid.

al·cap·ton·u·ri·a, al·kap·ton·u·ri·a (al-kap′tŏ-nyūr′ē-ă, al-kap′tŏ-nyūr′ē-ă)．アルカプトン尿〔症〕（ホモゲンチジン酸 1,2-ジオキシゲナーゼの先天的欠損によりホモゲンチジン酸（アルカプトン）が尿中に排泄される．放置しておくと尿は黒変する．一般に，比較的長い期間にわたって持続するが，不規則な間隔で増悪したり軽快したりすることもある．関節炎，組織黒変症は晩期の合併症である）．

al·co·hol (al′kŏ-hol)．***1*** アルコール（炭素に付いた水素 H がヒドロキシル OH によって置換される一連の有機化学化合物の 1 つ．アルコールは酸と反応してエステルを生成し，アルカリ金属と反応してアルコラートを生成する）．***2*** エチルアルコール；C_2H_5OH（酵母との発酵によって砂糖，デンプン，および他の糖類から生成し，またエチレンあるいはアセチレンから合成される．飲料や溶媒，賦形剤，保存剤として用いられてきた．医薬品では発赤薬，冷却剤，消毒薬として外用で用いられる．また鎮痛薬，健胃薬，鎮静薬として内用で用いられてきた）．= ethanol; ethyl alcohol. ***3*** CH_3CH_2OH と水との共沸混合物（重量で 92.3%のエタノールを含有する）．

al·co·hol am·nes·tic syn·drome アルコール健忘症候群（アルコール中毒による健忘症候群．アルコール性〝ブラックアウト〟．*cf.* Korsakoff syndrome）．

al·co·hol de·hy·dro·gen·ase (ADH) アルコールデヒドロゲナーゼ（NAD^+ を水素受容体

として，アルコールのアルデヒド(またはケトン)への転換を可逆的に触媒する酸化還元酵素．例えば，エタノール+ NAD^+⇌アセトアルデヒド+NADH)．

al·co·hol, for·ma·lin, and a·ce·tic a·cid (AFA) fix·a·tive FAA(ホルマリン，エチルアルコール，酢酸)固定液（線虫，吸虫，条虫を固定するために使用される混合液)．

al·co·hol-gly·cer·in fix·a·tive アルコール-グリセリン固定液（5%のグリセリンを含む70%アルコール．ほとんどの線虫の固定に適している)．

al·co·hol·ic (al′kō-hol′ik)．***1*** 〚adj.〛アルコール性の，アルコール含有の，アルコールにより産生される．***2*** 〚n.〛アルコール症者．***3*** 〚n.〛アルコール依存者．

al·co·hol·ic cir·rho·sis アルコール性肝硬変（慢性アルコール中毒でしばしばみられる肝硬変．初期には軽い線維症を伴った脂肪化による肝肥大，後期には肝収縮を伴った Laënnec 肝硬変を特徴とする)．

al·co·hol·ic hep·a·ti·tis アルコール性肝炎（アルコールの過剰摂取による肝臓の炎症)．

Al·co·hol·ics A·non·y·mous (AA, aa) アルコール中毒者救済協会（構成員の禁酒継続を支える互助グループ)．

al·co·hol·ism (al′kō-hol-ism)．アルコール症，アルコール中毒〔症〕（慢性のアルコール乱用，依存，嗜癖．アルコール性飲料の慢性的な過度摂取で，結果として健康および(または)社会的・職業的機能を損ない，アルコールの作用効果に対する順応性が増加し，望ましい状態を維持するために用量を増加しなければならなくなる．通常，突然飲酒を中止すると特異的な離脱(禁断)徴候と症状が出現する)．

al·co·hol·y·sis (al′kō-hol′i-sis)．アルコール分解（分解点でのアルコール成分の添加による化学結合の分解)．

ALD assistive listening device; adrenoleukodystrophy の略．

al·de·hyde (al′dĕ-hīd)．アルデヒド（-CH=O の基を有する化合物．アルコールに還元でき($-CH_2OH$)，カルボン酸に酸化できる(-COOH)．例えば，アセトアルデヒド)．

Al·der a·nom·a·ly アルダー異常（ガーゴイリスムと Morquio 症候群に伴う白血球，特に顆粒球の粗いアズール親和顆粒化)．

al·do·pen·tose (al-dō-pen′tōs)．アルドペントース（5 個の炭素原子のうち 1 個が(潜在的な)アルデヒド基である単糖類．例えば，リボース)．

al·dose (al′dōs)．アルドース（アルデヒドの特徴的な基である-CHO を潜在的に有する単糖類．ポリヒドロキシアルデヒド)．

al·dos·ter·one (al-dos′tĕr-ōn)．アルドステロン（副腎皮質の球状帯によって生成されるミネラルコルチコイドホルモン．主な作用は，遠位尿細管におけるナトリウムとカリウムの交換を促進させ，ナトリウム再吸収およびカリウムと水素の喪失を引き起こすことである．主要ミネラルコルチコイド)．

al·dos·ter·one an·tag·o·nist アルドステロン拮抗薬(アンタゴニスト)（副腎ホルモンであるアルドステロンの腎尿細管における電解質保持作用に拮抗的に作用する薬物．スピロノラクトンをはじめとするこれらの薬物は，原発性高アルドステロン症による高血圧や二次性高アルドステロン症によるナトリウム貯留の治療に有用である)．

al·do·ste·ron·ism (al-dos′tĕr-ŏn-izm)．アルドステロン症（アルドステロンの過剰分泌により惹起される障害)．= hyperaldosteronism.

a·lec·i·thal (ā-les′i-thal)．無卵黄の（卵黄質がほとんど，またはまったくない卵についていう)．

A·lep·po boil アレッポ腫（皮膚リーシュマニア症に生じる病変．→cutaneous leishmaniasis)．= Baghdad boil; bouton de Baghdad.

aleukaemia [Br.]. = aleukemia.

aleukaemic [Br.]. = aleukemic.

aleukaemic leukaemia [Br.]. = aleukemic leukemia.

aleukaemoid [Br.]. = aleukemoid.

a·leu·ke·mi·a (ā-lū-kē′mē-ă)．非白血病，無白血病（①文字どおりでは血液中の白血球の欠損．本用語は一般に，末梢血液中の白血球数が正常か正常以下である(すなわち白血球増加を認めない)が，少数の幼若白血球を認める種々の白血病を示すのに用いられている．ときにはさらに限定して，末梢血に白血球増加や幼若白血球がないまれな白血病の場合に用いる．②骨髄中には白血病性変化を認めるが，末梢血の白血球数はやや正常以下である状態．→subleukemic leukemia)．= aleukaemia.

a·leu·ke·mic (ă′lū-kē′mik)．非白血病性の，無白血病性の．= aleukaemic.

a·leu·ke·mic leu·ke·mi·a 非白血性白血病，無白血性白血病（末梢血液中に異常細胞または白血病細胞がみられない白血病)．= aleukaemic leukaemia.

a·leu·ke·moid (ă′lū-kē′moyd)．非白血病様の，無白血病様の．= aleukaemoid.

a·leu·ki·a (ā-lū′kē-ă)．無白血症（循環血液中に白血球が欠如している，または白血球数が極度に減少していること．aleukemic myelosis ともよばれる)．

a·leu·ko·cyt·ic (ă′lū-kō-sit′ik)．無白血球性の（血液または病変部における白血球の欠如または白血球数の極度の減少)．

a·leu·ko·cy·to·sis (ă′lū-kō-sī-tō′sis)．無白血球症（循環血液中の白血球の欠如または白血球数の極度の減少，または解剖学的病巣内の白血球欠如)．

Al·ex·an·der dis·ease アレグザンダー病（精神運動発達遅滞，痙攣および麻痺を特徴とする，乳児期に発症するまれな致死的な中枢神経系の変性疾患．前頭葉に著しい広範な白質萎縮性変化を伴う巨脳症を認める)．

Al·ex·an·der hear·ing im·pair·ment アレキサンダー難聴（膜蝸牛の異形性による高音域の難聴)．

Al·ex·an·der law アレグザンダー(アレクサン

ダー)の法則 (急速相への注視時に増悪する律動眼振 jerk nystagmus の状態).

Al·ex·an·der tech·nique アレクサンダーテクニーク (姿勢, 呼吸, その他の機能を改善するための, 動作や訓練の活用法).

a·lex·i·a (ă-lek′sē-ă). 失読〔症〕(大脳の損傷によって, 書かれたり印刷された単語や文章の意味を理解することができないこと. 意味は理解できるが, 声を出して読む力が喪失している **motor alexia**(運動失読)や構音障害と区別するために, **optic alexia**(眼性失読), **sensory alexia**(感覚失読), **visual alexia**(視覚失読)ともよばれる). = text blindness; word blindness; visual aphasia(1).

a·lex·ic (ă-lek′sik). 失読〔症〕の.

a·lex·i·thy·mi·a (ă-lek′si-thī′mē-ă). 失感情症 (自分の情動を理解し, 言葉で述べることが困難な状態. そのような情動は身体の感覚や行動を通して表現される).

al·fa fe·ta·pro·tein test (AFP) α-フェトプロテイン検査 (胎児性の血液蛋白質で, 成人ではある種のがんに伴い上昇することがある. 羊水中において濃度が低い場合はダウン症と, 高い場合は神経管欠損と関連している).

al·fal·fa (al-fal′fă). アルファルファ (動物の飼料や人間用の栄養サプリメントとして用いられる被覆植物(Medicago Sativa). サラダとして食されることもある. 多くの薬物との相互作用が報告されている). = lucern; purple medick.

al·gae (al′jē). 藻類 (光合成能をもつ, 隠花性の真核生物の一門で, 多くの海藻を含む).

algaesthesia [Br.]. = algesthesia.

al·gal (al′găl). 藻類の, 藻類様の.

alge-, algesi-, algio-, algo- 痛みを意味する連結形. ラテン語の dolor- に相当.

al·ge·si·a (al-jē′zē-ă). = algesthesia.

al·ge·sic (al-jē′zik). = algetic. ***1*** 疼痛性の. ***2*** 痛覚過敏の.

al·ge·sim·e·ter (al′jē-sim′ĕ-ter). = algesiometer.

al·ge·si·o·gen·ic (al′jē′zē-ō-jen′ik). 痛覚発生の. = algogenic.

al·ge·si·om·e·ter (al′jē-zē-om′ĕ-tĕr). 痛覚計, 圧痛計 (痛刺激に対する感受性の程度を測定する器械). = algesimeter; algometer; odynometer.

al·ges·the·si·a, al·ges·the·sis (al′jes-thē′zē-ă, al′jes-thē′sis). = algaesthesia; algesia. ***1*** 痛覚. ***2*** 痛覚過敏.

al·get·ic (al-jet′ik). = algesic.

-algia 痛みあるいは痛みのある状態を意味する接尾語.

al·gid (al′jid). 寒冷の, 悪寒の.

al·gid stage 厥冷期 (コレラの虚脱期).

al·go·gen·ic (al′gō-jen′ik). = algesiogenic.

al·go·lag·ni·a (al′gō-lag′nē-ă). 疼痛性愛 (性倒錯の一種. 苦痛を加えたり加えられたりすることによって性行為の喜びが増強する, または性行為とは関係なく性的快楽をもたらす. サディズム(能動的疼痛性愛)とマゾヒズム(受動的疼痛性愛)の両方を含む). = algophilia(2).

al·gom·e·ter (al-gom′ĕ-tĕr). = algesiometer.

al·go·phil·i·a (al′gō-fil′ē-ă). 苦痛嗜愛 (①他人または自分自身に苦痛があると思うと感じられる快感. ②= algolagnia).

al·go·pho·bi·a (al′gō-fō′bē-ă). 疼痛恐怖〔症〕(疼痛に対する異常な恐れや感受性).

al·go·rithm (al′gŏr-idhm). アルゴリズム (各ステップが順番に書かれている系統的な手順. 各ステップは, その前段階のステップの結果によって異なる. 臨床医学では, 健康問題を処理する手順のプロトコルとして, また CT では X 線の透過率のデータから最終的な画像を計算するために用いられる数式として使われる).

al·go·vas·cu·lar (al′gō-vas′kyū-lăr). 疼痛性血管の (疼痛の影響で起こる血管腔の変化に関する).

ALI acute lung injury の略.

a·li·as·ing (āl′ē-ăs-ing). エイリアシング (撮像領域外の部位が領域内に誤って画像化されてしまう磁気共鳴画像法(MRI)におけるアーチファクト).

Al·ice in Won·der·land syn·drome 不思議の国のアリス症候群 (幻覚を伴う空間, 時間, 身体感覚の障害).

a·li·en·a·tion (ā′lē-ĕn-ā′shŭn). 疎隔, 疎遠, 精神異常 (他者との有意義な関係の欠如を特徴とし, ときには離人症になったり他者と疎遠になる状態).

a·li·e·ni·a (ā′li-ē′nē-ă). 無脾〔症〕(脾臓の先天的欠損).

al·i·form (al′i-fōrm). 翼状の.

a·lign·ment (ă-līn′mĕnt). 配列 (①骨あるいは体肢での縦軸方向への配置. ②歯科において, 支持組織, 隣在歯, および対合歯との関係を考慮して歯を配列すること).

a·lign·ment curve 配列曲線 (歯の中心を通り近遠心的に歯列弓曲線の方向に向かう線).

al·i·men·ta·ry (al′i-men′tăr-ē). 食事〔性〕の, 食物〔性〕の, 栄養の.

al·i·men·ta·ry ca·nal 消化管. = digestive tract.

al·i·men·ta·ry gly·cos·ur·i·a 食事性糖尿 (中等量の糖またはデンプンの摂取後起こる糖尿. 通常, グルコースは腎尿細管で再吸収されるため, グルコースが尿中に排泄されることはない. しかし, 消化管での糖の吸収が肝やその他の組織での糖処理能力を越えて血糖が高くなった場合には尿中に糖が排泄される).

al·i·men·ta·ry hy·per·in·su·lin·ism 食事(餌)性高インスリン症 (食物の胃通過時間の急速な患者が食事したあとにみられる高インスリン血症).

al·i·men·ta·ry li·pe·mi·a 食事性脂〔肪〕血症 (大量に脂肪を含む食物を摂取した後に起こる比較的一過性の脂肪血症).

al·i·men·ta·ry pen·to·su·ri·a 食事性ペントース尿〔症〕, 食事性五炭糖尿〔症〕(五炭糖を含む果実(ブドウ, プラム, サクランボ等)を過剰に摂取したために L-アラビノースや L-キシロースが尿中に排泄されること).

al·i·men·ta·ry tox·ic a·leu·ki·a (ATA) tox·i·co·sis 食中毒性無白症 (何種かのトリ

コテセン系マイコトキシンにより汚染された穀物を摂食することで発症する中毒症の一つ．吐き気やおう吐，下痢，白血球の減少(欠如)，骨髄ろう，皮膚炎によって特徴づけられ，深刻な場合死にいたることもある)．

al·i·men·ta·ry tract = digestive tract.

al·i·men·ta·tion (al′i-mĕn-tā′shŭn). 栄養法(栄養物を与えること．→feeding)．

al·i·na·sal (al′i-nā′zăl). 鼻翼の（外鼻孔のすそ広がりの部分に関する)．

al·i·phat·ic (al′i-fat′ik). 脂肪族の（ほとんどが脂肪酸族に属する非環式炭素化合物についていう)．

al·i·phat·ic ac·ids 脂肪族系酸（非芳香族炭化水素の酸，例えば，酢酸，プロピオン酸，酪酸．いわゆる脂肪酸で，一般式 R-COOH で示される．R は非芳香族(脂肪族)炭化水素)．

al·i·quant (al′i-kwahnt). アリカント（化学や免疫学において，全体をある部分と等しい体積または重量に分割したときに残るような部分についていう)．

al·i·quot (al′i-kwot). アリコート，一部分，部分，部分標本（化学や免疫学において，全体の一部分，および漠然と，同体積あるいは同重量のある物の 2 つ以上の試料のうちのいずれかについていう)．

a·lis·ma (ă-liz′mă). サジオモダカ（サジオモダカ(アリスマ・プランタゴアクアティカ)漢方で様々な目的に用いられる水生植物．皮膚疾患の治療に効果があるとされる)．= mad-dog weed; marsh drain; wa-ter plan-tain.

al·i·sphe·noid (al′i-sfē′noyd). 蝶形骨大翼の(蝶形骨の大翼に関する)．

a·live (ă-līv′). 生きている，意識のある．

a·live and well (A/W) 健在なこと（家族歴の記入において，血のつながった親族の健康状態が適正であるとする記述の表現)．= living and well.

a·liz·a·rin (ă-liz′ă-rin). [CI 58000]. アリザリン; 1,2-dihydroxyanthraquinone(アカネの根にみられる赤色染料．橙色の針状晶で水にわずかに可溶．古代人は染料として用いた．現在では，アントラセンから合成され，アリザリンブルーやアリザリンオレンジ，〝ターキーレッド〟などの染料の製造に用いる．指示薬として用い，pH 5.5—6.8 で黄色から赤色に変わる．他の変性アリザリンは別の色を有し，他の pH 値で変色する)．

alkalaemia [Br.]. = alkalemia.

al·ka·le·mi·a (al′kă-lē′mē-ă). アルカリ血〔症〕(血液中の水素イオン濃度が減少し，pH 値が上昇すること)．

al·ka·les·cent (al′kă-les′ĕnt). ***1*** 弱アルカリ性の．***2*** アルカリ性になる．

al·ka·li, pl. al·ka·lis, al·ka·lies (al′kă-lī, -līz, al′kă-līz). ***1*** アルカリ（溶液中で水酸イオン(OH^-)を生じる強塩基物質．例えば，水酸化ナトリウム，水酸化カリウム)．***2*** 塩基．= base (3)．***3*** アルカリ金属．= alkali metal.

al·ka·li met·al アルカリ金属（リチウム，ナトリウム，カリウム，ルビジウム，セシウム，およびフランシウムの族のアルカリ．すべて強いイオン化水酸化物をつくる)．= alkali(3)．

al·ka·line (al′kă-lin). アルカリ〔性〕の．

al·ka·line-ash di·et アルカリ食（主として果物，野菜，牛乳を含む食事．異化されるとアルカリ残渣を尿中に排泄する．*cf.* acid-ash diet)．

al·ka·line earth el·e·ments アルカリ土類(Be, Mg, Ca, Sr, Ba, および Ra の族に含まれる元素．その水酸化物は強く電離するため水溶液中でアルカリ性を示す)．

al·ka·line earths アルカリ土類（→alkaline earth elements)．

al·ka·line phos·pha·tase アルカリホスファターゼ（至適 pH 7.0 以上であり，遍在しているホスファターゼ．低ホスファターゼ血症ではこの酵素が低値を示す)．

al·ka·line tide アルカリ性時機（高酸性の胃液を分泌するため，水素イオンが奪われて起こる食後の尿の中性またはアルカリ性の時機)．

al·ka·lin·i·ty (al′kă-lin′i-tē). アルカリ度．

al·ka·li·nu·ri·a (al′kă-li-nyūr′ē-ă). アルカリ尿〔症〕（アルカリ尿の排泄)．= alkaluria.

al·ka·li re·serve アルカリ予備（緩衝剤として作用し，血液の正常な pH を維持する，血液とその他の体液の塩基イオン(主に重炭酸塩)の総量)．

al·ka·loid (al′kă-loyd). アルカロイド（本来はアルカリ性(塩基性)反応を特性とする多数の植物あるいは真菌類の成分を表したが，現在は，薬理作用があり複素環式含窒素をもち，多くが複雑な構造に限定されている．慣用名は通常，ine で終わる(例えば，モルヒネ，アトロピン，コルヒチン)．アルカロイドは植物によって生合成され，通常は生薬の有効成分となる葉，樹皮，種子，その他の部分に見出される．大まかに定義された群だが，主要環の化学構造によって分類できる．薬用には水溶性を上げるため通常，アルカロイドの塩類(例えば，硫酸モルヒネ，リン酸コデイン)を用いる．個別のアルカロイドやアルカロイド群も参照)．

al·ka·lo·sis (al-kă-lō′sis). アルカローシス（動脈血水素イオン濃度が正常レベルの 40 nmol/L あるいは pH 7.4 以上に増加したことで特徴づけられる状態．アルカリ化合物濃度上昇あるいは酸化含物あるいは炭酸ガス濃度の低下による)．

al·ka·lot·ic (al-kă-lot′ik). アルカローシスの．

al·ka·lu·ri·a (al-kă-lyūr′ē-ă). = alkalinuria.

al·kane (al′kān). アルカン（飽和非環式炭化水素の総称名．例えば，プロパン，ブタンなど)．

al·ka·net (al′kă-net). アルカネット（*Alkanna tinctoria* の根．収れん薬としても用いる)．

al·kap·ton (al-kap′tŏn). アルカプトン．= homogentisic acid.

al·kene (al′kēn). アルケン（1 個かそれ以上の二重結合をもつ非環式炭化水素．例えば，エチレン，プロペン)．= olefin.

al·ke·nyl (al′kĕ-nil). アルケニル（アルケンの基)．

al·kide (al′kīd). = alkyl(2)．

al·kyl (al′kil). アルキル（①一般式 C_nH_{2n+1} の炭化水素基．②四エチル鉛のように，金属がアルキル基と結合している化合物. = alkide).

al·kyl·a·tion (al′ki-lā′shŭn). アルキル化 (水素原子をアルキル基で置換すること. 例えば, 芳香族化合物に側鎖を導入すること).

ALL acute lymphocytic leukemia の略.

allachaesthesia [Br.]. = allachesthesia.

al·la·ches·the·si·a (al′ă-kes-thē′zē-ă). 異所感覚, 部位錯誤〔症〕(刺激が加えられた部位以外の場所に触覚が生じる状態). = allachaesthesia.

allaesthesia [Br.]. = allesthesia.

allanto-, allant- 尿膜, 尿膜の, ソーセージ, を表す連結形.

al·lan·to·cho·ri·on (ă-lan′tō-kōr′ē-on). 尿嚢絨毛膜 (尿膜と絨毛膜との融合によりつくられた胚体外膜).

al·lan·to·ic (al′an-tō′ik). 尿膜の, 尿嚢の.

al·lan·to·ic flu·id 尿膜腔液.

al·lan·to·ic stalk 尿膜柄, 尿嚢柄, 尿膜管 (尿膜の胚内部と胚外尿膜包の狭い結合部).

al·lan·to·ic ves·i·cle 尿膜嚢胞 (尿膜の空洞部分).

al·lan·toid (ă-lan′toyd). ***1*** ソーセージ形の. ***2*** 尿膜〔様〕の, 尿嚢〔様〕の.

al·lan·toid mem·brane 尿膜. = allantois.

al·lan·toid·o·an·gi·op·a·gous twins 尿膜血管癒合双生児 (不等絨毛膜双生児. 胎盤内の尿膜動脈管が融合している. 小さいほうの双生児は元来大きい双生児の胎盤循環に寄生している).

al·lan·to·in·u·ri·a (ă-lan′tō-i-nyūr′ē-ă). アラントイン尿〔症〕(アラントインの尿中への排泄. ほとんどの哺乳類で普通にみられ, ヒトでは異例).

al·lan·to·is (ă-lan′tō-is). 尿膜, 尿嚢 (後腸から発生する卵膜(またはヒトの卵黄嚢). ヒトでは痕跡だけである. 哺乳類では, 外部は臍帯や胎盤の形成に寄与する). = allantoid membrane.

al·lele (ă-lēl′). 対立遺伝子, 対立因子, 対立遺伝単位, 対立形質 (特定の染色体上の同一の座を占める2つ以上の一連の異なった遺伝子のうちの1つ. 常染色体は対になっているので, 各常染色体の遺伝子は正常の体細胞中では二重になる. もし同じ対立遺伝子が両方の座を占めると, その個体あるいは細胞はこの対立遺伝子に関してホモ接合となる. 対立遺伝子が異なるときは, その個体あるいは細胞は, 両方の対立遺伝子に関してヘテロ接合となる. →DNA markers). = allelomorph.

al·le·lic (ă-lē′lik). 対立遺伝子の, 対立因子の, 対立遺伝単位の, 対立形質の.

al·le·lic gene 対立遺伝子 (→allele; dominance of traits).

al·le·lo·morph (ă-lē′lō-mōrf). = allele.

al·le·lo·tax·is, al·le·lo·tax·y (ă-lē′lō-taks′is, -taks′ē). アレロタクシス, 単一器官指向 (数個の胚性構造または組織から1つの器官が発生すること).

Al·len Cog·ni·tive Lev·el Screen アレン認知レベルテスト (作業療法において, 推論や計画, 問題解決といった認知技能を応用することを通して, 視覚運動課題を行う能力を評価するための手法. 革を縁取り縫いする3つの課題からなる).

Al·len test アレン試験 (橈骨または尺骨動脈の開存試験. 握りこぶしをさせ, 手掌から駆血させた後, 検者が指で橈骨または尺骨動脈を圧迫させる. この圧迫を解除しても血液が手掌に拡散しないときは, 圧迫していないほうの動脈が閉塞していることを示す).

al·ler·gen (al′ĕr-jĕn). アレルゲン (アレルギーあるいは過敏症反応を誘発する抗原に対する用語).

al·ler·gen·ic (al′ĕr-jen′ik). アレルゲン性の. = antigenic.

al·ler·gen·ic ex·tract アレルゲンエキス (食物, バクテリア, 花粉などの種々の原料から得られるエキス(通常は蛋白を含む)で, アレルギー症状を起こす特異作用をもつと考えられている. 皮膚試験や脱感作に用いられる). = allergic extract.

al·ler·gic (ă-lĕr′jik). アレルギー〔性〕の (アレルゲンの刺激によって惹起されるすべての生体反応に関連することについていう).

al·ler·gic con·junc·ti·vi·tis アレルギー〔性〕結膜炎. = vernal conjunctivitis.

al·ler·gic con·tact der·ma·ti·tis アレルギー性接触皮膚炎 (様々な程度の紅斑, 浮腫, 水疱を伴った遅延型Ⅳ型アレルギー反応で, 特異抗原の皮膚への接触により生じる). = contact allergy.

al·ler·gic ec·ze·ma アレルギー性湿疹 (アレルギー性反応による斑状, 丘疹状, あるいは小水疱性の発疹. 例えば, contact dermatitis).

al·ler·gic ex·tract アレルギー性抽出物. = allergenic extract.

al·ler·gic pur·pu·ra アレルギー性紫斑病 (食物, 薬物, 昆虫刺傷などのアレルギー感作により生じる非血小板減少性紫斑). = anaphylactoid purpura(1).

al·ler·gic re·ac·tion アレルギー〔性〕反応 (生体が以前に暴露したことがある, もしくは感作された特異アレルゲンに接触することによって生じる局所または全身の反応).

al·ler·gic rhi·ni·tis アレルギー性鼻炎 (アレルギー機序により発生する鼻炎. 例えば, 枯草熱による鼻炎).

al·ler·gic sa·lute アレルギー患者のあいさつ (アレルギー性鼻炎を有する小児にみられる, 手を横や上下に動かし鼻をふいたりこすったりする特徴的動作).

al·ler·gist (al′ĕr-jist). アレルギー専門医 (アレルギー疾患の治療を専門とする者).

al·ler·gol·o·gy (al′ĕr-gol′ŏ-jē). アレルギー学 (アレルギー状態に関与する科学).

al·ler·gy (al′ĕr-jē). アレルギー (①ある特定の抗原(アレルゲン)に被曝して起こった過敏性の状態で, 再度同一の抗原にさらされると過度に反応性が高まり, ときとして傷害性の免疫反応を引き起こす. →allergic reaction; anaphylaxis; immune. ②アレルギー状態(疾患)の研究, 診断, 治療を包含する医学の分野. ③ある種の薬物および生物由来物質に対する獲得過敏性).

al·es·the·si·a (al′es-thē′zē-ă). 感覚体側逆転. = allochiria; allaesthesia.

al·lied health pro·fes·sion·al 関連保健専門家（医師や公認看護師以外で患者のケアサービスを行う教育を受けた人. 種々の治療技術者(呼吸器治療技術者など), 放射線技師, 理学療法士など).

al·li·ga·tor for·ceps ワニ口鉗子（先端に小さいちょうつがいの付いた顎をもつ長い鉗子).

Al·lis for·ceps アリス鉗子（鋸歯状の顎をもつ垂直な把持鉗子の一種. 組織または構造を強くつかんだり, 牽引したりするのに用いる).

all or none law 全か無かの法則, 悉無律. = Bowditch law.

allo- ***1*** 他の, 正常または通常と違った, を意味する接頭語. ***2*** 以前はアミノ酸の側鎖に不斉炭素を含む場合にいつも付けられた化学の接頭語. 例えば, アロイソロイシンとアロスレオニン.

al·lo·an·ti·bod·y (al′ō-an′ti-bod-ē). 同種〔異系〕抗体（同種異系抗原に対して特異的な抗体).

al·lo·an·ti·gen (al′ō-an′ti-jĕn). 同種〔異系〕抗原（ある種の個体群に存在するが, 同じ種の他の個体群にはない抗原).

al·lo·chei·ri·a, al·lo·chi·ri·a (al′ō-kī′rē-ă, al′ō-kī′rē-ă). 感覚体側逆転（異所感覚の一型で, 一方の肢に加えられた刺激が反対側の肢の感覚として伝えられる). = allaesthesia; Bamberger sign(2).

al·lo·cor·tex (al′ō-kōr′teks). 異種皮質, 不等皮質（大脳皮質の数か所, 特に嗅覚皮質と海馬を示す, O. Vogt の用語で, 同種皮質 isocortex より細胞層数が少ないのが特色. →cerebral cortex). = heterotypic cortex.

al·lo·dip·loid (al′ō-dip′loyd). アロディプロイド, 異質二倍体（→alloploid).

al·lo·dyn·i·a (al′ō-din′ē-ă). 異痛〔症〕（通常は痛くない刺激で痛みが起こる状態).

al·lo·e·rot·ic (al′ō-ĕr-ot′ik). 他体愛の. = heteroerotic.

al·lo·er·o·tism (al′ō-ār′ō-tizm). 他体愛（性的に他者にひかれること. *cf.* autoerotism). = heteroerotism.

al·lo·ge·ne·ic graft 同種異系移植片. = allograft.

al·lo·graft (al′ō-graft). 同種移植片, 〔同種〕異系移植片（受容者と同種であるが, 遺伝学的に異なる個体からの移植片). = allogeneic graft; homologous graft; homoplastic graft.

al·lo·graft re·jec·tion 同種移植拒絶（同一種に属すが, 遺伝的に差異のある個体間で移植された組織が拒絶されること. T リンパ球が移植片の外来主要組織適合抗原複合体に反応することによって起こる).

al·lo·ker·a·to·plas·ty (al′ō-ker′ă-tō-plas-tē). 異物〔使用〕角膜移植〔術〕（不透明な角膜組織を透明なプロテーゼ(通常はプラスチック)で置き換える方法).

al·lo·la·li·a (al′ō-lā′lē-ă). 発語障害（言語障害, 特に大脳の疾患に起因するもの).

al·lom·er·ism (ă-lom′ĕr-izm). 異質同形（化学組成は異なるが, 同じ結晶形を有する状態).

al·lo·mor·phism (al′ō-mōr′fizm). ***1*** 異形症（細胞の形態の変化. 原因には機械的なもの(例えば, 圧力により平らになること)や進行化生によるもの(例えば, 胆管細胞が肝細胞に変化すること)がある). ***2*** 同質異像仮晶（化学組成は相似であるが構造が違うこと. 特に結晶性無機質についていう).

al·lo·path·ic (al′ō-path′ik). 逆症療法の, 異症療法の.

al·lop·a·thy (al-op′ă-thē). 逆症療法, 異症療法, アロパシー（古い治療法. 医療の伝統的な型. *cf.* homeopathy). = heteropathy(2).

al·lo·plast (al′ō-plast). アロプラスト（①不活性金属やプラスチック材料の移植片. ②組織への移植に用いる比較的不活性な異物).

al·lo·plas·ty (al′ō-plas-tē). 同種〔移殖〕形成〔術〕（同種移殖による欠陥修復).

al·lo·ploid (al′ō-ployd). 異質倍数体（2 種の異なる祖先に由来する染色体を 2 組以上有する雑種個体あるいは雑種細胞についていう).

al·lo·ploi·dy (al′ō-ploy′dē). 異質倍数性（異質倍数体になっている状態).

al·lo·pol·y·ploid (al′ō-pol′i-ployd). 異質〔多〕倍数体（3 組以上の染色体セットを有する異質倍数体).

al·lo·pol·y·ploi·dy (al′ō-pol′i-ploy′dē). 異質〔多〕倍数性（異質多倍数体になっている状態).

al·lo·psy·chic (al′ō-sī′kik). 外界〔精神〕の（外界に関連する精神過程についていう).

al·lo·rhyth·mi·a (al′ō-ridh′mē-ă). 反復調律, 反復リズム, 周期性不整脈（心臓の不整脈が一定の型をもって反復されること).

al·lo·rhyth·mic (al′ō-ridh′mik). 反復調律の, 反復リズムの, 周期性不整脈の.

al·lo·some (al′ō-sōm). 異質染色体（常染色体と形や動きが異なり, ときに生殖細胞に不均一に分布している染色体の 1 つ). = heterochromosome; heterotypical chromosome.

al·lo·ste·ric (al′ō-ster′ik). アロステリズムの.

al·lo·ste·ric site アロステリック部位（その酵素が関与する生合成経路の最終生成物であると考えられる化合物が結合して, 酵素のコンフォメーションを変えることによって, その酵素の活性に影響を与えると仮定される活性部位以外の酵素上の部位).

al·lo·ster·ism, al·lo·ste·ry (al′ō-ster′izm, al′ō-ster′ē). アロステリズム（蛋白の立体配座の変化により, 酵素活性またはリガンドの蛋白への結合が影響を受けること. 酵素の活性部位以外の部位(アロステリック部位)に, 基質あるいは他のエフェクターが結合することによって生じる. *cf.* hysteresis).

al·lo·tope (al′ō-tōp). アロトープ（アロタイプの定常部位あるいは非可変部位の抗原決定基).

al·lo·trans·plan·ta·tion (al′ō-trans′plan-tā′shŭn). 同種移植〔術〕（同種移植片を移植すること).

al·lo·trope (al′ō-trōp). 同素体（元素がとりうる同素形態の 1 つ).

al·lo·tro·pic (al′ō-trō′pik). ***1*** 同質異形の, 同

素体の．*2* 他人指向の（他人の反応に気をとられることを特徴とする人格のタイプについていう）．

al·lot·ro·pism, al·lot·ro·py (ă-lotʹrō-pizm, -lotʹrō-pē)．同質異形，同素体（ある種の元素が，物理的性状の異なる数種の形態をとって存在すること．例えば，カーボンブラック，黒鉛，ダイヤモンドはすべて純粋の炭素である）．

al·lo·type (alʹō-tīp)．アロタイプ（あるクラスの免疫グロブリンのように，同一種の同様な機能を有する分子間で生じる遺伝的に決定された抗原性の相違の1つずつの型．→antibody）．

al·lo·typ·ic (alʹō-tipʹik)．アロタイプの．

al·low·ance (aʹlow-ans)．*1* 許可，割当．*2* 許容量．

alloxuraemia [Br.]. = alloxuremia.

al·lox·u·re·mi·a (alʹoks-yūr-ēʹmē-ă)．アロクスール血〔症〕（血液中にプリン塩基が存在すること）. = alloxuraemia.

al·lox·u·ri·a (alʹoks-yūrʹē-ă)．アロクスール尿〔症〕（尿にプリン体が存在すること）．

al·loy (alʹoy)．合金（2種以上の金属を混合してつくる物質）．

all·spice (awlʹspīs)．オールスパイス；*Pimenta officinalis*（乾燥果実は駆風剤や香辛料として用いられる．局所麻酔剤としての価値があるとされる）. = Jamaica pepper.

Al·mei·da dis·ease アルメーダ病. = paracoccidioidomycosis.

Al·oe ve·ra バルバドスアロエ（植物由来の薬で，局所的には傷の手当てに用い，内用では刺激性下剤として用いる(長期使用は血液疾患を誘発することがある)．これ以外の治療法も報告されているが，臨床的には確認されていない）. = first aid plant; hsiang-dan; kumari; lu-hui.

a·lo·gi·a (ă-lōʹjē-ă)．アロギー（①= aphasia. ②精神遅滞または痴呆による会話不能）．

al·o·pe·ci·a (al-ō-pēʹshē-ă)．脱毛〔症〕（毛髪がないこと，あるいはなくなること）. = baldness.

al·o·pe·ci·a ad·na·ta 先天性脱毛〔症〕（睫毛の発育不良．→alopecia congenitalis）. = madarosis.

al·o·pe·ci·a ar·e·a·ta 円形脱毛〔症〕（原因不明の疾患で，頭皮，眉毛，顔のひげの部分に，通常は非対称性で非瘢痕性の限局性脱毛を特徴とする）. = alopecia circumscripta; Cazenove vitiligo; Jonston alopecia.

al·o·pe·ci·a ca·pi·tis to·ta·lis 〔完〕全頭部脱毛〔症〕. = alopecia totalis.

al·o·pe·ci·a cir·cum·scrip·ta 限局性脱毛〔症〕. = alopecia areata.

al·o·pe·ci·a con·ge·ni·ta·lis 先天性脱毛〔症〕（出生時に毛がまったくないこと．精神運動発作に合併する場合もある）．

al·o·pe·ci·a he·re·di·ta·ri·a 遺伝性脱毛〔症〕. = androgenic alopecia.

al·o·pe·ci·a mar·gi·na·lis 辺縁脱毛〔症〕（髪際部の脱毛で，黒人に最も好発する．通常は一時的なもので，慢性的な毛の引っ張りによって起こる．長期間にわたって毛を引っ張り続けると永久脱毛を起こすことがある）．

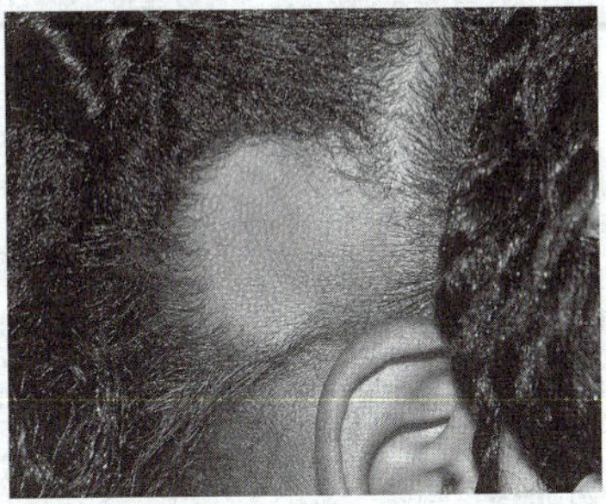

alopecia areata

al·o·pe·ci·a me·di·ca·men·to·sa 薬物性脱毛〔症〕（各種薬物の投与によって生じるびまん性の脱毛で，頭髪に最も顕著に現れる）．

al·o·pe·ci·a pit·y·ro·des 粃糠性脱毛〔症〕（頭髪および体毛の脱毛で，多量のぬか状の落屑を伴う）．

al·o·pe·ci·a symp·to·ma·ti·ca 症候性脱毛〔症〕（種々の体質性疾患や局所疾患にかかっているとき，あるいは持続性の熱性疾患後に生じる脱毛）．

al·o·pe·ci·a to·ta·lis 〔完〕全脱毛〔症〕（非常に短期間に生じるか，限局性脱毛，特に円形脱毛症から進行する頭髪の全脱毛．*cf.* alopecia universalis）. = alopecia capitis totalis.

al·o·pe·ci·a u·ni·ver·sa·lis 全身性脱毛〔症〕（体のすべての部分の毛が全部なくなること．*cf.* alopecia totalis）．

al·o·pe·cic (alʹō-pēʹsik)．脱毛〔症〕の．

al·pha (α) (alʹfă)．アルファ（①ギリシア語アルファベットの第1字．科学の多くの分野で，命名の際，分類記号として用いる．② Bunsen 溶解度係数の記号．③化学においては，系列中の1番目．例えば，カルボキシル基に隣接する位置や類縁化合物の系列中最初のもの．脂肪族鎖上の芳香族置換基や化学結合が観測者から遠ざかって行く方向に向いていることなどを示す．④ alpha particle の略．⑤化学においては，旋光度 optical rotation の角度，解離度を表す記号．この接頭語で始まる用語については，各化合物の項参照）．

al·pha (α)-ad·re·ner·gic block·ing a·gent α-アドレナリン遮断薬（受容体の部位で α-アドレナリン作動性アゴニストと競合する薬物の分類．いくつかの薬物は α_1 受容体と α_2 受容体の両方と競合(例えば，ペントラミン，ジベンジリン)し，他に主に α_1 受容体と競合(例えば，プラゾシン，テラゾシン)または α_2 受容体と競合(例えば，ヨヒンビン)するものがある）. = α-adrenoceptor antagonist.

al·pha (α)-ad·re·ner·gic re·cep·tors α アドレナリン作用(作動)性レセプタ(受容体)（薬物により選択的活性化および遮断を起こしうる

効果器官組織中のアドレナリン作用性受容体．アドレナリン作用性受容体のみを遮断するフェノキシベンザミンのような特定の薬物や同じアドレナリン作用性受容体のみを活性化させるメトキシアミンなど，他の薬物の機能から概念的に派生してきた．このような受容体は α 受容体とよばれ，それらの活性化は，末梢血管抵抗の増加，散瞳や立毛筋の収縮などの生理的応答を引き起こす）．

al·pha (α)-adre·no·cep·tor an·tag·o·nist = alpha (α)-adrenergic blocking agent.

al·pha (α)-a·mi·no ac·id α-アミノ酸（典型的には一般式 R-$CHNH_2$-COOH（すなわち α 位に NH_2 が存在する）をもつアミノ酸．L 体は蛋白の加水分解生成物である）．

al·pha (α)-a·mi·no·suc·cin·ic ac·id α-アミノコハク酸．= aspartic acid.

al·pha (α) an·gle アルファ角（①眼の節点で互いに交わる視線と眼軸との間の角．②角膜曲線の主軸と視線との間の角）．

al·pha (α)₁-an·ti·chy·mo·tryp·sin α_1-アンチキモトリプシン（消化性プロテアーゼ，キモトリプシンのインヒビター蛋白）．

al·pha (α)₂ an·ti·plas·min α_2 アンチプラスミン（線維素溶解系の主要成分であるプラスミンおよびプラスミノゲンの主要プロテアーゼ抑制因子．凝固接触因子，第 Xa 因子，およびトロンビンを含むその他のセリンプロテアーゼの働きも抑制する）．

al·pha (α)₁ -an·ti·tryp·sin de·fi·cien·cy α_1-アンチトリプシン欠損症（血清蛋白分解阻害酵素の 1 つが欠損したもので，結節性非化膿性脂肪織炎が繰り返し起こる）．

al·pha (α)₁ an·ti·tryp·sin de·fi·cien·cy pan·nic·u·li·tis アルファ(α)抗トリプシン欠乏症脂肪織炎（重症の抗トリプシン欠乏症に見られる，痛みを伴う皮下結節）．

al·pha (α) bands α 帯（筋線維の筋原線維の中にある，暗い色の異方性の横紋．厚いミオシンと薄いアクチンのフィラメントが重なった領域である）．

al·pha (α) cells アルファ細胞（①下垂体前葉の細胞の約 35％を構成する好酸性細胞．これには 2 種類あり，1 つは成長ホルモンを，他は乳腺刺激ホルモンをつくる．② Langerhans 島の細胞．グルカゴンを分泌する．③= A cells）．

al·pha (α) chain アルファ(α)鎖（① 21 個のアミノアシル残基を含む，インスリンのポリペプチド成分．②一般的には，多重蛋白質複合体中のポリペプチドの 1 つ）．

al·pha (α)-dex·trin en·do-1,6-α-glu·co·si·dase α-デキストリンエンド-1,6-α-グルコシダーゼ（イソアミラーゼと類似作用をもつ酵素．プラランン，アミロペクチン，グリコゲン，およびアミロペクチンやグリコゲンの α-, β-アミラーゼ限界-デキストリンにおける 1,6-α-グリコシド結合を切る．*cf.* isoamylase）．

al·pha (α) er·ror = error of the first kind.

al·pha (α) fi·bers アルファ線維（太い運動神経線維あるいは固有受容系線維．80—120 m/sec でインパルスを伝導する）．

al·pha (α)-D-ga·lac·to·sid·ase α-D-ガラクトシダーゼ（α-D-ガラクトシドの遊離 D-ガラクトースへの加水分解を触媒する酵素．A 型 α-D-ガラクトシダーゼの欠損により Fabry 病になる）．

al·pha (α) gran·ule アルファ顆粒（アルファ細胞の顆粒で，命名の由来は，数種類のなかで最初のもの，または好酸性であることからである）．

al·pha (α)-he·mo·lyt·ic strep·to·coc·ci α 型溶血連鎖球菌（血液寒天培地上の集落の部分に緑色の種々の還元ヘモグロビンを形成する連鎖球菌．→*Streptococcus viridans*）．

Al·pha·her·pes·vir·i·nae (al′fă-hĕr′pēz-vir′i-nē)．アルファヘルペスウイルス科（単純ヘルペスウイルスおよび水痘ウイルスが属するヘルペスウイルス科のなかの亜科）．

al·pha (α)-li·no·le·nic ac·id アルファリノレン酸，α-リノレン酸（オメガ 3 脂肪酸の 1 つで，次の化学組成を持つ．オールシス-9,12,15-オクタデカトリエン酸，あるいは 18 : 3(n-3)）．

al·pha-1 (α₁)-lip·o·pro·tein α_1-リポ蛋白（比較的分子量が小さく，高比重，リン脂質に富むリポ蛋白分画．ヒトの血漿の α_1-グロブリン分画に見出される）．

al·pha (α) low·er mo·tor neu·ron = alpha (α) motor neuron.

al·pha (α) mo·tor neu·ron α 運動ニューロン（骨格筋に終わる運動ニューロン．中枢神経系からメッセージを送り，意識的な，随意的な運動を開始させ，持続させる．*cf.* gamma motor neuron; alpha (α) lower motor neuron）．

al·pha (α) par·ti·cle アルファ(α)粒子（正の電荷($2e^+$)をもち，2 個の陽子と 2 個の中性子で構成される粒子．原子番号の大きい(質量数 82 以上)不安定な同位元素の原子核から大きいエネルギーをもって放出される．ヘリウムの原子核に等しい）．

al·pha (α) rhythm アルファ(α)律動，アルファ(α)波（①脳波上 8—13 Hz の周波数帯にある波形．②覚醒時に目を閉じてリラックスした人にみられる後頭優位の 8—13 Hz の律動で，開眼で減衰する）．= alpha wave.

al·pha (α)-strep·to·coc·ci α 型溶血連鎖球菌（血液寒天培地上の集落の部分に緑色の種々の還元ヘモグロビンを形成する連鎖球菌）．

al·pha (α) thal·as·se·mi·a α サラセミア（グロビンの α 鎖合成を制御する 2 つ以上の遺伝子のうち 1 つが存在することによるサラセミア）．

al·pha·vi·rus (al′fă-vī′rŭs)．アルファウイルス属（トガウイルス科の一属で，以前は A 群アルボウイルスに分類されていた．東部ウマ脳炎，西部ウマ脳炎，およびベネズエラウマ脳炎の原因となるウイルスを含んでいる）．

al·pha (α) wave アルファ(α)波．= alpha rhythm.

Al·pin·i·a car·da·mom = cardamom.

Al·port syn·drome アルポート症候群（顕微鏡的血尿，緩徐に進行する腎不全と関係する腎炎，感音難聴，レンズ円錐や黄斑病などの視覚異常を特徴とする遺伝的に多彩な疾患である．常染色体優性，常染色体劣性，X連鎖劣性の型が存在する．X連鎖型はX染色体長腕のⅣ型コラーゲン α-5 遺伝子(COL4A5)の突然変異によって起こる．常染色体劣性型は第2染色体長腕のⅣ型コラーゲン α-3 遺伝子(COL4A3)または α-4 遺伝子(COL4A4)の突然変異による)．

ALS amyotrophic lateral sclerosis; antilymphocyte serum の略．

Al·ström syn·drome アルストレーム症候群（眼球振とうを伴った網膜変性と中心視野の欠如で，小児期の肥満を伴う．感音難聴と糖尿病が通常は10歳以後に起こる．常染色体劣性遺伝)．

ALT alanine aminotransferase の略．

ALT:AST ra·ti·o ALT : AST 比（血清のアラニンアミノ転移酵素とアスパラギン酸塩アミノ転移酵素の比．両酵素の血清レベル上昇は肝疾患の特徴である．両酵素レベルが異常に高く，ALT : AST が 1.0 以上であれば重症肝壊死かアルコール性肝疾患が疑われる．この比が 1.0 未満であれば急性非アルコール性肝疾患の可能性が高い)．

ALTE apparent life-threatening event の略．

Al·te·mei·er op·er·a·tion アルトマイアー手術（脱出した直腸，結腸の輪状切除と経肛門的吻合を伴う直腸脱に対する手術)．

al·ter·nans (awl-ter′nanz). ***1*** 〖adj.〗交代〔性〕の，交互〔性〕の．***2*** 〖n.〗 交互脈．

Al·ter·na·ri·a (awl-tĕr-nā′rē-ă). アルテルナリア属（真菌類の一属．容易に空気中から分離され，一般的な実験室汚染菌およびアレルゲンとみなされている．ときにヒトに対して病原性をもつ)．

al·ter·nate cov·er test 交代遮へい試験（斜視または斜位の検出法．小さな固視像を注視させ，一眼を数秒遮へいし，その後遮へいは速やかに瞭眼に移動される．もし，遮へいされていた眼が動いた場合，斜視または斜位が存在する)．

al·ter·nate lev·el of care 代替レベルのケア（身体障害の程度が急性期の水準には達していない患者に提供される治療法．この段階の治療には，多くの選択肢(たとえば長期ケア施設，レスパイトケア，在宅ケア)がある.)．

al·ter·nat·ing cur·rent (AC, ac, a.c.) 交流（一定周期内で交互に方向を変える電流．例えば，60 サイクル(Hz)の電流)．

al·ter·nat·ing pres·sure air mat·tress 圧力分散エアマットレス（通常のベッド・マットレスの上に置かれるエアマットレス．皮膚の完全性を促進し，皮膚のブレークダウンを防ぐために用いられる．空気で満たされた小溝を有し，これに空気が入ったり出たりすることで，動けなくなったり，衰弱したりしていて，体重移動を頻繁にできない患者の骨の隆起から伝わる体重を支える)．

al·ter·nat·ing pulse 交互脈（時間的には規則的であるが，強い脈と弱い脈が交互に現れ，しばしば血圧計か他の圧測定器でしか探知できず，通常は重症の心筋病変があることを示す)．= pulsus alternans.

al·ter·nat·ing trem·or 交代振せん（過運動症の一形態．規則的・対称的前後運動(毎秒約4回)を特徴とし，筋肉と拮抗筋のパターン化した変動収縮により生じる)．

al·ter·na·tion (awl′tĕr-nā′shŭn). 交代，交互，交互脈（2つの事柄や局面が，連続して反復的に起こること)．

al·ter·na·tive med·i·cine 代替医療（その理論的基礎や技術が現代の科学的医学のそれと異なっている雑多な衛生，診断，および治療思想や医療グループについて用いる言葉．そのなかには，薬による治療や手術よりも自然な衛生学的および治療薬的手法をより多く用いるという点以外は伝統医学と同じであるもの，超自然的，魔術的，カルト的で古代または現代の思想的ないし宗教的体系に根ざすもの，素朴で偽りでつじつまが合わない解剖，生理，精神，病理および薬理的な概念に基づくもの，詐欺的で，無知の健康熱望者や自分が自覚する保健ニーズに科学的な医学が合わない人を食い物にするように計画されたものもある．代替保健医療は米国の一部の地域では移住者，特にアジア系やスペイン系の人々によって持ち込まれている．代替医療の多くの分家に共通してみられるものは身体，心および精神の統合を強調した全体論的な健康観である．いずれも，妥当な科学根拠や有効性の証明を欠いており，主流の医学の1つとして認められていない)．= complementary medicine.

al·ter·na·tive splic·ing 可変スプライシング，選択的スプライシング（いろいろなエクソンの集合の仕方によりいろいろな成熟 mRNA を産生すること)．

al·the·a (al-thē′ă). アルテア（ヨーロッパの湿地でみられる多年草アオイ科ビロウドアオイ *Althea officinalis* から採れる．デンプン，ペクチン，糖を高い割合で含む．香料，粘滑剤として用いる)．= hollyhock; marshmallow root.

al·ti·tude sick·ness 高山病（(高所などで)吸入酸素分圧が低い場合に起こる症候群で，吐き気，頭痛，呼吸困難，倦怠，および不眠症を特徴とする．重症の場合には肺水腫や成人性呼吸窮迫症候群が起こりうる)．= Acosta disease; mountain sickness; aerial sickness.

Alt·mann an·i·lin-ac·id fuch·sin stain アルトマンのアニリン酸性フクシン染料（ピクリン酸，アニリン，酸性フクシンの混合液で，黄色の背景に対しミトコンドリアを深紅色に染める)．

Alt·mann fix·a·tive アルトマン固定液（オスミウム酸二クロムの固定液)．

a·lu·mi·no·sis (ă-lū′min-ō′sis). アルミニウム肺〔症〕（アルミニウム粉塵を肺へ吸入することにより引き起こされる塵肺症)．

a·lu·mi·num (Al) (ă-lū′min-ŭm). アルミニウム（銀白色の非常に軽い金属．原子番号 13，原子量 26.981539．多種の塩や化合物が医学，歯学で用いられている)．

al·um·root (al′ŭm-rūt). = cranesbill.

al·ve·i (al′vē-ī). alveus の複数形．

al·ve·o·al·gi·a (al-vē′ō-al′jē-ă). 歯槽痛（抜歯後の合併症で，抜歯窩の血餅が分解し，その結果，局所の骨髄炎と激しい痛みを生じる）. = alveolalgia.

al·ve·o·lal·gia (al-vē′ō-lal′jē-ă). = alveoalgia.

al·ve·o·lar (al-vē′ŏ-lăr). 槽の，歯槽の，肺胞の.

al·ve·o·lar ab·scess 歯槽膿瘍（顎骨の歯槽突起内にみられる膿瘍で，そのほとんどが当該する失活歯に起因した感染が拡大波及することにより生じる）. = dental abscess; dentoalveolar abscess.

al·ve·o·lar air 肺胞気. = alveolar gas.

al·ve·o·lar air e·qua·tion 肺胞空気方程式（吸入酸素濃度比率，動脈血炭酸ガス圧，呼吸交換比（炭酸ガス生成量を酸素消費量で除したもの）がわかっている場合に，肺胞酸素圧を概算する方程式）.

al·ve·o·lar-ar·te·ri·al ox·y·gen dif·fer·ence 細胞-動脈血酸素較差（肺胞腔と動脈血液との間の酸素分圧の差あるいは勾配，すなわち $P_{(A-a)}O_2$. 若年成人におけるこの値は，通常 20 mmHg 以下である）.

al·ve·o·lar-ar·te·ri·al ox·y·gen ten·sion dif·fer·ence 肺胞-動脈血間酸素分圧差. = A-aO_2 difference.

al·ve·o·lar ca·nals of max·il·la〔上顎骨の〕歯槽管（神経および血管を歯槽孔から上顎歯に送達する上顎体内の管）.

al·ve·o·lar-cap·il·lar·y mem·brane 肺胞毛細管膜（呼吸の際に気体が必ず通らなければならない肺胞上皮，間質スペース，および毛細管内皮の障壁. 健常者では約 1 ミクロンの厚さで，通常は気体の拡散に対しほとんど障害とならない）.

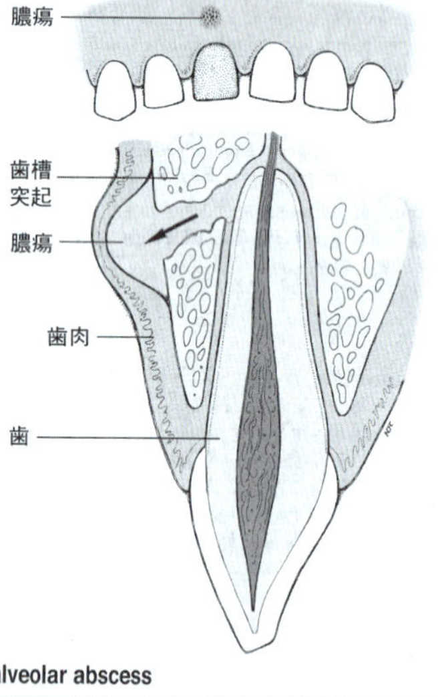
膿瘍
歯槽
突起
膿瘍
歯肉
歯
alveolar abscess

al·ve·o·lar cell 肺胞細胞（肺胞を被包する細胞の総称. 扁平肺胞上皮細胞，巨大肺胞細胞，肺胞マクロファージを含む）.

al·ve·o·lar cell car·ci·no·ma 肺胞細胞癌. = bronchiolar carcinoma.

al·ve·o·lar con·so·nant 歯茎音（舌と顎堤（歯槽堤）が触れ合っているときに生じる音素（"t" および "d"））.

al·ve·o·lar dead space 肺胞死腔（生理的死腔と解剖学的死腔との差. 相対的に灌流の悪い，またはまったく灌流されない肺胞の換気が原因で生じる生理的死腔のその部分を表している. 機能的肺胞と外部環境との間の伝導管内に介在するというよりはむしろ機能的肺胞と並んで，満たしたり空にしたりするように置かれている点が，特異的に異なる）.

al·ve·o·lar duct = ductulus alveolaris. ***1*** 肺胞管（呼吸細気管支より遠位の気道部分. ここから肺胞嚢および肺胞が始まる）. ***2*** 腺胞管（乳腺の中で最小の小葉内導管. これに向かって分泌胞が開いている）.

al·ve·o·lar gas 肺胞気（下付き記号 A. 肺胞内の気体で，酸素-二酸化炭素交換は肺毛細管血液により行われる）. = alveolar air.

al·ve·o·lar gin·gi·va 歯槽歯肉（歯槽骨をおおっている歯肉）.

al·ve·o·lar gland 胞状腺（腺単位が胞状をなし，広い管腔をもっている腺. 例えば，分泌中の乳腺）.

al·ve·o·lar in·dex = basilar index.

al·ve·o·lar mac·ro·phage 肺胞マクロファージ（肺胞上皮の表面に存在する活性化マクロファージで，外界からの塵埃や異物を細胞内に取り込む）. = coniophage; dust cell.

al·ve·o·lar pe·ri·od of lung de·vel·op·ment 肺発生の肺胞期（毛細血管が肺胞に突き出す，胎児 32 週から 8 歳までの期間. 成熟した肺胞は出生までは形成されない）.

al·ve·o·lar point = prosthion.

al·ve·o·lar pores 肺胞孔（隣接する肺胞間の空気の流通を許す肺の肺胞間の空間）.

al·ve·o·lar pro·cess 歯槽突起（上顎骨あるいは下顎骨の骨の一部で，歯をとり囲んで支える）.

al·ve·olar ridge 歯槽突起. = alveolar process.

al·ve·o·lar sac 肺胞嚢（肺胞を生じさせている肺胞管の膨らみ，肺組織にある小気室で，そこから肺胞が湾のように突出し，そこへ肺胞管が開いている）. = sacculus alveolaris.

al·ve·o·lar soft part sar·co·ma 胞状軟部肉腫（結合組織の網状基質からなる悪性腫瘍で，大型の円形または多角形の細胞群を胞状に囲む. 皮下および線維筋性組織中にみられる）.

al·ve·o·lar ven·ti·la·tion ($\dot{V}_A$) 肺胞換気〔量〕（1 分間に肺胞から体外に呼出される気体量. 呼吸容量から死腔を減じたもの（V_T-V_D）に呼吸数（f）を乗じて計算される. 単位は mL/min BTPS）.

al·ve·o·lec·to·my (al′vē-ō-lek′tŏ-mē). 歯槽骨切除〔術〕（歯槽突起の一部の外科的切除. 歯槽

頂を再形成し，補てつを容易にするために抜歯時に行う）．

al·ve·o·li (al-vē′ō-lī)．alveolus の複数形．

al·ve·o·lin·gual (al-vē′ō-ling′gwăl)．= alveololingual.

al·ve·o·li pul·mo·nis = pulmonary alveoli.

al·ve·o·li·tis (al′vē-ō-lī′tis)．***1*** 肺胞炎．***2*** 歯槽〔骨〕炎．

alveolo- 胞，槽，歯槽突起，歯槽，肺胞との関連を示す連結形．

al·ve·o·lo·cap·il·lar·y block 肺胞毛細血管ブロック（肺胞腔内の空気と肺胞毛細血管内の血液との間にガスの拡散を障害する物質が存在すること．ブロックは浮腫，細胞浸潤，線維症あるいは腫瘍によって起こり，末梢動脈血の酸素の不飽和をもたらす）．

al·ve·o·lo·cap·il·lar·y mem·brane 肺胞血管膜（肺胞でのガス交換関門）．

al·ve·o·lo·cla·si·a (al-vē′ŏ-lō-klā′zē-ă)．歯槽崩壊．

al·ve·o·lo·den·tal (al-vē′ŏ-lō-den′tăl)．歯槽〔歯〕の（歯槽および歯に関する）．

al·ve·o·lo·den·tal lig·a·ment = periodontal ligament.

al·ve·o·lo·den·tal mem·brane = periodontal ligament.

al·ve·o·lo·la·bi·al (al-vē′ŏ-lō-lā′bē-ăl)．歯槽唇側の（上顎と下顎の歯槽突起の唇側面あるいは前庭(外側面)に関する）．

al·ve·o·lo·lin·gual (al-vē′ŏ-lō-ling′gwăl)．歯槽舌側の（下顎の歯槽突起の舌側面(内側面)に関する）. = alveolingual.

al·ve·o·lo·pal·a·tal (al-vē′ŏ-lō-pal′ă-tăl)．歯槽口蓋側の（上顎の歯槽突起の口蓋面に関する）．

al·ve·o·lo·plas·ty (al-vē′ŏ-lō-plas-tē)．歯槽形成〔術〕，歯槽整形（義歯装着のために，歯槽堤に施す外科的処置．歯の抜去後，抜歯槽縁を形成したり，平らにし，続いて最良の治癒をするように縫合する）. = alveoplasty.

al·ve·o·lot·o·my (al-vē-ŏ-lot′ŏ-mē)．歯槽切開〔術〕（根尖周囲膿瘍あるいは他の骨内膿瘍から排膿させるために，外科的に歯槽に穿孔すること）．

al·ve·o·lus, gen. & pl. **al·ve·o·li** (al-vē′ō-lŭs, al-vē′ō-lī)．***1*** 肺胞. = pulmonary alveoli. ***2*** 腺胞（胞状腺，ブドウ状腺の末端にある分泌部）．***3*** 胃小窩（胃壁の蜂巣状小窩）．***4*** 歯槽. = tooth socket.

al·ve·o·plas·ty (al-vē′ŏ-plas′tē)．= alveoloplasty.

al·ve·us, pl. **al·ve·i** (al′vē-ŭs, al′vē-ī)．槽，腔．

a·lym·pho·cy·to·sis (ā-lim′fō-sī-tō′sis)．無リンパ球症（リンパ球の欠如または大量の減少）．

a·lym·pho·pla·si·a (ā-lim′fō-plā′zē-ă)．リンパ形成不全〔症〕（リンパ様組織の無形成あるいは低形成）．

Alz·heim·er dis·ease, Alz·heim·er de·men·ti·a アルツハイマー病（記憶障害と痴呆を起こす進行性変性性疾患．錯乱，視覚空間失見当識，計算不能，判断能力減退を呈する．妄想，幻覚が起こることもある．最も頻度の高い脳変性疾患である Alzheimer 病は，すべての痴呆症例の 70%を占める．中年後期に発症することが多く，典型的には 5—10 年で死亡する）. = Alzheimer dementia; presenile dementia (2); primary senile dementia.

Alz′heim·er scle·ro·sis アルツハイマー硬化〔症〕（脳の中小血管のヒアリン変性）．

al·zyme (al′zīm)．アルジム（抗体と酵素が結合して雑種触媒分子を形成したもの）．

Am アメリシウムの元素記号．

am ammeter の略．

AMA American Medical Association（米国医師会）の略．

am·a·crine (am′ă-krēn)．***1*** 〚n.〛無軸索（長い線維性突起がない細胞または構造）．***2*** 〚adj.〛無軸索の．

am·al·gam (ă-mal′găm)．アマルガム（ある元素または金属と水銀との合金．歯科で用いられ，元来少量の銅，亜鉛，および他の金属を含む銀–スズ合金と，銅を多く含む(重量で 12—30%)銀–スズ合金の 2 種類があり，歯の修復に使われる）．

am·al·gam tat·too アマルガム色素沈着，アマルガム入れ墨（口腔粘膜における青味がかった黒色あるいは灰色の斑状病変で，歯の修復や抜歯の際に組織内に迷入した銀アマルガムが原因で，無症候性である）. = tattoo (3).

Am·a·ni·ta (am′ă-nī′tă)．テングタケ属（菌類の一属．その多くは猛毒を有す）．

Am·a·ni·ta mus·ca·ri·a ベニテングタケ（赤色から黄色の菌傘と白いひだを有する毒キノコの種．精神病様状態やその他の諸症状を生じるコリン様作用のムスカリンを含んでいる）．

Am·a·ni·ta phal·loi·des タマゴテングタケ（ファロイジンやアマニチンを含有する有毒成分を含む種で，胃腸炎，肝臓壊死，腎臓壊死を起こす）．

am·a·ranth (am′ă-ranth)．アマランス（アゾ染料の 1 つ．可溶性赤褐色粉末，溶解するとマゼンタレッドに変化する．食品，医薬品および化粧品の着色剤として，またときには組織学で用いる）. = love-lies-bleeding; red cockscomb.

a·mas·ti·a (ā-mas′tē-ă)．無乳房〔症〕（乳房の欠損）. = amazia.

a·mas·ti·gote (ă-mas′ti-gōt)．無べん毛型. = Leishman-Donovan body.

am·au·ro·sis (am′aw-rō′sis)．黒内障（脳の病巣によるような，特に眼そのものに明瞭な病変がない失明状態）．

am·au·ro·sis fu·gax 一過性黒内障（頸動脈不全，網腔血管の塞栓，または遠心力(飛行中の視覚性ブラックアウト)による一過性虚血に由来する一過性の失明）．

am·au·rot·ic (am′aw-rot′ik)．黒内障〔性〕の．

am·au·rot·ic cat eye 黒内障性猫眼（網膜芽細胞腫または偽網膜膠腫の場合に瞳孔が黄色く光ること）．

am·au·rot·ic fa·mil·i·al id·i·o·cy 家族性黒内障性白痴（劣性の遺伝病の一つ．脂質を含む細胞が内臓と神経系に蓄積することと，精神遅滞および視覚が害されることが特徴).

am·au·rot·ic pu·pil 黒内障瞳孔(眼球または視神経疾患による失明眼での瞳孔. 正常他眼の光刺激を除いては罹患眼の瞳孔は光に対し縮瞳しない).

a·ma·zi·a (ă-mā′zē-ă). = amastia.

am·ba·geu·sia (am′bă-gū′sē-ă). 両側無味覚〔症〕(舌の両面から味覚が失われること).

AMBER (am′bĕr). advanced multiple-beam equalization radiography の頭文字.

am·ber co·don アンバーコドン(終止コドン, UAG).

ambi- 周囲に, 両側の, 両方の, 2重の, を意味する接頭語. ギリシア語の amphi- に相当.

am·bi·dex·ter·i·ty (am′bi-deks-ter′i-tē). 両手利き(両手とも同程度に器用に使えること).

am·bi·dex·trous (am′bi-deks′trŭs). 両手利きの.

am·bi·ent (am′bē-ĕnt). 周囲の(生体または装置が機能する環境についていう).

am·bi·gu·i·ty (am′bi-gyū′i-tē). 迷走性(迷走性, 不確実性を示す状態).

am·big·u·ous ex·ter·nal gen·i·ta·li·a 外性器形成不全(いずれの性か明瞭でない外性器. 不完全に男性化した外性器に対して最もよく用いる. →genital ambiguity).

am·bi·lat·er·al (am′bi-lat′ĕr-ăl). 両側の.

am·bi·le·vous (am′bi-lē′vŭs). 両手不器用の.

am·bi·o·pi·a (am′bē-ō′pē-ă). 複視, 二重視.

am·bi·sex·u·al (am′bi-sek′shū-ăl). 両性の(①乳房や陰毛のような, 両方の性にみられる性的特徴に関する. ②両性感応者の俗語).

am·biv·a·lence (am-biv′ă-lĕns). アンビヴァレンス, 両価性(特定の人や物に対して, まったく相反した態度や感情や観念が共存すること. 同一人に対する愛と憎悪の同時感情およびその表出などをいう).

am·biv·a·lent (am-biv′ă-lĕnt). アンビヴァレンスの, 両価性の.

am·bi·vert (am′bi-vĕrt). 両向型(内向と外向の両極端の間にあって, 両傾向をいくらかずつもっている人).

ambly- 鈍さ, ほのかさ, を示す連結形.

am·bly·a·phi·a (am′blē-ā′fē-ă). 触覚鈍麻(触覚感受性の減退).

am·bly·geus·ti·a (am′blē-gū′stē-ă). 味覚鈍麻(味覚が鈍感なこと).

am·bly·o·gen·ic (am′blē-ō-jen′ik). 弱視惹起性(弱視を誘発すること).

am·bly·o·gen·ic per·i·od 弱視惹起期間(網膜結像不良,(斜視弱視 strabismic amblyopia のような)両側性大脳皮質抑制またはその両者による, 視覚神経系が弱視を生じやすい初期の視覚発達期間).

Am·bly·om·ma (am′blē-ō′mă). キララマダニ属(華麗な, 硬いマダニ(マダニ科)の一属. 眼, 花采, 雄の花采近くに深く食い込んだ腹側板が特徴).

am·bly·o·pi·a (am′blē-ō′pē-ă). 弱視(眼の損傷によらない視覚障害. 人工レンズによっても十分に修正しない).

am·bly·o·pi·a = lazy eye. →extroversion.

am·bly·o·pic (am′blē-op′ik). 弱視の.

am·bly·o·scope (am′blē-ō-skōp). 弱視鏡(両眼視機能の評価や訓練のために用いる反射立体鏡. →haploscope).

am·bo·cep·tor (am′bō-sep-tŏr). アンボセプタ, 両受体(補体結合抗体. 現在は主として補体結合試験の溶血系で用いる抗ヒツジ赤血球抗体の意で用いる).

Am·bu bag アンビュバッグ(酸素や空気で行う蘇生時の陽圧呼吸が可能な非再呼吸弁をもった自己膨張嚢の商標名).

am·bu·lance (am′byū-lăns). 救急車(病人や外傷を受けた人を治療施設へ運ぶのに用いられる車).

am·bu·lance ser·vice = emergency medical service.

am·bu·la·tion (am′byū-lā′shŭn). 歩行(移動または歩き回る行動).

am·bu·la·to·ry, am·bu·lant (am′byū-lă-tōr-ē, am′byū-lănt). 歩行〔可能〕の, 外来(通院)の(歩き回る, あるいは歩き回ることが可能である. 病気や手術の結果として寝かせておく, あるいは入院させる必要のない患者についていう).

am·bu·la·to·ry care 外来〔通院〕医療(内科または外科的医療で, その医療の継続時間が24時

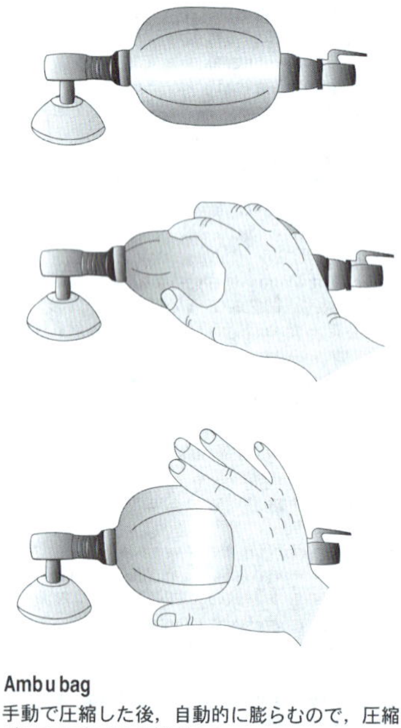

Ambu bag

手動で圧縮した後, 自動的に膨らむので, 圧縮ガスを用意する必要がない.

A

間以内のもので，終了次第，患者が帰宅するような場合をさす．入院患者の医療ではなく外来患者の医療）．

Am·bu·la·to·ry Pa·tient Group 外来患者分類（保健医療コストの返済額を決定するために，類似治療には類似コストの前提に基づいて分類を行う外科的手術による患者の分類）．

Am·bu·la·to·ry Pay·ment Clas·si·fi·ca·tion (APC) 外来支払い分類（米国の医療において，病院が提供する外来診療を分類するためのシステムで，医療費と診断名に基づいて分類する．Centers for Medicare and Medicaid Services が外来診療費を病院に払い戻す割合を決めるために用いる．2000 年に Ambulatory Patient Group (APG) の分類システムから変更された）．

am·bu·la·to·ry phle·bec·to·my 日帰り静脈切除術（皮下の静脈瘤を小さな穴を介して切除する，最小侵襲手術）．

am·bu·la·to·ry set·ting 外来環境（外来患者に，医療サービスが提供される環境）．

am·bu·la·to·ry sur·ger·y 通院手術（手術当日に入院し，手術を受けその日のうちに退院する患者に行う手術．→ambulatory care）. = outpatient surgery; same-day surgery.

AMDR acceptable macronutrient distribution range の略．→Dietary Reference Intake.

a·me·ba, pl. **a·me·bae, a·me·bas** (ă-mē′bă, -bē, -băz)．アメーバ（*Amoeba* 属，またはこれに類似の原生動物に対する一般名）. = amoeba.

a·me·bi·a·sis (am′ē-bī′ă-sis)．アメーバ症（原生動物赤痢アメーバ *Entamoeba histolytica* による感染）．

a·me·bic (ă-mē′bik)．アメーバ〔性〕の，アメーバ様の．

a·me·bic ab·scess アメーバ性膿瘍（肝臓または他の器官の液化壊死の部分でアメーバを含む．しばしばアメーバ赤痢の後にみられる）. = tropical abscess.

a·me·bic co·li·tis アメーバ性大腸(結腸)炎．

a·me·bic dys·en·ter·y アメーバ赤痢（主に赤痢アメーバ *Entamoeba histolytica* の感染によって生じる結腸潰瘍性炎症から起こる下痢．軽症のことも重症のこともあり，また他器官へのアメーバ感染を伴うこともある）．

a·me·bic gran·u·lo·ma アメーバ性肉芽腫. = ameboma.

a·me·bi·ci·dal (ă-mē′bi-sī′dăl)．殺アメーバ性の，抗アメーバ性の．

a·me·bi·cide (ă-mē′bi-sīd)．殺アメーバ薬，抗アメーバ薬（アメーバを死滅させる薬物）．

a·me·bi·form (ă-mē′bi-fōrm)．アメーバ状の（アメーバの形，すなわち外見をしている）．

a·me·bo·cyte (ă-mē′bō-sīt)．アメーバ様細胞（①無脊椎動物にみられる遊走細胞．② *in vitro* の組織培養白血球）. = amoebocyte.

a·me·boid (ă-mē′boyd)．アメーバ様の（①外見や特徴がアメーバに似ている．②末梢突起が不規則な形をしている．平板培養のコロニーの外形についていう）. = amoeboid.

a·me·boid cell アメーバ様細胞（白血球などのアメーバ様移動運動をする細胞）. = wandering cell.

a·me·boid move·ment アメーバ様運動（白血球，アメーバ，その他の単細胞生物の原形質に特有の運動形態．表面圧力が最小の点に原形質が集合し偽足として突出する．原形質が細胞体に復帰すると偽足は退縮する．あるいは集塊全体が偽足中に流入すると細胞が移動する）．

a·me·bo·ma (am′ē-bō′mă)．アメーバ〔性肉芽〕腫（慢性アメーバ症において特に大腸壁にみられる増殖性炎症の結節性腫瘍状病巣）. = amebic granuloma.

am·e·bu·ri·a (am′ē-byūr′ē-ă)．アメーバ尿〔症〕（尿中にアメーバが存在すること）．

a·mel·a·not·ic (ā-mel′ă-not′ik)．メラニン欠乏の．

a·me·li·a (ă-mē′lē-ă)．無肢症（四肢のいずれかまたはすべての先天的欠損）．

am·e·lo·blast (ă-mel′ō-blast)．エナメル芽細胞（発育する歯のエナメル器の内層の円柱上皮細胞の1つ．エナメル基質形成に関与する）．

am·e·lo·blas·tic ad·e·no·ma·toid tu·mor = adenomatoid odontogenic tumor.

am·e·lo·blas·tic fi·bro·ma エナメル上皮線維腫（良性の歯原性混合性腫瘍で，硬組織の沈着を伴わない．歯胚の上皮性および間葉性成分の新生増殖が特徴である．臨床的には，経過の長い無痛性の発育を示し，X 線透過性である．一般的に青少年の下顎に好発する）．

am·e·lo·blas·tic fi·bro·sar·co·ma エナメル上皮線維肉腫（有痛性，骨破壊性の歯原性腫瘍で，急速な発育を示す．X 線透過性である．通常，エナメル上皮線維腫の間葉性成分が悪性転化し，発生する）. = ameloblastic sarcoma.

am·e·lo·blas·tic lay·er エナメル芽細胞層（エナメル器の内層）. = enamel layer.

am·e·lo·blas·tic o·don·to·ma エナメル上皮歯牙腫（良性混合性の歯の腫瘍で，組織学的にはエナメル上皮腫と同定される未分化な成分と，歯牙腫と同定される分化した成分の混合物）．

am·e·lo·blas·tic sar·co·ma エナメル上皮肉腫. = ameloblastic fibrosarcoma.

am·e·lo·blas·to·ma (ă-mel′ō-blas-tō′mă)．エナメル上皮腫（上皮由来の良性の歯原性腫瘍で，組織学的に歯胚のエナメル器に類似しているが，歯の硬組織形成までは分化していない．発育はゆるやかで，膨張性の X 線透過像を示す．好発部位は下顎の後方部で，十分に摘出されなかった場合，再発の危険が高い）．

am·e·lo·den·tin·al (am′ĕ-lō-den′ti-năl)．エナメル質ぞうげ質の. = dentinoenamel.

am·e·lo·gen·e·sis (am′ĕ-lō-jen′ĕ-sis)．エナメル質形成（エナメル質の石灰化と成熟）. = enamelogenesis.

a·mel·o·gen·in (am′el-ō-jen′in)．アメロジェニン（歯のエナメル質形成初期における有機基質の多くを構成する一群の蛋白）．

a·men·or·rhe·a (ā-men-ŏr-ē′ă)．無月経（月経がないこと，または月経の異常な停止）．

a·men·or·rhe·a-ga·lac·tor·rhe·a syn·

drome 無月経-乳汁漏出症候群（非生理的な乳汁分泌で，内分泌的原因または下垂体腫瘍によって起こる）.

a·men·or·rhe·al, a·men·or·rhe·ic (ā′men-or-ē′ăl, -rē′ik). 無月経〔性〕の. = amenorrhoeal.

amenorrhoea [Br.]. = amenorrhea.

amenorrhoea-galactorrhoea syndrome [Br.]. = amenorrhea-galactorrhea syndrome.

amenorrhoeal [Br.]. = amenorrheal.

amenorrhoeic [Br.]. = amenorrheic.

a·men·ti·a (ā-men′shē-ă). アメンチア. = dementia.

a·men·ti·al (ā-men′shē-ăl). アメンチアの.

A·mer·i·can A·cad·e·my of Al·ler·gy and Im·mu·nol·o·gy アメリカアレルギー免疫学会（アレルギーと免疫学の分野における専門家の集団）.

A·mer·i·can A·cad·e·my of Nurs·ing (AAN) アメリカ看護学会（医療と政策に関する，国内外の問題を解決する約1500人の看護リーダーからなる専門家の集団. 看護リーダーは，看護の仕事における業績を評価してフェローとして選ばれる）.

A·mer·i·can A·cad·e·my of Or·thot·ists and Pros·the·tists (AAOP) アメリカ矯正・補綴歯科学会（医療団体の一つ. メンバーは訓練を受けた，矯正と補綴の技術者であり，米国内の全州において矯正と補綴のサービスを提供している. AAOPは，研究と，一定の水準のケアの提供を通して，教育と治療を継続させようと努めている）.

A·mer·i·can A·cad·e·my of Phy·si·cian As·sis·tants (AAPA) アメリカ医師助手学会（医師助手の専門家集団）.

A·mer·i·can A·cad·e·my of Pro·fes·sion·al Co·ders (AAPC) アメリカコーダー学会（医療コーダーに，3つの専門の資格証明を与える全国的組織. 内科医院で勤務するコーダーには，Certified Professional Coder (CPC)，病院で外来患者の請求書作成に当たるコーダーには，Certified Professional Coder-Hospital (CPC-H)，保険会社の支払いに関するコーディングに当たるコーダーには，Certified Professional Coder-Payer (CPC-P)を与える）.

A·mer·i·can As·so·ci·a·tion of Col·leges of Nurs·ing アメリカ看護大学協会（看護における学士号，およびそれを超える学位を授与する米国の教育プログラムの全国的組織）.

A·mer·i·can As·so·ci·a·tion of Med·i·cal As·sis·tants (AAMA) アメリカ医療助手協会（全国に350以上の支部を有する専門集団. この分野の知識の水準を満たしており，普段からそれを維持していることを証明する証明書を与える）.

A·mer·i·can As·so·ci·a·tion for Med·i·cal Tran·scrip·tion (AAMT) アメリカ医療記録協会（現在のAmerican Healthcare Documentation Integrity (AHDI). 医療記録転写士の全国協会）.

A·mer·i·can As·so·ci·a·tion of Neu·ro·log·i·cal Nurs·es (AANN) アメリカ神経学看護師協会（神経学の分野を専門とする看護師の専門集団）.

A·mer·i·can As·so·ci·a·tion of Neu·ro·science Nurs·es (AANN) アメリカ神経科学看護師協会（神経科学の分野を専門とする看護師の専門組織）.

A·mer·i·can As·so·ci·a·tion of Nurse An·es·the·tists (AANA) アメリカ麻酔看護師協会（麻酔看護師の専門組織）.

A·mer·i·can As·so·ci·a·tion of Oc·cu·pa·tion·al Health Nurs·es (AAOHN) アメリカ産業保健師協会（産業衛生を専門とする正看護師の全国的組織）.

A·mer·i·can As·so·ci·a·tion of Re·tired Per·sons (AARP) アメリカ退職者協会（50歳以上の人々に情報，アドボカシー(政策提言)，給付およびサービスを提供する非営利で党派に属さない組織）.

A·mer·i·can Board for Cer·ti·fi·ca·tion in Or·thot·ics and Pros·thet·ics (ABC) アメリカ矯正・補綴認可委員会（矯正・補綴器具のメーカーのトレーニングと水準を評価する全国的な組織. 多くの役割があるが，会員にテストと生涯学習のプログラムを提供するのもその一つである）.

A·mer·i·can Col·lege of Oc·cu·pa·tion·al and En·vi·ron·men·tal Med·i·cine (ACOEM) アメリカ職業医学・環境医学会（職業医学および環境医学の分野で働く臨床医の全国的な組織）.

A·mer·i·can Health In·for·ma·tion Man·age·ment As·so·ci·a·tion (AHIMA) アメリカ健康情報管理協会（この団体から発行される証明書には他にも多くのレベルのものがあるが，スーパーバイザおよびコーダー(たとえば公認健康情報アドミニストレータ(RHIA)，登録健康情報技術者(RHIT)，認定コーディング助手(CCA)および認定コーディング専門家(CCS1))に対して各種の証明書を与える団体）.

A·mer·i·can Law In·sti·tute rule 米国法律協会〔則〕（犯罪責任についての1962年の規定. "もしも犯罪行為の時点において，精神病あるいは精神的欠陥の結果として，当人に自分の行為の善悪を判断する実質的な能力あるいは自分の行為を法の要求に適合させる実質的な能力が欠けている場合には，当人は犯罪行為に対して責任がない" と述べられている）.

A·mer·i·can leish·man·i·a·sis アメリカリーシュマニア症，皮膚フランベシア. = mucocutaneous leishmaniasis.

A·mer·i·can Man·u·al Al·pha·bet 米国手話アルファベット（アルファベットの各文字を表すために使用する手および指の特定の位置や形. 米国手話やその他の符号言語で使用する. → augmentative and alternative communication; fingerspelling; sign language）.

A·mer·i·can Med·i·cal As·so·ci·a·tion (AMA) アメリカ医師会（医師の専門組織）.

A·mer·i·can mis·tle·toe アメリカヤドリギ（ホラデンドロン・ロイカープム，クリスマスの飾りとして最もよく見かける植物. 内部疾患の治療において，また抗癌剤として薬理効果があるとされる).

A·mer·i·can Na·tion·al Stand·ards In·sti·tute (ANSI) 米国規格協会（米国における物理的な基準値を定める機関).

A·mer·i·can Nurs·es As·so·ci·a·tion (ANA) アメリカ看護師協会（54 の下部の州協会組織を通して，米国の 270 万人の正看護師を代表するフルサービスの専門家集団．高い水準の看護の実践を促進し，職場における看護師の経済的，一般的な福祉を増進し，看護に対して現実的で肯定的な見方を表現し，看護師および国民に影響を与える医療問題について，連邦議会および監督官庁に働きかけることによって，看護師の仕事を発展させる).

A·mer·i·can Nurs·es Cre·den·tial·ing Cen·ter (ANCC) アメリカ看護師認証機構（プログラムや関連サービスを認証することによって，看護と医療における優れた取り組みを国際的に奨励することを使命とする．医療従事者を認証し，教育機関，教育認可者および教育プログラムを認可し，看護と医療サービスにおける優れた取り組みを認定し，国民を教育し，他団体と協力し，認証サービスに対する理解を促進し，研究，教育および相談業務を通して，認証業務を支援する).

A·mer·i·can Sign Lan·guage (ASL) アメリカ手話（米国において，ろう(聾)者が用いる手による合図および身振り．英語とは区別され，それ独自の文法とシンタックス(統語論)をもつが文語体をもたない).

A·mer·i·can sloe = black haw.

A·mer·i·can So·ci·e·ty of An·es·the·si·ol·o·gists (ASA) Pa·tient Clas·si·fi·ca·tion Sta·tus アメリカ麻酔科医協会患者分類区分（患者の状態の 5 段階簡易評価で，ⓘ健康，ⓘⓘ軽度の全身疾患，ⓘⓘⓘ重度の全身疾患，ⓘⓥ生命の危機を伴う重度の全身疾患，ⓥ外科的介入を行わなければ，24 時間以内に死に至る，重度の病状).

A·mer·i·cans with Dis·a·bil·i·ties Act (ADA) 米国人心身障害者法（心身障害者が雇用および教育の機会を平等に与えられ，公共宿泊施設，輸送，遠距離通信手段が利用でき，政府のサービスがすべての面で受けられることを保証する連邦法(公法 101—336，1990 年制定)).

A·mer·i·can wild yam = colic root.

A·mer·i·can worm·seed = epizote.

am·er·i·ci·um (Am) (am′ĕ-rish′ē-ŭm)．アメリシウム（ウランを中性子で衝撃するか，プルトニウム 241,242，および 243 の β 崩壊によって得る元素．原子番号 95，原子量 243.06．^{241}Am (半減期 432.2 年)は骨疾患の診断に用いられている．^{243}Am は半減期 7370 年である).

Ames test エイムス試験（ヒスチジン生合成系を欠損しているネズミチフス菌 *Salmonella typhimurium* の菌株を用いた，発癌性の可能性を調べるスクリーニング試験法．試験する物質が突然変異を引き起こし，ヒスチジン合成能が復帰した場合，その物質には発癌性があるとする).

a·me·tri·a (ā-mē′trē-ă)．無子宮〔症〕（子宮の先天的欠損．原因ははっきりしない).

am·e·tro·pi·a (am′ĕ-trō′pē-ă)．非正視，屈折異常〔症〕（ある屈折障害があって，その結果，非調節眼では遠方の物体からの光線が網膜上に焦点を結ばず，ある一定距離以内の物体のみが網膜上に焦点を結ぶ，眼球の状態).

am·e·tro·pic (am′ĕ-trō′pik)．非正視の，屈折異常〔症〕の．

AMI *acute myocardial infarction* の略．

-amic ジカルボン酸のカルボキシル基(COOH)1 個がカルボン酸アミド基(-$CONH_2$)に置換していることを示す接尾語．慣用名のみに用いる(例えば，succinamic acid).

a·mi·cro·bic (ā′mī-krō′bik)．非微生物の（微生物とは無関係の，あるいは微生物が原因ではない).

am·i·dase (am′i-dās)．アミダーゼ（モノカルボン酸アミドを加水分解して遊離酸とアンモニアを生成する酵素．ω-アミダーゼはアミド，例えば，α-ケトスクシンアミド酸に作用する). = acylamidase.

am·i·das·es (am′i-dās′ĕz)．アミダーゼ. = amidohydrolase.

am·ide (am′īd)．アミド（形式的にはアンモニアの 1 個以上の水素原子をアシル基で置換して生成する物質，あるいはカルボン酸のカルボキシル基の OH を NH_2 で置換して生成する物質($R-CO-NH_2$)の総称．水素原子を 1 個置換したものを第一アミド **primary amide**，2 個置換したものを第二アミド **secondary amide**，3 個置換したものを第三アミド **tertiary amide** という).

am·i·dine (am′i-dēn)．アミジン（1 価の基 $-C(NH)-NH_2$).

amido- アミド基($R-CO-NH-$，$R-SO_2-NH-$ など)を示す接頭語．

am·i·do·hy·dro·lase (am′i-dō-hī′drō-lās)．[EC class 3.5.1 and 3.5.2]．アミドヒドロラーゼ（アミド基の C-N 結合を加水分解する酵素．例えば，アスパラギナーゼ，バルビツラーゼ，ウレアーゼ，アミダーゼ). = amidases; deamidase; deamidizing enzyme.

a·mim·i·a (ā-mim′ē-a)．***1*** 無表情（身振りや合図のような非言語的コミュニケーションによって考えを表現することができないこと). ***2*** 象徴欠如（身振り，合図，シンボル，またはパントマイムの意味を把握できないこと).

am·i·nate (am′i-nāt)．アミノ化する（アンモニアと化合する).

a·mine (ă-mēn′)．アミン（形式的にはアンモニアの水素原子を炭化水素や他の基で置換して得られる物質．1 個の水素原子を置換したものは，第一アミン **primary amine**(例えば，メチルアミン)，2 個置換したものを第二アミン **secondary amine**(例えば，ジメチルアミン)，3 個置換したものを第三アミン **tertiary amine**(例えば，トリメチルアミン)，4 個置換したものを第四アンモニウムイオン **quaternary ammonium ion**(例えば，テトラメチルアンモニウムイオン)といい，正の電荷を有し，負イオンと会合した状態でのみ単離される．アミンは酸とともに塩を形成する).

a·mine ox·i·dase (fla·vin-con·tain·ing) アミンオキシダーゼ(フラビン含有)(酸化還元酵素で，フラビンを含有している．アミンを酸素と水で酸化してアルデヒド，ケトンにし，アンモニアと過酸化水素を遊離する．抗うつ薬はこの酵素を阻害する).

amino- アミノ基 $-NH_2$ を含有する化合物の接頭語.

a·mi·no ac·id (AA, aa) アミノ酸（炭素原子上の水素原子の1つが NH_2 に置換された有機酸．一般名としてはアミノカルボン酸である．しかしタウリンもまたアミノ酸である．→α-amino acid).

aminoacidaemia [Br.]. = aminoacidemia.

a·mi·no ac·id de·hy·dro·gen·ase アミノ酸デヒドロゲナーゼ（対応するオキシ酸(ケト酸)とのアミノ酸の酸化的脱アミノ化反応を触媒する酵素．*cf.* amino acid oxidase).

a·mi·no·ac·i·de·mi·a (ă-mē′nō-as′i-dē′mē-ă, am′i-nō-). アミノ酸血〔症〕(血液中に過剰の特異アミノ酸が存在すること).

a·mi·no ac·id ox·i·dase アミノ酸オキシダーゼ（酸素と水を用いて L-アミノ酸または D-アミノ酸を特異的に，対応する2-ケト酸，アンモニアおよび過酸化水素に酸化させるフラビン酵素．*cf.* amino acid dehydrogenase).

a·mi·no·ac·i·du·ri·a (ă-mē′-nō-as′i-dyūr′ē-ă). アミン酸尿〔症〕(尿中にアミノ酸が特に大量に排泄されること).

a·mi·no·ac·yl (AA, aa) アミノアシル（アミノ酸の COOH 基から OH を取り除くことによって生じる基).

a·mi·no·ac·yl·ase (ă-mē′nō-as′i-lās). アミノアシラーゼ（広範な種類の *N*-アシルアミノ酸を加水分解し，対応するアミノ酸と酸のアニオンを生成する反応を触媒する酵素).

5-a·mi·no·im·id·az·ole ri·bose 5-phos·phate (AIR) 5-アミノイミダゾールリボース 5′-ホスフェート（プリン類の生合成における中間体). = 5-aminoimidazole ribotide.

5-a·mi·no·im·id·a·zole ri·bo·tide (AIR) 5-アミノイミダゾールリボチド. = 5-aminoimidazole ribose 5′-phosphate.

am·i·nol·y·sis (am′i-nol′i-sis). アミノ分解（ハロゲン化水素を除去してアルキル基分子またはアリール基分子のハロゲンをアミン基で置換すること).

a·mi·no·pep·ti·dase (ă-mē′nō-pep′ti-dās). [EC sub-group 3.4.11]. アミノペプチダーゼ（ペプチドの分解を触媒する酵素．ペプチド鎖のN末端よりアミノ酸を加水分解によって除去する(すなわちエキソペプチダーゼ)．腸液中にみられる).

a·mi·no·pep·ti·dase (cy·to·sol) アミノペプチダーゼ(細胞内液の)（幅広い基質特異性をもつ亜鉛を含む酵素．ペプチド鎖のN末端よりアミノ酸を加水分解によって除去する反応を触媒する(すなわちエキソペプチダーゼ)).

a·mi·no·pep·ti·dase (mi·cro·som·al) アミノペプチダーゼ(ミクロソームの)（基質特異性は強くないが，アラニンを優先的に好み，プロリンを嫌うアミノペプチダーゼ).

am·i·noph·er·ase (am′i-nof′ĕr-ās). アミノフェラーゼ. = aminotransferase.

a·mi·no-ter·mi·nal (ă-mē′nō-tĕr′mi-năl). アミノ末端基（α-NH_2 基，またはペプチドや蛋白の一端(通常は左側に書く)の α-NH_2 基を有するアミノアシル残基).

a·mi·no·trans·fer·ase (ă-mē′nō-trans′fĕr-ās). [EC sub-group 2.6.1]. アミノトランスフェラーゼ，アミノ基転移酵素（アミノ基を通常，アミノ酸と2-ケト酸との間で転移する酵素). = aminopherase; transaminases.

am·i·nu·ri·a (am′i-nyūr′ē-ă). アミン尿〔症〕(尿中にアミンが排泄されること).

am·i·to·sis (am′i-tō′sis). 無糸分裂（核と細胞の直接分裂．普通の細胞分裂過程で起こるような核分裂の複雑な変化は伴わない). = direct nuclear division; Remak nuclear division.

am·i·tot·ic (am′i-tot′ik). 無糸分裂の.

AML acute myeloblastic leukemia の略.

am·me·ter (am) (am′ē-tĕr). 電流計（電流の強さをアンペアで測定する機器).

am·mo·ne·mi·a, am·mo·ni·e·mi·a (ă-mō-nē′mē-ă, ă-mō′nē-ē′mē-ă). アンモニア血〔症〕(血中にアンモニアあるいはアンモニア化合物が存在すること．尿素の分解によって形成されると考えられている．一般に低体温，微弱脈拍，胃腸症状，昏睡などを引き起こす).

Am·mon horn アンモン角（海馬を構成する2つの脳回の1つで，もう1つは歯状回．内部の細胞構成から I 部，II 部，III 部，IV 部に区別される). = cornu ammonis.

ammoniaemia [Br.]. = ammoniemia.

am·mo·ni·a-ly·ase (ă-mō′nē-ă-lī′ās). アンモニアリアーゼ（1つの二重結合を残して C-N 結合を切ることにより，アンモニアまたはアミノ化合物を非加水分解的に除去する酵素).

ammonio- trimethylammonioethanol (choline) などのアンモニア基を意味する連結形.

am·mo·ni·um (ă-mō′nē-ŭm). アンモニウム; NH_4^+(NH_3 と H^+ の結合(pK_a は 9.24)によって生成するイオン．アンモニウム化合物形成の際には，1価金属のように働く).

am·mo·ni·u·ri·a (ă-mō-nē-yūr′ē-ă). アンモニア尿〔症〕(過剰のアンモニアを含む尿の排泄).

am·mo·nol·y·sis (am′ō-nol′i-sis). アンモノリシス（アンモニア成分(アミンと水素)を添加して化学結合を切断し，その切断された個所にアンモニア成分が新しく結合すること).

am·ne·si·a (am-nē′zē-ă). 健忘〔症〕，記憶消失(喪失)（短期記憶ではなく，長期記憶に蓄えられた情報の記憶障害．過去の経験をまったくあるいは部分的に呼び戻すことができないこと).

am·ne·si·ac (am-nē′sē-ak). 健忘症患者（記憶喪失にかかっている人).

am·ne·sic (am-nē′sik). 健忘〔症〕の，記憶消失(喪失)の. = amnestic (1).

am·nes·tic (am-nes′tik). ***1*** 〖adj.〗 = amnesic. ***2*** 〖n.〗 健忘〔症〕の原因となる要因(物質). ***3*** 〖n.〗 記憶機能の障害を基本的な特徴とする障害.

am·nes·tic a·pha·si·a, am·ne·sic a·pha·si·a, am·nes·tic a·no·mi·a 健忘失語〔症〕. = anomic aphasia.

am·nes·tic syn·drome 健忘症候群 （①= Korsakoff syndrome. ②病因のいかんを問わず，短期間（即時ではない）記憶障害を起こす器質的脳疾患）.

amnio- 羊膜に関する連結形.

am·ni·o·cen·te·sis （am′nē-ō-sen-tē′sis）. 羊水穿刺 （経腹壁的に羊膜腔を穿刺して羊水を吸引する操作）.

am·ni·o·cho·ri·al, am·ni·o·cho·ri·on·ic （am′nē-ō-kōr′ē-ăl, -kōr′ē-on′ik）. 羊膜絨毛膜の（羊膜と絨毛膜の両方に関する）.

am·ni·o·gen·e·sis （am′nē-ō-jen′ĕ-sis）. 羊膜形成.

am·ni·og·ra·phy （am′nē-og′ră-fē）. 羊水造影〔法〕（羊膜腔内に水溶性造影剤を注入した後にX線撮影を行う操作で，これにより，臍帯，胎盤，胎児の軟部組織の輪郭を見ることができる）.

am·ni·o·hook （am′nē-ō-huk）. 羊膜鉤 （胎児を障害せずに安全に破膜を行う器具）.

am·ni·o·in·fu·sion （am′nē-ō-in-fyū′zhŭn）. 羊水補充療法 （分娩中の羊水過少あるいは濃厚な胎便汚染による臍帯圧迫を解除するために行う子宮内カテーテルによる温生食の注入療法）.

am·ni·o·ma （am′nē-ō′mă）. 羊膜腫 （妊娠中の羊膜癒着により起こりうる，胎児皮膚の広汎で扁平な腫瘤）.

am·ni·on （am′nē-on）. 羊膜 （子宮内で胎児を包んでいる最も内側の膜で，羊水で満たされている．外胚葉成分を伴う内胚層と中胚葉成分の外側からなる．妊娠後期には，羊膜は広がり，絨毛小胞の内壁と接触し，部分的にこれと融合する．絨毛細胞に由来する）. = amnionic sac.

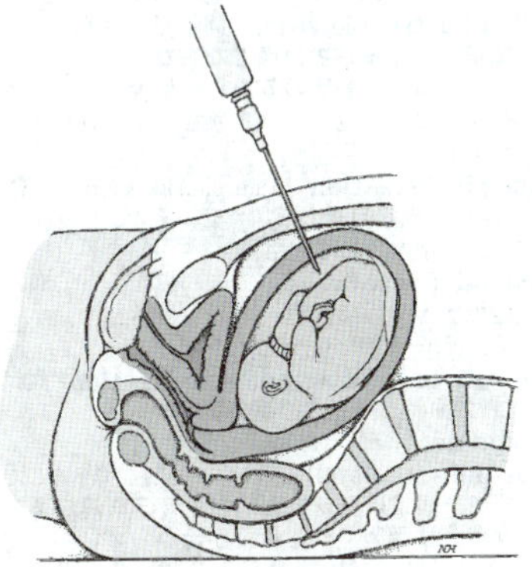

amniocentesis:

通常，妊娠15–17週に行う．羊水には胎児の細胞や生化学マーカーが含まれており，染色体異常や先天性疾患の有無を検査できる．

am·ni·on·ic, am·ni·ot·ic （am′nē-on′ik, am′nē-ot′ik）. 羊膜の.

am·ni·on·ic am·pu·ta·tion = congenital amputation.

am·ni·on·ic band, am·ni·ot·ic band 羊膜帯 （破膜後形成される羊膜索．四肢，指，顔面，躯幹などに巻きつき，狭窄，切断などを起こす．発生原因は不明．→congenital amputation）. = amnionic band syndrome; anular band; constriction ring（2）; Simonart bands（1）; Simonart ligaments.

am·ni·on·ic band syn·drome 羊膜索症候群. = amnionic band.

am·ni·on·ic cav·i·ty 羊水腔 （液体で充満した腔．内密は羊水と胎児を包含する）.

am·ni·on·ic cor·pus·cle = corpus amylaceum.

am·ni·on·ic flu·id, am·ni·ot·ic flu·id 羊水 （胎児を囲み外傷から守る羊膜内の液体）. = liquor amnii.

am·ni·on·ic flu·id em·bo·lism 羊水塞栓症 （羊水の母体循環系への流入による肺血管の閉塞または狭窄．産科ショックを起こす．→amnionic fluid syndrome）.

am·ni·on·ic flu·id in·dex 羊水指数 （超音波断層法で子宮腔を4分割し，それぞれの羊水ポケットの最大径を合計して表現する．妊娠中の羊水量推定に用いる）.

am·ni·on·ic flu·id syn·drome 羊水症候群 （扁平上皮細胞を含む羊水の母体血管への流入によると考えられる肺塞栓現象．ショックが続発し，突然死に至る．→amnionic fluid embolism）.

am·ni·on·ic sac = amnion.

am·ni·o·ni·tis （am′nē-ō-nī′tis）. 羊膜炎 （感染により起こる羊膜の炎症．引き続いて一般に，早期破水が起こり，しばしば新生児への感染を伴う）.

am·ni·on no·do·sum 結節性羊膜 （典型的な重層扁平上皮からなる羊膜の小結節）. = squamous metaplasia of amnion.

am·ni·or·rhe·a （am′nē-ō-rē′ă）. 羊水漏 （羊水の漏出）.

am·ni·or·rhex·is （am′nē-ō-rek′sis）. 破膜，破水，羊膜破裂.

am·ni·o·scope （am′nē-ō-skōp）. 羊水鏡 （破水前の卵膜を介して羊水の状態を調べる内視鏡）.

am·ni·os·co·py （am′nē-os′kō-pē）. 羊水鏡〔検査〕法 （子宮頸管を通して挿入した内視鏡によって，羊膜最下部内にある羊水を調べること）.

am·ni·o·tome （am′nē-ō-tōm）. 破膜器，羊膜切開器 （卵膜を穿刺するのに用いる器具）.

am·ni·ot·o·my （am′nē-ot′ō-mē）. 人工破膜（破水），羊膜切開〔術〕（分娩を誘発または促進する手段として，人工的に卵膜を破り破水させる方法）.

A-mode （mōd）. Aモード （超音波検査法で行う反射音波の一次元表示様式．この場合，エコー振幅（A）が垂直軸に，また音響遅延（深さ）が水平軸で表され，組織境界面からのエコー情報は音波ビームと同じ方向の線上で得られる）.

A·moe·ba (ă-mē′bă). アメーバ属（肉質虫(根足虫)綱の無毛・裂片状・偽足形成性原虫の一属．土壌中，特に肥沃の有機土礫中に多い．また，寄生生物としてよく発見される．典型的なヒトの寄生性アメーバは，現在は *Entamoeba* 属，*Endolimax* 属，*Iodamoeba* 属に分類される）．

amoeba [Br.]. = ameba.

a·moe·ba·pore (ă-mē′bă-pōr). 赤痢アメーバ *Entamoeba histolytica* から遊離する活性ペプチドで，リポソームにイオンチャネルを入れることができ，細胞溶解性や活殺菌性をもつ．

A·moe·bi·da (ă-mē′bi-dă). アメーバ目（アメーバ様の原生動物の１目で，ミトコンドリアの所有と鞭毛保有相の欠如によって分類される．ほとんどの種は自由生活性であるが，いくつかの種はヒトまたは動物に寄生する．*Entamoeba* 属はヒトの重要な病原体である）．

amoebocyte [Br.]. = amebocyte.

amoeboid [Br.]. = ameboid.

a·mo·mum (ă-mō′mŭm). アモムム，縮砂(シュクシャ)（アモムム・ヴィロスム(カルダモンにやや似た植物)．香辛料として用いられる．漢方薬にも用いられ，胃腸疾患に効果があるとされている）. = grains of paradise.

a·morph (ā′mōrf). 無定形体（形質発現の作用をまったくもたない対立遺伝子で，その存在は分子レベルでのみ推測され，可能な検出方法の巧緻度に依存する）．

a·mor·phi·a, a·mor·phism (ā-mōr′fē-ă, -fizm). 無定形〔性〕，無構造（無定形，無構造である状態）．

a·mor·phous (ā-mōr′fŭs). ***1*** 無定形の，無構造の．***2*** 非晶質の．

a·mor·phous se·le·ni·um plate = selenium plate.

a·mor·phous sil·i·con 無定形シリコン（デジタルラジオグラフィ digital radiography や X 線透視検査(fluoroscopy 参照)で用いられる光感受性材料）．

AMP adenosine monophosphate の略．特に，数字の接頭語によって修飾されない限りは 5′-monophosphate を示す．→adenylic acid.

am·pere (A) (am-pēr). アンペア（電流の実用単位．現在では次のように定義されている．ⅰ絶対実用アンペアは，本来，電磁単位の 1/10 の値をもつもの(→abampere; coulomb)．ⅱ米国法令上の定義では，硝酸銀溶液から 1 秒間に 1.118 mg の銀を析出させるような電流．ⅲ科学的定義(国際単位系)では，真空中に 1 m の間隔で平行に置かれた無限に小さい円形断面積を有する無視できるほど長い 2 本の直線状導体のそれぞれを流れ，これらの導体の間に，導体 1 m につき 2×10^{-7} N の力を及ぼし合う一定の電流）．

Am·père pos·tu·late アンペール仮説. = Avogadro law.

amph- →amphi-; ampho-.

amphi- 両側の，周囲の，2 倍の，などを意味する連結形．ラテン語 *ambi-* に相当する．

am·phi·ar·thro·di·al (am′fē-ahrth-rō′dē-ăl). 線維軟骨結合の，半関節の．

am·phi·as·ter (am′fē-as′tĕr). 双星，両星（1 対の星状体．有糸分裂中に，2 個の星状球とそれらを結ぶ紡錘糸によって形成される）．

am·phi·bol·ic fis·tu·la, am·phib·o·lous fis·tu·la 両面フィステル(瘻)（外部および内部の両方に開く完全肛門フィステル）．

am·phi·cen·tric (am′fi-sen′trik). 両中心性の（両端に中心のあること．血管が分かれていくつかの枝になって始まり，それらの枝が再び結合して同じ血管を形成して終わる怪網をいう）．

am·phid (am′fid). アンフィド（線虫類の神経系のうち，頭部または頸部の側方に存在する一対の微細な受容器官）．

ampho- 両方の，周囲の，2 重の，などを意味する連結形．

am·pho·cyte (am′fō-sīt). = amphophil (2).

am·pho·phil, am·pho·phile (am′fō-fil, -fīl). ***1*** 〘adj.〙両染性の（酸性染料，塩基性染料の両方に親和性を有する）. = amphophilic; amphophilous. ***2*** 〘n.〙両染性細胞（酸性染料，塩基性染料のいずれにも容易に染色される細胞）. = amphocyte.

am·pho·phil·ic, am·phoph·i·lous (am′fō-fil′ik, am-fof′i-lŭs). = amphophil (1).

am·phor·ic (am-fōr′ik). 空壺音性の（打診や聴診の際に聞こえる音で，びんの口を吹くときの音に似ている）．

am·phor·ic rale 空壺音性ラ音（気管と連絡している肺空洞内の液体の動きに伴って聴診器を通じ聞かれる音）．

am·phor·ic res·o·nance 〔空〕壺音性共鳴音（大きな空びんを打ってつくり出されるような打診音で，肺内空洞上の打診によって得られる）．

am·pho·ter·ic (am-fō-ter′ik). 両性の，両向性の（2 つの相反する特質を有する．特に，酸，塩基のどちらとしても反応することを示す）．

am·pho·ter·ism (am-fō′ter-izm). 両性（両性である(相反する 2 つの性質を有する)こと）．

am·pho·tro·pic vi·rus 両栄養性ウイルス（自然宿主では疾病の原因とならないが，宿主と同種の組織培養細胞のみならず他種の細胞でも複製するようなウイルス．通常はレトロウイルス群である）．

am·pli·fi·ca·tion (am′pli-fi-kā′shŭn). 増幅（聴覚や視覚刺激を増加させ，その認知を高めるように増大させる作用）．

am·pli·fi·er (am′pli-fī′ĕr). 増幅器（①顕微鏡の倍率を上げる装置．②入力信号を増強する電子装置．→klystron, magnetron）．

am·pli·tude of ac·com·mo·da·tion 調節幅（無調節時と完全調節時の眼の屈折値の差）．

ampoule [Br.]. = ampule.

am·pule (am′pyūl). アンプル〔剤〕（密封した容器で，通常はガラス製．無菌の薬剤溶液あるいは溶液に調製される粉末がはいっていて，皮下注射，筋肉注射，静脈注射に用いる．米国では ampul と綴ることもある）. = ampoule.

am·pul·la, gen. & pl. am·pul·lae (am-pul′ă, -ē). 膨大〔部〕（管の嚢状に拡張した部分）．

am·pul·la of duc·tus def·er·ens 精管膨大部（膀胱底部で精嚢排出管と結合して射精管になる直前の精管の膨大部）. = ampulla ductus deferentis.

am·pul·la duc·tus de·fe·ren·tis 精管膨大部. = ampulla of ductus deferens.

am·pul·la mem·bra·na·ce·a = membranous ampullae of the semicircular ducts.

am·pul·lar (am-pul′ăr). 膨大〔部〕の（何らかの意味で膨大部分に関する).

am·pul·lar preg·nan·cy 膨大部妊娠（卵管の中央部近辺での卵管妊娠).

am·pul·la·ry crest 膨大部稜（各半規管の膨大部の内表面の隆起. 前庭神経の細線維がこの膨大部稜を通って表面の毛細胞に達する. 毛細胞は, ゼラチン状の蛋白-多糖体物質のクプラを頂部にもっている).

am·pul·la of the sem·i·cir·cu·lar ducts 〔膜〕膨大部（前側・後側・外側の各半規管の卵形嚢に結合する端がほぼ球状に膨大した部分. 各膨大部は神経上皮性の稜をもつ).

am·pul·la tu·bae u·ter·in·ae 卵管膨大部. = ampulla of uterine tube.

am·pul·la of u·ter·ine tube 卵管膨大部（卵管采に近い卵管の幅の広い部分. 分泌細胞を間にはさむが, 大部分は線毛細胞よりなる円柱上皮におおわれた複雑なひだを示す粘膜をもつ). = ampulla tubae uterinae.

am·pul·la of Va·ter ファーター膨大部（胆管と主膵管の両方を受け入れる十二指腸乳頭内の拡張部分).

am·pul·li·tis (am′pul-ī′tis). 膨大部炎（膨大部, 特に精管の拡張端あるいは Vater 膨大部の炎症).

am·pu·ta·tion (amp′yū-tā′shŭn). 切断, 切断術(法)（①肢または肢の一部, 乳房, その他突出部分を切り取ること. →congenital amputation. ②歯科において, 歯根, 歯髄, あるいは神経根や神経節の除去. pulp amputation(歯髄切断法), root amputation(歯根切除術)のような形で用いる).

am·pu·ta·tion in con·ti·nu·i·ty 関節外切断〔術〕（関節部ではない肢部で行う切断).

am·pu·ta·tion neu·ro·ma 切断神経腫. = traumatic neuroma.

am·pu·tee (amp′yū-tē′). 〔肢〕切断患者（肢またはその一部を切断された人).

Am·sel cri·ter·i·a アムセルの診断基準（細菌性腟症の臨床的診断に用いられる. 均質な分泌液, pH 4.8 以上, クルー細胞の存在, 分泌液への KOH 滴下でアミン臭を発生する, の 4 項のうち 3 項が認められるときに診断の根拠とする).

Ams·ler chart アムスラー図表（中心視野における欠損を患者個人が, その上に投影して示すことのできる 5 mm の方眼に分割された 10 cm 四方の表).

AMT American Medical Technologists の略.

amu atomic mass unit の略.

a·mu·si·a (ā-mū′zē-ă). 失音楽〔症〕, 音痴（失語症の一種. 音楽をつくったり認識したりする能力の欠如が特徴).

A·mus·sat val·vu·la アミュサー〔小〕弁. = posterior urethral valves.

a·my·e·li·a (ā′mī-ē′lē-ă). 無脊髄〔症〕（脊髄の先天的欠損で, 無脳症に伴ってのみみられる).

a·my·el·ic (ā′mī-ē′lik). = amyelous.

a·my·e·li·nat·ed (ā-mī′ĕ-li-nā′ted). 無髄の. = unmyelinated.

a·my·e·li·na·tion (ā-mī′ĕ-li-nā′shŭn). 髄鞘消失（神経の髄鞘の形成不全).

a·my·e·lin·ic (ā-mī′ĕ-lin′ik). 無髄の. = unmyelinated.

a·my·e·lo·ic, a·my·e·lon·ic (ā-mī′ĕ-lō′ik, ā-mī-ĕ-lon′ik). ***1*** = amyelous. ***2*** 無骨髄〔症〕の（血液学において, 造血における骨髄欠損あるいは骨髄の機能的分化欠如を示すのにときに用いる語).

a·my·e·lous (ā-mī′ĕ-lŭs). 無脊髄〔症〕の. = amyelic; amyeloic(1); amyelonic.

a·myg·da·la, gen. & pl. a·myg·da·lae (ă-mig′dă-lă, -lē). 扁桃（①リンパ扁桃(喉頭, 口蓋, 舌, 咽頭, 耳管)を表す語. ②大脳側頭葉の核である扁桃体の通称).

a·myg·da·lin (ă-mig′dă-lin). アミグダリン（ハタンキョウやバラ科の他の植物の種に存在する青酸グルコシド. レトリルの主成分. エムルシンはアミグダリンをベンズアルデヒド, D-グルコース, シアン化水素酸に分解する).

a·myg·da·loid (ă-mig′dă-loyd). 類扁桃の, 扁桃様の.

a·myg·da·loid bod·y 扁桃体（鉤の嗅皮質内部の側頭葉にみられる円形の灰白質塊で側脳室下角の直前にある. 主な求心性線維は嗅覚性のもので, 遠心性には視床下部や視床の背内側核と連絡している. 側頭葉とも相互連絡がある. 基底外側部と皮質内側部の 2 群に分かれる).

a·myg·dal·ose (ā-mig′dăl-ōs). = gentiobiose.

am·yl (am′il). アミル（ペンタン C_5H_{12} から H を 1 つ除いてできる基. いくつかの異性体が存在する). = pentyl(1).

amyl- ***1*** →amylo-. ***2*** pentyl- を意味する連結形. →amyl.

am·y·la·ce·ous (am′i-lā′shē-ŭs). デンプン〔様〕の, デンプンを含む.

am·y·lase (am′il-ās). アミラーゼ（デンプン, グリコゲン, および近縁の 1,4-α-グルカンを分解するデンプン分解酵素の 1 つ).

am·y·lase:cre·at·i·nine clear·ance ra·ti·o アミラーゼ：クレアチニン・クリアランス比（急性膵炎の診断に用いるテスト. 血清と尿中のアミラーゼとクレアチニンを測定することにより計算される).

am·y·la·su·ri·a (am′i-lā-syūr′ē-ă). アミラーゼ尿〔症〕（尿中にアミラーゼ(ときにジアスターゼともいう)が排出すること. 急性膵炎におけるように, 特に量が増えた場合にいう). = diastasuria.

am·y·lin (am′i-lin). アミリン（デンプンセルロース. デンプン粒子の不可溶性外被).

am·yl ni·trite 亜硝酸アミル（シアン化物中毒の治療に用いる血管拡張薬).

amylo- デンプン, 多糖類特性や由来を示す連結形.

am·y·lo·gen·e·sis (am′i-lō-jen′ĕ-sis). デンプ

ン形成（デンプンの生合成）.

am·y·lo·gen·ic (am′i-lō-jen′ik). デンプン形成の.

am·y·loid (am′i-loyd). アミロイド（①光学顕微鏡的には均一であるが，電子顕微鏡的にはシート状の直線性の非分枝性の塊状になった原線維から構成されている．ヨウ素で暗褐色に染まり，コンゴーレッドで染色後，偏光顕微鏡下で特徴的な緑色の複屈折を発する．メチルバイオレット(桃赤色)またはクリスタルバイオレット(紫赤色)によって異染性を示し，チオフラビンT染色により黄色の蛍光を発する．アミロイドは，特に細網内皮系組織に細胞外の病的沈着物として特徴的に現れる(アミロイドーシス)．その蛋白様微細線維の化学的性質は，その起因する疾患過程による．②デンプンに似た，デンプンを含んだ).

am·y·loid de·gen·er·a·tion アミロイド変性，デンプン様変性（組織や器官の細胞と線維の間のアミロイド浸潤）. = waxy degeneration (1).

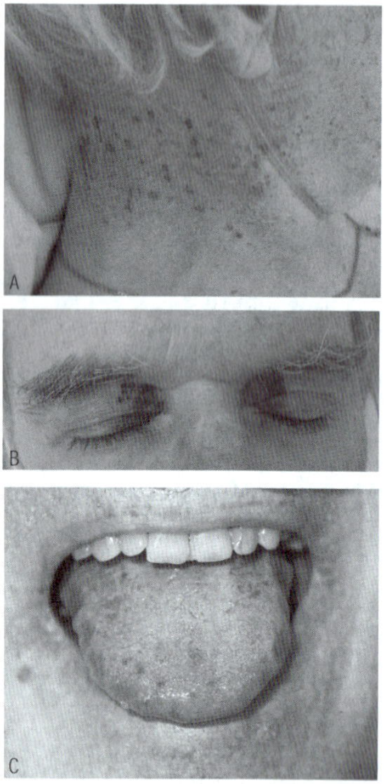
A
B
C

amyloidosis

am·y·loid kid·ney アミロイド腎（アミロイド症が起きている状態．通常，多発性骨髄腫，結核，骨髄炎などの慢性疾患，または他の慢性化膿性炎症と関連がある）. = waxy kidney.

am·y·loid ne·phro·sis *1* = renal amyloidosis. *2* 腎にアミロイドが沈着したために起こるネフローゼ症候群.

am·y·loi·do·sis (am′i-loy-dō′sis). アミロイドーシス，アミロイド症（①身体の種々の器官や組織における，アミロイドの細胞外蓄積を特徴とする原発性あるいは続発性の疾病．局所的にも全身的にも生じうる．②アミロイド蛋白の沈着する過程）.

am·y·loi·do·sis of ag·ing 加齢によるアミロイドーシス（特に神経組織，心筋，膵などにコンゴーレッドで染色される物質が沈着する．Alzheimer 症候群に合併することが多い．難治性の心不全を伴うことがある）.

am·y·loid tu·mor 類デンプン腫. = nodular amyloidosis.

am·y·lol·y·sis (am′i-lol′i-sis). デンプン分解（デンプンから可溶性生成物への加水分解）.

am·y·lo·lyt·ic (am′i-lō-lit′ik). デンプン分解の.

am·y·lo·pec·tin (am′i-lō-pek′tin). アミロペクチン（1,4 および 1,6 結合からなるデンプン中の，分子鎖をもつポリグルコース(グルカン)．*cf.* amylose).

am·y·lor·rhe·a (am′i-lō-rē′ă). デンプン不消化便（糞便中に未消化デンプンが排泄されることで，腸におけるアミラーゼ活性の欠乏を意味する）. = amylorrhoea.

amylorrhoea [Br.]. = amylorrhea.

am·y·lose (am′i-lōs). アミロース（セルロース様で，$\alpha(1\rightarrow4)$結合からなるデンプン中の非分枝鎖ポリグルコース(グルカン)．*cf.* amylopectin).

am·y·lo·su·ri·a, am·y·lu·ri·a (am′i-lō-syūr′ē-ă, am′i-lyūr′ē-a). デンプン尿〔症〕（尿中へのデンプンの排泄）.

amyoaesthesia [Br.]. = amyoesthesia.

amyoaesthesis [Br.]. = amyoesthesis.

a·my·o·es·the·si·a, a·my·o·es·the·sis (ă-mī′ō-es-thē′zē-ă, -thē′sis). 無筋〔感〕覚〔症〕，筋〔感〕覚消失（筋肉感覚の欠如）. = amyoaesthesia.

a·my·o·pla·si·a (ă-mī′ō-plā′zē-ă). 筋形成不全〔症〕（筋形成不全や筋成長不全を生じる疾患）.

a·my·o·sta·si·a (ă-mī′ō-stā′zē-ă). 筋〔肉〕静止不能〔症〕（筋振せんまたは協調不能による起立困難）.

a·my·o·stat·ic (ă-mī′ō-stat′ik). 筋〔肉〕静止不能〔症〕の，筋不安定性の（筋振せんを呈する）.

a·my·os·the·ni·a (ă-mī′os-thē′nē-ă). 筋無力〔症〕.

a·my·os·then·ic (ă-mī′os-then′ik). 筋無力〔症〕の（筋無力に関する，または筋無力を引き起こす）.

a·my·o·tax·y, a·my·o·tax·i·a (ă-mī′ō-tak-sē, ă-mī′ō-tak′sē-ă). 筋性運動失調〔症〕.

a·my·o·to·ni·a (ă-mī′ō-tō′nē-ă). 筋無緊張〔症〕（筋緊張の全身性の消失．ぐにゃぐにゃした筋肉と関節の受動運動域の拡大を伴うことが多い).

a·my·o·to·ni·a con·gen·i·ta 先天〔性〕筋無緊張〔症〕(①特に乳児において観察される先天性の無緊張性偽性麻痺(家族性でも遺伝性でもない). 脊髄神経によって支配されている筋肉だけが筋緊張を欠如することを特徴とする. ②乳幼児期の全身性筋緊張症が原因の, 多くの先天性神経筋疾患を意味する不明確な用語で, 多くは良性の経過をとる). = Oppenheim disease; Thomsen disease.

a·my·o·tro·phic (ă-mī′ō-trō′fik). 筋萎縮〔性〕の, 筋萎縮〔症〕の.

a·my·o·tro·phic lat·er·al scle·ro·sis (ALS) 筋萎縮〔性〕側索硬化〔症〕(脊髄の側索および前角の運動路の疾患で, 進行性筋萎縮, 反射の亢進, 線維性攣縮, および筋の痙性を引き起こす. スーパーオキシドジスムターゼの欠陥に関連している). = Aran-Duchenne disease; Charcot disease; Cruveilhier disease; Duchenne-Aran disease; Lou Gehrig disease; progressive muscular atrophy.

a·my·ot·ro·phy (ā′mī-ot′rō-fē). 筋萎縮〔症〕.

a·myx·or·rhe·a (ă-mik′sōr-ē′ă). 粘液分泌欠乏 (粘液の正常分泌の欠乏).

ANA antinuclear antibody; American Nurses Association の略.

ana- 上へ, 再び, 後ろへ, を意味する接頭語. ときに母音の前で *an-*. ラテン語 *sursum-* に相当. 通常, 母音の前の *an-* は, 無を意味する *a-* を表す. 時々 p, b, ph の前の *ana-* は *am-* になる.

an·a·bi·o·sis (an′ă-bī-ō′sis). 蘇生.

an·a·bi·ot·ic cell 蘇生細胞 (死細胞にみえて蘇生可能な細胞. 術後の非常に長い無症候期間の後の癌の再発は, 蘇生腫瘍細胞によると仮定される).

an·a·bol·ic (an′ă-bol′ik). 同化〔作用〕の, 同化を促進する.

an·a·bol·ic ste·roid 蛋白同化ステロイド, アナボリックステロイド (筋肉の重量を増加させる能力を有するステロイド化合物. 筋重量を増大させるアンドロゲン作用をもつ化合物で, るいそうの治療に用いられる. 筋肉量, 筋力, 筋持久力の増大を目的に運動選手が使用することもある. メチルテストステロン, ナンドロロン, メタンドロステノロンおよびスタノゾロールなどがその例である. →ergogenic aid; androgenic steroid).

an·ab·o·lism (ă-nab′ō-lizm). 同化〔作用〕, 物質合成代謝 (①小分子の物質より様々な化学物質を合成し, 体内に蓄積すること(例えば, アミノ酸からの蛋白合成). 一般にエネルギーを要する代謝過程である. *cf.* catabolism; metabolism. ②合成代謝反応の総称).

an·ab·o·lite (ă-nab′ō-līt). 同化産物 (同化作用で形成された物質).

an·a·cid·i·ty (an′ă-sid′i-tē). 無酸〔症〕(酸度の欠如. 特に胃液中の塩酸欠如をさす).

an·ac·la·sis (ă-nak′lă-sis). ***1*** 反射 (光や音の反射). ***2*** 屈折 (レンズなどの屈折).

an·a·clit·ic (an′ă-klit′ik). 依存的な, 依託的な (精神分析において, 乳児が母親またはその代理となる人に依存することについていう. →anaclitic depression).

an·a·clit·ic de·pres·sion 依存的抑うつ〔症〕(乳児が母親または母親の代理となる者から離された結果, 身体的・社会的・知的発達が障害されること. 特徴はぼんやりしていること, 引きこもり, 食欲不振などである).

an·a·crot·ic, an·a·di·crot·ic (an′ă-krot′ik, an′ă-dī-krot′ik). 上行脚隆起の (動脈拍動軌跡上の上行拍動または上行脚についていう).

an·a·crot·ic pulse, an·a·di·crot·ic pulse 昇脚脈, 上行脚二重脈 (上行脚の1か所または数か所に陥凹や停滞が認められる. ときに脈の触診でも感知される).

an·ac·ro·tism (ă-nak′rŏ-tizm). 上行脚隆起 (脈拍が異常なこと. →anacrotic pulse; anadicrotism).

an·a·cu·sis (an′ă-kyū′sis). 聴覚消失症, ろう(聾) (音をそれとして感知する能力がまったくないこと). = anakusis.

an·a·di·cro·tism (an′ă-dik′rō-tizm). 上行脚重複隆起. = anacrotism.

an·ad·re·nal·ism (an′ă-drē′năl-izm). 副腎機能欠如〔症〕.

an·a·dro·mous (an′a-drō′mŭs). 溯上性の (産卵のために海洋から淡水に移動すること. そのような魚のいくつかはヒトに対する病原体を保持している. →catadromous).

anaemia [Br.]. = anemia.

anaemic [Br.]. = anemic.

anaemic anoxia [Br.]. = anemic anoxia.

anaemic halo [Br.]. = anemic halo.

anaemic hypoxia [Br.]. = anemic hypoxia.

anaemic infarct [Br.]. = anemic infarct.

anaemic murmur [Br.]. = anemic murmur.

an·aer·obe (an-ār′ōb). 嫌気性菌, 嫌気性生物 (酸素が存在しないときに活動または成長する微生物).

an·aer·o·bic, an·aer·o·bi·ot·ic (an′ār-ō′bik, an′ār-ō-bī-ot′ik). 嫌気〔性〕の, 無酸素〔性〕の (嫌気性菌に関する, 酸素なしで生きている).

an·aer·o·bic ca·pa·ci·ty 嫌気性能力 (最大強度の短期の運動によってなされた最大の仕事. 嫌気的解糖のエネルギー射出能力を表わす. →Wingate Test).

an·aer·o·bic pow·er 無酸素性パワー (全力で短期間の身体的労作で発現される単位時間での最大パワー. 筋肉内の高エネルギーリン酸塩(ATP およびホスホクレアチン)および嫌気性解糖のエネルギー産生容量を表す).

an·aer·o·bic res·pi·ra·tion 嫌気性呼吸 (分子状酸素が消費されない呼吸の一形式. 例えば, 窒素呼吸や硫酸呼吸).

an·aer·o·bic thresh·old 無酸素性作業閾値 (呼気(換気性閾値)または血液中の乳酸(乳酸性閾値)のいずれかを用いて見積もった, 血液中の乳酸蓄積の開始について記述するための造語).

an·aer·o·bic ven·ti·la·to·ry thresh·old 嫌気性換気性作業閾値 (運動中の代謝性アシド

ーシスの開始．酸素消費量のピーク作業量(最大酸素摂取量)のことで，エネルギー需要が，好気的代謝を持続させる循環器の能力を超える)．

an·aer·o·bi·o·sis (an′ār-ō-bī-ō′sis)．嫌気生活(無酸素大気中で生存すること)．

An·aer·o·bo·plas·ma (an′ār-ō′bō-plaz′mă)．アネロボプラズマ目(酸素感受性のモリキューテス綱に属する一目．ヒトの病気における役割は不明である)．

an·aer·o·gen·ic (an′ār-ō-jen′ik)．非気体産生の．

anaesthekinesia [Br.]. = anesthekinesia.

anaesthesia [Br.]. = anesthesia.

anaesthesia dolorosa [Br.]. = anesthesia dolorosa.

anaesthesia record [Br.]. = anesthesia record.

anaesthesiologist [Br.]. = anesthesiologist.

anaesthesiology [Br.]. = anesthesiology.

anaesthetic [Br.]. = anesthetic.

anaesthetist [Br.]. = anesthetist.

an·a·gen (an′ă-jen)．成長期(毛周期における成長相で，ヒトの頭髪では約3—6年続く)．

an·a·gen ef·flu·vi·um 成長期脱毛状態(癌の化学療法や放射線治療に伴い突然びまん性に毛が脱ける状態．たいていは治療が終了すると元にもどる．→telogen effluvium)．

an·a·ku·sis (an′ă-kyū′sis). = anacusis.

a·nal (ā′năl)．肛門〔側〕の．

a·nal a·tre·si·a, a·tre·si·a a·ni 肛門閉鎖〔症〕，鎖肛(膜性中隔(総排泄腔膜の遺残)の存在，あるいは肛門管の完全欠如による肛門開口の先天的欠損)．= imperforate anus(1); proctatresia.

analbuminaemia [Br.]. = analbuminemia.

an·al·bu·mi·ne·mi·a (an′al-bū′mi-nē′mē-ă)．無アルブミン血〔症〕(血清からアルブミンが欠如すること)．= analbuminaemia.

a·nal ca·nal 肛門管(消化管の最終部分．骨盤隔膜から始まり，肛門縁に終わる)．= canalis analis.

a·nal col·umns 肛門柱(肛門管の上半分の多数の粘膜性の縦隆線で，その発達のゆえに管径が膨大部から急に減少している)．= columnae anales; Morgagni columns; rectal columns.

a·nal ducts 肛門管(単層円柱上皮または重層円柱上皮の並んだ短い管で，肛門弁から肛門洞にのびている)．

an·a·lep·tic (an′ă-lep′tik)．*1*〘adj.〙興奮性の，強化する，活気づける．*2*〘n.〙蘇生薬．*3*〘n.〙中枢神経興奮(刺激)薬(特に，通常は抑制された中枢神経系の機能を回復させる薬物をいう)．

an·a·lep·tic en·e·ma 食塩水浣腸(微温湯約500 mLに食塩を茶匙1/2杯を加え浣腸を行うこと)．

a·nal fis·sure 肛門裂傷，裂肛(肛門の粘膜の裂傷)．

a·nal fis·tu·la 肛門フィステル，痔瘻(肛門または肛門近くの開口．通常，内肛門括約筋の上部の直腸に開いているが，常時ではない)．

an·al·ge·si·a (an′ăl-jē′zē-ă)．*1* 痛覚脱失(消失)〔症〕，無痛覚〔症〕(痛み刺激が知覚はされるが痛くはないように変化した神経学的または薬理学的状態．*cf.* anesthesia)．*2* 無痛〔法〕(痛みをやわらげる方法)．

an·al·ge·si·a al·ge·ra 疼痛〔性〕痛覚脱失(消失)〔症〕. = analgesia dolorosa.

an·al·ge·si·a do·lo·ro·sa 疼痛性痛覚脱失(消失)〔症〕，疼痛性無痛覚〔症〕(痛覚の喪失を伴う局所的な自発痛)．= analgesia algera.

an·al·ge·sic (an′ăl-jē′zik)．*1*〘n.〙鎮痛薬(無痛覚を起こしうる化合物，すなわち麻酔状態や意識喪失を起こさずに侵害受容器刺激の知覚を変化させて痛みを和らげる化合物)．*2*〘adj.〙鎮痛性の(疼痛性刺激に対する反応の軽減を特徴とする)．

a·nal·i·ty (ā-nal′i-tē)．肛門愛(精神性的発達の肛門期に由来し，Freud学派の肛門期の特徴を有する心理的機構についていう)．

an·al·ler·gic (an′ă-ler′jik)．非アレルギー〔性〕の．

an·a·log (an′ă-lawg). = analogue.

a·nal·o·gous (ă-nal′ŏ-gŭs)．類似〔性〕の，相似〔性〕の(機能的に類似しているが起源あるいは構造が異なる)．

an·a·logue (an′ă-lawg). = analog. *1* 類似物，相似物(異種の動植物の2つの器官あるいは部分で，構造や発達は異なるが，機能は同じもの)．*2* 類似化合物，類似体(化学において，構造が他のものと似ている化合物．必ずしも異性体ではない(例えば，5-フルオロウラシルはチミンの類似化合物)．しばしば酵素と結合させて酵素反応を阻害するために用いる(例えば，イソプロピルチオガラクトシドに対する乳糖))．

an·a·logue dic·ta·tion アナログ記録(医療専門家が口頭で言ったことをカセットテープに録音するシステム)．

a·nal pec·ten 肛門櫛(外科肛門管の中1/3部分)．= pecten analis; pecten(2).

analphalipoproteinaemia [Br.]. = analphalipoproteinemia.

an·al·pha·lip·o·pro·tein·e·mi·a (an′al′fă-lip′ō-prō′tēn-ē′mē-ă)．無αリポ蛋白血〔症〕(HDL欠損症，遺伝性の脂質代謝異常で，血漿中のHDLがほとんど完全に欠損し，泡沫細胞中のコレステロールエステルの蓄積，扁桃腺の肥大，オレンジ色または黄灰色の咽頭や反応性の粘膜，肝脾腫大，リンパ節腫大，角膜の混濁，末梢神経障害といった所見が認められる．常染色体劣性遺伝)．= analphalipoproteinaemia.

a·nal phase 肛門愛期(精神分析的人格理論において，精神・性的発達の一時期．1—3歳の幼児の間でみられる．この時期には，すべての興味，関心，および行動は肛門の周囲に集中する)．

a·nal pit 肛門窩. = proctodeum(1).

a·nal plate 肛門板(排泄腔板の肛門部)．

a·nal re·flex 肛門反射(直腸に入れられた指を圧迫する内肛門括約筋の収縮)．

a·nal si·nus·es 肛門洞(①肛門柱の間の溝．= Morgagni sinus(1)．②肛門皮膚境界線と肛門直腸境界線の間で，肛門管円柱状帯にあるポケットあるいは陰窩．粘膜にホタテガイ状の外観を与える).

a·nal verge 肛門縁（肛門管の湿潤で無毛の変性皮膚と肛門周囲皮膚との移行帯).

a·nal·y·sand (ă-nal′i-sand). 被分析者（精神分析において，分析を受ける人).

a·nal·y·sis, pl. a·nal·y·ses (ă-nal′i-sis, -sēz). ***1*** 分解（化合物あるいは混合物をより単純な成分に分解すること．物質の組成を決定する過程). ***2*** 分析（全体を，それを構成する部分に分けて検討し研究すること). ***3*** →psychoanalysis.

a·nal·y·sis of var·i·ance (ANOVA) 分散分析（連続的な従属変数の平均値の変動に対するカテゴリカルな独立変数の寄与を分離し評価する統計的方法).

an·a·lyst (an′ă-list). 分析者（①分析測定を行う人．② psychoanalyst の略).

an·a·lyte (an′ă-līt). 被検体（分析に供する材料あるいは化学物質).

an·a·lyt·ic, an·a·lyt·i·cal (an′ă-lit′-ik, -i-kăl). 分析の（①分析に関する．②精神分析に関する).

an·a·lyt·ic psy·chol·o·gy = jungian psychoanalysis.

an·a·lyt·ic sen·si·tiv·i·ty 検出感度，分析精度（ある測定系で測定される物質を検出できる能力や微小な濃度変化に対する反応性).

an·a·lyt·ic spec·i·fic·i·ty 分析特異性（検査対象の物質にのみ反応し，それ以外のものには反応しない検査の能力).

an·a·lyz·er, an·a·lyz·or (an′ă-līz-er, -ŏr). ***1*** 分析器（分析を行う装置一般). ***2*** 検光子（偏光を検査する偏光器中のプリズム). ***3***〔感覚〕分析部（条件反射の神経的基礎．反射弓のすべての感覚側とその中枢連結を含む). ***4*** 脳波分析器（脳波の特定のチャネルの頻度と振幅を測定するための装置).

an·am·ne·sis (an′am-nē′sis). ***1*** 記憶. ***2*** 既往歴，病歴.

an·am·nes·tic (an′am-nes′tik). ***1*** 記憶を助ける. = mnemonic. ***2*** 既往〔歴〕の，病歴の.

an·am·nes·tic re·ac·tion 既往〔抗体〕性反応（被検者が以前に同一抗原に反応したことによる抗体産生の増加).

an·a·phase (an′ă-fāz). 後期（有糸分裂あるいは減数分裂において，染色体が赤道板から細胞の両極へと動く時期．有糸分裂では，娘染色体群(ヒトでは 46)が各々の極へ向かって動く．減数分裂の第一分裂では，動原体部で結合した 2 本の染色分体からなる相同染色体の対(ヒトでは 23)が 1 本ずつ極へ移動する．減数分裂の第二分裂では，動原体はすでに分裂しており，対をなしている 2 本の染色分体は分かれ 1 本ずつ極へ移動する).

an·a·phi·a (ă-nā′fē-ă). 触覚脱失(消失)〔症〕，無触覚〔症〕.

an·aph·ro·di·si·ac (an′af-rō-diz′ē-ak). ***1***〘adj.〙性欲抑制の. ***2***〘n.〙制淫薬，性欲抑制薬（性欲を減少または消失させる薬物).

an·a·phy·lac·tic (an′ă-fi-lak′tik). アナフィラキシーの，過敏症の（異種蛋白その他の物質に対して非常に高度の感受性を示す).

an·a·phy·lac·tic an·ti·bod·y アナフィラキシー抗体. = cytotropic antibody.

an·a·phy·lac·tic shock アナフィラキシーショック（細胞親和性(IgE クラス)抗体によって引き起こされる平滑筋収縮と毛細血管拡張を特徴とする激烈な，そしてしばしば致命的なショック. →anaphylaxis; serum sickness).

an·a·phy·lac·to·gen (an′ă-fi-lak′tŏ-jen). アナフィラクトゲン（ヒトにアナフィラキシーを起こしやすくする物質(抗原)．また，そのように感作されたヒトにアナフィラキシー反応を引き起こす物質(抗原)).

an·a·phy·lac·to·gen·e·sis (an′ă-fi-lak′tō-jen′ĕ-sis). アナフィラキシー発現.

an·a·phy·lac·to·gen·ic (an′ă-fi-lak′tō-jen′ik). アナフィラキシー性の，アナフィラキシー誘発の（アナフィラキシーを生じる．ヒトに過敏症を起こさせる原因となる物質(抗原)に関する).

an·a·phy·lac·toid (an′ă-fi-lak′toyd). アナフィラキシー様の.

an·a·phy·lac·toid pur·pu·ra 過敏症様紫斑病，アナフィラキシー様紫斑病（①= allergic purpura. ②= Henoch-Schönlein purpura).

an·a·phy·lac·toid shock 類アナフィラキシー性ショック（アナフィラキシー性ショックに類似の反応であるが，誘発性の過敏状態(アナフィラキシー)特有の潜伏期を必要としない．直接的な抗原–抗体反応ではない).

an·a·phyl·a·tox·in, an·a·phyl·o·tox·in (an′ă-fil′ă-tok′sin, an′ă-fil′ō-tok′sin). アナフィラトキシン（補体活性化により生じる低分子物質．生物学的に活性な補体成分は C3，C4，C5 に由来し，肥満細胞の脱顆粒，すなわち即時型過敏症(I 型)のメディエイタ(肥満細胞脱顆粒に続くヒスタミン)の放出の結果，血管透過性の亢進へと帰結する). = anaphylotoxin.

an·a·phy·lax·is (an′ă-fi-lak′sis). アナフィラキシー，過敏症，過敏性（即時的一過性の免疫(アレルギー)反応をさして通常は用いられ，その反応は薬理的活性物質(ヒスタミン，ブラジキニン，セロトニン，および遅反応性物質)の遊離に起因する平滑筋の収縮と毛細血管の拡張を特徴とし，典型的には，抗原(アレルゲン)と肥満細胞固定抗体，細胞親和性抗体(主に IgE)との結合により開始される．この反応はまた，比較的大量の血清中の凝集物(抗原–抗体複合体など)が，外見上補体を活性化してアナフィラトキシンの産生を導くことによっても開始され，aggregate anaphylaxis と呼ばれることもある).

an·a·pla·si·a (an′ă-plā′zē-ă). 退生，脱分化，退形成（構造的分化の欠失．特にほとんどの悪性新生物にみられるようなものをいう). = dedifferentiation (2).

A·na·plas·ma pha·go·cy·to·phil·um アナプラズマ・ファゴサイトフィルム（ヒト顆粒球性エールリヒア症を引き起こすバクテリアの種類．また，牛にマダニ媒介性発熱を引き起こす．マダニ(*Ixodes* 属)によって広められ，米国では中部大西洋岸諸州，ニューイングランド州南部および中西部の南部で生じる).

an·a·plas·tic (an′ă-plas′tik). ***1*** 形成外科の. ***2***

退生の，脱分化の，退形成の．*3* 無構造性に発育する．

an·a·plas·tic cell *1* 退生細胞（胚期の状態に退化した細胞）．*2* 未分化細胞（悪性新生物に特有の未分化細胞）．

an·a·plas·tol·o·gy (an′ă-plas-tol′ŏ-jē)．欠損した生体の一部を作成あるいは再建するための人工物(プロテーゼ)の適用．

an·a·poph·y·sis (an′ă-pof′i-sis)．椎骨副棘突起（椎骨の副棘突起．特に胸椎や腰椎にみられるもの）．

a·nap·tic (ă-nap′tik)．触覚脱失(消失)〔症〕の，無触覚〔症〕の．

an·a·rith·mi·a (an′ă-ridh′mē-ă)．失算〔症〕(数を数えたり用いたりする能力の欠如を特徴とする一種の失語症)．

an·ar·thri·a (an-ahrth′rē-a)．構語障害，失構語〔症〕(明瞭な音声言語表出能力の欠如．→aphasia; alexia; dysarthria)．

an·a·sar·ca (an′ah-sahr′kă)．全身水腫(浮腫)(皮下結合組織内への浮腫液の全身性浸潤)．

an·a·sar·cous (an′ah-sahr′kŭs)．全身水腫(浮腫)の．

an·as·tig·mats (an′ă-stig′mats)．アナスチグマート（①レンズなどの光覚系で，非点収差などが補正されたもの．②非点収差および像面彎曲の収差の両方の補正されたもの)．

a·nas·to·mose (ă-nas′tŏ-mōs)．*1* 吻合する(ある構造を他の構造へ直接あるいは通路の連結により開通させる．血管，リンパ管，管腔臓器についていい，神経についていうのは妥当ではない)．*2* 吻合連結する（吻合，あるいは以前は分かれていた構造間の連結により連絡する)．

a·nas·to·mo·sis, pl. a·nas·to·mo·ses (ă-nas′tŏ-mō′sis, mō′sēz)．*1* 吻合，交通（2 つの血管またはその他の小管構造物間の直接あるいは間接的な天然の交通．神経に対しては用いない．→communication)．*2* 吻合〔術〕(2 つの構造物(血管，尿管，神経など)の手術的結合)．*3* 2 つ以上の通常は独立している腔または器官の間に，外科的，外傷，疾患によって形成される開口部．

a·nas·to·mot·ic (ă-nas′tŏ-mot′ik)．吻合〔術〕の．

a·nas·to·mot·ic branch 吻合枝（2 本の隣接する血管を連結する血管のことをいう．神経系における神経束間の交通に用いてはならない)．

a·nas·to·mot·ic ul·cer 吻合性潰瘍（胃腸吻合術後の空腸に生じる潰瘍)．

an·a·tom·ic (an′ă-tom′ik)．*1* 解剖〔学〕の．*2* 構造の．= structural．*3* 解剖学的の（生理学的あるいは外科学的な観点とは異なって厳密に形態学的観点からの意．例えば，上腕骨解剖頸，解剖学的死腔，解剖学的肝小葉区分，など)．

an·a·tom·ic con·ju·gate 解剖学的結合線(骨盤平面で仙骨岬角と恥骨結合下縁を結ぶ径線．用手的な内診あるいは超音波断層法で計測される．解剖学的真結合線として用いられる)．

an·a·tom·ic crown 解剖〔学〕的歯冠（エナメル質によっておおわれた歯の一部)．

an·a·tom·i·c dead space 解剖学的死腔（吸入した空気が肺毛細血管との間で酸素と二酸化炭素の交換を行いうる個所と，外界すなわち鼻または口との間にある空気の通路の容積．従来は，これが呼吸細気管支の手前までと考えられていたが，近年の研究は，気道の縦軸方向での空気のかくはんが急速に起こっていて，円柱上皮でおおわれた細気管支部の空気もガス交換に関与していることがわかった．*cf.* alveolar dead space; physiologic dead space)．

an·a·tom·ic im·po·tence 解剖学的性交不能症（身体的疾患により性交(勃起)ができないこと．→erectile dysfunction)．

an·a·tom·ic pa·thol·o·gy 解剖病理学（生検または剖検で取り出された器官や組織の肉眼的および顕微鏡的研究と，そのような研究の結果を解釈する病理学の専門分野)．= pathologic anatomy．

an·a·tom·ic po·si·tion 解剖学的体位（顔と視線を前に向け，手掌を前に向けて腕をわきに下げた体の直立の姿勢)．

an·a·tom·ic snuff·box 解剖的嗅ぎタバコ入れ，タバティエール（母指を十分に伸展したとき，手首の橈骨側にみられるくぼみ．後方は長母指伸筋の腱の突出，前方は短母指伸筋および長母指外転筋の腱の突出によって境界される．橈骨動脈は舟状骨と大菱形骨が形づくる床を横切る)．

an·a·tom·ic tooth 解剖学的人工歯（天然歯の解剖学的形態を模した人工歯)．

an·a·tom·ic wart = postmortem wart.

a·nat·o·mist (ă-nat′ŏ-mist)．解剖学者．

a·nat·o·my (ă-nat′ŏ-mē)．*1* 解剖学的構造（生物体の形態学的な構造)．*2* 解剖学（生物体の形態あるいは構造の科学)．*3* 解剖．= dissection．*4* 生物体とその各部の形態および構造が記述してあるもの．

an·a·tox·in (an′ă-toks′in)．アナトキシン（弱毒化した細菌毒素)．

an·a·tri·crot·ic (an′ă-trī-krot′ik)．上行脚三隆起の（静脈波上行脚の 3 つの波)．

an·a·tric·ro·tism (an′ă-trik′rŏ-tizm)．上行脚三隆起（脈波記録で上行脚に 3 回の拍動が現れる脈波の状態)．

ANCA (an′să)．antineutrophil cytoplasmic antibodies の略．

ANCC American Nurses Credentialing Center の略．

an·chor·age (ang′kŏr-āj)．*1* 固定〔法〕(緩んだり脱出した腹部または骨盤の器官の手術的固定)．*2* 固定〔源〕(何かが固定される部分．歯科において，固定あるいは可撤局部義歯，冠，または修復物を保持する歯あるいは植立された代替歯)．*3* 固定〔源〕(歯の移動に影響を及ぼす目的で用いられる場合，解剖学的に生じる変位に対する抵抗力の性状と大きさをいう)．

an·chor·ing fi·brils 係留線維（表皮基底板にはめ込み，下方の真皮と基底板を結ぶ膠原線維)．

an·chor splint 固定副子（顎の骨折に用いる副子．歯に針金を巻き，棒によって位置を保つ)．

an·cil·la·ry (an′sil-ar-ē)．補助的の，副の，付

属の.

an·cil·la·ry ports 補助孔（内視鏡下手術の際に内視鏡以外の器具を挿入するために造設する1か所以上の挿入孔）.

an·cil·la·ry ser·vic·es 補助サービス（入院患者または外来患者の基本的な医療または外科医療に加えて，診断または治療のために医師が提供するサービス）.

an·cip·i·tal, an·cip·i·tate, an·cip·i·tous (an-sip′i-tăl, -i-tāt, -i-tŭs). 二頭の，二稜の.

an·co·nad (an′kō-nad). 肘方向へ.

an·co·nal, an·co·ne·al (an′kŏ-năl, an-kō′nē-ăl). ***1*** 肘の. ***2*** 肘筋の.

an·co·ne·us mus·cle 肘筋（起始：上腕骨の外側顆後面．停止：肘頭突起，尺骨後面．作用：前腕の伸展，腕運動時の尺骨の外転．神経支配：橈骨神経）. = musculus anconeus.

ancylo- →ankylo-.

An·cy·lo·sto·ma (an′ki-lo-stō′mă). 鉤虫属（線形動物門の一属で，十二指腸に寄生する旧世界鉤虫．粘膜の絨毛に付着・吸血し，特に栄養不良の場合は貧血状態を引き起こすことがある．卵は糞便とともに排出され，幼虫は湿った土壌中で発育し，感染力のある第3期幼虫（フィラリア型幼虫）は経皮的に，また恐らく，飲用水を通じても人体内にはいる．その後，血流によって肺胞に移動し，気管支や気管に運ばれ，えん下されて腸に達し，そこで成熟する．→ancylostomiasis; *Necator*）.

An·cy·lo·sto·ma bra·zi·li·en·se ブラジル鉤虫（1対の口腔内腹側歯の存在で特徴付けられる種．本来はイヌとネコの腸内寄生虫であるがヒトにもみられ，ヒトの皮膚幼虫移行症の原因となる）.

An·cy·lo·sto·ma ca·ni·num イヌ鉤虫（口腔に3対の腹側歯をもつ種．イヌに普通にみられるが，ヒトの皮膚にも寄生し，皮膚幼虫移行症を引き起こす）.

An·cy·lo·sto·ma du·o·de·na·le ズビニ鉤虫（ヒトに寄生する旧世界鉤虫で，より熱帯に分布する新世界鉤虫，アメリカ鉤虫 *Necator americanus* とは対照的に，温帯地方に広く分布する種．米国でみられる唯一の鉤虫）.

An·cy·lo·sto·ma tu·bae·for·me ネコ鉤虫（ネコにみられる種．ヒトでみられる皮膚幼線虫移行症の原因となる）.

an·cy·lo·sto·mi·a·sis (an′ki-lō-stō-mī′ă-sis). 鉤虫症（十二指腸鉤虫 *Ancylostoma duodenale* によって起こる鉤虫症．好酸球増加，貧血，るいそう，消化不良を引き起こす．重篤で慢性的に感染のある小児では，腹部膨満がみられ，精神的・肉体的発育障害を伴う）.

an·cy·roid (an-kīr′oyd). 鉤状の（脳の側脳室の角および肩甲骨の烏口突起についていう）.

An·dersch nerve アンデルシュ神経. = tympanic nerve.

An·der·sen dis·ease アンダーセン病. = glycogenosis type 4.

An·der·son-Fa·bry dis·ease = Fabry disease.

An·der·son splint アンダーソン副子（ピンを骨折部の近位端および遠位端に挿入して行う内蔵式骨牽引副子．ピンに取り付けた外部の棒により整復する）.

An·des vi·rus アンデスウイルス（ハンタウイルス性肺症候群をもたらすアルゼンチンのハンタウイルス種）.

An·drews ma·neu·ver = Brandt-Andrews maneuver.

andro- 男性，雄性を意味する連結形.

an·dro·blas·to·ma (an′drō-blas-tō′mă). ***1*** 男性ホルモン産生細胞腫（顕微鏡的に胎児精巣に類似の精巣腫瘍で，種々の割合で，管状構造および間質構造を有する．管状構造には Sertoli 細胞が含まれ，それが女性化を引き起こすこともある）. ***2*** 〔卵巣〕男性胚〔細胞〕腫. = arrhenoblastoma.

an·dro·gen (an′drŏ-jen). アンドロゲン，男性ホルモン（男性付属性器の活動を刺激し，男性性徴の発達を促進したり，去勢後の男性性徴の変化を防ぐ物質に対する総称で，通常はホルモン（例えば，アンドロステロンまたはテストステロンなど）をいう．天然のアンドロゲンはステロイドで，アンドロスタンの誘導体である）.

an·dro·gen bind·ing pro·tein (ABP) アンドロゲン結合蛋白（インヒビンや Müller 管阻害物質とともに精巣の Sertoli 細胞により分泌される蛋白．アンドロゲン結合蛋白は恐らく精細管のアンドロゲン濃度を高く維持させる）.

an·dro·gen·ic al·o·pe·ci·a 男性ホルモン性脱毛〔症〕（成人で終毛から軟毛への変化を伴う緩徐な頭髪密度の減少であり，思春期以後の男性ホルモン分泌に対する毛嚢の感受性が家族性（遺伝性）に増加する結果として毛を喪失するようになる．→female pattern alopecia; male pattern alopecia）. = alopecia hereditaria; patterned alopecia.

an·dro·gen·ic ste·roid = anabolic steroid.

an·dro·gen in·sen·si·tiv·i·ty syn·drome = androgen resistance syndromes.

an·dro·gen re·sis·tance syn·dromes 男性ホルモン不応症候群（5α-ステロイド還元酵素の欠損，精巣性女性化症や，それらに関連した疾患群. *cf.* Reifenstein syndrome; testicular feminization syndrome）. = androgen insensitivity syndrome.

an·dro·graph·is (an-drō-graf′is). キツネノマゴ（心疾患および消化器系の疾患の治療に効果があるとされる，インドの薬草（アンドログラフィスパニクラータ）．抗癌剤としての有用性を示唆する研究もある）.

an·drog·y·nous (an-droj′i-nŭs). 女性仮性陰陽の.

an·drog·y·ny (an-droj′i-nē). ***1*** 女性仮性陰陽. = female pseudohermaphroditism. ***2*** 態度や行動において男性と女性の両方の特徴を示すことであり，このなかには一般的で，その文化で認められた両性の性役割が含まれる.

an·droid o·be·si·ty 男性様肥満（主に腹壁や腸間膜に脂肪が過剰に蓄積した中心性肥満（リンゴ体型）．耐糖能異常，糖尿病，性ホルモン結合グロブリン低下，遊離テストステロン上昇，心

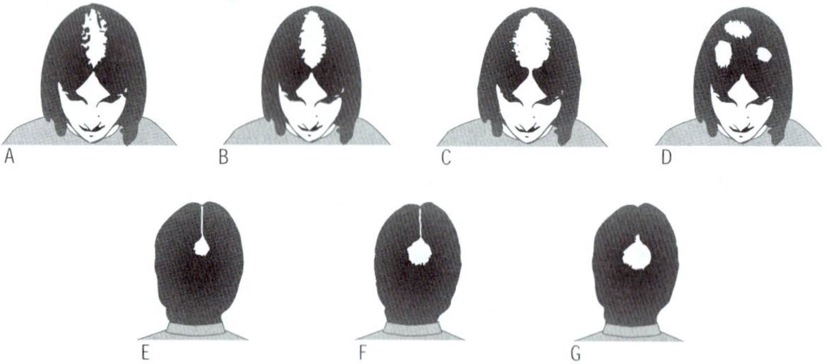
A
B
C
D
E
F
G

androgenic alopecia
女性の脱毛パターン　A：軽度の頭頂部脱毛．B：中等度の頭頂部脱毛．C：進行した頭頂部脱毛．D：斑状脱毛．
男性の脱毛パターン　E：軽度の頭頂部脱毛．F：中等度の頭頂部脱毛．G：進行した頭頂部脱毛．

血管障害のリスク上昇を伴う）．

an·droid pel·vis 男性型骨盤（男性型骨盤 masculine pelvis または漏斗骨盤）．

an·drol·o·gy (an-drol′ō-jē)．男性学，男性病学（男性の疾患，特に男性生殖器の疾患に関する医学）．

an·dro·mor·phous (an′drō-mōr′fŭs)．男性体型の．

an·drop·a·thy (an-drop′ă-thē)．男性疾患（男性に特有の疾患）．

an·dro·pause (an′drō-pawz)．男性更年期（加齢によって男性生殖腺の機能が低下するためと推論される状態．menopause の類義語）．

an·dro·pho·bi·a (an′drō-fō′bē-ă)．男性恐怖〔症〕（男性に対する病的な恐れで，男性がいる状況を避けるようになる）．

an·dro·stane (an′drō-stān)．アンドロスタン（アンドロゲンステロイドの母体となる炭化水素）．

an·dro·stane·di·ol (an′drō-stān′dī-ol)．アンドロスタンジオール; 5α-androstane-$3\beta,17\beta$-diol（5β 異性体のステロイド代謝産物もまた知られている）．

an·dro·stane·di·one (an′drō-stān′dī-ōn)．アンドロスタンジオン（5β 異性体のステロイド代謝産物もまた知られている）．

an·dro·stene (an′drō-stēn)．アンドロステン（分子中に不飽和結合（すなわち -CH=CH-）をもつアンドロスタン）．

an·dro·stene·di·ol (an′drō-stēn′dī-ol)．アンドロステンジオール（C-5 と C-6 の間に二重結合を有する点が，アンドロスタンジオールと異なるステロイド代謝産物）．

an·dro·stene·di·one (an′drō-stēn′dī-ōn)．アンドロステンジオン（テストステロンよりも弱い生物学的効果をもつ男性ホルモン．精巣，卵巣，副腎皮質より分泌される）．

an·dro·ste·nol (an′drō-stē′nol)．アンドロステノール（フェロモンであるといわれている物質．アンドロステノールは男性の汗内でみつけられ，酸化されてアンドロステノンになる．テストの結果，女性はアンドロステノールがもつ乾いたジャコウのような臭いを好むが，アンドロステノンのほうは化学品に似た，また尿のような不快な臭いとして認知する．しかし，排卵時の女性は中立的に反応する）．

an·dros·ter·one (an-dros′tĕr-ōn)．アンドロステロン（男性尿中にみられる弱アンドロゲン作用をもつステロイド代謝産物）．

an·e·cho·ic (an′ĕ-kō′ik)．無響の（残響のない，あるいはソノグラフで残響のない状態．清明な液体の充満している嚢胞には残響がない）．

an·e·cho·ic cham·ber 無響室（反響をすべて取り除くため，すべての音を吸収するように設計された部屋．聴覚や感覚喪失の研究に用いられる）．

A·nel meth·od アネル法（動脈瘤の直上（近位側）で，動脈を結紮する方法）．

A·nem·ar·rhe·na (ă-nem′ă-rē′nă)．ハナスゲ（知母）（アネマルヘナ・アスフォデロイデス．漢方で用いられる薬草．漢方では，熱，腸および泌尿器系疾患，一部の感染症の治療に効果があるとされる）．

a·ne·mi·a (ă-nē′mē-ă)．貧血（血液 1 mm^3 中の赤血球数，血液 100 mL 中のヘモグロビンの量，ヘマトクリット値が正常よりも低い状態．したがって，臨床的には一般に，一定量の血液の酸素運搬物質の濃度の低下を意味し，赤血球減少症，血色素減少症，および血液減少症とよばれるような身体全体の量の低下ではない．貧血は多くの場合，皮膚・粘膜の蒼白，息切れ，心悸亢進，軟性収縮期雑音，嗜眠，および易疲労性などとして現れる）．= anaemia.

a·ne·mic (ă-nē′mik)．貧血〔性〕の（貧血の様々な特徴に関する）．= anaemic.

a·ne·mic an·ox·i·a 貧血性無酸素〔症〕（酸素

がほとんど完全に欠如した貧血性低酸素症). = anaemic anoxia.

a·ne·mic ha·lo 貧血暈（皮膚の蒼白な，比較的血管に乏しい領域で，クモ状血管拡張や老年性血管腫，ときに急性の斑状皮疹の周りにみられるもの). = anaemic halo.

a·ne·mic hy·pox·i·a 貧血性低酸素〔症〕（機能的なヘモグロビン濃度の減少，または赤血球数の減少によって生じる低酸素症). = anaemic hypoxia.

a·ne·mic in·farct 貧血性梗塞（血液の供給が阻止された際，組織空間への出血がほとんど，あるいはまったくない梗塞). = anaemic infarct; white infarct (1).

a·ne·mic mur·mur 貧血性雑音（重度貧血の際に心臓や大血管を聴診して聞こえる非弁性の雑音で，血液の粘度が低下して乱流を起こすためと考えられる). = anaemic murmur; hemic murmur.

an·e·mo·pho·bi·a (an′ĕ-mō-fō′bē-ă). 風恐怖〔症〕，隙風恐怖〔症〕（風に対する病的な恐れ).

an·en·ce·phal·ic (an′en-sĕ-fal′ik). 無脳症の.

an·en·ceph·a·lus (an′en-sef′ă-lūs). 無脳症胎児（脳のすべてあるいは大部分を欠く胎児).

an·en·ceph·a·ly (an′en-sef′ă-lē). 無脳症. = meroanencephaly.

a·neph·ric (ā-nef′rik). 無腎の（腎臓の欠如した).

an·er·ga·si·a (an′ĕr-gā′zē-ă). 器質〔性〕精神病，〔精神〕活動脱失(消失)（器質性脳疾患の結果としてみられる精神活動の欠如. 註A. Meyer の用語).

an·er·gas·tic (an′ĕr-gas′tik). 器質〔性〕精神病の，精神活動脱失(消失)の.

an·er·gic (an-ĕr′jik). アネルギーの（アネルギーに関する，アネルギーによって特徴付けられる).

an·er·gy (an′ĕr-jē). アネルギー（①個体に対して抗原性(免疫原性，アレルギー原性)を有するであろう物質に対して，過敏症反応を引き起こす能力の欠如. ②エネルギーの欠如).

an·er·oid (an′ĕr-oyd). アネロイドの，液体を含まない(水銀を使用しない気圧計を表す語).

an·e·ryth·ro·pla·si·a (an′ĕ-rith′rō-plā′zē-ă). 赤血球形成不全.

an·e·ryth·ro·plas·tic (an′ĕ-rith′rō-plas′tik). 赤血球形成不全の.

an·es·the·ki·ne·si·a (an-es′thē-ki-nē′zē-ă). 知覚運動麻痺（知覚麻痺と運動麻痺の併発). = anaesthekinesia.

an·es·the·si·a (an′es-thē′zē-ă). ***1*** 感覚(知覚)脱失(消失)，知覚麻痺，無感覚〔症〕（神経機能の薬理的抑制または神経機能障害により生じる感覚消失. 障害部位によって，局所性のことも全身性のこともある). ***2*** 麻酔〔法〕（臨床の専門的知識としての広義の麻酔学). = anaesthesia.

an·es·the·si·a do·lo·ro·sa 有痛〔性〕感覚(知覚)脱失(消失)，有痛〔性〕知覚麻痺（感覚消失帯に起こる重症の自発性疼痛). = anaesthesia dolorosa.

an·es·the·si·a rec·ord 麻酔記録（手術または産科麻酔の経過中，投与した薬剤の量や施行した処置および呼吸・循環系をはじめとする生理的な変動の，手書きまたは電子機器による記録). = anaesthesia record.

an·es·the·si·ol·o·gist (an′es-thē′zē-ol′ŏ-jist). 麻酔科医（①麻酔学および関連領域だけを専門とする医師. ②麻酔とその関連技術を管理するため，専門委員会で証明され，法的に資格を与えられた，博士の学位を有する個人. *cf.* anesthetist). = anaesthesiologist.

an·es·the·si·ol·o·gy (an′es-thē′zē-ol′ŏ-jē). 麻酔学（麻酔および関連分野の薬理学的・生理学的・臨床的基礎に関する医学の専門分野で，蘇生，集中呼吸治療，急性・慢性の疼痛の分野をも含む). = anaesthesiology.

an·es·thet·ic (an′es-thet′ik). = anaesthetic. ***1*** 〖n.〗麻酔薬（神経機能を可逆的に抑制し，痛みその他の感覚を知覚する能力を消失させる化合物). ***2*** 〖n.〗ある特定の時期に個々の被検者に投与される麻酔薬を集合的にいう名称. ***3*** 〖adj.〗感覚(知覚)脱失(消失)〔性〕の. ***4*** 〖adj.〗麻酔の（麻酔に合併する，麻酔状態に起因する).

an·es·thet·ic depth 麻酔深度（全身麻酔薬によりもたらされる中枢神経系の抑制の度合い. 麻酔薬の効力とその適用濃度による).

an·es·thet·ic gas 麻酔ガス（→inhalation anesthetic).

an·es·thet·ic in·dex 麻酔指数（麻酔状態を得るのに必要な麻酔薬単位数と呼吸不全または循環不全を起こすのに要する麻酔薬の単位数との比).

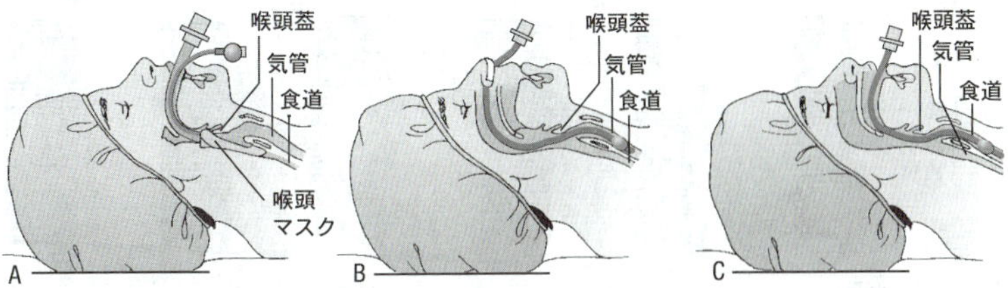
喉頭蓋
気管
食道
喉頭マスク
A
喉頭蓋
気管
食道
B
喉頭蓋
気管
食道
C

anesthetic delivery methods

A：喉頭マスクエアウェイ，B：経鼻気管内カテーテル，C：経口気管内挿管

an·es·thet·ic lep·ro·sy 感覚(知覚)脱失(消失)らい (主として神経を侵す型で，知覚過敏に続発する知覚消失，麻痺，潰瘍形成，栄養障害を特徴とし，最後には壊疽や断節が生じる). = Danielssen disease; trophoneurotic leprosy.

a·nes·the·tist (ă-nes′thĕ-tist). 麻酔士，麻酔手(麻酔科医，他科の医師，看護師などを問わず麻酔薬を投与する人). = anaesthetist.

a·nes·the·ti·za·tion (ă-nes′thĕ-tī-zā′shun). 麻酔〔法〕，麻酔施行.

a·nes·the·tize (ă-nes′thĕ-tīz). 麻酔する.

an·es·trus (an-es′trŭs). 発情休止期，無発情期(哺乳類の発情周期における性的静止期). = anoestrus.

an·e·to·der·ma (an′ĕ-tō-dĕr′mă). 斑状皮膚萎縮〔症〕(皮膚が袋状およびひだ状または陥凹を呈する皮膚萎縮症).

an·eu·ploid (an′yū-ployd). 異数体の (二倍体や三倍体のように染色体基本数の整数倍の異常に対し，一倍体の正しい整数倍でない異常な数の染色体をもつ).

an·eu·ploi·dy (an′yū-ploy′dē). 異数性 (異常な数の染色体をもつ状態).

an·eu·rysm (an′yūr-izm). 動脈瘤 (①動脈あるいは心室の限局性の拡張で，内腔と直接交通している後天性あるいは先天性の動脈あるいは心室の壁の弱さからくる. ②普通には後天性あるいは先天性の心臓の壁の弱さに起因する心室の限局性の拡張).

an·eu·rys·mal, an·eu·rys·mat·ic (an′yūr-iz′măl, iz-mat′ik). 動脈瘤の.

an·eu·rys·mal bone cyst 動脈瘤性骨嚢胞(長骨に沿ってまたは脊椎中に広がる，血液で満たされた間隙よりなる孤立性の良性溶骨性病巣. 多核巨細胞を含む線維組織により隔てられている. 腫脹，疼痛，圧痛を生じ，罹患骨の構造を破壊する).

an·eu·rys·mal bru·it 動脈瘤〔性〕雑音 (動脈瘤上で聞かれる吹鳴性雑音).

an·eu·rys·mal var·ix 動脈瘤性静脈瘤 (隣接する動脈と後天的に直接交通することにより生じる静脈の拡張と蛇行). = Pott aneurysm.

an·eu·rys·mec·to·my (an′yūr-iz-mek′tŏ-mē). 動脈瘤切除〔術〕.

an·eu·rys·mo·graph (an′yūr-iz′mŏ-graf). 動脈瘤造影 (動脈瘤の描出法，通常，X 線造影法を用いて描出する).

an·eu·rys·mo·plas·ty (an′yūr-iz′mō-plas-tē). 動脈瘤整復〔術〕(嚢を開き，その壁を縫合して行う動脈瘤の修復. →aneurysmorrhaphy). = endoaneurysmoplasty; endoaneurysmorrhaphy.

an·eu·rys·mor·rha·phy (an′yūr-iz-mōr′ă-fē). 動脈瘤縫縮術，動脈瘤形成術 (正常の大きさの管腔に修復するために動脈瘤の嚢を縫合して行う閉鎖).

an·eu·rys·mot·o·my (an′yūr-iz-mot′ŏ-mē). 動脈瘤切開〔術〕(動脈瘤の嚢の切開).

ANF ***1*** antinuclear factor; Australian Nursing Federation; American Nurses Foundation の略. ***2*** atrial natriuretic factor の略. ANP (atrial natriuretic peptide)ともいう. 心房で流量や圧の増大によって産生されるホルモン.

an·gel·i·ca (an-jel′i-kă). カラトウキ(唐当帰)(数多くの病気に対して，さまざまな形(乾燥根製剤，油，チンキ剤)で用いられる，アジアの薬草(アンゲリカ・シネンシス). この薬品の使用による副作用は広く報告されている). = dong quai.

An·gel·man syn·drome エンジェルマン症候群 (精神遅滞，失調，笑い発作，痙攣，特徴的顔貌，会話の乏しさを特徴とする遺伝性疾患).

An·ge·luc·ci syn·drome アンジェルッチ症候群 (春季カタルを伴った極度の興奮，血管運動障害および心悸亢進).

an·gel wing 天使の翼 (両側の肩甲骨が著しく突出している変形. →winged scapula).

an·gi·ec·ta·si·a, an·gi·ec·ta·sis (an′jē-ek-tā′zē-ă, -ek′tă-sis). 血管拡張〔症〕，脈管拡張〔症〕(リンパ管または血管の拡張).

an·gi·ec·tat·ic (an′jē-ek-tat′ik). 血管拡張〔症〕の (拡張した血管の存在を特徴とする).

an·gi·ec·to·pi·a (an′jē-ek-tō′pē-ă). 血管走行異常，血管転位〔症〕(血管の位置異常).

an·gi·i·tis, an·gi·tis (an′jē-ī′tis, an-jī′tis). 血管炎，脈管炎 (血管の炎症(動脈炎，静脈炎)，またはリンパ管の炎症(リンパ管炎)). = vasculitis.

an·gi·na (an′ji-nă). ***1*** アンギナ (しばしば絞扼感を伴う激痛. 通常，angina pectoris(狭心症)を示す). ***2*** アンギナ (何らかの原因による咽喉痛

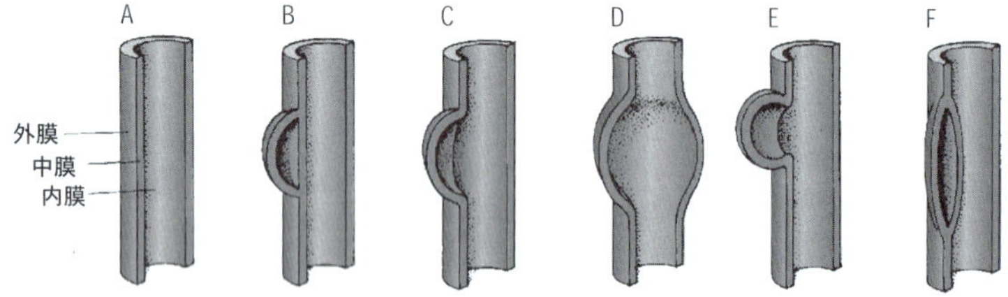
A
B
C
D
E
F
外膜
中膜
内膜

arterial aneurysm

A：正常な動脈，B：偽性動脈瘤(拍動性血管腫)，C：真性動脈瘤，D：紡錘状動脈瘤，E：小嚢性動脈瘤，F：解離性動脈瘤

を表す古語).

an·gi·na cru·ris 下腿アンギナ (間欠性跛行).

an·gi·na in·ver·sa 逆狭心症. = Prinzmetal angina.

an·gi·nal (an′ji-năl). 狭心症の, アンギナ〔性〕の.

an·gi·na pec·to·ris 狭心症 (胸部の重症の収縮性の痛みで, しばしば前胸部から肩(通常, 左肩), 腕へ向かって放散する. 心筋虚血に起因し, 通常, 冠状動脈疾患によって引き起こされる). = stenocardia.

an·gi·na scale 狭心症尺度 (狭心症の重症度を記述するために用いられる, 4つの段階からなる尺度(1+=軽度から4+=重度まで)).

an·gi·noid (an′jin-oid). 狭心症様の, アンギナ様の, という意味でまれに用いる語.

an·gi·nose, an·gi·nous (an′ji-nōs, -ji-nŭs). アンギナの (アンギナに関することを表すのにまれに用いる語).

an·gi·nose scar·la·ti·na, scar·la·ti·na an·gi·no·sa アンギナ性猩紅熱 (咽頭の病変が異常に重症の猩紅熱の一型). = Fothergill disease(2).

angio-, angi- 血管, リンパ管, 被覆, 封入物に関する連結形. ラテン語の *vas-*, *vaso-*, *vasculo-* に相当.

an·gi·o·blast (an′jē-ō-blast). 血管芽細胞 (①血管形成に関与する細胞. = vasoformative cell. ②胚子血球および血管内皮が分化する原始間葉組織).

an·gi·o·blas·to·ma (an′jē-ō-blas-tō′mă). 血管芽〔細胞〕腫. = hemangioblastoma.

an·gi·o·car·di·og·ra·phy (an′jē-ō-kahr-dē-og′ră-fē). 血管心臓造影(撮影)〔法〕(放射線不透過性溶液の注入により可視化された心臓と大血管のX線撮影. →coronary angiography).

an·gi·o·car·di·o·ki·net·ic, an·gi·o·car·di·o·ci·net·ic (an′jē-ō-kahr′dē-ō-ki-net′ik, an′jē-ō-kahr′dē-ō-si-net′ik). 血管心臓運動〔性〕の (心臓および血管の拡張または収縮を引き起こす).

an·gi·o·car·di·op·a·thy (an′jē-ō-kahr′dē-op′ă-thē). 血管心臓障害 (心臓と血管の両方を侵す病気).

an·gi·o·dys·pla·si·a (an′jē-ō-dis-plā′zē-ă). 血管形成異常, 血管異形成 (正常脈管系の変性による拡張).

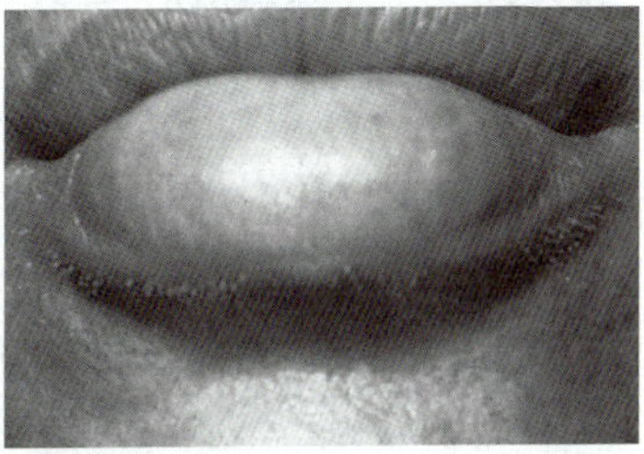

angioedema

an·gi·o·dys·tro·phy, an·gi·o·dys·tro·phi·a (an′jē-ō-dis′trŏ-fē, -dis-trō′fē-ă). 血管異栄養〔症〕, 血管ジストロフィ (顕著な血管変化を伴う, 形成または成長の欠損).

an·gi·o·e·de·ma (an′jē-ō-ĕ-dē′mă). 血管性水腫(浮腫) (通常, 突発性で24時間以内に消失する皮下または粘膜の浮腫で, 再帰性で巨大な限局性を示し, 主に若い女性に食物や薬物に対するアレルギー反応として認められる). = Quincke disease; angio-oedema; angioneurotic edema(1); Bannister disease; giant urticaria.

an·gi·o·en·do·the·li·o·ma·to·sis (an′jē-ō-en-dō-thē′lē-ō-mă-tō′sis). 血管内皮細胞腫症 (血管内部での血管内皮細胞の増殖).

an·gi·o·fi·bro·ma (an′jē-ō-fī-brō′mă). 血管線維腫. = telangiectatic fibroma.

an·gi·o·fi·bro·sis (an′jē-ō-fī-brō′sis). 血管線維症, 血管線維増殖〔症〕(血管壁の線維症).

an·gi·o·gen·e·sis (an′jē-ō-jen′ĕ-sis). 新脈管形成.

an·gi·o·gen·e·sis fac·tor 血管新生因子 (マクロファージから分泌され, 治癒過程の創傷や腫瘍の間質において血管の新生を促す, 分子量2,000—20,000の物質).

an·gi·o·gen·ic (an′jē-ō-jen′ik). ***1*** 脈管形成の. ***2*** 血管由来の.

an·gi·o·gli·o·ma (an′jē-ō-glī-ō′mă). 血管神経膠腫 (神経膠腫と血管腫の混合).

an·gi·o·gram (an′jē-ō-gram). 血管写〔像〕, 血管造影(撮影)図 (血管造影法により得られるX線写真).

an·gi·o·graph·ic (an′jē-ō-graf′ik). 血管造影的 (血管造影に関する, またはそれを用いた).

an·gi·og·ra·phy (an′jē-og′ră-fē). 血管造影(撮影)〔法〕, 血管写 (放射線不透性物質を注入して行う血管のX線撮影法. →arteriography; venography).

an·gi·og·ra·phy cath·e·ter 血管造影用カテーテル (壁の薄い管で, 経皮的挿入と血管造影のための自動造影剤注入器に適する).

an·gi·oid (an′jē-oyd). 血管様の (樹木状に枝分れする).

an·gi·oid streaks 網膜色素線条〔症〕(眼底の乳頭に沿ってみられる脈絡膜基底層の石灰化. 弾性偽黄色腫, 鎌状赤血球症および Paget 病に合併する. 脈絡膜血管新生を発症しやすい). = Knapp streaks; Knapp striae.

an·gi·o·im·mu·no·blas·tic lym·phad·e·nop·a·thy with dys·pro·tein·e·mi·a 異蛋白血症を伴う血管免疫芽球性リンパ節症 (全身性リンパ節腫張, 肝・脾腫, 発熱, 発汗, 体重減少, 皮疹, そう痒, 高ガンマグロブリン血症を特徴とするリンパ増殖性疾患. 主として高齢者に起こりしばしば致死的である. B細胞の増加とT細胞の減少が認められている).

an·gi·o·ker·a·to·ma (an′jē-ō-ker-ă-tō′mă). 被角血管腫 (真皮浅層内にある毛細血管の後天性毛細血管拡張症で, その上にはいぼ状の角質増殖と表皮肥厚を伴う). = telangiectatic wart.

an·gi·o·ker·a·to·sis (an′jē-ō-ker-ă-tō′sis). 角

化血管腫症（角化血管腫の多発）.

an·gi·o·ki·ne·sis (an′jē-ō-ki-nē′sis). 血管運動. = vasomotion.

an·gi·o·ki·net·ic (an′jē-ō-ki-net′ik). 血管運動の. = vasomotor.

an·gi·o·lith (an′jē-ō-lith). 血管結石（動脈結石または静脈結石）.

an·gi·o·lith·ic (an′jē-ō-lith′ik). 血管結石の.

an·gi·ol·o·gy (an-jē-ol′ŏ-jē). 脈管学（血管とリンパ管をそれらのすべての関係において扱う科学）.

an·gi·o·lu·poid (an′jē-ō-lū′poyd). 血管類狼瘡（皮膚の類肉腫様発疹. 肉芽腫性で毛細血管拡張性の丘疹が鼻と頬に分布する）.

an·gi·ol·y·sis (an′jē-ol′i-sis). 血管退化（新生児の臍帯結紮後に起こるような血管閉塞）.

an·gi·o·ma (an′jē-ō′mă). 血管腫（拡張の有無にかかわらず血管（血管腫）またはリンパ管（リンパ管腫）の増殖に起因する腫脹または腫瘍）.

an·gi·o·ma ser·pi·gi·no·sum 蛇行性血管腫（皮膚上の赤色斑点の環の存在. 特に女児では, 末梢に広がる傾向がある. 表在毛細管の拡張に起因する）. = essential telangiectasia(2).

an·gi·o·ma·toid (an′jē-ō′mă-toyd). 血管腫様の.

an·gi·o·ma·to·sis (an′jē-ō-mă-tō′sis). 血管腫症（多発血管腫を特徴とする状態）.

an·gi·o·ma·tous (an′jē-ō′mă-tŭs). 血管腫の.

an·gi·o·myx·o·ma (an′jē-ō-miks-ō′mă). 血管粘液腫（異常に多数の血管構造物をもつ粘液腫）.

an·gi·o·neu·rec·to·my (an′jē-ō-nūr-ek′tō-mē). ***1*** 血管神経切除〔術〕（血管および神経の切除）. ***2*** 精管精索切除〔術〕（不妊にするために精索の一部を切除すること）.

an·gi·o·neu·rot·ic e·de·ma 血管〔運動〕神経性水腫（浮腫）. = angioedema; Quincke disease.

angio-oedema [Br.]. = angioedema.

an·gi·op·a·thy (an′jē-op′ă-thē). 血管障害, 脈管障害（血管またはリンパ管の何らかの疾病）. = angiosis.

an·gi·o·phac·o·ma·to·sis, an·gi·o·phak·o·ma·to·sis (an′jē-ō-fak′ō-mă-tō′sis, an′jē-ō′fak′ō-mă-tō′sis). 血管母斑症（血管腫性母斑症. 例えば, von Hippel-Lindau 病および Sturge-Weber 症候群）.

an·gi·o·plas·ty (an′jē-ō-plas-tē). 血管形成〔術〕（血管の再建または再疎通のこと. バルーンでの拡張, 機械的な内膜の剥離, フィブリン溶解性物質の注入, ステントの留置を含む. ━percutaneous coronary intervention）.

an·gi·o·plas·ty bal·loon 血管形成〔術〕用バルーン（血管造影用カテーテルの先端近くにバルーンがあり, 狭窄した血管を拡張するよう設計されている. ━balloon-tip catheter）.

an·gi·o·poi·e·sis (an′jē-ō-poy-ē′sis). 脈管形成（血管またはリンパ管の新しい形成）. = vasifaction; vasoformation.

an·gi·o·poi·et·ic (an′jē-ō-poy-et′ik). 脈管形成の. = vasifactive; vasoformative.

an·gi·or·rha·phy (an′jē-ōr′ă-fē). 脈管縫合〔術〕（脈管, 特に血管の縫合）.

an·gi·o·sar·co·ma (an′jē-ō-sahr-kō′mă). 血管肉腫（軟組織に最も多くみられ, 血管の内皮細胞から発生すると考えられている, まれな悪性新生物. 鏡検すると, 紡錘形の細胞が密になっており, その間隙は血管に似た細裂となっている）.

an·gi·os·co·py (an′jē-os′kŏ-pē). ***1*** 血管顕微鏡検査〔法〕（造影剤などの放射線不透過性物質を血管内に注入後, それらが毛細管内を通過するのを顕微鏡を用いて観察する方法）. ***2*** 血管内視鏡（末梢から挿入したファイバースコープを用いて血管（特に肺動脈）の内腔を観察する）.

an·gi·o·sco·to·ma (an′jē-ō-skō-tō′mă). 血管暗点（視細胞上の網膜血管に起因するリボン状の視野欠損）.

an·gi·o·sco·tom·e·try (an′jē-ō-skō-tom′ĕ-trē). 血管暗点計測〔法〕（血管暗点パターンの測定または投影）.

an·gi·o·sis (an-jē-ō′sis). 血管症. = angiopathy.

an·gi·o·some (an′je-ō-sōm). アンギオソーム（動脈の分布・灌流に基づいて皮膚, 筋肉, 腱, 神経, 骨を解剖学的血管領域として合成的に示したもの）.

an·gi·o·spasm (an′jē-ō-spazm). 血管痙攣. = vasospasm.

an·gi·o·spas·tic (an′jē-ō-spas′tik). 血管痙攣の. = vasospastic.

an·gi·o·ste·no·sis (an′jē-ō-stĕ-nō′sis). 血管狭窄〔症〕（1 本以上の血管の狭窄）.

an·gi·o·ten·sin (an′jē-ō-ten′sin). アンギオテンシン（血管収縮性を有するペプチドの一種で, アンギオテンシノゲンからレニンの働きによってできる）.

an·gi·o·ten·sin-con·vert·ing en·zyme (ACE) アンギオテンシン交換酵素（アンギオテンシン I からアンギオテンシン I のジペプチド（ヒスチジルロイシン）を除去することにより, 血管作用性アンギオテンシン II へ変化させるヒドロラーゼ. ACE を阻害する薬剤が, 高血圧やうっ血性心不全の治療に用いられる）.

an·gi·o·ten·sin-con·vert·ing en·zyme (ACE) in·hib·i·tor アンギオテンシン変換酵素阻害薬（高血圧の治療に使用される薬物の一種. その作用の正確な機構はまだ完全には解明されていないが, これらの薬物は, アンギオテンシン I から強力な血管収縮物質であるアンギオテンシン II への変換を阻害して, 末梢動脈抵抗の減少を引き起こす）.

an·gi·o·ten·sin II アンギオテンシン II（血管作用性オクタペプチドで, アンギオテンシン変換酵素によりアンギオテンシン I から生成される. アンギオテンシン II は, 血管平滑筋を刺激したりアルドステロンの分泌を促進し, また交感神経系を刺激する）.

an·gi·o·ten·sin III am·ide アンギオテンシン III アミド（天然のアンギオテンシン II と密接な関係にある合成物質. 強力な血管収縮剤で, ある種のショックおよび循環虚脱の治療に有効である）.

an·gi·o·ten·sin II re·cep·tor block·er

(ARB) アンギオテンシンII受容体遮断薬（アンギオテンシン受容体に結合して，内因性のアンギオテンシンIIが受容体に作用してアゴニストが通常に引き起こす血管収縮とNa保持を低下させないようにする薬物．高血圧治療に用いる）．

an·gi·o·ten·sin·o·gen (an′jē-ō-ten-sin′ō-jen). アンギオテンシノゲン（レニン基質で，酵素作用によりアンギオテンシンIで放出される．血漿中で循環する多量のα_2-グロブリンのことである）．

an·gi·o·ten·sin·o·gen·ase (an′jē-ō-ten-si-noj′ĕn-ās). アンギオテンシノゲネース．= renin.

an·gi·o·ten·sin re·cep·tor block·er アンギオテンシン受容体遮断薬（ロサルタンのようにアンギオテンシン受容体に結合して，アンギオテンシンIIが受容体と結合できず，血管収縮を減らす結果となる．高血圧治療薬に用いる）．

an·gi·o·ten·sin re·cep·tors アンギオテンシン受容体（アンギオテンシンIIの作用を媒介する，細胞表面のG蛋白質共役受容体で，AT_1とAT_2の2つのタイプが知られている．AT_1は，アンギオテンシンIIによって引き起こされた，高血圧反応の原因である強力な血管平滑筋の収縮を媒介する．AT_2は，どんな生理学的な機能を果たすのかよく分かっていない）．

an·gi·ot·o·my (an′jē-ot′ŏ-mē). 血管切開〔術〕（血管の切開または血管を修復する前に血管に開口をつくること）．

an·gi·o·to·ni·a (an′jē-ō-tō′nē-ă). 血管緊張. = vasotonia.

an·gi·o·tro·phic (an′jē-ō-trō′fik). vasotrophic（血管栄養の）を表す，まれに用いる語．

an·gle (*θ*) (ang′gl). 角（2線または2平面の交点．2線または2平面の交わりによってできる図形．交差する2線または2平面によって境界される空間．→distobuccal, labiogingival, mesiogingival）. = angulus.

An·gle clas·si·fi·ca·tion of mal·oc·clu·sion アングル不正咬合分類〔法〕（永久大臼歯の萌出と咬合に関する近遠心関係に基づく異なったタイプの分類法で，3つの級に分けられている．I級は顎の正常関係のもので，上顎第一大臼歯の近心頬側咬頭は下顎第一大臼歯の咬面溝に咬合している．II級は下顎が遠心位にあり，上顎第一大臼歯の遠心頬側咬頭は下顎第一大臼歯の頬面溝に咬合し，さらに第一類は上顎切歯の唇側転位を，第二類は上顎中切歯の舌側転位を伴うものと分類され，ともに片側性の条件である．III級は下顎の近心関係であり，上顎第一大臼歯の近心頬側咬頭は下顎の第一および第二大臼歯の間の歯間空隙に咬合し，さらに片側性の条件で分類される）．

an·gle-clo·sure glau·co·ma 閉塞隅角緑内障（虹彩と周辺角膜の接触により，房水が線維柱帯網から排出されない原発緑内障．片眼性のことも両眼性のこともある）. = narrow-angle glaucoma.

an·gle of con·ver·gence 輻輳角（近くの物体を注視する際に，視線と正中線とのなす角）．

an·gle of ec·cen·tric·i·ty 偏心角（斜視において，主注視方向と正常視線とのなす角）．

an·gle of i·ris = iridocorneal angle.

an·gle of jaw 下顎角. = angle of mandible.

an·gle of man·di·ble 下顎角（下顎体の下縁と下顎枝の後縁とが出合うかどの部分）. = angulus mandibulae; angle of jaw.

an·gle re·ces·sion 隅角後退（垂直および円形の毛様体筋の間での虹彩根部の裂傷．しばしば緑内障を生じる）．

an·gle of re·tro·ver·sion 後捻角（上腕骨頭を上から真下に見おろしたときに，上腕骨頸部と骨頭の長軸の中心を通る線と両顆の横軸に沿って引かれる線とによりつくられる角度．上腕骨の正常後捻角は20°から40°である）．

an·gle of tor·sion ねじれ角，捻転角（長骨の軸に沿ってのねじれ，または2つの軸の間での回転量をいう．度で表す）．

ang·strom (Å) (ang-strŏm). オングストローム（波長の単位で，1Åは10^{-10} m．ほぼ原子の直径に相当する．0.1 nmに等しい）．

Ång·ström law オングストローム（オングストレーム）の法則（発光体はその放射するものと同じ波長の光を吸収する）．

Ång·ström u·nit (Å) オングストローム（オングストレーム）〔単位〕（→angstrom）．

an·gu·lar ar·ter·y 眼角動脈（顔面動脈の終枝．鼻の側面の筋肉および皮膚に分布する．外側鼻動脈，眼動脈からの鼻背動脈・外側眼瞼動脈と吻合し内頸動脈と外頸動脈との吻合路となる）. = arteria angularis.

an·gu·lar chei·li·tis 口角炎（口角部に広がる炎症，亀裂）. = angular cheilosis.

an·gu·lar chei·lo·sis 口角口唇炎（唇の赤みがかった炎症と，口角から広がる裂け目が生じる）. = angular cheilitis; angular stomatitis.

an·gu·lar cur·va·ture 角状彎曲（Pott病における脊椎の鋭い彎曲のような突背奇形）. = Pott curvature.

an·gu·lar gy·rus 角回（上側および中側頭回の後端が結合して形成される，下頭頂小葉内のひだの付いた回）．

an·gu·lar mo·men·tum 角運動量（原子核内の陽子と中性子の数の間のバランスに依存して核磁気共鳴現象を生ずる核のスピンが持つ物理量）．

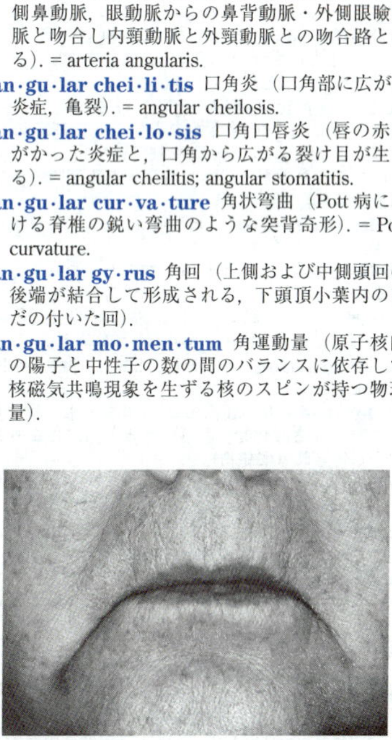

angular cheilosis

an·gu·lar spine 蝶形骨棘. = sphenoidal spine.

an·gu·lar sto·ma·ti·tis 口角炎. = angular cheilosis.

an·gu·lar vein 眼角静脈（眼窩上静脈と滑車上静脈によって形成され，顔面静脈に続く内眼角の短い静脈）.

an·gu·la·tion (ang′gyū-lā′shŭn). ***1***〔屈曲〕角形成（器官における異常な角度または屈曲）. ***2*** 整形外科学では，外傷あるいは疾病に侵された長骨のアラインメントの記述方法．前後面と側面の2つの面で記述される.

an·gu·lus, gen. & pl. **an·gu·li** (ang′gyū-lŭs, -lī). 角. = angle.

an·gu·lus ac·ro·mi·i 肩峰角. = acromial angle.

an·gu·lus cos·tae 肋骨角. = costal angle.

an·gu·lus ir·i·do·cor·ne·a·lis 虹彩角膜角. = iridocorneal angle.

an·gu·lus man·dib·u·lae 下顎角. = angle of mandible.

an·gu·lus pon·to·cer·e·bel·la·ris = cerebellopontine angle.

an·gu·lus ster·ni 胸骨角. = sternal angle.

an·gu·lus sub·pu·bi·cus 恥骨下角. = subpubic angle.

an·he·do·ni·a (an′hē-dō′nē-ā). 快感消失〔症〕，無快感〔症〕（本来，快感になるはずの行為から快感を得られないこと）.

an·hi·dro·sis (an′hī-drō′sis). 無〔発〕汗〔症〕（汗腺または発汗の欠損．例えば，抗コリン作用性の薬物による）. = adiaphoresis.

an·hi·drot·ic (an′hī-drot′ik). ***1*** 無〔発〕汗〔症〕の（熱に対して耐容性のないこと．汗腺の欠損）. ***2*** 無汗腺の（先天性外胚葉欠損および無発汗性外胚葉性形成異常の特徴である汗腺の減少または欠如についていう）.

an·hy·dram·ni·os (an-hī-dram′nē-os). 羊水過少.

an·hy·drase (an-hī′drās). アンヒドラーゼ，脱水酵素（化合物から水を除去する反応を触媒する酵素．この種の酵素は現在では hydrase, hydro-lyases, dehydratases として知られる）.

an·hy·dra·tion (an′hī-drā′shŭn). 脱水. = dehydration(1).

an·hy·dride (an-hī′drīd). 無水物（水と結合して酸になる酸化物，あるいは水の除去により酸から得られる酸化物）.

anhydro- 水の除去を意味する化学的な接頭語. *cf.* pyro-(2).

an·hy·drous (an-hī′drŭs). 無水の（水，特に結晶水を含まないことをさす）.

an·ic·ter·ic vi·ral hep·a·ti·tis 無黄疸性ウイルス性肝炎（比較的軽度の肝炎で黄疸がないもの）.

an·i·lide (an′i-līd). アニリド（*N*-アシルアニリン，例えばアセトアニリド）.

an·i·linc·tion, an·i·linc·tus (a′nī-lingk′shŭn, -lingk′tŭs). 肛門接吻. = anilingus.

an·i·line (an′i-lin). アニリン（芳香と刺激性の味をもつ無色または褐色がかった油性の液体で，多くの合成染料の母体となる．ベンゼンの水素原子の1つを NH_2 基で置換した誘導体．アニリンは強い毒性をもち，工業上の中毒を起こし，発癌性があると考えられている）.

an·i·lin·gus (ā-nī-ling′gŭs). 肛門接吻（口を用いた性行為の一種で，肛門をなめたり口づけしたりして性的に刺激すること）. = anilinction; anilinctus.

an·il·ism (an′ī-lizm). アニリン中毒〔症〕（慢性アニリン中毒で，嘔気，めまい，筋力低下，チアノーゼ呼吸および循環不全が特徴）.

an·i·ma (an′i-mă). ***1*** 魂，精神，アニマ（→animus(4)）. ***2*** アニマ（Jung の心理学において，ペルソナ，仮面人格と対比して内面的自己をさす．男性における永遠の女性のイメージの元型. *cf.* animus(5)）.

an·i·mal (an′i-măl). 動物（①膜性の細胞壁を備え，酸素と有機性食物を必要とし，植物や鉱物と違って任意的に動くことができる知覚のある生物．②ヒトと区別して下等動物の全体）.

an·i·mal mod·el 動物モデル（ヒトの群れで起こるヒトの状態に類似した動物の状態を実験動物の群れで調べる研究）.

an·i·mal pole 動物極（端黄卵で卵黄の反対側の点．原形質の大部分が集中し核がある．成熟の間に極体が押し出されるのはこの部分からである）. = germinal pole.

an·i·mal starch 動物性デンプン. = glycogen.

an·i·ma·tion (an′i-mā′shŭn). ***1*** 生きている状態. ***2*** 生気，活気（生き生きしていること．陽気であること）.

an·i·mus (an′i-mŭs). ***1*** 生気，活気，生命力. ***2*** 意志，志向，意図. ***3*** 敵意，悪意，憎悪. ***4*** 魂，精神，アニムス（精神作用をつかさどるもの，また精神の内面的な理想像）. ***5*** アニムス（Jung の心理学において，女性における男性の元型. *cf.* anima(2)）.

AN in·ter·val AN 間隔（心房電位と結節電位の開始の間の時間．通常は 40—100 msec）.

an·i·on (**A^-**) (an′ī-on). 陰イオン，負イオン（陰電荷を運ぶイオンで，陽極のほうに動く．塩の中では酸基が陰イオン）.

an·i·on ex·change 陰イオン交換（可動(液)相内の陰イオンが，陽電荷した固相にあらかじめ結合するもう1つの陰イオンと交換する過程のことで，その固相を陰イオン交換体という．陰イオン交換は陰イオン種を分離するためのクロマトグラフィに使われ，医薬としては胃の内容物または腸内の胆汁酸から陰イオン(例えば，Cl^-)を取り除くために用いられる）.

an·i·on-ex·change res·in 陰イオン交換樹脂（→anion exchange）.

an·i·on gap アニオン差，アニオンギャップ（血漿または血清中の測定されたカチオン(陽イオン)とアニオン(陰イオン)の合計の差で，$(Na + K) - (Cl + HCO_3) \leq 20$ mmol/L のように計算する．高い値は糖尿病または乳酸アシドーシスにみられる．正常または低い値は低炭酸塩血性代謝性アシドーシスにみられる）.

an·i·on·ic neu·tro·phil-ac·ti·vat·ing pep·tide 陰イオン好中球活性化ペプチド. = interleukin-8.

A

an·i·rid·i·a (an′i-rid′ē-ă). 無虹彩〔症〕(虹彩の欠損. *cf.* irideremia).

an·ise (an′is). アニス, ウイキョウ (セリ科 *Pimpinella anisum* の果実. ウイキョウ様の芳香薬, 駆風薬).

an·is·ei·ko·ni·a (an′i-sī-kō′nē-ă). 不等像〔視〕〔症〕(一眼に映る像の形や大きさが他眼のそれと異なる状態).

aniso- 不等または不同を意味する連結形.

an·i·so·ac·com·mo·da·tion (an-ī′sō-ă-kom-ŏ-dā′shŭn). 不同調節 (調節能力において両眼間に差があること).

an·i·so·chro·mat·ic (an-ī′sō-krŏ-mat′ik). 色調不同の (全体が同一の色ではない).

an·i·so·co·ri·a (an-ī′sō-kōr′ē-ă). 瞳孔〔左右〕不同〔症〕(2つの瞳孔の大きさが異なる状態).

an·i·so·cy·to·sis (an-ī′sō-sī-tō′sis). 赤血球〔大小〕不同〔症〕(特に赤血球について, 正常では一様である細胞の大きさにかなり違いがあること).

an·i·so·dac·ty·lous (an-ī′sō-dak′ti-lŭs). 不等指症の.

an·i·so·dac·ty·ly (an-ī′sō-dak′ti-lē). 不等指症 (対応する指の長さが異なること).

an·i·sog·a·my (an′-i-sog′ă-mē). 異形配偶 (大きさや形が異なる2つの配偶子の融合. 同形配偶または接合と区別される受精).

an·i·sog·na·thous (an′i-sog′nă-thŭs). 不同顎型の (上顎が下顎より広い, 大きさの異なる顎をもつ).

an·i·so·kar·y·o·sis (an-ī′sō-kar-ē-ō′sis). 核大小不同 (ある組織についての正常範囲を超えた核の大きさの不同).

an·i·so·mas·ti·a (an-ī′sō-mas′tē-ă). 乳房不同 (左右の乳房の大きさが等しくないこと).

an·i·so·me·li·a (an-ī′sō-mē′lē-ă). 四肢不同 (対をなす2組の肢が等しくないこと).

an·i·so·me·tro·pi·a (an-ī′sō-mĕ-trō′pē-ă). 屈折〔左右〕不同〔症〕, 不同視, 不同像症. = heterometropia.

an·i·so·me·tro·pic (an-ī′sō-mĕ-trō′pik). 屈折不同の (①不同視についていう. ②屈折力が異なる眼についていう).

an·i·so·pi·e·sis (an-ī′sō-pī-ē′sis). 血圧不同 (身体の両側の動脈圧が等しくないこと).

an·i·so·sphyg·mi·a (an-ī′sō-sfig′mē-ă). 〔左右〕不同脈 (身体の両側の対応する動脈, 例えば, 橈骨動脈または大腿動脈の容量, 動脈圧, あるいは脈拍時間に差があること).

an·i·sos·then·ic (an-ī′sos-then′ik). 不同力の (強さが等しくない2つの筋肉, あるいは対をなす筋肉または拮抗筋の群についていう).

an·i·so·ton·ic (an-ī′sō-ton′ik). 非等張の, 不等浸透圧の.

A·nitsch·kow cell アニチコフ細胞. = cardiac histiocyte.

A·nitsch·kow my·o·cyte アニチコフ筋細胞. = cardiac histiocyte.

an·kle (ang′kĕl). ***1*** 足根関節. = ankle joint. ***2*** 距腿関節部. ***3*** 距骨. = talus.

an·kle-arm in·dex (AAI) = ankle-brachial index.

an·kle bone 距骨. = talus.

an·kle-bra·chi·al in·dex (ABI) 足首-上腕血圧比 (足首と上腕の収縮期血圧の比をとることで動脈硬化による虚血状態を評価する. ABI が1ということは虚血がなく, ABI が0.5以下ということは重症な虚血の存在を疑わせる). = ankle-arm index.

an·kle-foot or·thot·ic (AFO) 短下肢装具 (足関節と足を包み込んで, 歩行時に足関節を安定させ, 膝伸展のコントロールを補助する装具).

an·kle joint 足関節 (上に脛骨と腓骨, 下に距骨をもつちょうつがい関節). = ankle (1); mortise joint; talocrural joint.

an·kle re·flex = Achilles reflex.

ankylo- 屈曲, 鉤, 固定, 融合, 接近, に関する連結形. →ancylo-.

an·ky·lo·bleph·a·ron (ang′ki-lō-blef′ă-ron). 眼瞼癒着 (先天的または後天的に上下の眼瞼が索状組織により癒着している状態).

an·ky·lo·glos·si·a (ang′ki-lō-glos′ē-ă). 舌小帯短縮〔症〕, 舌癒着症 (舌の口腔底との部分的または完全癒着. 舌小帯の異常な短縮). = tongue-tie.

an·ky·lo·poi·et·ic (ang′ki-lō-poy-et′ik). 強直形成の.

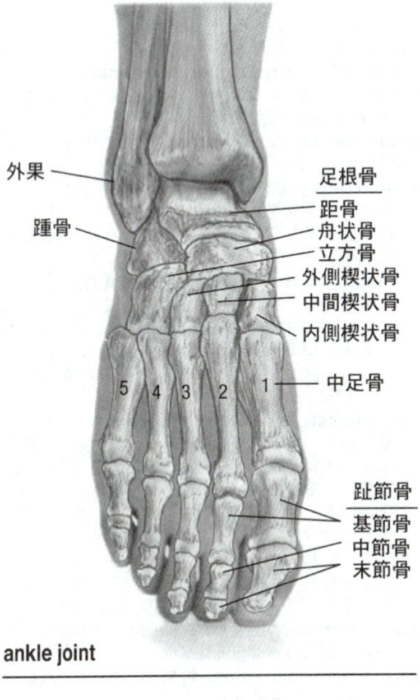
外果
踵骨
足根骨
距骨
舟状骨
立方骨
外側楔状骨
中間楔状骨
内側楔状骨
5
4
3
2
1
中足骨
趾節骨
基節骨
中節骨
末節骨

ankle joint

an·ky·losed (ang′ki-lōst). 強直した（癒着によって結合した，強直状態の関節についていう）.

an·ky·los·ing spon·dy·li·tis 強直性脊椎炎（関節リウマチに似た脊椎の関節炎．脊椎骨縁唇状隆起をもつ骨性強直に進行する．この疾病は女性より男性に多く，リウマチ因子はしばしば陰性，HLA 抗原は陽性である．HLA B27 が高率にみられ，高い家族集積性はこれが遺伝的因子として重要であることを示唆している）. = rheumatoid spondylitis.

an·ky·lo·sis (ang′ki-lō′sis). 強直〔症〕（疾患の経過に伴い，関節が線維性あるいは骨性に結合し硬直すること）.

an·ky·lot·ic (ang′ki-lot′ik). 強直〔症〕の.

an·la·ge, pl. **an·la·gen** (ahn′lah-ge, -gen). ***1*** 原基. = primordium. ***2*** 素質（精神分析学において，与えられた特性または人格特徴の遺伝的要因）.

ANNA American Nephrology Nurses' Association の略.

Ann Ar·bor stag·ing sys·tem アンアーバー病気分類（ホジキン病および 非ホジキン病リンパ腫の分類のために用いられるシステム）.

an·neal (ă-nēl′). アニール（オリゴヌクレオチドが DNA に付着する過程）.

an·neal·ing lamp 焼還灯（すすの出ない炎のアルコール灯で，歯科において，凝着性金箔の表面からアンモニアガスの保護被膜を除くのに用いる）.

an·nec·tent (ă-nek′tĕnt). 連結した，つながった.

an·nex·a (ă-nek′să). = adnexa.

an·nex·al (ă-neks-ăl). = adnexal.

an·nu·al de·duc·ti·ble = deductible.

a·no·coc·cy·ge·al (ā′nō-kok-sij′ē-ăl). 肛門尾骨の（肛門と尾骨の両方に関する）.

a·no·coc·cy·ge·al bod·y 肛門尾骨靱帯（肛門と尾骨の間にある筋線維帯）.

a·no·coc·cy·ge·al nerve 肛門尾骨神経，肛尾神経（尾骨神経叢から起こる数本の小神経．尾骨の上の皮膚に分布する）. = nervus anococcygeus.

an·ode (an′ōd). ***1*** 正極（電池の正極あるいはそれと接続されている電極で，陰電荷イオン（陰イオン）がそれに向かって移動する．正荷電をもつ電極）. ***2*** 陽極（X 線管の構成要素で，通常タングステン製であり，陰極線（電子）の衝突によって X 線が生じる）.

an·o·derm (ā′nō-dĕrm). 肛門管上皮（歯状線直下から肛門縁までの約 1.5 cm の上皮．毛や皮脂腺，汗腺がなく真の皮膚ではなく，扁平上皮である．やや白っぽく，平滑で，薄く，繊細で，ひっぱると光沢がある．また，摩擦（粗いトイレットペーパーなど）や，化学刺激物（石けんなど）によって特に傷つきやすく，下直腸（陰部）神経に支配された触覚・知覚（疼痛，そう痒）受容器をよく備えている）.

an·o·don·ti·a (an′ō-don′shē-ă). 無歯〔症〕. = agomphosis; agomphiasis.

an·o·dyne (an′ō-dīn). 鎮痛薬（痛みを和らげることのできる薬物）.

anoestrus [Br.]. = anestrus.

a·no·gen·i·tal (ā′nō-jen′i-tăl). 肛門性器の（肛門および生殖器の両方に関する）.

a·no·gen·i·tal ra·phe 肛門性器縫線（男の胎児では生殖ひだと生殖隆起の閉鎖線が肛門から陰茎亀頭までのびたもの．成人では会陰縫線，陰嚢縫線，陰茎縫線の 3 部分に分化する）.

a·nom·a·lad (ă-nom′ă-lad). 奇形症候群（奇形とそれに付随して派生した構造上の変化．→anomaly）.

a·nom·a·lous (ă-nom′ă-lŭs). 異常な.

a·nom·a·lous com·plex 異常 QRS 群（心電図で，同一誘導上の生理的な型と非常に異なる QRS 群）.

a·nom·a·lous pul·mo·nar·y ve·nous con·nec·tions, to·tal or par·tial 〔総または部分〕肺静脈結合異常症（肺静脈の一部あるいはすべてが右房または右房に流入する静脈の 1 つに還流する異常）.

a·nom·a·lous ret·i·nal cor·re·spon·dence 網膜異常対応（斜視によくみられる状態で，対応する網膜点が同一視方向をとらない．一眼の中心窩と他眼の中心窩外とが対応）.

a·nom·a·ly (ă-nom′ă-lē). 破格，異常，奇形（平均または正常から逸していること．構造的にみて一般的な規律に反し通常の形ではなく不規則であること．先天性欠損は奇形の定義の一例である）.

an·o·mer (an′ō-mĕr). アノマー（ヘミアセタールまたはヘミケタール炭素原子においてエピマーである 2 つの糖分子の 1 つ．*cf.* epimer. →sugars）.

a·no·mi·a (ă-nō′mē-ă). 名称失語〔症〕，失名詞〔症〕. = anomic aphasia.

a·nom·ic a·pha·si·a 名称失語〔症〕，失名詞〔症〕（失語の一種で，主な障害として，見たり，聞いたり，触れたりした人や物の名前を言うことに困難を伴う．言語野の種々の部位の病変による）. = amnesic aphasia; amnestic aphasia; amnestic anomia; anomia; nominal aphasia.

a·no·mie (an′ŏ-mē). アノミー（社会的基準や価値がなかったり弱まったりして，それに対応して社会的結合が乱れること）.

an·o·nych·i·a, an·o·ny·cho·sis (an′ō-nik′ē-ă, an′ō-ni-kō′sis). 無爪〔症〕，爪甲欠損〔症〕.

a·non·y·ma (ă-non′i-mă). 無名の（現在は腕頭動脈幹と腕頭静脈とよばれている胸郭内および殿部骨の大血管に，以前つけられていた名称）. = innominate.

a·no·nym·i·ty (an′ŏ-nim′i-tē). 匿名性（研究あるいは報告書の関係者を保護し，当の研究者あるいは著者さえ，調査への特定の回答者を提供された情報と結びつけることができないようにすること．研究あるいは報告書の関係者を保護し，当の研究者あるいは著者さえ，調査への特定の回答者を提供された情報と結びつけることができないようにすること）.

A·noph·e·les (ă-nof′ĕ-lēz). ハマダラカ属（カ科ハマダラカ亜科のカの一属．本属のある種の雌のカの体腔内で，マラリア原虫が胞子形成期を過ごす）.

a·noph·e·line (ă-nof′ĕ-lēn). ハマダラカ属 *Anopheles*のカに関する.

an·oph·thal·mi·a (an′of-thal′mē-ă). 無眼球〔症〕(眼の全組織の先天的欠損).

a·no·plas·ty (ā′nō-plas-tē). 肛門形成〔術〕(肛門の再建手術).

an·op·si·a (an-op′sē-ă). 視力喪失.

an·or·chi·a (an-ōr′kē-ă). = anorchism.

an·or·chid·ism (an-ōr′kid-izm). = anorchism.

an·or·chism (an-ōr′kizm). 無精巣(睾丸)〔症〕(精巣の欠損. 先天性または後天性と思われる). = anorchia; anorchidism.

a·no·rec·tal (ā′nō-rek′tăl). 肛門直腸の (肛門と直腸の両方に関する).

an·o·rec·tic (an′ŏ-rek′tic). = anorexic. ***1***〚adj.〛食欲不振の (食欲不振, 特に神経性食欲不振症に関する, そのような特徴がある, またはそれに罹患している). ***2***〚n.〛食欲抑制薬 (食欲不振を起こす薬物).

an·o·rex·i·a (an′ŏ-rek′sē-ă). 食欲不振, 無食欲 (食欲減退. 食物に対する嫌悪).

an·o·rex·i·a ath·let·i·ca 運動選手食欲不振 (真の摂食障害の診断基準には達していないものの, 少なくとも1つの不健康な体重制限の方法 (例えば, 絶食, 嘔吐, ダイエットピル, 緩下薬, または利尿薬の服用) を実践する運動選手の無症状の摂食行動).

an·o·rex·i·a ner·vo·sa 神経性食欲不振, 神経性無食欲 (肥満になる恐怖と食物に対する嫌悪がきわめて強い精神疾患で, 通常, 若い女性にみられ, 生命を脅かすほどの体重減少をまねく場合もある. 実際にはやせているのに, 自分では太っているという思い込みや, 機能亢進, 無月経などに伴い起こる).

an·o·rex·i·ant (an′ŏ-rek′sē-ănt). 食欲抑制物 (食欲不振をまねく薬(ダイエットピル), 方法, または出来事など).

an·o·rex·ic (an′ŏ-rek′sik). = anorectic.

an·or·gas·my, an·or·gas·mi·a (an′ōr-gaz′mē, -gaz′mē-ă). 無オルガスム〔症〕(オルガスムを経験できないこと. 身体因性(身体疾患または投薬による二次性のもの), 心因性(心理的または状況的要因による二次性のもの), または両者の合併であることがある).

an·or·thog·ra·phy (an′ōr-thog′ră-fē). 正書不能. = agraphia.

a·no·scope (ā′nō-skōp). 肛門鏡 (肛門管と直腸下部を検査する短い鏡. *cf.* proctoscope).

a·no·sig·moid·os·co·py (ā′nō-sig′moy-dos′kŏ-pē). 肛門S状結腸鏡検査〔法〕(肛門, 直腸, およびS状結腸の内視鏡検査法).

an·os·mi·a (an-oz′mē-ă). 無嗅覚〔症〕, 嗅覚脱失(消失) (嗅覚を失うことで次のような分類法がある. ⅰ嗅覚を失う程度により, 完全または部分嗅覚脱失. ⅱ障害部位の違いにより, 呼吸性(鼻閉塞)または感覚神経性(嗅上皮性または中枢性嗅覚路性)嗅覚脱失. ⅲ先天性または後天性嗅覚脱失).

an·os·mic (an-oz′mik). 無嗅覚〔症〕の, 嗅覚脱失(消失)の.

a·no·sog·no·si·a (ă-nō′sō-nō′sē-ă). 疾病失認 (疾患, 特に麻痺の存在について知らないこと. 非優位頭頂葉に病巣をもつ患者に最も多くみられ, 片麻痺を否定する).

a·no·sog·no·sic (ă-nō′sō-nō′sik). 疾病失認の.

a·no·sog·no·sic ep·i·lep·sy 病態失認てんかん (患者がその発作を失認することを特徴とするてんかん).

a·no·spi·nal (ā′nō-spī′năl). 肛門脊椎の (肛門と脊椎に関する).

an·os·to·sis (an′os-tō′sis). 骨発育不全〔症〕(骨化が不完全な状態).

an·o·ti·a (an-ō′shē-ă). 無耳〔症〕(片耳または両耳の耳介の先天的欠損).

ANOVA (ă-nō′vă). analysis of variance の略.

a·no·ves·i·cal (ā′nō-ves′i-kăl). 肛門膀胱の (肛門と膀胱の両方に関する).

an·ov·u·lar (an-ov′yū-lăr). 無排卵〔性〕の (成熟胞状卵胞の発育の欠除あるいは月経周期での排卵の欠除).

an·ov·u·lar men·stru·a·tion 無排卵性月経 (現周期で排卵のない月経出血. 霊長類の雌にも同様に起こる).

an·ov·u·la·tion (an′ov-yū-lā′shŭn). 無排卵 (排卵の一時的または永久的停止).

anoxaemia [Br.]. = anoxemia.

an·ox·e·mi·a (an′ok-sē′mē-ă). 無酸素血〔症〕(動脈血中の酸素が欠乏している状態. 以前はしばしば中等度低下を含めて用いられたが, 現在は hypoxemia(低酸素血症)とは区別して用いられる). = anoxaemia.

an·ox·i·a (an-ok′sē-ă). 無酸素〔症〕, 酸素欠乏〔症〕(吸気ガス, 動脈血, 組織中の酸素が欠如またはほとんど欠如している状態. hypoxia(低酸素症)とは区別して用いられる).

an·ox·ic (an-ok′sik). 無酸素性の, 低酸素性の (無酸素, 低酸素に関する性状を示す).

an·ox·ic an·ox·i·a 無酸素性無酸素〔症〕(酸素がほとんど完全に欠如した低酸素性低酸素症).

An·rep phe·nom·e·non アンレップ現象 (心臓の等尺性自己調節後負荷(収縮期壁応力)の増加に伴って, 心仕事量の一時的低下が上昇に転じる現象).

ANS autonomic nervous system の略.

an·sa, gen. & pl. an·sae (an′să, -sē). わな, 係蹄 (輪や弓状を呈する解剖的構造. →loop).

an·sa cer·vi·ca·lis 頸神経わな (第一から第三までの頸神経からなる頸神経叢にみられるわな. 第一・第二頸神経のわなからの神経線維は少しの間舌下神経に伴行した後, 離れて頸神経わな上根となる. 第二・第三頸神経のわなからの神経線維が頸神経わな下根となる. 多くの場合, 両根が合流して頸神経わなとなり, ここから舌骨下筋群を支配する神経枝が出る). = cervical loop.

an·sae ner·vo·rum spi·na·li·um 脊髄神経わな. = loops of spinal nerves.

an·sa pe·dun·cu·la·ris 脚わな (内包の内側縁を回り, 側頭葉の前部(側頭皮質, 扁桃核, 嗅皮質)と視床の内側背側核を連絡する線維束. これは眼窩前頭皮質と内側背側核を連絡する下視床脚の大部分を構成する).

an·sa sub·cla·vi·a 鎖骨下わな(交感神経幹の中頸神経節と星状神経節をつなぐ神経線維で，鎖骨下動脈を前後に通るわなを形成する).

an·sate (an′sāt). = ansiform.

an·ser·ine bur·sa 鵞足包(膝関節の内側側副靱帯と縫工筋，薄筋，半腱様筋の腱との間にある滑液包).

an·se·rine bur·si·tis 鵞足滑液包炎(鵞足と脛骨の上内側面との間にある鵞足滑液包の炎症).

ANSI American National Standards Institute の略.

an·si·form (an′si-fōrm). わな状の. = ansate.

an·so·par·a·me·di·an fis·sure 係蹄正中傍裂(小脳皮質後葉の係蹄小葉の第二脚(HVIIA)と正中傍小葉(HVIIB)の間の裂).

ant (ant). アリ(最も数の多い昆虫の1つ(膜翅目)で，集団生活の異常な発達と階級制度を特徴とする).

ant- →anti-.

ant·ac·id (ant-as′id). ***1*** 〘adj.〙 制酸の(酸を中和する). ***2*** 〘n.〙 制酸薬(胃液，その他の分泌物の酸性度を減じたり中和する薬物).

an·tag·o·nism (an-tag′ŏ-nizm). = mutual resistance. ***1*** 拮抗〔作用〕，対抗〔作用〕(構造，薬剤，疾患，または生理過程間における作用の相互の対立についていう. *cf.* synergism). ***2*** 拮抗〔作用〕(2種またはそれ以上の因子の複合効果において各々の因子の単独効果よりも小さい状態).

an·tag·o·nist (an-tag′ŏ-nist). 拮抗質，拮抗筋，対抗筋，拮抗薬(物質)(他のものの作用に対立あるいは抵抗するもの. 他の活動や作用を中和または阻害する傾向にある，ある種の構造，薬剤，疾患，または生理過程についていう. *cf.* synergist).

an·tag·o·nis·tic mus·cles 対抗筋，拮抗筋(正反対の運動を起こす2つ以上の筋. 一方の筋の収縮が他方の筋の収縮をいわば〝中和〟してしまうといえる).

an·tal·gic gait 鎮痛歩行(患肢に体重をかけたときの痛みに起因する特有な歩行).

ante- (時間，場所，順序において)前，前方，前部，を意味する接頭語. →pre-; pro-(1).

an·te·bra·chi·al (an′tē-brā′kē-ăl). 前腕の.

an·te·bra·chi·um (an′tē-brā′kē-ŭm). 前腕，まえうで. = forearm.

an·te·ced·ent (an′tĕ-sē′dĕnt). 前駆体，前駆物質. = precursor.

an·te ci·bum (AC, ac, a.c.) 食前〔に〕(複数形は ante cibos).

an·te·cu·bi·tal (an′tē-kyū′bi-tăl). 肘前の.

an·te·flex·ion (an′tē-flek′shŭn). 前屈(特に正常の位置関係で子宮体と子宮頸部の接合部における前屈についていう).

an·te·gon·i·al notch 下顎角前切痕(下顎枝が下顎体と連結する個所の下縁にある切痕の最下点).

an·te·grade (an′tĕ-grād). 順行性の(血流や蠕動のような，正常の運動方向に沿った).

an·te·grade block = anterograde block.

an·te·grade ur·og·ra·phy 順行性尿路造影術(針あるいはカテーテルで造影剤を腎杯や腎盂に(順行性腎盂造影)，あるいは膀胱に(順行性膀胱造影)経静脈または経皮的に注射して行うX線撮影).

an·te·mor·tem (an′tē-mōr′tĕm). 死前に(*cf.* postmortem).

an·te·na·tal (an′tē-nā′tăl). 出生前の. = prenatal.

anteorbital [Br.]. = antorbital.

an·te·par·tum (an′tē-pahr′tŭm). 分娩前(*cf.* intrapartum; postpartum).

antepileptic [Br.]. = antiepileptic.

an·te·py·ret·ic (an′tē-pī-ret′ik). 発熱前の(ショックの反応として発熱する前についていう).

an·te·ri·or (an-tēr′ē-ŏr). 前の，前方の，腹側の(①人体解剖学では，身体の前面について用い，しばしば2つの構造を対比して前面に近い，の意. = ventral(2). ②ある種の胚子について頭端または吻端に近い，の意. ③時間あるいは空間に関して前の，前に，の意).

an·te·ri·or a·myg·da·loid ar·e·a 前扁桃体(扁桃複合体の最前端で散在する細胞群から密集して明瞭な配置を示す本体への移行部). = area amygdaloidea anterior.

an·te·ri·or ap·pre·hen·sion test 前方不安感試験(①= shoulder apprehension sign. ②肩関節の安定性を調べる試験. 肩関節の外転・外旋により不安感を生じる場合は前方不安定性が疑われる). = crank test.

an·te·ri·or au·ric·u·lar mus·cle 前耳介筋(起始：帽状腱膜. 停止：耳介軟骨. 作用：耳介を上前方に引く. 神経支配：顔面神経. 側頭頭頂筋の前部であるとする説もある). = auricularis anterior muscle; musculus attrahens aurem; musculus attrahens auriculam.

an·te·ri·or au·ric·u·lar nerves 前耳介神経(耳介側頭神経の枝. 耳珠と耳介の上部に分布する). = nervi auriculares anteriores.

an·te·ri·or ax·il·lar·y line 前腋窩線(前腋窩ひだからおろした垂線).

an·te·ri·or ba·sal seg·men·tal ar·ter·y 前肺底区動脈(左右肺下葉動脈の上肺底動脈の前枝).

an·te·ri·or bor·der of tib·i·a 脛骨前縁(脛骨粗面から内果の前部に至る脛骨の鋭い隆線). = shin(2).

an·te·ri·or car·di·nal veins 前主静脈. →cardinal veins.

an·te·ri·or cer·e·bral ar·ter·y 前大脳動脈(内頸動脈の(中大脳動脈とともに)2本の終末枝の1つ. 走行は，前方にループを描き脳梁膝部で屈曲し，対側の同名動脈とともに大脳縦裂を後方に併走する. 両者は前交通動脈でつながっている). = arteria cerebri anterior.

an·te·ri·or ce·re·bral vein 前大脳静脈(前大脳動脈に平行して走り，脳底静脈へはいる小静脈).

an·te·ri·or cham·ber of eye·ball 前眼房(前の角膜と後ろの虹彩との間の水様液(眼房水)の充満した部分で，瞳孔を通じて後眼房に交通

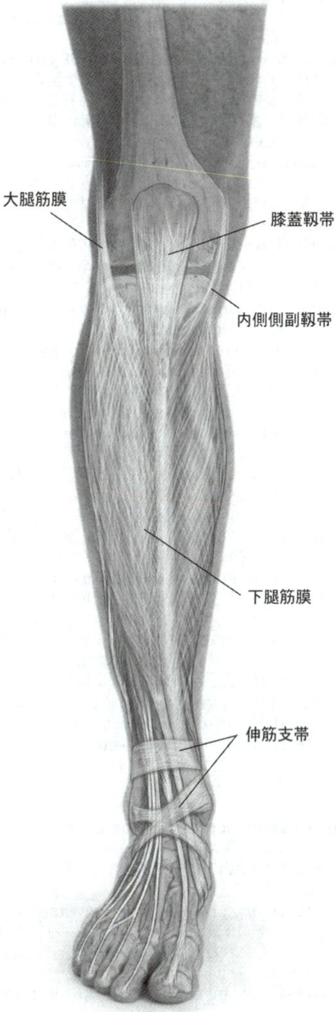
大腿筋膜
膝蓋靱帯
内側側副靱帯
下腿筋膜
伸筋支帯

anterior border of the tibia

する). = camera anterior bulbi oculi.

an·te·ri·or cil·i·ar·y ar·ter·y 前毛様体動脈（強膜前部を貫通し，後毛様体動脈と吻合する眼動脈の筋枝から出ている動脈).

an·te·ri·or cir·cum·flex hu·mer·al ar·ter·y 前上腕回旋動脈（腋窩動脈第三部より起こり，肩関節，上腕二頭筋，烏口腕筋，三角筋に分布する．後上腕回旋動脈と吻合). = arteria circumflexa humeri anterior; anterior humeral circumflex artery.

an·te·ri·or clin·oid pro·cess 前床突起（蝶形骨小翼内側端から後方へ突出する突起で，小脳テントの自由縁が付着する). = processus clinoideus anterior.

an·te·ri·or col·umn 前柱（脊髄の灰白質の腹側へ突出した左右の柱状構造．これは脊髄の横断面に現れる前角に相当しており，体幹，頸部，四肢の骨格筋を神経支配している運動性の神経ニューロンよりなる．→gray columns).

an·te·ri·or com·mis·sure 前交連（第3脳室前壁付近で脳の正中線を横切る神経線維の丸い束．小さくて左右嗅球を連結する前部と，左右側頭葉を連結する大きな後部からなる). = precommissure.

an·te·ri·or com·mis·sure of lar·ynx 喉頭の前交連（声帯の結合部，喉頭の前部にある).

an·te·ri·or com·mu·ni·cat·ing ar·ter·y 前交通動脈（左右の前大脳動脈をつなぎ，中央を横切り前方で大脳動脈輪（Willis 輪）を完成する短い血管). = arteria communicans anterior.

an·te·ri·or con·dy·loid fo·ra·men = hypoglossal canal.

an·te·ri·or cor·ne·al dy·stro·phy 前部角膜ジストロフィ（角膜の上皮，基底膜 basement membrane，または Bowman 膜を含む角膜混濁).

an·te·ri·or cru·ci·ate lig·a·ment 前十字靱帯（脛骨の顆間域の前部と大腿骨外側窩内側面の後部とを結ぶ靱帯). = ligamentum cruciatum anterius.

an·te·ri·or cu·ta·ne·ous branch·es of fe·mor·al nerve 〔大腿〕神経前皮枝（大腿の前面と内側面に分布し，感覚を伝える). = rami cutanei anteriores nervi femoralis; anterior femoral cutaneous nerves.

an·te·ri·or draw·er test 前方引き出しテスト（膝の前十字靱帯や足関節前距腓靱帯が損傷されていないかどうかを評価する検査法).

an·te·ri·or e·las·tic lam·i·na of cor·ne·a 角膜の前弾性層（角膜上皮のすぐ下にある均一な無細胞組織層). = Bowman membrane; Bowman layer; lamina limitans anterior corneae.

an·te·ri·or em·bry·o·tox·on = arcus senilis.

an·te·ri·or eth·moi·dal ar·ter·y 前篩骨動脈（眼動脈より起こり，前頭蓋窩内の硬膜，前篩骨洞，前頭洞，鼻粘膜の前上部，鼻背の皮膚に分布する). = arteria ethmoidalis anterior.

an·te·ri·or eth·moi·dal nerve 前篩骨神経（鼻毛様体神経の枝で，眼窩上内側縁の前篩骨孔を通って頭蓋腔にはいり，前硬膜神経を出した後，篩板を通って鼻腔にはいり上前部鼻粘膜に分布する). = nervus ethmoidalis anterior.

an·te·ri·or fem·or·al cu·ta·ne·ous nerves 前大腿皮神経. = anterior cutaneous branches of femoral nerve.

an·te·ri·or fo·cal point 前焦点（網膜から平行に発した光線が焦点を結ぶ点).

an·te·ri·or fu·nic·u·lus 前索（脊髄の前白

質柱．前正中裂と前外側溝の間にある，前正中裂の左右両側の白質の柱または束）．

an·te·ri·or horn 前角（①側脳室のうち Monro 脳室間孔から前方にのびる前部．→lateral ventricle．②脊髄横断面にみられる，脊髄の前柱または腹側灰白柱．→gray columns）．= cornu anterius; precornu; ventral horn.

an·te·ri·or hu·mer·al cir·cum·flex ar·ter·y = anterior circumflex humeral artery.

an·te·ri·or in·fe·ri·or ce·re·bel·lar ar·ter·y 前下小脳動脈（脳底動脈より起こり，小脳外側葉の下部表面および小脳橋角の脈絡叢に分布する．通常は迷路動脈の源泉となる後下小脳動脈と吻合）．= arteria inferior anterior cerebelli.

an·te·ri·or in·fe·ri·or il·i·ac spine 下前腸骨棘（腸骨の前縁にある棘で上前腸骨棘と寛骨臼の間にあるもの）．= spina iliaca anterior inferior.

an·te·ri·or in·ter·cos·tal ar·ter·ies 前肋間動脈．= anterior intercostal branches of internal thoracic artery.

an·te·ri·or in·ter·cos·tal branch·es of in·ter·nal thor·a·cic ar·ter·y 前肋間動脈（胸壁の肋間隙の前部に分布する動脈で，1—6 は内胸動脈の枝，7—11 は筋横隔動脈の枝である）．= rami intercostales anteriores arteriae thoracicae internae; anterior intercostal arteries; rami intercostales anteriores.

an·te·ri·or in·ter·cos·tal veins 前肋間静脈（肋間隙の前部から筋横隔静脈または内胸静脈へ注ぐ枝）．

an·te·ri·or in·ter·os·se·ous ar·ter·y 前骨間動脈（総骨間動脈より起こり，前腕前区画の深部に分布する．後骨間動脈，背側手根動脈網と吻合）．= arteria interossea anterior; arteria interossea volaris; volar interosseous artery.

an·te·ri·or in·ter·os·se·ous nerve 前骨間神経（正中神経の枝で，肘部に起こり骨間膜を通って長母指屈筋，深指屈筋の一部，方形回内筋さらに橈骨手根靱帯，手根骨間靱帯に分布する）．= nervus interosseus antebrachii anterior.

an·te·ri·or in·ter·ven·tric·u·lar ar·ter·y 前室間動脈．= anterior interventricular branch of left coronary artery.

an·te·ri·or in·ter·ven·tric·u·lar branch of left cor·o·na·ry ar·ter·y 左冠状動脈の前室間動脈（回旋枝とともに左冠状動脈の終末枝をなす動脈で，前室間溝を心尖に向かって下行し後室間動脈と吻合する．心室の胸骨面の大部分と心室中隔の前 2/3 の刺激伝導系を含む組織に血液を送る）．= ramus interventricularis anterior arteriae coronariae sinistrae; anterior interventricular artery; left anterior descending artery.

an·te·ri·or la·bi·al veins 前陰唇静脈（恥丘および大陰唇からの血液を集め大腿静脈または外陰部静脈に注ぐ静脈）．

an·te·ri·or lac·ri·mal crest 前涙嚢稜（眼窩の内側縁の一部を形成している上顎骨の前頭突起の側面にある垂直な隆起）．

an·te·ri·or lay·er of thor·a·co·lum·bar fas·ci·a 胸腰筋膜の前葉（腰椎の肋骨突起からのびている筋膜）．= fascia musculi quadrati lumborum.

an·te·ri·or lim·it·ing lay·er of cor·ne·a〔角膜の〕前境界板（透明で均質な無細胞層で 6—9 μm の厚さがあり，角膜の固有質と重層上皮外層の基底層との間にみられる．基底膜と考えられている）．

an·te·ri·or lim·it·ing ring 前境界輪（Descemet 膣の終末と線維柱帯の前方の境界となる角膜の周辺部．隅角鏡検査時の重要な目印）．= Schwalbe ring.

an·te·ri·or lin·gual gland 前舌腺（舌尖近くで，舌小帯の両側に深く存在する小混合腺の 1 つ）．= apical gland.

an·te·ri·or lobe of hy·poph·y·sis〔下垂体の〕前葉．= adenohypophysis.

an·te·ri·or me·di·as·ti·nos·co·py 前縦隔鏡検査〔法〕（Chamberlain 法の変法で，縦隔鏡で前縦隔と大動脈下領域の検索をする）．

an·te·ri·or me·nin·ge·al branch of an·ter·i·or eth·moid·al ar·ter·y〔前篩骨動脈の〕前硬膜枝（前篩骨動脈より起こり，前頭蓋窩の髄膜に分布する．中硬膜動脈の分枝，内頸動脈の硬膜枝，涙腺動脈と吻合）．

an·te·ri·or na·sal spine 前鼻棘（上顎骨間縫合の前端にある尖状突起．その先端は X 線頭部計測の側面観で計測点として用いられる）．

an·te·ri·or nu·cle·i of thal·a·mus 視床前核（比較的大きな前腹側核，前内側核，大きな細胞からなるが小さな前背側核の 3 つの神経細胞群の総称で，視床前結節を形成する．これらの核は，乳頭体からの乳頭視床路のほかに脳弓からも線維を受け，ともに帯状回や海馬傍回の皮質に線維を出す）．= nuclei anteriores thalami.

an·te·ri·or nu·cle·us →anterior horn.

an·te·ri·or oc·u·lar seg·ment 前眼部（角膜，虹彩，水晶体およびこれに関連する房水で満たされている房室（前房および後房）からなる眼の部分）．

an·te·ri·or per·fo·rat·ing ar·ter·ies 前有孔質動脈（前大脳動脈の交連前部から始まる前内側中心動脈の一部から起こり，脳底の前有孔質に分布する）．

an·te·ri·or pi·tu·i·tar·y go·nad·o·tro·pin 脳下垂体前葉向性腺ホルモン（脳下垂体によりつくられるホルモンの総称名）．= pituitary gonadotropic hormone.

an·te·ri·or pi·tu·i·tar·y-like hor·mone = chorionic gonadotropin.

an·te·ri·or and pos·te·ri·or ra·dic·u·lar ar·ter·ies 前・後根動脈（脊髄動脈の分枝で，脊髄神経の前根・後根とそれらの被膜に分布する）．= artetiae radiculares anterior et posterior.

an·te·ri·or and pos·te·ri·or su·pe·ri·or pan·cre·at·i·co·du·o·de·nal ar·ter·y 前・後上膵十二指腸動脈（起始部：胃十二指腸動脈．前後 2 本の動脈のうちの 1 本．分布：膵頭，十二指腸，総胆管．吻合：下膵十二指腸静脈，脾動脈）．= arteria pancreaticoduodenalis superior anterior et posterior.

an·te·ri·or pyr·a·mid = pyramid of medulla oblongata.

an·te·ri·or rhi·nos·co·py 前検鼻〔法〕（鼻腔前部の視診で，鼻鏡を用いるときと用いないときがある）.

an·te·ri·or sca·lene mus·cle 前斜角筋. = scalenus anterior muscle.

an·te·ri·or scle·ri·tis 前強膜炎（角膜に隣接する強膜の炎症）.

an·te·ri·or seg·men·tal ar·ter·y →left pulmonary artery; right pulmonary artery.

an·te·ri·or spi·nal ar·ter·y 前脊髄動脈（椎骨動脈の頭蓋内部分より起こり，前内側の脊髄と隣接する軟膜に分布する．椎骨動脈，肋間動脈，腰動脈の脊髄枝と吻合）. = arteria spinalis anterior.

an·te·ri·or spi·no·cer·e·bel·lar tract 前脊髄小脳路（脊髄腰仙骨部の後角基部の細胞から起こる線維束で，交叉して対側の側索の腹側半分の辺縁部，菱形脳を上行し，次いで三叉神経運動核の吻側縁に沿って，背側方向に鋭く曲がり，上小脳脚の背側面を通って尾方方向から小脳にはいり，小脳虫部皮質顆粒層の苔状線維となって終わる．この伝導路は，反対側の下肢から外部および固有知覚情報を伝えるが一部の線維は小脳内で対側に戻る）. = Gowers tract.

an·te·ri·or staph·y·lo·ma 前極ブドウ〔膜〕腫（眼球の前極付近の突出）. = corneal staphyloma.

an·te·ri·or su·pe·ri·or al·ve·o·lar ar·te·ry 前上歯槽動脈（起始部：眼窩下神経内の眼窩下動脈，配置：前歯槽管を通って上顎切歯，犬歯，上顎洞粘膜へと至る）. = anterior superior dentalarteries; arteriae alveolares superiores anteriores.

an·te·ri·or su·pe·ri·or den·tal ar·ter·ies = anterior superior alveolar artery.

an·te·ri·or su·pe·ri·or il·i·ac spine (ASIS) 上前腸骨棘（腸骨稜の前端）. = spina iliaca anterior superior.

an·te·ri·or su·pra·cla·vic·u·lar nerve 前鎖骨上神経. = medial supraclavicular nerve.

an·te·ri·or thor·a·cot·o·my 前方開胸〔術〕（開胸のための前方切開．通常は乳房下におく）.

an·te·ri·or ti·bi·al ar·ter·y 前脛骨動脈（膝窩動脈より起こり，後・前脛骨反回動脈，前内果動脈，前外果動脈，外側足根動脈，内側足根動脈，弓状動脈，背側中足動脈，背側指動脈に分枝する．さらに足関節より遠位に続き，足背動脈となる）. = arteria tibialis anterior.

an·te·ri·or tib·i·al com·part·ment syn·drome 脛骨前区画症候群（下腿の脛骨前区画の筋肉の虚血性壊死．過度の運動により閉鎖筋膜区画内で筋肉が膨張したために一過性に動脈血流が圧迫され，阻害されて起こると考えられる）.

an·te·ri·or ti·bi·al nerve = deep fibular nerve.

an·te·ri·or tib·i·o·fas·ci·al mus·cle 前脛骨筋膜筋（足背の筋膜に停止する前脛骨筋の分離線維）. = musculus tibiofascialis anterior; musculus tibiofascialis anticus.

an·te·ri·or tooth 前歯（切歯と犬歯）.

an·te·ri·or ver·te·bral vein 前椎骨静脈（上行頸動脈に伴う静脈．下方で椎骨静脈にはいる）.

an·te·ri·or ves·ti·bu·lar ar·ter·y 前前庭動脈（起始：迷路動脈の枝の総蝸牛動脈の最終枝として．分枝：前庭蝸牛動脈．分布：前庭神経節，卵形嚢，外側および後半規管の特に膨大部）.

antero- 前，前方，を意味する接頭語.

an·ter·o·grade (an′tĕr-ō-grād). ***1*** 前方に動く（*cf.* antegrade）. ***2*** 特定の時点より時間的に前方に伸びていること．健忘に関して用いる.

an·ter·o·grade am·ne·si·a 前向〔性〕健忘〔症〕（健忘状態を引き起こす原因となった外傷や疾患を受けた後に起きた事柄についての健忘）.

an·ter·o·grade block 順行〔性〕ブロック（例えば，洞房結節より心室筋に至る伝導のように通常の伝導がブロックされることで，場所は問わない）. = antegrade block.

an·ter·o·in·fe·ri·or (an′tĕr-ō-in-fēr′ē-ŏr). 前下方の.

an·ter·o·lat·er·al (an′tĕr-ō-lat′ĕr-ăl). 前外側の（前方で正中線から遠い部位をいう）.

an·te·ro·lis·the·sis (an′tĕr-ō-lis′thē-sis). 前方すべり（すぐ下にある椎体に対して椎体が前方にすべること．原因には先天性異常，変性性変化，または外傷がある）. = spondylolisthesis.

an·ter·o·me·di·al (an′tĕr-ō-mē′dē-ăl). 前内側の（前方で正中線に近い部位をいう）.

an·ter·o·me·di·an (an′tĕr-ō-mē′dē-ăn). 前正中の（前方で正中線上にあることをいう）.

an·ter·o·pos·te·ri·or (AP, A/P) 前後の，前後方向の，腹背の（①前方と後方の両方に関する．②X線撮影において，患者の前方から後方にX線を入射する方向についていう）.

an·ter·o·pos·te·ri·or pro·jec·tion = AP projection.

an·ter·o·su·pe·ri·or (an′tĕr-ō-sū-pēr′ē-ŏr). 前上方の.

an·ter·o·ven·tral nu·cle·i of thal·a·mus →anterior nuclei of thalamus.

an·te·sys·to·le (an′tē-sis′tō-lē). Wolff-Parkinson-White 型または Lown-Ganong-Levine 型の早期興奮症候群の原因となる心室の早期興奮.

an·te·ver·sion (an′tē-vĕr′zhŭn). 前傾（前方向に向きを変えることまたは屈曲せずに全体的に前方へ傾くこと）.

an·te·vert·ed (an′tē-vĕrt′ĕd). 前傾の（前方へ傾いた．前傾姿勢の）.

ant·he·lix (ant′hē-liks). 対輪. = antihelix.

an·thel·min·tic (ant′hĕl-min′tik). ***1*** 〖n.〗駆虫薬，虫下し（腸管内寄生虫を殺したり，駆除する薬物）. = helminthagogue. ***2*** 〖adj.〗駆虫性の，排虫性の（腸寄生虫を殺したり，駆除する力のある）.

an·thrac·ic (an-thras′ik). 炭疽の.

an·thra·coid (an′thră-koyd). よう（癰）様の，皮膚炭疽病様の.

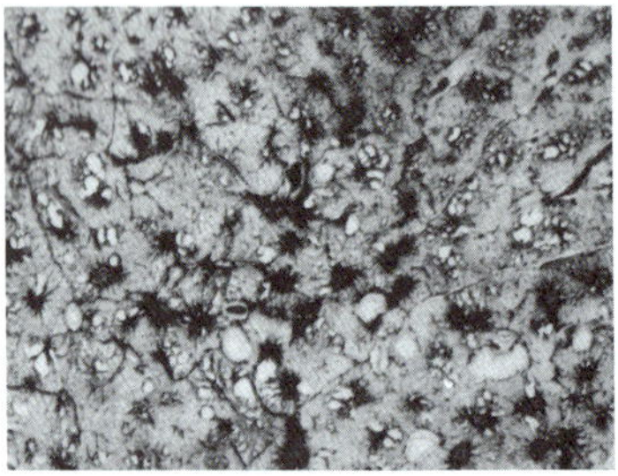

anthracosilicosis
肺実質全体に散在性，不整な色素性小結節を呈した炭坑労働者の肺

an·thra·co·sil·i·co·sis (an′thră-kō-sil′i-kō′sis). 炭粉珪肺〔症〕（吸入された炭じんにより，肺に炭素とケイ土が蓄積して生じるじん肺症．このケイ土が線維性小結節をつくる）. = coal worker's pneumoconiosis.

an·thra·co·sis (an′thră-kō′sis). 炭粉症（煙や炭じんを吸い込み，肺に炭素が蓄積して生じるじん肺症）. = collier's lung; melanedema; miner's lung(1).

an·thrax (an′thraks). 炭疽（炭疽菌 *Bacillus anthracis* の皮膚感染に続いて敗血症を起こすヒトの疾患．諸臓器および体腔に出血と漿液性滲出液を認め，極度の疲弊症状を主徴とする）.

anthropo- ヒトを意味する連結形.

an·thro·po·cen·tric (an′thrŏ-pō-sen′trik). 人類中心主義の（人類の偏見に伴っているが，人類が宇宙の中心であるとする仮説に基づく）.

an·thro·poid (an′thrŏ-poyd). ***1***〚adj.〛類人の（構造および形態がヒトに似ていることをいう）. ***2***〚n.〛類人猿（ヒトに似たサルの一種）.

an·thro·poid pel·vis 類人猿型骨盤（前後径が長く横径が狭い骨盤）.

an·thro·pol·o·gy (an′thrŏ-pol′ŏ-jē). 人類学（肉体的，社会的，文化的関係などすべての面において，人類の起源と発達に関する科学の一分野）.

an·thro·po·met·ric (an′thrŏ-pō-met′rik). 人体計測の.

an·thro·po·met·rics (an′thrō-pō-met′riks). 身体計測（身体の寸法と特性の測定あるいは記述．典型的には，上肢，下肢，首および胴に用いられる．→ergonomics）.

an·thro·pom·e·try (an′thrŏ-pom′ĕ-trē). 人体計測〔法〕（人体の比較計測に関する人類学の一分野）.

an·thro·po·mor·phism (an′thrŏ-pō-mōr′fizm). 擬人化，人間化（ヒト以外の生物や無生物に対してヒトの形や性質を与えること）.

an·thro·po·phil·ic (an′thrŏ-pō-fil′ik). 好人性の，ヒト寄生性の（ヒトを求める，あるいはヒトを好む，の意で，特に次の２つについて用いる．ⓘ血液源あるいは組織源として動物宿主よりもヒト宿主を好む吸血性の節足動物．ⓘⓘ他の動物よりもヒトを好んで繁殖する皮膚糸状菌）.

an·thro·po·zo·o·no·sis (an′thrŏ-pō-zō′ō-nō′sis). 人畜伝染病（動物が維持し，ヒトに伝染する動物原性感染．例えば，狂犬病，ブルセラ症など）.

anti- ***1*** …に対して，反対の，また症状や疾患に関して治療の，を意味する接頭語．***2*** 表示物質に対する特異抗体(免疫グロブリン)を意味する接頭語．例えば，antitoxin(抗毒素特異抗体).

an·ti·ad·ren·er·gic (an′tē-ad-rĕ-nĕr′jik). 抗アドレナリン作用(作動)〔性〕の（交感神経または他のアドレナリン作用性神経線維の作用に拮抗する．→sympatholytic）.

an·ti·ag·glu·ti·nin (an′tē-ă-glū′ti-nin). 抗凝集素（凝集素の作用を抑制あるいは破壊する特異抗体）.

antianaemic [Br.]. = antianemic.

an·ti·an·a·phy·lax·is (an′tē-an′ă-fi-lak′sis). 抗アナフィラキシー. = desensitization(1).

an·ti·a·ne·mic (an′tē-ă-nē′mik). 抗貧血の（貧血症状を予防または治す因子や物質についていう）.

an·ti·an·ti·bod·y (an′tē-an′ti-bod-ē). 抗抗体（他の抗体に特異的な抗体）.

an·ti·an·ti·tox·in (an′tē-an-tē-tok′sin). 抗抗毒素（抗毒素の作用を抑制または中和する抗抗体）.

an·ti·anx·i·e·ty a·gent 抗不安薬（不安の治療に有効で，過剰な鎮静を起こさない用量で不安を減少させうる薬物を機能的に分類したもの．例えば，ジアゼパム）. = anxiolytic(1).

an·ti·bac·te·ri·al (an′tē-bak-tēr′ē-ăl). 抗菌〔性〕の（菌を殺すかまたは増殖を阻止する）.

an·ti-base·ment mem·brane an·ti·bod·y 抗基底膜抗体（腎糸球体基底膜に対する自己抗体）.

an·ti-base·ment mem·brane glo·mer·u·lo·ne·phri·tis 抗基底膜型糸球体腎炎（抗糸球体基底膜抗体による糸球体腎炎であり，糸球体毛細管係蹄壁に沿って IgG, C3 が線状に沈着するのが特徴である．急速進行性糸球体腎炎と Goodpasture 症候群の糸球体腎炎を含む）.

an·ti-base·ment mem·brane ne·phri·tis 抗基底膜抗体〔性〕腎炎（糸球体毛細管基底膜に対する自己抗体または異種抗体によってつくられる糸球体腎炎．異種抗体の場合は抗腎臓血清腎炎として知られている）.

an·ti·bi·o·gram (an′tē-bī′ō-gram). 細菌耐性記録（特定の微生物の抗菌薬耐性および薬剤感受性の記録）.

an·ti·bi·o·sis (an′tē-bī-ō′sis). 抗生作用（① probiosis(共生)とは対照的に，一方にとっては有害になるような２種類の生物の組合せ．②細菌などの生物が他の生物，特に土壌微生物に阻止的に作用する抗生物質を産生すること）.

an·ti·bi·ot·ic (an′tē-bī-ot′ik). ***1***〚adj.〛抗生の. ***2***〚adj.〛生命にとって不利な. ***3***〚n.〛抗生物質（他の微生物の増殖を抑えるカビまたは細菌から得る可溶性物質）. ***4***〚adj.〛抗生物質作用の.

an·ti·bi·ot·ic-as·so·ci·at·ed en·ter·o·co·li·tis 抗菌薬起因性腸炎（広域抗菌薬の経口投与の後に起こる腸炎．正常な腸内細菌叢が抑制され，耐性菌が異常増殖することが原因であり，下痢または偽膜性腸炎が起こる）．

an·ti·bi·ot·ic bond·ing 抗生物質ボンディング（留置カテーテルまたはチューブを界面活性剤と抗生物質の混合物でコーティングし，感染の危険性を減らしたもの）．

an·ti·bi·ot·ic re·mov·al de·vice (ARD), an·ti·mi·cro·bi·al re·mov·al de·vice 抗生物質除去装置（標本から抗菌剤(抗生物質)を取り除く樹脂を含む血液培養瓶）．

an·ti·bi·ot·ic sus·cep·ti·bil·i·ty 抗生物質感受性（抗生物質による抑制あるいは破壊に対する特定の微生物の脆弱性）．

an·ti·bod·y (Ab) (an′ti-bod-ē)．抗体（抗原(免疫原)によって惹起された特異的なアミノ酸配列を有する免疫グロブリン分子で，B 細胞で産生されヒトや他の動物に存在する．これらの分子は，何らかの明白な様式で抗原と特異的に反応する特徴をもち，抗原と抗体は互いに限定し合う．抗体は抗原の呈示による刺激の結果としてではなく自然に存在する場合もあり得る．→immunoglobulin）．

an·ti·bod·y-com·bin·ing site 抗体結合部位．= paratope.

an·ti·bod·y ex·cess 抗体過剰（沈降反応などの血清学的反応に用いる語．存在する抗原のすべてと結合するのに必要な量以上に抗体が過剰に存在すること）．

an·ti·bod·y screen 抗体スクリーニング（血液中の抗体のスクリーニング検査．輸血における血液適合性を評価するために免疫血液学で用いられる）．

an·ti·car·ci·no·gen·ic (an′tē-kahr′si-nō-jen′ik)．抗発癌性（発癌物質の活動を抑制する，あるいは防ぐ傾向があること）．

an·ti·cho·lin·er·gic (an′tē-kō′li-nĕr′jik)．抗コリン作用(作動)性の，コリン抑制性の，コリン作用(作動)抑制性の（副交感神経または他のコリン作用性神経線維の作用に拮抗することについていう．例えば，アトロピン）．

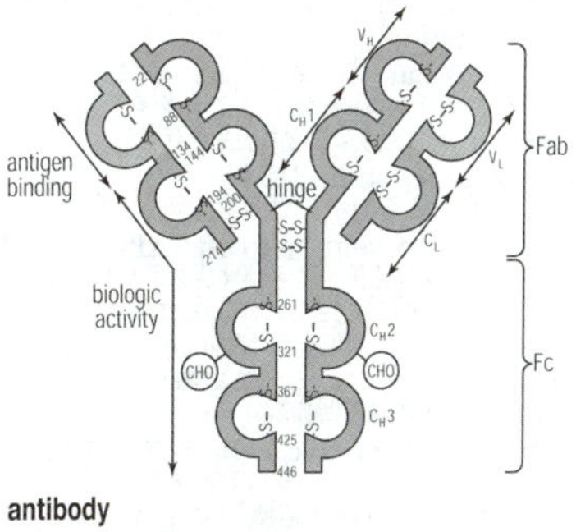
V_H
C_H1
Fab
V_L
antigen binding
hinge
C_L
S-S
biologic activity
C_H2
CHO
CHO
Fc
C_H3
22
88
134
144
194
200
214
261
321
367
425
446

antibody
免疫グロブリン分子のシェーマ図

an·ti·cho·li·ner·gic tox·i·drome 抗コリン作用(作動)性中毒症候群（抗コリン作用薬によって引き起こされる中毒に特徴的な症候(徴候と症状)の集合．「コウモリのように目が見えず，骨のように干からびて，野ウサギのように熱く，ビートのように赤く，帽子屋のように気が狂っている(blind as a bat, dry as a bone, hot as a hare, red as a beet, and mad as a hatter)」という便利な覚え方がある．→Mad Hatter syndrome (2); toxidrome）．

an·ti·cho·lin·es·ter·ase (AChE) (an′tē-kō-lin-es′tĕr-ās)．抗コリンエステラーゼ（アセチルコリンエステラーゼを阻害または不活性化する薬物の1つ．可逆的にはフィソスチグミン，非可逆的にはテトラエチルピロリン酸がその働きをする）．

an·ti·ci·pa·tion (ăn-tis′i-pā′shŭn)．予期，先行．

an·ti·ci·pa·tor·y be·hav·ior 予期的行動（吃音において，予期されるか，初期の流暢性欠如に対する不安から生じる感情および反応）．

an·ti·cli·nal (an′tē-klī′năl)．背斜の（ピラミッドの両側のように反対方向に傾いている）．

an·ti·co·ag·u·lant (an′tē-kō-ag′yŭ-lănt)．***1*** 〖adj.〗抗凝固性の（凝血を予防する）．***2*** 〖n.〗抗〔血液〕凝固薬(剤)（***1*** の作用をもつ薬物．例えばワルファリンやエチレンジアミン四酢酸）．

an·ti·co·don (an′tē-kō′don)．アンチコドン（トランスファー RNA のループに存在するコドンに相補的なトリヌクレオチド配列順序．例えば，もしコドンが A-G-C ならば，そのアンチコドンは U(または T)-C-G である．この相補性原理は，Watson-Crick の塩基対から生じるもので，A は U(または T)に相補的であり，G は C に相補的である．アンチコドンはしばしば nodoc とよばれる）．

an·ti·com·ple·ment (an′tē-kom′plĕ-mĕnt)．抗補体（補体と結合し，その結果，抗体と補体との結合を阻害することによって，補体の作用を中和する物質）．

an·ti·con·vul·sant (an′tē-kŏn-vŭl′sănt)．***1*** 〖adj.〗鎮痙性の（痙攣を予防または抑える）．***2*** 〖n.〗鎮痙薬，抗痙攣薬（***1*** の作用をもつ薬物）．

an·ti·de·pres·sant (an′tē-dĕ-pres′ănt)．***1*** 〖adj.〗抗うつ〔作用〕の（うつ病に有効に作用する）．***2*** 〖n.〗抗うつ薬（うつ病治療に用いる物質または薬剤）．

an·ti·di·ar·rhe·al (an′tē-dī-ă-rē′ăl)．下痢止めの．= antidiarrhoeal.

antidiarrhoeal [Br.]．= antidiarrheal.

an·ti·di·u·re·sis (an′tē-dī-yŭr-ē′sis)．抗利尿（尿量を減らすこと）．

an·ti·di·u·ret·ic (an′tē-dī-yŭr-et′ik)．抗利尿薬（尿量を減少させる薬物またはホルモン）．

an·ti·di·u·ret·ic hor·mone (ADH) 抗利尿ホルモン．= vasopressin.

an·ti·dot·al (an′ti-dō′tăl)．解毒〔性〕の．

an·ti·dote (an′ti-dōt)．解毒薬（毒物を中和するまたはその影響を消去する薬物）．

an·ti·drom·ic (an′tē-drom′ik). 逆方向性の，逆行性の（伝導系(例えば，神経線維や心臓刺激伝導系)に沿って，インパルスが正常に伝わる方向と逆の方向に伝わることを意味する）.

an·ti·dump·ing law 「投げ出し」防止法（管轄によって異なるが，政府規則では，一般に病院あるいは医療施設は貧しい患者も支払い能力にかかわらず治療を提供するか，別の設備に移送しなければならない，と定めている．この種の法律は，一般に，医療施設が貧しい患者に対する治療を拒否すること，あるいは別の医療施設(あるいは道端)に「投げ出すこと(dumping)」を禁止している）.

an·ti·dys·ki·net·ic a·gent 抗ジスキネシア薬（抗コリン作用を有し，パーキンソン病や抗精神病薬によって引き起こされる急性運動障害の一部の治療に用いられる薬物の実用的分類）.

an·ti·em·bo·lism hose = antiembolism stockings. →TED hose.

an·ti·em·bo·lism stock·ings 塞栓症防止ストッキング（特別にぴったり作られた弾性ストッキングで，下肢を押え付け，鬱血を減らし，静脈還流を促進して，血栓形成の危険性を抑えるのに用いる．最大の効果を引き出すには，ストッキングを正確に合わせ再装着しなければならない）. = antiembolism hose.

an·ti·e·met·ic (an′tē-ĕ-met′ik). ***1*** 〖adj.〗制吐作用の，鎮吐作用の，抗嘔吐作用の（嘔吐を予防または阻止する）. ***2*** 〖n.〗制吐薬，鎮吐薬，抗嘔吐薬.

an·ti·en·zyme (an′tē-en′zīm). 酵素阻害薬，酵素抑制薬，抗酵素〔抗体〕（酵素の活性を遅延，阻害，消失させる薬物または因子．阻害酵素または酵素に対する抗体）.

an·ti·ep·i·lep·tic (an′tē-ep-i-lep′tik). = antepileptic. ***1*** 〖adj.〗抗てんかん性の（てんかんを予防または抑える）. ***2*** 〖n.〗抗てんかん薬（***1*** の作用をもつ薬物）.

an·ti·es·tro·gen (an′tē-es′trō-jĕn). 抗エストロゲン（反応組織に対して発情ホルモン(卵胞ホルモン)の生物学的作用が十分発揮されるのを防ぐことのできる物質）. = antioestrogen.

an·ti·es·tro·gen·ic (an′tē-es-trō-jen′ik). 抗エストロゲンの（エストロゲンの作用を減殺または抑制するもの）. = antioestrogenic.

an·ti·fe·brile (an′tē-feb′ril). = antipyretic(1).

an·ti·fi·bri·nol·y·sin (an′tē-fī-bri-nol′i-sin). 抗線維素溶解素. = antiplasmin.

an·ti·fi·bri·no·lyt·ic (an′tē-fī-brin-ō-lit′ik). 抗線維素溶解剤（線維素(フィブリン)の溶解を抑制する物質を表す．例えば，アミノカプロン酸）.

an·ti·gen (Ag) (an′ti-jen). 抗原（以下のような生体反応を誘発しうるあらゆる物質．免疫担当細胞に遭遇した結果，一定の潜伏期(数日-数週間)を経て過敏状態や免疫反応性の状態を引き起こして，抗体や免疫細胞の特異反応を *in vivo* または *in vitro* で証明可能とする物質．現代では抗原に広い意味をもたせる傾向があり，抗原特異性を与える分子の特定の化学基に対して，antigenic determinant(抗原決定基)や determinant group(決定群)という用語を採用するようになった．→hapten）. = immunogen.

antigenaemia [Br.]. = antigenemia.

an·ti·gen-an·ti·bod·y re·ac·tion 抗原-抗体反応（抗体が，抗体形成を刺激した型の抗原と結合する可逆性の現象で，*in vitro* でも *in vivo* でも起こりうる．その結果，凝集反応，沈降反応，補体結合，食細胞による摂取と破壊に対する感受性の増大，外毒素の中和が起こる．→skin test）.

an·ti·ge·ne·mi·a (an′ti-jĕ-nē′mē-ă). 抗原血〔症〕（循環血液中に抗原物質が存続すること．例えば，HB_s 抗原血(血清中に B 型肝炎ウイルス粒子の表面(s)抗原が存在すること)）. = antigenaemia.

an·ti·gen ex·cess 抗原過剰（①沈降反応において，一定量の抗体に対して抗原が過剰に存在する結果，可溶性の免疫複合体を生じて，沈降物の形成が阻害される現象．② *in vivo* において，抗原過剰の際の抗原抗体反応の結果として抗原抗体複合物が増加して細胞障害を起こしやすくなる可能性があるが寛容性でもありうる）.

an·ti·gen·ic (an′ti-jen′ik). 抗原性の（抗原(アレルゲン)の特性を有する）. = allergenic; immunogenic.

an·ti·gen·ic de·ter·mi·nant 抗原決定基(群)（免疫学的特異性を決定する特定の化学的な分子群）.

an·ti·gen·ic drift 抗原連続変異（ある宿主が他の宿主に推移する間に微生物の DNA/RNA の分子構造が〝進化的〟変化をとげること．この過程は遺伝子の組替え，欠失，挿入，点突然変異およびこれらの組合せによる．それにより,(通常，緩徐で進行性の)抗原構造の変化をもたらし，さらにその微生物と接した個体や集団の免疫応答に変化をきたす）.

an·ti·ge·nic·i·ty (an′ti-jĕ-nis′i-tē). 抗原性（抗原の特性をもつ状態．抗原としての特性）. = immunogenicity.

an·ti·gen·ic shift 抗原不連続変異（微生物の新しい株を生じる突然変異のことで，微生物，特にウイルスの RNA/DNA の分子構造の変化による．前に別の株に暴露されていた宿主は新しい株に対してほとんどあるいはまったく獲得免疫をもたない）.

an·ti·gen·ome (an′tē-jē′nōm). アンチゲノム（相補的プラス RNA 鎖で，これをもとにウイルスのマイナス鎖ゲノムが合成される）.

an·ti·gen pep·tides 抗原ペプチド（MHC 分子と結合する蛋白フラグメント）.

an·ti·gen-pre·sent·ing cell (APC) 抗原提示細胞（蛋白性抗原を特定のペプチドにまで分解し，自己の細胞表面に提示してリンパ球に認識可能にする．APCs には Langerhans 細胞，樹状細胞，マクロファージや B 細胞と，ヒトでは活性化 T 細胞が含まれる）. = accessory cell.

an·ti·gen-sen·si·tive cell 抗原感受性細胞（小リンパ球で，それ自体は免疫活性化細胞ではないが，免疫活性化細胞の産生時に起こる分裂・分化の過程で抗原性(免疫原性)刺激に反応する）.

an·ti·gen u·nit 抗原単位（特異抗血清の存在下で，一補体単位を結合させる抗原の最小量）.

an·ti·glob·u·lin (an′tē-glob′yū-lin). 抗グロブリン（グロブリンと結合し，沈殿させる抗体）.

an·ti·glob·u·lin test 抗グロブリン試験（患者血清中の赤血球抗体を検出する間接法と，赤血球表面に結合した免疫グロブリンを測定する直接法がある）.

an·ti·gly·co·ly·tic a·gent 解糖系阻害剤（血液標本において，細胞によるグルコースの代謝を阻害する物質．最も一般的な解糖系阻害剤はフッ化ナトリウムおよびヨード酢酸リチウムである）.

an·ti G suit 耐加速度服（重力に抗するために用いる．航空機の操縦士あるいは宇宙飛行士が体に加わる加速度の生理学的な影響を緩和するように作られた衣服）.

antihaemaglutinin [Br.]. = antihemagglutinin.

antihaemolysin [Br.]. = antihemolysin.

antihaemophilic [Br.]. = antihemophilic.

antihaemophilic factor a [Br.]. = antihemophilic factor A.

antihaemophilic globulin a [Br.]. = antihemophilic globulin A.

antihaemophilic globulin b [Br.]. = antihemophilic globulin B.

antihaemorrhagic [Br.]. = antihemorrhagic.

an·ti-HB_c (an′tē). 〔抗〕HB_c 抗体（B 型肝炎コア抗原(HB_cAg)に対する抗体）.

an·ti-HB_s (an′tē). 〔抗〕HB_s 抗体（B 型肝炎表面抗原(HB_sAg)に対する抗体）.

an·ti·he·lix (an′tē-hē′liks). 対輪（外耳の耳輪後部の前にあり，耳輪にほぼ平行している軟骨の隆起）. = anthelix.

an·ti·hem·ag·glu·ti·nin (an′tē-hē-mă-glū′ti-nin). 抗〔赤〕血球凝集素（血球凝集素の作用を抑制または予防する物質(抗体を含む)）. = antihaemagglutinin.

an·ti·he·mo·ly·sin (an′tē-hē-mol′i-sin). 抗溶血素（溶血素の作用を抑制または予防する物質(抗体を含む)）. = antihaemolysin.

an·ti·he·mo·lyt·ic (an′tē-hē-mō-lit′ik). 抗溶血性の（溶血を予防する）.

an·ti·he·mo·phil·ic (an′tē-hē-mō-fil′ik). 抗血友病の（血友病における出血傾向を治す，または軽減するもの）. = antihaemophilic.

an·ti·he·mo·phil·ic fac·tor A (AHF) 抗血友病 A 因子. = factor VIII; antihaemophilic factor a.

an·ti·he·mo·phil·ic glob·u·lin A 抗血友病 A グロブリン. = factor VIII; antihaemophilic globulin a.

an·ti·he·mo·phil·ic glob·u·lin B 抗血友病 B グロブリン. = factor IX; antihaemophilic globulin b.

an·ti·hem·or·rhag·ic (an′tē-hem-ō-raj′ik). 抗出血性の（出血を止める）. = antihaemorrhagic; hemostatic(2).

an·ti·his·ta·mines (an′tē-his′tă-mēnz). 抗ヒスタミン薬（ヒスタミンの作用に拮抗する作用をもつ薬物．アレルギー症状の治療に用いる）.

an·ti·his·ta·min·ic (an′tē-his-tă-min′ik). ***1*** 〚adj.〛抗ヒスタミン性の（ヒスタミンの作用を中和し，拮抗する，または体内での産生を抑制する）. ***2*** 〚n.〛抗ヒスタミン薬（***1*** の作用をもつ薬物．アレルギー症状を軽減するのに用いる）.

an·ti·hor·mone (an′tē-hōr′mōn). 抗ホルモン，アンチホルモン（ある種のホルモンの通常の効果を阻止あるいは妨害する作用をもつ血清中の物質．例えば，特異抗体）.

an·ti·hu·man glob·u·lin 抗ヒトグロブリン血清（精製ヒトグロブリンで前もって免疫したウサギまたはその他の動物から得た血清で，ヒト免疫グロブリンに対する抗体を含む．直接および間接 Coombs テストで使われる）. = Coombs serum.

an·ti·hy·per·lip·i·de·mic (an′tē-hī′pĕr-lip′i-dē′mik). 高脂血症治療薬（血液中の脂質の増加を防止，あるいは中和する働きを持つ）.

an·ti·hy·per·ten·sive (an′tē-hī-pĕr-ten′siv). ***1*** 〚adj.〛抗高血圧性の（高血圧患者の血圧を下げる薬物または治療法についていう）. ***2*** 〚n.〛抗高血圧〔症〕薬.

an·ti·id·i·o·type an·ti·bod·y, an·ti·id·i·o·type au·to·an·ti·bod·y 抗イディオタイプ〔抗体〕（抗体分子に対する抗体のうちでも特に免疫グロブリン分子(抗体)の抗原決定基(イデオトープ)に特異的に反応する抗体）.

an·ti·in·flam·ma·to·ry (an′tē-in-flam′ă-tōr-ē). 抗炎症の（原因子に直接作用せずに，体内の反応系に作用して炎症を軽減する．抗炎症薬の例として，糖質コルチコイド，アスピリンがある）.

an·ti·leu·ko·tri·ene (an′tē-lū-ko-trī′ēn). 抗ロイコトリエン薬（自然産生されるロイコトリエンの生成または作用の遮断によりぜん息の気管支収縮を予防または緩和する薬物．乾癬に対する有効性もある）.

an·ti·li·pe·mics (an′tē-li-pē′miks). 抗高脂血症の（血液における脂質の増加を予防するか，あるいは妨げるように作用すること）.

an·ti·lith·ic (an′tē-lith′ik). ***1*** 〚adj.〛抗結石〔性〕の（結石の生成を防ぐ，または結石の溶解を促進する）. ***2*** 〚n.〛抗結石薬（***1*** の作用をもつ薬物）.

an·ti·lym·pho·cyte se·rum (ALS) 抗リンパ〔球〕血清（リンパ球に対抗する抗血清で，組織移植や臓器移植の拒絶反応を抑えるのに用いる）.

an·ti·ly·sin (an′tē-lī′sin). 抗溶解素（溶解素の作用を抑制あるいは阻止する抗体）.

an·ti-MAG an·ti·bod·y 抗 MAG 抗体（ミエリン関連糖蛋白に対する特異的な抗体．ミエリンに対する特異的な抗体のなかで，最も重要なものである．IgM 関連多発ニューロパシーの患者の大部分でみられる）.

an·ti·ma·lar·i·als (an′tē-mă-lar′ē-ălz). 抗マラリア薬（マラリアの予防，あるいは治療に用いられる薬）.

an·ti·mere (an′ti-mēr). 対称部分，対質，体輻（①体軸に直交する平面によって区切られる動物体の分節．②動物体の対称性を示す部分．③身体の右または左半分).

an·ti·me·tab·o·lite (an′tē-mĕ-tab′ō-līt). 代謝拮抗物質(薬)(代謝物と競合,置換,または拮抗する物質.例えば,エチオニンはメチオニンの代謝拮抗物質である).

an·ti·mi·cro·bi·al (an′tē-mī-krō′bē-ăl). 抗菌の(微生物を死滅させ,増殖や発育を阻止し,病原性を除く傾向のある).

an·ti·mi·cro·bi·al break·point 抗菌薬の限界点(最適療法中に,体液または標的部位において達成することができる抗生物質の濃度).

an·ti·mi·tot·ic (an′tē-mī-tot′ik). 抗有糸分裂性の(有糸分裂に対して停止作用を有する).

an·ti·mon·gol·oid (an′tē-mong′ō-loyd). 逆蒙古症様の(眼瞼裂の外側が中央より下がっている状態).

an·ti·mo·ny (Sb) (an′ti-mō-nē). アンチモン(金属元素.原子番号 51,原子量 121.757,原子価 0, − 3, + 3, + 5.合金に用いる.有毒で皮膚や粘膜を刺激する).

an·ti·mu·ta·gen (an′tē-myū′tă-jen). 抗変異原(ある物質の突然変異誘発作用を軽減あるいは阻害する因子).

an·ti·my·cot·ic (an′tē-mī-kot′ik). 抗真菌〔症〕の,抗カビ性の(真菌に拮抗する).

an·ti·ne·o·plas·tic (an′tē-nē′ō-plas′tik). 抗腫瘍性の(腫瘍細胞の発生,成熟,または拡散を予防する).

an·ti·ne·o·plas·tic an·ti·bi·ot·ic 抗腫瘍性抗生物質(腫瘍あるいは悪性細胞の成長および拡がりを防ぐ抗生物質).

an·ti·neu·rit·ic vi·ta·min 抗神経炎ビタミン.

an·ti·neu·tro·phil cy·to·plas·mic an·ti·bod·y (ANCA) 抗好中球細胞質抗体(単球や好中球の細胞質を構成する成分に対する自己抗体.血管炎の患者にみられる).

an·tin·i·on (an-tin′ē-on). 頭部前極(両眉毛の間の部分.イニオンと反対の頭蓋骨上の点.→ glabella).

an·ti·nu·cle·ar an·ti·bod·y (ANA), an·ti·nu·cle·ar fac·tor (ANF) 抗核抗体(DNA を含む核抗原に親和性を有する抗体.この抗体は全身性エリテマトーデス,関節リウマチ,およびある種の膠原病患者の血清に高率に認められる.患者の健康な血縁者のいく人か,また健常者約 1%の血清にもみられる).

antioestrogen [Br.]. = antiestrogen.

antioestrogenic [Br.]. = antiestrogenic.

an·ti·on·co·gene (an′tē-ong′kō-jēn). 癌抑制遺伝子(細胞の増殖を制御する蛋白をコードする遺伝子.この種の遺伝子を不活化することにより,癌のような脱制御した細胞増殖がもたらされる). = tumor suppressor gene(2).

an·ti·ox·i·dant (an′tē-ŏks-i-dănt). 抗酸化物質,アンチオキシダント,抗酸化剤(酸化防止剤.これらの多くの化学物質(ある生体内物質や栄養素を含む)はほとんど,フリーラジカルや他の物質のオキシダント効果を中和できる.→angina; free radical).

an·ti·par·a·sit·ic (an′tē-par-ă-sit′ik). 駆虫性の.

an·tip·a·thy (an-tip′ă-thē). 反感(毛嫌い,嫌悪,不寛容).

an·ti·per·i·stal·sis (an′tē-per-i-stal′sis). 逆ぜん動. = reversed peristalsis.

an·ti·per·i·stal·tic (an′tē-per-i-stal′tik). ***1*** 逆ぜん動の.***2*** 抗ぜん動〔性〕の(ぜん動を妨げるまたは阻止する).

an·ti·per·spi·rant (an′tē-pĕr′spir-ănt). ***1*** 〖adj.〗制汗性の(汗の分泌に対して抑制作用を有する).***2*** 〖n.〗制汗薬(*1* の作用をもつ薬物.例えば塩化アルミニウム).

an·ti·phlo·gis·tic (an′tē-flō-jis′tik). ***1*** 〖adj.〗消炎〔性〕の(炎症を予防するあるいは軽減することを表す古語).***2*** 〖n.〗消炎薬,抗炎症薬(炎症を和らげる薬物).

an·ti·phos·pho·lip·id an·ti·bod·y syn·drome (aPLS, APS) 抗リン脂質抗体症候群(再発性血栓症,再発性流産,血小板減少症,神経疾患を起こす傾向のある症候群.カルジオリピン,ホスファチジルセリン,ホスファチジルエタノールアミンのような,負に帯電したリン脂質に対する抗体の存在が特徴である).

an·ti·plas·min (an′tē-plaz′min). 抗プラスミン(プラスミンの作用を抑制あるいは阻害する物質.血漿およびいくつかの組織,特に脾臓と肝臓にみられる). = antifibrinolysin.

an·ti·plate·let a·gent 抗血小板剤(血小板の凝集を阻害し,それによって血栓形成の危険性を低下させる薬品).

an·ti·pode (an′ti-pōd). 対掌体(まったく正反対の位置にあること).

an·ti·port (an′ti-pōrt). 交互輸送(一般的な輸送機構(交互輸送機構)によって,膜を通して 2 つの異なった分子またはイオンが反対方向に相互輸送されること.*cf.* symport; uniport).

an·ti·pro·te·ase (an′tē-prō′tē-ās). プロテアーゼ阻害剤(プロテアーゼの働きを抑制する物質).

an·ti·pro·throm·bin (an′tē-prō-throm′bin). アンチプロトロンビン(プロトロンビンのトロンビンへの転換を抑制あるいは阻害する抗凝固薬.様々な組織(特に肝臓)の中にあるヘパリン,部分的に腐敗したスイートクローバーから分離されるジクマリンなどがその例である).

an·ti·pru·rit·ic (an′tē-prūr-it′ik). ***1*** 〖adj.〗止痒性の(かゆみを抑え,和らげる).***2*** 〖n.〗かゆみ止め(かゆみを和らげる薬物).

an·ti·psy·chot·ic (an′tē-sī-kot′ik). ***1*** 〖n.〗抗精神病薬. = antipsychotic agent. ***2*** 〖adj.〗抗精神病の(抗精神病薬の作用についていう).

an·ti·psy·chot·ic a·gent 抗精神病薬(精神病の治療に役立ち,思考障害を軽減しうる神経弛緩薬(例えばクロルプロマジン,ハロペリドール)を機能的に分類したもの.定型薬と非定型薬に分けられる). = antipsychotic(1).

an·ti·py·ret·ic (an′tē-pī-ret′ik). ***1*** 〖adj.〗解熱〔作用〕の,解熱〔性〕の. = antifebrile. ***2*** 〖n.〗解熱薬(例えば,acetaminophen とアスピリン).

an·ti·py·ret·ic bath 解熱浴(熱を下げるために清拭するか,入浴すること).

A

an·ti·ra·chit·ic (an′tē-ră-kit′ik). 抗くる病薬（くる病の治癒を促進する，またはその進展を防ぐ薬）.

an·ti·ra·chit·ic bath 抗くる病浴（熱を下げるために清拭するか，入浴すること）.

an·ti·scor·bu·tic (an′tē-skōr-byū′tik). ***1***〖adj.〗抗壊血病〔性〕の（壊血病を予防あるいは治療する）. ***2***〖n.〗抗壊血病薬（壊血病の治療薬．例えば，ビタミンC）.

an·ti·se·cre·to·ry (an′tē-sē-krē′tŏr-ē). 抗分泌〔性〕の（分泌を抑制する．胃液の分泌を減少または抑制する薬物(例えば，ranitidine, omeprazole)はその一例）.

an·ti·sense (an′tē-sens). センス鎖に相補的なDNA 2本鎖またはRNA分子.

an·ti·sep·sis (an′ti-sep′sis). 防腐〔法〕（感染性病原物質の成長を抑制することにより感染を防ぐこと. →disinfection）.

an·ti·sep·tic (an′ti-sep′tik). ***1***〖adj.〗防腐〔性〕の. ***2***〖n.〗防腐薬（防腐作用を有する薬物または物質）.

an·ti·sep·tic dress·ing 滅菌包帯（殺菌剤をしみ込ませた滅菌ガーゼの包帯）.

an·ti·sep·tic gauze 防腐ガーゼ（病原菌の成長を抑制する物質で処理された，外科包帯または創傷包帯）.

an·ti·se·rum (an′tē-sēr′ŭm). 抗血清（検出可能な抗体値を有する血清，または単一抗原に対する(1価または特異の)抗体あるいは複数の抗原に対する(多価の)抗体．抗原物質を接種された動物の血液からつくられるか，疾病から回復したヒトの場合のように抗原と自然に接触することによって感作されたヒトや動物の血液からつくられる）. = immune serum.

an·ti·se·rum an·a·phy·lax·is 抗血清アナフィラキシー. = passive anaphylaxis.

an·ti·so·cial (an′tē-sō′shăl). 反社会的な（個人の権利や社会の規範に反した，例えば，反社会的人格や精神病質. *cf.* asocial）.

an·ti·so·cial per·son·al·i·ty dis·or·der 反社会的人格異常（他者の権利や安全をを無視したり侵害する反社会的行動が持続的および慢性的にみられることによって特徴付けられる永続的かつ広範なパターンで，15歳以前に始まる．小児期早期の徴候には慢性的虚言，盗み，けんか，ずる休みがある．思春期には通常，早期または攻撃的性行動，過度の飲酒，違法な薬物使用がみられ，そのような行動は成人になっても持続する）.

an·ti·spas·mod·ic (an′tē-spaz-mod′ik). ***1***〖adj.〗抗痙攣性の（筋攣縮や筋痙攣を予防あるいは治療する）. ***2***〖n.〗鎮痙薬（痙攣を鎮める薬物）.

an·ti·strep·to·coc·cic (an′tē-strep-tō-kok′sik). 抗連鎖球菌性の（連鎖球菌を破壊する，またはその毒素に拮抗する）.

an·ti·tac (an′tē-tak). 抗tac（IL-2レセプタのα鎖を認識するモノクローナル抗体）.

an·ti·ter·min·a·tion (an′tē-tĕr-mi-nā′shŭn). 抗終止，アンチターミネーション（バクテリアRNAポリメラーゼの状態で，そこでは休止，停止，あるいは終止シグナルに対して抵抗性がある. →hesitant; overdrive）.

an·ti·tox·ic (an′tē-tok′sik). 抗毒〔素〕性の（毒物の作用を中和する．特に抗毒素に関する. →antidotal）.

an·ti·tox·in (an′tē-tok′sin). 抗毒素（菌の外毒素，植物毒素，動物毒素など，生物から発生した抗原性毒物質に反応して生成する抗体．通常は，特異トキソイドの注射で免疫されたヒトまたは動物(通常はウマ)から得る全血清または血清のグロブリン分画をさす．抗毒素は，特異毒素の薬理作用を中和する）.

an·ti·tox·in u·nit 抗毒素単位（抗毒素の力価を表す単位．一般に，抗毒素の標準品と比べて決定される. →L doses）.

an·ti·trag·i·cus mus·cle 対珠筋（対珠外面の横走筋線維の帯．珠間切痕より起こり，対輪および耳輪尾に付着）. = musculus antitragicus.

an·ti·tra·gus (an-tē-trā′gŭs). 対珠（耳垂の真上にあり，珠間切痕によって分離されている耳珠の後方で，耳輪尾の前にある耳介軟骨突起）.

an·ti·trep·o·ne·mal (an′tē-trep-ō-nē′măl). 抗トレポネーマ性の. = treponemicidal.

an·ti·tro·pic (an′tē-trō′pik). 対称器官の（鏡像のように向かい合った位置にあるが，左右両側に対称である相似形，例えば，左手親指と右手親指の関係）.

an·ti·tryp·sic (an′tē-trip′sik). = antitryptic.

an·ti·tryp·sin (an′tē-trip′sin). 抗(アンチ)トリプシン（トリプシンの作用を抑制または阻止する物質）.

an·ti·tryp·tic (an′tē-trip′tik). 抗(アンチ)トリプシンの. = antitrypsic.

an·ti·tus·sive (an′tē-tŭs′iv). ***1***〖adj.〗鎮咳〔症〕の. ***2***〖n.〗鎮咳薬，咳止め（例えば，コデイン）.

an·ti·ven·in (an′tē-ven′in). 抗〔蛇〕毒素（動物または昆虫の毒に特異的な抗毒素）.

an·ti·vi·ral (an′tē-vī′răl). 抗ウイルス性の（ウイルスに対する，ウイルスの増殖を阻害する，作用を減弱ないし消失させる）.

an·ti·vi·ral pro·tein (AVP) 抗ウイルス蛋白（ヒトあるいは動物において，ウイルス感染細胞中で，インターフェロンの刺激によってつくられる因子で，ウイルス増殖に対するインターフェロンによる阻害の本態となる）.

an·ti·vi·ta·min (an′tē-vī′tă-min). 抗ビタミン（ビタミンが典型的な生物学的作用を発揮するのを妨げる物質．ほとんどの抗ビタミンはビタミンに類似した化学構造をもち，競合的拮抗物質として機能するようである）.

An·ton syn·drome アントン症候群（皮質盲において，盲目であるという認識の欠如）.

ant·orb·i·tal (ant-ōr′bi-tăl). 前眼窩の（眼窩の前部）. = anteorbital.

an·tra (an′tră). antrumの複数形.

an·tral (an′trăl). 洞の，腔の.

an·tral fol·li·cle = vesicular ovarian follicle.

an·tral la·vage 洞洗浄（上顎洞を，その自然口を経由する，あるいは下鼻道の穿刺口を経由して洗浄する方法）.

an·trec·to·my (an-trek′tŏ-mē). ***1*** 上顎洞部分

切除〔術〕(上顎洞壁一部の除去). ***2*** 幽門洞切除〔術〕(胃の幽門洞部(遠位側半分)の切除).

antro- 洞を表す連結形.

an·tro·du·o·de·nec·to·my (an′trō-dū′ŏ-dĕ-nek′tŏ-mē). 幽門洞十二指腸切除〔術〕(胃の幽門洞部と十二指腸の潰瘍部分の外科的除去).

an·tro·na·sal (an′trō-nā′zăl). 上顎洞性鼻腔の(上顎洞および上顎洞と対応する鼻腔に関する).

an·tro·scope (an′trō-skōp). 上顎洞鏡 (空洞, 特に上顎洞を視診するときに役立つ器具).

an·tros·co·py (an-tros′kŏ-pē). 上顎洞鏡検査〔法〕(上顎洞を始め, 種々の洞を上顎洞鏡で検査すること).

an·tros·to·my (an-tros′tŏ-mē). 乳突洞開口〔術〕, 洞フィステル形成〔術〕(洞に永続的な開口部を形成すること).

an·trot·o·my (an-trot′ŏ-mē). 洞切開〔術〕, 乳突洞削開〔術〕(洞壁を切開すること).

an·tro·tym·pan·ic (an′trō-tim-pan′ik). 〔乳突〕洞鼓室の (乳突洞の鼓室に関する).

an·trum, pl. an·tra (an′trŭm, an′tră). ***1*** 洞(ほとんど閉鎖された腔. 特に骨壁を有するもの). ***2*** 幽門洞. = pyloric antrum.

an·trum of High·more ハイモー洞. = maxillary sinus.

An·tyl·lus meth·od アンティルス法 (動脈瘤の上下で動脈を結紮して動脈瘤を切開し, 内容物を排出させる方法).

ANUG acute necrotizing ulcerative gingivitis の略.

a·nu·lar (an′yŭ-lăr). 輪状の, 環状の.

an·u·lar band = amnionic band.

an·u·lar cat·a·ract 輪状白内障 (核が中心性の白膜で置換している先天白内障).

an·u·lar lig·a·ment 輪状靱帯 (種々の部位を輪状に取り巻く靱帯).

an·u·lar lip·id 輪状脂質 (膜内在性蛋白と結合または包囲した脂質層).

an·u·lar pla·cen·ta 環状胎盤, 輪状胎盤 (子宮内部をほぼ完全に囲んでいる帯を形成している胎盤).

an·u·lar scle·ri·tis 輪状強膜炎 (しばしば強膜前部にみられる持続性の炎症で, 角膜強膜辺縁周囲に輪を形成する).

an·u·lar sco·to·ma 輪状暗点 (視野の中心を囲んでいる輪状のもの. →ring scotoma).

an·u·lar staph·y·lo·ma 環状ブドウ〔膜〕腫(角膜周辺に及ぶブドウ腫).

an·u·lar stric·ture 輪状狭窄〔症〕(管壁を包囲する環状の狭窄).

an·u·lar syn·ech·i·a 輪状虹彩癒着 (虹彩全体の瞳孔辺縁の, 水晶体嚢への癒着).

an·u·lo·a·or·tic ec·ta·si·a 大動脈弁輪拡張症 (壁と弁輪を含む大動脈の弁上部が拡張し, その直径が遠位の拡張性の壁より小さいままとなる. 多くの症例がマルファン症候群と関係がある).

a·nu·lo·plas·ty (an′yŭ-lō-plas-tē). 輪状形成〔術〕(心弁膜(通常は僧帽弁)を再建すること).

a·nu·lor·rha·phy (an′yŭ-lōr′ă-fē). ヘルニア輪縫合〔術〕(ヘルニア輪を縫合して閉じること).

an·u·lus (an′yŭ-lŭs). 輪. = ring(1).

an·u·lus fi·bro·sus 線維輪 (①= right and left fibrous rings of heart. ②= anulus fibrosus of intervertebral disc).

an·u·lus fi·bro·sus dis·ci in·ter·ver·te·bra·lis = anulus fibrosus of intervertebral disc.

an·u·lus fi·bro·sus of in·ter·ver·te·bral disc 椎間板線維輪 (膠原線維と線維性軟骨とでできた輪状構造物で, 椎間板の周縁を形成する. 内部に包み込まれた髄核は, この線維輪がゆるむとヘルニアを起こしやすくなる). = anulus fibrosus disci intervertebralis; anulus fibrosus (2).

an·u·lus in·gui·na·lis su·per·fi·ci·a·lis 浅鼡径輪. = superficial inguinal ring.

an·u·lus tym·pa·ni·cus 鼓室輪. = tympanic ring.

an·u·lus um·bi·li·ca·lis 臍輪. = umbilical ring.

an·u·lus of Zinn = common tendinous ring of extraocular muscles.

an·u·re·sis (an′yūr-ē′sis). 尿閉 (排尿できないこと).

an·u·ri·a (ă-nyūr′ē-ă). 無尿〔症〕(尿生成のないこと).

an·u·ric (ă-nyūr′ik). 無尿〔症〕の.

a·nus, gen. & pl. a·ni (ā′nŭs, ā′nī). 肛門 (糞便が押し出される, 殿部の膨らみの間の殿裂にある消化管の下口).

an·vil (an′vil). きぬた骨. = incus.

anx·i·e·ty (ang-zī′ĕ-tē). 不安 (①明らかに確認しうる刺激に結びつかないのに, 不穏, 緊張, 頻脈, 呼吸困難などを伴って, さし迫った危険を感じ, 恐れること. ②実験心理学において, 以前に中立的なきっかけから学習し, その後それに伴って生じる動因または動機付けの状態).

anx·i·e·ty dis·or·ders 不安障害 (ストレスに対する不安反応を含む互いに関連のある精神疾患の一群. これに含まれる病型には次のようなものがある. ⓘ全般性不安:最も一般的な状態で, 男性よりも女性にやや多く, 20歳—35歳にかけて最も多く生じる. ⓘⓘパニック障害:繰り返すパニック発作に患者が苦しむもので, 米国人の約2—5%に生じ, 女性は男性の約2倍認められる. ⓘⓘⓘ強迫性障害:米国人の2—3%がこのために苦しんでいる. 患者の約3分の2は大うつ病エピソードを経験する. ⓘⓥ外傷後ストレス障害:戦闘を経験した退役軍人と大けがをしながら生き残った人に最も多く認められる. ⓥ恐怖症(例えば, 蛇, 混雑, 閉所, 高所などに対する恐怖):これは少なくとも米国人の8人に1人にみられる. 不安障害に有効と証明されている薬物としては, アドレナリン受容体に作用するβ遮断薬や, 抗不安薬, 抗うつ薬, セロトニン作動薬がある. 定期的な運動も効果が証明されている).

anx·i·e·ty hys·te·ri·a 不安性ヒステリー(顕著な不安を特徴とするヒステリー).

anx·i·e·ty neu·ro·sis 不安神経症 (パニックに至るほどの慢性的な異常な悩みと心配で, 恐れている情況を避けたり, 逃げだしたりする傾向を呈する. 交感神経系の緊張過剰を伴う).

anx·i·e·ty re·ac·tion 不安反応（明らかに確認しうる恐怖刺激が存在しないのに，恐怖の感情や呼吸数の促進，発汗，頻脈などの身体症状を伴い危険を憂慮する心理的反応または経験．慢性の場合は generalized anxiety disorder とよばれる．→panic attack）．

anx·i·o·lyt·ic（ang′zē-ō-lit′ik）．*1*〚n.〛抗不安薬．= antianxiety agent．*2*〚adj.〛抗不安薬の（抗不安薬(例えば，ジアゼパム)の作用についていう）．

A·on·cho·the·ca（ā-on-kō-thē′kă）．アオンコテーカ属（鞭虫科に属する線虫の 3 属のうちの 1 つ．通常は *Capillaria* 属として記述されている）．

AOPA American Board for Certification of the Orthotic and Prosthetic Association の略．

AORN Association of Perioperative Registered Nurses の略．

a·or·ta, gen. & pl. a·or·tae（ā-ōr′tă, tē）．大動脈（体循環系の主幹をなす弾性型の大きな動脈で，左心室底から起こり第四腰椎体の左側に終わり，左右の総腸骨動脈に分岐する．上行大動脈，大動脈弓，下行大動脈に分けられ，下行大動脈はさらに胸部と腹部に分けられる）．

a·or·ta ab·dom·i·na·lis 腹部大動脈．= abdominal aorta．

a·or·ta as·cen·dens 上行大動脈．= ascending aorta．

a·or·tal（ā-ōr′tăl）．大動脈の．= aortic．

a·or·tal·gi·a（ā-ōr-tal′jē-ă）．大動脈痛（動脈瘤または他の大動脈の病的状態によると思われる痛み）．

a·or·ta tho·ra·ci·ca 胸大動脈．= thoracic aorta．

a·or·tic（ā-ōr′tik）．大動脈の（大動脈または心臓の左心室の大動脈口に関する）．= aortal．

a·or·tic arch 大動脈弓（①上行大動脈と下行大動脈との間にあって弓状になっている部分．②胚子期の鰓弓間質中で咽頭を取り囲むように走る数対の動脈）．

a·or·tic arch syn·drome 大動脈弓症候群．= Takayasu arteritis．

a·or·tic a·tre·si·a 大動脈弁閉鎖〔症〕（正常な大動脈弁口の先天的欠損）．

a·or·tic bulb 大動脈球（膨大した大動脈の基部で大動脈半月弁と大動脈洞を含む）．= bulbus aortae．

a·or·tic co·arc·ta·tion 大動脈縮窄症（大動脈，通常は左鎖骨下動脈 subclavian artery の分岐直後の部位の先天的狭窄．上肢の高血圧，左室負荷，および下肢と腹部臓器の血流減少を起こす）．

a·or·tic dis·sec·tion 動脈解離（大動脈中膜の解離を特徴とする病理変化で，大動脈瘤を起こす）．

a·or·tic hi·a·tus 大動脈裂孔（横隔膜の裂孔で，2 つの脚，脊柱と内側弓状靱帯により境界され，大動脈と胸管が通る）．

a·or·tic in·suf·fi·cien·cy 大動脈弁閉鎖不全〔症〕．= aortic regurgitation．

a·or·tic mur·mur 大動脈弁雑音（閉鎖性あるいは逆流性に生じる大動脈口由来の雑音）．

a·or·tic nip·ple 大動脈乳首（胸部 X 線写真において，左上肋間静脈あるいは半奇静脈が，大動脈弓の上に乳首様に突出する像をいう）．

a·or·tic notch 大動脈切痕（大動脈弁閉鎖に続く反動によって起こる血圧脈波の陥凹）．

a·or·tic or·i·fice 大動脈口（左心室から上行大動脈への開口．大動脈弁により仕切られている）．

a·or·tic re·gur·gi·ta·tion 大動脈弁逆流（閉鎖不全の大動脈弁を通り，心室拡張期に左心室内に血液が逆流すること）．= aortic insufficiency; Corrigan disease．

a·or·tic si·nus 大動脈洞（大動脈弁の直上にある空間で，大動脈弁上縁と上行大動脈の拡張部との間にある）．

a·or·tic ste·no·sis 大動脈狭窄〔症〕（大動脈弁口の病的な狭窄で，左心室からの血流が阻害されて心拍出量が減少する）．

a·or·tic valve 大動脈弁（左心室と上行大動脈の間にある弁で，3 つの線維性の半月尖(半月弁)からなり，成人では前，右後ろ，および左後ろに位置する．しかし名称は胎生期の発生の由来から定められており，前のものは右弁葉(この上方から右冠状動脈がでる)，左後ろのものは左弁葉(この上方から左冠状動脈がでる)，右後ろのものは後弁葉または無冠状動脈弁葉とよばれる）．

a·or·tic ves·ti·bule 大動脈前庭（左心室の上前部で大動脈口の直下にあり，線維性の壁をもち，大動脈弁が閉じたときに各半月弁にゆとりを与える）．

a·or·ti·tis（ā-ōr-tī′tis）．大動脈炎．

a·or·to·cor·o·na·ry（ā-ōr′tō-kōr′ō-nar-ē）．大動脈冠動脈の（大動脈と冠動脈に関する）．

a·or·to·gram（ā-ōr′tō-gram）．大動脈造影(撮影)図（大動脈造影による画像）．

a·or·tog·ra·phy（ā-ōr-tog′ră-fē）．大動脈造影(撮影)〔法〕，アオルトグラフィ（①造影剤注入による大動脈あるいはその分枝の X 線像．②超音波あるいは MRI による大動脈像）．

a·or·to·il·i·ac by·pass 大動脈腸骨動脈バイパス（腹部大動脈とその分岐部および近位腸骨動脈の閉塞を解除するために，大動脈と腸骨動脈を人工血管で結ぶ術式）．

a·or·to·il·i·ac oc·clu·sive dis·ease 大動脈腸骨動脈閉塞性疾患（腹部大動脈とアテローム性動脈硬化症による腹部大動脈主要分枝の閉塞症）．

a·or·top·a·thy（ā-ōr-top′ă-thē）．大動脈障害（大動脈を侵す疾患）．

a·or·to·plas·ty（ā-ōr′tō-plas′tē）．大動脈形成術（大動脈を修復する外科的手技）．

a·or·to·re·nal by·pass 大動脈腎動脈バイパス（合成品，同種組織，あるいは異種組織による腎動脈閉塞をう回する血管プロテーゼ(人工器官)）．

a·or·tor·rha·phy（ā-ōr-tōr′ă-fē）．大動脈縫合．

a·or·to·scle·ro·sis（ā-ōr′tō-skler-ō′sis）．大動脈硬化〔症〕．

a·or·tot·o·my（ā-ōr-tot′ō-mē）．大動脈切開

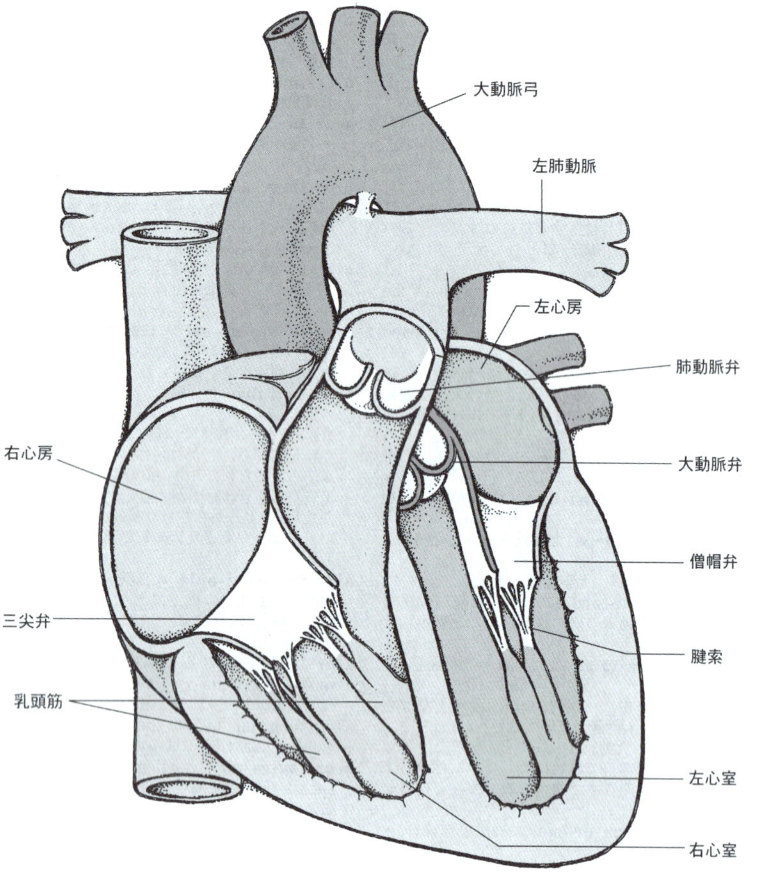
大動脈弓
左肺動脈
左心房
肺動脈弁
右心房
大動脈弁
僧帽弁
三尖弁
腱索
乳頭筋
左心室
右心室

heart valves

〔術〕.

AP, A/P anteroposterior; accounts payable の略.

apallaesthesia [Br.]. = apallesthesia.

a·pal·les·the·si·a (ă-pal-es-thē′zē-ă). 振動覚脱失(消失)〔症〕. = pallanesthesia; apallaesthesia.

APAP acetaminophen; *N*-acetyl-*P*-aminophenol の略.

a·par·a·lyt·ic (ā-par′ă-lit′ik). 無麻痺〔性〕の.

ap·a·thet·ic (ap-ă-thet′ik). 無関心の, 無欲の.

ap·a·thism (ap′ă-thizm). 反応緩徐〔症〕, 反応緩徐〔性〕(反応が遅いこと. *cf.* erethism).

ap·a·thy (ap′ă-thē). 無関心, 感情鈍麻 (環境への関心の欠如. 大脳疾患の最も初期の徴候の1つであることが多い).

ap·a·tite (ap′ă-tīt). アパタイト, リン灰石 (Dが2価の陽イオン, Tが3価の四面体イオン, Mが1価の陰イオンで, 一般式が D_5T_3M の組成を有する一群の無機化合物に与えられる総称名. リン酸カルシウムアパタイトは骨と歯の無機成分である).

ap·a·tite cal·cu·lus リン灰石結石 (晶質成分がフッ化リン酸カルシウムよりなる尿路結石).

A-pat·tern es·o·tro·pi·a A型内斜視 (下方視よりも上方視で偏位が大きい内斜視).

A-pat·tern ex·o·tro·pi·a A外斜視 (上方視よりも下方視で偏位が大きい外斜視).

A

APC Ambulatory Payment Classification; antigen-presenting cell の略.

a·pel·lous (ă-pel′ŭs). *1* 皮膚欠損の（皮膚のない）. *2* 包皮欠如の（包皮のない．割礼した）.

a·pe·ri·ent (ah-pēr′ē-ĕnt). = laxative.

a·pe·ri·od·ic (ā′pēr-ē-od′ik). 無周期の（周期的に起こらない）.

a·per·i·stal·sis (ā′per-i-stal′sis). 無ぜん動.

a·per·i·tive (ă-per′i-tiv). 食欲促進〔性〕の（食欲を刺激する）.

a·per·to·gnath·i·a (a-per′tog-nā′thē-ă). 開咬（一種の不正咬合で，臼歯部の早期咬合と前歯部の咬合欠如を特徴とする）.

A·pert syn·drome アペール症候群（頭蓋骨癒合，指の合指症，聴力損失，様々な程度の精神遅滞を特徴とする疾患．→acrocephalosyndactyly）.

ap·er·tu·ra, pl. **ap·er·tu·rae** (ap-ĕr-tū′ră, -rē). 口，開口. = aperture.

ap·er·tu·ra la·te·ra·lis ven·tric·u·li quar·ti 第 4 脳室外側口. = lateral aperture of fourth ventricle.

ap·er·tu·ra me·di·a·na ven·tric·u·li quar·ti 第 4 脳室正中口. = median aperture of fourth ventricle.

ap·er·ture (ap′ĕr-chŭr). = aditus; apertura. *1* 口，開口，孔（腔所あるいは導管の入口あるいは入江．解剖学では開かれた裂隙またはラッパ形に開いた穴）. *2* 口径，鏡径，開き（顕微鏡の対物レンズの直径）.

a·pex, gen. **ap·i·cis,** pl. **ap·i·ces** (ā′peks, ap′i-sis, ap′i-sēz). 尖（心臓や肺のような円錐形またはピラミッド形構造物の先端）.

a·pex an·te·ri·or an·gu·la·tion 頂点前方屈曲角形成（角度の頂点が前方にくるような側面の屈曲角形成）.

a·pex beat 心尖拍動（左室心尖が収縮期に胸壁を打つときに見えたり触れたりできる拍動．正常では正中線の左側約 10 cm の第五肋間腔にある）. = ictus cordis.

a·pex·car·di·og·ra·phy (ā′peks-kahr′dē-og′ră-fē). 心尖部心臓図（心尖部，通常は左心室心拍の非観血的な記録法．心室内圧と近似する）.

a·pex·i·fi·ca·tion (ā-pek′si-fi-kā′shŭn). アペキシフィケーション（根尖の発育または硬組織の沈着により，根尖孔の閉鎖を図る治療法）.

a·pex·o·gen·e·sis (ā-pek′sō-jen′i-sis). アペキソゲネーシス（歯根尖の正常な発達．註根未完成の生活歯の根の発育，根尖孔の閉鎖を図る治療法．歯髄病変が歯冠部に限局している場合に歯髄切断（断髄）法を適用し，根部歯髄の生活力によって正常に歯根を完成させる）.

a·pex pneu·mo·ni·a, ap·i·cal pneu·mo·ni·a 肺尖部肺炎.

a·pex pos·ter·i·or an·gu·la·tion 頂点後方屈曲角形成（角度の頂点が後方にくる側面の屈曲角形成）.

Ap·gar score アプガースコア（新生児の身体状況を，ⓘ心拍数，ⓘⓘ呼吸能，ⓘⓘⓘ筋緊張，ⓘⓥ刺激に対する反応，ⓥ皮膚の色の 5 項目について数値（0—2）を用いて評価する．8—10 点は最高の理想状態を示す）.

Apgarスコア			
生後60秒後 スコア	0点	1点	2点
心拍数	なし	100/分以下	100/分以上
呼吸	なし	不規則で遅い	強い泣き声
筋緊張	四肢全て弛緩	四肢やや屈曲	四肢屈曲，活発に運動
鼻カテーテルに対する反応	なし	顔をしかめる	咳またはくしゃみをする
皮膚色	全身チアノーゼまたは蒼白	体幹淡紅色，四肢チアノーゼ	全身淡紅色
スコア	（合計；8−10点が正常）		

a·pha·gi·a (ă-fā′jē-ă). 無〔摂〕食〔症〕，えん（嚥）下不能〔症〕，摂食不能〔症〕.

a·pha·ki·a (ă-fā′kē-ă). 無水晶体〔症〕（水晶体の欠如）.

a·pha·kic eye 無水晶体眼（水晶体を欠く眼）.

a·pha·lan·gi·a (ā-fă-lan′jē-ă). 無指（趾）〔症〕（手や足の指の先天的欠損．また特に 1 つ以上の指（趾）節骨がないこと）.

a·pha·si·a (ă-fā′zē-ă). 失語〔症〕（優位大脳半球の後天性病変のため，話すこと，書くこと，あるいは合図の理解，行為，それらによる意思の疎通が損なわれるか欠如していること）. = alogia (1); dysphasia; dysphrasia; logagnosia; logamnesia; logasthenia.

a·pha·si·ac, a·pha·sic (ă-fā′zē-ak, ă-fā′zik). 失語〔症〕の. = dysphasic.

a·pha·si·ol·o·gist (ă-fā′zē-ol′ō-jist). 失語専門家，失語学者（大脳言語領域の機能障害による言語疾患の専門家）.

a·pha·si·ol·o·gy (ă-fā′zē-ol′ō-jē). 失語学（大脳言語領域の機能障害による言語疾患の科学）.

a·phe·mi·a (ă-fē′mē-ă). 運動性失語症.

a·pher·e·sis (ā-fĕr-ē′sis). アフェレーシス（必要な細胞または液性成分を除去したのちに，再び患者の血液を患者自身に輸注すること．治療目的で，有害成分を除去したり，免疫グロブリンを採取するために行う）.

a·pho·ni·a (ă-fō′nē-ă). 失声〔症〕（発声器官（喉頭）の疾患や障害により声が出ないこと）.

a·phon·ic (ă-fon′ik). 失声〔症〕の.

a·phra·si·a (ă-frā′zē-ă). 失連句〔症〕（何らかの原因によって話せない状態）.

aph·ro·di·si·ac (af-rō-diz′ē-ak). *1* 〘adj.〙 性欲促進の. *2* 〘n.〙 催淫薬，性欲促進薬（性欲を刺激または促進するもの）.

aph·tha, pl. **aph·thae** (af′thă, af′thē). アフタ

(①単数形では粘膜の単発性小潰瘍をさす. ②複数形では, 原因不明の間欠性の疼痛を伴う口腔潰瘍のエピソードを特徴とし, 灰色の滲出物におおわれ, 紅斑性暈輪に囲まれた直径数ミリから 2 cm の口内炎をさす. 口腔粘膜にのみ限局し骨膜には達さない 1 つまたは多発性の潰瘍で, 1—2 週間で自然治癒する. = aphthae minor; aphthous stomatitis; canker sores; recurrent aphthous ulcers; recurrent ulcerative stomatitis; ulcerative stomatitis).

aph·thae (afʹthē). aphtha の複数形.

aph·thae ma·jor 大アフタ, メジャーアフタ (非常に多くの大きな深い潰瘍を頻回に生じる重篤な口腔内潰瘍. 治癒するのに 6 週間を要し, 治癒後も瘢痕を残す). = Mikulicz aphthae; periadenitis mucosa necrotica recurrens; Sutton disease.

aph·thae mi·nor 小アフタ, マイナーアフタ. = aphtha(2).

aph·thoid (afʹthoyd). アフタ様の.

aph·tho·sis (af-thōʹsis). アフタ症 (アフタの存在を特徴とする疾患).

aph·thous (afʹthūs). アフタ〔性〕の, アフタ症の (アフタまたはアフタ症を特徴とすることを示す).

aph·thous sto·ma·ti·tis アフタ性口内炎. = aphtha(2).

Aph·tho·vi·rus (afʹthō-vīʹrus). アフトウイルス属 (ウシの口蹄疫に関連するピコルナウイルス科に属する一属).

API active pharmaceutical ingredient の略.

ap·i·cal (apʹi-kăl). *1* 先端の (円錐形または先のとがった構造の先端). *2* 先端方〔向〕の (特定の点から見て尖(apex)に近い方に位置する. basal の対語). *3* = point of maximal impulse.

ap·i·cal cap 肺尖帽 (胸部 X 線写真の一側あるいは両側の肺尖部の弯曲陰影. 胸膜および肺の線維化による).

ap·i·cal fo·ra·men of tooth 歯根尖孔 (神経や血管の通路になっている歯根尖端の孔).

ap·i·cal gland = anterior lingual gland.

ap·i·cal gran·u·lo·ma = periapical granuloma.

ap·i·cal in·fec·tion 根尖感染 (歯の先端に微生物が侵入すること. 通常, 根管から根尖孔を通って微生物が移動することにより起こる).

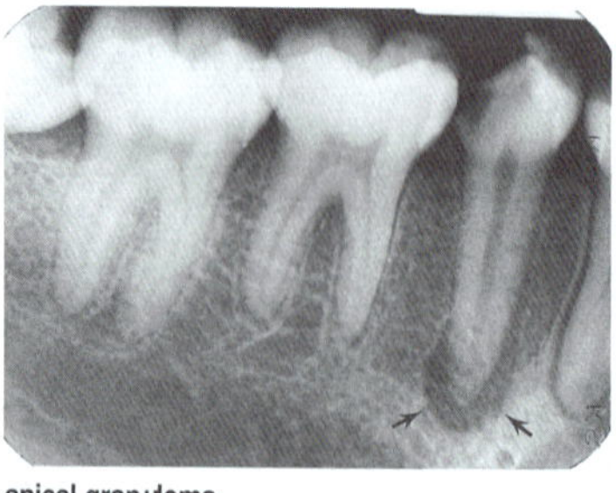

apical granuloma
矢印部分：下顎の失活第二小臼歯根尖にあるもの

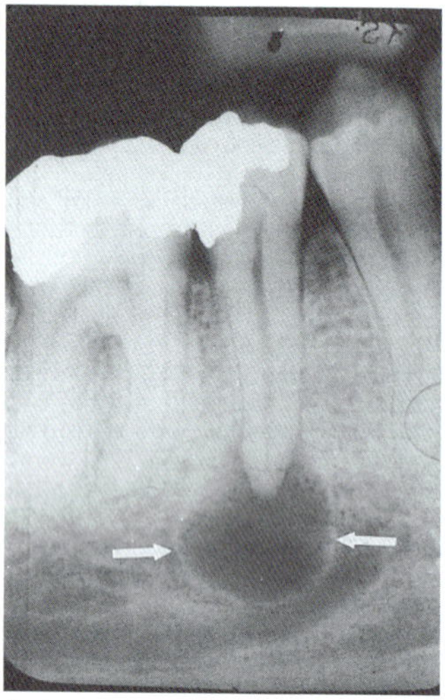

apical periodontal cyst
矢印部分：下顎の失活第二小臼歯根尖にあるもの

ap·i·cal per·i·o·don·tal cyst 歯根嚢胞 (炎症性の歯原性嚢胞で, 組織学的には失活歯の根尖周囲に存在する Malassez の上皮遺残に由来する).

ap·i·cal pulse 心尖拍動 (聴診器を用いて心尖直上で聞こえる脈拍).

ap·i·cal seg·men·tal ar·ter·y →left pulmonary artery; right pulmonary artery.

ap·i·cal seg·men·tal ar·ter·y of su·per·i·or lo·bar ar·ter·y of right lung 右肺下葉動脈の肺尖動脈 (右肺下葉の尖端域に分布する).

ap·i·cal space 歯尖腔 (歯槽壁と歯根尖部との間の隙で, 歯槽膿瘍が通常できる場所).

ap·i·cec·to·my (ap-i-sekʹtŏ-mē). *1* 錐体尖〔端〕削開〔術〕(側頭骨錐体尖端の含気蜂巣を削開して, 内容物を除去すること). *2* 歯科手術における根尖切除術を表す現在では用いられない語.

ap·i·ces (apʹi-sēz). apex の複数形.

ap·i·ci·tis (ap-i-sīʹtis). 尖〔端〕炎 (解剖学的構造物や臓器の先端の炎症).

apico- 頂, 尖, 頂端, 先端の, を意味する連結形.

ap·i·co·ec·to·my (apʹi-kō-ekʹtŏ-mē). 根尖切除〔術〕. = root resection.

ap·i·col·y·sis (ap-i-kolʹi-sis). 肺尖剥離〔術〕(壁側胸膜を剥離することにより肺尖を下内側変位させ, 肺上部を外科的に虚脱させること).

ap·i·cot·o·my (ap-i-kotʹŏ-mē). 根尖切除〔術〕.

a·pi·o·ther·a·py (āʹpē-ō-thārʹă-pē). 蜂毒療法

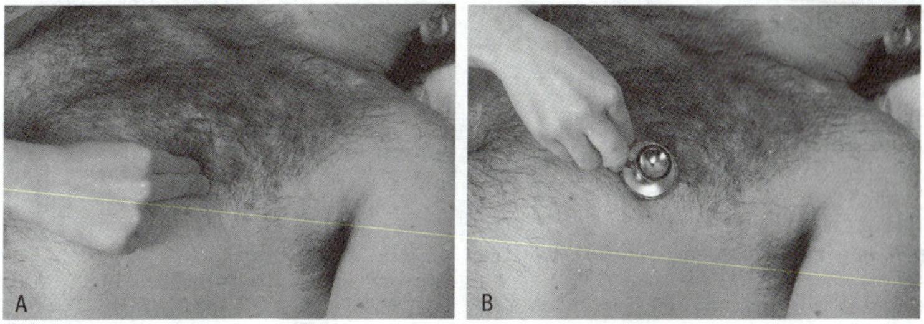
A
B

apical pulse
通常，触診では第5肋間腔の鎖骨中線の内側で触知され(A)，聴診では心尖部上で聴取される(B).

(炎症性・変性疾患を治療するためにミツバチ毒を医薬として使用すること).

ap·la·nat·ic (ap-lă-nat′ik). 不遊の（不遊性または不遊レンズに関する).

ap·la·nat·ic lens 無収差レンズ（球面収差およびコマ(coma 参照)収差を矯正するためのレンズ).

a·pla·si·a (ă-plā′zē-ă). ***1*** 発育不全〔症〕，形成不全〔症〕，無形成〔症〕（器官や組織の成長が十分でないこと，またはそれらが先天的に欠如していること). ***2*** 形成不全〔症〕，無形成〔症〕（血液学において，通常の再生過程発生の不完全，遅滞，欠陥，あるいは再生過程の停止をいう).

a·plas·tic (ā-plas′tik). 形成不全〔性〕の，無形成〔性〕の（形成不全，または再生不良性貧血にみられるように，再生不能を特徴とする状態を表す).

a·plas·tic a·ne·mi·a 再生不良性貧血，無形成貧血（赤血球産生とヘモグロビン形成能の著明な低下を特徴とし，通常，骨髄の低形成または無形成による著明な顆粒球減少症および血小板減少症を合併する). = Ehrlich anemia.

a·plas·tic lymph 形成不全〔性〕リンパ（比較的多数の白血球を含むが，フィブリノゲンは比較的少ないリンパ．良好な凝塊をつくらず，器質化される傾向は少ない).

aPLS antiphospholipid antibody syndrome の略.

APMPPE acute posterior multifocal placoid pigment epitheliopathy の略.

ap·ne·a (ap′nē-ă). 無呼吸. = apnoea.

ap·ne·a-hy·pop·ne·a in·dex (AHI) 無呼吸-寡呼吸指数（睡眠1時間当たりの無呼吸と寡呼吸のエピソードの回数). = apnoea-hypopnoea index.

ap·ne·ic (ap′nē-ik). 無呼吸の. = apnoeic.

ap·ne·ic pause 無呼吸〔性〕休止，無呼吸〔性〕停止（10秒以上の呼吸休止. →sleep apnea). = apnoeic pause.

ap·neu·mi·a (ap-nū′mē-ă). 無肺〔症〕（肺の先天的欠損).

ap·neu·sis, ap·neus·tic breath·ing (ap-nū′sis, ap-nūs′tik brēdh′ing). 無呼吸症（全吸気時に休止のある異常呼吸パターン．脳幹の中部あるいは尾側橋の病巣による遷延した吸気拘束).

apnoea [Br.]. = apnea.

apnoea-hypopnoea index [Br.]. = apnea-hypopnea index.

apnoeic [Br.]. = apneic.

apnoeic pause [Br.]. = apneic pause.

apo- 一般に何かから分離した，派生した，を意味する連結形.

ap·o·chro·mat·ic ob·jec·tive アポクロマート対物レンズ（3色に対する色収差および2色に対する球面収差を補正した対物レンズ).

ap·o·crine (ap′ō-krin). アポクリン（分泌腺細胞の先端が一部放出されるかまたは分泌液の中に取り込まれることにより分泌液を産生するような腺組織. →apocrine gland).

ap·o·crine ad·e·no·ma アポクリン腺腫. = papillary hidradenoma.

ap·o·crine car·ci·no·ma アポクリン癌（①乳房あるいはその他の部位に生じる癌で，主に，細胞質に好酸性顆粒を豊富に含む細胞よりなる．②アポクリン腺の癌，特に鼡径部や腋窩にみられるもの).

ap·o·crine chrom·hi·dro·sis アポクリン色汗症（アポクリン腺からの色のついた汗の分泌．通常は黒色．汗の中の異常な脂肪色素の含有による).

ap·o·crine gland アポクリン腺（例えば，乳汁分泌における脂質滴分泌の場合のように，分泌物が細胞の先端に存在するような分泌腺．註実際にはこの語はアポクリン汗腺 apocrine sweat gland の意味で使用されている).

ap·o·crine hi·dro·cys·to·ma アポクリン汗嚢腫. = sudoriferous cyst.

ap·o·crine met·a·pla·si·a アポクリン化生（乳房の腺上皮が変化して，アポクリン汗腺に類似すること．通常，乳房の線維性嚢胞性疾患でみられる).

a·po·dal (ā-pō′dal). 無足の.

a·po·di·a (ā-pō′dē-ă). 欠足症（足の先天的欠損).

ap·o·en·zyme (ap′ō-en-zīm). アポ酵素（非蛋白部分あるいは補酵素あるいは補欠分子族(天然の蛋白中に存在するとして)と対比する酵素の蛋

白部分).

ap·o·fer·ri·tin (ap-ō-fer′i-tin). アポフェリチン (腸壁中の蛋白. 3 価鉄の水酸化物とリン酸化物の複塩と結合してフェリチンを生成する. その反応は鉄吸収の第 1 段階である).

a·po-2L (ap′ō). = TRAIL.

a·po·lip·o·pro·tein (ap′ō-lip-ō-prō′tēn). アポリポ蛋白 (ヒトの血漿乳び脂粒, HDL, LDL, および VLDL などの典型的な成分であるリポ蛋白複合体の蛋白成分).

ap·o·neu·rec·to·my (ap′ō-nūr-ek′tŏ-mē). 腱膜切除〔術〕.

ap·o·neu·ror·rha·phy (ap′ō-nūr-ōr′ă-fē). 腱膜縫合〔術〕. = fasciorrhaphy.

ap·o·neu·ro·sis, pl. ap·o·neu·ro·ses (ap′ō-nūr-ō′sis, -sēz). 腱膜 (筋線維が付着し, 扁平な筋肉の起始あるいは付着の手段として役立つ線維膜または扁平で伸展した腱. ときには他の筋肉に対して筋膜の役をも果たす).

ap·o·neu·ro·si·tis (ap′ō-nūr′ō-sī′tis). 腱膜炎.

ap·o·neu·rot·ic (ap′ō-nūr-ot′ik). 腱膜の.

ap·o·neu·rot·ic fi·bro·ma 腱膜性線維腫 (石灰化性再発性非転移性で非浸潤状の線維腫症. 皮膚とは癒着のない小さな硬い結節で, 若年者の手掌に最もよくみられる).

ap·o·neu·rot·ic pto·sis 腱膜性眼瞼下垂 (挙筋の腱の裂開によって, 瞼がたれること). = involutional ptosis.

ap·o·neu·rot·o·my (ap′ō-nūr-ot′ō-mē). 腱膜切開〔術〕.

ap·o·phys·i·al frac·ture 骨起骨折 (骨から骨端が離れるもの).

a·poph·y·sis, pl. a·poph·y·ses (ă-pof′i-sis, -sēz). 骨端, 〔骨〕突起 (特に骨の増生または突起. 骨化の独立中心部のない骨突起あるいは骨増生).

a·poph·y·si·tis (ă-pof-i-sī′tis). 骨端症 (骨端の炎症).

Ap·o·phy·so·my·ces (ap-ō-fiz-ō-mī′sēz). アポフィソミセス属 (ケカビ科に属する真菌の一属. ムコール症の原因).

ap·o·plex·y (ap′ō-pleks-ē). = stroke(1).

ap·o·pro·tein (ap′ō-prō′tēn). アポ蛋白 (活性をもつホロ蛋白を形成するために必要な補欠分子族と結合していない, ポリペプチド鎖(蛋白)).

ap·o·pto·sis (ap′ō-tō′sis). アポトーシス, アポプトーシス, 枯死, 細胞消滅 (プログラム化された細胞死. 個々の細胞の膜結合粒子に断片化されることによる消滅. その粒子は他の細胞に貪食される). = programmed cell death.

ap·o·re·pres·sor (ap′ō-rē-pres′ōr). 主リプレッサ, アポリプレッサ, 主抑制体, アポ抑制体. = inactive repressor.

ap·o·stax·is (ap′ō-staks′is). 滴下出血 (少量の出血またはしたたるように出血すること).

a·pos·thi·a (ă-pos′thē-ă). 先天性無包皮〔症〕(包皮の先天的欠損).

a·poth·e·car·ies' weight 薬用式重量 (小麦 1 粒の重量に基づく, 一般には使用されなくなった重量体系. この重量体系は, 大部分メートル法(グラムに基づく)に取って代わられた. 1 グレーンは 64.8 ミリグラムに等しい. 1 スクルプルは 20 グレーン, 1 ドラムは 60 グレーン, 1 薬用オンスは 8 ドラム(480 グレーン), 1 薬用ポンドは 12 オンス(5760 グレーン)に相当する).

ap·pa·ra·tus (ap′ă-rat′ŭs). 装置, 器 (①特定の目的のためにつくられた道具立て. ②いくつかの部分からなる道具. ③ある機能の遂行に関係する腺, 管, 血管, 筋肉, その他の解剖学的構造の集合. →system).

ap·par·ent life-threat·en·ing e·vent (ALTE) 乳幼児突発性危急事態 (無呼吸, チアノーゼ, 著明な筋力異常, 窒息, 無呼吸などを呈する介護者を驚かせる危急状態).

ap·peal (ă-pēl′). アピール (医療会計においては, 医療機関の医師または事務職員が補償の請求が認められなかった場合に, 第三者の支払者に対して, 決定を再考するよう要求することを意味する).

ap·pend·age (ă-pen′dăj). 付属器, 付属体, 付属物 (主要な構造に付属し, その機能や大きさにおいて従属する部分. →adnexa). = appendix (1).

ap·pend·ag·es of skin 皮膚付属器 (毛, 爪, 汗腺, 皮脂腺, 乳腺).

ap·pen·dec·to·my (ap′pĕn-dek′tŏ-mē). 虫垂切除〔術〕. = appendicectomy.

ap·pen·dic·e·al, ap·pen·di·cal (ap′ĕn-dis′ē-ăl, ă-pen′di-kăl). 付属器の.

ap·pen·dic·e·al ab·scess 虫垂炎膿瘍 (通常, 右腸骨窩にみられ, 急性虫垂炎, 特に虫垂穿孔を伴う場合の, 感染の拡大により生じる腹腔内膿瘍). = periappendiceal abscess.

ap·pen·di·cec·to·my (ap-pen′di-sek′tŏ-mē). = appendectomy.

ap·pen·di·ces o·men·ta·les = omental appendices.

ap·pen·di·ci·tis (ă-pen′di-sī′tis). 虫垂炎.

appendico- 通常, 虫垂に関する連結形.

ap·pen·di·co·lith (ă-pen′di-kō-lith). 虫垂内結石 (腹部 X 線写真にみられる虫垂内の石灰化した結石(糞石). 急性腹症においては虫垂炎を示唆する).

ap·pen·di·co·li·thi·a·sis (ă-pen′di-kō-li-thī′ă-sis). 虫垂結石.

ap·pen·di·col·y·sis (ă-pen′di-kol′i-sis). 虫垂剥離〔術〕(虫垂の癒着を解く手術).

ap·pen·di·cos·to·my (ă-pen′di-kos′tō-mē). 虫垂造瘻術, 虫垂フィステル形成術 (前腹壁に付着している虫垂の先端を通して腸内に開口させる手術).

ap·pen·dic·u·lar (ap′ĕn-dik′yū-lăr). ***1*** 垂の, 付属器の. ***2*** 四肢の (体幹と頭部をさす axial (身体中心部の)に対応する語).

ap·pen·dic·u·lar ar·ter·y 虫垂動脈 (回結腸動脈の枝で回腸末端の後方から虫垂間膜の中を下行し虫垂に分布する). = arteria appendicularis.

ap·pen·dic·u·lar mus·cle 体肢筋 (四肢の骨格筋).

ap·pen·dic·u·lar skel·e·ton 体肢骨格（上・下肢帯を含めた四肢の骨格の総称）.

ap·pen·dic·u·lar vein 虫垂静脈（虫垂動脈に伴行する回結腸静脈の枝）.

ap·pen·dix, gen. **ap·pen·di·cis,** pl. **ap·pen·di·ces** (ă-pen′diks, -di-sis, -di-sēz). ***1*** 垂. = appendage. ***2*** 虫垂（盲腸からのびる線形虫様の腸憩室. 長さ 8—15 cm, 先端は盲端に終わる）.

ap·pen·dix ep·i·plo·i·ca, pl. **ap·pen·di·ces ep·i·plo·i·cae** 腹膜垂（直腸を除く大腸をおおう漿膜（腹膜）から突出する多数の小突起または小嚢で, 中に脂肪を入れる. 横行結腸とS状結腸に最も顕著で, 自由ひも沿いに最も多い）.

ap·pen·dix of tes·tis 精巣垂, 睾丸垂（精巣の上部に付着した無茎の小胞状付属物. 中腎傍管の頭端遺残部）.

ap·pen·dix ver·mi·for·mis 虫垂. = vermiform appendix.

ap·per·cep·tion (ap′ĕr-sep′shŭn). 統覚（①あることを明確に理解し, 比較的はっきりと認識するような, 注意を向けた知覚の最終段階. ②知覚した観念を自分の人格に属するものとする過程）.

ap·per·cep·tive (ap′ĕr-sep′tiv). 統覚の（統覚に関する, 統覚の可能な）.

ap·pe·tite (ap′ĕ-tīt). 欲求, 食欲（食物, 水, セックス, または感情に対する生物的または心理的欲求より生じる願望または動因. 意識的な肉体的・精神的必要を満たしたいという望みまたは切望）.

ap·pla·na·tion (ap′lă-nā′shŭn). 圧平（眼圧測定法において, 角膜を圧して平らにすること. 眼内圧は眼外圧に正比例し, 圧平された面積に反比例する. →applanation tonometer）.

ap·pla·na·tion to·nom·e·ter 圧平眼圧計（角膜に小平板を当て, 眼内圧を決定する器具）.

ap·pla·nom·e·try (ap′lăn-om′ĕ-trē). 圧平眼圧測定〔法〕（眼圧計を用いる測定）.

ap·ple (ap′ĕl). りんご（食用で, ほぼ球形のリンゴ属の木の果実）.

ap·ple jel·ly nod·ules リンゴゼリー小結節（ガラス圧診により認められるような尋常性狼瘡の丘疹性皮疹をさす用語）.

ap·pli·ance (ă-plī′ăns). 器具, 器械, 装具（ある部分の機能を改善するため, あるいは治療の目的で用いる装置）.

ap·pli·ca·tion (ap′li-kā′shŭn). ***1*** 接触（薬剤や包帯, 器具を体表面に接触させること）. ***2*** 特別使用（特別な使用を行うこと, またはその用途に使えること）. ***3*** 正式要請（通常書面で行われる正式な要請）.

ap·pli·ca·tor (ap′li-kā-tŏr). 塗布具, 塗布器（木, 曲げやすい金属, あるいは人工材料製の細い棒で, その一端には手の届くあらゆる面に局所塗布ができるように綿花あるいは他の物質が付けられている）.

ap·plied ki·ne·si·ol·o·gy 応用運動学（身体の器官, 部位の機能障害は筋肉群に反映されるという考えに基づいた, 診断・治療の手法. 臨床医は, 筋肉の強弱をテストすることで, 患者の病気の性質を判断し, どの栄養剤が症状を軽減するのに役立つか判別する）.

ap·po·si·tion (ap′ō-zish′ŭn). ***1*** 付着, 付加（2つの物を接触させて置くこと）. ***2*** 並置（合わせて置かれた, あるいはともに合わさされた状態）. ***3*** 骨折面相互の位置的関係. ***4*** 細胞壁が肥厚する過程. ***5***（石灰化基質の）付加, 付着（歯の硬組織（エナメル質, ぞうげ質, およびセメント質）を構成する基質が沈着すること）.

ap·po·si·tion·al growth 付加成長（前に形成された層の上に新しい層が付加する成長. 例えば, 骨形成における層板付加など. 硬い物質を含む場合の特殊な成長法）.

ap·po·si·tion su·ture 並置縫合（皮膚だけの縫合）. = coaptation suture.

ap·pos·i·tive (ă-poz′i-tiv). 同格語（名詞の前か後ろに位置し, 名詞の識別を助けるか, あるいは説明する語句）.

ap·proach (ă-prōch′). 接近（①精神医学において, 人間関係がいかに成立するかを記述する用語. ②手術中に手術野を露出するために用いられる経路あるいは方法）.

AP pro·jec·tion 前後方向撮影（ベッドサイドやポータブル撮影など, 主として臥位において用いられる正面像の一種）. = anteroposterior projection.

ap·pro·pri·ate for ges·ta·tion·al age (AGA) 出生時体重が在胎期間に対して相応する乳児を指す.

ap·prox·i·mate (ă-prok′si-māt). ***1*** 隣接面の（歯科において, 隣接した2本の歯の近心または遠心の接触面についていう）. ***2*** 相接の（下等動物における離生の歯と区別してヒトの顎にある接近した歯についていう）.

ap·prox·i·ma·tion (ă-prok′si-mā′shŭn). 近置（外科において, 縫合するために望ましい位置で組織端を隣接させること）.

ap·prox·i·ma·tion su·ture 隣接縫合（深部組織に及ぶ縫合）.

a·prac·tic (ă-prak′tik). = apraxic.

a·prax·i·a (ă-prak′sē-ă). 失行〔症〕, 行動不能〔症〕（①随意運動の障害で, 理解, 筋力, 知覚, 一般的協調作用が保持されているにもかかわらず, 細かいまたは目的のある運動の達成が障害されること. 後天的な大脳疾患による. ②精神運動の欠陥で, ある物の名前をあげることができ, その使用法を説明することができるにもかかわらず, それを正しく使えない状態）.

a·prax·i·a of speech = verbal apraxia.

a·prax·ic (ă-prak′sik). 失行〔症〕の. = apractic.

a·proc·ti·a (ă-prok′shē-ă). 無肛門症, 鎖肛（先天的な肛門の欠如または無孔状態）.

a·pron·ec·to·my (ap′rō-nek′tŏ-mē). 腹壁脂肪切除（腹壁にたれ下がった余分な脂肪層（一般にエプロンとよばれる）を外科的に切除すること）.

a·pro·so·dy, a·pro·so·di·a (ā-pros′ŏ-dē, ā-prō-zō′dē-ă). アプロソディ（話す言葉に正常な声の高さ, リズム, アクセントの変化がないこと. →dysprosody）.

ap·ro·so·pi·a (ap′rō-sō′pē-ă). 無顔症（顔の大部分または全部の先天的欠損．通常，他の奇形を伴う）．

APRV airway pressure release ventilation の略.

APS adenosine 5′-phosphosulfate; antiphospholipid antibody syndrome の略.

ap·ti·tude test 適性検査（職業方針決定のための知能検査．人の能力，才能，技量評価に用いる．職業相談に特に有益）．

aPTT activated partial thromboplastin time の略.

APUD, APUD cells (ap′ŭd, ap′ŭd selz). APUD 細胞（種々の臓器にある，ポリペプチドホルモンまたは神経伝達物質を分泌する細胞集団に対して提唱されている名称．これらの細胞はある共通した生化学的性質をもち，この名称はその性質を表す言葉の頭文字(*a*mine *p*recursor *u*ptake *d*ecarboxylase)である．この細胞集団はカテコールアミン，セロトニンのようなアミンをもち，*in vivo* でこれらアミンの前駆体を取り込む．またアミノ酸デカルボキシラーゼも含有する）．

a·py·ret·ic (ā-pī-ret′ik). 無熱〔性〕の. = afebrile.

a·py·rex·i·a (ā-pī-rek′sē-ă). 無熱，発熱間欠期.

aq. ラテン語 *aqua*（水）の略.

aq. dest. ラテン語 *aqua destillata*（蒸留水）の略.

aq·ua·gen·ic pru·ri·tus 水性かゆみ(そう痒)〔症〕（水温の高低にかかわらず水との短い接触により生じる強いかゆみで，皮膚の明らかな変化を伴わない）．

aq·ua·pho·bi·a (ahk′wă-fō′bē-ă). 水恐怖〔症〕（水に対する病的な恐れ）．

aq·ue·duct (ahk′wă-dŭkt). 水管，水道. = aqueductus.

aq·ue·duc·tus, pl. **aq·ue·duc·tus** (ahk′wĕ-dŭk′tŭs, ahk′wĕ-dŭk′tūs). 水管，水道. = aqueduct.

aq·ue·duc·tus co·chle·ae 外リンパ管. = perilymphatic duct.

aq·ue·ous (ā′kwē-ŭs). 水の，水性の，水様の.

aq·ue·ous cham·bers 眼房（房水を有する前・後眼房を併せた名称）．

aq·ue·ous hu·mor 〔眼〕房水（眼の前眼房および後眼房を満たしている水性液体．後眼房内の毛様体突起より分泌され，後眼房と瞳孔を通って前眼房に達する．そこから線維柱網で濾過され，静脈洞経由で虹彩角膜角から静脈系に再吸収される）．

aq·ue·ous phase 水相（二液相系，1つは水，他の1つは水と不混和性の液体(例えば，ベンゼン，エーテルなど)の系における水相）．

AR, A/R accounts receivable の略.

Ar アルゴンの元素記号.

arab- アラビアゴム，ゴム様物質に類似の，を意味する連結形.

ar·a·chi·don·ic ac·id アラキドン酸（通常，栄養に必須の不飽和脂肪酸）．

a·rach·nase (ă-rak′nās). 凝固終点試験のための陽性対照血漿．ループスアンチコアグラントの検出に使用する．*Loxosceles reclusa* の毒物エキスを含む正常な血漿で，種々の凝固終点試験でループスアンチコアグラント(LA)が存在する場合に類似した動きを示す．

a·rach·ne·pho·bi·a (ă-rak′nĕ-fō′bē-ă). クモ恐怖〔症〕（クモに対する病的な恐れ）. = arachnophobia.

A·rach·ni·da (ă-rak′ni-dă). クモ形綱（鋏角亜門の一綱．クモ，サソリ，メクラグモ，ダニ，その他が含まれる）．

a·rach·nid·ism (ă-rak′ni-dizm). クモ咬刺症（クモ(特にクロゴケグモ)の咬傷による全身的中毒）．

ar·ach·ni·tis (ar′ak-nī′tis). クモ膜炎.

a·rach·no·dac·ty·ly (ă-rak′nō-dak′ti-lē). クモ指〔症〕（手と指，しばしば足と趾が異常に長く細い状態．Marfan 症候群および遺伝性の結合織疾患に特徴的なもの）．

a·rach·noid (ă-rak′noyd). クモ膜（繊細な線維性の膜で中枢神経系を包む3枚の膜の中央のもの．生体では，クモ膜(特にクモ膜蜂巣)は外側の硬膜(特に硬膜蜂巣)と緩く結合していて両者の間に事実上空間がないため脊髄穿刺のときは1枚の膜のように貫通する．→leptomeninges）. = arachnoid mater; arachnoidea mater; arachnoid membrane; arachnoidea; arachnoides.

a·rach·noid of brain 脳クモ膜. = cranial arachnoid mater.

a·rach·noid cyst クモ膜嚢胞（クモ膜に包まれ液体で満たされた，通常，先天性の嚢胞．大脳の外側溝の外側近くにしばしばみられる）．

a·rach·noi·de·a, a·rach·noi·des (ă-rak-noyd′ē-ă, noy′dēz). クモ膜. = arachnoid.

a·rach·noi·de·a ma·ter クモ膜. = arachnoid.

a·rach·noi·de·a ma·ter cra·ni·a·lis = cranial arachnoid mater.

a·rach·noi·de·a ma·ter en·ceph·a·li = cranial arachnoid mater.

a·rach·noid gran·u·la·tions クモ膜顆粒（軟膜とクモ膜が叢状に延長したもので，多数の絨毛を硬膜静脈洞に伸ばして脳脊髄液を静脈に還流させる働きをする）. = granulationes arachnoideales; pacchionian bodies.

a·rach·noid·i·tis (ă-rak′noy-dī′tis). クモ膜炎（クモ膜の炎症で，しばしば近接するクモ膜下腔への炎症の波及を認める．→leptomeningitis）．

a·rach·noid ma·ter クモ膜（繊細な線維性の膜で中枢神経系を包む3枚の膜の中央のもの．生体では，クモ膜(特にクモ膜蜂巣)は外側の硬膜(特に硬膜蜂巣)と緩く結合していて両者の間に事実上空間がないため脊髄穿刺のときは1枚の膜のように貫通する．両者が離れて間に空間が生じるのは障害あるいは通常(不正確だが)硬膜下血腫とよばれるような病的変化が起こったときだけである．クモ膜という名前は，その下面から脳脊髄液を貫いて軟膜まで繊細なクモの巣状の細線維がのびているところからきている）．

a·rach·noid mem·brane クモ膜. = arachnoid.

a·rach·noid vil·li クモ膜絨毛（軟膜クモ膜の叢状延長部分で硬膜の内層をつらぬいて静脈洞内に突出しており，薄い境界膜をもつ．絨毛は集まってクモ膜顆粒を形成し，上矢状洞の辺縁で静脈腔内にみられる．絨毛の海綿状構造は細管からなり，脳脊髄液をクモ膜下腔から静脈系へと一方通行で流す弁の役割を果たしている．絨毛および顆粒は脳脊髄液還流の主要な部位である．→arachnoid granulations）．

a·rach·no·pho·bi·a (ă-rak′nŏ-fō′bē-ă). クモ恐怖〔症〕. = arachnephobia.

A·ran-Du·chenne dis·ease アラン-デュシェーヌ病. = amyotrophic lateral sclerosis.

ARB angiotensin II receptor blocker の略.

ar·bor, pl. ar·bo·res (ahr′bŏr, ahr-bōr′ēz). 樹（解剖学において，樹状あるいは分枝状の構造をいう）.

ar·bo·res·cent (ahr′bŏr-es′ĕnt). 樹枝状の，分枝の，枝分かれした. = dendriform.

ar·bo·ri·za·tion (ahr′bŏr-ī-zā′shŭn). ***1*** 分枝（神経線維または血管の末端が樹枝状に分岐している状態）. ***2*** シダ(羊歯)状構造（頸管粘液の乾燥塗抹標本が呈するシダ状に分岐した形状で，黄体ホルモンにより妨害されなかった卵胞ホルモンの影響を示唆するものである）.

ar·bo·rize (ahr′bŏr-īz). 分岐する（樹木の枝分かれのように広がること）.

ar·bo·vi·rus (ahr′bō-vī′rŭs). アルボウイルス（RNA ウイルスの大きな異質性のグループの旧名．数科(トガウイルス科，フラビウイルス科，ブンヤウイルス科，アレナウイルス科，ラブドウイルス科，レオウイルス科)にまたがる 500 以上の種が，節足動物，コウモリおよびげっ歯類から得られ，そのほとんど(全部ではない)が節足動物媒介性であった．これらの分類学的に多様な動物ウイルスは，疫学的な観点から統合しうる．すなわち，これらはカ，マダニ，サシチョウバエ，ヌカカ，などの吸血性節足動物ベクターによって脊椎動物宿主間に伝播されている．約 100 種がヒトに感染しうるが，これらのウイルスによって起こる疾病はほとんどの場合，非常に弱く，他の分類学的グループのウイルスによる疾病と区別できない．見かけ上の感染は，未分化型熱病(全身性熱疾患)，肝炎，出血性熱，および脳炎などいくつかの臨床的症候群に分けられる）.

ARC AIDS-related complex の略.

arc (ahrk). ***1*** 弧（円周の一部をなす曲線）. ***2*** アーク，電弧（気体あるいは真空中で，2 個以上の炭素製または他の電極間に生じた連続的に発光する電流の経路）.

ar·cade (ahr-kād′). 弧，弓（一連の弓状の構造．特に血管についていう）.

Ar·can·o·bac·te·ri·um (ahr-kă′nō-bac-tēr′ē-ŭm). アルカノバクテリウム属（非運動性でグラム陽性通性嫌気性の細い不整形の杆菌の一属で，しばしばこん棒状の末端をもち V 型となる．線毛はない．家畜やヒトの咽頭に好んで寄生し，ときに咽頭や皮膚に障害を及ぼす．標準種は *Arcanobacterium haemolyticum*）.

arch (ahrch). 弓（弓に類似した構造．解剖学において，丸天井のような，または弓状の構造をいう）. = arcus.

arch-, arche-, archi-, ar·cho- ***1*** 原始の，先祖の，第一の，先端の，を意味する連結形. ***2*** 歯科において，上顎または顎弓を意味する連結形.

ar·chae·bac·te·ri·a (ahr′kē-bak-tēr′ē-ă). 始原細菌（酸素がない状態で成育し，メタンを発生させる，高度に凝縮された塩水の水域中，あるいは 800℃ 近い温度で pH2 程度の，硫黄泉の酸性の鉱泉水中でのみ生息する微生物の集まり）.

arch of a·or·ta = aortic arch (1).

ar·che·o·ki·net·ic (ahrk′ē-ō-ki-net′ik). 古運動〔性〕の（末梢神経系や神経節神経系にみられるような下等で原始的な運動神経機序についていう．*cf.* neokinetic; paleokinetic）.

ar·che·type (ahr′kĕ-tīp). ***1*** 原型（種々の変形のもととなる原初的構造のひな型）. ***2*** 元(原)型（Jung の心理学においては，集合的無意識の構造的現れ）. = imago (2).

arch of foot 足弓（①縦足弓：踵骨，距骨，舟状骨，3 個の楔状骨，および 3 個の内側中足骨からなる内側縦足弓と，踵骨，立方骨，および 2 個の外側中足骨が形成する外側縦足弓からなる．②横足弓：中足骨の近位部，3 個の楔状骨，および立方骨により形成される）. = arcus pedis.

Ar·chi·me·des prin·ci·ple アルキメデスの原理（液体中に置かれた物体は，押し出された液体の重量と等しい力で押し上げられるという法則）.

arch of tho·rac·ic duct 胸管弓（→thoracic duct）.

arch·wire (arch′wīr). 弧線（歯槽弓または歯列弓に合わせたワイヤ．歯列の矯正に用いる）.

ar·ci·form (ahr′si-fōrm). = arcuate.

Ar·co·bac·ter (ahr′kō-bak′tĕr). アルロバクター属（グラム陰性，空気耐性で，15℃ 以下で発育できるキャンピロバクター科の一属．標準種は *Arcobacter butzleri*）.

Ar·co·bac·ter butz·ler·i 鳥類や肉に認められる *Arcobacter* 属の細菌種で，ヒトの下痢や全身感染症に関与している.

arc·ta·tion (ahrk-tā′shŭn). 狭窄，収縮，縮窄〔症〕.

ar·cu·ate (ahrk′yū-āt). 弓形の，弓状の. = arciform.

ar·cu·ate ar·ter·ies of kid·ney 腎弓状動脈（葉間動脈から起こり皮質髄質境界を弓なりに走る動脈で，小葉間動脈を出す）. = arteriae arcuatae renis.

ar·cu·ate ar·ter·y of foot (in·con·stant) 〔足の〕弓状動脈（足背動脈より起こる不定の動脈で，中足骨底の背面を外側に通過し，内側楔状骨のあたりで第二-四背側中足動脈を出す）. = arteria arcuata.

ar·cu·ate fi·bers 弓状線維（神経または腱線維で，ある部位から他の部位へと弓状につながっているもの）.

ar·cu·ate ker·a·tot·o·my 弧状角膜切開（乱視矯正目的に角膜の形状を変化させるための術式：強主径線部分で角膜輪部に平行に角膜周辺切開を行う）.

ar·cu·ate nu·cle·i 〔延髄〕弓状核（延髄の錐体の腹側面と内側面にみられる種々の大きさの小

A

神経細胞群で，恐らく橋核の一部が分離したものと思われる）．

ar·cu·ate veins of kid·ney〔腎臓の〕弓状静脈（弓状動脈に平行し，小葉間静脈および直細静脈から血液を受け，葉間静脈に注ぐ）．

ar·cu·ate zone 弓状帯（蝸牛管基底板の内側 1/3 の部分で，骨らせん板の鼓室唇から Corti 器の外柱細胞までをいう）. = zona arcuata; zona tecta.

ar·cu·a·tion（ahr′kyū-ā′shŭn）．たわみ，曲げ，弯曲．

ar·cus（ar′kŭs）．弓. = arch.

ar·cus cor·ne·a·lis 角膜環. = arcus senilis.

ar·cus mar·gi·nal·is co·li = marginal artery of colon.

ar·cus pal·mar·is 手掌動脈弓. = palmar arch.

ar·cus pal·ma·ris pro·fun·dus 深掌動脈弓. = palmar arch(1).

ar·cus pal·ma·ris su·per·fi·ci·a·les 浅掌動脈弓. = palmar arch(2).

ar·cus pe·dis 足弓. = arch of foot.

ar·cus se·nil·is 老人環（強角膜接合部の角膜周辺部における灰白色輪で，老年者にしばしば起こる．角膜内の脂肪顆粒の沈着，角膜の硝子変性，角膜実質や細胞の変性によって生じる）. = anterior embryotoxon; arcus cornealis; gerontoxon.

ar·cus vo·lar·is su·per·fi·ci·a·lis = superficial palmar arterial arch.

ARD antibiotic removal device の略.

ARDS（ahrdz）．acute respiratory distress syndrome; adult respiratory distress syndrome の略.

ar·e·a (a), pl. ar·e·ae（ār′ē-ă, -ē）．***1*** 野，区（限られた面または空間）．***2*** 野，区（特定の動脈または神経の支配する領域）．***3*** 領（脳の運動領のように，特殊な機能をもつ臓器の一部分．→ regio; region; space; spatium; zone）．

ar·e·a a·gen·cy on ag·ing (AAA) 地域高齢者福祉局(AAA)（高齢者が生涯にわたるニーズに関して計画を立て調整するのを手助けする州および地域のプログラム．成人のデイケア，手際のよい看護・セラピー，送迎，パーソナル・ケア，レスパイトケアおよび食事をサービスとして提供する）．

ar·e·a a·myg·da·loi·de·a an·te·ri·or = anterior amygdaloid area.

ar·e·a of car·di·ac dull·ness 心濁音界（胸部前面の打診によって決められる三角野．肺組織によって被覆されていない心臓部分に相当する）．

ar·e·a coch·le·ae 蝸牛野. = cochlear area.

a·re·a of oc·cu·pa·tion 活動の領域（人々が参加する，人生におけるさまざまな活動(例えば日常生活動作，教育，仕事，遊び，余暇および社会参加)）．

ar·e·a-spe·cif·ic cu·rettes 部位特異性キューレット(鋭匙)（歯冠および歯根から歯石を取り除くのに用いる歯周用器具．それぞれ特定の歯，および特定の面にのみ用いるよう作られている．これらのキューレットは長い機能的な柄を有し，1つの作業用刃を歯石除去に用いる）. = Gracy curettes.

a·re·ca nut = betel palm (nut).

a·re·flex·i·a（ā-rē-flek′sē-ă）．反射消失，無反射〔症〕．

A·re·na·vi·ri·dae（ă-rē-nă-vir′i-dē）．アレナウイルス科（15 以上の RNA ウイルスをもつ一科で，その多くは本来げっ歯類の寄生体である．リンパ球性脈絡髄膜炎ウイルス，ラッサウイルス，およびタカリベウイルス群を含む）．

A·re·na·vi·rus（ă-rē′nă-vī′rŭs）．アレナウイルス属（アレナウイルス科の一属で，リンパ球性絡膜炎や多くの出血熱に関係がある）．

a·re·o·la, pl. a·re·o·lae（ă-rē′ō-lă, -lē）．***1*** 小域．***2*** 小隙（輪紋状組織における腔または間隙の1つ）．***3*** = areola of breast. ***4*** 暈（丘疹，膿疱，膨疹，皮膚新生物の周囲の着色性，脱色性，または紅斑性の区域）. = halo(3).

a·re·o·la of breast 乳輪（乳首(乳頭)の周囲の円形で色素沈着した部分．その表面には下層の乳輪腺の存在のため小突起が散在する）. = areola mammae; areola papillaris; areola(3).

a·re·o·la mam·mae = areola of breast.

a·re·o·la pa·pil·la·ris = areola of breast.

a·re·o·lar（ă-rē′ō-lăr）．輪紋状の，乳輪の．

a·re·o·lar glands 乳輪腺（乳輪表面に小円形突起をなしている多数の大きめの脂腺．妊娠時に拡大し，授乳期にはあかぎれになるのを防ぐ物質を分泌しているものとみられている）. = Montgomery follicles.

a·re·o·lar tis·sue 疎性結合組織（疎性，不規則に配列された結合組織，膠原線維，蛋白多糖類間質物質，結合組織細胞(線維芽細胞，マクロファージ，肥満細胞，ときには脂肪細胞，形質細胞，白血球，色素細胞)からなる）．

a·re·o·lar ve·nous plex·us 乳輪静脈叢（乳房の静脈よりなり，外側胸静脈に注ぐ，乳頭を囲む乳輪内の静脈叢で乳輪の勃起組織である）. = Haller circle(2).

a·re·o·la um·bil·i·ci 臍暈（妊婦の臍の周りにみられる着色輪）．

ARF acute respiratory failure; acute renal failure の略.

ar·gas·id（ahr-gas′id）．ヒメダニ科に属するダニの一般名．

Ar·gas·i·dae（ahr-gas′i-dē）．ヒメダニ科（ダニ目マダニ上科のダニの一科．しわがあり，なめし皮様，結節状であるが，吸血すると膨らむため，軟ダニ soft tick とよばれる．ヒメダニは主にカズキダニ属 *Ornithodoros* の種であり，鳥類や哺乳類に回帰熱を起こす *Borrelia* 属のスピロヘータを寄生させ，媒介する）．

ar·gen·taf·fin, ar·gen·taf·fine（ahr-jen′tă-fin, -fēn）．銀親和〔性〕の，嗜銀〔性〕の（溶液中で銀イオンを還元し，褐色または黒色に染まる細胞や組織成分に関する）．

ar·gen·taf·fin cell 銀親和細胞（アンモニア性硝酸銀溶液によって銀沈殿物顆粒を含む細胞．→enteroendocrine cells）．

ar·gen·taf·fi·no·ma（ar′jen-tă-fi-nō′mă）．銀親和〔細胞〕腫，嗜銀〔細胞〕腫. = carcinoid tumor.

ar·gen·to·phil, ar·gen·to·phile（ar-jen′tō-fil, -fīl). = argyrophil.

ar·gi·nase (ahr′ji-nās). アルギナーゼ（L-アルギニンのL-オルニチンと尿素への加水分解を触媒する肝臓の酵素．尿素サイクルの主酵素）.

ar·gi·nine (ahr′ji-nēn). アルギニン; 2-amino-5-guanidinopentanoic acid（蛋白の加水分解物中に見出されるアミノ酸の1つ．特にヒストンやプロタミンなどの塩基性蛋白中に多い．二塩基性アミノ酸）.

ar·gi·nine va·so·pres·sin (AVP) アルギニンバソプレシン（8位にアルギニン残基を有するバソプレシン（ヒトを含む多くの哺乳類およびニワトリにみられる）．ブタのバソプレシンは，8位のリジン残基を有する．すべて昇圧剤である）.

ar·gi·ni·no·suc·cin·ic ac·id アルギニノコハク酸（尿素サイクル内でL-シトルリンからL-アルギニンへの転換の中間産物として形成される）.

ar·gi·ni·no·suc·cin·ic ac·i·du·ri·a アルギニノコハク酸尿症（アルギニノコハク酸の尿中排泄増加，てんかん，運動失調，精神遅滞，肝疾患，もろく房状の髪を特徴とした常染色体劣性遺伝疾患である．アルギニノコハク酸をアルギニンとフマル酸に分解する酵素の欠損によると考えられる）.

ar·gon (Ar) (ahr′gon). アルゴン（気体元素，原子番号18，原子量39.948．大気中に約0.94%の割合で存在する．不活性ガス，希ガスの1つ）.

ar·gon la·ser アルゴンレーザー（網膜光凝固，隅角線維柱帯形成術を含む眼科処置に用いられる．青（448 nm）または緑（514 nm）スペクトル光からなる）.

Ar·gyll Ro·bert·son pu·pil アーガイル・ロバートソン瞳孔（縮瞳，不整形，瞳孔の直接または間接対光反応の欠如，近見縮瞳は正常である（対光・近見解離）ことを特徴とする瞳孔強直症の一種．しばしば脊髄ろう神経梅毒でみられる）.

ar·gyr·i·a, ar·gy·rism (ahr-jir′ē-ă, ahr′ji-rizm). 銀〔皮〕症，銀沈着症（可溶性銀塩を薬物として長期服用した結果，不溶性銀アルブミン塩が沈着して，皮膚および深部組織が黒ずんだネズミ色や青色に変色すること）.

ar·gyr·ic (ahr-jir′ik). 銀皮症の.

ar·gyr·o·phil, ar·gyr·o·phile (ahr-jir′ō-fil, -fīl). 銀親和〔性〕の，好銀〔性〕の，嗜銀〔性〕の（銀に特有であり，しみ込ませることができ，還元剤の使用後，眼に見えるようになる組織成分についていう）. = argentophil; argentophile.

a·rhin·i·a (ā-rī′nē-ă). 無鼻〔症〕（鼻の先天的欠損）. = arrhinia.

a·ri·bo·fla·vin·o·sis (ă-rī′bō-flā-vi-nō′sis). リボフラビン欠乏〔症〕，ビタミンB_2欠乏〔症〕（正確にはhyporiboflavinosis）.

A·ris·to·lo·chi·a fang·chi ボウイ; 防已（ウマノスズクサ）（癌および肝臓疾患を引き起こす非常に有毒な製剤（アリストロキン酸が有効成分）．漢方の薬および調合薬に見られることがある．あらゆる薬草製剤の中で最も危険なもののうちの1つだと報告されている）. = birthwort.

ar·is·to·te·li·an meth·od アリストテレス法（概括的な範疇と特別な対象との関係を強調する研究方法）.

A·ris·tot·le a·nom·a·ly アリストテレス異常（第一指と第二指を交差してその間に小さなものをはさむと，まるで2つのものをはさんでいるように感じること）.

a·rith·me·tic mean 算術平均（平均値の一種．一群の数の総和を取り，その総和を加えた数の総数で割ることによって求められる）. = average (2).

Arlt op·er·a·tion アルルト手術（睫毛乱生を治すため，眼瞼縁から睫毛を移植する法）.

arm (ahrm). ***1*** 上腕（上肢のうちで，特に肩と肘の間の部分をさす．通俗的には上肢全体をさして用いられることがある）. = brachio-(1); brachium(1). ***2*** 腕（腕と類似した解剖学的伸展構造）. ***3*** アーム，鉤〔腕〕（可撤局部義歯のフレームの延長物で，特殊な形をし，特別な位置に設けられる）.

ar·ma·men·tar·i·um (ahrm′ă-men-tar′ē-ŭm). 用品，器具（健康管理で，健康管理者（開業医）がその業務を行う上で用いることのできる治療用品（薬品，器具など）の総称）.

arm-crank er·gom·e·ter 腕エルゴメーター（手や足を失った者やその他ランニングマシンを用いることができない者が，ストレステスト用の上肢の段階別運動に用いる装置）.

Arm·i·tage-Doll mod·el アーミテージ-ドールモデル（リスクの変化を決定する最も重要な変数は年齢ではなく時間であることを前提とする発症モデル）.

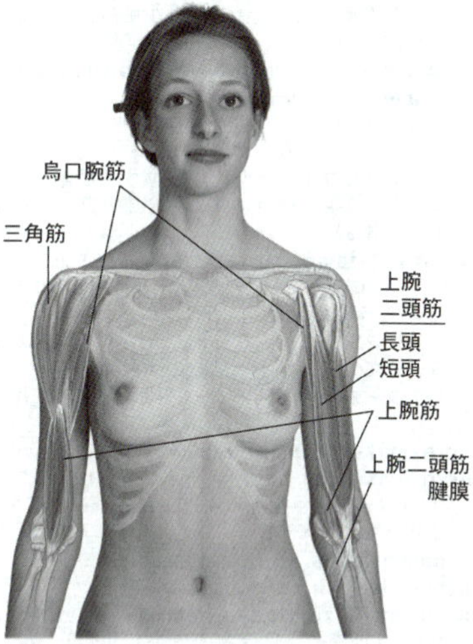
烏口腕筋
三角筋
上腕二頭筋
長頭
短頭
上腕筋
上腕二頭筋腱膜

muscles of the anterior arm

ARN acute retinal necrosis の頭文字.

Ar·neth count アルネート計算（多形核好中球の百分率分布. 核内の分葉数(1—5)に基づく. →Arneth index).

Ar·neth in·dex アルネート指数（1 葉および 2 葉の多形核好中球の百分率に, 3 葉の百分率の 1/2 を加えた値. 正常値は 60%になる. →Arneth count).

ar·ni·ca (ahr′ni-kă). アルニカ（キク科 *Arnica montana* の乾燥花頭. 捻挫や挫傷に外用薬として用いる). = leopard bane; mountain daisy; wolf bane.

Ar·nold bod·y アルノルト〔小〕体（赤血球の微細片(ときに血小板と間違われる), または小さな赤血球の〝ゴースト〟をいう).

Ar·nold-Chi·a·ri mal·for·ma·tion アルノルト-キアーリ奇形（脊髄が束縛されることによって引き起こされる菱脳の尾方への牽引と変位を伴った後方窩の構造異常. 二分脊椎や脊髄髄膜瘤を伴う場合と伴わない場合がある. 遺伝性は通常多因子にわたっており, 常染色体劣性遺伝との報告もわずかにある).

Ar·nold re·flex アーノルドの咳反射（耳垢の除去の際に外耳道に触れること, あるいは, 耳栓, イヤモールド(耳型耳栓), または補聴器を挿入することに起因する咳あるいは不快感. アーノルド神経は迷走神経(第 X 脳神経)の枝である).

AROM (ar′om). active range of motion の略.

a·ro·ma·ther·a·py (ă-rō′mă-thār′ă-pē). アロマセラピー（治癒と健康を促進するために, 吸入するか, あるいは直接塗布して精油を用いること).

ar·o·mat·ic (ār′ō-mat′ik). ***1*** 〚adj.〛 芳香〔性〕の（快い, やや刺激性の薬味, 芳香をもった). ***2*** 〚n.〛 芳香薬（芳香をもち, 多少刺激性のある一群の植物薬). ***3*** →cyclic compound.

ar·o·mat·ic D-a·mi·no ac·id de·car·box·yl·ase 芳香族 D-アミノ酸デカルボキシラーゼ（L-ドパからドパミン, L-トリプトファンからトリプタミンへの脱炭酸を触媒し, また, L-ヒドロキシトリプトファンも脱炭酸する酵素. カテコールアミンとメラニンの生合成経路において重要である).

ar·o·mat·ic am·mo·ni·a spir·it 芳香アンモニア精（アルコールの水溶液で, 約 2%のアンモニア, 4%の炭酸アンモニウムおよび香料としてレモン油やラベンダー油, ナツメグ油を含む. 主として, 失神あるいはその恐れのある者に対して反射刺激を与えるために吸入剤として用いる).

ar·o·mat·ic com·pound →cyclic compound.

ar·o·mat·ic se·ries 芳香族（ベンゼンまたは, Hückel 則に従う同様の環式化合物から誘導される化合物のすべて).

aromatisation [Br.]. = aromatization.

aromatise [Br.]. = aromatize.

a·ro·ma·ti·za·tion (ă-rō′mă-tī-zā′shŭn). 芳香族化（非芳香族化合物の芳香族化合物への変換). = aromatisation.

a·ro·ma·tize (ă-rō′mă-tīz). 芳香族化する（非芳香族化合物を芳香族化合物に変換すること). = aromatise.

a·rous·al dis·or·der 覚醒障害, 覚醒疾患（①夢遊病から睡眠驚愕(夜驚症)までを含む, 睡眠時随伴症を広く意味する用語. 睡眠と覚醒の間の状態にあること. ②正常な反応が損なわれているか, 欠けている, 状態あるいは異常(例えば生理学的な腟内催滑, 男性の勃起の継続)).

a·rous·al in·dex 覚醒指数, 覚醒指標（睡眠検査の間に観察された睡眠の中断から計算された測定値).

ar·rec·tor, pl. **ar·rec·to·res** (ă-rek′tōr, ă-rek-tō′rēz). 立筋. = erector.

ar·rec·tor mus·cle of hair, ar·rec·tor pi·li mus·cles 立毛筋（毛根深部に付着している平滑筋線維の束. 皮脂腺に沿って走行し, 真皮の乳頭層に達する. 立毛作用を有し, ヒトでは鳥肌を起こさせるだけであるが, 大部分の鳥や哺乳類では毛や羽を立てて厚くし保温効果を高める). = musculi arrectores pilorum; erector muscles of hairs.

ar·rest (ă-rest′). ***1*** 〚v.〛 停止する, 阻止する. ***2*** 〚n.〛 停止, 阻止（疾患や症状の規則的な経過, または機能の作動を妨害, 阻止すること). ***3*** 〚n.〛 停止, 阻止, 制止（成長過程の抑制. 通常は成長の最終段階の抑制. 未熟なままの停止は先天性異常を起こすことがある).

ar·rest of ac·tive phase dys·to·ci·a 開口期の分娩停止（有効陣痛により子宮口 4 cm 以上開大した以後の開口期(分娩第 1 期)に 2 時間以上子宮口開大が停止した状態. 原因には不十分な子宮収縮および児頭骨盤不均衡が含まれる).

ar·rest of des·cent dys·to·ci·a 下降娩出期の分娩停止（分娩第 2 期での母体の努責にもかかわらず 1 時間以上児頭の下降が停止した状態. 不十分な母体の努責, 胎勢の異常, 胎児の大きさなどが典型的要件である).

ar·rest·ed la·bor 分娩停止（出産の過程における休止で, 持続時間は変化する. 特に収縮が弱まったり, 和らいだり, あるいはなくなったりすることによって引き起こされたもの).

ar·rest of la·bor 分娩停止（分娩経過の 2 時間以上の進行の停止状態(子宮口開大および先進部の下降で判定される)).

ar·rest sig·nal 停止シグナル（RNA ポリメラーゼによる転写の停止を引き起こす DNA 配列).

Ar·rhe·ni·us-Mad·sen the·o·ry アレーニウス-マドセン説（抗原と抗体の反応が可逆的であり, 反応物質の濃度により, 質量作用の法則に従って平衡状態が決定されるというもの).

ar·rhe·no·blas·to·ma (ă-rē′nō-blas-tō′mă). 〔卵巣〕男性胚〔細胞〕腫（まれにみられる卵巣腫瘍で, 男性化を起こし, しばしば管状構造と黄体形成細胞の両方を含む). = androblastoma(2); gynandroblastoma(1).

ar·rhin·i·a (ā-rī′nē-ă). 無鼻〔症〕. = arhinia.

ar·rhyth·mi·a (ā-ridh′mē-ă). 不整脈（リズムがないこと, または異常なこと. 特に心拍の不規則性についていう. →dysrhythmia).

ar·rhyth·mic (ā-ridh′mik). 不整脈の.

ar·rhyth·mo·gen·ic (ă-rith′mō-jen′ik). 不整

脈惹起性の. = dysrhythmogenic.

Ar·ru·ga for·ceps アルガ鉗子（白内障の嚢内摘出に用いる鉗子）.

ar·se·nic (As)（ahr′sĕ-nik）. ヒ素（金属元素，原子番号 33，原子量 74.92159．多くの有毒化合物を生成し，そのうちのいくつかは医療で用いる）.

ar·sen·i·cal（ahr-sen′i-kăl）. ***1*** 〚adj.〛ヒ素の（ヒ素あるいはヒ素の含有を意味する）. ***2*** 〚n.〛ヒ素剤（ヒ素含有量に依存する作用をもつ薬物あるいは薬剤）. ***3*** 合砒剤（ヒ素を含有する化学物質）.

ART acoustic reflex threshold の略.

ar·te·fact（ahr′tĕ-fakt）. = artifact.

ar·te·ri·a, gen. & pl. **ar·te·ri·ae**（ahr-tēr′ē-ă, -ē）. 動脈（→branch）. = artery.

ar·ter·i·a al·ve·o·la·ris su·pe·ri·or pos·te·ri·or 後上歯槽動脈. = posterior superior alveolar artery.

ar·te·ri·a an·as·to·mo·ti·ca mag·na = inferior ulnar collateral artery.

ar·te·ri·a an·gu·la·ris 眼角動脈. = angular artery.

ar·te·ri·a ap·pen·di·cu·la·ris 虫垂動脈. = appendicular artery.

ar·te·ri·a ar·cu·a·ta〔足の〕弓状動脈. = arcuate artery of foot（inconstant）.

ar·te·ri·a as·cen·dens 上行動脈. = ascending artery.

ar·te·ri·a au·ri·cu·la·ris pos·te·ri·or 後耳介動脈. = posterior auricular artery.

ar·te·ri·a au·ri·cu·la·ris pro·fun·da 深耳介動脈. = deep auricular artery.

ar·te·ri·a ax·il·la·ris 腋窩動脈. = axillary artery.

ar·te·ri·a bas·i·la·ris 脳底動脈. = basilar artery.

ar·te·ri·a bra·chi·a·lis 上腕動脈. = brachial artery.

ar·te·ri·a buc·ca·lis 頬動脈. = buccal artery.

ar·te·ri·a bul·bi pe·nis 尿道球動脈. = artery of bulb of penis.

ar·te·ri·a bul·bi ves·tib·u·li 腟前庭球動脈. = artery of bulb of vestibule.

ar·te·ri·a ca·na·lis pte·ry·goi·de·i 翼突管動脈. = artery of pterygoid canal.

ar·te·ri·a ca·rot·is com·mu·nis 総頸動脈. = common carotid artery.

ar·te·ri·a ca·rot·is ex·ter·na 外頸動脈. = external carotid artery.

ar·te·ri·a ca·rot·is in·ter·na 内頸動脈. = internal carotid artery.

ar·te·ri·a ce·li·a·ca 腹腔動脈. = celiac trunk.

ar·te·ri·a cen·tra·lis ret·i·nae 網膜中心動脈. = central retinal artery.

ar·te·ri·a cer·e·bri an·te·ri·or 前大脳動脈. = anterior cerebral artery.

ar·te·ri·a cer·e·bri me·di·a 中大脳動脈. = middle cerebral artery.

ar·te·ri·a cer·e·bri pos·te·ri·or 後大脳動脈. = posterior cerebral artery.

ar·te·ri·a cer·vi·ca·lis as·cen·dens 上行頸動脈. = ascending cervical artery.

ar·te·ri·a ci·li·ar·is pos·te·ri·or brev·is 短後毛様体動脈. = short posterior ciliary artery.

ar·te·ri·a cir·cum·flex·a fe·mor·is la·ter·a·lis 外側大腿回旋動脈. = lateral circumflex femoral artery.

ar·te·ri·a cir·cum·flex·a fe·mor·is me·di·a·lis 内側大腿回旋動脈. = medial circumflex femoral artery.

ar·te·ri·a cir·cum·flex·a hu·mer·i an·te·ri·or 前上腕回旋動脈. = anterior circumflex humeral artery.

ar·te·ri·a cir·cum·flex·a hu·mer·i pos·te·ri·or 後上腕回旋動脈. = posterior circumflex humeral artery.

ar·te·ri·a cir·cum·flex·a il·i·ac·a pro·fun·da 深腸骨回旋動脈. = deep circumflex iliac artery.

ar·te·ri·a cir·cum·flex·a i·li·ac·a su·per·fi·ci·al·is 浅腸骨回旋動脈. = superficial circumflex iliac artery.

ar·te·ri·a coch·le·a·ris com·mu·nis = common cochlear artery.

ar·te·ri·a col·i·ca dex·tra 右結腸動脈. = right colic artery.

ar·te·ri·a col·i·ca si·ni·stra 左結腸動脈. = left colic artery.

ar·te·ri·a col·la·te·ra·lis me·di·a 中側副動脈. = middle collateral artery.

ar·te·ri·a col·la·te·ra·lis ul·na·ris in·fe·ri·or 下尺側側副動脈. = inferior ulnar collateral artery.

ar·te·ri·a col·la·te·ra·lis ul·na·ris su·pe·ri·or 上尺側側副動脈. = superior ulnar collateral artery.

ar·te·ri·a com·mu·ni·cans an·te·ri·or 前交通動脈. = anterior communicating artery.

ar·te·ri·a com·mu·ni·cans pos·te·ri·or 後交通動脈. = posterior communicating artery.

ar·te·ri·a co·ro·na·ri·a dex·tra 右冠状動脈. = right coronary artery.

ar·te·ri·a co·ro·na·ri·a si·nis·tra 左冠状動脈. = left coronary artery.

ar·te·ri·a cre·ma·ste·ri·ca 精巣挙筋動脈，挙睾筋動脈. = cremasteric artery.

ar·te·ri·a cys·ti·ca 胆嚢動脈. = cystic artery.

ar·te·ri·a def·er·en·ti·al·is = artery to ductus deferens.

ar·te·ri·a des·cen·dens ge·nus = descending genicular artery.

ar·te·ri·a di·gi·tal·is pal·ma·ris com·mu·nis 総掌側指動脈. = common palmar digital artery.

ar·te·ri·a di·gi·ta·lis pal·ma·ris pro·pri·a = proper palmar digital artery.

ar·te·ri·a dor·sa·lis cli·to·ri·dis 陰核背動脈. = dorsal artery of clitoris.

ar·te·ri·a dor·sa·lis pe·nis 陰茎背動脈. = dorsal artery of penis.

ar·te·ri·a duc·tus de·fe·ren·tis 精管動脈.

= artery to ductus deferens.

ar·te·ri·ae al·ve·o·la·res su·pe·ri·or·es an·te·ri·o·res 前上歯槽動脈. = anterior superior alveolar artery.

ar·te·ri·ae ar·cu·a·tae re·nis 腎弓状動脈. = arcuate arteries of kidney.

ar·te·ri·ae a·tri·a·les 心房動脈. = atrial arteries.

ar·te·ri·ae ci·li·ar·es pos·te·ri·or·es lon·gae 長後毛様体動脈. = long posterior ciliary arteries.

ar·te·ri·ae il·e·a·les 回腸動脈. = ileal arteries.

ar·te·ri·ae in·ter·cos·tal·es pos·te·ri·or·es III-XI = posterior intercostal arteries 3-11.

ar·te·ri·ae in·ter·cos·tal·es pos·te·ri·or·es I et II = first and second posterior intercostal arteries.

ar·te·ri·ae in·ter·lo·bu·la·res 小葉間動脈. = interlobular arteries.

ar·te·ri·ae je·ju·na·les 空腸動脈. = jejunal arteries.

ar·te·ri·ae lum·ba·les 腰動脈. = lumbar artery.

ar·te·ri·ae me·dul·lar·es seg·men·tal·es = segmental medullary arteries.

ar·te·ri·ae na·sa·les pos·te·ri·or·es lat·er·al·es 外側後鼻動脈. = posterior lateral nasal arteries.

ar·te·ri·ae pal·pe·bra·les 眼瞼動脈. = palpebral arteries.

ar·te·ri·ae per·fo·ran·tes 貫通動脈. = perforating arteries.

ar·te·ri·a ep·i·gas·tri·ca su·per·fi·ci·al·is 浅腹壁動脈. = superficial epigastric artery.

ar·te·ri·a ep·i·gas·tri·ca su·pe·ri·or 上腹壁動脈. = superior epigastric artery.

ar·te·ri·a ep·i·scle·ra·lis 強膜上動脈. = episcleral artery.

ar·te·ri·ae pu·den·dae ex·ter·nae 外陰部動脈. = external pudendal arteries.

ar·te·ri·ae ra·di·cu·lar·es an·te·ri·or et pos·te·ri·or = anterior and posterior radicular arteries.

ar·te·ri·ae sa·cra·les la·ter·al·es 外側仙骨動脈. = lateral sacral arteries.

ar·te·ri·ae sig·moi·de·ae S 状結腸動脈. = sigmoid arteries.

ar·te·ri·ae su·pra·re·nal·es su·p·er·i·or·es 上副腎動脈, 上腎上体動脈. = superior suprarenal arteries.

ar·te·ri·a eth·moi·dal·is an·te·ri·or 前篩骨動脈. = anterior ethmoidal artery.

ar·te·ri·a eth·moi·dal·is pos·te·ri·or 後篩骨動脈. = posterior ethmoidal artery.

ar·te·ri·ae ven·tri·cu·lar·es 心室動脈. = ventricular arteries.

ar·te·ri·a fa·ci·a·lis 顔面動脈. = facial artery.

ar·te·ri·a fe·mo·ra·lis 大腿動脈. = femoral artery.

ar·te·ri·a gas·tri·ca pos·te·ri·or = posterior gastric artery.

ar·te·ri·a gas·tro·du·o·de·na·lis 胃十二指腸動脈. = gastroduodenal artery.

ar·te·ri·a gas·tro·ep·i·plo·i·ca si·nis·tra = left gastroomental artery.

ar·te·ri·a gas·tro·o·men·ta·lis si·nis·tra 左胃大網動脈. = left gastroomental artery.

ar·te·ri·a glu·te·a in·fe·ri·or 下殿動脈. = inferior gluteal artery.

ar·te·ri·a glu·te·a su·pe·ri·or 上殿動脈. = superior gluteal artery.

ar·te·ri·a he·pa·ti·ca com·mu·nis 総肝動脈. = common hepatic artery.

ar·te·ri·a he·pa·ti·ca pro·pri·a 固有肝動脈. = hepatic artery proper.

ar·te·ri·a hy·a·loi·de·a 硝子体動脈. = hyaloid artery.

ar·te·ri·a hy·po·gas·tri·ca = internal iliac artery.

ar·te·ri·a il·e·o·co·li·ca 回結腸動脈. = ileocolic artery.

ar·te·ri·a il·i·a·ca com·mu·nis 総腸骨動脈. = common iliac artery.

ar·te·ri·a il·i·a·ca in·ter·na 内腸骨動脈. = internal iliac artery.

ar·te·ri·a il·i·o·lum·ba·lis 腸腰動脈. = iliolumbar artery.

ar·te·ri·a in·fe·ri·or an·te·ri·or ce·re·bel·li = anterior inferior cerebellar artery.

ar·te·ri·a in·fe·ri·or pos·te·ri·or ce·re·bel·li = posterior inferior cerebellar artery.

ar·te·ri·a in·fra·or·bi·ta·lis 眼窩下動脈. = infraorbital artery.

ar·te·ri·a in·ter·cos·ta·lis su·pre·ma 最上肋間動脈. = supreme intercostal artery.

ar·te·ri·a in·ter·os·se·a an·te·ri·or 前骨間動脈. = anterior interosseous artery.

ar·te·ri·a in·ter·os·se·a com·mu·nis 総骨間動脈. = common interosseous artery.

ar·te·ri·a in·ter·os·se·a pos·te·ri·or 後骨間動脈. = posterior interosseous artery.

ar·te·ri·a in·ter·os·se·a vo·lar·is 掌側骨間動脈. = anterior interosseous artery.

ar·te·ri·a isch·i·a·di·ca = inferior gluteal artery.

ar·te·ri·a jux·ta·co·li·ca = marginal artery of colon.

ar·te·ri·al (ahr-tēr′ē-ăl). 動脈〔性〕の (1 本以上の動脈または全動脈系に関する).

ar·te·ri·a la·bi·al·is in·fe·ri·or 下唇動脈. = inferior labial branch of facial artery.

ar·te·ri·a la·bi·al·is su·pe·ri·or 上唇動脈. = superior labial branch of facial artery.

ar·te·ri·a la·cri·ma·lis 涙腺動脈. = lacrimal artery.

ar·te·ri·a la·ryn·ge·a su·pe·ri·or 上喉頭動脈. = superior laryngeal artery.

ar·te·ri·al blood 動脈血 (肺で酸素飽和される血液. 左心室, 動脈にみられ, 鮮赤色を呈す).

ar·te·ri·al ca·nal 動脈管. = ductus arteriosus.

A

ar·te·ri·al cap·il·lar·y 動脈性毛細管（小動脈または後細動脈からの毛細管開通）.

ar·te·ri·al cir·cle of cer·e·brum 大脳動脈輪（脳底の視交叉，視床下部，脚間窩のあたりに存在する，およそ五角形に近い輪状に分布する動脈．前方から後方へ，前交通動脈，2本の前大脳動脈，2本の内頸動脈，2本の後交通動脈，2本の後大脳動脈の各動脈からなる）.

ar·te·ri·al cone 動脈円錐（右心室内腔の左または前上部の壁の平滑な部位で，室上稜から始まり肺動脈幹に終わる部分）. = conus arteriosus; infundibulum(4).

ar·te·ri·al duct 動脈管. = ductus arteriosus.

ar·te·ri·al for·ceps 動脈鉗子（結紮されるまで血管の末端をつかんでおくため，傾斜葉でかみ合うようになっている鉗子）.

ar·te·ri·a li·e·na·lis 脾動脈. = splenic artery.

ar·te·ri·a lig·a·men·ti ter·e·tis u·ter·i 子宮円索動脈. = artery of round ligament of uterus.

ar·te·ria lin·gu·lar·is 肺舌動脈（→left pulmonary artery）.

ar·te·ri·a lin·gu·lar·is in·fe·ri·or = inferior lingular artery.

ar·te·ri·a lin·gu·lar·is su·pe·ri·or = superior lingular artery.

ar·te·ri·al line 動脈ライン(経路)（動脈内カテーテル）.

ar·te·ri·al neph·ro·scle·ro·sis 動脈性腎硬化〔症〕（腎動脈の大きな分枝の管腔が動脈硬化性の狭窄を起こすことにより，腎に斑状の萎縮性瘢痕を起こす．老人や高血圧患者にみられ，また高血圧の原因になることもある）. = arterionephrosclerosis.

ar·te·ri·al oc·clu·sive dis·ease 動脈閉塞症（閉塞から遠位にある虚血を引き起こす，主要な動脈の閉塞．通常，大腿動脈，膝窩動脈，あるいは無名動脈のことを指す．徴候としては斑点，蒼白，冷え，閉塞の生じた手足の麻痺/知覚異常，無脈，閉塞の生じた手足が突然痛むことなどが挙げられる．内頸動脈，外頸動脈，鎖骨下動脈，椎骨動脈および脳底動脈にも生じることがある．原因としてはアテローム性動脈硬化症，塞栓，血栓症，外傷および骨折が挙げられる）.

ar·te·ri·al scle·ro·sis 動脈硬化〔症〕. = arteriosclerosis.

ar·te·ri·al spi·der クモ状血管腫. = spider angioma.

ar·te·ri·al ten·sion 動脈内血圧.

ar·te·ri·a lu·so·ri·a 奇形動脈（異所性右鎖骨下動脈で，下行大動脈より分枝し，食道後面を通る．しばしばえん下困難の症状を伴う）.

ar·te·ri·a mar·gi·nal·is co·li = marginal artery of colon.

ar·te·ri·a mas·se·te·ri·ca 咬筋動脈. = masseteric artery.

ar·te·ri·a max·il·la·ris 顎動脈. = maxillary artery.

ar·te·ri·a me·di·a·na 正中動脈. = median artery.

ar·te·ri·a men·ta·lis おとがい動脈. = mental artery.

ar·te·ri·a mes·en·te·ri·ca in·fe·ri·or 下腸間膜動脈. = inferior mesenteric artery.

ar·te·ri·a mes·en·te·ri·ca su·pe·ri·or 上腸間膜動脈. = superior mesenteric artery.

ar·te·ri·a met·a·car·pal·is dor·sal·is = dorsal metacarpal artery.

ar·te·ri·a met·a·car·pal·is pal·mar·is = palmar metacarpal artery.

ar·te·ri·a met·a·tar·sal·is dor·sal·is = dorsal metatarsal artery.

ar·te·ri·a me·ta·tar·sal·is plan·tar·is 底側中足動脈. = plantar metatarsal artery.

ar·te·ri·a mus·cu·lo·phre·ni·ca 筋横隔動脈. = musculophrenic artery.

ar·te·ri·a na·sal·is pos·te·ri·or sep·ti 中隔後鼻動脈. = posterior septal branch of nose.

ar·te·ri·a nu·tri·ci·a 栄養動脈. = nutrient artery.

ar·te·ri·a nu·tri·ci·a fe·mo·ris 大腿栄養動脈. = nutrient artery of femur.

ar·te·ria nu·tri·ci·a fi·bu·lae = nutrient artery of fibula.

ar·te·ri·a ob·tu·ra·to·ri·a 閉鎖動脈. = obturator artery.

ar·te·ri·a ob·tu·ra·to·ri·a ac·ces·so·ri·a 副閉鎖動脈. = accessory obturator artery.

ar·te·ri·a oc·ci·pi·ta·lis 後頭動脈. = occipital artery.

ar·te·ri·a oph·thal·mi·ca 眼動脈. = ophthalmic artery.

ar·te·ri·a o·va·ri·ca 卵巣動脈. = ovarian artery.

ar·te·ri·a pal·a·ti·na as·cen·dens 上行口蓋動脈. = ascending palatine artery.

ar·te·ri·a pal·a·ti·na des·cen·dens 下行口蓋動脈. = descending palatine artery.

ar·te·ri·a pal·a·ti·na mi·nor = lesser palatine artery.

ar·te·ri·a pan·cre·at·ic·a mag·na 大膵動脈. = greater pancreatic artery.

ar·te·ri·a pan·cre·at·i·co·du·od·e·nal·is in·fe·ri·or 下膵十二指腸動脈. = inferior pancreaticoduodenal artery.

ar·te·ri·a pan·cre·at·i·co·du·od·e·nal·is su·pe·ri·or an·te·ri·or et pos·te·ri·or = anterior and posterior superior pancreaticoduodenal artery.

ar·te·ri·a pe·ri·car·di·a·co·phre·ni·ca 心膜横隔動脈. = pericardiacophrenic artery.

ar·te·ri·a pe·ri·ne·al·is 会陰動脈. = perineal artery.

ar·te·ri·a pe·ro·ne·a 腓骨動脈. = peroneal artery.

ar·te·ri·a pha·ryn·ge·a as·cen·dens 上行咽頭動脈. = ascending pharyngeal artery.

ar·te·ri·a phre·ni·ca in·fe·ri·or 下横隔動脈. = inferior phrenic artery.

ar·te·ri·a phre·ni·ca su·pe·ri·or = superior phrenic artery.

ar·te·ri·a plan·tar·is la·ter·al·is 外側足底

動脈. = lateral plantar artery.

ar·te·ri·a plan·tar·is me·di·al·is 内側足底動脈. = medial plantar artery.

ar·te·ri·a plan·tar·is pro·fun·da 深足底動脈. = deep plantar artery.

ar·te·ri·a po·lar·is tem·po·ral·is = polar temporal artery.

ar·te·ri·a pop·lit·e·a 膝窩動脈. = popliteal artery.

ar·te·ria pre·pan·cre·a·ti·ca = prepancreatic artery.

ar·te·ri·a pro·fun·da cli·to·ri·dis 陰核深動脈. = deep artery of clitoris.

ar·te·ri·a pro·fun·da fe·mo·ris 大腿深動脈. = deep artery of thigh.

ar·te·ri·a pro·fun·da pe·nis 陰茎深動脈. = deep artery of penis.

ar·te·ri·a pte·ry·go·men·in·ge·a·lis = pterygomeningeal artery.

ar·te·ri·a pul·mo·na·lis = pulmonary trunk.

ar·te·ri·a qua·dri·gem·in·a·lis = collicular artery.

ar·te·ri·a ra·di·a·lis 橈骨動脈. = radial artery.

ar·te·ri·a ra·di·al·is in·di·cis 示指橈側動脈. = radialis indicis artery.

ar·te·ri·a rec·tal·is in·fe·ri·or 下直腸動脈. = inferior rectal artery.

ar·te·ri·a rec·tal·is me·di·a 中直腸動脈. = middle rectal artery.

ar·te·ri·a rec·tal·is su·pe·ri·or 上直腸動脈. = superior rectal artery.

ar·te·ria re·cur·rens ul·na·ris 尺側反回動脈. = recurrent ulnar artery.

ar·te·ri·a re·na·lis 腎動脈. = renal artery.

ar·te·ri·a re·tro·du·od·e·nal·is 十二指腸後動脈. = retroduodenal artery.

ar·te·ri·a sphe·no·pa·la·ti·na 蝶口蓋動脈. = sphenopalatine artery.

ar·te·ri·a spi·nal·is an·te·ri·or 前脊髄動脈. = anterior spinal artery.

ar·te·ri·a spi·nal·is pos·te·ri·or 後脊髄動脈. = posterior spinal artery.

ar·te·ri·a sty·lo·mas·toi·de·a 茎乳突孔動脈. = stylomastoid artery.

ar·te·ri·a sub·cla·vi·a 鎖骨下動脈. = subclavian artery.

ar·te·ri·a sub·cos·ta·lis 肋下動脈. = subcostal artery.

ar·te·ri·a sub·lin·gua·lis 舌下動脈. = sublingual artery.

ar·te·ri·a sub·men·ta·lis おとがい下動脈. = submental artery.

ar·te·ri·a sub·scap·u·la·ris 肩甲下動脈. = subscapular artery.

ar·te·ri·a su·pra·du·od·e·nal·is 十二指腸上動脈. = supraduodenal artery.

ar·te·ri·a su·pra·or·bi·ta·lis 眼窩上動脈. = supraorbital artery.

ar·te·ri·a su·pra·re·nal·is in·fe·ri·or 下副腎動脈, 下腎上体動脈. = inferior suprarenal artery.

ar·te·ri·a su·pra·re·nal·is me·di·a 中副腎動脈, 中腎上体動脈. = middle suprarenal artery.

ar·te·ri·a su·pra·scap·u·la·ris 肩甲上動脈. = suprascapular artery.

ar·te·ri·a su·pra·troch·le·a·ris 滑車上動脈. = supratrochlear artery.

ar·te·ri·a su·ra·lis 腓腹動脈. = sural artery.

ar·te·ri·a tem·po·ral·is pro·fun·da 深側頭動脈. = deep temporal artery.

ar·te·ri·a tem·po·ral·is su·per·fi·ci·al·is 浅側頭動脈. = superficial temporal artery.

ar·te·ri·a tes·ti·cu·la·ris 精巣動脈. = testicular artery.

ar·te·ri·a tho·ra·ci·ca la·ter·al·is 外側胸動脈. = lateral thoracic artery.

ar·te·ri·a tho·ra·ci·ca su·pe·ri·or 上胸動脈. = superior thoracic artery.

ar·te·ri·a tho·ra·co·a·cro·mi·a·lis 胸肩峰動脈. = thoracoacromial artery.

ar·te·ri·a tho·ra·co·dor·sa·lis 胸背動脈. = thoracodorsal artery.

ar·te·ri·a thy·roi·de·a i·ma 最下甲状腺動脈. = thyroid ima artery.

ar·te·ri·a thy·roi·de·a in·fe·ri·or 下甲状腺動脈. = inferior thyroid artery.

ar·te·ri·a thy·roi·de·a su·pe·ri·or 上甲状腺動脈. = superior thyroid artery.

ar·te·ri·a ti·bi·al·is an·te·ri·or 前脛骨動脈. = anterior tibial artery.

ar·te·ri·a ti·bi·al·is pos·te·ri·or 後脛骨動脈. = posterior superior alveolar artery.

ar·te·ri·a trans·ver·sa col·li 頸横動脈. = transverse cervical artery.

ar·te·ri·a trans·ver·sa fa·ci·e·i 顔面横動脈. = transverse facial artery.

ar·te·ri·a ul·na·ris 尺骨動脈. = ulnar artery.

ar·te·ri·a um·bi·li·ca·lis 臍動脈. = umbilical artery.

ar·te·ri·a u·re·thra·lis 尿道動脈. = urethral artery.

ar·te·ri·a u·te·ri·na 子宮動脈. = uterine artery.

ar·te·ri·a va·gi·na·lis 腟動脈. = vaginal artery.

ar·te·ri·a ver·te·bra·lis 椎骨動脈. = vertebral artery.

ar·te·ri·a ves·i·cal·is in·fe·ri·or 下膀胱動脈. = inferior vesical artery.

ar·te·ri·a ves·i·cal·is su·pe·ri·or = superior vesical artery.

ar·te·ri·a vo·lar·is in·di·cis ra·di·al·is 〔掌側〕示指橈側動脈. = radialis indicis artery.

ar·te·ri·a zy·go·mat·i·co·or·bi·ta·lis 頬骨眼窩動脈. = zygomatico-orbital artery.

ar·te·ri·ec·to·my (ar-tēr-ē-ek′tō-mē). 動脈切除〔術〕(動脈の一部分の切除).

ar·te·ries of brain 脳の動脈 (脳に分布する動脈の総称で, 大脳動脈輪と前脈絡叢動脈から出る).

ar·te·ries of pe·nis 陰茎動脈（→dorsal artery of penis; deep artery of penis）.

arterio-, arteri- 動脈を意味する連結形.

ar·te·ri·o·cap·il·lar·y （ahr-tēr′ē-ō-cap′i-lār-ē）. 動脈毛細血管の（動脈と毛細管の両方に関する）.

ar·te·ri·o·gram （ahr-tēr′ē-ō-gram）. 動脈造影（撮影）図（造影剤を動脈に注入後，撮影したX線写真）.

ar·te·ri·o·graph·ic （ahr-tēr′ē-ō-graf′ik）. 動脈造影的（動脈造影に関する，あるいはそれを利用した）.

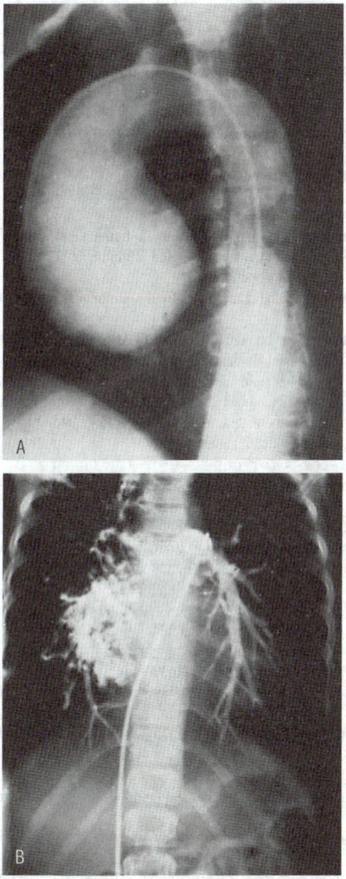
A
B

arteriography
A：Marfan症候群の心血管像，B：肺動静脈瘻のため造影剤が直接，肺静脈系に流入している.

ar·te·ri·og·ra·phy （ahr-ter′ē-og′ră-fē）. 動脈造影（撮影）〔法〕，動脈写（放射線不透過造影剤を注入して，X線で動脈を可視化する方法）.

ar·te·ri·o·la, pl. ar·te·ri·o·lae （ahr-tēr-ē-ō′lă, ahr-tēr-ē-ō′lē）. 小動脈，細動脈. = arteriole.

ar·ter·i·o·la glo·mer·u·lar·is af·fer·ens = afferent glomerular arteriole.

ar·ter·i·o·la glo·mer·u·la·ris ef·fer·ens = ductus deferens.

ar·te·ri·o·la ma·cu·la·ris in·fe·ri·or 下黄斑動脈. = inferior macular arteriole.

ar·te·ri·o·la ma·cu·la·ris su·pe·ri·or 上黄斑動脈. = superior macular arteriole.

ar·te·ri·o·lar （ahr-tēr′ē-ō′lăr）. 小動脈の，細動脈の（1本の小動脈，または小動脈の集合体についていう）.

ar·te·ri·o·lar neph·ro·scle·ro·sis 細動脈性腎硬化〔症〕（長期にわたる高血圧からくる，細動脈硬化症による腎臓の瘢痕．慢性腎不全になることはあまりない）. = arteriolonephrosclerosis.

ar·te·ri·o·lar net·work 細動脈網（毛細管になる直前の小動脈間の吻合により形成される血管網）.

ar·te·ri·ole （ahr-tēr′ē-ōl）. 小動脈，細動脈（わずか1—2層の平滑筋層のみからなる中層（筋層）をもつ細い動脈．毛細血管網に連続する直前の終末動脈）. = arteriola.

ar·te·ri·o·lith （ahr-tēr′ē-ō-lith）. 動脈結石（動脈壁内または血栓内の石灰性の沈着物）.

ar·ter·i·o·li·tis （ahr-tēr′ē-ō-lī′tis）. 細動脈炎（細動脈壁の炎症）.

arteriolo- 細動脈に関する連結形.

ar·te·ri·o·lo·ne·cro·sis （ahr-tēr-ē-ō′lō-nĕ-krō′sis）. 細動脈壊死. = necrotizing arteriolitis.

ar·te·ri·o·lo·neph·ro·scle·ro·sis （ar-tēr-ē-ō′lō-nef′rō-skler-ō′sis）. = arteriolar nephroscleroi-

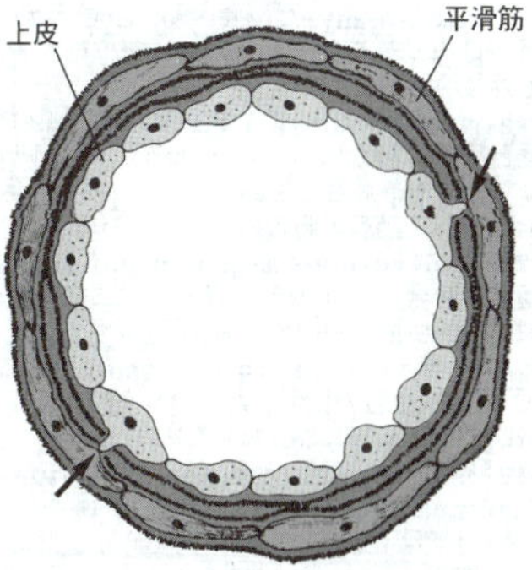
上皮
平滑筋

arteriole
矢印は上皮と平滑筋の接触点を示す.

sis.

ar·te·ri·o·lo·scle·ro·sis (ahr-tēr-ē-ō′lō-skler-ō′sis). 細動脈硬化〔症〕（主に細動脈を侵す動脈硬化で，特に慢性の高血圧症にみられる）.

ar·te·ri·o·mo·tor (ahr-tēr′ē-ō-mō′tŏr). 動脈運動の（動脈の口径に変化を起こす．特に動脈に関する血管運動の）.

ar·te·ri·o·neph·ro·scle·ro·sis (ahr-tēr′ē-ō-nef′rō-skler-ō′sis). = arterial nephrosclerosis.

ar·te·ri·op·a·thy (ahr-tēr′ē-op′ă-thē). 動脈症（動脈疾患の総称）.

ar·te·ri·o·plas·ty (ahr-tēr′ē-ō-plas-tē). 動脈形成〔術〕（動脈血管壁の形成術）.

ar·te·ri·o·pres·sor (ahr-tēr′ē-ō-pres′sŏr). 動脈圧上昇.

ar·te·ri·or·rha·phy (ahr-tēr′ē-ōr′ă-fē). 動脈縫合.

ar·te·ri·or·rhex·is (ahr-tēr′ē-ō-rek′sis). 動脈〔破〕裂（動脈壁の破裂）.

ar·te·ri·o·scle·ro·sis (ahr-tēr′ē-ō-skler-ō′sis). 動脈硬化〔症〕（動脈が固くなる現象．一般に，アテローム性動脈硬化症，Mönckeberg 動脈硬化症，細動脈硬化症などの種類がある）. = arterial sclerosis.

ar·te·ri·o·scle·ro·sis ob·lit·er·ans 閉塞性動脈硬化〔症〕（動脈管腔の狭窄および閉塞を起こす動脈硬化症）.

ar·te·ri·o·scle·rot·ic (ahr-tēr′ē-ō-skler-ot′ik). 動脈硬化〔症〕の.

ar·te·ri·o·scle·rot·ic an·eu·rysm 動脈硬化性動脈瘤（動脈瘤のなかでは最も頻度が高く，高齢者の腹部大動脈，その他の大きい動脈に起こる）.

ar·te·ri·o·spasm (ahr-tēr′ē-ō-spazm). 動脈痙攣.

ar·te·ri·o·ste·no·sis (ahr-tēr′ē-ō-stĕ-nō′sis). 動脈狭窄（血管収縮による一時的な，あるいは動脈硬化症による永久的な動脈管腔の狭窄）.

ar·te·ri·o·sus (ar-tēr′ē-ō′sŭs). 動脈性の（動脈と関係があるか，動脈としての性質を有すること）.

ar·te·ri·ot·o·my (ahr-tēr′ē-ot′ŏ-mē). 動脈切開〔術〕（塞栓を除去するために行う動脈管腔への外科的切開）.

ar·te·ri·o·ve·nous (A-V, AV) 動静脈の（動脈と静脈の両方に関する，動静脈全体に関する，動脈性でも静脈性でもあるの意．例えば，A-V anastomosis 動静脈吻合のように用いる）.

ar·te·ri·o·ve·nous a·nas·to·mo·sis (ava) 動静脈吻合（毛細血管を通過せずに細動脈から細静脈へ血液が短絡する血管）.

ar·te·ri·o·ve·nous an·eu·rysm 動静脈瘤（①動静脈短絡の拡張したもの．②動静脈間の短絡路で，先天性のこともある）.

ar·te·ri·o·ve·nous car·bon di·ox·ide dif·fer·ence 動静脈血炭酸ガス較差（動・静脈血液間の二酸化炭素含量(血液 100 mL 当たりの mL)の差）.

ar·te·ri·o·ve·nous fis·tu·la 動静脈瘻（動脈と静脈との間の異常な結合で，動静脈瘤の形成に至ることが多い）.

ar·te·ri·o·ve·nous ox·y·gen dif·fer·ence 動静脈血酸素較差（動・静脈血液間の酸素含量(血液 100 mL 当たりの mL)の差）.

ar·te·ri·o·ve·nous shunt 動静脈シャント（毛細血管網を通らず，直接に動脈から静脈へ血液を流す）.

ar·ter·i·tis (ahr′tĕr-ī′tis). 動脈炎（動脈または細動脈の炎症または感染）.

ar·ter·i·tis ob·li·te·rans, ob·lit·er·at·ing ar·ter·i·tis 閉塞性動脈炎. = endarteritis obliterans.

ar·ter·y (ar′tĕr-ē). 動脈（血液を心臓から遠ざかる方向へ運ぶ血管で相対的に壁が厚く筋に富み拍動を示す．肺動脈と臍動脈を除けば，動脈は酸素を多く含んだ赤い血液を運ぶ）. = arteria.

ar·ter·y of an·gu·lar gy·rus 角回動脈（中大脳動脈の終末部の最終枝で，側頭葉・頭頂葉・後頭葉の一部に分布する）.

ar·ter·y to a·tri·o·ven·tric·u·lar node = atrioventricular nodal branches.

ar·ter·y of bulb of pe·nis 尿道球動脈（尿道球および尿道に血液を送る内陰部動脈の分枝）. = arteria bulbi penis.

ar·ter·y of bulb of ves·ti·bule 腟前庭球動脈（前庭球に血液を送る内陰部動脈の分枝）. = arteria bulbi vestibuli.

ar·ter·y of Drum·mond = marginal artery of colon.

ar·ter·y to duc·tus def·er·ens 精管動脈（内腸骨動脈の前枝，またときには上膀胱動脈より起こり，精管，精嚢，精巣，尿管に分布する．精巣動脈，精巣挙筋動脈と吻合）. = arteria ductus deferentis; arteria deferentialis; artery to vas deferens; deferential artery.

ar·ter·y for·ceps = hemostatic forceps.

ar·ter·y of the pan·cre·at·ic tail 膵尾動脈（左胃大網動脈近くの脾動脈より起こり，膵の尾部に分布する．他の膵動脈と吻合）.

ar·ter·y of pter·y·goid ca·nal 翼突管動脈（通常は上顎動脈の第三部分から起こるが，ときに翼口蓋管の中で大口蓋動脈から出ることもある．同名の神経とともに後方に向かい管壁および管内構造や上咽頭粘膜，耳管，鼓室に分布する）. = arteria canalis pterygoidei.

ar·ter·y of round lig·a·ment of u·ter·us 子宮円索動脈（下腹壁動脈より起こり，子宮円索に分布する）. = arteria ligamenti teretis uteri.

ar·ter·y to sci·at·ic nerve 坐骨神経伴行動脈（下殿動脈より起こり，坐骨神経に分布する．大腿深動脈の枝と吻合）.

ar·te·ry to vas def·er·ens = artery to ductus deferens.

ar·thral·gi·a (ahr-thral′jē-ă). 関節痛（関節の痛みで，特に炎症性でないもの）. = arthrodynia.

ar·thral·gic (ahr-thral′jik). 関節痛の. = arthrodynic.

ar·threc·to·my (ahr-threk′tŏ-mē). 関節切除〔術〕.

ar·thrit·ic (ahr-thrit′ik). 関節炎の.

ar·thrit·ic gen·er·al pseu·do·pa·ral·y·sis 関節炎性偽〔性〕進行麻痺（進行麻痺に似た

症状を有する関節炎患者に起こる疾患．病変は頭蓋内アテロームによる変性および非炎症性の広範な変化からなる）．

ar·thri·tis, pl. **ar·thrit·i·des** (ahr-thrī′tis, ahr-thrit′i-dēz)．関節炎．= articular rheumatism.

ar·thri·tis de·for·mans = rheumatoid arthritis.

arthro-, arthr- 関節を意味する連結形．ラテン語 *articul-* に相当する．

ar·thro·cele (ahr′thrō-sēl)．***1*** 関節瘤（関節包を通る滑膜のヘルニア）．***2*** 関節腫脹．

ar·thro·cen·te·sis (ahr′thrō-sen-tē′sis)．関節穿刺（穿刺針による関節内液体の吸引）．

ar·thro·chon·dri·tis (ahr′thrō-kon-drī′tis)．関節軟骨炎．

ar·thro·cla·si·a (ahr′thrō-klā′zē-ă)．関節強直砕き〔術〕（強直における癒着を力を加えて剥離すること）．

Arth·ro·der·ma (ahr′thrō-dĕr′mă)．子嚢菌類に分類される真菌の属で，無性世代は小胞子菌 *Microsporium* と白癬菌 *Trichophyton* の 2 属である．

ar·throd·e·sis (ahr-throd′ĕ-sis)．関節固定〔術〕（手術により関節を動かなくすること）．= artificial ankylosis; syndesis.

ar·thro·di·a (ahr-thrō′dē-ă)．平面関節．= plane joint.

ar·thro·di·al (ahr-thrō′dē-ăl)．平面関節の．

ar·thro·di·al joint = plane joint.

ar·thro·dyn·i·a (ahr′thrō-din′ē-ă)．= arthralgia.

ar·thro·dyn·ic (ahr′thrō-din′ik)．= arthralgic.

ar·thro·dys·pla·si·a (ahr′thrō-dis-plā′zē-ă)．関節形成不全〔症〕（遺伝性の先天的な関節の発育不全）．

ar·thro·en·dos·co·py (ahr′thrō-en-dos′kō-pē)．関節鏡検査〔術〕．= arthroscopy.

ar·thro·gram (ahr′thrō-gram)．関節造影（撮影）（関節内の構造をよりよく抽出するため関節包内へ造影剤を注入する関節抽出法）．

ar·throg·ra·phy (ahr-throg′ră-fē)．関節造影（撮影）〔法〕（関節造影の手段）．

ar·thro·gry·po·sis (ahr′thrō-gri-pō′sis)．関節拘縮〔症〕（多数の関節の重度拘縮を特徴とする先天性の四肢の欠陥）．

ar·thro·gry·po·sis mul·ti·plex con·gen·i·ta 先天性多発性関節拘縮〔症〕（出生時より関節運動の制限と拘縮がみられる疾患で，通常多数の関節にわたる．脊髄，筋肉，結合組織などの変化から起こると思われる多様な病因による症候群）．

ar·thro·kin·e·mat·ics (ahr′thrō-kin′ē-mat′iks)．関節運動学（相接する関節面間の運動に関する研究）．

ar·throl·y·sis (ahr-throl′i-sis)．関節解離（剥離）〔術〕（強直した関節の可動性を回復させること）．

ar·throm·e·ter (ahr-throm′ĕ-ter)．関節計．= goniometer (3).

ar·throm·e·try (ahr-throm′ĕ-trē)．関節測定〔法〕（関節の可動範囲の測定）．

ar·thro·my·o·neu·rop·a·thy syn·drome 関節筋肉神経障害症候群（湾岸戦争症候群の症状の一部．関節痛，筋肉痛，物を持ち上げるのが困難になり，手足にちくちくとした痛み，疼痛，虫が這うようなむずむずとした感覚が生じる）．

ar·thro·oph·thal·mop·a·thy (ahr′thrō-of′thal-mop′ă-thē)．関節眼症．

ar·thro·path·i·a pso·ri·a·ti·ca 乾癬性関節症．= psoriatic arthritis.

ar·throp·a·thy (ahr-throp′ă-thē)．関節症（関節を侵す疾患）．

ar·thro·plas·ty (ahr′thrō-plas-tē)．関節形成〔術〕（①人工的に関節をつくる術式．②関節の本来の形と機能をできるだけ回復させるための手術）．

ar·thro·pneu·mo·ra·di·og·ra·phy (ahr′thrō-nū′mō-rā-dē-og′ră-fē)．気関節造影（空気を関節内に注入することにより，関節を造影する方法）．

ar·thro·pod (ahr′thrō-pod)．節足動物．

Ar·throp·o·da (ahr-throp′ŏ-dă)．節足動物門（後生動物の一門で，甲殻綱（カニ，エビ，ザリガニ，イセエビ），昆虫綱，クモ形綱（クモ，サソリ，ダニ，マダニ），唇脚綱（ムカデ），倍脚綱（ヤスデ），節口綱（カブトガニ），その他すでに絶滅したものや，ほとんど知られていない分類群を含む．節足動物門は生物の中で最大の集団であり，その 75％は昆虫類で 100 万以上の種が知られている）．

ar·thro·po·di·a·sis (ahr′thrō-pŏ-dī′ă-sis)．節足動物症（節足動物の脊椎動物に対する直接的影響をさし，ダニ症，アレルギー，皮膚症，昆虫恐怖症および接触による中毒作用を含む）．

ar·thro·py·o·sis (ahr′thrō-pī-ō′sis)．関節化膿症．

ar·thro·scle·ro·sis (ahr′thrō-skler-ō′sis)．関節硬化〔症〕（特に老年者にみられる関節の拘縮）．

ar·thro·scope (ahr′thrŏ-skōp)．関節鏡（関節内部を検査する内視鏡）．

ar·thros·co·py (ahr-thros′kŏ-pē)．関節鏡検査〔法〕（関節鏡を用いて関節の内部を検査すること）．= arthroendoscopy.

ar·thro·sis (ahr-thrō′sis)．***1*** 関節．= joint. ***2*** 関節症．

ar·thros·to·my (ahr-thros′tŏ-mē)．関節切開〔術〕（関節腔に一時的に開口部をつくること）．

ar·thro·sy·no·vi·tis (ahr′thrō-sin-ō-vī′tis)．関節滑膜炎．

ar·throt·o·my (ahr-throt′ŏ-mē)．関節切開〔術〕（関節を切開すること）．

ar·throx·e·sis (ahr-throk′sĕ-sis)．関節面掻爬（鋭匙または他の掻爬用器具を用いて，関節から罹患組織を取り除くこと）．

ar·ti·choke (ahr′ti-chōk)．アーティチョーク（高コレステロール，蛇咬症および種々の腸疾患の治療に薬理効果を有するとされる野菜（チョウセンアザミ））．

ar·tic·u·lar (ahr-tik′yū-lăr)．関節〔性〕の．

ar·tic·u·lar cap·sule 関節包（関節をなして

いる骨端を包んでいる袋状構造で，外層の結合組織線維性の袋と内層の滑膜からなる）. = capsula articularis; joint capsule.

ar·tic·u·lar car·ti·lage 関節軟骨（滑膜性の連結をする骨の関節表面をおおう軟骨）.

ar·tic·u·lar cor·pus·cles 関節神経小体（関節包内にみられる神経終末）. = corpuscula articularia.

ar·tic·u·lar crest = intermediate sacral crest.

ar·tic·u·lar disc 関節円板（関節包に付着している線維軟骨の板または環．関節面をいろいろな程度に，ときには完全に分離し，完全には適合しない 2 つの関節面を適合させる働きをする）.

ar·ti·cu·la·ris cu·bi·ti mus·cle 肘関節筋（肘関節包に付着する上腕三頭筋の小片）. = musculus articularis cubiti.

ar·ti·cu·la·ris gen·us mus·cle 膝関節筋（中間広筋深部の遠位部．起始：大腿骨幹前面下部 1/4．停止：膝関節の膝蓋上包．作用：膝の伸展時に膝蓋上包の後引．神経支配：大腿神経）. = musculus articularis genus.

ar·tic·u·lar la·mel·la 関節層板（関節面上の骨の緻密層で，その上に重なる関節軟骨に固く付着している）.

ar·tic·u·lar mus·cle 関節筋（直接，関節包に付着する筋．関節が動くときに包を後引する）.

ar·tic·u·lar nerve 関節神経（関節に分布する神経枝）.

ar·ti·cu·lar pro·cess 関節突起（椎弓の上面および下面にある小さな扁平突出で，両側の椎弓根と椎弓板が結合する所にあたり，椎間関節面を形成する）. = processus articularis; zygapophysis.

ar·tic·u·lar rheu·ma·tism 関節リウマチ. = arthritis.

ar·tic·u·lar vas·cu·lar net·work of el·bow 肘関節動脈網（肘部の動脈網で，橈側・中側副動脈，上・下尺側側副動脈，橈側反回動脈，反回骨間動脈，および尺側反回動脈の枝の吻合からなる）.

ar·tic·u·late ***1***（ahr-tik′yŭ-lăt）.〖adj.〗関節をなす. = articulated. ***2***（ahr-tik′yŭ-lăt）.〖adj.〗意味のある言葉を明確にかつ関連付けて話すことができる. ***3***（ahr-tik′yu-lāt）.〖v.〗部分間の動きが可能になるよう，緩くつないだり関連付ける. ***4***（ahr-tik′yu-lāt）.〖v.〗構音する（一語一語はっきりとつないで話す）.

ar·tic·u·lat·ed（ahr-tik′yŭ-lāt-ĕd）. 関節をなした. = articulate（1）.

ar·tic·u·la·ti·o, pl. **ar·tic·u·la·ti·o·nes**（ahr-tik-ū-lā′shē-ō, ahr-tik-ū-lā-shē-ō′nēz）. 連結，結合，関節. = synovial joint.

ar·tic·u·la·tion（ahr-tik′yŭ-lā′shŭn）. 一synovial joint. ***1*** 連結. = joint. ***2*** 関節（骨端同士が可動性をもって連結している状態のことをいう）. ***3*** 構音，歯切れ，ろれつ，明瞭度（明確な連続した発語）. ***4*** 咬合（歯科において，顎運動中における歯の咬合面の接触関係）.

ar·tic·u·la·tion dis·or·der 構音障害（音素の脱落，代用，ゆがみ，追加などの発音の誤り）.

ar·tic·u·la·tor（ahr-tik′yū-lā-tŏr）. 咬合器（上顎と下顎の模型が付着できるような顎関節と顎を再現する機械的装置．義歯の製造と検査に用いる）.

ar·tic·u·la·tors（ahr-tik′yŭ-lā-tŏrz）. 構音器官（意味のある言語音をつくるのに必要な構造を形成する発語機構の器官．すなわち，歯，唇，下顎骨，舌，帆，および咽頭. →speech mechanism）.

ar·tic·u·la·to·ry a·prax·i·a = apraxia of speech.

ar·ti·fact（ahr′ti-fakt）. アーチファクト，人工産物（①特に組織標本や画像記録において，その際用いられた技術により生み出されたもので，元の標本または実験を反映していないもの．②自分自身を傷つける行為により引き起こされた皮膚病変）. = artefact.

ar·ti·fac·tu·al, ar·ti·fac·ti·tious（ahr′ti-fak′chū-ăl, ahr′ti-fak-tish′ŭs）. アーチファクトの，人工産物の，人工の.

ar·ti·fi·cial an·ky·lo·sis 人工強直. = arthrodesis.

ar·ti·fi·cial heart 人工心臓（機能的に障害された心臓の代わりに機械的ポンプとして用いられるもの．一時的なものと，永久的なものの 2 種類がある）.

ar·ti·fi·cial in·sem·i·na·tion 人工授精（性交以外の方法で精液を腟に注入すること）.

ar·ti·fi·cial kid·ney 人工腎〔臓〕. = hemodialyzer.

ar·ti·fi·cial la·bor 人口分娩.

ar·ti·fi·cial lar·ynx 人工喉頭（声がでない患者のために，非咽頭言語音声をつくる機械装置．最も一般的なタイプはバッテリー駆動式で，音源を提供するようになっている．首に振動源を押しつけるか，またはチューブを介して振動源を口腔に入れる．患者が普通に話すと気管からの呼気で空気式補助装置が振動を起こし，この振動音をチューブで口腔へリレーする）. = electrolarynx.

ar·ti·fi·cial mem·brane rup·ture 人工破膜（羊水鉤あるいは同様の器具で人工的に破水させること）.

ar·ti·fi·cial nose 人工鼻. = hygroscopic condenser humidifier.

ar·ti·fi·cial pace·mak·er 人工ペースメーカ（正常な刺激伝導系の代わりに器官のリズムを調節する装置．特に心臓ペースメーカは胸に植え込まれ，電極は心表面に取り付けたり，経静脈的に右心内に装着したりする）.

ar·ti·fi·cial pneu·mo·tho·rax 人工気胸（胸膜腔へ空気または窒素のような，より吸収性の遅いガスを注入してつくられる気胸．かつては結核の虚脱療法のために用いられた）.

ar·ti·fi·cial ra·di·o·ac·tiv·i·ty 人工放射能（天然に存在する同位元素を，電子，陽子，中性子，原子核，中間子などの粒子，あるいは高エネルギーの X 線やガンマ線で衝撃することによってつくり出された同位元素のもつ放射能）.

ar·ti·fi·cial res·pi·ra·tion 人工呼吸. = artificial ventilation.

ar·ti·fi·cial sa·li·va = saliva substitute.

ar·ti·fi·cial se·lec·tion 人為淘汰，人為選択（自然淘汰の人為的干渉．人間に好都合な特性をもつ系統をつくるために特別な遺伝子型または染色体型をもつ動物または植物を合目的に交配させ飼育すること）．

ar·ti·fi·cial ven·ti·la·tion 人工換気（呼吸）（自身の呼吸システムによって動かされるのではない肺と周囲の空気を機械的または用手でガス交換を行う方法）．= artificial respiration.

ar·y·ep·i·glot·tic fold, ar·y·te·no·ep·i·glot·tid·e·an fold 披裂喉頭蓋ひだ（喉頭蓋の外側縁と披裂軟骨の間の一側にのびる粘膜の顕著なひだ．披裂筋を内部にもつ）．= plica aryepiglottica.

ar·y·ep·i·glot·tic mus·cle 披裂喉頭蓋筋（披裂軟骨の頂から喉頭蓋の側縁に至る斜披裂筋の線維．作用：喉頭口を狭くする）．= musculus aryepiglotticus.

ar·yl (arʹil)．アリール（水素１原子を除くことにより，芳香族化合物から得られる有機化合物の基）．

ar·yl·sul·fa·tase (arʹil-sŭlʹfā-tās)．アリールスルファターゼ（フェノール硫酸やセレブロシド硫酸を分解する酵素（すなわち，フェノール酸+H_2O→フェノール+硫酸アニオン）．ある種のアリールスルファターゼ（II 型）は硫酸により阻害されるが，他種の酸（I 型）は阻害されない）．= sulfatase(2).

arylsulphatase [Br.]. = arylsulfatase.

ar·y·te·noid (ar-i-tēʹnoyd)．披裂の（喉頭の軟骨（披裂軟骨），披裂筋（斜披裂筋と横披裂筋）についていう）．

ar·y·te·noid car·ti·lage 披裂軟骨（輪状軟骨板と関節している１対の錐体形をした小形の軟骨．前方に突出する声帯突起には，声帯靱帯の後部が，外側方を向いた筋突起には数種の筋が付着する）．= cartilago arytenoidea.

ar·y·te·noid dis·lo·ca·tion 披裂関節脱臼（披裂軟骨の亜脱臼を伴った輪状披裂関節の離解）．

ar·y·te·noi·dec·to·my (arʹi-tē-noy-dekʹtō-mē)．披裂軟骨切除〔術〕（一般に両側声帯麻痺に対して呼吸を改善させるために行われる）．

ar·y·te·noi·di·tis (arʹi-tē-noy-dīʹtis)．披裂〔軟骨〕炎（輪状披裂関節および披裂軟骨の炎症，あるいは披裂軟骨の軟骨膜炎）．

ar·y·te·noi·do·pexy (arʹi-tē-noyʹdō-pekʹsē)．披裂軟骨固定〔術〕（披裂軟骨の手術による固定）．

A.S. ラテン語 *auris sinistra*（左耳）の略．

As ヒ素の元素記号．

ASA acetylsalicylic acid; American Society of Anesthesiologists の略．

a·sac·cha·ro·lyt·ic (ă-sakʹă-rō-litʹik)．糖非分解性の（酸素がある状態またはない状態で炭水化物を代謝することができず，エネルギーを他の炭素源に依存しなければならない微生物）．

ASA clas·si·fi·ca·tion = Dripps classification.

as·a·foet·i·da (asʹă-fetʹi-dă)．阿魏（あぎ）（オオウイキョウ属アサフェチダ（セリ科）の根から採った浸出物を濃縮したゴム樹脂．イヌ，ネコ，ウサギ用の忌避剤として用いられる，悪臭のする物質．以前は鎮痙剤として用いられた．アジアでは，調味料・香辛料として用いられる）．= devil's dung.

ASBESTOS (as-besʹtŏs)．化学的薬剤や放射線による負傷者の負傷の程度を評価するときに使われる略語．各アルファベットは，“A” は病因（agent：化学的薬剤や放射線かなど），“S” は病因となったものの物質の状態（state：個体，液体，気体，蒸気，エアゾールなど），“B” は負傷の経路もしくは負傷した身体の部位（body site：吸入，経皮的，目から，経腸的，非経口的かなど），“E” は症状が及ぶ範囲（effects：部分的か全身か），“S” は負傷の程度（severity），“T” は時間や期間（time course：負傷時からの経過時間，潜伏期間，病後の経過など），“O” はそれ以外の診断（other diagnosis：病因となったもの特有の診断に代わりうるものと，それに付け加わるものの両方），“S” は相乗作用（synergism：多種の診断間の相互作用）をそれぞれ表している．

as·bes·tos (as-besʹtŏs)．アスベスト，石綿（鉱物学的に角閃石（アモサイト，アンスロフィライトとクロシドライト）と蛇紋石（クリソライト）に分類される繊維質のケイ酸塩水和物族を採鉱，加工処理して得られる市販品．アスベストは，事実上不溶で，抗張力と応形機能，熱絶縁性と耐火，耐熱，耐腐食性を付与するのに用いる．アスベスト粒子の吸入は石綿症，肺癌および胸膜中皮腫の原因となる）．

as·bes·tos bod·ies アスベスト（石綿）小体（石綿繊維を中心とする鉄を含む小体．アスベストを吸引したという組織学的な証明となる）．

as·bes·to·sis (as-bes-tōʹsis)．石綿〔沈着〕症，石綿肺症（環境気（周囲の空気）にただようアスベスト粒子の吸入によるじん肺症．胸膜内皮腫または気管支癌を合併することもある）．

as·ca·ri·a·sis (as-kă-rīʹă-sis)．回虫症（回虫属 *Ascaris* または近縁の線虫類の感染によって引き起こされる疾患）．

as·car·i·cide (as-karʹi-sīd)．***1***〘adj.〙回虫を殺す．***2***〘n.〙回虫駆虫薬，駆除薬（***1*** の作用をもつ薬物）．

As·car·is (asʹkă-ris)．回虫属（大きくて，重量のある線虫の一属．ヒトや他の多くの脊椎動物の小腸に寄生する）．

As·car·is lum·bri·coi·des 回虫（ヒトに寄生する大きい（長さ 20—30 cm）線虫．最も一般的なヒトの寄生虫の一種である．感染により落着きをなくしたり，発熱，ときには下痢のような多様な症状が認められる場合もあるが，通常は明瞭な症状を起こさない）．

as·cend·ing a·or·ta 上行大動脈（大動脈の心膜内の部分のうち，大動脈弓の手前の部分で，ここから冠状動脈が起始する）．= pars ascendens aortae; aorta ascendens; ascending part of aorta.

as·cend·ing ar·ter·y〔回結腸動脈の〕上行枝（右結腸動脈の枝と吻合し，上行結腸に伴って上行する回結腸動脈の下枝の枝で上行結腸に分布する）．= arteria ascendens.

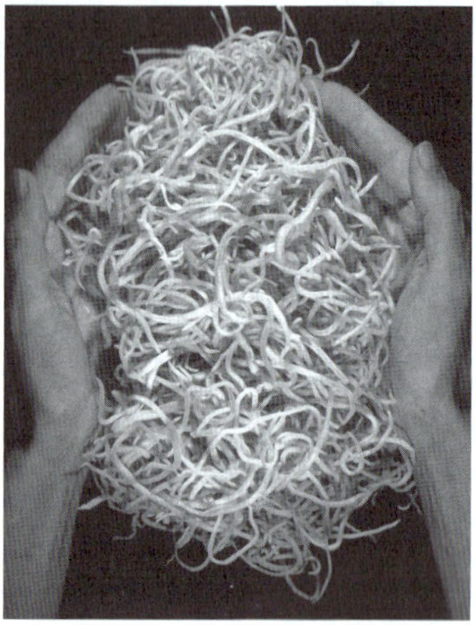

Ascaris
南アフリカで2歳女児に回腸閉塞を起こした800匹以上の*A. lumbricides*

as·cend·ing branch of in·fe·ri·or mes·en·ter·ic ar·ter·y 下腸間膜動脈の上行枝（左結腸動脈の枝で，下腸間膜動脈から左腎の腹側を通って，横行結腸間膜へと至り，中結腸動脈と吻合する．したがって上腸間膜動脈と下腸間膜動脈の間の吻合となり，結腸の辺縁枝(artery of Drummond)の一部である）.

as·cen·ding cer·vi·cal ar·ter·y 上行頸動脈（ときには下甲状腺動脈とともに，通常は独立して甲状頸動脈から発する．頸部の外側筋と脊髄に分布し，椎骨動脈，後頭動脈，上行咽頭動脈，深頸動脈の各分枝と吻合）. = arteria cervicalis ascendens; cervicalis ascendens.

as·cend·ing co·lon 上行結腸（回盲口と右結腸曲の間の部分）.

as·cend·ing de·gen·er·a·tion 上行変性（①損傷を受けた神経線維の逆行性変性．すなわち変性はその線維の神経細胞へ向かう．②脊髄病変に向かって頭方向への変性）.

as·cend·ing lum·bar vein 上行腰静脈（大腰筋の起始の後方，脊柱の近くをこれに沿って後腹壁を垂直に上行する1対の静脈．椎骨に沿った線上で総腸骨静脈・腸腰静脈・腰静脈と連結し，右側のものは右肋下静脈と合して奇静脈となり，左側のものは左肋下静脈と合して半奇静脈となる）.

as·cend·ing pal·a·tine ar·ter·y 上行口蓋動脈（顔面動脈より起こり，咽頭外側壁，口蓋扁桃，耳管，軟口蓋に分布する．顔面動脈の扁桃枝，舌背動脈，下行口蓋動脈と吻合）. = arteria palatina ascendens.

as·cend·ing part of a·or·ta = ascending aorta.

as·cend·ing pha·ryn·ge·al ar·ter·y 上行咽頭動脈（外頸動脈より起こり，咽頭壁，軟口蓋後頭蓋窩に分布する）. = arteria pharyngea ascendens.

as·cer·tain·ment bi·as 確認バイアス（ある一定割合で標本に含まれるべき症例あるいは対象者の一部が，その割合で反映されない系統的偏り）.

Asch·er syn·drome アッシャー症候群（眼瞼皮膚弛緩症と非中毒性甲状腺肥大に合併した先天性二重唇）.

Asch·off bod·ies アショフ体（特に急性リウマチ心炎にみられる肉芽腫炎症の一種）.

Asch·off node アショフ結節（房室結節，冠状洞の開口と三尖弁の間で右心房に位置する．プルキンエ線維からなり，洞房結節から電気的インパルスを受け取り，心室に分配する）. = Aschoff-Tawara node.

Asch·off-Ta·ra·wa node = Aschoff node.

as·ci·tes (ă-sī′tēz). 腹水（腹膜腔内に漿液が貯留すること）. = hydroperitoneum; hydroperitonia.

as·cit·ic (ă-sit′ik). 腹水のまたは腹水に関連した.

As·co·li re·ac·tion アスコーリ反応. = Ascoli test.

As·co·li test アスコーリ試験（組織抽出液と炭疽抗血清を用いた炭疽診断用の沈降反応）. = Ascoli reaction.

As·co·my·ce·tes (as′kō-mī-sē′tēz). 子嚢菌綱（子嚢および子嚢胞子の存在で特徴付けられる真菌類の一綱．これらの菌類は一般に，2つの異なった生殖相，有性すなわち完全段階と，無性すなわち不完全段階とを有する．本綱の病原性の種としては*Ajellomyces capsulatum*と*Ajellomyces dermatitidis*とがある）.

as·cor·bate (ă-skōr′bāt). アスコルビン酸塩またはエステル.

as·cor·bate ox·i·dase アスコルビン酸オキシダーゼ（銅を含む酵素で，L-アスコルビン酸とO_2によるL-デヒドロアスコルビン酸への酸化を触媒する．ある種のアスコルビン酸オキシダーゼはNADP$^+$を同様に用いる．抗腫瘍性酵素として用いられる）.

as·cor·bic ac·id アスコルビン酸（壊血病の予防に用いる．強力な還元剤として用いる．また抗酸化剤として用いる）. = vitamin C.

ASCUS (as′kŭs). atypical squamous cells of undetermined significanceの頭文字.

ASD atrial septal defectの略.

-ase 酵素を示す語尾．酵素が作用する物質(基質)名の接尾語．例えば，phosphatase, lipase, proteinaseなど．触媒される反応を示すときもある．例えば，decarboxylase, oxidase.

A·sel·li gland アセリ腺（多くの小型哺乳類で腹大動脈の前にある大きな不対性のリンパ節で，小腸からのすべてのリンパが集まる）.

as·e·ma·si·a, a·se·mi·a (as-ĕ-mā′zē-ă, ā-sē′mē-ă). 象徴不能〔症〕，失象徴. = asymbolia.

a·sep·sis (ā-sep′sis). 無菌（病原菌が生存して

いない状態．滅(無)菌状態)．

a·sep·tic (ā-sep′tik)．無菌〔性〕の，防腐〔性〕の．

a·sep·tic gauze 滅菌ガーゼ．

a·sep·tic ne·cro·sis 無菌壊死（無感染で局所的虚血による組織の壊死，腐敗）．= avascular necrosis.

a·sep·tic sur·ger·y 無菌手術（殺菌した手や器具などを用いて，外部からの感染性細菌の侵入を防いで手術を行うこと）．

a·sep·tic tech·nique 無菌操作（患者が病原性の微生物に感染する危険性を減らすように考えられた，医療処置）．

a·sex·u·al (ā-sek′shū-āl)．***1*** 1個体の生物における核融合なしの生殖に関する．***2*** 無性欲の．

a·sex·u·al dwarf·ism 無性性小人症（性器発育不全を伴う小人症）．

a·sex·u·al gen·er·a·tion 無性世代（分裂，発芽など，雌雄細胞の結合または接合のない方法による生殖．→parthenogenesis）．= heterogenesis(2); nonsexual generation.

a·sex·u·al·i·ty (ā′sek′shū-al′i-tē)．無性，無性欲（性別あるいは生殖器を欠いていること．性的指向を欠いていること）．

a·sex·u·al re·pro·duc·tion 無性生殖（雌雄の性細胞の結合以外の方法による生殖）．

ash (ash)．*Fraxinus excelsior* の樹皮と葉からつくられた売薬で，消化器薬として用いられている．臨床試験中．

ASHA American Speech Language and Hearing Association の略．

Ash·er·man syn·drome アッシェルマン(アッシャーマン)症候群．= traumatic amenorrhea.

Ash·hurst clas·si·fi·ca·tion アシュハースト分類（足関節周辺の骨折および捻挫を図解し解説した分類）．

ash-leaf mac·ule トネリコ葉斑（しばしばトネリコの葉の形をした脱色素斑で，結節性硬化症の患者の多くで出生時よりみられる）．

Ash·man phe·nom·e·non アッシュマン現象（最も一般的には心房細動の間，先行する長サイクルに続いて短サイクルで終わる拍動の心室内変行伝導）．

ash·wa·gan·dha (ahsh-wă-gahn′dă)．アシュワガンダ（インドの薬用植物(ウィザニア)(さまざまな形で入手可能）．炎症，腫瘍に効果があるとされる．抗うつ薬としての使用が提案されている．その効能については臨床研究が進められている）．= Indian ginseng.

Ash·worth scale アシュワース・スケール（筋緊張の増加度を表すために用いる順序尺度．0は筋緊張が全く増加していないことを表し，4は検査した部位の筋に固縮が見られることを表す）．

ASI addiction severity index の略．

a·si·a·lism (ā-sī′ă-lizm)．無唾液〔症〕（唾液分泌がないこと）．

A·sian flu アジア風邪（H2N2A 型インフルエンザによって引き起こされたインフルエンザで，1957—1958 年の大流行では，米国で 60,000 人以上の死者を出した）．

ASIS anterior superior iliac spine の略．

ASL American Sign Language の略．

a·so·cial (ā-sō′shăl)．非社会的な（社会的でないこと，社会からの引きこもり，または社会の規則や習慣に無関心なこと，例えば，隠遁者，退行した統合失調症患者，統合失調質についていう．*cf.* antisocial）．

Asp アスパラギン酸またはその基の記号．

As·par·a·gus (ă-spar′ă-gŭs)．アスパラガス属（ユリ科植物の一属．*A. officinalis* は食用野菜で，その地下茎と根は食用の若芽とともに利尿薬として用いられた）．= sparrowgrass.

as·par·tate (as-pahr′tāt)．アスパラギン酸塩またはエステル．

as·par·tate a·mi·no·trans·fer·ase (AST) アスパラギン酸アミノトランスフェラーゼ（L-グルタミン酸からオキサロ酢酸へアミノ基を転移し，α-ケトグルタル酸や L-アスパラギン酸を生成する過程を可逆的に触媒する酵素．ウイルス性肝炎や心筋梗塞の診断指標）．= glutamic-oxaloacetic transaminase; serum glutamic-oxaloacetic transaminase.

as·par·tic ac·id (Asp) アスパラギン酸（L-異性体は天然の蛋白中にあるアミノ酸の1つ）．= α-aminosuccinic acid.

as·pect (as′pekt)．***1*** 外観，容貌．***2*** 面，側（指定された方向に向けられた物体の面）．

As·per·ger dis·or·der アスペルガー障害（社交技能における重度で持続的な障害と限定や繰り返される行動と関心により，社会と職業機能の障害を認めるが，言語発達には明らかな遅れを伴わないことによって特徴付けられる広汎性発達障害）．

as·per·gil·lo·ma (as′pĕr-ji-lō′mă)．アスペルギローム，アスペルギルス腫（① *Aspergillis* 属による感染性肉芽腫．② *Aspergillis* 菌糸の球状の集塊で肺内の空洞でコロニー化している）．

as·per·gil·lo·sis (as′pĕr-ji-lō′sis)．アスペルギルス症（真菌の *Aspergillus* が生体内の組織や粘液表面にみられ，それによって症状を発現している状態）．

As·per·gil·lus (as-pĕr-jil′ŭs)．アスペルギルス属（真菌の一族(子嚢菌綱)で，多種を含み，その多くは，黒色，褐色，または緑色の胞子をもつ．2，3の種は，ヒトに対し病原性である）．

As·per·gil·lus fla·vus 黄色アスペルギルス，褐黴病菌（穀類上での発育をみると黄緑色の分生子を有する真菌種．アフラトキシンを産生することがあり，ヒトや動物に侵襲性アスペルギルス症を起こす）．

As·per·gil·lus fu·mi·ga·tus 抗生物質のフミガシンおよびフミガチンを産生し，ヒトや鳥類のアスペルギルス症の一般的な原因とされている真菌種．

a·sper·mi·a (ā-spĕr′mē-ă)．無精液〔症〕，射精不能〔症〕（精液の分泌または排出のないこと）．

as·phyx·i·a (as-fik′sē-ă)．仮死，窒息（換気障害に基づく酸素と炭酸ガス交換の障害または欠如．炭酸過剰症と低酸素症または無酸素症を合併する）．

as·phyx·i·al (as-fik′sē-ăl)．仮死の，窒息の．

as·phyx·i·a li·vi·da 青色仮死（新生児仮死の

一種．皮膚は紫藍色を呈し，心音は強く，反射も残っている）．

as·phyx·i·a ne·o·na·to·rum 新生児仮死．

as·phyx·i·ate (as-fik′sē-āt)．窒息させる．

as·phyx·i·at·ing tho·rac·ic dy·stro·phy 窒息性胸郭形成異常（異形成）（胸郭の遺伝性形成不全．骨盤の奇形を伴う）．= Jeune syndrome．

as·phyx·i·a·tion (as-fik′sē-ā′shŭn)．窒息（仮死を生じること，あるいは仮死の状態）．

as·pi·rate (as′pir′āt)．*1* (as′pi-rāt′)．〚v.〛吸引する（吸引によって取り除く）．*2* (as′pi-rit)．〚n.〛吸引によって除去された物質．

as·pi·ra·tion (as-pir-ā′shŭn)．*1* 吸引（体腔または臓器から，異常物質から，あるいは単に容器から，吸引によって気体や液体，あるいは組織を取り除くこと）．*2* 吸引，吸入（何らかの異物，特に胃内容あるいは食物を気道の中へ吸い込むこと）．*3* 吸引〔術〕（白内障の手術手技．角膜を小切開し，水晶体嚢を切除，水晶体物質を十分に破砕し，針で吸引除去する）．

as·pi·ra·tion bi·op·sy 吸引生検．= needle biopsy．

as·pi·ra·tion pneu·mo·ni·a 吸引性肺炎，えん下〔性〕肺炎（異物，通常は食物片または吐物の気管支への吸引による気管支肺炎．気道の液体，血液，唾液，あるいは胃内容の存在に続いて発症する肺炎）．

as·pi·ra·tor (as′pir-ā-tŏr)．吸引器（体腔から吸引により液体，空気，あるいは組織を取り除くための器具．通常，中空針または套管針とカニューレが，注射器や陰圧（吸引）ポンプによって真空状態となる容器と，管で接続されている）．

a·sple·ni·a (ā-splē′nē-ă)．無脾〔症〕（脾臓の先天的・後天的欠損（例えば，摘脾後））．

a·splen·ic (ā-splen′ik)．無脾〔症〕の．

as·sas·sin bug サシガメ類（サシガメ科（半翅目）に属する昆虫で，動物およびヒトを刺すことにより炎症や疼痛を与える．Cone-nosed bug とよばれるサシガメ亜科は本科に含まれ，アメリカトリパノソーマ症の媒介者となる）．

as·say (as′ā)．*1* 〚n.〛定量〔法〕，分析〔法〕，力価検定〔法〕，効力検定〔法〕，アッセイ，評価分析，試金．*2* 〚v.〛試験する，試す，検定する，評価分析する，試金する．*3* 〚n.〛検定，定量（不純物の定量，毒性，その他またはその定量の結果をいう）．

as·sess·ment (ă-ses′mĕnt)．評価（特に客観的方法による評価，測定）．

As·séz·at tri·an·gle アセザー三角（ナジオン，プロスチオン，バジオンを結ぶ線がなす三角形．比較頭蓋学において，顎前突の程度を表すのに用いる）．

as·sign·ment (ă-sīn′mĕnt)．アサインメント（保険料を全額払込と見なす場合に，医師は「アサインメントを受け入れる」と言う．→par）．

as·sign·ment of ben·e·fits 診療報酬のアサインメント（保険加入者が，支払いが直接医師のもとに行くようにするのを承認すること）．

as·sim·i·la·tion (ă-sim′i-lā′shŭn)．*1* 同化〔作用〕（食物の消化物を組織内に取り込むこと）．*2* 同化（現存の認識構造の中へ，新たに得た情報や経験を融合させ，修正すること）．

as·sim·i·la·tion pel·vis 癒合骨盤（最後の腰椎の横突起が仙骨と癒合しているか，仙骨下端が尾骨と癒合している奇形）．

as·sis·tant (ă-sis′tănt)．〔保健〕助手（保健専門家の助手を務める人）．

as·sist-con·trol ven·ti·la·tion 補助-調節換気（呼吸）（①持続的強制換気．②患者か装置が引き金を引くが，すべての呼吸が強制的で，装置が呼吸周期を決める機械的換気法．最低呼吸回数に設定されているが，患者はより高頻度の呼吸を引き起こすことが可能である）．

as·sis·ted liv·ing 介護生活（居住様態あるいは住居の一種で，居住者が必要とするパーソナルケア・サービス（例えば，食事，家事，および日常生活における活動の支援）が提供される．居住者は施設内でひとりで生活する）．

as·sis·ted liv·ing fa·cil·i·ty = nursing facility．

as·sist·ed re·pro·duc·tion →surrogate mother, in vitro fertilization．

as·sist·ed res·pi·ra·tion 補助呼吸〔法〕．= assisted ventilation．

as·sist·ed ven·ti·la·tion 補助換気（呼吸）（ガスを肺内に移動させるのを増強する手段として，吸気中に，機械または用手で発生させた陽圧を気道内または周辺のガスに加えること）．= assisted respiration．

as·sis·tive lis·ten·ing de·vice (ALD) 聴覚障害者用補助具（聴覚障害がある人の音の感知能力を改善する装置．通常，補聴器と一緒にか，補聴器の代わりに使用される，クローズドループの FM システムのような装置に適用される）．

as·sis·tive tech·nol·o·gy 支援技術（装置または装置の任意の部分，障害を持った人の身体機能を維持，あるいは促進するために用いられる道具．簡単なもの（例えば，杖）から高度なもの（例えば，コンピューター化された通信装置）までである）．

As·so·ci·ate De·gree in Nurs·ing (ADN) 看護準学士（学士号に必要とされるよりも短い期間（例えば2—3年）訓練を受けた後に授与される，看護の専門職学位）．

as·so·ci·a·ted move·ment 連合運動，協同運動（随意運動に伴う正常な不随意性のしなやかな運動．例えば歩行中の上肢の振り）．

as·so·ci·a·ted re·ac·tion 連合反応（身体一部分の不随意運動で，別の身体の一部分の抵抗運動と連合したもの．8 歳までの子どもに典型的に見られるが，中枢神経系に損傷を受けた人々にも見られる）．

as·so·ci·a·tion (ă-sō′sē-ā′shŭn)．連合，関連，連想（①共通の要素による人，物，観念などの結び付き．②学習や経験を通じて確立された 2 つの観念，出来事，心理的現象の機能的結合．→conditioning．③ 2 つ以上の出来事，特徴，または他の変数の間の統計的従属．④臨床遺伝学の分野では，予想に反して高頻度に先天異常が分布すること．原因不明の場合にこの語が用いられる）．

As·so·ci·a·tion of A·mer·i·can Med·i·cal Col·leges (AAMC) アメリカ医科大学協会（米国の医学部，教育研究病院および学術団体による非営利団体）.

as·so·ci·a·tion cor·tex, as·so·ci·a·tion ar·e·as 連合皮質（通常の意味での感覚または運動の領域ではなく，高次の感覚情報処理，異なる種類の感覚情報統合，感覚運動統合に関与すると考えられる大脳皮質の広い領域を示す包括名称. →cerebral cortex）.

as·so·ci·a·tion fi·bers 連合線維（同じ大脳半球の異なる部位の大脳皮質を互いに結ぶか，同じ側の脊髄の異なった分節を互いに結んでいる神経線維）.

As·so·ci·a·tion for Health·care Doc·u·men·ta·tion In·teg·ri·ty (AHDI) 医療記録協会（医療記録転写士の協会. 旧称 American Association for Medical Transcription (AAMT)）.

as·so·ci·a·tion test 連想検査（単語(刺激語)を被検者に話し，初めに頭に浮かんだ別の単語(反応語)を直ちに答えさせる. 精神医学および心理学において診断の補助として用いる）.

as·so·ci·a·tive a·pha·si·a 連合性失語〔症〕. = conduction aphasia.

as·so·ci·a·tive play 連合遊び（子どもがそれぞれ個別に活動してする遊び，ただし他の子どもと協力し，助け合って行う）.

as·sort·a·tive mat·ing 類別交配（好んで(あるいは好まないで)行うある特定の遺伝子型との選択的交配. 任意でない交配）.

as·sort·ment (ă-sōrt′mĕnt). 組合せ（遺伝学において，それぞれの遺伝子座の連鎖の度合によって個々独立にその配偶子に仕分けされる，親から子に伝達される非対立遺伝的形質間の関係）.

as·sump·tion (ă-sŭmp′shŭn). 仮定（推論や推理の基盤として議論の最初におかれる信条）.

AST aspartate aminotransferase の略.

a·sta·si·a (ă-stā′zē-ă). 失立〔症〕，起立不能〔症〕，無定位〔症〕（筋肉の協調不能により起立できないこと）.

a·sta·si·a-a·ba·si·a (ă-stā′zē-ă-ă-bā′zē-ă). 失立失歩〔症〕，起立歩行不能〔症〕，失歩失行〔症〕（正常の方法で立ったり歩いたりできないこと. 歩行はおかしく，しばしば患者は強くよろけ倒れそうになるが，最後に立ち直る. ヒステリー転換反応の一症状）. = Blocq disease.

a·stat·ic (ā-stat′ik). 失立〔症〕の，起立不能〔症〕の，無定位〔症〕の.

a·stat·ic sei·zure 失立発作（立位が保てなくなる発作）.

as·ta·tine (At) (as′tă-tēn). アスタチン（ハロゲン族の人工放射性元素. 原子番号 85，原子量 211）.

a·ste·a·to·sis (as′tē-ă-tō′sis). 皮脂欠乏〔症〕（皮脂腺の分泌の減少あるいは停止）.

as·ter (as′tĕr). 星状体. = astrosphere.

a·ste·re·og·no·sis (ă-stĕr′ē-og-nō′sis). 立体感覚失認，立体認知不能. = tactile agnosia.

as·te·ri·on (as-tē′rē-on). アステリオン（ラムダ状縫合，後頭乳突縫合，頭頂乳突縫合の会合部にあたる頭蓋計測点）.

as·ter·ix·is (as-tĕr-ik′sis). アステリクシス，羽ばたき振せん（不随意性の痙動. 特に手に多く，姿位を維持するのが不規則に障害されて起こる. 主に種々の代謝性・中毒性脳症，特に肝性脳症でみられる）. = flapping tremor.

a·ster·nal (ā-stĕr′năl). ***1*** 胸骨に関連しない，胸骨と結合していない（例えば，肋骨など）. ***2*** 胸骨のない.

a·ster·ni·a (ā-stĕr′nē-ă). 無胸骨〔症〕（胸骨の先天的欠損）.

as·ter·oid bod·y 星状体（①繊細な放射線状突起を有する星に似た好酸性封入体で，多核巨細胞の細胞質の空胞部にみられる. ②スポロトリクス症に特有の構造で，病変部皮膚や続発性病変部にみられる. 組織では，直径 3—5 μm の *Sporothrix schenckii* の卵形酵母を取り囲んでいる）.

as·ter·oid hy·a·lo·sis 星芒状硝子体症，硝子体閃輝症（硝子体中に，検眼鏡で見える無数の小さな球形体(カルシウム塩からなる). 通常，一側性の老人性変化で，視力には影響しない）.

as·the·ni·a (as-thē′nē-ă). 無力〔症〕（衰弱すること）.

as·then·ic (as-then′ik). ***1*** 無力〔症〕の. ***2*** 虚弱な（やせて虚弱な体質についていう）.

as·the·no·pi·a (as′thĕ-nō′pē-ă). 眼精疲労（眼を使ったために起こる眼の疲労，不快，流涙，頭痛の自覚症状）. = eyestrain.

as·the·nop·ic (as′thĕ-nop′ik). 眼精疲労の.

as·the·no·sper·mi·a (as′thĕ-nō-spĕr′mē-ă). 精子無力〔症〕. = asthenozoospermia.

as·the·no·zo·o·sper·mi·a (as′thĕ-nō-zō-ō-spĕrm′ē-ă). 精子無力症（精子の運動性減退あるいは運動性の欠除. しばしば不妊症の原因となる）. = asthenospermia.

asth·ma (az′mă). ぜん息（肺の炎症性疾患で，

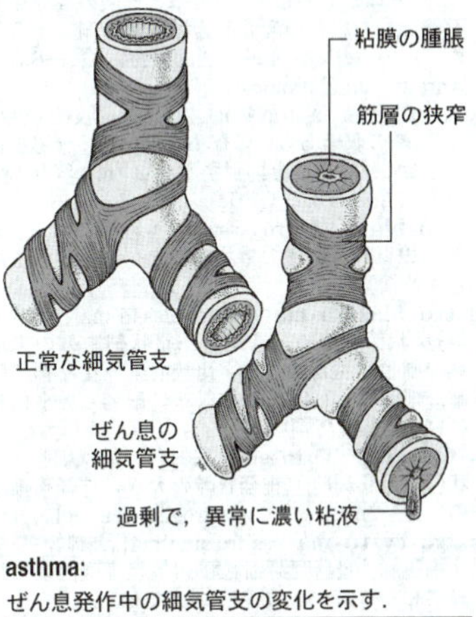

粘膜の腫脹
筋層の狭窄
正常な細気管支
ぜん息の細気管支
過剰で，異常に濃い粘液

asthma:
ぜん息発作中の細気管支の変化を示す.

大部分の症例で可逆性の気道閉塞を特徴とする．本来は，〝呼吸困難〟の意味で用いた語．現在は，気管支ぜん息を示す語として用いる）. = reactive airways disease.

asth·mat·ic (az-mat′ik). ぜん息の，呼吸困難の.

as·tig·mat·ic (as′tig-mat′ik). 乱視の.

as·tig·mat·ic lens 乱視用レンズ. = cylindrical lens.

a·stig·ma·tism (ă-stig′mă-tizm). 乱視（①異なった経線において異なる屈折力をもつレンズや光学系．②眼の1つ以上の屈折面（角膜，水晶体の前面または後面）において異なった経線に沿って不等彎曲のみられる状態で，その結果，発光点からの光線が網膜上の1点に焦点を結ばないこと）. = astigmia.

a·stig·ma·tom·e·try, as·tig·mom·e·try (ă-stig′mă-tom′ĕ-trē, as′tig-mom′ĕ-trē). 乱視測定〔法〕（乱視の種類を決定し，程度を測定すること）.

a·stig·mi·a (ă-stig′mē-ă). = astigmatism.

a·sto·mi·a (ă-stō′mē-ă). 無口〔症〕（口の先天的欠損）.

as·trag·a·lar (as-trag′ă-lăr). 距骨の.

as·trag·a·lec·to·my (as-trag′ă-lek′tō-mē). 距骨切除〔術〕.

As·trag·a·lus (ă-strag′ă-lŭs). レンゲ属（マメ科の植物の一属．特に北アメリカ西部の放牧地には *A. mollissimus*（ロコ草）が多い．土壌よりセレニウムを吸収するので，ヒツジ，ウシ，ウマなどに中毒を引き起こす．*A. gummifer* はトラガカントゴムの原料である）. = goat thorn; huang chi; milk vetch root; yellow leader.

as·trag·a·lus (ă-strag′ă-lŭs). レンゲ属. = talus.

as·tral (as′trăl). 星状〔球〕の.

As·trand-Ryhm·ing Cy·cle Er·gom·e·ter Test アストランド-ライミング自転車エルゴメーター試験（急性の心筋梗塞と危険の高い律動不整をもつ患者の最大酸素摂取量を測定するために用いられる，亜最大運動負荷試験. →Balke-Ware treadmill protocol）.

a·strin·gent (ă-strin′jĕnt). ***1***〘adj.〙収れん性の（①組織の収縮あるいは縮小を促す．②分泌を停止させる．③出血を抑制する）. ***2***〘n.〙収れん薬（***1*** の作用を有する薬物）.

as·tro·blast (as′trō-blast). 〔神経膠〕星状芽細胞（中枢神経組織の星状膠細胞へと発達する原始支持細胞）.

as·tro·blas·to·ma (as′trō-blas-tō′mă). 〔神経膠〕星状芽細胞腫，星芽腫（星状細胞系の未成熟な腫瘍細胞からなる，比較的未分化な神経膠腫．細胞は，しばしば放射状に配列し，小血管に終わる短くて細い突起をもつ）.

as·tro·cyte (as′trō-sīt). 〔神経膠〕星状細胞，星状〔神経〕膠細胞（神経組織の大きい神経膠細胞の一種. →neuroglia）. = astroglia; macroglia.

as·tro·cy·to·ma (as′trō-sī-tō′mă). 〔神経膠〕星状細胞腫，星〔状膠〕細胞腫（星状細胞由来の神経膠腫．小児や20歳以下の人では，通常，小脳半球に生じる．成人では大脳に発生し，ときに急速に発育して広範囲に浸潤する）.

as·trog·li·a (as-trog′lē-ă). 大グリア細胞，大膠細胞. = astrocyte.

as·tro·sphere (as′trō-sfēr). 星状球（分裂細胞の中心体と中心球から外にのびる放射状微小管の集合）. = aster; attraction sphere.

as·tro·vi·rus (as′trō-vī′rŭs). アストロウイルス属（小型のRNAウイルスで，アストロウイルス科における唯一の属．下痢に関与し，多くの動物の糞便から検出される）.

a·sy·lum (ă-sī′lŭm). 療養院，養育院（老齢あるいは心身虚弱などで，自分自身の管理ができない人々を収容し，世話する施設）.

a·sym·bo·li·a (ā-sim-bō′lē-ă). 象徴不能〔症〕，失象徴（合図や記号の意味を判断できない失語症の一型）. = asemasia; asemia.

a·sym·met·ric (a) (ā-si-met′rik). 非対称〔性〕の，左右不同の，不斉の（対称性でない．2つ以上の類似した物の間の対称性の欠如についていう）.

a·sym·met·ric col·li·ma·tion 非対称なコリメーション（独立して動かすことができるコリメーターを用いて一定の領域にX線の光束を制限する処理操作）.

a·sym·met·ric fe·tal growth re·stric·tion 非対称性胎児発育遅延（児頭への血流の選択的なシャントにより頭部は正常サイズとなり，腹囲は脂肪組織および肝のサイズの減少により縮少する．胎盤機能不全が原因となる）.

a·sym·me·try (ā-sim′ĕ-trē). ***1*** 非対称，左右不同，不斉，ひずみ（対称性の欠如．通常は2つの類似物間の不均衡）. ***2*** 非対称（同一の記録状態下で，脳の両側から同時にとった脳波活動の振幅または周波数における有意の差）.

a·symp·tom·at·ic (ā′simp-tō-mat′ik). 無症候〔性〕の（症候のない，症候を生じない）.

a·symp·tot·ic (ā′simp-tot′ik). 漸近的な（例えば，独立変数を0または無限大に近づけたときに，従属変数がある限界値に近づいていくことをいう）.

a·syn·cli·tism (ă-sin′kli-tizm). 不正軸定位，不正軸進入（分娩時に，胎児の先進部位の軸の目標となる口蓋弓あるいは頭蓋平面と骨盤平面が正軸でないか平行していないこと）. = obliquity.

a·syn·cli·tism of the skull 児頭歪軸定位. = plagiocephaly.

a·syn·de·sis (ā-sin′dĕ-sis). 統合障害（①別々の知識または思考を，一貫した概念に結び付けることができない精神障害に対して，まれに用いる語．②言語における構成要素の連関が断ち切られること．統合失調症の言語障害の特徴とされる）.

a·syn·ech·i·a (ă-si-nek′ē-ă). 〔構造〕不連続性.

a·syn·er·gic (ā′sin-ĕr′jik). 共同（協同）運動不能の.

a·syn·er·gy (ā-sin′ĕr-jē). 共同（協同）運動不能〔症〕，共同（協同）運動消失（複雑な運動を行うとき，種々の筋群の共同運動がなく，巧妙さや速さがなくなる．重症の場合は運動の分解が起こり，複雑な運動は1つずつの運動がつながったものとして行われるようになる．小脳病変が原因となる).

a·sys·tem·at·ic (ā′sis-tĕ-mat′ik). 非系統的の(一系統の器官と関連していない).

a·sys·to·le (ā-sis′tŏ-lē). 不全収縮〔期〕(心臓の収縮のないこと). = cardiac standstill.

a·sys·tol·ic (ā′sis-tol′ik). *1* 不全収縮〔期〕の. *2* 非収縮期〔性〕の.

AT *1* 二本鎖のポリヌクレオチドにみられるアデニン–チミン(adenine-thymine)水素結合性塩基対に対する略. *2* adipose tissue の略.

At アスタチンの元素記号.

a·tac·tic a·ba·si·a, a·tax·ic a·ba·si·a 失調性歩行不能〔症〕(脚部の運動失調による歩行困難).

at·a·rac·tic (at′ăr-ak′tik). 精神安定〔作用〕の(鎮静作用または精神安定作用のある).

at·a·vism (at′ă-vizm). 先祖返り, 隔世遺伝 (かなり前の祖先にみられたと想定される特性がある個人に現れること. 初期生物型へ逆戻りすること).

at·a·vis·tic (at-ă-vis′tik). 先祖返りの, 隔世遺伝の.

a·tax·i·a (ă-tak′sē-ă). 運動失調, 失調 (随意運動中の筋活動を協調させられないこと. ぎくしゃくした, 協調不能の, 非能率な随意運動を引き起こす). = incoordination.

a·tax·i·a·pha·si·a (ă-tak′sē-ă-fā′zē-ă). 失調〔性〕失語〔症〕(1つ1つの単語は恐らく理解して使えるが, つながりのある文章をつくることができないこと).

a·tax·i·a tel·an·gi·ec·ta·si·a, a·tax·i·a-tel·an·gi·ec·ta·si·a 毛細〔血〕管拡張性運動失調 (次の症状を呈する緩徐進行性の多系統疾患. 歩行開始とともに出現する運動失調, 結膜および皮膚の毛細血管拡張, アテトーゼ, 眼振, 免疫グロブリン欠乏による呼吸器系の再発性感染. 患者の 70%は, T ヘルパー細胞機能の低下と IgA 欠乏がある).

a·tax·ic (ă-tak′sik). 運動失調の, 失調〔性〕の.

a·tax·ic dys·ar·thri·a 失調性構語障害〔症〕(不正確な子音, 過剰なストレス, 不調和な構音上の間違い, 発音の高低や音量の単調さを特徴とする小脳病変によって起こる構語障害. 一ataxia).

a·tax·ic gait 失調〔性〕歩行. = cerebellar gait.

a·tax·i·o·phe·mi·a (ă-tak′sē-ō-fē′mē-ă). 失調〔性〕失発語〔症〕(言語発声に関与する筋肉の協調不能).

ATC around the clock の略.

A/T clon·ing A/T クローニング (突出(あるいは相補的でない)末端が A あるいは T 塩基のみである断片のクローニング. DNA 断片を切ったりつくったりするのに特定の酵素を使用した場合にしばしば起こる).

-ate 酸が中和(例えば酢酸ナトリウム)やエステル化(例えば酢酸エチル)された際, その酸の塩あるいはエステル体を示すのに用いる接尾語.

at·el·ec·ta·sis (at-ĕ-lek′tă-sis). 無気肺, アテレクターゼ (肺全体あるいはその一部で空気が減ったあるいはない状態. その結果, 肺容量の減少をもたらす. →pulmonary collapse).

at·e·lec·ta·sis of mid·dle ear 中耳アテレクターシス(鼓膜弛緩症) (咽頭鼓室管(耳管)の閉塞のために, 中耳の酸素が吸収され, 中耳の容積が縮小し, 鼓膜が内側に引き込まれること).

at·e·lec·tat·ic (at-ĕ-lek-tat′ik). 無気肺の, アテレクターゼの.

a·te·li·a (ă-tē′lē-ă). = ateliosis.

a·te·li·o·sis (ă-tē′lē-ō′sis). 発育不全 (幼稚症や小人症におけるような, 身体またはその一部の不完全発育). = atelia.

a·te·li·ot·ic (ă-tē′lē-ot′ik). 発育不全の.

a·the·li·a (ă-thē′lē-ă). 無乳頭〔症〕(乳頭の先天的欠損).

ath·er·ec·to·my (ath-ĕr-ek′tŏ-mē). アテレクトミー, じゅく(粥)腫切除術 (外科的または特殊なカテーテルを用いる, 動脈にあるじゅく腫の摘除).

athero- じゅく(粥)状の, 軟らかい, のり状物質の沈着に関する連結形.

ath·er·o·em·bo·lism (ath′ĕr-ō-em′bŏ-lizm). アテローム塞栓症, じゅく(粥)腫塞栓症 (大動

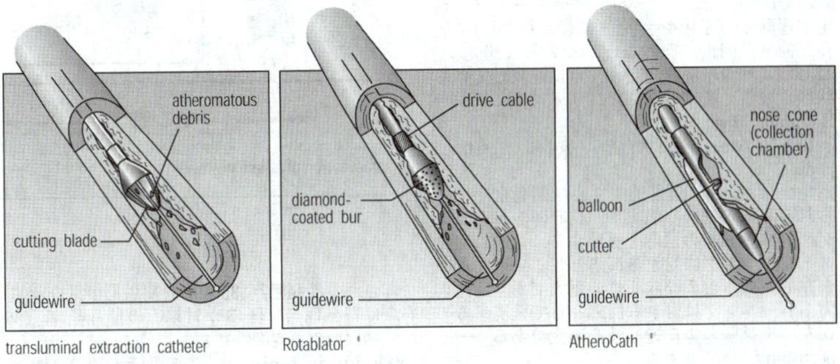
atheromatous
debris
cutting blade
guidewire
transluminal extraction catheter
drive cable
diamond-
coated bur
guidewire
Rotablator
nose cone
(collection
chamber)
balloon
cutter
guidewire
AtheroCath

atherectomy devices

脈またはその他の動脈にできたじゅく腫由来のコレステロールによる塞栓症，石灰化を伴うことも伴わないこともある）．

ath·er·o·gen·e·sis (ath′ĕr-ō-jen′ĕ-sis)．アテローム発生，じゅく(粥)腫発生（じゅく腫の形成で，動脈硬化症の病原性において重要である）．

ath·er·o·gen·ic (ath′ĕr-ō-jen′ik)．アテローム発生の，じゅく(粥)腫発生の（じゅく腫発生過程の起始，増加，促進の能力を有する）．

ath·er·o·ma (ath′ĕr-ō′mă)．アテローム，じゅく(粥)腫，粉瘤（動脈内膜の脂質沈着で，内皮表面に黄色のじゅく状物を生じる．アテローム性動脈硬化症を特徴とする）．

ath·er·o·ma·to·sis (ath′ĕr-ō-mă-tō′sis)．アテローム変性症（動脈のアテローム変性によって特徴づけられた疾患）．

ath·er·om·a·tous (ath′ĕr-ō′mă-tŭs)．アテロームの．

ath·er·om·a·tous de·gen·er·a·tion アテローム変性（動脈の内膜および内膜下の脂質の巣状滞留(アテローム)．線維の肥厚や石灰化をもたらす）．

ath·er·o·matous em·bo·lism じゅく腫性塞栓症．= cholesterol embolism.

ath·er·o·scle·ro·sis (ath′ĕr-ō-skler-ō′sis)．アテローム〔性動脈〕硬化〔症〕，じゅく(粥)状硬化〔症〕（大動脈および中動脈の内膜に脂質沈着が不規則に分布するのを特徴とする動脈硬化症．動脈腔の狭小化を起こし，最終的には線維化，石灰化する．じゅく状硬化症は，高血圧，喫煙，環境有害物質などにより，血管内膜細胞が障害されて生じる一連の病的過程である．プラークは高密度リポ蛋白が内膜損傷部位に集積し，中心の脂肪塊の上を血小板がおおって，線維性の被膜を形成し，できあがる．沈着物は血流を妨げ，ついには完全に遮断してしまう）．

ath·er·o·scle·rot·ic (ath′ĕr-ō-skler-ot′ik)．アテローム〔性動脈〕硬化〔症〕の，じゅく(粥)状硬化〔症〕の．

ath·e·toid (ath′ĕ-toyd)．アテトーシス様の．

ath·e·to·sic, ath·e·tot·ic (ath′ĕ-tō′sik, ath′ĕ-tot′ik)．アテトーシスの．

ath·e·to·sis (ath′ĕ-tō′sis)．アテトーシス，無定位運動症（手指や手(ときには足指や足)の屈曲，伸展，回内，回外などの，ゆっくりした，ねじるような不随意運動が，常に連続している状態．通常，錐体外路病変によって起こる）．= Hammond disease.

ath·lete's foot 汗疱状白癬，みずむし．= tinea pedis.

ath·lete's heart 運動選手性心（運動選手にみられる非病理的な心肥大で，長期のトレーニングに対する独特の適応を反映する．レジスタンストレーニングに対する反応として発現するのが左心室肥厚および求心性心肥大であり，持久力トレーニングに対する反応として発現するのが左心室拡張および遠心性心肥大である．→hypertrophy）．

ath·let·ic a·men·or·rhe·a 運動性無月経症（激しい競技訓練や摂食の異常によって引き起こされる希発月経(35—90 日間周期の月経)もしくは続発性無月経(3 か月以上の無月経)などの月経周期の不規則性）．

ath·le·tic train·er アスレチックトレーナー（運動競技による怪我の予防，評価，処置，およびリハビリテーションに熟練した人）．

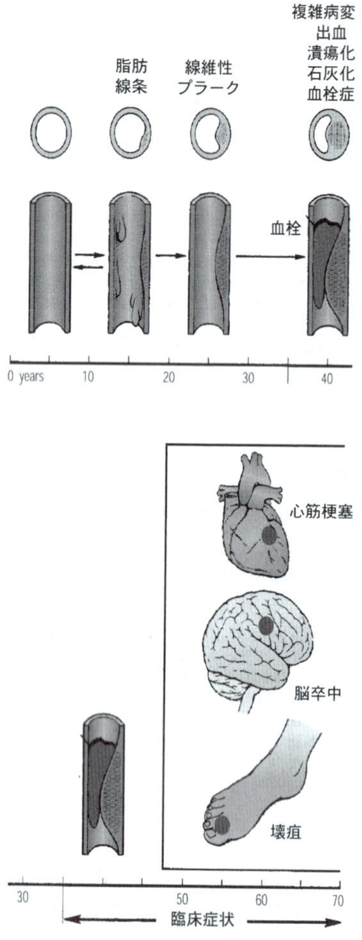
複雑病変：
出血
潰瘍化
石灰化
血栓症
脂肪
線条
線維性
プラーク
血栓
0 years
10
20
30
40
心筋梗塞
脳卒中
壊疽
30
50
60
70
臨床症状

progression of atherosclerosis

ath·le·tic train·ing アスレチックトレーニング（運動選手に対して，競技前の準備，病気や怪我の評価，応急処置や緊急治療，リハビリテーション，その他の関連サービスを含む包括的な保健医療サービスを提供すること）．

a·thy·mi·a (ā-thī′mē-ă). ***1*** 無感情（感情または感動性の欠如．病的無感動）．***2*** 無胸腺症（胸腺の先天的欠損で，しばしば免疫欠損を伴う）．= athymism.

a·thy·mism (ā-thī′mizm). = athymia(2).

a·thy·roid·ism (ā-thī′royd-izm). 無甲状腺〔症〕（甲状腺の先天的欠損および甲状腺ホルモン分泌が抑制または欠除していること．→hypothyroidism）．

a·thy·rot·ic (ā′thī-rot′ik). 無甲状腺症の．

At·kins di·et アトキンスダイエット（ロバート・アトキンス博士によって1970年代初期に開発され，大いに議論を読んだ体重減量プログラムであり，体重減量に向けて炭水化物消費量を制限する）．

ATL adult T-cell leukemia，または adult T-cell lymphoma の略．

at·lan·tad (at-lan′tad). 環椎の方向へ．

at·lan·tal (at-lan′tăl). 環椎の．

atlanto-, atlo- 環椎（頭骨を支える椎骨）に関する連結形．

at·lan·to·ax·i·al (at-lan′tō-ak′sē-ăl). 環軸の，環軸関節の（環椎と軸椎について，あるいは環椎と軸椎の間の関節についていう）．= atloaxoid.

at·las (at′lăs). 環椎（第一頸椎．後頭骨と関節し，軸椎の歯突起を中心に回転する）．= vertebra C1.

at·lo·ax·oid (at′lō-ak′soyd). = atlantoaxial.

ATLS Advanced Trauma Life Support の略．

atm 標準大気 standard atmosphere の記号．

atmo- 蒸気を示す，またはその作用から由来した接頭語．

at·mos·phere (at′mŏs-fēr). ***1*** ガス体（物質を取り囲む気体媒質）．***2*** 気圧（101.325 kPa と等しい気圧の単位．→standard atmosphere）．

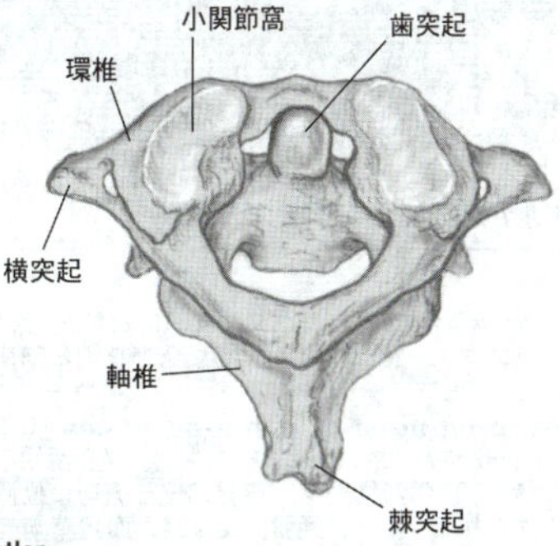
小関節窩
歯突起
環椎
横突起
軸椎
棘突起

atlas

at·om (at′ŏm). 原子（元素の究極的な粒子．以前はその名が示すとおり分割できないものと考えられていたが，放射能の発見は原子構成粒子の存在を実証した．陽子，中性子，電子で構成され，最初の2つが原子核のほとんどを占めるとされている．現在では，原子構成粒子はさらにハドロン，レプトン，クォークに分類されていることがわかっている）．

a·tom·ic (ă-tom′ik). 原子の．

a·tom·ic ab·sorp·tion spec·tro·pho·tom·e·try 原子吸光測光〔法〕，原子吸収分光測光〔法〕（原子が特定波長の放射エネルギーを吸収することを利用して，その原子の濃度を決定すること，またはその方法）．

a·tom·ic mass num·ber 原子質量数（特定同位元素の原子質量の，水素1（または炭素12の質量の1/12）に対する比率．通常，その同位元素の原子核内の陽子および中性子の数の合計で表される整数に非常に近い．元素の原子量と混同しないこと．原子量には種々の同位元素が，天然の比率で含まれる場合が多い）．

a·tom·ic mass u·nit (amu) 原子質量単位（C-12の原子の質量（$1.6605402 \times 10^{-27}$ kg に相当）の1/12に等しい質量の単位．エネルギーに換算すると，1 amu = 931.49432 MeV である．*cf.* dalton）．

a·tom·ic num·ber (Z) 原子番号（原子の原子核中の陽子の数．周期系中の元素の位置を示す）．

a·tom·ic weight (AW, at. wt.) 原子量（原子種の1モル（6.02×10^{23} 原子）のグラム質量．炭素12（^{12}C）の原子量を12.000とし，これと相対的に定められる化学元素の原子の質量．これは比率であって，無次元である（ただし，実際の質量はダルトンで表されることがあり，数値的には原子量に等しい）．大部分の元素は異なった質量の数種の同位体を含み，必ずしも元素の個々の原子の質量ではない．→molecular weight）．

at·om·iz·er (at′ŏm-ī-zĕr). アトマイザ，噴霧器（液剤を噴霧やエーロゾルの形の微粒子にするのに用いる装置．肺，鼻やのどに薬剤を送るのに有効である．→nebulizer; vaporizer）．

a·to·ni·a (ā-tō′nē-ă). = atony.

a·ton·ic (ā-ton′ik). 無緊張性の，弛緩した（正常の緊張度がない）．

a·ton·ic blad·der 弛緩膀胱〔障害〕（大きく拡張し，排尿しきらない膀胱，通常は神経支配の障害あるいは慢性の閉塞による）．

a·ton·ic im·po·tence 無緊張性性交不能症（心理的要因ではなく，神経あるいは筋肉が原因で，勃起ができないこと）．

at·o·ny (at′ŏ-nē). アトニー，無緊張〔症〕，緊張減退〔症〕．= atonia.

at·o·pen (at′ŏ-pen). アトペン（各種のアトピーにおける刺激の原因）．

a·top·ic (ā-top′ik). アトピー〔性〕の．

a·top·ic al·ler·gy →atopy.

a·top·ic cat·a·ract アトピー性白内障（アトピー性皮膚炎の際にみられる白内障）．

a·top·ic der·ma·ti·tis アトピー〔性〕皮膚炎（乳児湿疹，屈曲性湿疹を含む，アトピーに特有

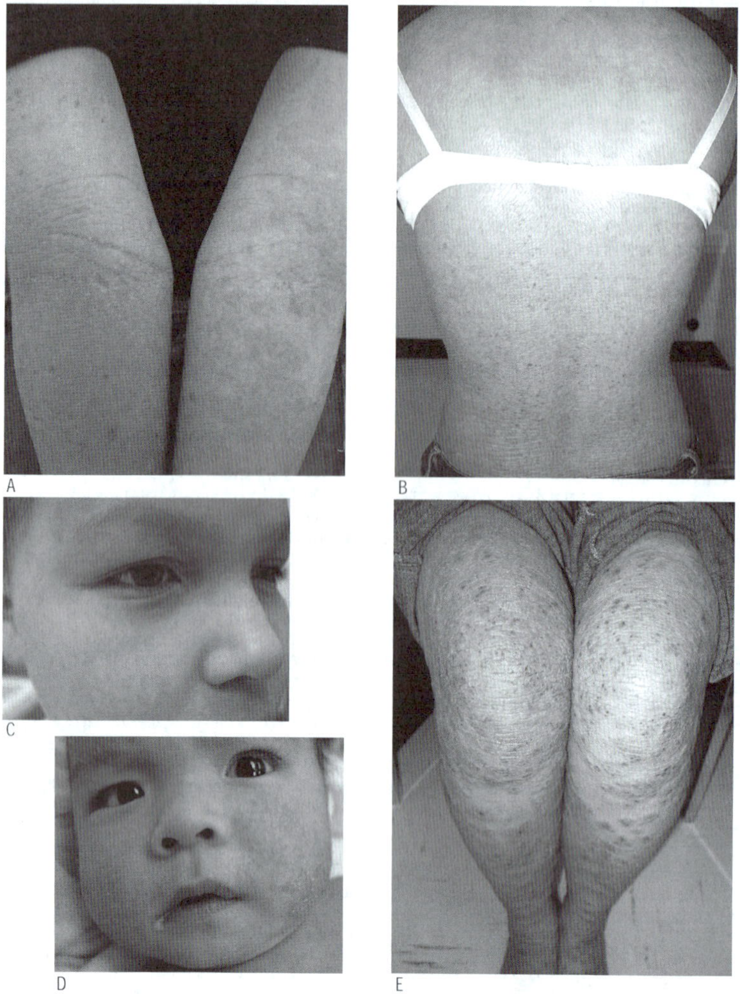
A
B
C
D
E

atopic dermatitis: A：肘窩，B：背部，C：デニー－モルガン皺壁，D：顔面，E：脚部

な症状を呈する皮膚炎）．

a·top·ic ker·a·to·con·junc·ti·vi·tis 萎縮性角結膜炎（結膜の慢性の乳頭性炎症．アトピー既往例において Trantas 斑がみられる）．

At·o·po·bi·um (at-ō-pō′bē-um)．アトポビウム属（グラム陽性，無芽胞の偏性嫌気性細菌で，球菌や球杆菌としてみられ，ときとして短い連鎖をつくる．標準種は *Atopobium parvulus* で，以前には *Peptostreptococcus parvulus* や *Streptococcus parvulus* とよばれ，標準的な培地では薄いコロニーを形成する緩慢な発育をする細菌である）．

a·top·og·no·si·a, a·top·og·no·sis (ā-top-og-nō′zē-ă, -og-nō′sis)．局在失認，局在認知不能〔症〕，感覚部位失認（感覚部位を適切に位置付けられないこと．通常，反対側の頭頂葉病変による）．

at·o·py (at′ō-pē)．アトピー（一般的に環境因子をアレルゲンとした過敏症の状態をいう．I型アレルギー反応はIgE抗体と関連しており，ぜん息，枯草熱，アトピー性皮膚炎などの疾患群をさす）．

a·tox·ic (ā-tok′sik). 無毒の．

ATP adenosine 5′-triphosphateの略．

ATPase adenosine triphosphataseの略．

ATP-PCr en·er·gy sys·tem ATP-PCr系エネルギーシステム（骨格筋にある即時エネルギー源．ホスホクレアチンの分裂によってATPへエネルギーを供給する．短期間活動(スプリンティング(短距離走)など)で使用される）．

ATPS 常温・常圧下で，水蒸気を飽和状態にして気体容積を表示する記号．これは呼気を肺活量計内で平衡させた状態である．

A·trac·ty·lo·des (ă-trak′ti-lō′dēz). 白朮（テタニーや黄疸の特効薬として伝統的に中国で使用される大頭(*A. macrocephala*)．寿命を延ばすとも言われている）．

a·trau·mat·ic su·ture 非外傷性縫合糸（めどのない針が付いている縫合糸）．

a·tre·si·a (ă-trē′zē-ă). 閉鎖〔症〕（正常な開口または正常に開存した管腔の先天的欠損）．

a·tret·ic (ă-tret′ik). 閉鎖〔性〕の．= imperforate.

a·tre·tic fol·li·cle 閉鎖卵胞（成熟前に退化する卵胞．成熟期前の女性では多くの卵胞は閉鎖卵胞となる．性成熟期にある女性では，月経周期ごとに数個形成される）．= corpus areticum.

atreto- 特定部分の開口部がないことを表す接頭語．

a·tri·a (ā′trē-ă). atriumの複数形．

a·tri·al (ā′trē-ăl). 心房〔性〕の．

a·tri·al ar·ter·ies 心房動脈（左右の冠状動脈からの枝で，心房の筋に分布する）．= arteriae atriales.

a·tri·al au·ri·cle 心耳．= auricle of atrium.

a·tri·al cap·ture beat 心房性補充拍動（房室解離の後，心房が心室の制御を受けて拍動すること．心室内の異所性収縮や電気刺激によって逆行性に心室から心房に伝わる脱分極を示す）．

a·tri·al cha·ot·ic tach·y·car·di·a 多源性心房頻拍（多源性の心房性の頻拍．しばしば理学的所見の心房細動と混同される）．= multifocal atrial tachycardia.

a·tri·al com·plex 心房波形（心電図上のP波）．

a·tri·al dis·so·ci·a·tion 心房解離（2個の心房あるいは心房の各部が互いに独立に拍動する）．

a·tri·al ex·tra·sys·to·le 心房性期外収縮（異所性心房性焦点から発生する心臓の早期収縮）．

a·tri·al fi·bril·la·tion, au·ric·u·lar fi·bril·la·tion 心房〔性〕細動（心房の正常な律動性収縮が，筋壁の急速で不規則な攣縮に変わる状態．心室は，心房からの非律動性の刺激に対して不規則に反応する）．

a·tri·al flut·ter, au·ric·u·lar flut·ter 心房粗動（通常，毎分250—350回起こる規則的な速い心房収縮(I型心房粗動)で，しばしば心電図，特にII, III, aVF誘導に鋸歯状の波を生じる）．

a·tri·al fu·sion beat 心房融合収縮（一部分心房の洞結節からの刺激と一部分房室接合部あるいは心室の異所性または逆行性刺激により興奮させられて起こる収縮）．

a·tri·al sep·tal de·fect (ASD) 心房中隔欠損〔症〕（心房間の中隔欠損．正常では閉じるが，一次的または二次的に閉鎖不全を起こしたために生じる先天的な欠損症）．

a·tri·al sep·tos·to·my 心房中隔開口(切開)〔術〕（2つの心房間をつなぐ手術）．

a·tri·al stand·still 心房停止（心房収縮の停止．心電図での心房波の欠如が特徴）．

a·trich·i·a (ă-trik′ē-ă). 無毛〔症〕（毛の先天的または後天的欠損）. = atrichosis.

at·ri·cho·sis (at-ri-kō′sis). 無毛〔症〕. = atrichia.

a·trich·ous (ă-trik′ŭs). 無毛の．

atrio- 房，心房の，を示す連結形．

a·tri·o·meg·a·ly (ā′trē-ō-meg′ă-lē). 心房肥大〔症〕．

a·tri·o·sep·to·plas·ty (ā′trē-ō-sep′tō-plas-tē). 心房中隔形成〔術〕（心房中隔欠損の外科的修復）．

a·tri·o·sep·tos·to·my (ā′trē-ō-sep-tos′tō-mē). 心房隔開口(切開)〔術〕（2つの心房間をつなぐ手術）．

a·tri·o·ven·tric·u·lar (A-V, AV) 房室性の（心臓の心房および心室の両者に関係する，特に伝導または血流の普通の順行性伝達に関連する場合にいう）．

a·tri·o·ven·tric·u·lar block 房室ブロック（心房または洞結節由来の電気的興奮が，房室結節と心室に達しない部分性または完全なブロック状態．first degree AV block(第一度房室ブロック)においては，房室間の伝導時間(PR間隔)が延長される．sceond degree AV block(第二度房室ブロック)においては，心房刺激が心室に届かないものがあり，心室収縮は一部欠落する．complete AV block(第三度房室ブロック，完全房室ブロック，完全房室解離)においては，心室拍数は緩徐だが(毎分45以下)，刺激はまったく心室に届かない．心房と心室の収縮は各々独立している）．= block(4)．

a·tri·o·ven·tric·u·lar bun·dle 房室束（変形した心筋の束で，房室束幹として房室結節に発し右の線維輪を通り心室中隔の膜性部に至るまでの部分をいう．ここで2つの脚，房室束右脚，房室束左脚に分かれ，それぞれの心室の心内膜下に分岐する）．= His bundle; Kent bundle (1); ventriculonector.

a·tri·o·ven·tric·u·lar ca·nal 房室管（胚の心臓の共同の洞房から心室に通じる管）．

a·tri·o·ven·tric·u·lar ca·nal cush·ions 房室管隆起（胚期の心臓で心内膜におおわれた結合組織の1対の隆起で，房室管内へ肥厚している．一方は背側壁に，他方は腹側壁に位置し，成長に伴って両者が融合し，一次中隔の下縁とも融合し，最初は単一の管を分割して左右の房室口になる．Down症候群患者によくみられる）．

a·tri·o·ven·tric·u·lar con·duc·tion 房室伝導（心臓の刺激が房室結節またはバイパス系

路を経由して，心房から心室へ順行性に伝導することで，心電図上，PR 間隔として表される．PH conduction time（PH 伝導時間）とは，P 波の開始より His 束心電図の最初の高周波成分までで，正常では 119 ± 38 msec. AH conduction time（AH 伝導時間）は，心房電位の最初の高周波成分より His 束心電図の最初の高周波成分までで，正常では 92 ± 38 msec. PA conduction time（PA 伝導時間）は，P 波の開始より心房電位の開始までで，正常では 27 ± 18 msec）.

a·tri·o·ven·tric·u·lar dis·so·ci·a·tion, A-V dis·so·ci·a·tion 房室解離（①完全房室ブロックにみられるような，心房と心室が独立に興奮し収縮する状態．②特に心房と心室の間の解離．心房ペースメーカの頻度減少，あるいは心室ペースメーカの頻度増加が原因となり，ほぼ(まれには完全に同じ)等頻度の心拍数で心房または心室を脱分極させ，さらに脱分極が干渉する(干渉性解離)ことがある）.

a·tri·o·ven·tric·u·lar ex·tra·sys·to·le, A-V ex·tra·sys·to·le 房室性期外収縮（〝房室接合部〟組織(房室結節または房室束)から発生する早期収縮）.

a·tri·o·ven·tric·u·lar junc·tion·al bi·gem·i·ny 房室結節性二段脈（対をなす心拍で，通常洞性心拍と房室結節由来の過剰興奮が対になって発生する）.

a·tri·o·ven·tric·u·lar junc·tion·al rhythm 房室結合部〔性〕調律（心臓の房室結合部(結節も含む)によって制御される心臓の調律．房室結合部から発生し，心房に上行する成分と心室に下行する成分よりなり，それぞれの伝播速度は発生部位により異なる）. = AV junctional rhythm.

a·tri·o·ven·tric·u·lar no·dal branch·es 房室結節枝（房室結節を提供する小動脈．通常，後室間溝から下降していくので，右冠動脈から起こる）. = artery to atrioventricular node; branch to atrioventricular node; ramus nodi atrioventricularis.

a·tri·o·ven·tric·u·lar no·dal ex·tra·sys·to·le, A-V no·dal ex·tra·sys·to·le 房室結節性期外収縮（房室結節から発生し，心房と心室の同時またはほぼ同時収縮をもたらす早期収縮）.

a·tri·o·ven·tric·u·lar node (AV node) 房室結節（冠状静脈洞口部の近くにみられる特殊化した心筋線維からなる小結節．心臓刺激伝導系の房室束がここから起こる）.

a·tri·o·ven·tric·u·lar sep·tum 房室中隔（三尖弁の中隔尖のすぐ上にある小さな膜状中隔．右心房と左心室を仕切っている）.

a·tri·o·ven·tric·u·lar valves 房室弁（→tricuspid valve; mitral valve）.

a·tri·um, pl. a·tri·a (ā′trē-ŭm, ā′trē-ă). 房（①数個の小室，または通路と接続している小室・空洞．②= atrium of heart. ③狭義の鼓室．鼓膜の内面に隣接する鼓室の部分．④肺における肺胞が開く肺胞管の細区分）.

a·tri·um cor·dis 心房. = atrium of heart.

a·tri·um cor·dis dex·trum = right atrium of heart.

a·tri·um cor·dis si·nis·trum = left atrium of heart.

a·tri·um dex·trum cor·dis 右心房. = right atrium of heart.

a·tri·um of heart 心房（心臓の各側の上部の室）. = atrium cordis; atrium(2).

a·tri·um pul·mo·na·le = left atrium of heart.

a·tri·um si·nis·trum cor·dis 左心房. = left atrium of heart.

A·tro·pa bel·la·don·na ベラドンナ（くすんだ紫色の花と実を持つ多年草．通常，アトロピンの原料として使用される）.

a·tro·phi·a (ă-trō′fē-ă). 萎縮〔症〕，無栄養症. = atrophy.

a·troph·ic (ā-trō′fik). 萎縮性の，萎縮〔症〕の，無栄養症の.

a·troph·ic ex·ca·va·tion 萎縮性陥凹（視神経の萎縮による視神経円板の正常または生理的な杯形成）.

a·troph·ic gas·tri·tis 萎縮性胃炎（粘膜の萎縮と消化腺の破壊を伴う慢性胃炎．ときには悪性貧血または胃癌を併発する．また炎症性の症状がない胃の萎縮症もいう）.

a·troph·ic rhi·ni·tis 萎縮性鼻炎（粘膜の薄層化を伴う慢性鼻炎．痂皮と悪臭のある分泌物を伴うことが多い）.

a·troph·ic vag·i·ni·tis 萎縮性腟炎（腟上皮の非薄化および萎縮で，通常，エストロゲン刺激の減少によって起こる．閉経後の女性に一般的にみられる）.

at·ro·phied (at′rŏ-fēd). 萎縮性の，萎縮した.

at·ro·pho·der·ma (at′rō-fō-dĕr′mă). 皮膚萎縮〔症〕（皮膚の孤立性の限局的あるいは広範な部位に起こる萎縮. →anetoderma）.

at·ro·pho·der·ma·to·sis (at′rō-fō-dĕr′mă-tō′sis). 萎縮性皮膚病，萎縮性皮膚疾患（皮膚萎縮を主症状とする皮膚の病気）.

at·ro·phy (at′rŏ-fē). 萎縮〔症〕，無栄養症（組織，臓器，または全身の萎縮．細胞の死と再吸収，細胞増殖の減退，細胞容積の減少圧迫，虚血，栄養不良，機能の低下，ホルモンの変化などにより起こる）. = atrophia.

at·tached gin·gi·va 付着歯肉（歯と歯槽突起に固く付着している歯肉）.

at·tach·ment (ă-tach′mĕnt). ***1*** 連結，結合，付着，付加（ある部分をほかの部分につなぐこと）. ***2*** アタッチメント（歯科において，歯科補てつ物を固定し安定させる器械装置）.

at·tack (ă-tak′). 発作（突発性疾患または慢性・再発性疾患の症状発現，増悪）.

at·tack rate 発病率（特殊な状況下で一定期間観察した特別な集団に対して用いる疾病発生割合）.

at·tend·ing phys·i·cian 主治医（医療機関においてある患者のプライマリーケアと治療を法的責任をもって行う医師）.

at·tend·ing staff 所属医員（病院のスタッフの一員で，定期的に病院にいる自分の患者の診療を受けもつ内科医や外科医．研修医や医員，および医学生の監督や教育を行うこともある）.

at·ten·tion def·i·cit dis·or·der (ADD) 注意欠陥障害（注意と組織化，衝動コントロールの障害で，小児に生じ，しばしば成人まで持続する．過活動を特徴とするが診断に必須ではない．→attention deficit hyperactivity disorder）．

at·ten·tion def·i·cit hy·per·ac·tiv·i·ty dis·or·der (ADHD) 注意欠陥過活動性障害（発達的に不適切な程度の注意の欠陥，衝動性，および過活動によって，家庭，学校，および対人関係状況で顕在化する小児・思春期の障害．過活動 hyperactivity または過活動児童症候群 hyperactive child syndrome ともよばれている．→attention deficit disorder）．

at·ten·tion span 注意持続期間（物事に人が集中し続けられる時間の長さ）．

at·ten·u·at·ed vi·rus 弱毒〔化〕ウイルス（防御抗体の産生を促すが，病原性を失った病原性ウイルスの変異株）．

at·ten·u·a·tion (ă-ten′yū-ā′shŭn)．*1* 減衰作用．*2* 弱毒化，減毒（自然にまたは実験的手段により発生する変種の選択を通して得られる細菌株の毒性が減退すること）．*3* 減衰（媒質中を通る放射線エネルギーが，吸収，散乱，発散，その他の原因によりエネルギーを失うこと）．*4* 転写減衰，アテニュエーション（転写終結を調節すること．特定の組織における遺伝子発現の調節に関与する）．

at·ti·cot·o·my (at′i-kot′ō-mē)．上鼓室開放〔術〕（手術による上鼓室の開放）．

at·ti·tude (at′i-tūd)．*1* 姿勢（体幹と四肢の位置）．*2* 態度，態勢（行動の仕方）．*3* 態度（社会心理学や臨床心理学において，他人，対象，制度，問題に対して一定の方式で行動または反応する，比較的一貫して永続性のある素質または傾向をいう）．

atto-(a) 国際単位系(SI)およびメートル法で，$1/1000^6(10^{-18})$を表す接頭語．

at·trac·tin (ă-trak′tin)．アトラクチン（T細胞に含まれるT細胞由来の糖蛋白で，T細胞のクラー形成と単球の運動に関与する）．

at·trac·tion (ă-trak′shŭn)．引力，牽引，誘引（2つの物体が互いに近づく傾向）．

at·trac·tion sphere 牽引力球．= astrosphere.

at·tri·tion (ă-trish′ŭn)．*1* 摩耗，摩滅（摩擦によってすり減ること）．*2* 咬耗〔症〕（歯科において，研磨性食品または歯ぎしりによる生理的な歯牙構造の消耗．*cf.* abrasion）．

at. wt. atomic weight の略．

a·typ·i·a (ā-tip′ē-ă)．異型性，非定型性．

a·typ·i·cal (ā-tip′i-kăl)．異型の，非定型の（正常な形状または型に該当しない）．

a·typ·i·cal an·ti·psy·chot·ic a·gent 非定型抗精神病薬（セロトニン遮断を介して作用を示す新しいカテゴリーの抗精神病薬．例えばオランザピン olanzapine，クロザピン clozapine）．

a·typ·i·cal en·do·me·tri·al hy·per·pla·si·a 異型内膜上皮増殖症（少量の間質を伴う腺管増殖．内膜癌とは区別される層構造を保っている）．

a·typ·i·cal gland·u·lar cells of un·de·ter·mined sig·nif·i·cance (AGUS, AGCUS) 〔良・悪性不明の〕異型腺細胞（頸部・腟細胞診のベセスダシステムでの報告用語．子宮内膜あるいは頸管腺上皮で炎症反応を越える核異型がみられるが明確な腺癌の特徴を欠くもの．→Bethesda system）．

a·typ·i·cal li·po·ma 異型性脂肪腫（高齢者の後頸部，肩，背部などの皮下に発生する脂肪腫．良性だが，環状に重合した多数の核をもった巨細胞を含んでおり，異型性が認められる）．= pleomorphic lipoma.

a·typ·i·cal mea·sles 非定型性麻疹（特にホルムアルデヒド不活化ワクチンを受けてワクチンによる免疫が減衰した人が，麻疹ウイルスに自然感染したときにみられる，ときに重症のもの．既往の抗体反応に基づく加速度的アレルギー反応で，高熱，Koplik 斑点の欠除，前駆期の短縮，非定型的発疹，肺炎を特徴とする）．

a·typ·i·cal my·co·bac·te·ri·a 非定型抗酸菌，非定型ミコバクテリア（結核菌 *Mycobacterium tuberculosis* あるいはウシ結核菌 *Mycobacterium bovis* 以外のミコバクテリアをさす．免疫的に欠陥のあるヒトに疾病を起こすことがある）．

a·typ·i·cal pneu·mo·ni·a 異型肺炎，非定型肺炎．= primary atypical pneumonia.

a·typ·i·cal squa·mous cells of un·de·ter·mined sig·nif·i·cance (ASCUS) 〔良・悪性不明の〕異型扁平上皮細胞（頸部・腟細胞診のベセスダシステムでの報告用語．炎症反応を越えた細胞異型で量的にも質的にも明確な上皮内癌の範疇には属さないもの．良性あるいは悪性の可能性を示唆する．→Bethesda system; reactive changes）．

a·typ·i·cal ver·ru·cous en·do·car·di·tis 異型いぼ状心内膜炎，非定型性いぼ状心内膜炎．= Libman-Sacks endocarditis.

A.U. ラテン語 *auris utraque*（片耳または両耳）の略．［多くの参考書にみられる aures unitas を表す本略号についての非文法的解説には歴史的根拠がまったくない．JCAHO は，類似した略号との混同を避けるために each ear または both ears と完全表記するように指導している］．

Au 金の元素記号．

Au·ber·ger blood group オベルジェ(Au)血液型．

Au·bert phe·nom·e·non アウベルト現象（観測者が暗室で頭を一方に傾けると，明るい垂直線が逆方向に傾斜して見えるという光学的錯覚）．

au·dile (awd′īl)．*1*〖adj.〗聴覚の．*2*〖adj.〗聴覚型の（見たり読んだりするよりも聞いたことを最も容易に想起できる表象の型についていう．*cf.* motile）．*3*〖n.〗= auditive.

audio- 聴覚に関する連結形．

au·di·o·an·al·ge·si·a (aw′dē-ō-an-ăl-jē′zē-ă)．聴覚減痛法（歯科または外科治療の際の疼痛を緩和する目的で，イヤホンを用いて音あるいは音楽を流すこと）．

au·di·o·gen·ic (aw′dē-ō-jen′ik)．*1* 聴〔覚〕原性の（特に大きな騒音によって引き起こされる）．*2* 音を発する．

au·di·o·gram (aw′dē-ō-gram). オージオグラム，聴力図（オージオメータを用いた聴力検査結果の描画記録．種々の周波数における聴力の閾値をデシベルで表す音の強さで図表化する）．

au·di·ol·o·gist (aw′dē-ol′ŏ-jist). オージオロジスト，聴覚〔機能〕訓練士（全面的または部分的な聴覚機能障害によって意思疎通が不能となった人々に対して，評価，リハビリテーションを行う専門家）．

au·di·ol·o·gy (aw′dē-ol′ŏ-jē). 聴能学（聴覚障害者の社会復帰と，聴覚障害の診断および検査を通じての聴覚障害の研究）．

au·di·om·e·ter (aw′dē-om′ĕ-tĕr). オージオメータ，聴力計（一般に 125—8,000 Hz(デシベルで記録される)間の周波数の純音に対する聴力閾値を測定する電気機器）．

au·di·o·met·ric (aw′dē-ō-met′rik). 聴力の（聴力レベルの測定に関する）．

au·di·om·e·try (aw′dē-om′ĕ-trē). オージオメトリ〔ー〕，聴力検査（①聴力の検査．②オージオメータを使用すること．③個人または団体に対し，ある決められた正常聴力の有無を測定する簡易検査法．ある一定強度の異なった周波数での聴覚反応を検査する）．

au·di·o·vi·su·al (aw′dē-ō-vizh′ū-ăl). 視聴覚の（文字や絵と音声を組み合わせた伝達または教え方についていう）．

au·dit (aw′dit). ***1*** 〖n.〗監査，審査，検査（正式な調査または分析．特に会計上の計算）．***2*** 〖v.〗監査する，審査する，検査する．

au·di·tion (aw-dish′ŭn). 聴覚，試聴．= hearing.

au·di·tive (aw′di-tiv). 聴覚型の人（聴覚によって最もよく想起できる人）．= audile(3).

au·di·to·ry (aw′di-tōr-ē). 聴覚の（聴覚または聴覚系についていう）．

au·di·to·ry ag·no·si·a 聴覚失認（側頭葉大脳皮質の聴覚野の病変による，音，言葉，音楽の認識不能）．

au·di·to·ry a·pha·si·a 聴覚性失語〔症〕（言語の聴覚的形態の理解と伝達の障害．正常な聴力下における口述筆記の能力を含む．自発的な発言．読書，記述は影響されない）．= word deafness.

au·di·to·ry ar·e·a 聴覚野．= auditory cortex.

au·di·to·ry au·ra 聴覚前兆（音の錯覚や幻覚を特徴とするてんかんの前兆．→aura(1)）．

au·di·to·ry brain·stem re·sponse (ABR) 聴性脳幹反応（反復聴覚刺激に対し，聴神経と中枢聴覚路(主に脳幹)から発生する反応）．= brainstem evoked response.

au·di·to·ry brain·stem re·sponse au·di·om·e·try, ABR au·di·om·e·try 聴性脳幹反応聴力検査，ABR 聴力検査（反復する音刺激に対して，聴神経と脳幹に生じる反応を利用して聴覚機能を電気生理学的に測定する方法）．= brainstem evoked response audiometry; BSER audiometry.

au·di·to·ry cap·sule 耳囊．= otic capsule.

au·di·to·ry cor·tex 聴覚皮質（菱脳の蝸牛神経核から上行する聴覚神経投射を受けている視床の細胞群すなわち内側膝状体から聴放線を受ける大脳皮質の部分）．= auditory area.

au·di·to·ry de·fen·sive·ness 聴覚〔性〕防衛性（音に対して，例えば，その大きさまたは珍しいために過剰反応を示すこと）．

au·di·to·ry feed·back ハウリング（スピーカからの音をマイクロフォンが拾う際に増幅系に生じる望ましくない音．補聴器を用いる際に大きな問題となる）．

au·di·to·ry field 聴野（音叉のような一定の音が聞こえる限界内を含んだ領域）．

au·di·to·ry hairs 聴毛（聴覚細胞の自由表面の線毛）．

au·di·to·ry in·te·gra·tion train·ing (AIT) 聴覚統合訓練（複雑な音響信号処理に障害のある人のための，聴覚トレーニング(例えば，速話)）．

au·di·tor·y mas·sage 聴覚マッサージ（診断上の，あるいは治療上の目的から行われる，鼓膜のマッサージ）．

au·di·to·ry nerve = cochlear nerve.

au·di·to·ry neu·rop·a·thy 聴神経障害（標準純音聴力検査で感音性難聴を呈する小児の聴力障害の 1 つ．標準純音聴力検査での聴力低下に比べて言語検査の低下が大きい．OAE(耳音響反射)で測定される外有毛細胞の機能は正常であるにもかかわらず，ABR(聴性脳幹反応)は無反応または異常波形を示す）．

au·di·to·ry os·si·cles 耳小骨（中耳の小骨．これらの小骨は鼓膜から前庭窓へ音を伝達するために互いに関節により結び付いている）．= ossicula auditus; ear bones.

au·di·to·ry pits 耳窩（発生期の頭部の両側にある対になったくぼみで，将来の耳小胞の位置を示す）．

au·di·to·ry pro·cess·ing dis·or·der 聴覚処理障害（正常聴力，知能にもかかわらず，聴覚情報を処理，あるいは把握するための能力の障害．受容性言語障害の一タイプ）．

au·di·to·ry pros·the·sis 聴覚プロテーゼ（ろう(聾)者の音認知能回復のための埋込型装置

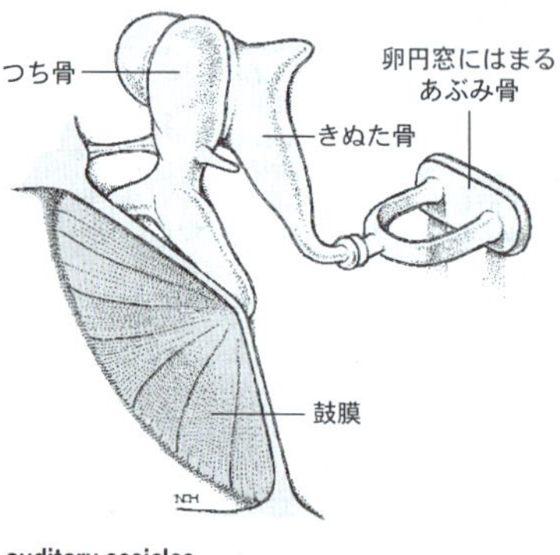
つち骨
卵円窓にはまる
あぶみ骨
きぬた骨
鼓膜
NH

auditory ossicles

の総称．多くの場合は人工内耳をさす．蝸牛神経核を刺激する脳幹インプラントは開発中である）．

au·di·to·ry re·cep·tor cells 聴〔覚〕受容〔器〕細胞（Corti 器上皮の有毛(stereocilia)円柱細胞）．

au·di·to·ry re·flex 聴覚反射（音に反応して生じる反射．例えば，蝸牛眼瞼反射）．

au·di·to·ry tube 耳管．= pharyngotympanic (auditory) tube.

au·di·to·ry ver·ti·go 耳性めまい．= Ménière disease.

au·dit trail = documentation trail.

Au·dou·in mi·cro·spor·um = *Microsporum audouini.*

Au·en·brug·ger sign アウエンブルッガー徴候（高度の心膜液貯留の場合にみられる上腹部膨隆）．

Au·er bod·ies, Au·er rods アウアー(アウエル)〔小〕体（急性骨髄性白血病にみられる未熟な骨髄性細胞，特に骨髄芽球の細胞質に存在する杆状構造で，その性質ははっきりしていない）．

aug·men·ta·tion (awg′men-tā′shŭn). 増大（大きさ，量，程度，深刻さなどが増す過程）．

aug·men·ta·tion mam·ma·plas·ty 乳房増大〔術〕（乳房を大きくする形成手術．しばしばインプラントを挿入して行う）．

aug·men·ta·tive and al·ter·na·tive com·mun·i·ca·tion (AAC) 補助代替コミュニケーション（①言語障害を補う何らかの方法．手話などの技法や，拡声器，絵板，コンピュータ使用機器などの装置を含む．→communication board. ②不適切な言語伝達しかできない人の伝達能力を補うのにどんな方法がよいかを決定し，これらの方法で訓練を施す実地臨床）．= nonoral communication; nonverbal communication.

aug·ment·ed la·bor 陣痛増強（子宮収縮剤の投与により陣痛を強めること）．

au·ra, pl. au·rae (awr′ă, awr′ē). アウラ，前兆（①患者のみに知覚されるてんかん発作現象．②片頭痛の初めに起こる自覚症状）．

au·ral (awr′ăl). ***1*** 耳の，聴覚の．***2*** 前兆性の．

au·ral·ly (awr′ă-lē). 聴覚的に（耳，あるいは聴覚に関係する）．

au·ral re·ha·bil·i·ta·tion 聴覚リハビリテーション（聴覚トレーニング，読唇術，補聴器への適応など，聴力障害のある人の意志疎通能力を高める方法）．

auri- 耳を示す連結形．→ot-; oto-.

au·ri·cle (awr′i-kĕl). ***1*** 耳介（外耳道とともに外耳を構成する側頭部に突出した貝殻様構造物）．= auricula(1); pinna(1). ***2*** = auricle of atrium.

au·ri·cle of a·tri·um 心耳（左右の心房の上前部から突出する小さな円錐形(耳形)の嚢で，心房容積をわずかに増している）．= atrial auricle; auricle(2); auricula(2).

au·ri·cle he·ma·to·ma 耳介血腫（外耳の軟骨膜と軟骨の間にできる血腫）．

au·ri·cles of a·tri·a 心耳．= auricula atrii.

au·ric·u·la, pl. au·ric·u·lae (aw-rik′ū-lă, -lē). ***1*** 耳介．= auricle(1). ***2*** = auricle of atrium.

au·ric·u·la a·tri·i 耳心（心臓の房それぞれの上前側の部分から突き出している，小さな円錐形(耳の形をした)嚢．心房の容積を若干増している．→atrium of heart; auricles of atria）．

au·ric·u·lar (awr-ik′yū-lăr). 耳介の，心耳の．

au·ric·u·lar car·ti·lage 耳介軟骨．= cartilago auriculae.

au·ric·u·la·re (aw-rik-ū-lā′rē). アウリクラーレ（外耳道開口部の中心における頭蓋計測点，また場合によっては外耳道開口部上縁の中央．註Martin の定義は上記いずれとも異なる）．= auricular point.

au·ric·u·la·ris an·te·ri·or mus·cle 前耳介筋．= anterior auricular muscle; musculus auricularis anterior; zygomaticoauricularis.

au·ric·u·la·ris pos·te·ri·or mus·cle 後耳介筋（起始：乳様突起．停止：耳介根の後部．作用：耳介を後方へ引く．神経支配：顔面神経）．= musculus auricularis posterior; musculus retrahens aurem; posterior auricular muscle.

au·ric·u·la·ris su·pe·ri·or mus·cle 上耳介筋（起始：帽状腱膜．停止：耳介軟骨．作用：耳介を上後方へ引く．神経支配：顔面神経．側頭頭頂筋の後部であるという説もある）．= musculus attollens aurem; musculus auricularis superior; superior auricular muscle.

au·ric·u·lar point = auriculare.

au·ric·u·lar tu·ber·cle 耳介結節（耳輪の内側屈曲自由縁の後上方内縁にみられる不規則な小隆起）．= darwinian tubercle.

au·ric·u·lo·pres·sor re·flex 心房性増圧反射（大静脈圧降下に反応する末梢血管収縮および血圧上昇）．= Pavlov reflex.

au·ric·u·lo·tem·po·ral (awr-ik′yū-lō-tem′pŏr-ăl). 耳介側頭の（耳介または耳翼，および側頭部に関する）．

au·ric·u·lo·tem·po·ral nerve 耳介側頭神経（中硬膜動脈を囲み2根より起こる下顎神経の枝．耳下腺に耳神経節から分泌神経である副交感性節後線維を送った後，側頭と頭蓋の皮膚で終わる．外耳道，鼓膜，耳介にも枝を送り，また顔面神経にも交通枝を送る）．= nervus auriculotemporalis.

au·ris, pl. au·res (awr′is, awr′ēz). 耳，みみ．= ear.

au·ro·pal·pe·bral re·flex 耳眼瞼反射（突然の大きな音により眼を活発に閉じる反応）．

au·ro·thi·o·glu·cose (awr′ō-thī′ō-glū′kōs). オーロチオグルコース（筋肉内に注射される金の有機化合物で関節リウマチやエリテマトーデスの治療に用いられる）．

au·rum (awr′ŭm). 金．= gold.

aus·cul·tate, aus·cult (aws′kŭl-tāt, aws-kŭlt′). 聴診する．

aus·cul·ta·tion (aws′kŭl-tā′shŭn). 聴診〔法〕（診断法の1つで，身体諸器官の立てる音を聴取すること．通常，聴診器を用いる）．

aus·cul·ta·to·ry (aws-kŭl′tă-tōr-ē). 聴診の．

aus·cul·ta·to·ry al·ter·nans 聴診交代（心

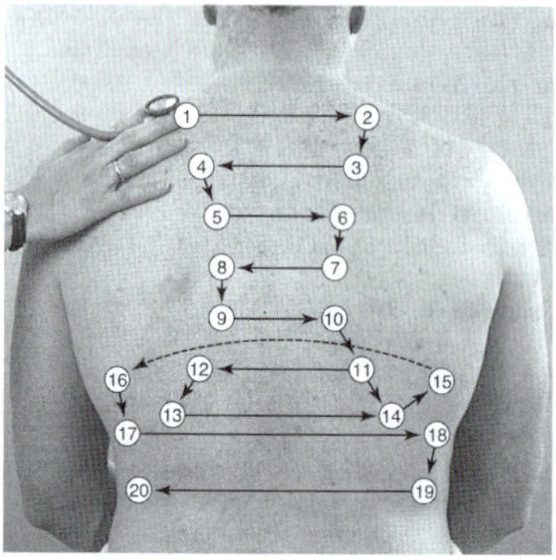
1
2
3
4
5
6
7
8
9
10
11
12
13
14
15
16
17
18
19
20

auscultation of the lungs

検査官は聴診器を胸部の決められた部位に当て，その間被験者は口から深く息を吸い込み吐く．

臓の機械的な交代拍動の結果，規則正しい心臓のリズムがあるなかで，心音や雑音の強度に交互性があること）．

aus·cul·ta·to·ry gap 聴診間隙（真の収縮期圧を示す Korotkoff 音が徐々に聞こえなくなって，少し圧が下がったところで再び聞こえるようになるまでの間隔．収縮期圧を誤って低く記録するという間違いの原因となり，特に高血圧の患者では 25 mmHg に及ぶことがある．触診で得られる収縮期圧より 30 mmHg 高くカフの圧を上げれば，これを避けることができる）．

aus·cul·ta·to·ry per·cus·sion 聴診的打診〔法〕（打診により発生した音を聴取する補助として，打診がなされると同時に胸または他の部分を聴診すること）．

Au·spitz sign アウスピッツ血露現象（乾癬に特有の症状で，鱗屑をはがすと点状の出血点が湧き上がってくる）．

Aus·tin Flint phe·nom·e·non, Aus·tin Flint mur·mur オースティン・フリント現象（大動脈閉鎖不全のときに，僧帽弁前尖が大動脈の逆流圧により相対的に狭くなり，僧帽弁狭搾を起こして発生する雑音）. = Austin Flint murmur.

Aus·tin Moore pros·the·sis オースティン・ムーア式人工骨頭（1940 年に開発された，大腿骨近位部（骨頭）を置換する金属製の股関節人工挿入物．転位のある大腿骨頸部骨折の治療法として最も一般的に用いられるセメント非使用半関節形成術である）．

Aus·tra·li·an X dis·ease オーストラリア X 病. = Murray Valley encephalitis.

au·thor (aw′thŏr). 執筆者（医療筆記において，筆記されるために口頭で報告を行う人）. = dictator; originator.

au·thor·i·tar·i·an per·son·al·i·ty 権威性人格（完全と秩序，例えば，厳格さや極端な因襲性，絶対服従，犠牲などを求める願望や，組織化された権威性を求める願望が反映されている一群の人格傾向）．

au·thor·i·ty fig·ure 権威的存在者（実在の，あるいは投射によってつくられた権威者．すなわち両親，警官，上司やある人々にとっての権威的人物．精神分析の感情転移段階では，精神分析者がこれに当たる）．

au·tho·ri·za·tion (aw′thŏr-ī-zā′shŭn). 許可（①医療会計における，第三者による手術や療法についての承認や，その支払い．②記録や文書が他の医療機関従事者に共有するかもしれない旨を，患者もしくは介護人が書いた協定や承認 →gatekeeper）．

au·tism (aw′tizm). 自閉〔症〕（外界の現実による規制を無視した病的自己熱中の傾向）．

au·tis·tic (aw-tis′tik). 自閉〔的〕の．

au·tis·tic spec·trum dis·or·der 自閉症スペクトラム障害（乏しい社会能力とコミュニケーション障害によって特徴づけられる，すべての発達障害の一般的診断名）．

auto-, aut- 自身，同一，を意味する接頭語．

au·to·ag·glu·ti·na·tion (aw′to-ă-glū′ti-nā′shŭn). 自己凝集〔反応〕（①物理的・化学的要因に起因する細胞（バクテリア，赤血球など）の非特異性凝集または凝塊形成．②自己血清中の特異的自己抗体による血球の凝集反応）．

au·to·ag·glu·ti·nin (aw′tō-ă-glū′ti-nin). 自己凝集素．

au·to·al·ler·gic (aw′tō-ă-lĕr′jik). 自己（自家）アレルギーの．

au·to·al·ler·gy (aw′tō-al′ĕr-jē). 自己（自家）アレルギー（自分自身の組織に対して抗体（自己抗体 autoantibodies）をつくり，防御効果よりも破壊的な影響を引き起こすように変化した反応性）. = autoimmunity.

au·to·an·ti·body (aw′tō-an′ti-bod-ē). 自己抗体（自己の組織の抗原成分に反応してできる自己抗原に対する抗体．あるいは刺激された組織成分に反応する抗体）．

au·to·an·ti·gen (aw′to-an′ti-jĕn). 自己抗原（〝自己（セルフ）〟抗原．自己の構成成分に表現されている抗原で，自身に免疫反応を引き起こすもの）．

au·to·ca·tal·y·sis (aw′tō-kă-tal′i-sis). 自触反応（生成物の 1 つ以上が触媒となる反応．反応速度は初めは遅いが，後に急速に増加する．*cf.* chain reaction）．

au·to·cat·a·lyt·ic (aw′tō-kat-ă-lit′ik). 自触反応の．

au·toch·tho·nous (aw-tok′thŏn-ŭs). ***1*** 自所〔性〕の（居住した場所で生まれた．土着の）．***2*** 自発〔性〕の，特発〔性〕の（発見された場所から生じること．疾患が発見された身体の部分に源を発する，または患者がいる場所で罹患した疾病についていう）．

au·toch·tho·nous i·de·as 自生観念（非常に重要であるかのごとく，またしばしば外界に起因するかのごとくに突然に意識される観念）．

au·toch·tho·nous in·fec·tion 土着感染（発見された場所に起源をもつ感染．人がいる場所で獲得したもの）．

au·toc·la·sis, au·to·cla·si·a (aw-tok′lă-sis, aw′tō-klā′zē-ă). 自己崩壊，自己破壊（①内因性または内的原因によって解体あるいは破裂すること．②進行性の，免疫学的に誘発された組織破壊）．

au·to·clave (aw′tō-klāv). ***1***〚n.〛オートクレーブ，加圧〔蒸気〕滅菌器（加圧して蒸気で滅菌するための器具）．***2***〚v.〛加圧滅菌する（オートクレーブの中で滅菌する）．

au·to·coid (aw′tō-koyd). オータコイド（あるタイプの細胞によって産生され，同じ場所にある異なるタイプの細胞の機能に影響を及ぼす化学物質．局所ホルモンまたは伝達物質としての役割を果たす）．

au·to·crat·ic (aw′tō-krat′ik). 独裁的な（あるグループの行動に影響を及ぼす際限無い権威もしくは統制）．

au·to·crine (aw′tō-krin). オートクライン（細胞が，ある因子やそれに対する特異的なレセプタを産生することによって，さらに自己(それらの産生)を刺激することを意味する）．

au·to·crine hy·poth·e·sis オートクライン仮説（ウイルス癌遺伝子を有する腫瘍細胞が，通常では他種の細胞が産生するような増殖因子をもコードしていたならば，その因子を自発的に産生し，無制御な分化をする結果となる，という説）．

au·to·cy·to·ly·sin (aw′tō-sī-tol′i-sin). 自〔己〕溶解素. = autolysin.

au·to·cy·tol·y·sis (aw′tō-sī-tol′i-sis). = autolysis.

au·to·cy·to·tox·in (aw′tō-sī-tō-toks′in). 自己(自家)細胞毒素.

au·to·der·mic graft 自己植皮片（皮膚の自己移植片）．

au·to·di·ges·tion (aw′tō-di-jes′chŭn). 自己(自家)消化. = autolysis.

au·to·ech·o·la·li·a (aw′tō-ek-ō-lā′lē-ă). 自動反響言語（他の人の言葉または自分の言葉の病的繰返し）．

au·to·e·rot·ic (aw′tō-ĕr-ot′ik). 自体愛的の．

au·to·e·rot·ic death 自慰死（性的絶頂感の度合いが酸欠のようなものによって増すという前提に基づき，自慰の間に首に巻きつけたロープやコードによって窒息した結果起こる死）．

au·to·er·o·tism (aw′tō-er′ō-tizm). 自体愛（①オナニーのような，自分自身の身体を用いての性的覚醒または性的満足．②性的自己愛．*cf.* alloerotism. →narcissism(1)）．

au·to·e·ryth·ro·cyte sen·si·ti·za·tion syn·drome 自己赤血球感作症候群（通常，女性に出現する状態で，皮下出血ができやすく(単純性紫斑)，斑状出血は広がり隣接した組織に及ぶ傾向がある．その結果，患部が痛む．同様の傷害が自分の血液を接種したり，赤血球の各種の成分を接種することで起こり，特異抗体は証明しえないが局所的な自己感作の一形式によると考えられているためこのようによばれる）. = Gardner-Diamond syndrome.

au·tog·a·my (aw-tog′ă-mē). 自己(自家)生殖，オートガミー（細胞分裂なしに同一核の分裂が起こり，そのようにして形成された2核が再び結合して合核を形成する自家受精の現象．他の場合では細胞体部も分裂するが，2個の娘細胞が直ちに結合する）．

au·to·ge·ne·ic graft = autograft.

au·to·gen·ic in·hi·bi·tion 自原性抑制（コルジ腱紡錘の保護的メカニズム．それによって，筋肉の突然の伸びが拮抗筋の活性化と作動筋の緩和を引き起こす）．

au·tog·e·nous vac·cine 自己(自家)ワクチン（患者自身の微生物の培養からつくられるワクチン）．

au·to·graft (aw′tō-graft). 自家(自己)移植片（同一個体内で，別の位置に移植した組織または臓器）. = autogeneic graft; autologous graft; autoplastic graft; autotransplant.

autohaemagglutination [Br.]. = autohemagglutination.

autohaemolysin [Br.]. = autohemolysin.

autohaemolysis [Br.]. = autohemolysis.

au·to·hem·ag·glu·ti·na·tion (aw′tō-hē′mă-glū-ti-nā′shŭn). 自己血球凝集（自己の赤血球に対する自己凝集）. = autohaemagglutination.

au·to·he·mo·ly·sin (aw′tō-hē-mol′i-sin). 自己(自家)〔赤血球〕溶血素（補体と共同で赤血球の溶解を起こす自己抗体）. = autohaemolysin.

au·to·he·mol·y·sis (aw′tō-hē-mol′i-sis). 自己(自家)溶血（ある種の疾患において，自己溶血素の結果として起こる溶血）. = autohaemolysis.

au·to·im·mune (aw′tō-i-myūn′). 自己免疫（自己免疫疾患において，自己組織に由来し，自己組織に対して向けられた細胞あるいは抗体）．

au·to·im·mune dis·ease 自己免疫疾患(疾病)（自己の体構成成分に対しての，液性または細胞性免疫反応に由来する正常組織の機能喪失や破壊を呈する疾患の総称．全身性エリテマトーデスのように全身性のもの，甲状腺炎のように器官特異的なものがある）．

au·to·im·mune he·mo·lyt·ic a·ne·mi·a 自己免疫性溶血性貧血（①寒冷凝集素症における強い溶血による疾患．②温式抗体型．最も一般的である．患者自身の赤血球に反応する血清中の自己抗体(通常 IgG)による後天性溶血性貧血．溶血の程度は様々あり，すべての年齢層に発生し性差はなく，特発性または悪性腫瘍や自己免疫疾患その他の疾患による二次性のものがある）．

au·to·im·mu·ni·ty (aw′tō-i-myū′ni-tē). 自己免疫（免疫学では，自分自身の組織が自己の免疫機構によって破壊的な影響を受ける状態をいう．例えば，自己アレルギーや自己免疫疾患など．自己の組織に対する特異的な体液性または細胞性免疫反応）. = autoallergy.

au·to·im·mu·ni·za·tion (aw′tō-im′yū-nī-zā′shŭn). 自己免疫化（自己免疫の誘発）．

au·to·im·mu·no·cy·to·pe·ni·a (aw′tō-im′yū-nō-sī-tō-pē′nē-ă). 自己免疫性血球減少症（細胞障害性自己免疫反応に起因する貧血，血小板減少症，白血球減少症）．

au·to·in·fec·tion (aw′tō-in-fek′shŭn). 自己(自家)感染（①生体内ですでに感染過程を経た，

微生物や寄生虫による再感染. ②直接の接触による自己感染. ぎょう虫(*Enterobius vermicularis*)の卵が手爪を介して(肛門–口経過), 感染性のある状態で伝播されるもの). = autoreinfection.

au·to·in·fu·sion (aw′tō-in-fyū′zhŭn). 自己返血, 自家注入 (血圧を上昇させて重要臓器の血管を満たすために, 包帯や圧迫装置を用いて四肢または他の部位, 例えば, 脾臓から血液を押し出すこと. 血液または他の体液の大量損失後に行う手段. *cf.* autotransfusion).

au·to·in·oc·u·la·tion (aw′tō-in-ok-yū-lā′shŭn). 自己(自家)接種 (すでに体内にある伝染病病巣から生じた二次的感染).

au·to·in·tox·i·cant (aw′tō-in-toks′i-kănt). 自家(自己)中毒素 (動物の体内で生成され, 自家中毒を起こす内因性中毒素).

au·to·in·tox·i·ca·tion (aw′tō-in-toks-i-kā′shŭn). 自家(自己)中毒 (代謝の廃棄物, 腸からの分解物質, または壊疽のように死滅した感染組織の産物の吸収の結果起こる障害). = endogenic toxicosis.

au·to·i·sol·y·sin (aw′tō-ī-sol′i-sin). 自己同種溶解素 (同種の他の個体内と同じように, 体内で溶解素が形成される個体内で, 細胞溶解を補体と共同で起こす抗体).

au·to·ker·a·to·plas·ty (aw′tō-ker′ă-tō-plas-tē). 自己(自家)角膜移植〔術〕(患者の片方の眼から他方の眼へ角膜組織を移植すること).

au·to·ki·ne·si·a, au·to·ki·ne·sis (aw′tō-ki-ne′sē-ă, aw′tō-ki-nē′sis). 随意運動.

au·to·ki·net·ic (aw′tō-ki-net′ik). 随意運動の.

au·tol·o·gous (aw-tol′ŏ-gŭs). 自己〔由来〕の, 自系の (①ある種の組織または身体の特殊な構造に自然に普通に発生する. ②その場所で普通にみられる細胞から発生する新生物を示すのに, ときに用いる. 例えば, 食道上部の扁平上皮癌. ③移植では, 供給部と受容部が同一個体内にある移植片についていう).

au·tol·o·gous do·na·tion 自家預血 (ドナーと受取人の両方として, 1人がかかわる輸血もしくは組織移植).

au·tol·o·gous graft 自己〔由来の〕移植片. = autograft.

au·tol·o·gous trans·fu·sion 自己輸血法 (前もって採血され保存されていた患者自身の血液の注入).

au·tol·o·gous trans·plan·ta·tion 自己移植 (ドナーと受取人の両方として1人の人のみが関わる移植).

au·tol·y·sate (aw-tol′i-sāt). 自己分解物, 自己消化物, 自己溶解物 (自己(自家)融解の結果得られる物質の総称).

au·tol·y·sin (aw-tol′i-sin). 自己溶解素 (溶解素が形成されている個体内で細胞や組織の溶解を補体と共同で起こす抗体). = autocytolysin.

au·tol·y·sis (aw-tol′i-sis). 自己分解, 自己消化, 自己溶解, 自己(自家)融解 (①死滅または変性した細胞が他の生物の作用によらず, その細胞内の自原性の酵素によって自己消化すること. ②細胞が自生の, または同一体内の他の細胞の産生する溶解素により破壊されること). = autocytolysis; autodigestion; isophagy.

au·to·lyt·ic (aw′tō-lit′ik). 自己分解の, 自己消化の, 自己溶解の, 自己(自家)融解の.

au·to·lyt·ic en·zyme 自己融解酵素, 自解酵素 (酵素を生成する細胞の溶解を起こす酵素).

au·to·mat·ed de·pos·it = electronic funds transfer.

au·to·mat·ed dif·fer·en·tial leu·ko·cyte count·er 自動白血球分類器, 自動白血球百分率計数器, 自動鑑別白血球計数器 (白血球を鑑別するためデジタル画像または細胞化学技術を用いる器械).

au·to·ma·ted dis·pens·ing ma·chine 自動調剤機 (薬剤師による検査後, 看護職員が患者への薬物療法を看護施設で検索できる装置).

au·to·mat·ed ex·ter·nal de·fib·ril·la·tor (AED) 自動体外式除細動器 (致死性不整脈を起こした傷病者に対し, 機器が自動的に心電図を解析し, 除細動の適応となる場合には通電して正常な律動に戻す).

au·to·mat·ed la·mel·lar ker·a·tec·to·my 自動表層角膜切除 (眼の屈折を変化させるために精密な装置による角膜組織の円板状切除).

au·to·mat·ic au·di·to·ry brain·stem re·sponse (ABR) 自動聴性脳幹反応 (記録された電気反応に基づき刺激の修正がプログラムされたABRの技法. この機器は事前に決められた(聴力)閾値を獲得しているかどうかを自動的に判定する. 新生児の聴力スクリーニングに有用である).

au·to·mat·ic beat 自動〔性〕収縮 (強制収縮と対照的に, 先行収縮によって誘発されるのではなく新たに発生する異所性収縮. したがって補充収縮, 副収縮は自動性である).

au·to·mat·ic ex·ter·nal de·fib·ril·la·tor (AED) 自動式体外式除細動器 (心房もしくは心室の細動停止に電流を流し, 正常な心拍リズムに戻す装置. 医学訓練なしに技術者によって使用可能).

au·to·mat·ic gain con·trol (AGC) 自動利得調節 (入力強度レベルが高い場合に増幅を低下させる, 一部の補聴器が備える機能).

au·to·mat·ic speech 自動言語 (ほとんど意味を意識しなくとも言えるような, 過去に何度も話してきた言葉や, 内容の乏しい言葉(一連の数字, 曜日名, 詩, 祈り, 間投語句, 他の一般的な表現)). = nonpropositional speech.

au·to·mat·ic trans·port ven·til·a·tor 移送用自動人工呼吸器 (自動的に呼吸を助け, 標準的な病院用の人工呼吸器に比べて調整の必要が少ない陽圧人工呼吸器. 挿管された患者に救急車内で使用して呼吸をさせるためにつくられた. →ventilator).

au·tom·a·tism (aw-tom′ă-tizm). = telergy. ***1*** 自動性 (意思または中枢神経支配に依存しない状態. 例えば, 心臓の作用など). ***2*** 自動症 (意識障害がある状態で行われる常同性の精神的, 感覚性または運動性の現象よりなるてんかん発作で, 患者は通常, それを覚えていない). ***3*** 自動症 (個人がしばしば目的もなく, ときにばか

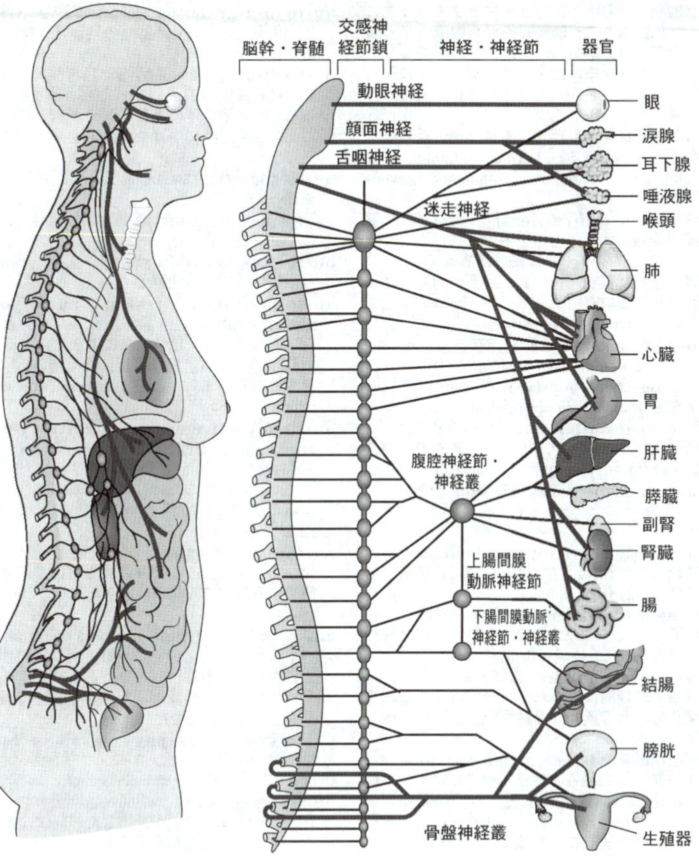
交感神経節鎖
脳幹・脊髄
神経・神経節
器官
動眼神経
顔面神経
舌咽神経
迷走神経
眼
涙腺
耳下腺
唾液腺
喉頭
肺
心臓
胃
肝臓
腹腔神経節・神経叢
膵臓
副腎
腎臓
上腸間膜動脈神経節
下腸間膜動脈神経節・神経叢
腸
結腸
膀胱
骨盤神経叢
生殖器

anatomy of autonomic nervous system

げた有害な運動または言語行為を意識的，無意識的を問わず不随意的に強いられる状態）.

au·to·mo·tor sei·zure 自動運動発作（主に四肢遠位部にみられる自動運動を特徴とする発作）.

au·to·nom·ic (aw′tō-nom′ik). 自律神経〔性〕の.

au·to·no·mic di·vi·sion of ner·vous sys·tem 自律神経系（平滑筋，心筋，腺細胞などの運動性神経支配を行う神経系. 生理学的，解剖学的に相対立する2つの部分，すなわち，交感神経系と，副交感神経系からなる. 両者とも神経支配の経路は2つの運動ニューロンのシナプスによる連結からなっており，その1つは脊髄または脳幹内に節前ニューロンとして存在し，その薄い脊髄の軸索（節前線維，B線維）は，脊髄神経または脳神経とともに末梢に出て，自律神経節を構成する節後ニューロン（厳密には神経節細胞）の1つ以上とシナプス結合する. ついで，これらの神経節から出る無髄の節後線維が平滑筋・心筋や腺細胞に分布する. 交感神経の節前ニューロンは胸髄と第一・第二腰髄の脊髄灰白質の中間外側柱に存在する. 副交感神経の節前ニューロンは，脳幹の内臓運動核（迷走神経の背側運動核，唾液核，および Edinger-Westphal 核）と，脊髄の第二-第四仙髄の側柱とからなる. 交感神経の神経節は交感神経幹の脊椎傍神経節と椎前または側副神経節（腹腔神経節）であり，副交感神経の神経節は神経支配を受ける器官の近くか，器官自体の中にある壁内神経節のいずれかにある. 節前ニューロンから節後ニューロンへのインパルスの伝達は交感神経系と副交感神経系の両方ともアセチルコリンによって伝えられる．節後線維から内臓効果器組織への伝達は，副交感神経系はアセチルコリンにより，交感神経系はノルアドレナリンによって伝えられると昔から考えられている．しかしながら，コリン作用性でもアドレナリン作用性でもない節後線維も存在することが最近の研究から示唆されている）．= divisio autonomica systematis nervosi peripherici; autonomic nervous system.

au·to·no·mic dys·re·flex·i·a 自律神経反射障害（脊髄に病変のある患者の一部にみられる症候群で，自律神経系の機能障害から生じる．症状としては高血圧，徐脈，強度の頭痛，脊髄病変より下部の蒼白や上部の潮紅，および痙攣がある）．= autonomic hyperreflexia.

au·to·nom·ic gan·gli·a 自律神経節（→autonomic division of nervous system）．

au·to·nom·ic hy·per·re·flex·i·a 自律反射異常亢進．= autonomic dysreflexia.

au·to·nom·ic im·bal·ance 自律神経失調〔症〕（交感・副交感神経系失調，特に血管神経運動性障害をいう）．= vasomotor imbalance.

au·to·nom·ic ner·vous sys·tem（ANS） 自律神経系．= autonomic division of nervous system.

au·to·nom·ic neu·ro·gen·ic blad·der 自律性神経因性膀胱〔障害〕（低位脊髄障害に続発する膀胱の機能不全）．

au·to·nom·ic plex·us·es 自律神経叢（血管と内臓を支配する神経叢で，その構成神経線維は，交感・副交感神経と知覚神経線維）．

au·to·nom·ic sei·zure 自律神経発作（自律神経系の客観的にみられる機能障害を特徴とする発作．心血管機能，胃腸機能，発汗運動機能の障害が多い）．

au·to·nom·ic vis·cer·al mo·tor nu·cle·i 自律神経核（内臓遠心性節前線維を派出する核で，脊髄(第一胸髄-第二腰髄，第二仙髄-第四仙髄)および脳幹(Edinger-Westphal 核，上下唾液核，迷走神経背側核，疑核の一部)に存在する．交感性(第一胸髄-第二腰髄)・副交感性(全長)ともにある．視床下部核が共働している）．

au·to·nom·o·tro·pic (aw′tō-nom-ō-trō′pik)．自律神経〔系〕親和性の（自律神経系に作用する）．

au·ton·o·my (aw-ton′ă-mē)．自律性（自律している状態，他者に頼らずに決断を下すことができる状態）．

au·to·ox·i·da·tion (aw′tō-oks-i-dā′shŭn)．自己酸化，自動酸化（ある物質と酸素分子とが常温で直接結合すること）．= autoxidation.

au·to-PEEP (aw′tō-pēp)．auto-positive-end-expiratory-pressure の略．= extrinsic PEEP.

au·to·pha·gi·a (aw′tō-fā′jē-ă)．*1* 自食症，自咬症（自分自身の肉をかむこと．例えば，Lesch-Nyhan 症候群の症状）．*2* 自己消耗（一部の体組織を代謝的に消費して全身の栄養状態を保持すること）．*3* = autophagy.

au·to·pha·gic (aw′tō-fā′jik)．*1* 自食症の，自咬症の．*2* 自己消耗の．

au·toph·a·gy (aw-tof′ă-jē)．自家融解（細胞内の損傷を受けた細胞小器官の処理と分離）．= autophagia(3)．

au·toph·o·ny (au-tof′ŏ-nē)．自声強聴，自家強聴，自音共鳴（自己の発した声，呼吸音，動脈雑音，その他身体の上部の雑音が過度に強く聞こえる現象．特に中耳や鼻腔の疾病で認められる）．

au·to·plas·tic (aw′tō-plas′tik)．自家〔移植〕形成性の．

au·to·plas·tic graft 自己形成性移植片．= autograft.

au·to·plas·ty (aw′tō-plas-tē)．自家〔移植〕術（自家移植による欠損の修復）．

au·to·pol·y·mer res·in, au·to·po·ly·mer·iz·ing res·in 常温重合レジン（加熱または光によらず，化学触媒により重合する樹脂．歯科においては，歯の修復，義歯修理，印象用トレーに用いる）．= cold cure resin; cold-curing resin.

au·to-pos·i·tive-end-ex·pi·ra·to·ry-pres·sure（au·to-PEEP） (aw′tō-pos′i-tiv-end-eks-pīr′ă-tōr-ē presh′ŭr)．自己陽圧呼気終末圧（不適切な呼気時間のために肺単位が不完全に空になることによって肺末梢に生じる）．= intrinsic PEEP; occult PEEP.

au·top·sy (aw′top-sē)．剖検，検死（死因を決定する，またはそこにみられる病理学的変化を研究する目的で死体の器官を調べること）．= necropsy.

au·to·ra·di·o·graph (aw′tō-rā′dē-ō-graf)．オートラジオグラフ（ある組織またはその他の器官における放射性物質の分布および濃度の調べようとするものの表面またはごく近くに置いた写真フイルムの映像）．

au·to·ra·di·og·ra·phy (aw′tō-rā-dē-og′ră-fē)．オートラジオグラフィ（オートラジオグラフをつくる技法）．= radioautography.

au·to·re·cep·tor (aw′tō-rĕ-sep′tŏr)．自己受容体（そのニューロンが放出した神経伝達物質が，そのニューロンに結合する部位でニューロンの活性を調節する）．

au·to·reg·u·la·tion (aw′tō-reg-yū-lā′shŭn)．自己調節（①臓器または部位へ血液を送る動脈内圧が変化するにもかかわらず，そこへの血流が同じレベルにとどまること，または戻ろうとすること．②一般に，外界からの変化が大部分，または完全に阻止されるような，抑制フィードバックシステムを備えた生体系の総称．例えば，圧受容器反射は全身動脈血圧の自己調節の基盤となる）．

au·to·re·in·fec·tion (aw′tō-rē-in-fek′shŭn)．= autoinfection.

au·to·re·pro·duc·tion (aw′tō-rē-prŏ-dŭk′shŭn)．自己複製（遺伝子やウイルス，または一般的に核蛋白分子が，細胞内でより小さな分子からそれ自身に類似したもう１つ別の分子の合成を行う能力）．

au·to·se·rum (aw′tō-sēr′ŭm)．自己(自家)血清（患者自身の血液から得た，自己血清療法に用いられる血清）．

au·to·site (aw′tō-sīt). 自生体（自立して生存でき，もう片方の寄生性双生児を養うことができる異常不等(接着)双生児の片方）.

au·to·so·mal (aw′tō-sō′măl). 常染色体の.

au·to·so·mal gene 常染色体遺伝子（性染色体(X と Y)以外の染色体にある遺伝子）.

au·to·some (aw′tō-sōm). 常染色体（性染色体以外の染色体. 常染色体は通常，体細胞では対をなし，配偶子では単独で存在する）.

au·to·sug·ges·tion (aw′tō-sŭg-jes′chŭn). 自己暗示（①ある観念または概念について常に思考することで，それにより精神機能あるいは身体機能が変わる. ②以前に受けた印象を再現し，これを新しい行為や考えの出発点とすること）.

au·to·top·ag·no·si·a (aw′tō-top′ag-nō′zē-ă). 自己身体部位失認（身体のどの部位も認識または方向特定できないこと. 大脳優位半球の損傷の結果起こる状態. 頭頂葉の病変による. *cf.* somatotopagnosis）.

au·to·tox·ic (aw′tō-toks′ik). 自家(自己)中毒の.

au·to·trans·fu·sion (aw′tō-trans-fyū′zhŭn). 自己(自家)輸血〔法〕，返血〔法〕（患者自身の血液を取り出し，その患者に再注入すること. *cf.* autoinfusion）.

au·to·trans·plant (aw′tō-trans′plant). = autograft.

au·to·trans·plan·ta·tion (aw′tō-trans-plan-tā′shŭn). 自家(自己)移植〔術〕（自家移植片を移植する手術）.

au·to·troph (aw′tō-trōf). 自己栄養体(生物)，独立栄養体(生物)，無機栄養体(生物)（無機物のみを栄養源とする微生物. その際，炭酸ガスが唯一の炭素源）.

au·to·tro·phic (aw′tō-trō′fik). ***1***〘n.〙自己栄養，独立栄養，無機栄養（自身で栄養を作り出すこと. 無機物から食物を作り出す生物の能力）. ***2***〘adj.〙自己栄養体(生物)の，独立栄養体(生物)の，無機栄養体(生物)の.

au·tox·i·da·tion (aw′tok-si-dā′shŭn). = autooxidation.

auxano-, auxo-, aux- 大きさ，強さ，速度などの増加に対する関係を表す接頭語.

aux·an·o·gram (awk-san′ŏ-gram). オキサノグラム，細菌成長検査用平板培養（細菌の成長に及ぼす影響を調べるために，種々の条件が与えられている細菌平板培養）.

aux·an·o·graph·ic (awk-san′ŏ-graf′ik). オキサノグラフィの，細菌成長検査〔法〕の（細菌成長検査用平板培養または細菌成長検査法についていう）.

aux·a·nog·ra·phy (awk′să-nog′ră-fē). オキサノグラフィ，細菌成長検査法（細菌成長検査用平板培養を用いて，各種条件の細菌の成長に対する影響を研究する方法）.

aux·e·sis (awk-sē′sis). 成長（大きさの増加，特に肥大に関して用いる）.

aux·il·ia·ry (awg-zil′yă-rē). ***1***〘n.〙補助的能力. ***2***〘adj.〙下位の，劣った，二次的な.

aux·il·ia·ry nurse = enrolled nurse.

aux·i·lyt·ic (awk′si-lit′ik). 溶解または破壊現象を助成する.

aux·o·chrome (awk′sō-krōm). 助色団（色素分子内の化学置換基. これにより色素が組織内の活性末端の置換基と結合する）.

aux·o·ton·ic (awk′sō-ton′ik). 張力変動性の，増負荷性の（増大する負荷に対して収縮筋が短縮する際の状態を表す. *cf.* isometric(2); isotonic(3)）.

aux·o·troph (awk′sō-trōf). 栄養素要求株（原細菌株(原栄養株)が要求しない栄養素を要求するようになった変異細菌株）.

aux·o·tro·phic (awk′sō-trō′fik). 栄養素要求株の.

A-V, AV arteriovenous; atrioventricular の略.

ava arteriovenous anastomosis の略.

a·val·vu·lar (ā-val′vyū-lăr). 無弁の.

a·vas·cu·lar (ā-vas′kyū-lăr). 無血管の（血管またはリンパ管のない）.

a·vas·cu·lar·i·za·tion (ā-vas′kyū-lar-ī-zā′shŭn). ***1*** 駆血（駆血帯または方法による動脈の圧迫によって身体の一部の駆血を行うこと）. ***2*** 無血管化（瘢痕化などで血管がなくなること）.

a·vas·cu·lar ne·cro·sis 虚血壊死，乏血壊死. = aseptic necrosis.

AV dif·fer·ence 房室差（物質の心房と心室の間の含有量の差）.

A·vel·lis syn·drome アヴェリス症候群（喉頭と口蓋帆の片側性麻痺で，その部分より下の反対側の痛覚と温度感覚の消失を伴う）.

av·er·age (av′răj). 平均（①数値の集合の特性を適切に代表し，要約する値. 通常，集合の中のそれぞれの値に対する数学的計算により得られる. ②= arithmetic mean）.

av·er·age life = mean life.

a·ver·sion ther·a·py 嫌悪療法（行動療法技法の 1 つで，不快刺激と望ましくない行動とを結び付け，その行動を避けるように患者に学習させること）.

aVF, aVL, aVR それぞれ左足(foot (left))，左手(left arm)，および右手(right arm)からの補正心電図誘導(augmented electrocardiographic leads)の略.

a·vi·an (ā′vē-ăn). 鳥類の.

a·vi·an in·flu·en·za トリインフルエンザ（A 型インフルエンザウイルスによる鳥類の疾患. 自然宿主である野鳥には病原性はないが，家畜化されたニワトリには症状を引き起こし，まれにヒトにも感染する. ヒトでは結膜炎や呼吸器症状を起こし，死亡に至る場合もある）. = bird flu.

a·vi·an leu·ko·sis-sar·co·ma com·plex, a·vi·an leu·ke·mi·a-sar·co·ma com·plex 鳥類の白血症-肉腫群，鳥類の白血病-肉腫群（①ニワトリにみられる一群の伝染性のウイルス誘発性の疾患. これらの病原体は，未熟な赤血球系，骨髄球系またはリンパ球系細胞の増殖を起こすウイルス(鳥類の白血症-肉腫ウイルス)と密接に関係している. ②鳥類の白血症-肉腫群疾患を起こす RNA 腫瘍ウイルスの族(オンコウイルス亜科). = avian leukosis-sarcoma virus).

a·vi·an leu·ko·sis-sar·co·ma vi·rus 鳥類白血症-肉腫ウイルス. = avian leukosis-sarcoma complex (2).

a·vi·an neu·ro·lym·pho·ma·to·sis vi·rus トリ神経リンパ腫症ウイルス（鳥類のリンパ腫症(Marek 病)の原因となるヘルペスウイルス. しかし他の型の白血症を起こすものとは異なる). = Marek disease virus.

a·vi·a·tion med·i·cine 航空医学（航空特有の生理学上の問題に応用する医学の研究と診療). = aeromedicine.

a·vid·i·ty (ă-vid′i-tē). アビディティ（多価抗原と対応する多価抗体の結合活性の測定. →affinity).

AV in·ter·val AV 間隔（心房収縮の開始から心室収縮の開始までの時間. 動物では脈圧または心容積曲線から，ヒトでは心電図から測定する).

a·vir·u·lent (ā-vir′yū-lĕnt). 無発病性の，無毒性の.

a·vi·ta·min·o·sis (ā-vī′tă-min-ō′sis). ビタミン欠乏症（正確には hypovitaminosis(ビタミン不足症)).

AV junc·tion 房室接合部（心房筋と心室筋を含む房室結節周辺，あるいは結節自体).

AV junc·tion·al rhythm 房室結合部〔性〕調律. = atrioventricular junctional rhythm.

AV node atrioventricular node の略.

Avo·gad·ro con·stant アヴォガドロ定数. = Avogadro number.

Avo·gad·ro hy·poth·e·sis アヴォガドロ仮説. = Avogadro law.

Avo·gad·ro law アヴォガドロの法則（同温・同圧では，同体積の気体は同数の分子を含む). = Ampe`re postulate; Avogadro hypothesis; Avogadro postulate.

Avo·gad·ro num·ber (N_A, lamb·da) アヴォガドロ数（あらゆる化合物の 1 グラム分子量（1 モル）中にある分子数. 純粋な炭素 12 の 0.0120 kg 中の原子数で定義され，6.0221367 × 10^{23} に等しい). = Avogadro constant.

Avo·gad·ro pos·tu·late アヴォガドロ仮説. = Avogadro law.

avoid·ant per·son·al·i·ty 回避性人格（拒絶されたり，辱められたり，恥ずかしい思いをしたりする可能性のあることに対する過敏性，批判されずに受け入れられることについて異常に強い保証を求めること，愛情や受容を強く望んでいるにもかかわらず社会から引きこもること，および低い自己評価，を特徴とする人格).

av·oir·du·pois (av′wahr-dyū-pwah′). 常衡（16 オンスを 1 ポンドとする衡量系. 1 ポンドは 453.59237 g).

AVP antiviral protein; arginine vasopressin の略.

AVPU 病院到着前の精神状態の評価についての覚え書きで，次の 4 項目で表す. ⓘ覚醒(*a*lert). ⓘⓘ言語刺激(*v*erbal stimuli)に反応あり. ⓘⓘⓘ痛み刺激(*p*ainful stimuli)に反応あり. ⓘⓥ無反応(*u*nresponsive).

a·vulse (ă-vŭls′). 負傷個所を切断する（事故か手術によって身体の一部を分離，切断すること).

a·vulsed tooth 脱落歯（外傷によって歯槽から脱離した歯).

a·vulsed wound 剥離創（剥離によって生じる創).

a·vul·sion (ă-vŭl′shŭn). 捻除，剥離（無理に引き離すこと. *cf.* evulsion).

a·vul·sion frac·ture 剥離骨折（捻挫や脱臼を生じさせるような，または筋力に抗した強い収縮が働いた場合，関節包，靱帯，筋付着部が骨から引き離される形の骨折. 軟部組織が骨から引き離されるときに骨片もともにちぎれる).

AW atomic weight の略.

A/W alive and well の略.

AWHONN Association of Women's Health, Obstetric, and Neonatal Nurses の略..

ax axis の略.

A·xen·feld a·nom·a·ly = embryotoxon.

a·xe·nic (ā-zen′ik). 無菌〔性〕の，純培養の（特に純培養についていう. また無菌環境(飼育容器，空気，飼料)の中で生まれ，育てられたような無菌動物についていうときに用いる).

ax·es (ak′sēz). axis の複数形.

ax·es of Fick フィック軸（垂直(Z)，冠状面での水平(X)，および矢状面での水平(Y)の中央を通る 3 つの軸. すべての眼球の回転はこれらの軸のいずれかを中心として記述することができる).

ax·i·al (ak′sē-ăl). ***1*** 軸の，軸性の. = axialis; axile. ***2*** 身体中心部の（四肢と区別して，体の中心部，頭部および体幹についていう. 例えば，軸骨格). ***3*** 軸の，軸面の（歯科において，歯の長軸についていう).

ax·i·al an·gle 軸角（身体の 2 面のなす角であり，その接線は身体の軸に平行である. 歯の軸角には，遠心面頬面角，遠心面唇面角，遠心面舌面角，近心面頬面角，近心面唇面角，および近心面舌面角がある).

ax·i·al cur·rent 軸流（動脈内血流において，血管の中央で急速に動いている部分).

ax·i·al fil·a·ment 軸糸（べん毛または線毛の中心糸. 電子顕微鏡で，9 個の周辺性二重微小管と 1 個の中心性微小管対の複合体としてみられる). = axoneme(2).

ax·i·al hy·per·o·pi·a 軸性遠視（眼球の前後径の短縮によって起こる遠視).

ax·i·al im·age 軸位断像（放射線学において，横断平面図を作り，体軸の周りで回転することによって得られた図. すなわち，軸に対する横断面).

ax·i·a·lis (ak′sē-ā′lis). = axial(1).

ax·i·al load·ing 軸荷重（身体の長軸方向に負荷(重量や力)をかけること).

ax·i·al mus·cle 体軸筋（頭部を含む体幹の骨格筋).

ax·i·al pat·tern flap 有軸皮弁（直接血行を保つ特定の動脈が弁の縦軸に沿ってある皮弁).

ax·i·al plate 軸板（胚の原始線条).

ax·i·al point = nodal point.

ax·i·al skel·e·ton 軸骨格，体幹骨格（頭骨と

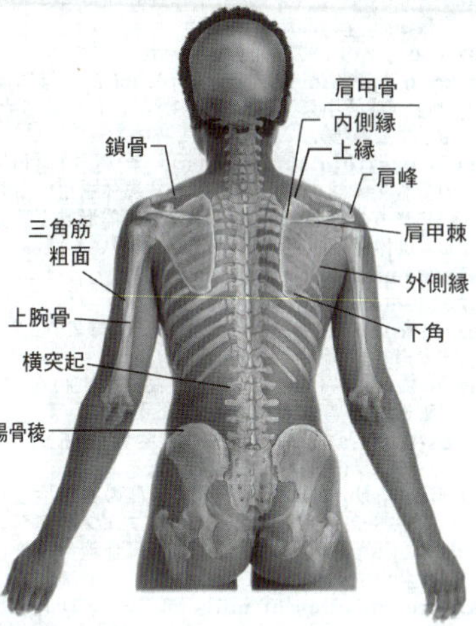

肩甲骨
内側縁
上縁
肩峰
鎖骨
三角筋
粗面
肩甲棘
外側縁
上腕骨
下角
横突起
腸骨稜

axial skeleton

脊柱の骨(胸骨・肋骨を含む)すなわち頭と胴にある関節した骨をいう．上・下肢の骨からなる付属肢骨格または体肢骨格とは区別される)．

ax·if·u·gal (ak-sif′yū-găl)．軸索遠心性の．= axofugal.

ax·ile (ak′sīl)．= axial(1)．

ax·il·la, gen. & pl. ax·il·lae (ak-sil′ă, ak-sil′ē)．腋窩，わきのした（肩関節の下方にある空間で，前は大胸筋，後ろは広背筋，内側は前鋸筋，外側は上腕骨で囲まれる．上方は鎖骨，肩甲骨，第一肋骨の間に開き，下方は腋窩筋膜で閉ざされる．空間内には腋窩動脈，腋窩静脈，リンパ節，リンパ管および結合組織がある)．= axillary cavity.

ax·il·lar·y (ak′sil-ār-ē)．腋窩の．= alar(2)．

ax·il·lar·y ar·ter·y 腋窩動脈（鎖骨下動脈が第一肋骨上を通過した以後の部分の呼称で，腋窩にはいり，大円筋の下縁を通過したところで上腕動脈と呼び替えられる．腋窩を通過する間は腋窩静脈とともに腕神経叢に囲まれて腋窩鞘をなしている．大胸筋との位置関係からⓘ近位部・ⓘⓘ後部・ⓘⓘⓘ遠位部に区別される．ⓘから上胸動脈，ⓘⓘから胸肩峰動脈，ⓘⓘⓘから肩甲下動脈と前後上腕回旋動脈が分枝する)．= arteria axillaris.

ax·il·lar·y cav·i·ty 腋窩．= axilla.

ax·il·lar·y hair 腋毛（腋窩の毛)．

ax·il·lar·y lymph nodes 腋窩リンパ節（腋窩静脈の周囲のリンパ節の総称で，上腕，肩甲部，胸筋部，乳腺などからのリンパを受けとり鎖骨下リンパ本幹に注ぐ)．

ax·il·lar·y nerve 腋窩神経（腋窩の腕神経叢の後神経束から起こり，後上腕回旋動脈とともに腋窩を後外側に抜け，上腕骨の外科頸を回って三角筋と小円筋に分布し，上腕の上外側の皮膚に終わる)．= nervus axillaris.

ax·il·lar·y thor·a·cot·o·my 腋窩開胸〔術〕（腋毛の底側の横切開または縦切開で行う側方開胸)．

ax·il·lar·y vein 腋窩静脈（尺側皮静脈および上腕静脈の続きで，大円筋の下縁から第一肋骨の外縁へ走り，ここで鎖骨下静脈となる)．

axio- 軸に関する連結形．→axo-.

ax·i·o·plasm (ak′sē-ō-plazm)．= axoplasm.

ax·i·o·pul·pal (ak′sē-ō-pŭl′păl)．軸面歯髄面の（歯の窩洞の軸壁と髄壁の接合部が形成する線角についていう)．

ax·i·o·ver·sion (ak′sē-ō-vĕr′zhŭn)．彎曲（歯の長軸が異常にねじれていること)．

ax·ip·e·tal (ak-sip′ĕ-tăl)．求心性の．= centripetal(2)．

ax·is (ax), pl. ax·es (ak′sis, ak′sēz)．***1*** 軸（球面体の 2 極間を通る直線．その周囲を球面体が回転する)．***2*** 軸線（身体またはその一部の中心線)．***3*** 脊椎．= vertebral column. ***4*** = central nervous system. ***5*** 軸椎（第二頸椎)．= epistropheus; vertebra C2; vertebra dentata. ***6*** 軸動脈（起始直後に多数の枝に分かれる動脈．例えば，celiac axis. →trunk)．

ax·is de·vi·a·tion 電気軸偏位（心臓の電気軸が正常な位置から右または左へそれること．→axis)．= axis shift.

ax·is shift 幅偏位．= axis deviation.

ax·is-trac·tion for·ceps 応軸鉗子（胎児の頭を骨盤軸の線上に沿って牽引できるように，2 つの柄の付いた産科用鉗子)．

axo- 軸，脳脊髄軸を意味する連結形．

ax·o·ax·on·ic (ak′sō-ak-son′ik)．軸索軸索間の（2 個の神経細胞の各軸索間のシナプス接合についていう．→synapse)．

ax·o·den·drit·ic (ak′sō-den-drit′ik)．軸索樹状突起間の（軸索と樹状突起のシナプス接合についていう．→synapse)．

ax·of·u·gal (ak-sof′yū-găl)．= axifugal.

ax·o·lem·ma (ak′sō-lem′ă)．軸索鞘（軸索の薄いプラスマ膜)．= Mauthner sheath.

ax·ol·y·sis (ak-sol′i-sis)．軸索融解（神経の軸索の破壊)．

ax·on (ak′son)．軸索（神経細胞突起のうち単一の突起で，正常条件下では細胞体やその他の細胞突起(樹状突起)からの神経のインパルス伝導を行う．厚さが 0.5 μm 以上の軸索は一般に(脳と脊髄中の)乏突起膠細胞または(末梢神経中の) Schwann 細胞によって形成される分節ミエリン鞘に包まれている．いくつかの例外を除いて，神経細胞はインパルスを他の神経細胞または効果器(筋細胞，腺細胞)に，それらの軸索のシナプス終末を通してのみ伝達できる)．

ax·o·nal (ak′sō-năl)．軸索の．

ax·o·neme (ak′sō-nēm)．軸糸，アクソネーム，染色糸（①染色体の軸中を走行する中央の糸状体．②= axial filament. ③真核生物の繊毛およびべん毛の中心に存在する微小管に特有の配列で，2 本 1 組の中心束とそれを囲む 9 組の二重微小管の束よりなる)．

ax·on hil·lock 軸索小丘，起始円錐（神経細胞体から出る軸索起始部の円錐状の部分．平行に配列した神経細管を含み，Nissl 物質はない）．

ax·on·og·ra·phy（ak′sō-nog′ră-fē）．アキソノグラフィ（軸索における電気的変化の描画）．

ax·on·ot·me·sis（ak′son-ot-mē′sis）．軸索断裂〔症〕（神経の支持構造の切断を伴わない神経軸索の中断で，末梢分節は完全に変性する．このような損傷は，つねったり，押しつぶしたり，または長時間圧迫された結果起こる．→neurapraxia; neurotmesis）．

ax·on ter·mi·nals 軸索終末（軸索が他の神経細胞または効果器細胞（筋肉または腺細胞）とシナプス接合しており，いくらか拡大していて，しばしば終末がこん棒状である．軸索終末は種々の神経伝達物質を含み，ときには 1 種以上を含む．→synapse）．= end-feet; neuropodia; terminal boutons; boutons terminaux.

ax·op·e·tal（ak-sop′ē-tăl）．軸索求心性の．

ax·o·plasm（ak′sō-plazm）．軸索原形質，軸〔索〕漿（軸索の神経細胞形質）．= axioplasm.

ax·o·plas·mic trans·port 軸索原形質輸送，軸〔索〕漿輸送（軸索原形質の流れによる輸送で，細胞体に向かうのを逆行性，軸索終末に向かうのを順行性という）．

ax·o·so·mat·ic（ak′sō-sō-mat′ik）．軸索細胞体間の（軸索と神経細胞体のシナプス接合についていう．→synapse）．

A·yer·za syn·drome アイエルサ（アイエルザ）症候群（慢性肺性心における肺動脈硬化．重症チアノーゼを伴う．真性多血症と一見似た状態であるが，肺動脈の細動脈硬化症あるいは原発性肺高血圧症が原因であり，細動脈の叢状病変が特徴的である）．

A·yur·ve·dic med·i·cine アユルヴェーダ医学（ハーブ，アロマテラピー，音楽療法，マッサージ，ヨガ，および他の処置を使用する代替医療システム．こころ，体，精神に同等の重きを置く）．

a·ze·o·trope（ā′zē-ō-trōp）．共沸〔混合〕物（液相と気相のどちらにおいても，2 種以上の物質の混合比を保ちながら沸騰する液体の混合物をいう）．

a·ze·o·tro·pic（ā′zē-ō-trō′pik）．共沸性の（共沸混合物を表す，またはその特性を示す）．

az·i·do·thy·mi·dine（az′i-dō-thī′mi-dēn）．アジドチミジン（→zidovudine）．

az·i·muth re·so·lu·tion 方位分解能（音を出す，もしくは反射する 2 個の物体間の空間的な距離を識別する能力．近接した 2 つの個体を区別する超音波の特性を記述するのに必要）．= elevation resolution.

azo- -C-N=N-C-基が分子中に存在することを示す接頭語．*cf.* diazo-.

az·ole（az′ōl）．アゾール．= pyrrole.

a·zo·o·sper·mi·a（ā′zō-ō-spĕr′mē-ă）．無精子〔症〕（精液中に生きた精子が存在しないこと．精子生成障害）．

az·o·pro·tein（ā′zō-prō′tēn）．アゾ蛋白（種々の芳香アミンのジアゾニウム誘導体を用いる処理により生成される変性蛋白．抗体形成を誘発し，抗体特異体を立証するために用いる）．

azotaemia［Br.］．= azotemia.

azotaemic［Br.］．= azotemic.

az·o·te·mi·a（ā′zō-tē′mē-ă）．〔高〕窒素血〔症〕，窒素過剰血〔症〕．= uremia; azotaemia.

az·o·tem·ic（ā′zō-tēm′ik）．〔高〕窒素血〔症〕の，窒素過剰血〔症〕の．= azotaemic.

a·zo·tu·ri·a（az′ō-tyūr′ē-ă）．窒素尿〔症〕（尿中への尿素の排泄増加）．

az·ure（azh′ŭr）．アズール（一群の異染性塩基性青色メチルチオニン，またはフェノチアジン色素を示す用語．アズールは特に血液や核染色の生物学的染料として用いる）．

az·ure lu·nules of nails アズールの爪半月（肝レンズ核変性症においてすべての爪半月が変色して青みがかること）．

az·u·res·in（azh′ū-rez′in）．アズレジン（アズール A とカルバクリル樹脂の錯体．挿管を用いないで行う無酸症の検出の際の指示薬として用いる）．

az·u·ro·phil, az·u·ro·phile（azh′ŭr-ō-fil, -fīl）．アズール〔親和〕性の，アズール好性の（アズール染料に容易に染まる．特にクロマチン（染色質）過多やある種の血球の赤紫色の顆粒についていう）．

az·y·go·gram（az′i-gō-gram）．奇静脈造影（撮影）写真（造影剤注入後の奇静脈系の X 線像）．

az·y·gog·ra·phy（az′i-gog′ră-fē）．奇静脈造影（撮影）〔法〕，奇静脈写（造影剤注入後の奇静脈系の X 線撮影）．

az·y·gos（az′i-gŏs）．***1*** 奇性，不対（対をなさない解剖学的構造）．***2*** = azygos vein.

az·y·gos lobe of right lung 右肺の奇静脈葉（右肺肺門上部に形成されることのある小副葉．奇静脈を容れる深い溝で上葉から分離される）．

az·y·gos vein 奇静脈（右上行腰静脈と右肋下静脈との合流として起こり，ときとして下大静脈との交通枝もみられる．後縦隔の中を胸椎の右側に沿って上行し，右肺根を後ろから前へ回り込んで上大静脈に後方から流入して終わる）．= azygos(2).

az·y·gous（az′i-gŭs）．単一の，奇数の，不対の，奇の．

B

β⁻ 電子の記号.
β (bā′tă). ベータ (→beta).
β⁺ 陽電子の記号.
B ***1*** ホウ素の元素記号. アスパラギン酸またはアスパラギンのいずれかが存在するか, どちらであるか不明な場合に用いる記号. プロモウリジンを示す記号. 多基質酵素触媒反応での第2番目の基質を表す記号. ***2*** 下付き文字として気圧 barometric pressure を表す.
b ***1*** 下付き文字として, 血液を表す. ***2*** ラテン語 *bis* (2回)の略.
Ba バリウムの元素記号.
bab·bit (bab′it). バビット (歯の充填物作製に使用される金属合金材料. 註日本ではほとんど用いられない).
Ba·be·si·a (bă-bē′zē-ă). バベシア属 (経済上, 最も重視されている原生動物バベシア科の一属. 特徴としては, 宿主の赤血球中で増殖し, 対体や四裂体をつくる. ほとんどの種類の家畜にバベシア症(ピロプラスマ症)を起こし, また2つの種は, 脾摘したヒトあるいは健常者に疾病を起こす. 媒介動物は, マダニやヒメダニである).
Ba·be·si·a mi·cro·ti マラリア原虫に類似の原虫で, 本来, 北米産の数種のげっ歯類(*Peromyscus* および *Microtus* spp.)に寄生する種. 多くのヒト感染例が米国から報告されている. マダニ属の *Ixodes scapularis* がこの地方の媒介動物である. *I. scapularis* の豊富な血液供給源として働くシカ類の増加に伴い, 近年原虫数と感染レベルが著しく上昇している. →*Borrelia burgdorferi*.
ba·be·si·o·sis (bă-bē′zē-ō′sis). バベシア症 (*Babesia* 属の原生動物種の感染による疾患で, ダニによって媒介される. 動物にみられる本疾患の特徴は, 発熱, 倦怠, 不安, 重度の貧血, および血色素尿である. 死亡率は幼若牛よりも成牛で高いことが多い).
Ba·bès nodes バベース結節 (狂犬病にみられる中枢神経系統内のリンパ球の集合).
Ba·bin·ski phe·nom·e·non バビンスキー現象. = Babinski sign(1).
Ba·bin·ski sign バビンスキー徴候 (①足底刺激に対して正常の屈曲反射の代わりに母趾が伸展し, その他の趾は外転する("positive" Babinski). = Babinski phenomenon; paradoxical extensor reflex. ②片麻痺の場合の罹患側における広頸筋の衰弱. 錐体路障害を表すと考えられている. ③仰向けに横たわっている患者が胸の前で腕を組み, 座位をとろうとすると器質性麻痺の場合, 患側の大腿は屈曲し踵は上がるが健側の下肢は平らのままである. ④片麻痺の場合, 罹患側の前腕は回外位に置かれた場合回内位に回る).
Ba·bin·ski syn·drome バビンスキー症候群 (末期梅毒 late syphilis の心臓, 動脈, 中枢神経系の所見の組合せ).
ba·by (bā′bē). 乳児 (新生児).
Ba·by Doe law ベビー・ドウ法 (身体にハンディキャップ, 障害を持つ子供を, 育成, 思いやり, 医療の欠如に関連する虐待から守る規則の一般的な用語).
ba·by fat 乳児脂肪 (①年を追うごとに消える, 子供や若者に見られる肥満の俗称. ②産後の女性に見られる肥満).
ba·by tooth 乳歯. = deciduous tooth.
bac·cate (bak′āt). 漿果様の.
bac·ci·form (bak′si-fōrm). 漿果状の.
Bach·e·lor of Phar·ma·cy (Phar.B.) 薬学学士 (現在アメリカで薬学博士に広くとってかわられた薬学の分野における学士課程の学位).
bach·e·lor's but·ton = feverfew.
Bach·e·lor of Sci·ence de·gree in Nurs·ing (BSN) 看護学士 (看護に関する専門教育の大学課程(通常8学期)修了者に与えられる学位).
Bach flow·er rem·e·dies バッチフラワーレメディ (イギリスの物理学者エドワード・バッチによって開発された物理療法. 体に感じるストレスを軽減して, 感情の状態を再調和させるのに有効であると, 一部の専門家によって考えられている).
Ba·cil·la·ce·ae (bă-si-lā′sē-ē). バチルス科, バシラス科 (グラム陽性杆菌で, 好気性または通性嫌気性, 芽胞形成性で, 通常は運動性の細菌(真正細菌目)の一科. 病原性の種類もいくつかある. 普通は *Bacillus* 属および *Clostridium* 属の2属を含める. 標準属は *Bacillus*).
bacillaemia [Br.]. = bacillemia.
ba·cil·lar, bac·il·la·ry (bas′i-lăr, bas′i-lār-ē). 杆菌〔性〕の, 細菌〔性〕の, 杆状〔体〕の.
bac·il·la·ry an·gi·o·ma·to·sis 杆菌性血管腫症状 (免疫系が侵された患者に新しく発見された *Rochalimaea henselae* により起こる感染症. 発熱, 肉芽性皮膚結節, ときには肝臓性紫斑病を伴う. 皮膚生検で血管増殖と血管壁の好中球の浸潤と Warthin-Starry 銀染色で認められる菌体の塊を特徴とする).
bac·il·la·ry dys·en·ter·y 細菌〔性〕赤痢 (志賀赤痢菌 *Shigella dysenteriae*, フレクスナー赤痢菌 *S. flexneri*, その他の微生物による感染症).
ba·cil·le Cal·mette-Gué·rin (BCG) カルメット-ゲラン杆菌 (BCG ワクチンの調製に用いるウシ型結核菌 *Mycobacterium bovis* の弱毒化された一菌株. 結核菌および癌に対する免疫力増強に利用される).
bac·il·le·mi·a (bas-i-lē′mē-ă). 菌血〔症〕 (循環血液中にグラム陰性または陽性の杆状細菌が存在する状態). = bacillaemia.
ba·cil·li (bă-sil′ī). bacillus の複数形.
ba·cil·li·form (ba-sil′i-fōrm). 杆状の.
ba·cil·lin (ba-sil′in). バシリン (枯草菌 *Bacillus subtilis* により産生される抗生物質).
bac·il·lo·sis (bas-i-lō′sis). 杆菌症 (杆菌による全身感染).

bac·il·lu·ri·a (bas-il-yūr′ē-ă). 細菌尿〔症〕(尿中に細菌，特にグラム陰性または陽性の杆菌が存在する状態).

Ba·cil·lus (bă-sil′ŭs). バチルス属，バシラス属(グラム陽性杆菌で，好気性または通性嫌気性，芽胞形成性で，通常は運動性のバチルス科細菌の一属．運動細胞は周毛性．芽胞は厚い壁をもち，グラム染色ではわずかしか染まらない．これらの細菌はその発育に有機栄養素を必要とし，主に土壌中にみられる．少数のものは動物病原体となる．抗体産生を喚起する種もある．標準種は *Bacillus subtilis*).

ba·cil·lus, pl. **ba·cil·li** (bă-sil′ŭs, bă-sil′ī). ***1*** *Bacillus* 属の細菌を表すのに用いる通称. ***2*** 杆状の形態を示すすべての細菌を表すのに用いられる語.

Ba·cil·lus ce·re·us ヒトの嘔吐型や下痢型の食中毒，およびヒトや他の哺乳類の感染症を起こす細菌種.

Ba·cil·lus cir·cu·lans 土壌中に認められる細菌種で，敗血症，混合膿瘍感染，さらに創傷感染を含むヒト感染症の原因となる.

Ba·cil·lus pu·mil·is 通常は腐生菌であるが，食中毒やまれに膿瘍，あるいは腸瘻孔の形成に関与する.

Ba·cil·lus sphae·ri·cus 昆虫病原菌の一種で，ヒトや他の哺乳類の偶発的感染症，特に免疫不全の宿主の感染に関連する細菌種.

back·ache (bak′āk). 背〔部〕痛 (背の痛みを表すのに用いる非特異的用語．一般には頸部より下の痛みに対して用いる).

back·board splint 背板副子 (ひもによって身体を固定するため，ひもを通す穴を有する板副子．短いものは頸部損傷に，長いものは背部損傷に対して用いる).

back·bone (bak′bōn). 脊柱. = vertebral column.

back·cross (bak′kraws). 戻し交雑，戻し交配 (1つ以上の遺伝子座で異型接合の個体を，同じ遺伝子座で同型接合の個体と交配すること).

back-ex·trap·o·la·tion (bak′eks-trap′ō-lā′shŭn). 逆吸気 (努力肺活量測定時に，呼気の開始を決定する過程．逆吸気(通常，努力肺活量に対する割合で表す)が大きすぎる場合は，躊躇したり，呼気開始の誤りを示す).

back·flow (bak′flō). 逆流 (正常の液体または電気とは逆方向の流れ. →regurgitation).

back·ground ra·di·a·tion バックグラウンド放射線 (地殻，大気，宇宙線，体内摂取の放射性核種など環境由来の放射線).

back la·bor 腰痛を伴う児頭の不正軸進入 (分娩において児頭が産道に進入する時に母胎の背方(後方)に傾きすぎて，仙骨を圧迫し，そのため強い腰痛を訴えること). = posterior presentation.

back pres·sure 後方圧 (血流の前方への障害の結果，循環において上流に向かう血液に及ぼす圧力．例えば，僧帽弁狭窄や左心室不全の結果生じる肺循環のうっ血などの場合に発生する).

back·pro·jec·tion (bak′prŏ-jek′shŭn). 逆投影〔法〕(CTあるいは画像再構成に複数の投影を必要とする他の画像化技法において，測定されたX線データに対する構造物内各ボクセルの寄与を計算するアルゴリズムで，画像を生成するために用いられる．最も古く，簡単な画像再構成法).

back·scat·ter (bak′skat-ĕr). 後方散乱 (一次線より90度以上後方へ向かって発生した二次放射線).

back ta·ble pro·ce·dure 置換前操作 (患者から摘出した臓器に，置換する前に行う操作).

back·track·ing (bak′trak-ing). バックトラッキング (RNAポリメラーゼがDNA鋳型上，逆方向に移動していること．これにより転写が活発に行われている所より3′末端でいくつかの塩基対がその結合を開裂するときに生じる状態よりもっと安定となる).

back·ward heart fail·ure 後方心不全 (以前，前方心不全と対比して考えられた概念で，心室後方の血圧上昇のために生じる静脈のうっ血によってうっ血性心不全が起こるという説. *cf.* forward heart failure).

Ba·con a·no·scope ベーコン肛門鏡 (片側に長い切れ目，反対側に光源の付いた直腸鏡に似た器械).

bacteraemia [Br.]. = bacteremia.

bac·te·re·mi·a (bak′tĕr-ē′mē-ă). 菌血〔症〕(循環血液中に生菌が存在すること．歯科を含めた医療に関連した外傷により一過性に起こる場合と感染により持続的または繰返し起こる場合がある). = bacteraemia; bacteriemia.

bac·te·ri·a (bak-tēr′ē-ă). bacterium の複数形.

bacteriaemia [Br.]. = bacteriemia.

bac·te·ri·al (bak-tēr′ē-ăl). 細菌〔性〕の.

bac·te·ri·al cap·sule 細菌莢膜 (ある種の細菌の表面をおおっている多種多様な組成の粘液

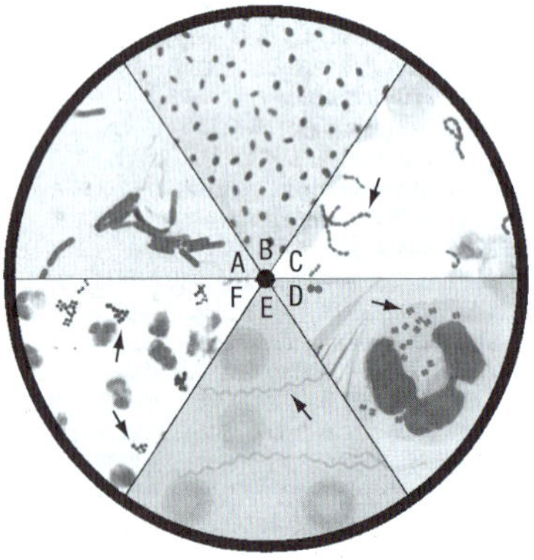
A
B
C
D
E
F

bacteria

A：バチルス，B：マルタ熱菌，C：連鎖球菌，D：双球菌，E：スピロヘータ，F：黄色ブドウ球菌層．病原菌の莢膜を有する細胞は，通常，莢膜のない細胞より病毒力が強い．それは，莢膜を有する細胞は食細胞作用に対する耐性が強いからである）．

bac·te·ri·al end·ar·ter·i·tis 細菌性動脈内膜炎（細菌の移植や発育により動脈壁にゆうぜいを形成すること．開存する動脈管，動静脈瘻でみられることがある）．

bac·te·ri·al en·do·car·di·tis 細菌性心内膜炎（細菌が直接侵入することにより起こる心内膜炎で，弁の奇形と破壊を起こす．急性と亜急性細菌性心内膜炎の２種がある）．

bac·te·ri·al food poi·son·ing 細菌性食中毒（通常，細菌増殖自体あるいは可溶性細菌性外毒素が起こす腸炎や胃腸炎(腸熱すなわち腸チフスと赤痢を除く)に限定される症状について用いる語）．

bac·te·ri·al in·fec·tion 細菌感染（細菌に起因する，内部もしくは外部の病気に関する一般用語）．

bac·te·ri·al plaque 菌苔，歯垢（歯科において，歯の表面に付着している種々の小さな形状の糸状体微生物の塊．細菌の作用と環境要因によって，う食，結石，隣接組織への炎症性変化を起こしうる）．= dental plaque(2)．

bac·te·ri·al trans·lo·ca·tion 細菌転位（細菌あるいは細菌産物の腸管粘膜を横切っての移動で，リンパ系あるいは内臓循環に出現する）．

bac·te·ri·al vag·in·o·sis 細菌性腟炎（*Gardnerella vaginalis* などの嫌気性菌の感染によるヒトの腟炎．多量の悪臭のある帯下が特徴である）．

bac·te·ri·al vi·rus 細菌ウイルス（細菌に感染するウイルス．バクテリオファージ）．

bac·te·ri·cid·al (bak-tēr′i-sī′dăl)．殺菌〔性〕の（*cf.* bacteriostatic）．

bac·te·ri·cide (bak-tēr′i-sīd)．殺菌作用を有する薬物．

bac·te·ri·cid·in (bak-tēr′i-sī′din)．殺菌素（補体によって細菌を殺す抗体）．

bac·ter·id (bak′tĕr-id)．細菌〔性皮〕疹（①掌蹠に孤立性・無菌性膿疱が再発的または持続的に生じるもの．遠隔部の細菌感染症に対するアレルギー反応であると考えられる．②それまでは局所性であった細菌性皮膚感染症が播種性に生じたもの）．

bac·te·ri·e·mi·a (bak′tēr-ē-ē′mē-ă)．= bacteremia; bacteraemia.

bacterio-, bacteri- 細菌に関する連結形．→bacterium.

bac·te·ri·o·ci·din (bak-tēr′ē-ō-sī′din)．殺菌素（殺菌作用をもつ抗体）．

bac·te·ri·o·cin·o·gen·ic plas·mids バクテリオシン産生プラスミド（バクテリオシンの形成に関与する細菌プラスミド）．= bacteriocinogens.

bac·te·ri·o·cin·o·gens (bak-tēr′ē-ō-sin′ō-jĕnz)．= bacteriocinogenic plasmids.

bac·te·ri·o·cins (bak-tēr′ē-ō-sinz)．バクテリオシン（バクテリオシノン産生プラスミドを有する細菌によってつくられる蛋白．密接な関係にある細菌に対して致死効果を発揮する．一般に，抗生物質より作用範囲は狭く，強力である）．

bac·te·ri·o·gen·ic (bak-tēr′ē-ō-jen′ik)．細菌性の．

bac·te·ri·o·gen·ic ag·glu·ti·na·tion 細菌性凝集反応（細菌またはその生成物の作用の結果，細胞が凝集すること）．

bac·te·ri·o·log·ic, bac·te·ri·o·log·i·cal (bak′tēr-ē-ō-loj′ik, -i-kăl)．バクテリアの，細菌学の．

bac·te·ri·ol·o·gist (bak-tēr′ē-ol′ŏ-jist)．細菌学者．

bac·te·ri·ol·o·gy (bak-tēr′ē-ol′ŏ-jē)．細菌学（細菌の研究に関する科学）．

bac·te·ri·ol·y·sin (bak-tēr′ē-ol′i-sin)．溶菌素（細菌性細胞(すなわち抗原)と結合する特異抗体．補体があれば細菌細胞の溶解または分解を起こす）．

bac·te·ri·ol·y·sis (bak-tēr′ē-ol′i-sis)．溶菌，溶菌反応，溶菌作用，溶菌現象（低張液，特異抗体および補体などにより細菌が溶解すること）．

bac·te·ri·o·lyt·ic (bak-tēr′ē-ō-lit′ik)．溶菌の（細菌細胞を溶解する能力についていう）．

bac·te·ri·o·pex·y (bak-tēr′ē-ō-pek-sē)．細菌固定（食細胞による細菌の不活化）．

bac·te·ri·o·phage (bak-tēr′ē-ō-fāj)．〔バクテリオ〕ファージ（細菌に対して特異的な感染性を有するウイルス．藍細菌門を含む，基本的にはすべての細菌(原核生物)に見出される．他のウイルスと同様，RNA または DNA どちらかをもつ(両方ということはない)．構造は，一見簡単な線維状細菌ウイルスから収縮性の尾部をもつ比較的複雑な形まである．宿主細菌との関係はきわめて特異的で，テンペレートファージでみられるように宿主菌とは遺伝的に近い関係にある．ファージの命名は，〝コリネバクテリオファージ〟，〝大腸菌ファージ〟のように，宿主菌の種，グループ，菌株の名にちなむ．→coliphage）．= phage.

bac·te·ri·op·so·nin (bak-tēr′ē-op′sō-nin)．細菌オプソニン（オプソニンの一種で，細菌を食細胞に貪食されやすいようにそれらに作用する抗体であると考えられている）．

bac·te·ri·o·sis (bak-tēr′ē-ō′sis)．細菌症（局所性または全身性の細菌感染症）．

bac·te·ri·o·stat·ic (bak-tēr′ē-ō-stat′ik)．静菌〔性〕の（細菌の増殖を抑制または阻止する）．

bac·te·ri·um, pl. bac·te·ri·a (bak-tēr′ē-ŭm, -ă)．細菌，バクテリア（通常，細胞分裂によって増殖し，体制を一定に保つ役割をもつ細胞壁を有する単細胞の原核微生物．好気性・嫌気性，運動性・非運動性，自由生活性，腐食性，片利共生性，寄生性などのものがあり，病原性をもつものもある．→Cyanobacteria）．

bac·te·ri·u·ri·a (bak-tēr′ē-yūr′ē-ă)．細菌尿〔症〕(尿中に細菌が存在する状態)．

Bac·te·roi·des (bak-ter-oy′dēz)．バクテロイデス属（グラム陰性杆菌を含む偏性嫌気性非芽胞形成菌(バクテロイデス科)の多くの種を含む

一属．運動性と非運動性の種がある．運動性細胞は周毛性．炭水化物を発酵し，コハク酸，乳酸，酢酸，ギ酸，プロピオン酸などを短鎖アルコールとともに産生する．酪酸は主要産生物ではない．炭水化物発酵を行わない種は，ペプトンから微量ないし中量のコハク酸，ギ酸，酢酸，乳酸あるいは中量のアルコールとイソ吉草酸，プロピオン酸，イソ酪酸とともに大量の酢酸および酪酸を産生する．ヒトおよび動物の消化管内細菌叢の一部を構成し，それよりは少ないが呼吸器および泌尿生殖器腔にもみられる．以前に *Bacteroides* 属として分類されていた多くの種は *Prevotella* 属に所属するものとして再分類されている．多くの種が病原性をもつ．標準種は *Bacteroides fragilis*）．

Bac·te·roi·des ca·pil·lo·sus ヒトの嚢胞や外傷，口腔，糞便から分離される細菌種．

Bac·te·roi·des dis·i·ens 腹部および泌尿器感染，ならびに口腔より分離される菌種．

Bac·te·roi·des dis·ta·so·nis 健常者の糞便内フローラを構成する細菌で，ときとして腹腔内感染を起こすことがある．

Bac·te·roi·des frag·il·is ヒトや動物の消化管にみられる細菌種．結腸内にみられる *Bacteroides* 属の種のうち，およそ10—20％のみを構成するが，ヒトにおいて腹膜炎，直腸膿瘍，腹部外科創傷，泌尿生殖器感染などの腹部膿瘍およびその他の横隔膜感染症に主として関与している種である．*Bacteroides* 属の標準種．

Bac·te·roi·des mel·an·in·o·gen·i·cus ━ *Prevotella melaninogenica*.

Bac·te·roi·des o·ris 歯肉溝，全身感染，顔面，頸部および胸部膿瘍，外傷瘻分泌物，血液や各種体液から分離される菌種．

Bac·te·roi·des splanch·ni·cus インドール産生性グループの細菌種で，健常者の腸内フローラとして，またしばしば大量の N-ブチル酸の産生を含むユニークな新陳代謝の特性をもったヒトに認められる．本菌は *Porphyromonas* 属と密接に関係しているようである．

Bac·te·roi·des the·ta·i·o·ta·mi·cron 腸管内にみられる細菌種で，ヒトの横隔膜下の感染の原因としては，*Bacteroides* 属のなかでは *Bacteroides fragilis* についで多い菌である．

bad cho·les·ter·ol 悪玉コレステロール（低比重リポ蛋白質と結合したコレステロールの俗称．一般的に，脳卒中や冠動脈疾患のリスクを増加させると考えられている）．

BADL basic activities of daily living の略．

BAER (bār). brainstem auditory evoked response（脳幹聴性誘発反応）の略. ━evoked response.

Baer law ベール（ベーア）の法則（胚形成において，ある群のすべての構成員にみられる器官の一般的な性質のほうが，群の個々の構成員を識別する特殊な性質よりも前に現れること．この法則は反復発生説 recapitulation theory の先駆である）．

Baer·mann con·cen·tra·tion ベールマン濃縮法（線虫検査のための検体調製法．新鮮便の検体中の生きた線虫の幼虫は，数枚重ねたガーゼを通過して水道水中に移動する性質を利用し，その水道水を遠沈して幼虫を集める）．

Bae·yer the·o·ry ベーアー説（炭素結合は，109°28′の角度で固定され，その炭素環が最も安定状態にあり，その角度におけるねじれはきわめて少ない．それゆえ炭素原子4以下または7以上からなる環よりも，5または6からなる平面環（シクロペンタン，ベンゼン）のほうが一般的であるという理論）．

bag (bag). 袋，嚢，バッグ（入れ物，容器）．

bag·as·so·sis (bag′ă-sō′sis). サトウキビ肺症（サトウキビの線維（サトウキビの搾りかす）に暴露した後に起こる外因性アレルギー性肺胞炎．土壌中の真菌，特に好熱性放射線菌の胞子の吸入に起因するといろいろいわれてきた）．

Bagh·dad boil ＝Aleppo boil.

bag-valve-mask de·vice, bag-mask de·vice バッグ-バルブ-マスク器具（手動の陽圧換気器具．マスク，一方向のみの弁，自己膨張するバッグからなる．気管内チューブまたは気管カニューレに連結される）．

bag of wa·ters 羊膜（羊膜およびその中の羊水を意味する口語）．

Bail·lar·ger lines, Bail·lar·ger bands バイヤルジェ線（大脳皮質の表面に平行に走る2層の白質線維で，髄鞘染色をして垂直断切片上で皮質第Ⅴ層（外側の線）の内錐体層帯 stria of the internal pyramidal layer と第Ⅳ層（内側の線）の内顆粒層帯 stria of the internal granular layer としてみられる．鳥距皮質における Gennari 線はこのうち外側の線に相当する）．

Bail·li·art oph·thal·mo·dy·na·mom·e·ter バヤール眼底血圧計（網膜中心動脈の血圧を測る器械．診断においては近位頸動脈系の閉塞がわかる）．

Bain·bridge re·flex ベーンブリッジ（ベインブリッジ）反射（血流の増加および（または）大静脈の入口部圧の増加による右心房の血圧の上昇により生じる心拍数の増加）．

Ba·ker ac·id he·ma·tein ベーカー酸〔性〕ヘマテイン（リン脂質染色の際，凍結切片に対して用いる酸化ヘマトキシリンの酸性溶液）．

Ba·ker cyst ベーカー嚢胞（膝関節または滑液嚢から飛び出し，膝窩腔に新たな嚢状体を形成した滑液の集まったもの．変性あるいはその他滑液を大量に産生する関節疾患でみられる）．

Ba·ker pyr·i·dine ex·trac·tion ベーカーのピリジン抽出（希釈 Bouin 溶液に固定した組織の熱ピリジン処理．この物質の組織化学的染色において，対照として組織からリン脂質を抽出するのに用いる）．

bak·er's itch パン屋かゆみ〔症〕（取り扱うコムギ粉または穀物疥癬ダニに対するアレルギー反応により，パン屋の手と腕に現れる発疹）．＝grocer's itch.

BAL bronchoalveolar lavage; British anti-Lewisite の略．

Bal·a·muth a·que·ous egg yolk in·fu·sion me·di·um バラマス卵黄水加培地（赤痢アメーバ *Entamoeba histolytica* を主とした腸管アメーバの検出に用いる）．

Ba·la·mu·thi·a (bal-ă-mū′thē-ă). バラムチア

属（肉芽腫性アメーバ脳炎の原因となる自由生活性アメーバの一属）.

bal·ance (bal′ăns). ***1*** はかり，てんびん（重さを量る器械）. ***2*** 平衡（身体の2つ以上の相対する部分または器官の釣合いのとれた相互作用）. ***3*** 平衡，バランス（身体の成分の量および比率）. ***4*** バランス（体内物質の摂取，消費，蓄積，または分泌間の差. →equilibrium.）.

bal·ance bil·ling 混合請求（患者に，支払い要求がなされている総額と，第三者支払い主が，その金銭的寄与をなした後で，まだ支払われていない残余について，金銭的請求を行うこと）.

bal·anced an·es·the·si·a バランス麻酔〔法〕（全身麻酔の一技法．数種の神経抑制薬の少量を混合投与することにより，混合物の個々の成分の利点を相加させ，欠点は相加させないという概念に基づく）.

bal·anced di·et バランスのとれた食事，バランス食（必須栄養素を適切な割合で含んでいる食事）.

bal·anced oc·clu·sion 平衡咬合（機能的な運動の範囲内で，上下顎の歯が中心位および偏心位において調和のとれた接触をすること）.

bal·anced pol·y·mor·phism 平衡多型現象（2つの対立遺伝子が安定な遺伝子頻度に保たれている単一座性形質で，これは異型接合体で存在する方が同型接合体のどちらよりも適合しているためである. →overdominance）.

bal·anced trans·lo·ca·tion 平衡転座（端部動原体型染色体の長腕が他の染色体に転座すること．平衡転座をもつ個体は，臨床的には正常であるが染色体数が45であり，非対称的な減数分裂の結果として，遺伝子を欠損するかあるいは三染色体性(トリソミー)の子供をもつ）.

bal·anc·ing side 平衡側（歯科において，非機能側のことで，咬合運動中にそこから下顎が運動を行う. *cf.* working side）.

bal·anc·ing side con·dyle 平衡側顆頭（歯科において，下顎の側方運動時に動く側と反対側の下顎頭）.

ba·lan·ic (bă-lan′ik). 陰茎亀頭の，陰核亀頭の.

bal·a·ni·tis (bal′ă-nī′tis). 亀頭炎（陰茎亀頭または陰核亀頭の炎症）.

balano-, balan- 陰茎亀頭に関する連結形.

bal·a·no·plas·ty (bal′ă-nō-plas-tē). 亀頭形成術（陰茎亀頭の手術による再建）.

bal·a·no·pos·thi·tis (bal′ă-nō-pos-thī′tis). 亀頭包皮炎.

bal·an·ti·di·a·sis (bal′an-ti-dī′ă-sis). バランチジウム症（大腸内に大腸バランチジウム *Balantidium coli* がいるために起こる疾病．下痢，赤痢症状，ときに潰瘍形成を特徴とする）.

Bal·an·tid·i·um (bal-an-tid′ē-ŭm). バランチジウム属（バランチジウム科の繊毛虫の一属．脊椎動物と無脊椎動物の消化管の中に見出される）.

Ba·lan·tid·i·um co·li 大腸バランチジウム（巨大な繊毛虫の一属で，長さ50—80 μm からブタでは200 μm にも達する．盲腸や大腸に見出され，管腔を活発に泳ぎ回る．ヒトでは，通常，無害であるが，腸壁に侵入して潰瘍を起こし，アメーバ性赤痢様の大腸炎の原因となる）.

bald·ness (bawld′nĕs). 禿頭症，はげ. = alopecia.

Ba·lint syn·drome バリント症候群（視覚失調と同時失認を特徴とする症候群．視作業において視覚系を働かせることの困難性は，通常，両半球の上側頭頭頂領への障害による）.

Bal·kan frame, Bal·kan splint バルカン枠（ベッドの柱または別のスタンドに取り付けられ，垂直に保たれ，突出した枠．骨折や関節疾患の治療において，副木のついた足をつるす）.

Balke-Ware tread·mill pro·to·col ボールク-ウェア・トレッドミル・プロトコール（急性心筋梗塞と不整脈の高リスクを抱えている患者の数値を求めるのに，トレッドミルに乗って行う最大下運動負荷試験. →Astrand-Rhyming cycle ergometer test）.

ball (bawl). ***1*** 球（丸い塊. →bezoar）. ***2*** 丸剤（獣医学において，大きい丸剤または巨丸剤をいう）.

Bal·lance sign バランス徴候（両脇腹における濁打診音の聴取．左側は一定であるが，右側は位置の変化により濁音域が移動する．これらの徴候は脾臓の破裂を示唆する．濁音界聴取の原因は，腹腔内出血の存在で，右側では溶血した血液貯留のためであるが左側では凝血塊の存在のためである）.

ball-and-sock·et a·but·ment ボール状・ソケット状アバットメント（ボール状，ならびにソケット状の形態からなる緩圧型連結装置により，橋義歯に結合するアバットメント）.

ball-and-sock·et joint 球関節（股関節のように，1つの骨頭にある多少広い大きな球が他の骨の円形の空洞にはまり込んでいる多軸関節）. = cotyloid joint; enarthrodial joint; enarthrosis; spheroid joint.

Bal·lan·tyne dis·ease バランタイン病（長期在胎(39週以上)，注意力の低下，出産時低体重，および呼吸促迫とされた新生児の病気．皮膚，つめ，へその緒はしばしば緑がかっている．その原因は，胎盤機能不全であることが多い）. = Clifford disease; dysmaturity syndrome; Runge disease.

bal·lis·mus (bă-liz′mŭs). バリスム〔ス〕，舞踏病痙攣様運動（肢の近位筋を侵す不随意運動の一型．肢の痙攣するような，飛ぶような動きを呈する．反対側の視床下核かその近くの病変が原因である．通常，体の片側のみが障害され，片側バリスムになる）.

bal·lis·tic re·sis·tance train·ing 初動負荷法（物体や重りが急速に最大限度の力で動き，次にすぐに放出されるレジスタンストレーニングのフォーム）.

bal·loon (bă-lūn′). ***1*** 〚n.〛バルーン（種々の人体構造で，管やカテーテルを体内にとどめたり保持したりするために用いる膨張可能な球形または卵形の装置）. ***2*** 〚n.〛狭窄している臓器あるいは血管を拡げたり，ふさぐのに用いられる膨張性の装置. ***3*** 〚v.〛膨張させる（検査を容易にするために体腔に気体または液体を入れて膨張させたり，組織を拡張または管腔を閉塞するこ

B

と).

bal·loon an·gi·o·plas·ty バルーン血管形成術（血管壁に対して血小板が圧縮されている病気の部分へ，バルーン・カテーテルを通すことによって，アテローム性動脈硬化を広げること).

bal·loon sep·tos·to·my バルーン〔による〕中隔開口〔術〕（心臓カテーテル法により中隔に開口(欠損)をつくる．膨らんだバルーンを卵円孔を通して心房中隔を横切って使用する．大血管転位症と三尖弁閉鎖症において使われる).

bal·loon-tip cath·e·ter バルーン付きカテーテル（①先端にバルーンがついている単腔あるいは二腔のチューブ．挿入後，抜去せずにバルーンを膨らませたり脱気することができる．血管内をカテーテルチューブが進みやすくさせるため(血流によって推進される)，あるいはチューブだけでは血流が自由な血管を閉塞させるためにバルーンを膨らませる．このカテーテルは，心血行動態の測定のため，しばしば肺動脈内に挿入される．→Swan-Ganz catheter. ②血管内に入れ膨らませ，血栓を除去し，それらを移動させる(塞栓摘除カテーテル). ③= Fogarty catheter).

Ball op·er·a·tion ボール手術（肛門そう痒症の治療のため，肛門につながる知覚神経幹を切断する方法).

bal·lot·a·ble pa·tel·la 膝蓋跳動（膝関節包内に血液または液体が貯留して膝蓋骨が浮球感を示す状態). = floating patella.

bal·lotte·ment (bal-ot-mōn[h]′). 浮球感，浮球法，バロットマン（特に腹水症などがある場合に，バスケットのドリブルをするときのように手指を弾ませるようにして表面から離れた所にある器官の大きさを推測するのに用いる一般検診の方法).

ball valve ボール弁（心臓人工弁の一種．弁口に取り付けた籠でボールを保持する．大動脈弁，僧帽弁，三尖弁部にそれぞれ適合したサイズのものが使用される).

balm (bawlm). ***1*** 香膏（芳香のある軟膏). ***2*** 鎮静薬.

bal·ne·ol·o·gy (bal′nē-ol′ō-jē). 浴療学（入浴を利用した治療学).

bal·ne·o·ther·a·py (bal′nē-ō-thār′ă-pē). 浴療療法（入浴による病気の治療).

bal·sam of Pe·ru ペルーバルサム（マメ科 *Myroxylon balsamum* から得られる混濁状，暗褐色の液状バルサム．60%は油性シンナメインである．創傷の治療に用いる). = *Toluifera pereirae.*

BALT (bawlt). bronchus-associated lymphoid tissue の略.

Bam·ber·ger dis·ease バンベルガー病（①= saltatory spasm. ②= polyserositis).

Bam·ber·ger-Ma·rie dis·ease バンベルガー-マリー病. = hypertrophic pulmonary osteoarthropathy.

Bam·ber·ger-Pins-Ew·art sign = Bamberger sign.

Bam·ber·ger sign バンベルガー徴候（①三尖弁閉鎖不全症における頸静脈波曲線. ②対部知覚症. = allocheiria. ③肩甲骨の角を打診したときの濁音．患者が前方に曲げると音が明瞭になり，滲出性心膜炎であることがわかる). = Bamberger-Pins-Ewart sign.

bam·boo hair 竹状毛（一般に毛幹に沿って結節を有する毛髪で，遠位の毛髪が近位の毛髪に重なり，中間部で折れたりすることにより短くなったりして正常の長さでなくなり，竹のような外観を呈するもの．Netherton 症候群にみられる．常染色体劣性). = trichorrhexis invaginata.

bam·boo spine 竹様脊柱（強直性脊椎炎の X 線写真で認められる胸椎または腰椎の外観).

BAMDI breath activated metered dose inhaler の略.

ba·na·na sign バナナ徴候（Arnold-Chiari 奇形の胎児の超音波断層法でみられる小脳の異常変形).

Ban·croft sign バンクロフトサイン（ふくらはぎの横ではなく前の部分を軽く圧迫することにより，ふくらはぎ内部の静脈内部血栓症の兆候を発見する．全体の症例の約 3 分の 1 はこの方法で発見できる).

band (band). ***1*** 帯，帯環（身体の一部を取り囲む，または縛り付ける器具あるいはその一部. → zone). ***2*** 帯，線条，靱帯（リボン状またはひも状の解剖学的構造．他の構造を取り囲んだり結合したり，2 つ以上の部分を連結する. → fascia; line; linea; stria; tenia). ***3*** 帯（電気泳動やある種のクロマトグラフィで検出されるいくつかの高分子(時折，小分子)を含有する狭い帯).

ban·dage (ban′dăj). ***1*** 〖n.〗包帯，帯具（種々の大きさおよび形をした布または他の材質からできたもので，身体の部位に用いて，圧迫，外部からの汚染の防止，乾燥の防止，ドレナージ吸収，運動の制止，外科包帯の支持の目的に供する). ***2*** 〖v.〗包帯をする（包帯によって身体の部位をおおう).

ban·dage con·tact lens バンデージコンタクトレンズ（角膜欠損部の被覆のためのコンタクトレンズ).

band cell 杆状球，杆状核〔白血〕球（弯曲したあるいはらせん状をした杆状核をもつ顆粒球(白血球)系の細胞．どんなに著しい陥凹があっても，核が糸状体によって連結する分葉に完全に分かれない場合にいう). = stab cell; staff cell.

band·ing (band′ing). バンディング，染色法，分染法（細胞の(通常)分裂中期の染色体を染め，それぞれの染色体の同定と欠けている断片の識別を可能にしている独持の帯状の縞目模様によって，区別する方法．ヒトの 22 対の染色体と X, Y 染色体にはそれぞれ特徴的なバンディングのパターン(模様)がある).

Ban·dl ring バンドル輪. = pathologic retraction ring.

band-shaped ker·a·top·a·thy 帯状角膜症（角膜瞼裂間に生じる水平灰色混濁で，輪部から始まり中心に向かい進行する．高カルシウム血症，慢性虹彩毛様体炎，Still 病に起こる).

band·width (band′width). 帯域（バンド）幅（MRI における撮像のための(MR 信号の)周波数

または波長の受信範囲).

bane·ber·ry (bān′ber-ē). = black cohosh.

Bang ba·cil·lus バン〔グ〕杆菌. = *Brucella abortus.*

Ban·kart le·sion バンカート病変（下関節上腕靱帯の剥離を伴う前関節窩関節唇の断裂).

Ban·nis·ter dis·ease バニスター病. = angioedema.

Bann·warth syn·drome バンワース症候群（ライム病の神経症状で，慢性リンパ球性髄膜炎，ダニ伝播髄膜多発神経炎ともよばれる).

bar (bahr). ***1*** バール（圧力の単位で，CGS 単位系では 1 メガダイン(10^6 ダイン)/cm^2, 0.9869233 気圧に等しく，国際単位系では 10^5 Pa (N/m^2)に等しい). ***2*** バー（可撤性部分床義歯の 2 つ以上の部分を接続するための金属部分のうち，その幅径より長径のほうが大きいものをいう). = beam(2). ***3*** 稜（2 つ以上の類似した構造を結ぶ組織または骨の一部).

baraesthesia [Br.]. = baresthesia.

baraesthesiometer [Br.]. = baresthesiometer.

bar·ag·no·sis (bar-ag-nō′sis). 圧覚失認，重量圧感喪失（手に持った物の重さを判断できないか，異なる重さの物を鑑別できないこと．一次性感覚が障害されていない場合は，反対側の頭頂葉の病変が原因である).

Bá·rá·ny ca·lo·ric test バーラーヌイ温度〔刺激〕試験，バーラーヌイ温度〔眼振〕試験（前庭機能試験．外耳道を，湯または冷水で刺激する．通常，前庭器を刺激し，眼振と指示の偏向(偏示)を引き起こす．前庭器疾患があると，反応は減弱するか欠如する). = caloric test.

Bá·rá·ny sign バーラーヌイ徴候（耳の疾病の場合，前庭が健康であれば，体温以下の水を外耳道に注入すると，反対側の方向への回旋眼振が起こる．注入液が体温以上の場合，眼振は注入側の方向に起こる．迷路に疾病があるか機能が欠如している場合，眼振が欠如するか減弱する).

bar·ber·ry (bahr′ber-ē). メギ（様々な形状(錠剤，点滴など)で，用途は下痢止めや解熱，咳止めなどに利用される．妊婦には毒性の可能性がある). = jaundice berry; Oregon grape; sowberry; wood sour.

bar·ber's itch 床屋かゆみ〔症〕. = tinea barbae.

bar·ber's pi·lo·ni·dal si·nus 床屋の毛巣嚢腫（理髪師に起こる毛巣嚢腫．通常，指蹼の間に起こり，鋏を使うので手の組織が交互に緩んだり緊張したりして外的に毛が埋まることによる).

bar·bi·tu·rate (bahr-bich′ŭr-āt). バルビツレート（バルビツール酸の誘導体．中枢神経系抑制薬として使用し，鎮静，催眠，痙攣抑制の目的で用いる).

bar·bi·tu·rism (bahr-bich′ŭr-izm). バルビツレート中毒〔症〕（バルビツール酸の誘導体による慢性中毒．はっきりしていないが徴候は寒気，発熱，頭痛を伴う皮膚発疹がある).

bar·bo·tage (bahr-bō-tahzh′). バルボタージ（脊椎麻酔の一方法で，脳髄液に麻酔薬の一部を注入する．その後脳髄液を注射器に吸収し，再びその中身を注入する).

bar code バーコード（多様なバーとスペースの組み合わせで構成されるコードでレーザーによりコンピュータにスキャンされその物のラベルを識別する).

Bard-Pic dis·ease = Courvoisier gallbladder.

bare lym·pho·cyte syn·drome 不全リンパ球症候群（末梢単核球表面に HLA 抗原が存在せず，免疫不全に陥る症候群).

bar·es·the·si·a (bar′es-thē′zē-ă). 圧覚. = pressure sense; baraesthesia.

bar·es·the·si·om·e·ter (bar′es-thē′zē-om′ĕ-tĕr). 圧覚計. = baraesthesiometer.

barf (bahrf). 嘔吐（吐くことを意味する口語表現).

bar·i·at·ric (bar′ē-at′rik). 肥満学の.

bar·i·at·rics (bar′ē-at′riks). 肥満学（肥満症や同じような病気の治療(予防またはコントロール)を扱う医学の分野).

bar·i·at·ric sur·ger·y 肥満手術（肥満に対処する手術).

bar·i·um (Ba) (bar′ē-ŭm). バリウム（2 価のアルカリ土類金属元素．原子番号 56，原子量 137.327．不溶性の塩類は，造影剤として放射線医学でしばしば用いられる).

bar·i·um en·e·ma (BE) バリウム注腸（造影注腸の一型．下部消化管の放射線透視撮影のために造影剤である硫酸バリウム溶液を使用すること).

bar·i·um swal·low 食道造影（咽頭および食道の造影検査のための硫酸バリウム溶液の経口投与).

Bar·kan mem·brane バーカン(バルカン)膜（線維柱帯をおおう理論的組織．房水流出を妨げ，先天性緑内障の機序として考えられている).

Bar·kan op·er·a·tion バーカン(バルカン)手術（先天性緑内障に対して前房隅角を直接観察しながら行う隅角切開術).

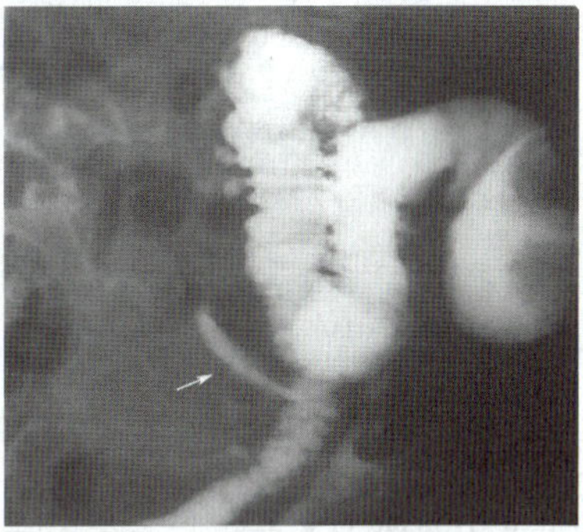

barium enema

破裂した憩室(矢印)を示す結腸のX線写真.

B

Bark·man re·flex バークマン反射（乳首の下の皮膚に与えられた刺激に反応する同側の腹直筋の収縮）.

bar·ley (bahr′lē). 大麦（一般的に朝食のシリアルやスープに多く見られる食物. 調査によるとコレステロール値を下げ, 糖尿, 癌の抑制に大きな効果があると言われている). = foxtail grass; pearl barley.

Bar·low dis·ease バーロー病. = infantile scurvy.

Bar·low ma·neu·ver バーロー手技（股関節の不安定性を調べるテストで, 股関節を屈曲, 内転し, 後方への力を加えると脱臼する場合を陽性とする）.

Bar·mah For·est virus バーマフォレストウイルス（アルファウイルスの一種で, オーストラリアでヒトに多発性関節炎の爆発的流行を生じた. カにより媒介される）.

Barnes curve バーンズ曲線（通常, Carus 曲線に相当する曲線. 仙骨岬骨を中心とする円の一部をなす）.

Barnes zone バーンズ帯（妊娠した子宮の下部 1/4 で, この部分に胎盤が付着すると危険な出血を起こす）.

baro- 重量または圧力に関する連結形.

bar·o·cep·tor (bar′ō-sep-tŏr). = baroreceptor.

bar·og·no·sis (bar′og-nō′sis). 重量認知（対象物の重量を認識する能力, または, 異なった重量の対象物を弁別する能力）.

ba·rom·e·ter (bă-rom′ĕ-tĕr). 気圧計（大気圧を測るために用いられる道具）.

bar·o·met·ric pres·sure (P_b) 気圧（周辺大気の絶対圧力. その値は天候や標高などによって変わる. ミリバール(気象学), mmHg, あるいはトール(呼吸生理学)によって表される. 海水面における 1 気圧(atm, 760 mmHg, または 760 トール)は 14.69595 lb/in^2, 1013.25 ミリバール, 1013.25 × 10^6 ダイン/cm^2. 国際単位系(SI)では 101,325 パスカル(Pa)である）.

bar·o·phil·ic (bar′ō-fil′ik). 好圧性の（高い外圧のもとで繁殖する. 微生物に対して用いる）.

bar·o·re·cep·tor (bar′ō-rĕ-sep′tŏr). 圧受容器（①圧変化を感じとるもの一般についていう. ②心房壁, 大静脈, 大動脈弓, 頸動脈洞にある感覚神経終末で, 内部圧の増加による壁の伸張を知覚し, この圧力を下げようとする中枢反射機構の受容器としての機能をもつ）. = baroceptor; pressoreceptor.

bar·o·re·flex (bar′ō-rē′fleks). 圧反射（圧受容体刺激により誘発される反射）.

bar·o·si·nus·i·tis (bar′ō-sī-nŭs-ī′tis). 気圧性副鼻腔炎. = aerosinusitis.

bar·o·stat (bar′ō-stat). 圧調節器（血圧を調節する装置または構造物）.

bar·o·tax·is (bar′ō-tak′sis). 圧走性（気圧の変化に対する生体の反応）.

bar·o·ti·tis me·di·a 気圧性中耳炎. = aerotitis media.

bar·o·trau·ma (bar′ō-traw′mă). 気圧障害, 気圧性外傷, 圧力障害（大気圧と罹患腔内圧力の不均衡によって, 中耳または副鼻腔に起こる損傷に対して以前用いられた語. 現在では, 大部分, 人工呼吸器をつけられている患者が高気道内圧を受けたときなどのような圧による肺外傷に, むしろ用いられる）.

Bar·ra·quer meth·od バラケル法. = zonulolysis.

Barr chro·ma·tin bod·y バー染色質〔小〕体. = sex chromatin.

bar·rel chest 樽状胸（前後径が増した胸郭で, 肺気腫の症例にみられる）.

bar·rel dis·tor·tion 樽形(バレル)ひずみ(歪)〔像〕（周辺の倍率が光軸(中心)の倍率より大きい場合に生じる不整な像. ―Petzval surface）.

Bar·ré sign バレー徴候（片麻痺を有する患者に肢を膝の位置で屈曲させて腹臥位をとらせると, 病変側で屈曲姿勢を維持できなくて脚を伸展する）.

Bar·rett ep·i·the·li·um バレット上皮（Barrett 症候群にみられる食道の円柱上皮）.

Bar·rett syn·drome, Bar·rett e·soph·a·gus, Bar·rett met·a·pla·si·a バレット症候群, バレット食道（胃噴門部の粘膜に類似する円柱上皮が並ぶ食道下部の慢性消化性潰瘍. 長期にわたる慢性食道炎の結果としてできる. 逆流性を伴う食道狭窄や腺癌も報告されている）.

bar·ri·er (bar′ē-ĕr). 関門, 障壁, バリア（①障害, 障害物. ②精神医学において, 個人の苦闘を解消する助けとなりうるような行動を阻止する葛藤因子）.

bar·ri·er con·tra·cep·tive 精子の通過阻止による避妊法（精子の頸管通過を防止するための物理的手段. 通常, 殺精子剤(ペッサリー)と併用する）.

bar·ri·er pro·tec·tion バリア保護（医療従事者を患者からの有害性を秘めた血液, 粘液, 唾液などの液体から守る身体的な保護）.

Bar·thel Self-Care In·dex バーセル・セルフケア指標（高齢の患者を 10 項目からなるセルフケアの課題をそれぞれ 1 から 10 までのレベルに分け段階をふるいにかける方法）.

Barth her·ni·a バルトヘルニア（残存する卵黄管と腸壁の間の腸の係蹄）.

Bar·tho·lin ab·scess バルトリン〔腺〕膿瘍（大前庭腺の膿瘍）.

Bar·tho·lin cyst バルトリン〔腺〕嚢胞（大前庭腺またはそのリンパ管から生じる嚢胞）.

Bar·tho·lin cys·tec·to·my バルトリン〔腺〕嚢胞切除〔術〕（大前庭腺嚢腫の切除）.

Bar·tho·lin duct バルトリン管（大唾液腺の 1 つである舌下腺の導管. 註本来は誤用）.

Bar·tho·lin gland バルトリン腺. = greater vestibular gland.

bar·tho·lin·i·tis (bar′tō-lin-ī′tis). バルトリン腺炎（大前庭腺(Bartholin 腺)の炎症）.

Bar·thol·o·mew's tea = yerba maté.

Barth syn·drome バース症候群（低成長, 好中球減少, 心筋症, 尿中の 3-メチルグルタコン酸の過剰排泄を特徴とする X 連鎖症候群. 骨格筋脆弱を呈する患者もいる）.

Bar·ton ban·dage バートン包帯（下顎骨を下

前方より支える8字形包帯．下顎骨骨折の際に用いる）．

Bar·to·nel·la (bahr-tō-nel′ă)．バルトネラ属（染色の特性や形態から *Rickettsia* 属と密接に類似した細菌の一属．宿主間を伝播する．生体は通常，宿主の節足動物の細胞外と哺乳類の細胞内に住む）．

Bar·to·nel·la ba·cil·li·for·mis 杆菌状バルトネラ（オロヤ熱患者の血液中，およびリンパ節，脾臓，肝臓の上皮細胞にみられる種（オロヤ熱の原因）．ペルーいぼ病患者の血液および発疹部分にもみられる）．

Bar·to·nel·la·ce·ae (bahr-ton-el-ā′sē-ē)．バルトネラ科（現在のところ，*Bartonella* 属を含む細菌の一科である．S16rRNA での研究をもとに，以前の *Rochalimaea* 属や *Grahamella* 属は *Bartonella* 属と併合されているが，各種名はそのまま継承されている）．

Bar·to·nel·la hen·se·lae 最近認知された細菌種．リケッチア様生体から *Rochalimaea* 属に分類されていた．杆菌性血管腫症の原因で，特に免疫無防備状態のヒトやネコ引っ掻き病のヒトに起こる．

Bar·to·nel·la quin·ta·na 以前は *Rochalimaea* 属の標準種であった．本菌は塹壕熱の原因菌で，エイズ患者では敗血症や心内膜炎に関与する．節足動物ベクターはコロモジラミ *Pediculus humanus* である．

bar·ton·el·lo·sis (bahr-tō-nĕ-lō′sis)．バルトネラ症（ペルーのアンデス峡谷，チリ，エクアドル，ボリビア，コロンビアにおける地方病．菌状バルトネラ *Bartonella bacilliformis* によって起こり，夜行性の咬螫イボサシチョウバエ *Phlebotomus verrucarum* により媒介される．次の3つの形態がある．ⓘオロヤ熱，ⓘⓘペルーいぼ病，ⓘⓘⓘⓘとⓘⓘの合併症または続発症）．

Bar·ton for·ceps バートン鉗子（固定された弯曲葉と前方にちょうつがいの付いた葉をもつ産科用鉗子．高在横定位に用いる）．

Bar·ton frac·ture バートン骨折（橈骨手根関節の掌側亜脱臼または脱臼を伴う橈骨遠位端の骨折）．

Bart syn·drome バート症候群（四肢，間擦部の水疱，先天性の限局性皮膚欠損，口腔のびらん，栄養障害性の爪変形を伴う表皮水疱症の一型で，瘢痕を残さずに自然に軽快することが多い．常染色体優性遺伝で，第3染色体短腕の7型コラーゲン遺伝子（COL7A1）の変異による）．

Bart·ter syn·drome バーター症候群（病因は Henle わなにおける活性塩化物の再吸収障害による．二次性のアルドステロン分泌増加を伴った原発性の傍糸球体細胞の過形成，低カリウム血性アルカローシス，尿中カルシウムの増加，レニンあるいはアンギオテンシン活性の上昇，正常または低血圧，成長障害，そして浮腫のないことを特徴とする．常染色体劣性遺伝．第15染色体長腕の Na–K–2Cl 移送遺伝子（SLC12A1）または第11染色体長腕のカリウムイオンチャネル遺伝子（KCNJ1）の突然変異によって発生する）．

bar·y·o·pho·bi·a (bar′ē-ō-fō′bē-ă)．肥満恐怖症（太ることに対して理不尽な恐怖を感じること）．

baryto- 鉱物中のバリウム含有を示す接頭語．

ba·sad (bā′sad)．〔基〕底側へ（物体や構造物の基底部の方向についていう）．

ba·sal (bā′săl)．***1*** 基底の，底部の（円錐形器官において，特定点からみて底の方にある，の意．apical の対語）．***2*** 窩底の（歯科において，歯の切削面における窩底についていう）．***3*** 基礎の（比較のための標準，または基準となるもの）．

ba·sal an·es·the·si·a 基礎麻酔〔法〕（1種以上の鎮静薬を非経口的に投与し，全身麻酔まで至らない意識抑制状態をつくる）．

ba·sal bod·y 基底〔小〕体，基粒（細胞の頂部で線毛の基部にある細長い中心小体）．= basal granule.

ba·sal cell 基底細胞（上皮の最深層をなす細胞）．

ba·sal cell car·ci·no·ma, ba·sal cell ep·i·the·li·o·ma 基底細胞癌（発育が遅く浸潤性だが通常は転移しない腫瘍．上皮または毛包の基底細胞に似ている．老人，色白の人の日光で障害された皮膚に最もできやすい．初期治療は寒冷療法で行う）．

ba·sal cell ne·vus 基底細胞母斑（乳児期あるいは思春期に発症する遺伝性疾患で，眼瞼，鼻，頬，頸，腋窩に非びらん性の肉色の丘疹が多発するのを特徴とする．皮疹はときに有茎性となる．組織学的に基底細胞上皮腫と区別できない．掌蹠には点状角化症様の皮疹をみる．これらの病変は通常，ずっと良性である．しかし，いくつかの例では潰瘍形成や浸潤性変化が起こり，悪性化の徴候を示している）．

ba·sal cell ne·vus syn·drome 基底細胞母斑症候群（成人に至り基底膜細胞癌を生じる無数の基底細胞母斑，歯原性角化嚢腫，手掌足底の紅斑性陥凹，大脳鎌の石灰化および，しばしば骨奇形，特に二分肋骨または前方が拡大した肋骨などを呈する症候群．常染色体優性遺伝）．= Gorlin syndrome.

ba·sal en·ceph·a·lo·cele 頭蓋底部脳瘤（頭蓋底の骨欠損部より脳組織が外部に脱出（ヘルニア）したもので，ときに視神経欠損を伴う）．

ba·sal gan·gli·a 脳幹神経節，基底核（本来は，大脳半球底にある灰白質のすべての大きな塊をさしたが，現在は，視床下核と黒質のような線状体（尾状核とレンズ核）および線状体に付随した細胞群をさす）．

ba·sal gran·ule = basal body.

ba·sal joint re·flex 基関節反射（第三，第四，または第五指に強い受動的な屈曲が加えられたときにみられる母指の対立および内転で，母指の中手指節関節の屈曲および母指の指骨間関節の伸展を伴う．この反射は正常でみられ，錐体路障害で欠如する）．= finger-thumb reflex; Mayer reflex.

ba·sal lam·i·na of cil·i·ar·y bod·y 毛様体基底板（脈絡膜基底板と連続している毛様体の内層で網膜毛様体部の色素上皮を支持している）．

ba·sal lam·i·na of neu·ral tube 〔神経管の〕

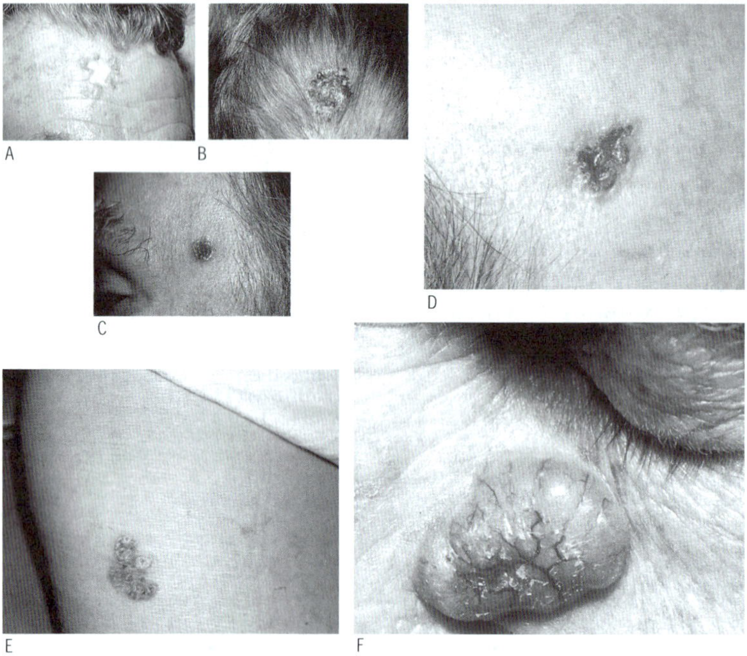
A
B
C
D
E
F

basal cell carcinomas　A：限局性，B, D：潰瘍性，C, F：結節性，E：表面性.

基板. = basal plate of neural tube.

ba·sal lam·i·nar dru·sen 基底層ドルーゼン（直径 25—75 μm の小，円形，透明病巣で，網膜色素上皮の基底膜の瘤状肥厚．しばしば Bruch 膜からの網膜色素上皮の局所的剥離を伴う）. = cuticular drusen.

ba·sal lay·er 基底層. = stratum basale(1).

ba·sal lay·er of cho·roid 〔脈絡膜の〕基底板. = lamina basalis choroideae.

ba·sal lin·e·ar dru·sen 基底線状ドルーゼン（網膜色素上皮の細胞質膜 plasma membrane と基底膜 basement membrane との間の長幅コラーゲンの沈着）.

ba·sal met·a·bol·ic rate (BMR) 基礎代謝率（覚醒状態で生命を維持するために必要な最小エネルギー量）.

ba·sal plate of neu·ral tube 〔神経管の〕基板（胚の神経管外側壁の腹側部分．基板は体性運動性および内臓運動性ニューロンを生じる神経芽細胞からなる）. = basal lamina of neural tube.

ba·sal rod = costa(2).

ba·sal state 基礎的状態（最低でも 12 時間以上の断食の後に早朝に起こる代謝の休眠．実験などの時に使われる）.

ba·sal sub·stan·ti·a 基底質（扁桃体に関係深い基底部の諸構造で，基底核(Ganser 核)，レンズ下核，分界条核などがある）. = substantia basalis.

ba·sal ten·to·ri·al branch of in·ter·nal ca·rot·id ar·ter·y 内頸動脈の基底テント枝（内頸動脈の海綿洞部から出て小脳テント基底部に分布する小枝）.

ba·sal vein of Ro·sen·thal ローゼンタール脳底静脈（側頭葉の内側面に沿って，そこの部の流域を受けて，尾背方へ走る大きい静脈．(Galen の)大大脳静脈へ外側から注ぐ）.

base (bās). ***1*** 基底，基礎（低い方の部分すなわち基盤部で，頂の反対部分）. = basis. ***2*** 主薬，基剤（薬学において，合剤の主成分）. ***3*** 塩基（化学において，陰イオンと結合して塩を生成するもの．またはイオン化により電離して，水酸イオンを生じる化合物. →Brønsted base; Lewis base）. = alkali(2). ***4*** 塩基（Brønsted 塩基として作用する窒素含有有機化合物．例えば，プリン，ピリミジン，アミン，アルカロイド，プトマインなど）. ***5*** 塩基（陽イオンあるいはそれを生じる物質）.

base·ball fin·ger 野球指（末端節骨基部からの中指伸筋の部分的または完全な裂離）. = mallet finger(2).

base def·i·cit 塩基欠乏（血液中の緩衝塩基総濃度の減少で，代謝性アシドーシスあるいは代償された呼吸性アルカローシスを意味する）．

base ex·cess 塩基過剰，ベイスエクセス，B.E.（代謝性アルカローシスの計量．通常，Siggaard-Andersen 計算図表から予想される．37°C で二酸化炭素圧 40 mmHg での pH 7.4 まで滴定するための，全血の単位体積当たり加えられるべき強酸の量）．

base of heart 心底（心尖の反対側に位置し主に左心房の後面からなるが，ごく一部は右心房の後面からなる．後右側に向き，食道と大動脈によって脊柱から分けられている）. = basis cordis.

base in·crease at low lev·els 低音強調（低い周波数領域の入力レベルが低い場合に利得を徐々に上げる，補聴器の信号処理方法）．

BASE jump·ing ベースジャンピング（パラシュートを使って 4 タイプの固定された人工物または自然物（ビル building または高層建築，アンテナ antenna またはタワー，さしわたし span（橋，アーチ，デッキ），断崖 earth）から飛び降りるスポーツ）．

base·line（bās′līn）．基線（①頭蓋底に近似する線，眼窩下縁から後頭部の中線を通り，外耳道の上縁を横切る．基線が水平にあるとき頭蓋骨は解剖学的位置にある．②治療開始前にある能力のレベルや所有の集合）. = orbitomeatal line.

base of lung 肺底（横隔膜の円蓋上に位置する下肺凹面）. = basis pulmonis.

base·ment mem·brane 基底膜（上皮細胞の底面や筋細胞・脂肪細胞・Schwann 細胞を取り囲む無構造な細胞外層構造で，選択的フィルタであるとともに構造的形態形成的機能ももつ．透明板・緻密板・線維細網板の 3 層とコラーゲン基質（特に固有のタイプ IV をもつ）と数種の糖蛋白とからなる）. = basilemma.

base of mo·di·o·lus of co·chle·a 蝸牛軸底（蝸牛の基底回転によって取り囲まれている蝸牛軸の部分．内耳道の外側端に面する．→cochlear area）．

base pair 塩基対（プリンとピリミジン間の水素結合によりプリンとピリミジンが結合している 2 個の複素環式核酸塩基の複合体．1953 年，J. Watson と F. Crick により提案された DNA 構造の重要な要素．通常，グアニンはシトシン（G・C）と，アデニンはチミン（A・T）またはウラシル（A・U）と対になる）．

base of pha·lanx of foot 足指骨底（足指骨近位部で凹面をなし隣の骨と関節する部分）. = basis phalangis pedis.

base of pha·lanx of hand 手指骨底（手指骨近位部で凹面をなし隣の骨と関節する部分）. = basis phalangis manus.

base·plate（bās′plāt）．基礎床（義歯床を表現している一時的な型．上下顎の関係を記録し，人工歯配列などに用いる）．

base of skull 頭蓋底（脳頭蓋腔の傾斜した床部分．外側からみた外頭蓋底と内側からみた内頭蓋底とを含む）. = basis cranii.

base of sta·pes あぶみ骨底（前庭窓に嵌合するあぶみ骨の平らな部分）. = basis stapedis; foot-plate（1）; foot-plate（1）．

base sta·tion ベースステーション（病院の救急部門における EMS（expanded memory specification）方式の床上型ラジオを意味する一般用語．また入院前の医療供給者に対して直接的な医療管理を行う病院について言及する場合にも用いられる）．

B

base of sup·port（BOS） 支持基底面（身体の部位の定義された範囲で支援する表面と関わりのある支援用道具．→repetitive lifting test）．

base u·nits 基本単位（国際単位系（SI）における長さ，質量，時間，電流，温度，物質量，および光度の基本単位．これらの量に対する単位の名称と記号は，メートル（m），キログラム（kg），秒（s），アンペア（A），ケルビン（K），モル（mol），カンデラ（cd）．→International System of Units）．

basi-, baso-, basio- 底，基礎を意味する連結形．

ba·si·breg·mat·ic ax·is バジオンブレグマ軸（バジオンからブレグマまでのびている直線）．

ba·sic（bā′sik）．基礎の．

ba·sic ac·tiv·i·ties of dai·ly liv·ing（BADL） 基本的日常生活動作（個人的ケアに関する動作（歯磨き，入浴など））．

ba·sic dyes 塩基性染料（陽性に荷電するイオンすなわちカチオンを与えるために溶液でイオン化する染料．助色団は塩酸 HCl のような酸と塩を形成することのできるアミンである．溶液は通常わずかに酸性である）．

ba·sic fuch·sin ［CI 42500］．塩基性フクシン（パラロザニンを主成分とするトリフェニルメタン染料．組織学，組織化学および細菌学で重要な染色剤）．

ba·sic fuch·sin-meth·y·lene blue stain 塩基性フクシン-メチレンブルー染色〔法〕（エポキシ樹脂に包埋したままの切片に対する染色．合成樹脂（プラスチック）包埋組織のやや厚めの切片では，核は紫色に，コラーゲンや弾性板や結合組織は青色に，ミトコンドリアやミエリンや脂肪滴は赤色に，平滑筋細胞や軸索原形質や軟骨芽細胞は桃色に染まる）．

ba·sic·i·ty（bā-sis′i-tē）．***1*** 塩基度（酸の結合価．置換可能な分子中の水素原子の数）．***2*** 塩基性（化学塩基の特性）．

ba·sic life sup·port 基本的救命（生命に関わる状況において，まず初めに行わなければならない蘇生および治療）．

ba·sic per·son·al·i·ty type 基本的人格型（①個人に独特の，潜在的または基礎的な人格傾向．それらが行動上で顕現・明白であるなしにかかわらずいう．②社会集団の構成員の大多数にも共通するある個人の人格特性）．

ba·si·cra·ni·al ax·is 頭蓋底軸（バジオンから蝶篩骨縫合の中点まで引かれる直線）．

ba·si·cra·ni·al flex·ure = pontine flexure.

ba·sic stain 塩基性染料（そのカチオン部分が，核酸のアニオン性基（PO_4^{3-}）や酸性ムコ多糖類（例えば，コンドロイチン硫酸）と結合する色素分子の発色団である色素）．

Ba·sid·i·ob·o·lus（bă-sid′ē-ob′ō-lŭs）．バシディオボールス属（接合菌綱に属する菌類の一属．接合真菌症（昆虫性バシディオボールス症）の患

者から *Basidiobolus haptosporus* が分離されている．通常，熱帯環境において小児の体幹および四肢を侵す）．

Ba·sid·i·o·my·co·ta (bă-sid′ē-ō-mī-kō′tă). 担子菌門（胞子を有する器官，担子器を特徴とする真菌の門で，担子器は核融合と減数分裂の後，通常，担子胞子のみられるこん棒状の細胞である．通常は植物の病原体であり，ヒトへの病原性はほとんどない）．

ba·sid·i·um, pl. ba·sid·i·a (bă-sid′ē-ŭm, -ă). 担子器（細胞，胞子を担う器官で，通常はこん棒状を呈する．担子菌類に特徴的である．細胞核融合と減数分裂によってつくり出した担子胞子を外側にもつ．細い柄にある膨らんだ端末細胞からなり，通常，4本の細いフィラメント（小柄）を生じ，その先端に担子胞子が発生する）．

ba·si·fa·cial (bā′si-fā′shăl). 下顔面の（顔の下方部分に関する）．

ba·si·fa·cial ax·is 鼻棘頭蓋底軸（鼻棘点から蝶篩骨縫合の中点まで引かれる直線）. = facial axis.

bas·il (bā′zil). バジル（薬膳に幅広く使われるハーブの一種．研究がグルコースちを下げる実用性を裏付けてる．また，鎮痛性，酸化防止，抗潰瘍の目的もある）．

bas·i·lar, bas·i·la·ris (bas′i-lăr, bas-i-lā′ris). 基底の，基部の（錐体あるいは広域構造の基部に関する）．

bas·i·lar ar·ter·y 脳底動脈（左右の椎骨動脈の頭蓋内部分が結合してできる．橋の下縁から斜台に沿ってクモ膜下腔の橋槽の中を上縁へ走行し，そこで左右の後大脳動脈に分かれる．分枝として前下小脳動脈，橋動脈，中脳動脈，上小脳動脈，後大脳動脈がある）. = arteria basilaris.

bas·i·lar in·dex 矢状頭顔面指数（バジオン－プロスチオン距離と頭蓋最大長との比率で，次式で計算する．（Ba-Pr 長 × 100）/頭蓋長）. = alveolar index.

bas·i·lar lam·i·na 基底板. = basilar membrane.

bas·i·lar mem·brane 〔蝸牛管の〕基底板（骨らせん板から蝸牛の基底稜にのびた膜．蝸牛管の床の大部分を形成して鼓室階との境をなし，Corti 器はこの上にのる）. = basilar lamina.

bas·i·lar men·in·gi·tis 脳底髄膜炎（脳基底部の髄膜炎で，通常，結核，梅毒，または他の慢性肉芽腫性病変による．内水頭症を起こすことがある）．

bas·i·lar pa·pil·la 鳥類，両生類，および は虫類の聴覚器官．哺乳類の Corti 器官に相当する．

bas·i·lar ver·te·bra 基底椎骨（最も下にある腰椎）．

ba·si·lat·er·al (bā′si-lat′ĕr-ăl). 基底外側の（基底と他の1つ以上の側面に関する）．

ba·si·lem·ma (bā′si-lem′ă). 基底膜. = basement membrane.

ba·sil·ic vein 尺側皮静脈（手背静脈叢の尺側から起こり，前腕内側を回って尺側皮静脈となり，肘正中皮静脈を経て橈側皮静脈と交通し，上腕の内側を上行して腋窩静脈に流入する）．

ba·si·on (bā′sē-on). バジオン（大後頭孔の前縁の中点．オピスチオンの反対側）．

ba·sip·e·tal (bā-sip′ĕ-tăl). 求基的な，求底的な（①基底部の方へ向かうことについていう．②真菌において，次々と底部の分生胞子が分枝せずに出芽し，最も若い胞子が基底部にくるような無性的分生胞子形成についていう）．

bas·i·pho·bi·a (bās-i-fō′bē-ă). 〔起立〕歩行恐怖〔症〕（歩くことに対する病的な恐れ）．

ba·sis (bā′sis). 底，基底. = base(1).

ba·sis cor·dis 心底. = base of heart.

ba·sis cra·ni·i = base of skull.

ba·sis pha·lan·gis ma·nus = base of phalanx of hand.

ba·sis pha·lan·gis pe·dis = base of phalanx of foot.

ba·si·sphe·noid (bā′si-sfē′noyd). 蝶形骨底の（蝶形骨体の後部を形成する胚の独立した骨化中心点を示す）．

ba·sis pul·mo·nis 肺底. = base of lung.

ba·sis sta·pe·dis あぶみ骨底. = base of stapes.

bas·ket cell かご細胞（①軸索終末分枝で他のニューロンの細胞体を網状に包むニューロン．②= smudge cells. ③分枝突起を有する筋上皮細胞で，ある種の唾液腺や涙腺の腺胞の分泌細胞の基底にみられる）．

bas·ket nu·cle·us 籠状核（ヨードアメーバ *Iodamoeba bütschlii* のシスト，またときに栄養型にみられる核の形態．染色標本では，カリオソームとクロマチン顆粒の間を線維が走っているのがみられる）．

ba·so·e·ryth·ro·cyte (bā′sō-ĕ-rith′rō-sīt). 塩基性赤血球（好塩基性斑点，好塩基性顆粒などの好塩基性変性を伴う赤血球）．

ba·so·e·ryth·ro·cy·to·sis (bā′sō-ĕ-rith′rō-sī-tō′sis). 塩基性赤血球増加〔症〕（好塩基性変性を伴う赤血球が増加すること．持続的な低色素性貧血を特徴とする疾患によくみられる）．

ba·so·lat·er·al (bā′sō-lat′ĕr-ăl). 基底外側の（特に，細胞学的に扁桃体を構成する2大部分の1つについていう）．

ba·so·phil, ba·so·phile (bā′sō-fil, -fīl). ***1*** 〖n.〗好塩基〔性〕細胞，好塩基球（好塩基顆粒を有する細胞）. ***2*** 〖adj.〗= basophilic. ***3*** 〖n.〗血液中の食細胞作用のある白血球で，ヘパリンやヒスタミンやロイコトリエンを含む多数の好塩基性の顆粒を特徴とする．骨髄中の異なった幹細胞を起源としているが，分葉核であることを除けば，形態および機能は肥満細胞に類似する．

ba·so·phil ad·e·no·ma 好塩基性腺腫（細胞質が塩基性の色素に染まる下垂体前葉腫瘍．ACTH を分泌していることが多い）．

ba·so·phil·i·a (bā′sō-fil′ē-ă). = basophilism. ***1*** 好塩基球増加〔症〕（循環血液中の好塩基球が正常より多い状態（好塩基球白血球増加症），あるいは器官の好塩基性実質細胞の割合が増加すること（骨髄では好塩基球過形成））. ***2*** 好塩基性赤血球症（循環血液中に好塩基性赤血球がみられる状態．白血病，重症貧血，マラリア，鉛中毒などにみられる場合がある）. ***3*** 未分化な赤血球の塩基性染色への反応．細胞は青色に染色されたり青色の顆粒を含む場合がある．

ba·so·phil·ic (bā′sō-fil′ik). 好塩基〔性〕の，塩基親和〔性〕の（塩基性色素に対して親和性を示す組織成分についていう）. = basophil (2); basophile.

basophilic leukaemia [Br.]. = basophilic leukemia.

ba·so·phil·ic leu·ke·mi·a, ba·so·phil·o·cyt·ic leu·ke·mi·a 好塩基球性白血病（好塩基球が組織や循環血液中に異常に多くみられる顆粒球性白血病の一型）. = basophilic leukaemia; mast cell leukemia.

ba·so·phil·ic leu·ko·cyte 好塩基球（多くの大きく粗い異染性顆粒を特徴とする多形核球. Wright 染色法などにより，暗紫色，濃紺色を呈する顆粒が細胞質を埋め，核の大部分をおおっている．これらの白血球は独特で，通常，急性感染症においても増加せず，その食作用も著明でない．顆粒はヘパリン，ヒスタミンを含有しており，過感作反応により脱顆粒する．炎症全般において作用すると考えられる）. = mast leukocyte.

ba·so·phil·ic leu·ko·pe·ni·a 好塩基球減少〔症〕（循環血液中に存在する好塩基球数の減少）.

ba·soph·i·lism (bā-sof′i-lizm). = basophilia.

basophilocytic leukaemia [Br.]. = basophilocytic leukemia.

ba·so·squa·mous car·ci·no·ma, ba·si·squa·mous car·ci·no·ma 基底有棘細胞癌（皮膚有棘癌の一種．構造および性質が基底細胞癌と有棘細胞癌との移行型と考えられている）.

Bas·sen-Korn·zweig syn·drome バッセン-コルンツヴァイク症候群. = abetalipoproteinemia.

Bas·si·ni her·ni·or·rha·phy バッシーニヘルニア根治(縫縮)術（間接鼡径ヘルニアの手術の１つ．ヘルニアの整復後，嚢をねじって結紮・切断し，さらに内腹斜筋の縁を鼡径靱帯に縫着して新しい鼡径管の後壁とし，その上に精索を置き，外腹斜筋で精索をおおって新しい鼡径管をつくる）.

bas·to·ki·nin (bas′tō-kin′in). = uteroglobin.

BAT breath alcohol technician の略.

batch an·a·ly·zer バッチ式分析装置（分離型自動化学分析装置の１つで，計測装置は連続的にサンプル群の各々を１つずつ検査していく）.

bath (bath). ***1*** 入浴，沐浴（水あるいは他の流動性の媒質に身体の一部または全部を浸すこと．あるいはそのような媒質を何らかの形で，身体の一部または全部に適用すること．洗浄や治療に用いる）. ***2*** 浴槽（何らかの形で入浴を行うのに用いる器具）. ***3*** 恒温槽（生体試料(例えば，生体組織由来の細胞)の代謝活性や増殖を維持するのに用いる液体）.

bath·ing trunk ne·vus 海水着型母斑（先天性に生じる大型有毛性の色素性母斑で，体幹下半部に好発する．小児期にそこから悪性黒色腫が発生することがある）.

bath itch 入浴かゆみ〔症〕. = bath pruritus.

bath·mo·tro·pic (bath′mō-trō′pik). 変閾の（刺激に反応する神経と筋肉の感応性に影響を及ぼす）.

batho-, bathy- 深さを表す連結形.

bath·o·pho·bi·a (bath′ō-fō′bē-ă). 深所恐怖〔症〕，墜落恐怖〔症〕（深い所，または深い所をのぞくことに対する病的な恐れ）.

bath pru·ri·tus 入浴かゆみ(そう痒)〔症〕（石けんのすすぎが不十分なことや，過度の入浴による皮膚の乾燥のしすぎが原因のそう痒）. = bath itch.

bathyaesthesia [Br.]. = bathyesthesia.

bathyanaesthesia [Br.]. = bathyanesthesia.

bath·y·an·es·the·si·a (bath′ē-an′es-thē′zē-ă). 深部感覚(知覚)消失（深部感覚能の消失．すなわち筋肉，靱帯，腱，骨，関節）. = bathyanaesthesia.

bath·y·es·the·si·a (bath′ē-es-thē′zē-ă). 深部感覚(知覚)（皮膚の下の組織，すなわち筋肉，靱帯，腱，骨，関節からのすべての感覚について一般的に用いる．→myesthesia）. = bathyaesthesia.

bathyhypaesthesia [Br.]. = bathyhypesthesia.

bathyhyperaesthesia [Br.]. = bathyhyperesthesia.

bath·y·hy·per·es·the·si·a (bath′ē-hī′pĕr-es-thē′zē-ă). 深部感覚(知覚)過敏（例えば，筋肉組織など深部構造の感覚が非常に敏感になること）. = bathyhyperaesthesia.

bath·y·hyp·es·the·si·a (bath′ē-hip′es-thē′zē-ă). 深部感覚(知覚)減退（例えば，筋肉組織などの皮下組織における感覚の欠陥）. = bathyhypaesthesia.

Bat·ten dis·ease バッテン病（致死性の常染色体劣性遺伝形質で，失明，麻痺，認知症に至る）.

bat·ter·y (bat′ĕr-ē). バッテリー（解析または診断のためにまとめて行われる一連の検査）.

Bat·tis·ta op·er·a·tion = left ventricular volume reduction surgery.

Bat·tis·ta pro·ce·dure = left ventricular volume reduction surgery.

bat·tle·dore pla·cen·ta 羽子板状胎盤（臍帯が縁に付着している胎盤．バドミントンの前身である羽根突きゲームの羽子板(ラケット)に似ていることからきた名称）.

bat·tle fa·tigue 戦争神経症（戦闘によるストレスの結果生じる精神疾患を示すのに用いる語．→war neurosis）. = shell shock.

Bat·tle in·ci·sion バットル(バトル)切開（腹直筋を損傷せずに内側に牽引して，前後の腹直筋鞘を切開する傍正中切開）.

bat·tle neu·ro·sis = war neurosis.

Bat·tle sign バットル徴候（頭蓋底骨折の場合の耳介後部の斑状出血）.

Bau·de·locque op·er·a·tion ボドロック手術（子宮外妊娠で，後腟円蓋を切開して卵を摘出する手術）.

Bau·er chro·mic ac·id leu·co·fuch·sin stain バウアーのクロム酸ロイコフクシン染色〔法〕（多糖体の酸化剤としてクロム酸を用い，さらに Schiff 試薬を作用させる，グリコゲンおよび真菌の染色．グリコゲンおよび真菌の細胞壁は深紅色に見える).

Bau·er-Kir·by test バウアー-カービー試験(細菌感受性試験の標準化法. 目的とする細菌の純培養の一定量を感受性試験用平板培地(Mueller-Hilton agar)に塗布し, 抗生物質を含んだディスクを置いて発育を見る).

Bau·er syn·drome バウアー症候群(関節リウマチのまれな徴候としての大動脈炎と大動脈心内膜炎).

Bau·mé scale ボメー度, ボメー目盛り(華氏60度において液体の比重を測定する方法).

Baum·gar·ten glands バウムガルテン腺.

Baum·gar·ten veins バウムガルテン静脈(臍静脈が出生後も消滅せずに残存したものをいう).

bawl (bawl). 泣き叫ぶ.

bay (bā). 溝(①解剖学において, 液体を含む陥凹部. ②特に涙嚢溝).

bay·ber·ry (bā′ber-ē). ベイラム(北アメリカ原産の葉に様々な薬剤に処方される芳香性の低木). = candleberry; southern wax myrtle; waxberry.

baye·si·an a·nal·y·sis = Bayes theorem.

Bayes the·o·rem ベイズの定理(事前にもつ確信の度合い(事前確率)と仮説のもとで実際のデータから統計的確率を計算する方法. 数学的な厳密さには欠けるが, リスクの評価に頻用されている). = bayesian analysis.

Bayle dis·ease ベール病. = paresis(2).

Bay·ley scale of in·fant de·vel·op·ment 乳児発達についてのベイリー尺度(生後30か月までの乳児を神経発達と運動能力で区切ること. 身体障害をもつ子供への使用は勧められない).

bay·o·net ap·po·si·tion 銃剣状並置(骨折において骨片同士が端々に接するのではなく, 横に接している状態).

ba·y·o·net for·ceps 銃剣状鉗子(例えば, 耳鏡を通すときなどに使用する先が段状になっている鉗子).

bay·o·net hair 銃剣状毛(紡錘形をした発育上の欠陥で, 先細りを示す毛髪の末端に生じる).

Bay·ou vi·rus バイユウウイルス(ハンタウイルス性肺症候群を起こす米国のハンタウイルス種. コメネズミによって伝播される).

Ba·zett for·mu·la バゼット〔公〕式(心拍数(RR間隔)に対する心電図上のQT間隔を訂正するための公式. 訂正されたQT = Q-T sec/$\sqrt{\text{RR sec}}$).

Ba·zin dis·ease バザン病. = erythema induratum.

BBB blood-brain barrier の略.

BBOT 2,5-bis (5-*t*-butylbenzoxazol-2-yl) thiophene(液体シンチレータ)の略.

BBP bloodborne pathogens の略.

BBS Berg Balance Scale の略.

bc, bcc blind copy(ies)の略.

BCBS Blue Cross-Blue Shield の略.

B-cell co-re·cep·tor B細胞共受容体(B細胞レセプタ(CR2, CD19, TAPA-1)と会合する3種の蛋白からなる複合体).

B-cell dif·fer·en·ti·at·ing fac·tor B細胞分化因子. = interleukin-4.

B-cell re·cep·tors B細胞レセプタ(細胞膜結合免疫グロブリン分子と, シグナル伝達性の互いに関与する α・β 鎖とを含包する複合体).

B cells B細胞. = beta (β) cells(1).

B-cell stim·u·la·to·ry fac·tor 2 B細胞刺激因子2. = interleukin-6.

BCG bacille Calmette-Guérin の略.

B chain B鎖(30個のアミノアシル残基をもつインスリンのポリペプチド成分. インスリンはA鎖とB鎖の2本のジスルフィド結合で形成される).

BCL-2 アポトーシスを抑制する癌遺伝子.

BCR/ABL gene BCR/ABL遺伝子(第9染色体からのAbelson癌原遺伝子(ABL)のセグメントが, 第22染色体上の主切断点クラスター域(M-BCR)に転座するときにつくられる融合遺伝子で, 特定の蛋白(P210)をつくる. この融合遺伝子は慢性骨髄性白血病(CML)患者にみられる).

Bdel·lo·vib·ri·o bac·ter·i·o·vo·rus 偏性好気性で, グラム陰性の, コンマの形をしたまれな種の細菌. 細胞壁に浸入し, 他のグラム陰性種の細菌に感染する. 遺伝子組換え研究をはじめとして, 広範囲の研究目的のために用いられる. ヒトへの病原性は知られていない.

BDI Beck Depression Inventory の略.

BE barium enema; below elbow (amputation)の略.

Be ベリリウムの元素記号.

bead·ed (bēd′ĕd). 数珠状をなした(①多くの場合, 糸に通したビーズのように1列に並んだ多数の丸い小突起を特徴とする. ②穿刺培養において, 接種線に沿って不連続に並んだ一連の細菌集落についていう. ③染色すると濃染した顆粒が菌体中に規則正しい間隔でみられるバクテリアについていう).

bead·ed hair 連珠毛. = monilethrix.

bead·ing (bēd′ing). ***1*** 小さく, 丸い突起が多くあること. ビーズがひも状に一列に並んだ形を多く認める. ***2*** ビーディング(上顎の義歯の大連結子における粘膜面辺縁の丸い隆起). ***3*** ビーディング(主模型作製前に印象の辺縁部の近くにワックス棒または石膏-軽石混合物を置き, 歯科補てつを行うための最終印象の辺縁を保護すること).

beaked pel·vis くる病骨盤. = osteomalacic pelvis.

beak·er cell ビーカー状細胞. = goblet cell.

beam (bēm). ***1*** 梁(はり), ビーム(負荷により, 弯曲度が変化する杆(棒). 歯科において, 〝バー〟の代わりの語としてしばしば用いる). ***2*** 線束, ビーム(X線線束のように, 放射方向がある方向に制限された光または放射線).

beam·let (bēm′lĕt). 小線束(強度変調放射線治療の治療計画では, 放射線ビームを細分化して計算するが, その小さな線束のこと). = bixel.

bear·ber·ry (bār′ber-ē). クマコケモモ(乾燥させた葉が多様な方法で用いられる低木. 研究によると糖尿, 減量, 利尿作用などの効能があるとされている. 服用すると尿が変色することで知られている). = crowberry; foxberry; uvaursi.

bear·ing down 分娩第2期に産婦が腹圧をかけること.

bear·ing-down pain 共圧陣痛, 娩出〔陣〕痛 (反復腹圧を伴う子宮収縮. 通常, 分娩第II期に現れる).

beat (bēt). *1* 〖v.〗鼓動する, 収縮する, 拍動する. *2* 〖n.〗収縮, 拍動 (心臓や脈拍の収縮, 刺激). *3* 〖n.〗心臓内の他の場所に生じた刺激に反応して生じる心室腔の活動.

Beau lines ボー線 (重篤な熱病, 栄養失調, 外傷, 心筋梗塞などの後に手指の爪に生じる横の溝).

Bea·ver meth·od ビーバーメソッド (便の混入した回虫や鞭中の卵を数える技術. 鞭のサンプルは塩水で希釈され光電子装置で観察される).

Bech·te·rew dis·ease ベヒテレフ病. = spondylitis deformans.

Bech·te·rew-Men·del re·flex ベヒテレフ-メンデル反射 (足底をたたくと足指の屈曲を引き起こす. 錐体路障害の際に出現する). = Mendel-Bechterew reflex.

Bech·te·rew sign ベヒテレフ徴候 (顔面の自動動作の麻痺. 随意運動の力は保持される).

Beck De·pres·sion In·ven·to·ry (BDI) ベックうつ病評価尺度 (うつ病の診断に用いられる標準化された精神医学的質問紙. 各スケールの選択肢が被検者により評価される).

Beck·er dis·ease ベッカー病 (南アフリカにおける心筋症で, 急速に進む致命的なうっ血性心臓障害や特発性壁在性心筋内膜炎を起こす). = dilated cardiomyopathy.

Beck·er mus·cu·lar dys·tro·phy ベッカー筋ジストロフィ (発症が遅い遺伝性筋疾患で, 通常は10—30歳で発症する. 近位筋を障害し, 下腿の特徴的な仮性肥大を起こす. Duchenne筋ジストロフィと臨床的特徴は似ているが, ずっと軽症で遺伝的に致死性ではない. X連鎖劣性遺伝. Becker ジストロフィも Duchenne ジストロフィも, X染色体短腕のジストロフィン遺伝子の変異による. *cf.* Duchenne dystrophy).

Beck·er ne·vus ベッカー母斑 (初め, 肩, 上胸, あるいは肩甲骨部に不規則な色素沈着として生じ, 次第に不規則に拡大して肥厚性かつ有毛性となる).

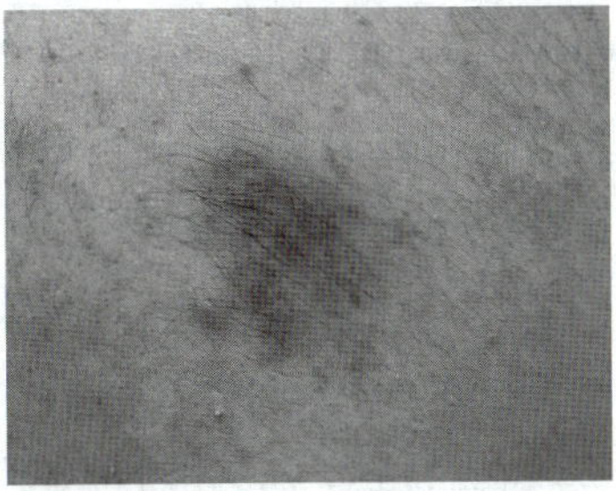

Becker nevus

Beck·er stain for spi·ro·chetes ベッカーのスピロヘータ染色〔法〕(ホルムアルデヒド-酢酸で固定された薄い塗抹標本に用いる染色. 標本を連続的に, タンニン, 石炭酸, 石炭酸フクシンで処理して行う).

Beck·mann ap·pa·ra·tus ベックマン装置 (分子量測定のため融点および沸点を正確に測定する装置).

Beck meth·od ベック法 (大弯側から胃に永久の開口をつくること).

Beck tri·ad ベック三徴. = acute compression triad.

Beck·with-Wie·de·mann syn·drome ベックウィズ-ヴィーデマン症候群 (臍ヘルニア, 巨舌, 巨人症, ときに新生児期の低血糖症を伴う. 常染色体劣性遺伝).

Bé·clard her·ni·a ベクラールヘルニア (伏在静脈の孔を通過して突出するヘルニア).

bec·que·rel (bek-ă-rel′). ベクレル (放射能(の強さ)の SI 単位. 1秒につき1壊変に等しい. 1 Bq = 0.027 × 10^{-9} Ci. →absorption).

BED biologically effective dose の略.

bed (bed). *1* 床 (解剖学において, 他の構造を支持する基底または構造). *2* 床, ベッド (睡眠, 回復, または治療に用いる備品).

bed bath 清拭 (寝たきりの患者の体を洗うこと).

bed·bug (bed′bŭg). 南京虫. = *Cimex.*

Bed·nar aph·thae ベドナルアフタ (乳児の口蓋の正中縫線の両側に存在する外傷性の潰瘍).

bed rest 床上安静 (活動を抑え, 疾患からの回復を助けるためベッドで横になった位置を維持すること).

bed·side man·ner 入院患者に対するマナー (医療従事のプロとしての患者, 依頼人, 実習生に対しての健康管理).

bed·side test·ing ベッドサイド検査. = point of care testing.

bed·sore, bed sore (bed′sōr, bed sōr). とこずれ, 褥瘡. = decubitus ulcer.

bed-wet·ting (bed′wet-ing). 夜尿〔症〕. = nocturnal enuresis.

bee·bread (bē′bred). = borage.

bee pol·len 蜂花粉 (ハチが集めた植物の花粉. 前立腺炎や炎症に効くと言われている. 研究によるとアセトアミノフィンの毒性を除去できる. ハチの生息域の広さから様々な変化がある可能性もある).

Beer law ベールの法則 (色あるいは光線の強さはそれが通過する液体の濃度に反比例する. すなわち光の吸収は光線が通過する通路の分子数によって決定される).

Bee·vor sign ビーヴォー徴候 (腹直筋下部が麻痺すると臍が上方に動く).

beg·gar's but·tons = burdock.

be·hav·ior (bē-hāv′yŏr). 行動, 態度, 習性 (①生物が示す反応. ②心身の行為, 活動. ③特に全体的な反応パターンの一部). = behaviour.

be·hav·ior·al (bē-hāv′yŏr-ăl). 行動の，態度の. = behavioural.

be·hav·ior·al ep·i·dem·ic 行動流行（行動パターンの流行(微生物の侵入によるものとは異なる). 中世の舞踊狂や集団のパニックなど).

be·hav·ior·al ge·net·ics 行動遺伝学（行動パターンの遺伝要因の研究. 例えば，家系分析，生化学的異常，あるいは染色体の分析など).

be·hav·ior·al im·mu·no·gen 行動的イムノゲン（身体疾患および身体機能障害の危険を減じ，寿命を長くするような個々人の特徴的習慣(禁煙や日常的な運動，またこれらの関連においての健康を促進するもの)およびライフスタイル).

be·hav·ior·al in·at·ten·tion test (BIT) 半側空間無視の評価方法（日常生活で視野が欠落した部分を決定する検査. 食事やコインを投入，アドレスを書き留める，地図に従って進むなどの行動から判断する).

be·hav·ior·al ob·ser·va·tion au·di·o·me·try 聴性行動反応（音圧に対する小さい子供の運動反応を観察することによって聴力閾値を決定する方法).

be·hav·ior·al path·o·gen 行動的病因（疾病や身体的機能低下のリスクを増大させる個人的な習慣やライフスタイル. *cf.* behavioral immunogen).

be·hav·ior·al psy·chol·o·gy 行動心理学. = behaviorism.

be·hav·ior·al sci·enc·es 行動科学（心理学，社会学，文化人類学などの専門領域や科学分野の集合的用語であり，生物行動の観察と研究に基づく理論，概念，研究手段をもつ).

be·hav·ior dis·or·der 行動障害（精神疾患，心理的機能障害をさすのに用いる総称. 特に知的，感情的，行動的，各側面の精神障害で，器質因と相関がないもの. →antisocial personality disorder).

be·hav·ior·ism (bē-hāv′yŏr-izm). 行動主義（心理学の一分野. 人間や動物の行動の基礎をなす法則や原則を，系統的な観察と実験を通して公式化する. 条件付けおよび学習の分野での貢献が大きい). = behavioral psychology; behaviourism.

be·hav·ior·ist (bē-hāv′yŏr-ist). 行動主義者.

be·hav·ior mod·i·fi·ca·tion 行動変容（ある種の技術を教えるために，あるいは望ましくない行動，態度，恐怖症状を消去するために，条件付けや学習の法則，特にオペラント条件付けあるいは器械的な条件付けを系統的に用いること).

be·hav·ior ther·a·py 行動療法（様々な心理状態の治療に，条件付けや学習研究に関連した手順や技法を用いる精神療法の1つ).

behaviour [Br.]. = behavior.

behavioural [Br.]. = behavioral.

behaviourism [Br.]. = behaviorism.

Beh·çet syn·drome, Beh·çet dis·ease ベーチェット症候群（陰部潰瘍，口腔潰瘍(アフタ)，前房蓄膿性ブドウ膜炎または虹彩毛様体炎が，同時にまたは引き続いて繰り返して生じる症候群で，関節炎もしばしば合併する. 全身障害は，女性よりも男性に多く，皮膚炎，結節性紅斑，血栓性静脈炎，脳・神経症状などの合併症がある). = uveoencephalitic syndrome.

be·hind-the-ear hear·ing aid 耳掛け型補聴器（耳介の内側面に収まる補聴器).

Beh·ring law ベーリングの法則（免疫されたヒトの血清を感受性のあるヒトに非経口的に投与すると，同一疾患に対する相対的な受動免疫を与えることになる. すなわちその病気を予防したり，経過を軽症化させることができる).

Behr syn·drome ベール症候群（外側視野欠損，眼球振とう，運動失調，強直性，および精神遅滞を伴う両側性の視神経萎縮を特徴とする. 常染色体劣性遺伝と考えられている).

bel (bel). ベル（音の相対強度を表す単位. ベル数は基準音に対する音の強さの比の対数(10を底とする)で与えられる. 通常，基準音には，毎秒1,000 Hzの音に対する正常なヒトの閾値 $10^{-16}W/cm^2$ がとられる).

belch·ing (belch′ing). おくび. = eructation.

bel·la·don·na (bel′ă-don′ă). ベラドンナ，西洋ハシリドコロ（*Atropa belladonna*（ナス科). 暗紫色または黄紫色の花と光沢性黒紫色の液果をもつ多年性草本. アトロピンの製造原料となっていた). = deadly nightshade.

belle in·dif·fér·ence →la belle indifférence.

Bel·li·ni ducts ベリーニ管. = papillary ducts.

Bell law ベルの法則（腹側脊髄根は運動神経，背側は知覚神経である). = Magendie law.

Bell pal·sy ベル麻痺（通常，片側性の顔面筋の不全麻痺または完全麻痺. 第七脳神経の機能障害による. 恐らくウイルス感染が原因で，通常，脱髄性の型である). = peripheral facial paralysis.

Bell phe·nom·e·non ベル現象（閉眼しようとすると反射性に眼球が上転する現象. 顔面神経障害，Guillain-Barré症候群，重症筋無力症を含むいくつかの疾患でみられる).

bell-shap·ed curve ベル型の〔分布〕曲線. = gaussian distribution.

Bell spasm ベル痙攣. = facial tic.

bel·ly (bel′ē). ***1*** 腹〔部〕. = abdomen. ***2*** 筋腹（筋の大きく膨らんだ部分). = venter (2). ***3*** 俗に，胃または子宮.

bel·o·ne·pho·bi·a (bel′ō-nĕ-fō′bē-ă). 尖鋭恐怖〔症〕，恐尖症（針，ピン，その他先のとがった物体に対する病的な恐れ).

be·low el·bow (BE) am·pu·ta·tion 前腕切断（肘の関節を保護した状態での前腕部の切断).

Bel·sey fun·do·pli·ca·tion ベルセー胃底ひだ形成〔術〕（開胸により行われる部分的(270°)胃底皺襞形成術).

Bence Jones pro·teins ベンス・ジョーンズ蛋白（多発性骨髄腫患者の尿中にみられる分子量25—50 kDの軽鎖蛋白断片).

Bence Jones pro·tein·u·ri·a ベンス・ジョーンズ蛋白尿（尿中にBence Jones蛋白が存在することで，通常，多発性骨髄腫，アミロイドーシス，Waldenströmマクログロブリン血症といった腫瘍性病変を示唆する).

Bence Jones re·ac·tion ベンス・ジョーンズ

反応（Bence Jones 蛋白を確認する古典的な方法．（この型の蛋白尿の患者の）尿を 45—70℃ に徐々に温めると蛋白は沈降し，ほとんど沸騰するまで熱すると再溶解する）．

bench·mark·ing (bench′mahrk-ing)．ベンチマーク，水準基標（自分自身の組織を比較するための基準として，ある組織の質や機能をベンチマークとして用いること）．

Ben·der ge·stalt test ベンダーゲシュタルト検査（神経科医や臨床心理学者が用いる心理検査．1 組の幾何学模様を，視覚的に模写する能力を測定する．脳損傷を見つけ出すための視覚空間的および視覚運動的協調の測定に有効である）．

bend frac·ture 屈曲骨折（通常は橈骨や尺骨などの長い骨の骨折．X 線にも写らないくらいの小さな骨折が多数できることが原因で起こる）．

bend·ing frac·ture 屈曲骨折（長管骨，通常は橈骨と尺骨が，X 線画像では明らかにできない程度の多発性微小骨折により屈曲(すなわち角形成)を生じた骨折）．

bends (bendz)．減圧痛（caisson sickness; decompression sickness の口語）．

Be·ne·dek re·flex ベネデック反射（足がわずかに背屈しているとき，腓骨の下部の前縁をたたくことによる足の足底屈）．

Ben·e·dict-Roth spi·rom·e·ter 直接熱量測定法（巡回する器具を用い一定時間の酸素の消費量によりを基礎代謝を計算する．1 リットルの酸素の消費量あたり 4.825 カロリーに相当する）．

Ben·e·dict test ベネディクト試験（尿中ブドウ糖の銅還元試験）．

Ben·e·dikt syn·drome ベネディクト症候群（間代痙攣または振せんを伴った片麻痺と，反対側の動眼神経麻痺）．

ben·e·fi·cence (bĕ-nif′i-sĕns)．道徳律（善を行う倫理規範）．

ben·e·fi·ci·ar·y (ben′ĕ-fish′ē-ār-ē)．受給者（健康保険の受給適用者のこと．通常は治療を通じて支払われる）．= insured; recipient.

ben·e·fit (ben′ĕ-fit)．給付金（医療サービスに対する請求への支払い金）．

be·nign (bĕ-nīn′)．良性の（疾患が軽度，あるいは新生物が悪性でないことをいう）．

be·nign co·i·tal ceph·a·lal·gi·a 良性性交頭痛．= coital headache.

be·nign ex·er·tion·al head·ache 良性労作性頭痛（頭蓋内疾患がなく，労作やいきみで起こる頭痛）．

be·nign hy·per·ten·sion 良性高血圧〔症〕（本態性高血圧で，比較的長期にわたり無症状に経過するもの）．

be·nign in·fan·tile my·oc·lo·nus 乳児良性ミオクロ〔ー〕ヌス（乳児期の痙攣性疾患で，頸部，体幹，四肢を中心にミオクロニー様の動きを呈する．脳波異常はなく，発作は 2 歳までに消失する）．

be·nign in·oc·u·la·tion lym·pho·re·tic·u·lo·sis, be·nign in·oc·u·la·tion re·tic·u·lo·sis 良性接種リンパ性細網内皮症．= cat-scratch disease.

be·nign in·tra·cra·ni·al hy·per·ten·sion →pseudotumor cerebri.

be·nign lym·pho·cy·to·ma cu·tis 皮膚良性リンパ細胞腫（赤ないし紫色の柔かい皮膚結節で頭部に好発する．リンパ球と組織球とが真皮に密に浸潤することによって生じる）．= cutaneous pseudolymphoma.

be·nign mon·o·clo·nal gam·mop·a·thy 良性単クローン性高ガンマグロブリン血症．= monoclonal gammopathy of unknown significance.

be·nign my·al·gic en·ceph·a·lo·my·e·li·tis 良性筋痛性脳脊髄炎．= epidemic neuromyasthenia.

be·nign par·ox·ys·mal po·si·tion·al ver·ti·go 良性発作性頭位めまい(眩暈)症（繰り返し生じる短時間の頭位めまい症．頭位変換時の卵形嚢内の耳石の遺残物による刺激に起因するとされる）．

be·nign po·si·tion·al ver·ti·go 良性頭位めまい(眩暈)症（頸部伸展など，頭部のある動きや位置に伴って生じる短時間の発作性めまいと眼振．内耳の機能低下による）．= postural vertigo(1).

be·nign pros·tat·ic hy·per·pla·si·a (BPH) 良性前立腺増殖症（前立腺の腺性成分と間質性成分の両方の進行性の腫大で，典型的には 50 歳代に始まり，ときには閉塞性または刺激症状，あるいは両方の原因となる．癌に発展することはない）．

be·nign ter·tian fe·ver = vivax malaria.

be·nign tet·a·nus 良性テタニー（肢，特に手と足(手足痙攣)の間欠性強直性筋収縮を特徴とする疾患．異常感覚を伴う．重症の場合は喉頭痙攣と痙攣のため鳴くような呼吸を呈する．低カルシウム血症による．胃腸疾患を含む種々の疾患が原因となる）．= intermittent cramp(2).

be·nign tu·mor 良性腫瘍（転移をせず，周囲の正常組織に侵入したり破壊したりしない腫瘍）．

Ben·ja·min tree = benzoin.

Ben·nett frac·ture ベネット骨折（手根中手関節部の第一中手骨の脱臼骨折）．

Ben·nett move·ment ベネット運動（運動中の下顎全体の側方運動あるいは移動）．

Benn·hold Con·go red stain ベンホルトのコンゴーレッド染色〔法〕（病変部アミロイドを検出するのに有用な染色法．アミロイドは赤く染まる．偏光下では緑色の複屈折を示す）．

Ben·son dis·ease ベンソン病（ステリン酸カルシウム結晶やポリニトロ基の沈着により硝子体に不規則な形としてみられる異常．高齢者にはよく起こるが視覚の障害は生じない）．

ben·tir·o·mide test ベンチロミド検査（十二指腸挿管を行わない膵外分泌機能の検査．経口的に投与されたベンチロミドは小腸の管腔内でキモトリプシンによって分解され，遊離 *p*-アミノ安息香酸は吸収されて尿中に排泄される．*p*-アミノ安息香酸の尿中排泄の減少は，膵外分泌機能不全を示唆する）．

B

ben·ton·ite floc·cu·la·tion test ベントナイト凝集試験（関節リウマチの凝集試験．感作したベントナイト粒子を不活化血清中に加えて行う．陽性の場合は，粒子の半分は凝集塊を形成し，半分は懸濁液状態のままである）．

benz- ベンゼンとの化合を表す連結形．

ben·zene ring ベンゼン環（ベンゼン分子中の炭素と水素原子の閉鎖配列．→cyclic compound）．

ben·zo·in（ben′zō-in）．安息香（エゴノキ科アンソッコウノキ *Styrax benzoin* から得られる刺激性去痰薬．通常は，喉頭炎，気管支炎の吸入に用いる．出血等の重篤な副作用が報告されている）．= Benjamin tree.

ben·zo·thi·a·di·a·zides（ben′zō-thī′ā-dī′ā-zīdz）．ベンゾサイアジアザイド（酸塩基平衡を変化させずにナトリウムと塩化物の排泄と，それに伴う水分の排泄を増加させる利尿薬の一種．このグループのほとんどの化合物は，1,2,4-benzothiadiazine-1,1-dioxide の類似体）．

ben·zo·yl（ben′zoyl）．ベンゾイル（安息香酸で構成する基 C_6H_5CO- で，種々のベンゾイル化合物を形成する）．

benz·thi·a·zide（benz-thī′ā-zīd）．ベンズチアジド（利尿薬および血圧降下薬として用いられる）．

ben·zyl·i·dene（ben-zil′i-dēn）．ベンジリデン（炭化水素基 C_6H_5CH=）．

ben·zyl·ox·y·car·bon·yl（Z）（ben′zil-ok′sē-kahr′bon-il）．ベンジルオキシカルボニル（ペプチド合成で塩酸塩として用いるアミノ保護基．$PhCH_2OCO$-NHR を生じる）．= carbobenzoxy-.

Bé·rard an·eu·rysm ベラール動脈瘤（損傷を受けた静脈の外側の組織内の動静脈瘤）．

Ber·ar·di·nel·li syn·drome ベラルディネリ症候群．= congenital total lipodystrophy.

be·reave·ment（bĕr-ēv′mĕnt）．死別反応（愛情を向けている人または金銭には代えがたい持ち物を悲劇的に失った後に強い悲しみや苦悩を感じている急性の状態）．

Berg Bal·ance Scale（BBS） ベルク・バランス尺度，ベルク・バランススケール（高齢者や神経疾患患者が転倒する危険を回避するためのバランス感覚の検査．14 の項目からなりそれぞれ 0(全くできない)から 4(普通にできる)の 4 段階，合計 56 点満点で評価する）．

Ber·ger dis·ease, Ber·ger fo·cal glo·mer·u·lo·ne·phri·tis ベルジェ(バージャー)病（㊟IgA 腎症の同義語）．= focal glomerulonephritis.

Ber·ger space ベルガー腔(隙)（硝子体の膝蓋窩と水晶体の間の腔）．

Ber·gey clas·si·fi·ca·tion バージー分類（バクテリアをグラム染色，組織，順序，家系，遺伝子，種などの情報を元にカテゴライズする機能）．

Berg·man sign バーグマン徴候（X 線写真上の所見．ⓘ遠位尿管の閉塞によって尿管が拡張していること．ⓘⓘ逆行性に通したカテーテルが拡張した尿管内にとぐろを巻くこと）．= catheter coiling sign.

Berg stain バーグ染色〔法〕（精子の染色法．石炭酸フクシンを用い，続いて希酢酸とメチレンブルーで染色する．精子は鮮やかな赤色を呈し，他のほとんどのものは青色から紫色に見える）．

ber·i·beri, ber·i ber·i（ber′ē-ber′ē）．脚気（特異な栄養欠乏症候群で，東南アジアで発生する地方流行病であるが，世界の他の地方でも，気候に関係なく散在的に発生する．ときにアルコール中毒者にみられ，主に食物中のビタミン B_1 の欠乏に起因する．乾燥型は疼痛性多発神経炎を特徴とする．運動神経より感覚神経のほうが侵されやすく，症状はまず足に始まって上方に広がり，手は疾患の末期に障害される．湿潤型は高拍出型心不全による浮腫を特徴とする）．= endemic neuritis.

berke·li·um（Bk）（bĕrk′lē-ŭm）．バークリウム（人工の超ウラン放射性元素．原子番号 97，原子量 247.07）．

Ber·lin blue［CI 77510］．ベルリンブルー; ferric ferrocyanide（血管やリンパ管への注入物の染色やシデロサイトの染色に用いる色素）．= Prussian blue.

Ber·lin blue re·ac·tion 紺青反応（二色染色法．nuclear fast red を用い赤核を染色し，フェロシアンカルシウム化合物を用いヘモジデリンと紺青を染色する）．

Ber·lin e·de·ma ベルリン水腫(浮腫)（眼球への鈍的外傷後の網膜浮腫）．

ber·loque der·ma·ti·tis, ber·lock der·ma·ti·tis ベルロック皮膚炎（光感作の一型．香水やオーデコロン中のベルガモット油や他の精油を皮膚につけた後日光に当たると，暗褐色の色素沈着をきたす）．

Ber·nard-Can·non ho·me·o·sta·sis バーナード-キャノンホメオスタシス（出生後の生理学的・生化学的な状態のサイバネティクス的制御機構）．= physiologic homeostasis.

Ber·nard duct ベルナール管．= accessory pancreatic duct.

Ber·nays sponge バーネーズスポンジ（湿らすと膨れる無菌綿の圧縮された円盤状のもの．空洞を詰めるのに用いる）．

Bern·hardt dis·ease ベルンハルト病．= meralgia paraesthetica.

Bern·hardt-Roth sign = Bernhardt sign.

Bern·hardt sign ベルンハルト徴候（外側の皮神経の損傷によって引き起こされる大腿の前部，側面の痛み）．= Bernhardt-Roth sign; Roth sign.

Bern·heim syn·drome ベルナン(バーンハイム)症候群（高血圧などの原因による左心室肥大の患者における，肺うっ血の併発をみない右心不全(肝肥大，頸静脈怒張，浮腫)の結果と類似する全身性のうっ血．右室造影や超音波検査または死後，肥厚した中隔または心室中隔瘤の突出により右室腔の減少が見出される）．

Ber·noul·li dis·tri·bu·tion ベルヌーイ分布（2 つの互いに排他的ですべての場合をつくす結果に関する(例えば死と生存)に関する確率分布）．= binomial distribution.

Ber·noul·li law ベルヌーイの法則（摩擦を無視してよい場合，管内の気体または液体の流速は，それが管壁に与える圧力に反比例する．すなわち狭窄点では速度は最大になり，圧力は最小になる）．

Bern·stein test バーンスタイン試験（胸骨下の疼痛が逆流性食道炎によるものであることをはっきりさせるための試験．下部食道に薄い塩酸をチューブで直接注入することにより行う）．= acid perfusion test.

ber·ry an·eu·rysm 漿果状動脈瘤（脳動脈の小さな嚢状の動脈瘤で，漿果状を呈する．破裂してクモ膜下出血の原因となる）．

Ber·thol·let law ベルトレーの法則（溶液中の塩類は，できるかぎり可溶度の低い塩をつくるように，相互に反応する）．

Ber·ti·el·la stu·de·ri 霊長類に普通にみられる条虫．熱帯においてヒトに偶発的な動物原性感染を起こすことが報告されている．

Ber·tin col·umns ベルタン柱．= renal columns.

be·ryl·li·o·sis (bĕ-ril′ē-ō′sis)．ベリリウム症（ベリリウムを吸入した場合に，特に肺に発生する急性肺炎あるいは慢性間質性肉芽腫性線維症を特徴とするベリリウム中毒）．

be·ryl·li·um (Be) (bĕ-ril′ē-ŭm)．ベリリウム（アルカリ土類に属する白色の金属．原子番号 4，原子量 9.012182）．

Bes·nier-Boeck-Schau·mann dis·ease ベスニエ-ベック-シャウマン病．= sarcoidosis.

Bes·nier pru·ri·go ベスニエ（ベニエ）痒疹（アトピー性の痒疹をさすヨーロッパでの用語）．

Best car·mine stain ベストカルミン染色〔法〕（組織のグリコゲンを証明する方法）．

Best dis·ease ベスト病（生後数年間に起こる常染色体優性黄斑変性）．= vitelliform retinal dystrophy.

best fre·quen·cy 最良周波数．= characteristic frequency.

bes·ti·al·i·ty (bes-tē-al′i-tē)．獣姦（動物との性的交渉）．= zooerastia.

be·ta (β) (bā′tă)．ベータ（①ギリシア語アルファベットの第 2 字．②化学において系列中の 2 番目．例えば，官能基（例えばカルボキシル基）から数えて 2 番目の炭素，あるいは観察者（見る人）の方向に化学結合が向いていることを示す．この接頭語をもつ用語については各項参照）．

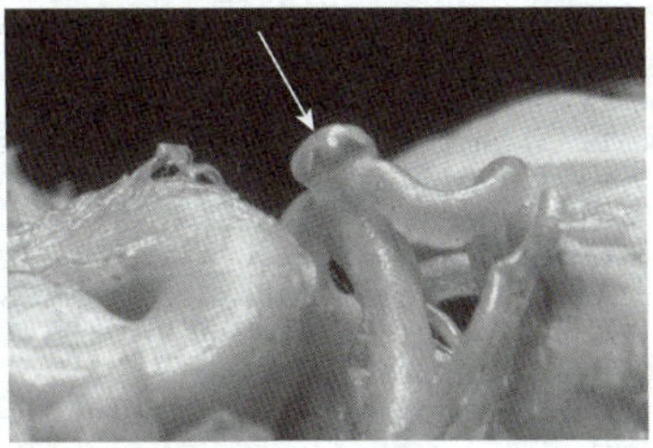

berry aneurysm
ウィリス輪の動脈分岐から突出する動脈瘤．

be·ta (β)-ad·re·ner·gic block·ing a·gent β-アドレナリン遮断薬（有効受容体部位に対してβ-アドレナリンアゴニストと競合する薬物の分類．β_1 および β_2（例えば，プロプラノロール）受容体の両方と競合するものと，β_1（例えば，メトプロロール）あるいは β_2 のいずれかを主に競合するものがある．β-アドレナリン作用遮断が望まれる各種心臓血管系疾患の治療に用いる）．= beta-blocker.

be·ta (β)-ad·re·ner·gic re·cep·tors βアドレナリン作用（作動）性レセプタ（受容体）（薬物により選択的活性化および遮断を起こしうる効果器官組織中のアドレナリン作用性受容体．ある種のアドレナリン作用性受容体のみを遮断するプロプラノロールなどの特定薬物や，同じ受容体のみを活性化させるイソプロテレノールなどの他の薬物の機能から概念的に派生した．このような受容体はβ受容体とよばれ，それらの活性化は，心拍数および収縮力の増大（β_1）および気管支や脈管の骨格筋を含む平滑筋の弛緩（β_2）などの生理的応答を引き起こす）．

be·ta (β)-as·par·tyl (a·ce·tyl·glu·co·sa·mine) β-アスパルチル（アセチルグルコサミン）（*N*-アセチルグルコサミンとアスパラギンの化合物で，*N*-アセチルグルコサミンの 1 位の炭素がアスパラギン酸のアミド基の窒素へ結合したもの．多くの糖蛋白における重要な構造部分）．

be·ta (β)-block·er β（ベータ）遮断薬．= beta (β)-adrenergic blocking agent.

be·ta (β) car·o·tene ベータカロチン（緑黄色野菜やフルーツに含まれるカロチンの異性体）．

be·ta (β)-car·o·tene-cleav·age en·zyme β-カロチン開裂酵素．= beta (β)-carotene 15,15′-dioxygenase.

be·ta (β)-car·o·tene 15,15′-di·ox·y·gen·ase β-カロチン 15,15′-ジオキシゲナーゼ（β-カロチンに酸素を付加し，2 分子のレチナールに変換する酵素）．= beta (β)-carotene-cleavage enzyme.

be·ta (β) cells ベータ細胞（①下垂体前葉の好塩基性細胞．好塩基性顆粒を含み，性腺刺激ホルモンをつくると信じられている．= B cells. ② Langerhans 島の主要細胞．インスリンをつくる）．

be·ta·cism (bā′tă-sizm)．バ行発音過多症（b の音を他の子音につける言語障害）．

be·ta-del·ta (β-δ) thal·as·se·mi·a β-δ サラセミア（β鎖とδ鎖の両方のグロビン鎖の合成を制御する遺伝子によるサラセミア）．

beta (β) error = error of the second kind.

be·ta (β) fi·bers ベータ線維（40—70 m/sec の伝導速度を有する神経線維）．= beta fibres.

beta fibres [Br.]. = beta (β) fibers.

beta (β)-fruc·to·fu·ran·o·sid·ase β-フルクトフラノシダーゼ；β-*h*-fructosidase（β-ᴅ-フルクトフラノシドを加水分解して ᴅ-フルクトースを遊離する酵素．基質がショ糖の場合，その産物は ᴅ-グルコースと ᴅ-フルクトース（転化糖）で

B

ある．転化糖はショ糖より消化しやすい）．

be·ta (β)-ga·lac·to·sid·ase β-ガラクトシダーゼ（ラクトースからグルコースとガラクトースへの変換で，β-ガラクトシド結合を加水分解する酵素．また色素原性基質 IPTG（イソプロピルチオガラクトシド）も加水分解し，人工融合遺伝子や遺伝子発現の指示薬として用いられる）．

be·ta (β)-D-ga·lac·to·sid·ase β-D-ガラクトシダーゼ（ラクトースを D-グルコースと D-ガラクトースへ，また他の β-D-ガラクトシドの加水分解を触媒する糖分分解酵素．これはまた，ガラクトトランスフェラーゼ反応をも触媒する．β-D-ガラクトシダーゼ欠乏によりラクトースの腸内消化に問題が起こる．その腸内酵素をもたない成人用乳製品の製造に用いられる．β-D-ガラクトシダーゼの1つのアイソザイムの欠損により Morquio 症候群 B 型になる）．= lactase.

be·ta (β)$_{1F}$ glob·u·lin $β_{1F}$ グロブリン（補体第5成分（C5）．→component of complement）．

be·ta (β)$_{1C}$ glob·u·lin $β_{1C}$ グロブリン（血清のグロブリン分画で，これは補体第3成分（C3）を含む．→component of complement）．

be·ta (β)$_{1E}$ glob·u·lin $β_{1E}$ グロブリン（補体第4成分（C4）．→component of complement）．

be·ta (β)-D-glu·cu·ron·i·dase β-D-グルクロニダーゼ（種々の β-D-グルクロン酸化合物を加水分解し，遊離グルクロン酸とアルコールを放出させる酵素．この酵素の欠損により Sly 症候群になる）．

be·ta (β)-*d*-glu·cu·ron·i·dase de·fi·cien·cy β-*d*-グルクロニダーゼ欠損症（β-*d*-グルクロニダーゼのまれな欠損症．いくつかの対立遺伝子型をもった常染色体劣性疾患で，異常なムコ多糖類代謝のため進行性精神遅延，脾腫，肝腫，および多発性骨形成不全を起こすことを特徴とする）．

be·ta gran·ule ベータ顆粒（ベータ細胞の顆粒）．

be·ta (β)-he·mo·lyt·ic strep·to·coc·ci β 型溶血連鎖球菌（活性溶血素（O および S）を産生し，血液寒天培地上では，その集落の領域内に明白な溶血帯を生じる連鎖球菌類．細胞壁 C 炭水化物に基づいて各群（A-O）に分ける（→Lancefield classification）．A 群（ヒトに病原性の系統）は細胞壁 M 蛋白で決定される 50 以上の型（アラビア数字で表記する）よりなっている．M 蛋白は病原性と密接に関連し，主として粘液性の集落をもった系統により産生される．非病原性の系統は，これに対して平滑な集落をつくる．R とか T（T 物質）のような他の表面蛋白抗原，および核蛋白分画（P 物質）は重要性が小さいと思われる．β 型溶血連鎖球菌の諸系統が生産する 20 以上の細胞外物質の中には，発赤毒素（溶原性系統のみが生産する），デオキシリボヌクレアーゼ（ストレプトドルナーゼ），溶血素（ストレプトリジン O および S），ヒアルロニダーゼおよびストレプトキナーゼなどが含まれる）．

Be·ta·her·pes·vir·i·nae (bā′tă-hĕr′pēz-vir′ĭ-nē)．ベータヘルペスウイルス亜科（サイトメガロウイルス，バラ疹ウイルスを含むヘルペスウイルス科の亜科）．

be·ta (β)-hu·man cho·ri·on·ic go·nad·o·tro·pin β-ヒト絨毛性性腺刺激ホルモン（FSH, LH, TSH と同様の α 鎖をもつ HCG に対して 145 のアミノ酸構成の特異なサブユニットをもつ．βHCG による妊娠反応は下垂体性ゴナドトロピンと交差しないのでより鋭敏である）．

3-be·ta (β)-hy·drox·y·ste·roid sul·fa·tase 3β-ヒドロキシステロイドスルファターゼ（多くの哺乳類の組織に見出される酵素で，種々の硫酸化ステロールの硫酸エステル結合を加水分解する．この酵素の欠損により X 染色体性魚鱗癬になると思われる）．

be·ta·ine (bā′tă-ēn)．ベタイン（コリンの酸化生成物で，代謝におけるメチル基転移の中間体）．

be·ta (β)-lac·tam β-ラクタム（ペニシリン類およびセファリスポリン類と構造的，薬理学的に類似した，広域スペクトルをもつ抗生物質群）．

be·ta (β)-lac·tam an·ti·bi·ot·ics β-ラクタム系抗生物質（細胞壁を構成するペプチドグリカンの生合成の最終段階のトランスペプチターゼを阻害する天然および半合成の薬物．これらの抗生物質は，β-ラクタム環と呼ばれる共通の化学構造を持つ．β-ラクタム系抗生物質はペニシリン系およびセファロスポリン系抗生物質などが含まれる）．

be·ta (β)-lac·ta·mase β-ラクタマーゼ（β-ラクタムの加水分解を起こす酵素（ペニシリン→ペニシロ酸のように），ペニシリンに耐性のあるブドウ球菌のほとんどの菌株に存在する）．

be·ta (β)-lac·tam·ase in·hib·i·tors β-ラクタマーゼ阻害薬（クラバラン酸など，細菌の β-ラクタマーゼを阻害する薬物．薬物耐性を克服するためにしばしばペニシリン類，セファロスポリン類と併用される）．

be·ta-one ($β_1$)-lip·o·pro·tein $β_1$-リポ蛋白（比較的分子量が大きく，低比重，コレステロールに富むリポ蛋白分画．ヒトの血漿の β-グロブリン分画に見出される）．

be·ta (β)-ox·i·da·tion ベータ酸化，β 酸化（エネルギーを生成するときに行われる遊離脂肪酸を二炭化物質であるアセチルコエンザイム A に分解する代謝反応．→fatty acid）．

be·ta (β) par·ti·cle ベータ(β)粒子（放射性核種の放射性壊変に伴って放出される正電荷あるいは負電荷をもつ電子（陽電子($β^+$)または陰電子($β^-$)））．= beta ray.

be·ta ray ベータ(β)線．= beta (β) particle.

be·ta (β) rhythm ベータ(β)律動，ベータ(β)波（脳波上，18—30 Hz の周波数帯にある波形）．= beta (β) wave.

be·ta test·ing ベータテスト（ソフトウェアなどの商品が市場に流通される前に，健康面への配慮からその商品の臨床診察を受けて問題点を発見し改善するテスト）．

beta-thalassaemia [Br.]. = beta (β) thalassemia.

be·ta (β) thal·as·se·mi·a β サラセミア（β 鎖合成を（部分的あるいは完全）に抑制する2つ以上の遺伝子のうち1つが存在することによる

サラセミア). = beta-thalassaemia.

be·ta·tron (bā′tă-tron). ベータトロン, 磁気誘導加速器 (円形電子加速装置. 高エネルギー電子やX線の線源).

be·ta (β) wave ベータ (β) 波. = beta (β) rhythm.

be·tel palm (nut) ビンロウ (様々な刺激を引き起こすために広く使われている物質(アレコリンが主成分)ビンロウの服用により虫歯や, 歯茎や歯の変色などが引き起こされる可能性がある. 2型糖尿病の発症にも関係があると言われている). = areca nut; paan.

Be·thes·da sys·tem, Be·thes·da class·i·fi·ca·tion ベセスダ分類 (子宮頸部, 腟細胞診の報告のためのシステム).

Be·thes·da u·nit ベセスダ単位 (阻止因子活性を表す尺度の1つ. 孵置後にある凝固因子の50%または0.5単位を不活化する阻止因子の量を1ベセスダ単位とする).

beth root = trillium.

Bet·ke-Klei·hau·er test ベトケ-クライハウアー試験 (母親の赤血球に混在している胎児赤血球を, スライドガラス標本上で検出する試験).

bet·o·ny (bet′ō-nē). ベトニー (チョロギから抽出される物質であり, 血圧を下げる作用がある. 立証されていないが喘息や気管支炎, 虫歯他にも色々な病気に効果があると言われている). = bishop's wort.

Betz cells ベッツ細胞 (大脳皮質中心前回運動領の大型錐体細胞).

Beu·ren syn·drome ビューレン症候群 (多数の末梢性肺動脈狭窄と知覚障害および歯異常を合併する大動脈弁上狭窄).

bev·el (bev′ĕl). ベベル, 斜面 (①直角でないとき, 1つの面(線)が他の面(線)となす傾き. ②注射針先端の切口).

be·zoar (bē′zōr). 胃石, ベゾアール (動物の消化管で形成される結石. ヒトの場合にもみられる. 以前は魔術的な治療に用いていたが, 現在でもある地域では用いられている. 結石を形成する物質によって trichobezoar(胃毛球), trichophytobezoar(植物性胃石)などとよばれる).

B fi·bers B 線維 (自律神経中の有髄神経線維で, 直径 2 μm 以下. 3—15 m/sec でインパルスを伝導する).

B fibres [Br.]. = B fibers.

Bh bohrium の記号.

BHC ベンゼンヘキサクロイド (全ての塩素の誘導体がそれぞれ炭素原子と結合している).

Bi ビスマスの元素記号.

bi- ***1*** 2倍, 2度を意味する接頭語. 二重構造, 二重動作などに関して用いる. ***2*** 化学において, 部分的に中和された酸(酸性塩)を示すのに用いる. 例えば, bisulfate. *cf.* bis-; di-.

BIA bioelectrical impedance analysis の略.

Bi an·ti·gen Bi 抗原 (→blood group). = bile antigen.

bi·ar·tic·u·lar (bī′ahr-tik′yū-lăr). 二関節の. = diarthric.

bi·as (bī′ăs). 偏り (①測定値と真値間の系統的なずれ. 一定値のことも比例的に加わる場合もあり, 測定結果と逆方向に働くこともある. ②真実から系統的にずれた結論を導くように働く研究プロセス(データ収集, 解析, 解釈, 出版, レビュー)の一定傾向. 結果あるいは推論の真実からのずれ, またはこのずれを生み出すようなプロセス).

bi·au·ric·u·lar (bī′awr-ik′yū-lăr). 両耳介の, アウリクラーレ間の (左右の耳介に関する).

bi·au·ric·u·lar ax·is アウリクラーレ軸 (左右の耳介を結ぶ直線).

bi·ax·i·al joint 二軸〔性〕関節 (互いに直交する2つの運動主軸がある関節. 例えば, 鞍関節).

bi bi re·ac·tion, bi-bi re·ac·tion 二基質-二産物反応 (2種の基質と2種の生成物が関与する単一酵素によって触媒される反応. ピンポン機構がこのような反応に関与すると思われる. *cf.* mechanism).

bib·li·o·ther·a·py (bib′lē-ō-thār′ă-pē). 読書療法 (医学や精神医学において特定の書物を用いて行う治療法).

bib·u·lous (bib′yū-lŭs). 吸収剤.

bi·cam·er·al (bī-kam′ĕr-ăl). 二房性の (2つの室を有する. 特に, ほとんど完全な隔壁によって隔てられた膿瘍についていう).

BICAP cau·ter·y BICAP 電気メス (消化管出血の止血によく使用される双極電気凝固用器具).

bi·cap·su·lar (bī-kap′sŭ-lăr). 二重被膜の.

bi·car·bon·ate (bī-kahr′bŏn-āt). 重炭酸イオン, 炭酸水素イオン (炭酸の第一解離後に残るイオン・血液中の主要な緩衝剤).

bi·car·di·o·gram (bī-kahr′dē-ō-gram). 双心電図 (左右両心室の総合効果を示す心電図の複合曲線).

bi·cel·lu·lar (bī-sel′yū-lăr). 二細胞性の (2つの細胞または小区分をもつ).

bi·ceps (bī′seps). 二頭の (筋頭が2つある筋についていう. 最もよく用いられるのは上腕二頭筋をさす場合である).

bi·ceps bra·chi·i mus·cle 上腕二頭筋 (上腕前区浅層の筋. 起始：肩甲骨の関節上結節からの長頭および烏口突起からの短頭. 停止：橈骨粗面. 作用：前腕を肘関節で屈曲, 前腕の回外, 第一義的な前腕回外筋. 神経支配：筋皮神経). = musculus biceps brachii.

bi·ceps fe·mo·ris mus·cle 大腿二頭筋 (大腿後区ハムストリング筋群の1つ. 起始：坐骨結節からの長頭, 粗線の外側唇の下半分より起こる短頭. 停止：腓骨頭. 作用：膝の屈曲, 下肢の外旋. 神経支配：長頭は脛骨神経, 短頭は腓骨神経). = musculus biceps femoris.

bi·ceps re·flex 二頭筋反射 (二頭筋の腱を打ったときに生じる二頭筋の収縮).

Bi·chat fis·sure ビシャ裂溝, ビシャ裂 (大脳外套の内側縁に相当するほぼ円形の裂溝. 大脳半球の入り口を縁どる, 脳梁辺縁裂と海馬に沿った脈絡裂とからなる. この両方の裂は側頭葉の最前端にある外側溝の本幹とつながる).

Bi·chat mem·brane ビシャ膜 (動脈の内弾性

板).

bi·chlor·ide (bī-klōr′īd). 2塩化物 (2つの塩素原子と結合している化合物).

bi·cip·i·tal (bī-sip′i-tăl). ***1*** 二頭の. ***2*** 二頭筋の.

bi·cip·i·tal rib 双頭肋骨, 双頭肋 (第一肋骨と頸椎の融合).

bi·clo·nal (bī-klō′năl). 複クローン性 (複クローンで特徴付けられるもの, または属するもの).

bi·clon·al·i·ty (bī-klōn-al′i-tē). バイクローナリティ, 2クローン性 (一部の細胞が1つの細胞系列マーカをもち, その他の細胞は異なる細胞系列のマーカをもつ状態で, 2クローン性白血病でみられる).

bi·con·cave (bī-kon′kāv). 両凹の (両側の凹面にある, 特にレンズの形についていう). = concavoconcave.

bi·con·cave lens 両凹〔面〕レンズ (両面が凹状のレンズ). = concavoconcave lens.

bi·con·dy·lar joint 双顆関節 (一方の骨に多少とも区別できる2つの丸い関節頭があって, 他方の骨の浅い関節窩と連結している関節).

bi·con·vex (bī-kon′veks). 両凸の (両側の凸面にある, 特にレンズの形についていう). = convexoconvex.

bi·con·vex lens 両凸〔面〕レンズ (両面が凸状のレンズ). = convexoconvex lens.

bi·cor·nate (bī-kōr′nāt). = bicornuate.

bi·cor·nate u·ter·us 双角子宮 (中腎傍管の不完全癒合のために, 子宮がほとんど完全に2本の外側角に分割されること. 外見的な分離徴候のない中隔子宮とは異なる. 双角子宮では頸は単一(単頸双角子宮 uterus bicornis unicollis)か2つ(双頸双角子宮 uterus bicornis bicollis)である).

bi·cor·nous, bi·cor·nu·ate, bi·cor·nate (bī-kōr′nŭs, -nū-āt, -nāt). 二角の (2つの突起をもつ).

bicro- = pico-(2).

bi·cron (bī′kron). ビクロン. = picometer.

bi·cus·pid (bī-kŭs′pid). 両尖の, 二尖の.

bi·cus·pid mur·mur 二弁性雑音. = Flint murmur.

bi·cus·pid tooth 小臼歯. = premolar tooth.

bi·cus·pid valve 二尖弁. = mitral valve.

bi·dac·ty·ly (bī-dak′ti-lē). 二指症 (第一指と第五指だけあって, その間の指がない異常. → ectrodactyly).

bi·det (bē-dā). ビデ (腟または直腸洗浄用の付加装置の付いた浴室設備).

bi·di·rec·tion·al ven·tric·u·lar tach·y·car·di·a 両方向性心室性頻拍(頻脈) (心電図の QRS 群が交互に正・負である心室性頻拍. 迷入心室伝導の形が交互に現れる心室性頻拍であることが多い).

bi·dis·coi·dal pla·cen·ta 二円盤状胎盤 (2つの別な円盤からなる胎盤で, 子宮の反対側にそれぞれ付着する. ある種のサルやトガリネズミには生理的でときとしてヒトにもみられる).

BIDS (bidz). *b*rittle hair(脆弱毛), *i*mpaired intelligence(知能障害), *d*ecreased fertility(受精能減少), *s*hort stature(低身長)の頭文字. 脆弱毛は高含硫蛋白の遺伝的欠損による場合がある.

Biel·schow·sky dis·ease ビールショースキー病 (リポフスチン症の早期小児型).

Biel·schow·sky sign ビールショースキー徴候 (上斜筋麻痺の場合, 頭部を患側に傾けると, その眼は上方に動く).

Biel·schow·sky stain ビールショースキー染色〔法〕 (細網線維, 神経細線維, 軸索, 樹状突起を明示するために硝酸銀で組織を処理する方法).

Biel·schow·sky test ビルショースキー試験 (様々な頭位に対する眼球偏位の角度決定または上下複視での麻痺筋を同定するうえでの注視角を決めるための上下斜視の検査法. 本検査法は上斜筋麻痺の診断に最も有用である).

Bier am·pu·ta·tion ビール切断術 (脛骨と腓骨の骨形成切断).

Bier block an·es·the·si·a ビールブロック麻酔 (局部麻酔薬の静脈内投与による四肢の局所麻酔法. 四肢の止血帯を装着して行う).

Bier hy·per·e·mi·a Bier method(2)によって生じる充血を表す, 現在では用いられない語.

Bier meth·od ビール法 (①= intravenous regional anesthesia. ②反応的充血により, 種々の外科的状態を治療すること).

Bier·nac·ki sign ビエルナツキー徴候 (麻痺性痴呆と脊髄ろうにおける尺骨神経の叩打に対する無痛覚症).

bi·fid (bī′fid). 二裂の, 二分の (2つの部分に分かれた).

bi·fid ep·i·glot·tis 二分喉頭蓋 (右側と左側の喉頭蓋が癒合していない先天奇形. 両側の喉頭蓋が回転して声門にはいり込むため, 新生児においてぜん鳴と誤えんを伴う).

Bi·fi·do·bac·te·ri·um (bī′fī-dō-bak-tēr′ē-ŭm). ビフィドバクテリウム属 (非常に形状の変わりやすいグラム陽性杆菌を含む放線菌科の嫌気性バクテリアの一属. 分離したての菌株は, 二叉に分かれたV字形やY字形の形態, 単体または分枝状, さらには棒状やへら状の形態をもつ真の分枝および偽分枝を特徴的に示す. 染色性もしばしば不規則であって, 複数個みられる顆粒はメチレンブルーで染色されることがあるが, 残りの細胞部分は染色されない. 非抗酸性, 非運動性で胞子は形成せず, グルコースから酢酸および乳酸を産生する. 幼児, 老人, 動物の糞便および消化管からみつかっているが, ヒトに対する病原性はまれである. 標準種は *Bifidobacterium bifidum*).

Bi·fi·do·bac·te·ri·um den·ti·um う食および歯周病に関与する細菌種. 日和見病原性も有し, 混合感染により膿瘍を形成する.

bi·fid tongue 分裂舌, 二裂舌 (末端が多少の間隔をもって縦に分割されている舌の構造的欠損. →diglossia). = cleft tongue.

bi·fo·cal (bī-fō′kăl). 二重焦点の (焦点が2つある).

bi·fo·cal lens 二重焦点レンズ (遠くを見るのに適した部分と読書や近距離の作業をするのに

適した部分を併せ備えた老眼用レンズ).

bi·fo·rate (bī-fōr′āt). 二孔の（開口部が２つある).

bi·fur·cate, bi·fur·cat·ed (bī-fŭr′kāt, -kā-ted). 分岐の，二叉の.

bi·fur·ca·tion (bī′fŭr-kā′shŭn). 分岐，分枝（二叉．２つの枝に分かれること).

big a·dre·no·cor·ti·co·tro·pic hor·mone (ACTH) 大分子型副腎皮質刺激ホルモン（副腎皮質刺激ホルモン(ACTH)の一種．小分子型の ACTH と免疫学的に区別はできないが，ACTH に特有な生物学的作用は発揮しない).

bi·gem·i·nal (bī-jem′i-năl). 二重の，対の，双生の.

bi·gem·i·nal pulse 二重脈，二段脈（脈拍が対になっている脈). = coupled pulse; pulsus bigeminus.

bi·gem·i·nal rhythm 二連脈，二段脈（基本調律(洞性またはその他)の各拍動に続いて早期収縮が発生し，その結果，心拍動が対になって発生する(bigeminy)). = coupled rhythm.

bi·gem·i·ny (bī-jem′i-nē). 二連脈，二段脈（特に心拍が対をなして起こること).

bi·la·bi·al (bī-lā′bē-ăl). 両唇音（①両方の唇に関連する音．②bやpのように２つの唇の接触や隙間から発せられる音).

bi·lat·er·al (bī-lat′ĕr-ăl). 両側〔性〕の，左右の.

bi·lat·er·al co·or·din·a·tion 両側整合（身体の左右両側を整合する能力).

bi·lat·er·al her·maph·ro·dit·ism 両側性半陰陽（両側に卵巣精巣をもった真半陰陽).

bi·lat·er·al reach 両側範囲（手を伸ばす運動で同時に起こる).

bil·ber·ry (bil′ber-ē). ビルベリー（ビルベリーの果実の乾燥して抽出される物質は心臓血管の病気に効果があると言われている．また，眼の病気にも用いられ，視力が回復したという報告もある). = European blueberry; huckleberry; whortleberry.

bile (bīl). 胆汁（肝臓から分泌される黄褐色または緑色の液．十二指腸に放出され，そこで脂肪の乳濁，ぜん動増加，および腐敗の防止を行う．胆汁には，グリココール酸ナトリウム，タウロコール酸ナトリウム，コレステロール，ビリベルジンとビリルビン，粘膜，脂肪，レシチン，細胞および細胞残屑が含まれる).

bile ac·ids 胆汁酸（胆汁酸にみられるステロイド酸．例えば，タウロコール酸およびグリココール酸．治療上では，胆汁分泌が不十分な場合および胆石に用いられる．生理的な役割は脂肪の乳化).

bile an·ti·gen バイル抗原. = Bi antigen.

bile duct 胆管（胆汁を肝臓から十二指腸まで運ぶ種々の管の総称で肝管，胆嚢管，総胆管などをすべて含む). = biliary duct.

bile pig·ments 胆汁色素（メタン橋の断裂によりポルフィリンから得られる胆汁内の色素．例えば，ビリルビン，ビリベルジン).

bi·le·vel pos·i·tive air·way pres·sure (Bi-PAP) 2レベル陽圧気道圧法（患者に持続陽圧気道圧(CPAP)をもたらす機械的換気支援法．ⅰ吸気陽圧気道圧(IPAP)．ⅱ呼気陽圧気道圧(EPAP)).

bil·har·zi·al dys·en·ter·y ビルハルツ〔住血吸虫〕性赤痢（日本住血吸虫 *Schistosoma japonicum*，マンソン住血吸虫 *S. mansoni*，ビルハルツ住血吸虫 *S. haematobium* の感染による赤痢).

bili- 胆汁に関する連結形.

bil·i·ar·y (bil′ē-ār-ē). 胆汁の，胆管の.

bil·i·ar·y a·tre·si·a 胆道閉鎖〔症〕（主胆管の閉鎖で，胆汁うっ滞と黄疸を起こす．出生後，数日を経ないと現れない．門脈周囲の線維症が発生し，細胆管閉鎖性がないかぎり細胆管増殖を伴う肝硬変に至る．肝細胞の巨細胞化も起こる．*cf.* neonatal hepatitis).

bil·i·ar·y can·a·lic·u·lus 毛細胆管（胆細胞間に存在する直径 1 μm 以下の細胞間管で胆管系の最初部をなす).

bil·i·ar·y cir·rho·sis 胆汁性肝硬変（胆管閉鎖によって起こる肝硬変で，原発性の肝臓内疾患または肝臓外の胆管閉鎖の二次的疾患と思われる．後者は胆汁うっ滞と線維化を伴う小胆管の増殖をもたらすこともあるが，肝小葉の著しい障害はまれである).

bil·i·ar·y col·ic 胆石仙痛（胆嚢管に胆石が詰まり，右上腹部に感じる激しい痙攣性の疼痛).

bil·i·ar·y duct = bile duct.

bil·i·ar·y duc·tules 集合胆管（肝臓の導出管で，小葉間胆管と右肝管(または左肝管)を連結する). = ductuli biliferi.

bil·i·gen·e·sis (bil′i-jen′ĕ-sis). 胆汁産生.

bil·i·gen·ic (bil′i-jen′ik). 胆汁産生〔性〕の.

bil·i·ous (bil′yŭs). 胆汁の（①胆汁に関する，あるいは胆汁に特徴的にみられる．②以前は，気短で興奮しやすいなどの特徴をもつ気質をさした. = choleric).

bil·i·ra·chi·a (bil′i-rā′kē-ă). 胆汁性髄液（脊髄液中に胆汁色素があること).

bil·i·ru·bin (bil′i-rū′bin). ビリルビン（ビリルビンナトリウム(可溶性)，または胆石中に不溶性カルシウム塩としてみられる黄色の胆汁色素．細網内皮系による赤血球の正常および異常破壊によりヘモグロビンから形成される．過剰に存在すると黄疸となる).

bilirubinaemia [Br.]. = bilirubinemia.

bil·i·ru·bi·ne·mi·a (bil′i-rū-bin-ē′mē-ă). ビリルビン血〔症〕（血中にビリルビンが存在すること．ただし正常な場合でも少量は存在する．赤血球の過破壊亢進や胆汁排出機構の障害をきたす種々の病態にみられるビリルビンの濃度増加について通常用いる語．血清ビリルビンの定量により，直接反応型(抱合体)ビリルビンと間接反応型(非抱合体)ビリルビンの２分画で示される．血清中の抱合，および総ビリルビンの定量は重要であり，臨床検査でしばしば行われる). = bilirubinaemia.

bil·i·ru·bin en·ceph·a·lop·a·thy ビリルビン脳障害(脳症)，ビリルビンエンセファロパシー. = kernicterus.

bil·i·ru·bin·oids (bil′i-rū′bin-oydz). ビリルビノイド（腸内細菌の還元酵素によりビリルビンがステルコビリンに変換するときの中間物質を

B

示す総称名．ほとんどが正常な尿および糞便中に存在する）．

bil·i·ru·bi·nu·ri·a (bil′i-rū-bi-nyūr′ē-ă)．ビリルビン尿〔症〕（尿中にビリルビンが存在すること）．

bil·i·u·ri·a (bil′ē-yūr′ē-ă)．胆汁尿〔症〕（尿中に種々の胆汁塩または胆汁が存在すること）．= choleuria; choluria.

bil·i·ver·din (bil′i-vĕr-din)．ビリベルジン（緑色の胆汁色素）．

bil·la·ble (bil′ă-bĕl)．支払い請求可能な（健康管理の専門家や施設で治療，療養をを受ける者が法の責任で保障を受けることができることを示す）．

Bil·lings meth·od ビリング法（頸管粘液の性状変化で禁欲期間を決める避妊法）．

Bill ma·neu·ver ビル操作（頭部を引き出す前に骨盤の中央部で胎児の頭を鉗子で回転させること）．= Bill manoeuvre.

Bill manoeuvre [Br.]．= Bill maneuver.

Bill·roth dis·ease ビルロート病（①ビルハイツ住血吸虫の慢性感染により発生する膀胱癌．②頭蓋骨骨折やクモ膜裂傷により起こる頭皮下の液体貯留．外傷性の髄膜ヘルニア）．

Bill·roth op·er·a·tion I ビルロートI法手術（幽門と前庭部の切除および胃断端の一部を閉鎖して，胃と十二指腸とを端々吻合する術式）．

Bill·roth op·er·a·tion II ビルロートII法手術（幽門と前庭部を切除して，十二指腸と胃の断端を閉鎖し，胃と空腸を吻合する術式）．

Bill·roth-von Wi·ni·war·ter dis·ease = Buerger disease.

bi·lo·bate, bi·lobed (bī-lō′bāt, bī′lōbd)．二葉の．

bi·lo·bate pla·cen·ta 二葉性胎盤（2つの葉に分かれた胎盤）．

bi·lob·u·lar (bī-lob′yū-lăr)．二小葉の．

bi·loc·u·lar, bi·loc·u·late (bī-lok′yū-lăr, -yū-lāt)．二室〔性〕の，二房〔性〕の．

bi·loc·u·lar joint 二房関節（関節円板ができあがっている関節で，これにより関節腔が2分される）．

bi·mal·le·o·lar frac·ture 二果骨折（内果と外果両方の骨折．→malleolus）．

bi·man·u·al (bī-man′yū-ăl)．双手の，両手を使う．

bi·man·u·al ver·sion 双手回転〔術〕，双合回転〔術〕，両極回転〔術〕（両手を用い，胎児の四肢に対して操作を加えることにより，子宮内の胎児を回転させること．外回転または内外併用回転がある）．

bi·mas·toid (bī-mas′toyd)．両乳突の．

bi·max·il·lar·y (bī-mak′si-lar-ē)．両側上顎の（左右の上顎に関する．両側の下顎上部に影響するようなことを記載する場合にも用いる）．

bi·na·ry (bī′nar-ē)．***1*** 2つの，二元〔性〕の（成分，元素，分子などを2つ含むこと）．***2*** 二者択一の（1つの事象に対し2つの相互に独立した結果の選択を示すこと(例えば，男と女，頭と尾，影響と無影響)）．

bi·na·ry dig·it 二進数（①二進記数法(0または1)で記述されるデジタル情報の最小単位．②コンピュータ処理における電気信号）．

bi·na·ry fis·sion 二分裂（生成された2個の細胞が，ほぼ同じ大きさになるような単数分裂）．

bin·au·ral (bī-naw′răl)．両耳〔性〕の．= binotic.

bi·nau·ral dip·la·cu·sis 両耳複聴（同一の音が両耳に異なって聞こえる状態）．

bind·er (bīnd′ĕr)．***1*** 支持帯（幅広の厚い布でつくった包帯で，特に腹部に用いる）．***2*** 結合剤．

bind·ing en·er·gy 結合エネルギー（電子を対応する軌道殻に留める引力）．

Bi·net age ビネー年齢（Binet-Simon 知能スケールで測定された精神年齢）．

Bi·net scale, Bi·net test ビネースケール．= Stanford-Binet intelligence scale.

binge, bing·ing どんちゃん騒ぎ（短い時間で脅迫観念から食べ物やアルコールを消費すること

Bing re·flex ビング反射（足が受動的に背屈されているとき，2つのくるぶしの間の足首上のどの点を打診しても足底屈が生じる）．

bin·oc·u·lar (bin-ok′yū-lăr)．両眼の，双眼の．

bin·oc·u·lar mi·cro·scope 双眼顕微鏡（2つの接眼レンズをもつ顕微鏡．複式顕微鏡または立体顕微鏡をいう）．

bin·oc·u·lar vi·sion 両眼視，両眼視力（両眼同時の単一視力）．

bi·no·mi·al (bī-nō′mē-ăl)．二名法，二項式（2つの項目または名称の組み合わせ．確率論あるいは統計学的概念では Bernoulli 試験に関連している）．

bi·no·mi·al dis·tri·bu·tion 二項分布．= Bernoulli distribution.

bi·no·mi·al no·men·cla·ture 2名法（動物，植物がそれぞれの種で名前が二つの表現から成る．一つは遺伝子的に2つ目は種を判別する）．

bin·ot·ic (bin-ot′ik)．両耳の．= binaural.

bin·ov·u·lar (bin-ov′yū-lăr)．2卵性の（2つの卵子が発育したもの．二卵性双生児のこと）．

Bins·wan·ger dis·ease ビンスヴァンガー病（多発梗塞性痴呆の原因の1つ．白質に多くの梗塞とラクナがあり，皮質と基底核は比較的保たれている）．

bi·nu·cle·ar, bi·nu·cle·ate (bī-nū′klē-ăr, -klē-āt)．二核の．

bi·nu·cle·o·late (bī-nū′klē-ō-lāt)．二核小体の（2つの核をもつ）．

bio- 生物，生活を意味する連結形．

bi·o·a·cous·tics (bī′ō-ă-kūs′tiks)．生物音響学（生物に対する音界または機械振動の影響を扱う科学）．

bi·o·ac·tive non·nu·tri·ent = phytochemical.

bi·o·ac·tiv·i·ty (bī′ō-ak-tiv′i-tē)．生物活性（生命体に影響を持つこと）．

bi·o·as·say (bī′ō-as′ā)．バイオアッセイ，生物〔学的〕検定〔法〕（ある化合物の，動物，分離組織，微生物に及ぼす効果を化学的・物理学的特性分析と比較して，その効力または濃度を決定すること）．

bi·o·a·vail·a·bil·i·ty (bī′ō-ă-vāl′ă-bil′i-tē).

バイオアベイラビリティ，生物学的利用能（一定量の薬の生理学的効果．化学的効力とは異なる．投与された薬物のうち，全身循環血中に到達した薬物の量および全身循環血中に現れる速度をいう）．

bi·o·bur·den（bī′ō-bŭr′dĕn）．生物汚染度（微生物汚染または微生物学的負荷の程度．対象を汚染した微生物数）．

bi·o·chem·i·cal（bī′ō-kem′i-kăl）．生化学の．

bi·o·chem·i·cal mod·u·la·tion 生化学的〔効果〕修飾（ある化学療法剤を別の薬剤（それ自体，抗癌作用をもつものやもたないものもある）を併用することによる効果修飾（活性増強や毒性軽減）をさす用語）．

bi·o·chem·i·cal pro·file 血液生化学的プロフィール（病院や診療所に患者が入院した際，自動的測定で通常行われる生化学的検査の組合せ）．

bi·o·chem·is·try（bī′ō-kem′is-trē）．生化学（生物に関する化学，および生物内で起こる化学的，分子的，および物理的変化に関する化学）．= biologic chemistry; physiologic chemistry.

bi·o·cid·al（bī′ō-sī′dăl）．生物致死性の，殺菌〔性〕の（生物，特に微生物を殺すことについて活性がある）．

bi·o·cide（bī′ō-sīd）．殺生物質（生物を殺傷する能力をもつ化合物）．

bi·o·com·pa·ti·bil·i·ty（bī′ō-kŏm-pat′i-bil′i-tē）．生物適合性（生物系に有利に働く物質の相対能力）．

bi·o·con·ver·sion（bī′ō-kŏn-vĕr′zhŭn）．生物交換（有機物をエネルギーに変換すること）．

bi·o·cy·ber·net·ics（bī′ō-sī′bĕr-net′iks）．バイオサイバネティクス（生物個体内部におけるコミュニケーションとコントロールを，特に分子レベルに基づいて研究する科学の一分野）．

bi·o·cy·tin（bī′ō-sī′tin）．ビオシチン（ビオチンとリシンとが縮合したもの．トリカルボン酸サイクルの触媒として機能する）．

bi·o·de·grad·a·ble（bī′ō-dĕ-grād′ă-bĕl）．生分解性の（天然エフェクター（天候，土壌バクテリア，植物，動物など）によって化学的分解ができる物質についていう）．

bi·o·deg·ra·da·tion（bī′ō-deg-rĕ-dā′shŭn）．生分解．= biotransformation.

bi·o·dy·nam·ics（bī′ō-dī-nam′iks）．生物力学，生体力学，生体機能学（生体の力またはエネルギーを扱う科学）．

bi·o·e·lec·tri·cal im·pe·dance a·nal·y·sis（BIA） 生体電気学的インピーダンス分析（体を通過する少量の電流の流れに対する抵抗を測定することにより，体脂肪，非脂肪ボディマス，および体総水分量を測定するための方法）．

bi·o·e·lec·tric·i·ty（bī′ō-ĕ-lek-tris′i-tē）．生体電気（生物が発するまたは関係する電気の現象）．

bi·o·en·er·get·ics（bī′ō-en′ĕr-jet′iks）．生体エネルギー学論（生体内の生物学的な働きをエネルギーに変化させる種々の方法の研究）．

bi·o·eth·ics（bī′ō-eth′iks）．生命倫理（薬物の治療で人体または人体の組織を使うことに対する倫理の分野）．

bi·o·feed·back（bī′ō-fēd′bak）．バイオフィードバック（個体が，自律的な身体機能に対して何らかの随意的な支配力を得ることができるようにするための訓練技術．この技術は，ある特別な観念複合や行動が，求める生理反応をもたらしたという情報を，例えば，皮膚温の上昇を記録するなどして獲得したときに，その反応が習得される（フィードバック）という学習原理に基づく）．

bi·o·field med·i·cine バイオフィールド医療（患者の体の周りのエネルギーフィールドを分析し治療することを意図している．確立された治療法ではない）．

bi·o·film（bī′ō-film）．バイオフイルム（生物活性物質を含んでいる薄い塗膜で，歯などの構造体表面をおおっている）．

bi·o·fla·vo·noid（vit·a·min P） バイオフラボノイド（ビタミンP）（維管束植物から発見されるほとんどが水溶性の4000種類以上の有色の化合物．アスコルビン酸の吸収に不可欠である）．

bi·o·gen·e·sis（bī′ō-jen′ĕ-sis）．生物発生（①生命は既存の生物からのみ発生し，決して非生物からは発生しないという原理に対してHuxleyが与えた用語．→spontaneous generation; recapitulation theory．②= biosynthesis）．

bi·o·ge·net·ic（bī′ō-jĕ-net′ik）．生物発生の．

bi·o·haz·ard（bī′ō-haz′ărd）．生物学的災害（血や体液など汚染されたまたは伝染性の廃棄物）．

bi·o·in·for·mat·ics（bī′ō-in′fōr-mat′iks）．生命情報科学，バイオインフォマティクス（生物情報の獲得，処理，保存，配分，分析や解釈についてすべての面を取り込もうとする1つの科学的方法論．種々のデータの生物学的意義を理解するため数学，コンピュータサイエンス，生物学の各種工具や技術を兼ね備えている）．

bi·o·in·stru·ment（bī′ō-in′strŭ-mĕnt）．生物測定器（生理学的データを受信部およびモニター部に記録したり伝達したりするために，通常，人体や他の生きている動物に取り付けたり埋め込んだりするセンサーや装置）．

bi·o·ki·net·ics（bī′ō-ki-net′iks）．生物動力学（動物が発育するにつれて生じる成長変化や動きについての学問）．

bi·o·log·ic, bi·o·log·i·cal（bī′ŏ-loj′ik, -loj′i-kăl）．生物学の，生物学的な．

bi·o·log·i·cal（bī′ŏ-loj′i-kăl）．生物製剤（科学物質ではなく生物から抽出される化合物または薬品．例えば，血清，抗毒血清）．

bi·o·log·ic·al·ly ef·fec·tive dose（BED） 生物的効果線量（体内の作用部位に到達して生物的影響を生ずる呼吸された線量）．

bi·o·log·ic as·say 生物学的検定法．= bioassay.

bi·o·log·ic chem·is·try 生〔物〕化学．= biochemistry.

bi·o·log·ic con·trol 生物学的制御（疾病の媒介生物や保有宿主などの生物を，それらの天敵（捕食者，寄生生物，競争者）を用いて制御すること）．

B

bi·o·log·ic ev·o·lu·tion 生物進化論（すべての動植物は，より単純な形のもの，根本的には単細胞生物から徐々に変化してきたという説）. = organic evolution.

bi·o·log·ic half-life 生物学的半減期（物質の半分の量が，生物学的過程によって消失するのに要する時間）.

bi·o·log·ic im·mu·no·ther·a·py 生物学的免疫療法. = immunotherapy.

bi·o·log·ic in·di·ca·tor 生物学的指示薬（非病原性微生物(通常は細菌の胞子)をアンプルに入れたり，紙に特殊な方法で浸透させたもの．滅菌中に袋に入れて容器に収め，その後培養して胞子が滅菌操作で死んだことを確認する）.

bi·o·log·ic psy·chi·a·try 精神障害の診断と治療において分子，遺伝，薬理学的アプローチを重視する精神医学の一領域.

bi·o·log·ic re·sponse mod·i·fi·er 生物的反応修飾物質（免疫機構を増強あるいは損なった部分を再構成することによって，新生腫瘍に対する宿主反応を修飾する物質）.

bi·o·log·ic safe·ty hood 生物的安全性（潜在的に危険なエアロゾールを保管する防護用キャビネット．空気の流れによって粒子を外に出しラボで働く人を守る）.

bi·o·log·ic sam·pling 生物学的抽出（(例えば血液学や生物化学研究のように)個体全体に対する危険性を回避して行われた抽出）.

bi·o·log·ic vec·tor 生物学的ベクター（マラリア病原体に対するハマダラカ属 *Anopheles* のカ，アフリカ睡眠病原体に対するツェツェバエのような媒介者．病原体は他の宿主に伝播されるのに先立ち，その体内で増殖する）.

bi·o·log·ic-war·fare (BW) a·gent 細菌戦争物質（①軍事目的で使われる生命体(例，バクテリア，ウイルス，カビなど)．②軍事目的で使われる生命体，または生命体から作り出された物質(例，毒素)）.

bi·ol·o·gist (bī-ol′ŏ-jist). 生物学者.

bi·ol·o·gy (bī-ol′ŏ-jē). 生物学（生物と生命現象を扱う科学）.

bi·ol·y·sis (bī-ol′i-sis). 生物分解（生体の化学作用による有機物質の分解）.

bi·o·mass (bī′ō-mas). 生物体量，バイオマス（一定の面積，生物群集，種集団，環境に生存する全生物の全重量．全生物生産の量）.

bi·o·ma·te·ri·al (bī′ō-mă-tēr′ē-ăl). バイオマテリアル，生体材料（合成または半合成材料で，移植用人工器官を構築するため生体系で用いられ，またその生適合性という点で選ばれたものである）.

bi·ome (bī′ōm). バイオーム，生物帯（特定の地域または地帯を占拠し，特徴付ける生物群集の全複合体）.

bi·o·me·chan·i·cal a·nal·y·sis 生体力学的分析. = activity analysis.

bi·o·me·chan·i·cal frame of ref·er·ence 生体力学的理論，基準身体力学フレーム（①神経筋または筋骨格の機能障害のために，適切な不随意筋運動では姿勢を維持できないときに用いる介入療法．一時的または永久的に支持装具を使用する．②末梢神経系，筋骨格，外皮，心肺系に機能障害をもつ患者の筋力，持久力，可動域を増強・拡大するための治療法）.

bi·o·me·chan·ics (bī′ō-mĕ-kan′iks). 生体力学（生体に対する内部または外部の力の作用に関する科学）.

bi·o·med·i·cal (bī′ō-med′i-kăl). 生物医学的な（①医学の基礎となる自然科学の分野(特に生物学，生理学)についていう．②生物学および医学，すなわち科学と技術の両方を含む）.

bi·o·med·i·cal en·gi·neer·ing 生物医学工学（生物医学的問題を解決するために工学原理を応用する学問）.

bi·o·med·i·cal mod·el 生物医学的モデル（ある患者の疾病や異常を理解するための概念的なモデルで，精神医学的または社会的要因を除いて生物学的な因子のみを含む）.

bi·o·mem·brane (bī′ō-mem′brān). 生体膜（細胞あるいは細胞小器官を包む構造で，脂質・蛋白・糖脂質・ステロイドなどを含む）. = membrana; membrane(2).

bi·o·me·tri·cian (bī′ō-mĕ-trish′ăn). 生物測定学者.

bi·om·e·try (bī-om′ĕ-trē). 計量生物学（生物学的な観察や現象に基づく数値データを用いる研究に対する統計的方法の応用）.

bi·o·mi·cro·scope (bī′ō-mī′krŏ-skōp). 生体顕微鏡. = slitlamp.

bi·o·mi·cros·co·py (bī′ō-mī-kros′kŏ-pē). 生体顕微鏡検査〔法〕，生体鏡検査〔法〕，生体鏡検〔法〕（①生体の生きた組織の顕微鏡検査．②細隙灯と双眼顕微鏡を併せ用いた，角膜・眼房水・水晶体・硝子体液・網膜の検査）.

bi·o·ne·cro·sis (bī′ō-nĕ-krō′sis). 類壊死〔症〕. = necrobiosis.

bi·on·ic (bī-on′ik). ビオニック，バイオニック（バイオニクスに関連した，またはバイオニクスにより開発された）.

bi·on·ics (bī-on′iks). ***1*** バイオニクス（生物学的機能およびメカニズムを，電子工学などに応用する科学）. ***2*** バイオニクス，生物(生体)工学（生物の特性を研究することにより得られた成果を非有機性デバイスや技術の公式化に応用する科学）.

bi·o·ox·i·da·tive ther·a·py = oxygen therapy.

bi·o·phar·ma·ceu·tics (bī′ō-fahr′mă-sū′tiks). 生物薬剤学（薬物の物理的・化学的特質とその投薬法を製剤の構成成分や製造方法を含めて，薬物作用の開始後，持続期間，強度と関連させて研究する学問）.

bi·o·phys·ics (bī′ō-fiz′iks). 生物物理学（①物理学の理論と方式による生物学的過程および物質の研究．生物学的諸問題および過程を分析する物理学的方法の適用．②生物における物理的諸過程(例えば，電気や発光)の研究）.

bi·o·po·ten·ti·al·i·ty (bī′ō-pŏ-ten′shē-al′i-tē). 生物的潜在能力（互いに排他的な方向で発展する潜在的能力(例，オス，メス)）.

bi·op·sy (bī′op-sē). ***1*** 生検，バイオプシー，生体組織検査〔法〕（診断検査のために，患者から

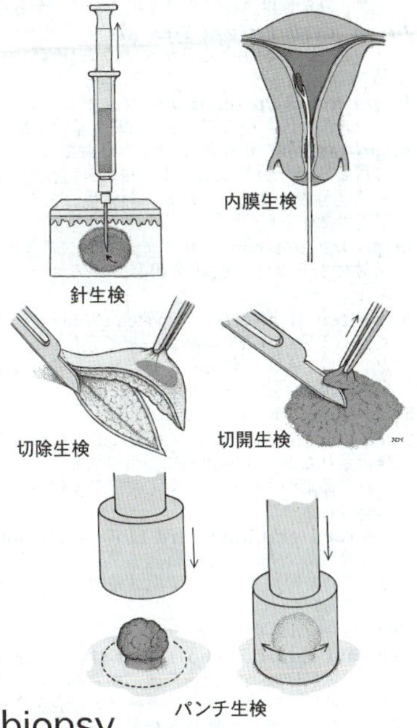
内膜生検
針生検
切除生検
切開生検
パンチ生検

biopsy

組織を採る方法). *2* 生検材料.

bi·o·psy·cho·so·cial mod·el 生物精神社会的モデル（ある患者の疾病や異常を理解するための概念的なモデルで，生物学的要因とともに精神的および社会的要因も含める）.

bi·op·tome (bī′op-tōm). 生検鉗子（カテーテルの中を心臓へ通し生検をするための器具で，診断のために小片を得る）.

bi·o·reg·u·la·tor (bī′ō-reg-yū′lā-tōr). 生長調整物質（体内の恒常性や機能の変化に対応するために生体内作用の速度や強度を修正する内因性の物質）. = melanocyte-stimulating hormone.

bi·o·rhythm (bī′ō-ridh-ĕm). バイオリズム（例えば，睡眠サイクル，日周性変動，周期性疾患のように，ある事象または状態が生体内因性の周期をもって変化あるいは反復すること）.

bi·o·safe·ty (bī′ō-sāf′tē). バイオセイフティー（ヒトに病気を起こす可能性のある生物由来の物質または生物そのものを取り扱う際の安全対策）.

bi·o·so·cial (bī′ō-sō′shăl). 生物社会の（生物学的影響と社会的影響との相互作用に関する）.

bi·o·spec·trom·e·try (bī′ō-spek-trom′ĕ-trē). 生体分光〔光度〕法（生体から取り出した生きた組織または液体に存在する種々の物質の種類と量を分光学的に測定すること）.

bi·o·spec·tros·co·py (bī′ō-spek-tros′kŏ-pē). 生体分光鏡検査〔法〕（組織から採取された液体を含めた，生きた組織の標本の分光学的検査）.

bi·o·sphere (bī′ō-sfēr). 生物圏（世界中で，生物が存在する全地域）.

bi·o·sta·tis·tics (bī′ō-stă-tis′tiks). 生物統計学（統計学を生物学または医学データに応用する科学）.

bi·o·syn·the·sis (bī′ō-sin′thĕ-sis). 生合成（生体内(*in vivo*)，または細胞の破片や抽出物(*in vitro*)，による化学物質の酵素的合成）. = biogenesis(2).

bi·o·syn·thet·ic (bī′ō-sin-thet′ik). 生合成の（生合成に関する，または生合成によって産生される）.

bi·o·sys·tem (bī′ō-sis′tĕm). 生物系（直接的あるいは間接的に相互作用しうる生物の全体系）.

bi·o·ta (bī-ō′tă). 生物相，ビオタ（一定の地域の動物と植物を合わせた相）.

Bi·ot breath·ing sign ビオーの呼吸サイン（不規則な無呼吸期間と4—5回の深い呼吸との繰返し．脳内圧亢進時にみられる）.

bi·o·te·lem·e·try (bī′ō-tĕ-lem′ĕ-trē). 生物テレメトリ，生体遠隔測定〔法〕（生命過程を監視し，無線で離れた地点にデータを伝送する方法）.

bi·o·ter·ror·ism (bī′ō-ter′ŏr-izm). 細菌テロ（①テロ目的で用いられる生命体(例，バクテリア，ウイルス，カビなど)や毒素などの製品．②テロリズム目的に用いられる一般的だが，誤った方法である化学物質，細菌，放射性物質など）.

bi·o·test (bī′ō-test). 生物学的検定法（ある物質，技術，操作などの生物に与える影響を評価する方法）. = bioassay.

bi·ot·ic (bī-ot′ik). 生命に関する.

bi·o·tin (bī′ō-tin). ビオチン（ほとんどの生体に存在し，必要とされるビタミンB_2複合体のビオチンのD-異性体構成成分で，アビジンによって不活性化される．生体カルボキシル化反応に関与している）.

bi·ot·i·nides (bī-ot′i-nīdz). ビオチン様物質（ビオチン(ビタミンB群の1つ)の化合物類．例えば，ビオシチン）.

bi·o·tope (bī′ō-tōp). 小生活圏，生息場所，ビオトープ（生物に画一的条件を提供する最小の地理的範囲．生態系の物理的部分）.

bi·o·tox·i·col·o·gy (bī′ō-tok′si-kol′ŏ-jē). 生体毒物学（生物が産生する毒素に関する学問）.

bi·o·tox·in (bī′ō-tok′sin). 生体毒素（動物の体内で産生される毒性物質で，動物の組織や体液中に含まれる）.

bi·o·trans·for·ma·tion (bī′ō-trans′fōr-mā′shŭn). 生体内変化（生体内で起こる分子構造の変化．しばしば薬理作用の変化(増加，減少，あるいはほとんど変化しない)を伴う．特に薬物その他の生体異物についていう）. = biodegradation.

Bi·ot res·pi·ra·tion ビオー呼吸（まったく不規則な呼吸パターンで，呼吸の回数と深さが連続して変動する．脳幹にあって背部内側延髄尾部から，門にひろがっている呼吸中枢の病巣に起因する).

bi·o·type (bī′ō-tīp). ***1*** 生物型, 同遺伝子型個体群, バイオタイプ (同一遺伝子型をもつ個体集団あるいは個体群). ***2*** 細菌学において biovar の旧名. 細菌の変異菌株についていう.

bi·o·var (bī′ō-vahr). 次亜種, ビオヴァル (生理学上の特徴が異なるため, 同種の他の菌株と区別される亜種以下の細菌菌株群).

bi·o·vu·lar (bī-ov′yū-l′ar). 二卵性. = diovular.

bi·o·war·fare (bī′ō-wōr′fār). 細菌戦争 (①戦争目的で生命体(例, バクテリア, ウイルス, カビなど)やそれらから作られた(毒素など)を使用すること. ②化学物質, 細菌, 放射線などを戦争目的に一般的に用いられるが誤った方法である).

BiPAP (bī′pap). bilevel positive airway pressure の略.

bi·pa·ren·tal (bī′păr-ent′ăl). 二親性の (雌雄の二親をもつ).

bi·pa·ri·e·tal (bī′păr-ī′ĕ-tăl). 両頭頂骨の (頭蓋の両方の頭頂骨に関する).

bi·pa·ri·e·tal di·am·e·ter 大横径 (両側の頂頭骨隆起間の距離).

bip·a·rous (bip′ă-rŭs). 二子を産む.

bi·par·tite (bī-par′tīt). 二部構成の, 二分割の.

bi·ped·i·cle flap 双茎皮弁 (両端に茎をもつ皮弁). = advancement flap.

bi·pen·nate, bi·pen·ni·form (bī-pen′āt, bī-pen′i-fōrm). 羽状〔筋〕の (鳥の羽のように, 中央の1本の腱に向かって筋線維が両側から収れんするように付いている筋についていう).

bi·pha·sic trans·tho·rac·ic de·fib·ril·la·tion 二葉性の経胸腔除細動 (調整されたエネルギーの低い波形を送る経胸腔除細動).

bi·phe·no·typ·ic (bī′fē-nō-tip′ik). バイフェノティピック, バイフェノタイピック, 2形質性の.

bi·phe·no·typ·y (bī-fē′nō-tī′pē). バイフェノティピー, バイフェノタイプ, 2形質性 (ある種の白血病において, 同一細胞が2種以上の細胞系列のマーカを表現していること).

bi·phen·yl (bī-fen′il). ビフェニル. = diphenyl.

bi·po·lar (bī-pō′lăr). 双極〔性〕の (①二極, 両端, 両極端をもつ. ②躁病とうつ病が交代して現れる気分障害に関する語).

bi·po·lar cau·ter·y 両極性焼灼器 (活性電極と不活性電極との間に組織をはさんで高周波電流を流す電気焼灼器. 止血に用いる).

bi·po·lar cell 両極細胞, 双極細胞 (網膜または第八脳神経のらせん・前庭神経節のニューロンなどのように2本の突起をもつニューロン).

bi·po·lar dis·or·der 双極性障害 (爽快気分(躁)の時期と抑うつ気分の時期が交互に出現する感情障害). = manic-depressive psychosis.

Bi·po·lar·is (bī-pō-la′ris). ビポラーリス属 (フェオヒフォミコーシスの原因菌の1つ. デマチウム科真菌の属. *Drechslera* 属の一部と *Helminthosporium* 属の種が現在本属に分類されている).

Bi·po·lar·is au·stra·li·en·sis フェオヒフォミコーシスの原因となるデマチウム科真菌の一種. 真菌性副鼻腔炎を引き起こすことがある.

Bi·po·lar·is ha·wai·i·en·sis フェオヒフォミコーシスの原因となるデマチウム科真菌の一種.

Bi·po·lar·is spi·ci·fe·ra フェオヒフォミコーシスの原因となるデマチウム科真菌の一種.

bi·po·lar lead 双極誘導 (身体の異なった部位に置かれた2つの電極により得られる記録. 標準肢誘導のように, それぞれの電極はともに記録上の意味をもつ).

bi·po·lar neu·ron 双極ニューロン (細胞体の反対極から2本の突起を出しているニューロン).

bi·po·ten·ti·al·i·ty (bī′pŏ-ten′shē-al′i-tē). 両能性 (2通りの発生経路に沿って分化しうる能力. 一例として, 卵巣あるいは精巣に発達する生殖腺がある).

bi·ra·mous (bī-rā′mŭs). 二枝の.

birch (bĭrch). カバの木 (お茶によく使われる. 調合された油分が膀胱炎に効果があるとされている. 毒素が小児患者に対して影響がある). = white birch.

bird-breed·er's lung, bird-fan·ci·er's lung 鳥飼育者肺, 愛鳥家肺 (外因性アレルギー性肺胞炎で, 鳥類がまき散らす微粒子の吸入によって起こる).

bird flu = avian influenza.

bird shot ret·i·no·cho·roid·i·tis バードショット脈絡網膜炎 (眼底後極部から赤道部にかけて脈絡膜, 網膜色素上皮の多発巣の脱色素を伴う両側性びまん性網膜血管炎. しばしば視神経炎, 視神経萎縮を合併する. 皮膚の白斑(脱色素斑)がしばしば生じる). = vitiliginous choroiditis.

bi·re·frin·gence (bī-rĕ-frin′jĕns). = double refraction.

bi·re·frin·gent (bī-rĕ-frin′jĕnt). 複屈折の (2回屈折する. 光線を2つに分ける).

birth (bĭrth). 出産, 分娩 (①子が子宮から外界に出ること. 子を産む行為. ②特にヒトについては, 胎齢にかかわらず, また臍帯切断や胎盤付着の有無にかかわらず, 胎児が母体から完全に娩出あるいは牽出されること).

birth am·pu·ta·tion 出生時切断. = congenital amputation.

birth ca·nal 産道 (胎児が通る子宮および腟の腔). = parturient canal.

birth con·trol 産児制限, 産児調節 (①避妊方法を用いて子孫の数を制限すること. ②妊娠率を増進または減少させて生殖を調節しようとする計画や方法).

birth con·trol pill 経口避妊薬 (避妊する為に使われる薬剤でエストロゲン単剤またはプロゲストロンとの合剤がある).

birth·day rule 誕生日規則 (独立した子供に対してどちらの保険計画が健康保険を支えるか決めさせる原則. 定義によると親の誕生日が年で早い方が優先権を得る. (もし同じ月の場合は早く生まれたほうになり, 誕生日が全く同じ場合は子供とより長く過ごした方が優先権を得る)).

birth de·fect 出生時欠損 (出生時に存在する先

天性欠損. *cf.* congenital anomaly).

birth·ing (bĭrth′ing). 分娩経過 (胎児娩出の過程).

birth·ing cen·ter 分娩センター (通常, 病院内で産婦がリラックスでき家庭分娩と同様のサービスが受けられる設備. 🈔LDR (Labor-Delivery Room)として日本でも取り入れられている).

birth in·ju·ry = birth trauma(1).

birth·mark (bĭrth′mahrk). 母斑, あざ, 血管腫 (持続性の目で見える病変で, たいてい皮膚にあり, 出生時あるいはその頃に確認される. 一般的には母斑 nevus あるいは血管腫 hemangioma をいう. →nevus(1)).

birth pal·sy 分娩麻痺 (分娩に関連して生じる神経線維の損傷の結果生じる運動・知覚障害. 腕神経叢が最も好発部位とされる. Erb 麻痺や Klumpke 麻痺といった用語を含む概念である).

birth·rate (bĭrth′rāt). 出生率 (一定期間, 通常は一年間の中での人口単位の出生率の集計. 分子は出生数で分母は半年間の人口).

birth trau·ma ***1*** 分娩時外傷 (分娩により起こる新生児の身体的損傷). ***2*** 出産時外傷 (出産に伴う種々の出来事によって小児の情動面に悪影響が及ぶという仮説に基づいて用いられ, 精神疾患の患者に象徴的な形で現れるといわれている).

birth weight 生下〔時〕体重, 出生時体重 (ヒトでは, 生後 60 分間に計測された乳児の最初の体重. 正規体重児は 2,500 g 以上の児である. 2,500 g 未満は低出生時体重である).

birth·wort (bĭrth′wōrt). = *Aristolochia fangchi*.

bis- ***1*** 2 あるいは 2 度の意味を示す接頭語. ***2*** 化学において, 1 分子中に同一ではあるが分離した 2 つの複合基があることを示す. *cf.* bi-; di-.

2,5-bis (5-*t*-bu·tyl·ben·zox·a·zol-2-yl) thi·o·phene (BBOT) (bis byū′til-ben-zoks′ă-zol thī′ō-fēn). 放射性同位元素の測定に用いるシンチレータ.

Bisch·of my·e·lot·o·my ビショフ脊髄切開〔術〕(下肢の痙縮の治療のために行う脊髄側索の縦切開).

bis in die, bid 1 日 2 回.

bi·sex·u·al (bī-sek′shū-ăl). 両性の, 雌雄同体の (①両性の性腺をもつ. →hermaphroditism. ②異性と同性の両方と性関係をもつ人についていう).

bis·fer·i·ous pulse 二峰性脈 (触診可能な二峰性の動脈拍動). = pulsus bisferiens.

BIS-GMA ビスフェノール A-メタクリル酸グリシジルの省略形で, 樹脂は歯科に使われる.

Bish·op score ビショップ指数 (妊婦で分娩誘導の可能性をチェックする指数. 子宮口開大度, 頸管展退度, 児頭の下降度, 頸管の固さ, 頸首の方向の 5 項目で判定する).

Bish·op sphyg·mo·scope ビショップスフィグモスコープ (血圧, 特に拡張期圧を測定する器具. 管にはカドミウム, タングステン酸ホウ素の溶液を満たす. 圧力は, 圧縮空気によるのでなく直接液体の重量により測定するので, 目盛りは水銀気圧計の逆である).

bish·op's wort = betony.

bis·il·i·ac (bis-il′ē-ak). 両腸骨の (腸骨あるいは腸骨窩のように, 腸骨の部位または構造の対応する二者についていう).

bis·muth (Bi) (biz′mŭth). ビスマス, 蒼鉛 (金属元素, 原子価 3, 原子番号 83, 原子量 20.98037. ビスマスの塩には医薬品として用いられるものがある).

bis·muth line 蒼鉛縁, ビスマスライン (遊離歯肉に認められる黒色の線状着色で, しばしば長期にわたり蒼鉛(ビスマス)を非経口的に投与した際にみられる副作用の最初の徴候となる).

bis·mu·tho·sis (biz′mŭ-thō′sis). ビスマス中毒症 (慢性のビスマス中毒).

bis·muth·yl (biz′mŭ-thil). ビスムチル (化学的には一価金属イオンと類似している BiO^+ 基. ビスムチルの塩は, ビスマスの塩基性塩).

bi·spec·tral in·dex バイスペクトラル指数 (時間の要素を加味した尺度. 脳波の周波数とバイスペクトラル解析により求める. 臨床的に鎮静の程度や麻酔の深度と相関する).

1,3-bis·phos·pho·glyc·er·ate (bis-fos′fō-glis′ĕr-āt). 1,3-ビスホスホグリセリン酸 (解糖系の代謝中間体で, 酵素により ADP と反応して, ATP と 3-ホスホグリセリン酸を生じる).

2,3-bis·phos·pho·glyc·er·ate (bis′fos-fō-glis′ĕr-āt). 2,3-ビスホスホグリセリン酸 (Rapoport-Luebering 経路の代謝中間体で, 1,3-ビスホスホグリセリン酸と 3-ホスホグリセリン酸とで生成される. ヘモグロビンの酸素親和性の重要な調節物質の 1 つ. ホスホグリセリン酸ムターゼの中間体).

bis·phos·pho·nates (bis-fos′fō-nāts). ビスホスホネート (骨粗鬆症の治療薬).

bis·tort (bis′tōrt). ビストート (強い収斂作用を持つ植物で, 医薬品として内服にも服外にも使われる. 科学実験に用いることは制限されている). = adderwort; dragonwort; snakeweed; twice writhen.

bis·tou·ry (bis′tū-rē). 柳葉刀 (長くて細いメスで, 刃は真っすぐまたは曲がっており, 先端は鋭いが, さぐりのために鈍くなっていることもある. 腔あるいは管腔構造の切開などに用いる).

bi·sul·fate (bī-sŭl′fāt). 重硫酸塩 (HSO_4^- を含む塩). = acid sulfate; bisulphate.

bi·sul·fide (bī-sŭl′fīd). 陰イオン HS^- をもつ化合物. 酸性硫化物. = bisulphide.

bi·sul·fite (bī-sŭl′fīt). 亜硫酸水素塩 (HSO_3^- の塩またはイオン). = bisulphite.

bisulphate [Br.]. = bisulfate.

bisulphide [Br.]. = bisulfide.

bisulphite [Br.]. = bisulfite.

BIT (bit). behavioral inattention test の略.

bite (bīt). ***1*** 〚v.〛かむ, かみつく. ***2*** 〚n.〛かむこと. ***3*** 〚n.〛歯の間にはさまれた食物の小片. ***4*** 〚n.〛顎を閉じたときにかかる圧力を表す語. ***5*** 〚n.〛バイト (咬合間記録, 上下顎間記録, デンチャースペース, 歯槽間距離といった語に対する不適切な専門用語). ***6*** 〚n.〛咬傷, 刺傷 (動物または昆虫によって皮膚にできた損傷または刺

B

し傷. →bites).

bite a·nal·y·sis = occlusal analysis.

bite block バイトブロック（噛み合わせを再現するために用いられる. 顎の三次元的な位置関係を決める装置である咬合床のうち, 咬合堤の部分を指す. 註上記とは別に, 一般には歯科治療中に開口状態を保持するために上下の歯の間に挟んで用いる金属性あるいは樹脂性の器具をいう).

bi·tem·po·ral (bī-tem′pŏr′ăl). 両側頭〔骨〕の（左右の側頭または側頭骨に関する).

bite·plate, bite·plane (bīt′plāt, bīt′plān). 咬合床（対咬歯と咬合するように設計されたアクリリックの面のある可撤装置).

bites (bīts). 咬傷, 刺傷（動物界の様々な門の生体(ヒトを含む)による皮膚の貫通(穿刺または裂傷)で, ⅰ機械的損傷, ⅱ蛇毒, サソリ毒などの毒物の注入, ⅲアレルギー感作を誘発する作用のある抗原性物質の注入, 特に昆虫や節足動物の刺傷, ⅳヒトがかんだ場合は, *Staphylococcus pyogenes* のような雑菌の注入, ⅴハエウジ病の場合にみられるような組織への侵入, ⅵ発疹チフス, 狂犬病のような疾病の伝播, などによる種々の反応を伴う. →bite).

bite·wing film 咬翼付きフイルム（上下歯の咬合面間で保持される付属物をつけた, 特別包装のX線フイルム).

bite·wing ra·di·o·graph, bite·wing 咬翼X線写真（咬合平面近くの歯冠部分と歯根1/3頸部を表すのに用いる口腔内歯科用フイルム. 特に隣接面間のう食の発見や, 歯槽中隔の高さの測定に有用).

bi·ther·mal ca·lo·ric test 冷温交互試験（前庭機能検査. 体温より7°C低温または高温の水を両方の外耳道に交互にまたは同時に灌流させる. すると眼振が生じ, その方向, 振幅, 緩徐相速度, 持続時間などを記録する. →Bárány sign).

Bi·tot spots ビトー斑〔点〕（小さく限局性の, 光沢のない, 灰色がかった白い泡沫性, 脂肪性の三角形の沈着物で, 両眼の眼瞼裂部の角膜に隣接する眼球結膜上にある. ビタミンAの欠乏によって起こる).

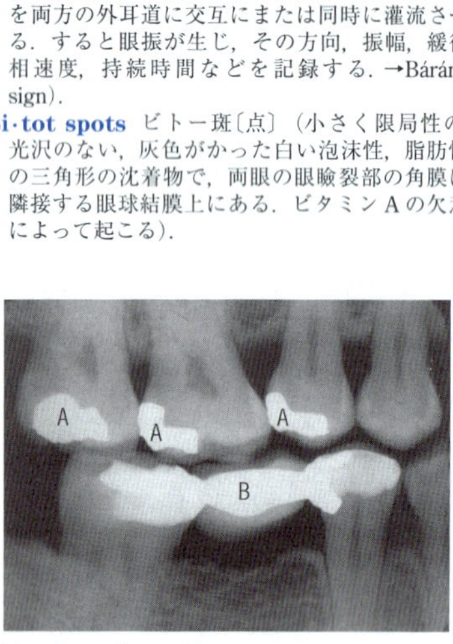
A
A
A
B

bitewing radiograph
A：アマルガム修復，B：固定性橋義歯.

bi·tro·chan·ter·ic (bī′trō-kan-ter′ik). 両大転子の（2個の転子, すなわち片方の大腿の両転子あるいは左右大転子に関する).

bit·ter mel·on つるれいし（通常ジュースで飲まれ, まれにそのまま食されるトロピカルフルーツ. 限られた研究によると2型糖尿病に効果があり, 抗感染もあると言われている).

bit·ter or·ange ダイダイ（ダイダイの果実. 臨床報告では抗ウイルス剤, 胃腸薬, 皮膚病の薬などの使用例がある. 麻黄の使用禁止が法で定められた後に食欲減退剤としても使われるが, 過度, 頻度の多い服用による発作や心臓疾患などの副作用が報告された).

Bit·torf re·ac·tion ビットルフ反応（腎仙痛の症例で精巣を握り締めたり, 卵巣を圧迫すると腎臓に痛みが放散する).

bi·u·ret (bī′yūr-ĕt). ビウレット（尿素を加熱して, 2分子の尿素から1分子アンモニアを除いて得る. 蛋白定量に用いられる). = carbamoylurea.

bi·u·ret re·ac·tion, bi·u·ret test ビウレット反応（強アルカリ溶液中で $CuSO_4$ 処理すると, 3個以上のアミノアシル残渣からなるポリペプチドが反応して紫色を呈するビウレット生成. ジペプチドとアミノ酸(ヒスチジン, セリン, トレオニンを除く)は反応しない. 体液中のポリペプチドまたは蛋白の検出および測定に用いる).

bi·va·lence, bi·va·len·cy (bī-vā′lĕns, bī-vā′lĕn-sē). 二価〔性〕, 二原子価（2つの結合力(原子価)をもつこと). = divalence; divalency.

bi·va·lent (bī-vā′lĕnt). ***1*** 〚adj.〛二価の, 二原子価の（2つの結合力(原子価)をもつ). = divalent. ***2*** 〚n.〛二価染色体（細胞学において, 2対の相同染色体からなる構造で, 各染色体は減数分裂前期の太糸期にみられるようにそれぞれ2本の姉妹染色分体に分裂する).

bi·va·lent chro·mo·some 二価染色体（一時的に結合している1対の染色体).

bi·ven·tral (bī-ven′trăl). 二腹の. = digastric (1).

bi·ven·tric·u·la·re (bī-ven-trik′yū-lar′ē). 二心室症（心室を2つ持つこと).

bix·el (bik′sĕl). = beamlet.

Biz·zo·ze·ro red cells ビツォーツェロ赤血球（ヒトの有核赤血球).

Bjer·rum sco·to·ma ビエルム暗点（緑内障において起こる彗星状の暗点で, 盲点の耳側端についているか, またはごくわずか離れている. 欠損部上鼻側方向へ幅が広がりつつのび, 固視点を中心にして曲がり, その後下向きにのびて, 鼻側の水平経線で突然終わる).

Björn·stad syn·drome ブヨルンスタッド症候群（感音難聴と関連のある捻転毛で, ねじれのひどさと毛の硬さが聴覚障害の程度と相関する. 常染色体優性遺伝).

Bk バークリウムの元素記号.

B-K am·pu·ta·tion 膝下切断, 下腿切断（*b*elow-the-*k*nee amputation の頭文字).

Black·ber·ry Thumb ブラックベリー母指（パソコンなどのデジタル機器の使いすぎによる手,

母指，その他の指の反復運動による障害の臨床症状を表す一般用語. →tendinitis).

black blood im·ag·ing 黒血画像（磁気共鳴映像法モダリティで血管が黒く見えること）.

black cat·a·ract 黒色白内障. = brunnescent cataract.

Black clas·si·fi·ca·tion ブラック分類〔法〕（う食のある歯面に基づいた歯の窩洞の分類）.

black co·hosh カロライナショウマ（カロライナショウマやその同属草から作られる薬草. 女性の生殖機能障害や，胃腸の疾患，昆虫に噛まれたときなどに幅広く用いられる. 服用することによってホルモンに影響を及ぼすので妊娠中の女性に服用する場合には細心の注意が必要である）. = baneberry; black snake root; rattleweed; squaw root(1).

Black Creek Ca·nal vi·rus ブラッククリークカナルウイルス（ハンタウイルス性肺症候群を起こす米国のハンタウイルス種. 綿ネズミによって伝播される）.

black death 黒死病（14 世紀の世界的伝染病をさす. およそ 6,000 万人が死亡したといわれ，文献では肺ペストとされている. →plague(2)）.

black eye 眼瞼皮下出血（眼瞼とその周囲の斑状皮下出血）.

black fire ant = *Solenopsis richteri*.

black globe ther·mom·e·ter 黒球温度計（大気温度計で，液球が黒色金属球に入れられており，黒色金属球は熱源から得た熱を測定するためにその周囲から放出される輻射熱エネルギーを吸収する）.

black hair·y tongue = black tongue.

black haw ブラックホー（低木種で葉が婦人科の病気や妊婦の治療，局部収斂剤として効果がある）. = American sloe; cramp bark; nannyberry; sheepberry; shonny.

black·head (blakʹhed). ***1*** 黒色面ぽう（皰）. = open comedo. ***2*** = histomoniasis.

black lung 黒色肺（炭坑夫によくみられるじん肺の一型で，肺に炭素粒子が沈着することが特徴）. = miner's lung(2).

black·out (blakʹowt). ブラックアウト，黒くらみ（①脳への血流が減少して生じる一時的な意識喪失. →syncope. ②アプサンスのような一時的な意識喪失. ③過剰な重力により意識障害を伴わずに一過性に視力がなくなること. 中心網膜動脈の血流が低下し，多くの場合，飛行士に起こる. ④強いアルコール中毒で，記憶が消失しているが無意識ではない(と，他人が認める)一過性の状態）.

black Pi·e·dra 黒色砂毛〔症〕（頭髪に生じる砂毛で，*Piedraia hortae* が原因となる. 真菌細胞の器質化した硬いセメント状の塊からなる固着性黒色の硬い砂状の多発性小結節を特徴とする. 熱帯地域にみられる）.

black root *Veronicastrum virginicum* からつくられる薬草で，催吐薬や下剤として用いる. 肝毒性が報告されている. = Culver's root; high veronica; physic root; tall speedwell; veronica.

black snake root = black cohosh.

black tongue 黒〔色〕舌，黒毛舌（タバコの成分のような外因性の物質により黒色や黄褐色に変色した舌の背面. 通常は毛舌と重なる）. = lingua nigra; melanoglossia.

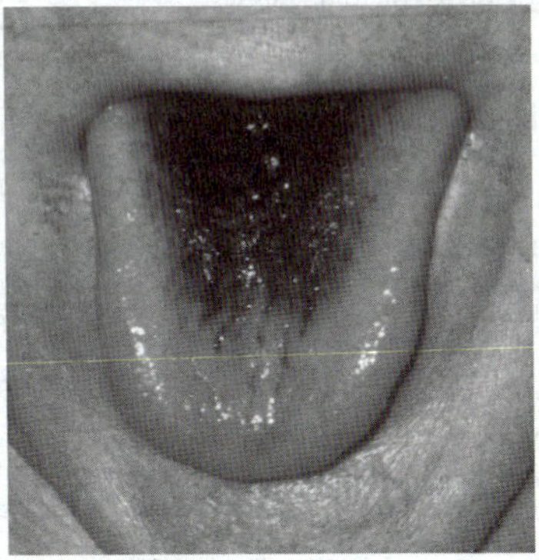

black tongue

black-top tube ブラック·トップ·チューブ（採血された血液を黒い止め具がついた抗凝結剤としてクエン酸塩ナトリウムが入ったチューブ. ウェスターグレン法の赤沈の測定に用いられる）.

black·wa·ter fe·ver 黒水熱（熱帯熱マラリアによる重度の溶血から起こるヘモグロビン尿）.

black wid·ow spi·der クロゴケグモ（有毒なクモ形類動物. 攻撃性があるのはメスのみである. アメリカ全土で発見された報告があるが特に南部に砂時計のような形で分布している. 子供や免疫力のない患者のみ噛まれることで死ぬことがあるが，噛まれたときの痺れや痛みはかなり激しいものになり得る）.

blad·der (bladʹĕr). = vesica(1). ***1*** 袋，嚢〔状構造の器官〕（胆嚢や膀胱などのように，液体の容器となる膨張可能な筋性器官. →detrusor). ***2*** 膀胱. = urinary bladder.

blad·der ear 膀胱耳（膀胱の一部が鼡径管の近位端に突出すること. 小児の排尿時，膀胱尿道造影でしばしばみられるが，臨床的にはまれな現象）.

blad·der train·ing 排尿訓練（決められたスケジュールで排尿，排泄を行い膀胱の機能を維持または改善する）.

Blag·den law ブラグデンの法則（希釈溶液の凝固点降下は溶質の量に比例する）.

Blain·ville ears ブランヴィル耳（左右で耳介の形や大きさが非対称のもの）.

Blair-Brown graft ブレアーブラウン移植〔片〕（中等度の厚さの中間層の皮膚移植片）.

Bla·lock-Taus·sig op·er·a·tion ブラロック（ブレロック）-タウシグ手術（肺血流量が異常に低下した先天性心臓奇形に用いる術式. 左右の鎖骨下動脈を左右の肺動脈と吻合し，体循環血液を直接肺に送る）.

Bla·lock-Taus·sig shunt ブラロック(ブレロック)-タウシグ短絡〔術〕，ブラロック(ブレロック)-タウシッヒ(タウジヒ)短絡〔術〕（鎖骨下動脈から肺動脈への姑息的な吻合）.

blanch (blanch). 白くする（①皮膚または粘膜が血管収縮の影響を受けて白色または青白色になること．②表面または物質を白くする，または漂白すること）.

bland di·et 無刺激食（機械的または化学的に消化管に刺激を与える食物を除いた通常の食事）.

blank (blangk). ブランク，盲検（検定する物質だけ除いた残りすべての分析成分を含む検定液．検定する物質との対照となる測定強度基線を決定するのに用いる）.

blan·ket (blangk′ĕt). 表層.

blan·ket su·ture 連続纏絡縫合（長い傷口の皮膚を接合するのに用いられる連続したミシン縫合）.

blast (blast). 芽細胞（未熟細胞または前駆細胞を表す一般的な用語）.

-blast 前に付く語が示すものの芽細胞を示す接尾語.

blast cell 芽細胞，芽球（幼若な前駆細胞．例えば，赤芽球，リンパ芽球，神経芽細胞など．→ -blast）.

blas·te·ma (blas-tē′mă). ***1*** 芽体（始原細胞集団(前駆体)で，ここから器官や部位が発生する）．***2*** 再生芽（損傷または剥離組織の再生を開始する能力のある細胞の集まり）.

blas·tem·ic (blas-tem′ik). 芽体の.

blast in·ju·ry 爆風損傷（爆発によるような肺組織の裂創または何らかの組織あるいは臓器の破裂で，皮膚の損傷を伴わない）.

blasto- 細胞または組織による出芽過程(および芽形成)を示す語に用いる連結形.

blas·to·cele (blas′tō-sēl). 胞胚腔，割腔，分割腔（両生類，爬虫類，鳥類にみられる，発育する胚の胞胚内にある腔所）. = blastocoele; cleavage cavity; segmentation cavity.

blas·to·cel·ic (blas′tō-sē′lik). 胞胚腔の，割腔の，分割腔の. = blastocoelic.

blastocoele [Br.]. = blastocele.

blastocoelic [Br.]. = blastocelic.

Blas·to·co·nid·i·um (blas′tō-kō-nid′ē-ŭm). 分芽分生子（単独または鎖状に産生される全分芽性の分生子で，酵母細胞での出芽と同様，成熟して分離した後，出芽痕がみられる）.

blas·to·cyst (blas′tō-sist). 胚盤胞（哺乳類の胚の変形胞胚．内部細胞塊と胞胚腔を取り囲む薄い栄養芽層とからなる）. = blastodermic vesicle.

blas·to·cyte (blas′tō-sīt). 未分化胚芽細胞（胚の桑実期または胞胚期の未分化割球）.

blas·to·cy·to·ma (blas′tō-sī-tō′mă). = blastoma.

blas·to·derm, blas·to·der·ma (blas′tō-dĕrm, -tō-dĕr′mă). 胚盤葉，胞胚葉（爬虫類，鳥類において幼若胚の薄い円盤状細胞塊と卵黄表面を包む胚体外延長．完全に形成された場合には，3層の一次胚葉(内胚葉，外胚葉，中胚葉)がすべて存在する）. = germ membrane; germinal membrane.

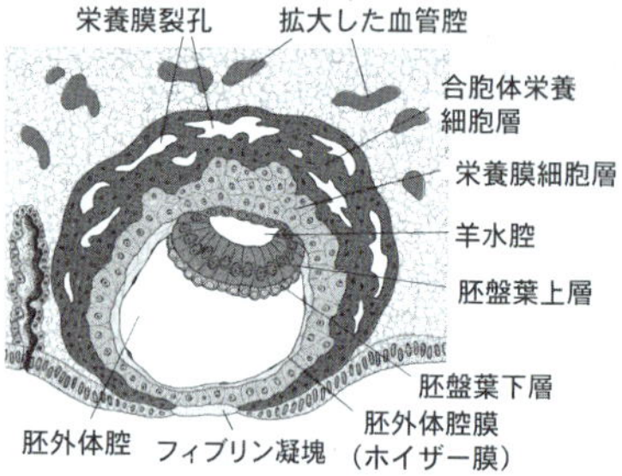
栄養膜裂孔
拡大した血管腔
合胞体栄養細胞層
栄養膜細胞層
羊水腔
胚盤葉上層
胚盤葉下層
胚外体腔膜
(ホイザー膜)
胚外体腔
フィブリン凝塊

human blastocyst: 発育9日目

blas·to·der·mal, blas·to·der·mic (blas′tō-dĕr′măl, blas′tō-dĕr′mik). 胚葉の.

blas·to·der·mic ves·i·cle 胞胚. = blastocyst.

blas·to·disc (blas′tō-disk). 胚盤（①端黄卵の動物極にある活性細胞質の板．②特に限局している非常に幼若な段階にある胚盤葉をいう）.

blas·to·gen·e·sis (blas′tō-jen′ĕ-sis). ***1*** 芽生生殖（出芽による単細胞生物の増殖）．***2*** 胚〔子〕発生（卵割と胚葉形成時の胚の発育）．***3*** 芽球化，幼若化（組織培養中で，ヒトの末梢血の小リンパ球が，大型の有糸分裂を行いうる．大型の形態学的に未分化の芽球様細胞に転換すること）.

blas·to·ge·net·ic, blas·to·gen·ic (blas′tō-jĕ-net′ik, -tō-jen′ik). ***1*** 芽生生殖の．***2*** 胚〔子〕発生の．***3*** 芽球化の，幼若化の.

blas·to·ma (blas-tō′mă). 芽〔細胞〕腫，芽〔球〕腫，真性腫瘍（ほぼ全部が，腫瘍が発生した器官の芽体あるいは原基を形成する細胞に似た未熟な未分化細胞からなる新生物）. = blastocytoma.

blas·to·mere (blas′tō-mēr). 割球，分割球，卵割球（受精後に卵が分割してできた細胞）.

Blas·to·my·ces der·ma·tit·i·dis ブラストミセス症を引き起こす二形性土壌真菌．哺乳類の組織内では出芽性細胞として増殖し，一方，培養すると，白色または鈍黄色の糸状菌となり，末端あるいは側部の短く細い分生子柄上に，球形または楕円形の分生子を生じる．その完全世代(完全型)は *Ajellomyces dermatitidis* として知られている.

blas·to·my·co·sis (blas′tō-mī-kō′sis). ブラストミセス症（*Blastomyces dermatitidis* によって起こる慢性肉芽腫性および化膿性疾患で，呼吸器感染として初発し全身へ播種し，通常，肺，骨，および(または)皮膚が主として侵される．以前は北アメリカブラストミセス症とよばれたが，現在はアフリカ各国でもカナダや米国と同様に見出されている）. = Gilchrist disease.

blas·to·pore (blas′tō-pōr). 原口（原腸胚を形成する際に，胞胚の陥入によって生じる，原腸に通じる開口部）.

Blas·to·schiz·o·my·ces (blas′tō-skiz-ō-mī′

sēz). ブラストシゾミセス属（酵母様真菌の一属）.

Blas·to·schiz·o·my·ces cap·i·ta·tus 免疫が抑制されている患者に重篤な播種性感染を引き起こす真菌の種. 以前は *Geotrichum* 属に分類されていた.

blas·tu·la (blas′chŭ-lă). 胞胚（桑実胚の割球の再配置によって生じる初期段階の胚で，中空の球状体を形成する）.

blas·tu·lar (blas′chŭ-lăr). 胞胚の.

blas·tu·la·tion (blas′chŭ-lā′shŭn). 胞胚または桑実胚からの胚盤胞形成.

blast wave 爆風（大規模な爆発により生じる超音波の衝撃の最前線）.

blast wind 突風（大規模，もしくは小規模な爆発により生じる亜音速の衝撃の最前線）.

Bla·tin syn·drome ブラタン症候群. = hydatid thrill.

bleb (bleb). ブレブ，小水胞，〔胸膜下〕小気疱，肺胞性肺嚢胞（①大きな弛緩性の嚢胞. ②後天性肺嚢胞で，通常，直径 1 cm 以下でブラに似るが，より小さく自然気胸の最も多い原因と考えられている. 肺尖部に主として起こる）.

bleed (blēd). 出血する（血管の破裂または切断の結果として血液を失うこと）.

bleed·er (blē′dĕr). ***1*** 出血性素因者，血友病者. ***2*** 外科的処理で切断された血管.

bleed·ing time 出血時間（耳朶や指の穿刺後の第 1 滴から最後の 1 滴までの時間で，通常 1—3 分間. これは血小板と毛細血管の機能の評価法である. 全般的ではあるが不正確である）.

blem·ish (blem′ish). ***1***〘n.〙斑点（美容上好ましくないが,(医学上は)問題とならない皮膚の小さな限局性変化）. ***2***〘v.〙傷つける，汚す.

blend·ed fam·i·ly 混合家族（家族の中に再婚前の子供と再婚後にできた子供がいること）.

blenno-, blenn- 粘液に関する連結形.

blen·noid (blen′oyd). 粘液様の. = muciform.

blen·nor·rhe·a (blen′ŏr-ē′ă). 膿漏（粘液の分泌）.

blephar- 眼瞼を意味する連結形.

bleph·ar·ad·e·ni·tis, bleph·a·ro·ad·e·ni·tis (blef′ăr-ad′ĕ-nī′tis, blef′ă-rō-ad′ĕ-nī′tis). 眼瞼腺炎（瞼板腺あるいは Moll 腺または Zeis 腺の炎症）. = posterior blepharitis.

bleph·a·ral (blef′ă-răl). 眼瞼の.

bleph·a·rec·to·my (blef′ă-rek′tŏ-mē). 眼瞼切除〔術〕.

bleph·ar·e·de·ma (blef′ăr-ĕ-dē′mă). 眼瞼浮腫（ときにブクブクと膨れたような外観を呈する）. = blepharoedema.

bleph·a·ri·tis (blef′ă-rī′tis). 眼瞼炎.

blepharo-, blephar- 眼瞼を意味する連結形.

bleph·a·ro·ad·e·no·ma (blef′ă-rō-ad′ĕ-nō′mă). 眼瞼腺腫.

bleph·a·ro·chal·a·sis (blef′ă-rō-kal′ă-sis). 眼瞼皮膚弛緩〔症〕. = dermatochalasis.

bleph·a·ro·col·o·bo·ma (blef′ă-rō-kol′ō-bō′mă). 眼瞼欠損（眼瞼の欠損. 先天性と後天性が考えられる）.

bleph·a·ro·con·junc·ti·vi·tis (blef′ă-rō-kŏn-jungk′ti-vī′tis). 眼瞼結膜炎.

blepharoedema [Br.]. = blepharedema.

bleph·a·ro·ker·a·to·con·junc·ti·vi·tis (blef′ă-rō-ker′ă-tō-kŏn-jungk′ti-vī′tis). 眼瞼角結膜炎（眼瞼，角膜，結膜において生じる炎症）.

bleph·a·ron (blef′ă-ron). 眼瞼. = eyelid.

bleph·a·ro·phi·mo·sis (blef′ă-rō-fi-mō′sis). 瞼裂縮小（眼瞼辺縁部の融合なしに眼瞼の開口が減少すること）. = blepharostenosis.

bleph·a·ro·plas·tic (blef′ă-rō-plas′tik). 眼瞼形成〔術〕の.

bleph·a·ro·plas·ty (blef′ă-rō-plast-tē). 眼瞼形成〔術〕（眼瞼の異常の矯正を行う手術）.

bleph·a·ro·ple·gi·a (blef′ă-rō-plē′jē-ă). 上眼瞼麻痺.

bleph·a·rop·to·sis (blef′ă-rop-tō′sis). 眼瞼下垂（上眼瞼が垂れ下がること）. = ptosis(2).

bleph·a·rop·to·sis a·di·po·sa 脂肪性眼瞼下垂（皮下脂肪組織の集積のために皮膚が眼瞼の自由縁を越えて垂れ下がった状態）.

bleph·a·ro·spasm, bleph·a·ro·spas·mus (blef′ă-rō-spazm, -spaz′mŭs). 眼瞼痙攣（眼輪筋の不随意性痙攣性収縮）.

bleph·a·ro·stat (blef′ă-rō-stat). 開瞼器. = eye speculum.

bleph·a·ro·ste·no·sis (blef′ă-rō-stĕ-nō′sis). = blepharophimosis.

bleph·a·ro·syn·ech·i·a (blef′ă-rō-si-nek′ē-ă). 眼瞼癒着（眼瞼の両端，または眼瞼と眼球が癒着すること. →symblepharon）.

bleph·a·rot·o·my (blef-ă-rot′ŏ-mē). 眼瞼切開〔術〕.

bles·sed this·tle オオアザミ（オオアザミの葉や花から作られる薬草. 体内の色々な機能に治療効果があり，記憶力向上に効果があるといわれている. この薬草は中世にペストの特効薬として使われていたことも含め長い歴史を持つ. ドイツで薬草としての効果が発見された）. = cardo santo; holy thistle; spotted thistle; St.Benedict thistle.

blind (blīnd). 盲目の（→blindness）.

blind fis·tu·la 盲フィステル(瘻)（一端が盲管で，片端だけに開いている瘻孔）. = incomplete fistula.

blind in·tu·ba·tion 盲目挿管（声門を開かずに直接的な視角がない状態で気管内にチューブを挿管すること. 手や指が気管内でのチューブの位置を知る為に使われる）.

blind loop syn·drome 盲係蹄症候群，盲嚢症候群（び汁の通過のない小腸部分に通常，起こる. 腸内容物が停滞し，細菌(主に嫌気性菌)の過剰増殖によって産生された物質が，脂肪やビタミンその他の栄養物の吸収を障害する）.

blind·ness (blīnd′nĕs). 盲，失明（①視覚喪失，完全盲はまったく光を感じない状態. →amblyopia; amaurosis. ②視力は正常であるが像の視覚認識がないこと. ③感覚の認識の欠損. 例えば，味盲など）. = typhlosis.

blind spot 盲点，盲斑（①= physiologic scotoma. ②= mental scotoma. ③= optic disk）.

blink (blingk). 瞬目（眼を急速に閉じたり開い

B

たりすること．涙が結膜上に広がり，結膜を湿らせるための不随意行為）．

blink re·sponse, blink re·flex 瞬目反応（三叉神経眼枝の支配領域の皮膚に短かい電気刺激または力学的刺激を与えることにより，眼輪筋の筋活動電位が誘発される反応で，神経伝導検査で用いられる．早期反応(刺激後約 10 ms)は刺激と同側にみられ(R1 とよばれる)，後期反応(刺激後約 30 ms)は両側にみられる(R2 とよばれる)のが特徴である．眼輪筋の収縮がみられるのと後期反応が対応している）．

blis·ter (blis′tĕr). ***1*** 〚n.〛 水疱，疱疹（表皮下または表皮内に液体がたまった小胞）．***2*** 〚v.〛 水疱を形成する（熱や水疱形成薬によって水泡をつくる）．

blis·ter·ing (blis′tĕr-ing). 水疱形成. = vesiculation(1).

blis·ter·ing dis·tal dac·ty·li·tis A 群 β 溶血連鎖球菌により生じるもので，指の末節骨部位の指腹の脂肪褥への感染.

bloat, bloat·ing (blōt, blōt′ing). 鼓脹（えん下ガスまたは発酵による腸内ガスによって生じる腹部膨満）．

Bloch-Sulz·ber·ger syn·drome ブロッホ-サルズバーガー症候群. = incontinentia pigmenti.

block (blok). ***1*** 〚v.〛 ブロックする，遮断する（通過をさえぎる）．***2*** 〚n.〛 ブロック，遮断（電気インパルスの伝達が全体的または部分的に，一時的または永久的にさえぎられる状態）．***3*** = atrioventricular block.

block·ade (blok-ād′). 遮断（①網内系細胞の機能を阻止するために(例えば，食作用が一時的に抑制されるような)，大量のコロイド色素または他の物質を静脈内に投与すること．②薬を用いて，自律神経シナプス連結，自律神経受容体部，神経筋接合部における伝導を停止すること）．

block an·es·the·si·a 遮断麻酔〔法〕，ブロック麻酔〔法〕. = conduction anesthesia.

block·er (blok′ĕr). 遮断薬，遮断物（①経路を遮断するためのもの．②→blocking agent）．

block·ing ac·tiv·i·ty 遮断活動（感覚刺激の到達による，脳内の電気活性の抑制または排除）．

block·ing a·gent 遮断薬（生物学的活動または過程を抑制(遮断)する薬物の分類．しばしば "blockers" とよばれる）．

block·ing an·ti·bod·y 遮断抗体（①ある濃度の範囲では，抗体は特異抗原と結合しても沈降物を形成しない．この結合状態にある溶液に，さらに通常では沈降物が形成される濃度にまで抗体を加えても沈降反応が起こらない．すなわち付加された沈降抗体の沈降活性を遮断する．②アトピー性のアレルゲンと特異的に結合するが，I 型のアレルギー反応の発現を阻止する IgG 抗体のこと．結合した IgG 抗体が反応可能な IgE 抗体(レアギン)の活性を遮断する）．

Blocq dis·ease ブロック病. = astasia-abasia.

Blom-Sing·er valve ブロム-シンガー弁（喉頭切除の後の発声リハビリテーションの目的で気管食道穿刺の開通性を保つためのプロテーゼ(人工器官)）．

blood (blŭd). 血液（体内のいわゆる〝循環している組織〞．心臓，動脈，毛細管，静脈を循環する液体およびその浮遊有形成分．血液により，ⓘ酸素および栄養物が組織に運び込まれ，ⓘⓘ二酸化炭素および種々の代謝産物が排出のために運び出される．血液は，薄黄色，灰黄色の液体である血漿と，その中に浮遊している赤血球，白血球，血小板からなる．→arterial blood; venous blood）．

blood a·gent 血液剤（軍事名をシアン化合物といい科学兵器として使われる．名前の由来はシアン化合物が血液により末梢まで運ばれるからである．しかし，すぐにシアン化合物は反応し，さらに間違ったことに血液内で毒素が作用すると考えられていた．実際にシアン化合物は細胞内で中毒作用を生じる）．

blood-air bar·ri·er 血液空気関門（血液と肺胞気を遮断する物質．非構造性薄膜または界面活性物質，胞上皮，基底板，内皮からなる）．

blood al·bu·min 血液アルブミン. = serum albumin.

blood-a·que·ous bar·ri·er 血液房水関門（毛様体突起の毛細血管床と眼の前房中の房水との間における選択的透過性をもつ関門）．

blood bank 血液銀行（血液を供血者から集め，血液型を検査し，いくつかの血液成分に分け患者への輸血のために，貯蔵したり準備する場所）．

blood blis·ter 血性水疱（血液を含む水疱．刺傷または挫傷性外傷の結果生じる）．

blood boost·ing = blood doping.

blood-borne (blŭd′bōrn). 血液感染性の（血液で運ばれる能力のあること）．

blood-borne in·fec·tion 血液感染性の（血液や血液製剤を通じて感染すること(例，肝炎ウイルス，HIV-1 など)）．

blood·borne path·o·gens (BBP) 血液感染性病原体（血液や細胞組織，血液を含んだ体液によって運ばれる病原体）．

blood-brain bar·ri·er (BBB) 血液脳関門（大部分のイオンや高分子量化合物が血液から脳組織へ移行するのを防御する選択的機構）．

blood cap·il·lar·y 毛細血管（下付き文字として記号 c を用いる．血管壁は内皮と基底膜からなり，毛細血管が開いたときの直径は約 8 μm．電子顕微鏡を用いると，有窓毛細管と連続毛細管が識別される）．

blood-ce·re·bro·spi·nal flu·id bar·ri·er, blood-CSF bar·ri·er 血液脳脊髄液関門（脈絡叢表面の立方上皮の周囲で結合している密着帯に存在する．脈絡叢の毛細血管や結合組織の基質は，蛋白トレーサや色素に対する関門ではない）．

blood clot 血餅. = thrombus.

blood count 血球算定〔法〕（1 mm^3 の血液中に含まれる赤血球数(RBC)または白血球数(WBC)の計算で，希釈血液の正確な体積内にある血液数を数える）．

blood cul·ture 血液培養（血液サンプルの微生物培養）．

blood cyst 血液嚢胞. = hemorrhagic cyst.

blood disc 血小板. = platelet.

blood dop·ing 血液ドーピング（ヘマトクリットやヘモグロビン濃度を上げるために赤血球を注入すること．通常は，自己の冷凍保存血液を使用する．耐久レースの選手が，血液の酸素運搬能力を増して耐久力を高めるために行う）. = blood boosting; induced erythrocythemia.

blood dys·cra·si·a 血液疾患（血液の病的状態．通常は，持続性の細胞要素の異常についていう）.

blood gas a·nal·y·sis 血液ガス分析（血液中の酸素および炭酸ガス分圧の電極法による直接側定法）.

blood gas·es 血液ガス（血液中の酸素と二酸化炭素分圧の測定の臨床的表現）.

blood group 血液型群（赤血球の表面の抗原系で密接に相関した対立因子によりコントロールされている．個人的に抗原に相違があるため，輸血や母胎不適合(新生児溶血性貧血)，また組織・臓器移植，父親認知，さらに遺伝学や人類学でも血液型は重要である．ある種の血液型ではある種の疾患にかかりやすいとか反対にかかりにくいなどの関係を有すると推察されている．この用語はしばしば blood type(血液型)の同義としても用いられる．→blood type).

blood group an·ti·gen 血液型抗原（特異の抗血清との血液型判定反応を決定する赤血球表面にみられる遺伝抗原．ABO 血液型および Lewis 血液型の抗原は唾液や他の体液中にもみられる）.

blood group·ing 血液型判定（1つ以上の血液型に関して，その凝集反応検査により血液サンプルの分類をすること）.

blood group-spe·cif·ic sub·stanc·es A and B 血液型特有サブスタンスA及びB（O型の血清中の抗Aおよび抗B同種凝集素の滴定濃度を下げる多糖とアミノ酸の複合溶液．O型血液をO型以外の人間へ輸血する際に，Rhなどの様々な要因による不適合を引き起こさないために用いられる）.

blood·less op·er·a·tion 非観血手術，無血手術（出血がごくわずかの手術）.

blood·let·ting (blŭd′let-ing). しゃ(瀉)血（血液を放出すること．以前は一般的な治療手段として用いられたが，現在はうっ血性心不全や赤血球増加症に用いる）.

blood ox·y·gen lev·el de·pen·dent (BOLD) オキシヘモグロビンとデオキシヘモグロビンの磁化率の違いを利用し賦活化した大脳皮質を画像化する技術.

blood plas·ma 血漿. = plasma(1).

blood plas·ma frac·tions 血漿分画（電気泳動その他の方法で分離された血漿部分）.

blood poi·son·ing 血液中毒（—septicemia; pyemia）.

blood pool im·ag·ing 血液プール像（血管内に留まる放射性同位元素を用いる核医学検査）.

blood pres·sure 血圧（大循環の動脈血の圧力あるいは緊張度．血液の粘度および容積をはじめ，左心室の収縮，動脈と毛細血管の抵抗，動脈壁の弾性によって維持される．血圧は常に環境大気圧との相対によって表される）.

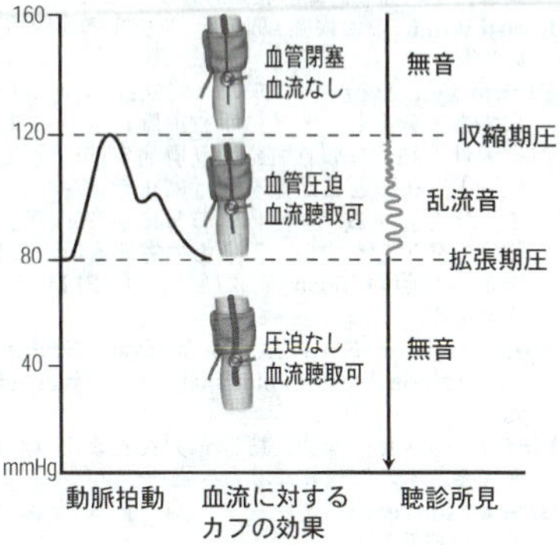
160
120
80
40
mmHg
血管閉塞
血流なし
血管圧迫
血流聴取可
圧迫なし
血流聴取可
無音
収縮期圧
乱流音
拡張期圧
無音
動脈拍動
血流に対する
カフの効果
聴診所見

sounds in recording blood pressure

blood re·la·tion·ship 血縁関係. = consanguinity.

blood root ブラッドルート（サングイナリア属カナデンシス．去痰薬や駆風薬として利用されているとされる．皮膚癌治療に利用されているが，急に健全な組織を破壊するなどの有害効果があるとも報告されている．歯周ケアに利用されているとの報告もあるが，飲み込んだ場合有毒である．FDA(アメリカ食品医薬品局)は摂取物の中で危険な物として挙げている）. = Indian paint; red puccoon; red root; tetterwort.

blood·shot (blŭd′shot). 充血した（局所的にうっ血した部分(例えば，結膜)の小血管が拡張して目で見えるようになったことを表す）.

blood·stream (blŭd′strēm). 血流〔量〕（生体から採取した血液などとは区別して，生体内を流れている血液をいう．したがって血流に何かを加えると，血液の流れによって身体の隅々にいきわたることが期待できる）.

blood sug·ar 血糖（—glucose）.

blood-thy·mus bar·ri·er 血液胸腺関門（胸腺内毛細血管周囲にある周皮細胞や上皮性網状細胞の層．胸腺内の未熟Tリンパ球の循環血液中の抗原との接触を防ぐ）.

blood type 血液型（1つの血液型グループの抗血清に対し，個人の赤血球が示す特異な凝集反応様式．例えば，ABO 血液型群は4つの主要な血液型，O, A, B, AB からなる．この分類は A, B の主な2抗原が存在するかしないかによる．両方とも存在しない場合はO型であり，両方存在する場合は AB 型である．→blood group）.

blood u·re·a ni·tro·gen (BUN) 血液尿素窒素（血液中に尿素の形で存在する窒素．血液中で最も優勢な非蛋白性窒素化合物である．正常では，100 mL につき 10—15 mg の尿素が含有される．カナダではしばしば urea nitrogen と略される．→urea nitrogen）.

blood ves·sel 血管（血液を運ぶ管で，動脈，細動脈，毛細血管，細静脈，静脈がある）．

blood work 血液検査（血液サンプルの臨床検査の俗称）．

Bloom syn·drome ブルーム症候群（主に顔面に蝶形に分布し，ときに手や前腕にもみられる先天性毛細管拡張性紅斑．皮膚病変部の光線過敏症と，狭顔と長頭蓋を除けば正常体型である小人症を呈する．染色体は非常に不安定で悪性腫瘍を発生しやすい．常染色体劣性遺伝．第 15 染色体長腕の Bloom 症候群遺伝子（BLM）の変異による）．

blot (blot)．→ Northern blot analysis; Southern blot analysis; Western blot analysis; zoo blot analysis.

blotch (bloch)．斑点，痣（色素沈着または紅斑病変をさすのに一般に用いる語．→spot）．

Blount dis·ease ブラウント病（内反脛骨．小児の O 脚症）．

blow-bot·tles (blō bot′ĕlz)．ブローボトル（手術後に，患者の肺を最適の状態に膨らませておくために使用する装置．1 本のチューブで接続した 2 つの容器からなる．最初に 1 つの容器に水を満たしておき，患者に深く息を吸わせてから，強制的にゆっくりと吐き出させ，これを何度か続ける．これによって，患者は第一の容器から第二の容器に水を強制的に送りだす．→incentive spirometer）．

blow-out frac·ture 吹き抜け骨折（眼球経由の眼窩底に伝わる力で眼球が打撲を受けたときに生じる眼窩縁の骨折がない眼窩底の骨折）．

BLS basic life support の略．

blue (blū)．青，藍青（スペクトル上の緑色と藍色の間に位置する色）．

blue ba·by 青色児（血液の不完全酸素飽和を引き起こす先天性の心臓障害または肺障害のため，チアノーゼを生じた新生児）．

blue·ber·ry muf·fin ba·by ブルーベリーマフィン児（紫色の皮膚病変をもち，ブルーベリーマフィンに外観が似ている新生児．病変は皮膚の赤血球新生やサイトメガロウイルス，トキソプラズマ，風疹などの先天感染に認められる．感染は骨髄における血球の正常な産生を妨げる）．

blue cat·a·ract 青色白内障（青色の冠状白内障）．= cerulean cataract.

blue co·hosh ルイヨウボタン（ブルーコホッシュから抽出されたハーブ薬．長期の使用で妊娠期間の強壮薬や鎮痙薬になるとされるが，妊婦に使用すると禁忌を示す）．= Blue ginseng; papoose root; squaw root（2）; yellow ginseng.

Blue Cross-Blue Shield（BCBS） ブルークロス・ブルーシールド（ブルークロスは入院サービスを，ブルーシールドは診療サービスを受け持つ，米国国営の医療保険会社）．

Blue Cross and Blue Shield As·so·ci·a·tion ブルークロス・ブルーシールド・アソシエーション（ブルークロス・ブルーシールド保険制度を代表するアメリカ国家機関．この組織が HCPCS の第二水準コードの維持を促進する）．

blue dome cyst *1* 青色円蓋嚢胞（腟円蓋部の子宮内膜症組織に出血した月経血が貯留してできた暗青色の小さな結節または嚢胞で，数個できる）．*2* 青窿嚢胞（線維嚢胞性疾患で，乳腺にみられる良性停滞嚢胞．周りの線維組織を通してみると，嚢胞が青色に見えるやや黄色を帯びた液を内部に含んでいる）．

blue flag ブルーフラッグ（アヤメ科 ワイルドアイリス由来のハーブ薬．抗炎症薬，下剤，利尿薬としての効果があるとされている．人間に対する有毒性報告されている．使用に対しては禁忌が示されている）．= Dagger flower; fleur-de-lis; liver lily; poison flag.

blue gin·seng = blue cohosh.

blue-green bac·te·ri·a 藍色細菌，藍藻（→Cyanobacteria）．

blue line 青〔色〕線，青色縁（慢性重症金属中毒で起こる歯肉の自由縁の青い線．→Burton line）．

blue ne·vus 青色母斑（暗青色または青黒色の母斑で，滑らかな皮膚におおわれ，真皮網状層の色素沈着の強い紡錘形または樹枝状メラノサイトにより形成される）．

blue pus 青色膿（緑膿菌 *Pseudomonas aeruginosa* の生成物であるピアシニオンで染まった膿）．

blue rub·ber-bleb ne·vi 青色ゴムまり様母斑（隆起性があり，圧すると容易にくぼむ壁の薄い血管腫の結節を特徴とする症候群．生下時すでに存在し，皮膚，消化管，ときにはその他の組織に広く分布する．胃腸管の病巣は穿孔または出血を起こすことがあり，患者は出血が続くことにより貧血になることもある）．

blues (blūz)．抑うつ（抑うつまたは悲哀状態）．

blue spot 青色斑〔点〕（①= macula cerulea. ②= mongolian spot）．

Blum·berg sign ブルンベルク徴候（腹部の罹患部をゆっくり圧迫し急に離したときに感じる疼痛．腹膜炎を示唆する）．= rebound tenderness.

blunt·ed af·fect 感情鈍麻（気分の障害で，感情表現がきわめて乏しく平板になること）．

blunt-end·ed DNA, blunt-end 平滑末端 DNA（少なくとも末端の 1 つが不対塩基をもたない二本鎖 DNA）．

blush (blŭsh)．*1* 赤面（興奮して顔や頸部が突然赤くなること）．*2* 濃染（血管造影法における新生血管などの染まり，あるいは尿路造影法における腎実質の部分的な濃染を意味する）．

B lym·pho·cyte B リンパ球（免疫学的に重要なリンパ球で胸腺依存性ではない．寿命が短く，鳥類の Fabricius 嚢由来のリンパ球に類似していて免疫グロブリンの産生を行う．すなわち形質細胞の前駆細胞で細胞性免疫には関係しない．→T lymphocyte）．

BMD bone mineral density の略．

BMI body mass index の略．

B-mode (mōd)．B モード（超音波検査における生体の断面図をブラウン管上に描く表示法．エコーの強さは各点の輝度によって表される．エコーの位置は探触子の角度を有する位置と超音波パルスおよびそのエコーの経過時間によって測定される）．

BMR basal metabolic rate の略．

BMT bone and marrow transplantation の略．

BNP β-natriuretic peptide; brain natriuretic peptide(脳性ナトリウム利尿ペプチド)の略.

Bo (bō). ボー (テスラを用いて測定される主要な磁気分野).

board cer·ti·fi·ca·tion 委員会認可 (一般的に, ある分野において専門的な知識を有していることを示す調査を完遂した場合に与えられる特別な称号).

board cer·ti·fied 専門医 (ある分野で専門知識を有していることを認可された者).

board el·i·gi·ble 指導医 (専門分野においてまだ資格を与えられていないが試験を受けるのに必要な要件を満たしている者).

Bo·bath meth·od of ex·er·cise ボーバス体操 (大脳麻痺や脳卒中患者のための体操と筋肉運動の方法. 筋肉硬直の抑制, 神経発生の反復運動の必要性を強調する. →neurodevelopmental treatment).

Bo·bath tech·nique ボーバス法 (神経発達学的障害のある患者の自主的な筋肉の緊張と動きを改善することによる回復, または患者自身による力の統制を促す連続行為. 病気にかかった手を補助にして行うウェイト上げ等がある. →神経発達学的治療).

Boch·da·lek duct = His canal.

Boch·da·lek her·ni·a ボホダレクヘルニア. = congenital diaphragmatic hernia.

Bock nerve = pharyngeal nerve.

Bo·dan·sky u·nit ボダンスキー単位 (β-グリセロリン酸ナトリウムを含む基質緩衝液で1時間インキュベートしたとき無機リン酸としてリン1 mg を遊離するホスファターゼの量).

bod·y (bod′ē). →soma. = corpus(1). ***1*** 体, 身体 (頭部, 頸部, 体幹, 四肢. 頭 caput, 頸部 collum, 体幹 truncus, 肢 membra からなる人体). ***2*** 肉体 (心や精神と区別されるヒトの物体部分). ***3*** 本体 (すべての構造の主要部分). ***4*** 物質.

bod·y bur·den 身体負荷量 (体内に残留している有害物質の量).

bod·y cav·i·ty 体腔 (体幹の内臓を収める腔所で胸腔と腹骨盤腔からなる. 上は胸郭口から下は骨盤底までで, 周囲を体壁で囲まれる). = celom(3); celoma.

bod·y com·po·si·tion 身体構成組織 (水分, 窒素, ナトリウムなどの身体の主な構成要素の比率の推定値. 除脂肪体重と脂肪の比率).

bod·y den·si·ty 身体密度 (身体構成要素の計算で用いられる, 質量を体積で割った商).

bod·y dys·mor·phic dis·or·der 身体醜形障害 (①正常な外見の人が想像上の外見の欠陥に気持ちを奪われることを特徴とする精神身体(身体表現性)障害. ② DSM 診断の1つで特定の診断基準を満たせば確定する). = dysmorphophobia.

bod·y fat 体脂肪 (水中での筋肉の重さと比較したときの脂肪の割合. 身長に対する体重の比率を計算するか, もしくは生体の電気インピーダンスを測定する).

bod·y hab·i·tus 体形 (人間の体の形にみられる一般的な差異).

bod·y of hy·oid bone 舌骨体 (舌骨の主体部で, そこから大角や小角がのび出ている).

bod·y im·age 身体図式 (①頭頂葉皮質に組み込まれたすべての身体感覚の大脳への投射. ②実際に解剖学的見地からみた身体や他の人からみた身体の概念とは異なり, 自分自身の身体についての概念).

bod·y im·age dis·tur·bance 身体イメージ異常 (自身の像の歪み. 北米看護診断協会(NANDA)が認可した症状).

bod·y jack·et = clam-shell brace.

bod·y lan·guage 身体言語 (非言語的手段として, 身体の動き(例えば身振り)あるいは転換ヒステリー症状によって思考や感情を表現すること).

bod·y mass in·dex (BMI) ボディマス指数 (体格を表す人体形測学上の方法. 体重(kg)を身長(m)の2乗で除した値で定義される(kg/m^2). 肥満度を表す示数).

bod·y me·chan·ics 身体力学 (身体の動きまたは姿勢における筋肉の働きを研究する学問. →ergonomics).

bod·y pierc·ing ピアス (様々な形(大腿骨型, 錨型, 亜鈴型等)の金属を体の付属肢または開口部(舌や耳たぶ等)に美容目的で挿入すること).

bod·y scheme 身体図式 (身体部位についての運動感覚的な認識, およびそれら身体部位の互いの部位に対する関係と周囲の物体に対する関係). = kinesthetic awareness.

bod·y of stom·ach 胃体 (上方の胃底と下方の幽門洞の間にある胃の部分. 境界は不明確である).

bod·y sub·stance i·so·la·tion 体物質隔離 (血液および他の体液との接触を避けるために, 健康管理担当者などが講じる予防策).

bod·y sur·face ar·e·a (BSA) 体表面積 (平方メートル(m^2)で表した身体の外表面積. 代謝, 電解質, 栄養の要求量ならびに肺の大きさや機能を推定するために使用する).

bod·y·work (bo′dē-wŏrk). ボディワーク (健康の改善または回復のための, 接触, マッサージ, 操縦, および(または)精力的な主義を含む技術. →massage therapy).

Boeck dis·ease ベック病. = sarcoidosis.

Boeck and Dr·boh·lav Locke-egg-se·rum me·di·um ベック-ドロボーラフ-ロッケ卵血清培地 (卵, ヒト血清, 米粉からなる培地. 赤痢アメーバ *Entamoeba histolytica* を主とした腸管アメーバの検出に用いる).

Boeh·mer he·ma·tox·y·lin ベーマーヘマトキシリン (自然熟成が8—10日ぐらいで起こるミョウバンヘマトキシリン. 溶液は何か月も有効である).

Boer·haa·ve syn·drome ブールハーフェ症候群 (食道の破裂で, 声門を閉じて催吐運動あるいは嘔吐をするときの管腔内圧の上昇で生じる. 縦隔炎, ときに左胸腔に穿破する).

bog bean ミツガシワ (薬草の一種. 有効性が立証されていない使用法としては, 抗壊血病薬, 解熱薬, 便秘薬がある. 安全性は立証されていない). = Marsh trefoil; watershamrock.

B

Bohn nod·ule ボーン小〔結〕節（新生児における小さな頬部および舌部の嚢胞で，唾液腺の上皮の残存から由来する）．

Bohr at·om ボーア原子（原子の概念または模型の1つで，負電荷の電子が正電荷の原子の周りの円または楕円形の軌道上を回っており，電子が1つの軌道から他の軌道へ移る際に，エネルギーが放出または吸収されるものと考える）．

Bohr ef·fect ボーア効果（血液酸素解離曲線上の二酸化炭素による影響．すなわち，酸素に対するヘモグロビンの親和性において還元を意味する右方移動した曲線）．

Bohr e·qua·tion ボーア式（肺から排出されるガスは死腔から出たものと肺胞から出たものとの混合であるという事実から，呼吸の死腔を計算する式．すなわち，死腔の容積を呼気量で割ったものは混合排気と肺胞ガスの組成の差を混合吸気と肺胞ガスの組成の差で割ったものに等しい．ガス組成は酸素または炭酸ガスの一定した濃度単位または分圧で表すことができる）．

Bohr the·o·ry ボーア〔の量子〕論（スペクトル線は，ⓘ電子が高エネルギー準位から低エネルギー準位へ落ちるときに生じる量子化された放射エネルギーの放出，またはⓘⓘ電子が低エネルギー準位から高エネルギー準位へ上がるときに生じる放射線の吸収によってつくられるとする理論）．

boil (boyl)．癤（せつ），腫脹．= furuncle.

boil·er·mak·er's hear·ing loss = noise-induced hearing loss.

BOLD (bōld)．blood oxygen level dependent の略．

Bo·ley gauge ボレーゲージ（副尺の1つ．歯，歯列弓，および顔面の各部の長さを測定するために歯科において使われるメートル法表示の定規）．

bo·lus (bō′lŭs)．ボーラス（①比較的大量の物質を一度に．例えば，bolus dose of a drug injected intravenously（薬物の瞬時静脈内投与）のように，治療上の事柄に対して用いる．②かみ砕いて飲み込むようになっている一口大の食物または X 線検査に用いるバリウム塊のような物質．③高エネルギー放射線療法において，表面組織の吸収線量を増加させるために，X 線束内の照射野の表面に置かれる人体の組織と同様の特性を有する物質）．

Bom·bay blood type ボンベイ血液型（A および B の抗原遺伝子をもっていても，H 抗原（A および B に必要な前駆体）の遺伝子を欠いているので，これらの遺伝子を表出できない人の血液型．この血液型をもっている人は，血液中に抗 H 抗体が存在することが多い）．

bomb cal·o·rim·e·ter 爆灼熱量計，ボンブカロリーメータ（有機物（食物中の有機物も含む）のポテンシャルエネルギーを決定するための装置．白金で内張りして純粋な酸素を充填した鋼製中空容器からなり，その中に重さを計った物質を入れ，電気ヒューズで点火する．発生した熱は，この容器の周囲にある水に吸収され，その温度の上昇から発生熱量を計算する）．

bond (bond)．結合（化学において，隣接する2個の原子を保持し，両者の分離を妨げる力．相反する荷電をした原子団の間の引力によるものはイオン結合，1対，2対，または3対の電子を結合原子間で共有しているものは共有結合という）．

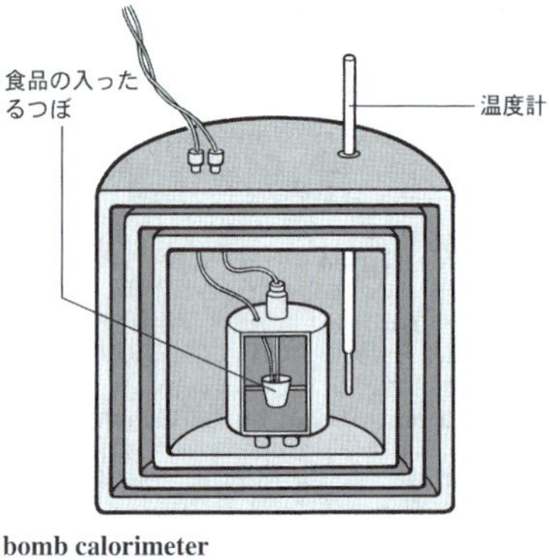
食品の入ったるつぼ
温度計
bomb calorimeter
食品検体の完全燃焼による生成熱を測定．

bond·ing (bond′ing)．きずな（親子間，恋人間，または夫婦間にみられるような持続的な情緒的愛着）．

bone (bōn)．骨，骨組織（①石化した骨基質のマトリックス中に埋め込まれた骨細胞と，膠原線維からなる硬い組織．膠原線維には，大量の炭酸，クエン酸のナトリウム塩およびマグネシウム塩の他にヒドロキシアパタイトのようなリン酸カルシウム類が密に付着している．重量にして骨の75%は無機物質で，25%は有機物質でできている．ヒトでは，鼓室の耳小骨および2

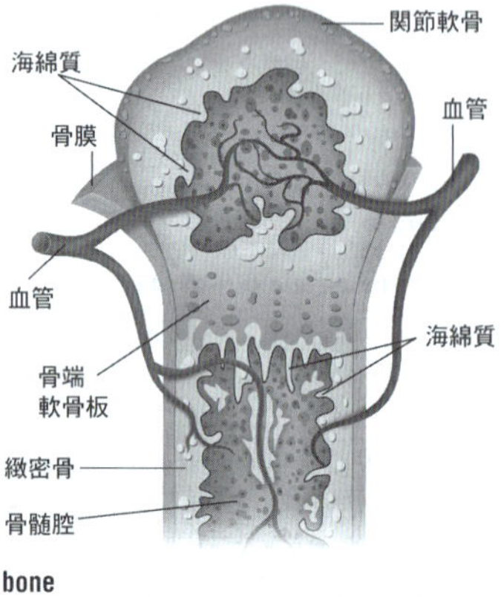
関節軟骨
海綿質
血管
骨膜
血管
海綿質
骨端
軟骨板
緻密骨
骨髄腔
bone

個の膝蓋骨以外の種子骨を除いて，骨格中に200 個の骨がある．②動物の骨格の一部を形成する一定の形状および大きさの組織の集合体．1 つの骨は，外層は骨膜におおわれた緻密質の骨皮質，内層は粗な海綿質からなり，長骨の中央部は骨髄で満たされている）．= os.

bone block 骨性制動術（関節の周辺に骨移植することにより関節の運動を機械的に制限する，または関節の安定性を増す手術法）．

bone block fu·sion 骨塊固定〔術〕（骨癒合と変形矯正のために 2 つの骨の間にブロック状の骨移植を行うことにより 2 つの骨を癒合させる方法）．

bone can·a·lic·u·lus 骨細管（骨小窩を互いに連結し，または Havers 管と連結している小管で，内部に骨細胞の細胞質突起がはいっている）．

bone con·duc·tion 骨伝導，骨導（聴覚において，頭蓋骨に与えられた振動を経る内耳への音の伝達）．

bone den·si·tom·e·try = bone mineral density.

bone den·si·ty 骨密度（骨の中のミネラル量を測定した値で，骨の構造学的強度の指標として，および骨粗しょう症の検査に用いられる）．

bone flap 骨弁（血流のある筋肉と筋膜を付着したまま手術的に切除(開頭)した頭蓋骨片．本用語はしばしば不正確に，完全に遊離させて切除した頭蓋骨片，すなわち遊離(移植)骨片の意味として用いられる）．

bone for·ceps 骨鉗子（骨の断片をつかみ，除去するために用いる強力な鉗子）．

bone im·plant 骨移植（骨，若しくは人工骨を骨の復元に利用すること）．

bone·let (bōn′lĕt)．小骨．= ossicle.

bone mar·row 骨髄（骨髄腔に充満する柔らかい果肉状の組織で細網線維性の基質と細胞とからなる）．

bone mar·row har·vest 骨髄採取（骨髄移植の第一段階．移植に使われる造血幹細胞を採取する．これらの幹細胞は血液や骨髄から採取できる）．

bone and mar·row trans·plan·ta·tion (BMT) 骨髄移植（骨髄組織を移植すること．無形成貧血，原発性免疫不全，急性白血病治療に有用性がある）．

bone ma·trix 骨基質（骨組織の細胞間物質で，膠原線維，基質，無機質からなる）．

bone min·er·al den·si·ty (BMD) 骨〔塩量〕密度（骨内のカルシウム量を測定したもの．BMD 測定法(骨密度計測法 bone densitometry ともよばれる)のほとんどは迅速かつ非侵襲的，無痛で，外来で行うことができる．この方法は患者の骨折危険性を予測するのにも用いられる．BMD 測定は脊柱，手関節，上腕，下腿の骨を二重エネルギー X 線(DEXA)や CT を用いて測定する．これらの方法は，骨の密度数値(画像から計算する)と骨密度の経験的(症例からの)データベースとを比較することにより患者が骨粗しょう症であるか，そしてその程度を決定する）．

bone scan 骨スキャン（放射性物質を注射して行う骨の RI 検査．損傷や疾患，再生の部位を特定するために行う）．

bones of cra·ni·um, bones of skull 頭蓋骨（頭蓋を構成している骨．対性の下鼻甲介，涙骨，上顎骨，鼻骨，口蓋骨，側頭骨，頭頂骨，頬骨，不対性の篩骨，前頭骨，後頭骨，蝶形骨，鋤骨）．= ossa cranii; cranial bones.

bones of dig·its 指骨（手足の指の指節骨および種子骨）．

bone·set (bōn′set)．ヒヨドリバナ（薬草の一種．薬としての利用には長い歴史があり，抗炎症効果，解熱効果があるとされている．上気道炎治療に使用された．17 世紀にはアメリカ先住民が抗マラリア薬として用いた）．= Agueweed; cross wort; feverwort; vegetable antimony.

bone spur 骨棘．= heel spur.

bone tis·sue = osseous tissue.

Bon·fer·ro·ni meth·od ボンフェローニ法（多重比較法．変種分析を含む研究に利用される）．

Bon·fer·ro·ni *t*-test ボンフェローニ *t* 検定（複数の比較(検定)を行うときに，ボンフェローニの不等式を用いて調整を行う統計手法．全ての比較をまとめて危険率を算出する．註具体的には，個々の検定の p 値に比較の数をかける．*t*-test の *t* は通常つけない）．

Bon·hoef·fer sign ボンヘファー徴候（舞踏病の場合の正常な筋緊張の喪失）．

Bon·net cap·sule ボネー嚢（眼球鞘の前部）．

Bon·nier syn·drome ボニエ症候群（前庭神経外側核とその連絡の障害による症候群．症状は調節麻痺，眼球振とう，複視などの眼の障害，難聴，嘔気，口渇，食欲不振，および迷走神経中枢の障害に起因する症状を含む）．

bon·y am·pul·lae of sem·i·cir·cu·lar ca·nals 骨膨大部（前側・後側・外側の各骨性三半規管の一端における限局された膨大部で，それぞれ中に膜膨大部を含む）．

bon·y an·ky·lo·sis 骨性強直．= synostosis.

bon·y lab·y·rinth 骨迷路（蝸牛・前庭・半規管からなる一連の骨性腔所で，側頭骨錐体部にあって耳嚢を収容している．内部は外リンパで満たされ，その中に内部に内リンパを含む繊細な膜迷路が存在する）．

bon·y pal·ate 骨口蓋（口腔上壁を構成し，上顎の口蓋突起と口蓋骨の水平板からなる凹状楕円形の骨板）．

bon·y sem·i·cir·cu·lar ca·nals 骨半規管（耳の迷路にある 3 本の骨管で，内部に膜半規管がある．互いに直交する平面に位置し，anterior semicircular canal (前半規管)，posterior (後)，lateral (外側) に区別される）．

BOOP (būp)．bronchiolitis obliterans with organizing pneumonia の略で，特発性の閉塞性細気管支炎 bronchiolitis obliterans.

boost·er, boost·er dose (būs′tĕr, būs′tĕr dōs)．→booster dose.

boot (būt)．長靴（長靴状の装置）．

bor·age (bōr′āj)．ルリヂシャ（ボラゴ属の草と種から作られる薬草．抗炎症薬，強壮薬としての有用性がある．皮膚病における有用性が臨床的に研究されており，肝障害，胃腸障害への使用が可能である．草部分は有毒ピロリジジンアルカロイドを含んでいる）．= bee bread; ox's tongue; starflower.

bor·bo·ryg·mus, pl. bor·bo·ryg·mi (bōr-bō-rig′mŭs, -rig′mī)．腹鳴（胃腸管内の空気や液体の移動によって生じるゴロゴロ，ガラガラという音で，遠くからも聞こえる）．

bor·der (bōr′dĕr)．縁（外側の境界を形成する表面の一部．→margin）．= margo.

bor·der·line o·var·i·an tu·mor 境界悪性卵巣腫瘍（上皮性卵巣腫瘍で，発育形成が良性と悪性の中間型を示すもの．粘液性・漿液性・類内膜・Brenner 腫瘍を含む．治癒率はきわめて高いがまれに摘出後再発する）．

bor·der·line per·son·al·i·ty dis·or·der 境界〔性〕人格障害（成人早期に始まり，長期に及ぶ全般的な行動様式で，衝動性，予測不能性，不安定な対人関係，不適切なあるいはコントロールできない怒り，同一性障害，気分の急速な移り変わり，自殺，自傷行為，仕事や結婚が長続きしない，慢性の空虚感あるいは退屈感，1 人でいることができない，などの症状を特徴とする）．

bor·der move·ment 限界運動（骨，靱帯，または軟組織によって制限される下顎骨運動の最大限界．一般に水平方向の下顎骨の運動に対して用いる）．

Bor·de·tel·la (bōr-dĕ-tel′ă)．ボルデテラ属（微小なグラム陰性非芽胞球杆菌を含む絶対好気性のブルセラ科細菌の一属．運動性・非運動性種があり，運動性細胞は周毛性．これらの生体の代謝は呼吸性で，ニコチン酸，システイン，メチオニンを必要とするが，ヘミン（X 因子）と補酵素 I（V 因子）は必要としない，乳腺呼吸管に寄生する病原菌で，標準種は *Bordetella pertussis*）．

Bor·de·tel·la bron·chi·sep·ti·ca 気管支敗血症菌（広範囲の動物種にみられる細菌種で，ブタの萎縮性鼻炎，げっ歯類の気管支肺炎，イヌのきわめて伝染性の高い気管支肺炎の原因となる．免疫不全の患者ではまれに日和見感染的な気道感染症を引き起こす）．

Bor·de·tel·la hin·zi·i ヒトの血液および気道分泌物，鳥の気道分泌物から分離された細菌種．

Bor·de·tel·la hol·mi·e·si·i ボルデラ属ホルメシイ種（血液培養，免疫不全の患者から隔離されるバクテリアの一種）．

Bor·de·tel·la per·tus·sis 百日咳菌（乳児や小児の生命をおびやかす呼吸器感染症である，百日咳の原因となる細菌種．激しい咳と 7—10 日後に起こる痙攣型への進行は，百日咳トキシン，呼吸器の上皮細胞と分子結合する 5B サブユニットからなる蛋白，および正常な信号変換に関与する蛋白を干渉する ADP-リボシル-トランスフェラーゼである A サブユニットの産生による．大量の粘液分泌および発作的咳や粘液が原因の通気障害による低酸素症も病状と関連している）．

Borg scale = rating of perceived exertion.

Born·holm dis·ease ボーンホールム病．= epidemic pleurodynia.

Born·holm dis·ease vi·rus ボーンホールム病ウイルス．= epidemic pleurodynia virus.

bo·ron (B) (bōr′on)．ホウ素（3 価の非金属元素．原子番号 5，原子量 10.811．硬い結晶または褐色粉末として存在し，ホウ酸塩やホウ酸をつくる．妊娠女性に対するホウ素の栄養要求性が報告されている）．

Bor·rel blue stain ボレルブルー染色〔法〕（酸化銀（硝酸銀と炭酸水素ナトリウムの溶液を混合してつくる）およびメチレンブルーを用いてスピロヘータ，トレポネーマ，ボレリアなどの菌を証明する染色）．

Bor·rel·i·a (bŏ-rel′ē-ă)．ボレリア属（トレポネーマ科細菌の一属で，きめの粗い，浅くて不規則ならせん形をなし，長さは 8—16 μm である．細胞は先細形で末端部は細い糸状をなす．この生物は様々な種類の動物に寄生する．一般的には血液寄生性であるが，粘膜上にみられることもある．多くのものは節足動物の刺咬によりヒトや動物に伝搬される．標準種は *Borrelia anserina*）．

Bor·rel·i·a af·zel·i·i ヨーロッパおよびアジアにおいてライム病を引き起こす *Borrelia burgdorferi sensu lato* の細菌遺伝種．中部および西ヨーロッパではマダニの一種である *Ixodes ricinus* により，またバルチック海から太平洋までのユーラシアではシュルツェマダニ *Ixodes persulcatus* によって媒介される．→*Borrelia burgdorferi sensu stricto*.

Bor·rel·i·a burg·dor·fe·ri ライム病を起こす菌種．マダニ属の *Ixodes dammini* がヒトへこのスピロヘータを伝搬する媒介者となる．

Bor·rel·i·a burg·dor·fe·ri sen·su la·to ライム病の原因となる細菌複合種．*Borrelia burgdorferi sensu stricto*（囲狭義の *Borrelia burgdorferi*），*Borrelia garinii*，*Borrelia afzelii* などいくつかの遺伝種からなる．

Bor·rel·i·a burg·dor·fe·ri sen·su strict·o *Borrelia burgdorferi sensu lato*（囲広義の *Borrelia burgdorferi*）の遺伝種で，北アメリカおよびヨーロッパにおいてライム病の原因となる．米国東部および中部ではマダニの一種である *Ixodes scapularis* に，米国西部では *Ixodes pacificus* により，またヨーロッパでは *Ixodes ricinus* によって媒介される．→*Borrelia garinii*.

Bor·rel·i·a ga·ri·ni·i *Borrelia burgdorferi sensu lato* の遺伝種で，ヨーロッパ，アジアにおいてライム病を引き起こす．中部および西ヨーロッパではマダニの一種である *Ixodes ricinus* により，またバルチック海から太平洋までのユーラシアではシュルツェマダニ *Ixodes persulcatus* により媒介される．→*Borrelia burgdorferi sensu stricto*.

bor·re·li·o·sis (bŏ-rel′ē-ō′sis)．ボレリア症（*Borrelia* 属の細菌による疾患）．

BOS base of support の略．

Bo·sin dis·ease = subacute sclerosing panencephalitis.

boss (baws)．隆起，瘤（①限局性の丸い腫脹．= protuberance．②脊柱後弯症の隆起）．

bos·se·lat·ed (baws′ĕ-lā-ted). 隆起の，瘤の.
Bo·tal·lo duct ボタロ管. = ductus arteriosus.
Bo·tal·lo fo·ra·men ボタロ孔. = foramen ovale.
bot·ry·oid (bot′rē-oyd). ブドウ状の（ブドウの房に似た，多数の丸い隆起がある）. = staphyline; uviform.
bot·ry·oid sar·co·ma ブドウ状肉腫（小児に生じる横紋筋肉腫のポリープ状のもの．尿生殖管で最もよくみられる．新生物組織全体が明らかにブドウの房状をしているのが特徴．この型の新生物は比較的速く増殖し，きわめて悪性である）.
Böt·tcher cells ベットヒャー細胞（蝸牛基底膜の細胞）.
Böt·tcher crys·tals ベットヒャー結晶（前立腺液に1%リン酸アンモニウム溶液を1，2滴加えると，顕微鏡で観察されるような小さな結晶が生成される）.
Böt·tcher space ベットヒャー腔(隙). = endolymphatic sac.
bot·tle (bot′tĕl). びん.
bot·u·li·num tox·in ボツリヌス毒素（グラム陽性，偏性嫌気性桿菌のボツリヌス菌 *Clostridium botulinum* が産生するきわめて強力な神経毒．菌に汚染された食品中に産生された毒素を摂取することによりボツリヌス中毒が生じる．本毒素は神経伝達物質であるアセチルコリンの放出を抑制する）.
bot·u·li·num tox·in type A A型ボツリヌス毒素（美容術の中で麻酔薬として用いられる生物学的製剤）.
bot·u·lism (boch′ŭ-lizm). ボツリスム，ボツリヌス中毒（ボツリヌス菌 *Clostridium botulinum* によって産生された神経毒の摂取によって起きる食中毒で，不良な缶詰や保存食品による．麻痺を起こす特徴があり，致死性となることがある．症例によっては(例えば，小児)，摂取された菌により腸管内で産生されることもある．→ *Clostridium botulinum*）.
bou·bas (bū′băz). ブーバ. = yaws.
Bou·chard dis·ease ブシャール病（胃筋弛緩による胃拡張症）.
Bou·chard node ブシャール結節（近位指節間関節の骨性腫大．変形性関節症が原因である）.
Bou·chut tube ブシュ管（喉頭の挿管に用いる円筒状管）.
bou·gie (bū-zhē′). ブジー，消息子（ゾンデに似た円筒形の器械．一般に多少柔軟性で形を変えられる．尿道や食道のような管状路の狭窄の診断や治療に用いる．可溶性の物質でつくられる場合もあり，薬物を含有して，尿道などへ局所適用される）.
bou·gie·nage (boo-zhē-nahz[h]′). ブジー挿入，ブジー挿入術(法)，消息子拡張〔法〕（ブジーまたはカニューレを通過させて管の内部を検査および治療すること）.
Bou·in fix·a·tive ブワン固定液（氷酢酸，ホルマリン，ピクリン酸の溶液で，柔軟で繊細な組織(例えば，胎児組織など)や組織小片に有効である．グリコゲンや核を保存し，美しい染色が可能であるが徐々に腎組織やミトコンドリアにはいり込んでこれをゆがめ，また，DNAを染めるFeulgen染色も行えない）.
boun·da·ries (bown′dăr-ēz). 境界（個人的空間の境界．身体的，心理・社会的，対人関係的領域を含む）.
bou·quet (bū-kā′). 叢（花束に似た形をしている一群または一束の構造物．特に血管についていう）.
Bour·don gauge ブルドン計器（医療ガス供給で用いられる流量調節装置の型式）.
bou·ton (bū-tōn[h]′). ボタン，膿疱，こぶ様腫脹.
bou·ton de Bagh·dad バグダット腫. = Aleppo boil.
bou·ton·neuse fe·ver ブートン熱（*Rickettsia conorii* によるダニ伝播性の感染症で，アフリカ，ヨーロッパ，中東，インドでみられる）. = tick typhus.
bou·ton·nière de·form·it·y ボタン穴変形（指の近位指節間関節が屈曲位，遠位指節間関節が過伸展位となった変形．エクステンサーフードの断裂により生じ，それによって生じたボタン穴様の部位に近位指節骨頭が飛び出すことに起因する．変性疾患(関節リウマチ)や外傷により起こる）.
Bo·vie (bō′vē). ボヴィー（電気外科的な切開や止血に用いる器具．動詞としてもしばしば用いられる．すなわちBovieの器具で何かを切開したり焼灼したりすることを〝ボヴィーする〟という）.
Bo·vie cau·ter·y →Bovie.
bo·vine (bō′vīn). ウシの.
bo·vine ba·be·si·o·sis ウシのバベシア症（*Babesia* 属の種によるウシの感染症で，ダニによって媒介される）. = tick fever(3).
bo·vine se·rum al·bu·min (BSA) ウシ血清アルブミン（通常は，*in vitro* で行う生理学の研究で用いるアルブミン）.
bo·vine spon·gi·form en·ceph·a·lop·a·thy ウシの海綿状脳症，狂牛病（1986年に英国で最初に報告されたウシの疾患で，臨床的にはおどおどした行動，知覚過敏，および運動失調を特徴とし，病理組織学的には脳幹の灰白質における海綿状変化を特徴とする．他の動物の海綿状脳症(例えばスクラピー)やヒトのCreutzfeldt-Jakob病と同様にプリオンに起因する．→Creutzfeldt-Jakob disease）.
bow (bō). ボウ，弓（半円形や弓なりに曲がった形をしたり，あるいは自由に曲げられる装置や物）.
Bow·ditch law バウディッチ(ボーディッチ)の法則（効果的な刺激であれば，程度にかかわらず最大応答を呈すること）. = all or none law.
bow·el (bow′ĕl). 腸. = intestine.
bow·el by·pass 腸管バイパス，空腸回腸バイパス. = jejunoileal bypass.
bow·el sounds 腸音（下部消化管内を腸内容が送られることにより生じる比較的高音の腹部の音）.
bow·el train·ing トイレ(排泄)トレーニング

B

(排泄の規則正しさを確立，再確立させる方法．規定食利用や薬理学的，または機械的(浣腸，直腸の指刺激)な治療措置が望ましい)．

Bow·en dis·ease ボーエン病（肥厚した角質層でおおわれた，徐々に大きくなる淡紅色，褐色の丘疹またはびらん局面を特徴とする表皮内癌の一型．顕微鏡的には異常角化がみられ，そこに大きな核や淡染する細胞質を有する大形で円形の表皮細胞が散在する．初期治療には掻爬術や電気乾燥法などを用いる)．

bow·en·oid pap·u·lo·sis ボーエン様丘疹症（ヒトパピローマウイルス感染において，多くは茶褐色のいぼ状丘疹として外陰部または肛門周囲にみられる)．

Bow·ie stain ボーイー染色〔法〕（腎切片を Biebrich スカーレットレッドとメチルバイオレットの混合液で染め，傍糸球体顆粒を示す染色．傍糸球体顆粒と弾性線維は深紫色に，赤血球は黄色に染まり，背景組織は赤色調に見える)．

bow·ing frac·ture 弯曲骨折（縦方向に沿って骨を破損させる衝撃による骨折)．

bow·leg, bow-leg (bō′leg, bō′leg)．内反膝，O脚．= genu varum.

bowl·er's thumb 球技者の母指，ボーラー母指（母指の内面にある神経を圧迫すること．これによって母指の感覚に異常をきたす)．

Bow·man cap·sule ボーマン嚢．= glomerular capsule.

Bow·man mem·brane, Bow·man lay·er ボーマン膜．= anterior elastic lamina of cornea.

Bow·man probe ボーマン消息子（涙管用の先端が2つある探針)．

box·er's frac·ture ボクサー骨折（中手骨頸部の骨折で，小指中手骨に最もよくみられる第一中手骨の骨折)．= fracture of fifth metacarpal.

box hol·ly = butcher's broom.

box jel·ly = *Chiropsalmus quadrumanus.*

Boyd com·mu·ni·cat·ing per·fo·ra·tion vein ボイドの交通貫通静脈（下腿前閉側部で深浅静脈系を連結する貫通静脈)．

Boy·er cyst ボワイエ嚢胞（舌骨下の嚢胞)．

Boyle law ボイルの法則（一定温度では，一定量の気体の体積はそれに加わる絶対圧力に反比例する)．= Mariotte law.

Boze·man-Fritsch cath·e·ter ボーズマン-フリッチュカテーテル（先端に数個の開口部をもち，多少屈曲した二重管の子宮内洗浄カテーテル)．

Boze·man op·er·a·tion ボーズマン手術（子宮膣瘻の手術で，子宮頸部を膀胱に縫着し，膀胱腔内に開口させる)．

Boze·man po·si·tion ボーズマン体位（膝肘位，患者を支持台にひもで固定する)．

Boz·zo·lo sign ボッツォロ徴候（鼻粘膜の血管が拍動すること．胸部大動脈瘤の場合ときにみられる)．

BP blood pressure; birth place の略．

BPC bulk pharmaceutical chemicals の略．

BPF bronchopleural fistula の略．

BP fis·tu·la 気管支胸膜瘻．= bronchopleural fistula.

BPH benign prostatic hyperplasia(良性前立腺過形成)の略．

Br 臭素の元素記号．

brace (brās)．装具（ある部分の運動を制限する副子とは異なり，身体の一部を正しい位置に支持または把持し，かつ隣接する関節の運動が可能な整形外科的器具)．

brac·es (brās′ĕz)．ブレス，装具，固定器（歯科矯正用装具を表す口語)．

bra·chi·a (brā′kē-ă)．brachium の複数形．

bra·chi·al (brā′kē-ăl)．上腕の．

bra·chi·al ar·ter·y 上腕動脈（腋窩動脈の続きとして大円筋下縁に起こり，上腕深動脈，上・下尺側側副動脈，三角筋枝，上腕骨栄養動脈に分枝し，肘で橈骨動脈と尺骨動脈に分かれて終わる)．= arteria brachialis.

bra·chi·al·gi·a (brā′kē-al′jē-ă)．上腕痛．

bra·chi·a·lis mus·cle 上腕筋（上腕前区深層の筋．起始：上腕骨前面の下 2/3．停止：尺骨の烏口突起．作用：肘での屈曲．神経支配：筋皮神経，しばしば橈骨神経からも)．= musculus brachialis.

bra·chi·al plex·us 腕神経叢（第五頸神経から第一胸神経の前枝によって形成される大きな神経叢で上肢の支配にあたる)．

bra·chi·al plex·us in·ju·ry 腕神経叢損傷（分娩時に発生する胎児の腕神経叢の損傷．児頭の過度伸展に合併する．肩甲娩出困難あるいは骨盤位分娩でみられる)．

bra·chi·al pulse 上腕脈（前腕前部の上腕動脈の触知可能な律動性伸張)．

bra·chi·al veins 上腕静脈（上腕動脈の伴行静脈で腋窩静脈に注ぐ)．

brachio- *1* 腕を意味する連結形．= arm(1)．*2* 橈

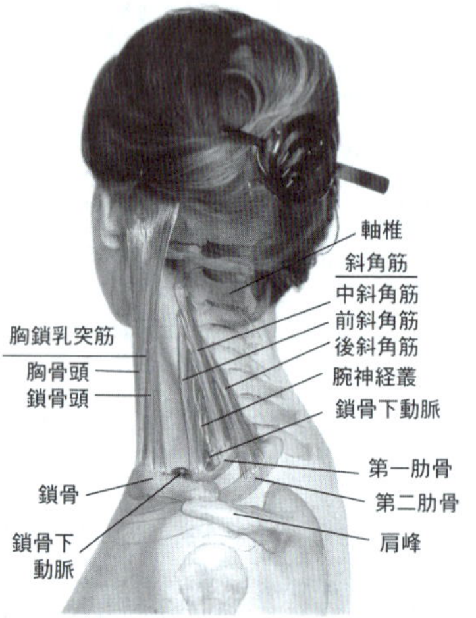
軸椎
斜角筋
中斜角筋
前斜角筋
後斜角筋
腕神経叢
鎖骨下動脈
第一肋骨
第二肋骨
肩峰
胸鎖乳突筋
胸骨頭
鎖骨頭
鎖骨
鎖骨下
動脈

brachial plexus

骨を意味する連結形. = radial.

bra·chi·o·ce·phal·ic (brā′kē-ō-se-fal′ik). 腕頭（腕と頭の両方に関する）.

bra·chi·o·ce·phal·ic ar·te·ri·al trunk 腕頭動脈（大動脈弓より起こり，右鎖骨下動脈，右総頸動脈に分枝する．しばしば最下甲状腺動脈を出す）.

bra·chi·o·ce·phal·ic ar·ter·i·tis 腕頭動脈炎（巨細胞性動脈炎で老齢者に認められる，中等度動脈の炎症性変化．ほとんどの場合，頭部，頸から肩にかけて発生する．病変はエラスチン，マクロファージおよび巨細胞を含む．赤血球沈降速度は通常は著明に亢進し，知覚障害が起こることがある）.

bra·chi·o·ce·phal·ic trunk 腕頭動脈（大動脈弓より起こり，右鎖骨下動脈，右総頸動脈に分枝する．しばしば最下甲状腺動脈を出す）. = truncus brachiocephalicus.

bra·chi·o·ce·phal·ic veins 腕頭静脈（内頸静脈および鎖骨下静脈の合流によってできる．右椎骨静脈，右内胸静脈，および右リンパ本管を受ける右腕頭静脈と，左椎骨静脈，左内胸静脈，左上肋間静脈，最下甲状腺静脈，前心膜静脈，気管支静脈，縦隔静脈と胸管を受ける左腕頭静脈がある）. = venae brachiocephalicae; innominate veins.

bra·chi·o·cru·ral (brā′kē-ō-krūr′ăl). 腕脚の（腕と大腿の両方に関する）.

bra·chi·o·cu·bi·tal (brā′kē-ō-kyū′bi-tăl). 腕肘の（腕と肘，または腕と前腕の両方に関する）.

bra·chi·o·ra·di·a·lis mus·cle 腕橈骨筋（前腕後区の筋の1つ．起始：上腕骨外側上顆．停止：橈骨茎状突起基部前面．作用：肘を曲げ回内・回外していた腕を自然の位置に戻すのを助ける．神経支配：橈骨神経）. = musculus brachioradialis.

bra·chi·um, pl. **bra·chi·a** (brā′kē-ŭm, brā′kē-ă). ***1*** 上腕，二の腕（肩と肘の間の部分）. = arm(1). ***2*** 腕（腕に似た解剖学的構造）.

bra·chi·um of in·fe·ri·or col·lic·u·lus 下丘腕（脳幹の左右両側にある下丘から上丘の外側縁に沿って視床後部に至り，そこで内側膝状体にはいる線維束．上行性聴覚路の大部分を形成する）.

bra·chi·um of su·pe·ri·or col·lic·u·lus 上丘腕（外側膝状体を迂回し，上丘と前視蓋野で終わる視索線維束）.

Bracht ma·neu·ver ブラハト操作（殿位の際に，胎児の下肢と体幹を母体の恥骨結合から腹壁にかけて押し付けるようにのばしながら娩出させる手技．下肢と体幹を母体の骨盤上に上げ，胎児の身体を術者がのばしていくにつれて胎児の頭部は自然に娩出される）.

brachy- 短小を意味する連結形.

brach·y·ba·si·a (brak′ē-bā′sē-ă). 小股歩行，小刻み歩行（錐体路の疾患に特徴的な小股歩行）.

brach·y·ba·so·camp·to·dac·ty·ly (brak′ē-bā′sō-kamp-tō-dak′ti-lē). 基節骨短屈指症（指の基節骨が他の部位に比較して異常に短く，近位指節間関節で屈曲している疾患）.

brach·y·ba·so·pha·lan·gi·a (brak′ē-bā′sō-fă-lan′jē-ă). 基節骨短縮〔症〕（指の基節骨が異常に短いこと）.

brach·y·car·di·a (brak′ē-kahr′dē-ă). = bradycardia.

brach·y·ceph·a·ly (brak′ē-sef′ă-lē). 短頭蓋〔症〕，短頭〔症〕.

brach·y·chei·li·a, brach·y·chi·li·a (brak′ē-kī′lē-ă, brak′ē-kī′lē-ă). 短唇〔症〕（唇が異常に短いこと）.

brach·y·dac·ty·ly (brak′ē-dak′ti-lē). 短指〔症〕（手の指が異常に短いこと）.

brach·y·gna·thi·a (brak′ig-nā′thē-ă). 下顎短小〔症〕（下顎が異常に短いか，陥没していること．→micrognathia）.

brach·y·me·li·a (brak′ē-mē′lē-ă). 短肢〔症〕（四肢が不釣合いに短いこと）.

brach·y·me·so·pha·lan·gi·a (brak′ē-mez′ō-fă-lan′jē-ă). 中節骨短縮〔症〕（中節骨が異常に短いこと）.

brach·y·met·a·car·pi·a (brak′ē-met-ă-kahr′pē-ă). 中手指骨短縮〔症〕（中手骨，特に第四中手骨と第五中手骨が異常に短いこと）.

brach·y·met·a·tar·si·a (brak′ē-met-ă-tahr′sē-ă). 中足骨短縮〔症〕（中足骨が異常に短いこと）.

brach·y·o·dont (brak′ē-ō-dont). 短〔冠〕歯の（異常に短い歯をもつ）.

brach·y·o·nych·i·a (brak′ē-ō-nik′ē-ă). 短爪症，短い爪（爪の幅が長さよりも長い爪）.

brach·y·pel·lic pel·vis 短径骨盤（横径が前後径より1—3 cm長い骨盤）.

brach·y·pha·lan·gi·a (brak′ē-fă-lan′jē-ă). 指節骨短縮〔症〕（指節骨が異常に短いこと）.

brach·y·syn·dac·ty·ly (brak′ē-sin-dak′ti-lē). 短合指〔趾〕〔症〕（手指または足指が異常に短く，その間が水かき状になった状態）.

brach·y·te·le·pha·lan·gi·a (brak′ē-tel′ē-fă-lan′jē-ă). 末節骨短縮〔症〕（末節骨が異常に短いこと）.

brach·y·ther·a·py (brak′ē-thār′ă-pē). 近接照射療法（放射線の線源が体表近くあるいは体腔内に置かれる放射線治療法．例えば，ラジウムの子宮頸管への使用）.

Brad·bu·ry-Eg·gle·ston syn·drome ブラッドバリー-エグルストン症候群. = pure autonomic failure.

Brad·ford frame ブラッドフォード枠（パイプでつくられた細長い長方形の枠で，その上に2枚の帆布が横に張ってある．この枠により寝たきり患者の体幹と下肢を1つの単位として動かせる）.

brady- 緩徐を意味する連結形.

bradyaesthesia [Br.]. = bradyesthesia.

bra·dy·ar·rhyth·mi·a (brad′ē-ă-ridh′mē-ă). 徐脈型不整脈（便宜上，毎分60以下の脈拍数となる心臓の調律障害）.

bra·dy·arth·ri·a (brad′ē-ahrth′rē-ă). 言語緩慢，遅語〔症〕（話し方が異常に遅いか，または緩慢であることを特徴とする構語障害の1つ）.

= bradyglossia (2); bradylalia; bradylogia.

bra·dy·car·di·a (brad′ē-kahr′dē-ă). 徐脈（心拍動が緩徐であること．便宜上，毎分 60 以下の場合をいう）. = brachycardia.

brad·y·car·di·ac, bra·dy·car·dic (brad′ē-kahr′dē-ak, brad′ē-kahr′dik). 徐脈の.

bra·dy·di·as·to·le (brad′ē-dī-as′tō-lē). 〔心〕拡張期延長.

bra·dy·es·the·si·a (brad′ē-es-thē′zē-ă). 知覚遅鈍. = bradyaesthesia.

bra·dy·glos·si·a (brad′ē-glaws′ē-ă). ***1*** 舌運動緩徐. ***2*** = bradyarthria.

bra·dy·ki·ne·si·a (brad′ē-kin-ē′sē-ă). 運動緩徐（自発性と運動の減少．パーキンソン病などの錐体外路性疾患の症状の 1 つ）.

bra·dy·ki·net·ic (brad′ē-ki-net′ik). 運動緩徐な.

bra·dy·ki·nin (brad′ē-kī′nin). ブラジキニン（9 個のアミノ酸からなるノナペプチド Arg-Pro-Pro-Gly-Phe-Ser-Pro-Phe-Arg. 通常は不活性形で血液中に存在する．ブラジキニンはプラスマキニンの 1 つで，有効な血管拡張薬である．そして，アナフィラキシーの生理学的メディエイタの 1 つである）.

bra·dy·la·li·a (brad′ē-lā′lē-ă). = bradyarthria.

bra·dy·lex·i·a (brad′ē-lek′sē-ă). 読書緩徐（読むのが異常に遅いこと）.

bra·dy·lo·gi·a (brad′ē-lō′jē-ă). = bradyarthria.

bra·dyp·ne·a (brad′ip-nē′ă). 〔緩〕徐呼吸，呼吸緩徐（呼吸の異常な遅延．特に呼吸数が少ない状態）.

bra·dy·sper·ma·tism (brad′ē-spĕr′mă-tizm). 射精遅延（射精力欠如のため，精液がゆっくりとしたたること）.

bra·dy·sphyg·mi·a (brad′ē-sfig′mē-ă). 脈拍緩徐（脈拍が遅いこと．各拍動が末梢脈拍を起こさないような場合の心室性二段脈のように，徐脈がなくても脈拍緩徐は起こりうる）.

bra·dy·stal·sis (brad′ē-stal′sis). ぜん動緩徐（ゆっくりとした腸運動）.

bra·dy·to·ci·a (brad′ē-tō′sē-ă). 分娩遷延（分娩時間の長いこと）.

bra·dy·u·ri·a (brad′ē-yūr′ē-ă). 排尿緩慢（ゆっくりとした排尿）.

brad·y·zo·ite (brad′ē-zō′īt). ブラディゾイト（胞子虫類のゆっくり増殖するシスト内型虫体で，トキソプラスマ *Toxoplasma gondii* の慢性感染時に典型的にみられる）.

Brag·ard sign ブラガード徴候（腰痛の原因が神経性か筋性かを診断するのに用いる手法．下肢伸展，股関節を屈曲させた肢位で足関節を背屈した場合，疼痛が増強すれば腰痛の原因は神経性，増強しなければ筋性と考えられる）. = stretch test.

brain (brān). 脳（頭蓋内にある中枢神経系の部分. →encephalon. *cf.* cerebrum; cerebellum）.

brain at·tack 脳発作，ブレーンアタック. = acute ischemic stroke.

brain box = neurocranium.

brain·case (brān′kās). 脳頭蓋. = neurocranium.

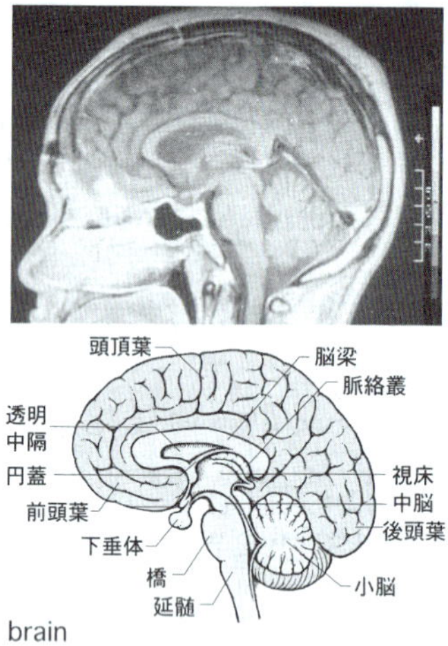
頭頂葉
脳梁
脈絡叢
透明
中隔
円蓋
視床
中脳
前頭葉
後頭葉
下垂体
橋
小脳
延髄

brain
上：正常脳のMRI矢状断像．下：同シェーマ．

brain con·cus·sion 脳振とう〔症〕（機械的な力，通常は外傷によって生じる臨床症状で，意識の変化，視力や平衡障害などの一過性神経機能障害が特徴）.

brain death 脳死.

brain-gut ax·is 脳腸相関（胃腸管の感覚神経と中枢神経系によって引き起こされる運動反応間の継続的帰還．脳腸相関の過敏性は過敏性腸症候群を含む胃腸病の一因となる）.

brain im·plant 脳内インプラント（頭蓋内に外科的に置かれた物質や組織）.

Brain re·flex ブレーン反射. = quadripedal extensor reflex.

brain·stem, brain stem (brān′stem, brān stem). 脳幹（初めは，脳の不対性の部分すなわち菱脳・中脳・間脳を，対性の部分すなわち終脳と区別してよんだ語．近年になって意味内容に様々な変更が加えられることが起こった．例えば，ある人々は菱脳と中脳だけをさす語とし，前脳（終脳と間脳）に対比させて用い，またある人々は厳密に菱脳だけをさす語とした．発生および構造のどちらの観点からみても，原初の解釈が好ましく思われる）.

brain·stem au·di·tor·y e·voked po·ten·tial 脳幹聴性誘発電位（音刺激で誘発される電位．聴神経と脳幹聴覚経路で発生し，頭皮上から記録される）.

brain·stem e·voked re·sponse (BSER) = auditory brainstem response.

brain·stem e·voked re·sponse au·di·om·e·try, BSER au·di·om·e·try 脳幹反応聴力検査，BSER 聴力検査. = auditory brainstem response audiometry.

brain·stem im·plant 脳幹インプラント（脳幹蝸牛神経核の刺激によって聴覚を改善，回復するために用いられる人工機器).

brain sug·ar 脳糖; D-galactose(→galactose).

brain swell·ing 脳腫脹（血管内腔(うっ血)または血管外腔(水腫，浮腫)による拡張のための脳容積の増加で示される限局性または全身性の病理学的所見．これらは共存する場合も，また単独で生じることもあり，臨床的に区別できない．臨床所見では局所的腫脹，頭蓋内構造の変位，頭蓋内圧亢進または循環障害の影響による神経機能障害がみられる).

brain·wash·ing (brān′wawsh′ing). 洗 脳（種々の圧力や拷問で個人の態度や行為をある種の方向に変更させるように仕向けること).

brain wave 脳波（electroencephalogram の口語).

brake drug ブレーキ薬（成長を促したり妨げたりする薬品，添加剤の俗称).

brak·ing ra·di·a·tion 制動放射. = Bremsstrahlung radiation.

bran (bran). 麩(ふすま)，糠(ぬか)（穀物の外皮で，栄養素や線維に富む).

branch (branch). 枝（側枝．解剖学においては，神経や血管の一次分枝. →ramus; artery; nerve; vein). = ramus(1).

branch to a·tri·o·ven·tric·u·lar node = atrioventricular nodal branches.

branch·er gly·co·gen stor·age dis·ease 分枝グリコ〔ー〕ゲン蓄積症（糖尿病の一型．アミロ-1,4—1,6-トランスグルコシダーゼ(分枝酵素)の欠損症).

bran·chi·al ap·par·at·us 鰓器官. = pharyngeal apparatus.

bran·chi·al arch 鰓弓. = pharyngeal arch.

bran·chi·al cleft 鰓溝，鰓裂. = pharyngeal groove.

branch·ing (branch′ing). 分枝形成，分枝.

bran·chi·o·mo·tor nu·cle·i 鰓運動核（胚期の鰓性運動性柱から発生し，鰓弓に関係する横紋筋線維(そしゃく筋，顔面筋，咽頭および声帯筋)を支配する脳幹の運動神経核(顔面神経核，疑核，三叉神経運動核)の総称).

bran·chi·o·o·to·re·nal syn·drome 鰓性耳腎症候群（鰓弓派生体の奇形，聴覚の損傷，腎異常を特徴とする常染色体優性疾患).

Brandt-An·drews ma·neu·ver ブラントーアンドリューズ操作（臍帯を片手でつかみ，他方の手を腹部に置き，指を子宮下節と子宮体部の接合部の前表面上に置いて胎盤を圧出する方法). = Andrews maneuver.

Bran·ha·mel·la (bran-hă-mel′ă). ブランハメラ亜属（隣接した側面が平坦化し，対をなして存在するグラム陰性球菌を含む好気性・非運動性・非胞子形成細菌の一亜属．上気道の粘膜に存在し，時に呼吸器感染症と中耳炎の原因となる).

Bran·ham sign ブランハム徴候（動静脈瘻を圧迫したり切除した後，心拍数が低下すること).

bran·ny (bran′ē). 殻状の，糠状の（小さな殻状の薄片の落屑についていう).

Bras·dor meth·od ブラスドール法（腫瘍の直下(遠位側)で動脈を結紮する動脈瘤の治療法).

brass found·er's fe·ver 金属〔蒸気〕熱（職業病で，インフルエンザ様症状を特徴とし，金属酸化物の粒子および蒸気の吸入による).

Braun a·nas·to·mo·sis ブラウン吻合〔術〕（ループ胃腸吻合術後，空腸輸入脚・輸出脚に行う吻合).

brawn·y (brawn′ē). 肥厚(苔癬化)し，浅黒い(黒ずんだ色)．浮腫を形容するのに用いる語.

brawn·y e·de·ma 硬性浮腫. = nonpitting edema.

Brax·ton Hicks sign ブラクストン・ヒックス徴候（妊娠 3 か月後に起こる不規則な子宮収縮).

Bra·zel·ton Ne·o·na·tal Be·hav·ior·al As·sess·ment Scale ブラゼルトンの新生児行動評価法（産科医，小児科医，小児心理学者で用いられる新生児の発達評価法．通常，分娩時および生後 1 か月までの知覚，運動，感情，身体の発達評価に用いられる).

BRCA1 gene BRCA1 遺伝子（1994 年に分離された第 17 染色体(遺伝子座 17q21)に座位する癌抑制遺伝子．p53 蛋白をコードし，損傷 DNA を有する細胞の分裂周期を停止させる．生殖細胞に BRCA1 の変異をきたしたキャリアは乳癌と卵巣癌を発症しやすい. →BRCA2 gene; carcinoma of the breast).

BRCA2 gene BRCA2 遺伝子（1995 年に分離され，第 13 染色体(遺伝子座 13q12-q13)に座位する癌抑制遺伝子．27 エクソンからなる巨大な遺伝子で，70 kb にわたって分布し，3418 アミノ酸からなる蛋白をコードする．生殖細胞に変異をきたしたキャリアは，BRCA1 の変異の場合と同様に，乳癌に罹患するリスクが上昇し，卵巣癌でもややリスクが高まる．BRCA2 ファミリーはまた，男性においても，乳癌，膵臓癌，前立腺癌，喉頭癌，眼腫瘍の発症率を上昇させる. →BRCA1 gene; carcinoma of the breast).

break-e·ven point 損益分岐点（総収入が総コストに等しくなる販売量．損益分岐点を下回る販売量では，キャッシュフローがマイナスになる(損失がでる)．損益分岐点を上回る販売量では利益がでる．損益分岐点を計算して，保健医療提供者がその計画した販売量に基づき，ある新しい検査や処置を提供するかどうかを決める).

break·point (brāk′poynt). ブレイクポイント，分岐点（寄生虫疫学の用語．ある集団内で寄生虫の頻度がある限界値以下となると，交配頻度が次世代再生産を維持できなくなり，当該の寄生虫による感染が次第に減少し，やがては消失する．その限界レベルのこと).

break test 抑止テスト（セラピストが被験者の筋を等尺性に収縮させた状態で徒手抵抗を加え，収縮保持能力によって段階づけし，判定する徒手筋力テスト).

break·through pain 突出痛（規則正しい鎮痛薬の服用を行っている時に現れる激しい痛み).

breast (brest). = mamma; teat (2). ***1*** 胸〔部〕，むね（胸郭の胸筋面). ***2*** 乳房（女性の乳分泌器官．成熟女性の胸筋前面に左右対をなす半球形の高まりで内部に乳腺があり，周囲には種々

B

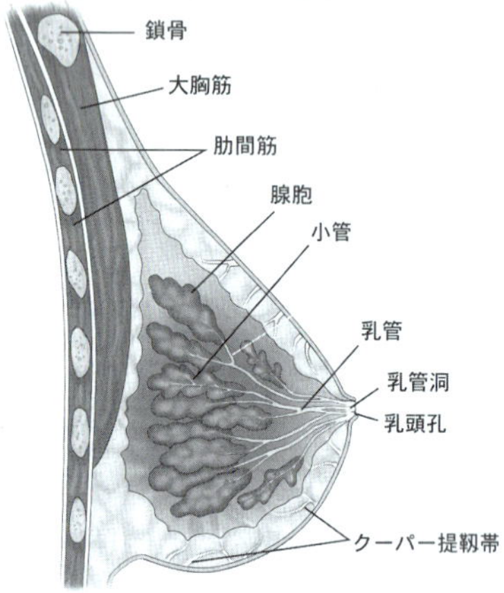
鎖骨
大胸筋
肋間筋
腺胞
小管
乳管
乳管洞
乳頭孔
クーパー提靭帯
lateral view of female breast

の程度に皮下脂肪が沈着している．表面中央に乳頭がある．男性では痕跡的である）．

breast bone 胸骨．= sternum.

breast en·gorge·ment 乳房腫脹（妊婦の乳房が膨張すること．通常出産後3日目，4日目に起こる．対処法としては，痛みを和らげたり授乳により乳汁を効果的に排出することがあげられる）．

breast im·plant 乳房形成用異物（美容や乳房切除後の胸の復元を目的として用いる乳房用異物）．

breast pump 搾乳ポンプ，搾乳器（乳房から乳を絞る吸引器具）．

breast self-ex·am·i·na·tion (BSE) 乳房自己診断（乳房と乳腺に関連する構造物を自分自身で観察したり触知することにより，悪性病変の存在を示唆する変化や異常を検出する手技．女性は月に1回BSEを行うことが推奨される．正しい手技の指導のために看護師，保健師他，専門家の果たすべき役割は重要である）．

breath (breth). *1* 呼吸，息．*2* 吸息．*3* 呼吸（吸気に続く呼気の1サイクル）．

breath ac·ti·va·ted me·tered dose in·ha·ler (BAMDI) 呼吸活性化定量噴霧式吸入器（喘息や他の呼吸の病の治療において，適量の薬剤を投入するために患者の呼吸活動に対応する器具）．

breath al·co·hol tech·ni·cian (BAT) 呼気アルコール技能者（呼気アルコール濃度検査を遂行する資格を有し訓練されたもの）．

breath-hold·ing test 息こらえ試験（心肺予備力のおよその指標．被検者が息を止めていられる時間の長さによって測る．正常な長さは30秒以上であるが，心臓または肺の予備力が減少している状態では，20秒以内しか息を止められないことで示唆される）．

breath·ing (brēdh′ing). 呼吸（空気あるいは混合気体の吸入と呼出．→respiration）．

breath·ing bag 呼吸バッグ（全身麻酔または人工換気時，気体が吸入，排出される収縮性貯蔵器）．= reservoir bag.

breath·ing re·serve 換気予備力（肺換気（すなわち，通常の安静位での呼吸容量）と最大呼吸容量の差）．

breath sounds 呼吸音（肺または他の気道部分の聴診で聞こえる雑音，振水音，振とう音，呼吸副雑音またはラ音）．= respiratory sounds.

breath test 呼気検査（①病気を同定するために呼気中の内因性あるいは外因性物質を測定する診断法．例えば，乳糖不耐症に対する呼気中水素ガス測定や，胃の *Helicobacter pylori* 菌感染を検出するための尿素呼気試験がある．②アルコール消費の検査法）．

Bre·da dis·ease ブレーダ病．= espundia.

breech (brēch). 殿〔部〕，しり．= buttocks.

breech pre·sen·ta·tion 殿位（胎児の殿部，膝，足など骨盤以下のすべての部位が先進部である胎位をいうが，殿部が先進部であるものだけをいうほうがより適切である．胎児が骨盤以下の部分から先進してくるものとしては，**frank breech presentation** 単殿位（大腿が屈曲し下腿

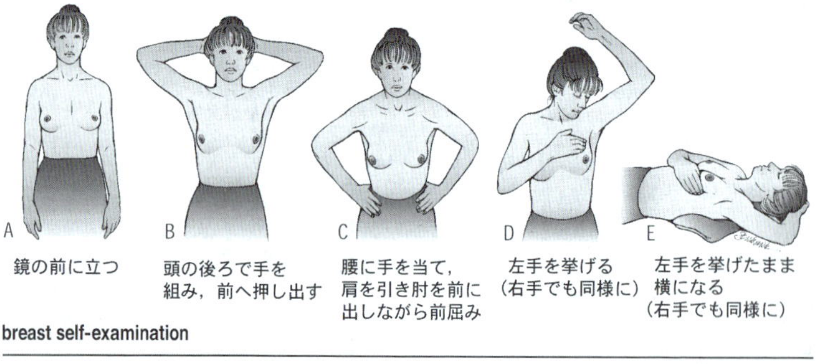
A
鏡の前に立つ
B
頭の後ろで手を
組み，前へ押し出す
C
腰に手を当て，
肩を引き肘を前に
出しながら前屈み
D
左手を挙げる
（右手でも同様に）
E
左手を挙げたまま
横になる
（右手でも同様に）
breast self-examination

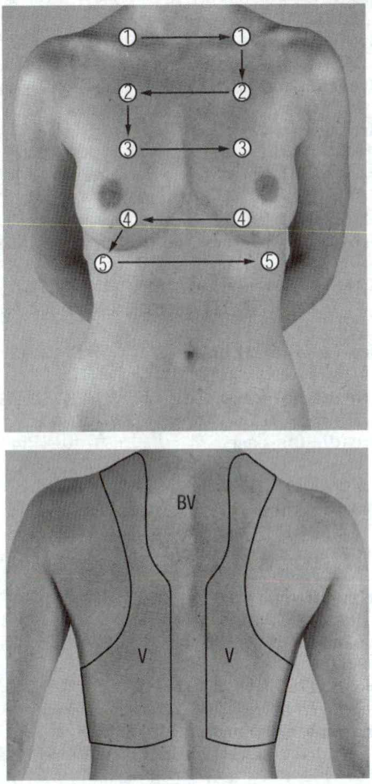
①
②
③
④
⑤
BV
V
V

auscultating for breath sounds
BV：気管支肺胞性呼吸音，V：肺胞性呼吸音

が身体前面に伸展するもの)，**full breech presentation** 複殿位(大腿が腹部上で屈曲し下腿が大腿に重なるもの)，**footling presentation, foot presentation** 全足位(足が最下方にくるもの)，**incomplete foot presentation, incomplete knee presentation** 不全足位，膝位(一方の下腿が単殿位または複殿位にみられる位置をとるが，他方の足または膝から先進するもの)，などがある)．

breg·ma (breg′mă)．ブレグマ（冠状縫合および矢状縫合の会合部にあたる頭蓋上の点)．

breg·mat·ic (breg-mat′ik)．ブレグマの．

Brems·strah·lung ra·di·a·tion 制動放射（陰極流からの高速電子がターゲットの原子核のクローン場によって減速したり，方向を変えられると，エネルギーが熱およびX線光子として放射される．内科および歯科の診療で使用されるほとんどのX線は，制動放射X線である)．= braking radiation.

Bren·ner tu·mor ブレンナー腫〔瘍〕（比較的まれな良性卵巣腫瘍．ムチンを含む腺様構造と，主に移行型上皮に似た細胞巣を含む組織からなる．由来は論議下にあるが，Walthard 細胞遺残から発すると思われる．通常，特に閉経後の女性の，腫瘍以外の原因で除去した卵巣内に付随的に見出される)．

Bres·low meth·od ブレスロー法（顆粒層から最も深い浸透まで，もしくは潰瘍化した損傷の基部から皮膚浸透の深さに基づき黒色細胞種を段階分けする手法)．

Bres·low thick·ness ブレスロー厚さ（原発性の悪性黒色腫における，最も隆起した部位から腫瘍の底辺までの厚さ(潰瘍形成のある場合は潰瘍底から腫瘍の底辺までの厚さ)．転移率がこの腫瘍の厚さによく比例する)．

Breus mole ブロイス奇胎（胎盤の胎児面に多数の血腫がある流産卵で，絨毛膜には血管がなく，妊娠期間に比して卵が小さい)．

bre·ve·tox·in (brev-ĕ-tok′sin)．ブレボトキシン（“赤潮” 渦鞭毛藻類 *Ptychodiscus brevis Davis* (*Gymnodinium breve Davis*)によって産生される特異な構造をもつ神経毒素．メキシコ湾やフロリダ海岸付近で発生した大型魚類や軟体動物の死，ヒト食中毒の原因である藻類．既知の渦鞭毛藻類毒素，例えば，水溶性ナトリウムチャネルブロッカーとして知られているサキシトキシンと違って，ブレボトキシンは脂溶性ナトリウムチャネルアクチベータである．神経生物学の分野での試薬として用いられている)．

Brev·i·bac·te·ri·um (brev-i-bak-tēr′ē-ŭm)．ブレビバクテリウム属（非運動性，非芽胞で，グラム陽性の杆菌である細菌属で，健常者の皮膚のフローラとして，また生乳やチーズ表面に認められる．敗血症患者や腹膜透析を受けている患者の腹膜から回収された数種の菌種はヒトの日和見感染の原因菌となるようである)．

brev·i·col·lis (brev-ē-kol′is)．短頸〔症〕（頸部が異常に短いこと)．

brev·is (brev′is)．短い．

Brew·er in·farct ブルーアー梗塞（梗塞に類似した暗赤色のくさび状部位で，腎盂腎炎の腎臓にみられる)．

brew·er's yeast ビール酵母（消化器疾患や痤瘡，皮膚炎の治療に用いられているが，副作用も報告されている)．

Brick·er op·er·a·tion ブリッカー手術（両尿管から尿を集め，皮膚表面に誘導するために回腸の一部を用いる手術)．

bridge (brij)．***1*** 鼻梁（鼻骨が形成する鼻陵の上部)．***2*** 細胞間橋（細胞から細胞へ通っているようにみえる原形質の糸)．***3*** ブリッジ，架工義歯，橋義歯．= fixed partial denture.

bridge·work (brij′wŏrk)．架工義歯〔術〕．= partial denture.

brief form 簡潔型（単語の略称．一般的に医療レポートに使われる(例：examination が exam))．

Brigg test ブリッグ試験（モリブデン酸塩の還元を利用してホモゲンチジン酸を排泄させる試験)．

bright blood im·ag·ing ブライトブラッドイメ

ージ（血管を高信号に描出する MRI の撮像法）.

Brill dis·ease ブリル病. = Brill-Zinsser disease.

Brill-Zins·ser dis·ease ブリル-ジンサー病（以前に流行性発疹チフスにかかったヒトの "carrier state" に関連した内因性再感染症. 軽度の疾病で，発疹熱と間違われる）. = Brill disease; recrudescent typhus.

brim（brim）. 縁（中腔構造物の上縁）.

Bri·quet a·tax·i·a ブリケー（ブリケ）運動失調（ヒステリーにおいて，筋肉感覚が弱まり，皮膚の感受性が増すこと）.

Bri·quet dis·ease ブリケー（ブリケ）病（ヒステリー性神経症，転換型）.

Bri·quet syn·drome ブリケー（ブリケ）症候群（慢性であるが，症状が動揺性である精神障害で，通常，若い女性にみられる. 同時に多数の臓器について，病気があると頻繁に訴えることが特徴である）.

brise·ment for·cé 猛撃矯正〔法〕（変形した四肢の肢位を，軟部組織を引き裂き骨を圧潰することにより矯正するといった暴力的徒手矯正法. 通常，麻酔下に行う. 内反足変形に対してはかつてはよく行われていたが，現在はまったく用いられない）.

Bris·saud dis·ease ブリソー病. = tic.

Bris·saud re·flex ブリソー反射（足底をくすぐると生じる大腿筋膜張筋の収縮で，足指に反応の動きがないときでも起こる）.

Bri·tish an·ti-Lew·is·ite（BAL） 重金属中毒や化学兵器 Lewisite の治療薬として用いるキレート試薬.

Brit·ish ther·mal u·nit（BTU） 英国熱量単位（1 ポンドの水を 3.9℃ から 4.4℃ に上昇させるのに必要な熱量. 251.996 cal または 1055.056 J に等しい）.

brit·tle bones = osteogenesis imperfecta.

brit·tle di·a·be·tes 不安定型糖尿病（血液中のグルコース濃度が著明な変動を示す糖尿病）.

broach（brōch）. ブローチ，根管針，抜髄針（歯髄を除去したり，根管を探査する治療用器具）.

Broad·bent law ブロードベントの法則（上部運動神経路の病変が引き起こす筋肉の麻痺では，通常，単独に反対側に働く筋肉よりも習慣的に両側を動かす筋肉のほうが軽症である）.

Broad·bent sign ブロードベント徴候（心収縮と同期した胸壁の牽縮. どこにでも認めうるが，特に第 11・12 肋骨の近くにみられる. 癒着性心膜炎の徴候）.

Broad·bent test ブロードベント検査，ブロードベント試験（どちらの大脳半球が言語に関して優位かを判定する手法. 2 つの異なる単語を同時に左右の耳に聞かせる. 右利きの被験者は右耳の単語をいち早く捕える）.

broad lig·a·ment of the u·ter·us 子宮広間膜（子宮の外側縁から両側の骨盤壁に走る腹膜ひだで，卵巣や卵管を包みこんでいる）. = ligamentum latum uteri.

broad spec·trum 広域〔抗菌〕スペクトル（広範囲の微生物に対して抗生物質の作用が広範囲であることを示す用語）.

broad-spec·trum an·ti·bi·ot·ic 広域抗生物質（グラム陽性・陰性菌の両方に対して広範な活性を有する抗生物質）.

Bro·ca an·gle ブローカ角度（聴覚の先端と眉間から前鼻棘まで引いた仮想の線による交差）.

Bro·ca a·pha·si·a ブロカ失語〔症〕（①= motor aphasia. ②= expressive aphasia）.

Bro·ca cen·ter ブロカ中枢（Brodmann 第 44 野にほぼ対応する左大脳半球または優性大脳半球の下前頭回の後部の部分. Broca はこの領野が構音発声をつかさどる運動機序に必須な部分であることを確認した）. = motor speech center.

Bro·ca mo·tor ar·e·as ブロ〔ー〕カ運動野（下前頭回と周囲の前頭前皮質の三角形の蓋状部. 脳内神経情報を構音的文章に変換する. この部分の損傷は運動性失語を起こすことがある）.

Bro·ca vi·su·al plane ブロカ視軸平面（2 つの視軸を通ってできた平面）.

Bro·die ab·scess ブローディー膿瘍（緻密線維組織と硬化性骨で囲まれた骨の慢性膿瘍）.

Bro·die dis·ease ブローディー病（①= Brodie knee. ② Pott 病に似た外傷後のヒステリー性脊髄神経痛）.

Bro·die knee ブローディー膝（膝の慢性肥厚性滑膜炎）. = Brodie disease（1）.

Brod·mann ar·e·as ブロードマン野（細胞構築様式に基づいて描かれた大脳皮質の野）.

brom-, bromo- ***1*** 悪臭. ***2*** 化合物中の臭素の存在を示す接頭語.

bro·mate（brō′māt）. 臭素塩酸（臭素酸の塩または陰イオン）.

bro·mat·ed（brō′māt-ĕd）. 臭素またはその化合物と結合あるいは飽和した. = brominated.

bro·mide（brō′mīd）. 臭化物（陰イオン Br^-. 臭化水素の塩. 以前，数種の塩が鎮痛薬，催眠薬，抗痙攣薬として用いられた）.

bro·mi·dro·sis, brom·hi·dro·sis（brō′mi-drō′sis, brōm′hī-drō′sis）. 臭汗症（悪臭のある発汗）. = osmidrosis.

bro·min·at·ed（brō′min-āt-ĕd）. = bromated.

bro·mine（Br）（brō′mēn）. 臭素（非金属で，赤味がかった揮発性液体元素. 原子番号 35，原子量 79.904. 原子価は − 1 から + 7 までの値をとりうる. 水素と結合して臭化水素を生成し，多くの金属と反応して臭素化合物を生成する. 医薬品に用いるものもある）.

bro·mism, bro·min·ism（brō′mizm, -min-izm）. 慢性ブロム中毒，慢性臭素中毒（頭痛，嗜眠，錯乱，ときに激しいせん妄，筋力低下，心機能低下，痤瘡様発疹，口臭，食欲不振，胃部不快感を特徴とする慢性のブロム中毒）.

brom·o·ben·zyl·cy·a·nide（brō′mō-benz′il-sī′ă-nīd）. ブロモベンジルシアン化物（催涙薬. 第 1 次大戦中に暴動鎮圧時に催涙ガスとして用いた. NATO コードは CA. →hydrogen cyanide; cyanogen chloride）.

bro·mo·der·ma（brō′mō-dĕr′mă）. 臭素疹，ブロム疹（臭化物に対する過敏症に起因する痤瘡様あるいは肉芽腫性の発疹）.

bro·mo·sul·fo·phthal·e·in（brō′mō-sŭl′fō-thal′ē-in）. = sulfobromophthalein sodium; bromosulphophthalein.

bromosulphophthalein [Br.]. = bromosulfophthalein.

brom·phe·nol test ブロムフェノール試験（試薬紙を用いて，尿中蛋白，アルブミン，グロブリンを測定する比色試験）.

Bromp·ton cock·tail ブロンプトンカクテル（モルヒネおよびコカインの混合物で，主に末期癌患者の鎮痛薬として用いる．種々の処方があるが，典型的なものはカクテル 10 mL 中に 15 mg の塩酸モルヒネおよび 10 mg の塩酸コカインを含む）.

brom·sul·fo·phthal·e·in (brom-sŭl′fō-thal′ē-in). = sulfobromophthalein sodium; bromsulphophthalein.

bromsulphophthalein [Br.]. = bromsulfophthalein.

bronch, bronch·ing ブランク，ブランキング（検査中に気管支鏡を使用するという意の隠語）.

bron·chi (brong′kī). bronchus の複数形.

bron·chi·a (brong′kē-ă). 気管支（→bronchus; bronchiole）.

bron·chi·al (brong′kē-ăl). 気管支の.

bron·chi·al ad·e·no·ma 気管支腺腫（カルチノイド腫瘍，粘液類皮癌，腺様嚢状癌を表す現在では用いられない語）.

bron·chi·al ar·te·ri·og·ra·phy 気管支動脈撮影（気管支動脈の造影法．通常，気管支動脈基部の肋間動脈から選択的に造影剤を注入して撮影する）.

bron·chi·al asth·ma 気管支ぜん息（気管支，細気管支の直径の広汎で大部分が可逆的減少によって特徴付けられる急性または慢性の疾患で，様々な程度の平滑筋の収縮，粘膜浮腫，気管内腔への分泌物過多に基づく．主症状は息苦しさ，ぜん鳴，咳．発作または増悪は室内のアレルゲン（カビ，花粉，動物のふけ，チリダニ，ゴキブリ抗原），吸入性刺激物（冷気，タバコの煙，オゾン），運動，呼吸器感染，心理的ストレス，その他の因子によって引き起こされる．気管支ぜん息の症候はマスト細胞，好酸球，リンパ球，好中球，上皮細胞から遊離される局所的な収縮物質や炎症メディエイタ（ヒスタミン，ロイコトリエン，プロスタグランジン）やその他の物質による．気道直径は発作，methacholine，ヒスタミンの診断的投与で，突然で激しく狭窄が起こり気管支拡張剤（吸入性βアドレナリン刺激剤またはエピネフリン皮下注射）の投与で急速に正常に戻る）.

bron·chi·al buds 気管支芽（二方向に外に飛び出す気管芽．気管支の原基）.

bron·chi·al glands *1* = bronchopulmonary lymph nodes. *2* 気管支腺（分泌部が気管支筋の外側にある粘液漿液腺）.

bron·chi·al hy·giene 気管支健康法（気管支の分泌物を除去し，清潔な気道を維持するのに役立つ活動）.

bron·chi·al mu·cous gland ad·e·no·ma 気管支粘液腺腺腫（気管支粘膜の粘液腺から発生するまれな良性腫瘍）.

bron·chi·al pneu·mo·ni·a 気管支肺炎. = bronchopneumonia.

bron·chi·al prov·o·ca·tion 気管支誘発（肺機能低下をもたらすことが知られている（あるいはもたらすと疑われている）物質を被検者に吸入させ，気道の過剰反応を確認し，特性を明らかにする方法）.

bron·chi·al ste·no·sis 気管支狭窄〔症〕（気管支チューブの内腔の狭窄）.

bron·chi·al veins 気管支静脈（気管支の前後を走る多数の静脈．2つの主幹に合一し，右側では奇静脈へ，左側では副半奇静脈または左上肋間静脈へ注ぐ）.

bron·chic cell = pulmonary alveoli.

bron·chi·ec·ta·sis (brong′kē-ek′tă-sis). 気管支拡張〔症〕（炎症性疾患または閉塞に続発する，気管支または細気管支の慢性的拡張）.

bron·chi·ec·tat·ic (brong′kē-ek-tat′ik). 気管支拡張〔症〕の.

bron·chi in·tra·seg·men·ta·les = intrasegmental bronchi.

bron·chil·o·quy (brong-kil′ō-kwē). 気管支声（bronchophony を表す，まれに用いる語）.

bron·chi·o·gen·ic (brong′kē-ō-jen′ik). 気管支原性の. = bronchogenic.

bron·chi·o·lar a·de·no·car·ci·no·ma = bronchiolar carcinoma.

bron·chi·o·lar car·ci·no·ma 細気管支癌（終末細気管支の上皮から発生すると思われる癌．腫瘍組織は肺胞壁に沿って浸潤し，肺胞の中で小塊に成長する．肺は均一びまん性に，全体が結節状あるいは小葉性に侵されることもある．顕微鏡的には，腫瘍細胞は立方形か柱状で，

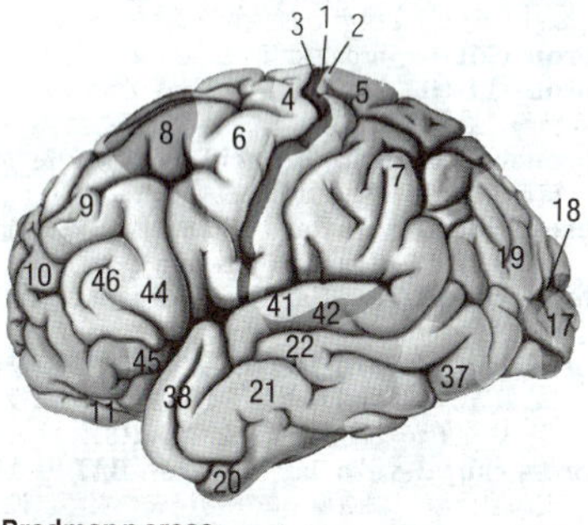
3
1
2
4
5
8
6
7
9
18
19
10
46
44
41
42
17
22
45
37
38
21
11
20

Brodmann areas
細胞構築様式に基づいて描かれた大脳皮質の野（左大脳半球の側面観）.
1—3：体性感覚野，4：一次運動野，5：体性感覚連合野，6：前運動野・補足運動野，7：体性感覚連合野，9：前頭前野背外側部，10：前頭極，11：眼窩前頭野，17—19：視覚連合野，21：中側頭回，22：上側頭回，37：紡錘状回，38：中側頭回，41, 42：一次および高次聴覚野，44, 45：Broca運動性言語中枢，46：前頭前野背外側部.

乳頭状の構造を形成する．転移は多くはない）．= alveolar cell carcinoma; bronchiolar adenocarcinoma; bronchiolo-alveolar carcinoma; bronchoalveolar carcinoma.

bron·chi·ole (brong′kē-ōl)．細気管支（気管支が6回以上分岐して以後の細径のもので，直径1 mm以下．その壁には軟骨がないが，平滑筋と弾性線維に比較的富む）．= bronchiolus.

bron·chi·o·lec·ta·sis (brong′kē-ō-lek′tă-sis)．細気管支拡張〔症〕（細気管支にみられる拡張症）．

bron·chi·o·li (brong-kī′ō-lī)．bronchiolus の複数形．

bron·chi·ol·i·tis (brong′kē-ō-lī′tis)．細気管支炎（気管支肺炎にしばしば併発する細気管支の炎症）．

bron·chi·ol·i·tis fi·bro·sa ob·li·te·rans, bron·chi·ol·i·tis ob·lit·e·rans 閉塞性線維性細気管支炎（粘膜潰瘍によってもたらされた線維性肉芽組織による細気管および肺胞道の閉塞．この状態は刺激性ガス吸入に続発（→silo-filler's lung）あるいは肺炎（→BOOP）に合併することがある．閉塞所見に合併（→unilateral hyperlucent lung; Swyer-James syndrome））．

bron·chi·ol·i·tis ob·li·te·rans with or·ga·niz·ing pneu·mo·ni·a（BOOP） 器質化肺炎を伴う閉塞性細気管支炎（器質化を伴う肺炎を合併する閉塞性線維性細気管支炎）．

bronchiolo- 細気管支に関する連結形．

bron·chi·o·lo·al·ve·o·lar car·ci·no·ma = bronchiolar carcinoma.

bron·chi·o·lus, pl. bron·chi·o·li (brong-kī′ō-lŭs, brong-kī′ō-lī)．細気管支．= bronchiole.

bron·chi·o·ste·no·sis (brong′kē-ō-stĕ-nō′sis)．細気管支狭窄（細気管支管腔の狭窄）．

bron·chit·ic (brong-kit′ik)．気管支炎の．

bron·chi·tis (brong-kī′tis)．気管支炎（気管支粘膜の炎症）．

broncho-, bronch-, bronchi- 気管支を表す連結形．古代用法では気管を意味した．

bron·cho·al·ve·o·lar (brong′kō-al-vē′ō-lăr)．気管支肺胞の．= bronchovesicular.

bron·cho·al·ve·o·lar car·ci·no·ma 気管支肺胞癌．= bronchiolar carcinoma.

bron·cho·al·ve·o·lar flu·id 気管支肺胞液（肺気道から吸引された粒子を除去するのに役立つ，いく種かの融解性酵素を含む液体）．

bron·cho·al·ve·o·lar la·vage（BAL） 気管支肺胞洗浄（細胞種や微生物検査のために遠位気道を閉塞して気道に液体を注入して回収する，光ファイバー気管支鏡検査時に実行される手技）．

bron·cho·cav·ern·ous (brong′kō-kav′ĕr-nŭs)．気管支空洞の（気管支と肺空洞に関する）．

bron·cho·cele (brong′kō-sēl)．気管支瘤，気管支ヘルニア（気管支の限局性拡張）．

bron·cho·cen·tric gran·u·lo·ma·to·sis 気管支中心性肉芽腫症（アレルギー性気管支肺アスペルギルス症の重症型）．

bron·cho·con·stric·tion (brong′kō-kŏn-strik′shŭn)．気管支収縮．

bron·cho·con·stric·tor (brong′kō-kŏn-strik′tŏr)．*1*〚adj.〛気管支収縮〔性〕の（気管支管腔の縮小を起こす）．*2*〚n.〛気管支収縮薬（*1* の作用をもつ薬物．例えば，ヒスタミン）．

bron·cho·di·la·tion (brong′kō-dī-lā′shŭn)．気管支拡張（薬理学的活性物質または自律神経活動に反応して，気管支と細気管支の管腔が広がること）．

bron·cho·di·la·tor (brong′kō-dī′lā-tŏr)．*1*〚adj.〛気管支拡張〔性〕の（気管支口径の拡大を引き起こす）．*2*〚n.〛気管支拡張薬（*1* の作用をもつ薬物．例えば，エピネフリン）．

bron·cho·e·soph·a·gol·o·gy (brong′kō-ē-sof-ă-gol′ō-jē)．気管食道科学（内視鏡やその他の手段により，気管気管支および食道の疾患を診断・治療する専門分野）．= broncho-oesophagology.

bron·cho·e·soph·a·gos·co·py (brong′kō-ē-sof-ă-gos′kŏ-pē)．気管支食道鏡検査〔法〕（内視鏡による気管気管支および食道の検査）．= broncho-oesophagoscopy.

bron·cho·fi·ber·scope (brong′kō-fī′bĕr-skōp)．気管支ファイバースコープ（気管気管支を視診するため特別に用いるファイバー気管支鏡）．

bronchofibrescope [Br.]．= bronchofiberscope.

bron·cho·gen·ic (brong′kō-jen′ik)．気管支原性の．= bronchiogenic.

bron·cho·gen·ic car·ci·no·ma 気管支原性癌（かつては気管原発の癌のことで，たいていは扁平上皮癌ないし小細胞癌であったが，今はすべての肺癌をさすことになっている．扁平上皮癌，類表皮癌，小細胞癌，大細胞癌，腺癌を含む．X線的には拡大する肺の陰影塊として観察される．悪性細胞を喀痰中に認める．この癌は早くから胸部リンパ節へ転移し，血流により脳，副腎，その他の臓器へ転移する）．

bron·cho·gen·ic cyst 気管支性嚢胞（気管支への分化を意味する線毛円柱上皮に被包された嚢胞．平滑筋や粘膜腺も認めることがある）．

bron·cho·gram (brong′kō-gram)．気管支造影（撮影）図（気管支造影法で得られるX線写真．気管支のX線造影）．

bron·chog·ra·phy (brong-kog′ră-fē)．気管支造影（撮影）〔法〕（ある種の放射線不透過物質の1つを注入して行う気管気管支のX線検査）．

bron·cho·lith (brong′kō-lith)．気管支結石（気管支における硬い凝塊）．

bron·cho·li·thi·a·sis (brong′kō-li-thī′ă-sis)．気管支結石症（気管支結石によって起こる気管支の炎症または気管支閉塞）．

bron·cho·ma·la·ci·a (brong′kō-mă-lā′shē-ă)．気管支軟化〔症〕（気管気管支の弾性および結合組織の変性）．

bron·cho·my·co·sis (brong′kō-mī-kō′sis)．気管支真菌症（気管支真菌疾患全般をさす）．

broncho-oesophagology [Br.]．= bronchoesophagology.

broncho-oesophagoscopy [Br.]．= bronchoesophagoscopy.

bron·choph·o·ny (brong-kof′ŏ-nē). 気管支声（硬化した肺組織に囲まれた気管支部分の体表より聞こえる増強された明瞭な声音. →tracheophony）.

bron·cho·plas·ty (brong′kō-plas-tē). 気管支形成〔術〕（気管支の構造を外科的に変化させること）.

bron·cho·pleu·ral fis·tu·la (BPF) 気管支胸腔瘻（気管支と胸膜腔の間の交通. 通常, 壊死性肺炎や膿胸により生じるが, 肺手術や放射線照射後に生じることもある）. = BP fistula.

bron·cho·pneu·mo·ni·a (brong′ko-nū-mō′nē-ă). 気管支肺炎（細気管支周囲の肺胞の肺胞管への炎症の広がりによって起こる不規則な硬変を伴う小気管支壁の急性炎症. 融合性または出血性を呈する場合もある）. = bronchial pneumonia.

bron·cho·pul·mo·nar·y (brong′kō-pul′mŏ-nār-ē). 気管支肺の（気管支と肺に関する）.

bron·cho·pul·mo·nar·y dys·pla·si·a 気管支肺形成異常(異形成)（未熟児に主としてみられる慢性肺不全. 生後1か月で持続的酸素供給が臨床的に必要と定義され, 典型例は陽圧換気を必要とする幼児にみられる）.

bron·cho·pul·mo·nar·y lymph nodes 気管支肺リンパ節（肺門にあるリンパ節群. 肺リンパ節からのリンパを受け取り気管気管支リンパ節に注ぐ）. = bronchial glands(1).

bron·cho·pul·mo·nar·y seg·ment 気管支肺区域（外科的に切除可能な肺葉の最小単位区域で, 第三次気管支(区気管支)と第三次動脈(区動脈)が分布している領域. 通常, 右肺は10区であるが, 左肺は上葉の肺尖区と後区が癒合し, 下葉の前肺底区と内側肺底区が癒合するなどで8—9区になっている）.

bron·cho·pul·mo·nar·y se·ques·tra·tion 気管支肺分離片形成〔症〕（ある範囲の肺組織が, 発育の途中で, 残りの肺から孤立してしまう先天異常. その部分の気管支は通常, 拡張または嚢胞性となり, 気管支の分岐とはつながっていない. 大動脈の分岐から血液の供給を受ける）.

bron·chor·rha·phy (brong-kōr′ă-fē). 気管支縫合〔術〕（気管支の創の縫合）.

bron·chor·rhe·a (brong′kŏ-rē′ă). 気管支漏（気管支粘膜からの粘液の過剰分泌）. = bronchorrhoea.

bronchorrhoea [Br.]. = bronchorrhea.

bron·cho·scope (brong′kō-skōp). 気管支鏡（気管気管支の内部を観察するための内視鏡）.

bron·chos·co·py (brong-kos′kŏ-pē). 気管支鏡検査〔法〕（気管支鏡による気管気管支内部の視診）.

bron·cho·spasm (brong′kō-spazm). 気管支痙攣（気管支および細気管支壁の平滑筋の収縮で, 気管支管腔の狭窄を起こす）.

bron·cho·spi·rog·ra·phy (brong′kō-spī-rog′ră-fē). 〔左右別〕気管支肺容量測定〔法〕, ブロンコスパイログラフィ, 気管支呼吸計測〔法〕（単腔の気管支チューブを用いて, 片肺の換気機能を測定する方法）.

bron·cho·spi·rom·e·ter (brong′kō-spī-rom′ĕ-tĕr). 〔左右別〕気管支肺容量測定器, 〔左右別〕気管支呼吸測定器, 気管支呼吸計（Carlen 管などの二重管腔気管支チューブを使って, 左右肺別々に気流の流速, 流量を測定するのに用いる装置）.

bron·cho·spi·rom·e·try (brong′kō-spī-rom′ĕ-trē). 〔左右別〕気管支肺容量測定〔法〕, 気管支肺機能測定, 左右別肺機能検査, ブロンコスパイロメトリ（左右肺別々の呼吸機能を決定するために, 左右別肺機能測定器具(Carlen 二重管腔カテーテル)を用いる方法）.

bron·cho·stax·is (brong′kō-stak′sis). 気管支〔滴状〕出血.

bron·cho·ste·no·sis (brong′kō-stĕ-nō′sis). 気管支狭窄（気管支の慢性的な狭窄）.

bron·chos·to·my (brong-kos′tŏ-mē). 気管支造瘻術（気管支への新しい開口部の外科的形成）.

bron·chot·o·my (brong-kot′ŏ-mē). 気管支切開〔術〕.

bron·cho·tra·che·al (brong′kō-trā′kē-ăl). 気管支気管の（気管支と気管に関する）.

bron·cho·ve·sic·u·lar (brong′kō-vĕ-sik′yū-lăr). 気管支肺胞の（気管と肺胞についていう. 特に聴診で聞かれる肺音に関係）. = bronchoalveolar.

bron·chus, pl. bron·chi (brong′kŭs, brong′kī). 気管支（気管の細区分の1つで, 肺に出入りする空気を運ぶ役目を果たす. 気管は左右の主気管支に分かれ, 各々が分岐して葉気管支, 区域気管支, 細気管支となる. 構造的には, 肺内気管支は, 多列線毛円柱上皮と, 縦走する網状の弾性線維に富む固有層を有する. 平滑筋束はらせん状に配列し, 粘膜漿液腺に富む. また外壁部には不規則なヒアリン様軟骨板がある）.

bron·chus-as·so·ci·at·ed lym·phoid tis·sue (BALT) 傍気管支リンパ組織（BおよびTリンパ球を主体として構成されるリンパ組織片で, 肺の気管支気道全体に広がる）.

Brøn·sted ac·id ブレンステズ(ブレンステッド)酸（プロトン供与体として定義されたときの酸の呼称）.

Brøn·sted base ブレンステズ(ブレンステッド)塩基（陽子と結合する分子あるいはイオン. 例えば, OH^-, CN^-, NH_3. 以前の, より限定された base(3)の定義に取って代わる定義）.

Brøn·sted the·o·ry ブレンステズ(ブレンステッド)説（酸は電荷のいかんを問わず溶液中で水素イオンを遊離する物質と規定し, 塩基は水素イオンを溶液から除去する物質と規定している. 弱電解質および緩衝剤の概念に有益な説. *cf.* Brønsted acid; Brønsted base）.

bron·to·pho·bi·a (bron′tō-fō′bē-ă). 雷鳴恐怖〔症〕（雷に対する病的な恐れ）.

bronze di·a·be·tes, bronzed dis·ease 青銅色糖尿病（ヘモクロマトーシスを伴う糖尿病で, 皮膚, 肝臓, 膵臓その他内臓における鉄分の沈着を伴い, しばしば重度の肝臓障害および糖尿を合併する. →hemochromatosis）.

Brooke tu·mor ブルック腫〔瘍〕. = trichoepithe-

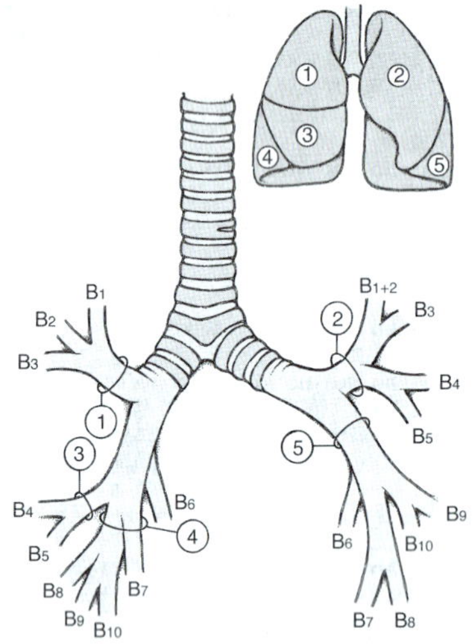

①
②
③
④
⑤
B1
B2
B3
B4
B5
B6
B7
B8
B9
B10
B1+2

segmental bronchi

［右肺］B_1：肺尖枝，B_2：後上葉枝，B_3：前上葉枝，B_4：外側中葉枝，B_5：内側中葉枝，B_6：上-下葉枝，B_7：内側肺底枝，B_8：前肺底枝，B_9：外側肺底枝，B_{10}：後肺底枝

［左肺］B_{1+2}：肺尖後枝，B_3：前上葉枝，B_4：上舌枝，B_5：下舌枝，B_6：上-下葉枝，B_7：内側肺底枝，B_8：前肺底枝，B_9：外側肺底枝，B_{10}：後肺底枝

［肺葉］1：右上葉，2：左上葉，3：右中葉，4：右下葉，5：左下葉に区分される

lioma.

broom (brūm). エニシダ（キティシス・スコパリウス科の薬草．便通薬，利尿薬，吐薬としての効果があるとされる．流産を起こすことで知られる．過量摂取で中毒を起こす可能性がある．治療効果は立証されていない）. = broom top; hogweed; Irish tops; Scotch broom.

broom·top (brūm′top). = broom.

brow (brow). ***1*** 眉毛（一eyebrow）. ***2*** 前頭，額，ひたい. = forehead.

brow·lift (brow′lift). 睫毛挙上（睫毛を挙上する手術）.

brown ad·i·pose = brown fat.

brown ad·i·pose tis·sue 褐色脂肪組織. = brown *fat*.

brown fat 褐色脂肪（主に満期産の新生児の大血管周囲にみられる脂肪組織で体温調節に関与する．乳児期には白く変色する）. = brown adipose tissue; hibernating gland; interscapular gland; interscapular hibernoma; multilocular adipose tissue; multilocular fat.

brown·i·an move·ment ブラウン運動（不規則なジグザグ運動．ある種のコロイド溶液を限外顕微鏡で観察したり，軽粒子物質の懸濁液を顕微鏡で観察したりする．懸濁媒質の中で分子が大型粒子に突き当たることによりこの現象が起こり，持続的運動となる）. = molecular movement; pedesis.

brown in·du·ra·tion of the lung 肺の褐色硬化（肺の硬化および肺胞内のヘモジデリンの沈着したマクロファージによる褐色を特徴とする状態で，心疾患による長期うっ血の結果起こる）.

brown rec·luse spi·der = recluse spider.

Brown-Sé·quard syn·drome ブラウン-セカール症候群（片側脊髄病変の症候群で，病変側に固有感覚喪失と脱力が起こり，反対側に温痛覚喪失が起こる）.

brow pre·sen·ta·tion 額位（一cephalic presentation）.

Bru·cel·la (brū-sel′lă). ブルセラ属（短い杆状から球状のグラム陰性細胞を含む莢膜を有する非運動性細菌（ブルセラ科）の一属．これらの細菌は炭水化物から気体を生成しない．寄生性で，すべての動物組織に侵入し，生殖器，乳腺，気道，腸管の感染を引き起こし，ヒトおよび多種の家畜に対して病原性を示す）.

Bru·cel·la a·bor·tus ウシ流産菌（ヒトの波状熱を起こす細菌種）. = Bang bacillus.

Bru·cel·la·ce·ae (brū-sel-ā′sē-ē). ブルセラ科（単独，対，短鎖または群をなして存在する小型の球状から杆状グラム陰性細胞を含む真正細菌目細菌の一科．両極染色を示す場合と示さない場合，運動性のものと非運動性のものとがある．これらの細菌は，寄生性でヒトを含む温血動物に対して病原体となる．標準属は *Brucella*）.

Bru·cel·la me·li·ten·sis マルタ熱菌（ヒトのブルセラ症を起こす細菌種．*Brucella* 属の標準種）.

Bru·cel·la su·is ブタ流産菌（ヒトのブルセラ症を起こす細菌種．ウマ，イヌ，ウシ，サル，ヤギ，実験動物に感染する場合もある）.

bru·cel·lo·sis (brū-sel-ō′sis). ブルセラ症（*Brucella* 属の細菌によって起こる伝染病で，発熱，発汗，衰弱，疼痛を特徴とする．罹患動物との直接の接触や菌が寄生した肉，ミルク，チーズの摂取によってヒトに感染する）. = undulant fever.

Bruce pro·to·col ブルース試験（(動く歩道状の)トレッドミルの速度と高さを多段階的に増加させて心電図モニター下の運動負荷のための標準化した試験．冠動脈疾患による虚血状態を判定する．→stress test）.

Bruch mem·brane ブルーフ膜. = lamina basalis choroideae.

Bruck dis·ease ブルック病（骨形成不全症，関節強直，筋萎縮を伴う病気）.

Brud·zin·ski sign ブルジンスキー徴候（①髄膜炎の場合，片側の脚が屈曲されると他方の脚にも同様の動きが起こる．②髄膜炎の場合，仰臥位で首を屈曲させると不随意に膝と股関節の屈曲が起こる）.

Brug fil·a·ri·a·sis ブルグ糸状虫症（フィラリアの *Brugia malayi* による感染症．リンパ節炎，

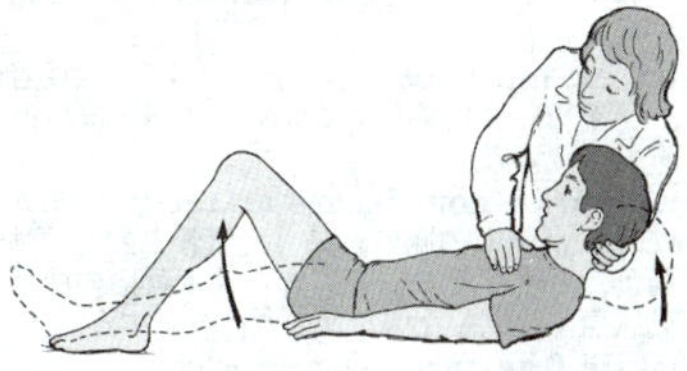

Brudzinski sign
髄膜炎の場合，仰臥位で首を屈曲させると不随意に膝と股関節の屈曲が起こる．

発熱，リンパ管炎，ときには象皮病を起こす．主に東南アジア，インド，インドネシア，中国，日本，韓国，フィリピンで発症する．㊎マレー糸状虫症と同義）．

bruise (brūz). ***1*** 〚n.〛挫傷，打撲傷（皮膚に裂創はないが，血腫や広範な溢血を生じる損傷）．***2*** 〚v.〛挫傷(打撲傷)を負わせる．= contuse.

bru·it (brū-ē′). 雑音（粗い，楽曲様で，断続性の聴診音．特に異常音についていう）．

bru·it de tam·bour 太鼓状血管雑音（大動脈部位に聞かれる第2心音で，反響性の楽音状の音を呈する．梅毒性大動脈疾患の後に合併する）．

Brun·ner glands ブルンナー腺．= duodenal glands.

brun·nes·cent cat·a·ract 褐色白内障（角膜が硬くなり暗褐色化する白内障）．= black cataract.

Brunn mem·brane ブルン膜（鼻の嗅部の上皮）．

Brunn·strom meth·od ブルンストーム法（肢運動と胴運動の相乗効果に基づいた作業療法若しくは理学療法アプローチ．神経障害患者の回復に合わせた6つの分類がある．→proprioceptive neuromusculer facilitation）．

Brunn·strom move·ment ther·a·py ブルンストーム運動治療（肢運動と胴運動の相乗効果に基づいた運動を作業療法士若しくは理学療法士が活用する治療アプローチ．神経障害患者の回復に合わせた6つの分類から成る）．

Bruns a·tax·i·a ブルンス運動失調（足が地面に接している時は前方に足を出すことが困難であるが，仰臥位では下肢の筋力，協調運動，前方運動が正常である運動失調．前頭葉の病変による）．= glue-footed gait; magnetic gait.

Bruns nys·tag·mus ブルンス眼振（一方向への水平注視時の細かい律動性(前庭性)眼球振とう．反対側注視において緩徐な大きな振幅(注視麻痺性)の眼球振とうを伴う．外側の脳幹の圧迫による．通常は聴神経腫のような小脳–橋角部腫瘍によって生じる）．

brush (brŭsh). ブラシ，はけ(刷毛)（動物の毛などの柔軟な物質を把手またはカテーテルの先端に付けた器具）．

brush bi·op·sy ブラシ生検，刷毛生検（ブラシを用いて病変部の表面をこすって，顕微鏡検査のための細胞および組織を採取する生検法）．

brush bor·der 刷子縁（ネフロンの近位細管の細胞上に存在するような，長さ約2 μmの密におおわれた微絨毛からなる先端の上皮表面）．

brush cath·e·ter ブラシカテーテル（細毛ブラシを先端にした尿管カテーテル．内視鏡的に尿管や腎盂に挿入し，緩やかに前後運動を行い，対象となる腫瘍の表面から細胞を擦過して採取する）．

Brush·field spots ブラッシュフィールド斑〔点〕（虹彩中央の表面にみられる明るい色の凝集．Down症候群でみられる）．

Bru·ton a·gam·ma·glob·u·li·ne·mi·a ブルトン無ガンマグロブリン血症（X連鎖遺伝で，低または無ガンマグロブリン血症がある．母体から移行した免疫グロブリンが減少する新生児期に顕在化する免疫不全）．

brux·ism (brŭk′sizm). 歯ぎしり（歯を強くかみしめて，側方または前方に下顎を動かすことによって，歯を磨擦したり，きしませたり，擦り合わせたりすること．一般に睡眠中に起こるが，ときには病的状態でも起こる．→parafunction）．

Bry·ant line ブライアント線（腸骨大腿三角の垂直な境界）．

Bry·ant sign ブライアント徴候（腋窩の皮膚ひだが下垂していることで，肩関節脱臼で見られる）．

Bry·ant trac·tion ブライアント牽引（両下肢を垂直に挙上する牽引法．特に小児の骨折に用いる）．

Bry·ant tri·an·gle ブライアント三角（上前腸骨棘の高さで体幹の周囲に *a* 線を引く．この線から，大腿骨大転子に垂線を引き *b* 線とする．さらに大転子から腸骨棘に引いた *c* 線で三角形がつくられる．大腿骨頸部骨折の際，大転子の上方転移は，*b* 線に沿って計測される）．= iliofemoral triangle.

BSA bovine serum albumin; body surface areaの略．

BSE breast self-examinationの略．

BSER brainstem evoked responseの略．

BSN Bachelor of Science in Nursing(看護学学士)の略．

BTPS 測定時の気圧・体温(37°C)・飽和水蒸気圧の条件下におけるガス容量を表す記号．肺容量の測定に用いる．

BTU British thermal unitの略．

bu·ba mad·re = mother yaw.

bu·bas (bū′băhs). ブバス．= yaws.

bub·ble gum der·ma·ti·tis 風船ガム皮膚炎（風船ガムをかむ小児の口周囲に生じるアレルギー性接触皮膚炎．ガムに含まれる合成樹脂によって起こる）．

bub·ble-through hu·mid·i·fi·er 気泡型加湿器（治療用ガス(例えば酸素)の泡を水に通して，ガスに湿度を与える装置）．

bu·bo (bū′bō). 横痃，よこね（通常，鼡径部における1個以上のリンパ節の炎症腫脹）．

B

bu·bon·al·gi·a (bū′bōn-al′jē-ă). 鼡径部痛（鼡径部の痛みを表すまれに用いる語）.

bu·bon·ic (bū-bon′ik). 横痃の.

bu·bon·ic plague 腺ペスト（鼡径部，腋窩，あるいは他の部位のリンパ節の炎症性腫脹を起こすペストの通常の病型）.

buc·ca, gen. & pl. **buc·cae** (bŭk′ă, bŭk′ē). 頬，ほほ. = cheek.

buc·cal (bŭk′ăl). 頬の，頬側の.

buc·cal ar·ter·y, buc·ci·na·tor ar·ter·y 頬動脈（顎動脈より起こり，頬筋，頬の皮膚と粘膜に分布する．顔面動脈の頬枝と吻合）. = arteria buccalis.

buc·cal branch·es of fa·cial nerve 顔面神経の頬筋枝（顔面神経の耳下腺神経叢から分枝する運動枝で，眼窩の下方，おとがいの上方で頬筋その他の表情筋に分布する）.

buc·cal glands 頬腺（頬の粘膜下組織にある多数のブドウ状の粘液漿液腺）. = genal glands.

buc·cal nerve 頬神経（三叉神経下顎枝の感覚枝の1つで，下顎枝の裏側を下行して頬筋上を下前方に走り，口角付近の頬粘膜と頬の皮膚に分布する）. = nervus buccalis.

buc·cal speech バッカル発語（頬と歯の間に空気を溜め，発音すると同時にその空気を押し出し音源を作る手法．喉頭が機能しないまたは無い場合に用いられる）.

buc·ci·na·tor mus·cle 頬筋（頬の顔面筋の1つ．起始：上下顎骨の歯槽後部，翼突下顎縫線．停止：口角さらに口輪筋の水平部にも放散する．作用：頬をすぼめる，口角を後ろに引く，食物のそしゃくに際して舌や口輪筋と協力して食物を歯列の内側に保持する働きをしているので，この筋が麻痺すると（例えば，Bell 麻痺）食物が歯列の外側にたまってしまう．神経支配：顔面神経）. = musculus buccinator.

bucco- 頬に関する連結形.

buc·co·gin·gi·val (bŭk′ō-jin′ji-văl). 頬面歯肉面の（頬と歯肉に関する）.

buc·co·la·bi·al (bŭk′ō-lā′bē-ăl). ***1*** 頬唇の（頬と唇の両方に関する）. ***2*** 頬面唇面の（歯科において，口唇粘膜と頬粘膜に接触している歯の表面，または歯列弓の面についていう）.

buc·co·lin·gual (bŭk′ō-ling′gwăl). ***1*** 頬舌の（頬と舌に関する）. ***2*** 頬面舌面の（歯科において，口唇粘膜または頬粘膜と舌に接触している歯の表面，または歯列弓の面についていう）.

buc·co·pha·ryn·ge·al (bŭk′ō-făr-in′jē-ăl). 頬咽頭の（頬と咽頭あるいは口と咽頭に関する）.

buc·co·ver·sion (bŭk′ō-vĕr-zhŭn). 頬側転位（正常な歯列より頬側にある臼歯の位置異常）.

buc·cu·la (buk′yū-lă). 二重頤（おとがい下の脂肪性腫脹）. = double chin.

bu·chu (bū′kū). ブッコ（仏古）（南アフリカ産のミカン科低木 *Barosma betulina* の乾燥葉．駆風薬，利尿，尿路消毒薬として用いる）.

Buch·wald at·ro·phy ブーフヴァルト萎縮（進行性皮膚萎縮の一型）.

buck·et-han·dle tear バケツ柄状断裂（①関節半月の中央部の断裂．②一側の膝関節半月板の縁近くおよびその弯曲に沿って生じた断裂で，それで生じた舌状の軟骨片が関節の動きを妨害する）.

Buck ex·ten·sion バック牽引〔装置〕（接着テープを用いて皮膚に力を加え，下腿を縦方向に牽引する装置）.

buck·led in·nom·i·nate ar·ter·y 腕頭動脈蛇行症（腕頭動脈の過長．右鎖骨上窩の拍動性腫瘍，X 線写真で右肺尖または上縦隔の腫瘍や動脈瘤に類似した像などの所見を呈する）.

buck·le frac·ture = torus fracture.

buck·thorn (bŭk′thōrn). クロウメモドキ（クロウメモドキ科の *Karwinskia humboldtiana* の低木で，一般に Coyotillo または Tullidora とよばれている．乾燥した米国西南部にみつかっている．強い毒性をもつ未同定の神経毒素を含有している．→polyneuropathy）. = common buckthorn; waythorn.

buck tooth 前突歯（唇側転位している前歯）.

Buck·y di·a·phragm バッキー絞り（可動格子のついた絞りの一種．X 線像に格子の影が映らないようにできている）. = Potter-Bucky diaphragm.

bud (bŭd). ***1*** 〘n.〙 芽，蕾（植物の芽に似た生長物で，通常は多能性で，ある特定の構造物に分化・成長することができる）. ***2*** 〘v.〙 発芽する，出芽する（→gemmation）. ***3*** 〘n.〙 出芽（親細胞からの出芽で無性生殖の一様式）.

Budd-Chi·a·ri syn·drome バッド-キアーリ症候群（肝静脈の血栓で，凝固能亢進や腫瘍，外傷，骨髄移植後にみられる．肝臓の大腫脹と副行血管の発達，難治性腹水を伴う）. = Rokitansky syndrome.

bud·ding (bŭd′ing). 発芽，出芽，分芽，芽生. = gemmation.

Budd syn·drome バッド症候群. = Chiari syndrome.

Buer·ger dis·ease バーガー（ビュルガー）病. = thromboangiitis obliterans.

Buer·ger sign バージャー徴候（高所での四肢の蒼白化と中毒時の発赤．進行性貧血の徴候である．著しく制限された動脈の流入量と末梢血管層の慢性的膨張，特に後毛細管小静脈の膨張によって引き起こされる）.

buf·fa·lo hump バッファロー瘤. = buffalo neck.

buf·fa·lo neck 野牛頸（中程度の後弯症に加えて厚く重い脂肪の塊が頸部にできる状態．特に Cushing 症候群の患者にみられる）.

buff·er (bŭf′ĕr). ***1*** 〘n.〙 緩衝剤（酸とその共役塩基との混合物塩，例えば，H_2CO_3/HCO_3^-; $H_2PO_4^-/HPO_4^{2-}$ で，溶液中に存在する場合，酸またはアルカリが加えられた際に起こる pH の変化を少なくする．→conjugate acid-base pair）. ***2*** 〘v.〙 溶液に緩衝剤を加えて，ある一定限度の量の酸やアルカリが加えられても pH 変化に抗する性質を与える.

buff·er val·ue 緩衝値（pH を変化させないで酸またはアルカリを吸収する溶液中の物質の能力．これはその緩衝液対の酸のほうの pK_a 値に等しい pH 値において，最大である）.

buf·fy coat 軟膜，バフィコート（血餅上層の低比重部分(すなわち凝固血漿と白血球)で，凝固の進行が緩徐で赤血球が沈降するのに十分な時間があるときに生じる．この部分は抗凝固処理血液を遠心分離した際に得られ，白血球と血小板を含む)．

buf·fy coat con·cen·tra·tion バフィコート凝集（全血に抗凝固剤を加え遠心すると白血球を含むバフィコート層が得られる．この層の細胞から血液塗抹標本を調製し，寄生虫(トリパノソーマ，細胞内のリーシュマニア)の存在を検査する)．

bug (bŭg). ***1*** トコジラミ，ナンキンムシ（異翅亜目に属する昆虫）. ***2*** 虫(昆虫やクモ類を意味する口語). ***3*** 病気(インフルエンザや感冒など急性の発熱を意味する俗語)．

bu·gle·weed (byū′gĕl-wēd). シロネ（薬草の一種．様々な形で使用される．収斂剤，麻酔薬，グレーブス病の治療に使用される．いくつかの臨床研究がなされている). = Carpenter's herb; gypsy weed; menta de lobo; sicklewort.

bulb (bŭlb). ***1*** 球（球形または紡錘状の構造). = bulbus. ***2*** 鱗茎（タマネギ，ニンニクのような植物の短い肥大した地下茎)．

bul·bar (bŭl′bahr). ***1*** 球の. ***2*** 延髄の（菱脳(後脳)についていう). ***3*** 球状の.

bul·bar my·e·li·tis 球脊髄炎（延髄の炎症)．

bul·bar pal·sy 球麻痺（いずれか，またはすべての脳神経の運動単位の弛緩性麻痺．球麻痺，顔面麻痺または舌下麻痺のように特定の神経が侵されることにより同定が可能である. →cranial nerves)．

bul·bar pa·ral·y·sis 球麻痺，延髄麻痺. = progressive bulbar paralysis.

bulb of cor·pus spon·gi·o·sum = bulb of penis.

bulb of eye 眼球. = eyeball.

bulb of hair 毛球（毛乳頭上にカップ様にかぶさる毛包の膨らんだ下端)．

bul·bi (bŭl′bī). bulbus の複数形.

bul·bi·tis (bŭl-bī′tis). 尿道球炎（尿道の球状部分の炎症)．

bulbo- 球状，球形に関する連結形.

bul·bo·cav·er·no·sus mus·cle 球海綿体筋. = bulbospongiosus muscle.

bul·boid (bŭl′boyd). 球状の，球様の.

bul·bo·spi·nal (bŭl′bō-spī′năl). 延髄脊髄の(特に延髄と脊髄を結ぶ神経線維に関する). = spinobulbar.

bul·bo·spon·gi·o·sus mus·cle 球海綿体筋(男性では，起始：尿道球背側会陰筋膜．停止：会陰腱中心，尿道球の遊離面の正中縫線．作用：意識的に尿を出し切るときや精液を痙攣的に射精するときの尿道球の収縮．女性では，起始：陰核背，海綿体，会陰膜．停止：会陰腱中心．神経支配：会陰神経．作用：弱い腟括約筋としての作用). = musculus bulbospongiosus; bulbocavernosus muscle; musculus bulbocavernosus; musculus ejaculator seminis; musculus sphincter vaginae; sphincter vaginae.

bul·bo·u·re·thral (bŭl′bō-yūr-ē′thrăl). 尿道球の（尿道球と尿道に関する). = urethrobulbar.

bul·bo·u·re·thral gland 尿道球腺（粘液分泌物を出す2つの小複合胞状腺で，海綿体球のすぐ上の尿道膜性部に沿って並んでいる．尿道海綿体部に小管を通じて分泌する). = Cowper gland.

bul·bous bou·gie 球頭ブジー（球状の先端をもつブジー．先端がドングリ状やオリーブ状のものもある)．

bulb of pe·nis 尿道球（陰茎の尿道海綿体近位部(後部)の膨らんだ部分で左右陰茎脚の間にある). = bulbus penis; bulb of corpus spongiosum; bulb of urethra.

bulb ther·mom·e·ter 球状温度計（大気の温度を記録するために用いられる標準的な温度計)．

bulb of u·re·thra 尿道球. = bulb of penis.

bul·bus, gen. & pl. **bul·bi** (bŭl′bŭs, -bī). 球. = bulb(1).

bul·bus a·or·tae 大動脈球. = aortic bulb.

bul·bus oc·u·li 眼球. = eyeball.

bul·bus ol·fac·to·ri·us 嗅球. = olfactory bulb.

bul·bus pe·nis 尿道球. = bulb of penis.

bulb of ves·ti·bule 前庭球（細い中間部によって前端で尿道に結合されている腟両側の勃起性組織の塊)．

bu·lim·i·a (bŭ-lē′mē-ă). 過食症. = bulimia nervosa.

bu·lim·i·a ner·vo·sa 神経性大食症（隠れて発作性に物を食べることが繰返し認められる慢性的な病態であり，短時間に大量の食物をコントロールできないままに速いスピードで摂取すること(気晴らし食い)が特徴である．その後に体重増加を防ごうと自発的な嘔吐，下剤の使用，絶食，激しい運動を認め，しばしば罪悪感，抑うつ，自己嫌悪感を伴う). = bulimia.

bu·lim·ic (bŭ-lē′mik). 過食症の（神経性大食症に関する，にかかる)．

bul·la, gen. & pl. **bul·lae** (bul′ă, -ē). ***1*** 水疱，ブラ（液体で満たされた直径1 cm以上の水疱で，表皮が表皮下組織から分離したもの(表皮下水疱)として，あるいは表皮細胞同士が分離したもの(表皮内水疱)としてみられる．血清の存在やときに注入された物質が原因となることもある). ***2*** 胞（気胞状構造)．

bull·dog for·ceps 止血用発条鉗子，ブルドッグ鉗子（血管を閉塞するのに用いる軟らかく圧迫する鉗子)．

bul·lec·to·my (bul-ek′tŏ-mē). 肺嚢胞切除術(巨大ブラが正常肺組織を圧迫するような気腫性肺嚢胞などの治療に有用)．

bul·let for·ceps 弾丸鉗子（鋸歯状の把握面をもった薄い弯曲葉の鉗子で，組織から弾丸を摘出するのに用いる)．

bull neck 牛頸（肥大した筋肉あるいは拡大した頸部リンパ節によって起こる肥厚した頸)．

bul·lous (bul′ŭs). 水疱性の.

bul·lous con·gen·i·tal ich·thy·o·si·form e·ryth·ro·der·ma 水疱型(性)先天性魚鱗癬様紅皮症（出生時にびまん性の潮紅，びらんがあり，その後鱗屑を生じる．成長するに従い軽快する傾向がある．全身の表皮融解性角化症（表皮解離性角質増殖症）generalized epidermolytic hyperkeratosis を特徴とする）．

bul·lous em·phy·se·ma 嚢胞性肺気腫（直径が1ないし数 cm の拡大した気腔をもつ気腫で，しばしば胸部X線写真でみられる．張力がかかった肺組織下の薄壁含気嚢胞で，単発あるいは多発性）．

bul·lous im·pe·ti·go of new·born 新生児水疱性膿痂疹（通常，広範囲にみられる播種性水疱性発疹で，生後まもなく現れる．黄色ブドウ球菌 *Staphylococcus aureus* の感染による）．= impetigo neonatorum (2); pemphigus gangrenosus (2)．

bul·lous ker·a·top·a·thy 水疱性角膜症（角膜の実質と上皮の浮腫．Fuchs 角膜上皮変性症，進行した緑内障，および虹彩毛様体炎，ときに眼内レンズ移植術後に起こる）．

bul·lous pem·phi·goid 水疱性類天疱瘡（老年者に最も頻繁に起こる慢性疾患で，概して良性．緊満性の棘融解を伴わない水疱が特徴で，血清抗体が表皮基底膜のヘミデスモソームに局在し，表皮全層を剥離する原因となる）．

bull's eye rash 牛眼紅斑（2つ以上の同心円紅斑から成る発疹）．

Bum·ke pu·pil ブムケ瞳孔（不安その他の精神刺激に反応する瞳孔散大）．

BUN (bŭn)．blood urea nitrogen の略．カナダでは使われなくなりつつある．

bun·dle (bŭn′dĕl)．束（筋肉あるいは神経線維の集団からなる構造）．

bun·dle-branch block 脚ブロック（His 束の2主枝の一方における伝導障害による心室内ブロック．心電図では QRS 群の延長がみられる．右脚でも左脚のブロックでも明瞭な QRS 波形を示す）．

bund·led code バンドルド・コード（通常独立した複数の医療サービスが，分類と支払いの目的で単体のものと見なされる場合）．

bun·ion (bŭn′yŏn)．バニオン，腱膜瘤（第一中足指節関節の内側または背側に生じる限局性腫脹．滑液包の炎症によって起こる．内側のバニオンは通常，外反母趾に合併する）．

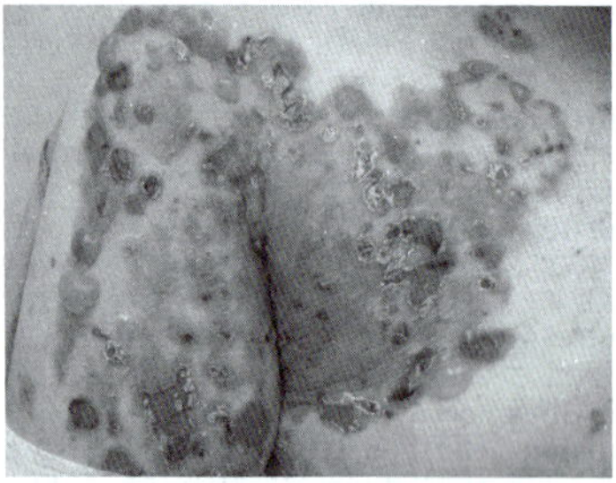

bullous pemphigoid: 腕～胸部

bun·ion·ec·to·my (bŭn-yŏn-ek′tō-mē)．バニオン切除〔術〕，腱膜瘤切除〔術〕．

Bun·nell su·ture バネル縫合（ボタンに固定した引抜き用針金を用いた腱縫合術）．

bun·o·dont (bū′nō-dont)．鈍頭歯のある，丘状歯のある（円形または円錐形咬頭の臼歯をもつ）．

Bun·sen burn·er ブンゼンバーナー，ブンゼン灯（炭素を完全に燃焼させるため，側方に十分な空気を取り入れる孔が付いているガスバーナーで，高熱を発するが輝炎はあまりでない）．

Bun·sen sol·u·bil·i·ty co·ef·fi·cient (al·pha) ブンゼン溶解度係数（一定温度で1気圧(760 mmHg)の気体が1 mL の液体に溶ける mL 数を標準状態に換算したもの）．

bun·ya·vi·rus en·ceph·a·li·tis ブンヤウイルス脳炎（急激に発症する脳炎で，強い前頭部頭痛と軽度から中等度の発熱を伴う．ブンヤウイルス科 *Bunyavirus* 属のウイルスによって引き起こされる）．

buph·thal·mi·a, buph·thal·mus, buph·thal·mos (būf-thal′mē-ă, -thal′mŭs, -thal′mŏs)．牛眼（先天緑内障による眼球の膨大）．

bur (bŭr)．バー（①回転性切削工具．②眼科学で，角膜にはいり込んださびのリングを除去するために使われる道具．→burr）．

bur·dock (bŭr′dok)．ごぼう（薬草．様々な形に加工される（クリーム，強壮剤，液体等）．広い範囲の病気に対して使用される（関節炎，痛症候群，発疹等）．中毒になる可能性もある．安全性と効力は確立されていない）．= Beggar's buttons; cocklebur (2); wild gobo.

Bur·ger tri·an·gle ブルゲル三角（Einthoven 三角に比べ，より正確な心電図の前額面誘導の不等辺三角形．→Einthoven triangle）．

bur hole 穿孔（小さい外科用切除器具で切り開かれた骨の開口部）．

bur·ied flap 埋没皮弁（表皮を剥脱し，皮下組織へ移植する皮弁）．

bur·ied su·ture 埋伏縫合，埋没縫合（皮膚表面下に完全に隠れた縫合）．

Burk·hol·der·i·a (bŭrk-hol-der′ē-ă)．バークホルデリア属（芽胞非形成，運動性のグラム陰性杆菌の一属で，以前に *Pseudomonas* 属として分類されていたヒト病原体の重要な種を含む）．

Burk·hol·der·i·a cep·a·ci·a 腐敗したタマネギや臨床材料から見出される細菌種．通常は嚢胞性線維症患者の気道分泌物から発見され，しばしば多くの抗生剤に耐性である．旧名は *Pseudomonas cepacia*.

Burk·hol·der·i·a mal·le·i ウマやロバに感染性があって鼻疽とリンパ腺腫の原因となる細菌の一種．= *Pseudomonas mallei*.

Burk·hol·der·i·a pseu·do·mal·le·i 類鼻疽菌（熱帯地域において類鼻疽に罹患したヒトや他の動物，あるいは土壌中や水中で認められる細菌種）．

Bur·kitt lym·pho·ma バーキットリンパ腫（アフリカの小児に報告されている悪性リンパ腫の一種．しばしば下顎，腹部リンパ節を侵す．地理的分布がマラリアの流行地に一致しているようにみうけられる．原則的にB細胞の腫瘍で，ヘルペス科のEBウイルスが原因と考えられており，ウイルスを培養した腫瘍細胞から分離できる．同様の特徴をもつリンパ腫がときに米国でも報告されている）.

burn (bŭrn). ***1***【v.】やけどさせる，焼灼する（熱による病変，またはその他の物質による同様の病変を皮膚に生じさせる）. ***2***【n.】やけどのような痛み（過度の熱による痛み，あるいは他の原因による同様の痛みの感覚）. ***3***【n.】熱傷（熱またはその他の焼灼性の因子，例えば，摩擦，腐食剤，電気，電磁エネルギーなどにより生じた病変．熱傷の形態は原因によって比較的特有の形を示し，診断に役立つ．また熱傷はその深さにより3段階(I度，II度，III度)に分けられ，それぞれ皮膚障害の重症度(紅斑，水疱，炭化)を反映する）.

Bur·nett syn·drome バーネット症候群. = milk-alkali syndrome.

burn·ing mouth syn·drome 口内焼灼感症候群（口腔粘膜は正常であるにもかかわらず，患者が口内焼灼感を訴える状態．原因は不明である）.

burn·ing tongue = glossodynia.

burn·ing tongue syn·drome 舌焼灼感症候群. = burning mouth syndrome.

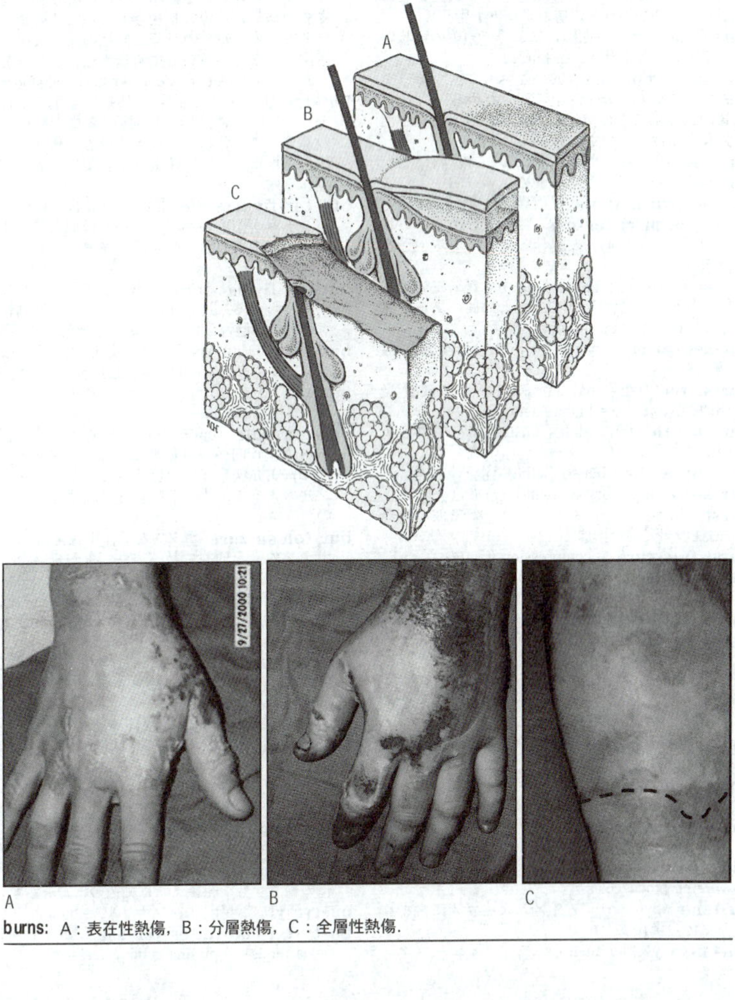
A
B
C
9/27/2000 10:21
A
B
C

burns: A：表在性熱傷，B：分層熱傷，C：全層性熱傷.

bur·nish·er (bŭr′nish-ĕr). 研磨器，バニッシャー（修復歯の表面や先端を研磨する器具）.
bur·nish·ing (bŭr′nish-ing). バーニッシング（表面が広い金属器具でこすることによって，歯冠形態を付与した後のアマルガムの表面を滑らかにしたり，金属修復物の辺縁をあわせること．この単語は象牙細管内に薬物を摺り込むことも指す）.
burn·out (bŭrn′owt). = overtraining syndrome.
Bu·row op·er·a·tion = Burow triangle.
Bu·row so·lu·tion ブーロヴ液（アルブミンの塩基性酢酸塩と氷酢酸の製剤．皮膚の防腐薬および収れん薬として用いる）.
Bu·row tri·an·gle ブーロヴ三角（有茎皮弁を前進させるときに，隣接組織をゆがめないため三角形に切除される皮膚および皮下脂肪）.
burr (bŭr). バー（開頭術において頭蓋の冠状鋸穴を拡大するドリル．*cf.* bur）.
bur·sa, pl. bur·sae (bŭr′să, -sē). 包，嚢（滑膜で包まれた盲嚢で，中に液をためる．例えば，骨の露出部または突出部，腱が骨の上を通る部分など摩擦されやすい部位に生じる）.
bur·sae (bŭr′sē). bursa（粘液嚢）の複数形.
bur·sal (bŭr′săl). 包の，嚢の.
bur·sal syn·o·vi·tis 滑液嚢滑膜炎. = bursitis.
bur·sa of pi·ri·for·mis 梨状筋滑液包（梨状筋の腱，上双子筋，大腿骨との間にある小さな滑液包）.
bur·sa of ten·do cal·ca·ne·us 踵骨腱の滑液包（踵骨腱と踵骨後面の上部との間にある滑液包）. = retrocalcaneal bursa.
bur·sec·to·my (bŭr-sek′tŏ-mē). 滑液包切除〔術〕.
bur·si·tis (bŭr-sī′tis). 滑液包炎，滑液嚢炎（滑液包の炎症）. = bursal synovitis.
bur·so·lith (bŭr′sō-lith). 滑液包結石（滑液包の中に生じた結石）.
bur·sop·a·thy (bŭr-sop′ă-thē). 滑液包疾患.
bur·sot·o·my (bŭr-sot′ŏ-mē). 滑液包切開〔術〕.
burst (bŭrst). バースト，群発，突発波，爆発（活性の突発的な増加）.
burst frac·ture = compression fracture.
Bur·ton line バートン線（鉛中毒でできる歯肉の自由縁の青い線）.
Bu·ru·li ul·cer ブルーリ潰瘍（*Mycobacterium ulcerans* 感染による皮下脂肪の広範な壊死を伴う皮膚の潰瘍）.
Bu·sac·ca nod·ules ブサカ結節（虹彩の瞳孔縁から離れた部位に存在する炎症性肉芽性結節）.
Busch·ke dis·ease ブシュケ病. = scleredema adultorum.
bush·y cho·ri·on 絨毛性絨毛膜. = villous chorion.
Bus·quet dis·ease ビュスケー病（足の甲の外骨腫を起こす中足骨骨膜炎）.
Bus·se-Busch·ke dis·ease ブッセ-ブシュケ病. = cryptococcosis.
bu·tane (byū′tān). ブタン（天然ガスに含まれる気体の炭化水素）.
bu·tan·o·yl (bū′tan-ō′il). ブタノイル（ブタン酸を構成する1価の基）. = butyryl.
butch·er's broom ナギイカダ（薬草の一種．腫脹の治療，利尿薬，緩下薬として効果があるとされている）. = Box holly; petigree; sweet broom.
bu·thi·o·nine sul·fox·i·mine ブチオニンスルホキシミン（グルタチオンの生合成阻害によりその細胞内濃度を減少させる化合物）.
but·ter (bŭt′ĕr). ***1*** バター（分離している脂肪球が混和され，液体残渣としてバター乳が残るまでクリームをかくはんまたは振とうして得られる粘着性の乳脂肪塊）. ***2*** バター様の硬さを多少もっている固形〔物〕.
but·ter·bur (bŭt′ĕr-bŭr). バターバー（セイヨウフキから作られる薬草．消化管，泌尿生殖器，皮膚の病気の治療に使用されている．肝毒性が有名である．殆どの薬草と同様に調合段階での活性剤水準は製造業者や製造手法によって様々である）. = Sweet coltsfoot; Western coltsfoot.
but·ter·fly (bŭt′ĕr-flī). ***1*** 蝶形物（羽を広げたチョウに似た構造または器具）. ***2*** 蝶形紅斑（鼻の部分で細く帯状に連なっている両頬部の鱗屑性紅斑性皮疹．紅斑性狼瘡や脂漏性皮膚炎でみられる）.
but·ter·fly nee·dle 翼状針（翼状の曲げやすいつまみが中心のハブについた静脈針．つまみは挿入時の取っ手，挿入後は皮膚の留め金として機能する）.
but·ter·fly pat·tern 蝶形陰影（胸部写真においてみられる，辺縁部には変化がない両側性の対称的な肺胞性陰影で，一般に肺水腫による）.
but·tocks (bŭt′ŏks). 殿部，しり（殿筋により両側につくられた隆起）. = nates; breech; clunes.
but·ton (bŭt′ŏn). ボタン（こぶ状の構造，病巣，または装置）.
but·ton·hole (bŭt′ŏn-hōl). ボタン穴（①腔内あるいは管内への直線形小切開．②例えば，極端な僧帽弁狭窄症におけるいわゆる僧帽弁ボタン穴のような，孔口が収縮して細隙となったもの）.
but·ton su·ture ボタン縫合，平板縫合（糸をボタンの穴を通して結ぶ方法．糸が組織を切る危険のあるときに用いる）.
but·tress plate 支持プレート（骨折の内固定を維持し，転位を予防するために用いる金属プレート）.
bu·tyl (byū′til). ブチル（*n*-ブタンを構成する1価の基）.
bu·ty·ra·ce·ous (byū′tir-ā′shē-ŭs). バター状の（硬さがバターのような）.
bu·ty·rate (byū′ti-rāt). 酪酸塩またはエステル.
bu·tyr·ic ac·id 酪酸（不快なにおいのある酸で，バター，肝油，汗，その他多くの物質に存在する）.
bu·ty·roid (byū′ti-royd). バター状の（①バターのような．②バターに似ている）.
bu·tyr·ous (byū′tir-ŭs). バター様の（バター様の硬さをもつ組織または細菌の増殖を示す）.
bu·tyr·yl (byū′tir-il). ブチリル. = butanoyl.
bu·ty·ryl·cho·lin·es·ter·ase (byū′tir-il-kō′lin-es′tĕr-ās). = plasma cholinesterase.

Buz·zard ma·neu·ver バザード操作（膝蓋反射の検査法．患者を座らせ，足指を床につけさせて行う）．

B19 vi·rus B19ウイルス（ヒトパルボウイルスで，血管炎，関節痛，伝染性紅斑や溶血性貧血における再生不良発作などのいくつかの特殊な臨床像に関与する）．

BVM bag-valve-mask deviceの略．

By·ars flap 尿道索や尿道下裂の患者において陰茎腹部を被覆するために背側包皮で作成した皮弁．

by·pass (bī′pas). ***1*** 〖n.〗バイパス，副〔血〕行路，側副路（シャント，補助的流れ）．***2*** 〖v.〗バイパス〔を形成〕する（1つの構造からもう1つの構造にう回路を経て新しい流れをつくる．→ shunt）．

bys·si·no·sis (bis′i-nō′sis). 綿肺〔症〕，綿線維沈着〔症〕，綿花肺（未加工の綿，亜麻，大麻を扱う作業をする人々の閉塞性疾患．ほこりに含まれる物質に対する反応による）．

by·stand·er ly·sis 巻き添え溶解（補体の活性化が起こっている場所の近くの細胞が補体を介した溶解を受けること）．

BZ 3-キヌクリジニルベンジレートのNATOコード．結晶性固体の化学兵器剤で特定の有機溶剤中で溶解する．抗コリン性グリコール酸塩．典型的な抗コリン性効果や独特な幻想，錯覚効果を引き起こす．

C

C *1* large calorie; carbon; cathodal; cathode; Celsius; cervical vertebra (C1-C7); closure (of an electrical circuit); congius (gallon); contraction; coulomb; curie; cylinder; cylindric lens; cytidine; cysteine; cytosine; component of complement (C1-C9); 多基質酵素触媒反応の第 3 番目の基質の略または記号. *2* 下付き文字が付く場合，例えば，C_{In} は物質(例えば，イヌリン)の腎クリアランスを示す．下付き数字が付く場合，例えば，C_{19} は分子中の 19 個の炭素原子数を示す．

c *1* centi-; small calorie; centum; concentration; 真空中での光速度; circumference の略または記号. curie の略. *2* 下付き文字として毛細血管 blood capillary を示す．

CA cancer; carcinoma; cardiac arrest; chronologic age; cytosine arabinoside の略．暴動鎮圧に用いるブロモベンジルシアニドの NATO コード．

CA-125 cancer antigen 125(CA-125) test の略.

Ca cancer; carcinoma の略．calcium の記号．

CA-125 an·ti·gen CA-125 抗原（腫瘍マーカの 1 つ．進行性卵巣癌の 85%で上昇する．→cancer antigen 125(CA-125) test).

CA-15-3 an·ti·gen CA-15-3 抗原（腫瘍抗原．乳癌患者で高くなることがある).

CA-19-9 an·ti·gen CA-19-9 抗原（胆管癌，膵臓癌でみられる腫瘍抗原).

cab·bage (kab′ăj). キャベツ（一般的な食材．数少ない動物実験によって，がん予防の可能性が示されている).

CABG coronary artery bypass graft の略.

ca·ble graft 索移植片（多数の神経線維からなる移植片で，軸索を再生するための経路として整えられたもの).

Cab·ot ring bod·ies キャボット環状体（Wright 染色により赤く染色される環状または 8 の字形構造で，重症貧血の赤血球に存在し，核膜の遺残物と考えられる．好塩基性の退行変性過程の一型).

ca·chec·tic (kă-kek′tik). 悪液質の.

ca·chex·i·a (kă-kek′sē-ă). 悪液質（慢性疾患または情動障害の経過中に起こる全身的な体重減少とるいそう).

ca·chex·i·a hy·po·phys·e·o·pri·va 下垂体除去性悪液質（脳下垂体の完全摘出後に起こる汎下垂体機能低下症．体温低下，電解質アンバランス，低血糖を特徴とし，昏睡，死に至る).

ca·chex·i·a stru·mi·pri·va 甲状腺腫切除性悪液質. = cachexia thyropriva.

ca·chex·i·a thy·ro·pri·va 甲状腺切除性悪液質（手術，放射線療法，あるいは種々の疾患により甲状腺組織が喪失した結果起こる甲状腺機能低下症の徴候と症状(粘液水腫を伴う場合と伴わない場合がある)). = cachexia strumipriva.

cach·in·na·tion (kak′i-nā′shŭn). 高笑い（統合失調症によくみられる明白な理由のない笑い).

caco-, cac-, caci- 悪い，病的な，を意味する連結形. *cf.* mal-.

cac·o·de·mo·no·ma·ni·a (kak′ŏ-dē-mŏ-nō-mā′nē-ă). 悪霊憑依（悪霊に憑かれたという妄想を抱く精神医学的状態).

cac·o·geu·si·a (kak′ō-gū′sē-ă). 悪味，異常味覚.

ca·co·gra·phy (kak-og′ră-fē). 悪筆（粗末な筆跡).

cac·o·me·li·a (kak′ō-mē′lē-ă). 四肢奇形（1 肢または複数肢の先天的変形).

ca·cos·mi·a (kă-koz′mē-ă). 悪臭，異常嗅覚（悪臭物質，鉤状回てんかん，妄想による).

cac·u·men, pl. cac·u·mi·na (kak-ū′men, -mi-nă). 頂（植物または解剖学的構造の頂上または先端).

CAD coronary artery disease の略.

ca·dav·er (kă-dav′ĕr). 死体. = corpse.

ca·dav·er·ic (kă-dav′ĕr-ik). 死体の.

ca·dav·er·ine (kă-dav′ĕr-in). カダベリン（悪臭のあるジアミン．リジンの細菌性脱炭酸によって生じる．有毒で皮膚に対して刺激性がある).

ca·dav·er·ous (kă-dav′ĕr-ŭs). 死体のような（蒼白で死体のような外観についていう).

cad·her·in (kad-hēr′in). カドヘリン（膜内在性糖蛋白群の 1 つで，細胞間接着作用をもち，形態形成や分化に重要である．E-カドヘリンは，ウボモルリンともよばれ，上皮細胞のベルトデスモソームに集中分布している．N-カドヘリンは神経，筋肉，水晶体細胞に分布する．N-カドヘリンは，神経凝集体の構造を維持させる．P-カドヘリンは胎盤や表皮細胞に存在する).

cad·mi·um (Cd) (kad′mē-ŭm). カドミウム（金属元素．記号原子番号 48，原子量 112.411．塩は有毒で，医学ではほとんど用いない．カドミウムの種々の化合物は冶金学，写真術，電子化学などにおいて商業的に用いられており，少数が回虫撲滅薬，防腐薬，殺真菌薬として用いられてきた).

ca·du·ce·us (kă-dū′sē-ŭs). 2 匹のヘビが反対方向からからまり 2 枚の翼を冠したつえ．米国陸軍軍医部隊 U. S. Army Medical Corps の記章. →staff of Aesculapius.

cae- この形で始まる語は ce- で始まる語参照.

caec- [Br.]. = cec-.

caeca [Br.]. = ceca.

caecal [Br.]. = cecal.

caecectomy [Br.]. = cecectomy.

caecitis [Br.]. = cecitis.

caeco- [Br.]. = ceco-.

caecocentral scotom [Br.]. = cecocentral scotoma.

caecocolostomy [Br.]. = cecocolostomy.

caecoileostomy [Br.]. =-stomy.

caecopexy [Br.]. = cecopexy.

caecoplication [Br.]. = cecoplication.

caecorrhaphy [Br.]. = cecorrhaphy.

caecosigmoidostomy [Br.]. = cecosigmoidostomy.
caecostomy [Br.]. = cecostomy.
caecotomy [Br.]. = cecotomy.
caecoureterocele [Br.]. = cecoureterocele.
caecum [Br.]. = cecum.
Caesarean hysterectomy [Br.]. = cesarean hysterectomy.
Caesarean section [Br.]. = cesarean section.
caesium [Br.]. = cesium.
caf·é au lait spot カフェオレ斑（神経線維腫症によくみられる，胴体，下腹部，肘や膝のしわにある褐色の斑点）.
ca·fé cor·o·nar·y コーヒー冠動脈（食物が密着し，声門が閉じた結果起こる食事中の急激な虚脱．誤って冠状動脈疾患によって起こると考えられることが多い）.
caf·feine (kaf′ēn). カフェイン（チャノキ *Thea sinensis* の乾燥葉またはコーヒーノキ *Coffea arabica* の乾燥種子から得られるアルカロイド．中枢神経刺激薬，利尿薬，循環・呼吸器興奮薬として，または頭痛の治療の補助に用いる）.
caf·fein·ism (kaf′ēn-izm). カフェイン中毒〔症〕（いらいら，振せん，神経過敏，興奮，睡眠障害，顔面の潮紅，排尿過多，および消化器系の症状を特徴とするカフェイン中毒で，カフェイン含有物質の過剰摂取によって起こる）.
cage (kāj). おり，ケージ，かご（①部分的にあるいは完全に内部の見える囲い．通常，家畜を収容するために用いる．②①のような囲いに似た構造）. = cavea.
Ca·got ear カゴー耳（耳垂が欠如した耳介）.
Cain com·plex カイン・コンプレックス（憎悪にまで至る兄・弟に対する極度のねたみや嫉妬）.
cais·son dis·ease 潜函病. = decompression sickness.
Ca·jal as·tro·cyte stain カハル星状細胞染色〔法〕（塩化金と塩化第二水銀を含む溶液中に浸して星状細胞を証明する方法）.
Ca·jal nu·cle·us カハール核（内側縦束の吻側端にある神経細胞の集合体．前庭神経核との間と相互投射があり，また脊髄とも連絡している）. = interstitial nucleus.
cake kid·ney 菓子状腎（奇怪な形状の不規則に分葉化した器官で，通常は骨盤内の正中線上にあり，腎原基の融合により生じたもの）.
cal small calorie の略.
cal·a·mus (kal′ă-mŭs). アシの形をした構造.
cal·a·mus scrip·to·ri·us 筆尖（菱形窩の下部．2つの薄束結節の間の第4脳室の細くなった下端）.
calcaemia [Br.]. = calcemia.
cal·ca·ne·al, cal·ca·ne·an (kal-kā′nē-ăl, kal-kā′nē-ăn). 踵骨の.
cal·ca·ne·al a·poph·y·si·tis 踵骨骨端炎. = Sever disease.
cal·ca·ne·al ar·ter·ies 踵骨動脈. = calcaneal branches.
cal·ca·ne·al branch·es 踵骨動脈（①後脛骨動脈から踵骨部諸構造へ向かう枝．②腓骨動脈から踵骨部諸構造へ向かう枝）. = rami calcanei; calcaneal arteries.
cal·ca·ne·al pe·te·chi·ae 踵部の角層内での外傷性出血で，中央が黒色点として数週間存在することがある.
cal·ca·ne·al spur 踵骨棘. = heel spur.
cal·ca·ne·al tu·ber·os·i·ty 踵骨隆起（踵の突出部を形成する踵骨の後端部分）.
calcaneo- 踵骨に関する連結形.
cal·ca·ne·o·a·poph·y·si·tis (kal-kā′nē-ō-ă-pof′i-sī′tis). 踵骨骨端炎（アキレス腱付着部における踵骨後部の炎症）.
cal·ca·ne·o·as·trag·a·loid (kal-kā′nē-ō-as-trag′ă-loyd). 踵骨距骨の（踵骨と距骨に関する）.
cal·ca·ne·o·cu·boid (kal-kā′nē-ō-kyū′boyd). 踵骨立方骨の（踵骨と立方骨に関する）.
cal·ca·ne·o·dyn·i·a (kal-kā′nē-ō-din′ē-ă). 踵骨痛. = painful heel.
cal·ca·ne·o·na·vic·u·lar (kal-kā′nē-ō-nă-vik′yū-lăr). 踵骨舟状骨の（踵骨と舟状骨に関する）.
cal·ca·ne·o·tib·i·al (kal-kā′nē-ō-tib′ē-ăl). 踵骨脛骨の（踵骨と脛骨に関する）.
cal·ca·ne·um (kal-kā′nē-ŭm). 踵骨. = calcaneus(1).
cal·ca·ne·us, gen. & pl. cal·ca·ne·i (kal-kā′nē-ŭs, -kā′nē-ī). ***1*** 踵骨（足根骨の中で最も大きいもの．踵を形成し，前方は立方骨，上方は

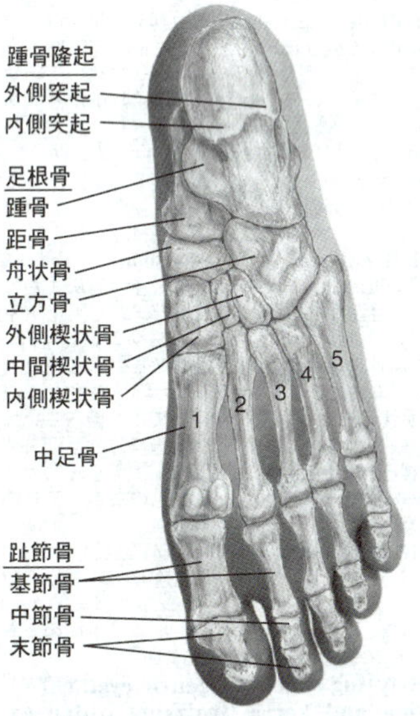
踵骨隆起
外側突起
内側突起
足根骨
踵骨
距骨
舟状骨
立方骨
外側楔状骨
中間楔状骨
内側楔状骨
1
2
3
4
5
中足骨
趾節骨
基節骨
中節骨
末節骨
calcaneus: plantar view

C

距骨と関節をなす). = calcaneum; heel bone. *2* 踵足. = talipes calcaneus.

cal·car (kal′kahr). 距(きょ) (①構造物からの小突起. 動静脈の枝が鋭角で分岐または合流するところの内壁にみられる屋根状突起または中隔. ②骨からの鈍角のとげまたは突起). = spur.

cal·car·e·ous (kal-kār′ē-ŭs). 石灰性の, 石灰質の, カルシウムの.

cal·car·e·ous cor·pus·cles 石灰小体 (炭酸カルシウムの同心円状の層からなる球形の塊体. 条虫の組織に特徴的にみられる).

cal·car·e·ous de·gen·er·a·tion 石灰変性 (厳密には変性ではないが, 異栄養性石灰化のように, 変性し壊死に陥った組織に不溶性の石灰塩が沈着することをいう).

cal·car·e·ous in·fil·tra·tion 石灰浸潤. = calcification.

cal·ca·rine (kal′kă-rēn). *1* 距(きょ)の. *2* 距(きょ)形の.

cal·ca·rine sul·cus 鳥距溝 (大脳皮質の内側面にある深い裂で, 弓状に弓状回峡部から後方の後頭極へのび, 下の舌状回と上の楔部との境界をつくる. 底の皮質は全視野の対側半の水平経線に相当する).

cal·car·i·u·ri·a (kal-kar-ē-yūr′ē-ă). 石灰塩尿〔症〕(カルシウム(石灰)塩の尿中への排泄).

cal·ce·mi·a (kal-sē′mē-ă). = hypercalcemia; calcaemia.

cal·ces (kal′sēz). calx の複数形.

cal·ci·co·sis (kal-si-kō′sis). 石灰症 (石灰岩じんの吸入によるじん肺症).

cal·ci·di·ol (kal-si-dī′ol). カルシジオール; 25-hydroxycholecalciferol (3,25-diol) (ビタミン D_3 のより活性型(カルシトリオール)への生物学的変換の第1段階. ビタミン D_3 より強力である).

cal·cif·er·ol (kal-sif′ĕr-ol). カルシフェロール. = ergocalciferol.

cal·cif·ic (kal-sif′ik). 石灰性の (カルシウム塩を生成する, カルシウム塩が沈着した).

cal·ci·fi·ca·tion (kal′si-fi-kā′shŭn). = calcareous infiltration. *1* カルシウム沈着 (石灰または他の不溶性カルシウム塩の沈着). *2* 石灰化 (不溶性のカルシウム塩(マグネシウム塩), 特に, 通常は骨や歯の形成過程でのみ発生する炭酸カルシウムおよびリン酸カルシウム(水酸化リン灰石)が沈殿または大量に沈着して, 組織あるいは体内の非細胞性物質が硬化する過程).

cal·cif·ic bur·si·tis 石灰〔性〕滑液包炎 (カルシウム塩の沈着を生じた滑液包の炎症. 三角筋下滑液包炎に最もよくみられる).

cal·cif·ic ten·din·i·tis 石灰性腱炎 (腱の中および周囲にカルシウムが沈着している慢性腱炎).

cal·ci·fy (kal′si-fī). 石灰化する (骨形成のようにカルシウム塩を沈殿させる).

cal·ci·fy·ing o·don·to·gen·ic cyst, cal·ci·fy·ing and ker·a·tin·iz·ing o·don·to·gen·ic cyst 石灰化歯原性嚢胞 (顎骨に生じるX線透過像と不透過像が入り混じった病変で, 嚢胞ならびに充実性新生物の双方の特徴を示す. 角化した ghost cell(幻影細胞), ぞうげ質様構造物, あるいは石灰沈着などを認める).

cal·ci·neu·rin (kal-sē-nūr′in). カルシニューリン (カルシウム依存性セリン-スレオニンホスファターゼで, T細胞の情報伝達系に関与する. それが関与している反応カスケードをカルシニューリン経路という).

cal·ci·no·sis (kal-si-nō′sis). 石灰〔沈着〕症 (種々の組織の小結節性病巣におけるカルシウム塩の沈着を特徴とする疾患).

cal·ci·no·sis cir·cum·scrip·ta 限局性石灰〔沈着〕症 (皮膚および皮下組織へのカルシウム塩の限局性沈着. 通常, 肉芽性炎の層に取り囲まれている. 臨床的にこの病変は痛風結節に似ている).

cal·ci·no·sis u·ni·ver·sa·lis 汎発性石灰〔沈着〕症 (皮膚, 皮下組織, 結合組織, その他の部位におけるカルシウム塩の汎発性沈着で, 皮膚筋炎に合併することがある. 若年者に多く, 通常は致命的である. 血清中のカルシウムとリンの濃度は一般に正常範囲内にある).

cal·ci·phil·i·a (kal-si-fil′ē-ă). カルシウム親和性 (カルシウム塩に対し, 組織が異常な親和性を示す状態).

cal·ci·phy·lax·is (kal-si-fī-lak′sis). カルシフィラキシー (組織が特定の負荷物質に対し, 急激に, ときには一過性に局所石灰化という形で反応する誘発性全身性過敏症の状態).

cal·ci·priv·ic (kal-si-priv′ik). カルシウム欠乏の.

cal·ci·to·nin (kal-si-tō′nin). カルシトニン (甲状腺より分泌される32個のアミノ酸よりなるペプチドホルモン. 5種類の動物より8種類の組成の異なるカルシトニンが報告されている. カルシトニンはカルシウムやリンを骨に沈着させる作用や, 血中カルシウム値を下げる作用があり, PTH(副甲状腺ホルモン)と反対の作用を示す).

cal·ci·to·nin gene-re·lat·ed pep·tide (CGRP) カルシトニン遺伝子関連ペプチド (カルシトニン遺伝子から転写される第二生成物. CGRPは神経を含む多数の組織に存在する. 血管膨張神経は皮膚の三重応答の一端を担うこ

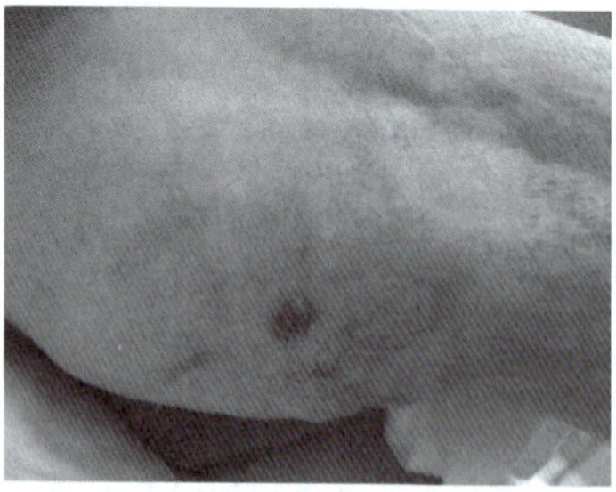

calcinosis 若年性皮膚筋炎後の合併症

ともある).

cal·ci·um (Ca), gen. cal·ci·i (kal′sē-ŭm, -sē-ī). カルシウム (金属 2 価元素. 原子番号 20, 原子量 40.078, 密度 1.55, 融点 842°C. 多くのカルシウム塩は代謝や医学で重要な作用をもつ. カルシウム塩は骨の放射線不透過, 石灰化軟骨, 動脈の動脈硬化プラクの原因となる).

cal·ci·um 47 カルシウム 47 (カルシウムの放射性同位元素. 半減期 4.54 日. カルシウム代謝疾患の診断に用いられる).

cal·ci·um chan·nel block·er カルシウムチャネル遮断薬 (カルシウムイオンが, 生体膜を通過するチャネルを抑制する能力を有する一連の心血管系薬剤(註厳密には, カルシウム流入阻止薬 calcium entry blocker とよぶほうが正しい). これらの薬物は高血圧, 狭心症, 不整脈の治療に用いられ, ニフェジピン, diltiazem, ベラパミルなどがあげられる). = slow channel blocking agent.

cal·ci·um group カルシウム基 (アルカリ土類金属のこと. すなわちベリリウム, マグネシウム, カルシウム, ストロンチウム, バリウム, ラジウム).

cal·ci·um pump カルシウムポンプ (ATP からのエネルギーを用いる膜を横断してカルシウムイオンを輸送する膜蛋白).

cal·ci·u·ri·a (kal-sē-yūr′ē-ă). カルシウム尿〔症〕(カルシウムの尿中排出. ときに hypercalciuria と同義に用いる).

cal·co·dyn·i·a (kal-kō-din′ē-ă). 踵痛. = painful heel.

cal·co·sphe·rite (kal-kō-sfēr′īt). 石灰小球 (カルシウム塩の付着性沈着物を含む小さな, やや球形の同心性層状体. 甲状腺と卵巣の乳頭状癌, 髄膜腫にみられる). = psammoma bodies (3).

cal·cu·li (kal′kyū-lī). calculus の複数形.

cal·cu·lo·gen·e·sis (kal′kyū-lō-jen′ĕ-sis). 歯石発生.

cal·cu·lo·sis (kal-kyū-lō′sis). 結石症.

cal·cu·lus, gen. & pl. cal·cu·li (kal′kyū-lŭs, -lī). 石, 結石 (体のどの部分にでも形成される石で, 胆道と尿路に顕著である. 通常は無機酸または有機酸の塩, あるいはコレステロールなどの物質からなる. →dental calcalus). = stone (1).

Cald·well-Luc op·er·a·tion コールドウェル-リュック手術 (上顎の小臼歯上の歯槽上(犬歯)窩を通して上顎洞に孔を開ける口内手術. 通常, 歯根や異常組織の除去に用いる). = Luc operation.

Cald·well-Mo·loy clas·si·fi·ca·tion コールドウェル-モロイ分類〔法〕(女子の骨盤型の分類法. すなわち骨盤入口の前後の断面の型に基づき, 女性型, 男性型, 細長型, 扁平型と分ける).

cal·e·fa·cient (kal-ĕ-fā′shĕnt). *1* 〖adj.〗暖める, 熱くする. *2* 〖n.〗引熱薬 (用いた部分に温熱感を与える薬).

calf, pl. calves (kaf, kavz). 腓(こむら), ふくらはぎ. = sural region.

calf bone 腓骨. = fibula.

cal·i·ber (kal′i-bĕr). 管腔の直径(口径) (中空な管状構造物の直径).

cal·i·brate (kal′i-brāt). *1* 目盛りを定める, 検定する (計測機器の目盛り定めや基準合わせを行う). *2* 口径を計測する.

cal·i·bra·tion curve 較正曲線, 検量線 (分析によって得られた目盛りと対象物質量との間の関係を示すグラフあるいは数式. 曲線ではなく直線で与えられることが多い).

cal·i·bra·tion in·ter·val 校正(較正)周期 (仕様書に記載された性能, 精度を維持するために機器の校正を行う間隔または測定手順).

cal·i·bra·tor (kal′i-brā-tŏr). 検定物質, 標準物質, キャリブレータ (機器または検査法の基準合せ, あるいは目盛り定めをするために用いる標準(または参照)物質または基質).

Cal·i·ci·vi·ri·dae (kal′i-sē-vir′i-dē). カリシウイルス科 (一本鎖のプラス鎖 RNA ウイルスで, 流行性ウイルス性胃腸炎やある種の肝炎の原因ウイルスである).

cal·i·cot·o·my, cal·i·cec·to·my (kal-i-kot′ŏ-mē, kal-i-kek′tŏ-mē). 腎杯切開〔術〕(腎杯への切開. 通常, 結石除去のために行う).

ca·lic·u·lus, pl. ca·lic·u·li (kă-lik′yū-lŭs, -lī). 小杯, 蕾 (蕾状または杯状構造で, 閉じた花のがくに似ている).

ca·li·ec·ta·sis (kā-lē-ek′tă-sis). 腎杯拡張〔症〕(腎杯の拡張で, 通常, 閉鎖または感染による).

Cal·i·for·ni·a vi·rus カリフォルニアウイルス (*Bunyavirus* 属の一血清学的グループ. La Crosse virus と Tahyna virus を含み, およそ 14 の種よりなる. 標準株は California virus で, 主として 4—14 歳の年齢群に, 脳炎を引き起こす).

cal·i·for·ni·um (Cf) (kal-i-fōr′nē-ŭm). カリホルニウム (人工の超ウラン元素の 1 つ. 原子番号 98, 原子量 251.08).

ca·li·o·plas·ty (kā′lē-ō-plas-tē). 腎杯形成術 (腎杯の再建手術で, 通常, 漏斗の部位で内腔を広げる形とする).

ca·li·or·rha·phy (kā′lē-ōr′ă-fē). 腎杯縫縮術 (①腎杯の縫合. ②尿の流出を改善するため, 拡張または閉塞した腎杯に行う形成手術. 腎杯からの排出路を再建するため 2 つ以上の腎杯を 1 つにしたり, 腎盂粘膜を大きく移動させることを要する).

cal·i·pers (kal′i-pĕrz). カリパス (径を測るのに用いる器械).

cal·is·then·ics (kal-is-then′iks). 徒手体操 (健康保持や体力増強の目的で行う系統的な種々の体操).

ca·lix (kā′liks). 腎杯. = calyx.

Cal·kins sign キャルキンズ徴候 (子宮の形が円板状から卵形になる変化で, 胎盤の子宮壁からの剥離を示す).

Cal·la·han meth·od キャラハン法. = chloropercha method.

Cal·lan·der am·pu·ta·tion カランダー切断術 (膝で大腿骨を切断する腱形成切断). = knee disarticulation amputation.

C

Call-Ex·ner bod·ies カル-エクスナー〔小〕体（卵巣濾胞や卵巣顆粒膜細胞腫中の顆粒膜細胞間にある液体が充満している小空間．ロゼット状構造をつくることがある）．

cal·lo·sal（kă-lō′săl）．脳梁の．

cal·los·i·ty（kă-los′i-tē）．べんち（胼胝）（繰り返される摩擦あるいは間欠的な圧力による上皮角質層の限局性肥厚）．= callus(1); keratoma(1); poroma(1); tyloma.

cal·lous（kal′ŭs）．仮骨の，べんち(胼胝)の．

cal·lus（kal′ŭs）．***1*** べんち(胼胝)．= callosity. ***2*** 仮骨（骨折両断端間の連続性を得るために骨折部に形成された混合組織で，初期に非石灰化性線維組織と軟骨により構成され，最終的には骨となる）．

calm·a·tive（kawl′mă-tiv）．鎮静の（興奮を鎮めることを意味し，またその目的で使用される薬を示す）．

Cal·mette-Guér·in ba·cil·lus = bacille Calmette-Guérin.

cal·mod·u·lin（kal-mod′yū-lin）．カルモジュリン（広く存在する真核生物の小さな蛋白で，カルシウムイオンと結合し，そのために長い間カルシウムイオンによると考えられた細胞効果の多くの場合の作用物質となる）．

Ca·lo·di·um（kal-ō′dē-ŭm）．カロディウム属（鞭虫科に属する 3 属のうちの 1 つ．通常は *Capillaria* 属として扱われている）．

ca·lor（kā′lōr）．熱（Celsus が発表した炎症の四徴候(発熱，疼痛，発赤，腫脹)の 1 つ）．

Ca·lo·ri bur·sa カローリ〔滑液〕包（大動脈弓と気管との間にある滑液包）．

ca·lor·ic（kă-lōr′ik）．***1*** 熱量の．***2*** 熱の．

ca·lor·ic nys·tag·mus 温度眼振，熱眼振（耳に温水または冷水を注入し，迷路を刺激することによって起こる緩・急速成分を有する眼振）．

ca·lor·ic stim·u·la·tion 熱量刺激（えん下障害の治療における口内および咽頭内の固まりがわかるように刺激するための高温または低温の使用．例えば，同様の固さであれば，室温の食物よりもむしろ氷をくだいたものを使用する．→tactile stimulation; thermal stimulation）．

ca·lor·ic test 温度〔刺激〕試験，温度〔眼振〕試験．= Bárány caloric test.

cal·o·rie（kal′ŏr-ē）．カロリー，熱量（熱含有量またはエネルギーの単位．水 1 g を 14.5°C から 15.5°C へ上昇させるのに必要な熱量(小カロリー)．カロリーは国際単位系(SI)のジュール(1 J = 0.239 cal)に置き換えられつつある．→British thermal unit）．

ca·lor·i·gen·ic（kă-lōr-i-jen′ik）．***1***〘adj.〙熱産生〔性〕の．***2***〘n.〙熱産生物質（刺激性の熱代謝産物）．= thermogenetic(2); thermogenic.

cal·o·rim·e·ter（kal-ŏr-im′ĕ-tĕr）．熱量計，カロリーメータ（化学反応により発生した熱量を測定するための装置．→human calorimeter）．

cal·o·ri·met·ric（kal-ŏr-i-met′rik）．熱量計上の，熱量計の．

cal·o·rim·e·try（kal-ŏr-im′ĕ-trē）．測熱，熱量測定〔法〕（1 つの反応または(生体などによる)一連の反応で発生する熱量の測定）．

ca·lum·ba（kă-lŭm′bă）．カランバ（ツヅラフジ科はん縁性つる植物 *Jateorrhiza palmata* の乾燥根．苦味強壮薬として用いる）．

cal·var·i·a, pl. cal·var·i·ae（kal-vā′rē-ă, -ē）．頭蓋冠（頭蓋上部のドーム状の部分）．= skullcap.

cal·var·i·um（kal-vār′ē-ŭm）．calvaria の誤称．

cal·vi·ti·es（kal-vish′ē-ēz）．禿頭，脱毛〔症〕．

calx, gen. cal·cis, pl. cal·ces（kalks, kal′sis, kal′sēz）．***1*** 石灰．= lime(1)．***2*** 踵，かかと（足の後部の丸い端）．= heel(1)．

cal·y·ce·al（kal′i-sē′ăl）．腎杯の．

cal·y·ce·al di·ver·tic·u·lum 腎杯憩室（腎杯の先天的または後天的膨満．結石ができやすくなる）．

Ca·lym·ma·to·bac·te·ri·um（kă-lim′mă-tō-bak-tēr′ē-ŭm）．カリマトバクテリウム属（染色質が単極または両極に凝縮しているグラム陰性多形性杆菌を含む分類位置不明の非運動性細菌の一属．1 個または集合して存在する．ヒトに対してのみ病原性．標準種は *Calymmatobacterium granulomatis* で，鼡径部肉芽腫の原因菌）．

ca·lyx, pl. ca·ly·ces（kā′liks, kal′i-sēz）．腎杯（花形または漏斗状の構造．特に腎錐体口が突出している腎盂の枝分かれまたは陥凹をいう）．= calix.

CAM（kam）．complementary and alternative medicine; cell adhesion molecule の略．

cam·er·a, pl. cam·er·ae（kam′er-ă, -ē）．***1*** カメラ，写真機（一般に密閉箱をいうが，特に写真用のレンズ，シャッター，感光フイルムあるいは感光板を備えたものをいう）．***2*** 房，室（解剖学において，心房，眼房のような，室または腔の総称）．

cam·er·a an·te·ri·or bul·bi oc·u·li 前眼房．= anterior chamber of eyeball.

cam·er·ae bul·bi = chambers of eyeball.

cam·er·a oc·u·li →anterior chamber of eyeball; posterior chamber of eyeball.

cam·er·a pos·tre·ma = postremal chamber of eyeball.

cam·er·a vit·re·a = postremal chamber of eyeball.

cAMP adenosine 3′,5′-cyclic monophosphate（cyclic AMP）の略．

Camp·bell de Mor·gan spots = senile hemangioma.

camp fe·ver ***1*** = typhus. ***2*** 野営中の軍隊にみられる流行性の発熱疾患．

cam·pim·e·ter（kam-pim′ĕ-tĕr）．〔平面〕視野計（中心視野を測るのに用いる小型の接線板）．

cAMP re·cep·tor pro·tein（CRP） サイクリック AMP 受容蛋白．= catabolite (gene) activator protein.

Camp stock·ings キャンプストッキング（段階状圧迫ガーゼストッキング）．

camp·to·cor·mi·a（kamp-tō-kōr′mē-ă）．前屈症（体幹の静的で，しばしば著しい前屈．通常は転換反応で現れる）．= camptospasm.

camp·to·dac·ty·ly, camp·to·dac·tyl·i·a（kamp-tō-dak′ti-lē, -dak-til′ē-ă）．屈指〔症〕（1 本

以上の指の近位か遠位のいずれか，または両指節間関節が永続的に屈曲していること．通常は小指にみられる．しばしば先天性である）．

camp·to·me·li·a (kamp-tō-mē′lē-ă)．屈肢〔症〕（四肢長管骨の屈曲を特徴とする骨異形成症で，患肢の永続的弓状変形や弯曲がみられる）．

camp·to·mel·ic (kamp-tō-mel′ik)．屈肢〔症〕の．

camp·to·mel·ic dwarf·ism 大腿骨と脛骨の前屈による下肢の短縮のある小人症．

camp·to·spasm (kamp′tō-spazm)．体幹前屈〔症〕．= camptocormia.

camp·to·thec·in (kamp-tō-thek′in)．カンプトテシン（構造上ラクトン環と5員環を有する植物性アルカロイド．トポイソメラーゼⅠの阻害作用を有する．トポテカン，irinotecan（CPT-11）などがある）．

Cam·py·lo·bac·ter (kam′pi-lō-bak′tĕr)．グラム陰性，無胞子形成のらせん状あるいはS字状にカーブした杆菌の一属で，細胞体の一端または両端に1本のべん毛をもつ．不適な状況下では球形の細胞になることもある．糖の利用能はなく，運動性で，らせん状の動きをする．

Cam·py·lo·bac·ter co·li ヒトや子ブタにおいて最初は水様性で後に炎症性となる，下痢疾患の原因となる高温性細菌の一種．

Cam·py·lo·bac·ter con·cis·us カタラーゼ陰性の菌種で，健常者の糞便内フローラや歯周病における歯肉裂，ときに血液から分離される．

Cam·py·lo·bac·ter fe·tus ヒト感染症およびヒツジやウシの流産を起こすことのある細菌で，様々な亜種（特に *C. jejuni*）を含む．*Campylobacter* 属の標準種．

Cam·py·lo·bac·ter hy·o·in·tes·ti·na·lis ブタの腸症の原因となる細菌の一種．ヒトで下痢と直腸炎の糞便材料から分離されるが，病原性における役割は不明である．

cam·py·lo·bac·ter·i·o·sis (kam′pi-lō-bak-tēr′ē-ō′sis)．キャンピロバクター症（微好気性細菌の *Campylobacter* 属による感染）．

Cam·py·lo·bac·ter je·ju·ni 高温細菌種で，ヒトの突発性胃腸炎の原因となり，全身性の症候（倦怠，筋肉痛，関節痛，および頭痛）および痙攣性腹痛を伴う．上向性の麻痺を併発する脱髄性後遺症を伴う．ヒトへの感染の可能性のある感染源には家禽，ウシ，ヒツジ，ブタおよび，イヌがあげられる．本菌種はヒツジの流産の原因ともなる．

Cam·py·lo·bac·ter la·ri 細菌の一種で主に鳥類が保有しているが，ヒトでは水由来腸炎およびときに敗血症と関連がある．

Ca·na·di·an clas·si·fi·ca·tion カナディアン分類（カナダ心臓血管協会が発展させた狭心症等級システム）．

ca·nal (kă-nal′)．管（管状構造）．= canalis.

ca·na·les (kă-nā′lēz)．canalis の複数形．

can·a·lic·u·lar (kan-ă-lik′yū-lăr)．小管の．

can·a·lic·u·lar stage of lung de·vel·op·ment 肺発達における細管状期（気管支と終末気管支の内腔が広がり肺組織が血管になる16—26週間の期間．薄壁終末嚢が終末呼吸細気管支において発達しているためこの期間の終盤には呼吸可能となる．この期間の終盤に生まれた胎児も集中治療を受ければ生存可能である）．

can·a·lic·u·li (kan-ă-lik′yū-lī)．canaliculus の複数形．

can·a·lic·u·li den·ta·les ぞうげ細管（ぞうげ質にある管で，微細な波形を描き枝分かれしている．ぞうげ芽細胞の長い細胞質突起を含み，歯髄からぞうげエナメル境界へ放射状に広がる）．= dentinal canals; dentinal tubules.

can·a·lic·u·li·tis (kan-ă-lik-yŭ-lī′tis)．〔小〕管炎（涙小管の炎症）．

can·a·lic·u·li·za·tion (kan-ă-lik′yŭ-lī-zā′shŭn)．小管形成（組織内の小管や細管の形成）．

can·a·lic·u·lus, pl. can·a·lic·u·li (kan-ă-lik′yū-lŭs, -lī)．小管（→iter）．

ca·na·lis, pl. ca·na·les (kă-nā′lis, -lēz)．管．= canal.

ca·na·lis ad·duc·to·ri·us 内転筋管．= adductor canal.

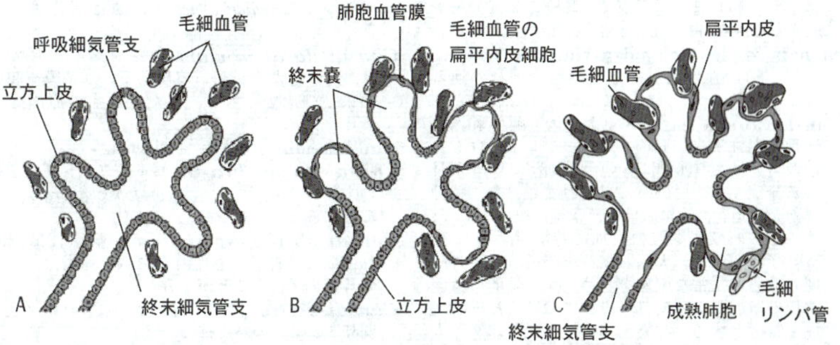
毛細血管
呼吸細気管支
立方上皮
A
終末細気管支
肺胞血管膜
毛細血管の
扁平内皮細胞
終末嚢
B
立方上皮
扁平内皮
毛細血管
C
終末細気管支
成熟肺胞
毛細
リンパ管

histologic development of the lung

A：管状期（16—26週間），B：終末嚢期（6—7か月），C：肺胞期

ca·na·lis an·a·lis 肛門管. = anal canal.
ca·na·lis ca·ro·ti·cus 頸動脈管. = carotid canal.
ca·na·lis car·pi 手根管. = carpal tunnel.
ca·na·lis cer·vi·cis u·ter·i 子宮頸管. = cervical canal.
ca·na·lis fe·mo·ra·lis 大腿管. = femoral canal.
ca·na·lis hy·po·glos·sa·lis 舌下神経管. = hypoglossal canal.
ca·na·lis in·ci·si·vus 切歯管. = incisive canal.
ca·na·lis in·fra·or·bi·ta·lis 眼窩下管. = infraorbital canal.
ca·na·lis in·gui·na·lis 鼡径管. = inguinal canal.
ca·na·lis mus·cu·lo·tu·ba·ri·us 筋耳管管. = musculotubal canal.
ca·na·lis na·so·lac·ri·ma·lis 鼻涙管. = nasolacrimal canal.
ca·na·lis nu·tri·ci·us 栄養管. = nutrient canal.
ca·na·lis ob·tu·ra·to·ri·us 閉鎖管. = obturator canal.
ca·na·lis op·ti·cus 視神経管. = optic canal.
ca·na·lis pte·ry·goi·de·us 翼突管. = pterygoid canal.
ca·na·lis pu·den·da·lis 陰部神経管. = pudendal canal.
ca·na·lis py·lo·ri·cus 幽門管. = pyloric canal.
ca·na·lis ra·di·cis den·tis 歯根管. = root canal of tooth.
ca·na·lis sa·cra·lis 仙骨管. = sacral canal.
ca·na·lis spi·ra·lis co·chle·ae 蝸牛らせん管. = cochlear canal.
ca·na·lis spi·ra·lis mo·di·o·li 蝸牛軸らせん管. = spiral canal of modiolus.
ca·na·lis ver·te·bra·lis 脊柱管. = vertebral canal.
can·a·li·za·tion (kan-ă-lī-zā′shŭn). 促通，疎通，下水道（あらゆる組織における管あるいは溝の形成）.
ca·nal for phar·yn·go·tym·pan·ic tube 耳管半管（筋耳管管の下部で，耳管の骨部分を形成する）. = semicanalis tubae auditoriae.
ca·nals for les·ser pal·a·tine nerves 小口蓋管（口蓋骨の後部にある小口蓋神経の通る管）.
Can·a·van dis·ease キャナヴァン病（乳児の進行性変性疾患. ドイツ，ポーランド，ロシア系のユダヤ人の乳児に多く，典型例は3―4か月時に発症する. 巨脳症，視神経萎縮，盲，精神運動発達退行，筋緊張低下，攣縮，尿中 *N*-アセチルアスパラギン酸の増加で特徴付けられる. MRI では脳拡大，大脳および小脳白質の信号強度の減弱と正常な脳室を認め，病理学的には脳重量の増加および皮質下白質における海綿状変性を特徴とする. 常染色体劣性遺伝. ユダヤ人では第17染色体短腕のアスパラトアシクラーゼA遺伝子(ASPA)の突然変異が原因であり，ユダヤ人以外は孤発例である. →leukodystrophy).
can·cel·lat·ed (kan′sĕ-lā-tĕd). = cancellous.
can·cel·lous (kan′sĕ-lŭs). 格子状の，網状の（格子状または海綿状組織の骨についていう）. = cancellated.
can·cel·lous bone = substantia spongiosa.
can·cel·lous tis·sue 海綿骨組織（格子状あるいは海綿様骨組織）.
can·cel·lus, pl. can·cel·li (kan-sel′ŭs, -lī). 格子構造（海綿骨のような格子状構造）.
can·cer (CA, Ca) 癌，癌腫（種々の悪性新生物を表すのによく使われる一般用語. 癌腫も肉腫も含まれるが，通常，特に癌腫に対して用いる）.
can·cer an·ti·gen 125 (CA-125) test 癌抗原125試験（体腔上皮細胞に由来する細胞表面抗原についての試験. この抗原の増加は，卵巣腫瘍，子宮内膜症のような良性骨盤疾患と関与する）.
can·cer cord 癌帯（気管支癌腫にみられる細胞の独特な型. 中央が壊死した生細胞の周囲に外輪がある）.
can·cer fam·i·ly 癌家系（複数の人が癌を経験した血縁関係）.
can·cer·o·pho·bi·a (kan′sĕr-ō-fō′bē-ă). 癌恐怖〔症〕（悪性腫瘍発生に対する病的な恐れ）. = carcinophobia.
can·cer·ous (kan′sĕr-ŭs). 癌〔性〕の（悪性新生物に関する，またはそのような変化に侵されている）.
can·cra (kang′kră). cancrum の複数形.
can·cri·form (kang′kri-fōrm). 癌様の.
can·croid (kang′kroyd). 扁平上皮癌の.
can·crum, pl. can·cra (kang′krŭm, -kră). 下疳（壊疽性・潰瘍性・炎症性病変）.
can·de·la (kan-dē′lă). カンデラ（光源の光度の国際単位系(SI). 1 lm/m^2. 周波数 540 × 10^{12} Hz の単色光を発し，1/683 W・sr^{-1} のその方向の放射強度をもつ光源のその方向の光度のこと）.
Can·di·da (kan′di-dă). カンジダ属（自然界にみられるイースト状真菌の一属. そのうちの数種は，ヒトの皮膚，糞便，膣や咽頭の組織から分離されるが，唯一の最重要種すなわち鵞口瘡カンジダ *Candida albicans* の源は消化管である）.
Can·di·da al·bi·cans カンジダアルビカンス，鵞口瘡カンジダ（皮膚あるいは粘膜や膣の感染症の原因となり，また敗血症の原因となる）.
candidaemia [Br.]. = candidemia.
Can·di·da gla·bra·ta ヒトのカンジダ症を起こす真菌の一種. 以前は *Torulopsis glabrata* として分類されていた.
Can·di·da par·ap·si·lo·sis 病原性は限られている一種で，心内膜炎や爪周囲炎，および外耳炎を起こすことがある.
Can·di·da tro·pi·ca·lis ときにカンジダ症に関与することのある種.
can·di·de·mi·a (kan-di-dē′mē-ă). カンジダ血〔症〕（末梢血液中に *Candida* 属の細胞が存在すること）. = candidaemia.
can·di·di·a·sis (kan-di-dī′ă-sis). カンジダ症

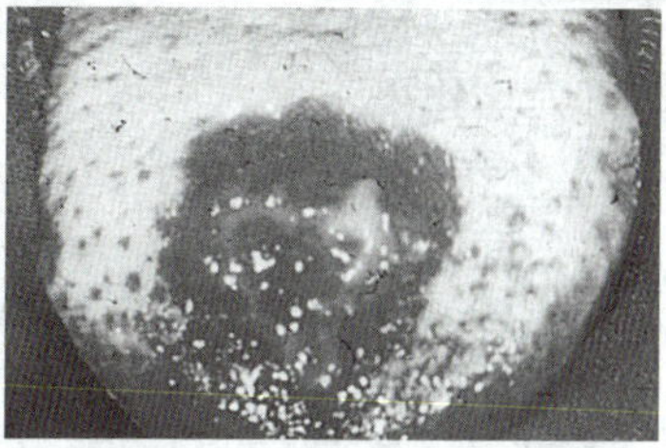

candidiasis

(*Candida* 属，特に鵞口瘡カンジダ *Candida albicans* によって起こる感染あるいは疾患．この疾患は通常，衰弱(免疫抑制および特にエイズによる)，生理学的変調，抗生剤の長期投与，医原的および関門破綻によって起こる)．= candidosis; moniliasis.

can·di·do·sis (kan-di-dō′sis)．= candidiasis.

can·dle·ber·ry (kan′dĕl-ber-ē)．= bayberry.

can·dle-me·ter (kan′dĕl-mē′tĕr)．メートル燭．= lux.

ca·nine (kā′nīn)．*1*〚adj.〛イヌの．*2*〚adj.〛犬歯の．*3*〚n.〛犬歯．= canine tooth. *4*〚adj.〛尖頭歯の．

ca·nine tooth 犬歯（厚い円錐形の歯冠と長くやや平らな円錐形の歯根をもつ歯．上下顎に2本の犬歯が左右に1本ずつあり，それぞれ側切歯の遠心面に隣接している．乳歯列および永久歯列それぞれに存在する）．= dens caninus; canine(3); cuspid(2); eye tooth.

ca·ni·ti·es (kă-nish′ē-ēz)．白毛〔症〕，しらが，白髪〔症〕（毛髪が灰色になること）．

can·ker (kang′kĕr)．*1* イヌ・ネコの外耳炎（ネコやイヌの外耳および耳管の急性炎症．→aphtha)．*2* 口腔潰瘍（ヒトの口腔内アフタに対する不適切な語）．

can·ker sores = aphtha(2)．

can·nab·i·noids (kă-nab′i-noydz)．カンナビノイド（インドアサ *Cannabis sativa* に存在する有機物質で，様々な薬理作用をもつ）．

can·na·bis (kan′ă-bis)．アサ(麻)，大麻（クワ科インドアサ *Cannabis sativa* の花頂部を乾燥したもので，テトラヒドロカンナビノール異性体，カンナビノール，カンナビジオールを含む．大麻製剤(品)は，多幸症，幻覚，嗜眠状態，その他の精神変化のような精神異常発現効果を得るために喫煙または服用される．大麻は，以前は鎮静薬，鎮痛薬として用いられていた．現在は，特に癌化学療法や放射線療法による，医原性の食欲不振の管理に用いる場合にかぎり利用可能である．marihuana(マリファナ)，marijuana(マリファナ)，pot(ポット)，grass(グラス)，bhang(バング)，charas(チャラス)，ganja(ガンジャ)，hashish(ハシシュ)など，多くの口語あるいは俗語で知られている）．

can·na·bism (kan′ă-bizm)．大麻中毒〔症〕（大麻製剤による中毒）．

Can·niz·za·ro re·ac·tion カニツァロ反応（アルデヒド1分子の酸化と他の1分子の還元が同時に起こることによる酸とアルコールの生成．不均化反応の一種．$2RCHO \rightarrow RCOOH + RCH_2OH$．2つのアルデヒドが同一でないとき，この反応は交差 Cannizzaro 反応とよばれる）．

can·non·ball pulse 大砲脈，砲弾脈．= water-hammer pulse.

Can·non point キャノン点（横行結腸の中1/3，中腸と後腸の接合部位で上下の腸間膜神経叢の重なり合った部分．しばしば注腸造影において狭部としてみられる）．= Cannon ring.

Can·non ring キャノン輪．= Cannon point.

can·nu·la (kan′yū-lă)．カニューレ，套管（管腔に套管針をはめ込み，それと一緒に腔内に挿入することのできる管．挿入後，套管針は抜去し，套管を腔内の液の誘導路として残す．血栓性静脈炎を予防するために血管内カニューレは定期的に交換しなくてはならない）．

can·nu·la·tion, can·nu·li·za·tion (kan-yū-lā′shŭn, -yū-lī-zā′shŭn)．カニューレ挿入．

CANS (kanz)．central auditory nervous system の略．

Can·tel·li sign カンテリ徴候（→doll's eye sign)．

can·ter·ing rhythm 駈歩〔性〕調律．= gallop.

can·thal (kan′thăl)．眼角の．

can·thec·to·my (kan-thek′tŏ-mē)．〔外〕眼角切除〔術〕．

can·thi (kan′thī)．canthus の複数形．

can·thi·tis (kan-thī′tis)．眼角炎（眼角の炎症）．

can·thol·y·sis (kan-thol′i-sis)．眼角〔靱帯〕離断．= canthoplasty(1)．

can·tho·me·a·tal plane 外眼角耳道面（左右の外眼角と外耳道の中心とを通る平面．耳眼面と眼窩上縁外耳道面とのほぼ中間にあたる）．

can·tho·plas·ty (kan′thō-plas-tē)．眼角形成〔術〕，眥部形成〔術〕（①外眼角切開による眼瞼裂拡張手術．= cantholysis. ②眼角の回復手術）．

can·thor·rha·phy (kan-thōr′ă-fē)．眼角縫合〔術〕（眼角部眼瞼の縫合術）．

can·thot·o·my (kan-thot′ŏ-mē)．眼角切開〔術〕，眥部切開〔術〕（眼角の離開切開）．

can·thus, pl. can·thi (kan′thŭs, kan′thī)．眼角．

can·ti·le·ver bridge 遊離端ブリッジ，延長ブリッジ（固定式ブリッジの1つで，ポンティックは片側の支台歯のみにより保持される）．

CAP catabolite (gene) activator protein の略．

cap (kap)．*1* 帽，おおい（帽子またはおおいに似た解剖学的構造）．*2* 覆罩（不完全な歯に対する防御的おおい）．*3* キャップ（人工歯冠を用いた自然歯冠部の修復を表す口語）．*4* 異化遺伝子活性化蛋白（多くの真核細胞メッセンジャーRNA の5′の末端にみられるヌクレオチド構造）．

ca·pac·i·ta·tion (kă-pas′i-tā′shŭn)．受精能獲得（精子の頭部表面より糖蛋白被膜が変性あるいは除去される過程．精子形態の変化は伴わない．胎外受精の過程で生じる．この過程により先体反応が可能となる）．

ca·pac·i·tor (kă-pas′i-tĕr). 蓄電器，コンデンサ（電荷を保持するためのもの，装置）. = condenser(4).

ca·pac·i·ty (kă-pas′i-tē). ***1*** 容量（うつわの中に入れることのできる分量. →volume). ***2*** 能力.

cap·ac·tins (kap-ak′tinz). アクチンフィラメントの端をおおう蛋白の一種.

CAPD continuous ambulatory peritoneal dialysis の略.

cap·e·line ban·dage 帽子状包帯（帽子のように頭部または切断断端をおおう包帯法).

Cap·gras syn·drome カプグラ症候群（統合失調症患者に親しい人(達)が別の人(達)と入れ替わっているという妄想的確信. 器質疾患で生じることもある).

cap·il·la·ri·a gran·u·lo·ma カピラリア肉芽腫（肝臓や肺にみられる肉芽腫様病変は虫卵あるいは寄生虫に対する組織の反応である).

cap·il·lar·i·o·mo·tor (kap′i-lār′ē-ō-mō′tŏr). 毛細〔血〕管運動の.

cap·il·lar·i·tis (kap′i-lar-ī′tis). 毛〔細〕管炎.

cap·il·lar·i·ty (kap′i-lar′i-tē). 毛〔細〕管現象，細管作用（毛細管作用(現象)の結果，細管内または遊離した物質の細孔中の液体上昇).

cap·il·la·rop·a·thy (kap′i-lă-rop′ă-thē). 毛細〔血〕管症，毛細〔血〕管障害（毛細血管の病気の総称. 糖尿病性の血管病変に対してしばしば用いる). = microangiopathy.

cap·il·lar·y (kap′i-lār-ē). ***1*** 〖adj.〗毛状の（毛髪に似た，細い，小さい). ***2*** 〖n.〗毛細管（例えば，毛細血管および毛細リンパ管). ***3*** 〖adj.〗毛細血管の，毛細リンパ管の.

cap·il·lar·y ar·te·ri·ole 毛細血管小動脈（毛細血管で終わる微細な動脈).

cap·il·lar·y at·trac·tion 毛細管引力（液体を非常に細い管に吸い上げたりまたはすきまのある材質の細孔を通過させる力).

cap·il·lar·y bed 毛細血管床（集合的な意味での毛細管とその血液容積).

cap·il·lar·y drain·age 毛細管ドレナージ（ガーゼやその他の素材の芯を用いたドレナージ).

cap·il·lar·y fil·ling 毛細〔血〕管充満（指で強く押して，皮膚の毛細血管から血液を出した後で，皮膚や爪床が正常なピンク色に戻ること. すぐに色が戻れば，一般機能および血管機能が正常であることの大体の目安になる).

cap·il·lar·y frac·ture 毛細管様骨折. = hairline fracture.

cap·il·lar·y fra·gil·i·ty 毛細血管のぜい弱性（損傷に対して毛細血管の感受性が増加し，ストレスで赤血球が血管外に漏出する).

cap·il·lar·y he·man·gi·o·ma 毛細血管性血管腫（毛細血管の過剰増殖で，生下時ないし生後まもなく，柔らかい鮮紅色から紫の結節または斑として皮膚によくみられる. 通常，5歳までに消退する. 最もよくみられる血管腫である). = nevus vascularis; nevus vasculosus.

cap·il·lar·y lake 毛細〔血〕管湖（毛細血管中に含まれる血液の全量).

cap·il·lar·y vein = venule.

ca·pi·ta (kap′i-tă). caput の複数形.

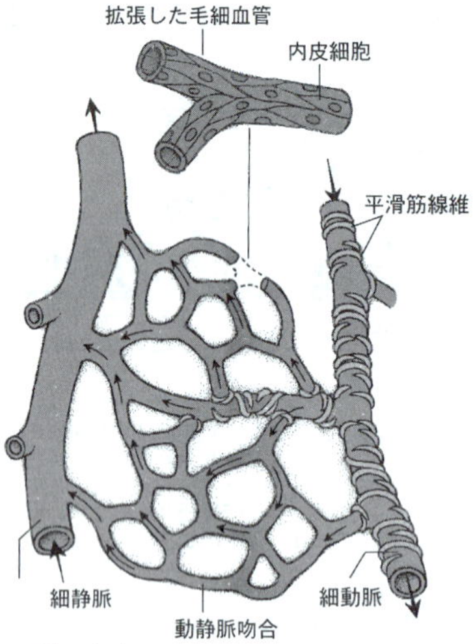
拡張した毛細血管
内皮細胞
平滑筋線維
細静脈
細動脈
動静脈吻合

capillary bed

cap·i·tate (kap′i-tāt). ***1*** 〖n.〗有頭骨（手根骨中最大の骨. 遠位列に存在する). = capitate bone. ***2*** 〖adj.〗頭状の，有頭の.

cap·i·tate bone 有頭骨. = capitate(1).

cap·i·ta·tion (kap′i-tā′shŭn). 人頭支払い，頭割り医療費（医療提供者に対し保険会社やその他の財政機関が受け持ち，患者当たり一定の年経費を支払う医療支払い制度. その年経費はすべての医療サービスに対する経費となる. →managed care).

cap·i·tel·lum (kap-i-tel′ŭm). ***1*** 小頭. = capitulum(1). ***2*** = capitulum of humerus.

ca·pit·u·la (kă-pit′yū-lă). capitulum の複数形.

ca·pit·u·lar (kă-pit′yū-lăr). 小頭の.

ca·pit·u·lum, pl. ca·pit·u·la (kă-pit′yū-lŭm, -lă). ***1*** 小頭（骨頭の小さいもの，あるいは球関節骨端. →caput). = capitellum(1). ***2*** 顎体部（マダニの吸血・探査・感覚・付着用の口部で，その基底支持構造を含む. 顎体部を形成する口部の相対的な大きさと形状は，マダニ属の特徴である).

ca·pit·u·lum of hu·mer·us 上腕骨小頭（上腕骨遠位端外側半の小半球状隆起で橈骨と関節している). = capitellum(2).

Cap·lan syn·drome キャプラン症候群（肺臓内結節で，組織学的に皮下のリウマチ性結節に似ており，関節リウマチや炭坑労働者のじん肺症に合併する).

Cap·no·cy·to·pha·ga (kap′nō-sī-tof′ă-gă). カプノシトファガ属（グラム陰性で紡錘形を呈する細菌の一属. ヒトの歯周病と関連している).

cap·no·gram (kap′nō-gram). カプノグラム

（呼気中の炭酸ガス含量の連続記録）.

cap·no·graph (kap′nō-graf). カプノグラフ（呼気中の炭酸ガス含量を連続的に記録する器械）.

cap·nom·e·ter (kap-nom′ĕ-tĕr). 炭酸ガスメータ，カプノメータ（呼気中の炭酸ガス濃度を測定する器具）. = CO_2 analyzer.

cap·nom·e·try (kap′nom-ĕ-trē). 炭酸ガス測定（カプノメータを用いた呼気時の中枢気道の CO_2 測定）.

cap·rate (kap′rāt). カプリン酸塩またはエステル.

***N*-cap·ric ac·id** *n*-カプリン酸（ヤギ，ウシの乳中の脂肪，あるいは他の物質の加水分解生成物中にみられる脂肪酸. *cf.* *n*-caproic acid; caprylic acid）.

***N*-ca·pro·ic ac·id** *n*-カプロン酸（バター，ココナッツオイルなどの脂肪の加水分解生成物にみられる脂肪酸）.

cap·ro·yl (kap′rō-il). カプロイル（カプロン酸を構成するアシル基）.

cap·ro·y·late (kap-rō′i-lāt). カプロン酸塩またはエステル.

cap·ry·late (kap′ri-lāt). カプリル酸塩またはエステル.

ca·pryl·ic ac·id カプリル酸（バター，ココナッツオイルなどの脂肪の加水分解生成物にみられる脂肪酸）.

cap·sa·i·cin (kap-sā′i-sin). カプサイシン. = capsicum.

cap·si·cum (kap′si-kŭm). トウガラシ（ナス科シマトウガラシ，キダチトウガラシ *Capsicum frutescens* の熟した果実を乾燥させたもの. 駆風薬，胃腸刺激薬，外用としては引赤薬）. = capsaicin; cayenne; hot pepper; red pepper.

cap·sid (kap′sid). カプシド，キャプシド（→virion）.

cap·su·la, gen. & pl. cap·su·lae (kap′sū-lă, -lē). 被膜，包，嚢（①器官，関節，何かの部分を包む膜状構造で，この膜は通常，緻密な結合組織でできている. ②包，嚢，鞘に似た形態のもの）. = capsule(1).

cap·su·la ar·ti·cu·la·ris 関節包，関節嚢. = articular capsule.

cap·su·la ex·ter·na 外包. = external capsule.

cap·su·la fi·bro·sa pe·ri·vas·cu·la·ris he·pa·tis 脈管周囲被膜. = fibrous capsule of liver.

cap·su·la in·ter·na 内包. = internal capsule.

cap·su·lar (kap′sū-lăr). 被膜の，包の，嚢の.

cap·su·lar an·ti·gen 莢膜抗原（ある種の微生物の莢膜中にのみみられる抗原. 例えば，種々の肺炎球菌の特異的多糖類）.

cap·su·lar cat·a·ract 水晶体嚢白内障（水晶体嚢だけが混濁する白内障）.

cap·su·lar lig·a·ment 関節包靱帯（関節包の線維膜の肥厚部）.

cap·su·lar pat·tern 関節包パターン（炎症時にみられる各関節の可動域制限の様式. 例えば，肩関節では内旋よりも外旋がより強く制限される. 一方，膝関節は，伸展よりも屈曲がより強く制限される）.

cap·su·lar space 包内腔（腎小体嚢の内葉と外葉の間にあるスリット状の空間で，尿細管の頸部にあるネフロン近位尿細管に開口する）.

cap·su·lar ten·sion ring 水晶体嚢拡張リング（水晶体嚢を安定させるために白内障術中に水晶体嚢内に挿入する器具）.

cap·sule (kap′sūl). 被膜，包，嚢，鞘，莢膜，カプセル〔剤〕（①= capsula. ②臓器や関節，腫瘍を包む線維組織層. ③固形の剤形. 薬物を適当な形のゼラチンの硬性または軟性の可溶性容器，すなわち〝殻〟に入れたもの. ④真菌あるいは細菌細胞の周囲に存在する透明な多糖類の被膜. 細胞周囲をポリペプチド被膜あるいは粘液層でおおわれた細菌もある）.

cap·sule for·ceps カプセル鉗子（白内障の嚢外摘出術の際に，水晶体嚢を除去するのに用いる鉗子）.

cap·sule of lens 水晶体包，水晶体嚢（水晶体を包んでいる嚢）.

cap·su·li·tis (kap′sū-lī′tis). 被膜炎，包炎（肝臓や水晶体，あるいは関節周囲のような1つの器官または組織の被膜の炎症）.

cap·su·lize (kap′sū-līz). 要約する，カプセル化する.

cap·su·lo·len·tic·u·lar (kap′sū-lō-len-tik′yū-lăr). 水晶体包の，水晶体嚢の.

cap·su·lo·len·tic·u·lar cat·a·ract 水晶包皮質白内障，水晶嚢皮質白内障（水晶体皮質と水晶体嚢の両方を含む白内障. →membranous cataract）.

cap·su·lo·plas·ty (kap′sū-lō-plas-tē). 関節包形成術（被膜壁，特に関節包の再形成）.

cap·su·lor·rha·phy (kap′sū-lōr′ă-fē). 嚢縫合〔術〕，包縫合〔術〕（被膜の裂傷の縫合または外科的な切開，特に関節脱臼の再発防止のために関節嚢を縫合すること）.

cap·su·lor·rhex·is (kap′sū-lō-reks′sis). 〔水晶体〕破嚢〔術〕（白内障手術において水晶体前嚢を連続した円形に切開する手技. 註continuous curvilinear capsulorrhoxis (C. C. C.)（連続円形破嚢術）は capsulorrhexis の一方法）.

cap·su·lot·o·my (kap′sū-lot′ō-mē). 嚢切開〔術〕，包切開〔術〕（①乳房インプラントの周囲の被膜を切開すること. ②例えば，異物周囲に形成される瘢痕の切開. ③水晶体嚢外摘出術を行う場合の水晶体嚢の切開）.

cap·tain of the ship doc·trine 船長主義（問題となる手順を臨床医が行ったか否かに関わらず，患者介護における責務と説明責任は監督医師にあるとする法的原理）.

cap·ture (kap′shŭr). 捕捉，捕獲（別の場所で発生した粒子や電気的興奮をつかまえ保持すること）.

ca·put, gen. ca·pi·tis, pl. ca·pi·ta (kap′ŭt, -i-tis, -i-tă). 頭，あたま（①動物体の上端または前端にあって，脳および視・聴・味・嗅などの感覚器を収容している部分. ②器官その他の構造の上端・前端・大きいほうの端部などで丸く拡大している部分. ③骨の丸い形をした端部. ④節の両端のうちで，その筋が収縮したとき，付着し

C

ている骨の動きの少ないほうの端部).

ca·put me·du·sae メズサ〔の〕頭（①臍から放射状に出る拡張蛇行静脈. Cruveilhier-Baumgarten 症候群にみられる. ②虹彩ルベオーシスにおいて，角膜輪郭を取り巻く怒張した毛様体動脈). = Medusa's head.

ca·put suc·ce·da·ne·um 産瘤（浮腫状の腫脹で，出生時に新生児の児頭先進部にできる. 滲出液は浮腫からなり，骨膜上に貯留する).

ca·put zy·go·mat·i·cum quad·ra·ti la·bi·i su·pe·ri·or·is 上唇方形筋の頬骨頭. = zygomaticus minor muscle.

Ca·ra·bel·li cusp カラベリ結節（上顎大臼歯の口蓋側近心咬頭の口蓋側面にみられる隆起で，サイズは小窩から大きな隆起まで様々である).

car·a·way (kar′ă-wā). ヒメウイキョウ（胃腸症状に効果があるとされ，緩下効果の研究がなされている. 腸内にガスを溜めにくくする効果が有名). = Carvi fruction; kümmel; oleum cari.

carb-, carbo- 炭素を含有することを示す接頭語. 特に炭素原子を含む基がついていることを示す接頭語.

car·ba·mate (kahr′bă-māt). = carbamoate. ***1*** カルバミン酸塩またはエステル. ウレタン催眠薬の基剤となる. ***2*** 有機リン酸塩と類似したコリンエステラーゼを阻害する殺虫薬の一群.

car·bam·ic ac·id カルバミン酸; NH_2-COOH（カルバミン酸塩を生成するといわれる仮説上の酸. アシル基はカルバモイルである).

car·ba·mi·no com·pound カルバミノ化合物（炭酸ガスと遊離アミノ基の結合によって，*N*-カルボキシル基 -NH-COOH を形成し，生成されるカルバミン酸誘導体).

carbaminohaemoglobin [Br.]. = carbaminohemoglobin.

car·ba·mi·no·he·mo·glo·bin (kahr-bam′i-nō-hē′mō-glō′bin). カルバミノヘモグロビン，カルバミノ血色素（ヘモグロビンの活性アミノ基によって炭酸ガスがヘモグロビンに結合したもの. すなわち Hb-NHCOOH. 血中炭酸ガスの約 20% が，この形でヘモグロビンに結合している). = carbaminohaemoglobin.

car·ba·moate (kahr′bă-mōt). = carbamate.

car·bam·o·yl (kar′bă-mō-il). カルバモイル（1 価のアシル基 NH_2-CO- で，その転移はある種の生化学的反応で重要な役割を果たす). = carbamyl.

***N*-car·bam·o·yl·as·par·tic acid** *N*-カルバモイルアスパラギン酸. = ureidosuccinic acid.

car·bam·o·yl·trans·fer·as·es (kahr′bă-mō-il-trans′fĕr-ās-ĕz). [EC group 2.1.3]. カルバモイルトランスフェラーゼ（1 つの化合物から他の化合物へ，カルバモイル基を転移する酵素の総称). = transcarbamoylases.

car·bam·o·yl·u·re·a (kahr′bă-mō-il-yūr′ē-ă). カルバモイル尿素. = biuret.

car·ba·myl (kahr′bă-mil). = carbamoyl.

car·bo·ben·zox·y (kahr′bō-ben-zok′sē). = benzyloxycarbonyl.

car·bo·gen (kahr′bō-jen). カルボージェン（血管拡張のための吸入療法に用いられる炭酸ガス 10% と酸素 90% の混合物).

car·bo·hy·drate load·ing 炭水化物負荷（長距離ランナーなどの競技者に普及している方法で，競技会の前に筋肉に多量のグリコゲンを貯蓄する方法. 競技会の直前 3 日間大量の炭水化物を摂取しても，3 日間はそれをほとんど消費しない). = glycogen loading; glycogen supercompensation.

car·bo·hy·drates (CHO) (kahr-bō-hī′drāts). 炭水化物，含水炭素，糖質（多価アルコールのアルデヒドまたはケトン誘導体の分類名. これらの化合物のうち最も一般的なものは，$C_m(H_2O)_n$ の一般式をもつのでこの名がある. したがってブドウ糖は $C_6(H_2O)_6$，ショ糖は $C_{12}(H_2O)_{11}$ で表される. しかし，これらは本当の水和物ではなく，その意味では誤った名称である. なかには上記のような比較的小さい分子，すなわち単糖(単糖類，二糖類など)はもちろん，デンプン，グリコゲン，セルロースのような巨大分子(重合体の)の化合物も含まれる. →saccharides).

car·bo·hy·drat·u·ri·a (kahr-bō-hī-dră-tyūr′ē-ă). 炭水化物尿〔症〕（一種あるいは数種の炭水化物(例えば，ブドウ糖，ガラクトース，乳糖，五炭糖など)が尿中に排泄されること).

car·bo·lu·ri·a (kahr-bō-lyūr′ē-ă). 石炭酸尿〔症〕（尿中に石炭酸が排泄されること).

car·bon (C) (kahr′bŏn). 炭素（4 価の非金属元素. 原子番号 6，原子量 12.011. 主要生元素. 天然には，主に 2 つの同位元素 ^{12}C，^{13}C が存在する(^{12}C は 12.00000 の標準原子質量). 人工放射性同位元素の 2 種 ^{11}C，^{14}C が注目されている. 炭素の形態は純粋な 3 つの形態(ダイアモンド，黒鉛，フラーレン)と非結晶形態(炭，コークス，煤)と，CO_2 として大気中に存在するものがある. 炭素の化合物はすべての生体組織中にみられ，その多数の化合物の研究にはほとんどの有機化学が関与する).

car·bo·na·ceous (kahr-bŏ-nā′shŭs). 炭素質（炭素を含むもしくは生成するもの).

car·bon·ate (kahr′bŏn-āt). ***1*** 炭酸塩. ***2*** 炭酸イオン; CO_3^{2-}.

car·bon di·ox·ide (CO_2) 二酸化炭素; CO_2（炭酸ガス. 空気の十分な供給下での炭素の燃焼生成物. 体積で 99.0% 以上の濃度の炭酸ガスを含むもの. 呼吸刺激薬として用いる).

car·bon di·ox·ide com·bin·ing pow·er 二酸化炭素結合能（血清，血漿または全血による 25℃ の 40 mmHg の P_{CO_2} での HCO_2 として結合されることができる全 CO_2 の量).

car·bon di·ox·ide cy·cle, car·bon cy·cle 炭酸ガスサイクル，炭素サイクル（炭素が動物の呼気および腐敗有機物に由来する炭酸ガスとして植物に取り込まれ，そこで光合成により炭水化物に合成されて，そこから全生活過程での異化作用の結果として再び最後に炭酸ガスとして大気中に放出される炭素の循環).

car·bon di·ox·ide pro·duc·tion ($\mathring{V}CO_2$) CO_2 産生量（1 分間に身体の中で生成した二酸化炭素の体積. STPD における 1 分間当たりの L または mL 数で報告する).

car·bon mon·ox·ide（CO） 一酸化炭素（炭素の不完全燃焼によって形成される無色でほとんど無臭の有毒ガス．毒作用はヘモグロビンやシトクロムに対する強い親和性にあり，酸素の運搬を減少させたり，酸素の利用を阻害する作用がある）.

car·bon mon·ox·ide he·mo·glo·bin 一酸化炭素ヘモグロビン. = carboxyhemoglobin.

car·bon mon·ox·ide poi·son·ing 一酸化炭素中毒（一酸化炭素ガスの吸入により起こる致命的になりうる急性あるいは慢性中毒．一酸化炭素は酸素よりも 210 倍の親和性でヘモグロビンと結合する(一酸化炭素ヘモグロビン血症)ので，酸素と二酸化炭素の血液による運搬が阻害される）.

car·bon·yl (kahr′bŏn-il). カルボニル（ケトン，アルデヒド，その他の有機酸に含まれる特徴的な基 -CO-）.

carboxy- CO あるいは CO_2 がついていることを示す連結形.

carboxyhaemoglobin ［Br.］. = carboxyhemoglobin.

carboxyhaemoglobinaemia ［Br.］. = carboxyhemoglobinemia.

car·box·y·he·mo·glo·bin (kahr-bok′sē-hē′mŏ-glō′bin). 一酸化炭素ヘモグロビン，一酸化炭素血色素（一酸化炭素とヘモグロビンのかなり安定した結合体．一酸化炭素ヘモグロビンの生成は，血液循環中の二酸化炭素と酸素の正常な運搬を妨げる．したがって，濃度が高くなると，窒息の種々の段階(死も含めた)が引き起こされる）. = carbon monoxide hemoglobin; carboxyhaemoglobin.

car·box·y·he·mo·glo·bi·ne·mi·a (kahr-bok′sē-hē′mŏ-glō-bi-nē′mē-ă). 一酸化炭素ヘモグロビン血〔症〕，一酸化炭素血色素血〔症〕（一酸化炭素中毒のように，血中に一酸化炭素ヘモグロビンが存在すること）. = carboxyhaemoglobinaemia.

car·box·yl (kahr-bok′sil). カルボキシル（ある種の有機酸の特徴的な基 -COOH）.

car·box·yl·ase (kahr-bok′sil-ās). カルボキシラーゼ（カルボキシリアーゼの一種．他の分子の全部あるいは一部への，二酸化炭素の付加を触媒してもう 1 つの -COOH 基を導入する）.

car·box·yl·a·tion (kahr-bok′si-lā′shŭn). カルボキシル化（マロニル CoA の生成や光合成のように有機アクセプターに CO_2 を付加して，COOH 基をつくること．カルボキシラーゼが触媒する）.

car·box·yl·trans·fer·as·es (kahr-bok′sil-trans′fĕr-ās-ĕz). ［EC group 2.1.3］. カルボキシルトランスフェラーゼ（カルボキシル基を 1 つの化合物から別の化合物へと転移させる酵素）. = transcarboxylases.

car·box·y·pep·ti·dase (kahr-bok′sē-pep′ti-dās). カルボキシペプチダーゼ（ポリペプチド鎖の遊離 C 末端で，アミノ酸を除去する水解酵素．エキソペプチダーゼ）.

car·bun·cle (kahr′bŭng-kĕl). よう(癰)，カルブンケル（①数個の近接する毛包を侵す深在性の化膿性感染症．互いに連続する洞の形成．②= anthrax）.

car·bun·cu·lar (kahr-bŭng′kyū-lăr). よう(癰)の，カルブンケルの.

car·bun·cu·lo·sis (kahr-bŭng′kyū-lō′sis). よう(癰)症，カルブンケル症（いくつかのカルブンケルが同時に，あるいは短期間に発生するのを特徴とする疾患）.

carcinaemia ［Br.］. = carcinemia.

car·ci·ne·mi·a (kahr′si-nē′mē-ă). カルシネミア（血液内に悪性細胞が存在する状態）.

carcino-, carcin- 癌に関する連結形.

car·ci·no·em·bry·on·ic (kahr′si-nō-em-brē-on′ik). 癌胎児性（carcinoembryonic antigen（癌胎児性抗原)のように，胎児組織に存在する癌に関連した物質に関する）.

car·ci·no·em·bry·on·ic an·ti·gen（CEA） 癌胎児抗原（胎児の内胚葉上皮のグリコカリックスの糖蛋白成分．大腸や他のある種の癌患者の血清中や常習喫煙者の血清中で上昇することがある）.

car·cin·o·gen (kahr-sin′ŏ-jen). 発癌物質（多環式芳香族炭化水素，あるいはある種の放射性物質のような癌を生じる物質）.

car·ci·no·gen·e·sis (kahr′si-nō-jen′ĕ-sis). 発癌〔現象〕（癌腫および他の悪性新生物を含む癌の発生）.

car·ci·no·gen·ic (kahr′si-nō-jen′ik). 発癌性の.

car·ci·noid syn·drome カルチノイド症候群（ほとんどの場合，肝臓へ転移した胃腸管のカルチノイド腫瘍から放出されるセロトニンにより生じる症状と病変の組合せ．まだらな発赤，平坦な皮膚血管腫，しばしば逆流を伴った後天性三尖弁および肺動脈弁狭窄で左心弁膜の軽度の障害をときに伴ったもの，下痢，気管支痙攣，精神異常，多量の 5-ヒドロキシインドール酢酸の排泄などからなる）.

car·ci·noid tu·mor カルチノイド，類癌腫（やや小型の胞核を有し，中程度の大きさの丸い，好酸性の，あるいは紡錘型の細胞の島からなり，正常粘膜でおおわれ，割面は黄色で通常，小さな発育の遅い新生物．新生物細胞の小腫瘍巣の辺縁は柵状になっていることが多く，周囲組織へ浸潤する傾向がある．この新生物は消化管のどこにでも(肺および他の部位にも)発生するが，約 90% は虫垂で発生する. →carcinoid syndrome）. = argentaffinoma.

car·ci·no·lyt·ic (kahr′si-nō-lit′ik). 癌細胞破壊〔性〕の.

car·ci·no·ma（CA, Ca）, pl. car·ci·no·mas, car·cin·o·ma·ta 癌〔腫〕（様々な部位の上皮組織から発生する種々の悪性腫瘍，男女両性の皮膚と大腸，男性の肺・前立腺，女性の肺・乳房に発生することが多い．癌は，組織学的には，浸潤性と，無形成性変化，すなわち核極性の喪失，細胞の秩序立った成熟の喪失(特に扁平上皮細胞)，細胞の大きさや形の変動，核の過染色性(染色質の凝集を伴う)，核-細胞形質比の増加などに基づいて確認される．癌は未分化のことがあるし，腫瘍組織が正常上皮の型の 1 つに(種々

C

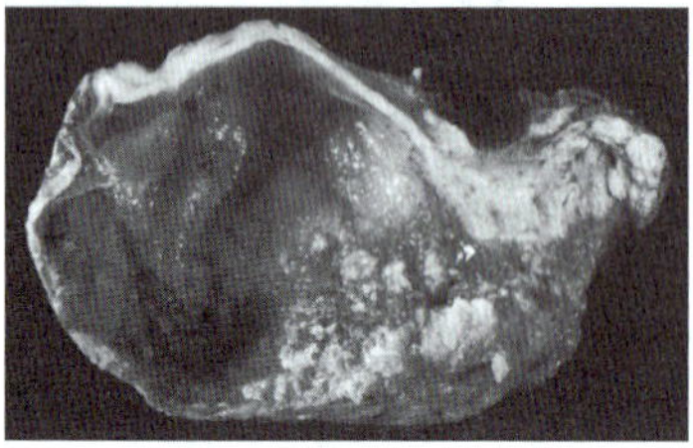

carcinoma of the gallbladder

の程度に)類似していることもある).

car·ci·no·ma of the breast 乳癌 (女性(ときに男性)の乳腺上皮に発生する悪性腫瘍. 通常, 乳管上皮由来の腺癌).

car·ci·no·ma of the pros·tate 前立腺癌 (前立腺の腺上皮から起こる悪性腫瘍).

car·ci·no·ma in si·tu (CIS) 上皮内癌 (浸潤性の癌に伴うような細胞学的変化を特徴とする病変. 病理学的な変化は被覆上皮だけに限定され, 隣接する構造物へ浸潤している組織学的証拠はない. 明瞭な変化は通常, 核に顕著にみられる. 病変は, 組織学的に認められる侵襲性扁平上皮癌の前駆状態であると推定される. すなわち, 癌の局在期および治癒可能期であると推定される).

car·ci·no·ma·ta (kahr′si-nō′mă-tă). carcinoma の複数形の別名.

car·ci·no·ma·to·sis (kahr′si-nō-mă-tō′sis). 癌腫症 (身体の種々の器官や組織内の多数の部位にわたる広範囲な癌の播種から生じる状態をいう). = carcinosis.

car·ci·no·ma·tous (kahr′si-nō′mă-tŭs). 癌〔性〕の.

car·ci·no·pho·bi·a (kahr′sin-ō-fō′bē-ă). = cancerophobia.

car·ci·no·sar·co·ma (kahr′si-nō-sahr-kō′mă). 癌肉腫 (癌腫と肉腫の要素を有する悪性新生物. 両者が広範に混在しているので, 上皮組織と間葉組織の新形成を示す).

car·ci·no·sis (kahr′si-nō′sis). = carcinomatosis.

car·da·mom (kahr′dă-mŏm). カルダモン, ショウズク (ショウガ科 *Elettaria cardamomum* の乾燥熟成種子. 料理用の香料に用いられる). = *Alpinia cardamom*; Malabar cardamom.

Car·den am·pu·ta·tion カーデン切断術 (下肢を大腿骨顆部まで切断する方法. 大腿骨を関節面の真上の大腿骨顆部で切断する).

car·di·a (kahr′dē-ă). 噴門 (噴門腺のある噴門口または噴門に近い胃の部分).

car·di·ac ar·rest (CA) 心〔拍〕停止 (心臓の電気的, 機械的または両者の完全な活動停止で, 治療上の理由で意図的に導入することもある).

car·di·ac ar·rhyth·mi·a →cardiac dysrhythmia.

car·di·ac as·sess·ment 心臓アセスメント

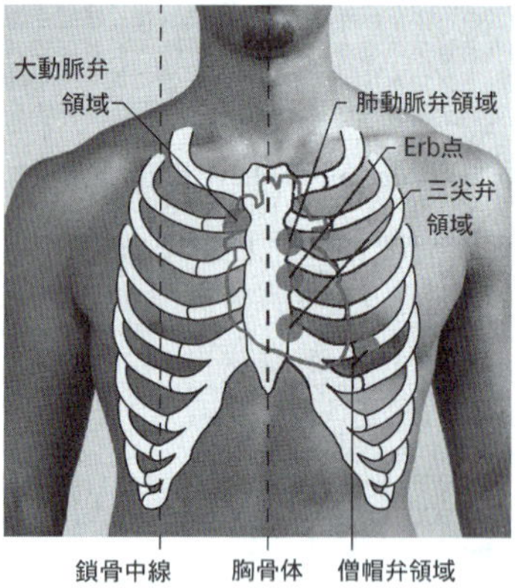
大動脈弁
領域
肺動脈弁領域
Erb点
三尖弁
領域
鎖骨中線
胸骨体
僧帽弁領域

cardiac assessment: 心音の聴診領域

(医療提供者による心臓血管システム評価).

car·di·ac asth·ma 心臓〔性〕ぜん息 (ぜん息発作の一種で, 左心室不全による肺うっ血や肺浮腫に続発する気管支痙攣).

car·di·ac care tech·ni·cian = emergency medical technician-intermediate.

car·di·ac cath·e·ter = intracardiac catheter.

car·di·ac cir·rho·sis 心臓性肝硬変 (慢性収縮性心膜炎や持続性うっ血性心不全の結果, 肝臓内に生じる広範囲の線維形成反応. 小葉間が線維で結ばれるような真の肝硬変がみられることはあまりない).

car·di·ac cy·cle 心〔臓〕周期 (心臓の収縮・拡張期およびその間隔を含む完全な1周期. または心臓の活動のある事象から始まり, 次の同じ事象の起こる瞬間までの周期).

car·di·ac de·com·pres·sion 心臓減圧〔術〕(心臓嚢に血液または他の体液があるために生じる圧迫を緩和するために心膜を切開したり, 心嚢貯留液を吸引すること). = pericardial decompression.

car·di·ac dys·rhyth·mi·a 心律動異常, 不整脈 (心臓の活動の速度, 規則性, または順序の異常のすべてを表す語).

car·di·ac e·de·ma 心臓〔性〕水腫(浮腫) (うっ血性心不全に起因するもの). = cardiacoedema.

car·di·ac gan·gli·a 心臓神経節 (副交感性の神経節で, 大動脈弓と肺動脈分岐部との間の神経叢の中とその心房および房室溝への拡大部の中とにある).

car·di·ac gat·ing 心臓ゲーティング (心周期の中の特定のトリガー(例えば Q 波)を用いて, 他の事象の解析に用いること. RI 検査や磁気共鳴画像で, 心周期の収縮期や拡張期相の描出に用いる).

car·di·ac gland 噴門腺 (胃噴門部にあるコイ

ル状管状腺．主に粘液を分泌する）．
car·di·ac his·ti·o·cyte 心臓組織球（炎症状態にある心臓壁の結合組織内にみられる大単核細胞．特に Aschoff 体にみられる）．= Anitschkow cell; Anitschkow myocyte.
car·di·ac in·dex 心係数（ある単位時間内に心臓より駆出された血液の量を体表面積で除したもので，通常，L/min/m^2 で表す）．
car·di·ac in·suf·fi·cien·cy 心不全．= heart failure(1)．
car·di·ac jel·ly 胚期初期における心臓の内膜と心筋層間のゲル状，無細胞物質．成長すると心臓間質の原質(胚性結合組織)となる．
car·di·ac mas·sage 心〔臓〕マッサージ．= heart massage.
car·di·ac mur·mur 心雑音（心臓内の弁口または心室中隔を通過する血流で生じる雑音）．
car·di·ac mus·cle 心筋（心筋層，肺静脈壁，上大静脈壁にみられる不随意筋で，介在板で結合する細胞によって構成される，互いに融合した横紋をもつ筋線維からなる）．= muscle of heart.
car·di·ac neu·ro·sis 心臓神経症（心臓病によるものでなく，動悸，胸痛，その他の徴候の結果として心臓の状態に関して不安をもつこと．心気症の一型）．= cardioneurosis.
car·di·ac notch 噴門切痕（食道と胃底部の深い切痕）．
cardiacoedema [Br.]. = cardiac edema.
car·di·ac or·i·fice 噴門口（食道から胃へ通じるトランペット形の開口）．
car·di·ac out·put (CO) 心拍出量（単位時間内に心臓から拍出される血液量(すなわち分時拍出量)で，通常，L/分で表す）．
car·di·ac plex·us 心臓神経叢（心肺内臓神経その他の内臓神経の吻合によって形成された広範囲の神経網工で，求心性および遠心性(交感・副交感)の線維を含み大動脈弓や肺動脈を囲んだ後，心房，心室，冠状動脈に分布する）．
car·di·ac re·ha·bil·i·ta·tion 心臓リハビリテーション（心臓血管病患者の，特に心筋梗塞後の回復期における疾患からの回復および生理的能力を最大限に引き出すための，運動および栄養上，行動上，職業上のカウンセリングの系統的なプログラム）．
car·di·ac res·cue tech·ni·cian = emergency medical technician-intermediate.
car·di·ac re·serve 心〔臓〕予備力（日常生活の通常の環境下で必要とされる以上の心臓のもつ能力．心筋の状態と，生理学的範囲内における心拡張期に心臓に到達する血液量により心筋線維がのびる程度とによる）．
car·di·ac souf·fle 心雑音（緩やかな風が吹いているような心臓の雑音）．
car·di·ac sphinc·ter 噴門部括約筋（食道胃移行部にある生理学的括約筋）．
car·di·ac stand·still 心〔動〕停止．= asystole.
car·di·ac tam·pon·ade 心〔臓〕タンポナーデ（心膜腔内に液体量が増加することにより心臓へ戻る静脈還流が圧迫障害されること）．
car·di·ac val·vu·lar in·com·pe·tence 心臓弁不全（一方向へ流すという弁の基礎的な機能の不全で，弁の閉鎖不全時に反対の方向に血液が逆流することにより明らかになる）．
car·di·ec·ta·si·a (kahr′dē-ek-tā′zē-ă)．心臓拡張〔症〕．= ectasia cordis.
car·di·nal lig·a·ment 基靱帯（子宮頸と膣の側方円蓋に付着する線維帯．骨盤血管を被包する組織に続く）．
car·di·nal points ***1*** 枢要点（骨盤入口にある 4 点．胎児の頭部が先進する場合，普通これらのうちの 1 点に後頭が向く．例えば，寛骨臼に相当する仙腸関節 2 個と腸恥骨隆起 2 個）．***2*** 主要点（眼の 6 点．すなわち前焦点，後焦点，主点 2 個と結節点 2 個）．
car·di·nal symp·tom 主症状（診断上，重要である主な症状）．
car·di·nal veins 主静脈（主静脈は，原始脊椎動物の成体，および高等脊椎動物の胎児における静脈道の主系である．前主静脈 **anterior cardinal veins** は身体の頭方部からの，後主静脈 **posterior cardinal veins** は尾方部からの主な経路である．前主静脈と後主静脈の吻合によってできる総主静脈 **common cardinal veins** は心臓への重要な返還路である）．
cardio-, cardi- 心臓に関する連結形．
car·di·o·ac·cel·er·a·tor (kahr′dē-ō-ak-sel′ĕr-ā-tŏr)．心活動促進剤，心臓促進神経（心拍を促進するもの）．
car·di·o·ac·tive (kahr′dē-ō-ak′tiv)．心臓作用〔性〕の．
car·di·o·a·or·tic (kahr′dē-ō-ā-ōr′tik)．心臓大動脈の（心臓と大動脈に関する）．
car·di·o·ar·te·ri·al (kahr′dē-ō-ahr-tēr′ē-ăl)．心臓動脈の（心臓と動脈に関する）．
Car·di·o·bac·te·ri·um (kahr′dē-ō-bak-tē′rē-ŭm)．カルディオバクテリウム属（非運動性多形性でグラム陰性の通性嫌気性杆菌の一属．鼻内細菌中にみられ，ヒトの心内膜炎に関与している．標準種は *Cardiobacterium hominis*）．
Car·di·o·bac·te·ri·um hom·i·nis ヒトに心内膜炎を起こす細菌種．*Cardiobacterium* 属の標準種．→HACEK group.
car·di·o·cele (kahr′dē-ō-sēl)．心臓ヘルニア（横隔膜の孔や創傷を通って，心臓が突出，またはヘルニアを形成すること）．
car·di·o·cha·la·si·a (kahr′dē-ō-kă-lā′zē-ă)．噴門痙攣，噴門無弛緩〔症〕．
car·di·o·dy·nam·ics (kahr′dē-ō-dī-nam′iks)．心臓力学（心臓の運動とそれらによって生じる力を含む心臓作用の力学）．
car·di·o·dyn·i·a (kahr′dē-ō-din′ē-ă)．心臓痛．
car·di·o·e·soph·a·ge·al (kahr′dē-ō-ē-sō-fā′jē-ăl)．噴門食道の（食道と胃の噴門とが連結するあたりについていう）．
car·di·o·e·soph·a·ge·al junc·tion 食道噴門結合部（食道粘膜が胃の噴門粘膜に突然変わるところで，生体では内部で Z 線によって，外的にはほぼ噴門切痕で境される）．
car·di·o·gen·ic (kahr′dē-ō-jen′ik)．心臓性の（心起源の）．
car·di·o·gen·ic shock 心臓性ショック，心原

C

性ショック（重症の心疾患，通常，心筋梗塞によって二次的に心拍出量が減少する結果起こるショック）．

car·di·o·gram (kahr′dē-ō-gram)．心拍動曲線，心拍曲線，カルジオグラム（①カルジオグラフのスタイレットで描かれる追跡図．②一般的に心臓に由来する記録図に，わかりやすいように，apex-, echo-, electro-, phono-, vector- などの接頭語をつけて用いる）．

car·di·o·graph (kahr′dē-ō-graf)．心拍動記録器，心拍記録器，カルジオグラフ（心臓の運動を図式的に記録する機器．脈波計の原理に基づいてつくられる）．

car·di·og·ra·phy (kahr′dē-og′ră-fē)．心拍動記録〔法〕，心拍記録〔法〕，カルジオグラフィ（カルジオグラフを用いること）．

car·di·o·he·pat·ic (kahr′dē-ō-hĕ-pat′ik)．心肝の（心臓と肝臓に関する）．

car·di·o·ky·mo·gram (kahr′dē-ō-kī′mō-gram)．心臓キモグラム（心臓キモグラムによる記録）．

car·di·o·ky·mo·graph (kahr′dē-ō-kī′mō-graf)．心臓キモグラフ（胸壁上で左室前壁の壁運動を記録する非侵襲的検査法．径 5 cm の高周波数用のトランスデューサ板および記録用プローベ付きの低周波数用振動子からなる．壁運動の変化は磁場の変化となり，これが振動子の周波数変化となり多チャンネルアナログ波として記録される）．

car·di·o·ky·mog·ra·phy (kahr′dē-ō-kī-mog′ră-fē)．心臓キモグラフィ（心臓キモグラフ法）．

car·di·o·lip·in (kahr′dē-ō-lip′in)．カルジオリピン（1,3-bis (phosphatidyl) glycerol．免疫学的特性をもち，多くの生体膜に存在する．梅毒の血清診断に用いる）．

car·di·ol·o·gist (kahr′dē-ol′ŏ-jist)．心臓病専門医（心臓病学を専門とする医師）．

car·di·ol·o·gy (kahr′dē-ol′ŏ-jē)．心臓〔病〕学（心臓およびその疾病に関する科学）．

car·di·o·ma·la·ci·a (kahr′dē-ō-mă-lā′shē-ă)．心臓軟化〔症〕（心臓壁の軟化）．

car·di·o·meg·a·ly (kahr′dē-ō-meg′ă-lē)．心臓肥大．= macrocardia; megalocardia.

car·di·o·mo·til·i·ty (kahr′dē-ō-mō-til′i-tē)．心臓運動性．

car·di·o·mus·cu·lar (kahr′dē-ō-mŭs′kyū-lăr)．心筋の．

car·di·o·my·o·li·po·sis (kahr′dē-ō-mī′ō-li-pō′sis)．心筋脂肪症．

car·di·o·my·op·a·thy (kahr′dē-ō-mī-op′ă-thē)．心筋症（心筋の病気．既知の原因がなくて生じる心筋の本態性の病的過程）．= myocardiopathy.

car·di·o·my·o·plas·ty (kahr′dē-ō-mī′ō-plas-tē)．骨格筋ポンプ（心機能を補助するために広背筋を刺激して用いる手技．広背筋は胸壁から可動性をもって，切除された第二・第三肋骨床から胸腔へはいる．筋肉は左室と右室の周りをまいて，植え込まれたスティミュレータによって心収縮期に収縮するようにバースト（短時間に高頻度）に刺激される．注直訳は「心筋形成術」

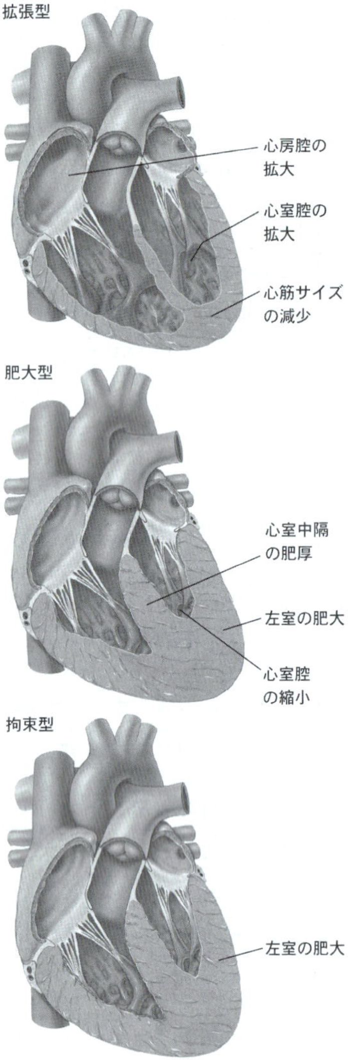
拡張型
心房腔の拡大
心室腔の拡大
心筋サイズの減少
肥大型
心室中隔の肥厚
左室の肥大
心室腔の縮小
拘束型
左室の肥大
cardiomyopathies that lead to congestive heart failure

であるが，日本では通常「骨格筋ポンプ」とよぶ）．

car·di·o·neph·ric (kahr′dē-ō-nef′rik)．= cardiorenal.

car·di·o·neu·ral (kahr′dē-ō-nūr′ăl)．心臓神経

の（心臓の神経調節に関する）.

car·di·o·neu·ro·sis (kahr′dē-ō-nūr-ō′sis). = cardiac neurosis.

cardio-oesophageal [Br.]. = cardioesophageal.

cardio-oesophageal junction [Br.]. = cardioesophageal junction.

car·di·o·o·men·to·pex·y (kahr′dē-ō-ō-men′tō-pek-sē). 心臓大網固定〔術〕（血液供給を改善するために，心臓に大網を付着させる手術）.

car·di·op·a·thy (kahr′dē-op′ă-thē). 心臓障害（心臓の何らかの疾患）.

car·di·o·per·i·car·di·o·pex·y (kahr′dē-ō-per-i-kahr′dē-ō-pek-sē). 心臓心膜固定〔術〕（心筋に対する血液供給を増加させる手術．滅菌ケイ酸マグネシウム（一種のタルク）を心膜内に散布したり，心膜を機械的に擦傷して癒着性心膜炎を発生させ，冠状動脈間吻合および心膜側副血行の発生を刺激して血液供給を増加させる）.

car·di·o·pho·bi·a (kahr′dē-ō-fō′bē-ă). 心臓病恐怖〔症〕（心臓病に対する病的な恐れ）.

car·di·o·phren·ic an·gle 心横隔膜角（心臓と横隔膜で形成される角度．通常，胸部X線写真前後像で測定する）.

car·di·o·plas·ty (kahr′dē-ō-plas-tē). 噴門形成〔術〕（胃の噴門形成手術）. = esophagogastroplasty.

car·di·o·ple·gi·a (kahr′dē-ō-plē′jē-ă). ***1*** 心臓麻痺. ***2*** 心停止法（化学薬品の注射，選択的低体温法，または電気的刺激によって，心臓の活動を一時的に停止させるための選択方法）.

car·di·o·ple·gic (kahr′dē-ō-plē′jik). 心臓麻痺の，心停止法の.

car·di·o·ple·gic ar·rest 心筋保護下の心停止（電気的・機械的な心臓の活動の一時的な意図的な停止）.

car·di·op·to·si·a, car·di·op·to·sis (kahr′dē-op-tō′sē-ă, kahr′dē-op′tō-sis). 心臓下垂〔症〕（心臓が過度に可動性となり，下方に変位した状態．bathycardia（滴状心）とは区別される）.

car·di·o·pul·mo·nar·y (kahr′dē-ō-pul′mŏ-nār-ē). 心肺の（心臓と肺に関する）. = pneumocardial.

car·di·o·pul·mo·nar·y by·pass 心肺バイパス（心臓に戻る血流を人工心肺装置を通して体循環の動脈側に戻す方法．心臓手術の際に体外循環を保つために用いる術式）.

car·di·o·pul·mo·na·ry ex·er·cise test (CPX) 心肺運動負荷試験（心電計につないだ状態でのトレッドミル，サイクリングマシーン使用時における心臓病検査）.

car·di·o·pul·mo·nar·y mur·mur 心肺性雑音（良性の心外性雑音．心拍と同時に生じるが，呼吸を止めると消失する．収縮する心臓によって圧迫される肺分節内の空気の動きにより生じると考えられている）.

car·di·o·pul·mo·nar·y re·sus·ci·ta·tion (CPR) 心肺蘇生術（心停止および呼吸停止が起こった際に心拍出量と肺換気を回復することで，人工呼吸および用手的非開胸胸部圧迫または開胸心マッサージを用いて行う）.

car·di·o·pul·mo·nar·y splanch·nic nerves 心肺内臓神経（交感神経幹からの内臓枝で交感性節後線維を横隔膜より上にある内臓に送り，ここからは内臓求心性線維を受ける．主に心臓・肺臓・食道神経叢を経由する．頸内臓神経，胸心臓神経は心肺内臓神経の一部である）.

car·di·o·py·lo·ric (kahr′dē-ō-pī-lōr′ik). 噴幽門の（胃の噴門端と幽門端に関する）.

car·di·o·re·nal (kahr′dē-ō-rē′năl). 心腎の（心臓と腎臓に関する）. = cardionephric; nephrocardiac.

car·di·o·res·pi·ra·tory train·ing = endurance phase.

car·di·or·rha·phy (kahr′dē-ōr′ă-fē). 心臓縫合〔術〕，心筋縫合〔術〕（心壁の縫合）.

car·di·or·rhex·is (kahr′dē-ō-rek′sis). 心臓破裂（心壁の破裂）.

car·di·o·se·lec·tive (kahr′dē-ō-sĕ-lek′tiv). 心選択性の（心選択性の特徴をもっている，あるいは示す）.

car·di·o·se·lec·tiv·i·ty (kahr′dē-ō-sĕ-lek-tiv′i-tē). 心選択性（多くの薬理作用をもつ薬物が，相対的に心臓血管系に対して強い薬理作用をもつこと．特にβ遮断薬の説明に用いる）.

car·di·o·spasm (kahr′dē-ō-spazm). 噴門痙攣〔症〕. = esophageal achalasia.

car·di·o·sphyg·mo·graph (kahr′dē-ō-sfig′mō-graf). 心脈波計（心臓の運動と，橈骨動脈脈拍とを図式に描写する器械）.

car·di·o·ta·chom·e·ter (kahr′dē-ō-tă-kom′ĕ-tĕr). カルジオタコメータ（心拍の速度を測定する器械）.

car·di·o·tho·rac·ic ra·ti·o 心胸郭比，心胸〔郭〕係数（胸部X線写真における（胸郭の）最も幅広い部位における肋骨内側の径に対する心臓の水平径の割合）.

car·di·o·to·cog·ra·phy (CTG) 胎児心拍数陣痛図（分娩中の胎児心および子宮収縮のモニター）.

car·di·ot·o·my (kahr′dē-ot′ŏ-mē). ***1*** 心臓切開〔術〕（心壁を切開すること）. ***2*** 噴門切開〔術〕（胃の噴門部を切開すること）.

car·di·o·ton·ic (kahr′dē-ō-ton′ik). 強心性の（心機能に好ましい効果をもつ．通常，収縮力の増強を意味する）.

car·di·o·tox·ic (kahr′dē-ō-tok′sik). 心臓毒〔性〕の（心筋またはその伝導系の中毒によって，心機能に有害な影響を及ぼす）.

car·di·o·val·vu·li·tis (kahr′dē-ō-val-vyū-lī′tis). 心臓弁膜炎.

car·di·o·vas·cu·lar (kahr′dē-ō-vas′kyū-lăr). 心臓血管の（心臓と血管または循環に関する）. = cardiovasculare.

car·di·o·vas·cu·lar drift 心血管変動（いくつかの心血管反応における緩徐な時間依存の下向きの〝変動〟で，最も著しいのは心拍数の増加を伴う心拍出量であるが，長期の定常心拍数の運動中に起こる．運動中の心臓血管変動を伴う心拍数の漸増は，拡張末期容量を減少させ，心拍出量を減少させる）.

car·di·o·vas·cu·la·re (kahr-dē-ō-vas-kyū-lahr′

rā). = cardiovascular.

car·di·o·ver·sion (kahr′dē-ō-vĕr′zhŭn). 電気〔的〕除細動，カルジオバージョン（電気的カウンターショックまたは薬剤により，心臓のリズムを正常に戻すこと）.

car·di·o·vert (kahr′dē-ō-vĕrt). 心変換（心拍を物理的にまたは薬剤により正常調律に戻すこと）.

car·di·o·ver·ter (kahr′dē-ō-vĕr′tĕr). 電気〔的〕除細動器（カルジオバージョンを与えるために用いる器械）.

car·di·tis (kahr-dī′tis). 心臓炎.

car·do san·to = blessed thistle.

care (kār). 医療，患者管理（医学や公衆衛生において，地域または個人の利益のために知識を用いることに対する一般用語）.

Care Co·or·di·na·tor 医療企画官（クライアントの取り扱い件数を割り当てられ，提供する医療の企画に責任を持つ医療提供者．通常在宅医療，保険評価に対して責任を持つ）.

care·giv·er (kār′giv-ĕr). ケアギバー，ケア供与者，医療供与者（①医師，看護師，または患者の世話をする他の健康管理従事者を示す一般用語．②病気の人に世話または援助を施す，家族の成員を含むすべての人）.

care plan 介護サービス企画（患者に必要なサービスとそれを満たす方法が示してある介護企画．書類には介護士の継続的評価に対する了承事項と対象，またそれの修正点が記されてある．典型的なものは介護診断，介護処置，結果である．介護の一貫性を確実なものにする）. = plan of care.

Car·ey Coombs mur·mur ケアリー・クームズ（カーリー・クームス）雑音（リウマチ性僧帽弁膜炎の急性期に生じる肥厚先端性の拡張中期雑音．弁膜炎が治まるにつれて消失する）.

C.A.R.F. Commission on Accreditation of Rehabilitation Facilities の略.

Car·hart notch カーハルトのノッチ（耳硬化症患者の骨伝導オージオグラムにおいて，2,000 Hz 付近に 1 つだけあるくぼみ. →air-bone gap. →otosclerosis）.

car·ies, pl. car·ies (kar′ēz, kar′ēz). う食(蝕)，カリエス，虫歯(むしば)（微生物による歯の崩壊または壊死）.

ca·ri·na, pl. ca·ri·nae (kă-rī′nă, -nē). 竜骨，胸峰（突出した中央隆起を形成する解剖学的構造に用いられる語）.

car·i·nate (kar′i-nāt). 竜骨形の.

car·i·nate ab·do·men 竜骨状腹（腹部正中線の隆起を伴う両側腹部の陥凹）.

cario- う食に関する連結形.

car·i·o·gen·e·sis (kar′ē-ō-jen′ĕ-sis). う食(蝕)発生（う食の発生過程．う食発生の機序）.

car·i·o·gen·ic (kar′ē-ō-jen′ik). う食(蝕)原性の（う食を形成する．通常，食事についていう）.

car·i·o·ge·nic·i·ty (kar′ē-ō-jĕ-nis′i-tē). う食(蝕)原性（う食を起こさせる能力あるいは性質）.

car·i·ol·o·gy (kar′ē-ol′ŏ-jē). う食(蝕)学（歯のう食およびう食発生の研究）.

car·i·o·stat·ic (kar′ē-ō-stat′ik). 抗う食(蝕)性（う食の進行に対する抑制作用を有していること）.

car·i·ous (kar′ē-ŭs). う食(蝕)の，カリエスの.

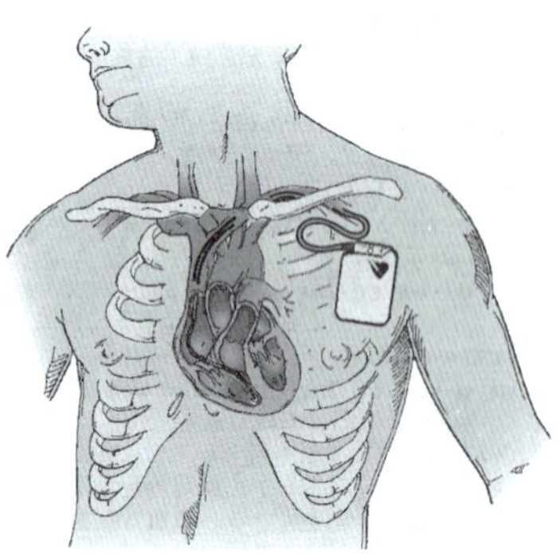

implantable cardioverter defibrillator

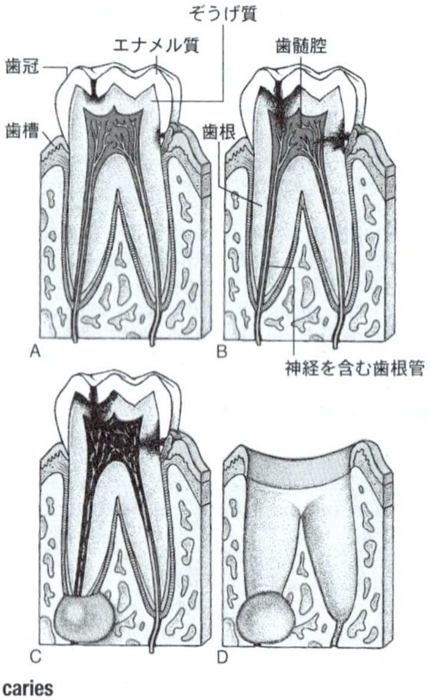
ぞうげ質
エナメル質
歯髄腔
歯冠
歯槽
歯根
A
B
神経を含む歯根管
C
D

caries

A：口腔バクテリアにより産生された酸や酵素がエナメル質を破壊し，う窩を形成する.
B：バクテリアがぞうげ質から歯髄腔へ侵入する.
C：歯髄の崩壊が進行し，左側の根管を経由して根尖性歯周組織疾患を引き起こす.
D：歯は抜け落ち，左側に歯根嚢胞が残される.

Car·len tube カーレン(カーレンス)管(チューブ)(左右別肺機能検査に用いられる二重管腔の柔軟性のある気管支内挿管チューブ．対側肺よりの混交(ガスなどあるいは汚染の)や分泌を避けたり，一側肺換気のために片肺を分離する場合にも使う)．

car·line this·tle カーリンシスル（薬草の一種．防腐剤や月経異常治療の効果があるとされている．使用後の発作が報告されている)．= Felon herb; mugwort.

Car·man sign カルマン徴候（胃のX線検査における悪性潰瘍の所見で，良性潰瘍と異なり充えい像の突出が胃の輪郭線を越えない．このとき腫瘍組織の辺縁は厚くおおいかぶさる形となる)．

car·min·a·tive (kahr-min′ă-tiv)．駆風薬（鼓腸を緩和する薬物)．

car·mine (kahr′mēn)．[CI 75470]．カルミン（コチニールから誘導したコクシネリンから生成した赤色物質で組織の染色に用いる)．

car·min·o·phil, car·min·o·phile (kahr-min′ō-fil, -fīl)．カルミン親和性の（カルミン染料に容易に染色される)．

car·nas·si·al tooth 裂肉歯（イヌやネコにみられるような，切断する働きをもった食肉目動物の長い刃のある大臼歯または小臼歯)．= sectorial tooth.

Car·nett sign カルネット徴候（以下の2項がある．ⓘ前腹壁の筋が収縮しているとき腹部の圧痛が消失すれば，腹腔内起源の痛みであることを示す．圧痛が持続する場合は腹壁に痛みの源があるとわかる．ⓘⓘ腹壁内起源の痛みは，皮膚と脂肪のしわを母指と示指の間で静かにつまむと圧痛が起こる場合にも示される)．

car·ni·tine (kahr′ni-tēn)．カルニチン（L-異性体は筋肉，肝臓，肉抽出物に見出される甲状腺阻害剤である．L-カルニチンはミトコンドリア膜に関してアシル担体であり，脂肪酸酸化を促進させる)．

car·niv·o·rous (kahr-niv′ŏr-ŭs)．肉食性の（動物を食して生命を維持する．*cf.* herbivorous)．

Car·noy fix·a·tive カルノワ固定液（エタノール：クロロホルム：酢酸=6：3：1，あるいはエタノール：酢酸=3：1の組成のきわめて迅速な固定液で，グリコゲンの保存や核の固定液として用いる)．

Ca·ro·li dis·ease, Ca·ro·li syn·drome カロリ病（肝内胆管の先天性囊胞性拡張．ときに肝内結石や胆管閉塞を伴う)．

carotenaemia [Br.]．= carotenemia.

car·o·tene (kar′ō-tēn)．カロチン（広く植物や動物，特にニンジンに多く含まれる一群の黄赤色色素(脂肪色素)で，構造的にはキサントフィル，リコペンと開鎖スクアレンに密接に関連している．また，ビタミンA前駆物質(プロビタミンAカロチノイド)が含まれている点で特に注目されている)．

car·o·ten·e·mi·a (kar′ŏ-tĕ-nē′mē-ă)．カロチン血〔症〕（血液内にカロチンが，特に多量に存在すること．皮膚に黄疸様の淡黄赤色色素沈着を生じることがある)．= carotenaemia; xanthemia.

ca·rot·en·o·der·ma (kă-rot′ĕ-nō-dĕr′mă)．皮膚カロチン症．= carotenosis cutis.

ca·rot·e·noid (kă-rot′ĕ-noyd)．***1*** 〚adj.〛カロチン様の，カロチン色の，黄色の．***2*** 〚n.〛カロチノイドの一種．

ca·rot·e·noids (kă-rot′ĕ-noydz)．カロチノイド（カロチンおよびその酸化物(キサントフィル)などの総称．多くのカロチノイドは抗癌活性をもつ)．

car·o·te·no·sis cu·tis 皮膚カロチン症（カロチン含有量の増加による無害で可逆性の皮膚の黄色変化．強膜は侵されない)．= carotenoderma.

ca·rot·i·co·cav·er·nous fis·tu·la = carotid-cavernous fistula.

ca·rot·i·co·tym·pan·ic (kă-rot′i-kō-tim-pan′ik)．頸動脈鼓室の（頸動脈管と鼓室に関する)．

ca·rot·i·co·tym·pan·ic ar·ter·ies (of in·ter·nal ca·rot·id ar·ter·y) 頸鼓小管動脈（内頸動脈の錐体部から出る数本の小枝で，鼓室へ分布した後，前鼓室動脈および上顎動脈と吻合する)．

ca·rot·id (kă-rot′id)．頸動脈の．

ca·rot·id bod·y 頸動脈小体（左右の総頸動脈分岐部のすぐ上にある小さい類上皮構造．酸素欠乏，一酸化炭素過剰，水素イオン濃度の増加に反応する化学受容器として働く)．= intercarotid body.

ca·rot·id bru·it 頸動脈雑音（大動脈部ではなく頸部で聞かれる収縮性雑音．頸動脈の乱血流により起こる雑音)．

ca·rot·id ca·nal 頸動脈管（側頭骨錐体部の下面から上方内側前方に向かい，錐体尖で破裂孔の後上方に開口する通路．内頸動脈，静脈叢，自律神経の通路となる)．= canalis caroticus.

ca·rot·id-cav·ern·ous fis·tu·la 頸動脈海綿静脈洞瘻（自発的にあるいは外傷に起因して形成された海綿静脈洞とその中を横切っている内頸動脈との間に連絡する瘻孔交通．拍動性偏側性(一側性)の眼球突出と頭蓋内雑音が一般的な徴候である)．= caroticocavernous fistula.

ca·rot·id gan·gli·on 頸動脈神経節（海綿洞内の頸動脈下面にある内頸動脈神経叢から出ている糸状体上の小さい神経節様腫脹)．

ca·rot·id pulse 頸動脈波（頸動脈部分の脈)．

ca·rot·id sheath 頸動脈鞘（各側で総頸動脈，内頸静脈，および迷走神経を包んで胸鎖乳突筋の深部にある緻密な線維性の鞘．頸筋膜の諸層に移行する)．= vagina carotica.

ca·rot·id si·nus 頸動脈洞（総頸動脈の外頸動脈と内頸動脈への分岐点にある軽度の拡張部．圧覚受容器を含み，刺激を受けると心臓の緩徐化，血管拡張，血圧低下をきたす．基本的には舌咽神経の支配を受ける)．

ca·rot·id si·nus mas·sage 頸動脈洞（上室性頻脈症を治療する際の頸動脈洞への触診)．

ca·rot·id si·nus re·flex 頸動脈洞反射（頸動脈洞の過敏または過反応による頸動脈洞に関連した正常の反射)．

ca·rot·id si·nus syn·co·pe 頸動脈洞性失神

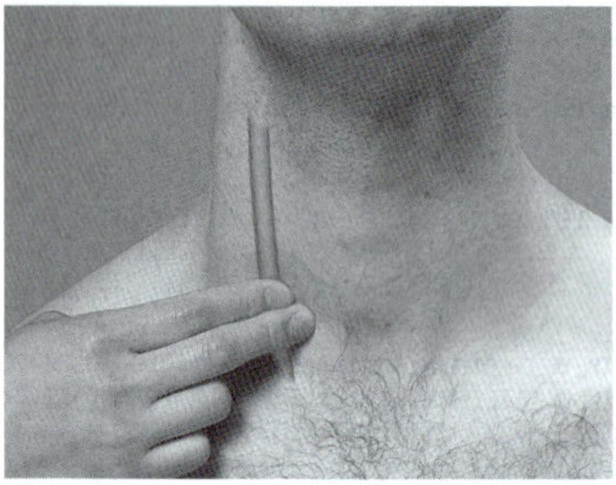
carotid pulse

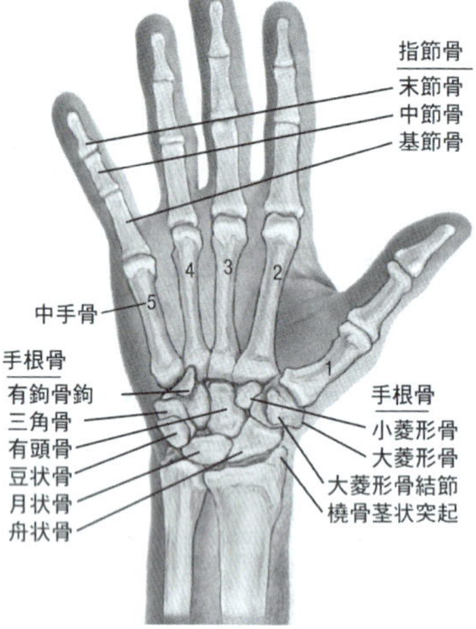
指節骨
末節骨
中節骨
基節骨
中手骨
手根骨
有鉤骨鉤
三角骨
有頭骨
豆状骨
月状骨
舟状骨
手根骨
小菱形骨
大菱形骨
大菱形骨結節
橈骨茎状突起
carpal bones

(頸動脈洞の過剰活動により生じる失神. 発作は自発性に起こる場合と, 過敏頸動脈洞の圧迫により起こる場合とがある).

ca·rot·id si·nus syn·drome 頸動脈洞症候群(頸動脈洞活動過剰による刺激で, 血管拡張または心拍出遅延の片方または両者により著しい血圧低下を起こす. 痙攣または房室ブロックは伴うことも伴わないこともあるが, 失神は起こる).

ca·rot·id tri·an·gle 頸動脈三角 (肩甲舌骨筋上腹, 胸鎖乳突筋前縁, 顎二腹筋後腹で境される三角形の部位. 通常, 頸動脈の分岐点にあたる).

ca·rot·o·dyn·i·a (kă-rot′ō-din′ē-ă). 頸動脈圧痛 (頸動脈を圧迫することによって起こる痛み).

car·pal (kahr′păl). 手根〔骨〕の, 手首の.

car·pal bones 手根骨 (2 列に並んだ 8 個の骨で, 近位では橈骨および間接的には尺骨と, 遠位では 5 個の中手骨と, それぞれ関節する). = carpus(2).

car·pal joints *1* = intercarpal joints. *2* = wrist joint.

car·pal tun·nel 手根管 (手根横靱帯の下の通路で, 橈側の舟状骨結節と小菱形骨, 尺側の有鉤骨鉤と豆状骨の間にあり, 正中神経と指の屈筋腱が通っている). = canalis carpi.

car·pal tun·nel syn·drome 手根管症候群(絞扼神経障害のなかで最も頻度が高い. 夜間の手の感覚異常と痛みを特徴とする. ときに正中神経支配域の知覚障害と筋萎縮を生じる. 男性より女性によく発症し, しばしば両側性である. 手関節部手根管内で正中神経が慢性的に絞扼され生じる).

car·pec·to·my (kahr-pek′tŏ-mē). 手根骨切除〔術〕(手根骨の一部分または全部の切除).

car·pen·ter's herb = bugleweed.

Car·pen·ter syn·drome カーペンター症候群(原発性甲状腺機能低下症, 原発性副腎皮質機能低下症, 糖尿病の合併).

carp mouth こい口 (口角が下に垂れ下がって口がへの字になり, コイの口に似た口のこと. Cornelia de Lange 症候群や Silver-Russell 小人症でみられる).

Car·po·gly·phus (kahr-pō-glif′ŭs). サトウダニ属 (乾燥果実を取り扱う者に皮膚炎を起こす果実ダニ *Carpoglyphus passularum* を含むダニの一属).

car·po·met·a·car·pal (kahr′pō-met′ă-kahr′păl). 手根中手骨〔間〕の (手根と中手骨の両方に関する).

car·po·met·a·car·pal joints 手根中手関節(手根骨と中手骨の間の関節. 鞍状関節である母指の関節を除いて, これらはすべて平面関節).

car·po·ped·al (kahr′pō-ped′ăl). 手根足の (手根と足に関する. 特に手足痙縮についていう).

car·po·ped·al con·trac·tion 手足攣縮. = carpopedal spasm.

car·po·ped·al spasm 手足痙攣(痙縮) (手足の痙縮, 過換気, カルシウム欠損, テタニーにおいてみられる. 手首や中手指節関節における屈曲, 指骨関節における伸展. くるぶしにおいて足が背屈し, 足指底が屈曲する). = carpopedal contraction.

car·pus, gen. & pl. **car·pi** (kahr′pŭs, -pī). *1* 手根, 手首. = wrist. *2* 手根骨. = carpal bones.

Car·rel treat·ment カレル療法 (Dakin 液を用いた間欠的な洗浄による傷の表面の処置治療).

car·ri·er (kar′ē-ĕr). *1* 保菌者, 保有者, キャリア (無症候性の感染状態にあり, 潜在的な感染源となりうる人または動物). *2* 担体, キャリア(ある化合物から原子, ラジカル, 原子構成成分を受け取り, 他に伝達することができる化学物質). *3* 担体 (放射性トレーサと密接で区別できない化学的性質をもつことで, 析出または同様な化学的過程を通してトレーサを運搬することのできる物質．最良の担体は，問題となっているトレーサの非放射性同位体である．→label; tracer）．***4*** 免疫源としてハプテン抗原と結合し，ハプテンに対する免疫反応を引き起こしうる大きさの抗原物質．

car·ri·er screen·ing キャリアスクリーニング（重篤な疾患の異型接合体を検出するために集団の構成員について無差別に検査し，キャリア同士の結婚の危険性について忠告・助言すること，あるいはキャリア同士の結婚の場合の出生前診断）．

Car·ri·ón dis·ease カリオン病．= Oroya fever.

car·ry·ing an·gle 運搬角（肘を十分に伸ばした状態で上腕軸と前腕軸とのなす角）．

car·ry·ing ca·pac·i·ty 扶養能〔力〕，耐用人数（ある地域，国家，あるいは地球が支えることのできる推定人数）．

car·ry-o·ver（kar′ē-ō′vĕr）．繰越し汚染（検体中の被検物質の一部が次の検体，さらにまたそれ以降の検体中に残る現象．非常に高濃度の検体の後に低濃度の検体が続くときに起きやすい）．

car sick·ness 車酔い（動揺病の一種．鉄道や自動車，バスに乗って起こる）．

car·ti·lage（kahr′ti-lăj）．軟骨（原則として血管を欠き，また細胞間質の硬さを特徴とする結合組織．軟骨細胞および膠原線維とプロテオグリカンの基質よりなる．硝子軟骨，弾性軟骨，および線維軟骨の3種の軟骨に分類される．血管の分布がなく，弾力性としなりのある結合組織で，主として関節・胸郭壁，そして喉頭・気道・耳などの管状構造にみられる．胎生初期の大部分の骨格にみられるが，順次，骨に置き換わっていく）．= cartilago; gristle.

car·ti·lage bone = endochondral bone.

car·ti·lage cap·sule 軟骨包（硝子軟骨質の強塩基性で異染色性の部分で，軟骨細胞小腔を取り囲んでいる）．= territorial matrix.

car·ti·lage-hair hy·po·pla·si·a 軟骨毛髪形成不全〔症〕（アマン派の人々に多くみられる骨形成不全で，短い四肢，小人症，まばらで明るい色の毛髪，T 細胞性免疫不全を特徴とする．感染症を起こしやすく，X 線で骨端部の異形成が認められる．常染色体劣性遺伝で，遺伝子は第9染色体短腕に存在する）．= McKusick metaphysial dysplasia.

car·ti·lage la·cu·na 軟骨小腔（軟骨基質の中にあり，軟骨細胞で占められた空洞）．= cartilage space.

car·ti·lage ma·trix 軟骨基質（軟骨の細胞間物質で，線維，基質物質からなる）．

car·ti·lage space 軟骨小窩．= cartilage lacuna.

car·ti·la·gi·nes（kahr-ti-laj′i-nēz）．cartilago の複数形．

car·ti·la·gi·nes tra·che·a·les 気管軟骨．= tracheal cartilages.

car·ti·lag·i·noid（kahr-ti-laj′i-noyd）．軟骨様の．= chondroid(1).

car·ti·lag·i·nous（kahr-ti-laj′i-nŭs）．軟骨〔性〕の（軟骨に関する，軟骨からなることについていう）．= chondral.

car·ti·lag·i·nous joint 軟骨性連結（向かい合った2つの骨が軟骨によって結合されている状態）．= synarthrodial joint(2).

car·ti·la·go, pl. car·ti·la·gi·nes（kahr-ti-lā′gō, kahr-ti-laj′i-nēz）．軟骨．= cartilage.

car·ti·la·go ar·y·te·noi·de·a 披裂軟骨．= arytenoid cartilage.

car·ti·la·go au·ric·u·lae 耳介軟骨．= auricular cartilage.

car·ti·la·go cor·ni·cu·la·ta 小角軟骨．= corniculate cartilage.

car·ti·la·go cos·ta·lis 肋軟骨．= costal cartilage.

car·ti·la·go cri·coi·de·a 輪状軟骨．= cricoid cartilage.

car·ti·la·go cu·ne·i·for·mis 楔状軟骨．= cuneiform cartilage.

car·ti·la·go ep·i·glot·ti·ca 喉頭蓋軟骨．= epiglottic cartilage.

car·ti·la·go ep·i·phy·si·a·lis 骨端軟骨．= epiphysial plate.

car·ti·la·go na·si la·te·ra·lis 外側鼻軟骨．= lateral cartilage of nose.

car·ti·la·go thy·roi·de·a 甲状軟骨．= thyroid cartilage.

car·ti·la·go vo·me·ro·na·sa·lis 鋤鼻軟骨．= vomeronasal cartilage.

ca·run·cle（kar′ŭng-kĕl）．丘，小丘，子宮小丘．= caruncula.

ca·run·cu·la, pl. ca·run·cu·lae（kă-rŭng′kyū-lă, -lē）．丘，小丘（小さい肉の隆起，またはそれに似た形をもつもの）．= caruncle.

Ca·rus curve, Ca·rus cir·cle カールス曲線（数式により得られる想像上の曲線．骨盤出口を示すと思われる）．

Car·val·lo sign カルヴァロ徴候（吸気中あるいはその終わりに三尖弁逆流の全収縮期雑音の強度が増大する徴候で，三尖弁の変化を僧帽弁の変化と鑑別するのに有用である）．

carv·i fruc·tus = caraway.

caryo- 核に関する連結形．→karyo-.

CAS Chemical Abstracts Service の略．

Ca·sal neck·lace カサルネックレス（ペラグラで，首の低い部分の周りに一部分あるいは全周にできる皮膚炎）．

cas·cade（kas-kād′）．カスケード（①生理的過程のような一連の連続的相互作用のことで，いったん開始すると最後まで続く．各相互作用は，前の作用により活性化される．ときに累積効果をもつ．②特に急激にこぼすこと）．

cas·cade stom·ach 瀑状胃（X 線所見の1つ．患者がバリウムを立位でえん下した場合，胃底部にバリウムが溜まり，前庭部へ瀑状に流れ落ちる．横位の胃における正常変異の1つ）．

cas·car·a sa·gra·da カスカラサグラダ（クロウメモドキ科 *Rhamnus purshiana* の乾燥樹皮．強力な緩下薬）．= sacred bark.

case（kās）．***1*** 症例（付帯状況を伴った疾病の一例．*cf.* patient）．***2*** 箱，容器．

ca·se·a·tion（kā-sē-ā′shŭn）．乾酪化，乾酪変性（特に結核にみられる凝固壊死の一型で，壊死組織がチーズ状の蛋白と脂肪の混合物よりなり，きわめて緩慢に吸収されるもの．→caseous necrosis）．

case def·i·ni·tion 症例定義（アウトブレイク調査における症例を定義づける確立されたパラメータ）．

case fa·tal·i·ty rate 致死率（ある病気に罹患した人のうち，その病気で死亡する人の割合）．

case his·to·ry 病歴（症状や病気の進行に関連した，患者の家族，医療，社会関係に関する全ての詳細な記述）．

ca·sein（kā′sēn）．カゼイン，乾酪素（牛乳の主要蛋白で，チーズの主成分）．

case man·age·ment 症例マネージメント（米国において，特定の保健医療を必要とする対象者を明らかにし，有効で最も費用便益的に良好な結果が得られる治療法を処方し実行する過程）．

case mix 総合患者割合（DRG，病気の程度，その他の指標で分類される治療を受ける種々の病気の患者の割合．保健医療サービスの管理および企画を行う手段として使用する）．

ca·se·ous（kā′sē-ŭs）．乾酪性の（乾酪化された組織の肉眼的あるいは顕微鏡学的特徴またはその状態についていう）．

ca·se·ous de·gen·er·a·tion 乾酪変性．= caseous necrosis.

ca·se·ous ne·cro·sis, ca·se·a·tion ne·cro·sis 乾酪壊死（例えば，結核やヒストプラスマ症などのある種の炎症に特徴的な壊死．侵された組織はチーズにみられるようにもろくて砕けやすく，光沢がない不透明な性質をもつ）．= caseous degeneration.

ca·se·ous os·te·i·tis 乾酪性骨炎（骨の結核性カリエス）．

case re·serve ケース・リサーブ（医療請求ファイルにおいて記されている，未払い差額の見積もりを示す，ドルの総額）．

Ca·so·ni an·ti·gen カソニ抗原（包虫嚢包液から無菌的に得た皮膚反応用の抗原．包虫症の診断に用いる）．

cas·sette（kă-set′）．カセット（①写真やX線撮影に用いる感光板，フイルム，長巻きフイルムのホルダー．X線カセットは1枚ないし2枚の増感紙と1枚のX線フイルムを含んでいる．②パラフィン包埋用の，組織切片を入れる有孔容器）．

cast（kast）．***1*** 鋳造物，鋳物（鋳型の中に液体を入れて固形化した物体）．***2*** ギプス包帯（動かないようにするために，石膏や合成樹脂，繊維ガラスを用いて，ある部分をおおい固めること）．***3*** 円柱（管状構造(例えば，尿細管，細気管支)内で形成される長方形または円柱状の物質で，組織切片あるいは尿や喀痰などの標本にみられる．管状構造内に分泌または排出される液体が濃厚になった結果生じる）．***4*** 大きな動物，通常はウマを，ロープや馬具を用いて横臥位で縛ること．***5*** 模型（歯科において，上顎または下顎の組織の形態を陽型で再製すること．印象に石膏や金属などを注入・硬化させ，その上で義歯床や他の歯科修復物をつくる）．

cast brace ギプス装具（ちょうつがいやその他の装具用部品と組み合わせて特別に設計された石膏またはプラスチックギプス包帯による装具．骨折の治療の際，固定とともに早期身体活動と関節運動を促進するために用いる）．

cas·tor bean トウゴマ（*Ricinus communis* の種．緩下薬として用いる）．= Mexico seed; pei-ma.

cas·tor oil ヒマシ油（トウダイグサ科トウゴマ *Ricinus communis* の種子を絞って得られる不揮発油．しゃ下薬）．

cas·trate（kas′trāt）．去勢する（精巣や卵巣を摘出する）．

cas·tra·tion（kas-trā′shŭn）．***1*** 去勢〔術〕（精巣や卵巣の摘出）．***2*** 去勢（→castration complex）．

cas·tra·tion cells 去勢細胞（去勢の結果肥大する下垂体前葉の好塩基性細胞．大きな空胞が核を周辺に押しのけるため細胞体が印環に似る）．= signet ring cells.

cas·tra·tion com·plex 去勢コンプレックス（①エディプス感情を越えた無意識の犯罪行為に対する罰として，同性の親によって性器を傷つけられるという子供の恐怖．②女性が体験する空想上のペニスの喪失．または男性が体験する現実にペニスを喪失することに対する恐れ．③権威者に傷つけられるという無意識の恐怖）．

ca·su·al·ty（kazh′ū-āl-tē）．死傷，死傷者（事故による傷害または死亡者）．

CAT（kat）．computed axial tomography; chloramphenicol acetyl transferase の略．

cata- 下方を意味する連結形．ana- の対語．→ kata-. *cf.* de-.

cat·a·bi·ot·ic（kat′ă-bī-ot′ik）．成長以外の生命過程の維持または機能の遂行に消耗される食物エネルギーについていう．

cat·a·bol·ic（kat′ă-bol′ik）．異化〔作用〕の（異化作用に関する，異化作用を促進する）．

ca·tab·o·lism（kă-tab′ō-lizm）．異化〔作用〕（①体内において，複雑な化合物がより単純な物質に分解することで，しばしばエネルギーの発生を伴う．②全分解経路の全体．*cf.* anabolism; metabolism）．

ca·tab·o·lite（kă-tab′ō-līt）．異化代謝産物（異化作用の産物）．

ca·tab·o·lite (gene) ac·ti·va·tor pro·tein (CAP) カタボライト〔遺伝子〕活性化蛋白質（CAP）（サイクリック AMP と結合することにより活性化し，RNA へ転写されるべき DNA 配列上に直接または隣近して結合することにより RNA ポリメラーゼの転写に影響（活性化）を与える蛋白質）．= cAMP receptor protein.

cat·a·chron·o·bi·ol·o·gy（kat′ă-kron′ō-bī-ol′ō-jē）．カタクロノバイオロジー（生体系に関する時間の有害な効果についての研究）．

cat·a·crot·ic（kat′ă-krot′ik）．下行脚隆起の．

ca·tac·ro·tism（kă-tak′rō-tizm）．下行脚隆起（主拍動の後に1つまたは複数の二次動脈拡大があり，脈拍記録の下降拍動上に二次上行波を生じる脈拍の状態）．

cat·a·di·crot·ic（kat′ă-dī-krot′ik）．下行脚重複隆起の．

cat·a·di·cro·tism（kat′ă-dī′krō-tizm）．下行脚

重複隆起（主拍動後に脈拍記録の下降拍動上に2つの二次上行波を生じさせる動脈の2つの小拡大を特徴とする脈拍の状態）.

cat·a·dro·mous (kat′ă-drō′mus). 降河性の（産卵のために淡水から海洋に移動する. →anadromous）.

cat·a·gen (kat′ă-jen). 退行期（増殖が止まり，毛包の短縮および棍毛が形成される毛周期退行期）.

cat·a·gen·e·sis (kat′ă-jen′ĕ-sis). カタゲネシス，退化. = involution.

cat·a·lase (kat′ă-lās). カタラーゼ（過酸化水素を水と酸素に分解($2H_2O_2 \rightarrow O_2 + 2H_2O$)する反応を触媒するヘム蛋白）.

cat·a·lep·sy (kat′ă-lep-sē). カタレプシー（四肢が様々な位置に，しばらくの間固定されてしまうろう様強直の状態で，刺激に対して反応せず，無言となり，活動しなくなる. 特にカタトニー性統合失調症など精神病で起こる）.

cat·a·lep·tic (kat′ă-lep′tik). カタレプシーの.

cat·a·lep·toid (kat′ă-lep′toyd). カタレプシー様の.

ca·tal·y·sis (kă-tal′i-sis). 触媒作用〔法〕（触媒が化学反応に及ぼす作用）.

cat·a·lyst (kat′ă-list). 触媒（化学反応を促進するが，それによって消費されたり，永久変化しない物質）.

cat·a·lyt·ic (kat′ă-lit′ik). 触媒性の.

cat·a·lyze (kat′ă-līz). 触媒する.

cat·a·me·ni·al pneu·mo·tho·rax 月経周期性気胸（月経時に若い女性に起こる気胸で，通常右側に起こる）.

cat·am·ne·sis (kat′am-nē′sis). 病後歴（患者の病後の医学的記録. 追跡記録）.

cat·am·nes·tic (kat′am-nes′tik). 病後歴の.

cat·a·pha·si·a (kat′ă-fā′zē-ă). 言語反復症. = verbigeration.

ca·taph·o·ra (kă-taf′ŏr-ă). 不全意識混濁（部分的意識回復によって中断される半昏睡または傾眠）.

cat·a·pla·si·a, cat·a·pla·sis (kat′ă-plā′zē-ă, -plā′sis). 降生，降形成（建設的すなわち発育的な変化と逆方向の，細胞または組織の退行的変化. 初期すなわち胚期への逆行）. = retrogression.

cat·a·plec·tic (kat′ă-plek′tik). ***1*** 突発〔性〕の. ***2*** 脱力発作の.

cat·a·plex·y (kat′ă-plek-sē). カタプレキシー，脱力発作（極度の全身脱力の一過性発作. しばしば驚き，恐怖，怒りといった情動反応に誘発される. ナルコレプシーの四徴の1つ）.

cat·a·ract (kat′ăr-akt). 白内障（眼の水晶体の完全なあるいは部分的な混濁）.

cat·a·rac·to·gen·ic (kat′ă-rak-tō-jen′ik). 白内障発生性の.

cat·a·rac·tous (kat′ă-rak′tŭs). 白内障の.

ca·tarrh (kă-tahr′). カタル（粘液や滲出液の分泌の増加を伴う粘膜の炎症）.

ca·tarrh·al (kă-tahr′ăl). カタル性の.

ca·tarrh·al gas·tri·tis カタル性胃炎（過度の粘液分泌を伴う胃炎）.

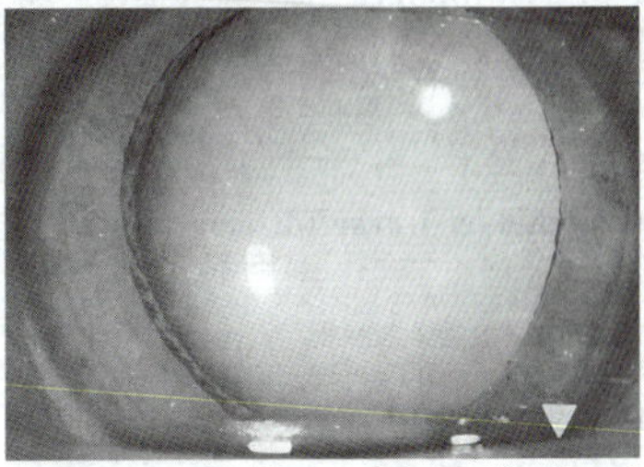

mature cataract with complete opacification of lens

ca·tarrh·al in·flam·ma·tion カタル性炎〔症〕（炎症性の過程で最も多いのは気道においてであるが，一般の粘膜に発生することもある. 特徴は粘膜血管の充血，間質組織の浮腫，分泌上皮細胞の腫大(増殖し，顕著な粘液球を形成する)，および表面上に粘着性，ムチン質の異常な層ができることなどである）.

cat·a·stal·sis (kat′ă-stal′sis). カタスタルシス（普通のぜん動に似ているが，抑制域が先行しない収縮波）.

cat·a·stal·tic (kat′ă-stal′tik). ***1*** 〚adj.〛抑制の. = inhibitory. ***2*** 〚n.〛抑制薬（収れん薬や鎮痙薬のような抑制作用をもつ薬）.

cat·a·stroph·ic re·ac·tion 破局反応（対処できない激しいショックや脅威的状況に対する無秩序な行動）.

cat·a·to·ni·a (kat′ă-tō′nē-ă). ***1*** 緊張性昏迷. ***2*** カタトニー，緊張病（身体の硬直，拒絶反応，または昏迷期が特徴の精神運動障害症候群. 統合失調症，気分障害，または脳器質疾患に生じる）.

cat·a·ton·ic, cat·a·to·ni·ac (kat′ă-ton′ik, -tō′nē-ak). 緊張性昏迷の，カタトニーの，緊張病の.

cat·a·ton·ic ri·gid·i·ty 緊張性硬直（緊張病(カタトニー)に伴う硬直. 全身の筋肉がろう様可撓性を示す）.

cat·a·ton·ic schiz·o·phre·ni·a 緊張型統合失調症（昏迷，拒絶症，硬直，興奮，姿勢異常などの著しい障害を特徴とする統合失調症. 興奮と昏迷の両極端の間を急速に変化しやすい. 関連する症状として常同行為，衒奇症，蝋屈症があり，無言症はとりわけよくみられる）.

cat·a·tri·crot·ic (kat′ă-trī-krot′ik). 下行脚三隆起の.

cat·a·tri·cro·tism (kat′ă-trī′krō-tizm). 下行脚三隆起（動脈が3回小さく拡張することが特徴の脈拍の状態を表す語で，脈拍を描かせた場合，主拍動に引き続いて下行脚に3つの上向きの小さな波が生じることをいう）.

catch (kach). 獲得する，捕える（①獲得すること，捕えること. ②獲得，捕える行為. あるいは獲得，捕らえたもの）.

cat·e·chol·a·mines (kat′ĕ-kol′ă-mēnz). カテコールアミン（アルキルアミン側鎖をもつピロカテコール．生化学に関与するものとしては，エピネフリン，ノルエピネフリン，L-ドパがある．カテコールアミンはストレス応答の主成分）．

cat·e·chol ox·i·dase (di·mer·iz·ing) カテコールオキシダーゼ(二量体)（カテコールの酸素によるジフェニレンジオキシドキノンへの酸化反応を触媒する酵素．例えば，4 catechol + $3O_2$→2 dibenzo[1,4]-2,3-dione + $6H_2O$）．

cat·e·gor·ic trait 分類形質（遺伝学において，特徴を便宜的，有効的に分析するために，クラス分けされるような特徴のこと．それを評価する満足な方法がない場合(血液型)や，それが自然の種に分類されるために，種間の変異が大きすぎて分類からはずれる場合(多くの酵素の多型性による表現効果)などに使われる．分類によって，主要，簡素，根元的な原因の作用が示唆されるが，証明するものではない）．

cat·e·gor·i·za·tion (kat′ĕ-gōr-ī-zā′shŭn). カテゴリゼーション，分類（病院がある専門医療を提供していることを自ら明示するための分類．カテゴリゼーションの基準は病院内または全国的な基準による．病院外の審査を伴う法的な分類である科目指定(designation)とは異なる）．

cat·en·ate (kat′ĕn-āt). カテネイト（鎖のように一続きの鎖の輪で連結すること）．

cat·en·in (kă-tē′nin). カテニン（カドヘリンと細胞骨格との間の連結として役立つ細胞質分子で，接着性結合部の形成を可能にする．2種類あり，*β*-カテニンはカドヘリンそのものに結合し，*α*-カテニンはアクチンマイクロフィラメントと会合する）．

cat·er·pil·lar (kat′ĕr-pil-ĕr). イモムシ，ケムシ（チョウやガの蠕虫様の幼虫期）．

cat·er·pil·lar flap イモムシ皮弁（管状の皮弁の端を次の端に合わせることで，恵皮部より離れた受皮部へイモムシの動きのように何段階にも分けて移動させる皮弁）. = waltzed flap.

cat·gut (kat′gŭt). カットグット〔剤〕，腸線（ある動物の粘膜下層の膠原線維でつくった吸収性の手術用縫合糸．catgut は誤称(ヒツジあるいは雌ウシが普通)）．

ca·thar·sis (kă-thahr′sis). ***1*** しゃ(瀉)下，便通，カタルシス. = purgation. ***2*** カタルシス，浄化〔法〕，開通法（過去の，特に抑圧された出来事から感情を解き放つよう精神分析学的に指導して，情動緊張，不安を取り除くこと）．

ca·thar·tic (kă-thahr′tik). ***1***〘adj.〙しゃ(瀉)下の．***2***〘n.〙しゃ(瀉)下薬，便通薬，下剤．

ca·thec·tic (kă-thek′tik). カテクシスの．

cath·e·ter (kath′ĕ-tĕr). カテーテル（①管状の器具で，体腔内へまたは体腔外，血管から液体を通過させることができる．→line(3)．②残尿を膀胱から流出させるために尿道を通過するようにつくられたものを特にさす）．

cath·e·ter coil·ing sign カテーテルとぐろ巻き徴候. = Bergman sign.

cath·e·ter em·bo·lus カテーテル塞栓（血管内カテーテル挿入中にできる渦巻状の虫の形をした血小板とフィブリンの集合体で，最初はカテーテルまたはその導線の表面に生じ，カテーテル自体を詰まらせる）．

catheterisation [Br.]. = catheterization.

cath·e·ter·i·za·tion (kath′ĕ-tĕr-ī-zā′shŭn). カテーテル法. = catheterisation.

cath·e·ter spec·i·men of ur·ine (CSU) 尿カテーテル検体（清潔な環境の下で，検体のために，体内器官内の尿カーテルから採取された検体）．

ca·thex·is (kă-thek′sis). 備給，カテクシス（考え，対象，または人に精神エネルギーを意識的または無意識に集中すること）．

cath·o·dal (C) (kath′ō-dăl). 陰極の．

cath·ode (C) (kath′ōd). 陰極（電池の負の極またはそれに連結した電極．正電荷イオン(陽イオン)はこの電極へ向かって動き，減少する．*cf.* anode）. = negative electrode.

cat·i·on (kat′ī-on). 陽イオン，正イオン，カチオン（陽電気を帯びているため負に荷電した陰極に向かって動くイオン）．

cat·i·on ex·change 陽イオン交換（液相にある陽イオンが，陽イオン交換体である負に荷電したポリマーの対イオンとして存在する他の陽イオンと交換する過程をいう．陽イオン交換は，陽イオンを分離するためにクロマトグラフィにも用いられ，医薬的には陽イオンの除去に使われる．→anion exchange）．

cat·i·on-ex·change res·in 陽イオン交換樹脂（→cation exchange）．

cat·nip (kat′nip). イヌハッカ（イヌハッカ(*Nepta cataria*)から作られた薬草．ネコ(と飼い主)を楽しませるための役割以外に，胃腸障害，頭痛，じんましん治療，睡眠促進のための効用があるため，ヒトに対しても使用される）. = field balm.

cat's claw キャッツクロー（*Uncaria tomentosa* や他のカギカズラ属植物の線維から作られる．炎症性の疾病や消化管障害などの治療として評価されている．南アメリカの住民はそれを避妊用の医薬として使用している）. = Samento.

cat·scratch dis·ease (CSD), cat·scratch fe·ver ネコ引っ掻き病（慢性の良性アデノパシー(腺症)．特に小児や青年がネコに引っ掻かれたり咬まれたりした後によく起こり，*Bartonella henselae* が原因となる．このリンパ節病変は通常，数か月以内に自然寛解する．感染は不明熱，脳炎，肝臓や脾臓の小膿瘍，骨髄炎などの症状を呈することもある）. = benign inoculation lymphoreticulosis; benign inoculation reticulosis; regional granulomatous lymphadenitis.

cau·da, pl. **cau·dae** (kaw′dă, -dē). 尾. = tail.

cau·dad (kaw′dad). 尾方に，尾側に，下方に（①尾の方向に．②ある特定の点からみて尾側寄りにあること．→inferior）．

cau·da e·qui·na 馬尾（脊髄腰仙骨膨大部および脊髄円錐から発生し，第一腰椎より下方の脊柱管内にあるクモ膜下腔を通る脊髄神経根束．第一腰椎より下方へ向かう脊髄神経根線維のすべてをいう）．

cau·da e·qui·na syn·drome 馬尾症候群（馬

尾の神経根(L2-S3 神経根)が，しばしば非対称的に多発性に障害される．痛み，異常感覚，脱力を呈する．仙部(S2，S3，S4 神経根)が障害されないことがあるので，膀胱直腸障害がみられないことがしばしばある)．

cau·dal (kaw′dăl). *1* 尾の．*2* 尾側の（獣医学において尾に近い部位)．

cau·dal an·es·the·si·a 仙骨麻酔〔法〕，仙麻（仙骨裂孔を経て硬膜外腔に局所麻酔薬を注入する局所麻酔)．

cau·dal em·i·nence 尾突起（胚の尾方肢にあり，尾のように突出しながら急速に増殖する細胞の塊). = end bud; tail bud.

cau·dal flex·ure 仙骨曲（胚の腰仙骨部分の屈曲). = sacral flexure.

cau·dal trans·verse fis·sure = porta hepatis.

cau·date lobe 尾状葉. = lobus caudatus.

cau·date nu·cle·us 尾状核（灰白質の細長い曲がった塊で，側脳室前角中に突出する厚い前部すなわち頭部，側脳室の体部の床面に沿ってのびる体の部分，側頭葉内を下方，後方および前方に曲がって下行し，側脳室の背外側壁に至る細長く曲がった部分すなわち尾部とからなる)．

cau·date pro·cess 尾状突起（肝門の後方にある肝臓の尾状葉と右葉をつなぐ肝組織の狭い帯)．

caul, cowl (kawl, kowl). *1* 羊膜（出生時に児の頭部をおおう羊膜の一部．破水しないで新生児と一緒に出産することもある). = galea(4); veil(2); velum(2). *2* 大網. = greater omentum.

cau·li·flow·er ear カリフラワー耳（肥厚化，硬化した耳．組織の中への溢血に伴って耳の輪郭がゆがんでいるもの)．

caumaesthesia [Br.]. = caumesthesia.

cau·mes·the·si·a (kaw-mes-thē′zē-ă). 熱感覚（快適でない高温の自覚的熱感．温度異常感覚の一型). = caumaesthesia.

cau·sal·gi·a (kaw-zal′jē-ă). カウザルギー（持続性の激しい灼熱痛．通常，末梢神経あるいは上腕神経叢の損傷に生じ，栄養の変化(皮膚の菲薄化，汗腺や毛包の消失)を伴う)．

caus·tic (kaws′tik). *1* 〚adj.〛焼灼性の，苛性(かせい)の（化学的に燃焼と類似の作用を発揮する). *2* 〚n.〛腐食薬（*1* の作用をもつ薬物). *3* 〚adj.〛苛性の（強塩基性の溶液についていう．例えば，苛性ソーダ(NaOH)など)．

cauterisation [Br.]. = cauterization.

cauterise [Br.]. = cauterize.

cau·ter·i·za·tion (kaw-tĕr-ī-zā′shŭn). 焼灼，焼灼術(法)，腐食（→cautery; cauterisation)．

cau·ter·ize (kaw′tĕr-īz). 焼灼する（焼灼器または焼灼薬で焼く). = cauterise.

cau·ter·y (kaw′tĕr-ē). *1* 焼灼薬，焼灼器（熱，電流，または化学薬品を用いて皮膚あるいは組織に瘢痕をつけたり，焼灼あるいは切断する薬物または装置). *2* 焼灼，焼灼術(法)（焼灼剤や焼灼器を用いること)．

ca·va (kā′vă). 大静脈（→inferior vena cava; superior vena cava)．

ca·va·gram (kā′vă-gram). = cavogram.

ca·val (kā′văl). 大静脈の．

cave (kāv). 洞，窩，腔（→cavern; cavity; cavum)．

ca·ve·a (kā′vē-ă). = cage.

ca·ve·a tho·ra·cis = thoracic cage.

ca·ve·o·la, pl. ca·ve·o·lae (kā-vē-ō′lă, -lē). 小胞（細胞の表面に突出したり内部に落ち込んだりしている小胞腔洞，小嚢，小洞，小窩で，細胞質および細胞膜に突出やくぼみをつけているもの．細胞内への物質の摂取，細胞からの物質の排出の際に，細胞表面でみられる細胞(単位)膜の付加や脱落によって生じる小胞や小窩と考えられている)．

cav·ern (kav′ĕrn). 洞（相互に連絡する多数の小室を有する解剖学的な空洞. →cave; cavity)．

cav·er·nil·o·quy (kav′ĕr-nil′ō-kwē). 空洞音（肺空洞から聞こえる低調子の胸音)．

cav·er·ni·tis, cav·er·no·si·tis (kav′ĕr-nī′tis, kav′ĕr-nō-sī′tis). 海綿体炎（陰茎海綿体の炎症)．

cav·er·no·ma (kav′ĕr-ō′mă). 海綿腫（多孔性の血管腫瘍)．

cav·ern·ous (kav′ĕr-nŭs). 空洞性の，海綿状の．

cav·ern·ous an·gi·o·ma 海綿状(様)血管腫（太い栄養動脈を欠く洞様血管で構成された血管奇形)．

cav·ern·ous bod·y 海綿体. →corpus cavernosum clitoridis; corpus cavernosum penis.

cav·ern·ous he·man·gi·o·ma 海綿状血管腫（ループ状の毛細血管壁の拡張および肥厚により，血液の満ちた大きな腔をもつ血管拡張性の奇形性の腫瘍．皮膚に生じ，毛細血管腫よりもさらに深層まで達し，自然消退することは少ない)．

cav·ern·ous nerves of clit·o·ris 陰核海綿体神経（男性の陰茎海綿体神経に相当する神経で，骨盤神経叢の膀胱部から起こる). = nervi cavernosi clitoridis.

cav·ern·ous nerves of pe·nis 陰茎海綿体神経（骨盤神経叢の前立腺部から由来する大小2本の神経で，交感・副交感性線維をらせん動脈と海綿体の動静脈吻合に送り勃起を起こさせる). = nervi cavernosi penis.

cav·ern·ous plex·us of con·chae 鼻甲介海綿叢（鼻腔の鼻甲介をおおう粘膜内の勃起性組織)．

cav·ern·ous rale 空洞性ラ音（一部液体を含む空洞に空気がはいるために起こる反響性の水泡音)．

cav·ern·ous si·nus 海綿静脈洞（トルコ鞍の両脇にある一対の硬膜静脈洞で，脳下垂体の前後で前海綿間静脈洞と後海綿間静脈洞によって左右が連結されて輪状静脈洞を形成している．硬膜静脈洞のなかではユニークで，壁に海綿状の孔があり，内部を内頸動脈や外転神経が通過している). = sinus cavernosus.

cav·ern·ous si·nus branch of in·ter·nal ca·rot·id ar·ter·y 内頸動脈の海綿静脈洞枝（内頸動脈の海綿部から出る多数の小枝. →ganglionic branch of internal carotid artery; basal

C

tentorial branch of internal carotid artery; marginal tentorial branch of internal carotid artery).

cav·ern·ous space 洞（相互に連絡する多数の小室を有する解剖学的な空洞).

cav·ern·ous trans·for·ma·tion of por·tal vein 門脈海綿状変化（血栓の結果生じる門脈のいくつもの側副血行路による置き換え).

cav·ern·ous veins of pe·nis 陰茎海綿体静脈（陰茎の勃起組織である海綿体の静脈流入隙).

CAVH continuous arteriovenous hemofiltration の略.

cav·i·tar·y (kav′i-tār-ē). 空洞性の（空洞に関する，空洞を有する).

cav·i·tas, pl. cav·i·ta·tes (kav′i-tahs, -tā′tēs). 窩洞，窩腔. = cavity.

cav·i·tate (kav′i-tāt). 空洞をつくる（器官や組織に空洞が形成されること).

cav·i·ta·tion (kav-i-tā′shŭn). ***1*** 空洞化，空洞形成（結核患者の肺あるいは細菌性肺膿瘍の進展でみられるような，空洞の形成). ***2*** 空洞現象，キャビテーション（超音波検査で液体中あるいは組織中に小さな気体を含む気洞や空洞を生じること).

ca·vi·tis (kā-vī′tis). 大静脈炎. = celophlebitis.

cav·i·ty (kav′i-tē). = cavitas. ***1*** 窩，腔（中空の場所. →cave; cavitas; cavernous space). ***2*** 窩洞（う食による歯質の欠損をさす俗語).

cav·i·ty of sep·tum pel·lu·ci·dum 透明中隔腔（ヒトの脳の左右の透明中隔にはさまれた細長い間隙で，幅が不定で液体で満たされている. ヒトでは 10%以下の率で存在し，第 3 脳室に連なる).

cav·i·ty of tooth 歯髄腔. = root canal of tooth.

ca·vo·gram (kā′vō-gram). 大静脈造影(撮影)図. = cavagram.

ca·vog·ra·phy (kā-vog′ră-fē). 大静脈造影(撮影)〔法〕. = venacavography.

ca·vo·pul·mo·nar·y a·nas·to·mo·sis 大静脈肺動脈吻合（チアノーゼ性心疾患を姑息的に治療する方法で，上大静脈を右肺動脈に吻合する).

ca·vo·sur·face (kā-vō-sŭr′fās). 窩洞面の（窩洞とその表面についていう).

ca·vo·sur·face an·gle 窩縁隅角，窩洞歯面隅角（窩壁と歯牙表面の接合面がなす角).

ca·vum, pl. ca·va (kah′vŭm, -vă). 腔. = cave.

cay·enne (kī-en′). = capsicum.

Ca·ze·nove vi·til·i·go = alopecia areata.

C-band·ing stain C バンド染色〔法〕，C バンディング〔染色法〕（動原体部を染めるバンディング法. ヒトの細胞遺伝学で利用される選択的な染色体の染色法で，アルカリ，酸，塩，熱で粗く処理することにより DNA の大部分を抽出した後に Giemsa 染料を用いて染める. 動原体に近接したサテライト DNA 配列に富む部位の異質染色体のみが染まるが，例外として Y 染色体は全体が淡く，びまん性に染まる).

CBC complete blood count の略.

CBG corticosteroid-binding globulin の略.

CBN collected by nurse の略.

CBP community-based practice の略.

CBR chemical, biologic, and radiologic の略. 無差別殺傷兵器として扱われる. →CBRNE; mass-casualty weapons; MCW; NBC; weapons of mass destruction; WMD.

CBRNE chemical, biologic, radiologic, nuclear, explosive の略. 特定のタイプの兵器としては扱われない. →CBR; mass-casualty weapons; MCW; NBC; weapons of mass destruction; WMD.

CBRNI chemical, biological, radiological, nuclear, and incendiary の略. テロリストによる攻撃で使われる大量破壊兵器として扱われる.

CBT cognitive-behavioral therapy の略.

CC 患者の病歴に記録される chief complaint（主訴）の略.

cc, c.c. cubic centimeter; chief complaint の略. 容積の SI 単位は立方メートル(m^3)であり，その拡張として立方センチメートル($1\ cm^3 = 0.000001\ m^3$)があるが，臨床化学の分野では容積や密度の表記に際して実用的観点からリットルやその約数単位が好まれている($1\ cm^3 = 1\ mL$). JCAHO では，CC は手書きした場合に U や 4 と誤読されやすいので使用を控えるように勧告している.

CCAT Certified Clinical Account Technician の略.

CCDM Control of Communicable Diseases Manual の略.

CCK cholecystokinin の略.

CCP critical control point の略.

CCPD continuous cyclic peritoneal dialysis の略.

CCU coronary care unit; critical care unit の略.

CD curative dose; circular dichroism; cluster of differentiation; controlled diffusion の略.

Cd カドミウムの元素記号.

CDC 米国の Centers for Disease Control and Prevention の略. かつては Communicable Disease Center（伝染性疾患センター）とよばれていた.

CDC cat·e·gor·ies of bi·o·log·ic a·gents CDC 生物兵器病原体カテゴリー（脅威の知覚に応じて生物兵器の病原体と(毒素)をランク付けするために，米国疾病予防管理センター(CDC)によって使用されている，3 つの分類. カテゴリー A：リスクが最も高い，カテゴリー B：次にリスクが高い，そしてカテゴリー C).

CDC Cat·e·gor·y A bi·o·log·ic a·gents CDC 生物病原体カテゴリー A（米国疾病予防管理センター(CDC)によって，以下の理由から，最も優先順位の高い病原体とみなされている生物病原体と毒素：人から人への感染や伝達が容易であり，引き起こしうる潜在的死亡率が非常に高く，公衆衛生や，公衆に対する恐怖，そして社会的拡充に対して非常に大きな影響を与え，公衆衛生対策のために特別な措置を必要とする. カテゴリー A の病原体には炭疽菌(炭疽病を引き起こす)，クロストリジウム・ボツリヌスのボツリヌス毒素，エルサンペスト菌(疫病を引き起こす)，天然痘ウイルス(天然痘，大痘瘡を引き起こす)，野兎病菌(野兎病を引き起こす)，糸状ウイルス(例えば，エボラ出血熱やマールブルグ熱ウイルス)やアーリナウイルス(例えば，ラッサウイルスやマチュポウイルスなどウイルス出血性の熱を引き起こすもの)などがある).

CDC Cat·e·gor·y B bi·o·log·ic a·gents CDC 生物病原体カテゴリーB（米国疾病予防管理センター(CDC)によって，以下の理由から2番目に優先順位の高い病原体とみなされている生物病原体と毒素：散布のしやすさは普通であり，病的状態を引き起こす潜在的割合と潜在的死亡率は低い．この生物病原体と毒素はCDCの診断措置を多く必要とし，疾病の監視の必要性を高める．カテゴリーBの病原体には，ブルセラ属の細菌(ブルセラ症を引き起こす)，クロストリジウム毒素，サルモネラ属の細菌，大腸菌O157：H7，シゲラ菌，それ以外の食中毒を引き起こす食品の安全性に対する脅威，鼻疽菌(鼻疽病を引き起こす)，類鼻疽菌(類鼻疽を引き起こす)，オウム病クラミジア，コクシエラ・バーネッティイ(Q熱を引き起こす)，リチン毒素，黄色ブドウ球菌毒素B，発疹チフスリケッチア(発疹チフスを引き起こす)，ウマ脳炎ウイルスを引き起こすアルファウイルス(例えば，ベネズエラウマ脳炎ウイルス，東部ウマ脳炎ウイルス，西部ウマ脳炎ウイルス)，ビブリオ・コレレ，クリプトスポリジウム・パルバムや水から伝染して水の安全性を脅かす感染体が含まれる）．

CDC Cat·e·gor·y C bi·o·log·ic a·gents CDC 生物病原体カテゴリーC（米国疾病予防管理センター(CDC)によって，その入手可能性，生産の容易さ，散布のしやすさ，病的状態を引き起こす潜在的割合と潜在的死亡率，健康に与える重大な影響性から，3番目に優先順位の高い病原体とみなされている生物病原体と毒素．このカテゴリーには，現在ではまだ兵器としては使用されていないが将来的には大量散布のために設計されうる，ニパウイルスやハンタウイルスなどの新興の病原体が含まれる）．

CD4:CD8 count CD4/CD8 比（ヘルパー-インデューサTリンパ球数に対する細胞傷害性とサプレッサTリンパ球数の比．実際には，ヘルパー-インデューサTリンパ球の細胞表面抗原CD4分子に対するモノクローナル抗体と細胞障害性サプレッサTリンパ球の細胞表面抗原CD8分子の抗体を用いて測定する．H/S比の正常値は1.6—2.2である．CD4/CD8比は臓器移植術施行後の症候の管理に利用されてきた．最近ではHIV感染者の病状の判定の最も有利な手段として使用されている）．

C-Diff (dif). = *Clostridium difficile.*

cDNA complementary DNA の略．

CDP cytidine 5′-diphosphate の略．

CDT = *Clostridium difficile.*

Ce セリウムの元素記号．

CEA carcinoembryonic antigen の略．

ce·ca (sē′kă). cecum の複数形. = caeca.

ce·cal (sē′kăl). ***1*** 盲端の，盲腸の．***2*** 盲管または盲嚢で終わる. = caecal.

ce·cec·to·my (sē-sek′tŏ-mē). 〔部分的〕盲腸切除〔術〕. = caecectomy; typhlectomy.

Ce·cil op·er·a·tion セシル手術（尿道狭窄の3段階修復術．静脈アプローチによる狭窄部位の切除，陰嚢に埋め込まれる新たな尿道部分の造設，新たな部分と陰嚢の切離）．

ce·ci·tis (sē-sī′tis). 盲腸炎. = caecitis; typhlenteritis; typhlitis; typhloenteritis.

ceco-, cec- 盲腸を表す連結形. →typhlo-(1); caeco-.

ce·co·cen·tral sco·to·ma 盲点中心暗点（眼の視神経乳頭(盲点)と乳頭黄斑線維を含む暗点．ⓘ盲点から固視点へ拡大する黄斑部欠損，ⓘⓘ血管性暗点，ⓘⓘⓘ網膜乳頭端における神経線維束の圧縮による緑内障性神経線維束暗点，の3つの特別な型がある）. = caecocentral scotom.

ce·co·co·los·to·my (sē′kō-kō-los′tŏ-mē). 盲腸結腸吻合〔術〕（盲腸と結腸の間に吻合を形成すること）. = caecocolostomy.

ce·co·il·e·os·to·my (sē′kō-il-ē-os′tŏ-mē). = ileocecostomy.

ce·co·pex·y (sē′kō-pek-sē). 盲腸固定〔術〕（移動性盲腸の固定手術）. = caecopexy; typhlopexy; typhlopexia.

ce·co·pli·ca·tion (sē′kō-pli-kā′shŭn). 盲腸縫縮〔術〕，盲腸造壁〔術〕（拡張した盲腸壁にひだを形成して縮小させる手術）. = caecoplication.

ce·cor·rha·phy (sē-kōr′ă-fē). 盲腸縫合〔術〕. = caecorrhaphy; typhlorrhaphy.

ce·co·sig·moid·os·to·my (sē′kō-sig-moy-dos′tŏ-mē). 盲腸S状結腸吻合〔術〕（盲腸とS状結腸の吻合形成）. = caecosigmoidostomy.

ce·cos·to·my (sē-kos′tŏ-mē). 盲腸フィステル形成〔術〕，盲腸瘻造設術. = caecostomy; typhlostomy.

ce·cot·o·my (sē-kot′ŏ-mē). 盲腸切開〔術〕. = caecotomy; typhlotomy.

ce·co·u·re·ter·o·cele (sē′kō-yūr-ē′tĕr-ō-sēl). 尿道内まで延長しときには尿道口の外まで達することがある尿管瘤. = caecoureterocele.

ce·cro·pins (sē′krō-pinz). セクロピン（抗菌性ペプチドで2つの両親媒性 α-ヘリックスから構成される）．

ce·cum, pl. ce·ca (sē′kŭm, -kă). ***1*** 盲端，盲腸（回腸末端の下方にある長さ約6 cmの盲嚢．大腸の起始部分である）．***2*** 盲嚢で終わる類似の構造をいう. = caecum.

Ced·e·ce·a (sed-ē′sē-ă). セデセア属（*Cedecea davisae*(標準株)，*Cedecea lapagei*，および *Cedecea neteri* を含む腸内細菌科の一属．これらはヒト気道から得られたが，これらの病気における役割ははっきりしていない）．

CEJ →cementoenamel junction.

cel·an·dine (sel′ăn-dēn). クサノオウ（胃腸障害に対して使用されたり，皮膚病を一時的に和らげるために使用することが勧められている薬草(*Chelidonium majus*)．臨床的には抗腫瘍薬として使用することが可能であるとされているが，副作用として肝炎が報告されており，有毒とみなされるべきである．米国ではドラッグであるとして市場での流通が認められていないが，他の薬草の混合物のなかに成分として見られることがある）. = felonwort; rock poppy.

-cele 腫脹，ヘルニアを表す接尾語．

ce·li·ac (sē′lē-ak). 腹腔の. = coeliac.

ce·li·ac ar·ter·y 腹腔動脈. = celiac trunk; coeliac artery.

ce·li·ac dis·ease スプルー，シェリアキー，セ

C

リアック病（グルテン過敏性，慢性炎症と上部小腸粘膜萎縮を特徴とする小児および成人に起こる病気．下痢，吸収不良，脂肪便，栄養およびビタミン欠乏などの症状を呈する）．= coeliac disease; gluten enteropathy.

ce·li·ac gan·gli·a 腹腔神経節（交感神経節前線維のなかで最も大きく上位にある集合体で，腹大動脈上部で腹腔動脈の起始の両側に位置し，その無髄の節後線維が，胃，肝臓，胆嚢，脾臓，腎臓，小腸，上行結腸，および横行結腸を支配している節後性交感神経ニューロンを含んでいる）．= coeliac ganglia.

ce·li·ac lymph nodes 腹腔〔動脈〕リンパ節（腹腔動脈に伴行する内臓リンパ節群．胃，十二指腸，膵臓，脾臓，胆管，胆嚢からのリンパを受け取り左右の腸リンパ本幹を経て乳び槽に注ぐ）．= coeliac lymph nodes.

ce·li·ac (nerve) plex·us 腹腔神経叢（腹腔動脈が分枝するあたり（第十二胸椎レベル）の腹大動脈にまとわりついている神経叢のうち上方の最大のもので，その中に腹腔神経節がある．大内臓神経・迷走神経（特に後枝と右枝）・上腸間膜や腎臓の神経叢や節からの神経線維で構成される．腹腔内臓への交感性・副交感性・内臓求心性神経のほとんどはここから供給される）．= solar plexus.

ce·li·ac plex·us 腹腔神経叢（腹腔動脈が分枝するあたり（第十二胸椎レベル）の腹大動脈にまとわりついている神経叢のうち上方の最大のもので，そのなかに腹腔神経節がある．大内臓神経・迷走神経（特に後枝と右枝）・上腸間膜や腎臓の神経叢や節からの神経線維で構成される．腹腔内臓への交感性・副交感性・内臓求心性神経のほとんどはここから供給される）．= plexus celiacus; coeliac plexus.

ce·li·ac plex·us re·flex 腹腔神経叢反射（全身麻酔下の手術中に上腹部触診により生じる低血圧症）．= coeliac plexus reflex.

ce·li·ac trunk 腹腔動脈（横隔膜直下の腹大動脈より起こり，左胃動脈，肝動脈，脾動脈に分枝する）．= truncus celiacus; arteria celiaca; celiac artery; coeliac trunk.

celio- 腹に関する連結形．→coelio-.

ce·li·o·cen·te·sis (sē′lē-ō-sen-tē′sis)．腹腔穿刺（腹部の穿刺に対してまれに用いる語）．= coeliocentesis.

ce·li·or·rha·phy (sē′lē-ōr′ă-fē)．腹壁縫合（腹壁の創の縫合）．= coeliorrhaphy; laparorrhaphy.

ce·li·os·co·py (sē′lē-os′kŏ-pē)．腹腔鏡検査〔法〕．= peritoneoscopy; coelioscopy.

ce·li·ot·o·my (sē′lē-ot′ŏ-mē)．開腹〔術〕（腹膜腔内に到達する腹壁切開）．= abdominal section; coeliotomy; laparotomy (2); ventrotomy.

ce·li·tis (sē-lī′tis)．腹部炎症（何らかの腹部の炎症）．= coelitis.

cell (sel)．***1*** 細胞，セル（独立して存在できる，生物の最小単位．膜に囲まれた原形質塊で，核あるいは核様体を入れる．形態・機能の両面できわめて多様性に富み，特殊分化している．しかし発生のある段階においてはすべての細胞は自ら蛋白・核酸を複製し，エネルギーを利用して自己再生産しなければならない）．***2*** 全体あるいは一部分が閉じた小空洞．区画された空間または中空の容器．***3*** 容器（化学反応を起こさせ電気を発生させるためのガラス，セラミック，その他の固体材料を用いた容器）．

cell ad·he·sion mol·e·cule (CAM) 細胞接着分子（細胞同士を接着させる蛋白，例えば，ウボモルリン．あるいは細胞を基質に接着させる蛋白，例えば，ラミニン）．

cell bod·y 細胞体（細胞の中で核の存在する部分）．

cell bridg·es = intercellular bridges.

cell of Cor·ti コルチ細胞（コルチ器官のなかの有毛細胞）．

cell cul·ture 細胞培養（身体から分離し，ばらばらにした細胞を生き続けさせる，あるいは増殖させること．一般には培養液（栄養液）に浸したガラス表面上で行う）．

cell cy·cle 細胞周期（組織培養での細胞の増殖中に起こる周期性の生化学的構造的事象）．

cell fu·sion 細胞融合（2 個の細胞の内容物を傷害なしに人工的に合体させること．少なくとも数世代の間は異核共存体が持続するため，染色体での座の決定に重要な方法である）．

cell in·clu·sions 細胞封入体（①細胞の代謝産物である細胞質の残留性要素，例えば，色素顆粒や結晶．= metaplasm. ②グリコゲンや脂肪のような貯留物質．③炭素その他の異物のように飲み込まれた物質．→inclusion bodies）．

cell line 細胞系〔統〕，細胞株（①組織培養において，初代培養からそれ以後の継代培養中に増殖するすべての細胞．②同一母細胞由来の純系培養細胞）．

cell-me·di·at·ed im·mu·ni·ty (CMI), cel·lu·lar im·mu·ni·ty 細胞媒介性免疫，細胞性免疫（抗原提示細胞との相互作用により開始し，T リンパ球で媒介される免疫応答．例えば，移植拒絶反応，遅延型過敏症）．

cell-me·di·at·ed re·ac·tion 細胞媒介反応（遅延型の免疫学的反応で，主に T リンパ球を含む．感染に対する防衛，自己免疫疾患，移植拒絶反応で重要．→skin test）．

cell mem·brane 細胞膜（すべての細胞にある原形質の周縁部分で，透過性の調節や，飲小胞の形成による能動イオン輸送やレセプタによる抗原認識などの表面特異機能を有する．形態的には電子顕微鏡で暗くみえる内板と外板，および明るくみえる中間板の 3 層からなる）．= plasma membrane; plasmalemma; Wachendorf membrane (2).

cell nest 細胞巣（組織中の他の細胞とは異なる細胞の小さな塊）．

cel·lu·la, gen. & pl. cel·lu·lae (sel′yū-lă, -lē)．***1*** 蜂巣（肉眼解剖学において，小さいが肉眼で見える小室をさす）．= cellule. ***2*** 細胞（組織学において，細胞 cell をさす）．

cel·lu·lar (sel′yū-lăr)．***1*** 細胞〔性〕の（細胞に関連した，細胞に由来した，あるいは細胞からなる）．***2*** 細胞様の（多数の仕切った部屋あるいは間隙をもつことをいう）．

cel·lu·lar bi·ol·o·gy 細胞生物学. = cytology.

cel·lu·lar im·mu·no·de·fi·cien·cy with ab·nor·mal im·mu·no·glob·u·lin syn·the·sis 免疫グロブリン生成不全も共存する細胞性免疫不全（特発性に男女両性に生じる，細菌，真菌，原虫，ウイルスなどによる感染症を反復する原因不明の疾患と，広義に定義される一連の障害．液性免疫(B リンパ球)障害と合併する細胞性免疫(T リンパ球)の抑制が胸腺形成不全に伴うことを特徴とする．しかし，血中の免疫グロブリンの量は一般に正常である）．

cel·lu·lar in·fil·tra·tion 細胞浸潤（細胞がその原発巣から移動する状態または細胞が異常発育や増殖により直接周りへ広がる状態．この用語は特に炎症およびある種の悪性新生物に伴う変化をさして用いる）．

cel·lu·lar·i·ty (sel′yū-lar′i-tē). 細胞〔充実〕性（存在している細胞の程度，質，あるいは状態）．

cel·lu·lar pa·thol·o·gy 細胞病理学（①細胞の変化から疾病を解釈すること．②ときに cytopathology(1)の類義語として用いる）．

cel·lu·lase (sel′yū-lās). セルラーゼ; endo-1,4-β-glucase(セルロースの 1,4-β-グルコシド結合の加水分解を触媒する酵素．消化性錠剤の製造や，特別な食事のために食物からセルロースを除去するのに用いられる）．

cel·lule (sel′yūl). 小胞，小房. = cellula(1).

cel·lu·li·ci·dal (sel′yū-li-sī′dăl). 細胞破壊〔性〕の．

cel·lu·lif·u·gal (sel′yū-lif′ŭ-găl). 細胞〔体〕遠心性の（細胞または細胞体から遠い方向に移動あるいは伸長すること）．

cel·lu·lip·e·tal (sel′yū-lip′ĕ-tăl). 細胞〔体〕求心性の（細胞または細胞体へ向かって移動あるいは伸長することについていう）．

cel·lu·lite (sel′yū-līt). ***1*** 脂肪や他の物質の沈着に対して用いる口語．これらの物質は皮膚直下の袋の中に取り込まれるものと信じられている．***2*** 脂肪性浮腫. = lipoedema.

cel·lu·li·tis (sel′yū-lī′tis). 蜂巣炎，フレグモーネ，小胞炎（皮下の疎性結合組織(以前は蜂巣組織 cellular tissue とよばれていた)の炎症）．

cel·lu·lose (sel′yū-lōs). セルロース（植物や木の繊維の基礎物質であり，最も豊富な有機化合物）．

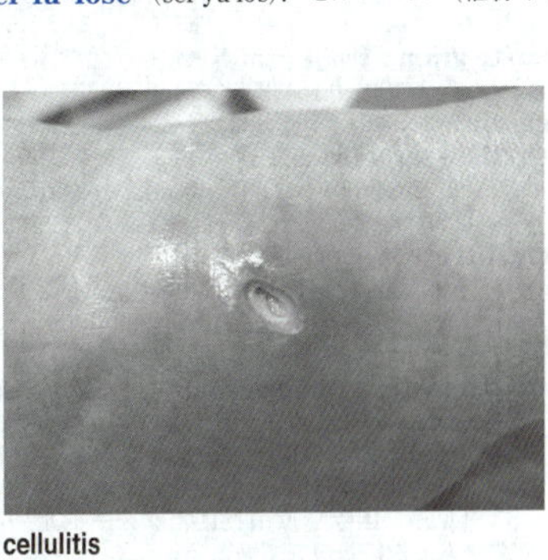

cellulitis

cell wall 細胞壁（ある種の動物および植物細胞の外層あるいは外膜．植物の場合はセルロースが主である）．

cell wall-de·fec·tive bac·te·ri·a 細胞壁喪失細菌（細胞壁がない，あるいは破損している細菌; 組織的には，小さな細胞壁あるいは細胞壁のない円形の構造をしたスフェロプラストになる．あるいは，形成された一部から，糸状あるいは球根状の糸状へと展開していく）．

celo- ***1*** 体腔に関する連結形. ***2*** ヘルニアを意味する連結形. ***3*** 腹に関する連結形. →celio-; coelo-.

ce·lom, ce·lo·ma (sē′lŏm, sē-lō′mă). 体腔（①胚子中胚葉の臓側板と壁側板の間の腔所. ② = intraembryonic celom. ③ = body cavity）. = coelom.

ce·lom·ic (sē-lom′ik). 体腔の. = coelomic.

ce·lo·phle·bi·tis (sē′lō-flĕ-bī′tis). 空静脈炎. = cavitis.

CELO vi·rus CELO ウイルス（アデノウイルスの特徴をもち，ウズラ気管支炎ウイルスに類似するウイルス）．

Cel·si·us (C) (sel′sē-ŭs). →Celsius scale.

Cel·si·us scale セ氏目盛り（水の三重点(273.16 K とする)に基づき，0.01℃とする温度目盛り．この目盛りが百分目盛りの代わりに用いられる．それは水の三重点が氷点より，より正確に測定されるためである．しかしほとんど実際的には，この 2 つの目盛りは同等である）．

ce·ment (sĕ-ment′). セメント（歯科において，成分を混合して硬化する塑性の塊にし，封鎖，充填，あるいは永久または暫間修復の目的に用い，また歯の内外への種々な修復物の合着，あるいは接着性封鎖材として用いる非金属性の材料）．

ce·ment dis·ease セメント病（セメントを使用した股関節全置換の緩みに伴ってしばしば起こる骨溶解．ポリメチルメタクリレイトセメントの微小粒子が破骨細胞の生物学的反応を引き起こし，骨吸収と進行性骨喪失をきたす）．

ce·ment·i·cle (sĕ-men′ti-kel). セメント粒（歯根膜内に遊離するセメント質からなる石灰化球体で，歯のセメント質に付着するか着床する）．

ce·ment line セメント線（骨の緻密質における骨細胞または介在層板系の屈折性境界）．

ce·ment·o·blast (sĕ-men′tō-blast). セメント芽細胞（歯根のセメント質層の形成に関与する間葉由来の細胞）．

ce·ment·o·blas·to·ma (sĕ-men′tō-blas-tō′mă). セメント芽細胞腫（機能的にセメント芽細胞と思われる細胞由来の良性の歯原性腫瘍で，歯根に接した X 線透過像と不透過像とが混在する病変として認められ，骨皮質の膨張や痛みを伴うことがある）．

ce·ment·o·cla·si·a (sĕ-ment′ō-klā′zē-ă). セメント質破壊(崩壊)症（セメント質破壊細胞によるセメント質の破壊）．

ce·ment·o·clast (sĕ-men′tō-klast). 破セメント細胞（多核巨細胞の一種．破骨細胞に同じ．

C

セメント質の吸収に関与する).

ce·ment·o·cyte (sĕ-men′tō-sīt). セメント芽細胞(多数の突起をもつ骨細胞様の細胞で，歯のセメント質中の小腔内に存在する).

ce·ment·o·den·tin·al junc·tion セメントぞうげ境(歯根のセメント質とぞうげ質とが接合した面).

ce·men·to·e·nam·el junc·tion (CEJ) エナメルセメント境(歯冠部のエナメル質と，歯根部のセメント質との接合面. →cervical line).

ce·men·to·ma (sē′mĕn-tō′mă). セメント質腫(様々なセメント質増殖性の良性腫瘍についての非特異的用語. 主に次の4つの型に分けられる. ⅰ根尖性セメント質異形成症, ⅱ顎骨中心性骨形成性線維腫, ⅲセメント芽細胞腫, ⅳ硬化性セメント質塊. 特に記載がない場合は，一般に根尖性セメント質異形成症をさす).

ce·men·to·os·si·fy·ing fi·bro·ma セメント骨化性線維腫(細胞成分のやや多い基質内にセメント質粒と骨芽細胞で縁どられた骨がみられる線維腫の一型).

ce·men·tum (sĕ-men′tŭm). セメント質(歯根および歯頸部のぞうげ質をおおう骨様の石化組織の層で，歯周靱帯の線維と混じり合っている).

cenaesthesia [Br.]. = cenesthesia.

cenaesthesic [Br.]. = cenesthesic.

cenaesthetic [Br.]. = cenesthetic.

ce·nes·the·si·a (sē′nes-thē′zē-ă). セネステシア，体感(身体の一般的な感覚. 内部器官の機能に起因する感覚). = cenaesthesia.

ce·nes·the·sic, ce·nes·thet·ic (sē′nes-thē′zik, -sik; -thet′ik). セネステシアの，体感の. = cenaesthesic.

ceno- ***1*** 共有の，を意味する連結形. ***2*** 新しい，新鮮な，を意味する連結形. ***3*** まれに空虚を意味する連結形. →coeno-.

ce·no·cyte (sē′nō-sīt). ケノサイト，セノサイト，多核体(多核細胞，すなわち隔壁を欠く菌糸，典型は接合菌綱のもの). = coenocyte.

cen·o·site (sē′nō-sīt). 通性共生細菌(通常の宿主から離れて存続できる細菌). = coinosite.

cen·sor (sen′sŏr). 検閲(精神分析理論において，表に現れないようにおおい隠すか姿を変えないかぎり意識に上ってくる無意識の考えや願望を抑制する精神的防壁).

cen·sor·ing (sen′sŏr-ing). 打ち切り(疫学用語. ①死亡や再発を追跡する研究における理由不明など，研究対象以外の理由により追跡研究から対象者が脱落すること. ②測定閾値を超えたために，頻度分布の端に測定不能と分類される観測値).

cen·sus (sen′sŭs). 国勢調査(徴税，徴兵に起を発する人口集計. 現在では他にも多くの目的を伴う. 国勢調査にはすべての人の基本情報(年齢，性，職業，住居など)が記録され，健康状態など他の情報もしばしば含まれる).

cen·ter (sen′tĕr). ***1*** 中心，中枢(①体の中心点. 漠然と体の内部，何らかの中心，特に解剖学的中心. = centrum. ②特定の機能を支配する神経細胞群). ***2*** センター(周辺地域の人々のために特定の機能または業務を行う施設).

cen·ter of ex·cel·lence センター・オブ・エクセレンス(ある特定のあるいは様々な手段における他の管理能力において卓越しているということを表現するために，健康管理手段に関する見解や一般的な調査において評判がいいとして乱用されている口語，専門用語としての用語).

cen·ter of grav·i·ty (COG) 重心(対象物(身体またはシステム)の重量に等しい圧力をかけたとき，作用力が平衡するような対象物上の点. ヒトのCOGの解剖学的部位は第二仙椎の直前にある).

cen·ter of os·si·fi·ca·tion 骨化の中心(骨が最初に形成される個所で，結合組織の中に骨芽細胞が集積してくる膜性骨化と，骨化に先立って軟骨が破壊され始める軟骨内骨化とがある). = centrum ossificationis; centre of ossification; ossific center; point of ossification.

Cen·ters for Dis·ease Con·trol and Pre·ven·tion (CDC) 疾病予防管理センター(ジョージア州アトランタに本部をもつ疾病撲滅，疫学，および教育のための米連邦政府の施設. 感染症センター，環境健康センター，健康増進教育センター，予防サービスセンター，専門開発研修センター，および職業安全健康センターを包含する. HIPAA基準に含まれる分類コードの一部を管理している. 以前はCenter for Disease Control (1970), Communicable Disease Center(1946)という名称であった).

Cen·ters for Med·i·care and Med·i·caid Ser·vic·es (CMS) 米国保健医療財務局(メディケアそしてメディケイドの連邦の健康管理プログラムを運営する，アメリカ厚生省の機関. 2001年7月以前までは，連邦医療財政庁(HCFA)として知られていた).

cen·te·sis (sen-tē′sis). 穿刺(特に接尾語として用いるときは穿刺術paracentesisを表す).

centi-(c) 国際単位系統(SI)およびメートル法で1/100(10^{-2})を表す接頭語.

cen·ti·grade (C) (sen′ti-grād). C目盛り(①水の融点と沸点との間を100度で分割した，以前用いられた温度尺度の基準. →Celsius scale. ②円の1/100で，天文学の円の3.6°に相当する).

cen·ti·gram (sen′ti-gram). センチグラム(1グラムの1/100. 0.15432358グレーン).

cen·tile (sen′tīl). 100分位点.

cen·ti·li·ter (cL) (sen′ti-lē-tĕr). センチリットル(1リットルの1/100. 10 mL. 162.3073ミニム(U.S.)). = centilitre.

centilitre [Br.]. = centiliter.

cen·ti·me·ter (cm) (sen′ti-mē-tĕr). センチメートル(1メートルの1/100. 0.3937008インチ). = centimetre.

cen·ti·me·ter-gram-sec·ond sys·tem (CGS, cgs) CGS (cgs)単位系(長さ，質量，時間の基礎的物理単位と，それから得られる物理的単位を，センチメートル，グラム，秒で表した単位系. 国際単位系(SI)ではメートル，キログラム，秒に基づいている).

cen·ti·me·ter-gram-sec·ond u·nit (CGS,

cgs), cgs u·nit CGS (cgs)単位（センチメートル，グラム，秒を基本単位とする絶対単位）.

centimetre ［Br.］. = centimeter.

cen·ti·mor·gan (cM) (sen′ti-mōr-găn). → morgan.

Cen·ti·nel·a test センチネラ・テスト（棘上筋や腱の損傷の有無を診断する方法．患者に両上肢を 90° 外転，30° 水平内転，母指が下を向くよう肩関節を内旋した肢位をとらせ，医師が上肢を下垂させようとした場合に疼痛と筋力低下が生じるかどうかを調べるテスト）.

cen·ti·nor·mal (sen′ti-nōr′măl). 0.01 規定（1 規定の 1/100．溶液の濃度を表す）.

cen·ti·poise (sen′ti-poyz). センチポアズ（粘性率の単位，1 ポアズの 1/100）.

cen·tra (sen′tră). centrum の複数形.

cen·trad (sen′trad). ***1*** 〚adj.〛向心〔性〕の. ***2*** 〚n.〛セントラド（プリズムの屈折度の単位．弧が円半径の 1/100，すなわち 0.75° の光線の振れに相当する）.

cen·tral am·pu·ta·tion 中心切断〔術〕（瘢痕が断端を横切るように皮膚弁を結合する切断）.

cen·tral ap·ne·a 中枢性無呼吸（呼吸運動の低下をきたす，延髄機能抑制の結果である無呼吸）.

cen·tral a·re·o·lar cho·roi·dal dys·tro·phy 中心性輪紋状脈絡膜ジストロフィ（常染色体優性の進行性視力障害で境界明瞭な網膜色素上皮と脈絡膜血管板の萎縮巣を有する）.

cen·tral ar·ter·y of ret·i·na 網膜中心動脈（眼球の約 1 cm 後方で眼神経に侵入し，視神経乳頭で網膜内面に分布する眼動脈の分枝．上・下側頭枝と鼻枝に分かれる）.

cen·tral au·di·tor·y ner·vous sys·tem (CANS) 中枢聴覚神経系（蝸牛から聴覚皮質までの中枢聴覚神経経路. → vestibulocochlear nerve）.

cen·tral cloud·y cor·ne·al dys·tro·phy of Fran·çois フランソワの中心性混濁性角膜ジストロフィ（常染色体優性遺伝で，多角形に混濁した領域を有する中央角膜実質の混濁）.

cen·tral cord syn·drome 脊髄中心症候群，中心性脊髄症候群（感覚消失や膀胱障害を伴うことも伴わないこともある，上肢遠位部を最も強く侵す四肢不全麻痺．頸髄中心部または脊髄動脈が骨棘や外傷で圧迫され虚血におちいったために起こる）.

cen·tral cry·stal·line cor·ne·al dys·tro·phy of Sny·der シュナイダーの中心性クリスタリン(結晶状)角膜ジストロフィ（常染色体優性遺伝で，針状の多色系結晶による中央角膜実質の混濁）.

cen·tral deaf·ness 中枢〔性〕聴覚障害（脳幹または大脳皮質の聴覚系の疾病による聴覚障害）.

cen·tral gan·gli·o·neu·ro·ma 中枢〔神経〕節細胞腫. = gangliocytoma.

cen·tral gy·ri 中心回（中心前回と中心後回）.

cen·tra·li·za·tion phe·nom·e·non 中心化現象（自覚する痛みの部位がより末梢からより中央へと比較的急速に変化する現象．腰痛と下肢への放散痛を有する患者の初診時に通常みられる．理学療法の種類と予後を決めるのに有用）.

cen·tral ne·cro·sis 中心壊死（組織や器官などの，より深いあるいはより内部の部分を侵す壊死）.

cen·tral ner·vous sys·tem (CNS) 中枢神経系（脳と脊髄をいう）.

cen·tral os·si·fy·ing fi·bro·ma 〔顎骨〕中心性骨形成性線維腫（顎に生じる良性の骨形成性の線維性腫瘍で，緩慢な無痛性の発育を示し，顎骨の膨隆を認める．境界は明瞭で，歯根膜細胞に由来する．初期においては X 線透過性であるが，成熟するに従って不透過性が増す）.

cen·tral os·te·i·tis 中心性骨炎（①= osteomyelitis. ②= endosteitis）.

cen·tral pal·mar space 中央手掌間隙（筋膜の手掌間隙のうち内側(尺側)のもので，内側は小指球で境され，遠位は第三・第四指の腱鞘に，近位では屈筋の共同腱鞘につながっている）.

cen·tral pa·ral·y·sis 中枢性麻痺（脳または脊髄の病変による麻痺）.

cen·tral pat·tern gen·er·a·tor 中枢パターン発生器（行動に関連する，脳や脊髄の中にある理論上の神経回路網．パターン化された動きにおいて，まとまった筋肉を働かせる）.

cen·tral ret·i·nal ar·ter·y 網膜中心動脈（眼球の約 1 cm 後方で眼神経に侵入し，視神経乳頭で網膜内面に分布する眼動脈の分枝．上・下側頭枝と鼻枝に分かれる）. = arteria centralis retinae.

cen·tral ret·i·nal fo·ve·a 網膜中心窩（錐状体のみが存在し，血管のない黄斑の中心にある陥凹）. = fovea centralis maculae luteae.

cen·tral sco·to·ma 中心暗点（固視点を含む暗点）.

cen·tral spin·dle 中心紡錘体（紡錘の中心部を占める連続性微小管群(連続糸)で，染色体微小管が染色体に付着して終わっている(紡錘糸)のに対して，両極の星状体の間を結合している微小管）.

cen·tral sul·cus 中心溝（前頭葉と頭頂葉との境界にあたる大脳半球の外側面を斜め上，後方へのびる 2 重 S 状の溝）.

cen·tral vein of ret·i·na 網膜中心静脈（網膜静脈の合流によってつくられ，視神経の中を同名の動脈に伴行する）. = vena centralis retinae.

cen·tral veins of liv·er 〔肝臓の〕中心静脈（肝臓の静脈系の出発点となる静脈で，概念的肝小葉の中心に位置し，類洞からの血液を受け取り集合静脈に集まって肝静脈となる）. = Krukenberg veins.

cen·tral vein of su·pra·re·nal gland 〔副腎の〕中心静脈（副腎からの血液を集める単一の静脈．多数の髄質静脈を受ける．右側は直接下大静脈に注ぎ，左側は左腎静脈へ注ぐ）. = vena centralis glandulae suprarenalis.

cen·tral ve·nous cath·e·ter 中心静脈カテーテル（末梢静脈あるいは中心静脈から，胸部にある上・下大静脈あるいは右心房まで進めたカテーテル．中心静脈圧の測定や，濃厚な薬剤，輸液などを注入するために用いる．何か月もの

C

経皮的点滴静注のために，接続には皮下で，あるいは皮膚よりやや離れて，静脈より距離をとって行う）.

cen·tral ve·nous pres·sure (CVP) 中心静脈圧（上大静脈および横隔膜よりは頭部側の下大静脈の静脈系内部の血液の圧力で，正常値は 4—10 cmH_2O. ショックや循環血液量減少の際に低下し，心不全や静脈にうっ血があると高くなる）.

cen·tral vi·sion 中心視〔覚〕，中心視力（中心窩に結像する像により生じる視力）. = direct vision.

centre [Br.]. = center.

centre of gravity [Br.]. = center of gravity.

cen·tren·ce·phal·ic (sen′tren-sĕ-fal′ik). 脳中心の.

centre of ossification [Br.]. = center of ossification.

cen·tri·ac·i·nar em·phy·se·ma = centrilobular emphysema.

cen·tric (sen′trik). 中心位（理想的な中心咬合に関する歯学用語. 上下顎の歯は最適な状態で嵌合するとともに，咬頭と咬頭の接触面積は最大となる）.

-centric 特定の種類や数に中心が存在する，あるいは特定のもの(関心，焦点)をその中心に有していることを意味する連結形.

cen·tric fu·sion 中心融合. = robertsonian translocation.

cen·tric·i·put (sen-tris′i-put). 頭頂（前頭と後頭との間にある頭蓋上面の中央部）.

cen·tric oc·clu·sion 中心咬合（①最大の接触面または咬頭嵌合を有するような相対する咬合面の関係. ②下顎が上顎に対して中心位にあるときの歯の咬合）. = acquired centric; habitual centric; intercuspal position.

cen·tric re·la·tion 中心位（①上顎に対して下顎の最も後退した生理学的関係. そこから任意の下顎側方運動を始めることができ，またはそこへ戻ることができる. 様々な開口度において存在しうる状態で，終末ちょうつがい軸を中心として回転する. ②確立された垂直関係において，上顎に対して下顎が最後方に位置する関係）. = terminal hinge position.

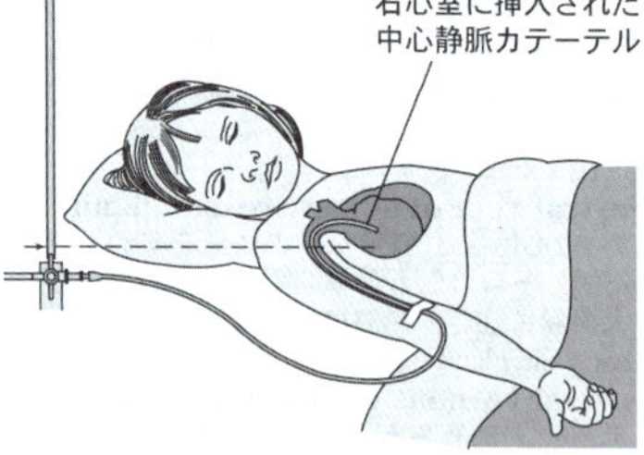
右心室に挿入された
中心静脈カテーテル

central venous pressure catheterization

cen·trif·u·gal (sen-trif′ŭ-găl). 遠心〔性〕の，遠心的な（①回転軸から(離すように)外へ向かって物体を引っ張る力の方向を表す語. ②類推によって，中心から離れていくことを表すこともある. *cf.* eccentric(2)）.

cen·trif·u·gal nerve 遠心性神経. = efferent nerve.

cen·trif·u·ga·tion (sen-trif′ŭ-gā′shŭn). 遠心沈殿法，遠沈，遠心法（遠心分離機を使用して液体中に懸濁した固体を沈降させること）.

cen·tri·fuge (sen′tri-fyūzh). ***1*** 〖n.〗 遠心〔分離〕機（液体中の懸濁粒子を分離する装置で，液体を回転して回転容器の周辺にその粒子を飛ばす遠心力によって分離する）. ***2*** 〖v.〗 遠心分離する（遠心分離機にかけ，高速回転運動に供すること）.

cen·tri·lob·u·lar (sen′tri-lob′yū-lăr). 小葉中心の，小葉中心付近の（例えば，肝臓についていう）.

cen·tri·lob·u·lar em·phy·se·ma 小葉中心性肺気腫（中心細気管支周囲の小葉にみられる肺気腫で，原因として細気管支炎が関係しており，炭坑夫じん肺症でみられる）. = centriacinar emphysema.

cen·tri·ole (sen′trē-ōl). 中心小体，中心粒（管状構造で，通常，対になっている細胞小器官. 中心粒は，例えば，骨髄の巨細胞のようなある種の細胞では，重複して多数存在することもある）.

cen·trip·e·tal (sĕn-trip′ĕ-tăl). ***1*** 求心〔性〕の. = afferent. ***2*** 向心〔性〕の，求心的な（物体を回転軸の方へ引っ張ろうとする力の方向を表す）. = axipetal.

cen·trip·e·tal nerve 求心性神経. = afferent nerve.

centro- 中央，中心を意味する連結形.

cen·tro·ac·i·nar cell 房心細胞（腺房の内腔を占める膵管の細胞. 重炭酸イオンと水を分泌し，腸内の酵素作用に必要なアルカリ性を確保する）.

cen·tro·ki·ne·si·a (sen′trō-ki-nē′sē-ă). 中枢性運動（中心からの刺激によって起こる運動）.

cen·tro·ki·net·ic (sen′trō-ki-net′ik). ***1*** 中枢性運動の. ***2*** 運動促進性の. = excitomotor.

cen·tro·me·di·an nu·cle·us 中心正中核（大きなレンズマメ状の神経細胞群で，髄板内核中で最も大きく，最も尾方にある. 視床の背内側核と底腹側核の間の内側水板内にある. Luys によって，ヒトの視床の前極と後極の中間の前額断における特徴的外観から，このようによばれた. 淡蒼球の内節から多数の線維を，レンズ核わなの視床束を経て受け取るほかに，運動皮質の第 4 野からの線維も受ける. 遠心性の結合は主に被殻とつくっているが，側副枝は大脳皮質の広い範囲に達している）.

cen·tro·mere (sen′trō-mēr). 動原体（紡錘糸付着点であり，細胞分裂中の染色体運動に関与する染色体の非染色性一次狭窄. 動原体が染色体を 2 本の腕に分け，その位置は特定の染色体について変わらない. 染色体の一端に近い(末端

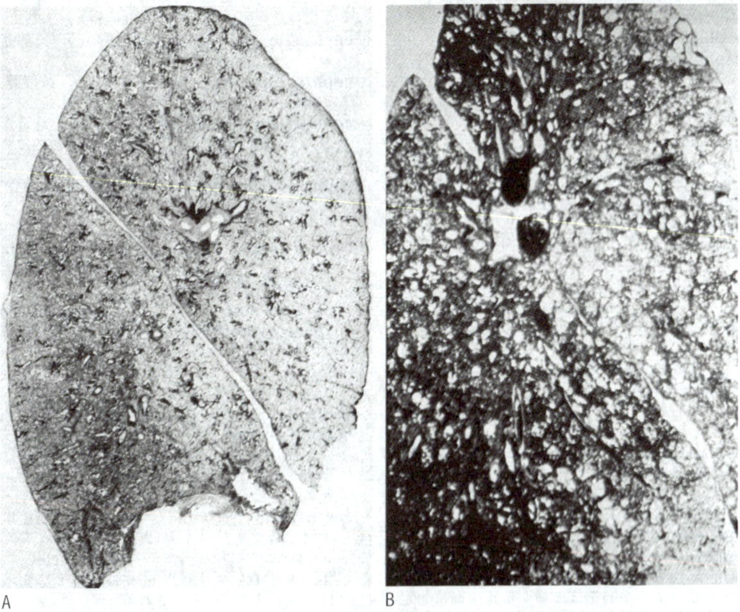
A
B

centrilobular emphysema

A：中等症の肺気腫を呈する喫煙者の肺．拡張した気腔が両葉に散在している．
B：さらに進行した症例では，肺胞の破壊が進行し，拡張した不整な気腔がみられる．

動原体の）場合，中心に近い（中部動原体の）場合，および両者の中間にある（次中部動原体の）場合がある）．

cen·tro·some （sen′trō-sōm）．中心体．= cytocentrum.

cen·tro·sphere （sen′trō-sfēr）．中心球（有糸分裂時にそこから紡錘線維（微小管）がのびる中心体の特殊化（しばしばゲル化）した細胞質で中心小体を含む）．

cen·tro·stal·tic （sen′trō-stal′tik）．運動中枢の．

cen·trum, pl. cen·tra （sen′trŭm, -tră）．中心．= center（1）．

cen·trum os·si·fi·ca·ti·o·nis 骨化の中心．= center of ossification.

cen·tum（c） （sen′tŭm）．100 を意味するラテン語．

ceph·a·lad （sef′ă-lad）．頭方向の（→cranial（1））．

ceph·a·lal·gi·a （sef′ă-lal′jē-ă）．頭痛．= headache.

ceph·al·e·de·ma （sef′al-ĕ-dē′mă）．頭部浮腫，頭部水腫．= cephaloedema.

cephalhaematocoele ［Br.］．= cephalhematocele.

cephalhaematoma ［Br.］．= cephalhematoma.

ceph·al·he·ma·to·cele, ceph·a·lo·he·ma·to·cele （sef′ăl-hē-mat′ō-sēl, sef′ă-lō-hē-mat′ō-sēl）．頭血瘤（（硬膜）静脈洞と交通する骨膜下の頭血腫）．= cephalhaematocoele.

ceph·al·he·ma·to·ma, ceph·a·lo·he·ma·to·ma （sef′ăl-hē-mă-tō′mă, sef′ă-lō-hē-mă-tō′mă）．頭血腫（頭蓋骨膜下への血液成分の滲出に起因する頭皮下の血液貯留，しばしば分娩時外傷により新生児にみられる．滲出液が血清からなり，骨膜上にたまる産瘤 caput succedaneum とは異なる）．= cephalohaematoma.

ceph·al·hy·dro·cele （sef-ăl-hī′drō-sēl）．頭水瘤（頭蓋骨膜直下の漿液性または水様性の液体貯留）．

ce·phal·ic （sĕ-fal′ik）．頭〔部〕の，頭側の．= cranial（1）．

ce·pha·lic curve 児頭彎曲（児頭の彎曲に一致するカーブ．産科鉗子の形状を表現する）．

ce·phal·ic flex·ure 頭屈，中脳屈（胚の発育中の中脳における，腹側が凹面となる深い屈曲）．= cranial flexure; mesencephalic flexure.

ce·phal·ic in·dex 頭指数（軟部を含んだ頭部の最大幅と最大長の比で，次式で求められる．（幅× 100）/長さ）．= length-breadth index.

ce·phal·ic phase re·sponse 脳相反応（食べ

物に関する認識や知覚的刺激に対して反応する，副交感神経の反応）.

ce·phal·ic pole 頭極（胎児の頭の端）.

ce·phal·ic pre·sen·ta·tion 頭位（通常，頭部は鋭く屈曲し顎が胸に接触している（後頭位 vertex presentation）. しかし，まれには屈曲の度合いが様々に異なり，先進部が大泉部（頭頂位 sincipital presentation），または額（額位 brow presentation）であったり，顔（顔位 face presentation）であったりする場合がある）.

ceph·a·lic re·place·ment 頭部還納術（肩甲難産で経腟分娩が困難なとき，児頭を屈曲させて腟内に押し戻し臍帯血行を回復させた後に帝王切開で娩出させる）. = Zavanelli maneuver.

ce·phal·ic tet·a·nus 頭部破傷風（局所のテタヌスの一型で顔面や頭部の創に続発する．短い（1—2 日）潜伏期の後，顔面筋や眼筋は麻痺性となり，さらに強縮性攣縮を頻発する．咽頭筋や舌筋も障害されることもある）.

ce·phal·ic vein 橈側皮静脈（手背静脈網の橈側縁から始まり，肘の前を上腕の外側に沿って上行し，腋窩静脈の上部へ注ぐ皮下の静脈）.

ce·phal·ic ver·sion 頭位回転〔術〕（頭部を先進させるために胎児を内あるいは外へ回転させること．→external cephalic version; internal cephalic version）.

ceph·a·li·tis (sef′ă-lī′tis). = encephalitis.

cephalo-, cephal- 頭を示す連結形.

ceph·a·lo·cau·dal ax·is 頭尾軸（体の長軸．体の横断面の中心をほぼ横切る正中面に想定した直線で，頭蓋の頂点から会陰の中心を通り，両下肢の間を通り，両肢長軸と平行かつ等距離な直線）.

ceph·a·lo·cele (sef′ă-lō-sēl). 頭瘤（頭蓋内内容物の一部の（頭蓋骨の先天的な欠損部からの）突出，例えば，髄膜瘤，脳瘤．→encephalocele）.

ceph·a·lo·cen·te·sis (sef′ă-lō-sen-tē′sis). 頭蓋穿刺，脳穿刺（腫瘍または水頭症の液体を排出または吸引するために中空針またはトロカールとカニューレを脳へ通すこと）.

ceph·a·lo·dyn·i·a (sef′ă-lō-din′ē-ă). 頭痛.

cephaloedema [Br.]. = cephaledema.

ceph·a·lo·gy·ric (sef′ă-lō-jī′rik). 頭部回転運動の（頭部の回転に関する）.

cephalohaematocoele [Br.]. = cephalhematocele.

cephalohaematoma [Br.]. = cephalhematoma.

ceph·a·lo·meg·a·ly (sef′ă-lō-meg′ă-lē). 頭部巨大〔症〕.

ceph·a·lom·e·ter (sef′ă-lom′ĕ-tĕr). 頭蓋計測器（側方および前後方向の再現性のある頭部写真を撮影するために，頭部の位置決めに用いる器具）. = cephalostat.

ceph·a·lo·met·rics (sef′ă-lō-met′riks). 頭蓋計測，頭蓋計測法（学）（口腔外科および歯列矯正学において，ⓘ頭蓋および顔面骨の科学的な計測法．頭蓋骨および顔面骨を再現性のある固定位置で X 線側面撮影して行う．ⓘⓘ特定の基準点に関する頭部計測の科学的研究．軟部組織の輪郭を含む顔面の成長と発育の評価に用いる）.

ceph·a·lom·e·try (sef′ă-lom′ĕ-trē). 頭部計測〔法〕（生きているヒトの頭，または軟部を除去していない頭の測定．→cephalometrics）.

ceph·a·lo·mo·tor (sef′ă-lō-mō′tŏr). 頭部運動の.

ceph·a·lop·a·thy (sef′ă-lop′ă-thē). 頭部障害. = encephalopathy.

ceph·a·lo·pel·vic (sef′ă-lō-pel′vik). 児頭骨盤の（母体骨盤に対応する胎児頭の大きさについていう）.

ceph·a·lo·pel·vic dis·pro·por·tion (CPT) 児頭骨盤不均衡（児頭が骨盤横径よりも大きすぎる状態）.

ceph·a·lo·pel·vim·e·try (sef′ă-lō-pel-vim′ĕ-trē). 児頭骨盤計測〔法〕（骨盤と胎児頭の大きさを X 線撮影により測定すること）.

ceph·a·lo·stat (sef′ă-lō-stat). = cephalometer.

ce·phal·o·tho·rac·ic (sef′ă-lō-thōr-as′ik). 頭胸〔部〕の（頭部と胸部に関する）.

-cephaly 頭の変則的な（異常な）状態を表す接尾語.

-ceptor 取り手または受け手を意味する接尾語.

cer·am·i·dase (sĕr-am′i-dās). セラミダーゼ（セラミドを加水分解してスフィンゴシンおよび脂肪酸にする酵素．この酵素の欠損と Farber 病とが関連している）.

cer·a·mide (ser′ă-mīd). セラミド（長鎖塩基またはスフィンゴイド（例えば，スフィンガニン，スフィンゴシン）の *N*-アシル（脂肪酸）誘導体，スフィンゴリピド類の属名．セラミドが Farber 病患者では蓄積される）.

cerat- →kerat-.

cerato- →kerato-.

cer·a·to·cri·coid mus·cle 下角輪状筋（後輪状披裂筋より起こり，甲状軟骨下角に付着する不定の筋束）. = musculus ceratocricoideus.

cer·a·to·glos·sus (ser′ă-tō-glos′ŭs). 大角舌筋（舌骨大角から起こる筋群で，舌下筋群の主たる後半部をなす）.

cer·car·i·a, pl. cer·car·i·ae (sĕr-kar′ē-ă, -ē-ē). ケルカリア，セルカリア，尾虫，有尾幼虫（淡水産巻貝より遊出して自由に泳ぐ吸虫類の幼

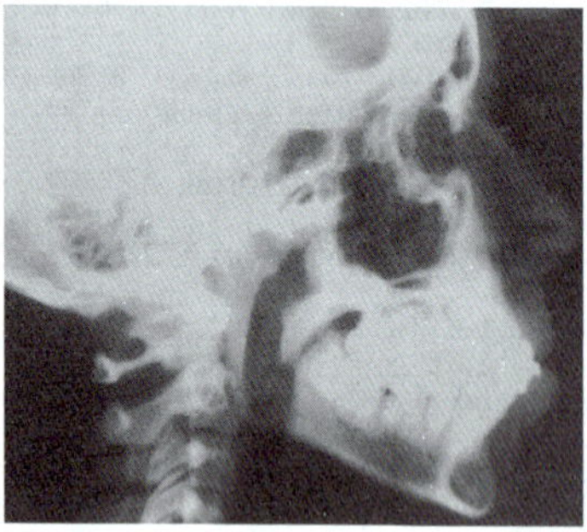

cephalometry

虫で，終宿主の皮膚を貫通したり（ヒト住血吸虫 *Schistosoma*），植物（肝蛭 *Fasciola*）や，魚（肝吸虫 *Clonorchis*）に被嚢したり，あるいは種々の節足動物に侵入，被嚢する．体と尾の形態に顕著な相違があり，その特殊化された機能が個々の種独特の生活史に適応している．→sporocyst (1)）．

cer·ci (ser′sī)．cercus の複数形．

cer·clage (ser-klazh′)．締結〔法〕，セルクラージュ（①斜骨折の断端を，針金を巻き付けたり，強く牽引したり，あるいは輪をはめ込んだりして密着させる方法．②網膜剥離の手術法．眼直筋の付着部の後部の強膜を取り巻いた帯により脈絡膜および網膜色素上皮を剥離した網膜神経上皮に接触させる．③無力頸管口の周囲に非吸収性の糸をかける方法）．= tiring.

cer·co·cys·tis (ser′kō-sis′tis)．セルコシスチス（条虫の幼虫である擬嚢尾虫の特殊化した虫体型で，無脊椎動物よりも脊椎動物宿主の絨毛内で発育する．→cysticercus）．

cer·co·pith·e·crine her·pes·vi·rus オナガザルヘルペスウイルス（旧世界のサルに感染するヘルペスウイルス科のヘルペスウイルス．形態学的には単純疱疹ウイルスによく似ている．感染したサルにかまれると，ヒトの場合死をまねくことがあるが，その他にも伝播経路のあることが知られている）．

cer·cus, gen. & pl. cer·ci (ser′kŭs, ser′sī)．尾葉，尾毛（剛毛様の構造）．

ce·re·a flex·i·bil·i·tas ろう屈症，ろう様可撓性（肢が置かれたところにとどまる "waxy flexibility（ろう様撓屈）" のこと．カタトニーにしばしばみられる）．

cer·e·bel·lar (ser-ĕ-bel′ăr)．小脳〔性〕の．

cer·e·bel·lar cor·tex 小脳皮質（小脳の表面をおおう薄い灰色質の層で，表層から分子層，Purkinje 細胞層（神経節細胞層），および顆粒層からなる）．

cer·e·bel·lar fis·sure 小脳溝（小脳の小葉を分割する深い溝）．= fissurae cerebelli.

cer·e·bel·lar gait 小脳性歩行（外側に傾き，不安定な，歩幅の一定しない両足を開いた歩行．しばしば前後，左右に倒れかかるような歩行となる）．= ataxic gait.

cer·e·bel·lar hem·i·sphere 小脳半球（小脳虫部外側にある小脳の大部分）．

cer·e·bel·lar pe·dun·cle 小脳脚（下小脳脚，中小脳脚，および上小脳脚）．

cer·e·bel·li·tis (ser′ĕ-bel-ī′tis)．小脳炎．

cerebello- 小脳に関する連結形．

cer·e·bel·lo·pon·tine ang·le 小脳橋角（小脳，橋，延髄の連結部に形成される角）．= angulus pontocerebellaris.

cer·e·bel·lum, pl. ce·re·bel·la (ser-ĕ-bel′ŭm, -bel′ă)．小脳（橋・延髄の背側，小脳テント・大脳後部の腹側にある大きな後部の脳塊．狭い中間部である虫部によって結ばれた2つの外側半球からなる）．

cer·e·bra (sĕ-rē′bră)．cerebrum の複数形．

ce·re·bral (ser′ĕ-brăl)．大脳の．

ce·re·bral am·y·loid an·gi·op·a·thy 脳のアミロイドアンギオパチー（血管壁のアミロイドの沈着を特徴とする脳の小血管の病的状態で，脳梗塞や脳出血を引き起こす．Alzheimer 病においても起こる．→congophilic angiopathy）．

ce·re·bral aq·ue·duct 中脳水道（中脳にある長さが約 2 cm の管で，上衣細胞におおわれ，第3脳室と第4脳室とを連結している）．

ce·re·bral cor·tex 大脳皮質（哺乳類の大脳半球の全表面をおおっている灰白質細胞層（厚さ 1—4 mm）．細胞と線維成分の層構成が特徴で，神経細胞は海馬の古皮質では1層，より大きな領域を占める新皮質では5，6層の，境界明確な層で積み重ねられている．最表層（分子層または表在状層）は細胞が非常に少なく，主として，深層の錐体あるいは紡錘状細胞から表面に向かって垂直に出ている長い樹状突起で構成されている．K. Brodmann の分類による層は表層から，(i)分子層，(ii)外顆粒層，(iii)外錐体細胞層，(iv)内顆粒層，(v)内錐体細胞層（神経節細胞層），(vi)（多くは紡錘状細胞からなる）多形細胞層，である．この多層構造は新皮質である等皮質 homotypic cortex（Vogt の用語では isocortex）の典型であり，ヒトでは大脳半球の大部分をおおっている．原始的な不等皮質 heterotypic cortex（Vogt の用語では allocortex）は，細胞層がもっと少ない．isocortex と allocortex の中間の皮質型は，中間皮質 juxtallocortex（O. Vogt の用語）とよばれ，帯状回の腹側部分，海馬傍回の内鼻部分をおおっている．Brodmann は，神経細胞の配列（細胞構築）における局所差に基づいて，大脳皮質を47野に分割した．機能的な面からこれらは3つのカテゴリーに分類できる．(i)運動野（第4・第6野）は，発育不十分な内顆粒層（無顆粒皮質）と著明な錐体細胞層を有する．(ii)感覚野は，著明な内顆粒層（顆粒皮質または塵皮質）が特徴で，体性感覚野（第1—第3野），聴覚野（第41・第42野），視覚野（第17—第19野）を含む．(iii)連合野

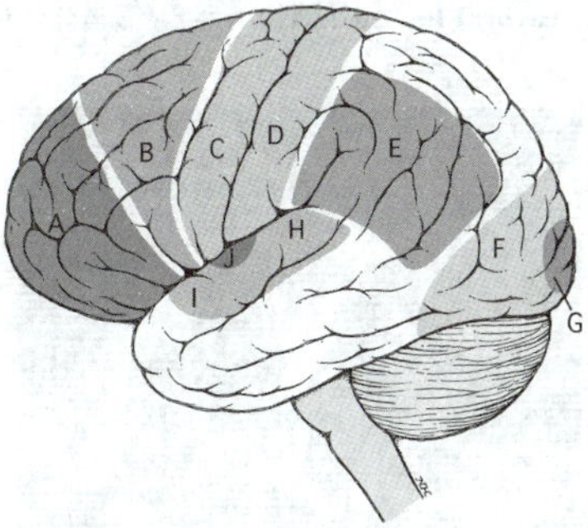
A
B
C
D
E
F
G
H
I
J

cerebral cortex

主な機能野．A：生物学的知能，B：運動前野，C：体性運動野，D：体性感覚野，E：身体認識，F：視覚精神野，G：視覚感覚野，H：言語理解，I：聴覚精神野，J：聴覚感覚野

は，大脳皮質の残りの大部分. →Brodmann areas).

ce·re·bral death 脳死（永続的な大脳と脳幹機能の喪失を特徴とする臨床的な症候群で，外的刺激に対する反応性の欠如，脳幹反射消失と自発呼吸停止が認められる．低体温と中枢神経抑制薬による中毒を除外し，30 分以上の平坦脳波が診断の確認となる）.

ce·re·bral de·com·pres·sion 減圧開頭〔術〕，脳減圧法（頭蓋内圧を減じるため，硬膜切開して行う頭蓋の一部除去）.

ce·re·bral dom·i·nance 大脳優位（1 つの半球が他の半球より優位で，ある機能により大きな影響を与える事実．左大脳半球は発語，言語，分析過程，計算の制御に通常優位で，右大脳半球は通常非優位半球で，空間認識やある種の視覚情報と関係した言語を司る．利き手(右利きの人は左大脳半球優位)は大脳優位の一般的な例と考えられる）.

ce·re·bral dys·pla·si·a 終脳形成異常(異形成).

ce·re·bral e·de·ma 脳水腫(浮腫)（神経網と白質での水分の吸収から血管外水分量の増加によって起こる脳の腫脹. →brain swelling).

ce·re·bral gi·gan·tism 脳性巨人症（出生時体重および身長の増加(第 90 百分位数以上)を特徴とする症候群．最初 4，5 年は血清中成長ホルモンレベルの上昇もなく急激に成長し，その後正常の成長率に戻る．上顎前突症，両眼隔離症，眼裂の逆内眼角ぜい皮，長頭蓋が特徴的顔貌で，中等度の知能障害，協調障害も合併する）.

ce·re·bral hem·i·sphere 大脳半球（①＝hemisphere. ②終脳の大きな塊で正中面の両側にあり，大脳皮質とその関連線維系およびより深部にある皮質下終脳核すなわち基底核からなる）. = hemispherium(1).

ce·re·bral hem·or·rhage 脳出血（脳組織内への出血．多くはレンズ核線条体動脈の破裂による内包部分への出血）. = hematencephalon.

ce·re·bral her·ni·a 脳ヘルニア（頭蓋骨欠損部を通して脳組織が突出すること）.

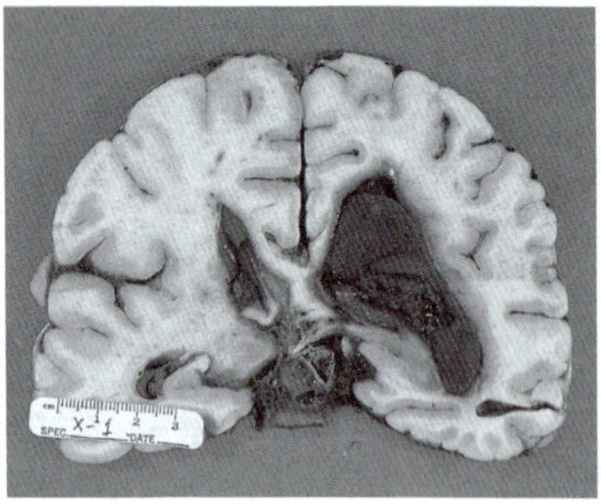

cerebral hemorrhage
動静脈奇形に右大脳半球内の出血を合併した患者の剖検標本.

ce·re·bral in·dex 大脳指数（頭蓋腔の横径と前後径との比に 100 を乗じたもの）.

ce·re·bral lo·cal·i·za·tion 大脳局在，大脳機能局在，大脳局所診断（①大脳皮質を分野に分けた脳地図，大脳機能と各皮質部位の相関. ②患者の示す徴候や症状，または神経画像による脳の病変部位の決定）.

ce·re·bral pal·sy 脳性〔小児〕麻痺（出生前から生後 3 年間までに発症する脳損傷による運動力と協調機能の欠陥）.

ce·re·bral pe·dun·cle 大脳脚（crus cerebri (大脳脚)とよばれる皮質投射線維の大きな束，またはこれに被蓋を加えたもの．脚底にある黒質は被蓋と crus cerebri とを境する構造とみなされている. →crus cerebri).

ce·re·bral re·vas·cu·lar·i·za·tion 脳血管疾患治療法（外科手術治療措置による，脳への血液の流れの回復）.

ce·re·bral vas·cu·lar at·tack (CVA) = acute ischemic stroke.

ce·re·bral ves·i·cle 脳胞（3 つに分かれた初期の胚脳のそれぞれの部分．前部は前脳，中部は中脳，後部は菱脳である）. = primary brain vesicle.

cer·e·bra·tion (ser′ĕ-brā′shŭn). 脳作用（精神的な働き．考えること. →cognition).

cer·e·bri·form (se-rē′bri-fōrm). 大脳様の（脳の外裂および脳回に類似した）.

cer·e·bri·tis (ser′ĕ-brī′tis). 脳炎（脳実質の限局性炎症性浸潤）.

cerebro-, cerebr-, cerebri- 大脳に関する連結形. →encephalo-.

cer·e·broid (ser′ĕ-broyd). 脳に似た（大脳に似ている状態）.

cer·e·bro·ma (ser′ĕ-brō′mă). 脳腫〔瘤〕. = encephaloma.

cer·e·bro·ma·la·ci·a (ser′ĕ-brō-mă-lā′shē-ă). 脳軟化〔症〕. = encephalomalacia.

cer·e·bro·men·in·gi·tis (ser′ĕ-brō-men-in-jī′tis). 脳髄膜炎. = meningoencephalitis.

cer·e·brop·a·thy (ser′ĕ-brop′ă-thē). 脳障害，脳症. = encephalopathy.

cer·e·bro·scle·ro·sis (ser′ĕ-brō-skler-ō′sis). 脳硬化〔症〕（大脳半球の硬化）. = encephalosclerosis.

cer·e·bro·side (ser′ĕ-brō-sīd). セレブロシド（スフィンゴ糖脂質の類．神経組織の髄鞘内にみられる）.

cer·e·bro·spi·nal (ser′ĕ-brō-spī′năl). 脳脊髄の（脳と脊髄に関する）.

cer·e·bro·spi·nal ax·is 脳脊髄軸（脳と脊髄，すなわち中枢神経系についていう）.

cer·e·bro·spi·nal flu·id (CSF) 脳脊髄液（脳室の脈絡叢から分泌される液体で，脳室と脊髄のクモ膜下腔を満たす）.

cer·e·bro·spi·nal flu·id rhi·nor·rhe·a 髄液〔性〕鼻漏（鼻からの髄液の排泄）.

cer·e·bro·spi·nal men·in·gi·tis 脳脊髄膜炎. = meningitis.

cer·e·bro·spi·nal pres·sure 脳脊髄液圧

(脳脊髄液の圧．環境大気圧との相対によって表され，一般に 100—150 mmH_2O である）．

cer·e·brot·o·my (ser′ĕ-brot′ŏ-mē)．大脳切開〔術〕．

cer·e·bro·vas·cu·lar (ser′ĕ-brō-vas′kyū-lăr)．脳血管性の（脳への血液供給，特にその病変に関していう）．

cer·e·bro·vas·cu·lar ac·ci·dent (CVA) 脳血管障害（広義の脳卒中を意味する用語）．

cer·e·brum, pl. **cer·e·bra, cer·e·brums** (ser′ĕ-brŭm, -bră, -brŭmz)．大脳（元来は，脳の最も大きな部分をさし，延髄，橋，小脳を除く頭蓋内のほとんどすべての部分をいったが，現在では通常，終脳から派生した部分だけをさし，主に大脳半球(大脳皮質，基底核)をいう）．

ce·ri·um (Ce) (sēr′ē-ŭm)．セリウム（金属元素．原子番号 58，原子量 140.115）．

cer·ti·fi·a·ble (sĕr′ti-fī′ă-bĕl)．精神異常と証明されるべき(強制的に精神病院に入院させるほど重症の行動障害症状を呈している人についていう）．

cer·ti·fi·ca·tion (sĕr′ti-fi-kā′shŭn)．***1*** 証明，認可，検定（医学専門委員会による専門医としての認定に必要な事項を完全に終了したという証明）．***2*** 精神異常証明（患者を精神病院に入れる法的手続き）．***3*** 精神病院収容（精神異常者を強制入院させること）．

cer·ti·fied hand ther·a·pist (CHT) 手技セラピスト（手治療分野における専門家としての認定を与えられた，職業セラピスト）．

cer·ti·fied milk 保証牛乳（消費者へ配送されるまで，1 mL 当たりの最大許容細菌数が 10,000 以下でなければならない牛乳．また 10℃ 以下に冷やし，配送までその温度に保たねばならない）．

cer·ti·fied nurse-mid·wife 公認〔正〕看護助産師（少なくとも看護学や母性管理の高等教育を受け，学士(マスター)の学位をもつ登録看護師．米国看護助産師大学の教育を受け国家試験に合格している）．

Cer·ti·fied Oc·cu·pa·tion·al Health Nurse (COHN) 有資格産業看護師（産業健康管理に特化した試験を修了していることを証明する，専門の称号）．

cer·ti·fied or·thot·ist (CO) 矯正士（各許可認証団体の基準に基づいた認可を受けている，矯正具を製造する人，またそれを取り付ける人）．

cer·ti·fied pas·teur·ized milk 殺菌保証牛乳（低温殺菌を行う前の 1 mL 当たりの最大許容細菌数が 10,000 以下で，殺菌後も 1 mL につき 500 以下でなければならない牛乳．また 7.2℃ 以下に冷やし，配送までその温度を保たねばならない）．

Cer·ti·fied Phar·ma·cy Tech·ni·cian (CPhT) 薬局テクニシャン（薬局テクニシャン認定会(PTCB)の試験に合格した，調剤専門士）．

cer·ti·fied pros·the·tist (CP) 義肢装具士（各許可認証団体の基準に基づいた認可を受けている，人的補充物を製造する人，またそれを取り付ける人）．

cer·ti·fied pros·the·tist/or·thot·ist (CPO) 義肢装具士/矯正士（各許可認証団体の基準に基づいた認可を受けている，人的補充物や矯正具などの器具を製造する人，またそれを取り付ける人）．

cer·ti·fied ref·er·ence ma·ter·i·al (CRM) 認証標準物質（名声の高いソースがドキュメント化したあるいは同ソースが発行し，かつ物質の特性値を表示した認証書または出版物が付された標準物質）．

Cer·ti·fied Res·pi·ra·tor·y Ther·a·pist (CRT) 認証人工呼吸療法士（機械装置を含む物理療法により各種の肺異常患者を治療するための，国家レベル資格を持っている健康管理の専門家．一般的には準学士を有している．また，関連した検査器具の使用のための訓練も受けている）．

cer·u·le·an cat·a·ract 青色白内障．= blue cataract.

ce·ru·le·in (sĕ-rū′lē-in)．セルレイン（降圧作用のあるデカペプチド．平滑筋を刺激し，消化管分泌を上昇させる．構造がコレシストキニンおよびガストリン類と似ているが，胆嚢収縮促進薬としての作用がより強い．インスリンの遊離も促進する）．

ce·ru·lo·plas·min (sĕ-rū′lō-plaz-min)．セルロプラスミン（銅を含有する青色の α-グロブリンである．銅の輸送と調節に関係しており，既知の中間代謝産物を介さず直接 O_2 を還元できる．セルロプラスミンは先天性の Wilson 病で欠損している）．

ce·ru·men (sĕ-rū′mĕn)．耳垢，みみあか（外耳道の耳垢腺の軟らかい茶色がかった黄色のろう様分泌物．皮脂の変化したもの）．

ce·ru·mi·nal (sĕ-rū′mi-năl)．耳垢の．

ce·ru·mi·no·lyt·ic (sĕ-rū′mi-nō-lit′ik)．耳垢溶解薬（耳垢を軟らかくするために外耳道にしみこませる数種の物質の 1 つ）．

ce·ru·mi·no·sis (se-rū′mi-nō′sis)．耳垢分泌過剰，耳垢症．

ce·ru·mi·nous (sĕ-rū′mi-nŭs)．耳垢の．

ce·ru·mi·nous glands 耳道腺（外耳道にあるアポクリン汗腺）．= glandulae ceruminosae(1)．

cer·vi·cal (sĕr′vi-kăl)．頸〔部〕の，くびの．

cer·vi·cal ca·nal 子宮頸管（子宮峡部から外子宮口に至る紡錘状管状部）．= canalis cervicis uteri.

cer·vi·cal col·lar 頸椎保護帯（首を安定化させるために使用される，添え木装置）．

cer·vi·cal com·pres·sion test 頸椎圧迫テスト（試験者が被験者の頭に下向きの圧力を加える方法．それによる痛みの増加や感覚の変化は，神経根に圧力がかかっていることを示している）．

cer·vi·cal disc syn·drome 頸部椎間板症候群（1 つまたは複数の頸部脊髄神経根の支配領域の疼痛，感覚異常，ときに筋力低下が起こるもので，頸部椎間板ヘルニアの圧迫による）．

cer·vi·cal flex·ure 頸屈（胚の脳幹と脊髄の境界部の腹側が凹面となる屈曲）．

C

cer·vi·cal glands 子宮頸〔管〕腺（子宮頸管粘膜にある分岐粘液分泌腺）．

cer·vi·cal in·tra·ep·i·the·li·al ne·o·pla·si·a (CIN) 頸部上皮内癌（広義にとらえたもの．前癌状態と考えられる子宮頸管の扁平円柱上皮境界に初発する異形成．grade 1：上皮層の1/3 以下の軽度異型上皮．grade 2：上皮層 1/3—2/3 に及ぶ中等度異型上皮．grade 3：高度異型上皮あるいは上皮内癌，上皮層は 2/3 以上に及ぶ）．

cer·vi·cal line 歯頸線（歯冠とセメントエナメル境との歯頸縁を示す連続的で解剖学的な不規則な曲線．→cementoenamel junction）．

cer·vi·cal loop 頸神経わな．= ansa cervicalis.

cer·vi·cal lor·do·sis 頸部前凸弯曲，頸前弯（脊柱の頸部に正常にみられる前方に凸の弯曲で，生後乳児が頭をもたげるようになると備わってくる）．= lordosis cervicis; lordosis colli.

cer·vi·cal or·tho·sis 頸椎装具（頸椎の運動をある角度に制限する装具．例えば軟性頸椎カラー）．

cer·vi·cal plex·us 頸神経叢（第一から第四頸神経前枝を結び，上頸神経節からの灰白交通枝を通じる係蹄からなる．胸鎖乳突筋下にあり，多くの皮枝・節枝・交通枝を出す）．

cer·vi·cal preg·nan·cy 〔子宮〕頸管妊娠（頸管に受精卵が着床し，発育すること）．

cer·vi·cal rib 頸肋（頸椎にみられる過剰肋骨で，通常は第七頸椎と関節しているが，前方で胸骨にまで達することはない．→cervical rib syndrome）．= costa cervicalis.

cer·vi·cal rib syn·drome 頸肋症候群（次の 2 つの異なる症例群に同等に用いられる不明確な用語．ⓘ動脈性胸部出口症候群．完全に形成された頸肋により鎖骨下動脈が圧迫されて生じる疾患．ⓘⓘ神経性胸部出口症候群．腕神経叢下幹近位部が未発達の頸肋と第一肋骨の間に限る半透明膜により圧迫されて生じる疾患）．

cer·vi·cal ver·te·brae [C1-C7] 頸椎（首に位置している脊柱の 7 つの分節）．= vertebrae cervicales [C1-C7].

cer·vi·cec·to·my (sĕr′vi-sek′tŏ-mē)．子宮頸〔管〕切除〔術〕．= trachelectomy.

cer·vi·ces (sĕr′vi-sēz)．cervix の複数形．

cer·vi·cis (sĕr-vī′sis)．cervix の属格．

cer·vi·ci·tis (sĕr′vi-sī′tis)．子宮頸〔管〕炎（しばしば深部構造をも含む子宮頸管粘膜の炎症）．= trachelitis.

cervico- あらゆる意味で，頸部，くびに関する連結形．

cer·vi·co·brach·i·al (ser′vi-kō-brā′kē-ăl)．頸腕の（頸部と腕についていう）．

cer·vi·co·dyn·i·a (sĕr′vi-kō-din′ē-ă)．頸部痛．= trachelodynia.

cer·vi·co·fa·cial (sĕr′vi-kō-fā′shăl)．頸顔面の（頸部と顔面に関する）．

cer·vi·cog·ra·phy (sĕr′vi-kog′ră-fē)．頸管造影法（子宮頸管の一部または全体像を見るための手技で，コルポスコピーと同様の手技）．

cer·vi·co·oc·cip·i·tal (sĕr′vi-kō-ok-sip′i-tăl)．頸後頭〔部〕の（頸部と後頭部に関する）．

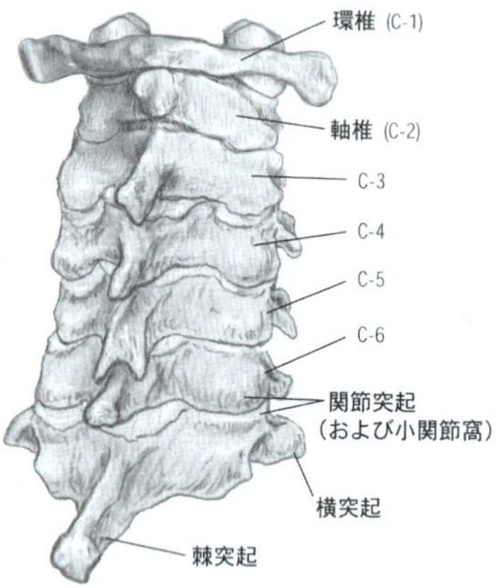
環椎 (C-1)
軸椎 (C-2)
C-3
C-4
C-5
C-6
関節突起
(および小関節窩)
横突起
棘突起

cervical vertebrae [C1-C7]

cer·vi·co·oc·u·lo·a·cous·tic syn·drome 頸眼聴覚症候群（頸椎癒合による先天性短頸 (Klippel-Feil 奇形)，内転時の眼球の後退と眼裂狭小を伴った外転神経麻痺 (Duane 麻痺)，知覚神経性難聴を特徴とする．女性優位の多因子遺伝と考えられている）．

cer·vi·co·plas·ty (sĕr′vi-kō-plas-tē)．頸〔管〕形成〔術〕（子宮頸管あるいは頸部の組織修復）．

cer·vi·cos·co·py (sĕr-vi-kos′kŏ-pē)．= aceto-whitening.

cer·vi·co·tho·rac·ic (sĕr′vi-kō-thōr-as′ik)．頸胸の（①頸部と胸部に関する．②頸部と胸部の間の移行に関する．③これらの椎骨の融合に関する）．

cer·vi·co·tho·rac·ic gan·gli·on 頸胸神経節（交感神経幹の神経節の 1 つで，椎骨動脈起始部の近くの鎖骨下動脈の後方にある．第七頸椎の高さで下頸神経節が第一胸神経節と癒合してできたものである）．= ganglion cervicothoracicum.

cer·vi·co·tho·rac·ic or·tho·sis 頸胸椎装具（基本的頸椎装具よりも体幹上部までおおっている頸椎の運動を制限する装具）．

cer·vi·cot·o·my (sĕr-vi-kot′ŏ-mē)．子宮頸〔管〕切開〔術〕．= trachelotomy.

cer·vi·co·ves·i·cal (sĕr′vi-kō-ves′i-kăl)．〔子宮〕頸膀胱の（子宮頸と膀胱に関する）．

cer·vix, gen. **cer·vi·cis**, pl. **cer·vi·ces** (sĕr′viks, sĕr-vī′sis, sĕr′vi-sēz)．頸，くび（①= neck．②あらゆる頸部様構造．③= cervix of uterus）．

cer·vix of u·ter·us 子宮頸（子宮峡部から腟へとのびる子宮の下部．腟壁を貫いたところを境に腟上部と腟部に分ける）．= cervix (3).

ce·sar·e·an hys·ter·ec·to·my 帝王切開後に子宮を摘出すること．= Caesarean hysterectomy.

ce·sar·e·an sec·tion 帝王切開〔術〕（胎児を娩出するために，腹壁を通して子宮を切開する腹式子宮切開術）．

ce·si·um (Cs) (sē′zē-ŭm). セシウム（金属元素. 原子番号 55, 原子量 132.90543. アルカリ金属群に属する. ^{137}Cs(半減期は 30.1 年)は, ある種の悪性疾患の治療に用いられる). = caesium.

Ces·tan-Che·nais syn·drome セスタン-シュネー症候群（脳幹の障害により起こる反対側の片麻痺, 片側感覚消失, および温痛覚消失と同側の片側共同運動不能および側方突進, 喉頭と軟口蓋の麻痺, 眼球陥入, 縮瞳, および眼瞼下垂).

Ces·to·da (ses-tō′dă). 多節条虫亜綱（条虫綱の条虫類の一亜綱. ヒトや家畜に寄生する体節条虫類を含め, 典型的な条虫が含まれる).

Ces·to·dar·i·a (ses-tō-dā′rē-ă). 単節条虫亜綱（条虫綱の中の一亜綱. 原始的な条虫であると考えられており, 一部の魚類と数種のは虫類の腸管および体腔に寄生する).

ces·tode, ces·toid (ses′tōd, -toyd). 条虫（条虫綱またはその亜綱である多節条虫亜綱と単節条虫亜綱の条虫の一般名).

Ces·toi·de·a (ses-toy′dē-ă). 条虫綱（扁形動物の一綱. 消化管がなく典型的な種類(多節糸虫亜綱)では, 一端に頭節あるいは付着器官をもつ横分体あるいは分節した体が特徴. 成虫は脊椎動物の寄生虫で, 通常, 小腸内に寄生する). = tapeworm.

ce·tyl (sē′til). セチル（セチルアルコールを構成する 1 価のアルコール基 $C_{16}H_{33}$-).

CF citrovorum factor; coupling factors の略.

Cf カリホルニウムの元素記号.

C fi·bers C 線維（直径 0.4—1.2 μm の無髄線維で, 0.7—2.3 m/sec でインパルスを伝導する). = C fibres.

C fibres [Br.]. = C fibers.

CFIDS chronic fatigue and immune dysfunction syndrome の略.

CFR Code of Federal Regulations Title 21 の略.

CFTR cystic fibrosis transmembrane regulator の略.

CFU colony-forming unit の略.

CG phosgene oxime の NATO コード.

CGRP calcitonin gene-related peptide の略.

CGS, cgs centimeter-gram-second の略. → centimeter-gram-second system.

Chad·dock sign, Chad·dock re·flex チャドック徴候（皮膚脊髄反射経路の器質的疾患の場合, 外側果皮膚が刺激されると足母指が伸展すること).

Chad·wick sign チャドウィック徴候（子宮頸部や腟の青紫色変化で, 妊娠を示す徴候).

chafe (chāf). 摩擦する（摩擦により皮膚を刺激する).

Cha·gas dis·ease, Cha·gas-Cruz dis·ease シャーガス病. = South American trypanosomiasis.

cha·go·ma (chă-gō′mă). シャゴーマ（クルーズトリパノソーマ *Trypanosama cruzi* の増殖の初期に生じる皮膚の小肉芽腫(Chagas 病)).

chain (chān). *1* 鎖（化学において, 1 つ以上の共有結合によって結ばれる一連の原子). *2* 連鎖（細菌学において, 1 平面上に分裂し, 互いに結合したまま生きた細胞が直線状に並ぶこと).

chain of cus·to·dy 管理の連鎖(CoC 認証)（生物学的な標本が常に, サンプルの基準に対して法的に責任のある人物により管理されていることを確認するための処置. この連鎖は患者の識別から始まり, 収集, 処理そして検査と続く. この過程における段階は監視され, 記録される(例えば, 日付, 時間, そして取扱人の識別など). さらに, 特殊容器, 密閉剤, そして形なども追加の記録に記載される).

chain re·ac·tion 連鎖反応（反応自体の一段階の生成物が反応の次の段階をもたらす働きをする一種の自己永続反応. *cf.* autocatalysis).

chain re·flex 連鎖反射（一連の反射で, 各刺激は次の刺激として働く).

chain of sur·vi·val 生存の鎖（心臓の突然死を減らすために考えられた 4 つの主な介在を表す米国心臓病学会 American Heart Association の用語. その 4 つとは, 早期のアクセス, 早期の心肺蘇生術(CPR), 早期の除細動, および早期の高次的救命(ALS)である).

chak·ra (shahk′rah). チャクラ（身体・精神を活性化し元気づける 7 つの主な渦の系統に分けて, 人間のエネルギーを理解するという古代インドの伝統. チャクラはポラリティ(極性)療法, レイキ, およびヨガの実践を通してアクセスできるといわれている. →polarity therapy; Reiki).

cha·la·si·a, cha·la·sis (kă-lā′zē-ă, -lā′sis). 弛緩（収縮し続けていた筋肉の抑制と弛緩. 一般に協力筋に発生する).

cha·la·zi·on, pl. cha·la·zi·a (kă-lā′zē-on, -zē-ă). 霰粒腫（Meibom 腺の慢性炎症性肉芽腫). = meibomian cyst; tarsal cyst.

chal·i·co·sis (kal-i-kō′sis). 石〔粉〕症（ほこりの吸入によって生じるじん肺症. 石切り従業者に生じやすい).

chal·lenge di·et 負荷試験食（1 つ以上の特定の物質を加えた食事で, それらの物質に対する異常反応が起こるかどうかをみるもの).

cha·lone (kal′ōn). カローン（組織で産生され, 種差にかかわらず, その組織の細胞増殖を抑制する因子(通常, 糖蛋白)の総称. 可逆性の組織特異的細胞増殖抑制因子).

cham·ber (chām′bĕr). 室, 房, 箱（区画, または囲まれた空間. →camera).

Cham·ber·lain line チェーンバリン線（硬口蓋の後縁から大後頭孔の背側縁へ引かれた線. 頭蓋底陥入症では, 軸椎歯突起はこの線の上へ出る).

Cham·ber·len for·ceps チェーンバーレン鉗子（本来, 産科用として用いる弯曲していない鉗子).

cham·bers of eye·ball 眼球の腔所（眼球の中にある部屋で, 眼房水を入れる前眼房と後眼房, 硝子体を入れる硝子体腔がある. →anterior chamber of eyeball; posterior chamber of eyeball; postremal chamber of eyeball). = camerae bulbi.

cham·o·mile (kam′ŏ-mīl). カモミレ（キク科 *Anthemis nobilis* の花頭. 健胃薬).

CHAMPUS (champ′ŭs). Civilian Health and Medical Program of the Uniformed Services の略.

→TRICARE.

CHAMPVA (champ′vă). Civilian Health and Medical Program of the Veterans' Administration の略. →TRICARE.

Cham·py fix·a·tive シャンピー固定液（重クロム酸カリウム，クロム酸，オスミウム酸の混合液で，Flemming 固定液に類似した利点と欠点を有する優れた固定液である．Flemming 固定液とは，酢酸の代わりに重クロム酸塩を使用している点で異なる）．

chan·cre (shang′kĕr). 下疳（梅毒の初期感染巣．感染部位の皮膚または粘膜に 10—30 日の間欠期の後に，暗赤色の硬い無感覚の丘疹，浸潤部として始まる．中心部は通常，腐食するかつぶれて潰瘍になるが，4—6 週間で徐々に治癒する）. = hard chancre; hard ulcer.

chan·cri·form (shang′kri-fōrm). 下疳様の.

chan·croid (shang′kroyd). 軟性下疳（軟性下疳菌 *Haemophilus ducreyi* の感染部位に生じる感染性，有痛性，粗ぞうな性病性潰瘍．3—5 日の潜伏期の後に始まる．通常，男性に多くみられる）. = soft chancre; soft ulcer; venereal ulcer.

chan·croi·dal (shang-kroy′dăl). 軟性下疳の.

chan·crous (shang′krŭs). 下疳の.

chan·de·lier sign シャンデリア徴候（骨盤炎症疾患患者の骨盤検査で起こる激痛を意味する口語．患者は痛みのため天井に向かって身体を上げる）.

Chand·ler syn·drome チャンドラー症候群（角膜浮腫を伴う虹彩萎縮）.

change (chānj). 変化（病理学において，原因や意義が明確でない構造変化）. = shift(1).

change blind·ness 短期の障害と同時に生じる視野の顕性の変化がみられない.

chan·nel·op·a·thies (chan-ĕ-lop′ă-thēz). = ion channel disorders.

cha·ot·ic rhythm 無秩序律動（完全に不規則な拍動数も不定な心拍動. →arrhythmia）.

chap·pa·ral (shap-ă-ral′). チャパラル（*Larrea tridentata* と *L. divaricata* から作られたハーブで，アメリカ先住民のシャーマン（呪術師）により，気管支炎や皮膚の病気のために使用されていた．肝毒性が広く報告されている）. = creosote bush.

chapped (chapt). あかぎれの，ひび割れた（寒冷作用により，または皮膚表面からの水分の過剰な蒸発により乾燥し，鱗屑と皸裂を伴うようになった皮膚，とりわけ，手についていう）.

Cha·put tu·ber·cle シャプー結節（末梢の脛骨の前結節．前脛腓靱帯の接合部分）.

char·ac·ter (kar′ăk-tĕr). 形質，性格，特徴，特性，性質（形式的，論理的分析に用いられうる個人の特色群や他の個人集団の一般化の基礎として用いられることがある）. = characteristic (1).

char·ac·ter dis·or·der 性格異常（一群の行動異常をいう古語．より包括的な用語である personality disorder（人格異常）が取って代わった）.

char·ac·ter·is·tic (kar′ăk-tĕr-is′tik). ***1*** 〚n.〛 = character. ***2*** 〚adj.〛 固有の，特徴的な（ある疾患に典型的で，区別しうる）.

char·ac·ter·is·tic fre·quen·cy 特徴〔的〕周波数（ニューロンが最小の音強度に反応する周波数）. = best frequency.

char·ac·ter·is·tic ra·di·a·tion 特性 X 線（電子が原子から追い出され，他の殻にいた電子がそこに落ち込むときに生じる単色（単一エネルギー）X 線．この放射光子のエネルギーは 2 つの殻のエネルギー差に等しい）.

char·ac·ter·iz·ing group 特徴群（分子内にある原子団で，これによって，その物質の部類を他の部類から区別する．例えば，カルボニル基（CO）はケトンの特徴群，COOH は有機酸の特徴群）.

char·ac·ter neu·ro·sis 性格神経症（人格異常の下に分類されるもの）.

char·coal (chahr′kōl). 炭，木炭（空気を制限しながら木を燃やして得られる物質）.

Char·cot an·gi·na シャルコー狭心症（新陳代謝組織へ血液を送りこんでいる活動中に陥る，広域にわたる血液の流れの機能不全で，四肢の冷え，衰弱，けいれん，痛みなどを特徴とする．安静にすることで，その状態から改善される）.

Char·cot dis·ease シャルコー病. = amyotrophic lateral sclerosis.

Char·cot gait シャルコー歩行（遺伝性運動失調症の歩行）.

Char·cot in·ter·mit·tent fe·ver シャルコー間欠熱（発熱，悪寒，右上腹部の痛みと総胆管の間欠的な閉塞を伴う結石に関係する黄疸がある）.

Char·cot joint シャルコー関節. = neuropathic joint.

Char·cot-Ley·den crys·tals シャルコー-ライデン結晶（好酸球から形成される六方稜形結晶．気管支ぜん息，および好酸球を含む滲出液や漏出液中にみられる）.

Char·cot-Ma·rie-Tooth dis·ease シャルコー-マリー-ツース病. = peroneal muscular atrophy.

Char·cot syn·drome シャルコー症候群. = intermittent claudication.

Char·cot tri·ad シャルコー三徴（①多発性（全身性）硬化症の三症状．眼振，振せん，断続性言語．②胆管炎の結果生じる，黄疸，発熱，上腹部痛の組合せ）.

Char·cot ver·ti·go シャルコーめまい. = tussive syncope.

Char·gaff rule シャルガフの法則（DNA ではアデニン単位数とチミン単位数とは同数である．同様にグアニン単位数とシトシン単位数とも同数である）.

CHARGE com·plex CHARGE 症候群（幼児に，紅彩欠損 coloboma，先天性心疾患 heart defects，後鼻孔閉鎖 nasal atresia，成長傷害 retarded growth，性器低形成 genital hypoplasia，耳の異常または難聴 ear anomalies の 7 つの要素のうち，4 つが診断された症候群）.

charge nurse 主任看護師，〔看護師〕責任者（特定の病棟で，業務の責任をもって勤務する看護師）.

char·la·tan (shahr′lă-tăn). いんちき医者（無益な方法，神秘的な治療薬，価値のない診断機械や治療機械によって病気を治すと主張するいかさま医師）. = quack.

char·la·tan·ism (shahr′lă-tăn-izm). いんちき医術（医学知識に対する詐欺的主張. 医学知識または医療の権限をもたずに病人を治療すること）.

Charles law シャルルの法則（すべての気体は熱によって等しく膨張する. その値は1℃につき0℃のときの体積の1/273.16である）. = Gay-Lussac law.

char·ley horse 筋肉硬直（筋肉の挫傷後に発生する限局痛あるいは筋肉硬直）.

chart (chahrt). ***1*** 病歴，カルテ（患者の症例に関する様々な臨床上のデータの記録）. ***2*** 図表. = curve(2). ***3*** 視力検査表（眼科において，遠方・近方視力を測定するための，各種の大きさの視標が書かれている表. →Snellen test type; chart war）.

Char·ter meth·od チャーターズ法（歯の磨き方の一法で，歯ブラシの毛先を歯冠側に向けて45°に傾け，限局した回転運動を歯ブラシに加える）.

chart·ing by ex·cep·tion 例外記録方法（規定の基準に基づく記録方法から外れた，例外のみが規定の基準に基づき記録される方法）.

chart war チャート議論(論争)（文書として記録された患者の治療に関する，医療専門家どうしの意見の相違あるいは批判. 通常は，専門家たちがこの議論を解決するために協議してはいないことを示唆している）.

chauf·feur's frac·ture = Hutchinson fracture.

Chaus·si·er sign ショシェ徴候（上腹部の激しい痛み，子かんの前駆症状. 中枢起源あるいは出血による肝臓被膜の拡張が原因）.

Chayes meth·od シェーエ法（欠損歯を補てつする方法. 歯科補てつ物の固定と安定のための器械装置で，支台歯の〝機能的動き movement in function〟を可能にする）.

ChE cholinesterase の略.

check (chek). ***1*** 〚v.〛止める，妨げる. ***2*** 〚v.〛調査する，検査する. ***3*** 〚n.〛調べることや調べた結果.

Ché·di·ak-Hi·ga·shi syn·drome チェディアック-東症候群（あらゆる型の白血球の顆粒形成および核構造の異常で，ペルオキシダーゼ反応陽性顆粒の奇形，細胞質封入体および Döhle 体を伴う遺伝的疾患. 特徴としては，肝脾腫，リンパ節腫脹，貧血，好中球減少，部分的な色素欠如，眼振，羞明，易感染性やリンパ腫の高頻度の発症などがある. 多くは幼児期に死に至る. ミンク，ウシ，ハツカネズミ，シャチ，ヒトに発症する. 常染色体劣性遺伝であり，第1染色体長腕のチェディアック-東遺伝子(CHS)の突然変異による）.

cheek (chēk). 頬，ほほ（顔の側面で口腔の側壁を形成する部分）. = bucca; gena; mala(1).

cheek tooth 臼歯，後方歯.

cheese work·er's lung チーズ作業者肺（カビの生えたチーズの *Penicillium casei* 胞子の吸入によって起こる外因性アレルギー性肺胞炎）.

chei·lec·to·my, chi·lec·to·my (kī-lek′tō-mē, kī-lĕk′tō-mē). ***1*** 唇切除〔術〕（口唇部の部分切除）. ***2*** 関節唇切除〔術〕（関節運動を妨げる関節の骨軟骨縁の骨性不整を切削すること）.

cheil·ec·tro·pi·on, chil·ec·tro·pi·on (kī-lek-trō′pē-on, kī-lek-trō′pē-on). 口唇外反.

chei·li·tis, chi·li·tis (kī-lī′tis, kī-lī′tĭs). 口唇炎（→cheilosis）.

chei·li·tis gland·u·lar·is 腺性口唇炎（下口唇の腫脹，潰瘍，痂皮，粘液腺の増生，および膿瘍を特徴とする. 後天性で，原因不明の疾患）. = Volkmann cheilitis.

chei·li·tis gran·u·lo·ma·to·sa 肉芽腫性口唇炎（慢性，びまん性の口唇の軟らかい腫脹. 原因不明で組織学的には非乾酪性肉芽腫性の炎症を特徴とする）. = Meischer syndrome.

cheilo-, cheil- 唇との関係を示す連結形. →chilo-; labio-.

chei·lo·plas·ty, chi·lo·plas·ty (kī′lō-plas-tē, kī′lō-plas-tē). 唇形成〔術〕.

chei·lor·rha·phy, chi·lor·rha·phy (kī-lōr′ă-fē, kī-lōr′ă-fē). 〔口〕唇縫合〔術〕.

chei·lo·sis, chi·lo·sis (kī-lō′sis, kī-lō′sis). 口角症，口唇症（乾燥落屑と唇の裂溝を特徴とする状態. リボフラビンや栄養欠乏による. →cheilitis. *cf.* rhagades）.

chei·lot·o·my, chi·lot·o·my (kī-lot′ō-mē, kī-lot′ō-mē). 〔口〕唇切開〔術〕.

chei·ral·gi·a (kī-ral′jē-ă). 手痛（手の痛みや異常感覚）.

chei·ral·gi·a pa·res·thet·i·ca 感覚異常性手痛（橈骨神経の表在枝の圧迫性ニューロパシーで，その領域に痛みと異常感覚がみられる）.

cheiro-, cheir- 手を意味する連結形. →chiro-.

chei·rog·nos·tic, chi·rog·nos·tic (kī′rog-nos′tik, kī-rog-nos′tik). 手認知可能の，左右弁別の（手の左右の違い，あるいは身体のいずれの側が触られているかを弁別できる）.

cheirokinaesthesia [Br.]. = cheirokinesthesia.

cheirokinaesthetic [Br.]. = cheirokinesthetic.

chei·ro·kin·es·the·si·a (kī′rō-kin-es-thē′zē-ă). 手運動〔感〕覚（手の運動の主観的知覚）. = cheirokinaesthesia.

chei·ro·kin·es·thet·ic (kī′rō-kin-ĕs-thet′ik). 手運動〔感〕覚の. = cheirokinaesthetic.

chei·ro·plas·ty, chi·ro·plas·ty (kī′rō-plas-tē, kī′rō-plas-tē). 手〔指〕形成〔術〕（手の形成手術を表す，まれに用いる語）.

chei·ro·po·dal·gi·a, chi·ro·po·dal·gi·a (kī′rō-pō-dal′jē-ă, kī′rō-pō-dal′jē-ă). 手足痛.

chei·ro·pom·pho·lyx, chi·ro·pom·pho·lyx (kī′rō-pom′fō-liks, kī′rō-pom′fō-liks). 手汗疱〔症〕. = dyshidrosis.

chei·ro·spasm, chi·ro·spasm (kī′rō-spazm, kī′rō-spazm). 手痙攣（書痙のような手の筋肉の痙攣）.

che·late (kē′lāt). ***1*** 〚v.〛キレート化する. ***2*** 〚adj.〛キレート化の. ***3*** 〚n.〛キレート（キレート化を通じて生成される複合体）.

che·la·tion (kē-lā′shŭn). キレート化（金属イ

オンと単一分子の2個以上の極性群を含む複合体. EDTA(抗凝血薬として働く)による血液の Ca^{2+} のキレート化におけるように, キレート化はイオンが生体反応に関与するのを除去するために利用される).

chem·ex·fo·li·a·tion (kem′eks-fō-lē-ā′shŭn). 化学的表皮剥離〔法〕(痤瘡の瘢痕を除去したり, 日焼けによる慢性的な皮膚の変化を治療する薬剤を用いて行う外科的治療法).

chem·i·cal (kem′i-kăl). 化学の.

Chem·i·cal Ab·stracts Ser·vice (CAS) 化学抄録サービス (このサービスでは, それぞれの化学物質を識別するために固有の CAS 番号を割り当てる. このサービスはまた, 化学物質の物理的そして化学的な説明も提供している).

chem·i·cal an·ti·dote 化学的解毒薬 (毒物と結合して無毒の化合物に変化させる薬物).

chem·i·cal at·trac·tion 親和力 (異なる元素あるいは分子の原子を結合させて, 新しい物質あるいは化合物の形成を促す力).

chem·i·cal der·ma·ti·tis 化学〔性〕皮膚炎 (化学物質の外用によるアレルギー性接触皮膚炎または一次刺激性皮膚炎. 通常, 紅斑, 浮腫, 小水疱形成を特徴とする).

chem·i·cal dot ther·mom·e·ter 化学ドット温度計 (プラスチック片についている化学薬品の点の色が変化することで温度の変化を示す, 温度計).

chem·i·cal en·er·gy 化学的エネルギー (化学反応によって放出または吸収されるエネルギー (例えば, 炭素の酸化) あるいは化合物生成の際に吸収されるエネルギー).

chem·i·cal hy·giene plan 化学物質管理計画 (化学薬品を伴う作業をする際には, 安全処置, 特別予防策, そして緊急処置が行われなければならない. 全人員は計画の項目の訓練を受けなければいけない).

chem·i·cal per·i·to·ni·tis 化学性腹膜炎 (胆汁, 胃腸管の内容物, または膵液が腹腔内へ漏れたために起こる腹膜炎. 腹膜滲出物が感染に先行することがある).

chem·i·cal po·ten·tial 化学ポテンシャル (ある相の Gibbs 自由エネルギーのその相の構成成分の変化による変化量).

chem·i·cal preg·nan·cy 化学的妊娠 (軽度で一過性の HCG レベルの上昇).

chem·i·cal re·pair 化学修復 (フリーラジカル (遊離基) が安定な分子に変換されること).

chem·i·cal sen·ses 化学覚 (嗅覚と味覚).

chem·i·cal shift 化学(ケミカル)シフト (原子核の共鳴周波数が, その原子核の属する原子や分子の化学結合(の状態)に依存すること).

chem·i·cal-war·fare (CW) a·gent 化学兵器剤 (①米国の軍事用語において, 人間や動物を毒物質効果により, 殺害するため, 重度の負傷を与えるため(すなわち, 有毒化学薬剤)あるいは無能力に陥らせるため(すなわち, 無能力ガス)などを目的に, 戦争のために開発されたすべての化合物を意味する. 米国内では, とりわけ暴動鎮圧剤, 除草剤, タバコ, 火炎を規制から除外している. ②合成されたあるいは自然由来(植物を含む)の化学毒物であり, 軍事使用目的に向けられたもの. この定義では, 毒素も化学兵器剤に含まれる. ③化学兵器を合成する際に使用される, 前駆体化合物).

chem·i·lu·mi·nes·cence (kem′ē-lū-mi-nes′ĕns). 化学発光 (化学反応によって発生する光. 普通, 室温または室温以下の条件で反応する).

chem·i·lu·mi·nes·cence im·mu·no·as·say 免疫蛍光発色検査法 (化学反応として蛍光を発する分子で抗原または抗体を標識する免疫学的検定技術. この蛍光量で抗原–抗体複合体の生成を測定する).

chem·ist (kem′ist). ***1*** 化学者 (化学の専門家). ***2*** 薬剤師 (英国およびカナダの一部でいう).

chem·is·try (kem′is-trē). ***1*** 化学 (物質の原子組成, 元素と元素の相互反応, 分子の生成と分解, 性質に関する科学). ***2*** 化学的性質 (物質の化学的性質). ***3*** 化学的作用.

chemo-, chem- 化学に関する連結形.

che·mo·at·tract·ant (kē′mō-ă-trak′tănt). 化学誘引物質 (細胞の遊走に影響を及ぼす化学物質).

che·mo·au·to·troph (kē′mō-aw′tō-trōf). 化学的独立栄養体, 化学的自己栄養体, 無機栄養微生物 (エネルギーは化学物質に, 炭素源は主として二酸化炭素に依存している細菌). = chemolithotroph.

che·mo·au·to·tro·phic (kē′mō-aw-tō-trō′fik). 化学的独立栄養の, 化学的自己栄養の, 無機栄養性の. = chemolithotrophic.

che·mo·cau·ter·y (kē′mō-kaw′tĕr-ē). 化学的腐食薬, 化学的焼灼薬 (適用すると組織を破壊する物質).

che·mo·dec·to·ma (kē′mō-dek-tō′mă). 非クロム親和性傍神経節腫 (比較的まれな, 通常は良性の腫瘍で, 頸動脈球, 頸静脈糸球, 大動脈体の化学受容体組織より発生する. *cf.* paraganglioma). = glomus jugulare tumor.

che·mo·dec·to·ma·to·sis (kē′mō-dek-tō-mă-tō′sis). 非クロム親和性傍神経節腫症 (頸動脈体または血管周囲組織の化学受容体型と推定される多発性腫瘍. 肺の小腫瘍として報告されている).

che·mo·kines (kē′mō-kīnz). ケモカイン (普通 8—10 kD ポリペプチドケモカインからなる数種の群. ケモキネシスや化学走性があり, 白血球運動や誘引を刺激する). = intercrines.

che·mo·ki·ne·sis (kē′mō-ki-nē′sis). ケモキネシス (化学物質によって生体が刺激を受けること).

che·mo·ki·net·ic (kē′mō-ki-net′ik). ケモキネシスの.

che·mo·lith·o·troph (kē′mō-lith′ō-trōf). = chemoautotroph.

che·mo·lith·o·tro·phic (kē′mō-lith-ō-trō′fik). = chemoautotrophic.

che·mo·nu·cle·ol·y·sis (kē′mō-nū-klē-ol′i-sis). 化学的髄核融解〔術〕(椎間板髄核キモパパインを注射する法. 椎間板ヘルニアの治療法の一方法).

che·mo·or·ga·no·troph (kē′mō-ōr′gă-nō-trōf). 有機栄養体（エネルギーと炭素を有機物質に依存する細菌）.

che·mo·or·ga·no·tro·phic (kē′mō-ōr′gă-nō-trō′fik). 有機栄養体の.

che·mo·pro·phy·lax·is (kē′mō-pro′fi-lak′sis). 化学〔的〕予防〔法〕（化学薬品または薬を用いた疾患の予防）.

che·mo·ra·di·o·ther·a·py (kē′mō-rā′dē-ō-thār′ă-pē). 放射線化学療法（化学療法と放射線療法を組み合わせた治療案）.

che·mo·re·cep·tion (kē′mō-rĕ-sep′shŭn). 化学受容（環境中の臭気物質や味覚物質などの化学物質を感知する能力）. = chemosensation.

che·mo·re·cep·tive (kē′mō-rĕ-sep′tiv). 化学受容の（化学受容に関する）.

che·mo·re·cep·tor (kē′mō-rē-sep′tŏr). 化学受容器，化学受容体（化学的環境内の変化によって活性化され，神経インパルスを生じさせる細胞．このような細胞は，ⓘ感覚神経線維に支配される変換器細胞(例えば，味蕾の味覚受容体細胞)，またはⓘⓘ嗅覚粘膜の嗅覚受容体細胞のような固有神経細胞である）.

che·mo·re·sist·ance (kē′mō-rē-zis′tăns). 化学療法抵抗性（治療に用いるある種の化学物質の抑制作用に対する細菌または悪性細胞の抵抗）.

che·mo·re·sponse (kē′mō-rĕ-spons′). 化学反応（化学刺激に対する反応）.

che·mo·sen·sa·tion (kē′mō-sen-sā′shŭn). = chemoreception.

che·mo·sen·si·tive (kē′mō-sen′si-tiv). 化学的感受性の（環境の化学的組成の変化を感知する能力についていう）.

che·mo·sis (kē-mō′sis). 結膜水腫(浮腫)（眼球結膜の水腫・浮腫で，角膜周囲に生じる腫脹）.

che·mo·sur·ger·y (kē′mō-sŭr′jĕr-ē). 化学的外科〔治療〕（化学薬品による固定後，病変組織を除去すること）.

che·mo·tac·tic (kē′mō-tak′tik). 化学走性の，走化性の.

che·mo·tax·is (kē′mō-tak′sis). 化学走性，走化性（化学薬品に反応した細胞や生物の運動）. = chemotropism.

che·mo·ther·a·peu·tic (kē′mō-thār-ă-pyū′tik). 化学療法の.

che·mo·ther·a·peu·tic in·dex 化学療法指数（化学療法剤の最小有効量と最大耐量との比．寄生体と宿主に対する治療薬の相対毒性を表すために Ehrlich によって最初に用いられた）.

che·mo·ther·a·py (kē′mō-thār′ă-pē). 化学療法（化学物質または薬剤を用いる疾病の治療．通常，腫瘍性疾患に対して用いる．→pharmacotherapy）.

che·mot·ic (kē-mot′ic). 結膜水腫(浮腫)性の.

che·mot·ro·pism (kē-mot′rō-pizm). = chemotaxis.

CHEMTREC (kem′trek). ケムトレック（Chemical Transportation Emergency Center（化学物質輸送災害対策センター）の略．米国化学製品製造者協会のサービス業務で，危険物の輸送に関連する緊急の取扱いについての 24 時間対応のアドバイスを提供している）.

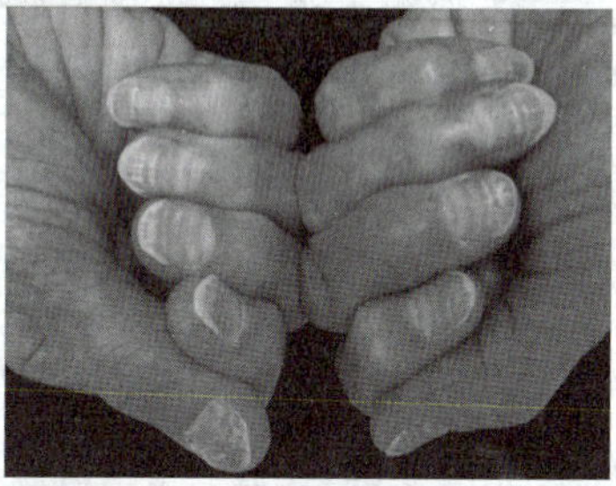

chemotherapy: 爪の二次性変化

cher·ry an·gi·o·ma サクランボ色血管腫. = senile hemangioma.

cher·ry-red spot サクランボ赤色斑〔点〕（中心窩の下層の正常脈絡膜の検眼鏡的所見で，中心動脈の際の浮腫またはスフィンゴリピドーシスでの脂質の浸潤により囲まれた赤色の点状を呈する）. = Tay cherry-red spot.

cher·ry-red spot my·oc·lo·nus syn·drome サクランボ赤色斑〔点〕ミオクローヌス症候群（シアリダーゼ欠損による小児のニューロン蓄積疾患で，黄斑部のサクランボ赤色斑進行性ミオクローヌス，制御が容易な痙攣を特徴とする）. = sialidosis.

che·rub·ism (cher′ŭb-izm). ケルビム症（小児期早期に発症する顎骨の遺伝性巨細胞性病変．顎骨はＸ線上，多胞性，透過性の像を呈し，進行性の対称性無痛性の腫脹がみられる両側性である．他に身体所見を伴わない）.

chest (chest). 胸〔部〕（胸郭の前壁. →thorax）. = pectus.

chest film 胸部Ｘ線写真（胸部と接触領域の一般的なＸ線写真の，日常的用法(すなわち，胸部の前後方向と側面のＸ線写真)）.

chest leads 胸部誘導（探査電極を心臓の上また

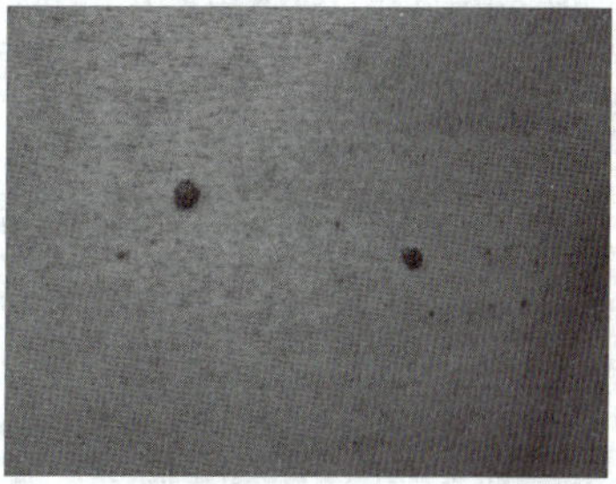

cherry angiomas

C

はその近辺の胸部に置く誘導). = precordial leads.

chest phys·i·cal ther·a·py (CPT, chest P.T.) 胸部理学療法 (患部への打診(手で叩くこと)による衝撃や振動による咳や肺の分泌物の除去の促進, 体位排痰法, および呼吸法によって行われる呼吸管理法の一種. 通常, 出血異常を持つ患者, 抗凝固療法を行っている患者, 胸部・頭頸部のいずれかの外傷を持つ患者, 最近心筋梗塞を患った患者, ペースメーカーを挿入された患者には, 禁忌的である). = chest physiotherapy; pulmonary rehabilitation; pulmonary toileting.

chest phy·si·o·ther·a·py = chest physical therapy.

chest P.T. chest physical therapy の略.

chest tube 胸腔チューブ (空気または胸膜液を吸い出すために, 胸膜腔内に挿入したチューブ).

chest wall 胸壁 (呼吸生理学において, 呼吸の一部として運動する肺より外側の構造全体. 肋骨, 横隔膜, 腹壁, 腹部臓器を含む). = thoracic wall.

chest wall com·pli·ance 胸壁コンプライアンス (経壁圧における単位変化ごとの胸腔内容積の変化. 静的または動的である).

chew·ing (chū′ing). 咀嚼 (歯を使用してすりつぶしたり粉砕したりする行為. mastication ともいう).

Cheyne-Stokes res·pi·ra·tion チェーン-ストークス呼吸, 交代性無呼吸 (呼吸のパターンで深さが徐々に増して最大となり, ついで減少して無呼吸となる. 周期は通常 30 秒から 2 分の持続で 5—30 秒間の無呼吸となる. 両側深部大脳半球病巣で代謝性脳症を伴い, 呼吸の神経中枢の障害による昏睡を特徴とする).

CHF congestive heart failure の略.

CHI closed head injury の略.

chi (kī; chē). ***1*** カイ (ギリシア語アルファベットの 22 番目の文字 χ). ***2*** カイ (化学では系列における 22 番目を示す). ***3*** カイ (ペプチドや蛋白のアミノ酸の α-炭素と側鎖との二面角の記号).

Chi·a·ri-From·mel syn·drome キアーリ-フロンメル症候群 (授乳とは無関係の妊娠に伴う非生理的乳汁分泌および無月経. 高プロラクチン血症ならびに下垂体腺腫で特徴的にみられる).

Chi·a·ri net キアーリ網 (右心房にある異常な線維状あるいは網目状の索. 冠状静脈弁あるいは下大静脈弁の縁から広がり, 分界稜線に沿い心房壁に付着する. 偽中隔 septum spurium の吸収が著しく正常以下のとき生じる).

Chi·a·ri syn·drome キアーリ症候群 (肝静脈の血栓で, 肝臓の大腫脹と副行血管の発達, 難治性腹水および重篤な門脈圧亢進症を伴う). = Budd syndrome.

chi·asm (kī′azm). ***1*** 交叉, 交差 (2 本の線の交わり). ***2*** 交叉 (解剖学で線維束の交叉, 例えば, 腱の交叉・神経の交叉). ***3*** キアスマ (細胞遺伝学では, 2 つの相同染色体が接触する(交差しているように見える)部位で, 減数分裂前期に遺伝物質が交換される).

chi·as·ma, pl. chi·as·ma·ta (kī-az′mă, -mă-tă). = chiasm.

chick·en breast 鳩胸. = pectus carinatum.

chick·en fat clot 鶏脂様血餅 (*in vitro* または死後, 全血あるいは沈降血液中の白血球と血漿から形成される凝血).

chick·en·pox (chik′ĕn-poks). 水痘. = varicella.

chick·en·pox vi·rus 水痘ウイルス. = varicella-zoster virus.

chick·weed (chik′wēd). はこべ (炎症に対する特効薬として使用される). = star chickweed.

chi·cle (chik′el). チクル (アカテツ科の一種 *Manilkara zapotilla* の一部揮発した粘性をもつ乳濁液. これには, 西インド諸島, メキシコ, 中央アメリカ産の天然のものや, グッタとトリテルペンアルコールの混合物がある. チューインガムの製造に用いられる).

CHID Combined Health Information Database の略.

chief ag·glu·ti·nin = major agglutinin.

chief cell 主細胞 (分泌腺を構成する主な細胞).

chief com·plaint (cc, c.c., CC) 主訴 (患者が医療を求める理由にあげる主な症状).

chig·ger (chig′ĕr). ツツガムシ (ツツガムシ属 *Trombicula* すべて, およびツツガムシ科の他のある種の六脚幼虫. 吸血期のもので, 一部はツツガムシ病の媒介動物となる).

chig·oe (chig′ō). スナノミ *Tunga penetrans* の一般名.

chik·un·gun·ya (chik′ŭn-gŭn′yă). チクングニア熱 (デング熱に似た熱性のウイルス性疾患で, 蚊を媒介に伝染する).

Chi·lai·di·ti syn·drome キライディーティ症候群 (肝臓と横隔膜との間への結腸の介入).

chil·blain (chil′blān). 凍瘡, しもやけ (極度の寒冷(通常, 湿度の高い状態を伴う)にさらされ血管の収縮により生じる指趾背部・かかと・鼻・耳の紅斑, そう痒, 灼熱感. 病巣は単発の場合と多発の場合とがあり, 水疱形成や潰瘍形成に至ることもある). = erythema pernio.

child a·buse 小児(児童)虐待 (親, 義理の親, または代理の親による小児に対する心理的, 情緒的, および性的虐待. →domestic violence).

child-bear·ing (chīld′bār-ing). 妊娠-分娩.

child·bed fe·ver = puerperal fever.

child·birth (chīld′bĭrth). 出産, 分娩, 出生 (胎児の出産における分娩, 娩出の過程. → birth). = parturition.

child·hood (chīld′hud). 小児期 (乳児から思春期の期間. 訳日本では, 児童福祉法で乳児, 幼児, 少年(6—18 歳未満)に分けられており, 各々の期に分けられる. 本辞典では, 0—1 歳未満は新生児期, 1 歳からは小児期としている).

child·hood ab·sence ep·i·lep·sy 小児期欠神てんかん, 小児期アプサンスてんかん (典型的には 6—7 歳の小児期にアプサンス発作が始まる全般てんかん症候群. 遺伝要素が強く, 女児のほうが男児より頻度が高い. 脳波は 3 Hz 棘徐波と正常の背景活動を示す. 全身強直・間代発作を起こさなければ，寛解の予後はよい．→absence）．

child·hood a·prax·i·a = developmental apraxia of speech.

child·proof (chīld′prūf)．チャイルド・プルーフ（子供の怪我を避けるためにデザインされた包装を指す．特に医薬品や家庭用化学薬品について言及）．

child psy·chi·a·try 児童精神医学（小児の情緒や精神の障害を扱う精神医学の一部門）．

chill (chil)．悪寒，寒気（①寒いという感覚．②身震い，あるいは振せんと蒼白を呈する体温上昇を伴う悪寒．通常，毒素の体内侵入による感染症の症状である．= rigor(2)）．

chilo-, chil- 唇との関係を示す連結形．→cheilo-.

chi·me·ra (kī-mēr′ă)．キメラ（①実験発生学では，ある動物の胚部分を別の同種または異種の胚に移植することによってつくられた個体．②骨髄移植などで，遺伝的および免疫学的に異なる組織の移植を受けた生体．③免疫学的に異なった２つの型の赤血球を有する二卵性双生児．④２つの異なる蛋白を結合させたもので，ペプチド結合によりつくられる．一般には，遺伝子工学の産物である．キメラ抗体とは Fab フラグメントと Fc フラグメントと相互に異なる種類の生物からなる抗体．⑤異なる種類や種属からの２種類またはそれ以上の巨大分子の結合物）．

chi·mer·ic (kī-mēr′ik)．***1*** キメラの．*cf.* chimera(5)．***2*** 一見組織不親和性と考えられるような異なった起源をもつ，別々の部分から成り立っていることについていう．

chin (chin)．おとがい(頤)（下顎の前方突出により生じた隆起）．= mentum.

Chi·nese an·gel·i·ca カラトウキ(唐当帰)（*Angelica polymorpha* var. *sinensis* から得られる生薬．婦人科系疾患に対して広く効果があると言われる．広範に渡る原料から調合されるが，原料の中には発がん性が疑われるものもある）．= tang-kuei.

Chi·nese ham·ster o·va·ry cells チャイニーズハムスター卵巣細胞（生物学研究に用いられる，確立した線維芽細胞の実験菌株）．

Chi·nese res·tau·rant syn·drome L-グルタミン酸ナトリウム塩(MSG)を含む食物を，この食品添加物に敏感である人が摂取した後に起こる胸痛，顔面圧迫感など体表の種々の部位でみられる灼熱感の発現をいう．

Chi·nese rhu·barb ショウヨウダイオウ(掌葉大黄)（*Rheum palmatum*．中国の伝統薬で，下剤および他の胃腸の疾病の治療に用いられる．植物そのものに含まれるシュウ酸のため危険な場合もある）．

chip graft チップ移植〔片〕（骨の欠損部を埋めるのに用いる軟骨や骨の小片の移植片）．

chip sy·ringe チップシリンジ（円錐形の金属管で，ゴムのバルブまたは圧力タンクからの空気をこの先から噴出して汚物を吹き飛ばしたり，修復物のための支台歯形成の窩洞を乾燥させたりするもの）．

chi·ral·i·ty (kī-ral′i-tē)．キラリティ（鏡像をもつ物質の不同一性のこと．化学において，立体異性体について用いる）．

chiro-, chir- 手を示す連結形．→cheiro-.

chi·rop·o·dist (kī-rop′ŏ-dist)．手足治療医．= podiatrist.

chi·rop·o·dy (kī-rop′ŏ-dē)．手足治療〔術〕，手足あんま〔術〕．= podiatry.

chi·ro·prac·tic (kī′rō-prak′tik)．〔脊柱〕指圧療法，カイロプラクティック（理論的には，健康の回復と維持を目的とし，人体の回復力および筋骨格構造と人体の機能の関連，とりわけ脊柱と神経系の関連を利用して行われる療法）．

chi·ro·prac·tic tech·nique カイロプラクティック技法（手技治療　予防的およびリハビリテーションの体操，および姿勢，人間工学，栄養法，食事や健康的なライフスタイルといった事柄についての患者教育に処方される）．

chi·ro·prac·tor (kī′rō-prak′tŏr)．脊柱指圧療法士（脊柱指圧療法を行うことを認可された人）．

Chi·rop·sal·mus (kī-rop′sal-mŭs)．キロプサルムス属（猛毒のクラゲを含む有刺胞動物門に属する無脊椎動物の一属）．

Chi·rop·sal·mus qua·dru·ma·nus 米国近海に生息する最も毒性の強いクラゲ．→jellyfish. = box jelly; sea wasp.

chi-square (χ^2) test カイ２乗検定（２つの大学にそれぞれ所属する男性，女性の数のように，２標本以上の多標本の離散データに対し，分布の違いの有意性を判定するために利用される統計的方法）．

chi·tin (kī′tin)．キチン〔質〕，甲角素（*N*-acetyl-D-glucosamine の線状ポリマーで，$\beta(1\rightarrow4)$ 結合をもち，セルロースの構造と似ている．自然界で２番目に豊富な多糖類．いくつかの植物や真菌はもちろん，甲虫，カニ，ある種の微生物などの外骨格に存在する角質物質を含む）．

chi·tin·ous (kī′tin-ŭs)．キチン性の．

CHL crown-heel length の略．

Chla·myd·i·a (klă-mid′ē-ă)．クラミジア属（クラミジア科の唯一の属で，オウム病-リンパ肉芽腫-トラコーマ群のすべての病原体を含む）．

chla·myd·i·a, pl. **chla·myd·i·ae** (klă-mid′ē-ă, -ē-ē)．*Chlamydia* 属の種を表すのに用いる通称．

Chla·myd·i·a·ce·ae (klă-mid′ē-ā′shē-ē)．クラミジア科（クラミジア目の一科(以前はリケッチア目に含まれていた)．オウム病-リンパ肉芽腫-トラコーマ群の病原体を含む．本科は，リケッチアに似ているが，独特の偏性細胞内発育周期を有する点で非常に異なる小型の球状グラム陰性菌を含む．細胞質内ミクロコロニーは，分裂により感染型を発生させる）．

chla·myd·i·al (kla-mid′ē-ăl)．クラミジア属の（*Chlamydia* 属に関する，または *Chlamydia* 属の細菌が原因となる）．

Chla·myd·i·a pneu·mo·ni·ae クラミジア肺炎病原体（1986 年に初めて分離され，現在は成人，小児の双方における肺炎，気管支炎，副鼻腔炎，および咽頭炎の一般的な病原体として認知されている細菌種）．= TWAR.

Chla·myd·i·a psit·ta·ci オウム病クラミジ

ア（*Chlamydia trachomatis* に似た細菌性生物であるが，グリコゲンを産生せず，スルファジアジンにも感受性がない．この種のいろいろな菌株は，ヒトのオウム病，非オウム属の鳥類のオルニトーシスを起こす）．

Chla·myd·i·a tra·cho·ma·tis トラコーマクラミジア（球形の非運動性細菌で，偏性細胞内寄生である．グリコゲンを限られた期間蓄積し，一般にスルファジアジン，テトラサイクリン，およびキノロン類に感受性である．この種の多くの株はトラコーマ，封入体結膜炎，新生児結膜炎，性病性リンパ肉芽腫，マウスの肺炎，非特異(非淋菌)性尿道炎，精巣上体炎，頸管炎，直腸肛門炎，肺炎を起こす．米国における細菌性性病の代表的な病原体．*Chlamydia* 属の標準種）．

chla·myd·i·o·sis (klă-mid′ē-ō′sis)．クラミジア症（*Chlamydia* 属の種による疾患の一般名．→ornithosis; psittacosis）．

chlo·as·ma (klō-az′mă)．肝斑，褐色斑（顔面や他の皮膚に不規則な形と大きさの広範な褐色斑が出現するのが特徴の黒皮症．この色素沈着斑の拡大は妊娠性肝斑ともよばれ，通常は妊娠，経口避妊薬の使用と関連がある）．

chlor-, chloro- ***1*** 緑を表す連結形．***2*** 塩素に関する連結形．

chlor·a·cet·o·phe·none (klōr′as-ē-tō-fē′nōn)．= chloroacetophenone. →biologic-warfare (BW) agent, mid-spectrum agent.

chlor·ac·ne, chlo·rine ac·ne (klōr-ak′nē, klōr′ēn ak′nē)．塩素痤瘡（ある種の塩素化合物(ナフタリンとジフェニル)との経気道的，経口的，経皮的な接触による職業性の痤瘡様発疹）．

chlor·am·phen·i·col (klōr′am-fen′i-kol)．クロラムフェニコール（最初は *Streptomyces venezuelae* から得られた抗生物質．黄色ブドウ球菌 *Staphylococcus aureus*, ウシ流産菌 *Brucella abortus*, Friedländer 肺炎菌，および腸チフス菌，発疹チフス菌，ロッキー山紅斑熱菌を含む多くの病原微生物に対して経口で有効である．重篤な副作用として無顆粒球症を伴う骨髄障害，または再生不良性貧血が起こることもある）．

chlor·am·phen·i·col a·ce·tyl trans·fer·ase (CAT) クロラムフェニコールアセチルトランスフェラーゼ（細菌性酵素で，真核生物の遺伝子発現制御実験でのマーカとして用いられる）．

chlo·rate (klōr′āt)．塩素酸塩．

chlor·hy·dri·a (klōr-hī′drē-ă)．胃酸過多〔症〕．= hyperchlorhydria.

chlo·ride (klōr′īd)．塩化物（塩酸塩のような，－1の原子価をもつ塩素を含有する化合物）．

chlo·ride shift 塩素イオン移動（CO_2が組織から血液中にはいるとき，赤血球の中を通り，カルボネートデヒドラターゼにより重炭酸イオン(HCO_3^-)に変換される．HCO_3^-イオンは血漿の中にはいり，Cl^- は赤血球内に移動する．CO_2が血液から除去されるとき，肺の中で反対の変化が起こっている）．= Hamburger phenomenon.

chlor·i·du·ria (klōr′i-dyūr′ē-ă)．= chloruresis.

chlo·ri·nat·ed (klōr′in-āt-ĕd)．塩素化された，塩素処理の．

chlo·ri·na·tion (klōr′i-nā′shŭn)．塩素処理（塩素を使用した処理，あるいは塩素化合物）．

chlo·rine (Cl) (klōr′ēn)．塩素（①緑色の有毒な気体元素．原子番号 17，原子量 35.4527．ハロゲン元素の1つ．酸化力があるので，次亜塩素酸塩または塩素水の形で消毒薬や漂白剤として用いられる．生元素の1つ．②①の分子型，Cl_2(二塩化物)）．

chlo·rine group 塩素族．

chlo·rite (klōr′īt)．亜塩素酸塩（ClO_2^- 基を有する）．

chlo·ro·a·ce·to·phe·none (klōr′ō-ă-sē′tē-fē′nōn)．クロロアセトフェノン（法の執行の際の暴動制御手段や，護身用のスプレーとして，第一次世界大戦時の催涙物質として使用された化合物(NATO コードは CN)．→cesium chloroacetophenone）．

chlo·ro·form·ism (klōr′ō-fōrm-izm)．クロロホルム中毒（クロロホルム吸入の習慣，あるいはそのために生じる中毒症状）．

chloroleukaemia [Br.]. = chloroleukemia.

chlo·ro·ma, chlo·ro·leu·ke·mi·a (klōr-ō′mă, klōr′ō-lū-kē′mē-ă)．緑色腫（特に，頭蓋，脊椎，肋骨の骨膜に接して異常細胞が緑色塊をつくって増殖している状態が特徴．臨床経過は急性骨髄性白血病に類似している．→granulocytic sarcoma）．= chloromyeloma.

chlo·ro·my·e·lo·ma (klōr′ō-mī-ĕ-lō′mă)．緑色骨髄腫．= chloroma.

chlo·ro·per·cha meth·od クロロパーチャ法（歯の根管に，クロロホルム-ロジンに溶解したガッタパーチャコーンを充填する方法）．= Callahan method; Johnson method.

chlo·ro·phyll (klōr′ō-fil)．クロロフィル，葉緑素（光合成有機体にみられるホルビン誘導体のマグネシウム複合体．生きている植物で光エネルギーを酸化還元力に転換し，二酸化炭素を固定し，酸素を発生させる光吸収性緑色植物色素．天然にみられるクロロフィルには *a*, *b*, *c*, *d* がある）．

chlo·rop·si·a (klōr-op′sē-ă)．緑〔色〕視〔症〕（ジギタリス中毒のようにすべての物体が緑色に見える状態）．

chlo·rot·ic (klōr-ot′ik)．萎黄病の．

chlor·u·re·sis, chlor·u·ri·a (klōr-yū-rē′sis, klōr-yūr′ē-ă)．塩化物尿〔症〕（尿中に塩化物が排泄されること）．= chloriduria.

chlor·u·ret·ic (klōr′yū-ret′ik)．塩類尿排泄亢進の（尿中への塩化物排泄を促進する薬物，またはそのような作用に関する）．

CHO carbohydrates の略．

cho·a·na, pl. cho·a·nae (kō′ă-nă, -nē)．後鼻孔（鼻腔の鼻咽頭への開口部．しばしば posterior choana(e) と誤用される）．

choc·o·late cyst チョコレート嚢胞（嚢胞内出血または古い茶色の血液を含む血腫形成を伴う卵巣嚢胞．子宮内膜症でみられることが多いが，他の嚢腫とともにみられることもある）．

Chodz·ko re·flex ショズコ反射（胸骨柄が打診されたとき生じる肩帯と腕のいくつかの筋収

縮).

choke (chōk). 窒息させる (喉頭または気管を圧迫, 閉塞することにより, 呼吸を止める. 喉頭痙攣の一般的な表現).

choked disc うっ血乳頭. = papilledema.

chokes (chōks). 息づまり, 空気塞栓症 (呼吸困難, 咳, 窒息を特徴とする潜函病や高山病の症状発現).

chok·ing (chōk′ing). 窒息 (気管・中咽頭への異物混入, 喉頭れん縮や喉頭浮腫, あるいは外部からの頸部の圧迫による上気道閉塞. 犠牲者が咳によって気道を確保することが不可能な場合に仮死, 低酸素症, 死といった生命の危機的状況が生じる. 発話ができない状態は気道が完全に閉塞している状態を意味する. 息詰まりの一般的な徴候は, 自身の首を絞めるように喉を握り締める動きである. →Heimlich maneuver).

cholaemia [Br.]. = cholemia.

cholaemic [Br.]. = cholemic.

cho·la·gog·ic (kō-lă-goj′ik). = cholagogue(2).

cho·la·gogue (kō′lă-gog). ***1*** 〖n.〗胆汁排出物質, 利胆薬, 胆汁分泌〔促進〕薬 (胆嚢収縮の結果, 胆汁の小腸への流出を促進する薬物). ***2*** 〖adj.〗胆汁分泌促進性の (***1*** のような薬物またはその作用についていう). = cholagogic.

chol·an·gi·ec·ta·sis (kō-lan′jē-ek′tă-sis). 胆管拡張〔症〕(胆管の拡張, 通常は閉塞の続発症として生じる).

chol·an·gi·o·car·ci·no·ma (kō-lan′jē-ō-kahr-si-nō′mă). 胆管癌 (肝内胆管に原発する腺癌. 線維性支質に富み, 胆汁を含まない立方上皮または円柱上皮に裏打ちされた管よりなる. 肝硬変は通常みられない).

chol·an·gi·o·en·ter·os·to·my (kō-lan′jē-ō-en-tĕr-os′tŏ-mē). 胆管腸管吻合〔術〕(胆管と腸を吻合すること).

chol·an·gi·o·fi·bro·sis (kō-lan′jē-ō-fī-brō′sis). 胆管線維症.

chol·an·gi·o·gas·tros·to·my (kō-lan′jē-ō-gas-tros′tŏ-mē). 胆管胃吻合〔術〕(胆管と胃を吻合すること).

chol·an·gi·o·gram (kō-lan′jē-ō-gram). 胆管造影(撮影)像 (胆管造影法による胆管の X 線記録).

chol·an·gi·og·ra·phy (kō-lan′jē-og′ră-fē). 胆管造影(撮影)〔法〕(造影剤を用いた胆管の X 線撮影検査).

chol·an·gi·ole (kō-lan′jē-ōl). 細胆管 (毛細胆管と小葉間胆管の間にある細胆管).

chol·an·gi·o·lit·ic cir·rho·sis 胆細管性硬変, 胆細管炎〔性〕肝硬変 (細胆管の広汎性炎症がみられる肝硬変の一種. 炎症, 線維化, 再生を伴う. 慢性化, 再発, 熱性発作を特徴とする).

chol·an·gi·o·lit·ic hep·a·ti·tis 細胆管炎性肝炎 (小胆管周囲に炎症性変化を伴う肝炎で, 主に閉塞性黄疸を起こす. ウイルス感染, あるいは閉塞に伴い胆道を逆行する細菌感染によると思われる).

chol·an·gi·o·li·tis (kō-lan′jē-ō-lī′tis). 胆細管炎, 細胆管炎 (胆小根, 細胆管の炎症).

chol·an·gi·o·ma (kō-lan′jē-ō′mă). 胆管腫 (特に肝臓内に発生する胆管由来の新生物. 良性と悪性(胆管癌)の場合がある).

chol·an·gi·o·pan·cre·a·tog·ra·phy (kō-lan′jē-ō-pan′krē-ă-tog′ră-fē). 胆道膵管造影(撮影)〔法〕(造影剤注入後の胆管と膵管の造影 X 線検査).

chol·an·gi·os·co·py (kō-lan′jē-os′kŏ-pē). 胆道鏡検査法 (ファイバースコープを用いて胆管を肉眼的に検査すること).

chol·an·gi·os·to·my (kō-lan′jē-os′tŏ-mē). 胆管造瘻〔術〕, 胆管フィステル形成〔術〕(胆管にフィステルを形成すること).

chol·an·gi·ot·o·my (kō-lan′jē-ot′ŏ-mē). 胆管切開〔術〕.

chol·an·gi·tis, cho·lan·gi·i·tis (kō′lan-jī′tis, kō′lan-jē-ī′tis). 胆管炎 (胆管または全胆道系の炎症).

cho·lan·o·poi·e·sis (kō′lă-nō-poy-ē′sis). 胆汁生成 (肝臓によるコール酸またはその共役体, あるいは天然胆汁酸塩の合成).

cho·lan·o·poi·et·ic (kō′lă-nō-poy-et′ik). 胆汁生成の.

cho·late (kō′lāt). コール酸塩またはエステル.

chole-, chol-, cholo- 胆汁に関する連結形. *cf.* bili-.

cho·le·cal·cif·er·ol (kō′lĕ-kal-sif′ĕr-ol). コレカルシフェロール (動物から生じると考えられるビタミン D であり, 太陽光線にさらされた動物や鳥の皮膚・毛・羽に存在し, またバター, 脳, 魚油, 卵黄にもみられる). = vitamin D_3.

cho·le·cyst (kō′lĕ-sist). 胆嚢. = gallbladder.

cho·le·cys·ta·gog·ic (kō′lĕ-sis′tă-goj′ik). 胆嚢機能促進性の.

cho·le·cys·ta·gogue (kō′lĕ-sis′tă-gog). 胆嚢の働きを刺激する物質.

cho·le·cys·tec·ta·si·a (kō′lĕ-sis′tek-tā′zē-ă). 胆嚢拡張〔症〕(まれに用いる語).

cho·le·cys·tec·to·my (kō′lĕ-sis-tek′tŏ-mē). 胆嚢切除〔術〕, 胆嚢摘出〔術〕(胆嚢を外科的に取り除くこと).

cho·le·cyst·en·ter·os·to·my (kō′lĕ-sist-en′tĕr-os′tō-mē). 胆嚢腸管吻合〔術〕(胆嚢と腸の直接の交通をつくること).

cho·le·cys·tic (kō′lĕ-sis′tik). 胆嚢の.

cho·le·cys·tis (kō′lĕ-sis′tis). 胆嚢. = gallbladder.

cho·le·cys·ti·tis (kō′lĕ-sis-tī′tis). 胆嚢炎.

cho·le·cys·to·co·los·to·my (kō′lĕ-sis′tō-kō-los′tŏ-mē). 胆嚢大腸吻合〔術〕(胆嚢と大腸間の交通を形成すること). = colocholecystostomy.

cho·le·cys·to·du·o·de·nos·to·my (kō′lĕ-sis′tō-dū′ō-dē-nos′tŏ-mē). 胆嚢十二指腸吻合〔術〕(胆嚢と十二指腸間の直接の交通を形成すること). = duodenocholecystostomy; duodenocystostomy(1).

cho·le·cys·to·gas·tros·to·my (kō′lĕ-sis′tō-gas-tros′tŏ-mē). 胆嚢胃吻合〔術〕(胆嚢と胃の間の交通を形成すること).

cho·le·cys·to·gram (kō′lĕ-sis′tŏ-gram). 胆嚢造影(撮影)図 (胆嚢造影法による胆嚢構造や機能の X 線記録).

C

cho·le·cys·tog·ra·phy (kō′lē-sis-tog′ră-fē). 胆嚢造影(撮影)〔法〕, 胆嚢写 (胆嚢造影剤を経口的に投与したのち, 胆嚢を X 線撮影する. あるいは, 肝臓から排泄される放射性医薬品を投与し, 胆嚢および胆道系のシンチグラフィを撮像する).

cho·le·cys·to·il·e·os·to·my (kō′lē-sis′tō-il-ē-os′tŏ-mē). 胆嚢回腸吻合〔術〕(胆嚢と回腸間の交通を形成すること).

cho·le·cys·to·je·ju·nos·to·my (kō′lē-sis′tō-jē-jū-nos′tŏ-mē). 胆嚢空腸吻合〔術〕(胆嚢と空腸間の交通を形成すること).

cho·le·cys·to·ki·net·ic (kō′lē-sis′tō-ki-net′ik). 胆嚢運動促進の (胆嚢の排泄作用を促進する).

cho·le·cys·to·ki·nin (CCK) (kō′lē-sis′tō-kī′nin). コレシストキニン (胃内容物と接触して上部腸粘膜が遊離するポリペプチドホルモン. 胆嚢収縮や膵液分泌を刺激する).

cho·le·cys·to·li·thi·a·sis (kō′lē-sis′tō-li-thī′ă-sis). 胆石症 (胆嚢に胆石が存在すること).

cho·le·cys·top·a·thy (kō′lē-sis-top′ă-thē). 胆嚢疾患.

cho·le·cys·to·pexy (kō′lē-sis′tō-pek-sē). 胆嚢固定〔術〕(胆嚢を腹壁に縫合すること).

cho·le·cys·tor·rha·phy (kō′lē-sis-tōr′ă-fē). 胆嚢縫合〔術〕(切開した, または破裂した胆嚢を縫合すること).

cho·le·cys·to·so·nog·ra·phy (kō′lē-sis′tō-sŏ-nog′ră-fē). 胆嚢超音波検査〔法〕.

cho·le·cys·tos·to·my (kō′lē-sis-tos′tŏ-mē). 胆嚢造瘻〔術〕, 胆嚢フィステル形成〔術〕(胆嚢にフィステルを形成すること).

cho·le·cys·tot·o·my (kō′lē-sis-tot′ŏ-mē). 胆嚢切開〔術〕.

cho·le·doch·al (kō-led′ŏ-kăl). 総胆管の.

cho·le·doch·al cyst 総胆管嚢胞 (総胆管にできる嚢胞. 通常, 年少期に黄疸を伴う右側上腹部の腫瘤として現れる).

cho·led·o·chec·to·my (kol′ē-dō-kek′tŏ-mē). 総胆管切除〔術〕(総胆管の一部を外科的に切除すること).

cho·led·o·chi·tis (kol′ē-dō-kī′tis). 胆管炎 (総胆管の炎症).

choledocho-, choledoch- 総胆管に関する連結形.

cho·led·o·cho·du·o·de·nos·to·my (kol′ē-dō-kō-dū′ō-dē-nos′tŏ-mē). 総胆管十二指腸吻合〔術〕(自然にあるもの以外に, 総胆管と十二指腸間に交通を形成すること).

cho·led·o·cho·en·ter·os·to·my (ko′led′ŏ-kō-en′tĕr-os′t ŏ-mē). 総胆管腸管吻合〔術〕(自然にあるもの以外に, 総胆管と腸のどこかに交通を形成すること).

cho·led·o·cho·je·ju·nos·to·my (kō-led′ŏ-kō-jĕ-jū-nos′tŏ-mē). 総胆管空腸吻合〔術〕(総胆管と空腸を吻合すること).

cho·led·o·cho·li·thi·a·sis (kol′ē-dō-kō-lith-ī′ă-sis). 総胆管結石症 (総胆管に胆石が存在すること).

cho·led·o·cho·li·thot·o·my (kol′ē-dō-kō-li-thot′ŏ-mē). 総胆管結石切開〔術〕, 総胆管切石〔術〕(胆石を除去するため総胆管を切開すること).

cho·led·o·cho·plas·ty (kol′ē-dō-kō-plas-tē). 総胆管形成〔術〕(総胆管組織の再形成).

cho·led·o·chor·rha·phy (kol′ē-dō-kōr′ră-fē). 総胆管縫合〔術〕(総胆管の分離端を縫合すること).

cho·led·o·chos·to·my (kol′ē-dō-kos′tŏ-mē). 総胆管造瘻〔術〕, 総胆管フィステル形成〔術〕(総胆管にフィステルを形成すること).

cho·led·o·chot·o·my (kol′ē-dō-kot′ŏ-mē). 総胆管切開〔術〕.

cho·led·o·chous (kō-led′ŏ-kŭs). 総胆管〔性〕の.

cho·le·ic (kō-lē′ik). = cholic.

cho·le·ic ac·ids コレイン酸 (胆汁酸とステロールの複合体).

cho·le·lith (kō′lē-lith). 胆石. = gallstone.

cho·le·li·thi·a·sis (kō′lē-li-thī′ă-sis). 胆石症 (胆嚢または胆管に結石が存在すること).

cho·le·li·thot·o·my (kō′lē-li-thot′ŏ-mē). 胆石摘除〔術〕.

cho·le·lith·o·trip·sy (kō′lē-lith′ō-trip-sē). 胆石破砕〔術〕.

cho·lem·e·sis (kō-lem′ĕ-sis). 胆汁嘔吐〔症〕, 吐胆〔症〕.

cho·le·mi·a (kō-lē′mē-ă). 胆血〔症〕, 胆汁血〔症〕(循環血液中に胆汁塩が存在すること).

cho·lem·ic (kō-lē′mik). 胆血〔症〕の, 胆汁血〔症〕の. = cholaemic.

cho·le·per·i·to·ne·um (kō′lē-per′i-tŏ-nē′

cholelithiasis
胆嚢内の多数のコレステロール胆石

ŭm). 現在では用いられない語. 腹腔内に胆汁が存在し, 胆汁性腹膜炎を引き起こす.

cho·le·poi·e·sis (kō′lĕ-poy-ē′sis). 胆汁生成.

cho·le·poi·et·ic (kō′lĕ-poy-et′ik). 胆汁生成の.

chol·er·a (kol′ĕr-ă). コレラ（主にアジアでコレラ菌 *Vibrio cholerae* により引き起こされる, 急性流行性伝染性疾患. 腸管内でバクテリアがつくる可溶性毒素が粘膜のアデニル酸シクラーゼを活性化し, 等張液の活発な分泌を起こすため, 大量の水溶性下痢, 水分と電解質の極度の消失, 脱水, 虚脱状態を引き起こすが, 腸粘膜の形態学変化は起こさない).

chol·er·a·ic (kol′ĕr-ā′ik). コレラの.

chol·er·a·ic di·ar·rhe·a コレラ性下痢. = summer diarrhea.

cho·le·re·sis (kō′lĕr-ē′sis). 胆汁分泌（胆嚢による胆汁の排出とは異った胆汁の分泌).

cho·le·ret·ic (kō′lĕr-et′ik). ***1*** 〚adj.〛胆汁分泌促進の, 催胆の. ***2*** 〚n.〛胆汁分泌〔促進〕薬.

chol·er·ic (kol′ĕr-ik). おこりっぽい. = bilious (2).

chol·er·i·form (kō-ler′i-fōrm). コレラ様の. = choleroid.

chol·er·ine (kol′ĕr-ēn). 軽症コレラ, コレラ初期（アジア型コレラの流行期にみられる軽症下痢).

chol·er·oid (kol′ĕr-oyd). = choleriform.

cho·ler·rha·gic (kol′ĕr-aj′ik). 胆汁漏出の.

cho·le·sta·si·a, cho·le·sta·sis (kō-lĕ-stā′sē-ă, -sis). 胆汁うっ滞（胆汁の流れの停止).

cho·les·ta·sis of preg·nan·cy 妊娠性胆汁うっ滞. = intrahepatic cholestasis of pregnancy.

cho·le·stat·ic (kō′lĕ-stat′ik). 胆汁うっ滞の, 胆汁分泌停止の.

cho·le·stat·ic jaun·dice 胆汁うっ滞性黄疸（肝臓の小胆管中の濃縮胆汁または胆栓によって起こる黄疸).

cho·les·te·a·to·ma (kō′lĕ-stē′ă-tō′mă). コレステリン腫, 真珠腫（①中耳の角化扁平上皮とコレステロールの塊. 通常は慢性中耳炎の結果起こり, りん状化生あるいは扁平上皮の延長が乳様突起を侵し, 周囲の骨をむしばむ膨脹性の嚢胞腔を縁どる. ②ヒトまたは動物の中枢神経系に生じる類表皮嚢胞).

cholesteraemia [Br.]. = cholesteremia.

cho·les·ter·e·mi·a, cho·les·ter·ol·e·mi·a (kō-les′tĕr-ē′mē-ă, kō-les′tĕr-ol-ē′mē-ă). コレステリン血〔症〕, コレステロール血〔症〕（血中コレステロールの量が増加すること). = cholesteraemia.

cho·les·ter·in·ized an·ti·gen コレステロール添加抗原（コレステロールが添加されたカルジオリピン).

cho·les·ter·ol (kŏ-les′tĕr-ol). コレステロール（動物組織内に多く存在するステロイド. 種々の比重の蛋白と複合体をつくり, 血漿中を循環し, 動脈でアテローム性動脈硬化生成の病原において重要な役割を果たす).

cholesterolaemia [Br.]. = cholesterolemia.

cho·les·ter·ol em·bo·lism コレステロール塞栓症（潰瘍性じゅく腫沈着物から出た脂質残屑の塞栓で, 一般的に大動脈から小動脈枝に局在する. 通常は小さいもので, 梗塞を起こすことはまれである). = atheromatous embolism.

cho·les·ter·ol·e·mi·a (kō-les′tĕr-ol-ē′mē-ă). コレステロール血症.

cho·les·ter·ol es·ter stor·age dis·ease コレステロールエステル貯蔵病（リソソームの酸性リパーゼ欠損によるリピドーシス. コレステロールエステルやトリグリセリドがキサントマトーシスとして内臓に広範に沈着し, 副腎の硬化や肝脾腫大を呈し, 骨髄や他の組織には泡沫細胞, 末梢血中には空胞化したリンパ球が認められる. 常染色体劣性遺伝. 第10染色体長腕にあるリソソーム酸性リパーゼ遺伝子(LIPA)の突然変異により生じる). = Wolman disease; Wolman xanthomatosis.

cho·les·ter·ol-free (kŏ-les′tĕr-ol-frē′). コレステロール・フリー（FDAの指示に基づき, 1人分の量にコレステロール含量が2 mg未満, 飽和脂肪が2 g未満である製品に表示される).

cho·les·ter·ol gran·u·lo·ma コレステリン肉芽腫（異物巨細胞によって取り囲まれ, コレステロールを含む大きな裂隙を有する肉芽腫. 慢性中耳炎や副鼻腔炎で認められる).

cho·les·ter·ol·o·sis, cho·les·ter·o·sis (kō-les′ter-ol′ō-sis, kō′les-tĕr-ō′sis). コレステロール沈着〔症〕（①脂質の代謝障害に由来する疾患で, Tangier病のように, 組織内のコレステロール沈着を特徴とする. ②眼の前房にコレステロール結晶が存在すること).

cho·les·ter·ol·u·ri·a (kō-les′ter-ol-yūr′ē-ă). コレステロール尿〔症〕（尿中にコレステロールが排泄される).

cho·le·u·ri·a (kō′lē-yūr′ē-ă). 胆尿〔症〕. = biliuria.

cho·lic (kō′lik). 胆汁の. = choleic.

cho·lic ac·id コール酸（胆汁酸(塩)を含むステロイドの一群で, 一般に共役型(例えば, グリココール酸またはタウロコール酸)である. コール酸はコレステロール(コレスタン誘導体)に由来する).

cho·line (kō′lēn). コリン（ほとんどの動物組織中にみられ, ビタミンB複合体の中に含まれる. アセチルコリン(酢酸でエステル化したコリン)として, シナプス伝導に必須である. 数種のコリン塩が医学で用いられている).

cho·line a·ce·tyl·trans·fer·ase コリンアセチルトランスフェラーゼ（コリンとアセチルCoAとの縮合を触媒し, *O*-アセチルコリンとCoAを生成する酵素).

cho·line ki·nase コリンキナーゼ（コリンとATPから*O*-ホスホコリンとADPを生成するのを触媒する酵素).

cho·lin·er·gic (kō′lin-ĕr′jik). コリン作用(作動)〔性〕の（神経伝達物質としてアセチルコリンを用いる神経線維についていう. *cf.* adrenergic).

cho·lin·er·gic block·ade コリン遮断, コリン作用(作動)遮断（①薬剤を用いて, 自律神経節シナプス(神経節遮断), 節後副交感神経効果

C

器細胞(例えば，アトロピンにより)，神経筋接合部(神経筋遮断)における神経インパルスの伝達を阻止すること．②コリン作用薬の抑制)．

cho·lin·er·gic fi·bers コリン性線維，コリン作動(作用)性線維 (伝達物質アセチルコリンを媒介として，他の神経細胞，筋線維，または腺細胞へインパルスを伝導する神経線維)．

cho·lin·er·gic re·cep·tors コリン作用(作動)性レセプタ(受容体) (アセチルコリンがその作用を発現するエフェクタ細胞やシナプスでの化学部位)．

cho·lin·er·gic tox·i·drome コリン作用(作動)性中毒症候群 (抗コリンエステラーゼ薬などのコリン作動性薬物による中毒に特徴的な一連の臨床効果(例えば徴候と症状)で，過剰刺激および時としては疲労やコリン作動的に刺激された器官の不全により引き起こされる．典型的な作用部位(症候)として，骨格筋(れん縮，線維束性収縮，脱力，不全麻痺，運動麻痺)，平滑筋(例えば縮瞳，気管支平滑筋の過剰刺激に起因する気管支痙攣，悪心，嘔吐，腸蠕動に起因する下痢)，外分泌腺(例えば流涙，鼻漏，唾液分泌過多，気管支漏，発汗)，中枢神経系における神経細胞(てんかん発作，痙攣，中枢性無呼吸)が含まれる)．

cho·lin·er·gic ur·ti·car·i·a コリン性じんま疹 (物理的または非アレルギー性のじんま疹の一型で，温浴，身体運動，高熱，日光や温熱への暴露などによって，あるいは精神的興奮によって引き起こされる．いくぶん特徴的な発疹として，鮮紅色斑に囲まれた直径 1—2 mm のそう痒性領域を呈する)．= heat urticaria.

cho·lin·es·ter·ase (ChE) (kō′lin-es′tĕr-ās)．コリンエステラーゼ (アシルコリンや他のいくつかの化合物の加水分解を触媒できる酵素の一群．またコブラ毒にも存在する)．

cho·lin·es·ter·ase in·hib·i·tor コリンエステラーゼ阻害薬 (例えば，ネオスチグミンのような薬物で，アセチルコリンの生体内分解を抑制することにより，重症筋無力症あるいは非脱分極性神経筋弛緩薬投与後の神経筋機能を回復する)．

cho·lin·o·cep·tive (kō′lin-ō-sep′tiv)．コリン受容〔体〕の (化学伝達物質の一種であるアセチルコリンが結合する効果器の部位についていう．*cf.* adrenoceptive)．

cho·li·no·lyt·ic (kō′lin-ō-lit′ik)．抗コリン性の (アセチルコリンの作用を妨げる)．

chol·i·no·mi·met·ic (kō′lin-ō-mi-met′ik)．コリン〔様〕作用(作動)の (アセチルコリンに類似した作用をもつことについていう．不正確な parasympathomimetic に代わってつくり出された用語．*cf.* adrenomimetic)．= parasympathomimetic.

cho·lin·o·re·ac·tive (kō′lin-ō-rē-ak′tiv)．コリン反応性の (アセチルコリンおよび関連化合物に反応する)．

chol·i·no·re·cep·tors (kol′i-nō-rē-sep′tŏrz)．→cholinergic receptors.

cho·lo·yl (kō′lō-il)．コロイル (コール酸(胆汁酸塩)の基)．

chol·ur·i·a (kō-lyūr′ē-ă)．胆汁尿〔症〕．= biliuria.

chon·dral (kon′drăl)．軟骨の．= cartilaginous.

chon·dral frac·ture 軟骨骨折 (関節軟骨の骨折．→articular cartilage)．

chon·dral·gi·a (kon-dral′jē-ă)．= chondrodynia.

chon·drec·to·my (kon-drek′tŏ-mē)．軟骨切除〔術〕．

chon·dri·fi·ca·tion (kon′dri-fi-kā′shŭn)．軟骨化．

chon·dri·fi·ca·tion cen·ter 軟骨化中心 (体内で最初に軟骨形成が始まるところ)．

chon·dri·tis (kon-drī′tis)．軟骨炎．

chondro-, chondrio- ***1*** 軟骨または軟骨性を意味する連結形．***2*** 粒体または顆粒を意味する連結形．

chon·dro·blast (kon′drō-blast)．軟骨芽細胞 (成長過程にある軟骨組織の分裂能力をもつ細胞)．= chondroplast.

chon·dro·blas·to·ma (kon′drō-blas-tō′mă)．軟骨芽細胞腫 (長骨の骨端に生じる良性腫瘍．胎児軟骨に似た組織からなっている)．

chon·dro·cal·ci·no·sis (kon′drō-kal-si-nō′sis)．軟骨石灰化〔症〕．

chon·dro·clast (kon′drō-klast)．軟骨吸収細胞 (軟骨再吸収に関係する多核巨大細胞．形態的には破骨細胞と同じである)．

chon·dro·cos·tal (kon′drō-kaws′tăl)．肋軟骨の．= costochondral.

chon·dro·cra·ni·um (kon′drō-krā′nē-ŭm)．軟骨頭蓋 (胎児の成育過程の頭蓋の軟骨性部分)．

chon·dro·cyte (kon′drō-sīt)．軟骨細胞 (軟骨基質内の小窩を占めている非分裂性細胞)．

chon·dro·dyn·i·a (kon′drō-din′ē-ă)．軟骨痛．= chondralgia.

chon·dro·dys·pla·si·a (kon′drō-dis-plā′zē-ă)．軟骨形成不全〔症〕，軟骨異形成〔症〕．= chondrodystrophy.

chon·dro·dys·pla·si·a cal·cif·i·cans con·gen·i·ta 先天性石灰化軟骨異形成〔症〕 (常染色体優性遺伝．不均一な骨の石灰化および異形成を特徴とする疾患．他の軟骨異形成症に比べ，予後良好な疾患である)．= Conradi disease.

chon·dro·dys·tro·phic dwarf·ism 軟骨形成異常性小人症 (→chondrodystrophy)．

chon·dro·dys·tro·phy, chon·dro·dys·tro·phi·a (kon′drō-dis′trŏ-fē, kon′drō-dis-trō′fē-ă)．軟骨形成異常〔症〕，軟骨異栄養症 (長骨の軟骨原基の発育障害で，特に骨端線に生じ，長骨の発育停止をもたらし，ずんぐりした小人症となる．四肢は異常に短いが，頭部と体幹はまったく正常である．常染色体劣性遺伝)．= chondrodysplasia.

chon·dro·dys·tro·phy with sen·sor·i·neu·ral deaf·ness 感音性難聴を伴う軟骨形成異常〔症〕 (小人症，扁平な鼻梁，口蓋裂，感音性難聴，肥大した骨端と扁平化した椎骨で特徴付けられる骨形成異常症．常染色体劣性遺伝であり，第 6 染色体短腕のコラーゲンタイプ XI 遺伝子(COL11A2)の突然変異により生じる．優性遺伝型も存在する)．= Nance-Insley syndrome;

Nance-Sweeney chondrodysplasia; otospondylomegaepiphyseal dysplasia.

chon·dro·ec·to·der·mal dys·pla·si·a 軟骨外胚葉性形成異常(異形成)(軟骨異形成，外胚葉性異形成，および指趾過多の3主徴による．患者の過半数は先天性心臓奇形をもつ．常染色体劣性遺伝)．

chon·dro·fi·bro·ma (kon′drō-fī-brō′mă)．軟骨線維腫．= chondromyxoid fibroma.

chon·dro·gen·e·sis (kon′drō-jen′ĕ-sis)．軟骨形成．= chondrosis.

chon·droid (kon′droyd)．*1*〚adj.〛軟骨様の．= cartilaginoid. *2*〚n.〛類軟骨(本来の軟骨の特質をもたず発達した軟骨で，本来は薄い被膜あるいは無被膜の好塩基性の基質をもつ細胞性のものである)．

chon·droid tis·sue 軟骨様組織(①成人において軟骨に類似する組織．= pseudocartilage. ②胚における軟骨形成の初期)．

chon·dro·i·tin (kon-drō′i-tin)．コンドロイチン(ウシ軟骨からつくられる補助食品で，変形性関節症に広く用いられているが，臨床試験の結果は賛否両論である)．

chon·drol·y·sis (kon-drol′i-sis)．軟骨融解(軟骨基質と軟骨細胞の崩壊または分解の結果として関節軟骨が消退すること)．

chon·dro·ma (kon-drō′mă)．軟骨腫(軟骨に分化する中胚葉細胞から生じる良性腫瘍)．

chon·dro·ma·la·ci·a (kon′drō-mă-lā′shē-ă)．軟骨軟化〔症〕．

chon·dro·ma·la·ci·a pa·tel·lae 膝蓋軟骨軟化〔症〕(膝蓋骨の関節軟骨の軟化を生じる疾患で，膝蓋骨痛を生じることがある)．

chon·dro·ma·to·sis (kon′drō-mă-tō′sis)．軟骨腫〔症〕(軟骨に多くの腫瘍状病巣が存在すること)．

chon·dro·ma·tous (kon-drō′mă-tŭs)．軟骨腫様の．

chon·dro·mere (kon′drō-mēr)．軟骨椎体(胎生期において単一中胚葉節内に分化する中軸骨格の軟骨単位．肋骨成分を併せもつ軟骨性一次椎体)．

chon·dro·myx·oid fi·bro·ma, chon·dro·myx·o·ma 軟骨粘液線維腫(まれな良性腫瘍で，青年および若年成人の脛骨に最も多く生じる．わずかな軟骨様組織巣を伴う分葉状・粘液様組織で構成される)．= chondrofibroma; chondromyxoma.

chon·dro·nec·tin (kon′drō-nek′tin)．コンドロネクチン(軟骨基質の糖蛋白で，軟骨細胞のII型コラーゲンへの付着に介在する)．

chon·dro·os·se·ous (kon′drō-os′ē-ŭs)．骨軟骨性の．

chon·dro·os·te·o·dys·tro·phy (kon′drō-os′tē-ō-dis′trō-fē)．骨軟骨ジストロフィ(Morquio症候群および類縁疾患を含み，骨と軟骨に栄養失調性変形を有する一連の疾患)．= osteochondrodystrophy.

chon·drop·a·thy (kon-drop′ă-thē)．軟骨疾患．

chon·dro·phyte (kon′drō-fīt)．軟骨瘤(骨の関節面に発生する異常な軟骨性腫瘤)．

chon·dro·plast (kon′drō-plast)．= chondroblast.

chon·dro·plas·ty (kon′drō-plas-tē)．軟骨整復術(軟骨の整復または形成)．

chon·dro·po·ro·sis (kon′drō-pōr-ō′sis)．軟骨粗化，軟骨粗しょう(鬆)症(軟骨に間隙ができる状態で，正常な(骨化過程)あるいは病的な軟骨でみられる)．

chon·dro·sar·co·ma (kon′drō-sahr-kō′mă)．軟骨肉腫(軟骨細胞に由来する悪性腫瘍)．

chon·dro·sis (kon-drō′sis)．軟骨症．= chondrogenesis.

chon·dro·ster·nal (kon′drō-stĕr′năl)．胸骨軟骨の(①胸骨軟骨に関する．②肋軟骨および胸骨に関する)．

chon·dro·ster·no·plas·ty (kon′drō-stĕr′nō-plas-tē)．胸骨軟骨整復〔術〕(胸骨奇形の外科的整復)．

chon·drot·o·my (kon-drot′ō-mē)．軟骨切開〔術〕．

chon·dro·xi·phoid (kon′drō-zī′foyd)．剣状軟骨の．

Cho·part am·pu·ta·tion ショパール切断術(距舟関節と踵立方関節の間での切断)．= mediotarsal amputation.

chord- 索に関する連結形．→cord-.

chor·da, pl. chor·dae (kōr′dă, -dē)．索(腱状，索状構造．→cord)．

chor·dae ten·di·ne·ae cor·dis = chordae tendineae of heart.

chor·dae ten·di·ne·ae fal·sae = false chordae tendineae.

chor·dae ten·din·e·ae of heart 心内腱索(乳頭筋から房室弁(僧帽弁および三尖弁)に向かう腱状の構造物．その形状，位置，弁への結合部位から，扇状，粗領域，辺縁部，深部，および心基部腱索に分類される)．= chordae tendineae cordis; tendinous cords.

chor·dae ten·din·e·ae spur·i·ae = false chordae tendineae.

chord·al (kōr′dăl)．索の(特に脊索についていう)．

Chor·da·ta (kōr-dā′tă)．脊索動物門(脊椎動物を包含する門で，ⓘ単一の背部神経索(哺乳類では脳および脊髄)をもつこと，ⓘⓘ初期胚において原腸背側に形成される軟骨性の杆状体である脊索(脊椎動物亜門では脊柱によって囲まれ，後にそれに置き換えられる)をもつこと，およびⓘⓘⓘ咽喉頭部における鰓裂の発達がある時期に存在すること，によって定義付けられる)．

chor·date (kōr′dāt)．脊索動物(脊索動物門に属する動物)．

chor·da tym·pa·ni 鼓索神経(鼓室にみられる索状の神経線維であるが，実際は顔面神経管内の顔面神経から分枝した神経である．この神経は鼓索の後細管を通り鼓室内にはいり，鼓膜の辺りでつち骨柄を通り越し錐体鼓室裂内の鼓索の前細管を通り，側頭下窩で下顎神経の舌神経に合す．この神経は舌の前2/3から味覚情報を伝え，また顎下腺と舌下腺を支配している顎下神経節への副交感性神経節前線維を含む)．

chor·dee (kōr-dē′). *1* 索状組織，索状物（淋疾または Peyronie 病にみられる疼痛を伴う陰茎の勃起．尿道海綿体の膨張性欠如のために弯曲している）．*2* 尿道索（陰茎の腹側への弯曲．尿道下裂における勃起時に最も顕著にみられる）．

chor·di·tis (kōr-dī′tis). 声帯炎（索の炎症だが，通常は声帯炎を意味する）．

chor·do·ma (kōr-dō′mă). 脊索腫（成人の骨格組織にまれに起こる腫瘍で，脊索の遺存部分から発生すると考えられている．斜台，腰仙骨部に最もしばしばみられる）．

chor·do·skel·e·ton (kōr′dō-skel′ĕ-tŏn). 脊索骨格（脊索と関連して発生する胚内の骨格部分）．

chor·dot·o·my (kōr-dot′ŏ-mē). = cordotomy.

cho·re·a (kōr-ē′ă). 舞踏病，ヒョレア（四肢や顔面筋の不規則な痙攣様の不随意運動．しばしば筋緊張低下を伴う．原因となる大脳病変部位は知られていない．→Huntington chorea; Sydenham chorea）．

cho·re·al (kōr-ē′ăl). 舞踏病の．

cho·re·ic (kōr-ē′ik). 舞踏病性の．

cho·re·ic a·ba·si·a 舞踏病性歩行不能〔症〕（下肢の舞踏病性の運動による歩行不能）．

cho·re·ic move·ment 舞踏病〔性〕運動（筋群の不随意痙性単収縮による，一定の目的のない運動）．

cho·re·i·form (kōr-ē′i-fōrm). 舞踏病状の．= choreoid.

choreo- 舞踏病に関する連結形．

cho·re·o·ath·e·toid (kōr′ē-ō-ath′ĕ-toyd). 舞踏病アテトーシス状の．

cho·re·o·ath·e·to·sis (kōr′ē-ō-ath-ĕ-tō′sis). 舞踏病アテトーシス（舞踏病とアテトーシスの両方の要素をもつ身体の異常な動作）．

cho·re·oid (kōr′ē-oyd). 舞踏病様の．= choreiform.

cho·re·o·phra·si·a (kōr′ē-ō-frā′zē-ă). 語句反復症（無意味な語句を連続的に反復すること）．

chorio- 膜，特に胎児を囲む絨毛膜に関する連結形．

cho·ri·o·ad·e·no·ma (kōr′ē-ō-ad-ĕ-nō′mă). 絨毛腺腫（絨毛膜に発生する良性腫瘍で，特に胞状奇胎の形成を伴ったもの）．

cho·ri·o·ad·e·no·ma des·tru·ens 破壊性絨毛腺腫（子宮筋層またはその血管の中への異常な程度の浸潤を示す胞状奇胎．子宮の出血，壊死，またときには裂傷，あるいは絨毛組織の肺塞栓を引き起こす．著明な栄養膜の増殖があり，ときに無血管絨毛もみられることがある）．= invasive mole.

cho·ri·o·al·lan·to·ic (kōr′ē-ō-al′an-tō′ik). 漿尿膜の．

cho·ri·o·al·lan·to·is (kōr′ē-ō-ă-lan′tō-is). 漿尿膜（漿膜または偽絨毛膜と尿膜の融合により形成された胚体外膜．哺乳類では胎盤の胎子部分を形成する．鳥類の胚では殻と融合する）．

cho·ri·o·am·ni·o·ni·tis (kōr′ē-ō-am′nē-ō-nī′tis). 絨毛羊膜炎（絨毛膜，羊膜，羊水に波及した感染．通常，胎盤絨毛脱落膜にも波及する）．

cho·ri·o·an·gi·o·ma (kōr′ē-ō-an-jē-ō′mă). 絨毛血管腫，脈絡血管腫（胎盤血管の良性腫瘍（血管腫）で，通常，臨床上危険はない．→chorioangiosis）．

cho·ri·o·an·gi·o·sis (kōr′ē-ō-an-jē-ō′sis). 絨毛血管腫（胎盤絨毛内の血管の異常増加．重症形は新生児死亡および先天性の大奇形に高頻度に合併する）．

cho·ri·o·cap·il·la·ris (kōr′ē-ō-kap-i-lā′ris). 脈絡毛細管板．= choriocapillary layer.

cho·ri·o·cap·il·la·ry lay·er 脈絡毛細管板（眼の脈絡膜の内層あるいは深層で，非常に密な網目状の毛細管からなる）．= lamina choroidocapillaris; choriocapillaris; entochoroidea; Ruysch membrane.

cho·ri·o·car·ci·no·ma (kō′rē-ō-kahr-si-nō′mă). 絨毛癌，絨毛上皮腫（きわめて悪性の腫瘍で，不規則な板状体と索状体を構成する合胞体栄養層および細胞栄養層から発生する．不規則な血液の〝溜 lakes〞に囲まれている．絨毛は形成されない．腫瘍細胞は血管に浸潤する．出血性の転移は疾患の比較的早期に起こり，しばしば，肺，肝，脳，膣，その他種々の骨盤内臓器にみられ，絨毛癌は，あらゆるタイプの妊娠，特に胞状奇胎に続いて発生し，ときには卵巣または精巣の奇形腫から発生することがある）．= chorioepithelioma.

cho·ri·o·cele (kō′rē-ō-sēl). 脈絡膜ヘルニア（強膜欠損部を通る眼の脈絡膜のヘルニア）．

cho·ri·o·ep·i·the·li·o·ma (kōr′ē-ō-ep-i-thē′lē-ō′mă). 絨毛上皮腫．= choriocarcinoma.

cho·ri·o·men·in·gi·tis (kōr′ē-ō-men-in-jī′tis). 脈絡髄膜炎（脳脊髄に多少の細胞浸潤がみられる脳脊髄膜炎で，特に第 3・4 脳室の脈絡膜叢のリンパ球浸潤をしばしば伴う）．

cho·ri·on (kōr′ē-on). 絨毛膜（卵膜の外層．胚外壁側中胚葉と栄養膜から形成される多層性の膜．母体側の表面には母性血液に浸った絨毛がある．妊娠が進行するにつれ絨毛膜の一部は胎盤になる）．= membrana serosa(1).

cho·ri·on fron·do·sum 繁生絨毛膜．= villous chorion.

cho·ri·on·ic (kōr′ē-on′ik). 絨毛膜の．

chor·i·on·ic cav·i·ty 絨毛膜腔（胚盤胞の栄養膜細胞層に続く付着茎を除く，一次卵黄嚢と羊膜嚢の周囲腔）．= extraembryonic celom.

cho·ri·on·ic ep·i·the·li·o·ma 絨毛膜上皮腫（choriocarcinoma を表す現在では用いられない語）．

cho·ri·on·ic go·nad·o·tro·pic hor·mone, cho·ri·on·ic go·nad·o·tro·phic hor·mone 絨毛性性腺刺激ホルモン．

cho·ri·on·ic go·nad·o·tro·pin 絨毛性ゴナドトロピン（D-ガラクトースおよびヘキソサミンからなる糖質を有する糖蛋白で，妊婦の尿から抽出される．胎盤トロホブラスト細胞によりつくられる．このホルモンの最も重要な役割は，妊婦の最初の 1/3 の期間に卵巣を刺激してエストロゲンとプロゲステロンを分泌させ，妊娠を維持することである．その後の 2/3 の期間には重要な働きをしないものとみられている．この時期にはエストロゲンとプロゲステロンが胎盤により形成されるようになる). = anterior pituitary-like hormone; chorionic gonadotropic hormone; chorionic gonadotrophic hormone.

cho·ri·on·ic growth hor·mone-pro·lac·tin 絨毛性成長ホルモン-プロラクチン. = human placental lactogen.

cho·ri·on·ic vil·li 絨毛膜絨毛（胎盤形成にはいる胚子の絨毛膜の血管突起).

cho·ri·on·ic vil·lus bi·op·sy 遺伝診断のための経頸管的あるいは経腹的絨毛採取法.

cho·ri·on·ic vil·lus sam·pling (CVS) 絨毛膜絨毛採取〔法〕, 絨毛生検（経腹的あるいは経頸管的絨毛生検. 遺伝診断のために妊娠6—12週に行う).

cho·ri·o·ret·i·nal (kōr′ē-ō-ret′i-năl). 脈絡網膜の（眼の脈絡膜と網膜に関する). = retinochoroid.

cho·ri·o·ret·i·ni·tis (kōr′ē-ō-ret′i-nī′tis). 脈絡網膜炎.

cho·ri·o·ret·i·nop·a·thy (kōr′ē-ō-ret′i-nop′ă-thē). 網脈絡膜症（網膜に及ぶ原発性脈絡膜異常. →choroidopathy).

cho·ris·ta (kōr′is-tă). 分離体, 分離組織（組織学的にはそれ自体正常であるが, 実際には存在する臓器あるいは組織のなかでは本来あるべき部位にないための異常. *cf.* choristoma).

cho·ris·to·ma (kōr′is-tō′mă). 分離腫（ある部位に通常みられない型の組織が異常発生して形成される腫瘤).

cho·roid (kōr′oyd). 脈絡膜（色素上皮と強膜の間にある眼球中層血管膜). = choroidea.

cho·roi·dal (kōr-oyd′ăl). 脈絡膜の.

cho·roi·dal ne·o·vas·cu·lar·i·za·tion 脈絡膜新生血管（脈絡膜血管板から網膜下色素上皮と網膜への新生血管の侵入. 外網膜に対する障害と関連するスペース).

cho·roid cap·il·lar·y lay·er →choriocapillary layer.

cho·roi·de·a (kōr-oyd′ē-ă). 脈絡膜. = choroid.

choroideraemia [Br.]. = choroideremia.

cho·roid·er·e·mi·a (kōr′oyd-ĕr-ē′mē-ă). コロイデレミア（男性, まれに女性にみられる脈絡膜の進行性変性で, 網膜周辺部の色素変性症から始まり, 網膜色素上皮の萎縮と脈絡毛細血管板の硬化症が起こる. 夜盲症, 進行性視野狭窄, 最後には全盲となる. X連鎖遺伝. 異型接合性の女性は, 異型網膜色素変性症を示すが視野の欠損や進行はみられない). = choroideraemia; progressive choroidal atrophy; progressive tapetochoroidal dystrophy.

cho·roid fis·sure 眼杯裂. = retinal fissure.

cho·roid glo·mus 脈絡糸球（中心部と後角の接合部にある側脳室脈絡叢の著明な肥大).

cho·roid·i·tis (kōr′oyd-ī′tis). 脈絡膜炎（脈絡膜の炎症. *cf.* choroidopathy; chorioretinopathy).

choroido- 脈絡膜に関する連結形.

cho·roid·o·cy·cli·tis (kōr-oyd′ō-sik-lī′tis). 脈絡膜毛様体炎（脈絡膜と毛様体の炎症).

cho·roid·op·a·thy (kōr′oyd-op′ă-thē). 脈絡膜症（脈絡膜の非炎症性変性).

cho·roid·o·ret·i·ni·tis (kōr-oyd′ō-ret-i-nī′tis). = retinochoroiditis.

cho·roid plex·us 脈絡叢（第3・4脳室および側脳室の脈絡層にみられる血管の伸び出し, またはひだで, ここから脳脊髄液が分泌されて, ある程度まで脳室内圧が調節される).

cho·roid te·la of third ven·tri·cle 第三脳室の脈絡組織（軟膜の二重ヒダで, クモ膜下小柱を包み, 上を脳弓, 下を第三脳室上皮蓋と視床に挟まれている. その外側縁には血管の繊毛があり, 側脳室の脈絡裂に突き出している. その表層下では, 小さな血管がいくつか突き出して, 第三脳室の上衣蓋のヒダを埋めている). = tela choroidea ventriculi tertii.

cho·ro·pleth·ic map 段彩地図（特定の管轄区（州, 郡など）の死亡率などの情報を定量的に色別または濃淡で表示する地図法).

Chris·tian dis·ease, Chris·tian syn·drome クリスチャン病（①= Hand-Schüller-Christian disease. ②= relapsing febrile nodular nonsuppurative panniculitis).

Christ·mas dis·ease クリスマス病. = hemophilia B.

Christ·mas fac·tor クリスマス因子. = factor IX.

chrom-, chromat-, chromato-, chromo- 色を意味する連結形.

chromaesthesia [Br.]. = chromesthesia.

chro·maf·fin (krō-maf′in). クロム親和〔性〕の（クロム塩に反応して黄褐色を呈する. 副腎髄質および傍神経節の特定の細胞についていう). = chromatophil (3); chromophil (3); chromophile; pheochrome(1).

chro·maf·fin bod·y クロム親和体. = paraganglion.

chro·maf·fin cell クロム親和細胞（副腎髄質, 交感神経系の傍神経節などのクロム酸塩で染まる細胞).

chro·maf·fin·o·ma (krō-maf′in-ō′mă). クロム親和性細胞腫（クロム親和性細胞からなる腫瘍で, 副腎髄質, Zuckerkandl 器官, 胸腰部交感神経幹傍神経節に生じる. カテコールアミンを分泌するものもある. →pheochromocytoma). = chromaffin tumor.

chro·maf·fin·op·a·thy (krō-maf′in-op′ă-thē). クロム親和〔性〕組織の疾患（副腎髄質, 大動脈傍体などのクロム親和性組織の病変状態を表す).

chro·maf·fin tis·sue クロム親和性組織（脈管の, 神経の豊富な細胞組織. 主にクロム親和性細胞からなる. 副腎髄質, パラガングリオンに小集合としてみられる).

chro·maf·fin tu·mor クロム親和性腫瘍. = chromaffinoma.

chro·mat·ic (krō-mat′ik). 色の, 染色質の, 染色の.

chro·mat·ic ab·er·ra·tion 色収差（白色光が様々な波長の光で構成され, 波長によって屈折が異なることから起こる像の位置のずれや拡大率の差). = chromatism(2).

chro·ma·tic chart = color chart.

chro·ma·tic vi·sion 色視. = chromatopsia.

C

chro·ma·tid (krō′mă-tid). 染色分体（染色体の縦方向の二重化により形成された２本の各糸状体で，有糸分裂または減数分裂の前期中にみえるようになる．２つの染色分体は，まだ分裂していない動原体により結合されている．動原体が中期に分裂し，２つの染色分体が分離した後，各染色分体は染色体になる）．

chro·ma·tin (krō′mă-tin). 染色質，クロマチン（細胞核中の遺伝の担い手は，デオキシリボ核蛋白からなる．M 期（有糸分裂期）では，染色質は凝集し，染色体となる）．

chro·ma·tin bod·y 染色質体（細菌の遺伝装置．→nucleus (2)）．

chro·ma·tism (krō′mă-tizm). ***1*** 異常色素沈着．***2*** 色収差．= chromatic aberration.

chro·ma·tog·e·nous (krō′mă-toj′ĕ-nŭs). 色素形成の（色素沈着を起こす）．

chro·mat·o·gram (krō-mat′ō-gram). クロマトグラム（クロマトグラフィによってつくられた記録図）．

chro·mat·o·graph·ic (krō′mă-tō-graf′ik). クロマトグラフィの．

chro·ma·tog·ra·phy (krō′mă-tog′ră-fē). クロマトグラフィ（２相間の移動の差による化学物質や粒子の分離方法）．= absorption chromatography.

chro·ma·tol·y·sis (krō′mă-tol′i-sis). 染色質溶解（神経細胞体内の好色素性物質（Nissl 小体）の顆粒の溶解で，細胞の極度の疲労またはその周縁突起の損傷の後にみられる）．= chromolysis.

chro·mat·o·lyt·ic (krō-mat′ō-lit′ik). 染色質溶解〔性〕の．

chro·mat·o·phil (krō-mat′ō-fil). ***1*** = chromophilic. ***2*** = chromophil (2). ***3*** = chromaffin.

chro·mat·o·phil·i·a (krō′mă-tō-fil′ē-ă). = chromophilia.

chro·mat·o·phil·ic, chro·ma·toph·i·lous (krō′mă-tō-fil′ik, -tof′i-lŭs). = chromophilic.

chro·mat·o·pho·bi·a (krō′mă-tō-fō′bē-ă). = chromophobia.

chro·mat·o·phore (krō-mat′ō-fōr). ***1*** 色素体（葉緑素，その他の色素の存在による有色体．ある種の原生動物にみられる）．***2*** 色素細胞，色素胞（主として皮膚，粘膜，および眼の脈絡膜に，また黒色腫にもみられる色素含有食細胞）．***3*** = chromophore. ***4*** 植物の有色体．クロロプラスト，リューコプラストなど．

chro·ma·top·si·a (krō′mă-top′sē-ă). 〔着〕色視〔症〕，彩視症（物体がすべて異常に着色されて見える状態．*cf.* dyschromatopsia）．= chromatic vision; colored vision.

chro·ma·tu·ri·a (krō′mă-tyūr′ē-ă). 着色尿〔症〕（尿の異常着色）．

chrome (krōm). クロム（特に色素源としてのクロムをいう）．

-chrome 色との関連を示す接尾語．

chro·mes·the·si·a (krō′mes-thē′zē-ă). 色感覚（①色覚．②味覚や嗅覚のような非視覚刺激が色の知覚を引き起こしている状態）．= chromaesthesia.

chrom·hi·dro·sis (krōm′hī-drō′sis). 色汗症（色素を含んだ汗の分泌を特徴とするまれな状態．→apocrine chromhidrosis）．

chro·mic phos·phate ^{32}P col·loi·dal sus·pen·sion ^{32}P–リン酸クロムコロイド懸濁液（純粋なベータ線を放出するコロイド状の放射性薬品．体内に吸収されることがないため，悪性の滲出液の抑制の目的で，胸膜，腹膜などの体腔へ投与される．→sodium phosphate ^{32}P）．

chro·mi·um (Cr) (krō′mē-ŭm). クロム（金属元素，原子番号 24，原子量 51.9961．食物必須生元素．^{51}Cr（半減期 27.70 日）は多くの疾患（例えば，胃腸蛋白欠乏）の診断補助剤として用いられる）．

chro·mi·um pic·o·lin·ate ピコリン酸クロム（クロムの過剰摂取が筋肉の成長を促進し食欲を抑制し体脂肪の減少を助けるという確証のない考えを信じる多くの運動選手が摂取するクロム塩）．

Chro·mo·bac·te·ri·um vi·o·la·ce·um *Chromobacterium* 属の標準種．土壌や水中にみられる．

chro·mo·blast (krō′mō-blast). クロモブラスト，色素芽細胞（色素細胞に発達する可能性をもつ胚細胞）．

chro·mo·blas·to·my·co·sis (krō′mō-blas′tō-mī-kō′sis). クロモブラストミコーシス（皮膚および皮下組織の限局性の慢性真菌症で，皮膚の病巣が粗く不規則で，カリフラワー状外観を呈することを特徴とする．種々のデマチア科の真菌，例えば，*Phialophora verrucosa*, *Exophiala* (*wangiella*) *dermatitidis*, *Fonsecaea pedrosoi*, *F. compacta*, *Cladosporium carrionii* などによって発症する．銅硬化に類似する真菌細胞は，表皮の増生および真皮の微小腫瘍を伴う組織内で円形の硬壁小体を形成する）．= chromomycosis.

chro·mo·cys·tos·co·py (krō′mō-sis-tos′kŏ-pē). 青色膀胱鏡検査〔法〕．= cystochromoscopy.

chro·mo·cyte (krō′mō-sīt). 有色細胞（赤血球のような着色細胞）．

chro·mo·gen (krō′mō-jen). ***1*** 色原体，色素原（一定の色をもたず，色素に変性される物質）．***2*** 色素形成細菌（色素を産生する微生物）．

chro·mo·gen·e·sis (krō′mō-jen′ĕ-sis). 色素形成．

chro·mo·gen·ic (krō′mō-jen′ik). ***1*** 色素の．***2*** 色素形成の．

chro·mol·y·sis (krō-mol′i-sis). = chromatolysis.

chro·mo·mere (krō′mō-mēr). ***1*** 染色小粒（染色糸の濃縮された部分．ある条件で，染色体中に見える濃く染まったバンド）．***2*** = granulomere.

chro·mo·my·co·sis (krō′mō-mī-kō′sis). クロモミコーシス，クロモマイコーシス．= chromoblastomycosis.

chro·mo·ne·ma, pl. **chro·mo·ne·ma·ta** (krō′mō-nē′mă, -mă-tă). 染色糸（染色体の全長にのびているらせん糸．遺伝子は染色糸上に存在する）．

chro·mo·phil, chro·mo·phile (krō′mō-fil, krō′mō-fīl). ***1*** 〚adj.〛 = chromophilic. ***2*** 〚n.〛 色

素親和性，好色素性，好染性（易染性の細胞または組織）. = chromatophil (2). ***3***〘adj.〙= chromaffin.

chro·mo·phil ad·e·no·ma 好色素性腺腫（色素に容易に染まる細胞からなる腺腫）.

chro·mo·phil·i·a (krō′mō-fil′ē-ă). 好色素性（ほとんどの細胞がもっている特定の染料に染まりやすい性質）. = chromatophilia.

chro·mo·phil·ic, chro·moph·i·lous (krō′mō-fil′ik, -mof′i-lŭs). 色素親和〔性〕の，好色素性の，好染性の（易染性の細胞および組織についていう）. = chromatophil (1); chromatophilic; chromatophilous; chromophil (1); chromophile.

chro·mo·phobe (krō′mō-fōb). 色素嫌性の，嫌色素〔性〕の（染色が困難であるか，あるいはまったく染色されない．下垂体前葉の特定の脱顆粒細胞についていう）. = chromophobic.

chro·mo·phobe ad·e·no·ma, chro·mo·pho·bic ad·e·no·ma 色素嫌性腺腫，嫌色素性腺腫（酸性および塩基性色素にも染まらない細胞による下垂体前葉の腫瘍）.

chro·mo·phobe cell 色素嫌性細胞（可染細胞質の顆粒を含まない腺下垂体の細胞）.

chro·mo·pho·bi·a (krō′mō-fō′bē-ă). = chromatophobia. ***1*** 色素嫌性（細胞および組織の染料に対する抵抗性）. ***2*** 色彩恐怖〔症〕，色素嫌悪（色彩に対する病的な嫌悪）.

chro·mo·pho·bic (krō′mō-fō′bik). = chromophobe.

chro·mo·phore (krō′mō-fōr). 発色団，色基（物質の発色の原因となる原子団）. = chromatophore (3).

chro·mo·phor·ic, chro·moph·o·rous (krō′mō-fōr′ik, -mof′ŏr-ŭs). 色素体の，色素産生の，担色の（①色素体に関する．②色素を産生する，もっていることを示す．ある種の細菌についていう）.

chro·mo·som·al (krō′mō-sō′măl). 染色体の.

chro·mo·som·al de·le·tion 染色体欠失（染色体の一部の欠失が顕微鏡下で確認できるもの. →monosomy）.

chro·mo·som·al in·sta·bil·i·ty syn·dromes, chro·mo·som·al break·age syn·dromes 染色体不安定症候群，染色体破損症候群（*in vitro* で，染色体の不定，破損を伴うメンデル遺伝学を示す群のことで，しばしばある種の悪性腫瘍の傾向が著増する. →fragile X chromosome; xeroderma pigmentosum）.

chro·mo·som·al map 染色体地図（個々の核型の特定部位や遺伝子の配列順序を公式に様式化して図示したもの）.

chro·mo·som·al re·gion 染色体領域（横縞で代表される解剖学的詳細あるいは連鎖で示される染色体の部位）.

chro·mo·som·al syn·drome 染色体症候群（染色体の異常型による症候群の一般的名称．典型的には，精神障害と先天的奇形に関与する）.

chro·mo·som·al trait 染色体形質（再発性の染色体の異常型による形質）.

chro·mo·some (krō′mŏ-sōm). 染色体（細胞核内にある構造体（ヒトの体細胞では通常 46）の1つで，遺伝子の担体である．細胞分裂の中間期には繊細なクロマチン糸状体の形態をとる．細胞分裂中期・後期では，収縮して動原体により2つの腕に分割された緻密な円柱を形成し，細胞分裂を繰り返し，その物理的・化学的構造を再生しうる能力をもつ）.

chro·mo·some ab·er·ra·tion 染色体異常（正常な染色体数または形態からの逸脱．またそれについての表現型としての結果）.

chro·mo·some band クロモソームバンド，染色体縞（染色体の長軸と直角の方向に濃く，またはくっきりと染まる横縞．この横縞像は，それぞれの染色体で特有の像を示す場合が多い. →banding）.

chro·mo·some map·ping 染色体マッピング（染色体上の座位を決定し，各染色体について座の相対位置を示す図を構成すること．連鎖解析を用いた家系調査，体細胞ハイブリダイゼーション，染色体欠失マッピングなどの技術が含まれる）.

chro·mo·some sat·el·lite 染色体付随体（染色体本体から二次くびれによって区別される小さい部分．ヒトでは通常，末端動原体型染色体の短腕にみられる）.

chro·mo·some walk·ing 染色体ウォーキング（DNA（つまりクローン）の重複する配列を連続的に分離すること．この方法で染色体の大きな領域を測ることができる）.

chro·mo·ther·a·py (krō′mō-thār′ă-pē). 色彩療法，色光線療法（色光線による疾患の治療）.

chro·nax·ie (krō′nak-sē). 時値，クロナキシー（神経や筋肉組織の興奮性の指標．興奮に必要な最小強度の2倍の強さの有効電気刺激の最小持続時間）.

chron·ic (kron′ik). 慢性の（①健康関連状態に関して，長期間持続する，の意味．②暴露に関して，長い，長期の，を意味する．ときに〝弱い〟の意味でも用いられる．③米国連邦健康統計センターは慢性状態を3か月以上の状態と定義している）.

chron·ic a·dre·no·cor·ti·cal in·suf·fi·cien·cy 慢性副腎皮質不全（結核，自己免疫疾患，その他の疾病による両側副腎の特発性萎縮あるいは破壊によって起こる）. = Addison disease.

chron·ic a·tro·phic thy·roid·i·tis 慢性萎縮性甲状腺炎（甲状腺の線維組織による置換像で，老年者の粘液水腫の最大原因となっている）.

chron·ic bron·chi·tis 慢性気管支炎（咳，粘液の過剰分泌，喀痰の喀出が長時間にわたってみられることを特徴とする気管支の状態で，頻繁に気管支感染を合併する．通常，喫煙が原因である）.

chron·ic care 慢性看護（長期にわたる健康障害のために行われる治療）.

chron·ic des·qua·ma·tive gin·gi·vi·tis 慢性剥離性歯肉炎（原因不明の歯肉病変の臨床名．中年から老年の女性に多くみられる．紅斑，粘膜の萎縮および剥離を特徴とし，灼熱感や痛みを伴うことが多い．診断は通常，生検と直接蛍光抗体法により行われる）. = gingivosis.

C

chron·ic dis·ease 慢性疾患（長期間にわたる疾患）.

chron·ic er·y·thre·mic my·e·lo·sis 慢性赤血病性骨髄症. = myelodysplastic syndrome.

chron·ic fa·tigue and im·mune dys·func·tion syn·drome（CFIDS） 慢性疲労・免疫機能不全症候群= chronic fatigue syndrome.

chron·ic fa·tigue syn·drome 慢性疲労症候群（衰弱させる疲労が休息によっても実質的に軽減せず，8つのうち4つの症状が同時発生的に起きて6か月以上続き，また疲労に先行して起こるという，臨床的に評価された新しい症候である．その8つの症状とは，短期記憶障害，集中力の低下，咽喉痛，リンパ節の圧痛，筋肉痛および筋肉関節痛，普通ではない頭痛，眠ってもすっきりしない，激しい運動後の倦怠感が24時間以上続く，であり，その病因は不明である）. = chronic fatigue and immune dysfunction syndrome; myalgic encephalomyelitis.

chron·ic fi·bros·ing pan·cre·a·ti·tis 慢性線維性膵炎（膵臓の炎症で線維化，腺房萎縮，石灰化よりなる．臨床的には再燃と寛解の遷延した経過をとり，通常アルコール乱用や栄養不良による）.

chron·ic gran·u·lo·cyt·ic leu·ke·mi·a = chronic myelocytic leukemia.

chron·ic gran·u·lom·a·tous dis·ease 慢性肉芽腫症（多核白血球による細菌食作用の先天性欠損症．その結果，重症感染症に対する感受性が増す）.

chron·ic in·fec·tion 慢性感染症（病原体による，遷延性の，あるいは持続性の身体への侵襲）.

chron·ic in·flam·ma·tion 慢性炎〔症〕（比較的急速にあるいは緩徐潜行性に，さらには気づかないうちに始まり，数週，数か月，数年にわたって持続し，終わりのはっきりしない炎症．損傷因子またはそれによって生じた産物が病変部に残っているときや宿主組織の反応が損傷因子の持続的影響に完全に打ち勝つのに十分でないときに生じる．組織病理学的にリンパ球・形質細胞・組織球の浸潤，線維化，肉芽形成を特徴とする）.

chron·ic in·ter·sti·tial sal·pin·gi·tis 慢性間質性卵管炎，慢性間質性耳管炎（線維症あるいは単核細胞浸潤が卵管または耳管の全層に及ぶもの）. = pachysalpingitis.

chro·nic·i·ty（kron-is′i-tē）. 慢性.

chron·ic ma·lar·i·a 慢性マラリア（急性型の発作が頻繁に繰り返された後に起こる．通常は熱帯熱マラリア．高度の貧血，脾腫，やせ，抑うつ，血色の悪い顔色，くるぶしの浮腫，消化微弱，筋力低下などを特徴とする）.

chron·ic moun·tain sick·ness 慢性高山病，慢性山岳病，慢性山酔い（長時間高所にいたため(例えば，高所に住むなど)に高所に対する抵抗を失うこと．著しい多血症，ひどい低酸素血症，精神的および身体的能力の低下が特徴で，山を下れば軽快する）. = Monge disease.

chron·ic mye·lo·cy·tic leu·ke·mi·a 慢性骨髄性白血病（骨髄増殖性の疾患の雑多なグループで，晩期には急性白血病に進展(すなわち急性転化)することもある）= chronic granulocytic leukemia; chronic myelogenous leukemia; chronic myeloid leukemia.

chron·ic my·e·log·e·nous leu·ke·mi·a = chronic myelocytic leukemia.

chron·ic my·e·loid leu·ke·mi·a = chronic myelocytic leukemia.

chron·ic ob·struc·tive pul·mo·nar·y dis·ease（COPD） 慢性閉塞性肺疾患（小気管支の永続的あるいは一時的狭窄を示す病気の総称で，努力呼気流が低下し，特に病因や他のより特異的病名が付けられないものをいう）.

chron·ic pos·te·ri·or lar·yn·gi·tis 慢性後部喉頭炎（病変の主座が披裂部にある喉頭炎のこと．胃内容物の逆流によって生じると考えられている）.

chron·ic pro·gress·ive ex·ter·nal oph·thal·mo·ple·gi·a 慢性進行性外眼筋麻痺症（外眼筋筋力低下が緩徐に増悪する特殊なタイプ．通常，色素性網膜症を合併する．→Kearns-Sayre syndrome; oculopharyngeal dystrophy）.

chron·ic re·laps·ing pan·cre·a·ti·tis 慢性再発性膵炎（膵組織の慢性炎症に伴い，患者に繰り返される膵炎の悪化）.

chron·ic shock 慢性ショック（癌のような衰弱性疾患の老人患者に起こる末梢循環不全の状態．血液量が正常以下で，手術中に起こる軽度の失血による出血性ショックに陥りやすい）.

chron·ic try·pan·o·so·mi·a·sis 慢性トリパノソーマ症. = Gambian trypanosomiasis.

chron·ic ul·cer 慢性潰瘍（潰瘍底に線維性瘢痕組織を伴う難治の潰瘍）.

chrono- 時に関する連結形.

chro·no·bi·ol·o·gy（kron′ō-bī-ol′ō-jē）. 時間生物学，時計生物学（生物学的出来事の時間的調節，特に個々の生体の反復性あるいは同期的現象を取り扱う生物学の分野）.

chro·no·log·ic age（CA） 暦年齢（年数と月数で表した年齢. Stanford-Binet 知能指数を計算するうえで小児の精神年齢を評価する基準値として用いる）.

chron·o·on·col·o·gy（kron′ō-on-kol′ō-jē）. 経時腫瘍学（新生物成長の際の生物学的リズムに及ぼす影響をみる研究）.

chro·no·tro·pic（kron′ō-trō′pik）. 変時性の（心拍のような，調律運動の速度に影響を及ぼす）.

chro·not·ro·pism（krō-not′rō-pizm）. 変時性，周期変動（周期運動，例えば，心拍の速度を外部の影響によって変えること）.

chrys-, chryso- 金を意味する連結形．ラテン語の *auro-* に相当する.

Chrys·a·or·a（kris-ā-ōr′ā）. ヤナギクラゲ属（ヒトを刺すクラゲを含む有刺胞動物門に属する無脊椎動物の一属）.

Chrys·a·or·a quin·que·cir·rha 中等度ないし重度の刺痛を負わせることがあるクラゲ. →jellyfish. = sea nettle.

Chrys·e·o·bac·te·ri·um me·nin·go·sep·ti·cum ヒトの呼吸器の常在菌の中で，ときに

新生児髄膜炎を含む院内感染症の原因となる細菌種．以前は *Flavobacterium meningosepticum* と呼ばれていた．

chry·si·a·sis (kris-ī′ă-sis)．金皮症（大食細胞に貪食された金の沈着の結果でみられる，皮膚および強膜の永続的な灰白色調の変色）．= chrysoderma.

chrys·o·der·ma (kris-ō-dĕr′mă)．= chrysiasis.

Chrys·ops (kris′ops)．メクラアブ属（北アメリカ産の約 80 種を含む刺咬性のアブの一属で，斑点模様の翅を特徴とする．*Chrysops discalis* は，米国の野兎病菌 *Francisella tularensis* の媒介動物であり，*Chrysops dimidiatus* および *C. silaceus* は，西アフリカのロア糸状虫 *Loa loa* の主要媒介動物である）．

chrys·o·ther·a·py (kris′ō-thār′ă-pē)．金療法（金塩を用いて行う治療）．

CHT certified hand therapist の略．

chuck (chŭk)．チャック（器具や，働きかけを行っている物体の一部の動きを確実にするクランプやファスナー）．

Churg-Strauss dis·ease チャーグ・ストラウス疾患（例えば肺における小〜中程度の大きさの動脈の塞栓，発熱，体重減少，筋肉痛，頭痛や呼吸促迫により認められるアレルギー性血管炎．通常皮膚の組織診により好酸球性の血管炎が明らかになることによって特定される）．

Chvos·tek sign クヴォステク徴候（テタニーの場合の顔面被刺激性の亢進．顔面神経を外耳道の直前で軽くたたくと興奮する眼輪筋と口輪筋の一側性痙攣）．= Weiss sign.

chyl- 乳びに関する連結形．→chylo-; chyle.

-chyl →chyl-.

chylaemia [Br.]．= chylemia.

chy·lan·gi·o·ma (kī-lan′jē-ō′mă)．乳び管腫（拡張した乳び管とそれより大きい腸リンパ管の著明な塊）．

chyle (kīl)．乳び（消化過程で，腸の乳び管から取り込まれる混濁した白色または薄黄色の液体で，リンパ系によって胸管を経て循環中へ運ばれる）．

chyle fis·tu·la 乳び瘻（リンパ管から皮膚表面への乳びの瘻出．頸部根治術の胸管が損傷した際の合併症）．

chy·le·mi·a (kī-lē′mē-ă)．乳び血〔症〕（循環血液中に乳びが存在すること）．

chyle ves·sel 乳び管．= lacteal(2)．

chyli- →chyl-.

chy·li·fac·tion (kī′li-fak′shŭn)．= chylopoiesis.

chy·li·fac·tive (kī′li-fak′tiv)．= chylopoietic.

chy·lif·er·ous (kī-lif′er-ŭs)．乳びを運ぶ．= chylophoric.

chy·li·fi·ca·tion (kī′li-fi-kā′shŭn)．= chylopoiesis.

chy·li·form (kī′li-fōrm)．乳び状の．

chylo- 乳びに関する接頭語．

chy·lo·cele (kī′lō-sēl)．乳び性陰嚢水瘤（固有鞘膜および精巣鞘膜腔への乳びの滲出）．

chy·lo·der·ma (kī′lō-dĕr′mă)．乳び皮膚〔症〕．= elephantiasis scroti.

chy·lo·me·di·as·ti·num (kī′lō-mē-dē-as-tī′nŭm)．乳び縦隔症（縦隔における乳びの異常な存在）．

chy·lo·mi·cron, pl. **chy·lo·mi·cra, chy·lo·mi·crons** (kī′lō-mī′kron, -kră, -kronz)．カイロミクロン（直径約 0.8—5 nm の巨大な脂肪滴．小腸上皮細胞で合成，再構成される脂肪からなる．血漿脂質で最も低密度(1.006 g/mL 以下)で，輸送体としての機能を有する）．

chylomicronaemia [Br.]．= chylomicronemia.

chy·lo·mi·cro·ne·mi·a (kī′lō-mī-krō-nē′mē-ă)．乳び血〔症〕，カイロミクロン血〔症〕（I 型家族性高リポ蛋白血症でみられるように，循環血液中にカイロミクロンが特に増加している状態）．

chy·lo·per·i·car·di·um (kī′lō-per′i-kahr′dē-ŭm)．乳び心膜〔症〕（胸管の閉塞，外傷または不明の原因により，心外膜腔に乳汁様の滲出液がたまる状態）．

chy·lo·per·i·to·ne·um (kī′lō-per′i-tō-nē′ŭm)．乳び腹膜〔症〕．= chylous ascites.

chy·lo·phor·ic (kī′lō-fōr′ik)．= chyliferous.

chy·lo·pneu·mo·tho·rax (kī′lō-nū-mō-thōr′aks)．乳び気胸〔症〕（胸膜腔に遊離乳びと空気が存在すること）．

chy·lo·poi·e·sis (kī′lō-poy-ē′sis)．乳び生成，乳び化（腸内で乳びが生成されること）．= chylifaction; chylification.

chy·lo·poi·et·ic (kī′lō-poy-et′ik)．乳び生成の．= chylifactive.

chy·lo·sis (kī-lō′sis)．乳び生成機能（腸で食物を乳び化し，腸粘膜によって消化・吸収し，血液と混合して組織へ運搬すること）．

chy·lo·tho·rax (kī′lō-thōr′aks)．乳び胸〔症〕（胸腔に乳びが蓄積されること）．

chy·lous (kī′lŭs)．乳びの．

chy·lous as·ci·tes, as·ci·tes chy·lo·sus 乳び性腹水（懸濁脂肪を含むミルク様液体が腹膜腔にみられること．通常は胸管または乳び槽の閉塞あるいは損傷によって起こる）．= chyloperitoneum.

chy·lu·ri·a (kī-lyūr′ē-ă)．乳び尿〔症〕（乳びの尿中への排泄．白尿症の一種）．

chyme (kīm)．キームス，びじゅく（胃から十二指腸へ通過し，部分的に消化された食物の半流動体の塊）．= pulp(3)．

chy·mi·fi·ca·tion (kī′mi-fi-kā′shŭn)．= chymopoiesis.

chy·mo·poi·e·sis (kī′mō-poy-ē′sis)．びじゅく形成，キームス化，びじゅく化（胃消化による食物の半流動体の状態）．= chymification.

chy·mo·sin (kī′mō-sin)．キモシン（プロキモシンからつくられるペプシンと構造が相同のアスパラギン酸プロテイナーゼ．牛乳を凝固させる酵素で，子ウシの胃腺層から得られる）．= rennin.

chy·mo·tryp·sin (kī′mō-trip′sin)．キモトリプシン（胃腸管のセリン蛋白分解酵素．膵臓でキモトリプシノゲンとして合成される．外傷に合併した炎症および浮腫の治療に，また嚢内白内障除去の促進に使用される）．

chy·mo·tryp·sin·o·gen (kī′mō-trip-sin′ō-

C

jen). キモトリプシノ〔ー〕ゲン (キモトリプシンの前駆物質. トリプシンの作用により, π-キモトリプシンへ変換される).

CI Colour Index の略.

Ci curie の略.

Ci·ac·ci·o stain チャッチョ染色〔法〕(不溶性の細胞内脂質複合を証明する方法. ホルマリン-重クロム酸溶液で固定し, パラフィン包埋後 SudanIII または IV で染色して, 水溶性封入液中で鏡検する).

Ci·an·ca syn·drome シアンカ症候群 (交叉性固視と強固な内直筋を特徴とする乳児内斜視の重症型).

CIC completely in the canal hearing aid の略.

cic·a·trec·to·my (sik′ă-trek′tŏ-mē). 瘢痕切除〔術〕.

cic·a·tri·ces (sik′ă-trī′sēz). cicatrix の複数形.

cic·a·tri·cial (sik′ă-trish′ăl). 瘢痕の.

cic·a·tri·cial al·o·pe·ci·a 瘢痕性脱毛〔症〕. = scarring alopecia.

cic·a·tri·cial pem·phi·goid 瘢痕性類天疱瘡 (結膜, 口腔, および腟粘膜の癒着と進行性の瘢痕と萎縮をきたす慢性疾患).

cic·a·trix, pl. cic·a·tri·ces (sik′ă-triks, si-kā′triks; -sēz). 瘢痕.

cic·a·tri·za·tion (sik′ă-trī-zā′shŭn). 瘢痕化, 瘢痕形成 (①瘢痕形成の過程. ②一次癒合とは異なった形の創傷治癒).

ci·clo·pir·ox·ol·a·mine (sī′klō-pir′oks-ōl′ă-mēn). シクロピロックスオラミン (種々の真菌または酵母による皮膚感染症の治療に用いる広域スペクトル抗真菌薬).

-cidal 一-cide.

-cide, -cido 殺す物質(例えば, insecticide)または殺す行為(例えば, suicide)を示す接尾語.

cig·a·rette drain 巻きたばこ式ドレーン (毛細管排液用のガーゼ芯を薄いゴム様物質で包んだドレーン).

cil·i·a (sil′ē-ă). cilium の複数形.

cil·i·ar·y (sil′ē-ar-ē). ***1***〔シリア〕線毛の (特に睫毛についていう). ***2*** 毛様体の (眼球構造のある部位についていう).

cil·i·ar·y bod·y 毛様体 (脈絡膜-虹彩間の眼球血管膜の肥厚した部分. 毛様体輪, 毛様体冠, 毛様体筋の 3 部よりなる). = corpus ciliare.

cil·i·ar·y disc = orbiculus ciliaris.

cil·i·ar·y dys·ci·ne·sis 線毛機能不全 (線毛の動きが欠如している, あるいはその動きに障害が見られる状態で, 一次あるいは二次疾患として生じる. 気道内の反復感染に随伴する).

cil·i·ar·y gan·gli·on 毛様体神経節 (眼窩内の, 視神経と外側直筋の間にある小さい副交感神経節. 動眼神経を経て Edinger-Westphal 核から節前線維を受け, 次いで節後線維を出して毛様体筋および虹彩の瞳孔括約筋を支配する).

cil·i·ar·y glands 睫毛腺 (眼瞼にあるアポクリン汗腺が変化した数多くの腺. 通常, 睫毛の毛包に開口する管をもつ). = Moll glands.

cil·i·ar·y move·ment 線毛運動 (上皮細胞あるいは繊毛虫の繊毛の掃く運動, あるいはべん毛の漕ぐ運動. 収縮性の糸(筋様線維)が繊毛あるいはべん毛の一側で交互に収縮, 弛緩して起こる).

cil·i·ar·y mus·cle 毛様体筋 (眼球毛様体の固有筋で輪状線維, 放線状線維からなる. 作用：収縮すると括約筋のように水晶体の直径を減らし, 緊張を緩めて厚さを増し, 近いところが見えるように調節する). = musculus ciliaris.

cil·i·ar·y pro·cess 毛様体突起 (毛様体の内面にある通常 70 の放射状の色素をもった隆起. 毛様体輪から虹彩の外側縁にかけて厚さが増す. 毛様体突起間の溝(毛様体ひだ)と突起がともに毛様体冠をつくる).

cil·i·ar·y ring 毛様体輪. = orbiculus ciliaris.

cil·i·ar·y veins 毛様体静脈 (毛様体からくる前後数本の小静脈).

cil·i·ar·y zone 毛様体領域 (虹彩前面の外側にある広い領域で, 小環により内側の瞳孔領域と分けられる).

cil·i·ar·y zon·ule 毛様〔体〕小帯 (毛様体輪の内部表面から生じる細い経線線維からなる. 毛様体突起の間では束となり, 上部では非常に薄い膜となって走る. 毛様体冠の内境界部で線維は 2 つのグループに分かれ, 水晶体赤道近くの前面上および後面上の被膜に放散する. この 2 層の線維間の空隙は眼房水で満たされている). = zonula ciliaris; suspensory ligament of lens; Zinn zonule.

Ci·li·a·ta (sil-ē-ā′tă). 繊毛虫類 (有毛虫門に分類される一綱. ゾウリムシ *Paramecium* または *Balantidium coli* (ヒトの寄生虫)のような代表的なものは, 2 個の異なった核, 大核と小核を有する. 後者だけが接合(繊毛虫にだけみられる有性生殖の一種)時に交換される遺伝材料を有する).

cil·i·at·ed (sil′ē-ā-tĕd). 睫毛のある, 線毛をもつ.

cil·i·at·ed ep·i·the·li·um 線毛上皮 (自由表面に運動性線毛をもつ上皮).

cil·i·ates (sil′ē-āts). 繊毛虫綱に属する原生動物の一般名.

cil·i·ec·to·my (sil′ē-ek′tŏ-mē). = cyclectomy.

cilio-, cili- 睫毛, 線毛に関する, あるいはあらゆる意味で線毛の, 毛様体の, を意味する連結形.

cil·i·o·cy·toph·thor·i·a (sil′ē-ō-sī-tof-thōr′ē-ă). 剥脱繊毛細胞 (繊毛上皮からはがれた繊毛細胞で, 様々な体液, 特に腹水, 羊水, 呼吸器の検体中に見ることができる. 動くため繊毛あるいは鞭毛をもった原虫と間違われることがある).

cil·i·o·ret·i·nal (sil′ē-ō-ret′i-năl). 毛様体網膜の (毛様体と網膜に関する).

cil·i·o·scle·ral (sil′ē-ō-skler′ăl). 毛様体強膜の (毛様体と強膜に関する).

cil·i·o·spi·nal (sil′ē-ō-spī′năl). 毛様体脊髄の (毛様体と脊髄に関して, 特に毛様体脊髄反射についていう).

cil·i·o·spi·nal cen·ter 毛様脊髄中枢 (脊髄第一胸節の節前遠心性ニューロンのある部分で眼球の瞳孔散大筋を支配する交感神経線維が出ていく).

cil·i·o·spi·nal re·flex 毛様体脊髄反射. = pupillary-skin reflex.

cil·i·um, pl. **cil·i·a** (sil′ē-ŭm, -ă). *1* 睫毛，まつげ. = eyelash. *2* 線毛（上皮細胞表面の運動性延長部．例えば，中心の1対とともに，周囲を輪に配列した9組の長円形管よりなる微細管を有する可動性の付属器）.

Ci·mex (sī′meks). トコジラミ属（半翅目トコジラミ科に属するナンキンムシ類の一属．体は扁平で赤褐色を呈し，翅はなく，側方に明瞭な眼をもつ．3節のくちばし状突起をもち，胸部の臭腺から特徴的な臭いを放つ．ヒトの住居における多大な有害虫となる．刺咬跡は中央に出血点を伴った特徴的な線状の瘙痒性丘疹をつくるが，トコジラミはB型肝炎媒介の可能性の他にはヒトの疾病の媒介者であることは証明されていない）. = bedbug.

CIN cervical intraepithelial neoplasia の略.

CINAHL Cumulative Index to Nursing and Allied Health Literature の略.

Cin·cin·nat·i Pre·hos·pi·tal Stroke Scale = Cincinnati stroke scale.

Cin·cin·nat·i stroke scale シンシナティ脳卒中スケール（脳卒中の可能性を診断する測定法．次の3領域の異常性の所見を評価する．片側の顔面下垂，上肢の偏位，構語障害）. = Cincinnati Prehospital Stroke Scale.

cine-, cin- 運動（通常，シネに関係がある）を意味する連結形.

cin·e·an·gi·o·car·di·og·ra·phy (sin′ē-an′jē-ō-kahr-dē-og′ră-fē). 血管心〔臓〕シネ撮影〔法〕（心臓の各室および大血管を通過する造影剤の動きをとらえるシネ）.

cin·e·fluo·rog·ra·phy (sin′ĕ-flōr-og′ră-fē). 透視シネ撮影〔法〕. = cineradiography.

cin·e·plas·tic am·pu·ta·tion, cin·e·plas·tics 動形成切断〔術〕（四肢切断術の1つ．筋肉や腱が独立した動きが可能で，特別につくられた人工装具に，その動きを伝えることができるように断端で形成した切断術）. = kineplastics.

cin·e·ra·di·og·ra·phy (sin′ĕ-rā-dē-og′ră-fē). シネラジオグラフィ（臓器の動態，例えば，心臓や胃腸管の動きなどを撮影するX線撮影法）. = cinefluorography.

ci·ne·re·a (si-nēr′ē-ă). 灰白質（脳その他の神経系の灰白質）.

ci·ne·re·al (si-nēr′ē-ăl). 灰白質の（神経系における灰白質に関する）.

cin·gu·late (sing′yū-lāt). *1* 帯の. *2* 帯状束の.

cin·gu·late gy·rus 帯状回（大脳半球内側面上の長く，曲がりくねった回で，脳梁をアーチ状にまたいでいるが，脳梁とは脳梁溝によって分離されている．脳梁後部で海馬傍回と連続し，脳弓回を形成する）.

cin·gu·late sul·cus 帯状溝（大脳半球の内側面にある溝．帯状回の上面を境している．その前方部分は前頭下部とよばれる．後方部分は縁部とよばれ，半球の上内側方へ曲がって，中心傍小葉を後部で境している）.

cin·gu·lot·o·my, cin·gu·lec·to·my (sing′gyū-lot′ŏ-mē, sin-gyū-lek′tŏ-mē). 帯状回切開〔術〕（帯状回と脳梁の前半部の電解破壊）.

cin·gu·lum, gen. **cin·gu·li,** pl. **cin·gu·la** (sing′yū-lŭm, -lē, -lă). *1* 帯. = girdle. *2* 帯状束（帯状回の白質内に縦に通っているよく目立つ線維束．この束は前有孔質から後脳梁の背面上にのびている．脳梁膨大の後方で彎曲・下降し，前進して海馬傍回の白質内にはいる．主として前視床核から帯状回と海馬傍回に至る線維からなっている．しかし，これらの回と前頭皮質を結んだり，また回の部分間を結ぶ連合線維も含む）. *3* 歯帯（切歯あるいは犬歯の舌側において，歯冠の歯頸部の1/3に形成される膨隆）. *4* 歯帯（臼歯の歯冠部歯頸側の1/3の部分で，咬頭に発達する）.

C

cir·ca·di·an (sĭr-kā′dē-ăn). 概日の，日周期の（約24時間の周期をもつ生物学的変化またはリズムに関する. *cf.* infradian; ultradian）.

cir·ci·nate (sĭr′si-nāt). 環状の，輪状の.

cir·cle (sĭr′kĕl). 円，環，輪，円周，圏（①解剖学で輪状・環状の構造物．②中心からどの点へも等距離の線または突起）. = circulus.

cir·cle ab·sorp·tion an·es·the·si·a 循環吸収式麻酔〔法〕（呼気ガスの完全（閉鎖）または部分的（半閉鎖）再呼吸のために炭酸ガス吸収剤を備えた回路が用いられる吸入麻酔）.

cir·cle of Wil·lis ウィリス輪（脳底に位置し，内頸動脈と脳底動脈の吻合により形成される動脈輪）.

cir·cling the drain (CTD) 死の数日ないし数週間前の状態にある患者を表現する，医療職の間で用いられる非人道的な用語.

cir·cuit (sĭr′kŭt). 回路（電流など，ものが流れる経路や通路）.

cir·cuit re·sis·tance train·ing (CRT) サーキットトレーニング（身体各構成要素，筋力，筋持久力ならびに心血管系の適応力を改善して，より総合的な最良のコンディションにもっていくために，比較的に軽い負荷（最大筋力の40—60%）および持続的な運動を行うことを重視する，標準的筋力強化トレーニング法の変法）. = circuit training; circuit weight training.

cir·cuit train·ing, cir·cuit weight train·ing = circuit resistance training.

cir·cu·lar am·pu·ta·tion 環状切断〔術〕（皮膚を環状切開して行う切断．筋肉も同様に高位で切離し，骨はさらに高位で切断する）.

cir·cu·lar di·chro·ism (CD) 円偏光二色性（単色の円偏光が通過する物質の吸収帯のごく近くで，円偏光から楕円偏光に変化すること）.

cir·cu·lar folds of small in·tes·tine 〔小腸の〕輪状ひだ（腸の周囲約2/3を横切る小腸粘膜の多数のひだ）. = plicae circulares intestini tenuis; Kerckring folds; Kerckring valves.

cir·cu·lar si·nus 輪状静脈洞（①脳下垂体の周囲を取り囲む硬膜静脈洞で左右の海綿静脈洞とこれらの連絡をしている海綿間静脈洞よりなる．②胎盤末梢の静脈洞．③= sinus venosus sclerae）.

cir·cu·la·tion (sĭr′kyū-lā′shŭn). 循環，血行（円中の，または円形路を通る，あるいは同じ点に戻る道順を通っている運動．他の特殊なもの以外を除いて，たいてい血液循環のことを示す）.

cir·cu·la·to·ry (sĭr′kū-lă-tōr-ē). *1* 循環の. *2* = sanguiferous.

cir·cu·la·to·ry o·ver·load = hypervolemia.

cir·cu·lus, gen. & pl. **cir·cu·li** (sĭr′kū-lŭs, -lī). 輪 (動脈, 静脈, 神経などが連結して形づくる環状構造). = circle.

circum- 円運動, または接続語が示す構造を取り囲む部分, を示す接頭語. →peri-.

cir·cum·a·nal glands 肛門周囲腺 (肛門を囲むアポクリン汗腺).

cir·cum·ar·tic·u·lar (sĭr′kŭm-ahr-tik′yū-lăr). 関節周囲の.

cir·cum·ax·il·lary (sĭr′kŭm-ak′si-lar-ē). 腋窩周囲の.

cir·cum·cise (sĭr′kŭm-sīz). 環状切除する (余剰包皮を環状切開によって取り除く).

cir·cum·ci·sion (sĭr′kŭm-sizh′ŭn). 環状切除〔術〕, 環切〔術〕 (①包皮の一部または全部を除去する手術. = peritomy(2). ②解剖的部位の周囲(例えば乳房の乳輪)を切開すること. = peritectomy(2)).

cir·cum·duc·ti·o (sĭr′kŭm-dŭk′shē-ō). = circumduction.

cir·cum·duc·tion (sĭr′kŭm-dŭk′shŭn). = circumductio. *1* 循環運動 (四肢のような部位の回旋運動). *2* = cycloduction.

cir·cum·fer·ence (c) (sĭr-kŭm′fĕr-ĕns). 周, 周縁, 環状面 (特に円形領域の境界線). = circumferentia.

cir·cum·fer·en·ti·a (sĭr′kŭm-fĕr-en′shē-ă). 環状面. = circumference.

cir·cum·fer·en·tial fi·bro·car·ti·lage 関節周縁線維軟骨 (関節腔周縁の環状の線維軟骨で, 関節腔を深くする働きがある).

cir·cum·fer·en·tial la·mel·la 環状層板 (骨の内表面または外表面を囲む骨層板).

cir·cum·flex (sĭr′kŭm-fleks). 回旋した, 回旋の (半円を描いている, あるいは何かを取り巻いている. 動静脈, 神経, 筋肉などの解剖学的構造についていう).

cir·cum·flex branch of left co·ro·nar·y ar·ter·y 左冠状動脈の回旋枝 (前室間枝とともに左冠状動脈の終末枝で, 冠状動脈溝内を左方ついで下方に進み心房・心室に分布する). = ramus circumflexus arteriae coronariae sinistrae.

cir·cum·flex scap·u·lar ar·ter·y 肩甲回旋動脈 (胸背動脈とともに肩甲下動脈の最終枝として起こり, 肩および肩甲骨部の筋肉に分布する. 肩甲上動脈の分枝と吻合).

cir·cum·lo·cu·tion (sĭr′kŭm-lō-kyū′shŭn). 迂言 (間接的で遠まわしな言葉数の多い言い逃れ的な話し方で, アルツハイマー病や他の認知症に認められる).

cir·cum·or·bit·al (sĭr′kŭm-ōr′bi-tăl). 眼窩周囲の. = periorbital(2).

cir·cum·scribed (sĭr′kŭm-skrībd). 限局〔性〕の.

cir·cum·scribed myx·e·de·ma 限局性粘液水腫 (皮膚の粘液水腫の小節と斑で, 通常, 甲状腺機能低下症の患者の脛骨前部に発生する). = pretibial myxedema.

cir·cum·scribed pos·te·ri·or ker·a·to·co·nus 円形後部円錐角膜 (角膜後面のクレーター状欠損を特徴とする先天性角膜疾患).

cir·cum·spor·o·zo·ite pro·tein スポロゾイド周囲蛋白 (マラリア原虫におけるスポロゾイトの宿主細胞認識に関与する2つの蛋白(もう1つはトロンボスポンジン関連接着性蛋白)のうちの1つ).

cir·cum·stan·ti·al ho·mo·sex·u·al·i·ty 環境性同性愛 (欲求や素因によるよりはむしろ, 軍隊や刑務所のように異性不在のため生じる同性の人たちの間での性的交渉). = situational homosexuality; transient homosexuality.

cir·cum·stan·ti·al·i·ty (sĭr′kŭm-stan-shē-al′i-tē). う(迂)遠 (意識的または無意識的な思考過程の障害で, 患者は質問に対し直接的な意見や返答を避け, しばしば横道にそれた, 念入りであるが不適切な細かい事柄をくどくどと述べる. 統合失調症や強迫観念の患者にみられる. *cf.* tangentiality).

cir·cum·val·late (sĭr′kŭm-val′āt). 有郭の (舌の有郭乳頭のように, 壁に囲まれた構造についていう).

cir·cum·val·late pa·pil·lae 有郭乳頭. = vallate papilla.

cir·cum·ven·tric·u·lar or·gans 脳室周囲器官群 (脳底部またはその周辺にある4つの小さな領域(神経下垂体, 最後野, 終板血管器官, 脳弓下器官)で, 有孔毛細血管をもち, 血液脳関門の外に位置する).

cir·cum·vo·lute (sĭr′kŭm-vol′yūt). よじれた, 巻いた.

cir·cum·zy·go·mat·ic wir·ing 頬骨周囲ワイヤリング (下顎骨骨折を固定する方法で, 下顎骨を頬骨弓にワイヤーで固定する方法).

cir·rho·sis (sir-ō′sis). 肝硬変〔症〕 (結節再生, 線維化, 肝小葉構造の改築などを伴った肝実質細胞の広範な損傷を特徴とする末期の肝疾患. 肝細胞の機能不全, 肝臓内の血流障害を起こし, しばしば黄疸, 脈圧亢進, 腹水, 最後には肝不全の生化学的・機能的徴候を生じる).

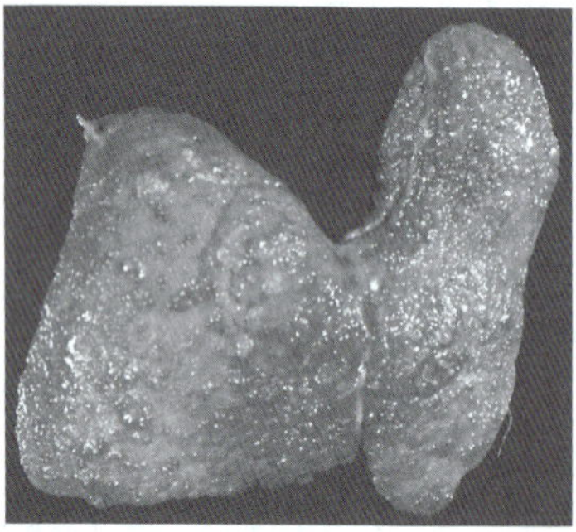

alcoholic cirrhosis

cir·rhot·ic (sir-rot′ik). 硬変の（硬変や進行した線維化に関連あるいは罹患した）.

cir·soid an·eu·rysm 蔓状動脈瘤，静脈瘤状動脈瘤（動静脈短絡を伴う先天的奇形による一群の血管の拡張）. = racemose aneurysm.

CIS carcinoma in situ の略.

cis- ***1*** こちら側，同側，を意味する接頭語（イタリックで）. trans- の対語. ***2*** 遺伝学では，相同対の同一染色体に2つ以上の遺伝子が連鎖していることを示す接頭語. ***3*** 有機化学において（イタリックで），環状構造において類似の官能基が2つの隣接した固定炭素原子を含む平面の同側面に結合している幾何異性体をいう. ***4*** 有機化学において，炭素–炭素二重結合に関する幾何異性体. 二重結合の同側面にある同一の官能基は cis- である. 二重結合の炭素に結合した4つの置換基がすべて異なるときは *E/Z* 命名法が適用されなければならない.

cis·tern (sis′tĕrn). = cisterna. ***1*** 槽（特に，乳び，リンパ，脳脊髄液を貯留する空洞）. ***2*** 嚢，槽（小胞体や Golgi 体の扁平嚢，あるいは核膜の外膜，内膜間のような膜に囲まれた内部空間. 電子顕微鏡レベルで観察される）.

cis·ter·na, gen. & pl. **cis·ter·nae** (sis-tĕr′nă, -nē). = cistern.

cis·ter·nal (sis-tĕr′năl). 槽の.

cis·ter·nal punc·ture 大槽穿刺（後環椎乳突起膜を通る，小脳延髄槽への中空針の挿入）.

cis·tern·og·ra·phy (sis′tĕrn-og′ră-fē). 大槽造影(撮影)〔法〕（造影剤あるいは放射性薬品をクモ膜下に注入し，適切な検出器を用いて行う脳の大槽のX線撮影）.

cis·tron (sis′tron). シストロン（①遺伝に関与する最小の機能単位. 一定の長さの染色体デオキシリボ核酸(DNA)で単一の生化学的機能を伴っている. 近代分子生物学において，シストロンは本質的には構造遺伝子に等しい. ②シス–トランス検定により定義される遺伝単位）.

cit·rate (sit′rāt). クエン酸塩（カルシウムイオンと結合するため抗凝固薬として用いる）.

cit·ric ac·id クエン酸（自然界に広く分布する柑橘類の果実に含まれる酸. 中間代謝の重要な中間体）.

ci·tro·vo·rum fac·tor（CF） シトロボラム因子. = folinic acid.

ci·trul·line (sit′rŭ-lēn). シトルリン（一酸化窒素(NO)の生合成の生成物であるとともに尿素サイクルの過程において L-オルニチンから生成されるアミノ酸. スイカ *Citrullus vulgaris* やカゼインの中にみられる. アルギニノコハク酸シンターゼやアルギニノコハク酸リアーゼの欠損がある患者では上昇する）.

cit·rul·li·nu·ri·a (sit′rŭ-li-nyūr′ē-ă). シトルリン尿〔症〕（シトルリンの尿中排泄の増加. シトルリン血症の一徴候）.

Ci·vil·ian Health and Med·i·cal Pro·gram of the U·ni·formed Ser·vic·es（CHAMPUS） 軍属の民間健康医療計画（→TRICARE）.

Ci·vil·ian Health and Med·i·cal Pro·gram of the Vet·er·ans' Ad·min·is·tra·tion（CHAMPVA） 退役軍人の民間健康医療計画（→TRICARE）.

CJD Creutzfeldt-Jakob disease の略.

CK creatine kinase の略. cyanogen chloride の NATO コード.

Cl 塩素の元素記号.

cL centiliter の記号.

Clad·o·ph·i·a·lo·phor·a ban·ti·an·a 脳黒色菌糸症を引き起こす真菌種. 以前は *Cladosporium bantianum* とよばれていた.

Clad·o·ph·i·a·lo·phor·a ca·ro·ni·i オリーブ–黒色のクロモミコーシスに関わりをもつ真菌. 主に熱帯および亜熱帯で見られる. 感染は外傷により，通常下肢に起こる.

Cla·do point クラド点（腹直筋の外側境界での，棘間線と右半月線の境界にある点. 虫垂炎の場合，圧力に特に敏感）.

Clad·o·spo·ri·um (klad-ō-spō′rē-ŭm). クラドスポリウム属（卵円形あるいは球形の胞子をつける，暗灰色または黒色の分生胞子柄をもつ真菌の一属. 通常，土壌や腐植物中から分離される）.

claim (clām). 請求（医療提供者の患者から保険会社や HMO(健康維持機構，保健維持機構)へ提出する報告書で，提供されたサービスへの支払いのために提示される）.

claim scrub·ber クレーム・スクラバー（保険請求の管理システム）（保険会社へ請求がなされる前に，主要な請求項目の紹介を行う基盤となるソフトウェア）.

clair·voy·ance (klār-voy′ăns). 千里眼（感覚では通常は認識できない外界の出来事(過去，現在，未来)の知覚. 超感覚的知覚の一型）.

clamp (klamp). 鉗子，クランプ（構造物を把持する器具. *cf.* forceps）.

clamp for·ceps クランプ鉗子（ラバーダムクランプとかみ合うようにつくられた，先がとがって分かれている顎をもつ鉗子. 歯の頬舌的最大豊隆部を通過するように開いて用いる）. = rubber dam clamp forceps.

clam-shell brace クラムシェル装具（気泡性のもので裏打ちされた硬性プラスチックで体幹を包む整形外科装具. 脊柱や頸部を負傷した患者の歩行を可能にする）. = body jacket; Risser cast.

clam·shell in·ci·sion, clam·shell thor·a·cot·o·my クラムシェル切開（両側乳房下前方開胸を胸骨横切開で結んだ切開. 標準的胸骨切開と同等の視野が得られる. →transverse thoracosternotomy）.

clang as·so·ci·a·tion 類音連合（音によって起こる心的連想. 躁うつ病の躁状態のときによくみられる）.

Clap·ton line クラプトン線（慢性銅中毒でみられる歯肉縁が緑色に変色したもの）.

cla·rif·i·cant (klar-if′i-kănt). 清澄薬（濁った液体を清澄にする薬剤）.

Clarke sign クラーク徴候（膝蓋軟骨化軟症を診断するために用いられる手技. 患者は下肢を伸ばして診察台上に坐り，医師は膝蓋骨上極の近位に母示指間のみずかき部を置く. 患者に大腿四頭筋に力を入れるよう命じ，医師は膝蓋骨

C

上に下方への力を軽く加える．この手技のあいだ痛みが生じるか，筋収縮を保持することが不可能な場合には本徴候陽性である）．

Clark lev·el クラークレベル（表皮原発性悪性黒色腫の浸潤レベルのこと．I：表皮内に限局したもの．II：下層の真皮乳頭層内にまで及ぶもの．III：真皮乳頭層・網状層接合部まで及ぶもの．IV：網状層内まで及ぶもの．V：皮下脂肪組織内まで及ぶもの．浸潤レベルの増加に伴い予後不良となる）．

Clark ne·vus クラーク母斑（切り込みの入った辺縁不整な異型色素性母斑．前癌性あるいは悪性黒色腫のリスクが高い指標とみなされる．白人の5%に見られる）．

clasp (klasp)．鉤，クラスプ（①可撤性部分床義歯の一部分で，支台歯を部分的に囲むが，それに接触することによって，義歯を直接維持または固定するもの．②可撤性部分床義歯の直接維持装置．通常，2本の鉤腕からなり，咬合面レストと接続する体部によって連結している．少なくとも鉤の1腕は歯の膨隆下で終わっている．③組織を束ねて保持するための器具）．

clasp-knife spas·tic·i·ty, clasp-knife ri·gid·i·ty 折りたたみナイフ〔様〕痙攣（関節の伸筋を伸展すると，最初は抵抗が増加しているが，突然抵抗がなくなって関節が簡単に屈曲する．筋緊張亢進は伸展反射の亢進による）．

class (klas)．綱（生物学上の分類において，門あるいは亜門の下にあり，目(もく)の上に位する区分）．

class I an·ti·gens クラスI抗原（主要組織適合遺伝子複合体を構成する遺伝子に支配される細胞膜糖蛋白）．

class I mol·e·cule クラスI分子（主要組織適合遺伝子複合体抗原の1つで，2本の非共有結合性ポリペプチド鎖．1本はグリコシル化した重鎖で，抗原特異的に変異する．もう1本の鎖はβ_2-ミクログロブリンである）．

class II an·ti·gens クラスII抗原（主要組織適合遺伝子複合体を構成する遺伝子に支配される細胞膜糖蛋白．マクロファージ，B細胞，樹状細胞などの抗原提示細胞に存在する）．

class II mol·e·cule クラスII分子（主要組織適合遺伝子複合体の膜貫通性抗原で，α鎖，β鎖とよばれる2個の非共有結合性ポリペプチド鎖からなる）．

class III an·ti·gens クラスIII抗原（主要組織適合遺伝子複合体のS領域に支配される非細胞膜蛋白．組織適合性の決定には関与せず，TNF-αおよびTNF-βなどのある種のサイトカイン遺伝子とともに補体成分を含む）．

clas·sic cho·roi·dal neo·vas·cu·lar·i·za·tion 古典的脈絡膜血管新生（網膜血管造影の初期相にみられる過蛍光を示す境界明瞭な領域）．

classic haemophilia 〔Br.〕. = classic hemophilia.

clas·sic he·mo·phil·i·a = hemophilia A; classic haemophilia.

clas·sic mi·graine 古典的片頭痛（閃輝暗点が先行する片頭痛の一型）．

clas·si·fi·ca·tion (klas′i-fi-kā′shŭn)．分類〔法〕，類別（認知された共通の特徴に基づいて無関係な事実の一群に対し配列する方法．系統的に種類やグループに配列すること）．

class re·call 階級別回収（医療において，特定の形式のインプラント(人工組織・器官)を埋め込まれた患者は全員，インプラントの機能不全の危険性を確かめるために検査を受けなければならないと定める(命令する)法律用語）．

clas·tic (klas′tik)．破砕の，分裂の，分解できる．

clas·to·gen·ic (klas-tō-jen′ik)．染色体異常誘発〔性〕の（染色体異常誘発作用に関する）．

clas·to·thrix (klas′tō-thriks)．= trichorrhexis nodosa.

clath·rate (klath′rāt)．包接体（化合物の封入体の一型で，高分子の立体網状構造中に他の低分子化合物をとらえているもの）．

Claude syn·drome クロード症候群（片側に動眼神経麻痺，他側に共調運動不能を伴う中脳症候群）．

clau·di·ca·tion (klaw′di-kā′shŭn)．跛行(はこう)（片足を引きずって歩くことで，通常は間欠性跛行をいう）．

clau·di·ca·tor·y (klaw′di-kă-tōr-ē)．跛行(はこう)性の（特に間欠性跛行についていう）．

Clau·di·us cells クラウディウス細胞（Corti器外側の蝸牛管床の円柱細胞）．

claus·tral (klaws′trăl)．障壁の，前障の．

claus·tro·pho·bi·a (klaw′strŏ-fō′bē-ă)．閉所恐怖〔症〕（閉ざされた場所に対する病的な恐れ）．

claus·tro·pho·bic (klaw′strŏ-fō′bik)．閉所恐怖〔症〕の（閉所恐怖に関する，または罹患している）．

claus·trum, pl. claus·tra (klaws′trŭm, -tră)．***1*** 障壁（barrier(防壁)を連想させるような解剖学的構造物）．***2*** 前障（被殻の近傍に垂直に位置する薄い灰白層．被殻との間は外包によって分けられる．前障の細胞は大脳皮質の知覚領と相互連絡がある）．

cla·vi (klā′vī)．clavusの複数形．

clav·i·cle (klav′i-kĕl)．鎖骨（上肢帯の一部をなし，S字状に曲がった長骨．その内側端は胸骨柄と胸鎖関節をなし，外側端は肩甲骨の肩峰と肩鎖関節をなす）．= clavicula; collar bone.

cla·vic·u·la, pl. cla·vic·u·lae (klă-vik′yū-lă, -lī)．鎖骨．= clavicle.

cla·vic·u·lar (klă-vik′yū-lăr)．鎖骨の．

cla·vic·u·lar res·pi·ra·tion 鎖骨呼吸法（両肩を持ち上げることにより胸郭を拡大し吸入を生じさせるために，舌骨下筋群を利用する，努力を要する呼吸法．この呼吸法は横隔膜呼吸に比べ非効率的である）．

cla·vus, pl. cla·vi (klā′vŭs, klā′vī)．鶏眼，うおのめ（骨隆起の上に圧力が加わることによって生じる小さい円錐形のたこ．主に足の指に生じる）．= heloma.

claw·foot, claw foot (klaw′fut, klaw fut)．鉤爪足．= pes cavus

claw·hand, claw hand (klaw′hand, klaw hand)．

鷲(ワシ)手（手の骨間筋の萎縮に中手指関節の過伸展および指節間関節の屈曲を伴う手．脊髄または末梢神経損傷で生じる）．

clay shov·el·er's frac·ture シャベル作業者骨折（C_7, C_6, T_1(発生頻度順)の棘突起基部の剥離骨折）．

CLB シアノ細菌様，コクシジウム様，あるいはクリプトスポリジウム様の生物の略称．これらの生物は，現在では *Cyclospora* 属のコクシジウム(*C. cayetanensis*)として同定されている．

clean catch 清浄採取（尿検体への人工物(の混入)を避ける，尿採取の方法．患者は尿検体採取前に外尿道口を洗浄する）．

clean in·ter·mit·tent blad·der cath·e·ter·i·za·tion 無菌間欠導尿法（神経因性膀胱の患者では一般的な方法で，正常に排尿せず一定の計画で膀胱を空にすること）．

clear·ance (klēr′ăns). ***1*** クリアランス，清掃率，浄化値（血液中から腎臓などによって物質が除かれる速度．単位時間に除去された物質量を含む動脈血または血漿の量で表す．*C* と略し，除いた物質を下付き文字とする．単位は mL/分．正常値は通常，標準体表面積(1.73 m^2)に換算して表す）．***2*** クリアランス，すきま（物体が互いに妨げることなく通過できる状態または物体間の距離）．***3*** 浄化力（ある部位からある物質を除去する能力．例えば，食道酸クリアランスとは胃から逆流してきた酸を食道から除く能力で，食道内の pH を正常に戻すのにかかる時間で表す）．

clear cell 明細胞（①光学顕微鏡で細胞質が空虚にみえる細胞．エクリン汗腺や上皮小体の分泌細胞のあるものがグリコゲンが染まらないときみられる．②多量のグリコゲン，またはヘマトキシリンやエオシンに染まらない物質を含むため，通常の染色切片上で細胞質が非常に淡い色にみえる細胞，特に新生物(腫瘍)細胞）．

clear cell car·ci·no·ma 明細胞癌．= mesonephroma.

clear cell car·ci·no·ma of sal·i·var·y glands 唾液腺の明細胞癌（明膨大細胞腫，硝子化明細胞癌，上皮-筋上皮性(介存腺管)症などの亜型からなる悪性腫瘍）．

clear·ing fac·tors 清澄化因子（脂肪血症中の血漿に現れるリポ蛋白分解酵素(リポプロテインリパーゼ)で，トリグリセリドが蛋白に結合しているときと受容体(例えば，血清アルブミン)が存在するときだけトリグリセリド加水分解に触媒作用を及ぼす）．

clear lay·er of ep·i·der·mis〔表皮〕淡明層．= stratum lucidum.

cleav·age (klēv′ăj). ***1*** 分割，卵割（受精直後，卵内で始まる一連の細胞分裂．→cleavage division）．***2*** 開裂（複合分子が2個以上のより単純な分子に分裂されること）．= scission(2)．***3*** 割線（皮膚における線維の方向を示す線裂．→cleavage lines）．

cleav·age cav·i·ty 分割腔．= blastocele.

cleav·age di·vi·sion 卵割（接合子の迅速な有糸分裂．個々の細胞すなわち割球は小さくなり，桑実胚が形成される．→cleavage(1)）．

cleav·age lines 割線（死体の皮膚にピンを刺したときできる線状の孔を結んだ線で，真皮の膠原線維が，ある一定方向に主として並んでいるために生じる．体表部位によって方向が異なる）．

cleav·age prod·uct 分解産物（分子が分割して2つ以上のより簡単な分子になってできる物質）．

cleav·age site 切断部位．= restriction site.

cleav·age spin·dle 分裂紡錘体（受精卵またはその割球の分裂中に現れる紡錘体）．

Cleaves po·si·tion クリーヴス・ポジション（ロール・フィルムによる軸位撮影法を用い，上腕を外転できない患者の肩関節を可視化するX線撮影の技術．肩甲上腕関節，上腕骨頭の結節，二頭筋溝，烏口突起の画像が得られる）．

cleav·ing zy·gote 分裂接合体（卵割球を形成するために有糸分裂を行う接合体）．

cleft (kleft). 裂，裂溝．

cleft hand 裂手（先天性の奇形で，指間，特に第三指と第四指間の隔壁が中手部までのびている）．= split hand.

cleft lip 唇裂，兎唇（通常は上口唇において，正中および外側の鼻の隆起と上顎の隆起の融合の異常から生じる口唇部の先天性顔面奇形．しばしば歯槽裂や口蓋裂を合併する）．= harelip.

cleft pal·ate 口蓋裂（しばしば口唇裂を伴う，口蓋正中線の先天的な亀裂．しばしば全身的症候群の特徴の1つとして生じる．例えば，先天性の遺伝性骨格形成異常や脊椎骨骨端形成異常などが知られており，その現象は遺伝子学的には唇裂と類似している）．= palatoschisis.

cleft spine 脊椎裂（→spina bifida）．

cleft tongue = bifid tongue.

clei·dal (klī′dăl). 鎖骨の．= clidal.

cleido-, cleid- 鎖骨に関する連結形．→clido-; clid-.

clei·do·cos·tal (klī′dō-kos′tăl). 鎖骨肋骨の（鎖骨と肋骨に関する）．= clidocostal.

clei·do·cra·ni·al (klī′dō-krā′nē-ăl). 鎖骨頭蓋の（鎖骨と頭蓋に関する）．= clidocranial.

clei·dot·o·my (klī-dot′ō-mē). 鎖骨切断術（経腟分娩を容易にするための死亡胎児の鎖骨切断法．切胎術の一種）．

-cleisis 閉鎖を意味する接尾語．

clenched fist sign 握りこぶし徴候（狭心症の際，胸に握りこぶしを押し付け，患者は絞扼，圧迫の苦しみを示す）．

CLIA Clinical Laboratory Improvement Act/Amendmentsの略．

CLIA '67 Clinical Laboratory Improvement Act of 1967 の略．

CLIA '88 Clinical Laboratory Improvement Act/Amendments of 1988 の略．

click (klik). クリック（かすかな鋭い音）．

cli·dal (klī′dăl). = cleidal.

clido-, clid- 鎖骨に関する連結形．→cleido-.

cli·do·cos·tal (klī′dō-kos′tăl). = cleidocostal.

cli·do·cra·ni·al (klī′dō-krā′nē-ăl). = cleidocranial.

cli·ent (klī′ĕnt). クライアント（顧客．他の人

C

から専門職業的サービスを受ける人．準医療活動（パラメディカル）の専門家からアドバイスや治療を受ける人，またはそれを希望する人．*cf.* patient）．

cli·ent-cen·tered ap·proach 顧客中心接近法（介入治療の評価や計画を行う際に，顧客やその家族あるいは重要な他者の願望，興味，優位付け，意欲に敬意を払うこと．patient-centered approach（患者志向の接近法）とも呼ばれる）．

cli·ent-cen·tered ther·a·py クライアント中心療法（非指示的精神療法体系．患者が自由に問題を話し，自己実現に達するための自己洞察が行えるような許容的，受容的，寛大な雰囲気を治療者がつくることができるならば，クライアント（患者）は自己の性格障害を改善する内的資質を有し，かつ解決をするに最も適切な人物である，という仮説に基づいている）．

client-centred therapy ［Br.］．→ client-centered therapy.

Cliff·ord dis·ease ＝Ballantyne disease.

cli·mac·ter·ic（klī-mak′tĕr-ik）．***1*** 更年期（内分泌・身体的・一時の精神的変化を特徴とし，閉経への過渡期に生じる）．***2*** 人生の危険期．

cli·max（klī′maks）．***1*** 極期（病気の頂．最も重症な時期）．***2*** ＝orgasm.

clin·i·cal（klin′i-kăl）．臨床的な，臨床上の（①患者の状態または疾患の経過に関する．②解剖学的変化の検査所見とは区別して疾患の症状や経過を意味する．③診療所についていう）．

clin·i·cal a·nat·o·my 臨床解剖学（解剖学的知識を診断や治療の実地に役立てる学）．

clin·i·cal at·tach·ment lev·el 臨床的アタッチメントレベル（歯周触針を用いて計測される，歯を補助する構造の推定的な配置．歯の安定性と骨による補助の減少についての推定が得られる）．

clin·i·cal at·tach·ment loss 臨床的アタッチメントロス（歯周支持組織の破壊）．

clin·i·cal crown 臨床歯冠（口腔内にみえる歯冠の部分）．

clin·i·cal di·ag·no·sis 臨床診断（疾病の徴候および症状の研究による診断）．

clin·i·cal drug tri·al ＝drug use review.

clin·i·cal end point クリニカルエンドポイント（診断または療法のインパクトを測る伝統的な医学的測定法．インパクトが患者に認知されるか否かは問わない）．

clin·i·cal fit·ness 臨床的健康状態（明らかな疾病または前駆症状がない状態）．

clin·i·cal ge·net·ics 臨床遺伝学（遺伝病の診断，予後，管理，予防に適用する遺伝学．*cf.* medical genetics）．

clin·i·cal in·di·ca·tor 臨床指標（特定の臨床状況を判断し施された治療が適切であったかどうかを示すのに用いる尺度，プロセスまたは結果）．

clin·i·cal judg·ment 臨床判断（データの分析，処方の推論，処置の決定および看護の評価における認識，あるいは思考の過程）．

Clin·i·cal Lab·o·ra·to·ry Im·prove·ment Act（CLIA） 臨床検査改善法（米国におけるすべての臨床検査室の手順を監視し統制するための連邦政府の法律，およびそれに基づいてメディケア・メディケイド・サービス委員会の庇護のもと設置された人員と手順）．

Clin·i·cal Lab·o·ra·to·ry Im·prove·ment Act of 1967（CLIA '67） 臨床検査所改善法 1967（州域を越えて1年間に100以上の検体を商業的に取り扱う臨床検査センターを規制する連邦法（公法 90—174）．通常，大規模な独立した検査センターのみを規制対象としている．→Clinical Laboratory Improvement Act/Amendments of 1988）．

Clin·i·cal Lab·o·ra·to·ry Im·prove·ment Act A·mend·ments of 1988（CLIA '88） 臨床検査改善法の1988年版修正（1967年の臨床検査改善法，および老人医療保険（メディケア）と医療扶助制度（メディケイド）の提供方法を，改定し拡張するために，1988年アメリカ連邦議会により制定された修正（Public Law 100—578）．修正案は検査室を，実施されている手順の複雑さに基づいて分類，制御するとともに，職員の資格を確立した．この規則はすべての試験現場に適用されるが，いくつかの手順と検査はこの統制を権利放棄することが認められている．→Clinical Laboratory Improvement Act of 1967）．

clin·i·cal le·thal 臨床的致死〔性〕疾患（最終的に寿命に達する前に死亡する疾患）．

clin·i·cal·ly com·pe·tent 臨床的に適格な（与えられた状況における需要を満たすような，基準・原則に従って，特定の実習が，合法的な範囲内で行われている状態）．

clin·i·cal med·i·cine 臨床医学（実験室で行う医学研究とは異なり，患者のケアを目的として観察研究し治療する医学）．

clin·i·cal nurse spe·cial·ist 臨床専門看護師（少なくとも修士の学位を受け，腫瘍学や精神医学などの特定の医学分野の高度の教育を受けた登録看護師．通常，病院などの所定の臨床施設に雇われる）．

clin·i·cal path クリニカルパス，標準診療（患者が治療およびその後の経過を通してたどるべきであろう全トラック（進路）またはパス（経路）の概要を示した経過図．→clinical pathway）．

clin·i·cal pa·thol·o·gy 臨床病理学（①患者の治療に関する病理学の臨床面すべてをいう．②病理学の専門分野において，化学，免疫血液学，微生物学，寄生虫学，免疫学，血液学および疾患の診断，患者の治療，さらには疾患予防に関わりをもつ分野の理論面や技術面（すなわち方法や操作）を取り扱う）．

clin·i·cal path·way 臨床経路（診断関連群の個別的な診断のための一般化された複数の分野にまたがる看護地図．臨床経路は，受け入れから退院までの患者による，特定の臨床成績の達成（例）によって，患者の看護の計画のガイドラインを提供する．この経路の利点は，医療チームのメンバー間のコミュニケーションの機会を増やす点，医療の一般化，文書化と評価ツール（の提供），コスト削減と（患者の）滞在期間の短縮，そして患者およびその家族の満足がより多く得られるという点である). = clitical path.

clin·i·cal phar·ma·cist 臨床薬剤師（患者の看護の医療的局面でトレーニングを積んだものとして登録された，薬剤師). = critical path.

clin·i·cal prac·tice guide·lines 診療ガイドライン（望ましい診断検査法やある特定の疾病に対する適切な診療法などの診療活動や機能を限定した公式の指針. Cochrane 共同研究グループによって行われてきた無作為対照試験などの入手可能なエビデンスに基づいている. →Cochrane collaboration).

clin·i·cal psy·chol·o·gy 臨床心理学（情動障害や行動障害をもつ人々に関して，新たな理解を深めると同時に，心理学的技法やその科学的方法を応用していくことを専門とする心理学の一分野をさす. さらに臨床児童心理学や小児心理学もこの分野に属するものである).

clin·i·cal root of tooth 臨床的歯根（歯周組織内に埋まっている歯の部分. 口腔内でみられない歯の部分). = radix clinica dentis.

clin·i·cal sen·si·tiv·i·ty 臨床的感度（ある疾患における陽性率. ある検査が疾患を正しく検出する能力). = diagnostic sensitivity.

clin·i·cal spec·i·fic·i·ty 臨床的特異度（疾患に罹患していない患者における陰性率. 真陰性率. 註clinical は通常つけない).

clin·i·cal sus·pi·cion 臨床的嫌疑（診断上のあるいは問題解決の手順・方法(=アルゴリズム)上の確実性が欠如しているために，患者が所与の疾患や状態に苦しんでいるのではないかと，強く推定すること).

clin·i·cal ther·mom·e·ter 体温計（自動記録の小体温計. 水銀を含む目盛りを付けたガラス管からなり体温測定に用いる).

cli·ni·cian (klin-ish′ŭn). 臨床家（他の分野で働く人と区別して，実際に患者の世話をする健康の専門家をいう).

clin·i·co·path·o·log·ic (klin′i-kō-path-ō-loj′ik). 臨床病理の（患者が示す徴候や症状，および生検や解剖，あるいは両方による組織の肉眼的・組織学的検査の所見と関連する検査結果についていう).

clino- 勾配(上傾 inclination，下傾 declination)または屈曲を示す連結形.

cli·no·ceph·a·ly (klī′nō-sef′ă-lē). 鞍状頭，扁平頭（頭蓋の上面が多少陥凹して，鞍様の輪郭を呈している状態). = saddle head.

cli·no·dac·ty·ly (klī′nō-dak′ti-lē). 弯指〔症〕(指の永久反屈).

cli·noid pro·cess 床突起（蝶形骨から突出している 3 対の骨の突起. そのうちの前床突起 1 対と後床突起 1 対はあたかも寝台の四隅の柱のように下垂体窩を囲んでいる).

CLIP (klip). corticotropin-like intermediate-lobe peptide の略.

clip (klip). クリップ（①ある物に，他の物またはその一部を留めるのに用いる留め金具. ②小血管を閉じるのに用いる留め金具).

clip for·ceps クリップ鉗子（出血中の血管の断端をはさんで止めるために用いるばね付きの小鉗子).

clipped sen·tence 主語なし文（主語を省略した文で，口述筆記や転写の一般的な方法. 例えば “Presents today for annual exam”「定期健康診断に本日出席」など).

clith·ro·pho·bi·a (klĭth′rō-fō′bē-ă). 密閉恐怖〔症〕(閉じ込められることに対する病的な恐れ).

clit·o·ri·dec·to·my (klit′ōr-i-dek′tō-mē). 陰核切除[術].

clit·o·ri·di·tis (klit′ōr-i-dī′tis). 陰核炎. = clitoritis.

clit·o·ris, pl. cli·to·ri·des (klit′ŏr-is, kli-tōr′i-dēz; klī′tō-ri-dēz). 陰核（円柱状の勃起性性器，長さが 2 cm 以上になることはまれで，外陰の最前部に位置し，小陰唇が分岐して陰核包皮と陰核小帯を形成する小陰唇の分岐部に突出している. 陰核亀頭，陰核体，2 つの陰核脚からなり，尿道および尿道海綿体をもたない点以外は男性の陰茎に相当する).

clit·o·rism (klit′ōr-ism). 〔有痛性〕陰核持続勃起〔症〕(通常，疼痛性の陰核の持続性勃起. priapism に相当する).

clit·o·ri·tis (klit′ōr-ī′tis). = clitoriditis.

clit·or·o·meg·a·ly (klit′ōr-ō-meg′ă-lē). 陰核巨大〔症〕(腫脹した陰核).

cli·vus, pl. cli·vi (klī′vŭs, -vē). 斜台（①傾斜面. ②トルコ鞍背から大後頭孔への傾斜面で，蝶形骨体の一部と後頭骨底部の一部からなる).

clo·a·ca (klō-ā′kă). 汚溝，〔総〕排泄腔，〔総〕排出腔（①早期胚において，後腸と尿嚢から液が流れ込む内胚葉性の細胞の並んだ腔所. ②鳥類や単孔類において，後腸，膀胱，生殖管が共通に開口する腔所).

clo·a·cal (klō-ā′kăl). 汚溝の，〔総〕排泄腔の，〔総〕排出腔の.

clo·a·cal mem·brane 排泄腔膜（肛門陥凹と総排泄腔とを分ける胎児の尾方部分の一過性の膜. 肛門膜と尿生器膜に分けられ，胎生第 8 週から第 9 週で破れて消化管と尿路性器の外部への開口部を形成する).

clo·a·co·gen·ic car·ci·no·ma 総排泄腔癌（①総排泄腔組織あるいはその遺残から発生した肛門の扁平上皮癌の 1 つ. ②腫瘍学の立場では，櫛状線より口側の肛門癌). = cuboidal carcinoma.

clo·nal (klō′năl). クローンの，純株の，純系の，栄養系の.

clo·nal se·lec·tion the·o·ry クローン選択説（各リンパ球はその細胞表面にそれぞれの抗原に特異的な反応性を有する細胞結合性免疫グロブリンのレセプタを有していて，これに抗原が結合すると，その細胞クローンが増殖して，特異的な抗体産生細胞(形質細胞)が形成される).

clone (klōn). ***1*** 〖n.〗クローン（単一細胞あるいは個体から無性的増殖により生じた遺伝的に同一な構造をもった細胞群または個体群(あるいはそれを構成する個々の生物個体)をいう). ***2*** 〖v.〗クローン化する（クローンとしての性質をもつコロニーや生物個体を産する). ***3*** 〖n.〗クローン（遺伝子クローニングの結果，復製された一定部位の遺伝子 DNA 断片. →cloning).

C

clo·nic (klon′ik). クローヌスの，間代〔性〕の（クローヌスに関する，または特徴付けられる）.

clo·nic con·vul·sion 間代性痙攣（収縮が間欠性で，筋肉が収縮と弛緩を交互に繰り返すもの）.

clon·ic·i·ty (klon-is′i-tē). 間代性.

clon·i·co·ton·ic (klon′i-kō-ton′ik). 間代強直〔性〕の（間代性と強直性の両方，ある種の筋肉痙攣についていう）.

clo·nic spasm 間代痙攣（筋肉の交代性不随意収縮と弛緩）.

clo·nic state 間代状態（筋肉の収縮と弛緩を連続して速やかに繰り返す動き）.

clon·ing (klōn′ing). クローニング，クローン生物形成（①遺伝学上同一の細胞や有機体のコロニーを，*in vitro* で成長させること．②体細胞の核を卵に移植し，それから胚をつくること．この方法で，無性生殖により多くの同一胚を複製することができる．③胚盤胞とともに，マイクロサージェリーによって細胞集団を分割し，1個と半分の細胞を，中身をからにした透明帯へ移すこと．その結果生じる胚は遺伝的には同一であり，妊娠用として動物に移植可能となる．④ DNA フラグメントの複製を大量に産出するために用いられる組換え DNA 技術．このフラグメントはクローニングベクターとよばれる媒体(すなわちプラスミド，バクテリオファージ，または動物ウイルス)に接合される．このクローニング媒体は細菌性細胞や酵母(宿主)に侵入し，次いで *in vitro* または動物の宿主中で培養される．遺伝子工学的に操作された薬品の生産におけるように挿入された DNA が活性化したり，宿主の細胞の化学的作用が変化したりすることが数例でみられる）.

clon·ing vec·tor クローニングベクター（自己複製できるプラスミドまたはファージで，細菌内での増殖に不要な部分をもち，そこに外来の DNA を挿入できるもの．外来 DNA はあたかもベクターの正常構成分のように複製され，増殖する）.

clo·nism (klō′nizm). 間代〔性〕痙攣〔症〕（間代痙攣が長く続く状態）.

clo·no·gen·ic (klō-nō-jen′ik). クローン原性の.

clo·nor·chi·a·sis (klō′nōr-kī′ă-sis). 肝吸虫症，肝ジストマ症（末梢胆管に肝吸虫 *Clonorchis sinensis* が寄生することにより生じる疾病．感染は生魚，くん製魚，調理不十分の魚，生のザリガニの摂取によって起こる．慢性または反復感染すると激しい増殖性・肉芽腫性の組織病変を起こす）.

Clo·nor·chis si·nen·sis 肝吸虫，肝ジストマ（オピストルキス科の吸虫の一種．極東では，胆道に寄生する．魚が主な第 2 中間宿主であり，淡水産巻貝が第 1 中間宿主である）.

clon·o·spasm (klon′ō-spazm). 間代痙攣. = clonus.

clo·nus (klō′nŭs). クローヌス，間代（急速に連続して発生する筋肉の収縮と弛緩を特徴とする動きの一型．痙性のある疾患と一部の痙攣性疾患でみられる．→contraction）. = clonospasm.

Clo·quet her·ni·a クロケーヘルニア（大腿ヘルニアの 1 つで，恥骨筋の腱膜を穿孔して，この腱膜と筋肉の間に徐々にはいり込み，大腿血管の後側にみられる）.

closed an·es·the·si·a 閉鎖循環式麻酔〔法〕（吸収装置で吸収される炭酸ガスを除き，全呼気ガスすべてを再呼吸する吸入麻酔法．麻酔回路内のガス流量は，患者の代謝で消費する等量の酸素と，患者に持続的に取り込まれ，分配する少量のその他のガス(例えば，笑気ガス)で成り立つ）.

closed chain com·pound = cyclic compound.

closed-chain move·ment 閉鎖的運動（身体の末端部位が固定され，体幹に近い部位が動いている運動力学的運動連鎖）.

closed chest mas·sage 非開胸心マッサージ（胸骨下方を手掌で後方に押すことにより，胸骨と脊柱の間にある心臓を規則正しく加圧するマッサージ．患者は仰臥する）.

closed-cir·cuit he·li·um di·lu·tion 閉鎖回路ヘリウム希釈法（機能的残気量(FRC)を測定する気体希釈法．システム定容量を維持するために酸素を追加し炭酸ガスを除去しながら，肺活量計からヘリウムを再呼吸する）.

closed-cir·cuit meth·od 閉鎖循環法（酸素消費量を測定する方法．炭酸ガス吸収薬を通して初期量の酸素を再呼吸し，再呼吸された酸素量の減少を記録する）.

closed-cir·cuit spi·rom·e·try 閉鎖式肺活量測定法，閉鎖回路呼吸測定法（被検者の気道とともに閉鎖回路を形成する装置によって，吸気および呼気中の炭酸ガスや酸素を測定する）.

closed com·e·do 閉鎖面ぽう（皮表に小さな開口をもつかあるいはこれが閉塞された面ぽう．破裂し，軽度の真皮炎症反応を起こすこともある）. = whitehead(2).

closed dis·lo·ca·tion 閉鎖脱臼（皮膚，血管，神経，骨の損傷を伴わない脱臼）. = simple dislocation.

closed drain·age 閉鎖ドレナージ（水または空気で管を密閉した体腔のドレナージ）.

closed frac·ture 閉鎖骨折（骨折部分の皮膚が無傷のもの）. = simple fracture.

closed head in·ju·ry 閉鎖性頭部外傷（頭皮および粘膜には損傷を伴わない頭部外傷）.

closed hos·pi·tal 閉鎖式病院（主治医または所属医のみにより診療が許されている病院．ときには，雇用医師やメンバーシップリストに掲載されている医師でもよい）.

closed loop ob·struc·tion 閉鎖腸係蹄閉塞（ある点で捻転すること(腸捻転)，あるいは癒着のところやヘルニアの中に線維性の開口部を通して脱腸することによる腸のセグメントの閉塞．しばしば血液灌流が阻害され，壊疽を生じる）.

closed re·duc·tion of frac·tures 骨折非観血的整復〔法〕（皮膚切開をせずに，骨を整復すること）.

closed skill 閉鎖的技能（予測可能で不変の環境の中で行われる一連の運動パターン．よって運動はあらかじめ計画可能である．例えばキーボード入力）.

closed sur·ger·y 非観血的手術（皮膚を切開し

ない手術．例えば，骨折または脱臼の整復)．

close-packed po·si·tion 密着位（関節面間の接触が最大になる関節の位置)．= joint extension.

clos·ing snap 閉弁期弾撥音（異常弁の閉鎖に関連して生じる僧帽弁狭窄症の強い第１心音)．

clos·ing vol·ume 閉鎖容積（気道閉鎖が原因と思われるが，呼息中に肺下部からの流出が非常に減少するかまたは停止する時点での肺の容積．残気量から開始して，呼吸の開始点で吸入したトレーサガスの呼気濃度中の急激な上昇により測定される)．

clos·trid·i·al (klos-trid′ē-ăl)．クロストリジウム属の（*Clostridium* 属の菌種に関していう)．

Clos·trid·i·um (klos-trid′ē-ŭm)．クロストリジウム属（グラム陽性杆菌で嫌気性(または嫌気性で空気耐性)，芽胞形成性，運動性(ときに非運動性)のバチルス科細菌．ときに菌体外毒素を生じる．一般に，土壌や哺乳類の腸管内にみられ，病気を引き起こすことがある．標準種は *Clostridium butyricum*)．

clos·trid·i·um, pl. clos·trid·i·a (klos-trid′ē-ŭm, -ă)．クロストリジウム属（*Clostridium* 属の種を表すのに用いる通称)．

Clos·tri·di·um bi·fer·men·tans 腐敗肉，ガス壊疽にみられる細菌種．土壌，糞便，汚水中にもよくみられる．病原性(主として浮腫形成トキシンによる)は菌株により異なる．

Clos·tri·di·um bot·u·li·num ボツリヌス菌（自然界に広く存在する細菌種．缶詰にする前に適切に滅菌されなかった保存肉，果物，野菜によって食中毒(ボツリヌス中毒)の原因になることが多い)．

Clos·tri·di·um dif·fi·ci·le グラム陽性の偏性好気性ないし微好気性菌．抗生物質投与後の大腸炎や下痢の原因となる．= C-Diff; CDT.

Clos·tri·di·um his·to·lyt·i·cum ヒストリチクス菌（戦争外傷にみられる種で組織に壊死を生じる．局所壊死や注射による腐肉形成を起こす細胞崩壊性菌体外毒素を生じる．経口侵入では毒性はない．小実験動物に対し病原性がある)．

Clos·tri·di·um no·vy·i ノーヴィ菌（ガス壊疽や壊死性肝炎を起こす種)．

Clos·tri·di·um per·frin·gens ウェルチ(ウェルシュ)菌（ガス壊疽の主な原因菌である種．腸炎，虫垂炎，産褥熱に関与することもある．米国における食中毒の原因菌として最も普通にみられるものの１つである)．= gas bacillus; Welch bacillus.

***Clos·tri·di·um per·frin·gens* al·pha tox·in** ウェルチ菌アルファ毒素（ウェルチ菌 *Clostridium perfringens* によりつくられるホスホリパーゼで，血管透過性を増し，壊死を生じる)．

***Clos·tri·di·um per·frin·gens* be·ta tox·in** ウェルチ菌ベータ毒素（ウェルチ菌 *Clostridium perfringens* によってつくられる物質で壊死を生じ，カテコールアミン分泌を促すことにより高血圧を誘導する)．

***Clos·tri·di·um per·frin·gens* en·ter·o·tox·in** ウェルチ菌 *Clostridium Perfringens* が産生する毒素で膜透過性を変化させる．

***Clos·tri·di·um per·frin·gens* ep·si·lon tox·in** ウェルチ菌イプシロン毒素（ウェルチ菌 *Clostridium perfringens* によってつくられる毒素で消化管壁の透過性を増す)．

***Clos·tri·di·um per·frin·gens* i·o·ta tox·in** ウェルチ菌アイオータ毒素（ウェルチ菌 *Clostridium perfringens* によってつくられる二元的毒素で，壊死と血管透過性亢進を生じる)．

Clos·tri·di·um sep·ti·cum 悪性水腫菌（グラム陽性の好気性菌で，ガス壊疽や筋壊死に関連している．外傷や手術の際の傷口から感染する)．

Clos·tri·di·um sor·del·li·i レシチナーゼ，溶血素，フィブリノリジンを含む複合的な毒素を産生する細菌種で，ヒトに浮腫ならびに死亡の危険性のある低血圧症，および壊死性感染を起こす．特に，腹部ならびに産科学的外傷後および手術後創傷での感染と関連している．子ヒツジの big head の原因にもなる．

Clos·tri·di·um te·ta·ni 破傷風菌（破傷風を起こす種．強力な菌体外毒素(神経毒)を産生する．毒素は組織内で形成されたり，注入された場合は，ヒトや動物に対し，激しい毒性を呈するが，経口摂取した場合はそうでない)．

clo·sure (klō′zhŭr)．閉鎖（①反射路の完成．②条件学習の成立において，刺激が結び付く位置．③精神的作業において，成就感を得ることまたは経験すること．④外傷または手術における開創の最終的な修復)．

clo·sure prin·ci·ple 閉合原則（心理学において，完全に近い形態(例えば，不完全な長方形)の断片的な刺激をみたときに，欠けた部分を無視して全体としての形態を知覚する傾向があるという原則．→gestalt)．

clot (klot)．***1*** 〚v.〛 凝固する（特に血液についていう)．***2*** 〚n.〛 凝塊，クロット，凝血塊，血塊，血餅（血液やリンパ液などの液体がゲル化するとき形成される軟らかく不溶性の凝塊)．

clot·ting fac·tor 凝固因子（凝固過程にかかわる種々の血漿成分)．

cloud·y swell·ing 混濁腫脹（イオン移行に関与する膜の傷害による細胞の腫脹．細胞内液の貯留を起こす)．= hydropic degeneration; parenchymatous degeneration.

clubbed dig·it 〔太鼓〕ばち（撥）指（→clubbing)．

clubbed fin·gers 〔太鼓〕ばち(撥)指（弯曲指．→clubbing)．

club·bing (klŭb′ing)．〔太鼓〕ばち（撥）指形成（手足指にみられる状態で，手足指の遠位の組織，特に爪床の増殖により指の末端が厚く幅広くなる．爪はその爪床が高度に圧縮されるほど異常に弯曲しその上の皮膚は赤く光沢がある)．

club drug クラブドラッグ（単独ではなく，社会的集まりの中で大多数または全員に使用されることが一般的な乱用薬物．例えばエクスタシー)．

club·foot, club foot (klŭb′fut, klŭb fut)．内反足．= talipes equinovarus.

club hair 棍〔状〕毛（脱毛する前の静止状態の毛

C

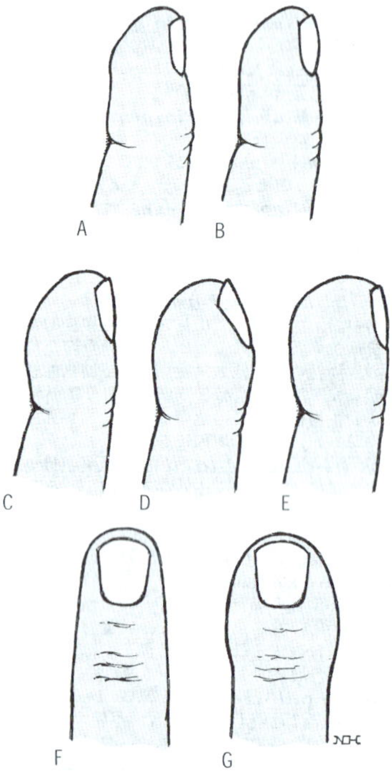
A
B
C
D
E
F
G

varieties of digital clubbing

A：正常，B：爪の弯曲の増大，C：中度のばち指形成，D：オウム嘴状型，E：時計ガラス型，F：正常，G：太鼓ばち型

髪．毛根球は棍状の塊をなす）．

club·hand, club hand (klŭb′hand, klŭb hand)．弯手，内反手（橈骨や尺骨の部分または完全欠損に伴う手の先天性または後天性の角状変形．通常，先天性の手の内在筋性変形を伴う）．

clue cell クルー細胞（腟上皮細胞の一型で，顆粒状を呈し，球菌様や杆菌様生物でおおわれている．細菌性腟炎でみられる）．

clump·ing (klŭmp′ing)．集塊，クランピング，凝集（液体中に懸濁している細菌やその他の細胞が集塊をなすこと）．

clu·ne·al (klū′nē-ăl)．殿部の．

clu·nes (klū′nēz)．殿部，しり．= buttocks.

clus·ter of dif·fer·en·ti·a·tion (CD) CD（白血球分類に用いられる細胞表面分子の総称．モノクローナル抗体により認識される．一般的に4つの型に分けられる．I型：細胞膜貫通型蛋白で，細胞質にC末端，細胞外にN末端がある．II型：細胞膜貫通型蛋白で，細胞質にN末端，細胞外にC末端がある．III型：細胞膜貫通型蛋白で，膜を複数回通過するためにチャネルを形成する可能性がある．IV型：グリコシルホスファチジルイノシトール架橋蛋白で，グリコシルホスファチジルイノシトールを介して脂質二重膜に固定される）．

clus·ter of dif·fer·en·ti·a·tion 2 (CD2) 表面抗原分類2，CD2抗原(CD2)（糖蛋白で，全ての末梢性T細胞と大型顆粒リンパ球，全てではないが多くの胸腺細胞に発現する．CD2は，シグナル伝達と細胞接着に関わっている）．

clus·ter of dif·fer·en·ti·a·tion 3 (CD3) 表面抗原分類3，CD3抗原（T細胞レセプタに付随する5種類のポリペプチドの複合体で，シグナル伝達に関連する）．

clus·ter of dif·fer·en·ti·a·tion 4 (CD4) 表面抗原分類4，CD4抗原（T細胞の複数のサブセット，すなわち通常はヘルパーや細胞傷害性T細胞の一部に存在する糖蛋白）．

clus·ter of dif·fer·en·ti·a·tion 8 (CD8) 表面抗原分類8，CD8抗原（Tリンパ球のサブセットに存在する膜糖蛋白．CD8は，細胞傷害性T細胞やサプレッサーT細胞に発現する）．

clus·ter of dif·fer·en·ti·a·tion (CD) an·ti·gen CD抗原（細胞表面，通常はリンパ球の表面にある抗原(マーカー)）．

clus·ter head·ache 群発性頭痛（ヒスタミンに対する過敏による可能性がある．再発性の強い片側眼窩側頭部痛を特徴とし，同側の羞明，流涙，鼻閉を伴う）．= histaminic headache; Horton headache.

clut·ter·ing (klŭt′ĕr-ing)．早口症，速話症（聞き取りを困難にするような異常な速さ，滑らかさの欠如，高揚したリズム，不明瞭な構音により特徴付けられる発語の障害．→stuttering）．

cly·sis (klī′sis)．注入（①治療のための輸液で，通常は皮下投与．②以前はenema(浣腸)を意味したが，最近は液体により体腔から物質を洗い流すことを意味する）．

Cm キュリウムの元素記号．

cM centimorgan の略．

cm centimeter の略．cm^2 は square centimeter，cm^3 は cubic centimeter の略．

CMA Certified Medical Assistant(認定医学助手)の略．

cmc critical micelle concentration の略．

CMI cell-mediated immunity の略．

CML cell-mediated lymphocytotoxicity(細胞媒介性リンパ球傷害反応)の略．

CMP cytidine 5′-monophosphate またはすべての cytidine monophosphate を表す記号．

CMS U.S. Centers for Medicare and Medicaid Services の略．

CMS-1450 米国医療保険局1450様式（米国統一の医療保険請求書(病院用)．以前はHCFA(米国医療保険財政管理局)1450様式請求書，またはUB-92として知られていた）．= HCFA-1450; UB-92.

CMS-1500 米国医療保険局1500様式（米国統一の医療保険請求書(医師用)．以前はHCFA(米国医療保険財政管理局)1500様式請求書として知られていた）．= HCFA-1500; Health Insurance

Claim Form.

CMT Certified Medical Transcriptionist（認定医学記録転写士）; Certified Massage Therapist の略. →medical transcriptionist.

CMV *1* cytomegalovirus の略. *2* シスプラチン，メトトレキセート，ビンブラスチンからなる癌併用療法で，膀胱および他の悪化腫瘍の治療に用いられる. *3* continuous mandatory ventilation の略.

CN *1* 暴動制御手段であるクロロアセトフェノンを表す NATO コード. かつては軍隊や法執行機関に広く用いられていたが，現在では自己防衛スプレーの中身に用いられることがより多くなっている. = cesium. *2* シアン基の元素記号. → cyanide.

CNS *1* central nervous system の略. *2* チオシアネート基 CNS^- または -CNS の記号.

CO *1* 一酸化炭素の記号. *2* Certified Orthotist; cardiac output の略.

CO_2 carbon dioxide の記号.

Co コバルトの元素記号. 尾骨の記号.

co- →con-.

CoA coenzyme A の略.

co·ad·ap·ta·tion (kō′ad-ap-tā′shŭn). 共同順応（2か所以上の部位に対して，関連して行う手技）.

co·ag·glu·ti·nin (kō′ă-glū′ti-nin). 共同凝集素（それ自身では抗原を凝集しないが，1価の抗体と結合した状態にある抗原の凝集をもたらす物質. →conglutination）.

co·ag·u·la (kō-ag′yū-lă). coagulum の複数形.

co·ag·u·la·ble (kō-ag′yū-lă-bĕl). 凝固性を有する，凝固性の.

co·ag·u·lant (kō-ag′yū-lant). *1* 〚n.〛〔血液〕凝固薬（剤），凝血薬，凝集薬. *2* 〚adj.〛凝固性の. = coagulative.

co·ag·u·late (kō-ag′yū-lāt). *1* 凝結する（液体，または溶液中の物質が固形やゲルに変化する）. *2* 凝固する（液体状から固形またはゲルに変化する）.

co·ag·u·la·tion (kō-ag′yū-lā′shŭn). *1* 凝固（液体から固体に変化する過程. 特に血液についても血液凝固などという）. *2* 凝塊，クロット，凝血塊，血塊，血餅. *3* 凝結（ゾルがゲルまたは半固形体に変化すること）.

co·ag·u·la·tion ne·cro·sis 凝固壊死（壊死の一種で，壊死に陥った細胞あるいは組織が，梗塞中に起こるような蛋白の凝固の結果，乾燥した光沢のない，かなり均一なエオシン親和性の塊になる）.

co·ag·u·la·tion time 凝固時間（血液が凝固するのに要する時間. 血友病，閉塞性黄疸，ある種の貧血症および白血病，いくつかの感染症においては凝血時間は延長する）.

co·ag·u·la·tive (kō-ag′yū-lă-tiv). 凝固性の（凝固を起こす）. = coagulant（2）.

co·ag·u·lop·a·thy (kō-ag′yū-lop′ă-thē). 凝固障害，凝血異常（血液の凝固能力に影響を及ぼす疾患）.

co·ag·u·lum, pl. co·ag·u·la (kō-ag′yū-lŭm, -lă). 凝塊（ゾルが凝固してできる軟らかで，硬化していない不溶性の塊）.

co·al·co·hol·ic (kō-al′kŏ-hol′ik). →codependent. *1* 〚n.〛共アルコール症〔者〕（飲酒の問題を過小評価したり，否定したり，またはアルコールに伴う問題行動を埋め合わせするといったアルコール症患者に都合のよい行動をとることでアルコール症患者に飲酒の契機を与える人）. *2* 〚adj.〛共アルコール症の（共アルコール症または共アルコール中毒に関連した）.

co·al·co·hol·ism (kō-al′kŏ-hol-izm). 共アルコール中毒（アルコール症患者を容認する人の一連の態度，特質，または行動. アルコール症患者と共アルコール症者間の共生バランスに必要. →symbiosis）.

C

co·a·les·cence (kō′ă-les′ĕns). 癒着，融合（本来は別々の独立した部分の融合）. = concrescence（1）.

coal gas 石炭ガス（石炭から作られる合成ガス. 暖房や，メタノール，アンモニアの製造に用いられる. 一酸化炭素，二酸化炭素，水素を含む. 窒息，火災，爆発の原因となり，死者を出しうる）.

coal work·er's pneu·mo·co·ni·o·sis 炭坑労働者のじん肺症. = anthracosilicosis.

CO_2 an·a·ly·zer CO_2 アナライザ，炭酸ガス分析器. = capnometer.

co·ap·ta·tion (kō′ap-tā′shŭn). 接合，癒合（2つの表面が結合または一致すること. 例えば，創傷の唇縁あるいは骨折骨端）.

co·ap·ta·tion splint 接合副子（骨折端の重なり合いを防ぐように考案された短い副木. 通常，肢全体の固定には長い副子を追加する. 上腕骨骨幹部骨折の治療に最もよく使用される）.

co·ap·ta·tion su·ture 接合縫合. = apposition suture.

co·arct (kō-ahrkt′). 拘束された，縮窄する. = coarctate（1）.

co·arc·tate (kō-ahrk′tāt). *1* 〚v.〛= coarct. *2* 〚adj.〛押し縮めた.

co·arc·ta·tion (kō′ahrk-tā′shŭn). 縮窄〔症〕（狭窄または縮窄状態）.

CoAS-, CoASH コエンザイム A ラジカルおよび還元型コエンザイム A の記号.

coat (kōt). *1* 被膜（器官あるいはその一部分の外包またはおおい）. *2* 層，膜（管の壁を形成している膜性その他の層状構造. →tunic）.

coat·ed tongue 苔舌（上表面に白色層がある舌. 上皮残屑，食物粒子，細菌からなる. 消化不良や高熱の徴候であることが多い）.

Coats dis·ease コーツ病. = exudative retinitis.

COB Coordination of Benefits の略.

co·bal·a·min (kō-bal′ă-min). コバラミン（ビタミン B_{12} のジメチルベンズイミダゾリルコバミド核を含む化合物の一般名）.

co·balt (Co) (kō′bawlt). コバルト（鉄に似た灰白色の光沢をもつ金属元素. 原子番号 27，原子量 58.93320. 生元素の1つ. ビタミン B_{12} の成分. 化合物はコバルトブルーのような顔料として用いる）.

co·balt 60 コバルト 60（コバルトの放射性同位体で，半減期 5.271 年. ベータ粒子およびガンマ線を放出するので，遠隔放射線治療や診断目的に用いる）．

cob·bler's su·ture 靴修繕工縫合．= doubly armed suture.

Cobb meth·od コッブ法（側弯症で脊椎の弯曲の程度を決めるのに用いる測定法．弯曲の上端（最も傾斜している）椎体の上部終板に沿う線と下端の椎体の下部終板に沿う線を引き，それぞれに垂直な線を引いて測定する．この2本の垂直線のなす角をCobb角といい，弯曲の程度を表す）．

Cobb syn·drome コッブ症候群（皮膚の毛細血管奇形で，通常，体幹上の皮節に沿って分布する．脊髄の血管異常を伴い，その結果として神経症状を起こす）．

COBRA (kō′bră). Consolidated Omnibus Budget Reconciliation Act の略．

co·caine (kō-kān′). コカイン（コカノキ科コカノキ *Erythroxylon coca* および *Erythroxylon* 属の他の種の葉から得られるクリスタリンアルカロイド，またエクゴニンやその誘導体から合成される．中枢神経刺激作用，血管収縮作用を有する薬物であり，代表的な麻酔薬である．多幸感を得られるものとして広く乱用され，また，投与により重篤な身体的・精神的影響を生じる危険性がある）．

co·caine ba·by コカインベイビー（子宮内でコカインの影響を受けた後遺症により障害を持つ乳児．そのような子どもはまた，両親による間欠的だが常習的で強迫的な行動の影響を受け，障害を持つ可能性もある）．

co·caine hy·dro·chlor·ide 塩酸コカイン（目や粘膜の局所麻酔に用いる水溶性塩類）．

co·caine nose コカイン・ノーズ（コカインを鼻腔内より慢性摂取する中毒者に見られる一連の症状．鼻粘膜障害，鞍鼻による鼻の変形，口蓋の陥没及び穿孔，咽頭壁の潰瘍，副鼻腔炎，鼻甲介の壊死を含む）．

co·car·cin·o·gen (kō′kahr-sin′ō-jen). 発癌補助物質（癌の発生において，発癌性物質と共同作用する物質）．

coc·cal (kok′ăl). 球菌の．

coc·ci (kok′kī). coccus の複数形．

Coc·cid·i·a (kok-sid′ē-ă). 球虫類亜綱（重要な原生動物（Apicomplexa 門胞子虫綱）の一亜綱で，成熟した栄養型は小さく，典型的な細胞内性である）．

coc·cid·i·al (kok-sid′ē-ăl). コクシジウムの．

coc·cid·i·oi·dal (kok-sid′ē-oy′dăl). コクシジオイデス真菌症の（コクシジオイデス真菌症，またはその感染生体についていう）．

Coc·cid·i·oi·des (kok-sid′ē-oy′dēz). コクシジオイデス属（米国南西部や，それより狭いが，中央アメリカや南アメリカ全域の半乾燥地域の土壌中に生息する真菌の一属で，その他の地域では見出されない．唯一の病原性の菌種である *Coccidioides immitis* がコクシジオイデス真菌症の原因となる）．

Coc·cid·i·oi·des im·mit·is 米国南西部やメキシコ，中南米の砂漠や半乾燥地域に広く分布する二形性真菌．コクシジオイデス症真菌の原因となる．その臨床症状は，自己限定性の原発性肺感染症から，汎発型致死性疾患にわたる．

coc·cid·i·oi·do·ma (kok-sid′ē-oy-dō′mă). コクシジオイドーム，コクシジオイデス腫（一次コクシジオイデス真菌症に引き続いて肺に起こる良性の局所的な残留性腫状病変または瘢痕）．

coc·cid·i·oi·do·my·co·sis (kok-sid′ē-oy′dō-mī-kō′sis). コクシジオイデス真菌症（*Coccidioides immitis* の分節分生子の吸入による変動性，あるいはときに致死的な全身性真菌感染症．感染の良性型では，病巣は上気道，肺，リンパ節の近くに限られる．発生率は低いが，他の内臓器官，骨，関節，皮膚および皮下組織に播種されることもある）．

coc·cid·i·o·sis (kok-sid′ē-ō′sis). コクシジウム症（コクシジアのすべての種により起こされる疾病群に対する名称．多くの家畜や家禽，飼育された多くの野生動物によくみられる重症の原虫性疾患．エイズ患者で腸と肺の両臓器のコクシジウム症の合併例が報告されている）．

coc·cid·i·um, pl. coc·cid·i·a (kok-sid′ē-ŭm, kok-sid′ē-ă). コクシジウム（Eucoccidiida 目に属する寄生性原生動物の一般名で，一般に腸の上皮細胞内で増員生殖をするが，胆管や腎臓の上皮細胞内で増員生殖をする種もある．ほとんどの家畜，野生の鳥類，哺乳類，ときにはヒトに寄生し，これらは非常に宿主特異性がある．大多数は非病原性である．→*Isospora*）．

coc·co·bac·il·lar·y (kok′ō-bas′i-lar-ē). 球杆菌〔性〕の．

coc·co·ba·cil·lus (kok′ō-bă-sil′ŭs). 球杆菌（卵円形あるいはやや細長い球菌様の短く太い杆菌）．

coc·coid (kok′oyd). 球菌様の．

coc·cus, pl. coc·ci (kok′ŭs, kok′sī). ***1*** 球菌（円形，球形，または卵円形の細菌）．***2*** = cochineal.

coc·cy·al·gi·a (kok′sē-al′jē-ă). = coccygodynia.

coc·cy·dyn·i·a (kok′sē-din′ē-ă). 尾骨痛．= coccygodynia.

coc·cy·ge·al (Co) (kok-sij′ē-ăl). 尾骨の．

coc·cy·ge·al bod·y 尾骨小体（正中仙骨動脈の末端で，尾骨先端の骨盤面にみられる動静脈吻合）．

coc·cy·ge·al gan·gli·on = ganglion impar.

coc·cy·ge·al mus·cle 尾骨筋．= coccygeus muscle.

coc·cy·ge·al nerve [Co] 尾骨神経（脊髄神経の最も下にある短い神経．尾骨神経叢の構成要素となっている）．= nervus coccygeus.

coc·cy·ge·al plex·us 尾骨神経叢（第五仙骨神経および尾骨神経からなる小神経叢．肛門尾骨神経が起こる）．

coc·cy·ge·al si·nus 尾骨洞（尾骨領域にある瘻口．→pilonidal sinus）．

coc·cy·ge·al ver·te·brae Co1-Co4 尾椎（通常は融合して尾骨となる脊柱の末端分節）．= vertebrae coccygeae.

coc·cy·gec·to·my (kok′si-jek′tŏ-mē). 尾骨切除〔術〕．

coc·cy·ge·us mus·cle 尾骨筋（起始：坐骨棘，

仙棘靱帯．停止：仙骨下部と尾骨上部の面．作用：仙棘靱帯とともに骨盤底の支持の補助，理論的には腹圧が上昇したとき特に有効．神経支配：第三・第四仙骨神経）．= musculus coccygeus; coccygeal muscle; ischiococcygeus; musculus ischiococcygeus.

coc·cy·go·dyn·i·a (kok′si-gō-din′ē-ă)．尾骨痛．= coccyalgia; coccydynia; coccyodynia.

coc·cy·got·o·my (kok′si-got′ō-mē)．尾骨切開〔術〕（尾骨をその付着物から切り離す手術）．

coc·cy·o·dyn·i·a (kok′sē-ō-din′ē-ă)．= coccygodynia.

coc·cyx, gen. **coc·cy·gis,** pl. **coc·cy·ges** (kok′siks, -si-jis, -si-jēz)．尾骨（ヒトの脊柱の末端にある小骨．4 個の痕跡椎骨の癒合により形成される．上方で仙骨と連続する）．

coch·i·neal (kotch′i-nēl)．[CI 75470]．コチニール（幼虫をはらんだエンジムシ *Coccus cacti*（卵と幼虫をはらんだ *Dactylopius coccus*）の雌を乾燥させたもの．コクシネリンが得られる．赤色着色剤，染料として用いる．→carmine）．= coccus(2)．

co·chle·a, pl. **co·chle·ae** (kok′lē-ă, -ē)．蝸牛，うずまき管（側頭骨錐体部にある円錐形の空洞で，迷路すなわち内耳の一部を形成する．これは海綿質骨の蝸牛軸の周りを 2 回半回るらせん状の管で，内部に膜性蝸牛とらせん器（Corti 器）を有する蝸牛管がある）．

co·chle·ar (kok′lē-ăr)．蝸牛の．

coch·le·ar ar·e·a 蝸牛野（蝸牛神経線維が，蝸牛管にはいるために通過する内耳道底の横稜の下方領域で，蝸牛管がらせんに捲いている円錐形の蝸牛軸の底部をなしている．→base of modiolus of cochlea）．= area cochleae.

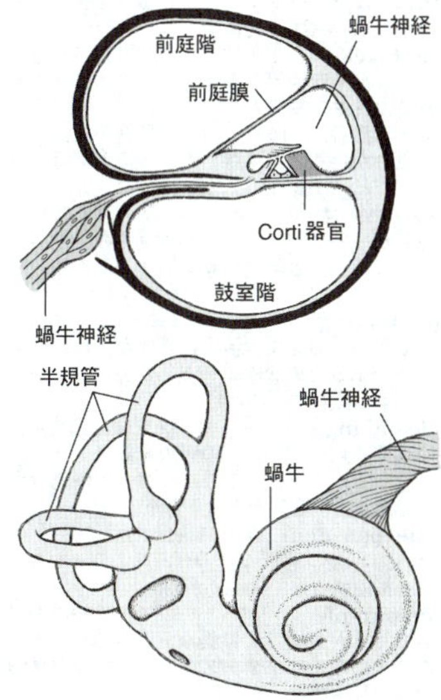
前庭階
蝸牛神経
前庭膜
Corti 器官
鼓室階
蝸牛神経
半規管
蝸牛神経
蝸牛
cochlea (inner ear)

co·chle·ar ca·nal 蝸牛管（蝸牛軸を 2 回半回る骨迷路のらせん管で，棚状構造すなわち骨らせん板により不完全ながら 2 室に分かれている）．= canalis spiralis cochleae.

co·chle·ar can·a·lic·u·lus 蝸牛小管（蝸牛の下方から始まり頸静脈窩の内側の前面で開口する側頭骨内の細管で，外リンパ管を含む）．

coch·le·ar drill-out 蝸牛削開（内耳の炎症のため新生骨によって鼓室階が閉塞されている蝸牛に電極を挿入すること．蝸牛壁や新生骨は削開し，第八脳神経の聴覚枝の残存ニューロンの近くに電極が設置されるようにする）．

co·chle·ar duct 蝸牛管（蝸牛内にあるらせん状の膜でできた管で，前庭階と鼓室階の間にあって両者を隔てている．前庭の蝸牛陥凹内の盲端，すなわち前庭盲端に始まり，蝸牛頂にある頂盲端に終わる．内リンパを含んでおり，結合管により球形嚢に通じる．Corti のらせん器，すなわち聴覚の神経受容器は蝸牛管底部にみられる）．= scala media.

coch·le·ar dys·pla·si·a 蝸牛異形成（骨蝸牛が完全に発達しないこと）．

coch·le·ar hair cells 蝸牛〔有〕毛細胞（蝸牛神経の遠心性線維および感覚線維とシナプス接触する Corti 器の感覚細胞．各細胞の先端の表面から不動毛が約 100 本ずつのび蓋膜と接触する）．= Corti cells.

coch·le·ar im·plant 人工内耳（マイクロフォン，スピーチプロセッサー，および高度難聴やろうの成人や小児の第八神経の聴覚部分に残存している神経線維を刺激するために内耳に移植された電極からなる電子装置．人工内耳手術を受けた多数の患者は単語の認知が良く，会話を理解し電話で話すこともできる．→amplification）．

co·chle·ar joint らせん関節（ちょうつがい関節の変型．対立関節面上の隆起や陥凹がらせん状を呈する．したがって，屈曲は外側の偏位を伴う）．= spiral joint.

coch·le·ar mic·ro·phon·ic 蝸牛マイクロフォン電位（音に反応して Corti 器の有毛細胞が生み出す生体内電位．音刺激の周波数と大きさを忠実に表す）．

co·chle·ar nerve 蝸牛神経（内耳神経のうち蝸牛根より末梢の部分で，らせん神経節の双極細胞の中枢性突起からなる．この神経節の末梢性突起はらせん器の 4 列の有毛細胞（神経上皮細胞）に分布する）．= auditory nerve.

coch·le·i·tis (kok′lē-ī′tis)．蝸牛炎（蝸牛の炎症）．

co·chle·o·pal·pe·bral re·flex 蝸牛眼瞼反射（瞬目反射の一形態．激しい音が耳のそばでするとき生じる眼輪筋の収縮で，きわめてわずかなこともある）．= startle reflex(2)．

coch·le·o·top·ic (kok′lē-ō-top′ik)．蝸牛向性（脳（脳幹）の聴覚上向経路において周波数に対応した伝導路の局在があることをさす．注厳密な蝸牛内局在パターンが脳幹の聴覚上向経路にも

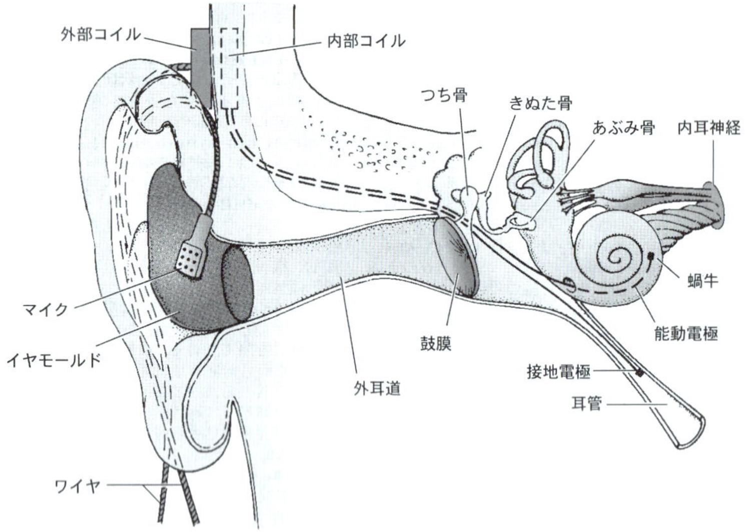
外部コイル
内部コイル
つち骨
きぬた骨
あぶみ骨
内耳神経
蝸牛
能動電極
マイク
イヤモールド
鼓膜
接地電極
外耳道
耳管
ワイヤ

cochlear implant

存在する).

co·chle·o·ves·tib·u·lar (kokʹlē-ō-ves-tibʹyū-lăr). 蝸牛前庭の (内耳の蝸牛と前庭に関する).

Coch·rane col·lab·o·ra·tion コクラン共同計画 (ランダム化臨床試験をレビューし, その結果を報告しようという臨床疫学者の国際ネットワーク. EBM(証拠に基づいた医療)における活用あるいは臨床ガイドラインの策定への利用のため, より練られたデータを提供することを目的としている. →evidence-based medicine; clinical practice guidelines).

Cock·ayne syn·drome コケーン症候群 (小人症, 早老現症, 網膜の色素変性, 視神経萎縮, 難聴, 日光過敏症, 小頭症, 精神遅滞. 常染色体劣性遺伝. DNA 損傷修復障害を伴う. 種々の類似型がある).

cock·le·bur (kokʹĕl-bŭr). ***1*** = agrimony. ***2*** = burdock.

cock·tail (kokʹtāl). カクテル (いくつかの成分あるいは薬物を含有する混合物).

co·con·trac·tion (kōʹkŏn-trakʹshŭn). 協同(同時)収縮 (作業療法において, 安定した姿位を保つためにその関節を動かす主動筋とその拮抗筋が同時に収縮すること).

code (kōd). ***1*** コード, 規約 (法律上, 思想上, 倫理上のものについていう). ***2*** コード (情報の搬送・伝達の手段としての体系). ***3*** コード, シグナル (心肺蘇生チームなどの訓練スタッフを必要とする緊急事態を表すのに病院で用いるコード, またはそのようなチームを招集するシグナル). ***4*** コード, 記号番号 (診断カテゴリーなどの情報を順番に並べたり分類するのに用いる数字の番号系). ***5*** コード化する (診断名や手技名にアルファベットと数字の組合せ番号を割り当てる. →NATO code).

code black コード・ブラック (使用される領域によって意味の異なるあいまいな用語. ⅰ救命救急センター受入れの患者で, 到着時に死亡している患者. ⅱ医療施設に爆発物が仕掛けられた恐れがあるという警告. ⅲ多数傷病者事故が起きたという警告).

code blue コード・ブルー (一部の医療施設では, 患者が心停止状態に陥り心肺蘇生の緊急実施が必要であることをアナウンスする際に用いられる).

code link·age コード・リンケージ (医療情報の取扱いにおいて, 治療に必要な医療行為をサポートするため診断コードと治療コードが一致するよう照合すること).

code or·ange コード・オレンジ (口頭指示に用いられる用語で, 個々の医療施設によって意味が異なる. オーストラリアでは, 医療施設から緊急退避する必要があることを表す).

co·de·pen·dent (kōʹdĕ-penʹdĕnt). 共依存の (容認, 否認, 秘匿などの行為により, 他人の嗜癖を援助する人. →coalcoholic).

code pur·ple コード・パープル (医療機関によって意味がさまざまに異なる口頭の指示を指すあいまいな用語. オーストラリアでは爆発物の警報の必要性を示唆する).

code red コード・レッド (差し迫った危険(火災, 荒天, 救命救急センターの過密状態)を表す, 口頭指示用のあいまいな用語.).

cod·ing (kōd′ing). 符号化, コード化 (例えば, 診断名, 質問に対する回答などの情報を, データ処理システムに入力するために数値カテゴリーに変換すること).

cod·ing se·quence コード配列 (メッセンジャー RNA への転写をコードしている DNA 部分. →exon).

Cod·man tri·an·gle コッドマン三角 (放射線科学において, 増殖する骨腫瘍と正常骨との間において骨膜が不完全な三角形をなすのをいう).

Cod·man tu·mor コッドマン腫〔瘍〕(上腕骨近位の軟骨芽細胞腫).

co·do·cyte (kō′dō-sīt). = target cell.

co·dom·i·nant (kō-dom′i-nănt). 相互優性の (遺伝学において, 2 つの遺伝子の優性度が等しいことを示し, ともに個体の表現型に表れる. 例えば, ABO 血液型の A と B の遺伝子は相互優性であり, 両方をもつ個体は AB 型である).

co·dom·i·nant in·her·i·tance 相互優性遺伝 (一対の対立遺伝子の両方が各々独立に発現している遺伝).

co·dom·i·nant trait 相互優性形質 (→codominant).

co·don (kō′don). コドン (DNA または RNA 鎖上の 1 組の 3 個連続したヌクレオチドで, 蛋白鎖に取り込まれるアミノ酸をコードしたり, 終結シグナルとして役立つ遺伝情報を備えている). = triplet(3).

coe- この形で始まり以下に記載のない語については ce- の綴りを参照.

co·ef·fi·cient (kō′ĕ-fish′ĕnt). 係数, 率 (①物体のもつ性質の規模あるいは程度を表したもの. またある条件下で, その物体が通常起こす物理的・化学的な変化または変量の度合い. ②ある条件の下で観測された量の標準状態のそれに対する比あるいは割合).

co·ef·fi·cient of var·i·a·tion (CV) 変動係数 (標準偏差と平均値の比).

Coe·len·ter·a·ta (sē-len-tĕ-rā′tă). 腔腸動物門 (クラゲなどの属する無脊椎動物の一門).

coe·len·ter·ate (sē-len′tĕr-āt). 腔腸動物 (腔腸動物門に属する生物を表す一般名).

coeliac [Br.]. = celiac.

coeliac artery [Br.]. = celiac artery.

coeliac disease [Br.]. = celiac disease.

coeliac ganglia [Br.]. = celiac ganglia.

coeliac lymph nodes [Br.]. = celiac lymph nodes.

coeliac plexus [Br.]. = celiac plexus.

coeliac plexus reflex [Br.]. = celiac plexus reflex.

coeliac trunk [Br.]. = celiac trunk.

coelio- [Br.]. = celio-.

coeliocentesis [Br.]. = celiocentesis.

coeliorrhaphy [Br.]. = celiorrhaphy.

coelioscopy [Br.]. = celioscopy.

coeliotomy [Br.]. = celiotomy.

coelitis [Br.]. = celitis.

coelo- [Br.]. = celo-.

coelom, pl. coeloma [Br.]. = celom(1).

coeloma [Br.]. = celoma.

coelomic [Br.]. = celomic.

coeno- 等しく分け合う, を意味する連結形. → ceno-.

coenocyte [Br.]. = cenocyte.

co·en·zyme (kō-en′zīm). 補酵素, 助酵素 (酵素の作用を補強する(または酵素の作用に不可欠の)物質(単独の金属イオンは除外). 酵素より分子量が小さい. ある種のビタミンは補酵素の前駆物質である). = cofactor(1).

co·en·zyme A (CoA) 補酵素 A (パントテン酸, アデノシン 3′-リン酸, 5′-ピロリン酸, システアミンからなる補酵素. アシル基の転移, 特にアセチル基の転移に関する).

co·en·zyme Q (Q) 補酵素 Q (イソプレノイド側鎖をもつキノン(特にユビキノン)で, シトクロム *b* とシトクロム *c* 間の電子伝達系を媒介する).

coeur (kur). 心臓. = heart.

coeur en sa·bot 木靴心 (Fallot 四徴症の胸部 X 線写真上の心陰影を示す. 心尖部が挙上し, 木靴の形になる).

Coe vi·rus 血清学的にはコクサッキーウイルスの A-21 株と同一. 軍隊の新兵にみられる感冒に似た病気の原因.

co·fac·tor (kō′fak′tŏr). 補因子, 補助因子, 共同因子 (①= coenzyme. ②巨大分子の作用にとって必須な原子あるいは分子. 例えば, ヘモグロビン中のヘム, クロロフィル中のマグネシウム).

COG center of gravity の略.

Co·gan oc·u·lo·mo·tor a·prax·i·a コーガン眼球運動失行 (水平方向の, 片側又は両側方向への眼球運動障害. 視野の周辺の物を見るためには頭を動かさなければならない. 男性によく見られる症状で, 特に子どもに多い).

Co·gan-Reese syn·drome コーガン-リース症候群. = iridocorneal endothelial syndrome.

cog·ni·tion (kog-ni′shŭn). 認識, 認知 (①思考, 学習, および記憶と関連した精神活動を包含する一般用語. ②人が知識を獲得する過程).

cog·ni·tive (kog′ni-tiv). 認識の, 認知の.

cog·ni·tive be·hav·i·or·al ther·a·py (CBT) 認知行動療法 (精神療法の一つで, 感情や行動における思考と心的態度の役割に重点を置く).

cog·ni·tive de·vel·op·ment 認知発達 (乳児および小児の知的機能の発達).

cog·ni·tive dis·so·nance 認知の不協和 (動機に関する状態で, ある人の態度, 知覚, および関連する不調和状態の間に一貫性がない場合に存在する. 例えば, 黒人を嫌っているが Martin Luther King は賞賛している).

cog·ni·tive lat·er·al·i·ty quo·tient 認識左右差指数(係数) (大脳の右半球と左半球の認識力の差を検査する).

cog·ni·tive ther·a·py 認知療法 (中心的な治療手段として, 導かれた自己発見, イメージ法, 自己教示, 象徴的モデリング, 明確な形で引き出された認知形態を利用する種々の精神療法技

C

法).

cog·wheel res·pi·ra·tion 歯車様呼吸（呼気音が無音の間隔により2つまたは3つに中断されること).

cog·wheel ri·gid·i·ty 歯車様硬直（パーキンソン病にみられる一種の硬直. 四肢を曲げるために持続性の力を入れると, 筋肉は歯車のような感じの痙動を示す).

co·he·rin (kō-hēr′in). コヘリン（腸平滑筋の蠕動運動を制御する下垂体後葉ホルモン).

co·he·sion (kō-hē′zhŭn). 凝集力（分子あるいは集塊相互間の牽引力).

COHN Certified Occupational Health Nurse の略.

co·hort (kō′hōrt). コホート（①ある特定期間内に出生し, 出生時期により特徴付けられる部分集団. 死亡数や生存数などの性質はその集団の成員が年を経るに応じて把握されることになる. ②疫学におけるコホート研究において, ある期間にわたって観察あるいは追跡される特定の集団).

coil (koyl). コイル（①らせん, または輪をいくつも連ねたもの. ②電子応用技術で用いられるらせん状に針金を巻いたもの, あるいはアンテナとして使われる針金の輪).

co·in·fec·tion (kō′in-fek′shŭn). 同時感染（2種類以上の病原体に同時に感染すること).

coi·no·site (koyn′ō-sīt). = cenosite.

co·in·sur·ance (kō-in-shŭr′ăns). 補償分（免責金額を支払った後, 被保険者がさらに負担する金額や割合. →copayment; cost sharing).

co·i·tal (kō′i-tăl). 性交の, 交尾の.

co·i·tal head·ache 性交頭痛（性交時に起こる良性労作性頭痛). = benign coital cephalalgia.

co·i·tion (kō-ish′ŭn). = coitus.

co·i·tus (kō′i-tŭs). 性交, 交尾. = coition; copulation(1); pareunia; sexual intercourse.

co·i·tus in·ter·rup·tus 中絶性交（射精前の性交の中断). = withdrawal(5).

co·i·tus re·ser·va·tus 保留性交（射精を遅らせたり, 我慢する性交).

coke bugs = Magnan sign.

Co·ker·o·my·ces re·cur·va·tus ケカビ目の真菌の一属. 人に疾患を起こすことは稀だが, 胸水や腹水からの分離が報告されている.

col (kol). 鞍（舌側および頬側の歯間乳頭が接する隣接面口腔粘膜の噴火口様部分).

cold (kōld). ***1*** 低温度（慣れている基準や快適な水準よりもはっきりと低い温度によってつくりだされる感覚). = frigid(1). ***2*** 感冒, かぜ〔ひき〕（上気道を侵すウイルス感染を表す俗語. 粘膜の充血, 水様鼻汁分泌, 全身倦怠が3—5日続くのが特徴. →rhinitis; common cold; frigid(1); upper respiratory infection; upper respiratory tract infection).

cold ab·scess 冷膿瘍, 寒性膿瘍（①熱やその他の炎症の徴候を欠く膿瘍. ②= tuberculous abscess).

cold ag·glu·ti·na·tion 寒冷凝集反応（血液が体温以下に冷やされるとき, 自己血清(→autoagglutination)または同種血清によって起こる赤血球の凝集. ときとして正常ヒト血液でも観察される現像である. 一般には原発性非定型性肺炎, 伝染性単核球症, その他のウイルス感染症, ある種の原虫症およびリンパ球系白血病などの病的状態で観察される. →autoagglutination).

cold ag·glu·ti·nin 寒冷凝集素（37°C 以下でより高率に反応する抗体).

cold cure res·in, cold-cur·ing res·in = autopolymer resin.

cold-in·duced ur·ti·car·i·a 寒冷じんま疹（寒冷による刺激で起こるじんま疹).

cold-in·duced vas·o·di·la·tion 寒冷誘発血管拡張（血管断面の直径を拡大するため寒冷刺激を利用すること).

cold knife con·i·za·tion 寒冷式円錐切除〔術〕（組織学的特徴を保ち, 組織の乾燥を避けるために, 焼灼術ではなくメスで子宮頸管を円錐状に採取すること).

cold nod·ule コールドノジュール, 陰性像, 低摂取結節（周囲の甲状腺実質より放射性ヨウ素摂取がはるかに低い甲状腺結節. 約1/4は悪性).

cold press·ing 低温圧搾法（栄養素を破壊しないよう, 熱を使わずに食物から油を精製する方法).

cold-sen·si·tive en·zyme 低温感受性酵素（温度の低下によってその安定性を失う酵素).

cold sore herpes simplex の口語.

cold stage 悪寒期（マラリア発作の寒冷時期).

cold ther·a·py 寒冷療法（身体の一部に氷や冷水をあてる治療法). = cryotherapy.

cold ul·cer 寒性潰瘍（手足の壊疽性潰瘍で, 循環不全に起因する).

cold ur·ti·ca·ri·a 寒冷じんま疹（低温にさらされた後に発生する膨疹形成. 証明できる受動伝達抗体を伴うときと伴わないときとがある. →hypothermia).

col·ec·to·my (kŏ-lek′tŏ-mē). 結腸切除〔術〕（結腸の部分的または全体の切除).

co·li·bac·il·lo·sis (kō′li-bas-i-lō′sis). 大腸菌症（大腸菌 *Escherichia coli* によって生じる下痢疾患. 腸大腸菌症 enteric colibacillosis ともよばれる).

col·ic (kol′ik). ***1***〚adj.〛大腸の, 結腸の. ***2***〚n.〛

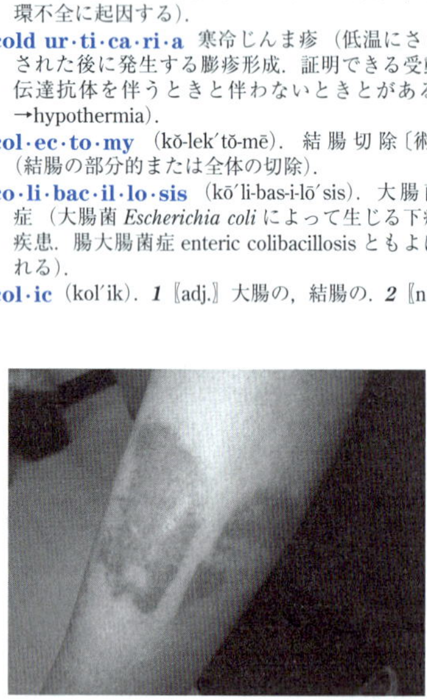

cold urticaria

仙(疝)痛（腹部の痙攣痛）．***3***〖n.〗年少乳児における，泣いたり刺激に反応したりすることを伴う胃腸の疼痛痙攣で，空気のえん下，感情的動揺，授乳過多などの多様な原因によって起こる．

col·i·cin (kol′i-sin)．コリシン（大腸菌 *Escherichia coli* の菌株，および赤痢菌属 *Shigella* や *Salmonella* 属など，必須プラスミドを運ぶ腸内細菌の産生するバクテリオシン）．

col·ick·y (kol′ik-ē)．仙(疝)痛〔様〕の（仙痛，あるいは仙痛に似た痛みをいう）．

col·ic root ワイルドヤム（疝痛根）（米国東部で一般的に見られる植物（*Aletris farinosa*）で，colic root という俗名が示す通り腹痛に効く特効薬とされる．また月経障害の治療に有効ともされている）．= American wild yam.

col·i·form ba·cil·li 大腸菌型細菌（大腸菌 *Escherichia coli* に対する一般名で，水の糞便汚染の指示に用いられ，大腸菌数として測定される．ときに乳糖発酵性腸内細菌全体に用いられる）．

col·in·e·ar·i·ty (kō′lin-ē-ar′i-tē)．共直線性，コリニアリティー（①直線にあること．② DNA の対応する要素，それから転写された RNA，およびその RNA から翻訳されたアミノ酸配列の順序が一致している現象）．

co·lip·ase (kō′lip-ās)．補リパーゼ（膵液中にある小さな蛋白で，膵リパーゼの効果的な作用に大切である）．

co·li·phage (kol′i-fāj)．大腸菌ファージ（大腸菌 *Escherichia coli* のある菌株に親和性を有するバクテリオファージ）．

co·li·tis (kō-lī′tis)．大腸炎，結腸炎．

col·la (kol′ă)．collum の複数形．

col·lab·or·a·tive ac·tions 協働活動（医療チームのメンバーが互いに頼り合い活動すること）．

col·la·gen (kol′ă-jen)．膠原，コラーゲン（結合組織軟骨および骨の白色線維にある主要な蛋白（哺乳類の蛋白の半分以上を占める）で，水に不溶性であるが，水・希酸・希アルカリで沸騰させることにより，容易に消化される可溶性のゼラチンに変わる．→collagen fiber）．= ossein; osseine; ostein; osteine.

col·lag·e·nase (kŏ-laj′ĕ-nās)．コラーゲナーゼ（多数のコラーゲンとでも作用できる蛋白分解酵素）．

col·la·gen dis·ease, col·la·gen-vas·cu·lar dis·ease 膠原病，膠原血管病（結合組織の破壊としばしばフィブリノイド変性と血管炎を特徴とする一連の疾患．いくつかの膠原病では自己免疫，特に抗核抗体が検出され，血中に免疫複合体も見出される．コラーゲンが一次的に関与しているという証拠がないため，この用語は必ずしも受け入れられていない．〝コラーゲン〟はかつては結合組織中の特異的な線維素源蛋白を表現するというよりは，〝結合組織〟そのものの同義語として用いられていた．→connective-tissue disease）．

col·la·gen fi·ber, col·lag·e·nous fi·ber 膠原線維（直径が 1 μm に満たないものから約 12 μm までの種々の線維で，原線維からなる．通常は束をなすが，ある程度の分岐を示し，長さは様々である．化学的に，糖蛋白，膠原質からなり，煮沸によりゼラチンを生じる．不規則な配列をする結合組織，腱，腱膜およびほとんどの靱帯を形成する線維で，軟骨基質や骨組織中にも大量に存在する）．= collagen fibre; white fiber (2).

collagen fibre [Br.]. = collagen fiber.

col·la·gen·ic (kol′ă-jen′ik)．= collagenous.

col·la·gen im·plan·ta·tion コラーゲン注入法．= collagen injection.

col·la·gen in·jec·tion コラーゲン注射（痤瘡瘢痕あるいは皮膚の老齢変化などの表在性軟組織の変形を，コラーゲンを局注することにより修正する方法．ウシ（皮膚由来）のコラーゲンが通常用いられる．過敏反応を防ぐため，皮内注射をあらかじめ行う必要がある）．= collagen implantation.

col·lag·e·ni·za·tion (kŏ-laj′ĕ-nī-zā′shŭn)．膠原化（①組織または線維素を膠原で置き換えること．②線維芽細胞による膠原の合成）．

col·lag·e·no·lyt·ic (kŏ-laj′ĕ-nō-lit′ik)．膠原溶解性の（プロリンを含む膠原，ゼラチン，および他の蛋白の溶解を起こす）．

col·lag·e·nous (kŏ-laj′ĕ-nŭs)．膠原〔性〕の，膠原質形成の．= collagenic.

col·lag·e·nous co·li·tis コラーゲン蓄積大腸炎（中年女性の発症が多く，持続性水様下痢を生じる．大腸上皮の基底膜下にコラーゲンの蓄積が認められる）．

collagenous fibre [Br.]. = collagenous fiber.

col·lapse (kŏ-laps′)．***1***〖n.〗虚脱（極度の衰弱状態で，血液量減少性ショックに似ており，原因も同じ）．***2***〖v.〗虚脱する（深い肉体的（活動性）低下状態）．***3***〖n.〗崩壊（構造物の壁がともに倒れること）．***4***〖n.〗失調（生理学上の組織や仕組みの失調）．

col·lar (kol′ăr)．環（通常，頸部を取り囲んでいる構造をいう）．

col·lar bone 鎖骨．= clavicle.

col·lar-but·ton ab·scess カラーボタン膿瘍（狭溝により連続する 2 つの腔を有する膿瘍．通常は手足の筋膜を通じ，膿瘍が破裂することにより形成される）．= shirt-stud abscess.

col·lat·er·al (kŏ-lat′ĕr-ăl)．***1***〖adj.〗副行の，側副の．***2***〖n.〗側副枝（神経軸索または血管の副枝）．

col·lat·er·al ar·ter·y 側副動脈（①神経あるいは，その他何らかの構造と平行して走行する動脈．②側副回路を構成している動脈）．

col·lat·er·al cir·cu·la·tion 副行循環，側副循環，副行血行，側副血行（主動脈が閉鎖された場合，吻合小血管により維持される循環）．

col·lat·er·al dig·i·tal ar·ter·y = proper palmar digital artery.

col·lat·er·al hy·per·e·mi·a 副血行性充血，側副循環性充血（主動脈から身体のある部分への循環が阻止されて，側枝内の血流が増加すること）．

col·lat·er·al in·her·i·tance 傍系遺伝（家族

集団の傍系の構成員に形質が出現することで，叔(伯)父と姪とが共通の先祖から受け継いだ形質を表す例などがある).

col·lat·er·al sul·cus 側副溝（側頭葉下面にある長く深い矢状溝．外側の内側後頭側頭回と内側の海馬回と舌状回との間にある．側副溝の最深部は側脳室の後頭角および下角の床に膨隆，すなわち側副隆起をつくる).

col·lat·er·al ves·sel 側副血管（①本幹と平行して走る動脈枝．②血管，神経，その他細長い構造に平行して走る血管).

col·lec·tion (kŏ-lek′shŭn)．採取（生物試料の調達).

col·lec·tive un·con·scious 集合無意識，普遍的無意識（Jung 学派の心理学において，個人の系統発生的過去から伝達された共同的記憶痕跡または潜在的記憶).

Col·les fas·ci·a コリーズ筋膜（外性器を覆う浅会陰筋膜．坐骨枝および恥骨下枝と坐骨結節に付着している).

Col·les frac·ture コリーズ(コーレス)骨折（末梢骨片が背側に転位および(または)屈曲している橈骨遠位部の骨折).

col·lic·u·lar ar·ter·y 四丘体動脈（起始：後大脳動脈の交連前部(P1 区)から．分布：中脳被蓋の上丘と下丘). = arteria quadrigeminalis.

col·lic·u·lec·to·my (kŏ-lik′yū-lek′tŏ-mē)．精丘切除〔術〕.

col·lic·u·li·tis (kŏ-lik′yū-lī′tis)．精丘炎（精丘部の尿道の炎症).

col·lic·u·lus, pl. col·lic·u·li (kŏ-lik′yū-lŭs, -lī)．丘，小丘（周囲部分よりも盛り上がった小さな隆起).

Col·lier sign コリエ徴候（中脳病変による片側性または両側性の眼瞼後退現象で，いかなる年代にもみられる．→setting sun sign; Epstein sign).

col·lier's lung 炭坑夫肺. = anthracosis.

col·li·mate (kol′i-māt)．平行にする.

col·li·ma·tion (kol′i-mā′shŭn)．視準，照準（放射線〔医〕学で一定の領域への X 線量を制限，限定し，核医学で一定の関心領域からの放射線の検出を制限する方法).

col·li·ma·tor (kol′i-mā-tŏr)．コリメータ，照準器，絞り（視準において用いる，吸収係数の大きい材料でつくられた装置).

col·li·qua·tion (kol′i-kwā′zhŭn)．***1*** 液体排泄過多．***2*** 融解（壊死過程における液化).

col·liq·ua·tive (kŏ-lik′wă-tiv)．液体排泄過多の（液体を過剰に排泄することを示す).

Col·lis-Bel·sey fun·do·pli·ca·tion コリス-ベルセー胃底ひだ形成〔術〕. = Collis-Nissen fundoplication.

Col·lis-Nis·sen fun·do·pli·ca·tion コリス-ニッセン胃底ひだ形成〔術〕（食道が短くなった場合に行われる手術．食道を胃噴門部をチューブ状にすることにより長くし，この新しい食道のまわりにひだ形成を行う). = Collis-Belsey fundoplication.

col·loid (kol′oyd)．***1***〘n.〙コロイド，膠質（細かく分離された状態(限外顕微鏡的)にある原子や分子の集合体で，気体，液体，あるいは固体状の媒質中に分散している．沈降，拡散，浸透に抵抗し，沈殿物とは異なる．→hydrocolloid)．***2***〘adj.〙にかわ状の．***3***〘n.〙半透明で黄色がかった均質で，にかわの密度をもち，流動性は粘液や粘液素よりも少ない．コロイジン変性状態にある細胞や組織中にみられる. = colloidin．***4***〘n.〙甲状腺膠質，甲状腺コロイド（甲状腺小胞内に貯蔵された分泌物).

col·loid ac·ne コロイド痤瘡. = colloid milium.

col·loi·dal (kol-oyd′ăl)．コロイド状の，膠状の.

col·loi·dal gel コロイド状ゲル（化学変化または温度変化により，流動性の減少したコロイド).

col·loi·dal so·lu·tion コロイド溶液（分散体，乳濁体または懸濁体).

col·loid bath 膠質浴（重炭酸ナトリウムやオートミールのような緩和剤を加えた浴で，皮膚刺激やそう痒症を軽減する目的で用いる).

col·loid car·ci·no·ma 膠様癌. = mucinous carcinoma.

col·loid de·gen·er·a·tion コロイド変性，膠様変性（ムコイド変性に類似した変性．この変性においては物質が硬くなる).

col·loid goi·ter コロイド甲状腺腫（小胞内容物が激増した甲状腺の一型で，上皮の圧迫性萎縮が起こり，その結果，腫瘍内ではゼラチン様物質が主要部分を占める).

col·loi·din (kol-oy′din)．コロイジン. = colloid (3).

col·loid mil·i·um 膠様稗粒腫（頭や手背の日光で障害された皮膚に生じる黄色の丘疹で，真皮内は膠様物質からなる．この膠様物質はアミロイドに似ているが，超微細構造的にはアミロイドと異なっている). = colloid acne; colloid pseudomilium.

col·loid pseu·do·mil·i·um = colloid milium.

col·lum, pl. col·la (kol′ŭm, -ă)．頸，くび. = neck.

col·lum pan·cre·at·is = neck of pancreas.

col·lyr·i·um (kŏ-lir′ē-ŭm)．洗眼薬（本来は眼に対する調剤の総称).

colo- 結腸に関する連結形.

col·o·bo·ma (kol′ō-bō′mă)．欠損〔症〕，コロボーム，欠裂（先天的，病的，または人為的欠損の総称．特に眼の眼杯裂の閉鎖不全によるもの).

col·o·bo·ma·tous mi·croph·thal·mi·a 組織欠損性小眼球症（小眼球に胎生裂に沿って生じる先天性欠損．しばしば嚢胞を合併する).

co·lo·cen·te·sis (kō′lō-sen-tē′sis)．結腸穿刺（膨満を軽減するために，套管針や小刀で結腸を穿刺すること). = colopuncture.

co·lo·cho·le·cys·tos·to·my (kō′lō-kō-lĕ-sis-tos′tŏ-mē). = cholecystocolostomy.

co·lo·co·los·to·my (kō′lō-kō-los′tŏ-mē)．結腸〔間〕吻合〔術〕，結腸結腸吻合〔術〕（結腸の結合していない 2 部分の間に連絡路をつくること).

co·lo·en·ter·i·tis (kō′lō-en-tĕr-ī′tis)．全腸炎. = enterocolitis.

co·lon (kō′lŏn). 結腸（大腸のうち盲腸から直腸の手前までの部分）.
co·lon·ic (kō-lon′ik). 結腸の.
co·lon·op·a·thy, co·lop·a·thy (kō′lŏn-op′ă-thē, kō-lop′ă-thē). 結腸疾患（まれに用いる語）.
co·lon·o·scope (kō-lon′ō-skōp). 結腸鏡（長く自由に曲がるファイバースコープ）.
co·lon·os·co·py, co·los·co·py (kō′lŏn-os′kŏ-pē, kō-los′kŏ-pē). 結腸鏡検査〔法〕（結腸鏡による結腸内表面の視覚による検査）.
co·lon sig·moid·e·um S 状結腸. = sigmoid colon.
col·o·ny (kol′ō-nē). コロニー，集落（①固形栄養物の表面で成長している細胞群．各々は個々の細胞の増殖によりできる栄養系，分枝系. = clone. ②共通の利害関係をもって，特定の場所または地域に住む人々のグループ）.
col·o·ny count コロニー計測（細菌培養液中の個々のコロニー数を計測すること）.
col·o·ny-form·ing u·nit（CFU） コロニー形成単位（培養幹細胞で，成熟度の高い細胞に増殖・分化する能力を有するもの．特定の既知細胞系に発達する CFU は，この最終細胞系を文字で付加して表示する．例えば，CFU-E は赤血球になる CFU, CFU-GM は顆粒球/単核細胞になる CFU である）.
col·o·ny-stim·u·lat·ing fac·tors（CSF） コロニー刺激因子（骨髄系細胞の分化を調節する増殖因子の一群）.
col·o·pex·y (ko′lō-pek-sē). 結腸固定術（結腸の一部を腹壁へ固定すること）.
co·lo·pli·ca·tion (kō′lō-pli-kā′shŭn). 結腸造襞〔術〕（ひだをつくったり腸壁にたくし込んだりすることによって，拡張した結腸の管腔を減少させること）.
co·lo·proc·ti·tis (kō′lō-prok-tī′tis). 結腸直腸炎. = colorectitis.
co·lo·proc·tos·to·my (kō′lō-prok-tos′tŏ-mē). 結腸直腸吻合〔術〕（直腸とそれに接続していない結腸部分間に連絡路をつくること）. = colorectostomy.
co·lop·to·sis, co·lop·to·si·a (kō′lop-tō′sis, -tō′sē-ă). 結腸下垂〔症〕（結腸，特に横行部分の下方への転移または脱出）.
co·lo·punc·ture (kō′lō-pŭngk′shŭr). 結腸穿刺. = colocentesis.
col·or (kŏl′ŏr). 色，色彩（①色相 hue，明度 brightness，および彩度 saturation によって特徴付けできる物体の外観および光源の視覚上の表現．②可視領域の電磁波スペクトル（370—760 nm）の視覚上の表現で，波長，光度，純度によって特徴付けられる）. = colour.
Col·o·ra·do tick fe·ver コロラドダニ熱（コロラドダニ熱ウイルスによって引き起こされ，アンダーソンカクマダニ *Dermacentor andersoni* によってヒトに媒介される感染症．症状は軽く，皮疹はなく，熱もあまり高くなく，死に至ることはほとんどない）. = tick fever（5）.
Col·o·ra·do tick fe·ver vi·rus コロラドダニ熱ウイルス（アンダーソンカクマダニ *Dermacentor andersoni* によって媒介され，ヒトに熱病を起こす米国のロッキー山脈地方のレオウイルス科 *Coltivirus* 属のウイルス．コロラドダニ熱の原因）.
col·or ag·no·si·a 色失認〔症〕，色覚失認〔症〕（見た色の名前を述べたり認識できなくなった状態．優位半球の後頭葉と側頭葉病変によって生じる）. = colour agnosia.
col·or blind·ness 色盲（色覚異常または不全と誤解をまねきやすい用語．全色盲は原発性の網膜錐体色素の欠損の1つ．→protanopia; deuteranopia; tritanopia）. = colour blindness.
col·or chart 色覚検査表（色覚を調べるときに使用する一式の色サンプル）. = chromatic chart; colour chart.
co·lo·rec·tal (kō′lō-rek′tăl). 結腸直腸の（結腸および直腸あるいは全大腸についていう）.
co·lo·rec·ti·tis (kō′lō-rek-tī′tis). = coloproctitis.
co·lo·rec·tos·to·my (kō′lō-rek-tos′tō-mē). = coloproctostomy.
col·ored vi·sion（VC） 色覚. = chromatopsia; coloured vision.
col·or hear·ing 色聴（音によって生じる主観的な色の感覚）. = colour hearing; pseudochromesthesia（2）.
col·or·im·e·ter (kŏl′ŏr-im′ĕ-tĕr). 比色計（色および（または）液体の色の濃さを決めるのに用いる光学装置）. = colourimeter.
col·or·i·met·ric (kŏl′ŏr-i-met′rik). 比色定量の，比色法の（比色定量法に関する）. = colourimetric.
col·or·im·e·try (kŏl′ŏr-im′ĕ-trē). 比色定量（定量化学分析法の1つで，試料溶液に生じる色と，標準溶液の色との比較に基づく．2つの溶液は比色計の中で同時に観察され，光の吸収量に基づいて定量される）.
co·lor·rha·gi·a (kō′lō-rā′jē-ă). 結腸漏（結腸からの異常な分泌）.
co·lor·rha·phy (kō-lōr′ă-fē). 結腸縫合〔術〕（結腸の縫合）.
col·or sco·to·ma 色暗点（視野にある色視覚の低下する暗点）. = colour scotoma.
col·or taste 色彩味覚（色感覚と味が合わさる共感覚の一種．片方を刺激するともう片方も主観的な感覚を引き起こす）. = colour taste; pseudogeusesthesia.
co·lo·sig·moi·dos·to·my (kō′lō-sig-moy-dos′tŏ-mē). 結腸 S 状結腸吻合〔術〕（結腸部分と S 状結腸との間を吻合すること）.
co·los·to·my (kō-los′tŏ-mē). 人工肛門形成〔術〕，結腸造瘻〔術〕，結腸フィステル形成〔術〕（結腸腔と皮膚の間に造設された人工的な連絡）.
co·los·to·my bag 結腸瘻バッグ（手術的に結腸と皮膚の間に形成された交通（人工肛門）に装着する，便を集めるためのバッグ（袋））.
co·los·tric (kō-los′trik). 初乳の.
co·los·tror·rhe·a (kō′los-trōr-ē′ă). 初乳漏出〔症〕（初乳の分泌が異常に多いこと）.
colostrorrhoea [Br.]. = colostrorrhea.
co·los·trum (kō-los′trŭm). 初乳（分娩後に最初に分泌される乳汁で，希薄な乳白色の液体.

C

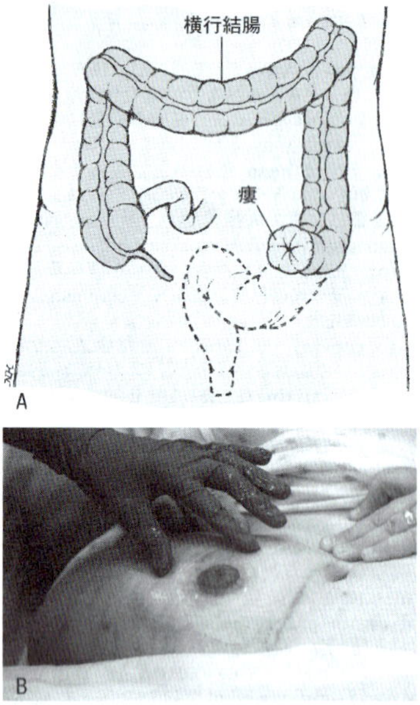
横行結腸
瘻
A
B

colostomy

ラクトアルブミンと乳蛋白を多く含むという点で，後に分泌される乳汁とは異なる．また，初乳は，新生児に受動免疫を与える抗体に富む）．= foremilk.

co·lot·o·my (kō-lot′ō-mē)．結腸切開〔術〕．

colour ［Br.］. = color.

colour agnosia ［Br.］. = color agnosia.

colour blindness ［Br.］. = color blindness.

colour chart ［Br.］. = color chart.

coloured vision ［Br.］. = colored vision.

colour hearing ［Br.］. = color hearing.

colourimeter ［Br.］. = colorimeter.

colourimetric ［Br.］. = colorimetric.

colourimetry ［Br.］. = colorimetry.

Col·our In·dex（CI） 染料索引（染料化学に関する出版物で，そこに記載された各々は 5 桁の CI 番号で同定される．例えば，メチレンブルーは CI52015 である）．

colour scotoma ［Br.］. = color scotoma.

colour taste ［Br.］. = color taste.

col·pa·tre·si·a (kol′pă-trē′zē-ă)．腟閉鎖〔症〕．= vaginal atresia.

col·pec·ta·sis, col·pec·ta·si·a (kol-pek′tă-sis, -pek-tā′zē-ă)．腟拡張〔症〕．

col·pec·to·my (kol-pek′tŏ-mē)．腟切除〔術〕．= vaginectomy.

colpo-, colp- 腟を示す連結形．→vagino-.

col·po·cele (kol′pō-sēl)．*1* 腟ヘルニア（腟に突出しているヘルニア）．= vaginocele. *2* 腟脱〔症〕．= colpoptosis.

col·po·clei·sis (kol′pō-klī′sis)．腟閉鎖〔術〕（腟腔をなくす手術）．

col·po·cys·to·cele (kol′pō-sis′tō-sēl)．腟膀胱ヘルニア．= cystocele.

col·po·cys·to·plas·ty (kol′pō-sis′tō-plas-tē)．腟膀胱形成〔術〕（膀胱腟壁修復のための形成外科手術）．

col·po·dyn·i·a (kol′pō-din′ē-ă)．腟痛．= vaginodynia.

col·po·mi·cros·co·py (kol′pō-mī-kros′kŏ-pē)．腟顕微鏡診（コルポマイクロスコープを用いて，腟および頸管の細胞を *in vivo*（すなわち損傷を受けていない組織状態下）で拡大し，直視的に診察・研究すること）．

col·po·per·i·ne·o·plas·ty (kol′pō-par-i-nē′ō-plas-tē)．腟会陰形成〔術〕．= vaginoperineoplasty.

col·po·per·i·ne·or·rha·phy (kol′pō-per-i-nē-ōr′ă-fē)．腟会陰縫合〔術〕．= vaginoperineorrhaphy.

col·po·pexy (kol′pō-pek-sē)．腟〔壁〕固定〔術〕．= vaginofixation.

col·po·plas·ty (kol′pō-plas-tē)．腟形成〔術〕．= vaginoplasty.

col·po·poi·e·sis (kol′pō-poy-ē′sis)．腟形成，造腟術（腟を外科的につくること）．

col·po·pto·sis, col·po·pto·si·a (kol′pō-tō′sis, kol′pō-tō′sē-ă)．腟脱〔症〕（腟壁の脱出）．= colpocele (2).

col·por·rha·gi·a (kol′pōr-ā′jē-ă)．腟出血．

col·por·rha·phy (kol-pōr′ă-fē)．腟壁縫合〔術〕，腟壁縫縮〔術〕（裂傷の断端を新しく縫合する腟の裂傷の修復術）．

col·por·rhex·is (kol′pō-rek′sis)．腟断裂．

col·po·scope (kol′pō-skōp)．コルポスコープ，腟鏡（腟および頸管の組織を直視的に観察・研究するために，その表面を *in vivo* で拡大する内視鏡器械）．

col·pos·co·py (kol-pos′kŏ-pē)．コルポスコピー，拡大腟鏡診（内視鏡による腟および頸管の検査）．

col·po·spasm (kol′pō-spazm)．腟痙（腟の痙攣性収縮）．

col·po·stats (kōl′pō-stats). = ovoids.

col·po·ste·no·sis (kol′pō-stĕ-nō′sis)．腟狭窄（腟の内腔が狭くなっていること）．

col·po·ste·not·o·my (kol′pō-stĕ-not′ō-mē)．腟狭窄切開〔術〕．

col·po·sus·pen·sion (kol′pō-sŭs-pen′shŭn)．子宮体部吊上術（腟円蓋部の側面と Cooper 靱帯を両側で縫合固定する．膀胱瘤による腹圧性尿失禁に対する標準的な Marshall-Marchetti-Kranz 尿道膀胱吊上術の変法で，より有効な術式）．

col·pot·o·my (kol-pot′ŏ-mē)．腟切開〔術〕．= vaginotomy.

col·po·xe·ro·sis (kol′pō-zē-rō′sis)．腟陰門乾燥症（腟粘膜の異常な乾燥）．

col·ti·vi·rus (kolʹtē-vī-rus). コルチウイルス属（コロラドダニ熱を引き起こすレオウイルス科の一属）.

colts·foot (kōltsʹfut). フキタンポポ，カントウ（学名 Tussilago farfara. 上気道感染症に対し効力があるとされる. 有毒ピロリジジンアルカロイドを含む植物）.

col·u·mel·la, pl. col·u·mel·lae (kolʹyū-melʹă, -melʹē). コルメラ，支柱，軸柱（①柱，小柱. = columnella. ②接合菌綱にみられるような真菌における胞子嚢の無胞子性の陥入）.

col·umn (kolʹŭm). = columna. *1* 柱，列（柱形または円柱索状をした解剖学的部分または構造. →fascicle）. *2* 柱，列，カラム（通常，円筒状の垂直の物体，塊または構造）.

co·lum·na, gen. & pl. co·lum·nae (kō-lŭmʹnă, -nē). 柱. = column(1).

co·lum·nae a·na·les 肛門柱. = anal columns.

co·lum·nae gri·se·ae 灰白柱. = gray columns.

co·lum·nae re·na·les 腎柱. = renal columns.

co·lum·nar ep·i·the·li·um 円柱上皮（幅よりも高さのある角柱細胞の単一層からなる上皮）.

co·lum·na ver·te·bra·lis 脊柱. = vertebral column.

col·umn chro·ma·tog·ra·phy カラムクロマトグラフィ（一相すなわち液体(液相)が二相すなわち固定相を充填したカラムを流下していく分配または吸着，イオン交換，アフィニティクロマトグラフィの形式の一種）.

co·lum·nel·la, pl. col·um·nel·lae (kōʹlŭm-nelʹă, -nelʹē). 柱，小柱. = columella(1).

col·umn of for·nix 脳弓柱（脳弓のうち視床背側部の吻側で室間孔の近くを回って下降し視床下部を経て乳頭体に続く部分. 主に海馬と鉤状回から出る線維からなり，脳弓柱は脳弓脚に直接続いている）.

com- →con-.

co·ma (kōʹmă). *1* 昏睡（覚ますことのできない深い無意識の状態. 毒物の摂取や体内で形成される毒素の作用，外傷，あるいは疾病などによって起こる）. *2* 球レンズ収差（斜めに入射した場合に起こる球レンズの収差. 例えば，点の像がほうき星の形になる）. *3* = coma aberration.

co·ma ab·er·ra·tion コマ収差（光学系に入射する光線束が光軸に対して平行でないときに生じる像のゆがみ）. = coma(3).

co·ma scale 昏睡尺度（意識障害を評価する臨床尺度. 例えば，グラスゴー(スコットランド)昏睡尺度における評価内容は運動系の反応性，言語機能，開眼できるかなどであり，メリーランド(米国)昏睡尺度ではこの3項目に加えて脳神経の異常が含まれている）.

co·ma·tose (kōʹmă-tōs). 昏睡の.

comb flow·er = echinacea.

com·bined glau·co·ma 結合緑内障（同一の眼に閉塞隅角と開放隅角機構を伴った緑内障）.

Com·bined Health In·for·ma·tion Da·ta·base (CHID) 米国連邦政府内保健情報検索（米国連邦政府の医療関連機関が作成した著作目録データベース. 著作名，概要，健康情報・健康教育に関する掲載情報を提供する）.

com·bined im·mu·no·de·fi·cien·cy 複合〔型〕免疫欠損（Bリンパ細胞とTリンパ細胞両者の免疫欠損）.

com·bined meth·ods 混合法（ろう(聾)児の教育法として，聴覚口話法や視覚手話法を組み合わせる方法. →oral auditory method; manual visual method; total communication）.

com·bined preg·nan·cy 重複妊娠（子宮内妊娠と子宮外妊娠の併存）.

com·bus·ti·ble (kŏm-bŭsʹti-bĕl). 可燃性の.

com·bus·tion (kŏm-bŭsʹchŭn). 燃焼（熱および光の発生を伴った，物質の急速な酸化）.

Com·by sign コンビー徴候（麻疹の初期徴候. 歯肉や頬粘膜の薄い白色斑点で，剥離した表皮細胞で形成されている）.

com·e·do, pl. com·e·dos, com·e·do·nes (komʹĕ-dō, -dōz, -dōʹnēz). コメド，面ぽう(皰)（拡大した毛包漏斗部であり，ケラチン，鱗屑，バクテリア，特に痤瘡プロピオンバクテリウム *Propionibacterium acnes*，皮脂が充満している. 尋常性痤瘡の初期病変）.

com·e·do·car·ci·no·ma (komʹĕ-dō-kahr-si-nōʹmă). コメド癌，面ぽう(皰)癌（壊死に陥った悪性細胞の栓子が腺管から排出される癌の一形態で，乳房その他の器官にみられる）.

com·e·do·gen·ic (komʹĕ-dō-jenʹik). 面ぽう(皰)形成性の（面ぽうの形成を促進する傾向のある）.

co·mes, pl. com·i·tes (kōʹmēz, komʹi-tēz). 伴行，側副（他の血管，神経に伴行する血管. 動脈に伴行する静脈(しばしば2本)を venae comitantes, venae comites という）.

com·fort mea·sures on·ly 緩和医療（延命処置を施すことなしに，安楽で尊厳ある自然死をサポートするようにという指示）.

com·fort zone 快感帯（震えまたは発汗なしに裸体で熱平衡を保ちうる28—30℃の温度範囲. 服着用の場合には13—21℃）.

com·i·tant ar·ter·y of me·di·an nerve 正中神経伴行動脈. = median artery.

com·i·tant stra·bis·mus 共同斜視（あらゆる注視方向で斜視角が同じ斜視）.

com·ma ba·cil·lus コンマ菌. = *Vibrio cholerae*.

com·mand hal·lu·ci·na·tion 命令幻覚（外部に要因はないのに何かをするようにというメッセージからなる，多くは聴覚的な，ときには視覚的な症状）.

com·man·do pro·ce·dure コマンド手術（口腔底部の悪性腫瘍の手術法で，口腔病変に連続した下顎骨の部分切除および頸部郭清手術を含む）.

com·men·sal (kŏ-menʹsăl). *1* 〚adj.〛 片利共生の（片利共生に関する，によって特徴付けられる）. *2* 〚n.〛 共生している生物.

com·men·sal·ism (kŏ-menʹsăl-izm). 片利共生（一方の種は利益を受け，他方は害を受けないような共生関係. ヒト大腸内の大腸アメーバ *Entamoeba coli* などがその例である. *cf.* metabiosis; mutualism; parasitism）.

com·mi·nut·ed (komʹi-nūʹtĕd). 粉砕された

C

(破片に砕かれた．特に骨折を示す)．

com·mi·nut·ed frac·ture 粉砕骨折，細片骨折（骨が２つ以上の破片に砕かれた骨折）．

com·mi·nu·tion (kom′i-nū′shŭn)．粉砕（数個の破片に砕くこと）．

Com·mis·sion E ドイツコミッションE（ハーブの含有成分を分析・整合し，医薬品としての使用を分析・認定するために設置されたドイツの連邦保健庁(通常 German Commission E, BGA と呼ばれる)．米国では，このような研究で同規模のものは行われていない．同保健庁のモノグラフは英語に翻訳され，ハーブや植物の効果と安全性の有無について，臨床的証拠を提供している)．

Com·mis·sion on Ac·cred·i·ta·tion of Re·ha·bil·i·ta·tion Fa·cil·i·ties (C. A. R.F.) リハ施設資格承認委員会（リハビリテーション施設の水準を保つために活動するボランティア団体．→accreditation)．

com·mis·sur·a, gen. & pl. **com·mis·sur·ae** (kom-i-syūr′ă, -syūr′ē)．交連．= commissure.

com·mis·sur·ae su·pra·op·ti·cae 視交叉上交連（視交叉の後上方にある交連線維)．= supraoptic commissures.

com·mis·sur·al (kom-i-shŭr′ăl)．交連の．

com·mis·sur·al fi·bers 交連線維（正中線を交差して，神経系の左右の対応部位を互いに結合する神経線維)．

com·mis·sur·a pos·te·ri·or ce·re·bri〔大脳の〕後交連．= posterior cerebral commissure.

com·mis·sure (kom′i-shŭr)．交連，連合，横連合（①眼，口唇，陰唇の角．②脳または脊髄の一側から他側へ通る神経線維束)．= commissura.

com·mis·sur·ot·o·my (kom′i-shŭr-ot′ŏ-mē)．*1* 交連切開〔術〕（切開またはバルーン拡張などによる破壊によって交連，線維帯，または輪を外科的に分離する方法)．*2* 正中線脊髄切開〔術〕．= midline myelotomy.

com·mon an·ti·gen 共通抗原（交叉反応性を有する抗原(エピトープ)．２種またはそれ以上の細菌などの生体に共通構造を有している異なる分子)．= heterogenic enterobacterial antigen.

com·mon a·tri·um 単心房（心房中隔の欠損による１つの心房をもった奇型)．= cor triloculare biventriculare.

com·mon ba·sal vein 総肺底静脈（上・下肺底静脈から血液を受ける，下肺静脈(右および左)への枝)．

com·mon bile duct 総胆管（総肝管と胆嚢管とが合流してできた管で胆汁を十二指腸へ注ぐ)．

com·mon buck·thorn = buckthorn.

com·mon ca·rot·id ar·ter·y 総頸動脈（右側は腕頭，左側は大動脈弓より起こる．頸部を上方に走り，甲状軟骨上縁第四頸椎水準の対側で外・内頸動脈の終末枝に分かれる)．= arteria carotis communis.

com·mon co·chle·ar ar·ter·y 総蝸牛動脈（起始：前前庭動脈とともに迷路動脈の最終枝として．分布：蝸牛軸にはいってらせん神経節に分布し，さらに固有蝸牛動脈を蝸牛管に送り先端から２回まわりのところに分布する)．= arteria cochlearis communis.

com·mon cold = cold.

com·mon fa·cial vein 総顔面静脈（顔面静脈と下顎後静脈との合流によってできる短い血管で内頸静脈に流入する．NA では顔面静脈の連続と考えられている)．

com·mon fib·u·lar nerve 総腓骨神経（坐骨神経の終末枝の１つで膝窩の上端で脛骨神経と分かれ，大腿二頭筋とともに膝窩の外側を進み，腓骨頭を回ったところで浅・深腓骨神経に分かれる．総腓骨神経は腓骨頭外側の皮下にあって最も傷害を受けやすい神経で，傷害を受けると足の背屈ができなくなる(垂足))．= nervus fibularis communis; common peroneal nerve; nervus peroneus communis.

com·mon he·pat·ic ar·ter·y 総肝動脈（(脾動脈とともに)腹腔動脈の終枝で，右胃動脈(変異に富む)，胃十二指腸動脈，固有肝動脈に分枝)．= arteria hepatica communis.

com·mon he·pat·ic duct 総肝管（胆管系の一部で，右・左肝管の合流によってつくられる．肛門で，胆嚢管と連結し，総胆管となる)．

com·mon il·i·ac ar·ter·y 総腸骨動脈（腹部大動脈の左右１対の終末枝．仙骨岬角のレベルにおける仙腸関節の前で，内・外腸骨動脈に分枝する)．= arteria iliaca communis.

com·mon in·ter·os·se·ous ar·ter·y 総骨間動脈（尺骨動脈の近位部より起こり，前・後骨間動脈に分枝する)．= arteria interossea communis.

com·mon mi·graine 普通片頭痛（視覚前駆症状のない片頭痛の一型．頭の片側に限局しているわけではないが，典型的な経過，嘔吐，羞明，音響恐怖の傾向，睡眠による改善により片頭痛と認識される)．

com·mon pal·mar dig·i·tal ar·ter·y 総掌側指動脈（浅掌動脈弓より始まり，各々が２本の固有掌側指動脈に分かれ指間裂へ走る３本の動脈)．= arteria digitalis palmaris communis.

com·mon pal·mar dig·i·tal nerve 総掌側指神経（手掌部にある４本の神経で，指２本の接触面に分枝する(固有掌側指神経)．総掌側指神経４本のうち３本は正中神経の分枝，１本は尺骨神経の分枝である)．= nervi digitales palmares communes.

com·mon path·way of co·ag·u·la·tion 凝固共通系路（内因系経路と外因系経路が第 X 因子を活性化する凝固系の一部．第 X，第 V，第 II 凝固因子およびフィブリノゲンはこの経路の一部である．APTT および PT はともにこの系を試験する方法である)．

com·mon per·o·ne·al nerve = common fibular nerve.

com·mon plan·tar dig·i·tal nerves 総底側指神経（内側足底神経に由来する３神経と外側足底神経に由来する１神経を含み，中央骨をおおう皮膚に分布し各指の両側で固有底側指神経として終わる)．= nervi digitales plantares communes.

com·mon ten·di·nous ring of ex·tra·oc·u·lar mus·cles 外眼筋の総腱輪（視神経管と

上眼窩裂の内側部を取り囲む線維輪．眼の4個の直筋の起始となり，視神経鞘と部分的に融合している）. = anulus of Zinn.

com·mo·ti·o cor·dis 心臓震盪（実証可能な構造損傷を伴わない前胸部への鈍的外傷(スポーツ損傷，ハンドル損傷，暴行など)に誘発され，心臓の電気活動に障害がおこること．心室細動やその他の致死性不整脈につながることもある．運動選手の突然死の主な原因の一つとなっている）.

com·mo·ti·o ret·i·nae 網膜振とう症（網膜光受容体の外傷性傷害と後極部の乳白色浮腫. →Berlin edema）.

com·mu·ni·ca·bil·i·ty (kŏ-myū′ni-kă-bil′i-tē). 伝染性（宿主から宿主へと伝染する疾患の能力）.

com·mu·ni·ca·ble (kŏ-myūn′i-kă-bĕl). 伝染性の，伝染力のある（特に病気についていう）.

com·mu·ni·ca·ble dis·ease 伝染病(感染や直接ないし間接的接触，媒介体を介して伝染する疾患）.

com·mu·ni·cat·ing ar·ter·y 交通動脈（2本の大きい動脈をつないでいる動脈）.

com·mu·ni·cat·ing branch 交通枝（1つの神経から他の神経へ移っていく神経線維の束．本用語は脈管系での吻合枝という語に代わって神経系で用いられる）.

com·mu·ni·cat·ing branch of fib·u·lar ar·ter·y 腓骨動脈の交通枝.

com·mu·ni·cat·ing branch of in·ter·nal la·ryn·ge·al nerve with re·cur·rent lar·yn·ge·al nerve 上喉頭神経内枝の反回神経との交通枝（上喉頭神経の内枝の枝で，咽頭喉頭部の壁で反回神経と交通し，この壁に感覚線維を送る）.

com·mu·ni·cat·ing hy·dro·ceph·a·lus 交通性水頭〔症〕（脳脊髄液の吸収異常はあるが，脳室内または脳室内から脊椎管への脳脊髄液の通過障害を認めないような水頭症の分類型）.

com·mu·ni·ca·tion (kŏ-myūn′i-kā′shŭn). 交通，連絡（①2つの構造の間の開いた通路または連絡路．②解剖学において，腱や神経のような線維性で固形の構造物の接合あるいは接続をいう．③話し言葉，筆記のような記号体系を使って個人間での情報をやりとりすること．象徴，身振り，声の調子，表情などの要素も含む）.

com·mu·ni·ca·tion board コミュニケーション具(装置)（言語表現能力が不十分な人を支援するためにデザインされた文字，単語，記号，または絵の道具. →augmentative and alternative communication）. = conversation board; language board.

com·mu·ni·ca·tion dis·or·der コミュニケーション障害（言語情報を伝えたり受け取る能力を阻害する，聴覚，言語，発語に関するあらゆる障害）. = communicative disorder.

com·mu·ni·ca·tion-in·ter·ac·tions skills コミュニケーション・インターアクション能力（意図や要求を伝える能力，また他人と社会的に相互交渉を行う能力）.

com·mu·ni·ca·tive dis·or·der = communication disorder.

com·mu·ni·ty (kŏ-myūn′i-tē). 地区，地域社会（社会または人口の一区分. →community-based practice）.

com·mu·ni·ty-based prac·tice (CBP) 地域〔社会〕基盤〔型〕診療（特定の専門分野の見解や方法に重点を置いた，保健医療従事者による高度のサービスを提供するもの．通常，この種の診療は，他の専門職からの依頼により医療専門家によって開始される）.

com·mu·ni·ty health nurs·ing 地域看護（公衆衛生と在宅看護に分かれた医療．在宅看護は静脈療法や損傷治療を行い，公衆衛生は健康促進や病気予防に重点を置く．例えばショッピングセンターでのインフルエンザワクチン接種といったプログラムは，公衆衛生看護師によって実施される．看護師は病院内よりも自立的に行動することができる）.

com·mu·ni·ty med·i·cine 地域医学(医療)，コミュニティメディシン（ある特定の地域社会での健康や疾病の研究．そのような場での医療活動）.

com·mu·ni·ty men·tal health cen·ter 地域精神保健センター，コミュニティ精神保健センター（患者の家に近い近隣の管轄の地域にある精神保健治療センター．1960年代に新しい連邦法で定められたもので，遠方の郊外地区にあることが多い大きな州立病院に代わるものである．特徴は，4種の精神保健専門職の一連の包括的なサービスが受けられること，連続したケアが受けられること，センターでの利用者の参加，立ち寄りやすいコミュニティ内への設置，間接的または予防的サービスと直接的サービスの同時供与，症例ごとあるいは計画的な相談が受けられること，計画評価の残務，および種々の保健および人的サービスとの連携などである）.

Com·mu·ni·ty Pe·ri·o·don·tal In·dex of Treat·ment Needs (CPITN) 歯周治療必要度指数（歯周治療の必要度の評価法．口腔内を6分割し，規格化されたポケットプローブを用いて検査を行う．[注]現在はTNを除き，CPIとして用いられる）.

com·mu·ni·ty psy·chi·a·try 地域精神医学（情動障害や社会的異常のある個人の発見・予防・早期治療・リハビリテーションに焦点を当てた精神医学）.

com·mu·ni·ty psy·chol·o·gy 地域心理学（地域の計画に対し応用された心理学．例えば，学校，矯正施設や福祉施設の制度，地域精神衛生センターに関してなど）.

Co·mol·li sign コモリ徴候（肩甲骨骨折の場合，肩甲骨の外郭に対応してクッション状の三角形腫脹が現れること）.

co·mor·bid·i·ty (kō-mōr-bid′i-tē). 共存症（同時に存在するが互いに無関係な疾病．通常，疫学で，2つ以上の疾病の共存をさすのに用いる）.

com·pact bone 緻密骨（大部分同心円的な層板状骨単位と間質性骨層板とからなり，骨の緻密で海綿状でない部分）. = substantia compacta; compact substance.

com·pact sub·stance = compact bone.

com·par·a·tive a·nat·o·my 比較解剖学（相同器官または相同の部分に関する動物構造の比較研究）.

com·par·a·tive pa·thol·o·gy 比較病理学（特にヒトの病理学に関連して種々の動物の病理を研究すること）.

com·par·ti·men·tum (kom-pahr-ti-men′tŭm). = compartment(1).

com·part·ment (kŏm-pahrt′mĕnt). ***1*** 区分，区画（大きな部屋がさらにいくつかに仕切られている場合の個々の部屋をいう．例えば，上肢の区分は深いところで骨と筋間中隔，浅いところでは筋膜で区切られていて隣接する区分とは遮断されており，感染や病状の進行がその区分に限定されるようになっている．区分の中の筋は同じような機能をもち，同じような神経支配を受けている）．***2*** 画分（分画された部分．特に細胞の構造的または生化学的一部分．細胞の他の部分と分離されている）. = compartimentum.

com·part·ment syn·drome 仕切り症候群（ある限られた解剖学的空間の圧が上昇することが循環に悪影響を及ぼして，そこにある組織の機能および生活力を脅かす状態）. = compression syndrome(2).

com·pen·sat·ed ac·i·do·sis 代償性アシドーシス（体液の pH が正常なアシドーシス．代償は呼吸または腎臓の働きによって適正化される）.

com·pen·sat·ed al·ka·lo·sis 代償性アルカローシス（体液 pH は正常に補正されているが，重炭酸イオンに変化がみられるアルカローシス．呼吸性アルカローシスは，代謝性に酸の産生が亢進することにより，あるいは腎臓からの重炭酸イオンの排泄量が増加することにより補正される．代謝性アルカローシスは，換気低下のみではほとんど補正されない）.

com·pen·sat·ing curve 調節彎曲（義歯に用いるシュペー彎曲．→curve of Spee）.

com·pen·sa·tion (kom′pen-sā′shŭn). 代償，補償〔作用〕（①一定方向への変化傾向が，他の変化により妨害され，元の変化がわからなくなる過程．②個人が，架空のあるいは現実の欠損を補おうと試みる無意識の機制）.

com·pen·sa·tion neu·ro·sis 賠償神経症（神経症の症状が発展したもので，金銭に対するまたは対人的な欲求や願望が動機であると考えられる）.

com·pen·sa·to·ry (kŏm-pen′să-tōr-ē). 代償〔性〕の（欠損を補う）.

com·pen·sa·to·ry cir·cu·la·tion 代償〔性〕循環（ある部位の主血管が閉鎖されたとき，拡張した側副血管により確立される循環）.

com·pen·sa·to·ry hy·per·tro·phy 代償〔性〕肥大（ある器官または器官や組織の一部の体積が増大することで，破壊された組織や痛みのある器官の機能を補足したり，代償する必要が生じた場合に起こる）. = complementary hypertrophy.

com·pen·sa·to·ry move·ment 代償運動（正常な運動パターンがまだ確立されていなかったり，正常な運動パターンが使えない場合に，機能的運動巧緻性を得るために常習的に行う運動．例えば，頸の過伸展など，異常な姿勢張力，反射，または運動に影響を受ける）.

com·pen·sa·to·ry pause 代償性休止期（期外収縮に続く休止期で，期外収縮の早発を代償するのに十分なほど長い．期外収縮に終わる短い周期と期外収縮の後の休止期を合わせると，正常の 2 つの周期に等しくなる）.

com·pen·sa·to·ry pol·y·cy·the·mi·a 代償性赤血球増加〔症〕（例えば，先天性心臓病，肺気腫，高所長期滞在などにおける酸素欠乏症の結果起こる二次性赤血球増加症）.

com·pe·tence (kom′pĕ-tĕns). ***1*** 〔受容〕能力（適応性のある，または割り当てられた機能を果たしうる性状）．***2*** 完全性（心臓弁が正常にぴったりと閉じること）．***3*** 反応能（形成体に反応する，胚細胞群の能力）．***4*** 受容能力，反応能（転換に導くであろう遊離 DNA を摂取する（細菌の）細胞の能力）．***5*** 適性〔性〕（精神医学において，善悪を弁別する，自分自身のことを管理する，または訴訟手続きで弁護士を手助けする精神能力）．***6*** 反応〔性〕（ある刺激に反応する能力をもつ細胞，組織，または生物の反応の状態）.

com·pe·tence test·ing 能力検査，資格検査. = skills validation.

com·pe·tent (kom′pĕ-tĕnt). 適格性（能力または資格のあること．作業や職務を実行できること）.

com·pet·i·tive bind·ing as·say 競合（せりあい）結合測定〔法〕（ある物質が標識リガンドと非標識リガンドを競合することを利用した測定法の総称．遊離リガンドと結合リガンドを分離すると，非標識リガンドの濃度は標識された結合リガンド量に反比例する．測定値は既知のスタンダードとの相対値で表される．→enzyme-linked immunosorbent assay; immunoassay; enzyme-multiplied immunoassay technique; radioimmunoassay）.

com·pet·i·tive in·hi·bi·tion 競合的阻害（酵素作用の阻害様式の 1 つで，化合物が遊離型酵素に結合し，基質を結合させず，その結果，酵素がその基質に作用できなくする）. = selective inhibition.

com·plaint (kŏm-plānt′). 病訴，愁訴（疾患，症状，またはそれらの説明）.

com·ple·ment (kom′plĕ-mĕnt). 補体（Ehrlich の定義によると，正常血清中に存在し，細胞に対する補体結合性抗体で感作された細胞やある種の細菌に対して破壊的作用力を有する，熱に不安定な物質であるとされている．補体は，特殊な 20 種類にも及ぶ血清蛋白群に対する総称で，活性化には一連の酵素の切断反応過程の最終産物として形成され，少なくとも 2 方向の反応過程が存在する．免疫性溶血反応の場合には 9 種類の補体群の反応が関与している（補体 C1 から C9 とよばれている）．通例，これらが抗原-抗体結合反応によって活性化され，一定の反応様式に従って複合体を形成し，この結果血球が破壊される（古典的経路）．化学走性には補体 C1 から C7 までが関与している．免疫性吸着，細胞の食作用またはコングルチンによる固定作用の場合には補体 C1 から C4 までが関与していると考えられている．他の反応方向としては(→properdin system)，抗原–抗体結合物以外のある種の因子によって，活性化される反応がある．この場合，補体 C3 を活性化させるために C1，C4，さらに C2 を必要とする．→component of complement)．

com·ple·men·tal air 補気〔量〕．= inspiratory reserve volume.

com·ple·men·tar·i·ty (kom′plĕ-men-tăr′i-tē)．相補性 (① DNA や RNA あるいは DNA・RNA 同士の 2 分子の塩基配列間で対(A と U または T, G と C)をなす程度．②抗原と抗体結合部位の親和性または適合性の程度)．

com·ple·men·ta·ry air = inspiratory capacity.

com·ple·men·ta·ry DNA (cDNA) 相補 DNA (①メッセンジャー RNA に相補的な一本鎖 DNA．②逆転写酵素の作用によりメッセンジャー RNA から合成された DNA)．

com·ple·men·ta·ry hy·per·tro·phy 代償補充性肥大．= compensatory hypertrophy.

com·ple·men·ta·ry med·i·cine 相補医療．= alternative medicine.

com·ple·men·ta·tion (kom′plĕ-men-tā′shŭn)．相補〔性〕(①それぞれ単独ウイルスでは増殖不可能な条件下で増殖を可能にする 2 つの欠陥ウイルス間の機能的相補作用．② 2 組の遺伝単位間の相補作用．2 組の単位遺伝子のいずれか一方，または両方に欠陥があっても，これらの相補単位を有する生体は正常に機能を営むことができるが，このうち一方が欠落しても正常の機能を営むことができない)．

com·ple·ment bind·ing as·say 補体結合測定〔法〕(免疫複合物の検出に用いる測定法)．

com·ple·ment che·mo·tac·tic fac·tor 補体化学走性因子 (5，6，7 番目の補体成分(C5a, C3a, C5b，6，7)の活性複合体．多形核白血球の場合に化学走性を招来する)．

com·ple·ment fix·a·tion 補体結合 (抗原抗体結合物による血清中の補体の固定で，これにより，補体を必要とする別の抗原抗体結合反応が達成できなくなる．この第 2 反応系は通常，指示系(赤血球+特異溶血素)として働く．第 1 の抗原抗体結合で補体が固定されると溶血は生じないが，補体が取り除かれていなければ第 2 反応系で溶血を起こす．この技術は補体結合試験の基本であり，抗原あるいは抗体の検出のために臨床検査で広く用いられている)．

com·ple·ment-fix·a·tion test 補体結合試験 (特殊な抗原あるいは抗体を，両者のうち一方の存在がわかっているときに証明する免疫学的方法．補体が抗原と特異抗体の存在下で〝結合〟する原理に基づく)．

com·ple·ment-fix·ing an·ti·bod·y 補体結合抗体 (抗原と結合して，補体を活性化し，これと結合しうる抗体．この結合反応の結果として，細胞溶解反応を起こすに至る場合が多い)．

com·ple·ment path·ways 補体経路 (①古典的補体経路(普通 C1 の IgG へ，または IgM 抗体の C1 への結合により開始)は 3 つのサブユニットから構成される．C1q が結合した後，$\overline{\text{C1r}}$ は C1s を切断して $\overline{\text{C1s}}$ にする．$\overline{\text{C1s}}$ は C2 を C2a と C2b および C4 を C4a と C4b に分解する．C2b は C4b と結合して $\overline{\text{C4b2b}}$(C3 コンバターゼ)を生成する．C3 コンバターゼは C3 を分解して C3a と C3b を与える．C3b は C4bC2b と結合して C5 コンバターゼ($\overline{\text{C4b2b3b}}$)になる．C5 変換酵素は C5 を分解して C5a と C5b を与える．C5b が細胞表面に結合すると C5b と同様，他の補体成分(C6–C9)が膜攻撃複合体(MAC)を形成する．MAC は細胞膜に穴を開ける．②補体副経路では，表面に結合した C3b が因子 B と結合し，これが因子 D によって分解され Ba と Bb を与える．$\overline{\text{C3bBb}}$ はプロパージン(P)が結合して $\overline{\text{C3bBbP}}$ を形成しなければ不安定な C3 変換酵素である．安定な C3 コンバターゼはもっと多くの C3b を生成させる．$\overline{\text{C3bBbC3b}}$ 複合体が生成する場合は，これは副経路 C5 変換酵素である．C5b から C9 までは古典的経路と副経路は同じである．③レクチン結合経路においては，マンノース結合蛋白(MBP)が経路を開始する．ここでは，古典的補体経路の成分を用いる．両経路の〝a〟成分の中には種々の生物活性をもつもの，例えば C3a はアナフィラトキシンである)．

com·ple·ment u·nit 補体単位 (一溶血素単位の存在下で一定量単位の赤血球を溶血させる補体の最小量(最高希釈))．

com·plete an·dro·gen in·sen·si·tiv·i·ty syn·drome 完全型男性ホルモン不応性症候群．= testicular feminization syndrome.

com·plete an·ti·bod·y 完全抗体．= saline agglutinin.

com·plete an·ti·gen 完全抗原 (不完全抗原(ハプテン)とは異なり，*in vivo* または *in vitro* で反応する抗体の生成をこの物質のみで誘導することのできる抗原)．

com·plete A-V block, com·plete AV block 完全房室ブロック (→atrioventricular block)．

com·plete blood count (CBC) 〔完〕全血球算定 (赤血球数，白血球数，赤血球恒数，ヘマトクリット，白血球分画，および血小板数の測定値をひとまとめにしたもの)．

com·plete car·cin·o·gen 治療を通して取り込まれる癌の促進剤で，刺激することなく癌を誘発することのできる化学的発癌物質．

com·plete den·ture 総義歯，全部床義歯 (欠損した天然歯とそれに付随する上下顎の構造の代わりに用いられる義歯)．= full denture.

com·plete fis·tu·la 完全フィステル(瘻) (両端が開いた瘻孔)．

com·plete frac·ture 完全骨折 (骨組織の完全な離断を伴う骨折)．

com·plete her·ni·a 完全ヘルニア (内容物が鞘膜内まで広がる間接鼡径ヘルニア)．

com·plete·ly in the ca·nal (CIC) hear·ing aid CIC 型(完全外耳道挿入型)補聴器 (外耳道に完全に収まる補聴器．外見上は目立たない)．

com·plete mas·toi·dec·to·my 完全乳突削開術 (急性乳様突起炎に側頭骨乳様突起内の蜂巣を除去し，化膿部を排膿する手術)．

com·plete pos·te·ri·or la·ryn·ge·al cleft

→laryngotracheoesophageal cleft.

com·plete trans·duc·tion 完全〔形質〕導入（伝達された遺伝子片が，受容菌のゲノム中に完全に組み込まれる形質導入）．

com·plex (kom′pleks). ***1*** 観念複合体，コンプレックス（いくらか無意識で，連想や態度に強く影響を及ぼす感情，思考，知覚，および記憶の組織化された複合体）．***2*** 錯体（化学において，2つ以上の化合物が比較的安定した結合を行い，共有結合をもたないより大きな分子になること）．***3*** 複合体（化学的または免疫的構造の複合物）．***4*** 複合〔体〕（3つ以上の関連部分からなる解剖学的構造単位）．***5*** 複合〔体〕（解剖学的，発生学的，または生理学的に関連があるとされる，あるいは信じられている個々の構造の一群を示す非公式の用語）．***6*** 複合（心電図上に描出される心房または心室の収縮）．

com·plex en·do·me·tri·al hy·per·pla·si·a 複合〔性〕内膜増殖症（密集した腺管構造で，通常，基底相に局在する軽度に増大した核をもつ一層性の細胞配列をもつ）．= adenomatous hyperplasia.

com·plex frac·ture 複雑骨折（高度な軟部組織損傷を伴う骨折）．

com·plex·ion (kŏm-plek′shŭn). 顔貌（顔の皮膚の色，肌合いおよび一般状態）．

com·plex learn·ing pro·cess·es 複合学習過程（推論におけるような象徴的操作の使用を必要とする過程）．

com·plex mo·tor sei·zure 複雑運動発作（各々の肢の筋肉が非同期性に順次に収縮し，随意活動に似た運動を起こすことがある発作）．

com·plex o·don·to·ma 複雑性歯牙腫（歯牙腫の一種で，多様な歯の組織よりなるが，それらは何の一貫性もなく配列し，通常の歯とはほど遠い様相を呈する）．

com·plex par·tial sei·zure 複雑部分発作（意識障害を伴う発作で，焦点性てんかん患者に起こる．自動症に伴うことが多い）．

com·plex pleu·ral ef·fu·sion 複雑性胸水（強い炎症反応（例えば，低 pH，低グルコース，高乳酸脱水素酵素，白血球多数）にもかかわらず実際の感染がない胸水）．

com·plex pre·cip·i·tat·ed ep·i·lep·sy 複雑誘発てんかん（特別な感覚刺激，例えば，特定の視覚パターンで誘発される反射てんかんの一型）．

com·plex sound 複雑音（波長の異なる音からなる音）．

com·plex·us stim·u·lans cor·dis = conducting system of heart.

com·pli·ance (kŏm-plī′ăns). ***1*** コンプライアンス，伸展性（容器の拡張性の測定方法で，圧の変化に対する容積の変化で表される）．***2*** コンプライアンス（医師等により処方された治療法に患者が従う確かさ．*cf.* adherence (2); maintenance）．***3*** コンプライアンス，伸展性（構造物あるいは物体の変形されやすさの指標．内科学および生理学では通常，肺，膀胱，胆囊などの空洞臓器の膨張しやすさの指標をいう．これらの臓器の内壁と外壁の単位面積当たりの圧力差によって生じる容積の変化率を表す．エラスタンスの逆数）．***4*** コンプライアンス，法令遵守（医療サービスを提供し，要求を満たしたときの請求に関する拠り所となる規則または指針を守ること）．***5*** コンプライアンス（攻撃的な態度の患者を区別するために用いる語だが，不適切と考えられている）．

com·pli·ance plan コンプライアンス計画（不正などを防ぐ為の医療コーディング，支払い請求に関する法令順守規定を医療提供者が確実にするために設定するプログラム）．

com·pli·cat·ed frac·ture 複雑骨折（鋭角な骨が臓器や体の組織を貫く骨折）．

com·pli·cat·ed la·bor 分娩の異常（母体の合併症や過度な肥満により分娩に異常をきたしたり，分娩中に母体が死に至ることなどをさす）．

com·pli·ca·tion (kom′pli-kā′shŭn). 合併症（ある疾病そのものに起因するか，これと無関係な原因によるかを問わず，経過中に生じる，その疾病の本質部分ではない病的過程または事象）．

com·po·mer (kom′pŏ-mĕr). コンポマー（クラウンおよびブリッジの合着，あるいは歯の修復に用いられる材料．コンポジットレジンとグラスアイオノマーセメントのそれぞれの利点をあわせ持つ）．

com·po·nent (kŏm-pō′nĕnt). 成分（全体の一部を構成する要素）．

com·po·nent of com·ple·ment (C) 補体成分（C1 から C9 まで命名された 9 個の異なった蛋白単位の 1 つで，免疫活動に関連する）．

com·po·nent man·age·ment 個別経費マネージメント，項目別マネージメント（薬剤量，入院費，あるいは臨床検査費などの個々の費用を調整しようとする保健医療費制限の試み．→ managed care）．

com·po·nent ther·a·py 輸血治療（患者に成分輸血をする手法）．

com·pos·ite flap, com·pound flap 複合皮弁（皮膚，皮下筋肉，骨，あるいは軟骨など複数の組織によって構成される組織弁）．

com·pos·ite graft 複合移植〔片〕（いくつかの構造物からなる移植片．例えば，皮膚と軟骨あるいは耳の全層部分のようなもの）．

com·pos men·tis 正気の，健全な精神の（通常，*non compos mentis*（心神喪失の）の形で用いる）．

com·pound (kom′pownd). 化合物（①化学において，2 個以上の成分の共有結合，あるいは静電結合によって形成される物質で，一般に物理的性質がその成分とまったく異なるもの．②薬学において，種々の成分を含む製剤をいう）．

com·pound ac·tion po·ten·tial 複合活動電位（第八脳神経の聴覚線維の活動による複合電位などをいう）．

com·pound an·eu·rysm 複合性動脈瘤（動脈壁の一部の層は裂傷し，一部の層は無傷である動脈瘤）．

com·pound dis·lo·ca·tion 複雑脱臼．= open dislocation.

com·pound frac·ture 開放骨折．= open fracture.

com·pound gland 複合腺（大きい導管が繰り返し分岐して細管となり，その末端に分泌部がある腺）.

com·pound het·er·o·zy·gote 合成異型接合体（臨床遺伝学の用語で，同一遺伝子座に2つの異なった突然変異対立遺伝子が存在する状態）.

com·pound hy·per·o·pic a·stig·ma·tism 複性遠視性乱視（すべての経線が遠視性だが変数が異なる乱視）.

com·pound·ing (kom′pownd-ing). 複合化（全体を形成するために部分どうしを組み合わせること）.

com·pound joint 複合関節（3個以上の骨が関係している関節，もしくは2つの解剖学的には区別されるが，1つの単位として働く関節をいう）.

com·pound mi·cro·scope 複式顕微鏡（2つ以上の拡大レンズからできている顕微鏡）.

com·pound my·op·ic a·stig·ma·tism 複性近視性乱視（すべての経線が近視だが度数が異なる乱視）.

com·pound o·don·to·ma 集合性歯牙腫（歯牙腫の一種で，歯を構成する組織からなる．異常ではあるが，歯と類似の形態を呈する構造物の集合である）.

com·pound pre·sen·ta·tion 複合胎位（妊娠の第2期における先進部に伴う四肢，通常上肢の脱出．骨盤内で同時に下降する）.

com·pre·hen·sion (kom′prē-hen′shŭn). 理解力（対象，状況，または言語表現についての知識または理解）.

com·press (kom′pres). 圧迫ガーゼ（局所を圧迫するために用いるガーゼ，パッドまたは他の材質のもの）.

com·pres·si·ble vol·ume 圧縮容量（加圧によって起こる人工呼吸器回路内の気体の圧縮される量(すなわち減少した量)．多くの機械は圧縮容量減少係数 3—5 mL/cm H_2O である．いくつかの新型人工呼吸器は減少係数を計算しガス供給をモニターして，セットする容量を患者の気道に実際にはいる容量と等しくすることができる）.

com·pres·sion (kŏm-presh′ŭn). 圧縮，圧搾（物体をその密度が増すように加圧すること．同一直線上で互いに向かい合う方向に2つの外力を加えて物体の大きさを減少させること）.

com·pres·sion cy·a·no·sis 圧迫性チアノーゼ（頭部，頸部，胸郭上部の浮腫，点状出血を伴うチアノーゼで胸郭や腹部の強い圧迫による静脈反射で生じる．結膜や網膜も同様に侵される）.

com·pres·sion frac·ture 圧迫骨折（椎体の高さが減じる骨折で，外傷性と病的骨折とがある．通常，胸椎や腰椎に起こる．骨粗しょう症の一般的な後遺症）. = burst fracture.

com·pres·sion lim·it·ing 圧縮制限（入力レベルが高い部分の増幅を下げる補聴器回路）.

com·pres·sion neu·rop·a·thy 圧迫性ニューロパシー(神経障害)（外部または内部から神経の局所に持続する圧迫が加えられて起こる局所神経病変．損傷の主原因は，神経のある部分と他の部分の間の圧力差である）.

com·pres·sion pa·ral·y·sis 圧迫性麻痺（神経が外から圧迫されて起こる麻痺）.

com·pres·sion plate 圧迫プレート（スクリューを締めていくと骨片同士がより強固に引き寄せられるようにスクリュー用の穴が設計されている骨折内固定用プレート）.

com·pres·sion syn·drome ***1*** = crush syndrome. ***2*** = compartment syndrome.

com·pres·sion ther·a·py 圧迫療法（火傷，リンパ水腫，浮腫，静脈うっ血などの患部の周りに，弾力チューブや包帯を巻いたり，傷に合わせてつくったおおいを被せて，患部に圧力をかけて治療する方法）.

com·pres·sor (kŏm-pres′ŏr). ***1*** 圧縮筋（収縮するとある構造物の圧縮を起こすような筋肉）. ***2*** 圧迫器（特に失血を防ぐために動脈の一部に圧力を加える器具）.

Comp·ton ef·fect, Comp·ton scat·ter·ing コンプトン効果（中程度のエネルギーをもつ電磁波の吸収において軌道電子(通常は外殻)を反跳し，散乱した光子のエネルギーが減少する現象）.

com·pul·sion (kŏm-pŭl′shŭn). 強迫〔行為〕，強制（ある行為を，しばしば反復的に遂行しようとする抑制し難い衝動．これは受け入れられない考えや欲望(それ自身で不安をかき立てる)を避けるための無意識の機制として起こる．強迫行為の遂行を妨げると不安が顕現する．強迫観念と関連していることがある）.

com·pul·sive (kŏm-pŭl′siv). 強迫の（強迫により影響された．やむにやまれない，抵抗できない性質）.

com·pul·sive i·de·a 強迫観念（固定した繰返し再燃する観念）.

com·pul·sive per·son·al·i·ty 強迫性人格（融通のなさ，抑制の強さ，完全主義，また，自・他のいずれかを良心の規範へあてはめることに過度の関心をもったり，それに執着したりすることが特徴としてみられる）.

com·pul·so·ry li·cens·ing 特許強制実施許諾（職務や営業の執行者がそれを執行する以前に監督機関から認可を取得または必要とすることを意味する通称）.

com·put·ed ax·i·al to·mog·ra·phy (CAT) コンピュータ軸位断層撮影法（現在は用いられていない）. = computed tomography.

com·put·ed to·mog·ra·phy (CT) CT，コンピュータ連動断層撮影（身体の横断面から得られる解剖学的情報を集めたもので，与えられた平面上の多数の異なった方向で得られたX線透過性のデータをコンピュータで合成することにより得られた像として表される）. = computed axial tomography.

com·pu·ter-based pa·tient re·cord (CPR) コンピュータ患者記録，CPR(健康状態に関する電子記録．常にアクセスできるように，患者の保健医療に関する全情報をデータベースにまとめたもの．CPR は患者の保健医療の決定および研究に役立つ).

com·pu·ter phy·si·cian or·der en·try 医師がコンピューター上で指示を入力するのを許可する電子指示システム.

con- …とともに,…に関連して,を意味する接頭語. p, b, m の前では com-, l の前では col-, 母音の前では co- となる. ギリシア語の *syn-* に相当する.

conA, con A concanavalin A の略.

co·na·tion (kō-nā′shŭn). 動態, 試行 (行為を推進する意識的傾向. 通常は, 心的過程の一様相についていい, 古くは認識や感情と同列に扱われていたが, 最近ではより広義に衝動, 欲求, 目的ある努力の意味に用いる).

co·na·tive (kon′ă-tiv). 動態の, 試行の.

con·ca·nav·a·lin A (conA, con A) コンカナバリンA (ナタマメ *Canavalia ensiformis* から抽出され, 哺乳類の血球を凝集させグルコサンと反応する植物性マイトゲン. PHA(植物性血球凝集素)のように, コンカナバリンAはBリンパ球よりTリンパ球を強く刺激する).

Con·ca·to dis·ease コンカート病. = polyserositis.

con·cave (kon-kāv′). 凹の, 陥凹の.

con·cave lens 凹〔面〕レンズ (光を開散する負のレンズ).

con·cav·i·ty (kŏn-kav′i-tē). 陥凹 (どの部分をとってもほぼ等しい曲率をもつへこみ).

con·ca·vo·con·cave (kŏn-kā′vō-kon′kāv). 両凹の. = biconcave.

con·ca·vo·con·cave lens = biconcave lens.

con·ca·vo·con·vex (kŏn-kā′vō-kon′veks). 凹凸の (表面が凹で裏面が凸のものについていう).

con·ca·vo·con·vex lens 凹凸レンズ (一面が凹で, 他面で凸になっている凸メニスクスレンズ).

con·cealed hem·or·rhage = internal hemorrhage.

con·ceal·ment (kŏn-sēl′mĕnt). 隠蔽 (関係者の同意なしに治療供給や研究データを集めること).

con·cen·tra·tion (c) (kon′sĕn-trā′shŭn). ***1*** 生薬を抽出し, その溶液より沈殿, 乾燥させてつくった製剤. ***2*** 濃縮 (溶媒を蒸発させて溶質の濃度を増すこと). ***3*** 濃度 (単位容積または重量当たりの物質の量. 腎生理学では尿濃度をU, 血漿濃度をPと記す. 呼吸生理学では血液中の単位容積当たりの量をC, 乾燥気体中の分圧濃度(モル分率または容積分率)をFと記し, 下付き文字は存在部位および化合物の種類を示す).

con·cen·tra·tion-time prod·uct (Ct) 濃度–時間積 (化学物質の濃度に曝露時間を乗じて得られる曝露評価の一つ. 霧やガスとして存在する化学物質の外部量を概算するのに利用される). = CT Product; Ct Product.

con·cen·tra·tor (kon′sĕn-trā-tŏr). 濃縮装置 (物質をより高濃度またはより純粋にする装置).

con·cen·tric (kŏn-sen′trik). 同心性の (2つ以上の球, 円, 円弧が中心を共有する).

con·cen·tric con·trac·tion 求心性筋収縮 (筋が外部抵抗に打ち勝って収縮し, 筋付着部が互いに引き寄せられ短くなる筋収縮).

con·cen·tric hy·per·tro·phy 求心性肥大 (心臓その他の管腔臓器壁の肥厚で, その管腔の容量が明らかな減少を示すこと).

con·cen·tric la·mel·la 同心円層板 (1つのオステオンの中心管を同心円状に取り囲んでいる管状の骨層). = haversian lamella.

con·cept (kon′sept). 概念 (①抽象的な認識あるいは観念. ②科学体系における解釈上の変量あるいは原理). = conception(1).

con·cept for·ma·tion 概念形成 (心理学において, 行動または対象に基づいた抽象的観念により考えたり反応したりすることの習得).

con·cep·tion (kŏn-sep′shŭn). ***1*** 概念. = concept. ***2*** 概念作用 (一般概念を形成する行為). ***3*** 受胎 (胞胚の内膜への着床).

con·cep·tu·al (kŏn-sep′shū-ăl). 概念の (通常は高次の抽象化である観念の形成を精神的概念に結び付けること).

con·cep·tu·al age 受精齢. = fertilization age.

con·cep·tus, pl. con·cep·tus (kŏn-sep′tŭs, kŏn-sep′tŭs). 受胎の産物, すなわち胚と胚膜.

con·cha, pl. con·chae (kong′kă, -kē). 甲介 (解剖学上, 貝殻に似た構造で, 耳甲介, 鼻甲介などがある).

con·cha of ear 耳甲介 (耳輪の前部と対輪の間にある大きなくぼみ, すなわち耳介の床. 耳輪脚により上部は耳甲介舟, 下部は耳甲介腔に分けられる).

con·cha san·to·ri·ni サントリーニ甲介. = supreme nasal concha.

con·com·i·tant symp·tom = accessory symptom.

con·cor·dance (kŏn-kōr′dăns). 一致 (自然の対に生じる種類のデータの一致).

con·cor·dance rate 合致率 (無作為の標本について, 形質や行動, 活動が一致している割合. 一般的に高い合致率は因果関係の証拠とみられる).

con·cor·dant (kŏn-kōr′dănt). 一致の, 一致している.

con·cor·dant al·ter·nans 調和性交代 (右心室および肺動脈交代が, 左心室および末梢性の脈拍交代と同時に起こること).

con·cor·dant al·ter·na·tion 調和性交代 (心臓の機械的または電気的活動における交代. 全身循環と肺循環の両方で起こる).

con·cor·dant chan·ges e·lec·tro·car·di·o·gram 心電図上の協調変化 (同方向(極性)の1つ以上の波形が存在すること).

con·cres·cence (kŏn-kres′ĕns). ***1*** 融合, 癒着. = coalescence. ***2*** 癒着 (歯科において, 歯根または隣接する2歯の結合で, セメント質によって生じる).

con·crete think·ing 具象的思考 (より一般的な概念としての抽象的表現ではなくて, むしろある特定のものとして, 事柄あるいは概念を考えること. 例えば, 椅子や机を包括的な概念としての家具の1つとしてではなく, 個人的な便利な品ととらえること).

con·cre·ti·o cor·dis 心膜癒着（心膜腔の部分的または完全閉鎖を伴う，壁側心膜と臓側心膜の広範な癒着）. = internal adhesive pericarditis.

con·cre·tion (kŏn-krē′shŭn). 凝固物，石，結石（ばらばらの小粒子が集まってできた固体）.

con·cur·rent dis·in·fec·tion 即時消毒〔法〕（感染者の身体からの感染性物質の排泄直後またはそれらの感染性排泄物による物質の汚染直後，できるだけ早く消毒を行うこと）.

con·cur·rent in·fec·tion →superinfection.

con·cus·sion (kŏn-kŭsh′ŭn). ***1*** 振とう，震動（激しく振ること，揺すること）. ***2*** 振とう〔症〕（脳のような軟構造組織の外傷で，強打や激しい振動により生じる．機能の一部ないし完全喪失を伴う）.

con·den·sa·tion (kon′dĕn-sā′shŭn). ***1*** 圧縮（より固く，あるいは稠密にすること）. ***2*** 凝結，縮合（気体が液体に，または液体が固体になる変化）. ***3*** 圧縮（精神分析において，1つの記号が他の多くを表すような無意識の心的過程）. ***4*** 填塞（歯科において，内部気泡を残さないような力と方向で，窩洞に充填物を充填する操作）.

con·dens·er (kŏn-den′sĕr). ***1*** 冷却機（気体を液体に，または液体を固体に冷却する装置）. ***2*** コンデンサ（歯科において，プラスチック，または未硬化な物質を歯の窩洞に填塞するために用いる手動または動力器具．大きさと形が多種で，塊を窩洞の外形に適合させる）. ***3*** 集光鏡，集光レンズ（研究試料をよく見るために必要な光を供給するのに用いる顕微鏡の単一または複合レンズ）. ***4*** 蓄電器，コンデンサ. = capacitor.

con·di·tion (kŏn-dish′ŭn). ***1*** 〚v.〛 条件付ける. ***2*** 〚n.〛 条件反射（特定の刺激によって誘発されるある種の反応，あるいは以前反応に報酬を与えられた刺激が存在する際に出現するある種の反応）. ***3*** 〚n.〛 状況（行動心理学において，いくつかの学習の種類についていう）.

con·di·tioned re·flex (Cr) 条件反射（一定の刺激をしばしば繰り返すことにより訓練され，連合することによって徐々に発達する反射．→conditioning）.

con·di·tioned re·sponse 条件反応（すでに個体がもとからもっている反応様式に含まれている反応であるが，繰り返してそれを自然の刺激に結び付けることにより，以前には中性的であった条件刺激に対して，新たに獲得または条件付けられた反応．→conditioning. *cf.* unconditioned response）.

con·di·tioned stim·u·lus 条件刺激（①条件反射の基礎になる神経機構の本質的かつ必要不可欠な部分である感覚器官（例えば，視覚，聴覚，触覚など）の受容体に向けられる刺激．②本来は無関刺激だが，無条件刺激とともに同時に生物に与えると一定の反応を引き出すことができる刺激）.

con·di·tion·ing (kŏn-dish′ŭn-ing). 条件付け（動物やヒトにおける新しい反応の獲得，発展，教育，確立，学習，訓練の過程．この言葉はレスポンデント行動，オペラント行動の両者をいい，両者とも環境に影響された結果起こる行為の頻度または形式の変化についていう）.

con·dom (kŏn′dom). コンドーム，サック（性交時に妊娠または感染を防ぐために用いる陰茎あるいは腟のおおい）.

con·duc·tance (kŏn-dŭk′tăns). コンダクタンス（①伝導率の尺度．導体を流れる電流と，導体の両端間の電位差の比．回路のコンダクタンスは，抵抗の逆数．②導管，空気の通路，あるいは気道への液体や気体のはいりやすさ，流れやすさ．単位圧力差当たりの流量）.

con·duct dis·or·der 行為障害（社会規範や他者の権利を侵害する一貫したパターンを特徴とする．小児・青年期の精神障害．この障害の子供はずる休み，カンニング，うそつきに加えて暴行，動物に対する残虐行為，破壊，盗みに及ぶことがある．→borderline personality disorder）.

con·duct·ing sys·tem of heart 心臓刺激伝導系（洞房結節，房室結節，房室束，右脚と左脚索枝，およびそれらの心内膜下分枝が Purkinje 網状より構成される非典型的な特殊心筋伝道系．時に cardionector ともよばれる）. = complexus stimulans cordis.

con·duc·tion (kŏn-dŭk′shŭn). 伝導（①熱，音，電気などのある種のエネルギーを導体の1点から他へ，それとわかる動きもなしに伝達または運搬する働き．②生きている原形質による種々の刺激の伝達．③神経刺激が伝達される過程）.

con·duc·tion an·al·ge·si·a 伝導無痛〔法〕. = regional anesthesia.

con·duc·tion an·es·the·si·a 伝達麻酔〔法〕，伝導麻酔〔法〕，伝麻（神経伝達を遮断するために神経周辺に局所麻酔薬を注入する局所麻酔．脊椎麻酔，硬膜外麻酔，神経ブロック麻酔，周囲浸潤麻酔を含むが，局所麻酔，表面麻酔は含まない）. = block anesthesia.

con·duc·tion a·pha·si·a 伝導性失語〔症〕（患者は言葉や文章を理解でき，自分の欠陥を自覚しており，一応話したり書いたりできるが，言葉を飛ばしたり繰り返したり別の語を代用したりする（錯語症）．言葉の暗唱が重度に障害される．責任部位は種々の言語中枢を結ぶ連合神経路である）. = associative aphasia.

con·duc·tive deaf·ness 伝音難聴（外耳道・中耳・耳小骨での音または振動の干渉によって起こる聴覚の障害）.

con·duc·tive hear·ing im·pair·ment 伝音難聴（外耳または中耳の障害による難聴）.

con·duc·tive hear·ing loss 伝音難聴（外耳，中耳，またはその両方の閉塞や損傷が原因で言葉が聞き取れない状態．→air-bone gap）.

con·duc·tive heat 伝導熱（電熱クッションや湯たんぽのように，直接の接触によって伝播される熱）.

con·duc·tiv·i·ty (kon′dŭk-tiv′i-tē). ***1*** 伝導（熱，音，電気のような，ある種のエネルギーを伝達または運搬する力で，導体内には知覚しうる動きがない）. ***2*** 伝導性（例えば，筋肉や神経におけるような，生きている原形質に固有の興奮状態を伝達する性質）.

con·duc·tor (kŏn-dŭk′ter). ***1*** 導手，有溝ゾン

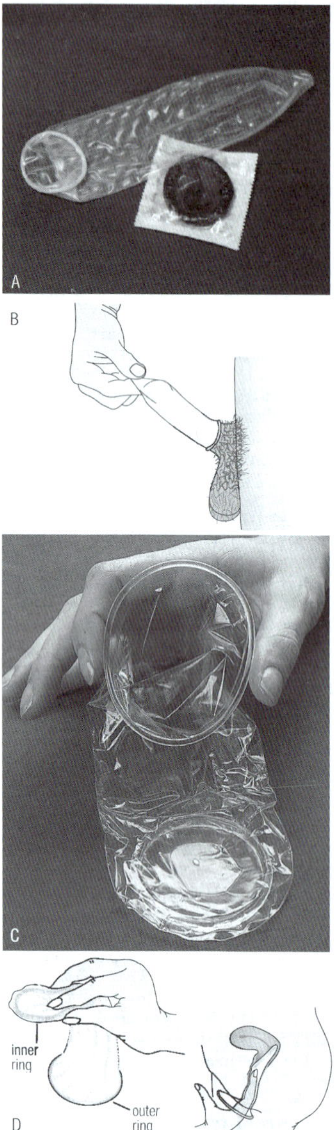
A
B
C
inner
ring
outer
ring
D

condoms

A, B：男性用コンドームとその装着方法,
C, D：女性用コンドームとその装着方法.

デ（ナイフを通して洞または瘻孔を細長く切り開くことのできる溝のついたプローブまたはゾンデ）. *2* 導体（伝導性をもつ物質）.

con·du·it（kon′dū-it）. 導管.

con·du·pli·cate（kon-dū′pli-kăt）. 重折の（縦に重ねて折った）.

con·dy·lar（kon′di-lăr）. 顆〔状〕の.

con·dy·lar ca·nal 顆管（左右の後頭顆の後方で後頭骨を貫く非常在の開口で, 後頭導出静脈を入れる）.

con·dy·lar fos·sa 顆窩（後頭骨後頭顆の後方にみられるくぼみで, 環椎の上関節面の後縁部がはいり込むところ）.

con·dy·lar joint 楕円関節. = ellipsoidal joint.

con·dy·lar pro·cess of man·di·ble〔下顎骨の〕関節突起（下顎枝の関節突起. 下顎頭, 下顎頸, 翼突筋窩を含む）.

con·dy·lar·thro·sis（kon′dil-ahr-thrō′sis）. 顆〔状〕関節（膝関節のような, 顆表面によって形成される関節）.

con·dyle（kon′dīl）. 顆（骨端の丸い関節表面）. = condylus.

con·dy·lec·to·my（kon′di-lek′tŏ-mē）. 顆切除〔術〕.

con·dy·loid（kon′di-loyd）. 顆〔状〕の.

con·dy·lo·ma, pl. **con·dy·lo·ma·ta**（kon-di-lō′mă, -mah′tă）. コンジローム（肛門や陰門, または陰茎亀頭に生じる, いぼ状の突出物）.

con·dy·lo·ma a·cu·mi·na·tum 尖圭コンジローム（外性器あるいは肛門に生じる伝染性で突出性のいぼ状増殖. koilocytosis を示す肥厚した上皮におおわれた線維性増殖物からなり, ヒト乳頭腫ウイルスが性交渉によって感染することによる. 特定のタイプのヒト乳頭腫ウイルスで悪性化することが報告されているが, 一般的には良性である）. = genital wart; venereal wart.

con·dy·lo·ma la·tum 扁平コンジローム（扁平丘疹からなる二期梅毒疹. 肛門にみられるが, また皮膚のひだで熱と湿気を生じる場所ならどこにでもみられる）. = flat condyloma(1).

con·dy·lom·a·tous（kon′di-lō′mă-tŭs）. コンジロームの.

con·dy·lot·o·my（kon′di-lot′ŏ-mē）. 顆〔状〕突起切開〔術〕（除去しないで顆分割すること）.

con·dy·lus（kon′di-lŭs）. 顆. = condyle.

cone（kōn）. = conus(1). *1* 円錐〔体〕, 錐状体, 丘（底が円形で, 両側が傾いて上方の1点で接合している形）. *2* 網膜錐体（鮮明視および色視のために必須な光感受性を有する外方に向かって錐体形の錐体細胞の突起. 中心窩においては錐体が唯一の光感受体であり, 網膜の末梢に行くに従い杆体が増加し, それに伴い錐体はまばらになる）. *3* コーン（X線束を絞るために用いられる金属製の円筒あるいは断面が円形あるいは正方形の先端が切除された円錐）.

-cone 上顎の歯の咬頭を示す接尾語.

cone cell 錐状体細胞（網膜にある2種類の視覚受容器細胞の1つ. 視力および色覚に必須の細胞である. 他の1つは杆状体細胞である）.

cone down *1* コーンダウン（コリメータまたはコーンにより照射野を狭くすること）. *2* 口語で

注意や行動の範囲を定めること.

cone gran·ule 錐状体顆粒（錐状体の1つとつながる網膜細胞の核）.

cone of light 光錐. = red reflex.

cone-rod re·ti·nal dys·tro·phy 錐体–杆体網膜ジストロフィ（網膜視細胞杆体よりも錐体を障害する異常で，中心視力と色覚障害を特徴とする）.

con·fab·u·la·tion (kŏn-fab′yū-lā′shŭn). 作話〔症〕（どんな質問にでも事実とはまったく無関係に，流暢だが的のはずれた答えをする．健忘症，Wernicke-Korsakoff 症候群の症状）.

con·fec·tion (kŏn-fek′shŭn). 糖剤（蜂蜜やシロップと混ぜた薬からなる薬品．軟らかい固形で，ときに錠剤の賦形剤として用いる）.

con·fi·den·ti·al·i·ty (kon′fi-den-shē-al′i-tē). 守秘義務，守秘権（患者の秘密漏洩を拒む権利．患者の診療時に得られた情報の非漏洩に関して特定の医療保健専門職に与えられた法的な権利と義務）.

con·fig·u·ra·tion (kŏn-fig′yūr-ā′shŭn). ***1*** 構造（体およびその部分の全体の形）. ***2*** 立体配置（化学において，分子中の原子の空間配列．化合物（例えば，糖）の配置は原子の独特な空間配列をとるので，どのようにコンフォメーションを変化させてもそれらの原子の他のどんな配列も，完全に一致するように重ね合わせられることはない（すなわち，単結合を軸とするねじれや回転）. *cf.* conformation）.

con·fine·ment (kŏn-fīn′mĕnt). 分娩，出産.

con·flict (kon′flikt). 葛藤（要求，衝動，動機の充足が，他の魅力ある，または興味のない要求，衝動，動機または願望の存在によって妨げられるときに，生体が経験する緊張またはストレス）.

con·flict of in·ter·est 興味の葛藤（専門家としての興味または個人的な興味と，保健の提供者としての欲求および患者またはその他の消費者に対する責任との間の葛藤）.

con·flu·ence (kon′flū-ĕns). 合流，交会（ともに流れること．2本以上の流れの結合）.

con·flu·ent (kon′flū-ĕnt). 融合性の（①融合して斑を形成する皮膚病変をさす．発疹が孤立性でなく，1つ1つがそれと区別できないことを特徴とする疾患をさす．②元来は別個であった2個の骨が混合して形成された骨を示す）.

con·fo·cal mi·cro·scope 共焦点顕微鏡（対象物を単一面焦点で観察することができる顕微鏡．単一面焦点のため，より明瞭な像を結ぶことができる（対象物は通常，蛍光性の微粒子である）．この顕微鏡の上級機種には，連続する領域を記録するために光学区分やコンピュータが使用され，三次元再構成を可能にしている）.

con·for·ma·tion (kon′fōr-mā′shŭn). 立体配座，コンフォメーション（共有結合を破壊することなく，基を単一の共有結合の周りで回転させて空間に分子を配列すること. *cf.* configuration）.

con·found·ing (kŏn-fown′ding). 交絡（①2つまたはそれ以上のプロセスの影響が区別できない状態．結果に影響を与える他の因子との関連によって，暴露の見かけの影響がゆがめられてしまうこと．②一組のデータにみられる2つまたはそれ以上の原因因子間の効果の関連によって，観測された結果に対するどの1つの因子の寄与も分離することが論理的にはできない状態）.

con·fron·ta·tion test 対座検査（検査者と被検査者とが相互に片眼ずつ見合って行う簡便な視野検査．検査指標を左右，上下から視野内に移動する）. = visual confrontation.

con·fu·sion (kŏn-fyū′zhŭn). 錯乱〔状態〕（環境に対する不適応な精神状態．途方にくれて適応できない状態）.

con·fu·sion-a·tax·i·a syn·drome 混同失調症（3つの湾岸戦争症候群の内の2つ目）.

con·ge·ner (kon′jĕ-nĕr). ***1*** 同種，同類（同じ分類上の動植物のように，同種類の2つ以上のものの1つ）. ***2*** 協力筋，協働筋（同じ機能をもつ2つ以上の筋）.

con·gen·i·tal (kŏn-jen′i-tăl). 先天〔性〕の，先天的な（出生時に存在する，ある種の精神的または肉体的素質，特異性，奇形，疾患などをさす．遺伝性か，妊娠中（出生の瞬間にさえ）起こる何らかの影響のいずれかによる．しばしば hereditary（遺伝性の）と誤用される）.

con·gen·i·tal a·fi·brin·o·gen·e·mi·a 先天性無線維素原血〔症〕，先天性無フィブリノ〔ー〕ゲン血〔症〕（血漿中にフィブリノゲンがほとんど，またはまったくみられないまれな血液凝固障害）.

con·gen·i·tal am·pu·ta·tion 先天性切断（子宮内で起こる切断．狭窄帯（羊膜帯）の圧力によって起こると考えられている）. = amnionic amputation; birth amputation; intrauterine amputation; spontaneous amputation (1).

con·gen·i·tal a·ne·mi·a 先天性貧血. = erythroblastosis fetalis.

con·gen·i·tal a·nom·a·ly 先天異常（出生時の組織的異常. →birth defect）.

con·gen·i·tal di·a·phrag·mat·ic her·ni·a 先天性横隔膜ヘルニア（胸腹膜（通常左側）あるいは大きな Morgagni 孔で，腹部臓器が胸腔に突出する）. = Bochdalek hernia.

con·gen·i·tal ec·to·der·mal de·fect, con·gen·i·tal ec·to·der·mal dys·pla·si·a 先天性外胚葉欠陥. = congenital ectodermal dysplasia.

con·gen·i·tal e·ryth·ro·poi·et·ic por·phyr·i·a 先天性造血性ポルフィリン症（骨髄の赤血球系細胞によるポルフィリン生成が高められ，重症のポルフィリン尿症が生じる．しばしば溶血性貧血および持続的な皮膚の日光過敏症を伴う．ウロポルフィリノーゲン III コシンテターゼの欠乏によって起こる）.

con·gen·i·tal Heinz bod·y he·mo·ly·tic a·ne·mi·a 先天性ハインツ小体溶血性貧血（不安定なヘモグロビンの変異の遺伝により起こる一連の先天性溶血性貧血．ヘモグロビン鎖の1本の1個のアミノ酸の置換により，そのヘモグロビンは正常なコンフォメーションに折りたたまれることができなくなり，α らせん構造またはサブユニットの相互作用の部位が変化し，あるいはヘムとグロビンの結合に影響を与える．このヘモグロビンは Heinz 体に変性し，これが細胞膜に付着して損害を起こし，細胞の早期破壊の原因になる）．

con·gen·i·tal he·mo·lyt·ic a·ne·mi·a 先天性溶血性貧血（遺伝性の異常（例えば，遺伝性球状赤血球症に起こる赤血球膜の異常）による赤血球の破壊の亢進状態）．

con·gen·i·tal he·red·i·tary en·do·the·li·al dys·tro·phy 先天性遺伝性内皮ジストロフィ（出生時または新生児期に，混濁，肥厚角膜を特徴とする優性または劣性遺伝疾患）．

con·gen·i·tal hip dys·pla·si·a 先天性股関節形成異常（異形成）（新生児の股関節が容易に脱臼する発生学的異常．原因は出生胎位，ホルモン因子，家系など不明で，女児に多い（9：1））．= developmental hip dysplasia.

con·gen·i·tal hy·po·plas·tic a·ne·mi·a 先天性赤芽球ろう，先天性低形成貧血（大球性貧血．骨髄の先天的低形成に由来する赤血球系前駆細胞の欠如が主体で，他の細胞系は正常である．貧血は進行性で重篤であるが，白血球と血小板値は正常かやや低下している．輸血赤血球の赤血球寿命は正常である）．

con·gen·i·tal hy·po·thy·roid·ism 先天性甲状腺機能低下症（先天性に甲状腺ホルモン分泌のない病態．—infantile hypothyroidism）．

con·gen·i·tal ich·thy·o·si·form e·ryth·ro·der·ma 先天性魚鱗癬様紅皮症（びまん性慢性紅斑や鱗屑形成を特徴とする遺伝性皮膚症．水疱形成型と非水疱形成型に分かれる）．= ichthyosiform erythroderma.

con·gen·i·tal meg·a·co·lon, meg·a·co·lon con·gen·i·tum 先天性巨大結腸〔症〕（先天的に拡張，肥大した結腸．直腸と直腸上部の種々の連続する長さの消化管の腸筋神経叢の神経節細胞が欠如（神経節細胞欠損），または著しく減少（神経節細胞減少）するために起こる）．= Hirschsprung disease.

con·gen·i·tal ne·vus 先天性母斑（メラノサイト母斑で，出生時より存在するものであり，しばしば後天性母斑より大型である．多くは後天性母斑より深い部位にある）．

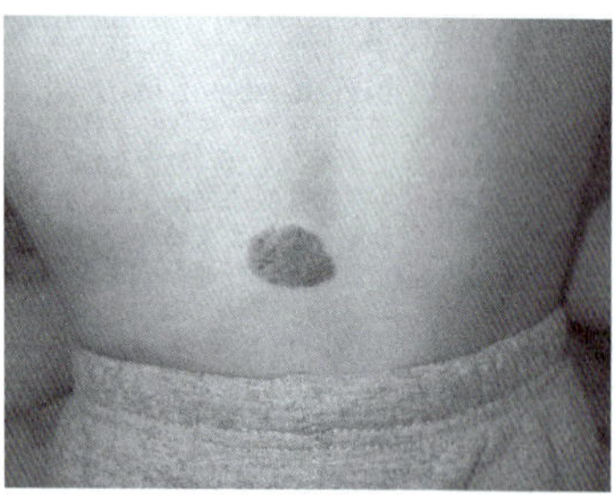

congenital nevus

con·gen·i·tal nys·tag·mus 先天〔性〕眼振（①子宮内または出産時に受けた外傷によって起こる出生時の眼振．②遺伝性眼振，通常，性染色体性で，神経障害を伴わず進行性でない．③白色症，全色盲，および黄斑形成不全症に伴う眼振）．

con·gen·i·tal par·a·my·o·to·ni·a, pa·ra·my·o·to·ni·a con·gen·i·ta 先天〔性〕パラミオトニア，先天〔性〕筋緊張〔症〕（筋肉を寒冷にさらすことにより誘発される筋緊張を特徴とする非進行性疾患．間欠性弛緩性麻痺のエピソードはあるが，筋の萎縮と肥大はない．常染色体優性遺伝．寒冷が誘発因子でない異型常染色体優性型もある）．= Eulenburg disease.

con·gen·i·tal py·lor·ic ste·no·sis 先天性幽門狭窄〔症〕．= hypertrophic pyloric stenosis.

con·gen·i·tal stri·dor 先天性ぜん音（出生時または出生後最初の数か月にみられる鳴き声様の吸息．はっきりした原因がなく起こることがあり，また，ときに喉頭蓋または披裂の異常な弛緩によって起こる）．

con·gen·i·tal syph·i·lis 先天梅毒（子宮内の胎児が感染し，出生時にはすでに罹患しているもの）．

con·gen·i·tal to·tal li·po·dys·tro·phy 先天性全脂肪異栄養〔症〕（皮下脂肪がほぼ全身的に欠落し，3—4 歳までの間に身体の成長，骨格の発育が促進される脂肪異栄養症．筋肥大，心肥大，肝腫大，黒色表皮肥厚症，多毛症，腎腫大，過脂肪血症，代謝亢進を特徴とする．常染色体劣性遺伝）．= Berardinelli syndrome; Seip syndrome.

con·gen·i·tal tox·o·plas·mo·sis 先天性トキソプラスマ症（本症は明らかに，感染した母親の子宮内で胎児にトキソプラスマが伝播されることにより発生する．先天性トキソプラスマ症には，3 つの症候群がみられる．ⓘ急性型：発熱，黄疸，脳脊髄炎，肺炎，皮膚疹，眼病変，肝腫，および脾腫を伴い，大多数の器官が壊死巣をもつ．ⓘⓘ亜急性型：大部分の病変が治癒するか石灰化する．しかし，罹患児の 80% 以上に脈絡網膜炎が観察されることから，脳および眼の病変は活動的と思われる．ⓘⓘⓘ慢性型：新生児期には看過され，出生後数週から数か月後に，脈絡網膜炎および脳病変が見出される）．

con·gen·i·tal valve 先天性弁（通過を妨げる異常な内張りひだ．例えば，尿道の粘膜）．

con·gen·i·tal vir·il·iz·ing ad·re·nal hy·per·pla·si·a 先天性男性化副腎過形成（副腎皮質の過形成と男性化ホルモンの過剰産生による一連の遺伝性疾患．代表的なものは 21-ヒドロキシラーゼの部分または完全欠損症であり，下垂体からの ACTH の過剰分泌により副腎の肥大と機能亢進症が起こる．臨床的特徴として外陰異形成，男性化，塩類喪失状態などがある）．

con·gest·ed (kŏn-jesʹtĕd)．うっ血した，充血した（異常な血液量を含む）．

con·ges·tion (kŏn-jesʹchŭn)．うっ血，充血（ある部分またはある器官の管または流路に異常な量の液体が存在すること．特に，還流量の増加または流出量の閉塞のいずれかによる血液の存在をさす．→hyperemia)．

con·ges·tive (kŏn-jes′tiv)．うっ血性の，充血性の．

con·ges·tive heart fail·ure (CHF) うっ血性心不全．= heart failure(1)．

con·ges·tive sple·no·meg·a·ly うっ血性巨脾〔症〕（受動的うっ血に基づく脾臓の拡大．ときに Banti 症候群と同義に用いる)．

con·glo·bate (kon′glō-bāt)．凝塊形成の，円塊形成の（1つの丸い塊になった状態についていう)．

con·glom·er·ate (kŏn-glom′ĕr-ăt)．集合，集塊，凝塊（1つの塊に凝集した数個の部分からなっている)．

con·glu·ti·nant (kŏn-glū′ti-nănt)．癒着の（傷口の癒合を促進する)．

con·glu·ti·na·tion (kŏn-glū′ti-nā′shŭn)．***1*** 癒着，コングルチネーション．= adhesion(1)．***2*** 膠着〔反応〕，コングルチネーション（正常ウシ血清(およびある種の他のコロイド物質)による，抗原(赤血球)–抗体–補体複合体の凝集．この方法は非凝集性抗体の存在を検出する手段となる)．

Con·go blue コンゴブルー（染色や原生動物を認識する際に使用されるナトリウム塩)．= Niagara blue; trypan blue．

con·go·phil·ic (kong′gō-fil′ik)．コンゴーレッド色素で染まる物質についていう．

con·go·phil·ic an·gi·op·a·thy コンゴー好染血管障害（コンゴー染色によって赤染する物質(通常はアミロイド)が，血管壁に沈着することを特徴とする状態．→cerebral amyloid angiopathy)．

Con·go red [CI 22120]．コンゴーレッド（酸性直接木綿染料．この染料はアミロイドに吸収され，偏光を当ててアミロイドに緑色の蛍光を生じさせる．アミロイドーシスの診断検査薬として用いる．組織学ではアミロイド染色に用いる．胃内容物中の遊離塩酸の検査に用いる指示薬(pH 3.0 で青紫色から pH 5.0 で赤色)として使われる)．

co·ni (kō′nī)．conus の複数形．

con·ic cor·ne·a 円錐角膜．= keratoconus．

con·ic pa·pil·lae 円錐乳頭（舌背部上にある多数の突起で糸状乳頭の間に散在し，糸状乳頭に類似するが，より短い)．

-conid 下顎の歯の尖頭を示す接尾語．

Co·nid·i·o·bo·lus (kō-nid′ē-ō-bō′lŭs)．コニディオボルス属（ハエカビ科の真菌の一属．土壌中や植物，昆虫，両生類の間に広く分布している．*Conidiobolus coronatus* は，粘膜下や皮下組織の慢性肉芽腫症であるコニディオボルス菌症の原因となる)．

co·ni·o·fi·bro·sis (kō′nē-ō-fī-brō′sis)．じん埃線維症（ほこりによって生じた線維症．ほこりを吸入することにより，特に肺に発生する)．

co·ni·o·phage (kō′nē-ō-fāj)．じん埃細胞．= alveolar macrophage．

co·ni·o·sis (kō′nē-ō′sis)．じん肺〔症〕（ほこりが起こす疾患，病的状態)．

con·i·za·tion (kon′i-zā′shŭn)．円錐切除〔術〕（組織を円錐形に切除すること．例えば，子宮頸管の粘膜の切除)．

con·joined a·nas·to·mo·sis 連合吻合（2つの細い血管を側々に楕円吻合で1つにし，次に行う端々吻合のための大きな吻合口を得る方法)．

con·joined twins 重視双生児，接着双生児（結合の程度が様々で，残余重複の度合いが異なる単一接合子双生児．結合の型は，結合部をさす接頭語と，接合を表す接尾語*-pagus* を加えて名付ける(例えば，craniopagus, thoracopagus など)．種々ある残余重複型は，重複部位をさす接頭語と双生児を意味する接尾語 *-didymus* または *-dymus* を加えて名付ける(例えば，cephalodidymus, cephalodymus など))．

con·ju·gant (kon′jū-gănt)．接合個体，接合体（接合を行っている生物，または配偶子の交配対の一員)．

con·ju·ga·ta (kon-jū-gā′tă)．結合径（骨盤の矢状径の諸径．→conjugate)．

con·ju·gate (kon′jŭ-găt)．***1***〖adj.〗共役の，共同の．= conjugated．***2***〖n.〗骨盤の径線（骨盤腔を形成する各種の2点間の距離)．

con·ju·gate ac·id-base pair 共役酸–塩基対（プロトン性溶媒(例えば，水，アンモニア，酢酸)において，水素イオンの有無だけが異なる2個の分子．緩衝作用の基礎になる)．

con·ju·gat·ed (kon′jŭ-gā-tĕd)．= conjugate(1)．

con·ju·gat·ed an·ti·gen 接合抗原．= conjugated hapten．

con·ju·gat·ed dou·ble bonds 共役二重結合（単結合が介在する2個以上の二重結合)．

con·ju·gate de·vi·a·tion of the eyes ***1*** 共役(共同)眼球運動（両眼の同一方向への等しくかつ同時に起こる眼球の回転運動で，正常なもの)．***2*** 共役(共同)偏視（筋肉の麻痺または痙攣により両眼が同一側へ偏位した共役)．

con·ju·gat·ed hap·ten 結合ハプテン（蛋白と共有結合したことによって，抗体産生を惹起することが可能なハプテンのこと)．= conjugated antigen．

con·ju·gat·ed pro·tein 複合蛋白（塩以外の他の1個または1個以上の分子(性質はアミノ酸でない)に付着する蛋白．例えば，黄色蛋白，色素蛋白，ヘモグロビン．→prosthetic group．*cf.* simple protein)．

con·ju·gate fo·ra·men 共役孔（付着している2つの骨の切痕によって形成されている孔)．

con·ju·gate nys·tag·mus 共同眼振（両眼が同時に同方向に動く眼振)．

con·ju·gate of pel·vic in·let 骨盤入口部（仙骨岬角から恥骨結合上縁を結ぶ線)．

con·ju·gate point 共役点（一点の物体が他の点に結像される点に関連した点)．

con·ju·ga·tion (kon′jŭ-gā′shŭn)．***1*** 接合（①2個の単細胞生物，または多細胞生物の雄性および雌性配偶子の結合で，染色質の分割と2個の新しい細胞の発生が続いて起こる．②細菌の単純な接触によって生じるバクテリア接合．通常，遺伝子を運搬する特殊化した線毛によって

C

行われる．他のプラスミド遺伝子は受容バクテリアに移入される．③原生動物の繊毛虫類の有性生殖では，その期間中に適当な交配型の2個体が寄り添う形で体の一部を接着させる．大核が退化し，各大核内の小核は数回分裂(減数分裂を含む)する．その結果生じた一部体前核の1つは，移動核となって各接合個体から他方にはいり，各接合個体に残っている一倍体の静止核と融合する．そこで繊毛虫は分離して接合完了体 exconjugant となり，核の再構成を経て，無性有糸分裂する)．*2* 抱合（①特に肝臓において，腸内で形成されたある種の有毒物質，薬剤，またはステロイドホルモンとグルクロン酸あるいは硫酸との抱合．これによりある種の化学物質の生物活性が阻止され，生成物は排泄される．②胆汁酸のグリシルまたはタウリル誘導体の形成）.

con·ju·ga·tive plas·mid 接合性プラスミド（接合により細胞間自己伝達を行う染色体外要素(プラスミド)のこと．宿主になった細菌がこの伝達を可能にするこうした細菌の特徴は，特殊なピリ線毛をもつことである）.

con·junc·ti·va, pl. **con·junc·ti·vae** (kŏn-jŭngk′tiv-ă, -vē). 結膜（眼球前面と眼瞼後面を包む粘膜）.

con·junc·ti·val (kŏn-jŭngk′ti-văl). 結膜の.

con·junc·ti·val re·flex 結膜反射（結膜の刺激により眼を閉じること）.

con·junc·ti·val ring 結膜輪（結膜と角膜辺縁の接合部の幅の狭い輪）.

con·junc·ti·val sac 結膜囊（眼瞼結膜と眼球結膜との間にあって，結膜に取り囲まれた部分で，ここに涙液が分泌される．眼を閉じたときは閉鎖され，眼を開くと前方で眼瞼裂に開く）. = saccus conjunctivalis.

con·junc·ti·val veins 結膜静脈（結膜の静脈で眼静脈に注ぐ）.

con·junc·ti·vi·tis (kŏn-jŭngk′ti-vī′tis). 結膜炎.

con·junc·ti·vo·chal·a·sis (kŏn-jŭngk′ti-vō-kă-lă′sis). 結膜弛緩症（過剰な眼球結膜 bulbar conjunctiva が眼瞼縁上に渦巻状にかぶさったり下涙点をおおう状態）.

con·junc·ti·vo·plas·ty (kŏn-jŭngk′ti-vō-plas-tē). 結膜形成〔術〕.

con·nect·ing car·ti·lage 結合軟骨（恥骨結合などの軟骨性関節にある軟骨）. = interosseous cartilage.

con·nec·tion (kŏ-nek′shŭn). 連結，結合，接続（成分あるいは事物の結合，結合構造）. = connexus.

con·nec·tive tis·sue 結合組織（動物体を支持し，骨組みとなる組織，各種の多数の細胞を伴う線維と基質から形成される．中胚葉から発生する間葉に由来する．結合組織は多様で，疎性・脂肪性・交織または平行稠密線維性・白色線維性・弾性・粘液性・リンパ組織，および軟骨，骨などがある．血液とリンパはその基質が液体の結合組織とみなされる）. = interstitial tissue.

con·nec·tive-tis·sue dis·ease 結合組織病（結合組織が障害される全身性疾患．特にメンデルの法則に従って遺伝しないものをさす．リウマチ熱や関節リウマチが当初この疾患であると考えられたが，後に他のあらゆる膠原病も加えられた. →collagen disease）.

con·nec·tive tu·mor 結合組織腫瘍（骨腫，線維腫，肉腫などのような結合組織からなる腫瘍）.

con·nec·tor (kŏ-nek′-tŏr). 連結子（歯科において，部分床義歯の構成要素を連結する部分床義歯の一部）.

Con·nell su·ture コネル縫合（連続縫合法の1つ．胃あるいは腸を吻合する際に，消化管壁が内翻する形になるようにする）.

con·nex·in 26 コネキシン 26（ギャップ結合蛋白で，その遺伝子(Cx26)の変異が劣性無症候性聴覚障害の主因となる）.

con·nex·us (ko-nek′sŭs). 結合. = connection.

Conn syn·drome コン症候群. = primary aldosteronism.

co·noid (kō′noyd). *1* 円錐〔状〕体（円錐状をした構造）. *2* 円錐状体，円錐小体（原生動物 Apicomplexa 門に特徴的な先端構造物群の一部．胞子虫類のスポロゾイトやメロゾイトやその他の発生段階でみられるが，バベシア科およびタイレリア科のピロプラスマ属では，それほど発達しない．この円錐小体の機能は不明だが，恐らく，その突起可能な形状によって，宿主細胞に侵入するための小器官と考えられている）.

co·noid tu·ber·cle 円錐靱帯結節（鎖骨の肩峰端近くの下面にある隆起で，円錐靱帯が付着している）.

Con·ra·di dis·ease コンラーディ病. = chondrodysplasia calcificans congenita.

Con·ra·di-Hü·ner·mann syn·drome コンラーディ-ヒューネルマン症候群（点状軟骨異形成症の一種．常染色体優性遺伝．種々の皮膚の角化障害，特異顔貌，心奇形，眼奇形，中枢神経異常を伴う．骨端の点状石灰化もみられる）.

Con·ra·di line コンラーディ線（剣状突起基底から心尖拍動部へ引いた線．およそ心臓領域の下端に相当する）.

con·san·guin·e·ous (kon-sang-gwin′ē-ŭs). 血族の.

con·san·guin·i·ty (kon-sang-gwin′i-tē). 血族，同族（共通の祖先をもつ血縁関係）. = blood relationship.

con·scious (kon′shŭs). *1* 意識のある（気付いている．現在の自分自身，自分の行為，周囲の状況を理解あるいは認識している）. *2* 意識的な（意識的な行為または思考のように，個人の知覚的な注意を伴った何かを示し，自動的，本能的とは区別される）.

con·scious·ness (kon′shŭs-nĕs). 意識（自然科学的事実または精神的概念に対する意識または認識．全般的覚醒状態および環境に反応しうる状態．機能する感覚中枢）.

con·scious se·da·tion 意識下鎮静法（患者の意識を失うことなく，十分な無痛覚を得るための鎮静を持続させることを可能にする鎮静法）.

con·sec·u·tive am·pu·ta·tion 逐次切断〔術〕

(修正切断術または1回目の手術に続いて行う二次切断術).

con·sen·su·al (kŏn-sen′shū-ăl). 同感性の，共感性の（数人の人の知覚が一致しているという事実によってあるものを示す）. = reflex(3).

con·sen·su·al light re·flex 共感性対光反射（反応）（片方の眼に光を当てたとき，両眼の瞳孔が収縮すること）.

con·ser·va·tive (kŏn-sĕr′vă-tiv). 保存的（〝根治的〞とは対照的に，段階的・制限的な処置または十分に確立された療法についていう）.

con·sis·ten·cy prin·ci·ple 一貫性の原則（心理学において，人間が特に態度や信念において一貫したものでありたいという欲求．この原則に基づく態度形成や変更の理論はバランス理論をも含む．バランス理論とは，人はその多様な態度において不調和を避けようとしていることを示す）.

Con·sol·i·dat·ed Om·ni·bus Bud·get Re·con·ci·li·a·tion Act (COBRA) 労働者が配偶者の死，離婚，解雇，就労時間の減少があった後，所定の期間は雇用者健康保険団体の保険を利用できることを定めた米国の連邦法.

con·sol·i·da·tion (kŏn-sol′i-dā′shŭn). 硬化（硬い，濃厚な塊への固化．特に肺胞内に細胞性滲出物が存在することにより正常では空気を含む肺が炎症性に硬化する場合に用いる．一般に肺炎でみられる）.

con·so·nant (kon′sō-nănt). 子音（発生器における空気の流れに対する，部分的または完全な遮断によって作られる音声）.

con·spi·cu·i·ty (kon′spi-kyū′i-tē). 鮮鋭度（X線画像における観察対象の構造の可視性．その構造固有のコントラストとその周囲画像の複雑さ（またはノイズ）の関数）.

con·stan·cy (kon′stăn-sē). 定常性，安定度（一定である性状）.

con·stant (kon′stănt). 定数，常数（一定の条件下で，環境が変化しても変わらない量）.

con·sti·pate (kon′sti-pāt). 便秘する.

con·sti·pat·ed (kon′sti-pāt-ĕd). 便秘の.

con·sti·pa·tion (kon′sti-pā′shŭn). 便秘〔症〕（排便の頻度の低下，あるいは不完全な状態）.

con·sti·tu·tion (kon′sti-tū′shŭn). ***1*** 体質，素質（身体の肉体的成立ちで，その機能が発揮される様式，代謝過程の活動，刺激に対する反応方法およびその程度，病原体の攻撃や他の病状に対する抵抗力が含まれる）. ***2*** 構造，組成（化学において，分子の数と種類，および原子の数および種類，そして原子の相互関係）.

con·sti·tu·tion·al (kon′sti-tū′shŭn-ăl). ***1*** 体質〔性〕の，素質〔性〕の，構造の，組成の. ***2*** 全身の，一般の（全体としての体系に関する．局所的でない）.

con·sti·tu·tion·al re·ac·tion 体質反応（病巣または局所反応に対比する全身反応．アレルギーではアレルゲンの導入に続いて注入部位から遠隔部位に起こる即時型または遅延型反応）.

con·sti·tu·tion·al symp·tom 全身症状（疾病が全身性になったことを示す症状，例えば，体重の減少など）.

con·stric·ti·o (kon-strik′shē-ō). = constriction (1).

con·stric·tion (kŏn-strik′shŭn). ***1*** 絞窄，狭窄，収縮（正常あるいは病的な構造の部分的な絞め付けあるいは狭窄. →stricture; stenosis）. = constrictio. ***2*** 緊縛（狭窄をきたすように縛ったりあるいは絞め付けたりすること．絞め付けられたり圧迫されたりしている状態）. ***3*** 絞窄感，狭窄感（あたかも身体または身体の部分が，きつく縛られる，または絞め付けられるような主観的な感覚）.

con·stric·tion ring ***1*** 絞扼輪，絞縮輪（子宮腔の真性痙性狭窄．筋肉域が局所的に強直性攣縮を起こし，胎児のある部位の周囲に緊密な狭窄が生じるときに起こる）. ***2*** = amnionic band.

con·stric·tive bron·chi·ol·i·tis 狭窄性細気管支炎（閉塞性細気管支炎に続発する瘢痕による細気管支閉塞）.

con·stric·tive per·i·car·di·tis 梗塞性心外膜炎，梗塞性心嚢炎（炎症後の肥厚および心腔の梗塞を生じる心外膜の瘢痕化．急性，亜急性または慢性のことがある．以前は慢性梗塞性心嚢炎 chronic constrictive pericarditis とよばれた）.

con·stric·tor (kŏn-strik′tŏr). ***1*** 緊縮または圧搾するものの総称. ***2*** 収縮筋，括約筋（管腔を狭める筋肉．括約筋の一種）.

con·struc·tion·al a·prax·i·a 構成失行（作ったり，組み立てたり，描いたりする能力の障害として現れる失行．頭頂葉病変による）.

con·sul·tant (kŏn-sŭl′tănt). 立会い医，相談役，コンサルタント（①患者を実際には受け持たないが，相談役的立場で，担当医とともに考え，相談に応じる医師．②病院の職員であるが，実際の仕事はせず，担当医の要求に応じて，いつでも助言を与える立場にある人）.

con·sul·ta·tion (kon′sŭl-tā′shŭn). 立会い診察，対診（特定の患者の病気の性質および進行を評価して，診断，予後，および治療を決めるために2人以上の医師が会合すること）.

con·sult·ing staff 顧問医，コンサルタント医（病院に所属した専門医で，主治医の助言の役を果たす）.

con·sump·tion (kŏn-sŭmp′shŭn). 消費，消耗（何かを使い果たすこと，特に，使われる割合）.

con·sump·tion co·ag·u·lop·a·thy 消費性凝固障害（末梢血液中での凝固因子の消費とともに血小板の著明な減少をきたす疾患．しばしば disseminated intravascular coagulation（播種性血管内凝固）の同義語として使われる）.

con·tact (kon′takt). ***1*** 接触（2つの体の接触または並置）. ***2*** 接触者（接触伝染病にさらされた人）.

con·tact al·ler·gy 接触アレルギー. = allergic contact dermatitis.

con·tac·tant (kŏn-tak′tănt). 接触物，接触原（皮膚や粘膜との直接接触により遅延型過敏症を引き起こす異種アレルゲンの総称）.

con·tact chei·li·tis 接触〔性〕口唇炎（口紅の成分に含有されている一次刺激物質や特定のアレルゲンとの接触によって生じる口唇の炎症）.

C

con·tact der·ma·ti·tis 接触皮膚炎（皮膚と特殊なアレルゲン(アレルギー性接触皮膚炎)または刺激物(非アレルギー性接触皮膚炎)との接触により起こる炎症性の発疹で，痒みと発赤が特徴）.

con·tact hy·ster·o·scope 接触型子宮鏡（屈曲率可変のレンズをもつ子宮鏡．視野確保のための伸展は不要で，極短焦点性の視診が可能．限局性の出血診断に適する）.

con·tact in·hi·bi·tion 接触阻止〔現象〕（治癒過程にある創の中心部にみられるように，細胞が互いに接触するようになると増殖を停止すること）.

con·tact i·so·la·tion 接触隔離（患者の部屋に入る人間が手袋や室内服を着用すること）.

con·tact lens コンタクトレンズ（強膜および角膜または角膜のみをおおうように装着されたレンズ．屈折異常の矯正に用いる）.

con·tact pre·cau·tions 接触予防（直接的または間接的な接触を通じる感染拡大の危険性を減らすこと．伝染は感染者との物理的接触，または感染者の部屋の汚染物質に触れることで起こる．部屋の中では，医療提供者による標準的な予防に加えマスク，室内服，手袋の提供が行われなければならない）.

con·tact splint 内副子（ねじによって支えられる穴の開いた板．長骨の骨折の治療に用いる）.

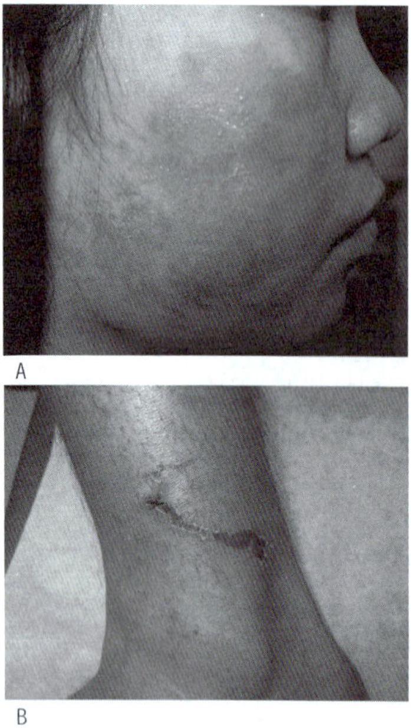

contact dermatitis
A：アレルギー性，B：クラゲ刺傷

con·tact-type der·ma·ti·tis 接触〔皮膚炎〕型皮膚炎（接触皮膚炎ないし湿疹に似ているが，経口または注射により投与されたアレルゲン，通常は薬剤によって起こるもので，汎発性である）.

con·tact ul·cer 接触潰瘍（披裂軟骨の声帯突起の上に横たわる声帯ひだの後縁に沿ってできる潰瘍．通常は声帯の酷使により起こり，かすれ声になる）.

con·tact with re·al·i·ty 社会的または文化的環境の基準に関連して，外的現象を正しく判断すること.

con·ta·gion (kŏn-tā′jŭn). ***1*** 感染病原体，伝染病原体. = contagium. ***2***〔接触〕感染，〔接触〕伝染（直接接触，飛沫感染，または混入物による感染症の伝染）. ***3*** 感染，伝染（グループの何人かのメンバーが暗示または模倣を通じて神経症あるいは精神病をつくり出すこと）.

con·ta·gious (kŏn-tā′jŭs).〔接触〕感染(伝染)性の（患者あるいは患者から排出されたばかりの分泌物や排泄物との接触により感染することをいう）. = infectious(2).

con·ta·gious dis·ease 接触伝染病（直接または間接の接触によって伝達される感染症．現在では communicable disease とほぼ同じ意味で用いられる）.

con·ta·gious·ness (kŏn-tā′jŭs-nĕs).〔接触〕感染(伝染)性（伝染する性質）.

con·ta·gi·um (kon-tā′jē-ŭm). 感染病原体，伝染病原体（感染性疾患を起こす物質）. = contagion(1).

con·tained disc her·ni·a·tion 包含椎間板ヘルニア（椎間板ヘルニア組織が後方線維輪の薄い層や後縦靱帯によりおおわれたままのものをいう．例えば椎間板突出）.

con·tain·er (kŏn-tā′nĕr). コンテナ（あらゆるものが収容される場所，容器）.

con·tam·i·nant (kŏn-tam′i-nănt). 夾雑物，不純物（化学的製品，薬剤(薬物学的製剤)，生理学的成分，または感染物質に随伴する異質な物質）.

con·tam·i·nate (kŏn-tam′i-nāt). 汚染する，汚濁する（汚染の原因となったり結果として汚染となること）.

con·tam·i·na·tion (kŏn-tam′i-nā′shŭn). ***1*** 汚染（伝染性の病原体が体表，あるいは衣服の内外，寝具，玩具，手術器具や包帯，または水，牛乳，食物などの非生物性の物質や品物，あるいは伝染性病原体自体に存在すること）. ***2*** 汚染（疫学においては，ある状態または因子について研究されている集団が研究結果を修飾させるような他の状態または因子を併せもつ状況をさす）. ***3*** 混淆（言葉の意味の融合または凝縮を表す Freud 派の用語）.

con·tent (kon′tent). ***1*** 内容〔物〕（他の何かの中に含まれているもので，通常この意味では複数形 contents を用いる）. ***2*** 内容（心理学において，意識の中に現れる夢の形）. ***3*** 含量，容量（濃度の意味で用いるが，まぎらわしい用法である．例えば，blood hemoglobin content はヘモグロビンの濃度，またはヘモグロビン容量のどちらも意味するものと考えられる）．

con·tent a·nal·y·sis 内容分析（健常者あるいは心理的障害のある者の言語内容の分類および研究のための種々の技法）．

con·tig map コンティーグ地図（染色体あるいはDNAの物理的地図で，重複するクローン（コンティーグ）から構成されている）．

con·ti·gu·i·ty (kon′ti-gyū′i-tē). ***1*** 近接，隣接，接触（真の連続（連結）ではない接触．例えば，頭蓋骨の縫合形成に参与する諸骨の隣接．*cf.* continuity）．***2*** 接近（2つ以上の事物，出来事，あるいは精神印象が，同じ場所で発生すること，あるいは同時に発生することをいう）．

con·tig·u·ous (kon-tig′yū-ŭs). 近接の，隣接の，接触の．

con·ti·nence (kon′ti-nĕns). 節制，自制（①欲求に関する節制，中庸，自制．特に性行為に関するもの．②排泄するのに適した時間まで尿や便をとどめておく能力）．

con·ti·nent (kon′ti-nĕnt). 節制の，自制の．

con·tin·u·ing ed·u·ca·tion 継続教育（医療専門職としての知識，技術を身につけるための体系的な専門学習．初期学習プログラム終了後学習は終了する．いくつかの分野では再認可が必要とされる）．

con·tin·u·ing ed·u·ca·tion u·nits 継続教育ユニット（知識および技術向上のための所定のプログラム（ワークショップ，講座）を修了後，修了者に与えられる単位）．

con·ti·nu·i·ty (kon′ti-nū′i-tē). 連続〔性〕（中断のないこと，密に結合した部分の継続，例えば，細胞の途切れのない連続や頭骨の個々の骨の連続したつくりなど．*cf.* contiguity）．

con·tin·u·ous am·bu·la·to·ry per·i·to·ne·al di·al·y·sis（CAPD） 連続携行式腹膜灌流（歩行可能な患者に行われる腹膜透析の方法で，平常の活動中に透析液の流入と回収をする）．

con·tin·u·ous ar·ter·i·o·ve·nous he·mo·fil·tra·tion（CAVH） 持続的動静脈血液濾過（急性または慢性腎不全の循環血液中から体液及び尿毒症性物質を除去する治療法．持続的に圧力をかけたり吸引したりして，透析膜を通して濾過を行う）．

con·tin·u·ous bar re·tain·er 連続鉤（バー）維持装置（通常，歯の舌面上にある金属バーで，歯の安定化を助け，間接維持装置として働く）．

con·tin·u·ous cap·il·lar·y 連続毛細血管，無窓毛細血管（小胞は多数あるが孔がない毛細血管）．

con·tin·u·ous cyc·lic per·i·to·ne·al di·al·y·sis（CCPD） 連続性周期的腹膜透析（自動腹膜灌流装置を用いて，数回，夜間（睡眠中）に透析液の交換を行い，さらに昼間は，透析液を交換せずに長時間透析液を腹腔内に停滞させる腹膜透析法）．

con·tin·u·ous flow an·a·lyz·er 連続フロー型分析装置（自動化学分析装置の1つで，サンプルと試薬がチューブで連結されたモジュール装置から連続的にポンプで送り込まれる）．

con·tin·u·ous in·ter·leaved sam·pling 逐次刺激方式（人工内耳の音声処理の技法．重複しないようにそれぞれの電極に短信号を送る）．

con·tin·u·ous man·da·tor·y ven·ti·la·tion（CMV） = controlled mechanical ventilation.

con·tin·u·ous mur·mur 連続性雑音（心収縮期から拡張期にかけて間断なく聴取される雑音）．

con·tin·u·ous o·to·a·cou·stic e·mis·sion 持続耳音響放射（誘発耳音響放射の1つ．刺激音と同じ周波数であり，刺激音が続くかぎり持続する）．

con·ti·nu·ous pas·sive mo·tion ma·chine（CPM ma·chine） 持続的他動運動装置（外科手術若しくは怪我の後に四肢の通常運動，予防硬直，関連痛を促進する装置）．

con·tin·u·ous pos·i·tive air·way pres·sure（CPAP） 持続陽圧気道圧（自発呼吸あるいは機械呼吸下の患者に，呼吸周期の全過程で換気回路に加圧して，気道内圧を大気圧より高く保つ呼吸管理の一方法）．

con·tin·u·ous pos·i·tive pres·sure ven·ti·la·tion（CPPV） 持続的陽圧換気（呼吸）．= controlled mechanical ventilation.

con·tin·u·ous qual·i·ty im·prove·ment 継続的品質改善（医療サービスの全ての側面を継続的に改善するために組織化された工程．パフォーマンスを改善するための現在進行中の研究）．

con·tin·u·ous skill 連続スキル（開始と終了を含まない運動の技術若しくはパターン．モーターは通常反復性，継続的な動きを形成する（例えば，水泳，運転））．

con·tin·u·ous spon·ta·ne·ous ven·til·a·tion（CSV） 持続自発性喚起法（全ての呼吸が自発的な人工呼吸法）．

con·tin·u·ous su·ture 連続縫合（1本の長い縫合糸を用いて中断しないで行う縫合．各端を結び目で固定する）．= uninterrupted suture.

con·tin·u·ous train·ing 持続的訓練（有気的エネルギーの消費システムに負荷をかけるために行う定常状態での運動．最大限の努力はしない運動なので，運動を比較的快適な状態でかなりの時間続けて行う．体重の減少や健康の増進のための理想的な運動である）．= long slow distance training.

con·tin·u·ous ve·no·ve·nous he·mo·di·a·fil·tra·tion（CVVHD） 持続的静静脈血液透析濾過（原理として物質の拡散による除去を応用した血液浄化療法の1つ）．

con·tin·u·ous ve·no·ve·nous he·mo·di·al·y·sis（CVVHD） 持続的静静脈血液透析（ポンプで血液を静脈から透析装置に送り込み，浄化した血液を静脈循環に戻すことを連続的に行う持続的血液透析）．

con·tin·u·ous ve·no·ve·nous he·mo·fil·tra·tion（CVVH） 持続的静静脈血液濾過（ポンプで血液を静脈から濾過装置に送り込み，濾過後の血液を静脈循環に戻すことを連続的に行う持続的血液透析）．

C

con·tin·u·ous wave la·ser 連続波レーザー（エネルギー出力が一定であるレーザー）.

con·tour (kon′tūr). 輪郭，外形（①部分の輪郭，外形. ②歯科において，破壊された，または変形した歯の正常な輪郭を復元すること，または義歯の外形をつくること）.

contra- 反対の，…に対して，を意味する接頭語. →counter-. *cf.* anti-.

con·tra·an·gle (kon′trā-ang′el). コントラアングル（①切端または点と把柄の軸との関係における，器具の軸部のバイアングルまたはトリプルアングルの1つ. ②歯科のハンドピースの末端につけられる延長部分で，かさ歯車により，ハンドピースの軸に対するバーの回転軸の角度を変える）.

con·tra·ap·er·ture (kon′trā-ap′ĕr-chŭr). 対照孔，対口. = counteropening.

con·tra·cep·tion (kon′trā-sep′shŭn). 避妊，産児制限（受胎または妊娠の予防）.

con·tra·cep·tive (kon′trā-sep′tiv). ***1***〚n.〛避妊薬（妊娠を予防する薬物）. ***2***〚adj.〛避妊の，避妊具(薬)の（妊娠を予防するために考えられた方法あるいは薬物についていう）.

con·tra·cep·tive de·vice 避妊器具（妊娠を避けるために用いる器具. 例えば，避妊ペッサリー，コンドーム，子宮内避妊器具）.

con·tra·cep·tive sponge 避妊用スポンジ（弾性のある親水性のポリウレタン泡沫状のスポンジで中に殺精子剤を含む. 殺精子剤の効果で避妊する）.

con·tract ***1*** (kon-trakt′).〚v.〛収縮する（短縮する. 小さくなる. 筋肉の場合は短縮するまたは張力が増加する）. ***2*** (kon-trakt′).〚v.〛〔病気に〕かかる（接触伝染または感染によって獲得する）. ***3*** (kon′trakt).〚n.〛契約（心理療法の目的達成のために，意味のはっきりした行動を心理療法者と患者の両方が明白に実行すること）.

con·tract·ed dis·count 契約割引（医療提供者が患者が加入する保険会社との合意によって，患者の預金残高に基づいて帳消し，または調整する金額）.

con·tract·ed kid·ney 萎縮腎（汎発性に瘢痕化した腎臓で，比較的大量の異常線維組織，虚血性萎縮が中等度または高度の腎臓の大きさの縮小をまねく）.

con·tract·ed pel·vis 狭骨盤（骨盤径がどの部分でも正常値より短い骨盤）.

con·trac·tile (kon-trak′tīl). 収縮性の.

con·trac·til·i·ty (kon′trak-til′i-tē). 収縮性（物質，特に筋肉の能力や性質のことで，短縮する，大きさが減少する，あるいは緊張が増加すること）.

con·trac·tion (C) (kŏn-trak′shŭn). 収縮，攣縮（①短縮または張力増加. 筋肉組織の正常な機能を示す. ②縮まること. ③期外収縮のような心拍動）.

con·trac·tion stress test 子宮収縮負荷試験. = oxytocin challenge test.

con·trac·tu·al psy·chi·a·try 契約的精神医学（患者が自分自身の困難や苦悩から任意に精神医学的介入を受けることを表す古語. その場合，患者は精神医学との協同について抑制を保っている）.

con·trac·ture (kŏn-trak′shŭr). 拘縮，拘攣，痙縮（緊張性攣縮，線維化，拮抗筋の麻痺による筋バランスの喪失，または近隣関節の運動喪失により筋が静的に短縮していること）.

con·tra·fis·sur·a (kon′trā-fi-shū′rā). 対側骨折（頭蓋骨におけるように，打撃を受けた反対側の骨折）.

con·tra·in·di·ca·tion (kon′trā-in-di-kā′shŭn). 禁忌（通常，危険性が予測されるため，薬物の使用や治療の遂行を勧められない特定の症状または状況）.

con·tra·lat·er·al (kon′trā-lat′ĕr-āl).〔反〕対側性の（病巣とは反対側に，疼痛を感じたり，麻痺が生じるような場合についていう）. = heterolateral.

con·tra·lat·er·al hem·i·ple·gi·a 対側片麻痺(半側麻痺)（中枢の原因病巣の反対側に起こる麻痺）.

con·tra·lat·er·al rout·ing of sig·nals CROS(クロス)型補聴器（良聴耳に比べ患耳の聴力が非常に悪い場合に用いられる補聴器の形式. 患耳への音をマイクロホンで拾い良聴耳へと伝える）.

con·trast (kon′trast). ***1*** 対比（2つの対象物間の差の論証，明確化による比較）. ***2*** コントラスト（放射線医学においては，異なった2つの組織の像の濃度の差が，組織間のコントラストである）.

con·trast bath 交代浴，対比浴（身体の一部を温水に数分間浸し，次に冷水に浸す. 温水と冷水とを，通例30分間隔で規則的に入れ替える. 身体の一部分の血流を増すのに用いる）.

con·trast me·di·um 造影剤（X線写真やCT画像で軟部組織とは異なったX線透過性をもつ，体内投与される物質の総称. バリウムは消化管に，ヨード化合物の水溶液は血管系または泌尿生殖器系に使用される）.

con·trast sen·si·tiv·it·y test·ing コントラスト感度試験（対象物の明るさの変化での視認識(見え方)の検査）.

con·trast stain 対比染料（他の部分が異なる色の色素で染まるとき，染まらない組織や細胞の一部を着色するために用いる染料）.

con·tre·coup (kōn′trĕ-kū′). 対側衝撃の（頭蓋などで，打撲を受けた部位の対側骨折についていう. →contrecoup injury of brain）.

con·tre·coup frac·ture 反衝骨折（衝撃が加わった所とほぼ反対側に生じた頭蓋円蓋部の骨折）.

con·tre·coup in·ju·ry of brain 脳の反衝損傷（一contrecoup injury）.

con·trol (kŏn-trōl′). ***1***〚v.〛調節する，管理する，制御する，規制する（正常の方向へ制御し，抑制し，修正し，修復させること）. ***2***〚n.〛防除，調節，管理，制御，規制（病気の低減を目的とした実施計画やプログラムの遂行）. ***3***〚n.〛対照（疾病の罹患状態が対象者と異なるか，あるいは研究対象となるレジメンに割り付けられていない〝比較群〟に属する人々）. ***4***〚v.〛統計的には，強い外的影響(を及ぼす因子)を調整あるいは考慮にいれる.

***Con·trol of Com·mun·i·ca·ble Dis·eas·es Man·u·al* (CCDM)** ヒトの伝染性疾患のコントロールマニュアル (国際的に認められているマニュアル. 米国公衆衛生協会の出版で, 現在第17版(2000年発行)が出されている).

con·trol ex·per·i·ment 対照実験 (他の並行実験のチェック, その結果の照合, 問題の要因を除いた実験条件下に起こる事象の証明などのために行う実験. →control).

con·trol group 対照群 (同一実験で, 実験群の対照として用いる, 実験要件を加えない検体群. →experimental group).

con·trolled me·chan·i·cal ven·ti·la·tion 調節機械換気(呼吸) (全吸気相に, 気道に陽圧をかけることによる人工換気. 呼吸における患者自身の努力と無関係である). = continuous mandatory ventilation; continuous positive pressure breathing; continuous positive pressure ventilation; intermittent positive pressure breathing.

con·trolled sub·stance 規制物質 (物質規制法(1970年)で規制される物質で, 物質規制法はⓘ乱用の可能性あるいはその形跡, ⓘⓘ精神的あるいは肉体的依存の可能性, ⓘⓘⓘ公衆衛生上のリスクの一因, ⓘⓥ有害な薬理作用, ⓥ他の規制物質の前駆物質, に従った5種類の一覧表に指定された物質の, 処方および調剤と同様に, 製造, 保管, 販売, または流通を規定している).

con·trol sy·ringe 調節注射器 (Luer-Lok 注射器の一種. 母指とその他の指がはいる輪を注射器の外筒の近位端およびプランジャーの先に取り付けて, 片手で操作できるようにしたもの). = ring syringe.

con·tuse (kŏn-tūz′). 挫傷 (裂傷せずに組織を傷つけること). = bruise(2).

con·tu·sion (kŏn-tū′zhŭn). 挫傷, 打撲傷 (通常, 打撃によって生じる機械的な損傷で, 皮膚に断裂はないが皮下出血をきたす. →bruise).

Co·nus (kō′nŭs). イモガイ属 (南太平洋諸島沿岸に生息する貝類の一属. そのうちの数種は有毒で, これらの針やとげで刺されると急性疼痛, 浮腫, しびれ, 拡散性麻痺を引き起こし, ときには昏睡および死に至る).

co·nus, pl. co·ni (kō′nŭs, -nī). ***1*** 円錐. = cone. ***2*** コーヌス (近視性脈絡膜炎における後極ブドウ腫).

co·nus ar·te·ri·o·sus 動脈円錐. = arterial cone.

co·nus me·dul·la·ris 脊髄円錐. = medullary cone.

con·va·les·cence (kon′vă-les′ĕns). 回復期 (疾病終期から, 患者が完全な健康を取り戻すまでの期間).

con·va·les·cent (kon′vă-les′ĕnt). ***1*** 〚adj.〛回復しつつある. ***2*** 〚n.〛回復期患者. ***3*** 〚adj.〛回復期の.

con·vec·tion (kŏn-vek′shŭn). 対流 (加熱された容器の底にある水層が上昇したり, 室内の暖かい空気が天井に昇るときのように, 加熱された粒子の動きによって液体や気体中の熱が運ばれること).

con·vec·tive heat 対流熱 (熱源から発生して, 空気や水のような熱媒体により運ばれる熱).

con·ven·tion·al signs 定式記号 (社会的(言語的)習慣により機能を得ている記号. 例えば, 言葉や数学上の記号).

con·ven·tion·al thor·a·co·plas·ty 通常の胸〔郭〕形成〔術〕(胸壁が内側に退縮するように肋骨を切除して胸腔の容積を減じる法. 膿胸の治療に用いられる).

con·ver·gence (kŏn-vĕr′jĕns). ***1*** 集合 (2つ以上の物体が, 1つの共通点に向かっていくこと). ***2*** 輻輳(ふくそう), 収束 (近点に向かって両眼の視線が内方に向くこと).

con·ver·gence ex·cess 輻輳過度 (内斜位または内斜視が遠方視より近方視に対しより強い状態).

con·ver·gence in·suf·fi·cien·cy 輻輳不全 (内斜位または内斜視が近方視よりも遠方視で著明な状態).

con·ver·gent (kŏn-vĕr′jĕnt). 輻輳の (共通点に向かう傾向のある).

con·ver·gent ev·o·lu·tion 収束進化 (環境が類似であると, しばしば系統発生的にはかけ離れているような2種あるいはそれ以上の生物種に, 相似的な構造が進化的に発生すること. 例として, 昆虫類, 鳥類, 飛行性哺乳類における翼様構造がある).

con·ver·gent stra·bis·mus 輻輳内斜視. = esotropia.

con·ver·sa·tion board 会話具(装置). = communication board.

con·ver·sion (kŏn-vĕr′zhŭn). ***1*** 変換. = transmutation. ***2*** 転換 (無意識的防衛で, それによって無意識的葛藤から生じた不安が転換され, 身体症状として症状的に表現される. ヒステリーの場合のように, 感情が転換されて身体的症状となって現れること. →conversion hysteria). ***3*** 変換 (ウイルス学において, バクテリアがプロファージにより新しい特性をもつこと. →lysogeny).

con·ver·sion cho·re·a 転換舞踏病 (不随意的で速い, 目的のない(舞踏様)運動が主な特徴の転換疾患).

con·ver·sion dis·or·der 転換性障害 (無意識的な情緒葛藤が, 通常, 随意神経系によって調節されている身体機能の変化または喪失として表現される精神障害).

con·ver·sion hys·te·ri·a 転換ヒステリー (不安を身体的徴候または症状へと精神的に転換して, 不安と置き換えることを特徴とするヒステリーで, 一般的に本用語は, 盲, 難聴, 麻痺のような主症状に限定される). = conversion hysteria neurosis; conversion reaction.

con·ver·sion hys·te·ri·a neu·ro·sis 転換ヒステリー神経症. = conversion hysteria.

con·ver·sion re·ac·tion 転換(変換)反応. = conversion hysteria.

con·ver·sive heat 変換熱 (太陽光線や赤外線放射のように, それ自体は熱くない波長を吸収することによって体内に生じる熱).

con·ver·tase (kon′vĕr-tās). コンバターゼ（補体に対する蛋白分解酵素で，この作用により一補体成分が他の成分に変換する．→component of complement）．

con·ver·tin (kon-vĕr′tin)．コンバルチン（第VII因子の活性型で，VIIaと表記される）．

con·vex (kon′veks)．凸〔形〕の，凸面の（外側に膨隆した表面，球体の一部に対して用いる語）．

con·vex lens 凸〔面〕レンズ（光を収束するレンズ）．

con·vex·o·con·cave (kon-vek′sō-kon′kāv)．凹凸の（半面が凸状で，他の面が凹状）．

con·vex·o·con·cave lens 凹凸レンズ（一面が凸で他面が凹になっている凹レンズ．凹面の弯曲率のほうが大きい）．

con·vex·o·con·vex (kon-vek′sō-kon′veks)．両面凸の．= biconvex.

con·vex·o·con·vex lens = biconvex lens.

con·vo·lut·ed part of kid·ney lob·ule〔腎皮質小葉〕曲部（近位，遠位の曲尿細管と小葉間動脈の枝が分布する腎小体からなる）．= renal labyrinth.

con·vo·lu·ted sem·i·nif·er·ous tu·bule 曲精細管．= seminiferous tubule.

con·vo·lu·ted tu·bule 曲尿細管（腎迷路にあるネフロンの複雑に屈曲している部分で，近位曲尿細管と遠位曲尿細管とからなる．前者はBowman嚢からHenleのわなの下行部まで，後者はHenleのわなの上行部から集合管までをいう）．= tubuli contorti(1).

con·vo·lu·tion (kon-vŏ-lū′shŭn)．回（①臓器の屈曲部．②特に大脳皮質または小脳皮質の脳回）．

con·vul·sion (kŏn-vŭl′shŭn)．痙攣（①顔，体幹，四肢の激しい痙縮または連続的痙動．②= seizure(2)）．

con·vul·sive (kŏn-vŭl′siv)．痙攣〔性〕の．

cook·book med·i·cine →evidence-based medicine.

Cooke spec·u·lum クック鏡（肛門検査および手術のために用いる三弁鏡）．

cool down クールダウン（運動後に血圧，体温，脈拍を基準値に低下させること．→endurance phase, endurance training）．

Coo·ley a·ne·mi·a クーリー貧血．= thalassemia major.

Coombs di·rect test 直接クームス試験（抗赤血球抗体を確認する臨床検査．白血病，リンパ腫，全身紅斑性狼創や他の症状のときに陽性反応が出る．→Coombs test）．

Coombs in·di·rect test 間接クームス試験（赤血球分類に用いられる抗体を含んだ血清を使用する臨床検査．不適当な交差試験の前感作による同種免疫のときに陽性反応が出る．→Coombs test indirect; Coombs test）．

Coombs se·rum クームズ(クームス)血清．= antihuman globulin.

Coombs test クームズ(クームス)試験（抗体試験の1つ．直接Coombs試験または間接Coombs試験を用いる，いわゆる抗ヒトグロブリン試験）．

Coo·per her·ni·a クーパーヘルニア（2個の嚢を有する大腿ヘルニア．第1の嚢は大腿管内にみられ，第2の嚢は表在筋膜の欠損部を通って皮膚の直下に現れる）．= Hey hernia.

Coo·per her·ni·o·tome クーパーヘルニア刀（ヘルニア嚢の頸部において狭窄している組織を分けるために用いる，刃の短く細い柳葉刀）．

Coo·per-Rand art·i·fi·cial lar·ynx クーパーランド人工喉頭（喉頭全摘術後の発声リハビリテーションのための電気機器．口腔咽頭内に音を発生させ，咽頭・口蓋・舌・口唇・歯の運動により会話音に変換する）．

Coo·per tes·tis クーパー精巣（神経痛として起こる精巣の痛み）．

co·or·di·na·tion (kō-ōr′di-nā′shun)．共調，協調（調和運動．特に，複雑な運動をする場合のいくつかの筋肉または筋群の協調）．

Co·or·di·na·tion of Ben·e·fits (COB) コーディネーション・オブ・ベネフィッツ，給付調整（1つ以上の保険会社の保険に加入している患者に，最大100%の利益を供給するための，保険運用上の1条項．1番目の保険は第一保険(primary carrier)と称され，2番目の保険は第一保険の適用を受けない残りの費用がある場合，それをカバーする）．

co·or·di·na·tor (kō-ōr′di-nā-tŏr)．コーディネーター（手配，組織，調和させる人）．

co·ox·im·e·ter (kō-oks-im′ĕ-tĕr)．= oximeter.

co·pay·ment (kō′pā-mĕnt)．自己負担金（医療サービスに支払われる予め決められた金額．残額は健康保険によって支払われる．通俗的に"copay"という言い方がされる．→coinsurance; out-of-pocket costs; out-of-pocket expenses）．

COPD chronic obstructive pulmonary disease の略．

cope (kōp)．***1*** 〖n.〗上がん（鋳造作業におけるフラスクの上半分．義歯フラスクの上側または窩洞側に適用しうる）．***2*** 〖v.〗対処する（個人が環境に適応できるようにする行為）．

Cope clamp コープ鉗子（結腸や直腸の切除に用いる）．

co·pol·y·mer (kō′pol′i-mĕr)．共重合体（2つ以上の単量体，または基本単位が結合した重合体）．

co·pol·y·mer-1 (kō′pol′i-mĕr)．コポリマー1（4種のアミノ酸から構成される合成ポリペプチドの混合物の酢酸塩）．

cop·per (Cu) (kop′ĕr)．銅（金属元素，原子番号29．原子量63.546．この塩のいくつかは薬剤に用いられる．多くの蛋白に見出される元素）．

Cop·pet law コペーの法則（同一の凝固点をもつ溶液の溶質濃度は等しい）．

cop·rem·e·sis (kop-rem′ĕ-sis)．吐糞〔症〕．= fecal vomiting.

copro- 汚物または糞を意味する連結形で，通常，糞便に対して用いる．→scato-; sterco-.

cop·ro·an·ti·bod·ies (kop′rō-an′ti-bod-ēz)．糞便抗体（糞便中と腸内に見出される抗体．これらは腸粘膜内の形質細胞により形成され，主に，IgA類からなっていると考えられる）．

cop·ro·lag·ni·a (kop′rō-lag′nē-ă). 愛糞（大便のことを考えたり見たりすることに快感を感じる性倒錯の一型）.

cop·ro·la·li·a (kop′rō-lā′lē-ă). 汚言，醜語症（低俗またはみだらな言葉を無意識に発すること．Gilles de la Tourette 症候群にみられる）.

cop·ro·lith (kop′rō-lith). 腸〔結〕石，糞石. = fecalith; stercolith.

co·prol·o·gy (kop-rol′ŏ-jē). 糞便学. = scatology(1).

cop·ro·ma (kop-rō′mă). 糞腫（結腸や直腸に濃縮した糞便がたまり，腹部腫瘍のようになる）. = fecaloma; stercoroma.

cop·ro·pha·gi·a (kop′rō-fā′jē-ă). 汚食症（排出物を食べること）.

cop·ro·phil, cop·ro·phil·ic (kop′rō-fil, -fil′ik). ***1*** 糞〔便〕性の（糞便内にみられる微生物についていう）. ***2*** 好糞〔性〕の（→coprophilia）.

cop·ro·phil·i·a (kop′rō-fil′ē-ă). ***1*** 好糞〔性〕（糞便に対する微生物の嗜好性）. ***2*** 好糞〔症〕（精神医学において，性的要素を伴った，糞便に対する病的な嗜好）.

cop·ro·pho·bi·a (kop′rō-fō′bē-ă). 恐糞〔症〕（排便や糞便に対する病的な恐れ）.

cop·ro·por·phy·ri·a (kop′rō-pōr-fir′ē-ă). コプロポルフィリン症（ポルフィリアの混入として，コプロポルフィリンが尿中に存在すること）.

cop·ro·por·phy·rin (kop′rō-pōr′fīr-in). コプロポルフィリン（ビリルビン(ヘモグロビンから)の分解産物として，通常，糞便中にみられる2つのポルフィリンのうちの1つ．あるコプロポルフィリンはある種のポルフィリン症で上昇する. →porphyrinogens）.

cop·ros·ta·sis (kop-ros′tă-sis). 宿便，便秘（結腸あるいはたまに小腸における大便の固着）.

cop·u·la (kop′yū-lă). ***1*** 結合節（解剖学上，2つの構造が結合した狭い部分．例えば，舌骨体）. ***2*** コプーラ（胎生初期の舌発生において第二鰓弓の内側部によってつくられる膨隆で，成人の舌には存在しない）.

cop·u·la·tion (kop′yū-lā′shŭn). ***1*** 交接，性交，融合. = coitus. ***2*** 接合（原生動物学上，2つの細胞間の結合で，融合はせず，相互の受精後に離れる．ゾウリムシ属 *Paramecium* のような有毛虫類にみられる）.

cop·u·line (kop′yū-līn). コプリン，性交因子（腟分泌液に生じるフェロモンの一種．コプリンにさらされた男性は，その女性を魅力的に評価する．特にコプリンの代用として水を用いた対照試験では，同じ女性でも魅力をより低く評価される．排卵期の女性のコプリンは男性の唾液中のテストステロンを増加させる(月経時あるいは月経前期にはその作用はない)）.

cor, gen. **cor·dis** (kōr, kōr′dis). 心臓. = heart.

cor·a·co·a·cro·mi·al (kōr′ă-kō-ă-krō′mē-ăl). 烏口肩峰の（烏口突起と肩峰に関する）. = acromiocoracoid.

cor·a·co·a·cro·mi·al lig·a·ment 烏口肩峰靱帯（肩関節上で烏口突起と肩峰間にわたる厚い弓状線維帯．こうしてできた骨と線維によるアーチ状構造が肩関節の上方への脱臼を防いでくれる）. = ligamentum coracoacromiale.

cor·a·co·bra·chi·a·lis mus·cle 烏口腕筋（上腕前区の筋の1つ．起始：肩甲骨の烏口突起．停止：上腕骨の内側縁の中央部．作用：上腕の内転と屈曲，肩関節の下方への脱臼を防ぐ．神経支配：筋皮神経）. = musculus coracobrachialis.

cor·a·co·cla·vic·u·lar (kōr′ă-kō-klă-vik′yū-lăr). 烏口鎖骨の（烏口突起と鎖骨に関する）. = scapuloclavicular(2).

cor·a·co·cla·vic·u·lar lig·a·ment 烏口鎖骨靱帯（鎖骨と烏口突起とを結ぶ強力な複合靱帯．円錐靱帯と菱形靱帯に分かれる．自由上肢はこの靱帯によって鎖骨という支柱からつり下げられている．また肩鎖関節の脱臼を防ぐ働きもしている）. = ligamentum coracoclaviculare.

cor·a·co·hu·mer·al (kōr′ă-kō-hyū′mĕr-ăl). 烏口上腕〔骨〕の（烏口突起と上腕骨に関する）.

cor·a·coid (kōr′ă-koyd). 烏口状の（カラスのくちばし様の形をした．肩甲骨上縁の突起を示す）.

cor·a·coid pro·cess 烏口突起（肩甲頸より出る指を曲げたような長い曲がった突起で，関節窩におおいかぶさっている．上腕二頭筋の短頭，烏口腕筋，小胸筋，円錐靱帯，烏口肩峰靱帯が付着する）.

cor a·di·po·sum 脂肪心. = fatty heart(2).

cor bi·loc·u·la·re 二腔心（心房間および心室間の中隔が欠損しているか不全である心臓）.

cor bo·vi·num 牛心. = ox heart.

cord (kōrd). = funiculus; funicle. ***1*** 索，帯，腱（解剖学において，長いひも状の構造物をいう．長くそろえて束ねられた数本から多数の線維・脈管・導管あるいはそれらの混成のひも状構造. →chorda）. ***2*** 索状配列（1個の細胞幅で1列に並んだ腫瘍細胞を表す組織病理学用語）.

cord- →chord-.

cor·date (kōr′dāt). 心臓形の.

cor·date pel·vis, cor·di·form pel·vis 心臓形骨盤（仙骨が腸骨間で前方に突出して縁が心臓の形をした骨盤）.

cord blood 臍帯血（分娩時，臍帯血管に遺残する胎児由来の血液）.

cor·dec·to·my (kōr-dek′tŏ-mē). 声帯切除〔術〕（声帯の一部，または全部を切除すること）.

cor·di·form (kōr′di-fōrm). 心臓形の.

cor·di·form u·ter·us 心臓形子宮（底に楔状陥凹を有する不完全双角子宮）.

cor·do·cen·te·sis (kōr′dō-sen-tē′sis). 臍帯穿刺（超音波ガイドによる経腹的臍帯穿刺）. = funipuncture.

cor·do·pex·y (kōr′dō-pek-sē). 声帯固定〔術〕（①位置の変わった解剖学上の声帯の手術的固定．②声門狭窄を軽減するために一方または両方の声帯を側方に固定すること）.

cor·dot·o·my (kōr-dot′ŏ-mē). 脊髄切断〔術〕，コルドトミー（①脊髄の手術．②脊髄神経路の切断．切開や高周波凝固術のような種々の技法を用いて，経皮的に(定位脊髄切断術)またはラミネクトミー(観血的脊髄切断術)を行って施行

C

される．③両側声帯麻痺において声門後方を広げるために声帯粘膜の一部を切除すること）．= chordotomy.

core (kōr). コア，腹筋（腹直筋，腹横筋，内腹斜筋，外腹斜筋からなり，運動中の上半身を安定させる）.

core-, coreo-, coro- 瞳孔に関する連結形.

co·re·cep·tor (kō-rĕ-sep′tŏr). 補助受容体，コレセプター（細胞表面受容体で，個別のリガンドが結合すると抗原受容体結合を調節したり，抗原受容体相互作用を経て生じる細胞の活性化に影響を与える）.

cor·ec·to·pi·a (kōr′ek-tō′pē-ă). 瞳孔変位（瞳孔が虹彩の中央になく，偏っていること）.

co·rel·y·sis (kō-rē-lī′sis). 瞳孔剥離〔術〕（水晶体嚢と虹彩間の癒着を剥離することを表すまれに用いる語）.

cor·e·o·plas·ty (kōr′ē-ō-plas-tē). 虹彩（瞳孔）形成〔術〕（変形瞳孔，縮瞳，または閉塞した瞳孔を修復する手法）.

cor·e·pex·y (kōr′ē-pek-sē). 瞳孔の形または大きさを変更するために虹彩を縫合すること.

cor·e·prax·y (kōr′ē-prak′sē). 瞳孔整復〔術〕（小瞳孔を拡大する方法）.

co·re·pres·sor (kō-rĕ-pres′ŏr). コリプレッサ，補抑制物質（特定の代謝経路における産物で，調節遺伝子によりつくられるリプレッサと結合し，活性化する．活性化したリプレッサはその後，オペレータ遺伝子部位について，構造遺伝子の活性を抑制する．このホメオスタシス機構は抑制酵素系での酵素生成を負に調節する）.

core tem·per·a·ture 核心温度（身体の内部温度）.

CORF comprehensive outpatient rehabilitation facility の略.

Co·ri cy·cle コーリ（コリー）サイクル（炭水化物代謝過程のことで，ⓘ肝臓におけるグリコゲン分解，ⓘⓘ血流中へのグルコースの輸送，ⓘⓘⓘグルコースの筋肉中でのグリコゲンとしての貯蔵，ⓘⓥ筋肉運動中のグリコゲン分解および乳酸への変換をいい，この乳酸は肝臓において再びグリコゲンに変換される．乳酸サイクルともよばれる）.

Co·ri dis·ease コーリ病. = type 3 glycogenosis.

co·ri·um, pl. co·ri·a (kō′rē-ŭm, -ă). 真皮. = dermis.

cork·screw ves·sels コルク栓抜き状血管. = hairpin vessels.

corn (kōrn). 鶏眼，うおのめ. = clavus.

cor·ne·a (kōr′nē-ă). 角膜（眼球外壁の前部1/6を形成する透明な組織．曲率半径は強膜が13.5 mmであるのに対し7.7 mmである．結膜に連続した重層扁平上皮，ムコ多糖の中に埋没し，ほぼ直角に配列したコラーゲン組織である固有層，内皮細胞の内層から構成される．眼の主たる屈折構造である）.

cor·ne·al (kōr′nē-ăl). 角膜の.

cor·ne·al a·stig·ma·tism 角膜乱視（角膜表面の弯曲障害による乱視）.

cor·ne·al cor·pus·cles 角膜小体（角膜の線維組織板野にみられる結合組織細胞）.

cor·ne·al graft 角膜移植〔片〕. = keratoplasty.

cor·ne·al lay·er 角質層. = stratum corneum epidermidis.

cor·ne·al pan·nus 角膜パンヌス（炎症性角膜疾患，特に上部角膜に関係するトラコーマにおいて周辺角膜の表層に増殖する線維血管性結合組織）.

cor·ne·al re·flex 角膜反射（①眼瞼の収縮で，角膜を軽く触れるときみられる．②角膜表面での光の反射）.

cor·ne·al space 角膜間隙（角膜の層板の間にある星状間隙．細胞あるいは角膜小体をもつ）. = lacuna(4).

cor·ne·al staph·y·lo·ma 角膜ブドウ〔膜〕腫. = anterior staphyloma.

cor·ne·a pla·na 扁平角膜（角膜曲率が正常より平坦である先天異常．遠視を生じる）.

cor·ne·o·cyte en·ve·lope 表皮コルネオサイトの細胞膜の細胞質面にある電子高密度で，高度に架橋した蛋白の層.

cor·ne·o·scle·ra (kōr′nē-ō-skler′ă). 角強膜（双方が眼球の外包を形成すると考えた場合の，cornea と sclera を結合した用語）.

cor·ne·o·scle·ral (kōr′nē-ō-skler′ăl). 角強膜の（角膜と強膜に関する）.

cor·ne·ous (kōr′nē-ŭs). 角状の. = horny.

Cor·ner tam·pon コーナータンポン（一時的なタンポンとして，胃や腸の創部に大網を詰め込むこと）.

corn·flow·er (kōrn′flow-ĕr). = echinacea.

cor·nic·u·late (kōr-nik′yū-lāt). ***1*** 角状の. ***2*** 角のある（角または角状の付属器を有することについていう）.

cor·nic·u·late car·ti·lage 小角軟骨（披裂軟骨尖の上にのる円錐状の小弾性軟骨）. = cartilago corniculata.

cor·nic·u·lum (kōr-nik′yū-lŭm). 小角.

cor·ni·fi·ca·tion (kōr′ni-fi-kā′shŭn). 角化，角質化. = keratinization.

cor·nu, gen. cor·nus, pl. cor·nu·a (kōr′nū, -nŭs, -nū-ă). 角（①= horn. ②角質からなる構造の総称. ③咬頭または葉の下に横たわる歯髄の歯冠延長. ④大脳半球側脳室の部分である前角・後角・側角. →lateral ventricle. ⑤脊髄灰白柱のおおまかな区分である前角，側角，後角）.

cor·nu·al (kōr′nū-ăl). 角の.

cor·nu·al preg·nan·cy 副角妊娠，一角妊娠（双角子宮の一方の角に受精卵が着床し発育すること）.

cor·nu am·mo·nis アンモン角. = Ammon horn.

cor·nu an·te·ri·us 前角. = anterior horn.

cor·nu pos·te·ri·us 後角. = posterior horn.

co·ro·na, pl. co·ro·nae (kŏ-rō′nă, -nē). 冠. = crown.

cor·o·nad (kōr′ŏ-nad). 冠方へ.

co·ro·na of glans pe·nis 亀頭冠（亀頭の隆起した後縁）.

cor·o·nal (kōr′ŏ-năl). 冠の，冠状〔面〕の.

cor·o·nal plane 前頭面（矢状面に直角で体を前部と後部に分けている垂直面）. = frontal

plane.

cor·o·nal su·ture 冠状縫合（前頭骨と左右の頭頂骨との間の連結）.

co·ro·na ra·di·a·ta 放線冠（①内包線維の大脳皮質への放射で，広く扇形に広がっている．②卵丘に由来する単層柱形上皮細胞で，二次卵胞内の卵細胞の透明帯に付着している）. = radiate crown.

cor·o·na·ri·tis（kōr′ō-nă-rī′tis）．冠状動脈炎.

cor·o·nar·y（kōr′ŏ-nār-ē）．冠状の（①冠に似た形をした，冠の．②神経・血管・靱帯など種々の解剖学的構造が輪状に取り囲んでいることについていう．③特に心臓の冠状動静脈をさすことや，医師の会話の中で冠状動脈血栓症をさすこともある）.

cor·o·nar·y an·gi·og·ra·phy 冠動脈造影（心循環を造影するX線撮影．通常，右または左冠動脈に選択的にカテーテルを挿入し，各血管の基部から造影剤を注入する．以前は大動脈基部から非選択的に注入していた）.

cor·o·nar·y ar·ter·ies 冠状動脈（①右冠状動脈：右心膜横洞より起こり，冠状溝で心臓を右回し，右心房と右心室に房室枝と後室間枝を含む枝を出す．②左冠状動脈：左心膜横洞より起こり，前室間溝に下行する前室間枝と左心室の横隔膜表面に向かう回旋枝の2本の大きな枝とに分かれる．その先端はさらに心房，心室，房室の各枝に分かれる）.

cor·o·nar·y ar·ter·y by·pass 冠〔状〕動脈バイパス（通常，静脈または内胸動脈を導管として，閉塞を越えて冠状動脈のシャント血を得るために，外科的に大動脈と冠動脈の間をバイパスする）.

cor·o·nar·y ar·ter·y by·pass graft（CABG） 冠動脈バイパス術（血管壁が傷害されて血流が低下または途絶した冠動脈に対して，静脈グラフトまたは動脈グラフトでバイパスし，冠動脈血流を増やす手術）.

cor·o·nar·y ar·ter·y dis·ease（CAD） 冠〔状〕動脈疾患（1つ以上の冠状動脈管腔の狭小化．通常は動脈硬化による．心筋虚血，うっ血性心不全，狭心症，または心筋梗塞の原因となる）.

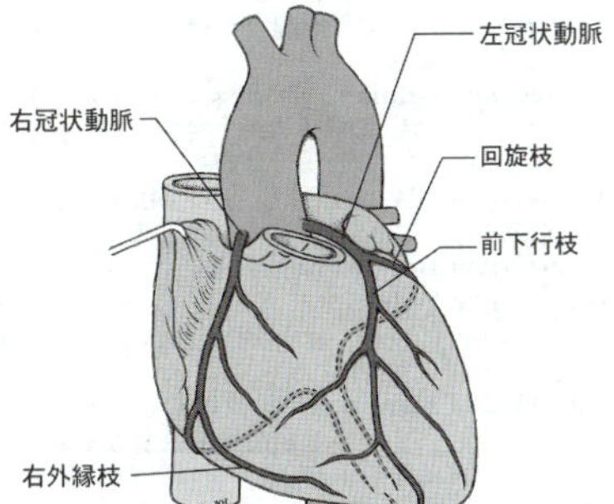
左冠状動脈
右冠状動脈
回旋枝
前下行枝
右外縁枝

coronary arteries

cor·o·nar·y by·pass 冠〔状〕動脈バイパス（冠状動脈の閉塞部より末梢の血流を増すため，静脈あるいは動脈等を用いて，大動脈と閉塞部位より末梢の冠状動脈を結ぶ術式）.

cor·o·nar·y care u·nit（CCU） 冠〔状〕〔動脈〕疾患集中治療〔病棟〕，冠〔状〕〔動脈〕疾患〔監視〕病室（心筋梗塞のある，またはその疑いのある患者の看護のために病院内で確保してある一群のベッド）.

cor·o·nar·y cat·a·ract 冠状白内障（思春期に起こる周辺部皮質の発達白内障．優性遺伝の特徴をもつ）.

cor·o·nar·y fail·ure 冠不全（急性の冠状動脈不全）.

cor·o·nar·y groove 冠状溝（心房と心室の境界を示す心臓外面にある溝）.

cor·o·nar·y in·suf·fi·cien·cy 冠〔状〕〔動脈〕不全（狭心痛に至る冠状動脈循環不全）.

cor·o·nar·y oc·clu·sion 冠〔状〕動脈閉塞〔症〕（通常，血栓またはじゅく腫による冠状動脈の閉塞で，しばしば心筋梗塞を起こす）.

cor·o·nar·y si·nus 冠状静脈洞（心臓の静脈の大部分を受ける太い部分．大心臓静脈と左心房斜静脈の合部に始まり，冠状溝の後部を走り，下大動脈と房室口との間で右心房に開口する）.

cor·o·nar·y throm·bo·sis 冠〔状〕動脈血栓症（血栓形成による冠状動脈の閉塞で，通常，動脈壁のアテローム性変化の結果起こる．通常，心筋梗塞に至る）.

Co·ro·na·vir·i·dae（kō-rō′nă-vir′i-dē）．コロナウイルス科（一本鎖RNAからなるウイルスの一科で，いくつかの種は〝普通の風邪〟に似たヒトの上部気道感染を引き起こす）.

co·ro·na·vi·rus（kō-rō′nă-vī′rŭs）．コロナウイルス（コロナウイルス科のウイルス）.

cor·o·ner（kŏr′ŏ-nĕr）．検察医，検死医（突然死，不審死，または変死の原因を調査して判定する役人．米国のある地域では，医術開業試験委員により代行されている）.

cor·o·noi·dec·to·my（kōr′ŏ-noyd-ek′tō-mē）．烏口突起切除〔術〕（下顎骨烏口突起の外科的除去）.

cor·o·noid pro·cess 筋突起，鉤状突起（骨からの鋭い三角形の突出）.

cor·o·noid pro·cess of ul·na 尺骨鉤状突起（尺骨近位端の前方部分から出る腕木様突出．その前面は上腕筋と接し，近位面は滑車切痕の形成に関与する）.

cor·po·ra（kōr-pōr′ă）．corpus の複数形.

cor·po·ra ar·e·na·ce·a 脳砂，砂腫状体（松果体や他の中枢神経系組織支質にある小さな石灰質の結石）. = psammoma bodies(2).

cor·po·ra par·a-a·or·ti·ca 大動脈傍体. = paraaortic bodies.

cor·po·re·al（kōr-pōr′ē-ăl）．体の.

corpse（kōrps）．死体. = cadaver.

cor·pu·lence, cor·pu·len·cy（kōr′pyū-lĕns, -lĕn-sē）．肥満〔症〕. = obesity.

cor·pu·lent（kōr′pyū-lĕnt）．肥満した. = obese.

cor pul·mo·na·le 肺性心（慢性肺性心は，肺

疾患により生じる右心室肥大を特徴とし，急性肺性心は，肺塞栓症による右心の拡大および不全を特徴とする．両方に共通して，独特の心電図上の変化が起こり，後期には通常，右心不全が起こる）．

cor·pus, gen. **cor·po·ris,** pl. **cor·po·ra** (kōr′pŭs, kōr–pōr′is, -pōr′ă)．体（①= body．②集合体または塊．③器官の主要部分，すなわち頭や尾とは区別される解剖学上の構造．→body; shaft; soma）．

cor·pus al·bi·cans 白体（退化した黄体．瘢痕組織でできた中心の塞栓を囲み，無定形でう曲し，完全にヒアリン化した黄体部分を伴って，次第に進行する瘢痕核の瘢痕形成と萎縮を特徴とする）．= albicans(2)．

cor·pus am·y·la·ce·um, pl. **cor·po·ra am·y·la·ce·a** アミロイド〔小〕体，デンプン様〔小〕体（デンプン顆粒に類似した卵円形または円形の小体で，ときに層状をなす．主に神経組織，前立腺，肺胞中にみられる）．= amnionic corpuscle.

cor·pus a·tre·ti·cum 閉鎖体．= atretic follicle.

cor·pus cal·lo·sum 脳梁（左右の大脳半球を相互に連絡させている神経線維の大交連板(前交連によって相互連絡している側頭葉のほとんどの連絡を除く)．大脳縦裂の底部にあり，両側は帯状回でおおわれている．後方から前方へアーチ形をなし，両端部(脳梁膨大と脳梁膝)は厚いが，長い中央部(脳梁幹)は薄い．先端部は脳梁膝から後下方へ弯曲して脳梁吻を形成する）．

cor·pus ca·ver·no·sum cli·to·ri·dis 陰核海綿体（陰核体を形成している左右1対の勃起性組織で，その基部で左右に分かれ，陰核脚を形成する）．

cor·pus ca·ver·no·sum pe·nis 陰茎海綿体（陰茎体の背部を形成している左右1対の勃起に関した組織で，その基部で左右に分かれ，陰茎脚を形成する）．

cor·pus ci·li·a·re 毛様体．= ciliary body.

cor·pus·cle (kōr′pŭs-ĕl)．= corpusculum．*1* 小体．*2*〔血〕球．

cor·pus·cu·la ar·tic·u·la·ri·a 関節神経小体．= articular corpuscles.

cor·pus·cu·la gen·i·ta·li·a 陰部神経小体．= genital corpuscles.

cor·pus·cu·la la·mel·lo·sa 層板小体．= lamellated corpuscles.

cor·pus·cu·lar (kōr-pŭs′kyū-lăr)．小体の，血球の．

cor·pus·cu·lar ra·di·a·tion 粒子放射線（プロトン，電子，中性子などの原子より小さい粒子の流れよりなる放射線）．

cor·pus·cu·lum, pl. **cor·pus·cu·la** (kōr-pŭs′kyū-lŭm, -lă)．小体．= corpuscle.

cor·pus·cu·lum re·nis, pl. **cor·pus·cu·la re·nis** 腎小体．= renal corpuscle.

cor·pus fim·bri·a·tum *1* = fimbria hippocampi．*2* 卵管外側端にみられる卵管采．

cor·pus ge·nic·u·la·tum la·te·ra·le 外側膝状体．= lateral geniculate body.

cor·pus he·mor·rha·gi·cum 血体，出血黄体（内壁が薄くなった淡黄色の黄体細胞層で形成されている血腫．血液成分の再吸収は緩徐で，透明液で満たされた空洞すなわち黄体嚢胞ができる）．

cor·pus lu·te·um 黄体（排卵直後の，卵巣内の卵胞破裂部位に形成される黄色の内分泌組織．増殖期および血管新生期を経て成熟期に至る．成熟期黄体には，花采状の淡黄色の黄体細胞層がみられ，多数の血管を含む内卵胞膜の小柱が横走している．卵胞と同様にエストロゲンを分泌するが，プロゲステロンも産生し，こちらのほうがより特徴的である．妊娠が起こらない場合は corpus luteum spurium(偽黄体)とよばれ，進行性退化して白体になる．妊娠した場合の corpus luteum verum(真黄体)は，より大きくなり，妊娠5，6か月まで存続し，その後退化する）．

cor·pus lu·te·um cyst 黄体膿胞（嚢胞形成を伴う黄体の持続）．

cor·pus mam·mil·la·re 乳頭体．= mammillary body.

cor·pus o·li·va·re = oliva.

cor·pus pi·ne·a·le 松果体．= pineal gland.

cor·pus spon·gi·o·sum pe·nis 尿道海綿体（左右の陰茎海綿体間の腹側にある勃起に関係する円柱状の組織で，尿道を包む．後端は尿道球に至り，前端部は膨大して陰茎亀頭となる）．

cor·pus spon·gi·o·sum u·re·thrae mu·li·e·bris 女性尿道海綿体（女性の尿生殖隔膜の下で，腟前庭の左右に位置する．勃起性をもつ静脈叢よりなる）．

cor·pus stri·a·tum 線条体．= striate body.

cor·pus vit·re·um 硝子体（→vitreous）．= vitreous body.

Cor·rect Cod·ing In·i·ti·a·tive コレクトコーディング構想（保護手続上で健康保険請求の過払いを防ぐためのコンピューター編集システム．→National Correct Coding Initiative）．

cor·rec·tion·al med·i·cine = desmoteric medicine.

cor·rec·tive (kŏr-ek′tiv)．*1*〖adj.〗矯正の（有害なものを阻害，修正，変換させる）．*2*〖n.〗矯味矯臭薬（薬物の好ましくない，または有害な作用を修正または矯正する薬）．

Cor·rer·a line コレラ線（単純X線写真でみられる肺野の輪郭）．

cor·re·spon·dence (kōr′ĕ-spon′dĕns)．対応（光学において，網膜上の同一視覚方向を有する点）．

Cor·ri·gan dis·ease コリガン病．= aortic regurgitation.

Cor·ri·gan line = Corrigan sign(1)．

Cor·ri·gan pulse コリガン脈（大動脈閉鎖不全症に伴って，固い脈が突然虚脱する結果，容易に触知する脈拍）．

Cor·ri·gan sign コリガン徴候（大動脈閉鎖不全症に伴って，固い脈が突然虚脱する結果，容易に触知する脈拍）．

cor·rin (kōr′in)．コリン（ビタミン B_{12} およびその関連化合物の中心構造であるコリノイドを形成する4個のピロール環からなる環式構造）．

cor·ro·sive (kŏr-ō′siv). ***1*** 〚adj.〛腐食性の. ***2*** 〚n.〛腐食剤（酸や強アルカリのように腐食を生じさせるもの. 強酸または強アルカリ）.

cor·ru·ga·tor (kōr′ŭ-gā′tŏr). 皺筋（皮膚を引き寄せ，しわを寄せる筋肉）.

cor·ru·ga·tor su·per·ci·li·i mus·cle 皺眉筋（前額の顔面筋の1つ. 起始：眼輪筋の眼窩部，鼻隆起. 停止：眉の皮膚. 作用：眉の内側端を下方へ引く，額に垂直なしわを寄せ，沈思，困惑，関心などの表情を表す. 神経支配：顔面神経）. = musculus corrugator supercilii.

cor·tex, gen. cor·ti·cis, pl. cor·ti·ces (kōr′teks, -ti-sis, -ti-sēz). 皮質（腎臓のような器官の表層部で，内部の髄質部分と区別される）.

cor·tex of o·va·ry 卵巣皮質（白膜直下にある卵巣皮質. 結合組織細胞からなり，その間に一次卵胞から二次卵胞(卵胞洞)までの，種々の発育段階の卵胞が分散する. 皮質は個体の年齢により厚さが異なり，年を経るほど薄くなる）.

Cor·ti arch コルティ(コルチ)弓（Corti 内柱細胞と Corti 外柱細胞の頭部の接合部が形成する内耳の弓）.

cor·ti·cal (kōr′ti-kăl). 皮質〔性〕の.

cor·ti·cal ar·ter·ies 皮質動脈（大脳皮質に血液を送っている前・中・後大脳動脈の枝）.

cor·ti·cal au·di·om·e·try 聴性皮質反応聴力検査（脳幹レベルより中枢聴覚路に生じる電位の測定）.

cor·ti·cal blind·ness 皮質盲（視覚領皮質の病変による視力欠如）.

cor·ti·cal bone 皮質骨（緻密骨の最表層にある薄い骨層）. = substantia corticalis; cortical substance.

cor·ti·cal cat·a·ract 皮質部白内障（水晶体皮質部にのみ混濁がみられる白内障）.

cor·ti·cal cords 皮質索（発生中の卵巣の表皮上皮から発生する細胞索. 皮質索内の原始生殖細胞は分化して卵祖細胞となる）.

cor·ti·cal deaf·ness 皮質性難聴，皮質ろう（両側の側頭葉聴覚中枢の病変による難聴）.

cor·ti·cal hor·mones 副腎皮質ホルモン（副腎皮質で産出されるステロイドホルモン）.

cor·ti·cal lob·ules of kid·ney 腎皮質小葉（腎臓の細区分で，放線部(髄条)と，特定集合管に関わる腎小体と曲尿細管をもつ曲部からなる）.

cor·ti·cal ra·di·ate ar·ter·ies 皮質放線状動脈，小葉間動脈（腎弓状動脈の枝で，腎柱および皮質中を外に向かって放射状に走り，腎小体に分布する）.

cor·ti·cal sub·stance 皮質. = cortical bone.

Cor·ti ca·nal コルティ(コルチ)管. = spiral canal of cochlea.

Cor·ti cells コルティ(コルチ)細胞. = cochlear hair cells.

cor·ti·ces (kōr′ti-sēz). cortex の複数形.

cor·ti·cif·u·gal, cor·ti·cof·u·gal (kōr-ti-sif′yū-găl, kōr′ti-kof′yū′găl). 皮質遠心性の（脳の外表面から離れた方向に向かうこと. 特に大脳皮質からのインパルスを伝える神経線維をさす）.

cor·ti·cip·e·tal (kōr′ti-sip′ĕ-tăl). 皮質求心性の（脳の外表面に向かうこと. 特に大脳皮質にインパルスを伝える神経線維をさす）.

cor·ti·co·ba·sal de·gen·er·a·tion 〔大脳〕皮質基底核変性〔症〕（大脳皮質と錐体外路の両方を侵すまれな進行性疾患. 臨床的に随意運動障害と筋硬直を呈する. バルーンニューロンを伴う大脳皮質変性と黒質変性が病理学的な特徴である）.

cor·ti·co·bul·bar (kōr′ti-kō-bŭl′bahr). 皮質延髄の（菱脳のⓘいくつかの脳神経運動核，ⓘⓘ網様体，ⓘⓘⓘ楔状束核，薄束核，三叉神経脊髄路核のような感覚中継核，に終わる皮質遠心性線維）.

cor·ti·coid (kōr′ti-koyd). ***1*** 〚adj.〛コルチコイド様の（副腎皮質のステロイドホルモンに類似した作用を有する）. ***2*** 〚n.〛コルチコイド（***1*** の作用を示す物質）. ***3*** 〚n.〛副腎皮質ステロイド. = corticosteroid.

cor·ti·co·lib·er·in (kōr′ti-kō-lib′ĕr-in). コルチコリベリン. = corticotropin-releasing hormone.

cor·ti·co·ste·roid (kōr′ti-kō-ster′oyd). コルチコステロイド（副腎皮質で生成されるステロイド(副腎性コルチコイド). ステロイドを含むコルチコイド）. = corticoid(3).

cor·ti·co·ste·roid-bind·ing glob·u·lin (CBG) コルチコステロイド結合性グロブリン. = transcortin.

cor·ti·co·troph (kōr′ti-kō-trōf). コルチコトロフ（副腎皮質刺激ホルモン(ACTH)を産生する脳下垂体の細胞）.

cor·ti·co·tro·pin (kōr′ti-kō-trō′pin). コルチコトロピン. adrenocorticotropic hormone.

cor·ti·co·trop·in·like in·ter·me·di·ate-lobe pep·tide (CLIP) コルチコトロピン様中葉ペプチド（機能不明なプロピオメラノコルチンの生成物）.

cor·ti·co·tro·pin-re·leas·ing fac·tor (CRF) 副腎皮質刺激ホルモン放出因子. = corticotropin-releasing hormone.

cor·ti·co·tro·pin-re·leas·ing hor·mone (CRH) 副腎皮質刺激ホルモン放出ホルモン（視床下部によって分泌される因子で，下垂体を刺激して副腎皮質刺激ホルモンの分泌を促す）. = corticoliberin; corticotropin-releasing factor.

Cor·ti·co·vi·rus (kōr′ti-kō-vī′rŭs). コルチコウイルス属（コルチコウイルス科の唯一の属）.

cor·ti·lymph (kōr′ti-limf). コルチリンパ液（Corti トンネル内の液体）.

Cor·ti mem·brane コルティ膜. = tectorial membrane of cochlear duct.

Cor·ti or·gan コルティ器官. = spiral organ.

cor·ti·sol (kōr′ti-sol). コルチソル. = hydrocortisone.

cor·ti·sone (kōr′ti-sōn). コルチゾン（正常には，ヒトの副腎皮質から有意量は分泌されないグルココルチコイド. ヒドロコルチゾン(コルチソル)に転換されるまで，生物学的作用を示さない. これは糖質代謝に作用し，結合(膠原)組織の栄養と発育に影響を及ぼす）.

Cor·ti tun·nel コルティ(コルチ)トンネル (Corti 器内のらせん管, 内外柱細胞または Corti 杆状体で形成される. 液で満たされ, ときに無髄神経線維が交叉する).

cor tri·at·ri·a·tum 三房心 (3 つの心房をもつ心臓. 左心房は, 肺静脈の開口部を三尖弁から離している 1 つの小さい開口部をもつ横中隔によって分けられている).

cor tri·lo·cu·la·re 三腔心 (心房または心室中隔の欠損による 3 腔の心臓).

cor tri·lo·cu·la·re bi·ven·tric·u·la·re 三心腔二心室〔症〕. = common atrium.

Cor·vi·sart fa·ci·es コルヴィザール顔〔貌〕(心機能不全または大動脈弁逆流にみられる特徴的な顔貌. 目は輝いていて眼瞼は厚ぼったく脹れて紫色がかったチアノーゼ様の顔貌を呈する).

co·rym·bi·form (kŏr-im′bi-fōrm). 花環状の (肉芽腫性疾患, 例えば, 梅毒や結核などにおける皮膚病巣の花弁状配列構造を示す).

Cor·y·ne·bac·te·ri·um (kō-rī′nē-bak-tēr′ē-ŭm). コリネバクテリウム属 (コリネバクテリウム科の非運動性(ある植物の病原菌を除く)の, 好気性から嫌気性の細菌の一属. 不規則に染まるグラム陽性の, 直状から少し弯曲したものまでを含む杆菌で, ぷっつり切れる分裂のため杭柵並列を示す. 自然界に広く分布し, 最も知られている種は, ヒトや家畜の寄生体, 病原体である. 標準種は *Corynebacterium diphtheriae*).

cor·y·ne·bac·te·ri·um, pl. **cor·y·ne·bac·te·ri·a** (kŏ-rī′nē-bak-tēr′ē-ŭm, -ă). *Corynebacterium* 属の一種をさして用いる通称.

Cor·y·ne·bac·te·ri·um am·y·co·la·tum 皮膚常在菌. 静脈カテーテルを介してしばしば敗血症を起こす. 尿路感染症, 混合感染膿瘍からも分離されている.

Cor·y·ne·bac·te·ri·um diph·the·ri·ae ジフテリア菌 (ジフテリアを起こす菌種である. 特に強力な菌体外毒素を産生し, 種々の組織, 特にヒトや実験動物の心筋の変性を引き起こす強力な菌体外毒素を生じ, 毒性は延長因子 II の ADP-リボシル化を触媒することで起こる. この細菌の毒性菌株は溶原性である. この細菌はジフテリアの際, 咽頭, 喉頭, 気管, 鼻粘膜に通常みられるが, 保菌者の外見上健康な咽頭や鼻にもみられ, ときに結膜や表在性の創傷中にも見出される. しばしばウマの鼻道や創傷にも感染する. *Corynebacterium* 属の標準種). = Loeffler bacillus.

Cor·y·ne·bac·te·ri·um glu·cu·ron·o·ly·ti·cum 尿路感染症例から分離された菌種.

Cor·y·ne·bac·te·ri·um jei·kei·um 免疫不全患者の敗血症や皮膚病変の起炎菌. 特に静脈カテーテルに関連して起きやすい.

Cor·y·ne·bac·te·ri·um ma·tru·cho·ti·i ヒトの眼の混合感染から分離された菌種.

co·ry·za (kō-rī′ză). コリーザ, 鼻感冒. = acute rhinitis.

co·ry·za·vi·rus (kŏ-rī′ză-vī′rŭs). *Rhinovirus* の旧名.

co·sleep·ing (kō′slēp-ing). 添い寝 (親子で 1 つのベッドをともにすること).

cos·me·sis (koz-mē′sis). 美容術 (患者の外観に対して配慮すること. すなわち外観をよくする手術をすること).

cos·met·ic (koz-met′ik). ***1*** 美容術の. ***2*** 化粧品の.

cos·met·ics (koz-met′iks). 化粧品 (文化的要請に従って, 美しくする目的で皮膚, 唇, 毛, 爪に付ける種々の偽装に対する合成語).

cos·met·ic sur·ger·y 美容外科〔学〕(主要目的を外観の改良に置く外科の一分野. 患者の年齢や人種起源によって望まれるレベルは違うが, 普通以上の外観に改善することを求めるという言外の意味がある).

cos·mo·pol·i·tan (koz′mō-pol′i-tăn). 汎存種, 普遍種 (生物科学において, 世界的に分布するものをいう用語).

cost (kawst). 費用 (物の所有, 目的の達成のために必要とされるお金, 時間, 労働力, その他の費用の総計).

cos·ta, gen. & pl. **cos·tae** (kos′tă, -tē). ***1*** 肋骨. = rib. ***2*** 基条 (*Trichomonas* 属のようなある種のべん毛寄生虫の波形粘膜の基底に沿って走る, 杆状の内部支持小器官). = basal rod.

cos·ta cer·vi·ca·lis 頸肋. = cervical rib.

cos·tae fluc·tu·an·tes [XI-XII] 浮遊肋. = floating ribs.

cos·tae spu·ri·ae 仮肋. = false ribs.

cos·tae ve·rae 真肋. = true ribs.

cos·tal (kos′tăl). 肋骨の.

cos·tal an·gle 肋骨角 (肋骨体後方の強い屈曲部. ここから肋骨頸と肋骨頭とが上方に向かう). = angulus costae.

cos·tal arch 肋骨弓 (胸郭下口のうち第七肋骨から第十肋骨(仮肋)の連結している軟骨によって形成されている部分).

cos·tal car·ti·lage 肋軟骨 (肋骨前部の肋骨弓形成部分の軟骨で, 胸骨までのびてこれと関節する). = cartilago costalis.

cos·tal·gi·a (kos-tal′jē-ă). 肋骨痛. = pleurodynia.

cos·tec·to·my (kos-tek′tŏ-mē). 肋骨切除〔術〕.

cost-ef·fec·tive·ness (kawst-e-fekt′iv-nĕs). 費用対効果 (費用とそれによって得られた物とサービスの割合).

co·stim·u·la·tor·y mol·e·cule コスティミュラトリー分子, 共起刺激分子 (アクセサリー細胞の膜結合性, あるいは分泌性産物でシグナル伝達が必要なもの).

costo- 肋骨に関する連結形.

cos·to·ax·il·lar·y vein 肋腋窩静脈 (第一から第七肋間隙の肋間静脈と, 外側胸静脈または胸腹壁静脈とを結合する吻合静脈).

cos·to·cer·vi·cal trunk, cos·to·cer·vi·cal ar·ter·y 肋頸動脈 (左右の鎖骨下動脈より起こり, 深頸動脈と最上肋間動脈に分枝する短い動脈で, 上肋間動脈は第一・第二後肋間動脈になる). = truncus costocervicalis.

cos·to·chon·dral (kos′tō-kon′drăl). 肋軟骨の. = chondrocostal.

cos·to·chon·dri·tis (kos′tō-kŏn-drī′tis). 肋軟

骨炎（1本以上の肋軟骨の炎症．局所の圧痛と前胸壁の疼痛が特徴的で放散痛のこともあるが，Tietze 症候群に特徴的な局所の腫脹の所見は欠く）．

cos·to·cla·vic·u·lar (kos′tō-klă-vik′yū-lăr). 肋鎖の（肋骨と鎖骨に関する）．

cos·to·cla·vic·u·lar lig·a·ment 肋鎖靱帯（第一肋骨と胸骨端近くの鎖骨を結ぶ靱帯．胸鎖関節で肩の挙上を制限する）. = ligamentum costoclaviculare; rhomboid ligament.

cos·to·cla·vic·u·lar syn·drome 肋骨鎖骨症候群. = thoracic outlet syndrome.

cos·to·cor·a·coid (kos′tō-kōr′ă-koyd). 肋烏口の（肋骨と肩甲骨の烏口突起に関する）．

cos·to·gen·ic (kos′tō-jen′ik). 肋骨由来の．

cos·to·phren·ic an·gle 肋骨横隔膜角（肋骨胸膜と横隔胸膜の間の角．肋骨胸膜と横隔胸膜は，胸膜反転部の肋骨横隔膜線で連続する．放射線学では costodiaphragmatic recess（肋骨横隔洞）を示す同義語として使われる）．

cos·to·scap·u·lar (kos′tō-skap′yū-lăr). 肋肩甲の（肋骨と肩甲骨に関する）．

cos·to·ster·nal (kos′tō-stĕr′năl). 肋胸骨の（肋骨と胸骨に関する）．

cos·to·ster·no·plas·ty (kos′tō-stĕr′nō-plas-tē). 肋胸骨形成〔術〕（前胸壁の奇形を矯正する手術）．

cos·tot·o·my (kos-tot′ŏ-mē). 肋骨切開〔術〕．

cos·to·trans·verse (kos′tō-trans-vĕrs′). 肋横突の（肋骨およびそれと関節している脊椎の横突起に関する）．

cos·to·trans·ver·sec·to·my (kos′tō-trans-vĕrs-ek′tŏ-mē). 肋骨横突起切除〔術〕（肋骨およびそれと関節している横突起の近接部分の切除）．

cos·to·trans·verse lig·a·ment 肋横突靱帯（肋骨頸の背側面を，対応する横突起の前面に結合させる靱帯）. = ligamentum costotransversarium.

cos·to·ver·te·bral (kos′tō-vĕr′tĕ-brăl). 肋椎の（肋骨およびそれと関節している胸椎に関する）. = vertebrocostal(1).

cos·to·ver·te·bral an·gle 肋椎角（第十二肋骨と脊柱により形成される鋭角）．

cos·to·xi·phoid (kos′tō-zī′foyd). 肋剣の（肋骨および胸骨の剣状突起に関する）．

cost shar·ing 費用の共同負担（医療サービスに支払われる共同保険，自己負担，控除免責金額の総額）．

Co·tard syn·drome コタール症候群（身体の存在についての妄想を伴う精神病性うつ病で，否定観念と自殺衝動を伴う）．

Côte-d′I·voire virus 象牙海岸ウイルス，コートジボアールウイルス（エボラウイルスの一変種）. = Ebola virus Côte-d′Ivoire.

co·throm·bo·plas·tin (kō′throm′bō-plas′tin). コトロンボプラスチン. = factor VII.

co·trans·port (kō′trans′pōrt). 共輸送（ある物質が膜を横切って通過するのに同行して，同時に他の物質が同じ膜を横切って同方向に通過する輸送）．

Cotte op·er·a·tion コット手術. = presacral neurectomy.

cot·ton (kot′ŏn). 綿，草綿. = gossypol.

cot·ton-fi·ber em·bo·lism 綿線維塞栓症（静脈内投薬または輸血の際使用された滅菌ガーゼに由来する綿線維による塞栓．肺小動脈内に異性体肉芽腫を形成することがある）．

cot·ton-wool patch·es 綿〔花〕状白斑（網膜線維層の損傷，多くは梗塞によってできた網膜表面の白くぼやけた部分で，細胞小器官の集まりからなる）．

Co·tun·ni·us nerve = nasopalatine nerve.

cot·y·le·don (kot′i-lē′dŏn). ***1*** 子葉（植物で，種子から最初に成長する葉）. ***2*** 胎盤分葉（胎盤構造の単位）．

cot·y·loid (kot′i-loyd). ***1*** 杯状の. ***2*** 寛骨臼の．

cot·y·loid cav·i·ty 寛骨臼. = acetabulum.

cot·y·loid joint 臼状関節. = ball-and-socket joint.

cough (kawf). ***1*** 〚n.〛咳（声門を通る空気の急激な駆出で，閉ざされていた声門が開くと直ちに起こる．また，気管または気管支の機械的または化学的刺激によって，あるいは隣接した構造物からの圧によって起こりやすくなる）. ***2*** 〚v.〛咳をする（一連の呼出作業により空気を声門から駆出させる）．

cough re·flex 咳反射（喉頭あるいは気管気管支の粘膜の刺激に反応して咳が起こる反射）．

cough·root (kawf′rūt). = trillium.

cou·lomb (C, Q) クーロン（電荷単位で，3 × 10^9 静電単位系に等しい．1秒間に 1A の電流により運ばれる電気量．1/96,485 ファラデーに相当．放射線の測定にも用いられる. →roentgen）．

Cou·lomb law クーロンの法則（反対荷電は引き合い，同種荷電は反発し合うという法則）．

cou·lom·e·try (kū-lom′ĕ-trē). クーロメトリ，電量分析（滴定液を電気化学的に発生させる滴定法．塩化物定量計における Ag^+ 滴定液は，通常，試料中の塩化物濃度の測定に使用する）．

Cou·mel tach·y·car·di·a クーメル頻拍症（通常，逆行性伝導に中隔後部の伝導路をゆっくり伝わる結節性の持続性の頻拍症）．

coun·sel·ing (kown′sĕ-ling). カウンセリング，相談，助言（他の人が自分自身の適応障害を理解し解決するように，ある人が努力する専門的な関係あるいは活動で，他人の判断や行為を方向付けるため，忠告，意見，指示を与えること. →psychotherapy）. = counselling.

counselling [Br.]. = counseling.

count (kownt). ***1*** 〚n.〛カウント（異物が患者の体内に残っていないことを確実にするために，外科手術を始めるときと切開部分を閉じる前に再度，器具類を数えること）. ***2*** 〚v.〛数える，採点する．

count·er (kown′tĕr). 計数管，計数器（通常シンチレーション計数器）．

counter- …と反対の，…に対して，を意味する連結形. →contra-.

count·er·con·di·tion·ing (kown′tĕr-kon-dish′ŭn-ing). 反対条件付け（前置条件反射あるいは学習による反応（例えば，ヘビに対する恐怖と回避)を消去するために特に第2の条件反応(例えば，ヘビに近づき，触れることさえする)を設定する特殊な反応療法技術の総称).

coun·ter·cur·rent flow 対向流 (磁気共鳴画像の撮像中のスライス励起と反対方向への流れ).

count·er·cur·rent mech·a·nism 対向機構(尿細管内を通過するに従い，尿を濃縮していく腎髄質の系).

count·er·ex·ten·sion (kown′tĕr-eks-ten′shŭn). = countertraction.

count·er·im·mu·no·e·lec·tro·pho·re·sis (kown′tĕr-im′yū-nō-ē-lek′trō-fŏr-ē′sis). 対向免疫電気泳動〔法〕(薄く切った寒天ゲルの陰極方向の凹部に抗原(例えば，B型肝炎ウイルスを含む血清)を置き，陽極方向の凹部に抗血清を置く改良免疫電気泳動法. 抗原と抗体は互いに反対の方向に動き，両者の至適混合部位に沈殿帯を形成する).

count·er·in·ci·sion (kown′tĕr-in-sizh′ŭn). 副切開，対(つい)切開 (一次縫合の緊張を緩めるための初めの切開創の部位に行う2番目の切開).

count·er·ir·ri·tant (kown′tĕr-ir′i-tănt). ***1*** 〖n.〗反対刺激薬，誘導刺激薬 (皮膚に貼用して刺激したり軽度の炎症を起こし，その結果，深部の炎症過程の症状を消失させるために使用される薬剤). ***2*** 〖adj.〗反対刺激の，誘導刺激の(患部への血流量を増加させる).

count·er·ir·ri·ta·tion (kown′ter-ir-i-tā′shŭn). 反対刺激，誘導刺激 (深部組織の炎症症状を軽減する目的で，皮膚を刺激したり軽度の炎症(発赤，水疱形成，膿疱形成)を起こさせること). = revulsion(1).

coun·ter·mea·sure (kown′tĕr-mezh′ŭr). = intervention(2).

coun·ter·nu·ta·tion (kown′tĕr-nū-tā′shŭn). 後傾位 (左右の腸骨に対する仙骨の前方回転. *cf.* nutation).

count·er·o·pen·ing (kown′tĕr-ō′pĕn-ing). 対向切開，対向穿刺 (先の開口部から十分に排液されない，膿瘍あるいは貯留液を含んだ空洞の一部に第2の開口をつくること). = contraaperture; counterpuncture.

count·er·pul·sa·tion (kown′tĕr-pŭl-sā′shŭn). カウンターパルセイション (心不全治療における機械的補助手段のことで，自動的に行われる. 大動脈に挿入されたバルーン付きカテーテルが用いられ，心電図に対応して自動的に，左心室駆出直前から駆出期にバルーンを虚脱させ，血液駆出後負荷を軽減し，また拡張期にバルーンを充満させ，拡張期血圧を上げることで，冠灌流などの増加を得る).

count·er·punc·ture (kown′tĕr-pŭngk′shŭr). 対向穿刺. = counteropening.

count·er·shock (kown′tĕr-shok). カウンターショック (不整脈を止めるために心臓に与える電気衝撃).

count·er·stain (kown′tĕr-stān). 対比染色，後染色 (最初の染色に使用した染料よりも，他の組織，細胞，細胞部分に親和性をもち，一次染色部分をより鮮明にする，別の染料を使用する二次染色).

count·er·trac·tion (kown′tĕr-trak′shŭn). 反対牽引〔法〕(肢の牽引に対する抵抗または反対方向への牽引. 例えば，下腿を牽引する場合は，ベッドの脚部を高くすれば，体重が下腿の牽引に対して反対牽引として働く). = counterextension.

count·er·trans·fer·ence (kown′tĕr-trans-fer′ĕns). 対抗転移，逆転移 (精神分析において，分析者が過去の経験からあるいは患者の転移の表れに対する現在の感情的反応から患者に対して(しばしば無意識に)情動的欲求や葛藤を患者に向けること).

count·er·trans·port (kown′tĕr-trans′pōrt). 対向輸送 (膜を通しての物質輸送で，同時にその膜を通して反対方向に他の物質が輸送されること).

count·ing cham·ber 血球計算盤 (一定体積の液体中にある細胞(特に赤血球および白血球)その他微粒子状物質の計数用に使用する，線を引いた標準スライドグラス. hemocytometer(血球計)とよばれることが多い).

coup in·ju·ry of brain 脳の直撃損傷 (衝撃を受けた頭蓋骨の直下に発生する損傷).

cou·ple (kŭp′ĕl). 交接する (特に下等動物の交接を意味する).

cou·pled pulse = bigeminal pulse.

cou·pled rhythm 連結〔性〕調律. = bigeminal rhythm.

cou·plet (kŭp′lĕt). カプレット (二つの連続した心室性期外収縮の一連).

cou·pling (kŭp′ling). ***1*** 連結 (通常，正常な洞性拍動と心室性期外収縮の1対の組合せの反復の結果をいう). ***2*** 共役 (1つ以上の反応生成物が続いて起きる次の反応での反応物(または基質)である状態).

cou·pling a·gent 結合剤 (超音波検査，超音波治療の際に，変換器と皮膚の間の摩擦を減らし，接触を良くするために用いられるジェルまたはローション).

cou·pling fac·tors 共役因子 (リン酸化能を失ったミトコンドリアのリン酸化能を回復させる蛋白).

Cour·nand dip クルナン(クーナンド)ディップ(収縮性心膜炎にみられる，心室内圧曲線の拡張早期の急激な低下と再上昇で形成されるプラトーを伴う. 平方根√形状を示す).

Cour·voi·si·er gall·blad·der クルヴォワジェ胆嚢 (膵頭部癌患者でよく触知される拡張した胆嚢. 総胆管の閉塞による黄疸を伴っている. →Courvoisier law).

Cour·voi·si·er law クルヴォワジェの法則(黄疸を伴う胆嚢の無痛拡張は総胆管の結石が原因ではなく，膵頭の癌が原因であることが多い. なぜなら，結石の際には胆嚢は通常損なわれず，拡張しないからである).

Cour·voi·si·er sign クルヴォワジェ徴候. = Courvoisier gallbladder.

cou·vade (kū-vahd′). 擬娩，クーバード (未開の文明の風習で，妻が陣痛中に夫も陣痛をきたし，また出産後の清めの儀式やタブーにも従うもの）．

Cou·ve·laire u·ter·us クヴレール子宮（重症の常位胎盤早期剥離に合併する子宮筋層内と子宮漿膜下への血液溢出）．

co·va·lent (kō-vā′lĕnt)．共有結合〔形〕の（2, 4, 6個の電子の共有を特徴とする原子間結合の）．

cov·er·age (kŏv′ĕr-ăj)．達成範囲，サービス達成区域（現在のサービスが，ある地域社会で必要なサービスのどれくらいを達成しているかを示す値．特に発展途上国でのワクチン接種などに用いる）．

cov·ered en·ti·ty 適用対象事業者（電子的形態での保健医療情報の取り扱いに関して，法律や規則によって統治される医療保障制度，提供者，サービス）．

cov·er·ing (kŭv′ĕr-ing)．被膜，被層（取り囲んでいる層，おおっているもの，包みこんでいるもの，最外側の層．→tunica）．

cov·ert sen·si·ti·za·tion 潜在的感作（できればやめたい癖を行っている際に，その行為をやめさせるために不愉快で嫌な結果を想像するように指導する嫌悪条件付けあるいは訓練のこと）．

cov·er-un·cov·er test 遮へい-非遮へい試験（斜視の検出法．患者に小さな固視像を注視させ，一眼を遮へいし，数秒後に遮へいを解除する．もし他眼が固視像を見るために動いた場合，斜視が存在する）．

Cow·den dis·ease カウデン病（乳児期から多毛と歯肉線維腫症が現れ，思春期後に線維腺腫様乳房腫脹が出現する．顔面の丘疹は多発性毛鞘腫の特徴である）．

Cow·dry type A in·clu·sion bod·ies カウドリーA型封入〔小〕体（核内で，周囲をはっきりとした暈で囲まれた小滴状の好酸性物質の塊．核膜が染色質で縁どりされている．これはヘルペスウイルスに感染したヒトの細胞でみられる）．

Cow·dry type B in·clu·sion bod·ies カウドリーB型封入〔小〕体（核内で，周囲をはっきりとした暈で囲まれた小滴状の好酸性物質を表す，現在では用いられない語．封入体の発達の初期段階では他の核変化はない灰白髄炎でみられる）．

Cow·per cyst カウパー（クーパー）〔腺〕嚢胞（尿道球腺の停滞嚢胞）．

Cow·per gland カウパー（クーパー）腺．= bulbourethral gland.

cow·per·i·tis (kow′pĕr-ī′tis)．カウパー（クーパー）腺炎（尿道球腺の炎症）．

cox·a, gen. & pl. **cox·ae** (kok′să, -sē)．股関節（①= hip bone．②= hip joint）．

cox·al·gia (koks-al′jē-ă)．股関節痛．= coxodynia.

cox·a mag·na 過大〔大腿〕骨頭（大腿骨頭の肥大およびしばしば変形がみられるもので，通常，Legg-Calvé-Perthes 病または変形性関節症の続発症に関係するものが多い）．

cox·a pla·na 扁平股．= Legg-Calvé-Perthes disease.

cox·a val·ga 外反股（大腿骨頸部の軸と大腿骨骨幹軸がなす角度が変化し，135° を超えるもの．大腿骨頸部は大腿骨骨幹に対し正常よりも直線化する）．

cox·a va·ra 内反股（大腿骨頸部の軸と大腿骨骨幹軸とがなす角が変化し，135° 以下のもの．大腿骨頸部は正常よりも水平となる）．

Cox·i·el·la (kok-sē-el′ă)．コクシエラ属（リケッチア目の濾過性細菌の一属で，多形性杆状，球状グラム陰性の小細胞．細胞内では感染細胞の細胞質内に，細胞外では感染ダニの体内に生息する．無細胞培養基では培養されたことがない．ヒトおよび動物に寄生する．標準種は *Coxiella burnetii*）．

Cox·i·el·la bur·ne·ti·i ヒトのQ熱を引き起こす菌種．他のリケッチアより抵抗性が強く，媒介動物とともに空気伝播も起こりうる．急性肺炎および慢性心内膜炎も本種と関係している．*Coxiella* 属の標準種．

cox·o·dyn·i·a (kok′sō-din′ē-ă)．股関節痛（股関節の痛み）．= coxalgia.

cox·o·fem·o·ral (kok′sō-fem′ŏ-răl)．寛骨大腿の（寛骨および大腿骨に関連した）．

cox·o·tu·ber·cu·lo·sis (kok′sō-tū-bĕr-kyū-lō′sis)．股関節結核（結核性の股関節疾患）．

Cox·sack·ie en·ceph·a·li·tis コクサッキー脳炎（ウイルス性脳炎で主に幼児にみられ，主として延髄と脊髄の灰白質を侵襲する．*Enterovirus* 属のヒトコクサッキーウイルスBにより起こる）．

cox·sack·ie·vi·rus, Cox·sack·ie vi·rus (kok-sak′ē-vī′rŭs)．コクサッキーウイルス（*Enterovirus* 属に含まれるピコルナウイルス類の一グループ．幼若マウスに，筋炎，麻痺，死を引き起こし，ヒトでも多様な疾病の原因となる．ただし，不顕在性の感染も普通にみられる．抗原性から，2つのグループ（AとB）に分けられ，それぞれが多数の血清型よりなる．A型ウイルスはヒトのヘルパンギナおよび手足口病，B型ウイルスは流行性胸膜痛の原因となる．両型とも無菌性髄膜炎，心筋炎・心膜炎，および急性若年型糖尿病の原因となる）．

CP certified prosthetist の略．

CPAP continuous positive airway pressure の略．

CPAT Certified Patient Account Technician の略．

CPhT Certified Pharmacy Technician の略．→ pharmacy technician.

CPITN Community Periodontal Index of Treatment Needs の略．

CPM ma·chine continuous passive motion machine の略．

CPO certified prosthetist/orthotist の略．

CPOE computer physician order entry の略．

CPPV continuous positive pressure ventilation の略．

CPR cardiopulmonary resuscitation; computer-based patient record の略．

cps cycles per second の略．

CPT Current Procedural Terminology; chest physical therapy の略．

CPX cardiopulmonary exercise test の略．

CR *1* 暴動制御手段であるジベンゾ(*b*, *f*)-1 : 4- オキサゼピンを表す NATO コード．CS よりも効果が高く，安全域も高い．*2* controlled release（徐放）の略語．

Cr *1* クロムの元素記号．*2* conditioned reflex; creatinine の略．

crack (krak). *1* 裂（裂け目）．*2* クラック（一crack cocaine）．

crack ba·by クラックベイビー（子宮内でクラック・コカインにさらされた乳児．症状や所見は様々で，広範囲に及ぶ）．

crack co·caine クラックコカイン（コカインの誘導体．通常，吸入して用いられ，短時間の強力な高揚をもたらす．比較的安価で，きわめて嗜癖性が強い．→street drug）．

cracked heel ひび割れ足．= keratoderma plantare sulcatum.

cracked tooth syn·drome 亀裂歯症候群（咀嚼時に時折起こる，位置の特定が難しい一過性の急性痛．通常，歯の辺縁隆線から歯冠を通り歯根に至る（歯髄も含む）垂直性の亀裂または開裂が起きている．歯の亀裂は，透照光または歯垢染色液により識別できることがある）．

crac·kle (krak′ĕl). パチパチ音（胸部で聴診される短く，鋭く，粗い音．特発性肺線維症や過敏性肺炎で聞かれる）．

cra·dle (krā′dĕl). 離被架（寝具が患者に接触しないようにするために用いる枠）．

cra·dle cap 新生児頭部皮膚炎，乳痂（新生児頭皮の脂漏性皮膚炎を表す口語）．

Craig test クレイグ検査（大腿骨または大腿骨頸部の前捻を評価する手技）．

cramp (kramp). *1* 痙攣（遅延性テタニー収縮による疼痛性筋痙攣）．*2* 職業性神経症（職業的使用と関係した局所性筋痙攣．患者の職業により名前がついている．例えば，書痙など）．

cramp bark = black haw.

Cramp·ton test クランプトン試験（身体的な状態と耐性の試験．横臥位および起立位の脈拍と血圧の記録を取る．その差異は，理論的完全 100（めったに生じない）から下方へ段階付ける（示数 75 は良であるが，65 は不良である）．高値は身体抵抗が良好であるが，低値は不良であることを示すといわれる）．

Cran·dall syn·drome クランダル症候群（捻転毛，聴力障害，および性機能低下．家族性形質で，黄体化ホルモンと成長ホルモンの欠乏がある．→Björnstad syndrome）．

cranes·bill, A·mer·i·can cranes·bill (krānz′bil, ă-mer′i-kăn krānz′bil). ゼラニウム（学名 *Geranium maculatum*．乾燥させたこの植物の根と葉は，浸出液やチンキに使用され，癌，コレラ，ペスト，その他数多くの障害や疾患に対する特効薬とされている．研究により肝毒性は確認された）．= alumroot.

cra·ni·a (krā′nē-ă). cranium の複数形．

cra·ni·ad (krā′nē-ad). 頭側の（ある特定点からみて頭側寄りにある．caudad の対語．→superior）．

cra·ni·al (krā′nē-ăl). *1* 頭側の，頭の（→cephalad）．= cephalic. *2* 上方の，頭側の．= superior (2).

cra·ni·al a·rach·noid ma·ter 脳クモ膜（頭蓋腔内にあるクモ膜で脳およびクモ膜下腔を囲む．いくつかの部位で脳軟膜との間が広く開いてクモ膜下槽をなしている）．= arachnoidea mater cranialis; arachnoid of brain; arachnoidea mater encephali.

cra·ni·al ar·te·ri·tis 頭蓋動脈炎．= temporal arteritis.

cra·ni·al bones 頭蓋骨．= bones of cranium.

cra·ni·al cav·i·ty 頭蓋腔（頭蓋内の腔所で脳・脳膜・脳脊髄液を収容する）．= intracranial cavity.

cra·ni·al flex·ure 脳屈．= cephalic flexure.

cra·ni·al nerves 脳神経（脊髄もしくは脊柱を出入りする脊髄神経に対して頭蓋骨を出入りする神経をいう．12 対の脳神経には，嗅，視，動眼，滑車，三叉，外転，顔面，内耳，舌咽，迷走，副，舌下の各神経がある．→Brodmann areas）．= nervi craniales.

cra·ni·al pi·a ma·ter 脳軟膜（脳を包む軟膜で，脳クモ膜とクモ膜下腔をはさんで隣接する．→pia mater）．= pia mater encephali.

cra·ni·al root of ac·ces·so·ry nerve 副神経延髄根（副神経のうち延髄から派出する部分．迷走神経の頭蓋内部分と合流して咽頭神経叢にはいり口蓋垂を除く軟口蓋と咽頭に運動神経を送る）．

cra·ni·al su·tures 頭蓋の縫合（頭蓋骨間の縫合）．

cra·ni·al ver·te·bra 頭蓋椎部（脊柱分節と相同とみなされる頭蓋の一部）．

cra·ni·ec·to·my (krā′nē-ek′tŏ-mē). 頭蓋〔骨〕

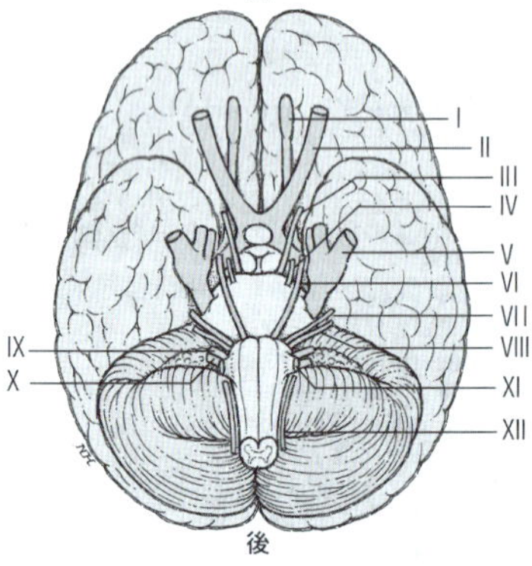
前
I
II
III
IV
V
VI
VII
VIII
IX
X
XI
XII
後

cranial nerves

下からみた図．I：嗅神経，II：視神経，III：動眼神経，IV：滑車神経，V：三叉神経，VI：外転神経，VII：顔面神経，VIII：内耳神経，IX：舌咽神経，X：迷走神経，XI：副神経，XII：舌下神経局部切除〔術〕，骨切除開頭〔術〕，頭蓋〔骨〕切除術（頭蓋骨の部分的な切除）．

cranio-, crani- 頭蓋との関係を示す連結形．*cf.* cerebro-.

cra·ni·o·cele (krā′nē-ō-sēl)．頭蓋瘤，頭蓋ヘルニア．= encephalocele.

cra·ni·o·ce·re·bral (krā′nē-ō-ser′ē-brăl)．頭蓋脳の（頭蓋と脳に関する）．

cra·ni·o·fa·cial (krā′nē-ō-fā′shăl)．脳顔面頭蓋の（顔面と頭蓋の両方に関する）．

cra·ni·o·fa·cial dys·junc·tion frac·ture 頭蓋顔面分離骨折（顔面骨が頭蓋骨から離れる複雑骨折）．= Le Fort III fracture.

cra·ni·o·fe·nes·tri·a (krā′nē-ō-fē-nes′trē-ă)．頭蓋有窓症．= craniolacunia.

cra·ni·o·la·cu·ni·a (krā′nē-ō-lă-kū′nē-ă)．頭蓋裂孔症（胎児の頭蓋冠に非骨化部分がある頭蓋骨発育不全症）．= craniofenestria.

cra·ni·o·ma·la·ci·a (krā′nē-ō-mă-lā′shē-ă)．頭蓋骨軟化〔症〕．

cra·ni·o·met·ric points 頭蓋計測点（頭蓋計測のとき，指標に用いられる頭蓋上の基準点）．

cra·ni·op·a·thy (krā′nē-op′ă-thē)．頭蓋骨障害，頭蓋骨症（頭蓋骨の病的状態の総称）．

cra·ni·o·pha·ryn·ge·al (krā′nē-ō-făr-in′jē-ăl)．頭蓋咽頭の（頭蓋と咽頭に関する）．

cra·ni·o·pha·ryn·gi·o·ma (krā′nē-ō-făr-in′jē-ō′mă)．頭蓋咽頭腫，クラニオファリンジオーム（ラトケ嚢から発生する鞍上部新生物で，嚢胞性のことがある．組織学的には，エナメル上皮腫と似ており，放射状に配列した細胞に縁どられた扁平上皮細胞の集簇よりなる）．= Rathke pouch tumor.

cra·ni·o·plas·ty (krā′nē-ō-plas-tē)．頭蓋形成術（頭蓋骨の欠損部を修正する手術）．

cra·ni·o·punc·ture (krā′nē-ō-pŭngk′shŭr)．頭蓋穿刺（探査的な目的で脳を穿刺すること）．

cra·ni·or·rha·chis·chi·sis (krā′nē-ō-ră-kis′ki-sis)．頭蓋脊椎披裂（高度の先天性奇形で，頭蓋骨と脊柱の閉鎖不全が認められる）．

cra·ni·o·sa·cral (krā′nē-ō-sā′krăl)．脳仙髄の（自律神経系の中の副交感神経系の出発点を脳および仙髄とするという意味についていう）．

cra·ni·o·sa·cral ther·a·py (CST) 脳仙髄治療，頭蓋仙骨治療（体中の筋膜における拘束を起こすといわれる硬膜鞘における拘束を調査および解決することに焦点を合わせた身体治療様式．専門医は，脳脊髄液のリズミカルな動作を触診することにより治療を施す）．

cra·ni·os·chi·sis (krā′nē-os′ki-sis)．頭蓋〔披〕裂，二分頭蓋（頭蓋骨閉鎖が不完全な先天奇形．通常，脳の全面的発育不全を伴う）．

cra·ni·o·scle·ro·sis (krā′nē-ō-skler-ō′sis)．頭蓋骨硬化〔症〕（頭蓋の肥厚）．

cra·ni·o·spi·nal (krā′nē-ō-spī′năl)．頭蓋脊椎の（頭蓋骨と脊柱に関する）．

cra·ni·o·spi·nal sen·so·ry gan·gli·a 脳脊髄神経節（脊髄神経後根の神経節および感覚神経や味覚神経を含む脳神経の神経節の総称．encephalospinal ganglia ともいう）．

cra·ni·o·ste·no·sis (krā′nē-ō-stĕ-nō′sis)．狭小頭蓋症，狭頭〔症〕（頭蓋の早期縫合で，頭蓋の奇形を生じる）．

cra·ni·o·syn·os·to·sis (krā′nē-ō-sin′os-tō′sis)．頭蓋骨癒合〔症〕（通常より早期に頭蓋骨化し縫合が癒合すること）．

cra·ni·o·ta·bes (krā′nē-ō-tā′bēz)．頭蓋ろう（頭蓋骨の部分的な非薄化および軟化，また縫合や泉門の開大の存在を特徴とする疾患で，通常，梅毒あるいはくる病に起因する）．

cra·ni·ot·o·my (krā′nē-ot′ŏ-mē)．開頭〔術〕（結合開頭術，分離開頭術，冠状鋸術のいずれかの方法で開頭すること）．

cra·ni·o·tym·pan·ic (krā′nē-ō-tim-pan′ik)．頭蓋鼓室の（頭蓋と中耳に関する）．

cra·ni·um, pl. cra·ni·a (krā′nē-ŭm, krā′nē-ă)．頭蓋．(→skull)．

crank test クランクテスト．= anterior apprehension test.

crash cart 緊急〔蘇生〕用〔器材〕カート（蘇生術が容易に行えるように緊急用の器具や材料を取り揃えて移動できるようにしたもの．除細動，挿管，静脈注射，中心静脈経路のための器具だけでなく，薬剤も含まれる）．

cra·vat ban·dage クラバット包帯（三角布の先端を基底部中央に向けて折り，適当な幅となるよう縦に折った包帯）．

C-re·ac·tive pro·tein (CRP) C 反応性蛋白（ある種の炎症性・退行性・腫瘍性疾患患者の血清中にみられる β-グロブリン．この蛋白は特異性抗体ではないが，肺炎球菌のすべての型に存在する C-多糖類を *in vitro* で沈殿させる）．

cream (krēm)．***1*** クリーム，乳脂，乳皮（牛乳を放置したり遠心分離にかけたりして，牛乳の上層に形成または分離される脂肪層．牛乳とほぼ同量の糖および蛋白を含むが，脂肪は 12—40％多い）．***2*** クリーム（乳脂に似た白っぽい粘稠性の液体）．***3*** クリーム，乳剤（水中油型または油中水型の半固形乳剤．通常，局所的使用に供される）．

crease (krēs)．ひだ，しわ，線（ひだにより形成されるような線または線状のくぼみ．→fold; groove; line）．

creatinaemia [Br.]. = creatinemia.

cre·a·ti·nase (krē-at′i-nās)．クレアチナーゼ（クレアチンをサルコシンと尿素に加水分解する際に，触媒として働く酵素）．

cre·a·tine (krē′ă-tin)．クレアチン；*N*-(aminoiminomethyl)-*N*-methylglycine（尿中ではクレアチンとして存在することもあるが，通常はクレアチニンとして存在する．筋肉中ではクレアチンリン酸として存在する．筋ジストロフィ患者の尿で上昇する．肝臓および膵臓で合成され，血流中に吸収され，組織（筋肉や脳）に沈着する）．

cre·a·tine ki·nase (CK) クレアチンキナーゼ（クレアチンリン酸から ADP へリン酸を転移し，クレアチンと ATP が生成する．可逆的反応を触媒する酵素．筋収縮において重要である．あるアイソザイムが心筋梗塞患者の血漿中で上昇する）．

cre·a·tine ki·nase i·so·en·zymes クレアチ

ンキナーゼイソエンザイム（クレアチンキナーゼのイソエンザイム．CK-MM は主イソエンザイムで，主として骨格筋に存在する．CK-MB は主に心筋，舌，隔膜に存在し，骨格筋にも少量存在する．CK-BB は脳，平滑筋，甲状腺，肺，前立腺に存在する．濃度の上昇は，種々の病態の鑑別診断に利用される．すなわち CK-MB の上昇は心筋梗塞の重要なマーカで，CK-MM の上昇は筋疾患のインジケータとなり，CK-BB の上昇からは脳梗塞や腸梗塞の徴候，またはある悪性疾患の存在をみつけることもある）．

cre·a·ti·ne·mi·a (krē′ă-ti-nē′mē-ă)．クレアチン血〔症〕（末梢血液中に異常濃度のクレアチンが存在する状態）．= creatinaemia.

cre·a·tine mon·o·hy·drate クレアチンモノハイドレート（スポーツ選手が運動能力を上げるためにサプリメントとして摂取する，生体内で作られるアミノ酸．胃腸障害がよく起こる．腎機能障害の原因になるのではないかと考えられている）．

cre·a·tine phos·phate クレアチンリン酸．= phosphocreatine.

cre·at·i·nin·ase (krē-at′i-nin-ās)．クレアチニナーゼ（クレアチンからクレアチニンへの転換を触媒するアミドヒドロラーゼ）．

cre·at·i·nine（Cr） (krē-at′i-nin)．クレアチニン（尿に含まれ，クレアチン異化の最終生成物．クレアチンの分子内酸無水物を生成するために，クレアチナーゼによるクレアチンリン酸の非酵素的脱リン酸的環化反応により生成される）．

cre·at·i·nine clear·ance クレアチニンクリアランス（内因性クレアチニンのクリアランスの測定で，糸球体濾過率(GFR)の評価に使われる）．

cre·a·tin·u·ri·a (krē′ă-ti-nūr′ē-ă)．クレアチン尿〔症〕（尿中に排出されるクレアチン量の増加）．

Cre·dé meth·od クレデー法（①新生児結膜炎の予防に，新生児の眼に 2%硝酸銀溶液を 1 滴滴下する方法．②出血や子宮収縮不全の場合に胎児が娩出された直後に子宮底に手を置いてさすり，胎盤がはがれたら子宮底を強く圧迫するか握るようにして娩出させる方法．③尿を排出するために，膀胱，特に麻痺した膀胱を手で圧迫する方法）．

cre·den·tial·ing (krĕ-den′shăl-ing)．信頼調査，資格調査（保険医療制度や計画に参加申し込みをした医療提供者の資格の公的な調査）．= credentialling.

credentialling [Br.]．= credentialing.

cre·mas·ter (krē-mas′tĕr)．精巣挙筋の（一cremaster muscle）．

crem·as·ter·ic (krem′as-ter′ik)．精巣挙筋の，挙睾筋の．

crem·as·ter·ic ar·ter·y 精巣挙筋動脈（下腹壁動脈より起こり，精索被覆に分布する．外陰部動脈，精巣動脈，会陰動脈と吻合）．= arteria cremasterica.

crem·as·ter·ic re·flex 精巣挙筋反射（大腿三角または大腿内側の皮膚を引っ掻くときに起こる，同側の陰嚢と精巣の挙上）．

cre·mas·ter mus·cle 精巣挙筋（起始：内腹斜筋から続く線維と鼡径靱帯から遊走する線維．停止：精索の筋膜や精巣の中間膜に分散して終わる．女性では子宮円索となる．作用：精巣の挙上．神経支配：陰部大腿神経の陰部枝）．= musculus cremaster.

crem·no·cele (krem′nō-sēl)．陰唇ヘルニア（腸管が大陰唇中に突出している疾患）．

cre·na, pl. cre·nae (krē′nă, -nē)．切痕，裂，溝（V 字型切開またはそのような切開によってできた空間．頭蓋縫合において，反対側の突出部が嵌入するくぼみ）．

cre·nate, cre·nat·ed (krē′nāt, -nā-ted)．円鋸歯状の，ぎざぎざの（高張溶液中でみられるような萎縮赤血球の外郭線についていう）．

cre·no·cyte (krē′nō-sīt)．金米糖状赤血球，円鋸歯状赤血球（辺縁部が鋸歯状，金米糖状の赤血球）．

cre·o·sote bush = chapparal.

crep·i·tant (krep′i-tănt)．*1*〘adj.〙捻髪音の，軋音の，関節摩擦音の（捻髪音に関わる，あるいは特徴付けられる）．*2*〘adj.〙捻髪音の（肺組織内の液体に空気がはいることで生じる細かな水泡音(ラ音)をさす．肺炎その他の特定の状態下で聞こえる）．*3*〘n.〙皮下組織中のガスまたは空気が触診する指に伝える感覚．

crep·i·tant rale 捻髪音（小気管支内で非常に希薄な分泌物と空気が混じるために生じる小水泡音または有響音）．

crep·i·ta·tion (krep′i-tā′shŭn)．= crepitus (1)．*1* 捻髪音（ぱちぱち音．指の間で毛髪をこする際に聞かれる音に似た細かい水泡音(ラ音))．*2* 軋音（骨折端が動く際の部位，あるいはガス壊疽が存在する組織の上に手を置いたときの感覚）．*3* 関節摩擦音（関節炎やその他の状態で，骨あるいは不整変性軟骨面がこすれることで生じる音または振動）．

crep·i·tus (krep′i-tŭs)．*1* = crepitation. *2* 腸内ガスの有音性放出．*3* 変形性関節症における関節のきしみ音．

cre·scen·do an·gi·na クレッセント狭心症，増強型狭心症（頻度，強さ，あるいは持続時間が次第に増加するような狭心症）．

cre·scen·do mur·mur 漸増性心雑音（音の強さが漸強し突然止まる雑音．僧帽弁狭窄症の際の収縮前期雑音が共通例である）．

cres·cent (kres′ĕnt)．*1* 半月形．*2* 脊髄半月（脊髄の横断面上の灰白色円柱あるいは灰白角により形づくられる像）．*3* 半月体．= malarial crescent.

cres·cent bod·ies = achromocyte.

cres·cent cell a·ne·mi·a 三日月形細胞貧血．= sickle cell anemia.

cres·cen·tic (krĕ-sen′tik)．半月形の，三日月形の．

cres·cent sign 三日月〔形〕徴候（①肺の X 線写真においてみられる結節の上部近くの三日月状のガス像で，堆積物上部の空間の空洞を示す．アスペルギルス腫，包虫腫にみられる．② CT でみられる動脈瘤内における新しい血液の希薄層で腹部大動脈瘤破裂を意味する．③超音波診断においてみられる腫瘍内の無エコー性三日月形の層で，小腸の間質腫瘍の壊死が典型である．④超音波診断においてみられる高エコー性三日月像で，腸重積の進入脚を示している．ドーナツ内三日月(crescent-in-a-doughnut)としても知られている．⑤骨 X 線写真で，大腿骨頭内にみられる皮質下三日月状透明像をいい，骨壊死を意味する)．= meniscus sign.

cre·sol red クレゾール赤（pK 値 8.3 における酸–塩基指示薬．pH 7.4 以下では黄色，9.0 以上で赤色を呈する)．

CREST (krest). = CREST syndrome.

crest (krest). 稜（特に骨の稜)．= crista.

crest of head of rib 肋骨頭稜（肋骨頭の上下の関節面を隔てる隆起)．

crest of pal·a·tine bone, pal·a·tine crest 口蓋稜（口蓋骨の後縁の近くの横走隆起．口蓋骨水平板の下面に位置する)．

crests of nail ma·trix 爪床小稜（爪半月の遠位にある爪床の無数の縦の隆起)．

CREST syn·drome CREST 症候群（石灰沈着 *c*alcinosis，*R*aynaud 現象，食道機能異常 *e*sophageal motility disorders，強指症 *s*clerodactyly，毛細血管拡張 *t*elangiectasia を特徴とする全身性硬化症の一亜型)．

cres·yl echt vi·o·let stain クレシルバイオレット染色〔法〕（*Pneumocystis jiroveci* を同定するための染色法)．

cre·tin (kret′in). クレチン病患者（先天性重症甲状腺機能低下症によるクレチン病を呈する患者を表す現在では用いられない語)．

cre·tin·ism (kret′in-izm). クレチン病（congenital hypothyroidism を表す現在では用いられない語. →infantile hypothyroidism)．

cre·tin·oid (kret′in-oyd). クレチン病患者様の．

cre·tin·ous (kret′in-ŭs). クレチン病の，クレチン病患者の，クレチン病にかかっている．

Creutz·feldt-Jak·ob dis·ease (CJD) クロイツフェルト–ヤーコプ(ヤコブ)病（進行性神経疾患で，プリオンによる亜急性海綿状脳症の1つ．CJD の臨床的特徴は，運動失調，歩行と発語の異常を含む進行性小脳症候と認知症である．大部分の患者では，その後に不随意運動(ミオクローヌス)と典型的で診断価値のある脳波所見(平坦な背景活動に間欠的鋭徐波複合がみられるバーストサプレッション)がみられる．平均生存期間は，症状が出現してから1年未満である．→bovine spongiform encephalopathy)．

crev·ice (krev′is). 間隙，凹部（特に個体におけるひび割れ，あるいは小さな裂溝)．

cre·vic·u·lar (krĕ-vik′yū-lăr). 間隙の，凹部の（①間隙あるいは凹部に関する．②歯科において，特に歯肉溝に関する)．

CRF corticotropin-releasing factor の略．

CRH corticotropin-releasing hormone の略．

crib-bit·ing (krib′bīt-ing). さくへき（齰癖）(ウマの異常行動で，適当な固定物の端をくわえたり，押しつけたりするが，口唇をあげ，また軟口蓋を無理に開けるようにし，またときには空気を飲み込む. ―aerophagia. →wind-sucking)．

crib death 寝台死．= sudden infant death syndrome.

cri·bra (krib′ră). cribrum の複数形．

crib·rate (krib′rāt). = cribriform.

cri·bra·tion (kri-brā′shŭn). ***1*** 篩(ふるい)分け．***2*** 篩状（無数の孔が開いた状態)．

crib·ri·form (krib′ri-fōrm). 篩状の，有孔の（多数の穿孔のある)．= cribrate; polyporous.

crib·ri·form plate of eth·moid bone 篩骨篩板（両側に篩骨迷路が垂れ下がり，中央では垂直板が垂れ下がる水平位の骨板．前頭骨の篩骨切痕にはまり，大脳の嗅小葉を支える．嗅神経の通路となる無数の穴が貫通する)．= lamina cribrosa ossis ethmoidalis; cribrum.

cri·brum, pl. cri·bra (krib′rŭm, -ră). 篩骨篩板．= cribriform plate of ethmoid bone.

cri·co·ar·y·te·noid (krī′kō-ar-i-tē′noyd). 輪状披裂の（輪状軟骨および披裂軟骨に関する)．

cri·coid (krī′koyd). 輪状の，環状の（輪状軟骨についていう)．

cri·coid car·ti·lage 輪状軟骨（最も下位にある喉頭軟骨．印章付き指輪の形をなし，後部はほぼ正方形に近い板で後壁の大部分を形成する．前部を弓とよぶ)．= cartilago cricoidea.

cri·coid split op·er·a·tion 輪状軟骨分割術（声門下狭窄に対する修復術．輪状軟骨の前壁と後壁を縦切開する．声門下腔の再建のため皮弁を挿入する場合もある)．

cri·co·pha·ryn·ge·al (krī′kō-făr-in′jē-ăl). 輪状咽頭の（輪状軟骨と咽頭に関する．下咽頭収縮筋の一部. ―inferior constrictor muscle of pharynx)．

cri·co·pha·ryn·ge·al ach·a·la·si·a 輪状咽頭アカラシア（輪状咽頭筋が弛緩できないために生じる上部食道括約筋のレベルでの機能的閉鎖．しばしば咽頭食道憩室 pharyngoesophageal diverticulum を伴う)．= achalasia of the upper sphincter; hypertensive upper esophageal sphincter.

cri·co·pha·ryn·ge·al part of in·fe·ri·or con·stric·tor mus·cle of phar·ynx 下咽頭収縮筋の輪状咽頭部（―inferior constrictor muscle of pharynx)．= cricopharyngeus muscle.

cri·co·pha·ryn·ge·us mus·cle 輪状咽頭筋．= cricopharyngeal part of inferior constrictor muscle of pharynx.

cri·co·thy·roid (krī′kō-thī′royd). 輪状甲状の（輪状軟骨および甲状軟骨に関する)．

cri·co·thy·roid mus·cle 輪状甲状筋（喉頭筋群の1つ．起始：輪状軟骨弓前面．停止：直部は上行して甲状軟骨の翼へ．斜部は外方に走り甲状軟骨下角へ．神経支配：迷走神経の上喉頭神経の外喉頭枝．作用：声帯を緊張させ声を高くする．対抗筋は甲状披裂筋である)．= musculus cricothyroideus.

cri·co·thy·rot·o·my (krī′kō-thī-rot′ŏ-mē). 輪状甲状膜切開〔術〕（呼吸障害緩和のために行う皮膚および輪状甲状膜の切開．緊急呼吸障害においては，気管切開に先行する処置あるいは気管切開の代用として行われる)．= intercricothyrotomy.

cri·cot·o·my (krī-kot′ŏ-mē). 輪状軟骨切開

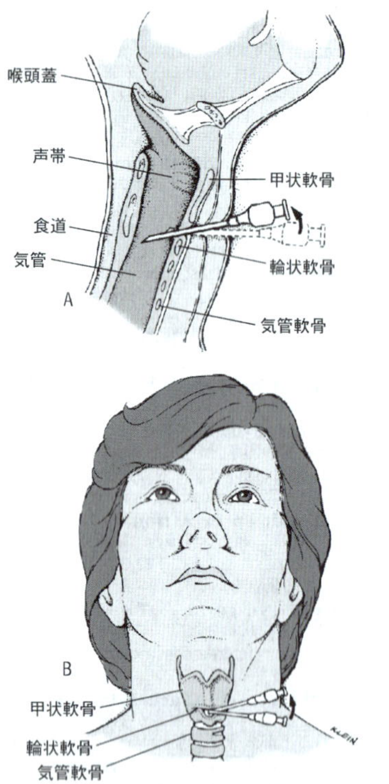
喉頭蓋
声帯
甲状軟骨
食道
気管
輪状軟骨
A
気管軟骨
B
甲状軟骨
輪状軟骨
気管軟骨

cricothyrotomy

〔術〕(声門下気道を拡大するために輪状軟骨を切開し，分割させる手術).

cri-du-chat syn·drome, cat-cry syn·drome ネコ鳴き症候群（第五染色体の短腕の欠失により起こる障害で，小頭症，隔離症，逆蒙古症様の眼瞼裂，蒙古ひだ，小顎症，斜視，精神的・肉体的発達遅延，および高音のネコ様の鳴き声を特徴とする).

Crig·ler-Naj·jar syn·drome クリグラー-ナジャー症候群（ビリルビン-グルクロニドグルクロノシルトランスフェラーゼの欠乏によるビリルビンのグルクロン酸抱合能のまれな欠損症．家族性の非溶血性黄疸と，より重篤な場合は核黄疸に類似した致命的な非可逆性の脳障害を特徴とする).

Crile clamp クライル鉗子（血流を一時止めるための鉗子). = Crile hemostatic forceps.

Crile he·mo·stat·ic for·ceps = Crile clamp.

crim·i·nal a·bor·tion 犯罪流産，堕胎（違法に行われる妊娠中絶).

crim·i·nal psy·chol·o·gy 犯罪心理学（犯罪に関連する心理やその作用を研究する心理学. →forensic psychology).

crin·o·gen·ic (krin′ō-jen′ik). 分泌促進性の（腺を刺激してその機能を亢進させる).

crin·oph·a·gy (krin-of′ă-jē). クリノファージ（リソソームによる過剰分泌顆粒の排出).

cri·sis, pl. cri·ses (krī′sis, -sēz). 発症，分利，クリーゼ（①急性疾患の経過において，その症状が徐々に減退する渙散 lysis とは対照的に，急激に変化すること．通常は快方への変化．②脊髄ろう性神経梅毒において，器官あるいは体の限局部分に発作的に起こる疼痛．③痙攣性発作).

cris·ta, pl. cris·tae (kris′tă, -tē). 稜. = crest.

cris·ta gal·li 鶏冠（篩骨篩板の正中部から上方にのびる三角形の突起．大脳鎌が付着する).

cri·te·ri·a (krī-tēr′ē-ă). criterion の複数形.

cri·te·ri·on, pl. cri·te·ri·a (krī-tēr′ē-ŏn, -ă). 診断基準，判定基準（①一組の基準とか，規則については複数形 criteria を用いる．②心理学において，知能測定や他の行動測定の検査値を評価するときの学校の成績のような基準をいう．③ある患者に診断をくだす際に存在を必要とするある一定数の疾病または障害の発現リスト).

cri·te·ri·on-re·fer·enced (krī-tēr′ē-ŏn ref′ĕr-ĕnst). 目標基準準拠（個人のパフォーマンスと一連の標準的な判断基準とを比較する，標準検査の心理測定的性質).

crit·i·cal ap·prai·sal 批判的評価（妥当性や有効性に関するエビデンス(根拠)を体系的に配置し評価するためのプロセス．これはエビデンスに基づく診療の不可欠な部分である．→evidence-based practice).

crit·i·cal care u·nit (CCU) = intensive care unit.

crit·i·cal con·trol point 重要管理点（調理の際に管理でき，食品の危害を防ぐ・除去する・許容レベルにまで減少させることのできるポイント，段階，手順のこと).

crit·i·cal in·ci·dent stress man·age·ment 危機的出来事のストレス管理（危機的な出来事のストレスを経験した救援従事者に対して，精神保健上の管理や支援を提供する措置).

crit·i·cal lim·it 危険限界（生命に危険が及ぶ値を示す実験検査結果の上限または下限).

crit·i·cal mi·celle con·cen·tra·tion (cmc) 臨界ミセル濃度（両親媒性分子(例えば，リン脂質)が，ミセルを形成する濃度).

crit·i·cal or·gan 危険臓器（投与された放射線の用量が増した際に，法的に定められた最大被曝量を最初に受ける器官あるいは生理体系).

crit·i·cal path = clinical pathway.

crit·i·cal path·way クリティカルパスウェイ（診療指針に基づき状態に適切であると思われる診断または治療の過程をドキュメント化した概要または図式).

crit·i·cal point of de·vel·op·ment 発生の重要点（胚の発生において，栄養障害によって発生段階に不可逆的な影響が及ぶ可能性のある期間．他の外因が関係していると考える臨床医もいる).

crit·i·cal tem·per·a·ture 臨界温度（圧力をどんなに大きくしても気体が液化しなくなる限界の温度).

crit·i·cal think·ing 批判的思考（①何かを信じ，または行動しようと決断する際に，状況の全ての側面を考慮すること．②看護において，どのような状況下でも，何を信じどう行動するかを判断するために思慮深く理性的に考えること).

CRL crown-rump length の略.

CRM certified reference material の略.

cRNA complementary ribonucleic acid（相補的リボ核酸）の略.

croc·o·dile tears syn·drome ワニの涙症候群（食事を食べたり，食事の予期をしたときに，通常，一側性に涙が出る．これはもとは唾液腺に行っていた神経線維が障害され，涙腺へ迷入して再成長したときに起こる).

Crocq dis·ease クロック病. = acrocyanosis.

Crohn dis·ease クローン病. = regional enteritis.

cro·mone (krō′mōn). クロモン（マスト細胞からのヒスタミン放出を抑制する薬物群に分類される．アレルギー性呼吸器疾患や喘息の予防に効果があるが，抗炎症作用に欠ける).

Crooke gran·ules クルック顆粒（下垂体前葉の好塩基性細胞における，凸凹のある好塩基性物質で，Cushing 病あるいは ACTH 投与に伴う).

Crooke hy·a·line change クルックヒアリン変化（下垂体前葉の好塩基細胞の細胞質顆粒の均質ヒアリン物質による置換．Cushing 症候群に特徴的な所見であるが，通常は好塩基性細胞腺腫の細胞中にはない).

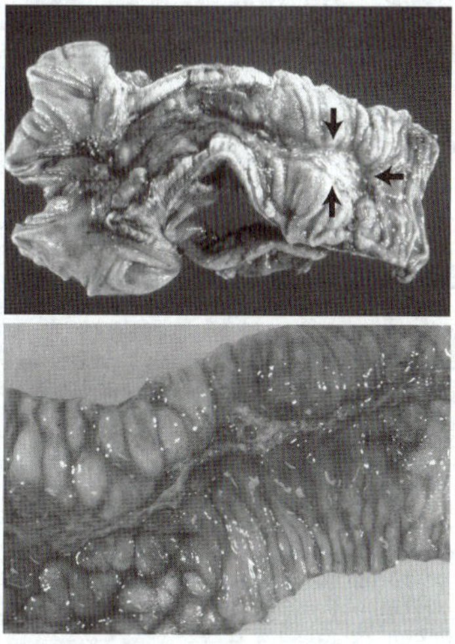

Crohn disease

Crookes glass クルックスガラス（紫外線または赤外線を吸収するために金属性の酸化物を結合させた眼鏡レンズ).

cross (kraws). ***1*** 十字，かみ合わせ（2本の交差する線で形づくられるあらゆる十字形). = crux. ***2*** 交配，交雑，交差(交叉)（雑種形成または雑種産生の方法).

cross-bite (kraws′bīt). 交差(交叉)咬合（ある歯列の1歯またはそれ以上の歯の対合歯列の対合歯に対する異常関係であり，歯の位置の唇側・頬側・舌側偏位，または顎の位置異常によるものである).

cross-bite tooth 交叉咬合〔配列〕用人工歯（上顎臼歯の咬頭を修正して下顎歯の咬合面窩に対応するようにした人工臼歯).

cross-dress·ing (kraws′dres′ing). 異性の服装をすること. →transvestism.

crossed di·plo·pi·a 交差複視（右眼での像が左眼の像の左側に存在する複視).

crossed em·bo·lism 交差(交叉)性塞栓症（①静脈系にできた血栓が，心房中隔欠損か開存した卵円孔または他の短絡路を通って動脈系にはいり，生じた動脈の閉塞．②静脈系より動脈系へ肺毛細管を通過した小さい血栓による閉塞).

crossed ex·ten·sion re·flex 交差性伸筋反射，交差性伸展反射（反対側性の後肢の伸展で，動物の足が痛いほど刺激されるか，求心性神経(例えば，腓骨神経)の中枢切断端が刺激されると生じる．皮膚の打診によりヒトに生じることもある).

crossed eyes, cross-eye 内斜視，やぶにらみ. = strabismus.

crossed re·flex 交差反射（身体の一側面を刺激すると，反対側が反射運動を生じる).

crossed re·nal ec·to·pi·a 尿管が膀胱へはいる側と正中線をはさんで反対側に位置する転位腎で，多くの例では2つの腎臓は融合している (crossed fused ectopia).

cross-ex·ci·ta·tion (kraws′ek′sī-tā′shŭn). 交差励起（MRI において，高周波パルスによって隣接組織の原子核にエネルギーが与えられたことによって生ずるアーチファクト).

cross-flap (kraws flap). 交差皮弁（一方の上下肢や指趾より対側肢や隣接する指趾へと移植する皮弁).

cross-hybridisation [Br.]. = cross-hybridization.

cross-hy·brid·i·za·tion (kraws-hī′brid-ī-zā′shŭn). クロスハイブリダイゼーション（不完全な対応の DNA 分子にプローブを結合させること). = cross-hybridisation.

cross-in·fec·tion (kraws in-fek′shŭn). 交差感染（1つの感染源から他へ，ヒトからヒト，動物からヒト，ヒトから動物，動物から動物へと広がる感染).

cross·ing-o·ver, cross·o·ver (kraws′ing-ō′vĕr, kraws′ō-vĕr). ***1***〔遺伝子〕交差(交叉)，乗換え（減数分裂中の2対の染色体の間の物質の相

互交換で，各染色体から，その相同染色体へと，一群の遺伝子の移転をもたらす）．*2* 交叉，クロスオーバー（一方の耳に加えられた音が頭のまわりの空気を介して気導により，または頭蓋骨を介して骨導により，反対側の耳で感知されることをいう）．

cross-le·vel bi·as クロスレベルバイアス（暴露あるいは効果の大きさを集団レベルにまとめるとき，個人レベルでは意味をなさないような値になることから生じる偏り．地域を比較する地域相関研究で起こりうる）．

cross-match·ing (kraws′mach-ing)．交差〔適合〕試験〔法〕，クロスマッチ試験（①供血者の赤血球と受血者の血漿中の抗体，あるいは逆の組合せによる致命的な溶血反応の可能性を回避するために，輸血の前に供血者と受血者間の不適合性を検査する方法．供血者の赤血球と受血者の血漿を混ぜる方法（主試験 major cross-match）と受血者の赤血球と供血者の血漿を混ぜる方法（副試験 minor crossmatch）がある．赤血球が凝集すれば不適合であることを示し，その供血者の血液は使用禁忌である．②固形臓器（例えば，腎臓）の同種移植を行う場合，移植を受ける患者の血清中に，臓器提供予定者のリンパ球やその他の細胞と直接反応する抗体があるかどうか調べる検査．これらの抗体が存在する場合は，常にではなくとも通常は移植は禁忌である．なぜなら事実上そのような移植片のほとんどすべては超急性の拒絶を起こすからである）．

cross-o·ver claim クロスオーバー請求（保険金請求の際に，第一保険会社が第二保険会社に患者の情報を渡すこと．例えばメディケア/メディケイド請求）．

cross-o·ver stud·y 交差研究（実験過程から対照過程へ，またはその逆に被験者が交代する研究）．

cross-re·act·ing ag·glu·ti·nin 交差反応性凝集素．= group agglutinin.

cross-re·act·ing an·ti·bod·y 交差反応抗体（①群構成要素間で，共通のエピトープに特異的な抗体．②類似しているが同一ではない化学構造の機能群をもつ抗原に特異的な抗体）．

cross-re·ac·tion (kraws′rē-ak′shŭn)．交叉（交差）反応（互いに他方の抗原複合体の抗原決定基に含まれるものを，少なくとも1つ，自身の抗原決定基としてもっているために，抗血清の種々の特異抗体と抗原複合体以外の抗原複合体と抗血清との間の特異的反応）．

cross-sec·tion (kraws′sek′shŭn)．断面，断面積（①平面構造の平面部．解剖学的構造物の二次元的断面．②構造物の切断面）．

cross-sec·tion·al stud·y クロスセクショナル研究（異なる複数タイプの集団を1つの大きな標本としてまとめてとらえ，一時点で観察を行うような研究（例えば，年齢，宗教，性，地域などを無視し，ある集団の人員全員に対して，ある特性や所見を調べるために1日で行う調査））．= synchronic study.

cross-ta·ble lat·er·al pro·jec·tion クロステーブルラテラル撮影（背臥位の被検者を水平方向のX線で撮影する側面像の一種）．

cross-ta·per (kraws tā′per)．クロステーパー（薬物療法において，1つの薬物の投与量を漸減するのと同時に別の薬物の投与量を漸増していく方法）．

cross-tol·er·ance (kraws tol′ĕr-ăns)．交差耐性（薬理学的類似化合物によって誘導された化合物の一種または数種の作用に対する耐性）．

cross·wort (kraws′wōrt)．= boneset.

crouch gait 膝屈曲歩行，うずくまり歩行（脳性麻痺の患者に見られる歩行パターン．靱帯や筋肉の非生理的な張りのため，患者は前かがみ姿勢で歩く）．

croup (krūp)．クループ（①I型，II型パラインフルエンザウイルスにより起こる乳児，年少小児の喉頭気管気管支炎．②呼吸困難とぜん鳴を伴う犬吠様咳嗽を特徴とする乳幼児の急性上気道狭窄）．

croup-as·so·ci·at·ed vi·rus クループ関連ウイルス（パラインフルエンザウイルス2型．→ parainfluenza viruses）．

croup·ous (krū′pŭs)．クループ性の（クループに関する．線維素性の滲出を特徴とする）．

croup·ous mem·brane クループ性膜．= false membrane.

Crou·zon syn·drome クルゾン症候群（広い前額，両眼間開離，外斜視，くちばしに似た鼻，上顎骨の低形成を特徴とした頭蓋骨癒合症）．

crow·ber·ry (krō′ber-ē)．= bearberry.

crowd·ing (krowd′ing)．叢生（歯が集まったり，重なり合ったり，様々な方向へ移動したり，転位したりなど，異なった位置を占め群がっている状態）．

crowd·ing phe·nom·e·non 混み合い現象，読み分け困難（多数同時の物体提示よりも単一物体提示のほうが視力が良い弱視視力の特性）．

Crowe-Da·vis mouth gag クローデーヴィス開口器（扁桃摘出術や口腔咽頭の手術中，口を開き舌を押さえ，気道を確保して揮発性麻酔薬を送るために用いる器械）．

crown (krown)．= corona. *1* 冠，頂，樹冠（正常，病的を問わず，王冠または花冠に似ている．あるいはそれらを連想させるような構造物の総称）．*2* 歯冠（歯科において，エナメル質，あるいは他の人工物質でおおわれた歯の部分）．

crown-heel length (CHL) 頂踵長（8週目の胚あるいは胎児の頭頂から踵までの伸展した長さ．→crown-rump length）．

crown·ing (krown′ing)．*1* 被覆（天然歯の歯冠形成を行い，形成された歯冠を1層の適当な歯科材料（金または非貴金属の鋳造物，ポーセレン，プラスチック，あるいはこれらの組合せ）でおおうこと）．*2* 排臨（娩出期に胎児の頭が骨盤出口に現れ，頭囲の最も大きいところが陰裂の中にある状態）．

crown-rump length (Cr, CRL) 頭殿長（胚または胎児の頭頂から殿部の両先端の中間点までの測定値．胚または胎児の月齢が推測できる．→ crown-heel length）．

CRP cAMP receptor protein; C-reactive protein の略．

CRT circuit resistance training; Certified Respiratory Therapist の略.

cru·ces (krū´sēz). crux の複数形.

cru·ces pi·lo·rum 毛十字（二方向から生えた毛が一点に会し，次に始めの方向とは垂直に分かれてのびることによってつくられる十字形）.

cru·ci·ate (krū´shē-āt). 十字形の.

cru·ci·ate a·nas·to·mo·sis, cru·cial a·nas·to·mo·sis 十字形吻合（深部大腿動脈，下部殿部動脈，および内側・外側大腿回旋動脈の第一貫通枝間の 4 方向性の吻合で大腿骨上部の後面に位置する）.

cru·ci·ate lig·a·ments 十字靱帯（膝関節内で前後方向に交差して，その面に安定性を与える主要な靱帯. →Lachman test）.

cru·ci·ate mus·cle 交叉筋（筋線維が X 字形に交叉配列しているような型の筋の一般名. 例えば，斜披裂筋）.

crunch test = curl-up test.

cru·ra (krū´ră). crus の複数形.

cru·ra of the di·a·phragm 横隔膜脚（上部腰椎から起始する横隔膜筋性部で，大動脈表面を上走して腱中心に達する）. = crura diaphragmatis.

cru·ra di·a·phrag·ma·tis 横隔膜脚. = crura of the diaphragm.

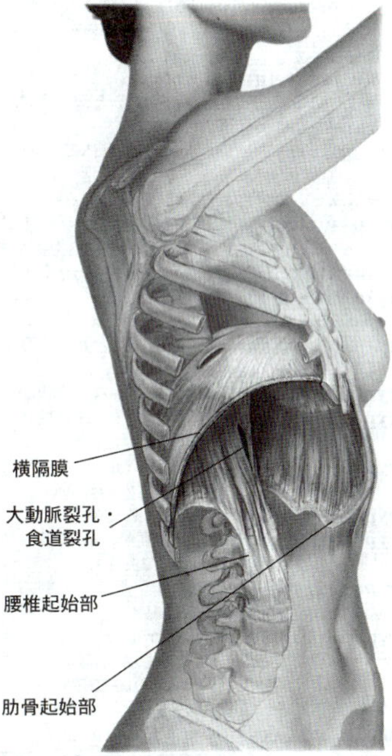
横隔膜
大動脈裂孔・
食道裂孔
腰椎起始部
肋骨起始部

crura of the diaphragm

cru·ral (krūr´ăl). 脚の，下腿の，すねの.

cru·ral her·ni·a = femoral hernia.

cru·ral in·ter·os·se·ous nerve 下腿骨間神経（脛骨神経の筋枝の 1 つから出る神経. 骨間膜の後面を下行し，骨間膜の後面および下腿の 2 骨に分布する）. = nervus interosseus cruris.

cru·ral sheath = femoral sheath.

cru·ris (krūr´is). crus の属格.

crus, gen. cru·ris, pl. cru·ra (krūs, krūr´is, krūr´ă). ***1*** 下腿，すね. = leg. ***2*** 脚（脚に似た解剖学上の構造. 通常は複数形で，対をなす放散性の小帯，長くのびた構造体に用いる. →limb）.

crus ce·re·bri 大脳脚（厳密にいうと，正中線の両側で，中脳の腹面を縦走する皮質遠心性神経線維の太い束. 皮質から脳幹被蓋，橋灰白質，脊髄に下行する神経からなる. →cerebral peduncle）.

crus of cli·to·ris 陰核脚（陰核海綿体の続きで後方に向かって左右に開き，恥骨弓に付着する）. = crus clitoris.

crus cli·to·ris = crus of clitoris.

crus for·ni·cis 脳弓脚（視床の後方で前方に弯曲して起こる脳弓の部分で，脳梁の下方を脳弓体となって前方にのびる）.

crush syn·drome 圧挫症候群（重量による長時間の圧迫後，四肢または胴および骨盤部の解放によって起こるショック様の症状. 損傷を受けた筋肉からのミオグロビンによる尿細管損傷の結果と考えられる腎機能抑制を特徴とする）. = compression syndrome(1).

crus pe·nis 陰茎脚. = crus of penis.

crus of pe·nis 陰茎脚（左右に分かれて坐骨恥骨枝に付着する陰茎海綿体の先細りの後部）. = crus penis.

crust (krŭst). = crusta. ***1*** 痂皮，かさぶた（皮膚の痂皮はしばしば破れた小疱や膿疱の表面上の乾燥した血清や膿により形成される）. ***2*** 外層，外皮.

crus·ta, pl. crus·tae (krŭs´tă, -tē). 痂皮，殻皮. = crust.

crus·ta lac·te·a 乳痂（乳児の頭皮の脂漏）. = milk crust.

crutch (krŭch). 松葉づえ（一方の下肢(または体幹)の欠陥のため歩行が損なわれるとき，補助するために 1 本または 2 本対で用いる道具. 体重を支える力の全部あるいは一部を上肢に移す）.

Crutch·field tongs クラッチフィールド鉗子（頭蓋牽引に備え頸椎を固定するための器具）.

Cru·veil·hier-Baum·gar·ten sign, Cru·veil·hier-Baum·gar·ten mur·mur クリュヴェーリエ-バウムガルテン徴候（通常，肝硬変を伴う門脈圧亢進により生じるメズサの頭の存在する臍部にしばしば聞こえる雑音. 雑音は臍静脈が再開通し，血流が肝から腹壁静脈へ逆流することにより生じる）.

Cru·veil·hier dis·ease クリュヴェーリエ病. = amyotrophic lateral sclerosis.

Cru·veil·hier ul·cer = gastric ulcer.

crux, pl. cru·ces (krŭks, krū´sēz). 十字，交叉.

= cross(1).

Cruz try·pan·o·so·mi·a·sis クルーズトリパノソーマ症. = South American trypanosomiasis.

cryaesthesia [Br.]. = cryesthesia.

cry·al·ge·si·a (krī′al-jē′zē-ă). 寒冷痛 (寒冷により引き起こされる痛み). = crymodynia.

cryanaesthesia [Br.]. = cryanesthesia.

cry·an·es·the·si·a (krī′an-es-thē′zē-ă). 冷〔感〕覚脱失(消失)〔症〕(寒冷の感覚を失うこと). = cryanaesthesia.

cry·es·the·si·a (krī′es-thē′zē-ă). ***1*** 冷〔感〕覚. ***2*** 寒冷過敏症. = cryaesthesia.

cry for help 助けを求める叫び (非常に強い苦悩や自殺の可能性を伝える電話, 目立つところに残したメモなどの行動).

crymo- 寒冷に関する連結形. →cryo-; psychro-.

cry·mo·dyn·i·a (krī′mō-din′ē-ă). 寒冷痛. = cryalgesia.

cry·mo·phil·ic (krī′mō-fil′ik). 寒冷親和性の, 好寒冷性の (低温で最もよく発育する微生物についていう). = cryophilic.

cry·mo·phy·lac·tic (krī′mō-fi-lak′tik). 寒冷抵抗性の, 耐寒冷性の (氷結温度でも死滅しないある種の微生物についていう). = cryophylactic.

cryo-, cry- 寒冷に関する連結形. →crymo-; psychro-.

cry·o·an·es·the·si·a (krī′ō-an-es-thē′zē-ă). 寒冷麻酔, 冷凍麻酔 (局所麻酔を行う方法として, 寒冷を局所的に使用すること). = refrigeration anesthesia.

cry·o·cau·ter·y (krī′ō-kaw′tĕr-ē). 寒冷腐食剤(器), 冷凍腐食剤(器) (凍結作用で組織の破壊を起こす液体窒素やドライアイスのような物質または低温発生装置).

cry·o·ex·trac·tion (krī′ō-ek-strak′shŭn). 凍結抽出 (冷凍探子を用いてレンズに氷球をつくり, 白内障を除くこと. 現在ではほとんど行われない).

cry·o·fi·brin·o·gen (krī′ō-fī-brin′ō-jen). 寒冷線維素原, クリオフィブリノ〔ー〕ゲン (ヒトの血漿内で, 非常にまれにみられるフィブリノーゲンの異常な型. 低温で沈殿し, 室温に温めると液状に溶解する).

cryofibrinogenaemia [Br.]. = cryofibrinogenemia.

cry·o·fi·brin·o·gen·e·mi·a (krī′ō-fī-brin′ō-jĕ-nē′mē-ă). 寒冷線維素原血症, 寒冷フィブリノ〔ー〕ゲン血症 (血液中に寒冷線維素原が存在する状態). = cryofibrinogenaemia.

cry·o·frac·ture (kri′ō-frak′shŭr). クリオフラクチャー法. = freeze fracture.

cry·o·gen (krī′ō-jen). 凍結剤 (非常な低温をつくるために用いる物質).

cry·o·gen·ic (krī′ō-jen′ik). ***1*** 凍結剤の. ***2*** 低温学の, 冷凍学の.

cryoglobulinaemia [Br.]. = cryoglobulinemia.

cry·o·glob·u·lin·e·mi·a (krī′ō-glob′yū-li-nē′mē-ă). クリオグロブリン血〔症〕, 寒冷グロブリン血〔症〕(血漿中で, クリオグロブリンの量が異常に増加すること).

cry·o·glob·u·lins (krī′ō-glob′yū-linz). クリオグロブリン, 寒冷グロブリン (①異常血漿蛋白(パラプロテイン). 血清あるいはこの溶液を冷却したとき, 沈殿, ゲル化, 結晶化などの変化を示す特徴がある. 多発性骨髄腫の患者にみられることがある).

cry·o·ki·net·ics (krī′ō-ki-net′iks). 寒冷運動〔学〕, 低温運動〔学〕(寒気にさらしてから運動すること. →cryotherapy). = cold therapy.

cry·ol·y·sis (krī-ol′i-sis). 冷凍融解 (寒冷による破壊).

cry·op·a·thy (krī-op′ă-thē). 寒冷症 (寒冷にさらされたことが, 重要な因子となる疾患あるいは損傷).

cry·o·pex·y (krī′ō-pek-sē). 冷凍固定〔法〕(網膜剥離の手術で, 冷凍探子を強膜に当てて, 網膜を色素上皮と脈絡膜に癒着させること).

cry·o·phil·ic (krī′ō-fil′ik). = crymophilic.

cry·o·phy·lac·tic (krī′ō-fi-lak′tik). = crymophylactic.

cry·o·pre·cip·i·tate (krī′ō-prĕ-sip′i-tāt). 寒冷沈降物 (可溶性物質を冷却したときに生じる沈殿物. 特に寒冷沈殿反応を受けた正常血漿に生じる沈殿物のことを意味し, これは第 VIII 因子を多く含有する).

cry·o·pres·er·va·tion (krī′ō-prez-ĕr-vā′shŭn). 低温保存法 (切除した組織, 器官を生かしたまま極低温で保存すること).

cry·o·probe (krī′ō-prōb). 凍結探針 (選定した領域を極度に冷やすための凍結外科で用いる器具).

cry·o·pro·tein (krī′ō-prō′tēn). クリオ蛋白〔質〕, 寒冷蛋白〔質〕(冷却すると溶液から沈殿し, 温めると再び溶ける蛋白).

cry·os·co·py (krī′os′kŏ-pē). 液体凝固点測定, 結氷点測定, 氷点測定 (液体(通常, 血液や尿)の氷点を, 蒸留水と対比して測定する).

cry·o·sur·ger·y (krī′ō-sŭr′jĕr-ē). 冷凍外科〔学〕, 凍結外科〔学〕(凍結温度(液体窒素または二酸化炭素で得られる)を利用する手術).

cry·o·ther·a·py (krī′ō-thār′ă-pē). 寒冷療法. = cold therapy.

cry·o·tol·er·ant (krī′ō-tol′ĕr-ănt). 低温許容性の, 耐寒性の.

crypt (kript). 陰窩 (小さなくぼみ, 管状陥凹).

crypt ab·scess·es 陰窩膿瘍 (大腸粘膜の腸腺の膿瘍. 潰瘍性大腸炎の特徴).

cryp·tec·to·my (krip-tek′tō-mē). 陰窩切除〔術〕(扁桃陰窩その他の陰窩の切除).

cryp·tic (krip′tik). 隠れた, 潜在の.

cryp·ti·tis (krip-tī′tis). 陰窩炎, 腺窩炎 (特に結腸における濾胞, 腺細管の炎症).

crypto-, crypt- 隠れた, 目立たない, 明らかな原因なしに, を意味する連結形.

cryp·to·chrome (krip′tō-krōm). クリプトクローム (植物, 昆虫, 哺乳類における概日リズムの同調化に関与するフラビン蛋白紫外線-A 受容体).

cryp·to·coc·co·sis (krip′tō-kok-ō′sis). クリプトコックス症 (*Cryptococcus neoformans* の感染による急性・亜急性・慢性感染症で, 肺, 全身, 脳脊髄膜の真菌症を起こす. 最も普遍的な臨床症状は亜急性または慢性の髄膜炎である). = Busse-Buschke disease.

Cryp·to·coc·cus (krip′tō-kok′ŭs). クリプトコックス属 (酵母様菌類の一属で, 出芽で増殖する).

cryp·to·gen·ic (krip′tō-jen′ik). 原因不明の (隠れた, 不確かな病因または原因を意味する. phanerogenic の対語).

cryp·to·gen·ic fi·bros·ing al·ve·o·li·tis 特発性線維化肺胞炎. = idiopathic pulmonary fibrosis.

cryp·to·gen·ic in·fec·tion 特発性感染 (細菌, ウイルス, その他による感染で, 感染源が不明のもの).

cryp·to·gen·ic sep·ti·ce·mi·a 潜原性敗血症 (一次感染巣がみつからない敗血症).

cryp·to·lith (krip′tō-lith). 腺窩結石 (腺濾胞の結石).

cryp·to·men·or·rhe·a (krip′tō-men-ŏr-ē′ă). 偽性無月経 (出血がないのに, 毎月, 月経の諸症状が起こること. 無孔処女膜などの場合に起こる). = cryptomenorrhoea.

cryptomenorrhoea [Br.]. = cryptomenorrhea.

cryp·to·po·di·a (krip′tō-pō′dē-ă). 隠足症 (下腿と足が腫脹し, 形が大きくゆがみ, 足底は平らな当て物のようになる).

cryp·tor·chi·dism (kript-ōr′ki-dizm). = cryptorchism.

cryp·tor·chi·do·pex·y (kript-ōr′ki-dō-pek-sē). 潜伏(潜在)精巣(睾丸)固定〔術〕, 停留精巣(睾丸)固定〔術〕. = orchiopexy.

cryp·tor·chism (kript-ōr′kizm). 潜伏(潜在)精巣(睾丸)〔症〕, 停留精巣(睾丸) (精巣の下降不全). = cryptorchidism.

cryp·to·spo·rid·i·o·sis (krip′tō-spōr-i-dē-ō′sis). クリプトスポリジウム症 (*Cryptosporidium* 属の水系感染性の原生動物によって生じる腸疾患. 通常は, 下痢は自然治癒するが, 免疫不全の患者では激しい下痢が遷延し, 致死的になることもある).

Cryp·to·spo·rid·i·um (krip′tō-spō-rid′ē-ŭm). クリプトスポリジウム属 (コクシジウム類に属する胞子虫の一属(アイメリア亜目クリプトスポリジウム科). 本属は子ウシやその他の家畜の重要な病原体であるが, ヒトの日和見感染的寄生動物としても知られる. 免疫不全のヒトでは自己限局性の下痢を起こすことがある).

Cryp·to·spo·rid·i·um par·vum 子ウシや子ヤギで新生子下痢の重要な原因である胞子虫の一種. ヒトでは中程度の自己限定性から重度の慢性下痢を起こす.

cryp·to·zy·gous (krip-toz′i-gŭs). 脳頭蓋の幅に比較して顔幅が狭いために, 頭頂方向から見下すと頬骨弓が見えない.

crys·tal (kris′tăl). 結晶 (規則的な形と化合物特有の稜角を有する固体. 元素あるいは化合物を, 液状のものを冷却したり, 溶液から沈殿させることによってゆっくり固化させると, 各分子は互いに正しい位置に並び結晶を形成する).

crys·tal·lin (kris′tă-lin). クリスタリン (水晶体中にみられる水溶性蛋白の一種).

crys·tal·line (kris′tă-lēn). ***1*** 透明な. ***2*** 結晶性の.

crys·tal·li·za·tion (kris′tăl-ī-zā′shŭn). 晶化, 結晶化 (蒸気あるいは液体が固化したり, 溶液から溶質が沈殿する際の結晶形成).

crys·tal·loid (kris′tăl-oyd). ***1*** 晶質, 類晶質. ***2*** 仮晶 (溶液中で半透膜を透過できるもの. 透過できないコロイドとは異なる).

crys·tal·lu·ri·a (kris-tăl-yūr′ē-ă). 結晶尿 (尿中への結晶性物質の排泄).

CS 暴動制御手段である *o*-クロロベンジリデンマロンニトリルを表す NATO コード. CS 以前に使われていたCN よりも効果的で, 軍隊や法執行機関に広く使用されている.

Cs セシウムの元素記号.

CSD catscratch disease の略.

C-sec·tion (sek′shŭn). →cesarean section.

CSF cerebrospinal fluid; colony-stimulating factors の略.

CST craniosacral therapy の略.

CSU catheter specimen of urine の略.

CSV continuous spontaneous ventilation の略.

CT computed tomography の略.

Ct concentration-time product の略.

CTD cumulative trauma disorders; circling the drain の略.

Cteno·ce·phal·i·des (tē-nō-se-fal′i-dēz). イヌノミ属 (ノミの一属. イヌノミ *Ctenocephalides canis*, ネコノミ *Ctenocephalides felis* は屋内の愛玩動物に普遍的にみられる外部寄生虫. それらの動物がいなくて飢餓状態の場合はヒトも刺す).

C ter·mi·nus C 末端 (遊離型カルボキシル基(-COOH)をもつペプチドや蛋白の末端).

CTG cardiotocography の略.

CTP cytidine 5′-triphosphate の略.

CT pel·vim·e·try CT 骨盤計測 (CT 画像による骨産道および児頭の計測方法. 最近のより正確な画像診断法).

CT prod·uct, Ct prod·uct = concentration-time product.

Cu 銅の元素記号.

cu·bic cen·ti·me·ter (cc, c.c.) 立方センチメートル (1 リットルの 1/1000. 1 ミリリットル). = cubic centimetre.

cubic centimetre [Br.]. = cubic centimeter.

cu·bi·tal (kyū′bi-tăl). 肘の, 尺骨の.

cu·bi·tal joint 肘関節. = elbow joint.

cu·bi·tal nerve = ulnar nerve.

cu·bi·tal tun·nel syn·drome 肘部管症候群 (肘部管内で尺骨神経が圧迫されて生じる疾患. 環・小指の感覚異常と手の内在筋筋力低下を呈する).

cu·bi·tus, gen. & pl. cu·bi·ti (kyū′bi-tŭs, -tī). ***1*** 肘, ひじ. = elbow(2). ***2*** 尺骨. = ulna.

cu·bi·tus val·gus 外反肘 (伸ばした前腕が上肢軸の外側(橈骨側)に傾いていること).

cu·bi·tus var·us 内反肘 (伸ばした前腕が上肢軸の内側(尺骨側)に傾いていること).

cu·boid, cu·boi·dal (kyū′boyd, kyū-boy′dăl). ***1*** 立方体様の (形が立方体に似ている). ***2*** 立

方骨の．

cu·boi·dal car·ci·no·ma 立方上皮癌．= cloacogenic carcinoma.

cu·boi·dal ep·i·the·li·um 立方上皮（垂直断面では立方体にみえるが，表面からは多面体にみえる細胞をもつ単層の上皮）．

cu·boid bone 立方骨（足根の遠位列の外側骨．踵骨，外側楔状骨，(ときに)舟状骨，第四・第五中足骨と関節する）．

cued speech キュー〔ド〕スピーチ（ろう(聾)者とのコミュニケーション手段．手の形で合図をし言葉の補助をする）．

cuff-in·fla·tion hy·per·ten·sion カフ膨張高血圧（血圧計のカフの使用そのものが原因で起こる血圧の上昇）．

cul-de-sac, pl. culs-de-sac (kul-dĕ-sahk′)．盲嚢，盲管（①盲嚢すなわち一端が閉じられた管腔．例えば，憩室，盲腸．② = rectouterine pouch）．

cul·do·cen·te·sis (kŭl′dō-sen-tē′sis)．ダグラス窩穿刺〔術〕（子宮仙骨靱帯間の中心線近くの腟円蓋を穿刺し，直腸子宮窩より液を吸引すること）．

cul·do·plas·ty (kŭl′dō-plas-tē)．ダグラス窩形成〔術〕（後腟円蓋の弛緩を治療するための形成外科手術）．

cul·do·scope (kŭl′dŏ-skōp)．クルドスコープ，ダグラス窩鏡（骨盤腔鏡検査に用いる内視鏡）．

cul·dos·co·py (kŭl-dos′kŏ-pē)．クルドスコピー，骨盤腔鏡〔検査〕法，ダグラス窩検鏡法（後腟円蓋を通して内視鏡を挿入し，直腸腟窩および骨盤内臓器を視診すること）．

Cu·lex (kū′leks)．イエカ属（2,000 種以上を含むカの一属(カ科)．主に熱帯であるが，世界中に分布しており，ヒト，家畜，野生動物，鳥に多くの疾病を媒介する）．

Cu·lex ni·gri·pal·pus カの一種で，米国ではセントルイス脳炎の媒介体である．

Cu·lex res·tu·ans カの一種で，米国では東部ウマ脳炎と西部ウマ脳炎の二次ないし容疑媒介体となる．

Cu·lex sa·li·na·ri·us カの一種で，米国では東部ウマ脳炎の二次ないし容疑媒介体である．

cu·li·ci·dal (kū-li-sī′dăl)．カを殺すような．

cu·li·cide (kū′li-sīd)．殺蚊薬．

Cu·li·coi·des (kū′li-koy′dēz)．微小な吸血性双翅目昆虫の一属．ヒトの非病原性糸状虫(フィラリア)*Mansonella*，*Dipetalonema* を媒介する．

Cu·li·se·ta (kū-li-sē′tă)．カの一属(カ科)．ヒトおよび家畜と野生動物や鳥類にみられる多数の疾患における媒介体である．

Cu·li·se·ta in·or·na·ta カの一種で，米国では西部ウマ脳炎とカリフォルニアグループ脳炎の二次ないし容疑媒介体である．

Cul·len sign カレン徴候（血液によって臍周囲皮膚が黒っぽくなること．特に子宮外妊娠破裂の場合にみられるような腹腔内出血の徴候）．

cul·ti·va·tion (kŭl-ti-vā′shŭn)．培養〔法〕．= culture.

cul·tur·al com·pe·tence 文化能力（看護において，他者の文化に対する知識や理解．患者や家族，社会グループのもつ独特の文化に適応した治療措置や医療方法を採ること）．

cul·tur·al di·ver·si·ty 文化的多様性（異なる民族，人種，国家的背景の人間が出会い，構成した集団のなかに存在する，慣習や考え方，日常生活，行動などにおける避けがたい多様性）．

cul·tur·al shock カルチャーショック，文化ショック（生まれ育った文化とかなり異なる新しい文化に個人が同化する場合のストレス）．

cul·ture (kŭl′chŭr)．= cultivation. ***1*** 培養（種々の培地上，培地中で微生物を増殖させること）．***2*** 培養菌（培地上，培地中の微生物集団）．***3*** 培養（動物細胞を増殖させること．細胞培養．→cell culture）．***4*** 文化（ある共同体や国に共通の，信念，価値感，芸術的・歴史的・宗教的特徴，習慣などの集合）．

cul·ture me·di·um 培養基，培地（微生物の培養，分離，同定，貯蔵に用いる固体または液体物質）．= medium(3).

Cul·ver's root = black root.

Cum·mer clas·si·fi·ca·tion カマー分類〔法〕（可撤性部分床義歯のいくつかの型のリストで，直接維持装置の分布に基づいて分類されている）．

cu·mu·la·tive (kyūm′yū-lă-tiv)．蓄積の，累積の（蓄積，累積する傾向のある．ある種の薬物は蓄積効果 cumulative effect がある，というように用いる）．

cu·mu·la·tive ac·tion 蓄積作用．= cumulative effect.

cu·mu·la·tive ef·fect 蓄積効果（薬剤の反復投与による効果が，初回投与の効果よりも著しい状態）．= cumulative action.

Cu·mu·la·tive In·dex Med·i·cus 毎年出版される医学文献集．南北戦争の終わりに米国陸軍外科局で始められ，現在では米国国立医学図書館に引き継がれ，さらに MEDLINE とよばれるデータベースに発展している．

Cu·mu·la·tive In·dex to Nurs·ing and Al·lied Health Li·ter·a·ture (CINAHL) 看護および健康に関する文献データベース（米国看護協会と全米看護連盟の刊行物や，作業療法や理学療法についての記述を含む専門誌といった，看護に関する英語圏の主要文献を収録するデータベース）．

cu·mu·la·tive trau·ma dis·or·der (CTD) 累積外傷性障害（腱や筋肉，関節，神経の損傷を含む全ての慢性障害．多くの場合，仕事上の身体活動が原因となる．反復性動作障害や手根管症候群を含む．CTD は，体が長期間にわたり直接的な圧迫や振動，反復動作にさらされることによって起こる）．= micro trauma; repetitive strain disorder.

cu·ne·ate (kyū′nē-āt)．楔状の．

cu·ne·ate fas·cic·u·lus, cu·ne·ate fu·nic·u·lus 楔状束（後索の大きな外側部分）．

cu·ne·ate nu·cle·us 楔状束核（脊髄の後索の3核の中の1つ．閂の高さから下方にかけて延髄の背面近くに位置する．中心部と吻側部がある．同側の腕および手の知覚神経支配にあずかる後根線維を受けている．内側にある薄束核とともに内側毛帯の起始の主な源となる）．

cu·ne·i·form bone →triquetral bone.

cu·ne·i·form car·ti·lage 楔状軟骨（披裂喉頭蓋ひだの内にある小角結節の前外側やや上方に，ときにみられる関節していない小弾性軟骨）．= cartilago cuneiformis.

cu·ne·o·cu·boid (kyū′nē-ō-kyū′boyd). 楔状骨立方骨の（外側楔状骨と立方骨に関する）．

cu·ne·o·na·vic·u·lar (kyū′nē-ō-nă-vik′yū-lăr). 楔状骨舟状骨の（楔状骨と舟状骨に関する）．

cu·ne·us, pl. cu·ne·i (kyū′nē-ŭs, -ī). 楔，楔部（左右の大脳半球の後頭葉内側面にあり，鳥距溝と頭頂後頭溝で境界付けられている部分）．

cu·nic·u·lus, pl. cu·nic·u·li (kū-nik′yū-lŭs, -lī). 疥癬トンネル（疥癬虫による表皮内の孔道）．

cun·ni·lin·gus (kŭn′i-ling′gŭs). クニリングス，舐陰（外陰や陰核に口で刺激を与えること．ペニスに対する口による刺激であるフェラチオと対照的）．

cup (kŭp). ***1*** 杯，コップ（解剖学・病理学上の，くぼんだ杯状構造）．***2*** 吸角，吸い玉．

cup bi·op·sy for·ceps 杯形生検鉗子（可動性の杯形の口部をもった細い軟性の鉗子．特殊な内視鏡を通し，生検標本を採取するために用いる）．

cup:disc ra·ti·o 乳頭嵌凹比（視神経円板のカップ状またはくぼみになった中心部の直径と，視神経円板全体の直径の比率．通常は1：3未満の値であるが，緑内障ではこの値が拡大する）．

Cu·pid's bow キューピッド弓（上口唇の上縁がつくる輪郭）．

cu·po·la (kyū′pō-lă). クプラ，杯，頂．= cupula.

cup·ping (kŭp′ing). ***1*** 杯形成（くぼみ，杯状陥凹の形成）．***2*** 吸角法（吸角ガラスを用いる方法．→cup）．

cup·ping glass 吸角ガラス（熱または特別の吸引器で中の空気を除き，皮膚に当て，血液を表面に吸い出すために以前用いたガラス容器．→cupping; cup）．= cup(2).

cu·pu·la, pl. cu·pu·lae (kŭ′pū-lă, -lē). 頂（カップ形，円蓋状の構造物）．= cupola.

cu·pu·lar ce·cum of the co·chle·ar duct 頂盲端（蝸牛管の上部の盲端）．= lagena(1).

cu·pu·lo·gram (kyū′pyū-lō-gram). クプログラム（正常動作に関する前庭機能の図式表示）．

cur·a·tive (kyūr′ă-tiv). ***1*** 治療の，治効ある（治癒，癒合する）．***2*** 治癒的な．

cur·a·tive dose (CD) 治癒量，治効量，治療線量（①疾患の治癒に必要な投与量．あるいは，食事中の特定要素の欠乏のため現れる症状を治す投与量．②治療目的に適用される物質の有効用量）．

curb·stone frac·ture →Lisfranc injury.

cure (kyūr). ***1*** 〖v.〗 治癒する，治療する．***2*** 〖n.〗 治癒．***3*** 〖n.〗 療法，治療．***4*** 〖n.〗 硬化（時間の経過，あるいは熱，光，化学物質の処理による物質の硬化．例えば，アクリル性の義歯床用レンジの重合）．

cu·ret·ment (kyūr-et-mōn[h]′). = curettage.

cu·ret·tage (kūr′ĕ-tahzh′). 掻爬〔術〕（新生物やその他の異常組織の除去，あるいは組織診断用試料採取のために，通常，窩洞または路の内部をこすりはがすこと）．= curetment; curettement.

cu·rette, cu·ret (kyūr-et′). 有窓鋭匙，キューレット，掻爬器（棒状の把手のついた鋭い縁の，環状または杓子形の器具．掻爬に用いる）．

cu·rette·ment (kyūr-et-mōn[h]′). = curettage.

cu·rie (c, C, Ci) キュリー（放射能の測定単位で，毎秒 3.70×10^{10} 個の壊変に等しい．SI 単位のベクレル（単位時間に1つの壊変）に置き換えられた）．

cu·ri·um (Cm) (kyūr′ē-ŭm). キュリウム（原子番号96，原子量247.07の元素．地球上で自然には生じないが，1944年，プルトニウム239をアルファ粒子で衝撃し，初めて人工的につくられた．最も安定した形のキュリウム同位元素はキュリウム247で，半減期は約1560万年）．

Curl·ing ul·cer カーリング潰瘍．= stress ulcer.

curl-up test 上体起こしテスト（腹筋の持久力を判定すること）．= crunch test.

cur·rant jel·ly clot 乾ブドウゼリー様血餅（*in vitro* または死後，全血あるいは沈降血の死後凝固により形成されるゼリー様の赤血球とフィブリンの塊）．

cur·rent (kŭr′rĕnt). 電流，流動（液体，空気，電気の流れ）．

Cur·rent Pro·ce·du·ral Ter·min·o·lo·gy (CPT) 現行医療用語辞典（すべての医療手技および医療サービスで使用するコードシステム．米国医師会が医師のための現行医療用語辞典 *Physicians' Current Procedural Terminology* として発表し，毎年改定を行う）．

Cursch·mann spi·ral クルシュマンらせん体（気管支ぜん息の喀痰中に存在するらせん状にねじれた粘液の塊）．

curse (kŭrs). たたり，のろい（悪霊がもたらすと考えられている災い）．

cur·va·tu·ra, pl. cur·va·tu·rae (kŭr′vă-tū′ră, -rē). 弯曲．= curvature.

cur·va·ture (kŭr′vă-chŭr). 弯曲（→angulation）．= curvatura.

cur·va·ture ab·er·ra·tion 曲率収差（物体とその光学像との空間対応の欠陥で，直線的な物体の像が曲がって見えること）．

cur·va·ture hy·per·o·pi·a 屈折性遠視（前眼部の屈折力の減少による遠視）．

cur·va·ture my·o·pi·a 曲面性近視，弯曲性近視（過剰角膜弯曲の結果起こる屈折異常による近視）．

curve (kŭrv). ***1*** 弯曲，屈曲（角のない連続した屈曲）．***2*** 曲線（連続線により個々の観測値を結び，生理活動の経過，一定期間内の疾病件数，その他，数値表でも表しうるようなデータを図示したもの）．= chart(2).

curve of oc·clu·sion 咬合弯曲（①残存歯の切端および咬合面突起の主要部分に同時に接触する弯曲面．②自然歯の咬合面の弯曲）．

curve of Spee シュペー弯曲（下顎咬合面の解

剖学的弯曲．下顎犬歯の尖端から始まり臼歯の頬側咬頭に続き，最後の大臼歯まで続いている）．= von Spee curve.

curve of Wil·son ウィルソンの弯曲（左右両側の臼歯咬頭を結んでできる弯曲で，前頭面から見たもの）．

Cur·vu·la·ri·a (kŭr-vyū-lār′ē-ă). 培地上で急速に生育する暗色の真菌の一属．一般に，夾雑菌とみなされるが，*C. lunata* と *C. geniculata* の2種は，ヒトの菌腫，角膜真菌症，副鼻腔炎，および黒色真菌症を生じうる病原真菌の仲間である．

Cush·ing ba·soph·i·lism = Cushing syndrome.

Cush·ing dis·ease クッシング病（ACTH 産生性の下垂体の好塩基性腺腫による副腎過形成（Cushing 症候群））．

Cush·ing dis·ease of the o·men·tum 大網性クッシング病（糖質コルチコイド過剰による中心性肥満症．大網の脂肪組織中の脂肪間質細胞が非活性のコルチゾンより活性のあるコルチゾールを合成する（皮下脂肪では合成しない）ために生じる．患者は過剰のコルチゾールを産生し，尿中コルチゾール排泄量も増加しているが，視床下部-下垂体-副腎等の異常は認められない）．

Cush·ing neu·ro·ma クッシング神経腫（聴神経腫瘍）（聴神経（前庭神経）の病変で，3対1の割合で女性に多い．外科的な除去が主な治療法）．

cush·ing·oid (kush′ing-oyd). クッシング様の（Cushing 病または Cushing 症候群の徴候や症状に似た．野牛稜背部，皮膚線条，肥満，高血圧，糖尿病，骨粗しょう症，一般には外因性のステロイド剤投与によるものが多い）．

Cush·ing su·ture クッシング縫合（2つの近接した表面を寄せるために用いる連続水平マットレス縫合）．

Cush·ing syn·drome クッシング症候群（副腎皮質からのコルチゾール分泌の増加によって起こる障害（臨床的には Cushing 病の症状を呈する）で，ACTH 依存性副腎皮質過形成または腫瘍，異所性 ACTH 産生腫瘍，またはステロイドの過剰投与などにより生じる．体幹の肥満，満月様顔貌，痤瘡，腹壁の線条，高血圧，耐糖能低下，蛋白異化，精神障害，骨粗しょう症，および女性の無月経および多毛症を特徴とする．下垂体の ACTH 産生腺腫を伴うときは，Cushing 病ともよばれる）．= Cushing basophilism.

Cush·ing ul·cer クッシング潰瘍（重度の頭部外傷後や，その他の中枢神経系（CNS）病変に伴い起こる消化性潰瘍）．

cush·ion (kush′ŭn). 座褥，クッション（解剖学において，ざぶとんや枕に似た構造をいう）．

cusp (kŭsp). = cuspis. ***1*** 咬頭，尖頭，尖（歯科において，歯の表面上の独立した石灰化の中央から始まる円錐形の隆起）．***2*** 心臓弁膜尖（心臓弁膜の一小葉）．

cus·pal (kŭs′păl). 尖の．

cusp and groove pat·tern 咬頭および裂溝の型（臼歯の咬頭および裂溝の配置．下顎臼歯には，Y-5，Y-4，+5 および+4 の4種類が存在する）．

cusp height 咬頭高（①咬頭頂とその基底平面との間の最短距離．②臼歯の中央窩の最深部と歯の咬頭を連結する線との間の最短距離）．

cus·pid (kŭs′pid). ***1*** 〚adj.〛 尖頭の，凸形の（ただ1つの尖をもつ）．***2*** 〚n.〛 犬歯．= canine tooth.

cus·pi·date (kŭs′pi-dāt). 尖頭の，凸形の（1つまたは複数の尖をもつ）．

cus·pis, pl. **cus·pi·des** (kŭs′pis, kŭs′pi-dēz). 尖．= cusp.

cusp ridge カスプリッジ，咬頭隆線（大臼歯および小臼歯の咬頭から近遠心側の両方にのびる隆線で，固有咬合面の頬舌側における境界線を形成する）．

cus·to·di·al care 療護（ADL（日常生活動作）を補助する非熟練の個人的ケア）．

cus·to·dy (kŭs′tŏ-dē). 保護監督（権限者によって，人や物が後見，保護，監督されること）．

cu·ta·ne·ous (kyū-tā′nē-ŭs). 皮膚の．

cu·ta·ne·ous an·cy·lo·sto·mi·a·sis 皮膚鉤虫症（鉤虫属 *Ancylostoma* の幼虫による皮膚の幼虫移行症）．= swimmer's itch (1); water itch (1).

cu·ta·ne·ous branch of an·te·ri·or branch of ob·tu·ra·tor nerve 閉鎖神経前枝の皮枝（閉鎖神経の前枝で膝の上方大腿内側面の皮膚に分布する）．

cu·ta·ne·ous branch of mixed nerve 混合神経の皮枝（混合脊髄神経の枝で皮膚に分布する神経枝．大部分は体性感覚性であるが，内臓運動性の交感性節後線維で血管壁や立毛筋支配のものも含まれている）．

cu·ta·ne·ous horn 皮角（皮膚の角質性突起物．基部は光線性角化症や癌腫を示すことがある）．

cu·ta·ne·ous lar·va mi·grans 皮膚幼虫移行症（皮膚の中を掘り進む移動性の蛇行状または網状の病変で，著しいそう痒を伴う．ヒトの小腸内では成熟できない鉤虫の幼虫が動き回るために生じる．米国東南部の海岸地方やその他の熱帯・亜熱帯の海岸地方に特に広くみられる．イヌやネコの鉤虫の幼虫が関係するが，主として米国の砂浜や砂場のイヌ，ネコの糞尿に存在するブラジル鉤虫 *Ancylostoma braziliense* が関係する．またイヌ鉤虫 *Ancylostoma caninum*，狭頭鉤虫 *Uncinaria stenocephala* や *Bunostomum phlebotomum* も関係する．動物由来の諸種もヒトに感染する）．

cu·ta·ne·ous leish·man·i·a·sis 皮膚リーシュマニア症（感染した *Phlebotomus* 属のスナバエ（サシチョウバエ，通常は *P. papatasi*）の刺咬により *Leishmania tropica*，*L. major* のプロマスティゴート（レプトモナス型）虫体が皮膚に接種されて感染する．小アジア，北アフリカ，インドの諸地域に流行する．潰瘍は丘疹として始まり，次第に拡大して小結節となり，さらにそれが破れて潰瘍となる．臨床的，疫学的に区別される2つの疾患がある．より普遍的で広範にみられるのは *L. major* を病原体とする湿潤急性型の人畜共通の農村の疾患でネズミを保有宿主とする．都市にみられるのは *L. tropica* を病原体とする乾燥慢性型で保有宿主はなく，最近は大部分が制圧されている．→zoonotic cutaneous leishmaniasis)．= Old World leishmaniasis; tropical sore.

cu·ta·ne·ous leish·man·i·a·sis gran·u·lo·ma 皮膚リーシュマニア肉芽腫（中心壊死を伴ったリンパ球性肉芽腫で，治癒過程で認められる）．

cu·ta·ne·ous mus·cle 皮筋（皮下組織にあり，皮膚に付着している筋．骨に付着している場合とそうでない場合とがある．表情筋がヒトでの皮筋の主な例）．

cu·ta·ne·ous nerve 皮神経（血管，平滑筋，腺および知覚神経終末を含んで，皮膚に分布する混合領域）．

cu·ta·ne·ous pseu·do·lym·pho·ma 皮膚偽リンパ腫．= benign lymphocytoma cutis.

cu·ta·ne·ous tu·ber·cu·lo·sis 皮膚結核（ヒト結核菌 *Mycobacterium tuberculosis* による皮膚の病的変化）．

cu·ta·ne·ous vas·cu·li·tis 皮膚血管炎（皮膚のみを侵す血管炎の急性型で，他の臓器を侵すこともある．小血管(真皮の血管)の壁の中や周囲に多核球が浸潤する．核の破片は白血球の核崩壊により生じる．→leukocytoclastic vasculitis)．

cut·down (kŭt′down)．血管切開（輸液や薬剤の静脈内投与の目的で，カニューレまたは針を挿入するために，皮膚切開を加えて静脈を露出すること）．= venostomy.

cu·ti·cle (kyū′ti-kĕl)．***1*** 小皮，クチクラ（通常，皮膚の表皮の角質性の表側の薄い層）．= cuticula (1)．***2*** 表皮，角質（上皮細胞の表面にある層で，無脊椎動物ではときにキチン性である）．***3*** 表皮．= epidermis.

cu·tic·u·la, pl. cu·tic·u·lae (kyū-tik′yū-lă, -lē)．***1*** 小皮．= cuticle (1)．***2*** 表皮．= epidermis.

cu·tic·u·lar dru·sen = basal laminar drusen.

cu·ti·re·ac·tion (kyū′ti-rē-ak′shŭn)．皮膚反応（過敏性(アレルギー性)個体の皮膚試験における炎症性反応）．

cu·tis (kyū′tis)．皮膚．= skin.

cu·tis an·se·ri·na 鳥肌（寒さ，恐怖，その他の刺激によって立毛筋が収縮して毛包口が隆起したもの）．

cu·tis lax·a 弛緩性皮膚．= dermatochalasis.

cu·tis mar·mo·ra·ta 大理石様皮膚（正常の，生理学的な，ピンクの大理石様斑紋で，寒さにさらされた子供に持続性にみられる異常）．

cu·tis mar·mo·ra·ta tel·an·gi·ec·tat·i·ca con·gen·i·ta 先天性血管拡張性大理石様皮斑（皮膚毛細血管皮静脈の奇形で生じ，大理石模様の外観を呈する）．= Van Lohuizen syndrome.

cu·tis plate = dermatome (2).

cu·tis rhom·boi·da·lis nu·chae 項部菱形皮膚（老化または日光に長時間さらされた結果生じる弾性線維の日光変性を伴った項部皮膚のしわのよった幾何学的形状）．

cu·tis ve·ra = dermis.

cut·point (kŭt′poynt)．カットポイント，切点

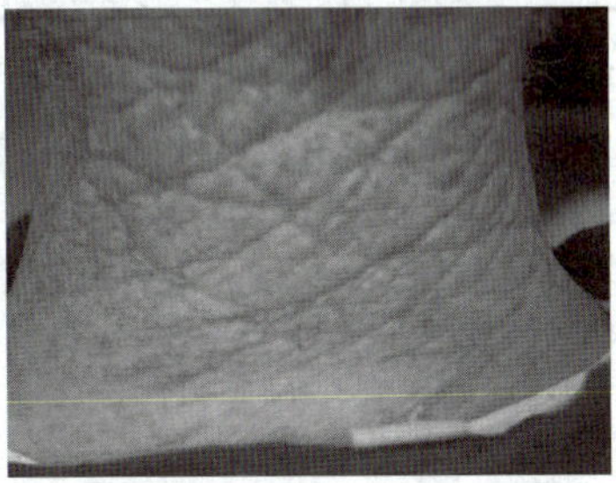

cutis rhomboidalis nuchae

（血圧のように臨床的に異常とみなされる基準となる値）．

Cu·vi·er ducts common cardinal veins（総主静脈）を表す現在では用いられない語．

Cu·vi·er veins キュヴィエ静脈（胎児の総主静脈．→cardinal veins)．

CV coefficient of variation の略．

CVA cerebral vascular attack; cerebrovascular accident の略．

CVC central venous catheter の略．

CVP central venous pressure の略．

CVS chorionic villus sampling の略．

CVVH continuous venovenous hemofiltration の略．

CVVHD continuous venovenous hemodialysis; continuous venovenous hemodiafiltration の略．

CW a·gent chemical-warfare agent の略．

CX phosgene oxime の NATO コード．

CXR chest x-ray（胸部 X 線）の略．

cy·a·nide (sī′ăn-īd)．シアン化物（① –CN 基，$(CN)^-$ イオンを含む化合物．そのイオンはきわめて有毒であり，水中でシアン化水素酸を生成する．扁桃油臭がする．細胞レベルにおいて呼吸系蛋白(シトクロム)を阻害する．② HCN 塩またはシアン基を含有する分子）．

cyanmethaemoglobin [Br.]．= cyanmethemoglobin.

cy·an·met·he·mo·glo·bin (sī′an-met-hē′mō-glō-bin)．シアンメトヘモグロビン（シアン化物とメトヘモグロビンの化合物．シアン化物中毒の症例においてメチレンブルー投与時に生成される．比較的無毒性）．= cyanmethaemoglobin.

cyano-, cyan- ***1*** 青を意味する連結形．***2*** 化学上の接頭語．しばしばシアン化物(CN を含む化合物)の命名に用いる．

Cy·a·no·bac·te·ri·a (sī′ă-nō-bak-tēr′ē-ă)．藍〔色〕細菌門，シアノバクテリア門，青緑色細菌門（原核植物類の一門．これらの細菌は単細胞あるいは糸状で，非運動性かまたは滑走運動性がある．二分裂で増え，光合成を行って酸素を発生する）．= Cyanophyceae.

cy·an·o·bac·te·ri·um·like bod·ies 藍藻様小体．= *Cyclospora*.

cy·a·no·co·bal·a·min (sī′ă-nō-kō-bal′ă-

C

min). シアノコバラミン（ビタミン B_{12} のようなシアン化物とコバラミンの複合体）.

cy·an·o·gen (sī-an′ō-jen). シアン（①= ethanedinitrile. ②シアン基を含む化合物. 塩化シアン($CNCl_2$)や臭化シアン($CNBr_2$)など, シアン基はハロゲン原子に結合している).

cy·an·o·gen chlo·ride (CK) 塩化シアン; $CNCl_2$(揮発性の高い強毒性の液体. 化学兵器として NATO コード CK が割り振られている).

cy·an·o·phil, cy·an·o·phile (sī-an′ō-fil, -fīl). 好青細胞, 好青成分（染色過程で特異的に青色に染まる細胞あるいは成分).

cy·a·noph·i·lous (sī′ă-nof′i-lŭs). 好青性の（青色染色で染まりやすいことについていう).

Cy·a·no·phy·ce·ae (sī′ă-nō-fī′shē-ē). = Cyanobacteria.

cy·a·nop·si·a (sī′ă-nop′sē-ă). 青〔色〕視〔症〕（物がすべて青く見える症状. 白内障摘出後一時的に起こることがある).

cy·a·nosed (sī′ă-nōst). = cyanotic.

cy·a·nose tar·dive 遅発性チアノーゼ（先天性心疾患で心不全症状が現れた後, チアノーゼ症状が現れること). = tardive cyanosis.

cy·a·no·sis (sī′ă-nō′sis). チアノーゼ（血液の酸素化の不足によって皮膚と粘膜が濃い青紫色になること. 血液の還元型ヘモグロビンが 5 g/dL を超えると出現する).

cy·a·not·ic (sī′ă-not′ik). チアノーゼの. = cyanosed.

cy·a·not·ic in·du·ra·tion 紫藍色硬化（臓器や組織における持続的・慢性的な静脈のうっ血によるもので, しばしば静脈壁の線維性肥厚および隣接組織の線維化をもたらす).

cy·ber·net·ics (sī′bĕr-net′iks). サイバネティックス, 自動制御学（①脳の機能を説明するための, コンピュータと人間の神経系との比較研究. ②生物と無生物の両方における制御と伝達に関する科学. 制御がフィードバックにより支配されるのを特徴とする. すなわち実際の結果と期待した結果との相違に関して, 系内での伝達により, 行動がその相違を最小限にするように修正される. →feedback).

cy·clar·thro·di·al (sī′klahr-thrō′dē-ăl). 環状関節の.

cy·clar·thro·sis (sī′klahr-thrō′sis). 環状関節（回旋運動を行う関節).

cy·clase (sī′klās). シクラーゼ（例えば, adenylate cyclase のように, 環状化合物を形成する酵素に用いる説明的名称).

cy·cle (sī′kĕl). サイクル, 回路, 周期（①繰り返して起こる一連の事象. ②繰返しの時間間隔. ③音波におけるような, 一連の波の高まりと低まり).

cy·clec·to·my (sī-klek′tō-mē). 毛様体切除〔術〕（毛様体の一部を切除すること). = ciliectomy.

cy·cle length al·ter·nans 交互性周期長（拡張期間隔が長短を繰り返す連続波).

cy·clen·ceph·a·ly, cy·clen·ce·pha·li·a (sī-klen-sef′ă-lē, -se-fā′lē-ă). 輪状脳半球癒着奇形, 馬蹄形脳半球癒着（奇形胎児の一型で, 大脳両半球の発育不良と程度の異なる融合が特徴). = cyclocephaly; cyclocephalia.

cy·cles per sec·ond (cps) サイクル毎秒（音波を構成する圧縮と弛緩の 1 秒当たりの繰返し数. 音の高さあるいは振動数の尺度. この周波数の単位の名称としては, むしろヘルツ(Hz)のほうがよく使われる).

cy·clic (sik′lik). ***1*** 周期〔性〕の, 循環の（ある種の疾患や障害の症状経過についていう). ***2*** 環式の（化学構造における環状の. 環式化合物についていう).

cy·clic AMP サイクリック AMP. = adenosine 3′, 5′-cyclic monophosphate.

3′, 5′-cy·clic AMP syn·the·tase 3′, 5′-サイクリック AMP シンテターゼ. = adenylate cyclase.

cy·clic com·pound 環式化合物（構成原子の全部あるいは一部が環を形成する化合物. 主として有機化学で用いる語). = closed chain compound.

cy·clin D サイクリン D（細胞分裂への進行に関与する蛋白).

cy·clist's nip·ples 自転車に乗る人(サイクリスト)の乳首（乳首の炎症で, 発汗とその後の風によって乳首が冷却されることの組み合わせ効果により起きる. 痛みを伴う).

cy·clist's pal·sy 自転車乗り(サイクリスト)麻痺（自転車に乗る人の尺骨神経に起こる感覚異常. 長時間ハンドルに寄りかかることにより起こる). = ulnar nerve compression syndrome.

cy·cli·tis (sik-lī′tis). 毛様体炎.

cyclo-, cycl- ***1*** 円, 周期, または毛様体を意味する連結形. ***2*** 化学において, 環状の原子からなる分子を意味する接頭語.

cy·clo·ceph·a·ly, cy·clo·ce·pha·li·a (sī′klō-sef′ă-lē, -sĕ-fā′lē-ă). = cyclencephaly.

cy·clo·cho·roid·i·tis (sī′klō-kōr′oyd-ī′tis). 毛様体脈絡膜炎（毛様体および脈絡膜の炎症).

cy·clo·cry·o·ther·a·py (sī′klō-krī′ō-thăr′ă-pē). 毛様体冷凍療法（緑内障の治療における経強膜的毛様体冷凍術).

cy·clo·di·al·y·sis (sī′klō-dī-al′i-sis). 毛様体解離(剥離)〔術〕（前房と脈絡膜上腔を交通させて, 緑内障における眼圧を軽減する方法).

cy·clo·di·a·ther·my (sī′klō-dī′ă-thĕr-mē). 毛様体ジアテルミー（緑内障治療のため毛様体部の強膜に施す電気透熱法).

cy·clo·duc·tion (sī′klō-dŭk′shŭn). 眼球回旋（眼球の視軸を中心にしての眼球の回転). = circumduction(2).

cy·clo·pep·tide (sī′klō-pep′tīd). シクロペプチド（末端基 $-NH_2$ と $-COOH$ をもたないポリペプチド. 両端が結合してもう 1 つのペプチド結合を形成し環をなすことによる).

cy·clo·pho·ras·es (sī′klō-fōr′ās-ēz). シクロホラーゼ（ミトコンドリア中の酵素群. ピルビン酸の二酸化炭素と水への完全酸化を触媒する. これらの酵素および補酵素は, 基本的にはトリカルボン酸サイクルに含まれる).

cy·clo·pho·ri·a (sī′klō-fōr′ē-ă). 回転斜位, 回旋斜位（いずれかの眼を前後軸を中心にして内側または外側へ回旋しやすい異常な性質．運動は融像刺激により妨げられる）．

cy·clo·pho·to·co·ag·u·la·tion (sī′klō-fō′tō-kō-ag′yū-lā′shŭn)．毛様体光凝固〔術〕（緑内障において，房水産生を抑制する目的で行う．毛様体突起の光凝固）．

cy·clo·pi·a (sī-klō′pē-ă)．単眼症，キクロプス症，一つ目奇形（先天性奇形で，両眼窩が合併して1つとなったもの．これは一般的に左右の視神経原基の癒合により生じ，鼻は欠損している．輪状脳半球癒着奇形を合併する）. = synophthalmia.

cy·clo·pi·an (sī-klō′pē-ăn)．単眼症の，キクロプス症の．

cy·clo·ple·gi·a (sī′klō-plē′jē-ă)．毛様体筋麻痺，調節麻痺（眼の毛様体筋力の喪失．脱神経または薬理作用による）．

cy·clo·ple·gic (sī′klō-plē′jik)．***1***〚adj.〛毛様体筋麻痺の，調節麻痺の．***2***〚n.〛毛様体筋麻痺薬（毛様体筋の調節力を麻痺させる薬剤）．

cy·clo·sar·in (sī′klō-sar′in)．シクロサリン（非持続性の神経ガス．NATO コードは GF）．

Cy·clo·spor·a (sī′klō-spōr′ă)．シクロスポラ属（ヤスデ，は虫類，食虫類，げっ歯類から報告されている，クリプトスポリジウム類似のコクシジウムの一属．2つのスポロシスト内にそれぞれ2個ずつのスポロゾイトをもつ抗酸性のオーシストをつくるのが特徴である．米国，カリブ海沿岸諸国，東南アジア，東ヨーロッパで以前藍藻様小体 cyanobacterium-like bodies が原因とされていた，広域に分布するヒトの長期間ではあるが自己限定性の下痢の原因となる）. = cyanobacteriumlike bodies.

Cy·clo·spor·a cay·e·ta·nen·sis 持続性下痢を伴う腸炎を生じる種．通常，汚染された水あるいは食物で感染する．

cy·clo·thy·mi·a (sī′klō-thī′mē-ă)．循環気質（双極性障害にみられるほどではないが，抑うつと軽躁の間の気分の顕著な動揺を特徴とする精神障害）．

cy·clo·thy·mic dis·or·der 循環病（軽躁とうつの期間を含んだ気分，変動を特徴とする情動障害．抑うつ障害の一型）．

cy·clo·thy·mic per·son·al·i·ty 循環気質性人格（周囲の状況とは通常，無関係な，周期性をもった気分の発揚や抑うつ感が起こる人格障害）．

cy·clot·o·my (sī-klot′ŏ-mē)．毛様体切開〔術〕．

cy·clo·tron (sī′klō-tron)．サイクロトロン（粒子加速器の一種．臨床的に有用な陽電子放出核種を生産するために使用される）．

cy·clo·tro·pi·a (sī′klō-trō′pē-a)．回転斜視（他眼に対する視軸に沿って一眼が回転する際の眼位の偏位）．

Cyd シチジンの記号．

cyl·in·der (C) (sil′in-dĕr)．***1*** 円柱レンズ. = cylindric lens. ***2*** 円柱（円柱または杆状の尿円柱）．***3*** ボンベ（気体を加圧下貯蔵する円筒状の金属性耐圧容器）．

cy·lin·dric lens (C) 円柱レンズ（一方の面の主経線が反対側の面の主経線より大きく弯曲しているレンズ．乱視の矯正に用いる）. = astigmatic lens.

cyl·in·dro·ad·e·no·ma (sil′in-drō-ad′ĕ-nō′mă). = cylindroma.

cyl·in·dro·ma (sil′in-drō′mă)．円柱腫（上皮性新生物の組織学的形態の1つ．しばしば悪性．肥厚した基膜であるヒアリン様間質中に封埋された新生物細胞の島を特徴とする．腺管(特に唾液腺，皮膚，および気管支の)より生じることがある）. = cylindroadenoma.

cyl·in·drom·a·tous car·ci·no·ma 円柱腫様癌. = adenoid cystic carcinoma.

cyl·in·dru·ri·a (sil′in-drūr′ē-ă)．円柱尿〔症〕（尿円柱がある状態）．

cym·bo·ce·phal·ic, cym·bo·ceph·a·lous (sim′bō-sĕ-fal′ik, -sef′ă-lŭs)．舟状頭蓋症の，舟状頭症の．

cym·bo·ceph·a·ly (sim′bō-sef′ă-lē)．舟状頭蓋症，舟状頭症. = scaphocephaly.

cyn·ic spasm 痙笑. = risus caninus.

cy·no·ceph·a·ly (sī′nō-sef′ă-lē)．イヌ様頭蓋，イヌ様頭（頭蓋が眼窩部から後方に傾斜をなす狭頭症．イヌの頭に類似する）．

cy·no·pho·bi·a (sī′nō-fō′bē-ă)．イヌ恐怖〔症〕，恐犬症（病的にイヌを恐れること）．

CYP cytochrome P450 enzymes（シトクロム P450 酵素）の略．普通，その後にアラビア数字，文字，さらに別のアラビア数字が付く（例えば，CYP 2D6）．これらの酵素は肝臓や，他の細胞の滑面小胞体の内部や表面に存在し，多くの薬物生体変換反応に関与する．

CYP 1A2 ミクロソーム酵素で，その基質には，テオフィリン，抗うつ薬，タクリンがある．この酵素はグレープフルーツジュースやキノロンによって阻害され，喫煙，フェノバルビタール，フェニトイン，リファムピン，オメプラゾールにより誘導される．

CYP 2C19 ミクロソーム酵素で，クロミプラミン，ジアゼパム，プロプラノロール，イミプラミン，オメプラゾールの酸化に部分的に関与する．フルオキセチン，セルトラリン，オメプラゾール，リチノビルにより阻害される．

CYP 2C9 ミクロソーム酵素で S-ワルファリン，フェニトインや，種々の NSAID の酸化に関与する．この酵素阻害薬としてはアゾール系抗菌薬（ケトコナゾール，イトラコナゾール，メトロニダゾール）がある．リファンピンにより誘導される．

CYP 2D6 イソ酵素で，多くの抗うつ薬，向精神薬，ベータアドレナリン作用性レセプタ，コデインを代謝する．この酵素はシメチジン，数種の抗うつ薬，向精神薬により阻害される．

CYP 2E1 ミクロソーム酵素で，エタノール，アセトアミノフェンの酸化に関与する．ジスルフィラムで阻害され，エタノールやイソニアジト（INH）で誘導される．アセトアミノフェンの肝毒性代謝物の生成に関与すると信じられている．

CYP 3A 肝細胞などとともに消化管細胞にも存在するシトクロム P450 の亜型である．ベンゾジアゼピン，カルシウムチャネル阻害薬，抗ヒスタミン薬，ステロイドホルモン，蛋白分解酵素阻害物質が基質になる．抗うつ薬，アゾール系抗真菌薬，シメチジン，エリスロマイシンは阻害する．フェノバルビタール，フェニトイン，リファンピン，カルバマゼピンにより誘導される．

Cys システイン（シスチンの半分），あるいはその一置換基または二置換基を示す記号．

cyst (sist). ***1*** 嚢，嚢胞．***2*** 嚢腫（気体，液体，または半固体物質を含んだ内膜をもつ異常嚢．→pseudocyst）．

cyst·ad·e·no·car·ci·no·ma (sist-ad′ĕ-nō-kahr′si-nō′mă). 嚢胞腺癌（腺上皮から生じる悪性新生物で，停留した分泌物が蓄積して嚢胞状になる．腫瘍細胞は種々の程度の退形成および浸潤性の度合いを示し，局所的増殖および転移を起こす．卵巣によくみられ，偽粘液性と漿液性がある）．

cyst·ad·e·no·ma (sist′ad-ĕ-nō′mă). 嚢胞腺腫（腺上皮から生じる組織学的に良性の新生物で，停留した分泌物が蓄積して嚢胞状になる）．= cystoadenoma.

cyst·al·gi·a (sist-al′jē-ă). 膀胱痛（嚢の痛み，特に膀胱の痛み）．

cys·ta·thi·o·nase (sis′tă-thī′ō-nās). シスタチオナーゼ．= cystathionine γ-lyase.

cys·ta·thi·o·nine (sis′tă-thī′ō-nēn). シスタチオニン（そのL-異性体はL-メチオニンからL-システインへの反応中間体．シスタチオナーゼにより分解される）．

cys·ta·thi·o·nine gamma (γ)-ly·ase シスタチオニンγ-リアーゼ（L-シスタチオニンをL-システインと2-ケト酪酸に加水分解してアンモニアを発生させる肝酵素．この酵素の欠損によりシスタチオニン尿症になる．メチオニン異化やシステインの生合成を触媒する段階）．= cystathionase.

cys·tec·ta·si·a, cys·tec·ta·sy (sis′tek-tā′zē-ă, sis-tek′tă-sē). 膀胱拡張．

cys·tec·to·my (sis-tek′tŏ-mē). ***1*** 膀胱切開〔術〕．***2*** 胆嚢切除〔術〕．***3*** 嚢胞切除〔術〕．

cys·te·ic ac·id システイン酸（システインの酸化生成物．タウリンおよびイセチオン酸の前駆物質）．

cys·te·ine (C, Cys) システイン（そのL-異性体はほとんどの蛋白中に見出される．特にケラチン中に豊富である）．

cys·tic (sis′tik). 嚢胞性の（①膀胱または胆嚢に関する．②嚢胞に関する．③嚢胞を有する）．

cys·tic ac·ne 嚢腫性痤瘡（破裂し，瘢痕化する毛孔性嚢腫を主病変とする重症の痤瘡）．

cys·tic ar·ter·y 胆嚢動脈（肝動脈の右枝より起こり，胆嚢，肝の臓側面に分布する）．= arteria cystica.

cys·tic dis·ease of the breast 乳房嚢胞病（乳腺の線維性嚢胞変化）．

cys·tic duct, cys·tic gall duct 胆嚢管（胆嚢から導かれる管．総肝管と結合して総胆管を形成する）．

cys·ti·cer·co·sis (sis′ti-sĕr-kō′sis). 嚢虫症，胞虫症（①ある種条虫の嚢尾幼虫(例えば，有鉤条虫 *Taenia solium* または無鉤条虫 *Taenia saginata*)が，皮下，筋肉内，または中枢神経系組織中で被嚢することによって起こる疾病．本症は，本来ブタやウシにみられ，そのため汚染豚肉および牛肉となる．ヒトでは，腸内で有鉤条虫 *Taenia solium* の卵がふ化するか，または人糞中の虫卵を偶発的に摂取することによって起こる．脳内に寄生し重症の神経障害を，また眼内に寄生し(通常は後室)眼の障害を引き起こすことがある．②他のテニア科条虫類の幼虫による，動物にみられる幼虫感染症）．

Cys·ti·cer·cus (sis′ti-sĕr′kŭs). 嚢〔尾〕虫〔属〕（環葉類条虫の被嚢幼虫．→cysticercus）．

cys·ti·cer·cus, pl. cys·ti·cer·ci (sis′ti-sĕr′kŭs, -sĕr′sī). 嚢〔尾〕虫（ある種の *Taenia* 属条虫の幼虫で，典型的なものは哺乳類中間宿主の筋肉に存在する．嚢虫は，液で充満した嚢よりなり，これから陥入して条虫頭節が発達する．→*Taenia saginata*; *Taenia solium*）．

cys·tic fi·bro·sis, cys·tic fi·bro·sis of the pan·cre·as 嚢胞性線維症，膵嚢胞性線維症（先天的代謝異常．外分泌腺の分泌が異常となる．粘液の粘着性が異常に高く，膵管，胆管，腸管，気管支などの通路が詰まり，汗中のナトリウム，塩素の量が増える．症状は通常，幼児期に出現し，胎便性イレウス，食欲旺盛状態での成長不良，吸収不良，多量の便，慢性の咳，再発性肺炎，気管支拡張，気腫，太鼓ばち指，暑い気候下での塩類欠乏などが発現する．逆方向遺伝学により遺伝子座位や遺伝子異常が詳細に解明されている）．

cys·tic fi·bro·sis trans·mem·brane reg·u·la·tor (CFTR) 嚢胞性線維症膜コンダクタンス制御因子（CF遺伝子の変異）．

cys·tic goi·ter 嚢腫性甲状腺腫（1個以上の嚢胞が腺内に存在する甲状腺部の腫脹）．

cys·tic lymph node 胆嚢リンパ節（胆嚢の頸部にある内臓リンパ節．そのリンパは肝リンパ節に注ぐ）．

cys·tic veins 胆嚢静脈（通常は前後の2本からなり，胆嚢と総胆管からの血液を集め総胆管に沿って進み門脈の右枝に流入する．周囲の胃・十二指腸・膵臓からの静脈と広範囲に吻合している）．

cys·ti·form (sis′ti-fōrm). 嚢胞状の．= cystoid (1).

cystinaemia [Br.]. = cystinemia.

cys·tine (sis′tēn). シスチン（2個のシステインのジスルフィド生成物で，2個の-SH基が1つの -S-S- 基となる．ときに尿中で沈積物としてみられ，膀胱結石となる）．

cys·tine cal·cu·lus シスチン結石（シスチンよりなる結石で，柔らかくX線で描出されにくい）．

cys·ti·ne·mi·a (sis′ti-nē′mē-ă). シスチン血〔症〕（血液中にシスチンが存在すること）．= cystinaemia.

cys·ti·nu·ri·a (sis′ti-nyūr′ē-ă). シスチン尿〔症〕（シスチンの過度の尿中排泄で，リシン，アルギニン，およびオルニチンの尿中への排泄を伴う．腎臓や腸におけるこれらのアミノ酸の輸送系の障害により起こる．腎機能はときにシスチン結晶尿症や腎結石症により障害される．

この病気は Fanconi 症候群(シスチン蓄積症)および肝レンズ核変性などの遺伝性疾患において発現する).

cys·ti·tis (sis-tī′tis). 膀胱炎 (膀胱の炎症).

cys·ti·tis cys·ti·ca 嚢胞性膀胱炎 (嚢胞形成を伴う腺性膀胱炎).

cys·ti·tis glan·du·la·ris 腺性膀胱炎 (尿路上皮の腺様陥入を伴う慢性膀胱炎).

cysto-, cysti-, cyst- ***1*** 膀胱に関する連結形. ***2*** 胆嚢管に関する連結形. ***3*** 嚢胞に関する連結形. *cf.* vesico-.

cys·to·ad·e·no·ma (sis′tō-ad-ĕ-nō′mă). = cystadenoma.

cys·to·car·ci·no·ma (sis′tō-kahr-si-nō′mă). 嚢胞癌 (嚢胞性変性が起こった癌腫. ときに誤って cystadenocarcinoma(嚢胞腺腫)として用いられる). = cystoepithelioma.

cys·to·cele (sis′tō-sēl). 膀胱ヘルニア, 膀胱瘤, 膀胱脱 (通常, 腟あるいは会陰口に脱出する). = colpocystocele; vesicocele.

cys·to·chro·mos·co·py (sis′tō-krō-mos′kŏ-pē). 色素膀胱鏡検査〔法〕(尿管口の機能の調査と確認のために, 色素の投与後, 膀胱の内部を検査すること). = chromocystoscopy.

cys·to·du·o·de·nal lig·a·ment 胆嚢十二指腸ひだ (胆嚢から十二指腸の最初の部分に走る腹膜のひだ).

cys·to·du·o·de·nos·to·my (sis′tō-dū′ō-dē-nos′tŏ-mē). 嚢胞十二指腸吻合術 (嚢胞(通常は膵の仮性嚢胞)の十二指腸内に排液する術). = duodenocystostomy(2).

cys·to·ep·i·the·li·o·ma (sis′tō-ep-i-thē′lē-ō′mă). 膀胱上皮腫. = cystocarcinoma.

cys·to·fi·bro·ma (sis′tō-fī-brō′mă). 嚢胞線維腫 (嚢胞あるいは嚢胞様の病巣が形成されている線維腫).

cys·to·gram (sis′tō-gram). 膀胱造影像 (膀胱の造影剤による造影).

cys·tog·ra·phy (sis-tog′ră-fē). 膀胱〔X 線〕造影(撮影)〔法〕(造影剤を注入した膀胱の X 線撮影法).

cys·toid (sis′toyd). ***1*** 〚adj.〛嚢形の, 膀胱様の, 嚢様の. = cystiform; cystomorphous. ***2*** 〚n.〛類嚢胞 (液体, 粒状で軟らかい内容物を含み, 被膜のない嚢胞に似た腫瘍).

cys·toid mac·u·lop·a·thy 嚢胞様黄斑症 (中心網膜の嚢胞様変性. 白内障摘出術後, 老年性黄斑変性および他の網膜異常において生じる).

cys·to·li·thi·a·sis (sis′tō-li-thī′ă-sis). 膀胱結石症 (膀胱に結石が存在すること).

cys·to·lith·ic (sis′tō-lith′ik). 膀胱結石の (膀胱結石に関する).

cy·sto·lith·o·la·pax·y (sis′tō-lith′ō-lā-paks-ē). 膀胱砕石術 (膀胱内で結石を砕石し, 破片を灌流により除去する膀胱結石の治療法).

cys·to·li·thot·o·my (sis′tō-li-thot′ŏ-mē). 膀胱結石切除〔術〕(膀胱壁を切開し, 膀胱から結石を取り除く術).

cys·to·ma (sis-tō′mă). 嚢腫 (嚢胞性腫瘍. 嚢胞を含む新生物).

cys·tom·e·ter (sis-tom′ĕ-tĕr). 膀胱計 (容量, 感覚, 膀胱内圧, 残尿を測定して膀胱の機能を調べるのに用いる器具).

cys·to·met·ro·gram (sis′tō-met′rō-gram). 膀胱内圧測定図 (様々な容量での膀胱の内圧の記録図).

cys·tom·e·try, cys·to·me·trog·ra·phy (sis-tom′ĕ-trē, sis′tō-mĕ-trog′ră-fē). 膀胱内圧測定〔法〕(膀胱の圧と容量の関係を測定する方法. →cystometer).

cys·to·mor·phous (sis′tō-mōr′fŭs). 嚢胞様の, 膀胱様の. = cystoid(1).

cys·to·pan·en·dos·co·py (sis′tō-pan-en-dos′kŏ-pē). 膀胱尿道鏡 (特殊な内視鏡を逆行性に尿道から膀胱へ挿入して行う膀胱および尿道内腔の検査).

cys·to·pa·ral·y·sis (sis′tō-păr-al′i-sis). = cystoplegia.

cys·to·pex·y (sis′tō-pek-sē). 膀胱固定〔術〕, 胆嚢固定〔術〕(胆嚢や膀胱を腹壁または他の支持構造物に固定する外科手術).

cys·to·plas·ty (sis′tō-plas-tē). 膀胱形成〔術〕(膀胱の形成手術. *cf.* ileocystoplasty).

cys·to·ple·gi·a (sis′tō-plē′jē-ă). 膀胱麻痺. = cystoparalysis.

cys·top·to·sis, cys·to·pto·si·a (sis′tō-tō′sis-tō-tō′sis, sis-top-tō′sē-ă). 膀胱下垂 (膀胱粘膜の一部が尿道内に下垂すること).

cys·to·py·e·li·tis (sis′tō-pī-ĕl-ī′tis). 膀胱腎盂炎.

cys·to·py·e·lo·ne·phri·tis (sis′tō-pī′ĕl-ō-nef-rī′tis). 膀胱腎盂腎炎 (膀胱, 腎盂, および腎実質の炎症).

cys·to·rec·tos·to·my (sis′tō-rek-tos′tŏ-mē). = vesicorectostomy.

cys·tor·rha·phy (sis-tōr′ă-fē). 膀胱縫合〔術〕(膀胱の損傷または欠損の縫合).

cys·tor·rhe·a (sis′tōr-ē′ă). 膀胱膿漏 (膀胱からの粘液漏出).

cystorrhoea [Br.]. = cystorrhea.

cys·to·sar·co·ma (sis′tō-sahr-kō′mă). 嚢腫〔状〕肉腫 (嚢腫または嚢腫様病巣をもつ肉腫).

cys·to·scope (sis′tŏ-skōp). 膀胱鏡 (膀胱内部を検査するための照明付管状内視鏡).

cys·to·scop·ic ur·og·ra·phy 膀胱鏡尿路造影(撮影)〔法〕. = retrograde urography.

cys·tos·co·py (sis-tos′kŏ-pē). 膀胱鏡検査〔法〕(膀胱鏡を用いて膀胱内部を検査する法).

cys·tos·to·my (sis-tos′tŏ-mē). 膀胱瘻設置術 (膀胱に開孔を作成する術). = vesicostomy.

cys·to·tome (sis′tō-tōm). ***1*** 膀胱切開刀, 胆嚢切開刀 (膀胱あるいは胆嚢の切開に用いる器具). ***2*** 水晶体包〔被膜〕切開刀 (水晶体の被膜の切開に用いる外科用器具).

cys·tot·o·my (sis-tot′ŏ-mē). 膀胱切開〔術〕, 胆嚢切開〔術〕(膀胱あるいは胆嚢の切開または穿刺術). = vesicotomy.

cys·to·u·re·ter·i·tis (sis′tō-yūr′ĕ-tĕr-ī′tis). 膀胱尿管炎 (膀胱および一方あるいは両方の尿管の炎症).

cys·to·u·re·ter·o·gram (sis′tō-yūr-ē′tĕr-ō-gram). 膀胱尿管造影図 (膀胱と尿管の X 線

図).

cys·to·u·re·ter·og·ra·phy (sis′tō-yūr′ē-tĕr-og′ră-fē). 膀胱尿管造影〔法〕(膀胱と尿管のX線撮影法).

cys·to·u·re·thri·tis (sis′tō-yūr′ĕ-thrī′tis). 膀胱尿道炎(膀胱と尿道の炎症).

cys·to·u·re·thro·gram (sis′tō-yūr-ē′thrō-gram). 膀胱尿道造影図(排尿中に膀胱と尿道を造影剤で満たし尿道を描出するためのX線図). = voiding cystogram.

cys·to·u·re·throg·ra·phy (sis′tō-yūr′ē-throg′ră-fē). 膀胱尿道造影〔法〕(経静脈的あるいは逆行性にカテーテルを挿入し造影剤を投与し，膀胱を充満した後，排尿時に行う膀胱および尿道のX線撮影).

cys·to·u·re·thro·scope (sis′tō-yūr-ē′thrŏ-skōp). 膀胱尿道鏡(膀胱鏡と尿道鏡の両方の用途をもつ器具．膀胱と尿道の両方の視覚検査が可能である).

Cyt シトシンの記号.

cy·ta·pher·e·sis (sī′tă-fĕr-ē′sis). 血球アフェレーシス(供血者よりまず，採血し，ある細胞成分を分離採取して，血漿および残りの他の成分は供血者に返血する手法).

-cyte 細胞に関する接尾語.

cyt·i·dine (C, Cyd) シチジン(リボ核酸の主成分). = cytosine ribonucleoside.

cyt·i·dine 5′-di·phos·phate (CDP) シチジン5′-二リン酸(シチジンと二リン酸との5′位でのエステル体).

cyt·i·dine 5′-tri·phos·phate (CTP) シチジン5′-三リン酸(シチジンと三リン酸との5′位でのエステル体).

cyt·i·dyl·ic ac·id シチジル酸(リボ核酸の成分でシチジン一リン酸に同じ．リボースのOH基につくリン酸基の位置によって5種の異性体が可能).

cyto-, cyt- 細胞に関する連結形.

cy·to·ar·chi·tec·ture (sī′tō-ahr′ki-tek-shūr). 細胞構築(組織中での細胞の配置．脳，特に大脳皮質内の神経細胞体の配置).

cy·to·cen·trum (sī′tō-sen′trŭm). 細胞中心体(1，2個の中心粒を含み他の細胞小器官は含まない細胞原形質の部域．通常，細胞の核の近辺にあたる). = centrosome; microcentrum.

cy·to·chem·is·try (sī′tō-kem′is-trē). 細胞化学〔反応〕(化学物質，反応部位，酵素などの細胞内分布を研究する学問．染色反応，放射性同位元素の取込み，電子顕微鏡検査の選択的金属分布，あるいは他の手法をしばしば用いる). = histochemistry.

cy·to·chrome (sī′tō-krōm). シトクロム(ヘム鉄の原子価の可逆的変化によって電子および(または)水素の伝達を行うことをその主要な生物学的機能とする，ヘム蛋白の一群．特に細菌，緑色植物，藻類には多くの変種があり，その1つとしてはシトクロム *c* の一型 *f* がある．ミトコンドリアのシトクロム系はシトクロム *c* オキシダーゼによって分子状酸素を最終電子受容体とする電子伝達系(呼吸系)を構成する).

cy·to·chrome P-450 sys·tem シトクロムP450系，チトクロムP450系(ヒト肝臓，腸管，腎臓，肺や中枢神経系(CNS)に存在し種々の酸化反応を触媒する不均一な酵素群．これらの酵素群は薬物，毒素，ホルモンや天然植物成分などの多くの内因性や外因性基質の代謝に関わる．シトクロムP450酵素は化学構造(アミノ酸配列)に基づいて分類される．各酵素の命名はまずCYP，次に帰属しているファミリーの番号，サブファミリーの記号，またときに個々の酵素を表す二次番号からなっている).

cy·to·ci·dal (sī′tō-sī′dăl). 細胞を殺す.

cy·to·cide (sī′tō-sīd). 細胞破壊薬.

cy·toc·la·sis (sī-tok′lă-sis). 細胞破壊.

cy·to·clas·tic (sī′tō-klas′tik). 細胞破壊〔性〕の.

cy·to·di·ag·no·sis (sī′tō-dī-ăg-nō′sis). 細胞診〔断学〕(滲出液または他の体液中の細胞の鏡検によって病理過程の型や，また可能な場合その原因を診断する学問).

cy·to·gen·e·sis (sī′tō-jen′ĕ-sis). 細胞発生(細胞の起源および発達の過程).

cy·to·ge·net·i·cist (sī′tō-jĕ-net′i-sist). 細胞遺伝学者.

cy·to·ge·net·ics (sī′tō-jĕ-net′iks). 細胞遺伝学(細胞，特に染色体の構造と機能を対象とする遺伝学の一分野．現代分子細胞遺伝学は，染色体を減数分裂時に固定して，特徴的なバンドを描写するために種々の試薬で染色するといった顕微鏡的研究が多く行われてきた．DNAプローブは特定の遺伝子配列を突き止めるために用いられる．細胞遺伝学の手法は，先天性代謝異常，Down症候群のような遺伝的異常，解剖学的に決定不能な際の性決定に用いられる).

cy·to·gen·ic (sī′tō-jen′ik). 細胞発生の.

cy·to·gen·ic re·pro·duc·tion 細胞性生殖(単細胞の生殖細胞による生殖．胞子による有性および無性生殖を含む).

cy·tog·e·nous (sī-toj′ĕ-nŭs). 細胞形成〔性〕の.

cy·to·glu·co·pe·ni·a (sī′tō-glū-kō-pē′nē-ă). 細胞内糖減少〔症〕(細胞内のブドウ糖の欠乏).

cy·toid (sī′toyd). 細胞様の.

cy·to·ker·a·tin (sī′tō-ker′a-tin). サイトケラチン. = keratin.

cy·to·kine (sī′tō-kīn). サイトカイン(種々の細胞から分泌されるおびただしい数のホルモン様低分子蛋白の総称で，免疫反応の強さと期間を調節し細胞同士の情報交換を媒介する．→interferon; interleukin; lymphokine).

cy·to·ki·ne·sis (sī′tō-ki-nē′sis). 細胞質分裂(細胞分裂中に，核以外の細胞質中に起こる変化).

cy·to·log·ic (sī′tō-loj′ik). 細胞学の.

cy·to·log·ic smear 細胞学的スミア，細胞学的塗抹〔標本〕(通常は95%エチルアルコールとPapanicolaou染色を用いて，サンプル(多くの部位から様々な方法により得られるもの)を塗抹，固定，染色してつくる細胞学的標本の一種).

cy·tol·o·gist (sī-tol′ŏ-jist). 細胞学者.

cy·tol·o·gy (sī-tol′ŏ-jē). 細胞学(細胞の解剖・生理・病理・化学の研究). = cellular biology.

cy·tol·y·sin (sī-tol′i-sin). 細胞溶解素(動物細胞を部分的あるいは完全に破壊する抗体のよう

な物質．このとき補体を必要とする場合もある．→perforin）．

cy·tol·y·sis (sī-tol′i-sis)．細胞溶解〔反応〕，細胞崩壊．

cy·to·ly·so·some (sī′tō-lī′sō-sōm)．サイトリソソーム，自食作用胞（ミトコンドリア，リボソーム，その他の細胞小器官の遺残を含んだ種々の二次リソソーム）．

cy·to·lyt·ic (sī′tō-lit′ik)．細胞溶解の．

cy·to·me·ga·lic in·clu·sion dis·ease 巨細胞性封入体病（ヘルペスウイルス科のサイトメガロウイルスにより起こる．新生児の諸器官の巨細胞の核や細胞質内に封入体がみられ，黄疸，肝腫，脾腫，紫斑病，血小板減少症，熱などの症状を示し死亡する．このような状態は，どの年齢層でも免疫機能が著しく低下するような他の疾患の合併症としてみられ，また明らかに局所の軽い感染症によると思われる唾液腺ウイルス病の際，唾液腺上皮などにみられることがある）．= inclusion body disease.

cy·to·meg·a·lo·vi·rus (CMV) (sī′tō-meg′ă-lō-vī′rŭs)．サイトメガロウイルス（ヒトや他の動物に感染するヘルペスウイルス科のウイルスの一群で，その多くが，唾液腺に特別な親和性をもち，多くの器官の細胞を巨大化させ，細胞質や核内に特徴的な封入体(owl eye)を発達させる．子宮内感染により胎児に奇形を起こしたり，ときに胎児死を起こす．これらのウイルスはすべて種特異性で，唾液腺ウイルス，ブタの封入体鼻炎ウイルスなどが含まれる）．= human herpesvirus 5.

cy·to·met·a·pla·si·a (sī′tō-met-ă-plā′zē-ă)．細胞化生（新生物形成に関係する変化以外の細胞の形態または機能の変化）．

cy·tom·e·ter (sī-tom′ĕ-ter)．血球計算器（細胞，特に血球の計数測定に用いる，規線を刻んだガラススライド，または規格化された一定容量のガラス容器）．

cy·tom·e·try (sī-tom′ĕ-trē)．血球計算〔法〕（血球計算器や血球計算板を用いて，細胞，特に血球を数えること）．

cy·to·mor·phol·o·gy (sī′tō-mōr-fol′ŏ-jē)．細胞形態学（細胞の構造の研究）．

cy·to·mor·pho·sis (sī′tō-mōr-fō′sis)．細胞変態（細胞がその生涯に示す種々の変化．→prosoplasia）．

cy·to·path·ic (sī′tō-path′ik)．細胞障害の．

cy·to·path·o·gen·ic (sī′tō-path-ō-jen′ik)．細胞変性〔性〕の（組織学的変化とは対照的に，細胞に病的状態を起こす因子や物質についていう．特に組織培養細胞における効果に関して用いる）．

cy·to·path·o·gen·ic vi·rus 細胞変性ウイルス（その増殖により宿主細胞が変性を受けるウイルス）．

cy·to·path·o·log·ic, cy·to·path·o·log·i·cal (sī′tō-path-ŏ-loj′ik, -loj′i-kăl)．*1* 細胞病理学的（病気の際にみられる細胞レベルの変化に関した）．*2* 細胞病理学の．

cy·to·pa·thol·o·gist (sī′tō-pă-thol′ŏ-jist)．細胞病理学者（特に細胞病理学の訓練と経験を有する医師）．

cy·to·pa·thol·o·gy (sī′tō-pă-thol′ŏ-jē)．細胞病理学（①個々の細胞内の病的変化を研究する学問．②剥離細胞診．= exfoliative cytology）．

cy·top·a·thy (sī-top′ă-thē)．細胞障害（細胞またはその構成成分のあらゆる異常）．

cy·to·pe·ni·a (sī′tō-pē′nē-ă)．血球減少〔症〕（循環血液中の構成細胞の減少あるいは欠如）．

cy·toph·a·gous (sī-tof′ă-gŭs)．食細胞性の，細胞破壊性の．

cy·toph·a·gy (sī-tof′ă-jē)．細胞食作用（食細胞による他細胞の貪食）．

cy·to·phil·ic (sī′tō-fil′ik)．= cytotropic.

cy·to·phil·ic an·ti·bod·y 細胞親和性抗体．= cytotropic antibody.

cy·to·pho·tom·e·try (sī′tō-fō-tom′ĕ-trē)．細胞光度測定法，細胞測光法，サイト〔フォト〕メトリ（染色された顕微鏡的構造体(例えば，染色体，核，全細胞)による単色光の吸光度を光電管によって測定する方法．また，適当な蛍光色素を用いて上記の構造体より発する蛍光を測定する目的でも用いる）．

cy·to·phy·lac·tic (sī′tō-fi-lak′tik)．細胞防御の．

cy·to·phy·lax·is (sī′tō-fī-lak′sis)．細胞防御（細胞融解物質に対する細胞の防御）．

cy·to·plasm (sī′tō-plazm)．細胞質，細胞形質（核以外の細胞物質．コロイド状原形質中に種々の細胞小器官や封入体を含む．→protoplasm; hyaloplasm; cytosol）．

cy·to·plas·mic (sī′tō-plaz′mik)．細胞質の，細胞形質の．

cy·to·plas·mic bridg·es = intercellular bridges.

cy·to·plas·mic in·clu·sion bod·ies 細胞質〔内〕封入体（→inclusion bodies）．

cy·to·plas·mic in·her·i·tance 細胞質遺伝（核由来でない自己増殖性因子によって形質が伝えられること．例えば，ミトコンドリアのDNA）．

cy·to·plast (sī′tō-plast)．細胞質体，細胞原形質（細胞核の除去で残る生きた無傷の細胞質）．

cy·to·re·duc·tive ther·a·py 細胞減少療法（通常，悪性疾患において，病変部の細胞数を減じる目的で行う治療）．

cy·to·screen·er (sī′tō-skrēn′ĕr)．= cytotechnologist.

cy·to·sine (Cyt) (sī′tō-sēn)．シトシン（核酸中に見出されるピリミジンの1つ）．

cy·to·sine ar·a·bin·o·side (CA) *1* 腫瘍治療で，代謝拮抗物質として用いられる合成ヌクレオシド．*2* arabinosylcytosine の不適切な語．

cy·to·sine ri·bo·nu·cle·o·side シトシンリボヌクレオシド．= cytidine.

cy·to·sis (sī-tō′sis)．*1* 細胞増加〔症〕（急性軟膜炎における脊髄液の細胞増加のように，正常以上の細胞数が存在する状態）．*2* 細胞に関したある種の状態を記述するために接頭語結合形でしばしば用いる．例えば，isocytosis(大きさが等しい)，polycytosis(数の異常な増加)．

cy·to·skel·e·ton (sī′tō-skel′ĕ-tŏn)．細胞骨格

(細胞質の支持体として細胞をまとめたり細胞内小器官を形成するトノフィラメント，ケラチン，デスミン，神経細糸，その他の中間フィラメント）.

cy·to·sol (sī′tō-sol). 細胞質ゾル，サイトゾル（ミトコンドリア，小胞体その他の膜状構造物を除いた細胞質）.

cy·to·sol·ic (sī-tō-sol′ik). 細胞質ゾルの，サイトゾルの（細胞質ゾルに関する，または含まれる）.

cy·to·some (sī′tō-sōm). 細胞質体，シトソーム，サイトソーム（①核を除いた細胞体. ②肺胞表面に界面活性剤を放出するII型肺胞上皮細胞中にみられる明瞭な顆粒. = multilamellar body）.

cy·tos·ta·sis (sī-tos′tā-sis). 細胞性塞栓（炎症部位でみられるように，毛細血管内での血液細胞(特に多形核白血球)の緩慢化した動きおよび蓄積. 白血球の蓄積による毛細血管の塞栓）.

cy·to·stat·ic (sī′tō-stat′ik). 細胞増殖抑制性の，細胞性塞栓の.

cy·to·tac·tic (sī′tō-tak′tik). 細胞走性の.

cy·to·tax·is, cy·to·tax·i·a (sī′tō-tak′sis, -sē-ă). 細胞走性（細胞が互いに誘引(正細胞走性 **positive cytotaxis**)，または反発(負細胞走性 **negative cytotaxis**)すること）.

cy·to·tech·nol·o·gist (sī′tō-tek-nol′ŏ-jist). 細胞検査士（細胞病理学を特別に修めた人で，Papanicolaou 塗抹染色標本をスクリーニングして陰性のものと病理医の再検査が必要なものとに分ける. →Papanicolaou (Pap) smear; Papanicolaou (Pap) test）. = cytoscreener.

cy·toth·e·sis (sī-toth′ē-sis). 細胞整復，細胞復位（細胞の損傷の修復. 細胞の回復）.

cy·to·tox·ic (sī′tō-tok′sik). 細胞毒〔性〕の，細胞傷害性の（細胞に有害な，または細胞を破壊する）.

cy·to·tox·ic·i·ty (sī′tō-tok-sis′i-tē). 細胞毒性，細胞傷害（細胞毒作用をもたらす性質または状態）.

cy·to·tox·ic re·ac·tion 細胞傷害性反応（細胞表面上に存在する特異抗原物質に対する特異的な抗体 IgG や IgM が結合することによって生じる免疫学的(アレルギー性)反応で，これらの抗体には直接的な細胞親和性はない. この反応の結果生じた複合体は補体の活性化を促進し，その結果として細胞融解や他の細胞傷害を起こさせる. 補体の関与のないときには食作用や T リンパ球の介入を亢進させ，細胞傷害を誘発させると考えられている）.

cy·to·tox·in (sī′tō-tok′sin). 細胞毒〔性〕（ある種の物質で，抗体である場合と他の物質である場合がある. 細胞の機能の抑制や妨害，または細胞の破壊，あるいはその両方を起こすもの）.

cy·to·tro·pho·blast (sī′tō-trof′ō-blast). 栄養膜細胞層（栄養膜の深部層）.

cy·to·tro·pho·blas·tic cells 細胞栄養層細胞（胎盤絨毛の合胞体栄養細胞の重層をつくるために融合する幹細胞）. = Langhans cells(2).

cy·to·tro·pic (sī′tō-trō′pik). 細胞向性の，細胞親和性の. = cytophilic.

cy·to·tro·pic an·ti·bod·y 細胞親和性抗体（抗体自身の有する抗原特異な反応性の他に，ある種の細胞に親和性を有する抗体. 細胞への親和性は抗体分子の H 鎖の Fc 部分の性質による. →heterocytotropic antibody; homocytotropic antibody）. = anaphylactic antibody; cytophilic antibody.

cy·tot·ro·pism (sī-tot′rō-pizm). 細胞向性（①細胞親和性. ②特異細胞親和性，特にウイルスが特異細胞内に局在したり，その細胞を損傷したりする能力）.

cy·tu·ri·a (sī-tyūr′ē-ă). 細胞尿〔症〕（異常な数の細胞の尿中への排泄）.

Cza·pek so·lu·tion a·gar ツザペク溶液寒天〔培地〕（細菌培養と *Aspergillus* 属および *Penicillium* 属の種の同定のために用いる培地）.

Czer·ny-Lem·bert su·ture チェルニー-ランベール縫合（Czerny 縫合(第一)と Lembert 縫合(第二)を併用した 2 層の腸縫合）.

Czer·ny su·ture チェルニー縫合（Czerny-Lembert 腸縫合の第一層. 針を漿膜から入れ粘膜下または筋層を通して引き抜き，次に反対側の粘膜下または筋層に入れて漿膜から引き抜く）.

D

Δ, ∂ デルタ（→delta）.
D date dictated; dictated; diopter; dalton の略.
d deci- の記号．ラテン語 *dexter*（右，直径，日）の略.
***d*-** 右旋性化合物を示す接頭語．(+)または(−)が用いられる場合は使用を避ける．*cf.* *l*-.
D- ある化合物が立体構造的に，立体化学的命名法の基準である D-グリセルアルデヒドに関連していることを示す接頭語．*cf.* L-.
-*d* 化合物中に正常濃度以上に重水素が存在する，すなわちその化合物を標識していることを示す接尾語．下付き文字(d_2，d_3 など)はジューテリウムの数を示す.
DA developmental age の略.
Da ダルトンの記号.
dA, dAdo deoxyadenosine の略.
da deca- の記号.
Da·ae dis·ease ダーエ病（→hand-foot-and-mouth disease）. = epidemic pleurodynia.
d'A·cos·ta syn·drome ダ・コスタ症候群（高山に登ってから数時間〜数日で起こる，肺水腫や脳浮腫を伴う，吐き気や嘔吐，頭痛，気分変動，不眠といった症状．重症時には死に至るケースもある．呼吸数の増加を伴う低酸素症と，その結果生じる呼吸性アルカローシスによって引き起こされる）.
dacryo-, dacry- 涙，涙嚢，涙管に関する連結形.
dac·ry·o·ad·e·ni·tis (dak′rē-ō-ad-ĕ-nī′tis). 涙腺炎.
dac·ry·o·blen·nor·rhe·a (dak′rē-ō-blen-ŏr-ē′ă). 涙嚢漏，慢性涙嚢炎（涙嚢からの慢性的粘液流出）. = dacryoblennorrhoea.
dacryoblennorrhoea ［Br.］. = dacryoblennorrhea.
dac·ry·o·cele (dak′rē-ō-sēl). = dacryocystocele.
dac·ry·o·cyst (dak′rē-ō-sist). 涙嚢. = lacrimal sac.
dac·ry·o·cys·tal·gi·a (dak′rē-ō-sis-tal′jē-ă). 涙嚢痛.
dac·ry·o·cys·tec·to·my (dak′rē-ō-sis-tek′tŏ-mē). 涙嚢切除〔術〕.
dac·ry·o·cys·to·cele (dak′rē-ō-sis′tō-sēl). 涙嚢ヘルニア（涙嚢の前方突出）. = dacryocele.
dac·ry·o·cys·to·rhi·nos·to·my (dak′rē-ō-sis′tō-rī-nos′tŏ-mē). 涙嚢鼻腔吻合〔術〕（涙骨の開口部を通して涙嚢と鼻粘膜との間に吻合をつくる手術）.
dac·ry·o·cys·tot·o·my (dak′rē-ō-sis-tot′ŏ-mē). 涙嚢切開〔術〕.
dac·ry·o·cyte (dak′rē-ō-sīt). 涙滴赤血球（一方が延長して点状になった赤血球．teardrop ともよばれる．骨髄化生を伴う骨髄線維症に，これらの変形赤血球が伴う）. = teardrop cell.
dacryohaemorrhoea ［Br.］. = dacryohemorrhea.
dac·ry·o·hem·or·rhe·a (dak′rē-ō-hem-ŏr-ē′ă). 血性流涙. = dacryohaemorrhoea.
dac·ry·o·lith (dak′rē-ō-lith). 涙〔結〕石（涙器内の結石）. = ophthalmolith; tear stone.
dac·ry·o·li·thi·a·sis (dak′rē-ō-li-thī′ă-sis). 涙〔結〕石症（涙結石が形成され，存在すること）.
dac·ry·ops (dak′rē-ops). ***1*** 眼内に過量の涙液が貯留すること．***2*** 涙腺嚢腫（涙腺の涙管の嚢腫）.
dac·ry·o·py·or·rhe·a (dak′rē-ō-pī′ŏr-ē′ă). 膿様流涙（白血球を含んだ涙液の流出）. = dacryopyorrhoea.
dacryopyorrhoea ［Br.］. = dacryopyorrhea.
dac·ry·or·rhe·a (dak′rē-ō-rē′ă). 涙流過多，多涙〔症〕. = dacryorrhoea.
dacryorrhoea ［Br.］. = dacryorrhea.
dac·ry·o·ste·no·sis (dak′rē-ō-stĕ-nō′sis). 涙管閉鎖〔症〕（涙管の狭窄）.
dac·tyl (dak′til). 指. = digit.
dac·ty·li·tis (dak′ti-lī′tis). 指炎.
dactylo-, dactyl- 手指，ときに足指に関する連結形．digit の項を参照.
dac·ty·lo·camp·sis (dak′ti-lō-kamp′sis). 指の永久屈曲.
dac·ty·lo·gry·po·sis (dak′ti-lō-gri-pō′sis). 指弯曲〔症〕，鉤状指.
dac·ty·lol·y·sis (dak′ti-lol′i-sis). 指欠損症（指を自然発症的に失うこと．ハンセン病やアインフムに見られる．また，子宮内で足指や手指に髪がきつくからまり切断につながるケースもある）.
dac·tyl·o·meg·a·ly (dak′til-ō-meg′ă-lē). 巨指〔症〕（手足の巨指）. = megadactyly.
dac·ty·lus, pl. dac·ty·li (dak′ti-lŭs, -lī). 指. = digit.
DAF (dăf). delayed auditory feedback の略.
Da Fa·no stain ダファーノ染色〔法〕（硝酸塩とホルマリンの混合液で組織を固定後，Golgi 体を黒色化させる銀染色）.
dag·ger flow·er = blue flag.
da-huang (dah-hwahng). = Chinese rhubarb.
dail·y val·ue (DV) 栄養一日量（カナダと米国で食べ物のラベル用に開発された，一日に摂取すべき栄養素の基準値）.
Dal·rym·ple sign ダルリンプル徴候（Graves 病の場合，上瞼が後退している．眼瞼裂が異常に広い）.
dal·ton (Da, D) (dawl′tŏn). ダルトン（炭素 12 原子の質量の 1/12 相当の質量の非公式単位．原子量基準では 1.0000 に相当．単位は異なるが，数のうえでは分子量すなわち粒子量(原子質量単位)に等しい）.
dal·ton·ism (dawl′tŏn-izm). 先天〔性〕の色覚異常（特に 2 型 2 色覚）.
Dal·ton law ドールトンの法則（混合気体中の各気体の圧力はその気体の百分率に比例し，存在するその他の気体とはまったく無関係である). = law of partial pressures.

DALYs (dā′lēz). disability-adjusted life years の略.

dam (dam). ダム (①液体の流れに対する障壁の総称. ②特に外科と歯科において, 手術野への液体の流れを止めるための薄いゴム).

dam·age risk cri·te·ri·a 騒音の許容値 (様々な周波数の騒音について, 安全または許容できるレベルの最大値. 特定の音にさらされることによる聴覚喪失の危険性. 騒音暴露の許容限界を決定するための手段となる).

dam·i·an·a (dah-mē-ah′nah). ダミアナ (*Turnera diffusa* から作られるハーブ. 性欲促進薬及び減量サプリメントとして効果があるとされる. 強縮性発作が報告されている). = herba de la pastora; miziboc.

dAMP deoxyadenylic acid の略.

damp (damp). ***1***〖adj.〗湿気のある, 湿らす, 湿った. ***2***〖n.〗湿気, 水気, 水蒸気. ***3***〖n.〗有毒ガス, 悪気 (鉱山の悪気, 酸化炭素(炭坑ガス, コークスガス)や種々の爆発性炭化水素(爆発ガス)の蒸気で満たされた空気).

Da·na op·er·a·tion デーナ手術. = posterior rhizotomy.

dance (dans). 舞踏 (脳の損傷による, 不随意運動).

Dance sign ダンス徴候 (腸重積症の場合の右腸骨窩付近の軽度の陥凹).

dan·der (dan′dĕr). ***1*** ふけ (皮膚および頭皮の細かい鱗屑. →dandruff). ***2*** アトピー性の人にアレルギー反応を起こしうる動物の毛または毛皮からの正常の産物.

dan·druff (dan′drŭf). ふけ (頭髪中に存在する白色または灰色の鱗屑. 表皮の過度あるいは正常なぬか状剥脱により生じる. →seborrheic dermatitis). = scurf; seborrhea sicca(2).

Dan·dy op·er·a·tion ダンディ手術 (→third ventriculostomy; trigeminal rhizotomy).

Dan·dy-Walk·er syn·drome ダンディ-ウォーカー症候群 (第4脳室の発生異常で, Luschka 孔や Magendie 孔の閉塞を合併する. その結果, 小脳の形成不全, 水頭症と後頭蓋嚢胞形成をきたす).

Dane par·ti·cles デーン粒子 (肝炎に関連する抗原で大型の球形をしている. この粒子はB型肝炎ウイルスのビリオンを含む).

Dane stain デーン染色〔法〕(ヘマラム, フロキシン, アルシアンブルーとオレンジGを用いるプレケラチン, ケラチン, ムチンの染色. 核は橙色から褐色に, 酸性ムコ多糖体は淡青色に, そしてケラチンは橙色から赤橙色に染まる).

Dan·forth sign ダンフォース徴候 (吸気時の肩甲痛. 破裂型子宮外妊娠における腹腔内出血の横隔膜刺激が原因).

Dan·iels·sen dis·ease ダニエルセン病. = anesthetic leprosy.

DANS (dans). 1-dimethylaminonaphthalene-5-sulfonic acid の略. 免疫組織化学で抗原検出に用いる緑色蛍光化合物.

dan·syl (dns, DNS) ダンシル; 5-dimethylaminonaphthalene-1-sulfonyl radical (NH_2 基の保護基. ペプチド合成に用いる).

d'Ar·cet met·al ダルセー合金 (鉛, 蒼鉛, スズからなる合金. 歯科において用いる).

Da·ri·er dis·ease ダリエ病. = keratosis follicularis.

Da·ri·er sign ダリエ徴候 (色素性じんま疹(肥満細胞症)の皮膚病変をこすって起こるじんま疹).

dark ad·ap·ta·tion 暗順応 (照明を弱くしたときに起こる視覚の順応で, 光に対する網膜の感受性が増進する. →dark-adapted eye). = scotopic adaptation.

dark-a·dapt·ed eye 暗順応眼 (暗い所または半ば暗い所にいてロドプシン(視紅)が再生された状態の眼で, 弱い光にもよく感じるようになっている). = scotopic eye.

dark cells 暗細胞 (内リンパを分泌する内耳の色素細胞).

dark-field mi·cro·scope 暗視野顕微鏡 (光を対象から散乱させるような絞りの付いた特別なコンデンサと対物レンズとをもつ顕微鏡. 対象物は暗い背景上で明るく見える).

dark green top tube ダークグリーン栓管 (添付された管にヘパリンナトリウムが入っていることを表す色. ヘパリン処置した血漿や, より詳しい検査用の血液を収集する際に用いられる).

Dar·row red ダローレッド (塩基性オキサジン染料. Nissl 物質を染色する際に酢酸クレシルバイオレットの代用として用いる).

dar·win·i·an (dahr-win′ē-ăn). Darwin に関する, または彼の記した.

dar·win·i·an ev·o·lu·tion ダーウィン進化 (当時の環境において, 生存に最も適した表現型が優先的に生存するという働きの結果として, 種の構成員の遺伝子型に無作為変異(突然変異)の効果が組み合わされることに種の系統発生はすべて帰せられるという提案).

dar·win·i·an re·flex ダーウィン反射 (乳児が棒や下がっている物をつかみたがるような傾向. *cf.* grasping reflex).

dar·win·i·an tu·ber·cle ダーウィン結節. = auricular tubercle.

DAS developmental apraxia of speech の略.

da·ta (dā′tă). データ (推測, 検定, モデルなどの基になる(通常は経験によるものであるが常にそうとは限らない)複数の事象. この単語は複数形であり, 複数形に対応する動詞を伴う).

da·ta·base (dā′tă-bās). データベース (あるトピックについての情報の集積. 素早い探索や検索のため, デジタル化され蓄積されたもの).

da·ta dic·tion·a·ry データ集, データ辞典 (ある特定の医療施設で収集された全データ要素の定義基準集).

date (dāt). 日付.

date of birth (DOB) 生年月日 (患者や被保険者の生年月日. しばしば, 特に給付金の調整の際に, 適格性を判断するのに必要となる).

date boil, Del·hi boil, Jer·i·cho boil ナツメヤシ腫, デリー腫, ジェリコ腫 (皮膚リーシュマニア症に生じる病変).

date of ser·vice（DOS） 治療開始日（医療財務においては，治療が初めて行われた日付．第三者支払機関が担うべき料金を証明するのに非常に重要となる）．

da·tum（dā′tŭm）．学術的な分野において用いられる情報の個々の構成要素．複数形は data.

da·tum plane 基準面（頭蓋計測をする際に基本に用いる任意の面）．

daugh·ter（daw′tĕr）．娘〔核種〕（核医学において，放射線核種の壊変（崩壊）で生じる核種．註 性差別語あるいは性を連想させる単語を避ける傾向の表れとして，最近は daughter に代わり progeny（子孫）が用いられる．→daughter isotope; radionuclide generator）．

daugh·ter cell 娘細胞（親細胞の分裂によって生じる細胞）．

daugh·ter cyst 娘〔嚢〕胞（通常，多発性で，母嚢胞から派生した二次嚢胞）．

daugh·ter i·so·tope 娘核種（ある元素の放射性壊変（崩壊）によって生成する（放射性）元素．註daughter 参照．→radionuclide generator）．

daugh·ter star 娘星（双星を形成する2つの星状体のそれぞれ）．= polar star.

dau·no·ru·bi·cin（daw′nō-rū′bi-sin）．ダウノルビシン．= rubidomycin.

Da·vis bat·ter·y mod·el of trans·duc·tion デービスのエネルギー変換バッテリーモデル（蝸牛内の陽性電位と有毛細胞内の陰性電位により Corti 器の網状板を通過する起電力が供給されるという概念）．

Da·vis graft デーヴィス移植片（〝ピンチグラフト〞，すなわち全層皮膚の小さな（2—3 mm の）断片）．

DAW dispense as written の略．

dawn phe·nom·e·non あけぼの現象（午前5時から9時の間に起こる空腹時血糖値の急激な上昇で，先行する低血糖を伴わない．インスリン療法を受けている糖尿病患者にみられる）．

Daw·son en·ceph·a·li·tis ドーソン脳炎．= subacute sclerosing panencephalitis.

day blind·ness 昼盲〔症〕．= hemeralopia.

day·sheet（dā′shēt）．デイシート（一日の全医療行為，支払，清算がリストされた記録．いくつかの会計システムで利用されている）．

dB decibel の略．

DC diphenylcyanoarsine; direct current; discharge; discontinue; Dental Corps; Doctor of Chiropractic の略．

D & C dilation and curettage の略．

DCA directional atherectomy の略．

dCMP deoxycytidylic acid の略．

DD date dictated; dictated; developmental disability の略．

D-di·mer（dī′mer）．D ダイマー（クロスリンクしたフィブリン重合体からプラスミンの作用で溶解遊離した分解産物のうち，共有結合でクロスリンクした状態のままのもの．ラテックス粒子または ELISA でこれを測定することによって線溶の存在を知ることができる．深部静脈血栓症の診断に有用）．

DDS Denver Developmental Screening Test; Doctor of Dental Surgery（口腔外科医）の略．

DDT dichlorodiphenyltrichloroethane の略．

D & E dilation and evacuation の略．

de- しばしば〝引っ込んでいる〞，あるいは否定的意味をもつ接頭語．…から離れて，休止，を意味する．強意を表す場合もある．

DEA U.S. Drug Enforcement Administration の略．

de·ac·yl·ase（dē-as′il-ās）．デアシラーゼ（①加水分解酵素（EC class 3）の subclass の一員，特にエステラーゼ，リパーゼ，ラクトナーゼ，ヒドロラーゼ（EC subclass 3.1）の subclass の一員．②エステル結合中にアシル基（R-CO-）の加水分解的開裂を触媒する酵素．アミド結合（EC subclass 3.5）および同類のアシル化合物を開裂する酵素も含む）．

dead arm syn·drome デッドアーム症候群（肩関節前方脱臼または亜脱臼により上肢の感覚低下または脱失を呈する症候群）．

dead-end host 行き止まり宿主（寄生体がもはや，そこから感受性をもつ他の宿主へ伝播されない宿主）．

dead-in-bed syn·drome ベッド内死亡症候群（特に既往歴もグルコースコントロール不良もない若いインスリン依存性糖尿病者が早朝ベッド内で死亡していること．低血糖によるものと推定されているが，死後にその原因を立証することは困難である．通常，1日3回インスリン投与を受けている糖尿病患者に起こり，不注意に誤って大量のインスリンを投与し睡眠中に低血糖となったことに気づかないために生じたものと推測されている）．

dead·ly night·shade = belladonna.

dead pulp 失活歯髄．= necrotic pulp.

dead space 死腔（創を閉鎖した後に残存する潜在性または実際上の間隙．外科的な手技によっては閉塞されなかったもの．→anatomic dead space; physiologic dead space）．

deaf（def）．ろう（聾）の．

deaf cul·ture ろう文化（聴覚喪失を，障害としてではなく文化として捉える考え方．アメリカ手話（ASL）という独自の言語をもつのが，この文化の特徴である）．

de·af·fer·en·ta·tion（dē-af′ĕr-ĕn-tā′shŭn）．求心路遮断（身体の一部からの感覚の入力の喪失．通常，末梢感覚線維の障害による）．

deaf·mut·ism（def-myū′tizm）．ろう（聾）（先天的あるいは早発性の後天性高度難聴のため，話すことができないこと）．

deaf·ness（def′nĕs）．難聴，聴覚消失〔症〕，ろう（聾）（聴覚障害を意味する一般用語）．

de·al·co·hol·i·za·tion（dē-al′kŏ-hol-ī-zā′shŭn）．脱アルコール（液体からアルコールを除くこと．組織学的方法では，アルコールづけの標本からアルコールを除去すること）．

de·am·i·dase（dē-am′i-dās）．デアミダーゼ，脱アミド酵素．= amidohydrolase.

de·am·i·da·tion, de·am·i·di·za·tion（dē-am′i-dā′shŭn, dē-am′i-dī-zā′shŭn）．アミド分解，脱アミド（アミド基を加水分解的に除くこと）．

de·am·i·diz·ing en·zyme = amidohydrolase.

de·am·i·nas·es（dē-am′i-nā-sēz）．［EC group

D

3.5.4]．デアミナーゼ，脱アミノ酵素（プリン，ピリミジン，およびプテリンの C-NH_2 結合の単純加水分解を触媒する酵素）．= deaminating enzymes.

de·am·i·nat·ing en·zymes = deaminases.

de·am·i·na·tion, de·am·i·ni·za·tion (dē′am-i-nā′shŭn, dē-am′i-nī-zā′shŭn)．脱アミノ〔作用〕（通常，加水分解により，アミノ化合物から NH_2 基を除去すること）．

Dean fluo·ro·sis in·dex ディーンフッ素症指数（斑状歯の程度を測る指数．疫学の分野でよく用いる）．

de·ar·te·ri·al·i·za·tion (dē′ahr-tēr′ē-ăl-ī-zā′shŭn)．脱動脈血化（動脈血の性質を静脈血の性質に変えること．すなわち血液の酸素脱失）．

death (deth)．死，死亡（生命の停止．多細胞生物における，細胞レベルの死は緩慢に進行する過程にあって，酸素消失に耐える能力は組織によって違っている．高等生物では，死は組織と器官の統制のとれた機能の停止である．ヒトにおいては，死は心臓鼓動の停止，自然呼吸の停止，脳死によって示される）．= mors.

death in·stinct 死の本能（自己破壊，死あるいは自らが生じた生命のない無機物質に回帰しようとする生物の本能）．

death rate 死亡率（通常 1 年といった定められた期間内にある集団内で発生した死亡割合の推定値．分子は死亡数，分母は集団全体の大きさであり，通常は中間時点での推定値を使用する）．= mortality rate; mortality (2).

death rat·tle 死前喘鳴（死を間近に控えた人の咽頭や気管から発せられる呼吸音．咳反射の消失や粘液の蓄積によって引き起こされる）．

death with dig·ni·ty 尊厳死（患者に死が迫っている際に，採るべき行動について自発的選択を行う能力がある場合には本人が，なければその代理人が選ぶことのできる選択肢．本人または代理人によって制限された様々な処置の実行，あるいは処置の保留を含むことも多い．この処置は，疼痛管理を含む緩和医療の実施から，抗生物質療法，輸血，循環器薬物療法，対症療法，延命措置にまで及ぶ．また，心肺蘇生および薬物療法を含む蘇生処置や経腸栄養などの延命措置を停止することも，この中に含まれる）．

Dea·ver in·ci·sion ディーヴァー切開〔術〕（腹直筋を中央に寄せ，右下腹部を切開する方法）．

De·Bak·ey clas·si·fi·ca·tion of a·or·tic dis·sec·tion 〔動脈解離の〕ディベーキー分類（次の 3 型よりなる．I 型：動脈瘤が大動脈の基部から大動脈弓および末梢大動脈に及ぶ．II 型：上行大動脈に限局．III 型：下行大動脈に限局．さらに III 型は横隔膜の手前で終わる IIIa と，さらに先まで延長する IIIb とに細分される）．

de·band·ing (dē-band′ing)．バンド撤去（固定性矯正装置の撤去）．

de·bil·i·tat·ing (dē-bil′i-tāt-ing)．消耗性の（衰弱させるような病気の，またはそれに特徴的な）．

de·bond (dē-bond′)．ディボンド（レジンセメントにより歯面に接着された矯正用バンドのような歯科用装置を撤去すること）．

de·branch·ing en·zymes デブランチングエンザイム，縮鎖酵素（グリコゲンの側鎖を切断する酵素．トランスフェラーゼ(4-α-D-グルカノトランスフェラーゼ)とヒドロラーゼ(アミロ-1,6-グルコシダーゼ)の混合物）．

dé·bride·ment (dā-brēd-mōn[h]′)．挫滅組織切除〔法〕，壊死組織切除〔法〕，デブリドマン（創から壊死組織や異物を切除すること）．

de·bris (dĕ-brē′)．残屑，破片（種々雑多な小片が無用に集まったもの．破片の形のくず）．

debt (det)．負荷，負債．

de·bulk·ing op·er·a·tion 減量手術（完全摘除が不能な悪性腫瘍に対して，放射線や化学療法の効果を高めるために，その腫瘍の主な部分を切除する手術）．

deca- (**da**) 10 を意味するのに国際単位系 (SI) およびメートル法で用いる接頭語．deka- ともつづる．

de·cal·ci·fi·ca·tion (dē-kal′si-fi-kā′shŭn)．***1*** 脱灰（*in vitro* または病的過程の結果として *in vivo* において，骨や歯から石灰すなわちカルシウム塩を，主にリン酸カルシウムの形で除去すること）．***2*** カルシウム除去（シュウ酸塩，フッ素酸塩などにより血液からカルシウムが沈殿すること，血中のカルシウムがクエン酸などにより非イオン化されること．これにより凝血が阻止または遅延される）．

de·cal·ci·fy·ing (dē-kal′si-fī-ing)．脱灰の（脱灰を起こす薬品，方法，または過程についていう）．

de·can·nul·a·tion (de-kan′yū-lā′shŭn)．カニューレ抜去（計画的なまたは偶然の気管内チューブの抜去）．

de·ca·pac·i·ta·tion (dē′kă-pas-i-tā′shŭn)．受精能獲得抑制（精子が卵子と受精する能力，すなわち受精能獲得を妨げること）．

de·cap·i·ta·tion (dē′kap-i-tā′shŭn)．断頭〔術〕．

de·cap·su·la·tion (dē′kap-sū-lā′shŭn)．被膜剥離〔術〕（被膜または外膜の切開および除去）．

de·car·box·yl·ase (dē′kahr-bok′sil-ās)．脱炭酸酵素，デカルボキシラーゼ，カルボキシル基分解酵素（カルボキシル基から 1 分子の二酸化炭素を除く酵素 (EC 4.1.1.x)）．

de·car·box·yl·a·tion (dē′kahr-bok-sil-ā′shŭn)．脱炭酸，脱カルボキシル（カルボキシル酸から 1 分子の二酸化炭素を除去する反応）．

de·cay (dĕ-kā′)．***1*** 〖n.〗崩壊（緩慢な燃焼または酸化による有機物質の破壊）．***2*** 〖n.〗腐敗．= putrefaction. ***3*** 〖v.〗荒廃する，衰退する，腐敗する．***4*** 〖n.〗う食(蝕)（→caries）．***5*** 〖n.〗崩壊（心理学においては，感覚によって銘記され，短期記憶系の中に貯蔵された情報を喪失すること．→memory）．***6*** 〖n.〗崩壊（時間とともに放射能が弱くなること．不安定な原子核からの放射線あるいは荷電粒子（または両方）の自然放射）．

de·cay con·stant 崩壊定数（放射性核種が単位時間に崩壊する数の，当該放射性核種全体に対する割合．式 $dN/N = -\lambda dt$ の定数 λ のこと．N は放射性核種全体の原子数，dN は dt 時間に壊変した原子数）．= radioactive constant.

de·cay the·o·ry 減衰理論，崩壊理論（記憶心

像あるいは記憶痕跡は，それが賦活されないと漸進的に消えていくという前提に基づく忘却理論）.

de·cel·er·a·tion (dē-sel′ĕr-ā′shŭn). ***1*** 減速〔度〕. ***2*** 減速率（単位時間当たりの速度減少率）.

de·cer·e·brate (dē-ser′ĕ-brāt). ***1*** 〖v.〗除脳する，去脳する（大脳を除去する）. ***2*** 〖adj.〗除脳の，去脳の（実験用に除脳された動物，または神経学的に行動が除脳動物と類似した脳障害の患者についていう）.

de·cer·e·brate ri·gid·i·ty 除脳硬直（昏睡患者にみられやすい姿勢の変化．弓そり反張の発作よりなる．四肢の強直性の伸展，上肢の内転，著明な下肢の足底屈を伴う．種々の代謝性や器質性の脳病変により生じる. →decorticate rigidity）.

de·cer·e·bra·tion (dē-ser′ĕ-brā′shŭn). 除脳〔術〕，大脳除去（四丘体下縁より上位での大脳の除去，またはこの部位か，そのやや下位での切断）.

de·cho·les·ter·ol·i·za·tion (dē′kō-les′tĕr-ol-ī-zā′shŭn). 脱コレステロール〔療法〕（血中コレステロール濃度の減少療法）.

deci-(d) 国際単位系(SI)およびメートル法で1/10(10^{-1})を示す接頭語.

dec·i·bel (dB) (des′i-bĕl). デシベル（1ベルの1/10．対数法で相対的な音の大きさを示す単位）.

de·cid·u·a (dē-sij′ū-ă). 脱落膜（妊娠子宮内膜は排卵周期の影響を受け，すでに変化をして，卵の着床および栄養に適した状態になっている．分娩後，これが脱ぎ捨てられることから，この名がある）. = deciduous membrane; membrana decidua.

de·cid·u·a ba·sa·lis 基底脱落膜（着床絨毛小胞と子宮筋層の間の子宮内膜層で，胎盤の母胎部となる）. = decidua serotina.

de·cid·u·a cap·su·lar·is 被包脱落膜（着床絨毛小胞の上にある子宮内膜層．絨毛小胞が大きくなるにつれて次第に薄くなる．妊娠4か月目ごろに，壁側脱落膜に圧縮され，その後急速に退化，消失する）. = decidua reflexa; membrana adventitia.

de·cid·u·al (dĕ-sij′ū-ăl). 〔子宮〕脱落膜の.

de·cid·u·al cell 脱落膜細胞（妊娠時の子宮内膜に現れる大きな卵形の結合組織細胞）.

de·cid·u·a men·stru·a·lis 月経脱落膜（月経期における非妊娠子宮で海綿状を呈する粘膜機能層）.

de·cid·u·a pa·ri·e·tal·is 壁側脱落膜（絨毛小胞付着部以外の妊娠主子宮腔とつながっている変化した子宮粘膜部分）. = decidua vera.

de·cid·u·a po·ly·po·sa ポリープ様脱落膜（子宮内膜面にポリープ様の突起を示す壁側脱落膜）.

de·cid·u·a re·flex·a = decidua capsularis.

de·cid·u·a ser·o·ti·na = decidua basalis.

de·cid·u·a spon·gi·o·sa 海綿質脱落膜（子宮筋層に付着した基底脱落膜の部分）.

de·cid·u·a·tion (dĕ-sij′ū-ā′shŭn). 脱落（月経期の子宮内膜組織の脱落）.

de·cid·u·a ve·ra 真脱落膜. = decidua parietalis.

de·cid·u·i·tis (dĕ-sij′ū-ī′tis). 脱落膜炎.

de·cid·u·o·ma (dĕ-sij′ū-ō′mă). 脱落膜腫（脱落膜組織の子宮内腫脹．子宮内に残った脱落膜細胞の過形成の結果と思われる）. = placentoma.

de·cid·u·ous (dĕ-sij′ū-ŭs). ***1*** 脱落〔性〕の，落葉の（永久的でない，最終的には落ちてしまうことを示す）. ***2*** 脱落〔性〕の（歯式ではDと略す．歯科において，第一生歯を示すのにしばしば用いる. 一deciduous tooth）.

de·cid·u·ous den·ti·tion 乳歯. = deciduous tooth.

de·cid·u·ous mem·brane 脱落膜. = decidua.

de·cid·u·ous tooth 乳歯，脱落歯（最初に生える一揃いの歯．全部で20本あり，平均して生後6—28か月に萠出する）. = dens deciduus; baby tooth; deciduous dentition; milk dentition; milk tooth; primary dentition; primary tooth; temporary tooth.

dec·i·me·ter (des′i-mē-tĕr). デシメートル（0.1メートル）. = decimetre.

decimetre [Br.]. = decimeter.

de·ci·sion (dĕ-sizh′ŭn). 決定，決断，判定（熟考の末たどりついた，判断，決断，決定．不確実性を終わりにする，もしくは取り除くために選択をするという行動）.

de·ci·sion tree 意志決定樹図，デシジョントゥリー（臨床的問題に対処する各決断点での可能な選択を示す構成図で，患者の治癒率，寿命，死亡率なども可能なら記入してある）.

de·clamp·ing phe·nom·e·non 脱鉗子現象，

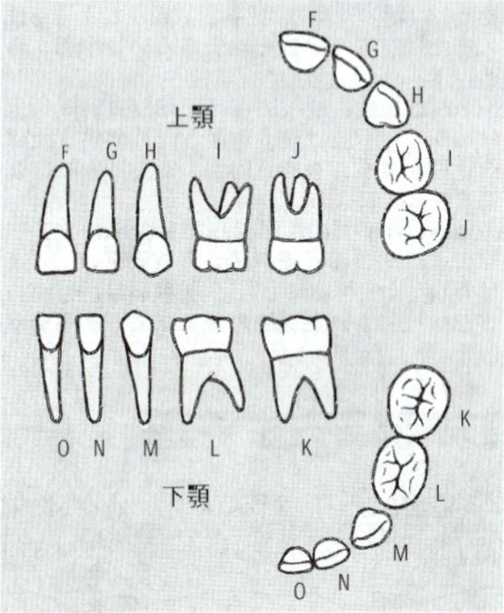
上顎
下顎
F
G
H
I
J
K
L
M
N
O

deciduous dentition
米国で用いられるuniversal systemによる歯式
F, O：中切歯，G, N：側切歯，H, M：犬歯，
I, L：第一大臼歯，J, K：第二大臼歯

D

血清遮断解離後現象（大動脈のような血管床の大部分を締めていた鉗子を急にはずしたときに起こる低血圧症状，またはショックのこと．これは，それまで虚血だった所へ一時的に血液が貯留するために起こる）. = declamping shock.

de·clamp·ing shock デクランピングショック. = declamping phenomenon.

dec·li·na·tion（dek′li-nā′shŭn）．偏角（垂直位からの屈曲，傾斜，偏位）.

de·clive（dē-klīv′）．山腹（小脳虫部で山頂より背側へ下る部分で，第一裂の下方の虫部葉）. = declivis.

de·cli·vis（dē-klī′vis）．山腹. = declive.

de·com·pen·sa·tion（dē-kom′pĕn-sā′shŭn）．代償不全，代償障害（①心臓病の代償障害．②防衛機制の障害による精神異常の発現あるいは病勢悪化）.

de·com·po·si·tion（dē-kŏm′pŏ-zish′ŭn）．分解，溶解，腐敗. = putrefaction.

de·com·pres·sion（dē-kŏm-presh′ŭn）．減圧〔術〕，除圧〔術〕.

de·com·pres·sion sick·ness 潜函病（大気圧の急激な減少の結果(急に高所へ上昇した場合でも，加圧された環境から戻る場合でもよいが)，高い大気圧下で初めは体液中に溶解していた窒素が気泡となって漏れてくることによって生じる症候群．その特徴は，頭痛，上下肢・関節・心窩部の痛み，皮膚のかゆみ，回転性のめまい，呼吸困難，咳込み，息づまり，嘔吐，脱力感，ときに麻痺，および重症の末梢循環虚脱である．栄養血管内の気泡により骨梗塞を起こして遷延することがある）. = caisson disease.

de·con·ges·tant（dē-kŏn-jes′tănt）．***1***〖adj.〗うっ血除去の．***2***〖n.〗うっ血除去薬.

de·con·tam·i·na·tion（dē-kŏn-tam′i-nā′shŭn）．除染（地面，建物，衣類などから毒性ガスまたは有害な物質を除去あるいは中和すること）.

de·cor·ti·cate ri·gid·i·ty 除皮質硬直（上肢は屈曲し，下肢は硬直伸展した片側性または両側性姿勢変化．視床，内包，または大脳白質の器質性病変による）.

de·cor·ti·ca·tion（dē-kōr′ti-kā′shŭn）．***1*** 皮質除去，剥皮（器官や構造から被膜下の皮質または外層を除去すること）．***2*** 被膜剥離〔術〕（血胸または放置された膿胸の後に生じる新生瘢痕組織，残留血餅を除去するための手術）.

de·coy cell おとり細胞（尿路感染症でみられる，濃縮した核をもつ剥離した良性の上皮細胞．悪性細胞と間違えることがある）.

de·cru·des·cence（dē-krū-des′ĕns）．症状軽減（病状の軽減）.

de·cu·bi·tal（dē-kyū′bi-tăl）．褥瘡潰瘍の，圧迫潰瘍の.

de·cu·bi·tus（dē-kyū′bi-tŭs）．***1*** 臥位（背面位 dorsal decubitus，側面位 lateral decubitus のように，ベッドでの患者の体位．→decubitus film）．***2*** 褥瘡，とこずれ（ときに，褥瘡性潰瘍の意で用いる）.

de·cu·bi·tus film デクビタスフイルム（側臥位での正面像で，下になっている側で表現する(左下が左デクビタス像)）.

de·cu·bi·tus pro·jec·tion デクビタス像（放射線医学で，患者を側臥位にして，水平X線束でX線撮影する）.

de·cu·bi·tus ul·cer 褥瘡性潰瘍（寝たきりの衰弱した患者の，圧力がかかる骨突出した皮膚の部位に現れる慢性の潰瘍．栄養失調により予後は悪化する．→decubitus）. = bedsore; bed sore; pressure sore; pressure ulcer.

de·cus·sate（dē-kŭs′āt）．***1***〖v.〗交叉する．***2***〖adj.〗X字形の（交叉した）.

de·cus·sa·ti·o, pl. de·cus·sa·ti·o·nes（dē′kŭ-sā′shē-ō, -ō′nēz）．交叉（①一般的に交叉している部位．②2本の同名の線維束の交叉．脊髄または脳幹を，上昇または下降するときに大脳と反対側に交叉していくこと）. = decussation.

de·cus·sa·ti·o lem·ni·sco·rum 毛帯交叉. = decussation of medial lemniscus.

de·cus·sa·tion（dē-kŭs-ā′shŭn）．交叉. = decussatio.

de·cus·sa·ti·o·nes teg·men·ti 被蓋交叉. = tegmental decussations.

de·cus·sa·tion of me·di·al lem·nis·cus 毛帯交叉（薄束核および楔状束核からの左右内側毛帯の上行線維の交叉．位置的に延髄における錐体交叉の部位のすぐ上方になる）. = decussatio lemniscorum.

de·cus·sa·tion of su·pe·ri·or cer·e·bel·lar pe·dun·cles 上小脳脚交叉（中脳尾側の被蓋における，左右の上小脳脚線維の交叉）.

de·cus·sa·ti·o py·ra·mi·dum 錐体交叉. =

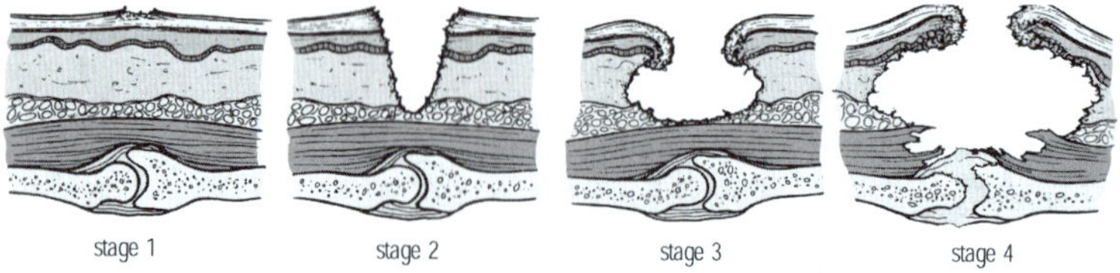
stage 1
stage 2
stage 3
stage 4

decubitus ulcer and ulcer classification

stage 1：炎症，表皮の発赤，stage 2：表皮の喪失と真皮の障害，stage 3：皮下組織への進行，stage 4：腱，筋肉，骨の障害

pyramidal decussation.

de·dif·fer·en·ti·a·tion (dē-difʹĕr-enʹshē-āʹshŭn). 脱分化，逆分化（①ある部分がより均質の状態に戻ること. ②= anaplasia).

de·duc·ti·ble (dē-dŭkʹti-bĕl). 免責金額（医療保険者による支払い金額に達しないため，被保険者が支払うべき金額. 通常，年率で定められる. 年間免責金額).

de·duc·tion (dē-dŭkʹshŭn). 演繹法（ある前提から結論を論理的に引き出すこと. 前提が正しく，演繹的な議論が妥当であれば結論は正しくなる. *cf.* induction(9)).

deep ar·ter·y of arm = profunda brachii artery.

deep ar·ter·y of clit·o·ris 陰核深動脈（女性の陰部動脈の深部終末枝. 陰核脚に血液を送る). = arteria profunda clitoridis.

deep ar·ter·y of pe·nis 陰茎深動脈（陰茎背動脈とともに内陰部動脈の最終枝として起こり，毛細血管網やらせん動脈を経て陰茎海綿体に分布し勃起を起こす動静脈吻合に至る). = arteria profunda penis.

deep ar·ter·y of thigh 大腿深動脈（大腿三角内の大腿動脈より起こり，外側・内側大腿回旋動脈を派出し，貫通動脈(3, 4 本)に分枝して終わる). = arteria profunda femoris; profunda femoris artery.

deep au·ri·cu·lar ar·ter·y 深耳介動脈（顎動脈より起こり，顎関節，耳下腺，外耳道，鼓膜外面に分布する. 浅側頭動脈，後耳介動脈の耳介枝と吻合). = arteria auricularis profunda.

deep branch of ra·di·al nerve 橈骨神経の深枝（橈骨神経本幹は肘窩で浅枝と深枝とに分かれる. 深枝は回外筋を貫いて同筋および前腕の伸筋に分布する. その後は後骨間神経となって伸筋群の浅層と深層の間を通り，前腕の遠位1/3 に至る). = ramus profundus nervi radialis.

deep branch of ul·nar nerve 尺骨神経の深枝（尺骨動脈の深拳枝と深掌動脈弓に付随し，手関節，第 3 及び第 4 虫様筋，掌側骨間筋と背側骨間筋，母指内転筋，短母指屈筋の深頭に伝達する). = ramus profundus nervi ulnaris.

deep ce·re·bral veins 深大脳静脈（大脳半球の深部からの血液を集め，大大脳静脈に注ぐ多数の静脈). = venae profundae cerebri.

(deep) cer·vi·cal fas·ci·a〔深〕頸筋膜（頸を囲み僧帽筋と胸鎖乳突筋を包む外層あるいは外套層(浅葉)，舌下筋群に関係のある気管前層あるいは中間層(気管前葉)，頸部臓器，椎骨と椎前諸筋に関係のある椎前層(深葉または椎前葉)に分かれる).

deep cer·vi·cal vein 深頸静脈（同名の動脈とともに頭半棘筋と頸半棘筋の間を走る大きな静脈で，後頸部深部の筋からの血液を集め腕頭静脈または椎骨静脈に注ぐ).

deep cir·cum·flex il·i·ac ar·ter·y 深腸骨回旋動脈（外腸骨動脈より起こり，下腹部の筋肉と皮膚，大腿筋膜張筋，縫工筋に分布する. 腰椎動脈，下腹壁動脈，上殿動脈，腸腰動脈，浅腸骨回旋動脈と吻合). = arteria circumflexa iliaca profunda.

deep dor·sal vein of clit·o·ris 深陰核背静脈（膀胱静脈叢への枝. これは陰核の背面の筋膜の深部を走る). = vena dorsalis profunda clitoridis.

deep dor·sal vein of pe·nis 深陰茎背静脈（陰茎背面の陰茎筋膜の深部を前立腺静脈叢へ走る枝). = vena dorsalis profunda penis.

deep fa·cial vein 深顔面静脈（側頭下窩の翼突筋静脈叢から顔面静脈へ流れる交通静脈で，無弁である).

deep fas·ci·a 深在筋膜（脂肪を含まない薄い線維性の膜で，筋肉を包んで個々の筋や筋群を分け，神経や脈管の鞘を形成する. 関節周囲では，特殊化して靱帯を形成したり，強化したりする. さらに様々な器官や腺を囲み，あらゆる構造を密な塊にまとめる).

deep fas·ci·a of thigh 大腿筋膜（大腿筋をおおう強い筋膜で外側部は肥厚して腸脛靱帯となる).

deep fem·o·ral vein 大腿深静脈（大腿深動脈に伴行し大腿の後外側面から貫通静脈を受ける静脈. 大腿三角で通常は内側・外側大腿回旋静脈とともに大腿静脈にはいる).

deep fi·bu·lar nerve 深腓骨神経（総腓骨神経の終末枝の 1 つで，腓骨頭のところで起こり下腿前部に進み，前脛骨筋，長母指伸筋，長指伸筋，第三腓骨筋に分布した後，足根関節を横切って足背の筋(短母指伸筋と短指伸筋)に分布して皮枝となり，母指と第二指の皮膚に分布する). = nervus fibularis profundus; deep peroneal nerve; nervus peroneus profundus; anterior tibial nerve.

deep in·gui·nal ring 深鼡径輪（精索および精巣動・静脈(女性の場合は子宮円索)が鼡径管にはいるのに通る横腹筋膜の開口部. 上前腸骨棘と恥骨結節の間にあり，内側は下腹壁血管を含む外側臍ひだ，下方は腸恥靱帯によって囲まれる. 間接鼡径ヘルニアはここから腹腔を出て発症する).

deep la·mel·lar en·do·the·li·al ker·a·to·plas·ty (DLEK) 深層層状角膜内皮移植術（角膜の内層のみを移植する術式).

deep lin·gual ar·ter·y 舌深動脈（舌動脈の終末枝. 舌下面の筋肉と粘膜に分布する).

deep lin·gual vein 舌深静脈（舌深動脈に伴い，舌静脈にはいる舌の主な静脈. 舌体と舌先からの血液を集め正中面の近くを後方に走る. 舌下面舌小帯の両側の粘膜下にしばしば透けてみえる).

deep neck in·fec·tion 頸部深部感染（頸部構造の組織や空洞に，口腔やその他の近接部分から生じた病原体が侵入すること).

deep par·tial-thick·ness burn 深達性 II 度熱傷（表皮から真皮の深層に至るまでの細胞を破壊する熱傷または温熱的損傷).

deep pe·ro·ne·al nerve 深腓骨神経. = deep fibular nerve.

deep pe·tro·sal nerve 深錐体神経（内頸動脈神経叢の深錐体枝で翼突管の入口で大錐体神経と合流して翼突管神経となり節後線維を翼口蓋神経節に送る). = nervus petrosus profundus; radix sympathica ganglii pterygopalatini; sympathetic root of pterygopalatine ganglion.

deep plan·tar (ar·te·ri·al) arch 〔深〕足底動脈弓（中足骨底と交差し，深足底動脈を経て足背動脈と吻合する外側足底動脈によりつくられる）．

deep plan·tar ar·ter·y 深足底動脈（足背動脈の枝である弓状動脈または第一中足動脈の深枝で，第一第二中足骨の間を貫通して足底動脈弓の枝と吻合する）．= arteria plantaris profunda.

deep re·flex 深部反射（腱または骨の打診により生じる不随意筋収縮）．= jerk(2)．

deep tem·po·ral ar·ter·y 深側頭動脈（前後の２本からなる．顎動脈の第二部より起こり，側頭筋・骨膜・側頭窩の骨と板間層に分布する．浅側頭動脈，涙腺動脈，中硬膜動脈の枝と吻合）．= arteria temporalis profunda.

deep tem·po·ral nerves 深側頭神経（下顎神経から出る前枝と後枝があり側頭筋と側頭窩の骨膜に分布する）．= nervi temporales profundi.

deep ten·don re·flex 深部腱反射．= myotactic reflex.

deep tis·sue mas·sage 深部組織マッサージ（アラインメントの改善，安静時の筋緊張レベルの低下，およびより効率のよい体位や動作パターンをつくるための手段として，マッサージ効果が深層の筋および筋膜に到達するよう考案されたマッサージ技術の一群．ロルフ式マッサージ，筋筋膜の緊張からの解放，構造上の統合などがある）．

deep trans·verse per·i·ne·al mus·cle 深会陰横筋（起始：坐骨枝．停止：会陰部で対向する反対側の坐骨枝．作用：浅会陰横筋とともに会陰の横走筋を形成しており（縦走筋は球海綿体筋と外肛門括約筋），会陰ならびに骨盤隔膜を支持して腹圧に対抗する．男性では尿道球をも支持する．神経支配：陰部神経（陰茎背神経，陰核背神経））．= musculus transversus perinei profundus.

deep vein of pe·nis 陰茎深静脈（陰茎筋膜の深部にある静脈で，内陰部静脈を経て内腸骨静脈に注ぐ）．

deep veins of clit·o·ris 陰核深静脈（陰核背から膀胱静脈叢に通じる静脈）．

deep ve·nous throm·bo·sis (DVT) 深部静脈血栓症（通常は下肢または骨盤などの深部静脈内に生じる１つ以上の血栓形成．肺塞栓症の高リスクを伴う．→thrombophlebitis）．

deer·fly fe·ver = tularemia.

DEERS Defense Enrollment Eligibility Record System の略．

def, DEF decayed（う食のある未処置の），extracted（喪失した），filled（処置された）歯の略．

defaecation [Br.]. = defecation.

DEF car·ies in·dex def う食指数，DEF う食指数（乳歯（小文字で表記）および永久歯（大文字で表記）のう食のある未処置の（decayed），喪失した（extracted），および処置された（filled）歯の数に基づいて過去のう食経験を表す指数）．

def·e·cate (def′ĕ-kāt). 排便する．

def·e·ca·tion (def-ĕ-kā′shŭn). 排便（直腸からの便の排泄）．= movement(3).

de·fe·cog·ra·phy (def′ĕ-kog′ră-fē). 排便造影（大便を不透過性にして行う排便時の撮影）．

de·fect (dē-fekt′). 欠損〔症〕，欠陥（機能異常，あるいは欠損．量の異常を示す欠乏 deficiency に対し，質の異常を示す）．

de·fec·tive (dĕ-fek′tiv). 欠損の，欠陥の，不完全な．

de·fec·tive bac·te·ri·o·phage 欠損〔バクテリオ〕ファージ（そのゲノムに欠損部分があり，そのため完全な感染性ウイルスは形成されないが欠損プロバクテリオファージとして細菌ゲノム中で永久に複製できる，テンペレートバクテリオファージの変異体．多くの欠損バクテリオファージは形質導入の仲介体である）．

de·fec·tive vi·rus 欠損ウイルス（すべての必須なウイルス成分をつくるには不十分な核酸しか含有していないウイルス粒子）．

defence [Br.]. = defense.

defence mechanism [Br.]. = defense mechanism.

de·fense (dĕ-fens′). 防衛，防御（不安をコントロールするために用いる心理的機制．例えば，合理化や投影）．

De·fense En·roll·ment El·i·gi·bil·i·ty Re·cord Sys·tem (DEERS) 国防省登録資格報告制度（米国軍が保険の補償範囲を決定するために用いるシステム）．

de·fense mech·a·nism 防衛機制（①葛藤または不安と対処する方法．例えば，転換，否認，解離，合理化，抑圧，昇華．②抵抗戦略の下にある精神構造．③免疫機構による防御と内因性防御）．

de·fen·sins (dē-fen′sinz). ディフェンシン（好中球に存在する抗菌作用を呈すポリペプチドの一種で，細胞壁を傷害して殺菌する）．

de·fen·sive med·i·cine 保身医学（原則として，医療過誤，賠償責任を生じる可能性の保護手段として行われる診断あるいは治療処置）．

de·fen·sive·ness (dē-fen′siv-nĕs). 防衛性，守勢（知覚刺激に対して，過剰反応を示すこと）．

def·er·ent (def′ĕr-ĕnt). 下方へ導く，輸出の，排泄の．

def·er·ent duct 精管．= ductus deferens.

def·er·en·tec·to·my (def′ĕr-en-tek′tŏ-mē). 精管切除〔術〕．= vasectomy.

def·er·en·tial (def′ĕr-en′shăl). 精管の．

def·er·en·tial ar·ter·y = artery to ductus deferens.

def·er·en·ti·tis (def′ĕr-en-tī′tis). 精管炎．= vasitis.

de·fer·ves·cence (def′ĕr-ves′ĕns). 解熱期．

de·fi·bril·la·tion (dē-fib′ri-lā′shŭn). 除細動（心筋（心房あるいは心室）の細動を停止させ，成功した場合正常な調律に回復させること）．

de·fi·bril·la·tor (dē-fib′ri-lā-tŏr). ***1*** 除細動法，除細動薬（心室筋の細動を停止させ正常な拍動を回復するための薬剤や方法，例えば，電気ショックなど）．***2*** 除細動器（電気ショックを与えて心室・心房細動を除去する器械）．

de·fi·bri·na·tion (dē-fī′bri-nā′shŭn). 脱線維素，線維素除去（血液から線維素を除去すること．通常，血液をガラス玉やガラス片を入れた容器に入れて一定のかくはんを行う).

de·fi·cien·cy (dĕ-fish′ĕn-sē). 欠損〔症〕, 欠乏〔症〕(ある物質の不十分な状態(栄養欠乏, 骨髄無形成によるヘモグロビン欠乏など), 組織全体の欠乏状態(精神知能低下), 活動性の欠乏状態(酵素欠損症, 血液の酸素運搬能の減少)など. 不足または欠損している物質の性状は正常のものである. →deficiency disease).

de·fi·cien·cy dis·ease 欠乏〔性〕疾患 (栄養不足, またはカロリー, 蛋白, 必須アミノ酸, 脂肪酸, ビタミン, 微量金属などの不足により起こる疾病).

de·fi·cien·cy symp·tom 欠乏症状 (生体の正常な構造と, または機能に必要な物質(例えば, ホルモン, ビタミン, 酵素)が種々の程度に欠乏した状態).

def·i·cit (def′i-sit). 欠乏, 不足, 欠損 (補充されないうちに, 一時的に使い果たしてしまった結果をいう).

de·fi·ning char·ac·ter·is·tics 診断指標 (看護において, 特定の看護診断と付随した徴候や症状).

def·i·ni·tion (def′i-nish′ŭn). 解像力 (光学において, 鮮明な像を与えるレンズの力. →resolving power).

de·fin·i·tive (dĕ-fin′i-tiv). 最終的な (完全に分化した, または発達した).

de·fin·i·tive host 固有宿主 (寄生体がその中で成虫または性的成熟に達する宿主).

de·flec·tion (dĕ-flek′shŭn). ***1*** 反屈, 反屈位 (一方へ動くこと). ***2*** 動揺 (心電図で, 等電性基線から曲線の偏位. 心電図の波または群).

de·flex·ion (dĕ-flek′shŭn). 反屈位 (児頭と骨盤軸との関係を表現する用語. 児頭の下降娩出期に屈曲しないか反屈する胎勢(児頭第1回旋の異常)).

de·flu·vi·um (dē-flū′vē-ŭm). 脱落, 流出, 漏出. = defluxion(2).

de·flux·ion (dē-flŭk′shŭn). = defluvium. ***1*** 脱落 (毛髪などが落ちたり, なくなること. →effluvium). ***2*** 流出, 漏出 (体液の流出または分泌).

de·for·ma·tion (dē-fōr-mā′shŭn). ***1*** 変形 (正常より形が変わること. 特に, 以前は正常であった部分の形, 機能における変化をいう. 器官形成後に起こり, 筋骨格系にしばしば生じる(例えば内反足)). ***2*** 変形, 奇形. = deformity. ***3*** レオロジーにおいて, 塊の物理的形状が応力により変わること.

de·for·mi·ty (dĕ-fōrm′i-tē). 変形, 奇形 (構造が正常な形や大きさから恒久性に逸脱し, 醜状を呈すること. 先天性あるいは後天性の場合がある). = deformation(2).

defs, DMFS decayed, missing, or filled tooth surfaces の略.

deft, DMFT decayed, missing, or filled teeth の略.

de Ga·lan·tha stain デガランタ染色 (痛風における尿酸ナトリウム一水和物の結晶の存在を示すために用いられる染色法).

de·gen·er·ate ***1*** (dē-jen′ĕr-āt). 〖v.〗 変質する, 退化する (精神的, 身体的, または道徳的に低い状態になる. 正常または受け入れられる型や状態以下になる). ***2*** (dē-jen′ĕr-ăt). 〖adj.〗 変質した, 退化した (正常以下の, より低い水準に落ちた).

de·gen·er·a·tion (dĕ-jen′ĕr-ā′shŭn). ***1*** 退化 (高水準から低水準へと落ちること). ***2*** 変質 (身体的, 精神的あるいは道徳的資質の悪化). ***3*** 変性 (細胞や組織における病理的退行変化. しばしば機能が阻害あるいは破壊される. 初期にはときに可逆的であるが, 通常, 壊死に至る).

de·gen·er·a·tive (dĕ-jen′ĕr-ă-tiv). 変性の.

de·gen·e·ra·tive disc dis·ease 変性性椎間板症 (椎間板がその外縁から突出, ヘルニア形成, あるいは断片化した疾患で, 神経根, 腰部の馬尾や, より上位の脊髄の圧迫を生じる可能性もある).

de·gen·er·a·tive joint dis·ease 変形性関節症. = osteoarthritis.

de·glov·ing (dē-glŏv′ing). デグロービング (①おとがい形成術や下顎歯槽手術などの顎顔異常矯正手術の際に行われる, 口内下顎骨前部の外科的露出. ②→degloving injury).

de·glov·ing in·ju·ry 脱手袋損傷 (身体の一部(最も普通なのは四肢)の皮膚がはぎ取られてしまうこと, その部分の皮膚や皮下組織の大部分または全部がなくなり, 骨格のみになってしまう状態).

de·glu·ti·tion (dē-glū-tish′ŭn). えん(嚥)下, 飲み込み.

de·glu·ti·tion syn·co·pe えん下性失神 (物を飲み込んだときに起こす意識消失発作. ほとんどの場合, 迷走神経が過剰に心臓に作用して徐脈と房室ブロックを起こす).

deg·ra·da·tion (deg′ră-dā′shŭn). 分解 (化学物質の単純な物質への変化).

de·gree (dĕ-grē′). 度 (①寒暖計, 気圧計などの測定機器の1目盛り. → scale. ②円周の1/360. ③段階づけしたもののなかでの位置または等級. ④組織損傷の程度).

de·grees of free·dom 自由度 (①関節の可動面の数. ②人体の各部が可能な運動方向の種類).

de·gus·ta·tion (dē-gŭs-tā′shŭn). ***1*** 賞味, 試味. ***2*** 味覚.

De·hi·o test デーヒオ試験 (アトロピン注入により徐脈が軽減すると, その状態は迷走神経の作用によるものである. 軽減しなければ心臓自体の疾患によるものである).

de·his·cence (dē-his′ĕns). 披裂, 裂開, 離開 (自然の, または縫合した線に沿って裂けたり切れたりして開くこと).

de·hu·mid·i·fi·er (dē′hyū-mid′i-fī-ĕr). 除湿機 (空気中の湿気を取り除くための機械).

de·hy·drase (dē-hī′drās). dehydratase の旧名.

de·hy·dra·tase (dē-hī′dră-tās). デヒドラターゼ (基質から H_2O として H と OH を除去して, 二重結合を残す, また, 2つの物質から水を除去してできた二重結合へある基を付加して, 第3の物質を形成するリアーゼ(ヒドロリアーゼ)の1つ(EC 4.2.1)).

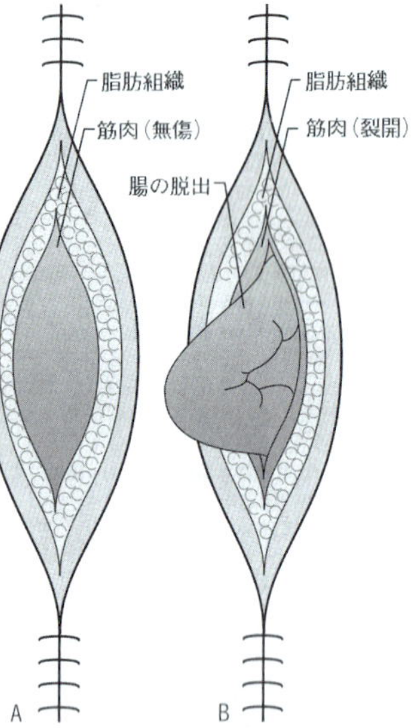
脂肪組織
筋肉(無傷)
A
脂肪組織
筋肉(裂開)
腸の脱出
B

wounds A：裂開，B：突出

de·hy·dra·tion (dē-hī-drā′shŭn). ***1*** 脱水（水分を奪うこと）. = anhydration. ***2*** 脱水〔症〕（水分含量の減少）. ***3*** = exsiccation(2). ***4*** = desiccation.

dehydro- ある化合物から2つの水素原子を取り去った化合物を示す接頭語. 例えば，酸化アスコルビン酸は，すべての構造的特徴はアスコルビン酸に似ているが，アスコルビン酸分子にある2つの水素原子が欠ける. 系統的な命名法では，didehydro- がより正確であり推奨される.

11-de·hy·dro·cor·ti·cos·ter·one (dē-hī′drō-kōr-ti-kos′tĕr-ōn). 11-デヒドロコルチコステロン（副腎皮質にあり，主としてコルチコステロンの代謝産物）.

de·hy·dro·ep·i·and·ros·ter·one (DHEA) (dē-hī′drō-ep-ē-an-dros′tĕr-ōn). デヒドロエピアンドロステロン（男性ホルモンに関連したステロイド. 加齢に伴う生理変化を予防できるとされているが，その効果や安全性は確立されてない）.

de·hy·dro·gen·ase (dē-hī′drō-jen-ās). デヒドロゲナーゼ（ある種の代謝産物(水素供給体)からの水素除去を触媒し，水素を他の物質(水素受容体)に移す酵素の総称名）.

de·hy·dro·gen·a·tion (dē-hī′drō-jĕ-nā′shŭn). 脱水素（酵素(デヒドロゲナーゼ)または他の触媒の作用により，ある化合物から1対の水素原子を除くこと）.

de·i·den·ti·fied health in·for·ma·tion 個人情報を除外した健康情報（保護すべき健康情報が取り除かれた医療情報で，後の利用者が患者を特定することを不可能にする）.

de·in·sti·tu·tion·al·i·za·tion (dē-in′sti-tū′shŭn-ăl-ī-zā′shŭn). 脱施設化（精神病院の入院患者が退院して，ハーフウェイハウスや地域医療の治療プログラムに参加すること）.

DEJ dentinoenamel junction の略.

dé·jà vu 以前同じ場所にいたことがあると感じること. →jamais vu.

de·jec·tion (dĕ-jek′shŭn). 抑うつ〔症〕. = depression(4).

De·je·rine dis·ease デジェリーヌ病. = Dejerine-Sottas disease.

De·je·rine hand phe·nom·e·non デジェリーヌ手現象（手背や，手首周辺の前腕の手掌側をたたいたときに起こる手(手首)屈筋の間代性攣縮. 正常な人でも起こるが，錐体路の病変がある場合，異常に大きくなる）.

De·je·rine-Klump·ke syn·drome ドゥジュリーヌ-クルンプケ症候群（腕神経叢の内側索の傷害で，麻痺，知覚過敏，腕の筋肉の萎縮などを特徴とする. 視覚障害やホルナー症候群もみられる）.

De·je·rine sign デジェリーヌ徴候（咳，くしゃみ，排便で力むことにより，脊髄神経根刺激の症状を悪化させる）.

De·je·rine-Sot·tas dis·ease ドゥジュリーヌ-ソッタ病（小児期初期に始まり緩徐に進行する脱髄性感覚運動多発ニューロパシーの家族型. 臨床的には足の痛みと感覚異常を特徴とし，次いで四肢遠位筋に対称性の脱力と萎縮が起こる. コウノトリの足 stork legs の原因の1つ. 患者は若年時から車いすを使用. 末梢神経は肥厚して触診できるが圧痛はない. 病理的にはたまねぎ球形成がみられ，裸の軸索をからみ合った Schwann 細胞の突起が包むように巻いたうずがみられる. 通常，常染色体劣性遺伝）. = Dejerine disease; progressive hypertrophic polyneuropathy.

deka- →deca-.

Del·a·field flu·id デラフィールド〔染色〕液（病理組織の固定液. アルコールおよび酢酸，オスミウム酸，クロム酸を含有する）.

Del·a·field he·ma·tox·y·lin デラフィールドヘマトキシリン（組織学で用いるミョウバンヘマトキシリン. 自然の熟成は約2か月かかり，その溶液は何年も有効である）.

de·lam·i·na·tion (dē-lam′i-nā′shŭn). 離層（層が分離すること）.

de·lay (dē-lā′). 遅延（臨床的理由または生理学的機能障害により時間的に遅れること，または遅れた時間）.

de·layed al·ler·gy 遅延〔型〕アレルギー（IV型過敏性アレルギー反応. 感作された個体では，アレルゲン(抗原)と接触してから何時間か後に反応が現れ，36—48時間後にピークに達し，その後徐々に消失する. 細胞性免疫反応に由来している. →delayed reaction. *cf.* immediate allergy）.

de·layed au·di·tor·y feed·back (DAF) 遅延聴覚フィードバック（①記録後にミリ秒単位

で遅れて再生される遅延聴覚信号．②言語と吃音の治療に用いられる方法で，対象者の声が記録された後，遅れて受話器で再生される．変化した音声フィードバックによる心理的混乱によって会話を流暢にし，発語を遅くする効果が期待される）．

de·layed den·ti·tion 晩期生歯，萠出遅延（歯の萠出が遅延すること）．

de·layed flap 遅延皮弁（移植後の皮弁の生存率を向上させるため，あらかじめ皮弁部に皮膚切開やいったん挙上を行ってから作成する皮弁）．

de·layed graft 遅延移植（被移植床の状態がきれいになるか出血がなくなるまで数日間待機して行う植皮）．

de·layed on·set mus·cle sore·ness（DOMS） 遅発性筋痛（不慣れな重度の筋活動，特に遠心性筋活動後 24 時間以内に現れ，数日間持続する遅発性の筋肉痛．筋細胞自身が損傷されて起こる）．

de·layed pu·ber·ty 思春期遅発症（男女いずれにおいても 14 歳で思春期のいかなる徴候も示さないもの）．

de·layed re·ac·tion 遅延〔型〕反応（抗原にさらされてから 24—48 時間後に始まる局所性または全身性の反応．→cell-mediated reaction）．

de·layed u·nion 遷延癒合（通常よりも骨癒合に時間を要した骨折の治癒状態）．

Del·bet sign デルベー徴候（主動脈の動脈瘤の場合，拍動が消失してもその部分より末梢の栄養がよく保たれているならば，側副血行の効力がある）．

de-lead (dē-led′)．脱鉛する（キレート薬の投与によって骨および他の組織の蓄積鉛を結集して排泄する）．

del·e·te·ri·ous (del′ĕ-tēr′ē-ŭs)．有害〔性〕の，有毒〔性〕の．

de·le·tion (dĕ-lē′shŭn)．〔染色体〕欠失（遺伝学においては，正常な遺伝物質の任意の一部分が欠如することで，それが細胞遺伝学上認識できる場合（染色体欠失）も，分子生物学的に発見される場合も含む）．

Delf·ti·a a·cid·o·vor·ans 旧名 *Comamonas acidovorans*．好気性で，胞子非形成・グラム陰性の桿菌で，環境中（例えば土中，水中のような），あるいは果実や野菜を含めた植物に見られる．菌血症，薬物の静脈注射に関連した心内膜炎や，急性化膿性耳炎の病原体として報告されている．

del·i·ques·cence (del′i-kwes′ĕns)．潮解（大気から水分を吸収して，湿気を帯びたり液体になり，その吸収した水で溶解する，ある種の塩の性質についていう．例えば $CaCl_2$ など）．

de·lir·i·ous (dĕ-lir′ē-ŭs)．せん妄状態の．

de·lir·i·um, pl. de·li·ri·a (dĕ-lir′ē-ŭm, -ă)．せん妄（意識の変容した状態で，意識不鮮明，転導性，失見当，思考と記憶の障害，知覚障害（錯覚や幻覚），著しい過活動，不穏，自律神経系の活動亢進，などを特徴とし，多くの中毒および代謝疾患で生じる）．

de·lir·i·um tre·mens（DTs） 振せんせん妄（アルコール離脱による重症の，しばしば致命的なせん妄の型で，中毒時期が長引いた後に生じる）．= oenomania.

de·liv·er (dĕ-liv′ĕr)．***1*** 分娩を助ける，分娩させる，助産する．***2*** 導出する，摘出する（子宮から胎児を，被膜または周囲から腫瘍を，白内障で水晶体を取り出すなど閉鎖されたところから抽出することをいう）．

de·liv·er·y (dĕ-liv′ĕr-ē)．分娩，出産，産（生殖管から外界へ胎児と胎盤が出ること）．

del·le (del′ĕ)．凹窩（淡色の赤血球中央部．血液の染色塗抹標本にみられる）．

del·len (del′ĕn)．凹窩（角膜縁にある輪郭の明瞭な，浅い，皿状の陥凹（約 1.5 × 2 mm）．局所的脱水が原因．Fuchs dellen ともよばれる）．

De·lorme op·er·a·tion デロルメ手術（切除を行うのではなく，余分な粘膜を折りたたみ行う，直腸脱の外科的補正）．

del·phi·an node デルフィのリンパ節（甲状腺の近くの喉頭前面正中部にみられるリンパ節で，その腫脹は甲状腺疾患または声門下喉頭からの初期転移の指標とされる）．

del·ta（Δ, δ） デルタ（①ギリシア語アルファベットの第 4 字．②化学において，二重結合を示す．通常，上付き数字で鎖上の二重結合の位置を示す（Δ^5）．反応における熱の適用は $A \underset{\rightarrow}{\Delta} B$，熱処理のない場合は $\not\Delta$ で示す分子中の 2 原子間の距離を示す．また，有機化合物においてカルボキシル基などの主要な官能基から 4 番目に位置する置換基を Δ で示す．（拡散層の）厚さを δ，NMR の化学シフトを δ で表す．③解剖学では，三角）．

del·ta a·gent デルタ因子．= hepatitis D virus.

del·ta（δ）-a·mi·no·bu·tyr·ic ac·id a·mi·no·trans·fer·ase δ-アミノ酪酸アミノトランスフェラーゼ（δ-アミノ酪酸から 2-オキソグルタル酸へアミノ基の可逆的転移を触媒する酵素．そして L-グルタミン酸とコハク酸セミアルデヒドを生成する．δ-アミノ酪酸の異化の重要な段階の 1 つ）．

del·ta（δ）-a·mi·no·lev·u·lin·ic ac·id（ALA） δ-アミノレブリン酸（δ-アミノレブリンシンターゼによってグリシンとスクシニル補酵素 A から生成される．ポルホビリノーゲンの前駆物質なのでヘマチンの生合成に重要な中間物である．ALA 値は鉛中毒の場合，上昇する）．

del·ta bil·i·ru·bin デルタビリルビン（アルブミンに共有結合したビリルビン分画）．

del·ta cell デルタ細胞（①下垂体前葉にある，好塩基性顆粒を有する種々の細胞の 1 つ．② Langerhans 島にある細胞．アニリンブルーで染まる微細顆粒を含む．ソマトスタチンを分泌する）．

del·ta check デルタチェック（患者の検査記録の中のある検査項目について，急激な変化をみつけるために行われる連続して計測された値の比較．通常，コンピュータによる品質管理の一部として行われる）．

del·ta fi·bers デルタ線維（8—30 m/秒の伝導速度である神経線維）．

del·ta gran·ule デルタ顆粒（膵臓デルタ細胞

の顆粒).

del·ta hep·a·ti·tis デルタ型肝炎. = viral hepatitis type D.

del·ta rhythm デルタ(δ)律動, デルタ(δ)波(脳波上 1.5—4.0 Hz の周波数帯にある波形). = delta wave(2).

del·ta test デルタ検査(現在の臨床検査の結果と, 同じ患者に対する以前の検査の結果の比較を行うこと).

del·ta wave デルタ(δ)波(① Wolff-Parkinson-White 症候群における心房心室間のバイパスによる QRS 波形の早期開始部. ② = delta rhythm).

del·toid (del′toyd). ***1*** 〚adj.〛 デルタ形の, 三角形の. ***2*** 〚n.〛 三角筋. = deltoid muscle.

del·toid lig·a·ment 三角靱帯(脛骨の内果から足根骨へ下る脛舟部, 脛踵部, 前脛距部, 後脛距部の 4 部からなる複合靱帯). = ligamentum deltoideum.

del·toid mus·cle 三角筋(肩関節の節の 1 つ. 起始：鎖骨の外側 1/3 の前縁, 肩峰の外側から後縁, 肩甲棘下縁. 停止：上腕骨中央よりやや上の外側面(三角筋粗面). 作用：腕の外転, 屈曲, 伸展および回旋. 神経支配：第五・第六頸神経から出て上腕神経叢を経る腋窩神経). = musculus deltoideus; deltoid(2).

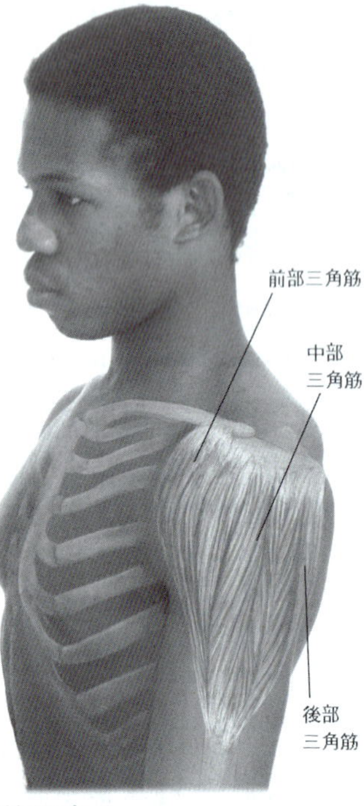
前部三角筋
中部
三角筋
後部
三角筋

deltoid muscle

del·toid tu·ber·os·i·ty 三角粗面(上腕骨外側の中央部の突出で三角筋が付着する場所である).

de·lu·sion (dĕ-lū′zhŭn). 妄想(誤った信念あるいは間違った判断であり, それが不合理であるという明白な証拠があるにもかかわらず確信されているもの).

de·lu·sion·al (dĕ-lū′zhŭn-ăl). 妄想〔性〕の, 妄想的な.

de·lu·sion of gran·deur 誇大妄想(自分が偉大な富, 知性, 社会的地位, 権力などを所有すると信じ込む妄想).

de·lu·sion of ne·ga·tion 否定妄想(世界およびそれに関するすべてのものが存在しなくなったと想像する妄想).

de·lu·sion of per·se·cu·tion, per·se·cu·to·ry de·lu·sion 被害妄想(自分がしいたげられているという妄想. 妄想型統合失調症の特徴的な症状である).

de·mand (dĕ-mand′). ***1*** 〚v.〛 要求する. ***2*** 〚n.〛 要求量(要求される物質, 有用品, サービスの量や数).

de·mand ox·y·gen de·li·ver·y de·vice 吸気反応型酸素供給装置(吸気努力の始まりを感知して, 吸気相の期間だけ酸素を送る酸素供給電子機器).

de·mand pace·mak·er ディマンド〔型〕ペースメーカ, 応需型ペースメーカ(通常は心臓に植え込まれる人工ペースメーカの一種で, 心臓自身の電気的活動によってペースメーカからの電気的刺激の発生が抑制されるようになっている).

de·mat·i·a·ceous (dē-mat′ē-ā′shŭs). デマチウム科の(暗色の分生胞子および(または)通常, 褐色または黒色の菌糸についての. しばしば黒ずんだ色の菌類をさすのに用いる).

de·mat·i·a·ceous fun·gi 黒色真菌(メラニンを形成する暗色の真菌).

de·men·ti·a (dĕ-men′shē-ă). 認知症(通常は進行性の, 認知・知的機能の欠損で, 知覚や意識の障害を伴わない. 原因は重篤な感染や毒素など多様だが脳の構造病変によることが最も多い. 見当識障害, 記憶力・判断力・知的能力の障害および浅薄で変化しやすい感情が特徴的である). = amentia.

demi- 半分, あるいはそれ以下を意味する接頭語. →hemi-; semi-.

dem·i·gaunt·let ban·dage 半籠手包帯(指を出したまま手だけをおおう包帯法).

dem·i·lune (dem′ē-lūn). 半月〔体〕(①半月形あるいは鎌状をした小体. ②熱帯熱マラリア原虫 *Plasmodium falciparum* の生殖母細胞に対してよく用いる語).

de·min·er·al·i·za·tion (dē-min′ĕr-ăl-ī-zā′shŭn). 鉱物質除去, 無機質脱落(身体または個々の組織, 特に骨の無機成分の消失または減少).

Dem·o·dex (dem′ō-deks). ニキビダニ属(非常に小型の毛包虫の一属で, 通常, 皮脂腺や毛

包に見出される).

dem·o·di·co·sis (dem′ō-di-kō′sis). ニキビダニ症 (ニキビダニ属 *Demodex* のダニによる外寄生. 主に毛包内にみられ, 様々な程度の局所的炎症および免疫応答が特徴である).

de·mog·ra·phy (dĕ-mog′ră-fē). 人口統計学 (人の集団の, 大きさ, 密度, 妊孕力, 死亡率, 成長率, 年齢分布, 移住, 生命表などに関する研究).

De Mor·gan spot ド・モーガン斑〔点〕. = senile hemangioma.

de Mor·si·er syn·drome ド・モルシェ症候群. = septooptic dysplasia.

de·mul·cent (dĕ-mŭl′sĕnt). ***1*** 〚adj.〛 和らげる, 刺激を軽減する. ***2*** 〚n.〛 粘滑薬 (粘質物や油のような薬剤で, 特に粘膜表面の刺激を和らげ軽減する).

de Mus·set sign ミュセー(ミュッセ)徴候. = Musset sign.

de·my·e·li·nat·ing dis·ease 脱髄疾患 (多発性硬化症のように中枢神経系の神経線維髄鞘が広範囲に失われる原因不明の病気の総称).

de·my·e·li·na·tion, de·my·e·lin·i·za·tion (dē-mī′e-lin-ā′shŭn, dē-mī′ĕ-lin-ī-zā′shŭn). 脱髄, 髄鞘脱落 (軸索または線維路は保たれていて髄鞘が喪失すること. 中枢性脱髄は中枢神経系(例えば多発性硬化症にみられる脱髄)に起こり, 末梢性脱髄は末梢神経系(例えば Guillain-Barré 症候群にみられる脱髄)に起こる).

demyelinisation [Br.]. = demyelinization.

de·na·tur·a·tion (dē-nā′chūr-ā′shŭn). 変性 (変性していく過程).

de·na·tured (dē-nā′chūrd). 変性した (①その特徴のいくつかにおいて, 異常になったり, 正常から変化したことについていう. しばしば蛋白や核酸を加熱または他の方法で処理して, その三次構造の特徴が変化した状況に対して用いる. ②エタノールにメタノールを添加して不純にする).

den·dri·form (den′dri-fōrm). 樹状の, 枝状の. = arborescent; dendritic(1); dendroid.

den·dri·form ker·a·ti·tis, den·drit·ic ker·a·ti·tis 樹枝状角膜炎 (ヘルペス性角膜炎の一型).

den·drite (den′drīt). ***1*** 樹状突起 (神経細胞が分枝した2種の原形質突起の1つ(他方は軸索突起)). = dendritic process; dendron; neurodendrite. ***2*** 樹枝状結晶 (合金を凍らすときにできる樹枝構造をした結晶).

den·drit·ic (den-drit′ik). ***1*** = dendriform. ***2*** 樹状突起の.

den·drit·ic cell 樹状細胞 (伸張性の突起を有する神経堤由来の細胞. 初期にメラニンを産生する).

den·drit·ic cor·ne·al ul·cer 樹枝状角膜潰瘍 (単純ヘルペスウイルスによる角膜炎).

den·drit·ic pro·cess 樹状突起. = dendrite(1).

den·drit·ic spines 樹状突起棘 (種々の長さの神経細胞樹状突起の突出. 形は, 小さいこぶ状から棘状または糸状の突起まで様々である. 通常, 樹状突起の幹の基部よりも末端の分枝上に数多くある. この場所で軸索が樹状突起とシナプスをつくることが多い. ある種の神経細胞ではこれらの棘がまばらか, あるいはないことがある(運動ニューロン, 淡蒼球の大細胞, 大脳皮質の星状細胞). これらは, 他の細胞, 例えば, 大脳皮質の錐体細胞や小脳皮質の Purkinje 細胞よりはるかに多数である). = gemmule(2).

den·droid (den′droyd). = dendriform.

den·dron (den′dron). = dendrite(1).

de·ner·vate (dē′nĕr-vāt). 脱神経させる.

de·ner·va·tion (dē′nĕr-vā′shŭn). 脱神経 (神経支配の喪失).

den·gue, den·gue hem·rhag·ic fe·ver, den·gre fe·ver (den-gā′). デング熱 (熱帯・亜熱帯の流行病で, デング熱ウイルスによって引き起こされる. ヤブカ属 *Aedes* のカによって媒介される. 重症度は4段階が認められる. I度では発熱と全身症状, II度ではI度の症状と同時に突発性出血(皮膚, 歯肉, あるいは胃腸), III度ではII度の症状に加えて, 興奮および循環不全, IV度は重篤なショックである).

den·gue vi·rus デング熱ウイルス (直径約50 nm の *Flavivirus* 属のウイルス. ヒトのデング熱の病因であるが, サルやチンパンジーにも起こり, 通常, 不顕性感染である. 4つの血清型が知られている. 媒介はヤブカ属 *Aedes* のカによる).

de·ni·al (dĕ-nī′āl). 否認 (重大な葛藤や, 都合の悪い衝動や出来事, 行動, 病気の存在を否認することによって不安を和らげようとする無意識の防衛機制). = negation.

de·ni·al man·age·ment 拒否操作 (保険業者が, 合法的な要求に対する支払いを拒む理由を探すために, 補助的な会社を雇う, 犯罪的な可能性も否定できない手法).

den·i·da·tion (den′i-dā′shŭn). 着床剥離 (月経時に子宮粘膜表層を剥離すること).

de·nied claim 拒否された要求 (第三者的支払い人から発せられた, 払戻しの要求(請求書)が, 事務的な間違いや, 患者の適用範囲外が原因で支払うことができずにいるという声明).

Den·is Browne pouch デニス-ブラウン嚢 (Scarpa 筋膜と外鼡径筋膜の間の間隙で外鼡径輪に隣接する. 停留精巣の好発部位).

Den·is Browne splint デニス-ブラウン副子 (下腿および足に当てる軽アルミニウムの副子. 内反足に対して用いる).

Den·nie-Mor·gan fold, Den·nie line デニー-モルガン皺壁 (アトピー性皮膚炎の浮腫で生じる両下眼瞼下方のしわ, もしくは線).

De·non·vill·iers fas·ci·a ドノンヴィーエ筋膜 (直腸の腹膜腔外部を覆う骨盤内筋膜の伸展で, 前立腺と直腸の間に位置する).

dens, pl. den·tes (denz, den′tēz). ***1*** 歯. = tooth. ***2*** 歯突起 (軸椎から上方へ突き出ている歯状の突起で, この突起を軸として環軸が回転する). = odontoid process of epistropheus.

dens ca·ni·nus, pl. den·tes ca·ni·ni 犬歯. = canine tooth.

dens de·ci·du·us, pl. den·tes de·ci·du·i 乳歯. = deciduous tooth.

dens in den·te 歯内歯, 内反歯 (歯牙形成期に

D

おける歯の発育障害で，歯髄腔となるべき部位に歯冠が発育するのに伴い，上皮が重積して起こる．石灰化した後，エナメル質，ぞうげ質が歯髄腔へ陥入し，X 線写真上では歯の内部に歯があるような像を呈する）．

dense bod·ies 濃染顆粒（①血小板の中心顆粒部にある顆粒で，血漿のセロトニンを取り込み蓄積する．②平滑筋細胞の細胞質内の電子濃染顆粒は α-アクチニンを含み細胞膜と関連があるが，骨格筋の Z 帯と同様のものと考えられている）．

den·sim·e·ter (den-sim′ĕ-tĕr)．密度計，比重計．= densitometer (1)．

dens in·ci·si·vus, pl. **den·tes in·ci·si·vi** = incisor tooth.

den·si·tom·e·ter (dens′i-tom′ĕ-tĕr)．***1*** 密度計（液体の密度を測るための機器）．= densimeter. ***2*** 濃度計（相対的混濁度によって，肉汁中の細菌の繁殖を測定するための器械．栄養素や抗生物質の生物検定，ファージの研究などに有用である）．***3*** 濃度計（電気泳動やクロマトグラフィによって分離した成分（例えば蛋白分画）の濃度を測るための器械．光の吸収と反射を利用している）．***4*** フイルム濃度計，デンシトメータ（露光された X 線フイルムの黒化度を測定する電子機器．フイルムの感度測定，骨密度測定，線分散関数の測定に用いられる（微小領域フイルム濃度計））．

den·si·tom·e·try (dens′i-tom′ĕ-trē)．デンシトメトリー．= underwater weighing.

den·si·ty (dens′i-tē)．***1*** 密度（物質の稠密度．または容積に対する質量の比．通常 g/cm^3（国際単位系（SI）では kg/m^3）で表される）．***2***〔電荷〕密度（一定の時間内または一定の平面上における単位容積当たりの電気量）．***3*** 濃度（放射線物理学においては，照射された X 線写真あるいは通常の感光フイルムの光に対する透過性を意味し，フイルムの黒化度が強いほど，濃度は高いことになる）．***4*** 濃度（放射線の臨床においては，フイルム上の，より照射されていない部分を意味し，物質の X 線不透過性がより強い部分，つまり光がフイルムをより多く透過すると，物質の濃度が高いということになる．このことは，実際には ***3*** の density の定義の反対のようにも思われるが，***3*** ではフイルムの濃度を意味し，***4*** では物質の濃度を意味しており矛盾しない）．

dens mo·la·ris, pl. **den·tes mo·la·res** 大臼歯（→molar）．= molar tooth.

dens per·ma·nens, pl. **den·tes per·ma·nen·tes** 永久歯．= permanent tooth.

dens pre·mo·la·ris, pl. **den·tes pre·mo·la·res** 小臼歯．= premolar tooth.

dens se·ro·ti·nus 智歯．= third molar tooth.

dent-, denti-, dento- 歯，歯科，歯音に関する連結形（→odonto-）．

den·tal (den′tăl)．歯〔性〕の，歯科の，歯〔裏〕音の．

den·tal ab·scess, den·to·al·ve·o·lar ab·scess 歯性膿瘍．= alveolar abscess.

den·tal ac·quired pel·li·cle 獲得皮膜（露出歯面，修復物，および歯石上に形成される薄膜で，無定形，無細胞性で，有機物からなる）．

den·tal a·nat·o·my 歯科解剖学（歯の形態，部位，位置，および関係に関する肉眼解剖学の一分野）．

den·tal an·ky·lo·sis 骨性癒着（歯根表面とその周囲の歯槽骨との骨性の癒合．癒合部ではそれに先立って部分的な歯根吸収が起こる）．

den·tal an·thro·po·lo·gy 歯科人類学（自然人類学の一分野で，霊長類（特にヒト）における歯列の起源，進化および発達を扱う．また，歯列と身体との関係，さらに社会的・文化的関係も対象とする）．

den·tal arch 歯列弓（自然歯列と残存隆線，すなわち自然歯が一部または全部欠けた後の残遺物の複合構造）．

den·tal as·sis·tant 歯科助手（事務および臨床補助業務から技工，感染管理，および X 線写真撮影にいたる業務まで，歯科医師の補助をするための訓練を受けた人．注日本における歯科助手の役割は歯科診療の介助や事務処理などに限られる）．

den·tal bulb 歯乳頭（中胚葉から出た乳頭で，茶わん形エナメル器内にある歯原基の一部をつくる）．

den·tal cal·cu·lus 歯石（①歯の周囲に形成される石灰化沈着物．歯肉下・歯肉上歯石として現れることもある．②= tartar (1)）．

den·tal crypt 歯胚〔芽〕洞（歯小嚢がはいる空間）．

den·tal cur·ette 歯科鋭匙（キュレット）（先端が軽度に彎曲した歯科器具で，スケーリング（歯石およびプラークを除去すること），ルートプレーニング（歯根面を滑沢にすること）および歯肉掻爬に用いられる）．

den·tal en·do·scope 歯科用内視鏡（照明装置が付属した光学器具で，歯周ポケット内に挿入し，歯肉縁下の歯根の状態について直接観察できる）．

den·tal fol·li·cle 歯〔小〕嚢（歯の形成器官および発育中の歯を包む嚢をいう）．

den·tal for·ceps 抜歯鉗子（歯を脱臼させ，歯槽から取り除くのに用いる鉗子）．= extracting forceps.

den·tal for·mu·la 歯式（顎にある種々の歯数を表の形で表したもの）．

den·tal ger·i·at·rics 老年（老人）歯学（老年者に特異な歯科疾患の治療）．= gerodontics; gerodontology.

den·tal·gi·a (den-tal′jē-ă)．歯痛．= toothache.

den·tal gran·u·lo·ma 歯根肉芽腫．= periapical granuloma.

den·tal his·to·ry 歯科病歴（これまでに罹患した口腔内の疾病とそれに対する処置についての記録）．

den·tal hy·gien·ist 歯科衛生士（歯科において，免許を受けて専門的に補助を行う人．口腔衛生士であり臨床家である．口腔疾患の管理のために予防，治療，訓練法を行う）．

den·tal im·plants 歯科インプラント（金属の維持装置，主としてチタン製の支台を用いて，顎骨に永久に固定させた冠，橋義歯，有床義

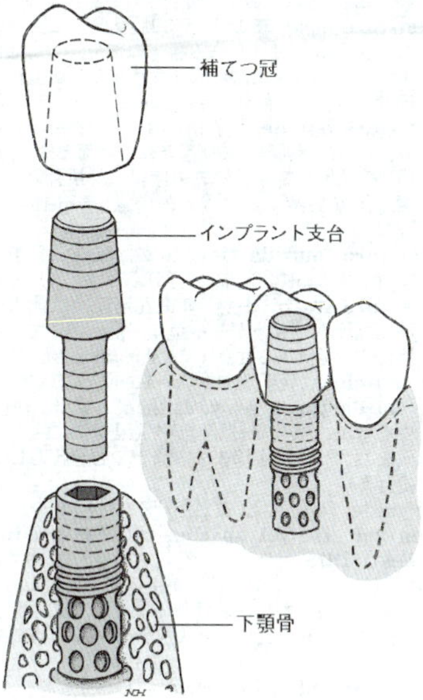
補てつ冠
インプラント支台
下顎骨

dental implant

歯).

den·tal med·i·cine = dentistry.

den·tal or·gan エナメル器. = enamel organ.

den·tal pa·pil·la 歯乳頭(発育中の顎の間葉組織の,エナメル器官陥凹部への突起.外層は,歯のぞうげ質をつくる特殊な柱状細胞,ぞうげ芽細胞になる).

den·tal plaque 歯苔(①主として口腔微生物とその産生物の非石灰化集積物.歯にしっかりと付着し,簡単には取り除けない.②= bacterial plaque).

den·tal proph·y·lax·is 歯科予防〔法〕(歯の歯冠および歯根から,歯石や汚れ,あるいはその他の付着物を取り除き,エナメル表面を磨く一連の方法).

den·tal pub·lic health 歯科公衆衛生学(地域社会の力を結集して歯科疾患を予防するとともに,その進行をコントロールし,歯科衛生を促進する自然科学および人文科学.歯科の専門分野の1つ).

den·tal pulp, den·ti·nal pulp 歯髄(歯髄腔内の軟組織で,血管,神経およびリンパ管を含む結合組織と,辺縁部において,ぞうげ質の内側からの修復を行う能力のあるぞうげ芽細胞層からなる). = pulp(2); tooth pulp.

den·tal ridge 歯の隆線(咬合面の辺縁隆起,または歯の辺縁).

den·tal sac 歯嚢(発生中の歯を取り囲む結合組織性の被包で,歯根と歯周組織の形成に関わる.→dental follicle).

den·tal sur·geon 歯科医(歯科の一般臨床医). = oral surgeon.

den·tal sy·ringe 歯科用注射器(麻酔液のはいった密封ガラスカートリッジを装填し,その一端を荷重する金属カートリッジ注射器).

den·tal var·nish 歯科用バーニッシュ(天然の樹脂およびゴムの適当な溶媒中の溶液.薄い被膜が,修復物の成分に対する歯への保護剤として,修復物装着以前に窩洞形成の表面に塗布される). = vernix.

den·tate (den′tāt). 歯状の,鋸歯状の.

den·tate gy·rus 歯状回(海馬を構成するために連結している2個の脳回のうちの1個で,もう1個はAmmon角).

den·tate nu·cle·us of cer·e·bel·lum 小脳歯状核(小脳核の中で最も外側にある最も大きい核.新小脳といわれる小脳皮質外側領域からPurkinje細胞の軸索突起を受け,途中で小脳求心性線維の側副枝を経由して上方の小脳皮質にはいる.より内側に位置している球状核や栓状核とともに,上小脳脚または結合腕を形成する線維の主な起始をなす). = nucleus dentatus.

den·tate su·ture 鋸〔歯〕状縫合. = serrate suture.

den·tes (den′tēz). densの複数形.

den·ti·cle (den′ti-kĕl). ***1*** ぞうげ〔質〕粒,歯髄結石. = endolith. ***2*** 小歯状突起(硬い面から出ている歯状の突起).

den·ti·frice (den′ti-fris). 歯みがき剤(粉歯みがき,練歯みがき,洗口剤といった歯の清掃時に用いるもの).

den·tig·er·ous (den-tij′ĕr-ŭs). 含歯性の(歯をもつ,または含む.歯嚢胞のように歯から発生する,または歯と関連のあるものについていう).

den·tig·er·ous cyst 含歯性嚢胞(未萌出歯または埋伏歯の歯冠周囲の退縮エナメル上皮に由来する歯原性嚢胞). = follicular cyst(2).

den·ti·la·bi·al (den′ti-lā′bē-ăl). 歯唇の(歯と唇に関する).

den·ti·lin·gual (den′ti-ling′gwăl). 歯舌の(歯と舌に関する).

den·tin (den′tin). ぞうげ質(歯を形成する硬組織.そのうち約20%は,少量のエラスチンおよびムコ多糖類を含み,コラーゲンが大部分を占める有機物質である.無機質部分(70%)は主に水酸化リン灰石(ヒドロキシアパタイト)で,少量の炭酸塩,マグネシウム,フッ化物を含む.ぞうげ質においては,歯髄腔から外側へ多数の細管が走行しており,その管内にはぞうげ芽細胞からの突起が認められる). = dentinum.

den·ti·nal (den′ti-năl). ぞうげ質の.

den·ti·nal ca·nals ぞうげ細管. = canaliculi dentales.

den·ti·nal·gi·a (den′ti-nal′jē-ă). ぞうげ質痛(ぞうげ質の知覚過敏または疼痛).

den·ti·nal la·mi·na cyst 歯提嚢胞(小さなケラチン質に満たされた嚢胞で,通常複数,新生児の歯槽提に見られる.これは歯提の残存物が元になってできている).

D

den·ti·nal sheath ぞうげ細管鞘（比較的酸に強いぞうげ細管壁を形成している組織層）.

den·ti·nal tu·bules ぞうげ細管. = canaliculi dentales.

den·tin dys·pla·si·a ぞうげ質形成異常（異形成）（歯の遺伝性の疾患で，乳歯および永久歯双方にわたって罹患する．臨床的には形態，色調は正常であるが，X 線写真上で，短根，歯髄腔および根管の閉塞像を示し，歯の動揺や早期脱落を認める）.

den·tine bridge デンティンブリッジ（露出した歯髄組織を被覆するように形成され，歯髄腔を再封鎖する，修復象牙質あるいは他の石灰化物の沈着）.

den·tin·o·ce·ment·al (den′ti-nō-sĕ-men′tăl). ぞうげ質セメント質の（歯のぞうげ質とセメント質に関する）.

den·tin·o·e·nam·el (den′ti-nō-ĕ-nam′ĕl). ぞうげ質エナメル質の（歯のぞうげ質とエナメル質に関する）. = amelodentinal.

den·tin·o·e·nam·el junc·tion (DEJ) ぞうげエナメル境（歯冠のエナメル質とぞうげ質が接合した面）.

den·tin·o·gen·e·sis (den′ti-nō-jen′ĕ-sis). ぞうげ質形成（歯の発育におけるぞうげ質形成の過程）.

den·tin·o·gen·e·sis im·per·fec·ta ぞうげ質形成不全〔症〕（常染色体優性遺伝の歯の形成異常で，臨床的には透明度の高い灰色から黄褐色の色調を呈し，乳歯，永久歯がいずれも侵される．エナメル質破折を起こしやすく，露出したぞうげ質をそのまま放置すると，急速に咬耗が進む．X 線的には，歯髄腔および根管の閉塞像を呈し，歯根は短く丸みを帯びている．しばしば骨形成不全症と関連する）.

den·ti·noid (den′ti-noyd). ***1*** 〖adj.〗ぞうげ質様の，類ぞうげ質の. ***2*** 〖n.〗= dentinoma.

den·ti·no·ma (den′ti-nō′mă). ぞうげ〔質〕腫（まれな良性の歯原性腫瘍で，組織学的には，線維性間質内に形成異常のぞうげ質と上皮索が認められる）. = dentinoid(2).

den·ti·num (den′ti-nŭm). ぞうげ質. = dentin.

den·tip·a·rous (den-tip′ă-rŭs). 歯牙形成の.

den·tist (den′tist). 歯科医（法的に歯科医療を行う資格をもつ者）.

den·tis·try (den′tis-trē). 歯〔科〕学（口腔-顔面複合体の構造と機能に関する，また，その奇形，疾患，外傷の予防，診断，治療に関する治療の科学および技術）.

den·ti·tion (den-tish′ŭn). 歯列，生歯（歯列弓（乳歯列，永久歯列，混合歯列）内にある天然歯の総称）.

den·to·al·ve·o·lar (den′tō-al-vē′ō-lăr). 歯槽の（通常，歯の周りの歯槽骨の部分，また歯と歯槽骨からなる機能上の区域についてもいう）.

den·to·fa·cial (den′tō-fā′shăl). 顎顔面の（歯列および顔面の，歯列および顔面に関する）.

den·tu·lous (den′tyū-lŭs). 有歯の，天然歯をもつ.

den·ture (den′chŭr). ***1*** 義歯（欠損した天然歯とその隣接組織の代わりに入れる人工的代替物）. ***2*** ときに動物の生歯をさすこともある.

den·ture base 義歯床（①口腔粘膜上に置かれ，人工歯が取り付けられる義歯の部分．②基底面上に置かれ，人工歯が取り付けられる総義歯や部分床義歯の一部分）. = saddle(2).

den·ture bor·der〔義歯〕床縁（①義歯床の境界，辺縁，周囲縁．②研磨された表面と印象（粘膜）表面との接合部の義歯床縁．③頬唇側，舌側，後方限界における義歯床縁）. = periphery (2).

den·ture foun·da·tion 床支持組織（義歯を支持できる口腔内組織の一部）.

den·ture sta·bil·i·ty 義歯安定性（機能力を加えたときに義歯がしっかり固定していて，位置変化に抵抗する性質）. = stabilization(2).

de·nu·cle·at·ed (dē-nū′klē-ā-tĕd). 脱核の.

de·nu·da·tion (den′yū-dā′shŭn). 露出，裸出，表皮剥脱（被覆層（保護層）を除去すること．表面をおおう上皮を除去するなどのむき出しにする行為）.

de·nude (dē-nūd′). 露出させる.

Den·ver De·vel·op·men·tal Screen·ing Test (DDS) デンバー発達スクリーニング試験（心理学者や小児科医が用いる，誕生から 6 歳までの各年齢層における発達程度，知的能力，運動能力，社会性の成熟度を評価するためのスケール）.

de·o·dor·ant (dē-ō′dŏr-ănt). ***1*** 〖adj.〗脱臭の，消臭の（特に不快な臭いを除くことについていう）. ***2*** 〖n.〗脱臭剤（***1*** の作用を有する薬剤．特に発汗抑制薬を配合した化粧品についていう）. = deodorizer.

de·o·dor·iz·er (dē-ō′dăr-īz-ĕr). 脱臭薬. = deodorant(2).

de·os·si·fi·ca·tion (dē-os′i-fi-kā′shŭn). 骨質吸収，骨石灰質脱失（骨の無機成分の除去）.

de·ox·y·a·den·o·sine (dA, dAdo) デオキシアデノシン; 2′-deoxyribosyladenine（DNA の 4 つの主要ヌクレオシドの 1 つ．他の 3 つは，デオキシシチジン，デオキシグアノシン，チミジン．その 5′誘導体はビタミン B_{12} のある型の重要な構成成分でもある．デオキシアデノシンは重篤な複合免疫不全症の患者で蓄積する）.

de·ox·y·ad·e·nyl·ic ac·id (dAMP) デオキシアデニル酸（デオキシアデノシン一リン酸で，DNA の加水分解産物．リボースの代わりにデオキシリボースを含む点がアデニル酸と異なる）. = adenine deoxyribonucleotide.

de·ox·y·cho·late (dē-oks′ē-kō′lāt). デオキシコール酸塩またはエステル.

de·ox·y·cho·lic ac·id デオキシコール酸（胆汁酸の 1 つで，胆汁分泌促進性がある．生化学的処理に界面活性剤として用いる）.

de·ox·y·cor·ti·cos·ter·one (dē-oks′ē-kōr-ti-kos′tĕr-ōn). デオキシコルチコステロン（副腎皮質ステロイド．主にコルチコステロンの生合成前駆物質で，副腎皮質分泌液にまれにみられる．強力な鉱質コルチコイドであり，糖質コルチコイドの活性は認められない．*cf.* bioregulator）. = 21-hydroxyprogesterone.

de·ox·y·cyt·i·dine (dē-oks′ē-sī′ti-dēn). デオ

キシシチジン; 2′-deoxyribosylcytosine (DNA の4つの主要ヌクレオシドの1つ. 他の3つはデオキシアデノシン, デオキシグアノシン, チミジン).

de·ox·y·cyt·i·dyl·ic ac·id (dCMP) デオキシシチジール酸 (デオキシシチジン—リン酸塩で, DNA の加水分解産物).

de·ox·y·gua·no·sine (dē-oks′ē-gwahn′ō-sēn). デオキシグアノシン (DNA の4つの主要ヌクレオシドの1つ. 他の3つはデオキシアデノシン, デオキシシチジン, チミジン. プリンヌクレオシドホスホリラーゼ欠損症の患者で蓄積する).

de·ox·y·gua·nyl·ic ac·id (dGMP) デオキシグアニル酸 (デオキシグアノシン—リン酸塩. DNA の加水分解産物). = guanine deoxyribonucleotide.

deoxyhaemoglobin [Br.]. = deoxyhemoglobin.

de·ox·y·he·mo·glo·bin (dē-oks′ē-hē′mŏ-glō-bin). デオキシヘモグロビン (ヘモグロビンの環元型. オキシヘモグロビンが酸素を失うと生じる). = deoxyhaemoglobin.

de·ox·y·ri·bo·nu·cle·ase (DNase) (dē-oks′ē-rī′bō-nū′klē-ās). デオキシリボヌクレアーゼ (DNA におけるホスホジエステル結合を加水分解する酵素(ホスホジエステラーゼ). →endonuclease; nuclease).

de·ox·y·ri·bo·nu·cle·ic ac·id (DNA) デオキシリボ核酸 (核酸の一型で, 糖成分としてデオキシリボースを含有し, 主として動植物細胞の核(染色質, 染色体)およびミトコンドリア内に見出され, 通常, 蛋白と緩く結合(このためデオキシリボ核蛋白とよばれる)している染色体や多くのウイルスの自己増殖成分であり, 遺伝形質の貯蔵物質であると考えられる. その直鎖高分子鎖は 3′- と 5′-ヒドロキシル基間のリン酸基でエステル化されたデオキシリボース分子を含有する. この構造にプリンのアデニン(A)とグアニン(G)およびピリミジンのシトシン(C)とチミン(T)が結合している. DNA は開鎖状または環状, 一重鎖または二重鎖, さらに多くの型があり, 最も一般的なものは二重鎖で, ピリミジンとプリンとが A-T および C-G の様式で水素結合をつくって架橋し, 2本の逆平行鎖になり二重らせんをつくっている. 染色体は二重鎖 DNA からなる. ミトコンドリア DNA は環状である).

de·ox·y·ri·bo·nu·cle·o·pro·tein (dē-oks′ē-rī′bō-nū′klē-ō-prō′tēn). デオキシリボ核蛋白〔質〕(DNA と蛋白の複合体. DNA は通常, 細胞の破壊と分離の際に見出される).

de·ox·y·ri·bo·nu·cle·o·side (dē-oks′ē-rī-bō-nū′klē-ō-sīd). デオキシリボヌクレオシド (2-デオキシ-D-リボースを含有する DNA のヌクレオシド成分. デオキシ-D-リボースとプリンまたはピリミジンとの縮合物).

de·ox·y·ri·bo·nu·cle·o·tide (dē-oks′ē-rī′bō-nū′klē-ō-tīd). デオキシリボヌクレオチド (2-デオキシ-D-リボースを含有する DNA のヌクレオチド成分. デオキシリボヌクレオシドのリン酸エステル. ヌクレオチドの生合成で生成される).

de·ox·y·ri·bose (dē-oks′ē-rī′bōs). デオキシリボース (デオキシペントースの1つで, 2-デオキシ-D-リボースが最も一般的である. DNA に含まれ, その名の由来となっている).

de·ox·y·ri·bo·vi·rus (dē-ok′sē-rī′bō-vī-rŭs). = DNA virus.

de·ox·y sug·ar デオキシ糖類 (炭素原子より少数の酸素原子をもつ糖. したがって, 分子中の1つ以上の炭素は水酸基を欠く).

de·ox·y·thy·mi·dine (dT) (dē-oks′ē-thī′mi-dēn). デオキシチミジン. = thymidine.

de·ox·y·thy·mi·dyl·ic ac·id (dTMP) デオキシチミジル酸 (DNA の成分. 初めは thymidylic acid とよばれたが, 現在 ribothymidylic acid も存在することが知られたので, 意味をより明確にするため deoxy- の接頭語を用いるようになった).

de·pen·dence (dĕ-pen′dĕns). 依存〔症〕, 従属, 依存性 (特別な必要から人または事物に頼ったり, その影響を受けたり, それに追従したりする性質または状態).

de·pen·dent (dĕ-pen′dĕnt). 依存している (医療金融において, 被保険者ではない患者で, 被保険者への方針が適用される権利を与えられた者. このような指示は広く保険業者, 地域, 法の管轄権にしたがって適用される).

de·pen·dent drain·age 重力ドレナージ〔法〕(ドレナージする部分の最も低い部位からさらに低い位置へ置いた容器に行う).

de·pen·dent e·de·ma 就下性水腫(浮腫) (臨床的に認められる細胞外液量の増加で, 手足などの下になった部分に限局した腫脹としてみられ, 圧するとへこむ).

de·pen·dent nurs·ing ac·tions 依存的看護活動 (医療施設における医師あるいは手術の手順書により規定された看護活動. 医師が主導的に規定する, 患者ケアのために看護師によって実行される処置).

de·pen·dent per·son·al·i·ty 依存性人格 (受身的で, 決定をする責任を他の人に任せてしまうような人格障害).

depersonalisation [Br.]. = depersonalization.

de·per·son·al·i·za·tion (dē-pĕr′sŏn-ăl-ī-zā′shŭn). 離人症 (家族や同僚など他者との関係で, 自己同一の感情を失っている状態. または自己の実在感を失っている状態). = depersonalisation.

de·phas·ing (dē-fāz′ing). 位相の散逸 (核磁気共鳴において, 高周波パルスによる位相の整列に引き続いて起こる現象で, 分子エネルギーのランダムな移行や緩和によって原子核の磁気的方向が徐々に乱れていく現象).

de·pig·men·ta·tion (dē-pig′men-tā′shŭn). 色素脱失, 脱色 (部分的脱色と完全脱色がある. →achromia (1)).

dep·i·late (dep′i-lāt). 脱毛する (*cf.* epilate).

dep·i·la·tion (dep′i-lā′shŭn). = epilation.

de·pil·a·to·ry (dĕ-pil′ă-tŏr-ē). 脱毛薬 (*cf.* epilatory).

de·po·lar·i·za·tion (dē-pō′lăr-ī-zā′shŭn). 脱

D

分極，復極，消極（極性を破壊，中性化，またはその方向を変化させること）.

de·po·lar·iz·ing block 脱分極〔性〕遮断（運動神経終板の極性の喪失に伴う骨格筋麻痺．例えば，スクシニルコリン投与により発生する麻痺）.

de·pol·y·mer·ase (dē-pol′i-mĕr-ās). デポリメラーゼ，解重合酵素（高分子からより単純な化合物への加水分解を触媒する酵素．→nuclease）.

depolymerisation [Br.]. = depolymerization.

de·po·lym·er·i·za·tion (dē-pol′i-mĕr-ī-zā′shŭn). 解重合（ポリマー(重合体)を個々のモノマー(単量体)に分解すること）. = depolymerisation.

dep·o·si·tion (dep′ŏ-zish′ŭn). 宣誓証言（口頭および筆記による質問や反対尋問への返答における証拠によって得られた，宣誓された事前審理の証拠．この宣誓証言は筆記され，更なる事前審理の調査で利用されることがある．また審理において，証拠がない場合に，利用されることもある．しばしば労働者の補償の判決に利用される）.

de·pot in·jec·tion 蓄積注射（注入部位にとどまる傾向のある溶媒に薬物を混じて行う注射で，これにより長期間にわたる吸収が行われる）.

de·pres·sant (dĕ-pres′ănt). ***1*** 〖adj.〗抑制の（機能的活動を減じることについていう）．***2*** 〖n.〗抑制薬（鎮静薬や麻酔薬のように，神経の活動または機能的活動を低める薬剤）.

de·pressed (dĕ-prest′). ***1*** 平らにされた．***2*** 低下した，陥凹した，沈下した，減圧した．***3*** 機能が低下した．***4*** うつ病の，抑うつ〔症〕の，抑圧された，抑制された.

de·pressed skull frac·ture 頭蓋陥没骨折（直下の硬膜や大脳皮質の損傷を合併することもしないこともある）.

de·pres·sion (dĕ-presh′ŭn). ***1*** 低下，沈下，減圧（機能のレベルを落とすこと）．***2*** 陥凹．***3*** 部分的に下方や内方に置換すること．***4*** うつ病，抑うつ〔症〕（悲しみ，孤独，絶望，低い自己評価，自責感を特徴とする一時的な精神状態ないし慢性的な精神障害で，精神運動制止，頻回ではない焦躁，社会からの引きこもり，植物神経症状(食欲低下，不眠など)などの徴候を伴う）. = dejection(1).

de·pres·sor (dĕ-pres′ŏr). ***1*** 下制筋（ある部分を平らにしたり，また低くする筋肉）．***2*** 抑制薬（機能活動を抑えたり，遅延させるもの）．***3*** 圧抵器（手術または検査中に，ある構造を押し出すために用いる器具あるいは装置）．***4*** 降圧薬（血圧を下げる薬物）.

de·pres·sor an·gu·li o·ris mus·cle 口角下制筋（口唇の顔面筋の1つ．起始：下顎底の前外側部．停止：口角近くの下唇で他の筋と交織する．作用：口角を下へ引く．神経支配：顔面神経）. = musculus depressor anguli oris; triangular muscle(2).

de·pres·sor fi·bers 減圧〔神経〕線維（ある種の動脈壁にある圧受容性神経終末をもつ知覚神経線維で，動脈内圧力の上昇によって刺激されると脳幹に働き，血圧を低下させる）.

de·pres·sor la·bi·i in·fe·ri·o·ris mus·cle 下唇下制筋（口唇の顔面筋の1つ．起始：下顎骨底前部．停止：口輪筋と交織して下唇の皮膚に終わる．作用：下唇を下制する．神経支配：顔面神経）. = musculus depressor labii inferioris.

de·pres·sor mus·cle of sep·tum 鼻中隔下制筋. = depressor septi nasi muscle.

de·pres·sor sep·ti na·si mus·cle 鼻中隔下制筋（鼻の顔面筋の1つ．中切歯の上方で上顎骨から垂直に伸びる筋束で，上唇の正中線に沿って上方に伸び鼻中隔可動部に停止する．作用：鼻筋の鼻翼部と共働して深呼吸時に鼻孔を広げ鼻中隔を下制する．神経支配：顔面神経の頬枝）. = musculus depressor septi nasi; depressor muscle of septum.

de·pres·sor su·per·ci·li·i mus·cle 眉毛下制筋（前頭部骨鼻部から起こる顔面筋で皺眉筋の内側にあり，眉毛中央部の皮膚に停止する．作用：眉毛を下方に引く．神経支配：顔面神経）. = musculus depressor supercilii.

dep·ri·va·tion (dep′ri-vā′shŭn). 剥奪，奪取（必要なものが欠如，喪失していること，または与えないこと）.

depth (depth). 深部，深度，深さ，奥行.

depth per·cep·tion 奥行覚（視覚により空間の奥行または距離を判断する能力）.

de Quer·vain dis·ease ド・ケルヴァン病（母指外転筋および短母指伸筋の腱鞘炎）.

de Quer·vain frac·ture ド・ケルヴァン骨折（骨折片と月状骨の掌側亜脱臼を伴う手舟状骨骨折）.

de Quer·vain ten·o·syn·o·vi·tis ド・ケルヴァン腱鞘炎（長母指外転筋腱と短母指伸筋腱とが走行する手関節第一背側区画での腱の炎症．特殊な誘発テスト(Finkelstein テスト)で診断する）.

de Quer·vain thy·roid·i·tis ド・ケルヴァン甲状腺炎. = subacute granulomatous thyroiditis.

de·range·ment (dĕ-rānj′mĕnt). ***1*** 障害，混乱（正常な秩序または配置を乱すこと）．***2*** 精神錯乱，精神障害を表す，まれに用いる語.

de·re·al·i·za·tion (dē-rē′ă-lī-zā′shŭn). 現実感消失（外界についての知覚の変化であり，日常的によく知っている事物が見慣れない奇妙なものに見えたり，非現実的または平面的で深みに欠けるものに見えたりする）.

de·re·ism (dē-rē′izm). 非現実性，内閉性（現実から離れた幻想の世界における精神活動）.

de·re·is·tic (dē′rē-is′tik). 非現実性の，内閉性の（論理や体験にそぐわない観念を抱いて，想像，幻想の世界に住むことについていう）.

der·en·ceph·a·ly (der′en-sef′ă-lē). 頭頸不全（二列頸椎のほうへ詰まっている著しく不全な脳を有し，頭蓋が開いている奇形）.

de·re·pres·sion (dē-rĕ-presh′ŭn). 抑制解除（誘導酵素系における酵素生産調節の恒常性機構．一般に特異的な酵素系の基質である誘発因子が活性抑制因子(調節遺伝子により生産される)と結合して抑制因子を不活性化する．その結果，抑制されていた作動遺伝子が放出され，酵素が産出される）.

der·i·va·tion (der′i-vā′shŭn). 誘導，起源（源，起点，または発展の方向の構造物または経過）. = revulsion(2).

de·riv·a·tive (dĕ-riv′ă-tiv). ***1***〘adj.〙吸引の，誘導の. ***2***〘n.〙派生物（先に存在するものを修正，変更してつくり出されるもの）. ***3***〘n.〙誘導体（特に，他の類似構造の化合物から1つ以上の段階で(Hをアルキル基，アシル基，あるいはアミノ基で置換して)つくられる化学物質）.

derm-, derma- 皮膚に関する連結形. ラテン語 *cut-* に相当.

der·ma·brad·er (dĕrm′ă-brād-ĕr). モーターで駆動する皮膚剥削器.

der·ma·bra·sion (dĕrm′ă-brā′zhŭn). 皮膚擦傷法（痤瘡瘢痕や陥凹をやすり，回転性のワイヤブラシ，その他の研摩材を用いて除去する手術方法）. = planing.

Der·ma·cen·tor (dĕr-mă-sen′tōr). カクマダニ属（眼と11の花采をもつ華麗で特色のあるマダニ科の一属. 約20種からなり，一般にイヌ，ヒト，その他の哺乳類につく）.

Der·ma·cen·tor an·der·son·i アンダーソンカクマダニ（ロッキー山脈地方の紅斑熱の媒介動物. また野兎病を伝播し，ダニ麻痺症を起こす. 雄の大盾板上に特徴のある黒白の斑点がある. 英名 wood tick）.

Der·ma·cen·tor mar·gi·na·tus ヨーロッパ各地にみられるマダニの一種で，*Rickettsia slovaca* によって引き起こされるヒトリケッチア症の媒介者となる.

Der·ma·cen·tor va·ri·a·bil·is アメリカイヌカクマダニ（米国の東部海岸地帯ではイヌに普通にみられるダニ. 野兎病の主要な媒介動物であり，また米国中央部・東部においてはロッキー山紅斑熱の原因となる斑点熱リケッチア *Rickettsia rickettsii* の主要な媒介体となっている. ダニ麻痺を引き起こす可能性もある. 英名 American dog tick）.

Der·ma·coc·cus (dĕr-mă-kok′ŭs). 皮膚球菌属（ヒトの皮膚にみられるグラム陽性好気性球菌の一属）.

der·mal (dĕr′măl). 皮膚の. = dermatic; dermatoid(2); dermic.

der·mal graft 皮膚移植〔片〕（真皮の移植片. 表皮を切り出して皮膚からつくられる）.

der·mal pa·pil·lae 真皮乳頭. = papilla of dermis.

der·mal si·nus 皮膚洞（表皮と皮膚付属器で囲まれた腔洞. 皮膚からさらに深層の構造，しばしば脊髄まで広がる）.

dermat- 皮膚に関する連結形. →derm-; dermato-; dermo-.

der·mat·ic (dĕr-mat′ik). = dermal.

der·ma·ti·tis, pl. **der·ma·tit·i·des** (dĕr′mă-tī′tis, -tit′i-dēz). 皮膚炎.

der·ma·ti·tis-caus·ing cat·er·pil·lar 皮膚炎誘発性毛虫（毒毛によって皮膚炎を起こす毛虫のことで，*Sibine stimulea*（サドルバック毛虫）と *Euproctis chrysorrhoea*（ブラウンテイル蛾）が頻度が高い）.

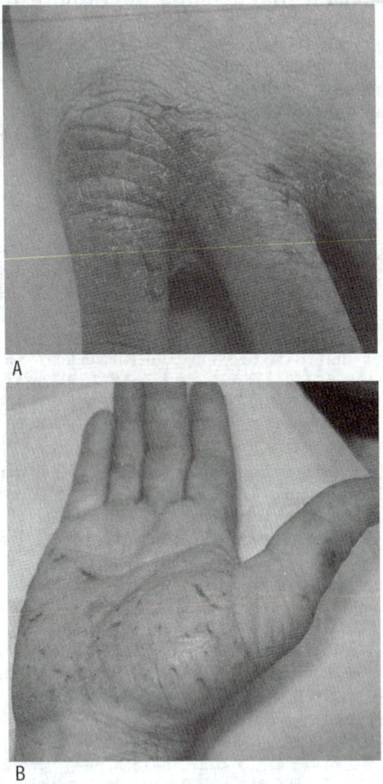
A
B
dermatitis

der·ma·ti·tis ex·fo·li·a·ti·va in·fan·tum, der·ma·ti·tis ex·fo·li·a·ti·va ne·o·na·to·rum 乳児剥脱性皮膚炎，新生児剥脱性皮膚炎（汎発性膿皮症で剥脱性皮膚炎を伴い，全身症状を有する. 乳児がかかる. 恐らくアトピー性皮膚炎，Leiner 病，ブドウ球菌性熱傷様皮膚症候群の結果生じる）. = impetigo neonatorum(1).

der·ma·ti·tis gan·gre·no·sa in·fan·tum 乳児壊疽性皮膚炎（2歳未満の小児に生じる原因不明の水疱性または膿疱性の発疹で，壊死性潰瘍あるいは広範な壊疽に変化する. 治療しない場合，肝膿瘍のような血行性感染をきたして死亡することがある）. = pemphigus gangrenosus(1).

der·ma·ti·tis her·pet·i·for·mis 疱疹状皮膚炎（そう痒性の小水疱と丘疹が集合して現れるのを特徴とする慢性の皮膚病. 一般に再発する. グルテン過敏性腸疾患の合併があり，病変部とその周辺部の表皮直下に好中球を伴う IgA の沈着がある）. = Duhring disease.

der·ma·ti·tis me·di·ca·men·to·sa 薬物〔性〕皮膚炎. = drug eruption.

D

der·ma·ti·tis pa·pil·la·ris ca·pil·li·ti·i 頭部乳頭性皮膚炎. = acne keloid.

der·ma·ti·tis re·pens ほ行性皮膚炎. = pustulosis palmaris et plantaris.

dermato- →derm-.

der·mat·o·cha·la·sis (der′mă-tō-kal′ă-sis). 皮膚弛緩〔症〕(弾性線維の欠如を特徴とし，しわになり垂れ下がってみえる先天性あるいは後天性変化．血管異常が現れることもある．優性遺伝または劣性遺伝のいずれかに起こり，劣性の場合は肺気腫および消化管や膀胱の憩室を伴う．優性型は第7染色体長腕のエラスチン遺伝子(ELN)の変異による．X連鎖遺伝を示す型も存在し，これはX染色体長腕の銅輸送性ATPase をコードする Menkes 遺伝子(MNK)の変異による).

der·mat·o·fi·bro·ma (dĕr′mă-tō-fī-brō′mă). 皮膚線維腫 (徐々に発育する良性の皮膚小結節．虚脱毛細血管を囲む境界の不明瞭な細胞性線維性組織からなり，ヘモジデリンと，脂質を貪食したマクロファージが散在する．硬化性血管腫 sclerosing hemangioma，線維性組織球腫 fibrous histiocytoma，結節性表皮下線維組織増殖症 nodular subepidermal fibrosis は，皮膚線維腫と同じ意味に考えられているがまたその亜型とも考えられている).

der·mat·o·glyph·ics (dĕr′mă-tō-glif′iks). ***1*** 皮膚紋理 (手掌または足蹠の皮膚にみられる特徴的な隆線模様の形状．ヒトの手の場合，指の末節には渦状紋，蹄状紋，弓状紋の3種の指紋がある．→fingerprint). ***2*** 皮膚紋理学 (皮膚紋の形状や模様を扱う研究または学問).

der·ma·tog·ra·phism (dĕ′-mă-tog′ră-fizm). 皮膚描記症，皮膚紋画症 (じんま疹の一種．皮膚を圧迫・摩擦すると，その形に膨疹ができる．アトピー性皮膚炎の早期においては白色の線条を形成する). = dermographia; dermographism; dermography.

der·ma·toid (dĕr′mă-toyd). ***1*** 皮膚様の，類皮の. = dermoid(1). ***2*** = dermal.

der·ma·tol·o·gist (dĕr′mă-tol′ō-jist). 皮膚科医，皮膚病学者 (皮膚病およびそれに関係ある全身疾患の診断と治療を専門とする医師).

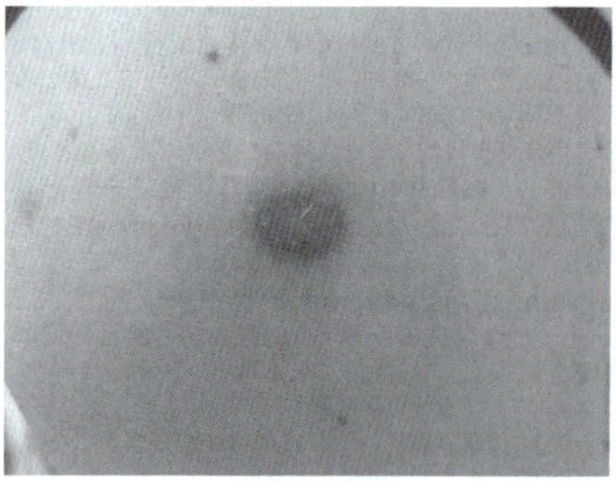

pigmented dermatofibroma

der·ma·tol·o·gy (dĕr′mă-tol′ō-jē). 皮膚科学 (皮膚および皮膚病と全身疾患との関係などについての研究に関する医学の分野).

der·ma·tol·y·sis (dĕr′mă-tol′i-sis). 皮膚弛緩〔症〕(皮膚の弛緩あるいは疾病による皮膚の萎縮．誤って cutis laxa(弛緩性皮膚)と同義に用いられている).

der·ma·to·ma (dĕr′mă-tō′mă). 皮膚腫 (皮膚の限局性の肥厚または肥大).

der·ma·tome (dĕr′mă-tōm). ***1*** 皮膚採取器，デルマトーム，採皮刀 (植皮用の表皮，真皮の薄片を切り採るため，または小さな病巣を摘除するための器具). ***2*** 真皮節 (胚葉体節の背外側の部分). = cutis plate. ***3*** 皮膚節，皮膚知覚帯 (単一の脊髄神経から出る皮膚の神経分枝により支配される皮膚領域．しばしば隣接の皮膚節と重なり合っている).

der·mat·o·meg·a·ly (dĕr′mă-tō-meg′ă-lē). 皮膚巨大〔症〕(先天性または後天性欠陥で皮膚がしわのように垂れ下がっているもの).

der·mat·o·mere (dĕr′mă-tō-mēr). 〔胎性〕皮節 (胚の外皮の分節区域).

der·mat·o·my·co·sis (dĕr′mă-tō-mī-kō′sis). 皮膚真菌症 (皮膚糸状菌，酵母あるいは他の真菌による皮膚の真菌感染. *cf.* dermatophytosis).

der·mat·o·my·o·ma (dĕr′mă-tō-mī-ō′mă). 皮膚筋腫. = leiomyoma cutis.

der·mat·o·my·o·si·tis (der′mă-tō-mī′ō-sī′tis). 皮膚筋炎 (顔面の紫紅色の紅斑および眼瞼や眼窩周囲組織の浮腫を典型とする皮疹と，血清筋原性酵素値上昇を伴う対称性近位筋の筋力低下を特徴とする進行性疾患．病変部の筋肉組織には慢性炎症反応を有する筋線維の変性が認められる．皮膚筋炎は小児および成人に起こり，成人では内臓癌を伴ったり，他の結合組織疾患を合併したりする).

der·mat·o·neu·ro·sis (dĕr′mă-tō-nūr-ŏ′sis). 皮膚神経症 (感情刺激による皮疹の総称).

der·mat·o·pa·thol·o·gy (dĕr′mă-tō-pă-thol′ŏ-jē). 皮膚病理学 (皮膚，皮下病変の病理組織学で，皮膚病の原因を研究する).

der·ma·top·a·thy (dĕr′mă-top′ă-thē). 皮膚障害，皮膚症 (皮膚疾患の総称). = dermopathy.

Der·ma·toph·a·goi·des pter·o·nys·si·nus 世界的に分布している皮癬蜱亜目のダニ．屋内に積もったじん埃中によくみられ，普通はアトピー性ぜん息を引き起こす.

der·mat·o·phi·lo·sis (der′mă-tō-fī-lō′sis). デルマトフィルス症 (種々の動物(ときにヒト)の浸出性皮膚炎．グラム陽性菌 *Dermatophilus congolensis* の感染により起こる). = proliferative dermatitis; streptothrichosis; streptotrichiasis; streptotrichosis.

der·mat·o·phy·lax·is (dĕr′mă-tō-fi-lak′sis). 皮膚防御 (害を及ぼす可能性のある因子から皮膚を守ること．例えば，感染，過度に日光に当たること，有害物質など).

der·mat·o·phyte (dĕr′mă-tō-fīt). 皮膚糸状菌 (皮膚，毛髪，爪などの角化組織の表面の感染を引き起こす真菌. *Epidermophyton* 属，*Microsporum* 属，*Trichophyton* 属の種は，皮膚糸状菌とみ

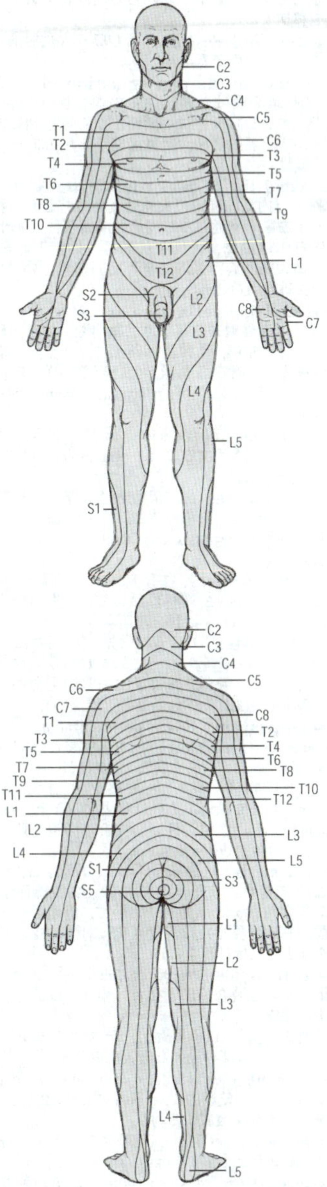
C2
C3
C4
C5
T1
T2
C6
T3
T4
T5
T6
T7
T8
T9
T10
T11
L1
T12
S2
L2
C8
S3
C7
L3
L4
L5
S1
C2
C3
C4
C5
C6
C7
C8
T1
T2
T3
T4
T5
T6
T7
T8
T9
T10
T11
T12
L1
L2
L3
L4
L5
S1
S3
S5
L1
L2
L3
L4
L5

dermatomes
脊髄神経から出る皮膚の神経分枝による支配領域

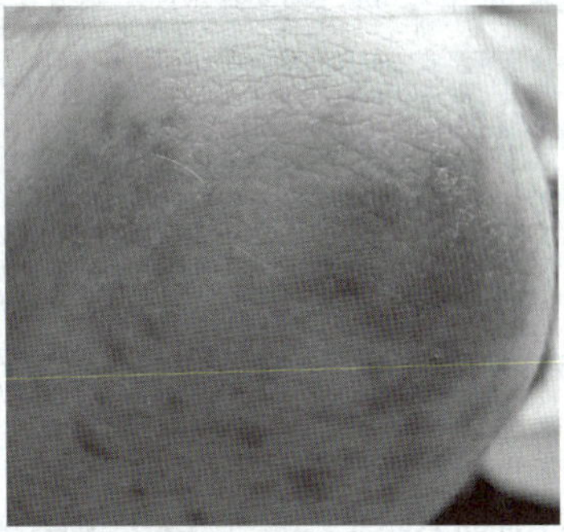

dermatomyositis on the knee

なされるが，癜風，黒(色輪)癬，および皮膚カンジダ症の病原菌は，この中に分類されない).

der·mat·o·phy·tid (dĕr′mă-tof′i-tid). 皮膚糸状菌疹 (皮膚糸状菌症の際にみられるアレルギー性の発疹で，真菌感染の原発巣から隔たった部位に生じる. 通常，手や腕の小水疱からなり，そこには真菌は存在しない. ときに発疹は広範に生じて身体の大部分をおおい，患者に強い不快をもたらす. →id(1); id reaction).

der·mat·o·phy·to·sis (dĕr′mă-tō-fī-tō′sis). 皮膚糸状菌症 (皮膚糸状菌によって起こる毛髪，皮膚，または爪の感染症. 病変は身体のどの部位にも発生し，紅斑，小水疱，皸裂，落屑を特徴とする. 好発部位は足(足白癬)，爪(爪白癬)，および頭皮(頭部白癬)である. *cf.* dermatomycosis).

der·mat·o·plas·ty (dĕr′mă-tō-plas-tē). 皮膚〔表面〕形成〔術〕(植皮などによる皮膚欠損の修復). = dermoplasty.

der·mat·o·pol·y·neu·ri·tis (dĕr′mă-tō-pol′ē-nūr-ī′tis). 皮膚多発〔性〕神経炎. = acrodynia (2).

der·mat·o·scle·ro·sis (dĕr′mă-tō-skler-ō′sis). = scleroderma.

der·ma·to·sis, pl. **der·ma·to·ses** (dĕr′mă-tō′sis, -sēz). 皮膚病，皮膚症 (個々の皮膚異常あるいは発疹を表す一般用語).

der·ma·to·sis me·di·ca·men·to·sa 薬物性皮膚病(症). = drug eruption.

der·mat·o·ther·a·py (dĕr′mă-tō-thār′ă-pē). 皮膚病治療.

der·mat·o·tro·pic (dĕr′mă-tō-trō′pik). 皮膚向性の. = dermotropic.

der·mic (dĕr′mik). 皮膚の. = dermal.

der·mis (dĕr′mis). 真皮 (表皮と波状に組み合わさったような構造をなしている表層の薄い乳頭層と，網状層とからなる皮膚の層. 血管およびリンパ管，神経および神経終末，腺，それに無毛の部位を除いては，毛包を含む). = corium; cutis vera.

dermo- →derm-.

D

Der·mo·bac·ter (dĕr′mō-bak′tĕr). 皮膚杆菌(不動性・非芽胞形成性・グラム陽性杆菌で，ヒト皮膚に表在する．*Dermobacter hominis* は血液培養で陽性の場合にみられる)．

der·mo·blast (dĕr′mō-blast). 皮膚芽細胞 (中胚葉細胞の一種．これから真皮が発達する)．

der·mo·graph·i·a, der·mog·ra·phism (dĕr′mō-graf′ē-ă, dĕr-mog′ră-fizm). = dermatographism.

dermohaemal [Br.]. 皮膚血管の. = dermohemal.

der·mo·he·mal (dĕr′mō-hē′măl). 皮膚血液の(特定の魚類に見られるような，皮膚と血液両方の構成を操作についていう)．= dermohaemal.

der·moid (dĕr′moyd). ***1*** 〖adj.〗皮膚様の. = dermatoid(1). ***2*** 〖n.〗類皮腫. = dermoid cyst.

der·moid cyst 類皮嚢腫，皮様嚢腫 (胚融合層に沿った変位外胚葉構造物により形成された腫瘍．皮膚付属器を含む上皮でおおわれた結合組織からなり，ケラチン，皮脂，毛髪などを中に含む)．= dermoid tumor; dermoid(2).

der·moid tu·mor 類皮腫. = dermoid cyst.

der·mop·a·thy (dĕr-mop′ă-thē). 皮膚障害，皮膚症. = dermatopathy.

der·mo·plas·ty (dĕr′mō-plas-tē). = dermatoplasty.

der·mo·tro·pic (dĕr′mō-trō′pik). = dermatotropic.

der·mo·vas·cu·lar (dĕr′mō-vas′kyū-lăr). 皮膚血管の.

de·ro·ta·tion (dē-rō-tā′shŭn). ***1*** ねじり戻ること．***2*** 減捻 (整形外科学において，変形した組織を正常位までねじる，あるいは回転することによって回旋変形を矯正すること)．

DES diethylstilbestrol の略.

des- 化学において物質名の主要部分のうち構成部分の一部を欠いていることを示す接頭語．たいていは de- で置き換える(例えば，deoxyribonucleic acid, dehydro- など)．

de·sat·u·ra·tion (dē-sat′yūr-ā′shŭn). 脱飽和(あるものを不完全に飽和する作用または作用の結果，より特定的に満たされないで残っている全結合部位の百分率．例えば，ヘモグロビンが酸素だけで70%飽和されているとき，その脱飽和は30%である．*cf.* saturation(5))．

De·sault ban·dage ドソー(デソー)包帯 (鎖骨骨折に用いる．パッドを腋窩に置き，肘を側胸部に固定する包帯法)．

Des·cartes law デカルトの法則. = law of refraction.

des·ce·me·ti·tis (des′ĕ-mĕ-tī′tis). デスメ〔ー〕膜炎.

Des·ce·met mem·brane デスメ〔ー〕膜. = posterior elastic lamina of cornea.

des·ce·met·o·cele (des′ĕ-met′ō-sēl). デスメ〔ー〕瘤 (Descemet 膜の前方への突出で，感染により角膜の物質が破壊されて起こる)．

Des·ce·met strip·ping en·do·the·li·al ker·a·to·plas·ty (DSEK) デスメ膜剥離角膜内皮移植術 (角膜内皮細胞疾患の治療のための手術術式：ホストの角膜内皮細胞とデスメ膜を切開し，死体ドナーからの内皮とデスメ膜移を移植する)．

des·cend·ing co·lon 下行結腸 (左結腸曲から骨盤上口へのびる部分)．

des·cend·ing de·gen·er·a·tion 下行変性(①損傷を受けた神経線維の順行性(Waller)変性．すなわち変性は切断部位から遠心性に向かう．②脊髄の切断，損傷部位から尾方向へ向かう変性)．

des·cend·ing ge·nic·u·lar ar·ter·y 下行膝動脈 (内転筋管内の大腿動脈より起こり，縫工筋下筋膜を貫通して膝関節と隣接部に分布する．内側上膝動脈，内側下膝動脈，外側上膝動脈，外側大腿回旋動脈，前脛骨反回動脈と吻合)．= arteria descendens genus.

des·cend·ing pal·a·tine ar·ter·y 下行口蓋動脈 (顎動脈より起こり，軟口蓋，歯肉，硬口蓋の骨と粘膜，前口腔咽頭部に分布する．蝶口蓋動脈，上行口蓋動脈，上行咽頭動脈，顔面動脈の扁桃枝と吻合)．= arteria palatina descendens.

de·scen·sus (dē-sen′sŭs). 下降，下垂，降下(高位から降下すること．→ptosis; procidentia)．= descent(1).

de·scen·sus tes·tis 精巣下降 (精巣が腹部から陰嚢内へと下降すること．胎生期 7—8 か月に起こる現象．→ptosis; procidentia)．= descensus; descent(1).

de·scent (dĕ-sent′). ***1*** 下降，下垂，降下. = descensus testis. ***2*** 産科において，胎児の先進部が産道に進入し，これを通過すること．

DES daugh·ter DES 被災女児 (妊娠中に DES (diethylstilbestrol)を投与された母体からの出生女児．変形，腺腫，および明細胞癌を含む腟頸管の上皮性変化を生じるリスクが高い)．

desensitisation [Br.]. = desensitization.

de·sen·si·ti·za·tion (dē-sen′si-tī-zā′shŭn). 脱感作，除感作，脱感受性 (①特異抗原(アレルゲン)に対するアレルギー性感受性，また，アレルギー反応を減弱あるいは除去すること．= anti-anaphylaxis. ②情動性観念複合体を取り除くための行為)．= desensitisation.

de·sen·si·tize (dē-sen′si-tīz). ***1*** 除感作する(敏感性を軽減または除去する)．***2*** 脱感作する．***3*** 知覚鈍麻する (歯科において，露出した有髄歯の刺激物質または温度変化に対する疼痛反応を除去または抑制する)．

des·e·tope (des′ĕ-tōp). ディセトープ (クラス II 主要組織適合遺伝子複合体中で，抗原と作用する部位)．

des·flu·rane (des-flūr′ān). デスフルラン (麻酔の導入，覚醒の迅速な吸入麻酔薬)．

des·ic·cant (des′i-kănt). = exsiccant. ***1*** 〖adj.〗乾燥させる，乾燥的な. = desiccative. ***2*** 〖n.〗乾燥剤 (水分を吸収する物質)．

des·ic·cate (des′i-kāt). 乾燥する (十分に乾かす．湿気をなくす)．= exsiccate.

des·ic·ca·tion (des′i-kā′shŭn). 乾燥 (乾燥させる過程)．= dehydration(4); exsiccation(1).

des·ic·ca·tive (des′i-kā′tiv). 乾燥させる. = desiccant(1).

de·sign (dĕ-zīn′). *1*〖v.〗考案する，計画を立てる，設計する．*2*〖n.〗デザインすることやその結果．

de·sig·na·tion (dez′ig-nā′shŭn). 指定（病院がある特定の専門的医療を提供することを公的に指定されるための法律上の手続き．通常は，定められた基準に合致していること，および外部審査が要求される．例えば，外傷センター）．

Des·mar·res re·trac·tor デマル鉤（眼瞼の抑制(開瞼)に用いられる器具）．

des·min (dez′min). デスミン（中間フィラメント中に存在する蛋白で，ビメンチンと共重合して結合組織，細胞壁，フィラメントなどの成分を形成する，骨格筋や心筋の細胞のZ線(帯)にみられる）．

des·mi·tis (dez-mī′tis). 靱帯炎．

desmo-, desm- 線維結合または靱帯を意味する連結形．

des·mo·cra·ni·um (dez′mō-krā′nē-ŭm). 膜性頭蓋（頭蓋の間葉性原基）．

des·mo·den·ti·um, des·mo·don·ti·um (dez′mō-den′tē-ŭm, -don′tē-ŭm). 歯根膜線維（セメント質から歯槽骨へ走行するコラーゲン線維で，歯を歯槽窩内に固定する．歯根膜線維の走行は部位により異なり，根尖線維，斜線維，水平線維，歯槽頂線維の各群に分けられる）．

des·mog·e·nous (dez-moj′ĕ-nŭs). 靱帯〔原〕性の（結合組織または靱帯に起因し，あるいはこれらによって惹起される事柄を表す．例えば，靱帯，筋膜，または瘢痕の収縮による変形などを示す場合に用いる）．

des·moid (dez′moyd). *1*〖adj.〗線維様の，靱帯様の．= fibrous; ligamentous. *2*〖n.〗デスモイド，類腱腫（小結節または比較的大きい塊で，異常軟化した瘢痕様の結合組織からなり，線維芽細胞の活発な増殖に起因するもの．経産婦の腹筋内に最も頻繁にみられる）．= desmoid tumor.

des·moid tu·mor 類腱腫．= desmoid(2)．

des·mo·las·es (dez′mō-lā′sĕz). デスモラーゼ（加水分解を伴わない反応(例えば，酸化還元，異性化，炭素-炭素結合の開裂を含む反応)を触媒する酵素）．

des·mop·a·thy (dez-mop′ă-thē). 靱帯病．

des·mo·pla·si·a (dez′mō-plā′zē-ă). 線維形成（線維芽細胞の増殖および線維性結合組織の不均衡な形成で，特に癌の基質中にみられる）．

des·mo·plas·tic (dez′mō-plas′tik). *1* 癒着〔性〕の（癒着を引き起こす，または形成する）．*2* 線維形成〔性〕の（新生物の血管支質に線維形成を引き起こす）．

des·mo·plas·tic fi·bro·ma 類腱線維腫（小児や20代の成人にみられる良性の骨の線維性腫瘍で，骨皮質の破壊を生じることがある）．

des·mo·plas·tic small cell tu·mor 結合組織形成性小細胞腫瘍（多くは青年男子の腹部にできる悪性度の高い腫瘍．典型的には腫瘍細胞はデスミンとケラチンの両者を有し，胎児の中皮細胞のようにハイブリッドの特徴を呈す．これら細胞の正確な由来は不明である）．

des·mo·plas·tic trich·o·ep·i·the·li·o·ma 線維形成性〔硬化性〕毛包上皮腫（多くは女性の顔面にみられる単発性の，硬く，環状で中心部は陥凹した丘疹．真皮の硬化性線維性間質中には，好塩基細胞と小角質嚢胞を認める）．

des·mo·pres·sin (dez′mō-pres′in). デスモプレシン（バソプレシン(抗利尿ホルモン，ADH)の類似体で，強力な抗利尿活性をもつ）．

des·mo·some (dez′mō-sōm). デスモソーム，接着斑，細胞間橋（2上皮細胞間の癒着部．細胞外物質の薄い層によって他の細胞内の類似構造物から分離された緻密な板からなる）．= macula adherens.

des·mo·ter·ic med·i·cine 刑務所医学，囚人医学（囚人で発生する健康問題を取り扱う医療の一分野）．= correctional medicine.

de·spe·ci·a·tion (dē-spē′shē-ā′shŭn). 非種特異化（①種の特性の変化または喪失．②異種蛋白から種に固有の抗原特性を除去すること）．

des·qua·ma·tion (des′kwă-mā′shŭn). 落屑，剥離（クチクラ(小皮)の鱗屑状剥離，または上皮外層の剥離）．

des·qua·ma·tive (des-kwahm′ă-tiv). 落屑性の．

de·sulf·hy·dras·es (dē-sŭlf-hī′drā-sĕz). デスルフヒドラーゼ，脱硫化水素酵素（H_2S分子または置換H_2Sの化合物からの分解を触媒する酵素または酵素群．システインデスルフヒドラーゼ(cystathionine γ-lyase)によるシステインのピルビン酸への変換はこの一例）．

desulphurisation [Br.]. = desulphurization.

de·sul·phur·i·za·tion (dē-sul′fŭr-ī-zā′shŭn). 脱硫（分子から硫黄を除去する工程）．

de·tach·ment (dĕ-tach′mĕnt). 剥離，解離，分離（①自然な，または抗いがたく生じる感情ないし情動で，正常な関係や環境からの分離感を伴うもの．②ある構造がその支持物から離れること）．

de·tailed phy·si·cal ex·am·i·na·tion 詳細な身体診察（焦点となる病歴や身体診察に従って，頭からつま先に至るまで患者を評価すること．緊急外傷評価 rapid trauma assessment または緊急医療評価 rapid medical assessment に比べ，より徹底的な診察である）．

de·tec·tor (dĕ-tek′tŏr). 検出器（興味のある物質の存在または量を示す化学的あるいは物理的信号を検出する検査機器の部分）．

de·tec·tor coil 検出コイル（MRIにおいて，励起された核から放出される高周波電波の受信アンテナとして使用されるコイル．すなわち body coil および head coil）．

de·ter·gent (dĕ-tĕr′jĕnt). *1*〖adj.〗洗浄性の，洗浄力のある．*2*〖n.〗洗〔浄〕剤（洗浄・しゃ下薬．通常，四級アンモニウム，スルホン酸化合物のような長鎖脂肪塩基または脂肪酸の塩．これらの物質は，親水性と疎水性の両方の特質をもつという界面活性作用によって，洗浄効果(油分分解)および抗菌効果をもたらす）．

de·te·ri·o·ra·tion (dĕ-tēr′i-ŏr-ā′shŭn). 変敗，変質，劣化，悪化，荒廃，衰退（悪くなっていく状態または過程）．

de·ter·mi·nant (dĕ-tĕr′mi-nănt). 決定基，決定群，決定〔因〕子，デターミナント（特性を決

D

定するのに重要な因子).

de·ter·mi·na·tion (dĕ-tĕr′mi-nā′shŭn). ***1*** 傾向 (疾病の経過における良い方向または悪い方向への変化). ***2*** 決定 (ある一定の点に向かう動き一般). ***3*** 測定, 定量 (科学的検査において, 量・質の測定または推定). ***4*** 決定 (状態やカテゴリー(例えば診断)の識別). ***5*** 測定, 決定 (効果がもたらされる必要で十分な過程).

de·ter·mi·nism (dē-tĕr′mi-nizm). 決定論, 定命説 (あらゆる行動はもっぱら遺伝および環境の影響下に生じ, 無作為の要素がはいることはなく, 自由意志には無関係であるという考え).

de·tox·i·cate (dē-tok′si-kāt). 解毒する, 無毒化する. = detoxify.

de·tox·i·ca·tion (dē-tok′si-kā′shŭn). 解毒, 無毒化. = detoxification.

de·tox·i·fi·ca·tion (dē-tok′si-fi-kā′shŭn). = detoxication. ***1*** 解毒 (薬物の有毒作用からの回復). ***2*** 無毒化 (毒物から毒性を除去すること). ***3*** 薬理学的に, 活性成分を代謝によって, より活性の低い成分に転化すること.

de·tox·i·fy (dē-tok′si-fī). 解毒する, 無毒化する (ある物質が有する毒性を弱める, または除去する. ある種の病原体が有する毒性を減弱する). = detoxicate.

de·train·ing (dē-trān′ing). = reversal.

de·tri·tion (dĕ-trish′ŭn). 磨耗, 減損, 挫滅 (使用または摩擦によってすり減ること).

de·tri·tus (dĕ-trī′tŭs). デトリタス (生物体から壊されて取れてくるもの. 例えば, う食, 壊疽, 結石など).

de·tru·sor (dĕ-trū′sŏr). 排尿筋 (内容物質を排出する働きをする筋肉).

de·tru·sor·rha·phy (dē-trū-sōr′ă-fē). 利尿筋修正術 (膀胱の利尿筋を尿管膀胱接合部で一方通行を保つ能力のある弁を形成し再建する. →ureteroneocystostomy). = extravesical reimplantation.

de·tu·mes·cence (dē′tū-mes′ĕns). 腫脹減退.

deu·ter·an·o·pi·a (dū′tĕr-ă-nō′pē-ă). 第二色盲, 緑色盲 (3種類の網膜錐体色素のうち2種類が存在し(二色型色覚), 中波長(緑)に対する完全な感受性の欠如を示す網膜の先天性異常).

deuterio- 重水素を含むことを表す接頭語.

deu·te·ri·um (dū-tĕr′ē-ŭm). ジュウテリウム, 重水素. = hydrogen-2.

deutero-, deut-, deuto- 2または(系列中で)2番目, 2次的な, を意味する連結形.

deu·ter·o·my·ce·tes (dū′tĕr-ō-mī-sē′tēz). 不完全菌 (Deuteromycetes 綱または不完全菌門の一種).

deu·ter·o·path·ic (dū′tĕr-ō-path′ik). 続発症の, 二次〔性〕障害の.

deu·ter·op·a·thy (dū′tĕr-op′ă-thē). 続発症, 二次〔性〕障害.

deu·ter·o·plasm (dū′tĕr-ō-plazm). = deutoplasm.

deu·to·nymph (dū′tō-nimf). 第二若虫 (ダニの3番目のステージ).

deu·to·plasm (dū′tō-plazm). 卵黄質 (部分割卵の卵黄. 細胞質中の生命をもたない物質で, 特に, 発生中の胚の食物として卵中に蓄えられている物質をさす. 最も一般的な形態は, リポイドの小滴や卵黄顆粒である). = deuteroplasm.

de·vas·cu·lar·i·za·tion (dē-vas′kyū-lăr-ī-zā′shŭn). 脈管遮断 (身体の一部や器官へ向かう血管のすべてあるいは大部分を閉塞すること).

de·vel·op·er (dĕ-vel′ŏp-ĕr). ***1*** デベロッパー (開発する個人または方法). ***2*** 展開剤, 展開溶媒. = eluent. ***3*** 現像剤 (感光されたハロゲン化銀分子を還元して原子状銀にすることによりフィルムを現像するのに用いられる化学薬品).

de·vel·op·ment (dĕ-vel′ŏp-mĕnt). ***1*** 発生, 発育, 発達 (物理的および精神的過程において, 先行するより低次の胚期の段階から, 後続のより複雑な成体の段階へと自然に進行していく行為や過程). ***2*** 展開 (クロマトグラフィの過程).

de·vel·op·men·tal age (DA) 発達年齢 (①着床から経過した時間. ②解剖学的, 生理学的, 知的, 情緒的成熟の程度から評価した個人の年齢).

de·vel·op·men·tal a·nat·o·my 発育解剖学 (受精から成人期に至るまでの個体の構造変化の解剖学. 発生学, 胎児学, および生後発育を含む).

de·vel·op·men·tal a·nom·a·ly 発生異常 (子宮内での発育中に起こる異常. 先天異常).

de·vel·op·men·tal a·prax·i·a of speech (DAS) 発達性発語障害 (小児期に起こる激しい発語障害. 音素を自発的につなぐことができず, ちぐはぐな間違いを多発するが, 発語筋の弱さまたは痙性によるもの(構語障害)ではない). = childhood apraxia; developmental dyspraxia of speech.

de·vel·op·men·tal de·lay 発達遅延 (正常な知的成長と発達が欠如した状態. →mental retardation).

de·vel·op·men·tal dis·a·bil·i·ty (DD) 発育障害 (出生前または出生後の障害により生じた機能消失のために認識, 言語, 運動, および社会性の獲得が主に障害され, 精神発達遅滞, 自閉症, 学習障害や注意力障害を伴う多動症を生じる).

de·vel·op·men·tal do·mains 発達領域 (子供の発達の5つの領域. 言語, 運動, 認知, 社会-情動および自己援助能力から成る).

de·vel·op·men·tal dys·prax·i·a of speech = developmental apraxia of speech.

de·vel·op·men·tal grooves 発育線 (歯のエナメル質にみられる細い線で, 歯冠の発育葉の融合部を示す). = developmental lines.

de·vel·op·men·tal hip dys·pla·si·a 発育的股関節形成異常(異形成). = congenital hip dysplasia.

de·vel·op·men·tal lines 発育線. = developmental grooves.

de·vel·op·men·tal·ly de·layed 発達遅延の (正常な知的発達が欠けた状態. →mental retardation).

de·vel·op·men·tal mile·stones 神経運動発達の過程 (乳児または幼児の神経筋, 精神, 社会的発達度の段階. 通常, 寝返りをうつこと,首がしっかり座ること，自発的に微笑むこと，あやすと笑うこと，動く物体を追視することができるようになるなどの発達の到達度によってしるされる．正常な乳児では，生後 2—4 か月までにこれらがすべてできるようになる）．

de·vel·op·men·tal psy·chol·o·gy 発達心理学（誕生から老年までに起こる心理的，生理的，行動的変化を研究する）．

de·vel·op·men·tal scis·sors grasp 発達の段階におけるはさみ込みつかみ（8—9 か月の乳児に見られる把握のパターンで，物体を親指と曲げた人差し指の橈側ではさむ動きに特徴がある．尺側の指は通常ゆるく曲げられ橈側の指の強度を増す役割を担っている．この把握の方法においては，親指は人差し指に向き合わずに内転されている）．

De·ven·ter pel·vis デヴェンテル骨盤（前後径の短い骨盤）．

de·vi·ance (dē′vē-ăns)．逸脱．= deviation (3)．

de·vi·ant (dē′vē-ănt)．***1*** 〚adj.〛 異常であることをさす，または意味する．***2*** 〚n.〛 異常者（異常性(特に性的)を現す個人）．

de·vi·ant be·hav·ior 異常行動（ある行動について，それを抑制，あるいは防止するという意図から，慣習，社会的道徳観，あるいは法律によって規定されているもの）．

de·vi·a·tion (dē′vē-ā′shŭn)．***1*** 偏位，偏視，偏移（正常な点または過程からの離反あるいは逸脱）．***2*** 異常〔性〕．***3*** 逸脱（精神医学や行動科学において，基準，役割，および規則からの逸脱）．= deviance．***4*** 偏差（統計的尺度の 1 つで，一群の数値の集合における個々の値と平均値との差を表すもの）．

De·vic dis·ease ドヴィック病．= neuromyelitis optica．

de·vice (dĕ-vīs′)．装置（通常は機械類で，特定の機能を遂行するように設計，考案されているもの．例えば，プロテーゼや矯正器）．

dev·il's dung = asafoetida．

dev·il's grip = epidemic pleurodynia．→hand-foot-and-mouth disease．

de·vi·om·e·ter (dē′vē-om′ĕ-tĕr)．斜視偏位測定計（斜視度測定計の一種）．

de·vi·tal·ized (dē-vī′tăl-īzd)．失活した（生命の欠けた）．

de·vi·tal tooth 失活歯（無髄歯 (pulpless tooth) に対する誤称）．

de Weck·er scis·sors ド・ヴェッケル鋏（虹彩および水晶体嚢など眼内切開用の鋭くとがった小さな鋏）．

DEXA dual-energy x-ray absorptiometry の略．

dex·ter (deks′tĕr)．右側の，右の．

dex·ter·i·ty (deks-ter′i-tē)．= fine motor coordination．

dex·trad (deks′trad)．右方へ．

dex·tral (deks′trăl)．右利きの．= right-handed．

dex·tral·i·ty (deks-tral′i-tē)．右利き（手の仕事を行うのに右手を好むこと）．

dex·tran·ase (deks′tră-nās)．デキストラナーゼ（デキストラン中の 1,6-α-D-グルコシド(配糖体)連鎖を加水分解する酵素．カリエスの予防に用いられる）．

dex·trase (deks′trās)．デキストラーゼ（デキストロース(D-グルコース)を乳酸に転化する酵素の複合体に対する総称）．

dex·tri·nase (deks′tri-nās)．デキストリナーゼ（デキストリンの加水分解を触媒する酵素の総称．例えば amylo-1,6-glucosidase, dextrin dextranase）．

dex·trin dex·tran·ase デキストリンデキストラナーゼ（グルコシル転移酵素 1,4-α-D-グルコシル残留物を転移させて，デキストラン(単糖の単位間に 1,6 連鎖を有する)をデキストリン(1,4 連鎖を有する)からブドウ糖の転移により合成する反応を触媒する）．

dex·tri·no·sis (deks′trin-ō′sis)．デキストリン形成．= glycogenosis．

dex·tri·nu·ri·a (deks′tri-nyūr′ē-ă)．デキストリン尿〔症〕（尿中にデキストリンが出ること）．

dextro-, dextr- ***1*** 右，右側に向かって，右側に，を意味する接頭語．***2*** 化学において，dextrorotatory(右旋の)を意味する接頭語．

dex·tro·am·phet·a·mine sul·fate 硫酸デキストロアンフェタミン（ラセミ化合物である硫酸アンフェタミンと類似の作用を有するが，中枢神経系に対する刺激性がより強い．交感神経作用薬および食欲抑制薬）．= dextroamphetamine sulphate．

dextroamphetamine sulphate [Br.]．= dextroamphetamine sulfate．

dex·tro·car·di·a (deks-trō-kahr′dē-ă)．右胸心（心臓が右に偏位することで，通常，次の 2 種類のうちのどちらかとしてみられる．ⓘ心臓が単に右に偏位しているだけの右位(右偏)，ⓘⓘ右心と左心が完全に転位している心臓逆位症．したがって正常の鏡像を呈している）．

dex·tro·car·di·a with si·tus in·ver·sus 内臓逆位随伴〔性〕右胸心（心臓が胸の右側に偏位し，心房心室が鏡像様に転位し，かつ腹部内臓の逆位を伴うもの）．

dex·tro·gas·tri·a (deks′trō-gas′trē-ă)．右胃症（胃が右側に偏位した状態．単独の位置異常の場合と内臓逆位症の場合がある．通常，右胸心を伴う）．

dex·tro·gy·ra·tion (deks′trō-jī-rā′shŭn)．右旋．

dex·trop·e·dal (deks-trop′ĕ-dăl)．右足(右脚)利きの（好んで右脚を使う人をさす）．= right-footed．

dex·tro·po·si·tion (deks′trō-pō-zish′ŭn)．右偏，右位（正常には左側にあるべき構造が，その部位または始点においてかなり右側に存在すること．例えば，右心室からの大動脈の起始部など）．

dex·tro·po·si·tion of the heart 心臓右偏(右位)（→dextrocardia）．

dex·tro·ro·ta·to·ry (deks′trō-rō′tă-tōr-ē)．右旋性の（右旋またはそのような性質をもつある種の結晶または溶液を表す．化学接頭語として通常 *d-* と略す．*cf.* levorotatory）．

dex·trose (deks′trōs)．〔右旋性〕ブドウ糖（→glucose）．

D

dex·tro·si·nis·tral (deks′trō-sin′is-trăl). 右から左へ.

dex·tro·tor·sion (deks′trō-tōr′shŭn). ***1*** 右方捻転. ***2*** 右旋斜位，右方回旋（眼科において両眼の角膜の上極の右への共同性(回旋)を表す).

dex·tro·tro·pic (deks′trō-trō′pik). 右旋の(右方向に回転する).

dex·tro·ver·sion (deks′trō-vĕr-zhŭn). ***1*** 右傾(右方向へ回転して傾いていること). ***2*** 右向き運動（眼科において，右への両眼の共同運動).

df, DF decayed(う食のある未処置の)および filled(処置された)歯の略.

DFE dietary folate equivalent の略.

DGI dynamic gait index の略.

dGMP deoxyguanylic acid の略.

DHEA dehydroepiandrosterone の略.

DHEA-S デヒドロエピアンドロステロンサルフェート（副腎皮質や精巣によって分泌されるステロイドの一つ．テストステロンの前駆物質．恐らくエネルギーを脂肪として蓄えることを阻害する働きがあるため，DHEA が身体の脂肪を減少させるとする研究もある．栄養分でもヒトの食物連鎖の構成要素でもないにもかかわらず，DHEA の商品製剤がダイエット用のサプリメントとして市場に流通している．粥状動脈硬化，アルツハイマー認知症，およびパーキンソン症候群などの退行性疾病やその他の老化の影響に対する予防手段として販売促進されてきたが，その仮定的な効能は大規模な無作為化臨床試験によって確証されていない．閉経後女性への長期にわたる投与において，インスリン抵抗性，高血圧および低密度リポ蛋白コレステロール(LDL)減少と関連する).

DHT dihydrotestosterone の略.

DI diabetes insipidus の略.

di- ***1*** 2あるいは2回を意味する接頭語. ***2*** 化学において，混同のおそれがないと思われる場合に，しばしば bis- の代わりに用いられる．例えばジクロロ化合物. *cf.* bi-; bis-.

dia- …を通って，…中を通じて，完全に，を意味する接頭語.

di·a·be·tes (dī-ă-bē′tēz). 糖尿病（尿崩症または真性糖尿病のいずれかをさし，ともに多尿の症状をみる疾病．特に指定した場合以外は真性糖尿病を意味する).

di·a·be·tes in·sip·i·dus (DI) 尿崩症（淡色で低比重の尿を大量に慢性的に排出し，脱水と極度の口渇を伴う．通常は下垂体抗利尿ホルモンの分泌が不十分なために生じる. →nephrogenic diabetes insipidus).

di·a·be·tes in·ter·mit·tens 間欠性糖尿病(真性糖尿病で，比較的正常な炭水化物代謝を行う期間に続いて，以前の糖尿病の状態が再発するもの).

di·a·be·tes mel·li·tus (DM) 〔真性〕糖尿病(慢性代謝性疾患の一種で，炭水化物利用が低下し，脂肪および蛋白の利用が亢進するもの．インスリンの相対的あるいは絶対的な欠乏によって生じる．重篤な場合には，慢性の高血糖症，糖尿，水および電解質の喪失，ケトアシドーシス，および昏睡などが生じる．長期間の合併症には神経障害，網膜症，腎障害，および全身性の大小血管の退行性変化などがあり，感染症にかかりやすくなる. →Type 1 diabetes; Type 2 diabetes).

di·a·bet·ic (dī-ă-bet′ik). 糖尿病〔性〕の（糖尿病に関する，に苦しむ).

di·a·bet·ic ac·i·do·sis 糖尿病性アシドーシス（糖尿病のためケトン体が蓄積することにより生じる代謝性アシドーシス).

di·a·bet·ic a·my·ot·ro·phy 糖尿病性筋萎縮〔症〕（年配の糖尿病患者を主に侵す糖尿病性末梢神経障害の一型．臨床的には片側または両側の大腿前部の痛み，脱力，萎縮を特徴とする．糖尿病性多発神経根障害の一型．誤って，糖尿病性大腿神経障害 diabetic femoral neuropathy とよばれることがときにある).

di·a·bet·ic co·ma 糖尿病〔性〕昏睡（重症および不適切に治療された糖尿病に起こる昏睡．適切な治療が速やかに行われないかぎり，一般に致命的である．これは中枢神経系の酸化的代謝の低下から起こり，この低下は重症のケトアシドーシスおよび，恐らくはケトン体の組織毒性作用，水と電解質平衡の障害から生じると思われる).

di·a·bet·ic der·mop·a·thy 糖尿病性皮膚障害(症)（四肢伸側(最も一般的なのは糖尿病患者の脛)の小さな斑および丘疹，萎縮，色素沈着．ときには瘢痕を伴う潰瘍形成を起こす．恐らく微小血管障害の症状の現れである).

di·a·bet·ic di·et 糖尿病食（カロリーや炭水化物の摂取量を制限して体重をコントロールし，インスリンの必要量や経口糖尿病剤を減量できるように趣向をこらした糖尿病患者用の食事).

di·a·bet·ic foot in·fec·tion 糖尿病性足感染症（糖尿病，あるいは神経障害が，通常原因となり生じる，足および足の指の疾病).

di·a·bet·ic glo·mer·u·lo·scle·ro·sis 糖尿病性糸球体硬化症（長年にわたる糖尿病に出現し，蛋白尿を呈し最終的には腎不全になる．糸球体末梢における球形の硝子化や層状の結節を示し，毛細血管基底膜の肥厚とメサンギウム基質の増生を伴う). = intercapillary glomerulosclerosis.

di·a·bet·ic ke·to·ac·i·do·sis (DKA) 糖尿病性ケトアシドーシス（エネルギーのために貯蔵されていた脂肪が分解することにより血中にケトン体が蓄積した状態．糖尿病の合併症で，未治療のままだと昏睡や死亡に至る).

di·a·bet·ic neph·rop·a·thy 糖尿病性腎症(糖尿病患者に出現し，アルブミン尿，高血圧，進行性腎機能不全を特徴とする症候群である).

di·a·bet·ic neu·rop·a·thy 糖尿病〔性〕ニューロパシー(神経障害)（糖尿病に関連した末梢神経系，自律神経系，一部の脳神経の疾患の総称．この糖尿病の慢性合併症で最も頻度の高い神経障害は，末梢神経系または自律神経系またはその両者を侵す．末梢神経障害は両側対称性の感覚低下，感覚過敏，異常感覚，温度覚と振動覚の消失，カウザルギーを起こすことがある．自律神経障害は起立性低血圧，胃不全麻痺，交互に起こる下痢と便秘，インポテンスを呈することがある).

di·a·bet·ic ret·i·nop·a·thy 糖尿病〔性〕網膜症(障害)(糖尿病で生じる網膜変化. 微細血管瘤, 浸出, 出血, およびときに新生血管を特徴とする).

di·a·be·to·gen·ic (dī-ă-bet′ō-jen′ik). 糖尿病誘発〔性〕の.

di·a·be·tog·en·ous (dī′ă-bē-toj′ĕn-ŭs). 糖尿病性の(糖尿病によって引き起こされる).

di·a·be·tol·o·gy (dī′ă-bē-tol′ŏ-jē). 糖尿病学(糖尿病に関連した内科学部門).

di·a·ce·tic ac·id 二酢酸. = acetoacetic acid.

di·a·ce·tyl·mon·ox·ime (dī-as′ĕ-til-mon-ok′sēm). ジアセチルモノキシム(2-オキソオキシムの一種で, リン酸化されたアセチルコリンエステラーゼを *in vitro* および *in vivo* で再活性化することができるもの. 血液脳関門を通過する).

di·a·chron·ic (dī-ă-kron′ik). 通時的(同一対象を最初から最後まで, 時間の経過を追って, 系統的に観察した. 同時的, 断面的の反対).

di·a·chron·ic stu·dy 経時的研究, 追跡研究(研究対象のコホートをある期間にわたって経時的に観察し, 生存・死亡状況や疾患の自然史を研究する方法. 観察対象集団の安定性の仮定は必要ない).

di·a·crit·ic, di·a·crit·i·cal (dī-ă-krit′ik, -i-kăl). 診断の, 鑑別の, 区別可能な.

di·ad (dī′ad). ***1*** 心筋線維中の横小管および槽. ***2*** 二価元素, 二分染色体. = dyad(1).

di·ad·o·cho·ki·ne·si·a, di·ad·o·cho·ki·ne·sis (dī-ad′ŏ-kō-ki-nē′zē-ă, -ki-nē′sis). 拮抗〔運動〕反復, 変換運動(肢を交互に反対の位置にもっていく正常な力のことで, 屈曲伸展や回内回外をさしていう).

di·ad·o·cho·ki·net·ic (dī-ad′ŏ-kō-ki-net′ik). 拮抗反復の.

diaeretic [Br.]. = dieretic.

di·a·gen·e·sis (dī-ă-jen′ĕ-sĭs). 続成作用(沈降物が岩石に転換する過程).

di·ag·nose (dī-ăg-nōs′). 診断する.

di·ag·no·sis (dī-ăg-nō′sis). 診断(疾病傷害, 先天性欠損の性質を決定すること. →nursing diagnosis).

di·ag·no·sis by ex·clu·sion 除外〔的〕診断(当該症状を呈する疾患を次々に除外していき, 診断を決める確定的な検査や所見はないが, 最も考えられる診断として1つのものに絞ることによって下される診断).

di·ag·no·sis code 診断コード(国際疾病分類(ICD)マニュアルを用いて診断に割り当てられる番号).

di·ag·no·sis-re·lat·ed group (DRG) 診断別分類(同様な診断名のついた疾病の治療に要する費用はほぼ等しいとの仮定のもとに, 入院費用の支払い額を算定するために患者を診断名または術式名(ときには年齢)別に主な診断カテゴリー(それぞれ特定の疾患, 異常, 術式を含む)に分類するもの).

di·ag·nos·o·gen·ic the·o·ry 診断起因説(吃音に適用される理論で, 障害が, 幼児における正常な非流暢さを誤診断したことに起因しているとするもの. 不安の結果, 非流暢さが増悪され, 障害としての吃音が生じると考える).

di·ag·nos·tic (dī-ăg-nos′tik). ***1*** 診断〔上〕の. ***2*** 診断確定の.

di·ag·nos·ti·cian (dī′ăg-nos-tish′ăn). 診断医(診断の技術に精通している人).

di·ag·nos·tic o·ver·kill 診断過剰(疾病, 負傷, 先天性欠損の性質を突き止める際, 医学的, および法的根拠に基づき, 検査を過剰に行うこと).

di·ag·nos·tic ra·di·o·logy 放射線診断学. = radiology(2).

di·ag·nos·tic sen·si·tiv·i·ty 診断鋭敏度. = clinical sensitivity.

di·ag·nos·tic spec·i·fic·i·ty 診断特異性(①疾病がない場合(D), 正常な検査成績(T)が疾病を除外する確率(P), すなわちP(T/D). ②特異性(%)=検査結果が陰性に出た, ある疾患をもたない人の数×100÷検査を受けた, その疾患をもたない人の総数).

***Di·ag·nos·tic and Sta·tis·ti·cal Man·u·al of Men·tal Dis·or·ders* (DSM)** 精神障害の診断と統計の手引き(精神障害を分類する体系で, 米国精神医学会により出版された. 最新は第4版(DSM-IV)で, 診断の標準として広く認知され, 症例報告やコード化, 統計目的に用いられている).

di·ag·nos·tic ul·tra·sound 診断用超音波(診断用の画像をつくるために用いる超音波).

di·ag·o·nal con·ju·gate 対角結合線(仙骨岬角から恥骨結合の下縁を結ぶ線で, 臨床的な骨盤入口の前後径). = false conjugate(1).

di·a·gram (dī′ă-gram). ダイアグラム(考え方や対象物に対する単純で図的な表現).

di·a·ki·ne·sis (dī′ă-ki-nē′sis). 移動期, 肥厚期(第一減数分裂における前期の最終段階で, 染色体は短縮を続ける. 核小体や核膜が消失する).

di·a·lect (dī′ă-lekt). 方言(発音, 文法, および語彙における, より地域化されていないと知覚される標準語からの, 地域的に一般化された変化の集合体).

di·al·y·sance (dī-al′i-săns). ダイアリサンス(人工腎臓または腹膜透析によって, 何らかの物質を完全に除去した血液の, 単位時間当たりのmL数. 慣行的なクリアランス式においては, mm/分で表される).

di·al·y·sate (dī-al′i-sāt). 透析物(透析膜を通過する混合物の部分). = diffusate.

di·al·y·sis (dī-al′i-sis). 透析, 分離(ある溶液中の晶質をコロイド物質から(または小さい分子を大きい分子から)分離すること. 当該溶液と透析された液体との間に半透膜を置くことによって行われる. 晶質(小さな分子)は, 膜を通って反対側の透析された液体の方へいき, コロイドは通らない). = diffusion(2).

di·al·y·sis en·ceph·a·lop·a·thy syn·drome, di·al·y·sis de·men·ti·a 透析脳症症候群(進行性の, ときに死に至る慢性透析患者に出現するびまん性脳症).

di·al·y·sis ret·i·nae 網膜離断(鋸状縁におけ

D

る周辺部感覚網膜と網膜色素上皮との先天性,または外傷性の分離. しばしば網膜剥離を引き起こす).

di·a·lyz·er (dī′ă-lī-zĕr). 透析膜 (透析に使用する膜).

di·a·me·li·a (dī-ă-mē′lē-ă). 二肢の欠損を先天的に有すること.

di·am·e·ter (dī-am′ĕ-tĕr). ***1*** 径線 (球形または円筒形の物体の表面に対置する2点, または何らかの開口部や孔の周上に対置する2点を, その物体または開口部の中心を通って結んだ直線). ***2*** 〔直〕径 (***1*** の線分に沿って測った距離).

Di·a·mond-Black·fan syn·drome ダイアモンド-ブラックファン症候群. = congenital hypoplastic anemia.

Di·a·mond TYM med·i·um ダイヤモンド TYM 培地 (トリプチケース, 酵母エキス, 麦芽糖および血清からなる培地. 腟トリコモナス *Trichomonas vaginalis* の検出に用いる).

Di·an·a com·plex ダイアナ・コンプレックス (女性が, 男性的特質や行動をとるようになる考え).

di·a·pause (dī′ă-pawz). 休眠 (代謝の減少を伴う生物学的な静止期または休止期. 発育が停止または大幅に遅滞する期間).

di·a·pe·de·sis (dī′ă-pĕ-dē′sis). 漏出, 血管外遊出 (血液またはその構成要素が無傷の血管壁を通り抜ける現象). = migration(2).

di·a·per der·ma·ti·tis, di·a·per rash おむつ皮膚炎 (口語で, diaper rash, ammonia rash, napkin rash とよばれる. 乳児のおしめの中で尿や便にさらされた結果生じる大腿や殿部の皮膚炎. 以前はアンモニア形成によるとされていたが, 湿度, 細菌の生育, アルカリ性が恐らくすべての誘因となっている).

di·aph·a·no·scope (dī-af′ă-nō-skōp). 徹照器 (窩洞の内部を照らす装置. 窩洞壁の半透明の程度を測定するためのもの).

di·aph·a·nos·co·py (dī-af′ă-nos′kŏ-pē). 徹照〔法〕, 徹照〔診断〕法, 透視〔法〕(徹照器を用いて行う窩洞の検査).

di·a·phe·met·ric (dī′ă-fĕ-met′rik). 触覚測定の.

di·a·pho·re·sis (dī′ă-fŏr-ē′sis). 発汗療法, 発汗. = perspiration(1).

di·a·pho·ret·ic (dī′ă-fŏr-et′ik). ***1*** 〚adj.〛 発汗〔性〕の. ***2*** 〚n.〛 発汗薬 (発汗を促す薬剤).

di·a·phragm (dī′ă-fram). ***1*** 横隔膜 (腹腔と胸腔の間にある筋性膜様構造の仕切り). = diaphragma(2); midriff. ***2*** 絞り, 隔板 (穴が開いている薄い円板. 周縁光線を遮るために顕微鏡, カメラ, その他の光学機器に用い, それによって直接照明がより多く得られる). ***3*** 避妊ペッサリー (柔軟な薄膜で半球状におおったもので, 腟内に挿入して避妊に用いる). ***4*** 絞り (X 線検査においては, グリッド). = grid(2).

di·a·phrag·ma, pl. di·a·phrag·ma·ta (dī-ă-frag′mă, -mă-tă). ***1*** 隔膜 (薄い仕切りで, 隣接域を分けるもの). ***2*** 横隔膜. = diaphragm(1).

di·a·phrag·ma sel·lae 鞍隔膜 (トルコ鞍を横切り, 下垂体窩をおおうようにのびる硬膜のひだ. 中心部に孔があり, 漏斗状部への通路となる). = diaphragm of sella turcica.

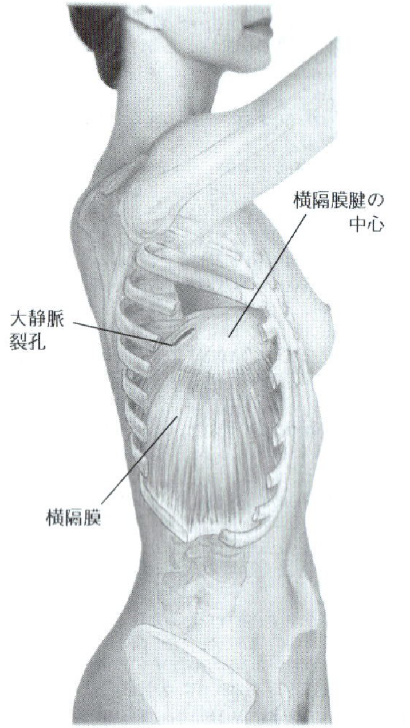
横隔膜腱の
中心
大静脈
裂孔
横隔膜

diaphragm

di·a·phrag·mat·ic (dī′ă-frag-mat′ik). 横隔膜の. = phrenic(1).

di·a·phrag·mat·ic flut·ter 横隔膜粗動 (横隔膜の律動的な速い収縮(平均, 1分間に 150) で, 臨床上あるいは心電図上で心房粗動と類似する).

di·a·phrag·mat·ic her·ni·a 横隔膜ヘルニア (腹部の内臓が横隔膜の欠損部を通って胸部へ突き出ること. 一般的なタイプは裂孔ヘルニア).

di·a·phrag·mat·ic lig·a·ment of the mes·o·neph·ros 中腎横隔膜靱帯 (中腎から横隔膜にのびる泌尿生殖隆線の一部で, 卵巣提索となる).

di·a·phrag·mat·ic pleu·ri·sy 横隔胸膜炎. = epidemic pleurodynia.

di·a·phragm of sel·la tur·ci·ca = diaphragma sellae.

di·a·phy·sec·to·my (dī′ă-fi-sek′tŏ-mē). 骨幹部切除〔術〕(長骨の骨幹部を部分的にまたは完全に除去すること).

di·a·phys·i·al (dī-ă-fiz′ē-ăl). 骨幹の, 骨体部の.

di·aph·y·sis, pl. di·aph·y·ses (dī-af′i-sis, -sēz). 骨幹. = shaft.

di·a·pi·re·sis (dī′ă-pī-rē′sis). 漏出（コロイド粒子，その他の微小粒子の懸濁物質が未損傷の血管壁を通り抜ける現象. →diapedesis).
di·ar·rhe·a (dī′ă-rē′ă). 下痢（液状または半固体の便が腸から異常に反復排泄されること). = diarrhoea.
di·ar·rhe·a·gen·ic (dī′ă-rē-ă-jen′ik). 下痢発病性の（下痢を引き起こす微生物(例えば大腸菌)に属している).
di·ar·rhe·al, di·ar·rhe·ic (dī′ă-rē′ăl, -ik). 下痢の. = diarrhetic; diarrhoeal.
di·ar·rhet·ic (dī′ă-rĕt′ik). = diarrheal.
diarrhoea [Br.]. = diarrhea.
diarrhoeal [Br.]. = diarrheal.
diarrhoeic [Br.]. = diarrheic.
di·ar·thric (dī-ahr′thrik). 二関節の. = biarticular; diarticular.
di·ar·thro·di·al joint = synovial joint.
di·ar·thro·sis, pl. di·ar·thro·ses (dī′ahr-thrō′sis, dī′ahr-thrō′sēz). 可動結合. = synovial joint.
di·ar·tic·u·lar (dī-ahr-tik′yū-lăr). = diarthric.
di·as·chi·sis (dī-as′ki-sis). 機能解離，ディアシーシス（神経系における突然の機能障害. 本来の損傷部位から離れてはいるが，解剖学的には神経線維によりつながっている脳のある部位が，急激に限局性障害を起こすことによる).
di·a·scope (dī′ă-skōp). ガラス圧診器（平らなガラス板で，圧縮により，表層病変を調べるためのもの).
di·as·co·py (dī-as′kŏ-pē). ガラス圧診〔法〕（ガラス圧診器(圧視鏡)を用いた表層病変の検査).
di·a·stal·sis (dī′ă-stal′sis). 波状ぜん動（腸管にみられるように，抑制部が筋肉の収縮波に先行するぜん動).
di·a·stal·tic (dī′ă-stal′tik). 波状ぜん動の.
di·as·ta·sis (dī-as′tă-sis). ***1***〔縫合〕離開（正常に結合している部分が分離していること). = divarication. ***2*** 心拍静止期（拡張期中期または心房収縮期の前に，血流が心室にゆっくりはいる，またはほとんど停止する状態で，その時間は心拍数と逆比例し，心拍数が多いとほとんどこの状態はなくなる).
di·as·tas·u·ri·a (dī′as-tās-yūr′ē-ă). ジアスターゼ酵素尿〔症〕. = amylasuria.
di·a·stat·ic (dī′ă-stat′ik). 離開の.
di·a·stat·ic frac·ture 離開骨折（①頭蓋縫合において頭蓋骨が分離している骨折. ②骨片の離解が著しい骨折).
di·a·ste·ma, pl. di·a·ste·ma·ta (dī′ă-stē′mă, -mă-tă). ***1*** 間隙（特に先天性の場合をさす裂溝または異常な開口のことで，部位は問わない). ***2*** 歯隙（同一歯列弓上の，隣接歯間の空隙). ***3*** 歯隙(上顎の側切歯と犬歯間の裂溝あるいは隙間のことで，顎を閉じたとき下顎の犬歯が納まるもの. ヒトでは異常であるが，イヌをはじめ多くの動物では正常である).
di·a·ste·ma·to·cra·ni·a (dī′ă-stē′mă-tō-krā′nē-ă). 頭蓋正中離開（頭蓋にある先天性の矢状裂溝).
di·a·ste·ma·to·my·e·li·a (dī′ă-stē′mă-tō-mī-ē′lē-ă). 脊髄正中離開〔症〕（脊髄が骨性中隔か線維軟骨性中隔により，完全または不完全に正中分離していること).
di·as·to·le (dī-as′tŏ-lē). 拡張期，弛緩期（心腔の通常の収縮後の拡張で，その間に各腔は血液で満たされる. 心室の拡張の前に心房が拡張する. 心腔の拡張は，収縮期 systole すなわち心腔の収縮と交互にリズミカルに行われる).
di·a·stol·ic (dī′ă-stol′ik). 拡張期の，弛緩期の.
di·a·stol·ic blood pres·sure 拡張期血圧（心室における拡張期弛緩の間の，あるいはそれが原因となっている心臓内の圧).
di·a·stol·ic fil·ling 拡張期充満（僧帽弁の開放と三尖弁の開放のあいだの時間. 受動的な急速心室充満と心房寄与を含む).
di·a·stol·ic mur·mur (DM) 拡張期雑音.
di·a·stol·ic pres·sure 拡張期血圧（心室の拡張弛緩期あるいは弛緩による心腔内血圧. あらゆる心室周期中における最低動脈血圧).
di·a·stol·ic thrill 拡張期振せん（心室拡張期に前胸部，血管に感じる振動).
di·as·tro·phic dys·pla·si·a 褶曲性骨形成異常(異形成)（背柱側弯，中手骨短縮によるヒッチハイカー母指，口蓋裂，耳介石灰化，軟骨炎，アキレス腱短縮，弯曲足を伴う. 常染色体劣性遺伝形式をとり，第5染色体長腕の DTDST (diastrophic dysplasia sulfate transporter gene)の突然変異に起因する).
di·a·tax·i·a (dī′ă-tak′sē-ă). 両側運動失調〔症〕（身体の両側における運動失調症).
di·a·ther·mal (dī′ă-thĕr′măl). = diathermic.
di·a·ther·ma·nous (dī′ă-thĕr′mă-nŭs). 透熱性の（熱線が透過できる). = transcalent.
di·a·ther·mic (dī′ă-thĕr′mik). ジアテルミーの，透熱性の. = diathermal.
di·a·ther·my (dī′ă-thĕr-mē). ジアテルミー（高周波電流，超音波，またはマイクロ波によって生じた組織内の局所的温度上昇).
di·ath·e·sis (dī-ath′ĕ-sis). 素質，体質，素因（何らかの疾病，疾病群，または代謝性や構造性の異常になりやすい，体質性あるいは先天性の状態).
di·a·thet·ic (dī′ă-thet′ik). 素質の，体質の，素因の.
di·a·to·ma·ceous earth 珪藻土（乾燥珪藻類よりつくった粉末. 多くの化学操作での濾過剤，吸着剤，研磨材として用いる).
di·a·tom·ic (dī′ă-tom′ik). 二原子の（①分子が2個の原子から成り立つ化合物についていう. ②イオン団または原子団で，2個の原子によってのみ成り立っているもの).
diazo- R-N=N-X 基または R=N_2 基(CN を除き X は炭素ではない)を有する化合物. 例えばジアゾメタン CH_2N_2 を示す接頭語. *cf.* azo-.
di·ba·sic (dī-bā′sik). 二塩基の（置換可能な水素原子を2個もつ. イオン化可能な2個の水素原子を有する酸についていう).
di·benz *(b,f)*-1:4-ox·a·ze·pine (dī-benz oks-az′ĕ-pēn). ジベンゾ(*b,f*)-1：4-オキサゼピン（*o*-クロロベンジリデンマロノニトリル(CS)と

比較して，より高い効力とより広大な安全域を持つ暴動鎮圧剤．NATO コードは CR）．

di·bu·caine num·ber test (DN) ジブカイン・ナンバー・テスト（正常な割合で，サクシニルコリンを失活させることが不可能な，典型的な偽コリンエステラーゼのいくつかの形式を鑑別する手順．ジブカインによる酵素の抑制の割合に基づいている．→fluoride number）．

DIC disseminated intravascular coagulation の略．

di·car·box·yl·ic ac·id cy·cle ジカルボン酸サイクル（①トリカルボン酸サイクルのジカルボン酸（コハク酸，フマル酸，リンゴ酸，オキサロ酢酸）を含む部分．②トリカルボン酸サイクルの一部分とグリオキシル酸サイクルとからなる回路．微生物でのグリオキシル酸の利用に重要である）．

di·cen·tric (dī-sen′trik)．二動原体の（異常な状態である二動原体をもつ構造染色体についていう）．

di·chlor·o·di·phe·nyl-tri·chlor·o·eth·ane (DDT) (dī-klōr′ō-dī-fen′ăl trī-klōr′ō-eth′ān)．ジクロロ-ジフェニル-トリクロロエタン（使用が制限されている殺虫剤）．

di·chlor·o·for·mox·ime (dī-klōr′ō-fōr-moks′ēm)．= phosgene oxime.

di·cho·ri·al, di·cho·ri·on·ic (dī-kōr′ē-ăl, -ē-on′ik)．二絨毛膜の，重複絨毛膜の（絨毛膜が 2 つあること）．

di·cho·ri·on·ic di·am·ni·on·ic pla·cen·ta 二絨毛膜二羊膜胎盤（→twin placenta）．

di·chro·ic (dī-krō′ik)．光二色性の．

di·chro·ism (dī′krō-izm)．光二色性（反射光および透過光では異なった色がみられる性質）．

di·chro·mate (dī-krō′māt)．重クロム酸塩（$Cr_2O_7^{2-}$ 基を有する化合物）．

di·chro·mat·ic (dī′krō-mat′ik)．***1*** 二色〔性〕の．***2*** 二色性色覚の．

di·chro·ma·tism (dī-krō′mă-tizm)．***1*** 二色性（2 つの色を呈する状態）．***2*** 二色型色覚（第一色盲，第二色盲，第三色盲など，3 種類の網膜錐体色素のうち 2 種類だけが存在する色覚の異常）．= dichromatopsia.

di·chro·ma·top·si·a (dī′krō-mă-top′sē-ă)．= dichromatism (2).

Dick·ens shunt ディッケンズ短絡．= pentose phosphate pathway.

Dick test ディック試験（猩紅熱の発疹や他の症状に関連する化膿連鎖球菌 *Streptococcus pyogenes* 発赤毒素に対する感受性の皮内試験）．

DICOM (dī′kom)．Digital Imaging and Communications in Medicine の略．米国放射線科専門医会と北米電子機器工業会の協同標準規格．種々の画像と異なるコンピュータデバイス（例えば，記憶装置あるいはワークステーション）間における相互伝達の実現のため，実体（あるいは物体）や機能（あるいはサービス）が定義されている．

di·co·ri·a (dī-kōr′ē-ă)．= diplocoria.

Di·cro·coe·li·um (dik′rō-sē′lē-ŭm)．槍形吸虫属（二生類吸虫類の一属で，草食動物の胆管あるいは胆嚢に住む．槍形吸虫 *Dicrocoelium dendriticum* は，ヒトにはまれにしかみられないが，ある区域ではヒツジの重要な寄生生物である）．

di·crot·ic (dī-krot′ik)．重拍の．

di·crot·ic notch 重複切痕（収縮期のピークに続いて脈波下方切痕を示す．これは動脈圧の急速な低下に次ぐ上昇による）．

di·crot·ic pulse 二重脈，重拍脈（触知可能な重拍波により 2 番目の脈が最初の脈より弱い，二連拍動を特徴とする脈）．

di·crot·ic wave 重拍〔脈〕波（重拍脈の軌跡における 2 番目の上昇）．

di·cro·tism (dī′krŏ-tizm)．重拍脈，重拍性（脈拍の形状で，心臓の 1 拍ごとにあらゆる動脈拍動として 2 重の拍動が感じられるもの．重拍波の亢進によって起こる）．

dicta- 200 を意味する接頭語．

dic·ta·tion (dik-tā′shŭn)．口述筆記（医療筆記士が印刷された記録を作成するために用いる，医療専門家によって行われる患者の看護の口述記録）．

dic·ta·tor (dik′tā-tŏr)．= author.

dic·ty·o·ma (dik′tē-ō′mă)．ディクチオーマ（胎生期網膜に類似する網目状構造を有する，色様体上皮の良性腫瘍）．= embryonal medulloepithelioma.

di·dac·tic (dī-dak′tik)．教説的な（講義または教科書による医学的教授法を意味する．患者との臨床的実物教授法または研究室での実験とは区別される）．

di·dac·ty·lism (dī-dak′ti-lizm)．二指奇形（2 本だけの指の手あるいは足をもつ先天的な奇形）．

di·del·phic (dī-del′fik)．二子宮の，重複子宮の．

DIDMOAD (did′mōd)．Wolfram syndrome をなしている *d*iabetes *i*nsipidus, *d*iabetes *m*ellitus, *o*ptic *atrophy*, *d*eafness の頭字語．

didym-, didymo- 精巣を表す連結形．

did·y·mus (did′i-mŭs)．精巣，睾丸．= testis.

-didymus 癒合している部分を示す語の後について，接着双生児を示す接尾語．→-dymus; -pagus.

di·e·cious (dī-ē′shŭs)．雌雄異体の（性的にはっきり区別できる動植物に用いる．個体はどちらか一方の性をもつ）．

di·en·ceph·a·lon, pl. **di·en·ceph·a·la** (dī′en-sef′ă-lon, -sef′ă-lă)．間脳（胎生期前脳胞の尾側部で視床上部，視床，視床下部からなる）．

Di·en·ta·moe·ba fra·gil·is 二核アメーバ（ヒトおよびある種のサルの大腸に寄生する小型でアメーバ状の鞭毛虫．かつては真のアメーバと考えられていたが，現在は *Trichomonas* 属に近縁のアメーバ型鞭毛虫として認識されている．恐らく非病原性であるが，ヒトに粘液性下痢や胃腸障害を伴う軽度の炎症を起こすことがあると考えられている）．

di·ent·a·moe·bi·a·sis (dī-ent′ă-mē-bī′ă-sis)．二核アメーバ症（二核アメーバ属 *Dientamoeba* の原生動物による感染）．

di·er·e·sis (dī-ēr′ĕ-sis)．分離，分割．= solution of continuity.

di·e·ret·ic (dī′ĕr-et′ik)．= diaeretic. ***1*** 分離の，分割の．***2*** 分裂〔性〕の，潰瘍〔性〕の，侵食〔性〕の．

di·es·trous (dī-es′trŭs). 発情間期の. = dioestrous.

di·es·trus (dī-es′trŭs). 発情間期，発情静止期，発情中間期（2つの発情期の間に起こる性的静止期）. = dioestrus.

di·et (dī′ĕt). ***1*** 〖n.〗食〔物〕，食事（通常の飲食物）. ***2*** 〖n.〗治療食（規定された飲食物．治療の目的で食物の量や種類，食事の回数を医師によって規定される）. ***3*** 〖n.〗節食（体重を減らすためにカロリー摂取を控えること）. ***4*** 〖v.〗治療食を摂る（規定された，または特殊な食事を摂る）.

di·e·tar·y (dī′ĕ-tār-ē). 食事の.

di·e·ta·ry al·low·anc·es 食事許容度（適正かつ健康的であると判断される栄養摂取量とそのタイプ）.

di·e·tar·y a·men·or·rhe·a 食事性無月経（重篤な体重減少あるいは増加による月経機能の喪失）.

di·e·tar·y fi·ber 食事性線維（人間の消化酵素で加水分解されない植物性多糖類やリグニン）.

di·e·ta·ry fo·late e·quiv·a·lent (DFE) 食事葉酸当量（食品の異なる吸収性に基づき求められた体内で利用可能な葉酸量．DFE 1 mg は食品中葉酸 1 mg に相当し，これは栄養強化食品もしくはサプリメントの葉酸 0.6 mg に相当する）.

Di·e·tar·y Guide·lines for A·mer·i·cans アメリカ人のための食事ガイドライン（食品の摂取に関連のある慢性疾病を減らすために，食事摂取についての，米国農務省–米国保険社会福祉省による勧告）.

Di·e·ta·ry Re·fer·ence In·take (DRI) 食事摂取基準（米国およびカナダにおける，健康な人々の食事による栄養摂取のための数値のセットで，食事の計画や評価のために用いられる．推奨栄養所要量(RDA)，適正摂取量(AI)，許容摂取量(TUL)，推定平均摂取量(EAI)を含む．徐々に US RDA (U.S. Recommended Daily Allowance)およびカナダの RNI (Recommended Nutrient Intake)に取って代わるであろう）.

Die·ter·le stain ディーテルレ染色〔法〕（スピロヘータおよび Leishman-Donovan 体を証明する染色．硝酸銀と硝酸ウランを用いる）.

di·e·tet·ic (dī′ĕ-tet′ik). ***1*** 食事〔性〕の. ***2*** 低カロリー食の（自然あるいは加工品を問わず，低カロリー含量をもつ食物についていう）.

di·e·tet·ics (dī′ĕ-tet′iks). 食事療法学（病気の予防，治療への，食事療法の応用）.

di·eth·yl·stil·bes·trol (DES) (dī-eth′il-stil-bes′trol). ジエチルスチルベストロール（エストロゲン活性を有する非ステロイド性の合成化合物．受精卵の着床を避ける作用があり，性交後の避妊薬として使用されたことがある．この化合物が流産を防ぐと誤認されていた頃に服薬した妊婦より生まれた女児において，遅発性の腟明細胞癌の発現があったことから，初めて胎盤通過性の発癌性物質が見出された）. = stilboestrol.

di·e·ti·tian (dī′ĕ-tish′ŭn). 栄養士（食事療法学の専門家）.

Die·tl cri·sis ディエトル発症，ディエトルクリーゼ（近位部尿管の間欠的閉塞により起こる．ときに悪心，嘔吐を伴う間欠性疼痛）.

di·et qua·li·ty in·dex 食事品質指数（食物と栄養素の消費に関する国立科学会議(NAS)からの 8 項目の勧告に準拠した食事の品質の評価法．標準に合っていれば 0，標準からの差が 30%以内なら 1，30%以上かけはなれていれば 2 とする．したがって指数は 0—16 となり，低いほど良い．NAS の勧告では，総脂肪摂取量は総エネルギーの 30%以下，飽和脂肪酸はエネルギーの 10%より少し，コレステロールの 1 日摂取量は 300 mg より少し，野菜や果物を 1 日 5 回以上摂取，パン・穀物・豆を 1 日 6 回以上摂取しデンプンや複合炭水化物の摂取量を増す，蛋白の摂取は中等量(RDA の 2 倍以下)に保つ，ナトリウムの 1 日摂取量は 2,400 mg 以下に制限，十分なカルシウム摂取(RDA の量くらい)を保つとなっている）.

Dieu·la·foy le·sion ドゥルロフォイ病変（胃の近位にある異常な大きい粘膜下動脈で，急性反復性の多量出血の部位になりうる）.

dif- 分離，分解すること，2つにすること，逆転，否定，反対を意味する接頭語.

dif·fer·ence (dif′ĕr-ĕns). 差，較差（ある質や量が同じ種類のもう 1 つの量とは異なる，その大きさあるいは程度）.

dif·fer·ence li·men 弁別域（刺激の強度または周波数の差異を差異と認識しうる最小限度の変化量）.

dif·fer·en·tial di·ag·no·sis 鑑別診断（類似の症状を呈する 2 つ以上の疾病のうち，どれが患者の罹患しているものかを臨床所見の系統的な比較や対比により決定すること）. = differentiation(2).

dif·fe·ren·tial dis·play ディファレンシャルディスプレイ（特定の細胞あるいは組織に由来する mRNA を RT-PCR に基づいた技術を用いて増幅し，他の細胞あるいは組織に由来する mRNA を増幅したのと直接比較すること）.

dif·fer·en·tial field di·ag·no·sis 差分フィールド診断（救命医療による患者の症状の原因の判定）. = field diagnosis.

dif·fer·en·tial u·re·ter·al cath·e·ter·i·za·tion test 〔分別〕尿管カテーテル検査（分腎機能検査，すなわち反対側腎に比較しての一側腎の種々の機能的パラメータを測るために行う検査．膀胱鏡下で両側の尿管あるいは腎盂に尿管カテーテルを挿入し，尿流率，インスリン，静脈注射してある場合は PAH(パラアミノ馬尿酸)，内因性クレアチニン，あるいは種々の尿中の溶質を同時に測定する）.

dif·fer·en·ti·a·tion (dif′ĕr-en-shē-ā′shŭn). ***1*** 分化（原型のそれとは異なった性質または機能の獲得あるいは所有）. = specialization(2). ***2*** 鑑別，区別. = differential diagnosis. ***3*** 分染（組織成分の染色差異を強調するために組織学的切片から一部の染色を除去すること）.

dif·frac·tion (di-frak′shŭn). 回折（不透明体の縁を通るあるいはほぼ光の波長の大きさの物体を通過する際に，光線の経路が直線からずれること).

dif·fu·sate (di-fyū′zāt). = dialysate.

dif·fuse *1* (di-fyuz′). 〚v.〛散在する，拡散する. *2* (di-fyus′). 〚adj.〛広範性の，散漫な，散在性の，びまん性の，拡散の.

dif·fuse ab·scess びまん性膿瘍（はっきりした被膜で限局されていない状態で膿が集まっている膿瘍）.

dif·fuse ax·o·nal in·jur·y びまん性軸索損傷（脳や頭蓋骨の付随抵抗性回転力による脳の動きの加速および減速によって起こる軸索損傷．裂傷，軸索群，周囲組織の反応性腫脹など）.

dif·fuse cu·ta·ne·ous leish·man·i·a·sis 汎発性皮膚リーシュマニア症（新世界または旧世界の *Leishmania* 属により生じるリーシュマニア症．症状は免疫抑制反応と関連がある）.

dif·fuse cu·ta·ne·ous mas·to·cy·to·sis びまん性皮膚肥満細胞症（肥満細胞の浸潤巣が皮膚に多発する良性疾患．病変は皮膚と同じ高さかわずかに盛り上がっている．掻くと膨疹を形成し，かゆい．骨病変を伴うことがある）.

dif·fuse hy·per·ker·a·to·sis of palms and soles 手掌足底のびまん性過角化（常染色体優性遺伝を呈する疾患で，早期乳児期に発症する．手掌，足底に落屑を伴う角化性局面が特徴で，しばしば多汗を伴う）.

dif·fuse id·i·o·path·ic skel·e·tal hy·per·os·to·sis 汎発性特発性骨増殖症（靱帯，特に前縦靱帯の石灰化と骨化を特徴とする全身性の脊椎および脊椎外関節を侵す疾患で，強直性脊椎炎や変性性関節疾患とは明らかに異なる）. = Forestier disease.

dif·fuse in·ju·ries 広汎性(びまん性)損傷（身体の広い範囲にわたる損傷．通常，低速で高質量の衝撃により生じる）.

dif·fuse la·mel·lar ker·a·ti·tis (DLK) びまん性層状角膜炎（LASIK 手術または他の角膜実質切除術での角膜実質の層状切開部の炎症）. = sands of Sahara.

dif·fuse Le·wy body dis·ease びまん性レヴィー小体病（初期には進行性痴呆または精神病を呈し，その後パーキンソン症候群も呈する高齢者の脳変性疾患．高度の筋硬直，不随意運動，ミオクローヌス，えん下障害，起立性低血圧も呈することが多い．病理学的には視床下部の核，前頭葉基底部，脳幹にびまん性に Lewy 小体がみられる）. = Lewy body dementia.

dif·fuse ob·struc·tive em·phy·se·ma びまん性閉塞性〔肺〕気腫（慢性閉塞性肺疾患の主要な原因）.

dif·fuse un·i·la·ter·al sub·a·cute neu·ro·re·tin·i·tis (DUSN) びまん性片側性亜急性神経網膜炎（*Baylisascaris* 属または *Ancylostoma* 属の種のような回虫の浸潤による神経網膜の炎症）.

dif·fuse wax·y spleen 広汎性ろう様脾（主として脾髄のシヌソイド外組織空間を侵す，脾臓のアミロイド変性）.

dif·fus·i·ble (di-fyūz′i-bĕl). 拡散しうる，広がりうる.

dif·fus·i·ble stim·u·lant 拡散性興奮薬（急速な一過性の効果を及ぼす興奮薬）.

dif·fus·ing ca·pac·i·ty 拡散量，拡散能〔力〕（記号 D．下付き文字で測定部位および薬品種を示す．肺胞気体と肺動脈毛細血液との間の単位平均酸素圧勾配当たり，毎分肺動脈毛細血液によって運ばれる酸素量．単位は mL/min/mmHg．これが拡散量の標準的臨床測定法で用いられる．一酸化炭素，その他の気体にも適用される）.

dif·fu·sion (di-fyū′zhŭn). *1* 拡散〔性〕（有効な体積中への均一な分散を目指した Brown 運動の影響下にある溶液あるいは懸濁液中の分子，イオン，小粒子の行う不規則な運動）. *2* = dialysis.

dif·fu·sion an·ox·i·a 拡散性無酸素〔症〕（肺胞気酸素の欠如をきたすような重篤な拡散性低酸素症）.

dif·fu·sion co·ef·fi·cient 拡散係数（1.0 の濃度勾配での単位時間に，単位面積を通って拡散する物質の量）.

dif·fu·sion hy·pox·i·a 拡散性低酸素〔症〕（笑気麻酔の最後に大気が吸入された際，肺胞酸素分圧が突然一過性に下がること．これは血液により漏出した笑気が肺胞酸素を薄めるために生じる）.

dif·fu·sion res·pi·ra·tion 拡散呼吸（高流量率で酸素の気管内通気法を行ってなされる無呼吸時の酸素飽和の維持）.

di·gas·tric (dī-gas′trik). *1* 二腹の（特に，介在する腱部分によって 2 部分に分けられた筋肉についていう．→digastric muscle）. = biventral. *2* 顎二腹筋の（顎二腹筋と関係する窩あるいは溝，およびその後腹を支配する神経をさす）.

di·gas·tric fos·sa 二腹筋窩（下顎底にある凹窩で，正中面の両側に顎二腹筋の前腹が付着する）.

di·gas·tric mus·cle = musculus digastricus. *1* 顎二腹筋（中心腱で結合する 2 つの筋腹からなる筋．中心腱は舌骨体と連結する筋膜のループの中を通過している．起始：後腹により乳様突起内側の乳様切痕から起こる．停止：前腹により下顎結合近くの下顎骨下縁に付着．作用：下顎骨が固定されているときには舌骨を挙上し，舌骨が固定されているときには下顎骨を下制する．神経支配：後腹は顔面神経，前腹は三叉神経下顎枝の顎舌骨筋神経）. *2* 二腹筋（線維性の腱中心によって分けられる 2 つの腹筋をもつ筋）.

di·gas·tric tri·an·gle = submandibular triangle.

di·gen·e·sis (dī-jen′ĕ-sis). 世代交代（二生類吸虫の無性(無脊椎動物内)および有性(脊椎動物内)のサイクルにみられるように，特有な型による世代が交互に生じる生殖）.

di·ge·net·ic (dī′jĕ-net′ik). *1* 二宿主性の. = heteroxenous. *2* 二生類吸虫の.

Di·George syn·drome ディ・ジョージ症候群（胸腺の先天的欠損で，T 細胞免疫系の欠損を伴う．B 細胞機能は正常に保たれている）.

di·gest *1* (di-jest′, dī-). 〚v.〛蒸解する，蒸して軟らかくする（湿気と熱とで軟化させる）. *2* (di-jest′, dī-). 〚v.〛消化する（加水分解酵素または化学的作用により，一層単純な化学的化合物へ加水分解または解体する．食物に対する消化管の分泌作用を意味する）．*3*（dī′jest）．〖n.〗消化物（消化あるいは加水分解によって生じた物質）．

di·ges·tant（di-jes′tănt）．*1*〖adj.〗消化促進の．*2*〖n.〗消化薬（消化の過程を補助する薬剤）．= digestive(2)．

di·ges·tion（di-jes′chŭn）．消化（摂取された食物が，組織の合成またはエネルギー放出のための同化作用に適する物質に転換させられる機械的，化学的，酵素的過程）．

di·ges·tive（di-jes′tiv）．*1*〖adj.〗消化〔性〕の．*2*〖n.〗= digestant(2)．

di·ges·tive sys·tem 消化〔器〕系（口から肛門へ至る消化管とそれに付属する腺および臓器）．

di·ges·tive tract 消化管（口から，咽頭，食道，胃，腸を通り，肛門に通じる道）．= alimentary canal; alimentary tract.

di·ges·tive tract gas →flatus.

dig·it（dij′it）．指．= digitus; dactyl; dactylus.

dig·i·tal（dij′i-tăl）．指の，指状の，指圧痕の，数字で計算する．

dig·i·tal col·lat·er·al ar·ter·y = proper palmar digital artery.

dig·i·tal crease 指の〔屈曲〕ひだ（指の掌側面の指節間関節部位にみられるひだ）．

dig·i·tal dic·ta·tion デジタルシクテーション（保健医療専門家の口述がデジタル化されたシステム）．

dig·i·tal hear·ing aid デジタル補聴器（使用する人の難聴の程度に応じてカスタマイズ可能なプログラミング可能補聴器）．

dig·i·tal in·tu·ba·tion 指を用いる気管挿管法（指を用いて患者の口に気管内チューブを設置すること．指はチューブを声門の開口部に設置するために用いられる．喉頭鏡を用いた直接可視が不可能な場合に病院到着前に行われる）．

Di·gi·tal·is（dij′i-tā′lis）．ジギタリス（ゴマノハグサ科多年顕花植物の一属．ある種の心臓病，特にうっ血性心不全の治療に用いる強心作用のあるステロイド配糖体の主要原料となる）．= foxglove.

digitalisation［Br.］．= digitalization.

dig·i·tal·i·za·tion（dij′i-tăl-ī-zā′shŭn）．ジギタリス飽和，ジギタリス化（ジギタリス投与を数ある予定表の1つに従って行い，望む治療効果を生み出すのに十分な量が体内で存在するようになるまで続けること）．

dig·i·tal ra·di·og·ra·phy デジタルX線撮影法，デジタルラジオグラフィ（アモルファスセレニウムやシリコンの固体検出器の配列を使用して透過X線を直接デジタル画像に変換し，コンピュータ処理や画像表示を行う撮影法．→digital subtraction angiography）．

dig·i·tal rays of foot 足の指放線．= foot rays.

dig·i·tal rays of hand 手の指放線．= hand rays.

dig·i·tal re·flex 指反射．= Hoffmann sign(2)．

dig·i·tal sub·trac·tion an·gi·og·ra·phy（DSA） デジタルサブトラクションアンギオグラフィ（コンピュータ利用により，骨や軟部陰影が重なることなく心血管系を描出する，X線による血管造影法．血管内造影剤を注入する前後に得られた画像の引き算によって，造影剤によって染まらない構造が消去される．その他の画像処理も行うことができる．造影剤は，経静脈的に投与するかあるいは比較的低濃度のものを経動脈的に投与する．→digital radiography）．

dig·i·tal ther·mom·e·ter デジタル体温計（物体温度や体温を液晶ディスプレー表示で測る道具．北米の医療で使用されている，水銀温度計に取って代わる最も一般的なタイプ）．

dig·i·tate（dij′i-tāt）．指状突起のある，指痕のある．

dig·i·ta·tion（dij′i-tā′shŭn）．指状突起．

dig·i·tus, pl. di·gi·ti（dij′i-tŭs, -tī）．指．= digit.

dig·i·tus man·us 指．= finger.

di·glos·si·a（dī-glos′ē-ă）．複舌〔症〕（舌が縦に裂けて発育した状態．→bifid tongue）．

di·het·er·o·zy·gote（dī-het′ĕr-ō-zī′gōt）．二重異型接合体（特に遺伝的連鎖分析において，問題の2つの座に関して異型接合の個体）．

di·hy·drate（dī-hī′drāt）．二水和物（2分子の結晶水をもつ化合物）．

di·hy·dric al·co·hol 二価アルコール（分子中にOH基を2個含有するアルコール．例えばエチレングリコール）．

dihydro- 2つの水素原子が付加していることを示す接頭語．

7,8-di·hy·dro·fo·lic ac·id 7,8-ジヒドロ葉酸（葉酸と5,6,7,8-テトラヒドロ葉酸との中間体）．

di·hy·dro·gen（dī-hī′drŏ-jĕn）．= hydrogen(2)．

di·hy·dro·lip·o·am·ide ace·tyl·trans·fer·ase ジヒドロリポアミドアセチルトランスフェラーゼ（S^6-アセチルジヒドロリポアミドから補酵素Aへアセチル基を転移する反応を触媒する酵素．多くの酵素複合体(例えば，ピルビン酸デヒドロゲナーゼ複合体)の構成成分）．= lipoate acetyltransferase; thioltransacetylase A.

di·hy·dro-or·o·tate（dī-hī′drō-ōr′ō-tāt）．ジヒドロオロテート；L-5,6-dihydroorotate（ピリミジン類の生合成中間体）．

di·hy·dro·pte·ro·ic ac·id ジヒドロプテロイン酸（葉酸形成の中間体．6-ヒドロキシメチルプテリンおよび*p*-アミノ安息香酸の化合物．スルホンアミドに阻害されるのは，これら2つの物質の結合したものである）．

di·hy·dro·ur·i·dine（dī-hī′drō-yūr′i-dēn）．ジヒドロウリジン（5,6-位の二重結合が，水素原子2個の付加で飽和されたウリジン．転移リボ核酸にまれにみられる成分）．

dihydroxy- 2つの水素基が付加していることを表す接頭語．接尾語にすると -diol となる．

di·hy·drox·y·ac·e·tone（dī′hī-drok′sē-as′e-tōn）．ジヒドロキシアセトン（最も簡単なケトース）．

2,8-di·hy·drox·y·a·de·nine li·thi·a·sis 2,8-ジヒドロキシアデニン結石症（アデニンホスホリボシルトランスフェラーゼ活性の欠損または低下により生じる2,8-ジヒドロキシアデニンの結石症）．

di·i·o·dide (dī-ī′ō-dīd). 二ヨウ化塩（分子中に2原子のヨウ素を含む化合物）.

diiodo- 2原子のヨウ素の存在を示す接頭語.

di·i·o·do·ty·ro·sine (DIT) (dī-ī′ō-dō-tī′rō-sēn). ジヨードチロシン（甲状腺ホルモンの生合成の中間体）.

di·ke·tone (dī-kē′tōn). ジケトン（カルボニル基を2個含む分子. 例えばアセチルアセトン $CH_3COCH_2COCH_3$）.

di·ke·to·pi·per·a·zines (dī-kē′tō-pī-per′ă-zēnz). ジケトピペラジン（閉環構造をもつ有機化合物の一種. 2個のα-アミノ酸から, 各α-アミノ基が他のカルボキシル基に結合し, 2分子の水を失って生成される）.

di·lac·er·a·tion (dī-las′ĕr-ā′shŭn). 彎曲歯（成長する歯のある部分の転位. これによって歯はさらにその新しい関係のもとで成長し, 強く彎曲した歯根を有する歯になる）.

di·late (dī′lāt). 拡張する, 拡張術を施行する.

di·la·ted car·di·o·my·op·a·thy 拡張型心筋症. = Becker disease.

di·lat·ed pore 毛孔拡大腫（拡大した毛孔の皮膚開口部. 角栓と, ときにうぶ毛や硬毛を伴う）.

di·la·tion, dil·a·ta·tion (dī-lā′shŭn, dil′ă-tā′shŭn). ***1*** 拡張, 拡延, 拡大, 伸展（管腔構造または開口部の拡大. 生理学的, あるいは人工的につくられる）. ***2*** 拡張法, 拡大法（陥凹器官の内腔を拡張したり拡大したりすること）.

di·la·tion and cu·ret·tage (D & C)〔頸管拡張〕子宮内膜掻爬術（頸管を拡張し, 子宮内膜を掻爬すること）.

di·la·tion and e·vac·u·a·tion (D & E) 子宮内容除去術（頸管を拡張し妊娠期の子宮内容物を除去すること）.

di·la·tion and ex·trac·tion 初期妊娠中絶（流産の一形式. 頸管を拡大し外科鉗子で胎児を破細しながら牽引娩出させる. 妊娠初期の自然流産あるいは人工流産に用いられる）.

di·la·tion and suc·tion = suction curettage.

di·la·tor, dil·a·ta·tor (dī′lā-tŏr, dil′ă-tā-tŏr). ***1*** 拡張器（陥凹構造あるいは開口部を拡張するための器具）. ***2*** 拡大筋, 散大筋（開口部を開いたままにする筋肉）. ***3*** 拡張薬（開口部または陥凹構造の管腔の拡張(あるいは拡大)をもたらす物質）.

di·la·tor mus·cle 開大筋, 散大筋（開口部を開けるあるいは器官の管腔を拡張する筋. 例えば幽門の開口成分. もう1つの成分(閉鎖成分)は括約筋）.

di·la·tor pu·pil·lae mus·cle 瞳孔散大筋（眼球内固有筋の1つ. 虹彩後面の上皮をなす筋上皮細胞の筋性突起が放射状に配列したもので, 瞳孔から毛様体縁に拡散する. 交感神経刺激で収縮するが, ゆっくり瞳孔を広げて網膜に十分な光を導入する）. = musculus dilatator pupillae.

di·la·tor tu·bae mus·cle 耳管開大筋（口蓋帆張筋のうち, 耳管粘膜に付いている部分を独立に扱ってつけられた公式の名称）. = musculus dilatator tubae.

di·lep·tic sei·zure ディレプティック発作（起きている出来事との相互作用またはその記憶を意識できないことによって特徴付けられる発作）.

dil·u·ent (dil′yū-ĕnt). ***1*** 賦形薬（薬理活性はないが製剤上必要な医薬品中の成分. 液体で, 注射剤, 内服剤または吸入剤として薬物を溶解させる）. ***2*** 薄めることについていう. 希釈剤.

di·lute (di-lūt′). ***1*** 〚v.〛 希釈する（溶液または混合液の濃度, 強度, 質, 純度を減じる）. ***2*** 〚adj.〛 希釈された（溶液または混合液が希釈された）.

di·lute Rus·sell vi·per ven·om test (DRVVT) 希釈ラッセルクサリヘビ毒検査（ループス抗凝固因子の存在を確認するための検査）.

di·lu·tion (di-lū′shŭn). ***1*** 希釈, 薄めること, 希薄. ***2*** 希釈溶液. ***3*** 微生物学的技術において, 懸濁液中の生菌細胞数を数える方法. 試料は, その一部分を培養したとき数えられる数の別々のコロニーをつくる点まで希釈される.

di·me·li·a (dī-mē′lē-ă). 重複肢〔症〕（1肢の全部あるいは一部分が先天的に重複していること）.

di·men·sion (di-men′shŭn). 長さ, 寸法, 大きさ（複数形で長さ, 幅, 高さの直線的測定(容積)を表す）.

di·mer (dī′mĕr). 二量体, ダイマー（2個の類似分子の結合によってできる化合物あるいは原子団. 最も厳密な場合は, その間原子を失うことがない(四酸化窒素 N_2O_4 は二酸化窒素 NO_2 の二量体である)が, 通常は2個の分子間のH_2Oまたは類似の小分子の脱離(例えば二糖類のできるとき)が起こる. あるいは単純な非共有会合(2個の同一の蛋白分子のように)による. 複雑になるに従って, 三量体, 四量体, 多量体, 重合体とよばれる）.

di·mer·ic (dī-mĕr′ik). ダイマーの（二量体の特徴をもつ）.

di·meth·yl sulf·ox·ide (DMSO) ジメチルスルホキシド（治療薬の皮膚からの吸収を強める浸透溶媒. 工業用溶媒は関節炎および滑液包炎に効力のある鎮痛薬および抗炎症薬とされてきた）. = dimethyl sulphoxide.

dimethyl sulphoxide [Br.]. = dimethyl sulfoxide.

di·mor·phic (dī-mōr′fik). ***1*** 二相性の（真菌類において, 成長および生殖に関し, 糸状菌, 酵母の両方の形状をとることについていう）. = dimorphous (2). ***2*** 二形(型)性の. = dimorphous (1).

di·mor·phism (dī-mōr′fizm). 二形(型)性, 同質二像（2つの形態が存在すること. 同一物質で, 異なった2つの結晶形があること, または同一種の個体間で, 形態や外観に相違があること(例えば性的二型性)）.

di·mor·phous (dī-mōr′fŭs). ***1*** 二形(型)性の, 同質二像の（二形性の特質を有する）. = dimorphic (2). ***2*** = dimorphic (1).

dim·ple (dim′pĕl). ***1*** 〚n.〛 えくぼ（おとがい, 頬, 仙骨部の小さな範囲にできる通常は丸い生来の陥凹）. ***2*** 〚n.〛 小凹点（えくぼに類似の外観をもつ陥凹部．外傷あるいは瘢痕組織の収縮による）．***3***〘v.〙えくぼができる．

dimp·ling (dim′pling)．***1*** えくぼ形成，陥凹形成．***2*** えくぼ症状（自然または人工的なえくぼ形成を特徴とする状態）．

di·ni·tro·phen·yl·hy·dra·zine test ジニトロフェニルヒドラジン試験（メープルシロップ尿症のスクリーニング検査．2,4-ジニトロフェニルヒドラジンの塩酸溶液を尿に添加すると，ケト酸が存在する場合は灰白色の沈殿物を生じる）．

din·ner pad 腹当て（ギプスジャケットを装着する前に胃窩部の上に置く，中程度の厚みのある当て物．ギプスが固まってからこれを取り除くが，腹部膨張などの状態の変化にこの間隙が役立つ）．

Di·no·fla·gel·li·da (dī′nō-flă-jel′i-dă)．渦鞭毛虫目（肉質鞭毛虫門の一目．特徴として2本の鞭毛を有しているので旋回運動を行う．外表はセルロースを含む殻からなり，その大きさや数は属や種によって異なる）．

di·ode (dī′ōd)．ダイオード（電流を一方向に流す双極素子）．= silicone diode.

dioestrous [Br.]. = diestrous.

dioestrus [Br.]. = diestrus.

-diol 接頭語 dihydroxy-(ジヒドロキシル基の)の接尾語形．

di·op·ter (D, Δ, *δ*) ジオプトリ（レンズの屈折力の単位．メートル単位で表した焦点距離の逆数に等しい）．

di·op·tric ab·er·ra·tion 屈折収差．= spherical aberration.

di·op·trics (dī-op′triks)．光屈折学（光の屈折を扱う光学の分野）．

di·o·tic (dī-ot′ik)．両耳同時刺激（同じ音を両方の耳に同時に加えること）．

di·ov·u·lar (dī-ov′yū-lăr)．二卵性の．= biovular.

di·ov·u·la·to·ry (dī-ōv′yŭ-lă-tōr-ē)．二排卵性の（1回の卵巣周期に2個の卵を放出する）．

di·ox·ide (dī-ok′sīd)．二酸化物（酸素2原子を含む分子．例えば二酸化炭素 CO_2）．

di·ox·in (dī-ok′sin)．ダイオキシン（①2個の酸素原子，4個の CH 基，2個の二重結合をもつ環．酸素原子の位置は1,4-ダイオキシンのように接頭語によって明記される．②除草剤2,4,5-T の不純物．潜在的に毒性であり，催奇形性や発癌性がある）．

di·ox·y·gen·ase (dī-oks′ē-jĕn-ās)．ジオキシゲナーゼ（2個の酸素原子(1分子の酸素から)を(還元)基質へ取り込ませる酸化還元酵素）．

DIP distal interphalangeal joint(s)の略．

dip (dip)．***1*** ディップ（谷状の曲線のこと）．***2*** 浸液（表面を浸すための水性の製剤で，皮膚寄生虫を殺すためなどに用いる）．

di·pep·ti·dase (dī-pep′ti-dās)．[EC 3.4.13.11.]．ジペプチダーゼ（ジペプチドを加水分解してその成分であるアミノ酸にするのを触媒する加水分解酵素）．

di·pep·tide (dī-pep′tīd)．ジペプチド（ペプチド結合(-CO-NH-)による2つのアミノ酸からなる化合物）．

di·pep·ti·dyl pep·ti·dase ジペプチジルペプチダーゼ（かなり多くのタイプがある加水分解酵素）．① **dipeptidyl peptidase I** ジペプチジルペプチダーゼ I; dipeptidyl transferase(ポリペプチドからのアミノ末端ジペプチドを切り離す加水分解酵素)．② **dipeptidyl peptidase II** ジペプチジルペプチダーゼ II (I に類似する加水分解酵素．異なった基質特異性をもつ)．

di·pep·ti·dyl trans·fer·ase ジペプチジルトランスフェラーゼ（ポリペプチドのアミノ末端からジペプチドを切り出す．→dipeptidyl peptidase）．

di·phal·lus (dī-fal′ŭs)．二陰茎体（陰茎の一部分または完全に重複しているまれな先天性奇形．膀胱外反と尿道上裂や下裂を伴うこともある）．

di·pha·sic (dī-fā′zik)．二相性の．

di·phen·yl (dī-fen′il)．ジフェニル（無色の液体で熱伝導剤，しばしばポリ塩化ビフェニル類(PCBs)として用いられる．その他オレンジ類に対する静菌剤(搬送容器あるいは包装紙の中に挿入される)として用いられる．また有機合成試薬として用いられる．痙攣や中枢神経系抑制作用がある）．= biphenyl; phenylbenzene.

di·phen·yl·a·mine·ar·sine (dī-fen′il-am′ēn-ahr′sēn)．→Adamsite.

2,5-di·phen·yl·ox·a·zole (PPO) (dī-fen′il-oks′ă-zōl)．2,5-ジフェニルオキサゾール（液体シンチレーションカウンターによる放射能測定で用いるシンチレータ）．

di·phos·pha·tase (dī-fos′fă-tās)．= pyrophosphatase.

1,3-di·phos·pho·glyc·er·ate (dī-fos′fō-glis′ĕr-āt)．1,3-ジホスホグリセリン酸（解糖過程における中間体で，酵素的に ADP と反応して，ATP および 3-ホスホグリセリン酸を生成する）．

2,3-di·phos·pho·glyc·er·ate (dī-fos′fō-glis′ĕr-āt)．2,3-ジホスホグリセリン酸（Rapoport-Luebering 経路での中間体．1,3-P_2Gri と 3-ホスホグリセリン酸から生成される．酸素に対するヘモグロビンの親和力の重要な調節物質である．ホスホグリセリン酸ムターゼの中間体）．

di·phos·pho·py·ri·dine nu·cle·o·tide (DPN) ジホスホピリジンヌクレオチド．= nicotinamide adenine dinucleotide.

diph·the·ri·a (dif-thēr′ē-ă)．ジフテリア（*Bacterium* 属のジフテリア菌 *Corynebacterium diphtheriae* およびそのきわめて強力な毒素によって起こる特異な感染症．咽頭，鼻，ときには気管気管支粘膜の厚い線維性滲出物の形成を伴い，膜状の被膜を生じる重篤な炎症を特徴とする．この毒素は末梢神経，心筋，および他の組織中に変性をもたらす．以前は，特に小児に高い死亡率を示したが，今では有効なワクチンによりまれになっている）．

diph·the·ri·al, diph·the·rit·ic (dif-thēr′ē-ăl, dif′thĕ-rit′ik)．ジフテリアの（ジフテリアに関する，またはこの疾病に特徴的な膜性滲出物についていう）．

diph·the·ri·a tox·oid, tet·a·nus tox·oid, and per·tus·sis vac·cine ジフテリア・破傷

D

風・百日咳三種混合ワクチン（ⓘジフテリアトキソイドと破傷風トキソイドに百日咳ワクチン(DTP)，ⓘⓘ破傷風トキソイドとジフテリアトキソイドからなる成人型(Td)，ⓘⓘⓘ破傷風トキソイド(T)の3つの形で用いる．ジフテリア・破傷風・百日咳に対して能動免疫を行う際に用いる）．

diph·the·rit·ic mem·brane ジフテリア膜（ジフテリアで粘膜表面に形成される偽膜）．

diph·the·roid (dif′thē-royd). ***1*** 類ジフテリア（ジフテリア菌 *Corynebacterium diphtheriae* 以外の微生物によって起こる，ジフテリア様の局所感染グループの1つ）. = pseudodiphtheria. ***2*** 類ジフテリア菌（*Corynebacterium diphtheriae* 類似の微生物）．

di·phyl·lo·both·ri·a·sis (dī-fil′ō-both-rī′ă-sis). 裂頭条虫症（広節裂頭条虫 *Diphyllobothrium latum* の感染症．ヒトの感染はプレロセルコイドをもつ，生の，または調理の不十分な魚の摂取による．白血球増加症および好酸球増加症を起こす．消化管に多数寄生した場合，ビタミン B_{12}を先取りするか，あるいはその吸収を変化させ，悪性貧血に似た高色素性大赤血球貧血を起こさせる．発症頻度の高い地域でもまれにしか起こらない）．

Di·phyl·lo·both·ri·um (dī-fil′lō-both′rē-ŭm). 裂頭条虫属（擬葉目条虫類の主要な属で，背側と腹側に吸溝をもつへら状の頭節が特徴．数種はヒトに見出されるが，そのうちの1種，*Diphyllobothrium latum* だけが広く分布して重要である）．

di·phy·o·dont (dī-fī′ō-dont). 二生歯〔性〕の（ヒトや他のほとんどの哺乳類のように2組の歯を有することについていう）．

dip·la·cu·sis (dip′lă-kū′sis). 複聴，二重聴（時間または音調の高さの異常な認知．1つの音が2つのように聞こえる. →binaural diplacusis）．

di·ple·gi·a (dī-plē′jē-ă). 両〔側〕麻痺（身体の両側の対応する部分の麻痺）．

diplo- 2重，2倍に関する連結形. ←haplo-.

dip·lo·ba·cil·lus (dip′lō-bă-sil′ŭs). 双杆菌（末端が結合している2つの杆状体の細菌）．

dip·lo·bac·te·ri·a (dip′lō-bak-tēr′ē-ă). 双細菌（対になって結合している細菌）．

dip·lo·blas·tic (dip′lō-blas′tik). 二胚葉性の．

dip·lo·car·di·a (dip′lō-kahr′dē-ă). 二心臓体（心臓の左右半分が中心溝により様々な割合で分離している心奇形）．

dip·lo·coc·cus, pl. **dip·lo·coc·ci** (dip′lō-kok′ŭs, dip′lō-kok′sī). 双球菌（対になって接合している球形または卵形の細菌）．

dip·lo·co·ri·a (dip′lō-kōr′ē-ă). 重複瞳孔〔症〕（眼に2重の瞳孔が存在すること）. = dicoria.

dip·lo·gen·e·sis (dip′lō-jen′ĕ-sis). 重複奇形〔形成〕（重複胎児あるいはいくつかの部分が重複している胎児の形成）．

di·plo·ic vein 板間静脈（頭蓋骨の板間層内を走る静脈．導出静脈で硬膜静脈洞とつながる．主なものは前頭板間静脈，前側頭板間静脈，後頭板間静脈，および後側頭板間静脈である）. = Dupuytren canal.

dip·loid (dip′loyd). ***1***〚adj.〛二倍体の，複相〔体〕の（正常な配偶子の染色体数の2倍を含む細胞の状態をさし，2個の半数体の一組はそれぞれ父親と母親に由来する）. ***2***〚n.〛二倍体，複相〔体〕（体細胞の正常な染色体全数(ヒトでは46染色体)）．

dip·loi·dy (dip′loy-dē). 二倍性（二組の相同染色体をもつことを意味する概念）．

dip·lo·my·e·li·a (dip′lō-mī-ē′lē-ă). 二重脊髄〔症〕（脊髄が完全または不完全に2重になっている状態．椎管の骨中隔を伴うこともある）．

dip·lo·ne·ma (dip′lō-nē′mă). 複糸，ディプロネマ（減数分裂の複糸期にみられる染色糸の二重形）．

dip·lop·a·gus (dip-lop′ă-gŭs). 重複体（接着双生児の通称．1つ以上の内部器官が共通であるが，各々はかなり完全な身体をもつ. ←conjoined twins）．

di·plo·pho·ni·a (dip′lō-fō′nē-ă). 二重声（同時に2つの音声をつくりだす，室ひだおよび声帯ひだの振動）．

di·plo·pi·a (dip-lō′pē-ă). 複視，二重視（単一の物体が2個の物体に見える状態）. = double vision.

dip·lo·some (dip′lō-sōm). 双心子，複中心子（哺乳類の細胞の中心子の対）．

dip·lo·so·mi·a (dip′lō-sō′mē-ă). 複体奇形（機能的に独立しているようにみえる双生児が1点以上で結合している状態. ←conjoined twins）．

dip·lo·tene (dip′lō-tēn). 複糸期，ディプロテン期，二重期，双糸期（減数分裂前期の末期．対になった相同染色体が互いに反発し始め，離れて動き出すが，通常，キアズマによって結合されている）．

di·po·lar i·ons 双極子イオン（負電荷と正電荷をもつイオンで，各々が分子の異なった場所に局在するので陽極，陰極の両極をもつ）. = zwitterions.

di·pole (dī′pōl). 双極子（分離した1対の電荷で，一方はやや正電荷，他方はやや負電荷である．または分離した一対の部分的電荷）. = doublet(2).

dip·se·sis (dip-sē′sis). 高度口渇（異常または過度の口渇．特殊な飲み物に対する欲求）. = dipsosis.

-dipsia, -dipsy 喉の渇きを指す連結形．

dip·so·ma·ni·a (dip′sō-mā′nē-ă). 飲酒癖，渇酒癖（アルコール飲料を過度に飲むことへの反復的強迫. ←alcoholism）．

dip·so·sis (dip-sō′sis). = dipsesis.

dip·so·ther·a·py (dip′sō-thār′ă-pē). 口渇療法．

dip·stick (dip′stik). ディップスティック試験紙（円形または正方形の，試薬を含んだ濾紙を1つまたはそれ以上つけたプラスチックまたは紙の細片で，尿の定性試験や半定量試験に使用する．色調の変化から試験結果を読み取る）．

Dip·ter·a (dip′tĕr-ă). 双翅目（昆虫の重要な一目(2枚翅のハエおよびブユ)で，カ，ツェツェバエ，サシチョウバエ，ヌカカなど，重大な疾病の媒介昆虫を多く含む）．

dip·ter·an (dip′tĕr-an). 双翅類の（双翅目昆虫

の一般的表現).

dip·ter·ous (dip′tĕr-ŭs). 双翅目の（双翅目に関する，または特徴付けられる).

dip·y·li·di·a·sis (dip′i-li-dī′ă-sis). ディピリディウム症，イヌ条虫症，ウリザネ条虫症（肉食動物およびヒトにみられる条虫であるイヌ条虫 *Dipylidium caninum* の感染).

Dip·y·lid·i·um ca·ni·num イヌ条虫，ウリザネ条虫（イヌの条虫類で最も一般的な種類．1対の産卵孔をもつ．幼虫はイヌのノミ，シラミに寄生している．ヒトに寄生することがある).

di·rect cal·o·rim·e·try 直接測熱，直接熱量測定〔法〕（反応によって発生する熱の測定．熱発生以外のものの測定を行う間接法とは区別される).

di·rect cur·rent（DC） 直流（一方向にだけ流れる電流，例えば，電池から得られる電流．ガルヴァーニ電流をさすこともある).

di·rect flap 直接皮弁（一度で完全に採られ，同時に移植される皮弁). = immediate flap.

di·rect frac·ture 直達骨折（特に頭蓋の外傷点に起こる骨折).

di·rect im·mu·no·fluor·es·cence 直接蛍光抗体法（標識した抗体を反応させた組織を蛍光顕微鏡下で観察する．→fluorescent antibody technique).

di·rec·tion·al ath·e·rec·to·my（DCA） 方向性冠〔状〕動脈じゅく(粥)腫切除術（装置付きのカテーテルを用いる冠動脈のじゅく腫の摘除).

di·rec·tion·al pre·pon·der·ance 方向優位性（眼振の右または左優位性．両側耳の2種の温度によるカロリー検査の反応から計算される).

di·rec·tion·al weak·ness 方向性の減弱（右または左の眼振の減少で，両耳の冷温水を用いたカロリーテストの反応から計算される).

di·rect lar·yn·gos·co·py 直接喉頭鏡検査〔法〕（直達鏡やファイバースコープを用いて喉頭を直接観察する検査法).

di·rect med·i·cal con·trol 直接医療管理（医師および認定された保健医療従事者により，プレホスピタル医療従事者に直接与えられる医療管理．通常は，救急医療サービスのラジオ放送基地を介して提供される).

di·rect nu·cle·ar di·vi·sion 直接〔核〕分裂. = amitosis.

di·rect oph·thal·mo·scope 直像検眼鏡（眼内を観察するためにつくられた器具．器具を比較的被検眼に密着させ，検者は直立した拡大像を認める).

di·rec·tor (di-rek′tŏr). ***1*** 有溝，導子（組織の切開を正確にするためにナイフとともに用いる緩やかな溝の付いた器具). = staff(2). ***2*** ディレクター（役務または専門部門の長).

di·rect re·act·ing bil·i·ru·bin 直接〔反応型〕ビリルビン（肝細胞中でグルクロン酸に抱合され，グルクロン酸ビリルビンとして存在する血清ビリルビン分画．Ehrlich ジアゾ試薬と直接反応することからこのようによばれる．肝胆汁性疾患(特に閉塞性変化)において増加する).

di·rect trans·fu·sion 直接輸血（供血者と受血者の血管を管で結ぶか，あるいは血管を縫い合わせて輸血すること). = immediate transfusion.

di·rect vi·sion 直接視. = central vision.

di·rect wet mount ex·am·i·na·tion 湿潤封入検査法（運動能のある栄養型の原虫やその他の寄生虫を検出するために，生食に浮遊させた新鮮な糞便材料を低倍率(100 ×)および高倍率(400 ×)で調べる方法).

dir. prop. ラテン語 *directione propria*（適切な方向へ)の略.

dirt-eat·ing (dĭrt ēt′ing). = geophagia.

dir·ty bomb 汚染爆弾（従来型の爆発物に放射性物質が組み合わさった大量破壊兵器．パニックや周囲の人間への直接の危害を及ぼすだけでなく，空中に放射性物質を放散する).

dis- 2つに分かれる，欠，無，非常に，を表す接頭語．*cf.* dys-.

dis·a·bil·i·ty (dis′ă-bil′i-tē). 障害（①人として正常と考えられる範囲での活動を行うことが制限されている，またはできないこと．②1つ以上の器官あるいは組織体の一部分の障害あるいは欠損).

dis·a·bil·i·ty-ad·just·ed life years（DALYs） 障害調整生存年数（ある集団における疾病負荷の程度を示す尺度．保険統計に基づいて，長期にわたる疾病負荷を調整した平均余命によって与えられる．→global burden of disease).

dis·a·bil·i·ty man·age·ment in·ter·ven·tion team（DMIT） 障害マネジメント介入チーム（職業ハンディキャップ評価によって確立された情報に基づいて労働者個々人に合わせた障害マネジメントプログラムを調整，解決する学際的なグループ．チームは労働者，労働組合代表者，指示監督者，コーディネーター，医師，他の医療専門家で構成される).

dis·a·ble·ment (dis-ā′bĕl-mĕnt). 無力化（無力になっていくこと．一般的に生物学的，機能的，社会的要素を含むと考えられている．→disability).

di·sac·cha·ride (dī-sak′ă-rīd). 二糖類（水の脱離による2つの単糖類の縮合物).

dis·ag·gre·ga·tion (dis-ag′rĕ-gā′shŭn). 分離，離解（①成分部分への解体．②種々の感覚の結合不能およびそれらの相互関係の感知不能).

dis·ar·tic·u·la·tion (dis′ahr-tik′yū-lā′shŭn). 関節離断〔術〕，関節離開（骨を切らない，関節による四肢の切断). = exarticulation.

dis·as·so·ci·a·tion (dis′ă-sō′sē-ā′shŭn). = dissociation(1).

DISASTER (di-zas′tĕr). 死傷者多数の事故に対する対応を系統立てるためにアメリカ医師協会が創り出した略語．頭文字はそれぞれ，D は災害 disaster, I は緊急指令 incident command, S は現場保安 scene security と安全 safety, A は有害性評価 assess hazards, S は支援 support, T は治療優先順位の選別 triage と処置 treatment, E は避難 evacuation, R は復旧 recovery を意味する.

dis·as·ter med·i·cine = triage.

disc (disk). →disk.

D

disc·ec·to·my (disk-ek′tŏ-mē). 椎間板切除〔術〕(椎間板の部分あるいは全体の切除). = discotomy.

disc e·lec·tro·pho·re·sis ディスク電気泳動(ゲル電気泳動の一変法. 分離しようとする物質のディスク円盤状の薄層をつくるために原点付近の性状を不均一(pH, ゲル孔の大きさ)にする. 分離帯はゲルを通って移動するからそれぞれ円盤形を保っている).

dis·charge (DC) (dis′chahrj). ***1*** 放出〔物〕, 排泄〔物〕, 分泌〔物〕. ***2*** 発射, 放電 (ニューロンの活性化あるいは発射).

dis·charge di·ag·no·sis 退院時診断 (全ての検査, 手術, 精密検査が終了した後, 退院する前に行われる最後の診断).

dis·charge plan·ning 退院計画 (患者に必要なものを評価し, 継続的な総合計画またはリハビリ治療計画を展開, 実施する学際的な共同作業).

disc her·ni·a·tion 椎間板ヘルニア (後方線維輪と後縦靱帯を越え, 脊柱管内へ椎間板組織が脱出すること).

dis·chro·na·tion (dis′krō-nā′shŭn). 時識障害, 時間失見当〔識〕(時の意識の障害).

dis·ci (dis′ī). discus の複数形.

dis·ci·form (dis′i-fōrm). 円板状の.

dis·ci·form de·gen·er·a·tion 円板状変性(中心窩や傍中心窩の網膜下血管新生で, 網膜分層と出血を伴う. 最後には, 円形塊が生じ, その部分の視力は欠損する). = disciform scar.

dis·ci·form ker·a·ti·tis 円板状角膜炎 (角膜中央または角膜傍中央部の角膜実質に生じる大きな円板状の細胞浸潤. この病変は深層の非化膿性で, ウイルス性, 特に角膜ヘルペスでみられる).

dis·ci·form scar = disciform degeneration.

dis·cis·sion (di-sizh′ŏn). 切開〔術〕, 切割〔術〕, 切嚢〔術〕(①一部分の切開または切割. ②眼科学において, 針尖刀またはレーザーにより, 被膜を切開し, かつ水晶体皮質を破砕すること).

dis·ci·tis (dis-kī′tis). 椎間板炎 (椎間円板または椎間板腔の非細菌性炎症).

disc kid·ney 円盤状腎. = pancake kidney.

dis·clos·ing a·gent 歯垢染色剤 (溶液, 錠剤, またはトローチ型の選択的染色剤. 歯表面の歯垢を可視化し, その存在を確認するために使用する).

dis·clos·ing so·lu·tion 顕示液 (→disclosing agent).

dis·clos·ing tab·let →disclosing agent.

dis·clo·sure (dis-klō′zhŭr). 開示 (ガイドラインに沿って, ある患者の状態を他の患者に伝えること). = release of information.

disco- 円板, 円板状の, を表す連結形.

dis·co·gen·ic (dis′kō-jen′ik). 椎間板起因の(椎間円板に原因する疾病をさす).

dis·coid (dis′koyd). ***1*** 〚adj.〛 円板状の. ***2*** 〚n.〛 ジスコイド (歯科で用いられる切削用または彫刻用の器具. 先端に丸い刃を有する).

dis·coid lu·pus er·y·the·ma·to·sus 円板状エリテマトーデス, 円板状紅斑性狼瘡 (エリテマトーデスの一型で, 皮膚病変が存在するもの. 顔面に最も好発し, 紅斑, 角質増殖, 毛孔性角栓, 毛細血管拡張を伴った萎縮性局面を呈する. 全身性エリテマトーデスに進行することがある).

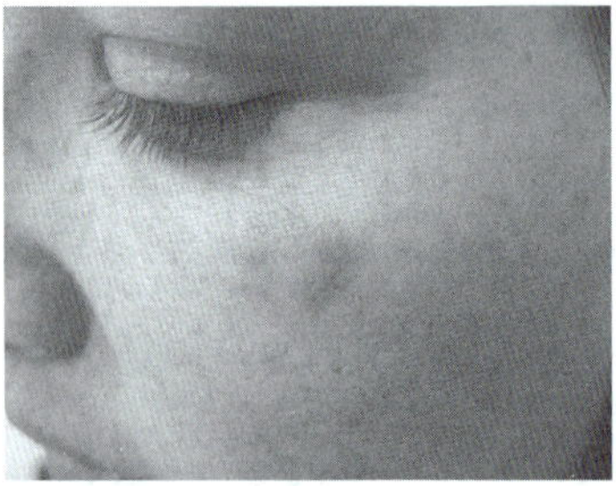

discoid lupus erythematosus

dis·con·tin·u·a·tion test 投薬中止試験 (ある薬物が反応の原因であるかどうかを, その薬物の使用中止後の症状の寛解を観察することにより決定するための試験).

dis·cop·a·thy (dis-kop′ă-thē). 椎間板症, 椎間板疾患 (円板, 特に椎間板の疾病).

dis·co·pla·cen·ta (dis′kō-plă-sen′tă). 円板状胎盤.

dis·cor·dance (dis-kōr′dăns). 不一致 (対象群から得た標本における 2 つの特性の解離. 従属関係の尺度として用いる. *cf.* concordance).

dis·cor·dant al·ter·nans 不調和性交代 (右心室および肺動脈交代が末梢性の脈拍交代と共存するが, 右心室の強拍と左心室の弱拍とが一致し, またこの逆も起こること).

dis·cor·dant al·ter·na·tion 不調和性交代(全身循環または肺循環のいずれかの心臓活動における調和を伴わない交代, または互いに逆方向性を示す交代).

dis·cor·dant chan·ges e·lec·tro·car·di·o·gram 心電図上の非協調性変化 (反対方向(極性)の 1 つ以上の波形が共存すること).

dis·cot·o·my (dis-kot′ŏ-mē). 椎間板切開〔術〕. = discectomy.

dis·crete (dis-krēt′). 離散〔性〕の, 孤立〔性〕の(他と結合しない, 融合しない. 特に皮膚の特定病変についていう).

dis·crete a·na·ly·zer 分離型分析装置 (自動化学分析装置の 1 つで, 計器は, 連続フロー型分析装置と異なり, 分離型コンテナーに入れられたサンプルを検査していく).

dis·crete skill 分離スキル (明確な始まりと終わりがある運動. 例えば座った状態から立つ動きやキャッチボール).

dis·crim·i·nant stim·u·lus 識別刺激, 弁別刺激 (潜在補強因子の指標となっているため, 環境の中で他のすべての刺激と区別される刺激).

dis·crim·i·na·tion (dis-krimʹi-nāʹshŭn). 識別, 弁別（生物は強い刺激に対してある反応を示し, 強くない刺激に対しては別の反応を示す. このように, 生物が状況によって違った反応をすること）.

dis·cri·mi·na·tion score 語音弁別能（音声学的に調整のとれた語句表を用い, 正確に反復できた語句の百分率. 語句は語音聴取閾値より 25—40 dB 大きい音量で発声される）.

disc syn·drome 椎間板症候群（椎間板の圧迫により神経根が圧迫を受け, 疼痛, 知覚異常, 知覚脱失, 筋力低下, 反射の異常などの症候・症状を生じる疾患の総称）.

dis·cus ner·vi op·ti·ci 視神経円板, 視神経乳頭. = optic disc.

dis·ease (dizʹēz). ***1*** 病気（身体の機能, 構造, 器官などの断絶, 停止, または障害）. = illness; morbus; sickness. ***2*** 疾患, 疾病（次の基準のうち少なくとも 2 つを満たす病変. 病因物質をもつこと. はっきりと指摘できる徴候や症候群があること. 一致した解剖学的変化があること. → syndrome）.

dis·ease de·ter·mi·nants 疾患の決定要因（直接あるいは間接に, ある疾患の発生頻度および(または)分布に影響を与える変数. 疾患ごとに固有の病因物質(生物), 宿主側の特質, 環境要因が含まれる）.

dis·ease-mod·i·fy·ing an·ti·rheu·mat·ic drugs (DMARD) 疾患修飾抗リウマチ薬（関節リウマチに対し, 炎症の抑制と疼痛の減少をより急性にもたらす薬ではなく, その経過と進行を明らかに変える薬. しかし軟骨・骨の侵食, 機能障害の進行は防止できない）.

dis·en·fran·chise·ment (disʹĕn-franʹchīz-mĕnt). 公民権剥奪（個人の権利, 例えば医療を受ける権利の否定）.

dis·en·gage·ment (dis-ĕn-gājʹmĕnt). 〔胎 児〕排出機序, 娩産, 遊離（①自由にする, あるいは救い出す行為. 出産のとき外陰から頭部を出させること. ②先進部が入口を通過した後に, 骨盤内で母体前方に進むこと）.

dis·e·qui·lib·ri·um (dis-ē-kwi-libʹrē-ŭm). 不均衡, 不平衡, 平衡異常（平衡の欠如）.

dis·flu·en·cy (dis-flūʹĕn-sē). 非流暢（→ dysfluency）.

dis·flu·ent (dis-flūʹĕnt). 非流暢な（連続してよどみなく話すことができないことをさす）.

dis·im·pac·tion (dis-im-pakʹshŭn). ***1*** 埋伏骨片除去（骨折骨における埋伏骨の除去）. ***2*** 摘便（宿便の際, 大便を通常手で取り除くこと）.

dis·in·fect (dis-in-fektʹ). 消毒する, 殺菌する（物質中の病原菌を死滅させる, あるいはその発育や生命活動を抑制する）.

dis·in·fec·tant (dis-in-fekʹtănt). ***1*** 〖adj.〗殺菌性の（病原菌を死滅させる, その増殖活動を抑制する）. ***2*** 〖n.〗消毒薬（殺菌性のある薬剤）.

dis·in·fec·tion (dis-in-fekʹshŭn). 消毒〔法〕, 殺菌（化学物質の直接的な暴露による, 病原菌, その毒素あるいは媒介動物の破壊）.

dis·in·te·gra·tion (dis-inʹtĕ-grāʹshŭn). 崩壊（①物質構成部分の損失あるいは分離. 異化や腐敗で起こる. ②精神・行動過程の解体）. = decay (7).

dis·junc·tion (dis-jŭngkʹshŭn). 分離, 染色体分離（細胞分裂後期の染色体対の正常な分離）.

disk (disk). 円板, ディスク（→disc）.

dis·lo·cate (disʹlō-kāt). 脱臼させる, 関節をはずす.

dis·lo·ca·tion frac·ture 脱臼骨折（関節近くの骨の骨折で, その関節の脱臼を伴うもの）.

dis·lo·ca·tions (dis-lō-kāʹshŭnz). 脱臼（器官またはある一部がはずれること. とりわけ関節

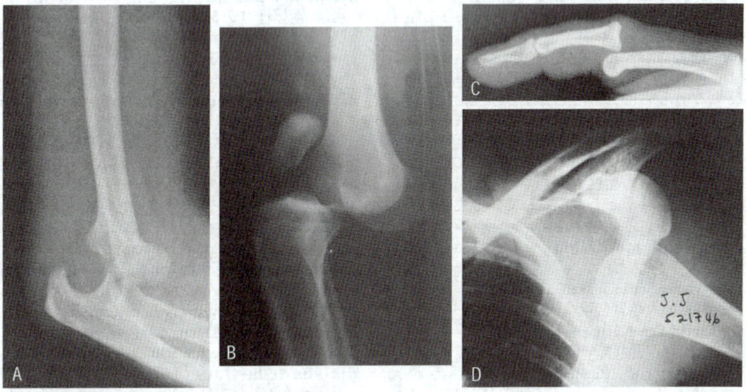
A
B
C
D

dislocations
A：肘関節における橈骨と尺骨の後方への脱臼, B：近位脛骨の前方への脱臼で, 後十字靱帯は無傷, C：近位指節間関節における脱臼で, 遠位部が背側へ転位している, D：関節窩下における上腕頭の脱臼.

を形成する骨の関係がかき乱れること）. = luxation(1).

dis·mem·ber (dis-mem′bĕr). 切断する，分割する（上肢または下肢を切断すること）.

dis·mu·tase (dis-myū′tās). ジスムターゼ（同一2分子の反応の触媒として酸化状態，またはリン酸化状態の異なる2分子を生成する酵素の総称）.

dis·or·der (dis-ōr′dĕr). 障害，疾患（機能，構造，あるいは両方の障害で，発育における遺伝，発生上の欠陥，または毒素・外傷・疾病など外因性要因に起因する）.

dis·or·ga·nized schiz·o·phre·ni·a 解体型統合失調症（重症統合失調症で，滅裂，鈍麻した，不適切または馬鹿げた感情が前景となり，体系化された妄想のないことが特徴である）.

dis·o·ri·en·ta·tion (dis-ōr′ē-ĕn-tā′shŭn). 失見当〔識〕，見当識障害，指南力障害（周囲の環境(時，場所，人)についての熟知感の喪失．方向感覚の喪失）.

dis·pen·sa·ry (dis-pen′săr-ē). *1* 健康相談所，診療所（医師のオフィス．特に薬剤を調剤する医師のオフィス）. *2* 病院調剤室（医師の指示どおりに薬剤が出される病院の調剤室）. *3* 外来診療室（病院の外来診療部門）.

Dis·pen·sa·to·ry (dis-pen′să-tōr-ē). 〔薬〕局方注解，医薬品注解（当初は薬局方の注解を意図したもの．現在はその補足に近い．公式・非公式に治療に用いられている薬剤の起源，調剤方法，生理作用，使用法を述べている）.

dis·pense (dis-pens′). *1* 投薬する（患者に薬剤その他の必要品を与える）. *2* 調剤する（処方を調合する）.

dis·pense as writ·ten (DAW) 記載通り調剤のこと（医師による，薬剤のもともとの形式を代用しないようにという，薬剤師に対する指示．→triage）.

di·sper·my, di·sper·mi·a (dī′spĕr-mē, -mē-ă). 二精子受精（1個の卵母細胞に2個の精子がはいること）.

dis·perse (dis-pĕrs′). 分散させる，散布する.

dis·per·sion (dis-pĕr′zhŭn). *1* 分散，散布（分散するあるいは分散される行為）. *2* 分散〔度〕（ある物質の粒子が別の物体に組み入れられること．溶液，懸濁液，コロイド分散(溶液)など）. *3* コロイド分散（特にコロイド状溶液）. *4* 分散度（観測値の頻度が平均あるいは中央値(メディアン)を中心として分散している程度の大きさ）.

dis·per·sion me·di·um 分散媒. = external phase.

di·spi·reme (dī-spī′rēm). 二重らせん糸（有糸分裂終期の染色質二重糸状体）.

dis·placed frac·ture 転位骨折（骨片間が分離して，配列が乱れている骨折）.

dis·place·ment (dis-plās′mĕnt). *1* 置き換え（正常位置からの移動）. *2* 置換（開放容器中の流体(特に気体)に，より高密度の流体を加えること．最初のものは追い出される）. *3* 置換（化学において，ある元素，基，分子が別のものに置き換えられること．あるいはある元素が酸化あるいは還元により他の元素と電荷を交換すること）. *4* 置き換え（精神医学において，闘争から対話へというように，ある表現から別の表現へと衝動が置き換えられること）.

dis·po·si·tion (dis′pŏ-zish′ŭn). 医療伝達表（初期治療後に，患者に施したサービスおよび治療についての保健医療記録を詳細に記した伝達）.

dis·pro·por·tion (dis′prŏ-pōr′shŭn). 不均衡（適合性または対称性の欠如）.

dis·sect (di-sekt′). 解剖する，分裂する，切り裂く，切開する（①研究のために身体の組織を切り離す．②手術で，広く切開する代わりに結合組織外郭構造を切り裂いて，自然な線に沿って異なる構造を分離する）.

dis·sect·ing an·eu·rysm 解離性動脈瘤（動脈本来の真腔から動脈壁内の偽腔に血液が流れ込んで生じる病態．壁内の層は事実上分離している．Marfan 症候群でみられるように，しばしば中膜の壊死を原因とし，上行胸部大動脈(Type A)あるいは下行胸部大動脈(Type B)，ときに総頸動脈などのより小さな動脈から裂傷を発生する．偽腔は血栓化，破裂，下流の真腔へのリエントリー，健全な動脈枝の損傷などを生じる．全層病変ではないので，動脈瘤というより動脈解離とするのがより適切である）.

dis·sect·ing cel·lu·li·tis 解離性蜂巣炎（頭皮の慢性の解離性毛包炎）.

dis·sec·tion (di-sek′shŭn). 解剖，切開，解体. = anatomy(3); necrotomy(1).

dis·sec·tion tu·ber·cle 死体結節. = postmortem wart.

dis·sec·tor (di-sek′tŏr). *1* 解剖する人，切開する人. *2* 解剖のための手引書. *3* 解剖器具.

dis·sem·i·nat·ed (di-sem′i-nā-tĕd). 播種性の，散在〔性〕の（器官，組織，あるいは身体中に広くまき散らされた）.

dis·sem·i·nat·ed coc·cid·i·oi·do·my·co·sis 播種性コクシジオイデス真菌症（コクシジオイデス症の重症，慢性，進行性病型で，肺から他臓器へ広がる．この病気の患者は通常，重い免疫不全である）.

dis·sem·i·nat·ed in·tra·vas·cu·lar co·ag·u·la·tion (DIC) 播種性血管内凝固症候群（小血管において凝固因子と線溶酵素の調整しがたい活性化に引き続いて起こる出血徴候をいう．フィブリンが沈着し，血小板と凝固因子は消費され，フィブリン分解産物はフィブリンの重合を抑制し，その結果，組織の壊死と出血をきたす．→consumption coagulopathy）.

dis·sem·i·nat·ed lu·pus er·y·the·ma·to·sus 播種状エリテマトーデス，播種状紅斑性狼瘡. = systemic lupus erythematosus.

dis·sem·i·nat·ed tu·ber·cu·lo·sis 播種性結核〔症〕. = acute tuberculosis.

dis·sim·u·la·tion (di-sim′yū-lā′shŭn). 疾患隠ぺい（詐病者や虚偽性障害者のように，情況，特に健康状態や精神状態について，診断時に真実を隠すこと）.

dis·so·ci·at·ed an·es·the·si·a 解離性感覚(知覚)脱失(消失)，解離性知覚麻痺（感覚のあ

る型が喪失し，他の型は残る．触覚は消失せず温痛覚が消失する神経ブロックに関してよく用いられる）．

dis·so·ci·at·ed hor·i·zon·tal de·vi·a·tion 解離性水平偏位（眼遮へい，Hering 法則の侵犯時，眼が外転するもので，術後先天内斜視と関連することが多い）．

dis·so·ci·at·ed nys·tag·mus 解離〔性〕眼振（両眼の運動の方向，振幅，周期性が異なる眼振）．

dis·so·ci·at·ed ver·ti·cal de·vi·a·tion 解離性垂直偏位（眼遮へい，Hering 法則の侵犯時，眼が上方，外転，外方回旋するもので，先天内斜視と関連することが多い）．

dis·so·ci·a·tion (di-sō′sē-ā′shŭn)． ***1*** 分離（分裂または関係の解体）．= disassociation. ***2*** 解離（溶解反応あるいはイオン化，ヘテロリシス，ホモリシスにより，化合物がより単純な化合物に変化する）．***3*** 解離（一群の精神過程が，残りの精神過程から無意識に切り離されること．その結果，それらの過程は独立して機能し，通常の連合が失われる．例えば，感情と認知の切り離し．→multiple personality）．***4*** 解離（心理学における癒し，および精神療法において，その手法の本質的部分として用いられる状態のこと．例えば，催眠療法や時間軸療法の神経言語学的プログラミング術において用いられる．→Time-Line therapy）．***5*** 解離（大型の染色体と小型の余剰染色体間の転置）．***6*** 解離（異形２核の核成分の離脱）．

dis·so·ci·a·tion move·ment 分離運動（身体の種々の部位の運動を区別する能力）．

dis·so·ci·a·tion sen·si·bil·i·ty 感覚解離（触覚は保たれるが，痛覚と温度感覚が消失すること．またはその逆）．

dis·so·ci·a·tion syn·drome 解離症候群（自己同一性，記憶，意識の障害を生じる精神障害）．

dis·so·ci·a·tive an·es·the·si·a 解離麻酔〔法〕（必ずしも完全に意識が消失しない全身麻酔の一種．特に，ケタミンを含むフェニルシクロヘキシルアミン化合物によるカタレプシー，カタトニー，健忘を特徴とする）．

dis·so·ci·a·tive iden·ti·ty dis·or·der 解離性同一性障害（２つまたはそれ以上の独立した意識をもつ人格が，同一人物内で代わる代わる出現する障害で，ときにはその各々の人格がその他をまったく気づかないこともある）．

dis·so·ci·a·tive re·ac·tion 解離反応（健忘，遁走，夢中遊行，夢幻状態などの解離行動が特徴）．

dis·solve (di-zolv′)． 溶解する（適当な性質の流体の中に浸すことにより，固体から分散形態に変わるか，変えること）．

dis·so·nance (di′sō-năns)． 不調和，不協和（社会心理学や態度理論において，個人が自己の内に矛盾や葛藤をわずかに自覚したときに起こる自己嫌悪状態）．

dis·tad (dis′tad)． 遠位に，周辺に向かって，末端方向に．

dis·tal (dis′tăl)． = distalis. ***1*** 遠位の（身体の中心，あるいは起始点から遠くにある．特に四肢や器官の末端や遠い部分をいう）．***2*** 遠心の（歯科において，歯列弓の弯曲に従って，顔の正中矢状面から離れる）．

dis·tal an·gle 遠心隅角（歯の遠心面が，唇（頬）側面あるいは舌側面となす角）．

dis·tal end 遠心端（歯科装置の後端）．= heel (2).

dis·tal il·e·i·tis, re·gion·al il·e·i·tis = regional enteritis.

dis·tal in·ter·pha·lan·ge·al joints (DIP) 遠位指節間関節（手足の指の中節骨の末節骨を連結する関節）．

dis·tal in·tes·ti·nal ob·struc·tive syn·drome 遠位小腸閉塞症候群（嚢胞性線維症でみられる症候群で，便と粘調な粘液がつまることにより生じる）．

dis·ta·lis (dis-tā′lis)． 遠位の．= distal.

dis·tal oc·clu·sion 遠心咬合（①正常よりも遠心位で咬合している歯．= retrusive occlusion (2)．②= distoclusion）．

dis·tal ra·di·o·ul·nar joint 下橈尺関節（尺骨頭と橈骨の尺骨切痕のピボット関節．関節円板は関節の末端部を横断している）．

dis·tal sple·no·re·nal shunt 遠位脾静脈腎静脈吻合（門脈圧亢進をコントロールするための脾静脈の左腎静脈への吻合．通常，端側吻合が行われる）．

dis·tal tongue bud = lateral lingual swelling.

dis·tance (dis′tăns)． 距離（２つの物体の間隔の大きさを表す量）．

dis·tance ed·u·ca·tion 遠隔教育（教授が行われている場所とは別の場所で行われる計画的学習．コンピューター技術を用いる）．

dis·tant flap 遠隔皮弁（恵皮部と受皮部が離れている皮弁）．

dis·tem·per (dis-tem′pĕr)． ジステンパー（パラミクソウイルス科モビリウイルス属の RNA ウイルスによって引き起こされるイヌジステンパー）．

dis·ten·tion, dis·ten·sion (dis-ten′shŭn)． 拡張，拡延，膨満（広げられ，または引きのばされている作用あるいは状態．→dilation）．

dis·til·late (dis′ti-lāt)． 留出液，留出物（蒸留による産生物）．

dis·til·la·tion (dis′ti-lā′shŭn)． 蒸留（加熱による液体の蒸発とその後の蒸気の凝縮．液体混合物中の揮発性物質を不揮発性物質から，あるいは，揮発性の大きな物質をより揮発性の小さな物質から分離する方法）．

dis·to·buc·cal (dis′tō-bŭk′ăl)． 遠心面頬面の（歯の遠心面と頬面についていう．それらの連結が形成する角をさす）．

dis·to·buc·co·oc·clu·sal (dis′tō-bŭk′ō-ō-klū′zăl)． 遠心頬側咬合面（小臼歯，大臼歯の遠心面 頬側面，咬合面のこと．特にこれらの面によって形成される隅角のことを指す）．

dis·to·buc·co·pul·pal (dis′tō-bŭk′ō-pŭl′păl)． 遠心面頬面髄面の（窩洞の遠心壁，頬側壁，髄壁の接合により形成される点角についていう）．

dis·to·cer·vi·cal (dis′tō-sĕr′vi-kăl)． 遠心面歯

頸面の（五級窩洞の遠心壁と歯頸(歯肉)側壁の接合により形成される線角についていう）．

dis·to·clu·sal (dis′tō-klū′zăl). ***1***〔下顎〕遠心咬合の．***2*** 遠心面咬合面の（歯の遠心面と咬合面を含む複合窩洞あるいは修復についていう）．***3*** 遠心面咬合面の（五級窩洞の遠心壁と咬合壁により形成される線角についていう）．

dis·to·clu·sion (dis′tō-klū′zhŭn).〔下顎〕遠心咬合（下顎弓が正常位置から遠心位に上顎弓と咬合している不正咬合．Angle 分類法における不正咬合 II 級）. = distal occlusion (2).

dis·to·gin·gi·val (dis′tō-jin′ji-văl). 遠心面歯肉面の（遠心面と歯肉面の接合についていう）．

dis·to·in·ci·sal (dis′tō-in-sī′zăl). 遠心面切端面の（前歯にある五級窩洞の遠心壁と切端壁の接合により形成される線角についていう）．

dis·to·la·bi·al (dis′tō-lā′bē-ăl). 遠心面唇面の（歯の遠心面，唇面，およびそれらの接合で形成される角についていう）．

dis·to·la·bi·o·pul·pal (dis′tō-lā′bē-ō-pŭl′păl). 遠心面唇面髄面の（近心切端の四級窩洞の切端部の遠心壁，唇側壁，髄壁の接合により形成される点角についていう）．

dis·to·lin·gual (dis′tō-ling′gwăl). 遠心面舌面の（歯の遠心面，舌面，およびそれらの接合により形成される角についていう）．

dis·to·lin·guo·oc·clu·sal (dis′tō-ling′gwō-ō-klū′zăl). 遠心舌側咬合面の（小臼歯，大臼歯の遠心面，舌側面，咬合面のこと．特にこれらの面によって形成される隅角のことを指す）．

dis·to·mo·lar (dis′tō-mō′lăr). 臼後歯（第三大臼歯の後方にある過剰歯）．

dis·to·pul·pal (dis′tō-pŭl′păl). 遠心髄面の（窩洞の遠心壁と髄壁の接合により形成される線角についていう）．

dis·tor·tion (dis-tōr′shŭn). ***1*** 歪曲，ゆがみ（精神医学において，受け入れがたい考えを抑圧したり，隠したりするのを助ける防御機制）．***2*** 変形，ひずみ（歯科印象において，型の採得後の印象材の永久的変形）．***3*** 捻挫（正常な形からねじれた状態）．***4*** 歪曲収差（眼科学においては物体の像の拡大率が不均等になっていることを示す）．

dis·tor·tion ab·er·ra·tion ゆがみ収差（レンズを通して物体を見たとき，周辺部と中心部とでは拡大率が異なるために起こる像のゆがみ）．

dis·tor·tion-pro·duct o·to·a·cous·tic e·mis·sion 歪成分耳音響放射（誘発耳音響放射の1つ．2つの純音で同時刺激した際にこれらと異なる周波数の音響放射が出現する）．

dis·to·ver·sion (dis′tō-vĕr-zhŭn). 遠心転位（正常より遠心，歯列弓の弯曲に従って後方にある歯の位置不正）．

dis·trac·ti·bil·i·ty (dis-trak′ti-bil′i-tē). 転導性，それやすさ（競合する感覚刺激によって本来の対象から注意がそれるときの刺激の強度）．

dis·trac·tion (dis-trak′shŭn). ***1*** 散乱（精神の集中や固定ができないこと）．***2*** 伸延（骨片間または関節面を引き離すために四肢を引っ張ること）．

dis·trac·tion os·te·o·gen·e·sis 伸延骨形成〔術〕（骨を切り，脚延長用の創外固定器により肢を引っ張って骨新生を誘導する手法）．

dis·tress (dis-tres′). 窮迫，困難（精神的または身体的な苦痛や苦悩）．

dis·trib·ut·ed prac·tice 分散学習（実践の時間より休憩の時間が長い運動）．

dis·tri·bu·tion (dis′tri-byū′shŭn). 分布（①動脈や神経の組織や器官への到達．②動脈や神経が終わる区域，あるいはそれらにより供給を受ける区域．③異なる年齢，性，職業など，様々な分類カテゴリーや部分集団に属する個体数の相対頻度）．

dis·trix (dis′triks). 毛端分裂（毛が先端で2つに裂けているもの）．

dis·tro·pin (dis-trō′pin). = dystrophin.

dis·tur·bance (dis-tŭr′băns). 障害（正常な状態を逸脱，妨害，あるいは干渉していること）．

di·sul·fate (dī-sŭl′fāt). 二硫酸塩（2つの硫酸塩を含む分子）. = disulphate.

di·sul·fide (dī-sŭl′fīd). ジスルフィド（①他種の1元素に対して硫黄2原子を含むこと．例えば二硫化炭素 CS_2．②-S-S- 基を含む化合物．例えばシスチン）. = disulphide.

di·sul·fide bond ジスルフィド結合（2個の硫黄原子間の単結合，特に2本のペプチド鎖(または1本のペプチド鎖の異なる部分)を結合する -S-S- 結合）. = disulphide bond.

disulphate [Br.]. = disulfate.

disulphide [Br.]. = disulfide.

disulphide bond [Br.]. = disulfide bond.

DIT diiodotyrosine の略．

di·ter·penes (dī-tĕr′pēnz). ジテルペン（イソプレン4個から構成される炭化水素あるいはその誘導体．したがって20個の炭素原子とそこから枝分かれしたメチル基4個を有する．例えば，ビタミンA，レチネン，アコニチン）．

Ditt·rich plug ディットリッヒ栓子（肺壊疽と腐敗性気管支炎の喀痰にみられる細菌と脂肪酸の，結晶が細かく，汚い灰色の悪臭を発する塊）．

di·u·re·sis (dī-yūr-ē′sis). 利尿（尿の排泄．通例，異常に大量の尿の生成をさす）．

di·u·ret·ic (dī-yūr-et′ik). ***1***〘adj.〙利尿の（尿の排泄を促進する）．***2***〘n.〙利尿薬（排泄尿量を増加させる薬剤）．

di·ur·nal (dī-ŭr′năl). ***1*** 昼行性の（nocturnal の対語）．***2*** 日ごとの，日周期性の（24時間ごとに繰り返すことについていう．例えば，日内変動，ダイアーナルリズム．*cf.* circadian）．

di·va·lence, di·va·len·cy (dī-vā′lĕns, -lĕn-sē). = bivalence.

di·va·lent (dī-vā′lĕnt). = bivalent (1).

di·var·i·ca·tion (dī′var-i-kā′shŭn). 分離，離開. = diastasis (1).

di·ver·gence (di-vĕr′jĕns). 発散，開散（①いろいろな方向に動くあるいは広がる．②あるニューロンの枝が分岐して他の多数のニューロンとシナプスを形成すること）．

di·ver·gence in·suf·fi·cien·cy 開散不全（外斜位または外斜視が近方視よりも遠方視でよ

り著明な状態).

di·ver·gence pa·re·sis 開散不全麻痺（近くを見たときよりも遠くを見たときに著明になる内斜視．中枢神経系疾患によることも，両側外転神経不全麻痺によることもある).

di·ver·gent (di-vĕr′jĕnt). 発散した，開散した（様々な方向へ進む．中心から四方へ出ていく).

di·ver·gent stra·bis·mus = exotropia.

di·ver·sion (di-vĕr′zhŭn). 〔救急時の〕多様移送（最寄りの適切な治療施設とは違う別の治療施設に，救急車を廻すこと).

di·ver·tic·u·la (dī′vĕr-tik′yū-lă). diverticulum の複数形.

di·ver·tic·u·la of co·lon 大腸憩室（大腸の固有筋層の筋線維の間からの粘膜および粘膜下層の脱出．出血，激しい炎症を生じうる).

di·ver·tic·u·lar (dī′vĕr-tik′yū-lăr). 憩室の.

di·ver·tic·u·lec·to·my (dī′vĕr-tik′yū-lek′tŏ-mē). 憩室切除〔術〕.

di·ver·tic·u·li·tis (dī′vĕr-tik′yū-lī′tis). 憩室炎（憩室の炎症．特に結腸壁にある小さな嚢状空洞の炎症．うっ滞した糞が詰まるので炎症を起こす．まれに閉鎖，穿孔，あるいは出血を起こす).

di·ver·tic·u·lo·ma (dī′vĕr-tik′yū-lō′mă). 憩室腫瘍（結腸壁における肉芽腫の発育).

di·ver·tic·u·lo·sis (dī′vĕr-tik′ū-lō′sis). 憩室症，多発性憩室症（腸に多数の憩室が存在するもの．中年ではよくある．病変は圧出性憩室).

di·ver·tic·u·lum, pl. **di·ver·tic·u·la** (dī′vĕr-tik′yū-lŭm, -lă). 憩室（消化管あるいは膀胱などの，管状あるいは嚢状の器官から突出した小袋あるいは嚢).

di·vid·ed dose 分割量（全体投与量の一定分量．1 日の服用量を短く区切って与えること).

div·ing goi·ter 潜水夫甲状腺腫（自由に移動する甲状腺腫で，ときには胸骨切痕の上部に，またときには下部にある). = wandering goiter.

div·ing re·flex 潜水反応（顔や身体を水の中に浸すと，特に冷水に浸した場合，徐脈や末梢血管収縮が生じる反射．このような変化はヒトにおいては比較的軽微である).

di·vi·si·o (di-viz′ē-ō). = division.

di·vi·si·o au·to·nom·i·ca sys·tem·a·tis ner·vo·si per·i·pher·i·ci = autonomic division of nervous system.

di·vi·si·o la·ter·a·lis dex·tra he·pa·tis = right lateral division of liver.

di·vi·si·o la·ter·a·lis si·nis·tra he·pa·tis = left lateral division of liver.

di·vi·si·o me·di·a·lis dex·tra he·pa·tis = right medial division of liver.

di·vi·si·o me·di·a·lis si·nis·tra he·pa·tis = left medial division of liver.

di·vi·sion (di-vizh′ŭn). 分裂. = divisio.

di·vi·sion·al block 分枝ブロック（His 束の左側枝の主要な 2 分枝の中の一方，すなわち前（上方）枝または後（下方）枝のいずれかにおける伝達の遮断).

di·vul·sion (di-vŭl′shŭn). ***1*** 裂開（ある部分を裂いて除去する). ***2*** 強制拡張（腟壁あるいは管壁を強制的に広げること).

di·vul·sor (di-vŭl′sŏr). 尿道拡張器（尿道その他の管あるいは腔を強制拡張する器具).

Dix-Hall·pike ma·neu·ver ディックス-ホールパイク操作（発作性めまい，または眼振を誘発する検査．患者に座位をとらせた後，懸垂頭位をとらせて頭部を右または左側に回転させる．頭部が患側へ回転した際にめまいと眼振が誘発される).

di·zy·got·ic, di·zy·gous (dī-zī-got′ik, dī-zī′gŭs). 二卵性の（2 個の別々の接合子から生じた双生児についていう．共通の子宮内環境を共有する).

di·zy·got·ic twins 二卵〔性〕双生児（双胎）（2 つの別々の接合体から派生した双生児). = fraternal twins; heterologous twins.

diz·zi·ness (diz′ē-nĕs). めまい感，眩暈感（失神，めまい，平衡障害，もうろう状態，不安定，眩暈などの種々の症状を示す，よく用いられるあいまいな語. →vertigo).

djen·kol poi·son·ing ジェンコル中毒（*Pitecolobium lobatum* という豆の過食により起こると考えられている中毒．症状は腎部の疼痛，排尿困難，後には無尿となる．ジェンコル豆はビタミン B 含有量が高く，中毒性があるにもかかわらず食物として用いられている).

DKA diabetic ketoacidosis の略.

dl- 化学の接頭語．スモールキャピタルで書いてある場合は，ある物質が 2 種の光学対掌体（エナンチオマー）の D 型と L 型の 2 種の等量混合物（ラセミ体）を示す接頭語．構造をより正確に定義するため，旧来の *dl-* に代わって使われる.

DLEK deep lamellar endothelial keratoplasty の略.

DLK diffuse lamellar keratitis の略.

DM diabetes mellitus; diastolic murmur; dopamine の略．催吐剤 Adamsite の NATO コード.

DMARD (dē′mahrd). disease-modifying antirheumatic drugs の頭文字.

DMD Doctor of Dental Medicine（歯科医学博士）の略.

DME durable medical equipment の略.

DMERC durable medical equipment regional carrier の略.

DMF car·ies in·dex DMF う食指数（永久歯の過去のう食経験を表す指数．永久歯の未処置う歯，喪失歯，処置歯が対象となる．DMFT は永久歯数により，DMFS は永久歯の歯面数により算出される).

DMIT disability management intervention team の略.

DMSO dimethyl sulfoxide の略.

DN dibucaine number test の略.

DNA deoxyribonucleic acid の略.

DNA fin·ger·print·ing DNA フィンガープリンティング（分子的遺伝子型決定法によって個人同士を比較する技術．生物試料から分離された DNA を切断してサイズ毎に分画する．放射線ラベルされた反復 DNA 配列を用いたサザンハイブリダイゼーションにより，個人特有のオートラジオグラフィのパターンが得られる．DNA フィンガープリンティングは，血液，毛髪，

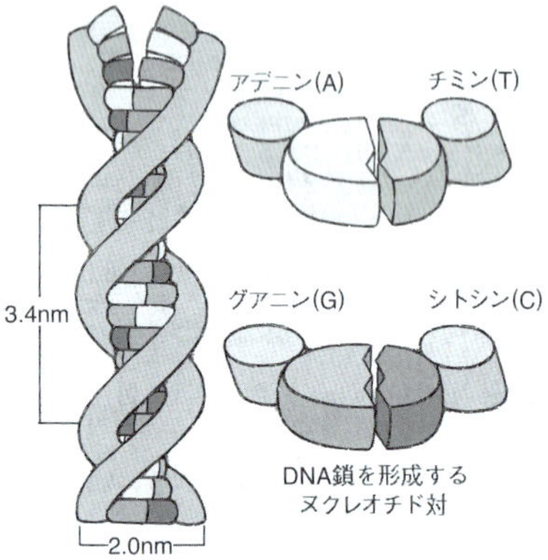
アデニン(A)
チミン(T)
3.4nm
グアニン(G)
シトシン(C)
DNA鎖を形成する
ヌクレオチド対
2.0nm

DNA (deoxyribonucleic acid)

精液，組織の試料が対象となっている人物に由来するかという可能性を統計的に評価する)．

DNA he·lix DNA らせん．= Watson-Crick helix.

DNA mar·kers DNA マーカ（遺伝形質あるいは疾患と連鎖しているとみられる染色体 DNA の断片．マーカそれ自身では形質や疾患を生み出さないが，原因遺伝子とともに存在し，伝えられる．あるマーカ，制限酵素 DNA 断片長の多型では DNA 断片からなり，オートラジオグラフィ(DNA を制限酵素で消化し，その結果生じる断片をゲル電気泳動により分離した後に生じる)で同定することができる)．

DNA mi·cro·ar·ray DNA マイクロ・アレイ（細菌細胞の遺伝子発現全体を識別する際に使われる技術．DNA の微小な斑点は保持体に配置され，蛍光標識された未知試料は DNA に配列される．スキャナーは混成物を識別するのに使われる)．

DNA pol·y·mor·phism DNA 多型性（DNA のある 1 つの特定領域に 2 つの異なったヌクレオチド配列が交互にしかも正常な形で存在しうる状態)．

DNAR do not attempt resuscitation の略．

DNA-RNA hy·brid DNA-RNA 雑種，DNA-RNA ハイブリッド（二本鎖ポリ核酸で 1 つの鎖が DNA でもう 1 つの鎖が相補的な RNA からなる．転写中および癌性 RNA ウイルスの増殖中に形成される)．

DNase deoxyribonuclease の略．

DNA vi·rus DNA ウイルス（コアがデオキシリボ核酸(DNA)からなる動物ウイルス中の主要な群．パルボウイルス，パポバウイルス，アデノウイルス，ヘルペスウイルス，ポックスウイルス，その他未分類の DNA ウイルスを含む)．= deoxyribovirus.

DNR do not resuscitate(蘇生すべからず)の略．

dns, DNS dansyl の略．

DNSc Doctor of Nursing Science の略．

DOA dead on arrival(病院に到着した時には死亡している)の略．

DOB date of birth(生年月日)の略．

Do·bra·va-Bel·grade vi·rus ドブラヴァ–ベオグラードウイルス（バルカン半島にみられるハンタウイルスの一種で，腎症候性出血熱を起こす)．

doc·tor (dokʹtŏr). ***1*** 博士（一定の課程を終了した者に対して，大学から与えられる称号．医学博士，法学博士，哲学博士など)．***2*** 医師（特に大学から医学博士号を授与された医師．より広義には，健康管理に携わる開業医全般(歯科，検眼，足病学等)をさす)．

Doc·tor of Na·tur·o·path·ic Med·i·cine 自然療法医学専門職学位課程（医学部相当の基礎科学分野に似た 4 年間の課程を修了したものに与えられる学位．通常はインターンまたは医学実習は行わない．実習は医療モダリティに比べて補完代替医療に焦点が当てられる)．

Doc·tor of Pharm·a·cy (Phar.D.) 薬学博士（薬局実務経験者を輩出する初期段階の専門的学位または専門的博士号．学際的なカリキュラムは薬物生物医学的科学，薬学，社会行政科学，臨床科学，実験訓練に焦点を当てる．一般的に薬学博士課程への入学へは単科大学の学位を取得している必要はない．→pharmacist; Pharm.D)．

Doc·tor of Phys·i·cal Ther·a·py (D.P.T.) 理学療法博士（理学療法分野の学生に授けられる最も高い学位)．

doc·tor shop·ping ドクターショッピング（患者が望む治療を受けられるように，医師を自ら選択すること)．

doc·u·men·ta·tion trail ドキュメンテーショントレイル（ある特定の事柄に関連した一連の詳細な記録．危機管理技術に用いられる．監査証跡)．= audit trail

Dö·der·lein ba·cil·lus デーデルライン杆菌（正常な膣分泌中にみられる大きなグラム陽性杆菌．アシドフィルス菌 *Lactobacillus acidophilus* と同一の細菌ともいわれる)．

dol (dōl). ドル（痛覚強度の単位)．

dolicho- 長い，に関する連結形．

dol·i·cho·ce·phal·ic, dol·i·cho·ceph·a·lous (dolʹi-kō-sĕ-falʹik, -sefʹă-lŭs). 長頭蓋体の，長頭体の（不釣合いに長い頭を有する．頭長幅指数 75 以下の頭蓋)．

dol·i·cho·fa·cial (dolʹi-kō-fāʹshăl). = dolichoprosopic.

dol·i·chol (dolʹi-kol). ドリコール（ヒドロキシル基をもつ末端部分のプレニル基のみが飽和構造で，アルコールへ酸化されているポリイソプレン．通常はリン酸化されているが，しばしば糖のリン酸エステルの形でも存在する．核膜に見出されるがミトコンドリアあるいは原形質膜にはない．生体組織検査(生検)の電子顕微鏡下で異常な皮膚，直腸，あるいは脳所見を示すような病態では尿レベルが高くなる)．

dol·i·cho·pel·lic, dol·i·cho·pel·vic (dolʹi-kō-pelʹik, -pelʹvik). 長径骨盤の（不釣合いに長い骨盤を有することについていう．骨盤指数 95 以上の骨盤をさす)．

dol·i·cho·pel·lic pel·vis 長径骨盤（前後径が横径より長い骨盤）.

dol·i·cho·pro·sop·ic, dol·i·cho·pros·o·pous (dol′i-kō-pros-ō′pik, -kō-pros′ō-pŭs). 長顔の（不釣合いに長い顔を有することについていう）. = dolichofacial.

doll's eye sign 人形の眼徴候（頭を動かした方向と逆方向への眼の反射性運動. 例えば，頭を上げるとき眼球を下げ，頭を下げるとき眼を上げる(Cantelli 徴候). 眼球運動に関与する脳幹被蓋経路と脳神経の機能的正常度の指標）.

doll's head ma·neu·ver 人形の頭手技（昏睡状態の患者の中枢神経障害を検査するテスト. 頭部を左右に回転したときに，眼球が動かなければ脳幹に損傷が及んでいることを意味する）.

do·lor (dō′lōr). 疼痛（Celsus が発表した炎症の四徴候(疼痛，発赤，腫脹，発熱)の1つ）.

do·lo·rif·ic (dō-lōr-if′ik). 疼痛〔性〕の.

do·lo·rim·e·try (dō-lōr-im′ĕ-trē). 疼痛測定〔法〕.

do·main (dō-mān′). ドメイン，領域（①約110—120 個のアミノ酸からなる，機能や構造上，1つのまとまりをもつ領域. 例えば免疫グロブリンのH鎖，L鎖はいくつかのドメインをもち，それぞれ特有の機能を有する. L鎖は可変領域と定常領域に1つずつ，2つのドメインを有する. H鎖はクラスによって異なるが，4から5個のドメインをもつ. そのうち1つは可変領域に，残りは定常領域に存在する. ②かなり特徴的な物性や作用をもつ蛋白の領域. ③ポリペプチド鎖の1つの領域を構成する，独立に折りたたまれた球状構造. ドメインは他のドメインと相互作用し合い，特異な機能をもつ. ドメインのサイズには幅がある）.

do·mes·tic vi·o·lence 家庭内暴力（家族によって他の家族に意図的に加えられた傷害. これには様々なものがあり，配偶者の虐待，小児虐待，および近親相姦を含む性的虐待が含まれる. 性的虐待のような種々の虐待は家族以外で起こることもある）.

dom·i·cil·i·at·ed (dom′i-sil′ē-āt-ĕd). 寄留性（ある生物が，ときとして人間に飼い慣らされた結果，人間環境と常に関わりをもって依存するようになるというように，人間の居住域あるいは活動域と生物が密接な関係を有した状態. この現象の結果，しばしば，その定住生物が害虫，媒介体，ヒトの病気の中間宿主になりうる）.

dom·i·nance (dom′i-năns). 優位，優性.

dom·i·nance of traits 優性形質（同じ染色体座(対立遺伝子)に占める2個あるいはそれ以上の遺伝子間に存在する生理的な関係についての表現. ある特定の座において2個の対立遺伝子 *A* と *a* について3つの組合せが可能である. 2つのホモ接合性(*AA* と *aa*)および1つのヘテロ接合性(*Aa*)である. もしヘテロ接合性の人が遺伝子 *a* でなく，*A* で決定される遺伝的特徴のみを表すならば，*A* は優性で *a* は劣性であるといわれる. この場合 *AA* と *Aa* は遺伝子型では区別されるが表現型では区別されない. もし *AA*, *Aa* および *aa* が他のものからそれぞれを区別できるなら，*A* と *a* は共優性である）.

dom·i·nant (dom′i-nănt). 優性の（①支配的の，常道の，を意味する. ②遺伝学において，雑種の両親の一方が有する対立形質で，他方の親からの対立形質(劣性)を排して出現する形質を意味する）.

dom·i·nant char·ac·ter 優性形質（1種類の対立遺伝子によって決定される遺伝形質. →phenotype）.

dom·i·nant eye 利き眼（単眼で行う作業に際し習慣的に用いる眼）.

dom·i·nant gene →dominance of traits.

dom·i·nant hem·i·sphere 優位〔大脳〕半球（言語中枢を含み，熟練した運動において優先的に用いる腕や脚(利き腕，利き脚)を支配する側の大脳半球. 通常，左半球）.

dom·i·nant i·de·a 支配観念（個人の行動や考えのすべてを支配する観念）.

dom·i·nant in·her·i·tance 優性遺伝（→dominance of traits）.

dom·i·nant op·tic at·ro·phy 優性遺伝性視神経萎縮（緩徐な就学前視力低下を特徴とする常染色体両側性視神経症）. = Kjer optic atrophy.

dom·i·nant trait 優勢な特性，優勢素質，優性形質（際立った精神的ないし身体的特徴. →dominance of traits）.

DOMS delayed onset muscle soreness の略.

Do·nath-Land·stein·er an·ti·bod·y ドナス-ランドシュタイナー抗体（発作性寒冷血色素尿症においてみられる IgG 抗体. この抗体は二相性で，15℃以下で赤血球と結合し，これにより細胞膜に補体を固定化する. 体温まで温めるとこの抗体は解離するが，末端の補体成分が細胞膜上で活性化されて溶血を起こす. →hemoglobinuria）.

Do·nath-Land·stei·ner phe·nom·e·non ドーナト-ラントシュタイナー現象（発作性寒冷血色素尿症の血液を5℃近くまで冷却し，再び温めると起こる溶血現象）.

Don·ders law ドンデルスの法則（眼球の回転は正中面および水平線から対象までの距離により決定される）.

dong quai = angelica.

Don Juan ドン・ファン（精神医学において，性的ないし恋愛的活動が強迫的に過剰で，通常，次々と女性の相手を変える男性についていう）.

do·nor (dō′nŏr). ***1*** 提供者，供血者，給血者，ドナー（移植のために血液，組織，または器官を提供する人）. ***2*** 供与体，寄与体，給体（原子や基を受容体に運ぶ化合物）. ***3*** ドナー（受容体に容易に電子を与える原子）.

do not at·tempt re·sus·ci·ta·tion (DNAR) 心停止，呼吸停止の時は心臓蘇生は行わないようにという患者から医療従事者への指示.

do not hos·pi·ta·lize 末期病患者が病院に搬送しないように指示すること.

Don·o·van bod·ies ドノヴァン〔小〕体（*Calymmatobacterium granulomatis* の感染によって生じた肉芽組織中の大型単核細胞中にみられる，青または黒に染まった双極形の濃縮した染色体の集合）.

don·o·va·no·sis (don′ō-vă-nō′sis). ドノヴァン症. = granuloma inguinale.

do·pa, DOPA (dō′pă). ドパ (L-フェニルアラニンとL-チロシンの異化の際の中間物質. ノルエピネフリン, エピネフリン, メラニンの生合成の中間物質. L型の levodopa は生物活性である).

do·pa·mine (DM) (dō′pă-mēn). ドパミン (チロシン代謝における中間物質で, ノルエピネフリンとエピネフリンの前駆物質).

dop·ing (dōp′ing). ドーピング (体内に異物を投与すること. しばしば運動選手が身体的および精神的な能力を向上させることをいう. →blood doping).

Dop·pler (dop′lĕr). ドップラー(ドプラ)〔装置〕(人体に超音波ビームを照射する診断装置. 動いている臓器から反射される超音波は, その周波数が変化する(Doppler 効果). 末梢血管疾患や心臓疾患において診断価値がある).

Dopp·ler co·lor flow ドップラー(ドプラ)カラー血流〔画像〕(超音波 Doppler 装置で得られた合成カラー画像で, 異なる方向の流れは異なる色調で表現される. →Doppler ultrasonography).

Dopp·ler ech·o·car·di·og·ra·phy 超音波ドップラー(ドプラ)法 (断層心エコー図法に加えて, Doppler 超音波を利用してその画像内への速度記録を可能とした検査法. →duplex ultrasonography; Doppler ultrasonography).

Dopp·ler ef·fect ドップラー(ドプラ)効果 (音源とその聴取者が遠ざかったり, 近づいたりするような相対的な運動をするとき観測される周波数の変化. →Doppler shift).

Dopp·ler shift ドップラー(ドプラ)シフト (音源とその聴取者が相対的な運動をする際起こる周波数の変化量. →Doppler effect).

Dopp·ler ul·tra·so·nog·ra·phy 超音波ドップラー(ドプラ)法 (Doppler 効果の応用で, 反射のエコーの周波数の変化を解析し, 反射物体(普通は赤血球細胞)の動きを超音波で検出する方法).

Do·rel·lo ca·nal ドレロ管 (外転神経と下錐体静脈洞の2構造が海綿静脈洞にはいるところで, これらを入れる側頭骨の先端にみられることのある骨性の管).

Do·ren·dorf sign ドーレンドルフ徴候 (大動脈弓部の動脈瘤において, 鎖骨上窩が膨張すること).

Dor fun·do·pli·ca·tion ドー胃底ひだ形成〔術〕(ヨーロッパ, 南米でよく行われる部分的(180°)な前方胃底ひだ形成術で, 多くはアカラシアの治療のため筋切開術とともに施行される).

dor·sa (dōr′să). dorsum の複数形.

dor·sad (dōr′sad). 背方へ, 後方へ.

dor·sal (dōr′săl). 背側の, 背面の (①脊柱あるいは脊椎に関した. ②= posterior(2)).

dor·sal ar·ter·y of clit·o·ris 陰核背動脈 (女性の内陰部動脈の2本の終末枝の1つで, 他は陰核深動脈). = arteria dorsalis clitoridis.

dor·sal ar·ter·y of pe·nis 陰茎背動脈 (男性の内陰部動脈の背側終末枝). = arteria dorsalis penis.

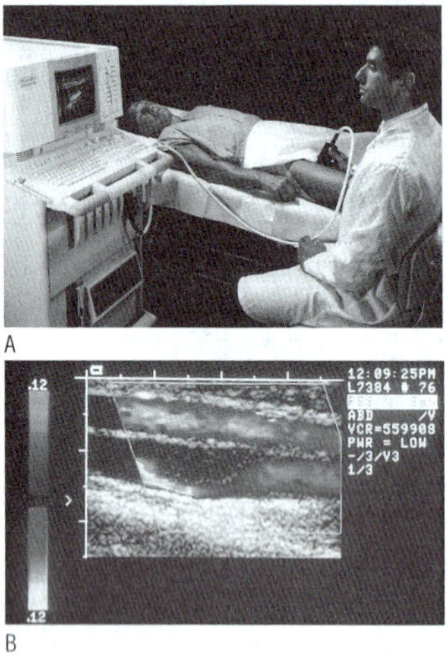
A
B
12:09:25PM
L7384 # 76
ABD
VCR=559908
PWR = LOW
-/3/V3
1/3

Doppler ultrasonography

A：血管画像.

B：カラードップラー法で大腿静脈血栓を示す.

dor·sal branch of ul·nar nerve 骨神経手背枝 (腕に近い尺骨神経から発生する神経枝. 手の甲の内側, 小指の近位部, 薬指の内側に伸びる). = ramus dorsalis nervi ulnaris.

dor·sal car·pal ar·ter·i·al arch 背側手根動脈網 (手根関節の背面に広がる血管網で, 前・後骨間動脈の枝と橈骨動脈および尺骨動脈の背側手根枝の吻合により形成される). = rete carpale dorsale; dorsal carpal network; rete carpi posterius.

dor·sal car·pal branch of ra·di·al ar·ter·y 〔橈骨動脈〕背側手根枝 (手根の背側を通り背側手根動脈網と結合する枝). = ramus carpalis dorsalis arteriae radialis; ramus carpeus dorsalis arteriae radialis.

dor·sal car·pal branch of ul·nar ar·ter·y 〔尺骨動脈〕背側手根枝 (手根の背側を通り背側手根動脈網にはいる枝). = ramus carpalis dorsalis arteriae ulnaris; ramus carpeus dorsalis arteriae ulnaris.

dor·sal car·pal net·work 背側手根動脈網. = dorsal carpal arterial arch.

dor·sal dig·i·tal ar·ter·y 背側指動脈 (手の背側中手動脈または足の背側中足動脈の側副指枝).

dor·sal dig·i·tal nerves of foot 足の背側指神経 (足指の基節と中節の背面の皮膚に分布する神経). = nervi digitales dorsales pedis.

dor·sal dig·i·tal nerves of hand 背側指神経 (橈骨神経, 尺骨神経の最終枝で手指基節・中節

の背面の皮膚に分布する神経). = nervi digitales dorsales manus.

dor·sal flex·ure 中背曲（胚の中背部分の弯曲).

dor·sal·gi·a (dōr-salʹjē-ă). 背痛，背部痛（背中上部の痛み).

dor·sal hy·po·thal·a·mic ar·e·a 背側視床下部（視床下溝の腹側にある視床下部の小部分. 以下の核を含む. 背内側核の一部，脚内核，レンズ核わなの核の一部).

dor·sal in·ter·os·se·i (in·ter·os·se·ous mus·cles) of foot 足の背側骨間筋（足底の第4層に内在的な4つの筋肉. 起点：隣接する中足骨. 挿入：第一に，近位の足の人差し指の指骨の中間部に，第二にその後半部に，第三と第四にはそれぞれ足の中指，薬指の指骨の後半部に. 動作：つま先の人差し指から薬指までを，近位の人差し指を通る軸から内転させる. 神経の供給：足底の後半部. = musculi interossei dorsales pedis).

dor·sal in·ter·os·se·i (in·ter·os·se·ous mus·cles) of hand 手の背側骨間筋（手に内在的な4つの筋肉. 起点：隣接する中手骨. 挿入：近位の指骨と伸筋拡大，第一に人差し指の橈骨側に，第二に中指の橈骨側に. 動作：軸とした中指からの第二～第四指の内転. 神経の供給：尺骨).

dor·sal in·ter·os·se·ous ar·ter·y = posterior interosseous artery.

dor·sa·lis pe·dis ar·ter·y 足背動脈（足首通過後の前脛骨動脈から続き，外側足根弓，背側中足動脈に分枝. 外側足底動脈と吻合して，足底動脈弓を形成する).

dor·sa·lis pe·dis pulse 足背動脈拍動（足背動脈の律動的な膨張. 足部への適切な血液循環の印).

dor·sal me·di·al cu·ta·ne·ous nerve 内側足背皮神経. = medial dorsal cutaneous nerve.

dor·sal me·ta·car·pal ar·ter·y 背側中手動脈（背側手根動脈弓から派生し，手の骨間筋の後面に伸びる4つの動脈の一つ). = arteria metacarpalis dorsalis.

dor·sal me·ta·tar·sal ar·ter·y 背側中足動脈（足背動脈と弓状動脈から発生し，足の背虫様筋に伸びる4つの動脈のうちの一つ). = arteria metatarsalis dorsalis.

dor·sal mid·brain syn·drome 背側中脳症候群. = Parinaud syndrome.

dor·sal na·sal ar·ter·y 鼻背動脈（眼動脈より起こり，鼻根の横の皮膚に分布する. 眼角動脈と吻合). = external nasal artery.

dor·sal nerve of clit·o·ris 陰核背神経（陰部神経の深終枝. 尿生殖隔膜の深会陰筋を通過し陰核背に沿って走り，特に陰核亀頭に分布する). = nervus dorsalis clitoridis.

dor·sal nerve of pe·nis 陰茎背神経（陰茎背側に沿って走る陰部神経の深終枝. 尿生殖隔膜を通過中に枝を出し，ついで陰茎背に沿って走り，陰茎，包皮，海綿体，亀頭の皮膚に分布する). = nervus dorsalis penis.

dor·sal nu·cle·us of thal·a·mus 視床外側核（視床の主部をなす複合核で，前外側核，中間外側核，後外側核，視床枕を含む. 視床後半の背面をなすこれらの核からは頭頂皮質，頭頂後頭皮質，側頭皮質に線維が送られる. 求心性連絡はよくわかっていないが，後外側核と視床枕が中脳上丘から線維を受けている).

dor·sal nu·cle·us of va·gus nerve 迷走神経背側核（第4脳室底の迷走神経三角(灰白翼)にある内臓運動性核. 心筋，気道と消化管の腺，平滑筋を支配する迷走神経の副交感神経線維を出す).

dor·sal ra·di·o·car·pal lig·a·ment 背側橈骨手根靱帯（橈骨遠位端から後方へ手根骨の近位列までのびる靱帯).

dor·sal re·cum·bent po·si·tion = supine.

dor·sal root 後根（脊髄神経の知覚枝でその根部に神経細胞体を収容する脊髄神経節がある).

dor·sal scap·u·lar ar·ter·y 背側肩甲動脈，肩甲背動脈（鎖骨下動脈または頸横動脈の深枝より不定に起こり，菱形筋の深部を通って同筋その他の筋と肩甲骨椎骨縁近傍の皮膚に分布する. 肩甲上動脈，肩甲回旋動脈と吻合).

dor·sal scap·u·lar nerve 肩甲背神経（第五–第七頸神経前枝から出て下行し，肩甲挙筋と大・小菱形筋に分布する). = nervus dorsalis scapulae.

dor·sal scap·u·lar vein 背側肩甲静脈（下行肩甲動脈に伴行する静脈. 鎖骨下静脈または外頸静脈へ流入している).

Dor·set cul·ture egg me·di·um ドーセットの卵培地（結核菌 *Mycobacterium tuberculosis* 培養用の培地. 4個の新鮮な卵の黄身と白身，食塩水からなる).

dor·si·flex·ion (dōr-si-flekʹshŭn). 背屈（足，足の指，あるいは手，手の指が上方に曲がる(伸展)こと).

dor·si·spi·nal (dōr-si-spīʹnăl). 脊髄背の（脊髄，特にその背側面に関する).

dor·so·ceph·a·lad (dōr-sō-sefʹă-lad). 後頭方向へ.

dor·so·lat·er·al (dōr-sō-latʹĕr-ăl). 側背の（背部と側面に関する).

dor·so·lat·er·al fas·cic·u·lus 後外側束（脊髄灰白質の後角尖をおおう無髄か，わずかにミエリン鞘を有する薄い神経線維の縦束. 後根神経線維と後角の隣接部位をつなぐ短い連合神経線維からなる).

dor·so·lat·er·al sul·cus = posterolateral sulcus.

dor·so·lum·bar (dōr-sō-lŭmʹbahr). 腰背の（胸椎下部と腰椎上部の区域の背中についていう).

dor·so·ven·trad (dōr-sō-venʹtrad). 背腹方向に（背中から腹側の方向に).

dor·sum, gen. dor·si, pl. dor·sa (dōrʹsŭm, -sī, -să). ***1*** せなか. ***2*** 背（いずれの部位でもその上面または後面あるいは背部).

DOS date of service の略.

dos·age (dōʹsăj). ***1*** 投薬（薬剤その他の治療薬を処方された量だけ与えること). ***2*** 用量決定，計量，投薬量判定（治療薬の適正量の決定. と

D

きどき dose として不正確に使われる．*cf.* dose)．

dose (dōs)．〔適〕用量，〔服〕用量，投与量（一定期間内に，一度あるいは分割して服用または適用されるべき薬剤その他の治療薬の量．ときどき dosage として不正確に使われる．*cf.* dosage (2))．

dose e·quiv·a·lent 線量当量（吸収線量と線質係数の積．線量当量の SI 単位はシーベルト (Sv))．

dose e·qui·va·lent li·mits 線量等価限界値（放射線従事者の放射線被曝量の限界値．最大許容線量に代わって使用される)．

dose rate 線量率（放射線治療において，放射線が照射される速度)．

dose-re·sponse re·la·tion·ship 用量作用関係（暴露量，暴露強度または暴露時間の変化と，それによる特定の危険性の変化との間の関係)．

do·sim·e·ter (dō-sim′ĕ-tĕr)．線量計（①放射線，特に X 線を測定する機器または用具．註 dosemeter もまったく同じ意味で用いられる．②肺機能検査では，被検者の口元にあるセンサーにより自動的に，あるいは検査技師により手動で噴霧器から一定量の放射性物質が投与される装置)．

do·sim·e·try (dō-sim′ĕ-trē)．線量測定(計測)〔法〕，線量算定〔法〕（放射線量，特に X 線や γ 線の線量の測定．体内投与される放射性核種からもたらされる放射線量の計算)．

dot·age (dō′tāj)．もうろく（以前は正常であった精神力が低下していくことで，主に老年者にみられる)．

DOT la·bel DOT ラベル（危険の類型，国連の危険分類番号，識別番号を表す，米運輸省が出しているラベル)．

dou·ble blind ex·per·i·ment 二重マスク(盲検)法（記録された結果に対する偏見を防止するために検者も被検者もどれが対照であるかを知らされずに行う実験．→double-masked experiment)．

dou·ble bond 二重結合（2 対の電子を共有することにより生じる共有結合．例えば，$H_2C=CH_2$ (エチレン))．

dou·ble-chan·nel cath·e·ter 二重管(二管腔)カテーテル（洗浄(灌流)と吸引が可能な，内腔の 2 つあるカテーテル)．= two-way catheter.

doub·le chin 二重顎．= buccula.

dou·ble com·part·ment hy·dro·ceph·a·lus 通常，中脳水道の隔膜形成による，テント上下の孤立した水頭症．

dou·ble con·trast en·e·ma 二重造影注腸．= air contrast enema.

dou·ble crush syn·drome ダブルクラッシュ症候群（2 か所以上の末梢神経が機能的に破壊する症状)．

dou·ble e·le·va·tor pal·sy 二重上転麻痺（内転・外転時の眼球の上転制限．上直筋と下斜筋の不全麻痺を示唆するが，多くの例で下道筋の制限による)．

dou·ble flap am·pu·ta·tion 二弁切断〔術〕（肢の両側の軟部組織から皮弁を形成する)．

dou·ble he·lix 二重らせん．= Watson-Crick helix.

dou·ble-masked ex·per·i·ment 二重マスク(盲検)試験（被験者だけでなく観察者も，対照か薬剤かを知らずに行われる比較試験)．

dou·ble per·son·al·i·ty = dual personlity.

dou·ble pneu·mo·ni·a 両側肺炎（両肺を侵す大葉性肺炎)．

dou·ble poin·ted nee·dle 縄編み針（管や容器を汚さずに 2 本以上の管の血液を採取することが可能な，真空管システムと共に使用される採決針．複数標本針としても知られる)．

dou·ble pro·duct 二重積，圧−心拍数積（収縮期圧と心拍数の積．心仕事量の指標．→Robinson index)．

dou·ble re·frac·tion 複屈折（通過光の方向に応じて，2 つ以上の屈折率を有する性質)．= birefringence.

dou·ble ring sign 二重リングサイン（視神経低形成の特徴である視神経周囲の二重の求心性リング)．

dou·ble stain 二重染料，重染（2 種の色素の混合液による染料．各色素が組織や細胞の異なった部分を染める)．

dou·ble step gait 二段歩行（左右の足によって歩幅が異なる歩行の機能不全状態)．

dou·blet (dŭb′lĕt)．***1*** 接合レンズ，二重レンズ（色収差や球面収差を是正するために 2 個のレンズを組み合わせたもの)．***2*** 双極．= dipole. ***3*** 二重鎖（ポリヌクレオチド鎖の 2 つのヌクレオチド配列の総称)．***4*** 二重項（スペクトルの中で近接して存在する一対のピークまたはスペクトル線)．***5*** 重複組み（印刷物において文言が重複すること)．

dou·ble vi·sion 複視．= diplopia.

dou·bling dose 倍加線量（確率的影響の発生率を 2 倍にする放射線量)．

dou·bling time 倍加時間（腫瘍中の細胞数が 2 倍になるのにかかる時間．短いと腫瘍の増殖が速いことを意味する)．

doub·ly armed su·ture 両端針縫合糸（両端に針の付いた縫合糸)．= cobbler's suture.

doub·ly het·er·o·zy·gous 複異型接合体（2 つの遺伝子座間の連鎖分析において，片親の遺伝子型がその両方の座でヘテロである場合，概してその連鎖については最大限の情報が得られるという状態の表現)．

doub·ly la·beled wa·ter 二重標識水（^{2}H や ^{18}O などの安定非放射性同位体を含んだ水の経口量を用い，自由生息物質のエネルギー消費量を測定する非熱量測定法．二酸化炭素生成物は間接熱量公式を用いたエネルギー消費量を計算するのに用いられる)．

douche (dūsh)．***1*** 〚n.〛灌注，圧注，洗浄（表面に対して，あるいは空洞に向かって水，気体，蒸気を放出すること)．***2*** 〚n.〛圧注器，灌注器（圧注，灌注を行う器械)．***3*** 〚v.〛圧注する，洗浄する，灌注する．

douche bath 注入浴（水の強い噴射や流れを身体の局所に当てること)．

Doug·las bag ダグラスバッグ（種々の活動作業の状況下でヒトが消費する酸素量を測定する

ため数分間呼気を貯蔵するための大きな袋).

Doug·las pouch, Doug·las space ダグラス窩(壁側腹膜に裏打ちされた直腸子宮窩).

dou·la (dū′lă). ドゥーラ (陣痛, 分娩, 産後にわたって母体および児のケアをする女性であり, 自治体による様々な要件に従って訓練され, 認定を受ける. ドゥーラは, 出産だけでなく, 新しい家族を教育し, 親としての自信を築く手助けをする. 註ドゥーラは日本ではいまだ職種として認知されていない).

dove·tail stress-bro·ken a·but·ment 鳩尾形緩圧型アバットメント (横断面が台形の緩圧型連結装置により, 橋義歯に結合するアバットメント).

dow·a·ger hump 寡婦のこぶ (骨粗しょう症や椎体圧迫骨折により生じる高齢女性にみられる閉経後胸後弯).

dow·el graft 骨栓移植 (整形外科で行われる特殊な形の骨移植法で, 通常, 特殊な器具を用いて円形の骨片を採取し, 移植して隣接する2つの椎体の癒合を得る構築性骨移植法).

down code ダウンコード (実際に実施されている手続きやサービスより低いものに, コードを割り当てること).

Dow·ney cell ダウネー(ダウニー)細胞 (伝染性単核球症にみられる異型リンパ球).

down·growth (down′grōth). 下方増殖, ダウングロース (下方に増殖するもの. 下方に向かう増殖過程).

down·reg·u·la·tion (down-reg-yū-lā′shŭn). 下方制御 (薬理的活性物質または生理的活性物質の連続投与によって起こる不応状態や耐性状態の発展. 薬物に対する受容体の親和性の低下と受容体の数の減少が伴う).

Downs a·nal·y·sis ダウンズ分析 (矯正診断の補助として用いる一連の頭部規格写真分析基準).

Down syn·drome ダウン症候群 (第21番染色体の3重体あるいは転座により, 種々の異常をきたす染色体奇形症候群. 精神遅滞, 成長遅延, 低い鼻をもつ扁平な発育不全顔貌, 隆起した蒙古ひだ, 突き出た下唇, 盛り上がった対耳輪をもつ小さく低位の耳, 裂けて厚い舌, 関節靱帯の弛緩, 骨盤形成異常, 幅広の手足, ずんぐりした指, 横断する手掌のひだなどの異常を呈する. レンズの混濁と心奇形をよく合併する. 白血病の発症頻度は高く, 40歳までに多くはAlzheimer病に罹患する). = trisomy 21 syndrome.

down·time (down′tīm). ダウンタイム (救急隊の用語では, 心停止からCPR(心肺蘇生法)またはACLS(二次心肺蘇生法)開始までにかかる時間を意味する).

dox·a·cu·ri·um chlo·ride 塩化ドキサクリウム (パンクロニウムに類似する非脱分極性神経筋遮断薬であるが, 心臓血管系への副作用は少ない).

Do·yère em·i·nence ドワイエール隆起 (横紋筋線維表面が運動終板motor endplateの位置でわずかに隆起している部分).

Doyle op·er·a·tion ドイル手術 (子宮傍頸部の神経を除去する手術).

DPI dry powder inhalerの略.

DPN diphosphopyridine nucleotideの略.

DPN$^+$ oxidized diphosphopyridine nucleotideの略.

DPT diphtheria-pertussis-tetanus (vaccine)の略.

D.P.T. Doctor of Physical Therapyの略.

DR reaction of degenerationの略.

dr dramの略.

dra·cun·cu·li·a·sis, dra·cun·cu·lo·sis (dră-kŭng-kyū-lī′ă-sis, -kyū-lō′sis). メジナ虫症 (メジナ虫 *Dracunculus medinensis* による感染症).

Dra·cun·cu·lus (dră-kŭng′kyū-lŭs). ドラクンクルス属 (Dracunculoidea上科線虫類の一属で, 真の糸状虫といくつかの類似点をもつが, 成虫は糸状虫よりも大きく(雌は約1 m), しかも中間宿主は昆虫ではなく淡水性甲殻類である).

draft (draft). ***1*** 通風, 通気 (閉鎖空間内の空気の流れ). ***2*** ひと飲み, 1回分 (1回量として指示される液剤の容量).

drag·on·wort (drag′ŏn-wōrt). = bistort.

drag-to gait 引きずり歩行 (松葉杖に支えられての歩行運動のうち, 足がきちんと上がらない機能障害性様式).

drain (drān). ***1*** 〚v.〛 排出する (液体がたまると腔から液体を出すこと. 例えば, 膿瘍から排膿すること). ***2*** 〚n.〛 ドレーン, 排液管, 除液管, 流出管, 排水管 (腔内, 特に創腔内に貯留した液を取り除くための通常, 管状または灯心状の装置).

drain·age (drān′ăj). ドレナージ, 排液〔法〕, 排膿〔法〕 (液体を創部や他の腔から持続的に除去すること).

drain·age tube ドレナージ管, 排液(排膿)管 (液体の除去を容易にするために創や内腔に挿入する管).

dram (dr) (dram). ドラム (重さの単位. 薬局衡では1/8オンス(60 g). 常用法では1/16オンス(30 g). *cf.* fluidram).

drape (drāp). ***1*** 〚v.〛 滅菌した布でおおう(診察または手術部位を除いて布で身体をおおう). ***2*** 〚n.〛 ***1*** の目的で用いる布または物質.

Dra·per law ドレーパーの法則 (光化学物質に吸収される光線のみがその物質における化学反応を起こす).

draw (draw). 引く, 引き出す (①様々な診断目的のため, または献血や採血の過程で, 血管から血液を抽出する. ②一定の力で引きずったり引っ張ったりする).

draw·er sign 引出し症状 (膝診察法の1つで, 負荷を加えると脛骨が前方または後方にすべる症状. 膝前十字靱帯(前方にすべる)や膝後十字靱帯(後方にすべる)の弛緩または断裂があるかどうかの検出法). = drawer test.

draw·er test 引き出し試験. = drawer sign.

dream (drēm). 夢 (睡眠中の精神活動で, 出来事, 思考, 情動, 心像などが現実のように体験されること).

dream·y state 夢幻状態 (てんかん発作に合併する半ば意識のある状態).

drep·a·no·cyte (drep′ă-nō-sīt). 鎌状〔赤〕血球,

D

鎌状細胞. = sickle cell.

drep·a·no·cyt·ic (drep′ă-nō-sit′ik). 鎌状〔赤〕血球〔様〕の, 鎌状細胞〔様〕の.

drep·a·no·cyt·ic a·ne·mi·a = sickle cell anemia.

dress·ing (dres′ing). 包帯, 包帯剤（防護, 吸収, 排液などの目的で, 傷に用いるもの, またはその適用）.

dress·ing for·ceps 麦粒鉗子, 包交摂子（創のガーゼ交換, 壊死組織の断片や小さい異物の除去などに広く用いる鉗子）.

Dress·ler beat ドレスラー収縮（心室頻拍の刺激と上室性起源の刺激の融合の結果, 正常に近い幅の狭いQRS波形を生じ, 心室頻拍を中断させるような融合収縮. Dressler心拍は心室頻拍を中断させることによって心室頻拍の存在を証明する）.

Dress·ler syn·drome ドレスラー症候群（急性心筋梗塞に続発する心外膜炎）.

DRG diagnosis-related group の略.

DRI Dietary Reference Intake の略.

drift (drift). ***1*** 変動, 流動（本来の位置よりの緩徐な動き）. ***2*** 変動, トレンド（不定な変量が, 時間経過に伴って緩徐な変化を生じること. 何らかの傾向や操作等による, あるランダムまたは系統的な効果が原因となる）.

drill-out (dril-owt). 削開（ドリルで削ること. 鋭匙などで削ること）.

Drin·ker res·pi·ra·tor ドリンカー呼吸器（頭以外の身体全部が金属性タンクの中に入れられ, 首のところを密閉したガスケットで封じられる機械的呼吸器. 交互に陰圧と陽圧とを内に加えることにより人工呼吸誘導される）. = iron lung.

drip (drip). ***1*** 〖v.〗しずくが落ちる. ***2*** 〖n.〗点滴〔注入〕〔法〕.

Dripps clas·si·fi·ca·tion ドリップス分類（麻酔科医が患者の全身状態を記述するために用いる分類）. = ASA classification.

drive (drīv). ***1*** 衝動（精神分析において, 基本的な強い衝動）. ***2*** 欲求, 動因, 欲動（心理学においては, 先天的(例えば飢え)と後天的(例えば貯蔵), あるいは希求的(例えば, 飢え, 渇き, 性欲)と嫌忌的(例えば, 恐怖, 苦痛, 悲しみ)に分類される. →motive）.

driv·ing (drīv′ing). 駆動（ある周波数の感覚刺激により, 脳波にその周波数を誘発すること）.

drom·o·graph (drom′ō-graf). 血流速度計（血液循環の速度を記録する装置）.

drom·o·ma·ni·a (drom′ō-mā′nē-ă). 徘徊癖, 放浪癖（放浪したり, 旅行をしたいという抑制できない衝動）.

dro·mo·tro·pic (drom′ō-trō′pik). 変伝導の（神経または心筋線維におけるような, 興奮の伝導速度に影響を与える）.

drop (drop). ***1*** 〖v.〗垂下する（顆粒, しずくが落ちる. 調合される. 注がれる）. ***2*** 〖n.〗しずく（液体の小滴）. ***3*** 〖n.〗滴(てき)（薬用量の単位とみなされる液体の体積. 水の場合は約1 minimに等しい. 20 drops = 1 mL）.

drop arm test 腕落下テスト（棘上筋や腱に損傷がないかどうかを検査する手技. 症状のある側の肩を90°外転させた状態にし, そこから腕を下ろすよう患者に指示する. 患者が腕をゆっくりスムーズに下ろすことができなければ陽性である）.

drop at·tack ドロップアタック（前兆なしで, 意識消失, めまい, 発作後行動なしで, 起立中または歩行中に起こる突然倒れる発作. 患者は通常老人で, 脳波は正常である. 原因不明である）.

drop·foot, drop foot (drop′fut, drop fut). → footdrop.

drop hand 〔下〕垂手, 手下垂症. = wrist-drop.

drop·let (drop′lĕt). 小滴（咳, くしゃみ, 会話の際に口から呼出される水分の粒子のような小滴. これらは空気で運ばれる経路によって感染症を他人にうつす）.

drop·let in·fec·tion 飛沫感染, 小水滴感染（くしゃみ, 咳, 笑い, 対話などを通じて, 他人から出たウイルスその他の微生物を含む唾液, 痰の飛沫, エーロゾルを吸入することにより起こる感染）.

drop·let pre·cau·tions 飛沫予防策（飛沫感染の危険性を減少させるための処置. 飛沫による感染は, 感受性の高い患者の結膜または鼻や口の粘膜に飛沫が接触することにより起こる. 飛沫は通常1メートル以上飛ぶことはない. 感染者のいる部屋に入る際には, マスクや標準予防策を採らなければならない. →standard precautions; Universal Precautions）.

drown·ing (drow′ning). 溺死（液体の中に浸り, 24時間以内の死亡. 突然の急激な温度の低下によって起こる酸素欠乏, あるいは心停止のいずれかによる）.

drows·i·ness (drow′zē-nĕs). 嗜眠状態, うとうと状態（睡眠欲求や睡眠傾向を伴った, 意識の障害された状態）.

DRR digitally reconstructed radiograph の略.

drug (drŭg). ***1*** 〖n.〗薬, 治療薬, 薬物, 薬剤, 医薬品（食料以外の物質で, 病気の予防, 診断, 症状緩和, あるいは治療の目的で用いる. 薬の型, 分類に関しては, 各々の項参照. →agent）. ***2*** 〖v.〗薬を投与する, 薬を服用する（通常は過剰量または麻薬を飲むことをいう）. ***3*** 〖n.〗薬物（特に麻薬のように, 習慣になる, あるいは常用するようになるすべての物質に対する一般的用語）.

drug a·buse 薬物乱用（治療目的には必要でない, もっぱら気分, 感情, 意識状態を変化させたり, 身体機能を不必要に損なう(例えば下剤の乱用)ことのみを目的とした習慣的な薬物使用）.

drug-e·lut·ing cor·o·nar·y stent 薬剤溶出冠動脈ステント（再狭窄を防ぐため金属性の表面に薬剤が塗られた器具で, 広く用いられている. 管腔開存性を維持するために使用される. ただし, 最新の研究結果では, 薬剤がなくなり金属表面だけが残ると, 急性の心臓発作や突然死が起こる可能性もあることが示唆されている）.

drug e·rup·tion 薬疹（薬剤の摂取, 注射, 吸入によって起こるあらゆる発疹. アレルギー性感作によることが最も多い．皮膚表面に用いられた薬剤に対する反応は一般に薬疹とはよばないで接触皮膚炎とされる）．= dermatitis medicamentosa; dermatosis medicamentosa; drug rash.

drug-fast （drŭg-fast）．薬物耐性の（抗菌薬に対して抵抗性または耐性をもつ微生物に関していう）．

drug hol·i·day 休薬期間（継続的に服薬していた患者が一時的に服薬を中止する期間．機能を正常に回復させたり，薬物への感受性を維持するために行われる）．

drug in·ter·ac·tions 薬物間相互作用（ある薬物が他の薬物，内因性の生理学的化学物質(例えばMAOIとエピネフリン)，食物成分，診断薬またはその反応生成物との相互作用で起こす好ましいあるいは好ましくない薬理学的および動態学的現象）．

drug o·ver·dose (OD) 薬物過剰摂取（偶発的または意図的に大量の薬物を摂取し，損傷または死に至ること）．

drug psy·cho·sis 薬物〔性〕精神病（薬物の摂取後に起こる，または促進される精神病）．

drug rash 薬疹．= drug eruption.

drug re·sis·tance 薬剤耐性（以前は感受性であった薬剤に対して病原微生物が獲得した抵抗力のことで，自然発生的な変異や薬剤に暴露後の選択圧によって生じる）．

drug-re·sis·tant hy·per·ten·sion 薬剤抵抗性高血圧（多様な薬物療法でも軽減されない，高血圧を含む障害状態）．

drug tet·a·nus 薬物性強直（ストリキニーネやその他の強直薬により生じた緊張性痙攣）．= toxic tetanus.

drug use e·val·u·a·tion = drug use review.

drug use re·view 薬品使用評価（薬剤使用の質や患者成果の質を改善するために，薬物使用パターンを収集，分析，評価する組織化された公認のプログラム）．= clinical drug trial; drug use evaluation; drug utilization review.

drug u·ti·li·za·tion re·view 薬剤利用審査．= drug use review.

drum, drum·head （drŭm, drŭm′hed）．鼓膜．= tympanic membrane.

drum mem·brane 鼓膜．= tympanic membrane.

Drum·mond sign ドラマンド徴候（特定の大動脈瘤の場合，口を閉じた状態で心収縮と同時の吸音が鼻孔から聞こえる）．

drunk·en·ness （drung′kĕn-nĕs）．酩酊（中毒，通常はアルコール中毒）．

dru·sen （drū′sĕn）．結晶腔，晶洞，ドルーゼン（網膜および乳頭部にみられる小さな明るい構造物）．

DRVVT dilute Russell viper venom testの略．

dry ab·scess 乾性膿瘍（膿が吸収された後の膿瘍の残遺物）．

dry cough 乾性咳嗽（痰の喀出を伴わない咳．から咳）．

dry eye syn·drome 眼乾燥症候群．= keratoconjunctivitis sicca.

dry gan·grene 乾性壊疽（乾燥してしなびた壊疽）．= mummification(1).

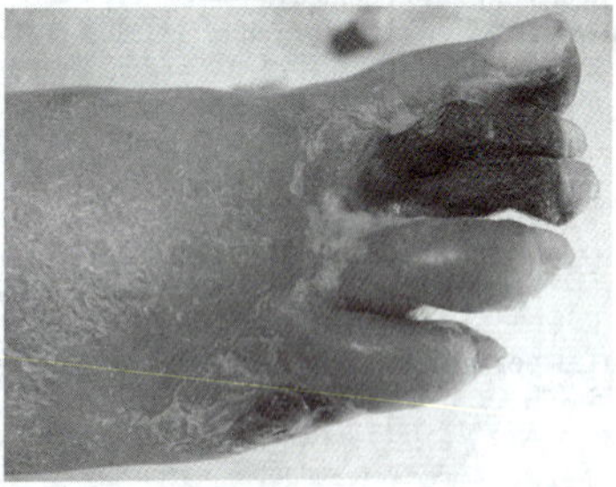

dry gangrene

dry joint 乾性関節（萎縮性乾燥性変化を伴う関節）．

dry la·bor 乾性分娩（ほとんどすべての羊水が自然に流出した後の出産を表す現在では用いられない語）．

***Dry·o·pi·the·cus* pat·tern** ドリオピテクス型（①古代のヒトの咬頭および裂溝の型．②咬頭および裂溝の型の一種で，Y-5とよばれる．→ cusp and groove pattern）．

dry pleu·ri·sy 乾性胸膜炎（漿液の滲出はないが線維素性滲出液を伴い，胸膜の相対する表面の癒着を招来する胸膜炎）．= adhesive pleurisy; fibrinous pleurisy; plastic pleurisy.

dry rale 乾性ラ音（気管支の狭窄，または粘性分泌物による腔の狭窄によって生じる粗い，または楽曲的な呼吸音）．

dry soc·ket ドライソケット（抜歯後の抜歯窩の炎症で，感染や血餅の分解による）．

dry syn·o·vi·tis 乾性滑膜炎（血漿または化膿性滲出液がほとんどない滑膜炎）．= synovitis sicca.

dry vom·it·ing 空嘔吐．= retching.

DSA digital subtraction angiographyの略．

DSEK Descemet stripping endothelial keratoplastyの略．

DSM 米国精神医学会のDiagnostic and Statistical Manual of Mental Disordersの略．

DT duration tetanyの略．

dT deoxythymidineの略．

DTaP diphtheria(ジフテリア), tetanus(破傷風), and acellular pertussis vaccine(無細胞百日咳)の三種混合ワクチンの略．

dTDP thymidine 5′-diphosphateの略．

dThd thymidineの略．

dTMP deoxythymidylic acidの略．

DTR deep tendon reflexの略．

DTs delirium tremensの略．

du·al-con·trolled ven·ti·la·tion 二重制御型人工呼吸（呼吸サイズを制御するためのフィードバック信号として換気量と吸気圧の両方を用いる人工呼吸器による，人工呼吸の様式）．

du·al-en·er·gy x-ray ab·sorp·ti·om·e·try (DEXA) 二重エネルギーX線吸収測定法．=

dual x-ray absorptiometry.

du·al·ism (dū′ăl-izm). 二元説（①化学において，すべての化合物は構成している元素の数にかかわらず，電気的に陰性部分と陽性部分との2部分からなるという説．極性化合物には当てはまるが，非極性化合物には適用されない．②血液学において，血液細胞は2つの起源，すなわちリンパ性起源と骨髄性起源であるという説．③精神と肉体とはその本質において互いに独立し異なった2つの別々の系であるという説）．

du·al per·son·al·i·ty 二重人格（ある種の精神障害で，1人の人間の中にそれぞれ異なった2つの人格が交互に現れ，互いに他方の人格を意識することはない）. = double personality.

du·al x-ray ab·sorp·ti·om·e·try (DXA) 二重エネルギーX線吸収法（様々な解剖学的部位の骨塩量を測定するため，二種類のエネルギーの低用量X線を照射すること）．

Du·bois ab·scess·es デュボワ膿瘍（多形核球を含む，扁平上皮で区切られた胸腺の小さい嚢腫．先天梅毒にみられるという報告もあるが，梅毒でない場合もある）．

Du·Bois for·mu·la デュボイス(デュボワ)〔公〕式（体重と身長から人間の体表面積の予測値を算出する公式. $A = 71.84W^{0.425}H^{0.725}$ で示される．ただし，A =体表面積(cm^2)，W =体重(kg)，H =身長(cm)）．

Du·bo·witz score デュボヴィッツ評点(スコア)（新生児の在胎期間を臨床的に推定する方法．新生児の成熟の程度を神経学的徴候と身体的徴候から評価する．出生直後から生後5日まで有効）．

Du·chenne-A·ran dis·ease デュシェーヌ-アラン病. = amyotrophic lateral sclerosis.

Du·chenne dys·tro·phy デュシェーヌジストロフィ（最も多くみられる小児の筋ジストロフィで，通常6歳以前に発症する．対称性の筋萎縮と衰弱が最初に骨盤と大腿の筋群に生じ，次第に胸筋や上肢の近位筋に及ぶ．腓腹筋などの偽性肥大や心筋障害を呈する．軽度の知能発育不全を呈することもある．病状は常に進行性であり，通常，思春期に死亡する．X連鎖遺伝(男性のみ罹患し，女性によって伝播される))．

Du·chenne-Erb pa·ral·y·sis デュシェーヌ-エルブ麻痺. = Erb palsy.

Du·chenne sign デュシェーヌ徴候（横隔膜の麻痺の場合，吸気時に上腹部が落ち込む）．

duck wad·dle アヒル歩行（先天性股関節形成不全に付随する独特の歩行パターン）．

duck walk = metatarsus valgus.

Duck·worth phe·nom·e·non ダックワース現象（脳内疾患による心臓停止の前にくる呼吸停止）．

Duc·rey ba·cil·lus デュクレー杆菌. = *Haemophilus ducreyi.*

duct (dŭkt). 管，管路（腺もしくは器官の分泌出口をつくったり，液体を伝達する管状構造. → canal). = ductus.

duc·tal (dŭk′tăl). 管の．

duc·tal an·eu·rysm 動脈管動脈瘤（開存動脈管の動脈瘤．乳児か成人にみられる）. = ductus diverticulum.

duct of His = His canal.

duc·tile (dŭk′tīl). 延性の（針金のように曲げのばし，または切断せずに変形することが可能な物質の性質についていう）．

duct·less (dŭkt′lĕs). 無管（管がないこと．内分泌機能だけがある，ある種の腺についていう）．

duct·less glands = endocrine glands.

duc·tu·lar (dŭk′tū-lăr). 小管の．

duc·tule (dŭk′tūl). 小管. = ductulus.

duc·tu·li bil·i·fe·ri 集合胆管. = biliary ductules.

duc·tu·li ef·fe·ren·tes tes·tis 精巣輸出管. = efferent ductules of testis.

duc·tu·li pros·ta·ti·ci 前立腺管. = prostatic ductules.

duc·tu·lus, pl. duc·tu·li (dŭk′tyū-lŭs, -lī). 小管. = ductule.

duc·tu·lus al·ve·o·la·ris, pl. duc·tu·li al·ve·o·la·res 肺胞管. = alveolar duct.

duc·tus, gen. & pl. duc·tus (dŭk′tŭs, dŭk′tūs). 管. = duct.

duc·tus ar·te·ri·o·sus 動脈管（左肺動脈と下行大動脈を連結する胎児の血管．正常では生後2か月以内に，線維性の索(動脈管索)に変化する．生後に閉鎖しない場合には，血流の障害を生じ，手術を必要とする）. = arterial canal; arterial duct; Botallo duct.

duc·tus def·er·ens 精管（精巣上体から始まる精巣の分泌管で，尿道前立腺部で射精管とつながる）. = arteriola glomerularis efferens; deferent duct; spermatic duct; spermiduct(1); vas deferens.

duc·tus di·ver·ti·cu·lum 動脈管憩室. = ductal aneurysm.

duc·tus pan·cre·at·i·cus ac·ces·so·ri·us 副膵管. = accessory pancreatic duct.

duc·tus ve·no·sus 静脈管（胎児の場合には，左臍静脈から肝臓をう回して下大静脈に達する管．出生後は，管腔は閉鎖して静脈管索をつくる）．

duct of Va·ter = His canal.

due dil·i·gence 相当の配慮（医療において，患者やスタッフに害が及ばないよう，ルールや手順が守られているか確認すること）．

Du·gas test デューガズ試験（肩の損傷例で，手を反対側の肩にのせて肘が胸に着かなければ損傷は脱臼であって，上腕骨骨折ではない）．

Du·hot line ドゥホット線（仙骨尖から上腸骨棘まで走る仮定上の分界線）．

Duh·ring dis·ease デューリング病. = dermatitis herpetiformis.

Dührs·sen in·ci·sions デュールセン切開〔術〕（拡張が不完全な子宮頸部をほぼ時計の2，6，10時の方向に切開する方法．骨盤位分娩で児頭が嵌頓した場合，急速分娩に有効である）．

Duke ac·tiv·i·ty stat·us in·dex デューク活動状態指標（負荷テストを行わないで，対象者の活動状態および機能的資質を評価するためのアンケート）．

Dukes clas·si·fi·ca·tion デュークス分類〔法〕（切除された結腸・直腸癌の浸潤度による分類．以下のように分類されている．A：粘膜に限局，B_1：粘膜筋板まで，B_2：粘膜筋板を越えている，C_1：腸壁内にとどまる+リンパ節転移(+)，C_2：腸壁を貫いている+リンパ節転移(+)）．

Dukes dis·ease デュークス病．= exanthema subitum.

Duke test デューク法（出血時間を測定するための方法）．

dull (dŭl)．鈍な（様々な意味で，鋭くない，あるいは急激でないこと．外科器具や頭の回転，痛み，音(特に打楽器の音)などの状態についていう）．

Du·mont·pal·lier pes·sa·ry デュモンパリエペッサリー（弾力性環状ペッサリー）．= Mayer pessary.

dump·ing syn·drome ダンピング症候群（上部消化管の切除後の患者に最も頻度が高く，食後みられる症候群で，紅潮，発汗，めまい，衰弱，血管運動虚脱および時に痛みや頭痛などの症状を特徴とする．大量の食物が急速に小腸に流入した結果，浸透圧効果のために血漿から水分が取り除かれ，血液量減退症 hypovolemia を引き起こす）．= early dumping syndrome; post-gastrectomy syndrome.

Dun·can dis·ease ダンカン病．= X-linked lymphoproliferative syndrome.

Dun·can mech·a·nism ダンカン機転（母体面が先に出る胎盤の娩出機序）．

Dun·can pla·cen·ta ダンカン型胎盤娩出（剥離した胎盤が絨毛面(胎児面)を外側にして娩出される様式）．

du·o·de·nal (dū′ō-dē′năl, dū-od′ĕ-năl)．十二指腸の．

du·o·de·nal am·pul·la 十二指腸膨大部（十二指腸上部で拡張している部分．→duodenal cap）．

du·o·de·nal cap 十二指腸球部（十二指腸の始部で，X 線写真や X 線透視検査によってみられる）．

du·o·de·nal glands 十二指腸腺（大半が十二指腸の初めの 1/3 の粘膜下に存在する小さい分岐コイル状管状腺．アルカリ性の粘液物質を分泌して胃液を中和する）．= Brunner glands.

du·o·de·nec·to·my (dū′ō-dĕ-nek′tŏ-mē)．十二指腸切除〔術〕．

du·o·de·ni·tis (dū-od′ĕ-nī′tis)．十二指腸炎．

duodeno- 十二指腸を表す連結形．

du·o·de·no·cho·lan·gi·tis (dū′ō-dē′nō-kō-lan-jī′tis)．十二指腸総胆管炎．

du·o·de·no·cho·le·cys·tos·to·my (dū′ō-dē′nō-kō′lē-sis-tos′ŏ-mē)．十二指腸胆嚢吻合〔術〕．= cholecystoduodenostomy.

du·o·de·no·cho·led·o·chot·o·my (dū′ō-dē′nō-kō′led-ō-kot′ŏ-mē)．十二指腸総胆管切開〔術〕（総胆管と十二指腸の隣接部分を切開すること）．

du·o·de·no·cys·tos·to·my (dū′ō-dē′nō-sis-tos′tŏ-mē)．***1*** 胆嚢十二指腸吻合術．= cholecystoduodenostomy. ***2*** 嚢胞十二指腸吻合術．= cystoduodenostomy. ***3*** 膵嚢胞十二指腸吻合術．= pancreatic cystoduodenostomy.

du·o·de·no·en·ter·os·to·my (dū′ō-dē′nō-en-tĕr-os′tŏ-mē)．十二指腸小腸吻合〔術〕（十二指腸と小腸を連結させること）．

du·o·de·no·je·ju·nal flex·ure 十二指腸空腸曲（十二指腸と空腸の移行部における小腸の鋭い屈曲）．= flexura duodenojejunalis.

du·o·de·no·je·ju·nos·to·my (dū′ō-dē′nō-jĕ-jū-nos′tŏ-mē)．十二指腸空腸吻合〔術〕（十二指腸と空腸の間に人工の連結を手術でつくること）．

du·o·de·nol·y·sis (dū′ō-dĕ-nol′i-sis)．十二指腸〔癒着〕剥離〔術〕（十二指腸の癒着の切離術）．

du·o·de·nor·rha·phy (dū′ō-dĕ-nōr′ă-fē)．十二指腸縫合〔術〕（十二指腸の破裂，切開部を縫合すること）．

du·o·de·nos·co·py (dū′ō-dĕ-nos′kŏ-pē)．十二指腸鏡検査〔法〕（内視鏡を用いて十二指腸内部を視診すること）．

du·o·de·nos·to·my (dū′ō-dĕ-nos′tŏ-mē)．十二指腸造瘻〔術〕，十二指腸開口〔術〕（十二指腸に開口をつくること）．

du·o·de·not·o·my (dū′ō-dĕ-not′ŏ-mē)．十二指腸切開〔術〕．

du·o·de·num, gen. **du·o·de·ni,** pl. **du·o·de·na** (dū′ō-dē′nŭm, -nī, -nă)．十二指腸（小腸の最初の部分で，約 25cm，約 12 横指(名前の由来)の長さをもち，左側の第一・第二腰椎の高さにおいて，幽門からのび，空腸に連結する．上部(この最初の部分は十二指腸キャップ)，下行部(ここに胆管と膵管が開口)，水平部(下部)と上行部に分かれ，十二指腸空腸連結部まで続く）．

du·plex kid·ney 重複腎（2 つの腎盂腎杯系をもつ腎臓）．

du·plex ul·tra·so·nog·ra·phy 複式超音波検査法（リアルタイム超音波検査法と超音波 Doppler 法を併用した超音波検査法）．

du·plex u·ter·us 重複子宮（管腔を 2 本もつ子宮．完全重複子宮，双頸双角子宮，中隔子宮をいう）．

du·pli·ca·tion (dū′pli-kā′shŭn)．***1*** 重複，二重（→reduplication）．***2*** 1 つのゲノム内に同じ遺伝子が 2 個存在すること．(非対立性)ヘモグロビン鎖が共通の祖先から進化した過程のように，ゲノムが多様性を増していく重要な方法である．

du·pli·ca·tion of chro·mo·somes 染色体重複（2 本の相同染色体間の不等交差，または分節の交換の結果起こる染色体異常．1 対の染色体の一方が小分節を失い，もう一方がその分節を得る．分節を得た染色体は重複となり，一方，相手の相同染色体は欠失となる）．

Du·puy-Du·temps op·er·a·tion デュピュイ-デュタン手術（涙管狭窄症を治療する手術で，涙嚢鼻腔吻合術を改良したもの）．

Du·puy·tren am·pu·ta·tion デュピュイトラン切断術（肩関節における上肢の切断）．

Du·puy·tren ca·nal デュピュイトラン管．= diploic vein.

Du·puy·tren con·trac·ture デュピュイトラ

ン拘縮（手と指の手掌面にある手掌腱膜の肥厚と短縮を生じる疾患で，環・小指の特徴的屈曲変形を呈する）．

Du·puy·tren dis·ease of the foot 足デュピュイトラン病．= plantar fibromatosis.

Du·puy·tren frac·ture デュピュイトラン骨折（腓骨下部の骨折で，果の脱臼を伴う）．

Du·puy·tren hy·dro·cele デュピュイトラン水瘤（嚢が陰嚢を満たし，腹膜下の腹腔にのびる二室性水瘤）．

Du·puy·tren sign デュピュイトラン徴候（①先天性股関節脱臼の場合，間欠的な牽引に際して大腿上端は自由に上下に動く．②ある種の肉腫の場合，骨を圧迫するとパチパチ感じる）．

Du·puy·tren su·ture デュピュイトラン縫合（連続 Lembert 縫合）．

Du·puy·tren tour·ni·quet デュピュイトラン止血帯（腹部大動脈を圧迫する器具）．

du·ra (dū′rӑ)．硬膜．= dura mater.

dur·a·ble med·i·cal e·quip·ment (DME) 耐久医療機器（医療従事者が在宅医療用に注文し，レンタルまたは購入される医療機器．これらの機器は，再利用可能でなければならない．例えば，病院ベッド，車椅子，昇降機）．

dur·a·ble med·i·cal e·quip·ment re·gion·al car·ri·er (DMERC) 耐久医療機器地域保険会社（耐久医療機器の支払いを受け持つ契約をメディケア（高齢者向け公的医療保険制度）と結んでいる米国の個人企業）．

dur·a·ble pow·er of at·tor·ney *1* 永続委任状．= advance directive. *2* = living will.

du·ral (dūr′ӑl)．硬膜の．

dur·al cav·er·nous si·nus fis·tu·la 硬膜海綿静脈洞瘻（内頸動脈 internal carotid artery か外頸動脈 external carotid artery の硬膜枝と海綿静脈洞 cavernous sinus の血管の短絡）．

du·ral sheath 硬膜鞘，視神経硬膜（脊髄神経根をおおっている硬膜の延長．特に視神経外鞘）．

du·ral ve·nous si·nus·es 硬膜静脈洞（硬膜内にある内皮に囲まれた静脈通路）．= venous sinuses.

du·ra mat·er 硬膜（中枢神経系の外膜を形成する硬い線維性の膜．軟膜とクモ膜を総称する leptomeninx とは区別される）．= dura.

du·ra·tion (dūr-ā′shŭn)．持続，〔持続〕期間（連続した期間）．

du·ra·tion of ac·tion 作用持続時間（測定可能な薬剤効果が持続する時間の長さ）．

du·ra·tion tet·a·ny 持続性テタニー（強い Galvani 電流を流した際，変性した筋肉に生じる緊張性痙攣）．

Dürck nodes デュルク結節（大脳にみられる血管周囲性の慢性炎症性浸潤．ヒトのトリパノソーマ症で起こる）．

Du·ret hem·or·rhage デュレー出血（テント切痕ヘルニアによる二次的な脳幹の歪曲に起因する脳幹の小出血）．

Du·ret le·sion デュレー病変（第 4 脳室底や Sylvius 水道直下の小出血）．

Dur·ham rule ダラムの法則（犯罪責任についての米国の規定（1954 年）．〝当人の非合法行為が精神病あるいは精神的欠陥の産物であった場合，被告人は法的に責任がない〟と述べられている）．

Dur·ham tube ダラム管（継ぎ目のある気管切開術用の管）．

Du·ro·zi·ez dis·ease デュロジェ病（先天性の僧帽弁狭窄症）．

Du·ro·zi·ez mur·mur デュロジェ雑音（末梢動脈，特に大腿動脈上で聞かれる二相性の血管雑音で，大動脈閉鎖不全症のとき，血液が急速に消退するために発生する．聴診器の遠位側にあたる部分に圧力がかかるときに聞こえる）．

DUSN diffuse unilateral subacute neuroretinitis の頭文字．

dust cell じん埃細胞．= alveolar macrophage.

Dut·ton dis·ease ダットン症（ダットン回帰熱ボレリア *Borrelia duttonii* によって発熱し，ヒメダニ科の *Ornithodoros moubata* によって媒介されるアフリカのマダニ群による疾病）．

du·ty cy·cle (t_i:t_{tot}) 努力（デューティ）サイクル（全呼吸サイクル時間（t_{tot}）に対する吸気（t_i）時間の比率）．

Du·ven·hage vi·rus 狂犬病のウイルスの一種でアフリカで狂犬病類似の症状を起こす．食虫性のコウモリにかまれることにより伝播される．

Du·ver·ney frac·ture デュベルネ骨折（上前腸骨棘より下部での腸骨の骨折）．

DV daily value の略．

DVT deep venous thrombosis の略．

dwarf (dwōrf)．小人（身体各部の発育が不均衡で，病的なほど小さい人．→dwarfism）．

dwarf·ism (dwōrf′izm)．小人症（立位の身長が同年齢の人の 3 パーセンタイル以下の低身長症）．

Dwy·er os·te·ot·o·my ドワイヤー式骨切り術（内反足に対する手術法）．

DXA dual energy x-ray absorptiometry の略．

Dy ジスプロシウムの元素記号．

dy·ad (dī′ad)．*1* 対．= diad (2)．*2* 二価元素（化学の用語）．*3* 一組の人間（相互作用状態にある一組，例えば，患者と医者，夫と妻など）．*4* 二分染色体（減数分裂中に四分染色体が縦裂して生じる二重染色体）．

dye (dī)．色素，染料（1 個以上のベンゼン環に付いている発色団，助色団からなる化合物で，色は発色団，染着性は助色団による．色素は生細胞の生体内着色，組織および微生物の染色や，防腐薬，細菌薬として用い，また上皮増殖の刺激薬として用いるものもある．しばしば放射線造影剤に使用されるが，適切ではない）．

dye dis·ap·pear·ance test 色素消失試験．= fluorescein instillation test.

-dymus *1* 数を表す接頭語と連結する接尾語．例えば，didymus, tridymus, tetradymus. *2* -didymus の短縮形としても用いる．

dy·nam·ic as·sess·ment ダイナミック・アセスメント（①介入治療で使われる方法で，治療の有効性の評価を促進する評価方法の中で作成された仮説を検証するもの．②与えられた活動への人のアプローチ方法をより理解するため，人と環境と活動の間の相互作用を評価すること．介入治療計画の調整に役立つ)．

dy·nam·ic bal·ance 動的バランス（身体を動かす際に，バランスの変化を予測しそれに反応する能力)．

dy·nam·ic com·pli·ance 動的コンプライアンス（周期変動中に測る伸縮性のある管の容積のコンプライアンス．容積変化率がゼロの時点の間で圧力変化を測定した時の，拡張圧の変化分に対する容積変化率)．

dy·nam·ic con·stant ex·ter·nal re·sis·tance train·ing 動的一定外抵抗訓練（外抵抗が変わらない抵抗訓練で，この間関節の屈曲および伸展が繰り返して行われる．以前は(不適当であったが)等張性訓練と同じものとされていた)．

dy·nam·ic e·qui·lib·ri·um 動的平衡．= equilibrium(2)．

dy·nam·ic gait in·dex (DGI) 動的歩行指標（要求の変化に応じて歩行を変える患者の能力を測定するための評価手段)．

dy·nam·ic hy·per·in·fla·tion 動的肺過膨張（器械を使った人工呼吸中に起こる，肺気量の増加．呼息時間が不十分な状況下で，呼吸器系が呼吸サイクル間の安静時呼気終末の平衡肺気量へと回復できない時に起こる)．

dy·nam·ic il·e·us 力学的イレウス（腸管の部分的痙攣収縮による腸の閉塞)．= spastic ileus.

dy·nam·ic pos·tur·og·ra·phy 動的姿勢図検査〔法〕，動的重心計検査〔法〕（視覚入力や固有感覚入力を変化させて，姿勢の安定性を測定する検査法)．= posturography.

dy·nam·ic psy·chi·a·try 力動精神医学．= psychoanalytic psychiatry.

dy·nam·ic psy·chol·o·gy 〔力〕動的心理学（行動の原因に強い関心を向けて心理学的解明を図る)．

dy·nam·ic re·frac·tion 動的屈折（調節中の眼の屈折)．

dy·nam·ics (dī-nam′iks)．*1* 力学，動力学（力に応答する運動を取り扱う科学)．*2* 力動〔論〕（精神医学において精神力動論の短縮用語)．*3* 力動〔論〕（行動科学において，パーソナリティの発達および対人的プロセスに伴う種々の内的および対人的な影響や現象のすべてをいう)．

dy·nam·ic splint 動的副子（関節本来の運動を温存しつつ患部の固定を行うことを目的としたバネまたは弾性のある帯を用いた副子)．= active splint; functional splint(1)．

dynamo- 力，エネルギーに関する連結形．

dy·na·mo·gen·e·sis (dī′nă-mō-jen′ĕ-sis)．動力発生（力，特に筋や神経のエネルギーが発生すること)．

dy·na·mo·gen·ic (dī′nă-mō-jen′ik)．筋力発生の，動力発生の（力，動力，特に神経または筋肉の力や作用が発生することについていう)．

dy·nam·o·graph (dī-nam′ŏ-graf)．力量記録器（筋力の強さを記録する器械)．

dy·na·mom·e·ter (dī′nă-mom′ĕ-tĕr)．力量計，握力計，筋力計（筋力の強さを測定する器械)．= ergometer.

dyne (dīn)．ダイン（CGS 単位系における力の単位．国際単位系(SI)ではこれに代わってニュートンが用いられる($1\ N = 10^5$ dynes)．1 ダインは 1 g の質量の物体に 1 cm/sec^2 の加速度を与える力．F (dyn) = m (g) × a (cm/sec^2)で表される)．

dyn·ein (dīn′ēn)．ダイニン（運動構造に関係する蛋白．アデノシントリホスファターゼ活性をもつ．この蛋白は線毛やべん毛などの外部細管上の腕 arm を構成している．分子モーターとして機能する．→tubulin)．

-dynia 痛みを表す接尾語．

dys- 悪い，困難の意を表す接頭語．un-, mis- も同様．eu- の対語．*cf.* dis-.

dys·a·cu·sis, dys·a·cu·si·a, dys·a·cou·si·a (dis-ă-kyū′sis, -zē-ă, -zē-ă)．聴覚不全，聴力不全，聴覚異常（①音に対する感覚欠如とは反対に，音の細部の表現の困難も含まれる聴覚不全．②音が聞こえると耳に痛みを感じたり，不快感が生じること)．

dysaesthesia ［Br.］. = dysesthesia.

dys·a·phi·a (dis-ā′fē-ă)．触覚不全，異触覚〔症〕．

dys·ar·te·ri·ot·o·ny (dis′ahr-tēr′ē-ot′ŏ-nē)．異血圧〔症〕（血圧が異常に高いか，低いこと)．

dys·ar·thri·a (dis-ahr′thrē-ă)．構語障害，構音障害（会話に用いる筋肉の麻痺・失調・痙攣による発音障害)．= dysarthrosis(1)．

dys·ar·thri·a-clum·sy hand syn·drome 構音障害-一側手の巧緻運動障害（構音障害と一側の手の不器用さが特徴の障害．橋部における小窩性卒中によって引き起こされる)．

dys·ar·thric (dis-ahr′thrik)．構語障害の，構音障害の．

dys·ar·thro·sis (dis′ahr-thrō′sis)．*1* 構語障害，構音障害．= dysarthria. *2* 関節異常，関節奇形．*3* 偽関節．

dys·au·to·no·mi·a (dis′aw-tō-nō′mē-ă)．自律神経障害，自律神経不全．

dys·ba·rism (dis′băr-izm)．潜函病（低い大気圧，変化する大気圧を受けることによって生じる症候群の一般名で，低酸素症は除く．このような変化によって生じる生理的影響と急速な減圧効果を含む)．

dys·ba·si·a (dis-bā′zē-ă)．歩行不全，歩行障害（①歩行が困難なこと．②ある種の精神疾患患者にみられる歩行困難または歩行不全)．

dys·bu·li·a (dis-bū′lē-ă)．意志障害，意志薄弱（意志が弱くはっきりしないこと)．

dys·bu·lic (dis-bū′lik)．意志障害の，意志薄弱の．

dys·cal·cu·li·a (dis′kal-kyū′lē-ă)．計算不全，失算〔症〕（簡単な計算を行うのも困難な状態で，頭頂葉病変でよくみられる)．

dys·ce·pha·li·a (dis′sĕ-fā′lē-ă)．頭蓋顔面奇形．

dys·chei·ral, dys·chi·ral (dis-kī′răl, dis-kī′răl)．体側知覚不全の，体側知覚困難〔症〕の．

dys·cheir·i·a, dis·chi·ri·a, dys·chir·i·a (dis-kī′rē-ă)．体側知覚不全，体側知覚困難〔症〕（感受性障害で，いずれの側の体側に接触したかわからなかったり(体側感覚消失)，異なった側

D

に感覚があったり(感覚体側逆転), 両側に感覚があること(両体側知覚症)).

dys·che·zi·a (dis-kē′zē-ă). 排便障害, 排便困難.

dys·chon·dro·gen·e·sis (dis′kon-drō-jen′ĕ-sis). 軟骨発育不全〔症〕(軟骨の発育異常).

dys·chon·dro·pla·si·a (dis′kon-drō-plā′zē-ă). 軟骨形成不全〔症〕. = enchondromatosis.

dys·chro·ma·top·si·a (dis′krō-mă-top′sē-ă). 色弱 (色を完全に正常には認識できない状態. *cf.* dichromatism; monochromatism; chromatopsia).

dys·chro·mi·a (dis-krō′mē-ă). 〔皮膚〕異常変色, 皮膚色異常.

dys·co·ri·a (dis-kōr′ē-ă). 瞳孔異常 (瞳孔の形状の異常).

dys·cra·si·a (dis-krā′zē-ă). ***1*** 悪液質, 異混和症 (血液内の異常物質の存在による病気の一般的症状. 通常, 血球または血小板の疾患についていう). ***2*** disease を表す古語.

dys·cra·sic, dys·crat·ic (dis-krā′sik, -krat′ik). 悪液質の.

dys·en·ter·ic (dis′en-ter′ik). 赤痢の.

dys·en·ter·y (dis′ĕn-ter′ē). 赤痢 (しばしば血液や粘液の混じる水様便が頻繁に生じる病気で, 痛み, しぶり, 熱, 脱水症状の特徴をもつ).

dys·er·e·thism (dis-er′ĕ-thizm). 〔刺激〕感受性鈍麻 (刺激に対する反応が遅い状態).

dys·er·gi·a (dis-ĕr′jē-ă). ジスエルギー, 作動不全, 異作動 (明確な自由意思による動作を行うときに, 筋肉が協調して動かなくなること).

dys·es·the·si·a (dis′es-thē′zē-ă). 知覚不全, 異感覚〔症〕, 異常感覚 (①感覚脱失より軽度の知覚の損傷. ②刺激に対して正常な知覚とは異なった知覚を生じる状態. 感覚経路, 末梢または中枢の病変で起こる. ③刺激がないのに経験する異常な感覚).

dysfibrinogenaemia [Br.]. = dysfibrinogenemia.

dys·fi·brin·o·ge·ne·mi·a (dis′fī-brin′ō-jĕ-nē′mē-ă). 異常フィブリノ〔ー〕ゲン血〔症〕(種々の型のフィブリノゲンの質的異常(常染色体優性遺伝)で, 凝固検査(出血時間, 凝固時間, トロンビン時間)の異常が起こる. 無症状から, 異常出血および過剰凝固まで症状は様々である). = dysfibrinogenaemia.

dys·flu·en·cy (dis-flū′ĕn-sē). 流暢障害 (話し言葉がつまる, 繰返し, 引き延ばしなどによって途切れてしまうこと. どもり障害に共通のものであるが, 正常な話し方, 特に幼児期の言語形成期にも現れるのが特徴である. ⟶stuttering). = nonfluency.

dys·func·tion (dis-fŭngk′shŭn). 機能不全, 機能障害 (機能が異常であること, または機能が困難であること).

dys·func·tion·al la·bor 遷延分娩 (インピーダンスや遷延によって困難が生じること).

dysgammaglobulinaemia [Br.]. = dysgammaobulinemia.

dys·gam·ma·glob·u·lin·e·mi·a (dis-gam′ă-glob′yū-li-nē′mē-ă). 低ガンマグロブリン血〔症〕, 異常ガンマグロブリン血〔症〕(免疫グロブリンの異常, 特に γ-グロブリンの百分率分布異常). = dysgammaglobulinaemia.

dys·gen·e·sis (dis-jen′ĕ-sis). 発育不全 (発育が損なわれること).

dys·gen·ic (dis-jen′ik). 劣性の, 非優生学的な (肉体的または精神的遺伝形質に悪影響を与える諸因子についていう).

dys·ger·mi·no·ma (dis′jĕr-mi-nō′mă). 未分化胚細胞腫 (卵巣にできる悪性新生物. 精巣におけるセミノームに対応するもの. 未分化生殖器胚細胞からなり, 20 歳以下の患者に出現率が高い. 新生物は壊死や出血の病巣を示し, 被包化される傾向がある. 特徴として, リンパ行性に進展するにもかかわらず, 広範な転移も起こす).

dys·geu·si·a (dis-gū′sē-ă). 味覚不全, 味覚異常 (味覚物質の感知におけるひずみまたは倒錯).

dys·gna·thi·a (dis-gnā′thē-ă). 顎骨発育不全 (歯牙以上に広がり, 上顎骨や下顎骨またはその両方を含む奇形).

dys·gnath·ic (dis-gnā′thik). 顎骨異常の (上顎骨および下顎骨異常の, あるいはそれを特徴とする).

dys·gno·si·a (dis-gnō′zē-ă). 認識〔力〕障害 (何らかの認識力障害. すなわち何らかの精神の疾病).

dyshaematopoiesis [Br.]. = dyshematopoiesis.

dyshaematopoietic [Br.]. = dyshematopoietic.

dyshaemopoiesis [Br.]. = dyshemopoiesis.

dyshaemopoietic [Br.]. = dyshemopoietic.

dys·har·mo·ni·ous re·tin·al cor·re·spon·dence 不調和性網膜異常対応 (網膜異常対応の1つで, 両網膜の視方向がなす角が他覚的斜視角よりも小さいもの).

dys·hem·a·to·poi·e·sis, dys·he·mo·poi·e·sis (dis-hē′mă-tō-poy-ē′sis, -mō-poy-ē′sis). 造血異常 (血液形成の欠損). = dyshaematopoiesis.

dys·hem·a·to·poi·et·ic, dys·he·mo·poi·et·ic (dis-hē′mă-tō-poy-et′ik, -mō-poy-et′ik). 造血異常〔性〕の. = dyshaematopoietic.

dys·hi·dro·sis, dys·hi·drot·ic ec·ze·ma (dis′hi-drō′sis). 発汗障害, 発汗異常〔症〕, 異汗症, 汗疱 (種々の原因で起こる小水疱性または膿疱性小水疱性発疹. 最初, 手掌足底に現れ, 病変は周辺に広がるが, 中心治癒の傾向をもつ). = cheiropompholyx; chiropompholyx.

dys·kar·y·o·sis (dis-kar′ē-ō′sis). 不良核形成, 核異常 (剥脱した細胞にみられる異常な成熟. 細胞質は正常であるが, 過色素性の核や不規則な染色質の分布がみられる. これに引き続いて悪性新生物が発生することがある).

dys·kar·y·ot·ic (dis′kar-ē-ot′ik). 不良核形成の, 核異常の.

dys·ker·a·to·ma (dis-ker′ă-tō′mă). ジスケラトーマ (角化不全を示す皮膚腫瘍).

dys·ker·a·to·sis (dis-ker′ă-tō′sis). 異常角化〔症〕(①まだ角質層に達していない単一の表皮細胞が早期に角化をきたすこと. 異常角化細胞

は一般的に円形となり，周囲の細胞から離れて落ちることもある．②結膜および角膜の上皮が表皮化すること．③角化の異常）．

dys·ker·a·tot·ic (dis-kar′ă-tot′ik)．異角化性の（異角化症に関連したまたはそれに特徴付けられる）．

dys·ki·ne·si·a, dys·ki·ne·sis (dis′ki-nē′sē-ă)．ジスキネジー，運動異常〔症〕，運動障害（自由意思による運動が困難なこと．種々の錐体外路疾患に関して通常用いられる語）．

dys·ki·ne·si·a al·ge·ra 疼痛性ジスキネジー（活発な運動が疼痛を生じさせるヒステリー性の状態）．

dys·ki·ne·si·a in·ter·mit·tens 間欠性ジスキネジー（循環障害による四肢の間欠的廃疾）．

dys·ki·ne·si·a syn·drome 運動異常症候群（粘液の除去が遅延しており，難治性の気管支拡張症が広範に生じる．ダイニン（線毛を動かす蛋白）に異常がある．恐らく常染色体劣性遺伝である）．

dys·ki·net·ic (dis′ki-net′ik)．ジスキネジーの，運動異常〔症〕の（ジスキネジーに関連した，またはそれに特徴付けられる）．

dys·lex·i·a (dis-lek′sē-ă)．失読症，読語障害，読字障害（読字能力の障害で，正常な視覚と文字認知をもち，絵や物体の意味も正しく把握できる人の知的レベルから期待される読字能力を下回るもの）．

dys·lex·ic (dis-lek′sik)．失読〔症〕の，読語障害の，読字障害の．

dys·lip·i·de·mi·a (dis-lip′i-dē′mē-ă)．脂質代謝異常（一種類，または二種類以上の血中脂質が異常レベルにあることを特徴とする生化学的病態）．

dys·lo·gi·a (dis-lō′jē-ă)．談話困難，思考障害（精神疾患が原因で起こる発語と理由付けの障害）．

dys·ma·ture (dis′mă-chūr)．成熟異常の（①不完全な発育や成熟をさす．しばしば構造的および（または）機能的奇形を表す．②産科学において，在胎月齢に比して出生時体重が異常に低い乳児を表す．③胎盤の成長異常．したがって正常機能が動作しない）．

dys·ma·tu·ri·ty (dis′mă-chūr′i-tē)．異〔常〕成熟（しばしば過熟あるいは胎盤機能不全に伴ってみられる胎児の特徴．皮下脂肪が少なく，皮膚にしわがより，手足の爪がのびており，皮膚や胎盤の表面が胎便で黄染しているなどの特徴がある）．

dys·ma·tu·ri·ty syn·drome = Balantyne disease.

dys·me·li·a (dis-mē′lē-ă)．肢異常（四肢が短いかまたはない先天性奇形．→amelia; phocomelia）．

dys·men·or·rhe·a (dis-men′ōr-ē′ă)．月経困難〔症〕（困難または疼痛を伴う月経）．= dysmenorrhoea; menorrhalgia.

dysmenorrhoea [Br.]. = dysmenorrhea.

dys·me·tri·a (dis-mē′trē-ă)．測定障害，ディスメトリア（ある行為の距離，力，速度の制御能力が障害される運動失調の側面．通常，小脳疾患による運動異常を記述するのに用いる．→hypermetria; hypometria）．

dys·mor·phism (dis-mōr′fizm)．異形症，不具（形の異常）．

dys·mor·pho·gen·e·sis (dis′mōr-fō-jen′ĕ-sis)．異常形態発生（異常組織形成の過程）．

dys·mor·phol·o·gy (dis′mōr-fol′ŏ-jē)．異常形態学，異形学（組織形状の異常な発育の研究全般をさす用語，またはこの現象をもさす．臨床遺伝学の一分野）．

dys·mor·pho·pho·bi·a (dis-mōr′fō-fō′bē-ă)．醜形恐怖〔症〕．= body dysmorphic disorder.

dys·my·o·to·ni·a (dis′mī-ō-tō′nē-ă)．筋緊張異常（高筋緊張性であれ低筋緊張性であれ，異常な筋緊張．→dystonia）．

dys·nys·tax·is (dis′nis-tak′sis)．半睡状態（軽い眠り，半眠状態）．= light sleep.

dys·o·don·ti·a·sis (dis′ō-don-tī′ă-sis)．***1*** 生歯困難，生歯異常（歯の萌出における困難性と不規則性）．***2*** 不完全な歯列．

dys·on·to·gen·e·sis (dis′on-tō-jen′ĕ-sis)．個体発生異常（欠損を伴う胚発生）．

dys·on·to·ge·net·ic (dis′on-tō-jĕ-net′ik)．個体発生異常〔性〕の．

dys·o·rex·i·a (dis′ōr-ek′sē-ă)．食欲不振，食欲欠乏（感情障害や心理的障害に関連する食欲の減退）．

dys·os·mi·a (dis-oz′mē-ă)．嗅覚不全〔症〕，嗅覚異常（嗅覚の歪曲，倒錯）．

dys·os·te·o·gen·e·sis (dis-os′tē-ō-jen′ĕ-sis)．骨形成不全〔症〕（異常な骨形成）．= dysostosis.

dys·os·to·sis (dis′os-tō′sis)．骨形成不全〔症〕．= dysosteogenesis.

dys·pa·reu·ni·a (dis′păr-ū′nē-ă)．性交疼痛〔症〕，性交不快〔症〕，異常性感〔症〕（性交中に疼痛を感じること）．

dys·pep·si·a (dis-pep′sē-ă)．消化不良（胃弱，胃疾患によって起こる胃の機能障害あるいは胃の不調．心窩部の痛み，ときに胃やけ，吐気，ガス性おくびを特徴とする）．= gastric indigestion.

dys·pep·tic (dis-pep′tik)．消化不良の，不消化の．

dys·pha·gi·a, dys·pha·gy (dis-fā′jē-ă, dis′fă-jē)．えん（嚥）下困難，えん（嚥）下障害．= aglutition.

dys·pha·si·a (dis-fā′zē-ă)．失語〔症〕．= aphasia.

dys·pha·sic (dis-fā′zik)．言語障害の，失語〔症〕の．= aphasiac.

dys·phe·mi·a (dis-fē′mē-ă)．どもり，吃（きつ），構音障害（感情や知能の欠損による発声や構音や聞き取りの障害）．

dys·pho·ni·a (dis-fō′nē-ă)．発声障害，発声困難（声質や発語能力に関する発声の変質．→aphonia）．

dys·pho·ri·a (dis-fōr′ē-ă)．不快気分（全般的な不満，落ち着きのなさ，抑うつ，不安の気分）．

dys·phra·si·a (dis-frā′zē-ă)．= aphasia.

dys·pig·men·ta·tion (dis-pig′men-tā′shŭn)．色素沈着異常（特に皮膚における色素形成や分布異常．一般には色素沈着の異常な減少（色素脱

D

失)に用いる).

dys·pla·si·a (dis-plā′zē-ă). 形成異常〔症〕, 異形成〔症〕(組織の異常な発育. →heteroplasia).

dys·pla·si·a ep·i·phys·i·a·lis mul·ti·plex 多発性骨端形成異常(異形成). = multiple epiphysial dysplasia.

dys·plas·tic (dis-plas′tik). 形成異常の, 異形成の.

dys·plas·tic mel·a·not·ic ne·vi 異型色素性母斑 (皮膚の色素性病変で, 切り込みのある不規則な辺縁をもつ. 前癌性で, 悪性黒色腫の危険性が高い指標とみなされている. 白人患者の5%に見られる).

dys·plas·tic ne·vus syn·drome, dys·plas·tic ne·vus 異形成母斑症候群 (臨床的に異型性の母斑(通常, 色調に濃淡があり, 境界不明瞭)を呈し, 皮膚悪性黒色腫に進展する危険性が高い. 生検にて, 色素細胞に異形成がみられる).

dysp·ne·a (disp-nē′ă). 呼吸困難 (主観的な呼吸困難または窮迫. 通常, 心臓や肺の疾病に併発する. 肉体の非常に激しい活動中や高地では通常でも起こる).

dysp·ne·a scale 息切れスケール (息切れを記述するために用いられる, 主観的な4段階のスケール(+1軽度〜+4重度)).

dysp·ne·ic (disp-nē′ik). 呼吸困難の.

dys·prax·i·a (dis-prak′sē-ă). 結合運動障害(ある器官が機能するときに一部障害されているか疼痛を伴うこと).

dys·prax·i·a of speech = apraxia of speech.

dys·pro·si·um (Dy) (dis-prō′sē-ŭm). ジスプロシウム (ランタニド系(希土類)の金属元素. 原子番号 66, 原子量 162.50).

dys·pros·od·y, dys·pro·sod·i·a (dis-pros′ō-dē, dis′prō-sō′dē-ă). 音調障害 (発話時に正常なイントネーションパターンを用いる能力に障害があること. →aprosody).

dysproteinaemia [Br.]. = dysproteinemia.

dysproteinaemic [Br.]. = dyspronemic.

dys·pro·tein·e·mi·a (dis-prō′tēn-ē′mē-ă). 異常蛋白血〔症〕(血清蛋白の異常. 通常, 免疫グロブリンの異常). = dysproteinaemia.

dys·pro·tein·e·mic (dis-prō′tēn-ē′mik). 異常蛋白血〔症〕の. = dysproteinaemic.

dys·ra·phism, dys·raph·i·a (dis′ră-fizm, -raf′ē-ă). 癒合不全 (特に神経ひだの癒合欠損. 縫合障害状態あるいは神経管の欠陥の結果生じる).

dys·re·flex·i·a (dis′rē-flek′sē-ă). 反射障害(刺激に対する障害をきたした状態, または不相応な反応).

dys·rhyth·mi·a (dis-ridh′mē-ă). 律動異常 (*cf.* arrhythmia).

dys·rhyth·mo·gen·ic (dis-ridh′mō-jen′ik). = arrhythmogenic.

dys·se·ba·ci·a, dys·se·ba·ce·a (dis′sē-bā′shē-ă, dis′sē-bā′shē-ă). 皮脂異常. = seborrheic dermatitis.

dys·som·ni·a (dis-som′nē-ă). 睡眠不全, 睡眠異常〔症〕(正常の睡眠パターンの障害).

dys·sta·si·a (dis-stā′sē-ă). 起立困難, 定位異常 (立っていることが困難なこと).

dys·stat·ic (dis-tat′ik). 起立困難の.

dys·syn·er·gi·a (dis′sin-ĕr′jē-ă). 共同運動障害 (種々の成分をうまく関連付けられないために, 行為が滑らかにまたは正確にできない運動失調の側面. 小脳疾患が原因で起こる運動異常を記述するのに通常は用いられる).

dys·syn·er·gi·a cer·e·bel·lar·is my·o·clo·ni·ca ミオクローヌス性小脳性共同運動障害 (小児期後期に起こる家族性疾患. 進行性小脳失調, 動作時ミオクローヌス, 知能正常を特徴とする. 恐らく多くの原因があり, ミトコンドリア異常がその1つである).

dys·thy·mi·a (dis-thī′mē-ă). 気分変調 (慢性の気分障害で, うつ状態が1日の大部分に生じ, 出現する日のほうがしない日よりも多い. 次の症状のいくつかを伴う. 食欲低下または過食, 不眠または過眠, エネルギー減退または疲労, 自己評価の低下, 集中不良, 決断困難, 絶望感. →endogenous depression; exogenous depression).

dys·thy·mic (dis-thī′mik). 気分変調の (気分変調に関連する).

dys·thy·mic dis·or·der 気分変調性障害 (慢性の気分障害であり, 軽い抑うつや日常活動における興味の喪失を特徴とする. →depression).

dys·thy·roid or·bit·o·pa·thy 甲状腺機能異常眼窩症 (甲状腺疾患に関連する免疫媒介性の眼窩の炎症). = Graves orbitopathy; thyroid ophthalmopathy.

dys·to·ci·a (dis-tō′sē-ă). 難産, 異常分娩.

dys·to·ni·a (dis-tō′nē-ă). 失調〔症〕, ジストニー (組織における緊張亢進または緊張低下状態. 随意運動の障害による). = torsion spasm.

dys·to·ni·a mus·cu·lo·rum de·for·mans 変形性筋失調〔症〕(遺伝的, 環境的, あるいは特発的な疾患で, 通常, 小児期あるいは思春期に発症する. 脊柱, 四肢, 殿部の捻転を生じる筋収縮を特徴とし, ときには頭部の神経支配のある筋にも生じる. これらの異常運動は興奮により増加し, また少なくとも初期には睡眠時に消失する. 筋は動作時に緊張亢進を, 静止時には緊張低下を呈す).

dys·ton·ic (dis-ton′ik). 失調〔症〕の, ジストニーの.

dys·ton·ic re·ac·tion ジストニア反応 (ジストニアに類似した異常な緊張か筋トーヌスの状態. ある種の抗精神病薬の副作用として起こる. 重症な型では眼球が頭の方へ巻き上がるようにみえ, 注視発症とよばれる).

dys·to·pi·a (dis-tō′pē-ă). 異所〔症〕(部分または器官が不完全または異常な位置にあること). = malposition.

dys·top·ic (dis-top′ik). 異所〔症〕の (異所症に関する, 異所症を特徴とする. →ectopic).

dys·tro·phi·a (dis-trō′fē-ă). ジストロフィ, 異栄養〔症〕, 栄養失調〔症〕, 形成異常〔症〕. = dystrophy.

dys·tro·phi·a ad·i·po·so·ge·ni·ta·lis 脂肪性器性ジストロフィ, 脂肪性器性異栄養〔症〕

(特に思春期の男子における肥満症と低ゴナドトロピン性性腺機能低下を特徴とする疾患．小人症はまれで，もしあれば甲状腺機能低下の反映と考えられる．視覚喪失，行動異常，尿崩症が起こることがある．不垂体や視床下部の腫瘍によるものが最も多い)．= adiposogenital dystrophy; Fröhlich syndrome; hypophysial syndrome.

dys·tro·phi·a e·pi·the·li·al·is cor·ne·ae 角膜上皮ジストロフィ（間質性水腫，上皮水疱，びらん，瘢痕の原因となる角膜ジストロフィ）．= Fuchs epithelial dystrophy.

dys·tro·phi·a un·gui·um 爪ジストロフィ．

dys·tro·phic (dis-trō′fik)．ジストロフィの，異栄養〔症〕の．

dys·tro·phic cal·ci·fi·ca·tion ジストロフィ性石灰化（変性組織または壊死組織に起こる．ヒアリン化した瘢痕，平滑筋腫における変性病巣，乾酪性結節などにおいて発生する）．

dys·tro·phin (dis-trō′fin)．ジストロフィン（正常筋肉の筋細胞膜中に存在する蛋白．偽肥大性筋ジストロフィや他の筋ジストロフィ患者で欠損している）．= distropin; dystropin.

dys·tro·phy (dis′trŏ-fē)．ジストロフィ，異栄養〔症〕，栄養失調〔症〕，形成異常〔症〕（組織または器官の栄養欠乏からくる進行性の変化）．= dystrophia.

dys·tro·pin (dis-trō′pin)．= dystrophin.

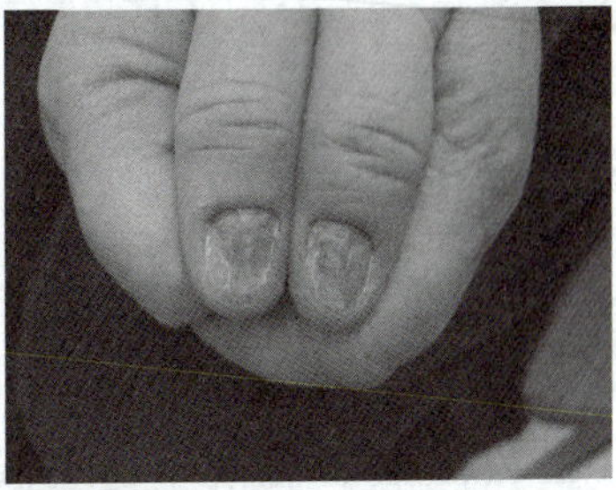

dystrophia unguium

dys·u·ri·a (dis-yūr′ē-ă)．排尿障害，排尿困難（放尿時に疼痛や困難を感じること）．

dys·u·ric (dis-yūr′ik)．排尿障害の．

dys·ver·sion (dis-vĕr′zhŭn)．回転異常（反転までいかず，ある方向に回転すること．特に視神経頭回転異常(視神経円板の逆位)をいう）．

D-zone test D ゾーン検査（ブドウ球菌およびベータ溶血性連鎖球菌の，誘発的なクリンダマイシン耐性を検査するための手段）．

E

η, η エータ.

ε *1* イプシロン (→epsilon). *2* モル吸収係数に対する記号.

E *1* exa-, 除去率 extraction ratio, グルタミン酸, エネルギー, 起電力 electromotive force, グルタミル, 内部エネルギー internal energy の記号. *2* 下付き文字として呼気 expired gas を示す.

E entgegen(反対側の)の記号.

e 電気素量. 自然対数の底(2.71828…).

Ea·gle ba·sal me·di·um イーグル基礎培地(13 の天然アミノ酸, 種々のビタミン, 2 種の抗生物質, フェノールレッドを含む種々の塩溶液で, 組織培養基として用いる).

Ea·gle min·i·mum es·sen·tial me·di·um イーグル最小必須培地, イーグル MEM (Eagle basal medium と類似するが, 量が異なり, 抗生物質, フェノールレッドなどを含まない. 組織培養基として用いる).

Eales dis·ease イールズ病 (若年性の再発性網膜出血または硝子体出血を引き起こす周辺部網膜静脈周囲炎).

EAP employee assistance program の略.

EAR estimated average requirement の略. →Dietary Reference Intake.

ear (ēr). 耳 (聴覚と平衡覚の器官で, 以下のものからなる. 外耳 **external ear**(耳介, 外耳道を含む), 中耳 **middle ear** あるいは鼓室(耳小骨を含む), 内耳 **internal ear**, **inner ear** あるいは迷路(半規管, 前庭, 蝸牛管を含む). →auricle). = auris.

ear·ache (ēr′āk). 耳痛. = otalgia; otodynia.

ear bones = auditory ossicles.

ear·drum (ēr′drŭm). 鼓膜 (内耳). = tympanic membrane.

Earle so·lu·tion アール〔溶〕液 (組織培養培地. 塩化カルシウム, 硫酸マグネシウム, 塩化カリウム, 炭素水素ナトリウム, 塩化ナトリウム, リン酸二水素ナトリウム一水塩, およびグルコースを含む).

ear lobe crease 耳朶ひだ (片側あるいは両側の耳朶に発生する深いひだで, 冠動脈心疾患を有する男性に好発する点から注目されている).

ear·ly dis·charge 早期退院 (経腟分娩後 24 時間以内に母児を退院させること).

ear·ly dump·ing syn·drome 早朝ダンピング症候群. = dumping syndrome.

ear·ly in·ter·ven·tion 早期介入 (学際的にコーディネイトされ, 自然環境(すなわち制限を最小限に抑えた環境)をベースとしたサービス提供システム. 資格のある 0 歳～3 歳または 5 歳までの子どもとその家族(政府の権限によって決まる)を対象とする. 米国障害者教育法パート C で定められている. 発達遅延が確認された場合や, 子どもや家族が危険な状況に陥った場合に, サービスが提供されることになっている). = E.I. program.

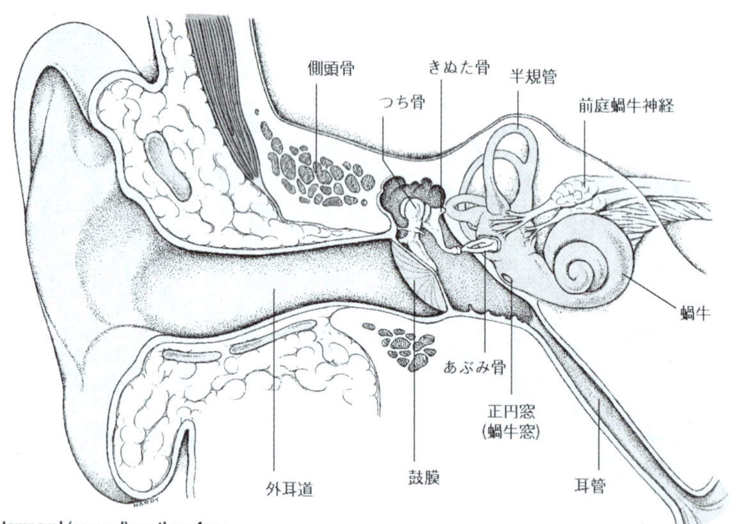

側頭骨
きぬた骨
半規管
つち骨
前庭蝸牛神経
蝸牛
あぶみ骨
正円窓
(蝸牛窓)
外耳道
鼓膜
耳管
HARDY

temporal (coronal) section of ear

ear·mold (ēr′mōld). イヤモールド（耳介にフィットし，補聴器から外耳道へと増幅音を伝達するようにデザインされ，通常プラスティックでできた様々なタイプの耳栓）.

ear·piece (ēr′pēs). 耳栓（音を耳へ加えるために外耳道に挿入する器具の一部分）.

ear·plug (ēr′plŭg). イヤープラグ（騒音により難聴が生じたり，耳に水が入らないよう保護目的で外耳道を閉塞する器具の総称. →hearing protector）.

earth (ĕrth). ***1*** 土，土壌（岩や砂ではない地上の軟らかい物質）. ***2*** 粉状になりやすい物質. ***3*** 土類（アルミニウム酸化物やその他の元素の酸化物で水に溶けないもの. 高融点を特徴とする）.

eat·ing dis·or·ders 摂食障害（神経性食欲不振症，神経性大食症，異食症を含む一群の精神疾患）.

eat·ing ep·i·lep·sy 摂食てんかん（食べることによって誘発されるてんかん発作. 反射てんかんの一型）.

Ea·ton a·gent イートン因子. = *Mycoplasma pneumoniae.*

E·berth lines エーベルト線（硝酸銀で染色したとき，心筋層の細胞の間に現れる線）.

E·bo·la vi·rus エボラウイルス（フィロウイルス科のウイルスで Marburg ウイルスと形態的には類似しているが抗原的には異なる. ウイルス性出血熱の原因ウイルス）.

E·bo·la vi·rus Côte-d' I·voire = Côte-d'Ivoire virus.

E·bo·la vi·rus Res·ton = Reston virus.

E·bo·la vi·rus Su·dan = Sudan virus.

E·bo·la vi·rus Za·ire = Zaire virus.

Eb·stein a·nom·a·ly エブスタイン奇形（右心室中に三尖弁が下方変位している先天性心疾患. 疲労，動悸，呼吸困難を生じる）.

Eb·stein sign エブスタイン徴候（心膜液貯留の場合，打診すると心臓肝臓角は鈍角になる）.

EBT electron beam tomography の略.

e·bur·na·tion (ē-bŭr-nā′shŭn). ぞうげ質化，ぞうげ質形成（関節の変性する疾病で，むき出しの軟骨下の骨の変化. 骨はぞうげのような滑らかな表面の密度の大きい物質に変わる）.

e·bur·ni·tis (ē-bŭr-nī′tis). ぞうげ質炎（ぞうげ質の密度および硬さが増した状態で，露出したぞうげ質に認められやすい）.

EBV Epstein-Barr virus の略.

EC enteric coated の略.

ec- 外へ，遠く離れて，の意を表す接頭語.

ec·cen·tric (ek-sen′trik). ***1*** 偏奇性の（思考あるいは行動が奇異な）. ***2*** 離心性の（中心から離れた. *cf.* centrifugal (2)）. ***3*** 末梢の. = peripheral.

ec·cen·tric con·trac·tion 遠心性筋収縮（筋は活動しているにもかかわらず，筋付着部が外部抵抗によって互いに引き離され長くなるような筋収縮. negative work ともいう）.

ec·cen·tric hy·per·tro·phy 遠心性肥大（心臓その他の管腔壁の肥厚で，拡張を伴うもの）.

ec·cen·tric oc·clu·sion 偏心咬合（中心咬合以外の咬合で，歯の早期接触の原因となる）.

ec·chon·dro·ma, ec·chon·dro·sis (ek-kon-drō′mă, ek-kon-drō′sis). ***1*** 外軟骨腫（軟骨が骨の関節表面から塊状に突出する新生物）. ***2*** 骨軸を突き破って茎のようになった内軟骨腫.

ec·chy·mo·ma (ek-i-mō′mă). 〔皮下〕血腫（挫傷に伴う軽い血腫）.

ec·chy·mosed (ek′i-mōst). 斑状出血の.

ec·chy·mo·sis (ek-i-mō′sis). 斑状出血（皮下溢血による紫斑. 点状出血とは大きさが違う（直径 3 mm 以上）だけである）.

ec·chy·mot·ic (ek-i-mot′ik). 斑状出血の.

ec·chy·mot·ic mask 斑状出血性顔貌（顔と首の色が暗黒色に変化することで，外傷性仮死のように体幹が急激かつ過度に圧迫された場合に起こる）.

ec·crine (ek′rin). ***1*** 外分泌の，エクリンの. = exocrine (1). ***2*** 皮膚腺より流れ出てくる汗を示す.

ec·crine gland エクリン汗腺（身体のほぼ全域の皮膚にあるコイル状管状汗腺. アポクリン汗腺とは異なる）.

ec·crine po·ro·ma エクリン汗孔腫（通常は足の裏のエクリン汗腺の表皮内部分から生じる汗孔腫または汗腺腫）.

ec·cri·sis (ek′ri-sis). ***1*** 排出（廃棄物の除去）. ***2*** 廃棄物，排泄物. = excrement.

ec·cy·e·sis (ek-sī-ē′sis). 子宮外妊娠. = ectopic pregnancy.

ec·dem·ic (ek-dem′ik). 外来〔性〕の（ある領域に外からもたらされる疾病についていう）.

ECF extracellular fluid の略.

ECF-A eosinophil chemotactic factor of anaphylaxis の略.

ECG electrocardiogram の略.

ech·i·na·ce·a (ek′i-nā′shă). エキナセア（*Echinacea angustifolia, E. pallida, E. purpurea.* 感染症に対して効果があるとされ，広く用いられているハーブサプリメント. 風邪の予防や治療に効果があると示唆する臨床研究もある. アナフィラキシーや血管浮腫を含む深刻な有害反応もありうる）. = comb flower; Missouri (Kansas) snakeroot; snakeroot.

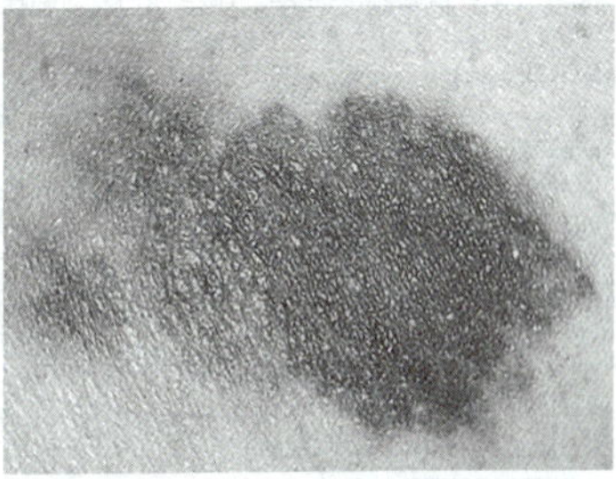

ecchymosis

E

Ech·i·na·ce·a pur·pu·re·a ムラサキバレンギク（北アメリカ原産の植物で，感染症を治癒し，身体の免疫力を高めると考えられている）.

echino-, echin- とげの多い，棘状の，を意味する連結形.

echi·no·coc·co·sis (ĕ-kī′nō-kok-kō′sis). エキノコックス症（*Echinococcus* 属による感染．幼虫による感染は包虫症 hydatid disease とよばれる．ヒトはメタセストード幼虫の中間ないし最終宿主となる）.

Echi·no·coc·cus (ĕ-kī′nō-kok′ŭs). エキノコックス属（非常に小さいテニア類条虫の一属．成虫は 2—5 個の体節をもち，食肉類にみられるがヒトにはみられない．包虫嚢胞の形をした幼虫は，反すう類，ブタ，ウマ，げっ歯類，およびある種の疫学的環境において，ヒト(包虫症 hydatid disease)の肝臓その他の臓器内にみられる．生物兵器として研究されたことがある）.

e·chi·no·coc·cus cyst = hydatid cyst.

ECHO (ek′ō). enteric cytopathic human orphan (virus)の略.

ech·o (ek′ō). ***1*** 反響（ときに胸部の聴診時に聞かれる反響音）．***2*** エコー（超音波検査において，散乱や反射を生じる構造物から受信する音響信号，または CRT モニター上や超音波画像上で，それに対応する光点のパターン）．***3*** エコー信号（MR 画像法において，反転パルスの印加後に検出される信号）.

ech·o·a·cou·si·a (ek′ō-ă-kū′sē-ă). 反響様複聴（音が反復して聞こえるように感じる自覚性聴覚障害）.

ech·o·a·or·tog·ra·phy (ek′ō-ā-ōr-tog′ră-fē). 大動脈エコー検査〔法〕，超音波大動脈検査〔法〕（大動脈の診断や研究に超音波技術を応用したもの）.

ech·o·car·di·o·gram (ek′ō-kahr′dē-ō-gram). 心エコー図（心エコー図法より得られる記録図．→ultrasonography）.

ech·o·car·di·og·ra·phy (ek′ō-kahr-dē-og′ră-fē). 心エコー検査〔法〕，超音波心臓検査〔法〕（心臓や大きな血管の精査や心臓脈管病変の診断に超音波を用いること）. = ultrasound cardiography.

ech·o·en·ceph·a·log·ra·phy (ek′ō-en-sef-ă-log′ră-fē). 脳エコー検査〔法〕，超音波脳検査〔法〕（超音波検査で頭蓋骨内の変化を診断するために，反復する超音波を用いること）.

ech·o·gen·ic (ek′ō-jen′ik). エコー源性の（内部エコー信号をもつ構造物や媒体(例えば生体組織)に関すること．構造物の画像に現れるエコー信号が弱い，強い，まったくない場合にそれぞれ対応して，hypoechoic, hyperechoic, anechoic と表現する）.

ech·o·gram (ek′ō-gram). エコーグラム，超音波像（音響反応技術を利用し，幾種類かの表示モードのなかから記録するもので，特に心エコーに利用されている．→ultrasonogram）.

ech·og·ra·phy (e-kog′ră-fē). 超音波検査〔法〕. = ultrasonography.

ech·o·la·li·a (ek′ō-lā′lē-ă). 反響〔言〕語，反響音声（他人の言葉や文章を不随意的にオウムのように反復すること．通常，統合失調症にみられる）. = echophrasia.

ech·o·mim·i·a (ek′ō-mim′ē-ă). = echopathy.

ech·o·mo·tism (ek′ō-mō′tizm). = echopraxia.

ech·op·a·thy (e-kop′ă-thē). 反響症（通常，統合失調症にみられる精神症状で，他人の言葉(反響言語)や動作(反響動作)を模倣し，繰り返す）. = echomimia.

ech·o·phra·si·a (ek′ō-frā′zē-ă). 反響〔言〕語. = echolalia.

ech·o plan·ar エコープラナー〔法〕（自由誘導減衰の間に高速な画像収集を行う MR 撮像法．技術的に難しい高速振動高周波傾斜磁場を用いる）.

echo·prax·i·a (ek′ō-prak′sē-ă). 反響動作〔症〕（他人の動作を不随意的に模倣すること．→echopathy）. = echomotism.

ech·o train エコートレイン（磁気共鳴画像法で使用される，180° リフェイジング(再位相合わせ)・パルス系列と高速スピンエコーのパルスシークエンスにおけるエコー）.

ECHO vi·rus, ech·o·vi·rus ECHO ウイルス（ヒトから分離されたエンテロウイルス．多くの不顕性感染はあるが，数種の血清型の中には熱病と無菌性髄膜炎とに関連するものもあり，軽い呼吸器病を起こすようなものもある）.

Eck fis·tu·la エックフィステル(瘻)（大静脈と門脈間を吻合し，肝臓に近い門脈部分を結紮することにより，門脈血流を大循環に流入させるもの）.

ec·la·bi·um (ek-lā′bē-ŭm). 唇外反.

ec·lamp·si·a (ek-lamp′sē-ă). 子かん(癇)（妊娠中毒症の患者で，てんかんや脳出血のような他の脳疾患に起因しない，1 度または数度の痙攣発作）.

ec·lamp·tic (ek-lamp′tik). 子かん(癇)〔性〕の.

ec·lamp·to·gen·ic, ec·lamp·tog·e·nous (ek′lamp′tō-jen′ik, ek′lamp-toj′ĕ-nŭs). 子かん(癇)誘発の.

e·clipse pe·ri·od エクリプス期，暗黒期（バクテリオファージまたは他のウイルスの感染(侵入)と，細胞内への成熟ウイルスの出現までの期間．すなわち，ウイルスの感染性が発現できない期間）.

ECMO extracorporeal-membrane oxygenation の略.

eco- 環境に関連することを表す連結形.

ec·o·log·ic chem·is·try 生態化学（①環境に無害の物質の開発および，環境に与える人工化学物質の影響について研究する化学の一分野．②生物種間や生物種-環境間の分子相互作用を研究する分野）.

ec·o·log·ic stu·dy 地域相関研究，生態学的研究（個人ではなく地域などによる集団を観察の単位とした疫学研究）.

e·col·o·gy (ē-kol′ŏ-jē). 生態学（生物学の一分野．生物同士の相互関係や生物と環境および生物とある特定の生態系における，全体的なエネルギーバランスとの相互関係など，生物の複雑な相互関係のすべてを扱う）.

e·col·o·gy of hu·man per·for·mance 人間

行為の関係論（人間の行為を業務処理過程として理解するための枠組み．この枠組みを通して，個人，物事の関係，業務（課題）の遂行が互いに影響し合う．各業務は個人の将来の行為の範囲および選択に影響を与える）．

e·co·sys·tem (ē′kō-sis-tĕm)．生態系（①特定の地域内で互いに影響し合う生物と非生物要素を包含する生態学上の基本的単位．②生物群集とその小生活圏）．

e·co·tax·is (ē-kō-tak′sis)．エコタクシス，環境走性（リンパ球が胸腺と骨髄からある適切な微小環境をもつ組織内へ移行定住すること）．

ec·o·tro·pic vi·rus エコトロピックウイルス（自然宿主では疾病の原因とならないが，宿主動物種由来の組織培養細胞では増殖するオンコルナウイルス）．

ECP eosinophil cationic protein の略．

ec·phy·ma (ek-fī′mă)．皮膚腫瘍（いぼ状の隆起）．

ECS electrocerebral silence の略．

ec·sta·sy (ek′stă-sē)．エクスタシー（クラブパーティーやレイブパーティーで用いられる薬物．活力を増し，性欲を増し，多幸感を誘導するように強く作用する．娯楽で使用するそんなに多くない投与量でも甚大な反応を引き起こすことがある）．

ECT electroconvulsive therapy; electrochemotherapy; energy conservation techniques の略．

ECt_{50} = effective Ct_{50}.

ec·tad (ek′tad)．外面へ．

ec·tal (ek′tăl)．表面の，外面の．

ec·ta·si·a, ec·ta·sis (ek-tā′zē-ă, ek′tă-sis)．拡張〔症〕（管状構造が膨張すること）．

-ectasia, -ectasis 膨張，拡張を意味する連結形で接尾語．

ec·ta·si·a cor·dis 心臓拡張〔症〕. = cardiectasia.

ec·tat·ic (ek-tat′ik)．拡張〔症〕の．

ec·tat·ic em·phy·se·ma 拡張性〔肺〕気腫（肺胞細葉の拡張部位による閉塞性気道疾患．原則として α_1-アンチトリプシンの遺伝性欠損に伴ってみられる．→panlobular emphysema）．

ec·ten·tal (ek-ten′tăl)．内外胚葉の（内胚葉と外胚葉の両方に関する．2つの層が結合する線についていう）．

ec·thy·ma (ek-thī′mă)．膿瘡（β 溶血性連鎖球菌による皮膚の化膿性感染．潰瘍の上に固着した痂皮ができるのが特徴．潰瘍は1つまたは複数で，瘢痕形成をもって治癒する）．

ecto-, ect- 表面の，外側の，を表す連結形．→exo-.

ec·to·an·ti·gen (ek′tō-an′ti-jen)．外抗原（毒素あるいは抗体産生を促すその他の抗原のうち，本来の出所から分離しているかあるいは分離できるもの）. = exoantigen.

ec·to·blast (ek′tō-blast)．***1*** 外胚葉細胞. = ectoderm. ***2*** 原外胚葉（実験発生学者が用いる語で，一次胚葉が形成される原外表面細胞層を意味する．この意味では protoderm と同義）．***3*** 細胞壁．

ec·to·car·di·a (ek′tō-kahr′dē-ă)．心臓転位，心臓偏位（先天性の心臓偏位）. = exocardia.

ec·to·cer·vi·cal (ek′tō-sĕr′vi-kăl)．子宮腟部の（重層扁平上皮細胞でおおわれた子宮頸の腟部についていう）．

ec·to·derm (ek′tō-dĕrm)．外胚葉（3つの一次胚葉（外胚葉，中胚葉，内胚葉）形成後の胚における外側の細胞層）. = ectoblast(1).

ec·to·der·mal (ek′tō-dĕr′măl)．外胚葉の，外胚葉由来の．

ec·to·en·tad (ek′tō-en′tad)．外より内へ．

ec·to·en·zyme (ek′tō-en′zīm)．細胞外酵素（細胞から外部に分泌される酵素で，有機体の外部で作用する）．

ec·tog·e·nous (ek-toj′ĕ-nŭs)．外因〔性〕の，外原〔性〕の. = exogenous.

ec·to·glob·u·lar (ek′tō-glob′yū-lăr)．血球外〔性〕の（球状体の内でない，特に赤血球外のものについていう）．

ec·to·mere (ek′tō-mēr)．外胚葉割球（外胚葉形成にかかわる割球）．

ec·to·morph (ek′tō-mōrf)．外胚葉型，細長型（外胚葉由来の組織が優勢である体型（biotype または somatotype）．形態学的観点から，手足が体幹に対して長い）．

ec·to·mor·phic (ek′tō-mōrf′ik)．外胚葉型の，細長型の（ヒトの体型が外胚葉型の特徴を示していることについていう）．

-ectomy 解剖学的構造物を除去することを表す連結形で接尾語．→-tomy.

ec·top·a·gus (ek-top′ă-gŭs)．胸壁結合奇形体（身体の外側部が結合した接着双生児．→conjoined twins）．

ec·to·par·a·site (ek′tō-par′ă-sīt)．外〔部〕寄生生物（体表面に生息する寄生生物）．

ec·to·pi·a (ek-tō′pē-ă)．転位〔症〕，変位，脱出（器官や身体の一部の先天性変位や位置異常）. = ectopy; heterotopia(1).

ec·to·pi·a cor·dis 心臓転位〔症〕（先天的に心臓が胸壁に露出した状態．胸骨と心膜の発育異常による）．

ec·to·pi·a len·tis 水晶体転位〔症〕，水晶体偏位（眼の水晶体の変位）．

ec·to·pi·a len·tis et pu·pil·lae 水晶体および瞳孔偏位（瞳孔偏位と水晶体の亜脱臼または偏位を特徴とする異常）．

ec·to·pi·a pu·pil·lae con·gen·i·ta 先天性瞳孔転位〔症〕，先天性瞳孔偏位（瞳孔の先天性変位）．

ec·to·pi·a tes·tis 精巣（睾丸）変位〔症〕，異所性精巣（睾丸）. = parorchidium.

ec·top·ic (ek-top′ik)．異所性の（①本来あるべき位置にない器官や，子宮腔以外での妊娠についていう. = aberrant(3); heterotopic(1); imperforate anus(2)．②カルジオグラフィにおいて，異常な部位に起源を発する心拍を表す．洞房結節以外の部位から起こる）．

ec·top·ic beat 異所性収縮（洞房結節以外の部位から発生する心拍）．

ec·top·ic bone 異所性骨（異常な部位での骨の増殖）．

ec·top·ic fo·cus 異所性中枢（異所性拍動を惹

起しうる，またはペースメーカーの機能を担うことのできる，心筋の過敏部分）.

ec·top·ic preg·nan·cy 異所〔性〕妊娠（子宮腔外で受精卵が発育すること）. = eccyesis.

ec·top·ic schis·to·so·mi·a·sis 異所性肝吸虫症（通常の吸虫感染巣(腸間膜あるいは肝門脈)以外の場所に起こった肝吸虫感染の臨床型）.

ec·top·ic tach·y·car·di·a 異所性頻拍(頻脈)（洞結節以外を始点として起こる頻拍．例えば，心房性，房室接合部性，または心室性頻拍など）.

ec·top·ic tes·tis 異所性精巣(睾丸)（停留精巣の亜型で，精巣下降路以外の部位で生じるもの．→ectopia testis）.

ec·top·ic u·re·ter·o·cele 異所性尿管瘤（尿管瘤が膀胱頸部まで遠位に延長した状態）.

ec·to·py (ek′tō-pē). = ectopia.

ec·tos·te·al (ek-tos′tē-ăl). 骨外表の.

ec·tos·to·sis (ek′tos-tō′sis). 骨外生，軟骨外生（軟骨膜のすぐ下の軟骨の骨化，または骨膜のすぐ下の骨の形成）.

ec·to·thrix (ek′tō-thriks). 毛外菌（毛の外側に胞子(分生子)が鞘状を形成したもの）.

ectro- ある部分の先天的欠損を示す連結形.

ec·tro·dac·ty·ly, ec·tro·dac·tyl·i·a, ec·tro·dac·tyl·ism (ek′trō-dak′ti-lē, -dak-til′ē-ă, -dak′ti-lizm). 欠指〔症〕（手あるいは足の 1 本以上の指の先天的欠損．split-hand/foot deformity や lobster claw ともいう．いくつかの種類があり，遺伝パターンは，不規則である）.

ec·tro·dac·ty·ly-ec·to·der·mal dys·pla·si·a-cleft·ing syn·drome 欠指・外胚葉異形成・裂隙(EEC)症候群（常染色体劣性遺伝疾患で，手足の欠損を招く．外胚葉異形成は欠損歯や口蓋裂を引き起こす）.

ec·tro·gen·ic (ek′trō-jen′ik). 先天性形成欠損の.

ec·trog·e·ny (ek-troj′ĕ-nē). 先天性形成欠損（身体の部分の先天性の完全欠損または部分欠損）.

ec·tro·me·li·a (ek′trō-mē′lē-ă). *1* 欠肢〔症〕，奇肢〔症〕（1 本以上の肢の先天性の低形成または無形成）. *2* エクトロメリア（ポックスウイルス科のエクトロメリアウイルスによって起こるハツカネズミの疾患で，壊疽性の足の欠損，および内臓の壊死を特徴とする．実験マウスでは通常，高死亡率の原因となる）.

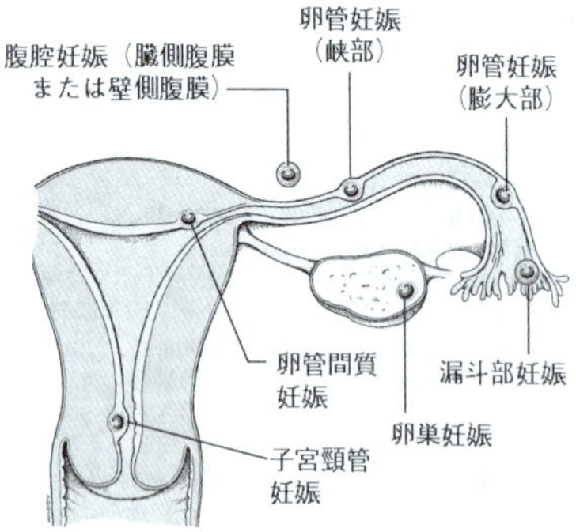
腹腔妊娠（臓側腹膜または壁側腹膜）
卵管妊娠（峡部）
卵管妊娠（膨大部）
卵管間質妊娠
漏斗部妊娠
卵巣妊娠
子宮頸管妊娠

ectopic pregnancy

ec·tro·mel·ic (ek′trō-mel′ik). 欠肢〔症〕の，奇肢〔症〕の.

ec·tro·pi·on, ec·tro·pi·um (ek-trō′pē-on, ek-trō′pē-ŭm). 外反〔症〕（ある部分(例えば眼瞼)の縁が外方へ反ること）.

ec·tro·pi·on u·ve·ae ブドウ膜外反〔症〕（瞳孔縁の虹彩の色素性後面上皮が外反すること）.

ec·trop·o·dy (ek-trop′ŏ-dē). 欠足〔症〕（足の全体あるいは部分的欠損）.

ec·tro·syn·dac·ty·ly (ek′trō-sin-dak′ti-lē). 無指合指症（1 本以上の指の欠損と残る指の融合とを特徴とする先天的奇形）.

ECVT electroconvulsive therapy の略.

ec·ze·ma (ek′sĕ-mă). 湿疹（皮膚の炎症状態の一般名．特に急性期では小水疱を伴う．典型的には紅斑性，浮腫性，丘疹状，痂皮性である．しばしば苔癬化，落屑，ときには薄黒い紅斑，まれに色素沈着がその後に生じる．しばしばかゆみと熱感を伴う．これらの小水疱は表皮内の海綿状浮腫によって形成される．しばしば遺伝性を示し，アレルギー性鼻炎やぜん息を合併する）.

ec·ze·ma her·pe·ti·cum ヘルペス性湿疹，疱疹性湿疹（小児に最も好発する，ヘルペスウイルス 1 型の皮膚播種による熱性疾患で，広範囲に小水疱を生じ，それが急速に臍窩を有する膿疱となる）.

ec·ze·ma mar·gi·na·tum 頑癬. = tinea cruris.

ec·zem·a·toid (ek-sem′ă-toyd). 類湿疹の，湿疹様の.

ec·zem·a·tous (ek-sem′ă-tŭs). 湿疹〔性〕の，湿疹様の.

ED effective dose; emergency department の略.

ED_{50} median effective dose の略.

e·de·ma (ĕ-dē′mă). 水腫，浮腫（細胞や細胞間組織における水状液の過剰な貯留）. = oedema.

e·dem·a·tous (e-dem′ă-tŭs). 水腫状(性)の，浮腫状(性)の. = oedematous.

e·den·tate (ē-den′tāt). 無歯の. = edentulous.

e·den·tu·lous (ē-den′chū-lŭs). 無歯の（自然歯を失った）. = edentate.

Ed·er-Pus·tow bou·gie エーデル-プストウブジー（伸縮可能な金属性の拡張機能を有する金属性オリーブ型ブジー．食道狭窄に用いる）.

ed·e·tate (ed′ĕ-tāt). エデト酸塩（ethylenediaminetetraacetate の USAN 承認の短縮名）.

EDI electronic data interchange の略.

Ed·i·son ef·fect エディスン効果. = thermionic emission.

ed·it·ing (ed′i-ting). エディティング（医療記録転写士が，口述記録における文法の間違いや矛盾点，冗長部分，不適切な所見などの些細な点を，口述者のスタイルを変えることなく変更するプロセス．→verbalism transcription）.

EDM multiple epiphysial dysplasia の略.

EDS excessive daytime sleepiness の略.

EDSS expanded disability status scale の略.

EDTA ethylenediaminetetraacetic acid の略.

ed·u·ca·tion (ej′ū-kā′shŭn). 教育（看護において，意図した成果を得られるよう，学習活動の計画と実行によって，患者，家族，コミュニティのメンバー，スタッフやその他の人々を教育すること. →discharge).

EDV end diastolic volume の略.

Ed·wards-Col·let clas·si·fi·ca·tion エドワーズ・コレット分類（先天性心臓奇形を記述するために用いられるシステム).

Ed·wards syn·drome エドワーズ症候群（E群染色体(16—18 番)のトリソミーで，トリソミー21(ダウン症候群)に次いで2番目に多い. 精神遅滞，先天性心疾患，二分脊椎，食道および胆道の閉鎖症がみられる. 通常，2—3 年以内に死亡する).

EEG electroencephalogram; electroencephalography の略.

eel (ēl). ウナギ（鱗をもたない，ヘビ状の魚類の一般名称).

EENT eye, ear, nose, throat の略. →ENT.

EER estimated energy requirement の略.

EF ejection fraction の略.

EFA essential fatty acid の略.

ef·face·ment (ē-fās′mĕnt). 頸管成熟度（分娩直前あるいは分娩中にみられる頸管の退縮).

ef·fect (e-fekt′). 効果，作用（作用の成果あるいは結果).

ef·fec·tive con·ju·gate 有効結合線（脊椎すべり症における，最も近い腰椎から恥骨結合までの内径). = false conjugate (2).

ef·fec·tive Ct_{50} (ECt_{50}) 効果的識閾濃度（曝露グループの 50%の人に一定の効果が出るよう義務付けられた Ct 生成物). = ECt_{50}.

ef·fec·tive dose (ED) ***1*** 有効量（特異的な効果を現す用量. 下に数字が記された場合(一般に ED_{50})，そのパーセンテージ(例えば 50%)の実験動物に効果を現す用量であることを示す. ED_{50} は中央有効量である). ***2*** 実効線量（放射線防護において，人体のすべての組織と臓器の等価線量を，組織に対する放射線の効果で重みづけして合計した線量. SI 単位系では，シーベルト(Sv)またはレム(rem)).

ef·fec·tive·ness (e-fek′tiv-nĕs). 効果，精度，有効度（①標準的な医療環境で行われた診断方法や治療方法の正確さや成功度の尺度，基準. ②施された処置が意図通りの目的を達成した程度).

ef·fec·tive os·mot·ic pres·sure 実効浸透圧（溶液の総浸透圧のうち，溶媒が通常は半透膜である境界面を通過する傾向を左右する分圧).

ef·fec·tive re·nal blood flow (ERBF) 有効腎血流量（尿成分の生成に関与する腎臓部分への血流量).

ef·fec·tive re·nal plas·ma flow (ERPF) 有効腎血漿流量（尿成分の生成機能をもつ腎臓の部分へ流れる血漿量. ヨードピラセトや *p*-アミノ馬尿酸のような物質のクリアランスは，尿細管周囲毛細血管の抽出率を 100%と仮定する).

ef·fec·tive tem·per·a·ture 実効温度，感覚温度（気温，湿度，および動きをも含めた快感指数または度合い).

ef·fec·tor (ē-fek′tŏr). ***1*** 効果器（神経インパルスを受けて，収縮(筋)，分泌(腺)あるいは電気放電(ある種の硬骨魚の発電器)などの反応をする末梢組織を意味する). ***2*** リプレッサ遺伝子と結合することによって，オペロンの活性を抑制する低分子代謝物質. ***3*** エフェクター（蛋白と結合する小分子. その結果，その蛋白の活性を変化させる). ***4*** エフェクター（効果を生じさせる物質，技術，方法，個体をいう).

ef·fem·i·na·tion (ĕ-fem′i-nā′shŭn). 女性化（女性が生理的に成熟した女性として，あるいは男性または女性が病的に，女性的特徴を得ること).

ef·fer·ent (ef′ĕr-ĕnt). 遠心〔性〕の，輸出の（特定の器官または部分から液体あるいは神経インパルスを外側へ導出または伝導する. 例えば，神経細胞群の遠心性結合，輸出血管あるいは器官の排出管).

ef·fer·ent duc·tules of tes·tis 精巣輸出管（精巣から精巣上体頭部に通じる 12—14 本の小精管). = ductuli efferentes testis.

ef·fer·ent glo·mer·u·lar ar·te·ri·ole 糸球体輸出細動脈（腎糸球体から近位曲尿細管の毛細血管床に血液を運ぶ血管). = vas efferens (2); efferent vessel.

ef·fer·ent nerve 遠心性神経（中枢から末梢にインパルスを伝達する神経). = centrifugal nerve.

ef·fer·ent ves·sel 輸出管，輸出リンパ管. = efferent glomerular arteriole.

ef·fer·ves·cent salts 発泡塩（炭酸水素ナトリウムと酒石酸，クエン酸を活性塩に加えてつくる. 水に入れると酸が炭酸水素ナトリウムを分解し，炭酸ガスを遊離する).

ef·fi·ca·cy (ef′i-kă-sē). 効能（特定の介入，手技，処方またはサービスが理想的な条件下でもたらす有用な結果の程度).

ef·fi·cien·cy (ĕ-fish′ĕn-sē). 効率（①最小の時間，金銭，努力，技能の浪費によって期待する効果や結果を生むこと. ②有効性の尺度，特に有効仕事量をエネルギー導入量で割ったもの).

ef·fleur·age (ef-lūr-ahj′). 軽擦〔法〕，按撫〔法〕（マッサージにおける軽擦運動).

ef·flo·resce (ef′lŏr-es′). 風解する（乾燥大気に暴露されることにより結晶水を失って粉末状になること).

ef·flu·vi·um, pl. ef·flu·vi·a (ĕ-flū′vē-ŭm, -ē-ă). 剥離（脱毛をいう. →defluxion (1)).

ef·fu·sion (ĕ-fyu′zhŭn). ***1*** 滲出（血管あるいはリンパ管から，組織あるいは腐への液体の逸脱). ***2*** 滲出液（流れ出た流体の貯留).

EFT electronic funds transfer の略.

e.g. 例えば.

EGD esophagogastroduodenoscopy の略.

e·ges·ta (ē-jes′tă). 排出物（消化管から排出される未吸収の食物残渣).

EGFR epidermal growth factor receptor の略.

egg (eg). 卵，卵子（雌性生殖細胞. ヒトの卵子についてはこの語は用いない. →oocyte).

egg al·bu·min 卵アルブミン. = ovalbumin.

egg clus·ter エッグクラスター (卵巣皮質内で生殖索が解体して生じる細胞塊の一部. この細胞塊は後に一次卵胞に発育する).

egg mem·brane 卵膜 (卵子を囲んでいる外膜. 一次性卵膜は卵子の細胞質(例えば, 卵黄膜)から産生され, 二次性卵膜は卵胞の産物(例えば, 透明帯)であり, 三次性卵膜は卵管の内壁(例えば, 外皮)から分泌される).

egg·shell cal·ci·fi·ca·tion 卵殻状石灰化 (通常は珪肺症の胸部X線写真にみられる胸腔内リンパ節をとりまく石灰化薄壁).

e·go (ē′gō). 自我 (精神分析において, Freud心理学の人格構造における心的装置の3要素の1つで, 他の2つはエスと超自我である. 自我は意識的な要素をもつが, その機能の多くは学習によるもので, 自動的である. それは原始的本能(快感原則)と外的要求(現実原則)の間の位置を占め, したがって肉体的および心理的に自己の欲求を知り, また外界の性質と態勢を知覚する重要な機能を果すことにより, 個人と外的実在の仲介をしている. これらの知覚を評価, 調整, 統合することにより, 内的欲求を, 外的必要性に適合させることができる. そしてまたエスおよび超自我の要求から個人を保護するための何らかの防衛機能を果している).

e·go·bron·choph·o·ny (ē′gō-brong-kof′ŏ-nē). ヤギ気管支声 (気管支声を伴うヤギ声).

e·go·cen·tric (ē′gō-sen′trik). 自己中心〔性〕の (自分自身に極端に関心が集中することについていう). = egotropic.

e·go-dys·ton·ic (ē′gō-dis-ton′ik). 自我異和的な (自我の目的や, それに関連した個人の心理的要求と一致しない, あるいは矛盾した(例えば強迫思考あるいは強迫行為). Ego-syntonicの対語).

e·go-dys·ton·ic ho·mo·sex·u·al·i·ty 自我異質性同性愛 (個人が同性を好むことに持続的な苦悩を経験し, その行動を変えなければならないか, 少なくともその苦悩を軽減する必要のある心理学的あるいは精神医学的障害).

e·go ide·al 自我理想 (自己の目標や抱負, 目的を包含する人格の一部. 通常, 自分が同一視した重要人物との同一化志向から派生する).

e·go iden·ti·ty 自我同一性 (自己の同一性についての意識).

e·go·ma·ni·a (ē′gō-mā′nē-ă). 独善性, 自己優越性 (極端な自己本位, 自己賞賛あるいは自己満足).

e·go·phon·ic (ē′gō-fon′ik). ヤギ声〔性〕の.

e·goph·o·ny (ē-gof′ŏ-nē). ヤギ声 (滲出液を伴う胸膜炎の症例の液体の高部位で聞かれる, ヤギの鳴き声のような音声の特異変則質音響).

e·go-syn·ton·ic (ē′gō-sin-ton′ik). 自我親和的な (自我の目的や, それに関連した個人の心理的欲求に合致した(例えば妄想). Ego-dystonicの対語).

e·go·tro·pic (ē′gō-trō′pik). 自己向性の. = egocentric.

EGTA esophageal gastric tube airwayの略.

E·gyp·tian oph·thal·mi·a エジプト眼炎. = trachoma.

e-health (ē′helth). e-ヘルス, e-保健 (患者, 医療従事者, および保健医療会社のためのインターネット上の保健情報).

EHEC enterohemorrhagic *Escherichia coli*の略.

Eh·lers-Dan·los syn·drome エーレルス(エーラース)-ダンロー(ダンロス)症候群 (結合組織疾患の一群で, 皮膚の過弾力性と関節の過可動性を特徴とする. 少なくとも14の異型が分類されている).

EHR electronic health recordの略.

Eh·ret phe·nom·e·non エーレット現象 (血圧測定中, カフ圧を下げたとき, 上腕動脈上に指で感じられる突然の拍動. 拡張期圧をかなり正確に示すといわれる).

Ehr·lich ac·id he·ma·tox·y·lin stain エールリッヒ酸性ヘマトキシリン染色, エールリッヒ酸性ヘマトキシリン染色液(法) (ミョウバン系のヘマトキシリン染色法. 核に対する退行性染色法として用いられる. 分別により, 目的とする染色度まで脱色させる. その溶液は, 日光により自然熟成されるか, またはヨウ素酸ナトリウムで部分的に酸化される).

Ehr·lich a·ne·mi·a エールリッヒ貧血. = aplastic anemia.

Ehr·lich an·i·line crys·tal vi·o·let stain エールリッヒのアニリンクリスタル紫染色, エールリッヒのアニリンクリスタル紫染色液(法) (グラム陽性菌のための染色).

Ehr·lich benz·al·de·hyde re·ac·tion エールリッヒベンズアルデヒド反応 (尿中のウロビリノーゲンの検査. 2gの*p*-ジメチルアミノベンズアルデヒドを5%塩酸100mLに溶かし, これを尿に加える. 尿中に過量のウロビリノーゲンが存在する場合は, 冷時で赤色を呈する).

Ehr·li·chi·a (er-lik′ē-ă). エールリヒア属, エルキア属 (小さな, しばしば多形性の球状から楕円状の非運動性, グラム陰性細菌の一属(リケッチア目)で, 哺乳類の循環白血球中に単在または密な封入体として認められる. エールリヒア症の原因となる細菌種であり, ダニによって媒介される. 標準種は*Ehrlichia canis*).

Ehr·li·chi·a chaf·fe·en·sis 最近記載されたヒトエールリヒア症関連の細菌種で, キララマダニの一種アメリカキララマダニ*Amblyomma americanum*によって媒介され, ヒトの単球に寄生する.

Ehr·li·chi·a e·qui ヒトの顆粒球性エールリヒア症の病原菌. 大西洋岸, ニューイングランド南部, 中西部地域の南部などにみられ, *Ixodes*属のダニによって広まる.

Ehr·li·chi·a pha·go·cy·to·phil·a →*Anaplasma phagocytophilum*.

Ehr·lich in·ner body エールリッヒ内〔小〕体 (特定の血液毒による血球崩壊(溶血)の場合の赤血球にみられる球状の好酸性体). = Heinz-Ehrlich body.

ehr·lich·i·o·sis (er-lik′ē-ō′sis). エールリヒア症 (白血球寄生性リケッチアである*Ehrlichia*属による感染症. ヒトでは特に*Ehrlichia sennet-*

su による感染で，ロッキー山斑点熱に似た症状を呈する）.

Ehr·lich phe·nom·e·non エールリッヒ現象（抗毒素1単位をちょうど中和させるジフテリア毒素の量と，抗毒素1単位に加えて1致死量を遊離させるジフテリア毒素の量の差は，毒素1致死量よりも大きい．つまり毒素と抗毒素の中和混合物に対してその混合物を致死量にするには，1致死量以上の毒素を加えることが必要である．これは L_+ 投与量の基礎となる）.

Ehr·lich the·o·ry エールリッヒ説，エールリッヒ側鎖説（→side-chain theory）.

Ehr·lich tri·ac·id stain エールリッヒ三酸染色〔法〕（オレンジG，酸性フクシン，メチルグリーンの飽和溶液で，白血球の鑑別に用いる染色）.

Ehr·lich tri·ple stain エールリッヒ三重染料（インジュリン，エオシンY，アウランチアの混合液）.

EIA enzyme immunoassay; exercise-induced asthma の略.

Eich·horst cor·pus·cles アイヒホルスト小体（悪性貧血の変形赤血球血症にときにみられる赤血球の形）.

Eich·horst neu·ri·tis アイヒホルスト神経炎. = interstitial neuritis.

Eick·en meth·od アイケン法（喉頭探針で輪状軟骨を前方に引いて，下咽頭鏡検査を容易にする方法）.

ei·co·sa·noids (ī-kō'să-noydz). エイコサノイド（アラキドン酸由来の生理活性物質，すなわちプロスタグランジン類，ロイコトリエン類とトロンボキサン類をいう．カスケード経路により合成される）.

EIEC enteroinvasive *Escherichia coli* の略.

eighth cra·ni·al nerve［CN VIII］ 第八脳神経. = vestibulocochlear nerve.

Ei·ke·nel·la cor·ro·dens 非運動性，杆状，グラム陰性，通性嫌気性細菌の一種で，成人の口腔の正常菌叢の1つであるが，日和見病原体となることがあり，特に免疫不全の宿主において感染がある．HACEK group の一つ.

EIN employer identification number の略.

Ei·nar·son gal·lo·cy·a·nin-chrome al·um stain アイナーソンのガロシアニン-クロムミョウバン染色〔法〕（RNA と DNA をともに深青色に染める方法．適当なコントロールをとることにより，サイトフォトメトリ（細胞測光）を用いて，染色した細胞や核の核酸濃度を概算できる．Nissl 物質にも利用できる）.

ein·stein (īn'stīn). アインシュタイン（1モル量子に等しいエネルギー単位．6.0221367×10^{23} 量子．アインシュタイン値（単位 kJ）は波長に従属した値である）.

ein·stein·i·um (Es) (īn-stī'nē-ŭm). アインスタイニウム（人工の超ウラン元素．原子番号99，原子量252.0．多くの同位体があり，そのすべてが放射性である．^{252}Es はその中で最長の半減期，1.29年をもつことが知られている）.

Ein·tho·ven law アイントホーフェン（アイントーフェン）の法則（心電図で，第II誘導の波や棘波の電位は第I・第III誘導の電位の合計に等しい）.

Ein·tho·ven tri·an·gle アイントホーフェン（アイントーフェン）三角（その中心に心臓がくる想定上の正三角形．心電図の三標準肢誘導が3頂点としてつくられる）.

E.I. pro·gram = early intervention.

Ei·sen·men·ger com·plex アイゼンメンガー複合体（肺高血圧を伴う心室中隔欠損と，その結果，欠損部を通る左右短絡の併発．大動脈騎乗を伴う場合と，伴わない場合がある）.

Ei·sen·men·ger syn·drome アイゼンメンガー症候群（シャントの右側がより血圧が高いことにより，チアノーゼを生じる重大な右左シャントを伴う心不全．通常は，Eisenmenger 複合体により，右室肥大と拡張を伴う心室中隔欠損症，重症肺高血圧症，大動脈基部の位置異常による騎乗）.

e·jac·u·late (ē-jak'yū-lāt). ***1***〘v.〙射精する（精液を射出すること）. ***2***〘n.〙射精によって排出された精液. →ejaculation.

E

e·jac·u·la·ti·o (ē-jak'yū-lā'shē-ō). 射精. = ejaculation.

e·jac·u·la·tion (ē-jak'yū-lā'shŭn). 射精（性路と尿道の外部に向けて精液が噴出する過程で，内性器と坐骨海綿体と球部海綿体筋肉のリズミカルな収縮による．結果として内生殖腺と内尿道の精液の圧力が上昇して起こる）. = ejaculatio.

ejac·u·la·to·ry (ē-jak'yū-lă-tōr-ē). 射精の.

e·jac·u·la·to·ry duct 射精管（精管と精嚢の排出管の結合によってつくられ，尿道の前立腺部に開口する管）. = spermiduct(2).

e·jec·ta (ē-jek'tă). = ejection(2).

e·jec·tion (ē-jek'shŭn). ***1*** 駆出，拍出（内部から物理的に排出または放出する作用）. ***2*** 駆出物，放出物. = ejecta.

e·jec·tion frac·tion (EF) 駆出率（拡張終期に心室内（註ほとんどの場合，左心室）に存在する血液のうち，次の収縮に伴って心室より駆出される血液の割合）.

e·jec·tion mur·mur 駆出性雑音（大動脈弁または肺動脈弁の閉鎖による第2心音が始まる前に終わるダイヤモンド形の収縮期雑音．大動脈または肺動脈への血液駆出により生じる）.

e·jec·tion pe·ri·od 駆出期. = sphygmic interval.

eka- エカ（適当な公式名称が専門家によって与えられる以前，周期表の中の未発見または発見されたばかりの元素に付けられる接頭語．例えば，エカオスミウム（現在のプルトニウム））.

EKG electrocardiogram の略．ECG と略すほうが正確.

e·lab·o·ra·tion (ē-lab'ŏr-ā'shŭn). 綿密な仕上げ，加工（労働や研究によって念入りに仕上げること）.

elas·tance (ē-las'tăns). エラスタンス（①構造物の囲みの指標で，単位容積変化に対する圧変化で表す．コンプライアンスの逆数．②医学や生理学においては通常，膨張力または圧縮力を除いたとき，肺，膀胱，胆嚢などの空洞臓器が元に戻ろうとする傾向の程度を表す指標をい

う).

e·las·tase (ĕ-las′tās). エラスターゼ (エラスチンを加水分解するセリンプロテイナーゼ).

e·las·tic (ĕ-las′tik). ***1*** 〚adj.〛弾性の (圧縮, 曲げ, あるいはねじれを与えたとき, 初めの状態に戻ろうとする性質をいう). ***2*** 〚n.〛弾性材料 (矯正治療で, 歯を動かす主要なあるいは補助的な矯正力として用いられるゴムまたはプラスチックバンド. この語は, 力の方向の記録あるいは終末連結点の位置により, 通常, 形容詞によって修飾される).

e·las·tic ban·dage 弾力包帯, 弾性包帯 (伸縮性物質からなる包帯. 局所的に圧迫するのに用いる).

e·las·tic car·ti·lage 弾性軟骨 (硝子軟骨性の軟骨包に包まれた細胞と細胞の間の包間基質に, II 型膠原線維や基質物質に加えて弾性線維網が含まれている軟骨). = yellow cartilage.

e·las·tic fi·bers 弾性線維 (直径 0.2—2 μm の線維であるが, ある種の靱帯ではそれより太い. 分岐, 吻合して網目構造をつくり, 融合して有窓膜を形成する. この線維と膜は, 幅 10 nm の膠原細線維とエラスチンを含む無定形物質とからなる). = yellow fibers.

e·las·ti·cin (ĕ-las′ti-sin). エラスチシン, 弾力素. = elastin.

e·las·tic·i·ty (ĕ-las-tis′i-tē). 弾性.

e·las·tic la·mel·la 弾性層板, 弾性網 (弾性線維からなる薄板または薄膜).

e·las·tic lam·i·nae of ar·ter·ies 〔動脈の〕弾性板 (ⅰ外弾性板：中膜の平滑筋のすぐ外側をおおう弾性結合組織の層. ⅱ内弾性板：内膜の有窓性の弾性組織の層). = elastic layers of arteries.

e·las·tic lay·ers of ar·ter·ies 動脈の弾性膜. = elastic laminae of arteries.

e·las·tic mem·brane 弾性膜 (弾性結合組織からなり, 動脈壁の外側, その他に有窓層板として存在する).

e·las·tic tis·sue 弾性組織 (弾性線維が優位を占める結合組織の一型. 脊椎動物の黄色靱帯, 特に四足獣の項靱帯を構成する. 動脈壁, 気管支樹壁にもあり, また喉頭軟骨を連結する).

e·las·tin (ĕ-las′tin). エラスチン, 弾力素 (黄色で, 弾性のある, 線維性のムコ蛋白. 大血管や腱, 靱帯などの弾性構造の主な結合組織蛋白). = elasticin.

e·las·to·fi·bro·ma (ĕ-las′tō-fī-brō′mă). 弾性線維腫 (細胞数の少ない膠原性線維組織および弾性組織の成長の遅い非被包塊. 通常, 老年者の肩甲下脂肪組織に生じる).

e·las·toid de·gen·er·a·tion エラストイド変性 (①= elastosis(2). ②動脈壁の弾力性組織のヒアリン変性. 子宮の退縮の間にみられる).

e·las·to·ma (ĕ-las-tō′mă). 弾力線維腫 (弾力線維の腫瘍様の沈着).

e·las·to·sis (ĕ-las-tō′sis). 弾力線維症 (①弾性組織の変性. ②膠原線維が変性して弾性線維に似た染色性を示すようになること. = elastoid degeneration(1); elastotic degeneration).

e·las·tot·ic de·gen·er·a·tion 弾性症変性. = elastosis(2).

e·laun·in (ē-law′nin). エラウニン (オキシタラン線維間のエラスチン沈着物からできた弾性線維構成成分の 1 つ. 真皮, 特に汗腺付近の結合織にみられる).

el·bow (el′bō). ***1*** 肘, ひじ (肘関節をつくる上腕と前腕との間の上肢の部分で, 特に後方をさす). ***2*** 肘関節 (上腕と前腕との間の関節). = cubitus(1). ***3*** 屈曲位の肘関節に似ている L 字形の物体.

el·bow bone 尺骨. = olecranon.

el·bowed bou·gie 腕付きブジー (先端付近に鋭く角張った屈曲部をもつブジー).

el·bow joint 肘関節 (上腕骨と前腕骨の間の複合ちょうつがい関節. 腕橈関節と腕尺関節からなる). = cubital joint.

el·der a·buse 高齢者虐待 (その子供, 老人ホームのスタッフ, またはその他の人による, 高齢者に対する身体的または精神的虐待で, 経済的搾取を伴うこともある).

el·der·ly pri·mi·gra·vi·da 高年初産〔妊〕婦

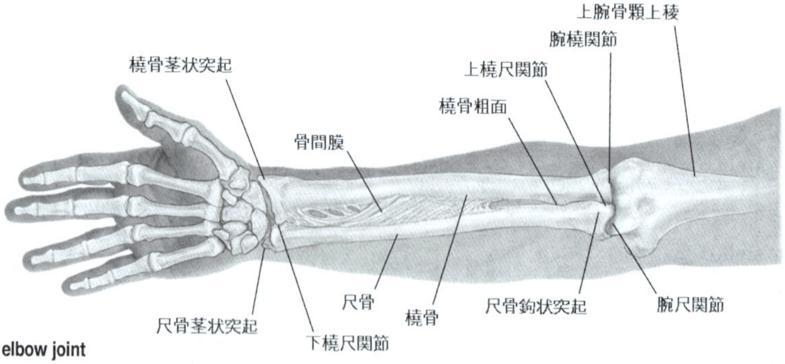
上腕骨顆上稜
腕橈関節
上橈尺関節
橈骨茎状突起
橈骨粗面
骨間膜
尺骨
橈骨
尺骨鉤状突起
腕尺関節
尺骨茎状突起
下橈尺関節

elbow joint

(初回妊娠が 35 歳以上の妊婦をさす旧語).

e-learn·ing (lĕrn′ing). e ラーニング（電子的な学習．医療教育のためにコンピューター技術を用いること）.

e·lec·tive a·bor·tion 人工妊娠中絶（医学的適応以外であるが合法的な中絶(米国におけるような実施)).

e·lec·tive mut·ism 選択的無言〔症〕（心因性の無言症).

e·lec·tive sur·ger·y 待機手術（生命維持に必要不可欠であったり緊急であったりしないにもかかわらず，患者が受けることを選んだ手術).

E·lec·tra com·plex エレクトラ・コンプレックス（小児期の発達過程における未解決の葛藤で，成長した女性の女性との関係に影響を与えるものを表現するために使う語).

e·lec·tri·cal al·ter·nans 電気的交代（心電図でみられる P 波，QRS 群や T 波の振幅の変化).

e·lec·tri·cal al·ter·na·tion of heart 心臓の電気的交代（心房または心室波群が，時間は規則正しいが形や大きさが交代する障害．心電図でみられる).

e·lec·tri·cal ax·is 電気軸（心臓が活動しているとき発生する起電力の総合した方向．通常は前額面に現れる).

e·lec·tri·cal burn 電気熱傷（5000°C 程度の熱をもつ電流の流れによって引き起こされる組織の損傷．流入部と流出部に生じた熱傷は見えるが，破壊された組織の多くは表面からは見えない).

e·lec·tri·cal di·as·to·le 電気的拡張期（心電図の T 波の終わりから次の Q 波の始まりまでの時期).

e·lec·tri·cal fail·ure 電気的不全（電気的刺激の障害により二次的に生じる心臓障害).

e·lec·tri·cal sys·to·le 電気的収縮期（Q 波の始まりから T 波の終わりまでの時間).

e·lec·tric shock 電気ショック，電撃，感電（体内を電流を通過した後の外傷的状態).

electro- 電気の，電気を意味する接頭語.

e·lec·tro·ac·u·punc·ture (ĕ-lek′trō-ak′yū-pungk-shŭr). 電気刺鍼術（電流源に針を接続して行う刺鍼術).

electroanaesthesia [Br.]. = electroanesthesia.

e·lec·tro·an·al·ge·si·a (ē-lek′trō-an-ăl-jē′zē-ă). 電気無痛〔法〕（電流を通すことによって引き起こされる無痛).

e·lec·tro·an·es·the·si·a (ē-lek′trō-an-es-thē′zē-ă). 電気麻酔〔法〕. = electroanaesthesia.

e·lec·tro·car·di·o·gram (ECG, EKG) 心電図（心電計によって得られる心臓全体を総合した活動電流の図形記録で，電位差の時間経過で示される).

e·lec·tro·car·di·o·graph (ĕ-lek′trō-kahr′dē-ō-graf). 心電計（心臓を通過する電流の電位を記録する器械).

e·lec·tro·car·di·og·ra·phy (ĕ-lek′trō-kahr-dē-og′ră-fē). ***1*** 心電図記録〔法〕（心臓の拍動直前に心筋を通る電流を記録する方法). ***2*** 心電図検査〔法〕（心電図を研究，解読すること).

e·lec·tro·cau·ter·i·za·tion (ĕ-lek′trō-kaw′tĕr-ī-zā′shŭn). 電気焼灼（高周波電流による組織焼灼または電気的に加熱された金属による焼灼).

e·lec·tro·cau·ter·y (ĕ-lek′trō-kaw′tĕr-ē). 電気メス（組織の局所領域に高周波電流を伝える器械).

e·lec·tro·ce·re·bral si·lence (ECS) 電気脳沈黙（対称的に置かれた電極対で測定し，脳活動がない脳波．そのような記録が臨床的に脳死である成人で 30 分以上とれ，薬物中毒，低体温，最近の低血圧が除外されれば，脳死の診断が支持される). = flat electroencephalogram.

e·lec·tro·chem·i·cal (ĕ-lek′trō-kem′i-kăl). 電気化学の（電気およびその作用が関与する化学的反応についていう).

e·lec·tro·che·mo·ther·a·py (ECT) (ĕ-lek′trō-kē′mō-thār′ă-pē). 電気化学療法（皮膚の基底細胞癌の治療に用いられる抗癌療法．ブレオマイシン硫酸塩と化学療法薬の組み合わせを腫瘍に直接注入し，直後に電気刺激を電極を通して病変へと実施する．外科的切除の代わりとなるこの療法は，98%の有効性を実証している).

e·lec·tro·co·ag·u·la·tion (ĕ-lek′trō-kō-ag′yū-lā′shŭn). 電気凝固〔法〕（電気焼灼による凝固).

e·lec·tro·co·chle·o·gram (ĕ-lek′trō-kok′lē-ō-gram). 蝸電図（蝸電図検査によって得られた反応記録).

e·lec·tro·co·chle·og·ra·phy (ĕ-lek′trō-kok-lē-og′ră-fē). 蝸電図検査〔法〕（音刺激の結果として内耳に発生する電位の測定).

e·lec·tro·con·trac·til·i·ty (ĕ-lek′trō-kon-trak-til′i-tē). 電気収縮性（電気刺激に対して反応する筋組織の収縮力).

e·lec·tro·con·vul·sive (ĕ-lek′trō-kŏn-vŭl′siv). 電気痙攣の（電気刺激に対する痙攣反応についていう. →electroshock therapy).

e·lec·tro·con·vul·sive ther·a·py (ECT, ECVT) 電気痙攣療法. = electroshock therapy.

e·lec·tro·cor·ti·co·gram (ĕ-lek′trō-kōr′ti-kō-gram). 皮質脳波，皮質電図（大脳皮質から直接誘導された電気活動の記録).

e·lec·tro·cor·ti·cog·ra·phy (ĕ-lek′trō-kor′ti-kog′ră-fē). 皮質脳波記録〔法〕，皮質脳波検査〔法〕（大脳皮質の上に直接置かれた電極により，大脳皮質の電気活動を記録する方法).

e·lec·trode (ĕ-lek′trōd). 電極，〔電〕導子（①電気回路の 2 つの末端を表示する装置．電池の 2 つの極，あるいはそこへ連結された導体の末端．②特別の電気化学反応のために案出された電気の端子).

e·lec·trode cath·e·ter ab·la·tion 電極カテーテル焼灼法（不整脈の発生部位または伝導路を焼灼して治療する方法で，高エネルギーの電流を心内カテーテルに通電する).

e·lec·tro·der·mal (ĕ-lek′trō-dĕr′măl). 皮膚の電気的性質についていう．通常，抵抗の変化をいう.

e·lec·tro·der·mal au·di·om·e·try 皮膚電気反応聴力検査（電気生理学的聴力検査の 1 つ.

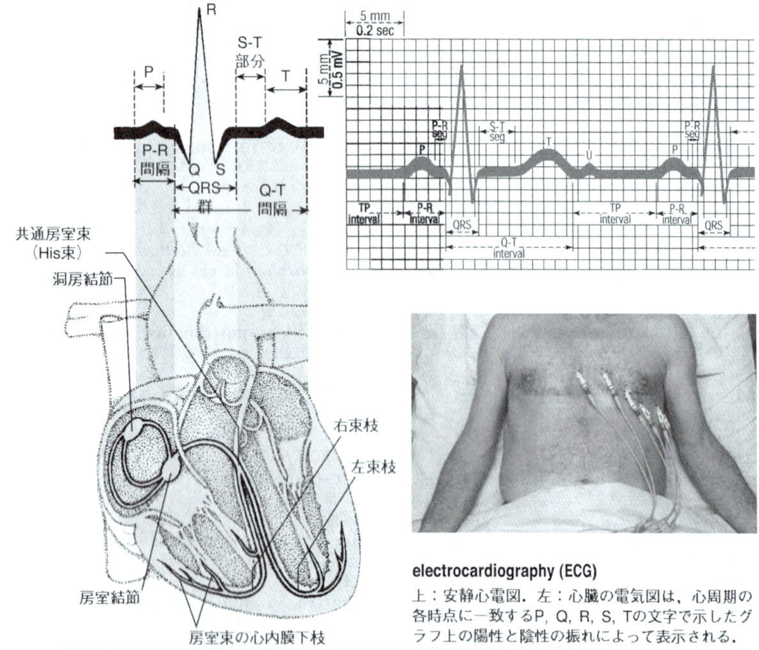
R
P
S-T
部分
T
P-R
間隔
Q
S
QRS
群
Q-T
間隔
共通房室束
(His束)
洞房結節
右束枝
左束枝
房室結節
房室束の心内膜下枝
5 mm
0.2 sec
5 mm
0.5 mV
P-R seg
S-T seg
U
TP interval
P-R interval
QRS
Q-T interval

electrocardiography (ECG)
上：安静心電図．左：心臓の電気図は，心周期の各時点に一致するP, Q, R, S, Tの文字で示したグラフ上の陽性と陰性の振れによって表示される．

雑音刺激に対する条件反応のような，皮膚抵抗の変化を測定することにより聴力閾値を測定するのに用いられる）．

e·lec·tro·des·ic·ca·tion (ĕ-lek′trō-des-i-kā′shŭn)．電気乾燥〔法〕，電気乾固〔法〕（単極性高周波電流によって病変を破壊したり，血管を閉鎖したりすること．通常，皮膚に用いるが，粘膜に対しても用いられる）．

e·lec·tro·di·ag·no·sis (ĕ-lek′trō-dī-ăg-nō′sis)．電気診断〔法〕（①診断目的に電気装置を用いること．②協定では，筋電図検査室で行われる検査．すなわち神経伝導速度検査と針筋電図検査(EMG proper)．= electroneurography．③電気作用に対する変化を観察し疾患の特性を調べること）．= evoked electromyography．

e·lec·tro·di·ag·nos·tic me·di·cine 電気診断医学（特別に訓練を受けた医師が病歴や診療のほか，生物学的電気ポテンシャルの記録や分析などの科学的方法を神経筋疾患の診断や治療に用いる診療の特別分野）．

e·lec·tro·di·al·y·sis (ĕ-lek′trō-dī-al′i-sis)．電気透析（電場でイオンが高分子および粒子から離れること）．

e·lec·tro·en·ceph·a·lo·gram (EEG) (ĕ-lek′trō-en-sef′ă-lō-gram)．脳波（脳波計による記録）．

e·lec·tro·en·ceph·a·lo·graph (ĕ-lek′trō-en-sef′ă-lō-graf)．脳波計（頭皮に付着した電極から導出した脳の電位に記録する記録器）．

e·lec·tro·en·ceph·a·lo·graph·ic dys·rhyth·mi·a 脳波律動異常（全体的に不規則な脳波）．

e·lec·tro·en·ceph·a·log·ra·phy (EEG) (ĕ-lek′trō-en-sef′ă-log′ră-fē)．脳波記録〔法〕，脳波検査〔法〕（脳波計による脳電位の記録法）．

e·lec·tro·en·dos·mo·sis (ĕ-lek′trō-en-dos-mō′sis)．電気浸透（電場により生じる内方浸透）．

e·lec·tro·gas·tro·gram (ĕ-lek′trō-gas′trō-gram)．胃筋電図（胃筋電計により記録されたもの）．

e·lec·tro·gas·tro·graph (ĕ-lek′trō-gas′trō-graf)．胃筋電計（胃筋電図記録に用いる器械）．

e·lec·tro·gas·trog·ra·phy (ĕ-lek′trō-gas-trog′ră-fē)．胃筋電図記録〔法〕，胃筋電図検査〔法〕（胃液分泌，胃の運動性に付随する電気現象を記録すること）．

e·lec·tro·glot·to·graph (ĕ-lek′trō-glot′ō-graf)．電気グロトグラム（喉頭の表皮両側に設置された2つの電極間のインピーダンスを測定するための装置．声帯が閉鎖するとインピーダンスは減少する．そのため，声門の開閉のサイ

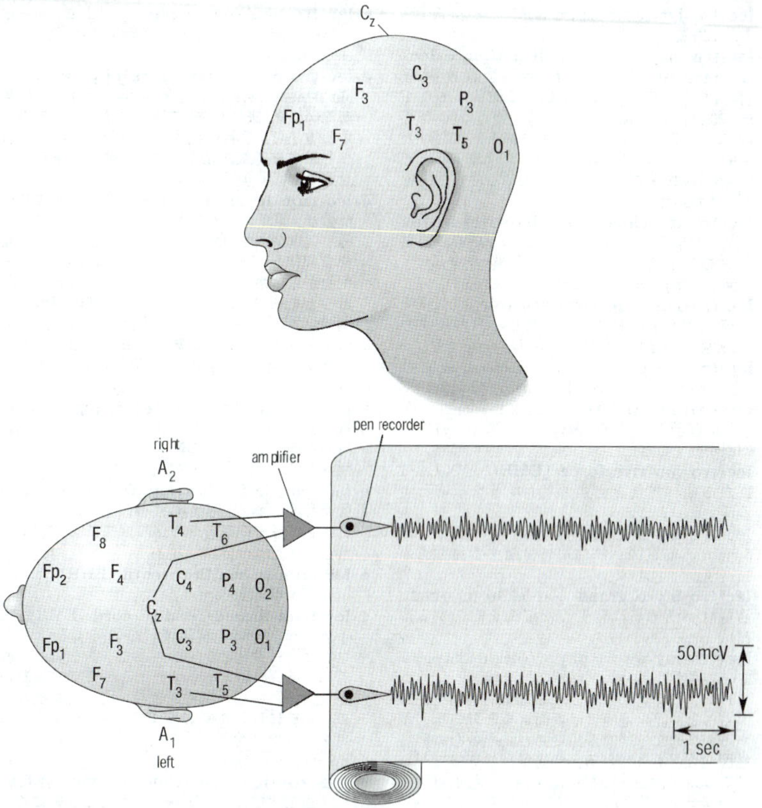
Cz
C3
F3
P3
Fp1
T3
F7
T5
O1
pen recorder
right
A2
amplifier
F8
T4
T6
Fp2
F4
C4
P4
O2
Cz
Fp1
F3
C3
P3
O1
50 mcV
F7
T3
T5
A1
left
1 sec

standard positions for the placement of EEG electrodes

A：耳，C：中心，Cz：頭頂，F：側頭（前部），Fp：前頭，O：後頭，P：頭頂，T：側頭（後部）．各電極対からの信号はアンプに送られ，頭皮上の2点での電位差を測定する．アンプからの出力がペンを駆動し，またコンピュータのメモリーに記録されることもある．

クルを記録することができる）．

e·lec·tro·gram (ĕ-lek′trō-gram)．電位図（①電気事象によってつくられた，紙あるいはフイルム上の記録．②電気生理学において，単極あるいは双極誘導により表面から直接にとられた記録）．

electrohaemostasis [Br.]. = electrohemostsis.

e·lec·tro·he·mo·sta·sis (ĕ-lek′trō-hē-mos′tă-sis)．電気止血〔法〕（電気焼灼による止血）．= electrohaemostasis.

e·lec·tro·hy·drau·lic shock wave lith·o·trip·sy (ESWL) 電気水圧衝撃波砕石術（超音波変換装置を介して経皮的に衝撃波を当てることにより，結石（尿路その他）を砕石する術式）．

e·lec·tro·im·mu·no·dif·fu·sion (ĕ-lek′trō-im′yū-nō-di-fyū′zhŭn)．電気免疫拡散法，免疫電気泳動法（免疫化学的方法で，電気泳動的分離方法と支持体中への抗体分子の拡散という免疫拡散法とを組み合わせたもの）．

e·lec·tro·lar·ynx (ĕ-lek′trō-lar′ingks)．電気喉頭．= artificial larynx.

e·lec·trol·y·sis (ĕ-lek-trol′i-sis)．電〔気分〕解〔法〕（①電流を用いた塩，その他の化学成分の分解．② Galvani 電流によるある種の毛包の破壊）．

e·lec·tro·lyte (ĕ-lek′trō-līt)．電解質（①溶液や溶融状態で電導性を与え，それにより分解（電解）する化合物の総称．②溶液中でイオン化する物質）．

e·lec·tro·lyt·ic (ĕ-lek′trō-lit′ik). 電〔気分〕解の，電解質の.

e·lec·tro·mag·ne·tic ra·di·a·tion, e·lec·tro·mag·ne·tic spec·trum 電磁放射線（物質または空間を通して伝わる波状エネルギー. 波長，振動数，光子エネルギー，および特性においてはかなり様々である. 天然または人工的なものがあり，電波，マイクロ波，可視光線，紫外線，X 線，ガンマ線，および宇宙放射線が含まれる）.

e·lec·tro·me·chan·i·cal dis·so·ci·a·tion 電気機械解離（機械的収縮を伴わない心臓の電気活動の持続. しばしば心破裂の徴候を示す）. = pulseless electrical activity.

e·lec·tro·mech·an·i·cal sys·tole 電気機械収縮（QRS 群の初めから，第 2 心音の最初の（大動脈の）振動までの期間）. = QS_2 interval.

e·lec·trom·e·ter (ĕ-lek-trom′ĕ-ter). 電位計（電力供給源の起電力（電位）を計測する装置）.

e·lec·tro·mo·til·i·ty (ĕ-lek′trō-mō-til′i-tē). 電気的運動性（電気刺激によって蝸牛の外有毛細胞が動くこと）.

e·lec·tro·mo·tive force (EMF) 起電力（1 点から他へ電気を流す力. ボルトを単位とする）.

e·lec·tro·my·o·gram (EMG) (ĕ-lek′trō-mī′ō-gram). 筋電図（筋作用に付随する体電流の描画図）.

e·lec·tro·my·o·graph (ĕ-lek′trō-mī′ō-graf). 筋電計（活動筋に発生した電流を記録する器械）.

e·lec·tro·my·og·ra·phy (ĕ-lek′trō-mī-og′ră-fē). 筋電図記録〔法〕，筋電図検査〔法〕（①診断を目的として筋から発生する電気的活動を記録すること. 記録電極には表面電極と針電極とがあるが，通常は後者が用いられ，そのため針筋電図検査ともよばれる. ②筋電図検査室で行われる全電気診断法の総括的用語で，針筋電図検査のみでなく神経伝導速度検査も含む）.

e·lec·tron (β −) (ĕ-lek′tron). 電子，β^- 線（負の電荷をもつ原子を構成する粒子で，正の電荷をもつ核の周りの殻とよばれるいくつかのエネルギーレベルの軌道上の 1 つを旋回する. 質量は，陽子の 1/1836.15 と推定される. 放射線物質の原子核内から放出される電子は，β 粒子とよばれる）.

e·lec·tro·nar·co·sis (ĕ-lek′trō-nahr-kō′sis). 電気麻酔〔法〕（電流の使用によって痛覚を消失させること）.

e·lec·tron beam to·mog·ra·phy (EBT) 電子ビーム断層撮影法（X 線管が環状運動するコンピュータ断層撮影は，環状の金属ターゲット（陽極）に向かう陰極からの光線が急速に電気的にポジショニングされる方式によって取って代わられ，数十ミリ秒で完全なスキャンが可能になった）.

e·lec·tro·neg·a·tive (ĕ-lek′trō-neg′ă-tiv). 電気陰性〔の〕（①陰電気に関する，あるいは陰電気を帯びた. ②非荷電原子が電子付加により陰イオン化する傾向をもつ元素，例えば，酸素，フッ素，塩素などについていう）.

e·lec·tro·neu·rog·ra·phy (ĕ-lek′trō-nūr-og′ră-fē). 神経電気記録〔法〕，神経電気検査〔法〕. = electrodiagnosis (2).

e·lec·tro·neu·ro·my·og·ra·phy (ĕ-lek′trō-nūr′ō-mī-og′ră-fē). 神経筋電図記録〔法〕，神経筋電図検査〔法〕（末梢神経における変化を測定する方法で，筋電図検査と，筋からの線維と筋へと線維を運ぶ神経幹への電気刺激を組み合わせることにより行う）.

e·lec·tron·ic cell count·er 〔電子〕自動血球計数器，電子細胞計数器（自動血球計数器の一種. 細胞が小さい穴を通過するときの抵抗の変化を利用して電圧信号として計数するものや，細胞が流体系を通過するときの光の方向を変えることを利用したものがある. 一部の型の計数器は，各々の検体について同時に多項目（例えば，白血球数，赤血球数，ヘモグロビン，ヘマトクリット，赤血球恒数）を測定することができる）.

e·lec·tron·ic da·ta in·ter·change (EDI) 電子データ交換（医療情報サービスにおいては，送り手側と受け手側の両方が使用可能なフォーマットで，患者のデータを供給すること）.

e·lec·tron·ic funds trans·fer (EFT) 電子資金移動（ある口座から別の口座への資金の自動振込. 医療従事者への保険償還によく利用される）. = automated deposit.

e·lec·tron·ic health re·cord (EHR) = electronic medical record.

e·lec·tron·ic med·i·cal re·cord (EMR) 電子カルテ（患者の健康情報を保持するための，コンピュータ化（電子化）されたシステム. 一般的に，患者の訴えや前病歴，これまでの診断検査や治療といった情報を含む. 伝統的な紙媒体のカルテに代わり使用されている. データへのアクセスやアップデートは簡単である）. = electronic health record.

e·lec·tron·ic re·mit·tance ad·vice (ERA) 電子送金通知書（電子送付された請求書に対する健康保険会社からの支払説明書）.

e·lec·tron mi·cro·scope 電子顕微鏡（光の代わりに可視光線より数千倍短い波長の電子線を利用する顕微鏡. 大きな分解能と倍率が得られる. 直視も写真撮影も可能. この装置では，電子線は，真空中で保存され，包埋・脱水した材料の非常に薄い切片を通ることになる）.

e·lec·tron ra·di·og·ra·phy 電子放射線撮影〔法〕（投射 X 線を受像装置で潜在像に変え，その後特別の印画工程で現像する放射線写真画像工程）.

e·lec·tron spin res·o·nance (ESR) 電子スピン共鳴（電子スピンおよび磁気モーメントの測定に基づいて，有機反応や生体系でのフリーラジカルを同定し定量するための分析法）.

e·lec·tron trans·port 電子伝達（好気性（酸化的）代謝における最終共通経路）.

e·lec·tron-volt (EV, ev) 電子ボルト，エレクトロンボルト（1 V の電位差によって 1 個の電子に加えられるエネルギー. CGS 単位系では 1.60218×10^{-12} エルグ，国際単位系（SI）では 1.60218×10^{-19} ジュール）.

e·lec·tro·nys·tag·mog·ra·phy (ENG) (ĕ-lek′trō-nis-tag-mog′ră-fē). 電気眼振記録〔法〕(電気眼球図記録に基づく眼振記録法. 皮膚電極は水平位眼振を記録する際は外眼角に, 垂直眼振の際は眼の上下に置かれる).

e·lec·tro·oc·u·lo·gram (ĕ-lek′trō-ok′yū-lō-gram). 電気眼球図, 眼電図, 眼球電位図 (電気眼球図記録における電流の記録).

e·lec·tro·oc·u·log·ra·phy (EOG) 電気眼球図記録〔法〕, 眼電図記録〔法〕(眼の動きに伴う眼球前後の起立電位の変化を測定するために, 眼に隣接した皮膚に置かれた電極を用いる眼球図記録. 網膜色素上皮機能不全検出のための感性電気テスト).

e·lec·tro·ol·fac·to·gram (EOG) 嗅電図 (嗅上皮で記録される匂刺激により発生する陰性電位変動).

e·lec·tro·pher·o·gram (ĕ-lek′trō-fer′ō-gram). 電気泳動図, エレクトロフェログラム (電気泳動によって分離された物質を濾紙または類似の多孔性の紙によって得られた濃度または比色の図. その紙自体についていうこともある). = electrophoretogram.

e·lec·tro·phil, e·lec·tro·phile (ĕ-lek′trō-fil, -fīl). ***1*** 〖n.〗 求電子〔体〕, 親電子〔体〕(有機反応における電子誘導原子あるいは作用因子. *cf.* nucleophil). ***2*** 〖adj.〗 求電子〔性〕の, 親電子〔性〕の. = electrophilic.

e·lec·tro·phil·ic (ĕ-lek′trō-fil′ik). = electrophil (2).

e·lec·tro·pho·re·sis (ĕ-lek′trō-fōr-ē′sis). 電気泳動 (電場で, 陽極あるいは陰極へ向かう粒子の運動. →electropherogram). = ionophoresis; phoresis (1).

e·lec·tro·pho·ret·ic (ĕ-lek′trō-fōr-et′ik). 電気泳動の. = ionophoretic.

e·lec·tro·pho·ret·o·gram (ĕ-lek′trō-fōr-et′ō-gram). = electropherogram.

e·lec·tro·phren·ic res·pi·ra·tion 横隔神経電気刺激呼吸 (横隔神経の運動点上の皮膚に置かれた電極による横隔神経の律動的な電気的刺激. 急性延髄性灰白髄炎による呼吸中枢の麻痺に用いる).

e·lec·tro·por·a·tion ther·a·py (EPT) 電気穿孔療法 (ヒトの細胞に孔を開けるために電場を使用することを含む, 探索的治療. 遺伝子または医薬品の細胞への導入を, より簡単で効果的なものにする方法).

e·lec·tro·ret·i·no·gram (ERG) (ĕ-lek′trō-ret′i-nō-gram). 網膜電位図, 網電図, エレクトロレチノグラム (適正な光の刺激により網膜に生じる活動電流を記録すること).

e·lec·tro·ret·i·nog·ra·phy (ĕ-lek′trō-ret′i-nog′ră-fē). 網膜電図記録〔法〕, 網膜電図検査〔法〕(網膜活動電流を記録または解読すること).

e·lec·tro·scis·sion (ĕ-lek′trō-sizh′ŭn). 電気切断 (電気メスを用いた組織の切断).

e·lec·tro·shock (ĕ-lek′trō-shok′). 電気ショック (→electroshock therapy).

e·lec·tro·shock ther·a·py (EST) 電気ショック療法 (脳内へ電流を流して痙攣を起こす, 精神障害の一療法). = electroconvulsive therapy.

e·lec·tro·stat·ic bond 静電結合 (原子間あるいは正負の電荷(場合によっては一方の電荷)を帯びた集団間の結合).

e·lec·tro·sur·gery (ĕ-lek′trō-sŭr′jĕr-ē). 電気外科 (金属器械または針を用い, 高周波電流を局所的に使用して行う組織の切断. →electrocautery).

e·lec·tro·tax·is (ĕ-lek′trō-tak′sis). 電気走性, 走電性 (陽極あるいは陰極に対する動植物の原形質の反応. →tropism). = electrotropism.

e·lec·tro·ther·a·peu·tics, e·lec·tro·ther·a·py (ĕ-lek′trō-thār′ă-pyū′tiks, ĕ-lek′trō-thār′ă-pē). 電気治療学, 電気療法 (病気治療に電気を使用すること).

e·lec·tro·ton·ic (ĕ-lek′trō-ton′ik). 電気緊張〔性〕の.

e·lec·trot·o·nus (ĕ-lek-trot′ō-nŭs). 電気緊張 (定電流の通過によって, 神経細胞あるいは筋細胞の興奮・伝導性が変化すること).

e·lec·trot·ro·pism (ĕ-lek-trot′rō-pizm). = electrotaxis.

e·lec·tro·vi·bra·to·ry mas·sage 電気振動マッサージ (電気振動装置を使用するマッサージ).

e·le·i·din (ĕ-lē′i-din). エライジン (手掌足底の表皮の透明層の細胞に存在する染色性の低い屈折性のケラチン).

el·e·ment (el′ĕ-mĕnt). ***1*** 元素 (1種類だけの原子からなる物質, すなわち固有原子(陽子)番号をもつもの. それゆえ2種以上の物質に分解できず, また他の元素との結合あるいは陽子番号を変える核反応によってのみその化学的性質が失われる). ***2*** 要素 (不可分の構造物または実在). ***3*** 染色体外因子のように, 細菌自身の遺伝子とは独立に存在する遺伝的機能因子で, これは外因性であることが多い.

el·e·men·ta·ry gran·ule 基本顆粒 (血じんの一粒子).

el·e·men·ta·ry par·ti·cle ***1*** 血小板. = platelet. ***2*** 基本粒子 (ミトコンドリアのクリスタのマトリックス側の表面に生じる単位の1つ. 基本粒子は電子伝達系に関与すると考えられる).

eleo- 油脂に関する連結形. →oleo-.

el·e·phan·ti·ac, el·e·phan·ti·as·ic (el′ĕ-fan′tē-ak, el′ă-fan′tē-as′ik). 象皮病の.

el·e·phan·ti·a·sis (el′ĕ-fan-tī′ă-sis). 象皮病 (皮膚および皮下組織の肥厚, 浮腫, 線維化といった病変が下肢および外陰部に生じ, 陰嚢水腫や患肢の肥大をきたす. 通常は, 長年にわたるリンパ管の閉塞が原因であり, バンクロフト糸状虫 *Wuchereria bancrofti*, マレー糸状虫 *Brugia malayi* といったフィラリア虫の感染後, 年余を経て二次性の細菌感染や真菌感染に伴って発症する例が最多である).

el·e·phan·ti·a·sis scro·ti 陰嚢象皮病 (慢性のリンパ管閉塞の結果として陰嚢が茶色っぽくはれる). = chyloderma.

el·e·phant man dis·ease ***1*** = Proteus syndrome. ***2*** = neurofibromatosis.

E

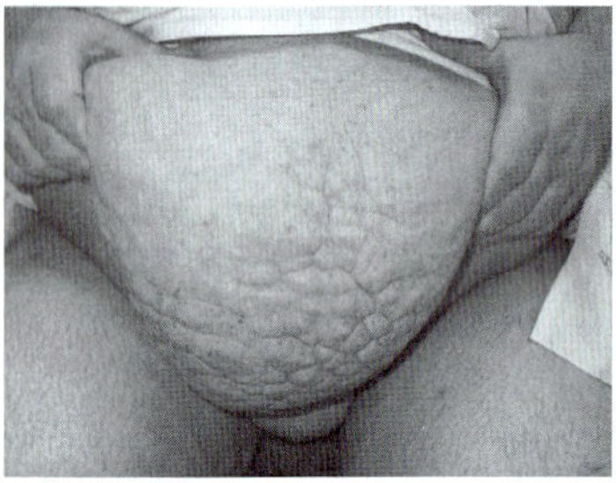

elephantiasis

el·e·phan·toid fe·ver 象皮病様熱（地方病性象皮病(フィラリア症)の初期の特徴であるリンパ管炎と発熱）.

el·e·va·tion (el′ĕ-vā′shŭn). = torus(2).

el·e·va·tion res·o·lu·tion = azimuth resolution.

el·e·va·tor (el′ĕ-vā-tŏr). エレベータ，梃子（①頭蓋骨折における陥没骨片などの陥没部分をてこの作用を用いて整復するための器具．または骨に付着する組織を骨から持ち上げる器具．②鉗子の使用が困難な歯や歯根を，脱臼させて抜歯したり，鉗子使用の準備として歯や歯根を脱臼させる，てこを応用した外科用器具）.

el·e·va·tor mus·cle of rib 肋骨挙筋. = levatores costarum muscles.

el·e·va·tor mus·cle of scap·u·la = levator scapulae muscle.

el·e·va·tor mus·cle of soft pal·ate = levator veli palatini muscle.

el·e·va·tor mus·cle of up·per eye·lid 上眼瞼挙筋. = levator palpebrae superioris muscle.

e·lev·enth cra·ni·al nerve［CN XI］ 第十一脳神経. = accessory nerve.

el·fin fa·cies syn·drome 妖精様顔〔貌〕症候群. = Williams syndrome.

e·lim·i·na·tion (ĕ-lim′i-nā′shŭn). 排泄，解毒，除去，排除，放出（身体から廃棄物を除去すること．物を取り除くこと）.

e·lim·i·na·tion di·et 除外食（食物のどの成分が患者のアレルギー発現の原因となるかをみつけるよう工夫された食事．患者に敏感な食品目を食事から除外し，症状の原因がみつかるまで続けられる）.

ELISA (e-lē′să). enzyme-linked immunosorbent assay の略.

elix. elixir の略.

e·lix·ir (elix.) (ĕ-lik′sĭr). エリキシル〔剤〕（経口用の透明で甘味のヒドロアルコール性液体．香味物質を含み，賦形剤としてあるいは有効薬剤の治療効果のために用いる）.

El·li·ot op·er·a·tion エリオット手術（緑内障の緊張を緩和するために行う強角膜縁の眼球管錐術）.

El·li·ot po·si·tion エリオット体位（腹部手術を容易にするために用いる．2 斜面または 1 斜面の手術台の上に背位で寝て，クッションを肝臓の位置で背中に置く）.

El·li·ott law エリオットの法則（アドレナリンは交感神経線維に支配される組織や器官に作用する）.

el·lip·soid joint 楕円関節（変化した球関節で，関節表面が細長または楕円体となっている．二軸性関節，すなわち互いに直角な運動軸を 2 つもつ）. = condylar joint.

el·lip·tic am·pu·ta·tion 楕円状切断〔術〕（環状切断で，小刀の動きが肢の軸に対して正確に垂直でないために，切断面の外郭が楕円形になるもの）.

el·lip·to·cyte (ē-lip′tō-sīt). 楕円赤血球（通常，円口目以外の下等脊椎動物にみられる楕円形の赤血球．哺乳類では，通常はラクダ(ラクダ科)にのみ発生する．したがってラクダ細胞 cameloid cell ともいう）. = ovalocyte.

el·lip·to·cy·to·sis (ē-lip′tō-sī-tō′sis). 楕円赤血球症（遺伝性の造血異常で，赤血球の 50—90％は杆状および楕円球状である．しばしば溶血性貧血を伴う）. = ovalocytosis.

El·oes·ser flap エレッサー皮弁（膿胸の長期ドレナージを目的として，外科的に作製された皮弁でつくった開放性の管．多くは肺切除後に行われる）.

e·lon·ga·tion (ē-lon-gā′shŭn). エロンゲーション（放射線学において，画像が実際より長く現れる X 線撮影上のゆがみ．不十分な垂直角形成によって起こる）.

e·lon·ga·tion fac·tor 延長因子（蛋白生合成中のペプチド鎖の延長反応を触媒する蛋白）. = transfer factor(3).

Els·berg syn·drome エルスバーグ症候群（性器ヘルペスに伴う神経機能障害が引き起こす急性尿閉）.

El·schnig spots エルシュニッヒ斑〔点〕（重症の高血圧性網膜症で，検眼鏡で見られる孤立した淡黄色または淡赤色の絨毛模様の斑点．色素斑点を伴う）.

el·u·ant (el′yū-ănt). 溶出される物質.

el·u·ate (el′yū-āt). 溶離液，溶出液（クロマトグラフィにおいてカラムまたは濾紙から出てくる溶液. →elution）.

el·u·ent (el′yū-ĕnt). 溶離液，溶出剤（クロマトグラフィの移動相. →elution）. = developer (2).

e·lute (ē-lūt′). 溶離する，溶出する.

e·lu·tion (ē-lū′shŭn). ***1*** 溶離，溶出（洗浄により，ある固体を他の固体から分離すること）. ***2*** 溶離，溶出（クロマトグラフィのカラムのように，適当な溶剤を用いて，その溶剤に不溶の物質から溶解する物質を除去すること）. ***3*** 溶離（赤血球表面に吸収された抗体の除去）.

E·ly sign エリー徴候（大腿神経が刺激されている状態，大腿外側の拘縮，または大腿直筋の短縮を示す指標．患者が腹臥位でふくらはぎを大腿につけるよう膝屈曲した際に，殿筋が収縮するとともに股関節が外転すれば陽性である）.

elytro- 腟を意味する語. →colpo-; vagino-.
E/M evaluation and management の略.
em- →en-.
EMA epithelial membrane antigen の略.
e·ma·ci·a·tion (ĕ-mā′shē-ā′shŭn). るいそう, やせ (極端に肉がなくなり, 異常にやせ細ること). = wasting(1).
em·a·na·tion (em′ă-nā′shŭn). 発散, エマナチオン, エマネーション (①あるものから流出, または放射される物質. ②ある種の放射性元素から発散する放射性気体).
e·man·ci·pat·ed mi·nor 自立した未成年 (裁判所の命令や結婚, 兵役, または子どもの誕生により, 成人として扱われる権利を法的に与えられた未成年者).
e·mas·cu·la·tion (ē-mas′kyū-lā′shŭn). 完全去勢〔術〕, 除勢, 全去〔勢〕術 (精巣または陰茎の除去による男性の去勢).
EMB eosin-methylene blue の略. → eosin-methylene blue agar.
em·balm (em-bahlm′). 防腐処置を施す (死体を腐敗させないために, バルサムまたは他の化学薬品で処理する).
Emb·den-Mey·er·hof path·way エンブデン–マイアーホフ経路 (D–グルコース(筋肉で最も著明である)が乳酸に変わる嫌気的解糖経路. *cf.* glycolysis).
em·bo·le (em′bō-lē). ***1*** 脱臼整復. ***2*** エンボリ (陥入して原腸胚が形成されること). = emboly.
em·bo·lec·to·my (em′bō-lek′tŏ-mē). 塞栓切除〔術〕, 塞栓摘出〔術〕.
em·bo·li (em′bō-lī). embolus の複数形.
em·bol·ic (em-bol′ik). 塞栓〔症〕の.
em·bol·i·form nu·cle·us 栓状核 (歯状核と室頂核の間にある, 小脳の中心白質内の小さな楔形の塊. 小脳皮質中間域の Purkinje 細胞の軸索を受ける. この核の細胞の軸索は上小脳脚から小脳を出ていく). = embolus(2).
embolisation [Br.]. = embolization.
em·bo·lism (em′bŏ-lizm). 塞栓症 (塞栓によって血管が閉鎖あるいは閉塞されること).
em·bo·li·za·tion (em′bol-ī-zā′shŭn). 塞栓形成 (①循環血流中の塞栓形成および放出. ②治療上, 出血を止めたりあるいは血液の供給を遮断して構造物, 腫瘍, あるいは器官を失活させるために, あるいは動静脈奇形に対して血流量を減少させるために種々の物質を循環血液中に入れて血管を閉鎖すること). = embolisation.
em·bo·lo·la·li·a, em·bo·lo·phra·si·a (em′bō-lō-lā′lē-ă, em′bō-lō-frā′zē-ă). 冗語〔挿入〕症 (話すとき, 文中に無意味な言葉を挿入すること).
em·bo·lo·ther·a·py (em′bō-lō-thār′ă-pē). 塞栓術 (血管造影カテーテルを用いて, 凝血, ゲルフォーム, コイル, バルーンなどを挿入して動脈を閉塞すること. 手術のできない出血, 血管の多い悪性新生物の術前管理に用いられる).
em·bo·lus, pl. em·bo·li (em′bō-lŭs, -lī). ***1*** 塞栓, 栓子 (血管を閉鎖する栓で, 分離した血栓, ゆう(疣)腫, 細菌塊, その他の異物からなる). ***2*** 栓状核. = emboliform nucleus.

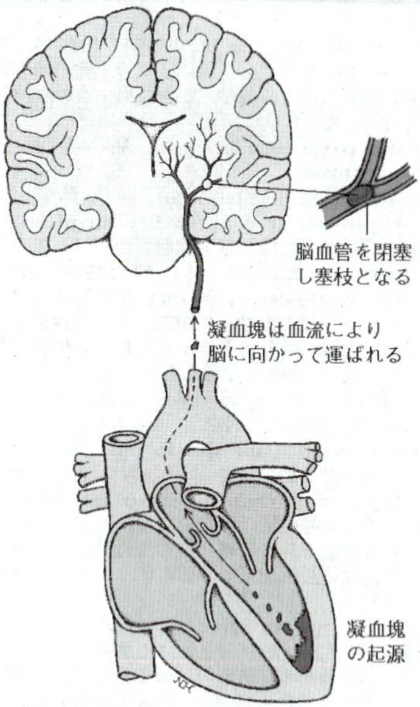
脳血管を閉塞
し塞枝となる
凝血塊は血流により
脳に向かって運ばれる
凝血塊
の起源
cerebral embolism

em·bo·ly (em′bō-lē). = embole(2).
em·bra·sure (em-brā′shŭr). 鼓形空隙 (歯科において, 外側または内側へ広がる空隙をいう. 特に, 隣接面接触点領域に接して頬側, 歯肉側, 舌側, あるいは切縁側へ広がる空隙).
em·bry·o (em′brē-ō). ***1*** 胚, 胚子 (発育初期の生物). ***2*** 胎芽 (ヒトでは, 受胎から2か月の終わりまでにあたる発育中の胎児をいう. この段階から出生までは一般に fetus(胎児)とよばれる). ***3*** 胚, 胚芽 (種子の中にある植物原基).
embryo- 胚, 胎芽に関する連結形.
em·bry·o·blast (em′brē-ō-blast). 胚結節 (胎児形成に関与する未分化胚極の細胞). = inner cell mass.
em·bry·o·car·di·a (em′brē-ō-kahr′dē-ă). 胎児心音, 胎児リズム, 胎児調律 (心音の調子が胎児のものと類似し, I 音, II 音が同質で等間隔なもの. 重篤な心筋障害の徴候である).
em·bry·o·gen·e·sis (em′brē-ō-jen′ĕ-sis). 胚形成 (出生前の発育期で, 胎児の体の特徴ができ上がる時期. ヒトでは, 胚形成は第2週の終わり, つまり胚盤ができる時期から第8週の終わりまでをいう. その後は胎児として扱われる).
em·bry·o·gen·ic, em·bry·o·ge·ne·tic (em′brē-ō-jen′ik, -jĕ-net′ik). 胚形成の.
em·bry·og·e·ny (em′brē-oj′ĕ-nē). 胚形成, 受胎.

em·bry·ol·o·gist (em′brē-ol′ō-jist). 胎生学者，発生学者.

em·bry·ol·o·gy (em′brē-ol′ŏ-jē). 胎生学，発生学（卵の受精から8週末までの生物の発生および発育に関する科学．ときに出生前の全段階を含んで使われる）.

em·bry·o·ma (em′brē-ō′mă). 胚芽腫. = embryonal tumor.

em·bry·o·nal (em′brē-ōn′ăl). 胚の，胎芽の.

em·bry·o·nal ar·e·a, em·bry·on·ic ar·e·a 胚〔子〕部，胎域（構成細胞層が肥厚している原条の一方，およびその真上にある胚原基）.

em·bry·o·nal car·ci·no·ma 胎生期癌（精巣あるいは卵巣の悪性新生物．細胞の境界が不明瞭で，大型の未分化細胞からなる．分化を示さない悪性奇形腫となる例もある）.

em·bry·o·nal leu·ke·mi·a 未分化細胞性白血病，胎生細胞性白血病. = stem cell leukemia.

em·bry·o·nal me·dul·lo·ep·i·the·li·o·ma 毛様体の胎生期髄〔様〕上皮腫. = dictyoma.

em·bry·o·nal rhab·do·my·o·sar·co·mas 胎児性横紋筋肉腫（子どもに現れる悪性腫瘍で，希少な横紋を伴う紡錘細胞の疎性結合組織から成り，骨格筋に加えて身体の多くの部分に発生する）.

em·bry·o·nal tu·mor, em·bry·on·ic tu·mor 胚芽腫（子宮内または出生直後の発育過程で器官原基痕跡あるいは未成熟組織から発生する通常は悪性の新生物．もとの器官あるいは組織の特徴を有する未熟な構造物を形成するが，まったく別な組織をつくることもある．本腫瘍には，神経芽細胞腫と Wilms 腫瘍が含まれるが，本名称は，後に現れるある種の新生物を含めても用いられる．この方法は，そのような腫瘍が胎生時組織遺残から発生するという考えに基づいている．→teratoma）. = embryoma.

em·bry·on·ic mem·brane = fetal membrane.

em·bry·on·ic pole 胚子極（胚結節と胚盤胞の栄養膜の間の隣接領域）.

em·bry·on·ic shield 胎盾（胎芽に生長する原始線条が現れる胚盤葉の肥厚部分）.

em·bry·on·i·za·tion (em′brē-ŏn-ī-ză′shŭn). 胚組織化，胎芽組織化（細胞または組織が胚（胎芽）様の細胞または組織に戻ること）.

em·bry·o·noid (em′brē-ō-noyd). 胚様の，胎芽様の，胎児様の.

em·bry·o·ny (em′brē-ō-nē). 胚子形成（胚子の形がつくられること）.

em·bry·o·path·ic cat·a·ract 胎児性白内障（風疹のような子宮内感染症による先天白内障）.

em·bry·op·a·thy (em′brē-op′ă-thē). 胚障害，胎児障害（胚または胎児に起こる病的な状態）. = fetopathy.

em·bry·o·plas·tic (em′brē-ō-plas′tik). 胚形成の（①胚を形成する要素となる．②胚の形成に関する）.

em·bry·ot·o·my (em′brē-ot′ŏ-mē). 切胎〔術〕，胎児切断〔術〕（娩出が自然の方法では不可能な場合，胎児を除去するための切断手術）.

em·bry·o·tox·ic·i·ty (em′brē-ō-tok-sis′i-tē). 胎芽毒性（胎芽死亡，発育遅延，あるいは機能的・器質的発達障害を生じる胎芽への傷害）.

em·bry·o·tox·on (em′brē-ō-tok′son). 胎生環（角膜辺縁にできる先天性の混濁部分）.

em·bry·o·troph (em′brē-ō-trōf). ***1*** 胚栄養（発育中に胚に与えられる栄養物質. *cf.* hemotroph）. ***2*** 有胎盤哺乳類の着床期において胚盤胞に隣接する液体．この液体は子宮腺の分泌物，子宮内膜への栄養芽層の侵入による細胞残屑および滲出血漿の混合物である.

em·bry·o·tro·phic (em′brē-ō-trō′fik). 胚栄養の.

em·bry·ot·ro·phy (em′brē-ot′rŏ-fē). 胚栄養.

E&M codes Evaluation and Management codes の略.

e·med·ul·late (ē-med′yū-lāt). 骨髄を摘出する.

e·mei·o·cy·to·sis (ē′mē-ō-sī-tō′sis). エメイオサイトーシス. = exocytosis(2).

e·mer·gence (ē-mĕr′jĕns). 覚醒（特に，全身麻酔薬による意識喪失期の後に正常機能が回復すること）.

e·mer·gen·cy con·tra·cep·tive = morning after pill.

e·mer·gen·cy de·part·ment 救急部（病院やその他の医療施設の一部門．外傷を負った人や，重度の急性疾患に苦しむ人を治療するために設計され，スタッフや設備がそろえられている）. = emergency room.

e·mer·gen·cy doc·trine 救急原則（障害のある患者や応答しない患者については救命処置に同意するものと考える，医療法学における前提）. = implied consent(1).

e·mer·gen·cy hor·mo·nal con·tra·cep·tion 緊急避難ピル. = morning after pill.

e·mer·gen·cy med·i·cal ser·vices (EMS) 救急隊（病患者や傷病者に対し，病院前処置や搬送を行う部隊）. = ambulance service; emergency medical service system.

e·mer·gen·cy med·i·cal ser·vice sys·tem (EMSS) 救急医療サービスシステム（緊急医療の地域密着型の調整システムで，911番による公共のアクセス，入院前応答者(救急医療士または緊急医療技術者)，移送(救急車，ヘリコプターなど)，受け入れ施設，伝達の調整，および医療指示を含む）. = EMS system.

e·mer·gen·cy med·i·cal tech·ni·cian = prehospital provider.

e·mer·gen·cy med·i·cal tech·ni·cian-ba·sic (EMT-B) 救急救命士(基礎)（一次救命処置(BLS)を行うことのできる，病院前救護の資格者．診断に基づいた患者の管理を行う．BLS 救急車で働くために最低限必要な資格. →basic life support）.

e·mer·gen·cy med·i·cal tech·ni·cian-in·ter·me·di·ate (EMT-I) 救急救命士(中級)（中級レベルの二次救命処置(ALS)を行うことのできる，病院前救護の資格者．通常，医師の直接指導下で働く．ALS 救急車で働くために最低限必要な資格. →advances cardiac life support, cardiac care technician, cardiac rescue technician）.

e·mer·gen·cy med·i·cal tech·ni·cian-par·

a·med·ic (EMT-P) 救急救命士(診療補助者)(あらゆる種類の二次救命処置(ALS)を行うことのできる，免許保有の救急隊員．通常，包括的指示またはプロトコルに従って行動し，患者の管理には診断的アプローチを用いる．→prehospital provider)．

e·mer·gen·cy med·i·cine 救急医療(急性疾患や急性外傷の患者に対する治療や療法に関わる医療部門)．

e·mer·gen·cy nurse prac·ti·tion·er (ENP) 救急看護師(医師の監督なしで軽度外傷を扱えるよう特別に訓練された，救急部で働く看護婦)．

e·mer·gen·cy room = emergency department.

e·mer·gen·cy sur·ger·y 救急手術(患者の健康を脅かしうる容体の急変に伴い，予期せず行われる手術)．

e·mer·gen·cy the·o·ry 緊急説(W.B. Cannon によって唱えられた情動に関する説で，動物およびヒトは緊急事態に反応する場合に交感神経系活動が高まってカテコールアミンの産生増加とそれに伴う血圧上昇，心拍と呼吸数および骨格筋血流量の増加が起こるというもの)．

e·mer·gent (ē-mĕr′jĕnt)．***1*** 救急の，緊急の(突然に，予期せず起こり，早急な判断と敏速な行動を必要とする)．***2*** 出現する(空洞またはその他の部位から出てくる)．

em·e·sis (em′ĕ-sis)．***1*** 嘔吐．= vomiting．***2*** 接尾語の位置で用い，嘔吐を表す連結形．

-emesis 嘔吐症状や嘔吐物を表す接尾語．

em·e·sis ba·sin 膿盆(腎臓の形をした容器で，体液やその他の液体を入れる)．

em·e·sis grav·i·da·rum 悪阻(妊娠が原因の嘔吐症状)．

e·met·ic (ĕ-met′ik)．***1*** 〚adj.〛 催吐性の．***2*** 〚n.〛〔催〕吐薬(嘔吐を引き起こす薬．例えばトコンシロップ)．

em·e·to·ca·thar·tic (em′ĕ-tō-kă-thahr′tik)．***1*** 〚adj.〛 吐しゃ(瀉)性の(嘔吐としゃ下を起こす)．***2*** 〚n.〛 吐しゃ(瀉)薬(下部の腸管の嘔吐としゃ下を引き起こす薬剤)．

EMF electromotive force の略．

EMG electromyogram の略．

EMG bi·o·feed·back 筋電図生体フィードバック，筋電図バイオフィードバック(筋緊張の筋電図測定を用いて身体症状をなくすバイオフィードバックの一種．頭の前頭筋の緊張を用いて，頭痛をなくすなど)．

-emia 血液を意味する接尾語．= -aemia.

em·i·gra·tion (em-i-grā′shŭn)．遊出(白血球が内皮や小血管壁を通過すること)．

em·i·nence (em′i-nĕns)．隆起(周囲の表面，特に骨表面と比べて盛り上がった輪郭の明瞭な区域)．= eminentia.

em·i·nen·ti·a, pl. em·i·nen·ti·ae (em-i-nen′shē-ă, -shē-ē)．隆起．= eminence.

em·i·nen·ti·a py·ra·mi·da·lis 錐体隆起(中耳の前庭窓の後方にある円錐形の隆起．凹窩になっており，あぶみ骨筋が付着する)．

em·i·o·cy·to·sis (ē′mē-ō-sī-tō′sis)．= exocytosis(2)．

em·is·sar·y (em′i-sar-ē)．***1*** 〚adj.〛 導出の，排出部の．***2*** 〚n.〛 導出静脈．= emissary vein.

em·is·sar·y vein 導出静脈(硬膜静脈洞と板間や頭皮の静脈との交通静脈)．= emissary(2)．

e·mis·sion (ē-mish′ŭn)．流出，射出(一般的には男性の内性器の内容物が内尿道に流出することをさし，精子，前立腺液および精嚢腺液を含む内容物が内尿道の中で尿道球部腺からの粘液と混ざり合って精液を形成する)．

EMIT (ē-mit′)．enzyme-multiplied immunoassay technique の略．

em·men·i·a (ĕ-men′ē-ă)．月経．= menses.

em·men·ic (ĕ-men′ik)．月経の．= menstrual.

em·men·i·op·a·thy (ĕ-men′ē-op′ă-thē)．月経異常．

Em·met nee·dle エメット針(先端に針孔があり，幅広い弯曲をもち，取っ手の付いた強い針．切離されていない構造物の周囲に結紮糸を通すために用いる)．

Em·met op·er·a·tion エメット手術．= tracheloorrhaphy.

em·me·tro·pi·a (em′eĕ-trō′pē-ă)．正〔常〕視，正視眼(前眼部屈折と眼軸長が正視となるように互いに平衡しあうこと)．

em·me·tro·pic (em′ĕ-trō′pik)．正〔常〕視の，正視眼の．

Em·mon·si·a par·va* var. *cres·cens 動物にアジアスピロミコーシスを引き起こす主な真菌種で，ヒトのアジアスピロミコーシスの唯一の病原体．土中に生息する真菌の分生子を吸入することで感染する．chrysosporium(腐朽菌)とも呼ばれる．

Em·mon·si·a par·va* var. *par·va 動物にアジアスピロミコーシスを引き起こす真菌種．

e·mol·li·ent (ē-mol′ē-ent)．***1*** 〚adj.〛 緩和性の，軟らかにする，軟化性の(皮膚または粘膜を軟らかにする)．***2*** 〚n.〛 緩和薬，皮膚軟化薬(皮膚を軟化する，あるいは皮膚や粘膜の刺激を和らげる薬剤)．

e·mol·li·ent en·e·ma = oil retention enema.

e·mo·tion (ē-mō′shŭn)．情動，情緒，感情(強い感情，興奮した精神状態，または明確な対象に向けられた衝動あるいは不安の強い状態．自律神経系の疾病徴候の発現を伴って，行動と心理的変化の両方により証明される)．

e·mo·tion·al (ē-mō′shŭn-ăl)．情動の，情緒の．

e·mo·tion·al dep·ri·va·tion 情動剥奪(通常，成長過程の初期で，必要に十分な対人的あるいは環境的体験のいずれか(または両者)が欠けること)．

e·mo·tion·al dis·or·der 情動障害，感情障害(→mental illness; behavior disorder)．

em·path·ic (em-path′ik)．感情移入の，感入の，エンパシーの．

em·pa·thize (em′pă-thīz)．感情移入する，感入する(他人の感情にはいり込む，他人の立場に自分を置いてみる)．

em·pa·thy (em′pă-thē)．感情移入，感入，エンパシー(①他人が経験している情動，感覚，反応を知的かつ情緒的に感じとったり，その人にそのように感じているとうまく伝えることがで

E

きること．*cf.* sympathy(3)．②対象を人格化，人間化し，自分をその一部と考えること）．

em·phy·se·ma (em′fi-sē′mă)．気腫（①ある部位の結合組織の間質に空気が存在すること．②終末細気管支(肺胞を含む)より末梢の気腔の大きさが正常より大きくなっていることを特徴とする肺の状態で，終末細気管支壁の破壊的変化やその数の減少がみられる．臨床症状は労作時にみられる息切れで，その原因はガス交換を行う肺胞面積の減少，呼気にみられる肺胞気ガスの捕獲に伴う小気道の虚脱などが(種々の程度に)組み合わさって起こるとされている．このために，胸郭が吸気の位置にとどまることになり(洋樽形胸郭)，呼気が延長して残気量が増加する．慢性気管支炎の症状は，必ずしもそうではないがしばしば合併する．形態学的に汎小葉性(汎細葉性)肺気腫と小葉中心性(中心細葉性)肺気腫の２種類がある．瘢痕周辺性気腫，傍隔壁性肺気腫，および嚢胞性肺気腫も多い．= pulmonary emphysema）．

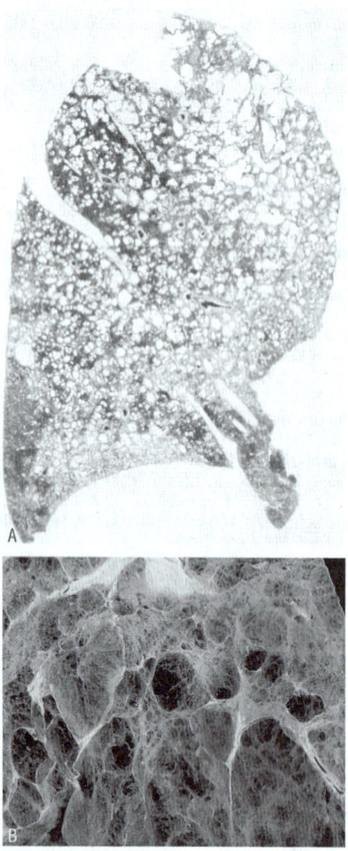

panlobular emphysema

A：重症肺気腫患者の左肺．肺実質の広範な破壊がみられる．

B：α1-抗トリプシン欠損症患者の肺．汎小葉性の気腫がみられる．肺胞壁の消失により気腔が著明に拡大している．

em·phy·sem·a·tous (em′fi-sem′ă-tŭs)．気腫の．

em·pir·ic (em-pir′ik)．***1***〘adj.〙= empirical．***2***〘n.〙経験主義者（紀元前末期から紀元初期のギリシア・ローマ医師学派の一派．経験だけを信じ，これに基づいた診療を行い，すべての思索，理論，あるいは抽象的な推論を避けた．病気を真に理解するために，原因や関連症状にはほとんど注意を払わなかった．さらに医学の基礎的知識，生理・病理・解剖学などもあまり評価せず，診療上これらは価値がないと考えた）．***3***〘adj.〙現代では注意深い観察，すなわち理論的には経験に基づいて仮説を検証することに用いる．

em·pir·ic for·mu·la 実験式（化学において，物質の分子内の原子の種類や数またはその組成を示す公式．しかし，原子相互の関係，分子の本質的構造を示すものではない）．

em·pir·ic hor·op·ter 経験的ホロプター（実験で測定した楕円で，両眼の視覚の中心を通る．中心点は凝視点に隣接している．両方の点とも楕円上にあり，網膜対応点を刺激していると考えられている）．

em·pir·ic risk 経験的危険度（型にはまった理論や推論をすべて避け，経験的証拠のみに基づいて判断した危険度）．

em·pir·ic treat·ment 経験〔的〕療法，経験的治療（経験に基づいた治療法で，通常それを支持する十分なデータはない）．

em·ploy·ee as·sis·tance pro·gram (EAP) 従業員支援プログラム（従業員が勤務成績を損なう心理社会的問題または行動上の問題を克服できるよう支援するために確立した手段）．

em·ploy·er i·den·ti·fi·ca·tion num·ber (EIN) 米国法人番号（企業や企業主の税情報を識別するため政府から取得する識別番号．しばしば患者の社会保障番号となっている）．

em·por·i·at·rics (em-pōr′ē-at′riks)．旅行医療専門家（旅行医療の専門家で，旅行者が罹患する疾病，特に熱帯地域での疾病を扱う）．

em·pros·thot·o·nos (em′pros-thot′ō-nŭs)．前弓緊張，前弯痙攣，前方反張（弯曲して前方に陥凹ができる屈筋のテタヌス性攣縮）．

em·py·e·ma (em′pī-ē′mă)．蓄膿〔症〕，膿胸（体腔にある膿．限定されない場合は膿胸を意味する）．

em·py·e·mic (em′pī-ē′mik)．蓄膿〔症〕の，膿胸の．

em·py·e·sis (em′pī-ē′sis)．膿疱疹，膿疹．

EMR electronic medical record の略．

EMS emergency medical service の略．

EMSS emergency medical service system の略．

EMT-B emergency medical technician-basic の略．

EMT-I emergency medical technician-intermediate の略.

EMT-P emergency medical technician-paramedic の略.

e·mul·si·fi·er (ē-mŭl′si-fī-ĕr). 乳化剤（アラビアゴムあるいは卵黄のような物質で，不揮発性油を乳化するために用いる．石けんや界面活性剤，ステロイド，蛋白は乳化剤として作用する）.

e·mul·si·fy (ē-mul′si-fī). 乳化する，乳剤にする.

e·mul·sion (ē-mŭl′shŭn). エマルジョン，乳剤，乳濁液（2つの不混和性の液体を含む物質で，一方が他の液体(外相)中に微細球(内相)の形で分散している）.

e·mul·soid (ē-mŭl′soyd). 乳濁質（コロイド分散相．分散した粒子は多少液体になっていて分散媒にある程度親和性を示し，これをいくぶん吸収する）.

en- 中に，を意味する接頭語．b, p, m の前では em- となる.

e·nam·el (ĕ-nam′ĕl). エナメル質（歯の表層部分をおおう，硬くて光沢のある物質．成熟したエナメル質はヒドロキシアパタイト 90%，炭酸カルシウム，フッ化カルシウム，炭酸マグネシウム 6—8%からなる無機質と，蛋白および糖蛋白からなる有機質で構成される．構造的には，有機質の小柱鞘に包まれたエナメル小柱の集りからなる柱状構造が一定方向に走行したもの）.

e·nam·el cap エナメル冠（歯冠をおおうエナメル質）.

e·nam·el crypt エナメル陥凹（歯堤とエナメル器との間の狭い間葉性組織で満たされた陥凹部）.

e·nam·el germ エナメル原基（発育中の歯のエナメル器．歯堤から出ている一連の節状突起の1つで，後に鐘状になり，その空洞に歯乳頭がはいる）.

e·nam·el hy·po·cal·ci·fi·ca·tion エナメル質石灰化不全〔症〕（エナメル質の成熟障害．透明度がやや低い，あるいは黄白色で光沢のないエナメル質を特徴とする．様々なエナメル質形成不全症がみられる．→enamel hypoplasia）.

e·nam·el hy·po·pla·si·a エナメル質形成不全〔症〕（歯の発育障害で，エナメル基質の形成不全または無形成を特徴とする．本疾患は遺伝性エナメル質形成不全症といった遺伝的原因による場合と，斑状歯，歯胚の局所的な感染，あるいは小児期の発熱などの後天的原因による場合とがある．なお，先天性梅毒においても認められる．→fluorosis）.

e·nam·el·ins (ĕ-nam′ĕl-inz). エナメリン（成熟エナメル質の有機基質を構成している一群の蛋白）.

e·nam·el lay·er エナメル層. = ameloblastic layer.

e·nam·el mem·brane エナメル膜（エナメル細胞によって形成されたエナメル器の内層）.

e·nam·el·o·gen·e·sis (ĕ-nam′ĕl-ō-jen′ĕ-sis). エナメル質形成. = amelogenesis.

e·nam·el·o·ma, e·nam·el pearl (ĕ-nam′ĕl-ō′mă, ĕ-nam′ĕl pĕrl). エナメル腫（発育異常で，セメント質エナメル質境界線より下，通常は大臼歯の歯根分岐部にあるエナメル質の小結節）.

e·nam·el or·gan エナメル器（歯堤から分離した外胚葉細胞の外接した塊．コップ状となり，その内面に，発育する歯のエナメル冠を形成するエナメル芽細胞層を発達させる）. = dental organ.

en·an·them, en·an·the·ma (en-an′them, en′an-thē′mă). 粘膜疹，内疹（粘膜発疹，特に皮疹に関連してできるもの. *cf.* exanthema）.

en·an·them·a·tous (en′an-them′ă-tŭs). 粘膜疹の.

en·an·the·sis (en′an-thē′sis). 内臓性発疹（猩紅熱または腸チフスのような全身的疾患に起因する皮疹）.

en·ar·thro·di·al (en′ahr-thrō′dē-ăl). 球関節の.

en·ar·thro·di·al joint = ball-and-socket joint.

en·ar·thro·sis (en′ahr-thrō′sis). 球関節. = ball-and-socket joint.

en bloc ひとかたまりに，一塊として（一塊に，まるごと．剖検の際に各臓器の連続性を保ったまま検査できるように，いくつかの臓器をひとまとめにして取り出す方法を示すのに用いられる）.

en·cap·su·la·tion (en-kap′sū-lā′shŭn). 被包（被膜または鞘で囲むこと）.

en·ceph·a·lal·gi·a (en-sef′ă-lal′jē-ă). 頭痛. = headache.

en·ceph·a·la·tro·phic (en-sef′ă-lă-trō′fik). 脳萎縮の.

en·ceph·a·lat·ro·phy (en-sef′ă-lat′rŏ-fē). 脳萎縮.

en·ce·phal·ic (en′se-fal′ik). 脳の，頭蓋内構造の.

en·ceph·a·lit·ic (en-sef′ă-lit′ik). 脳炎の.

en·ceph·a·li·tis, pl. **en·ceph·a·lit·i·des** (en-sef′ă-lī′tis, en-sef′ă-lit′i-dēz). 脳炎（*cf.* meningoencephalitis）. = cephalitis.

en·ceph·a·li·tis per·i·ax·i·a·lis dif·fu·sa びまん性軸周囲性脳炎. = Schilder disease.

En·ceph·a·lit·o·zo·on (en-sef′ă-lit-ō-zō′on). エンセファリトゾーン属（寄生性原生動物の一属．以前は胞子虫綱トキソプラスマ科に属するとみなされていたが，現在では微胞子虫門のノセマ科に属するものと認められている．*Encephalitozoon cuniculi* は哺乳類寄生の主要な微胞子虫と考えられており，げっ歯類や肉食動物の脳や腎小管から普通に見出され，ウサギにノセマ症を引き起こす）.

En·ceph·a·lit·o·zo·on hel·lem ヒト眼感染症を起こす *Encephalitozoon* の一種で，エイズ患者の点状角膜症や角膜潰瘍を引き起こす.

En·ceph·a·lit·o·zo·on in·tes·ti·nal·e HIV 感染患者で記載された下痢を起こす微胞子虫．この疾患は消化管に現局し，血行性に播種されるらしい.

encephalo-, encephal- 脳に関する連結形. *cf.* cerebro-.

en·ceph·a·lo·cele (en-sef′ă-lō-sēl). 脳ヘルニ

E

ア（頭蓋にある先天性の裂溝で，脳組織のヘルニアを伴う）. = craniocele.

en·ceph·a·lo·gram（en-sef′ă-lō-gram）. 脳造影（撮影）図（脳造影の結果得られた写真像）.

en·ceph·a·log·ra·phy（en-sef′ă-log′ră-fē）. 脳造影（撮影）〔法〕，脳写（脳のX線撮影法による描画的表現）.

en·ceph·a·loid（en-sef′ă-loyd）. 脳様の（脳組織に似ている，あるいは肉眼的に脳のような軟らかさの癌腫についていう）.

en·ceph·a·lo·lith（en-sef′ă-lō-lith）. 脳石（脳または脳室にある結石）.

en·ceph·a·lo·ma（en-sef′ă-lō′mă）. 脳腫瘤，脳髄様腫瘍（脳組織のヘルニア形成）. = cerebroma.

en·ceph·a·lo·ma·la·ci·a（en-sef′ă-lō-mă-lā′shē-ă）. 脳軟化〔症〕（脳実質の異常な軟化，しばしば脳虚血や脳梗塞の結果生じる）. = cerebromalacia.

en·ceph·a·lo·men·in·gi·tis（en-sef′ă-lō-men-in-jī′tis）. 脳髄膜炎. = meningoencephalitis.

en·ceph·a·lo·me·nin·go·cele（en-sef′ă-lō-me-ning′gō-sēl）. 脳髄膜瘤. = meningoencephalocele.

en·ceph·a·lo·men·in·gop·a·thy（en-sef′ă-lō-men′in-gop′ă-thē）. 脳髄膜障害. = meningoencephalopathy.

en·ceph·a·lo·mere（en-sef′ă-lō-mēr）. 神経分節.

en·ceph·a·lom·e·ter（en-sef′ă-lom′ĕ-tĕr）. 脳計測器（頭蓋表面に皮質中枢の位置を示す装置）.

en·ceph·a·lo·my·e·li·tis（en-sef′a-lō-mī′ĕ-lī′tis）. 脳脊髄炎（脳と脊髄の炎症）.

en·ceph·a·lo·my·e·lo·cele（en-sef′ă-lō-mī′ĕ-lō-sēl）. 脳脊髄瘤（頭蓋骨の先天的な欠損で，通常は後頭部や頸椎にみられ，髄膜や神経組織の脱出（ヘルニア）を伴う）.

en·ceph·a·lo·my·e·lo·neu·rop·a·thy（en-sef′ă-lō-mī′ĕ-lō-nūr-op′ă-thē）. 脳脊髄神経障害（脳，脊髄，末梢神経が侵される疾患）.

en·ceph·a·lo·my·e·lop·a·thy（en-sef′ă-lō-mī′ĕ-lop′ă-thē）. 脳脊髄障害，エンセファロミエロパシー（脳と脊髄の両者の疾病の総称）.

en·ceph·a·lo·my·e·lo·ra·dic·u·li·tis（en-sef′ă-lō-mī′ĕ-lō-ră-dik′yū-lī′tis）. 脳脊髄神経根炎. = encephalomyeloradiculopathy.

en·ceph·a·lo·my·e·lo·ra·dic·u·lop·a·thy（en-sef′ă-lō-mī′ĕ-lō-ră-dik′yū-lop′ă-thē）. 脳脊髄神経根障害（脳，脊髄，脊髄神経根が侵される疾患）. = encephalomyeloradiculitis.

en·ceph·a·lo·my·o·car·di·tis（en-sef′ă-lō-mī′ō-kahr-dī′tis）. 脳心筋炎（脳炎と心筋炎を合併したもの．灰白脊髄炎のようなウイルス感染でしばしば起こる）.

en·ceph·a·lo·my·o·car·di·tis vi·rus 脳心筋炎ウイルス（ピコルナウイルス科に属するカルディオウイルスで，通常はげっ歯類に由来する．ときにヒトに中枢神経系障害を含む熱性疾患を起こす）.

en·ceph·a·lon, pl. **en·ceph·a·la**（en-sef′ă-lon, -lă）. 脳（脳脊髄のうち頭蓋の中にある部分で，前脳，中脳，菱脳からなる）.

en·ceph·a·lop·a·thy（en-sef′a-lop′ă-thē）. 脳障害，脳症，エンセファロパシー（脳疾患の総称）. = cephalopathy; cerebropathy; encephalosis.

en·ceph·a·los·chi·sis（en-sef′ă-los′ki-sis）. 脳裂（神経管の吻側閉鎖不全）.

en·ceph·a·lo·scle·ro·sis（en-sef′ă-lō-skler-ō′sis）. 脳硬化〔症〕（→cerebrosclerosis）.

en·ceph·a·lo·sis（en-sef′ă-lō′sis）. 脳症. = encephalopathy.

en·ceph·a·lot·o·my（en-sef′ă-lot′ŏ-mē）. 脳切開〔術〕，脳切断〔術〕.

en·chon·dro·ma（en′kon-drō′mă）. 内軟骨腫，〔真性〕軟骨腫（最初は軟骨から形成され，骨の髄腔から発生する良性の軟骨性増殖．特に小さい骨の皮質を膨張させることがあり，単独で，または多発性（内軟骨腫症）で起こることがある）.

en·chon·dro·ma·to·sis（en-kon′drō-mă-tō′sis）. 内軟骨腫症，〔真性〕軟骨腫症（いくつかの骨の骨幹端における軟骨の過誤腫性増殖と考えられるまれな疾患．手足に最も多く，骨成長が障害されたり，病的骨折を起こす．軟骨肉腫を発生することがある．皮膚または内臓の血管腫を伴う場合には Maffucci 症候群とよばれる）. = dyschondroplasia.

en·chon·drom·a·tous（en′kon-drō′mă-tŭs）. 内軟骨腫の，〔真性〕軟骨腫の.

en·clave（en′klāv）. 包入物（他の組織に包囲された組織の分離塊．特に主要腺から腺組織塊が分離したような場合にみられる）.

en·cod·ing（en-kōd′ing）. 記銘，コード化（記憶過程の中で，貯蔵 storage と想起 retrieval に先立つ最初の段階．1つ以上の感覚から刺激を受容したり，短時間登録したり，また，その情報を修飾したりする過程を含んでいる）.

en·cop·re·sis（en′kō-prē′sis）. 大便失禁（繰り返し，一般的には不随意に，不適当な場所へ大便をすること（例えば着衣のまま））.

en·coun·ter（en-kown′tĕr）. 〔保健医療〕仲介者，エンカウンター（保健医療において，患者と，患者の診断・治療を担当する医療提供者との仲介役）.

en·coun·ter form 診察記録（処置の記録とも呼ばれる．医療手順コードを記載したサービス提供記録で，患者の来院中に作成される）.

en·coun·ter group 出会い集団（集団内における個人関係の経験を重視し，知的，教訓的なことをなるべく言わなくする心理学的感受性の訓練法．集団の構成員自身の過去または集団外の問題より，むしろ現時点に焦点を置く）.

en·cryp·tion（en-krip′shŭn）. 暗号化（蓄積・送信される電子情報を，誰かが誤って受け取っても読むことができないよう，スクランブル（暗号化）すること）.

en·cyst·ed（en-sis′tĕd）. 被嚢した，被包した（膜の袋に包まれた）.

en·cyst·ed cal·cu·lus 被嚢結石（膀胱壁にできた嚢に囲まれた尿路結石）. = pocketed calculus.

end·an·gi·i·tis, end·an·ge·i·tis (end-an′jē-ī′tis). 血管内膜炎. = endovasculitis.
end·a·or·ti·tis (end′ā-ōr-tī′tis). 大動脈内膜炎.
end·ar·ter·ec·to·my (end′ahr-tĕr-ek′tō-mē). 動脈〔血管〕内膜切除〔術〕（ほとんどが外膜からなる内面を滑らかにしておくように，動脈の内膜と中膜あるいは中膜のほとんどと一緒にアテローム様の沈着物を切除すること）.
end·ar·te·ri·tis (end′ahr-tĕr-ī′tis). 動脈内膜炎. = endoarteritis.
end·ar·te·ri·tis ob·li·te·rans, ob·lit·er·at·ing end·ar·te·ri·tis 閉塞性動脈内膜炎（動脈管腔を閉鎖する増殖動脈内膜炎の重篤なもの）. = arteritis obliterans; obliterating arteritis.
end·ar·te·ri·tis pro·li·fe·rans, pro·lif·er·at·ing end·ar·te·ri·tis 増殖性動脈内膜炎（慢性動脈内膜炎で，動脈内膜の線維組織の著しい増加を伴う）.
end ar·ter·y 終動脈（動脈の閉塞が起きた場合，組織の生存能力を維持しうるだけの十分な吻合をもたない動脈）. = terminal artery.
end·au·ral (end-awr′ăl). 耳内の.
end·brain (end′brān). 終脳. = telencephalon.
end bud 尾芽. = caudal eminence.
end bulb 終末小体（知覚神経線維が粘膜に終わるところの楕円形または円形体構造）.
end di·a·stol·ic vol·ume (EDV) 拡張末期容量（心収縮が始まる直前の心室の血液量. 拡張期機能に関連する拍動間の心臓充満の測定）.
en·dec·to·cide (en-dek′tō-sīd). 内部寄生性生物と外部寄生性生物の両方に有効な薬物. 例えば，マクロライド系抗生物質アベルメクチン.
en·dem·ic (en-dem′ik). 地方病〔性〕の，風土病〔性〕の（病気の発生頻度が長期間ほとんど変動せず，予知できる規則性をもって発生するような動物集団における病気の一時的な発生パターンをいう. *cf.* epidemic; sporadic）.
en·dem·ic dis·ease 風土病（ある集団や地域において，ある疾病が一定の有病割合で存在すること. →endemic）.
en·dem·ic he·ma·tu·ri·a 地方病性血尿. = schistosomiasis haematobium.
en·dem·ic neu·ri·tis 地方〔病〕性神経炎. = beriberi.
en·dem·ic sta·bil·i·ty 地方病の安定（疾病の発生に影響するすべての要因が安定している状態. その結果疾病の発生は時間的にほとんど変化しない. 疾病の発生に影響する要因の１つまたはいくつかが変化すると（例えば，原因菌への暴露に対して免疫を有する個体の割合が減少する）非常に不安定な状態になり，大流行が起こる）. = enzootic stability.
en·dem·ic ty·phus = murine typhus.
en·dem·o·ep·i·dem·ic (en-dem′ō-ep-i-dem′ik). 地方病流行〔性〕の，風土病流行〔性〕の（地方病の症例が一時的に非常に増加する）.
end·er·gon·ic (en′dĕr-gon′ik). エネルギー吸収性の（周囲からのエネルギーの吸収を伴って起こる化学反応についていう（すなわち，Gibbs 自由エネルギーの正の変化）. *cf.* exergonic）.
end-feel (end′fēl). 限界感（関節を動かした場合の可動域の最終に到達したときに感じる抵抗感. 骨性の（骨と骨の接触），弾力性のある（軟部組織同士の接触），急性の（防御的急性筋収縮により制限される），または中身のない（正常可動域の最終にいたる前にかなり強い痛みを感じるが，器質的抵抗は明らかでない）といった抵抗感がある. 異常な限界感は関節機能不全があることを示唆するものともなる）.
end-feet (end′fēt). = axon terminals.
end·ing (end′ing). ***1*** 終末，末端. ***2*** 神経終末.
endo-, end- 内，内の，吸収する，含有する，を意味する接頭語. →ento-.
En·do a·gar 遠藤寒天〔培地〕（ペプトン，乳糖，リン酸カリウム，寒天，亜硫酸ナトリウム，塩基性フクシンおよび蒸留水を含む培地. 本来，腸チフス菌 *Salmonella typhi* の分離用につくられたが，現在，この培地は水の細菌学的検査に最も有益である. 大腸菌群細菌は乳糖を発酵するため，その集落は赤色化し，周囲の培地を着色する. 非乳糖発酵性細菌は，培地の薄桃色の背景に対して透明無色の集落を形成する）. = Endo medium.
en·do·an·eu·rys·mo·plas·ty (en′dō-an-yūr-iz′mō-plas-tē). 動脈瘤整復〔術〕，動脈瘤形成〔術〕. = aneurysmoplasty.
en·do·an·eu·rys·mor·rha·phy (en′dō-an-yūr-iz-mōr′ă-fē). 動脈瘤縫縮術，動脈瘤縫合術. = aneurysmoplasty.
en·do·ar·te·ri·tis (en′dō-ahr-tĕr-ī′tis). = endarteritis.
en·do·ar·ter·i·tis ob·lit·e·rans = Buerger disease.
en·do·blast (en′dō-blast). 内胚葉.
en·do·bron·chi·al tube 気管支内挿管（単腔あるいは二重管腔の挿入管で先端に空気で膨らませるカフが付いている. 喉頭，気管を通した後，換気を片側肺のみに制限するように装置する. 単腔になった部分は主気管支に位置させ，二重管腔の部分は気管分岐部に装置させることにより，どちらか一方あるいは両方の換気を（別々に）行いうる）.
en·do·car·di·al heart tube 心内膜筒（胎児の胸部中央で，一対の管が癒合し，心臓の原基となる原始心筒となる）.
en·do·car·dit·ic (en′dō-kahr-dit′ik). 心内膜炎の.
en·do·car·di·tis (en′dō-kahr-dī′tis). 心内膜炎（心内膜の炎症）.
en·do·car·di·um, pl. en·do·car·di·a (en′dō-kahr′dē-ŭm, -ē-ă). 心内膜（心臓の最も内側の膜層で，内皮，内皮下の結合組織を含む. 心房では平滑筋と多くの弾力線維が存在する）.
en·do·cer·vi·cal (en′dō-sĕr′vi-kăl). ***1*** 頸管内の（頸構造物の内部の，特に子宮頸管内についていう）. = intracervical. ***2*** 子宮頸管内膜の.
en·do·cer·vi·ci·tis (en′dō-sĕr-vi-sī′tis). 子宮頸内膜炎（子宮円柱上皮の炎症）. = endotrachelitis.
en·do·cer·vix (en′dō-sĕr′viks). 子宮頸内膜（子宮頸管の粘膜）.

E

en·do·chon·dral bone 軟骨〔内〕性骨（石灰化および引き続き起こるその吸収により軟骨が部分的または完全に破壊された後，軟骨内に発生する骨）. = cartilage bone.

en·do·chon·dral os·si·fi·ca·tion 軟骨内骨化（石灰化軟骨の置換による骨組織の形成．長骨の長さの成長は骨端軟骨の軟骨内骨化によって営まれ，骨芽細胞が石灰化軟骨の網工に骨梁をつくっていく）. = intrachondral ossification.

en·do·co·ag·u·la·tion (en′dō-kō-ag′yū-lā′shŭn). = thermocoagulation.

en·do·coch·le·ar po·ten·tial 内リンパ腔電位（内リンパの静止電位で，外リンパと比べて，+ 80 mV である）.

en·do·co·li·tis (en′dō-kō-lī′tis). 大腸粘膜炎，結腸粘膜炎（結腸の単純カタル性炎症）.

en·do·cra·ni·al (en′dō-krā′nē-ăl). ***1*** 頭蓋内の．***2*** 硬膜の.

en·do·cra·ni·um (en′dō-krā′nē-ŭm). 脳硬膜（頭蓋の内面をおおう膜）.

en·do·crine (en′dō-krin). ***1***〘adj.〙内分泌の（一般的には体循環内への分泌についていう．*cf.* paracrine）．***2***〘n.〙内分泌物（内分泌腺からの分泌物あるいはホルモン）．***3***〘adj.〙内分泌腺の.

en·do·crine glands 内分泌腺（導管がなく，分泌物が直接血液中に吸収される腺）. = ductless glands.

en·do·crine sys·tem 内分泌系（ホルモン分泌の可能な組織に対する集合的定義）.

en·do·cri·nol·o·gist (en′dō-kri-nol′ŏ-jist). 内分泌医，内分泌学者（内分泌を専門とする医師）.

en·do·cri·nol·o·gy (en′dō-kri-nol′ŏ-jē). 内分泌学（内分泌またはホルモン分泌，およびその生理学的・病理学的関係を扱う科学および医学の専門）.

en·do·cri·no·ma (en′dō-kri-nō′mă). 内分泌腫瘍（親器官の機能を保持している内分泌組織の腫瘍で，その機能は通常亢進する）.

en·do·crin·o·path·ic (en′dō-krin′ō-path′ik). 内分泌障害の.

en·do·cri·nop·a·thy (en′dō-kri-nop′ă-thē). 内分泌障害（内分泌腺機能の障害）.

en·do·cys·ti·tis (en′dō-sis-tī′tis). 膀胱内膜炎（膀胱粘膜の炎症を表す語）.

en·do·cy·to·sis (en′dō-sī-tō′sis). エンドサイトーシス（細胞外環境から細胞膜によって形成された小胞を介する物質のインターナリゼーション．→phagocytosis. *cf.* exocytosis(2)）.

en·do·derm (en′dō-dĕrm). 内胚葉（胚期の3つの一次胚葉(外胚葉，中胚葉，内胚葉)のうち最内側に位置するもの．原腸管の上皮，および原腸から発生してくるような構造すなわち腺や気道の上皮が発生する）. = entoderm; hypoblast.

en·do·der·mal cells 内皮細胞（卵黄嚢を形成する胚細胞で，消化管と気道の上皮，及び関連腺の実質を生じさせる）. = entdermal cell.

en·do·der·mal cyst 内胚葉嚢腫（内面が円柱上皮でおおわれた嚢腫．皮膚由来と考えられる）.

en·do·don·tics, en·do·don·ti·a, en·do·don·tol·o·gy (en′dō-don′tiks, -shē-ă, -don-tol′ō-jē). 歯内治療学，歯内療法学（歯髄および根尖周囲組織の生物学や病理学，さらにこれらの組織の疾患や外傷の予防，診断および治療に関する歯学の一分野）.

en·do·don·tist (en′dō-don′tist). 歯内治療医，無髄歯科医.

en·do·en·ter·i·tis (en′dō-en-tĕr-ī′tis). 腸粘膜炎を表す語.

end-of-life care 終末ケア，末期医療ケア（末期患者の多角的および学際的な身体・精神・尊厳的医療で，家族や医療関係者の支持も含まれる）.

en·dog·a·my (en-dog′ă-mē). エンドガミー（姉妹細胞すなわち1つの起源細胞の子孫間の接合による生殖）.

en·do·gen·ic tox·i·co·sis 内因性中毒症. = autointoxication.

en·dog·e·nous (en-doj′ĕ-nŭs). 内因性の（生体内あるいは体部位内に由来する，または生成される）.

en·dog·e·nous de·pres·sion 内因性うつ病（外因的誘因によらない一連の症状(自覚)や徴候(客観的)に対する記述的症候群で，生物学的原因があると信じられている．快楽消失，精神運動性の激越あるいは遅滞，朝方に増悪する気分日内変動，早朝覚醒，夜中の不眠，体重減少，自責感，罪責感，環境への反応の欠如などの症状がみられる）.

en·dog·e·nous hy·per·glyc·er·i·de·mi·a 内因性高グリセリド血〔症〕，内因性グリセリド過剰血〔症〕（Ⅳ型家族性高リポ蛋白血症，あるいはより一般的にみられる非家族性の散発性の変種がある）.

en·dog·e·nous in·fec·tion 内因感染（すでに体内に存在している感染性病原体によって起こる感染で，それまでは感染が顕性でなかったもの）.

en·dog·e·nous py·ro·gen (EP) 内因性発熱物質（発熱を誘発する蛋白．約11種が同定されており，免疫機構の構成要素，とりわけマクロファージによって産生されるサイトカイン(インターロイキン-1,6，インターフェロン，腫瘍壊死因子)も含まれる．*cf.* bioregulator）.

en·do·glin (en′dō-glin). エンドグリン（内皮細胞の表面に存在する蛋白で，形質変換性成長因子 β に結合する）.

en·do·in·tox·i·ca·tion (en′dō-in-tok′si-kā′shŭn). 内因性中毒（内因性の毒素による中毒）.

en·do·lith (en′dō-lith). 歯髄結石（歯髄腔に認められる石灰化小体．不整形のぞうげ質よりなる場合(真性ぞうげ粒)と歯髄組織の異所性石灰化による場合(偽性ぞうげ粒)とがある）. = denticle(1); pulp stone.

en·do·lymph (en′dō-limf). 内リンパ（内耳の膜迷路にある液体）.

en·do·lym·phat·ic ap·pen·dage 内リンパ付属器. = endolymphatic diverticulum.

en·do·lym·phat·ic di·ver·tic·u·lum 内リンパ憩室（内リンパ管および内リンパ嚢を形成する耳胞の憩室）. = endolymphatic appendage.

en·do·lym·phat·ic duct 内リンパ管（膜迷路の球形囊，卵形囊の双方に結合し，側頭骨岩様部の前庭水管を通り，岩様部の後面で拡大した盲端(内リンパ囊)に終わる膜性の小管で，脳硬膜におおわれている）.

en·do·lym·phat·ic hy·drops 内リンパ水腫. = Ménière disease.

en·do·lym·phat·ic sac 内リンパ囊（側頭骨錐体部後面の硬膜の外にある内リンパ管の盲端が拡張したもの）. = saccus endolymphaticus; Böttcher space.

en·do·lym·phat·ic sac sur·ger·y 内リンパ囊手術（Ménie\`re 病の治療として，内リンパ囊に対して行われる，いくつかの手術の一般名）.

en·do·lym·phat·ic shunt op·er·a·tion 内リンパ囊開放術（Ménie\`re 病の治療のために行う，内リンパ囊と脳脊髄液腔との交通をつける手術）.

en·do·lym·phic (en′dō-lim′fik). 内リンパの.

En·do me·di·um 遠藤培地. = Endo agar.

en·do·me·tri·a (en′dō-mē′trē-ă). endometrium の複数形.

en·do·me·tri·al (en′dō-mē′trē-ăl). 子宮内膜の.

en·do·met·ri·al ab·la·tion 内膜剥離術（治療目的で行う内膜掻爬）.

en·do·met·ri·al hy·per·pla·si·a 内膜増殖症（内膜腺管の増殖，通常，高エストロゲン症での二次的変化．単純増殖，複合増殖，異型増殖に分類される．後者は内膜癌に進展する可能性がある）.

en·do·me·tri·al stro·mal sar·co·ma 子宮内膜間質部肉腫（子宮内膜の一種であるとされる比較的まれな肉腫にときに用いる語．病変は子宮筋層および他の部位の血管部位に多病巣をもち，子宮内膜質に似た組織学的および細胞学的要素からなる）.

en·do·me·tri·oid (en′dō-mē′trē-oyd). 類内膜（顕微鏡的に子宮内膜組織に類似するもの）.

en·do·me·tri·oid car·ci·no·ma 類内膜癌（組織型が子宮内膜腺癌に類似する卵巣癌または前立腺癌）.

en·do·me·tri·oid tu·mor 類内膜腫瘍（子宮内膜に類似の上皮または間質部分を含む卵巣の腫瘍）.

en·do·me·tri·o·ma (en′dō-mē-trē-ō′mă). 子宮内膜腫（子宮内膜症における異所性子宮内膜の限局性の塊）.

en·do·me·tri·o·sis (en′dō-mē-trē-ō′sis). 子宮内膜症，エンドメトリオーシス（子宮内膜組織の異所性発生．しばしば変質した血液を含む囊胞を形成する）.

en·do·me·tri·tis (en′dō-mē-trī′tis). 子宮内膜炎.

en·do·me·tri·um, pl. en·do·me·tri·a (en′dō-mē′trē-ŭm, -ă). 子宮内膜（子宮壁内層からなる粘膜．単層円柱上皮および単一管状の子宮腺をもつ固有層で構成される．内膜の構造，厚さ，状態は月経周期に伴って大きく変化する）.

en·do·mi·to·sis (en′dō-mī-tō′sis). = endopolyploidy.

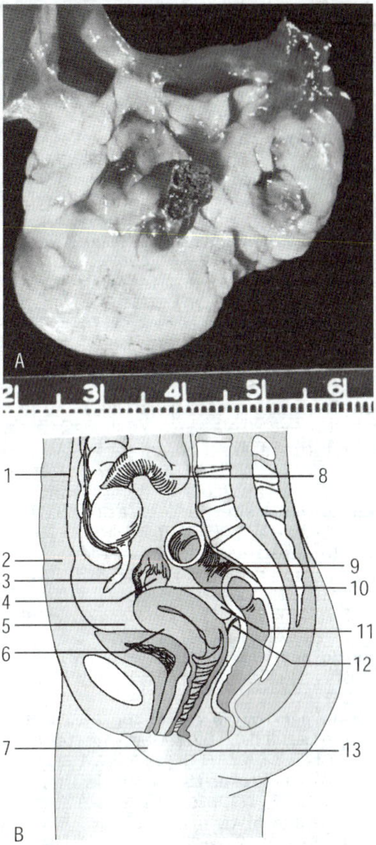
A
2
3
4
5
6
B
1
2
3
4
5
6
7
8
9
10
11
12
13

endometriosis
A：卵巣にみられた子宮内膜症.
B：子宮内膜症の発生部位．1：臍，2：腹壁，3：虫垂，4：卵巣，5：直腸子宮窩，6：子宮，7：陰門，8：回腸，9：結腸，10：子宮後面，11：直腸子宮窩後部，12：直腸腟中隔，13：会陰.

en·do·morph (en′dō-mōrf). 内胚葉型，肥満型（内胚葉に由来する組織が優勢な体質型あるいは体格．形態学的には，四肢に比較して体幹が大きい）.

en·do·mor·phic (en′dō-mōr′fik). 内胚葉型の.

En·do·my·ce·ta·les (en′dō-mī-sē-tā′lēz). エンドミセス目（子囊菌類の一目で，酵母を含むもの）.

en·do·my·o·car·di·al (en′dō-mī-ō-kahr′dē-ăl). 心内膜心筋の（心内膜と心筋に関する）.

en·do·my·o·car·di·al fi·bro·sis 心内膜心筋線維症（線維形成による心室心内膜の肥厚．心内膜下心筋層，ときには房室弁も侵し，壁在血栓を伴うこともあり，僧帽弁と三尖弁の閉鎖不全を伴った両心不全を生じる．アフリカの一部における地方病で，成人に起こる）．

en·do·my·o·car·di·tis (en′dō-mī′ō-kahr-dī′tis)．心内膜心筋炎（東アフリカの風土病）．

en·do·my·o·me·tri·tis (en′dō-mī-ō-mē-trī′tis)．子宮内膜炎（子宮筋組織に波及した敗血症）．

en·do·mys·i·um (en′dō-miz′ē-ŭm)．筋内膜（筋線維を囲む微細な結合組織の鞘）．

en·do·neu·ri·um (en′dō-nūr′ē-ŭm)．神経内膜（神経管の最内側の結合織支持構造で，有髄および無髄神経線維を囲む．主に，基質，コラーゲン，線維芽細胞よりなる．神経上膜，神経周膜とともに末梢神経を包む間質として働いている）. = Henle sheath.

en·do·nu·cle·ase (en′dō-nū′klē-ās)．エンドヌクレアーゼ（DNA 分子の分子内ホスホジエステル結合を切断する酵素(ホスホジエステラーゼ)で，この分解によっていろいろな大きさの DNA の断片が生成される．*cf.* exonuclease）．

en·do·par·a·site (en′dō-par′ă-sīt)．内〔部〕寄生性生物（宿主体内に生存する寄生性生物）．

en·do·pep·ti·dase (en′dō-pep′ti-dās)．エンドペプチダーゼ（ペプチド鎖の終点付近でなく鎖状結合内部の点において，ペプチドの加水分解を触媒する酵素．例えば，ペプシン，トリプシン．*cf.* exopeptidase）．

en·do·per·i·car·di·tis (en′dō-per′i-kahr-dī′tis)．心内膜心膜炎（心内膜と心膜が同時に炎症を起こすこと）．

en·do·per·i·my·o·car·di·tis (en′dō-per′i-mī-ō-kahr-dī′tis)．心内膜心膜心筋炎（心筋および心内膜と心膜が同時に炎症を起こすこと）．

en·do·per·i·to·ni·tis (en′dō-per′i-tō-nī′tis)．腹腔漿膜炎，腹膜中皮炎（腹膜の表在性炎症）．

en·do·phle·bi·tis (en′dō-flĕ-bī′tis)．静脈内膜炎（静脈の内膜の炎症）．

en·doph·thal·mi·tis (en′dof-thal-mī′tis)．眼内炎（眼球内組織の炎症）．

en·do·plasm (en′dō-plazm)．内質（細胞質の内部あるいは髄質部．ectoplasm の対語．細胞小器官を含む）．

en·do·plas·mic re·tic·u·lum (ER) 小胞体（真核細胞中の，細管あるいは扁平嚢(槽)の網状の広がり．リボソームが付着しているもの(rough ER)としていないもの(smooth ER)とがある）．

en·do·pol·y·ploid (en′dō-pol′ē-ployd)．内部倍数性の．

en·do·pol·y·ploi·dy (en′dō-pol′ē-ploy-dē)．内部倍数性（紡錘糸の形成あるいは細胞分裂を伴わずに核の DNA 成分が 2 分する過程あるいは状態．倍数体の核を生じる）. = endomitosis.

en·do·rec·tal pull-through pro·ce·dure 直腸貫通法，重積法（下部結腸とともに病変部の直腸粘膜除去後，肛門機能を保持するために口側結腸を肛門内腔より引き出して吻合する方法）．

en·do·re·du·pli·ca·tion (en′dō-rē-dū-pli-kā′shŭn)．核内倍加（核分裂の前期と中期に染色体が 2 度倍加され，各染色体が 4 本となる倍数性，あるいは倍数体の一形態）．

end or·gan 終末器，終末小体（筋肉，組織，皮膚，粘膜，あるいは腺などの末梢組織中の神経線維の末端を含む特殊構造）．

en·dor·phin (ĕn-dōr′fĭn)．エンドルフィン（脳で産生される天然物質で，オピオイド受容体と結合し，痛みの感覚を鈍らせる働きがある．激しい運動の最中に，"運動によるナチュラルハイ"，つまり多幸感や上機嫌の状態を引き起こすだろうと言われている）．

en·dor·phin·er·gic (en-dōr′fin-ĕr′jik)．エンドルフィン作用〔性〕の（神経伝達物質としてエンドルフィンを用いる神経細胞や神経線維についていう）．

en·do·sac (en′dō-sak)．エンドサック（内視鏡下手術で用いられる組織を入れる袋で，これを使用すれば組織の摘除や分割切除を容易に行うことができる）．

en·do·sal·pin·gi·tis (en′dō-sal-pin-jī′tis)．卵管内膜炎．

en·do·scope (en′dō-skōp)．内視鏡，直達鏡，内達鏡（管状あるいは空洞状臓器の内部を検査する器械）．

en·do·scop·ic bi·op·sy 内視鏡生検，内視鏡バイオプシー（内視鏡を通して器具を使ったり，または内視鏡の誘導下に針を穿刺して行う生検法）．

en·do·scop·ic ret·ro·grade chol·an·gi·o·pan·cre·a·tog·ra·phy (ERCP) 内視鏡的逆行性胆道膵管造影(撮影)〔法〕（内視鏡で Vater 乳頭を観察したのち，カニューレを挿入し造影剤を注入し，膵管，肝管，および総胆管を造影する）．

en·dos·co·pist (en-dos′kŏ-pist)．内視鏡医（内視鏡のトレーニングを受けた専門医）．

en·dos·co·py (en-dos′kŏ-pē)．内視鏡検査〔法〕，直達検査〔法〕，内観法（内視鏡のような特別な器械による管状あるいは空洞状臓器の内部検査法．→endoscope）．

en·do·skel·e·ton (en′dō-skel′ĕ-tŏn)．内骨格，体内骨格（身体の内部骨格構造で，通常，外骨格と区別されるような状態の骨格）．

en·do·so·nos·co·py (en′dō-son-os′kŏ-pē)．内腔超音波検査（超音波画像診断法で，例えば，食道，尿道，膀胱，腟，または直腸に入れる小さなプローブのような体内に挿入したトランスデューサ(変換器)によって行う）．

en·do·spore (en′dō-spōr)．内生胞子（①ある種の細菌，特に *Bacillus* 属や *Clostridium* 属の休止期細胞内に形成される抵抗性の小体．② *Coccidioides immitis* の球状体のような細胞内あるいは胞子柄の管状端部内に生じる真菌胞子の一種）．

en·dos·se·ous im·plant = endosteal implant.

en·dos·te·al (en-dos′tē-ăl)．骨内膜の．

en·dos·te·al im·plants 骨膜下インプラント（歯槽骨または基底骨に挿入され，粘膜骨膜を突き通る医療機器). = endosseous implant.

en·dos·te·i·tis, en·dos·ti·tis (en-dos′tē-ī′tis, en′dos-tī′tis). 骨内膜炎（骨内膜あるいは骨髄腔の炎症). = central osteitis(2); perimyelitis.

en·dos·te·o·ma (en-dos′tē-ō′mă). 骨内膜腫（骨髄腔内の骨組織の良性新生物). = endostoma.

en·dos·te·um (en-dos′tē-ŭm). 骨内膜（中心骨髄腔の中で骨の内側面をおおう細胞の層). = medullary membrane.

en·dos·to·ma (en′dō-stō′mă). = endosteoma.

en·do·ten·din·e·um (en′dō-ten-din′ē-ŭm). 内腱鞘（腱の二次束を取り囲む微細な結合組織).

en·do·the·li·a (en′dō-thē′lē-ă). endothelium の複数形.

en·do·the·li·al (en′dō-thē′lē-ăl). 内皮の.

en·do·the·li·al cell 内皮細胞（血管およびリンパ管の壁と心内膜の内層を形成する単一扁平上皮細胞の１つ).

en·do·the·li·al dys·tro·phy of cor·ne·a 角膜内皮変性（角膜内皮の特に誘因のない消失. 角膜内皮変性に引き続き角膜実質および上皮の浮腫が起こる).

en·do·the·li·al leu·ko·cyte 内皮〔性白血〕球（monocyte(単球)を表す古語. 単球はかつて細網内皮系組織からつくられると考えられた).

en·do·the·li·al my·e·lo·ma 内皮性骨髄腫. = Ewing tumor.

en·do·the·li·oid (en′dō-thē′lē-oyd). 内皮細胞様の.

en·do·the·li·o·ma (en′dō-thē-lē-ō′mă). 内皮腫（血管あるいはリンパ管の内皮組織から発生する新生物の一般名で, 良性と悪性があるが, 特に良性腫瘍をいう).

en·do·the·li·o·sis (en′dō-thē-lē-ō′sis). 内皮症.

en·do·the·li·um, pl. en·do·the·li·a (en′dō-thē′lē-ŭm, en′dō-thē′lē-ă). 内皮（特に血管, リンパ管, および心臓の内面をおおう扁平な細胞の層).

en·do·ther·mic (en′dō-thĕr′mik). 吸熱の（熱(エンタルピー)の吸収を伴う化学反応についていう. *cf.* exothermic(1)).

en·do·tho·rac·ic fas·ci·a 胸内筋膜（胸壁を裏打ちする胸膜の外にある筋膜. 胸膜上膜として胸膜頂にのび, また横隔膜と胸膜との間にある横隔胸膜筋膜といわれる薄い層を形成する).

en·do·thrix (en′dō-thriks). 毛内菌（毛幹内部に侵入している真菌の胞子(分生子). 毛外菌の場合にみられるようなはっきりした外胞子鞘がない).

endotoxaemia [Br.]. = endotoxemia.

en·do·tox·e·mi·a (en′dō-tok-sē′mē-ă). 内毒〔素〕血症（血液中に内毒素が存在すること. グラム陰性杆菌に由来する場合, ショックを伴う全身性の Shwartzman 現象の原因になることがある). = endotoxaemia.

en·do·tox·ic (en′dō-tok′sik). 内毒素の.

en·do·tox·i·co·sis (en′dō-tok-si-kō′sis). 内毒素中毒〔症〕.

en·do·tox·in (en′dō-tok′sin). 内毒素（①周囲の培地に自由に放出されない細菌毒素. ②リン脂質と多糖類の高分子複合体で, グラム陰性菌の有毒性および比較的弱毒性の菌株の細胞壁の構成部分となっている. トキソイドにならないが, 注入するとショック状態を起こし, 注入量が少なくても発熱および白血球減少を起こし, 続いて白血球増加症を起こす). = intracellular toxin.

en·do·tra·che·al (en′dō-trā′kē-ăl). 気管内の.

en·do·tra·che·al an·es·the·si·a 気管内麻酔〔法〕（麻酔薬および呼吸ガスが, 口または鼻から気管内に置かれた管を通過する吸入麻酔法).

en·do·tra·che·al in·tu·ba·tion 気管内挿管（麻酔中の気道維持のため, あるいは換気維持のため, 閉塞しそうな気道を維持するため, 経鼻または経口で気管内にチューブを挿入すること).

en·do·tra·che·al tube (ET) 気管内チューブ. = tracheal tube.

en·do·trac·he·li·tis (en′dō-trā′kĕ-lī′tis). = endocervicitis.

en·do·vas·cu·li·tis (en′dō-vas′kyū-lī′tis). = endangiitis.

end-piece (end′pēs). 末端部（精子の尾部の終末部で, 軸糸とべん毛膜とからなる).

end·plate, end-plate (end′plāt). 終板（骨格筋線維における運動神経終末).

end point 終点（反応の完結).

end-po·si·tion·al nys·tag·mus 極位眼振（律動性の生理的障害で, それ以外では特に問題のない患者が, 視野の限界部分にある視点に焦点を合わせようとする際に起こる).

end·prod·uct (end′prod-ŭkt). 最終産物（医療においては, 製造, 治療, または統計プロセスの最終的な状態をさす).

end stage 末期（疾患の完全進展期).

end sys·tol·ic vol·ume (ESV) 収縮末期容量（収縮期後, 充満期前に各心室に残っている血液量. 約 50—60 mL).

end-ti·dal (end-tī′dăl). 呼吸終期の（正常呼気の終わりに).

end-to-end a·nas·to·mo·sis 端端吻合（2つの管を切離した後に, 管を通る流れと直交するように形成される吻合(切離端と切離端とを口径を合わせてストレートに吻合すること)).

en·dur·ance (en-dūr′ăns). 持久性（心臓, 肺, および筋骨格の働きを, 経時的に維持すること).

en·dur·ance phase 持久期（参加者の心呼吸系の健康を向上させるために利用される期間. 20—60 分間の連続的または断続的な有酸素運動を含む). = cardiorespiratory training; endurance training.

en·dur·ance train·ing = endurance phase.

-ene 化学名に用いる接尾語で, 例えば, プロペン(不飽和プロパン, CH_3-CH=CH_2)のような炭素-炭素の二重結合の存在を示す.

en·e·ma (en′ĕ-mă). 浣腸, 注腸（腸をきれいにする, または薬や食物を与える目的で直腸に注入すること).

E

en·er·gy (E) (en′ĕr-jē). エネルギー（活動力．力の発揮．動力．行いうる仕事量の大きさを表すもので，運動エネルギー，位置エネルギー，化学的エネルギー，電気エネルギーなどの形態をとる）．

en·er·gy bal·ance e·qua·tion エネルギー出納（均衡）方程式（カロリー摂取量がカロリー消費量に等しい場合には，体重は一定に保たれることを示す式．このどちらかに何らかの慢性的な不均衡があれば，体重に変化が生じる）．

en·er·gy con·ser·va·tion tech·niques (ECT) 省エネルギー技術（物理的環境においてエネルギー節約のコンセプトを促進するため様々な手段を用いること．効率性に重点を置くため，活動の制限，作業の変更，時間の管理，仕事簡略化の技術，人間工学，ワークステーションやプラットフォームの再編成を含む）．

en·er·gy ex·pen·di·ture →kilocalorie, calorie.

en·er·gy sub·trac·tion エネルギーサブトラクション（高エネルギー照射と低エネルギー照射の両方を用いるデジタルラジオグラフィ．2種類の管電圧での二重の照射によって，あるいは，2つのイメージングプレートの間に低エネルギー光量子を吸収する銅のフィルタを挿入することによって，高い原子番号と低い原子番号の画像（骨および軟部組織のそれぞれについての画像）をコンピュータ計算する．光電効果 photoelectric effect のために，低エネルギー X 線が，カルシウムや銅のような，より高い原子番号の物質によって吸収されるという事実が使用される）．

en·er·va·tion (en′ĕr-vā′shŭn). 神経衰弱．

ENG electronystagmography の略．

en·gage·ment (en-gāj′mĕnt). 進入機序，嵌入〔機序〕（産科において，胎児の大横径が骨盤入口平面にはいる機序）．

En·glish lock 英国ロック（産科鉗子の鉗子柄の接合部．片側の鉗子が他側と接合する部分の固定用ロック．Simpson 鉗子に用いられている）．

en·gorged (en-gōrjd′). うっ積した，充血した（体液で膨張したことについていう．→congested; hyperemic）．

en·gorge·ment (en-gorj′mĕnt). うっ積，充血（体液その他の物質で膨張すること）．

en·gram (en′gram). エングラム，記憶痕跡（ムネメの仮説 mnemic hypothesis における，経験や刺激の繰返しの結果として生物個体の中枢神経でつくられる肉体的習慣や記憶）．

en·graph·i·a (en-graf′ē-ă). エングラム形成．

en·hance·ment (en-hans′mĕnt). 強化，増大，増強（①増強させること．②免疫学において，対立する過程を抑制して，過程あるいは出来事を延長すること）．

en·hanc·er (en-hans′ĕr). エンハンサー（特定のプロモータの機能に重要な遺伝因子）．

en·keph·a·lin·er·gic (en-kef′ă-lin-ĕr′jik). エンケファリン作用〔性〕の（神経伝達物質としてエンケファリンを用いる神経細胞や神経線維についていう）．

en·large·ment (en-lahrj′mĕnt). = intumescence (1); intumescentia. ***1*** 拡大（形態的に膨らんだり，広がったり，高まったりしていること）．***2*** 腫脹，膨大．

en·large·ment of the ves·tib·u·lar a·que·duct 前庭導水管の拡大（大きな前庭導水管がみられ，劣勢遺伝する聴覚障害）．

-enoic 不飽和酸を表す接尾語．

e·nol (ē′nol). エノール（二重結合した炭素原子に結合した水酸基（アルコール）をもつ化合物（-CH=CH（OH）-））．

e·no·lase (ē′nō-lās). エノラーゼ（2-ホスホ-D-グリセリン酸を加水分解してエノールピルビン酸-2-リン酸と水の生成反応を可逆的に触媒する酵素．解糖および糖新生の両方での段階．数種のアイソザイムが存在する．マグネシウムイオンを要求し，F^- で阻害される）．

e·nol·o·gy (ē-nol′ŏ-jē). ブドウ酒研究．= oenology.

en·oph·thal·mos (en′of-thal′mos). 眼球陥入，眼球陥没（眼窩内に眼球が陥没すること）．

en·os·to·sis (en′os-tō′sis). 内骨〔腔〕症（骨内の，増殖する骨組織の塊）．

en·o·yl (ē′nō-il). エノイル（不飽和脂肪酸のアシル基）．

ENP emergency nurse practitioner の略．

en·rolled nurse 准看護士（正看護師の指示の下で患者をケアする，セカンドレベルの看護師．カナダでは graduate nurse と呼ばれる）．= auxiliary nurse.

en·si·form (en′si-fōrm). 剣状の．= xiphoid.

en·si·form pro·cess = xiphoid process.

ENT ears（耳），nose（鼻），throat（咽喉）の略．→otorhinolaryngology.

en·tad (en′tad). 内方へ．

en·tal (en′tăl). 内部の．

ent·am·e·bi·a·sis (ent′ă-mē-bī′ă-sis). 〔体内寄生性〕アメーバ症（赤痢アメーバ *Entamoeba histolytica* による感染症．→amebiasis; amebic dysentery）．= entamoebiasis.

En·ta·moe·ba (ent′ă-mē′bă). エントアメーバ属（ヒトその他の霊長類，家畜，野生の哺乳類，鳥類の口腔，盲腸，大腸に寄生するアメーバの一属．赤痢アメーバ *Entamoeba histolytica* を除き，この属の種は宿主に対して何の害ももたらさない）．

Ent·a·moe·ba co·li 大腸アメーバ（ヒトの大腸にみられる非病原性のアメーバの種で，しばしば，いわゆる赤痢アメーバ *E. histolytica* と混同される）．

En·ta·moe·ba dis·par ヒト大腸に感染する非病原性アメーバ．以前は赤痢アメーバと考えられたが，現在では別個のものと考えられている．ヒトに病原性はなく症候性のアメーバ症は伴わない．形態は赤痢アメーバ *Entamoeba histolytica* に似るが，栄養型が赤血球を取り込んでいる像はみられない．

Ent·a·moe·ba gin·gi·va·lis 歯肉アメーバ（ヒトの口腔内にみられるアメーバの一種）．

Ent·a·moe·ba his·to·lyt·i·ca 赤痢アメーバ（アメーバの一種で唯一のはっきりした病原体．アメーバ赤痢を起こす）．

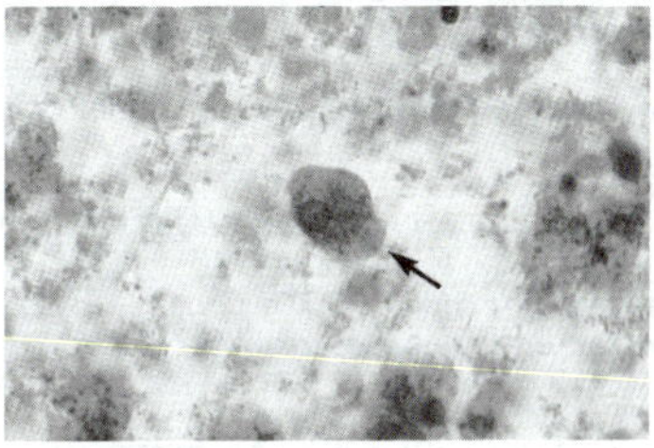

Entamoeba histolytica
糞便培養でみられた偽足（矢印）をもつ栄養型．トリクロム染色，×3400．

En·ta·moe·ba po·lec·ki ポレックアメーバ（ブタの小腸から頻繁に見出されるアメーバの一種．サル類，ウシ，ヤギ，ヒツジ，イヌにも寄生する．ヒトにもみられるが症状は起こさない．臨床的意義は赤痢アメーバ *Entamoeba histolytica* との混同の可能性にある）．

entamoebiasis ［Br.］. = entamebiasis.

en·ter·al (en′tĕr-ăl). 腸内の，経腸的な（特に parenteral（非経口的）とは区別される）．

en·ter·al feed·ing 経腸栄養（管を使った栄養補給の一形態）．

en·ter·al·gi·a (en′tĕr-al′jē-ă). 腸痛（激しい腹痛．腸の痙攣を伴う）. = enterodynia.

en·ter·al hy·per·al·i·men·ta·tion 経腸高栄養療法（腸管に挿入したカテーテルを通した必須栄養素の投与による高栄養療法．通常，少しでも機能を有する小腸を一部有する患者に用いられる）．

en·ter·al nu·tri·tion 経腸栄養法（管を使って行う腸管や消化管への栄養補給）．

en·ter·ec·ta·sis (en′tĕr-ek′tă-sis). 腸拡張を表す語．

en·ter·ec·to·my (en′tĕr-ek′tŏ-mē). 腸切除〔術〕（腸の一部を切り取ること）．

en·ter·el·co·sis (en′tĕr-el-kō′sis). 腸潰瘍を表す語．

en·ter·ic (en-ter′ik). 腸の，内臓の．

ent·er·ic-coat·ed tab·let 腸溶性錠剤（胃での溶解を最小限に抑え，小腸で溶解するような物質でコーティングされた経口製剤）．

en·ter·ic fe·ver 腸熱（①= typhoid fever. ②腸チフス，パラチフスの一群）．

en·ter·ic i·so·la·tion 腸内分離（腸管感染症の患者に対して用いられる分離）．

en·ter·i·coid fe·ver 腸チフス様熱病（パラチフスでも腸チフスでもないが，どちらかというと後者に似ている熱病）．

en·ter·ic or·phan vi·rus·es ヒトや他の動物から分離されたエンテロウイルス．“orphan”は，分離されたときに病気との関連性がわからなかったことを意味しているが，現在では，この群の多くのウイルスは病原性があることが知られている．ECBO ウイルス，ECHO ウイルス，ECSO ウイルスが含まれる．

en·ter·ic tu·ber·cu·lo·sis 腸結核（空洞性肺結核の合併症で，結核菌を喀出・えん下して相対的な内容の停滞があるか，あるいはリンパ組織に富んでいる消化管部位に感染する．→tuberculous enteritis）．

en·ter·ic vi·rus·es Enterovirus 属のウイルス．

en·ter·i·tis (en′tĕr-ī′tis). 腸炎（腸，特に小腸の炎症）．

en·ter·i·tis ne·cro·ti·cans 壊疽性腸炎（ウェルチ菌 *Clostridium welchii* によって腸壁の壊死が起こる腸炎）. = pigbel.

entero-, enter- 腸を意味する連結形．

en·ter·o·ag·gre·ga·tive *Esch·e·rich·i·a co·li* 腸管凝集性大腸菌（Hep-2 細胞への付着によって定義される病原性大腸菌系統．持続性小児下痢症を引き起こす）．

en·ter·o·a·nas·to·mo·sis (en′tĕr-ō-ă-nas′tō-mō′sis). = enteroenterostomy.

En·ter·o·bac·ter (en′tĕr-ō-bak′tĕr). エンテロバクター属（腸内細菌科グラム陰性杆菌で，好気性，通性嫌気性，非胞子形成性，運動性細菌の一属．細胞は周毛性で被膜をもつ菌株もある．酸および気体を生成しながらグルコース発酵を行う．Voges-Proskauer 試験は通常，陽性を示す．この細菌はヒトや動物の糞便，下水，土，水，乳製品にみられる．尿路，肺，あるいは血液の一般的院内感染因子として認識されている．抗生物質に対してある程度の抵抗性を示す．本属は誘導可能な *β*-ラクタマーゼをもつため，一部が速やかに耐性を獲得することが特徴である．標準種は *Enterobacter cloacae*）．

En·ter·o·bac·ter aer·o·ge·nes 傷口や尿，血液，脊髄液中にみられる細菌種．

En·ter·o·bac·ter sa·ka·za·ki·i 特に育児室で感染する新生児髄膜炎に関係する細菌種．

en·ter·o·bi·a·sis (en′tĕr-ō-bī′ă-sis). ぎょう虫症（ヒトの *Enterobius vermicularis* による感染症）．

En·te·ro·bi·us (en′tĕr-ō′bī-ŭs). 線虫の一属で，ぎょう虫（*Enterobius vermicularis*）が含まれる．

***En·te·ro·bi·us* gran·u·lo·ma** 消化管性肉芽

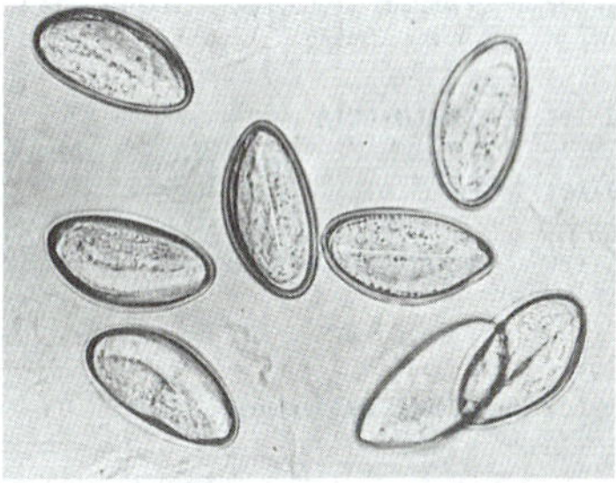

Enterobius vermicularis
ぎょう虫の卵（透明プレパラート）．

E

腫（線虫の死骸，卵などを含む肉芽腫．腟壁，子宮頸管，卵管，大網，腹膜，肝臓，腎臓，肺などでみられる）．

en·ter·o·cele (en′tĕr-o-sēl). *1* 腸瘤（直腸腟窩または膀胱腟窩の欠損部からのヘルニア状の突出）．*2* 腹腔．= abdominal cavity. *3* 腸ヘルニア．

en·ter·o·cen·te·sis (en′tĕr-ō-sen-tē′sis). 腸穿刺〔術〕（物質を取り除くために中空針（カニューレまたはトロカール）で腸を穿刺すること）．

en·ter·o·ci·dal (en′ter-ō-sī′dal). 抗寄生虫剤（消化管の寄生虫を殺す薬物）．

en·ter·o·clei·sis (en′tĕr-ō-klī′sis). 腸管閉鎖〔術〕（腸管腔の閉鎖）．

en·ter·o·cly·sis (en′tĕr-ō-klī′sis). 高位浣腸法（①= high enema. ②小腸X線撮影で，上方より十二指腸や空腸に進められたカテーテルを通じて造影剤を誘導し満たすこと）．

En·ter·o·coc·cus (en′ter-ō-kok′ŭs). エンテロコッカス属（通性嫌気性で通常は非運動性の無芽胞性グラム陽性菌の一属（ストレプトコッカス科）．ヒトや動物の腸管にみられ，腹腔内，創傷，並びに尿路感染症の原因となる．標準種は *Enterococcus faecalis* で，*E. faecium* も抗生物質耐性を獲得する性質をもつため臨床的な意義をもつ）．

En·ter·o·coc·cus fae·cal·is ヒトの糞便中と多くの温血動物の腸内に存在する細菌種．ときに尿中や亜急性心内膜炎の血流中や心臓病変にみつかる．院内感染の主要な原因であり，特にグラム陰性病原体とともに感染する．

En·ter·o·coc·cus fae·ci·um ヒトの感染で検出されるこの属で2番目に多い種．本種はアンピシリンに弱い耐性を有する．米国やバンコマイシンが頻繁に使用されている国々では耐性株が院内感染の原因菌として急速に出現している．免疫不全患者の敗血症では，死亡率は50%以上である．

en·ter·o·co·li·tis (en′tĕr-ō-kŏ-lī′tis). 腸炎（小腸と大腸の両方にわたる粘膜の炎症）．= colo-enteritis.

en·ter·o·co·los·to·my (en′tĕr-ō-kŏ-los′tŏ-mē). 小腸結腸吻合〔術〕（小腸と結腸の間に新しい連絡をつくること）．

en·ter·o·cyst, en·ter·o·cys·to·ma (en′tĕr-ō-sist, en′tĕr-ō-sis-tō′mă). 腸嚢胞（腸壁の嚢胞）．

en·ter·o·cys·to·cele (en′tĕr-ō-sis′tō-sēl). 腸膀胱ヘルニア（腸と膀胱壁両方のヘルニア）．

en·ter·o·dyn·i·a (en′tĕr-ō-din′ē-ă). 腸痛．= enteralgia.

en·ter·o·en·do·crine cells 腸内分泌細胞（消化管全体に散在する数種類の細胞で，少なくとも20種の消化管ホルモンと神経伝達物質を産生すると考えられている）．

en·ter·o·en·ter·os·to·my (en′tĕr-ō-en-tĕr-os′tŏ-mē). 腸腸吻合〔術〕（腸の2つの部分を新しく連結すること）．= enteroanastomosis; intestinal anastomosis.

en·ter·o·gas·tric re·flex 胃腸反射（食物の胃への侵入により誘発される小腸のぜん動の収縮．→gastrocolic reflex）．

en·ter·o·gas·tri·tis (en′tĕr-ō-gas-trī′tis). 胃腸炎．= gastroenteritis.

en·ter·o·gas·trone (en′tĕr-ō-gas′trōn). エンテロガストロン（腸粘膜から得られるホルモンで，胃液の分泌と活動性を抑制する．エンテロガストロンの分泌は十二指腸粘膜が食物中の脂肪に触れると刺激される）．

en·ter·og·e·nous (en′tĕr-oj′ĕ-nŭs). 腸性の．

en·ter·og·e·nous cy·a·no·sis 腸性チアノーゼ（亜硝酸塩その他の毒物が腸管より吸収されることにより，メトヘモグロビンまたはスルフヘモグロビンが生成されて起こる外見的なチアノーゼ．皮膚の色の変化はメトヘモグロビンのチョコレート色のためである）．

en·ter·og·e·nous cyst 腸性嚢胞（原腸から取り残された細胞に由来する縦隔の嚢胞．組織学的に気管支性，食道性，胃性に分類される）．

en·ter·o·hem·or·rhag·ic *Esch·e·rich·i·a co·li* (EHEC) 腸出血性大腸菌（腸出血性大腸菌株（通常，血清型O157：H7）は，赤痢菌と類似の毒素を産生して，腸上皮の破壊，腸の虚血・壊死を引き起こす．汚染牛肉や家禽を一次感染源とする重篤な無発熱性出血性腸炎の原因菌であることは明らかであるが，微小血管出血性貧血，腎不全，出血性尿毒性症候群の原因菌でもある可能性がある）．

en·ter·o·he·pat·ic cir·cu·la·tion 腸肝循環（胆汁塩のように，腸から吸収されて肝臓に運ばれ，そこで胆汁に分泌され，再び腸にはいる物質の循環）．

en·ter·o·hep·a·ti·tis (en′tĕr-ō-hep-ă-tī′tis). 腸肝炎（腸と肝臓の両方の炎症）．

en·ter·o·hep·a·to·cele (en′tĕr-ō-hep′ă-tō-sēl). 腸肝ヘルニア（腸と肝臓を含む先天性臍ヘルニア．→omphalocele）．

en·ter·o·in·va·sive *Esch·e·rich·i·a co·li* (EIEC) 腸侵入性大腸菌（大腸菌腸侵入性株は，腸粘膜を貫通して，腸上皮で増殖し，粘膜に赤痢症様の変化をきたす．その結果，赤痢症様の重篤な下痢が発症するが，嘔吐がないことと，病期が短い点が細菌性赤痢とは異なる）．

en·ter·o·ki·ne·sis (en′tĕr-ō-ki-nē′sis). 消化管運動（胃腸管の筋運動．→peristalsis）．

en·ter·o·ki·net·ic (en′tĕr-ō-ki-net′ik). 消化管運動の．

en·ter·o·lith (en′tĕr-ō-lith). 腸〔結〕石，糞石（飲み込んだ果石または非消化性物質などの堅い物質を核として，周囲を石けんやリン酸土の層が取り囲む腸石）．

en·ter·o·li·thi·a·sis (en′tĕr-ō-li-thī′ă-sis). 腸石症（腸内に結石が存在すること）．

en·ter·ol·o·gy (en′tĕr-ol′ŏ-jē). 腸病学（特に腸管を扱う医学の一分野）．

en·ter·ol·y·sis (en′tĕr-ol′i-sis). 腸癒着剥離〔術〕．

en·ter·o·meg·a·ly, en·ter·o·me·ga·li·a (en′tĕr-ō-meg′ă-lē, -ō-mĕ-gā′lē-ă). 巨大腸〔症〕．= megaloenteron.

en·ter·o·my·co·sis (en′tĕr-ō-mī-kō′sis). 腸真菌症（真菌が原因である腸の疾患）．

en·ter·o·pa·re·sis (en′tĕr-ō-păr-ē′sis). 腸不全麻痺（腸壁の筋肉の弛緩を伴うぜん動の減速あるいは停止に対して，まれに用いる語）.

en·ter·o·path·o·gen (en′tĕr-ō-path′ō-jen). 腸病原体（腸管に病気を生じうる病原体）.

en·ter·o·path·o·gen·ic (en′tĕr-ō-path′ō-jen′ik). 腸病原〔性〕の（腸管に病気を生じることについていう）.

en·ter·o·path·o·gen·ic *Esch·e·rich·i·a co·li*（EPEC） 腸病原性大腸菌（大腸菌腸病原性株は，小腸粘膜に付着して，微絨毛に特徴的な変化をきたす．ときとして重篤な胃腸症状を呈し，特に新生児や幼児では危険である．典型的な毒素の産生をする）.

en·ter·op·a·thy (en′tĕr-op′ă-thē). 腸症.

en·ter·o·pep·ti·dase (en′tĕr-ō-pep′ti-dās). エンテロペプチダーゼ（トリプシノーゲンをトリプシンに変える（トリプシノーゲンからヘキサペプチドが脱離する），十二指腸粘膜より分泌される腸内の蛋白分解性糖質酵素）.

en·ter·o·pex·y (en′tĕr-ō-pek-sē). 腸固定〔術〕（腸の一部分を腹壁に固定すること）.

en·ter·op·to·sis, en·ter·op·to·si·a (en′tĕr-op-tō′sis, -tō′sē-ă). 腸下垂〔症〕（腹腔内の腸が異常に下がることで，通常は他の内臓下垂を伴う）.

en·ter·op·tot·ic (en′tĕr-op-tot′ik). 腸下垂〔症〕の（腹部内臓の下垂症に関する）.

en·ter·or·rha·gi·a (en′tĕr-ōr-ā′jē-ă). 腸出血.

en·ter·or·rha·phy (en′tĕr-ōr′ă-fē). 腸縫合〔術〕.

en·ter·o·sep·sis (en′tĕr-ō-sep′sis). 腸性敗血症（消化管における，またはそこから生じる敗血症）.

en·ter·o·spasm (en′tĕr-ō-spazm). 腸痙攣（激しく不規則で，痛みを伴うぜん動）.

en·ter·o·sta·sis (en′tĕr-ō-stā′sis). 腸内容うっ滞（腸の内容物の通過が遅れたり停止すること）.

en·ter·o·ste·no·sis (en′tĕr-ō-sten-ō′sis). 腸狭窄（腸の内腔の狭窄）.

en·ter·os·to·my (en′tĕr-os′tō-mē). 腸瘻造設〔術〕，腸造瘻術（小腸間の連絡または腹壁を通した腸内への瘻形成（腸瘻））.

en·ter·ot·o·my (en′tĕr-ot′ō-mē). 腸切開〔術〕.

enterotoxaemia [Br.]. = enterotoxemia.

en·ter·o·tox·e·mi·a (en′tĕr-ō-tok-sē′mē-ă). 腸性毒血症（主にウシやヒツジにみられる急性の，致死率の高い疾患で，*Clostridium perfringens* によって腸内で産生される様々な型の毒素が原因）.

en·ter·o·tox·i·gen·ic (en′tĕr-ō-tok-si-jen′ik). 腸毒素（エンテロトキシン）産生性の（腸管粘膜細胞に特異的な毒素を含む，あるいは生じる病原体についていう）.

en·ter·o·tox·i·gen·ic *Esch·e·rich·i·a co·li*（ETEC） 腸毒性大腸菌（大腸菌腸毒性株は，十二指腸あるいは近位小腸粘膜に付着して，易熱性と耐熱性両毒素を産生し，アデニル酸シクラーゼを活性化することにより，消耗性下痢を引き起こす．旅行者下痢の40—70%はこれであり，主に糞便で汚染した飲料水で媒介される）.

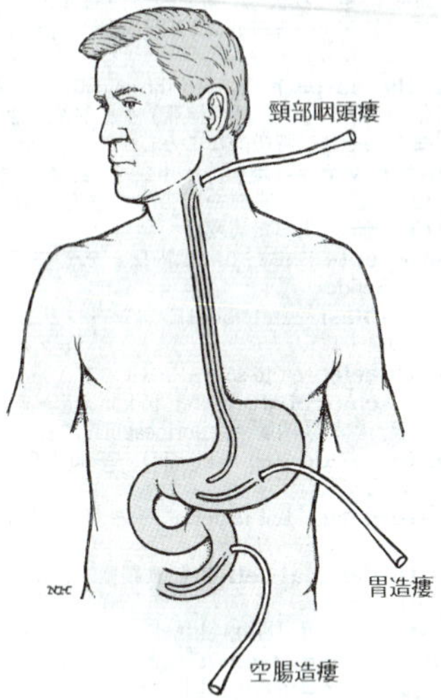
頸部咽頭瘻
胃造瘻
空腸造瘻

enterostomy tubes
自由に曲がるチューブを手術で空けた孔から消化管まで通し，流動食の供給を可能にするもので，腸造瘻の一時的な代替方法.

en·ter·o·tox·in (en′tĕr-ō-tok′sin). エンテロトキシン，腸毒素（腸の粘膜に特有な細胞毒）.

en·ter·o·tro·pic (en′tĕr-ō-trō′pik). 腸向性の（腸に引きつけられる，腸に作用する）.

En·te·ro·vi·rus (en′tĕr-ō-vī-rŭs). エンテロウイルス属（多種で多岐にわたるウイルスを含むウイルス属名．ピコルナウイルス科ウイルスの一属で，ポリオウイルスのタイプ1から3，コクサッキーウイルスAおよびB，エコーウイルスを含む，エンテロウイルス類は1969年以来同定されて，標準種に指定された）.

en·ter·o·zo·ic (en′tĕr-ō-zō′ik). 腸内寄生性動物の.

en·ter·o·zo·on (en′tĕr-ō-zō′on). 腸内寄生性動物（腸内の動物寄生体）.

ent·ge·gen（*E*） (ent′gā-gen). *E*（二重結合，（通常は炭素-炭素二重結合）の異なった炭素原子に結合した順位則で，上位2つの置換基が二重結合の反対側にそれぞれに位置するときに用いる語（記号）（よって，trans- と類似））.

en·thal·py（*H*） (en′thal-pē). エンタルピー，熱関数量（記号 H で表記され，$E + PV$ で定義される熱力学の関数．E は系の内部エネルギー，P は圧力，V は体積．定圧下で測定された反応熱は ΔH である）. = heat(3).

en·the·si·tis (en′thĕ-sī′tis). 筋肉が付着した

E

部位に起こる状態．筋緊張が何回も起こることにより，強い線維化と石灰化傾向を伴う炎症を生じたもの．

en·the·so·path·ic (en′thĕ-sō-path′ik)．腱(靱帯)付着部症の（腱(靱帯)付着部症に関する，またはそれに特徴的なこと）．

en·the·sop·a·thy (en′thĕ-sop′ă-thē)．腱(靱帯)付着部症（筋腱や靱帯の骨または関節包への付着部に生じた病変）．

ento-, ent- 内部あるいは内側，を意味する接頭語．→endo-．

en·to·blast (en′tō-blast)．エントブラスト（細胞の核小体）．

en·to·cele (en′tō-sēl)．内ヘルニア．

en·to·cho·roi·de·a (en′tō-kōr-oyd′ē-ă)．内脈絡膜，脈絡膜内層．= choriocapillary layer.

en·to·co·nid (en′tō-kō′nid)．下顎大臼歯の遠心舌側咬頭．

en·to·derm (en′tō-dĕrm)．内胚葉．= endoderm.

en·to·der·mal cell 内胚葉細胞．= endodermal cells.

en·to·ec·tad (en′tō-ek′tad)．内から外へ．

En·to·lo·ma si·nu·a·tum キノコの一菌種で胃腸性キノコ中毒の原因となる．

en·to·mi·on (en-tō′mē-on)．エントミオン（頭頂骨の乳突角の先端にあたる点）．

en·to·mol·o·gy (en′tŏ-mol′ŏ-jē)．昆虫学（昆虫に関する科学）．

En·to·moph·tho·ra (en-tō-mof′thō-ră)．エントモフソーラ属（→*Conidiobolus*）．

En·to·moph·tho·ra co·ro·na·ta →*Conidiobolus*.

En·to·moph·thor·a·les (en-tō-mof′thō-rā′lēz)．ハエカビ目（接合菌綱のカビの一目．本目には鼻や副鼻腔の慢性肉芽腫性炎症(コニディオボロミコーシス)を起こす *Conidiobolus* 属や慢性皮下肉芽腫症(バシディオボロミコーシス)を起こす *Basidiobolus* 属が含まれている．コニディオボルス感染症とバシディオボルス感染症を同時に考えるとき，エントモフトラ症とよぶ）．

en·to·moph·tho·ra·my·co·sis (en′tō-mof-thōr′ă-mī-kō′sis)．エントモフトラ症（*Basidiobolus* 属または *Conidiobolus* 属の真菌による疾患．皮下または副鼻腔の組織は好酸性物質で取り囲まれた幅広な，隔壁のない菌糸で浸潤される．接合真菌症の1つの型）．

En·to·mo·pox·vi·rus (en′tō-mō-poks-vī′rŭs)．エントモポックスウイルス属（ポックスウイルス科のウイルス属で，昆虫のポックスウイルス類を包含する．脊椎動物での増殖は認められていないようである）．

en·top·ic (en-top′ik)．正常位置の（内部に位置する．正常な場所に現れる，または位置する．ectopic の対語）．

en·top·tic (en-top′tik)．眼内の（網膜の機械的または電気的刺激により生じる視現象を記述するのに使用される）．

en·to·ret·i·na (en′tō-ret′i-nă)．内網膜（外網状層から神経線維層を含めた網膜の層）．

en·to·zo·al (en′tō-zō′ăl)．内部寄生動物の．

en·to·zo·on, pl. en·to·zo·a (en′tō-zō′on, -ă)．内部寄生動物（内器官または組織に寄生する動物）．

en·train·ment mask 混入マスク（加圧ガス−最も多いのが酸素−の希釈を一定に保たせるために大気を混入できるようにつくられたマスク）．

en·trap·ment neu·rop·a·thy エントラップメントニューロパシー(神経障害)（線維性または線維骨性トンネルの中，または線維帯による神経の拘扼または機械的変形による局所性神経病変）．

en·tro·pi·on, en·tro·pi·um (en-trō′pē-on, -pē-ŭm)．***1*** 内反（一部が内方に転位または回転すること）．***2***〔眼瞼〕内反（眼瞼の縁を反転させること）．

en·tro·py (*S*) (en′trŏ-pē)．エントロピー，熱力関数（仕事には用いられない熱含量の一部分で，通常は(化学反応の場合)，系の原子または分子の乱数運動の増加に使用されるからである．このようにしてエントロピーは，乱数度，不規則性の尺度になる）．

en·ty·py (en′ti-pē)．内翻位（一部の早期哺乳類胚にみられる嚢胚形成の一型で，内胚葉が胚および羊膜の外胚葉を包んでいる．胎盤形成前の栄養膜をもおおうことがある）．

e·nu·cle·ate (ē-nū′klē-āt)．摘出する（木の実をくり抜くように，眼を眼窩からあるいは腫瘍をその被包された嚢から取り除くように完全に除去する）．

e·nu·cle·a·tion (ē-nū′klē-ā′shŭn)．摘出〔術〕（①木の実から核を全部くり抜くように，組織(眼球や腫瘍など)を破壊せず除去すること．②細胞核の除去または破壊）．

en·u·re·sis (en-yūr-ē′sis)．遺尿〔症〕（不随意に尿が流出または漏れること）．

en·ve·lope (en′vĕ-lōp)．膜，包，エンベロープ（解剖学において，被覆したり包囲する組織）．

en·vel·ope of mo·tion →border movement.

en·ven·om·a·tion (en-ven′ŏ-mā′shŭn)．毒物注入（刺す，かむ，または他の毒液装置により，毒性物質(毒液)を注入すること）．

en·vi·ron·ment (en-vī′rŏn-mĕnt)．環境（生態の生命および発育に影響を与える外部状況全体をいう）．

en·vi·ron·men·tal med·i·cine 環境医学（環境関連の原因(例えば砂塵嵐，熱，過密状態)に苦しむ患者の治療に関わる医療部門．また，様々な原因の中でも食事や環境アレルゲンが健康や疾患に与える影響について研究すること）．

en·vi·ron·men·tal psy·chol·o·gy 環境心理学（行動科学者と建築家による物理的空間および関連した物理的刺激の変化が個人の行動に与える影響の研究と応用．→personal space）．

en·zo·ot·ic (en′zō-ot′ik)．動物地方病の，家畜の風土病の（病気の発生頻度が長期間ほとんど変動せず，予知できる規則性をもって発生するような動物集団における病気の一時的な発生パターンをいう．*cf.* epizootic; sporadic）．

en·zo·ot·ic sta·bil·i·ty = endemic stability.

en·zy·got·ic (en′zī-got′ik)．一卵〔性〕の（1個の受精卵から発生するもので，このようにして発生する双生児についていう).

en·zy·got·ic twins = monozygotic twins.

en·zy·mat·ic (en′zī-mat′ik). 酵素の.

en·zyme (en′zīm). 酵素, エンザイム (細胞から分泌される蛋白で, 他の物質の化学変化を誘発する触媒として作用するが, それ自体は化学反応を通して変化しない. かなり以前に発見されたもの(例えば, ペプシン, エマルシン)を除いて, 命名法は一般的には次のように名称の語尾に -ase を付ける. 酵素が作用する基質(例えば glucosidase), 活性化される物質(例えば hydrogenase), および(または)反応の型(例えば, oxidoreductase, transferase, hydrolase, lyase, isomerase, ligase または synthetase)のように名付ける. これらは, Enzyme Nomenclature Recommendations of the International Union of Biochemistry(国際生化学連合による酵素命名法)によって分類された6つの主グループである).

en·zyme im·mu·no·as·say (EIA) 酵素免疫法 (抗原あるいは抗体に酵素を標識として結合させて行う免疫測定法をさす. ELISA (enzyme-linked immunosorbent assay)と EMIT (enzyme-multiplied immunoassay technique)が汎用されている. →enzyme-linked immunosorbent assay; enzyme-multiplied immunoassay technique).

en·zyme-linked im·mu·no·sor·bent as·say (ELISA) 酵素結合イムノソルベント検定法, 酵素免疫測定法, エリザ, イライザ (標識系として放射活性物質の代わりに酵素とその基質を用いる *in vitro* の結合測定法. 陽性の場合, 両者(酵素と基質)は発色物質あるいは他の容易に検出できる物質を産生する. 測定は, 免疫グロブリンあるいは抗原物質を前もって吸着させたポリスチレンあるいは他の材料でできたウェル(穴)の中で行う. 酵素を標識した既知の免疫グロブリン(あるいは抗原)は, 陽性の場合, 抗原抗体複合物の一部としてウェルの中に残存し, 基質を加えればこれと反応する).

en·zyme-mul·ti·plied im·mu·no·as·say tech·nique (EMIT) エミット, ホモジニアスエンザイムイムノアッセイ, 酵素増幅免疫測定法 (免疫学的測定法の一種で, リガンドが酵素標識される. →competitive binding assay; enzyme-linked immunosorbent assay).

en·zy·mol·o·gy (en′zi-mol′ŏ-jē). 酵素〔化〕学 (酵素の性質や作用を取り扱う化学の一分野).

en·zy·mol·y·sis (en′zi-mol′i-sis). ***1*** 酵素分解 (酵素作用によって物質を小部分に分解または切断すること). ***2*** 酵素溶解 (酵素の作用による溶解).

en·zy·mop·a·thy (en′zi-mop′ă-thē). 酵素病 (酵素機能の障害. 特定の酵素が遺伝的に不足または欠損しているもの).

EOA esophageal obturator airway の略.

EOB Explanation of Benefits の略.

EOG electro-oculography または electro-olfactogram の略.

e·o·sin (ē′ō-sin). エオシン (組織学や Romanowsky 型血液染色で細胞質の染色および対比染色に蛍光酸性塗料として用いるフルオレセイン誘導体).

e·o·sin B エオシンB (4′,5′-ジブロモ-2′,7′-ジニトロフルオレセインの二ナトリウム塩). = eosin I bluish.

e·o·sin I blu·ish エオシンIブルーイッシュ. = eosin B.

e·o·sin-meth·yl·ene blue a·gar エオシン-メチレンブルー寒天〔培地〕(ペプトン, 乳糖, ショ糖, エオシン, メチレンブルーを含んだ寒天培地. 乳糖発酵性と非発酵性のグラム陰性菌を鑑別するのに用いる).

e·o·sin·o·pe·ni·a (ē′ō-sin-ō-pē′nē-ă). 好酸球減少〔症〕(末梢血液中の好酸球の数が異常に少ないこと).

e·o·sin·o·phil, e·o·sin·o·phile (ē′ō-sin′ō-fil, ē′ō-sin′ō-fīl). 好酸球. = eosinophilic leukocyte.

e·o·sin·o·phil ad·e·no·ma 好酸性腺腫, 酸親和〔性〕腺腫. = acidophil adenoma.

e·o·sin·o·phil ca·ti·on·ic pro·tein (ECP) 好酸球カチオン性蛋白 (その量は, 凝固した血液の血清中における循環している好酸球の活性化率を反映する).

e·o·sin·o·phil che·mo·tac·tic fac·tor of an·a·phy·lax·is アナフィラキシー好酸球遊走因子 (破壊した肥満細胞から放出されるペプチドで, 好酸球を遊走させる).

e·o·sin·o·phil·i·a (ē′ō-sin-ō-fil′ē-ă). 好酸球増加〔症〕. = eosinophilic leukocytosis.

e·o·sin·o·phil·i·a-my·al·gi·a syn·drome 好酸球増多-筋痛症候群 (自己免疫疾患と考えられている疾患で, 汚染したL-トリプトファン錠で増悪し, 疲労感, 微熱, 筋肉痛, 筋肉弛緩と痙攣, 虚弱, 四肢知覚異常, 皮膚硬化を特徴とする. 末梢血の著明な好酸球増多が認められ, 血清アルドラーゼが増加し, 末梢神経・筋肉・皮膚・筋膜の生検では, 血管病変と結合織の炎症が観察される).

e·o·sin·o·phil·ic (ē′ō-sin-ō-fil′ik). 好酸性の, 酸親和〔性〕の, エオシン好性の (エオシン染料で染色されやすい. この性質をもつ細胞または組織の要素についていう).

e·o·sin·o·phil·ic gran·u·lo·ma 好酸球〔性〕肉芽腫 (若年者の骨組織を主として侵す Langerhans 型組織球増多症の一型. 孤発性または多発性で組織学的に Langerhans 細胞と好酸球よりなる).

e·o·sin·o·phil·ic leu·ke·mi·a, e·o·sin·o·phil·o·cyt·ic leu·ke·mi·a 好酸球性白血病 (好酸球が組織や循環血液中に著しくみられるかまたはこれらの細胞が半数以上を占める顆粒球性白血病の一型).

e·o·sin·o·phil·ic leu·ko·cyte 好酸球 (多数の大きくて顕著な細胞質顆粒を特徴とする多形核球. その顆粒の大きさはかなり均一で, Wright 染色またはその類似法により明るい黄赤色, すなわち橙色に染まる. その核は通常, 好中球のものより大きく, 濃く染まらず, 特徴として2葉を有する(第3葉は染色質の結合線維の間にはいっていることがある). この白血球は殺寄生虫作用をもつ運動性をもつ食細胞である). = eosinophil; eosinophile; oxyphil (2); oxyphile;

E

oxyphilic leukocyte.

e·o·sin·o·phil·ic leu·ko·cy·to·sis 好酸球増加〔症〕（好酸球の割合が最大となる，相対的な白血球増加症の一型）. = eosinophilia.

e·o·sin·o·phil·ic leu·ko·pe·ni·a 好酸球減少〔症〕（循環血液中に正常に存在する好酸球数の減少）.

e·o·sin·o·phil·ic pneu·mo·ni·a 好酸球性肺炎（免疫不全の一形態で，X 線画像上特徴的な炎症像を呈する肺炎で，末梢血中の好酸球増加，あるいは肺組織中の好酸球の浸潤を伴うもの）.

e·o·sin·o·phil·ic pus·tu·lar fol·lic·u·li·tis 好酸球性膿疱性毛包(毛嚢)炎（無菌性そう痒性の丘疹と膿疱が集簇し丘疹水疱性の境界を有する局面を形成する．末梢血白血球や好酸球の増多に伴い自然に増悪・寛解し毛包の破壊や好酸球性膿瘍を形成する．この疾患はエイズの患者でも報告されているが，小児に起こる好酸球性膿疱性毛包炎とは明らかに別の形態をとる）. = Ofuji disease.

e·o·sin·o·phil·u·ri·a (ē′ō-sin′ō-fil-yūr-ē′ă). 好酸球尿症（好酸球が尿中に存在すること）.

e·o·sin y, e·o·sin Ys, e·o·sin yel·low·ish エオシン y (Y)（2′,4′,5′,7′-テトラブロモフルオレセインの二ナトリウム塩）.

EP endogenous pyrogen の略.

ep·ax·i·al (ep-ak′sē-ăl). 軸上の（脊柱または体肢などの軸の上方あるいは背方の）.

EPEC enteropathogenic *Escherichia coli* の略.

ep·en·dy·ma (ĕ-pen′di-mă). 上衣（脊髄中心管と脳室の内面をおおう細胞の膜）.

ep·en·dy·mal (ĕ-pen′di-măl). 上衣の.

ep·en·dy·mal cell 〔脳室〕上衣細胞（脊髄の中心管の内面を錐体状におおうか，脳室の内面を立方体状におおう細胞）.

ep·en·dy·mi·tis (ĕ-pen′di-mī′tis). 〔脳室〕上衣炎.

ep·en·dy·mo·blast (ĕ-pen′di-mō-blast). 〔脳室〕上衣芽細胞（胚子の上衣細胞）.

ep·en·dy·mo·cyte (ĕ-pen′di-mō-sīt). 〔脳室〕上衣細胞.

ep·en·dy·mo·ma (ĕ-pen′di-mō′mă). 〔脳室〕上衣〔細胞〕腫（比較的未分化の上衣細胞から生じる神経膠腫．この細胞腫はどの年齢層にもみられ，脳室壁や，より一般的には脊髄の中心管壁に生じる）.

e·phapse (ē′faps). エファプス（2 個以上の神経細胞突起(軸索，樹状突起)が典型的なシナプスを形成せずに結合する場所．そのような非シナプス性結合部位で，何らかの形の神経伝達が起こる可能性がある）.

e·phap·tic (ē-fap′tik). エファプスの.

e·phe·bic (ĕ-fē′bik). 思春期の，青年の，を意味するまれに用いる語.

e·phed·ra (e-fed′ră). マオウ(麻黄)（グネツム科の *Ephedra equisetina*（別名 *Ma huang*）で，アルカロイドのエフェドリンの植物源．中国やインドが原産で，0.7—1% のエフェドリンを含有する．また，いくらかのプソイドエフェドリンも含有する）.

e·phe·lis, pl. **e·phe·li·des** (ĕ-fē′lis, ĕ-fē′li-dēz). そばかす. = freckle.

epi- 上の，次の，後の，を意味する接頭語.

ep·i·an·dros·ter·one (ep′i-an-dros′tĕr-ōn). エピアンドロステロン（アンドロステロンの不活性異性体．尿，精巣，卵巣組織にみられる）.

ep·i·blast (ep′i-blast). 胚盤葉上層（外胚葉，中胚葉，内胚葉を生じる胚の前駆体）.

ep·i·blas·tic (ep′i-blas′tik). 原外胚葉の.

ep·i·bleph·a·ron (ep-i-blef′ă-ron). 眼瞼ぜい(贅)皮，副眼瞼（眼瞼辺縁付近にある先天的な水平の皮膚のひだで，筋線維の着点異常によるもの．上眼瞼にある場合は眼瞼皮膚弛緩症を起こす．下眼瞼にある場合は，睫毛の内側にはいってしまう）.

e·pib·o·ly, e·pib·o·le (ē-pib′ō-lē, ē-pib′ō-lē). 被包，被覆（①端黄卵の嚢胚形成に含まれる一過程で，成長の差により原胚葉の細胞の一部が原口の唇縁方向へと表面をおおいかぶせること．②器官培養において，上皮がその下部の間葉系の組織をおおうこと）.

ep·i·bul·bar (ep′i-būl′bahr). 眼球上の（すべての球上にある．特に眼球の上にある）.

ep·i·can·thal fold 瞼鼻ひだ（鼻根から眉毛の内側端にのびる皮膚のひだで，内眼角の上に重なる．胎児期および東洋人では正常人に存在する）.

ep·i·car·di·a (ep′i-kahr′dē-ă). 噴門上部（食道の一部分で，ここから横隔膜を通して胃に連結する）.

ep·i·car·di·al (ep′i-kahr′dē-ăl). ***1*** 噴門上部の. ***2*** 心外膜の.

ep·i·con·dy·lal·gi·a (ep′i-kon-di-lal′jē-ă). 外上顆痛（上腕骨の外上顆から起始する腱や筋の痛み）.

ep·i·con·dyle (ep′i-kon′dīl). 上顆（長骨の骨端で，顆の上または上方に生じる骨の突起）. = epicondylus.

ep·i·con·dy·li·tis (ep′i-kon-di-lī′tis). 上顆炎（上顆の炎症）.

ep·i·con·dy·lus, pl. **ep·i·con·dy·li** (ep′i-kon′di-lŭs, -lī). 上顆. = epicondyle.

ep·i·cra·ni·al ap·o·neu·ro·sis 帽状腱膜（後頭前頭筋の後頭筋腹と前頭筋腹とを連結する腱膜で，頭骨外被を形成する）. = galea(2).

ep·i·cra·ni·um (ep′i-krā′nē-ŭm). 頭外被（頭蓋をおおう筋肉，腱膜，および皮膚の総称）.

ep·i·cra·ni·us (ep′i-krā′nē-ŭs). → epicranius muscle.

ep·i·cra·ni·us mus·cle 頭蓋表筋（帽状腱膜とそこに付着する筋，すなわち後頭前頭筋と側頭頭頂筋からなる複合(顔面)筋）. = musculus epicranius.

ep·i·cri·sis (ep′i-krī-sis). 二次性分利（一次性分利の後に起こり，疾病の徴候の再燃を終わらせる分利）.

ep·i·crit·ic, ep·i·crit·ic sen·si·bil·i·ty (ep′i-krit′ik, ep′i-krit′ik sens′i-bil′i-tē). 精密弁別の，判別〔性〕の，識別〔性〕の（接触や温度刺激の細かい差の区別や位相的な分布を識別する体感覚面をいう. *cf.* protopathic）.

ep·i·cys·ti·tis (ep′i-sis-tī′tis). 膀胱周囲炎

(膀胱周囲の細胞組織の炎症).

ep·i·dem·ic (ep′i-dem′ik). 流行 (地域社会やある地域において，ある疾病や特定の健康に関係する行動，事象が明らかに，通常考えられる以上に起こること. *cf.* endemic; sporadic).

ep·i·dem·ic dis·ease 流行病，伝染病 (特定の集団や地域において著しい有病割合の増加をみる疾病. 通常，感染性や毒性をもつ病因などの環境的な原因をもつ).

ep·i·dem·ic gas·tro·en·ter·i·tis vi·rus 流行性胃腸炎ウイルス (直径約 27 nm の大きさを有し，RNA 型ウイルスで，いまだ *in vitro* では培養されていない. 流行性の非細菌性胃腸炎の病因で，Norwalk 因子を含む少なくとも 5 つの抗原的に区別される血清型が認められている. 恐らくカリシウイルス科の *Calicivirus* 属に分類される). = gastroenteritis virus type A.

ep·i·dem·ic he·mo·glo·bi·nu·ri·a 流行性血色素尿症 (乳幼児の尿中にヘモグロビンが存在し，チアノーゼ，黄疸，その他がみられる. 続発性メトヘモグロビン血症によるものと思われる). = Winckel disease.

ep·i·dem·ic hem·or·rhag·ic fe·ver 流行性出血熱 (腎症状を伴う出血熱で，急性発症の頭痛，悪寒，高熱，発汗，のどの渇き，羞明，鼻カタル，咳，筋肉痛，関節痛，および吐気や嘔吐を伴う腹痛を特徴とする状態. この状態が 3—6 日続いて，その後，毛細管および腎間質の出血，浮腫，乏尿，高窒素血症，およびショックが起こる. 大部分はげっ歯類によって媒介されるトガウイルス，アレナウイルス，フラビウイルス，およびブンヤウイルスによる). = hemorrhagic fever with renal syndrome.

ep·i·de·mic·i·ty (ep′i-dĕ-mis′i-tē). 流行性 (疾病が流行病の形で広がる状態).

ep·i·dem·ic ker·a·to·con·junc·ti·vi·tis 流行性角結膜炎 (角膜上皮下の細胞浸潤を伴う濾胞性結膜炎. アデノウイルス 8 型により生じるが，他の型では少ない). = viral keratoconjunctivitis.

ep·i·dem·ic ker·a·to·con·junc·ti·vi·tis vi·rus 流行性角結膜炎ウイルス (特に造船所の労働者の間に流行性角結膜炎を起こし，また水泳プール結膜炎の発生にも関係するアデノウイルス(8 型)). = shipyard eye.

ep·i·dem·ic my·al·gi·a 流行性筋〔肉〕痛. = epidemic pleurodynia.

ep·i·dem·ic my·o·si·tis, my·o·si·tis ep·i·dem·i·ca a·cu·ta 流行性筋炎，急性流行性筋炎. = epidemic pleurodynia.

ep·i·dem·ic neu·ro·my·as·the·ni·a 流行性神経筋無力症 (頸と背中の硬直，頭痛，下痢，発熱，局部的な筋の衰弱を特徴とする流行性疾患. 恐らくウイルスが原因である. *cf.* chronic fatigue syndrome). = benign myalgic encephalomyelitis; Iceland disease.

ep·i·dem·ic pa·rot·i·di·tis 流行性耳下腺炎，おたふくかぜ (急性ウイルス性感染病. パラミクソウイルスが原因で，耳下腺およびその他の唾液腺の炎症と腫脹，ときには精巣，卵巣，膵臓，髄膜の炎症を伴う). = mumps.

ep·i·dem·ic par·o·ti·tis vi·rus = mumps virus.

ep·i·dem·ic pleu·ro·dyn·i·a 流行性胸膜痛 (急性伝染性疾患で，通常は流行型で起こり，胸部の疼痛発作を特徴とする. コクサッキーウイルス B 株による). = Bornholm disease; Daae disease; devil's grip; diaphragmatic pleurisy; epidemic myalgia; epidemic myositis; myositis epidemica acuta; Sylvest disease.

ep·i·dem·ic pleu·ro·dyn·i·a vi·rus 流行性胸膜痛ウイルス (流行性胸膜痛の原因となる，コクサッキーウイルス B 型のウイルス). = Bornholm disease virus.

ep·i·dem·ic pol·y·ar·thri·tis 伝染(流行)性多発〔性〕関節炎 (トガウイルス科の Ross River ウイルスを原因とし，カによって媒介され多発関節痛と皮疹を特徴とする，オーストラリアの人々にみられる発熱性疾患).

ep·i·dem·ic ro·se·o·la 流行性バラ疹. = rubella.

ep·i·dem·ic ty·phus 発疹チフス，流行性発疹チフス (発疹チフスリケッチア *Rickettsia prowazekii* によって起こり，体ジラミにより伝播するチフスで，高熱，心身機能低下，小斑点丘疹を特徴とする. 大勢の人が集まったり，人が不衛生であるときに発生し，およそ 2 週間継続し衰退する. 再発することもある). = jail fever.

ep·i·de·mi·o·log·ic ge·net·ics 疫学遺伝学 (集団遺伝学よりむしろ疫学の基準，方法および目的によって規定された集団の現象として遺伝学を研究すること).

ep·i·de·mi·ol·o·gist (ep′i-dē′mē-ol′ŏ-jist). 疫学者 (ある特定の集団に対し，疾病の発生や他の健康に関係した状態，事象などを研究する研究者. 疫学を実践している人. 通常，疾病のコントロールも疫学者の仕事とされている).

ep·i·de·mi·ol·o·gy (ep′i-dē′mē-ol′ŏ-jē). 疫学，流行病学 (ある特定の集団において健康に関係する状態，あるいは事象の分布や決定因子に関する研究を行いそれを健康問題対策に応用すること).

ep·i·der·mal, ep·i·der·mat·ic (ep′i-dĕr′măl, ep′i-dĕr-mat′ik). 表皮の. = epidermic.

ep·i·der·mal cyst 表皮嚢胞(嚢腫) (外傷のため表皮下に圧入された表皮細胞の塊によって形成された嚢胞. 重層扁平上皮によって包まれ，同心円状の角質層を含む).

ep·i·der·mal growth fac·tor re·cep·tor (EGFR) 上皮成長因子受容体 (上皮系腫瘍でしばしば上昇する).

ep·i·der·mal·i·za·tion (ep′i-dĕr′mal-ī-zā′shŭn). 表皮化生. = squamous metaplasia.

e·pi·der·mal-mel·an·in u·nit 表皮メラニン単位 (1 つのメラノサイトとそれを取り囲むいくつかの表皮角化細胞の集まりをさす. その重要な役割はメラノサイトからメラニン顆粒を角化細胞に供給することであると思われる).

ep·i·der·mal ridg·es 皮膚小稜 (手掌，足底の表皮の隆線のことで，汗腺が開口する). = skin ridges.

ep·i·der·mic (ep′i-dĕr′mik). = epidermal.

E

ep·i·der·mis, pl. **ep·i·derm·i·des** (ep′i-dĕrm′is, -i-dēz). 表皮（①皮膚の外側の上皮細胞性の部分. 手掌，足底の厚い表皮には表面から次のような層がある. 角質層，淡(透)明層，顆粒層，有棘細胞層，基底細胞層. 身体の他の部分の皮膚には淡明層を欠くことがある. ②植物学において，植物の葉または若い部分の細胞の外衣第一層）. = cuticle(3); cuticula(2).

ep·i·der·mi·tis (ep′i-dĕr-mī′tis). 表皮炎（表皮または皮膚の上層の炎症）.

ep·i·der·mo·dys·pla·si·a (ep′i-dĕr′mō-dis-plā′zē-ă). 表皮異形成，表皮発育異常〔症〕（表皮の不完全な成長または発達）.

ep·i·der·moid (ep′i-dĕr′moyd). ***1*** 〚adj.〛 類表皮の（表皮に類似する）. ***2*** 〚n.〛 類表皮腫，エピデルモイド（迷入した表皮細胞から出たコレステリン腫または他の嚢胞性の腫瘍）.

ep·i·der·moid car·ci·no·ma 類表皮癌（皮膚あるいは肺の有棘細胞癌）.

ep·i·der·moid cyst 類表皮嚢胞(嚢腫)（球状で単房性の真皮内嚢胞. 内容物は角質や皮脂からなる. 嚢胞は表皮に似た角化した上皮で包まれ，毛漏斗に由来すると思われる）.

ep·i·der·mol·y·sis (ep′i-dĕr-mol′i-sis). 表皮剥離（表皮と真皮の結合が緩く，剥脱あるいは水疱形成が起こりやすい状態）.

ep·i·der·mol·y·sis bul·lo·sa 表皮水疱症（軽い物理的な刺激によって大水疱，びらんを起こす遺伝性の慢性非炎症性皮膚疾患の一群. 手足に限局性に生じる型は Weber-Cockayne 症候群ともよばれる）.

Ep·i·der·mo·phy·ton (ep′i-dĕr-mof′i-ton, -dĕr-mō-fī′ton). 表皮〔糸状〕菌属（真菌の一属で，その大分生子はこん棒状で，その表面は平滑である. 唯一の種は有毛表皮菌 *Epidermophyton floccosum* で，ヒト感染性の菌で，足白癬，股部白癬の一般的な病因である）.

ep·i·der·mot·ro·pism (ep′i-dĕr-mot′rō-pizm). 表皮向性（表皮へ向かっての移動をいう. 菌状息肉腫でのTリンパ球の表皮への移行など）.

ep·i·did·y·mal (ep′i-did′i-măl). 精巣上体の，副睾丸の.

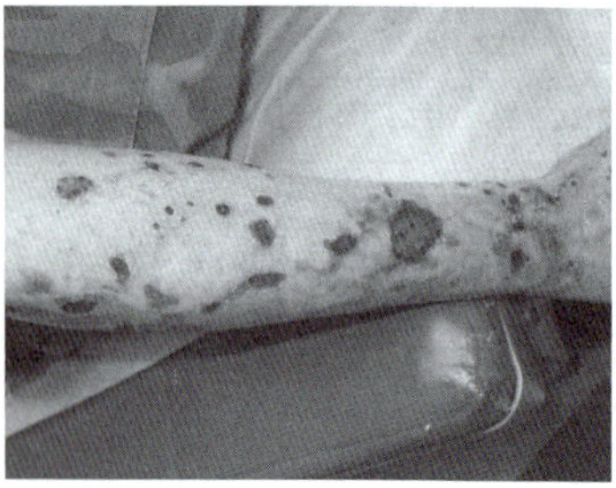

epidermolysis bullosa

ep·i·did·y·mec·to·my (ep′i-did-i-mek′tŏ-mē). 精巣上体切除〔術〕，副睾丸切除〔術〕（精巣上体(副睾丸)の手術的切除）.

ep·i·did·y·mis, gen. **ep·i·did·y·mi·dis,** pl. **ep·i·did·y·mi·des** (ep-i-did′i-mis, ep-i-did-i-mī′dis, ep-i-did-i-mī′dēz). 精巣上体，副睾丸（精巣の背面にある長くのびた構造で，頭，体，尾が区別される. 精巣上体尾部は強く折れ返って精管につながる. 主な内容は精巣上体管で，その尾部と精管の始まりの個所は精子の貯蔵所である. 精巣上体は精巣と精管の間に介在して精子の輸送・貯蔵・成熟の働きをしている）.

ep·i·did·y·mi·tis (ep′i-did′i-mī′tis). 精巣上体炎，副睾丸炎.

ep·i·did·y·mo-or·chi·tis (ep′i-did′i-mō-ōr-kī′tis). 精巣精巣上体炎（精巣と精巣上体が同時に炎症を起こす）.

ep·i·did·y·mo·plas·ty (ep′i-did′i-mō-plas-tē). 精巣上体形成〔術〕（精巣上体の外科的修復）.

ep·i·did·y·mot·o·my (ep′i-did′i-mot′ŏ-mē). 精巣上体切開〔術〕（精巣上体精管吻合や化膿性物質のドレナージのために行われる）.

ep·i·did·y·mo·vas·ec·to·my (ep′i-did′i-mō-vă-sek′tŏ-mē). 精巣上体精管切除〔術〕（精巣上体と輸精管の外科的切除. 通常，鼡径管へはいる部の近位側で切除する）.

ep·i·did·y·mo·vas·os·to·my (ep-i-did′i-mō-va-sos′tŏ-mē). 精巣上体精管吻合〔術〕（輸精管と精巣上体を外科的に吻合すること）.

ep·i·du·ral (ep′i-dūr′ăl). 硬膜外の，硬膜上の.

ep·i·du·ral an·es·the·si·a 硬膜外麻酔〔法〕，硬麻（局所麻酔薬の硬膜外腔内注入によって行う局所麻酔）. = peridural anesthesia.

ep·i·du·ral block 硬膜外ブロック（硬膜外腔の閉塞. 硬膜外麻酔に対して不正確に用いることもある）.

ep·i·du·ral cav·i·ty 硬膜上腔，硬膜外腔（脊柱管壁と脊髄硬膜の間の腔）.

ep·i·du·ral he·ma·to·ma 硬膜上血腫. = extradural hemorrhage.

ep·i·du·ral in·jec·tion 硬膜外注射（治療薬や麻酔薬を硬膜外腔へ皮下注射または筋肉内注射すること）.

ep·i·du·rog·ra·phy (ep′i-dūr-og′ră-fē). 硬膜外造影〔法〕（放射線不透性造影剤を局部に注入した後，硬膜外隙をX線写真でみること）.

ep·i·es·tri·ol (ep′ē-es′trē-ol). エピエストリオール（→estriol）.

ep·i·gas·tral·gi·a (ep′i-gas-tral′jē-ă). 上腹部痛，心窩部痛.

ep·i·gas·tric (ep′i-gas′trik). 上胃部の，上腹部の，心窩部の.

ep·i·gas·tric fos·sa みずおち（胸骨剣状突起のすぐ下方にある，正中線上のわずかな陥凹）.

ep·i·gas·tric her·ni·a 上腹壁ヘルニア（臍の上の白線を通るヘルニア）.

ep·i·gas·tric re·gion 上胃部（肋骨縁と肋骨下平面に囲まれた腹の部位）. = epigastrium.

ep·i·gas·tri·um (ep′i-gas′trē-ŭm). 上胃部，上腹部，心窩部. = epigastric region.

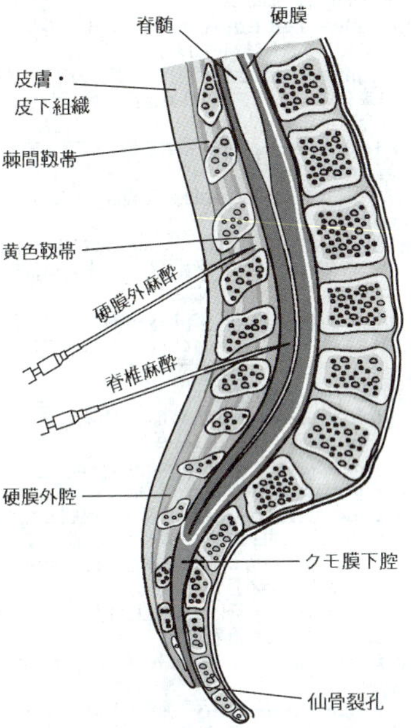
脊髄
硬膜
皮膚・
皮下組織
棘間靱帯
黄色靱帯
硬膜外麻酔
脊椎麻酔
硬膜外腔
クモ膜下腔
仙骨裂孔

injection sites for spinal and epidural anesthesia

ep·i·gen·e·sis (ep′i-jen′ĕ-sis). ***1*** 卵接合子からの胚子の発育. ***2*** 遺伝子構造を変えることなしに遺伝子機能の発現を調節すること.

ep·i·ge·net·ic (ep′i-jĕ-net′ik). 後成〔説〕の.

ep·i·glot·tic, ep·i·glot·tid·e·an (ep′i-glot′ik, ep′i-glo-tid′ē-ăn). 喉頭蓋の.

ep·i·glot·tic car·ti·lage 喉頭蓋軟骨（喉頭蓋の支柱を形成している扁平な弾性軟骨）. = cartilago epiglottica.

ep·i·glot·ti·dec·to·my (ep′i-glot-i-dek′tō-mē). 喉頭蓋切除〔術〕.

ep·i·glot·tis (ep′i-glot′is). 喉頭蓋（弾性軟骨の葉形の板. 粘膜におおわれて舌根のところにあり，えん下時，喉頭上口をおおって誘導弁の役割をする. 液体がえん下されたときは直立したままでいるが，固形物がくると受動的に押し曲げられる）.

ep·i·glot·ti·tis, ep·i·glot·ti·di·tis (ep′i-glot-ī′tis, ep′i-glot-i-dī′tis). 喉頭蓋炎，会厭軟骨炎（喉頭蓋の炎症で，特に小児において呼吸困難を起こす. しばしばインフルエンザ菌 *Haemophilus influenzae*B 型の感染による）.

ep·i·ker·a·to·pha·ki·a (ep′i-ker′ă-tō-fā′kē-ă). エピケラトファキア（患者の角膜上皮を除去し，角膜前面に提供角膜を移植することによって屈折異常を矯正する手術）.

ep·i·late (ep′i-lāt). 脱毛する（毛を抜く. 強制的な抜出，電気焼却，または化学的手段で根を緩めることにより部分的に毛を除去する. *cf.* depilate）.

ep·i·la·tion (ep′i-lā′shŭn). 脱毛，抜毛（毛を除去する行為またはその結果）. = depilation.

e·pil·a·to·ry (e-pil′ă-tōr-ē). ***1*** 〚adj.〛脱毛〔性〕の（毛を引き抜いたり，毛の塊全体を後で固まる温めたワックスを塗布したりといった毛幹全体を同時に除去する種々の方法での脱毛に関することを示す）. ***2*** 〚n.〛脱毛薬（*cf.* depilatory）.

ep·i·lem·ma (ep′i-lem′ă). 終末神経線維鞘（神経線維の終末近くにある結合組織鞘）.

ep·i·lep·sy (ep′i-lep′sē). てんかん（癲癇）（過度のニューロンの放電による発作的な脳の機能障害を特徴とする慢性疾患で，通常，意識の変調を伴う. 発作は行動の要素的または複合的障害に限られる場合と，全身的痙攣に発展する場合とがある. 発作の臨床所見は，全身痙攣や局所痙攣を含む行動の複雑異常から，意識障害の瞬間的発作まで様々である. これらの臨床所見には種々の分類があり，現在までのところ統一されたものはなく，発作の型を示す用語は記述的で標準化されていない. ⓘ発作の臨床所見（運動，感覚，反射，精神，自律神経），ⓘⓘ病因（遺伝性，炎症性，変性性，腫瘍性，外傷性，特発性），ⓘⓘⓘてんかん病変の部位（Rolando 部，側頭葉，間脳部），ⓘⓥ発作が起きる時間（夜間，昼間，月経時など）に基づいた種々の用語がある）. = fit (3); seizure disorder.

ep·i·lep·tic (ep′i-lep′tik). てんかん〔性〕の.

e·pi·lep·tic spasm てんかん性痙攣（痙縮）（突然の屈曲・伸展または伸展・屈曲を特徴とする痙攣で，主に体幹の筋肉などの近位筋にみられる. ミオクローヌスよりも持続が長いが，強直性痙攣よりも持続が短いことが多い. ミオクローヌスから強直性痙攣の間の持続する発作が群になって起こることが多い）.

ep·i·lep·ti·form (ep′i-lep′ti-fōrm). = epileptoid.

ep·i·lep·to·gen·ic, ep·i·lep·tog·e·nous (ep′i-lep-tō-jen′ik, ep′i-lep-toj′ĕ-nŭs). てんかん誘発の.

ep·i·lep·to·gen·ic zone てんかん発生帯（刺激を受けると患者の自発性発作あるいは前兆を起こす皮質領域）.

ep·i·lep·toid (ep′i-lep′toyd). てんかん様の，類てんかんの（特に機能的な性質のある種の痙攣についていう）. = epileptiform.

ep·i·lu·min·es·cence mi·cros·co·py エピルミネセンスマイクロスコープ（低倍（50—100倍）の拡大鏡で，一般にテレビ顕微鏡 television microscope である. 透光剤を病変皮膚の表面に塗布し，レンズで圧抵し，観察する. 例えば色素性皮膚病変での悪性化の鑑別に用いる）. = surface microscopy.

ep·i·man·dib·u·lar (ep′i-man-dib′yū-lăr). 下顎上の.

ep·i·men·or·rha·gi·a (ep′i-men-ōr-ā′jē-ă). 月経過多（長期間に及ぶ，または過量な月経. いつでも起こりうるが，有月経期間の初期と終期に最も多い）.

E

ep·i·men·or·rhe·a (ep′i-men-ōr-ē′ă). 頻発月経（頻回に起こる月経．いつでも起こりうるが，特に有月経期間の初期と終期に多い）．

ep·i·mer (ep′i-mĕr). エピマー（1 個の炭素原子についての空間的配置のみが異なる 2 個の分子(いくつかのキラル中心をもつ)の一方をいう．*cf.* anomer. →sugars)．

ep·i·mer·ase (ep′i-mĕr-ās). [EC 5.1]. エピメラーゼ（エピマー異性体間の転換を触媒する酵素の類）．

ep·i·mere (ep′i-mēr). 筋上節，上分節（筋節の背部. →myotome(3)）．

ep·i·mor·pho·sis (ep′i-mōr-fō′sis). 付加形成，真再生（切断面からの組織の部分的再新生）．

ep·i·mys·i·ot·o·my (ep′i-mis-ē-ot′ŏ-mē). 筋外膜切開〔術〕，筋肉鞘切開〔術〕．

ep·i·mys·i·um (ep′i-mis′ē-ŭm). 筋外膜，筋肉鞘（骨格筋を包囲する線維性鞘膜）．

ep·i·neph·rine (ep′i-nef′rin). エピネフリン（カテコールアミンの一種．大多数の種の副腎髄質の主要な神経ホルモン．またニューロンにより分泌される．L-異性体はアドレナリン作用性の α 受容体，β 受容体の最も強力な刺激薬(交感神経興奮薬)で，心拍および心収縮力の増加，血管の収縮または拡張，細気管支および腸の平滑筋の弛緩，糖原分解，脂肪分解，その他の代謝作用効果をもたらす．気管支ぜん息，急性アレルギー性障害，開放隅角緑内障，心拍停止，房室ブロックの治療に，また外用・局所用の血管収縮薬として用いる．一般的に用いられる塩類は，塩酸エピネフリンと重酒石酸エピネフリンであるが，後者は外用薬の調製で頻繁に用いられる）. = adrenaline.

ep·i·neph·ros (ep′i-nef′ros). = suprarenal gland.

ep·i·neu·ral (ep′i-nūr′ăl). 脊髄の神経弓上の．

ep·i·neu·ri·al (ep′i-nūr′ē-ăl). 神経上膜の．

ep·i·neu·ri·um (ep′i-nūr′ē-ŭm). 神経上膜（末梢神経束の最外側を包む膜で細網線維の凝縮によってつくられている．神経束全体を包む束上膜と束内を細分する束間膜とに区別される．神経内膜・神経周膜とともに末梢神経を包む間質として働いている）．

ep·i·ot·ic cen·ter 耳〔軟骨〕上骨核（側頭骨錐体部の骨化の中心．後半規管の後ろに現れる）．

ep·i·phar·ynx (ep′i-far′ingks). 上咽頭. = nasopharynx.

ep·i·phe·nom·e·non (ep′i-fĕ-nom′ĕ-non). 副現象，付帯徴候（常に発生するものではないが，疾病経過中に現れる徴候で，必ずしも疾病と関連があるとはいえない）．

e·piph·o·ra (ē-pif′ōr-ă). 流涙〔症〕，流漏（涙を導く管のドレナージが不完全なため，涙が頬にあふれ出ること）. = tearing.

ep·i·phys·i·al ar·rest 骨端部成長停止（骨端線早期癒合による成長停止）．

ep·i·phys·i·al car·ti·lage 骨端軟骨（成長途上にある長骨骨端で新たにつくられ続ける特殊な軟骨で，成長帯(骨端軟骨板)の遠位にある．成長帯の近位(骨幹と結合しているところ)には比較的不活発な軟骨細胞(静止帯)が存在する．→epiphysial plate)．

ep·i·phys·i·al frac·ture 骨端骨折（外傷によって起こる長骨骨端の分離）．

ep·i·phys·i·al line 骨端線（長骨の骨端と骨幹の接合部の線で，骨の長軸方向の成長が起こる部分）. = linea epiphysialis.

ep·i·phys·i·al plate 骨端軟骨〔板〕（骨幹と骨端との間にある軟骨の円盤で，未熟長骨の長さの成長を営む）. = cartilago epiphysialis; growth plate.

ep·i·phys·i·ol·y·sis (ep′i-fiz-ē-ol′i-sis). 骨端〔線〕離開（骨端が骨幹端から一部あるいは完全に緩む，または分離すること）．

e·piph·y·sis, pl. e·piph·y·ses (e-pif′i-sis, -sēz). 骨端（骨幹の骨化中心とは区別される骨化中心から成長した長骨の一部で，骨幹とは軟骨層により隔てられる）．

e·piph·y·si·tis (e-pif′i-sī′tis). 骨端炎．

ep·i·pi·al (ep′i-pī′ăl). 軟膜上の．

epiplo- 大網に関する連結形. →omento-.

ep·i·plo·ic (ep′i-plō′ik). 大網の. = omental.

ep·i·plo·ic fo·ra·men 網嚢孔（腹腔と盲嚢をつないでいる肝門下後方の通路で，前方は肝十二指腸間膜，後方は下大静脈をおおう腹膜ひだで形成されている）．

ep·i·scle·ra (ep′i-skler′ă). 上強膜（強膜と結膜との間にある結合組織）．

ep·i·scle·ral (ep′i-skler′ăl). ***1*** 強膜上の．***2*** 上強膜の．

ep·i·scle·ral ar·ter·y 強膜上動脈（強膜角膜連結部の近くで強膜を穿通して起こり強膜上を走る前毛様体動脈の多数の小枝）. = arteria episcleralis.

ep·i·scle·ral space 強膜外隙（眼球鞘と強膜の間の腔）．

ep·i·scle·ral veins 強膜上静脈（角膜縁に近い強膜における一連の小静脈で毛様体静脈へ注ぐ）．

ep·i·scle·ri·tis (ep′i-skler-ī′tis). 上強膜炎（上強膜結合組織の炎症. →scleritis)．

episio- 外陰に関する連結形. →vulvo-.

ep·i·si·o·per·i·ne·or·rha·phy (e-piz′ē-ō-per′i-nē-ōr′ă-fē). 外陰会陰縫合〔術〕（切開した会陰や外陰裂傷の修復，または外陰および会陰の外科的切開の修復）．

ep·i·si·o·plas·ty (e-piz′ē-ō-plas-tē). 外陰形成〔術〕．

ep·i·si·or·rha·phy (e-piz′ē-ōr′ră-fē). 外陰縫合〔術〕（外陰裂傷または会陰切開術の修復）．

ep·i·si·o·ste·no·sis (e-piz′ē-ō-stĕ-nō′sis). 外陰狭窄〔症〕（陰門の狭窄）．

ep·i·si·ot·o·my (e-piz′ē-ot′ŏ-mē). 会陰切開〔術〕（分娩時，外陰の裂傷を防ぐため，または腟式手術を行いやすくするために行われる外陰部の外科的切開）．

ep·i·sode (ep′i-sōd). エピソード（持続するイベント(出来事)の経過中に起こる重要な単一のイベントあるいは一連のイベント．例えば，うつ病のエピソード）．

ep·i·sode of care 挿入医療，エピソードケア（総合的な医療を続けている間に，それ以外の医療を一定の期間，健康問題のある患者に行うもの）.

ep·i·so·dic hy·per·ten·sion エピソード性高血圧（不安や感性因子に起因する間欠的な高血圧）. = paroxysmal hypertension.

ep·i·some (ep′i-sōm). エピソーム（宿主の細菌染色体中に組み込まれもするし，また，染色体から物理的に離れても安定して複製および機能することもできる染色体外因子（プラスミド））.

ep·i·spa·di·as (ep′i-spā′dē-ăs). 尿道上裂（陰茎背に尿道が開口している奇形．しばしば膀胱外反症を合併している）.

ep·i·sple·ni·tis (ep′i-splē-nī′tis). 脾外膜炎（脾臓の被膜の炎症）.

e·pis·ta·sis (e-pis′tă-sis). ***1*** 浮渣（液体，特に放置した尿の表面に薄膜または浮きかすができること）. ***2*** エピスタシス（非対立遺伝子の表現型相互作用）. ***3*** 上位〔性〕（1つの遺伝子が染色体の他の座にある1つまたは複数の遺伝子の発現を隠ぺいまたは妨げるという遺伝子相互作用の一型．遺伝子の発現型が現れる遺伝子を "epistatic（上位の）" といい，発現型が変えられるか抑制されるものを "hypostatic（下位の）" という）.

ep·i·stat·ic (ep′i-stat′ik). 浮渣の，上位〔性〕の.

ep·i·stax·is (ep′i-stak′sis). 鼻出血，はなぢ（鼻から出血すること）. = nosebleed.

ep·i·sten·o·car·di·ac per·i·car·di·tis 限局性心外膜炎（貫壁性の心筋梗塞に伴う心外膜炎で梗塞部に限局する）.

ep·i·ster·nal (ep′i-stĕr′năl). ***1*** 胸骨上の. ***2*** 胸骨柄の.

ep·i·stro·phe·us (ep′i-strō′fē-ŭs). 軸椎（第二頸椎）. = axis(5).

ep·i·ten·din·e·um (ep′i-ten-din′ē-ŭm). 腱上膜（腱を取り巻く白い線維性鞘）.

ep·i·thal·a·mus (ep′i-thal′ă-mŭs). 視床上部（手綱およびこれに連結する構造，視床髄条，松果体，手綱交連に該当する背内側視床の小部分）.

ep·i·the·li·a (ep′i-thē′lē-ă). epithelium の複数形.

ep·i·the·li·al (ep′i-thē′lē-ăl). 上皮の.

ep·i·the·li·al down·growth 上皮下方増殖，眼内上皮増殖（穿孔性眼創傷の結果，眼内への上皮の侵入）.

ep·i·the·li·al dys·tro·phy 〔角膜〕上皮性ジストロフィ（角膜上皮と基底膜に主として影響を及ぼす角膜異栄養症）.

ep·i·the·li·al·i·za·tion (ep′i-thē′lē-ăl-ī-zā′shŭn). 上皮形成（露出した結合織面の上皮形成）. = epithelization.

ep·i·the·li·al lam·i·na 上皮板（脳室に面する脈絡組織の内層を形成する変化した上衣細胞の層）.

ep·i·the·li·al mem·brane an·ti·gen (EMA) 上皮膜抗原（高度に糖化された 70 kd の蛋白分子．ヒト乳汁の脂肪小滴中から初めてみつかった．種々の腺上皮，特に乳癌細胞中に存在する．培養線維芽細胞，リンパ球様細胞，ある腫の間質細胞にもみられる．免疫組織化学染色に用いられ，組織診断の助けとなる）.

ep·i·the·li·al pearl 上皮真珠. = keratin pearl.

ep·i·the·li·al plug 上皮栓子（胎児の開口部を一時的に閉塞する上皮細胞の塊．この語は，外鼻孔に関して最も多く用いられる）.

ep·i·the·li·oid (ep′i-thē′lē-oyd). 類上皮の，上皮様の.

ep·i·the·li·oid cell 類上皮細胞（①上皮の形質をもつ非上皮細胞．②上皮の形質をもつ単核大組織球．特に多角形で好酸性細胞質を有する肉芽腫性炎症の部分にみられる）.

ep·i·the·li·o·lyt·ic (ep′i-thē′lē-ō-lit′ik). 上皮溶解性の（上皮を破壊する）.

ep·i·the·li·o·ma (ep′i-thē′lē-ō′mă). ***1*** 上皮腫（上皮新生物，または皮膚，特に皮膚付属器から出た過誤腫）. ***2*** 扁平細胞，基底細胞，または付属器細胞から出た皮膚癌を表す語.

ep·i·the·li·om·a·tous (ep′i-thē′lē-ō′mă-tŭs). 上皮腫〔性〕の.

ep·i·the·li·op·a·thy (ep′i-thē′lē-op′ă-thē). 上皮症（上皮を侵す疾患）.

ep·i·the·li·um, pl. ep·i·the·li·a (ep′i-thē′lē-ŭm, -ă). 上皮（純粋に細胞性で血管のない層．それは皮膚，粘膜，漿膜のすべての遊離表面を，それらに由来する腺とその他の構造体も含めておおっている）.

ep·i·the·li·za·tion (ep′i-thē′li-zā′shŭn). = epithelialization.

ep·i·tope (ep′i-tōp). エピトープ（抗原決定基の最も基本構成単位のこと．複雑な抗原分子において抗体や T 細胞受容体と結合する部位）.

ep·i·trich·i·um (ep′i-trik′ē-ŭm). 胎児表皮. = periderm.

ep·i·tym·pan·ic (ep′i-tim-pan′ik). 鼓室または鼓膜の上部の.

ep·i·tym·pan·ic re·cess 鼓室上陥凹（鼓膜上縁の鼓室上部にあり，つち骨頭ときぬた骨体とがはまり込む）.

ep·i·zo·ic (ep′i-zō′ik). 外皮寄生の，体表寄生の.

ep·i·zo·ol·o·gy (ep′i-zō-ol′ŏ-jē). = epizootiology.

ep·i·zo·on, pl. ep·i·zo·a (ep′i-zō′on, -zō′ă). 外皮寄生動物，体表寄生動物（体表面に寄生する動物性寄生生物）.

ep·i·zo·ot·ic (ep′i-zō-ot′ik). ***1*** 動物間流行性の（動物集団にみられる疾病発生の一時的な型をいうが，その動物集団での疾病の発生頻度はある一定期間において予想より明らかに高いものである）. ***2*** 動物間流行病の（動物集団における疾病の発生（伝染性））.

ep·i·zo·ot·i·ol·o·gy (ep′i-zō-ot′ē-ol′ŏ-jē). 動物伝染病学，動物流行病学（動物集団における疾患の流行を扱う学問）. = epizoology.

ep·i·zote (ep′i-zōt). エパソーテ，アリタソウ（学名 *Chenopodium ambrosioides*. コリアンダーに似た，米国南西部原産のハーブ．19 世紀には消化薬として使用された．整腸剤として効果がある可能性もある．現在，臨床試験が行われている．安全性は未確認）. = American wormseed.

E

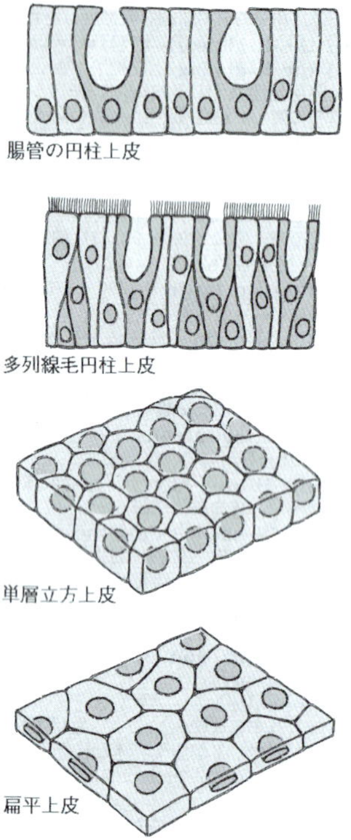
腸管の円柱上皮
多列線毛円柱上皮
単層立方上皮
扁平上皮

types of epithelium

EPO exclusive provider organization の略.

EPOC excess postexercise oxygen consumption の略.

ep·o·nych·i·a (ep′ō-nik′ē-ă). 上爪皮炎 (爪郭近位(基)部を侵す感染).

ep·o·nych·i·um (ep′ō-nik′ē-ŭm). ***1*** 胎生爪皮 (胚子において爪板をつくりだして表面をおおっている薄い密なエレイジンに富んだ表皮の層. 正常ならば胎生 8 か月頃に退化し, 爪基部に爪小皮となるものだけが残る). ***2*** 爪床縁 (表皮の角質層で, 近位では爪根に, 外側では爪板の側部に直接してこれをおおい, 爪壁または爪ひだの下面を形成する). = perionychium. ***3*** 上爪皮 (近位部で爪に固着している薄い皮膚).

ep·o·nym (ep′ŏ-nim). 冠名, 名祖 (通常, 最初に発見または記述した人の名にちなんで命名された疾患, 構造, 手術, または手法の名称). = eponymic(2).

ep·o·nym·ic (ep′ŏ-nim′ik). ***1*** 〖adj.〗 冠名の, 名祖の. ***2*** 〖n.〗 冠名, 名祖. = eponym.

ep·ox·y (ē-pok′sē). エポキシ (2 個の連結した炭素原子に結合した酸素原子を示す化学用語. 一般的には環状エーテルならなんでもよいが, 通常, 三員環の環状エーテルをさす. エポキシ体は重要な化学中間産物で, エポキシ単量体からつくられるエポキシ樹脂(重合体)の主成分である).

ep·sil·on (ε) (ep′si-lon). ***1*** イプシロン (ギリシア語アルファベットの第 5 字). ***2*** 吸光係数に対する記号. ***3*** イプシロン (化学ではカルボキシルまたは他の主官能基から数えて 5 番目の原子にある置換基の位置を表現する記号).

ep·si·lon clos·tri·di·al tox·in ウェルシュ菌イプシロン毒素 (ウェルシュ菌(*Clostridium perfringens*)が作る毒素で, 米疾病対策センターはカテゴリー B(2 番目に危険性が高いカテゴリー)に分類している).

ep·si·lon wave イプシロン波 (不整脈源性右室異形成症に認められる遅延した右室の活動が V_1 誘導に遅い R 波として記録される).

Ep·stein-Barr vi·rus (EBV) エプスタイン-バーウイルス (伝染性単核球症の原因ウイルスであり, Burkitt リンパ腫細胞の培養細胞中にも見出されるヘルペスウイルスの一種. 鼻咽頭癌にも関連性がある). = human herpesvirus 4.

Ep·stein pearls エプスタイン真珠 (新生児で口蓋正中線上にみられる多発性の小さな白い上皮性封入嚢胞).

Ep·stein sign エプスタイン徴候 (乳児における眼瞼の後退で, 驚いた表情や〝野生的な目〟をしているようにみえる. ―setting sun sign; Collier sign).

EPT electroporation therapy の略.

ep·u·lis (ep-yū′lis). エプーリス (非特異的外方増殖性の歯肉塊).

ep·u·loid (ep′yū-loyd). 類エプーリス, 類歯肉腫 (エプーリスに似た歯肉塊).

e·qua·tion (ĕ-kwā′zhŭn). 方程式 (2 つのものが等しいことを表す記述. 通常, 数学または化学の符号が使われる).

e·qua·tion of mo·tion 運動方程式 (①力学系の力, 変位, その導関数の関係を示すニュートンの第二法則. ②呼吸器系では, 呼吸において生じる変位に関わる力についての方程式. 定型的には圧変化は力の総和と容量変化を表し, また圧変化は変位の総和を表す. 肺について記述された最も簡単な運動の方程式は, 経肺圧の変化は弾性項と抵抗力項の和に等しい(経肺圧変化=弾性×1 回換気量+抵抗力×流動変化).

e·qua·to·ri·al plane 赤道面 (有糸分裂の中期において, 全中心体およびそれらの紡錘体アタッチメントに触れる赤道面).

e·qua·to·ri·al plate 赤道板 (有糸分裂における染色体の集合体).

e·qua·to·ri·al staph·y·lo·ma 赤道ブドウ〔膜〕腫 (渦静脈の出口に発生するブドウ腫). = scleral staphyloma.

e·qui·ax·i·al (ē′kwi-ak′sē-ăl). 等軸の (等しい長さの軸をもつ).

e·quil·i·bra·tion (ē′kwi-li-brā′shŭn). 平衡 (①平衡状態を保つ作用. ②血液, 血漿のような液体をある分圧の気体に, 液体内外のその気体分圧が等しくなるまでさらすこと. ③歯科において，咬合圧を各歯に均等化し，咬合時の早期接触をなくすとともに，調和した咬合を得る目的で削合によって歯の咬合面形態を修正すること．④クロマトグラフィで，固定相を，用いられる溶出溶媒の蒸気で飽和すること）．

e·qui·lib·ri·um (ē′kwi-lib′rē-ŭm)．平衡〔状態〕，釣合い（①釣合いのとれた状態．互いに正反対に行動する，相反する2つまたはそれ以上の力の休止状態．②化学において，反対方向に同速度で進行している2つの反応によりつくり出される見かけ上休止の状態．化学方程式においては，これら反対方向は=の印の代わりに2本の反対方向の矢印(⇌)によって示すことがある．= dynamic equilibrium）．

e·qui·lib·ri·um di·al·y·sis 平衡透析〔法〕（免疫学において，ハプテンが透析性で，抗体が非透析性であり，ハプテンと抗体の溶液が半透膜により分離可能な系において，ハプテンの抗体反応の会合定数を決定する方法）．

e·quine (ē′kwīn)．ウマの（ウマ，ラバ，ロバ，その他ウマ属についていう）．

e·quine in·fec·tious a·ne·mi·a ウマ伝染性貧血（ウマやウマ科の動物の世界的な伝染病で，レトロウイルス科の一種であるウマ伝染性貧血ウイルスに起因し，全身衰弱，弛張熱，千鳥足歩行，進行性貧血，体重の減少が特徴．吸血昆虫によって，また接触，口腔感染，または未消毒の注射器や針によって媒介される）．= swamp fever(1)．

e·quine mor·bil·li·vi·rus オーストラリアにおいてウマとヒトの致死的呼吸器疾患を起こす種で，ヒトの症例によっては脳炎もみられる．= Hendra virus.

e·qui·no·val·gus (ē′kwī-nō-val′gŭs, ek′wi-nō-)．外転尖足．= talipes equinovalgus.

e·qui·no·var·us (ē′kwī-nō-vā′rŭs)．内転尖足．= talipes equinovarus.

e·quip·ment (ĕ-kwip′mĕnt)．装備（特定の作業や職務を実行するために必要なストックや用具，その他の物品）．

e·qui·tox·ic (ē′kwi-tok′sik)．等毒性の（毒性の等しい）．

e·quiv·a·lence, e·quiv·a·len·cy (ē-kwiv′ă-lĕns, -lĕn-sē)．当量，等量，同価，等価（化合物において，一定の比率で，元の元素または基が別の元素または基と結合ないし置換する特性）．

e·quiv·a·lent (ē-kwiv′ă-lĕnt)．***1***〚adj.〛当量の，等量の，同価の，等価の．***2***〚n.〛当量，等価物（大きさ，重量，力，またはその他の性状において他のものと等しいもの）．***3*** お互いに打ち消したり，中和したりする能力をもつこと．***4*** 等原子価の（等しい原子価をもつこと）．***5*** = gram equivalent.

ER endoplasmic reticulum; emergency room の略．

Er エルビウムの元素記号．

ERA electronic remittance advice の略．

E·ran·ko fluo·res·cence stain エランコ蛍光染色〔法〕（凍結切片をホルムアルデヒドに浸すことにより，ノルエピネフリンを含んだ細胞が強力な黄緑色蛍光を発するようになる）．

ERBF effective renal blood flow の略．

er·bi·um (Er) (ĕr′bē-ŭm)．エルビウム（希土類元素．原子番号68，原子量167.26）．

Erb pal·sy, Erb pa·ral·y·sis エルプ麻痺（上腕神経叢の上幹または第五・第六頸根の神経根に原因を有する，上腕筋および肩甲帯筋（三角筋，上腕二頭筋，上腕筋，上腕橈骨筋）の麻痺を生じる分娩麻痺の一種）．= Duchenne-Erb paralysis.

Erb point エルプ点（鎖骨の2—3 cm上にある胸鎖乳突筋の後側の点．第6頸椎の横突起と頸神経叢の皮膚枝の突起の上にある）．

Erb-West·phal sign エルプ-ヴェストファル徴候（脊髄ろうその他の脊髄疾患，およびときとして脳疾患の場合，膝蓋腱反射が消失する）．= Westphal sign.

ERCP endoscopic retrograde cholangiopancreatography の略．

e·rec·tile (ĕ-rek′tīl)．勃起性の，拡張性の，直立性の．

e·rec·tile dys·func·tion 勃起障害（腟内に挿入するのに十分な陰茎硬度が得られないこと）．

e·rec·tile tis·sue 勃起組織（多数の充血する脈管空間をもつ組織）．

e·rec·tion (ĕ-rek′shŭn)．勃起（勃起性組織が血液で満たされた状態，その後硬くなり曲がらなくなる．特に陰茎の状態についていう）．

e·rec·tor (ĕ-rek′tŏr)．= arrector. ***1***〚n.〛上げるまたは直立させる人や物．***2***〚adj.〛起立筋の（特に上げるまたは直立させる作用をもつ筋肉についていう）．

e·rec·tor mus·cles of hairs 立毛筋．= arrector muscle of hair.

e·rec·tor spi·nae mus·cles, e·rec·tor mus·cle of spine 脊柱起立筋（固有背筋．起始：仙骨，腸骨，腰椎棘突起．腸肋筋，最長筋，棘筋の3つの柱に分かれている．隣接する椎体のうち上位の椎体に停止する他の筋束とともに肋骨および脊椎に付着する．作用：脊柱を伸展し外側に屈曲する．神経支配：脊髄神経後枝）．= musculus erector spinae.

er·e·thism (ĕr′ĕ-thizm)．過敏〔症〕，〔異常〕興奮，過敏症（興奮または刺激の異常状態，全身性と局所性がある）．

er·e·this·mic, er·e·this·tic, er·e·thit·ic (er′ē-thiz′mik, -this′tik, -thit′ik)．〔異常〕興奮の，過敏症による，易刺激性の．

ERG electroretinogram の略．

erg (ĕrg)．エルグ（CGS単位系における仕事の単位．1ダインの力が1 cmにわたって働いたときに行う仕事量，すなわち1 g・cm^2/sec^2に等しく，また1エルグは10^{-7}ジュール国際単位系(SI)に等しい）．

er·ga·si·a (ĕr-gā′zē-ă)．正働〔状態〕（①活動，特に精神的活動の状態についていう．②個体の機能および反応の全体をいう）．

er·gas·to·plasm (ĕr-gas′tō-plazm)．基底糸，エルガストプラスマ．= granular endoplasmic reticulum.

ergo- 仕事に関する連結形．

er·go·cal·cif·er·ol (ĕr′gō-kal-sif′ĕr-ol)．エルゴカルシフェロール（ビタミンDの製造原料で

E

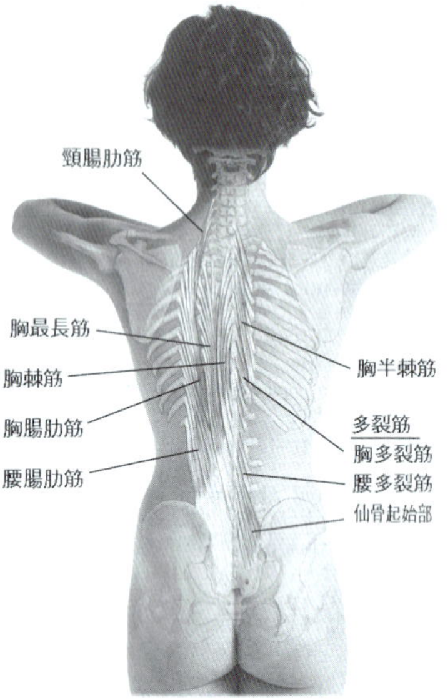
頸腸肋筋
胸最長筋
胸棘筋
胸腸肋筋
腰腸肋筋
胸半棘筋
多裂筋
胸多裂筋
腰多裂筋
仙骨起始部
erector spinae muscles

ある(紫外線)照射化エルゴステロール．エルゴステロールに紫外線照射することによって生じる．第9, 10結合の位置で開裂し，C-10とC-19の間が二重結合になっている．ビタミンD欠乏の予防と治療に用いる)．= calciferol; vitamin D_2.

er·go·gen·ic aid 仕事量増加扶助(補助)（身体の作業能力または運動能力を改善するために，栄養や薬物，あるいは物理作用，機械作用，心理作用を適用したり，補助的に使用すること)．

er·go·graph (ĕr′gō-graf)．エルゴグラフ，作業記録器（筋肉の収縮によってなされた仕事量または収縮の振幅を記録する装置)．

er·go·graph·ic (ĕr′gō-graf′ik)．作業記録の，仕事記録の（作業記録器およびそれにより記録された記録図についていう)．

er·go·lyt·ic (ĕr′gō-lit′ik)．作業減退〔性〕の（運動パフォーマンスを損なう物質に関係するもの)．

er·gom·e·ter (ĕr-gom′ĕ-tĕr)．エルゴメータ．= dynamometer.

er·go·nom·ic job e·val·u·a·tion 人間工学的職業評価（危険識別，リスク評価，人間，工程，環境の相互作用を予測し，考えられる改良の推挙をする職場環境分析)．

er·go·nom·ics (ĕr′gō-nom′iks)．人間工学（機械の設計や操作，および物理的環境におけるヒトという因子に関連のある生態学の一部門)．

er·gos·ter·ol (ĕr-gos′tĕr-ol)．エルゴステロール（プロビタミンD_2中で最も重要である．紫外線照射によってルミステロール，タキステロール，およびエルゴカルシフェロールに変化する．酵母中の主ステロール)．

er·got (ĕr′got)．麦角（寄生性子嚢菌類の真菌である麦角菌 *Claviceps purpurea* の抵抗性を有する越冬状態のもので，ライ麦の種子を真菌偽組織(保続菌体)の緻密な針様の塊に変形させる病原となり，アルカロイドの5以上の光学異性体を含む．左旋性の異性体は子宮収縮，血流の調節，ある種の局所性血管障害(片頭痛)の軽減を起こす)．

er·got·ism (ĕr′got-izm)．麦角中毒（ライ麦に生育する麦角菌 *Claviceps purpurea* の保続菌体に含まれる毒性物質による中毒．末梢血管床の収縮による四肢の壊死(壊疽)が特徴である)．= ergot poisoning; Saint Anthony fire(1).

er·got poi·son·ing 麦角中毒．= ergotism.

Er·len·mey·er flask エルレンマイアーフラスコ（円錐形で，底が広くまた首が細いフラスコ)．

e·rode (ē-rōd′)．*1* 腐食する，侵食する．*2* 潰瘍形成により除去する．

e·rog·e·nous (ĕ-roj′ĕ-nŭs)．性欲刺激〔性〕の，色情〔性〕の（刺激されると性的興奮を起こしうる)．

e·rog·e·nous zone, e·ro·to·gen·ic zone 性感〔発生〕帯（刺激により性的感情を興奮させる性器あるいは乳頭などの体の一部)．

e·ros (ār′os)．エロス，生の本能（精神分析において，生殖，生命に向かう本能を表す生命原理)．

E-ro·sette test E-ロゼット試験（Tリンパ球を同定するテスト．分離したリンパ球を血清とヒツジ赤血球と混ぜ孵置するとヒトTリンパ球の周りを赤血球が取り囲みロゼットを形成する)．

e·ro·sion (ē-rō′zhŭn)．*1* 侵食（摩擦や圧力によってすり減ること，またはすり減った状態)．*2* びらん（浅い潰瘍．胃と腸では，粘膜に限局され粘膜筋板に達していない潰瘍をさす)．*3* 侵食（非細菌性の化学的作用により歯が磨滅すること．原因不明のときは特発性侵食症とされる)．= odontolysis.

e·ro·sive (ē-rō′siv)．*1* 〖adj.〗びらん性の（腐食または磨滅する特性をもつ)．*2* 〖n.〗腐食剤．

e·rot·ic (ĕ-rot′ik)．色情的な，性欲の，好色の，性的衝動性の．

e·ro·to·gen·ic (ĕ-rot′ō-jen′ik)．性欲発生の，情欲挑発の（性的興奮を起こしたり，喚起させたりする能力のある)．

er·o·to·ma·ni·a (ĕ-rot′ō-mā′nē-ă)．*1* 色情狂(色情的な考えや行為に対して過度にまたは病的なまでに取りつかれること)．*2* 自分が別の，一般的に到達しえない身分の血縁関係に属しているという妄想的な確信．

er·o·to·man·ic dis·or·der 恋愛妄想性障害(映画スターや偶然知りあった人などの他人から愛されているという誤った確信)．

er·o·to·path·ic (ĕ-rot′ō-path′ik)．性倒錯の，変態性欲の．

er·o·top·a·thy (er′ō-top′ă-thē)．性倒錯，変態性欲（性衝動の異常)．

er·o·to·pho·bi·a (ĕ-rot′ō-fō′bē-ă). 色情恐怖〔症〕（性愛の概念やその肉体的表現に対する病的な嫌忌）.

ERPF effective renal plasma flow の略.

er·ror (er′ŏr). 誤差，過誤（①構造あるいは機能の欠陥. ②生物統計学においては，ⓘ仮説検定あるいは判別問題における決定の誤り，ⓘⓘランダムなバラツキあるいは観測誤りなどのために生じる真の値と実測値との差. ⓘの意味では〝過誤〟が，ⓘⓘの意味では〝誤差〟が訳語として用いられる. ③不当あるいは誤りと考えられるもの. 生物医学，他の科学においては多くの種類の誤差が存在する. 例えば，バイアス，不正確な測定，欠陥機器による誤りなどである）.

er·ror of the first kind 第一種の過誤（Neyman-Pearson 流の統計的仮説検定において，帰無仮説が真であるのにそれを棄却してしまう確率）. = alpha (α) error.

er·ror-prone po·ly·mer·ase chain re·ac·tion (PCR) 変異性ポリメラーゼ連鎖反応（塩基の誤取り込み状況下(増幅 DNA が突然変異しようとしているとき等)での PCR の使用が好まれる）.

er·ror of the sec·ond kind 第二種の過誤（Neyman-Pearson 流の統計的仮説検定において，帰無仮説が偽であるのに，受容してしまう確率. 検出力を 1 から引いた値）. = beta (β) error.

er·rors and o·mis·sions in·sur·ance 過失脱漏保険（医学記録転写士のための専門職業責任保険）.

ERT estrogen replacement therapy の略.

e·ruc·ta·tion (ē-rŭk-tā′shŭn). おくび（口からガスまたは少量の酸性液を出すこと）. = belching.

e·rup·tion (ĕr-up′shŭn). ***1*** 出現（特に皮膚に病巣が現れること）. ***2*** 発疹，皮疹（急速に広がる皮膚または粘膜の皮膚病，ある種の皮疹の局所症状として現れるときに使われる. 発疹は，斑，丘疹，小水疱，膿疱，水疱，小結節，紅斑などのようにその病巣の性質により特徴付けられる）. ***3*** 萠出，出ぎん（歯が歯槽突起を通過して歯肉を穿孔すること. →emergence）.

e·rup·tive (ĕr-up′tiv). 発疹性の.

e·rup·tive xan·tho·ma 発疹状黄色腫（突然群をなして発症する，または紅暈を伴った黄褐色の丘疹で，重症高脂血症患者，しばしば家族性のあるいはまれではあるが重症糖尿病患者の肘部や膝部の伸展側，および背部や殿部に発症する）.

ERV expiratory reserve volume の略.

er·y·sip·e·las (er′i-sip′ĕ-lăs). 丹毒（β 溶血性連鎖球菌によって起こる急性の特異的浅在性皮膚脂肪織炎. 局所熱感，発赤，浮腫，緊張性，境界明瞭発疹を特徴とする. 通例，重篤な全身的病状を伴う）.

er·y·si·pel·a·tous (er′i-si-pel′ă-tŭs). 丹毒の.

er·y·sip·e·loid (er′i-sip′ĕ-loyd). 類丹毒（豚丹毒菌 *Erysipelothrix rhusiopathiae* によって手に起こる特異的な，通常は一定の経過をとって治癒する蜂巣炎. 魚や肉を扱っている際にできた傷口付近に，ダイヤモンド状の形をした赤黒い紅斑として始まるが，全身に拡大して紅斑および水疱よりなる局面を生じることもあり，また重篤な毒血症に至ることもある）.

Er·y·sip·e·lo·thrix (er′i-sip′ĕ-lō-thriks). エリジペロスリックス属（非運動性，グラム陽性の杆状の細菌で，長いフィラメントを形成する傾向がある. 哺乳類，鳥類，魚類に感染し，標準種は *Erysipelothrix rhusiopathiae*）.

er·y·the·ma (er′i-thē′mă). 紅斑（血管拡張に由来する紅化）.

er·y·the·ma ab ig·ne 熱性紅斑. = erythema caloricum.

er·y·the·ma an·u·la·re 血管神経性環状紅斑（円形または環状の病変）.

er·y·the·ma an·u·lare cen·tri·fu·gum 遠心性環状紅斑（慢性拡大性の再発性紅斑. 大小の環状病変からなり，辺縁はわずかに鱗屑を付着し，中心治癒傾向を示す. 通常，原因不明である）.

er·y·the·ma ar·thri·ti·cum ep·i·de·mi·cum 流行性関節炎症性紅斑（rat-bite fever）. = Haverhill fever.

er·y·the·ma ca·lo·ri·cum 熱〔性〕紅斑（網状色素性斑状発疹. むこうずねに好発し，パン屋，火夫，その他放射熱を受ける人にみられる）. = erythema ab igne.

er·y·the·ma chro·ni·cum mi·grans 慢性遊走性紅斑（隆起した環状の紅斑で，硬結を伴う辺縁部は中心治癒を示しながらダニ刺部から周辺へ放射状に拡大する. スピロヘータ *Borrelia burgdorferi* によるライム病にみられる特徴的な皮膚病変で，皮膚組織からの PCR により病原体が検出できる）.

er·y·the·ma dose 〔皮膚〕紅斑〔線〕量（X 線あるいはその他の放射線照射後，紅斑を生じさせるのに十分な放射線の最小量）.

er·y·the·ma in·du·ra·tum 硬結性紅斑（再発性の硬い皮下結節で，しばしば自潰して壊死性潰瘍を形成する. 通常，中年女性のふくらはぎに生じるが，ときに大腿や腕にもみられる. 恐らく結節性血管炎の一型である）. = Bazin disease.

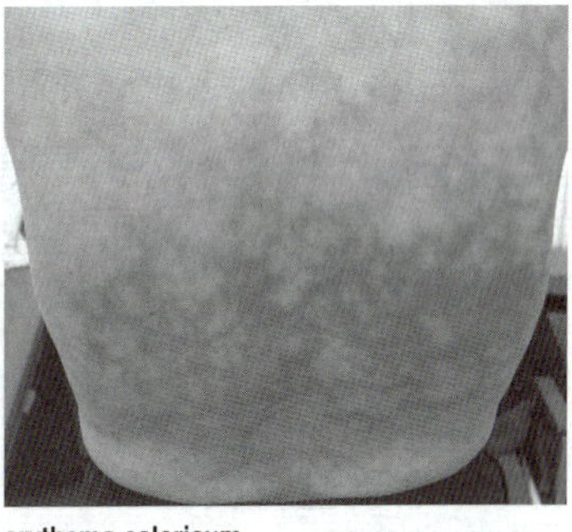

erythema caloricum

E

er·y·the·ma in·fec·ti·o·sum 伝染性紅斑（紅斑性斑点状丘疹性発疹を特徴とする小児における軽い伝染性紅斑性の疾病で，レース状顔面紅斑または〝平手打ちされた顔〟の状態を呈する．発熱と関節炎を併発することもある．パルボウイルス B19 によって起こる）. = fifth disease.

er·y·the·ma i·ris 虹彩状紅斑（種々の強度の同心性環状紅斑で，多形性を特徴とする）. = herpes iris(1).

er·y·the·ma mar·gi·na·tum 有縁性紅斑，輪郭状紅斑，辺縁紅斑（リウマチ熱にみられる多形性紅斑の異型）.

er·y·the·ma mul·ti·for·me 多形〔性〕紅斑（斑，丘疹，表皮下の小水疱など多形性を呈する急性の発疹．原因として薬剤過敏症を含むアレルギー性のものや単純ヘルペス感染により引き起こされるものがある．手および前腕の背面に生じる標的状または虹彩状病変が特徴であり，発疹は通常は自然治癒するが(多形紅斑軽症型)，再発性のことがあり，また重篤な経過を経て致命的(例えば，多形紅斑重症型または Stevens-Johnson 症候群)となることもある）. = herpes iris(2).

er·y·the·ma no·do·sum 結節性紅斑（下肢伸側面の突然の疼痛性結節形成が顕著な脂肪織炎で，病変は一定の経過をとって治癒するが，再発しやすい．関節痛と発熱を伴う．また，薬剤過敏により生じたり，サルコイドーシスや種々の感染症に伴って生じることもある．深部までの生検組織はリンパ球細胞浸潤と散在性多核巨細胞を伴う中隔性脂肪織炎を示す）.

er·y·the·ma nu·chae 項部紅斑. = Unna nevus.

er·y·the·ma per·ni·o 凍傷性紅斑. = chilblain.

er·y·them·a·tous (er′i-them′ă-tŭs). 紅斑性の.

er·y·the·ma·to·ve·sic·u·lar (er′i-thē′mă-tō-vĕ-sik′y-ū-lăr). 紅斑小水疱性の（アレルギー性接触皮膚炎の場合のように，浮腫，紅斑，水疱形成を特徴とする状態を表す）.

er·y·the·ma tox·i·cum 中毒性紅斑（新生児に生じる原因不明の発疹で，無害かつ自然消退する）.

er·y·the·ma tox·i·cum ne·o·na·to·rum 新生児中毒性紅斑（紅斑，小丘疹からなる一過性特発性発疹で新生児にみられる．ときとして，毛嚢の上に生じる好酸球で満ちた膿疱のこともある）.

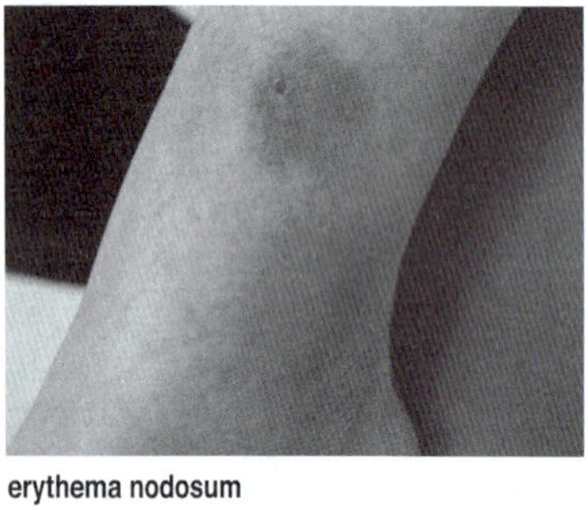

erythema nodosum

erythraemia [Br.]. = erythremia.

erythraemic myelosis [Br.]. = erythremic myelosis.

er·y·thral·gi·a (er′i-thral′jē-ă). 皮膚紅痛症（疼痛を伴う皮膚の発赤. →erythromelalgia）.

er·y·thras·ma (er′i-thraz′mă). 紅色陰癬（*Corynebacterium minutissimum* の角層内感染に由来する．境界明瞭で紅褐色斑状の発疹で，特に腋窩や鼡径部にできる）.

e·ryth·re·de·ma (ĕ-rith′rē-dē′mă). 紅色水腫〔症〕. = acrodynia(2).

er·y·thre·mi·a (er′i-thrē′mē-ă). 赤血病，エリトレミー. = polycythemia vera; erythraemia.

er·y·threm·ic my·e·lo·sis 赤血症性骨髄症（赤血球形成組織を侵す腫瘍過程．貧血，不整熱，巨脾，肝腫，出血性障害，循環血液中の全成熟期における多数の赤芽球(未熟形の数が不釣合いに多い)を特徴とする．急性・慢性型が認められ，急性型は Di Guglielmo disease, acute erythremia ともよばれる．慢性型では未熟細胞がそれほど顕著ではない）. = erythraemic myelosis.

er·y·thrism (er′i-thrizm). 赤髪症（赤らんで，そばかすのある顔貌を伴った赤い毛髪）.

er·y·thris·tic (er′i-thris′tik). 赤髪症の（赤ら顔と赤い毛髪をしている）. = rufous.

erythro-, erythr- ***1*** 赤または発赤に関する連結形. ***2*** 多糖類で，erythrose の構造を示す．2-deoxy-D-*erythro*-pentose のようにイタリック体で用いる.

e·ryth·ro·blast (ĕ-rith′rō-blast). 赤芽球（内皮細胞前駆細胞と区別できる赤血球細胞の第 1 代細胞．正常細胞の成熟過程には次の 4 段階が知られている．ⓘ前正赤芽球 pronormoblast, ⓘⓘ好塩基性正赤芽球 basophilic normoblast, ⓘⓘⓘ多染性正赤芽球 polychromatic normoblast, ⓘⓥ正染性正赤芽球 orthochromatic normoblast）.

erythroblastaemia [Br.]. = erythroblastemia.

e·ryth·ro·blas·te·mi·a (ĕ-rith′rō-blas-tē′mē-ă). 赤芽球血病（末梢血液中に有核の赤血球がみられること）. = erythroblastaemia.

e·ryth·ro·blas·to·pe·ni·a (ĕ-rith′rō-blas-tō-pē′nē-ă). 赤芽球減少〔症〕（再生不良性貧血にみられる原発性の骨髄における赤芽球の減少）.

e·ryth·ro·blas·to·sis (ĕ-rith′rō-blas-tō′sis). 赤芽球症（血液中にかなり多量の赤芽球が存在すること）.

e·ryth·ro·blas·to·sis fe·ta·lis 胎児赤芽球症（重篤な溶血性貧血で，多くの場合 Rh 陽性の胎児血液中の Rh 因子に対する Rh 陰性の母体中の抗 Rh 抗体の産生によって起こる．全身循環中の多くの赤芽球を特徴とし，しばしば全身性浮腫(すなわち胎児水症)や肝・脾臓の肥大を特徴とする．ときには Rh 以外の抗原に対する抗体によっても引き起こされる）. = congenital anemia; hemolytic disease of newborn; neonatal anemia; Rh antigen incompatibility.

e·ryth·ro·blas·tot·ic (ĕ-rith′rō-blas-tot′ik).

赤芽球症の（特に胎児赤芽球症についていう）.

er·y·throc·la·sis（er′i-throk′lă-sis）．赤血球崩壊.

e·ryth·ro·clas·tic（ĕ-rith′rō-klas′tik）．赤血球崩壊の.

e·ryth·ro·cy·a·no·sis（ĕ-rith′rō-sī-ă-nō′sis）．皮膚紅色チアノーゼ〔症〕（特に小児，少女，婦人にみられるもので，四肢を寒さにさらすと膨化してくすんだ赤色になる．凍結するほどでない寒さに直接さらすことにより起こる）.

e·ryth·ro·cyte（ĕ-rith′rŏ-sīt）．赤血球（成熟赤血球）. = hemacyte; red blood cell; red cell; red corpuscle.

e·ryth·ro·cyte count = red blood cell count.

e·ryth·ro·cyte in·di·ces 赤血球恒数（赤血球の平均サイズ，ヘモグロビン含量，ヘモグロビン濃度の計算値．平均赤血球容積(MCV)，平均赤血球ヘモグロビン含量(MCH)，平均赤血球ヘモグロビン濃度(MCHC)のこと）.

e·ryth·ro·cyte sed·i·men·ta·tion rate (ESR) 赤血球沈降速度，赤沈，血沈（抗凝固化血液中の赤血球沈殿速度．沈降速度の上昇は貧血や炎症状態と関連することが多い）.

erythrocythaemia [Br.]. = erythrocythemia.

e·ryth·ro·cy·the·mi·a（ĕ-rith′rō-sī-thē′mē-ă）．赤血病，多赤症，赤血球増加症. = polycythemia; erythrocythaemia.

e·ryth·ro·cyt·ic（ĕ-rith′rō-sit′ik）．赤血球の.

e·ryth·ro·cy·tic cycle 赤内サイクル（マラリア原虫の生活史において脊椎動物内で病原性を発生する期間で，赤血球内に存在している）.

e·ryth·ro·cyt·ic se·ries 赤血球系（赤血球形成に至る赤色骨髄内で種々の発育段階にある細胞．例えば，赤芽球，正赤芽球，赤血球）.

e·ryth·ro·cy·tol·y·sin（ĕ-rith′rō-sī-tol′i-sin）．溶血素. = hemolysin(1).

e·ryth·ro·cy·tol·y·sis（ĕ-rith′rō-sī-tol′i-sis）．溶血. = hemolysis.

e·ryth·ro·cy·tor·rhex·is（ĕ-rith′rō-sī-tŏr-ek′sis）．赤血球崩壊（部分的な溶血で，赤血球から原形質の粒子が脱離するために円鋸歯状になったり，変形したりする）. = erythrorrhexis.

e·ryth·ro·cy·tos·chi·sis（ĕ-rith′rō-sī-tos′ki-sis）．赤血球断片化（赤血球が壊れて形態的に血小板に似た小さな粒子になること）.

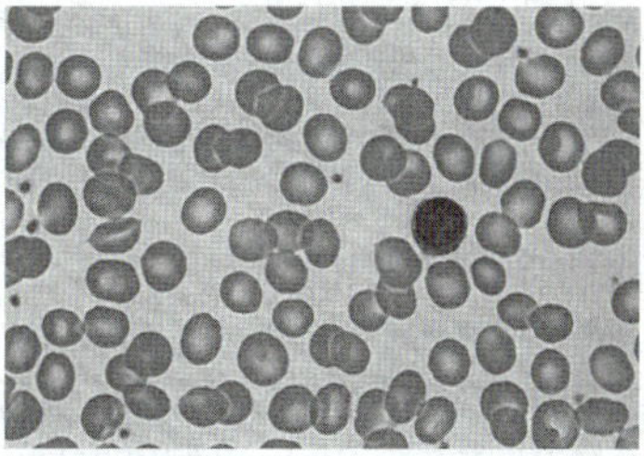

erythrocytes

e·ryth·ro·cy·to·sis（ĕ-rith′rō-sī-tō′sis）．赤血球増加〔症〕（特にある知られた刺激に反応して起こる赤血球の増加）.

e·ryth·ro·de·gen·er·a·tive（ĕ-rith′rō-dĕ-jen′ĕr-ă-tiv）．赤血球変性の.

e·ryth·ro·der·ma（ĕ-rith′rō-dĕr′mă）．紅皮症（血管拡張に由来する著明かつ通常広範な皮膚の発赤に加えて，しばしば落屑の先行または合併をみる状態を示す非特異的な名称）. = erythrodermatitis.

e·ryth·ro·der·ma des·qua·ma·ti·vum 落屑性紅皮症（新生児にみられる重症の広汎性脂漏性皮膚炎．表皮剥脱性皮膚炎，汎白血球減少症そして下痢を伴う．しばしば栄養不良で悪液質の小児にみられる）. = Leiner disease.

e·ryth·ro·der·ma pso·ri·a·ti·cum 乾癬性紅皮症（乾癬に類似した広汎性剥脱性皮膚炎）.

e·ryth·ro·der·ma·ti·tis（ĕ-rith′rō-dĕr-mă-tī′tis）．紅斑性皮膚炎. = erythroderma.

e·ryth·ro·don·ti·a（ĕ-rith′rō-don′shē-ă）．赤色歯（ポルフィリン症にときとしてみられる歯の紅色の変色やしみ）.

erythroedema [Br.]. = acrodynia(2).

e·ryth·ro·gen·ic（ĕ-rith′rō-jen′ik）．*1* 発赤の（発疹または赤色感覚を引き起こすような）．*2* 赤血球産生の.

e·ryth·ro·gen·ic tox·in 発赤毒素. = streptococcus erythrogenic toxin.

er·y·throid（e-rith′royd）．赤色の，紅色の，赤血球〔系〕の.

e·ryth·ro·ker·a·to·der·mi·a（ĕ-rith′rō-ker-ă-tō-dĕr′mē-ă）．紅斑角皮症（丘疹，落屑を伴う紅斑局面が生直後より発生する神経皮膚症候群

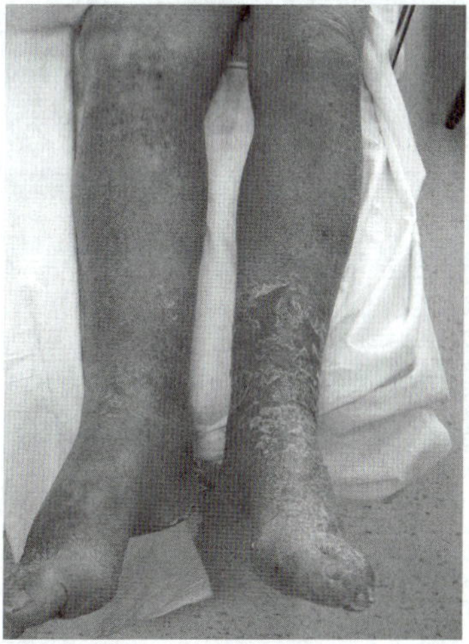

erythroderma

E

の１つ．晩年には運動失調，眼振，構語障害，腱伸展障害が現れる．対側性進行性紅斑角皮症は常染色体優性遺伝し，掌蹠は侵さない）．

e·ryth·ro·ker·a·to·der·mi·a va·ri·a·bi·lis 変異性紅斑角皮症（奇異な地図状の角質肥厚局面を特徴とする皮膚疾患．紅皮症病変に随伴し，大きさ，形，部位が日ごとに著しく変わる．毛髪，鼻孔，歯牙は侵されない．通常，生後１年以内に発症する．常染色体優性遺伝または劣性遺伝．第１染色体短腕のギャップジャンクション蛋白ベータ-3(GJB3)をコードするコネキシン遺伝子の変異により生じる）．

e·ryth·ro·ki·net·ics (ĕ-rith′rō-ki-net′iks)．赤血球動態学（赤血球の動態を生成から崩壊まで考察すること）．

erythroleukaemia [Br.]. = erythroleukemia.

e·ryth·ro·leu·ke·mi·a (ĕ-rith′rō-lū-kē′mē-ă)．赤白血病（赤芽球系と白血球系(骨髄系)に同時に起こる新生物増殖）. = erythroleukaemia.

e·ryth·ro·leu·ko·sis (ĕ-rith′rō-lū-kō′sis)．赤白血症（白血病と似た病状で，白血球生成組織に加えて赤血球生成組織も影響を受ける）．

er·y·throl·y·sin (er′i-throl′i-sin). = hemolysin (1).

er·y·throl·y·sis (er′i-throl′i-sis)．溶血. = hemolysis.

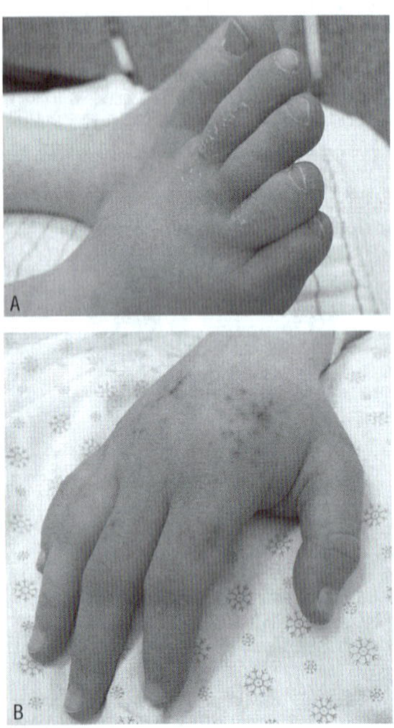

erythromelalgia

e·ryth·ro·mel·al·gi·a (ĕ-rith′rō-mel-al′jē-ă)．先端(肢端)紅痛症，皮膚紅痛症（①中年に発症するまれな疾患．一肢または多肢，通常，下肢に発生する．灼熱痛，発赤，痛覚過敏，発汗の痙攣発作を特徴とする．温熱刺激が引き金になる．通常，冷却と挙上により軽快する．②突発性拍動と皮膚の灼熱痛．怒責または温熱刺激によって頻々誘発され，手足に発生する．皮膚温上昇に伴い，暗紅色斑状発赤部分を併発する．骨髄増殖性疾患あるいは他の疾患に合併または先立ってみられる）. = Mitchell disease; red neuralgia.

er·y·thron (er′i-thron)．赤血球系（循環する赤血球と赤血球の造血組織を含む系統の総称）．

e·ryth·ro·ne·o·cy·to·sis (ĕ-rith′rō-nē-ō-sī-tō′sis)．新生赤血球増加〔症〕（末梢循環に再生型赤血球が存在すること）．

e·ryth·ro·pe·ni·a (ĕ-rith′rō-pē′nē-ă)．赤血球減少〔症〕．

e·ryth·ro·pha·gi·a (ĕ-rith′rō-fā′jē-ă)．赤血球貪食（赤血球の貪食的破壊）．

e·ryth·ro·phag·o·cy·to·sis (ĕ-rith′rō-fag′ō-sī-tō′sis)．赤血球貪食．

e·ryth·ro·phil (ĕ-rith′rō-fil). ***1*** 〖adj.〗赤染性の（赤染料に染まりやすい）. = erythrophilic. ***2*** 〖n.〗エリトロフィル（赤く染まる細胞や組織の要素）．

e·ryth·ro·phil·ic (ĕ-rith′rō-fil′ik). = erythrophil(1).

e·ryth·ro·pla·ki·a (ĕ-rith′rō-plā′kē-ă)．紅板症（粘膜にみられる赤いビロード様の局面をなす病変で，しばしば悪性化を示す）．

e·ryth·ro·pla·si·a (ĕ-rith′rō-plā′zē-ă)．紅色肥厚〔症〕（紅斑と上皮の異形成）．

e·ryth·ro·pla·si·a of Quey·rat ケーラー紅色肥厚〔症〕（陰茎亀頭の上皮内癌を表す語）．

e·ryth·ro·poi·e·sis (ĕ-rith′rō-poy-ē′sis)．赤血球生成．

e·ryth·ro·poi·et·ic (ĕ-rith′rō-poy-et′ik)．赤血球生成の．

e·ryth·ro·poi·et·ic por·phyr·i·a 造血性ポルフィリン症（先天性造血性ポルフィリン症と造血性プロトポルフィリン症を含むポルフィリン症）．

e·ryth·ro·poi·et·ic pro·to·por·phyr·i·a 赤芽球増殖性プロトポルフィリン症（フェロキレターゼの欠乏による良性のポルフィリン代謝障害で，糞便中へのプロトポルフィリン排泄増加と，赤紫色の尿，赤血球内，血漿中，および糞便中へのプロトポルフィリンⅨの排泄増加を伴う．日光に当たると急速に進行する急性日光じんま疹またはより慢性の日光湿疹を特徴とする）．

e·ryth·ro·poi·e·tin (ĕ-rith′rō-poy′ĕ-tin)．エリトロポイエチン，エリスロポ〔イ〕エチン（シアル酸を含んだ蛋白で，前赤芽球形成や骨髄からの網状赤血球の遊離を促進することによって赤血球生成を高める．腎臓と肝臓で産生されるが，その他の組織でつくられている可能性もある）．

e·ryth·ro·pros·o·pal·gi·a (ĕ-rith′rō-pros-ō-pal′jē-ă)．顔面紅痛症（先端紅痛症と似た疾病

だが，疼痛や発赤が顔に現れる）．

e·ryth·rop·si·a (er′ith-rop′sē-ă)．赤〔色〕視〔症〕（あらゆるものが赤みを帯びて見える状態）．

e·ryth·ror·rhex·is (ē-rith′rō-rek′sis)．赤血球崩壊．= erythrocytorrhexis.

er·y·thru·ri·a (er′i-thyūr′ē-ă)．赤尿症．

Es アインスタイニウムの元素記号．

es·cape (es-kāp′)．逸脱（心拍の高位歩調取りが欠失するか，房室伝導が失われるため，他の，通常はより低位歩調取りが1-数拍の拍動の歩調取り機能を果たす状態をさす用語）．

es·cape beat, es·caped beat 補充収縮（通常，房室接合部あるいは心室から起こる自動収縮．次にきたるべき正常収縮の脱落後に起こり，したがって常に後発収縮となり，正常収縮より長い周期となる）．

es·cape rhythm 補充調律（本来の歩調取り(ペースメーカ)の上限を超えない速さで出現する3個以上連続する刺激）．

es·char (es′kahr)．焼痂（厚く，凝固した痂皮または腐肉．熱傷または化学的あるいは物理的に皮膚が腐食した後に形成される）．

es·cha·rot·ic (es′kă-rot′ik)．焼痂性の，腐食性の．

es·cha·rot·o·my (es′kă-rot′ŏ-mē)．焼痂切開〔術〕（狭窄を少なくするために焼痂(壊死に陥った真皮)に外科的切開を加えること．特に熱傷後に行われる）．

Esch·e·rich·i·a (esh-ĕ-rik′ē-ă)．エシェリキア属（好気性であるが，随時，嫌気性にもなる細菌の一属．運動性または非運動性，グラム陰性の短い杆菌．運動性の菌はべん毛を有する．ブドウ糖や乳糖を発酵して酸とガスを産生し，糞便中にみられる．いくつかの種はヒトに対して病原性をもち，腸炎，腹膜炎，膀胱炎などを引き起こす．腸内細菌の代表的な属で，標準種は *Escherichia coli*）．

Esch·e·rich·i·a co·li 大腸菌（ヒト，その他の脊椎動物の腸内に普通にみられる種で，自然界に広く分布している．しばしば泌尿生殖器感染や新生児の髄膜炎および乳児の下痢の原因となる．この菌の腸内病原性株(血清型)はエンテロトキシンによる下痢を引き起こす．伝達性エピソームがこの毒素の産生に関与していると思われる．*Escherichia* 属の標準種）．

E se·lec·tin Eセレクチン（内皮によりつくられる細胞表面レセプタ）．

e·soph·a·ge·al (ĕ-sof′ă-jē′ăl)．食道の．= oesophageal.

e·soph·a·ge·al a·cha·la·si·a 食道アカラシア（下部食道括約筋の拡張不全で胸部食道の非協調性の収縮を伴い，機能的閉塞，えん下困難を生じる）．= achalasia of the cardia; cardiospasm; oesophageal achalasia.

e·soph·a·ge·al ar·ter·ies 食道枝（①下甲状腺動脈の枝．②左胃動脈の枝．③胸大動脈の枝）．

e·soph·a·ge·al a·tre·si·a 食道閉鎖〔症〕（食道管腔の先天的な発育不全．一般的に気管食道瘻を伴う）．

e·soph·a·ge·al gas·tric tube air·way (EGTA) 食道胃チューブエアウェイ（緊急呼吸療法時に，高圧下で酸素を送り込むマスクと蘇生中の胃膨張と逆流を防ぐために食道に挿入する空気注入式閉鎖管から成る，心肺機能蘇生に用いられる器具．意識不明患者の蘇生に用いられる）．= esophageal obturator airway; Gordon-Don Michael tube.

e·soph·a·ge·al hi·a·tus 食道裂孔（横隔膜右脚の孔で，食道と2本の迷走神経が通る．中心腱と大動脈裂孔の間にある）．= oesophageal hiatus.

e·soph·a·ge·al lead 食道誘導（心電図記録の一種で食道の種々のレベルで記録するために喉頭から食道へ移行させる．不整脈のある型には特に有効である．同様に超音波のトランスデューサを食道内に入れて記録する）．= oesophageal lead.

e·soph·a·ge·al ner·vous plex·us 食道神経叢（食道壁にある2つの神経叢のうちの一つ．1番目のものは右迷走神経と左反回神経がら形成され，2番目のものは肺神経叢から分かれた後に左反回神経の吻合幹によって形成される．神経枝は食道の粘膜層と筋層を供給する．叢咽喉，叢神経食道）．

e·soph·a·ge·al ob·tu·ra·tor air·way (EOA) = esophageal gastric tube airway.

e·soph·a·ge·al re·flux, gas·tro·e·soph·a·ge·al re·flux 食道逆流，胃食道逆流（→ gastroesophageal reflux disease）．= oesophageal reflux.

e·soph·a·ge·al speech 食道音声（全喉頭摘出後の話す技術．空気を食道へと飲み込んでそれを吐き戻し，下咽頭に振動を起こして声を出す）．= oesophageal speech.

e·soph·a·ge·al tra·che·al air·way = pharyngeal tracheal multiple balloon system.

e·soph·a·ge·al va·ri·ces 食道静脈瘤（門脈圧亢進の結果としての，食道下端における縦の静脈の静脈瘤．表在性で潰瘍化しやすく大量の出血を起こす）．= oesophageal varices.

e·soph·a·ge·al veins 食道静脈（食道の粘膜下の血液を集める一連の静脈で，食道頸部から下行して下甲状腺静脈・上肋間静脈・副半奇静脈・半奇静脈・奇静脈と合流して最終的には上大静脈に流入する．食道噴門部からの最下食道静脈は，左胃静脈の食道枝を経て門脈に流入し門脈大静脈間吻合血管を形成するので，門脈圧亢進に際して静脈瘤を発生しやすい）．= oesophageal veins.

e·soph·a·gec·ta·sis, e·soph·a·gec·ta·si·a (ĕ-sof-ă-jek′tă-sis, -jek-tā′zē-ă)．食道拡張〔症〕．= oesophagectasis.

e·soph·a·gec·to·my (ĕ-sof-ă-jek′tŏ-mē)．食道切除〔術〕（すべてまたは一部の食道切除）．= oesophagectomy.

e·soph·a·gi (ĕ-sof′ă-jī)．esophagus の複数形．= oesophagi.

e·soph·a·gism (ĕ-sof′ă-jizm)．食道痙攣（食道の痙攣で，えん下困難を起こす）．= oesophagism.

E

e·soph·a·gi·tis (ĕ-sofʹă-jīʹtis). 食道炎. = oesophagitis.

e·soph·a·go·car·di·o·plas·ty (ē-sofʹă-gō-kahrʹdē-ō-plas-tē). 食道噴門形成〔術〕(食道と胃の噴門部の形成的処置). = oesophagocardioplasty.

e·soph·a·go·cele (ĕ-sofʹă-gō-sēl). 食道ヘルニア (筋層の割れ目を通って食道の粘膜が突出すること). = oesophagocele.

e·soph·a·go·du·o·den·os·to·my (ĕ-sofʹă-gō-dūʹō-dĕ-nosʹtŏ-mē). 食道十二指腸吻合〔術〕(食道と十二指腸を直接吻合させる外科手術. 胃の除去を伴うものと伴わないものがある). = oesophagoduodenostomy.

e·soph·a·go·en·ter·os·to·my (ĕ-sofʹă-gō-en-tĕr-osʹtŏ-mē). 食道小腸吻合〔術〕(食道と小腸を手術によって直接吻合させること). = oesophagoenterostomy.

e·soph·a·go·gas·trec·to·my (ĕ-sofʹă-gō-gas-trekʹtŏ-mē). 食道胃切除〔術〕(食道下部とそれに隣接する胃の部分を切除すること).

e·soph·a·go·gas·tric junc·tion 食道胃移行部 (噴門口で食道が終わり, 胃が始まる部位. 生理学的下食道括約筋の存在部位). = oesophagogastric junction.

e·soph·a·go·gas·tro·a·nas·to·mo·sis (ĕ-sofʹă-gō-gasʹtrō-ă-nas-tŏ-mōʹsis). 食道胃吻合〔術〕. = esophagogastrostomy; oesophagogastroanastomosis.

esoph·a·go·gas·tro·du·o·de·nos·co·py (EGD) (ĕ-sofʹă-gō-gasʹtrō-dūʹō-den-osʹkŏ-pē). 食道胃十二指腸鏡検査 (通常, ファイバースコープで行われる食道, 胃, 十二指腸の内視鏡検査).

e·soph·a·go·gas·tro·plas·ty (ĕ-sofʹă-gō-gasʹtrō-plas-tē). 食道胃形成〔術〕. = cardioplasty; oesophagogastroplasty.

e·soph·a·go·gas·tros·to·my (ĕ-sofʹă-gō-gas-trosʹtŏ-mē). 食道胃吻合〔術〕(食道胃切除に続いて, 食道と胃を吻合すること). = esophagogastroanastomosis; gastroesophagostomy; oesophagogastrostomy.

e·soph·a·go·gram (ĕ-sofʹă-gō-gram). 食道造影像. = oesophagogram.

e·soph·a·gog·ra·phy (ĕ-sofʹă-gogʹră-fē). 食道造影法 (X線造影剤をえん下させ, あるいは食道内に注入し, 食道をX線で撮影する. 食道造影像を得るための方法). = oesophagography.

e·soph·a·go·ma·la·ci·a (ĕ-sofʹă-gō-mă-lāʹshē-ă). 食道軟化〔症〕(食道壁が軟化すること). = oesophagomalacia.

e·soph·a·go·my·ot·o·my (ĕ-sofʹă-gō-mī-otʹŏ-mē). 食道筋切開〔術〕(食道壁最下端の粘膜下層までに至る筋層の縦切開. 噴門の筋線維の一部も切断されることがある). = oesophagomyotomy.

e·soph·a·go·plas·ty (ĕ-sofʹă-gō-plas-tē). 食道形成〔術〕(食道壁の手術的形成処置). = oesophagoplasty.

e·soph·a·go·pli·ca·tion (ĕ-sofʹă-gō-pli-kāʹshŭn). 食道ひだ形成〔術〕(食道壁をたくし上げることによって, 拡張した食道や食道の嚢を小さくすること). = oesophagoplication.

e·soph·a·gop·to·sis, e·soph·a·gop·to·si·a (ĕ-sofʹă-gō-tōʹsis, -tōʹsē-ă). 食道下垂〔症〕(食道壁が弛緩したり, 下方に変位すること). = oesophagoptosis.

e·soph·a·go·scope (ĕ-sofʹă-gō-skōp). 食道〔直達〕鏡 (食道を検査するための内視鏡). = oesophagoscope.

e·soph·a·gos·co·py (ĕ-sofʹă-gosʹkŏ-pē). 食道鏡検査〔法〕(内視鏡によって食道内部を視診すること). = oesophagoscopy.

e·soph·a·go·spasm (ĕ-sofʹă-gō-spazm). 食道痙攣 (食道壁の痙攣). = oesophagospasm.

e·soph·a·go·ste·no·sis (ĕ-sofʹă-gō-stĕ-nōʹsis). 食道狭窄. = oesophagostenosis.

e·soph·a·go·sto·mi·a·sis (ĕ-sofʹă-gō-stō-mīʹă-sis). 腸結節虫症 (腸結節虫属 *Oesophagostomum* の線虫による感染症). = oesophagostomiasis.

e·soph·a·gos·to·my (ĕ-sof-ă-gosʹtŏ-mē). 食道造瘻術, 食道フィステル形成〔術〕, 食道瘻造設術 (外から食道に直接開口部を形成すること). = oesophagostomy.

e·soph·a·got·o·my (ĕ-sof-ă-gotʹŏ-mē). 食道切開〔術〕(食道壁を切開すること). = oesophagotomy.

e·soph·a·gus, pl. **e·soph·a·gi** (ĕ-sofʹă-gŭs, -gī; -jī). 食道 (咽頭から胃までの消化管の部分. 約25 cmあって次の3部からなる. 輪状軟骨から胸郭上口までの頸部, 胸郭上口から横隔膜までの胸部, 横隔膜から胃の噴門までの腹部). = oesophagus.

es·o·pho·ri·a (esʹō-fōrʹē-ă). 内斜位 (眼が内側にそれている傾向).

es·o·phor·ic (esʹō-fōrʹik). 内斜位の.

es·o·tro·pi·a (esʹō-trōʹpē-ă). 内斜視 (視軸が輻輳する斜視. 麻痺性または共動性, 一眼性または交代性, 調節性または非調節性である). = convergent strabismus.

es·o·tro·pic (esʹō-trōʹpik). 内斜視の.

ESP extrasensory perception の略.

es·pun·di·a (es-pūnʹdē-ă). 鼻咽頭リーシュマニア症 (粘膜, 特に鼻や口の粘膜を侵す *Leishmania braziliensis* によって起こるアメリカリーシュマニア症の一型. 広範な破壊的壊死を引き起こす. 身体の他所にできた病巣が転移して発育することもある). = Breda disease.

ESR erythrocyte sedimentation rate; electron spin resonance の略.

es·sen·tial (ĕ-senʹshăl). ***1*** 必須の, 不可欠な (例えば, essential amino acids (必須アミノ酸), essential fatty acids (必須脂肪酸)). ***2*** 本質の, 本質的な. ***3*** 決定的な. ***4*** 本態性の, 特発性の. ***5*** 精の (例えば精油 essential oil). ***6*** 固有の, 内因性の. = intrinsic.

es·sen·tial a·mi·no ac·ids 必須アミノ酸 (生体に栄養学的に必要な α-アミノ酸で, 遊離アミノ酸あるいは蛋白として食事によって摂取しなければならないもの (すなわち生体によって生合成できないもの)).

es·sen·tial dys·men·or·rhe·a 本態性月経困難〔症〕. = primary dysmenorrhea.

es·sen·tial fat·ty ac·id (EFA) 必須脂肪酸（栄養的必須である脂肪酸. 例えば, リノール酸やリノレイン酸).

es·sen·tial hy·per·ten·sion 本態性高血圧〔症〕（既知の原因なく起こる高血圧).

es·sen·tial nu·tri·ent 必須栄養素（体内では生成されない, 最適な健康状態に必要とされる食物中の物質).

es·sen·tial oil 精油, 芳香油（通常, やや揮発性で, その植物に特有の芳香と味をもつ植物産物. 植物の水蒸気蒸留物または特定の植物の外皮を圧搾することにより得られた植物油. →volatile oil).

es·sen·tial pru·ri·tus 本態性かゆみ(そう痒)〔症〕（皮膚病変と関係なく生じるそう痒).

es·sen·tial tel·an·gi·ec·ta·si·a *1* 本態性毛細管拡張〔症〕（原因不明の局部的毛管拡張). *2* = angioma serpiginosum.

es·sen·tial throm·bo·cy·to·pe·ni·a 本態性血小板減少〔症〕（血小板減少症の本態性型で, 骨髄を傷害する転移性腫瘍, 結核, 白血病に伴ったり, 化学物質の使用または他の条件により骨髄の直接的抑制に伴って起こる続発性型と対比される).

es·sen·tial trem·or 本態性振せん（通常成人期初期に起こる 4—8 Hz の周波数の動作振せん. 上肢と頭部に限局している. 家族の数人に出現した場合は, 家族性とよばれる).

Es·ser graft エッセル移植〔片〕. = inlay graft.

EST electroshock therapy の略.

es·tab·lished pa·tient 定着患者（過去 3 年間医師やヘルスケアグループに診察された人. →EIN).

es·ter (es′tĕr). エステル（-X (O)-O-R (X は炭素, 硫黄, リンなど. R はアルキル基)の構造をもつ有機化合物. 酸の -OH 基とアルコールの -OH 基から H_2O が分離してできる).

es·ter·ase (es′tĕr-ās). エステラーゼ, エステル分解酵素（エステルの加水分解を触媒する加水分解酵素の総称(EC class 3.1)).

es·ter·i·fi·ca·tion (es-ter′i-fi-kā′shŭn). エステル化（エステルを生成する過程. 例えば, エタノールと酢酸が反応してそのエステルである酢酸エチルを生成すること).

es·the·si·a (es-thē′zē-ă). 感覚, 知覚. = perception; aesthesia.

esthesio- 感覚, 知覚, に関する連結形. = aesthesio-.

es·the·si·od·ic (es-thē′zē-od′ik). 感覚衝動伝導の. = aesthesodic; esthesodic.

es·the·si·o·gen·e·sis (es-thē′zē-ō-jen′ĕ-sis). 感覚発生（感覚, 特に神経過敏症の発生). = aesthesiogenesis.

es·the·si·o·gen·ic (es-thē′zē-ō-jen′ik). 感覚発生の. = aesthesiogenic.

es·the·si·om·e·ter (es-thē′zē-om′ĕ-tĕr). 触覚計, 知覚計（触覚その他の感覚の状態を測定する器械). = aesthesiometer; tactometer.

es·the·si·om·e·try (es-thē′zē-om′ĕ-trē). 触空間閾値測定〔法〕, 知覚測定〔法〕（触覚その他の感覚の程度を測定すること). = aesthesiometry.

es·the·si·o·neu·ro·sis (es-thē′zē-ō-nūr-ō′sis). 感覚神経症（麻痺, 知覚過敏症, 知覚異常などの感覚障害. 触覚神経症).

es·the·si·o·phys·i·ol·o·gy (es-thē′zē-ō-fiz-ē-ol′ō-jē). 感覚生理学, 知覚生理学（知覚や感覚器の生理学). = aesthesiophysiology.

es·the·sod·ic (es′thĕ-zod′ik). = esthesiodic.

es·thet·ic (es-thet′ik). = aesthetic. *1* 感覚の, 知覚の. *2* 美学の.

es·thet·ics (es-thet′iks). 美学（芸術と美にかかわる哲学の一分野. 特に美を構成している要素を取り扱う). = aesthetics.

es·ti·mate (es′ti-măt). 推定値（①ある程度の誤差を伴うことが既知できる, あるいはそう考えられている, あるいはその疑いがあるような量を測定, 表現した結果. ②推定量に(実際に得られた)データを代入した値. これは確率変数ではなく, その実現値であり, ある定まった値である. 一般に推定量の分散の推定値を伴って表記されるが, それ自体はばらつかない(推定量と混同してはならない. 推定量とは推定値の計算法のことである)).

es·ti·mat·ed av·er·age re·quire·ment (EAR) 推定平均必要量（当該性・年齢階級に属する人々の 50%が必要量を満たすと推定される 1 日の栄養分摂取量. 推奨食事許容量を計算するのに用いられる).

es·ti·ma·ted en·er·gy re·quire·ment (EER) 推定エネルギー必要量（ある集団の 50%を満たすと推定される栄養の摂取量).

es·ti·val (es′ti-văl). 夏季の. = aestival.

es·ti·va·tion (es′ti-vā′shŭn). 夏眠（夏季中は静止して無活動状態で生活すること). = aestivation.

es·ti·vo·au·tum·nal (es′ti-vō-aw-tŭm′năl). 夏秋の. = aestivoautumnal.

Est·land·er op·er·a·tion エストランデル手術（口唇の形成手術における Estlander 皮弁の使用).

es·tra·di·ol (es-tră-dī′ol). エストラジオール（哺乳類に普通みられる卵胞ホルモンのうち最も有効なもの. 卵巣, 胎盤, 精巣, 恐らく副腎皮質でも生成される). = oestradiol.

es·tri·ol (es′trē-ol). エストリオール（エストラジオールの代謝産物で, 通常, 卵胞ホルモンの主要代謝産物として尿中にみられる(特に妊娠時に多い)). = oestriol.

es·tro·gen (es′trō-jen). エストロゲン, 卵胞ホルモン（17β-エストラジオールのような発情ホルモンに特有な生物学的作用をもつ天然物質あるいは合成物質の総称. 卵巣, 胎盤, 精巣, および恐らく副腎皮質でも生成され, ある種の植物でもつくられる. 二次性徴を促進させるほかに, 長管骨の発育や成熟を促進したりするなど, 全身的作用もある. 治療面では, エストラジオールの欠乏による障害(例えば, 生理不順, 閉経期の障害など)の回復に用いられる. 月経周期を制御する作用がある. 女性では, 冠動脈疾患の治療にも用いられている).

es·tro·gen·ic (es′trŏ-jen′ik). 発情性〔物質〕の，エストロゲン様の（①動物に発情を引き起こす．②エストロゲンと類似した作用をもつ）. = oestrogenic.

es·tro·gen re·cep·tor エストロゲン受容体（エストロゲンの受容体．乳癌で受容体陽性例は予後良好といわれる）. = oestrogen receptor.

es·tro·gen re·place·ment ther·a·py (ERT) エストロゲン補充療法（閉経後あるいは卵巣摘出術後婦人に対する性ホルモンの投与法）. = hormone replacement therapy; oestrogen replacement therapy.

es·trone (es′trōn). エストロン（17β-エストラジオールの代謝産物で，尿中，卵巣および胎盤にみられる．もとのホルモンに比べて生物活性はほとんどない）. = oestrone.

es·trous (es′trŭs). 発情〔期〕の. = estrual.

es·trous cy·cle 発情周期（高等動物の子宮や卵巣などの一連の生理的変化で，発情前期，発情期，発情後期，および発情間期または静止期からなる）. = oestrous cycle.

es·tru·al (es′trū-ăl). = estrous; oestrual.

es·tru·a·tion (es′trū-ā′shŭn). 発情〔期〕. = estrus; oestruation.

es·trus (es′trŭs). 発情期，発情〔現象〕（雌の動物の性周期の一時期で，性交を好んで許すことを特徴とする．この時期の動物は，行動や徴候ですぐにそれと見分けられる）. = estruation; heat(2); oestrus.

ESV end systolic volume の略.

ESWL electrohydraulic shock wave lithotripsy; extracorporeal shock wave lithotripsy の略.

ET endotracheal tube の略.

Et ethyl の略.

e·ta (Η, η) エータ（①ギリシア語アルファベットの第７字．②化学では，カルボキシル基や他の主官能基から第７番目の原子を示す．③粘度の記号）.

et al. ～およびその他.

etc. その他，～など.

ETEC enterotoxigenic *Escherichia coli* の略.

eth·ane·di·ni·trile (eth′ān-dī-nī′tril). エタンジニトリル（猛毒の化合物．N ≡ C-C ≡ N）. = cyanogen(1).

eth·a·nol (eth′ăn-ol). エタノール. = alcohol (2).

eth·a·nol test エタノール検査（障害を示唆するような行動をとったとみなされた運転手のアルコール摂取量の測定．血液検査，尿検査，呼気検査も含む）.

eth·en·yl (eth′ĕ-nil). エテニル. = vinyl.

e·ther (ē′thĕr). エーテル（①２つの炭素原子が共通の酸素原子に独立に結合して -C-O-C- の構造部分をもつ有機化合物. →epoxy. ②ジエチルエーテルを表すのにあいまいに用いられている語）.

e·the·re·al (ē-thēr′ē-ăl). ***1*** エーテル性の. ***2*** エーテルに溶解した.

e·the·re·al oil エーテル油. = volatile oil.

eth·i·cal (eth′i-kăl). 倫理的な（個人の行動および職業上の行為を支配する法則に従うことについていう）.

eth·ics (eth′iks). 倫理学（正義と悪の区別，人間行為の道徳的意義を扱う哲学の一部門）.

ethmo- 篩状，篩骨に関する連結形.

eth·moid (eth′moyd). = ethmoidal. ***1*** ふるいに似た. ***2*** 篩骨の.

eth·moi·dal (eth-moy′dăl). 篩状の. = ethmoid.

eth·moid bone 篩骨（不規則な形の骨で，前頭骨の左右の眼窩板の間で蝶形骨の前方にある．含気洞を囲む２つの外側の薄い板でできている塊からなり，上部で穿孔のある水平板(篩板)につながり，そこから正中鉛直板が，この２つの外側の塊の間に降りている．この骨は，蝶形骨，前頭骨，上顎骨，涙骨，口蓋骨，下鼻甲介，鋤骨と連結し，前頭蓋窩，眼窩，鼻腔の形成に関与する）.

eth·moid crest 篩骨稜（篩骨，特に中鼻甲介と間接結合する，またはそれを付着させる骨稜）.

eth·moi·dec·to·my (eth′moy-dek′tŏ-mē). 篩骨蜂巣開放術，篩骨洞開放術，篩骨切除〔術〕（篩骨洞間の内膜や骨部分のすべてを，または一部を切除すること）.

eth·moid fo·ra·men 篩骨孔（前頭骨の篩骨切痕の両端の溝で形成され，篩骨の同様の溝で完成される．前篩骨孔は前部にあり，後篩骨孔は後部にある）.

eth·moid in·fun·dib·u·lum 篩骨漏斗（中鼻道を前篩骨洞および前頭洞と連絡する通路）.

eth·moid·i·tis (eth′moy-dī′tis). 篩骨蜂巣炎，篩骨洞炎，篩骨炎.

eth·moid lab·y·rinth 篩骨迷路（鼻腔の外側壁部分を形成する薄体壁がある気泡のかたまり．気泡は前部，中部，後部に分けられ，それぞれ眼窩壁部分を形成する眼窩板によって横方向に閉じられている）.

eth·moid veins 篩骨静脈（前動脈と後動脈に付随し，上眼静脈に移行する．篩骨洞の排水をする）.

eth·mo·tur·bi·nals (eth′mō-tŭr′bi-nălz). 篩骨甲介（篩骨の甲介．上鼻・中鼻甲介．しばしば第三鼻甲介もある）.

eth·nic group 人種集団（世代から世代へと維持される独特の社会的・文化的伝統や，共通の歴史と起源，帰属意識により特徴づけられる社会的集団）.

eth·no·cen·trism (eth′nō-sen′trizm). 人種中心主義（自分たちの人種集団の価値や標準に従って他の集団を評価する傾向．特に自分たちの人種集団が他の集団より優れているという信念をもつ場合）.

eth·o·phar·ma·col·o·gy (eth′ō-fahr-mă-kol′ŏ-jē). 行動薬理学（種特異的要素(社会集団での活動および態度)の観察と描写をもとにした，行動への薬物作用に関する研究）.

e·thox·y (eth-ok′sē). エトキシ（エトキシカフェインなどを構成する１価の基．CH_3CH_2O-）.

eth·yl (Et) (eth′il). エチル（炭化水素基．CH_3CH_2-）.

eth·yl al·co·hol エチルアルコール. = alcohol (2).

eth·yl·ate (eth′i-lāt). エチレート（アルコール

の水酸基の水素が金属原子に置換した化合物．通常，ナトリウムやカリウムが多い．例えば，C_2H_5ONa)．

eth·yl·di·chlo·ro·ar·sine (eth′il-dī-klōr-ō-ahr′sēn). エチルジクロロアルシン（第一次世界大戦で用いられたびらん性ガス．気道を刺激する）．

eth·yl·ene·di·a·mine·tet·ra·a·cet·ic ac·id (EDTA) エチレンジアミン四酢酸（キレート剤で，血液検査用の抗凝固薬として用いる）．

eth·yl·i·dyne (eth-il′i-dīn). エチリジン（3価の基 $CH_3C\equiv$)．

e·ti·o·la·tion (ē′tē-ō-lā′shŭn). 黄化（①病気や投獄により光を制限されたヒトや暗所に置かれて脱色した植物にみられるような，光の欠乏による退色．②光が当たらないことから起こる色素欠乏の過程）．

e·ti·o·log·ic, e·ti·o·log·ic·al (ē′tē-ō-loj′ik, -loj′ik-ăl). 病因の，病因論(学)の．= aetiologic; aetiological.

e·ti·ol·o·gy (ē′tē-ol′ō-jē). 病因，病因論(学)（①疾患の原因やその作用様式に関する学問および研究．*cf.* pathogenesis. ②原因，因果関係の学問．一般的な用法では cause という）．= aetiology.

Eu ユーロピウムの元素記号．

eu- 正常，良好，を意味する接頭語．dys-, caco-の対語．

EUA examination under anesthetic の略．

Eu·bac·te·ri·um (yū′bak-tēr′ē-ŭm). ユーバクテリウム属（嫌気性，胞子非形成性，非運動性細菌の属で，直線または弯曲したグラム陽性杆菌からなる．通常，単独，対，または短い鎖状で，炭水化物を資化(利用)する．病原性の場合がある．まれにヒトの腹腔内敗血症と関連している．標準種は *Eubacterium limosum*)．

Eu·ces·to·da (yū′ses-tō′dă). 真正条虫亜綱（→Cestoda)．

eu·chlor·hy·dri·a (yū′klōr-hī′drē-ă). 胃酸正常（遊離塩酸が胃液の中に正常な量だけ存在する状態）．

eu·cho·li·a (yū-kō′lē-ă). 胆汁正常．

eu·chro·ma·tin (yū-krō′mă-tin). 真正染色質（細胞分裂間期のほぐれて分散した染色糸で，通常の染色液では染まらない部分．代謝的に活性で，不活性の異質染色質と対照をなす）．

Eu·co·le·us (yu-kō′lē-us). ユーコレウス属（鞭虫科に属する線虫の3属のうちの1つ．通常は *Capillaria* 属に入れられている）．

eu·di·a·pho·re·sis (yū-dī′ă-fŏr-ē′sis). 発汗正常．

eu·gen·ic (yū-jen′ik). 優生学の，品種改良の．

eu·gen·ics (yū-jen′iks). 優生学（①子孫や人種の先天的な素質を改良する方法(例えば，配偶者の選択や不妊による)．②遺伝性異常あるいは疾患に直接的な遺伝相談あるいは治療）．

eu·glob·u·lin (yū-glob′yū-lin). 真性グロブリン，オイグロブリン（偽グロブリン分画よりも等張食塩水に溶解しやすく硫酸アンモニウム溶液に溶解しにくい血清グロブリンの分画）．

euglycaemia [Br.]. = euglycemia.

euglycaemic [Br.]. = euglycemic.

eu·gly·ce·mi·a (yū′glī-sē′mē-ă). 正常血糖（正常な血液ブドウ糖濃度）．= euglycaemia; normoglycemia.

eu·gly·ce·mic (yū′glī-sē′mik). オイグリセミック（正常血糖濃度にする薬剤をいう）．= euglycaemic; normoglycemic.

eu·gna·thi·a (yū-gnā′thē-ă). 顎正常（奇形が歯やすぐ近くの歯槽支持組織に限られていることを示す）．

eu·gon·ic (yū-gon′ik). 発育良好の（細菌培養の発育が速く，比較的繁殖していることを示す用語．特に，ヒト結核菌 *Mycobacterium tuberculosis* の培養に関して用いる）．

Eu·kar·y·o·tae, Eu·car·y·o·tae (yū-kar-ē-ō′tē). 真核生物上界（真核細胞の存在によって特徴付けられる生物の一上界．非細胞的グループ(原生生物界)は単一の真核ユニットからなり，より複雑な(多細胞の)グループは菌界，植物界，動物界に分けられる）．

eu·kar·y·ote (yū-kar′ē-ōt). ***1*** 真核生物，真核細胞（膜で囲まれた核，DNA, RNA，蛋白からなる染色体をもち，紡錘体(数本の微小管配列からなる)を形成する有糸分裂によって分裂する細胞．ミトコンドリアが存在し，光合成を行う種では有色体がみられる．真核型の細胞の保持は，原核細胞レベルの生物であるモネラ界の上位に4つの界，すなわち原生生物界，菌界，植物界，動物界を真核生物上界として位置付けている）．***2*** 真核生物上界の構成生物の一般名．

eu·kar·y·ot·ic (yū′kar-ē-ot′ik). 真核生物の，真核細胞の．

Eu·len·burg dis·ease オイレンブルク病．= congenital paramyotonia.

eu·me·tri·a (yū-mē′trē-ă). 測定正常，神経衝動状態正常（必要性に見合った神経衝動の強さの調節）．

eu·my·ce·to·ma (yū′mī-sē-tō′mă). 真菌腫（真菌類により生じる菌腫．*cf.* actinomycetoma)．

eu·nuch (yū′nŭk). 宦官〔患者〕，去勢男性（精巣が摘出されたか，あるいは未発達である成人男性）．

eu·nuch·oid (yū′nŭ-koyd). 類宦官〔症〕の（宦官症に類似する，宦官症の一般的な特徴をもつ．通常，青春期前に起こる男性の性機能不全の体質をさす）．

eu·nuch·oid gi·gan·tism 宦官様巨人症（性器の発育不全を伴った巨人症．脳下垂体または生殖腺障害によるものと思われる．性腺機能低下症に特有な体型を呈して思春期に生じてくる）．

eu·nuch·oid·ism (yū′nŭ-koyd-izm). 類宦官症（精巣は存在するが機能しない状態．生殖腺または下垂体に原因があると考えられる）．

eu·pep·si·a (yū-pep′sē-ă). 消化良好．

eu·pep·tic (yū-pep′tik). 消化良好の，良好な消化力をもつ．

eu·pep·tide (yū-pep′tīd). 真正ペプチド（正常なペプチド結合(α-カルボキシル基と α-アミノ基との間の)を含むペプチド．*cf.* peptide)．

eu·pho·ret·ic (yū′fŏr-et′ik). = euphoriant.

eu·pho·ri·a (yū-fōr′ē-ă). 多幸〔症〕，多幸感，上機嫌（一般に誇張された幸福感で，必ずしも理由がさだかではない）.

eu·pho·ri·ant (yū-fōr′ē-ănt). = euphoretic. ***1*** 〚adj.〛多幸感をもたらす. ***2*** 〚n.〛陶酔薬，爽快薬，強壮薬.

eu·plas·tic lymph 正常形成〔性〕リンパ（比較的少数の白血球と，比較的高濃度のフィブリノゲンを含有するリンパで，凝塊をつくりやすく，線維組織とともに器質化される傾向をもつ）.

eu·ploid (yū′ployd). 正倍数性の.

eu·ploid·y (yū-ploy′dē). 正倍数性（一倍体の正確な倍数であるような細胞の状態）.

eup·ne·a (yūp-nē′ă). 正常呼吸，安静呼吸（容易で自然な呼吸. 正常な個体の安静時における呼吸）.

eu·prax·i·a (yū-prak′sē-ă). 正常行為（協同運動のできる正常な能力）.

eu·rhyth·mi·a (yū-ridh′mē-ă). 整調リズム（各器官の調和のとれた身体関係）.

Eu·ro·pe·an bat lys·sa·vi·rus ヨーロッパにおいてヒトに狂犬病様疾患を起こす2種(1および2を含む). 食虫性のコウモリの吸血によって伝播される.

Eu·ro·pe·an blue·ber·ry = bilberry.

eu·ro·pi·um (Eu) (yū-rō′pē-ŭm). ユーロピウム（希土類元素(ランタニド)群の元素. 原子番号63，原子量151.965）.

eury- 広い，幅広い，を意味する連結形. Steno-の対語.

eu·ry·bleph·a·ron (yūr′ē-blef′ă-ron). 眼瞼拡張症（眼球から離れた下眼瞼の外側部のたわみを特徴とする先天異常）.

eu·ry·ce·phal·ic, eu·ry·ceph·a·lous (yūr′ē-sĕ-fal′ik, -sef′ă-lŭs). 広頭蓋の（異常に広い頭をもつ. ときに短頭蓋をさすこともある）.

eu·ryg·nath·ic (yūr′ig-nath′ik). 巨大顎の（広い顎をもつ）.

eu·ry·on (yūr′ē-on). ユーリオン（頭部の最大頭幅部の両端. 頭部計測で用いる点）.

eu·sta·chi·an (yū-stā′shăn). Bartolomeo Eustachio (1524—1574)によって記された，あるいは彼による.

eu·sta·chi·an tube エウスターキオ管. = pharyngotympanic (auditory) tube.

eu·stron·gyl·oi·des (yū-stron-jil-oy′dēz). 魚，両生類，は虫類に寄生する線虫. 消化器症状を呈するヒト感染は，生の魚を食したときに生じるがまれである. 幼虫は桃赤色.

eu·sys·to·le (yū-sis′tŏ-lē). 心収縮正常（心収縮力，収縮期が正常である状態）.

eu·sys·tol·ic (yū′sis-tol′ik). 心収縮正常の.

eu·tec·tic al·loy 共晶〔型〕合金（一般的にもろく，変色腐食しやすい合金で，どの構成成分よりも低い温度で溶解する. 歯科において，主としてろう材として用いる）.

eu·tha·na·si·a (yū′thă-nā′zhē-ă). ***1*** 大往生（静かな，苦痛を伴わない死）. ***2*** 安楽死（治療不可能または苦痛を伴う病気の患者を，慈悲の行為として人為的に死に至らしめること）. = man-made death (1).

eu·then·ics (yū-then′iks). 優境学（植物，動物，またはヒトに対して，特に適切な食料や環境などを通じて最良の生活条件を確立する学問）.

eu·ther·mic (yū-thĕr′mik). 最適温度での.

eu·ton·ic (yū-ton′ik). 正常緊張状態の. = normotonic (1).

eu·tro·phi·a (yū-trō′fē-ă). 栄養良好（栄養および成長が正常である状態）.

eu·tro·phic (yū-trō′fik). 栄養良好の.

EV, ev electron-volt の略.

e·vac·u·ant (ē-vak′yū-ănt). ***1*** 〚adj.〛排泄促進の，しゃ(瀉)下性の（排泄，特に腸の排泄を促すこと）. ***2*** 〚n.〛排泄薬，しゃ(瀉)下薬（排泄を促す薬で，特に下剤をいう）.

e·vac·u·a·ted tube 真空管（静脈穿刺に血液検体を採取するために用いられるプラスチックまたはガラス製の管）.

e·vac·u·a·tion (ĕ-vak′yū-ā′shŭn). ***1*** しゃ(瀉)出（特に腸から排便によって不要物を除去すること）. ***2*** 排便. = stool (2). ***3*** 排気（密閉容器から空気を除去すること. 真空をつくること）.

e·vac·u·a·tor (ē-vak′yū-ā-tŏr). 吸引器，吸収器（機械的な排出手段. 体腔から液体や小さな粒子を除去したり，直腸から埋伏糞便を除去する器械）.

e·vag·i·na·tion (ē-vaj′i-nā′shŭn). 膨出，外反（身体部位または器官が正常な位置より突出すること）.

e·val·u·at·ing (ĕ-val′yū-ā′ting). 評価（設定された治療の目標がどの程度満たされているか測定し記録する，看護過程の一部）.

e·val·u·a·tion (ĕ-val′yū-ā′shŭn). 評価（活動の適切さ，効果，影響を，ある特定の観点から，系統的，客観的に判断すること）. = assessment (1).

e·val·u·a·tion and man·age·ment (E/M) 評価と管理（患者の治療の方向性を決定するために行われる手続きの一般用語）.

E·val·u·a·tion and Man·age·ment codes (E&M codes) 評価および管理規約（現行医療用語辞典(CPT)の規約で，患者が保健医療専門家に直面する場合について述べている. 一般的な健康の評価および管理のために用いられる）.

ev·a·nes·cent (ev-ă-nes′ĕnt). 一過性の，即時消退〔性〕の，消失性の，不安定の.

Ev·ans blue [CI 23860]. エバンスブルー（静脈注射した後，血漿中での染料標準溶液の希釈状態をもとにして血液量を決定するのに用いるジアゾ染料. 蛋白と結合して，血管壁を通して拡散する生体染料としても用いる）.

Ev·ans syn·drome エヴァンズ症候群（後天性溶血性貧血と血小板減少）.

e·vap·o·rate (ē-vap′ŏr-āt). 蒸発する，蒸発させる.

e·vap·o·ra·tion (ē-vap′ŏr-ā′shŭn). 蒸発，気化，蒸泄（①液体から蒸気への変化. ②蒸気への変化により液体量が少なくなること）. = volatilization.

e·ven ech·o re·pha·sing 偶数エコーリフェー

ジング（偶数番目のエコーの使用は，磁気共鳴影像法における人為結果を減少させる）．

event (ē-vent′). 出来事，事象（何かが起こること）．

e·ven·tra·tion (ē′ven-trā′shŭn). ***1*** 内臓脱出〔症〕，内臓突出〔症〕（腹壁の開口部を通って，網と腸，またはどちらかが突出すること）．= evisceration (2). ***2*** 移転（腹腔内容物を他へ移動すること）．

e·ven·tra·tion of the di·a·phragm 横隔膜性脱出〔症〕，横隔膜弛緩〔症〕（横隔膜の半分または一部が極端に上昇することで，横隔膜は通常は萎縮性で異常に薄い）．

e·ver·sion (ē-vĕr′zhŭn). 外転〔症〕（眼瞼や足などが外に回転すること）．

e·vert (ē-vĕrt′). 外転する．

ev·i·dence-based med·i·cine 証拠（根拠）に基づいた医療，エビデンスに基づいた医学（厳密に評価を受けた医学文献による適切な情報を特定の臨床的問題に向けて用いるもの．単純な科学法則と常識を情報の妥当性に適応することと，その情報を臨床に応用することである．→ Cochrane collaboration; clinical practice guidelines）．

ev·i·dence-based prac·tice エビデンス（根拠）に基づく診療（最良の入手可能な調査根拠を用いること，およびその根拠と医療従事者の技能や経験をまとめ合わせることにより行われる，治療に関する決定事項の組織立て）．

e·vis·cer·a·tion (ē-vis′ĕr-ā′shŭn). ***1*** 眼球内容除去〔術〕（強膜および，ときに角膜を残して眼球の内容物を除去すること）．***2*** = eventration (1).

e·vo·ca·tion (ev′ō-kā′shŭn). 喚起作用（胚形成時に喚起因子の作用によりもたらされる特殊な組織の誘導作用）．

e·vo·ca·tor (ev′ō-kā-tŏr). 喚起因子（初期胚の形態形成をコントロールする因子）．

e·voked e·lec·tro·my·og·ra·phy 誘発筋電図検査〔法〕. = electrodiagnosis.

e·voked o·to·a·cous·tic e·mis·sion 誘発耳音響放射（音響刺激によって出現する耳音響放射の1つ．自発耳音響放射 spontaneous otoacoustic emission の対語）．

e·voked re·sponse 誘発反応（はいってくる感覚刺激が通る神経系の部位の電気的活性の変化）．

ev·o·lu·tion (ev′ŏ-lū′shŭn). 進化，進展（①ある状態，状況，形から連続的に変化していく過程．②1つの系統における遺伝子型と表現型の間の進歩的隔たり）．

ev·o·lu·tion·ar·y fit·ness 進化学的適性（ある特別な特徴をもつ個体からの系統が最終的に死に絶えない確率）．

e·vul·sion (ē-vŭl′shŭn). 摘出，抜去（強制的に引き抜いたり，摘出すること．*cf.* avulsion）．

Ew·art pro·ce·dure ユーアルト（エバルト）法（気管牽引を誘発するために喉頭を親指と人指し指の間にはさんで挙上すること）．

Ew·art sign ユーアルト（エバルト）徴候（大規模な心臓周囲の滲出貯留の場合，気管支呼吸に伴う濁音界と左肩甲骨角下の気管支声がある）．= Pins sign.

Ew·ing sar·co·ma ユーイング肉腫. = Ewing tumor.

Ew·ing sign ユーイング徴候（眼窩上内角の上斜筋のプリー付着点で圧痛を感じれば，前額洞口の閉鎖があることを示す）．

Ew·ing tu·mor ユーイング腫〔瘍〕，骨髄原発性肉腫（悪性新生物の一種．この新生物は通常20歳以前に発生し，男性には約2倍多く，患者の75%は，上肢帯を含めた四肢の骨，特に骨端線を侵される．組織学的には小型で，規則的で，きわめて細胞質に乏しい円形または卵形の細胞（赤血球の直径の2—3倍の大きさ）からなる不規則な形の腫瘤で壊死巣が顕著に認められる）．= endothelial myeloma; Ewing sarcoma.

ex- …の外へ，から，から離れて，を意味する接頭語．

exa-(E) エクサ（国際単位系（SI）およびメートル法による 10^{18} の倍数の接頭語）．

ex·ac·er·ba·tion (eg-zas′ĕr-bā′shŭn). 増悪，〔病状〕再燃．

exaemia [Br.]. = exemia.

exaeresis [Br.]. = exeresis.

ex·am·i·na·tion (eg-zam′i-nā′shŭn). 検査〔法〕，診査〔法〕，診察，検診（診断の目的で行うすべての検査．通常，施行方法別によばれる）．

ex·an·them (eg-zan′thĕm). = exanthema.

ex·an·the·ma (ek′san-thē′mă). 発疹，皮疹（急性ウイルス性，球菌性疾患，例えば，猩紅熱，麻疹などの徴候として現れる皮膚の発疹）．= exanthem. *cf.* enanthem; enanthema.

ex·an·the·ma sub·i·tum 突発性発疹，突発疹，小児バラ疹（乳児および年少小児の6型ヘルペスによるウイルス性疾患で，数日間発熱した後に突然始まり（痙攣を伴うこともある），熱が下がって数時間後から1日以内に細かい斑点（斑点状丘疹の場合もある）が現れるのが特徴）．= Dukes disease; roseola infantilis; roseola infantum; sixth disease.

ex·an·them·a·tous (ek′san-them′ă-tŭs). 発疹〔性〕の，皮疹〔性〕の．

ex·ar·tic·u·la·tion (eks′ahr-tik-yū-lā′shŭn). 関節離断〔術〕. = disarticulation.

ex·cal·a·tion (eks′kă-lā′shŭn). 一連の構造のうちの1つの発育の欠損，抑圧あるいは不完全なこと．例えば指あるいは脊椎の欠損など．

ex·ca·va·ti·o (eks-kă-vā′shē-ō). 窩，陥凹. = excavation (1).

ex·ca·va·tion (eks′kă-vā′shŭn). ***1*** 窩，陥凹（自然のくぼみ，くぼんでいる領域）．= excavatio. ***2*** 窩，陥凹（人工的につくられたもの，または病気の結果生じたもの）．

ex·ca·va·ti·o rec·to·u·te·ri·na 直腸子宮窩. = rectouterine pouch.

ex·ca·va·ti·o rec·to·ve·si·ca·lis 直腸膀胱窩. = rectovesical pouch.

ex·ca·va·tor (eks′kă-vā-tŏr). エキスカベータ（①病的な組織を摘出するのに用いる，大きく先のとがったスプーンまたはへら状の器具．②歯科において，充填に先立ってう窩を清掃し，形成するのに用いる器具で，一般的には小さなスプーンや有窓鋭匙をいう).

ex·ce·men·to·sis (ek′sē-men-tō′sis). セメント質増殖〔症〕(セメント質または根表面の結節性の増殖).

ex·cen·tric (ek-sen′trik). 離心〔性〕の，偏心〔性〕の，遠心〔性〕の. = eccentric(2),(3).

ex·cep·tion (ek-sep′shŭn). 例外 (除外，排除，分けられているもの).

ex·cess post·ex·er·cise ox·y·gen con·sump·tion (EPOC) 運動後過剰酸素摂取量 (運動後に体が運動前の状態に戻そうとする，好気的代謝上昇. それが持続する時間は運動の激しさと時間によって異なる). = recovery oxygen consumption.

ex·change (eks-chānj′). 交換 (1つの物を他と置き換えること，あるいはそのような行為).

ex·change list 交換表 (摂取された食物を炭水化物，蛋白質，脂肪の割合によって分類すること. 元々は糖尿病患者のためだったが，現在は広く通常の食事計画に用いられている).

ex·change trans·fu·sion 交換輸血 (患者の血液の大半を抜き出し，等量の供血者の血液を入れること). = substitution transfusion; total transfusion.

ex·ci·mer la·ser エキシマレーザー (主に屈折矯正に用いられる. アルゴンとフッ素の不安定二量体から発信される紫外スペクトル光からなる. 訓正しくはエキシマレーザーは不活性ガス二量体レーザーの総称. 眼科で使用されているのが ArF).

ex·cip·i·ent (ek-sip′ē-ĕnt). 賦形剤 (治療薬を丸剤にするときに，形をつくったり粘度を与えるため，あるいは希釈剤，賦形剤として処方に多少加える無効成分).

ex·cise (ek′sīz). 切除する (→resect).

ex·ci·sion (ek-sizh′ŭn). ***1*** 切除〔術〕(組織や臓器の一部を除去する手術). = resection(3). ***2*** 除去，切除，切り出し (分子生物学において，遺伝要素が除去される組換え現象). = exeresis.

ex·ci·sion bi·op·sy 切除生検 (肉眼的観察および顕微鏡検査の目的で，病変部をすべて除去して施行される組織切除).

ex·cit·a·bil·i·ty (ek-sī′tă-bil′i-tē). 興奮性 (興奮する能力のあること).

ex·cit·a·ble (ek-sī′tă-bĕl). 興奮性の (①刺激に対して迅速に反応できる. 感情励起に対する潜在能を有すること. *cf.* irritable. ②神経生理学において，適当な刺激に反応して興奮することのできる組織，細胞，あるいは膜に対していう).

ex·cit·a·ble ar·e·a = motor cortex.

ex·ci·ta·tion (ek′sī-tā′shŭn). 興奮 (①肉体的または精神的過程の速度や強度を増す行為. ②神経生理学において，適当な刺激に対する神経や筋肉の完全な悉無的反応をいい，通常は細胞膜や細胞に沿った興奮の伝播を含んでいる. →stimulation).

ex·ci·ta·tion wave 興奮波 (収縮準備中の筋線維に沿って伝播する電気的状態の変化していく波).

ex·cit·a·to·ry post·syn·ap·tic po·ten·tial 興奮性シナプス後電位 (興奮性の影響をもつインパルスがシナプスに到達したとき，次のニューロンの膜に生じる電位の変化で，これは脱分極の方向への局所的変化である. この電位が加重すると，ニューロンによるインパルスの発射につながる).

ex·cit·ed state 励起状態 (エネルギーを吸収した後の原子と分子の状態. そのエネルギーは光，電子，加熱または化学反応により生じると考えられる. そのような活性化は化学反応または発光への前段階として必要であると思われる).

ex·cite·ment (ek-sīt′mĕnt). 興奮 (時折衝動的で抑制の乏しい行動を起こす可能性があるという特徴をもつ感情の状態).

ex·cit·ing eye 起交感眼 (交感性眼炎で罹患した眼).

ex·ci·to·mo·tor (ek-sī′tō-mō′tŏr). 運動促進性の. = centrokinetic(2).

ex·ci·to·re·flex nerve 興奮反射神経 (内臓神経で，その固有機能が反射作用を起こす).

ex·ci·tor nerve 刺激神経 (諸機能を増大させるインパルスを伝える神経).

ex·clave (eks-klāv′). 分絶部分 (甲状腺と副甲状腺，膵臓と副膵のように臓器の一部が離れて存在することがあり，離れたほうを分絶部分または副腺 accessory gland という).

ex·clu·sion (eks-klū′zhŭn). 排除，圧排法，除外 (締め出すこと. 主要部分から分離すること).

ex·clu·sive pro·vi·der or·gan·i·za·tion (EPO) 専属医療機関団体，専属医療提供者団体 (加入者が，加盟医療機関からのみ医療を受ける米国の管理医療計画. 認定医療機関外から受けた医療費は患者が支払う. →managed care).

ex·co·ri·ate (eks-kōr′ē-āt). 引っ掻く (物理的な方法で皮膚を剥離する).

ex·co·ri·a·tion (eks-kōr′ē-ā′shŭn). すり傷，擦過創，擦創，瘡痕，爪痕 (皮膚表面の線状の創で，通常は血液または血清の痂皮でおおわれている).

ex·cre·ment (eks′krĕ-mĕnt). 排出物，排泄物，屎尿(しにょう) (体内から出る不要物. 例えば糞便など).

ex·cre·men·ti·tious (eks′krĕ-men-tish′ŭs). 排出物の.

ex·cres·cence (eks-kres′ĕns). 突出〔物〕，病的増殖物 (表面から突出したもの).

ex·cre·ta (eks-krē′tă). 排出物. = excretion(2).

ex·crete (eks-krēt′). 排出する (血液から分離して外へ出す).

ex·cre·tion (eks-krē′shŭn). ***1*** 排出，排泄 (食物の不消化残渣および代謝の廃棄物を除いたり，体液あるいは組織の構成を調節するために物質を除去したり，外表面での機能を発揮するため物質を出す過程). ***2*** 排出物，排泄物 (組織または器官の生成物で体外に排出されるべき不要物. →excrement. *cf.* secretion). = excreta.

ex·cre·to·ry (eks′krĕ-tōr-ē). 排出の，排泄の.

ex·cre·to·ry duct 導管，排出管（腺からの分泌物または貯蔵器からの液体を搬出する管）．

ex·cre·to·ry gland 排出腺（血液中から排泄物質または廃物を分ける腺）．

ex·cy·clo·pho·ri·a (ek-sī′klō-fōr′ē-ă)．外旋斜位，外回し斜位（角膜上縁が外方に回旋する傾向にある回旋位）．

ex·cys·ta·tion (ek′sis-tā′shŭn)．脱嚢，包嚢脱出（嚢から脱出すること．被嚢生体が嚢から脱出することについていう）．

ex·e·mi·a (eg-sē′mē-ă)．血液脱出（血液の相当量が体循環から失われたが，ある場所内にはかなり血液がうっ滞して残っている状態で生じたショック）．= exaemia.

ex·en·ce·phal·ic (eks′en-sĕ-fal′ik)．脳ヘルニアの，脳脱出症の，脳脱の．

ex·en·ceph·a·ly (eks′en-sef′ă-lē)．脳ヘルニア，脳脱出症，脳脱（頭蓋に欠陥があり，脳が露出したり突出している状態）．

ex·en·ter·a·tion (ek-sen′tĕr-ā′shŭn)．内容除去〔術〕，内臓除去〔術〕（内部の器官や組織を除去すること．通常は体腔の内容物をすべて除去することをいう）．

ex·en·ter·i·tis (ek-sen′tĕr-ī′tis)．腸漿膜炎（腸の腹腔面皮膜の炎症）．

ex·er·cise (ek′sĕr-sīz)．***1*** 自動運動（器官や機能を健康状態に戻したり，健康に保つために行う体の運動）．***2*** 他動運動，他動的体運動（患者の意思で行うのではない四肢の運動）．

ex·er·cise ca·pac·i·ty 運動処方実践（指示された若しくは自分で作成した運動プログラムを実践すること）．

ex·er·cise com·pli·ance エクササイズ・コンプライアンス（他人から設定された，あるいは自身が設定したフィットネス・プログラムへの個人の適合）．

ex·er·cise e·con·omy エクササイズエコノミー（動作の一定速度を維持するために要求されるエネルギーで，通常は酸素消費量により計測される）．= movement economy.

ex·er·cise high エクササイズハイ（中等度から強度の運動時間が増大するにつれ，エンドルフィンの放出によって起こる爽快または高揚状態）．

ex·er·cise im·mu·nol·o·gy 運動免疫学（免疫機能における物理的，環境的，心理的要因の相互作用を研究する分野）．

ex·er·cise-in·duced an·a·phy·lax·is 運動誘発性アナフィラキシー（運動による深刻なアレルギー反応）．

ex·er·cise-in·duced a·ne·mi·a 運動誘発性貧血（激しい運動によりヘモグロビン濃度が臨床的貧血の水準近くまで減少すること．通常，トレーニングの初期に起こる．トレーニングで血漿量が増大し，全ヘモグロビン量に対する均衡が破れると起こる．→anemia）．= sports anemia.

ex·er·cise-in·duced asth·ma (EIA), ex·er·cise-in·duced bron·cho·spasm 運動誘発ぜん息（特に涼しく乾燥した環境での運動によって起こる気管支痙攣，浮腫，粘液分泌．通常，90 分以内に自然に回復する．FEV_1/FVC 値（努力 1 秒量/努力肺活量）が運動前値より 10—15％減少することで確定診断できる．→asthma）．

ex·er·cise-in·duced ur·ti·car·i·a 運動誘発性じんま疹（コリン性じんま疹の変種の 1 つで大きな病変を伴う．身体活動により引き起こされる）．

ex·er·cise phys·i·ol·o·gy 運動生理学（短時間および長時間の運動に対する身体機能や器官の反応性・適応性に関する生理学の一分野）．

ex·er·cise pre·scrip·tion 運動処方（トレーニングに対する反応の特異性を考慮して，運動の頻度，強さ，持続時間に基づいた個人別の運動プログラム処方．→prescription; specificity of training principle）．

ex·er·cise pres·sor re·flex 運動昇圧反射（運動中になされる活動性筋肉の固有受容体（機械的受容器および代謝受容器）から延髄の心臓血管中枢への反射求心性神経の入力）．

ex·er·cise ra·di·o·nu·clide an·gi·o·car·di·og·ra·phy 運動負荷放射線核種心血管造影，運動負荷 RI 心血管造影（放射性核種（RI）を用いた心血管の造影法で，トレッドミルあるいは自転車による運動負荷を行い施行する）．

ex·er·cise stress test 運動負荷試験．= stress test.

ex·er·cise tol·er·ance 運動耐容能（身体活動中の被験者が疲労に達する前の，許容努力限界に達する段階）．

ex·er·e·sis (ek-ser′ĕ-sis)．捻除〔術〕，切除〔術〕．= excision; exaeresis.

ex·er·gon·ic (ek′sĕr-gon′ik)．発熱の（周囲に Gibbs 自由エネルギーの減少を伴って起こる反応．*cf.* endergonic）．

ex·er·tion·al head·ache 激しい頭痛（運動による頭痛）．

ex·er·tion·al hy·po·ten·sion 運動性低血圧（運動の結果による低収縮期血圧．冠動脈疾患，心筋症，重篤な不整脈患者に起こる）．

ex·fo·li·a·tion (eks′fō-lē-ā′shŭn)．***1*** 剥脱，脱皮（表皮の，または組織表面から表面細胞が剥脱すること）．***2*** 落屑（表皮の角層の鱗屑または落屑で，その量は微量から外皮全体に及ぶこともある）．***3*** 交換（歯根構造の生理的欠陥による乳歯の欠損）．

ex·fo·li·a·tive (eks-fō′lē-ă-tiv)．剥脱性の，表皮剥離性の（剥離，落屑，または大量の鱗屑を特徴とする）．

ex·fo·li·a·tive cy·tol·o·gy 脱落細胞診断法，剥離細胞診（新生物（または他の型の病変）から脱落した細胞や，組織からの滲出物，分泌物，流出液（例えば，喀痰，腟分泌物，胃流出液，尿など）の沈渣中から回収される細胞の検査による診断法）．= cytopathology（2）．

ex·fo·li·a·tive der·ma·ti·tis 剥脱性皮膚炎（紅斑が急速に拡大し，2—3 日のうちに落屑を伴う全身性の皮膚剥脱を生じる．ときに，リンパ節腫脹や，水分および電解質の喪失を伴う．薬物反応として生じ，あるいは種々の良性皮膚病，紅斑性狼瘡，リンパ腫に併発または原因不明に生じることがある）．= pityriasis rubra; Wil-

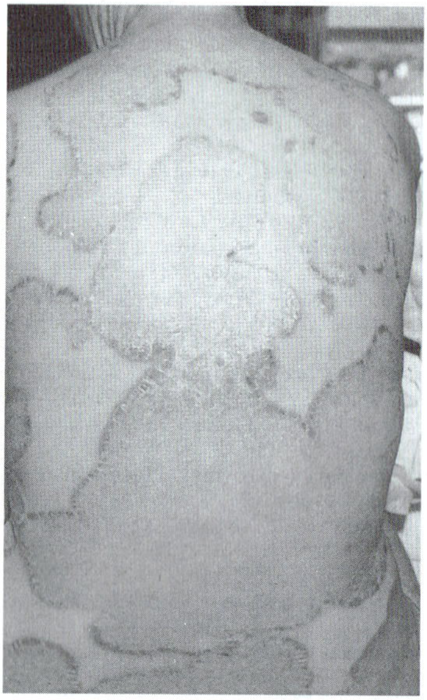
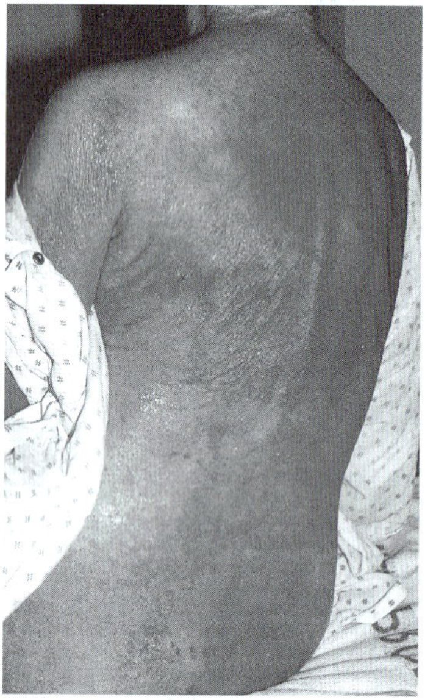

exfoliative dermatitis

son disease (2).

ex·fo·li·a·tive gas·tri·tis 剥脱性胃炎（粘膜上皮細胞の過度の剥脱を伴う胃炎）.

ex·fol·i·a·tive psor·i·a·sis 剥脱性乾癬（慢性の乾癬から生じた剥脱性皮膚炎(=紅皮症). 乾癬の治療の行き過ぎが原因となることがある）.

ex·ha·la·tion (eks′hă-lā′shŭn). ***1*** 呼気, 呼息, 呼出. = expiration (1). ***2*** 蒸発, 発散, 放散（気体または蒸気を放出すること）. ***3*** 蒸発物（放出した気体または蒸気）.

ex·hale (eks-hāl′). ***1*** 呼気する, 呼息する, 呼出する. = expire (1). ***2*** 発散する, 放散する（気体, 蒸気, 香りを放出すること）.

ex·haus·tion (eg-zaws′chŭn). ***1*** 疲はい, 極度疲労, へばり（刺激に反応できないこと）. ***2*** 消耗（内容物の除去. 使って何もなくなること）. ***3*** 抽出（水, アルコール, またはその他の溶媒で処理して薬の活性成分を抽出すること）.

ex·hi·bi·tion·ism (ek′si-bish′ŭn-izm). 露出症（見せられた者に性的関心を誘発する目的で, 身体の一部, 特に陰部を露出する病的強迫行為）.

ex·hi·bi·tion·ist (ek′si-bish′ŭn-ist). 〔性器〕露出症者（露出衝動をもつ者）.

exo- 外部, 外面, 外側, を意味する接頭語. → ecto-.

ex·o·an·ti·gen (ek′sō-an′ti-jen). = ectoantigen.

ex·o·car·di·a (ek′sō-kahr′dē-ă). 心臓転位. = ectocardia.

ex·o·ce·lom·ic mem·brane 胚外体腔膜（胎生第2週に胞胚の栄養芽細胞層の内面と原始卵黄嚢の外被から分離された細胞の層）.

ex·o·crine (ek′sō-krin). 外分泌の（①管腔への腺分泌についていう. = eccrine (1). ②分泌管を通って外部に分泌する腺についていう）.

ex·o·crine gland 外分泌腺（分泌物が導管により体表面に放出される腺）.

ex·o·cy·to·sis (ek′sō-sī-to′sis). エキソサイトーシス（①移動性炎症細胞が表皮中に現れること. ②分泌顆粒または小粒が細胞から放出する過程. 顆粒周囲の膜が細胞膜と融合し, 破壊して分泌物が排出される. *cf.* endocytosis. = emeiocytosis; emiocytosis）.

ex·o·de·vi·a·tion (ek′sō-dē-vē-ā′shŭn). ***1*** = exophoria. ***2*** = exotropia.

ex·o·don·ti·a (ek′sō-don′shē-ă). 抜歯〔術〕（歯の抜去を扱う歯科医術の一分野）.

ex·o·don·tist (ek′sō-don′tist). 抜歯専門医（抜歯を専門に行う人）.

ex·o·en·zyme (ek′sō-en-zīm). 〔細胞〕外酵素. = extracellular enzyme.

ex·o·e·ryth·ro·cyt·ic stage 赤血球外期, 赤外型（脊椎動物宿主において, 赤血球へ侵入する以前に肝実質細胞中に存在するマラリア原虫（*Plasmodium* 属）の発育期. 初回の増殖でクリプトゾイトを, 次の増殖でメタクリプトゾイトを形成する. 血球細胞から肝細胞への再感染は起こらないらしい）.

ex·og·a·my (eks-og′ă-mē). エキソガミー（ある種の原生動物にみられるような，異なる系統に由来する2個の配偶子の接合による有性生殖）.

ex·o·gas·tru·la (eks′ō-gas′trū-lă). 外原腸胚（原腸が外転している異常胚）.

ex·og·e·nous (eks-oj′ĕ-nŭs). 外因〔性〕の. = ectogenous.

ex·og·e·nous buf·fer 外因性緩衝剤（短距離型運動選手が細胞外水素指数(pH)を上げるために競技前に経口摂取する炭酸水素ナトリウムまたはクエン酸ナトリウム．筋肉および血液中乳酸値が高濃度になる短期間での最大運動時において動作能力を増進する）.

ex·og·e·nous de·pres·sion 外因性うつ病（内因性うつ病と類似の症候と症状．しかし誘因が社会的または環境的なもので，個人の外部のものである）.

ex·og·e·nous fi·bers 髄外原性線維，外線維（中枢神経系のある領域と他の領域とを相互に結合する神経線維．求心性および遠心性線維の結合の両方について適用される語）.

ex·og·e·nous hy·per·glyc·er·i·de·mi·a 外因性高グリセリド血〔症〕，外因性グリセリド過剰血〔症〕（カイロミクロンの血漿中からの除率が低下することによって生じる持続性高グリセリド血症で，食事に起因する）.

ex·og·e·nous in·fec·tion 外因性感染（通常体内に存在しない病原菌や物質によって引き起こされる感染）.

ex·og·e·nous o·be·si·ty 外因性肥満（過食による肥満状態）.

ex·og·e·nous py·ro·gens 外因性発熱物質（微生物により生成され，発熱を起こす薬物または物質．物質としてはリポ多糖やリポテイコ酸がある）.

ex·om·pha·los (eks-om′fă-lŏs). ***1*** でべそ（臍の突出）. = exumbilication (1). ***2*** = umbilical hernia. ***3*** = omphalocele.

ex·on (ek′son). エキソン（DNA から成熟メッセンジャー RNA 部分に対してコードする DNA 部分で，したがって，リボソームで発現される（蛋白に翻訳される））.

ex·o·nu·cle·ase (eks′ō-nū′klē-ās). エキソヌクレアーゼ（ポリヌクレオチド(核酸)の一方の端から始まり，ヌクレオチド1個に連続的に放出するヌクレアーゼ．*cf.* endonuclease）.

ex·o·pep·ti·dase (eks′ō-pep′ti-dās). エキソペプチダーゼ（ペプチド鎖の末端アミノ酸の加水分解に関与する酵素．例えばカルボキシペプチダーゼ．*cf.* endopeptidase）.

Ex·o·phi·a·la (ek-sō-fī′ă-lă). エクソフィアラ属（病原性真菌の一属で，1または2細胞の環紋型分生子を産生する黒色の分生子柄がある．菌腫や黒色菌糸症の原因となる．菌腫の例では黒色顆粒が皮下膿瘍中に形成され，黒色菌糸症の場合には硬壁小体が組織中にみられる）.

Ex·o·phi·a·la (eks′ō-fī-ă′la). エクソフィアラ属（病原性真菌の一属で，黒色癬の原因となる）.

Ex·o·phi·a·la jean·sel·me·i 菌腫または黒色菌糸症の症例で認められる真菌種.

ex·o·pho·ri·a (eks′ō-fōr′ē-ă). 外斜位（融像が中断すると眼が外側に偏位する傾向）. = exodeviation (1).

ex·o·phor·ic (eks′ō-fōr′ik). 外斜位の.

ex·oph·thal·mi·a (eks′of-thal′mē-ă). →exophthalmos.

ex·oph·thal·mic (eks′of-thal′mik). 眼球突出〔症〕の.

ex·oph·thal·mic goi·ter 眼球突出性甲状腺腫（甲状腺腫がみられ，眼球突出を伴う甲状腺機能亢進症のこと）.

ex·oph·thal·mic oph·thal·mo·ple·gi·a 眼球突出性眼筋麻痺（眼窩組織の含水量の増加による眼球突出性麻痺で，甲状腺疾患，通常，甲状腺機能亢進症を伴うこともある）.

ex·oph·thal·mom·e·ter (eks′of-thal-mom′ĕ-tĕr). 眼球突出〔測定〕計（眼の前極と一定の基準点(たいていは頬骨)との距離を測定する器具）.

ex·oph·thal·mos, ex·oph·thal·mus (eks′of-thal′mos, eks′of-thal′mŭs). 眼球突出〔症〕（片眼あるいは両眼の眼球の突出．先天性や家族性，または，病理学的に眼窩内腫瘍(通常片眼性)や甲状腺疾患(通常両眼性)のような場合がある）. = proptosis.

ex·o·phyte (eks′ō-fīt). 表面寄生植物（外面または外部に寄生する植物）.

ex·o·phyt·ic (eks′ō-fit′ik). ***1*** 表面寄生植物の. ***2*** 外方増殖〔性〕の（上皮表面より外方に増殖する腫瘍または病変を示す）.

ex·o·se·ro·sis (eks′ō-sĕ-rō′sis). 漿液滲出（湿疹または剥離などにみられるような皮膚表面からの漿液の滲出）.

ex·o·skel·e·ton (eks′ō-skel′ĕ-tŏn). ***1*** 皮膚骨格（脊椎動物門の外胚葉または体中胚葉から発育する毛髪，歯，爪，羽毛，ひづめ，鱗屑などの硬い部分）. ***2*** 外骨格（昆虫の外部のキチン性被包，またはある種の甲殻類および他の無脊椎動物のキチン性，または石灰性被包）.

ex·os·to·sis, ex·os·to·ses, pl. **ex·os·to·ses** (eks′os-tō′sis, -sēz, -sēz). 外骨〔腫〕症（軟骨をかぶった骨の突出で，軟骨から発育する骨から発生する．→osteochondroma）. = hyperostosis (2); poroma (2).

ex·o·ter·ic (eks′ō-ter′ik). 外部の，外部的な（外部に由来する．生体外部に生じる）.

ex·o·ther·mic (eks′ō-thĕr′mik). ***1*** 発熱〔性〕の（熱，すなわちエンタルピーの発生を伴う化学反応についていう．*cf.* endothermic）. ***2*** 外熱の（身体の外の熱についていう）.

ex·o·tox·ic (eks′ō-tok′sik). ***1*** 〔細菌〕外毒素の. ***2*** 外毒素の（外因性の毒または毒素の侵入についていう）.

ex·o·tox·in (eks′ō-tok′sin). 〔細菌〕体外毒素（特定のグラム陽性菌またはグラム陰性菌によって産生される，特異的で可溶性，抗原性のある通常は易熱性の有害物質．細胞内で形成されるが，周囲に放出され，そこではきわめて少量でも急速に活性を帯びる．細胞外毒素のほとんどはその性質からは蛋白である）. = extracellular

E

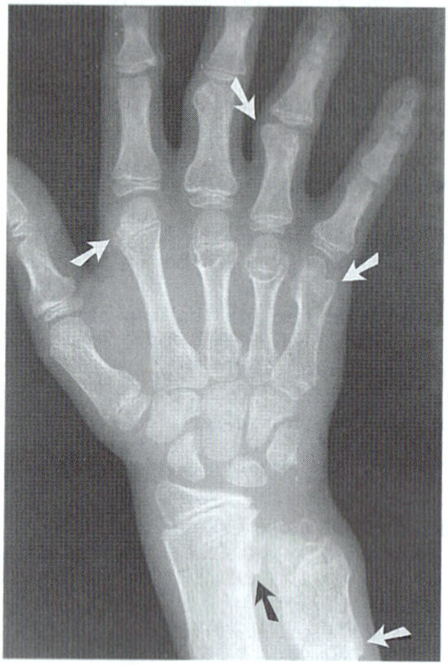

exostosis
数個の小さな骨軟骨腫(矢印).

toxin.

ex·o·tro·pi·a (ek′sō-trō′pē-ă). 外斜視 (視軸が開散している斜視の一型. 麻痺性または共動性, 一眼性あるいは交代性, 恒常性または間欠性のものがある). = divergent strabismus; exodeviation(2); wall-eye(1).

ex·pand·a·ble stent 拡張性(用)ステント (組織の管腔に置き, 長軸方向に短縮させ直径を増大させて内腔を拡大するステント. しばしば経皮的に用いられる).

ex·pan·ded dis·a·bil·i·ty sta·tus scale (EDSS) 拡大身体障害状態スケール (多発性硬化症における神経学的障害の程度を評価するのによく用いられるスケール. 症状ではなく神経学的所見に基づく. 神経学的に正常なのを 1, 死亡を 10 とし, その間を 0.5 毎の段階に分ける (例えば 4, 4.5, 5)). = Kurtzke multiple sclerosis disability scale.

ex·pan·sion (eks-pan′shŭn). *1* 拡大, 膨張 (胸部または肺などのように大きさが増すこと). *2* 展開, 伸張 (腱などのように構造がのびること). *3* 広がり.

ex·pec·to·rant (eks-pek′tŏr-ănt). *1* 〚adj.〛 去痰の (気道粘膜からの分泌を促す, またはその排出を促進する). *2* 〚n.〛 去痰薬 (気管支分泌物を増加させ, その排出を促進する薬物).

ex·pec·to·rate (eks-pek′tŏr-āt). 吐き出す, 喀出する (咳こんで粘液を下気道から吐き出すこと).

ex·pec·to·ra·tion (eks-pek′tŏr-ā′shŭn). *1* 痰 (気道および口内でつくられ, 咳によって喀出される粘液, その他の液体). *2* 喀出 (唾液, 粘液, その他の物質を口から吐き出すこと).

ex·pen·di·ture (eks-pen′di-chŭr). 支出, 支出額 (支出するという行為. 費やされた, または使い果たされた金額).

ex·pense (eks-pens′). 費用 (あるものと引き換えになるもの. コスト).

ex·pe·ri·ence (ek-spēr′ē-ĕns). 体験 (思考に対するものとしての情動および感覚の感情. 出来事または人と人との出会いに関して, 抽象的に考えるよりはむしろ実際に起こっていることにかかわること).

ex·per·i·en·tial au·ra 体験前兆 (内部環境や外部環境の異常認知を特徴とするてんかんの前兆. 聴覚, 視覚, 嗅覚, 味覚, 体性感覚または情動の異常認知を呈することが多い. 1 種類の異常認知が前景に出ている場合は, その用語を用いる. →aura(1)).

ex·per·i·ment (eks-per′i-mĕnt). *1* 実験 (1 つまたは複数の因子を変化させた場合の影響をみるために条件を一定にして目的とする因子を意図的に変化させる研究方法). *2* NMR においては, パルス系列と同義に用いられる.

ex·per·i·men·tal de·sign 実験計画 (変数間の原因関係と結果関係を検査するために用いられる研究計画).

ex·per·i·men·tal er·ror 実験誤差 (実験的観察の実施に起因する測定誤差の全体. 通常, 反復実験の標準偏差として表現され, サンプリングの手続き, 測定, モデル選択の誤り, 観察者バイアス(observer bias)などの要素を含んでいる).

ex·per·i·men·tal group 〔目標〕実験群 (対照群とは逆に, 種々の実験が行われる検体群).

ex·per·i·men·tal med·i·cine 実験医学 (動物実験または臨床研究によって医学的問題を科学的に研究する分野).

ex·per·i·men·tal psy·chol·o·gy 実験心理学 (①心理学の一分科で, 条件付け, 学習, 知覚, 動機付け, 情動, 言語, および思考などに関して研究にかかわる部門. ②相関関係的または社会経験的方法とは対照的に, 実験的方法が強調される主題領域に関してもまた用いられる).

ex·per·i·ment·er ef·fects 実験者効果 (実験者の行動, 人格素質, あるいは期待が実験者自身の研究成果に与える影響).

ex·pert wit·ness 鑑定人 (裁判において, 陪審員や裁判官に対し問題点を明らかにし, 被告側または訴追側に有利に証言を行う, 医療分野で特別な訓練を受けた人).

ex·pi·ra·tion (eks′pir-ā′shŭn). *1* 呼気, 呼息, 呼出. = exhalation(1). *2* 死.

ex·pi·ra·tion date 有効期限 (製品の効き目や治癒的価値が無くなる日付. 製造者によって定められる).

ex·pi·ra·to·ry (eks-pī′ră-tōr-ē). 呼気〔性〕の, 呼息〔性〕の.

ex·pi·ra·to·ry re·serve vol·ume (ERV) 予備呼気量 (正常呼息後に肺から出しうる最大空気量(約 1,000 mL)). = reserve air; supplemental air.

ex·pi·ra·to·ry stri·dor 呼気性ぜん鳴，呼気性狭窄音（空気の漏れに抵抗をするほぼ閉鎖した声帯ひだによる歌うような音）.

ex·pire（eks-pīr′）. ***1*** 呼息する. = exhale(1). ***2*** 止息する（死ぬ）.

ex·pired gas 呼気（①肺から吐き出されるガス. ②しばしば混合呼気 mixed expired gas と同じ意味で用いる）.

ex·plan·a·tion of be·ne·fits（EOB） 給付金の説明（給付金，控除免責金額，共同支払い責任，および請求が補償適用されない場合の理由について説明する保険会社からの説明〔書〕）.

ex·plant（eks-plant′）. 体外移植組織，外植片（培養の目的で生体から人工培養液に移植された生きている組織）.

ex·plo·ra·tion（eks′plŏr-ā′shŭn）. 診査（診断のために，通常，内視鏡検査または外科的手法を含む積極的な検査により実際の症状を確かめること）.

ex·plor·a·to·ry（eks-plōr′ă-tōr-ē）. 診査の.

ex·plor·er（eks-plōr′ĕr）. エキスプロラ，探針（う食や他の欠損あるいは歯石を見つけるために，自然歯または修復歯表面を調べるときに用いる鋭くとがった探針）.

ex·pos·ed dose 被ばく線量（吸収が始まる前に，皮膚，目，気道，消化管などの上皮バリアに接触した化合物の総量. 外部線量）.

ex·po·sure（eks-pō′zhŭr）. 暴露（病原菌の伝播または有害作用が生じる可能性のある形で，病原菌源に接近または接触すること）.

ex·po·sure dose 照射線量（空気中のある点に加えられる，レントゲン単位で表される放射線量. 註「照射線量」は光子に対してのみ用いられる. また，レントゲン(R)は SI 暫定併用単位である. SI 単位系では C/kg を用いる）.

ex·po·sure ker·a·ti·tis 露出性角膜炎（閉瞼ができないために起こる角膜の炎症）.

ex·press（eks-pres′）. 絞り出す，圧出する.

ex·pressed skull frac·ture 頭蓋圧出骨折（頭蓋の一部が外へ脱臼している骨折）.

ex·pres·sion（eks-presh′ŭn）. ***1*** 圧出，圧搾（圧力をかけて出すこと）. ***2*** 表情（顔に特別な感情的意味を与える表情の動き）. = facies(3). ***3*** 表現（他のものを明示するもの）.

ex·pres·sion vec·tor 発現ベクター（実験的に外来 DNA を複製・増幅するために，増殖を行わせる宿主細胞に外来 DNA を組換え DNA の形で導入するためのベクター. プラスミド，酵母，動物ウイルスゲノムなどが使われる（組換え DNA クローニング））.

ex·pres·sive a·pha·si·a 表出〔性〕失語〔症〕（発語や言語の表出が障害されている失語の一型. 書字，表現などで意思疎通することもしばしば障害される. 患者は障害に気づかない）. = anterior aphasia; motor aphasia; nonfluent aphasia.

ex·pres·sive lan·guage dis·or·der 表出性言語障害（喉頭での意思伝達に関わる問題. 身体的，感情的原因が関係することもある）. = external dose.

ex·pul·sive（eks-pŭl′siv）. 駆逐〔性〕の，排出〔性〕の.

ex·pul·sive pains 娩出〔陣〕痛（子宮筋の収縮による有効な分娩陣痛）.

ex·qui·site（eks-kwiz′it）. 鋭敏な（非常に強く，鋭く，また激しい. ある身体部位における疼痛あるいは圧痛をいう）.

ex·san·gui·nate（ek-sang′gwi-nāt）. ***1***〘v.〙放血する，しゃ(瀉)血する（循環血液を採る. 無血状態にする）. ***2***〘adj.〙しゃ(瀉)血の. = exsanguine.

ex·san·gui·na·tion（ek-sang′gwi-nā′shŭn）. しゃ(瀉)血，放血，全採血（血液を採り去ること. 無血状態にすること）.

ex·san·guine（ek-sang′gwin）. しゃ(瀉)血の. = exsanguinate(2).

Ex·se·ro·hi·lum（eks′ĕr-ō-hī′lŭm）. エクセロヒルム（真菌の一属. ヒト黒色真菌症の原因の1つで，環境中(植物の表面など)にみられる）.

ex·sic·cant（ek-sik′ănt）. = desiccant.

ex·sic·cate（ek′si-kāt）. = desiccate.

ex·sic·ca·tion（ek′si-kā′shŭn）. ***1*** 乾燥. = desiccation. ***2*** 脱水，乾固（結晶から水分を除去すること）. = dehydration(3).

ex·sorp·tion（ek-sōrp′shŭn）. 漏出（血液から消化管腔に物質が移動すること）.

ex·stro·phy（eks′trŏ-fē）. 外反〔症〕（管腔器官が先天的に外翻していること）.

ex·stro·phy of the blad·der 膀胱外反〔症〕（膀胱の前壁と腹壁の先天性開離. 膀胱の後壁は露出する）.

ex·tem·po·ra·ne·ous com·pound·ing 即席調合（特定の個人に合わせて薬や製品をつくること）.

ex·tend（eks-tend′）. 伸展する（四肢をのばすこと. 屈曲により生じた角度をなくすこと. 四肢の遠位部の軸が近位部の軸と一致するような位置に遠位部を置くこと）.

ex·ten·ded-care fa·cil·i·ty 拡張看護施設（退院後または重病の回復期のための高度看護施設）.

ex·ten·ded fam·i·ly 大家系（血縁，養子，婚姻あるいは同等の絆で結ばれた数世代の人々からなる一団）.

ex·ten·ded me·di·a·sti·nos·cop·y 拡大縦隔鏡検査〔法〕（標準的な気管前および傍気管の検索に加えて，縦隔鏡を腕頭動脈と大動脈弓の前方に進め，大動脈下(大動脈–肺動脈窓)と前縦隔リンパ節の視野を得る頸部縦隔鏡検査. Chamberlain 法の代わりに行われる）.

ex·tend·ed rad·i·cal mas·tec·to·my 拡大乳房切除〔術〕（乳頭・乳輪・皮膚を含む全乳房とともに，大小胸筋，腋窩・胸壁のリンパ組織，内胸リンパ節を切除する手術）.

ex·ten·ded thy·mec·to·my 拡大胸腺摘出〔術〕（胸骨切開と頸部切開を併用して，腺外の胸腺組織まで切除する手術）. = maximal thymectomy.

ex·ten·der（eks-tend′ĕr）. エクステンダー（広がる，伸びる，増大する人，もの）.

ex·ten·sion（eks-ten′shŭn）. ***1*** 伸展，延長（関

E

節の遠位部を近位部分の長軸とつながる(ただし平行に)ようにすること). *2* 牽引〔法〕(四肢を体から離れた方向に引くこと).

ex·ten·sor (eks-tenʹsŏr). 伸筋 (収縮すると関節で運動が起こる筋で, その結果体肢がいっそう直線に近づくとか, 関節をはさんで近位の骨と遠位の骨との距離が離れるような動きをする筋. 対抗筋は屈筋. ―muscle).

ex·ten·sor car·pi ra·di·a·lis bre·vis mus·cle 短橈側手根伸筋 (前腕後区の筋の1つ. 起始:上腕骨内顆. 停止:第三中手骨底. 作用:手首を伸展し, 橈側へ外転する. 神経支配:橈骨神経). = musculus extensor carpi radialis brevis; short radial extensor muscle of wrist.

ex·ten·sor car·pi ra·di·a·lis lon·gus mus·cle 長橈側手根伸筋 (起始:上腕骨外側上顆. 停止:第二中手骨底後面. 作用:手首で手を伸展し外転する. 神経支配:橈骨神経). = musculus extensor carpi radialis longus; long radial extensor muscle of wrist.

ex·ten·sor car·pi ul·na·ris mus·cle 尺側手根伸筋 (起始:上腕骨外側上顆(上腕骨頭)および尺骨の斜線と後縁(尺骨頭). 停止:第五中手骨底. 作用:手根関節で手を伸長し, 尺側へ外転する. 神経支配:橈骨神経(後骨間神経)). = musculus extensor carpi ulnaris; ulnar extensor muscle of wrist.

ex·ten·sor di·gi·ti mi·ni·mi mus·cle 小指伸筋 (起始:上腕骨外側上顆. 停止:手の小指基節骨・中節骨・末節骨背面. 作用:小指の伸展. 神経支配:橈骨神経(後骨間神経)). = musculus extensor digiti minimi; extensor muscle of little finger.

ex·ten·sor di·gi·to·rum bre·vis mus·cle 足の短指伸筋 (起始:踵骨背面. 停止:長指伸筋腱と融合する4つの腱と, 足の母指基節骨底に独立して停止する腱束. 作用:足の外側4指の伸展. 神経支配:深腓骨神経). = musculus extensor digitorum brevis; short extensor muscle of toes.

ex·ten·sor di·gi·to·rum lon·gus mus·cle 足の長指伸筋 (起始:脛骨外側顆, 腓骨前縁の上方2/3. 停止:4つの腱で足の第二–第五指の基節骨, 中節骨, 末節骨の各骨底背につく. 作用:足の第二–第五指の伸展. 神経支配:腓骨神経深枝). = musculus extensor digitorum longus; long extensor muscle of toes.

ex·ten·sor di·gi·to·rum mus·cle 〔総〕指伸筋 (起始:上腕骨外側上顆. 停止:4つの腱で手の第二–第五指の基節骨底, 中節骨底, 末節骨底に付着. 作用:手指の伸展, 特に中手指節関節. 神経支配:橈骨神経(後骨間神経)). = musculus extensor digitorum; extensor muscle of fingers; musculus extensor digitorum communis.

ex·ten·sor hal·lu·cis bre·vis mus·cle 足の短母指伸筋 (足底の筋の1つで解剖学者は短指伸筋の内側部であると考えている. 起始:踵骨背面. 停止:足母指基節骨底. 作用:足母指の伸展. 神経支配:深腓骨神経). = musculus extensor hallucis brevis; short extensor muscle of great toe.

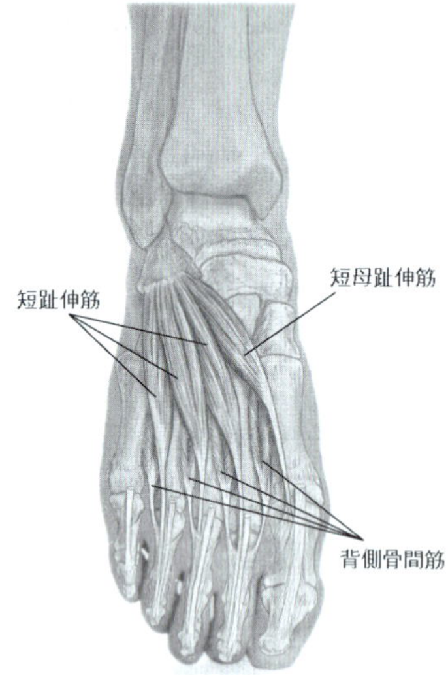
短趾伸筋
短母趾伸筋
背側骨間筋
extensor digitorum brevis muscle

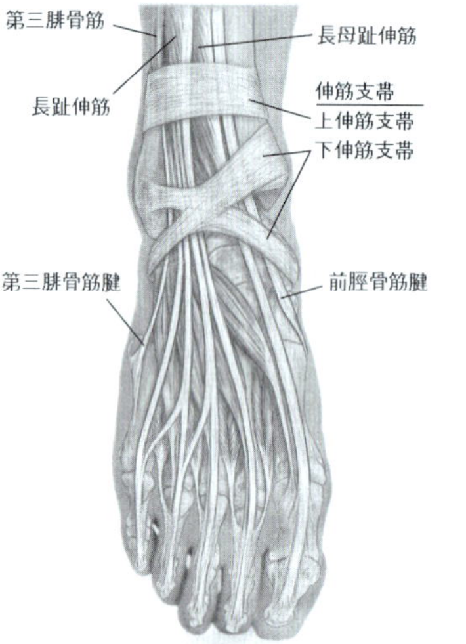
第三腓骨筋
長母趾伸筋
長趾伸筋
伸筋支帯
上伸筋支帯
下伸筋支帯
第三腓骨筋腱
前脛骨筋腱
extensor digitorum longus muscle

ex·ten·sor hal·lu·cis lon·gus mus·cle 足の長母指伸筋 (起始:腓骨と骨間膜の前面. 停止:足母指末節骨底の背面. 作用:足母指の伸展. 神経支配:深腓骨神経). = musculus extensor hallucis longus.

ex·ten·sor in·di·cis mus·cle 示指伸筋 (起

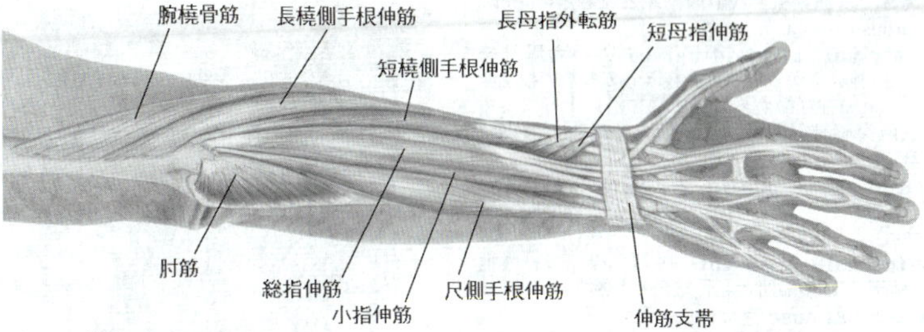
腕橈骨筋
長橈側手根伸筋
長母指外転筋
短母指伸筋
短橈側手根伸筋
肘筋
総指伸筋
小指伸筋
尺側手根伸筋
伸筋支帯

extensor digitorum muscle

始：尺骨遠位の背面とその近くの骨間膜．停止：示指の伸筋腱．作用：示指の伸展を助ける．神経支配：橈骨神経後骨間枝）. = musculus extensor indicis; index extensor muscle.

ex·ten·sor mus·cle of fin·gers = extensor digitorum muscle.

ex·ten·sor mus·cle of lit·tle fin·ger = extensor digiti minimi muscle.

ex·ten·sor pol·li·cis brev·is mus·cle 短母指伸筋（前腕後区の筋の１つ．起始：橈骨遠位の背面とその近くの骨間膜．停止：母指基節骨底背面．作用：母指を中手指節関節で伸展し外転する．神経支配：橈骨神経後骨間枝）. = musculus extensor pollicis brevis; musculus extensor brevis pollicis; short extensor muscle of thumb.

ex·ten·sor pol·li·cis lon·gus mus·cle 長母指伸筋（前腕後区の筋の１つ．起始：尺骨幹中央後面．停止：母指末節骨底背面．作用：母指指節骨の伸展．神経支配：橈骨神経後骨間枝）. = musculus extensor pollicis longus; long extensor muscle of thumb; musculus extensor longus pollicis.

ex·ten·sor ret·i·nac·u·lum 伸筋支帯（手根の背面を斜めに横切ってのびる強い線維帯で，深前腕筋膜の肥厚によって形成され，深くはいって橈骨・方形骨・豆状骨背面の骨稜に付着し，指および母指の伸筋腱を押さえている）.

exteriorise ［Br.］. = exteriorize.

ex·te·ri·or·ize (eks-tēr′ē-ōr-īz). 外面化する，肱置する（①ある明確な目標または目的に向けて，患者の興味，思考，感情を外部に向けるように指導する．②観察のために一時的に，また実験のために永久的に臓器を外部に出す）. = exteriorise.

ex·tern (eks′tĕrn). エクスターン（入院患者の診療，手術を手伝う上級生または新卒者）.

ex·ter·nal (eks-tĕr′năl). 外の，外部の（中心から離れた．しばしば誤って外側の，の意味で用いられる）.

ex·ter·nal a·cous·tic me·a·tus 外耳道（側頭骨の鼓室部を通して耳介から鼓膜へ至る通路で，骨性(内側)部分と線維軟骨性(外側)部分すなわち軟骨性外耳道からなる）.

ex·ter·nal a·nal sphinc·ter mus·cle 外肛門括約筋（肛門周辺の横紋筋線維の紡錘状の円

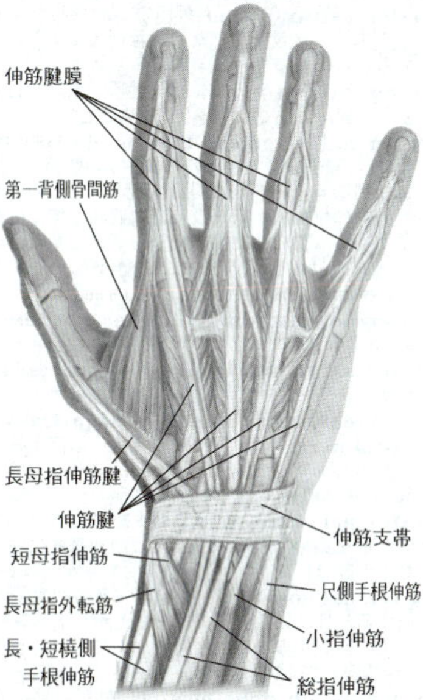
伸筋腱膜
第一背側骨間筋
長母指伸筋腱
伸筋腱
伸筋支帯
短母指伸筋
尺側手根伸筋
長母指外転筋
小指伸筋
長・短橈側
手根伸筋
総指伸筋

extensor retinaculum

尾骨の前，会陰腱中心の後ろについている）. = external sphincter muscle of anus; muscular sphincter ani externus.

ex·ter·nal au·dit 外部監査（医療機関が医療基準を維持しているかを確認するために，外部の人間が医療記録を検査すること）.

ex·ter·nal base of skull 頭蓋底.

ex·ter·nal cap·sule 外包（被殻と前障を分離する白質の薄層．被殻の両端で内包とつながり，レンズ核の外側をおおう白質の被膜を形成している）. = capsula externa.

ex·ter·nal ca·rot·id ar·ter·y 外頸動脈（第四頸椎の高さで総頸動脈より起こり，上甲状腺動脈，舌動脈，顔面動脈，後頭動脈，後耳介動脈，上行咽頭動脈に分枝する．終末枝下顆頸の高さでは顎動脈と浅側頭動脈となる). = arteria carotis externa.

ex·ter·nal ca·rot·id nerves 外頸動脈神経 (交感神経幹から総頸動脈枝として多数の枝を発し，上頸神経節から外頸動脈に沿い上行する多数の交感神経線維．外頸動脈神経叢を形成する). = nervi carotici externi.

ex·ter·nal ce·pha·lic ver·sion 外回転〔術〕(外部操作により行う回転術. →cephalic version).

ex·ter·nal con·ju·gate 外結合線 (最終腰椎の棘突起下の陥凹と恥骨結合の上縁を結ぶ線).

ex·ter·nal dose = exposed dose.

ex·ter·nal ear 外耳 (→ear. →auricle; pinna).

ex·ter·nal fis·tu·la 外瘻 (管腔臓器と皮膚の間に連絡する瘻孔交通).

ex·ter·nal fix·a·tion 外固定 (骨折部を副子，プラスチック包帯，または鋼線刺入により固定すること).

ex·ter·nal gen·i·ta·li·a 外性器 (女性では外陰と陰核，男性では陰茎と精巣のこと).

ex·ter·nal in·ter·cos·tal mus·cle 外肋間筋 (胸壁の扁平な筋で各々の筋は1本の肋骨の下縁より起こり，前下方に斜めに走り，下位の肋骨の上縁に付着．作用：吸息期に収縮して肋骨を挙上する．また肋間部の緊張を維持し，吸息時の内側方向の動きを防ぐ．神経支配：肋間神経). = musculus intercostales externus.

ex·ter·nal mam·ma·ry ar·ter·y = lateral thoracic artery.

ex·ter·nal na·sal ar·ter·y = dorsal nasal artery.

ex·ter·nal na·sal branch·es of in·fra·or·bi·tal nerve 眼窩下神経外鼻枝 (眼窩下神経や鼻の外面への神経枝). = rami nasales externi nervi infraorbitalis.

ex·ter·nal na·sal veins 外鼻静脈 (外鼻からの血液を集め，眼角静脈または顔面静脈に注ぐ数本の静脈).

ex·ter·nal nose 外鼻 (顔の明らかな特徴を形成する，目に見える鼻の部分．上から下へ鼻根，鼻背，鼻尖からなる．中隔によって分けられた2つの鼻孔が下方で開く). = nasus(1).

ex·ter·nal ob·lique mus·cle 外腹斜筋 (起始：第五-第十二肋骨外面．停止：腸骨稜外唇の前方1/2，鼡径靱帯，腹直筋鞘前葉の一部．作用：腹部を引き締め内臓を支持する，体幹を屈曲・回旋する．神経支配：胸腹神経). = musculus obliquus externus abdominis.

ex·ter·nal ob·tu·ra·tor mus·cle = obturator externus muscle.

ex·ter·nal oc·cip·i·tal crest 外後頭稜 (外後頭隆起から大後頭孔の境界に至る隆起).

ex·ter·nal oph·thal·mop·a·thy 外眼疾患 (結膜，角膜，眼の付属器などの様々な病気).

ex·ter·nal oph·thal·mo·ple·gi·a 外眼筋麻痺症. = ophthalmoplegia externa.

ex·ter·nal os of u·ter·us 〔外〕子宮口 (子宮腔の腟への開口).

ex·ter·nal phase 外相 (分散子が懸濁している液体や媒体). = dispersion medium.

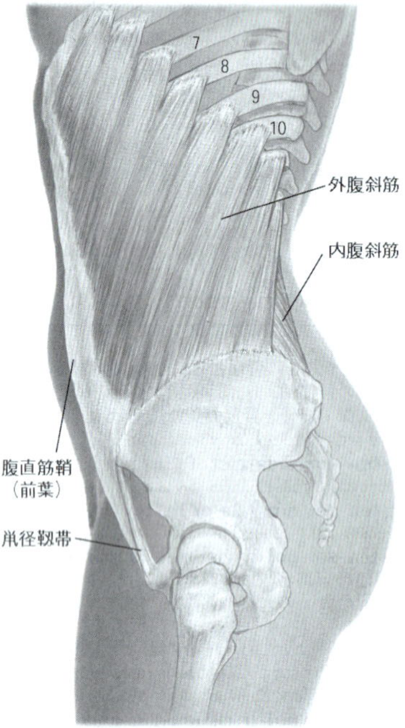
7
8
9
10
外腹斜筋
内腹斜筋
腹直筋鞘
(前葉)
鼡径靱帯

external oblique muscle

ex·ter·nal pte·ry·goid mus·cle = lateral pterygoid muscle.

ex·ter·nal pu·den·dal ar·ter·ies 外陰部動脈 (大腿動脈より起こり，恥丘の皮膚，陰茎上の皮膚，そして前陰嚢(大陰唇)動脈を経て陰嚢(大陰唇)の皮膚に分布する．陰茎(陰核)背動脈，後陰嚢(陰唇)枝と吻合). = arteriae pudendae externae.

ex·ter·nal pu·den·dal veins 外陰部静脈 (同名の動脈に対応する．大伏在静脈または直接大腿静脈に注ぎ，浅陰茎(浅陰核)背静脈と前陰嚢(前陰唇)静脈を受ける).

ex·ter·nal res·pi·ra·tion 外呼吸 (内呼吸または組織呼吸と区別される肺内での呼吸ガスの交換).

ex·ter·nal ro·ta·tion 外旋 (関節の体の正中線から離れた，長軸の周りの動き). = lateral rotation.

ex·ter·nal sphinc·ter mus·cle of a·nus = external anal muscle.

ex·ter·nal trac·tion 外牽引 (固定物(ベッド枠など)を利用する口腔外部の牽引法．主に顔面中央骨折の処置に用いる).

ex·ter·nal u·re·thral or·i·fice 外尿道口 (①陰茎亀頭にある尿道の細隙状の開口．②女性では腟前庭にある尿道の外口で，通常，小隆起

(尿道隆起)の上にある).

ex·ter·nal u·re·thral sphinc·ter mus·cle 外尿道括約筋（尿を膀胱に溜めておくために膜性尿道を圧縮する．神経分布は外陰にある）. = Guthrie muscle; musculus constrictor urethrae; musculus sphincter urethrae externus; sphincter muscle of urethra; sphincter urethrae externus; Wilson muscle.

ex·ter·o·cep·tive (eks′tĕr-ō-sep′tiv). 外受容性の（外部からの印象または刺激を受け取ることができる末端器のある体表面についていう）.

ex·ter·o·cep·tor (eks′tĕr-ō-sep′tŏr). 外受容器（皮膚または粘膜内の求心性神経の末端器の1つで，外部からの刺激に反応する）.

ex·ter·o·fec·tive (eks′tĕr-ō-fek′tiv). 外効果性の（外部刺激に対する神経系の反応についていう）.

ex·tinc·tion (eks-tingk′shŭn). ***1*** 消去，消衰（行動変容あるいは古典的条件付け，オペラント条件付けにおいて，陽性に再強化されていない反応の頻度を徐々に減ずること．→conditioning). ***2*** 吸光度. = absorbance.

ex·tinc·tion co·ef·fi·cient (ε) 消衰係数. = specific absorption coefficient.

ex·tin·guish (eks-ting′gwish). ***1*** 絶やす，消す，消滅する（絶滅する．火，炎などを消す．同一性の喪失を起こす．破壊する). ***2*** 消去する（心理学において，徐々に前の条件反応を消していく．→conditioning).

ex·tir·pa·tion (eks′tĭr-pā′shŭn). 摘出〔術〕（臓器または病的組織の一部，あるいは全体を摘出すること）.

ex·tor·sion (eks-tōr′shŭn). 外反（①四肢または器官が外転すること．②個々の角膜の上極が外方へ共同回転すること）.

extra- 外部，外の，を意味する接頭語.

ex·tra·ax·i·al (eks′tră-aks′ē-ăl). 軸外の（軸から離れて，脳自体から起こるのでない脳内病変についていう）.

ex·tra·cap·su·lar an·ky·lo·sis 〔関節〕包外強直（関節周囲組織の硬化または異所性骨化により関節の運動性が失われた状態）. = spurious ankylosis.

ex·tra·cap·su·lar lig·a·ments 関節〔包〕外靱帯（滑膜性関節と関係するが，その関節包からは離れて外部にある靱帯）.

ex·tra·cel·lu·lar (eks′tră-sel′yŭ-lăr). 細胞外の.

ex·tra·cel·lu·lar en·zyme 〔細胞〕外酵素（細胞外で作用する酵素．例えば種々の消化酵素）. = exoenzyme.

ex·tra·cel·lu·lar flu·id (ECF) 細胞外液（①体重の約20%を占める間質液と血漿．②ときに，細胞外のすべての液体(通常，細胞透過液は除く)を意味する）.

ex·tra·cel·lu·lar tox·in 細菌外毒素. = exotoxin.

ex·tra·chro·mo·som·al el·e·ment, ex·tra·chro·mo·som·al ge·net·ic el·e·ment 染色体外因子. = plasmid.

ex·tra·chro·mo·som·al in·her·i·tance 染色体外遺伝（染色体に関連していない何らかの因子によって形質が伝えられること）.

ex·tra·cor·po·re·al (eks′tră-kōr-pōr′ē-ăl). 体外の（肉体またはすべての解剖学的な〝体 corpus〟の外，あるいはこれ以外の）.

ex·tra·cor·po·re·al cir·cu·la·tion 体外循環（機械を通じて体外に血液循環をつくることで，一時的に，その臓器の機能を担当する．人工心肺や人工腎臓などがある）.

ex·tra·cor·po·re·al-mem·brane ox·y·gen·a·tion (ECMO) 体外膜性酸素付加（患者体外の膜を隔て，ガス拡散により，肺胞換気を増加させるシステム）.

ex·tra·cor·po·re·al shock wave lith·o·trip·sy (ESWL) 体外衝撃波砕石術（目的部位に音波エネルギーの焦点を合わせて，腎・尿管結石を破砕する術式）.

ex·tract (eks′trakt). ***1*** (eks′trakt). 〚n.〛 抽出物，エキス（適切な溶媒を用いて薬の活性成分を分離し，溶媒を全部またはほとんど蒸発させ，その残渣塊，粉末を基準値に調節して得られる濃縮製剤）. ***2*** (ek-strakt′). 〚v.〛 抽出する（溶媒を用いて混合物の一部を取り出す）. ***3*** 〚v.〛 抽出を行う.

ex·tract·ing for·ceps = dental forceps.

ex·trac·tion (ek-strak′shŭn). ***1*** 抜歯〔術〕（歯槽から歯を脱臼させ，抜去すること）. ***2*** 抽出（物質を溶媒中に分離すること）. ***3*** 薬の有効成分．エキスからつくること. ***4*** 摘出〔術〕. ***5*** 牽出〔術〕（用手的あるいは機械的に子宮あるいは産道から妊娠末期胎児を牽出すること）. ***6*** 月経周期が延長する以前に受精卵を吸引で除去すること.

ex·trac·tion co·ef·fi·cient 除去率（ある組織を1回通過した際に，血液あるいは血漿から除去される物質の百分率）.

ex·trac·tion ra·ti·o (E) 除去率（腎臓を流れる血液から除去した物質の分画）.

ex·trac·tives (ek-strak′tivz). 抽出物，エキス（植物性や動物性組織に存在し，溶媒を連続的処理で分離して，その溶液を蒸発させて得られる物質）.

ex·trac·tor (ek-strak′tŏr). 抽出器，摘出器（歯のような自然物や異物を引き出すのに用いる器械）.

ex·tra·cys·tic (eks′tră-sis′tik). 胆嚢外の，膀胱外の，嚢腫外の.

extradural haemorrhage [Br.]. = extradural hemorrhage.

ex·tra·du·ral hem·or·rhage 硬膜外出血（頭蓋と硬膜の間に血液がたまること）. = epidural hematoma; extradural haemorrhage.

ex·tra·em·bry·on·ic (eks′tră-em′brē-on′ik). 胚〔体〕外の（例えば，胚の防護や栄養に関連し，出産時には胚体に付着することなく放出される膜についていう）.

ex·tra·em·bry·on·ic ce·lom 胚外体腔. = chorionic cavity.

ex·tra·he·pat·ic (eks-tră-he-pat′ik). 肝〔臓〕外の.

ex·tra lean 極赤身（一食あたりの脂肪が5g以

E

下，飽和脂肪が 2 g 以下，コレステロールが 95 mg 以下の，FDA のラベルが貼られた製品）.

ex·tra·mam·ma·ry Pa·get dis·ease 乳房外パジェット病（表皮内にみられる粘液腺癌であり，多くは肛門部や外陰部に生じる）. = Paget disease (3).

ex·tra·no·dal mar·gin·al zone lymph·o·ma = MALToma.

ex·tra·oc·u·lar mus·cles 外眼筋（眼窩内にあって眼球の外にある筋. 4 つの直筋（上・下・内側・外側），2 つの斜筋（上・下），上眼瞼挙筋を含む）.

ex·tra·per·i·to·ne·al fas·ci·a 腹腔外筋膜（腹膜と横筋筋膜の間にある，筋膜と脂肪組織からなる薄い層）. = fascia subperitonealis.

ex·tra·phys·i·o·log·ic (eks′tră-fiz′ē-ō-loj′ik). 生理〔学〕外の（病理的な）.

ex·tra·py·ram·i·dal (eks′tră-pir-am′i-dăl). 錐体外路の.

ex·tra·py·ram·i·dal dis·ease 錐体外路系疾患（大脳基底核，一部の脳幹または視床の核の異常による多くの疾患の総称. 運動障害，姿勢反射喪失，動作緩慢，振せん，筋硬直，種々の不随意運動を特徴とする）.

ex·tra·py·ram·i·dal dys·ki·ne·si·a 錐体外路性ジスキネジー（線条体の一部が病理学的に障害を受けると生じる不随意運動の異常. 抑制できない常同の自動運動が特徴で，睡眠中だけ停止する. パーキンソン病，舞踏病，アテトーシスや片側バリスムなどがあげられる）.

ex·tra·py·ram·i·dal mo·tor sys·tem 錐体外路運動系（運動神経，運動領，および錐体路（皮質延髄路と皮質脊髄路）を除く，体の運動に影響を及ぼす脳のすべての部分. 広い範囲の意味にもかかわらず，本語は特に線条体（基底核），その関連核（黒質，視床腹側核），中脳と連結する遠心性神経などを表すのに用いる）.

ex·tra·sac·cu·lar her·ni·a 嚢外性ヘルニア. = sliding hernia.

ex·tra·sen·so·ry (eks′tră-sen′sŏr-ē). 超感覚的な（通常の感覚を超えた. 超感覚的知覚のように感覚に限定されない）.

ex·tra·sen·so·ry per·cep·tion (ESP) 超感覚的知覚（通常の感覚器官とは別なものによってなされる知覚. 例えば，テレパシー，透視，予知など）.

ex·tra·sys·to·le (eks′tră-sis′tŏ-lē). 期外収縮（心臓のいかなる場所でも起こる異所性拍動を意味する非特異的な言葉）. = premature systole.

ex·tra·tho·rac·ic air·way ob·struc·tion 胸腔外気道閉塞（気道狭窄部位が胸腔入口より上方の気道狭窄の型. 可動性（すなわち呼気流では起きないが吸気流では減少）あるいは固定性（吸気と呼気両相で減少）がある）.

ex·trav·a·sate (eks-trav′ă-sāt). ***1***〚v.〛溢出する，溢血する（管から，または管を通って，血液，リンパ液，尿などが組織内に滲出する）. ***2***〚n.〛〔血〕管外遊出物，溢出物（***1*** のようにして滲出した物質）. = suffusion (4).

ex·trav·a·sa·tion (eks-trav′ă-sā′shŭn). 〔血〕管外遊出，溢出，溢血.

ex·tra·vas·cu·lar flu·id 血管外液（血管外のすべての液体，すなわち，細胞内液，間質液，細胞透過液などをいう. 体重の約 48—58% を占める）.

ex·tra·ver·sion (eks′tră-vĕr′zhŭn). = extroversion.

ex·tra·ves·i·cal re·im·plan·ta·tion = detrusorrhaphy.

ex·tre·mal quo·tient 両極端指数（比）（手術などの介入処置が最も多い管轄区と最も少ない管轄区での率の比）.

ex·trem·i·tas (eks-trem′i-tĕs). 端（→ limb）. = extremity.

ex·trem·i·ty (eks-trem′i-tē). 端（長方形・尖形の構造物の末端. 四肢を表すのに用いるのは適切ではない）. = extremitas.

ex·trin·sic (eks-trin′zik). 外因性の，外在性の（発見された場所，または作用を及ぼす場所の外から発生する. 手の外在筋など特に筋肉についていう）.

ex·trin·sic al·ler·gic al·ve·o·li·tis 外因性アレルギー性肺胞炎（有機じん埃を繰り返し吸入することによる過敏性から起こるじん肺症. 通常，職業的に暴露されるじん埃の種類に従って特記される. 急性のものは，じん埃にさらされて数時間後に呼吸器系の症状と発熱が始まる. 慢性のものでは，数年間の暴露後，最終的に広汎性肺線維症を招来する）.

ex·trin·sic co·a·gu·la·tion path·way 外因系凝固経路（血管外細胞膜の必須膜蛋白である組織因子（TF）と血液中の第 VII 因子が接触して活性化される凝固経路の一部. この経路は，プロトロンビン時間（PT）によってテストできる）.

ex·trin·sic fac·tor 外因子（食物性のビタミン B_{12}）.

ex·trin·sic in·cu·ba·tion pe·ri·od 外部潜伏期（媒介動物が感染性生物を取り込んでから，この媒介動物が感染性生物を他の脊椎動物宿主に感染させうるために必要な期間）.

ex·trin·sic PEEP = auto-PEEP.

ex·trin·sic sphinc·ter 外来性括約筋（臓器とは別の輪走筋線維によりつくられた括約筋）.

ex·tro·ver·sion (eks′trō-vĕr′zhŭn). = extraversion. ***1*** 外翻（外に向かって回転させること）. ***2*** 外向〔性〕（社交性がある特性. *cf.* introversion）.

ex·tro·vert, ex·tra·vert (eks′trŏ-vĕrt, -tră-vĕrt). 外向性（常に関心を外部に向け，社交に自信があり，他人のことに熱中する社交的な人をいう. *cf.* introvert）.

ex·trude (eks-trūd′). 排出する，吸い出す，挺出する，突き出す，押し出す.

ex·tru·sion (eks-trū′zhŭn). ***1*** 排出，吸い出し，突出（正常位置より押し出すこと）. ***2*** 挺出（歯が正常咬合部位からはずれて萌出あるいは遊走すること）.

ex·tru·sion re·flex 押出し反応（幼児の口にスプーンを入れたときに，舌が自動的にスプーンを前に押出すこと）.

ex·tu·ba·tion (eks′tū-bā′shŭn). 抜管〔法〕（器官，構造，あるいは口から管を除去すること.

特に，挿管後に管を抜くこと）.

ex·u·ber·ant (eg-zū′bĕr-ănt). 高度増殖の，過増殖の（例えば，ある組織や顆粒などが過度に増殖したり成長したりすることをいう）.

ex·u·date (eks′yū-dāt). 滲出液，滲出物（外傷や炎症により組織または毛細血管から滲出する液. *cf.* transudate). = exudation (2).

ex·u·da·tion (eks′yū-dā′shŭn). ***1*** 滲出，放出，排出（滲出の過程）. ***2*** 滲出液，滲出物. = exudate.

ex·u·da·tion cyst 滲出性嚢胞（粘液嚢などのように密閉された腔の拡張による嚢胞. 正常内容液の過剰な分泌によって生じる）.

ex·ud·a·tive (eks′yū′dă-tiv). 滲出性の（滲出の過程または滲出液についていう）.

ex·u·da·tive dru·sen 浸出性ドルーゼン（網膜色素上皮の基底膜と Bruch 膜の内コラーゲン層との間の無定型，顆粒状物質，細胞突起，および弯曲した線維の集まったもの. 浸出性タイプは硬性および軟性ドルーゼンを含む）. = typical drusen.

ex·ud·a·tive in·flam·ma·tion 滲出〔性〕炎〔症〕（著しい，明確な特色は滲出液にあり，これは，主として漿液線維素性，線維性，または粘液性の場合と，多数の好中球，好酸球，リンパ球，単球，またはプラスマ細胞が多数を占めている場合とがある）.

ex·ud·a·tive ret·i·ni·tis, ret·i·ni·tis ex·u·da·ti·va 滲出性網膜炎（外網膜層と網膜下腔へのコレステロールとコレステロールエステルの沈着を特徴とする慢性の異常. 成人では，ブドウ膜炎に伴い，小児では網膜血管異常に伴う）.

ex·ude (eks-yūd′). 滲出する（一般に，身体構造または組織を通して徐々ににじみ出ること）.

ex·um·bil·i·ca·tion (eks′ŭm-bil′i-kā′shŭn). ***1*** 臍突出. = exomphalos (1). ***2*** 臍ヘルニア. = umbilical hernia. ***3*** 臍帯ヘルニア. = omphalocele.

ex vi·vo 生体外の，生体外で（生きたまま組織や細胞を生体から取り出すこと，またそれを利用することをさす）.

eye (ī). 眼，目（①眼球および視神経からなる視覚器官. = oculus. ②眼瞼および他の眼付属器を含む眼の領域. 眼窩部）.

eye·ball (ī′bawl). 眼球（付属器を含めない狭義の眼）. = bulbus oculi; bulb of eye.

eye balm = goldenseal.

eye bank アイバンク（死亡後に眼球の角膜を切除して，角膜移植術に備えて保管されている場所）.

eye·brow (ī′brow). 眉，まゆ（眼窩上端の半月形の線をなす毛髪群）. = supercilium (1).

eye-clo·sure pu·pil re·ac·tion 閉瞼瞳孔反応（強制的に閉瞼した際の両眼の瞳孔の収縮. 近見瞳孔反応の一種）. = Galassi pupillary phenomenon; Gifford reflex; Westphal pupillary reflex.

eye cup アイカップ（眼の前面への液体の適用を容易にするために用いる小楕円形の受器）.

eye·glass·es (ī′glas-ĕz). = spectacles.

eye-hand co·or·di·na·tion = visual-motor control.

eye·lash (ī′lash). 睫毛，まつげ（眼瞼縁から生え出ている硬い毛）. = cilium (1).

eye·lash sign 睫毛徴候（転換ヒステリーのような，機能的疾患に起因する見かけ上の無意識の場合には，睫毛をなでると眼瞼が動くが，脳卒中，頭蓋骨折，その他の外傷など重症な器質的脳病変の場合には，この反射は起こらない）.

eye·lid (ī′lid). 眼瞼（2 つの可動性のひだで眼を閉じたときに眼球の前面をおおう. 内部に線維性の核をなす瞼板と眼輪筋の眼瞼部があり，前表面は皮膚に後面は結膜におおわれる. 内部の筋のすばやい収縮によってまたたきが起こる. 眼窩に付く固定部と自由縁とがある. 中心部は切り離されて眼裂となり，左右端は上下が結合して眼瞼交連をなす. 睫毛が生えており瞼板腺と睫毛腺とが開口し，内側端には涙点がある）. = palpebra; blepharon; lid.

eye·lid im·bri·ca·tion 上眼瞼被覆症（閉瞼時に上眼瞼が下眼瞼上にかぶさる眼瞼の位置異常. 慢性の眼刺激を生じる）.

eye patch·ing 眼帯（トラウマや手術の後に治療目的で目を覆うこと，また子供などが軽度の弱視でレンズによって目を覆うこと）.

eye·piece (ī′pēs). 接眼鏡，接眼レンズ，アイピース（顕微鏡の鏡筒の眼に近い側の複合レンズ系で，対物レンズによってつくられる像を拡大する）.

eye spec·u·lum 開瞼器，開眼器（眼の検査または手術の間，開瞼しておくための器械）. = blepharostat.

eye·strain (ī′stān). 眼精疲労. = asthenopia.

eye tooth = canine tooth.

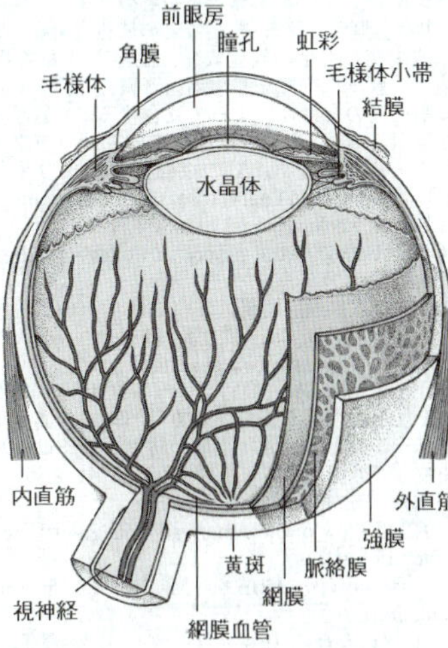
前眼房
角膜
瞳孔
虹彩
毛様体
毛様体小帯
結膜
水晶体
内直筋
外直筋
強膜
黄斑
脈絡膜
網膜
視神経
網膜血管
eye

E

F

F *1* 分圧濃度の記号で，位置や化学物質の種類を下付き文字で示す．カ氏，ファラッド，稔性，視野 visual field，葉酸，雑種世代 filial generation の記号で，下付きの数字で世代数を示す．フッ素の元素記号．フェニルアラニンの記号．*2* focus(1)の略．

F0 fundamental frequency の略．

F1.2 prothrombin fragment 1.2 の略．

F ファラデー faraday; ファラデー定数 Faraday constant; 力 force; 自由エネルギー free energy の記号．

f femto- の記号．呼吸頻度 respiratory frequency，揮散力，ホルミル，フマローズ型(通常，単糖を表す記号に続く)を示す記号．

FAAFP Fellow of the American Academy of Family Physicians の略．

FAAMT Fellow of the American Association for Medical Transcription の略．

FAB →French-American-British classification system.

Fab →Fab fragment.

FAB class·i·fi·ca·tion FAB 分類（→French-American-British classification system）．

fa·bel·la (fă-belʹlă)．ファベラ（腓腹筋外側頭の腱の中にある種子骨）．

Fab frag·ment Fab フラグメント（免疫グロブリン分子の抗原結合フラグメントのこと．L 鎖と H 鎖の一部とで構成される）．

Fa·bry dis·ease ファブリー病（酵素 *α*-ガラクトシダーゼ欠乏による欠損症．血管壁の血管内皮細胞における中性糖脂質(例えばグロボトリアオシルセラミド)の異常蓄積を特徴とする．臨床症状は大腿部・殿部・性器などの紫色皮膚症，発汗減少症，手足の知覚異常，渦巻き状角膜症，後部被膜下白内障を呈する．腎臓，心臓，または脳血管の合併症によって死亡する．X 連鎖劣性遺伝であり，X 染色体長腕にある *α*-ガラクトシダーゼ遺伝子(GLA)の突然変異により生じる）．= Anderson-Fabry disease; Ruiter-Pompen disease; Sweeley-Klionsky disease.

FACCP Fellow of the American College of Chest Physicians の略．

face (fās)．*1* 顔，顔貌，面（首から上の部分の前半部．目，鼻，口，額，頬，顎を含む部分．耳は除く）．= facies(1)．*2* = surface.

face-bow (fāsʹbō)．顔弓，フェイスボー（顎関節と顎との関係を記録するカリパス様の測定用器具．この測定記録は上顎の鋳型もしくは模型を咬合器の開閉軸に一致させるのに用いる）．

face-lift (fāsʹlift)．→rhytidectomy.

FACEP Fellow of the American College of Emergency Physicians の略．

face pre·sen·ta·tion 顔位（→cephalic presentation）．

fac·et, fa·cette (fasʹĕt, fă-setʹ)．*1* 小関節面（骨または他の硬組織の小さな滑面）．*2* 咬合局面，咬合小面（そしゃくによりできる歯のすり減った部分）．

fac·e·tec·to·my (fasʹĕ-tekʹtŏ-mē)．脊椎関節突起切除〔術〕．

fac·et joint 面関節（脊椎関節間や脊椎関節と肋骨間の滑膜関節）．= zygapophysial joint.

fa·cial (fāʹshăl)．面の．

fa·cial ar·ter·y 顔面動脈（外頸動脈より起こり，上行口蓋動脈，扁桃枝，腺枝，おとがい下動脈，下唇動脈，上唇動脈，咬筋枝，頬枝，外側鼻動脈，眼角動脈に分枝する）．= arteria facialis.

fa·cial ax·is 顔面軸．= basifacial axis.

fa·cial bones 顔面骨（口と鼻の周囲にある骨および眼窩に関係している骨．1 対の上顎骨，頬骨，鼻骨，涙骨，口蓋骨，下鼻甲介，および不対の篩骨，鋤骨，下顎骨，舌骨からなる）．

fa·cial ca·nal 顔面神経管（顔面神経が通る側頭骨内の骨管．内耳道から水平部として始まり，まず前方に内側脚として進み，次に後方に膝として転じ，鼓室の内側を外側脚として通る．最後に下方に転じ，下行部として茎乳突孔に当たる）．

fa·cial hem·i·ple·gi·a 顔面片麻痺（半側麻痺）（四肢の筋肉は侵されない）．

fa·cial nerve［CN VII］ 顔面神経（第七脳神経(CN VII)．橋下部の被蓋から起こり橋の後縁で脳を出る．頭蓋腔を出て内耳道を通り，そこで中間神経と合流し，側頭骨錐体部の顔面神経管を通り茎乳突孔を抜けて出る．あぶみ骨筋，後頭筋，耳介筋，茎突舌骨筋，顎二腹筋の後腹に枝を送った後，耳下腺を通って耳下腺内神経叢をつくり，ここから多数の枝が出て顔面筋に至る）．= nervus facialis; seventh cranial nerve.

fa·cial pal·sy 顔面神経麻痺．= facial paralysis.

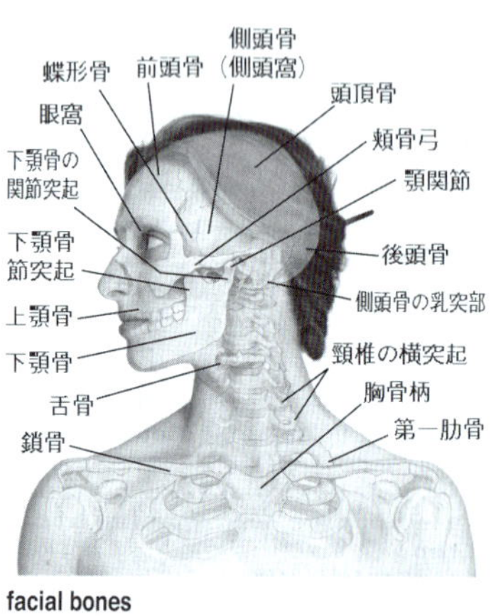

側頭骨（側頭窩）
蝶形骨
前頭骨
頭頂骨
眼窩
頬骨弓
下顎骨の関節突起
顎関節
下顎骨節突起
後頭骨
側頭骨の乳突部
上顎骨
下顎骨
頸椎の横突起
舌骨
胸骨柄
鎖骨
第一肋骨

facial bones

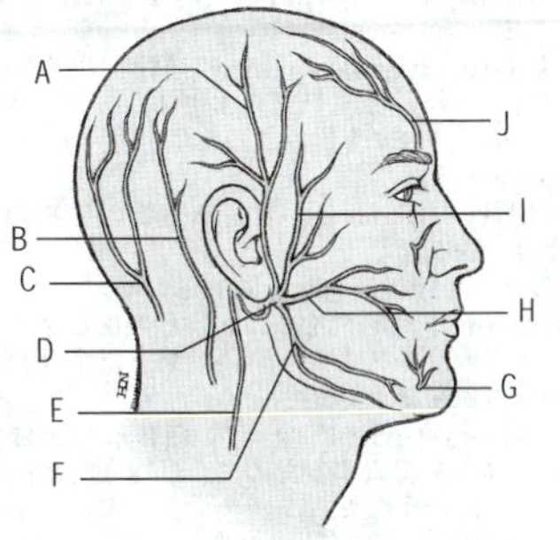
A
B
C
D
E
F
G
H
I
J

facial and other nerves supplying the head and neck

A：顔面神経の耳介側頭枝，B：小後頭神経，C：大後頭神経，D：顔面神経，E：大耳介神経，F：顔面神経の下顎枝，G：おとがい神経，H：顔面神経の頬枝，I：顔面神経の側頭枝，J：眼窩上神経

fa·cial pa·ral·y·sis 顔面神経麻痺（通常，片側性の顔面筋の不全麻痺または麻痺．ⓘ核または核より末梢の顔面神経のどちらかを侵す病変（末梢性顔面麻痺），またはⓘⓘ大脳または脳幹上部の核上性病変（中枢性顔面麻痺）のどちらかによる）. = facial palsy; facioplegia; prosopoplegia.

fa·cial re·cess ap·proach 顔面神経窩到達法（アプローチ）（顔面神経管の外側の凹みを経由する，乳突蜂巣中耳への外科的アプローチ）.

fa·cial spasm 顔面痙攣. = facial tic.

fa·cial tic 顔面筋痙攣（顔面筋の不随意的痙攣で，ときに片側性である）. = Bell spasm; facial spasm; palmus(1); prosopospasm.

fa·cial vein 顔面静脈（内眼角での眼角静脈の続きで斜めに下外側方へ流れ，内頸静脈へ流入する前に，下顎縁の下で下顎後静脈と合流する）.

-facient 由来を表す接尾語.

fa·ci·es, pl. fa·ci·es (fash′ē-ēz, fash′ē-ēz). ***1*** 顔，かお. = face(1). ***2*** 面. = surface. ***3*** 顔貌. = expression(2).

fa·cil·i·ta·ted com·mu·ni·ca·tion 支援コミュニケーション（有効に伝達できない人が自分で交信板やタイプライターなどの補助コミュニケーション手段を使えるように，〝支援者″が身体的に支援する方法. ━augmentative and alternative communication. →communication board）.

fa·cil·i·ta·tion (fă-sil′i-tā′shŭn). 促通，疏通，促進（他の興奮性インパルスが反射中枢に達したために，反射または他の神経活動が強化，増強されること）.

fac·ing (fās′ing). 前装（歯の色をした物質（通常は合成樹脂または陶材）で，自然な外観にするため，金属冠の頬面や唇面を隠すのに用いられる）.

facio- 顔に関する連結形. →prosopo-.

fa·ci·o·plas·ty (fā′shē-ō-plas-tē). 顔面形成術，美容術（顔面の形成外科手術）.

fa·ci·o·ple·gi·a (fā′shē-ō-plē′jē-ă). 顔面神経麻痺. = facial paralysis.

FACNM Fellow of the American College of Nurse-Midwives の略.

FACR Fellow of the American College of Radiology; Fellow of the American College of Rheumatology の略.

FACS fluorescence-activated cell sorter の略.

FACT (fakt). Foundation for the Accreditation of Cellular Therapy の略.

F-ac·tin (ak′tin). F-アクチン（塩濃度増加により G-アクチンサブユニットが会合して生じる線維状蛋白（F は線維 fibrous を表す））.

fac·ti·tious (fak-tish′ŭs). 人為的な，人工的な，自然発生的でない.

fac·ti·tious dis·or·der 虚偽性障害（患者が心理的理由のために意図的に病気の症状をつくり出す精神疾患）.

fac·tor (fak′tōr). ***1*** 因子，要因，要素，動因（様々な作用に影響を与える原因）. ***2*** 因数（増加によって数または式をつくる成分の１つ）. ***3*** 遺伝子. = gene. ***4*** ビタミンまたは他の必須要素. ***5*** 健康状態に変化をもたらす事象，性質または他の定義可能な実体. ***6*** カテゴリカルな独立変数．質的に同定可能な集団に属するかどうかを数値コードを通じて指定するために用いられる．例えば〝過密度は疾病伝播の因子である″というように用いる.

fac·tor I 第 I 因子（血液凝固因子．フィブリノゲンはトロンビンの作用でフィブリンに変わる. →fibrinogen）.

fac·tor II 第 II 因子（凝血塊中で第 Xa 因子，血小板，カルシウムイオンそして第 V 因子によってトロンビンに変化する糖蛋白. →prothrombin）.

fac·tor IIa 第 IIa 因子. = thrombin.

fac·tor III 第 III 因子（血液凝固因子．組織因子またはトロンボプラスチン．第 III 因子は第 VII 因子とカルシウムを反応させて第 VIIa 因子を形成することにより，外因系を開始する. →thromboplastin）.

fac·tor IV 第 IV 因子（血液凝固因子．カルシウムイオン）.

fac·tor V 第 V 因子（血液凝固因子．第 V 因子はそれ自身では酵素的な働きをもたないが，血小板表面で第 Xa 因子と結合することにより，凝固系の共通系に関与している．第 V 因子が欠乏すると，パラ血友病および低プロアクセレリン血症として知られる）. = accelerator factor; plasma accelerator globulin; proaccelerin; prothrombin accelerator.

fac·tor VII 第 VII 因子（血液凝固因子．第 VII 因子は組織トロンボプラスチンやカルシウムと複合体を形成し，第 X 因子を活性化する．第 VII 因子は組織トロンボプラスチン，カルシウム，第 V 因子とともに，プロトロンビンのトロンビンへの転化を促進する）. = cothromboplastin; proconvertin; serum accelerator; serum prothrombin conversion accelerator.

fac·tor VIII 第 VIII 因子（血液凝固因子．第 III 因子は第 IXa 因子，血小板そしてカルシウムと複合体を形成し，酵素的に第 X 因子の活性を触媒することにより，血液の凝固に関与する．VIII 因子の欠乏は古典的な血友病 A で認められる．第 VIII : C 因子は第 VIII 因子の凝固因子成分であり，正常者では第 VIIIR 因子（von Willebrand 因子）と結合して循環している．第 VIIIR 因子は血漿第 VIII 因子関連蛋白で，巨大な糖蛋白で，血管内皮細胞と巨核球で生成され，血液中を循環し，内皮細胞配列を失なった動脈壁に結合し，同部分の血小板粘着を促す．第 VIIIR 因子を含む異常は von Willebrand 病とよばれる種々の異常を形成する．第 VIIIR 因子の欠損は血液凝固を障害する）. = antihemophilic factor A; antihemophilic globulin A; proserum prothrombin conversion accelerator.

fac·tor IX 第 IX 因子（内因性血液トロンボプラスチン形成に必要とされる．第 IX 因子欠乏は血友病 B を生じる）. = antihemophilic globulin B; Christmas factor.

fac·tor IX com·plex 第 IX 因子複合体（第 II, VII, IX, X 因子を持つ収斂剤）.

fac·tor X 第 X 因子（血液凝固因子．プロトロンビンのトロンビンへの変換を補助する．第 X 因子の欠損は血液凝固を障害する）. = prothrombinase; Stuart factor; Stuart-Prower factor.

fac·tor Xa 第 Xa 因子（第 X 因子の活性型．第 X 因子から限定的な蛋白分解によって，第 VIIa 因子と組織因子（外因系経路），または第 IXa 因子と第 VIIIa 因子（内因系経路）を介して生成される．第 Xa 因子は，第 Va 因子，リン脂質，およびカルシウムと複合体を生成して，プロトロンビンをトロンビンに変換する）.

fac·tor XI 第 XI 因子（血液凝固因子．接触反応因子で，ガラスなどとの接触によって血漿や漿液から形成される．第 XI 因子の欠乏は出血傾向を生じる）. = plasma thromboplastin antecedent.

fac·tor XII 第 XII 因子（血液凝固因子．ガラスなどにより活性化され，活性型の第 XIIa 因子（EC 3.4.21.38）となる．これはセリンプロテアーゼで，第 VII 因子と第 XI 因子を活性化し，第 XI 因子はその活性型である第 XIa 因子に変換する．第 XII 因子が欠乏すると静脈血の凝固時間は大幅に遅くなるが，出血傾向を呈することはきわめてまれである）. = Hageman factor.

fac·tor XIII 第 XIII 因子（血液凝固因子．トロンビンは，第 XIII 因子がその活性型，すなわちフィブリンのサブユニットを交差結合させて不溶性のフィブリンを形成させる第 XIIIa 因子に転化する反応を触媒する）. = Laki-Lorand factor.

fac·to·ri·al ex·per·i·ments 要因分析（すべての組合せにおいて 2 つ以上の一連の処置を試みる実験計画）.

fac·ul·ta·tive (fak′ŭl-tā′tiv). 通性の，条件的の，任意の（1 つ以上の特定の環境下で生きることのできる．交代経路をもつ）.

fac·ul·ta·tive an·aer·obe 通性嫌気性菌（生物），条件的嫌気性菌（生物）（遊離酸素の有無にかかわらず増殖する微生物）.

fac·ul·ta·tive hy·per·o·pi·a 随意遠視. = manifest hyperopia.

fac·ul·ta·tive par·a·site 通性寄生生物，任意寄生生物（独立した自由生活，あるいは寄生生活のいずれかを営みうる寄生生物．*cf.* obligate parasite）.

fac·ul·ty (fak′ŭl-tē). 才能（生物の生来の，または特殊な能力）.

FAD flavin adenine dinucleotide の略.

fad di·et 一時的ダイエット（伝統的なダイエットエクササイズよりも早い効果をだす目的で行われる極端な栄養摂生）.

Fa·den su·ture ファーデン縫合糸（眼球の過剰な動きを制限するために，眼外直筋と後部強膜との間に置く糸）.

FAE fetal alcohol effects の略.

faecal [Br.]. = fecal.

faecal abscess [Br.]. = fecal abscess.

faecal concentration [Br.]. = fecal concentration.

faecal examination [Br.]. = fecal examination.

faecal fistula [Br.]. = fecal fistula.

faecalith [Br.]. = fecalith.

faecaloid [Br.]. = fecaloid.

faecaloma [Br.]. = fecaloma.

faecaluria [Br.]. = fecaluria.

faecal vomiting [Br.]. = fecal vomiting.

faeces [Br.]. = feces.

fag·ot cell Auer 小体の束を有する腫瘍性前骨髄球．顆粒の豊富な前骨髄球性白血病（M3）の患者にみられる．

Fahr dis·ease ファール病（若年または中年に発生する大脳基底核血管の進行性石灰症で，ときに遅鈍や錐体外路系疾患と合併する）.

Fahr·en·heit scale カ氏目盛り（温度計の目盛り．水の凝固点（氷点）を 32°F，沸点を 212°F とする．0°F は 1724 年に Fahrenheit が氷と塩との混合物により得た最低温度である．°C = 5/9（°F − 32））.

fail·ure (fāl′yūr). 不全，欠損（欠損した，または不十分な状態）.

fail·ure to thrive 成長障害（乳幼児の体重および身長が通常の同年齢の児に比べて，かなり標準値以下であること）.

faint (fānt). ***1***〚adj.〛極度に衰弱した，切迫失神した．***2***〚n.〛失神〔発作〕，気絶（→syncope）.

faith heal·ing 信心療法（祈祷師による病気の経過を変えようとする様々な種類の試み）.

fal·cate (fal′kāt). = falciform.

fal·ces (fal′sēz). falx の複数形.

fal·ci·form (fal′si-fōrm). 鎌状の，半月形の. = falcate.

fal·ci·form lig·a·ment 〔仙結節靱帯の〕鎌状靱帯. = falciform process.

fal·ci·form lig·a·ment of liv·er 肝鎌状間膜（横隔膜と前腹壁から肝表面にのびる腹膜の半月形ひだ．円靱帯がその遊離下縁に位置する．胎生期の腹側胃間膜に由来する）. = ligamentum falciforme hepatis.

fal·ci·form pro·cess 鎌状突起（仙結節靱帯内側縁の続きが上前方に進んで，坐骨枝内面までのびたものをいう). = processus falciformis; falciform ligament.

fal·cip·a·rum ma·lar·i·a 熱帯熱マラリア(熱帯熱マラリア原虫 *Plasmodium falciparum* によって引き起こされる. 典型的には48時間ごとに起こる重度のマラリア発作で, 重症例では脳, 腎臓または胃腸の症状を伴うのが特徴. 発作は, 主に多数の感染赤血球が粘着性を増して凝集し, 毛細管を閉塞することによって起こる). = malignant tertian malaria.

fal·cu·la (fal′kyū-lă). 小脳鎌. = falx cerebelli.

fal·cu·lar (fal′kyū-lăr). ***1*** 鎌状の. ***2*** 小脳鎌の, 大脳鎌の.

fal·lo·pi·an (fă-lō′pē-ăn). Gabriele Fallopio (1523—1562)の記した, または彼に起因する. 通常, 卵管についていう.

fal·lo·pi·an tube ファローピウス管. = uterine tube.

Fal·lot tet·rad ファロー四徴. = tetralogy of Fallot.

Fal·lot tri·ad ファロー三徴〔症〕. = trilogy of Fallot.

false a·ne·mi·a 偽〔性〕貧血. = pseudoanemia.

false an·eu·rysm ***1*** 偽〔性〕動脈瘤(破裂血管と交通している拍動性の被嚢血腫). ***2*** 仮性心室瘤(心嚢が外壁となることにより限局小胞化した心破裂). ***3*** 偽〔性〕動脈瘤(外膜, 動脈周囲の線維性組織および血腫により壁を形成された動脈瘤).

false an·ky·lo·sis 偽強直. = fibrous ankylosis.

false bleph·a·rop·to·sis 偽眼瞼下垂. = pseudoptosis.

false cast 偽〔性〕円柱(細長くのびた, リボン状の粘液系で, 不明瞭な辺縁と, とがったあるいは割れた末端を有する. しばしば真の尿円柱と混同される). = pseudocast.

false chor·dae ten·din·e·ae 偽腱索(心臓内の真の腱索と異なり, 房室弁尖に付着せず, 乳頭筋相互または心室壁(中隔を含む)に付着あるいは心室壁の2点間を結ぶもの). = chordae tendineae falsae; chordae tendineae spuriae.

False Claims Act (FCA) 虚偽請求法(いかなる者も故意に虚偽および詐欺の支払請求を連邦政府に対して申し立てることを禁止する連邦法律. この法律は〝故意に〟という語を, 情報が偽りであることを実際に知っていること, または情報の真実性または虚偽性を無視・軽視する行為の両方を意味すると定義している).

false con·ju·gate 偽性結合線(①= diagonal conjugate. ②= effective conjugate).

false di·ver·tic·u·lum 回腸の偽性憩室(消化管の筋層欠損部を通って生じた憩室をいう. したがって憩室壁には筋層は含まれない).

false he·ma·tu·ri·a 偽〔性〕血尿. = pseudohematuria.

false her·maph·ro·dit·ism 偽半陰陽. = pseudohermaphroditism.

false im·age 仮像(斜視で偏位している眼に映る像).

false joint 偽関節. = pseudarthrosis.

false la·bor 前駆陣痛(妊婦に肉体的不快感を生じさせる Braxton Hicks 収縮のこと).

false lu·men 偽腔(解離性大動脈瘤で, 罹患動脈壁内の異常血流路).

false mem·brane 偽膜(ジフテリアにみられるような, 粘膜または皮膚の表面の厚くて硬い線維性の滲出物). = croupous membrane; neomembrane; plica(2); pseudomembrane.

false mem·o·ry syn·drome 偽記憶症候群(空想上の出来事に関するはっきりした記憶で, その多くは外傷的で時間的に遠隔である. その回復を促進している治療者によって生じさせられたものであり, 一般的には否定的に使われる. 論争中の概念).

false neg·a·tive ***1*** 偽陰性(被検者を正しい診断から誤って除外してしまう検査結果). ***2*** 偽陰性者(検査の結果, 属する真の疾患群から誤って除外されてしまった被検者). ***3*** 偽陰性の成績.

false-neg·a·tive rate 偽陰性率(本来陽性であるべき結果が誤って陰性になる割合).

false-neg·a·tive re·ac·tion 偽陰性反応(誤って陰性に出た反応).

false neu·ro·ma 偽神経腫. = traumatic neuroma.

false pel·vis = greater pelvis.

false pos·i·tive ***1*** 偽陽性(被検者を間違った診断群の中に誤って入れてしまう検査結果). ***2*** 偽陽性者(検査の結果, 属していない疾患群に誤って入れられた被検者). ***3*** 偽陽性の成績.

false-pos·i·tive rate 偽陽性率(本来陰性であるべき結果が誤って陽性になる割合).

false-pos·i·tive re·ac·tion 偽陽性反応(誤って陽性に出た反応).

false preg·nan·cy 偽妊娠(妊娠していないのに, 妊娠の徴候と症状がみられる状態). = pseudocyesis; pseudopregnancy(1).

false ribs 仮肋(胸骨と個別に連結していない, 左右の下方5個の肋骨). = costae spuriae.

false su·ture 偽縫合(相対する2つの側縁が滑らかであるか, または輪郭のはっきりしない突出がわずかにみられるもの).

fal·set·to (fawl-set′tō). ファルセット, 頭声(不自然に高い周波数の発声をすること. 裏声. →voice).

false vo·cal cord = vestibular fold.

false wa·ters 偽羊水(胎胞の外にたまった液で, 分娩前または分娩初期にこれが漏れると破水と混同される).

fal·si·fi·ca·tion (fawl′si-fi-kā′shŭn). 錯誤, 虚偽.

falx, pl. fal·ces (fawlks, fal′sēz). 鎌(鎌状の構造).

falx ce·re·bel·li 小脳鎌(小脳テント下の内後頭稜から前方へ突出する硬膜の小突起. これは後小脳切痕, 小脳谷を占め, 二分して大後頭孔の両側を通る2つの相遠ざかる肢となる). = falcula.

falx ce·re·bri 大脳鎌(2つの大脳半球間の縦裂内にある硬膜の大きな鎌状のひだ. 前方で篩骨の鶏冠に付着し, 後方で小脳テントの上面に付着する).

F

falx in·gui·na·lis 鼡径鎌. = inguinal falx.

fa·mil·i·al (fă-mil′ē-ăl). 家族性の（同一家族の構成員，通常兄弟姉妹が偶然で説明できないほど多数罹患する．通常，genetic の意味で誤って用いている）.

fa·mil·i·al ad·e·no·mat·ous pol·y·po·sis (FAP) 家族性腺腫性ポリポ〔ー〕シス（通常小児期に始まるポリポーシス．ポリープの数は増加し慢性大腸炎の症状を生じる．しばしば網膜に色素病変が認められる．治療しないと大腸癌がほとんど例外なく発生する．第5染色体長腕に存在する大腸腺腫性ポリポーシス遺伝子(APC)の突然変異によって生じ，常染色体優性遺伝する．FAP の対立形質である Gardner 症候群では類腱腫，骨腫，顎嚢胞などの大腸外病変が認められる）. = adenomatous polyposis coli; familial polyposis coli.

fa·mil·i·al ag·gre·ga·tion 家族集積性（ある形質の発現率が，自然界での発生率に比べ，ある家系の近縁者により高い確率でみられること．遺伝因子の計算のための仮定には用いられるが，確実な証拠とはなり得ない）.

fa·mil·i·al a·min·o·gly·co·side o·to·tox·i·ci·ty 家族性アミノ配糖体聴器毒性（ミトコンドリア遺伝子の変異が原因で生じるアミノ配糖体投与により感音性難聴になりやすい遺伝的性質）.

fa·mil·i·al am·y·loid neu·rop·a·thy 家族性アミロイドニューロパシー(神経障害)（種々の末梢神経にアミロイドが浸潤し，機能障害が起こる疾患．また，異常プレアルブミンが形成され，血中に存在する．特徴的には，中年で発症し，ポルトガル人に多くみられる．常染色体優性遺伝．他のまれな臨床型もある）.

fa·mil·i·al dys·au·to·no·mi·a 家族性自律神経障害，家族性自律神経不全（痛みに対する無感覚，流涙低下，血管運動恒常性不全，共調運動不能，心臓血管反応不安定，反射低下，気管支肺炎の頻発性発作，流ぜん過多とえん下困難，悪阻，感情不安定，麻酔薬に対する不耐性などの神経系の特殊な障害や自律神経系機能の異常を伴う先天性症候群）.

fa·mil·i·al e·ryth·ro·pha·go·cy·tic lym·pho·his·ti·o·cy·to·sis (FEL) 家族性血球貪食性リンパ組織球症. = familial hemophagocytic lymphohistiocytosis.

fa·mil·i·al fat-in·duced hy·per·li·pe·mi·a = type I familial hyperlipoproteinemia.

fa·mil·i·al goi·ter 家族性甲状腺腫（遺伝性甲状腺障害を総称し，一般に小児期に甲状腺腫が発現する．年とともに，しばしば骨格および精神遅滞その他の甲状腺機能障害に特有な徴候が出現する）.

fa·mil·i·al he·mo·pha·go·cy·tic lymph·o·his·ti·o·cy·to·sis (FMLH) 家族性血球貪食性リンパ組織球症（きわめてまれな，活性化されたリンパ球とマクロファージの多臓器浸潤を特徴とする通常致死的な小児疾患．本疾患はしばしば家族性で常染色体劣性の遺伝形式をとる）. = familial erythrophagocytic lymphohistiocytosis.

fa·mil·i·al hy·per·cho·les·ter·ol·e·mi·a 家族性高コレステロール血〔症〕，家族性コレステロール過剰血〔症〕. = type II familial hyperlipoproteinemia.

fa·mil·i·al hy·per·cho·les·ter·ol·e·mi·a with hy·per·li·pe·mi·a 高脂肪血を伴う家族性高コレステロール血〔症〕，脂肪過剰血を伴う家族性コレステロール過剰血〔症〕. = type III familial hyperlipoproteinemia.

fa·mil·i·al hy·per·chy·lo·mi·cro·ne·mi·a 家族性高乳状脂粒血〔症〕，家族性乳状脂粒過剰血〔症〕. = type I familial hyperlipoproteinemia.

fa·mi·li·al hy·per·lip·o·pro·tein·e·mi·a 家族性高リポ蛋白血〔症〕，家族性リポ蛋白過剰血〔症〕（β リポ蛋白，プレ β リポ蛋白，およびこれらに含まれる脂質の濃度が増加することを特徴とする一群の疾病）.

fa·mil·i·al hy·per·tri·glyc·er·i·de·mi·a 家族性高トリグリセリド血〔症〕（①= type I familial hyperlipoproteinemia. ②= type IV familial hyperlipoproteinemia）.

fa·mil·i·al hy·per·tro·phic car·di·o·my·op·a·thy 家族性肥大型心筋症（常染色体優性遺伝形式を呈する家族性の肥大型心筋症）.

fa·mil·i·al jaun·dice 家族性黄疸. = hereditary spherocytosis.

fa·mil·i·al non·he·mo·lyt·ic jaun·dice 家族性非溶血性黄疸（肝障害，胆道閉塞，溶血などを伴わない，血漿中の非抱合型ビリルビンの増加による軽度の黄疸で，ビリルビンのグルクロン酸抱合が減少するか，あるいは肝臓のビリルビンの取込みが損なわれて，肝臓からの排泄が障害される先天性代謝異常によって起こると考えられる．常染色体優性遺伝）. = Gilbert disease.

fa·mil·i·al par·ox·ys·mal pol·y·ser·o·si·tis 家族性発作性多漿膜炎（腹痛，発熱，胸膜炎，関節炎，発疹の一過性再発性発作．発作と発作の間は無症状）.

fa·mil·i·al par·tial lip·o·dys·tro·phy 家族性部分性リポジストロフィ（顔面を除く体幹や四肢の対称性の脂肪蓄積症．顔は丸々としており，黄色腫，黒色表皮症，インスリン抵抗性高血糖を呈する．頸部，肩，外陰部に脂肪沈着がある）. = Kobberling-Dunnigan syndrome.

fa·mil·i·al pe·ri·od·ic pa·ral·y·sis 家族性周期性〔四肢〕麻痺（高度の全身性脱力の再発性発作を呈する遺伝性筋疾患の1つ. →hyperkalemic periodic paralysis; hypokalemic periodic paralysis; normokalemic periodic paralysis）.

fa·mil·i·al pol·yp·o·sis co·li 大腸家族性ポリポ〔ー〕シス. = familial adenomatous polyposis.

fa·mil·i·al pseu·do·in·flam·ma·to·ry mac·u·lar de·gen·er·a·tion 家族性偽炎症性黄斑変性（50代に起こる黄斑変性．一眼に中心暗点が突然現れ急速に他眼にも同様の病変が現れる）. = Sorsby macular degeneration.

fa·mil·i·al screen·ing 家系スクリーニング（発症年齢依存性形質のため，潜伏状態であったり，X連鎖形質のように子孫への危険性を有する疾患をもつ発端者の親類についてのスクリーニング).

fam·i·ly (fam′i-lē). *1* 家族（血縁，養子または婚姻，もしくは通常の法的にそれと同等の関係をもつ2人あるいはそれ以上の人々の集団）. *2* 科（生物分類において，目 order と族 tribe もしくは属 genus の中間に位する分類群）. *3* 構造的に類似した物質群. *4* 特徴的な配列，薬理学的，シグナリングプロフィールをもつ蛋白群.

fam·i·ly-cen·tered care 家族中心の看護（確立された診断ではなく，家族の問題や優先事に基づいた治療や看護の適用）.

fam·i·ly his·to·ry 家族歴（健康に影響を及ぼす病気や症状(冠動脈性心疾患，アルコール中毒，真性糖尿病等)の有無を患者に質問し作成された書類. 通常初診の患者もしくはその代理人によって作成される）.

fam·i·ly med·i·cine 家庭医学（全年齢にわたるグループに対し，連続的で包括的な管理，すなわち初診からターミナルケアまでを行う専門医療. 特に家庭を1つの単位として医療を行うことをいう）.

fam·i·ly nurs·ing 家族看護（家族の中で健康や病気に関し理解のある人による看護. 家族の定義は患者によって異なる. 病気による感情的，身体的，精神的苦痛を減少，和らげる状況を作るために看護士が家族と強調する）.

fam·i·ly prac·tice 家庭医学，家庭医療（医師がある家族の全員について年齢や性に関係なく保健と医療の責任をもつ医学の一専門分野. ただし通常，産科や外科を行うことは少ない）.

fam·i·ly prac·tice phy·si·cian 一般総合医（診察から薬物療法まで患者のほぼ全ての要求に応える医療専門家. 患者に始めに対応する医療従事者）.

fam·i·ly ther·a·py 家族療法（集団心理療法の一型. 対立する家族が治療者と集団で会合し，家族の関係や成り立ちを探求する. 焦点は，個々の成員の問題よりも現在の成員間の相互作用の解決に置かれる）.

Fan·co·ni a·ne·mi·a ファンコーニ(ファンコニー)貧血（汎血球減少症，骨髄の形成不全，先天性奇形を特徴とし，同一家族内に起こる(少なくとも5種類の非対立遺伝子型において常染色体劣性形質特発性難治性貧血の一型. 正球性またはわずかに大球性であり，大赤血球および標的赤血球が循環血液中にみられることがある. 好中球減少による白血球減少が起こる. 先天性奇形には，小人症，小脳症，性器発育不全，斜視，母指・橈骨・腎臓・尿路の奇形，精神遅滞，小眼球症が含まれる）. = Fanconi syndrome(1).

Fan·co·ni syn·drome ファンコーニ症候群（①= Fanconi anemia. ②腎尿細管機能の特徴的な障害を伴う症状の一群をいい，次のように分類される. ⅰcystinosis(シスチン蓄積症)：小児期早期にみられる常染色体劣性疾患. ⅱadult Fanconi syndrome(成人 Fanconi 症候群)：まれな遺伝型で，シスチン蓄積症にみられるのと異なる劣性遺伝子によると考えられ，シスチン蓄積症にみられる尿細管機能不全および骨軟化を特徴とするが，組織中のシスチン沈着はない. ⅲacquired Fanconi syndrome(後天性 Fanconi 症候群)：多発性骨髄腫を伴うか，または化学薬品中毒，傷害，または種々の原因による尿細管機能の多発性障害をもたらす近位尿細管上皮の持続的傷害による）.

fan·ta·sy (fan′tă-sē). 空想（夢や白昼夢におけるような，多少は筋の通った心象であるが，現実によって拘束されないもの）. = phantasia.

FAP familial adenomatous polyposis の略.

F.A.P.E. free appropriate public education の略. →IDEA.

Fa·ra·beuf am·pu·ta·tion ファラブフ(ファラブェフ)切断術（①皮弁を外側に大きく作製する下腿切断術. ②足切断の一術式で，距骨下関節と距舟関節での関節離断術）.

Fa·ra·beuf tri·an·gle ファラブフ三角（内頸静脈，顔面静脈，舌下神経で形成される三角）.

far·ad (F) (fahr′ăd). ファラッド（電気容量の実用単位で，1Vの電位で1クーロンの電気量を有するコンデンサの電気容量）.

far·a·day (F, *F*) ファラデー（96,485.309 クローン/モルに相当. 1グラム当量の1価のイオンを電気分解するのに要する電気量）.

Far·a·day con·stant (*F*) ファラデー定数（→faraday）.

Far·a·day ef·fect ファラデー効果（溶剤を磁場に置いたときに見られる変更の平面的循環によって起きる結果）.

Far·a·day laws ファラデーの法則（①電気分解される電解質の量は電流量に比例する. ②数種の電解質を同一の電流が通過するとき，電気分解される異種の物質量はその化学当量に比例する）.

far-and-near su·ture 遠近縫合（縫合針の刺入・刺出点の創縁から距離を交互に変える結節縫合）.

far·del (fahr′del). 重荷（ある個人に遺伝病が起こったことによって負う計量可能な疾患の合計. 遺伝学的カウンセリングでは，予後の見通しを定量的に考える場合の2大重要点の1つであり，もう1つは発生危険度である）.

far in·fra·red 遠赤外（光スペクトル部分が 1500〜12500 nm のもの）.

farm·er's lung 農夫肺（発熱と呼吸困難で特徴付けられる過敏性肺炎. 乾草の山やサイロなどの高湿で繁殖する好熱性の放線菌胞子を含むカビの生えた乾草からの有機じん埃の吸入で起こる）.

far point 遠点（眼が調節していない状態で網膜に焦点を結ぶ点）.

Far·rant mount·ing flu·id ファラント封入液（アラビアゴム，三酸化ヒ素，グリセロールを含む水溶液で，組織切片を水中から直接封入するのに用いる. pH を中性にするために酢酸カリウムを加えたり，クレゾールやチモールのような他の防腐剤を三酸化ヒ素の代わりに用いるいくつかの変法もある）.

Farr laws ファーの法則（1839 年から 1883 年まで，William Farr によってイングランド，ウェールズ戸籍本署に提出された年次報告の中で初めて述べられた一連の数学公式，公理，法則. 疾患の罹患率と有病率の関係，流行病の自然史，

F

比較的一般的な流行病の数学的特性について論じている).

Farr test ファー試験(硫酸アンモニウムを用いて凝結した抗体に結合するための放射性標識抗原の限度容量を測定する試験. 全ての種類の免疫グロブリンに用いられる).

far·sight·ed·ness (fahr′sīt′ĕd-nĕs). 遠視. = hyperopia.

fart·lek train·ing ファルトレクトレーニング(エアロビクスフィットネスのための, 比較的体系化されていないインターバル型トレーニング. 自然な地形(通常は小山の多い田舎)を緩急の速度を交互に繰り返しながら走るトレーニング). = speed play.

far ul·tra·vi·o·let 遠紫外(光スペクトル部分が 180～290 nm のもの).

FAS fetal alcohol syndrome の略.

Fas (fas). ファス(ファスリガンドと結合する受容体で細胞に存在し, アポトーシスを引き起こす. →Fas ligand).

fas·ci·a, pl. fas·ci·ae (fash′ē-ă, fash′ē-ē). 筋膜(皮膚の下で体を包む線維組織層. 筋肉および筋肉群をも包み, その層または群を束ねる).

fas·ci·a ad·he·rens 付着筋膜(心筋の介在板にあってアクチンフィラメントが付着している幅広い細胞間結合部).

fas·ci·a graft 筋膜移植片(線維組織, 通常は, 大腿筋膜の移植片).

fas·ci·al (fash′ē-ăl). 筋膜の.

fas·ci·al sheath of eye·ball 眼球鞘(強膜の外面にある結合組織の圧縮物で, 強膜とは狭い裂け目によって隔てられている. 鞘は強膜角膜連結の近くで強膜に付着し, 外眼筋の筋膜に移行している). = Tenon capsule.

fas·ci·a mus·cu·li quad·ra·ti lum·bor·um = anterior layer of thoracolumbar fascia.

fas·ci·a pe·ri·ne·i su·per·fi·ci·a·lis 浅会陰筋膜. = superficial fascia of perineum.

fas·ci·a sub·per·i·to·ne·a·lis 腹膜下筋膜. = extraperitoneal fascia.

fas·ci·cle (fas′i-kĕl). 束(線維の束で, 通常は筋線維や神経線維の束をさす. 神経線維路をさすこともある). = fasciculus(1).

fas·cic·u·lar (fă-sik′yū-lăr). 線維束の, 束状の.

fas·cic·u·lar de·gen·er·a·tion 線維束変性(脊髄または脳幹の運動神経の消失に起因する筋肉の変性).

fas·cic·u·lar graft 〔神経〕線維束移植〔片〕(線維束の各々が近接され, 個々に縫合されている神経移植片).

fas·cic·u·la·tion (fă-sik′yū-lā′shŭn). *1* 束形成, 束状配列. *2* 〔線維〕束〔性〕攣縮, 〔線維〕束〔性〕収縮(筋線維束の不随意攣縮. fibrillation (線維攣縮)より粗大な筋収縮である).

fas·cic·u·li (fa-sik′yū-lī). fasciculus の複数形.

fas·cic·u·li pro·pri·i 固有束(前固有束, 外側固有束, 後固有束からなり, 脊髄内部の同側を上行および下行する連合線維束で, 前索, 側索, 後索の灰白質に近いところを走る). = ground bundles.

fas·cic·u·lus, gen. & pl. fas·cic·u·li (fă-sik′kyū-lŭs, -yū-lī). 束. = fascicle.

fas·cic·u·lus lon·gi·tu·di·na·lis in·fe·ri·or 下縦束. = inferior longitudinal fasciculus.

fas·cic·u·lus lon·gi·tu·di·na·lis su·pe·ri·or 上縦束. = superior longitudinal fasciculus.

fas·ci·ec·to·my (fash-ē-ek′tŏ-mē). 筋膜切除〔術〕.

fas·ci·i·tis (fash-ē-ī′tis). 筋膜炎(①筋膜の炎症. ②筋膜の線維芽細胞の反応性増殖).

fascio- 筋膜を表す連結形.

fas·ci·od·e·sis (fash-ē-od′ĕ-sis). 筋膜固定術(筋膜を他の筋膜または腱と結合させる手術).

fas·ci·o·la, pl. fas·ci·o·lae (fă′shē-ō′lă, fă′shē-ō′lē). 小束(線維の小帯または小群).

fas·ci·o·lar (fă-sī′ō-lăr). 小帯回の.

fas·ci·o·plas·ty (fash′ē-ō-plas-tē). 筋膜形成〔術〕.

fas·ci·or·rha·phy (fash′ē-ōr′ă-fē). 筋膜縫合〔術〕(筋膜または腱膜の縫合). = aponeurorrhaphy.

fas·ci·ot·o·my (fash′ē-ot′ŏ-mē). 筋膜切開〔術〕(筋膜の切開. 疾患または外傷により, 血流障害をきたしうる著明な腫脹がある, または予想される場合に用いる治療法. 急性動脈塞栓症の治療においては, 塞栓切除術と併用されることがある).

Fas li·gand ファスリガンド(細胞毒性 T 細胞の表面に存在する分子で, 他の細胞の表面にあるその受容体, ファスと結合し, 標的細胞のアポトーシスを引き起こす. →Fas).

Fas re·cep·tor 一Fas.

fast (fast). *1* 〖adj.〗抵抗性の, 堅牢な, 耐性の, 変化しにくい(脱色できないように染色された微生物について用いる語. →acid-fast). *2* 〖n.〗補食されない.

fast com·po·nent of ny·stag·mus 眼球振とうの急速成分(内耳眼球反射での眼球の代償性運動).

fast gly·co·lyt·ic (FG) fi·bers = fast-twitch fibers.

fas·tid·i·ous (fas-tid′ē-ŭs). 選好性の, 偏好性の(細菌学において, 複雑な栄養要求性をもつことをいう).

fas·tig·i·al nu·cle·us 室頂核(小脳核の中で最も内側にある核で, 小脳皮質の虫部の白質中で正中線に近く, 中位核の内方に位置する. 虫部のあらゆる部分から Purkinje 細胞の軸索を受け, その主な線維は, 前庭神経核, 延髄網様体に向かう).

fas·tig·i·um (fas-tij′ē-ŭm). *1* 室頂(第 4 脳室蓋の頂上. 虫部に突出する前髄帆と後髄帆の結合によってつくられる角). *2* 極期(疾病の最も悪化した時期または病勢極期).

fast·ing blood sug·ar 空腹時血糖〔値〕. = fasting plasma glucose.

fast·ing plas·ma glu·cose (FPG) 空腹時血漿グルコース(所定の時間食事をしなかった後に測定される, 物質の血中濃度. 瀉血療法における朝第一に行うこと). = fasting blood surgar.

fast-neu·tron ra·di·a·tion ther·a·py 速中性子照射療法(サイクロトロン, 陽子加速器に

よる高エネルギー中性子による照射療法).

fast-ox·i·da·tive-gly·co·lyt·ic (FOG) fi·bers = fast-twitch fibers.

fast smear 迅速スミア，迅速塗抹〔標本〕(膣円蓋部と頸管周囲から得られた検体を，顕微鏡スライドガラス上で混合，調整，塗抹し，すぐに固定してつくる女性性器の細胞学的塗抹．主に卵巣，子宮内膜，子宮頸部，膣，およびホルモン状態のルーチンの女性性器スクリーニングに用いる).

fast-twitch fi·bers 速筋線維 (急速にエネルギーを生み出し，活発な，組織学的に独特な骨格筋線維．Ⅱ a およびⅡ b タイプに亜分類される). = fast-glycolytic (FG) fibers; fast-oxidative-glycolytic (FOG) fibers; Type II fibers.

fat (fat). ***1*** 〚n.〛 脂肪. = adipose tissue. ***2*** 〚adj.〛 肥満の，太った (obese の一般語). ***3*** 〚n.〛 中性脂肪 (動物組織および多くの植物にみられるグリース状の軟らかい固体物質．グリセロールエステルの混合物からなり，油とともにホモ脂質(同種脂質)を構成している). ***4*** 〚n.〛 トリアシルグリセロールまたはトリアシルグリセロール混合物.

fa·tal (fā′tăl). 致死の，致命的な (死に関する，または死を引き起こすことについていう．特に死を避けられない，あるいは免れないことを示す).

fa·tal·i·ty rate 致命率 (災害など同時的に起こった事象に影響を受けた一連の人々において観察された死亡率).

fat cell 脂肪細胞 (1 個以上の脂肪粒で膨張した結合組織細胞．周辺の 1 点にある核とともに，細胞質は通常，薄いエンベロープに押し込まれる). = adipocyte; adipose cell.

fat cell the·o·ry 脂肪細胞理論 (体脂肪量は脂肪細胞の数と大きさによって決まるという考え).

fat em·bo·lism 脂肪塞栓症 (長骨の骨折後，熱傷，分娩時，および肝臓に脂肪変性がある際に循環血液中に脂肪球が生じることで，塞栓は肺や脳の血管の閉塞を最もよく起こし，閉塞部位の侵された症状が現れる).

fat-free (fat-frē′). 無脂肪の (FDA の規定により，一食あたりの脂肪が 0.5 g の製品に貼られるラベル).

fat-free bod·y mass (FFM) 脂肪除去身体質量 (全抽出脂肪分を除いた身体の質量(体重)．筋肉，骨，皮膚，器官，水を含む．FFM＝身体の質量−脂肪の質量). = lean body mass.

fat·i·ga·bil·i·ty (fat′i-gă-bil′i-tē). 疲労性 (疲労が起こりやすい状態).

fa·tigue (fă-tēg′). 疲労 (①精神的または肉体的に活動した後に続く，仕事量の減少，遂行の非能率化などを特徴とする状態．通常，倦怠感，眠気，怒りっぽいことなどを伴う．様々な原因によりエネルギー消費量が再生過程を上回った場合にも起こることがあり，単一の器官に限定されることがある．②単調なことや刺激のないことからくる退屈感や倦怠感，または周囲の物に対する興味の欠如).

fa·tigue fe·ver 疲労熱 (過度または長時間連続の筋肉使用後に起こる発熱と筋肉痛).

fa·tigue frac·ture 疲労骨折 (反復するストレスが骨に加わって起こる骨折．横に折れるのが最も多い). = stress fracture.

fa·tigue state 疲労状態 (激しい運動の後の体力，持久力の喪失).

fat mass 脂肪塊 (人体中の脂肪で構成されている部分(反対は除脂肪量)).

fat ne·cro·sis 脂肪〔組織〕壊死 (小さく(1—4 mm)，くすんだ灰白色の病変を特徴とする). = steatonecrosis.

fat-pad, fat pad (fat-pad, fat pad). 脂肪パッド (やや被包性の脂肪組織の蓄積).

fat-sol·u·ble vi·ta·mins 脂溶性ビタミン (脂肪溶剤(非極性溶媒)に可溶，水に比較的不溶のビタミン．分子中に大きな炭化水素成分のある化学構造が特徴である．例えばビタミン A・D・E・K).

fat-stor·ing cell 脂肪摂取細胞 (肝臓の類洞周囲腔にみられる脂肪に満ちた多房性の細胞). = lipocyte.

fat sub·sti·tutes 人工脂肪 (脂肪と同じ性質を持った物質．体が脂肪とは認識しないため吸収されない).

fat tide 脂肪時機 (食物摂取後の血液およびリンパ中の脂肪分の増加をみる時機).

fat·ty (fat′ē). 脂肪の (一般的な意味での脂肪についていう).

fat·ty ac·id 脂肪酸 (オレイン酸，パルミチン酸，ステアリン酸などのように脂肪の加水分解により生成する酸．長鎖状一塩基性有機酸．脂肪酸はペルオキシソーム関連疾患で蓄積する).

fat·ty ac·id-bind·ing pro·tein = Z-protein.

fat·ty ac·id ox·i·da·tion cy·cle 脂肪酸酸化サイクル (アシル CoA 化合物を含む一連の反応．生物組織における脂肪酸異化の主要経路である. →beta (β)-oxidation).

fat·ty cir·rho·sis 脂肪性肝硬変 (特にアルコール中毒患者にみられる早期栄養性肝硬変．肝臓の軽度の線維化を伴った脂肪性変化による肥大がみられる).

fat·ty de·gen·er·a·tion 脂肪変性 (負傷の結果細胞質中にできる，顕微鏡で見える脂肪の小滴の異常形成). = adipose degeneration; steatosis (2).

fat·ty heart 脂肪心 (①心筋の脂肪変性．②心臓の外側面の脂肪組織の累積．ときに心臓壁の筋束の間に脂肪の浸潤がみられる. = adiposis cardiaca; cor adiposum).

fat·ty her·ni·a 脂肪ヘルニア. = pannicular hernia.

fat·ty in·fil·tra·tion 脂肪浸潤 (細胞質中に脂肪滴が異常蓄積する状態．特に細胞外からもたらされた脂肪についていう. →fatty degeneration).

fat·ty kid·ney 脂肪腎 (実質細胞の脂肪化，特に脂肪変性のある腎臓).

fat·ty liv·er 脂肪肝 (肝実質細胞の細胞変性のためにみられる肝の黄変色).

fat·ty met·a·mor·pho·sis 脂肪変性 (顕微鏡で見える脂肪滴が細胞質に現れること. →fatty

F

degeneration).

fat·ty oil 脂肪油（動植物から得られた油．化学的には脂肪酸のグリセリドで，アルカリ性塩基によってグリセリンを置換すると石けんに変換される．脂肪酸は揮発油とは逆に永続的で，蒸留できない）．

fau·ces, gen. **fau·ci·um**（faw′sēz, -sē-ŭm）．口峡（口腔と咽頭の間の軟口蓋と舌根に囲まれた空間）．

fau·cial（faw′shăl）．口峡の．

fau·cial ton·sil 口蓋扁桃．= palatine tonsil.

faul·ty un·ion 癒合不全，偽関節（一vicious union）．= fibrous union.

fau·na（faw′nă）．動物相，ファウナ（一大陸，一地域，一地方，または一生息地における動物相）．

fa·ve·o·late（fā-vē′ō-lāt）．小窩のある，痘瘡のある．

fa·ve·o·lus, pl. **fa·ve·o·li**（fā-vē-ō′lus, -lī）．小窩．

fa·vid（fā′vid）．黄癬疹（黄癬患者にみられる皮膚のアレルギー性反応）．

fa·vism（fā′vizm）．ソラマメ中毒〔症〕（ある種のマメ（例えばソラマメ *Vicia fava*）の摂取，またはその花粉の吸入により起こる急性症状で，発熱，頭痛，腹痛，重症貧血，疲はい，および昏睡を伴う．赤血球の遺伝性グルコース-6-リン酸デヒドロゲナーゼ欠損症のあるヒトに起こる）．

Fav·re dys·tro·phy ファーヴルジストロフィ．= vitreotapetoretinal dystrophy.

Fav·re-Ra·cou·chot dis·ease ファーヴル-ラクショ病（日光弾性線維症により毛嚢脂腺の閉塞のため日光に障害された皮膚に生じる巨大面ぽう）．= solar comedo.

fa·vus（fā′vŭs）．黄癬（重症かつ持続性の慢性の頭部白癬または爪白癬で，菌甲とよばれる痂皮を形成し瘢痕化する．シェーンライン白癬菌 *Trichophyton schoenleinii*（最多），紫色白癬菌 *T. violaceum*，ジプシー小胞子菌 *Microsporum gypseum* の 3 種の異なる皮膚糸状菌によって引き起こされる．地中海の国々，南東ヨーロッパ，南アジア，北アフリカにおいてより頻繁に生じる）．

Fa·zi·o-Londe dis·ease ファチオ-ロンデ病（脳幹を侵す進行性球麻痺．運動ニューロンの変性による．脊髄性筋萎縮症 spinal muscular atrophy の亜型である）．

FBS fasting blood sugar の略．

FCA False Claims Act の略．

FCE functional capacity evaluation の略．

Fc frag·ment, Fc Fc フラグメント（免疫グロブリン分子の結晶化可能フラグメント．H 鎖の一部分から構成されており，細胞の抗体結合部位（Fc）との結合と補体構成成分の Clq との結合性を有する部位である）．

F.D.A., FDA U.S. Food and Drug Administration of the U.S. Department of Health and Human Services の略．

F.D.A. clas·si·fi·ca·tion of med·i·cal de·vi·ces 食品医薬品局分類医療機器（食品医薬品局（FDA）によって策定された，合法的，倫理的管理実験の使用に基づいた医療移植や治療検査機器）．

F.D.I. den·tal no·men·cla·ture FDI 歯式，二数字並記法歯式（①世界規模で用いられている歯式．歯式を 4 分割し（1—4 が永久歯で，5—8 が乳歯），それぞれの歯を正中線からの位置により番号付けをして識別する．例えば，36 は下顎左側の第一永久歯，62 は上顎左側の乳側切歯．②国際歯科連盟（Fédération Dentaire Internationale）により考案された歯式．→Palmer dental nomenclature; universal dental nomenclature）．

Fe 鉄の元素記号．

fear（fēr）．恐怖（fear には識別できる刺激がある．したがって容易に刺激を識別できない anxiety（不安）とは区別される）．

feath·er edge フェザーエッジ（白血球百分率が読み取られる，血液塗抹標本の最も薄い場所）．

feb·ri·fuge（feb′ri-fyūzh）．解熱薬．

feb·rile（feb′ril）．〔有〕熱性の，発熱している，熱のある．= feverish（1）; pyretic.

feb·rile con·vul·sion〔有〕熱性痙攣（神経学的に正常な乳児および若年小児に生じる，熱に伴う 15 分以内の短い痙攣）．

feb·rile de·lir·i·um 熱性せん妄（高熱による急性可逆な精神錯乱状態）．

fe·cal（fē′kăl）．糞〔便〕の．= faecal.

fe·cal ab·scess 糞便〔性〕膿瘍．= stercoral abscess; faecal abscess.

fe·cal con·cen·tra·tion 糞便濃縮法（糞便を遠沈した後の浮遊物または沈渣から寄生虫要素を分離する方法）．= faecal concentration.

fe·cal ex·am·i·na·tion 糞便検査（糞便材料より寄生虫を検出同定するために，湿潤封入標本，濃縮標本，永久塗抹染色標本を顕微鏡で調べること）．= faecal examination.

fe·cal fat test 糞脂肪試験（病状を特定するために糞中の脂質を測定する実験室ベースの手法）．

fe·cal fis·tu·la 糞フィステル（瘻）．= intestinal fistula; faecal fistula.

fe·ca·lith（fē′kă-lith）．糞石（濃縮された糞からなる硬い塊）．= coprolith; faecalith.

fe·cal·oid（fē′kă-loyd）．糞便様の．= faecaloid.

fe·ca·lo·ma（fē′kă-lō′mă）．糞石．= coproma; faecaloma.

fe·ca·lu·ri·a（fē′kăl-yūr′ē-ă）．糞尿〔症〕（腸管と下部尿路を連絡する瘻孔のある患者の尿中に糞便が混入する症状．しばしば放屁が尿道を通ることによって非常に劇的にみられる）．= faecaluria.

fe·cal vom·it·ing 吐糞症（糞便の性状あるいは臭いのするものの嘔吐．長期間の遠位小腸あるいは大腸の閉塞を示唆する）．= copremesis; faecal vomiting; stercoraceous vomiting.

fe·ces（fē′sēz）．〔大〕便，糞〔便〕（排便中に腸から放出される物質．食物の未消化残渣，上皮，腸粘液，細菌，および廃棄物）．= faeces; stercus.

Fech·ner-Web·er law フェヒナー-ヴェーバーの法則．= Weber-Fechner law.

fec·u·lent（fek′yū-lĕnt）．不潔な．

fe·cund (fē′kŭnd). 生殖能力のある. = fertile (1).
fec·un·da·tion (fē′kŭn-dā′shŭn). 受精（受精させること. →fertilization).
fe·cun·di·ty (fē′kŭn′di-tē). 生殖能〔力〕, 繁殖力, 多産, 妊孕性.
feed·back (fēd′bak). フィードバック（①ある回路系で出力を入力として再び系に戻す調節機構. 例えば, サーモスタットによる暖房炉の調節. ②運動技術の習得については, 筋肉の収縮によって設定された知覚刺激が, 運動機構の活動を調節すること. ③他人の自己に対する反応によって起こされる感情. 一biofeedback).
feed·back in·hi·bi·tion フィードバック抑制（その酵素活性が重要である経路の最終反応生成物による酸素活性の抑制). = feedback mechanism.
feed·back mech·an·ism フィードバック機構. = feedback inhibition.
feed·ing (fēd′ing). 栄養補給, 給食, 飼育（食物または栄養物を与えること).
feed·ing tube 栄養管（流動食を与えるために, 鼻を通して消化管に挿入する柔軟な管).
fee-for-ser·vice (fē-fōr-sĕr′vis). 出来高払い保健医療費（保健医療サービスの支払い. 金額はサービス提供者のコスト見積額に従って変化する).
fee-for-ser·vice in·sur·ance 医療サービス費保険（米国において, 加入者ないし医療提供者に要求の承認に基づいて支払われる保険金. 加入者は受診する病院や医師に関してほとんど制限はない).
Feer dis·ease フェール病. = acrodynia (2).
FEES (fēz). fiberoptic endoscopic examination of swallowing の略.
fee sched·ule 料金体系（特別治療や処置に対して支払われる料金の表).
FEF forced expiratory flow の略.
Fein·gold di·et ファインゴールド食餌療法（注意欠陥過活動性障害の多動症状を減少させることを目的とした食事療法. 患者がサリチル酸塩, 保存料, 着色料, 人工香料を摂取しないようにする).
Fein·gold the·o·ry ファインゴールド理論（食品添加剤や着色料が子供の過活動性を引き起こすという考え. 注意欠陥過活動性障害患者の5%はこれらの物質が原因であるとの研究もある).
Feiss line ファイス線（内果から第一中足指節関節の足底面へ走る線).
FEL (fel). familial erythrophagocytic lymphohistiocytosis の略.
Fel·den·krais meth·od フェルデンクライス法（筋肉量の減少や体の衰えを遅らせるための低負担運動の一連. 高齢の患者や外科手術後リハビリ中の患者, 退院後の人向けである).
fe·line in·fec·tious a·ne·mi·a (FIA) ネコ感染性貧血（リケッチアの *Haemobartonella felis* による家ネコの急性または慢性貧血).
fel·la·ti·o (fĕ-lā′shē-ō). フェラチオ, 吸茎, 口淫（口による陰茎に対する性的行動).
fel·on (fel′ŏn). 瘭疽（指の球状の末節部の化膿性感染または膿瘍). = whitlow.
fel·on herb = carline thistle.
fel·on·wort (fel′ŏn-wōrt). = celandine.
felt·work (felt′wŏrk). *1* 線維性の網状構造. *2* 神経性線維の緻密な叢構造. 一neuropil.
fe·male (fē′māl). 雌〔性〕, 女性, 大配偶子（動物学において, 子または卵子を生む性).
fe·male ath·lete tri·ad 女性運動選手の三徴候（思春期若年成人の女性運動選手にみられる, 摂食障害, 無月経, および骨粗しょう症の組合せ). = female triad.
fe·male cath·e·ter 女子用カテーテル（女性の尿道に通す, 短く, ほとんど直線状のカテーテル).
fe·male cir·cum·ci·sion 女児割礼（広義の女性性器の切除. 陰核表皮の除去から陰核・小陰唇の切除, 大陰唇の部分切除まで含まれる. 医学的理由ではなく文化的理由で行われる).
fe·male con·dom 女性用コンドーム（腟内に装着する袋状のもので, 通常はラテックス. 陰門や腟の内側を覆い, 避妊目的で使用される).
fe·male gen·i·tal mu·ti·la·tion 一 female circumcision.
fe·male gen·i·tal sys·tem 女性生殖器系（女性の生殖器. 卵巣, 卵管, 子宮, 腟, 外生殖器からなる).
fe·male pat·tern al·o·pe·ci·a 女性型脱毛〔症〕（頭頂中央部に生じるびまん性, 不完全な脱毛. 前頭髪際と側頭髪際は保たれている. 女性のアンドロゲン性脱毛症の最も多い型).
fe·male pseu·do·her·ma·phro·di·tism 女性偽半陰陽（生殖腺が女性である, 骨および生殖器の奇形を伴う偽半陰陽). = androgyny (1).
fe·male tri·ad = female athlete triad.
fem·i·nin·i·ty com·plex 女性コンプレックス（精神分析において, 少年と男性が抱く, 母親の手による去勢に対する無意識の恐れ. その結果, 自己を攻撃者と同一化し, 乳房と腟に対して羨望的欲求をもつこと).
fem·i·nist (fem′i-nist). フェミニスト, 男女同権主義者（女性の能力や現実に関する見解やそれによる影響を理解することを求める理論, 信条, 実践. 階級構造や力の不公平が患者や看護士の経験に著しい影響を与えている).
fem·i·ni·za·tion (fem′i-nī-zā′shŭn). 女性化, 雌性化（男性が, 外観上女性の特徴を備えて発育すること).
fem·o·ral (fem′ŏr-ăl). 大腿の.
fem·o·ral an·te·ver·sion 大腿骨前捻（股関節大腿部の内旋が異常な状態).
fem·o·ral ar·ter·y 大腿動脈（外腸骨動脈に続いて鼡径靱帯の高さで起こり, 外陰部動脈, 浅腹壁動脈, 浅腸骨回旋動脈, 大腿深動脈, 下行膝動脈を分枝. 膝関節後面に向かって下行し, 内転筋裂孔を通って膝窩にはいり膝窩動脈となる). = arteria femoralis.
fem·o·ral ca·nal 大腿管（大腿血管鞘のうち内側のもの). = canalis femoralis.
fem·o·ral her·ni·a 大腿ヘルニア（大腿輪を通るヘルニア). = crural hernia; femorocele.

F

fem·o·ral nerve 大腿神経（大腰筋の中で腰神経叢の枝として第二–第四腰神経から起こり，鼡径靱帯の下で大腿血管の外側の筋裂孔を経て大腿にはいる．大腿三角の中で多数の筋枝に分かれ，縫工筋，恥骨筋，大腿四頭筋に分布し，前大腿皮神経を派出して大腿の前内側部の皮膚に分布する．最終枝は伏在神経となり，下腿と足に分布する）. = nervus femoralis.

fem·o·ral nut·ri·ent ar·ter·y 大腿栄養動脈（第一・第三貫通動脈（ときに第二・第四）から起こる上下の2枝）.

fem·o·ral pulse 大腿動脈拍動（股間にある大腿動脈の触診可能な律動的膨張）.

fem·o·ral sheath 大腿鞘（大腿血管をおおっている筋膜で，前方は腹横筋膜，後方は腸骨筋膜から形成されている．2つの隔壁によって3つの部分に分けており，外側部は大腿動脈と陰部大腿神経の大腿枝を含み，中央部は大腿静脈，内側部は大腿管を含んでいる）. = crural sheath.

fem·o·ral tri·an·gle 大腿三角（縫工筋，長内転筋，鼡径靱帯に囲まれた大腿上部の三角形の部位で床の部分は外側が腸腰筋，内側が恥骨筋からなり，大腿神経が走っている．三角を二分するように大腿血管が通過し，下端部で内転筋管にはいる）. = trigonum femorale; Scarpa triangle.

fem·o·ral vein 大腿静脈（膝窩静脈の続きで，大腿動脈に伴行して内転筋管を通り，大腿三角の筋膜下に至る．鼡径靱帯の下を上行して外腸骨静脈となる）. = vena femoralis.

fem·o·ro·cele (fem′ŏr-ō-sēl). 大腿ヘルニア. = femoral hernia.

fem·o·ro·tib·i·al (fem′ŏr-ō-tib′ē-ăl). 大腿脛骨の（大腿骨と脛骨についていう）.

femto-(f) 国際単位系(SI)およびメートル法で，10^{-15} を示す接頭語.

fe·mur, gen. **fe·mo·ris,** pl. **fem·o·ra** (fē′mŭr, fem′ŏr-is, -ă). *1* 大腿. = thigh. *2* 大腿骨（大腿にある長い骨で，近位端は寛骨と，遠位端は脛骨および膝蓋骨と関節する）. = thigh bone.

fe·nes·tra, pl. **fe·nes·trae** (fĕ-nes′tră, -trē). 窓（①解剖学的開口．しばしば膜によって閉じられている．②焼石膏やその他の固定包帯において，創や局所の診察のためにあけた開口部．③産科鉗子葉の一側にあけた開口部．④内視鏡検査において，側方の観察や経内視鏡的手術操作を行うために内視鏡の側方に設けた開口部．⑤管，カテーテル，套管針への空気や液体の流れを促進するために，側壁にあけた開口部）. = window.

fe·nes·tra co·chle·ae 蝸牛窓（中耳の内壁にある孔で，蝸牛に開くが，生体では第二鼓膜によって閉ざされる）. = round window.

fen·es·trat·ed (fen′ĕs-trāt-ĕd). 有窓〔性〕の（窓または窓様の開口部を有する）.

fen·es·trat·ed cap·il·lar·y 有窓毛細血管（腎糸球体，腸絨毛，内分泌腺に見出される毛細管．種々の大きさの超微細孔が存在する）.

fen·es·trat·ed mem·brane 有窓膜（動脈の内弾性板にあるような弾性膜）.

fen·es·tra·tion (fen′ĕs-trā′shŭn). *1* 有窓，開窓（ある部位に窓または開口部があること．あるいは開口部をつくること）. *2* 患部視診のため包帯に穴を開けること. *3* 穿孔術（歯科において，歯根尖を露出させ，組織滲出液を排出させるための，粘膜性骨膜および歯槽板の外科的穿孔術）.

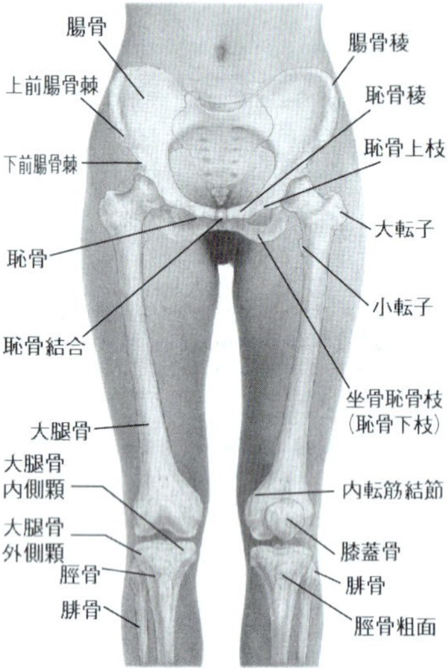
腸骨
腸骨稜
上前腸骨棘
恥骨稜
恥骨上枝
下前腸骨棘
大転子
恥骨
小転子
恥骨結合
坐骨恥骨枝
(恥骨下枝)
大腿骨
大腿骨
内側顆
内転筋結節
大腿骨
外側顆
膝蓋骨
脛骨
腓骨
腓骨
脛骨粗面

femur

fe·nes·tra ves·tib·u·li 前庭窓（鼓室の内側壁の卵形開口で，前庭に通じ生体ではあぶみ骨底によって閉ざされる）. = oval window.

feng shui 風水（エネルギーの流れの充実によって健康，幸福，財産を増進させるために，生活環境，仕事環境を設定する古代中国の信念体系．空間や色，物の配置を決めることも含まれる）.

fen·u·greek (fen′yū-grēk). コロハ種子（西アジアに自生しアフリカとヨーロッパの一部で栽培される一年生植物 *Trigonella foenum-graecum*. 粘質性種子は食用として，また料理用香料（カレー）の製造に用いられる）. = Greek hay.

Fer·gu·son ref·lex ファーガソン反射（子宮下節と子宮頸部の機械的伸展で生じる子宮筋活性の増強）.

Fer·gus·son in·ci·sion ファーガソン切開〔術〕（上顎骨切除のための切開法）.

fer·ment (fĕr-ment′). *1* 〚v.〛 発酵する，発酵させる. *2* 〚n.〛 発酵を起こさせる物質.

fer·men·ta·tion (fĕr′mĕn-tā′shŭn). 発酵（①酵素作用により複雑な有機化合物に起こる化学変化．さらに簡単な化合物に分解される．②細菌学において，エネルギーおよび還元化合物の産生を伴う基質の無気的異化．その機作に呼吸反応鎖やシトクロムを含まず，したがって，酸化と違い酸素は最終的な電子受容体ではない）.

fer·ment·a·tive (fĕr-ment′ă-tiv). 酵素の，発酵の.

fer·mi·um (Fm) (fĕr′mē-ŭm). フェルミウム（1955 年に人工的につくられた放射性同位元素，原子番号 100．原子量 257.095．超ウラン元素の中で ^{257}Fm は，知られているうちで最も長い半減期(100.5 日)をもつ）.

fern·ing (fĕrn′ing). シダ状結晶形成（月経周期の中期に分泌される頸管粘液が結晶化する際に示す分枝状態を記述するのに用いる語．シダまたはヤシの葉に似ている）.

fern test シダ試験（①エストロゲン活性の試験．頸管粘膜塗抹標本は，排卵時のようにエストロゲン分泌が上昇したときにシダ模様を形成する．②前期破水の診断に用いられる）.

Fer·ra·ta cell = hemohistioblast.

fer·re·dox·ins (fer′ĕ-dok′sinz). フェレドキシン（鉄・硫黄錯体を含み，電子伝達体活性を示すが，古典的な酵素機能は示さない蛋白．フェレドキシンは緑色植物，藻類や嫌気性細菌に見出され，生体中の数種の酸化還元反応(例えば窒素固定)に関与している）.

Fer·rein pyr·a·mid フェラン錐体．= medullary ray.

Fer·rein va·sa a·ber·ran·ti·a フェラン迷管（肝小葉と連結のない細い胆管）.

ferri- 3 価鉄 Fe^{3+} が化合物中に存在することを示す接頭語.

fer·ric (fer′ik). 鉄の，第二鉄の（鉄，特に高い電子価(Fe^{3+})の鉄塩についていう）.

fer·ri·heme (fer′i-hēm). フェリヘム．= hematin.

fer·ri·tin (fer′i-tin). フェリチン（23％の鉄を含む鉄蛋白複合体．第二鉄イオンとアポフェリチンの結合により生成される．腸粘膜，脾臓，骨髄，網赤血球，肝臓にみられる．腸粘膜内腔から血漿への鉄の貯蔵や輸送を制御している）.

ferro- 金属鉄または 2 価鉄 Fe^{2+} が存在することを示す接頭語.

fer·ro·ki·net·ics (fer′ō-ki-net′iks). 鉄動態（放射性鉄を用いる鉄代謝の研究）.

fer·ro·pro·teins (fer′ō-prō′tēnz). 鉄蛋白（ヘム，シトクロムのような，補欠分子族として鉄をもつ蛋白）.

fer·rous (fer′ŭs). 鉄の，第一鉄の（鉄，特に最小電子価(Fe^{2+})の鉄塩についていう）.

fer·ru·gi·na·tion (fĕ-rū′ji-nā′shŭn). 鉄沈着（小血管壁や死滅した神経細胞に鉄などの無機質が沈着すること）.

fer·ru·gi·nous (fĕ-rū′ji-nŭs). ***1*** 鉄の，含鉄の（鉄に関連する，鉄を含むことについていう）．***2*** 鉄さび色の.

Fer·ry line フェリー線（濾過胞 filtering bleb 前方の角膜上皮内にみられる鉄沈着線）.

fer·tile (fĕr′til). ***1*** 妊娠・出産可能な．= fecund. ***2*** 受精した，受胎した.

fer·tile pe·ri·od 妊孕期（正常月経周期の妊娠可能な時期）.

fer·til·i·ty (fĕr-til′i-tē). 受胎能，受精能，妊孕性，繁殖可能性（生きている子孫を実際に生むこと．死胎児を含まない）.

fer·til·i·za·tion (fĕr′til-ī-zā′shŭn). 受精，授精（二次卵細胞への精子の進入から男性および女性前核の融合までの過程）.

fer·ti·li·za·tion age 受精齢（卵細胞が受精した時期から決定される胚または胎児の齢）. = conceptual age.

FES functional electrical stimulation の略.

FESS functional endoscopic sinus surgery の略.

fes·ter (fes′tĕr). ***1*** 膿む，化膿する．***2*** 炎症が生じる.

fes·ti·nant (fes′ti-nănt). 促進の，速い，早い.

fes·ti·nat·ing gait, fes·ti·na·tion 加速歩行（体幹は前屈，股・膝関節は屈曲し，硬直性で歩幅は狭く，だんだんと早くなっていく歩行．パーキンソン病などでみられる特徴的歩行）.

fes·toon (fes-tūn′). ***1*** 義歯の基部を元の歯のその部分の輪郭に似せて彫ること．***2*** 花采（ある種のマダニの形態的特徴の 1 つ．雌雄とも，背面後部の縁に沿った溝によって分けられた数個の小さな長方形の面をもつ）.

fes·toon·ing (fes-tūn′ing). フェストーニング（表皮下水疱の下の真皮乳頭のような波状構造）.

FET forced expiratory time の略.

fe·tal (fē′tăl). 胎児の（①胎児に関する．② 8 週以降の子宮内発育についていう）. = foetal.

fe·tal al·co·hol ef·fects (FAE) 胎児性アルコール兆候（成長や精神発達の過程で行動的困難や学習困難を引き起こす変化．妊娠中に適度の飲酒をしていた母親の子供に観察される）.

fe·tal al·co·hol syn·drome (FAS) 胎児アルコール症候群（過度のアルコールを摂取した母親から生まれた胎児の先天異常で，発育不全，多動性，頭部・顔面奇形，精神遅滞を含む機能的欠損を伴う）.

fe·tal as·pir·a·tion syn·drome 胎児吸引症候群（胎児による子宮内羊水および胎便の吸引によって起こる症候群で，通常，低酸素状態により生じ，吸引性肺炎を生じることが多い）. = meconium aspiration syndrome.

fe·tal death 胎児死亡（妊娠期間に関係なく母体から排出あるいは摘出する前の胎児の死亡．胎児死亡は 20 週以前では早期死亡，21—28 週では中期死亡，28 週以降では後期死亡として取り扱われる）.

fe·tal dys·to·ci·a 胎児性難産（胎児の異常による難産）.

fe·tal growth re·stric·tion 胎児発育遅延（胎齢に比し 5％以上の体重減少）.

fe·tal heart rate (FHR) 胎児心拍数（1 分間の胎児の心拍数．通常は 120—160）.

fe·tal hy·drops, hy·drops fe·ta·lis 胎児水腫（胎児の組織に漿液が異常にたまること．胎児赤芽球症などにみられる）.

fe·tal med·i·cine 胎児医学（胎児の成長・発育・看護・治療，および胎児に有害な環境因子などを対象とする医学）. = fetology.

fe·tal mem·brane 胚膜（受精卵から発達した構造，または組織のうち胎児以外の部分を構成する構造）. = embryonic membrane.

fe·tal part of pla·cen·ta, pla·cen·ta fe·ta·lis 胎児側胎盤（胎児血管を含む胎盤の絨毛膜部分．そこから臍帯が発達する．特に人間体内においては繁生絨毛膜や絨毛から発達する）．

fe·tal pre·sen·ta·tion →presentation.

fe·tal scalp stim·u·la·tion 児頭圧迫刺激法（胎児の well-being を診断する方法．児頭血 pH が正常で，手指あるいは鉗子による圧迫刺激に反応して胎児頻脈がみられる）．

fe·tal souf·fle 胎児雑音（灌水様の雑音，胎児の心臓拍動の同調性で，収縮期だけのこともあり連続的のこともある．妊娠子宮の聴診時に聞かれる）．

fe·tal was·tage 胎内死亡（自然流産または死産により，胚や胎児が失われること．通常，母子感染または薬物嗜癖などの特殊原因について，妊娠 1,000 当たりの比率で表示する）．

fe·ti·cide (fē′ti-sīd). 胎児殺し，人工流産（子宮内の胎児を破壊すること）．

fet·id (fet′id). 悪臭の．

fet·ish (fet′ish). 拝物，呪物，物神（魔性があるとされたり，性愛の対象となる非性的な身体の一部または生命のない物体）．

fet·ish·ism (fet′ish-izm). フェチシズム（呪物 fetish とされている物を，崇拝したり，性的刺激や満足のために用いたりする行為）．

fe·to·glob·u·lins (fē′tō-glob′yū-linz). 胎児蛋白，胎児グロブリン（機能は不明な胎児の血中に存在する蛋白の一種．α-胎児蛋白は健康な成人にも微量存在するが，胎児および母体には多量に存在する．特に妊娠中期に増量する．成人では肝疾患，新生物が存在する場合に上昇が認められる）．

fe·tol·o·gy (fē-tol′ŏ-jē). 胎児学. = fetal medicine.

fe·tom·e·try (fē-tom′ĕ-trē). 胎児計測（胎児の大きさ，特に頭部の大きさを出産前に測定すること）．

fe·top·a·thy (fē-top′ă-thē). 胎児病. = embryopathy.

fe·to·pla·cen·tal (fē′tō-plă-sen′tăl). 胎児胎盤の. = foetoplacental.

fe·to·pro·tein, al·pha (α)-fe·to·pro·tein (AFP), gam·ma (γ)-fe·to·pro·tein, be·ta (β)-fe·to·pro·tein (fē′tō-prō′tēn, al′fă, gam′ă). フェトプロテイン，胎児〔性〕蛋白（成人の体内に少量存在する胎児性蛋白．α-フェトプロテイン(AFP)は妊娠中に母体血中に増加する．羊水中に検出されれば胎児神経管閉鎖不全の重要な診断指標．成人の腫瘍マーカとしても利用される．β-フェトプロテインは胎児肝の蛋白で，成人肝疾患患者にも検出される．γ-フェトプロテインは各種の新生物に存在する．→fetoglobulin）．

fe·tor (fē′tōr). 悪臭（きわめて不快なにおい）．

fe·tor he·pat·i·cus 肝〔性口〕臭（重度の肝疾患患者の息の独特なにおい．肝代謝不全で血液および尿中に蓄積した揮発性芳香族物質による）．

fe·to·scope (fē′tō-skōp). ***1*** 胎児鏡（胎児観察に用いるファイバー内視鏡）．***2*** 胎児心音の聴診用の聴診器．

fe·tos·co·py (fē-tos′kŏ-pē). 胎児内視鏡検査（ファイバー内視鏡を用いて経腹的に子宮内に挿入し胎児，胎盤表面を観察するとともに臍帯穿刺で胎児血採血を行い，胎児異常の胎内診断に用いる）．

fe·to·tox·ic (fē′tō-tok′sik). 胎児毒性の（胎児に有害な物質）. = foetotoxic.

fe·tu·in (fē-tū′in). フェチュイン（低分子グロブリンで，その組成は胎児血の総グロブリンとほぼ同じである）．

fe·tus, pl. fe·tus·es (fē′tŭs, -ĕz). 胎児（①胎生期に続く胎生動物の出生前の子．②ヒトでは妊娠第 8 週の終わりから出生時までの間の胎児をいう）. = foetus.

fe·tus pap·y·ra·ce·us 紙様〔胎〕児，紙状〔胎〕児（双生児胎児の死亡した一方で，他方の胎児の成長によって子宮壁に押しつぶされたもの）．

Feul·gen cy·to·met·ry フォイルゲン細胞解析法（フォイルゲン染色で核を染め，細胞のクロマチンパターンと核内の DNA 分布の特徴から細胞を調べる方法）．

FEV forced expiratory volume の略．秒で時間を示す数字を下付き文字で書く．

fe·ver (fē′vĕr). 熱（発熱サイトカインを介した疾患に対する複雑な生理反応．体幹温度の上昇，急性期反応物質の生成，免疫系の活性化を特徴とする）. = pyrexia.

fe·ver blis·ter 熱性疱疹（口唇の単純疱疹を表す口語）．

fe·ver·few (fē′vĕr-fyū). ナツシロギク（片頭痛や発熱の際に使用される薬草．口腔潰瘍，口唇浮腫，過敏性反応に使用される）. = bachelor's button; Santa Amria.

fe·ver·ish (fē′vĕr-ish). 熱のある（①熱性の. = febrile. ②有熱の）．

fe·ver of un·known or·i·gin (FUO) 不明熱（徹底的な検査によっても原因不明の 101°F または 38.3°C 以上の発熱がみられる状態．この用語の使用に際しての厳密な基準は様々で，とりわけ発熱の持続期間と臨床検査の範囲により変わる．一般に 1 週間以上(2—3 週間を必要とする意見もある)の徹底的な入院検査，または少なくとも 3 週間の外来受診で入念な病歴，身体所見，培養や血清反応などの検査，ならびに臨床医の指示や疫学的な考慮に基づいた侵襲的な検査による培養や生検を行う）. = pyrexia of unknown origin.

fe·ver·wort (fē′vĕr-wōrt). = boneset.

FF filtration fraction の略．

F fac·tor F 因子. = F plasmid.

F-fac·tor (fak′tōr). roentgen to rad conversion factor の略．

FFD focal-film distance の略．

FFM fat-free body mass の略．

FG frozen gait の略．

FHR fetal heart rate の略．

FIA feline infectious anemia の略．

fi·ber (fī′bĕr). 線維（細い糸またはフィラメント．①膠原線維組織あるいは弾性線維組織の線維のような細胞外フィラメント様構造物. ⓘ神経膠性の被覆を含めた神経細胞の突起. ⓘⓘⓘある種ののびた形のもの, についていう. したがって, 筋細胞や眼の水晶体の主要部分である上皮細胞のような糸状細胞について用いる. ⓘⓥ消化管の酵素により消化されない食事中の栄養素). = fibra.

fi·ber·op·tic (fī′bĕr-op′tik). 光ファイバーの. = fibre-optic.

fi·ber·op·tic en·dos·cop·ic ex·am·i·na·tion of swal·low·ing (FEES) えん下のファイバー内視鏡検査 (経鼻的ファイバー内視鏡を用いて喉頭・咽頭を観察し, 異常えん下パターンを評価する診断技術. →fiberoptics; endoscope).

fi·ber·op·tics (fī′bĕr-op′tiks). 光ファイバー (細く曲がりやすい透光性の線維をしっかり束ね, 像を通すようにした光学系).

fi·ber·scope (fī′bĕr-skōp). ファイバースコープ, 内視鏡 (自由に曲げられるガラスまたはプラスチックの細い線維の束を通して光を伝え, 画像を観察者に戻す光学機器. 人体内部の観察に用いる. →fiberoptics).

fi·bra (fī′bră). 線維. = fiber (2).

fi·brae me·rid·i·o·na·les mus·cu·lar·is cil·i·ar·is 〔毛様体筋の〕経線状線維. = meridional fibers of ciliary muscle.

fibre [Br.]. 線維. = fiber.

fibre-optic [Br.]. = fiberoptic.

fibre-optics [Br.]. = fiberoptics.

fi·bril (fī′bril). 原線維, 筋原線維 (微細な線維あるいは線維の成分). = fibrilla.

fi·bril·la, pl. fi·bril·lae (fī-bril′ă, -ē). = fibril.

fi·bril·lar, fi·bril·lar·y (fī′bri-lăr, fī′bri-lar-ē). = filar (1). ***1*** 原線維の, 筋原線維の. ***2*** 筋原線維攣縮の (骨格筋や心筋の筋原線維またはその小群の細かな急速な収縮または単収縮についていう).

fi·bril·lar·y as·tro·cyte, fi·brous as·tro·cyte 線維性〔神経膠〕星状細胞, 線維性星状〔神経〕膠細胞 (主に脳と脊髄の白質にみられる長い突起をもった星状細胞で, 細胞質に神経膠フィラメントの束をもつのが特徴的である. 大部分の星状細胞の源).

fi·bril·lar·y con·trac·tions 線維性収縮 (個々の筋線維に, 自然に生じる収縮. 筋肉に分布している運動神経の損傷後, 一般に2, 3日後にみられ, 運動単位の賦活に関連した, 筋線維束攣縮とは異なる).

fi·bril·late (fī′bri-lāt). ***1*** 〚v.〛 原線維になる, 原線維をつくる. ***2*** 〚adj.〛 = fibrillated. ***3*** 〚v.〛 線維攣縮の状態にある.

fi·bril·lat·ed (fī′bri-lā-tĕd). 原線維からなる. = fibrillate (2).

fi·bril·la·tion (fib′ri-lā′shŭn). ***1*** 原線維性 (原線維からなる状態). ***2*** 原線維形式. ***3*** 線維攣縮 (筋全体ではなく, 筋原線維だけのきわめて急速な収縮または単収縮). ***4*** 細動 (個々の筋線維の, 通常, 緩徐なぜん動様単収縮. 一般に, 心房, 心室, 新たに除神経された骨格筋線維にみられる).

fi·bril·lo·gen·e·sis (fī′bril-ō-jen′ĕ-sis). 原線維発生 (結合組織の膠原線維に正常構成物質として存在する微細な原線維の生成(原線維は電子顕微鏡で観察できる)).

fi·brin (fī′brin). フィブリン, 線維素 (トロンビンの作用によりフィブリノゲンから生成される弾性糸状蛋白. 血液凝固の際に, フィブリノゲンから線維素ペプチドAおよびBが遊離される. 血栓, 肉芽, ジフテリアや大葉性肺炎のような急性炎症性滲出物の構成要素).

fi·brin·ase (fī′brin-ās). フィブリナーゼ (① factor XIII の古語. ②= plasmin).

fi·brin cal·cu·lus フィブリン結石 (主に血液中のフィブリンで形成される尿路結石).

fi·brin/fi·brin·o·gen deg·ra·da·tion pro·ducts フィブリン・フィブリノーゲン分解産物 (線維素溶解過程において, フィブリン, フィブリノーゲンのプラスミン作用によって生じる幾つかの不完全に特性化された少量のペプチド).

fibrino- 線維素を表す連結形.

fi·bri·no·cel·lu·lar (fī′bri-nō-sel′yū-lăr). 線維素細胞性の, フィブリン細胞性の (線維素および細胞からなる. 例えば, 急性炎症の結果ある種の滲出液にみられる).

fi·brin·o·gen (fī-brin′ō-jen). 線維素原, フィブリノ〔ー〕ゲン (血漿のグロブリン. カルシウムイオンの存在下で, トロンビンの作用によりフィブリンに変換される. この変化によって血液凝固が起こる. 脊椎動物の血漿中の唯一の凝固性の蛋白である. フィブリノゲンは無フィブリノゲン血症で欠如し, 異常フィブリノゲン血症で欠損する).

fi·brin·o·ge·ne·mi·a (fī′brin-ō-jĕ-nē′mē-ă). = hyperfibrinogenemia; fibrogenaemia.

fi·bri·no·gen·e·sis (fī′bri-nō-jen′ĕ-sis). 線維素(フィブリン)形成, 線維素(フィブリン)生成.

fi·bri·no·gen·ic, fi·bri·nog·e·nous (fī′bri-nō-jen′ik, fī′bri-noj′ĕ-nŭs). ***1*** 線維素原の, フィブリノ〔ー〕ゲンの. ***2*** 線維素生成の, フィブリン生成の.

fi·brin·o·gen·ol·y·sis (fī-brin′ō-jĕ-nol′i-sis). フィブリノ〔ー〕ゲン溶解〔現象〕, 線維素原溶解〔現象〕, 線溶〔現象〕(血液中のフィブリノゲンの不活性化あるいは分解).

fi·brin·o·gen·o·pe·ni·a (fī-brin′ō-jen′ō-pē′nē-ă). 線維素原減少〔症〕, フィブリノ〔ー〕ゲン減少〔症〕(血液中のフィブリノゲン濃度の減少).

fi·brin·oid (fī′bri-noyd). ***1*** 〚adj.〛 フィブリン様の, 線維素様の. ***2*** 〚n.〛 フィブリノイド, 類線維素 (強好酸性・均質蛋白性物質で, ⓘ播種性紅斑性狼瘡, 結節性多発動脈炎, 強皮症, 皮膚筋炎, およびリウマチ熱などの患者の血管壁や結合組織中にしばしば形成されるもの, ⓘⓘ回復期創傷, 慢性消化性潰瘍, 胎盤, 悪性高血圧の壊死性細動脈, および他の膠原病と関係のない状態でときとしてみられるもの, の2種がある).

fi·brin·oid de·gen·er·a·tion, fi·brin·ous de·gen·er·a·tion フィブリノイド変性, 線維素様変性 (強好酸性, 均質, 屈折性の沈着物

で，ある種の染色ではフィブリン様反応を示し，結合組織，血管壁，その他にみられる）．

fi·bri·nol·y·sin (fī′brin-ol′ī-sin). フィブリノリジン，線維素溶解酵素，フィブリン溶解酵素. = plasmin.

fi·bri·nol·y·sis (fī′bri-nol′i-sis). フィブリン溶解〔現象〕，線維素溶解〔現象〕（フィブリンの加水分解）.

fi·bri·no·lyt·ic (fī′brin-ō-lit′ik). フィブリン溶解性の（フィブリン溶解によって特徴付けられる，フィブリン溶解を起こす）.

fi·bri·no·lyt·ic pur·pu·ra 線維素溶解性紫斑病（出血が，凝血の急速な線維素溶解と関連して生じるもの）.

fi·brin·o·pep·tide (fī′brin-ō-pep′tīd). フィブリノペプチド，線維素ペプチド（トロンビンの作用でフィブリノゲンからフィブリンを生成するが，その際フィブリノゲンの 2α および 2β 鎖のアミノ末端から遊離する2種のペプチド(AおよびB)のうちの1つ）.

fi·bri·no·pu·ru·lent (fī′brin-ō-pyūr′yū-lĕnt). フィブリン膿性，線維素膿性（比較的大量の線維素を含む膿または化膿性滲出物についていう）.

fi·brin·ous (fī′brin-ŭs). フィブリンの，線維素〔性〕の.

fi·brin·ous bron·chi·tis 線維素〔性〕気管支炎（線維素性滲出液を伴う気管支粘膜の炎症．滲出液はしばしば気管支の円柱を形成し，強度の気道閉塞をきたす）. = pseudomembranous bronchitis.

fi·brin·ous in·flam·ma·tion 線維素〔性〕炎〔症〕（不均衡に多量の線維素が存在する滲出性炎症）.

fi·brin·ous per·i·car·di·tis 線維性心膜炎（線維素性の滲出物を伴う急性心膜炎）.

fi·brin·ous pleu·ri·sy 線維素性胸膜炎. = dry pleurisy.

fi·brin·ous pol·yp 線維素性ポリープ（出産後子宮内に残るフィブリン塊の誤称）.

fi·bri·nu·ri·a (fī-brin-yūr′ē-ă). 線維素尿〔症〕，フィブリン尿〔症〕（線維素を含んだ尿の排出）.

fibro-, fibr- 線維を表す連結形.

fi·bro·ad·e·no·ma (fī′brō-ad-ĕ-nō′mă). 線維腺腫（腺上皮由来の良性新生物．増殖している線維芽細胞と結合組織の要素とからなる基質が明らかに認められる．通常，乳腺組織に生じる）. = fibroid adenoma; adenoma fibrosum.

fi·bro·ad·i·pose (fī′brō-ad′i-pōs). 線維脂肪の（線維性と脂肪性の両方の構造をもつ）.

fi·bro·a·re·o·lar (fī′brō-ă-rē′ō-lăr). 線維疎性の（線維性と疎性の両方の性質をもつ結合組織についていう）.

fi·bro·blast (fī′brō-blast). 線維芽細胞（細胞形質をもつ星状の，または紡錘形の細胞で結合組織中にあり，膠原線維を形成する．不活性型線維芽細胞は線維細胞 fibrocyte ともいう）.

fi·bro·blas·tic (fī′brō-blas′tik). 線維芽細胞の.

fi·bro·car·ci·no·ma (fī′brō-kahr-si-nō′mă). 線維癌〔腫〕. = scirrhous carcinoma.

fi·bro·car·ti·lage (fī′brō-kahr′ti-lăj). 線維軟骨（細胞間質にI型コラーゲン線維が多量にみられる軟骨の一種．腱，靱帯，骨の移行部にみられる）. = fibrocartilago.

fi·bro·car·ti·lag·i·nous (fī′brō-kahr-ti-laj′i-nŭs). 線維軟骨〔性〕の.

fi·bro·car·ti·la·go (fī′brō-kahr-ti-lā′gō). 線維軟骨. = fibrocartilage.

fi·bro·cel·lu·lar (fī′brō-sel′yū-lăr). 線維細胞性（線維および細胞についていう）.

fi·bro·chon·dri·tis (fī′brō-kon-drī′tis). 線維軟骨炎.

fi·bro·chon·dro·ma (fī′brō-kon-drō′mă). 線維軟骨腫（軟骨組織の良性新生物で，線維基質が量的にみて比較的異常なほど含まれている）.

fi·bro·cyst (fī′brō-sist). 線維〔性〕嚢胞（多くの線維性結合組織によって囲まれているか，あるいはその中に存在する，何らかの嚢胞性の病変）.

fi·bro·cys·tic (fī-brō-sis′tik). 線維〔性〕嚢胞の.

fi·bro·cys·tic breast dis·ease 乳腺線維嚢胞症（未知の原因による一般的に良性の女性の胸の病気．多発性の高度の実質性乳房と小さなしこりによって明らかとなる．それらは月経周期によって巨大化したり縮小化する）.

fi·bro·cys·to·ma (fī′brō-sis-tō′mă). 線維嚢腫（良性新生物で，通常，腺上皮に由来し，明瞭な線維性基質内にある嚢腫を特徴とする）.

fi·bro·e·las·tic (fī′brō-ē-las′tik). 線維弾性の（膠原と弾性線維からなる）.

fibrogenaemia [Br.]. = fibrinogenemia.

fi·broid (fī′broyd). ***1*** 〖adj.〗類線維の，線維〔性〕の. ***2*** 〖n.〗フィブロイド，類線維〔腫〕（特に子宮に発生する平滑筋腫のある種の型についての古語）. ***3*** 〖n.〗 = fibroleiomyoma.

fi·broid ad·e·no·ma, ad·e·no·ma fi·bro·sum = fibroadenoma.

fi·broid cat·a·ract, fi·brin·ous cat·a·ract 線維性白内障（滲出性虹彩毛様体炎の際に起こる水晶体嚢の硬化性混濁）.

fi·broid·ec·to·my (fī′broyd-ek′tŏ-mē). 類線維腫切除〔術〕.

fi·bro·la·mel·lar liv·er cell car·ci·no·ma 線維層板肝細胞癌（線維層板帯によって横切られる腫瘍性肝実質細胞における原発性の肝癌）. = oncocytic hepatocellular tumor.

fi·bro·lei·o·my·o·ma (fī′brō-lī′ō-mī-ō′mă). 線維平滑筋腫（平滑筋腫で，腫瘍を硬化する非腫瘍性膠原線維組織を含む．通常，子宮筋層に生じ，加齢とともに線維組織が増大する）. = fibroid(3); leiomyofibroma.

fi·bro·li·po·ma (fī′brō-li-pō′mă). 線維脂肪腫（線維性組織基質に富む脂肪腫）.

fi·bro·ma (fī-brō′mă). 線維腫（線維性結合組織に由来する良性新生物）.

fi·bro·ma·toid (fī-brō′mă-toyd). 線維腫様結節（線維芽細胞の増殖による病巣，小結節，または塊で，線維腫に類似するが新生物としては扱われない）.

fi·bro·ma·to·sis (fī′brō-mă-tō′sis). 線維腫症（①比較的広い分布をもつ多発性線維腫を特徴とする状態．②線維組織の異常増殖）.

fi·bro·ma·tous (fī-brō′mă-tŭs). 線維腫の，線維腫性の．

fi·bro·mus·cu·lar (fī′brō-mŭs′kyū-lăr). 線維性筋性の（線維組織および筋組織の両方についていう）．

fi·bro·my·al·gi·a, fi·bro·my·al·gi·a syn·drome (fī′brō-mī-al′jē-ă, fī′brō-mī-al′jē-ă sin′drōm). 線維筋痛症（筋骨格起源であるが原因不明の慢性痛を呈する症候群．米国リウマチ協会は診断基準を確立し，それによれば，その疼痛は体軸部位（頸，胸，腰椎または前胸部）とともに体の両側全身にみられ，さらに 18 か所の特定の圧痛点のうち少なくとも 11 か所に圧痛を認めることが必要である）．= fibromyalgia syndrome.

fi·bro·my·ec·to·my (fī′brō-mī-ek′tŏ-mē). 線維筋腫切除〔術〕．

fi·bro·my·o·ma (fī′brō-mī-ō′mă). 線維筋腫（比較的多くの線維性組織に富む平滑筋腫）．

fi·bro·my·o·si·tis (fī′brō-mī′ō-sī′tis). 線維筋炎（結合組織の過成長または増殖を伴う筋の慢性炎症）．

fi·bro·myx·o·ma (fī′brō-mik-sō′mă). 線維粘液腫（成熟線維芽細胞および結合組織を比較的多く含む粘液腫）．

fi·bro·nec·tin (fī′brō-nek′tin). フィブロネクチン（高分子量の多機能性糖蛋白で，細胞表面の膜や血漿，他の体液中に存在する．フィブロネクチンは，接触阻止作用をもつ接着性リガンド様分子として機能すると考えられている．また，大型細胞外トランスフォーメーション感受性蛋白（LETS：レッツ蛋白）として知られている．この蛋白は細胞がトランスフォーム（悪性化）すると減少する）．

fi·bro·neu·ro·ma (fī′brō-nūr-ō′mă). 線維神経腫．= neurofibroma.

fi·bro·pap·il·lo·ma (fī′brō-pap-i-lō′mă). 線維乳頭腫（多量の線維性結合組織を基部にもつ乳頭腫で，腫瘍性上皮細胞がその上に集合して中核をなしている）．

fi·bro·pla·si·a (fī′brō-plā′zē-ă). 線維増殖〔症〕（線維組織の増殖で，通常，非腫瘍性線維組織の異常増加をさす）．

fi·bro·plas·tic (fī′brō-plas′tik). 線維形成性の．

fi·bro·re·tic·u·late (fī′brō-re-tik′yū-lāt). 線維性網状の．

fi·bro·sar·co·ma (fī′brō-sahr-kō′mă). 線維肉腫（未成熟な線維芽細胞が束状に増殖し，杉綾模様状に明瞭に配列するのを特徴とする深部線維組織の悪性腫瘍．コラーゲン生成の程度は様々である．局所浸潤，血行性転移をきたしやすい）．

fi·bro·se·rous (fī′brō-sēr′ŭs). 線維漿膜性の（漿膜面をもった線維組織からなる．漿膜についていう）．

fi·bros·ing co·lon·op·a·thy 線維性大腸症（嚢胞性線維症患者にみられる大腸の線維化で，パンクレアチンによって生じると考えられている）．

fi·bro·sis (fī-brō′sis). 線維症，線維増多（器官や組織の正常な成分である線維組織の形成とは対照的に，修復または反応過程として線維組織が形成されること）．

fi·bro·sit·ic head·ache 結合組織炎性頭痛（後頭筋の線維組織炎によって起こる，後頭部に中心をもつ頭痛．圧痛部位があり通常，圧痛結節が下部後頭部の頭皮に存在する）．

fi·bro·si·tis (fī′brō-sī′tis). 結合組織炎（①線維組織の炎症．②多くの圧痛点（疼痛誘発点）を伴う全身の筋肉痛，圧痛，硬直を表現する用語．原因不明）．

fi·brot·ic (fī-brot′ik). 線維症〔性〕の．

fi·brous (fī′brŭs). 線維の，線維性の（線維芽細胞からなる，あるいは線維芽細胞によって形成された結合組織の原線維および線維を含む）．

fi·brous an·ky·lo·sis 線維性強直（関節を形成する骨と骨との間に線維帯が存在することにより関節の運動性が失われた状態）．= false ankylosis; pseudankylosis.

fi·brous ar·tic·u·lar cap·sule 〔関節包の〕線維膜（滑液関節包の外側の線維性の部分．ときに関節包の靱帯を形成するために肥厚している）．

fi·brous cap·sule 線維性被膜（部分を包む線維性の鞘．器官を包む線維性の被覆膜）．

fi·brous cap·sule of kid·ney 腎被膜（腎臓全体を包む線維性の膜）．

fi·brous cap·sule of liv·er 脈管周囲被膜（肝臓の外表面やまた肝臓内の動脈・静脈・胆管とその枝を取り囲む結合組織性の膜）．= capsula fibrosa perivascularis hepatis; Glisson capsule.

fi·brous cor·ti·cal de·fect 線維性皮質〔骨〕欠損〔症〕（小児の大腿骨下部に最もよくみられる，通常 1—3 cm の骨皮質の欠損であり，線維組織で満たされている．非骨原性あるいは非骨形成性線維腫では，通常，直径が 3 cm 以上の病変をもつ）．= nonosteogenic fibroma.

fi·brous de·gen·er·a·tion 線維様変性，線維性変性（それ自体の変性というよりは，一種の修復過程．変性し壊死した細胞や組織の病巣は，後に線維性細胞組織に置き換わる）．

fi·brous dys·pla·si·a of bone 線維性骨形成異常（異形成）（髄質骨保持障害．骨が生物的溶解を受けて異常な増殖性線維組織に置換される．そのため骨の非対称性歪曲や伸長が生じる．1 つの骨についてのもの（単発性線維性異形成）や複数の骨についてのもの（多発性線維性骨異形成）がある）．

fi·brous goi·ter 線維性甲状腺腫（甲状腺およびその被膜が固く肥厚する）．

fi·brous joint 線維性連結（2 つの骨が結合組織線維によって連結され内部に関節腔がなく，実質的にはほとんど可動性はない．縫合，線維結合，釘植など）．= immovable joint; synarthrodia; synarthrodial joint(1).

fi·brous tis·sue 線維組織（白色の膠原線維束からなる組織．線維の間に結合織細胞の列がある．腱，靱帯，腱膜，硬膜のような膜のいくつかを含む）．

fi·brous tu·ber·cle 線維結節（線維芽細胞が蜂窩層内や周囲に増殖して，その結節の周囲に蜂窩線維組織や膠原質の壁または縁を形成して

F

いるもの).

fi·brous un·ion 線維性癒合(線維性組織による骨折の癒合. 一nonunion; vicious union). = faulty union.

fib·u·la (fib′yū-lă). 腓骨(下腿の2本の骨のうち外側の細いほうの骨. 体重を支える働きはしておらず, 上部で脛骨と, 下部で脛骨および距骨と関節をなす). = calf bone.

fib·u·lar (fib′yū-lăr). 腓側の.

fib·u·lar ar·ter·y 腓骨動脈. = peroneal artery.

fib·u·la·ris lon·gus mus·cle 長腓骨筋(起始:腓骨の外側面上方 2/3 と脛骨の外側顆. 停止:腱で外果の後方, 足底を通り, 内側楔状骨と第一中足骨基底部に付着. 神経支配:浅腓骨神経. 作用:足を底屈し, 外反する). = musculus fibularis longus; musculus peroneus longus; peroneus longus muscle; long fibular muscle; long peroneal muscle.

fib·u·lar·is ter·ti·us mus·cle 第三腓骨筋(起始:一般には長指伸筋と共同. 停止:第五中足骨底背部. 神経支配:深腓骨神経. 作用:足の背屈・外反を補助する). = musculus fibularis tertius; musculus peroneus tertius; peroneus tertius muscle; third peroneal muscle.

fib·u·lar nut·ri·ent ar·ter·y 腓骨栄養動脈(腓骨動脈から起こり腓骨に分布する).

fib·u·lar tar·sal ten·din·ous sheaths 腓側足根腱鞘(外果の下を通り腓骨筋支帯の下で足根骨の表面を通る腱の動きを容易にする鞘で, 腓骨筋総腱鞘と腓骨筋足底腱鞘の2つがある).

fib·u·lar veins 腓骨静脈. = peroneal veins.

fib·u·lo·cal·ca·ne·al (fib′yū-lō-kal-kā′nē-ăl). 腓骨踵骨の(腓骨と踵骨についていう).

Fick laws of dif·fu·sion フィックの拡散法則(①拡散による溶質の移動方向は, 必ず高濃度側から低濃度側となる. 溶質 A が点 x での断面積を通過する拡散流量 J_A は点 x での A の濃度勾配に比例する. すなわち, $J_A = -D(C_A/x)$. ②時間当たりの溶質 A の濃度の増加量 C_A/t は直接濃度勾配の変化に比例する. すなわち, $C_A/t = D(fl^2/x^2)$).

Fick meth·od フィック法(1870 年に A. Fick は, 心臓の拍出量が全身の酸素消費量を動脈と静脈の血液含量の差で割ることによって算出されることを示した. 直接 Fick 法では上記のすべての変数を測定するが, 間接 Fick 法では混合静脈の酸素含量を測定する方法を避けるいくつかの方法が用いられる. Fick 法をさらに拡大して, 指示物質を用いてその摂取率, 消費率, そして動脈と混合静脈血の含量が測定できる場合には, 心臓の拍出量のみならず組織の血流量を求めることができるが, この場合その指示物質がその組織系に特別に取り込まれたりあるいは残留しない条件が必要となる).

Fi·coll-Hy·paque tech·nique フィコール-ハイパーク法(血液の他の有形成分からリンパ球を分離するための密度勾配遠心分離法. 試料は Ficoll メトリゾエートナトリウムの比重勾配の上層になる. 遠心分離後, リンパ球は血漿 Ficoll 境界面から採取される).

FID free induction decay の略.

Fied·ler my·o·car·di·tis フィードラー心筋炎. = acute isolated myocarditis.

field (fēld). 領域, 野, 区(平面上の明確に規定された区域. ある特定の目的に関連して考慮される).

field balm = catnip.

field block 周囲浸潤麻酔〔法〕(術野の周囲組織に局所麻酔薬を浸潤することにより, 局所の麻酔を得る方法).

field di·ag·no·sis = differential field diagnosis.

Field rap·id stain フィールド迅速染色〔法〕(厚層スミアを用いて, 流行地域でのマラリアの迅速(陽性)診断を可能にする染色. リン酸緩衝液で溶かしたメチレンブルーとアズール B を使用し, エオシンをリン酸緩衝液に溶かして標本の対比染色を行う).

field size フィールド長(放射線治療されている部分に一致する映像). = portal(3).

field test フィールドテスト(研究室外で行う体力評価. ほとんど道具を使用せず, 多くの被験者に対して実施が可能となる. 6 分間の歩行テスト, 1.5 マイルの持久走, 最適露光テスト等).

field of view (FOV) 視界(画像に含まれる生体構造分野).

fifth cra·ni·al nerve [CN V] 第五脳神経. = trigeminal nerve.

fifth dis·ease 第五病. = erythema infectiosum.

fight bite 格闘咬傷(相手の歯を打撃した際の手の指の裂傷).

FIGLU (fig′lū). formiminoglutamic acid の略.

fig·ure (fig′yūr). ***1*** 形態, 形象. ***2*** 本質的観点からみて, ある特殊な役割を示しているような人物. ***3*** ある物体または人間の形態や形象, 概郭, 表現.

fig·ure and ground 図と地, 図柄と地面(じづら), 像と背景(知覚されるものが少なくとも2つの部分に分かれて認められるような知覚の様式. 各々は異なった特質をもっているが互いに影響し合っている. 空(地)にみえる鳥または木(図)などのように図ははっきりと際立ち, 地はほとんど形をなさない).

fig·ure-of-8 ban·dage 8 字〔形〕包帯, 8 の字包帯(任意の 2 か所, 通常は関節上下の肢の 2 か所に交互に当てて 8 の字を描くような形でおおう包帯法. 鎖骨骨折の治療に用いる特殊包帯法).

fi·la (fī′lă). filum の複数形.

fi·la·ceous (fī-lā′shŭs). = filamentous.

fil·a·ment (fil′ă-mĕnt). ***1*** 細糸, 微細線維, 糸状構造. = filamentum. ***2*** フィラメント(細菌学において, 分節がないか, 分節しても狭窄部のない糸状形態をいう).

fil·a·men·tous (fil′ă-men′tŭs). = filaceous; filar (2). ***1*** 糸状の, 線状の, 線維状の. = filiform (1). ***2*** 糸状構造の.

fil·a·men·tum, pl. fil·a·men·ta (fil-ă-men′tŭm, -tă). 細糸, 微細線維. = filament(1).

fi·lar (fī′lăr). ***1*** 原線維の. = fibrillar. ***2*** 糸状の. = filamentous.

Fi·lar·i·a (fi-lar′ē-ă). フィラリア属, 糸状虫属(線虫類の, 以前に用いられた属名で, 現在で

は，オンコセルカ科の数属および種に分類される．例としては，*Wuchereria bancrofti*, *Brugia malayi*, *Onchocerca volvulus*, *Mansonella perstans*, *M. streptocerca*, *M. ozzardi*, *Loa loa*, および *Dirofilaria* などがある．→filaria).

fi·lar·i·a, pl. fi·lar·i·ae (fi-lar′ē-ă, -ē-ē). フィラリア，糸状虫（オンコセルカ科線虫の一般名で，多くの脊椎動物の血液，組織液，組織，または体腔内に成虫として寄生する．雌は部分的にふ化した卵を産む．幼虫は屈巻しておらず，ミクロフィラリアとして血液中または組織液中を循環する．適当な吸血性節足動物により摂取されて幼虫は発育し，後に，その節足動物の吸血時に，他の脊椎動物宿主の皮膚へと移される）．

fi·lar·i·al (fi-lar′ē-ăl). フィラリアの（ミクロフィラリア段階も含めていう）．

fil·a·ri·a·sis (fil′ă-rī′ă-sis). フィラリア症，住血糸状虫症（体組織中，血液中(ミクロフィラリア血症)，あるいは組織液中(ミクロフィラリア症)にフィラリアがいるもので，熱帯・亜熱帯地方でみられる．生存しているフィラリアは組織にほとんど反応を起こさず，症状のないことが多いが，成虫の死後，肉芽腫性炎症と永続的な線維化をもたらし，皮下組織の密な硝子化の瘢痕となってリンパ管閉塞をきたす．最も重篤な結果は，象皮病または皮膚肥厚である）．

fi·lar·i·ci·dal (fi-lar′i-sī′dăl). フィラリア殺虫性の．

fi·lar·i·cide (fi-lar′i-sīd). フィラリア撲滅薬．

fi·lar·i·form (fi-lar′i-fōrm). ***1*** フィラリア状の（フィラリアまたは他の小さな糸状虫類に類似した）．***2*** 毛状の．

Fi·la·tov flap フィラートフ皮弁．= tubed flap.

Fi·la·tov-Gil·lies flap フィラートフ-ギリース皮弁．= tubed flap.

fil·i·al (fil′ē-ăl). 子の，雑種の（親に対する子の関係をいう．→filial generation）．

fil·i·al gen·er·a·tion (F) 雑種世代（遺伝的に明確な交配から生じる子孫．雑種第一代(記号 F_1)は，対照的遺伝子型の親の交配から生じる子孫．雑種第二代(F_2)は，2つの F_1 個体の交配から生じる子孫．雑種第三代(F_3)，雑種第四代(F_4)，その他は F_1 の子孫の系統的な同系交配による子孫）．

fi·li·form (fil′i-fōrm). ***1*** 糸状の，毛様の．= filamentous(1). ***2*** 細菌学において，穿刺培養あるいは塗抹培養における接種線に沿った規則正しい発育についていう．

fi·li·form bou·gie 糸状ブジー（狭窄部を愛護的に検索する目的や，誤って他の部分へ通過し，別の瘻孔を形成しやすい細径の瘻孔を検索する目的で用いる非常に細いブジー．刺入端は直あるいはらせん形，反対側端は，通常，糸のように細い円柱形で，同部を通してねじ付きの先端部をもつ追従ブジーを挿入することができる）．

fi·li·form pa·pil·lae 糸状乳頭（舌背部の多数の細長い円錐状の突起）．

fil·let (fil′et). ***1*** 毛帯．= lemniscus. ***2*** 係蹄（胎児の身体の一部を牽引するための糸やテープのわな）．

fill·ing (fil′ing). 充填（歯の充填を表す一般用語）．

fill·ing de·fect 陰影欠損（放射線検査で注腸におけるポリープのような，造影剤の満たされた中空の内臓における占拠性病変による造影剤の置換．硫酸 ^{99m}Tc コロイドスキャンによる肝転移のように，他の均一の核物質の臓器内分布の欠損にも用いられる）．

film (film). ***1*** フイルム（写真または放射線写真の撮影時に用いる光感受性またはX線感受性物質により塗布された薄い可曲性物質のシート）．***2*** 被膜，薄膜．***3*** フイルム(X線写真(口語))．

film badge フイルムバッジ（毎月の放射線被曝量を監視するために放射線従事者が身に付けるX線フイルムやフィルタの小さな包み．→pocket dosimeter; thermoluminescent dosimeter）．

film·less ra·di·o·gra·phy フイルムレスX線写真（フイルムによる取り扱いおよび保管処理を介さない電子媒体による放射線画像の保管および伝達．→PACS）．

fi·lo·pres·sure (fī′lō-presh′ŭr). 結紮による一時的な血管圧迫で，血流が停止したときに取り去られる．

fil·ter (fil′tĕr). ***1*** 〚n.〛 濾過器，フィルタ（多孔性物質で，液体や気体を通過させて，中に含まれる特別な物質や不純物を滅菌するために分離するもの）．= filtrum. ***2*** 〚v.〛 濾過する，物質中を通す（フィルタの作用を利用する，あるいはフィルタの作用にゆだねる）．***3*** 〚n.〛 濾過板，フィルタ（放射線診断または治療において用いる，アルミニウムや銅など1種類以上の金属でつくられた板．X線やγ線の線束中に置き，高エネルギー放射線の大部分を通過させて低エネルギーや不必要なエネルギーの部分は減衰させることにより，放射線の平均エネルギーは高くなり，線質は硬くなる）．***4*** 〚n.〛 フィルタ（分光測光分析において，スペクトルのある部分を除くために用いる装置）．***5*** 〚n.〛 フィルタ（画質向上の目的で画像データに使用される数学的アルゴリズム．通常は，高い空間周波数の制御に用いられる）．***6*** 〚n.〛 フィルタ（特定の電気信号の通過を選択的に可能にする濾波電気回路または装置）．***7*** 〚n.〛 フィルタ（下肢からの凝血塊による肺塞栓症を防ぐために下大静脈に置かれる器具．多変種ある）．***8*** 〚n.〛 フィルタ（X線照射において，低エネルギー成分を除去する物質）．

fil·ter·ing bleb 濾過胞（(緑内障手術において形成された)眼球壁の強膜のフラップによる結膜胞．この部位を通って房水 aqueous humor は眼内から結膜下に排出され眼圧 intraocular pressure が低下する）．

fil·ter·ing op·er·a·tion 濾過手術（緑内障の治療において，前眼房と結膜下の間に瘻孔をつくる外科手術）．

fil·tra·ble, fil·ter·a·ble (fil′tră-bĕl, fil′tĕr-ă-bĕl). 濾過性の（濾過器を通りうる．しばしば小さなウイルスまたはある種のバクテリアに対して用いる語）．

fil·trate (fil′trāt). 濾液（フィルタを通った液体）．

fil·tra·tion (fil-trā′shŭn). 濾過（①濾過器に液

F

体または気体を通す過程．②放射線医学において，フィルタを線源と被写体の間に置くことにより，X 線や γ 線の線束の減衰や線質の硬化をもたらす過程．固有濾過とは，装置自身に起因するもので，例えば，フィルタを付加しない X 線管球のガラスによる濾過をさす）．= percolation(1)．

fil·tra·tion an·gle = iridocorneal angle.

fil·tra·tion co·ef·fi·cient 濾過係数（膜の水に対する透過性の測定値．特に，単位時間に単位面積の膜を通して単位圧差当たりに濾過される液量で，この場合，水圧と浸透圧両方を含む）．

fil·tra·tion frac·tion (FF) 濾過率（腎臓にはいり，腎尿細管の管腔内で濾過される血漿の割合．これは糸球体濾過値を腎血漿流量で除して得られる．正常値は 0.17 前後）．

fil·trum (fil′trŭm)．フィルタ様の構造．= filter (1)．

fi·lum, pl. fi·la (fī′lum, -lă)．糸（線維状または糸状の外観をもつ構造物）．

fi·lum of spi·nal du·ra mat·er 脊髄硬膜糸（脊髄終糸を取り巻き，深後仙尾靱帯に続いている脊髄硬膜の糸状の終端．$S_{2\text{-}3}$ から Co_2 までにわたる）．

fi·lum ter·mi·na·le 終糸（細い糸状の脊髄の終端）．

FIM functional independence measure の略．

fim·bri·a, pl. fim·bri·ae (fim′brē-ă, -brē-ē)．***1*** 采，ふさ（すべての采状構造物についていう）．***2*** 線毛．= pilus(2)．

fim·bri·ae ova·ri·cae = fimbriae of uterine tube.

fim·bri·ae of u·ter·ine tube 卵管采（卵管の腹腔口の膨大部を取り囲んでいる不規則な分枝状もしくは采状の突起．大部分の上皮細胞が線毛をもっていて子宮の方向へ線毛運動を行っている）．= fimbriae ovaricae.

fim·bri·a hip·po·cam·pi 海馬采（白線維質の狭く鋭い縁をした堤．海馬白板と連続して，海馬の内側縁にある．最終的には脳弓を形成する海馬の遠心性線維，海馬交連の線維，中隔海馬線維からなる）．= corpus fimbriatum(1)．

fim·bri·ate, fim·bri·at·ed (fim′brē-āt, -ā-ted)．采状の．

fim·bri·o·cele (fim′brē-ō-sēl)．卵管采ヘルニア．

fine co·or·di·na·tion = fine motor coordination.

fine mo·tor con·trol = fine motor coordination.

fine mo·tor co·or·di·na·tion (FMC) 細運動神経（安定性，筋肉制御，個々の指の同時の動きを必要とする，手の細かい操作をする能力）．= dexiterity; fine coordination; fine motor control.

fine nee·dle bi·op·sy 細針生検（細い針による組織あるいは浮遊細胞の吸引および採取）．

fin·ger (fing′gĕr)．指（手の指）．

fin·ger ag·no·si·a 〔手〕指失認（自分自身や他人の個々の指の名前を言ったり，認識したりす

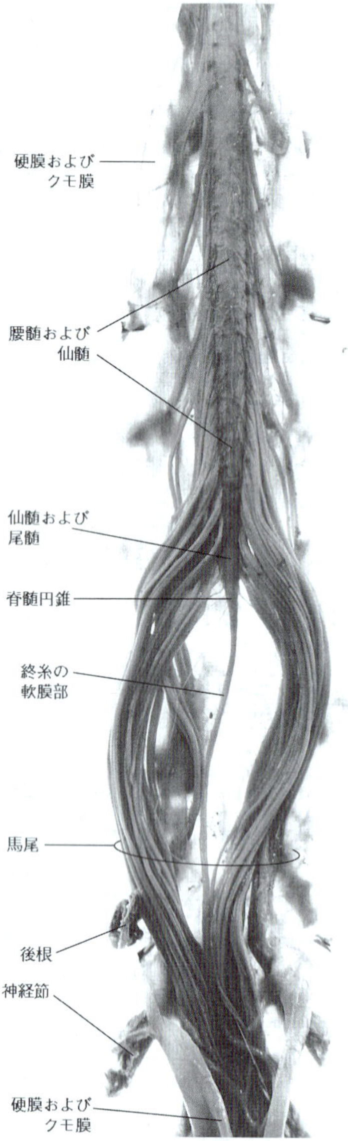
硬膜および
クモ膜
腰髄および
仙髄
仙髄および
尾髄
脊髄円錐
終糸の
軟膜部
馬尾
後根
神経節
硬膜および
クモ膜

filum terminale with distal spinal cord and cauda equina

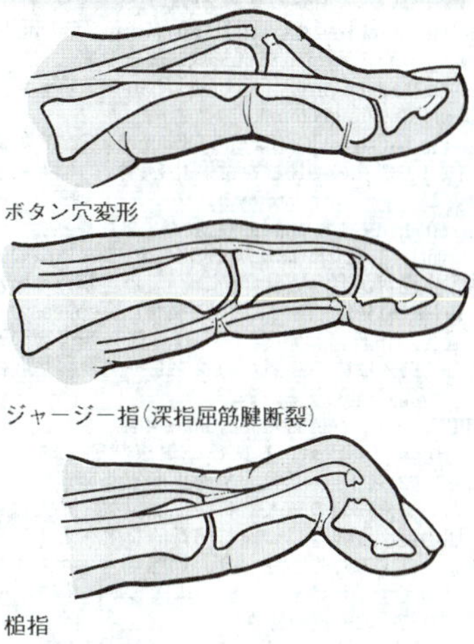
ボタン穴変形
ジャージー指(深指屈筋腱断裂)
槌指

finger 変形と骨折.

る能力の欠如. 優性大脳半球の角回あるいはその付近の病変によって起こることが多い).

fin·ger-nose test 指鼻試験(上肢の共調運動と位置覚の試験. 被検者は伸展した自分の人指し指で自分の鼻先をゆっくり触れるように言われる. 小脳機能を評価する).

fin·ger·print (fing′gĕr-print′). ***1*** 指紋(指頭の捺印によって得られる紋理で, 隆線の構成が示される. 個人の識別に用いる. →dermatoglyphics; Galton system of classification of fingerprints). ***2*** 類似化合物やゲルパターンが識別できるような分析法についてときに非公式に用いる語. 例えば, 赤外線吸収曲線や二次元ペーパークロマトグラフ. ***3*** フィンガープリント(遺伝学では個人の同定あるいは子供の父子関係を決定するためにDNA断片を分析すること).

fin·ger·spel·ling (fing′gĕr-spel′ing). 手指綴字法(指や手の特定の動きを用いて, アルファベットの文字を表し, 言葉を綴る伝達方法. →American Manual Alphabet).

fin·ger-thumb re·flex 指母指反射. = basal joint reflex.

fin·ger-to-fin·ger test 指指試験(上肢の共調運動と位置覚の検査. 被検者は両方のひとさし指の先をつけるように言われる. 小脳機能を評価する).

Fin·kel·stein test フィンケルスタイン試験(de Quervain 腱鞘炎の診断テストで, 母指を手掌方向に屈曲し, 他の指を屈曲して母指をおおい, 次いで手関節を尺屈する. 陽性の場合は障害腱の走行に沿って痛みと捻髪音が生じる).

Finn Cham·ber test フィンチャンバーテスト(肌の敏感性を検査する道具. アレルギー反応に対して検査される物質や薬剤を固定する小さなアルミニウムのコップがパッチについている. パッチは被験者の肌に貼られる).

Fin·ney op·er·a·tion フィニー手術(縫合法によって, 胃から胃液や食物などが容易に排出できるように大きな吻合口をつくる胃十二指腸吻合術).

fire ant 火蟻(*Solenopsis* 属の数種のアリの総称. これに咬まれると焼けるような刺激感があり, ときに重篤なアレルギー反応を引き起こす).

fire·wall (fīr′wawl). ***1*** 防火壁(延焼を防ぐために建物や部屋の間に設置される特殊な物質). ***2*** ファイアウォール(コンピューターシステムに権限のない人が侵入するのを防ぐソフトウェアプログラム).

first aid 応急処置(外傷または急病の場合に, 医師が到着する前に, 居合わせた人(必ずしも医師ではない)によってなされる緊急の救助).

first aid plant = *Aloe vera*.

first cra·ni·al nerve〔**CN I**〕第一脳神経. = olfactory nerves.

first-de·gree AV block = atrioventricular block.

first-de·gree burn I度熱傷. = superficial burn.

first-de·gree pro·lapse 第1度子宮脱(一prolapse of the uterus).

first heart sound〔**S_1**〕第1音(心室収縮期に主に房室弁の閉鎖によって生じる心音).

first in·ten·tion 一次癒合(化膿や肉芽組織を形成せずに, 線維性癒着による治癒. →second intention; third intention).

first mo·lar, first per·ma·nent mo·lar 第一大臼歯, 第一永久大臼歯(歯列弓上で頭蓋の正中矢状面の両側の上顎および下顎の6番目の永久歯または4番目の乳歯).

first-pass me·tab·o·lism, first-pass ef·fect 初回通過代謝(経口摂取された薬物や物質が小腸や肝臓で分解や代謝を受けて, 全身の循環系にはいる前に血中から生物活性のある物質が除去されてしまうこと). = first-pass effect.

first phar·yng·e·al arch car·ti·lage 第一咽頭弓軟骨. = mandibular cartilage.

first re·spon·der ***1*** 第一応答者(患者を助けるため, もしくは緊急の生命維持処置を施すために救急現場(医療上の出来事または外傷)に最初に到着する人). ***2*** プレホスピタル医療従事者, すなわち消防士および法執行に携わる職員のための訓練および資格の基礎レベル.

first and sec·ond pos·ter·i·or in·ter·cos·tal ar·ter·ies〔第一・第二〕後肋間動脈(肋頸動脈の枝である上肋間動脈の最終枝で上方二肋間隙に分布する). = arteriae intercostales posteriores I et II; posterior intercostal arteries 1—2.

fis·cal in·ter·me·di·ar·y 会計仲介(メディケアやメディケイドのような米政府プログラムの請求手続きをする外部の請負業者).

Fi·scher sign, Fi·scher symp·tom 現在は用いられない徴候. 気管支リンパ節結核の場合, 患者の頭部をできるだけ後屈させ, 胸骨柄の上で聴診すると, 大きくなったリンパ節が縦隔の大血管を圧迫するため, 持続的な大きい雑音がときに出現する.

FISH (fish). fluorescent *in situ* hybridization の略.

Fish·berg con·cen·tra·tion test フィッシュバーグ濃縮試験（腎臓の水保持能(再吸収能)の検査. 一晩の水分摂取制限の後に, 早朝尿を採取し, 比重を測定する).

Fish·er ex·act test フィッシャーの直接確率検定, フィッシャーの正確検定（分割表内の頻度分布を正確に計算することによる 2 × 2 表の関連性の検定).

Fish·er syn·drome フィッシャー症候群（眼筋麻痺, 運動失調, 反射消失を特徴とする症候群. 多発性根神経炎の一形態).

fish·mouth (fish′mowth). 魚口（①淋菌感染による尿道口の発赤作用. ②感染や腐敗の排膿をするための切開口).

fis·sion (fish′ŭn). ***1*** 分裂（分裂運動, 例えば, 細胞またはその核の無糸分裂). ***2*** 核分裂（原子核の分裂).

fis·sion pro·duct 核分裂生成元素（ウラン 235 のような大質量原子の核分裂の経過中に産生される原子の種類).

fis·si·par·i·ty (fis′i-par′i-tē). 分裂増殖. = schizogenesis.

fis·sip·a·rous (fi-sip′ă-rŭs). 分裂増殖の, 分裂再生の.

fis·su·la (fis-sū′lă). 小裂（fissure の指小辞. 小さな裂).

fis·su·la an·te fe·nes·tram 卵円窓前小裂（鼓室迷路壁にある小裂で, 蝸牛様突起部から卵円窓の前方を骨迷路の前庭まで延びている. 外リンパ腔の続きとみられているが, わずかな結合組織が詰まっており鼓室粘膜まで続いている).

fis·su·ra, pl. fis·su·rae (fis-sū′ră, -rē). 裂（①= fissure. ②神経解剖学において, 特に脳または脊髄表面の深い溝をいう).

fis·su·rae ce·re·bel·li 小脳溝. = cerebellar fissure.

fis·su·ra li·ga·men·ti te·re·tis 肝円索裂. = fissure of round ligament of liver.

fis·su·ra li·ga·men·ti ve·no·si 静脈管索裂. = fissure of ligamentum venosum.

fis·sure (fish′ŭr). 裂溝, 裂（①深い溝, 隙, または裂け目. →sulcus. ②歯科においては, 歯のエナメル質の発育裂または欠損). = fissura(2).

fis·sured frac·ture 亀裂骨折. = linear fracture.

fis·sured ton·gue 亀裂舌（舌の表面に多数のひだや溝をもつが, 痛みを伴わない溝状舌や陰嚢舌など).

fis·sure of lig·a·men·tum ve·no·sum 静脈管索裂（肝門と下大静脈から肝左葉と尾状葉の間にのびている深い溝. 静脈管索を入れる. 静脈管窩の遺残). = fissura ligamenti venosi.

fis·sure of round lig·a·ment of li·ver 肝円索裂（肝臓の臓側面の溝で, 下縁から肝門の左端まで走っている. 肝円索を入れる). = fissura ligamenti teretis.

fis·tu·la, pl. fis·tu·lae, fis·tu·las (fis′chū-lă, -lē, -lăz). フィステル, 瘻〔孔〕（1 つの上皮でおおわれている表面から他のやはり上皮でおおわれている表面への異常な導管).

fis·tu·la·tion, fis·tu·li·za·tion (fis′chū-lā′shŭn, -lī-zā′shŭn). 瘻孔形成, 瘻管形成.

fis·tu·lec·to·my (fis′chū-lek′tō-mē). 瘻孔切除〔術〕. = syringectomy.

fis·tu·lot·o·my (fis′chū-lot′ŏ-mē). 瘻孔切開〔術〕（瘻孔の切開または瘻孔を外科的に拡大すること). = syringotomy.

fis·tu·lous (fis′chū-lŭs). 瘻の.

fit (fit). ***1*** 発作（急性疾患の発作, または咳のように症状が突然発現すること). ***2*** 痙攣, らいかん(癲癇)発作. ***3*** てんかん(癲癇). = epilepsy. ***4*** 適合（歯科において, あらゆる歯科修復物の適合. 例えば歯の窩洞へのインレー適合, 基底部への義歯適合).

FITC fluorescein isothiocyanate の略.

fit·ness (fit′nĕs). ***1*** 良好（健康状態を表す用語). ***2*** 適正, 適応度. ***3*** 適正度（集団遺伝学において, 一定の個人あるいは表現型, または集団の亜グループについて相対的な生存と生殖率を測定すること). ***4*** 適正, 適応度（エネルギーを消費する仕事をなす能力に関して, 特に呼吸, 心血管系の一連の特質).

fit test·ing フィットテスト（被験者が陰圧呼吸マスクを着用し, どのマスクが顔に最も合っていたかを検査するテスト. 試験官は化学薬剤が塗られたマスクを装着するように促す).

five-el·e·ment the·o·ry 5 大要素論（人の精神的, 感情的, および身体的な状態を解明するための代替医学体系で, 木, 風, 火, 水, 土(東洋), または天, 風, 火, 水, 土(アーユルヴェーダ)の 5 つの異なるタイプの力に現れる. →polarity therapy; acupressure; shiatsu; chi; shakra).

five-year sur·viv·al rate 5 年生存率（診断が下されたり, ある治療が完遂した 5 年後に依然生存している患者の割合. 5 年を超えてしまえば再発は起こりにくいため, 通常, 癌患者の生存に関する統計に用いられる).

fix·a·tion (fik-sā′shŭn). ***1*** 固定, 不動, 据え付け. ***2*** 固定（組織学において, 組織成分をできるだけ生体時の状態に保つように, 組織を迅速に殺し, 硬化, 保存すること). = fixing. ***3*** 固定（化学において, 化学反応(生体組織の助けを借りる場合と借りない場合がある)によって気体を固体または液体に変えること). ***4*** 固着（精神分析において, 特定の人や対象や成長の期間に強く執着し固定していること). ***5*** 固視, 注視, 視線固定, 凝視（生理光学において, 静止または動いている物体の鮮明な像をもたらしたり維持する各眼の協調した位置付けまたは調節).

fix·a·tion nys·tag·mus 注視眼振（視線固視に誘発される眼振で, 視運動性眼振として, また中脳損傷によって生じる).

fix·a·tion sup·pres·sion 固視抑制（固視時に生じる誘発または自発性眼振の減弱).

fix·a·tive (fik′să-tiv). ***1*** 〚adj.〛 固定性の, 固着性の. ***2*** 〚n.〛 固定液, 固定剤（組織の肉眼的・組織学的標本または個々の細胞の保存に用いる物質. 通常, 蛋白成分を変性, 沈殿させるか交差させる. →fluid; solution).

fix·a·tor (fik-sā′tŏr). 固定器（骨に刺入, また

は貫通させたピンに棒(固定器)を取り付け骨外固定することにより，強固な固定を可能にする器具).

fix·a·tor mus·cle 固定筋（身体の一部が動いている間，他の部分を固定する筋).

fixed drug e·rup·tion 固定薬疹（ある特殊な薬剤を投与すると同じ場所に繰り返して起こる型の薬疹．色素沈着をきたすことがある).

fixed end 固定端（ある運動の際，静止状態に保たれるほうの骨端．もう一方の骨端(可動端)は筋活動または重力によって動かされる). = punctum fixum.

fixed i·de·a 固定観念（①誇張された観念，信仰または妄想で，反対の証拠があるにもかかわらず存続して心を支配する．②自分の妄想は正しいという精神病者の頑固な確信).

fixed mac·ro·phage 固定マクロファージ（休止状態にあるマクロファージ．結合組織，リンパ節，脾臓，骨髄にみられる).

fixed par·tial den·ture 固定性橋義歯（患者あるいは歯科医によって容易にはずすことのできない１歯または数歯欠損の修復物．装置に主な維持を与える天然歯や根に永久的に装着される). = bridge(3).

fixed pu·pil 固定瞳孔（すべての刺激に対して反応しない固定瞳孔).

fixed-rate pace·mak·er 固定レート〔型〕ペースメーカ（一定周期で電気的刺激を出す人工ペースメーカ).

fixed vi·rus 固定ウイルス，固定毒（狂犬病ウイルスで，そのウサギに対する病原性は，実験動物を通して継代を何度も行って安定化している. →street virus).

fix·er (fiks′ĕr). フィクサー（写真撮影およびX線撮影において，露出および現像されていないハロゲン化銀水晶を感光乳剤から除去し，ゼラチンを硬くする溶液).

fix·ing (fik′sing). 固定. = fixation(2).

flac·cid (flak′sid). 弛緩性の.

flac·cid dys·arth·ri·a 弛緩性構語障害〔症〕(末梢筋肉が弱いために起こる構語障害．通常，下位運動ニューロンの障害により起こる．鼻音が多く，子音が不正確，気息音の多い声になり，抑揚がなくなる. →hypernasality).

flac·cid·i·ty (flak-sid′i-tē). 弛緩性，弛緩状態.

flag (flag). フラグ（転写士からレポートの著者への，問題(日付忘れ，ディクテーションミス，器具の問題，扇動的意見など)を指摘する警告や注意．フラグは危機管理に役に立つ).

fla·gel·la (flă-jel′ă). flagellum の複数形.

fla·gel·lar (flă-jel′ăr). べん毛の，細突起の.

fla·gel·lar an·ti·gen べん毛抗原（菌体抗原とは対照的に，細菌性べん毛に由来する，熱に不安定な抗原. →H antigen).

flag·el·late (flaj′ĕ-lāt). ***1*** 〚adj.〛有べん毛の. ***2*** 〚n.〛鞭毛虫上綱類の一般名.

flag·el·lat·ed (flaj′ĕ-lā-tĕd). 有べん毛の.

flag·el·la·tion (flaj′ĕ-lā′shŭn). ***1*** べん(鞭)打(性感を生じる，あるいは高める手段として自分または他者をむち打つこと). ***2*** べん毛発生（べん毛の形成パターン).

fla·gel·li·form (flă-jel′i-fōrm). 鞭毛状(の)(むち状の構造についていう).

flag·el·lo·sis (flaj′ĕ-lō′sis). 鞭毛虫症（腸管または性器への鞭毛虫類の感染症．例えばトリコモナス症).

fla·gel·lum, pl. fla·gel·la (flă-jel′ŭm, -ă). べん毛（9対の周辺微小管と，1対の中心微小管からなり，一定の構造形態を示すむち様の運動小器官．べん毛は濃く染色される基粒から生じ，しばしば線維性のリゾプラストにより核と接続している).

flag·ging re·ports 付箋付け記録（医療記録転写士が，口述記録の中の理解不能な点や矛盾点について，説明が必要であるとして口述者に注意を促すプロセス).

flail chest 動揺胸郭（胸骨または肋骨，あるいはその両方の骨折後に生じる胸郭の安定性が失われた状態．呼吸不全の原因となる).

flail joint 動揺関節（正常の可動域内で関節を安定させる能力を失うために関節の機能を果たさない関節).

flame cell 炎(ほのお)細胞（吸虫類にみられる原始的な有繊毛排泄細胞．住血吸虫卵内のミラシジウム幼虫におけるこの細胞の繊毛運動は虫卵の生存力の指標となる).

flange (flanj). フレンジ（歯頸末端から義歯床の辺縁までのびる義歯床部分).

flank (flangk). = latus.

flank in·ci·sion 側腹切開（腸骨稜と肋骨の間で，通常は第十二肋骨に近く，これと平行に行う皮膚切開).

flank po·si·tion 側腹位（側横臥位，しかし下になった脚は曲げ，上になった脚はのばし，上方になった身体が上に向かって凸になるようにする．腎摘出術に用いる).

flap (flap). ***1*** 皮〔膚〕弁，弁，組織弁（茎によって血管支配を保持した移植用組織．有茎皮弁. →pedicle flap; local flap; distant flap). ***2*** 振せん運動（手にみられる制御できない運動. →asterixis).

flap am·pu·ta·tion 皮弁切断〔術〕(筋肉と皮膚の組織弁で，骨端をおおう切断). = flap operation(1).

flap·less am·pu·ta·tion 無弁切断〔術〕(断端をおおう組織がない切断).

flap op·er·a·tion ***1*** 皮弁切断〔術〕. = flap amputation. ***2*** 歯肉剥離掻爬手術（歯科において，組織におおわれた部分の視野をよくして処置しやすくするため，粘膜骨膜組織をその下の骨や埋伏歯から剥離する手術. →flap).

flap·ping trem·or 羽ばたき振せん. = asterixis.

flare (flār). 発赤，〔発赤〕拡大（①外に向かって次第に広がりながら薄くなること．②刺激物の塗布に対して局所反応以上に広がる皮膚のびまん性発赤．細小動脈と毛細血管の拡張によるもので，受傷時に，皮膚にヒスタミン様物質が放出されて生じる軸索反射による. →triple response).

flash (flash). ***1*** 閃光（光または熱の突然かつ瞬時の出現). ***2*** バリ（義歯床その他の歯科修復物の制作過程で，フラスコから押し出された過剰

F

な材料).

flash·back (flash′bak). フラッシュバック（幻覚薬がもともとの効果を生みだした後になって，その物質を再び使用することなく，幻覚経験や知覚変容の一部が不随意に再現すること).

flash blind·ness 閃光盲（網膜の生理的適応力を超えた強い光によって網膜の光感受性色素が漂白されたときに生じる一過性の視力喪失).

flash-lag ef·fect フラッシュ(閃光)する部位の移動物の背後の見かけ状の遅れ.

flash meth·od 内光法（温度を急速に161°F(71.67°C)まで上げて，短時間置き，その後急速に40°F(4.44°C)まで下げて牛乳を滅菌する法).

flask (flask). フラスコ，びん（液体，粉末，気体などを入れる，通常，ガラス製の小さい容器).

flat af·fect 平坦な情動（類似の状況下で他者あるいは自分自身が典型的に示す情緒の調子，あるいは外部に向かう情動反応の量が欠如または減少していること．精神疾患の徴候のことも多く，軽度のものは感情鈍麻とよばれる).

Fla·tau law フラタウの法則（長い脊髄路の離心した部分に関する法則．脊髄の神経線維は長いものほど脊髄の辺縁部に接近する).

flat bone 扁平骨（薄く扁平な形が特徴である骨の一型．肩甲骨あるいは頭蓋骨のある種のものなどにみられる).

flat chest 扁平胸（前後の直径が平均より短い胸).

flat con·dy·lo·ma 扁平コンジローム（①= condyloma latum. ②ヒトパピローマウイルス感染で生じる子宮頸部または他の部位の扁平コンジローム．尖型化を伴わないコイロサイトが組織学的特徴である).

flat e·lec·tro·en·ceph·a·lo·gram 平坦脳波. = electrocerebral silence.

flat flap 平坦皮弁（移植時に茎が平らにのびているか，露出したままになっている皮弁．すなわち非管状皮弁). = open flap.

flat·foot (flat′fut). 扁平足. = talipes planus.

flat pel·vis 扁平骨盤（前後径が一様に狭く仙骨が腸骨間で前方に変位している骨盤).

flat·u·lence (flat′yū-lĕns). 膨満，鼓腸（胃腸内にガスが過剰に存在すること).

flat·u·lent (flat′yū-lĕnt). 膨満の，膨満で苦しむ.

fla·tus (flā′tŭs). 放屁（肛門から排出できる胃腸管内のガスまたは空気のこと).

fla·tus vag·i·na·lis 腟排気音（腟からの気体の排出であり，直腸腟瘻の例でみられるものが典型例である).

flat wart 扁平いぼ. = verruca plana.

flat·worm (flat′wŏrm). 扁虫（扁形動物門の1つで，寄生条虫類や吸虫類を含む).

fla·vin, fla·vine (flā′vin, flā′vēn). フラビン. = riboflavin.

fla·vin ad·e·nine di·nu·cle·o·tide (FAD) フラビンアデニンジヌクレオチド（リボフラビンとアデノシン5′-二リン酸の縮合生成物．種々の好気性デヒドロゲナーゼの補酵素．例えばD-アミノ酸オキシダーゼとアルデヒドデヒドロゲナーゼ．厳密にいうと，FADは糖アルコールを含むのでジヌクレオチドではない).

fla·vin mon·o·nu·cle·o·tide (FMN) フラビンモノヌクレオチド; riboflavin 5′-phosphate（多くの酸化還元酵素の補酵素．例えばNADHデヒドロゲナーゼ．厳密には，FMNは糖の代わりに糖アルコールを含むのでヌクレオチドではない).

fla·vi·vi·rus (flā′vi-vī-rŭs). フラビウイルス属（黄熱病ウイルス，デング熱ウイルス，セントルイス脳炎ウイルスを含むフラビウイルス科の一属).

Fla·vo·bac·te·ri·um (flā′vō-bak-tēr′ē-ŭm). フラボバクテリウム属（好気性から通性嫌気性までの，非胞子形成性，運動性および非運動性バクテリア Achromobacteraceae 科の一属で，グラム陰性杆菌を含む．運動性のあるものには菌体に周毛がみられる．これらの細菌は，黄色，橙色，赤色，または黄褐色の色素を生じるのが特徴．土壌，淡水，塩水内にみられる．種類によっては病原性がある).

fla·vo·en·zyme (flā′vō-en′zīm). フラボ酵素（補酵素としてフラビンヌクレオチドを有する酵素．例えば，キサンチンオキシダーゼ，コハク酸デヒドロゲナーゼ).

fla·vo·pro·tein (flā′vō-prō′tēn). 黄色蛋白，フラビン蛋白（補欠分子団として，フラビンを有する複合蛋白. *cf.* flavoenzyme).

flea (flē). ノミ（ノミ目の昆虫．体は縦に平たく，かなりの跳躍力をもつ．吸口に特徴があり，温血動物の毛や羽内における外寄生的成虫生活をする).

fleece·flow·er (flēs′flow-ĕr). = flo-ti.

Flei·scher ring フライシャー輪（円錐角膜錐体底によくみられる不完全輪で，ヘモジデリンが沈着することによる).

Fleisch·ner lines フライシュナー線（胸部X線写真に見える粗な線状の影で，亜区域の板状無気肺の病巣を示す).

Flem·ming fix·a·tive フレミング固定液（クロム酸，オスミウム酸，酢酸の混合液．細胞質と染色体の強力な固定液で，酢酸を減じた場合は特に強力である．浸透しにくい，長時間の洗浄を要する，急速に劣化する，などの欠点がある).

Flem·ming tri·ple stain フレンミング三重染料（サフラニン，メチルバイオレット，オレンジGからなる染料).

flesh (flesh). ***1*** 肉（食用動物の肉). ***2*** 筋肉組織. = muscular tissue.

flesh fly ニクバエ（*Wohlfahrtia* 属，*Sarcophaga* 属，*Parasarcophaga* 属を含むハエのグループで，糞便や腐った肉，魚を摂食する．ヒトの病気を起こすことがある).

Flet·cher fac·tor フレッチャー因子. = prekallikrein.

fleur-de-lis (flūr-dĕ-lē). = blue flag.

flex (fleks). 屈曲させる（接続している2つの部分が近づくように関節を曲げる).

flex·i·bil·i·tas ce·re·a ろう屈症，ろう様可撓性（カタレプシー特有の硬直で，わずかな外力で容易にその肢位を変えうるが，硬直はすぐ元に復し，与えられた新しい位置をとる）．

flex·i·bil·i·ty (fleks′i-bil′i-tē)．柔軟性（正常関節機構での関節可動域，軟部組織の可動性，および筋の伸長性を総合したもの．→range of motion）．

flex·i·ble en·do·scope 軟性内視鏡（透明な線維（10 マイクロメートル程度）の自由に曲がる束を通して光を伝え，画像を観察者に戻す光学機器．人体内部の観察に用いる．これらの機器は通常，操作機構を備えており，内腔の処理に応じて生検採取や手術器具の挿入を可能にする追加孔を有していることもある．→fiberoptics）．

flex·i·ble hy·ster·o·scope 可変型子宮鏡（調節できる可変型の子宮鏡で，直径が小さく，手術，診断操作に適する．外套が不要で，ファイバーガラスで視野を得ることができるが，腔内拡張のためのガス注入が必要である）．

flex·ion (flek′shŭn)．屈曲（①屈曲する動作．例えば，連結している部分が近づくように関節を曲げること．脊椎弯曲の陥凹面が前方に向くように脊椎を曲げること．②屈曲または弯曲している状態）．= open-packed position (2)．

flex·ion-ex·ten·sion in·ju·ry 屈曲伸展損傷（頭部が支持されていない状態で，強制的に加えられた頭部の前後方向の運動により生じることのある頸椎や脳の損傷）．

flex·ion-tear·drop frac·ture 過屈曲涙滴骨折（構造内の過度の屈曲による脊髄の骨折）．

Flex·ner ba·cil·lus フレクスナー杆菌．= *Shigella flexneri*.

flex·o·me·ter (fleks-om′ĕ-tĕr)．= goniometer (3)．

flex·or (fleks′ŏr)．屈筋（関節を屈曲させる筋肉）．

flex·or car·pi ra·di·a·lis mus·cle 橈側手根屈筋（起始：上腕骨内顆の共通屈筋起始部．停止：第二・第三中手骨底前面．作用：手根を屈曲し，橈側に外転させる．この筋の腱は横手根靱帯の下の固有の管の中を通っている．神経支配：正中神経）．= musculus flexor carpi radialis; radial flexor muscle of wrist.

flex·or car·pi ul·na·ris mus·cle 尺側手根屈筋（起始：上腕骨頭は上腕骨内顆から，尺骨頭は肘頭および尺骨後縁上部 3/5 の部位より起こる．停止：豆状骨，豆中手靱帯および第五中手骨．作用：手根部で手を屈曲し，尺側に外転させる．神経支配：尺骨神経）．= musculus flexor carpi ulnaris; ulnar flexor muscle of wrist.

flex·or di·gi·ti mi·ni·mi brev·is mus·cle of foot 足の短小指屈筋（起始：足の小指の中足骨底および長腓骨筋鞘．停止：足の小指の基節骨底外側．作用：小指を中手指節関節で屈曲する．神経支配：外側足底神経）．= musculus flexor digiti minimi brevis pedis; short flexor muscle of little toe.

flex·or di·gi·ti mi·ni·mi brev·is mus·cle of hand 手の短小指屈筋（起始：有鉤骨鉤．停止：小指基節骨内側面．作用：小指を中手指節関節で屈曲する．神経支配：尺骨神経深枝）．= musculus flexor digiti minimi brevis manus; short flexor muscle of little finger.

flex·or di·gi·to·rum brev·is mus·cle 足の短指屈筋（起始：踵骨の内側結節および足底腱膜の中心部．停止：第二–第五中節骨に付着する．長指屈筋の腱が貫く．作用：足の第二–第五指の屈曲．神経支配：内側足底神経）．= musculus flexor digitorum brevis; short flexor muscle of

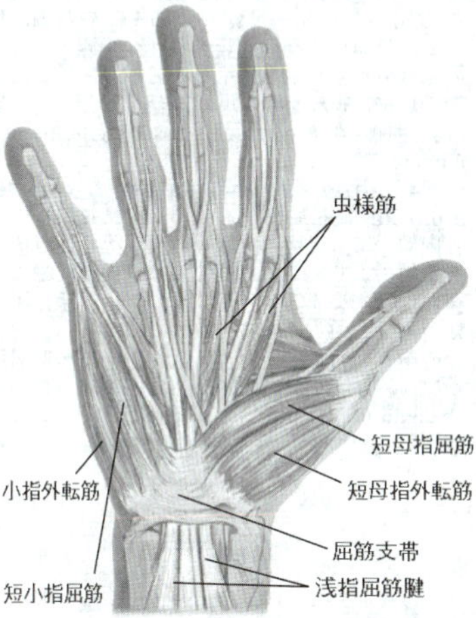
虫様筋
短母指屈筋
短母指外転筋
小指外転筋
屈筋支帯
浅指屈筋腱
短小指屈筋

flexor digiti minimi brevis muscle of hand

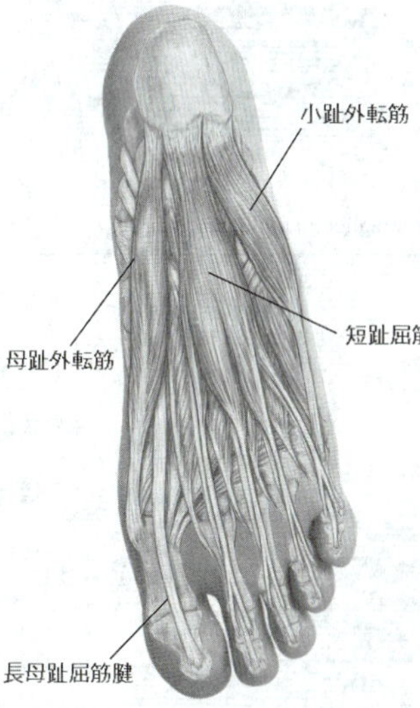
小趾外転筋
短趾屈筋
母趾外転筋
長母趾屈筋腱

flexor digitorum brevis muscle

F

toes.

flex·or di·gi·to·rum lon·gus mus·cle 足の長指屈筋（起始：脛骨後面の中央 1/3．停止：短指屈筋の腱裂孔を貫く 4 つの腱で，足の第二–第五指の末節骨底に付着．作用：足の第二–第五指の屈曲．神経支配：脛骨神経）．= musculus flexor digitorum longus; long flexor muscle of toes.

flex·or di·gi·to·rum pro·fun·dus mus·cle 深指屈筋（起始：尺骨の上部 1/3 の前面．停止：浅指屈筋の腱裂孔を貫く 4 つの腱で，各指の末節骨底に付着．作用：各指の遠位指節間関節の屈曲．神経支配：尺骨神経および正中神経（前骨間神経））．= musculus flexor digitorum profundus.

flex·or di·gi·to·rum su·per·fi·ci·a·lis mus·cle 浅指屈筋（起始：上腕尺骨頭は上腕骨内顆，烏口突起の内側縁およびその 2 点間にある腱弓より起こる．橈骨頭は橈骨外側縁の斜線および中央 1/3 より起こる．停止：深指屈筋腱の両側を通る 4 つに分かれた腱で各指の中節骨の両側に付着．作用：各指の近位指節間関節の屈曲．神経支配：正中神経）．= musculus flexor digitorum superficialis; superficial flexor muscle of fingers.

flex·or hal·lu·cis brev·is mus·cle 足の短母指屈筋（起始：立方骨内側面，中間楔状骨．停止：足の長母指屈筋の腱をはさむ 2 つの腱で，足の母指の基節骨底の両側に付着．作用：足の母指の屈曲．神経支配：内側および外側足底神経）．= short flexor muscle of great toe.

flex·or hal·lu·cis lon·gus mus·cle 足の長母指屈筋（起始：腓骨後面の下部 2/3．停止：足の母指の末節骨底．作用：足の母指の屈曲．神経支配：内側足底神経）．= long flexor muscle of great toe.

flex·or pol·li·cis brev·is mus·cle 手の短母指屈筋（起始：浅部は手根の屈筋支帯より，深部は第一中手骨の尺側より起こる．停止：手の母指の基節骨底掌側．作用：手の母指の基部の屈曲．神経支配：正中神経，尺骨神経．一部の学者は，手掌の骨間の 4 筋のなかでこの筋の深部が最初のものと考えている）．= short flexor muscle of thumb.

flex·or pol·li·cis lon·gus mus·cle 手の長母指屈筋（起始：橈骨前面中 1/3．停止：母指末節骨掌側面．作用：指節間関節で母指を屈曲する．神経支配：正中神経前骨間枝）．= long flexor muscle of thumb.

flex·or re·flex 屈筋反射（足に強い痛みの刺激

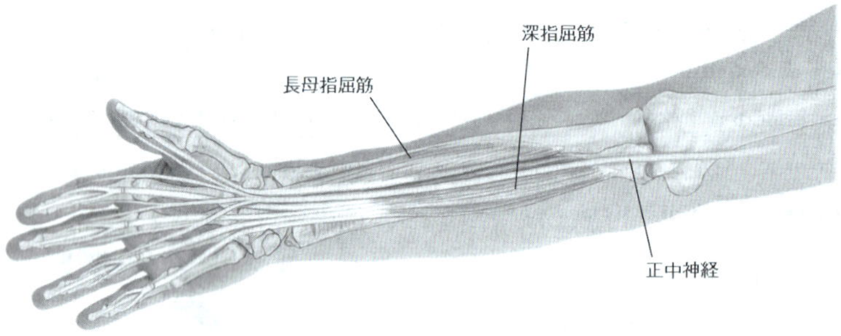
深指屈筋
長母指屈筋
正中神経

flexor digitorum profundus muscle

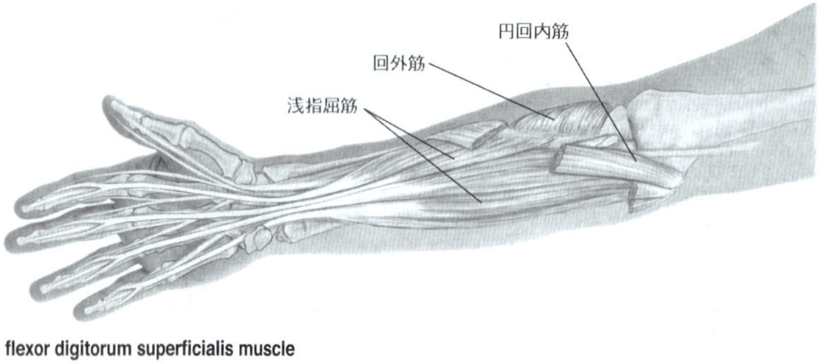
円回内筋
回外筋
浅指屈筋

flexor digitorum superficialis muscle

を受けたときに生じる，くるぶし，膝，腰の屈曲．これに関連して交差伸展反射が起こる）．

flex·or ret·i·nac·u·lum of low·er limb 下肢の屈筋支帯（内側果から踵骨の内縁および上縁まで，および足底面の舟状骨まで通る広い靱帯．後脛骨腱，長足指伸筋腱，および長母指伸筋腱を正しい位置に保つ）．

flex·u·ra, pl. **flex·u·rae** (flek-shūr′ă, -ē)．曲．= flexure.

flex·u·ra co·li dex·tra 右結腸曲．= right colic flexure.

flex·u·ra co·li si·nis·tra 左結腸曲．= left colic flexure.

flex·u·ra du·o·de·no·je·ju·na·lis 十二指腸空腸曲．= duodenojejunal flexure.

flex·ur·al (flek′shŭr-ăl)．曲の，弯曲の．

flex·ur·al psor·i·a·sis 間擦疹型乾癬（間擦部位，例えば腋窩，鼡径部に生じる乾癬．ときに脂漏性湿疹に似る）．

flex·ure (flek′shŭr)．曲，弯曲（臓器または構造における屈曲）．= flexura.

Flie·rin·ga ring フリーリンガ輪（強膜で縫合するステンレススチール輪．危険な眼内手術で球虚脱を防ぐために用いる）．

flight (flīt)．*1* 飛行（物体が空中を移動すること）．*2* 逃亡．

flight of i·de·as 観念奔逸（全体の言葉数は著明に増加するにもかかわらず，関連のない言葉や考えの流れが言葉にできないほどの速さで起こる，双極性障害の躁病相のコントロールできないほどの症状．→mania）．

flight in·to dis·ease 疾患への逃避（病気になることまたは病気だと思い込むことによって得をすること．→primary gain; secondary gain）．

flight in·to health 健康への逃避（力動的精神療法において，患者が治療を受けるきっかけとなった症状が，治療の早期に，しばしばただ一時的に消失することをいう．それは患者の，自分の葛藤をさらに深く精神分析的に究明されるだろうという不安に対する防衛である）．

flight-or-fight re·sponse 逃走-闘争反応（→emergency theory）．

Flin·ders Is·land spot·ted fe·ver フリンダース島紅斑熱（*Rickettsia honei* が原因の熱性疾患でオーストラリア東南部にみられる．特徴は頭痛，筋肉痛，斑丘疹）．

Flint ar·cade フリント弧（腎錐体基底部の一連の静脈弓）．

Flint mur·mur フリント雑音（僧帽弁狭窄による拡張期雑音に類似し，心尖部で聴取される）．= bicuspid murmur.

flip an·gle フリップ角（MRI 撮影パルス系列における，RF 波の印加によって生じる陽子全体の向きが横平面に傾く際の角度．小さいフリップ角は，高速撮像法や血流信号を可視化するために使用される）．

flit·ter (flit′ĕr)．= impure flutter.

float·er (flōt′ĕr)．フローター（硝子体に生じ視野中に現れる物体．→muscae volitantes）．

float·ing (flōt′ing)．*1* 移動性の，浮動する（固定されていない，付着していない）．*2* 遊走〔性〕の（過度に動く．正常位置からはずれた．腎臓，肝臓，脾臓などのある種の臓器にときにみられる異常状態についていう）．

float·ing car·ti·lage 浮遊軟骨（関節内にある遊離軟骨片で，関節軟骨または関節包から剥離したもの）．

float·ing kid·ney 遊走腎（腎下垂において，異常に動く腎臓）．= wandering kidney.

float·ing pa·tel·la 膝蓋跳動．= ballotable patella.

float·ing ribs ［XI-XII］ 浮遊肋（前方で連結しない下位 2 対の肋骨）．= costae fluctuantes; vertebral ribs.

float·ing spleen 遊走脾（肥大のためというよりもむしろ，弛緩して延長した茎部を原因とする過剰な可動性のために触知可能な脾臓）．= lien mobilis; movable spleen.

floc·cil·la·tion (flok′si-lā′shŭn)．瀕死のもがき，撮空模床（糸または綿毛を引き抜くかのように，寝具を目的もなくつかむ動作）．

floc·cose (flok′ōs)．毛状の（細菌学において，不規則で稠密に配列されている，短く曲がった糸状体または連鎖状の増殖をいう）．

floc·cu·lar (flok′yū-lăr)．片葉の，綿状の（どの種類の片葉にも関連するが，特に小脳の小葉についていう）．

floc·cu·late (flok′yū-lāt)．綿状になる．

floc·cu·la·tion (flok′yū-lā′shŭn)．凝集，フロキュレーション，綿状反応，凝結（溶液から綿状の塊の形に沈殿すること．綿状になる過程）．

floc·cu·lent (flok′yū-lĕnt)．綿状の（①綿または羊毛の毛に似ていること．尿のように灰白色または白色の粘膜の細片，綿毛体の粒子，その他の物質を含んでいる液体についていう．②細菌学において，多数の集落が液体培地の表面に浮遊しているか，あるいは底に緩く沈殿している液体培養をいう）．

floc·cu·lus, pl. **floc·cu·li** (flok′yū-lŭs, -lī)．*1* フロキュール，綿状沈降物（綿，羊毛またはそれに類似したもののふさ，細片）．*2* 片葉（下小脳脚と二腹小葉の後方で中小脳脚後縁にある小脳の小葉．虫部結節と連絡しており，これらの 2 つの構造は小脳前庭部分を構成する）．

flood (flŭd)．*1* 〘v.〙 大量出血する（特に分娩後または月経過多の子宮出血）．*2* 〘n.〙 月経過多（口語表現）．

flood·ing (flŭd′ing)．*1* 〘adj.〙 大量出血の（特に分娩後または月経過多の重症例における子宮からの大量出血）．*2* 〘n.〙 情動洪水法（行動治療の一型．治療の方法として，治療の初めに，患者に最も不安を生じる光景を想像させ，その中に完全に没頭させる）．

floor plate 底板（胚子神経管の腹側正中の薄い部分で，両側の基底膜の延びたもの．roof plate の対語）．= ventral plate.

flop·py in·fant ぐにゃぐにゃ児，筋緊張低下児（神経筋疾患や筋疾患のため四肢を自由に動かせない乳幼児）．

flop·py in·fant syn·drome, flop·py ba·by syn·drome ぐにゃぐにゃ児（筋緊張低下児）症候群（筋緊張の低い小児患者を表す口語表現）．

F

flo·ra (flō′ră). *1* 植物相，フローラ（特定の地域における植物の生活）. *2* 微生物叢（健康で普通に生活している動物の体内や体表に生息している微生物の集団）.

flor·id (flōr′id). 鮮紅色の，病勢盛んな（①特定の皮膚病変についていう．②十分に発達した）.

flo·ta·tion (flō-tā′shŭn). 浮選，浮上法（液体中に浮沈する性質を利用して，固形物を分離すること）.

flo·ta·tion con·stant (S_f) 浮上定数（血漿に食塩または酸化ジューテリウムを加えて適当な密度とした溶液中の血漿リポ蛋白分画が遠心力の場で示す特徴的な沈降）. = Svedberg of flotation.

flo·ta·tion meth·od 浮遊法（直接検査法では寄生虫卵の発見が困難な場合に行われる集卵法．高い比重の液体の表面に寄生虫卵が浮く）.

flo-ti (flō-tē). ツルドクダミ（Polygonum multiflorum．血圧の引き下げ，排卵誘発，便秘解消に効果があるとされる薬．肝毒性の可能性がある．イタドリ）.

flow (flō). *1* 〖v.〗子宮から出血する（flooding の状態よりはやや少ない）. *2* 〖n.〗月経，過多月経. *3* 〖n.〗流れ，流量（液体または気体の流れ．特に一定単位時間内に流れる液体または気体の量）. *4* 〖n.〗流動学において，時間経過に伴い進行する構造の恒久的変形.

flow-con·trolled ven·ti·la·tor 流量制御型人工呼吸器（あらかじめ設定された流動波形を強制的に呼吸するようにつくられた人工呼吸器）.

flow cy·tom·e·try フローサイトメトリ，流動細胞光度測定法，流動細胞測光法（通常は1本または2本のレーザー光線で色素分子を励起することによって浮遊状態で狭い通路を通過する染色した細胞から発する蛍光を測定する方法．細胞の大きさ，数，生存率，核酸含有量を測定するために用いる）.

flow di·a·gram フローダイアグラム（決定分析など1つのプロセスの段階を表した矢印でつながれたブロックからなるダイアグラム）.

flow·ers (flow′ĕrz). 華（昇華後，粉状になった鉱質成分）.

flow·me·ter (flō′mē-tĕr). 流量計，流速計（液体または気体の流速または流量を測定する器械．→pneumotachometer）.

flow-vol·ume loop stud·ies フロウボリュームループ検査（気管気管支樹の閉塞部位を検出するために用いられる吸気と呼気のフロウボリューム曲線による診断法）.

flu (flū). フルー. = influenza.

fluc·tu·ate (flŭk′shū-āt). *1* 波動する. *2* 変動する，動揺する（量あるいは質がときとして変動，変化する．例えば，血圧の高さ，尿中または血中物質の濃縮度，分泌活動など）.

flu·ence (flū′ĕns). フルエンス（診断放射線学における X 線光束の量の測定単位．粒子フルエンスとは，単位断面積の開口部を通過した光子の数であり，エネルギーフルエンスとは，単位面積を通過した光子のエネルギーの総和である．*cf.* flux）.

flu·en·cy (flū′ĕn-sē). 流暢（話す言葉が連続してなめらかに発せられること）.

flu·ent a·pha·si·a 流暢失語〔症〕. = receptive aphasia.

flu·id (flū′id). *1* 〖n.〗流体（非固形物質．液体または気体．容器の形に合わせて流れる）. *2* 〖adj.〗流体の，液性の（容易にそれらの相対的位置を変化できる．(すなわち動いたり，流れたりできる)粒子や，実在物からなる）.

flu·id bal·ance chart 体液バランスチャート（体液の摂取と排出をモニターするための記録．摂取には，口からの摂取，点滴静注，血液製剤が含まれる．排出には，排尿，嘔吐，創傷ドレナージによる体液の喪失が含まれる．摂取・排出記録）.

flu·id ex·tract 流エキス剤（植物性の薬の薬局方液体製剤で，パーコレーション法によってつくられる．アルコールを溶媒あるいは保存剤として，または両方の目的で含み，各々1 mL 中に相当する標準薬の有効成分1 g を含むようにつくられている）.

flu·id·ounce (flū′id-owns′). 液量オンス，フルイドオンス（容量単位で8液量ドラム．英液量オンスは 15.6°C で蒸留水1常衡法オンス，すなわち 437.5 グレーンを含み，28.4 mL に相当する．米液量オンスは 1/128 ガロンであり，25°C で蒸留水 454.6 グレーンを含み，29.57 mL に相当する）.

flu·i·dram (flū′i-dram′). 液量ドラム，フルイドドラム（容量単位で液量オンスの 1/8．茶匙1杯．英液量ドラムは蒸留水 54.8 グレーンを含み，3.55 mL に相当する．米液量ドラムは蒸留水 57.1 グレーンを含み，3.70 mL に相当する．*cf.* dram）.

fluke (flūk). 吸虫類（吸虫綱(扁形動物門)の種類に対する一般名．哺乳類の吸虫類(二生亜綱)はすべて，成虫期は内部寄生性で，複雑な複世代生活環を特徴とする．すなわち，第一中間宿主の巻貝中で幼虫が増殖し，次いで遊泳幼虫を放出して，これが最終宿主の皮膚を直接通過(住血吸虫などの場合)したり，植物上で被嚢(肝蛭 *Fasciola* などの場合)したり，あるいは他の中間宿主の内部または表面で被嚢(肝ジストマ *Clonorchis* や他の魚類媒介性吸虫などの場合)したりする．住血吸虫は腸間・門脈系およびその関連内臓および骨盤静脈叢の血中に住む．この中には，ビルハイツ住血吸虫 *Schistosoma haematobium*（内臓住血吸虫），マンソン住血吸虫 *S. mansoni*（マンソン氏腸住血吸虫），日本住血吸虫 *S. japonicum*（東洋住血吸虫）などが含まれる．他の重要な吸虫に，肺吸虫 *Paragonimus westermani*（気管支または肺の吸虫），ネコ肝蛭 *Opisthorchis felineus*（ネコの肝臓吸虫），肝ジストマ *Clonorchis sinensis*（中国肝蛭または東洋肝蛭），異形吸虫 *Heterophyes heterophyes*（エジプト吸虫または小型腸吸虫），肥大吸虫 *Fasciolopsis buski*（大型腸吸虫），槍形吸虫 *Dicrocoelium dendritricum*（ランセット吸虫），肝蛭 *Fasciola hepatica*（肝吸虫またはヒツジ肝吸虫），およびアズキムシ *Paramphistomum*（瘤胃吸虫)がある）.

flu·men, pl. flu·mi·na (flū′mĕn, -mi-nă). 流れ.

fluor-, fluoro- フッ素を示す接頭語.
fluo·ra·pa·tite (flōr-ap′ă-tīt). フッ素リン灰石(天然に生じるカルシウムのフッ素リン酸塩).
fluo·res·ce·in (flōr-es′ē-in). [CI 45350]. フルオレセイン (橙赤色の結晶粉末で, 溶液中に鮮緑色の蛍光を生じる. 還元されてフルオレシンになる. 無毒性の水溶性指示薬で, 水流速度を調べるのに用いる).
fluo·res·ce·in in·stil·la·tion test フルオレセイン滴下試験 (涙器系の開放性を調べる検査. 結膜嚢に滴下したフルオレセインが下鼻孔に確認される). = dye disappearance test; Jones test.
fluo·res·ce·in i·so·thi·o·cy·a·nate (FITC) フルオレセインイソチオシアネート (しばしば抗体に結合させる蛍光色素で, 特定の抗原の局在と同定に用いられる).
fluo·res·cence (flōr-es′ĕns). 蛍光 (物質を光で刺激すると, そのエネルギーを吸収し, それより長い波長の光を放射すること. この現象は刺激されている間だけ持続する. このため刺激を取り去ってもしばらく光の放射が続くリン光とは異なる).
fluo·res·cence-ac·ti·vat·ed cell sort·er (FACS) 蛍光細胞分析分離装置, ファクス (蛍光色素複合抗体で標識化されたリンパ球のような細胞を, それらの蛍光および光散乱のパターンにより分離・分析する装置).
fluo·res·cence mi·cros·co·py 蛍光顕微鏡検査〔法〕(蛍光物質を紫外線または青紫可視光線で照射すると, 可視光線が放射されることを利用する方法. ある物質はこの性質を自然に備え, 他の物質は蛍光溶液で処理して(多少染色に似ている)得られる).
fluo·res·cent (flōr-es′ĕnt). 蛍光の.
fluo·res·cent an·ti·bod·y tech·nique 蛍光抗体法 (蛍光抗体で抗原を検出するのに用いる方法で, 通常, 2 方法のうちのいずれかの方法で行う. 直接法では, 蛍光色素と結合した免疫グロブリン(抗体)が組織に添加され, 特異抗原(微生物など)と結合し, 形成された抗原抗体複合体を蛍光顕微鏡で検出する. 間接法では, 組織に添加された非標識免疫グロブリン(抗体)が特異抗原と結合してできた抗原抗体複合体を, フルオレセイン結合抗免疫グロブリン抗体で標識し, できた三者複合体を蛍光顕微鏡で検出する).
fluo·res·cent screen 蛍光板 (タングステン酸カルシウムなどの蛍光結晶を塗布したスクリーン. 蛍光透視で用いる).
fluo·res·cent in si·tu hy·brid·i·za·tion (FISH), fluo·res·cence in si·tu hy·brid·i·za·tion 蛍光原位置ハイブリッド形成 (ゲノム DNA あるいは cDNA 断片の染色体上の位置あるいは発現型を決定するのに用いられる方法. 地図作製に用いられる DNA 片(プローブ)は蛍光色素で標識され, 染色体調製材料あるいは組織切片とハイブリッド形成される. プローブは相補的 DNA あるいは RNA 配列と対合する. 蛍光顕微鏡下で染色体あるいは組織切片を検索すると標的配列の数, 大きさ, および位置が明らかとなる).
fluo·res·cent stain 蛍光染色, 蛍光染色液(法)(選択的にある種の組織成分と結合し, 紫外線光または青紫色の光線で照射すると蛍光を発する蛍光色素や蛍光物質を使用する染色液または染色法).
fluo·res·cent trep·o·ne·mal an·ti·bod·y-ab·sorp·tion test 蛍光標識抗トレポネーマ抗体吸収試験 (抗原として, 梅毒トレポネーマ *Treponema pallidum* の Nichols 菌株懸濁液を用いる, 梅毒に対する鋭敏かつ特異的血清検査法. 患者血清中の抗体の有無は間接蛍光抗体法で示される).
fluo·ri·dat·ed tooth フッ〔素〕化歯 (歯牙形成中にフッ化塩にさらされた歯).
fluo·ri·da·tion (flōr′i-dā′shŭn). フッ素添加, フッ素化 (むしば予防として飲料水に通常約 1 ppm 以下のフッ化物を加えること).
fluo·ride (flōr′īd). ***1*** フッ化物 (金属, 非金属, または有機性基を含有するフッ素化合物). ***2*** フッ素イオン (フッ素の陰イオン. エノラーゼを阻害する. 骨や歯のアパタイト中に存在する. フッ化物は抗う食効果をもつ. 高濃度で毒性がある).
fluo·ride num·ber フッ化物数 (フッ化物によって生成された擬コリンエステラーゼの阻害率. 不定型から標準型の擬コリンエステラーゼを区別するのに用いる. →dibucaine number).
fluo·ri·di·za·tion (flōr′i-dī-zā′shŭn). フッ素処理, フッ化物処理 (う食抑制のため, フッ化物を治療的に用いること. ときに, フッ化物の歯への局所応用をさして用いる).
fluo·rine (F) (flōr-ēn′). フッ素 (気体元素. 原子番号 9, 原子量 18.9984032. ^{18}F(半減期 1.83 時間)は種々の各種スキャンでの診断補助剤として用いられる).
fluo·ro·chrome (flōr′ō-krōm). 蛍光色素 (標示あるいは染色するために用いる蛍光染料).
fluo·rog·ra·phy (flōr-og′ră-fē). 〔蛍光〕間接撮影〔法〕. = photofluorography.
fluo·ro·im·mu·no·as·say (flōr′ō-im′yū-nō-as′ā). 蛍光イムノアッセイ (蛍光物質で標識した抗原または抗体を用いる免疫学的検定法).
fluo·rom·e·ter (flōr-om′ĕ-tĕr). 蛍光計 (この装置は紫外線を光源とし, 波長選択用の分光単色器, および可視光線検出器を備えている. 蛍光光度法に用いる).
fluo·rom·e·try (flōr-om′ĕ-trē). 蛍光比色法, 蛍光光度法 (そのもの自体のもつ特有の蛍光をより短波長の紫外線あるいは可視光線を光源として照射し, 化合物類を励起させ, その波長強度を用いて蛍光化合物類を決定する定量分析法).
fluo·ro·pho·tom·e·try (flōr′ō-fō-tom′ĕ-trē). フルオロフォトメトリ (フルオレセインの静脈内投与後, 眼内での蛍光強度を光電子増倍管で測定する方法. 房水産生量の測定, 網膜血管の正常度を測定するのに用いる).
fluo·ro·scope (flōr′ō-skōp). 〔X 線〕透視装置 (タングステン酸カルシウムのような蛍光物質を塗布したガラス板を用いて, 検査中に人体を通過した X 線の像を暗順応した眼には肉眼で見えるようにした旧式の装置).

F

fluo·ro·scop·ic (flōr-ō-skop′ik). 〔X 線〕透視〔検査〕の (X 線透視検査(すなわち経皮的生検)による方法に関する，によって効果がある).
fluo·ros·co·py (flōr-os′kŏ-pē). 〔X 線〕透視〔検査〕(透視装置を用いて，X 線によって身体の組織や深部を検査すること).
fluo·ro·sis (flōr-ō′sis). フッ素〔中毒〕症，フッ素沈着〔症〕(過剰のフッ化物の摂取により起こる症状. 歯のエナメル質の斑点，着色，減形成症が主な特徴である).
flush (flŭsh). ***1*** 〚v.〛流す，洗う (液で洗う). ***2*** 〚n.〛潮紅 (熱，疲労，緊張，病気などによる一過性の紅斑). ***3*** 〚adj.〛平坦な (平らな，すなわち平坦開口部のような，他の表面と同じ高さの).
flut·ter (flŭt′ĕr). 粗動 (動揺，震え).
flut·ter de·vice フラッター (強制的に呼気呼吸を行うための器具で，咳を促進するため振動する).
flut·ter-fi·bril·la·tion (flut′ĕr-fib′ri-lā′shŭn). 粗動-細動. = impure flutter.
flux (flŭks). ***1*** 体液の病的流出(身体の体腔面または体表面から流動性の物質が大量に排泄されること. →diarrhea). ***2*** 糞便 (腸から排泄される物質). ***3*** 融剤 (融解した金属の表面から酸化物を取り除き，鋳造するときにそれを保護するために用い，熔接の場合も同じ目的に使われる. またその低い融解温度から歯の陶材の成分としてシリカ粒子の結合を助けるのに用いる). ***4*** 束密度 (記号 *J*. 単位時間内に境界層または膜の単位面積を通過する物質モル数). ***5*** フラックス (膜や表面での物質の 2 方向性移動). ***6*** 流速 (放射線診断学においては，単位時間内の光子の流れ).
flux·ion·ar·y hy·per·e·mi·a 流動性充血. = active hyperemia.
fly (flī). ハエ (双翅目の 2 枚の羽をもつ昆虫. 重要なハエとしてはブユ属 *Simulium* (black fly)，オオクロバエ属 *Calliphora* (bluebottle fly)，チーズバエ *Piophila casei* (cheese fly)，シカバエ属 *Chrysops* (deer fly)，ツノバエ *Siphona irritans* (horn fly)，ヒメイエバエ *Fannia scolaris* (latrine fly)，ヒツジバエ *Oestrus ovis* およびウマのボット症ウジバエ *Gasterophilus hemorrhoidalis* (nose fly)，アメリカバエ *Cochliomyia hominivorax* (primary screw-worm fly) および *C. macellaria* (secondary screw-worm fly)，サシバエ *Stomoxys calcitrans* (stable fly)，ツェツェバエ属 *Glossina* (tsetse fly) および毛翅目の昆虫などがある).
Fm フェルミウムの元素記号.
FMC fine motor coordination の略.
FMLH familial hemophagocytic lymphohistiocytosis の略.
FMN flavin mononucleotide の略.
FMR1 = fragile X syndrome.
FNA fine needle aspiration biopsy (細針吸引生検) の略.
foam cells 泡沫細胞 (微細な空胞に満ちた淡染の細胞質に富む細胞. 通常，プレパラート作製中に溶け出す栄養物質または蓄積物質で，特に脂質を有する組織球をさす. →lipophage).
foam·y vi·rus·es 泡沫状ウイルス (霊長類や他の哺乳類に見出されるレトロウイルス科 *Spumavirus* 属のウイルス. サルの腎細胞中に生じるレース状の変化のためにこのように命名された. 多核細胞体もつくられる).
fo·cal (fō′kăl). ***1*** 焦点の，病巣の. ***2*** 局所の.
fo·cal am·y·loi·do·sis 限局性アミロイドーシス. = nodular amyloidosis.
fo·cal depth, depth of fo·cus 焦点深度 (物点が最大限に場所を変えても，その結像がぼやけないような範囲).
fo·cal dis·tance 焦点距離 (レンズの中心から焦点までの距離).
fo·cal ep·i·lep·sy 焦点てんかん，運動中枢損傷性てんかん (種々の原因によるてんかんで，局所痙攣または二次性全身性強直・間代発作を特徴とする. 発作時の症状は，発作が局所的に始まる脳の部位としばしば関連する). = localization-related epilepsy (2).
fo·cal-film dis·tance (FFD) 焦点フイルム距離 (放射線源(X 線管の焦点)からフイルムまたはその他の受像系までの距離). = source-to-image distance.
fo·cal glo·mer·u·lo·ne·phri·tis 巣状糸球体腎炎 (ごく一部の腎糸球体を侵す腎炎. 一般に血尿がみられ，若年男性の急性上気道感染に合併することが多いが，通常，これは連鎖球菌によるものではない. 糸球体メサンギウム内への IgA 沈着と関連する. また，Henoch-Schönlein 紫斑病のような全身疾患に関連することもある). = Berger disease; Berger focal glomerulonephritis.
fo·cal in·fec·tion 病巣感染 (局所感染(病巣)を全身感染(敗血症)と区別する古語).
fo·cal in·ju·ry 焦点(局所性)損傷 (小範囲の限局性の損傷. 通常，高速で低質量の力により生じる).
fo·cal ne·cro·sis 巣状壊死 (無数の，比較的小さく，かなり限局された組織の部分で，凝固性，乾酪性，ゴム腫性の壊死をさす).
fo·cal point 焦点 (→anterior focal point; posterior focal point).
fo·cal re·ac·tion 病巣反応，局所反応 (Arthus 現象のように感染生物の侵入点や注射点に起こる). = local reaction.
fo·cal seg·men·tal glo·mer·u·lo·scle·ro·sis 巣状分節状糸球体硬化症 (糸球体毛細血管の分節状の虚脱を示し，肥厚した基底膜やメサンギウム基質の増生を伴う. ネフローゼ症候群患者やメサンギウム増殖性糸球体腎炎患者の糸球体にみられる).
fo·cal spot 焦点 (X 線管の陽極において電子が衝突し，X 線が放出される場所).
fo·cus, pl. fo·ci (fō′kŭs, -sī). ***1*** (F). 焦点 (光線が凸レンズを通った後，合流する点). ***2*** 病巣 (病気の進行の中心または発生点).
fo·cused his·to·ry and phy·si·cal ex·am·i·na·tion 重点的病歴および身体的検査 (患者評価の第 2 段階で，プレホスピタル医療従事者により，病状が安定し反応のある患者の初回評価の後に行われる. その目的は付加的な損傷または緊急手術を要する状況の有無を確認することである).

fo·cused me·di·cal as·sess·ment 重点的医学的評価（患者の主訴や初回評価により指摘された部位や臓器系に焦点を絞ったプレホスピタル患者の身体的検査).

fo·cused trau·ma as·sess·ment 重点的外傷評価（プレホスピタル患者の，移送前の特定の損傷または損傷が疑われる部位に焦点を絞った身体的検査).

fo·cus group フォーカスグループ（あるトピックについての見解を共有し議論するために集まった人々の小集団．議論の進行役はグループ外の人が務める).

foetal [Br.]. = fetal.

foetoplacental [Br.]. = fetoplacental.

foetotoxic [Br.]. = fetotoxic.

foetus [Br.]. = fetus.

fog (fawg). 霧（空気中または呼吸器系装置内に分散した液滴).

Fo·gar·ty cath·e·ter, Fo·gar·ty em·bo·lec·to·my cath·e·ter フォガーティカテーテル（先端に膨張性のゴム球の付いたカテーテルで，大きな静脈から動脈塞栓および血栓を除去するために用いる．胆管から結石を取り除くのにも用いる). = balloon-tip catheter(3).

fog·ging (fawg′ing). 雲霧法（凸の球面レンズで過矯正することにより調節力を弛緩させる屈折検査法).

fog·ging ef·fect フォギングエフェクト（CT や MRI において，発症から数日後に脳梗塞が不明瞭化すること).

fo·late (fō′lāt). 葉酸塩またはエステル.

fold (fōld). ひだ（①外見上，層が折り重なって形成されたように見える隆起または縁. →plica. ②胚子における形成層の一過性の膨隆または再重複).

fold·a·ble in·tra·oc·u·lar lens 折りたたみ(フォルダブル)眼内レンズ（白内障除去後眼内に挿入するために 2 つに折り曲げられる，主にシリコーンまたはアクリルポリマー製のレンズ).

fold·ed-lung syn·drome たたみ込み肺症候群（胸膜の線維化に基づく実質組織を包み込んでもたらされる無気肺野で，アスベスト暴露によるものが最も多い).

Fo·ley cath·e·ter フォーリーカテーテル（先端にバルーンのついた尿道カテーテル).

fo·li·a (fō′lē-ă). folium の複数形.

fo·li·ate pa·pil·lae 葉状乳頭（口蓋舌筋の直前の，舌の側縁上に数本の横ひだ状に配列された多数の突起).

fo·lic ac·id 葉酸（①プテロイルグルタミン酸，およびそのオリゴグルタミン酸抱合物の集合名．特にプテロイルモノグルタミン酸をいう．②カセイ菌 *Lactobacillus casei* に対する成長因子．赤血球の正常な産生に必須のビタミン B 複合体の 1 つ．肝臓や緑色野菜，酵母に含まれ，遊離型あるいは L(+)-グルタミン酸がペプチド結合した形で存在する．葉酸塩欠乏や巨赤芽球性貧血の治療や，さらにホモステイン値を下げる目的で用いられる).

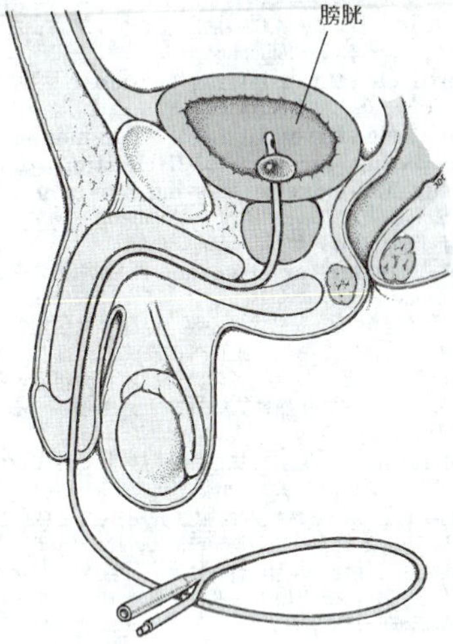
膀胱

Foley catheter

fo·lic ac·id an·ta·go·nist 葉酸拮抗薬（アミノプテリン，メトトレキサートのような修飾プテリン類で，葉酸の作用を阻害することにより葉酸欠乏症の症状を引き起こすものをいう．癌化学療法および炎症性疾患に用いられてきた).

fo·lie (fō-lē′). 精神病，狂気を表す古語.

fo·lie du doute 疑惑病，疑惑癖（生活の出来事のすべてに対して過度の疑惑をもち，ささいな事柄に関して，病的な入念性がある).

fo·li·nate (fō′li-nāt). ホリニン酸塩またはエステル.

fo·lin·ic ac·id フォリン酸（ホルミル基転位反応において，ホルミル基輸送体として働く葉酸の活性体．そのカルシウム塩はロイコボリンカルシウムで，治療薬である). = citrovorum factor.

Fo·lin re·ac·tion フォリン反応（アミノ酸がアルカリ性溶液中で，1,2-ナフトキノン-4-スルホン酸(Folin 試薬)と赤色を呈する反応．定量試験に用いられる).

fo·li·um, pl. fo·li·a (fō′lē-ŭm, -ă). 葉（広くて薄い，葉状の構造).

folk med·i·cine 民間療法（幾世代にもわたって継承された経験や知識に基づいて体系づけられた，医学以外の投薬や簡単な処置を行い病気を治療すること).

fol·lib·er·in (fol-lib′ĕr-in). ホリベリン（ホリトロピン分泌を促進する視床下部由来のデカペプチド). = follicle-stimulating hormone-releasing factor; follicle-stimulating hormone-releasing hormone.

fol·li·cle (fol′i-kĕl). 小胞（①細胞でつくられ

F

た多少球状の塊で，通常，腔を有する．②毛が表出する部位の皮膚の陥凹のような陰窩または微細な盲嚢）．= folliculus.

fol·li·cle-stim·u·lat·ing hor·mone 卵胞刺激ホルモン．= follitropin.

fol·li·cle-stim·u·lat·ing hor·mone-re·leas·ing fac·tor, fol·li·cle-stim·u·lat·ing hor·mone-re·leas·ing hor·mone 卵胞刺激ホルモン放出因子．= folliberin.

fol·lic·u·lar (fŏ-likʹyū-lăr)．小胞の．

fol·lic·u·lar car·ci·no·ma 濾胞状癌（乳頭形成のない，よく分化した，または未分化の上皮濾胞からなる甲状腺の癌．腺腫とは区別しがたい．判定基準は，血管への浸潤と頸部リンパ節や骨など他の組織への濾胞状甲状腺組織の転移所見．濾胞状癌は放射性ヨウ素を吸収するものもある）．

fol·lic·u·lar cell 上皮性卵細胞（甲状腺または卵巣の細胞のような，小胞を包む上皮細胞）．

fol·lic·u·lar cyst ***1*** 濾胞性嚢胞（嚢胞様胞状卵胞）．***2*** 濾胞性歯嚢胞．= dentigerous cyst.

fol·lic·u·lar cys·ti·tis 濾胞状膀胱炎（リンパ球浸潤による小型の粘液性小節を特徴とする慢性膀胱炎）．

fol·lic·u·lar goi·ter 濾胞性甲状腺腫．= parenchymatous goiter.

fol·lic·u·lar lym·pho·ma 濾胞性リンパ腫．= nodular lymphoma.

fol·lic·u·lar stig·ma 卵胞裂孔（卵巣表面のGraaf卵胞の破裂直前の点）．= stigma(2).

fol·lic·u·li (fŏ-likʹyū-lī)．folliculusの複数形．

fol·lic·u·li glan·du·lae thy·roi·de·ae 甲状腺小胞．= thyroid follicles.

fol·lic·u·li lin·gua·les 舌小胞．= lingual follicles.

fol·lic·u·li lym·pha·ti·ci li·e·na·les 脾リンパ小節．= splenic lymph follicles.

fol·lic·u·li·tis (fŏ-likʹyū-līʹtis)．毛包炎，毛嚢炎（毛嚢の炎症反応．病巣は丘疹または膿疱を呈する）．

fol·lic·u·li·tis bar·bae 鬚髯毛包(毛嚢)炎．= tinea barbae.

fol·lic·u·li·tis de·cal·vans 脱毛性毛包(毛嚢)炎，禿髪性毛包(毛嚢)炎（多くは男性にみられる原因不明の頭皮の毛包の丘疹状または膿疱性炎症で，病変部分の瘢痕または脱毛をもたらす）．

fol·lic·u·li·tis ke·loi·da·lis ケロイド性毛包(毛嚢)炎．= acne keloid.

fol·lic·u·li·tis u·ler·y·the·ma·to·sa re·ti·cu·la·ta 網状瘢痕〔性〕紅斑性毛包(毛嚢)炎（頬部の紅斑性の点状瘢痕．毛包炎の瘢痕型の1つであり，毛包の角化を伴う）．

fol·lic·u·lo·ma (fŏ-likʹyū-lōʹmă)．毛包腫（① = granulosa cell tumor．②胞状卵胞の腫脹）．

fol·lic·u·lose (fŏ-likʹyū-lōs)．濾胞性の（濾胞で構成されるもの全てについていう）．

fol·lic·u·lo·sis (fŏ-likʹyū-lōʹsis)．濾胞症，小胞症，毛包症（異常に多くのリンパ濾胞が存在すること）．

fol·lic·u·lus, pl. **fol·lic·u·li** (fŏ-likʹyū-lŭs, -lī)．小胞．= follicle.

fol·lic·u·lus lym·phat·i·cus リンパ小節．= lymph follicle.

fol·lic·u·lus pi·li 毛包，毛嚢．= hair follicle.

Fol·ling dis·ease フォリング病．= phenylketonuria.

fol·li·stat·in (folʹi-statʹin)．フォリスタチン（FSHに反応して顆粒膜細胞で生合成されるペプチドホルモン．アクチビンと結合してFSHの作用を抑制すると考えられる）．

fol·li·tro·pin (folʹi-trōʹpin)．ホリトロピン（下垂体前葉の酸性の糖蛋白ホルモン．卵巣の胞状卵胞を刺激し，その後の卵胞の成熟やエストラジオールの分泌を助ける．男性では精細管の上皮を刺激し部分的に精子形成を誘導する）．= follicle-stimulating hormone.

fol·li·tro·pin-re·leas·ing hor·mone (FRH) フォリトロピン放出ホルモン（下垂体前葉からのフォリトロピン(卵胞刺激ホルモン)とルテオトロピン(乳腺刺激ホルモン)の放出を刺激する視床下部ホルモン）．

fol·low·ing bou·gie 追従ブジー（フレキシブルで先細のブジー．ねじ付き先端部を糸状ブジーの根元の部分に取り付け，誤って別の部位を貫くような危険なしに徐々に拡張を行える）．

fol·low up フォロー・アップ（何かに対し，継続した，またはさらなる関心を向けることを意味する句動詞．→follow up）．

fol·low-up, fol·low·up (folʹō-ŭp)．フォローアップ（何かに対し，継続した，またはさらなる関心を向けるという行為を意味する名詞または形容詞．→follow up）．

fo·mes, pl. **fom·i·tes** (fōʹmēz, -mī-tēz)．媒介物（衣類，タオル，家庭用品のように病気の病毒を吸着，伝播できる物質．通常，複数形で用いる）．

Fo·ni·o so·lu·tion フォーニオ〔溶〕液（硫酸マグネシウムを加えた希釈液．血小板の染色塗抹に用いる）．

Fon·se·ca·ea pe·dro·so·i 成長の遅いデマチウム科の真菌種で，皮膚および皮下組織の感染症(例えばクロモブラストミコーシス)を引き起こす．通常，感染は外傷性接種に起因する．分生子の配置が同定の助けとなる．

fon·ta·nelle, fon·ta·nel (fonʹtă-nelʹ)．泉門（乳児にみられる頭蓋骨の縁にあるいくつかの膜性の間隙）．= fonticulus.

fon·tic·u·lus, pl. **fon·tic·u·li** (fon-tikʹyū-lŭs, -lī)．泉門．= fontanelle.

food (fūd)．食品，食物，栄養物．

food a·dul·ter·ant 食品混入異物（食品や飲み物に混入され，人間の摂取に適さないものとする全ての物質）．

food ball 毛毬体，植物線維毬体，食物塊．= phytobezoar.

Food and Drug Ad·min·i·stra·tion (F.D.A., FDA) アメリカ食品医薬品局（医薬品及び栄養摂取の安全性に関する全ての問題を監督する，米国の政府機関）．

food ex·change list 食品交換表（カロリーや炭水化物の含有量を示す食品表．糖尿病及び低血糖症の患者が適正な食事を容易に維持できるようにと意図して作成された．だがしばしば患者に誤解され用いられる）．

Food Guide Py·ra·mid フードガイドピラミッド（健全な栄養法についてのアメリカ農務省のガイドライン．穀物，野菜，果物を重視し，動物性蛋白質や脂質を多く含む食品，乳製品は控えめに摂取するよう指導している．ガイドラインでは定期的な身体活動（最低 30 分間）も推奨されている）．= My Pyramid.

Food Guide Pyr·a·mid for the El·der·ly 高齢者向けフードガイドピラミッド（高齢者にとって必要な食事と食事制限に準拠したフードガイドピラミッド）．

food hy·per·sen·si·tiv·i·ty re·ac·tion 食物過敏症（患者が多かれ少なかれ許容できない食物を摂取することで起こる障害または疾患プロセス．例えば，窒息，じんま疹，悪心，嘔吐）．

food in·tol·er·ance 食物不耐性（食物アレルギーに似た状態だが，一般的にはより症状が軽い．例えば，放屁，胃腸障害）．

food la·bel 食品表示（米国では消費者のために，食品の包装紙に栄養情報を特定のフォーマットとサイズに従って表示する義務がある）．

food poi·son·ing 食中毒（摂取食物中にある活性物質による中毒）．

food ren·der·ing 食品レンダリング，化製処理（食肉処理場から出た動物廃棄物を動物飼料に転換すること．クロイツフェルト・ヤコブ病の伝播と関連付けられている）．

food re·quire·ments 食物必要量（幅広い範囲の人間や動物について一般的な栄養素の必要量．各個人で修正される）．

food se·cur·i·ty 食料安定供給（ある個人，あるいは集団（例えば，家族，コミュニティ，国家）の全員が，十分に栄養があり文化的にも許容可能な食事を，緊急物資に頼ることなく，物理的・経済的に一貫して手に入れることができる状態）．

FOOSH (fūsh). fall onto outstretched hand の略．

foot (fut). ***1*** 足（脚の末端）．= pes (1). ***2*** フート，フィート（長さの単位で，12 インチに相当し，30.48 cm に等しい）．

foot·can·dle (fut′kan-dĕl). フート燭（平方フート当たり 1 ルーメンに等しい照度．国際単位系（SI）ではルクスを用いる）．

foot·drop (fut′drop). 尖足，〔下〕垂足（足を背屈することが部分的に，または完全にできないことで，そのため鶏歩を用いないと歩行中に足指が地面についたままになる．足を背屈する筋肉（特に前脛骨筋）の脱力が最終的な原因であることが多いが，中枢神経系，運動単位，腱，骨などの多くの疾患で起こりうる）．

foot of hip·po·cam·pus 海馬足（海馬の前端の厚くなった部分）．

foot·ling (fut′ling). 足位分娩（胎児の下肢，特に不完全複殿位で産道内に片側の下肢が脱出したもの）．

foot·ling pre·sen·ta·tion, foot pre·sen·ta·tion 足位（→breech presentation）．

foot·plate, foot-plate (fut′plāt, fut′plāt). ***1*** あぶみ骨底．= base of stapes. ***2*** = pedicel.

foot-pound (fut′pownd). フートポンド（重力に逆らって，1 ポンドのものを垂直に 1 フート持ち上げるのに必要なエネルギー）．

foot-pound·al (fut′pownd′ăl). フートポンダル（物体を 1 ポンダルの力によって，その力の方向に 1 フート動かすのに要するエネルギー．約 0.01 カロリーに等しい）．

foot-pound-sec·ond sys·tem (FPS, fps) FPS (fps) 単位系（フィート，ポンド，秒に基づく絶対単位系）．

foot-pound-sec·ond u·nit, FPS u·nit, fps unit FPS (fps) 単位（フート，ポンド，秒を基本単位とする絶対単位）．

foot pro·cess = pedicel.

foot rays 足放線（足板の密集する 5 つの間葉組織を分ける 4 つの放射状の溝．足の中足骨と指骨の形成を示す）．= digital rays of foot.

Foot re·tic·u·lin im·preg·na·tion stain フット・レチクリン透浸染色〔法〕（レチクリンが黒色に，コラーゲンがゴールデンブラウンに染色される銀染色のこと．切片は銀片との混淆を避けるために，溶液の液面に浮かばせる）．

fo·ra·men, pl. fo·ram·i·na (fōr-ā′mĕn, fō-ra′mē-nă). 孔（骨または膜組織の孔，または穿孔）．

fo·ra·men ce·cum me·dul·lae ob·lon·ga·tae 延髄盲孔（脳橋の下方の境界にある小さな三角形のくぼみで，延髄の正中裂の上方の境界を示す）．

fo·ra·men mag·num 大〔後頭〕孔（後頭骨底部にある大孔で，ここを通って延髄が脊髄と連続している）．= great foramen.

fo·ra·men man·di·bu·lae 下顎孔．= mandibular foramen.

fo·ra·men ob·tu·ra·tum 閉鎖孔．= obturator foramen.

fo·ra·men o·va·le, o·val fo·ra·men 卵円孔（①蝶形骨大翼基部にある大きい卵形の孔で，三叉神経の枝である下顎神経と細い硬膜動脈を通している．②心臓の卵円孔の弁機能不全．卵円孔の消息子開存（消息子によって認知される潜在的開存）とは異なり，卵円孔弁に異常穿孔があるか，または卵円孔弁が出生前に適切な弁機能を果たし，出生後に完全閉鎖するには不十分な大きさである状態）．

fo·ra·men ro·tun·dum 正円孔（蝶形骨大翼基部にある孔で，上顎神経を通す）．

fo·ra·men sphe·no·pa·la·ti·num 蝶口蓋孔．= sphenopalatine foramen.

fo·ra·men spi·no·sum 棘孔（蝶形骨棘前方の大翼基部にある孔で，中硬膜動脈と下顎神経の硬膜枝を通す）．

fo·ra·men su·pra·or·bi·ta·le 眼窩上孔．= supraorbital foramen.

fo·ra·men zy·go·ma·ti·co·fa·ci·a·le 頬骨顔面孔．= zygomaticofacial foramen.

fo·ra·men zy·go·ma·ti·co·or·bi·ta·le 頬骨眼窩孔．= zygomatico-orbital foramen.

fo·ra·men zy·go·ma·ti·co·tem·po·ra·le 頬骨側頭孔．= zygomaticotemporal foramen.

F

fo·ram·i·na (fō-ram′ē-nă). foramen の複数形.

fo·ram·i·na pa·la·ti·na mi·no·ra 小口蓋孔. = lesser palatine foramina.

Forbes dis·ease フォーブズ病. = glycogenosis type 3.

force (**F**, ***F***) 力, 動力, 活力.

forced beat 強制収縮 (①連結している先行正常収縮によって, 何らかの方法で誘発されると考えられる期外収縮. ②心臓の人工的刺激によって発生する期外収縮).

forced ex·pi·ra·to·ry flow (**FEF**) 努力呼気流量 (努力肺活量測定時の呼気流量. 付帯サブスクリプトが測定された実際のパラメータを特定する).

forced ex·pi·ra·to·ry time (**FET**) 努力呼気時間 (努力肺活量測定時に一定肺気量や肺活量の一部を呼出するのに要する時間. 付帯サブスクリプトにより, 測定された実際のパラメータを特定する).

forced ex·pi·ra·to·ry vol·ume (**FEV**) 努力呼気量 (最大吸気位から一定時間内に呼出される最大量).

forced feed·ing, forc·i·ble feed·ing 強制栄養 (①鼻から胃へ管を通じて流動食を与えること. ②食べたい量以上に食べるように強制すること).

forced vi·tal ca·pac·i·ty (**FVC**) 努力肺活量 (被検者に可及的急速に呼出させて計測した肺活量).

force of mas·ti·ca·tion そしゃく力 (そしゃく中に筋肉運動によって生じる動力). = masticatory force.

for·ceps (fōr′seps). ***1*** 鉗子, 摂子 (物をつかんだり, 圧迫したり, 引っ張ったりする器具. *cf.* clamp). ***2*** 鉗子 (脳の白線維束で, 大鉗子と小鉗子がある).

for·ceps de·liv·er·y 鉗子分娩 (胎児の頭部を鉗子で把持して娩出させること).

for·ci·pres·sure (fōr′si-presh-ŭr). 鉗子圧迫 (鉗子で血管を圧迫することにより止血する方法).

For·dyce an·gi·o·ker·a·to·ma フォーダイス角化血管腫 (陰嚢の無症状の血管性丘疹で成人に出現する).

For·dyce spots, For·dyce gran·ules, For·dyce dis·ease フォーダイス斑〔点〕 (口唇の内面と唇紅部における多数の黄白色の小体または顆粒の存在を特徴とする状態. 組織学的に病変は異所性皮脂腺である).

fore·arm (fōr′ahrm). 前腕 (肘と手首の間にある上肢の部分). = antebrachium.

fore·brain (fōr′brān). 前脳. = prosencephalon.

fore·con·scious (fōr′kon-shŭs). 前意識の, 予備意識の (現在の意識ではなく, ときとして喚起される記憶またはある条件が満たされたときにのみ意識的になる無意識の精神過程についていう. *cf.* preconscious).

fore·foot (fōr′fut). 前足部 (中足骨と指骨を含む足の部分. 足の前部).

fore·gut (fōr′gŭt). 前腸 (胚の原始消化管の前方部分. その内胚葉からは, 咽頭・気管・肺・食道・胃の上皮層, 十二指腸の第一部分および第二部分の前半分, および肝臓・膵臓・胆嚢の実質が生じる).

fore·head (fōr′hed). 額, 前頭 (眉毛と有髪頭部の間にある顔の部分). = brow(2); frons.

for·eign bod·y 異物 (外部から身体の組織, 体腔にはいったもので, すぐには吸収されないもの).

for·eign bod·y gran·u·lo·ma 異物肉芽腫 (組織に外来異物がはいることによって起こされる肉芽腫. 組織球が異物型巨細胞と反応することを特徴とする).

Fo·rel de·cus·sa·tion フォレル交叉 (→tegmental decussations(2)).

fore·milk (fōr′milk). 初乳. = colostrum.

fo·ren·sic (fŏr-en′sik). 法律の, 法医学の (個人的な傷害, 殺人ないしその他の法的な出来事に関した).

fo·ren·sic den·tis·try ***1*** 歯科法医学, 法歯学 (歯学に関連する諸事実を法律上の問題に適用すること. 例えば, 歯によって死体の身元確認をするなど). ***2*** 歯科医療に関する法律.

fo·ren·sic med·i·cine 法医学 (①法的問題に医学的事実を適用すること. ②医学行為を規定する法律). = legal medicine.

for·en·sic o·don·tol·o·gist 法歯学者 (法歯学の分野を実践する歯科医).

fo·ren·sic psy·chi·a·try, le·gal psy·chi·a·try 司法精神医学 (法廷で拘留の決定, 証言資

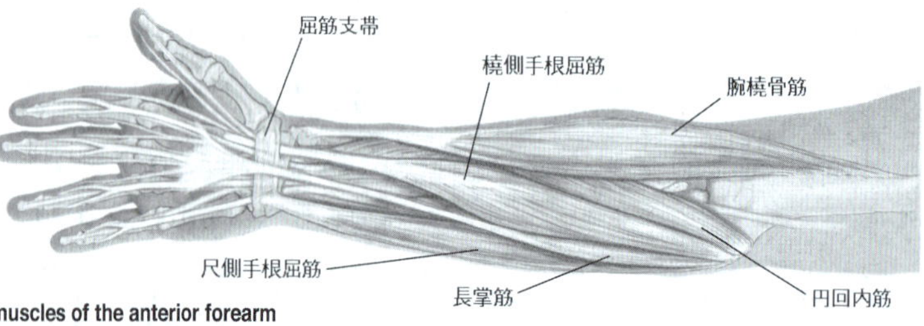
屈筋支帯
橈側手根屈筋
腕橈骨筋
尺側手根屈筋
長掌筋
円回内筋
muscles of the anterior forearm

格，裁判に対する適性，犯罪の責任などに精神医学を適用すること）.

fo·ren·sic psy·chol·o·gy 司法心理学（裁判過程の法的諸問題に応用される心理学）.

fore·play (fōr′plā). 前戯（性交前の刺激的な性戯）.

fore·quar·ter am·pu·ta·tion 肩甲帯離断〔術〕（肩甲骨と鎖骨の一部分を切除する上肢の切断）.

fore·shor·ten·ing (fōr′shōrt-ĕn-ing). 短縮（放射線医学で，映像が実像より短く写るX線写真の歪み．垂直角を付け過ぎるために生じる）.

fore·skin (fōr′skin). 包皮. = prepuce.

For·es·ti·er dis·ease フォレスティール病. = diffuse idiopathic skeletal hyperostosis.

fore·wa·ters (fōr′waw′tĕrz). 胎胞，前羊水（胎児の頭の前にある，羊水で満たされた膨隆した膜を表す口語）.

fork (fōrk). フォーク（つかんだり持ち上げたりするのに用いる，先が分かれてとがった道具）.

form (fōrm). 形，形状，形態，様式.

-form 形状を表す接尾語．oid と等しい．→morpho-.

For·mad kid·ney フォーマッド腎（ときに慢性アルコール中毒症にみられる拡大した奇形腎）.

for·ma·lin-e·ther se·di·men·ta·tion con·cen·tra·tion ホルマリン-エーテル沈殿濃縮法（遠沈操作により糞便から寄生虫要素を分離する方法．エーテルは糞便残渣を取り込んで寄生虫と分離するのに用いる）.

for·ma·lin-eth·yl a·ce·tate se·di·men·ta·tion con·cen·tra·tion ホルマリン-エチル酢酸沈殿濃縮法（遠沈操作により糞便から寄生虫要素を分離する方法．エーテルの代わりにエチル酢酸を使って糞便残渣を取り込み，寄生虫を分離する）.

for·ma·lin pig·ment ホルマリン色素（ホルムアルデヒドの酸性水溶液が血液を多量に含有する組織に作用するときに生成する色素）.

for·mam·i·dase (fōr-mam′i-dās). ホルマミダーゼ（N-ホルミル-L-キヌレニンを，L-キヌレニンとギ酸に加水分解する（L-トリプトファンの代謝における重要な反応の１つ）のを触媒する酵素）. = formylase.

for·mant (fōr′mănt). フォルマント（母音の音素を発することによって生じる音とその倍音）.

for·mate (fōr′māt). ギ酸塩またはギ酸エステル．すなわち，１価の官能基 HCOO– または陰イオン $HCOO^-$ を含む.

for·ma·ti·o, pl. **for·ma·ti·o·nes** (fōr-mā′shē-ō, -ō′nēz). 構成体（①= formation. ②明確な形や細胞配列をもつ構造）.

for·ma·tion (fōr-mā′shŭn). = formatio (1). ***1*** 構成体（定型構造または細胞配列構造）. ***2*** 形成されたもの. ***3*** 形成（形や外形をつくる行為）.

for·ma·ti·o re·tic·u·la·ris 網様体. = reticular formation.

form con·stan·cy 形態の恒常性（異なる状況や位置，大きさで現れても，形態や対象物が同一であると認識すること）.

forme fruste, pl. **formes frustes** 不完全型（疾患の部分型，停滞型，または潜在型）.

for·mic ac·id ギ酸（最も簡単なカルボン酸．強力な腐食剤．収れん薬や刺激中和薬として用いる）.

for·mi·ca·tion (fōr-mi-kā′shŭn). 蟻走感（知覚異常あるいは幻触の一種で，小さい虫が皮膚の下を這っているように感じること）.

for·mim·i·no·glu·tam·ic ac·id (FIGLU) ホルムイミノグルタミン酸（L-ヒスチジンをL-グルタミン酸に転換するL-ヒスチジン異化作用の中間代謝産物．ホルムイミノ基はテトラヒドロ葉酸に転移される．葉酸やビタミン B_{12} 欠乏症，肝疾患の患者の尿中に排出される）.

for·min (fōr′min). フォーミン（細胞分極化，細胞質分裂，脊椎動物の肢形成に関与する蛋白の一群）.

for·mol-gel test フォルモールゲル化試験（内臓リーシュマニア症にみられる高度の血清蛋白の増加を検出する方法．血清にフォルマリン原液を１滴加え，直ちに完全な凝固が起これば陽性である）.

for·mu·la, pl. **for·mu·las, for·mu·lae** (fōrm′yū-lă, -lăz, -lē). ***1*** 処方箋（医療薬剤の配合についての指示が書かれている処方箋）. ***2*** 公式（化学において，元素あるいは物質の１分子を形成する複数の元素の原子数を表す記号または記号の集合．ときには分子内での原子の配列，電子構造，電荷，分子内結合の性質などに関する情報を示す）. ***3*** 式（部分または構造の正常な順序あるいは配列についての記号または数による表現）.

for·mu·la·ry (fōrm′yū-lār-ē). 処方集（薬剤の調製のための処方集．→National Formulary; Pharmacopeia）.

for·myl (f) (fōr′mil). ホルミル（HCO– 基）.

for·my·lase (fōr′mi-lās). ホルミラーゼ. = formamidase.

***N*-for·myl·me·thi·o·nine** (en-fōr′mil-me-thī′ō-nēn). *N*-ホルミルメチオニン（アミノ基がホルミル基（–CHO）でアシル化されたメチオニン．事実上，全細菌性ポリペプチドにおける開始アミノ酸残基である．真核生物のミトコンドリアや葉緑体にも存在している．→initiating codon）.

for·ni·cate (fōr′ni-kāt). ***1*** 〘adj.〙弓状の（丸天井形の，円蓋に類似した）. ***2*** 〘v.〙性交をする.

for·ni·cate gy·rus 弓隆回（大脳半球の門を囲む馬蹄形をした皮質回．上脚は帯状回により，下脚は海馬傍回により形成される）. = gyrus fornicatus (1).

for·ni·ca·tion (fōr-ni-kā′shŭn). 私通，姦淫（結婚していない相手との性交）.

for·nix, gen. **for·ni·cis,** pl. **for·ni·ces** (fōr′niks, -ni-sis, -ni-sēz). ***1*** 円蓋（一般にアーチ状の構造．しばしば解剖学的空間のアーチ状の天井，またその部分）. ***2*** 脳弓（大脳半球の海馬から対側の海馬，透明中隔，視床前核，乳頭体に至る密な白質線維束．Ammon 角の錐体細胞から由来する脳弓線維は海馬白板・海馬采を形成してから先に進んで以下のものを形成する．脳弓交連（海馬交連），脳弓脚，脳弓体，脳弓柱である.

脳弓柱は2つに分かれ小さいほうは交連前線維となって前交連の前を通過して中隔域に達し，大きいほうは交連後線維となって前交連の後を通過して大部分が乳頭体核に終わり一部は視床核に達する）．

for·nix of stom·ach 胃円蓋（胃底はすべての胃にあるもので胃体の最上部をいい，その粘膜は非常に厚い．円蓋は噴門口より左上方にみられるドーム状もしくはポケット状の膨らみで直立姿勢ではしばしばガスがはいっている．以前は fundus of stomach（胃底）の同義語とみなされていた（特に放射線科で使用）が，TA では fundus of stomach と fornix of stomach とを別扱いしている）．

For·si·us-Er·iks·son al·bin·ism フォルシウス-エリックソン白子〔症〕. = ocular albinism 2.

forsk·o·lin（fōr′skō-lin）．フォルスコリン（ジテルペンの1つで，プロテインキナーゼCに統合し活性化する．ジアシルグリセロールの作用に類似している）．

För·ster u·ve·i·tis フェルスターブドウ膜炎（梅毒性炎症で，脈絡膜，網膜血管を侵すびまん性結節を伴う）．

Fort Bragg fe·ver フォート・ブラッグ熱. = pretibial fever.

for·ti·fi·ca·tion spec·trum 内輝性暗点，閃輝暗点（片頭痛の閃輝暗点の辺縁を位置付ける中世の城壁都市の城壁に類似する，光のジグザグの縞模様）．

for·ward heart fail·ure 前方心不全（心拍出量の減少に引き続くナトリウムと水分の貯留による腎血流量減少の結果，うっ血性心不全が起こるという説．*cf.* backward heart failure）．

fos·sa, gen. & pl. **fos·sae**（fos′ă, -ē）．窩（ある部位の表面から落ち込んだ，通常，多少縦長の陥凹）．

fos·sa a·ce·ta·bu·li 寛骨臼窩. = acetabular fossa.

fos·sa for gall·blad·der 胆嚢窩（肝臓下面の前方にある陥凹で，方形葉と右葉の間にあり，胆嚢がはいる）．

fos·sa o·va·lis *1* 卵円窩（右心房中隔下方部分にある卵形の陥凹．胎生期卵円孔の遺残でその底部は胎児心臓の第一次中隔に相当する）．*2* 伏在裂孔. = saphenous opening.

fos·sa of ves·ti·bule of va·gi·na 腟前庭窩（陰唇小帯と後陰唇交連の間にある腟前庭部分）. = fossa vestibuli vaginae.

fos·sa ves·tib·u·li va·gi·nae 腟前庭窩. = fossa of vestibule of vagina.

fos·sette（fo-set′）．*1* 小窩. = fossula. *2* 小さい角膜潰瘍に対してまれに用いる語．

fos·su·la, pl. **fos·su·lae**（fos′yū-lă, -lē）．小窩（①小さな陥凹．②大脳表面上の小溝またはわずかな陥凹）. = fossette（1）．

fos·su·la post fe·nes·tram 前庭窓後小窩（蝸牛の卵円窓の後方にある結合組織で満たされた小さな導管．耳硬化症が生じやすい部位）．

Fos·ter frame フォスター枠（Stryker 枠に似た逆転式の枠）．

Fos·ter Ken·ne·dy syn·drome フォスター・ケネディ症候群. = Kennedy syndrome.

Foth·er·gill dis·ease フォザーギル病（①= trigeminal neuralgia. ②= anginose scarlatina）．

Foth·er·gill neu·ral·gi·a フォザーギル神経痛. = trigeminal neuralgia.

Foth·er·gill op·er·a·tion フォザーギル手術. = Manchester operation.

Foth·er·gill sign フォザーギル徴候（腹直筋鞘血腫の場合の徴候．血腫は腫瘤を形成するが，正中線を越えることはなく，腹直筋を緊張させたときでも触知できる）．

Fou·chet stain フシェ染色〔法〕（Fouchet 試薬を用いて胆汁色素を証明する染色．抱合型胆汁色素に対してはパラフィン切片を用い，非抱合型には凍結切片を用いる）．

fou·lage（fū-lahz[h]′）．按摩（筋肉をもんだり圧迫するマッサージの一種）．

foun·da·tion（fown-dā′shŭn）．基礎，支持構造．

Foun·da·tion for the Ac·cred·i·ta·tion of Cel·lu·lar Ther·a·py（**FACT**）細胞療法認定基金（造血細胞の採取，加工，移植の全段階を包括する認定プログラム）．

found·er prin·ci·ple 創始者の原理（いかなるときにおいても，ある遺伝子組の発現可能性の頻度は，その集団の創始者の初期構成に依存し，一般的には，創始者自身が出た集団から先祖返りする傾向はない）．

foun·tain de·cus·sa·tion 泉門交叉（→tegmental decussations（1））．

foun·tain sy·ringe 重力式注射器（液を貯留する容器の底に，適当なノズル付きの管が付いている装置．腟または直腸への注入，創の洗浄などに用いられ，水圧は注射口上にある容器の高さで調節される）．

four·chette（fur′shet）．陰唇小帯（小陰唇を後方で結合するひだ）．

Four Cor·ners vi·rus フォーコーナーズウイルス. = Sin Nombre virus.

Fou·ri·er a·nal·y·sis フーリエ解析（関数を，異なる周波数の周期関数（正弦波および（または）余弦波）の和として近似する数学的手法．放射線診断における CT や MRI の画像再構成や，あらゆる信号の周波数成分の解析に用いられる）．

Fou·ri·er trans·form フーリエ変換（時間的に変化する関数またはシグナルを，各々の位相と振幅を与えながら，異なる度数での成分に分ける数学的手法．CT や MRI の画像再構成・変換において使用される）．

four-point gait 四点歩行（物理療法における，松葉杖に補助された歩行運動．松葉杖を反対側の下肢と連携して動かす）．

fourth cra·ni·al nerve［**CN IV**］第四脳神経. = trochlear nerve.

fourth heart sound（S_4）第4音（心室充満期に心房の収縮に伴って生じる拡張末期の心音で，心室の拡張能が低下した状態に認められる．これは心室機能の低下した老齢者では正常に認められる低周波性の振動音で，これが触知可能なほどに大きく若年者に起これば異常である．心肥大や特に高血圧に伴って発症し，心筋梗塞の場合にはほとんど必発である．第4音は左右の片側または両心室から発生する）．

fourth lum·bar nerve [L4] 第四腰神経（この神経の前枝は分岐して腰仙骨神経叢の形成に加わる）．

fourth toe [IV] 足第四指（足の4番目の指）．

fourth ven·tri·cle 第4脳室（不規則な形のテント状の脳室で，門から上方に中脳水道に向かってのび，背側から小脳，腹側から菱脳被蓋に囲まれ，菱形の床（菱形窩）をもつ．テント状の天井の下部は脈絡組織と下髄帆によって，天井の中部は小脳の白質によって，細くなった天井の上部（上陥凹）は上髄帆によって構成される．第4脳室の幅は橋と延髄の移行部で最大になり，ここでは脳室が小脳脚の後ろを側方に，呑口状の外側陥凹内に広がる．脳室の最大高は室頂陥凹で認められ，ここでは小脳白質の中に広がっている．脳室系とクモ膜下腔の唯一の直接の連結は第4脳室で認められ，脈絡組織の正中部にある正中口，第4脳室正中口によって大槽（小脳延髄槽）に通じ，そして脳底槽（脚間槽）と外側陥凹は外側口，第4脳室外側口によって両側性に互いに通じている）．

FOV field of view の略．

fo·ve·a, pl. fo·ve·ae (fō′vē-ă, -ē)．窩（健常者の体表面にみられる陥凹（例えば腋窩），骨の表面にみられる陥凹．*cf.* dimple）．

fo·ve·a cen·tra·lis mac·u·lae lu·te·ae = central retinal fovea.

fo·ve·ate, fo·ve·at·ed (fō′vē-āt, -ā-ted)．窩状の，陥凹した（表面に陥凹のある）．

fo·ve·a·tion (fō-vē-ā′shŭn)．陥凹形成（水痘にみられるような陥凹瘢痕形成）．

fo·ve·o·la, pl. fo·ve·o·lae (fō-vē′ō-lă, -lē)．小窩．

fo·ve·o·lar (fō-vē′ō-lăr)．小窩の．

fo·ve·o·late (fō′vē-ō-lāt)．小窩状の．

Fo·ville syn·drome フォヴィル症候群（交代性片麻痺の一型．片側の外転神経麻痺と対側の四肢の麻痺を特徴とする）．

Fow·ler po·si·tion ファウラー体位．= semirecumbent.

Fow·ler test ファウラー検査（肩関節前方不安定症の検査法．仰臥位に寝かせ，肩を外転，外旋させた状態で，上腕骨に後方負荷をかける．移動性があれば陽性で，不安定症であると推定できる）．

fox·ber·ry (foks′ber-ē)．= bearberry.

fox·glove (foks′glŏv)．= *Digitalis*.

fox·tail grass = barley.

FPG fasting plasma glucose の略．

F plas·mid Fプラスミド（大腸菌 *Escherichia coli* の K-12 系統の接合に関係する接合プラスミドの原型）．= F factor.

FPS, fps foot-pound-second の略．→ foot-pound-second system.

Fr ***1*** フランシウムの元素記号．***2*** = French scale.

frac·tals (frak′tălz)．フラクタル（1977年に Benoit Mandelbrot により展開された数学様式で，小部分が全体と同様の型を呈する．血管や気管枝の分枝構造がフラクタルを示す．またある種の感染や腫瘍もフラクタルを示す）．

frac·tion (frak′shŭn)．***1*** 分数．***2*** 分画．

frac·tion·al in·jec·tion 少量注入（退薬性や効果を改善するために，治療薬や麻酔薬を少量ずつ点滴注入すること）．

frac·tion·a·tion (frak-shŭn-ā′shŭn)．***1*** 分別（混合物の成分を区別すること）．***2*** 分割法（腫瘍の放射線治療において，正常な隣接組織への放射線の影響を最小限にするため行われる．一定時間をかけて全治療放射量を分けて照射すること．通常は1日1回数週間で行う）．

frac·ture (frak′shŭr)．***1*** 〖v.〗破損する．***2*** 〖n.〗骨折（特に骨や軟骨の破損）．

frac·ture blis·ter 骨折水疱（主に下腿，足首，前腕，手首などの骨折に伴って生じる表皮の融解壊死．骨折部近傍の軟部組織に，強い張力とねじれが加わることにより起こる）．

frac·ture by con·tre·coup 反衝損傷による骨折（衝撃部位から離れたところに生じる頭蓋骨骨折）．

frac·ture dis·lo·ca·tion 脱臼骨折（関節を形成する骨の骨折を伴う脱臼）．

frac·ture of fifth me·ta·car·pal = boxer's fracture.

frag·ile site ぜい弱部，染色体不安定部（染色体上の特定部にある，染色されない個所．通常は相同染色体の両方の染色分体上に存在する．1つの個体あるいは血縁者では別々の細胞でも染色体の常に同じ個所にみられる）．

frag·ile X chro·mo·some ぜい弱X染色体

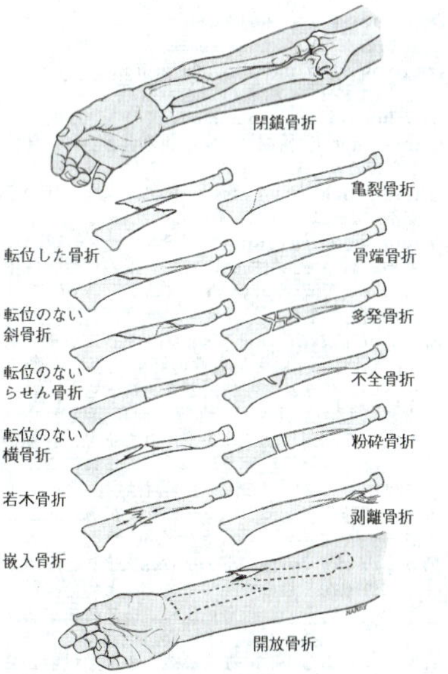

閉鎖骨折
亀裂骨折
転位した骨折
骨端骨折
転位のない
斜骨折
多発骨折
転位のない
らせん骨折
不全骨折
転位のない
横骨折
粉砕骨折
若木骨折
剥離骨折
嵌入骨折
開放骨折

types of fractures

F

(長腕の先端近くに壊れやすい部位をもつX染色体で，断片がほとんど分離したような形状を呈する．しばしばX連鎖の知能低下症に伴ってみられる)．

frag·ile X syn·drome (FMR1) ぜい弱X症候群（X連鎖遺伝．精神遅滞，特徴的顔貌，巨大睾丸などの所見を呈す．DNA分析では，X染色体長腕末端(Xq27.3)近くに，3塩基の異常な繰り返しが存在する．葉酸欠乏条件下に培養した場合，核型上のこの部分にくびれが観察される)．= FMR1; marker X syndrome; Martin-Bell syndrome.

fra·gil·i·ty (frā-jil′i-tē). ぜい弱性，もろさ（破壊，破裂，あるいは分解しやすい性質)．

fra·gil·i·ty of the blood 血球ぜい弱性．= osmotic fragility.

fra·gil·i·ty test ぜい弱性試験（赤血球の，低張食塩水中での溶血に対する抵抗性を測定する試験．被検赤血球を，濃度の違う食塩水に加え，溶血の開始と完成を測定する．遺伝性球状赤血球症では赤血球ぜい弱性が著しく増加し，一方，地中海貧血，鎌状赤血球貧血では，通常，赤血球ぜい弱性は減少する)．

frag·ment (frag′měnt). フラグメント，破片，断片（大きな全体から破壊された小片)．

frag·men·ta·tion (frag-men-tā′shŭn). 切断，分断，細分（あるものをさらに小さな部分に断片化すること)．= spallation(1).

frail el·der 虚弱高齢者（病気や全身の老衰のため，日常生活の活動に困難を感じる高齢者を表す口語表現．患者の中には不快な表現だとみなす人もいる)．

fram·be·si·a (fram-bē′zē-ă). フランベジア，イチゴ腫．= yaws; framboesia.

fram·be·si·o·ma (fram-bē′zē-ō′mă). イチゴ腫，フランベジア．= mother yaw.

framboesia [Br.]. = frambesia.

frame (frām). 構成物，枠（組み合わされた部分からなる構造)．

frame·work (frām′wŏrk). 間質，基質（何かを支持する，または囲むもの)．

frame·work re·gion フレームワーク領域（免疫学において，免疫グロブリン鎖の可変領域中の超可変領域の一側に存在する保存されたアミノ酸配列のこと)．

Fran·ci·sel·la (fran-si-sel′lă). フランシセラ属（非運動性，非胞子形成性の好気性菌の一属で，小さい，グラム陰性球菌と杆菌を含む．莢膜はまれにしか生成せず，細胞は両極染色を示す．これらの細菌は非常に多形態性であり，純粋の寒天または液体培地では，特別の増殖法なくしては増殖しない．これらの細菌は病原性があり，ヒトに野兎病を起こす．標準種は *Francisella tularensis*)．

Fran·ci·sel·la tu·la·ren·sis 野兎病菌（ヒトに野兎病を起こす種．マダニなどの感染動物との接触あるいは吸血昆虫によって野生動物からヒトへ伝播される．主要な感染源はウサギとマダニである．この細菌は裂創のない皮膚から侵入し，感染を起こす．*Francisella* 属の標準種)．

fran·ci·um (Fr) (fran′sē-ŭm). フランシウム（放射性のアルカリ金属元素．原子番号87，フランシウムの同位元素中最も安定な ^{223}Fr の半減期は21.8分である)．

Franc·ke nee·dle フランケ針（小さな槍状のバネで操作される針．少量の血液の滲出液を取り出すために用いる)．

frank (frangk). 明白な（臨床的に疑いないこと)．= unmistakable; manifest.

frank breech pre·sen·ta·tion 単殿位（→breech presentation)．

frank·en·food (frangk′ěn-fūd). = genetically modified food.

Frank·fort hor·i·zon·tal plane フランクフォルト水平面（側面観でほぼ頭蓋底面とみなされる線で，外耳道上縁を通り眼窩下縁から後頭骨に引いた線が表す面)．

frank·in·cense (frangk′in-sens). 乳香．= olibanum.

Frank-Star·ling curve フランク-スターリング曲線．= Starling curve.

Fränt·zel mur·mur フレンツェル雑音（中期よりも初期および末期が大きい，僧帽弁狭窄症における雑音)．

Fra·ser syn·drome フレーザー症候群（潜在眼球症に中耳と外耳の奇形，口蓋裂，喉頭変形，臍と乳頭の移動，指の奇形，恥骨結合の分離，腎発育不全および女性性器の男性化を含む多発奇形の合併したもの．常染色体劣性遺伝と思われる)．

fra·ter·nal twins = dizygotic twins.

fraud (frawd). 詐欺（保健業務の支払請求に不適切なコード入力をするなど，違法の利益を得るために行われる故意の詐欺行為)．

Fraun·ho·fer line フラウンホーファー線（太陽スペクトルにみられるいくつかの最も顕著な吸収線)．

Fra·zier nee·dle フレージャー針（脳の側脳室から排液するための針)．

Fra·zier-Spil·ler op·er·a·tion フレージャー-スピラー手術（→trigeminal rhizotomy)．

FRC functional residual capacity の略．

freck·les (frek′ělz). そばかす，しみ（皮膚の表面部分に発生する黄色または茶色の斑で，特に肌の色が明るい人によく現れる．日光への曝露により数が増える．メラニンの増加以外は，表皮は微視的に正常である．→lentigo ephelis)．

Fre·det-Ram·stedt op·er·a·tion フルデー-ラムステット手術．= pyloromyotomy.

Fred·rick·son clas·si·fi·ca·tion フレデリクソン分類（高リポ蛋白血症の分類システム．血漿の外観，トリグリセリド値，および総コレステロール値を用いる．I, II, III, IV, Vの5つのタイプがある．→hyperlipoproteinemia)．

free ap·pro·pri·ate pub·lic ed·u·ca·tion 無償かつ適切な公教育（1975年の全障害児教育法(現在の個別障害者教育法)の一側面で，障害を持つ全ての児童に対する無償かつ適切な公教育を要求した)．

free as·so·ci·a·tion 自由連想（患者が心の中を経過していく内容を，制限や検閲なしに言語化する精神分析の手法．それにより明らかになる葛藤は抵抗を構成するものであり，抵抗は精神分析医の解釈の基礎となる）．

free en·er·gy (F, *F*) 自由エネルギー（*F* あるいは *G*（Gibbs 自由エネルギー）= *H* − *TS* で表される熱力学的関数．*H* は系のエンタルピー，*T* は絶対温度，*S* はエントロピーを表す．化学反応は系の自由エネルギーが減少する方向に自然に遂行する．例えば Δ *G* < 0）．

free flap 遊離皮弁（皮弁を栄養する血管を切離し，皮弁側と移植部位それぞれの動脈と静脈同士を吻合することにより血行を再開し移植される皮弁）．

free gin·gi·va 自由歯肉（歯を取り巻き，歯の表面に直接付着していない歯肉．歯肉溝の外壁）．

free graft 遊離移植〔片〕（一部位から他の部位へ移植される正常な付着部(茎)のない移植片）．

free in·duc·tion de·cay (FID) 自由誘導減衰（MRI において，励起パルスの照射後に，付加的パルスがない状態で受信コイルで検出される減衰曲線）．

free mac·ro·phage 遊離マクロファージ（炎症部位に典型的にみられる活性化したマクロファージ）．

free nerve end·ings 自由〔神経〕終末（終末の線維が組織内でどこまでもつながらずに終結している，知覚神経線維の末端の形）．

free rad·i·cal 遊離基，フリーラジカル（結合していない基(通常は一過性)．不対電子をもつ，電荷のない原子または原子団．フリーラジカルは短命できわめて活性に富む中間体として生体組織の種々の反応(特に光合成)に関与している．フリーラジカルである一酸化窒素 NO は血管拡張に重要な働きをする）. = radical(4)．

free·way space 安静腔隙（下顎が生理学的安静位にあるときの上下顎の歯の咬合面間の空隙）. = interocclusal distance(2)．

freeze-dry·ing (frēz′drī-ing). 凍結乾燥. = lyophilization.

freeze frac·ture フリーズフラクチャー法（電子顕微鏡用に細胞，その他の生物試料を調製する方法．試料を急速凍結したあと鋭い一撃を加えて割る）. = cryofracture.

freez·ing (frēz′ing). 氷結，冷凍，凝固（寒冷にさらすことにより凍結，硬直，固まること）．

freez·ing point de·pres·sion 凝固点降下（溶液の凝固点と純溶媒の値を比較することで浸透圧濃度を測定する方法．凝固点が低いほど浸透圧は高くなる）．

Frei·berg dis·ease フライバーグ病（第二中足骨頭部の骨端壊死）．

Frej·ka pil·low splint フレーカ枕副子（先天的股異形成あるいは股脱の治療において，大腿を外転し屈曲位をとるために用いる枕副子）．

frem·i·tus (frem′i-tŭs). 振とう(盪)音（胸または身体の他の部分に載せた手に伝わる振動．→ thrill）．

frem·i·tus pec·to·ral·is 胸部振とう音（発声により生じる胸壁の振動）．

fre·na (frē′nă). frenum の複数形．

fre·nal (frē′năl). 小帯の．

French-A·mer·i·can-Bri·tish clas·si·fi·ca·tion sys·tem (FAB) 〔急性白血病の〕フランス–米国–英国(FAB)分類システム（急性白血病の分類および命名システム．形態学的特性および細胞化学的染色反応に基づく．急性骨髄性白血病はさらに 8 つの FAB グループ(M0, M1, M2, M3, M4, M5, M6, M7)に分類される．急性リンパ性白血病は，さらに 3 つのグループ(L1, L2, L3)に分類される．骨髄形成異常症候群もさらに 5 つの FAB グループ(RA, RARS, RAEB, RAEB-T, CMML)に分類される．→myelodysplastic syndrome）．

French scale (Fr) フレンチスケール（消息子(ゾンデ類)，管状器具，およびカテーテルの外径を測るためのスケール．直径 1/3 mm を 1F として目盛り(3F = 1 mm)，直径が 1/3 mm から 1 cm までの穴のあいた金属板によってスケールが決められる）．

fre·nec·to·my (frē-nek′tŏ-mē). 小帯切除〔術〕．

fre·net·ic (frĕ-net′ik). ***1*** 〘adj.〙 熱狂した，熱狂的な．***2*** 〘n.〙 熱狂者（***1*** のような行動をとる人）．

fre·not·o·my (frē-not′ŏ-mē). 舌小帯切開(切断)〔術〕（特に舌小帯の切開をいう）．

fren·u·lo·plas·ty (fren′yū-lō-plas-tē). 小帯切除術（小帯の付着異常を手術によって矯正すること）．

fren·u·lum, pl. fren·u·la (fren′yū-lŭm, -lă). 小帯. = habenula(1); frenum(3).

fren·u·lum at·tach·ment →ankyloglossia.

fren·u·lum cli·to·ri·dis 陰核小帯. = frenulum of clitoris.

fren·u·lum of clit·o·ris 陰核小帯（陰核亀頭の下面に合する小陰唇の内葉の前端）. = frenulum clitoridis.

fren·u·lum of il·e·al or·i·fice 回腸口小帯（回盲弁の 2 唇の結合部から回盲結腸移行部の内壁に沿って両側に走るひだ）. = Morgagni retinaculum.

fren·u·lum of the la·bi·a mi·no·ra 小陰唇の小帯（左右の小陰唇の後方を結ぶひだ）. = frenulum labiorum pudendi.

fren·u·lum la·bi·i in·fe·ri·or·is 下唇小帯. = frenulum of lower lip.

fren·u·lum la·bi·o·rum pu·den·di 陰唇小帯. = frenulum of the labia minora.

fren·u·lum of low·er lip 下唇小帯（歯肉から下唇および上唇の正中線にのびている粘膜のひだ）. = frenulum labii inferioris.

fren·u·lum of pre·puce 包皮小帯（陰茎亀頭の下面から包皮の深部面へ通じる粘膜のひだ）. = frenulum preputii.

fren·u·lum pre·pu·ti·i 包皮小帯. = frenulum of prepuce.

fren·u·lum of tongue 舌小帯（口腔底から舌の下面の正中線にのびる粘膜ひだ）. = lingual frenulum.

fre·num, pl. fre·na, fre·nums (frē′nŭm, -nă, -nŭmz). 小帯（①粘膜の狭い反転またはひだで，より固定した部分から可動部分へ走り，部分の過度の動きを食い止める動きがある．②①のよ

F

うなひだに似た解剖学的構造. ③= frenulum).

fre·quen·cy（ν） (frē′kwĕn-sē). 度数, 頻度, 周波数, 振動数（一定時間内の規則的な反復の数. 例えば, 心拍数, 音の振動数).

fre·quen·cy en·cod·ing 周波数エンコード, 周波数情報付加（周波数に応じて信号を配分する方法).

fresh·en·ing (fresh′ĕn-ing). フレッシュニング（開放創, 部分的に一部治癒している創で, フィブリン, 肉芽, 早期の瘢痕組織を除去して二次的縫合のために行う準備操作).

Fres·nel prism フレスネルプリズム（同心の輪よりなるプリズム).

fret·ting (fret′ing). フレッティング（2つの金属の接触面において, 反復運動のために起こる研磨作用および摩滅作用をいう).

freud·i·an (froyd′ē-ăn). Sigmund Freud (1856—1939)に関する, または彼の記した.

freud·i·an psy·cho·a·nal·y·sis フロイト派精神分析〔学〕（Sigmund Freud が発展させた精神分析の理論と実践および精神療法をいい, 次のことが基礎となっている. ⅰ精神生活は本能的な, そして社会的に獲得された力, またはイド, 自我, 超自我からなり, その各々は, 常に他に適応させなければならないという Freud の人格理論. ⅱすべての考えを検閲することなく分析者に言語化する自由連想法は患者の人格内の葛藤領域を明らかにする治療的戦術であるという彼の発見. ⅲこの洞察の獲得およびこれを基礎にした人格の再調整は患者が分析者との激しい情緒的結合(転移関係 transference relationship とよぶ)を初めて発展させ, 次いでこの結合を解決することを学ぶことに成功したときに学習される).

freud·i·an slip フロイトの誤り（しばしば性的または攻撃的性質の, 潜在する動機を暗示すると思われる, 言語または行動における誤り).

Freud the·o·ry フロイト説（正常者および情動障害者の人格形成および発達の仕方に関する包括的理論. 転換ヒステリー発作は, 精神的損傷を受けた時点で適切な反応を得られない場合に生じ, 情動性記憶として持続する. →psychoanalysis).

Freund ad·ju·vant →adjuvant.

Freund a·nom·a·ly フロイント奇形（第一肋骨とその軟骨の短縮による胸郭の上部開口部の狭窄で, 以前は肺尖の展開不全のため結核に罹患しやすいと信じられていた).

Freund com·plete ad·ju·vant フロイント完全アジュバント（ミコバクテリアまたは, 結核菌の死菌を加えた抗原水溶液の油乳剤).

Freund in·com·plete ad·ju·vant フロイント不完全アジュバント（ミコバクテリアを含まない抗原水溶液の油乳剤).

Freund op·er·a·tion フロイント手術（①子宮癌の腹式子宮全摘出術. ② Freund 奇形に対する軟骨切開術).

Frey hairs フライ毛（様々な程度の硬度の短毛を集め, 軽量の木製ハンドルの一端に一定の角度でとりつけられたもの. 皮膚感覚測定のために用いられる).

FRH follitropin-releasing hormone (ホリトロピン放出ホルモン)の略.

fri·a·ble (frī′ă-bĕl). もろい（①容易に粉になる. ②細菌学において, 触れたり, ゆすると粉になる乾燥したもろい培養をいう).

fric·a·tive (frik′ă-tiv). 摩擦音（口をすぼめて, 空気を吹き出すと生じる音声. f, v, s, z のような子音を発声する際に, 歯, 舌, または口唇を接触させてつくり出される).

fric·tion (frik′shŭn). ***1*** 摩擦（物体の表面を他の物体でこすること. 特に循環を助けるため手足をこすること). ***2*** 摩擦力（接触している2つの物体が一方に対して運動しようとするときに必要な力).

fric·tion rub 摩擦音. = friction sound.

fric·tion sound 摩擦音（聴診により聞こえる音で, 炎症性滲出液により, または非癒着性の慢性の線維症によりでこぼこになった向かい合う漿膜面がこすられることにより起こる). = friction rub.

Fried·länd·er ba·cil·lus フリートレンダー杆菌. = *Klebsiella pneumoniae.*

Fried·länd·er pneu·mo·ni·a フリートレンダー肺炎（肺炎杆菌 *Klebsiella pneumoniae* の感染による重症の大葉性肺炎の一種).

Fried·man curve フリードマン曲線. = partogram.

Fried·reich a·tax·i·a フリートライヒ運動失調（神経障害で, 運動失調, 構語障害, 脊柱側弯症, 強く曲がった足または凹足, および特に下端部であるが筋肉麻痺が特徴である. 脊髄の後方および側柱の硬化を伴い幼年期また青年期に発生する. 常染色体劣性遺伝で, 第9染色体長腕上の Friedreich 運動失調遺伝子(FRDA)におけるトリヌクレオチド反復拡大を巻き込んだ変異に起因する).

Fried·reich sign フリートライヒ徴候（拡張している頸部の静脈が心臓の拡張期ごとに突然虚脱する現象. 心膜の癒着がある場合にみられる).

frig·id (frij′id). ***1*** = cold. ***2*** 冷感の（気質上, 特に性行為に対し冷感または無反応な).

fri·gid·i·ty (fri-jid′i-tē). 不感症（①女性の不感症. ②不感症状態).

fringe (frinj). フリンジ（効果が証明されていなかったり, 疑問がもたれている医療上の方法についていう口語表現. またこうした方法を行う者に対して揶揄的に用いる).

frit (frit). フリット（人工歯の陶材の着色に使用する粉状の色素材).

frog leg po·si·tion 蛙足体位（仰臥位で足蹠を合わせ膝を開いて会陰部を露出する体位).

Fröh·lich dwarf·ism フレーリッヒ小人症 (Fröhlich 症候群を伴う小人症).

Fröh·lich syn·drome フレーリッヒ症候群. = dystrophia adiposogenitalis.

Fro·in syn·drome フロワン症候群（脳脊髄液の変化で, 髄液中の蛋白(アルブミンとグロブリン)含量の著しい増加により黄色調を帯び, 採取後数秒間で髄液の自然凝固がみられる. 炎症または新生物による閉塞により髄液循環から隔絶されるクモ膜下腔の小房化部分で著しい).

Fro·ment sign フロマン徴候 (尺骨神経麻痺の場合, 親指とひとさし指の間に紙を1枚持つと, 親指の末節骨が屈曲する).

fron·do·sum (fron-dō′sŭm). 繁生絨毛膜 (密生する絨毛やその他の葉状構造).

frons, gen. fron·tis (fronz, fron′tis). 前頭, 額, ひたい. = forehead.

front·ad (frŏn′tad). 前方へ.

fron·tal (frŏn′tăl). = frontalis. *1* 前部の, 前方の (身体の前方部分についていう). *2* 前頭の (前頭面, または前頭骨, 額をさす).

fron·tal ar·e·a 前頭野. = frontal cortex.

fron·tal ar·ter·y = supratrochlear artery.

fron·tal bel·ly of oc·cip·i·to·fron·tal·is mus·cle 前頭筋 (後頭前頭筋の前腹).

fron·tal bone 前頭骨 (大きな単一の骨で, 前額および両側で眼窩上縁および上壁を形成する. 頭頂骨, 鼻骨, 篩骨, 上顎骨, 頬骨, 蝶形骨の小翼と連結する).

fron·tal cor·tex 前頭皮質 (大脳半球の前頭葉皮質). = frontal area.

fron·tal crest 前頭稜 (前頭骨の内面の矢状溝の末端から起こり, 盲孔で終わる稜).

fron·tal gait 前傾歩行 (脳卒中, 腫瘍, 脳発作によって引き起こされる歩行運動障害).

fron·ta·lis (frŏn-tā′lis). 前頭の. = frontal.

fron·tal lobe of cer·e·brum 大脳前頭葉 (大脳半球の中心溝より前方の部分).

fron·tal lobe ep·i·lep·sy 前頭葉てんかん (前頭葉から起こる発作を伴う障害. 発作の正確な局在と発作型の臨床症候により種々の臨床症候群がある. 補足運動発作, 帯状発作, 前頭葉前部極地発作, 眼窩前頭発作, 背外側発作, 弁蓋発作, 運動野発作などいくつかの特異的症候群に前頭葉てんかんは分けられる).

fron·tal nerve 前頭神経 (眼窩内で滑車上神経と眼窩上神経に分かれる眼神経の枝). = nervus frontalis.

fron·tal plane 前頭面. = coronal plane.

fron·tal pole of cer·e·brum 大脳の前頭極 (各大脳半球の最前部の丸く膨隆した部分).

fron·tal si·nus 前頭洞 (前頭鱗の下部の両側につくられている副鼻腔をなす空洞. 篩骨漏斗により同側の中鼻道に連なる).

fron·tal su·ture 前頭縫合 (前頭骨の左右中間部にある縫合で, 通常, 6歳ごろに消失する. 残存する場合は metopic suture とよばれる).

fron·tier med·i·cine →fringe.

fron·to·an·te·ri·or po·si·tion 頭位分娩で, 胎児の前頭が母体の寛骨臼(骨盤軸)の右(**right frontoanterior, RFA**)または左(**left frontoanterior, LFA**)に向かう胎向.

fron·to·ma·lar (frŏn′tō-mā′lăr). 前頭頬骨の. = frontozygomatic.

fron·to·max·il·lar·y (frŏn′tō-mak′si-la-rē). 前頭上顎骨の (前頭骨および上顎骨に関する).

fron·to·na·sal (frŏn′tō-nā′zăl). 前頭鼻骨の (前頭骨と鼻骨に関する).

fron·to-oc·cip·i·tal (frŏn′tō-ok-sip′i-tăl). 前頭後頭の (前頭骨と後頭骨, または前頭と後頭に関する).

fron·to·pa·ri·e·tal (frŏn′tō-păr-ī′ĕ-tăl). 前頭頭頂の (前頭骨と頭頂骨に関する).

fron·to·pos·te·ri·or po·si·tion 頭位分娩で, 胎児の前頭部が母体の腸仙骨部の右(**right frontoposterior, RFP**)または左(**left frontoposterior, LFP**)に向かう胎向.

fron·to·tem·po·ral (frŏn′tō-tem′pŏr-ăl). 前頭側頭骨の (前頭骨と側頭骨に関する).

fron·to·trans·verse po·si·tion 頭位分娩で, 胎児の前頭部が母体骨盤の右(**right frontotransverse, RFT**)または左(**left frontotransverse, LFT**)に向かう胎向.

fron·to·zy·go·mat·ic (frŏn′tō-zī-gō-mat′ik). 前頭頬骨の (前頭骨と頬骨に関する). = frontomalar.

frost (frawst). 霜 (凍結した蒸気や露の沈積物に似たもの).

frost·bite (frawst′bīt). 凍傷 (極度の寒冷にさらされた結果, または極度に冷たい物体と接触した結果起こる局所的な組織破壊. 軽症では, 回復可能な凍結により紅斑と軽い痛み(しもやけ)が生じる. 重症では, 無痛または知覚異常が生じることがあり, 水疱形成や持続する浮腫や壊疽を起こす).

fros·ted branch an·gi·i·tis 霜状分枝血管炎 (木の枝状の外見を示す血管周囲の鞘状の炎症を特徴とする血管炎).

frost·ed liv·er 糖衣肝 (肝臓の硝子状漿膜炎 hyaloserositis).

Frost su·ture フロスト縫合糸 (角外膜を保護するための眼瞼間の瞼縁縫合).

frot·tage (frō-tahzh′). フロタージュ, 摩擦 (①マッサージの摩擦運動. ②= frotteurism).

frot·teur·ism (fraw′tur-izm). 窃触症 (他人, 多くは見知らぬ人物に, 不適切な形で肉体の一部をこすりつけて得る性的満足感). = frottage (2).

fro·zen gait (FG) →parkinsonism.

fro·zen pel·vis 固着骨盤 (小骨盤内腔が, 特に癌の浸潤によって硬化している状態).

fro·zen sec·tion 凍結切片 (凍結標本から切り取った組織の薄い切片で, しばしば迅速な顕微鏡的診断に用いる).

fro·zen watch·ful·ness 凍りついた凝視 (虐待された乳幼児に見られる状態で, 絶望と感情が心の底にしまいこまれていることを意味する).

FRT functional reach test の略.

fructo- 果糖の配置を示す化学で用いる接頭語.

fruc·to·fu·ra·nose (fruk′tō-fūr′ă-nōs). フルクトフラノース (フラノース型のフルクトース).

fruc·to·ki·nase (fruk′tō-kī′nās). フルクトキナーゼ (ATPとD-フルクトースより, フルクトース-6-リン酸とADPを生成する反応を触媒する肝臓中の酵素. 本態性果糖尿症患者で欠損している(肝臓フルクトキナーゼ欠損症)).

fructosaemia [Br.]. = fructosemia.

fruc·tose (fruk′tōs). フルクトース, 果糖 (D型は, 果糖, レボグルコース, レブロース,

D-*arabino*-2-ヘキスロースともよばれ，2-ケトヘキソースの一種で，生理学的に最も重要なケトヘキソースであり，ショ糖の加水分解における2つの産物の1つ．インスリンの欠損時には代謝されてグリコゲンに変わる）．

fruc·to·se·mi·a (fruk′tō-sē′mē-ă)．果糖血〔症〕（循環血液中に果糖が存在すること）．= fructosaemia.

fruc·to·side (fruk′tō-sīd)．フルクトシド（-C-O- 結合をしたフルクトースで，C-O- 基は，フルクトースの本来の2位の基である）．

fruc·to·su·ri·a (fruk′tō-syūr′ē-ă)．果糖尿〔症〕，フルクトース尿〔症〕（尿中への果糖の排泄）．

fructosyl- C-2を介した -C-R-(-C-O-R- ではない)結合をもつフルクトースを示す化学で用いる接頭語(R は通常 C)．

fruit sug·ar 果糖; D-fructose(→fructose)．

frus·tra·tion (frūs-trā′shŭn)．欲求不満，フラストレーション，挫折(願望や衝動または欲求を満たすことに対する妨げ，無能力性)．

FTA-ABS fluorescent treponemal antibody absorption(蛍光標識抗トレポネーマ抗体吸収)の略．→ fluorescent treponemal antibody-absorption test.

FTD fixing to die の略．

Fuchs ad·e·no·ma フックス腺腫（毛様体の非色素上皮の良性上皮腫瘍で，まれに1 mmを超えるものもある）．

Fuchs black spot フックス黒色斑（変性近視の黄斑部領域における色素増殖病巣）．

Fuchs col·o·bo·ma フックス欠損〔症〕（視神経乳頭縁での脈絡膜の先天性の下方三日月状欠損．近視との関連はない）．

Fuchs en·do·the·li·al dys·tro·phy フックス内皮ジストロフィ（出現頻度の高い角膜ジストロフィ，常染色体優性遺伝を示す．滴状角膜が特徴的で内皮細胞の消失と進行性角膜浮腫を伴う）．

Fuchs e·pi·the·li·al dys·tro·phy フックス上皮ジストロフィ．= dystrophia epithelialis corneae.

Fuchs het·er·o·chro·mic cy·cli·tis フックス虹彩異色性虹彩毛様体炎．= Fuchs syndrome.

fuch·sin (fūk′sin)．フクシン（組織学や細菌学の染料として用いる．数種の赤色ローザニリン染料を示す一般的名称）．

fuch·sin·o·phil (fuk-sin′ō-fil)．***1*** 〚adj.〛 好フクシン性の，フクシン親和性の（フクシン染料に染まりやすい）．= fuchsinophilic. ***2*** 〚n.〛 フクシン親和性細胞，フクシン親和性組織要素．

fuch·sin·o·phil gran·ule フクシン好性顆粒（フクシンに親和性をもつ顆粒）．

fuch·sin·o·phil·ic (fuk-sin′ō-fil′ik)．= fuchsinophil(1)．

Fuchs spur フックス岬（括約筋の幅のほぼ中央部における瞳孔散大筋の上皮性増殖．虹彩括約筋への散大筋の付着部）．

Fuchs syn·drome フックス症候群（角膜変性，虹彩毛様体炎，角膜混濁および白内障を有する虹彩の異色症を特徴とする症候群．常染色体優性遺伝が考えられている）．= Fuchs heterochromic cyclitis.

Fuchs u·ve·i·tis フックスブドウ膜炎．= heterochromic uveitis.

fu·cose (fū′kōs)．フコース; 6-deoxygalactose(メチル化された五炭糖の1つ．L体は血液型決定物質のムコ多糖類やヒト乳中(多糖類として)およびその他の自然界にみられる．D体はある種の抗生物質に存在する）．

fu·gac·i·ty (f) (fyū-gas′i-tē)．揮散力，逸散度，逃散能（液体に種々の力が作用した結果，体内の一定の場所から揮散する傾向．拡散，蒸発のような液体の逃散傾向）．

-fugal 前につく語の主要部分から離れることを示す接尾語．

-fuge 飛ぶことを意味する接尾語で，飛行を起こす場合あるいは敗走することを示す．

fugue (fyūg)．遁走（患者が突然，現在の生活様式や活動を捨て，しばしば違う都市で，一定期間新しい異なった生活を始める状態．後で初期の出来事を思い出すが，徘徊期の出来事は忘れたと主張する．習慣や技術は通常，影響されない）．

ful·crum, pl. **ful·cra, ful·crums** (ful′krŭm, -kră, -krŭmz)．支持台，支点（支持台，またはてこが回転する点）．

ful·gu·rant (ful′gŭr-ănt)．閃光性の（突き刺すような．*cf.* fulminant)．= fulgurating(1)．

ful·gu·rat·ing (ful′gŭr-āt-ing)． ***1*** = fulgurant. ***2*** 高周波療法の．

ful·gu·ra·tion (ful′gŭr-ā′shŭn)．高周波療法（高周波電流による組織の破壊．ⅰ**direct fulguration** 直接高周波療法（先端が金属でできている絶縁体電極を高周波発生装置の端子につなぎ，電気火花が処置する部分に作用するようにした方法)．ⅱ**indirect fulguration** 間接高周波療法（患者を金属ハンドルによる直接端子につなぎ，患者から電弧が形成されるように活性電極を使用する方法））．

full den·ture = complete denture.

ful·ler's earth フラー土（①多様な構成成分をもつ，非晶質種のカオリン．ケイ酸マグネシウムアルミニウムを含有する．②精粘土．撒粉として用いたり，水で湿らせ，湿布のように用いる．現在では油精製での脱色目的で用いられる粘土全般をいう．油や他の液体の脱色剤，濾過媒体，ゴムの充填剤，農学的処方で用いられる）．

full thick·ness burn 皮膚全層熱傷（皮膚全体の破壊を伴う熱傷．皮下脂肪，筋肉，または骨にまで至る広範囲の深達性熱傷で，多くの瘢痕を引き起こす）．= third-degree burn.

full-thick·ness graft 全層皮膚移植片，全層植皮（粘膜，粘膜下組織，皮膚および皮下組織の全層を有する移植片）．

ful·mi·nant (ful′mi-nănt)．電撃性の，激症の，劇症の，閃光状の（電撃的な速さ，激しさで起こることについていう．*cf.* fulgurant)．

ful·mi·nat·ing (ful′mi-nāt-ing)．激症の，劇症の（急速な悪化を伴った速い経過についていう）．

fu·ma·rate hy·dra·tase フマル酸ヒドラター

ゼ（トリカルボン酸サイクルにおける重要な反応の1つである，フマル酸および水とリンゴ酸の相互転換を可逆的に触媒する酵素．欠損により，精神遅滞が起こる）．

fu·mar·ic ac·id フマル酸; *trans*-butanedioic acid（トリカルボン酸サイクルの中間産物として生じる不飽和ジカルボキシル酸）．

fu·mi·gant (fyū′mi-gănt)．燻蒸剤，燻煙剤（燻蒸や燻煙に用いる化合物）．

fu·mi·gate (fyū′mi-gāt)．燻蒸消毒する（殺菌，根絶の一手段として，ある種の煙または蒸気の作用にさらすこと）．

fu·mi·ga·tion (fyū′mi-gā′shŭn)．燻蒸（燻蒸消毒すること．燻蒸剤あるいは燻煙剤を用いること）．

fum·ing (fyūm′ing)．発煙性の（目に見える蒸気を発するもので，濃硝酸，硫酸，塩酸，その他ある種の物質の性質）．

func·ti·o lae·sa 機能喪失（Celsus が提唱した炎症徴候（発赤，腫瘍，発熱，疼痛）に，Galen が付け加えた炎症の第5番目の徴候）．

func·tion (fŭngk′shŭn)．***1*** 〘n.〙機能（身体の器官やその他の部分の特定の作用や生理学的性質）．***2*** 〘v.〙機能を営む（身体の器官または他の部分の特定の働きや作用を遂行する）．***3*** 〘n.〙〔化学的〕機能，作用（化学的特性や他の物質との関係による物質の一般的性質で，それによって酸，塩基，アルコール，エステル，その他に分類される）．***4*** 〘n.〙官能基（分子の特定反応群，機能群．例えばアルコールの OH 基）．***5*** 〘n.〙関数，函数（他方に従属し，他方と共に変化するような性質，特性，現象）．

func·tion·al (fŭngk′shŭn-ăl)．機能性の（①機能に関する．②器質的なものではない．症状を説明する器質的原因がないかみつからない疾患についていう．→neurosis）．

func·tion·al ac·ti·vi·ty 機能的活動（行動）〔度〕（①機能遂行を助け，機能障害を防ぐ行動．②環境および日常生活上の要求を満たす行動）．

func·tion·al a·nat·o·my 機能解剖学（機能との関連において研究する解剖学）．

func·tion·al blind·ness 機能盲（身体的原因によらない視力の顕性の欠如）．

func·tion·al ca·pac·i·ty 運動耐容能（ある人が増大させそのまま保つことのできる運動負荷量．心血管の健康状態に大きく左右される）．

func·tion·al ca·pac·i·ty e·val·u·a·tion (FCE) 運動耐容能評価（人の身体機能の限界及び能力を判定するための総合評価）．= Work-Capacity Evaluation.

func·tion·al cas·tra·tion 機能的去勢（性腺刺激ホルモンの過剰作用や拮抗作用を伴う長期治療による生殖腺萎縮）．= medical castration.

func·tion·al con·ges·tion 機能性うっ血（臓器の機能活動中に起こる充血）．= physiologic congestion.

func·tion·al deaf·ness 機能性難聴．= psychogenic deafness.

func·tion·al dis·or·der, func·tion·al dis·ease 機能障害（器質的基盤が未知か見出せない身体症状を特徴とする障害．→behavior disorder; neurosis）．

func·tion·al dys·men·or·rhe·a 機能性月経困難〔症〕．= primary dysmenorrhea.

func·tion·al ef·fi·cien·cy 機能効率（機能活動の際に，消費エネルギーを最小限に抑えるため，神経筋システムが動作をモニターし，操作する能力）．

func·tion·al e·lec·tric stim·u·la·tion (FES) 機能的電気刺激（筋肉や筋群の機能活動（例えば，歩行，背伸び）を活性化するため拍動波形を用いる多チャンネルの電気治療様式）．

func·tion·al en·do·scop·ic si·nus sur·ger·y (FESS) 機能的内視鏡〔的〕副鼻腔手術（内視鏡を通じて照明し拡大しつつ行われる副鼻腔手術の一群）．

func·tion·al fi·ber 機能線維（消化管に健康的利益をもたらす，消化しにくい食物）．

func·tion·al food 機能性食品（栄養分としての役割のみならず，生理学上の利益を与える，または慢性疾患のリスクを減少させることが証明された食品．*cf.* nutraceutical）．

func·tion·al ge·no·mics 機能的遺伝学（生物中で発現している遺伝子についての学問で，特異的発現を制御する遺伝子や因子を単離することを含む）．

func·tion·al hand po·si·tion 機能性手先位置（非機能的な手が痙縮したり変形するのを防ぐ位置．肩から腕にかけての角度が 20—30°，中手関節が 45°，近位指節間関節が 30°，遠位指節間関節が 20° の状態）．

func·tion·al im·po·tence 機能性性交不能症（主に心因により起こる間欠的な勃起障害で，障害の程度は環境や性交相手によって変わる）．

func·tion·al in·de·pen·dence mea·sure (FIM) 機能的自立度評価法（セルフケア，括約筋支配，機動性，運動，意思伝達，社会的認知に関する 18 項目の返答に基づいた障害の程度を測定する手法）．

func·tion·al mur·mur 機能性雑音（有意な心臓病変と関連していない心雑音）．= innocent murmur.

func·tion·al neck dis·sec·tion 保存的頸部郭清術（頸部のリンパ節転移郭清術．根治的頸部郭清術とは次のものを温存する点で異なる．胸鎖乳突筋，脊髄副神経，内頸静脈）．= limited neck dissection.

func·tion·al neu·ro·sur·ger·y 機能的脳神経外科（脳の一部を破壊または慢性的に刺激することによる，異常行動や機能的な疾患の外科的治療）．

func·tion·al oc·clu·sion 機能咬合（①相対する歯の咬合面の機能範囲内での咬合．②機能しているときの咬合）．

func·tion·al reach ファンクショナルリーチ（固定台で立った姿勢で前方もしくは横方向に腕の長さを超えて届く距離）．

func·tion·al reach test (FRT) ファンクショナルリーチテスト（立った状態から腕を伸ばしバランスを測定する検査．6インチ（約 15 cm）以下の場合，転倒しやすいことを意味している）．

func·tion·al re·sid·u·al air 機能〔的〕残気．=

functional residual capacity.

func·tion·al re·sid·u·al ca·pac·i·ty (FRC) 機能的残気量（安静呼気後に肺に残る気体の体積．予備呼気量と残気量との合計体積）．= functional residual air.

func·tion·al splint *1* 動態副子．= dynamic splint. *2* 機能的副子（支台歯の一部またはすべてをおおう固定性修復物によって，2本以上の歯を1つの固定した単位に結合するもの）．

func·tion·al test 機能試験（抵抗に打ち勝ち，特定の運動パターンで，身体のある部分をどの程度自動的に動かすことができるかを調べる試験）．

fun·dal mas·sage 基底部マッサージ（子宮弛緩による分娩後出血のリスクを回避するために腹壁を通じて分娩後子宮を触診すること）．

fun·da·men·tal fre·quen·cy (F0) 基本周波数（①最大の波長をもつ音波の主成分．②どの腔にも空気が達する前の声帯振動によりつくられる音．→optimal pitch）．

fun·dec·to·my (fŭn-dek′tō-mē)．= fundusectomy.

fun·dic (fŭn′dik)．底部の．

fun·di·form (fŭn′di-fōrm)．三角巾形の．

fun·do·pli·ca·tion (fŭn′dō-pli-kā′shŭn)．フンドプリケーション，胃底ひだ形成〔術〕（胃食道逆流症の治療のために胃食道接合部の周囲を胃底部で完全または部分的に縫合する手術）．

fun·dus, pl. fun·di (fŭn′dŭs, -dī)．底（嚢または管腔臓器の底，あるいは下部．開口部や出口から最も遠い部分．しばしば幅の広い盲嚢となっている）．

fun·du·scope (fŭn′dŭ-skōp)．= ophthalmoscope.

fun·du·sec·to·my (fŭn′dŭ-sek′tō-mē)．噴門側胃切除〔術〕（器官の底の切除術）．= fundectomy.

fun·dus of eye 眼底（眼球の内部の後極の周囲．検眼鏡でみえる）．= fundus oculi.

fun·dus of gall·blad·der 胆嚢底（肝臓の下縁にある胆嚢の広く閉じた盲端）．

fun·dus oc·u·li 眼底．= fundus of eye.

fun·dus of stom·ach 胃底（噴門切痕上方にある胃の部分）．= fundus ventriculi.

fun·dus of ur·i·nar·y blad·der 膀胱底（多少凸になっている後壁により形成されている部分）．= fundus vesicae urinariae.

fun·dus of u·ter·us 子宮底（卵管開口部より上方の，子宮の丸くなった上端）．

fun·dus ven·tric·u·li 胃底．= fundus of stomach.

fun·dus ve·si·cae u·ri·na·ri·ae 膀胱底．= fundus of urinary bladder.

fungaemia [Br.]．= fungemia.

fun·gal (fŭng′găl)．= fungous.

fun·gal in·fec·tion 真菌感染症（病原菌の体内への侵入）．

fun·gate (fŭng′gāt)．カビ状に生える（カビの増殖のように，生い茂って生える）．

fun·ge·mi·a (fŭn-jē′mē-ă)．真菌血症（血流経路で伝播する真菌感染症）．= fungaemia.

Fun·gi (fŭng′gī)．菌門（不規則な塊で増殖する真核生物門．根，茎，葉をもたず，葉緑素その他の光合成能を有する色素をまったくもたない．各菌体(葉状体)は単細胞性から糸状で，枝分かれした体細胞構造(菌糸)をもち，グルカン，キチンあるいは両方を含んでいる細胞壁で囲まれ，真核を有している．この生物は有性または無性生殖性(胞子形成)により繁殖し，これらの菌類は栄養を，寄生体のように他の生物から，また腐生菌のように死んだ有機物から得る）．

fun·gi (fŭng′gī)．fungus の複数形．

fun·gi·ci·dal (fŭn-ji-sī′dăl)．殺真菌の（真菌類を殺す作用がある）．

fun·gi·cide (fŭn′ji-sīd)．殺真菌薬，防カビ薬（真菌類を死滅させる物質）．

fun·gi·form (fŭn′ji-fōrm)．真菌状の，キノコ状の，ポリープ状の（広く，しばしば枝分かれした，遊離部分とより狭い基底部をもつ構造に対して用いる）．

fun·gi·form pa·pil·lae 茸状乳頭（舌背部にある，茸状で先端が底部より広い多数の小さな突起．この乳頭の大多数の上皮は味蕾をもつ）．

Fun·gi Im·per·fec·ti 不完全菌類（有性生殖が知られていないか，交配型の一方がいまだ知られていない真菌の一門．*cf.* imperfect fungus）．

fun·gi·stat·ic (fŭn′ji-stat′ik)．静真菌性の，静真菌作用をもつ（真菌類の増殖に抑制的作用を有する）．

fun·gi·tox·ic (fŭn′ji-tok′sik)．対真菌毒性の（真菌の増殖に毒性，または何らかの有害な作用をもつ）．

fun·goid (fŭng′goyd)．ポリープ状の，キノコ状の，真菌様の（体表面の盛んな病的増殖をさす）．

fun·gos·i·ty (fŭng-gos′i-tē)．キノコ状増殖．

fun·gous (fŭng′gŭs)．真菌類の．= fungal.

fun·gus, pl. fun·gi (fŭng′gŭs, -gī)．真菌（多様な形態をもつ酵母およびカビを包含するのに用いる一般用語．元来は，葉緑素をもたない原始的植物として分類されたが，現在真菌類は菌界，および藍藻類を除くすべての藻類，原生動物，粘菌類とともに原生生物界の一部に含められている．真菌類は細菌とともに，ほとんどあらゆる種類の複雑な有機物(セルロースなど)を分解する上で重要な役割を果たし，生命サイクルにおいて，炭素や他の元素の再利用に必須である．真菌類は食物として，また，工業的・医薬的に重要な物質(例えば，アルコール，抗生物質，他の薬剤，抗毒素など)の製造における発酵過程にとっても重要である．ヒトに対し病原性をもつものは比較的少数であるが，植物疾病の大多数は真菌が原因となる）．

fun·gus ball 菌球（真菌の菌糸体や細胞屑のぎっしり詰まった塊．直径1—5 cmで，肺腔中に存在する．通常 *Aspergillus fumigatus* によってつくられる．→aspergilloma(2)）．

fu·nic (fyū′nik)．索状の，臍帯の．= funicular (2).

fu·ni·cle (fyū′ni-kĕl)．索，帯，腱．= cord(1).

fu·nic·u·lar (fyū-nik′yū-lăr)．*1* 索状の．*2* 臍帯の．= funic.

fu·nic·u·lar graft 〔神経〕線維索移植〔片〕

(各々の線維索(2本以上の線維束から構成されている)が近接されて，個々に縫合されている神経移植片).

fu·nic·u·lar pro·cess 精索突起（精索を取り囲んでいる鞘膜).

fu·nic·u·li·tis (fyū-nik′yū-lī′tis). ***1*** 精索炎. ***2*** 通常，絨毛膜羊膜炎に合併する臍帯の炎症.

fu·nic·u·lo·pexy (fyū-nik′yū-lō-pek-sē). 精索固定〔術〕(停留精巣の矯正術として，精索を周囲組織に縫いつける方法).

fu·nic·u·lus, pl. fu·nic·u·li (fyū-nik′yū-lŭs, -lī). 索. = cord(1).

fu·nic·u·lus sper·ma·ti·cus 精索. = spermatic cord.

fu·nic·u·lus um·bi·li·ca·lis 臍帯. = umbilical cord.

fu·ni·form (fyū′ni-fōrm). 索状の，帯状の，ひも状の.

fu·ni·punc·ture (fyū′ni-pŭngk-chŭr). 胎児穿刺. = cordocentesis.

fu·nis (fyū′nis). ***1*** 臍帯. = umbilical cord. ***2*** 索条（索様の構造).

fu·ni·si·tis (fyū′ni-sī′tis). 臍帯炎（臍帯に波及した炎症).

fun·nel (fŭn′ĕl). 漏斗（①先端に種々の長さの管がついた中空円錐形の容器で，濾過時などに，1つの容器から他の容器へ液体を注ぐのに用いる. ②解剖学上の漏斗).

fun·nel breast, fun·nel chest 漏斗胸. = pectus excavatum.

fun·nel chest 漏斗胸（前胸部に凹面ができる状態).

fun·nel plot 漏斗状プロット法（発表の偏りを検出する図示表. メタアナリシスに用いられた一連の疫学研究に由来するリスク推定値を標本の大きさに対してプロットする. 発表の偏りがなければプロット図は漏斗形となる. 有意の結果を示す研究が陰性の研究よりもより発表が多いと，プロット図は非対称形となる. →meta-analysis).

fun·nel-shaped pel·vis 漏斗骨盤（骨盤入口の寸法は正常であるが，出口の横径または横径と前後径の両方が狭くなっている骨盤).

fun·ny bone 尺骨の端（肘頭尖端をさす日常会話用語).

FUO fever of unknown origin(原因不明熱)の略.

fu·ra-2 (fūr′ă). フラ-2（カルシウムと結合する蛍光指示薬. カルシウムが結合していないときのほうが結合しているときより長波長で励起される. 2つの励起波長の蛍光強度比により遊離カルシウムイオン濃度を測定できる. 細胞中に注入し，細胞内遊離カルシウムイオン濃度の経時変化をモニターすることができる. →aequorin).

fu·ra·nose (fyūr′ă-nōs). フラノース（フラン環を含む単糖類，分子).

fur·cal (fŭr′kăl). 分岐の，フォーク状の.

fur·ca·tion (fŭr-kā′shŭn). 分岐部（①分岐すること，またはフォーク様の部分または枝. ②歯科において，多根歯の歯根が分かれる部位をいう).

fur·ca·tion probe = Naber probe.

fur·fu·ra·ceous (fŭr′fŭr-ā′shŭs). ぬか(糠)状の，ふけ様の（小さい鱗屑からなる. 落屑の一型についていう). = pityroid.

fu·ror ep·i·lep·ti·cus てんかん性狂暴（てんかん病者にときに起こる怒りの発作で，明らかな刺激の原因もなく起こり意識障害も伴わない).

fur·row (fŭr′rō). 溝.

fu·run·cle (fŭr-ŭng′kĕl). 癤(せつ)，フルンケル（最も頻度が高いのは黄色ブドウ球菌 *Staphylococcus aureus* で深部毛包から発生する限局性の化膿性感染). = boil; furunculus.

fu·run·cu·lar (fū-rŭng′kyū-lăr). 癤(せつ)の，フルンケルの. = furunculous.

fu·run·cu·loid (fŭr-ŭng′kyū-loyd). 癤(せつ)様の，フルンケル様の.

fu·run·cu·lo·sis (fŭr-ŭng′kyū-lō′sis). 癤(せつ)〔多発〕症，フルンケル〔多発〕症，癤腫症（しばしば慢性化，再発する).

fu·run·cu·lous (fŭr-ŭng′kyū-lŭs). = furuncular.

fu·run·cu·lus, pl. fu·run·cu·li (fŭr-ŭng′kyū-lŭs, -lī). = furuncle.

Fu·sar·i·um (fyū-sā′rē-ŭm). フザリウム属（急速に成長する真菌の一属で，特徴的な鎌状の多分節性大分生子を生じる. この大分生子は，皮膚糸状菌類のつくる分生子と間違われることがある. 角膜潰瘍の原因となりうる. いくつかの種は熱傷した皮膚で普通に増殖し，またいくつかのものは播種性の感染症を起こすことがある).

fused kid·ney 融合腎（腎臓の2つの原基の融合により生じる単一の奇形臓器).

fused teeth 融合歯（胎生学的な融合，または2本の歯胚が近接している結果として，ぞうげ歯により結合した歯).

fu·si·form (fyū′si-fōrm). 紡錘状の（両端が細くなった).

fu·si·form an·eu·rysm 紡錘状動脈瘤（動脈の細長い紡錘形の拡張).

fu·si·form gy·rus 紡錘状回（側頭葉から後頭葉にかけて，その下縁を縦にのびる非常に長い脳回. 内側は側副溝により舌状回と海馬傍回の前部から，また外側は下側頭溝により下側頭回から区切られている).

fu·si·mo·tor (fyū′si-mō′tŏr). 紡錘運動の（ガンマ運動ニューロンによる，筋紡錘内線維の遠心性神経支配についていう. →neuromuscular spindle).

fu·sin (fyū′zin). フュージン（ある種のヒト細胞に存在するG蛋白結合性受容体で，HIVと標的細胞との融合に必要であると考えられている. 註CXCR4(chemokine (C-X-C motif) receptor 4)の旧名である).

fu·sion (fyū′zhŭn). ***1*** 融解（例えば熱による融解). ***2*** 癒合（2つのものを結合すること. 例えば骨癒合). ***3*** 融像（各眼で見たわずかに異なる2つの像を，1つの像に融合すること). ***4*** 融合（隣接する2本以上の歯が発育の途上においてぞうげ質を介して結合したもの. →concrescence). ***5*** 融合（2個の遺伝子，しばしば隣接する遺伝

F

子を結合すること).

fu·sion beat 融合収縮（1つ以上の電気的刺激波が一緒になり，複数の刺激波が最終的に1つとなって生じた心臓収縮．心電図上は，心房あるいは心室が，同時にまたはほぼ同時に侵入してきた2つの刺激で活性化され，心房波あるいは心室波を生じる形としてみられる).

fu·sion pro·tein 融合蛋白質（悪性細胞とインターロイキン2受容体を含んだ正常リンパ球を対象としたバイオ技術製品．進行性，再発性皮膚T細胞性リンパ腫の患者の治療に用いられる).

Fu·so·bac·ter·i·um (fū′zō-bak-tēr′ē-ŭm)．フゾバクテリウム属（主な代謝産物として酪酸を生じるグラム陰性，非胞子形成性の偏性嫌気性杆菌を含む細菌属．これらの細菌はヒトや他の動物の体腔内にみられ，いくつかの種類は病原性がある).

Fu·so·bac·te·ri·um nu·cle·a·tum 口腔や上気道および胸膜腔の感染にみられる一細菌種．= Vincent bacillus.

fu·so·cel·lu·lar (fyū′zō-sel′yū-lăr)．紡錘細胞の．

fusospirochaetal [Br.]. = fusospirochetal.

fu·so·spi·ro·chet·al (fyū′zō-spī-rō-kē′tăl)．紡錘菌スピロヘータの（Vincent アンギナの病巣にみられるような，紡錘菌とスピロヘータ菌の共存したものをさす). = fusospirochaetal.

fu·so·spi·ro·chet·al gin·gi·vi·tis 紡錘菌スピロヘータ歯肉炎. = necrotizing ulcerative gingivitis.

Fut·cher line フッチャー線（上腕二頭筋の外側端に沿って左右対称性で両側性に起こった約10 cm の腹背方向の色素沈着の線).

fu tzu = aconite.

FVC forced vital capacity の略.

f wave, ff waves ff 波（心房細動).

F waves F 波（心電図の II, III および aVF 誘導で認められる心房粗動の波．小文字 f の場合は心房細動を示す).

𝔊

γ ガンマ（①→gamma. ②表面張力 surface tension, 活量係数 activity coefficient の記号）.

G *1* ニュートン万有引力定数の記号. *2* gap(3)の略. *3* gauss の略. *4* giga-の略. *5* UDPG におけるような D-glucose の記号. *6* GDP におけるような guanosine の記号. *7* glycine の略. *8* guanine の略.

G Gibbs 活性化(自由)エネルギーの記号, G_{act} または $G^{\ddagger}$.

g gram の略.

g 地球の引力によって生じる加速度を基準にした加速度の単位で, 海面上で緯度 45° において 1 g = 980.621 cm/sec^2(約 32.1725 ft/sec^2). 緯度 30° において 1 g = 979.329 cm/sec^2.

GA タブンの NATO コード.

Ga ガリウムの元素記号.

GABA γ-aminobutyric acid の略.

G-ac·tin (akt′in). G-アクチン（アクチン分子の球状サブユニット(G は球状 globular を表す). 分子量 57,000. ATP 分子 1 個を含む）.

gad·o·lin·i·um (Gd) (gad′ō-lin′ē-ŭm). ガドリニウム（ランタニド族の元素で, 原子番号 64, 原子量 157.25. この元素が常磁性をもつことから, 磁気共鳴画像法の造影剤として用いられている）.

Gaens·len sign ゲンズレン徴候（骨盤が反対側股関節の屈曲で固定されているとき, 股関節の過伸展で疼痛が生じる. 仙腸関節と腰仙関節に捻転ストレスを起こすことによる）.

gag (gag). *1*〘v.〙むかつく, 嘔気を催させる. *2*〘v.〙黙らせる. *3*〘n.〙開口器（口や咽喉の手術中に歯の間にはめ込んで口を開かせておく器具）.

G a·gents G-series nerve agents の略.

gag re·flex 絞扼反射, 咽頭反射（口峡粘膜への異物の接触による嘔気, むかつき）.

gag rule 言論統制法（医師が妊娠中絶の方法に関して議論するのを禁止する米公式命令）.

gain (gān). *1* 利得, 利点. *2* 利得, 増幅率（増幅回路の入力に対する出力の比. 超音波では一般にデシベルで表現する）.

Gaird·ner dis·ease ゲールドナー病（精神的不安を伴う狭心症）.

Gais·böck syn·drome ガイスベック症候群. = polycythemia hypertonica.

gait (gāt). 歩行.

Gal ガラクトースの記号.

ga·lac·ta·cra·si·a (gă-lak′tă-krā′zē-ă). 母乳異常（母乳の組成が悪いこと）.

ga·lac·ta·gogue (gă-lak′tă-gog). 催乳薬（乳汁の分泌および流出を促進させる薬剤）.

ga·lac·tic (gă-lak′tik). 乳〔汁〕の, 催乳の（乳汁に関する, 乳汁の流出を促進する）.

galacto-, galact- 乳汁を意味する連結形. *cf.* lact-.

ga·lac·to·cele (gă-lak′tō-sēl). 乳腺嚢胞, 乳瘤（乳管の閉塞による停滞嚢胞）. = lactocele.

ga·lac·to·ki·nase (gă-lak′tō-kī′nās). ガラクトキナーゼ（ATP の存在下で, D-ガラクトース代謝の第 1 段階である D-ガラクトースの D-ガラクトース L-リン酸へのリン酸化反応を触媒する酵素(ホスホトランスフェラーゼ)の一種. ガラクトキナーゼはある型のガラクトース血症で欠損している）.

ga·lac·to·phore (gă-lak′tō-fōr). 乳管. = lactiferous ducts.

ga·lac·to·pho·ri·tis (gă-lak′tō-fōr-ī′tis). 乳管炎.

ga·lac·toph·o·rous (gal′ak-tof′ŏr-ŭs). 乳汁を運ぶ, 乳管の.

ga·lac·to·poi·e·sis (gă-lak′tō-poy-ē′sis). 乳汁産生.

ga·lac·to·poi·et·ic (gă-lak′tō-poy-et′ik). 乳汁産生〔性〕の.

ga·lac·tor·rhe·a (gă-lak′tōr-ē′ă). 乳汁漏出〔症〕, 乳漏〔症〕（①乳頭より分泌される白色の分泌物. ②授乳の合間または離乳後も, 乳房から継続して乳汁が分泌されること）. = galactorrhoea; lactorrhea.

galactorrhoea [Br.]. = galactorrhea.

galactosaemia [Br.]. = galactosemia.

ga·lac·tos·a·mine (gă-lak-tō′să-mēn). ガラクトサミン（ガラクトースの 2-アミノ-2-デオキシ誘導体で NH_2 が 2-OH 基に置換している. その D-異性体は種々のムコ多糖類, 特にコンドロイチン硫酸や血液 B 型物質のムコ多糖類に存在. 通常, *N*-アセチル誘導体として存在する）.

ga·lac·tos·am·i·no·gly·can (gă-lak′tōs-ă-mē′nō-glī′kan). ガラクトサミノグリカン（→mucopolysaccharide）.

ga·lac·tose (Gal) (gă-lak′tōs). ガラクトース（ラクトース, セレブロシド, ガングリオシド, ムコ蛋白, その他の成分として(D 型で)みられるアルドヘキソース. ガラクトシドまたはガラクトースの化合物にみられる. D-グルコースのエピマー）.

ga·lac·tose cat·a·ract ガラクトース白内障（ガラクトースアルコールの水晶体内蓄積による新生児白内障. →galactosemia）.

ga·lac·to·se·mi·a (gă-lak′tō-sē′mē-ă). ガラクトース血〔症〕（酵素ガラクトシル-1-リン酸ウリジルトランスフェラーゼの先天性欠損による遺伝性のガラクトース代謝障害で, 1-リン酸ガラクトースの組織内蓄積を生じる. 栄養障害, 肝硬変を伴った肝脾腫大, 白内障, 精神遅滞, ガラクトース尿, アミノ酸尿, アルブミン尿の症状が発現し, ガラクトースを食事から除くと症状は消退あるいは消失する）. = galactosaemia.

ga·lac·tose-1-phos·phate (gă-lak′tōs-fos′fāt). ガラクトース-1-リン酸（ガラクトースのリン酸誘導体でガラクトース代謝の重要中間体であり, ある種のガラクトース血症で蓄積する）.

ga·lac·to·side (gă-lak′tō-sīd). ガラクトシド（ガラクトースの C-1 の OH 基の H が有機基で

置換された化合物).

ga·lac·to·sis (gă-lak-tō′sis). 乳汁形成 (乳腺による乳汁の形成).

ga·lac·tos·u·ri·a (gă-lak′tō-syūr′ē-ă). ガラクトース尿〔症〕(ガラクトースの尿中排泄).

ga·lac·to·syl (gă-lak′tō-sil). ガラクトシル (ガラクトースの C-1 の OH 基が有機基で置換された化合物).

ga·lac·to·ther·a·py (gă-lak′tō-thār′ă-pē). 牛乳療法 (牛乳のみによる，またはほとんど牛乳だけの食事による病気の治療). = lactotherapy.

Ga·lant re·flex ガラン反射 (上前腸骨棘の叩打により腹筋が収縮する深部腹壁反射).

Ga·las·si pu·pil·lar·y phe·nom·e·non ガラッシ瞳孔現象. = eye-closure pupil reaction.

ga·le·a (gā′lē-ă). ***1*** ヘルメット形の構造. ***2*** 帽状腱膜. = epicranial aponeurosis. ***3*** 頭をおおった包帯の形のこと. ***4*** = caul(1).

Ga·le·az·zi frac·ture ガレアッチ骨折 (遠位橈尺関節の脱臼を伴う橈骨骨幹部の骨折).

ga·len·i·cals (gā-len′i-kălz). 生薬，ガレン製薬 (①薬用植物およびその他の植物性生薬で，鉱物および化学薬品とは区別される．②薬用植物などからつくられる生薬，チンキ剤，煎剤その他の調製剤で，アルカロイドや他の有効成分とは区別される．③公定書に従って調製された薬剤).

Gal·la·var·din phe·nom·e·non ガラヴァルダン現象 (大動脈弁狭窄症の雑音の騒音的要素と楽音的要素とが解離すること．楽音的要素は胸骨左縁と心尖部でよく聞こえ，騒音的要素は大動脈の領域でよく聞こえる．大動脈狭窄雑音が胸骨左下角の方向へ方散する).

gall·blad·der (gawl′blad-ĕr). 胆嚢 (肝臓の下面上の，右葉と方形葉の間の陥凹部分にある梨状の貯蔵器．胆汁の貯蔵所として働く). = vesica biliaris; cholecyst; cholecystis.

Gal·le·go dif·fer·en·ti·at·ing so·lu·tion ギャレゴ鑑別溶液 (グラム陰性微生物への塩基性フクシン結合を鑑別し促進させるため，修飾グラム染色に用いるホルムアルデヒドと酢酸の希釈溶液).

Gal·lie trans·plant ギャリー移植片 (縫合材料に用いる大腿筋膜の細い索状組織).

gal·li·um (Ga) (gal′ē-ŭm). ガリウム (希土類元素，原子番号 31，原子量 69.723).

gal·li·um 67 ガリウム 67 (サイクロトロンで産生される放射性核種で，半減期は 3.260 日．放出される主要ガンマ線は 93,185，300 keV のエネルギーをもつ．腫瘍および炎症をみつける放射性トレーサとして用いる).

gal·li·um 68 ガリウム 68 (1.130 時間の放射能半減期で陽電子を放出する).

gal·lon (gal′ŏn). ガロン (4 クォート，231 立方インチ，20°C の蒸留水 8.3293 ポンドに相当する液体の米国式体積測定単位．または 3.785412 リットルに等しい．英国式ガロンは 277.4194 立方インチに相当する).

gal·lop, gal·lop rhythm (gal′ŏp, gal′ŏp ridh′ ŭm). 奔馬〔性〕調律 (心音の 3 律動．第 1 心音と第 2 心音に加えて異常な第 3 心音および第 4 心音が聞かれるためで，通常，重症疾患の徴候である). = cantering rhythm; Traube bruit.

gall·stone (gawl′stōn). 胆石 (胆嚢または胆管内の結石で，主にコレステロール，ビリルビンカルシウム，炭酸カルシウムの混合物からなり，ときに 1 つの成分のみからなる). = cholelith.

gal·lus ad·e·no·like vi·rus ガルスアデノウイルス様ウイルス. = GAL virus.

Gal·ton law ゴールトンの法則 (無作為に交配している集団では，極端な表現型をもつ親の子孫は，平均して極端な親の方向より集団の平均値に回帰する傾向がある).

Gal·ton sys·tem of clas·si·fi·ca·tion of fin·ger·prints ゴールトン指紋分類〔法〕(隆線図形の多様性に基づいた指紋分類法．指紋を弓状紋，蹄状紋，渦状紋に分類する. →dermatoglyphics).

Gal·ton whis·tle ゴールトン笛 (音の振動数を調節するねじ付属器のある，圧縮性球に付けられた円筒状笛．聴覚を試験するのに用いる).

gal·van·ic cur·rent ガルヴァーニ電流 (低電圧の直流電流).

gal·van·ic skin re·sponse (GSR) 電気皮膚反応 (情緒的興奮の際生じる変化を測定する方法の 1 つで，電極を皮膚の適当な部位に設置し，ある瞬間からある瞬間の間の発汗やそれに関連した自律神経機能の変化を記録するもの).

gal·va·nom·e·ter (gal′vă-nom′ĕ-ter). 検流計 (電流の強さを測定する器械).

GAL vi·rus GAL ウイルス (アデノウイルスの特徴をもつウイルス．自然界にみられる疾病に関連することは知られていない). = gallus adenolike virus.

Gam·bi·an try·pan·o·so·mi·a·sis ガンビアトリパノソーマ症 (*Trypanosoma brucei gambiense* によって起こるヒトの慢性病で，アフリカにみられる．脾腫，傾眠，嗜眠，精神症状の出現を特徴とする．基底核と小脳病変は舞踏病とアテトーシスを引き起こす．末期には，消耗，食欲不振，るいそうが特徴的で，ゆっくりと昏睡に至り，通常は併発する感染症で死亡する). = chronic trypanosomiasis.

game·keep·er's thumb 母指中手指節関節の慢性の橈側への亜脱臼.

ga·mete (gam′ēt). 配偶子，生殖体 (①細胞核融合を行う 2 つの半数体細胞の 1 つ．②卵子，精子のいずれかの生殖細胞).

ga·mete in·tra·fal·lo·pi·an trans·fer (GIFT) 卵管内配偶子移植法 (卵および精子を卵管膨状部内に置く方法．生殖補助技術の一種).

gameto- 配偶子を意味する連結形.

ga·me·to·cide (gă-mē′tō-sīd). 生殖体撲滅薬 (生殖体，特にマラリアの有性生殖母細胞に対して破壊作用のある薬物).

ga·me·to·cyte (gă-mē′tō-sīt). 生殖母細胞 (分裂して配偶子を生じる能力のある細胞．例えば，精母細胞または卵母細胞など).

ga·me·to·gen·e·sis (gam′ĕ-tō-jen′ĕ-sis). 配偶子発生，配偶子形成 (配偶子の形成・発育過程).

gam·ma (γ) (gam′ă). ガンマ (①ギリシア語

アルファベットの第3字. ②化学において, 系列の中の3番目. 例えば, 脂肪酸の4番目の炭素やベンゼン環中のアルファ位置から2つ離れた位置を表す. ③ 10^{-4} ガウスの記号. ④接頭語γの付く語は, その語を参照).

gamma (γ)-a·mi·no·bu·tyr·ic ac·id (GABA) γ-アミノ酪酸; 4-aminobutyric acid (中枢神経系の一成分で, 量的に主要な抑制性神経伝達物質. てんかんの治療に用いられる).

gam·ma an·gle ガンマ角 (眼球の中心と固視点を結ぶ線と眼軸との間につくられる角).

gam·ma (γ)-be·ta (β)-D-ri·bo·fur·a·no·syl·ad·e·nine = adenosine(2).

gam·ma-bu·ty·ro·lac·tone (GBL) (gam′ă-byū′tir-ō-lak′tōn). γ-ブチロラクトン (経口摂取の後に速やかにγ-ヒドロキシ酪酸(GHB)に代謝される工業用, 家庭用溶剤. GHB同様に, 陶酔薬, 食欲抑制剤, 抗鬱剤, 睡眠補助薬として不法に取引されている. GHBよりも強力で, 効き目が早く, 効能時間も長いが, 薬理学的特性や毒性は同じである. 吐き気, 徐脈, 中枢神経系の抑制は眠気, 混乱から発作, 昏睡, 死までをも引き起こす. 依存とひどい禁断症状が報告されている).

gam·ma cam·er·a ガンマカメラ (シンチカメラの一種で, 全対象視野から同時に記録を取ることができる). = scintillation camera.

gam·ma fi·bers ガンマ線維 (約20 m/secの伝導速度をもつ神経線維).

Gam·ma·her·pes·vir·i·nae (gam′ă-her′pēz-vir′i-nē). ガンマヘルペスウイルス科 (Epstein-Barrウイルスなどリンパ球増殖を引き起こすウイルスが属するヘルペスウイルス科の亜科).

gam·ma (γ)-hy·drox·y·bu·ty·rate (GHB) γ-ヒドロキシ酪酸 (天然短鎖脂肪酸で, あらゆる生体組織に存在するγ-アミノ酪酸(GABA)の代謝物であり, なかでも脳内濃度が最高である. GHBはGABA, ドパミン, 5-ヒドロキシトリプタミン, アセチルコリンの濃度に影響を与える神経伝達物質と考えられている. GABA代謝の先天性疾患患者ではGHBが蓄積すると運動失調や精神遅滞を引き起こす. 合成GHBは以前, 麻酔薬, ナルコレプシーや, またアルコール禁断症の治療に用いられたが, FDA(米国食品医薬品局)はその神経系, 心臓血管系, 呼吸系および消化器系への重篤な副作用を理由に禁止した). = 4-hydroxybutyrate.

gam·ma knife ガンマナイフ (頭蓋内の良性・悪性腫瘍や動静脈奇形の治療に用いられる侵襲の最も小さい放射線手術のシステム).

gam·ma low·er mo·tor neu·ron = gamma motor neuron.

gam·ma mo·tor neu·ron γ運動ニューロン (骨格筋まで伸びる運動ニューロンで, 感覚神経筋紡錘とシナプスを形成する. γ運動ニューロンは骨格筋の調子を意識的な制御以下に整えるために神経筋紡錘とともに機能する. *cf.* alpha (α) motor neuron; gamma lower motor neuron).

gam·ma ra·di·a·tion γ線 (放射性壊変(崩壊)や核分裂のような核反応で発生する電離性電磁放射線).

gam·ma ray ガンマ線 (放射性物質から放たれる電磁放射. 高エネルギーX線だが殻軌道からではなく核から発生したものである. 磁石とは反発しない).

gam·mop·a·thy (gă-mop′ă-thē). 高ガンマグロブリン血症, ガンモパシー (免疫グロブリン合成の一次的障害).

Gam·na dis·ease ガムナ病 (鉄分を含んだ, 多くの, 小さな, 鉄さび様の褐色結節(Gamna-Gandy体)と著明な被膜肥厚を特徴とする慢性脾腫. この状態は線維性うっ血性脾腫, 鎌状赤血球症, 血色素症などにみられる).

gam·o·gen·e·sis (gam′ō-jen′ĕ-sis). 雌雄〔両性〕生殖. = sexual reproduction.

gan·gli·a (gang′glē-ă). ganglionの複数形.

gan·gli·a of au·to·nom·ic plex·us·es 自律〔神経〕叢神経節 (自律神経叢中にある自律神経節. 例えば, 交感神経系の腹腔神経節, 下腸間膜動脈神経節, 筋層間神経叢の小副交感神経節など). = ganglia plexuum autonomicorum.

gan·gli·al (gang′glē-ăl). 神経節の. = ganglionic.

gan·gli·a plex·u·um au·to·no·mi·co·rum 自律〔神経〕叢神経節. = ganglia of autonomic plexuses.

gan·gli·a of sym·pa·thet·ic trunk 〔交感神経〕幹神経節 (交感神経幹に沿って, ある間隔において存在する節後神経ニューロンの塊で, 上頸神経節, 中頸神経節, 頸胸神経節(星状神経節), 胸神経節, 腰神経節, 仙骨神経節, 不対神経節を含む). = ganglia trunci sympathici; paravertebral ganglia.

gan·gli·ate, gan·gli·at·ed (gang′glē-āt, gang′glē-ā-tĕd). 神経節をもった. = ganglionated.

gan·gli·at·ed nerve 交感神経を表す語.

gan·gli·a trun·ci sym·pa·thi·ci 〔交感神経〕幹神経節. = ganglia of sympathetic trunk.

gan·gli·ec·to·my (gang′glē-ek′tŏ-mē). 神経節切除〔術〕. = ganglionectomy.

gan·gli·form (gang′gli-fōrm). 神経節状の (神経節の形や外観を有する). = ganglioform.

gan·gli·i·tis (gang′glē-ī′tis). = ganglionitis.

gan·gli·o·blast (gang′glē-ō-blast). 神経節芽細胞 (神経節細胞をつくる胚芽細胞).

gan·gli·o·cyte (gang′glē-ō-sīt). 神経節細胞. = ganglion cell.

gan·gli·o·cy·to·ma (gang′glē-ō-sī-tō′mă). 〔神経〕節細胞腫 (粗なグリアの間質に神経細胞(神経節細胞)を含むまれな病変). = central ganglioneuroma.

gan·gli·o·form (gang′glē-ō-fōrm). = gangliform.

gan·gli·o·gli·o·ma (gang′glē-ō-glē-ō′mă). 神経節膠腫 (グリアの成分と異型神経(神経節)細胞の成分からなるまれな腫瘍. 若年の患者ではしばしば痙攣を伴う).

gan·gli·ol·y·sis (gang′glē-ol′i-sis). 神経節溶解 (神経節の融解または崩壊).

gan·gli·o·ma (gang′glē-ō′mă). 神経節腫. = ganglioneuroma.

gan·gli·on, pl. **gan·gli·a, gan·gli·ons**

G

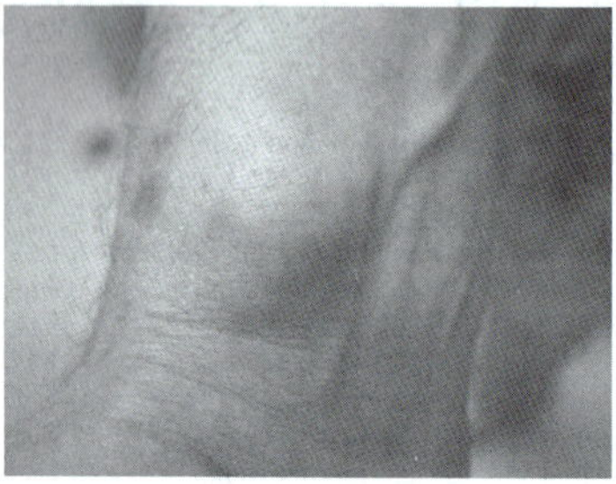

ganglion

(gang′glē-ŏn, -ă, -onz). ***1*** 神経節（末梢神経系にみられる神経細胞体の集合）. = neuroganglion. ***2*** 結節腫，ガングリオン（線維組織，ときに筋肉，骨あるいは半月内にできる，ムコ多糖類に富む液体を含んだ囊腫．通常，手，手首，または足の腱鞘に付着しているか，関節とつながっている）. = myxoid cyst; synovial cyst.

gan·gli·on·at·ed (gang′glē-ō-nā-tĕd). 神経節をもった. = gangliate.

gan·gli·on cell 神経節細胞（本来は神経細胞（ニューロン）をさすが，現在では脳および脊髄の外側にあり，そこから末梢神経系を形成する1つのニューロン細胞体をいう．神経節細胞には次の2種がある．ⓘ擬単極細胞あるいは脊髄・脳感覚神経由来の細胞（感覚神経節），ⓘⓘ内臓を神経支配する多極運動性末梢ニューロン（内臓神経節すなわち自律神経節））. = gangliocyte.

gan·gli·on cer·vi·co·thor·a·ci·cum 頸胸神経節. = cervicothoracic ganglion.

gan·gli·on cyst 滑液囊腫（手関節または足関節の腱の中にみられる液体の集まりまたは良性腫瘍塊．手関節の背面にみられることが最も多い）.

gan·gli·on·ec·to·my (gang′glē-ō-nek′tŏ-mē). 神経節切除〔術〕. = gangliectomy.

gan·gli·o·neu·ro·blas·to·ma (gang′lē-ō-nūr′ō-blas-tō′ma). 〔神経〕節芽細胞腫，節芽〔細胞〕腫（神経芽細胞腫と節神経腫の要素をもつ混合細胞型の腫瘍）.

gan·gli·o·neu·ro·ma (gang′glē-ō-nūr-ō′mă). 〔神経〕節細胞腫，〔神経〕節神経腫（成熟神経節性ニューロンからなる良性腫瘍で，その数は一定でなく，比較的豊富で密度の高い神経線維および膠質線維の間質内に，単独でまたは塊状に散在している．通常，後縦隔洞や腹膜後腔にみられ，ときに副腎と関連がある）. = ganglioma.

gan·gli·on·ic (gang′glē-on′ik). 神経節の. = ganglial.

gan·gli·on·ic block·ade 〔神経〕節遮断（ニコチン，ヘキサメトニウムなどの薬剤を用いて，自律神経節シナプスにおける神経インパルスの伝達を阻止すること）.

gan·gli·on·ic block·ing a·gent 〔神経〕節遮断薬（自律神経神経節における刺激伝導を減じる薬物）.

gan·gli·on·ic branch·es of max·il·lar·y nerve 上顎神経の神経節枝（翼口蓋窩の上顎神経の2本の短い知覚枝．翼口蓋神経節を通るがシナプスはつくらない）. = nervi pterygopalatini.

gan·gli·on·ic branch of in·ter·nal ca·rot·id ar·ter·y 内頸動脈の神経節枝（内頸動脈の海綿部から三叉神経節に分布する小枝）.

gan·gli·on im·par 不対神経節（交感神経幹の最も下方の不対の神経節．非常在）. = coccygeal ganglion; Walther ganglion.

gan·gli·on in·fe·ri·us ner·vi va·gi 〔迷走神経の〕下神経節. = inferior ganglion of vagus nerve.

gan·gli·on·i·tis (gang′glē-ŏn-ī′tis). = gangliitis. ***1*** リンパ性結節腫の炎症. ***2*** 神経節炎.

gan·gli·o·nos·to·my (gang′glē-ŏn-os′tŏ-mē). 結節腫切開〔術〕（結節腫に開口部をつくること）.

gan·gli·o·ple·gic (gang′glē-ō-plē′jik). 神経節遮断薬（自律神経節を麻痺させる薬理化合物．持続時間は通常，比較的短い）.

gan·gli·o·side (gang′glē-ō-sīd). ガングリオシド（化学的にはセレブロシドに類似しているが，2つ以上のシアリン酸残基を含んでいるグリコスフィンゴリピド．主に神経組織と脾臓，胸腺にみられる．G_{M1}は全身性ガングリオシドーシスで蓄積され，G_{M2}は Tay-Sachs 病で蓄積される）.

gan·gli·o·si·do·sis (gang′glē-ō-si-dō′sis). ガングリオシドーシス（特定のガングリオシドが神経系内に一部分異常に蓄積しているすべての疾患をさす．例えば，G_{M2} ガングリオシドーシス（Tay-Sachs 病）はヘキソサミニダーゼ A 酵素の欠乏によって起こり，G_{M2} ガングリオシドが蓄積する）.

gang rape 輪姦（相手の同意の無いまま，集団（殆ど常に男性）で強制的な性交を行うこと）.

gan·grene (gang-grēn′). 壊疽（①血液供給の途絶，喪失，減少による壊死．小部分に限局される場合，肢節全体または腸のような器官全体に及ぶ場合がある．湿性のものと乾性のものがある. = mortification. ②広汎な壊死のこと．原

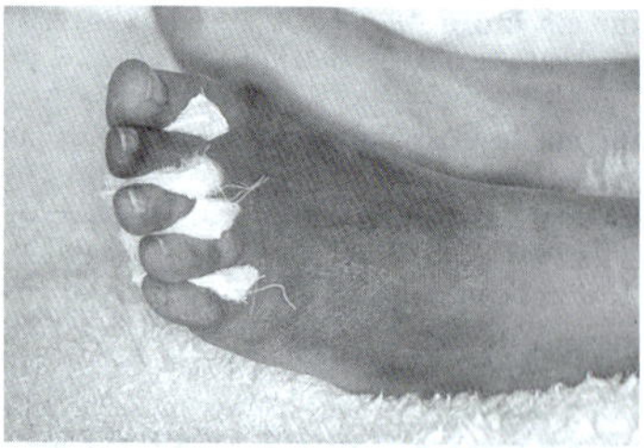

gangrene of the toes

因は問わない．ガス壊疽など)．

gan·gre·nous (gang′grĕ-nŭs)．壊疽〔性〕の．= mortified.

gan·gre·nous sto·ma·ti·tis 壊疽性口内炎 (口腔組織の壊疽を特徴とする口内炎．→noma)．

Gan·ser syn·drome ガンザー症候群 (精神病様の症状であるが，本来の精神病の症状や徴候はなく，狂気を装う囚人に典型的にみられる．例えば6に4を掛けると，と尋ねられると23と答えたり，鍵を錠と言ったりするものである)．

Gant clamp ギャント鉗子 (痔核切除に用いる直角に曲がった鉗子)．

gan·try (gan′trē)．ガントリー (CT装置の中で，X線管，コリメータ，検出器を収納している構造物で，患者を入れるための大きな開口部をもつ．回転運動をさせる装置を設置するための機械的支持部分)．

gap (gap)．裂，裂孔，間隙 (①構造の中にみられる裂け目または孔．②一連の連続構造の中にみられる隙間または不連続部分．③(**G**)．細胞分裂と次の細胞分裂との間の時間的間隔，中間期)．

gap 1 ギャップ1，G_1期 (体細胞周期において，有糸分裂期に引き続いて起こり，次のサイクル準備としての合成期が後に続く)．

gap 2 ギャップ2，G_2期 (体細胞周期において，合成の完了と細胞分裂の開始との間の小休止期)．

gap junc·tion ギャップジャンクション，細隙結合 (①隣接細胞膜間の2 nmの間隙を介した細胞間結合．この間隙は空ではなく，六角形の格子形サブユニットを含む．この結合は上皮，ある種の神経細胞の間，平滑筋，心筋でみられる．→synapse．②分娩陣痛発来を促進する筋細胞間の電気化学的結合状態の亢進した部分)．= nexus.

gap pe·ri·od 空白期間 (細胞が細胞周期に無い状態で，一時的に分裂する可能性が無い段階)．

gap phe·nom·e·non ギャップ現象 (房室伝導あるいは心室内伝導周期において，他の場合にはブロックされるであろう興奮を通過させうる短い時相)．

Gard·ner-Di·a·mond syn·drome ガードナー-ダイアモンド症候群．= autoerythrocyte sensitization syndrome.

Gard·ner·el·la (gahrd-nĕr-el′ă)．ガルドネレラ属 (通性嫌気性，オキシダーゼおよびカタラーゼ陰性，無芽胞性，非被包性，非運動性の多形性杆菌の一属で，グラム染色性は一定しない)．

Gard·ner·el·la vag·i·na·lis ヒトの細菌性腟感染症の病原体となる種．

***Gard·ner·el·la vag·i·na·lis* vag·i·ni·tis** →bacterial vaginosis.

Gard·ner syn·drome ガードナー症候群 (結腸癌の好発原因となる多発性ポリポーシス．多発性腫瘍，頭蓋の骨腫，類表皮嚢胞および線維腫なども伴う．常染色体優性遺伝．第5染色体長腕にある大腸腺腫性ポリポーシス遺伝子(APC)の変異により生じる．この疾患は家族性腺腫性ポリポーシス(FAP)と相関の疾患である)．

Gard·ner-Wells tongs ガードナーウェルス鉗子(トング) (頸椎骨折で，長軸方向に頸椎を牽引するために頭蓋骨につける金属製の固定器具)．

gar·gle (gahr′gĕl)．***1*** 〚v.〛 うがいする．***2*** 〚n.〛 含そう薬，咽頭洗浄剤．

gar·goyl·ism (gahr′goyl-izm)．ガーゴイリズム (フルラー症候群一連の症状に苦しむ患者やそれが発見された人に対する差別用語)．

Ga·ri·el pes·sa·ry ガリエルペッサリー (膨らますことのできる中空のゴムのペッサリー．環状，西洋梨状の2型がある)．

Gar·land tri·an·gle ガーランド三角 (胸膜滲出の存在する側の脊椎に隣接した背下部に認められる打診音が比較的清明な三角形の部位)．

gar·lic (gahr′lik)．ガーリック，ニンニク．

Gar·ré dis·ease ガレー病．= sclerosing osteitis.

Gar·ré os·te·o·my·e·li·tis ガレー骨髄炎 (増殖性骨膜炎を伴う慢性骨髄炎．中等度の感染の結果，限局性の過剰な骨膜の肥厚を生じ，末梢性に反応性の骨形成を生じる)．

Gart·ner cyst ガートナー〔管〕嚢胞 (男性中腎の生殖器領域に相当するもので，子宮頸または腟前外側壁卵巣傍体痕跡の主管の嚢胞)．= Gartner duct cyst.

Gart·ner duct cyst ガートナー管嚢胞．= Gartner cyst.

Gärt·ner meth·od ゲルトナー法 (Gärtnerの静脈現象に基づく静脈圧の測定法．患者はまっすぐに座り，手背静脈を選び，右心房より十分下の位置で水平にし，ゆっくりと上げる．手背静脈が虚脱するときの位置と右心房の間の距離を測定し，ミリメートルで表す．これが静脈圧である．このように，静脈自体が右心房と連絡している圧力計として用いられるが，老齢者では特に不正確である)．

Gärt·ner to·nom·e·ter ゲルトナー圧力計 (圧迫環によって囲まれた指で，水銀柱の高さで表される力を記録することにより，脈拍を止めるに必要とされる血圧を測る装置)．

gas (gas)．ガス，気体 (①空気様の希薄な流動体で，無限に膨張でき，圧縮および冷却により液体に，ついには固体に変えることができる．②臨床的には，周囲の温度が沸点より高いため，1気圧下で完全に蒸気相になっている液体)．

gas ab·scess ガス膿瘍 (ガスを含む膿瘍，しば

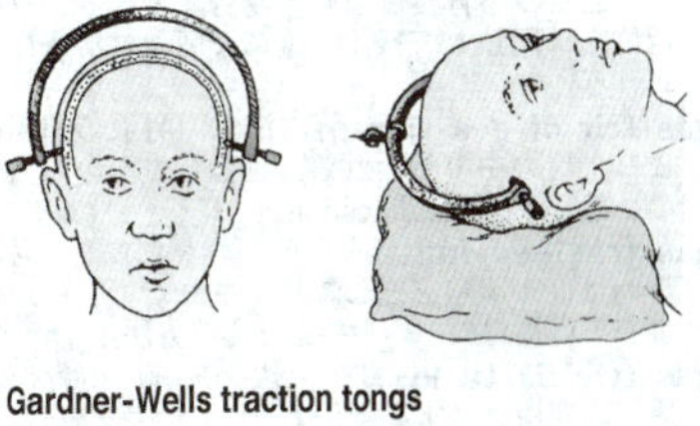

Gardner-Wells traction tongs

G

しば *Enterobacter aerogenes*, 大腸菌 *Escherichia coli*, その他の微生物により生じる).

gas ba·cil·lus ガス杆菌. = *Clostridium perfringens*.

gas chro·ma·tog·ra·phy ガスクロマトグラフィ（移動相はガスあるいは蒸気との混合物であり，それらの固定相への吸着の差により，分離するクロマトグラフ法).

gas em·bo·lism ガス塞栓症（血管内の気泡による小血管の塞栓症).

gas·e·ous (gas′ē-ŭs). ガスの，気体の.

gas ex·change in·dex 気体交換指標（呼吸を測定する評価方法).

gas gan·grene ガス壊疽（種々の嫌気性芽胞形成性細菌，特にウェルチ菌 *Clostridium perfringens* とノーヴィ菌 *C. novyi* の感染創に生じる壊疽．細菌発酵によって生じるガスによる急速に進む周囲組織の捻髪音を起こす).

Gas·kell clamp ギャスケル鉗子（実験動物の房室伝導路を挫滅して心ブロックを起こさせるための鉗子).

gas-liq·uid chro·ma·tog·ra·phy (GLC) 気-液クロマトグラフィ（ガスクロマトグラフィと同じであるが，移動相が不活性ガス，固定相が固体でなく液体であるクロマトグラフィ).

gas mask ガスマスク（空中の毒ガスから身を守るために鼻と口を覆う道具).

gas·o·met·ric (gas′ō-met′rik). 気体定量の.

gas·om·e·try (gas-om′ĕ-trē). 気体定量（ガスの測定．混合気体の混合比の決定).

gas per·i·to·ni·tis ガス腹膜炎（腹腔内にガスの集積を伴う腹膜の炎症).

gas·sing (gas′ing). ガス中毒（吸ってはならないガス，または無酸素性のガスによる中毒).

gas·ter (gas′tĕr). 胃. = stomach.

gas·trad·e·ni·tis (gas′trad-ĕ-nī′tis). 胃腺炎.

gas·trec·ta·sis, gas·trec·ta·si·a (gas-trek′tă-sis, gas-trek-tā′zē-ă). 胃拡張.

gas·trec·to·my (gas-trek′tŏ-mē). 胃切除〔術〕.

gas·tric (gas′trik). 胃の.

gas·tric a·nal·y·sis 胃分析，胃液検査（胃内容の pH および酸分泌量の測定．一夜の胃分泌物の採取あるいは1時間採取で基礎酸分泌量を測定する．最大刺激酸分泌量はヒスタミンの注射の後測定する．酸分泌量の測定は強塩基による滴定により行う).

gas·tric ar·ter·ies 胃動脈（胃の小弯に沿って分布する動脈).

gas·tric by·pass 胃バイパス（胃を高位で分割し，上側の小胃嚢を空腸へ吻合する術式．胃の遠位端は閉鎖して残す．重篤な肥満の治療に行われる).

gas·tric di·ges·tion 胃内消化（胃液の酵素によって胃の中で行われる，主として蛋白の消化の一部). = peptic digestion.

gas·tric feed·ing 経胃栄養（経鼻・食道からあるいは直接腹壁を通して挿入されたチューブによって直接胃の中へ栄養を与える方法).

gas·tric fis·tu·la 胃フィステル(瘻)（胃から腹壁の間に連絡する瘻孔交通).

gas·tric fol·li·cle = gastric glands.

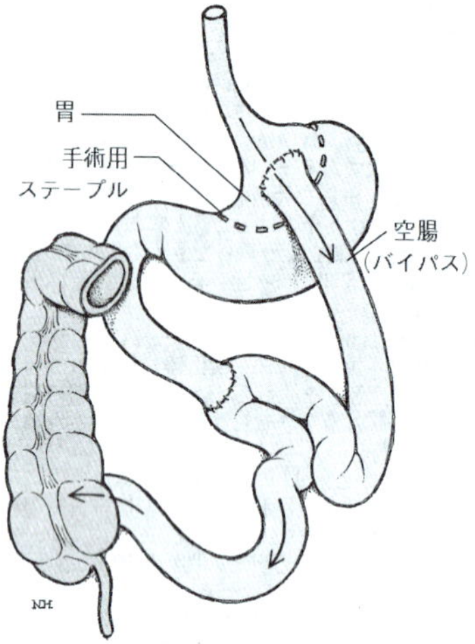
胃
手術用
ステープル
空腸
(バイパス)
NH

gastric bypass

gas·tric glands 胃腺（胃底および胃体部の粘膜にある分岐した管状腺．塩酸を分泌する壁細胞，ペプシンを分泌する主細胞および粘膜細胞をもつ). = gastric follicle.

gas·tric in·di·ges·tion 胃性消化不良. = dyspepsia.

gas·tric in·hib·i·to·ry pol·y·pep·tide (GIP), gas·tric in·hib·i·to·ry pep·tide (GIP) 胃抑制性ポリペプチド（胃より分泌されるペプチドホルモン．GIP は胃酸とペプシンの分泌を抑制し，消化過程の一環としてインスリン分泌を刺激する).

gas·tric la·vage 胃洗浄（胃を水や食塩水で洗うこと．摂取した毒物を排除したり，全身麻酔の前に胃を空にする目的で行われる. →lavage).

gas·tric sta·pling 胃ステープリング（縦列にステープリングすることで胃を分割すること．重篤な肥満に対する処置として用いられている).

gas·tric tet·a·ny 胃性テタニー（特に嘔吐による胃酸の損失で，胃疾患と関連した一形態).

gas·tric ul·cer 胃潰瘍. = Cruveilhier ulcer.

gas·tric ver·ti·go 胃性めまい（胃の疾病の徴候であるめまい).

gas·tri·no·ma (gas′tri-nō′mă). ガストリノーマ（Zollinger-Ellison 症候群に伴うガストリン産生腫瘍).

gas·trins (gas′trinz). ガストリン（哺乳類の胃の幽門腔粘膜に分泌されるホルモンで，胃腺壁細胞による塩化水素の分泌を刺激する．ガストリンの競合的阻害はコレシストキニンである).

gas·tri·tis (gas-trī′tis). 胃炎（特に胃粘膜の炎症).

gastro-, gastr- 胃・腹を意味する連結形.

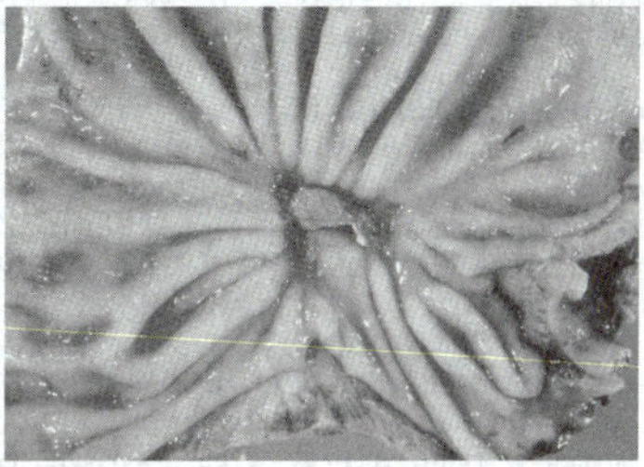

gastric ulcer

gas·tro·a·nas·to·mo·sis (gas′trō-an-as-tō-mō′sis). 胃胃吻合（はなはだしい砂時計胃を軽減するための胃噴門部と前庭部の吻合）. = gastrogastrostomy.

gas·tro·car·di·ac (gas′trō-kahr′dē-ak). 胃心の（胃と心臓に関する）.

gas·tro·cele (gas′trō-sēl). 胃ヘルニア（胃の一部分のヘルニア）.

gas·troc·ne·mi·us (gas′trok-nē′mē-ŭs). 腓腹筋. = gastrocnemius muscle.

gas·troc·ne·mi·us mus·cle 腓腹筋（下腿後区浅層の筋. 起始：大腿骨の外側顆および内側顆からの外側頭，内側頭の2頭. 停止：ヒラメ筋とともに踵骨腱で踵骨後面の下部1/2に付着. 作用：足の底屈. 神経支配：脛骨神経）. = musculus gastrocnemius; gastrocnemius.

gas·tro·co·lic (gas′trō-kol′ik). 胃結腸の（胃と結腸に関する）.

gas·tro·co·lic re·flex 胃大腸反射（胃に食物がはいることにより生じる結腸の内容物の動き. それに先立って小腸にも類似した動きがみられる）.

gas·tro·co·li·tis (gas′trō-kō-lī′tis). 胃結腸炎（胃と結腸の炎症）.

gas·tro·co·los·to·my (gas′trō-kō-los′tō-mē). 胃結腸吻合（胃と結腸間の交通形成）.

gas·tro·du·o·de·nal (gas′trō-dū-ō-dē′năl). 胃十二指腸の（胃と十二指腸に関する）.

gas·tro·du·o·de·nal ar·ter·y 胃十二指腸動脈（総肝動脈より起こり，終末枝は右胃大網動脈，上膵十二指腸動脈）. = arteria gastroduodenalis.

gas·tro·du·o·de·ni·tis (gas′trō-dū-ō-dĕ-nī′tis). 胃十二指腸炎（胃と十二指腸の炎症）.

gas·tro·du·o·de·nos·co·py (gas′trō-dū-ō-dĕ-nos′kŏ-pē). 胃十二指腸鏡検査〔法〕（胃鏡による胃と十二指腸内壁の検査）.

gas·tro·du·o·de·nos·to·my (gas′trō-dū-ō-dĕ-nos′tŏ-mē). 胃十二指腸吻合〔術〕（胃十二指腸間に通路を形成すること）.

gas·tro·en·ter·ic (gas′trō-en-ter′ik). = gastrointestinal.

gas·tro·en·ter·i·tis (gas′trō-en-tĕr-ī′tis). 胃腸炎. = enterogastritis.

gas·tro·en·ter·i·tis vi·rus type A A型胃腸炎ウイルス. = epidemic gastroenteritis virus.

gas·tro·en·ter·i·tis vi·rus type B B型胃腸炎ウイルス. = Rotavirus.

gas·tro·en·ter·o·co·li·tis (gas′trō-en′tĕr-ō-kō-lī′tis). 胃腸結腸炎（胃と大腸および小腸に及ぶ炎症性疾患）.

gas·tro·en·ter·ol·o·gist (gas′trō-en-tĕr-ol′ŏ-jist). 胃腸病学者，胃腸病専門医.

gas·tro·en·ter·ol·o·gy (gas′trō-en-tĕr-ol′ŏ-jē). 胃腸病学（胃腸を含む消化管と関連臓器の機能と障害に関する医学の専門分野）.

gas·tro·en·ter·op·a·thy (gas′trō-en-tĕr-op′ă-thē). 胃腸病（消化管の障害）.

gas·tro·en·ter·o·plas·ty (gas′trō-en′tĕr-ō-plas-tē). 胃腸形成〔術〕（胃腸の欠損部分の外科的修復）.

gas·tro·en·ter·op·to·sis (gas′trō-en-tĕr-op-tō′sis). 胃腸下垂〔症〕（胃と腸の一部の下垂）.

gas·tro·en·ter·os·to·my (gas′trō-en-tĕr-os′tŏ-mē). 胃腸吻合〔術〕（横行結腸の前後いずれかで，胃腸間に新しい開口部を形成すること）.

gas·tro·en·ter·ot·o·my (gas′trō-en-tĕr-ot′ŏ-mē). 胃腸切開〔術〕.

gas·tro·ep·i·plo·ic (gas′trō-ep-i-plō′ik). 胃大網の（胃と大網(epiploon)に関する）.

gas·tro·ep·i·plo·ic ar·ter·ies 胃大網動脈. = gastro-omental arteries.

gas·tro·e·soph·a·ge·al (gas′trō-ĕ-sŏ-fă′jē-ăl). 胃食道の（胃と食道に関する）. = gastro-oesophageal.

gas·tro·e·soph·a·ge·al her·ni·a 胃食道ヘルニア（胸郭内へ突出した裂孔ヘルニア）. = gastro-oesophageal hernia.

gas·tro·e·soph·a·ge·al re·flux dis·ease (GERD) 胃食道逆流性疾患，ガード（心窩部または胸骨後方が慢性あるいは再発性に痛む症候群. 酸性胃液の食道下部への逆流による様々な程度のおくび，吐気，咳，嗄声を起こす. 下部食道括約筋(LES)の機能障害および胃の運動障害に起因する. 消化性食道炎，潰瘍，狭窄，またはBarrett食道になることもある）. = gastro-oesophageal reflux disease.

gas·tro·e·soph·a·gi·tis (gas′trō-ĕ-sof-ă-jī′tis). 胃食道炎（胃と食道の炎症）. = gastro-oesophagitis.

gas·tro·e·soph·a·gos·to·my (gas′trō-ĕ-sof-ă-gos′tŏ-mē). 胃食道吻合〔術〕. = esophagogastrostomy; gastro-oesophagostomy.

gas·tro·gas·tros·to·my (gas′trō-gas-tros′tŏ-mē). 噴門幽門吻合〔術〕. = gastroanastomosis.

gas·tro·ga·vage (gas′trō-gă-vahzh′). 胃瘻栄養〔法〕. = gavage(1).

gas·tro·gen·ic (gas′trō-jen′ik). 胃〔性〕の.

gas·tro·he·pat·ic (gas′trō-he-pat′ik). 胃肝の（胃と肝臓に関する）.

gas·tro·il·e·ac re·flex 胃回腸反射（胃の中に食物がはいることにより生じる回腸結腸弁の開口）.

gas·tro·il·e·i·tis (gas′trō-il-ē-ī′tis). 胃回腸炎.

gas·tro·il·e·os·to·my (gas′trō-il-ē-os′tŏ-

G

mē). 胃回腸吻合〔術〕(胃と回腸の外科的接合. 著明な肥満の治療のために利用されることが最も多い).

gas·tro·in·tes·ti·nal (GI) (gas′trō-in-tes′ti-năl). 胃腸の (胃と腸に関する). = gastroenteric.

gas·tro·in·tes·ti·nal au·to·nom·ic nerve tu·mor 消化管自律神経腫瘍 (組織学的に腸筋神経叢に関連した胃および小腸の良性・悪性腫瘍, 家族性のこともあり, 消化管の神経異形成に関連する).

gas·tro·in·tes·ti·nal (GI) tract 胃腸管 (胃, 小腸, 大腸を指す. 頻繁に消化管と同義語として使われる).

gas·tro·in·tes·ti·nal stro·mal tu·mor 消化管間質腫瘍 (分類不能の紡錘細胞からなる良性あるいは悪性の腫瘍. 免疫組織学的には平滑筋腫瘍, Schwann 細胞腫瘍とは異なる).

gas·tro·je·ju·no·co·lic (gas′trō-jĕ-jū′nō-kol′ik). 胃空腸結腸の (胃, 空腸, および結腸についていう).

gas·tro·je·ju·nos·to·my (gas′trō-jĕ-jū-nos′tō-mē). 胃空腸吻合〔術〕(胃と空腸に直接の通路を形成すること).

gas·tro·li·e·nal (gas′trō-lī′ē-năl). 胃脾の. = gastrosplenic.

gas·tro·lith (gas′trō-lith). 胃石 (胃の結石).

gas·tro·li·thi·a·sis (gas′trō-li-thī′ă-sis). 胃石症 (胃内に1個以上の結石をもっていること).

gas·trol·y·sis (gas-trol′i-sis). 胃癒着剥離〔術〕(胃周囲の癒着を剥離すること).

gas·tro·ma·la·ci·a (gas′trō-mă-lā′shē-ă). 胃壁軟化〔症〕.

gas·tro·meg·a·ly (gas′trō-meg′ă-lē). ***1*** 胃巨大〔症〕. ***2*** 腹部膨隆.

gas·tro·myx·or·rhe·a (gas′trō-mik-sō-rē′ă). 胃粘液漏 (胃内の過度の粘液分泌). = gastromyxorrhoea.

gastromyxorrhoea [Br.]. = gastromyxorrhea.

gastro-oesophageal [Br.]. = gastroesophageal.

gastro-oesophageal hernia [Br.]. = gatroesophageal hernia.

gastro-oesophageal reflux [Br.]. = gastroesophageal reflux.

gastro-oesophageal reflux disease [Br.]. = gastroesophageal reflux disease.

gastro-oesophagitis [Br.]. = gastroesophagitis.

gastro-oesophagostomy [Br.]. = gastroesophagostomy.

gas·tro·o·men·tal ar·ter·ies 胃大網動脈 (胃の大弯沿いに走り胃と大網に分布する). = gastroepiploic arteries.

gas·tro·pa·ral·y·sis (gas′trō-păr-al′i-sis). 胃麻痺 (胃の筋層麻痺).

gas·tro·pa·re·sis (gas′trō-păr-ē′sis). 胃不全麻痺 (腸の排泄遅延を生じる胃ぜん動の低下).

gas·tro·path·ic (gas′trō-path′ik). 胃疾患の, 胃病の.

gas·trop·a·thy (gas-trop′ă-thē). 胃疾患, 胃病.

gas·tro·pex·y (gas′trō-pek-sē). 胃〔腹壁〕固定〔術〕(腹壁または横隔膜への胃の固定).

gas·tro·phren·ic (gas′trō-fren′ik). 胃横隔膜の (胃と横隔膜についていう).

gas·tro·plas·ty (gas′trō-plas-tē). 胃形成〔術〕(胃あるいは下部食道の胃管形成の欠損部を再建するのに胃壁を用いて行う手術的治療法).

gas·tro·pli·ca·tion (gas′trō-pli-kā′shŭn). 胃ひだ形成術, 胃造襞術 (腹膜表面を折り込んで縦ひだを縫合することによって胃を小さくする手術). = gastrorrhaphy(2).

gas·trop·to·sis, gas·trop·to·si·a (gas′trop-tō′sis, -tō′zē-ă). 胃下垂〔症〕(胃の下方移動).

gas·tro·pul·mo·nar·y (gas′trō-pul′mŏ-nar-ē). = pneumogastric.

gas·tro·py·lor·ec·to·my (gas′trō-pī-lōr-ek′tŏ-mē). 幽門切除〔術〕. = pylorectomy.

gas·tro·py·lor·ic (gas′trō-pī-lōr′ik). 胃幽門の (胃と幽門についていう).

gas·tror·rha·gi·a (gas′trō-rā′jē-ă). 胃出血.

gas·tror·rha·phy (gas-trōr′ă-fē). 胃縫合〔術〕(①胃穿孔部の縫合. ②= gastroplication).

gas·tror·rhe·a (gas′trōr-ē′ă). 胃液漏, 胃液分泌過多〔症〕(過度の胃液分泌または粘液分泌 (gastromyxorrhea)). = gastrorrhoea.

gastrorrhoea [Br.]. = gastrorrhea.

gas·tros·chi·sis (gas-tros′ki-sis). 胃壁〔破〕裂〔症〕, 腹壁破裂 (臍帯を含まない腹壁の先天的な(欠損による)裂隙. 通常は内臓逸脱を伴う).

gas·tro·scope (gas′trō-skōp). 胃鏡 (胃の内表面を調べる内視鏡).

gas·tro·scop·ic (gas′trō-skop′ik). 胃鏡検査〔法〕の.

gas·tros·co·py (gas-tros′kŏ-pē). 胃鏡検査〔法〕(内視鏡により, 胃の内表面を調べること).

gas·tro·spasm (gas′trō-spazm). 胃痙攣, 胃痙 (胃壁の痙縮).

gas·tro·splen·ic (gas′trō-splen′ik). 胃脾の (胃と脾臓についていう). = gastrolienal.

gas·tro·stax·is (gas′trō-stak′sis). 胃出血 (胃粘膜から血液がにじみ出ること).

gas·tro·ste·no·sis (gas′trō-stĕ-nō′sis). 胃狭窄 (胃が縮小すること).

gas·tros·to·la·vage (gas-tros′tō-lă-vahzh′). 胃瘻洗浄 (胃瘻を通じての胃洗浄).

gas·tros·to·my (gas-tros′tŏ-mē). 胃造瘻〔術〕, 胃瘻造設〔術〕, 胃フィステル形成〔術〕(胃に新しい瘻を設置すること).

gas·tros·to·my tube = percutaneous endoscopic gastrostomy tube.

gas·trot·o·my (gas-trot′ŏ-mē). 胃切開〔術〕.

gas·tro·to·nom·e·try (gas′trō-tō-nom′ĕ-trē). 胃内圧測定〔法〕.

gas·tro·tro·pic (gas′trō-trō′pik). 胃親和性の.

gas·tru·la (gas′trū-lă). 原腸胚, 嚢胚 (胞胚に続く発生期の胚. 卵黄の少ない下等動物においては, 原口より多部へ開いている原腸を包む内胚葉と外胚葉からなる単純な2層の構造である. 多量の卵黄を含む動物では, 嚢胚の形は非常に違ったものとなる).

gas·tru·la·tion (gas′trū-lā′shŭn). 原腸形成, 嚢胚形成 (胞胚または胚盤胞が原腸胚に変わること．原始胚細胞層が発達しながら陥入してできる）．

gate-con·trol the·o·ry 門調節説（痛覚の機序を説明する説．膠様質にはいってくる細い線維の求心性刺激（特に痛覚）は太い線維の求心性刺激および下行脊髄路により調節されることがあり，上行脊髄路への伝達が遮断（関門）される）．

gat·ed ra·di·o·nu·clide an·gi·o·car·di·og·ra·phy 同期性核心血管撮影（異なった心周期（例えば収縮期と拡張期）で画質を向上させるため，心電図同期を用いて数画面を各相で加算平均した核医学画像の抽出法．囲不整脈があるときは，正確な画像を得にくい）．

gate·keep·er (gāt′kēp-ĕr). ゲートキーパー（患者に最初に会い，したがって患者の医療施設への導入を調節する医療専門家で，通常，医師あるいは看護師）．

gat·ing (gāt′ing). 呼吸ゲーティング（①生体膜におけるチャネルの開閉．内在性膜蛋白の変化によると考えられている．②電気的シグナルがゲートによって選択される経路で，そのゲートではゲートパルスがコントロールシグナルとして作用するときだけそのシグナルは通過でき，またある特性をもつシグナルだけ通過できる）．

gat·ing mech·a·nism 通門機序（①心室筋末端の Purkinje 線維から中枢側へ約 2 mm 離れた心臓の刺激伝導系細胞中で発生する最大不応期．心室内変行伝導，二方向性頻脈，不顕性期外収縮の一因と思われる．②痛みのインパルスが脊髄にはいるのを遮断する機序．*cf.* gate-control theory）．

Gauch·er cells ゴーシェ細胞（網内系由来の大型細胞で細かな均一の空胞を含む．Gaucher 病患者の脾臓，リンパ節，肝臓，骨髄中に特にみられる．ケラシン（セレブロシドの１つ）を含む．グルコシルセラミダーゼの遺伝的欠損の結果，蓄積する）．

Gauch·er dis·ease ゴーシェ病（グルコセレブロシダーゼ欠損のためグルコセレブロシド蓄積により生じるリソソーム蓄積病．幼児期に発症したものは最も重篤である．肝脾腫大，血液疾患，骨疾患，運動失調・痙性対麻痺・痙攣・知能低下などの精神神経症状を呈し，内臓には特徴的な組織球（Gaucher 細胞）が存在する）．

gau·cho tea = yerba maté.

gauge (gāj). 計器，尺度，ゲージ，標準規（測定器械）．

gaunt·let ban·dage 籠手包帯（手と指の８字形包帯）．

gauss (G) (gows). ガウス（磁場の単位．10^{-4} テスラに等しい）．

gaus·si·an (gows′ē-ăn). Johann K. F. Gauss に関する，彼の記した．

gaus·si·an dis·tri·bu·tion ガウス分布（母集団構成要素の平均値周辺の統計的分布．ガウス分布では値の 68.2%が±１標準偏差（SD）内にあり，95.4%が平均値の±2SD 内にあり，99.7%が平均値の±3SD 内にある）．= bell-shaped curve; normal distribution.

Gauss sign ガウス徴候（妊娠初期の数週間は子宮の可動性が著しく高まる）．

gauze (gawz). ガーゼ（漂白した平織りの綿布で，包帯，吸収性スポンジとして用いる．ワセリンガーゼはワセリンを浸したガーゼ）．

ga·vage (gă-vahzh′). 栄養（①胃管による強制栄養法．= gastrogavage. ②胃管により管理される強力な食事の治療的使用法）．

gay (gā). →lesbian. ***1***〚n.〛同性愛者，ゲイ（同性愛者，特に男性）．***2***〚adj.〛ゲイの（同性愛者あるいは男性同性愛者の生活様式についていう）．

gay bow·el syn·drome ゲイ腸症候群（同性愛の男性に経験される胃腸の不快感，腹痛，腹部痙攣，腹部膨満，鼓腸，嘔気，嘔吐，下痢．腸管内の細菌，ウイルス，真菌，動物寄生体，外傷により起こる）．

Gay-Lus·sac e·qua·tion ゲイ-リュサックの式（アルコール発酵に対する全化学式．$C_6H_{12}O_6 = 2CO_2 + 2CH_3CH_2OH$）．

Gay-Lus·sac law ゲイ-リュサックの法則．= Charles law.

gaze (gāz). 注視，凝視（しばらく一方向をじっとみつめる行為）．

GB サリンの NATO コード．

G-band·ing stain G バンド染色〔法〕，G バンディング〔染色法〕（各々の染色体に特徴的な縞模様（バンド）を形成させる染色体の分染法で，人類細胞遺伝学の分野では個々の染色体の同定に用いる．この染色法は酢酸固定，風乾，そして蛋白分解酵素，塩，熱，洗浄剤，あるいは尿素により緩和に染色体を変性させた後，最後に Giemsa で染色を施す．染色体のバンドは Q バンド染色により蛍光染色されたものと同じような模様に見える）．

GBL gamma-butyrolactone の略．

GB vi·rus·es GB ウイルス（フラビウイルス科の仲間．ヒト由来のウイルスを感染させたタマリンから GBV-A と GBV-B が分離されている．GBV-C はヒトに病原性があり，G 型肝炎ウイルスの近縁種）．

G cells G 細胞（主に胃の幽門前庭部粘膜にみられる，ガストリンを分泌する腸内分泌細胞）．

GCP Good Clinical Practices の略．

G-CSF granulocyte colony-stimulating factor の略．

GD ソマンの NATO コード．

Gd ガドリニウムの元素記号．

GDM gestational diabetes mellitus の略．

GDS Geriatric Depression Scale の略．

Ge ゲルマニウムの元素記号．

ge·gen·halt·en (gā′gen-hahlt-en). ゲーゲンハルテン（反対圧力という意のドイツ語．英語で用いられ，神経，筋肉の緊張性昏迷状態への抵抗を意味する）．

Gei·gel re·flex ガイゲル反射（女子において，大腿部内側を軽くなでると，鼡径靱帯前辺縁の筋線維が収縮すること．男子の精巣挙筋反射に類似する）．

Gei·ger-Muel·ler Coun·ter ガイガー・ミューラー計数管（放射線を観測するのに用いられる道具．一般的に放射能源を示すのに使われる．Müller を Mueller と綴る場合もある）．

G

gel (jel). ***1*** 〖n.〗 ゲル（コロイド溶液のゼリー，固形，または半固形状態）. ***2*** 〖v.〗 ゲル化する（ゲルまたはゼリー状にする．ゾルをゲルに変える）.

gel·a·tin (jel′ă-tin). ゼラチン（組織のコラーゲンから熱湯で煮沸することによりつくられる誘導蛋白．冷水中に入れると膨潤するが，熱湯の中でのみ可溶．ゼラチンは止血薬，血漿代用薬，および栄養失調に対する蛋白添加物として用いる．またカプセルの製造にも用いられる）.

ge·lat·i·nize (jĕ-lat′i-nīz). ***1*** ゼラチン化する. ***2*** ゼラチン様になる.

ge·lat·i·nous (jĕ-lat′i-nŭs). ***1*** ゼラチンの. ***2*** 膠状の，ゼラチン様の.

gel·a·tin·ous drop·like cor·ne·al dys·tro·phy 膠様滴状角膜ジストロフィ（角膜上皮および実質浅層を障害する桑の実状の隆起性アミロイド沈着を特徴とする両眼性，常染色体劣性疾患）.

ge·lat·i·nous sub·stance 膠様質（脊髄灰白質後角(後柱，後灰柱)の先端部で，大部分非常に小型の神経細胞からなる．有髄神経線維をごく少量しか含まないため，膠様を呈する）.

ge·la·tion (jĕ-lā′shŭn). ゲル化（膠質化学において，ゾルのゲルへの変換）.

gel dif·fu·sion pre·cip·i·tin tests ゲル拡散沈降試験（一方または両方の反応体が拡散したゲル媒質(通常は寒天)中に免疫沈降物を生じる沈降試験．これらの試験は，一般に 2 つの型，一次元ゲル拡散と二次元ゲル拡散に分類される）.

Gé·li·neau syn·drome ジェリノー症候群. = narcolepsy.

Gé·ly su·ture ジェリー縫合（腸の創口を閉じるのに用いる両端針縫合）.

Ge·mel·la (jĕ-mel′ă). 双子菌属（運動性，好気性，条件的嫌気性，球菌状の細菌の一属(連鎖球菌科)で，単独または隣接する扁平な側面で対をなして出現する．グラム染色不確定性であるが，グラム陽性菌と類似した細胞壁をもち，哺乳類に寄生する．標準種は *G. haemolysans* で，気管支分泌物や気道からの粘液中に見出される）.

Ge·mel·la mor·bil·lor·um 以前には *Streptococcus morbillorum* とよばれていた微好気性の細菌で，β溶血毒素は産生せず，識別可能な血清群抗原を欠如している．毒性をもった連鎖球菌で認められるのと同様にある患者においては重篤な感染症を引き起こす.

ge·mel·lus (jĕ-mel′ŭs). 双子筋. = inferior gemellus muscle.

gem·i·nate (jem′i-nāt). 一対の，双生の.

gem·i·na·tion (jem′i-nā′shŭn). 双生（原基の発生学的な部分的分割．例えば，1 つの歯胚の双生とは 1 つの歯根の上に部分的または完全に分かれた歯冠を有するようになることを意味する）.

gem·ma·tion (jem-ā′shŭn). 発芽，芽生（母細胞の分裂を伴わずに行われる無性生殖の一型．染色質を母細胞と同じ比率で含む芽状の小突起(娘細胞)が母細胞から出て，母細胞から分離し，独立した生活を営むようになる）. = budding.

gem·mule (jem′yūl). ***1*** 芽球（母細胞から突出した小さい芽で，最終的に分離して新しい世代の細胞を形成する）. ***2*** 神経細胞の樹状突起. = dendritic spines.

gen- 生まれる，生じる，もたらす，を意味する接頭語.

-gen 「〜の前触れ」を意味する接尾語. →pro-(2).

ge·na (jē′nă). 頬（顔の側面）. = cheek.

ge·nal (jē′năl). 頬の.

ge·nal glands 頬腺. = buccal glands.

gen·der (jen′dĕr). 性（個体の解剖学的な性. *cf.* sex; gender role）.

gen·der i·den·ti·ty 性同一性（その個人によって獲得された性的役割．日常における行動で，個人が演じる典型的な男性的あるいは女性的役割の程度. *cf.* gender role; sex role）.

gen·der role 性的役割（親が子に割り当てる性．それが子の解剖学的性とは反対の場合，例えば，誕生時に性器が不明確だったり，あるいは両親が子に反対の性を強く望んでいた場合などには，思春期後の機能障害の原因となる. →sex role; sex reversal）.

gen·der-spe·cif·ic med·i·cine 性差医療（どちらか一方の性別に限定した治療．通常はジェンダー関連の病気や遺伝的特徴に注目する）.

gene (jēn). 遺伝子，遺伝因子（遺伝の機能的単位，染色体上の特定の部位(座)を占める各遺伝子は，細胞分裂において正確に自分を再生することができ，酵素や他の蛋白の合成を支配する．機能単位としての遺伝子は，DNA の巨大分子の不連続的な分節からなっており，この DNA 分子は，特定のペプチドのアミノ酸配列をコードする正しい配列の塩基，すなわちプリン(アデニンとグアニン)およびピリミジン(シトシンとチミン)を含んでいる．蛋白合成は，鋳型として働く遺伝子を含む染色体で形成されるメッセンジャー RNA 分子によって仲介される．この RNA は，後に細胞質中に移行し，リボソーム上において，ペプチドを形成するアミノ酸の配列を決定するための鋳型として機能する．有性生殖の生物では，すべての染色体は雄の性染色体(X と Y)を除いて対になっているために必然的に，遺伝子は通常，配偶子を除くすべての細胞中に対になって存在する）. = factor (3).

ge·ne·al·o·gy (jē′nē-ol′ō-jē). ***1*** 遺伝学，世襲学. ***2*** 家系学（人または家族の明らかにされた系統歴あるいは血統歴．長さは種々である）.

gene dos·age com·pen·sa·tion 遺伝子量補償（男性の一倍体状態と女性の二倍体状態とが補正されて，男女間で X 連鎖表現型が差のないように調節されているという推定上の機構．それは女性においてみられるより大きな分数ではなく，遺伝子量の平均を補正するというライオニゼーションに基づくと，現在，主に考えられている）.

gene ex·pres·sion 遺伝子発現（①検出可能な遺伝子の効果．②遺伝形質の発現．多くの理由で，遺伝子はまったく発現されないかもしれない）.

gene fam·i·ly 遺伝子ファミリー（同様の配列を有する遺伝子群）.

gen·er·a (jen′ĕ-ră). genusの複数形.

gen·er·al ad·ap·ta·tion re·ac·tion 汎適応反応（→general adaptation syndrome）.

gen·er·al ad·ap·ta·tion syn·drome 汎適応症候群（物理的あるいは心理的ストレスに長期暴露されることにより生じる生体の様々な器官（特に下垂体ホルモン系）における著明な生理学的変化を説明する概念で，Hans Selyeにより導入された）.

gen·er·al a·nat·o·my 解剖学総論（身体・組織・体液の組成，および肉眼的顕微鏡的構造の研究）.

gen·er·al an·es·the·si·a 全身麻酔〔法〕，全麻（静脈内または吸入麻酔薬による意識消失とともに疼痛を感知する能力を消失する麻酔法）.

gen·er·al an·es·thet·ic 全身麻酔薬（意識消失を伴う感覚喪失を引き起こす化合物）.

gen·er·al du·ty nurse 一般病棟看護師（集中治療室以外のすべての病棟の任務につくナース）.

gen·er·al im·mu·ni·ty 全身免疫（局所免疫とは対照的に，全身に広く分布している機構による免疫で，生体全体の防御に役立つ）.

generalisation [Br.]. = generalization.

generalised [Br.]. = generalized.

gen·er·al·ist (jen′ĕr-ăl-ist). 一般医，家庭医（ときに産科を含む，非外科的疾患の大多数を治療するよう教育を受けた医師）.

gen·er·al·i·za·tion (jen′ĕr-ăl-ī-zā′shŭn). ***1*** 汎化，全身化（原発性限局性疾患が全身性になるときのように，全般的に，びまん性にまたは広汎性になる，またはすること）. ***2*** 一般化，普遍化（様々に異なった事柄から共通の因子を取り出して，基本的な結論に導く推論）.

gen·er·al·ized (jen′ĕr-ă-līzd). 全身〔性〕の，広汎〔性〕の，汎発〔性〕の（巣状または局所的過程と異なり，ある器官全体を含む）.

gen·er·al·ized an·a·phy·lax·is 全身アナフィラキシー（抗原（アレルゲン）の静脈内（ときに皮内）注射後に起こる感作されたヒトの平滑筋および毛細血管にわたる即時的全身反応. →anaphylactic shock）. = systemic anaphylaxis.

gen·er·al·ized anx·i·e·ty dis·or·der 全般性不安障害（慢性的に不安反応のエピソードが繰り返される自律神経系の変化を伴う心理障害. →anxiety）.

gen·er·al·ized len·tig·i·no·sis 汎発性黒子症（乳児期より単発または集簇して発生する黒子）.

gen·er·al·ized plane xan·tho·ma·to·sis 汎発性扁平黄色腫症（多発性骨髄腫や家族性高リポ蛋白血症に伴う汎発性の黄色腫症．ときに原発性胆汁性肝硬変に伴って生じる例や，基礎疾患なしに生じる例もある）.

gen·er·al·ized Shwartz·man phe·nom·e·non 広汎性（全身性）シュワルツマン現象（内毒素含有濾液の1回目と2回目の注射を静脈内に24時間間隔で行うと，2回目の接種後24時間以内に動物は通常死亡する．この反応は免疫学的な基盤をもたない）.

gen·er·al·ized ton·ic-clo·nic sei·zure, gen·er·al·ized ton·ic-clo·nic ep·i·lep·sy 全身性強直・間代発作（筋肉の強直性収縮の突発を特徴とする全般性発作．しばしば叫びを伴い，地面に倒れることが多い．発作の強直期から徐々に両側性で同期性の間代痙攣運動になり，それが緩徐になって最後に止まる．その後は意識消失期があり，徐々に回復する）. = grand mal.

gen·er·al·ized tu·ber·cu·lo·sis 全身性結核〔症〕. = miliary tuberculosis.

gen·er·al mas·sage ジェネラルマッサージ（筋疾患や循環障害を改善するために手で体に刺激を与えること）.

gen·er·al prac·tice 一般医療. = family practice.

gen·er·al prac·ti·tion·er (GP) → family practice physician.

gen·er·al re·lax·a·tion ジェネラルリラクゼーション（筋肉の凝りをほぐし，体全体に影響を与えること）.

gen·er·al stim·u·lant 全身性興奮薬.

gen·er·al symp·tom 全身症状（構成要素ではなく，体全体に現れる症状）.

gen·er·a·tion (jen-ĕr-ā′shŭn). ***1*** 出産，生殖. = reproduction(2). ***2*** 世代（血統の離散的な継承段階．例えば，父親，息子，孫は三世代である）.

gen·er·a·tive (jen′ĕr-ā-tiv). 繁殖上の，生殖上の，発生上の.

gen·er·a·tor (jen′ĕr-ā-tōr). 発電機（化学的，機械的，原子など，様々な種類のエネルギーを電気に変換する装置）.

ge·ner·ic (jĕ-ner′ik). ***1*** 属性の. ***2*** 一般的な. ***3*** 独特の.

ge·ner·ic drug 後発医薬品（非専売の医薬品）.

ge·ner·ic e·quiv·a·lent → generic substitution.

ge·ner·ic name ***1*** 総称名（化学において，ある1つの化合物の種類または型を示す名詞．例えば，糖質（糖），ヘキソース，アルコール，アルデヒド，ラクトン，酸，アルミ，アルカン，ステロイド，ビタミン．"class"のほうが"generic"より適切でよく用いられている）. ***2*** 一般名（製薬または商業界では，非専売名に対する誤称）. ***3*** 属名（生物科学において，生物の科学名（ラテン語の二重組合せ，すなわち二名法）の最初の部分．属名は大文字で始まり，イタリック体で記す．細菌学において，種名は2つの部分すなわち属名と種小名よりなる1つの名称であるが，他の生物分野では，種名は2つの名称すなわち属名と種名からなるものとして考えられる）.

ge·ner·ic sub·sti·tu·tion 特許の期限が切れたブランド名柄の製剤の代わりに化学的に同等でより安価な薬剤を調剤すること.

gen·e·sis (jen′ĕ-sis). 発生（始原過程または創始過程．結合形としても用い，接尾語の位置におく）.

gene splic·ing = splicing(1).

gene ther·a·py 遺伝子治療（遺伝子を生体に挿入し，遺伝子機能を置き換えたり，修復した

G

りし，病気や遺伝的欠損を治療する方法).

ge·net·ic (jĕ-net′ik). 遺伝の（遺伝学に関すること．遺伝学の).

ge·net·i·cal·ly mod·i·fied food 遺伝子組み換え食品（動植物の病気や損傷を少なくするために科学的に手を加えた食品．安全面への関心が世界的にあがっている).

ge·net·ic am·pli·fi·ca·tion 遺伝子の増幅（適切な遺伝物質の増加を生じる過程．特に細菌のDNAに対する，プラスミドのDNAの割合を増加させることをいう．遺伝情報としてのRNAが染色体外コピーを生じることを含む).

ge·net·ic as·so·ci·a·tion 遺伝的関連（ある集団に，偶然によるよりも多く2つあるいはそれ以上の形質(少なくとも1つ以上は遺伝的であることがわかっているもの)が同時に存在すること).

ge·net·ic code 遺伝暗号（染色体上の特定のDNA分子の伝える遺伝情報．特にDNA分子上の3個の連続するヌクレオチドの特定の配列が対応する1個のアミノ酸を蛋白分子上の対応する位置へ取り込むのを支配する系).

ge·net·ic coun·sel·ing 遺伝学カウンセリング（遺伝性疾患の専門家が，遺伝性疾患患者あるいはその家系が結婚，出産，早期診断，および病気の予後について十分情報を与えられかつ責任のある決断をするのを助ける目的で，その遺伝性疾患のリスクや臨床的な症状についての情報を与える過程).

ge·net·ic coun·sel·or 遺伝子カウンセラー（遺伝的形質に関係した病気や症状を専門とする医師や科学者).

ge·net·ic de·ter·mi·nant 遺伝的決定基（抗原決定基あるいは自己認識特性についていうが，特にアロタイプ(同種抗原性)のそれをさす).

ge·net·ic dis·or·der 遺伝病（生物の遺伝的形質に関連した病気や症状を指す通称).

gen·et·ic ep·i·de·mi·o·lo·gy 遺伝疫学（種々の集団において，遺伝的因子あるいはそれらと環境との相互作用が疾患の発生にどう影響しているかを研究する疫学の一分野).

ge·net·ic fe·male 遺伝上の女性（①2つのX染色体を含む正常な女性核型をもつ個体．②女性固有のBarr性染色質体を細胞核内にもつ個体).

ge·net·ic fit·ness 遺伝的適合性（個体が一生の間に生む子孫の平均生存数．通常，集団の遺伝的適合性の平均の分数あるいは百分率で表現される).

ge·net·i·cist (jĕ-net′i-sist). 遺伝学者.

ge·net·ic le·thal 遺伝性致死〔性〕疾患（有効な生殖を妨げるような遺伝性疾患).

ge·net·ic load 遺伝的荷重（子孫に伝授したり罹患したりゲノム中にほとんど潜伏して伝達される多少有害な遺伝子集団).

ge·net·ic map 遺伝子地図（遺伝子座の配列順序についての抽象図．遺伝子間の距離は代数的表現で表され，遺伝子間の交叉頻度の度合は，それらの相対的距離に比例するという仮定で作製される．例えば，地図上では，遺伝子座AとCの間の全体の距離は，遺伝子座AとB，遺伝子座BとCの距離の代数的合計である).

ge·net·ic mark·er 遺伝マーカ．= genetic determinant.

ge·net·ic psy·chol·o·gy 発生心理学，発達心理学（行動の進化や，精神活動に関して異なった類型のものの互いの関係を追究する心理学).

ge·net·ics (jĕ-net′iks). ***1*** 遺伝学（生物の遺伝要素の伝達と産生の仕方とその結果を扱う科学の分野). ***2*** 遺伝的特質（単一の生物あるいは生物集団における遺伝的特徴と構成).

ge·net·ic screen·ing →famiial screening.

ge·net·o·tro·phic (jĕ-net′ō-trō′fik). 遺伝栄養性の（栄養の必要性における遺伝的個人差についていう).

ge·ni·al, ge·ni·an (jĕ-nī′ăl, -nī′an). = mental (2).

ge·ni·al tu·ber·cle おとがい棘．= mental spine.

-genic …によって発生する，形成する，発生した，形成した，を表す接尾語.

ge·nic·u·la (jĕ-nik′yū-lă). geniculumの複数形.

ge·nic·u·lar (jĕ-nik′yū-lăr). 膝状の（一般にgenualの意で用いる).

ge·nic·u·lar ar·ter·ies 膝の動脈（膝の血管網に寄与する動脈の総称).

ge·nic·u·late (jĕ-nik′yū-lāt). ***1*** 膝状の（膝状に屈曲した). ***2*** 顔面神経膝の（顔面神経膝にある神経節を表す). ***3*** 膝状体の（外側または内側の膝状体についていう).

ge·nic·u·late bod·y 膝状体（→lateral geniculate body; medial geniculate body).

ge·nic·u·late gan·gli·on 膝神経節（顔面神経または中間神経上にみられる神経節．顔面神経管の膝部にあり，舌の前2/3にある味蕾よりの知覚性線維およびごくわずかの外耳からの線維を含む中間神経の神経節).

ge·nic·u·late neu·ral·gi·a 膝神経痛（耳の深部，外耳道前壁，耳介直前の小領域の激しい発作性電撃痛). = Hunt neuralgia; neuralgia facialis vera.

ge·nic·u·lum, pl. **ge·nic·u·la** (jĕ-nik′yū-lŭm, -lă). ***1*** 膝（小膝，または角張った膝形構造). ***2*** 結節状の構造.

ge·ni·o·glos·sus (jē′nē-ō-glos′ŭs). おとがい(頤)舌筋．= genioglossus muscle.

ge·ni·o·glos·sus mus·cle おとがい舌筋（対をなす舌筋群のうちの1つ．起始：下顎骨おとがい棘．停止：粘膜下の舌筋膜および喉頭蓋．作用：舌の押下げと突出．神経支配：舌下神経). = musculus genioglossus; genioglossus; musculus geniohyoglossus.

ge·ni·o·hy·oid mus·cle おとがい舌骨筋（舌骨上筋の1つ．起始：下顎骨おとがい棘．停止：舌骨体．作用：舌骨を前方へ引く，あるいは舌骨が固定されたときには顎を押し下げる．神経支配：舌下神経に伴行する第一・第二頸神経前枝からの神経線維). = musculus geniohyoideus.

ge·ni·on (jē′nē-on). ゲニオン（おとがい棘の頂点，頭蓋測定点).

ge·ni·o·plas·ty (jē′nē-ō-plas-tē). おとがい(頤)形成〔術〕. = mentoplasty.

gen·i·tal (jen′i-tăl). ***1*** 生殖の. ***2*** 性器の，生殖器の（女性または男性の第一次的生殖器に関連して）. ***3*** 性器性欲の.

gen·i·tal am·bi·gu·i·ty 外陰異形成（女児でのアンドロゲン過剰あるいは男児でのアンドロゲン不足によって生じる胎児外陰部の形成異常）.

gen·i·tal cord 生殖索（幼若胚の体腔尾方部分へ膨隆している1対の間葉組織隆線の1つで，中腎管と中腎傍を含んでいる）.

gen·i·tal cor·pus·cles 陰部神経小体（陰核，亀頭，乳頭の皮膚にみられる被包性神経終末小体）. = corpuscula genitalia.

gen·i·tal fur·row 生殖溝. = urethral groove.

gen·i·tal groove = urethral groove.

gen·i·tal her·pes 陰部疱疹，陰部ヘルペス（性器における単純ヘルペス感染症で，ほとんどヘルペス2型により起こる）. = herpes genitalis.

gen·i·ta·li·a (jen′i-tā′lē-ă). 性器，生殖器（生殖のための器官で，内と外に区別される）. = genitals.

gen·i·tal·i·ty (jen′i-tal′i-tē). 性器性欲（精神分析において，口愛 orality や肛門愛 anality に対して，性欲の性器的要素(陰茎や腟)をさす用語）.

gen·i·tal phase 性器期（精神分析的人格理論において，精神・性的発達の最終段階をいう．それは青年期に起こり，この段階では個人の精神・性的発達は非常に組織化されてくるようになり，性器と性器の接触によって性的満足が得られる．また，異性と成熟した深い愛情関係をもつ能力を有するようになる．→phallic phase）.

gen·i·tals (jen′i-tălz). 性器，生殖器. = genitalia.

gen·i·tal self-ex·am·i·na·tion 性器自己検診法（触診や目視検査によって外性器に異常(しこりや損傷など)がないか検査すること）.

gen·i·tal tract 生殖管（泌尿生殖器のうちの生殖器部分）.

gen·i·tal wart 性器いぼ. = condyloma acuminatum.

gen·i·to·fem·o·ral (jen′i-tō-fem′ŏr-ăl). 陰部大腿の（陰部と大腿についていう．また陰部大腿神経をさす）.

gen·i·to·fem·o·ral nerve 陰部大腿神経（第一・第二腰神経から起こり，大腿筋前面に沿って下行し，陰部，大腿の各枝に分かれる）. = nervus genitofemoralis.

gen·i·to·ur·i·nar·y (GU) (jen′i-tō-yūr′i-nar-ē). 尿生殖器の（生殖および排尿に関する）. = urogenital.

gen·i·to·ur·i·nar·y surgeon 性器尿路外科医（匯g と u をとって GU surgeon ともいう）. = urologist.

gen·o·cop·y (jen′ō-kop-ē). 遺伝子型模写，ゲノコピー（1つの遺伝子座のある遺伝子型が，他の遺伝子型の産生する表現型とはあるレベルの分析では区別できない表現型をつくること．楕円赤血球症は互いに遺伝子型模写の2型があるが，一方は Rh 血液型と連鎖していることで区別できる）.

ge·no·der·ma·to·sis (jen′ō-dĕr-mă-tō′sis). 遺伝性皮膚症（遺伝的原因による皮膚の状態）.

ge·nome (jē′nōm). ゲノム（①片親に由来する染色体のすべて，すなわち配偶子の一倍数染色体．②高等な生命体にみられる染色体の必要な全遺伝子(真核細胞の一倍体)，あるいは細菌やウイルスにみられる機能的には類似しているがより単純な線状配列．→Human Genome Project）.

ge·nome map ゲノム地図（特定の種や属の DNA 全体の，通常は図式化された表示）.

ge·nom·ic (jē-nom′ik). ゲノムの.

ge·nom·ic clone ゲノムクローン（異なった生物に由来する DNA 断片を含むベクターをもつ細胞）.

ge·nom·ic im·print·ing ゲノム刷り込み（後成的調節に感受性のある種の遺伝子について，父方または母方の対立遺伝子が不活化することによって生じる外遺伝的な過程．Angelman 症候群，Prader-Willi 症候群の原因である）.

gen·om·ics (jē-nō′miks). ゲノミクス（特定の生物のゲノム構造研究のことで，マッピングやシークエンシング(塩基配列決定)を含む）.

ge·no·spe·cies (jē′nō-spē-shēz). 遺伝種（遺伝的伝達および組換えで実証されるような相互交雑の可能な生物個体群）.

ge·note (jē′nōt). 微生物遺伝学における，対の1つが完全な染色体でない場合の組換えの要素．一般には接尾語として用いられる(例えば，endogenote, exogenote, F genote).

ge·no·tox·ic (jē′nō-toks′ik). 遺伝子毒性(DNA に障害を与え，突然変異や癌を起こし得る物質).

gen·o·type (jē′nō-tīp). 遺伝子型（①個体の遺伝的構成．②1個の特殊な遺伝子座における遺伝子の組合せまたは遺伝子座の特殊な組合せ）.

gen·o·typ·i·cal (jē′nō-tip′i-kăl). 遺伝子型の.

gen·tian·o·phil, gen·tian·o·phile (jen′shŭn-ō-fil, jen′shŭn-ō-fīl). ゲンチアナバイオレット親和(親好)性の（ゲンチアナバイオレットに染まりやすいことについていう）.

gen·tian·o·pho·bic (jen′shŭn-ō-fō′bik). ゲンチアナバイオレット嫌性の（ゲンチアナバイオレットに染まらない，またはわずかしか染まらないことについていう）.

gen·tian vi·o·let ゲンチアナバイオレット（バイオレットローザニリンの規格化されていない染料混合物）.

gen·ti·o·bi·ose (jen′shē-ō-bī′ōs). ゲンチオビオース（2個の D-グルコピラノーズ分子が β-1,6 結合した2種類．多くの化合物(例えばアミグダリン)の部分構造）. = amygdalose.

gen·u, pl. gen·u·a (jē′nyū, -yū-ă). ***1*** 膝（大腿と下腿の間の関節のあるところ．→knee joint; geniculum）. = knee (1). ***2*** 屈曲した膝に似た角張った構造.

gen·u·al (jen′yū-ăl). 膝状の，膝の.

gen·u·cu·bi·tal po·si·tion = knee-elbow position.

gen·u·pec·to·ral po·si·tion = knee-chest position.

G

gen·u re·cur·va·tum 前反膝，反張膝（膝の過度の伸展状態で，下肢は前方へ弯曲している）.

ge·nus, pl. gen·er·a (jē′nŭs, jen′ĕr-ă). 属（自然史分類における科または族と種の間の分類階級．この群の種はその構築の大体の特徴は似ているが，詳細において異なっており，有性生殖はできない）.

gen·u val·gum 外反膝（大腿に対し下腿が外方に角状に曲がる変形）. = knock-knee; tibia valga.

gen·u va·rum 内反膝（大腿に対して下腿が内方へ角状に曲がる変形．膝を中心として下肢が外方へ弯曲している）. = bowleg; bow-leg; tibia vara.

geo- 地球，土地に関する連結形.

ge·ode (jē′ōd). 骨小洞（X線上関節下骨にみられる嚢腫状空洞で，上皮細胞の裏打ちのあるものとないものとがある．通常，関節疾患で生じる）.

ge·o·graph·ic in·for·ma·tion sys·tem 地理情報システム（地図制作機能とデータ処理機能を併せもち，疫学研究に利用するオーダーメイド地図を迅速に制作するコンピュータシステム）.

ge·o·graph·ic ker·a·ti·tis 地図状角膜炎（ヘルペス性角膜炎において表層病巣の癒合した状態の角膜炎）.

ge·o·graph·ic re·tin·al a·tro·phy 地図状網膜萎縮（視力低下を生じる脈絡膜血管板および光受容体萎縮を伴う，辺縁が明瞭な網膜色素上皮萎縮パターン）.

ge·o·graph·ic tongue 地図〔状〕舌（糸状乳頭の萎縮症の結果，末端部が白い帯で包まれた特発性無症候性の紅斑性環状斑点．病巣の消散や癒着とともに分布が変わってくる．しばしば皺状舌に合併しておこる）. = glossitis areata exfoliativa; lingua geographica; pityriasis linguae.

ge·o·met·ric i·som·er·ism 幾何異性（結合（通常，炭素結合）において周囲の分子回転が阻止される不飽和化合物，環式化合物にみられる異性の一種．*cf.* cis-; trans-）.

ge·o·met·ric mean 幾何平均（平均値の一種．対数の算術平均を計算し，さらにその指数を取ることによって計算される．*n* 個の数値を掛け合わせ *n* 乗根を求めることによって計算することもできる）.

ge·o·met·ric sense 幾何学的感覚（何かが動いている曲線に沿った2つの方向のうちの1つ．例えば，時計回りと反時計回り）.

ge·o·met·ric un·sharp·ness 幾何学的ボケ（不鋭）. = penumbra.

ge·o·pha·gi·a, ge·oph·a·gism, ge·oph·a·gy (jē′ō-fā′jē-ă, jē-of′ă-jizm, -of′ă-jē). 土食症（ほこりや土を食べること）. = dirt-eating.

ge·o·phil·ic (jē′ō-fil′ik). 好地性の（土壌中に棲む微生物についていう）.

ge·o·tri·cho·sis (jē′ō-tri-kō′sis). ゲオトリクム症，酵母菌類似菌症（*Geotrichum candidum* の日和見感染による全身性のヒアロヒホ真菌症．本症に帰せられる症状は多彩で，二次的あるいは混合感染を示唆する）.

Ge·o·tri·chum can·di·dum 傷口感染にみられる菌．ゲオトリウムのコロニーは最初白く，クリーム状で酵母様になって現れる．白い粉のようになって現れるものもある．樽状の分節型分生子は生成されない.

ge·phy·rin (je-fir′in). ジェフィリン（毛細管拡張性運動失調症の変異患者家族に存在する蛋白．ニューロン膜上にクラスター化しているグリシンレセプタに必須）.

GERD (gĕrd). gastroesophageal reflux disease の略.

Ger·dy fon·ta·nelle ジェルディ泉門. = sagittal fontanelle.

ger·i·at·ric (jer-ē-at′rik). 老年者の，老人の，老年医学の.

Ger·i·at·ric De·pres·sion Scale (GDS) 高齢者うつ尺度（高齢者の長期の抑うつを検査する自己評価尺度．30問からなり，スコアが高いほど障害が重度である）.

ger·i·at·rics (jer′ē-at′riks). 老年（老人）医学（老年者の医学問題および医療に関する医学の部門）.

Ger·li·er dis·ease ジェルリエ病. = vestibular neuronitis.

germ (jĕrm). ***1*** 微生物. ***2*** 原基，胚芽（胚内の構造の最初のもの）.

ger·ma·ni·um (Ge) (jĕr-mā′nē-ŭm). ゲルマニウム（金属元素，原子番号32，原子量72.61）.

Ger·man mea·sles = rubella.

Ger·man mea·sles vi·rus = rubella virus.

germ cell 生殖細胞. = sex cell.

ger·mi·ci·dal (jĕr′mi-sī′dăl). = germicide (1).

ger·mi·cide (jĕr′mi-sīd). ***1*** 〚adj.〛殺菌〔性〕の（細菌や微生物を破壊することについていう）. = germicidal. ***2*** 〚n.〛殺菌薬.

ger·mi·nal (jĕr′mi-năl). 胚の（胚芽または植物学の発芽についていう）.

ger·mi·nal ar·e·a, ar·e·a ger·mi·na·ti·va 胚域（胚が形成され始める胚盤葉内の場所）.

ger·mi·nal cell 胚〔芽〕細胞（分裂し分化しうる細胞）.

ger·mi·nal cords 性索. = primordial sex cords.

ger·mi·nal disc, germ disc 胚盤（胚が形成され始める端黄卵の部分）.

ger·mi·nal ep·i·the·li·um 胚上皮（性腺を被覆するひだ様の膜．性細胞原基と考えられたことがある）.

ger·mi·nal lo·cal·i·za·tion 胚局在（非常に若い胚で，特定の器官または構造の予定運命域が決まること）.

ger·mi·nal pole 胚芽極. = animal pole.

ger·mi·no·ma (jĕr′mi-nō′mă). 胚細胞腫（性腺，縦隔または松果体部の胚組織から起こる新生物．例えば，精上皮腫）.

germ line 生殖細胞系（原始性腺の特殊細胞由来の一倍体細胞の集合）.

germ mem·brane, ger·mi·nal mem·brane 胚盤葉，胞胚葉. = blastoderm.

gero-, geront-, geronto- 老年を表す連結形. → presby-.

ger·o·der·ma (jer′ō-dĕr′mă). 老年（老人）〔性〕

皮膚（①老年者の皮膚萎縮．②皮膚が薄くしわになった状態で，老年者の皮膚に似ている）．

ger·o·don·tics, ger·o·don·tol·o·gy (jer′ō-don′tiks, -don-tol′ō-jē)．老年(老人)歯学．= dental geriatrics.

ge·ron·tal (jer-on′tăl)．老年(老人)〔性〕の．

ger·on·tol·o·gist (jer′ŏn-tol′ŏ-jist)．老年医学の専門家．

ger·on·tol·o·gy (jer′ŏn-tol′ŏ-jē)．老年医学（老化の過程や問題事項の科学的研究）．

ger·on·tox·on (jer′on-tok′son)．老人環．= arcus senilis.

Ge·ro·ta cap·sule ジェロータ被膜．= renal fascia.

Ge·ro·ta fas·ci·a ジェロータ筋膜．= renal fascia.

Ge·ro·ta meth·od ジェロータ法（クロロホルム，エーテルには溶けるが水には溶けない染料をリンパ管に注入すること．アルカニン，赤色硫化水銀，プルシアンブルーが適するといわれている）．

Ge·sell Pre·school Test ゲセル式就学前テスト（生後30か月から6歳を対象にした基準準拠検査．個人能力，社会的技能，コミュニケーション能力を検査し，運動協調性を成長させる目的で行われる）．

ges·ta·gen (jes′tă-jen)．ゲスタ〔ー〕ゲン（いくつかの黄体ホルモン様作用をもつ物質の総称で，通常はステロイドホルモン）．

ge·stalt, ge·stalt phe·nom·e·non (ge-stahlt′, ge-stahlt′ fē-nom′ĕ-non)．ゲシュタルト，形態（部分に分解できない特性の機能単位を形成するほどにまとまりをもって知覚される統一体．→gestaltism）．

ge·stalt·ism, ge·stalt psy·chol·o·gy (ge-stahlt′izm, ges-tahlt′ sī-kol′ŏ-jē)．ゲシュタルト理論（心に映ずる対象は部分に分解できない全体として現れてくるとする心理学の理論．例えば，正方形は4本の別個の線としてよりもむしろそのような形として受け取られる）．

ge·stalt ther·a·py ゲシュタルト療法（精神療法の一型．個人療法，集団療法に適用される．人間を全体として治療し，人間の生物学的構成部分，部分の有機的機能，知覚形態，外界との相互関係などを全体として治療することに重点を置く）．

ges·ta·tion (jes-tā′shŭn)．妊娠．= pregnancy.

ges·ta·tion·al age 在胎齢（受精から胎児娩出までの期間．通常正常周期での初日から算定する）．

ges·ta·tion·al di·a·be·tes mel·li·tus (GDM) 妊娠糖尿病（妊娠とともにまたは妊娠中に初めて見出された軽症から重症の糖質不応症．通常，出産後に解消する）．

ges·ta·tion·al e·de·ma 妊娠水腫(浮腫)（妊娠の影響により12時間の横臥後に，1+圧痕以上の浮腫となるか，あるいは1週間で2 kg以上体重が増加するような全身的な過剰の組織内水分貯留）．

ges·ta·tion·al hy·per·ten·sion 妊娠性高血圧（妊娠前は正常血圧または軽症高血圧だった女性が妊娠中に増悪する高血圧）．= pregnancy-induced hypertension.

ges·ta·tion·al pro·tein·u·ri·a 妊娠性蛋白尿（高血圧，浮腫，腎感染症または既知の内因性腎血管疾患はないが，妊娠中または妊娠の影響を受けている間に蛋白尿がみられること）．

ges·ta·tion·al ring 胎嚢輪（超音波断層法で認められる白色の輪．妊娠の初期像）．

ges·ta·tion·al sac 胎嚢（初期妊娠の，羊膜，羊水，胎盤を含む嚢腫様構造）．

ges·to·sis, pl. ges·to·ses (jes-tō′sis, -sēz)．妊娠中毒〔症〕（妊娠による何らかの障害）．

Gey so·lu·tion ゲイ〔溶〕液（動物細胞の培養のために，天然に存在する体物質(血清，組織抽出物など)および化学的に複雑に定義された栄養液，またはそのいずれかとともに通常用いる塩溶液）．

GF シクロサリンのNATOコード．

GFR glomerular filtration rate の略．

G_{M1} gan·gli·o·si·do·sis G_{M1}ガングリオシドーシス（乳児全身型，若年型，成人型の3型がある．特定のモノシアロガングリオシドの蓄積を特徴とするガングリオシドーシスで，G_{M1}で示される．G_{M1}-β-ガラクトシダーゼの欠乏による）．

G_{M2} gan·gli·o·si·do·sis G_{M2}ガングリオシドーシス（遺伝性代謝疾患の1つ．いくつかの型があり，Tay-Sachs病，Sandhoff病，AV異型，成人発症を含む．特異的な代謝産物であるG_{M2}ガングリオシドの蓄積を特徴とする．ヘキソサミニダーゼA，またはB，またはG_{M2}活性化因子の欠乏による）．

GH growth hormone の略．

GHB γ-hydroxybutyrate の略．

Ghon tu·ber·cle ゴーン結節（肺実質(通常は中肺野)の石灰化病変のことで，以前，通常は小児期に結核にかかってできる．時々肺実質病変と石灰化したリンパ節の組み合わせと混同されるが，このほうはRanke複合体とよぶのが正しい）．

ghost cell *1* 幽霊細胞（外形はみえるが細胞質の構造や染色性の核をもたない死細胞）．*2* 血球影，ゴースト（ヘモグロビンを失った赤血球）．

ghost cor·pus·cle 血球影．= achromocyte.

ghre·lin (grel′in)．グレリン（腸管性のペプチドホルモンで，成長ホルモンの分泌を促進し，また神経ペプチドY (NPY)やアグーチ関連ペプチド(AGRP)を介して食欲を促進する）．

GHRF, GH-RF growth hormone-releasing factor の略．

GHRH, GH-RH growth hormone-releasing hormone の略．

GHz ギガヘルツ．10億(10^9)ヘルツに等しい．超音波で用いる．

GI gastrointestinal; Gingival Index の略．

gi·ant ax·o·nal neu·rop·a·thy 巨大軸索ニューロパシー(神経障害)（生後3年目以降に発症するまれな疾患で，臨床的には縮れた毛，進行性無痛性運動失調，筋力低下，筋萎縮，感覚喪失，反射消失を呈する）．

gi·ant cell 巨細胞（大型で，しばしば多核であ

G

る細胞).

gi·ant cell ar·te·ri·tis 巨細胞性動脈炎. = temporal arteritis.

gi·ant cell car·ci·no·ma 巨細胞癌（異常に大きな未分化細胞を特徴とする悪性の上皮性新生物).

gi·ant cell fi·bro·ma 巨細胞性線維腫（多核で星芒状の大きな核を有する線維芽細胞よりなる口腔粘膜の腫瘍. *cf.* giant cell granuloma).

gi·ant cell gli·o·blas·to·ma mul·ti·for·me 巨細胞多形〔性〕神経膠芽腫（巨大な，しばしば多核性の異様な腫瘍細胞をもつ神経膠芽腫の組織学的形態).

gi·ant cell gran·u·lo·ma 巨細胞肉芽腫（多数の多核巨細胞を含む肉芽組織の増殖を特徴とする非腫瘍性病変. 歯肉および歯槽粘膜(ときには他の部位の軟組織)において，弾性軟で易出血性の赤色-青色を呈する小結節状の腫脹として発現する. 上下の顎骨内にも生じ，単房性または多房性のX線透過像を呈する. 上皮小体機能亢進症とケルビム症において同様の骨病変がみられることがある. →giant cell tumor of bone. *cf.* giant cell fibroma).

gi·ant cell my·e·lo·ma 巨細胞骨髄腫. = giant cell tumor of bone.

gi·ant cell pneu·mo·ni·a 巨細胞性肺炎（まれにみられる麻疹の合併症で，死後に肺胞を取り巻いている多核巨細胞がみつかる). = interstitial pneumonia.

gi·ant cell tu·mor of bone 骨巨細胞腫（ときに悪性のこともある軟らかい赤褐色の骨破壊性腫瘍. 多核巨大細胞と卵円形または紡錘状細胞からなり，青壮年の長骨端に最も頻発する). = giant cell myeloma; osteoclastoma.

gi·ant cell tu·mor of ten·don sheath 腱鞘巨細胞腫（通常，母指を含む指の屈筋鞘から発生し，線維組織，脂肪またはヘモシデリン含有マクロファージ，多核巨大細胞からなる，恐らくは炎症性の小結節). = localized nodular tenosynovitis.

gi·ant con·dy·lo·ma 巨大コンジローム（肛門や外陰部，あるいは割礼を行っていない中年男性の陰茎皮嚢にみられる大型の尖圭コンジローム. 深部に広がり，再発する傾向がある).

gi·ant·ism (jī′ăn-tizm). = gigantism.

gi·ant pap·il·lar·y con·junc·ti·vi·tis 巨大乳頭性結膜炎（大きな乳頭を特徴とし，コンタクトレンズ表面の抗原性物質に対する感作と関連する結膜の炎症).

gi·ant ur·ti·car·i·a 巨大じんま疹. = angioedema.

Gi·ar·di·a (jē-ahr′dē-ă). ジアルジア属（ほとんどの家畜やヒトを含む多くの哺乳類の小腸に寄生する寄生性鞭毛虫類の一属).

gi·ar·di·a·sis (jē′ahr-dī′ă-sis). ジアルジア鞭毛虫症，ランブル鞭毛虫症（原虫である *Giardia* 属の感染. ランブル鞭毛虫類は，ヒトに下痢や赤痢様症状を引き起こす). = lambliasis.

gib·bous (gib′ŭs). 〔脊椎〕角状彎曲の，せむしの.

Gibbs the·o·rem ギブズの定理（純粋分散媒質の表面張力を低下させる物質は分散媒質の表面に集中する傾向があり，これに対して表面張力を高める物質は，表面皮膜外にとどまる傾向がある).

gib·bus (gib′ŭs). 突背（極度の脊柱後弯，こぶ，隆肉. 角の先端を後方に向け，鋭くとがった弓形をなしている脊椎変形).

Gib·ney boot ギブニーブーツ（足関節捻挫に対する絆創膏による治療法で，足首と下腿後面にバスケットウィーブ様に巻く方法).

Gib·ney fix·a·tion ban·dage ギブニー固定包帯（果部捻挫に用いる足，脚の交差式固定包帯法).

Gib·son ban·dage ギブソン帯（下顎骨骨折の固定に用いる. Barton 包帯に似た包帯法).

Gib·son mur·mur ギブソン雑音. = machinery murmur.

Giem·sa stain ギームザ染料（メチレンブルー-エオシンとメチレンブルーの混合液. Negri 体，スナノミ(*Tunga*)，スピロヘータ，原生動物類などの証明，および血液塗抹標本の染色に用いる. また，染色体を，ときに細胞標本を熱塩酸中で加水分解したり，G バンドを染色するのに用いる).

Gier·ke dis·ease ギールケ病. = glycogenosis type 1.

Gif·ford re·flex ギフォード反射. = eye-closure pupil reaction.

GIFT (gift). gamete intrafallopian transfer の略.

giga-(G) 国際単位系(SI)およびメートル法で 10 億(10^9)の倍数の意に用いる接頭語.

gi·gan·tism (jī-gant′izm). 巨人症（全身または身体の部分が異常に大きい，すなわち発育過剰の状態). = giantism.

giganto- 巨大な，を表す連結形.

gi·gan·to·mas·ti·a (jī-gan′tō-mas′tē-ă). 巨〔大〕乳房（乳房の巨大な肥大).

Gig·li saw ジーリー(ギグリ)のこぎり（直線的砕頭術に用いるポータブルのこぎり).

GIH growth hormone-inhibiting hormone の略.

Gil·bert dis·ease ジルベール病. = familial nonhemolytic jaundice.

Gil·christ dis·ease ギルクリスト病. = blastomycosis.

Gilles de la Tou·rette syn·drome ジル・ド・ラ・ツレット症候群. = Tourette syndrome.

Gil·les·pie syn·drome ギレスピー症候群（虹彩の先天的欠損，精神遅滞，小脳失調を呈する症候群. 遺伝性の突然変異による可能性がある).

Gil·li·am op·er·a·tion ギリアム手術（円靱帯を腹壁に縫合する子宮後屈の手術).

Gil·lies op·er·a·tion ギリース手術（側頭部，髪の生え際の上に切開を加え，頬骨および頬骨弓骨折を整復する方法).

gin·gi·va, gen. & pl. gin·gi·vae (jin′ji-vă, -vē). 歯肉（粘膜でおおわれた緻密な線維組織で，上下顎の歯槽突起を包み，歯頸部を取り巻いている). = gum(2).

gin·gi·val (jin′ji-văl). 歯肉の.

gin·gi·val ab·scess 歯肉膿瘍（歯肉の軟組織

に限局した膿瘍）. = gumboil; parulis.
Gin·gi·val In·dex（GI） 歯周疾患の指数で，病変の強さと場所による.
gin·gi·val line 歯肉線（縁）（歯列弓における歯の歯肉縁の位置）. = gum line.
gin·gi·val mar·gin 歯肉縁，歯頸縁（①歯を取り囲む歯肉の最も歯冠側の部分. ②遊離歯肉の端）.
gin·gi·val mas·sage 歯肉マッサージ（組織の緊張や血流を改善するために歯肉をこすったり押したりして，機械的に刺激すること）.
Gin·gi·val-Per·i·o·don·tal In·dex（GPI） 歯肉炎，歯肉刺激，および進行した歯周疾患の指数.
gin·gi·val sul·cus 歯肉溝. = sulcus（4）.
gin·gi·vec·to·my（jin′ji-vek′tŏ-mē）. 歯肉切除〔術〕（歯周病の進展を抑えるための非支持歯肉組織の外科的切除）. = gum resection.
gin·gi·vi·tis（jin′ji-vī′tis）. 歯肉炎（歯肉の炎症）.
gingivo- 歯肉を意味する連結形.
gin·gi·vo·glos·si·tis（jin′ji-vō-glos-ī′tis）. 歯肉舌炎（歯肉組織および舌の炎症. →stomatitis）.
gin·gi·vo·lin·guo·ax·i·al（jin′ji-vō-ling′gwō-ak′sē-ăl）. 歯肉側舌側軸側の（窩洞において歯肉側，舌側および軸側壁によって形成される点角についていう）.
gin·gi·vo·os·se·ous（jin′ji-vō-os′ē-ŭs）. 歯肉–骨の（歯肉とその下にある骨についていう）.
gin·gi·vo·plas·ty（jin′ji-vō-plas-tē）. 歯肉形成〔術〕（審美的・生理的・機能的形態を得るために歯肉組織の形態と輪郭を調整する外科手術）.
gin·gi·vo·sis（jin′ji-vō′sis）. 歯肉症. = chronic desquamative gingivitis.
gin·gi·vo·sto·ma·ti·tis（jin′ji-vō-stō′mă-tī′tis）.〔歯肉〕口内炎（口腔内の歯肉組織の炎症）.
gin·gly·form（jing′gli-fōrm）. ちょうつがい（蝶番）形の. = ginglymoid.
gin·glym·o·ar·thro·di·al（jing′gli-mō-ahr-thrō′dē-ăl）. ちょうつがい（蝶番）滑走関節の（ちょうつがい関節と滑走関節の両方をもつ関節についていう）.
gin·gly·moid（jing′gli-moyd）. ちょうつがい（蝶番）関節状の（ちょうつがい関節に関連した，類似した）. = ginglyform.
gin·gly·moid joint ちょうつがい関節. = hinge joint.
gin·gly·mus（jing′gli-mŭs）. ちょうつがい（蝶番）関節. = hinge joint.
Gink·go bi·lo·ba イチョウ（イチョウ科に属し中央に切れ込みのある特徴的な扇形の葉をつける落葉高木. 雌雄異株であり雌木がつける種子は核果状で外種皮が黄色肉質で熟すと強い酪酸臭を呈する（内種皮（ギンナン）は食用となる）. 原産は中国であるが，野生のものは絶滅しており，現在は繁殖によるもののみである. 葉の抽出液には ginkgoheterosides や terpene lactones を含み，中枢および末梢の血管障害に用いられる）.
gin·seng（jin′seng）. ニンジン（ウコギ科朝鮮ニンジン *Panax* の根で，中国では非常に効きめのある薬とされており，栄養剤として広く用いられている）.
GIP gastric inhibitory polypeptide; gastric inhibitory peptide の略.
Gi·rard re·a·gent ジラール試薬（塩化ベタインのヒドラジンで，これによりケト形ステロイドの水溶性ヒドラゾンをつくり，抽出に用いる）.
gir·dle（gĭr′dĕl）. 帯. = cingulum（1）.
gir·dle an·es·the·si·a 帯状感覚（知覚）脱失（消失），帯状知覚麻痺（腹部を取り囲んで帯状に分布する麻痺）.
gir·dle sen·sa·tion 帯状感. = zonesthesia.
gla·bel·la（glă-bel′ă）. = intercilium. ***1*** 眉間（みけん）（鼻根のすぐ上にある前頭骨の軽度突出部で，男性に最も著しい）. ***2*** グラベラ（眉上弓の高さにある正中線上の額の最も前方へ突出している点. →antinion）. = mesophryon.
gla·brous, gla·brate（glā′brŭs, -brāt）. 平滑な，無毛の（正常では毛の生えない部分，すなわち手掌や足底のような部分をさす語）.
gland（gland）. 腺（分泌作用を営む細胞の集合体）. = glandula（1）.
glan·des（glan′dēz）. glans の複数形.
glan·di·lem·ma（glan′di-lem′ă）. 腺膜（腺の被膜）.
glands of the fe·male u·re·thra 女の尿道腺（尿道壁にある多数の粘液腺）.
glands of the male u·re·thra 男の尿道腺（陰茎内尿道壁にある多数の粘液腺）.
glan·du·la, pl. glan·du·lae（glan′dyū-lă, -lē）. 腺（①= gland. ②= glandule）.
glan·du·lae ce·ru·mi·no·sae ***1*** 耳道腺. = ceruminous glands. ***2*** 外耳道腺（外耳道にみられる管状胞状腺でアポクリン汗腺から変化したものと考えられている. 耳垢を分泌する）.
glan·du·lar（glan′dyū-lăr）. 腺の. = glandulous.
glan·du·lar ep·i·the·li·um 腺上皮（分泌細胞からなる上皮）.
glan·dule（glan′dyūl）. 小腺. = glandula（2）.
glan·du·lous（glan′dyū-lŭs）. = glandular.
glans, pl. glan·des（glanz, glan′dēz）. 亀頭（円錐で，カシの実状の構造）.
glans cli·to·ri·dis 陰核亀頭. = glans of clitoris.
glans of clit·o·ris 陰核亀頭（陰核体部に帽子状にかぶさる鋭敏な勃起組織の小塊）. = glans clitoridis.
glans pe·nis 陰茎亀頭（陰茎頭部を形成する海綿体の円錐状膨大部）.
glan·u·lar（glan′yū-lăr）. 陰茎亀頭部に属する.
Glanz·mann throm·bas·the·ni·a グランツマン血小板無力症（正常または延長した出血時間，正常な凝固時間，血餅退縮障害，数は正常であるが形態学的または機能的異常を示す血小板を特徴とする出血性素因である. 血小板の異常は一様ではない. 血小板の膜糖蛋白 IIb-IIIa 複合体の欠損が原因である. 常染色体劣性遺伝で第 17 染色体の血小板膜糖蛋白 IIb-IIIa 複合体遺伝子（ITGA2B）の変異が原因である）.
gla·se·ri·an fis·sure グラーザー裂溝，グラー

G

ザー裂. = petrotympanic fissure.

Glas·gow Co·ma Scale グラスゴー・コーマ・スケール，グラスゴー昏睡尺度（神経学的な障害をもつ患者における意識および刺激に対する反応のレベルを評定するために用いられる系統的方法による標準的測定法．開眼反応，言語の反応能力，運動反応性という3つの要素項目の使用に基づく．3つの要素項目の各評点数を合計して，意識水準を表す．また，合計評点数が低ければ低いほど，より悪い転帰が予測される）. = outcome score.

Glas·gow sign グラスゴー徴候（大動脈瘤の場合，上腕動脈に収縮期雑音が聞こえる）.

glass (glas). ガラス（透明な物質で，種々の塩基の化合物を含むシリカの化合物）.

glass·es (glas′ĕz). 眼鏡. = spectacles.

glass i·o·no·mer ce·ment グラスアイオノマーセメント（歯科用セメントの一種で，カルシウムアルミノシリケートガラスより調製された粉末と，ポリアクリル酸の水溶液とを混合練和して用いる）.

glas·sy mem·brane 硝子膜（①胞状卵胞の顆粒層と卵胞膜内層との間にある基底膜．大きな閉鎖卵胞で顕著になる．②毛包の基底膜とこれを裏打ちする結合組織. = hyaline membrane (2)）.

glau·co·ma (glaw-kō′mă). 緑内障（眼の疾患．眼内圧上昇，視神経の陥凹と萎縮を特徴とする．視野の欠損を起こし，失明という結果になるかもしれない）.

glau·co·ma·tous (glaw-kō′mă-tŭs). 緑内障の.

glau·co·ma·tous cat·a·ract 緑内障性白内障（通常，絶対緑内障にみられる核性の混濁）.

glau·co·ma·tous cup 緑内障性陥凹（緑内障による，マメを煮る鍋のような(底のほうが広い)形の視神経乳頭の陥凹）. = glaucomatous excavation.

glau·co·ma·tous ex·ca·va·tion 緑内障性〔乳頭〕陥凹. = glaucomatous cup.

glau·co·ma·tous ha·lo ***1*** 緑内障輪（緑内障において，脈絡膜の萎縮を示す乳頭の周りの黄白色の輪）. ***2*** 虹視症（緑内障において，角膜浮腫のために光源の周りに輪が見えること）.

GLC gas-liquid chromatography の略.

Glc, GlcA, GlcN, GlcNAc, GlcUA D-グルコース，グルコン酸，グルコサミン，*N*-アセチルグルコサミン，グルクロン酸の基を表す記号.

Glea·son tu·mor grade グリーソンの腫瘍(異型度)分類（腺様分化の型式の評価による前立腺腺癌の分類法．腫瘍の異型度を Gleason スコアで表すが，優勢な型式と二次的な型式のそれぞれを1から5までの評点とし，その合計で示す）.

Glenn op·er·a·tion グレン手術（三尖弁閉鎖症に対して行われる姑息的再建術のことで，肺血流増加のために，上大静脈と右主肺動脈を直接吻合する手術である）.

gle·no·hu·mer·al (glē′nō-hyū′mĕr-ăl). 上腕関節窩の（関節窩と上腕骨についていう）.

gle·no·hu·mer·al joint 肩関節（上腕骨頭と肩甲骨関節窩の間の球窩関節）.

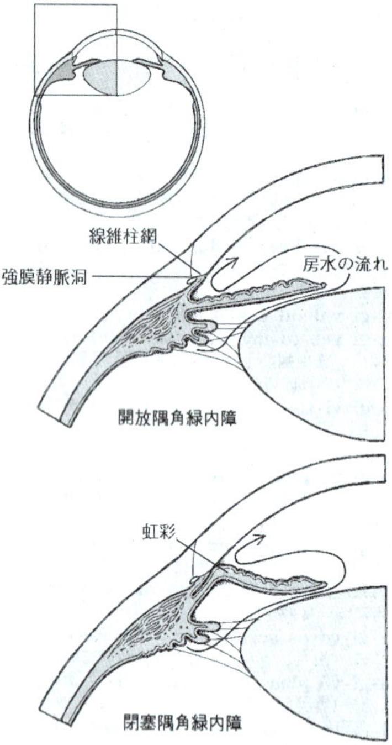

線維柱網
強膜静脈洞
房水の流れ
開放隅角緑内障
虹彩
閉塞隅角緑内障

glaucoma

gle·no·hu·mer·al lig·a·ments 関節上腕靱帯（肩関節前部を補強する3つの靱帯(関節包靱帯)で，肩甲骨の関節上結節で関節唇と連続し，上腕骨解剖頸に付着するところでは関節包とも連続する．関節包の内面観で顕著なひだや隆起としてみられる）.

gle·noid (glē′noyd). 関節窩（肩関節の構成に参加する肩甲骨の関節陥凹を示す．ソケットに似ている）.

gle·noid fos·sa 関節窩（①上腕骨頭を受け，肩関節をつくる肩甲骨外側角にあるくぼみ．② = mandibular fossa）.

gle·noid la·brum 肩関節窩唇（線維軟骨環．肩甲骨の関節窩の縁に付着し，その窩を拡大させる．→acetabulum）.

gli·a (glī′ă). 〔神経〕膠，グリア. = neuroglia.

gli·a cells グリア細胞，〔神経〕膠細胞（→neuroglia）.

gli·a·cyte (glī′ă-sīt). 〔神経〕膠細胞，グリア細胞（→neuroglia）.

gli·a·din (glī′ă-din). グリアジン（ムギやライ麦のグルテンから分離できる蛋白．プロラミン(プロリンを多量に含む蛋白)の一種で，水，無

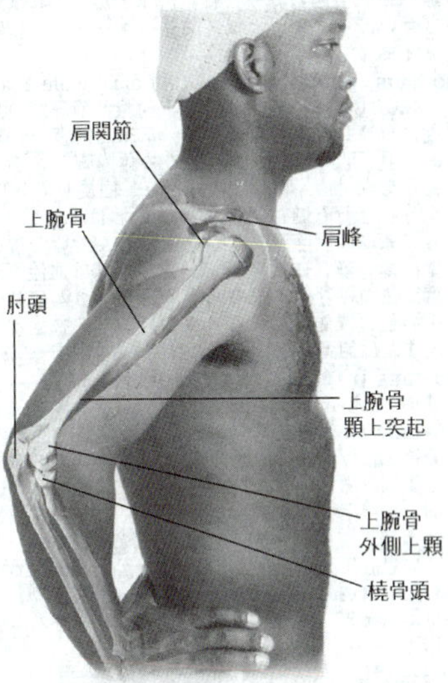
肩関節
上腕骨
肩峰
肘頭
上腕骨
顆上突起
上腕骨
外側上顆
橈骨頭
glenohumeral joint

水アルコール，中性溶剤に不溶であるが 50—90%アルコールには可溶）.

gli·al (glī′ăl). 神経膠の，グリアの.

gli·al fib·ril·lar·y a·cid·ic pro·tein グリア線維酸性蛋白（線維性星状細胞に見出された 51kd の細胞骨格蛋白．この蛋白の染色はしばしば神経損傷の鑑別診断で補助的に用いられる）.

glide·wire (glīd′wīr). 滑性ワイヤ（親水性または潤滑剤処理したガイドワイヤ(誘導金属線)で，一般的に尿路に使われる．→guidewire）.

glid·ing joint = plane joint.

glio- にかわ，にかわ様の，を意味する連結形，特に神経膠を意味する連結形.

gli·o·blast (glī′ō-blast). 神経膠芽細胞，グリア芽細胞（神経芽細胞と同じく，神経管上衣細胞から発生してくる初期神経系細胞．ここから成熟上衣細胞や神経膠細胞，すなわち星状膠細胞や乏突起膠細胞が生じる．→spongioblast）.

gli·o·blas·to·ma mul·ti·for·me 多形〔性〕グリア芽〔細胞〕腫，多形〔性〕〔神経〕膠芽〔細胞〕腫（主に星状膠細胞由来の未分化細胞からなる神経膠腫．核の多形性が顕著で，壊死，血管内皮増殖がみられる．不規則な壊死巣の周囲に放線状に腫瘍細胞が配列されていることが多い．本腫瘍は成長が速く，広範に浸潤し，成人の大脳に発生することが多い）. = grade IV astrocytoma.

gli·o·ma (glī-ō′mă). 神経膠腫，グリオーム（脳，松果体，下垂体後葉，網膜の間質組織を形成する種々の型の細胞の 1 つから生じる腫瘍）.

gli·o·ma·to·sis (glī′ō-mă-tō′sis). 神経膠腫症（脳または脊髄における神経膠細胞の腫瘍性成長．特に比較的大きな腫瘍または多発の病巣について用いる語）. = neurogliomatosis.

gli·o·ma·tous (glī-ō′mă-tŭs). 神経膠腫の.

gli·o·neu·ro·ma (glī′ō-nūr-ō′mă). 神経膠神経腫（基質に多数の膠細胞と線維をもつ，ニューロンから発生する神経節性神経腫）.

gli·o·sar·co·ma (glī′ō-sahr-kō′mă). 神経膠肉腫（間葉系の悪性細胞要素をもった多形性神経膠芽腫．ときに結合組織(例えば，脳血管)由来の悪性新生物で神経膠細胞の増殖を伴うものに使われる語）.

gli·o·sis (glī-ō′sis). 神経膠症，グリオーシス（脳または脊髄の損傷部位における星状神経膠細胞の過剰増殖）.

GLIP (glip). glucagonlike insulinotropic peptide の略.

Glis·son cap·sule グリソン鞘. = fibrous capsule of liver.

Glis·son cir·rho·sis グリソン肝硬変（肝臓の肥厚およびそれに後続の収縮を伴う慢性肝周囲炎．肝臓の萎縮と変形を起こす）.

Gln グルタミンあるいはグルタミニル(グルタミンのアシル基)の記号.

glob·al (glō′băl). 全般の，完全な，全体の.

glob·al a·pha·si·a 全失語〔症〕（発語と意思疎通のすべての面が強く障害された失語．最高で 2, 3 語または 2, 3 の熟語を理解できるかしゃべれるが，読んだり書いたりはできない）. = mixed aphasia; total aphasia.

glob·al bur·den of dis·ease 世界疾病負担（ある一国の人口における，廃疾疾病により喪失された健常な寿命を数量的に示した測定値．→ disability-adjusted life years）.

glob·al warm·ing 地球温暖化（地球全体規模での温度上昇現象．原虫感染を垂直移動させることにより，熱帯アフリカ高地でのマラリア流行が発生する危険性がある）.

glo·bi (glō′bī). ***1*** globus の複数形. ***2*** らい球（ときにらい病の肉芽腫性病変にみられる褐色体）.

glo·bin (glō′bin). グロビン（ヘモグロビンの蛋白成分．α ヘモグロビンと β ヘモグロビンは成人ヘモグロビンに見出される 2 種の鎖を示す）. = hematohiston.

glo·bo·side (glō′bō-sīd). グロボシド（グリコスフィンゴリピドの一種で，腎臓や赤血球から分離される．Sandhoff 病患者で蓄積される）.

glo·bo·tri·a·o·syl·cer·a·mide (glō′bō-trī-ā′ō-sil-ser′ă-mīd). グロボトリアオシルセラミド（スフィンゴ脂質で，3 つの糖部分をもち，Fabry 病患者で蓄積される）.

glob·ule (glob′yūl). ***1*** 小球（小さい球体の総称）. ***2*** 乳球（乳中の脂肪小滴）.

glob·u·lin (glob′yū-lin). グロブリン（硫酸アンモニウムの半飽和によって血漿または血清から沈降する一群の蛋白の名称．グロブリンは溶解度，電気泳動，超遠心分離や他の分離方法によりさらに多くの亜群に分別されうる．主なものは α-, β-, γ-グロブリンで，免疫グロブリン(抗体)，リポ蛋白，糖蛋白またはムコ蛋白，金属結合蛋白および金属運搬蛋白が含まれる）.

glob·u·li·nu·ri·a (glob′yū-li-nyūr′ē-ă). グロブ

G

リン尿〔症〕（尿中のグロブリン排泄で，通常，血清アルブミンの排泄を伴う）．

glo·bus, pl. glo·bi (glō′bŭs, -bī)． ***1*** 球． ***2*** 一globi.

glo·bus hys·ter·i·cus ヒステリー球（えん下困難，すなわちのどにボールがある感じ，またはのどが詰まった感じ．転換障害の症状）．

glo·bus pal·li·dus 淡蒼球（レンズ核の内部の比較的明るい灰白部分．→paleostriatum）．= pallidum.

glo·mal (glō′măl)．糸球の，糸球を含む．

glo·man·gi·o·ma (glō-man′jē-ō′mă)． グロムス血管腫（海綿状血管腫に似た多発性腫瘍によってしばしば特徴付けられるグロムス腫瘍の一型）．

glo·man·gi·o·sis (glō-man′jē-ō′sis)． グロムス血管症（各々が糸球に似ている小血管床の複合体が多数発生すること）．

glo·mec·to·my (glō-mek′tŏ-mē)． 頸動脈球切除〔術〕（グロムス腫瘍の切除）．

glom·er·a (glom′ĕr-ă)． glomus の複数形．

glo·mer·u·lar (glō-mer′yū-lăr)． 糸球〔体〕の，糸球〔体〕を侵す．

glo·mer·u·lar cap·sule 糸球体嚢（ネフロンのふくらんだ起始部．臓側は，毛細血管網の塊すなわち糸球体を取り囲む足細胞からなる．壁側は単層鱗状上皮からなり，尿細管極で立方上皮に移行する）．= Bowman capsule; malpighian capsule(1).

glo·mer·u·lar cyst 糸球体嚢胞（糸球体嚢の拡張によって形成された嚢胞．先天性多嚢胞腎にまれにみられる）．

glo·mer·u·lar fil·tra·tion rate (GFR) 糸球体濾過率（単位時間当たりに血漿から糸球体毛細管壁を通って糸球体嚢に濾過される水の量．イヌリンクリアランスに等しいとされる）．

glo·mer·u·lar ne·phri·tis 糸球体腎炎．= glomerulonephritis.

glom·er·ule (glom′ĕr-yūl)．= glomerulus.

glo·mer·u·li·tis (glō-mer′yū-lī′tis)． 糸球体炎（糸球体の炎症．糸球体腎炎のように特に腎糸球体に限局する）．

glo·mer·u·lo·ne·phri·tis (glō-mer′yū-lō-nĕ-frī′tis)．糸球体腎炎（腎の感染に対する急性反応でない糸球体のびまん性の炎症性変化を特徴とする腎疾患）．= glomerular nephritis.

glo·mer·u·lop·a·thy (glō-mer′yū-lop′ă-thē)． 糸球体症（あらゆるタイプの糸球体の病気）．

glo·mer·u·lo·sa cell 球状帯細胞（副腎皮質球状帯の細胞．球形あるいは卵形に群をなし，アルドステロンを生成する）．

glo·mer·u·lo·scle·ro·sis (glō-mer′yū-lō-skler-ō′sis)．糸球体硬化症（腎糸球体内に硝子様物質の沈着または瘢痕化が生じ，腎動脈硬化症や糖尿病に合併する変性の過程）．

glo·mer·u·lus, pl. glo·mer·u·li (glō-mer′yū-lŭs, -ū-lī)．= Bowmen capsule; glomerule. ***1*** 糸球（毛細血管叢）． ***2*** 糸球体（腎臓の尿細管の起始部にある毛細血管わなよりなる房．この房とその嚢(糸球体嚢)で腎小体(脾リンパ小節)を構成する）． ***3*** 糸球（汗腺の屈曲した分泌部）． ***4*** 糸球（樹状突起の分枝と軸索終末の房で，しばしば互いに複雑なシナプス関係をもちグリアの鞘で囲まれている）．

glo·mus, pl. glom·er·a (glō′mŭs, glom′ĕr-ă)．糸球（①小さい球状体．②小動脈と静脈間の高度に発達した動静脈吻合で，爪床，指腹，足腹，耳，手，足，および他の多くの体内臓器に小結節を形成する．吻合は枝分かれし回旋しており，交感神経と有髄神経の豊富な支配下にある．そして糸球周囲静脈の1つに流れ込んでいる短い壁の薄い静脈に接続している．糸球は血流，温度，熱の保存，血圧の間接的調整，および循環系の他の機能におけるメカニズムを調整する短絡または側副路として働く）．

glo·mus ju·gu·la·re tu·mor 頸静脈グロムス腫瘍．= chemodectoma.

glo·mus tu·mor グロムス腫瘍，球腫（特殊な発達をとげた血管周囲細胞(ときにグロムス細胞とよばれる)からなる血管腫．通常，結節状の腫瘤で，ほとんど皮膚に発生する．グロムス腫瘍はきわめて圧痛が強く，患者は痛みが激しいために患肢を動かそうとしない．→glomangioma）．

glo·mus tym·pan·i·cum tu·mor 鼓室〔型〕グロムス腫瘍（中耳内側壁に発生するグロムス腫瘍）．

glos·sa (glos′ă)．舌．= tongue(1).

glos·sal (glos′ăl)．舌の．= lingual(1).

glos·sal·gi·a (glos-al′jē-ă)． 舌痛．= glossodynia.

glos·sec·to·my (glos-ek′tŏ-mē)． 舌切除〔術〕（舌の切除または切断）．= lingulectomy(1).

Glos·si·na (glos-ī′nă)． ツェツェバエ属（アフリカに限定される吸血双翅目(ツェツェバエ)．ヒト，家畜，野生動物の様々なアフリカ睡眠病を引き起こす病原性トリパノソーマの媒介動物）．

glos·si·tis (glos-ī′tis)．舌炎．

glos·si·tis ar·e·a·ta ex·fo·li·a·ti·va = geographic tongue.

glosso-, gloss- 言語を表す連結形．ラテン語の *linguo-* に相当する．*cf.* linguo-.

glos·so·cele (glos′ō-sēl)．舌脱（舌が腫脹し口から突出すること．→macroglossia）．

glos·so·dyn·i·a (glos′ō-din′ē-ă)． 舌痛（舌の灼熱感または疼痛を特徴とする状態）．= burning tongue; glossalgia.

glos·so·ep·i·glot·tic, glos·so·ep·i·glot·tid·e·an (glos′ō-ep-i-glot′ik, glos′ō-ep-i-glŏ-tid′ē-ăn)．舌喉頭蓋の（舌と喉頭蓋についていう）．

glos·so·hy·al (glos′ō-hī′ăl)．= hyoglossal.

glos·so·la·li·a (glos′ō-lā′lē-ă)． 舌語（理解し難い早口の言葉または饒舌に対してまれに用いる語）．

glos·sop·a·thy (glos-op′ă-thē)．舌病，舌疾患．

glos·so·pha·ryn·ge·al (glos′ō-făr-in′jē-ăl)． 舌咽の（舌と咽頭についていう）．

glos·so·pha·ryn·ge·al breath·ing 舌咽呼吸（通常の呼吸のように呼吸筋を一義的に使って行われない呼吸．空気は，舌および咽頭筋を用いることにより無理やり肺に送り込まれる）．

glos·so·pha·ryn·ge·al nerve［CN IX］ 舌咽

神経（第九脳神経(CN IX). 延髄の吻側端から出て頸静脈孔を抜け，咽頭と舌の後部 1/3 に感覚枝を送る. また運動性線維を茎突咽頭筋に，副交感神経節前線維を耳神経節に送る). = nervus glossopharyngeus; ninth cranial nerve.

glos·so·plas·ty (glos′ō-plas-tē). 舌形成〔術〕.

glos·sor·rha·phy (glos-ōr′ă-fē). 舌縫合〔術〕(舌の創の縫合).

glos·so·spasm (glos′ō-spazm). 舌痙攣.

glos·sot·o·my (glos-ot′ō-mē). 舌切開〔術〕(通常，咽頭腔への交通をさらに広げたい場合に行う).

glos·so·trich·i·a (glos′ō-trik′ē-ă). 毛舌. = hairy tongue.

glot·tal (glot′ăl). 声門の.

glot·tal at·tack 硬起声（突然大きな声をだすときに起こる，発声前に声門が過度に閉じる現象).

glot·tal fry フライ音（ピッチ範囲の最低部における声帯ひだの振動. きしんだり，脈打つような発声を特徴とする). = gravel voice.

glot·tal·iz·a·tion (glot′al-ī-zā′shŭn). グロッタリゼーション. = vocal fry.

glot·tic (glot′ik). ***1*** 舌の. ***2*** 声門の.

glot·tis, pl. glot·ti·des (glot′is, -i-dēz). 声門(喉頭の発声器で，内側に声帯靱帯，声帯筋を含む粘膜の声帯ひだからなる. これの遊離端は声帯で，中央の裂溝は，声門裂である).

glot·ti·tis (glo-tī′tis). 声門炎（喉頭の声門部の炎症).

glove an·es·the·si·a 手袋状感覚(知覚)脱失(消失)，手袋状知覚麻痺（上肢遠位部，すなわち手と指の感覚消失).

glov·er's su·ture 手袋製造人縫合（各縫い目が先行する縫い目の輪を通る連続縫合).

GLP-1 glucagonlike peptide の略.

Glu グルタミン酸あるいはグルタミル(グルタミン酸のアシル基)の記号.

glu·ca·gon (glū′kă-gon). グルカゴン（膵臓のアルファ細胞から分泌されるホルモン. 0.5—1.0 mg を静脈注射すると，肝臓グリコゲンの動員が促進され，血糖濃度が上昇する. グリコゲン貯蔵症(von Gierke 病)，低血糖症，特に体外から投与されたインスリンによる低血糖性昏睡の治療に用いる).

glu·ca·gon·like in·su·lin·o·trop·ic pep·tide (GLIP) グルカゴン様インスリン親和性ペプチド（胃消化管より分泌されるインスリン様物質. グルコースを含んだ食事の摂取により循環血中に分泌される).

glu·ca·gon·like pep·tide (GLP-1) グルカゴン様ペプチド（胃壁の運動を遅延させ，インスリン分泌を促進する消化管ホルモン. 貼布剤，吸入剤，あるいは口腔内ペレット剤として近い将来，2 型糖尿病の治療に有効かもしれない).

glu·ca·gon·o·ma (glu′kă-gon-ō′mă). グルカゴノーマ（グルカゴン産生腫瘍で，通常，膵島細胞より発生する).

glu·can (glū′kan). グルカン（ポリグルコース. 例えば，カロース，セルロース，デンプンアミロース，グリコゲンアミロース).

1,4-α-ᴅ-glu·can-branch·ing en·zyme 1,4-α-ᴅ-グルカン分枝酵素（筋肉内や植物(Q 酵素)にある酵素で，グリコゲンやデンプンの α-1,4 結合を開裂させ，そのフラグメントを α-1,6 結合に転移させ，多糖類分子中に分枝をつくる. 植物ではこの酵素はアミロースをアミロペクチンに変換する. この酵素の欠損はグリコゲン蓄積症 IV 型の患者で見出されている).

1,4-α-ᴅ-glu·can 6-α-ᴅ-glu·co·syl·trans·fer·ase, α-glu·can-branch·ing gly·co·syl·trans·fer·ase 1,4-α-ᴅ-グルカン 6-α-ᴅ-グルコシルトランスフェラーゼ（1,4-α-グルカンにある α-グルコシル残基を 1,4-α-グルカンにあるグルコースの第一水酸基に移すグルコシルトランスフェラーゼ).

4-α-ᴅ-β-glu·can·o·trans·fer·ase (glū-′kă-nō-trans′fĕr-ās). 4-α-d-β-グルカノトランスフェラーゼ（1,4 グルカン鎖を新しい 4 位のグルコースもしくは他の 1,4 グルカンに変換することによってマルトデキストリンをアミローズとグルコースに変換する 4 グリコキシルトランスフェラーゼ).

gluco- ブドウ糖を意味する連結形. →glyco-.

glu·co·cer·e·bro·side (glū′kō-ser′ĕ-brō-sīd). グルコセレブロシド. = glucosylceramide.

glu·co·cor·ti·coid (glū′kō-kōr′ti-koyd). = glycocorticoid. ***1*** 糖質コルチコイド，グルココルチコイド（中間代謝に重要な影響を与えるステロイド様化合物で，例えば，肝臓グリコゲン貯蔵の促進や，臨床的に有効な抗炎症作用を促進する. コルチゾールは天然に存在する糖質コルチコイドの中で最も強力である. ほとんどの半合成糖質コルチコイドはコルチゾール誘導体である). ***2*** この型の生物的作用を示す.

glu·co·fu·ra·nose (glū′kō-fyūr′ă-nōs). グルコフラノース（フラノース型のグルコース).

glu·co·gen·e·sis (glū′kō-jen′ĕ-sis). 糖生成(グルコースが産生されること).

glu·co·gen·ic (glū′kō-jen′ik). グルコース生成の，糖生成の.

glu·co·ki·nase (glū′kō-kī′nās). グルコキナーゼ（ホスホトランスフェラーゼで，ᴅ-グルコースと ATP が ᴅ-グルコース 6-リン酸と ADP に変わるのを触媒する. その肝臓酵素はヘキソキナーゼより ᴅ-グルコースに対する K_m 値が高い).

glu·co·ki·net·ic (glū′kō-ki-net′ik). グルコース動員性の（グルコースを動員する. 通常，血液中を循環しているグルコースの濃度を増加させるために組織中のグリコゲン蓄積の減少により示される).

glu·co·lip·ids (glū′kō-lip′idz). 糖脂質（ᴅ-グルコースを含んでいる脂質).

glu·com·e·ter (glū′kō-mē′tĕr). 糖分計（血糖値を計測する機器).

glu·co·ne·o·gen·e·sis (glū′kō-nē′ō-jen′ĕ-sis). 糖新生，グルコース新生（炭水化物ではない物質(蛋白や脂肪)よりグルコースを産生すること. *cf.* glyconeogenesis).

glu·con·ic ac·id グルコン酸（-CHO 基を酸化し，COOH にするとグルコースから得られるヘキソン(アルドン)酸).

glu·co·pro·tein (glū'kō-prō'tēn). 糖がグルコースである糖蛋白.

glu·co·pyr·a·nose (glū'kō-pir'ă-nōs). グルコピラノース（ピラノース型のグルコース）.

glu·co·san (glū'kō-san). グルコサン（多糖類. 例えば, カロース, セルロース, グリコゲン, デンプン, デキストリンなどで, 加水分解によりグルコースを生じる）.

glu·cose (glū'kōs). グルコース（右旋性単糖類で, 遊離型で果物や他の植物に, また結合した形でグルコシド, グリコゲン, 二糖類, 多糖類（デンプン, セルロース）にみられる. ヒト代謝における主要エネルギー源で, 炭水化物の最終的な消化生成物であり, 血液中に存在する主要糖質である. 細胞がグルコースを消費するためにはインスリンが必要である. 真性糖尿病においては血液中のグルコース量が過剰となり, 尿にも現れる）. = D-glucose.

D-glu·cose (G, Glc) D-グルコース. = glucose.

glu·cose-de·pen·dent in·su·lin·o·tro·pic po·ly·pep·tide ブドウ糖依存性インスリン分泌刺激ポリペプチド（ブドウ糖を含む食事を摂取すると, 消化管から血中に放出されるインスリン分泌刺激物質）.

glu·cose ox·i·dase meth·od グルコースオキシダーゼ法（グルコースオキシダーゼとの反応（グルコン酸と過酸化水素を生成する）による血清または血漿中のグルコースの測定に対する高特異的方法）.

glu·cose 6-phos·phate グルコース 6-リン酸（グルコースのリン酸とのエステル. 哺乳類などの細胞によるグルコース代謝経路において生成される. 静止筋肉の正常な構成成分である）.

glu·cose-6-phos·phate de·hy·dro·gen·ase (G6PD) de·fi·cien·cy グルコース-6-リン酸デヒドロゲナーゼ欠損症（還元型ヌクレオチドの細胞内濃度を維持するのに重要なグルコース-6-リン酸デヒドロゲナーゼの先天性欠損により生じる病気. 様々な病態（ソラマメ中毒症, プリマキン過敏症, 薬剤過敏性の貧血, 新生児の貧血や慢性非球状赤血球性貧血）を呈する）.

glu·cose tol·er·ance test (GTT) ブドウ糖負荷試験, 耐糖能試験（糖尿病やインスリノーマでまれにみられる低血糖を診断するための試験. 正常では空腹時にブドウ糖 75 g を経口摂取すると, 血糖が即座に上昇し, 次いで, 2 時間以内に正常に戻るが, 糖尿病患者では, 血糖増加がより大きく, 正常への復帰が異常に遅延する. 低血糖患者では低血糖が 3, 4, 5 時間目まで認められることがある）.

glu·cose trans·port max·i·mum グルコース最大輸送量（糸球体濾過液からのグルコース再吸収の最大速度でヒトでは約 320 mg/min である）.

α-glu·co·si·dase in·hib·i·tor α-グルコシダーゼ阻害薬（消化管からのグルコースの吸収を抑制する作用を有する経口糖尿病薬）.

glu·co·si·dase in·hib·i·tors グルコシダーゼ阻害薬（アカルボースのように, 炭水化物の消化管吸収を低下させる薬物. この薬物群はデンプン遮断薬 starch blockers として知られる（[註] 日本ではこのような表現は一般的でない）. 血糖値を低下させ, 体重減少を起こす. 副作用として鼓腸がある）.

glu·co·si·das·es (glū-kō'sid-ās-ĕz). グルコシダーゼ（グルコシドを加水分解する酵素）.

glu·co·side (glū'kō-sīd). グルコシド, 配糖体（グルコースとアルコールまたは他の R-OH 化合物が化合し, ブドウ糖の 1-OH（ヘミアセタール）基の H 原子を失ったもので, このときグルコースの C-1 から -C-O-R 連鎖が得られる. グルコースのグリコシドの一種）.

glu·co·sin·o·lates (glū'kō-sin'ō-lāts). グルコシノレーツ（アブラナ科の植物, 特にアブラナ属 *Brassica* の野菜（例えば, キャベツ）に存在する二次的な植物の代謝物. 加水分解して抗発癌作用を示すイソチオシアネート類を含む, 広範な生物学的に活性な物質となる）.

glu·cos·u·ri·a (glū'kō-syūr'ē-ă). 糖尿（ブドウ糖の尿中への排泄で, 通常, その量の多いものをいう）. = glycosuria (1); glycuresis (1).

glu·co·syl·cer·a·mide (glū'kō-sil-ser'ă-mīd). グルコシルセラミド（中性の糖脂質の一種で, 等モル量の脂肪酸, グルコース, スフィンゴシンを含むもの（あるいはその誘導体）. Gaucher 病患者で蓄積する）. = glucocerebroside.

glu·co·syl·trans·fer·ase (glū'kō-sil-trans'fĕr-ās). グルコシルトランスフェラーゼ（グルコシル基をある化合物から他の化合物へと転移させる酵素一般をさす）.

glu·cu·ro·nate (glū-kyūr'ō-nāt). グルクロン酸塩またはエステル.

glu·cu·ron·ic ac·id グルクロン酸（グルコースから誘導されるウロン酸で, 6 位の炭素が酸化されてカルボキシル基になっている. その D-異性体は安息香酸, フェノール, 樟脳, 女性ホルモンなどの物質を肝臓において抱合し, これらを無毒化または不活性化する. こうして形成されたグルクロニドは尿中に排泄される）.

glu·cu·ro·nide, glu·cu·ro·no·side (glū-kyūr'ō-nīd, glū'kyūr-on'ō-sīd). グルクロニド（グルクロン酸のグリコシド. 多くの異質化合物は, 異化作用により正常な身体の構成成分からつくられた産物（ステロイドホルモンなど）と同様, 通常, D-グルクロニドの形で尿中に排泄される. この抱合反応は肝臓で行われる）.

glue-foot·ed gait = Bruns ataxia.

glue-sniff·ing (glū'snif-ing). プラスチックセメントからの燻蒸気を吸入すること. 溶剤はトルエン, キシレン, ベンゼンなどで, うつ病に至る中枢神経系の興奮を惹起する.

glu·ta·mate (glū'tă-māt). グルタミン酸塩またはエステル.

glu·tam·ic ac·id (E, Glu) グルタミン酸（アミノ酸の一種. ナトリウム塩はグルタミン酸ナトリウム. *cf.* glutamate）.

glu·tam·ic-ox·a·lo·a·ce·tic trans·am·i·nase (GOT) グルタミン酸-オキサロ酢酸トランスアミナーゼ. = aspartate aminotransferase.

glu·tam·ic-py·ru·vic trans·am·i·nase (GPT) グルタミン酸-ピルビン酸トランスア

ミナーゼ. = alanine aminotransferase.

glu·ta·min·ase (glū-tam′in-ās). グルタミナーゼ（酵素の一種で，腎臓およびその他の組織に存在し，L-グルタミンをアンモニアとL-グルタミン酸に分解する反応を触媒する．尿アンモニア生成の重要な酵素）.

glu·ta·mine（Gln, Q） グルタミン（グルタミン酸のδ-アミド．肝臓におけるプロリンの酸化，またはグルタミン酸とアンモニアの結合による誘導体．そのL-異性体は各種蛋白，血液およびその他の組織中に存在する．尿中アンモニアの主原料である）.

glu·tam·i·nyl（Glx, Gln, Q） グルタミニル（グルタミンのアシル基）.

glu·tam·o·yl (glū-tam′ō-il). グルタモイル（グルタミン酸からα- およびδ-水酸基が除去されたグルタミン酸基）.

glu·tam·yl（Glx, E, Glu） グルタミル（グルタミン酸からα- またはδ-水酸基が除去されたグルタミン酸基）.

glu·tar·al·de·hyde (glū′tăr-al′dĕ-hīd). グルタルアルデヒド（高水準の消毒液．米国環境保護局公認の滅菌，消毒用化学薬品）.

glu·tar·ic ac·id グルタル酸（トリプトファン分解の中間物質．グルタル酸血症で蓄積される）.

glu·ta·thi·one（GSH） (glū′tă-thī′ōn). グルタチオン（① γ-L-glutamyl-L-cysteinylglycine; グルタチオンは細胞内で多様な働きをする．グルタチオンの欠乏により，酸化的ストレスを伴う溶血が起こる．②生きた植物細胞の主要な低分子量チオール化合物．チオール(SH)基の供与体として中間代謝で利用され，アセトアミノフェンの解毒化に必須である）.

glu·te·al (glū′tē-āl). 殿〔部〕の.

glu·te·al fold, glu·te·al fur·row 殿溝（大腿の上限から殿部の下限を区切る著明な溝．これは大殿筋の下縁にほぼ対応する．殿部と大腿の間の溝）.

glu·te·al tu·ber·os·i·ty 殿筋粗面（大腿骨幹上方にあって大殿筋の深小部が停止している粗面．著しく発達するとこの粗面は第三転子とよばれる）.

glu·ten (glū′tĕn). グルテン（コムギなどの穀類にある不溶性蛋白(プロラミン)成分で，グリアジン，グルテニンやその他の蛋白の混和物．セリアック病に関連すると考えられている）.

glu·ten a·tax·i·a グルテン運動失調（グルテン感受性がある人において，小脳，脊髄後索，末梢神経が免疫学的機序で障害された結果みられるもの）.

glu·ten en·ter·op·a·thy グルテン性腸症. = celiac disease.

glu·ten-free di·et 無グルテン食（小麦，ライ麦，大麦，えん麦のグルテンをすべて除去した食事．グルテン過敏性腸炎(セリアック病)の治療食. →celiac disease）.

glu·te·o·fem·o·ral (glū′tē-ō-fem′ŏr-āl). 殿大腿部の（殿部と大腿についていう）.

glu·te·us max·i·mus gait 大殿筋〔麻痺〕歩行（重心が常に支持脚の上にくるよう，体幹を代償的に後方に突き出した歩行）.

glu·te·us max·i·mus mus·cle 大殿筋（殿部最表層の筋．起始：後殿筋線の後方の腸骨，仙骨と尾骨の後面，仙結節靱帯．停止：大腿筋膜の腸脛靱帯の浅層 3/4 と大腿骨大殿筋稜下方 1/4．神経支配：下殿神経．作用：大腿の伸展．特に階段を上ったり，坐位から立ち上ったりするときのように屈曲位から伸展する）. = musculus gluteus maximus.

glu·te·us me·di·us gait 中殿筋〔麻痺〕歩行（歩行の立脚期に荷重肢に重心をかけるために，弱い殿筋側へ身体を代償的に傾ける歩行）.

glu·te·us me·di·us mus·cle 中殿筋（殿部中層の筋．起始：前殿筋線と後殿筋線の間の腸骨．停止：大転子後面．作用：大腿の外転と回旋．神経支配：上殿神経）. = musculus gluteus medius.

glu·te·us mi·ni·mus mus·cle 小殿筋（殿部最深層の筋．起始：後殿筋線と下殿筋線の間の腸骨．停止：大腿骨大転子．作用：大腿の外転．神経支配：上殿神経）. = musculus gluteus minimus.

glu·ti·nous (glū′tin-ŭs). 粘着性の，ねばねばした.

glu·ti·tis (glū-tī′tis). 殿筋炎.

Glx グルタミニル，グルタミルの記号.

Gly グリシンあるいはグリシル(グリシンのアシル基)の記号.

glycaemia [Br.]. = glycemia.

gly·can (glī′kan). グリカン. = polysaccharide.

gly·ca·ted he·mo·glo·bin 糖化ヘモグロビン（4つあるヘモグロビンA分画の中の1つ．これにグルコースや関連単糖類が結合する．真性糖尿病患者の赤血球ではその濃度が増加する．グリコヘモグロビン濃度はゆっくりと変化するの

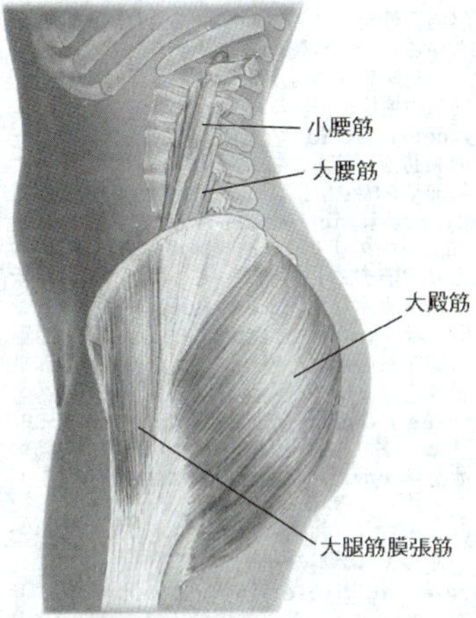
小腰筋
大腰筋
大殿筋
大腿筋膜張筋

gluteus maximus muscle

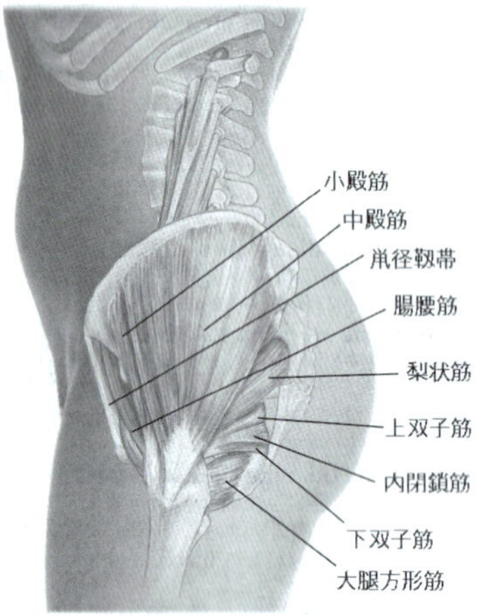
小殿筋
中殿筋
腸腰筋
梨状筋
上双子筋
内閉鎖筋
下双子筋
大腿方形筋

gluteus medius muscle

で，このような患者のグルコース管理状況を 8—10 週間前からレトロスペクティブな指標として使用することができる）. = glycohemoglobin.

gly·ce·mi·a (glī-sē′mē-ă). 血糖〔症〕. = glycaemia.

gly·ce·mic in·dex 血糖上昇指数（50 g の炭水化物を摂取した 2 時間後における種々の食物の血糖上昇能のランク）.

glyc·er·al·de·hyde (glis′ĕr-al′dĕ-hīd). グリセルアルデヒド（三炭糖の一種. 最も単純で，光学的活性を有するアルドース. 右旋異性体はあらゆる右旋化合物の構造基準点とみなされており，左旋異性体もあらゆる左旋化合物に対して同様の地位を占める）.

gly·cer·ic ac·id グリセリン酸（グリセロールの脂肪酸同族体. 特に解糖時の中間物質のように加リン酸分解による誘導体の形で存在する）.

L-gly·cer·ic ac·i·du·ri·a L-グリセリン酸尿〔症〕（L-グリセリン酸の尿中への排泄. D-グリセリン酸デヒドロゲナーゼの欠乏により一次的な代謝異常を呈し，その結果，L-グリセリン酸およびシュウ酸を排泄し，しばしばシュウ酸塩腎臓結石の形成を伴ったシュウ酸症の臨床的症候群に至る）.

glyc·er·i·das·es (glis′ĕr-i-dās-ēz). グリセリダーゼ（グリセロールエステル（グリセリド）の加水分解を触媒する酵素の総称名. トリアシルグリセロールパーゼなどがある）.

glyc·er·ide (glis′ĕr-īd). グリセリド（グリセロールのエステルの一種）.

glyc·er·ol, glyc·er·in (glis′ĕr-ol, -in). グリセロール（甘く，粘着性の液体で，脂肪および不揮発性油をけん化して得られる. 溶媒，皮膚軟化薬，注入あるいは坐剤の形で便秘の治療に，賦形剤および甘味料など多くの用途がある）.

glyc·er·ol de·hy·dra·tion test グリセロール〔脱水〕試験（グリセロールの経口摂取後，一部の Ménie`re 病患者で一時的に聴力が改善する. グリセロールの浸透圧利尿により生じる）.

glyc·er·yl (glis′ĕr-il). グリセリル（グリセロールに対する 3 価の基 $C_3H_5^{3-}$. しばしば glycero- または glycerol と誤って用いられる）.

gly·cine (G, Gly) グリシン（最も単純なアミノ酸. ゼラチンおよび絹フィブロインの主成分. 栄養剤，食品添加物として，溶液では灌注剤として用いる）.

gly·cine am·i·di·no·trans·fer·ase グリシンアミジノトランスフェラーゼ（酵素の一種. アミジン団が L-アルギニンからグリシンへ転移し，グリコシアミンと L-オルニチンを形成する反応を触媒する. クレアチン生合成の重要な反応である. それはまた，カナバニンに作用する）.

gly·ci·nu·ri·a (glī′si-nyūr′ē-ă). グリシン尿〔症〕（尿中にグリシンを排泄すること）.

glyco- 糖（例えば glycogen）またはグリシン（例えば glycocholate）に関係があることを示す連結形. →gluco-.

gly·co·ca·lyx (glī′kō-kā′liks). グリコカリックス（PAS（過ヨウ素酸 Schiff 反応）陽性の線維状外皮. 原形質膜の遊離表面から突き出ている蛋白の炭水化物（糖質）部分からなる. ある種の上皮細胞の先端面上をおおっている）.

gly·co·cho·late (glī-kō-kō′lāt). グリココール酸塩またはエステル.

gly·co·cho·lic ac·id グリココール酸; *N*-cholylglycine（胆汁酸の主要な配合体の一種. コール酸の -COOH 基とグリシンのアミノ基が縮合してできる *N*-コリルグリシンで，水溶性の強力な洗浄剤）.

gly·co·con·ju·gates (glī′kō-kon′jū-gāts). 複合糖質（生体の糖を含有する高分子の一種. 糖脂質，糖蛋白，プロテオグリカンが属する）.

gly·co·cor·ti·coid (glī′kō-kōr′ti-koyd). = glucocorticoid.

gly·co·gen (glī′kō-jen). グリコ〔ー〕ゲン，糖原（高分子量のグルコサン. 構造的にはアミロペクチンに類似するが（α(1,4) 結合で，一部 α(1,3) 結合），より高度に分枝している（α(1,6) 結合）. 身体のほとんどの組織に存在し，特に肝臓および筋肉組織に顕著である. 主要な貯蔵炭水化物で，容易にブドウ糖に転化される）. = animal starch.

gly·co·gen·e·sis (glī′kō-jen′ĕ-sis). 糖生成，糖原形成（D-glucose からのグリコゲン形成で，グリコゲンシンターゼおよびデキストリンデキストラナーゼを介して行われる. グリコゲンシンターゼは α-1,4 連鎖をもったポリグルコースを UDP グルコースから形成する反応を触媒する. デキストリンデキストラナーゼは，一部を 1 つの鎖から他の鎖 α-1,6 連鎖に転移する）.

gly·co·ge·net·ic (glī′kō-jĕ-net′ik). 糖生成の，糖原形成の.

gly·co·gen gran·ule グリコ〔ー〕ゲン顆粒（直径が平均 300 Å 程度のベータ顆粒，あるいは凝集して 900 Å の比較的小さな粒子のアルファ顆粒として細胞内にあるグリコゲン).

gly·co·gen load·ing グリコ〔ー〕ゲン負荷. = carbohydrate loading.

gly·co·gen·ol·y·sis (glī′kō-jĕ-nol′i-sis). 糖原分解 (グリコゲンのブドウ糖への加水分解).

gly·co·ge·no·sis (glī′kō-jĕ-nō′sis). 糖原病, 糖原〔貯蔵〕症 (正常または異常な化学構造のグリコゲンが組織に蓄積するすべての糖原貯蔵病についていう. 進行性の筋力低下を伴う肝臓, 心臓, 舌などの横紋筋の肥大をみる場合がある). = dextrinosis.

gly·co·ge·no·sis type 1 糖原病 1 型 (グルコース 6-ホスファターゼの欠損に起因する糖原病で, 正常な化学構造のグリコゲンが過量に, 特に肝臓と腎臓に蓄積する). = Gierke disease; von Gierke disease.

gly·co·ge·no·sis type 2 糖原病 2 型 (リソソームの α-1,4-グルコシダーゼの欠損に起因する糖原病で, 正常な化学構造の糖原が, 心臓, 筋肉, 肝臓, 神経系に過量に蓄積する). = Pompe disease.

gly·co·ge·no·sis type 3 糖原病 3 型 (アミロ-1,6-グルコシダーゼの欠損に起因する糖原病で, 短い外鎖を有する異常な糖原が, 肝臓, 筋肉に蓄積する). = Cori disease; Forbes disease.

gly·co·ge·no·sis type 4 糖原病 4 型 (1,4-α-グルカン分枝酵素の欠損に起因する糖原病で, 長い内鎖と外鎖を有する異常な糖原が, 肝臓, 腎臓, 筋肉に蓄積する). = Andersen disease.

gly·co·ge·no·sis type 5 糖原病 5 型 (筋肉のグリコゲンホスホリラーゼの欠損に起因する糖原病で, 正常な化学構造の糖原が筋肉に蓄積する). = McArdle disease; McArdle-Schmid-Pearson disease.

gly·co·ge·no·sis type 6 糖原病 6 型 (肝グリコゲンホスホリラーゼの欠損に起因する糖原病で, 正常な化学構造の糖原が肝臓, 白血球に蓄積する). = Hers disease.

gly·co·gen su·per·com·pen·sa·tion グリコ〔ー〕ゲン過度補給, グリコ〔ー〕ゲン過剰代償. = carbohydrate loading.

glycohaemoglobin [Br.]. = glycohemoglobin.

gly·co·he·mo·glo·bin (glī′kō-hē′mō-glō′bin). グリコヘモグロビン. = glycated hemoglobin; glycohaemoglobin.

gly·col·al·de·hyde (glī′kol-al′dĕ-hīd). グリコールアルデヒド (存在しうる最も単純な(二炭素の)糖. エタノールアミンの好気的脱アミノ化した生成物).

gly·col·ic ac·id グリコール酸 (グリシンとエタノールアミンの相互転化における中間物質).

gly·col·ic ac·i·du·ri·a グリコール酸尿〔症〕(グリコール酸を尿中に過剰に排泄すること. 一次性の代謝欠陥で, 2-ヒドロキシ-3-オキソアジピン酸カルボキシラーゼの欠乏に起因する. グリコール酸およびシュウ酸を排泄してシュウ酸症の臨床的症候群を招来する).

gly·co·lip·id (glī′kō-lip′id). 糖脂質 (1 個以上の糖が共有結合している脂質).

gly·co·lyl (glī′kō-lil). グリコリル (グリコール酸のアシル基で, ある種のシアル酸中のアセチル基と置換する. その生成物は, しばしば *N*-glycolylneuraminic acids とよばれる).

gly·col·y·sis (glī-kol′i-sis). 解糖〔作用〕(D-グルコースを乳酸に転化することによりエネルギーを産生する糖代謝過程(ピルビン酸の産生はない). 酸素が不足しているとき(緊急時など)に主に筋肉で行われる. 酸素は消費されないことから, しばしば anaerobic glycolysis(嫌気性解糖)とよばれる).

gly·co·lyt·ic (glī′kō-lit′ik). 解糖〔作用〕の.

gly·co·ne·o·gen·e·sis (glī′kō-nē′ō-jen′ĕ-sis). 糖〔質〕新生 (蛋白や脂肪など炭水化物以外の物質を, D-グルコースに転化することによってグリコゲンを形成すること. →glycogenesis. *cf.* gluconeogenesis).

gly·co·pe·ni·a (glī′kō-pē′nē-ă). 糖欠乏〔症〕(ある器官あるいは組織に, ある種のまたはあらゆる種類の糖が欠乏していること).

gly·co·pep·tide (glī′kō-pep′tīd). グリコペプチド (細菌の細胞壁に存在するようなアミノ酸(またはペプチド)と結合した糖を含む化合物. *cf.* peptidoglycan).

gly·co·phil·i·a (glī′kō-fil′ē-ă). 高血糖傾向 (高血糖を起こす傾向が非常に強い状態で, 比較的少量のブドウ糖の摂取によってもこの症状を呈する).

gly·co·pro·tein (glī′kō-prō′tēn). 糖蛋白〔質〕(①共有結合で連結した炭水化物を含有する蛋白群の一種で, なかでもムチン, ムコイド, アミロイドがとりわけ重要である. ②ときとして限定的に, 少量の炭水化物を含有する蛋白をムコイドまたはムコ蛋白と対照して示す場合に用いる. →mucoprotein).

G

gly·co·pty·a·lism (glī′kō-tī′ă-lizm). 糖唾液〔症〕. = glycosialia.

gly·cor·rha·chi·a (glī′kō-rā′kē-ă). 糖髄液〔症〕(脳脊髄液中に糖が存在すること).

gly·cor·rhe·a (glī′kōr-ē′ă). 糖液漏, 糖排泄 (糖尿と同様, 身体から糖を排泄することで, 特にその量の過剰なものをいう). = glycorrhoea.

glycorrhoea [Br.]. = glycorrhea.

gly·co·se·cre·to·ry (glī′kō-sĕ-krē′tŏr-ē). 糖原分泌の.

gly·co·si·a·li·a (glī′kō-sī-ā′lē-ă). 糖唾液〔症〕(唾液中に糖が存在すること). = glycoptyalism.

gly·co·si·a·lor·rhe·a (glī′kō-sī′ă-lōr′ē′ă). 糖唾液分泌 (糖性唾液の過剰な分泌). = glycosialorrhoea.

glycosialorrhoea [Br.]. = glycosialorrhea.

gly·co·side (glī′kō-sīd). グリコシド, 配糖体 (糖とそれ以外の何らかの基との縮合物で, 糖のヘミアセタールまたはヘミケタールから OH が失われ, このアノマー炭素が結合して残ったもの).

gly·co·sphing·o·lip·id (glī′kō-sfing′gō-lip-id). グリコスフィンゴリピド (セラミドが 1 個以上の糖と末端の OH 基を介して結合したもの. グリコスフィンゴリピドに含まれるものとしては, セレブロシド, ガングリオシド, セラミド(オリゴグリコシルセラミド)などがある. 接頭語の glyc- は, gluc-, galact-, lact-, その他に置き換えてもよい).

gly·co·stat·ic (glī′kō-stat′ik). 糖〔原〕定常〔性〕の (ある種の下垂体前葉抽出物の性質をさす用語で, この物質には, 筋肉, 肝臓, その他の組織の貯蔵糖原を体内に維持する働きがある).

gly·cos·ur·i·a (glī′kō-syūr′ē-ă). ***1*** 糖尿. = glucosuria. ***2*** 炭水化物の尿中排泄. = glycuresis (2).

gly·co·syl (glī′kō-sil). グリコシル (糖のヘミアセタールまたはヘミケタール性水酸基が分離してできる基. *cf.* glycoside).

gly·co·syl·at·ed he·mo·glo·bin グリコシル化ヘモグロビン, グリコヘモグロビン (A_{Ia1}, A_{Ia2}, A_{Ib}, A_{Ic} の 4 つの HbA 分画のいずれかのことで, D-グルコースとそれに関連したムコ多糖類が等価的に結合している. その濃度検査を行う前の一定期間には糖尿病患者の赤血球内に増加するため, 血糖コントロールの指標として使用できる).

gly·co·sy·la·tion (glī′kō-si-lā′shŭn). 糖化 (グリコシル基と結合すること. 例えば D-グルコースとヘモグロビンが結合するとヘモグロビン A_{Ic} となり, コントロール不良の糖尿病で血中の D-グルコースが上昇するにつれて A_{Ic} の濃度も上昇する. →glycosylated hemoglobin).

gly·co·syl·trans·fer·ase (glī-kō′sil-trans′fĕr-ās). グリコシルトランスフェラーゼ (グリコシル基を 1 つの化合物から他の化合物へ転移させる酵素(EC subclass 2.4)の総称名).

gly·co·tro·pic fac·tor 糖親和性因子 (血糖値を上げ, インスリン作用に拮抗する下垂体前葉の抽出物, 精製下垂体成長ホルモンも同様の効果がある. *cf.* bioregulator). = insulin-antagonizing factor.

gly·cu·re·sis (glī′kyūr-ē′sis). ***1*** = glucosuria. ***2*** = glycosuria(2).

gly·cu·ron·ate (glī′kyūr′ŏn-āt). グリクロン酸塩またはエステル.

gly·cyl (Gly) (glī′sil). グリシル (グリシンのアシル基).

GM-CSF granulocyte-macrophage colony-stimulating factor の略.

GMP guanylic acid の略.

GN graduate nurse の略.

gnat (nat). ブユ (微小な昆虫数種に用いる一般的な名称. *Simulium* 属 (buffalo gnat) や *Hippelates* 属 (eye gnat) の種を含む).

gnath·ic (nath′ik). 顎の, 歯槽突起の.

gnath·ic in·dex 顎指数 (バジオン-プロスチオン距離とバジオン-ナジオン距離との関係. (Ba-Pr 長× 100)/Ba-Na 長. 上顎骨または上顎の突出度を示す).

gnath·i·on (nath′ē-on). グナチオン (下顎正中線の最下点. 頭部計測法で, おとがいの最前方と最下方との間の中点にあり, 下顎下縁線とナジオン-ポゴニオン線の交点で測定される).

gnatho-, gnath- 顎に関連する連結形.

gnath·o·dy·nam·ics (nath′ō-dī-nam′iks). 顎力学 (機能中のそしゃく系の成分により, その成分上に発生する力の大きさ, 方向の関係を研究する学問).

gnath·o·dy·na·mom·e·ter (nath′ō-dī′nă-mom′ĕ-tĕr). 顎力測定計 (咬合圧を測定する装置).

gnath·o·log·ic (nath′ō-loj′ik). 顎力学の.

gnath·o·plas·ty (nath′ō-plas-tē). 顎形成〔術〕(顎の修復外科).

Gna·thos·to·ma (nath-os′tō-mă). 顎口虫属 (旋尾線虫類の一属(顎口虫類)で, 数列のクチクラ性のとげが頭部付近にあり, また複数の宿主を経る水中生活環をもつことを特徴とする. ネコ, ウシ, ブタに病原性のある寄生虫を含む).

-gnomonic, -gnomonical 障害要素の認知を意味する連結形.

-gnomy 集合的に取り入れられた要素を意味する連結形.

gno·si·a (nō′sē-ă). 人や事物の形状および性質を認知する知覚能力, すなわち知覚力, 認知力のこと.

-gnosia 何らかの知覚を意味する連結形.

-gnosis 何らかの知識を意味する連結形.

gno·to·bi·ol·o·gy (nō′tō-bī-ol′ō-jē). ノトバイオロジー, 無菌動物学 (汚染微生物の存在しない状態の動物, すなわち無菌動物についての研究).

gno·to·bi·o·ta (nō′tō-bī-ō′tă). ノトビオタ (純粋に隔離された生物群落または種).

gno·to·bi·ot·ic (nō′tō-bī-ot′ik). ノトバイオートの (無菌またはあらかじめ無菌であった動物を示すが, 微生物叢が関連して存在すればその構成菌は完全にわかっている).

GnRH gonadotropin-releasing hormone の略.

goal-or·i·ent·ed move·ments ゴール志向運動 (理学療法, リハビリテーション療法において, 刺激や欠乏への反応としての動きとは区別される, 目に見える結果をもたらす動き).

goat thorn = *Astragalus*.

gob·let cell 杯細胞 (粘液性の分泌顆粒を先端部に大量に蓄積し膨満した上皮細胞. 杯形をしている). = beaker cell.

Gog·gi·a sign ゴッジャ徴候 (消耗性疾患の場合には, 二頭筋をたたくかつねると線維性攣縮が局部的に起こるが, 健康な場合には全体に起こる).

goi·ter (goy′tĕr). 甲状腺腫 (甲状腺の慢性的腫脹. 腫瘍によるものではなく, 特定の地方, 氷河が発生して土壌中のヨード含量が低くなっている地域に特に多い. その他の地方でも散発的に発生する). = goitre; struma.

goitre [Br.]. = goiter.

goi·tro·gen·ic (goy′trō-jen′ik). 甲状腺腫誘発〔性〕の.

goi·trous (goy′trŭs). 甲状腺腫の.

gold (Au) (gōld). 金 (黄色の金属元素. 原子番号 79, 原子量 196.96654. ^{198}Au (半減期 2.694 日)は, ある種の腫瘍の治療, 放射線滑膜切除, 画像診断などに利用される). = aurum.

Gold·blatt hy·per·ten·sion ゴールドブラット高血圧〔症〕(片側腎への血流閉塞に続発する高血圧).

Gold·blatt kid·ney ゴールドブラット腎 (動脈血供給が障害され, その結果として, 動脈性腎血管性高血圧症を引き起こした状態にある腎臓).

Gol·den·har syn·drome ゴルドナール症候群(眼球上の類皮腫, 耳介前方の付属物, 小下顎症, 脊椎その他の異常を特徴とする先天性症候群).

gol·den hour 外傷患者が損傷を負ってから決定的な治療が可能な最大限の時間を表現するために用いられる語.

gold·en·seal (gōld′ĕn sēl). ヒドラスチス (*Hydrastis canadensis*. 立証されてはいないが, 神経性無食欲や癌, 胃腸病, 掻痒, その他の病気の治療に有効とされる薬草. しかし発作, 心臓障害, 呼吸障害を引き起こすとの報告が広くなされている. 過量摂取による死が報告されている. 最も広く一般的に使用されている薬草である). = eye balm; yellow paint; yellow puccoon.

Gold·flam dis·ease ゴルドフラム病. = myasthenia gravis.

Gold·mann ap·pla·na·tion to·nom·e·ter ゴルトマン圧平眼圧計 (角膜の 3 mm^2 だけを扁平にする圧平眼圧計で, 細隙灯とともに用いる).

Gold·mann-Fa·vre syn·drome ゴールドマン-ファーヴル症候群 (常染色体劣性進行性硝子体壁板網膜変性).

Gold·mann to·nom·e·ter ゴールドマン眼圧計 (眼圧測定に用いられ, 細隙灯顕微鏡に取りつけられる装置. →Goldmann applanation tonometer).

Gold·schei·der test ゴルトシャイダー試験(温度覚の判定. 種々の温度に熱した, 先端のとがった金属棒を皮膚に当てる).

gold stan·dard 金基準, 金標準 (最も有用であると広く認められている方法を記述するのに用いられる俗語).

Gold·stein toe sign ゴールドスタイン趾徴候(母趾とその隣接趾との間が広く開いている徴候. Down 症候群, ときに先天性甲状腺機能低下症や正常人でも認められる).

gold-top tube ゴールドトップチューブ (凝固促進剤, 血清分離剤の存在を示す容器. 化学, 血清学, 免疫学, 様々な試験に用いられる).

Gol·gi ap·pa·ra·tus ゴルジ装置 (細胞の核と分泌極または表面の間にある小嚢・小胞からなる膜系. 膜結合性分泌蛋白の外被や細胞内輸送に関係している).

Gol·gi cells ゴルジ細胞 (→Golgi type I neuron; Golgi type II neuron).

Gol·gi-Maz·zo·ni cor·pus·cle ゴルジ-マッォ(ゾ)ーニ小体 (層板小体に類似するが, さらに簡単な構造をもつ被囊感覚神経終末).

Gol·gi os·mi·o·bi·chro·mate fix·a·tive ゴルジオスミウム重クロム酸固定液 (オスミウム酸と重クロム酸の混合液で, 神経細胞とその突起を表出するのに用いる).

Gol·gi stain ゴルジ染色〔法〕(神経細胞, 神経線維, 神経膠を染色する数種の方法の1つ. ホルマリン-オスミウム-重クロム酸混合液で固定と硬化を何回か行った後, 硝酸銀溶液に浸す).

Gol·gi ten·don or·gan (GTO) ゴルジ腱紡錘

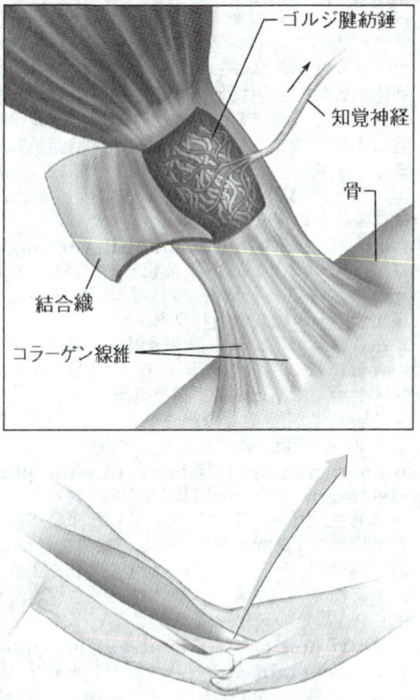

ゴルジ腱紡錘
知覚神経
骨
結合織
コラーゲン線維

Golgi tendon organ

(腱の線維中にはめ込まれた固有感覚の知覚神経終末. 筋腱連結の近くにあることが多い. 対応する筋肉の能動的収縮および受動的な伸張によってでも, 腱の張力が増加することで圧縮されて, 活性化される). = neurotendinous spindle.

Gol·gi ten·don or·gan re·flex ゴルジ腱紡錘反射 (筋肉が, 過度の力または速度から筋肉を守るために起こす弛緩あるいは抑制反応のうち, ゴルジ腱紡錘によって引き起こされるもの. *cf.* myotactic reflex).

Gol·gi type I neu·ron ゴルジI型ニューロン(そのニューロンがある灰白質から離れる, 長い軸索をもつ神経細胞).

Gol·gi type II neu·ron ゴルジII型ニューロン(灰白質内で枝状に広がる短い軸索をもつ神経細胞).

gom·i·to·li (gō-mit′ō-lī). コイル状動脈 (複雑な回旋状およびループ状の毛細血管で, 主として下垂体柄の上漏斗部に存在する. これらの毛細血管は下垂体門脈系を形成する).

Go·mo·ri al·de·hyde fuch·sin stain ゴモリのアルデヒドフクシン染色〔法〕(膵臓のベータ細胞, 下垂体前葉のベータ細胞中の貯蔵型の甲状腺刺激ホルモン, 下垂体神経分泌物質, 肥満細胞, 顆粒, 弾性線維, 硝酸ムチン, または胃主細胞の証明に用いる).

Go·mo·ri chrome al·um he·ma·tox·y·lin-

phlox·ine stain ゴモリのクロムミョウバンヘマトキシリン-フロキシン染色〔法〕(Bouin固定またはホルマリン-Zenker固定後に，酸化ヘマトキシリンとフロキシンを用いて行う染色で，細胞内顆粒の証明に使用する．膵臓ではベータ細胞は青色に染まり，アルファ細胞とデルタ細胞は赤色に染まり，チモーゲン顆粒は赤色に染まるか不染で，下垂体ではアルファ細胞は桃色に，ベータ細胞と嫌色素性細胞は灰白青色に，核は紫色から青色に染まる)．

Go·mo·ri meth·en·a·mine-sil·ver stain ゴモリのメテナミン-銀染色〔法〕，GMS染色〔法〕(①嗜銀細胞染色．メテナミン-銀溶液を塩化金，チオ硫酸ナトリウム，サフラニンOと組み合わせて用いる方法．嗜銀性顆粒は，緑色の背景に対し黒褐色に見える．②尿酸塩染色．熱メテナミン-銀溶液で直接処理した温切片では，尿酸塩が黒く染め出される．③真菌染色．④メラニン染色．硝酸銀を還元する)．

Go·mo·ri non·spe·cif·ic ac·id phos·pha·tase stain ゴモリ非特異的酸〔性〕ホスファターゼ染色〔法〕(ホルマリン固定した凍結切片を*β*-グリセロリン酸ナトリウムと硝酸鉛を含むpH 5.0の基質中でインキュベートする方法．生成した不溶性のリン酸鉛は，硫化アンモニウムで処理され，黒色の硫化鉛になる)．

Go·mo·ri non·spe·cif·ic al·ka·line phos·pha·tase stain ゴモリ非特異的アルカリ〔性〕ホスファターゼ染色〔法〕(凍結切片，あるいは冷アセトンかホルマリンで固定したパラフィン切片に用いる硫化カルシウム-コバルト法．活性化剤としてのMg^{2+}とともに，基質としてpH 9.0—9.5の*β*-グリセロリン酸ナトリウムを加える．カルシウムイオンが遊離リン酸を沈着させ，コバルト塩がリン酸カルシウムに置換され，硫化アンモニウムがこの生成物を黒色の硫化コバルトに変換する)．

Go·mo·ri one-step tri·chrome stain ゴモリ一段法三色染色〔法〕(ヘマトキシリンと，クロモトロープ2Rおよびライトグリーンまたはアニリンブルーを含む色素混合物を用いた結合組織染色．筋線維は赤色に，膠原線維は緑色(アニリンブルーを用いた場合は青色)に，核は青色から黒色に染まる)．

Go·mo·ri sil·ver im·preg·na·tion stain ゴモリ鍍銀染色〔法〕，ゴモリ銀透浸染色〔法〕(レチクリンの確実な染色法で，新生物や早期肝硬変の診断に役立つ．硝酸銀，水酸化カリウム，および銀が沈殿しないように注意深く調製されたアンモニア水を染色液として用いる)．

Gom·pertz law ゴンペルツの法則（年齢に対する死亡率の関係．35—40歳以降，年齢に対して死亡率は指数的に上昇する傾向にある)．

gom·pho·sis (gom-fō′sis)．丁植（線維性関節の一型．杭様の突起が穴にはめ込まれているもので，歯根が歯槽の穴に植え込まれている例などがある)．

go·nad (gō′nad)．性腺，生殖腺（性細胞を形成する器官．精巣，または卵巣)．

go·nad·al (gō-nad′āl)．性腺の，生殖腺の．

go·nad·al cords 生殖索，皮質索（胚期の卵巣または精巣の皮質を求心的に貫通する，生殖細胞および卵胞細胞の柱状構造)．

go·nad·al dys·gen·e·sis 性器発育異常，生殖器発育不全（性器発育異常の種々の型や程度が認められ，生殖器無形成または無発生，痕跡化した生殖器，先天性生殖器欠損や真半陰陽などがある)．

go·nad·al ridge 生殖堤（胚期中腎の腹内側縁上の肥厚した中皮とその下層の間葉．原始生殖細胞がその中に埋もれて精巣または卵巣の原基となる)．

go·nad·ec·to·my (gon′ă-dek′tŏ-mē)．去勢，性腺摘出，生殖腺切除〔術〕(卵巣または精巣の切除)．

gonado-, gonad- 性腺を意味する連結形．

go·nad·o·blas·to·ma (gō-nad′ō-blas-tō′ma)．性腺芽腫（良性腫瘍で胚細胞，性索，間質細胞を含み，混合型あるいは単純性性腺形成不全にみられる．通常，小腫瘍(1—3 cm)で一部石灰化する．しかし悪性性腺腫瘍(しばしばセミノーマ/未分化胚細胞腫または胎児性癌)に発展する可能性がある．通常は両側性で，性器発育異常の患者にみられる)．

go·nad·o·crins (gō-nad′ō-krinz)．ゴナドクリン（脳下垂体からの卵胞刺激ホルモンおよび黄体形成ホルモンの放出を刺激するプペチド．ラットの卵胞液中で見出された．*cf.* bioregulator)．

go·nad·o·lib·er·in (gō-nad′ō-lib′ĕr-in)．ゴナドリベリン（①ゴナドトロピンを放出させる視床下部物質．= gonadotropin-releasing factor; gonadotropin-releasing hormone. ②ブタ視床下部から得られたデカペプチドで，lutropinとfollitropinを一定の割合で分泌させる．したがってluliberinとfolliberinの両者として作用している．*cf.* bioregulator. = luteinizing hormone/follicle-stimulating hormone-releasing factor)．

gon·a·dop·athy (gon′ă-dop′ă-thē)．生殖腺病（生殖腺に病変を起こす疾病)．

go·nad·o·rel·in hy·dro·chlo·ride ゴナドレリン（ヒツジやブタより精製されたゴナドトロピン放出刺激ホルモン．下垂体前葉のゴナドトロピン産生細胞よりのゴナドトロピン分泌能を検討する際に用いる)．

go·nad·o·troph (gō-nad′ō-trōf)．性腺刺激細胞（下垂体の内分泌細胞の一種で，卵巣または精巣のある種の細胞に作用する)．

go·nad·o·tro·phic (gō-nad′o-trō′fik)．= gonadotropic.

go·nad·o·tro·phin (gō-nad′ō-trō′fin)．= gonadotropin (1)．

go·nad·o·tro·pic (gō-nad′ō-trō′pik)．= gonadotrophic. ***1*** 性腺刺激ホルモンの，ゴナドトロピンの．***2*** 性腺刺激〔性〕の（性(生殖)腺の成長と機能の一方または双方を促進させる)．

go·nad·o·tro·pin, go·nad·o·tro·pic hor·mone (gō-nad′ō-trō′pin, gō-nad′ō-trō′pik hōr′mōn)．ゴナドトロピン，性腺刺激ホルモン（①性腺の成長および機能を促進するホルモン．個々のホルモンが及ぼす効果は卵胞の成長やアンドロゲンの生成を刺激するなど，特有の性腺機能または組織に限定されているのが普通である．大抵のゴナドトロピンは両性に効果を及ぼすが，その効果の現れ方は，通常，男性と女性で大きく異なる．= gonadotrophin. ②性腺を刺激するすべてのホルモン．③ FSH と LH の作用を発揮するすべての物質）．

go·nad·o·tro·pin-re·leas·ing fac·tor ゴナドトロピン放出因子．= gonadoliberin(1).

go·nad·o·tro·pin-re·leas·ing hor·mone (GnRH) 性腺刺激ホルモン放出ホルモン．= gonadoliberin(1).

gon·a·duct (gon′ă-dŭkt). ***1*** 精管．= seminal duct. ***2*** 卵管．= uterine tube.

go·nal·gi·a (gō-nal′jē-ă). 膝痛．

gon·an·gi·ec·to·my (gon′an-jē-ek′tŏ-mē). = vasectomy.

gon·ar·thri·tis (gon′ahr-thrī′tis). 膝関節炎．

gon·ar·throt·o·my (gon′ahr-throt′ŏ-mē). 膝関節切開〔術〕．

gon·e·cyst, gon·e·cys·tis (gon′ĕ-sist, -sis′tis). 精嚢．= seminal vesicle.

go·ni·a (gō′nē-ă). gonion の複数形．

gonio- 角を意味する連結形．

go·ni·om·e·ter (gō′nē-om′ĕ-tĕr). ***1*** 角度計，測角器（結晶などの角度を測定するための装置）．***2*** ゴニオメータ（迷路疾患の平衡検査を行うための装置．一端を任意の高さに持ち上げることが可能な厚板からできている．一端を漸次持ち上げていって，患者が平衡を保てなくなったときの角度を記録する）．***3*** 角度計（関節の運動の弧および範囲の測定用の目盛り付き装置）．= arthrometer; flexometer.

go·ni·on, pl. go·ni·a (gō′nē-on, -ă). ゴニオン（下顎角で最後方かつ最下方にある点．頭部計測法で，下顎骨の下縁と後縁の接線のなす角を2等分して定める．両側の下顎角部が側面X線写真にみられるときには，右側と左側の中間点が用いられる）．

go·ni·o·punc·ture (gō′nē-ō-pŭngk-chŭr). 隅角穿刺〔術〕（先天性緑内障の手術の一種で，前房隅角に穿刺を行う）．

go·ni·o·scope (gō′nē-ō-skōp). ゴニオスコープ，〔前房〕隅角鏡（眼の前房隅角を詳しく調べるためのレンズ）．

go·ni·os·co·py (gō′nē-os′kŏ-pē). ゴニオスコピー，隅角鏡検査〔法〕（ゴニオスコープまたはプリズム内蔵コンタクトレンズで行う前房隅角の検査）．

go·ni·o·syn·ech·i·a (gō′nē-ō-si-nek′ē-ă). 隅角癒着（虹彩が前房隅角において，角膜の後部表面に癒着すること．閉塞隅角緑内障に伴う）．

go·ni·ot·o·my (gō′nē-ot′ŏ-mē). 隅角切開〔術〕（先天性緑内障において，小柱網を外科的に開放すること）．

gon·o·cele (gon′ō-sēl). 精液瘤（精巣上体または精巣網の嚢胞性障害で，閉塞と精巣からの分泌物の滞留による）．

gonococcaemia [Br.]. = gonococcemia.

gon·o·coc·cal (gon′ō-kok′ăl). 淋菌〔性〕の．= gonococcic.

gon·o·coc·cal ar·thri·tis 淋菌性関節炎（播種性の淋菌 *Neisseria gonorrhoeae* による関節炎．単関節炎が特徴であるが，多関節炎となることもある）．

gon·o·coc·cal con·junc·ti·vi·tis 淋菌性結膜炎（非常に急性な化膿性結膜炎の一型）．

gon·o·coc·ce·mi·a (gon′ō-kok-sē′mē-ă). 淋菌敗血症（循環血液中に淋菌が存在するもの）．= gonococcaemia.

gon·o·coc·cic (gon′ō-kok′sik). = gonococcal.

gon·o·coc·cus, pl. gon·o·coc·ci (gon′ō-kok′ŭs, -sī). 淋菌．= *Neisseria gonorrhoeae.*

gon·o·phore, gon·oph·o·rus (gon′ō-fōr, gō-nof′ŏr-ŭs). 生殖管（性細胞の貯蔵または輸送に当たる構造器一般．卵管，精管，子宮，精嚢など）．

gon·or·rhe·a (gon′ŏr-ē′ă). 淋疾，淋病（接触感染による性器粘膜の炎症．主として性交時に伝播し，淋菌 *Neisseria gonorrhoeae* により起こる．上下の性器路，特に尿道，子宮頸部，子宮頸管を侵し，血流により腹膜，まれには心臓，関節，その他の器官にまで及ぶこともある）．= gonorrhoea.

gon·or·rhe·al (gon′ŏr-ē′ăl). 淋菌性の，淋疾の．= gonorrhoeal.

gon·or·rhe·al oph·thal·mi·a 淋菌性眼炎（淋菌 *Neisseria gonorrhoeae* による急性化膿結膜炎）．= gonorrhoeal ophthalmia.

gonorrhoea [Br.]. = gonorrhea.

gonorrhoeal [Br.]. = gonorrheal.

gonorrhoeal ophthalmia [Br.]. = gonorrheal ophthalmia.

go·ny·camp·sis (gon′i-kamp′sis). 膝関節屈曲（膝の強直または異常弯曲）．

good cho·les·ter·ol 善玉コレステロール（HDL コレステロール（高比重リポ蛋白コレステロール）の口語的表現）．

Good Clin·i·cal Prac·tic·es (GCP) 医薬品の臨床試験の実施に関する基準（ヒトの臨床実験を評価するうえで用いる質的基準．全世界の衣料統計における概念やデータ管理の標準化を目指す）．

good death 良き死（患者の声明（概ね書式によるもの）に従って，患者を治療する，および痛みの適切な緩和を維持する行為の口語的表現）．

Good·ell sign グッデル徴候（子宮頸部と腟が軟らかくなることで，通常は妊娠を示す徴候）．

Good·e·nough draw-a-man test グデナフ人物描画試験（人物の描画による小児および成人の個人の知的水準の評価のための簡便テスト．鉛筆と白紙を渡し，できるかぎり詳しく人物を描くように求める．描画の正確さと描かれた身体的要素の数で評価する．Goodenough draw-a-person test ともいわれ，最新版は Goodenough-Harris 描画テスト Goodenough-Harris drawing test とよばれる）．

Good·e·nough-Har·ris draw·ing test グッドイナフ-ハリス人物画テスト（グッドイナフ人物画テストの改良版．身体のディテール及び衣服の細かさによって評価を行う．→Goodenough draw-a-man test）．

Good Man·u·fac·tur·ing Prac·tice 製造及び品質管理に関する基準（医薬品の生産及び貯

蔵，販売に関する規制）.

Good·pas·ture stain グッドパスチャー染色〔法〕（グラム陰性菌のための染色．アニリンフクシンを用いる）.

Good·pas·ture syn·drome グッドパスチャー症候群（喀血を伴う抗基底膜型の糸球体腎炎．腎炎は通常，進行し，腎不全による死を招き，剖検では肺に広範なヘモジデリン沈着あるいは新しい出血がみられる）.

Good Sa·mar·i·tan leg·is·la·tion 善きサマリア人の法（緊急医療援助を行った人を守るため，重大な不正行為がある場合を除き，行為者は起訴から免れると定めた州法）.

Good Source of... …の豊富な供給食品（食品表示にこの表現が用いられる場合，FPA の規制に従って，標示された食品には少なくとも，ある栄養素の一日最低必要量の 10%が含まれる）.

goose·flesh (gūs′flesh)．鳥肌．= cutis anserina.

Gop·a·lan syn·drome ゴパラン症候群（皮膚温の上昇と発汗過多を伴った足の強い不快感を主徴とする）.

Gor·don-Don Mi·chael tube = esophageal gastric tube airway.

gor·get (gōr′jet)．砕石術用有溝導子（広い溝のある導子で，砕石術に用いる）.

gork (gōrk)．ゴーク（適切な診断が不可能であると示すために，臨終または死亡患者の診断表における特殊で乱暴な注記．動詞または名詞として使われる）.

Gor·lin sign ゴーリン徴候（舌で鼻先に容易に触れられる異常．Ehlers-Danlos 症候群にみられる）.

Gor·lin syn·drome ゴーリン症候群．= basal cell nevus syndrome.

gos·er·e·lin (gō′sĕr-el′in)．ゴセレリン（LHRH（GnRH）の合成デカペプチドアゴニスト類似体．これは下垂体ゴナドトロピン分泌阻害活性があり，前立腺癌，乳癌，子宮内膜症の治療，子宮内膜薄層の剥離切除前に行う子宮内膜の前処理に用いられる）.

Gos·se·lin frac·ture ゴスラン骨折（脛骨遠位末端の V 字形骨折）.

gos·sy·pol (gos′i-pol)．ゴシポール（ワタ属 *Gossypium* ワタの木の種子から分離された毒性成分で，精子数を減少させる．男性用経口避妊薬として中国で用いられている）.

GOT (got)．glutamic-oxaloacetic transaminase の略.

gouge (gowj)．切骨器（がんじょうな，縦方向に弯曲したのみで，骨の手術に用いる）.

Gould su·ture グールド縫合（縫合で組織が外に膨れ，凹の代わりに凸になるような方法で各輪が陥入していく，腸のさし縫い縫合）.

Gou·ley cath·e·ter グーレーカテーテル（下面に溝を設けた曲状の鋼鉄の器具．ガイドの管に沿って入れることにより，尿道狭窄部を通過させることができる）.

gout (gowt)．痛風（プリン代謝異常で，特に男性に多く，血中の尿酸値は高値で，変動することが多い．結晶性尿酸ナトリウムの結合組織および関節軟骨への沈着のため症状の激しい急性関節炎を繰り返すのが特徴である．大部分の症例では遺伝性があり，種々のプリン代謝障害により発症する）.

gou·ty (gow′tē)．痛風〔性〕の.

gou·ty ar·thri·tis 痛風〔性〕関節炎（痛風による関節の炎症）.

gou·ty to·phus 痛風結節，痛風灰（痛風において，関節周囲線維組織，外耳軟骨，あるいは腎にみられる尿酸や尿酸塩の沈着物）.

gov·ern·ance (gŏv′ĕr-năns)．管理，統治（支配，あるいは権限の行使に関わる行為または能力）.

Gow·ers syn·drome ガウアーズ症候群（動悸，胸痛，呼吸困難，胃運動障害からなる症候群．一時は迷走神経刺激によると考えられたが，現在は心因性（不安神経症）と考えられている）.

Gow·ers tract ガウアーズ路．= anterior spinocerebellar tract.

GP general practitioner の略.

GPI Gingival-Periodontal Index の略.

GPN graduate professional nurse の略.

G pro·tein dis·eas·es G 蛋白病（G 蛋白の突然変異から起こる広範にわたる種々の疾患群で，これらの疾患群には内分泌性アデノーマ，コレラ，および夜盲症が含まれる）.

GPT glutamic-pyruvic transaminase の略.

GPWW group practice without walls の略.

gr grain（3）の略.

graaf·i·an fol·li·cle グラーフ卵胞．= vesicular ovarian follicle.

Gra·cey cu·rettes = area-speciic curettes.

grac·ile fas·cic·u·lus 薄束（後索の小さな内側部分）.

gra·cile lob·ule 薄小葉（小脳の後下小葉の前方部分．後方部分は下半月葉である．この 2 つの部分は虫部の結節に連続する）．= lobulus paramedianus.

grac·ile nu·cle·us 薄束核（後索の 3 つの核のうち内側の核で，薄束結節に相当する．他の 2 つは楔状束核および副楔状束核．下肢，下部体幹の知覚神経支配にあずかる後根線維を受け，内側毛帯を通じて視床の後腹側核へ線維を出す）.

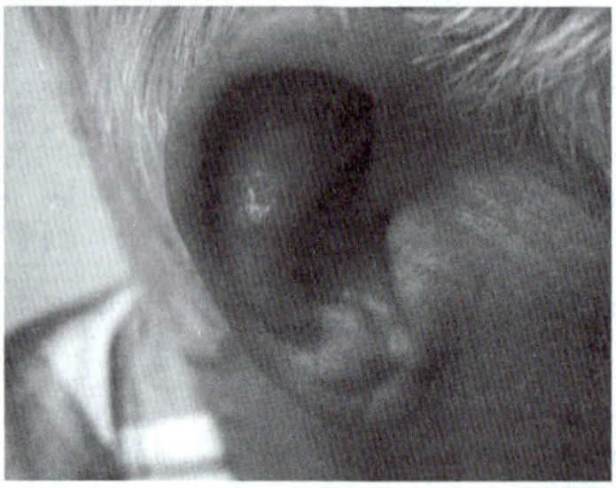

gouty tophus

grac·i·lis mus·cle 薄筋（大腿内側区の筋の1つ．起始：恥骨結合近くの恥骨枝．停止：脛骨内顆下方の骨幹(→pes anserinus)．作用：大腿の内転，膝の屈曲，下肢の内旋．神経支配：閉鎖神経）. = musculus gracilis.

grade（grād）. ***1*** グレード，段階（評価体系の尺度上の等級，区分，程度）. ***2*** 悪性度分類（悪性腫瘍病理学で，腫瘍の分化程度を，例えば，分化型，中等度分化型，低分化型，未分化型などと分類すること）. ***3*** グレード（運動機能評価における水平方向の移動当たりの垂直方向の上昇・下降の程度の測定評価）.

grad·ed ac·tiv·i·ty 段階的アクティビティー（治療）（適切な治療需要や取り組みを患者に提供するため，一つ，あるいは複数のやり方で修正を重ねていく作業）.

gra·ded ex·er·cise test（GXT） 多段階運動試験（運動の激しさを被検者が自分で課した疲労レベルまで段階的に順次増大して測定する多段階運動試験で，通常，トレッドミルまたは自転車のエルゴメータを用いて測定する. →stress test; Astrand-Ryhming Cycle Ergometer Test）.

grade I as·tro·cy·to·ma I度星状細胞腫（高度に分化，すなわち悪性度が低い固形または嚢胞性星状細胞腫）.

grade II as·tro·cy·to·ma II度星状細胞腫（悪性度が低度から中等度の星状細胞腫）.

grade III as·tro·cy·to·ma III度星状細胞腫（悪性度が中等度の星状細胞腫. →glioblastoma multiforme）.

grade IV as·tro·cy·to·ma IV度星状細胞腫. = glioblastoma multiforme.

Gra·de·ni·go syn·drome グラデニーゴ症候群（耳漏，頭痛，複視，眼窩後部痛からなる症候群．錐体前端部の硬膜外膿瘍による錐体尖炎による．Dorello管での外転神経の圧迫と三叉神経節の刺激を起こす）.

gra·di·ent（grā′dē-ĕnt）. 勾配，傾き，階調度（温度，圧力，磁場などの値が距離や時間の関数として変化する度合い）.

gra·di·ent am·pli·fi·er 勾配増幅器（磁気共鳴画像(MRI)装置にある勾配コイルに動力を供給する装置）.

gra·di·ent ech·o 傾斜磁場エコー（磁場勾配のリフェイジングによって作られるエコー(信号)）.

gra·di·ent ech·o pulse se·quence グラジエントエコーパルスシーケンス（エコー信号を発生させるために磁場勾配(gradient)を利用するMRIの撮像法）.

gra·di·ent-re·called ac·qui·si·tion in the stead·y state（GRASS） 定常状態におけるMRIでの自由誘導減衰描出を用いたグラージェントエコーシークエンスの一種．いわゆる〝定常状態自由歳差運動を用いた高速撮像〟．このシークエンスはスピンエコー法より速く，MRアンギオグラフィや心画像に用いられる.

grad·u·at·ed（graj′ū-āt′ĕd）. ***1*** 目盛り付きの（容量，程度，百分率などを表すため，線その他の方法によって印を付けた）. ***2*** レベル，程度，あるいは段階に分けて順に並べた.

grad·u·at·ed te·not·o·my 部分切腱術（斜視の矯正のために，眼筋の腱を部分的に切開すること）.

grad·u·ate nurse（GN） 学士看護師（看護大学などから学士の学位を受けたナース）.

grad·u·ate pro·fes·sion·al nurse（GPN） 既卒専門看護婦（自治体に認定された看護課程の学位を与えられたが，まだ免許試験を通過していない看護婦．一般的に，学士課程を修了した看護婦のことをさす）.

Grae·fe knife グレーフェ刀（角膜の切片をつくるために用いる刀身の細い小刀）.

Grae·fe op·er·a·tion グレーフェ手術（①輪部切開して白内障を切除する手術で，切嚢して虹彩切除する方法．両手術法とも眼科手術分野における画期的なものである．②緑内障の虹彩切除術）.

Grae·fe sign グレーフェ徴候（Graves病の場合，上眼瞼は，眼球の下方への動きに滑らかに従う）. = von Graefe sign.

Graf·fi vi·rus グラッフィウイルス（移植可能な腫瘍の濾過抽出物から得られるC型マウス骨髄性白血病ウイルス．Grossウイルスと近縁と思われる）.

graft（graft）. ***1*** 移植片，グラフト（移植のための組織または器官）. ***2*** 移植（組織または器官の移植. →flap; implant; transplant）.

graft·ing（graft′ing）. 移植〔術〕（移植片を適合させる過程）.

graft-ver·sus-host dis·ease（GVHD） 対宿主性移植片病（免疫能の低い被移植者(宿主)が，免疫的に異なる型(MHCの異なる)のドナーから免疫反応性を有するリンパ組織を移植された際に起こる不適合反応(致死的でありうる)のこと．その反応すなわち疾患は移植された細胞が，宿主組織中の細胞に自身が有しない抗原を認識してそれに反応する結果である）.

graft-ver·sus-host re·ac·tion（GVHR） 対宿主性移植片反応（特殊器官に起こる対宿主性移植片病の臨床的組織学的変化）.

Gra·ham law グレーアムの法則（2種類の気体の相対的拡散速度はその密度(すなわち，それらの分子量)の平方根に反比例する）.

Gra·ham Steell mur·mur グレーアム・スティール(グラハム・スティール)雑音（僧帽弁狭窄症および肺高血を伴う各種の先天性欠損症におけるように，肺高血圧症に続発する肺動脈弁閉鎖不全による拡張初期雑音）. = Steell murmur.

grain（grān）. ***1*** 穀草，穀物（穀物用植物．例えば，トウモロコシ，コムギ，ライムギ，あるいはそれらの種子）. ***2***〔細〕粒子（砂などの硬い微細片）. ***3***（**gr**）. グレーン（重量の単位．1グレーンは1/60ドラム，1/437.5常用オンス，1/480トロイオンス，1/5760トロイポンド，1/7000常用ポンド，0.064799 gにあたる）.

grains of par·a·dise = amomum.

gram（g）（gram）. グラム（メートル法または百進法における重量の単位．15.432358グレーン，0.03527常用オンスにあたる）.

-gram 記録したものを示す接尾語．通常，器機を使って書かれたものをさす．*cf.* -graph.

G

gram cal·o·rie グラムカロリー. = small calorie.

gram-cen·ti·me·ter (gram-sen′ti-mē-tĕr). グラムセンチメートル(仕事量の単位. 1 g の質量を 1 cm 持ち上げたときに消費されたエネルギー，あるいは行われた仕事. 9.807 × 10^{-5} ジュール(ニュートンメートル)に等しい).

Gram-chro·mo·trope stain グラム-クロモトロープ染色〔法〕(微胞子虫の芽胞を染めるためのトリクローム染色変法で，芽胞はグラム染色試薬と結合する).

gram e·qui·va·lent グラム当量 (①水素 1 g と結合または置換する元素の重量(g). ②化学反応にあずかる原子や原子集団の原子量，分子量を，化学反応の過程において原子や原子集団によって与えられ，または取られ，または分離された電子の数によって割ったもの(g). ③ある物質の 1 規定液の 1L 中に含まれる重量で①の変化したもの). = equivalent(5).

Gram i·o·dine グラムヨウ素 (ヨウ素およびヨウ化カリウムを含む溶液. グラム染色に用いる).

gram-i·on (gram-ī′on). グラムイオン (イオンをつくる原子の原子数の総数に等しいイオンのグラム量).

gram-me·ter (gram-mē′tĕr). グラムメートル (エネルギーの単位. 100 グラムセンチメートルに等しい).

gram-mol·e·cule (gram-mol′i-kyūl). グラム分子 (分子量に相当するグラム重量をもつ物質量. 例えば，水素分子の重量は 2.016 g で，水は 18.015 g である).

gram-neg·a·tive (gram-neg′ă-tiv). グラム陰性の (グラムのクリスタルバイオレットで処理した後，アルコールによる脱色に細菌が抵抗できないことをさす. しかし脱色後サフラニンで容易に対比染色することができ，顕微鏡下でピンクまたは赤に染まる. →Gram stain).

gram-pos·i·tive (gram-poz′i-tiv). グラム陽性の (グラムのクリスタルバイオレットで処理した後，アルコールによる脱色に細菌が抵抗できることをさす. 顕微鏡下で紫に染まる. →Gram stain).

Gram stain グラム染色〔法〕(細菌の鑑別染色法. スミアを火炎固定，クリスタルバイオレットの溶液中で染色し，ヨウ素溶液で処理して，すすぎ，脱色した後，サフラニン O で対比染色する. グラム陽性菌は紫黒色，グラム陰性菌は桃色に染まる. この染色法は細菌の分類と同定ばかりでなく，細胞壁構造の基礎的相違を示すものにも有用である).

grand·daugh·ter cyst 孫娘〔嚢〕胞，孫〔嚢〕胞 (*Echinococcus* 属の包虫のように娘嚢胞内で発育する第三嚢胞).

grand mal 大発作. = generalized tonic-clonic seizure.

grand rounds 症例検討会 (教育病院で定期的に催される講義形式の発表会. 医療分野の専門家，とりわけ研修中の者に対し，一つ，または複数の実例を使って，一定のテーマを図説する).

Gran·ger line グレーンジャー線 (頭蓋骨の X 線写真側面像で視神経交叉あるいは前交叉溝によって生じる線).

gran·ny knot 縦結び，男結び (二重の結び方で，2 度目に糸をかけた輪の 2 つの自由端が非対称で，最初の結び目の輪のようにその自由端が同一面内にはない).

gran·u·lar (gran′yū-lăr). *1* 〚adj.〛 顆粒〔性〕の，〔顆〕粒状の. *2* 〚n.〛 顆粒 (多くの細菌の種にみられる，核染料に対し強い親和性をもつ粒子).

gran·u·lar cell tu·mor 顆粒細胞腫 (Schwann 細胞由来の顕微鏡学的に特異な，一般に良性な新生物. しばしば皮膚，粘膜，結合組織中の末梢神経を侵す. 細胞質は豊富でリソソーム顆粒を含み，細胞の成長は遅いが周囲組織間に浸潤し，隣接する表面上皮は過形成を呈することがある).

gran·u·lar con·junc·ti·vi·tis 顆粒〔性〕結膜炎. = trachomatous conjunctivitis.

gran·u·lar cor·ne·al dys·tro·phy 顆粒状角膜ジストロフィ (角膜実質へのヒアリン沈着を特徴とする常染色体優性疾患).

gran·u·lar cor·tex 顆粒皮質 (→cerebral cortex).

gran·u·lar en·do·plas·mic re·tic·u·lum 粗面小胞体 (嚢の細胞質側表面にリボソーム顆粒の付着している小胞体. 蛋白の膜結合小胞を介して細胞外部分へ合成および分泌が行われている). = ergastoplasm.

gran·u·lar leu·ko·cyte 顆粒〔性白血〕球 (多形核球，特に好中球のこと. →granulocyte; basophilic leukocyte; eosinophilic leukocyte).

gran·u·lar oph·thal·mi·a 顆粒性眼炎. = trachoma.

gran·u·lar pits クモ膜顆粒小窩 (上矢状静脈洞に沿った頭蓋内面上の小窩で，クモ膜顆粒を入れる).

gra·nu·la·ti·o, pl. **gran·u·la·ti·o·nes** (gran′yū-lā′shē-ō, gran′yū-lā-shē-ō′nēz). 顆粒. = granulation.

gran·u·la·tion (gran′yū-lā′shŭn). = granulatio. *1* 顆粒化，顆粒〔形成〕(粒子または顆粒を形成すること. 顆粒となっている状態). *2* 顆粒 (器官および膜の表面または内部に存在する顆粒の塊あるいはそれを構成する 1 つ 1 つの顆粒). *3* 肉芽化，肉芽形成，肉芽 (微細で丸い，肉質の結合組織突起が，傷，潰瘍などの表面または炎症の表面に，治癒の過程で形成されること. この表面を構成する肉質の顆粒の 1 つ. →granulation tissue). *4* 造粒 (薬学において，塩の過飽和溶液を絶えずかくはんすることにより結晶を形成すること).

gran·u·la·ti·o·nes ar·ach·noi·de·a·les = arachnoid granulations. →arachnoid villi.

gran·u·la·tion tis·sue 肉芽組織 (治癒過程にある創，潰瘍，炎症組織の表面に肉芽隆起を形成する血管結合組織. →granulation).

gran·ule (gran′yūl). *1* 顆粒 (穀物様の粒子. 分散した微細な塊). *2* 顆粒剤，〔小〕丸剤 (非常に小さい丸剤で，通常，投与すべき少量の薬物をゼラチンまたは砂糖でおおう). *3* 顆粒 (病気の原因となったり，あるいは単に患者の組織で増殖した細菌や真菌の小塊). ***4*** 顆粒 (電子顕微鏡写真上でみられる細胞内貯留物質).

gran·ule cells 顆粒細胞 (①大脳皮質の外部および内部顆粒層にある小神経細胞体. ②小脳皮質の顆粒層にある小神経細胞体).

granulo- 顆粒の, を意味する, あるいは顆粒との関連を示す連結形.

gran·u·lo·cyte (gran′yū-lō-sīt). 顆粒球 (成熟した顆粒白血球. 多形核白血球の好中性, 好酸性, 好塩基性の型を含む. すなわち好中球, 好酸球, 好塩基球).

gran·u·lo·cyte col·o·ny-stim·u·lat·ing fac·tor (G-CSF) 顆粒球コロニー刺激因子 (多種の細胞で合成される糖蛋白で, 血液幹細胞からの好中球の産生を刺激する. →colony-stimulating factors).

gran·u·lo·cyte-mac·ro·phage col·o·ny-stim·u·lat·ing fac·tor (GM-CSF) 顆粒球マクロファージコロニー刺激因子 (マクロファージまたは骨髄ストローマ細胞から分泌される糖蛋白. 顆粒球系, マクロファージ, 好酸球などの骨髄球系前駆細胞の刺激因子として機能する. →colony-stimulating factors).

gran·u·lo·cyt·ic leu·ke·mi·a 顆粒球性白血病 (骨髄内外における骨髄細胞の無制限増殖および種々の組織内(および器官内)や循環血液中に多数の未熟・成熟顆粒球が存在することを特徴とする白血病の一型. 優勢な細胞は通常, 好中球系であるが, 少数例では好塩基球, 好酸球, あるいは巨核細胞が主流を占めることもある). = myelocytic leukemia; myelogenic leukemia; myelogenous leukemia; myeloid leukemia.

gran·u·lo·cyt·ic sar·co·ma 顆粒球性肉腫 (未熟な骨髄細胞の悪性腫瘍で, 骨髄性白血病に先立ってしばしば骨膜下に発生する. →chloroma). = myeloid sarcoma.

gran·u·lo·cyt·ic se·ries 顆粒球系 (循環血液中の成熟顆粒球に至る骨髄内の種々の発達段階の細胞. 例えば, 骨髄芽球, 骨髄球, 顆粒球の異なった段階).

gran·u·lo·cy·to·pe·ni·a (gran′yū-lō-sī′tō-pē′nē-ă). 顆粒球減少〔症〕(血中の顆粒白血球数が正常より少ないこと). = granulopenia.

gran·u·lo·cy·to·poi·e·sis (gran′yū-lō-sī′tō-poy-ē′sis). 顆粒球造血. = granulopoiesis.

gran·u·lo·cy·to·poi·et·ic (gran′yū-lō-sī′tō-poy-et′ik). = granulopoietic.

gran·u·lo·cy·to·sis (gran′yū-lō-sī-tō′sis). 顆粒球増加症 (循環血液中または組織中において, 顆粒球の数が正常以上になることを特徴とする状態).

gran·u·lo·ma (gran′yū-lō′mă). 肉芽腫 (結節性炎症性病変をさす用語. 通常, 小さいか顆粒状の, 硬い, 持続性の病変で, 類上皮細胞, 巨細胞, その他のマクロファージといった変化した食細胞がグループをなして密集している. →granulomatosis).

gran·u·lo·ma in·gui·na·le 鼡径部肉芽腫 (*Calymmatobacterium granulomatis* による特異性肉芽腫で性病に分類される. 病原菌はマクロファージ中にドノバン小体として観察される. 鼡径部および性器に潰瘍性の肉芽腫病変が生じる). = donovanosis; granuloma venereum; ulcerating granuloma of pudenda.

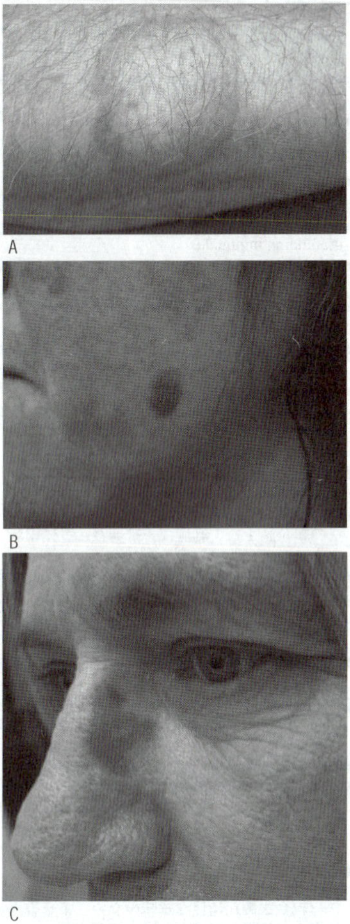

A B C

granuloma

gran·u·lo·ma mul·ti·for·me 多形肉芽腫 (中央アフリカの年長者の上半身の皮膚にみられる慢性肉芽腫性の環状発疹. 原因不明).

gran·u·lo·ma·to·sis (gran′yū-lō′mă-tō′sis). 肉芽腫症 (多発性肉芽腫を特徴とする状態).

gran·u·lo·ma·tous (gran′yū-lom′ă-tŭs). 肉芽腫性の.

gran·u·lo·ma·tous co·li·tis 肉芽腫性大腸(結腸)炎 (限局性腸炎と同じ変化が結腸に起こ

ったもの).

gran·u·lo·ma·tous en·ceph·a·lo·my·e·li·tis 肉芽腫性脳脊髄炎（肉芽腫を生じる脳脊髄炎).

gran·u·lo·ma·tous en·ter·i·tis 肉芽腫性腸炎. = regional enteritis.

gran·u·lo·ma·tous in·flam·ma·tion 肉芽性炎，肉芽腫〔性〕炎症（増殖性炎の一型. → granuloma).

gran·u·lo·ma trop·i·cum 熱帯性肉芽腫. = yaws.

gran·u·lo·ma ve·ne·re·um 性病性肉芽腫. = granuloma inguinale.

gran·u·lo·mere (gran′yū-lō-mēr). 顆粒質〔分粒〕（血小板の中心部分). = chromomere(2).

gran·u·lo·pe·ni·a (gran′yū-lō-pē′nē-ă). = granulocytopenia.

gran·u·lo·plas·tic (gran′yū-lō-plas′tik). 顆粒形成の.

gran·u·lo·poi·e·sis (gran′yū-lō-poy-ē′sis). 顆粒球形成（顆粒球を産生すること．成人では，主として扁平骨の赤色骨髄でつくられる). = granulocytopoiesis.

gran·u·lo·poi·et·ic (gran′yū-lō-poy-et′ik). 顆粒球形成の. = granulocytopoietic.

gran·u·lo·sa cell 顆粒膜細胞（胞状卵胞の内壁の顆粒膜をなす細胞で，排卵後，黄体細胞となる).

gran·u·lo·sa cell tu·mor 顆粒膜細胞腫（卵巣の良性または悪性腫瘍．胞状卵胞の顆粒膜から発生し，しばしばエストロゲンを分泌する). = folliculoma(1).

gran·u·lo·sis (gran′yū-lō′sis). 顆粒症（微細な顆粒の塊).

-graph *1* 書かれたものを意味する接尾語．例えば monograph, radiograph. *2* 記録する器具を意味する接尾語．例えば kymograph. *cf.* -gram.

graphanaesthesia [Br.]. = graphanesthesia.

graph·an·es·the·si·a (graf′an-es-thē′zē-ă). 筆跡覚消失（皮膚に書かれた図や数字などを触覚として知覚できないこと．脊髄あるいは脳の障害によると思われる). = graphanaesthesia.

-graphia 書くこととの関連を示す接尾語.

graph·or·rhe·a (graf-ŏ-rē′ă). 濫書症，書字もれ（統合失調症に伴う意味のない言葉を書き連ねることに対してまれに用いる語). = graphorrhoea.

graphorrhoea [Br.]. = graphorrhea.

-graphy 記述または描写を表す接尾語.

grasp (grasp). 把持（損傷しないように，そしてしっかりとつかんで持つこと).

grasp·ing re·flex 握り反射，把握反射（手掌の触覚または腱刺激により指が不随意に屈曲し，強く握り締める反射．新生児においては生理学的反射だが，それ以外は前頭葉の病変に関連する．*cf.* darwinian reflex).

grasp pat·tern パターン把握（ものを手で拾い上げ，持つために使われる協調運動プログラム．出産後の1年間で複雑で運動制御を必要とする程度に発達する. →reflexive squeeze grasp).

grasp re·flex = reflexive squeeze grasp.

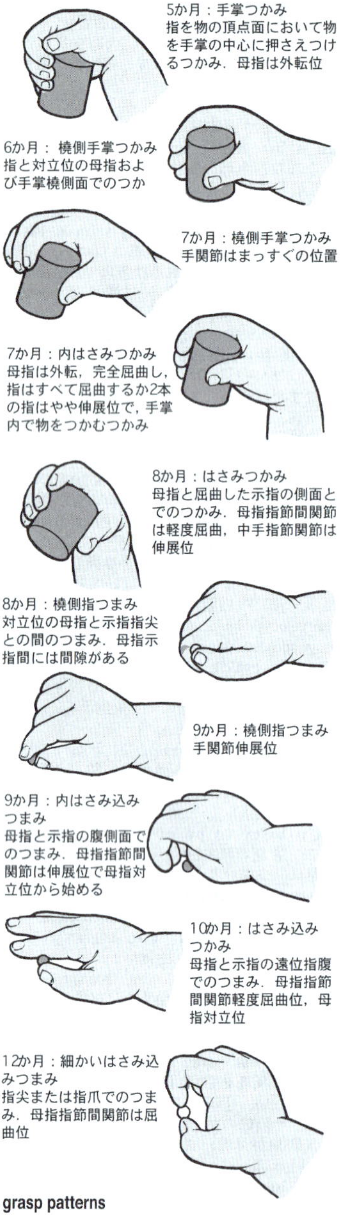
5か月：手掌つかみ
指を物の頂点面において物を手掌の中心に押さえつけるつかみ．母指は外転位
6か月：橈側手掌つかみ
指と対立位の母指および手掌橈側面でのつかみ
7か月：橈側手掌つかみ
手関節はまっすぐの位置
7か月：内はさみつかみ
母指は外転，完全屈曲し，指はすべて屈曲するか2本の指はやや伸展位で，手掌内で物をつかむつかみ
8か月：はさみつかみ
母指と屈曲した示指の側面とでのつかみ．母指指節間関節は軽度屈曲，中手指節関節は伸展位
8か月：橈側指つまみ
対立位の母指と示指指尖との間のつまみ．母指示指間には間隙がある
9か月：橈側指つまみ
手関節伸展位
9か月：内はさみ込みつまみ
母指と示指の腹側面でのつまみ．母指指節間関節は伸展位で母指対立位から始める
10か月：はさみ込みつかみ
母指と示指の遠位指腹でのつまみ．母指指節間関節軽度屈曲位，母指対立位
12か月：細かいはさみ込みつまみ
指尖または指爪でのつまみ．母指指節間関節は屈曲位

grasp patterns

GRASS (gras). gradient-recalled acquisition in the steady state の略.

Gras·set phe·nom·e·non グラセー現象（下肢の器質性麻痺にみられる現象. 患者は仰臥し, 脚を1脚ずつ挙げることはできるが, 両脚を同時に挙げることはできない).

Gras·set sign グラセー徴候（片麻痺の場合, 麻痺側で胸鎖乳突筋は正常に収縮する).

grat·tage (gră-tazh′). 顆粒除去〔法〕(遷延性の顆粒形成のある潰瘍や表面を擦過したり, ブラッシングすること. 治癒過程を刺激するのが目的).

grave (grāv). 重篤な, 重症の（重症なまたは危険な状態を示す症状についていう).

grav·el (grav′ĕl). 尿砂（通常, 尿酸, シュウ酸カルシウム, リン酸塩の小さな結石. 腎臓で形成され尿管, 膀胱, 尿道を通過する).

gra·vel voice = glottal fry.

Graves dis·ease グレーヴズ病（①甲状腺のびまん性腫大による中毒性甲状腺腫. 甲状腺機能亢進症の一型. 一般に眼球突出を伴うが, 必発するとは限らない. ②甲状腺機能異常症とそのすべての合併症. ③甲状腺の臓器特異的な自己免疫疾患. →thyrotoxicosis; Hashimoto disease; goiter; myxedema). = Parry disease.

Graves oph·thal·mop·a·thy グレーヴス眼症（眼球後部の眼窩組織の含水率増加による眼球突出. 甲状腺疾患, 通常は甲状腺機能亢進に合併).

Graves op·tic neu·rop·a·thy グレーヴス視神経症（Graves 眼窩症における視神経圧迫による視力障害).

Graves or·bi·top·a·thy グレーヴス眼窩症. = dysthyroid orbitopathy.

grav·id (grav′id). 妊娠した. = pregnant.

grav·i·da (grav′i-dă). 妊婦（妊娠中の女性. 後ろに付けたローマ数字, またはラテン語の数を表す接頭語によって妊婦の妊娠回数を示す. 例えば, 初妊婦は **gravida I** (primigravida), 2回目妊娠中の女性は **gravida II** (secundigravida) など. *cf.* para).

grav·i·dar·um (grā-vē-dā′rum). 妊娠〔性〕の.

gra·vid·ic (gră-vid′ik). 妊娠の, 妊婦の.

gra·vid·i·ty (gră-vid′i-tē). 妊娠回数（流早産を含めて).

grav·id u·ter·us 妊娠子宮（妊娠した子宮の状態).

grav·i·met·ric (grav′i-met′rik). 重量の.

grav·i·re·cep·tor (grav′i-rĕ-sep′tŏr). 動受容器（内耳, 関節, 腱, 筋肉にある非常に特殊化した受容器および神経終末. 大脳に体位, 平衡, 重力方向, 上下感覚の情報を与える).

grav·i·ta·tion·al in·se·cu·ri·ty 重力に関連した頭位変換に対する過剰反応. 通常は平衡反応のみが生じる状況での恐怖や強い情動反応. = postural insecurity.

grav·i·ta·tion·al ul·cer 沈下性潰瘍（深部静脈系の弁機能不全のために治癒が悪い下肢の慢性潰瘍. 静脈還流が停滞し, 局所の低酸素症を引き起こす. →varicose ulcer).

grav·i·ty (grav′i-tē). 重力（すべての物質に下方への力, つまり重力を発生させる地球への引力).

grav·i·ty con·cen·tra·tion 比重濃縮法（糞便の懸濁液を比重の違いを利用して沈殿させ, 寄生虫を分離する方法).

gray (Gy) (grā). グレイ（電離放射線の吸収線量の国際単位(SI). 1 kg の組織当たり1ジュールに相当する. 1Gy = 100 rad).

gray cat·a·ract 灰色白内障（灰色の白内障で, 通常, 老年性白内障, 成熟白内障, 皮質部白内障にみられる).

gray col·umns 灰白柱（いくらか隆線様をした, 脊髄の灰白質の3つの棚状の張出し(前柱, 側柱, 後柱)で, 脊髄の両外側半分の中心部を縦にのびている. これらの柱の横断面では灰白角として現れ, したがって, 一般に前角, 側角, 後角とそれぞれよばれる). = columnae griseae.

gray de·gen·er·a·tion 灰白色変性（脊髄の白質の変性. その線維がミエリン鞘を失い, 色が黒っぽくなる).

gray fi·bers = unmyelinated fibers.

gray hep·a·ti·za·tion 灰色肝変（肺炎における肝変の第2期で, 滲出物が分解に先立って変性し始める時期のもの. 色は黄色がかった灰色または斑状である).

gray in·du·ra·tion 灰白色硬化（吸収不全がある肺炎の過程およびその後に肺に生じる状態で, 線維性結合組織が顕著な増加を示す. 通常, 慢性的な受動性充血がないかぎり色素沈着は著しくない).

gray lit·er·a·ture 灰色文献（非公開または配布に制限のある報告書. 地方の衛生管理部の報告書や会議録, 学位論文などがその一例で, 入手や閲覧が限られており, また信頼性にも疑問があるため有用性は低い).

gray mat·ter 灰白質（有髄性の線維よりも主に細胞体や樹枝状の突起でできている脳と脊髄の部分). = substantia grisea; gray substance.

gray-scale ul·tra·so·nog·ra·phy グレースケール超音波検査〔法〕(超音波エコーの振幅すなわち信号強度を灰色の濃度の異なる陰影として表示する方法で, 以前の白黒表示のものと比較して画質が改善されている).

gray sub·stance 灰白質. = gray matter.

gray syn·drome, gray ba·by syn·drome グレイ症候群（妊娠後期に母体に投与されたクロラムフェニコールが胎盤を通して中毒作用を及ぼし, 出生時あるいは新生児期の児が灰白色の皮膚色を呈する症候群. 致死性になることがある).

gray-top tube グレイトップ・チューブ（抗凝固剤としてのシュウ酸カリウムおよび防腐剤としてのフッ化ナトリウムを含んだ採血管. 血液中のブドウ糖値を保つため, また特別な化学試験のために用いられる).

great ad·duc·tor mus·cle 大内転筋. = adductor magnus muscle.

great a·nas·to·mot·ic ar·ter·y = inferior ulnar collateral artery.

great au·ric·u·lar nerve 大耳介神経（第二・第三頸神経から起こり, 耳介の皮膚, 頭皮や頬および下顎角をおおう皮膚に分布する．また耳下腺被膜にも分布し，流行性耳下腺炎の際の拡張による痛みを伝える）. = nervus auricularis magnus.

great car·di·ac vein 大心臓静脈（心尖(ここでは中心臓静脈と吻合している)から始まり，まず前室間動脈に伴行して前室間溝を上行し，次いで左に曲がって冠状溝にはいり左冠状動脈の回旋枝に伴行し，左心房斜静脈と合流した後，冠状静脈洞となって終わる）.

great ce·re·bral vein of Ga·len ガレン大大脳静脈（第3脳室の脈絡組織の尾方で2本の内大脳静脈の合流によってつくられる大きな無対の静脈．脳梁膨大と松果体の間を尾方へ走り背方へ曲がって下矢状静脈洞とともに直静脈洞に注ぐ）.

great·er a·lar car·ti·lage 大鼻翼軟骨（鼻尖を形成する対になった軟骨．軟骨性鼻中隔にのびる内側脚と鼻翼前部を形成する外側脚よりなる）.

great·er cur·va·ture of stom·ach 大弯（大網が付着する胃の辺縁）.

great·er mult·ang·u·lar bone 大多角骨. = trapezium.

great·er oc·cip·i·tal nerve 大後頭神経（第二頸神経後枝の内側枝．頭半棘筋と頸多裂筋に枝を送るが，主に頭皮の後部に分布する．知覚枝，後頭蓋窩へ行く硬膜枝，後頭下筋を支配する第一頸神経への痛覚・固有覚枝からなる）.

great·er o·men·tum 大網（胃の大弯から出て横行結腸に至る腹膜のひだで，エプロンのように小腸前部に垂れ下がっている）. = caul (2); cowl; velum (3).

great·er pal·a·tine ca·nal 大口蓋管（上顎骨と口蓋骨の間に形成される管で，下行口蓋動脈および大口蓋神経が通る）. = pterygopalatine canal.

great·er pal·a·tine fo·ra·men 大口蓋孔（第三大臼歯に向かい合った硬口蓋後外側にある孔で，翼口蓋管の下端をなす）.

great·er pal·a·tine nerve 大口蓋神経（翼口蓋神経節の枝．下行して大口蓋管を通り，硬口蓋の粘膜と腺，軟口蓋の前部に分布する）. = nervus palatinus major.

great·er pan·cre·at·ic ar·ter·y 大膵動脈（脾動脈より起こり，膵臓の尾部に分布する．下膵動脈，膵尾動脈と吻合）. = arteria pancreatica magna.

great·er pec·tor·al mus·cle 大胸筋. = pectoralis major muscle.

great·er pel·vis 大骨盤（骨盤入口より上方の拡張している部分）. = false pelvis.

great·er pe·tro·sal nerve 大錐体神経（顔面神経膝からの枝で，大錐体神経管裂孔を経て破裂孔のそばの側頭骨の錐体部前面の溝を通り，深錐体神経と合流して翼突管神経を形成し，翼突管を通って翼口蓋神経節に達する）. = nervus petrosus major; parasympathetic root of pterygopalatine ganglion; greater superficial petrosal nerve.

great·er pos·te·ri·or rec·tus mus·cle of head = rectus capitis posterior major muscle.

great·er pso·as mus·cle 大腰筋. = psoas major muscle.

great·er rhom·boid mus·cle 大菱形筋. = rhomboid major muscle.

great·er splanch·nic nerve 大内臓神経（胸郭内で第五または第六から第九または第十交感神経節へ起こる腹部骨盤内臓神経の最上部で，胸椎体に沿って下行し横隔膜を貫通して腹腔神経節に合流する．ここに交感性節前線維を送り，腹腔神経叢から内臓求心性線維を受ける）. = nervus splanchnicus major.

great·er su·per·fi·cial pe·tro·sal nerve = greater petrosal nerve.

great·er su·pra·cla·vi·cu·lar fos·sa 大鎖骨上窩（後頸三角の一部である肩甲鎖骨三角の表面をおおう皮膚にみられるくぼみ）.

great·er tro·chan·ter 大転子（大腿骨幹の近位，外側部にある大きな突起で，頸部の基部におおいかぶさっている．中小殿筋，梨状筋，内・外閉鎖筋，双子筋が付着している）. = trochanter major.

great·er tu·ber·cle of the hu·mer·us 上腕骨大結節（上腕骨近位端に位置する2つの結節のうちの，より大きくかつより側面隆起のあるほうをさす）.

great·er ves·tib·u·lar gland 大前庭腺（腟下部にある2つの粘液分泌性の管状胞状腺で，男性の尿道球腺と相同器官である．前庭球とともに坐骨海綿体筋に包まれているので，勃起やこの筋の収縮によって分泌物が腟前庭に放出される）. = Bartholin gland.

great·er wing of sphe·noid bone 蝶形骨大翼（蝶形骨体から上外側へ幅広く弯曲してのびている強力な鱗状の骨突起．4面をもつ．ⓘ大脳面は中頭蓋窩の前1/3を形成し，ⓘⓘ側頭面は側頭窩の最深部をなし，ⓘⓘⓘ側頭下面は側頭下窩の天井をなし，ⓘⓥ眼窩面は眼窩の後外側面をなす．また上眼窩裂の下縁を形成し，その根部には正円孔・卵円孔，棘孔そして翼突管が開いている）.

great·er zy·go·mat·ic mus·cle 大頬骨筋. = zygomaticus major muscle.

great fo·ra·men 大〔後頭〕孔. = foramen magnum.

great seg·men·tal med·ul·lar·y ar·ter·y 大脊髄根動脈（脊髄髄質動脈の最大の枝で前脊髄動脈と吻合して脊髄に分布する．下位の肋間動脈もしくは上位の腰動脈(左で65%)から起こり，前脊髄動脈の下2/3に流入する．→medullary arteries of brain）.

great toe 足の母指，足の第一指.

Greek hay = fenugreek.

Green·field fil·ter グリーンフィールドフィルタ（多支柱スプリングスタイルのフィルタで，通常は下大静脈に留置し，下肢から肺循環に届く静脈塞栓を防ぐ）.

green·stick frac·ture 若木骨折（弯曲の陥凹部のみに起こる不完全骨折を伴う骨の屈折．主に小児にみられる）.

green-top tube グリーントップ・チューブ（抗凝固剤としてヘパリンリチウム，ヘパリンアン

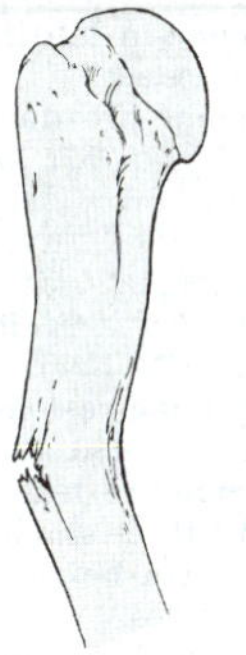

greenstick fracture

モニウム，ヘパリンナトリウムが含まれている採血管）．

Greig ce·pha·lo·po·ly·syn·dac·ty·ly syn·drome グレーグ頭蓋多合指症候群（第 17 染色体短腕 13 領域の GLI3 遺伝子の変異を原因とする常染色体優性疾患で，四肢の多合指，大頭蓋，前頭隆起，隔離症，平担鼻梁を特徴とする）．

Greig syn·drome グレーグ症候群. = ocular hypertelorism.

grenz ray グレンツ線（非常に透過力が弱い（長波長の）X 線で，波長および組織に対する生物作用は紫外線にきわめて近い．8 kw 以下の出力トランスで励起される熱陰極を備えた特別製の真空管で発生させる）．

Grey Tur·ner sign グレー・ターナー徴候（急性出血性膵炎やその他の原因による後腹膜出血の場合，臍部付近と腰部にみられる局所的な変色）．

grid (grid). ***1*** グリッド，方眼紙. ***2*** グリッド（X 線撮影において，多数の鉛の板によりつくられた，散乱線が X 線フイルムに達するのを防ぐためのアルミニウムの薄板）．

Grid·ley stain グリッドレー染色〔法〕（小胞体の銀染色）．

Grid·ley stain for fun·gi グリッドレー真菌染色〔法〕（Bauer クロム酸ロイコフクシン染色を基にした固定組織標本の染色法で，(Bauer の方法に）対比染料として Gomori アルデヒドフクシン染料およびメタニルイエローを添加してある．黄色の背景に対し，菌子，分生子，酵母被膜，エラスチン，およびムチンが，青色から紫色にかけての様々な色合いを呈する）．

grief (grēf). 悲嘆（外的な喪失に対する正常な情緒反応．適当な時間が経てば鎮静するので，抑うつとは区別される）．

Grie·sing·er dis·ease グリージンガー病（*Borrelia recurrentis* により起こるノミを媒介とする回帰熱の重症型で，高熱，鼻出血，呼吸困難，強度黄疸，紫斑病，巨脾腫などを起こす）．

Grie·sing·er sign グリージンガー徴候（乳様突起部の導出静脈の敗血症性の血栓と S 状静脈洞の血栓性静脈炎による後乳様突起上の紅斑と浮腫）．

grind·ing (grind′ing). グラインディング，削合. = abrasion(3).

grind·ing-in (grind′ing-in′). 削合〔術〕（自然歯または人工歯を削合して，咬合不正を修正する技術を示す用語）．

grip, grippe (grip, grip). インフルエンザ，流行性感冒，流感. = influenza.

gris·e·o·ful·vin (gris′ē-ō-ful′vin). グリセオフルビン（皮膚糸状菌によって起こる表在性真菌感染の全身的治療に用いる抗生物質．微小管の構成を阻害する）．

gris·tle (gris′ĕl). 軟骨. = cartilage.

Grit·ti op·er·a·tion グリッティ切断術. = Gritti-Stokes amputation.

Grit·ti-Stokes am·pu·ta·tion グリッティーストークス切断術（大腿骨の顆上部切断．膝蓋骨を残し，切断端にあてがう．両者を癒合させるために関節軟骨は切除する）. = Gritti operation.

Groc·co sign グロッコ徴候（①筋肉運動後に生じる心臓の急性拡張．Graves 病や種々の心筋症で生じることがある．②肝腫大の場合に，肝臓濁音界が正中線より数 cm 左に拡大すること）．

Groc·co tri·an·gle グロッコ三角（脊柱に沿う胸郭底部の濁音三角部．反対側に胸膜滲出液がある）．

gro·cer's itch 乾物屋かゆみ〔症〕. = baker's itch.

Groe·nouw cor·ne·al dys·tro·phy グレーノー角膜ジストロフィ（①顆粒状角膜ジストロフィ．常染色体優性遺伝．第 5 染色体長腕にある keratoepithelin をコードしている形質転換増殖因子 β 遺伝子（TGFB1）の変異による．②斑状角膜ジストロフィ．進行性で角膜実質の小斑状混濁，羞明感，角膜上皮びらん，および異物感を訴えることが特徴的．常染色体劣性遺伝）．

groin (groyn). 鼡径部（①= inguinal region. ②ときに体幹と大腿との境にあるひだをさすこともある）．

groove (grūv). 溝（狭く細長い陥凹. →sulcus）．

groove of nail ma·trix 爪床小溝. = sulcus matricis unguis.

gross (grōs). 粗大な，肉眼で見える（粗野な，大柄な，肉眼で十分見える程大きい）．

gross a·nat·o·my 肉眼解剖学（顕微鏡を用いずに研究できる範囲の解剖学で，通常は死体解剖による研究をいう）. = macroscopic anatomy.

gross mo·tor skills 粗大運動技術（機能）（大きな筋肉によって制御される動作に関連する能力）．

Gross vi·rus グロスウイルス（マウス白血病ウイルスの最初の分離株）．

gross vis·u·al skills 総合的視覚能力（神経または筋肉が干渉しない視覚能力）．

ground bun·dles 固有束. = fasciculi proprii.

ground glass すりガラス（様陰影）（放射線画像において様々な疾病の存在を示唆する不透明さ）．

ground-glass pat·tern スリガラス像（胸部写真あるいは CT においてみられるぼやけた陰影

G

で，肺血管陰影は認められる）．

ground la·mel·la = interstitial lamella.

ground state 基底状態（原子の正常な不活性状態．活性化により，一重項・三重項状態その他の励起状態に導かれる）．

ground sub·stance 基質（構造成分が存在する場としての無形性物質．結合組織では細胞と線維間のプロテオグリカン，血漿成分，代謝産物，水，イオンからなる）．

group (grūp). *1* 群，族，類（類似した事物の集まり）．*2* 基，原子団．

group ag·glu·ti·na·tion 群凝集反応（それぞれが自己の種特異（メイジャー）抗原をもつ数種の微生物群に共通な群特異（マイナー）抗原に対する抗体による凝集反応）．

group ag·glu·ti·nin 群凝集素（共通あるいは一般的な抗原に対して特異的な免疫凝集素）．= cross-reacting agglutinin.

group an·ti·gens 群抗原（種々の生物種に存在する抗原）．

group A strep·to·coc·cal (GAS) nec·ro·tiz·ing fas·ci·i·tis A 群 β 溶血性連鎖球菌（GAS）壊死性筋膜炎（GAS 感染の合併症で，細菌が筋組織を攻撃し破壊する）．

group home (as a residential facility) = ICF.

group med·i·cine グループ医療（医療を，集団的な，一般的には，建物や複合施設内に設置された，さまざまな分野に所属する専門家として，協働する医師たち一人ひとりが提供する，治療法）．

group mod·el HMO グループ方式 HMO（HMO 加入者の唯一の保険医療提供者となるように，ある診療医師グループと契約する HMO）．

group prac·tice 集団開業（医師集団による協同の開業で，それぞれが一般にある特定領域のみ（の診療）に限定する．このような集団はしばしば，ある建物の一連の診察室や検査室，スタッフ，装置などを共有する．*cf.* group practice without walls）．

group prac·tice with·out walls (GPWW) 壁のないグループ治療（医師たちによる事業共同体で，お互いに診察内容を提供しあい出費を共有するという意図に基づき，異なる施設におけるいくつかの診療が連携する．*cf.* group practice）．

group ther·a·py 集団治療（同じ条件を持つ数名の患者が一人のカウンセラーの下に集まり，（そこにいる）全ての患者に共有される条件や問題について話し合う会合．患者たちが知覚と理解を共有するという理由から一般的に有効と考えられる）．

Gro·ver dis·ease グロヴァー病．= transient acantholytic dermatosis.

grow·ing pains 成長痛（小児の四肢に，しばしば夜間に生じる疼痛．原因は明らかではないが良性の疾患とされる）．

growth (grōth). 発育，成長（生長），増殖（成長発育の過程で，生物自体またはその一部が大きくなること）．

growth hor·mone (GH) 成長ホルモン．= somatotropin.

growth hor·mone-in·hib·it·ing hor·mone (GIH) = somatostatin.

growth hor·mone-pro·duc·ing ad·e·no·ma 成長ホルモン産生線腫（細胞の 3 分の 1 が，顆粒を持たない，もしくは好酸球と嫌色素の混合であるにも関わらず，巨人症あるいは先端巨大症の臨床像を産出する線種．腫瘍には成長ホルモンとプロラクチンを産出するものがある．多くは好酸球，あるいは嫌色素線腫である）．

growth hor·mone-re·leas·ing fac·tor (GHRF, GH-RF) = somatoliberin.

growth hor·mone-re·leas·ing hor·mone (GHRH, GH-RH) = somatoliberin.

growth-on·set di·a·be·tes 成長期発症糖尿病．= Type 1 diabetes.

growth plate = epiphysial plate.

growth rate 成長速度，増殖速度（単位時間当たりで表された絶対的または相対的成長増加量）．

Gru·ber meth·od グルーバー法（Politzer 法の変法で，患者はえん下せずに，袋を圧迫した瞬間に〝ホック hoc〟という）．

gru·mous (grū′mŭs). 凝血塊のように，どろっとして固まった様子．

Gru·nert spur グルーナート岬（虹彩と毛様体の接合部における瞳孔散大筋の上皮性増殖．虹彩散大筋の起始部）．

grunt (grŭnt). うなり声（努力性呼吸中に，声門の律動的な閉鎖によって産出される特徴的な音．通常 RDS を伴う新生児に認められる）．

Gryn·feltt tri·an·gle グランフェルト三角（上方は，第十二肋骨と下後鋸筋に境界され，前方は内腹斜筋と接し，後方は腰方形筋が境をなす三角形の空間．腰ヘルニアはこの部に生じる）．= Lesshaft triangle.

gry·po·sis (grip-ō′sis). 彎曲（異常な彎曲）．

G-se·ries nerve a·gents G 系列神経ガス（第二次世界大戦中あるいは以前に，ドイツによって開発された非永続型神経ガス．NATO コードが割り当てられ，GA はタブン，GB はサリン，GD はソマン，GF はシクロサリンである．これらのガスは第二次世界大戦中の戦場では使用されなかったが，いくつかのものはそれ以降も使用され，とりわけ 1980 年代のイラン・イラク戦争で使用された）．

GSH glutathione の略．

GSR galvanic skin response の略．

GSSG glutathione disulfide（グルタチオンジスルフィド）の略．

GSW gunshot wound の略．

gt gutta, drop (q.v.) の略．

GTO Golgi tendon organ の略．

GTP guanosine 5′-triphosphate の略．

GTT glucose tolerance test の略．

G-tube (tūb). = percutaneous endoscopic gastrostomy tube.

GU genitourinary の略．

guai·ac test グアヤック試験（便潜血試験）．

Guan·a·ri·to vi·rus グアナリトウイルス（アレナウイルスの一種で，ベネズエラ出血熱を起こす).

gua·nase (gwahn′ās). グアナーゼ. = guanine deaminase.

gua·ni·di·no·ac·e·tate *N*-meth·yl·trans·fer·ase 酢酸グアニジン*N*-メチルトランスフェラーゼ(メチル基を, *S*-アデノシル-L-メチオニン(活性メチオニン)から酢酸グアニジン(グリコシアミン)に移し, クレアチンと*S*-アデノシン-L-ホモシステインの生成を触媒する酵素).

gua·nine (G) (gwah′nēn). グアニン(核酸中の主要な2種のプリン化合物の1つ. もう一方はアデニン).

gua·nine de·am·i·nase グアニンデアミナーゼ(グアニンを加水分解しキサンチンとアンモニアに変換する反応を触媒する肝臓のデアミナーゼ. プリン分解の第1段階). = guanase.

gua·nine de·ox·y·ri·bo·nu·cle·o·tide グアニンデオキシリボヌクレオチド. = deoxyguanylic acid.

gua·nine ri·bo·nu·cle·o·tide グアニンリボヌクレオチド. = guanylic acid.

gua·no·sine (G, Guo) グアノシン(RNAとグアニンヌクレオチドの主成分).

gua·no·sine 5′-tri·phos·phate (GTP) グアノシン5′-三リン酸(ATPに類似. RNAのグアニンヌクレオチドの直接の前駆物質. 微小管形成に重要な働きをする).

gua·nyl·ic ac·id (GMP) グアニル酸(リボ核酸の主成分). = guanine ribonucleotide.

guar·an·tor (gar′ăn-tōr). 保証人(医療請求の支払いに責任のある患者, 医療従事者, 団体).

guard (gahrd). *1* 〚v.〛 監視する(統制を守る, 維持するために見守ること). *2* 〚n.〛 護衛(*1*のような機能を果たす人, もの).

guard·i·an (gahr′dē-ăn). 保護者(未成年やセルフケアが不可能と決められた成人の, 世話や保護に法的に責任があると考えられる成人).

guard·ing (gahrd′ing). 防御(障害あるいは疾病によって障害された部位の動きや振動を小さくするような筋肉の痙攣).

gu·ber·nac·u·lum (gū′bĕr-nak′yū-lŭm). 導帯(①2つの組織を結合する線維状のひも. ②胎生期精巣を発達中の陰嚢と結合する間質性の組織柱をさす. 精巣下降に関係するとみられている. 女性の場合, 卵巣と子宮に付着する. = gubernaculum testis).

gu·ber·nac·u·lum den·tis 歯帯(歯嚢と歯肉を結合する結合組織のひも).

gu·ber·nac·u·lum tes·tis 精巣導帯, 睾丸導帯. = gubernaculum(2).

Gub·ler syn·drome ギュブレル症候群(交代性片麻痺の一型. 同側性片麻痺および同側顔面神経麻痺を特徴とする).

Gué·neau de Mus·sey point ガーノー・ド・ムーゼー・ポイント(圧を加えると痛む点で、胸骨の左側の境界の延長線と肋骨の第10番目の骨の先端の位置から引いた垂直な線の交わる位置にある。横隔膜の肋膜炎の場合に現れる).

Gué·rin frac·ture ゲラン骨折. = horizontal maxillary fracture.

guide (gīd). *1* 〚v.〛 誘導する(決まった進路に導くことをいう). *2* 〚n.〛 誘導装置(他のものに適切な進路をとらせる装置あるいは器具. 例えば, 溝付きガイド, カテーテル誘導).

guid·ed im·ag·e·ry 誘導イメージ療法(心の力は直接生理機能に影響を及ぼすと考える理論的治療. さまざまな医療機関で, ストレスを減らす, 心を落ち着かせる, 痛みを和らげる, 免疫システムを刺激する, 心拍を遅くするなどの手段として用いられている).

gui·ded tis·sue re·gen·er·a·tion 組織再生誘導法(人工物で生体反応や化学活性を起こし組織を再生する. ときに細胞の浸潤を断つことのできる遮断膜を利用する).

guide·line (gīd′līn). 指標基準, 指針, ガイドライン(①指標あるいは参考として基準の目安となるもの. ②方針や手順を概説する規則または指示. →clinical practice guidelines).

guide·wire (gīd′wīr). ガイドワイヤ(カテーテルや髄内釘のようなより太い器材を挿入・装着するための誘導に用いるワイヤあるいはスプリング).

Guil·lain-Bar·ré syn·drome ギヤン(ギラン)-バレー症候群(末梢神経, 脊髄根, 脳神経の急性免疫関連疾患. 四肢, 体幹, 呼吸, 咽頭, 顔面の筋肉の比較的対称性の上行性脱力を呈することが多く, 急速進行性で反対消失がみられることが多い. 感覚障害と自律神経障害はみられることもみられないこともある. 症候は2—3週間以内に最も悪化し, その後同程度の期間は不変で, それから徐々に完全に回復することが多い. Guillain-Barré症候群は, しばしば呼吸器または消化管の感染が先行し髄液の蛋白細胞解離を伴う. 古典的には病理学的に急性炎症性脱髄性多発根神経障害と考えられてきたが, 最近, 純粋軸索変性型が認識された). = Landry paralysis; Landry syndrome.

guil·lo·tine (gil′ō-tēn, gē′ō-tēn). ギロチン(金属の輪の中をナイフの刃が動く器具で, 扁桃腺の切除に用いる).

Gulf War syn·drome 湾岸戦争症候群(1990年の第1次ペルシャ湾岸戦争に従軍した米国軍人に起こった種々の健康障害の症候群).

gul·let (gŭl′ĕt). 咽喉. = throat(1).

Gull·strand slit·lamp グルストランドの細隙灯顕微鏡. = slitlamp.

gum (gŭm). *1* ゴム(高木や低木から分泌される樹液を乾燥したもので, 無定形の粘性塊を形成する. 通常は水を加えると粘液状になる). *2* = gingiva.

gum ar·a·bic アラビアゴム. = Acacia.

gum·boil (gŭm′boyl). 歯槽膿瘍. = gingival abscess.

gum cam·phor 樟脳(ラビンサラから抽出されるケトンで, 口腔感染の治療に用いられる).

gum line 歯肉線(縁). = gingival line.

gum·ma, pl. gum·ma·ta, gum·mas (gŭm′ă, ă-tă, -ēz). ゴム腫, 梅毒性ゴム腫(三期梅毒に特有の伝染性肉芽腫. ゴム腫は硬い不規則な中心部分をもつことが特徴で, ときには一部が硝子質化し, 内部に“ghost(幻影)”構造が認められる凝固壊死から構成される. 類上皮細胞の境

G

界が不鮮明な中心部は，ときには多核巨細胞を伴う．線維芽細胞と多数の毛細管からなる周辺部は浸潤性リンパ球と形質細胞を伴う）．= syphiloma.

gum·ma·tous (gŭm′ă-tŭs). ゴム腫〔性〕の，ゴム腫〔様〕の.

gum re·sec·tion 歯肉切除〔術〕. = gingivectomy.

Gunn cross·ing sign ガンの交叉所見（高血圧症における静脈の圧迫による網膜動静脈交叉）.

Gunn dots ガン斑点（通常は眼底後極部にみられる，小さく，光輝のある白色または黄色がかった点．非病理性のもの）.

Gunn sign ガン徴候（①細動脈硬化症の場合，検眼鏡で動脈静脈交差部の下層静脈が圧迫されているのがみられる．②光の交互刺激により，視神経伝達異常のある眼の瞳孔が刺激時収縮(縮瞳)不良または散瞳さえする(相対性求心性瞳孔異常)）. = Marcus Gunn sign.

Gunn syn·drome ガン症候群. = jaw-winking syndrome.

gun·shot wound (GSW) 射創，銃創（火器から発射された弾丸または他の飛行弾によってできた創）.

gun·stock de·for·mi·ty 銃床変形（上腕骨顆上部あるいは顆部骨折の結果起こる内反肘変形．肘を伸展した際，前腕の長軸が上腕の長軸と連続せず，正中線(体幹寄り)方向に変位しているもの）.

Guo グアノシンの記号.

gur·gling rale ゴボゴボというラ音(分泌物でほぼ満たされた大空洞や気管上で聴取される粗大な音).

gur·ney (gŭr′nē). 患者を移送するのに用いる，車輪の付いた担架または簡易寝台.

gush·er (gŭsh′er). ガッシャー（液体が大量に溢れ出ること）.

Gus·sen·bau·er su·ture グッセンバウアー縫合（Czerny-Lembert 縫合に似た腸の 8 の字縫合であるが，粘膜を含まない）.

gus·ta·tion (gŭs-tā′shŭn). ***1*** 賞味，吟味〔覚〕. ***2*** 味覚.

gus·ta·to·ry (gŭs′tă-tōr-ē). 味覚の.

gus·ta·to·ry ag·no·si·a 味覚失認〔症〕（味覚物質の区別や認識はできることがあるが，味覚物質を分類したり固定したりすることはできない．全般性，部分性，特異性のことがある）.

gus·ta·tory au·ra 味覚前兆（味覚の錯覚または幻覚を特徴とするてんかんの前兆. →aura (1)）.

gus·ta·to·ry cells = taste cells.

gus·ta·to·ry hy·per·hi·dro·sis 味覚性多汗症（ある種の食物を摂取した後，口唇，鼻，および前額に生じる発汗亢進）.

gus·ta·to·ry rhi·nor·rhe·a 味覚鼻漏（摂食に関連する水様鼻漏）.

gut (gŭt). ***1*** 腸. = intestine. ***2*** 消化管（胚期の消化管）. ***3*** catgut の略. →suture.

gut-as·so·ci·a·ted lym·phoid tis·sue 消化管関連リンパ系組織（消化管のリンパ系組織で，特に B 細胞が豊富．細菌，ウイルス，寄生虫などの病原微生物に対する局所免疫に関与する）.

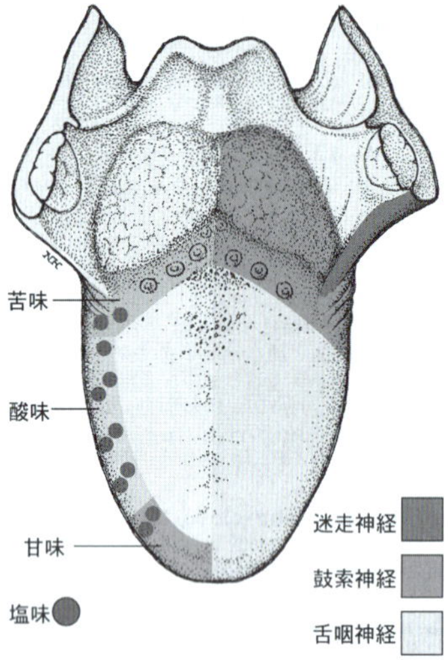

苦味
酸味
甘味
塩味
迷走神経
鼓索神経
舌咽神経

gustation

Guth·rie mus·cle ガスリー筋. = external urethral sphincter muscle.

Guth·rie test ガスリー試験（細菌抑制検査(BIA 法)による血清フェニルアラニンの直接測定法．フェニルケトン尿症の新生児の検出に広く用いている）.

gut·ta (gt) ***1*** 滴，ガッタ（略語 gt.（単数形），gtt.（複数形））. ***2*** ペルカゴム（グッタペルカ中に見出されるゴム状のポリテルペン）.

gut·ta-per·cha (gut′ă-pĕr′chă). グッタペルカ，ガッタパーチャ（アカテツ科 *Palaguium* 属，アカテツ科 *Payena* 属の高木の乳汁を凝固，精製，乾燥したもの．歯科において，一時充填(特に歯内治療における根管の充填)に使用され，スプリントと電気絶縁体の構造にも使用される．溶液はコロジオンの代用物，保護剤および切傷の密封に用いる．室温では固く，熱すると柔らかくなる）.

gut·ta-per·cha points ガッタパーチャポイント（セメント，ペースト，あるいはプラスチックとともに，根管充填に用いるガッタパーチャ合成物の円錐体）.

gut·tate (gŭt′āt). 滴状の（ある種の皮膚病巣に特有な滴の形をした，あるいは滴に類似していることについていう）.

gut·ter dys·tro·phy of cor·ne·a 角膜溝状ジストロフィ（通常，縁から約 1 mm 下方にできる辺縁の溝．ときには両側性）. = keratoleptynsis (1).

gut·ter frac·ture 溝状骨折（頭蓋骨の長く狭い陥凹骨折）.

gut·ter wound 溝創（皮膚を穿通せずに溝をつくる接線方向の傷）.

Gutt·man scale ガットマン尺度(スケール)(苦痛や障害などの特性の漸増する表現を伴う質問への回答項目を段階別に並べた測定尺度).

gut·tur·al (gŭt′ŭr-ăl). 咽喉の.

Guy·on am·pu·ta·tion ギヨン切断術（足関節両果の上での切断. Syme 切断術の変法).

Guy·on ca·nal ギヨン管（手の屈筋支帯と尺側手根屈筋との間にある表在性の管で，ここを前腕から手へ向かう尺骨神経と血管が走行する).

Guy·on sign ギヨン徴候（①腎下垂症，特に腎腫瘤がある場合の腎臓の浮球感. ②舌下神経が外頸動脈の直上にあることから，結紮が必要なとき，内頸動脈と見分けられる).

Guy·on tun·nel syn·drome ギヨン管症候群(手関節部で尺骨神経が通る Guyon 管内で尺骨神経が絞扼を受けるか圧迫される疾患).

GVHD graft-versus-host disease の略.

GVHR graft-versus-host reaction の略.

GXT graded exercise test の略.

Gy Gray の略.

Gym·no·din·i·um (jim-nō-dī′nē-um). ギムノディニウム属（海産の渦鞭毛藻類の一属で，赤潮を引き起こす単細胞生物が含まれる).

Gym·no·din·i·um brev·e 赤潮を引き起こす微小藻類の一種. 毒素を産生し，魚の中枢神経に作用して，麻痺させ死に至らしめる.

Gym·no·phal·loi·des (jim-nō-fă-loy′dēz). ギムノファロイデス属（ギムノファルス科に属する小型の吸虫で，通常，鳥類にみられる. 韓国ではときにヒトへの感染が報告されている. 中間宿主は海産のカキあるいはハマグリであると考えられている).

Gym·no·phal·loi·des se·o·i 朝鮮半島南西部の島しょに住む動物にみられる線虫. 感染すると軽度の消化管症状が起こる. 偶発的ではなく，自然状況下でヒトに感染する. 渡り鳥が固有.

GYN gynecology の略.

gyn-, gyne-, gy·ne·co-, gyno- 女性に関する連続形.

gynae- [Br.]. = gyne-.

gynaecic [Br.]. = gynecic.

gynaeco- [Br.]. = gyneco-.

gynaecoid [Br.]. = gynecoid.

gynaecoid obesity [Br.]. = gynecoid obesity.

gynaecoid pelvis [Br.]. = gynecoid pelvis.

gynaecologic [Br.]. = gynecologic.

gynaecologist [Br.]. = gynecologist.

gynaecology [Br.]. = gynecology.

gynaecomastia [Br.]. = gynecomastia.

gynaecomasty [Br.]. = gynecomasty.

gynaephobia [Br.]. = gynephobia.

gy·nan·drism (gī-nan′drizm). 女性半陰陽（陰核肥大と大陰唇癒合がみられ，陰茎と陰嚢に類似する発育異常. →hermaphroditism; pseudohermaphroditism).

gy·nan·dro·blas·to·ma (gī-nan′drō-blas-tō′mă). 半陰陽性卵巣腫瘍，〔卵巣〕男性胚〔細胞〕腫（①= arrhenoblastoma. ②卵巣の男性胚腫のまれな変種. 顆粒膜あるいは莢膜細胞成分をもち，同時にアンドロゲンおよびエストロゲン作用を与える).

gy·nan·droid (gī-nan′droyd). 女性半陰陽者(女性半陰陽を示す個体).

gy·nan·dro·mor·phism (gī-nan′drō-mōr′fizm). 雌雄モザイク（①男性と女性の特徴を併せもつ異常. ②異なる組織に男性と女性の性染色体補体が存在する. 性染色体モザイク).

gy·nan·dro·mor·phous (gī-nan′drō-mōr′fŭs). 雌雄モザイクの（男性と女性の両方の特徴をもつことについていう).

gy·ne·cic (gī-nē′sik). 女子の，女性の（女性に関連することについていう). = gynaecic.

gy·ne·coid (gī′nĕ-koyd). = gynaecoid. ***1*** 女性様の，女性のような（形状と構造が女性に類似することについていう). ***2*** 産科において正常な女性型の骨盤についていう.

gy·ne·coid o·be·si·ty 女性様肥満（大腿から殿部に主に過剰の脂肪が蓄積した肥満). = gynaecoid obesity.

gy·ne·coid pel·vis 女性型骨盤（正常な女性型の骨盤). = gynaecoid pelvis.

gy·ne·co·log·ic (gī′nĕ-kō-loj′ik). 婦人科学の. = gynaecologic.

gy·ne·co·log·ic ex·am·i·na·tion 婦人科診査（女性の泌尿生殖器系の異常の有無をみるための診察).

gy·ne·col·o·gist (gī′nĕ-kol′ŏ-jist). 婦人科医(婦人科を専門とする医師). = gynaecologist.

gy·ne·col·o·gy (GYN) (gī′nĕ-kol′ŏ-jē). 婦人科学（女性の内分泌学や生殖生理学と同様に，女性の生殖器の疾病を扱う医学の専門分野). = gynaecology.

gy·ne·co·ma·sti·a, gy·ne·co·mas·ty (gī′nĕ-kō-mas′tē-ă, -mas′tē). 女性化乳房，女性型乳房（男性の乳腺の過剰な発育で，主として腺管周囲の浮腫を伴う腺管増殖. しばしばエストロゲン量の増加に続発するが，軽症型は正常思春期にも生じる). = gynaecomastia.

gy·ne·pho·bi·a (gī′nĕ-fō′bē-ă). 女性恐怖〔症〕，婦人恐怖〔症〕（女性あるいは雌性に対する病的な恐れ). = gynaephobia.

gy·no·gen·e·sis (gī′nō-jen′ĕ-sis). 雌性発生(精子によって活性化されるが，雄性配偶子は遺伝物質に関与しない卵発生).

gy·no·plas·tics (gī′nō-plas-tiks). →gynoplasty.

gy·no·plas·ty (gī′nō-plas-tē). 女性器形成術(女性器の修復あるいは形成手術).

gyp·sy weed = bugleweed.

gy·rate (jī′rāt). ***1*** 〚adj.〛 回転した，花環状の，う曲状の，らせん形の. ***2*** 〚v.〛 回転する，旋回する.

gy·rec·to·my (jī-rek′tŏ-mē). 脳回切除〔術〕.

gy·ri (jī′rī). gyrus の複数形.

gy·ro·mag·net·ic ra·ti·o 磁気回転比（核磁気共鳴において，核の磁気双極子モーメントの核スピン角運動量に対する比).

Gy·ro·mi·tra es·cu·len·ta モノメチルヒドラジンを産生するキノコの一菌種で，悪心，下痢，および他の症状を引き起こす. 重症例では

死亡することがある．

gy·rose (jī′rōs)．曲線状の，環状の（大脳半球の表面のように，不規則な曲線で表された）．

gy·ro·spasm (jī′rō-spazm)．頭部回転痙攣（頭部の痙攣性回転運動）．

gy·rus, gen. & pl. **gy·ri** (jī′rŭs, -rī)．回（大脳半球を形成する丸みを帯びた隆起．それぞれの脳回は，露出している表層部分と，溝の壁や床に隠されている部分からなる）．

gy·rus for·ni·ca·tus ***1*** = fornicate gyrus. ***2*** 弓隆回（以前には大脳辺縁全体をさす語として用いられた）．

H

H *1* hyperopia あるいは hyperopic の略. *2* horizontal の略. *3* Hauch の記号. *4* 電気インダクタンスの単位ヘンリーの記号. *5* 水素の元素記号. *6* カルシウムに帰すべき波長 3,968 Å の Fraunhofer 線の記号. *7* histidine の略. *8* 磁場の強さの記号. *9* heroin の略. *10* sulfur mustard の NATO コード. 特にレーヴェンシュタイン法でつくられた非精製タイプをさす.

H^+ 水素イオン hydrogen ion, すなわち陽子を表す記号.

H 自由エネルギーの方程式でエンタルピー, 熱含量の記号.

h hecto-, 高さ, 時間, haustus を表す記号.

h Planck 定数を表す記号. $\hbar = h/2\pi$.

HA headache の略.

haar·schei·be tu·mor 毛盤腫. = trichodiscoma.

HAART (hahrt). ハート (highly active antiretroviral therapy の頭字語).

Haa·se rule ハーゼの法則 (胎児の身長(cm)を5で除した値は, 妊娠持続期間の月数, すなわち胎児年齢である).

ha·be·na, pl. ha·be·nae (hă-bē′nă, -bē′nē). *1* 小帯, あるいは拘束している線維性の帯状物. *2* 抑制包帯. *3* = habenula(2).

hab·e·nal, ha·be·nar (hă-bē′năl, -năr). 小帯の, 包帯の.

ha·ben·u·la, pl. ha·ben·u·lae (hă-ben′yū-lă, -lē). *1* 小帯. = frenulum. *2* 手綱 (神経解剖学において, その名称は元来, 松果体の柄(ⓘ松果体手綱, ⓘⓘ松果体脚)を示したが, 次第に, 連合されると信じられた松果体付近の神経細胞の隣接群を habenular nucleus(手綱核)とよぶようになった. 一般に, habenula の名称は, 導入線維のほとんどを受けたところから髄条の後部末端に埋められた背側視床の背尾側部におけるこの周辺細胞塊をもっぱらさしている. 反屈束(手綱脚間路)を通って, 中脳脚間窩の天井の脚間核および他の傍内側細胞群にのびる. 松果体の柄に近接しているにもかかわらず, 手綱松果体線維連結は認められていない. 視床上部の一部). = habena(3).

ha·ben·u·lar (hă-ben′yū-lăr). 手綱の (手綱, 特に松果体の柄についていう).

Ha·ber syn·drome ハーバー症候群 (顕著な毛包口, 鱗屑を伴う小丘疹, および細かいへこんだ部分を伴う, 頬・鼻・額・顎の永久的な紅潮および毛細血管拡張症. ときに体幹の鱗屑性角化性病変を伴う).

hab·it (hab′it). *1* 嗜癖 (行為, 行動的応答, 習慣, あるいは同じ行為の頻繁な繰返しによって定着した習慣. →addiction). *2* 習慣 (条件付けや学習の研究において基本的な可変要素とされる. 連合によってか, または報賞や強化された事象によって学ばれた新しい反応を意味する用語. →conditioning; learning).

hab·it cough 習慣性咳 (チックあるいは心理的原因に基づく執拗な咳).

hab·it spasm 習慣性痙縮. = tic.

ha·bit·u·al a·bor·tion 習慣〔性〕流産 (3回以上連続した自然流産).

ha·bit·u·al cen·tric 習慣性中心位. = centric occlusion.

ha·bit·u·al pitch 話声位 (個人が一番多く使う声のピッチの中心, または基本周波数. 話声位が最適ピッチとあまりにも異なると, 声に歪みや病理症状が起こることがある. →optimal pitch). = modal frequency; modal pitch.

ha·bit·u·a·tion (hă-bich′ū-ā′shŭn). *1* 習慣〔性〕(習慣形成の過程. 一般には薬物に対する心理的依存性をさし, 快感を維持するために薬物を常用し, ときには薬物嗜癖にまで至る). *2* 慣れ (反復刺激の間に神経系が反応性を減少または抑制する方法).

hab·i·tus (hab′i-tŭs). 体型, 体質.

HACCP Hazard Analysis Critical Control Point の略.

HACE high altitude cerebral edema の略.

HACEK group *Haemophilus* spp., *Actinobacillus actinomycetemcomitans, Cardiobacterium hominis, Eikenella corrodens, Kingella kingae* を含むグラム陰性菌の一群. この群の細菌は一般に培養時には高濃度の二酸化炭素環境を要求する. ヒトの心臓弁への感染能をもつ.

Ha·der·up den·tal no·men·cla·ture ハダーアップ歯式 (①ヨーロッパ系の歯式. 永久歯それぞれに番号および+や−の記号を付けて, それぞれの歯の位置を示す. 例えば, 「6+」は上顎右側の第一永久大臼を意味する. ②永久歯の識別法に類似した乳歯のための歯式. 0が歯番号の前に付け加えられる. 例えば, 「03+」は上顎右側の乳犬歯を意味する).

Haeck·el law ヘッケルの法則. = recapitulation theory.

haem [Br.]. = heme.

haem [Br.]. = heme.

haem- [Br.]. = hem-.

haema- [Br.]. = hema-.

haemachrome [Br.]. = hemachrome.

haemacyte [Br.]. = hemacyte.

haemacytometer [Br.]. = hemacytometer.

haemadsorption [Br.]. = hemadsorption.

haemadsorption virus type 1 [Br.]. = hemadsorption virus type 1.

haemadsorption virus type 2 [Br.]. = hemadsorption virus type 2.

haemagglutination [Br.]. = hemagglutination.

haemagglutinin [Br.]. = hemagglutinin.

haemagglutinin-protease [Br.]. = hemagglutinin-protease.

haemagogic [Br.]. = hemagogic.

haemal [Br.]. = hemal.

haemalum [Br.]. = hemalum.

haemanalysis [Br.]. = hemanalysis.

haemangiectasia [Br.]. = hemangiectasia.
haemangiectasis [Br.]. = hemangiectasis.
haemangio- [Br.]. = hemangio-.
haemangioblast [Br.]. = hemangioblast.
haemangioblastoma [Br.]. = hemangioblastoma.
haemangioendothelioblastoma [Br.]. = hemangioendothelioblastoma.
haemangioendothelioma [Br.]. = hemangioendothelioma.
haemangiofibroma [Br.]. = hemangiofibroma.
haemangioma [Br.]. = hemangioma.
haemangiomatosis [Br.]. = hemangiomatosis.
haemangiopericytoma [Br.]. = hemangiopericytoma.
haemangiosarcoma [Br.]. = hemangiosarcoma.
haemapophysis [Br.]. = hemapophysis.
haemarthrosis [Br.]. = hemarthrosis.
haemastatic [Br.]. = hemostatic.
haemat- [Br.]. = hemat-.
haematein [Br.]. = hematein.
haematemesis [Br.]. = hematemesis.
haematencephalon [Br.]. = hematencephalon.
haematic [Br.]. = hematic.
haematidrosis [Br.]. = hematidrosis.
haematin [Br.]. = hematin.
haematinaemia [Br.]. = hematinemia.
haematin chloride [Br.]. = hematin chloride.
haematinic [Br.]. = hematinic.
haemato- [Br.]. = hemato-.
haematoblast [Br.]. = hematoblast.
haematocele [Br.]. = hematocele.
haematocephaly [Br.]. = hematocephaly.
haematochezia [Br.]. = hematochezia.
haematochyluria [Br.]. = hematochyluria.
haematocolpometra [Br.]. = hematocolpometra.
haematocolpos [Br.]. = hematocolpos.
haematocrit [Br.]. = hematocrit.
hae·ma·toc·ry·a 冷血動物（冷血の脊椎動物）.
haematocystis [Br.]. = hematocystis.
haematogenesis [Br.]. = hematogenesis.
haematogenic [Br.]. = hematogenic.
haematogenous [Br.]. = hematogenous.
haematogenous jaundice [Br.]. = hematogenous jaundice.
haematogenous metastasis [Br.]. = hematognous metastasis.
haematohiston [Br.]. = hematohiston.
haematoid [Br.]. = hematoid.
haematoidin [Br.]. = hematoidin.
haematologist [Br.]. = hematologist.
haematology [Br.]. = hematology.
haematolymphangioma [Br.]. = hematoymphangioma.
haematolysis [Br.]. = hematolysis.
haematolytic [Br.]. = hematolytic.
haematoma [Br.]. = hematoma.
haematometra [Br.]. = hematometra.
haematomphalocele [Br.]. = hmatomphalocele.
haematomyelia [Br.]. = hematomyelia.
haematomyelopore [Br.]. = hematomyelopore.
haematopathology [Br.]. = hematopathology.
hae·ma·to·phi·li·na ヘマトフィリナ類（吸血コウモリを含む翼手目 Cheiroptera の一部門）.
haematoplast [Br.]. = hematoplast.
haematoplastic [Br.]. = hematoplastic.
haematopoiesis [Br.]. = hematopoiesis.
haematopoietic [Br.]. = hematopoietic.
haematopoietic gland [Br.]. = hematopoietic gland.
haematopoietic growth factor [Br.]. = hematopoietic growth factor.
haematopoietic system [Br.]. = hematopoietic system.
haematoporphyrin [Br.]. = hematoporphyrin.
haematopsia [Br.]. = hematopsia.
haematorrhachis [Br.]. = hematorrhachis.
haematorrhachis externa [Br.]. = hematorrhachis externa.
haematorrhachis interna [Br.]. = hematorrhachis interna.
haematosalpinx [Br.]. = hematosalpinx.
haematosin [Br.]. = hematosin.
haematosis [Br.]. = hematosis.
haematospermatocele [Br.]. = hematospermatocele.
haematostatic [Br.]. = hematostatic.
haematostaxis [Br.]. = hematostaxis.
haematosteon [Br.]. = hematosteon.
haematotherma [Br.]. = hematotherma.
haematothermal [Br.]. = hematothermal.
haematothorax [Br.]. = hemothorax.
haematotoxic [Br.]. = hematotoxic.
haematotoxin [Br.]. = hematotoxin.
haematotropic [Br.]. = hematotropic.
haematoxic [Br.]. = hematoxic.
haematoxylin [Br.]. = hematoxylin.
haematoxylin and eosin stain [Br.]. = hematoxylin and eosin stain.
haematozoon [Br.]. = hematozoon.
haematuria [Br.]. = hematuria.
haemerythrin [Br.]. = hemerythrin.
haemic [Br.]. = hemic.
haemic murmur [Br.]. = hemic murmur.
haemin [Br.]. = hemin.
haemo- [Br.]. = hemo-.
haemobilia [Br.]. = hemobilia.
haemoblast [Br.]. = hemoblast.
haemoblastosis [Br.]. = hemoblastosis.
haemocatheresis [Br.]. = hemocatheresis.
haemocatheretic [Br.]. = hemocatheretic.
Haemoccult test [Br.]. = Hemoccult test.
haemochorial placenta [Br.]. = hemochorial placenta.
haemochromatosis [Br.]. = hemochromatosis.
haemochrome [Br.]. = hemochrome.
haemochromogen [Br.]. = hemochromogen.
haemochromometer [Br.]. = hemochromometer.

haemoclasia [Br.]. = hemoclasia.
haemoclasis [Br.]. = hemoclasis.
haemoclastic [Br.]. = hemoclastic.
haemocoel [Br.]. = hemocele.
haemocoele [Br.]. = hemocele.
haemoconcentration [Br.]. = hemoconcentration.
haemoconia [Br.]. = hemoconia.
haemoconiosis [Br.]. = hemoconiosis.
haemocyanin [Br.]. = hemocyanin.
haemocyte [Br.]. = hemocyte.
haemocytoblast [Br.]. = hemocytoblast.
haemocytocatheresis [Br.]. = hemocytocatheresis.
haemocytolysis [Br.]. = hemocytolysis.
haemocytoma [Br.]. = hemocytoma.
haemocytometer [Br.]. = hemocytometer.
haemocytometry [Br.]. = hemocytometry.
haemocytotrypsis [Br.]. = hemocytotripsis.
haemodiafiltration [Br.]. = hemodiafiltration.
haemodiagnosis [Br.]. = hemodiagnosis.
haemodialyser [Br.]. = hemodialyzer.
haemodialysis [Br.]. = hemodialysis.
haemodilution [Br.]. = hemodilution.
haemodynamics [Br.]. = hemodynamics.
haemoendothelial placenta [Br.]. = hemoendothelial placenta.
haemofiltration [Br.]. = hemofiltration.
haemoflagellate [Br.]. = hemoflagellate.
haemofuscin [Br.]. = hemofuscin.
haemogenesis [Br.]. = hemogenesis.
haemogenic [Br.]. = hemogenic.
haemoglobin [Br.]. = hemoglobin.
haemoglobin A [Br.]. = hemoglobin A.
haemoglobinaemia [Br.]. = hemoglobinemia.
haemoglobin Bart [Br.]. = hemoglobin Bart.
haemoglobin C [Br.]. = hemoglobin C.
haemoglobin F [Br.]. = hemoglobin F.
haemoglobinolysis [Br.]. = hemoglobinolysis.
haemoglobinometry [Br.]. = hemoglobinometry.
haemoglobinopathy [Br.]. = hemoglobinopathy.
haemoglobinophilic [Br.]. = hemoglobinophilic.
haemoglobin S [Br.]. = hemoglobin S.
haemoglobins [Br.]. = hemoglobin.
haemoglobinuria [Br.]. = hemoglobinuria.
haemoglobinuric [Br.]. = hemoglobinuric.
haemoglobinuric nephrosis [Br.]. = hemoglobinuric nephrosis.
haemogram [Br.]. = hemogram.
haemohistioblast [Br.]. = hemohistioblast.
haemolith [Br.]. = hemolith.
haemolutein [Br.]. = hemolutein.
haemolymph [Br.]. = hemolymph.
haemolysate [Br.]. = hemolysate.
haemolysin [Br.]. = hemolysin.
haemolysinogen [Br.]. = hemolysinogen.
haemolysin unit [Br.]. = hemolysin unit.
haemolysis [Br.]. = hemolysis.
haemolytic [Br.]. = hemolytic.
haemolytic anaemia [Br.]. = hemolytic anemia.
haemolytic disease of newborn [Br.]. = hemolytic disease of newborn.
haemolytic jaundice [Br.]. = hemolytic jaundice.
haemolytic plaque assay [Br.]. = hemolytic plaque assay.
haemolytic splenomegaly [Br.]. = hemolytic splenomegaly.
haemolytic unit [Br.]. = hemolytic unit.
haemolytic uremic syndrome [Br.]. = hemolytic uremic syndrome.
haemomediastinum [Br.]. = hemomediastinum.
haemometra [Br.]. = hemometra.
haemonchiasis [Br.]. = hemonchiasis.
Hae·mon·chus (hē-mong′kŭs). 捻転胃虫属 (ウシ，ヒツジ，ヤギ，および他の反すう類の第四胃に寄生して貧血を起こす寄生線虫(毛様線虫科)の一属で，経済的に問題となる．ヒトへの感染はときたま起こる).
haemonectin [Br.]. = hemonectin.
haemoparasite [Br.]. = hemoparasite.
haemopathology [Br.]. = hemopathology.
haemopathy [Br.]. = hemopathy.
haemoperfusion [Br.]. = hemoperfusion.
haemopericardium [Br.]. = hemopericardium.
haemoperitoneum [Br.]. = hemoperitoneum.
haemopexin [Br.]. = hemopexin.
haemophagocyte [Br.]. = hemophagocyte.
haemophil [Br.]. = hemophil.
haemophile [Br.]. = hemophile.
haemophilia [Br.]. = hemophilia.
haemophilia A [Br.]. = hemophilia A.
haemophilia B [Br.]. = hemophilia B.
haemophiliac [Br.]. = hemophiliac.
haemophilic [Br.]. = hemophilic.
haemophilioid [Br.]. = hemophilioid.
Hae·moph·i·lus (hē-mof′i-lŭs). ヘモフィルス属 (好気性および通性嫌気性の非運動性のブルセラ科バクテリアの一属で，しばしば糸状であったり，多形性の小さなグラム陰性杆菌である．これらの微生物は厳密な寄生性で，血液を含む培地上でのみよく発育できる．病原性のものも非病原性のものもあり，脊椎動物の正常の気道だけでなく，様々な病変部および分泌物にみられる．標準種は *Haemophilus influenzae*).
Hae·moph·i·lus ac·tin·o·my·ce·tem·com·i·tans = *Actinobacillus actinomycetemcomitans*.
Hae·moph·i·lus ae·gyp·ti·us エジプトヘモフィルス (暖気候の地域において，急性あるいは亜急性の感染性結膜炎を起こす細菌種). = Koch-Weeks bacillus.
Hae·moph·i·lus du·cre·yi 軟性下疳菌，デュクレー菌 (性行為感染性軟性下疳の原因となる細菌種). = Ducrey bacillus.
Hae·moph·i·lus in·flu·en·zae インフルエンザ菌 (気道にみられ急性呼吸器感染症を引き

起こす細菌種．肺炎，急性結膜炎，耳炎，小児での化膿性髄膜炎(まれに副鼻腔炎や慢性気管支炎を有する成人にみられる)の起因菌となる．元来，インフルエンザの原因とみなされた．*Haemophilus* 属の標準種)．= Pfeiffer bacillus; Weeks bacillus.

***Hae·moph·i·lus in·flu·en·zae* type B** ヘモフィルスインフルエンザタイプb（最も病原性の強い血清型(莢膜多糖体としてa-fの6型がある)．小児の呼吸器，髄膜炎において主要な起炎菌である)．

***Hae·moph·i·lus in·flu·en·zae* type B vac·cine** B型インフルエンザワクチン（*H. influenzae* B型の莢膜抗体のオリゴ糖とジフテリアCRM蛋白との結合体)．

Hae·moph·i·lus pa·ra·trop·i·ca·lis ほとんど病原性のない細菌種で，心内膜炎などのヒトの感染でみられる．

Hae·moph·i·lus seg·nis 腐生細菌で，ときにヒトに心内膜炎，骨髄炎，その他の感染を起こす．

haemophoresis [Br.]. = hemophoresis.

haemophthalmia [Br.]. = hemophthalmia.

haemophthalmus [Br.]. = hemophthalmus.

haemoplastic [Br.]. = hemoplastic.

haemopneumopericardium [Br.]. = hemopneumopericardium.

haemopneumothorax [Br.]. = hemopneumothorax.

haemopoiesis [Br.]. = hemopoiesis.

haemopoietic [Br.]. = hemopoietic.

haemoporphyrin [Br.]. = hemoporphyrin.

haemoprecipitin [Br.]. = hemoprecipitin.

haemoprotein [Br.]. = hemoprotein.

haemoptysis [Br.]. = hemoptysis.

haemorheology [Br.]. = hemorheology.

haemorrhachis [Br.]. = hemorrhachis.

haemorrhage [Br.]. = hemorrhage.

haemorrhagic [Br.]. = hemorrhagic.

haemorrhagic ascites [Br.]. = haemorrhagic ascites.

haemorrhagic colitis [Br.]. = hemorrhagic colitis.

haemorrhagic cyst [Br.]. = hemorrhagic cyst.

haemorrhagic cystitis [Br.]. = hemorrhagic cystitis.

haemorrhagic disease of the newborn [Br.]. = hemorrhagic disease of the newborn.

haemorrhagic endovasculitis [Br.]. = hemorrhagic endovasculitis.

haemorrhagic fever [Br.]. = hemorrhagic fever.

haemorrhagic fever with renal syndrome [Br.]. = hemorrhagic fever with renal syndrome.

haemorrhagic infarct [Br.]. = hemorrhagic infarct.

haemorrhagic measles [Br.]. = hemorrhagic measles.

haemorrhagic plague [Br.]. = hemorrhagic plague.

haemorrhagic shock [Br.]. = hemorrhagic shock.

haemorrhagins [Br.]. = hemorrhagins.

haemorrhoidal [Br.]. = hemorrhoidal.

haemorrhoidectomy [Br.]. = hemorrhoidectomy.

haemosiderin [Br.]. = hemosiderin.

haemosiderosis [Br.]. = hemosiderosis.

haemospermia [Br.]. = hemospermia.

Hae·mo·spo·ri·na (hē′mō-spō-rī′nă)．住血胞子虫類（コクシジウム類(胞子虫綱)の一亜目．複数宿主性で，メロゾイト形成をヒトを含む脊椎動物体内で，スポロゾイト形成を吸血昆虫の体内で行う．*Plasmodium* 属を含む)．

haemostasis [Br.]. = hemostasis.

haemostat [Br.]. = hemostat.

haemostatic [Br.]. = hemostatic.

haemostatic forceps [Br.]. = hemostatic forceps.

haemotherapeutics [Br.]. = hemotherapeutics.

haemotherapy [Br.]. = hemotherapy.

haemothorax [Br.]. = hemothorax.

haemotoxic [Br.]. = hemotoxic.

haemotoxin [Br.]. = hemotoxin.

haemotroph [Br.]. = hemotroph.

haemotrophe [Br.]. = hemotrophe.

haemotropic [Br.]. = hemotropic.

haemotympanum [Br.]. = hemotympanum.

haemoximeter [Br.]. = hemoximeter.

haemoximetry [Br.]. = hemoximetry.

haemozoon [Br.]. = hemozoon.

haemprotein [Br.]. = heme protein.

haem protein [Br.]. = heme protein.

Haff·kine vac·cine ハフキンワクチン（①2つの強度をもつコレラ菌 *Vibrio cholerae* の死菌液で，弱いほうは初回接種に，強いほうは初回後7—10日目の2回目接種に用いる．②ペスト菌 *Yersinia pestis* の死菌ワクチン)．

haf·ni·um (Hf) (haf′nē-ŭm)．ハフニウム（希土類元素，原子番号72，原子量178.49)．

Hage·man fac·tor ハーゲマン因子．= factor XII.

H ag·glu·ti·nin H凝集素（微生物の運動性株のべん毛中にある易熱性抗原による刺激の結果として形成される凝集素)．

Hag·lund dis·ease ハグルンド病（踵骨後上側方の異常突出)．

hahn·i·um (hahn′ē-ŭm)．ハーンニウム（人工的につくられた105番目の元素につけられた名)．

Hai·din·ger brush·es ハイディンガーブラシ（青天のような一面平等に照らされた平面を偏光レンズを通して見たときに感じる2つの暗黄色のはけ，あるいは固視点から約5°の放射状に見える滑車)．

Hai·ley and Hai·ley dis·ease = keratosis follicularis.

hair (hār)．毛（①哺乳類の皮膚から生じ，手掌・足底・関節の屈側面を除く身体の全面に存在する角化した細い糸状の表皮形成物．毛の長さや特性は体部位ごとに著しく異なっている．②迷路の聴覚細胞や他の感覚細胞の細い毛様の突起で聴毛，感覚毛などとよばれる．= thrix）．

HAIR-AN syn·drome HAIR-AN 症候群（男性化 *h*yper*an*drogenism，インスリン抵抗性 *i*nsulin *r*esistance，黒色表皮症 *a*canthosis *n*igricans．インスリンの著しい高値および黄体化ホルモンと卵胞刺激ホルモンの正常な思春期の女性に認められる男性化症）．

hair ball 毛塊．= trichobezoar.

hair cell〔有〕毛細胞（Corti 器，耳の膜迷路の斑および稜，味蕾にある感覚上皮細胞．光学顕微鏡で，微細毛としてみえる長い不動毛あるいは運動毛(または両方)を有するのが特徴である．→taste cells）．

hair fol·li·cle 毛包（表皮が管状に落ち込んでできたものでここから毛が発達し，脂腺の分泌物もここに分泌される．表皮由来の細胞性の内根鞘・外根鞘と真皮由来の結合組織鞘とでできている）．= folliculus pili.

hair·line frac·ture 毛髪様骨折（骨片に分離していない骨折で，しばしば頭蓋骨でみられるように骨折線が毛髪のようになっている）．= capillary fracture.

hair pa·pil·la 毛乳頭．= papilla pili.

hair·pin ves·sels ヘヤピン状血管（頸部コルポスコピー所見で 2 重に屈曲した血管走行．初期浸潤癌にみられる）．= corkscrew vessels.

hair root 毛根（毛包内に埋まっている毛の部分．その下方末端は毛包下部の毛球部で毛乳頭をおおっている）．

hair-trans·plant（hār′trans-plant）．毛髪移植（頭髪欠乏を治す皮膚手術または再建手術）．

hair whorls 毛渦（頭頂などにある毛髪の渦巻き状の配列）．

hair·y（hār′ē）．= pilar; pilary; pileous; pilose. ***1*** 毛のような．***2*** 毛でおおわれた（→hirsutism）．

hair·y cell ヘアリーセル，毛様細胞（網内系細胞の特徴を有し細胞表面に多数の胞体突起(ヘアー)をもつが，B リンパ球の一種と考えられる中型の白血球．白血性細網内皮症(ヘアリーセル白血病)でみられる）．

hair·y cell leu·ke·mi·a ヘアリーセル白血病，毛様細胞性白血病（まれな，通常は慢性に経過する疾患．毛様の突起を有するヘアリーセルが細網内皮組織や血液に増殖することが特徴）．

hair·y leu·ko·pla·ki·a 毛髪状白斑（免疫無防備状態の患者の舌や頬粘膜に生じる白色病変．病変は盛り上がっており，表面にはしわが生じ，〝毛のような〞変化が生じる．HIV/エイズ患者にみられ，Epstein-Berr ウイルスに伴う，通常は良性で，治療により消退する）．

hair·y mole 有毛母斑．= nevus pilosus.

hair·y pol·yp 上咽頭奇形腫（線毛を持つ細長い柄から発生する組織の塊．通常口腔にできる）．

hair·y tongue 毛舌（乳頭が異常に伸張した結果，厚い毛でおおわれた外観を呈する舌．抗菌薬投与に伴う良性の副作用）．= glossotrichia; trichoglossia.

ha·lal, ha·lāl, ha·laal ハラル（イスラム教の食事規定にのっとって用意された食物．いくつかの食物の消費を禁止し，イスラム教徒の食肉解体処理作業員がどのように食肉を用意すべきかも規定している）．

ha·la·tion（hă-lā′shŭn）．ハレーション，暈影，光暈（まぶしさによって像がぼやけること）．

Hal·dane ef·fect ホールデーン効果（ヘモグロビンの酸素飽和による血中炭酸ガス解離の促進）．

Hale col·loi·dal i·ron stain ヘールのコロイド鉄染色〔法〕（ヒアルロン酸のような酸性ムコ多糖体の識別に用いる染色．PAS 染色とともに用いると，糖質含有蛋白や糖蛋白も示すことができる）．

half-and-half nail 半々爪（爪に横断する線が入り，ぼんやりした白とピンクもしくは茶色に分かれること．尿毒症に見られる）．

half-life（haf′līf）．半減期（①放射能，あるいは放射性物質中の原子数が半分に減少するのに要する時間．時間に対して指数関数的に減少するような，いかなる物質の量にも同様に適用される．*cf.* half-time．②ある薬物の血中濃度が 50％に減じるのに必要な時間）．

half-time（haf′tīm）．半減期（化学反応あるいは酵素反応の一次反応において，物質(基質)の半分が変化または消失する時間．*cf.* half-life）．

half-val·ue la·yer（HVL） 半価層（放射線の強度を最初の値の半分にするのに必要な，特定の吸収物質(例えば，アルミニウム)の厚さ．→filter）．

half·way house ハーフウェイハウス，中間寮（完全な病院設備は必要としないが，まだ自立生活に復帰のできない人のための施設）．

hal·ide（hal′īd）．ハロゲン化物（ハロゲン塩化合物）．

hal·i·to·sis（hal-i-tō′sis）．口臭．

hal·i·tus（hal′i-tŭs）．蒸気，呼気（呼気または蒸気のような発散物）．

Hal·lé point アレー点（腸骨前上棘を結ぶ水平線と恥骨棘からの垂直線とが交差する点．この点で尿管が最も容易に触診できる）．

Hal·ler arch·es ハラー弓（→lateral arcuate ligaments; medial arcuate ligaments）．

Hal·ler cir·cle ハラー輪（①= vascular circle of optic nerve．②= areolar venous plexus）．

Hal·ler·vor·den-Spatz syn·drome ハレルフォルデン-シュパッツ症候群（ジストニーと他の錐体外路機能障害を特徴とする疾患．20 歳以下で発症する．淡蒼球と黒質に大量の鉄の沈着を伴う）．

Hall·gren syn·drome ハルグレン症候群（前庭小脳性運動失調，色素性網膜ジストロフィ，先天性難聴，および白内障）．

Hall·pike ma·neu·ver ホールパイク手技(操作)（目まいの検査．頭を左右どちらかに傾けながら座った状態から立った状態になったときに，目まいや眼振が起これば陽性である）．

hal·lu·cal（hal′ū-kăl）．〔足の〕母指の，おやゆびの．

hal·lu·ci·na·tion（hă-lū′si-nā′shŭn）．幻覚（そのような刺激や状況が存在しないのに対象や事象をはっきりと，しばしば強く主観的に知覚すること．幻視，幻聴，幻嗅，幻味，幻触など

H

がある).

hal·lu·ci·no·gen (hă-lū′si-nō-jen). 幻覚〔誘発〕薬（幻覚性の化学薬品，薬剤，特に最も特徴的な薬理作用が中枢神経系にある化学薬品．正常人に幻視，幻聴，離人症，知覚障害，思考過程の障害を起こす).

hal·lu·ci·no·gen·ic (hă-lū′si-nō-jen′ik). 幻覚薬の，幻覚誘発〔性〕の. = psychedelic.

hal·lu·ci·no·sis (hă-lū′si-nō′sis). 幻覚症（通常，器質因性の症候群．多かれ少なかれ，持続する幻覚を特徴とする).

hal·lux, pl. **hal·lu·ces** (hal′ŭks, -ū-sēz). 〔足の〕母指，おやゆび.

hal·lux do·lo·ro·sus 母趾痛（通常，扁平足に伴う状態で，歩くと母趾の中足指骨関節に強い痛みが起こる).

hal·lux flex·us 屈曲母趾（第一趾を含むつち状足指).

hal·lux rig·id·us 強直母趾（第一中足指節関節に強直のある状態．通常，関節背側の骨棘形成により生じる).

hal·lux val·gus 外反母趾，母趾外反〔症〕（母趾の主軸が足の外側へ偏位していること).

hal·lux var·us 内反母趾，母趾内反〔症〕（母趾の主軸が第二趾を離れて足の内側に偏位していること).

ha·lo (hā′lō). 暈(かさ)，輪（①視神経乳頭を囲む赤黄色の輪で，強膜輪が拡大して深部構造が透見できるようになったもの．②発光体を取り囲んでいる環状の光の輝き，あるいは母斑周囲の環状の脱色部分. →halo nevus. ③= areola(4). ④ハロキャスト halo cast またはハロブレース halo brace に用いる円形の金属帯．頭蓋骨にピンで止める).

ha·lo ef·fect 後光効果（①医療行為やサービスが何であるかにかかわらず，医療従事者の態度，配慮，ケアが医療行為を受けている間の患者にもたらす(通常は有益な)影響．②観察者が，対象者の(研究対象としているもの以外の)特徴について感じたことが観察結果にもたらす影響，あるいは観察者の過去事実に関する回想や知識がもたらす影響).

hal·o·gen (hal′ō-jen). ハロゲン（塩素族(フッ素，塩素，臭素，ヨウ素)の元素の総称．水素と一塩基酸を形成する．水酸基(フッ素には水酸基によるものがない)もまた一塩基酸を形成する).

hal·o·gen·o·der·ma (hal′ō-jen′ō-dĕr′mă). ハロゲン皮膚症（ハロゲンの摂取あるいは注射により生じる皮膚病．最も明らかな例としては臭化物やヨウ化物がある).

ha·lom·e·ter (hal-om′ĕ-tĕr). 回折暈計（赤血球の回折暈を測定するために用いる器械．悪性貧血の大赤血球の暈は正常赤血球の暈より小さいという前提に基づく．正常大のかすんだ無色の暈は続発性貧血の特徴である).

ha·lo ne·vus 暈状母斑（良性で単発し，ときに多発する色素性母斑で，そこに退縮を生じ，均一に色素脱失をきたした領域すなわち白暈に囲まれた中心部の褐色母斑という形を呈するもの). = Sutton nevus.

hal·o·phil, hal·o·phile (hal′ō-fil, -fīl). 好塩菌（その成長が高濃度の塩によって増強するか依存している微生物).

hal·o·phil·ic (hal′ō-fil′ik). 好塩性の，塩親和〔性〕の（成長のために高濃度の塩を必要とする).

ha·lo sign 暈徴候（死亡した胎児や死にかけている胎児の頭蓋骨上にみられる皮下脂肪層の隆起．X 線診断上，胎児死亡の最も一般的な徴候といわれる).

ha·lo vest ハローベスト，頸椎固定器具（首と頭部を固定するための矯正装置).

Hal·sted law ハルステッドの法則（移植された組織は被移植者にその組織がないときにのみ成長する).

Hal·sted op·er·a·tion ハルステッド手術（①鼡径ヘルニアの根治手術．②= radical mastectomy).

Hal·sted su·ture ハルステッド縫合（表皮下筋膜を通した縫合．正確な皮膚接合に用いる).

ha·mar·ti·a (ham-ahr′shē-ă). 過誤組織（その部位に正常に存在する組織の配列および組合せの異常を特徴とする局所の発育障害).

ham·ar·to·blas·to·ma (ham-ahr′tō-blas-tō′mă). 過誤芽腫（過誤腫から起こった未分化細胞の悪性新生物).

ham·ar·to·ma (ham′ahr-tō′mă). 過誤腫（肉眼的にも顕微鏡的にも新生物に類似する巣状の奇形．過誤腫は器官の誤った発育で起こる．組織諸要素の存在部位は正常であるが，混合が異常であるか単一要素の構成が異常であるときに現れる．それらは正常の成分と同じ速度で発育成長し，新生物組織と異なり隣接組織を圧迫することはない).

ham·ar·tom·a·tous (ham′ahr-tō′mă-tŭs). 過誤腫の.

ha·mate (ham′āt). →hamate bone.

ha·mate bone 有鉤骨（手根の遠位列の内側(尺側)の骨．第四・第五中手骨，三角骨，月状骨，有頭骨と関連する). = os hamatum; unciform bone.

Ham·bur·ger law ハンブルゲルの法則（血液が酸性のときはアルブミンとリン酸塩は赤血球から血清中へ移動し，塩化物は血清から血球へ移動する．血液がアルカリ性のときはその逆になる).

Ham·bur·ger phe·nom·e·non ハンブルゲル現象. = chloride shift.

Ham·il·ton an·xi·e·ty rat·ing scale ハミルトン不安評価尺度（不安の重症度を測るために利用される具体的症状のリスト).

Ham·il·ton de·pres·sion rat·ing scale ハミルトンうつ病評価尺度（抑うつの重症度を測るために利用される具体的症状のリスト).

Ham·man mur·mur ハマン(ハンマン)雑音（心拍に同期して聞こえる前胸部のバリバリいう音．縦隔気腫のときに聞かれる．Hamman 性バリバリ音として知られる).

Ham·man-Rich syn·drome ハマン(ハンマン)-リッチ症候群. = idiopathic pulmonary fibrosis.

Ham·man sign ハマン(ハンマン)徴候（縦隔気

腫の場合，前胸部とときには胸から離れた場所で，心拍動と同時にバリバリという音やきしり音が聞こえる）.

Ham·man syn·drome ハマン（ハンマン）症候群（特発性の縦隔気腫で，肺胞の破裂により起こる）.

ham·mer (ham′ĕr). つち骨. = malleus.

Ham·mer·schlag meth·od ハンメルシュラーク法（比重のわかっているクロロホルムとベンゼンの混合液を含む一連の管に，1滴の血液を滴下し，血液の比重を決定する液体比重測定法．滴下した血液が浮沈せず停止したままでいる混合液の比重が検査する血液の比重に相当する）.

ham·mer toe 槌状足指（1本以上の足指の遠位趾節関節が永久的に屈曲すること）.

Ham·mond dis·ease ハモンド病. = athetosis.

Hamp·ton hump ハンプトンハンプ（通常，肋骨横隔膜角においてみられる，肺門に向かって凸状の，胸膜を底辺とした肺の軟部組織陰影．肺塞栓により肺梗塞にみられる）.

ham·string (ham′string). 膝窩腱，膝屈曲筋（膝窩の両側に付いている腱．内側は半膜様筋，半腱様筋の腱から構成され，外側は大腿二頭筋の腱である．これらの筋は，ⓘ坐骨結節から起こり，ⓘⓘ股関節と膝関節とにまたがって作用し，股関節は伸展させ，膝関節は屈曲させる，ⓘⓘⓘ坐骨神経の脛骨部の支配を受ける．内側部は膝関節の屈曲のときに内側に回旋させ，外側部は外側に回旋させる）.

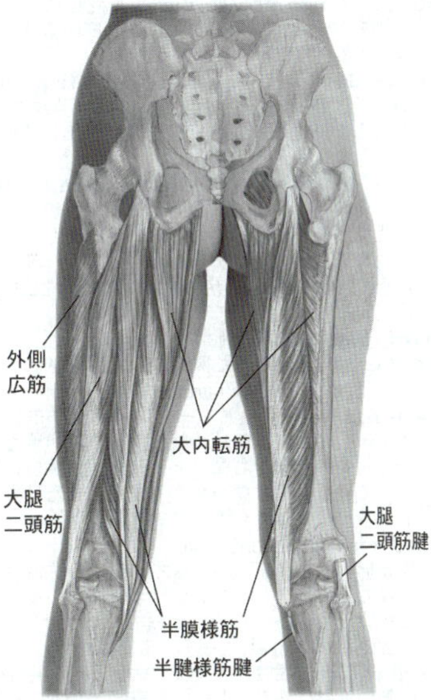
外側
広筋
大内転筋
大腿
二頭筋
大腿
二頭筋腱
半膜様筋
半腱様筋腱

hamstring

ham·string ten·don →hamstring.

Ham test ハム試験. = acidified serum test.

ham·u·lar (ham′yū-lăr). 鉤状の，鉤形の.

ham·u·lus, gen. & pl. ham·u·li (ham′yū-lŭs, -lī). 鉤（鉤状の構造）. = hook(2).

Han·cock am·pu·ta·tion ハンコック切断術（距骨における足の切断）.

hand (hand). 手（上肢のうち橈骨手根関節より遠位の部分で，手首・手掌・指からなる）. = manus.

hand·ed·ness (hand′ĕd-nĕs). 利き手（片方の手の使用をより好むこと．通常は右手であり，反対側の大脳半球の優位を伴う．訓練や習慣の結果として起こることもある）.

hand-foot-and-mouth dis·ease 手足口病（指趾，掌蹠に生じる灰白色の小さな水疱からなる発疹．幼小児にみられる．微熱，頬粘膜や舌の有痛性小水疱，潰瘍形成などを伴う．この病気は4—7日続く．通常，コクサッキーウイルスのA-16型によって引き起こされるが，他の型も同定されている．強感染性で，多くの小児が罹患する）.

hand·i·cap (hand′ē-kap). ハンディキャップ，社会的不利（①個人の正常機能に支障をきたすような身体的，精神的あるいは感情状態．②ある社会的役割をはたす個人の能力が何らかの障害やその役割に対する不適切な訓練，他の環境のために低下すること．→disability）.

hand·ling (hand′ling). 取り扱い〔法〕，ハンドリング（異常な動きをする頻度を減らし，筋緊張を改善し，正常で自動的な動きを増やすために，療法士が手を用いた訓練された方法で患部を取り扱うこと）.

hand-o·ver-mouth ex·er·cise (H.O.M.E.) ハンドオーバーマウス法（小児歯科患者に用いる患者管理技術．歯科医は子供の口を手で覆い，大声をあげたり騒いだりすることなく静かに話を聞くことが出来るようであれば手をどかすと教える．この手法は歯科医が行い，介助者は行わない．この時に決して鼻を塞いで窒息させてはならない）.

hand rays 手放線（手板の密集する5つの間葉組織を分ける4つの放射状の溝．手の中手骨と指骨の形成を示す）. = digital rays of hand.

Hand-Schül·ler-Chris·tian dis·ease ハンド-シュラー-クリスチャン病（Langerhans細胞性組織球増殖症のうちの慢性びまん性型．尿崩症，眼球突出，組織球よりなる骨病変が典型的3徴である）. = Christian disease (1); Christian syndrome; Schüller syndrome.

hand·shapes (hand′shāps). 手文字（読唇術において発音している音を（発音と同時に）手で表す際の表現法）.

hang·man's frac·ture 絞首骨折（軸椎(C2)の椎弓を通る頸椎の骨折．第三頸椎に対し，軸椎椎体の前方脱臼を伴うことがある）.

hang·nail (hang′nāl). 逆むけ（内側または外側の爪のくぼみの基部についているむけかかった三角形の皮膚片）.

Hanks so·lu·tion ハンクス〔溶〕液（動物細胞の培養のために，天然に存在する体物質（血清，組織抽出物など)と，化学的にみてより複雑に定義された栄養液，またはそのどちらかと組み合わせて通常用いる塩溶液．2種の液は塩化カルシウム，硫酸マグネシウム七水塩，塩化カリウム，リン酸二水素カリウム，炭酸水素ナトリウム，塩化ナトリウム，リン酸二水素ナトリウム二水塩，D-グルコースを含む)．

Han·no·ver ca·nal ハノヴァー管（毛様小帯と硝子体の間にある潜在空隙)．

Han·sen ba·cil·lus ハ〔ー〕ンセン杆菌．= *Mycobacterium leprae.*

Han·sen dis·ease ハ〔ー〕ンセン(バンセン)病．= leprosy.

Han·ta·vi·rus (hahn′tă-vī′rŭs)．ハンタウイルス属（ブンヤウイルス科の一属で，肺炎と出血熱を引き起こす．現在までに4種のウイルス，Hantaan, Puumala, Seoul, Prospect Hill が分離されている．Prospect Hill 以外はヒトに病原性があり，Hantaan ウイルスは，朝鮮出血熱の起因ウイルスである．種々のげっ歯類が無症候キャリアとして唾液・尿・糞便中にウイルスを分泌する．ヒトへの感染はげっ歯類から直接，あるいは感染性分泌物から気道を介して感染する．ヒトからヒトへの感染はまれであるとされている．1992年に本ウイルスはアリゾナとニューメキシコで患者から分離された．感染した人の致死率は軽度である．最も深刻な病気は腎不全およびときに呼吸虚脱による出血熱である)．

Han·ta·vi·rus pul·mo·na·ry syn·drome ハンタウイルス肺症候群（数種類のハンタウイルス (Andes, Bayou, Black Creek Canal, New York, Sin Nombre viruses)による南北アメリカの熱病で，血小板減少，白血球増加，肺毛細血管出血を特徴とし，ショックや心合併症で死亡する)．

H an·ti·gen H抗原（①運動性細菌のべん毛内の抗原．→ O antigen. ② ABO 血液型系の抗原の化学的前駆体)．

HA-P hemagglutinin-protease の略.

HAP hospital-acquired pneumonia の略.

HAPE high altitude pulmonary edema の略.

haph·al·ge·si·a (haf′al-jē′zē-ă)．接触痛（ほんのわずかの接触でも起こる疼痛，または非常に不快な感覚)．= Pitres sign(1).

haplo- 単一または単独を意味する連結形.

hap·loid (hap′loyd)．ハプロイド，単相の，一倍体の（精子または卵子の染色体の数についていう．その数は体細胞(二倍体)の半数．正常なヒトの一倍体の数は23)．

hap·lo·pro·tein (hap′lō-prō′tēn)．ハプロプロテイン（アポ蛋白と補欠分子族との機能性複合体．それらは一緒になって生物活性を果たす)．

hap·lo·scope (hap′lō-skōp)．ハプロスコープ，視軸測定器（各々の眼で見た別々のながめを1つの物として見られるようにする機器)．

hap·lo·scop·ic (hap′lō-skop′ik)．ハプロスコープの．

hap·lo·type (hap′lō-tīp)．ハプロタイプ（①個体の遺伝子構成において，1対の対立遺伝子のうちのいずれか片方の遺伝子群のこと．もし1対の対立形質のうちの一方が同じで他方が異なっているような，2つの個体を比べたとき，その2つの個体は遺伝子表現型は異なるが，ハプロタイプは同じである．②免疫遺伝学的には，片親由来で受け継がれる隣接した一組の遺伝子により決められた表現型をいう(1対の染色体上の片方の遺伝子)．ヒトの主要組織適合性抗原遺伝子複合体(HLA)は現在4種類の遺伝子座位が明らかになっており(A, B, C, D)，それぞれが50以上の対立遺伝子を含んでいる．同様に，免疫グロブリンのサブクラスである IgG1, IgG2, IgG3, IgA2 のアロタイプのマーカ(抗原)についても，この組合せによって決定され，これは伝達においてほぼ常に不変な単位として遺伝される．しかし，これらの異なったハプロタイプを支配している対立遺伝子は抗体分子の κ 型L鎖の κ 型の抗原決定には関与しない)．

HapMap (hap′map)．ハップマップ（世界中の人間の遺伝子変異を集めたカタログ．遺伝病と疾患自体への理解を高めるために作られた)．

hap·ten (hap′tĕn)．ハプテン（単独では抗体を産生できないが，キャリアとよばれるやや大きめの分子との結合体として抗原性を発現する)．= incomplete antigen; partial antigen.

hap·tics (hap′tiks)．触覚〔学〕（触覚に関する科学)．

hap·to·glo·bin (hap′tō-glō′bin)．ハプトグロビン（ヒト血清中の α_2 グロブリンの一種．ヘモグロビンと結合する能力から名付けられ，尿での欠損を予防する．別々の遺伝子座により制御されている α-および β-ポリペプチド鎖により，いくつかの多型が存在する)．

Ha·ra·da·i·to pro·ce·dure 上斜筋腱の前部線維を選択的に強めることにより第四脳神経麻痺による外転眼の矯正を行う方法.

Ha·ra·da-Mo·ri fil·ter pa·per strip cul·ture 原田-森濾紙培養法（濾紙片，糞便検体，水道水を遠沈管に入れて線虫卵が孵化し幼虫となる環境を与える方法)．

Ha·ra·da syn·drome, Ha·ra·da dis·ease 原田症候群（両側性網膜浮腫，ブドウ膜炎，脈絡膜炎，網膜剥離を起こし，一時的または永久に聴力を失い，髪は灰色となり(白毛症)脱毛を伴う．Vogt-Koyanagi 症候群および交感性眼炎に関連する)．

hard chan·cre 硬性下疳．= chancre.

hard corn 硬鶏眼（趾関節の上に形成される通常の鶏眼)．= heloma durum.

hard dru·sen 硬性ドルーゼン（組織学的には Bruch 膜の内および外膠原層内の境界明瞭な硝子様物質の沈着を特徴とし，孤立性に黄色結節として検眼鏡的に認められる浸出性または典型的ドルーゼンのタイプ)．

hard·en·ing (hahrd′ĕn-ing)．***1*** 無感化（脱感作と同様に，長期にわたって非治療的抗原暴露を繰り返すとアレルゲンに対する反応が減弱する状態)．***2*** 固定，硬化（鏡検のための切り出しなどのために組織片を固くする操作)．

hard pal·ate 硬口蓋（①鼻の粘膜により上部を，口腔の天井にあたる部分の粘膜により下部をおおわれた骨口蓋からなり，口蓋血管，神経，粘液腺を有する口蓋の前方部分．②頭部X線規格写真分析法において，骨口蓋の位置を表す前鼻棘と後鼻棘を結ぶ線）.

hard pulse 硬脈（指先に強い拍動を感じ，圧迫するのが困難で，高血圧を示唆する脈）.

hard tu·ber·cle 硬〔性〕結節（壊死を欠いた結節）.

hard ul·cer 硬性下疳. = chancre.

Har·dy-Rand-Rit·ter test ハーディ-ランド-リッター試験（混同色カードを用いる，色覚異常に対する検査．これらの優れたカードは，原版が1965年に事故で破壊されてしまったため，American Optical Co. によって再版されていない）.

Har·dy-Wein·berg law ハーディ-ヴァインベルク(ワインベルク)の法則（両方の性で遺伝子頻度が同一である集団において，交配が常染色体の遺伝子座のどれに関しても，無作為に行われ，遺伝子頻度を変化させる因子(突然変異，部分的選択，移住)がないか，無視しうる場合には，一世代においてすべての可能な遺伝子型頻度は，平均してその遺伝子が無作為に配列しているのと同じような割合である．この法則は2つ以上の遺伝子座に対して併用できないし，最初の遺伝子頻度が2つの性間で異なるX連鎖の形質には用いられない）.

hare·lip (hār′lip). 兎唇. = cleft lip.

har·le·quin fe·tus 道化胎児（新生児(通常は未熟児)にみられるコロジオン児の重症型．よろいの甲に似て，所々に亀裂のある灰色がかった茶色の斑点によって体表がおおわれ，顔および手足のグロテスクな変形を伴うのが特徴である魚鱗癬様紅皮の一型．通常は2，3日で死亡する）.

har·mon·ic mean 調和平均（平均値の一種．逆数の算術平均を計算し，さらにその逆数を取ることによって計算される）.

har·mon·ic su·ture 調和接合. = plane suture.

har·mo·ni·ous ret·i·nal cor·re·spon·dence 調和性異常対応（斜視における異常対応の1つで，両眼網膜の視方向角と他覚的斜視角が等しいもの）.

Har·ring·ton rods ハリントンロッド（脊柱側弯を少なくするために用いられる金属棒）.

Har·ris-Ben·e·dict e·qua·tion ハリス-ベネディクト算定式（カロリー必要量を計算するために用いられる，身長，年齢，体重に基づいた算定式．註基礎代謝量の算出式．活動係数，ストレス係数を掛けてエネルギー必要量が計算される．男性：66.47 + 13.75 ×現体重(kg) + 5.0 ×身長(cm) − 6.65 ×年齢(年)．女性：655.10 + 9.56 ×現体重(kg) + 1.85 ×身長(cm) − 4.68 ×年齢(年)）.

Har·ris he·ma·tox·y·lin ハリスヘマトキシリン（Delafieldヘマトキシリンに類似のミョウバンヘマトキシリンであるが，直接使用のため，化学的熟成により，ヘマトキシリンを酸化している）.

Har·ri·son groove ハリソン溝（くる病または何らかの原因によって軟化した骨を，横隔膜が引っ張ることによって起こる肋骨の変形）.

Hart·mann cu·rette ハルトマン〔有窓〕鋭匙（アデノイド除去のために側部を切るキューレット）.

Hart·mann op·er·a·tion アルトマン(ハルトマン)手術（腹膜翻転部およびその上方の直腸S状結腸切除，肛門側直腸断端を縫合閉鎖し，口側結腸で人工肛門を造設する術式）.

Hart·mann pouch アルトマン嚢（胆嚢頸部と胆嚢管との結合部にある球形または円錐形の嚢）.

Hart·mann so·lu·tion ハートマン〔溶〕液. = lactated Ringer solution.

Hart·nup dis·ease, Hart·nup syn·drome ハートナップ病（常染色体劣性遺伝性の先天性代謝障害．腎尿細管における中性α-アミノ酸の吸収欠損によるアミノ酸尿症を特徴とする．小腸で吸収されないトリプトファンが細菌によって分解されるため，トリプトファン代謝産物の尿中排泄が増加している．臨床症状としてはペラグラ様の光過敏性の皮疹と一過性の小脳失調がある）.

har·vest (hahr′vĕst). ハーベスト（細胞または組織を移植のためにドナーまたは患者から採取すること）.

Ha·shi·mo·to di·sease 橋本病（サイログロブリンおよびミクロソームに対する抗体による甲状腺の慢性自己免疫性疾患で，米国において甲状腺機能低下症の最も多い原因）.

hash·ish (hah-shēsh′). ハシシュ，タイマ(大麻)，マリファナ（栽培インドアサ *Cannabis sativa* の雌株の芽や花の先からの樹脂よりなるタイマの一種．インドアサ製品中にはカンナビノールが高濃度に含まれる）.

Has·sall bod·ies, Has·sall con·cen·tric cor·pus·cle ハッサル〔小〕体. = thymic corpuscle.

Has·son can·nu·la ハッソンカニューレ（腹腔鏡手術の最初の送気用に，盲目的に針で穿刺する代わりに使用される器具．Hassonカニューレの先端は鋭利なトロカールと異なり，鈍になっており，固定のためのバルーンがシース先端についている）.

H

hatch·ing flask ふ化フラスコ（暗色に色付けされたフラスコで，頂上部のわずかな部分の脱塩水のみに光が当たるようにして池の水の状態を模倣する．こうすることにより，フラスコに加えた新鮮糞便および尿沈渣中の住血吸虫卵のふ化を刺激する．泳ぎ出したミラシジウム幼虫は適切な中間宿主貝を探索する）.

Hauch (H) (howk[h]). 細菌のべん毛抗原を表すのに用いる語. →H antigen.

haus·tral (haws′trăl). 膨起の.

haus·tra·tion (haws′trā′shŭn). 膨起形成（①膨起形成の過程．②膨起の膨らみが強まること）.

haus·trum, pl. haus·tra (haws′trŭm, -tră). 膨起（小嚢または陥凹が連続して存在するために生じる．水車の水受けになぞらえてこうよばれる）.

haus·tus (h) 頓服水剤の一服量（一服，すなわち一飲みの薬）.

HAV hepatitis A virus の略.

Ha·ver·hill fe·ver ヘーヴァヒル熱（*Streptobacillus moniliformis* の感染症で，通常はラットの咬傷による．初期に悪寒および高熱があるが，徐々に軽快する．通常，大関節および脊柱に関節炎が起こり，主として関節部と四肢伸側に発疹を生じる）. = erythema arthriticum epidemicum.

ha·ver·sian（hă-vĕr′zē-ăn）. Clopton Havers に関する，彼の記載した種々の骨構造の.

ha·ver·sian ca·nals ハヴァース管（骨の緻密質の Havers 管系の中心を縦貫する管で血管を含む）.

ha·ver·sian la·mel·la ハヴァース層板. = concentric lamella.

ha·ver·sian spac·es ハヴァース腔(隙)（Havers 管の拡大による骨隙）.

ha·ver·sian sys·tem ハヴァース系. = osteon.

HA1 vi·rus HA1 ウイルス（→parainfluenza viruses）. = hemadsorption virus type 1.

HA2 vi·rus HA2 ウイルス（→parainfluenza viruses）. = hemadsorption virus type 2.

Haw·kins im·pinge·ment sign フォーキンスのインピンジメント徴候（肩 90° 外転位で上腕骨の内旋を強制すると痛みが生じる徴候）.

Ha·yem so·lu·tion エヤン(ハイエム)〔溶〕液（赤血球を数える前に血液の希釈に用いる）.

hay fe·ver 枯草熱（眼と上気道粘膜の急性の刺激性炎症で，かゆみと多量の水様鼻汁分泌を伴い，ときとして気管支炎とぜん息がそれに続くアトピー性疾患の 1 つ．通常，発熱はない．木，草，雑草，花などの花粉に対するアレルギー反応によって，臨床症状は毎年同じかほぼ同時期の春，夏，あるいは晩夏から秋に起こる）.

Hay·flick lim·it ヘーフリック限度（植継ぎ培養におけるヒトの細胞分裂の限度．ヒトの細胞は死ぬ前に約 50 回しか分裂しない）.

Hay·garth nodes ヘーガース結節（関節面縁と骨膜，指関節付近の骨などからの外骨腫で，強直および尺骨側への指の外反屈になる．関節リウマチにみられる）.

Hay test ヘイ検査（硫黄を尿に加える．硫黄が沈めば胆汁塩が含まれていることを意味する）.

Haz·ard A·nal·y·sis Crit·i·cal Con·trol Point（HACCP） 危害分析重要管理点方式（食品中のバクテリア混入度を点数化する食品安全システム）.

Hb hemoglobin の略.

Hb A hemoglobin A の略.

HB$_c$Ab antibody to the hepatitis B core antigen（B 型肝炎コア抗原抗体）の略.

HB$_s$Ag hepatitis B surface antigen の略.

HB$_c$Ag hepatitis B core antigen の略.

H band H 帯（横紋筋線維の A 帯の中央にある白っぽい領域で，太いミオシンフィラメントの中央部で細いアクチンフィラメントが存在しないところ）.

Hb C hemoglobin C の略.

HBE His bundle electrogram の略.

HBe, HB$_e$Ag hepatitis B e antigen の略.

Hb F hemoglobin F の略.

HBIG hepatitis B immune globulin の略.

Hb S hemoglobin S; sickle cell hemoglobin の略.

HBV hepatitis B virus の略.

HCFA Health Care Financing Administration の略.

HCFA-1450 = CMS-1450.

HCFA-1500 = CMS-1500.

hCG human chorionic gonadotropin の略.

HCl 塩酸 hydrochloric acid の化学式.

HCN シアン化水素酸 hydrocyanic acid の化学式.

HCPCS Health Care Financing Administration Common Procedures Coding System の略.

HCS human chorionic somatomammotropic hormone の略.

HC smoke HC 発煙（酸化亜鉛とヘキサクロロエタンに少量の粒状アルミニウムを混ぜた，軍事上の発煙に対する NATO の名称．燃焼によって酸化亜鉛や様々な害を及ぼす化学化合物が発生する．HC 発煙によって肺水腫，遅発性の原因不明な器質化肺炎，特発性器質化肺炎が引き起こされる）.

HCT Hearing Conservation Program の略.

Hct hematocrit の略.

HCV hepatitis C virus の略.

HD sulfur mustard の NATO コード.

HDI high-definition imaging の略.

HDL high density lipoprotein(高密度リポ蛋白)の略. →lipoprotein.

HDL-C high density lipoprotein-cholesterol の略.

HDN ABO hemolytic disease of the newborn の略.

HDV hepatitis D virus の略.

He ヘリウムの元素記号.

head（hed）. 頭〔部〕，あたま（①動物体の上端または前端にあって，脳および視・聴・味・嗅などの感覚器を収容している部分．②器官その他の構造の上端・前端・大きいほうの端部などで丸く拡大している部分．③骨の丸い形をした端部．④筋の両端のうちで，その筋が収縮したとき，付着している骨の動きの少ないほうの端部）.

head·ache（HA）（hed′āk）. 頭痛（頭の神経の分布領域に限定されない種々の部分の痛み．→cephalodynia）. = cephalalgia; encephalalgia.

Head ar·e·as ヘッド野（内臓疾患による反射性触覚過敏および痛覚過敏を示す皮膚領域）.

head cap = acrosomal cap.

head cold 鼻かぜ（鼻炎，頭痛，咳を特徴とする上気道のウイルス感染症）.

head-drop·ping test 頭部落下試験（錐体外路系または線条体系の疾患(例えば，パーキンソン症候群，Wilson 病)の診断に用いる試験．患者を仰臥，弛緩させ，注意をそらさせておき，検査者が，患者の頭を，右手で勢いよく持ち上げ，それから頭が，その左手掌に落ちるようにする．正常者の頭は，物体のように急に落ちるが，線条体疾患の場合は，頭はゆっくり穏やかに，まるでためらうように落下する）.

head of fib·u·la 腓骨頭（腓骨の上端で，小関節面で脛骨の外側顆の下表面と関節をなす）.

Head lines, Head zones ヘッド帯（内臓の急性または慢性炎症に伴う皮膚の知覚過敏帯）.

head-tilt/chin-lift ma·neu·ver 頭部後屈下顎挙上法（心肺機能蘇生をする際に患者の気道を確保するための基本的な処置．救助者は片手で頭を下げ，もう片方の手で下顎を持ち上げ，下をどかす．人工呼吸）．

heal (hēl). ***1*** 治癒させる（健康を回復させる，特に潰瘍や創傷を癒合させる）. ***2*** 治癒する（よくなる，癒合する．潰瘍や創傷についていう）．

heal·ing (hēl′ing). ***1*** 治癒（①病気から回復すること．創傷や潰瘍の閉鎖を促進すること．②病気の回復の過程）. ***2*** 癒合（創が閉じること．→union）．

heal·ing by first in·ten·tion 一次〔的〕治癒（線維素癒着による癒合で，化膿あるいは肉芽組織形成のないもの）. = primary adhesion; primary union.

heal·ing by sec·ond in·ten·tion 二次〔的〕治癒（遅延閉鎖に伴う2つの肉芽面の癒合）. = secondary adhesion; secondary union.

heal·ing by third in·ten·tion 三次〔的〕治癒（肉芽組織による創傷腔および潰瘍のゆっくりした治癒で，続発する瘢痕形成を伴う）．

health (helth). 健康，保健（①諸器官が病気や異常の形跡がなく機能する状態．②肉体的にも生理的にも精神的にも完全な状態．個人に適した家庭生活，仕事および社会的貢献ができる状態．物理的，生物的，精神的および社会的ストレスを処理できる能力状態．良好と感じる状態．病気や突然の死のリスクのない状態．③ WHOによって定義されるように，病気がなく，身体的，精神的，社会的な健康をすべてそろえていること）．

Health Ca·na·da 健康カナダ（国家の保健政策を発展させ，国家の保健規則を強化し，疾病予防を推進することを目的としたカナダの政府機関）．

Health Care Fi·nanc·ing Ad·mi·ni·stra·tion (HCFA) 保健医療財政局（→Centers for Medicare and Medicaid Services）．

Health·care Com·mon Pro·ce·dure Cod·ing Sys·tem (HCPCS) ヘルスケア共同製作コードシステム（メディケア受益者である外来患者の医療サービスを報告するための英数字コード化システム）．

health care pro·vi·der 保健医療提供者（保健医療を提供する保健医療チームの施設またはメンバーを表す一般用語．→doctor; physician; nurse; nurse practitioner; physical therapist; hospital; occupational therapist; home health care）．

health care prox·y ヘルスケアプロキシー，医療の代理意思決定（患者が自ら治療に関する意思決定をするのが不可能な場合，第三者が決定を下すことを可能にする書類）．

health care ra·tion·ing 医療配給（医療資源の公平な割り当ての計画と実施）．

health care sys·tem 医療制度（病院，診療所，在宅施療，介助生活，医師，治療計画や他のサービス等の医療提供者とサービスに関する組織化されたシステム）．

health dis·par·i·ties 医療格差（階層間における医療の利用可能性，医療基準の違い）．

health ed·u·ca·tion 健康教育（個人やグループが健康の保持，増進，または回復をもたらす知識，技能，価値観，行動を学ぶこと）．

health in·for·mat·ics 保健情報科学（保健データの電子的な収集・貯蔵・分析，およびコンピュータシステム間のデータの移送の実践および技術）．

health in·for·ma·tion ma·nage·ment (HIM) 保健情報管理（保健医療データの収集および分析を行うこと．患者の保健医療，入院管理，保健医療のすすめ方および立案，ならびに調査など，保健医療の方針を決定するために必要な情報を提供することが目的．以前は医療記録管理 medical records management として知られていた．→record）．

health in·for·ma·tion sys·tem 保健情報システム（種々の情報源より得られる動態統計と保健統計の組み合わせ．ある特定の地域や管轄地区における保健ニーズ，保健資源，保健サービスの利用，および人々による利用の成果などの情報を入手するのに用いられる）．

health in·sur·ance 健康保険（消費者を病気や怪我による経済的なリスクから守るための商品）．

Health In·sur·ance Claim Form = CMS-1500.

Health In·sur·ance Por·ta·bil·i·ty and Ac·count·a·bil·i·ty Act (HIPAA) 健康保険継続および保証条例（転職または失業の際に，労働者およびその家族のための健康保険適用を継続する目的でつくられた連邦法律）．

health lit·er·a·cy 健康リテラシー（健康，医療に関する情報を取得，理解し利用する能力）．

health main·te·nance or·ga·ni·za·tion (HMO) 健康保持機関（包括的な前払い方式の医療で疾病の予防と早期発見，および医療の連続性に力点が置かれているもの．→managed care; preferred provider organization）．

Health On the Net Foun·da·tion ヘルスオンザネットファンデーション（インターネット上の医療情報に関する非営利型ポータル）．医療ウェブサイト開発者のための倫理指針に関するHON コード）．

Health Plan Em·ploy·er Da·ta and In·for·ma·tion Set (HEDIS) 保健計画取扱い者データおよび情報セット（保健計画を比較するために規格化された一連の手法．品質保証国家委員会(NCQA)により開発・運用されている）．

health pro·mo·tion 健康増進，ヘルスプロモーション（健康を増進し病気を予防するための情報を提供すること．健康を保つための生活様式を奨励する．→primary preventive nursing）．

health re·cord 健康記録（以前は医療記録 medical record とよばれていたもの．医療記録の全情報を含むだけでなく，患者の身体的，精神的，社会的健康に関しても記録された包括的な記録である．→record(1)）．

health-re·la·ted phy·si·cal fit·ness 健康関連体力〔適性〕（体力良好状態の要素．一般的には，酸素消費の状態，身体の構成，腹筋の力や持久力，背下部や膝屈曲筋の柔軟さからなる．これらは，ある程度，身体全体の健康状態あるいは病気予防の指標となる）．

health-re·lat·ed qual·i·ty of life (H.R.Q.

H

O.L.) 健康関連 QOL（自身の身体の健康に関してどのように考えているのかということについての調査）.

Health Re·sour·ces and Ser·vi·ces Ad·mi·ni·stra·tion（HRSA） 保健資源サービス局（全国医師データバンクやその他の保健計画などの全国データバンクをつかさどる連邦政府機関）.

health risk ap·prais·al 健康リスク評価（保険統計の計算に基づいて既知のリスクへの暴露を勘案し，個人が病気になったり，特定の疾病で死亡する確率を示す方法．死亡または病気にかかる予想年齢で表し，予期されるリスク行動の結果に個人の注意を向けさせることが目的である）.

health sta·tus 健康状態（主観的または客観的尺度によって調査される，個人間，集団間，階層間の健康レベル）.

health·y (hel′thē). 健康な.

Health·y Peo·ple 2010 ヘルシーピープル 2010（米厚生省による健康増進と病気予防の総合的基本方針．2010 年までの 10 年間における米国民の健康を促進するための 467 の目標が定められている）.

Hea·ney op·er·a·tion ヒーニー手術（腟式子宮切除術）.

hear·ing (hēr′ing). 聴覚，聴力（音を知覚する能力，振動に対する音の感覚）. =-acousis (2); -acusis; audition.

hear·ing aid 補聴器（音を耳に伝えるように設計された電子増幅器で，マイクロホン，増幅器，レシーバーからなる）. = hearing instrument.

Hear·ing Con·ser·va·tion Pro·gram 聴覚保護計画（米連邦法によって定められた聴覚保護と技術的騒音制御計画）.

Hear·ing Han·di·cap In·ven·tory for the El·der·ly（HHIE-S） 成人聴覚障害インベントリー（コミュニケーション評価尺度を用いて，高齢者における言葉の聞き取りと理解の障害を調べるスクリーニングテスト）.

hear·ing im·pair·ment, hear·ing loss 聴覚障害，聴力損失，難聴（音を知覚する能力の低下で，軽度のものから，ろうまでにわたる．→ deafness）.

hear·ing in·stru·ment = hearing aid.

hear·ing pro·tec·tor 耳栓，ヒアリングプロテクター（外耳道を閉塞させる装置．軟らかい素材または液体(通常はグリセリン)からできており，外耳道入口部を満たす．騒音性難聴の予防に用いる）.

heart (hahrt). 心〔臓〕（静脈から血液を受け取り，動脈に送り出す中空の筋肉の器官．哺乳類では筋膜性の中隔によって 2 つ(右すなわち静脈系と左すなわち動脈系)に分けられている．その各々は受入れの室(心房)と押出しの室(心室)とからなる）. = cor; coeur.

heart at·tack 心臓発作. = myocardial infarction.

heart·beat (hahrt′bēt). 心拍動，心拍（心筋が完全に収縮，拡張する一周期のこと）.

heart·burn (hahrt′bŭrn). 胸焼け. = pyrosis.

heart cham·ber re·mo·del·ing 心腔リモデ

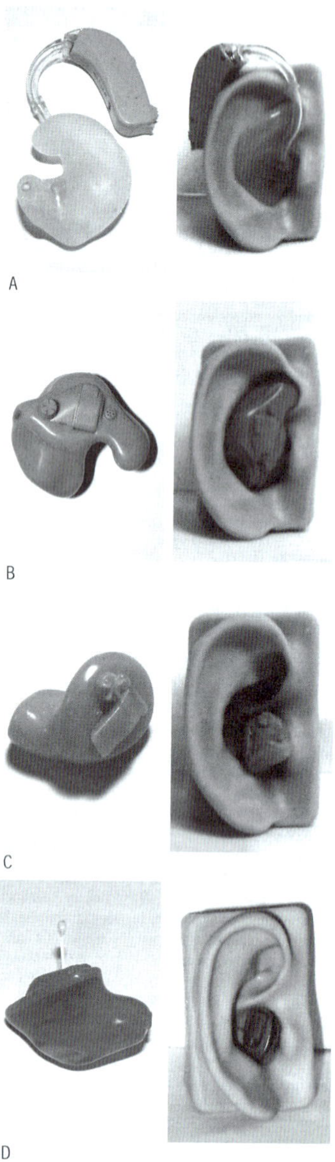

hearing aids
A：耳かけ型(BTE)，B：耳あな型(ITE)，
C：カナル型(ITC)，D：完全外耳道挿入型(ITC).

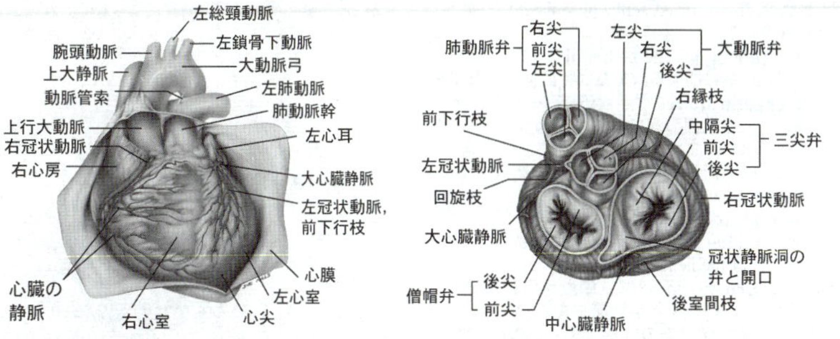
左総頸動脈
腕頭動脈
左鎖骨下動脈
上大静脈
大動脈弓
動脈管索
左肺動脈
肺動脈幹
上行大動脈
右冠状動脈
左心耳
右心房
大心臓静脈
左冠状動脈，
前下行枝
心膜
心臓の
静脈
左心室
右心室
心尖
肺動脈弁
右尖
前尖
左尖
左尖
右尖
後尖
大動脈弁
右縁枝
前下行枝
中隔尖
前尖
後尖
三尖弁
左冠状動脈
回旋枝
右冠状動脈
大心臓静脈
冠状静脈洞の
弁と開口
僧帽弁
後尖
前尖
後室間枝
中心臓静脈

human heart 左：心膜を開いた前方から見た図．右：弁の位置での横断面．

リング（病的または正常の(出生時)刺激による片側または両心室腔の構造変化．囲心腔自身が積極的に変化することはなく心筋組織の構造変化によって起こることから．通常 cardiac/myocardial remodeling とよばれる）．

heart fail·ure 心不全（①血液循環が維持できなくなる心臓の機能的障害．その結果，組織内にうっ血や浮腫が生じる．→forward heart failure; backward heart failure; right ventricular failure; left ventricular failure. = cardiac insufficiency; congestive heart failure; myocardial insufficiency. ②息切れ，非陥凹浮腫，腫大と圧痛のある肝臓，頸静脈怒張，肺のラ音などの組合せを含む心不全の結果としての症候群）．

heart fail·ure cell 心不全細胞（左心不全の際に肺にみられるマクロファージ，しばしばヘモジデリンを大量に含む．→siderophore）．

heart-lung ma·chine 人工心肺（血液ポンプ(人工心臓)と血液酸素化(人工肺)を組み合わせた装置で，心臓外科での開心術において，体外循環と血液の酸素化を担うもの）．

heart mas·sage 心〔臓〕マッサージ（心蘇生術を行っている間，停止した循環を回復するために行う律動的な心臓マッサージで，開胸して行うのと胸壁を介して行うのと 2 つの方法がある）. = cardiac massage.

heart mur·mur 心雑音（cardiac murmur の口語的言い回し）．

heart rate 心拍数（分当たりの心拍数として記録される心拍動の率）．

heart rate range = heart rate reserve.

heart rate re·serve 心拍数予備能（休息中の心拍数と最大運動中の心拍数の差．→Karvonen method）. = heart rate range.

heart sac 心膜. = pericardium.

heat (hēt). ***1*** 熱，熱感（cold の対語で，火や灼熱物に近づいたときに起こる感覚．熱の本質は原子や分子の運動エネルギーで，これは絶対零度で 0 になる）. ***2*** 発情. = estrus. ***3*** 熱含量. = enthalpy.

heat ca·pac·i·ty 熱容量（系の温度を 1°C 上昇させるのに必要な熱量）. = thermal capacity.

heat cramps 熱痙攣（かなりの疼痛を伴う筋肉痙攣で，過度の脱水，電解物質の喪失に関連する．→hyperthermia. →dehydration）．

heat of e·vap·o·ra·tion 気化熱，蒸発熱（水，汗，その他の液体が気化する際に吸収される熱．水では 100°C で 1 g 当たり 540 cal になる）. = heat of vaporization.

heat ex·haus·tion 熱ばて，暑さへばり（熱に対する反応の一種で，疲はい，衰弱，虚脱を特徴とし，激しい脱水作用により起こる）．

heat-la·bile (hēt′lā′bīl). 非耐熱性の（熱によって破壊されたり変性したりする）．

heat lamp 太陽灯（赤外線を放射して熱を発生するランプ．皮膚に局所的な熱を加えるのに用いる）．

heat of va·por·i·za·tion = heat of evaporation.

heat rash 紅色汗疹. = miliaria rubra.

heat stress in·dex 熱ストレスインデックス（熱傷を生じる環境ポテンシャルの尺度．周辺環境気温および相対湿度に基づいて測定する）．

heat·stroke, heat stroke (hēt′strōk, hēt strōk). 熱射病（過度の高温に暴露して起こる重篤でしばしば致命的な疾患．頭痛，めまい，錯乱，熱く乾いた皮膚，および体温の上昇を特徴とする．重症例では非常に高い熱，血管の虚脱および昏睡が起こる）．

heat ur·ti·car·i·a 温熱じんま疹. = cholinergic urticaria.

heav·y chain H 鎖，重鎖（高分子のポリペプチド鎖で，免疫グロブリンのクラスとサブクラスを規定している）．

heav·y chain dis·ease H 鎖病（単一の免疫グロブリンや，その断片の産生が特徴であるパラプロテイン血症．形質細胞およびリンパ球様細胞の悪性腫瘍を伴う）．

heav·y work 重作業（実需レベルで，100 ポンドまでの物体を時折，50 ポンドまでの物体を頻繁に，20 ポンドまでの物体を継続して動かす作業．→very heavy work）．

he·be·phre·ni·a (hē′bĕ-frē′nē-ă). 破瓜(はか)病（浅薄で，不適切な感情，空笑，ばかげた，退行性の行動やわざとらしさを特徴とする症候群．統合失調症の一亜型で，現在は解体型統合

H

失調症 disorganized schizophrenia という名称になっている).

he·be·phren·ic (hē′bĕ-fren′ik). 破瓜(はか)病の (破瓜病に関する，または特徴付けられる).

Heb·er·den nodes ヘーバーデン(ヘバーデン)結節 (変形性関節症において末節骨にみられるエンドウマメまたはそれより小さい外骨腫．この結節は末節骨の関節部の結節の肥大である). = tuberculum arthriticum(1).

he·bet·ic (hē-bet′ik). 思春期の.

he·bi·at·rics (hē′bē-at′riks). 青春期医学. = adolescent medicine.

He·bra pru·ri·go ヘブラ痒疹 (常に再発性で，非常にかゆい丘疹と小結節を含んだ二次感染を伴った慢性皮膚炎の重症のもの．多くの場合，アトピーを伴うことが多い).

hec·a·ter·o·mer·ic (hek′ă-ter′ō-mer′ik). 両節の (軸索が2分し，脊髄の両側に突起を出している脊髄ニューロンを表す．通常，heteromeric neuron(異節ニューロン)と同義).

hecto-(h) 10^2 の倍数を意味する，国際単位系(SI)およびメートル法で用いる接頭語.

hec·to·me·ter (hek′tō-mē-tĕr). ヘクトメートル (100 m). = hectometre.

hectometre [Br.]. = hectometer.

HEDIS (hed′is). Health Plan Employer Data and Information Set の略.

hed·ro·cele (hed′rō-sēl). 直腸ヘルニア，脱肛(腸が肛門から脱出すること).

heel (hēl). ***1*** 踵，かかと. = calx(2). ***2*** = distal end.

heel bone 踵骨. = calcaneus(1).

heel pad 足踵部 (踵骨の足底面に接する被膜におおわれた脂肪体．体重負荷および歩行時にクッションとなる).

heel spur 踵骨棘 (踵骨に生じた異常な骨性の増殖). = bone spur; calcaneal spur.

heel ten·don 踵骨腱. = tendo calcaneus.

Heer·fordt dis·ease ヘールフォルト病. = uveoparotid fever.

He·gar di·la·tors ヘーガル(ヘガール)拡張器(子宮頸管を拡張するために段階的に大きさがそろっている一連の円筒状ブジー).

He·gar sign ヘーガル(ヘガール)徴候 (妊娠初期(約7週目)に現れる子宮峡部が軟化して圧縮可能になること．双手診で子宮頸部と本体が分離しているように，あるいは細い帯だけで連結しているように感じる).

Hegg·lin a·nom·a·ly ヘグリン異常 (好中球と好酸球が Döhle 体，Amato 体として知られる好塩基構造物を含有し，血小板減少症を伴う血小板成熟障害のある疾患．常染色体優性遺伝).

Hegg·lin syn·drome ヘグリン症候群 (血流力学的収縮期(Q–S_2 音間隔)と電気的(Q–T 間隔)収縮期の解離で，そのため第2心音(S_2)はT波の終わりより前に記録される．糖尿病性昏睡または他の代謝性障害時のエネルギー–力学的心不全として Hegglin により記載された).

Hei·den·hain Az·an stain ハイデンハインのアザン染色〔法〕(アゾカルミンBまたはGに続いてアニリンブルーを用いる染色手技で，核と赤血球を赤色に，筋を橙色に，神経膠原線維を赤色調に，ムチンを青色に，コラーゲンと細網を暗青色に染める).

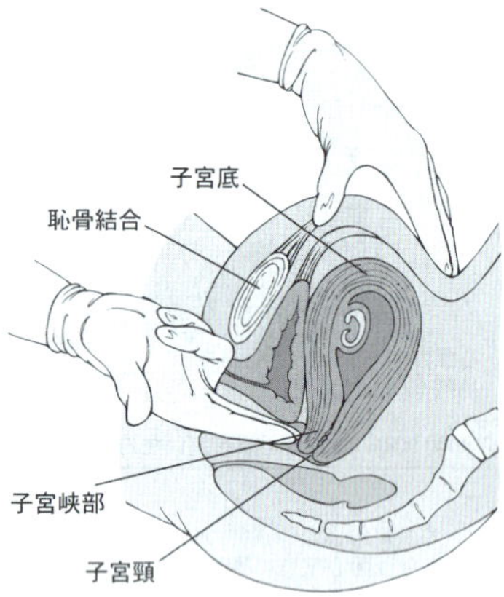
子宮底
恥骨結合
子宮峡部
子宮頸
positive Hegar sign

Hei·den·hain i·ron he·ma·tox·y·lin stain ハイデンハインの鉄ヘマトキシリン染色〔法〕(鉄ミョウバンヘマトキシリン染色で，筋肉の横紋や有糸分裂中の染色体を青黒色に染める).

Hei·den·hain law ハイデンハインの法則 (腺分泌は常に腺構造の変化を伴う).

Hei·den·hain mod·i·fi·ca·tion of Mal·lo·ry-Az·an stain AZ 染色のハイデンハイン改良 (食道上部の組織を可視化するために，アゾカルミン，アニリンブルー，オレンジG染料を使う手法).

Hei·den·hain pouch ハイデンハイン嚢 (胃の主腔からは分離しているが，腹壁に開口している胃の小さな嚢．生理学の実験で，胃液を採取して胃分泌を研究する目的でつくられる).

height (h) (hīt). 高さ (垂直方向の径).

height of con·tour 最大豊隆線 (歯や他の構造物の最大豊隆部).

Heil·bron·ner thigh ハイルブロンナー大腿(器質性麻痺患者が堅いマットレスに仰臥するときにみられる，幅が広く扁平な大腿で，ヒステリー性麻痺ではこの徴候はみられない).

Heim·lich ma·neu·ver ハイムリッチ操作(咽喉から食物の閉塞塊を追い出すように意図された操作．臍と肋骨縁の間の腹部にこぶしを置き，背後から片方の手でそのこぶしをつかんで，空気を咽喉へ上方に追い出し，閉塞物を取り除くように内上方に向かって強く押す).

Heinz bod·ies ハインツ〔小〕体 (変性ヘモグロビンからなる赤血球内封入体で，普通細胞膜に付着している．サラセミア，赤血球酵素異常，ヘモグロビン異常症，脾摘後にみられる．観察には超生体染色または位相差顕微鏡を必要とする).

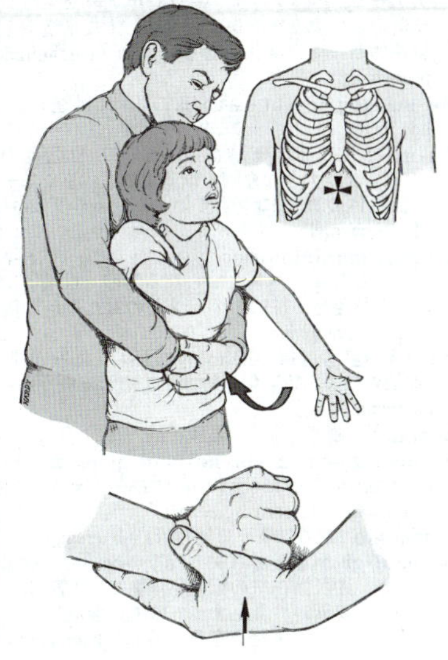
Heimlich maneuver

Heinz-Ehr·lich bod·y ハインツ-エールリッヒ〔小〕体. = Ehrlich inner body.

HeLa (hē′lă). ヒーラ（ヒトで初めて継代培養に成功した子宮頸部癌由来の細胞株についていう）.

hel·i·cal (hel′i-kăl). ***1*** らせんの，耳輪の. = helicine(2). ***2*** らせん状の. = helicoid.

hel·i·ces (hel′i-sēz). helix の複数形.

hel·i·cine (hel′i-sēn). ***1*** らせん形の. ***2*** = helical(1).

Hel·i·co·bac·ter (hel′i-kō-bak′tĕr). ヘリコバクター属（らせん形，弯曲形，直線状の偏性好気性細菌．端は球状で，鞘を有する線毛をもち(単極性または双極性，ときに側部性)で端部は球状を呈している．無色透明な 1—2 mm のコロニーを形成する．カタラーゼ，オキシダーゼに陽性である．ヒトを含む霊長類とイタチの胃粘膜に存在する．胃潰瘍，消化性潰瘍に関連するものと，胃癌の素因を与えるものがある．*Helicobacter pylori* が標準種である）.

Hel·i·co·bac·ter ci·nae·di ホモセクシャルの男性の直腸炎，大腸炎に関連する細菌種.

Hel·i·co·bac·ter fen·nel·li·ae ホモセクシャルの男性の直腸炎，大腸炎との関連が報告されている細菌種.

Hel·i·co·bac·ter heil·man·ni·i 胃に見出される細菌種．見出される頻度は低く(患者の 1% 以下)，培養はできず，病的意義は明らかではない.

Hel·i·co·bac·ter py·lor·i ヘリコバクターピロリ（近年になって同定された細菌種で，ウレアーゼを産生し，胃炎，胃十二指腸消化性潰瘍を含む胃腸疾患に関与する．*Helicobacter* 属の標準種）.

hel·i·coid (hel′i-koyd). らせん状の. = helical(2).

hel·i·co·pod gait ひねり歩き（ある種の転換反応またはヒステリー性障害にみられるような歩行で，足が半円を描く）. = helicopodia.

hel·i·co·po·di·a (hel′i-kō-pō′dē-ă). 環状脚歩行. = helicopod gait.

hel·i·co·tre·ma (hel′i-kō-trē′mă). 蝸牛孔（蝸牛軸板の遊離端と骨らせん板鉤との間の蝸牛先端の半月形の開口で，ここを通じて蝸牛の前庭階と鼓室階が互いに交通している）.

he·li·en·ceph·a·li·tis (hē′lē-en-sef′ă-lī′tis). 日光性脳炎（日射病に続いて起こる脳炎）.

he·li·o·ther·a·py (hē′lē-ō-thār′ă-pē). 日光〔浴〕療法（日光または病気の一時的緩和を与える他の発光体を使用する治療法．通常は皮膚病に用いられるが，季節性情動障害にも用いられることもある）. = solar therapy.

he·li·ox (hē′lē-oks). ヘリオックス（ヘリウムと酸素の混合ガス）.

he·li·um (He) (hē′lē-ŭm). ヘリウム（大気中にわずかに存在する気体元素(乾燥重量の 0.000524%)．原子番号 2，原子量 4.002602．ヘリウムは，医療ガス，特に酸素の希釈剤として用いる）.

he·li·um di·lu·tion meth·od ヘリウム希釈法（残存肺量を間接定量する手法）.

he·li·um ther·a·py ヘリウム療法（混合ヘリウムガス(通常，ヘリウムと酸素の混合ガス)を使用して，気道閉塞を管理する方法．ヘリウムは空気や酸素よりずっと低密度なので，混合ガスは気道閉塞個所を容易に通過することができる）.

he·lix, pl. hel·i·ces (hē′liks, hel′i-sēz). ***1*** 耳輪(耳の縁，耳の前上部，頭方部，後縁の大部分をつくる軟骨のひだのへりの部分). ***2*** らせん（コイル状(またはスプリング状，ボルトのねじ山状)の線，各点が円柱の中心軸から等距離にある．誤って spiral の意に用いることが多い）.

Hel·ler·work (hel′ĕr-wŏrk). ヘラーワーク(身体と頭脳，精神は分離不可であるという考えに基づいて，動作と整体，自己認識の一貫性を確立する治療法. →holistic medicine).

Hel·lin law ヘリンの法則（双生児は 89 回の分娩につき 1 回，三つ児は 89^2 回に 1 回，四つ児は 89^3 回に 1 回の割合で生まれる．もし双胎の頻度が p であれば三胎は p^2，四胎は p^3 となる．註これは米国内での頻度）.

Hel·ly fix·a·tive ヘリー固定液（重クロム酸カリウム，塩化水銀，ホルムアルデヒドと蒸留水の混合液で，細胞質の顆粒と核の染色用の組織固定液として用いる．Zenker 固定液と同じような欠点を有する）.

Helm·holtz en·er·gy (A) ヘルムホルツエネルギー（内部エネルギーからエントロピー項(TS)をさし引いたものに相当する値）.

hel·minth (hel′minth). 蠕虫（腸内に棲む虫様

の寄生虫．主に線虫類，条虫類，吸虫類，鉤頭虫類を含む）．

hel·min·tha·gogue (hel-minth′ă-gog). 駆虫薬. = anthelmintic (1).

hel·min·them·e·sis (hel′min-them′ĕ-sis). 寄生虫吐出（腸内寄生虫を口から吐出または排出すること）.

hel·min·thi·a·sis (hel′min-thī′ă-sis). 蠕虫病（腸内寄生蠕虫が寄生する状態）.

hel·min·tho·ma (hel′min-thō′mă). 蠕虫腫（蠕虫またはその産生物により引き起こされる肉芽腫性炎症（治癒した時期を含む）の境界明瞭な小結節）.

Hel·min·tho·spo·ri·um (hel-min-thō-spōr′ē-ŭm). ヘルミントスポリウム属（臨床検査室で通常分離される腐生的な真菌）.

he·lo·ma (hē-lō′mă). 鶏眼，うおのめ. = clavus.

he·lo·ma du·rum 硬鶏眼. = hard corn.

he·lo·ma mol·le 軟鶏眼. = soft corn.

he·lot·o·my (hē-lot′ŏ-mē). 鶏眼切開〔術〕，うおのめ切開〔術〕（鶏眼の外科的治療）.

help·er cells = T helper cells.

help·er vi·rus ヘルパーウイルス（このウイルスの複製により，欠損ウイルスあるいはウイルソイド（宿主細胞にも存在している）を完全な感染性ウイルスとして増殖させるウイルス）.

HELPP syn·drome ヘルプ症候群（肝酵素の上昇，血球破壊，子癇前症による血小板数の低下がみられる妊娠状態）.

hem-, hema- 血液に関する連結形. →hemat-; hemato-; hemo-; haem-.

he·ma·chrome (hē′mă-krōm). ヘマクローム，血液色素（ヘモグロビンまたはヘマチンなど，血液に色を与える物質）. = haemachrome.

he·ma·cyte (hē′mă-sīt). = erythrocyte; haemacyte.

he·ma·cy·tom·e·ter (hē′mă-sī-tom′ĕ-tĕr). = hemocytometer; haemacytometer.

he·mad·sorp·tion (hēm′ad-sŏrp′shŭn). 〔赤〕血球吸着〔現象〕（赤血球の表面に付着または吸着した物質により起こる現象）. = haemadsorption.

he·mad·sorp·tion vi·rus type 1 (HA1 vi·rus) パラインフルエンザウイルス3型（一parainfluenza viruses）. = haemadsorption virus type 1.

he·mad·sorp·tion vi·rus type 2 (HA2 vi·rus) パラインフルエンザウイルス1型（一parainfluenza viruses）. = haemadsorption virus type 2.

he·mag·glu·ti·na·tion (hē′mă-glū-ti-nā′shŭn). 〔赤〕血球凝集〔反応〕（赤血球抗原それ自体や赤血球に付着している他の抗原に対する特異抗体により起こる凝集のように免疫性のものと，ウイルスその他の微生物による非免疫性のものとがある）. = haemagglutination.

he·mag·glu·ti·nin (hē′mă-glū′ti-nin). 〔赤〕血球凝集素（抗体などのように，血球凝集を起こす物質）. = haemagglutinin.

he·mag·glu·tin·in-pro·te·ase (HA-P) (hē′mă-glū′ti-nin-prō′tē-ās). 赤血球凝集素プロテアーゼ，ヘマグルチニンプロテアーゼ（コレラ菌が産生する細胞傷害性酵素．上皮構造や上皮性関門機能を変化させる）. = haemagglutinin-protease.

he·ma·gog·ic (hī′mă-goj′ik). 出血促進の. = haemagogic.

he·mal (hē′măl). ***1*** 血液の，血管の. ***2*** 腹側の（心臓および大きな血管の位置する椎体またはその前駆体の腹側についていう．neural (2) の対語）. = haemal.

he·mal·um (hī′mă-lŭm). ヘマラム（ヘマトキシリンとミョウバンとからなる溶液．組織学における核染色，特にエオシンとの対比染色に用いる）. = haemalum.

he·ma·nal·y·sis (hē′mă-nal′i-sis). 血液分析（血液の検査，特に化学的方法に関していう）. = haemanalysis.

hemangi- 血管を意味する接頭語.

he·man·gi·ec·ta·sis, he·man·gi·ec·ta·si·a (hē-man′jē-ek′tă-sis, hē-man′jē-ek-tā′zē-ă). 血管拡張〔症〕. = haemangiectasis.

hemangio- 血管に関する連結形. = haemangio-.

he·man·gi·o·blast (hē-man′jē-ō-blast). 血管芽細胞（中胚葉由来の原始胚細胞で，血管内皮，細網内皮要素，およびすべての型の血液形成細胞のもととなる細胞を産生する）. = haemangioblast.

he·man·gi·o·blas·to·ma (hē-man′jē-ō-blas-tō′mă). 血管芽〔細胞〕腫（毛細血管を形成する内皮細胞および間質細胞からなる良性新生物で小脳にしばしば発生する．生育緩慢で中年に多い．von Hippel-Lindau 病に合併する頻度が高い）. = angioblastoma; haemangioblastoma; Lindau tumor.

he·man·gi·o·en·do·the·li·o·blas·to·ma (hē-man′jē-ō-en′dō-thē′lē-ō-blas-tō′mă). 血管内皮芽細胞腫（内皮細胞が特に未成熟な血管内皮腫）. = haemangioendothelioblastoma.

he·man·gi·o·en·do·the·li·o·ma (hē-man′jē-ō-en′dō-thē′lē-ō′mă). 血管内皮腫（血管由来の新生物．単独あるいは集合体で，血管叢や溝の内膜として生じる無数の隆起した内皮細胞を特徴とする．高齢者の血管内皮腫は悪性（血管肉腫）のこともあるが，小児の場合は良性で，恐らく毛細血管性血管腫の成長期と考えられる）. = haemangioendothelioma.

he·man·gi·o·fi·bro·ma (hē-man′jē-ō-fī-brō′mă). 血管線維腫（多くの線維性組織の構造をもつ血管腫）. = haemangiofibroma.

he·man·gi·o·ma (hē-man′jē-ō′mă). 血管腫（先天異常．血管増殖の結果，新生物に類似した腫瘤となったもの．身体のどの部分にもできるが，皮膚および皮下組織に最も多く認められる．ほとんどのものは自然に退縮する．→nevus）. = haemangioma.

he·man·gi·o·ma·to·sis (hē-man′jē-ō-mă-tō′sis). 血管腫症（非常に多数の血管腫がみられる状態）. = haemangiomatosis.

he·man·gi·o·per·i·cy·to·ma (hē-man′jē-ō-per′i-sī-tō′mă). 血管周囲細胞腫，血管外皮細胞腫（めずらしい，そしてたいていは良性である血管性新生物で，周辺細胞由来の円形および紡錘形の細胞からなり，内皮細胞層をもつ脈管を取り囲む). = haemangiopericytoma.

he·man·gi·o·sar·co·ma (hē-man′jē-ō-sahr-kō′mă). 血管肉腫（血管由来の未分化細胞からなるまれな悪性新生物で，未分化細胞は不規則な形をした血液充満腔や腫瘤内の空隙の内側をおおい，急速に増殖し，浸潤性が強いのを特徴とする). = haemangiosarcoma.

he·ma·poph·y·sis (hēm′ă-pof′i-sis). 血道骨起，脈管弓突起（軟骨性の肋骨の胸骨端で，血管弓の各半側の第2部分をさす). = haemapophysis.

he·mar·thro·sis (hēm′ahr-thrō′sis). 関節血症，出血性関節症（関節内の出血). = haemarthrosis.

hemat- 血液に関する連結形. →hem-; hemato-; hemo-; haemat-.

he·ma·te·in (hē′mă-tē′in). ヘマテイン（ヘマトキシリンの酸化物). = haematein.

he·ma·tem·e·sis (hē′mă-tem′ĕ-sis). 吐血. = haematemesis.

he·mat·en·ceph·a·lon (hē′mat-en-sef′ă-lon, hem′at-). 脳出血. = cerebral hemorrhage; haematencephalon.

he·mat·ic (hē-mat′ik). = haematic. ***1*** 〚adj.〛血液の. = hemic. ***2*** 〚n.〛 = hematinic(2).

he·ma·ti·dro·sis (hē′mă-tid-rō′sis). 血汗症（汗の中に血液または血液色素が排泄される，非常にまれな疾患). = haematidrosis; hemidrosis (1).

hem·a·tin (hē′mă-tin). ヘマチン（第二鉄(Fe^{3+})の状態にあるヘム．メトヘモグロビンの補欠分子族). = ferriheme; haematin; hematosin; oxyheme; oxyhemochromogen.

hem·a·tin chlo·ride 塩化ヘマチン. = hemin; haematin chloride.

he·ma·ti·ne·mi·a (hē′mă-ti-nē′mē-ă, hem′ă-). ヘマチン血症（循環血液中にヘムが存在すること). = haematinaemia.

hem·a·tin·ic (hē′mă-tin′ik). ***1*** 〚adj.〛造血性の（血液の状態を改善する). ***2*** 〚n.〛造血薬（赤血球を増加させたりヘモグロビン濃度を高くすることにより血液の質を改善する薬物). = hematic (2); haematinic.

he·ma·tin·o·me·ter (hē′mă-tin-om′ĕ-tĕr). = hemoglobinometry.

hemato- 血液に関する連結形. →hem-; hemat-; hemo-; haemato-.

he·ma·to·blast (hē′mă-tō-blast). 血球芽細胞，血球母細胞（赤芽球，リンパ芽球，骨髄芽球，その他の幼若血液細胞からなる血液細胞の原始的未分化型．正常骨髄には少量しか存在せず，またぜい弱で容易に崩壊するためスミアで同定するのは困難である). = haematoblast; hematocytoblast.

he·ma·to·cele (hē′mă-tō-sēl). ***1*** 血瘤. = hemorrhagic cyst. ***2*** 血洞（身体の管または腔への出血). ***3*** 血腫（精巣鞘膜内への血液滲出による腫脹). = haematocele.

hem·a·to·ceph·a·ly (hē′mă-tō-sef′ă-lē). 頭蓋内血腫（一般に胎児における頭蓋内出血). = haematocephaly.

he·ma·to·che·zi·a (hē′mă-tō-kē′zē-ă). 血便排泄（メレナまたはタール便と区別される血性便の排泄). = haematochezia.

he·ma·to·chy·lu·ri·a (hē′mă-tō-kīl-yūr′ē-ă). 乳び血尿（尿中に乳びと血液が混在すること). = haematochyluria.

he·ma·to·col·po·me·tra (hē′mă-tō-kol′pō-mē′tră). 腟子宮留血症，腟子宮血腫（閉塞した処女膜または他の腟下方の閉鎖により子宮および腟に血液が滞留すること). = haematocolpometra.

he·ma·to·col·pos (hē′mă-tō-kol′pŏs). 腟留血症（閉塞した処女膜または他の閉鎖により腟に経血が滞留すること). = haematocolpos; retained menstruation.

he·mat·o·crit (Hct) (hē-mat′ō-krit). ヘマトクリット（血液検体のうち血球成分の占める量の百分率．*cf.* plasmacrit). = haematocrit.

he·ma·to·cry·al (hē′mă-tok′rē-ăl). 冷血の. = poikilothermic.

he·ma·to·cyst (hē′mă-tō-sist). 血液囊胞，血液囊腫. = hemorrhagic cyst.

he·ma·to·cys·tis (hē′mă-tō-sis′tis). 膀胱内に血液が存在すること. = haematocystis.

he·ma·to·cy·to·blast (hē′mă-tō-sī′tō-blast). = hemocytoblast.

he·ma·to·gen·e·sis (hē′mă-tō-jen′ĕ-sis). = hemopoiesis; haematogenesis.

he·ma·to·gen·ic, he·ma·tog·e·nous (hē′mă-tō-jen′ik, hem′ă-; -toj′ĕ-nŭs). = haematogenic. ***1*** = hemopoietic. ***2*** 血液原の，血行性の（血液からつくられた，血液から出た，または血液に運ばれたものについていう).

he·ma·tog·e·nous jaun·dice 血液性黄疸. = hemolytic jaundice; haematogenous jaundice.

he·ma·tog·e·nous me·tas·ta·sis 血行性転移（→metastasis). = haematogenous metastasis.

he·ma·to·his·ton (hē′mă-tō-his′tŏn). ヘマトヒストン. = globin; haematohiston.

he·ma·toid (hē′mă-toyd). 血液様の，類血の. = haematoid.

he·ma·toi·din (hē-mă-toy′din). ヘマトイジン（鉄を含有せず，ビリルビンと密接な関係があるかまたは同一のヘモグロビンに由来する色素．細胞内(恐らく網状内皮細胞内)で形成されるが，5—7日後には先に出血のあった病巣の細胞外に見出されることが多い). = haematoidin; hemolutein.

he·ma·tol·o·gist (hē′mă-tol′ŏ-jist). 血液学者，血液病専門医（血液学の教育を受け経験を積んだ医師．すなわち血液および骨髄の診断的検査または血液疾患の治療の専門家). = haematologist.

he·ma·tol·o·gy (hē′mă-tol′ŏ-jē). 血液学，血液病学（血液と血液を形成する組織に関係した解剖学，生理学，病理学，症候学，治療学に関する医学の専門分野). = haematology.

he·ma·to·lymph·an·gi·o·ma (hē′mă-tō-limf′an-jē-ō′-mă). 血管リンパ管腫（多数の，密

に詰まった，大きさの様々なリンパ管および大きい溝からなる先天異常で，同様の型の中程度の数の血管と関連している）. = haematolymphangioma.

he·ma·tol·y·sis (hē′mă-tol′i-sis). = hemolysis; haematolysis.

he·ma·to·lyt·ic (hē′mă-tō-lit′ik). = hemolytic; haematolytic.

he·ma·to·ma (hē′mă-tō′mă). 血腫（溢血の局所的な塊で，臓器，組織，空隙，または有効空隙に限られる．血液は通常，凝固(または部分的凝固)して，出血後の経過時間に従い，種々の程度の器質化と脱色がみられる）. = haematoma.

he·ma·to·me·tra (hē′mă-tō-mē′tră). 子宮留血症，子宮血腫（子宮腔に血液が充満あるいは貯留した状態）. = haematometra; hemometra.

he·ma·tom·e·try (hē′mă-tom′ĕ-trē). 検血（ⓘ血液細胞の総数，型および相対比，ⓘⓘその他の構成成分の数および比，ⓘⓘⓘヘモグロビンの百分率などを測定するために行う血液検査．血圧測定を含む場合もある）.

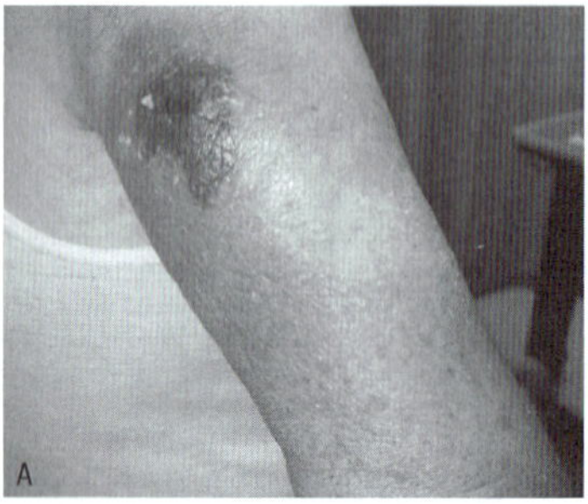
A

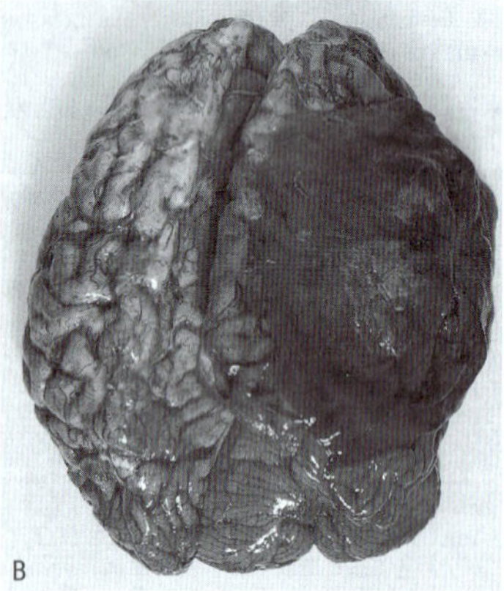
B

hematoma
A：皮下血腫，B：硬膜下血腫.

he·mat·om·pha·lo·cele (hē′mat-om-fal′ō-sēl). 臍〔帯〕血瘤（内部へ出血している臍ヘルニア）. = haematomphalocele.

he·ma·to·my·e·li·a (hē′mă-tō-mī-ē′lē-ă). 脊髄〔内〕出血（脊髄組織への出血．通常は外傷後の病変であるが，脊髄毛細管拡張症の場合にも起こりうる）. = haematomyelia; hematorrhachis interna; myelapoplexy; myelorrhagia.

he·ma·to·my·e·lo·pore (hē′mă-tō-mī′ĕ-lō-pōr). 出血性脊髄穿孔症（出血のため脊髄が多孔性になること）. = haematomyelopore.

he·ma·to·pa·thol·o·gy (hē′mă-tō-path-ol′ō-jē). 血液病理学（血液や造血およびリンパ組織の疾患に関する病理学の部門）. = haematopathology; hemopathology.

he·ma·to·plast (hē′mă-tō-plast). = hemocytoblast; haematoplast.

he·ma·to·plas·tic (hē′mă-tō-plas′tik). 血液生成の. = hemopoietic; haematoplastic.

he·ma·to·poi·e·sis (hē′mă-tō-poy-ē′sis). = hemopoiesis; haematopoiesis.

he·ma·to·poi·et·ic (hē′mă-tō-poy-et′ik). = hemopoietic; haematopoietic.

he·ma·to·poi·et·ic gland 造血腺（脾臓のような造血臓器）. = haematopoietic gland.

he·ma·to·poi·et·ic growth fac·tor (HGF) 増血性増殖因子（造血前駆細胞の生存，自己複製，増殖，および分化を調節する糖蛋白．インターロイキン(IL)およびコロニー刺激因子(CSF)の，2種類の名称グループが存在する）. = haematopoietic growth factor.

he·ma·to·poi·et·ic sys·tem 造血系（造血器官．胎生期では発達段階に応じて卵黄胞，肝，胸腺，脾，リンパ節，および骨髄．出生後は主として骨髄，脾，胸腺，リンパ節）. = haematopoietic system.

he·ma·to·por·phy·rin (hē′mă-tō-pōr′fir-in). ヘマトポルフィリン（ヘモグロビンの分解により生じるポルフィリン．化学組成はヘムの組成であるが，鉄を失いヒドロキシエチルへ加水分解される2個のビニル基をもつ）. = haematoporphyrin; hemoporphyrin.

he·ma·top·si·a (hē′mă-top′sē-ă). 眼出血. = hemophthalmia; haematopsia.

he·ma·tor·rha·chis (hē′mă-tōr′ă-kis). 脊椎管内出血. = hemorrhachis; haematorrhachis.

he·ma·tor·rha·chis ex·ter·na 外脊椎管内出血（脊髄外の脊椎管内への出血で硬膜内外いずれの場合もある）. = haematorrhachis externa.

he·ma·tor·rha·chis in·ter·na 内脊椎管内出血. = hematomyelia; haematorrhachis interna.

he·ma·to·sal·pinx (hē′mă-tō-sal′pingks). 卵管留血症，卵管血腫（卵管に血液が貯留すること．卵管妊娠と合併することが多い）. = haematosalpinx; hemosalpinx.

hem·a·to·sin (hē′mă-tō′sin). ヘマトシン. = hematin; haematosin.

hem·a·to·sis (hē′mă-tō′sis). 動脈血液化，動脈血液形成（肺における静脈血への酸素付加. *cf.* hemopoiesis）. = haematosis.

he·ma·to·sper·mat·o·cele (hē′mă-tō-spĕr-mat′ō-sēl). 血精液瘤（血液を含む精液瘤). = haematospermatocele.

he·ma·to·sper·mi·a (hē′mă-tō-spĕr′mē-ă). 血精液症（精液中に血液が混じること).

he·ma·to·stat·ic (hē′mă-tō-stat′ik). 血行停止性の，止血性の（① hemostatic の別称. ②血液が貯留または停止することによる). = haematostatic.

he·ma·to·stax·is (hē′mă-tō-stak′sis). 血液疾患による特発出血. = haematostaxis.

he·ma·tos·te·on (hē′mă-tos′tē-on). 骨髄内出血. = haematosteon.

hem·a·to·ther·ma (hē′mă-tō-thĕr′mă). 温血動物（温血性の脊椎動物(鳥類および哺乳類)のこと). = haematotherma.

he·ma·to·therm·al (hē′mă-tō-thĕr′măl). = homeothermic; haematothermal.

he·ma·to·tox·in (hē′mă-tō-toks′in). = hemotoxin; haematotoxin.

he·ma·to·tro·pic (hē′mă-tō-trō′pik). 血液向性の. = hemotropic; haematotropic.

he·ma·tox·y·lin (hē′mă-toks′i-lin). [CI 75290]. ヘマトキシリン（結晶化合物でヘマトキシリンノキ *Haematoxylon campechianum* の色素を含有する. この色素はエーテル抽出により得られる. 組織学において，染色，特に細胞核および染色体，筋肉横紋，腸クロム親和細胞の染色に用いられる. 指示薬(pH 0.0—1.0 で赤色から黄色に変わり，pH 5.0—6.0 で黄色から紫色に変わる)としても用いる). = haematoxylin.

he·ma·tox·y·lin and e·o·sin stain ヘマトキシリン-エオシン染色〔法〕（組織用染色の中で，恐らく最も一般的に有用な方法. 核はヘマトキシリンで濃い藍色に染まり，細胞質は通常水中で行うエオシンによる対比染色後桃色に染まる). = haematoxylin and eosin stain.

hem·a·to·zo·on (hē′mă-tō-zō′on). = hemozoon; haematozoon.

he·ma·tu·ri·a (hē′mă-tyūr′-ē-ă). 血尿（尿に血液または赤血球が存在している状態). = haematuria.

heme (hēm). ヘム（①2価の鉄イオン(Fe^{2+})を含むポルフィリンキレート. ヘモグロビンの配合群，酸素担体，着色成分である. ②テトラピロール構造(例えばビリベルジンヘム)に類似しているが，非ポルフィリンとの鉄錯体). = haem; reduced hematin.

heme pro·tein ヘム蛋白（鉄ポルフィリン(ヘム)補欠分子族を含む蛋白で，ヘモグロビンと類似している). = haem protein; haemprotein.

hem·er·a·lo·pia (hem′ĕr-ă-lō′pē-ă). 昼盲〔症〕(薄暗い光の中と同様に明るい光の中でもはっきり物が見えないこと. 錐体機能障害症例にみられる). = day blindness.

hem·e·ryth·rin (hēm′ĕ-rith′rin). ヘムエリトリン（ある種の無脊椎動物がもっている，鉄を含み酸素結合能力のある蛋白. 分子量はヘモグロビンとほぼ等しいが，ポルフィリン基を含まない点が異なる). = haemerythrin.

hemi- 半分を意味する接頭語. *cf.* semi-.

hem·i·ac·e·tal (hem′ē-as′ĕ-tăl). ヘミアセタール（アルデヒドにアルコールが付加した生成物, RCH(OH)OR′(アセタールはヘミアセタールにアルコールが付加して生成される). アルドース糖において，ヘミアセタール生成は起こりやすく，分子内で 4-OH または 5-OH がカルボニル基の O を攻撃することにより行われ，フラノースまたはピラノース構造がつくられる. 糖のヘミアセタールは，グリコシルまたは配糖体のようにすべて多糖類に含まれる. →hemiketal; acetal).

hem·i·a·geu·si·a (hem′ē-ă-gū′sē-ă). 片側(半側)味覚消失（舌の片側の味覚喪失).

hemianaesthesia [Br.]. = hemianesthesia.

hem·i·an·al·ge·si·a (hem′ē-an-ăl-jē′zē-ă). 片側(半側)痛覚消失（身体の半分を侵す無痛覚症).

hem·i·an·en·ceph·a·ly (hem′ē-an-en-sef′ă-lē). 半無脳症（一側のみまたは一側が他側よりも広範囲に侵された無脳症).

hem·i·an·es·the·si·a (hem′ē-an-es-thē′zē-ă). 片側(半側)感覚消失（半身の無感覚症). = hemianaesthesia; unilateral anesthesia.

hem·i·a·no·pi·a (hem′ē-ă-nō′pē-ă). 半盲，片側(半側)視野欠損（片眼または両眼の視野の半分の視障害).

hem·i·an·os·mi·a (hem′ē-an-oz′mē-ă). 片側(半側)嗅覚麻痺（片側の嗅覚喪失).

hem·i·a·prax·i·a (hem′ē-ă-prak′sē-ă). 片側(半側)失行〔症〕（半身を侵す失行症).

hem·i·a·tax·i·a (hem′ē-ă-tak′sē-ă). 片側(半側)〔運動〕失調〔症〕（身体の片側の運動失調).

hem·i·ath·e·to·sis (hem′ē-ath-ĕ-tō′sis). 片側(半側)アテトーシス（片手または片手片足を侵すアテトーシス).

hem·i·at·ro·phy (hem′ē-at′rŏ-fē). 片側(半側)萎縮（顔や舌など体部または臓器の片側半分の萎縮).

hem·i·a·zy·gos vein 半奇静脈（左上行腰静脈と左肋下静脈との合流として起こり，ときとして下大静脈との交通枝もみられる. 横隔膜の左脚を貫通し，下部胸椎の左側に沿って上行し，第八胸椎の高さで胸大動脈・胸管・食道の後方で正中線を越えて反対側に移り，ときには副半奇静脈とともども奇静脈に流入して終わる).

hem·i·bal·lis·mus (hem′ē-bal-iz′mŭs). 片側(半側)バリスム（身体の片側に起こるバリスム).

hem·i·block (hem′ē-blok). ヘミブロック（His 束の左側枝の主要な2分枝の中の一方，すなわち前(上方)枝または後(下方)枝のいずれかにおける伝達の遮断).

he·mic (hē′mik). = hematic(1); haemic.

hem·i·car·di·a (hem′ē-kahr′dē-ă). ***1*** 片側(一側)心臓（心臓の心房および心室を含む片側半分). ***2*** 片側(一側)心臓症（心臓の先天的異常で，通常は4個ある室が2個しかつくられない).

hem·i·cel·lu·lose (hem′ē-sel′yū-lōs). ヘミセルロース（植物細胞壁の多糖類で，セルロースに類似している).

hem·i·cel·lu·los·es (hem′ē-sel′yū-lōs-ĕz). ヘ

ミセルロース（セルロースよりも容易に発酵する食物中の多糖）.

hem·i·cen·trum (hem′ē-sen′trŭm). 半椎体（椎体の片側半分）.

hem·i·ceph·a·lal·gi·a (hem′ē-sef-ă-lal′jē-ă). 片側頭痛（典型的片頭痛に特徴的な単側性頭痛）. = hemicrania(2).

hem·i·ce·pha·li·a (hem′ē-sĕ-fā′lē-ă). 半頭蓋症，半頭症（先天的脳発達不全. 通常，小脳および大脳基底核は痕跡的な形以上に発達する）.

hem·i·cho·re·a (hem′ē-kōr-ē′ă). 片側(半側)舞踏病（一側のみの筋肉を侵す舞踏病）.

he·mic mur·mur 血液性雑音. = anemic murmur; haemic murmur.

hem·i·col·ec·to·my (hem′ē-kō-lek′tō-mē). 結腸半〔側〕切除〔術〕（結腸の右側または左側の切除）.

hem·i·cor·po·rec·to·my (hem′ē-kōr-pō-rek′tŏ-mē). ヘミコルポレクトミー（下半身の外科的切除. 下肢，骨盤，生殖器，下部直腸から肛門までの種々の骨盤臓器を含む）.

hem·i·cra·ni·a (hem′ē-krā′nē-ă). ***1*** 片頭痛. = migraine. ***2*** 片側頭痛. = hemicephalalgia.

hem·i·cra·ni·o·sis (hem′ē-krā-nē-ō′sis). 半頭肥大症（頭蓋の片側の肥大）.

hem·i·des·mo·somes (hem′ē-des′mō-sōmz). 半接着斑（重層扁平上皮の最下層細胞の底面(結合組織と結合する)にみられる連結構造）.

hem·i·di·a·pho·re·sis (hem′ē-dī-ă-fŏr-ē′sis). 片側(半側)発汗（身体の片側の発汗）. = hemidrosis(2); hemihidrosis.

hem·i·dro·sis (hem′i-drō′sis). ***1*** 血汗症. = hematidrosis. ***2*** 片側(半側)発汗症. = hemidiaphoresis.

hemidysaesthesia [Br.]. = hemidysesthesia.

hem·i·dys·es·the·si·a (hem′ē-dis-es-thē′zē-ă). 片側(半側)知覚不全（身体の片側が侵された知覚不全）. = hemidysaesthesia.

hem·i·dys·tro·phy (hem′ē-dis′trŏ-fē). 片側(半側)異栄養症（半身の発達不全状態）.

hem·i·ec·tro·me·li·a (hem′ē-ek-trō-mē′lē-ă). 片側(半側)欠肢症，片側(半側)奇肢症（半身の体肢の発達不全）.

hem·i·fa·cial (hem′ē-fā′shăl). 片側(半側)顔面の.

he·mi·fa·cial spasm 片側顔面痙攣（顔面筋の不規則で，ときに痛みを伴うミオクローヌス性収縮を特徴とする顔面神経疾患で，成人期後期に発症する. 顔面の随意運動や反射運動で誘発される. 眼輪筋から始まり，広がることが多い. Bell 麻痺の後遺症のこともあるが，顔面神経近位部が迷入血管または新生物により圧迫されて起こることが多い）.

hem·i·gas·trec·to·my (hem′ē-gas-trek′tŏ-mē). 胃半切除〔術〕（胃の幽門側半分の切除）.

he·mi·glo·bin (hem′ē-glō-bin). = methemoglobin.

he·mi·glo·bi·ne·mi·a (hem′ē-glō-bi-nē′mē-ă). = methemoglobinemia.

he·mi·glo·bi·nu·ri·a (hem′ē-glō-bi-nyūr′ē-ă). = methemoglobinuria.

hem·i·glos·sec·to·my (hem′ē-glos-ek′tŏ-mē). 舌半切除〔術〕（舌の半分を外科的に切除すること）.

hem·i·glos·si·tis (hem′ē-glos-ī′tis). 片側(半側)舌炎（舌の片側とそこに当たる頬の内側面に小胞性発疹が出るもの. 恐らく疱疹性である）.

hem·i·gna·thi·a (hem′ē-gnā′thē-ă). 半顎症（下顎骨片側の発達不良）.

hem·i·hi·dro·sis (hem′ē-hī-drō′sis). = hemidiaphoresis.

hemihypaesthesia [Br.]. = hemihypesthesia.

hem·i·hyp·al·ge·si·a (hem′ē-hīp′al-je′zē-ă). 片側(半側)痛覚鈍麻（身体の片側を侵す痛覚減退症）.

hemihyperaesthesia [Br.]. = hemihyperesthesia.

hem·i·hy·per·es·the·si·a (hem′ē-hī′pĕr-es-thē′zē-ă). 片側(半側)知覚過敏（身体の片側を侵す感覚過敏または触覚および感覚の過敏）. = hemihyperaesthesia.

hem·i·hy·per·to·ni·a (hem′ē-hī′pĕr-tō′nē-ă). 片側(半側)緊張亢進（身体の片側筋肉の緊張性の高まり）.

hem·i·hy·per·tro·phy (hem′ē-hī-pĕr′trō-fē). 片側(半側)肥大〔症〕（顔または身体の片側の過成長）.

hem·i·hyp·es·the·si·a (hem′ē-hīp′es-thē′zē-ă). 片側(半側)感覚鈍麻（身体の片側における感覚の減退）. = hemihypaesthesia.

hem·i·hy·po·to·ni·a (hem′ē-hī-pō-tō′nē-ă). 片側(半側)緊張低下（身体の片側における筋肉緊張性の部分的消失）.

hem·i·ke·tal (hem′ē-kē′tăl). ヘミケタール（ケトンへアルコールが付加した生成物，RC(R′)(OH) OR″. ケトン類ではヘミケタール生成はケトンのカルボニル基へ内部の OH が攻撃し分子内環化反応(フラノースまたはピラノース)が起きることによる. 半ケト型の糖はグリコシルまたは配糖体のように多糖類形成において現れる. →hemiacetal; ketal）.

hem·i·lam·i·nec·to·my (hem′ē-lam-i-nek′tŏ-mē). 片側(半側)椎弓切除〔術〕（椎弓の半側切除術. 脊椎管内の除圧のために行われる手術）.

hem·i·lar·yn·gec·to·my (hem′ē-lar-in-jek′tŏ-mē). 片側(半側)喉頭切除〔術〕（喉頭の側方半分を摘除する手術）.

hem·i·lat·er·al (hem′ē-lat′ĕr-ăl). 片側(半側)の.

hem·i·mor·phic (hem′ē-mōr′fik). 異極像の（非対称の）.

he·min (hēm′in). ヘミン（ヘムの塩化物で Fe^{2+} は Fe^{3+} になっている. ヘミン結晶は Teichmann 結晶とよばれる）. = haemin; hematin chloride.

hem·i·pa·re·sis (hem′ē-pă-rē′sis). 片側(半側)不全麻痺，不全片麻痺（半側麻痺）(片側のみを侵す脱力）.

hem·i·pel·vec·to·my (hem′ē-pel-vek′tŏ-mē). 片側(半側)骨盤切除〔術〕，片側(半側)下

肢切除〔術〕（同側の骨盤を含めて下肢全体を切断すること）. = interpelviabdominal amputation; Jaboulay amputation.

hem·i·ple·gi·a (hem′ē-plē′jē-ă). 片麻痺, 半側麻痺.

hem·i·ple·gic (hem′ē-plē′jik). 片麻痺の, 半側麻痺の.

hem·i·ple·gic gait 片麻痺歩行, 半側麻痺歩行（歩行時, 膝・足関節は曲げず, まず下肢が体幹より離れ, 次いで体幹に近づき, 下肢が半円形を描くような歩行をする下肢硬直性の歩行）. = spastic gait.

hem·i·sen·so·ry (hem′ē-sen′sŏr-ē). 片側（半側）感覚〔消失〕の（身体の一側の感覚の消失. *cf.* hemianesthesia）.

hem·i·spasm (hem′ē-spazm). 片側（半側）痙攣（顔または身体の片側の1つ以上の筋肉を侵す痙縮）.

hem·i·sphere (hem′is-fēr′). 半球（球体構造の半分をいう）. = cerebral hemisphere (1); hemisphericum.

hem·i·sphere of cer·e·bel·lum HII-HX 小脳半球（小脳虫部外側にある小脳の大部分）. = hemispherium (2).

hem·i·spher·i·cum (hem′is-fēr′i-kŭm). 小脳半球. = hemisphere.

hem·i·sphe·ri·um (hem′is-fēr′ē-ŭm). ***1*** 大脳半球. = cerebral hemisphere. ***2*** 小脳半球. = hemisphere of cerebellum HII-HX.

hem·i·sys·to·le (hem′ē-sis′tō-lē). 片側（半側）収縮（心房収縮2回ごとに左心室が1回収縮するため, 2回の心拍に対して脈拍は1回のみとなる）.

hem·i·tho·rax (hem′ē-thōr′aks). 半胸郭（胸郭の片側）.

hem·i·trun·cus (hem′ē-trŭngk′ŭs). 半総動脈幹症（総動脈幹症の変異型で総動脈幹から肺動脈が1本分枝する（もう1本は右室から起始する）. 註あまり用いられない語である）.

hem·i·ver·te·bra (hem′ē-vĕr′tĕ-bră). 半側椎骨, 半椎（脊椎椎体の片側半分が先天的に欠損した状態）.

hem·i·zy·gos·i·ty (hem′ē-zī-gos′i-tē). 半接合.

hem·i·zy·gote (hem′ē-zī′gōt). ヘミ接合体, 半接合体（1個以上の特異遺伝子座に関して半接合である個体. 例えば, 正常男子はゲノムでの全X連鎖またはY連鎖遺伝子に対して, その遺伝子に関してヘミ接合体である）.

hem·i·zy·got·ic (hem′ē-zī-got′ik). ヘミ接合体性, 半接合体性. = hemizygous.

hem·i·zy·gous (hem′ē-zī′gŭs). ヘミ接合の, 半接合の（他の遺伝子は二倍体で存在する細胞中に, 対をなさない遺伝子がある状態. 男性は正常な場合, 両性染色体の遺伝子に対し半接合性である）. = hemizygotic.

Hem·lock So·ci·e·ty にがよもぎ協会（自ら死を選ぶことを支持する組織. 現在は再構成され名称もCompassion and Choicesに変わっている）.

hemo- 血液を意味する連結形. →hem-; hemat-; hemato-; haemo-.

he·mo·bil·i·a (hē′mō-bil′ē-ă). 血性胆汁〔症〕. = haemobilia.

he·mo·blast (hē′mō-blast). 血芽球. = hemocytoblast; haemoblast.

he·mo·blas·to·sis (hē′mō-blas-tō′sis). 血芽球症, 造血器〔官〕増殖症（一般に造血組織の増殖状態）. = haemoblastosis.

he·mo·ca·ther·e·sis (hē′mō-kă-ther′ĕ-sis). 〔赤〕血球崩壊（血球, 特に赤血球の崩壊（赤血球破壊））. = haemocatheresis.

he·mo·cath·e·ret·ic (hē′mō-kath-ĕ-ret′ik). 〔赤〕血球崩壊性の（赤血球崩壊を特徴とする）. = haemocatheretic.

Hem·oc·cult test 潜血試験（便中の潜血に対する定性試験の商品名で, ヘモグロビン中のペルオキシダーゼ活性の検出による. 試験用具一式は, 家庭で使用でき, 検体は診断のため検査施設へ郵送できる）. = Haemoccult test.

hem·o·cele (hē′mō-sēl). 血体腔（節足動物の体に広がる血液を有する間隙の体系をいう）. = haemocoel; haemocoele.

he·mo·cho·ri·al pla·cen·ta 絨毛膜血腫性胎盤（母体血が直接絨毛膜に接する胎盤で, ヒトやある種のげっ歯類にみられる）. = haemochorial placenta.

he·mo·chro·ma·to·sis (hē′mō-krō-mă-tō′sis). ヘモクロマトーシス（鉄代謝の異常で, 摂取した鉄の吸収過剰, 鉄結合蛋白の飽和, 特に肝臓, 膵臓, 皮膚におけるヘモジデリンの沈着を特徴とする. 肝硬変, 糖尿病（青銅色糖尿病）, 青銅肌, 末期には心不全を起こすことがある. 経口的または非経口的に鉄を大量に摂取した場合や輸血を大量に行った場合に生じることもある）. = haemochromatosis.

he·mo·chrome (hē′mō-krōm). ヘモクロム. = hemochromogen; haemochrome.

he·mo·chro·mo·gen (hē′mō-krō′mō-jen). ヘモクロモゲン（元来, 2モルの窒素性塩基をもつフェロまたはフェリポルフィリンの結合を意味した）. = haemochromogen; hemochrome.

he·mo·chro·mom·e·ter (hē′mō-krō-mom′ĕ-tĕr). = hemoglobinometry; haemochromometer.

he·moc·la·sis, he·mo·cla·si·a (hē-mok′lă-sis, hē′mō-klā′zē-ă). 血球崩壊（赤血球の破壊, 溶解（溶血 hemolysis）など）. = haemoclasis.

he·mo·clas·tic (hē′mō-klas′tik). 血球崩壊性の. = haemoclastic.

he·mo·con·cen·tra·tion (hē′mō-kon′sĕn-trā′shŭn). 血液濃縮（赤血球の数に対して血漿の量が減少すること. 循環血液中の赤血球濃度の増大）. = haemoconcentration.

he·mo·co·ni·a (hē′mō-kō′nē-ă). 血じん（塵）（循環血液中の小さい屈折性の粒子を表す語. 恐らく赤血球の破片と脂質が結合したものと思われる）. = haemoconia.

he·mo·co·ni·o·sis (hē′mō-kō′nē-ō′sis). 血じん（塵）増加〔症〕（血液中に異常量の血じんがある状態）. = haemoconiosis.

he·mo·cy·a·nin (hē′mō-sī′ă-nin). ヘモシアニン（下等海洋動物（軟体動物や甲殻類）や節足動

物の酸素運搬色素．分子量は45万—1,300万．銅を必須成分とするが，ヘムは含まない．実験抗原として用いる）．= haemocyanin.

he·mo·cyte (hē′mō-sīt). 血液細胞，血球（血液の細胞または形成された成分）．= haemocyte.

he·mo·cy·to·blast (hē′mō-sī′tō-blast). 血球始原細胞，ヘモシトブラスト（胎児間葉から出た原始血液細胞で，好塩基性細胞質と，海綿状で目の粗い染色質網といくつかの核小体をもつ比較的大きな核とを特徴とする．ミトコンドリアはきわめて繊細である．血液発生の一元論説の原始幹細胞を表し，赤芽球，顆粒球の幼若型，巨核球，その他に成長する力をもっている）．= haemocytoblast; hematoplast; hemoblast.

he·mo·cy·to·ca·ther·e·sis (hē′mō-sī′tō-kă-ther′ĕ-sis). 赤血球破壊（溶血またはその他の型の赤血球破壊）．= haemocytocatheresis.

he·mo·cy·tol·y·sis (hē′mō-sī-tol′i-sis). 血球崩壊（溶血を含む血球の溶解）．= haemocytolysis.

he·mo·cy·to·ma (hē′mō-sī-tō′mă). 血液細胞腫（未分化の血液細胞からできた腫れ）．= haemocytoma.

he·mo·cy·tom·e·ter (hē′mō-sī-tom′ĕ-tĕr). 血球計，血球計算板（血液の一定量中の血球数を測定する装置．膨大部で血液を希釈する，ガラスのピペットと区画に区切られた計算板よりなる）．= haemocytometer; hemacytometer.

he·mo·cy·tom·e·try (hē′mō-sī-tom′ĕ-trē). 血球計算〔法〕．= haemocytometry.

he·mo·cy·to·trip·sis (hē′mō-sī′tō-trip′sis). 血球破壊（例えば，硬い面の間で圧迫するなど，物理的損傷による血球の破砕または崩壊）．= haemocytotrypsis.

he·mo·di·a·fil·tra·tion (hē′mō-dī′ă-fil-trā′shŭn). 血液透析濾過（低分子の溶質を拡散させる血液透析と高分子の溶質を対流で移送させる血液濾過を組み合わせた方法）．= haemodiafiltration.

he·mo·di·ag·no·sis (hē′mō-dī′ăg-nō′sis). 血液診断〔法〕（血液の検査による診断）．= haemodiagnosis.

he·mo·di·al·y·sis (hē′mō-dī-al′i-sis). 血液透析（半透膜を介する拡散による血液からの溶液および水の透析．細胞成分およびコロイドの溶質からの分離は膜孔のサイズ，拡散速度により達成される）．= haemodialysis.

he·mo·di·a·lyz·er (hē′mō-dī′ă-līz-ĕr). 血液透析器（急性または慢性腎不全において血液透析に用いる器械．血液中の毒性物質は半透膜を通して透析液にさらすことにより除去される）．= artificial kidney; haemodialyser.

he·mo·di·lu·tion (hē′mō-di-lū′shŭn). 血液希釈（赤血球容量に比し血漿量が増加すること．循環血液中の赤血球濃度の減少）．= haemodilution.

he·mo·dy·nam·ic (hē′mō-dī-nam′ik). 血流力学の，血行力学の（血液循環の物理学的な面についていう）．

he·mo·dy·nam·ics (hē′mō-dī-nam′iks). 血行力学．= haemodynamics.

he·mo·en·do·the·li·al pla·cen·ta 内皮血腫性胎盤（ウサギの胎盤のように，栄養膜が非常に薄いために，光学顕微鏡で母体血が絨毛膜毛細血管の内皮によってのみ胎児血から分けられているようにみえる胎盤）．= haemoendothelial placenta.

he·mo·fil·tra·tion (hē′mō-fil-trā′shŭn). 血液濾過（血液透析と同様の過程で，限外濾過を用い血液を透析する）．= haemofiltration.

he·mo·flag·el·late (hē′mō-flaj′ĕ-lāt). 住血鞭毛虫類（血中に寄生するトリパノソーマ科の鞭毛虫類．*Leishmania* 属および *Trypanosoma* 属が含まれ，数種は重要な病原体である）．= haemoflagellate.

he·mo·fus·cin (hē′mō-fūs′in). ヘモフスシン，血褐素（ヘモグロビンから生成される褐色色素．ヘモジデリンとともに尿中に出ることがあり，通常，赤血球崩壊の増加を示す．また血色素症の場合，ヘモジデリンとともに肝臓に生じる）．= haemofuscin.

he·mo·gen·e·sis (hē′mō-jen′ĕ-sis). 血液生成，造血．= hemopoiesis; haemogenesis.

he·mo·gen·ic (hē′mō-jen′ik). 血液生成の，造血の．= hemopoietic; haemogenic.

he·mo·glo·bin (Hgb, Hb) ヘモグロビン，血色素（赤血球の赤色呼吸蛋白で，3.8%のヘムと96.2%のグロビンからなる．分子量64,450．ヘモグロビンは酸素を肺から組織へ運搬し，この酸素化された型はオキシヘモグロビン(HbO_2)と命名されている．この酸素は組織において容易に遊離され，HbO_2 は Hb となる．ヘモグロビンをある種の化学物質にさらすと，その正常な呼吸機能は障害される．例えば HbO_2 の酸素は一酸化炭素により容易に置換され，かなり安定した一酸化炭素ヘモグロビン(HbCO)となる．これはガソリンエンジンから排出される煙霧を吸入した結果起こす窒息の場合などがある．例えば，硝酸塩やある種の化学物質による中毒の場合のようにヘモグロビンの鉄が第一鉄から第二鉄へ酸化された場合，非呼吸性化合物，すなわちメトヘモグロビン(MetHb)が形成され，さらに酸化が進むとスルフヘモグロビンとなる）．= haemoglobin; haemoglobins.

he·mo·glo·bin A (Hb A) ヘモグロビンA（正常成人ヘモグロビンで，2種からなり，HbA(大部分を占める)と HbA_2 とよばれる）．= haemoglobin A.

he·mo·glo·bin Bart ヘモグロビンバート（分子式 γ_4 のヘモグロビンホモ四量体(4個のポリペプチドがすべて同一)で，早期胚および α サラセミア2にみられる．この型は酸素運搬には関与しない．Bohr 効果を示さない）．= haemoglobin Bart.

he·mo·glo·bin C (Hb C) ヘモグロビンC（異常ヘモグロビンの1つで，赤血球の形態に影響を及ぼし，溶血性貧血を起こす．鎌状赤血球症やサラセミアの患者にもしばしば合併する）．= haemoglobin C.

he·mo·glo·bi·ne·mi·a (hē′mō-glō′bi-nē′mē-ă). 血色素血〔症〕，ヘモグロビン血〔症〕（例えば，血管内溶血が起こった場合のように血漿中に遊離ヘモグロビンが存在する状態). = haemoglobinaemia.

he·mo·glo·bin F (Hb F) ヘモグロビンF (正常胎児ヘモグロビン. ある種の先天性または後天性血液疾患以外では乳児期後産生は急速に減少する). = haemoglobin F.

he·mo·glo·bi·nol·y·sis (hē′mō-glō′bi-nol′i-sis). 血色素溶解, ヘモグロビン溶解 (ヘモグロビンの崩壊または化学的分解). = haemoglobinolysis.

he·mo·glob·i·nom·e·try (hē′mō-glō′bi-nom′ĕ-trē). ヘモグロビン測定法, ヘモグロビノメトリー (血液のヘモグロビン濃度の測定法). = haemoglobinometry; hematinometer; hemochromometer.

he·mo·glo·bi·nop·a·thy (hē′mō-glō′bi-nop′ă-thē). 異常血色素症, 異常ヘモグロビン症 (血中の異常なヘモグロビンによって起こる疾患あるいは障害). = haemoglobinopathy.

he·mo·glo·bi·no·phil·ic (hē′mō-glō′bi-nō-fil′ik). 血色素親和性の, ヘモグロビン親和性の (ヘモグロビンが存在しなければ培養できないある種の細菌についていう). = haemoglobinophilic.

he·mo·glo·bin S (Hb S) ヘモグロビンS (異常ヘモグロビンの1つで, 酸素分圧が低くなった状態では赤血球を鎌状化し, 溶血を起こす. 鎌状赤血球症ではヘモグロビン全体の70%以上を占める). = haemoglobin S; sickle cell hemoglobin.

he·mo·glo·bi·nu·ri·a (hē′mō-glō′bi-nyūr′ē-ă). 血色素尿〔症〕, ヘモグロビン尿〔症〕 (尿中にヘモグロビンまたはヘモグロビン分子がわずかに変化して生じる化学的に非常に近似した色素が存在すること. 尿中に大量に存在する場合は尿が明るい赤黄色から暗赤色までの種々の色彩を呈する). = haemoglobinuria.

he·mo·glo·bi·nu·ric (hē′mō-glō′bi-nyūr′ik). 血色素尿症の. = haemoglobinuric.

he·mo·glo·bi·nu·ric ne·phro·sis ヘモグロビン尿性ネフローゼ, 血色素尿性ネフローゼ (ヘモグロビン尿症を伴う急性の乏尿性腎不全. 大量の血管内溶血により起こる). = haemoglobinuric nephrosis.

he·mo·gram (hē′mō-gram). ヘモグラム (血液検査所見の完全で詳細な記録. 特に有血球数, 白血球百分率, 形態学所見に関するもの). = haemogram.

he·mo·his·ti·o·blast (hē′mō-his′tē-ō-blast). 血液組織芽細胞 (単球も含めたすべての血球および組織球に発育しうると考えられている原始的間葉細胞). = Ferrata cell; haemohistioblast.

he·mo·lith (hē′mō-lith). 血液結石 (血管壁内結石). = haemolith.

he·mo·lu·te·in (hē′mō-lū′tē-in). ヘモルテイン. = hematoidin; haemolutein.

he·mo·lymph (hē′mō-limf). 血液リンパ (①循環する組織という概念での血液およびリンパ. ②ある種の無脊椎動物の栄養液). = haemolymph.

he·mol·y·sate (hē-mol′i-sāt). 溶血血液, 溶血〔産〕物 (赤血球溶解の結果できたもの). = haemolysate.

he·mol·y·sin (hē-mol′i-sin). 溶血素 (①生物によってつくり出され, 赤血球の崩壊(すなわち溶血)を起こし, そのヘモグロビンを遊離する物質. = erythrocytolysin; erythrolysin. ②感作(補体結合)抗体. 溶血素の生成を刺激する抗原型赤血球と結合し, 抗体と細胞の複合体に補体が結合し, 細胞の溶解をきたす). = haemolysin.

he·mo·ly·sin·o·gen (hē′mol-i-sin′ō-jen). 溶血素原 (赤血球中にあり, 溶血素の産生を刺激する抗原性物質). = haemolysinogen.

he·mo·ly·sin u·nit, he·mo·lyt·ic u·nit 溶血素単位, 溶血単位 (標準補体が完全溶血を起こさせるように赤血球の標準懸濁液を感作する不活性化免疫血清の最小量(最高希釈)). = haemolysin unit.

he·mol·y·sis (hē-mol′i-sis). 溶血, 溶血〔反応〕 (赤血球の浮遊する液中へヘモグロビンが遊離するような赤血球の変性, 溶解または破壊). = erythrocytolysis; erythrolysis; haemolysis; hematolysis.

he·mo·lyt·ic (hē′mō-lit′ik). 溶血性の (赤血球破壊によりヘモグロビンを遊離する). = haemolytic; hematolytic; hemotoxic(2); hematotoxic; hematoxic.

he·mo·lyt·ic a·ne·mi·a 溶血性貧血 (赤血球の破壊率の増加により生じる貧血). = haemolytic anaemia.

he·mo·lyt·ic dis·ease of new·born 新生児溶血性疾患. = erythroblastosis fetalis; haemolytic disease of newborn.

he·mo·lyt·ic jaun·dice 溶血性黄疸 (赤血球の破壊を起こす過程(毒性, 遺伝性, 免疫性)により, ヘモグロビンからのビリルビンの産生が増加して起こる黄疸). = haemolytic jaundice; hematogenous jaundice.

he·mo·ly·tic plaque as·say 溶血斑形成法. = Jerne plaque assay; haemolytic plaque assay.

he·mo·lyt·ic sple·no·meg·a·ly 溶血性巨脾〔症〕 (先天性溶血性黄疸を伴う巨脾症). = haemolytic splenomegaly.

he·mo·lyt·ic u·re·mic syn·drome 溶血性尿

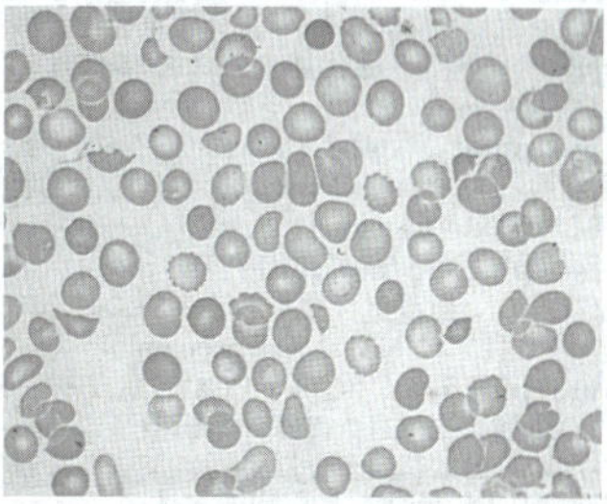

hemolytic anemia: 変形赤血球症を呈し, 血小板はみられないが, 溶血の徴候もみられない.

H

毒症症候群（急性腎不全とともに起こる溶血性貧血と血小板減少症．小児では，赤痢菌，サルモネラ菌，大腸菌株 O157 : H7 による腸感染に関連して，突発する消化管出血，血尿，乏尿，微小血管障害性溶血性貧血を特徴とする．成人では，正常分娩に続く妊娠の合併症や経口避妊薬の使用や感染症と関係する）. = haemolytic uremic syndrome.

he·mo·lyze (hē′mō-līz). 溶血する（溶血を起こす赤血球からヘモグロビンを遊離する）.

he·mo·lyzed (hē′mō-līzd). 溶血した（分解された血液細胞を含んだ血漿や血清の標本の状態）.

he·mo·me·di·as·ti·num (hē′mō-mē′dē-ă-stī′nŭm). 縦隔出血（縦隔洞内の血液）. = haemomediastinum.

he·mo·me·tra (hē′mō-mē′tră). = hematometra; haemometra.

he·mon·chi·a·sis (hē′mong-kī′a-sĭs). 捻転胃虫症，ヘモンクス症（捻転胃虫属 *Haemonchus* の線虫による感染症）. = haemonchiasis.

he·mo·nec·tin (hē′mō-nek′tin). ヘモネクチン（骨髄基質に存在する細胞外蛋白で，顆粒球群における細胞の接着や分化を促進する）. = haemonectin.

he·mo·pa·ra·site (hē′mō-par′ă-sīt). 住血寄生虫（宿主の血流に住む寄生虫）. = haemoparasite.

he·mo·pa·thol·o·gy (hē′mō-pă-thol′ō-jē). = hematopathology; haemopathology.

he·mop·a·thy (hē-mop′ă-thē). 血液疾患，血液病（血液または造血組織の異常な状態または疾患）. = haemopathy.

he·mo·per·fu·sion (hē′mō-pĕr-fyū′zhŭn). 血液灌流（血中の有毒物質を除くため，血液を活性炭などの吸着物質を詰めた管の中に通すこと）. = haemoperfusion.

he·mo·per·i·car·di·um (hē′mō-per′ē-kahr′dē-ŭm). 心膜血腫，心膜血症（心嚢へはいる血液）. = haemopericardium.

he·mo·per·i·to·ne·um (hē′mō-per′i-tō-nē′ŭm). 腹腔内出血（腹膜腔内の血液）. = haemoperitoneum.

he·mo·pex·in (hē′mō-peks′in). ヘモペキシン，凝血酵素（β-グロブリンに関連する血清糖蛋白．ヘムやポルフィリン類の結合に重要で，排泄を阻止し，特に薬物代謝でヘムを調節する）. = haemopexin.

he·mo·phag·o·cyte (hē′mō-fag′ō-sīt). 血球貪食細胞（血球，特に赤血球を貪食し，破壊している細胞）. = haemophagocyte.

he·mo·phil, he·mo·phile (hē′mō-fil, -fīl). 好血〔性〕の（血液を含有する培養基に好んで繁殖する細菌についていう）. = haemophil.

he·mo·phil·i·a (hē′mō-fil′ē-ă). 血友病（遺伝性の血液凝固障害．血液の凝固機序による障害のため特発的に，または外傷によって持続的な出血傾向をもつことを特徴とする）. = haemophilia.

he·mo·phil·i·a A 血友病 A（第 VIII 因子の欠乏による血友病．ほとんど男性にみられるが，幾種かのイヌにもまたみられる．凝固時間の延長，トロンボプラスチン生成不全，プロトロンビンの転化の低下を特徴とする）. = classic hemophilia; haemophilia A.

he·mo·phil·i·a B 血友病 B（血友病 A と似た凝固障害で，凝固第 IX 因子の先天性欠損により起こる）. = Christmas disease; haemophilia B.

he·mo·phil·i·ac (hē′mō-fil′ē-ak). 血友病者，出血性素因者. = haemophiliac.

he·mo·phil·ic (hē′mō-fil′ik). 血友病の. = haemophilic.

he·mo·phi·li·oid (hē′mō-fil′ē-ōyd). 血友病に似た（血友病に似ているが，第 VIII 因子の欠乏によるものではない）. = haemophilioid.

he·mo·pho·re·sis (hē′mō-fŏr-ē′sis). 血液灌流（組織の血液対流または灌流）. = haemophoresis.

he·moph·thal·mi·a, he·moph·thal·mus (hē′mof-thal′mē-ă, -mof-thal′mŭs). 眼球出血（眼球内への血液滲出）. = haemophthalmia; hematopsia.

he·mo·plas·tic (hē′mō-plas′tik). = hemopoietic; haemoplastic.

he·mo·pneu·mo·per·i·car·di·um (hē′mō-nū′mō-per-i-kahr′dē-ŭm). 心膜血気腫（心嚢内に血液および空気がはいること）. = haemopneumopericardium; pneumohemopericardium.

he·mo·pneu·mo·tho·rax (hē′mō-nū′mō-thō′raks). 血気胸（胸膜腔に空気および血液が滞留すること）. = haemopneumothorax; pneumohemothorax.

he·mo·poi·e·sis (hē′mō-poy-ē′sis). 造血（種々の型の血球その他の有形成分の形成および発達の過程）. = haemopoiesis; hematogenesis; hematopoiesis; hemogenesis; sanguification.

he·mo·poi·et·ic (hē′mō-poy-et′ik). 造血の. = haemopoietic; hematogenic (1); hematogenous; hematoplastic; hematopoietic; hemogenic; hemoplastic; sanguifacient.

he·mo·por·phy·rin (hē′mō-pōr′fir-in). ヘモポルフィリン. = hematoporphyrin; haemoporphyrin.

he·mo·pre·cip·i·tin (hē′mō-prē-sip′i-tin). 血液沈降素（赤血球から出た可溶性の抗原物質と結合して沈殿する抗体）. = haemoprecipitin.

he·mo·pro·tein (hē′mō-prō′tēn). 血液蛋白（金属ポルフィリン化合物に結合した蛋白．例えば，シトクロム，ミオグロビン，カタラーゼ）. = haemoprotein.

he·mop·ty·sis (hē-mop′ti-sis). 喀血（肺または気管支からの出血．血液の喀出）. = haemoptysis.

he·mo·rhe·o·lo·gy (hē′mō-rē-ol′ō-jē). 血液レオロジー（血管内の圧力，流れ，容量，抵抗の関係に関連する血流の科学．特に，微小循環での血液の粘性と赤血球の変形に関連する用語）. = haemorheology.

he·mor·rha·chis (hē-mōr′ă-kis). = hematorrhachis; haemorrhachis.

hem·or·rhage (hem′ŏr-ăj). = haemorrhage. ***1*** 〘n.〙 出血（血管内腔から血液が漏れ出ること）. ***2*** 〘v.〙 出血する.

hem·or·rhag·ic (hem′ŏr-aj′ik). 出血〔性〕の. = haemorrhagic.

hem·or·rhag·ic as·ci·tes 血性腹水（血性または血液の混ざった漿液で，腹膜腔の転移癌の結果である場合が多い）. = haemorrhagic ascites.

hem·or·rhag·ic co·li·tis 出血性大腸炎（痙攣性腹痛．血便を生じる．発熱は伴わない．ある種の大腸菌株による自然治癒する感染による）. = haemorrhagic colitis.

hem·or·rhag·ic cyst 出血性嚢胞（血液を含む嚢胞．血腫が被膜に包まれてできる）. = blood cyst; haemorrhagic cyst; hematocele(1); hematocyst.

hem·or·rhag·ic cys·ti·tis 出血性膀胱炎（肉眼的血尿を伴う膀胱の炎症．一般的には薬剤あるいは他の膀胱障害性の治療(化学療法，放射線療法)の結果として発生する）. = haemorrhagic cystitis.

hem·or·rhag·ic dis·ease of the new·born 新生児出血〔性〕疾患（低プロトロンビン血症，軽度の血小板減少，出血・凝固時間の著明な延長を伴い，非外因性の体内・体外への出血を特徴とする症候群．通常，生後 3—6 日目に起こり，ビタミン K が有効である）. = haemorrhagic disease of the newborn.

hem·or·rhag·ic en·do·vas·cu·li·tis 出血性血管炎（血栓，白色梗塞，赤血球凝集を伴う，胎盤血管の中膜および内膜肥厚，胎児死亡あるいは発育障害の原因となる）. = haemorrhagic endovasculitis.

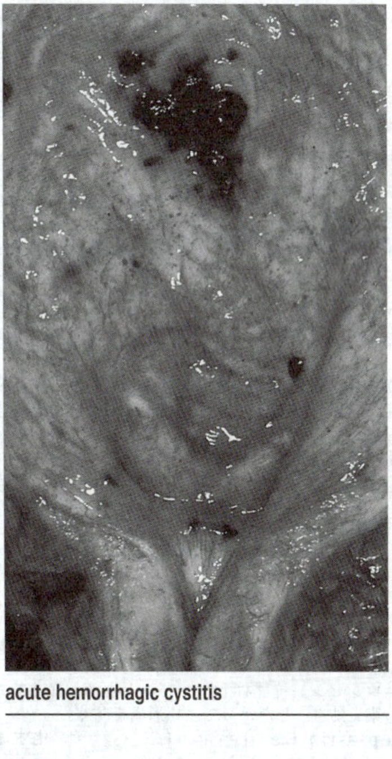

acute hemorrhagic cystitis

hem·or·rhag·ic fe·ver 出血熱（多数の異なるウイルスによる感染によって起こる症候群．ある種のものはダニ媒介性，他のものはカ媒介性で，いくつかは人畜共通感染症とみられる．臨床症状は高熱，散在性点状出血，消化管あるいは他臓器の出血，低血圧およびショックである．腎障害は高度，特に韓国出血熱で高度でありうるし，神経学的徴候，特にアルゼンチン-ボリビア型に出現することがある．ラッサ熱，エボラ熱，マルブルグウイルス病，クリミア-コンゴ出血熱の 4 型の出血熱はヒトからヒトに伝播されうる．→epidemic hemorrhagic fever）. = haemorrhagic fever.

hem·or·rhag·ic fe·ver with re·nal syn·drome 腎症状を伴う出血〔性〕熱. = epidemic hemorrhagic fever.

hem·or·rhag·ic in·farct 出血性梗塞（側副血管を通じて壊死領域へ血液が滲み出た結果，赤色を呈した梗塞）. = haemorrhagic infarct.

hem·or·rhag·ic mea·sles 出血性麻疹（重症の麻疹で，血液が皮膚に滲出するために暗黒色を呈する）. = haemorrhagic measles.

hem·or·rhag·ic plague 出血性ペスト（腺ペストの出血型．→plague）. = haemorrhagic plague.

hem·or·rhag·ic shock 出血性ショック（急性出血の結果生じる乏血性ショックで，低血圧，頻脈，蒼白，冷感，冷たい湿った皮膚，乏尿などが特徴）. = haemorrhagic shock.

hem·or·rhag·ins (hem′ŏr-aj′inz). 出血素（ある種の蛇毒に見出される細胞溶解素および植物の毒性物質．例えばガラガラヘビ蛇毒，リシンなど．毛細血管，小血管の内皮細胞を変性および溶解させ，その結果，組織に無数の小出血をつくる）. = haemorrhagins.

hem·or·rhoi·dal (hem′ŏr-oy′dăl). 痔〔核〕の. = haemorrhoidal.

hem·or·rhoid·ec·to·my (hem′ŏr-oy-dek′tŏ-mē). 痔核切除〔術〕（痔核の外科的切除．通常，鋭的に痔核組織を切除するか，あるいは痔核の基部をゴムなどで結紮することによって虚血性壊死に至らせて最終的に痔核を除去する）. = haemorrhoidectomy.

hem·or·rhoids (hem′ŏr-oydz). 痔〔核〕，痔疾（肛門において痛みを伴う腫脹を起こす外痔静脈または内痔静脈の静脈瘤）. = piles.

he·mo·sal·pinx (hē′mō-sal′pingks). = hematosalpinx.

he·mo·sid·er·in (hē′mō-sid′ĕr-in). ヘモジデリン，血鉄素（ヘマチンの食細胞の消化により生じた黄金色または黄褐色の不溶性蛋白．多くの組織にみられるが，特に肝臓が高含量の鉄をもつ．Perl のペルシアンブルー染色法で青色に染色する）.

he·mo·sid·er·o·sis (hē′mō-sid-ĕr-ō′sis). ヘモジデリン沈着〔症〕，血鉄症（組織におけるヘモジデリンの滞留．特に肝と脾で高度である．→hemochromatosis）. = haemosiderosis.

he·mo·sper·mi·a (hē′mō-spěr′mē-ă). 血精液症（精液中に血液が混じること）. = haemospermia.

he·mo·sta·sis (hē′mō-stā′sis). = haemostasis. ***1*** 止血（出血を止めること）. ***2*** 血流遮断（一部の血行を止めること）. ***3*** うっ血（血液の停滞）.

he·mo·stat (hē′mō-stat). = haemostat. ***1*** 止血物質（開放血管からの血液流出を化学的あるいは機械的に止める物質）. ***2*** 止血鉗子，血管鉗子（出血している血管を圧迫することによって出血を止める器械）.

he·mo·stat·ic (hē′mō-stat′ik). = haemastatic; haemostatic. ***1*** うっ血の（血管内の血流を止めることについていう）. ***2*** 止血の. = antihemorrhagic.

he·mo·stat·ic for·ceps 止血鉗子（鉗子の葉を動かなくなるようロックする留め金の付いた鉗子. 出血を抑えるために血管の端をはさむのに用いる）. = artery forceps; haemostatic forceps.

he·mo·ther·a·py, he·mo·ther·a·peu·tics (hē′mō-thār′ă-pē, -thār-ă-pyū′tiks). 血液療法（輸血などのように，血液，または血液の派生物を用いて疾患を治療すること）. = haemotherapy.

he·mo·tho·rax (hē′mō-thōr′aks). 血胸（胸膜腔内の血液）. = haematothorax; haemothorax.

he·mo·tox·ic, he·ma·to·tox·ic, he·ma·tox·ic (hē′mō-tok′sik, hē′mă-tō-toks′ik, hē′mă-toks′ik). = haemotoxic. ***1*** 血液毒〔症〕の（血液中毒を起こす）. ***2*** 溶血性の = hemolytic.

he·mo·tox·in (hē′mō-tok′sin). 血液毒（赤血球を破壊する物質で種々の溶血素を含む. 化学製品に対し，生物由来の物質に関して用いる）. = haemotoxin; hematotoxin.

he·mo·troph, he·mo·trophe (hē′mō-trōf). 血液栄養素（有胎盤哺乳類の胎児に母体血流を通して供給される栄養物質. *cf.* embryotroph）. = haemotroph.

he·mo·trop·ic (hē′mō-trō′pik). 血液向性の（血液中あるいは血球表面の物質で，特に赤血球にあり，食細胞に親和性をもつようになる機構についていう. 食細胞は方向を変えてこの作用のある血球に向かって遊走する）. = haemotropic; hematotropic.

he·mo·tym·pa·num (hē′mō-tim′pă-nŭm). 鼓室内出血（中耳に血液が存在すること）. = haemotympanum.

hem·ox·im·e·ter (hēm′oks-im′ĕ-ter′). 血液酸素計. = oximeter; haemoximeter.

hem·ox·im·e·try (hēm′oks-im′ĕ-trē). 血液酸素測定法（血液中の酸化ヘモグロビンおよび異常ヘモグロビン（例えば，一酸化炭素ヘモグロビンやメトヘモグロビン）の酸素飽和度を分光光度計で分析すること）. = haemoximetry.

he·mo·zo·on (hē′mō-zō′on). 住血性寄生虫（血液中に棲む寄生虫）. = haemozoon; hematozoon.

Hen·der·son-Has·sel·balch e·qua·tion ヘンダーソン-ハッセルバルヒ式（溶液の pH 値とその溶液の酸の pK_a 値と酸とその共役塩基との濃度比との関係式. $pH = pK_a + \log([A^-]/[HA])$. $[A^-]$は共役塩基の濃度で，[HA]はプロトン化した酸の濃度である）.

Hen·der·son·u·la tor·u·loi·de·a 爪や足の皮膚の感染を起こす黒色酵母菌の一種.

Hend·ra vi·rus ヘンドラウイルス. = equine morbillivirus.

Hen·le an·sa ヘンレわな. = nephron loop.

Hen·le glands ヘンレ腺（以前は副涙腺とみなされていた粘膜の落ち込みで，眼瞼結膜の内側部の円蓋の近くにあり，結膜表面に開口する）. = Baumgarten glands.

Hen·le lay·er ヘンレ層（毛包の内根鞘の外層細胞層）.

Hen·le lig·a·ment = inguinal falx.

Henle loop ヘンレわな，ヘンレループ. = nephron loop.

Hen·le re·ac·tion ヘンレ反応（クロミウム塩で処理すると副腎の髄質細胞が暗褐色に染まり，皮質細胞は染まらないままでいること）.

Hen·le sheath ヘンレ鞘. = endoneurium.

Hen·ne·bert sign エンベール徴候（外耳道をふさぎ圧力をかけることによって生じる眼振. 内耳瘻孔や鼓膜正常な梅毒性内耳炎でもみられる. →Tullio phenomenon）.

He·noch pur·pu·ra ヘーノホ（ヘノッホ）紫斑病，腸性紫斑病. = Henoch-Schönlein purpura.

He·noch-Schön·lein pur·pu·ra ヘーノホ（ヘノッホ）-シェーンライン紫斑病（血管壁への IgA 沈着を伴う真皮血管の壊死性血管炎による血小板非減少性の明白な紫斑が認められる紫斑病. 関節痛または腫脹，仙痛，血便，および糸球体腎炎を伴い，特徴的に年少小児に生じる. 糸球体腎炎が初発経過中，あるいは後になって生じることがある）. = anaphylactoid purpura (2); Henoch purpura; Schönlein purpura.

hen·ry (H) (hen′rē). ヘンリー（インダクタンスの国際単位系. 1 ヘンリーは毎秒 1 アンペアの電流変化によって 1 ボルトの起電力が誘起される回路のインダクタンスをいう）.

Hen·ry law ヘンリーの法則（平衡状態，所定の温度では，一定量の液体に溶解する気体量は気相内の気体の分圧に正比例する（これは溶媒に化学的に反応しない気体に対してだけ成り立つ））.

Hen·sen cell ヘンゼン細胞（Corti 器の支持細胞. Deiters 細胞に隣接する）.

Hen·sen node ヘンゼン結節. = primitive node.

HEPA (hep′ă). high-efficiency particulate airfilters の略.

He·pad·na·vi·ri·dae (hē-pad-nă-vir′ă-dē). ヘパドナウイルス科（DNA ウイルスの一科で，*Hepadnavirus* の代表種は B 型肝炎に関与する）.

he·par, gen. **hep·a·tis** (hē′par, hē-pā′tis). 肝〔臓〕. = liver.

hep·a·rin (hep′ăr-in). ヘパリン（抗凝血成分. 哺乳類組織（特に肝と肺）および肥満細胞の成分である. 主な活性成分はムコ多糖で D-グルクロン酸，D-グルコサミンからなる. 血清蛋白補因子（いわゆるヘパリン補因子）と結合して，抗トロンビン，抗プロトロンビンとなる. 血小板凝集を防ぎ，したがって血栓形成を防ぐ）.

hep·a·rin·ize (hep′ăr-in-īz). ヘパリン化する，

ヘパリンを加える（治療を目的としたヘパリンの投与を行うこと）.

hep·a·rin lock ヘパリンロック（長期にわたり輸血や採血を繰返し行わなければならないときに使用する留置静脈カテーテル．使用していないときは，抗凝固剤のヘパリンで満たしておく）.

hepat-, hepatico-, hepato- 肝臓を意味する連結形.

hep·a·ta·tro·phi·a, hep·a·tat·ro·phy (he-pat′ă-trō′fē-ă, hep′ă-tat′rŏ-fē). 肝萎縮.

hep·a·tec·to·my (hep′ă-tek′tŏ-mē). 肝切除〔術〕（肝臓の完全除去または一部除去）.

he·pat·ic (hĕ-pat′ik). 肝〔性〕の.

he·pat·ic ad·e·no·ma 肝細胞腺腫（肝の良性腫瘍の１つで，通常，生殖年齢の女性に，長期経口避妊薬の使用に伴って生じることが多い）.

he·pat·ic ar·ter·y prop·er 固有肝動脈（総肝動脈より起こり，左右の肝動脈に分枝）. = arteria hepatica propria.

he·pat·ic branch·es of an·te·ri·or va·gal trunk 前迷走神経幹の肝臓枝（前迷走神経幹から肝臓への枝）.

he·pat·ic co·ma 肝性昏睡（進行した肝機能不全や門脈大循環シャントで生じる昏睡．血中アンモニア値の増加により生じる．特異的な所見としては自睡前期での羽ばたき振せんや，脳検査で両側性の同期性の三層波を伴う痙攣がある）.

he·pat·ic di·ver·tic·u·lum 肝憩室，肝窩（肝実質のもととなる，胚の前腸内胚葉の始原細胞憩室）. = liver bud.

he·pat·ic duct 肝管（→common hepatic duct）.

he·pat·ic en·ceph·a·lop·a·thy 肝性脳障害（脳症），肝性エンセファロパシー（①= portal-systemic encephalopathy. ②= Reye syndrome）.

he·pat·ic flex·ure = right colic flexure.

he·pat·ic lob·ule 肝小葉. = lobules of liver.

he·pat·i·co·do·chot·o·my (he-pat′i-kō-dō-kot′ŏ-mē). 肝管総胆管切開〔術〕（肝管切開術と総胆管切開術を併せて行うこと）.

he·pat·i·co·du·o·de·nos·to·my (he-pat′i-kō-dū′ō-dē-nos′tŏ-mē). 肝〔管〕十二指腸吻合〔術〕（肝管と十二指腸とを連結させること）.

he·pat·i·co·en·ter·os·to·my (he-pat′i-kō-en-tĕr-os′tŏ-mē). 肝腸〔管〕吻合〔術〕（肝管と腸とを連絡させること）.

he·pat·i·co·gas·tros·to·my (he-pat′i-kō-gas-tros′tŏ-mē). 肝胃吻合〔術〕（肝管と胃とを連絡させること）.

he·pat·i·co·li·thot·o·my (he-pat′i-kō-li-thot′ŏ-mē). 肝管結石砕石術（肝管から結石を除去すること）.

he·pat·i·co·lith·o·trip·sy (he-pat′i-kō-lith′ō-trip-sē). 肝管結石破砕術.

he·pat·i·cos·to·my (he-pat′i-kos′tŏ-mē). 肝管造瘻術（肝管内への瘻孔を造設すること）.

he·pat·i·cot·o·my (he-pat′i-kot′ŏ-mē). 肝管切開〔術〕.

he·pat·ic por·phyr·i·a 肝性ポルフィリン症（遅発性皮膚ポルフィリン症，異型性ポルフィリン症，遺伝性コプロポルフィリン症を含むポルフィリン症）.

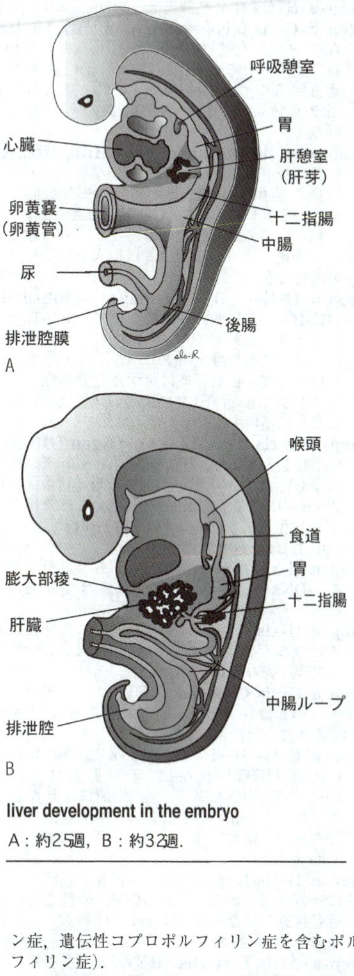
呼吸憩室
胃
心臓
肝憩室
（肝芽）
卵黄嚢
（卵黄管）
十二指腸
中腸
尿
後腸
排泄腔膜
A
喉頭
食道
胃
膨大部稜
十二指腸
肝臓
中腸ループ
排泄腔
B

liver development in the embryo

A：約25週，B：約32週.

he·pat·ic por·tal vein = portal vein.

he·pat·ic veins 肝静脈（肝臓の血液を集める静脈．中心静脈からの血液を集めて横隔膜の下で下大静脈へ開口する３本の大きい静脈となる．それより下で下大静脈へはいる数本の不定の静脈もある）.

hep·a·tit·ic (hep′ă-tit′ik). 肝炎の.

hep·a·ti·tis (hep′ă-tī′tis). 肝炎（肝臓の炎症，一般にはウイルス感染によるが，毒性物質によることもある）.

hep·a·ti·tis A A型肝炎. = viral hepatitis type A.

hep·a·ti·tis A vi·rus (HAV) A型肝炎ウイルス（RNAウイルス．ウイルス性A型肝炎の病原体）. = infectious hepatitis virus.

hep·a·ti·tis B B型肝炎. = viral hepatitis type B.

hep·a·ti·tis B core an·ti·gen (HB$_c$Ab, HB$_c$Ag) B型肝炎殻(コア)抗原, HB$_c$抗原 (B型肝炎ウイルスと考えられるDane粒子(感染性を有する完全ウイルス粒子)の中心体. またB型肝炎ウイルスの感染した肝細胞核中からも検出される).

hep·a·ti·tis B e an·ti·gen (HBe, HB$_e$Ag) B型肝炎e抗原, HB$_e$抗原 (B型肝炎ウイルス感染に関係する抗原または抗原群. 表面抗原(HB$_s$抗原), 殻(コア)抗原(HB$_c$抗原)とは区別される. この存在の証明はウイルスが増殖している証拠であり, この患者は他人を感染させる可能性を有する).

hep·a·ti·tis B im·mune glob·u·lin (HBIG) 抗B型肝炎免疫グロブリン (B型肝炎ウイルスに対して用いる高力価受動免疫グロブリン. この免疫血清グロブリンを投与することによって, B型肝炎に対する受動免疫を与えることができる. HBV感染者の体液成分に接触した人に使用することが勧められている).

hep·a·ti·tis B sur·face an·ti·gen (HB$_s$Ag) B型肝炎表面抗原, HB$_s$抗原 (B型肝炎抗原の直径20 nmの糸状形および小球形の抗原. 直径42 nmの, 大きなDane粒子(完全な感染性を有するB型肝炎ウイルス粒子)の表面抗原. →hepatitis B e antigen).

hep·a·ti·tis B vi·rus (HBV) B型肝炎ウイルス (DNAウイルス. ウイルス性B型肝炎の病原体). = serum hepatitis virus.

hep·a·ti·tis C C型肝炎 (ウイルス性肝炎で通常は軽度だが, しばしば慢性肝炎に移行する. 輸血後肝炎の最も一般的な型).

hep·a·ti·tis C vi·rus (HCV) C型肝炎ウイルス (輸血後肝炎を引き起こす非A非B RNAウイルス).

hep·a·ti·tis D vi·rus, hep·a·ti·tis del·ta vi·rus (HDV) D型(デルタ)肝炎ウイルス (小さな欠損RNAウイルス. 増殖にはB型肝炎ウイルスの存在が必要である. 臨床経過は様々であるが, 通常は他の肝炎より重篤である). = delta agent.

hep·a·ti·tis E E型肝炎 (ウイルス性肝炎で主に熱帯地域で起こる. 経口感染. 慢性または保菌者状態にはならないが, A型肝炎より死亡率は高い. 特に妊娠中).

hep·a·ti·tis E vi·rus (HEV) E型肝炎ウイルス (HEV)(RNAウイルス. 消化管を介した, 飲料水媒介の, 主としてアジアやアフリカで発生する流行性非A非B肝炎の主要原因ウイルスである).

hep·a·ti·tis F F型肝炎 (いまだ特徴が明らかにされていないDNAウイルスによって生じる疾患. 註この肝炎は現在完全に否定されている).

hep·a·ti·tis G G型肝炎 (肝炎ウイルスに類似したRNAウイルスによって生じる疾患. 註G型肝炎ウイルスは現在では真の肝炎ウイルスではないと考えられている).

hep·a·ti·tis G vi·rus (HGV) G型肝炎ウイルス (C型肝炎ウイルスに似たRNAウイルスでC型肝炎ウイルスと重感染することがある).

hep·a·ti·za·tion (hep′ă-tī-zā′shŭn). 肝変 (肉眼的に粗い組織が肝様物質のように硬い塊に変わること. 特に肺炎における肺の硬化についていう).

hep·a·to·bil·i·ar·y hep·a·ti·tis 肝胆道性肝炎 (胆汁の流れが妨害され, 肝臓組織の炎症が起きること. 胆石症, 胆汁うっ滞によって引き起こされる. しばしば経口避妊薬やアロプリノールの使用に関連する).

hep·a·to·blas·to·ma (hep′ă-tō-blas-tō′mă). 胚芽〔細胞〕腫 (年少小児に発生する悪性新生物. 主に肝臓に発生し, 胚芽期あるいは胎児期の肝臓上皮, または上皮と間葉組織の混在したものに類似した組織からなる).

hep·a·to·car·ci·no·ma (hep′ă-tō-kahr-si-nō′mă). = malignant hepatoma.

hep·a·to·cele (hĕ-pat′ō-sēl). 肝ヘルニア (肝臓の一部が腹壁または横隔膜を通して突出するもの).

hep·a·to·cel·lu·lar car·ci·no·ma 肝細胞癌. = malignant hepatoma.

hep·a·to·cel·lu·lar jaun·dice 肝細胞性黄疸 (肝細胞の広範囲な損傷, 炎症, 機能障害などから起こる黄疸で, 通常, ウイルス性または中毒性肝炎により生じるものをいう).

hep·a·to·chol·an·gi·o·je·ju·nos·to·my (hep′ă-tō-kō-lan′jē-ō-jĕ-jū-nos′tŏ-mē). 肝管空腸吻合〔術〕(肝管を空腸に結び付ける手術).

hep·a·to·chol·an·gi·os·to·my (hep′ă-tō-kō-lan′jē-os′tŏ-mē). 肝臓胆管造瘻術 (排液を通すために総胆管内へ開口部を設ける手術).

hep·a·to·chol·an·gi·tis (hep′ă-tō-kō-lan-jī′tis). 肝胆管炎 (肝臓および胆道系の炎症).

hep·a·to·cys·tic (hep′ă-tō-sis′tik). 肝胆嚢の (胆嚢または肝臓と胆嚢の両方に関する).

hep·a·to·cyte (hep′ă-tō-sīt). 肝〔実質〕細胞.

hep·a·to·en·ter·ic (hep′ă-tō-en-ter′ik). 肝腸の (肝臓と腸に関する).

hep·a·to·fu·gal (hep′ă-tō-fyū′găl). 遠肝性 (肝臓から離れて, 通常, 門脈血流についていう).

hep·a·to·gas·tric (hep′ă-tō-gas′trik). 肝胃の (肝臓と胃に関する).

hep·a·to·gen·ic, hep·a·tog·e·nous (hep′ă-tō-jen′ik, -toj′ĕn-ŭs). 肝由来の (肝臓で形成された).

hep·a·tog·e·nous jaun·dice 肝性黄疸 (肝臓障害による黄疸で, 血液変性で起こる黄疸とは区別される).

hep·a·tog·raphy (hep′ă-tog′ră-fē). 肝造影(撮影)〔法〕.

hep·a·toid (hep′ă-toyd). 肝様の.

hep·a·to·jug·u·lar re·flux 肝頸静脈逆流 (頸性あるいはうっ血性心不全が切迫しているときに, 平手で肝臓を30—60秒間強く圧迫することにより生じる静脈圧の増加で, 頸静脈にみられ腕の静脈で測定できる).

hep·a·to·len·tic·u·lar de·gen·er·a·tion 肝レンズ核変性〔症〕(①肝の銅沈着を特徴とする家族性疾患で, 慢性肝炎から最終的に肝硬変に至る．レンズ核(淡蒼球および被殻)の変性，大脳皮質・小脳・大脳基底核・脳幹諸核の星状膠細胞の著明な増生を伴う．血漿中のセルロプラスミンおよび銅の濃度が減少し，銅の尿中排泄は増加している．肝・脳・腎の銅含量が高い．臨床的特徴は角膜の黄褐色の色素沈着(Kayser-Fleischer 輪)，えん下障害，構音障害，筋硬直，上肢の伸展によって増強する粗い安静時振せん(はばたき振せん)など．②= Wilson disease (1))．

hep·a·to·lith (hep′ă-tō-lith)．肝結石．

hep·a·to·li·thec·to·my (hep′ă-tō-li-thek′tŏ-mē)．肝結石摘出〔術〕(肝臓の結石を摘出すること)．

hep·a·to·li·thi·a·sis (hep′ă-tō-li-thī′ă-sis)．肝結石症 (肝臓に結石があること)．

hep·a·tol·o·gy (hep′ă-tol′ŏ-jē)．肝臓学 (肝臓を扱う医学の分野)．

hep·a·tol·y·sin (hep′ă-tol′i-sin)．肝細胞溶解素 (胆実質細胞を破壊する細胞溶解素)．

hep·a·to·ma (hep′ă-tō′mă)．ヘパトーム，肝〔細胞〕癌 (→malignant hepatoma)．

hep·a·to·meg·a·ly, hep·a·to·me·ga·li·a (hep′ă-tō-meg′ă-lē, -mĕ-gā′lē-ă)．肝腫〔大〕(肝臓の腫大)．= megalohepatia.

hep·a·to·mel·a·no·sis (hep′ă-tō-mel-ă-nō′sis)．肝黒色症 (肝臓の濃厚色素沈着)．

hep·a·tom·pha·lo·cele (hep′ă-tom′fă-lō-sēl)．肝臍ヘルニア (肝臓を含んだ臍ヘルニア)．

hep·a·to·neph·ric (hep′ă-tō-nef′rik)．= hepatorenal.

hep·a·to·pan·cre·at·ic am·pul·la 胆膵管膨大部 (通常，(総)胆管と主膵管の両方を受け入れる大十二指腸乳頭内の拡張部分)．

hep·a·to·path·ic (hep′ă-tō-path′ik)．肝障害性の．

hep·a·top·a·thy (hep′ă-top′ă-thē)．ヘパトパシー，肝障害．

hep·a·to·pet·al (hep′ă-top′ĕ-tăl)．求肝性 (肝臓に向かって，通常，正常の門脈血流の方向をいう)．

hep·a·to·pex·y (hep′ă-tō-pek′sē)．肝固定〔術〕(肝臓を腹壁に固定すること)．

hep·a·to·pneu·mon·ic (hep′ă-tō-nū-mon′ik)．肝肺の (肝臓と肺に関する)．= hepatopulmonary.

hep·a·to·por·tal (hep′ă-tō-pōr′tăl)．肝門脈の (肝臓の門脈系に関する)．

hep·a·to·pul·mo·nary (hep′ă-tō-pul′mŏ-nar′ē)．= hepatopneumonic.

hep·a·to·re·nal (hep′ă-tō-rē′năl)．肝腎の (肝臓と腎臓に関する)．= hepatonephric.

hep·a·to·re·nal syn·drome, hep·a·to·ne·pho·ric syn·drome 肝腎症候群，肝腎障害症候群 (肝臓や肝道系の疾患をもつ患者に急性腎不全の発現するもの)．

hep·a·tor·rha·phy (hep′ă-tōr′ă-fē)．肝縫合〔術〕(肝臓の創傷の縫合)．

hep·a·tor·rhex·is (hep′ă-tōr-ek′sis)．肝〔臓〕破裂．

hep·a·tos·co·py (hep′ă-tos′kŏ-pē)．肝〔臓〕検査．

hep·a·to·sple·ni·tis (hep′ă-tō-splē-nī′tis)．肝脾炎 (肝臓と脾臓の炎症)．

hep·a·to·sple·nog·ra·phy (hep′ă-tō-splē-nog′ră-fē)．肝脾造影(撮影)〔法〕(X 線撮影で肝臓および脾臓の輪郭を描くために対比染料を用いること)．

hep·a·to·splen·o·meg·a·ly (hep′ă-tō-splē-nō-meg′ă-lē)．肝脾腫大〔症〕．

hep·a·to·sple·nop·a·thy (hep′ă-tō-splē-nop′ă-thē)．肝脾障害．

hep·a·tot·o·my (hep′ă-tot′ŏ-mē)．肝切開〔術〕．

hepatotoxaemia [Br.]．= hepatotoxemia.

hep·a·to·tox·e·mi·a (hep′ă-tō-tok-sē′mē-ă)．肝性毒血症 (肝機能不全によると思われる自家中毒)．= hepatotoxaemia.

hep·a·to·tox·ic (hep′ă-tō-tok′sik)．肝臓毒素の，肝毒性の (肝臓に損傷を与える物質またはそのような作用についていう)．

hep·a·to·tox·in (hep′ă-tō-tok′sin)．肝臓毒素 (肝実質細胞を破壊する毒素)．

hepta-, hept- 7 を意味する接頭語．*cf.* septi-; sept-.

hep·tose (hep′tōs)．ヘプトース (分子中に 7 個の炭素原子をもつ糖．例えば sedoheptulose)．

herb (ĕrb)．薬草，香草，ハーブ (①1つの季節もしくはそれ以上生育している．地面に生えており，木構造は無い．香り付けとしての食材や薬剤製造に用いられる．→naturopathic medicine. ②マリファナの俗称)．

her·ba de la pas·to·ra = damiana.

herb·al (ĕr′băl)．薬草 (処方や FDA の効能や妥当性，純度に関する監督無しに購入可能な，健康向上を目的とした薬の通称．→naturopathic medicine)．

herb·al·ist (ĕr′băl-ist)．漢方医 (ヨーロッパ，アフリカ，アメリカ先住民の伝統的治療に由来する処方箋無しの治療を提供する治療者．時折訓練を受けているが資格は保持していない．→naturopathic medicine)．

herb·al med·i·cine → naturopathic medicine, herbal.

herb·al ther·a·py 薬草療法 (薬草やその他の植物の医薬的な性質を利用すること)．= phytpmedicine; phytotherapy.

herb bath 薬草風呂 (皮膚やその他の症状を治療するため，浸出液の風呂につかること)．

her·bi·cide (ĕr-bi′sīd)．除草剤 (植物を殺すために作られた化合物の総称．軍事作戦において森林破壊のために使用されてきたが，米国軍は除草剤を化学兵器剤の分類から除外した)．

herb·i·cide poi·son·ing 農薬中毒 (害虫駆除用の化学剤や，植物に害を与えるその他の薬剤によって引き起こされる中毒症または中毒性疾患．特に農業従事者によく見られる)．

her·biv·o·rous (hĕr-biv′ŏr-ŭs)．草食性の (植物を常食とすることについていう．*cf.* carnivorous)．

herb tea ハーブティ (ハーブを沸騰した湯に入れて煎じたもので，様々な疾患からの回復または症状緩和を意図して作られる)．

herd (hĕrd)．群れ (一定区域内のヒトや動物の一群).

herd im·mu·ni·ty 集団免疫，群集免疫（集団またはコミュニティに感染要因が侵入・蔓延することに対する抵抗性で，その集団の個々の構成員が抵抗性をもっている比率が高いことに基づく).

herd in·stinct 群〔居〕本能（群をなし，集団の他の者の習慣と同じにしようとする傾向．集団の意見や見解に従おうとする傾向).

he·red·i·tar·y (hĕr-ed′i-tar-ē). 遺伝〔性〕の（親の生殖細胞によってコード化された情報によって親から子に伝えられる).

he·red·i·tar·y be·nign te·lan·gi·ec·ta·si·a 遺伝性良性毛細管拡張症（顔面，上体幹，腕に毛細管拡張を呈する常染色体優性疾患).

he·red·i·tar·y cer·e·bel·lar a·tax·i·a 遺伝性小脳性運動失調（①小児期後期と成人期早期にみられる疾患．運動失調性歩行，躊躇性・爆発性言語，眼振,(ときには)視神経炎を特徴とする．②小脳徴候が最も顕著な所見である多くの遺伝疾患の総称).

he·red·i·tar·y cho·re·a 遺伝性舞踏病. = Huntington chorea.

he·red·i·tar·y club·bing 遺伝性ばち指〔形成〕（肺性疾患やその他の進行性疾患を伴わない手足の単純遺伝性ばち指).

he·red·i·tar·y deaf·ness 遺伝性難聴（→hereditary hearing impairment).

he·red·i·tar·y hear·ing im·pair·ment 遺伝性難聴（常染色体性優性または劣勢，X染色体性，ミトコンドリア遺伝性の，症候群の形態でみられる(つまり難聴に加えて他の奇形もみられる)難聴と非症候群の形態でみられる(つまり難聴が唯一の異常所見である)難聴．先天性，小児の早期に発症するもの，中年に達して遅く発症するもの，高齢になって発症するものなどがある).

he·red·i·tar·y non·pol·y·po·sis co·lo·rec·tal can·cer 遺伝性非ポリポーシス性大腸直腸癌（常染色体優性遺伝の素因を有する大腸および直腸の癌).

he·red·i·tar·y pro·gres·sive ar·thro·oph·thal·mop·a·thy 遺伝性進行性関節眼障害（骨格異形成症で，骨端の多発性異形成症，骨幹端の拡大を伴う長管骨の管過形成，椎体の平板化，骨盤異常，関節の過剰運動性，口蓋裂，進行性近視，網膜剥離，聴覚消失と付随している．12 q の COL2A1 遺伝子，1 p の COL11A1 遺伝子，または 6 p の COL11A2 遺伝子の変異によって引き起こされる常染色体優性遺伝). = Stickler syndrome.

he·red·i·tar·y sphe·ro·cy·to·sis 遺伝性球状赤血球症（赤血球膜の主な構成成分であるスペクトリンの先天的欠損で，赤血球膜がナトリウムに対して異常に透過性をもち，その結果厚みをもつ．そしてほとんど円型の赤血球となる．この赤血球はぜい弱であり自然に溶血しやすく，循環血液中において生存期間が短縮される．その結果網状赤血球の増加，溶血による軽度の黄疸のエピソードを伴う慢性貧血を生じる．胆石，発熱，腹痛を伴った急性発症もある). = familial jaundice; spherocytic anemia.

he·red·i·tar·y spi·nal a·tax·i·a 遺伝性脊髄性運動失調（小児に起こる脊髄の後柱および側柱の硬化．下肢の運動失調が上肢に広がり，続いて麻痺や拘縮が起こる. →spinocerebellar ataxia).

he·red·i·ty (hĕ-red′i-tē). ***1*** 遺伝（親の生殖細胞によってコード化された情報によって親の形質が子孫に伝えられること). ***2*** 家系学.

heredo- 遺伝を意味する接頭語.

Her·ing-Breu·er re·flex ヘーリング-ブロイアー反射（肺迷走神経からの刺激による呼吸に対する影響．例えば，肺膨張により吸気が止まり，その後呼気により肺が収縮すると呼吸は正常に戻る).

Her·ing law ヘリングの法則（同じ注視野に向かう両眼の共動筋は等しい神経刺激を受け，拮抗筋は等しい抑制を受ける状態).

Her·ing nerve ヘリング神経（頸動脈洞まで通る舌咽神経の分枝．圧受容体および化学受容体と生理的状態とを媒介する内臓性求心性線維に供給する).

Her·ing test ヘーリング試験（両眼視機能の試験．先端に糸があり，小さな球面が付いている像を装置を通して見る．両眼視機能を有する観察者は，糸の前または後に球面の位置を認識する．単眼視の場合は見分けられない).

Her·ing the·o·ry of col·or vi·sion ヘーリング色覚説（網膜中には，相対する3種の視覚過程，青-黄，赤-緑，白-黒が存在する).

her·i·ta·bil·i·ty (her′i-tă-bil′i-tē). 遺伝率，遺伝力（①精神(心理)測定において，獲得要素に対比して，遺伝的要素に起因すると思われる反応様式や個人の総合得点を示すのに使う統計用語．②遺伝学において，表現型分散のうち遺伝的に決定される遺伝子型の分散に帰することができる割合を示すのに使う統計用語で，伝統的なシンボル h^2 で示される).

Her·mann fix·a·tive ヘルマン固定液（氷酢酸，オスミウム酸，塩化白金よりなる硬化固定液).

her·maph·ro·dite (hĕr-maf′rō-dīt). 半陰陽者.

her·maph·ro·dit·ism (hĕr-maf′rō-dīt-izm). 半陰陽（1つの個体に卵巣と精巣の両組織が存在する．真半陰陽).

her·met·ic (hĕr-met′ik). 気密の（空気の出入りができないように密閉，密封した状態をいう).

her·ni·a (hĕr′nē-ă). ヘルニア，脱出（臓器の一部，あるいは構造体の一部が正常ではそれらを含む組織を通過して突出すること). = rupture (1).

her·ni·a knife ヘルニア刀（刀身が細く刃の部分が短い刀で，ヘルニア嚢の頸部を締め付けている組織を切り離すのに用いる). = herniotome.

her·ni·al (hĕr′nē-ăl). ヘルニアの，脱出の.

her·ni·al sac ヘルニア嚢（突出したヘルニアの腹膜嚢).

her·ni·at·ed (hĕr′nē-ā-tĕd). ヘルニア様の，脱出した（ヘルニア孔から脱出した構造についていう).

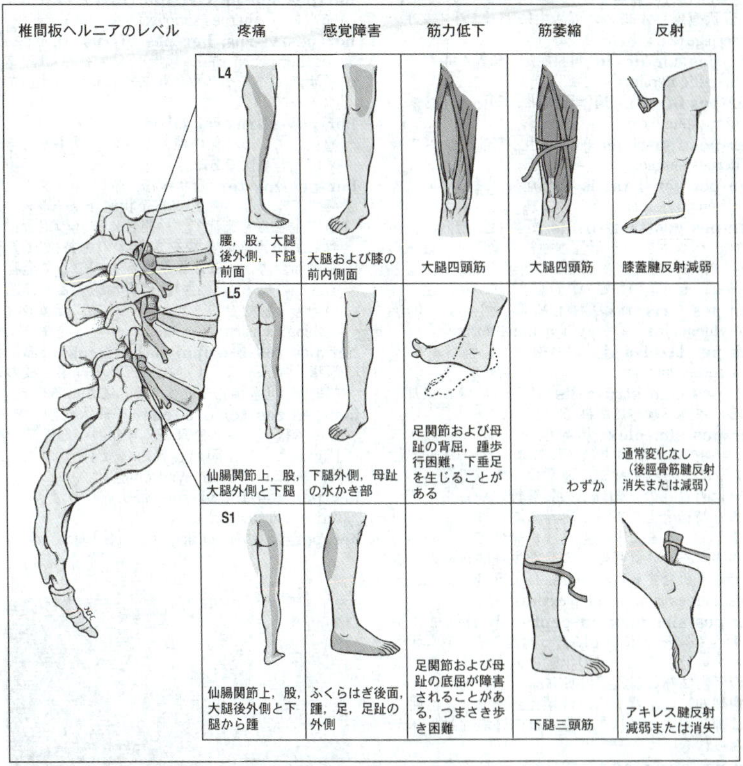
椎間板ヘルニアのレベル
疼痛
感覚障害
筋力低下
筋萎縮
反射
L4
腰，股，大腿後外側，下腿前面
大腿および膝の前内側面
大腿四頭筋
大腿四頭筋
膝蓋腱反射減弱
L5
仙腸関節上，股，大腿後外側と下腿
下腿外側，母趾の水かき部
足関節および母趾の背屈，踵歩行困難，下垂足を生じることがある
わずか
通常変化なし（後脛骨筋腱反射消失または減弱）
S1
仙腸関節上，股，大腿後外側と下腿から踵
ふくらはぎ後面，踵，足，足趾の外側
足関節および母趾の底屈が障害されることがある，つまさき歩き困難
下腿三頭筋
アキレス腱反射減弱または消失

intervertebral disc herniation

her·ni·at·ed disc 脱出椎間板（椎間孔・脊柱管に突出した変性あるいは細片化した椎間板のことで，椎間孔に突出すると神経根を，脊柱管に突出すると腰部では馬尾を，それより上部では脊髄を圧迫する可能性がある）. = protruded disc; ruptured disc.

her·ni·a·tion (hĕr′nē-ā′shŭn). ヘルニア形成（解剖的構造物の(例えば，椎間板)正常位置からの突出）.

hernio- ヘルニアに関する接頭語.

her·ni·oid (hĕr′nē-oyd). ヘルニア様の.

her·ni·o·plas·ty (hĕr′nē-ō-plas-tē). ヘルニア根治手術. = herniorrhaphy.

her·ni·or·rha·phy (hĕr′nē-ōr′ă-fē). ヘルニア縫縮〔術〕（ヘルニアの外科的修復）. = hernioplasty.

her·ni·o·tome (her′nē-ō-tōm). ヘルニア刀. = hernia knife.

her·ni·ot·o·my (hĕr-nē-ot′ŏ-mē). ヘルニア切開〔術〕（ヘルニアの狭窄部あるいは絞扼部を外科的に解除すること. しばしば，同時にヘルニア根治が行われる）.

he·ro·ic (hē-rō′ik). 冒険的な（危険な病状の患者で，控え目な方法をとれば失敗に終わる状態において，患者にとって危険ではあるが成功の可能性もある大胆で攻撃的な方法をとることを意味する）.

her·o·in (H) (her′ō-in). ヘロイン（モルヒネのアセチル化によりつくられるアルカロイド. 以前は咳止めに用いた. 乱用の危険性があることから，米国では研究用以外，その使用は連邦法により禁止されている）.

her·pan·gi·na (hĕr-pan′ji-nă). ヘルパンギナ，水疱性口峡炎（コクサッキーウイルスによって起こる病気で，小水疱性丘疹性の発疹が口峡の周りに現れ，まもなく破壊して灰黄色の潰瘍を形成する）.

her·pes (her′pēz). 疱疹，ヘルペス（皮膚や粘膜の丘疹状，小水疱性，潰瘍性の発疹で，ヘルペスウイルス1またはヘルペスウイルス2(単純ヘルペス)の局所感染によって，あるいは水痘-帯状疱疹ウイルスの再活生によって生じる). = serpigo(2).

her·pes cor·ne·ae 角膜疱疹，角膜ヘルペス. = herpetic keratitis.

her·pes fa·ci·a·lis 顔面疱疹，顔面ヘルペス. = herpes simplex.

her·pes feb·ri·lis 熱性疱疹，熱性ヘルペス. = herpes simplex.

her·pes gen·i·tal·is 陰部疱疹，陰部ヘルペス. = genital herpes.

her·pes ges·ta·ti·o·nis 妊娠〔性〕疱疹，妊娠〔性〕ヘルペス（多形性水疱性の発疹で，妊娠の中-後期に発症し，分娩後に消退する．一度生じると，その後の妊娠のたびに再発する).

her·pes i·ris 虹彩疱疹，虹彩ヘルペス（①= erythema iris. ②= erythema multiforme).

her·pes la·bi·a·lis 口唇疱疹，口唇ヘルペス. = herpes simplex.

her·pes men·stru·a·lis 月経ヘルペス（月経時に単純ヘルペスが再発すること).

her·pes sim·plex 単純疱疹，単純ヘルペス（ヘルペス 1 型および 2 型による種々の感染症. 1 型による感染症は，通常は，唇の辺縁部あるいは外鼻孔の 1 個以上の集簇性水疱からなる発疹を特徴とし，2 型は性器にこのような発疹を生じる．ともにしばしば，再発性で，他の熱病の際，あるいは月経のような生理的状態のときでさえ再発する). = herpes facialis; herpes febrilis; herpes labialis; Simplexvirus.

her·pes sim·plex en·ceph·a·li·tis 単純ヘルペス脳炎（HSV-1 によって起こる，最も頻度の高い急性脳炎．どの年齢の人も侵す．側頭葉の下内側部と前頭葉の眼窩部が障害されやすい．病理的には重篤な出血性壊死があり，急性期には神経細胞とグリア細胞に核内好酸性封入体がみられる).

her·pes sim·plex test 単純ヘルペス検査（単純ヘルペスウイルスへの感染の有無を判定するため，臨床的または実験的に血液検査あるいは顕微鏡検査をすること).

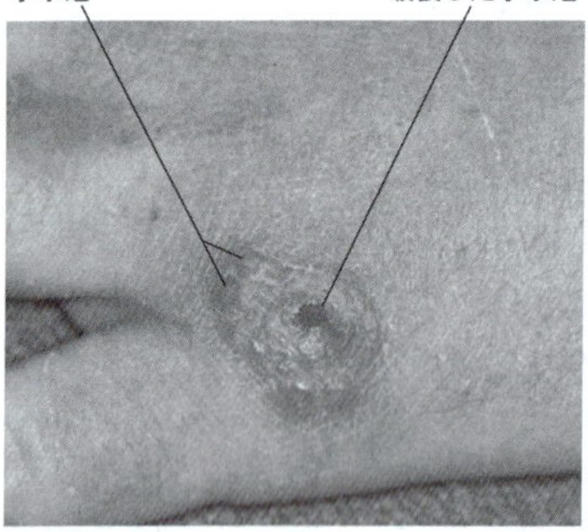
小水疱
破裂した小水疱
herpes simplex infection

her·pes sim·plex vi·rus (HSV) 単純疱疹ウイルス（→herpes simplex).

her·pes·vi·rus, her·pes vi·rus (hĕr′pēz-vī′rŭs, her′pēz vī′rŭs). 疱疹ウイルス，ヘルペスウイルス（ヘルペスウイルス科に属するすべてのウイルス).

her·pes·vi·rus sai·mi·ri リスザルに偏在性に感染しており，他の種のサルに接種するときわめて腫瘍原性である.

her·pes zos·ter 帯状疱疹，帯状ヘルペス（疱疹ウイルスの一種，水痘-帯状疱疹ウイルスによって生じる感染症で，片側性に神経の走行に一致した小水疱の集簇をきたすのを特徴とする．神経節および神経後根が炎症を起こして発症する．この疾患は一定の経過で治癒するが，激しい疱疹後痛を合併または続発することがある). = shingles; zona(2); zoster.

her·pes zos·ter oph·thal·mi·cus 眼部帯状疱疹，眼部帯状ヘルペス（三叉神経第一枝の帯状疱疹．角膜潰瘍を発症することがある).

her·pes zos·ter o·ti·cus 耳帯状疱疹（有痛性の水痘ウイルス感染症．耳介の小疱性発疹を伴い，ときに，顔面神経麻痺を伴うことがある). = Ramsay Hunt syndrome(2).

her·pes zos·ter vi·rus 帯状疱疹ウイルス. = varicella-zoster virus.

her·pet·ic (hĕr-pet′ik). 疱疹〔性〕の，ヘルペス

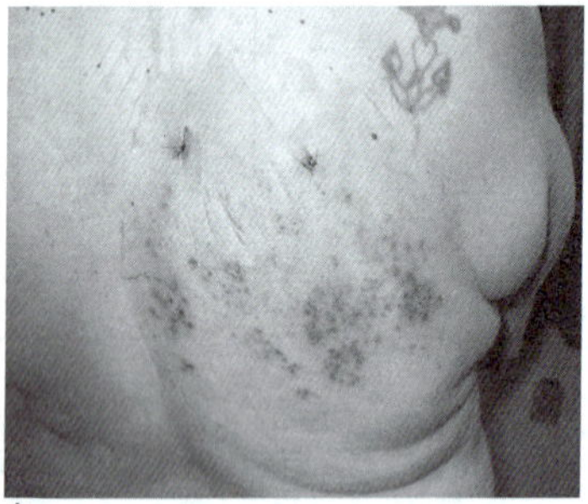
A

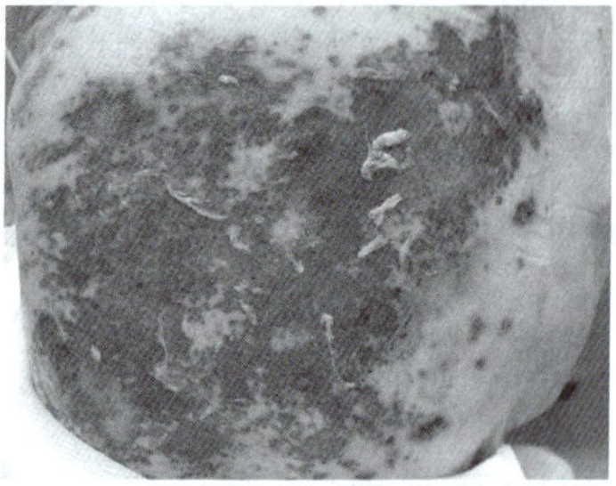
B

herpes zoster

〔性〕の（①疱疹に関する，疱疹を特徴とする．②ヘルペスウイルスについていう）．

her·pet·ic ker·a·ti·tis ヘルペス性角膜炎，疱疹性角膜炎（単純疱疹ウイルスによる角膜（角膜および結膜）の炎症）= herpes corneae; herpetic keratoconjunctivitis.

her·pet·ic ker·a·to·con·junc·ti·vi·tis = herpetic keratitis.

her·pet·ic whit·low 疱疹性瘭疽（無防備な爪床周囲への直接接種による指の有痛性の単純疱疹ウイルス感染症で，しばしばリンパ管炎や所属リンパ節炎を合併し，5—6 週間持続することがある．内科医，歯科医，看護師に多く，患者の口腔内のウイルスにさらされる結果起こる．古い文献では felon ともいう）．

her·pet·i·form (hĕr-pet′i-fōrm)．疱疹状の，ヘルペス状の．

her·pet·i·form aph·thae ヘルペス様口内炎（口腔内アフタの 1 つで，原因不明の直径 2—3 mm のヘルペス様分布を示す，数 10 個以上の口腔内潰瘍）．

Herr·mann syn·drome ヘルマン症候群（小児期後期か青年期早期に始まる多系統疾患で，光ミオクローヌス，難聴，次いで起こる糖尿病，進行性痴呆，腎盂腎炎，および糸球体腎炎を特徴とする．進行性感音難聴はもっと後で出現する．表現率が不完全な常染色体優性遺伝の可能性が高い）．

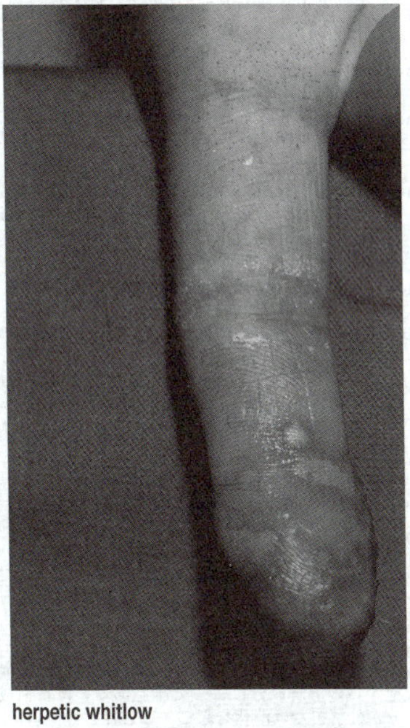

herpetic whitlow

her·sage (ār-sahzh′)．神経線維遊離術，エルサージュ（1 本の神経幹を数条の神経線維に分離すること）．

Hers dis·ease エール病．= glycogenosis type 6.

Hert·wig sheath ヘルトヴィヒ鞘（エナメル器の没した内外上皮層．歯冠部分を越えてのび，発育歯根の上部をおおっている．歯根が形成されると萎縮するが，その細胞がわずかでも残っているとMalassez 上皮遺残とよばれる）．

hertz（Hz） (hĕrts)．ヘルツ（振動数の国際単位系(SI)．毎秒 1 サイクルの振動に等しい）．

Herx·hei·mer re·ac·tion ヘルクスハイマー反応（トレポネーマ疾患(梅毒，Lyme 病)の抗菌治療後に起こる皮膚，粘膜，神経系，内臓を侵す全身性の炎症反応．患者の関連アレルギー反応とともにトレポネーマ抗原が急速に遊離されるためと考えられている）．= Jarisch-Herxheimer reaction.

hes·i·tan·cy (hez′i-tăns-ē)．〔排尿〕ちゅうちょ（躊躇）（排尿開始または尿線形成の始まりが不随意に遅れること）．

hes·i·tant (hez′i-tănt)．ヘジタント（RNA ポリメラーゼの状態を表すのに用いられる語で，休止，停止，あるいは終止シグナルに対して感受性があるときにいう．→overdrive; antitermination）．

Hes·sel·bach her·ni·a ヘッセルバッハヘルニア（篩状筋膜を通る憩室を有するヘルニアで，小葉状の輪郭を呈する）．

Hes·sel·bach tri·an·gle ヘッセルバッハ三角．= inguinal triangle.

Hess law ヘスの法則（反応により産生した熱量はその反応の 1 段階でも数段階でも同じである．すなわち，ΔH 値(そして ΔG 値)は加算的である）．

heteraesthesia [Br.]. = heteresthesia.

het·er·ax·i·al (het′ĕr-ak′sē-ăl)．不等軸性の（互いに直交する異なった長さの軸を有する）．

het·er·e·cious (het′ĕr-ē′shŭs)．異種寄生性の（2 つ以上の宿主をもつ．異なる動物中で異なった発育期を過ごす寄生生物についていう）．

het·er·e·cism (het′ĕr-ē-sizm)．異種寄生（寄生生物が，異なる 2 つの宿主を通過して 2 つの生活史をもつ現象）．

het·er·es·the·si·a (het′ĕr-es-thē′zē-ă)．異種感覚（皮膚表面のある線を越すと，皮膚刺激に対する感覚反応の度合いが(プラスかマイナス)に変化すること）．= heteraesthesia.

hetero-, heter- 異種または雑種の意を表す連結形．Homo- の対語．

het·er·o·ag·glu·ti·nin (het′ĕr-ō-ă-glū′ti-nin)．異種凝集素（血球凝集素の一種で，他種の赤血球をも凝集させるもの．→hemagglutinin）．

het·er·o·an·ti·bod·y (het′ĕr-ō-an′ti-bod-ē)．異種抗体（異種の抗原に対して産出された抗体で，isoantibody(同種抗体)とは区別される）．

het·er·o·an·ti·se·rum (het′ĕr-ō-an′tē-sēr′ŭm)．ヘテロ抗血清（ある動物に，他の動物種の抗原や細胞を接種してできた抗血清）．

het·er·o·blas·tic (het′er-ō-blas′tik)．異胚葉性

H

の（2型以上の組織から発達することについていう）.

het·er·o·cel·lu·lar (het′ĕr-ō-sel′yū-lăr). 異種細胞の.

het·er·o·chro·ma·tin (het′ĕr-ō-krō′mă-tin). 異質染色質，ヘテロクロマチン（分裂間期に固くコイル状に凝縮していて，直ちに染まる染色糸の部分）.

het·er·o·chro·mi·a (het′ĕr-ō-krō′mē-ă). 異色〔症〕（正常では色が同じである2つの構造で，色が異なっていること）.

het·er·o·chro·mic u·ve·i·tis 異色素性ブドウ膜炎（前部ブドウ膜炎と虹彩の脱色素）. = Fuchs uveitis.

het·er·o·chro·mo·some (het′ĕr-ō-krō′mŏ-sōm). 異形染色体. = allosome.

het·er·o·chro·mous (het′ĕr-ō-krō′mŭs). 異色性の（着色が正常と異なっている）.

het·er·o·chro·ni·a (het′ĕr-ō-krō′nē-ă). 異時性（時期をはずれた，または通常の順序をはずれた組織または器官の発生または成長. *cf.* synchronia）.

het·er·o·chron·ic (het′er-ō-kron′ik). = heterochronous.

het·er·och·ro·nous (het′ĕr-ok′rō-nŭs). 異時性の. = heterochronic.

het·er·o·crine (het′ĕr-ō-krin). 異質分泌の（2種以上の物質の分泌についていう. *cf.* bioregulator）.

het·er·o·cy·to·tro·pic (het′ĕr-ō-sī′tō-trō′pik). 異種細胞向性の（異種細胞に対し親和力のある）.

het·er·o·cy·to·tro·pic an·ti·bod·y 異種細胞親和抗体（反応性は同種細胞親和抗体に類似するが，同種または近縁種の細胞よりむしろ異種の細胞に対して親和性をもつ(主に IgG 分画の)細胞親和抗体）.

het·er·o·dont (het′ĕr-ō-dont). 異形歯（ヒトのように様々な形の歯をもつこと）.

het·er·od·ro·mous (het′ĕr-od′rō-mŭs). 逆運動〔性〕の.

het·er·o·e·rot·ic (het′ĕr-ō-ĕr-ot′ik). 他者愛の. = alloerotic.

het·er·o·er·o·tism (het′ĕr-ō-er′ŏ-tizm). = alloerotism.

het·er·o·ga·met·ic (het′ĕr-ō-gă-met′ik). 異型配偶子の（対立型の性配偶子をもっていることをいう. ヒトの男性は異型配偶子である）.

het·er·og·a·mous (het′ĕr-og′ă-mŭs). 異型接合の.

het·er·og·a·my (het′ĕr-og′ă-mē). 異型接合，異型配偶子生殖（①異なった配偶子の接合. ②異なる種類の花をつけること. ③間接的受粉方法による生殖）.

het·er·o·ge·ne·i·ty (het′ĕr-ō-jĕ-nē′i-tē). 異質性，不均質性，不均一性.

het·er·o·ge·ne·ous (het′ĕr-ō-jē′nē-ŭs). 異質性の，不均質の（種々の異なった性質や特徴をもつ成分からできている）.

het·er·o·ge·ne·ous ra·di·a·tion 非均質放射線（異なる濃度，エネルギーあるいは多種の粒子よりなる放射線）.

het·er·o·ge·ne·ous sys·tem 多相系（化学において，種々の異なった，機械的に分離しうる部分または相をもつもの. 例えば，懸濁液または乳液）.

het·er·o·gen·e·sis (het′ĕr-ō-jen′ĕ-sis). ***1*** 世代交代. ***2*** 単為生殖. = asexual generation. ***3*** 突然発生. = spontaneous generation.

het·er·o·ge·net·ic (het′ĕr-ō-jĕ-net′ik). 突然発生の.

het·er·o·ge·net·ic an·ti·gen 異種抗原（系統発生学的に関係のない多くの異なった種がもつ種特異抗原. 例えば，様々な器官や組織の特異抗原，眼の水晶体の α- および β-クリスタリン，Forssman 抗原など）.

het·er·o·ge·net·ic par·a·site 複相性寄生生物，複世代性寄生生物（生活環の中に世代交代を含む寄生生物）.

het·er·o·gen·ic, het·er·o·ge·ne·ic (het′ĕr-ō-jen′ik, -jĕ-nē′ik). 異種遺伝子型の（特に異種間で異なる遺伝子構造をもつことについていう）.

het·er·o·gen·ic en·ter·o·bac·te·ri·al an·ti·gen 異種腸内細菌抗原. = common antigen.

het·er·og·e·nous (het′ĕr-oj′ĕ-nŭs). 異種起源の（しばしば heterogeneous(異質性の)と混同される）.

het·er·o·gon·ic life cy·cle ヘテロゴニー生活環（寄生世代ももつある生物(例えば糞線虫 *Strongyloides stercoralis*)の自由生活世代の生活環）.

het·er·o·graft (het′ĕr-ō-graft). 異種移植〔片〕. = xenograft.

het·er·o·ki·ne·sis (het′ĕr-ō-ki-nē′sis). ヘテロキネシス（減数分裂期において，X, Y 染色体が互いに分かれて分布すること）.

het·er·o·la·li·a (het′ĕr-ō-lā′lē-ă). 異語症（意図したことと違う，無意味で不適当な言葉を発すること. 失語症の一型）. = heterophemia; heterophemy.

het·er·o·lat·er·al (het′ĕr-ō-lat′ĕr-ăl). 対側の. = contralateral.

het·er·ol·o·gous (het′ĕr-ol′ŏ-gŭs). 異種の，非対応の，異形の（①正常であればみられないところに発生する細胞学的または組織学的要素についていう. →xenogeneic. ②例えば，ウサギに対するウマの血清のように，異種の動物から得ることについていう）.

het·er·ol·o·gous graft = xenograft.

het·er·ol·o·gous stim·u·lus 異種刺激（感覚器官や神経路のすべての部分に作用する刺激）.

het·er·ol·o·gous tu·mor 異種組織腫瘍（発生した部分の組織とは異なる組織からなる腫瘍）.

het·er·ol·o·gous twins = dizygotic twins.

het·er·ol·y·sis (het′ĕr-ol′i-sis). 異種溶解（異種からの溶解成分によって細胞あるいは蛋白成分が分解または消化を起こすこと）.

het·er·o·lyt·ic (het′ĕr-ō-lit′ik). 異種溶解の.

het·er·o·mer·ic (het′ĕr-ō-mer′ik). *1* 異なった化学構造をもつ. *2* 異側性の（脊髄の他側への突起をもつ脊髄ニューロンについていう）.

het·er·o·met·a·pla·si·a (het′ĕr-ō-met-ă-plā′zē-ă). 異種組織形成（組織変成によりその部分と異なる組織が形成されること）.

het·er·o·met·ric au·to·reg·u·la·tion 異尺性自己調節（拡張期の筋線維の長さ(圧力)に関連して心収縮強度が内因性に変化する現象で, 後負荷, 自律神経や他の外因性の影響を受けない. これはまた, 長さ-張力関係, 拡張末期容積-圧関係, Starling の法則または Frank-Starling の曲線として知られている).

het·er·o·me·tro·pi·a (het′ĕr-ō-mĕ-trō′pē-ă). 異視症（両眼の屈折度が異なること）. = anisometropia.

het·er·o·mor·pho·sis (het′ĕr-ō-mōr-fō′sis). 異質形成, 異形(異型)再生（①ある種類, 型の組織から別の種類の組織が発生すること. ②胎児の組織または器官が不適当な場所に発生すること）.

het·er·o·mor·phous (het′ĕr-ō-mōr′fŭs). 異形(異型)の.

het·er·on·o·mous (het′ĕr-on′ŏ-mŭs). *1* 不等の（型の異なる）. *2* 他律の（方向または法則が他のものに従う. 自己統制のない）.

het·er·on·o·my (het′ĕr-on′ŏ-mē). 他律性（他律状態）.

het·er·op·a·thy (het′ĕr-op′ă-thē). *1* 病的感受性（刺激に対する異常過敏）. *2* 逆症療法. = allopathy.

het·er·oph·a·gy (het′ĕr-of′ă-jē). 異食作用（細胞周囲より貪食した外因性物質の細胞内での消化）.

het·er·o·phe·mi·a, het·er·oph·e·my (het′ĕr-ō-fē′mē-ă, -of′ĕ-mē). 異語症. = heterolalia.

het·er·o·phil, het·er·o·phile (het′ĕr-ō-fil, -fīl). *1* 異染〔性〕の（好中球についていう）. *2* 異好〔性〕の（他種において異種性の抗原のこと. またそのような抗原に対しての抗体のこと）.

het·er·o·pho·ni·a (het′ĕr-ō-fō′nē-ă). 声音異常（①思春期における声の変化. ②声音の異常）.

het·er·o·pho·ri·a (het′ĕr-ō-fōr′ē-ă). 〔眼球〕斜位（両眼視を妨げられること, 眼が一方に偏り, 平行に保てない性質があること）.

het·er·oph·thal·mus (het′ĕr-of-thal′mŭs). 異色眼（通常, 虹彩異色症のために両眼で異なってみえることに対して, まれに用いる語）.

het·er·o·phy·i·a·sis (het′ĕr-ō-fī-ī′ă-sis). 異形吸虫症（異形吸虫類, 特に *Heterophyes heterophyes* による感染）.

het·er·o·pla·si·a (het′ĕr-ō-plā′zē-ă). 異形成（①正常な線維結合組織が存在する部位での骨の発育のように, 該当の器官や部分に対して正常ではない細胞学的および組織学的要素の発育. ②腎臓の下極で発育する尿管のように, 正常な組織または部分の変位）.

het·er·o·plas·tic (het′ĕr-ō-plas′tik). *1* 異形成の. *2* 異種移植〔術〕の, 異種形成〔術〕の.

het·er·o·ploid (het′ĕr-ō-ployd). 異数体の.

het·er·o·ploi·dy (het′ĕr-ō-ploy-dē). 異数性, 異倍数性（細胞が正常でない数個の完全な半数体組をもつ状態）.

het·er·o·pyk·no·sis (het′ĕr-ō-pik-nō′sis). ヘテロピクノーシス, 異常凝縮（密度や濃縮度が一様でない状態. 通常は, 異なる染色体間または同一染色体の異なる部位間の密度の違いをさす. 部位が弱くなることもあれば(negative heteropyknosis), 強くなることもある(positive heteropyknosis)）.

het·er·o·pyk·not·ic (het′ĕr-ō-pik-not′ik). 異常凝縮〔性〕の（異常凝縮に関する, またはそれによって特徴付けられる）.

het·er·o·re·cep·tor (het′er-ō-rĕ-sep′tōr). 異種受容体, ヘテロ受容体（ニューロンから放出されたものと異なる修飾性神経調節因子と結合するニューロンの部位）.

het·er·o·sex·ism (het′ĕr-ō-sek′sizm). ヘテロセクシズム（異性愛が唯一正常で許容可能な性的志向であり, 他の志向より優れていると信じること. 性的志向に基づいて人を差別または排斥する）.

het·er·o·sex·u·al (het′ĕr-ō-sek′shū-āl). *1* 〚n.〛異性愛者（性的志向が異性に向いている人）. *2* 〚adj.〛異性愛の（異性愛に関する, あるいは異性愛に特徴的な）. *3* 〚n.〛異性愛者（異性愛に特徴的とされる興味や行動を示す人）.

het·er·o·sex·u·al·i·ty (het′ĕr-ō-sek′shū-al′i-tē). 異性愛（異性間の性愛, 性交または色情的素質）.

het·er·o·sug·ges·tion (het′ĕr-ō-sŭg-jes′chŭn). 他者暗示（他人から受ける催眠性の暗示. autosuggestion の対語）.

het·er·o·tax·i·a (het′ĕr-ō-taks′ē-ă). 内臓逆位〔症〕（内臓または身体の部分が他と比較して異常な配列になっていること）.

het·er·o·tax·ic (het′ĕr-ō-taks′ik). 内臓逆位〔症〕の（異常に配置または配列されていることについていう）.

het·er·o·to·ni·a (het′ĕr-ō-tō′nē-ă). 緊張変動（緊張異常または緊張変化）.

het·er·o·to·pi·a (het′ĕr-ō-tō′pē-ă). 異所性（①= ectopia. ②神経病理学において, 特に深大脳白質への灰白質の偏位）.

het·er·o·top·ic (het′ĕr-ō-top′ik). 異所性の（①= ectopic(1). ②深大脳白質への灰白質の偏位に関する）.

het·er·o·top·ic os·si·fi·ca·tion 異所性骨化（軟部組織内でカルシウム蓄積が増大すること. 通常, 鈍的外傷による血腫部位, または中枢神経系損傷によって萎縮した組織内に起こる. 骨化性筋炎）.

het·er·ot·o·pous (het′ĕr-ot′ŏ-pŭs). 異所性の（あるべき部位以外にできる組織の奇形腫についていう）.

het·er·o·trans·plan·ta·tion (het′ĕr-ō-trans-plan-tā′shŭn). 異種移植, ヘテロ移植, 異体移植.

het·er·o·tri·cho·sis (het′ĕr-ō-tri-kō′sis). 異毛症（種々の色の毛がある状態）.

het·er·o·troph (het′ĕr-ō-trōf). 従属栄養体(生物)，有機栄養体(生物)，従属栄養菌(株)（有機化合物からエネルギーと炭素を得る微生物. → autotroph).

het·er·o·tro·phic (het′ĕr-ō-trō′fik). ***1*** 従属栄養性に関する，従属栄養性をもつ. ***2*** 従属栄養体(生物)の，従属栄養菌(株)の.

het·er·o·tro·pi·a, het·er·ot·ro·py (het′ĕr-ō-trō′pē-ă, -ot′rō-pē). 異方視，斜視. = strabismus.

het·er·o·trop·ic preg·nan·cies 異所性同時妊娠（異なった部位での同時妊娠. 例えば，子宮内と卵管膨大部妊娠).

het·er·o·typ·ic (het′ĕr-ō-tip′ik). 異型(異形)の.

het·er·o·typ·i·cal chro·mo·some 異型染色体. = allosome.

het·er·o·typ·ic cor·tex = allocortex.

het·er·o·xan·thine (het′ĕr-ō-zan′thĕn). ヘテロキサンチン；7-methylxanthine(尿中のプリン体尿基の1つで，プリン代謝の最終産物).

het·er·ox·e·nous (het′ĕr-oks′ĕ-nŭs). 世代交代の. = digenetic(1).

het·er·ox·e·nous par·a·site 複数宿主性寄生生物（生活環の中に，複数の真正宿主をもっている寄生生物).

het·er·o·zy·gos·i·ty, het·er·o·zy·go·sis (het′ĕr-ō-zī-gos′i-tē, -zī-gō′sis). ヘテロ接合〔性〕，異型接合〔性〕（ヘテロ接合の状態).

het·er·o·zy·gote (het′ĕr-ō-zī′gōt). ヘテロ接合体，異型接合体（異型接合の状態にある細胞からなる個体).

het·er·o·zy·gous (het′ĕr-ō-zī′gŭs). 異型接合の，ヘテロ接合の（特定の属性に関する1つないし複数の座の対立遺伝子が異なること).

Heub·ner ar·te·ri·tis ホイブナー動脈炎（結核菌あるいは *Cryptococcus*, *Histoplasma* または *Coccidiodes* のような特殊な真菌による慢性脳底部髄膜炎に続発する Willis 輪部分の動脈炎).

HEV hepatitis E virus の略.

hexa-, hex- 6の数を表す連結形.

hex·ad (heks′ad). 六価元素，六価の基.

hex·a·dac·ty·ly, hex·a·dac·tyl·ism (hek′să-dak′ti-lē, -lizm). 六指症（片方または両方の手足に指が6本あること).

hex·ad·no·vi·rus (heks-ad′nō-vī′rŭs). ヘックサドノウイルス属（ヘパドナウイルス科の一属で，B型肝炎を起こす).

hex·a·mer (heks′ă-mĕr). ***1*** →virion. ***2*** 六量体（6個のサブユニットや部品を含有する複合体または化合物).

hex·ane (heks′ān). ヘキサン（パラフィンの飽和炭水化物 C_6H_{14}).

hex·a·ploi·dy (heks′ă-ploy-dē). 六倍数性（→ polyploidy).

hex·i·tol (heks′i-tol). ヘキシトール（六炭糖(例えば D-ソルビトール)の還元によってできる糖アルコール).

hex·o·ki·nase (heks′ō-kī′nās). ヘキソキナーゼ（酵母，筋肉，その他の組織にあるホスホトランスフェラーゼ. D-グルコースその他のヘキソースのリン酸反応を触媒して D-グルコース-6-リン酸(または他のヘキソース-6-リン酸. リン酸は ATP から転移し，その際 ATP は ADP に転換する)を生成する. 解糖の最初の段階. この酵素の欠損により溶血性貧血や解糖欠陥になる).

hex·o·ki·nase meth·od ヘキソキナーゼ法（ヘキソキナーゼ，ATP，グルコース 6-リン酸，NADP，グルコース 6-リン酸デヒドロゲナーゼを含んだ血清や血漿中のグルコースを測定する最も特異的な方法).

hex·one ba·ses, his·tone ba·ses ヘキソン塩基，ヒストン塩基（塩基性 α-アミノ酸. すなわち，アルギニン，ヒスチジン，リジン. これらはそれぞれ側鎖にグアニジン，イミダゾール，アミノ基をもっているため塩基性となる).

hex·os·a·mine (heks-;ōs′ă-mēn). ヘキソースアミン，ヘキソサミン（ヘキソースのアミン誘導体 NH_2 で OH を置換する. 例えばグルコサミン).

hex·os·a·min·i·dase (heks-ōs′ă-min′i-dās). ヘキソサミニダーゼ（ガングリオシドのようなオリゴ糖類から *N*-アセチルヘキソース残留物を奪う酵素をさす一般用語).

hex·o·sans (hek′sō-sanz). ヘキソサン（一般公式 $(C_6H_{10}O_5)_X$ の多糖類で，加水分解により六炭糖を生じる. グルコサン(グルカン)，マンナン，ガラクタン，フルクトサン(フルクタン)などが含まれる).

hex·ose (heks′ōs). ヘキソース，六炭糖（分子中に炭素原子6個をもつ単糖類 $(C_6H_{12}O_6)$. 天然では D-グルコースが主な六炭糖).

hex·ose phos·pha·tase ヘキソースホスファターゼ，リン酸六炭糖分解酵素（ヘキソースリン酸を加水分解してヘキソースにする酵素. 例えばグルコース-6-ホスファターゼ).

hex·u·lose (heks′yū-lōs). ヘキスロース. = ketohexose.

hex·yl (heks′il). ヘキシル（ヘキサンの基 $CH_3(CH_2)_4CH_2-$).

Hey am·pu·ta·tion ヘイ切断術（踵骨足根骨関節の前で行う足の切断).

Heyde syn·drome ハイド症候群（出血や二次性貧血から大動脈弁狭窄まで伴う胃腸障害. 損傷した大動脈弁の修復または置換により，症状は回復する).

Hey·er-Pu·denz valve ヘーアー-ピューデンズ弁（水頭症に対するシャント手術で用いる弁. 脳室内カテーテルにより脳脊髄液を一方通行ポンプに誘導し，そこから液を遠位のカテーテルを通して右心房へ誘導するカテーテルと弁のシステムからなる).

Hey her·ni·a ヘイヘルニア. = Cooper hernia.

Hf ハフニウムの元素記号.

HFO high frequency oscillation の略.

HFPPV high-frequency positive pressure ventilation の略.

HFPV high frequency percussive ventilation の略.

HFV high-frequency ventilation の略.

Hg 水銀の元素記号.

Hgb hemoglobin の略.

HGE human granulocytic ehrlichiosis の略.

HGF hematopoietic growth factor; human growth factor; hyperglycemic-glycogenolytic factor の略.

HGSIL high-grade squamous intraepithelial lesion の略.

HGV hepatitis G virus の略.

H&H hemoglobin and hematocrit の略.

HHIE-S Hearing Handicap Inventory for the Elderly の略.

HHS U.S. Department of Health and Human Services の略.

hi·a·tal (hī-āʹtăl). 裂孔の.

hi·a·tal her·ni·a, hi·a·tus her·ni·a 裂孔ヘルニア（横隔膜の食道裂孔を通る胃の部分的なヘルニア）.

hi·a·tus, pl. **hi·a·tus** (hī-āʹtŭs). ***1*** 口, 裂. ***2*** 裂孔.

hi·a·tus of ca·nal of les·ser pe·tro·sal nerve 小錐体神経管裂孔（顔面神経管裂孔外側の錐体にある小孔で, 小錐体神経が通る）.

Hib Hib ワクチン（インフルエンザ菌 b 型による髄膜炎を予防するため子どもに摂取されるワクチン）.

hi·ber·na·ting gland 冬眠腺. = brown fat.

hi·ber·no·ma (hīʹbĕr-nōʹmă). 冬眠腺腫（ある種の冬眠動物内の脂肪に似た褐色の脂肪からなる, ヒトにできる良性新生物のまれな型）.

hic·cup, hic·cough (hikʹŭp, hikʹŭp). しゃっくり（横隔膜の痙縮. 痙攣性の声門閉鎖によって中断される突然の息の吸入を引き起こすもの. 音を発する）.

hi·drad·e·ni·tis (hīʹdrad-ĕ-nīʹtis). 汗腺炎（汗腺の炎症, 特にアポクリン腺の炎症）.

hi·drad·e·ni·tis sup·pu·ra·ti·va 汗腺膿瘍, 化膿性汗腺炎（皮膚のアポクリン汗腺の慢性化膿性毛嚢炎. 瘢痕を伴った膿瘍や膿瘻を起こす）.

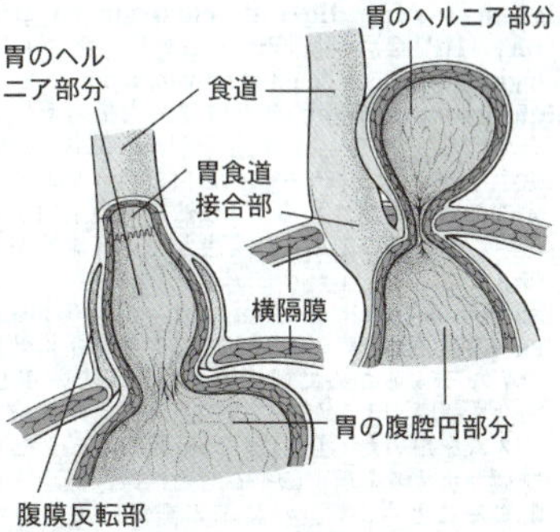
胃のヘルニア部分
胃のヘルニア部分
食道
胃食道接合部
横隔膜
胃の腹腔円部分
腹膜反転部

sliding esophageal and paraesophageal hernias
食道滑脱ヘルニア(左)では胃上部と胃食道接合部が胸腔を出たりはいったりする. 一方, 傍食道ヘルニア(右)では胃の全部または一部が横隔膜を貫いて胃食道接合部の近くまで突出する.

hi·drad·e·no·ma (hī-dradʹĕ-nōʹmă). 汗腺腫（汗腺の上皮細胞から生じる良性新生物）.

hidro-, hidr- 汗または汗腺に関する連結形. *cf.* sudor-.

hi·dro·cys·to·ma (hīʹdrō-sis-tōʹmă). 汗腺嚢腫（汗腺腫の嚢胞型. 通常は, アポクリン汗腺系）. = syringocystoma.

hi·dro·poi·e·sis (hīʹdrō-poy-ēʹsis). 発汗.

hi·dros·che·sis (hī-drosʹkĕ-sis). 制汗（発汗を抑えること）.

hi·dro·sis (hī-drōʹsis). 多汗〔症〕（汗をかいて出すこと）.

hi·drot·ic (hī-drotʹik). 多汗〔症〕の.

hi·er·ar·chy (hīʹĕr-ahr-kē). 階層（①人々または事物を段階付ける体系. ②心理学または精神医学において, より単純な成分が結び付けられて, より複雑な統合体を形成するという傾向または概念の構造）.

high (hī). 高い（高い, 非常に高い. 基準や比較となる点よりも上であること）.

high al·ti·tude ce·re·bral e·de·ma 高地脳浮腫（高地への急激な上昇により起こる脳腫脹. 徴候や症状には, 疲労, 悪心, 嘔吐, 運動失調, 精神状態の変化が含まれる）.

high al·ti·tude pul·mo·nar·y e·de·ma 高地肺水腫（症状の発生がかすかな, 急性高山病の重症例）.

high-def·i·ni·tion im·ag·ing (HDI) 高精細画像（乳腺組織に癌性病変の可能性があるかを判定するための超音波検査）.

high den·si·ty lip·o·pro·tein-cho·les·ter·ol (HDL-C) 高比重リポ蛋白コレステロール（いわゆる善玉コレステロールで, 蛋白質：脂質比が高いため心保護的だと考えられている）.

high-dose-rate brach·y·ther·a·py 高線量率近接照射療法.

high en·do·the·li·al post·cap·il·lar·y ven·ules 高内皮性後毛細管小静脈（リンパ節, 扁桃, および Payer 板にある丈の高い内皮をもつ小静脈で, ここを通って血中のリンパ球は血液からリンパ実質へ移動する）.

high en·e·ma 高圧浣腸（圧差を利用して結腸に注入する浣腸）. = enteroclysis(1).

high-en·er·gy com·pounds 高エネルギー化合物（正規には, 加水分解により − 5 から − 15 kcal/mol(− 20 から − 63 kJ/mol)の標準自由エネルギー変化をするリン酸エステル類(これに比べてグルコース 6-リン酸, α-グリセロリン酸などの単純なリン酸エステルでは − 1 から − 4 kcal/mol(− 4 から − 17 kJ/mol)). 生細胞あるいはそれを再構成した無細胞系におけるエネルギー消費過程の原動力となりうる. アデノシン 5′-三リン酸の β および γ リン酸が最もよく知られ, ほとんどすべての代謝系における直接のエネルギー源と考えられている. 他の例として, 酸無水物, エノール型のリン酸エステル, ホスファミン酸($R-NH-PO_3H_2$)誘導体, アシルチオエステル類(コエンチーム A などの), スルホニウム化合物(R_3-S^+), リボシル残基のアミノアシ

H

ルエステルなどがある. →high-energy phosphates).

high-en·er·gy phos·phate bond 高エネルギーリン酸結合 (→high-energy phosphates).

high-en·er·gy phos·phates 高エネルギーリン酸塩 (加水分解で, きわめて大量のエネルギーを産生するリン酸エステルやリン酸無水物. 例えばATPなどのヌクレオチドポリリン酸塩, ホスホエノールピルビン酸などのエノールリン酸塩. →high-energy compounds).

high·er or·der preg·nan·cy 超多胎妊娠 (3胎(品胎)以上の妊娠).

high·est in·ter·cos·tal ar·ter·y 最上肋間動脈. = supreme intercostal artery.

high·est in·ter·cos·tal vein 最上肋間静脈 (第一肋間隙からの血液を集め, 椎骨静脈または腕頭静脈へ注ぐ).

high·est thor·a·cic ar·ter·y 最上胸動脈. = superior thoracic artery.

high-fi·ber (hī-fī′bĕr). 高線維 (FDAの指示により, 1食あたり5g以上の食物繊維を含むと表示された食品).

high-fi·ber di·et 高繊維性成分食事, 高繊維食 (消化されない植物の繊維を多く含んだ食事. 繊維成分は果物, 野菜, 穀物や豆類に多い. 不溶性の繊維は便の量を増やし, 便の大腸通過時間を短縮し, 便秘を減らし, 大腸癌の発生を減少させる. 可溶性の繊維成分はグルコースの摂取を遅延させることにより糖尿病患者における血糖のコントロールを良好にする. また脂肪の吸収をも遅延し, 高脂血症を改善する. また大腸憩室の治療にも勧められる).

high Fow·ler po·si·tion 高ファウラー位 (ベッドの頭が90°に起こされた際の患者の体位).

high-fre·quen·cy cur·rent 高周波電流 (10,000/sec以上の周波数をもつ交流. 筋収縮を起こすこともなく, 知覚神経にも影響がない).

high-fre·quen·cy hear·ing im·pair·ment 高周波数難聴 (高音域のみの難聴. 通常, 感覚細胞の障害を伴う. 音響外傷や騒音性難聴でよくみられる).

high fre·quen·cy os·cil·la·tion (HFO) 高頻度振動換気法 (人工呼吸の一つの型).

high fre·quen·cy per·cus·sive ven·ti·la·tion (HFPV) 高頻度パーカッション換気法 (人工呼吸の一つの型).

high fre·quen·cy pos·i·tive pres·sure ven·ti·la·tion (HFPPV) 高頻度陽圧換気法 (人工呼吸の一つの型).

high-fre·quen·cy trans·duc·tion 高頻度〔形質〕導入 (バクテリアが, 形質導入欠損バクテリオファージとヘルパーウイルスとをもっているとき欠損プロファージ粒子が十分に増殖することによって形質導入が高頻度に行われる特殊形質導入).

high-fre·quen·cy ven·ti·la·tion (HFV) 高周波換気法 (通常の換気法のある合併症を避けるために毎分300—3,000呼吸のいずれかの頻度で呼吸するジェットを用いる換気法).

high-grade ex·plo·sive 高純度爆薬 (爆発の際に超音波圧力前面(blast waveを参照)と低周波音圧前面(blast windを参照)の両方を発生させる爆弾).

high-grade squa·mous in·tra·e·pi·the·li·al le·sion (HSIL, HGSIL) 上皮内高度扁平上皮異型 (頸部/腟細胞診の報告でベセスダ分類に用いられる用語. 非浸潤の上皮異型の表現形式. 中等度・高度異形成, 上皮内癌, および頸部上皮内異形2, 3度を含む. →Bethesda system; ASCUS; atypical glandular cells of undetermined significance; low-grade squamous intraepithelial lesion).

high·ly ac·tive an·ti·ret·ro·vi·ral ther·a·py (HAART) HAART療法 (エイズ治療のための多剤併用療法. 通常2種のヌクレオシド系逆転写酵素阻害剤と, 1種か2種のプロテアーゼ阻害剤を併用するか, 2種のヌクレオシド系逆転写酵素阻害剤と1種の非ヌクレオシド系逆転写酵素阻害剤を併用する).

high·ly arched pal·ate →secondary palate.

high mo·lec·u·lar weight ki·nin·o·gen (HMWK) 高分子量キニノーゲン (分子量11万の血漿蛋白で, 普通血漿中にプレカリクレインと1:1複合体として存在する. この複合体は血液凝固因子XIIの活性化の補因子である. 次にこの反応生成物であるXIIaはプレカリクレインを活性化し, カリクレインを与える).

High·more bod·y ハイモー体. = mediastinum testis.

high mus·cle tone = hypertonicity.

high-per·for·mance liq·uid chro·ma·tog·ra·phy (HPLC) 高性能液体クロマトグラフィ (クロマトグラフィ技術の1つで, 溶液中の物質の混合物の分離定量に用いる. この技術は, 実験室において, ステロイドホルモン, 殺虫剤, 毒素, 毒性や発癌性物質や薬剤などの有機化合物を測定するのに用いられる). = high-pressure liquid chromatography.

high-pres·sure liq·uid chro·ma·to·gra·phy (HPLC) 高圧液体クロマトグラフィ. = high-performance liquid chromatography.

high-pro·tein di·et 高蛋白食 (大量の蛋白質を与える療法で, 欠乏状態を解消したり, 運動選手などで通常よりも多い蛋白質摂取を可能にするために実施されるが, 依然議論の余地がある. この食事の結果, 腎疾患となる可能性が報告されている).

high-res·o·lu·tion com·put·ed to·mog·ra·phy (HRCT) 高分解能CT (容積平均効果を少なくするために細く絞ったX線を使用し, 画像を鮮明にするために辺縁強調再構成アルゴリズムを用いたCT撮影法. 撮像部のピクセル(画素)サイズを最小にするために撮像視野を制限することもある. 特に肺の画像に用いられる).

high, rich in, or ex·cel·lent source of 高い, 豊富な, または優れた供給源 (FDAの規制に基づき, これらの語が食品表示に使用される際には, その食品が当該の栄養素または成分を類似食品よりも少なくとも25%多く含んでいることを意味する).

high-risk in·fant ハイリスク新生児 (生後1か

月内に健康問題の生じる危険が正常新生児よりも高いとみなされる新生児．早産児は予定通りに誕生した新生児に比べ，ハイリスク新生児に分類されることが多い）．

high-risk re·gis·ter (HRR) ハイリスク因子保有者（聴能学で，聴力損失の罹患率が正常より高い場合，その状況を調査するチェックリスト．聴力損失が多発する家系である場合，先天的に感染している場合，脳顔面頭蓋に異常がある場合，出生時体重が低い場合，高ビリルビン血症の場合，耳毒性のある薬を投与した場合，細菌性髄膜炎に感染している場合，出生時に重度の CNS 低下にかかっている場合などがある．→screening）．

high-step·page gait ニワトリ歩行，鶏歩（下垂したままの足がひっかかるのを防ぐため，必要以上に足を高く持ち上げ，急にたたきつけるように下ろす歩行で，しばしば腓骨神経麻痺（下垂足）や神経ろうにみられる）．

high-tech med·i·cine ハイテク医学（先進技術の使用と関わる療法に対して用いられる，不正確な口語表現）．

high TENS 高頻度の経皮的神経電気刺激（感覚レベルで用いられる経皮的神経電気刺激装置で，高頻度・短時間パルスが特徴）．

high ve·loc·i·ty sig·nal loss 高速血流信号損失（磁気共鳴画像において，流速の上昇により飛行時間が増加すること）．

high ve·ron·i·ca = black root.

high volt e·lec·tri·cal stim·u·la·tion (HVES) 高電圧電気刺激療法（電気療法様式の一つで，双ピーク単層パルス電流を負極性または正極性のどちらかに流し，痛みや浮腫の減少や治癒を促進する）．

hi·la (hī′lă)．hilum の複数形．

hi·lar (hī′lăr)．門の．

hi·li·tis (hī-lī′tis)．門炎（門の内膜の炎症）．

Hill cri·ter·i·a of e·vi·dence ヒルの因果関係の判定基準（疫学研究あるいは他の研究によって導かれた統計的に有意な関連が，因果関係か否かを判定するための一連の疫学的規準．一致性，特異性，関連の強固性，用量反応関係，時間性，生物学的妥当性，整合性，実験による検証の可能性からなる．時間性，すなわち推定された原因が結果に先立って起きていることのみが唯一の必要条件である）．

Hill e·qua·tion ヒル式（$y(1-y)=[S]^n/K_d$．y は飽和率，[S]は結合リガンド濃度，n は Hill 係数，K_d はリガンド解離定数．Hill 係数はその蛋白の協同性の尺度である．その値が大きいほど，協同性が高い．この係数は結合部位の数より高くならない．ヘモグロビンの酸素結合曲線に対しては会合定数 K_a が用いられ，その式は $y/(1-y)=K_a[S]^n$ になる．ヒトのヘモグロビンでは，$n=2.5$ である）．

hil·lock (hil′lok)．小丘（解剖学において，小さな丘または隆起）．

Hill op·er·a·tion ヒル手術（食道裂孔ヘルニアの修復．内側弓靱帯に縫い付けることによって腹腔内で食道胃接合部を固定する）．

Hill-Sachs le·sion ヒル–サックス病変（肩関節の前方脱臼後の上腕骨頭にみられる骨頭面の不整をいう．関節窩前縁に上腕骨頭の後外側部分が衝突して生じる）．

Hill sign ヒル徴候（大動脈弁閉鎖不全症の場合，上肢より下肢の動脈収縮期血圧が大幅に高くなる．正常人の場合，脚の動脈収縮血圧は腕より 10—20 mmHg 高いが，大動脈弁閉鎖不全症の場合，その差は 60—100 mmHg となる）．

Hil·ton law ヒルトンの法則（関節に分布する神経は，その関節を動かす筋肉およびそれらの筋肉の関節付着点をおおう皮膚にも分布している）．

Hil·ton meth·od ヒルトン法（潰瘍の痛みを軽減するために，その部位を支配している神経を切断する方法）．

hi·lum, pl. hi·la (hī′lŭm, -lă)．門（①神経と脈管が出入りする器官の部分．= porta(1)．②脳のオリーブ核門に似た陥凹）．

hi·lus (hī′lŭs)．hilum(門)を表す．

hi·lus cells 門細胞（卵巣門にある細胞で，男性ホルモンを産生する．精巣の間質細胞にあたると考えられる）．

HIM (him)．health information management の略．

hind·brain (hīnd′brān)．菱脳．= rhombencephalon.

hind·foot (hīnd′fut)．足の後部（踵骨と距骨から成り立つ足の後部）．

hind·foot val·gus 後足部外反（踵骨が脛骨に対して外がえししていること）．= rearfoot pronation.

hind·foot va·rus 後足部内反（踵骨が脛骨に対して内がえししていること）．= rearfoot supination.

hind·gut (hīnd′gŭt)．後腸（①胚の子腸管の尾側部または末端部．②横行結腸の左部分，下行結腸，S 状結腸，直腸，肛門管の上部）．

hind·wa·ter (hīnd′waw′tĕr)．後羊水（胎児先進部よりも後方の子宮内羊水を表す口語）．

hinged flap ちょうつがい皮弁（弁の茎の上に上げ，茎がちょうつがいの形となって移植される折返し皮弁）．

hinge joint ちょうつがい関節（一方の骨の横円柱状の広い凸部分が，他方の骨の対応する凹部分にはまり込んでいる単軸関節で，肘のように一方向にのみ動く）．= ginglymoid joint; ginglymus.

hinge re·gion ちょうつがい部位（① tRNA の構造部位で〝クローバーの葉〟(二次元)モデルから "L"(電子顕微鏡で見られるような結晶構造)モデルを形成するために弯曲，変形される部位．②免疫グロブリンで，2 本の長鎖の間に存在してそれを形づくる遺伝子配列）．

hip (hip)．股関節部（①腰から大腿へかけての骨盤部の側方への隆起．②大腿骨と骨盤の間の関節．③股関節骨折 hip fracture や股関節置換術 hip replacement のように，大腿骨の骨頭，頸部，大転子をさす口語）．

HIPAA Health Insurance Portability and Accountability Act の略．

hip bath = sitz bath.

hip bone 寛骨（大きな扁平骨で，腸骨，坐骨，

H

恥骨(成人の場合)からなる．骨盤の外側半分を占め，前方でその反対側の骨と，後方で仙骨と，外側で大腿骨と連結する)．= coxa(1); innominate bone; os coxa.

hip frac·ture 股関節部骨折（大腿骨頸部骨折の俗語．骨粗しょう症をもつ高齢者が転倒して生じることが最も多い．女性に多発する．内固定材を用いた外科修復を要し，歩行が長期にわたり，または完全に不能となり，寿命が短くなることが多い）．

hip joint 股関節（大腿骨頭と寛骨臼の間の球窩関節）．= coxa(2).

hip·po·cam·pal (hip′ō-kam′păl)．海馬の．

hip·po·cam·pal sul·cus 海馬溝（歯状回と海馬傍回との間にある浅い溝．Ammon 角と歯状回の間で海馬内へ深くはいり込んだ裂隙が，胎児成育期に閉塞されてできた遺残）．

hip·po·cam·pus (hip′ō-kam′pŭs)．海馬（大脳半球の内側縁を形成する内部回転状構造の複合体で，白質，海馬槽神経束(アルベウス)，海馬采とともに 2 つの回(Ammon 角と歯状回)からなり，側脳室脈絡膜裂に境界される．ヒトでは，この海馬は脳梁が大きく発達するために，側頭葉に限局される．海馬は辺縁系の一部を構成する．海馬の主な求心性線維連絡は海馬傍回の内側嗅領と透明中隔．脳弓により，海馬は中隔，視床前核，乳頭体に投射する）．

hip·po·crat·ic (hip′ō-krat′ik)．Hippocrates の，彼の記した，彼に基づく．

hip·po·crat·ic face ヒポクラテス顔〔貌〕，ヒポクラテス死相．= hippocratic facies.

hip·po·crat·ic fa·ci·es ヒポクラテス顔〔貌〕，ヒポクラテス死相（長期にわたる重病の死期の患者にみられるやせ衰えた顔貌．くぼんだ眼，頬とこめかみのへこみ，弛緩した唇，鉛様の顔色などの特徴がある）．= hippocratic face.

hip·po·crat·ic fin·gers ヒポクラテス指（→ clubbing）．

hip·po·crat·ic nails ヒポクラテス爪（ばち指(ヒポクラテス指)に付いた粗大で彎曲した爪）．

Hip·po·crat·ic Oath ヒポクラテスの宣詞（医師が術を開始するときに行う誓いで，普通は Hippocrates of Cos のものとされるが，古くは Aesclepiads の誓いである）．

hip·po·crat·ic suc·cus·sion sound ヒポクラテス振水音（水胸症，膿気胸の患者を揺さぶると出る，水をはねかけるような音で，医師が患者の胸部に耳を当てて聞く）．

hip poin·ter 骨盤ポインター（腸骨稜の挫傷）．

hip·pus (hip′ŭs)．瞳孔動揺，瞳孔変動（間欠性の瞳孔の拡大および収縮で，照明，収束，精神刺激などに影響されない）．

hir·cus, gen. & pl. hir·ci (hir′kŭs, -sī)．***1*** 腋臭（腋の下のにおい）．***2*** 腋毛（腋下に生える毛）．***3*** 耳毛．= tragus(1).

Hirsch·berg meth·od ヒルシュベルク法（斜視の偏位度の測定法で，偏位眼の角膜上に映じた光の反射像を観察する方法）．

Hirsch·berg test ヒルシュベルク試験（眼前にペンライトを提示し角膜反射の位置を観察することによる両眼性の眼球運動アライメントの試験．眼球偏位がある場合の偏位量を推定できる）．

Hirsch·feld ca·nals ヒルシュフェルト管．= interdental canals.

Hirsch·sprung dis·ease ヒルシュスプルング病．= congenital megacolon.

hir·sute (hir-sūt′)．多毛の．

hir·su·tism (hir′sū-tizm)．〔男性型〕多毛〔症〕（体毛や顔面で毛が多いこと．特に女性についていわれる．人種的特徴の現れとして普通の成人に起こることもあり，また腫瘍や種々の薬剤による男性ホルモン過剰の結果として小児や成人に起こることもある）．

hir·u·di·cide (hir-ū′di-sīd)．ヒル撲滅薬．

hir·u·din (hir-ū′din)．ヒルジン（抗トロンビン物質で，ヒルの唾液腺から抽出され，血液凝固を阻止する性質をもつ）．

Hir·u·din·e·a (hir′ū-din′ē-ă)．ヒル綱（平らな体節性の体をもち，後端には吸盤，前端にもしばしば小吸盤をもつ環形動物門の一綱．無脊椎動物の組織を食し，脊椎動物の血液や組織液を吸う）．

Hir·u·do (hi-rū′dō)．チスイビル属（ヒル類の一属．以前，医薬で用いられた）．

His ヒスチジンの記号．

-His ヒスチジノの記号．

His- ヒスチジルの記号．

His bun·dle ヒス束．= atrioventricular bundle.

His bun·dle e·lec·tro·gram (HBE) ヒス束心電図（電気生理学的心カテーテル法中に実験動物あるいはヒトの His 束から記録される電位図）．

His ca·nal ヒス管（胎児の舌後部と発達中の甲状腺の間にある構造的開口．遠位部は甲状腺錐体葉を形作ることが多く，近位部は通常消滅する）．= Bochdalek duct; duct of His; duct of Vater; thyroglossal duct.

His line ヒス〔氏〕ライン（前鼻棘の先端(アカンチオン)から大後頭孔後縁の最後部の点(オピスチオン)へのばした線で，顔面を上半と下半あるいは歯の部分に分けている）．

Hiss stain ヒス染色〔法〕（微生物の莢膜を証明する方法．硫酸銅溶液で洗浄後，ゲンチアナバイオレットまたは塩基性フクシンを用いる）．

His·ta·log test ヒスタロッグ試験（胃液酸度の最大産出または無酸症の測定試験．ヒスタミン試験と類似するが，ヒスタミンの類似化合物 Histalog(塩酸ベタゾール)を用いる）．

histaminaemia [Br.]. → histaminemia.

his·ta·mine (his′tă-mēn)．ヒスタミン（ヒスチジンから誘導される血管抑制性アミン．麦角，動物組織中にある．胃液分泌を強く刺激し，気管支平滑筋を収縮する．ヒスタミンは血管拡張薬(毛細管，動脈)で，血圧を下げる．ヒスタミン，あるいはヒスタミン様物質は，けがの際，皮膚中で遊離される）．

his·ta·mine-fast (his′tă-mēn-fast)．ヒスタミン耐性の（ヒスタミンに対する正常反応の欠如を示す．特に真性胃酸欠乏症についていう）．

his·ta·mi·ne·mi·a (his′tă-min-ē′mē-ă)．ヒスタミン血〔症〕（循環血液中にヒスタミンが存在

すること).

his·ta·mine-re·leas·ing fac·tor ヒスタミン放出因子（リンホカインで，抗原刺激されたリンパ球からつくられ，好塩基球からのヒスタミン放出を引き起こす).

his·ta·mine test ヒスタミン試験（胃液酸度の最大産出または無酸症の測定試験．抗ヒスタミン薬を予備投与後に，リン酸ヒスタミンを皮下注射し，胃内容物を分析する．→Histalog test).

his·ta·min·ic head·ache ヒスタミン性頭痛．= cluster headache.

his·ta·mi·nu·ri·a (his′tă-mi-nyūr′ē-ă)．ヒスタミン尿〔症〕（ヒスタミンが尿中に排出されること).

his·ti·dase (his′ti-dās)．ヒスチダーゼ．= histidine ammonia-lyase.

his·ti·dine (His, H) ヒスチジン（そのL-異性体は多くの蛋白中にある塩基性アミノ酸).

his·ti·dine am·mo·ni·a-ly·ase ヒスチジンアンモニアリアーゼ（L-ヒスチジンの脱アミノ反応を触媒する酵素．ヒスチジン血症患者では，この酵素が欠損しているか，または不足している).= histidase.

his·ti·dine de·car·box·yl·ase ヒスチジンデカルボキシラーゼ（L-ヒスチジンをピリドキサルリン酸依存性脱炭酸反応によりヒスタミンにする酵素．気管支平滑筋の収縮に関与する).

his·ti·din·o (-His) (his′ti-din-ō)．ヒスチジノ（窒素原子上の1個の水素を除いたヒスチジン残基).

his·ti·di·nu·ri·a (his′ti-di-nyūr′ē-ă)．ヒスチジン尿〔症〕（尿中にかなりの量のヒスチジンが排出されること．妊娠の後期に，またヒスチジン血症にしばしばみられる).

his·ti·dyl (His-) (his′ti-dil)．ヒスチジル（ヒスチジンのアシル基).

histio- 組織，特に結合組織に関する連結形.

his·ti·o·blast (his′tē-ō-blast)．組織芽細胞，組織芽球（組織を形成する細胞).= histoblast.

his·ti·o·cyte (his′tē-ō-sīt)．組織球（結合組織に存在するマクロファージ).= histocyte.

his·ti·o·cy·to·ma (his′tē-ō-sī-tō′mă)．組織球腫（組織球からなる腫瘍).

his·ti·o·cy·to·sis (his′tē-ō-sī-tō′sis)．組織球増殖〔症〕，組織球症（組織球の汎発性増殖).= histocytosis.

his·ti·o·cy·to·sis X ヒスチオサイトーシスX，原因不明性組織球増殖〔症〕（原因不明のLangerhans 細胞増殖症．Hand-Schüler-Christian 病，Letterer-Siwe 病，好酸球性肉芽腫がこれに相当すると考えられる).

his·ti·o·gen·ic (his′tē-ō-jen′ik).= histogenous.

histo- 組織との関係を意味する連結形.

his·to·blast (his′tō-blast).= histioblast.

his·to·chem·is·try (his′tō-kem′is-trē)．組織化学．= cytochemistry.

his·to·com·pat·i·bil·i·ty (his′tō-kŏm-pat′i-bil′i-tē)．組織適合性（同種移植が成功するために十分な，組織の免疫的類似性あるいは同一性の状態).

his·to·com·pa·ti·bil·i·ty com·plex 組織適合性複合体（第6ヒト染色体の50個以上の遺伝子からなる一群．この染色体は細胞表面蛋白をコードし免疫応答に重要な作用を発現する．組織適合性遺伝子は組織や血液細胞，特にリンパ球の外膜にある蛋白生成を制御する．細胞間認識や相互作用での重要な要素である．また，その表面蛋白は免疫応答のレベルやタイプを決定し，免疫系への抗原提示に関与し，他の生化学・免疫学的機能を与える．同種移植の場合，その組織適合性が高ければ(ドナーとレシピエントの細胞表面抗原間での一致度が高いほど)拒絶反応の可能性が少ない．主要組織適合性決定基は，ヒト白血球抗原(HLA)である．骨髄ドナーと移植レシピエントとのHLAタイピングが移植片の拒絶や対宿主性移植片病を予測するのに用いられる).

his·to·com·pat·i·bil·i·ty test·ing 組織適合試験（移植の際に主要なHLA抗原の試験法).

his·to·cyte (his′tō-sīt).= histiocyte.

his·to·cy·to·sis (his′tō-sī-tō′sis).= histiocytosis.

his·to·dif·fer·en·ti·a·tion (his′tō-dif′ĕr-en-shē-ā′shŭn)．組織分化（発育中の細胞群に組織の形態的性質が現れる過程をいう).

his·to·gen·e·sis (his′tō-jen′ĕ-sis)．組織発生（組織の発生．身体の組織の形式と発育).

his·to·ge·net·ic (his′tō-jĕ-net′ik)．組織発生の.

his·tog·e·nous (his-toj′ĕ-nūs)．組織原性の（組織によって形成される．例えば，固定組織の細胞増殖によって滲出液中に出現する組織由来の細胞).= histiogenic.

his·to·gram (his′tō-gram)．ヒストグラム（ある変数の頻度分布を示す棒グラフ．棒の高さが頻度を示す).

his·toid (his′toyd)．組織様の（①構造上，身体の組織の1つに類似する．②正常の組織によく似た単一の，比較的単純な型の新生物組織から発生し，またそれからなる新生物の組織構造に関して用いることがある).

his·toid lep·ro·sy 組織球様らい（顕微鏡的に(㊟組織学的に)皮膚線維腫あるいは紡錘形細胞腫瘍に似た病変を有する，らい腫らいの一種).

his·to·in·com·pat·i·bil·i·ty (his′tō-in′kŏm-pat′i-bil′i-tē)．組織不適合性（組織が1つの個体から他の個体に移植されるとき同種移植組織拒絶を起こすのに十分な組織の免疫的非類似性の状態．供給体と受容体の組織適合遺伝子の相違を意味する).

his·to·log·ic, his·to·log·i·cal (his′tō-loj′ik, i-kăl)．組織〔学的〕の.

his·to·log·ic ac·com·mo·da·tion 組織学的調節（身体の状態変化に合わせるように細胞の形が変化すること．例えば，圧力がかかったときに嚢胞内の立方形の細胞が平たくなること).

his·tol·o·gist (his-tol′ŏ-jist)．組織学者（組織学を専門に扱う人).= microanatomist.

his·tol·o·gy (his-tol′ŏ-jē)．組織学（細胞，組織，および器官の微細な構造を機能との関連において研究する学問．→microscopic anatomy).= microanatomy.

H

his·tol·y·sis (his-tol′i-sis). 組織分解，組織融解．

his·to·ma (his-tō′mă). 組織腫（細胞学的，組織学的要素が，新生物細胞が生じる正常組織の要素にきわめて類似する良性新生物）．

his·to·met·a·plas·tic (his′tō-met-ă-plas′tik). 組織化生の．

his·to·mo·ni·a·sis (his′tō-mō-nī′ă-sis). ヒストモナス症（主にシチメンチョウに感染する疾病で，*Histomonas meleagridis* に起因し，肝臓および盲腸の潰瘍と壊死，急激な発症ならびに高い死亡率が特徴である．これは *Heterakis gallinae* 線虫の虫卵の中にはいって伝播されるが，主としてこのために感染が持続し蔓延する）．= blackhead(2)．

his·tone (his′tōn). ヒストン（塩基性アミノ酸を多く含有する単純蛋白の1つ(しばしば細胞核中にみられる)．水，希酸，希アルカリに可溶．熱によって凝固しない）．

his·to·nu·ri·a (his′tō-nyūr′ē-ă). ヒストン尿〔症〕（尿中にヒストンが排出されること．白血病，熱病，消耗病の場合などにみられる）．

his·to·path·o·gen·e·sis (his′tō-path-ō-jen′ĕ-sis). 異常組織発生（異常な胚発育または組織成長）．

his·to·pa·thol·o·gy (his′tō-pă-thol′ō-jē). 組織病理学（異常な，あるいは病的な組織の細胞学的・組織学的構造を研究する学問）．

his·to·phys·i·ol·o·gy (his′tō-fiz-ē-ol′ŏ-jē). 組織生理学（組織の機能に関連した組織の顕微鏡的学問）．

His·to·plas·ma cap·su·la·tum ヒストプラスマ・カプスラーツム（二形性の真菌の一種で，ヒストプラスマ症を引き起こす．その子嚢菌性段階は *Ajellomyces capsulatum* である．この生物の自然生息場所は鳥やコウモリの排出物の混入した土壌で，そこではカビとして成長し，その断片が吸入によって原発性肺感染を生じる．哺乳類宿主中で，吸入された菌糸断片が単核の酵母菌として成長し，出芽によって増殖する．主にアフリカでみられる）．

his·to·plas·min (his′tō-plaz′min). ヒストプラスミン（*Histoplasma capsulatum* の抗原性抽出物．ヒストプラスマ症診断の免疫学的試験に用いる．また，真菌の地理的分布の決定や，ヒストプラスマ症の地方流行の予測のための人口調査の皮膚試験に用いる）．

his·to·plas·mo·ma (his′tō-plaz-mō′mă). ヒストプラスマ腫（*Histoplasma capsulatum* によって起こる伝染性肉芽腫）．

his·to·plas·mo·sis (his′tō-plaz-mō′sis). ヒストプラスマ症（*Emmonsiella capusulata* に起因する広範に分布する感染症でときに突発的大流行が起こる．通常，土壌中の真菌胞子を吸入して感染し，自己限定性の肺炎を起こす．肺気腫患者では感染が慢性化し，結核に類似する肺線維性空洞の原因となる．免疫抑制の患者，まれに健常者でもヒストプラスマは，網内系の播種性疾患の原因となり，発熱，るいそう，脾腫，白血球減少を起こす．しばしば眼に遷延し網膜障害を起こす）．

his·tor·rhex·is (his′tō-rek′sis). 組織崩壊（感染以外の原因による組織の崩壊）．

his·to·ry (his′tŏr-ē). 病歴（患者の症状，病気，治療，重要な関連生活出来事の記録）．

his·to·ry of pres·ent ill·ness (HPI) 現病歴（患者の訴える主訴についての入手可能な経過データを，詳細に公式記載したもの）．

his·to·tome (his′tō-tōm). 組織刀．= microtome.

his·tot·o·my (his-tot′ŏ-mē). 組織切片作製〔法〕．= microtomy.

his·to·tope (his′tō-tōp). ヒストトープ（クラスII主要組織適合遺伝子複合体において，T細胞レセプタと関与する部位）．

his·to·tox·ic (his′tō-tok′sik). 組織毒性の（組織の呼吸酵素系に毒性のものについていう）．

his·to·tox·ic an·ox·i·a 組織中毒性無酸素〔症〕（シアン化物によるチトクローム酸化酵素の抑制におけるように，組織の呼吸酸素系の中毒．組織細胞の酸素利用能力が低下するため，動脈血および毛細管血の酸素張力は一般に正常より大きい）．

his·to·tro·phic (his′tō-trō′fik). 組織栄養性の（組織形成のために栄養を与える）．

his·to·tro·pic (his′tō-trō′pik). 組織親和〔性〕の（組織に引きつけられる．特定の寄生体，染料および化合物についていう）．

hitch·hik·er thumb ヒッチハイカー母指（第一中手骨短縮の結果，母指が手の面上で手の橈側縁に直角に変位していること．変形性小人症の特徴的徴候）．

hit·ting the wall 耐久運動を行うために必要な運動力を持続させる体力が急激に低下すること．血液乳酸塩の蓄積および肝臓・筋肉グリコゲン貯蔵量の消耗が関係している．

HIV human immunodeficiency virus(ヒト免疫不全ウイルス)の略．

HIV-1 human immunodeficiency virus-1(ヒト免疫不全ウイルス-1型)の略．

HIV-2 human immunodeficiency virus-2の略．

hives (hīvz). じんま疹（①= urticaria. ②= wheal）．

HIV ex·cep·tion·al·ism HIV例外主義（公衆衛生よりもHIV感染者のプライバシー保護の方が重要であるとする概念）．

HIV 1 ma·jor (Group M) and HIV 1 out·li·er (Group O) HIV 1主系統(グループM)およびHIV 1分類外(グループO)（HIV-1の変異形）．

HIV was·ting syn·drome HIV消耗性症候群．= wasting syndrome.

hK3 human glandular kallikrein 3の略．

HL-7 Health Level 7(ヘルスレベル7)の略．異なるデジタルシステム間のコミュニケーションを容易化する医学情報科学標準．

HLA com·plex HLA複合体（ヒトにおける主要組織適合抗原を支配する遺伝子複合体）．

HLA typ·ing HLAタイピング（レシピエントとなる患者が，臓器提供可能なドナーのHLA抗原に対して抗体を有するか否かを決定するために行われる試験．抗体が存在するならば，移植片は直ちに拒否されることを意味する).

HMB-45 HMB-45 (悪性黒色腫やメラノサイト由来の他の腫瘍に存在するプレメラノソームの糖蛋白に対する抗体).

HMD hyaline membrane disease の略.

HME human monocytic ehrlichiosis の略.

HMG CoA-re·duc·tase in·hib·i·tors HMG-CoA 還元酵素阻害薬 (コレステロールの生合成を阻害する薬物. 高脂血症の治療に用いられる).

HMO hypothetical mean organism; health maintenance organization; hospital medical officer の略.

HMWK high molecular weight kininogen の略.

HN ナイトロジェンマスタードを表す NATO コード.

H_2O 水の元素記号.

Ho ホルミウムの元素記号.

Hoag·land sign ホーグランド徴候 (伝染性単球増加症の場合の眼瞼の浮腫).

hoarse (hōrs). 嗄声の, かれ声の.

hob·nail cell ホブネイル細胞 (〔透〕明細胞腺癌に特徴的な細胞. 新生した尿細管腔の全周にわたり, 明調な細胞質が突出してくるが, 核を含んでいる細胞の基底膜側部分は狭い).

hob·nail liv·er 鋲釘肝 (Laënnec 肝硬変における瘢痕組織の収縮および肝細胞再生のために肝臓の表面が結節状となる).

Ho·bo·ken nod·ules ホボーケン小〔結〕節 (臍動脈の外面にある拡張部. →Hoboken valves).

Ho·bo·ken valves ホボーケン弁 (臍動脈管腔へのひだ様の突出で, 臍帯内でその走行に従ってねじれるかよれている).

Hodge pes·sa·ry ホッジペッサリー (子宮後屈を治すための, 二重曲線の長楕円形ペッサリー).

Hodg·kin dis·ease ホジキン病 (初期にはしばしば頸部リンパ節の慢性的腫脹, そして全身のリンパ節に広がり脾臓腫大, しばしば肝臓腫大を伴うことを特徴とする疾患. 明確な白血球増加はないが, 貧血および弛張熱または持続熱 (Pel-Ebstein 熱) がある. 本疾患は幼若化したリンパ球の悪性新生物と考えられ, その奇妙な特異的形態 (Reed-Sternberg 細胞) がリンパ球・好酸球の炎症性浸潤と線維化とともにみられる. リンパ球優勢型, 小結節硬化型 (この 2 つの型は予後が良い), 混合細胞性型, リンパ球枯渇型 (この型は最も予後が悪い) に分類される. 同様の疾患は飼いならされたネコにもみられる).

Hodg·kin sar·co·ma ホジキン肉腫 (ホジキン病のリンパ球減少型).

Hodg·son dis·ease ホジュソン病 (大動脈弁閉鎖不全症に合併する大動脈弓の拡張).

ho·do·scope (hō'dō-skōp). ホドスコープ (磁界における荷電粒子を追いかけるためにデザインされた道具).

Hof·fa op·er·a·tion ホッファ手術 (先天性股関節脱臼に対しまれに用いられる手術法で, 大腿骨の上端部に付着する筋肉を切断した後に寛骨を掘削し, 大腿骨骨頭を整復する方法).

Hoff·mann mus·cu·lar at·ro·phy ホフマン筋萎縮. = spinal muscular atrophy, type I.

Hoff·mann phe·nom·e·non ホフマン現象 (テタニーにおける感覚神経の, 電気的・機械的刺激に対する過度の興奮性).

Hoff·mann sign, Hoff·mann re·flex ホフマン徴候 (①潜伏テタニーの場合, 三叉神経を軽く機械的に刺激すると激しい疼痛が起こる. ②指の末節骨の手掌表面をはじくと, 母指の末指節の屈曲と 1 本またはそれ以上の指の第二・第三指節の屈曲が起こる. = digital reflex; Hoffmann reflex).

Hof·mei·ster op·er·a·tion ホーフマイスター手術 (小弯の一部を縫合閉鎖し, 空腸へ結腸後で吻合する部分的胃切除術).

Hog·ben num·ber ホグベン数 (特異な個人識別数で, 生年月日, 性, 出生地, その他の識別性状を一連の数字を用いて示すもの. Hogben 数は多くのプライマリケア機関での識別数の基本となっており, 多くの記録連動システムで用いられている).

hog·weed (hawg'wēd). = broom.

hol·an·dric (hol-an'drik). 限雄性の (Y 染色体上の遺伝子についていう).

hol·an·dric gene 限雄性遺伝子. = Y-linked gene.

ho·lism (hō'lizm). 全体論 (①有機体あるいはその行動の 1 つは単に部分の総和と等しいのではなく, 1 つの全体としてとらえ, 研究されなければならないという主義. ②心理現象をそれ自体 1 つの完全な単位として分析する研究方法).

ho·lis·tic (hō-lis'tik). 全体論の (全体論または全体論的心理学の特徴に関する).

ho·lis·tic care ホリスティックケア (人間の全体, つまり, 身体的, 心理的, 感情的, 精神的側面全てを含めたケア. ホリスティック医学).

ho·lis·tic med·i·cine 全体論的医学. = holistic care.

Hol·len·horst plaques ホレンホースト斑 (網膜細動脈の, 橙黄色の光ったじゅく状塞栓で, コレステリン結晶を有し, 頸動脈ないし大血管で生じる).

hol·low (hol'ō). 凹窩, 陥凹, くぼみ.

hol·low bone 含気骨. = pneumatic bone.

hol·low-cath·ode lamp 中空陰極ランプ (金属の陰極と不活性ガスからなるランプ. 特定波長の線スペクトルを出すことができる. 原子吸光測光法に使用する).

hol·ly·hock (hol'ē-hok). = althea.

Holmes-A·die pu·pil ホームズ-アーディー瞳孔. = Adie syndrome.

Holmes-A·die syn·drome ホームズ-アーディー症候群. = Adie syndrome.

Holmes stain ホームズ染色〔法〕(神経線維のための硝酸銀染色).

Holm·gren wool test ホルムグレン試験 (色覚異常の検査. 被験者は様々に着色された毛糸の束を組み合わせる).

hol·mi·um (Ho) (hol'mē-ŭm). ホルミウム (希土類元素の 1 つ. 原子番号 67, 原子量 164.93032).

holo- 全体, または全体への関係を意味する連結形.

hol·o·blas·tic (hol′ō-blas′tik). 全割性の（分割に卵の全体が巻き込まれる状態）.

hol·o·cord (hol′ō-kōrd). 全脊髄の（延髄と脊髄の境界から脊髄円錐まで，脊髄全体についての）.

hol·o·crine (hol′ō-krin). 全分泌の（→ holocrine gland）.

hol·o·crine gland ホロクリン腺，全分泌腺（メロクリン腺とは対照的に，分泌物が崩壊した腺細胞も含む腺．例えば皮脂腺）.

hol·o·di·a·stol·ic (hol′ō-dī-ă-stol′ik). 汎拡張期の，全拡張期の（心拡張全期に関する，またはその時間を占めることについていう）. = pandiastolic.

hol·o·en·dem·ic (hol′ō-en-dem′ik). 全域地方病〔性〕の（全住人に対する地方流行病）.

hol·o·en·zyme (hol′ō-en′zīm). ホロ酵素（完全な酵素．すなわち，アポ酵素と補酵素，補因子，金属イオンおよび（または）補欠分子族とを合わせたもの）.

hol·o·gram (hōl′ō-gram). ホログラム（波面再生によって再現され，感光板に記録されている像．三次元画像）.

hol·o·gyn·ic (hol′ō-jin′ik). 限雌性の（女性だけにはっきりみられる特徴についていう）.

hol·o·pros·en·ceph·a·ly (hol′ō-pros-en-sef′ă-lē). 全前脳症（単一前脳半球または葉が存在すること．最も重症な型では単眼症が起こる．正中顔面発育の障害をしばしば伴う）.

hol·o·ra·chis·chi·sis (hol′ō-rā-kis′ki-sis). 全脊椎裂（脊柱全体が二分脊椎になっていること）.

hol·o·sys·tol·ic (hol′ō-sis-tol′ik). 汎収縮期の，全収縮期の. = pansystolic.

Hol·ter mon·i·tor ホルター監視（磁気テープに心電図信号を長時間連続的に非拘束状態で記録する技術．他の方法では認知されない可能性のある，有意であるが持続の短い変化をスキャンし，選択する．ADLが正常な患者に用いる）.

Holt·house her·ni·a ホールトハウスヘルニア（鼡径靱帯に沿って腸の係蹄が伸展している鼡径ヘルニア）.

holy this·tle = blessed thistle.

Ho·mans sign ホーマンズ徴候（膝を曲げたまま，くるぶしをゆっくり静かに背屈するとき，ふくらはぎに痛みを感じれば，脚静脈の初期あるいは慢性の血栓症が示唆される）.

hom·ax·i·al (hōm-ak′sē-ăl). 等軸性の，同軸性の（球のようにすべての軸が等しい）.

H.O.M.E. (hōm). hand-over-mouth exercise の略.

home-based med·i·cal trans·crip·tion 在宅医療転写（医療記録転写士が，病院ではなく自宅で転写するシステム．このような転写士は，従業員のこともあれば個人請負のこともある）.

home health care 在宅医療（医療機関ではなく患者の自宅で行われるケア．通常，看護師，在宅保健助手，その他の専門家が定期的に訪問して行う）.

home·less per·son ホームレス（定住所のない人を表す口語表現．このような人は一般的に医療を受ける機会が少なく，しばしば複数の心理的・身体的疾患，および依存症に侵されている．郵便を送付する住所のないことからフォローアップが困難となり，慢性疾患の患者は病を抱えたまま悪化していく．感染症患者（例えば結核）の場合には他者への感染の恐れも続くことになる）.

home main·te·nance as·sist·ance 在宅維持援助（患者の自宅で患者や顧客にサービスを提供すること．通常，手段的日常生活動作（IALD）や病気の経過に問題がある場合に行われる）.

homeo- 同じ，似ている，を意味する連結形. → homo-（1）.

ho·me·o·met·ric au·to·reg·u·la·tion 同尺性自己調節（心筋の長さの変化すなわちFrank-Starling曲線に依存しない内因性の心収縮強度の調節機構で，例えば後負荷が増加するに伴い強度の増加するAnrep効果，および心拍数が増加するに従い強度の増加するBowditch効果にもよらず，かつ交感神経刺激やノルエピネフリン刺激によって強度の増加する外因性の調節にも依存しない）.

ho·me·o·mor·phous (hō′mē-ō-mōr′fŭs). 類似形態の（類似した形をもつが，必ずしも組成は同一ではない）.

ho·me·o·path (hō′mē-ō-path). = homeopathist.

ho·me·o·path·ic (hō′mē-ō-path′ik). ***1*** ホメオパシーの. = homeotherapeutic（1）. ***2*** ホメオパシーで用いられるような，薬理作用のある物質のごく少量をいう．より一般的には，薬物の期待される効果を発揮するにはあまりにも少なすぎると考えられる用量をいう. *cf.* pharmacologic（2）; physiologic（4）.

ho·me·op·a·thist (hō′mē-op′ă-thist). ホメオパシスト（ホメオパシーの医師）. = homeopath.

ho·me·op·a·thy (hō′mē-op′ă-thē). ホメオパシー（Samuel Hahnemannが考えた治療体系．〝類似物の法則〟とよばれる，格言〝類似物をもって類似症は治癒される〟〝火には火をもって闘う〟に基づく治療方法．健康人に対してある種の症状を惹起する薬剤はかなり少量であっても，その症状に類似した症状をもつ疾病の治療に有効であろうと考える）.

ho·me·o·pla·si·a (hō′mē-ō-plā′zē-ă). 同〔質〕形成，同組織新生（以前存在していた組織と同じ性質をもった新しい組織を形成すること）.

ho·me·o·plas·tic (hō′mē-ō-plas′tik). 同〔質〕形成の，同組織新生の.

ho·me·o·sta·sis (hō′mē-ō-stā′sis). ホメオスタシス，恒常性（①種々の機能や体液，組織の化学的組成についての身体の平衡状態（対抗する力間の釣合い）．②このような身体的平衡が維持される過程）.

ho·me·o·stat·ic (hō′mē-ō-stat′ik). 恒常性の.

ho·me·o·ther·a·peu·tic (hō′mē-ō-thār-ă-pyū′tik). ***1*** = homeopathic（1）. ***2*** 類似療法の.

ho·me·o·ther·a·py, ho·me·o·ther·a·peu·tics (hō′mē-ō-thār′ă-pē, -thār-ă-pyū′tiks). 類似療法（ホメオパシーの原理を利用する疾病の治療や予防）.

ho·me·o·ther·mic (hō′mē-ō-thĕr′mik). 恒温

動物の（恒温動物に関する，恒温動物の特徴をもつ）．= hematothermal.

homo- *1* 同じ，似ている，を意味する連結形．Hetero- の対語．→homeo-．*2* 化学において，原子鎖のなかに炭素原子が１つ挿入されることを表す接頭語．

ho·mo·bi·o·tin (hō′mō-bī′ō-tin)．ホモビオチン（ビオチンに類似の化合物であるが，硫黄の代わりに酸素原子が置換し，側鎖にさらに CH_2 基が存在する．活性ビオチン拮抗物質）．

ho·mo·blas·tic (hō′mō-blas′tik)．同胚葉性の（組織の１つの型から発達したことについていう）．

ho·mo·car·no·sine (hō′mō-kahr′nō-sēn)．ホモカルノシン（脳の構成成分で，L-ヒスチジンと γ-アミノ酪酸から生合成される）．

ho·mo·car·no·sin·o·sis (hō′mō-kahr′nō-sēn-ō′sis)．ホモカルノシン症（先天性の代謝病．ホモカルノシンが特に髄液中で著高値を呈する）．

ho·mo·cit·rul·li·nu·ri·a (hō′mō-sit′rū-li-nyūr′ē-ă)．ホモシトルリン尿症（尿中ホモシトルリンの上昇を伴う遺伝疾患）．

ho·mo·cys·te·ine (hō′mō-sis′tē-ēn)．ホモシステイン（システインの同族体．メチオニンの脱メチル化によりつくられ，L-メチオニンから L-シスタチオニンを経て L-システインが生合成されるときの中間代謝産物である．血清値の上昇はアテローム性動脈硬化症のリスクを増加する）．

homocystinaemia [Br.]. = homocystinemia.

ho·mo·cys·tine (hō′mō-sis′tēn)．ホモシスチン（ホモシステインを静かに酸化すると生じる二硫化物．シスチンの同族体）．

ho·mo·cys·ti·ne·mi·a (hō′mō-sis-ti-nē′mē-ă)．ホモシスチン血症（ホモシスチン尿症のときに，血漿中にホモシスチンが過剰に存在すること）．= homocystinaemia.

ho·mo·cy·to·tro·pic (hō′mō-sī-tō-trō′pik)．同種細胞親和〔性〕の（同一のまたは密接に関連した種の細胞に対して親和性をもつことについていう）．

ho·mo·cy·to·tro·pic an·ti·bod·y 同種細胞親和抗体（同種または近縁種の組織（特に肥胖細胞）に対して親和性をもち，この抗体が特異抗原と反応すると，この抗体の吸着した細胞から化学伝達物質を放出させアナフィラキシーを起こす IgE 型の抗体）．= reaginic antibody.

ho·mo·dont (hō′mō-dont)．同形歯（ワニの歯のように，すべての歯の形が似ていること）．

ho·mo·ga·met·ic (hō′mō-gă-met′ik)．同形配偶子の（性染色体に関して一型のみの配偶子を生じることについていう．ヒトや多くの動物においては雌が同形配偶子）．= monogametic.

ho·mog·a·my (hō-mog′ă-mē)．ホモガミー，雌雄同熟（ある特性において，雌雄が同じであること）．

ho·mo·ge·ne·ous (hō′mō-jē′nē-ŭs)．均質の，ホモジェナス（全体の構造や組成が均一であることについていう）．

ho·mo·ge·ne·ous ra·di·a·tion 均質放射線（ほとんど同じ波長，同じエネルギー，一種のみの粒子よりなる放射線）．

ho·mo·ge·ne·ous sys·tem 均一系（化学において，機械的に分離することができない部分で，全体が均一で，各部分の物性が同一であるもの．例えば水における塩化ナトリウム溶液）．

ho·mo·gen·e·sis (hō′mō-jen′ĕ-sis)．ホモゲネシス，同種発生（両親と似ている子孫ができること．ヘテロゲネシスとは異なる）．

ho·mog·e·nous (hō-moj′ĕ-nŭs)．〔歴史的〕相同の（共通の祖先から派生しているため，同一の構造をもつことについていう．一般に homogeneous と混同されることがよくある）．

ho·mo·gen·tis·ic ac·id ホモゲンチシン酸（L-フェニルアラニンおよび L-チロシンの異化中間体．アルカリで，空気によって急速に酸化し，キノンとなり，重合してメラニン様物質となる．アルカプトン尿症患者では，その濃度の上昇がみられる）．= alcapton; alkapton.

ho·mo·gon·ic life cy·cle ホモゴニー生活環（自由生活世代ももつある生物（例えば糞線虫 *Strongyloides stercoralis*）の寄生生活世代の生活環）．

ho·mo·graft (hō′mō-graft)．同種移植〔片〕．= allograft rejection.

ho·mo·lat·er·al (hō′mō-lat′ĕr-ăl)．同側性の．= ipsilateral.

ho·mol·o·gous (hŏ-mol′ō-gŭs)．*1* 相同性の（生物学や動物学において，発生的根源で同じで，必ずしも機能は類似していなくても構造がある程度類似している器官や部分についていう）．*2* 同族の（化学において，数の増加だけが異なる単一の化学系統についていう）．*3* 相同の（遺伝学において，その構造や遺伝子に関して同一の染色体やその部分についていう）．*4* 同種の（免疫学において，同種の集団から得た血清や組織，あるいはそれを産出した抗原に関する抗体についていう）．

ho·mol·o·gous chro·mo·somes 相同染色体（1 対の染色体）．

ho·mol·o·gous graft = allograft.

ho·mol·o·gous re·com·bi·na·tion 相同組換え（2 個の姉妹染色体間の対応する DNA 部分の交換）．

ho·mol·o·gous stim·u·lus 相同刺激（特定の感覚器官の神経末端にのみ作用する刺激）．

ho·mol·o·gous tu·mor 同種組織腫瘍（発生した部位の組織と同種組織からなる腫瘍）．

ho·mol·y·sin (hō-mol′i-sin)．同種溶血素（感作性溶血性抗体（溶血素）で，同種の動物から得た抗原で感作すると生じる）．

ho·mol·y·sis (hō-mol′i-sis)．同種溶血（同種溶血素と補体による赤血球の溶解）．

ho·mo·mor·phic (hō′mō-mōr′fik)．同形の（大きさや形が類似した２つ以上の構造についていう）．

ho·mon·o·mous (hō-mon′ŏ-mŭs)．同規の（類似した形や構造が，手足の指のように系列的に並列して配置されている部分についていう）．

ho·mon·y·mous (hō-mon′i-mŭs)．同義の（同名の，または同じ語で表されるものについていう．例えば，網膜の対応する部分（左右，上下）

H

など).

hom·on·y·mous dip·lo·pi·a 同名複視（例えば右眼で見る像が，左眼で見る場合に比べて右側に偏位しているようにみえる複視).

hom·on·y·mous hem·i·an·op·i·a 同側〔性〕半盲（各眼の視野(右か左)の視力喪失). = homonymous hemianopsia.

hom·on·y·mous hem·i·an·op·si·a = homonymous hemianopia.

ho·mon·y·mous im·ag·es 同名像（単視軌跡の中心部により近い点からの刺激によって生じる複像).

ho·mo·phil (hō′mō-fil). 同種〔特異〕親和性の（その形成を誘発した特異抗原とのみ反応する抗体についていう).

ho·mo·pho·bi·a (hō′mō-fō′bē-ă). 同性愛恐怖（同性愛の感覚，思考，行動や人に対する不合理な恐怖).

ho·mo·plas·tic (hō′mō-plas′tik). 同種形成性の（形や構造は似ているが，起源が異なる).

ho·mo·plas·tic graft 同種形成性移植片. = allograft.

ho·mo·plas·ty (hō′mō-plas-tē). 同種形成〔術〕，同種移植〔術〕，同種〔組織〕移植〔術〕（同種移植片によって欠損を修復すること).

ho·mo·pol·y·mer (hō′mō-pol′i-mĕr). ホモポリマー（同一系統の基からなる重合体．例えば，ポリリシン，ポリ(アデニル酸)，ポリグルコース).

hom·or·gan·ic (hom′ōr-gan′ik). 同器官由来の（同じ器官または相同器官によってつくられた).

Ho·mo sa·pi·ens ヒト（現生人).

ho·mo·ser·ine (hō′mō-ser′ēn). ホモセリン（セリンより1個余分に CH_2 基をもつ水酸化アミノ酸．L-メチオニンがL-システインに転換するときに形成される).

ho·mo·sex·u·al (hō′mō-sek′shū-ăl). ***1*** 〚adj.〛同性愛の. ***2*** 〚n.〛同性愛者（同性愛に特徴的な関心，行動をもつ人. →gay; lesbian).

ho·mo·sex·u·al in·ter·course 同性愛者同士の性交渉（同性間で行われる，口，手，肛門を使った性的刺激).

ho·mo·sex·u·al·i·ty (hō′mō-sek′shū-al′i-tē). 同性愛（特に思春期以後における同性間の性愛的魅力，活動(性交も含む)).

ho·mo·sex·u·al pan·ic 同性愛パニック（同性愛に関する無意識の葛藤により，急激な不安に襲われること).

ho·mo·ton·ic (hō′mō-ton′ik). 一様緊張の（緊張が均一である).

ho·mo·top·ic (hō′mō-top′ik). 同位置の（身体の同一場所または体部に関する，あるいはその部位に現れる).

ho·mo·type (hō′mō-tīp). 体輻（同一の構造または機能をもつ部分や器官．特に身体の両側にあるものについていう).

ho·mo·typ·ic, ho·mo·typ·i·cal (hō′mō-tip′ik, i-kăl). 体輻をなす（対をなす器官や部分のうちの一方が他方に対して型や形が同じである場合).

ho·mo·va·nil·lic ac·id (HVA) ホモバニリン酸（ヒトの尿中にみられるフェノール．ホモプロトカテチュ酸のメタ位のOH基がメチル化を受けてできる).

ho·mo·zy·gos·i·ty, ho·mo·zy·go·sis (hō′mō-zī-gos′i-tē, -zī-gō′sis). ホモ接合性，同型接合性（同型接合である状態).

ho·mo·zy·gote (hō′mō-zī′gōt). ホモ接合体，同型接合体（同型接合の個体).

ho·mo·zy·gous (hō′mō-zī′gŭs). ホモ接合の，同型接合の（1つまたは複数の対座に同じ対立遺伝子をもつ).

ho·mo·zy·gous by de·scent 血縁による同型接合体（血族結婚で発生する場合があるが，1つの先祖に由来するある1つの遺伝子座に2つの等しい対立遺伝子が存在すること).

ho·mun·cu·lus (hō-mŭngk′yū-lŭs). ホムンクルス（脳の表面の図にその運動野や感覚野が対応する身体の部位を示すために人の図を重ねて示したもの).

hon·ey·comb lung 蜂巣肺（間質性線維症に基づく肺のX線および肉眼的所見で細気管支および末梢気腔の嚢状拡張．好酸球性肉芽腫，サルコイドーシスを含む多数の病気の結果起こる).

hon·ey·comb pat·tern 蜂窩織像（胸部写真あるいはCTにおいてみられる濃く，わずかに不規則な多数の円形の陰影で，肺底部の胸膜に接する部分にみられることが多く，いろいろな原因の慢性間質性線維症による).

Hong Kong in·flu·en·za 香港〔型〕インフルエンザ（血清型がインフルエンザウイルスA型によるインフルエンザで，香港で最初に同定された).

hood (hud). フード（→horizontal laminar flow hood; vertical laminar flow hood). = laminar flow hood.

hook (huk). ***1*** 鉤，かぎ（先端近くが曲がった道具で，部分の固定や牽引に用いる). ***2*** = hamulus.

Hooke law フックの法則（物体の弾性限度を超えないかぎり，物体を伸縮させたり圧縮させる応力は，ひずみ，すなわち生じた長さの変化に比例する).

hook·worm (huk′wŏrm). 鉤虫（吸血線虫の一般名．主として *Ancylostoma* 属(旧世界鉤虫)，*Necator* 属，*Uncinaria* 属からなる. *A. caninum* (イヌ鉤虫)，*N. americanus* (新世界鉤虫)種を含む).

hook·worm dis·ease 鉤虫病（→ancylostomiasis; necatoriasis).

Hoo·ver signs フーヴァー徴候（①仰臥位で寝ている被験者に片脚を挙上させると不随意に他脚の踵に反対圧力がかかる．この脚が麻痺していても，筋力が少しでも保たれていれば，この徴候が出現する．また患者が麻痺肢をもち上げようとすると，麻痺脚に運動が起こるか否かにかかわらず，他脚の踵に反対圧力がかかる．ヒステリーや仮病の場合には存在しない．②横隔膜の平板化による呼吸時の肋骨縁の運動の変化．横隔膜外形の変化を起こす膿胸，その他の胸内状態を示唆する).

Hop·kins rod-lens tel·e·scope ホプキンス

のロッド(杆状)レンズ硬性鏡（古典的レンズ群の間の空気を含むスペースが小さな〝空気レンズ〟によって区分され，末端が磨かれたガラスロッドで置き換えられたテレスコープ(内視鏡，硬性鏡)．この機構はより多くの光を通しより大きな拡大が得られるので，従来のレンズ機構より視野の深さと広さにおいて優れている）．

Hop·mann pap·il·lo·ma ホップマン乳頭腫（鼻粘膜乳頭腫の過剰増殖）．

hor·de·o·lum (hōrʹdēʹō-lŭm)．麦粒腫（眼瞼腺の化膿性感染）．= sty; stye.

hor·de·o·lum ex·ter·num 外麦粒腫（睫毛の皮脂腺の炎症）．

hor·i·zon·tal fis·sure of cer·e·bel·lum 〔小脳の〕水平裂（小脳の係蹄小葉を上半月小葉(crus I)と下半月小葉(crus II)に2大別している水平な裂溝）．

hor·i·zon·tal heart 水平心（心電図上，心臓の電気軸が水平の位置にある心臓．心電図では，電気軸は−30°と+30°の間に位置する）．

hor·i·zon·tal lam·i·nar flow hood 水平層流フード（層流フードの一種．無菌環境を維持するため，空気がフィルターを通し使用者へと水平に押し出される）．

hor·i·zon·tal la·ryn·gec·tomy 喉頭水平切除術．= partial laryngectomy.

hor·i·zon·tal max·il·lar·y frac·ture 上顎骨水平骨折（歯尖の上，上顎骨の基底で起こる水平骨折）．= Guérin fracture; Le Fort I fracture.

hor·i·zon·tal o·ver·lap 水平被蓋（水平方向で，対合歯に対して，上顎の前歯および(または)臼歯が突出すること）．= overjet; overjut.

hor·i·zon·tal plane 水平面（水平線に平行な相対的な面．解剖学的正位では，水平面とは横断面のことである．仰臥位または腹臥位では，水平面は前頭面(環状面)となる）．

hor·i·zon·tal tear 水平断裂（関節軟骨が骨の長軸方向にほぼ垂直に裂けること）．

hor·i·zon·tal trans·mis·sion 水平伝播（垂直伝播とは対照的に，病原体が感染した個体から感染性のあるヒトに伝播すること）．

hor·mo·nal (hōr-mōnʹăl)．ホルモン〔性〕の（*cf.* bioregulator）．

hor·mo·nal gin·gi·vi·tis ホルモン性歯肉炎（ホルモンの変調により，歯垢に対する生体の応答性が変化して発症すると考えられる歯肉炎．思春期，妊娠中，経口避妊薬服用中，あるいは閉経期にみられることが多い）．= pregnancy gingivitis.

hor·mone (hōrʹmōn)．ホルモン（組織や器官でつくられ，血液によって運ばれる化学物質．1つ以上のほかの組織や器官の成長や機能を刺激あるいは阻害する）．

hor·mone re·place·ment ther·a·py (HRT) ホルモン補充療法．= estrogen replacement therapy.

hor·mo·no·gen·e·sis (hōrʹmō-nō-jenʹĕ-sis)．ホルモン生成，ホルモン発生．= hormonopoiesis.

hor·mo·no·gen·ic (hōrʹmō-nō-jenʹik)．ホルモン生成の．= hormonopoietic.

hor·mo·no·poi·e·sis (hōrʹmō-nō-poy-ēʹsis)．= hormonogenesis.

hor·mo·no·poi·et·ic (hōrʹmō-nō-poy-etʹik)．= hormonogenic.

horn (hōrn)．角（角状の構造の総称）．= cornu (1).

Hor·ner pu·pil ホルナー(ホルネル)瞳孔（瞳孔散大筋への交感神経支配の障害による縮瞳．→Horner syndrome）．

Hor·ner syn·drome ホルナー(ホルネル)症候群（交感神経麻痺側の眼瞼下垂，縮瞳，無汗症．眼球陥没は実際よりも顕著である．障害された瞳孔は光を暗くするとかなりゆっくり散瞳する．頸部交感神経連鎖またはその中枢経路の障害による）．

Hor·ner teeth ホーナー歯（形成不全溝が水平に走行している切歯）．

Hor·ner-Tran·tas dots ホルナー-トランタス斑（春季カタルの球粘膜に生じる，一過性白色の細胞浸潤）．

horn·y (hōrnʹē)．角形の，角質の（角の性質や形態をもった）．= corneous; keratic; keratinous (2); keratoid (1); keroid.

horn·y la·yer 角質層．= stratum corneum epidermidis.

hor·rip·i·la·tion (hoʹrip-i-lāʹshŭn)．鳥肌，鵞皮（立毛筋の収縮で細い毛が起立すること）．

horse chest·nut セイヨウトチノキ，マロニエ（学名 *Aesculus hippocastanum*．セイヨウトチノキの実は，調理後，液体に加工され使用される．液体は強壮剤，麻酔薬として効果があるとされている）．

horse·rad·ish per·ox·i·das·es ホースラディシュ(西洋ワサビ)ペルオキシダーゼ（免疫組織化学において，抗原抗体複合体の標識化に用いる酵素）．

horse·shoe fis·tu·la 馬蹄型フィステル(瘻)（肛門を部分的に取り囲んでいる肛門瘻で，両端で皮膚表面に開いている）．

horse·shoe kid·ney 馬蹄腎（2個の腎臓の下部，ときとして上部が脊椎を横切る組織によって帯状に結合しているもの）．

horse·tail (hōrsʹtāl)．スギナ（学名 *Equisetum arvense*．創傷の治癒やその他内用療法に効果があるとされるハーブ治療薬．使用後の深刻な有害反応が報告されている）．

Hor·te·ga cells オルテガ細胞．= microglia.

Hor·te·ga neu·rog·li·a stain オルテガ神経膠染色〔法〕（数種の炭酸銀による星状細胞，乏突起膠細胞，小膠細胞の証明法の1つ）．

Hor·ton ar·te·ri·tis ホートン動脈炎．= temporal arteritis.

Hor·ton head·ache ホートン頭痛．= cluster headache.

hose (hōz)．脚カバー（脚の形によくあう，薄い脚カバー．医療では循環障害の治療で静脈還流を促進するために使用する．語本来はドイツ語でズボンの意と考えられる(Hos の複数，Hose)．→TED hose）．

hos·pice (hosʹpis)．ホスピス（身体的・心理的・社会的・精神的な世話をすることで，死の間近

H

い人々およびその家族に，苦しみを和らげ，支持的なサービスを主要プログラムとして提供する施設．このようなサービスは家庭と専門の入院施設において，専門家とボランティアの広範なチームによって提供される）．

hos·pi·tal (hos′pi-tăl)．病院（病人や負傷者の診断，治療，看護，疾病の研究，医師，看護師および関連保健従事者の訓練のための医療施設）．

hos·pi·tal-ac·quired in·fec·tion →nosocomial (2)．

hos·pi·tal-based phy·si·cian 病院医師．= hospitalist (1)．

hos·pi·tal bed syn·drome ホスピタル・ベッド症候群（障害を持った患者(一般的に年配の方)が，ベッドの周りが高く仕切られているにも関わらず，なんとかそこから出ようとする現象．興味の喪失，意識障害，または自殺願望に由来する）．

hos·pi·tal in·for·ma·tion syst·em 病院情報システム（医療機関における，多様な情報(治療・非治療・管理データ)を蓄積，操作，検索するための統合的なコンピュータ・システム）．

hospitalisation [Br.]. = hospitalization.

hos·pi·tal·ist (hos′pit-ăl-ist)．病院医師（①専門的活動が主に病院内で行われる医師．例えば，麻酔医，救急医，集中治療医(集中治療専門医)，病理学者，および放射線医師．= hospital-based physician．②プライマリケア医師(病棟医でなく)で，入院患者の観察と治療の責任をもち，患者が退院した後は患者の私的な主治医に帰すことを行う医師）．

hos·pi·tal·i·za·tion (hos′pi-tăl-ī-zā′shŭn)．入院（診断や治療のために患者として病院にはいること）．= hospitalisation.

hos·pi·ta·lize (hos′pi-tăl-īz)．入院させる．

hos·pi·tal rec·ord 入院記録（入院期間の医療記録で，通常，相談医の意見，医師および看護師の観察，治療，および実施したすべての検査や処置などの記録が書かれているもの）．

host (hōst)．宿主（寄生体が寄生し，体の組織やエネルギーを引き出す生物）．

host cell 宿主細胞（媒介者が(例えば細菌を)伝搬することができる細胞）．

hot com·press 温湿布（局部の痛みの軽減または筋肉の弛緩，膿瘍を示すために，体にしっかりと貼られた，暖かい水または生理食塩水に浸したフランネル，あるいはガーゼのパット）．

hot flash, hot flush のぼせ，顔面潮紅（更年期の血管運動症状の1つを表す口語的表現．熱性潮紅のように全身に及ぶこともある）．

hot line ホットライン（医療分野においては，救急サービスに直接つなぐ回線のことをさす）．

hot nod·ule ホットノジュール，陽性像，高摂取結節（周囲の甲状腺実質より放射性ヨウ素の摂取が高い甲状腺結節．通常は良性であるが，ときに甲状腺機能亢進症を起こす）．

hot pep·per = capsicum.

hot spot ホットスポット（突然変異または組換えを高率に起こすと推測される遺伝子部位）．

hot tub dis·ease 温水浴槽病（皮膚および呼吸器の病気のうち，温水浴槽の水に生息する病原菌に関連するもの）．

hot tub fol·lic·u·li·tis 温水浴槽毛嚢炎（長時間温水浴槽に入ることによって，水着に覆われた部分に起こる，掻痒症の丘疹と吹出物．緑膿菌による）．

hot-wire flow-mea·sur·ing de·vice 熱線流量計（流量測定に使用する装置．空気の流れが小さな加熱フィラメント(サーミスタ)上を通過するときの対流冷却効果によって測定する）．

hour·glass con·trac·tion 砂時計〔状〕収縮（胃や妊娠子宮のような空洞臓器の中間部分の狭窄）．

hour·glass mur·mur 砂時計形雑音（2つの最強音部があり，その間で減弱しているような雑音）．

hour·glass stom·ach 砂時計胃（胃壁の中心部に狭窄があり，噴門部と幽門部の2腔に分割している状態）．

house·keep·ing de·part·ment 施設管理部（医療分野においては，患者ではなく，設備の手入れに関与する，病院あるいは長期間の漢語施設内の一機関）．

house·maid's knee 家政婦膝（ひざまずくときに接触する部位に生じる職業性偶発粘液包炎．膝蓋滑液包炎とは異なる）．

house of·fi·cer 病棟医（病院に雇われた医師の免許をもった者で，医学専門分野のトレーニングを受けながら患者サービスを行う者）．

house or·gan 機関紙，社内報（ある企業，あるいは機構(例えば，病院)のニュースを提供する出版物をさす，口語的表現．多くがオンラインサービスやウェブサイトに取って代わられている）．

house phy·si·cian 住み込み医師（施設に駐在しながら，主治医の指導のもと，患者に関与する医師）．

house staff 病棟医（病院で特殊な訓練を受けている内科医や外科医で，所属医の指示のもとに患者の管理をする）．

house·wives' ec·ze·ma 主婦湿疹（掃除の際，洗剤(例えば，強力な石鹸，あるいは収斂剤)の使用によって引き起こされる発疹の，口語的表現）．

Hous·ton-Har·ris syn·drome ヒューストン-ハリス症候群．= achondrogenesis type IA.

How·ell-Jol·ly bod·ies ハウエル-ジョリー〔小〕体（直径約1 μm の球状または卵形の偏在する顆粒で，循環赤血球の胞体内にみられる．脾摘後，巨赤芽球性貧血，高度の溶血性貧血でしばしばみられる）．

How·ship la·cu·nae ハウシップ凹窩（破骨細胞によって骨が吸収されて生じる小さなくぼみ，落込み，または不規則な溝）．= resorption lacunae.

H&P history and physical の略．

HPA ax·is hypothalamic-pituitary-adrenal axis の略．

HPI history of present illness の略．

HPLC high-pressure liquid chromatography; high-performance liquid chromatography の略．

HPV human papilloma virus の略.

HR con·duc·tion time →intraventricular conduction.

HRCT high-resolution computed tomography の略.

H.R.Q.O.L. health-related quality of life の略. → Q.O.L.

HRR high risk register の略.

HRSA Health Resources and Services Administration の略.

HRT hormone replacement therapy の略.

Hru·by lens ルビーレンズ（網膜検査のために細隙灯顕微鏡に装着された非接触型レンズ）.

HSCT hemotopoietic stem cell transplantation（造血幹細胞移植）の略.

hsiang-dan (shahng-dahn). = *Aloe vera*.

HSIL high-grade squamous intraepithelial lesion の略.

HSV herpes simplex virus の略.

5-HT 5-hydroxytryptamine の略.

Ht total hyperopia の略.

HTLV human T-cell lymphoma/leukemia virus の略.

HTLV-I human T-cell lymphotrophic virus type I（ヒトT細胞リンパ球向性ウイルスI型）; human T-cell leukemia virus, type 1（ヒトT細胞白血病ウイルスI型）の略.

HTLV-II human T-cell lymphotrophic virus type II; human T-cell leukemia virus, type 2 の略.

HTLV-III human T-cell lymphotropic virus type III の略. →human immunodeficiency virus.

HTN hypertension の略.

huang chi = *Astragalus*.

hub (hŭb). ハブ（空洞となっている手術針の延長された部分. 取り扱う際のハンドル, 注射器, 輸液チューブ, または他の装置に取り付ける際の接合部としての役割を持つ）.

Hück·kel rule ヒュッケル則（芳香族環での π 電子の数は 4n + 2 個である. n は 0 かまたは正の整数. L-チロシン, L-フェニルアラニン, L-トリプトファン, L-ヒスチジン（そのイミダゾール環が脱プロトン化した場合）は, この法則に従う）.

huck·le·ber·ry (hŭk′ĕl-ber-ē). = bilberry.

Hue·ter ma·neu·ver ヒューター操作（胃管を通す際に, 患者の舌を左手示指で前下方に押さえる方法）.

huff cough·ing ハフ咳（手術後の患者に見られる深呼吸と咳の一種. 患者は前方に寄りかかるときに深く吸気をし,「ハフ」の音とともに急速に息を吐き出す. この動作は分泌物を集め, 気道の開きと通りをよくする）.

Hüf·ner e·qua·tion ヒュフナー式（ミオグロビン解離と酸素分圧の関係を表す式, $([MBO_2]/[Mb]) = (K \times pO_2)$）.

HUGO (hyū′gō). Human Genome Organization の略.

Hull tri·ad ハル三徴（心拡張期奔馬律, 全身浮腫, 小脈圧の合併）.

hum (hŭm). 唸音（低い連続的な雑音）.

hu·man an·ti·he·mo·phil·ic fac·tor ヒト抗血友病因子（正常なヒトの新鮮血漿から採れる第 VIII 因子の凍結乾燥濃縮物で, 血友病の止血薬として用いる）.

hu·man bite ヒト咬傷（ヒトの歯によって引き起こされる傷. ヒトの口腔内には無数の病原菌があるので, 重大な感染を防ぐためには, 徹底的に除菌を行わなくてはならない）.

hu·man ca·lor·i·me·ter 身体（人体）熱量計（種々の水準の身体運動の間に人体が排出する熱量を測定する装置. 閉鎖式空気循環室および被検者を完全に囲んだコイルにはいる水の温度とコイルから出ていく水の温度とを比較する装置からなる）.

hu·man cho·ri·on·ic go·nad·o·tro·pin (hCG) ヒト絨毛性ゴナドトロピン（→chorionic gonadotropin）.

hu·man cho·ri·on·ic so·ma·to·mam·mo·tro·pic hor·mone (HCS) = human placental lactogen.

hu·man com·mu·ni·ca·tion ヒューマン・コミュニケーション（人間の間で, 声や書き物, サイン, ジェスチャーなどで情報を発したり受けたりすること. 聴覚, 触覚, 固有知覚, 視覚系を介して受け取り, 声や話, 書き物, 手まね, ジェスチャーなどの伝えるための言語として知られているシンボルを使用する. 人間の間ではときに前庭覚, 嗅覚, 味覚などを利用する場合もある）.

hu·man dip·loid cell vac·cine ヒトディプロイドセルワクチン（狂犬病ワクチンに対する保護のために用いられるヨード化ウイルスワクチンで, 通常ヒトディプロイドセル WI-38 において調製される）.

hu·man e·col·o·gy 人類生態学（ヒトとその全体的な（生物学的および社会的）環境との関係）.

hu·man e·o·sin·o·phil·ic en·ter·i·tis ヒト好酸球性腸炎（ヒト腸管の区域的な好酸球性炎症. 原因としてはイヌ鉤虫 *Ancylostoma caninum* を疑う必要がある. 検査所見では好酸球増多と IgE 上昇がみられる）.

hu·man gam·ma glob·u·lin ヒト・ガンマグロブリン（健康成人の抗体を含んでいるヒト血漿蛋白製剤. 多数の供血者から集められたヒト血清から得られる）.

hu·man ge·net·ics 人類遺伝学（人類を研究対象とする遺伝学. *cf.* medical genetics）.

Hu·man Ge·nome Or·ga·ni·za·tion (HUGO) ヒトゲノム解析機構（遺伝学者とこれに関連する科学の専門家による国際的組織. 1989 年に設立され, 遺伝の全分岐の解明を目的とする）.

Hu·man Ge·nome Pro·ject ヒトゲノム計画（ヒトゲノムを構成する約 10 万の遺伝子. 30 億塩基対の配列を解読するための世界的規模の分子生物学者による取組み. ゲノムの全塩基配列解読は, Leroy Hood の発明した自動遺伝子塩基配列決定法なしでは実行不可能であっただろう）.

hu·man glan·du·lar kal·li·kre·in 3 (hK3) = prostate-specific antigen.

hu·man gran·u·lo·cyt·ic ehr·lich·i·o·sis

H

(**HGE**) ヒト顆粒球性エールリヒア症（発熱，悪寒，頭痛，関節・筋痛を特徴とする急性感染症で，ときに呼吸器，消化器，肝臓，または全身症状を起こす．病原体は *Anaplasma phagocytophaga* で，マダニによって媒介される．血液学的検査では白血球，血小板の減少がみられる．桑実様体(morulae)と称する増殖状態にある病原体の集塊が血液塗抹標本の好中球中にみられることがある）．

hu·man her·pes·vi·rus 1 ヒトヘルペスウイルス 1（単純ヘルペスウイルス 1 型．→herpes simplex）．

hu·man her·pes·vi·rus 2 ヒトヘルペスウイルス 2（単純ヘルペスウイルス 2 型．→herpes simplex）．

hu·man her·pes·vi·rus 3 ヒトヘルペスウイルス 3. = varicella-zoster virus.

hu·man her·pes·vi·rus 4 ヒトヘルペスウイルス 4. = Epstein-Barr virus.

hu·man her·pes·vi·rus 5 ヒトヘルペスウイルス 5. = cytomegalovirus.

hu·man her·pes·vi·rus 6 ヒトヘルペスウイルス 6（ある種のリンパ球増殖異常でみつかったヘルペスウイルスで，バラ疹(突発性発疹)に関与する）．

human her·pes·vi·rus 7 ヒトヘルペスウイルス 7 型（ヒト T リンパ球から分離されたウイルスで，ほとんどの成人が唾液中に分泌する．疾患との相関性はいまだ明らかにされていない）．

hu·man her·pes·vi·rus 8 ヒトヘルペスウイルス 8（直鎖 2 本鎖 DNA ウイルスで免疫不全者に Kaposi 肉腫を引き起こす．このウイルスに特有な DNA 塩基配列は，HIV 陰性者の KS 検体からも通常同様に検出される．さらに多巣性 Castleman 病や原発性浸出リンパ腫(体腔性リンパ腫)などエイズ患者でみられる珍しいリンパ増殖症候群のいくつかと関連がある）．

hu·man im·mu·no·de·fi·cien·cy vi·rus 2 (HIV-2) ヒト免疫不全ウイルス 2 型（西アフリカにおいて最初に認められ，エイズを引き起こすとされるが，発症ペースが遅く，シミアン・ウイルスとより近い関係であるウイルス．→AIDS）．

hu·man im·mu·no·de·fi·cien·cy vi·rus (HIV) ヒト免疫不全ウイルス（ヒト T リンパ球向性ウイルス III 型．細胞傷害性レトロウイルスで，後天性免疫不全症候群(エイズ)の原因ウイルスである）. = lymphadenopathy-associated virus.

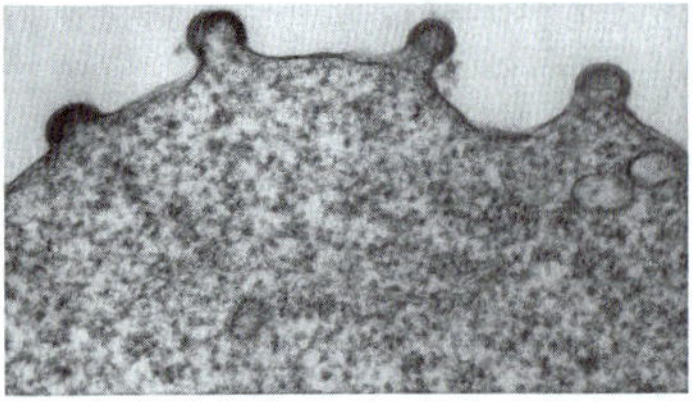

budding of virions from the plasma membrane of an HIV-infected cell

hu·man in·su·lin ヒトインスリン（ヒト膵臓で産生されたインスリンと同じ構造をもつ蛋白であり，組換え DNA 技術や半合成法により生産されたもの）．

hu·man leu·ko·cyte an·ti·gen ヒト白血球抗原（ヒトの第 6 染色体上の少なくとも 4 つの関連した遺伝子座位(A, B, C, D)とヒトの第 6 染色体上に存在する遺伝子亜座位に含まれる遺伝子によって細胞表面に発現する分子の総称．これらの抗原は，ヒトの他家移植，難病患者における輸血，また多因子性遺伝病に大きな影響を呈示していると考えられる．50 以上の対立形質がわかっており，そのほとんどは HLA-A, HLA-B 座位にある．常染色体優性遺伝型をとる）．

hu·man men·o·pau·sal go·nad·o·tro·pin ヒト閉経期尿性ゴナドトロピン（閉経期の女性の尿中に含まれる脳下垂体ホルモンであり，現在では合成されている．排卵誘発に用いられる．→menotropins. *cf.* bioregulator）．

hu·man mo·no·cy·tic ehr·lich·i·o·sis (HME) ヒト単球性エールリヒア症（Ehrlichia chaffeensis によって起こり，ロンスターダニ *Amblyomma americanum* によって伝搬される熱病．ヒト顆粒球性エールリヒア症に似ているが，単球に封入体がみられる点が異なる）．

hu·man pap·il·lo·ma·vi·rus (HPV) ヒト乳頭腫ウイルス（パポバウイルス科 *Papillomavirus* 属に属する DNA ウイルスである．皮膚や外陰部のいぼの原因となる種や，重篤な子宮頸部の上皮内癌や外陰から肛門部の癌，咽頭癌に関与する種もある．DNA の配列相関性から 70 以上の型が同定されている）. = infectious papilloma virus.

hu·man pla·cen·tal lac·to·gen ヒト胎盤性ラクトゲン，ヒト胎盤性乳汁分泌促進因子（ヒトの胎盤から分離されるラクトゲン．生物学的活性はヒト下垂体ホルモンやプロラクチンと類似する．母体の循環系へ分泌される．妊娠中の欠損により子宮内や生後の成長に異常がみられる子供になる．*cf.* bioregulator）. = chorionic growth hormone-prolactin; human chorionic somatomammotropic hormone; placental growth hormone.

hu·man plas·ma pro·tein frac·tion ヒト血漿蛋白分画（成人供血者の血漿から得られる蛋白を精選したものの滅菌溶液．100 mL 中に蛋白を 4.5—5.5 g 含み，そのうち 83—90% はアルブミン，残りは α- および β-グロブリンである．血液量担荷体として用いる）．

hu·man T-cell lym·pho·ma/leu·ke·mi·a vi·rus (HTLV) ヒト T リンパ球指向性/T 細胞白血球ウイルス（オンコウイルス亜科，レトロウイルス科に属するウイルス類．ヘルパー/誘導因子細胞における T リンパ球の一部に対する，選択的親和性を伴った指向性があり，成人 T 細胞白血病やリンパ腫を付随する）．

hu·mec·tant (hyū-mek′tănt). ***1*** 〖adj.〗湿潤性

の. *2* 〖n.〗 湿潤効果を得るために用いる物質(例えば, グリセリン溶液など).

hu·mer·al (hyū′mĕr-ăl). 上腕骨の.

hu·mer·al joint = shoulder joint.

hu·mer·o·ra·di·al (hyū′mĕr-ō-rā′dē-ăl). 腕橈骨の (上腕骨と橈骨の両方に関する. 特にそれぞれの長さの比を表す).

hu·mer·o·ra·di·al joint 腕橈関節 (上腕骨小頭と橈骨頭の間にある関節で, 肘関節の一部).

hu·mer·o·scap·u·lar (hyū′mĕr-ō-skap′yū-lăr). 上腕肩甲の (上腕骨と肩甲骨の両方に関する).

hu·mer·o·ul·nar (hyū′mĕr-ō-ŭl′năr). 腕尺骨の, 腕尺の (上腕骨と尺骨の両方に関する. 特にそれぞれの長さの比を表す).

hu·mer·o·ul·nar joint 腕尺関節 (上腕骨滑車と尺骨滑車切痕の間にある関節で, 肘関節の一部).

hu·mer·us, gen. & pl. **hu·mer·i** (hyū′mĕr-ŭs, -ī). 上腕骨 (上部は肩甲骨と, 下部は橈骨および尺骨と関節でつながる).

hu·mid·i·fi·er (hyū-mid′i-fī-ĕr). 加湿器 (空気中の水分を増加させる装置).

hu·mid·i·ty (hyū-mid′i-tē). 湿度 (空気の水分または湿気).

Hum·mels·heim op·er·a·tion フンメルシャイム手術 (麻痺した筋肉の代わりに健全な眼直筋を移植すること).

Hum·mels·heim pro·ce·dure フンメルシャイム法 (上・下直筋の腱を分割し外側に移動させることにより, 第六脳神経麻痺による眼球偏位を矯正する術式).

hu·mor, gen. **hu·mor·is** (hyū′mŏr, hyū-mōr′is). *1* 液 (澄んだ液体または液体様硝子質). *2* 体液 (Hippocrates 学派の生理学的および病理学的教義の基礎となる基本体液, すなわち血液, 黄胆汁, 黒胆汁, 粘液の1つ).

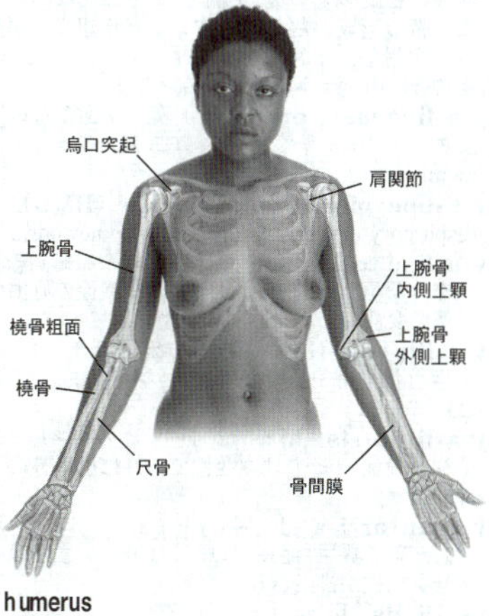

烏口突起
肩関節
上腕骨
上腕骨
内側上顆
橈骨粗面
上腕骨
外側上顆
橈骨
尺骨
骨間膜

humerus

hu·mor·al (hyū′mŏr-ăl). 体液〔性〕の, 液性の, 液素性の (あらゆる意味の体液についていう).

humoral hypercalcaemia of benignancy [Br.]. = humoral hypercalcemia of benignancy.

hu·mor·al hy·per·cal·ce·mi·a of be·nig·nan·cy 良性体液性高カルシウム血症 (良性腫瘍の副甲状腺ホルモン様の蛋白によって起こる高カルシウム血症). = humoral hypercalcaemia of benignancy.

hu·mor·al im·mu·ni·ty 体液〔性〕免疫 (血中抗体による免疫. 細胞性免疫と対照をなす).

hu·mor·al reg·u·la·tor 体液性調節因子 (血液が体液を通って活性に対するターゲットと接触することにより作用発現する物質).

humour [Br.]. = humor.

hump (hŭmp). こぶ (丸い隆起または膨らみ).

hump·back (hŭmp′bak). 円背, ねこ背 (kyphosis(脊柱後弯症), gibbus(突背)に対する非医学用語).

hun·ger (hŭng′gĕr). 飢餓, 空腹 (①食物に対する欲望や切望. ②あらゆる種類の渇望).

hun·ger con·trac·tions 飢餓収縮 (空腹痛に関連した胃の強い収縮).

hun·ger pain 空腹痛 (空腹時に心窩部に感じる痛み).

Hung meth·od ハング法. = Wilson method.

Hun·ner ul·cer ハナー潰瘍 (慢性間質性膀胱炎のとき膀胱壁のすべての層を侵す局所性でしばしば多発性の病変. 表層の上皮は炎症によって破壊され, 初期には青白い病変も膀胱の拡張とともにひび割れが起こり出血が起こる).

Hun·ter ca·nal ハンター管. = adductor canal.

Hun·ter op·er·a·tion ハンター手術 (動脈瘤に対して中枢側と末梢側で動脈を結紮する手術).

Hun·ter syn·drome ハンター症候群 (イズロネートスルファターゼの欠損を特徴とするムコ多糖類代謝の障害で, 尿中へのデルマタン硫酸とヘパリチン硫酸の排泄を伴う. 臨床的に Hurler 症候群に類似するが, 骨格変化がより重くないこと, 角膜混濁がないこと, および X 連鎖劣性遺伝により区別される. X 染色体長腕にあるイズロネートスルファターゼ(IDS)遺伝子の突然変異により生じる).

Hun·ter-Thomp·son dwarf·ism ハンター-トンプソン小人症 (四肢遠位の短縮を特徴とする重篤な末端小人症. 上肢に比べて下肢の短縮が著しく, しばしば肘, 膝, 殿部の脱臼と関係する. 第 20 染色体長腕の軟骨誘導形態発生蛋白 1 (CDMP1)の突然変異による, 常染色体劣性遺伝).

hun·ting re·sponse 不規則応答 (氷を当てている間や, 全身低体温にしたときに 1 肢またはそれ以上の四肢で起こる, 血管拡張と血管収縮が交互に起こる現象).

Hun·ting·ton cho·re·a ハンティングトン舞踏病 (通常 30—40 歳で発症する神経変性疾患で, 舞踏病と痴呆を特徴とする. 病理学的には, 両側の被殻と尾状核頭の高度の萎縮がみられる. 完全な表現率をもつ常染色体優性遺伝. 第 4 染色体短腕の Huntington 遺伝子のトリヌクレオチド反復の伸張を伴う変異が原因である). = hereditary chorea.

Hunt neu·ral·gi·a ハント神経痛. = geniculate neuralgia.

Hunt par·a·dox·ic phe·nom·e·non ハント逆現象（変形性筋失調症において足が背側痙攣を起こしているとき，足を底屈しようと試みると，伸筋または背側痙縮の増加だけが起こる．しかし，すでに強い背屈状態にある足を患者に伸展するようにいうと，底屈の動作がすぐに起こる．これに準じた現象は，強い底屈の状態があるときにみられる).

Hunt syn·drome ハント症候群（①四肢より始まる意図振せんで，次第に増強し身体の他の部位に波及する．②顔面神経麻痺，耳痛，帯状疱疹で第七脳神経および膝状神経節のウイルス感染による．③若年性振せん麻痺の一型で，淡蒼球系の一次萎縮を伴う). = Ramsay Hunt syndrome(1).

Hur·ler syn·drome ハーラー症候群（ムコ多糖体沈着症で，α-L-イズロニダーゼの欠損，異常な細胞内物質の蓄積，尿中へのデルマタン硫酸と硫化ヘパラン酸の排泄がみられる．骨格軟骨および骨の重篤な発育異常で，小人症，脊柱後弯症，変形四肢，関節運動の制限，スペード様手掌，角膜混濁，肝脾腫大，精神遅滞，およびガーゴイル様顔貌を伴う).

Hurst dis·ease ハースト病. = acute necrotizing hemorrhagic encephalomyelitis.

Hürth·le cell ad·e·no·ma ヒュルトレ細胞腺腫（ミトコンドリアの豊富な好酸性の細胞質を特徴とするまれな甲状腺腫瘍．広範な転移を伴い悪性であることも多い．放射性ヨードはほとんど取り込まない). = oncocytic adenoma.

Hürth·le cell car·ci·no·ma ヒュルトレ細胞癌. = Hürthle cell tumor; oncocytic carcinoma; oxyphilic carcinoma.

Hürth·le cell tu·mor ヒュルトレ細胞腫（多面体好酸性細胞からなる甲状腺の新生物で，これを腫瘍細胞と考える人もいる．良性と悪性の場合とがある．悪性度は，胞状か乳頭状か，あるいは未分化などの一般的顕微鏡所見による．→Hürthle cell adenoma) = Hürthle cell carcinoma.

Hutch·in·son cres·cen·tic notch ハッチンソン半月状切痕（Hutchinson 歯の切縁の半月状切痕．先天梅毒で認められることがある).

Hutch·in·son fa·ci·es ハッチンソン顔〔貌〕(外眼筋麻痺のための眼球不動，眼瞼下垂によって生じる独特の顔貌).

Hutch·in·son frac·ture ハッチンソン骨折（橈骨茎状突起骨折). = chauffeur's fracture.

Hutch·in·son freck·le ハッチンソンそばかす. = lentigo maligna.

Hutch·in·son-Gil·ford dis·ease ハッチンソン-ギルフォード病. = progeria.

Hutch·in·son in·ci·sors = Hutchinson teeth.

Hutch·in·son pu·pil ハッチンソン瞳孔（第三脳神経の異常として，しばしばテント切痕を介しての側頭葉の小脳虫部のヘルニアによる瞳孔の散瞳状態).

Hutch·in·son teeth ハッチンソン歯（先天梅毒に特有の歯．切縁に切痕があり，歯冠の切縁部幅が歯頸部より狭い．→Hutchinson crescentic notch). = Hutchinson incisors.

Hutch·in·son tri·ad ハッチンソン三徴（実質性角膜炎，迷路疾患，Hutchinson 歯．先天梅毒を示唆する).

Hux·ley lay·er ハックスリー層（毛包の内毛根鞘のクチクラと Henle 層の間に存在する細胞層).

Huy·gens prin·ci·ple ホイヘンスの原理（超音波技術で用いる．いかなる波動現象も位相と振幅を適切に選んだ多くの単純な波源の集合として解析できるという原理).

HVA homovanillic acid の略.

HV con·duc·tion time →intraventricular conduction.

HVES high volt electrical stimulation の略.

HV in·ter·val HV 間隔（His 束(H)電位の最初の振れから心室活動開始までの時間．通常は 35—45 msec).

HVL half-value layer の略.

hy·a·lin (hī′ă-lin). ヒアリン，硝子質（細胞が変性した際にみられる透明な，好酸性均一物質．例えば，小動脈硬化症の細動脈壁や糖尿病性糸球体硬化症の糸球体にみられる).

hy·a·line (hī′ă-lēn). ヒアリンの，硝子質の，硝子様の（無色あるいは透明な). = hyaloid.

hy·a·line bod·ies ヒアリン体（上皮細胞の細胞質内にある均質な好酸性封入体．腎尿細管内では，内腔から再吸収された蛋白の小滴を示す．→Mallory bodies; drusen).

hy·a·line car·ti·lage 硝子軟骨（凍結したようなガラス状の外観をもつ軟骨で，その細胞間質は繊細なコラーゲン線維を含んでいる).

hy·a·line de·gen·er·a·tion ヒアリン変性（種々の細胞および組織を侵す変性過程の一群．均質，半透明，屈折性で，中程度から強度の好酸性の物質の丸い塊(小滴)，または比較的幅の広い帯の形成が起こる．古い線維性組織，細動脈の平滑筋，子宮の膠原に起こることもあり，実質細胞中では小滴としてみられる).

hy·a·line mem·brane 硝子膜（①ある種の上皮の下にある薄く透明な基底膜．②= glassy membrane(2)).

hy·a·line mem·brane disease (HMD) = respiratory distress syndrome of the newborn.

hy·a·line tu·ber·cle ヒアリン結節（蜂窩線維組織や膠原質線維が，均一で非蜂窩性の好酸性硬塊に変性した線維結節の一型).

hy·a·lin·i·za·tion (hī′ă-lin-ī-zā′shŭn). ヒアリン〔質〕化，硝子質化（ヒアリンを形成すること).

hy·a·li·no·sis (hī′ă-li-nō′sis). ヒアリン症，硝子様変性症（ヒアリン変性で，特に広汎性のもの).

hy·a·lin·ur·i·a (hī′ă-lin-yūr′ē-ă). ヒアリン尿〔症〕，硝子質尿〔症〕(尿中にヒアリンまたはヒアリン円柱が排出されること).

hy·a·li·tis (hī′ă-lī′tis). 硝子体炎. = vitreitis.

hyalo-, hyal- ガラス様の，または硝子質に関する連結形. *cf.* vitreo-.

hy·al·o·gens (hī-al′ō-jenz). ヒアロゲン（例えば，軟骨，硝子体液，包虫嚢胞のような，多くの動物構造にみられるムコイドに関連した物質. 加水分解により糖が得られる).

hy·a·lo·hy·pho·my·co·sis (hī′ă-lō-hī′fō-mī-kō′sis). ヒアロヒホ真菌症（硝子様(無色)菌糸を有する真菌の組織への感染. 手術，カテーテル装着，ステロイド療法，免疫抑制剤，細胞毒素によって体の抵抗力が低下している時に感染が起こる状態).

hy·a·loid (hī′ă-loyd). = hyaline.

hy·a·loid ar·ter·y 硝子体動脈（胎芽の一次硝子体と水晶体の周りの血管膜に分布する原始眼動脈の終末枝. 8.5 か月でこれらの血管はほとんど完全に萎縮するが，飛蚊症ではこの遺残が眼内検査で認められる). = arteria hyaloidea.

hy·a·loid bod·y 硝子体. = vitreous body.

hy·a·loid fos·sa 硝子体窩（レンズがはいる硝子体の前表面のくぼみ).

hy·al·o·mere (hī′ă-lō-mēr). 透明質〔分粒〕，硝子質（血小板の透明な周辺部).

hy·a·lo·pha·gi·a, hy·a·loph·a·gy (hī′ă-lō-fā′jē-ă, -lof′ă-jē). ガラス貪食〔症〕（ガラスを食べたりかんだりすること).

hy·a·lo·plasm, hy·a·lo·plas·ma (hī′ă-lō-plazm, -plaz′mă). ヒアリン形質，硝子形質，透明質（細胞の原形質液体物質).

hy·a·lo·sis (hī′ă-lō′sis). 硝子体の変性.

hy·al·o·some (hī-al′ō-sōm). 透明質（細胞核中の長円形または丸い構造体で，わずかに染色されるが，他の点では核小体と類似する).

hy·al·u·ro·nate (hī′ă-lūr′ō-nāt). ヒアルロン酸塩またはエステル.

hy·al·u·ron·ic ac·id ヒアルロン酸（組織間隙のゲル状物質を形成するムコ多糖類. また身体全体の潤滑剤や衝撃吸収剤として働く. ヒアルロニダーゼによって加水分解される).

H-Y an·ti·gen H-Y 抗原（Y 染色体に支配されている抗原因子で，当初は両性に分化可能な胎児性腺を精巣に発育させることによって，ヒト胎児を雄表現型へと分化させる役割をもつ. この抗原が欠落すると性腺は卵巣となる).

hy·brid (hī′brid). 雑種，ハイブリッド（①同種であっても種々の変種であったり，異種であっても非常に近縁である両親の交配によってできた個体(植物または動物). ②ハイブリドーマにおけるような融合した組織培養細胞).

hy·brid cap·ture ハイブリッド・キャプチャー法（信号増幅の手法の一つ. 目標の DNA(デオキシリボ核酸)をアニール(加熱して再び冷却)する RNA(リボ核酸)の調査を行った後，固体表面上に DNARNA ハイブリッドを結合している抗体をとらえる).

hybridisation [Br.]. = hybridization.

hy·brid·i·za·tion (hī′brid-ī-zā′shŭn). ***1*** 雑種形成，交雑（雑種を生じる過程). ***2*** 雑種形成(非対立性であるが，関連がある遺伝子間の乗換え). ***3*** ハイブリッド形成，ハイブリダイゼーション（ポリ核酸の相補性鎖が特異的に再会合すること. 例えば，DNA-RNA ハイブリッド形成). = hybridisation.

hy·brid·o·ma (hī′brid-ō′mă). ハイブリドーマ（*in vitro* で特異的な単クローン性抗体を産出するために用いるハイブリッド細胞. リンパ球系腫瘍細胞の組織培養により樹立された細胞系と特異的抗体産出細胞を細胞融合させてつくる).

hy·dan·to·in (hī-dan′tō-in). ヒダントイン（尿素またはアラントイン由来の結晶性複素環式化合物. 原型 *α*-アミノ酸での NH-CH_2-CO 基).

hy·da·tid (hī′dă-tid). ***1*** 包虫. = hydatid cyst. ***2*** 水胞体（包虫嚢に似た小胞構造).

hy·da·tid cyst 包虫嚢胞（通常，肝臓に生じ，ときには他の部位にも生じる嚢胞. *Echinococcus* 属の幼虫により主として反すう類に生じる. 単包条虫 *Echinococcus granulosus* により，2 種の嚢胞，すなわち単房性包虫嚢胞および骨包虫性嚢胞がヒトに見出される. ヒトに見出される第三の型は多包条虫 *Echinococcus multilocularis* による肺包虫嚢胞である). = echinococcus cyst; hydatid(1).

hy·da·tid dis·ease 包虫症（条虫 *Echinococcus* 属の幼虫の感染).

hy·da·tid frem·i·tus 包虫嚢振とう音. = hydatid thrill.

hy·da·tid·i·form (hī′dă-tid′i-fōrm). 包虫状の，水胞形の.

hy·da·tid·i·form mole, hy·da·tid mole 胞状奇胎（トロホブラストの増殖に起因する嚢胞状の塊で，絨毛膜絨毛が水胞性変性を起こし血管がなくなっている).

hy·da·tid·o·cele (hī′dă-tid′ō-sēl). 包虫性陰嚢腫（陰嚢にできた 1 つ以上の包虫からなる嚢胞状の塊).

hy·da·ti·do·ma (hī′dă-tid-ō′mă). 包虫腫（水胞体の形成が顕著な良性新生物).

hy·da·tid·o·sis (hī′dă-tid-ō′sis). 包虫症（包虫嚢胞の存在から起こる病的状態).

hy·da·ti·dos·to·my (hī′dă-ti-dos′tō-mē). 包虫嚢胞切開〔術〕（包虫嚢胞の外科的排出).

hy·da·tid thrill 包虫嚢振せん（包虫嚢胞を触診したときに感じる独特の振動). = Blatin syndrome; hydatid fremitus.

hydraemia [Br.]. = hydremia.

hy·dram·ni·os, hy·dram·ni·on (hī-dram′nē-os, -on). 羊水過多〔症〕（羊水の量が過度に，通常 2,000 mL 以上存在すること. 註日本では妊娠の時期に無関係に 800 mL 以上を羊水過多，それに症状を伴うものを羊水過多症という).

hy·dran·en·ceph·a·ly (hī′dran-en-sef′ă-lē). 水無脳症（大脳半球が欠損し，それが液体で満たされた脳軟膜に沿った嚢に置き換わっている状態. 頭蓋骨とその脳を収容する腔は正常である).

hy·drar·gyr·i·a, hy·drar·gyr·ism (hī-drahr-jir′ē-ă, hī-drahr′jir-izm). 水銀症. = mercury poisoning.

hy·drar·thro·di·al (hī′drahr-thrō′dē-ăl). 関節水腫の，関節水症の.

hy·drar·thro·sis (hī′drahr-thrō′sis). 関節水腫，関節水症（漿液が関節腔内に滲出すること).

hy·drase (hī′drās). hydratase の古語.

hy·dra·tase (hī′dră-tās). ヒドラターゼ (水和–脱水反応を触媒するある種のヒドロリアーゼ (EC class 4.2.1)).

hy·drate (hī′drāt). 水和物, 含水化合物 (水性溶媒化合物(旧専門用語では水酸化物 hydroxide). 1つ以上の水分子を含んで結晶化する化合物).

hy·dra·tion (hī-drā′shŭn). *1* 水和 (化学的には, 水の付加. 水との結合によりもとの分子と水の分子に分かれる加水分解とは異なる). *2* 水分補給 (臨床的には, 水を取り入れること. 一般的には水分減少または脱水の意味で用いる).

hy·dre·mi·a (hī-drē′mē-ă). 水血症 (血漿中の水分含有量の増加の結果, 血液量が増加している状態). = hydraemia.

hy·dren·ceph·a·lo·cele (hī′dren-sef′ă-lō-sēl). 脳室水腫性脳脱出 (頭蓋骨の中裂を通って, 液体を含んだ嚢の中に広がった脳質の突出). = hydrocephalocele; hydroencephalocele.

hy·dren·ceph·a·lo·me·nin·go·cele (hī′dren-sef′ă-lō-mĕ-ning′gō-sēl). 脳室水腫性軟〔髄〕膜脱出 (頭蓋骨の欠損部からの嚢の突出で, その中には軟脳, 脳質, 髄液が含まれる).

hy·dric (hī′drik). 水素の (化学結合における水素についていう).

hy·dride (hī′drīd). 水素化物 (負電荷の水素 (すなわち H：⁻) または水素の化合物で, 形式的な負電荷を呈するもの).

hydro-, hydr- *1* 水, 水の, を表す連結形. *2* 水素を含む, 水素と結合する, を表す連結形. *3* 包虫, を表す連結形.

hy·dro·a (hī-drō′ă). 水疱症 (水疱性発疹).

hy·dro·a vac·ci·ni·for·me 種痘状(種痘様)水疱症 (臍窩を有する水疱を発生させる紅斑のある再発性の発疹. 日光暴露により生じ, 成人までに自然消退する. 主として男児が罹患する).

hy·dro·cal·y·co·sis (hī′drō-kal-i-kō′sis). 水腎杯〔症〕, 腎杯水腫 (腎杯の無症候性奇形で, 漏斗の閉鎖によって拡張した腎杯をもつ. 通常, 腎盂造影または剖検時に偶然に発見される. 感染の可能性がある).

hy·dro·car·bon (hī′drō-kahr′bŏn). 炭化水素 (炭素と水素のみを含有する化合物).

hy·dro·cele (hī′drō-sēl). 水瘤, 水腫 (小嚢の空洞に漿液が貯留すること. 精巣鞘膜腔内, または精索に沿った離れた空隙に貯留する).

hy·dro·ce·lec·to·my (hī′drō-sē-lek′tŏ-mē). 水瘤切除〔術〕.

hy·dro·ce·phal·ic (hī′drō-sĕ-fal′ik). 水頭〔症〕の.

hy·dro·ceph·a·lo·cele (hī′drō-sef′ă-lō-sēl). = hydrencephalocele.

hy·dro·ceph·a·loid (hī′drō-sef′ă-loyd). *1* 〚adj.〛水頭〔症〕様の, 類水頭〔症〕の. *2* 〚n.〛類水頭〔症〕(小児の下痢や他の衰弱性疾患にみられる状態で, 脱水症や水頭症でみられるような全身的な症状を呈するが, 脳脊髄液の異常貯留は認められない).

hy·dro·ceph·a·lus (hī′drō-sef′ă-lŭs). 水頭〔症〕(脳脊髄液の過剰貯留の結果, 脳室の拡大と頭蓋内圧亢進をきたすことを特徴とする状態. 頭蓋骨の拡大や脳萎縮もみられることがある). = hydrocephaly.

hy·dro·ceph·a·lus ex vac·u·o 脳組織の欠損または萎縮による水頭症. 通常, 頭蓋内圧亢進を合併しない.

hy·dro·ceph·a·ly (hī′drō-sef′ă-lē). 水頭〔症〕. = hydrocephalus.

hy·dro·chlo·ric ac·id (HCl) 塩酸, 塩化水素酸 (胃液の酸. 気体と濃厚液は強い刺激性がある).

hy·dro·chlo·ride (hī′drō-klōr′īd). 塩酸塩 (塩化水素酸分子をアミン等に付加して生成される化合物).

hy·dro·cho·le·re·sis (hī′drō-kō-lĕr-ē′sis). 水〔様〕性胆汁分泌 (比重, 粘度, 固形成分含有量が低い水性の胆汁分泌の増加).

hy·dro·cho·le·ret·ic (hī′drō-kō′lĕr-et′ik). 水〔様〕性胆汁分泌の.

hy·dro·col·loid (hī′drō-kol′oyd). 親水コロイド, 親水膠質 (含有水と不安定な平衡を保つゼラチン状コロイドで, ある一定の条件下では形が安定であるため, 歯科で印象採得に用いる).

hy·dro·col·po·cele, hy·dro·col·pos (hī′drō-kol′pō-sēl, -kol′pos). 腟留水症, 腟水瘤 (粘液その他の非血液性液体が腟に貯留すること).

hy·dro·cor·ti·sone (hī′drō-kōr′ti-sōn). ヒドロコルチゾン (副腎皮質から分泌されるステロイドホルモンで, ヒトの体内に存在するグルココルチコイドの中で最も活性的なホルモン). = cortisol.

hy·dro·cyst (hī′drō-sist). 水嚢腫 (透明な水性嚢腫).

hy·dro·den·si·tom·e·try (hī′drō-dens′i-tom′ĕ-trē). = underwater weighing.

hy·dro·dy·nam·ic the·o·ry 流体力学理論 (痛みのインパルスが象牙質細管中の流体運動によって歯髄に伝達し, 神経終末を刺激すると, 痛みと過敏性を引き起こす仕組みを説明した理論, 広く受け入れられている).

hy·dro·en·ceph·a·lo·cele (hī′drō-en-sef′ă-lō-sēl). = hydrencephalocele.

hy·dro·gel (hī′drō-jel). ヒドロゲル (粒子が外相または分散相に, そして水が内相または被分散相にあるコロイド).

hy·dro·gen (H) (hī′drō-jen). 水素 (①気体元素, 原子番号 1, 原子量 1.00794. ②その元素の分子型(H_2). = dihydrogen).

hy·dro·gen 1 (^1H) 水素, 軽水素 (最も多く存在する水素の同位体. 自然界における存在比は 99.985%).

hy·dro·gen 2 (^2H) 重水素 (水素の同位体. 原子量は 2. 多さでは軽水素に次ぐ安定同位体であり, 自然界における存在比は 0.015%). = deuterium.

hy·dro·gen 3 (^3H) 三重水素 (水素の同位体. 原子量は 3. 微弱な放射性を持つ. ベータ線を放射し, ヘリウム 3 へと変わる. 半減期は 12.32 年). = tritium.

hy·dro·gen·ase (hī-droj′ĕn-ās). ヒドロゲナー

ゼ（NADH（または NADPH）からヒドリドイオン（すなわち H：⁻）を取るか，あるいは水素をフェリシトクロムまたはフェレドキシンに添加する酵素）．

hy·dro·gen·a·tion (hī-droj′ĕ-nā′shŭn)．水素添加〔作用〕，添水素〔作用〕（特に不飽和脂肪または不飽和脂肪酸の化合物に水素を添加すること．これにより軟らかい脂肪や油は固化または〝硬化〟される）．

hy·dro·gen bond 水素結合（強い電気陰性度をもつ元素（例えば，N または O）と共有結合した 1 個の水素原子が，他の強い電気陰性度をもつ元素（例えば，N, O またはハロゲン）と共有する結合）．

hy·dro·gen chlo·ride 塩化水素（非常に溶けやすい気体で，液体は塩酸となる）．

hy·dro·gen cy·a·nide (HCN) シアン化水素（強毒性の窒息剤で，燻蒸剤に用いる．化学兵器にも利用され，NATO コードは AC）．

hy·dro·gen do·nor 水素供与体（水素が脱離し（ジヒドロゲナーゼ系により）水素担体より他の代謝物へ転移される（すなわち還元される）代謝物）．

hy·dro·gen ex·po·nent 水素イオン指数（血液その他の体液中の水素イオン濃度の常用対数．これに負の符号を付けたものが pH）．

hy·dro·gen ion (H^+) 水素イオン（電子がとれた水素原子で，そのため 1 価の正電荷（すなわちプロトン）になる．水中では水素イオンが水分子と結合して，ヒドロニウムイオン H_3O^+ を形成する）．

hy·dro·gen pump 水素ポンプ（H^+-K^+-ATP アーゼの活性による胃の傍細胞からの酸分泌の分子機構）．

hy·dro·gen trans·port 水素輸送（ある代謝物（水素供与体）から他方（水素受容体）へ酵素系の作用での水素転移．供与体は酸化され，受容体は還元される）．

hy·dro·ki·net·ic (hī′drō-ki-net′ik)．流体運動学の（流体の運動，およびそのような運動を起こす力についていう）．

hy·dro·las·es (hī′drō-lās-ĕz)．加水分解酵素，ヒドロラーゼ（分解点に H_2O を添加して基質を分解する酵素（EC class 3））．

hy·dro-ly·as·es (hī′drō-lī′ās-ĕz)．ヒドロリアーゼ（H と OH を水として除去して分子内に新しい二重結合をつくる酵素からなるリアーゼの一種（EC class 4.2.1））．

hy·drol·y·sate (hī-drol′i-sāt)．加水分解産物，水解物（加水分解の生成物を含む溶液）．

hy·drol·y·sis (hī-drol′i-sis)．加水分解（化合物が 2 個または 2 個以上のより簡単な化合物に分解する化学反応において，水分子の H と OH 基がいずれかの分解した化学結合部位に結合する．加水分解は，酸，アルカリ，酵素の作用による．*cf.* hydration）．

hy·dro·lyt·ic (hī′drō-lit′ik)．加水分解の．

hy·dro·ma (hī-drō′mă)．ヒドローマ．= hygroma.

hy·dro·me·nin·go·cele (hī′drō-mĕ-ning′gō-sēl)．水髄膜瘤（骨壁の欠損による脳髄または脊髄の突出．またそれに伴い，脳脊髄液を含んだ嚢ができる）．

hy·drom·e·ter (hī-drom′ĕ-tĕr)．〔液体〕比重計，浮き秤（液体の比重を測定する器械）．

hy·dro·me·tra (hī′drō-mē′tră)．子宮留水症（希薄な粘液，または他の水様液が子宮腔内にたまっていること）．

hy·dro·met·ric (hī′drō-met′rik)．〔液体〕比重測定〔法〕の．

hy·dro·me·tro·col·pos (hī′drō-me′trō-kol′pos)．腟子宮留水症（血液および膿以外の液体によって子宮と腟が拡張すること）．

hy·drom·e·try (hī-drom′ĕ-trē)．〔液体〕比重測定〔法〕（比重計を用いて液体の比重を測定すること）．

hy·dro·mi·cro·ceph·a·ly (hī′drō-mī′krō-sef′ă-lē)．水小頭〔症〕（脳脊髄液が増加する小頭症）．

hy·dro·my·e·li·a (hī′drō-mī-ē′lē-ă)．水脊髄〔症〕（脊髄の拡張された中心管，または脊髄内にある先天性の空洞内に液体が貯留すること）．

hy·dro·my·e·lo·cele (hī′drō-mī′ĕ-lō-sēl)．水脊髄瘤（脊髄の一部が，二分脊椎を通り，脳脊髄液によって拡張し，薄い嚢状となって突出すること）．

hy·dro·my·o·ma (hī′drō-mī-ō′mă)．水筋腫（蛋白液のはいった嚢胞状小胞をもつ平滑筋腫．この水腫性筋腫は退行性変化として子宮の平滑筋腫に多くみられる）．

hy·dro·ne·phro·sis (hī′drō-nĕ-frō′sis)．水腎〔症〕（片側または両側の腎盂および腎杯の拡張で，尿路の閉塞の結果起こる）．= pelvocaliectasis; uronephrosis.

hy·dro·ne·phrot·ic (hī′drō-nĕ-frot′ik)．水腎〔症〕の．

hy·dro·per·i·car·di·tis (hī′drō-per′i-kahr-dī′tis)．水心膜炎（心膜内に大量の漿液滲出を伴う心膜炎）．

hy·dro·per·i·car·di·um (hī′drō-per′i-kahr′dē-ŭm)．心膜水腫，水心膜（心膜における非炎症性の液体貯留）．

hy·dro·per·i·to·ne·um, hy·dro·per·i·to·ni·a (hī′drō-per′i-tō-nē′ŭm, -tō′nē-ă)．腹水，水腹膜．= ascites.

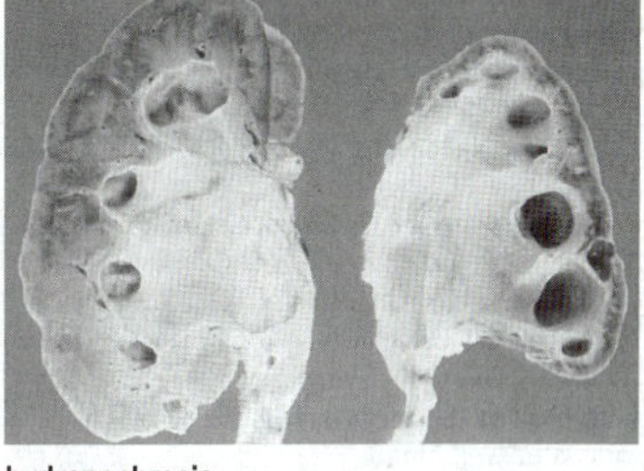

hydronephrosis

H

hy·dro·phil·i·a (hī′drō-fil′ē-ă). 親水性，吸水性（血液や組織が液体を吸収しようとする性質）.

hy·dro·phil·ic (hī′drō-fil′ik). 親水性の，吸水性の（極性基またはイオンをもつ水分子を吸収したり，水と会合する性質についていう. hydrophobic(2)の対語).

hy·dro·pho·bi·a (hī′drō-fō′bē-ă). 恐水病. = rabies.

hy·dro·pho·bic (hī′drō-fō′bik). ***1*** 恐水病の. ***2*** 疎水性の（水の分子に対する親和性がないこと. hydrophilic の対語).

hy·droph·thal·mos (hī′drof-thal′mŏs). → buphthalmia.

hy·drop·ic (hī-drop′ik). 水腫の（過剰の水または水様液を含む).

hy·drop·ic de·gen·er·a·tion 水症変性. = cloudy swelling.

hy·dro·pneu·ma·to·sis (hī′drō-nū′mă-tō′sis). 水気症，水気腫（気腫と水腫の合併症. 組織内に液体と気体が併存すること).

hy·dro·pneu·mo·go·ny (hī′drō-nū-mō′gŏ-nē). 関節空気注入〔法〕（滲出量を測定するために関節に空気を注入すること).

hy·dro·pneu·mo·per·i·car·di·um (hī′drō-nū′mō-per′i-kahr′dē-ŭm). 心膜水気腫，水気心膜（心膜内に，漿液滲出液と気体が存在すること). = pneumohydropericardium.

hy·dro·pneu·mo·per·i·to·ne·um (hī′drō-nū′mō-per′i-tō-nē′ŭm). 水気腹膜（腹腔内に気体および漿液が存在すること). = pneumohydroperitoneum.

hy·dro·pneu·mo·tho·rax (hī′drō-nū′mō-thōr′aks). 水気胸（胸腔内に気体，液体がともに存在すること). = pneumohydrothorax.

hy·drops (hī′drops). 水症，ヒドロップス（透明な水様液が，体内の組織または体腔に過剰にたまること. 性状，部位などに応じて，腹水 ascites，全身水腫 anasarca，浮腫 edema などという).

hy·dro·py·o·ne·phro·sis (hī′drō-pī′ō-nĕ-frō′sis). 水膿腎〔症〕，腎〔臓〕膿水症（尿管の閉塞のため，腎杯，腎盂に化膿性の尿が貯留する状態).

hy·dror·rhe·a (hī′drō-rē′ă). 漏水症（身体の器官や組織から水分が多量に排出される状態). = hydrorrhoea.

hydrorrhoea [Br.]. = hydrorrhea.

hy·dro·sal·pinx (hī′drō-sal′pingks). 卵管留水症，卵管水腫（卵管に漿液が貯留した状態で，しばしば卵管留膿症の最終的結果として起こる).

hy·dro·sar·co·cele (hī′drō-sahr′kō-sēl). 水精巣(睾丸)瘤（水瘤を伴う慢性の精巣の腫瘤).

hy·dro·stat·ic (hī′drō-stat′ik). 流体静力学の，静水学的な（平衡状態にある流体の圧力，またはその性質についていう).

hy·dro·stat·ic weigh·ing 静水圧重量. = underwater weighing.

hy·dro·sy·rin·go·my·e·li·a (hī′drō-sir-ing′gō-mī-ē′lē-ă). 水脊髄空洞症. = syringomyelia.

hy·dro·tax·is (hī′drō-tak′sis). 走水性，水分走性（水に対する細胞または生体の動き).

hy·dro·ther·a·py (hī′drō-thār′ă-pē). 水治〔療〕法（治療目的で，液体，固体，蒸気として水を外用で用いること).

hydrothionaemia [Br.]. = hydrothionemia.

hy·dro·thi·o·ne·mi·a (hī′drō-thī′ō-nē′mē-ă). 硫化水素血〔症〕（循環血液中に硫化水素が存在する状態). = hydrothionaemia.

hy·dro·thi·o·nur·i·a (hī′drō-thī′ō-nyūr′ē-ă). 硫化水素尿〔症〕（尿中に硫化水素が排泄される状態).

hy·dro·tho·rax (hī′drō-thōr′aks). 水胸〔症〕（片側または両側の胸腔に漿液がたまることで，通常，心不全から生じる).

hy·drot·ro·pism (hī′drot′rŏ-pizm). 水屈性，湿度屈性，水向性（成長期の生体の性質で，湿った表面に向かったり(正の屈性 **positive hydrotropism**)，それから離れようとする(負の屈性 **negative hydrotropism**)性質).

hy·dro·tu·ba·tion (hī′drō-tū-bā′shŭn). 卵管通水法（頸管を通じて生理的食塩水あるいはその他の液体を子宮腔および卵管に注入し，卵管の拡張および(または)卵管の治療を行う).

hy·dro·u·re·ter (hī′drō-yūr′ē-tĕr). 水尿管〔症〕（何らかの原因による尿管の閉塞によって，尿管が尿によって拡張されるもの).

hy·dro·va·ri·um (hī′drō-var′ē-ŭm). 卵巣留水症（卵巣に液体がたまる症状).

hy·drox·ide (hī-drok′sīd). 水酸化物（潜在的にイオン化した水酸基を含む化合物. 特に，水に溶解する際に OH^- を遊離する化合物をいう).

hy·drox·o·co·bal·a·min (hī-drok′sō-kō-bal′ă-min). ヒドロキソコバラミン. = hydroxycobalamin.

hydroxy- −OH 基の添加や，OH 基で置換された化合物を表す接頭語で，化合物名を後に付けてその名称とする. →oxa-; oxo-; oxy-.

hy·drox·y·ap·a·tite (hī-drok′sē-ap′ă-tīt). 水酸化リン灰石，ヒドロキシアパタイト（骨や歯の結晶格子に非常によく似た天然の鉱物. 核酸のクロマトグラフィに用いる. また，病的カルシウム沈着でも見出される).

4-hy·drox·y·bu·ty·rate (hī-drok′sē-byū′tir-āt). = γ-hydroxybutyrate.

hy·drox·y·co·bal·a·min (hī-drok′sē-kō-bal′ă-min). ヒドロキソコバラミン（ビタミン B12a とも呼ばれる化学混合物. 体内にあるシアノコバラミン(ビタミン B12)の前駆体. シアン化物の毒素に対する解毒剤であることが調査で分かっているが，今現在合衆国では解毒剤としての使用が認められていない. →amyl nitritrine; sodium nitrite; sodium thiosulfate; hydroxocobalamin).

17-hy·drox·y·cor·ti·co·ste·roid test 17−ヒドロキシコルチコステロイド試験（Porter-Silber 反応に基づく試験. 副腎皮質機能の 1 つの指標として用い，尿で行われる. 低値は Addison 病や下垂体機能低下症でみられ，高値は Cushing 症候群や過度のストレスでみられる).

hy·drox·yl (hī-drok′sil). ヒドロキシル (OH の基).

11-hy·drox·y·lase de·fi·cien·cy 11-水酸化酵素欠損症 (高血圧型や塩類喪失型などの多彩な症状を呈する先天性副腎過形成の一型).

21-hy·drox·y·lase de·fi·ci·en·cy 21-水酸化酵素欠損症 (先天性副腎過形成の一型. 単純男性化型, 塩類喪失型, 非古典型などの多彩な臨床症状を呈する).

hy·drox·y·las·es (hī-drok′si-lā-sēz). ヒドロキシラーゼ, 水酸化酵素 (酸素原子を添加して水酸基を生成する(基質を酸化する)反応を触媒する酵素).

hy·drox·y·phen·yl·u·ri·a (hī-drok′sē-fen′il-yūr′ē-ă). ヒドロキシフェニル尿〔症〕(アスコルビン酸の欠乏により, チロシンおよびフェニルアラニンが尿中に排出されること. このビタミンが不足している未熟児に顕著にみられる).

21-hy·drox·y·pro·ges·ter·one (hī-drok′sē-prō-jest′tĕr-ōn). 21-ヒドロキシプロゲステロン. = deoxycorticosterone.

5-hy·drox·y·tryp·ta·mine (5-HT) (hī-drok-sē-trip′tă-mēn). 5-ヒドロキシトリプタミン. = serotonin.

hy·giene (hī′jēn). *1* 衛生〔学〕(衛生およびその保持の学問). *2* 衛生 (健康および安寧を増進する清潔状態. 特に個人に関するもの).

hy·giene hy·poth·e·sis 衛生仮説 (高度な清潔さと現代医学治療は, 人間が他の非致死性の病原菌や病気に対処する能力を低下させるという考え).

hy·gien·ic (hī-jen′ik). 衛生の, 保健の.

hy·gien·ist (hī-jē′nist). 保健士, 衛生士, 衛生技師 (健康とその保持の科学に精通した人).

hygro-, hygr- 湿気, 湿気のある, を意味する連結形. Xero- の対語.

hy·gro·ma (hī-grō′mă). ヒグローマ (漿液を含む嚢胞性腫瘍). = hydroma.

hy·grom·e·try (hī-grom′ĕ-trē). 湿度測定〔法〕, 計湿法. = psychrometry.

hy·gro·scop·ic (hī′grō-skop′ik). 吸湿性の, 引湿性の (湿気を素早く吸収し, 保持できる物質についていう. 例えば, 水酸化ナトリウム, 塩化カルシウム).

hy·gro·scop·ic con·den·ser hu·mid·i·fi·er 吸湿濃縮加湿器 (呼出される熱と湿気を集め, 吸気に戻す働きをする受動的加湿装置). = artificial nose.

hy·men (hī′mĕn). 処女膜 (形態変化に富む薄い膜状のひだで, 種々の理由で破れる以前は腟を閉鎖している. 処女でもしばしば失われているが, 通常, その痕跡が処女膜痕として残っている).

hy·men·al (hī′mĕn-ăl). 処女膜の (しばしば hymeneal と誤って綴られ, 誤って発音される).

hy·men·ec·to·my (hī′mĕ-nek′tō-mē). 処女膜切除〔術〕.

hy·me·ni·tis (hī′mĕ-nī′tis). 処女膜炎.

hy·men·ol·o·gy (hī′mĕ-nol′ō-jē). 膜学 (身体の膜を扱う解剖学および生理学の分野).

hy·men·ot·o·my (hī′mĕ-not′ō-mē). 処女膜切開〔術〕, 膜切開〔術〕.

hy·o·ep·i·glot·tic (hī′ō-ep-i-glot′ik). 舌骨喉頭蓋の (舌骨と喉頭蓋に関する. この2構造を結合する弾力性の舌骨喉頭蓋靱帯を表す).

hy·o·glos·sal (hī′ō-glos′ăl). 舌骨舌筋の (舌骨と舌筋に関する). = glossohyal.

hy·o·glos·sal mem·brane 舌骨舌膜 (舌根を舌骨に結合している舌中隔後部の広がった部分で, おとがい舌筋の下方の線維がここに付着し, さらに正中線の近くの舌骨前上部までのびている).

hy·o·glos·sal mus·cle 舌骨舌筋. = hyoglossus muscle.

hy·o·glos·sus (hī′ō-glos′ŭs). 舌骨舌筋. = hyoglossus muscle.

hy·o·glos·sus mus·cle 舌骨舌筋 (起始 : 舌骨体および舌骨大角. 停止 : 舌の側縁. 神経支配 : 運動は舌下神経, 感覚は舌神経. 作用 : 舌側部の後引, 下引). = musculus hyoglossus; hyoglossal muscle; hyoglossus.

hy·oid (hī′oyd). U 字形の, V 字形の, 舌骨の (舌骨, 舌骨器官を表す).

hy·oid arch 舌弓 (第二内臓弓のこと).

hy·oid bone 舌骨 (下顎骨と喉頭との間にある U 字形の骨. 細い茎突舌骨靱帯により茎状突起からつり下がる).

hyp- 接頭語 hypo- の変形で, 母音の前に用いることが多い. *cf.* sub-.

hy·pa·cu·sis (hī′pă-kū′sis). 聴力障害, 難聴 (伝音系または感覚神経系の聴力障害). = hypoacusis.

hypaesthesia [Br.]. = hypesthesia.

hypalbuminaemia [Br.]. = hypalbuminemia.

hyp·al·bu·mi·ne·mi·a (hīp′al-bū′mi-nē′mē-ă). = hypoalbuminemia; hypalbuminaemia.

hyp·al·ge·si·a (hīp′al-jē′zē-ă). 痛覚鈍麻 (痛みの感覚が減少すること). = hypoalgesia.

hyp·al·ge·sic, hyp·al·get·ic (hīp′al-jē′sik, -jet′ik). 痛覚鈍麻の.

hyper- 過剰, または正常範囲を超えていること, を意味する接頭語. Hypo- の対語.

hy·per·ab·duc·tion syn·drome 過外転症候群. = thoracic outlet syndrome.

hy·per·a·cid·i·ty (hī′pĕr-ă-sid′i-tē). 過酸〔症〕(胃酸のように, 異常に酸度が高いこと).

hy·per·ac·tiv·i·ty (hī′pĕr-ak-tiv′i-tē). *1* 機能亢進. = superactivity. *2* 多動, 注意欠陥児 (注意散漫児や多動児を特徴付けるような, 全体的落着きのなさや運動過多).

hy·per·a·cu·sis, hy·per·a·cu·si·a (hi′pĕr-ă-kū′sis, -kū′sē-ă). 聴覚過敏 (感覚神経構造の感受性亢進による聴覚の異常強度反応).

hy·per·ad·e·no·sis (hī′pĕr-ad′ĕ-nō′sis). 腺腫脹〔症〕(腺, 特にリンパ節の腫脹をいう).

hy·per·ad·i·po·sis, hy·per·ad·i·pos·i·ty (hī′pĕr-ad′i-pō′sis, -pos′i-tē). 脂肪過剰〔症〕(脂肪の量が極端に多いこと).

hyperaemic [Br.]. = hyperemic.

hyperaesthesia [Br.]. = hyperesthesia.

hyperaesthetic [Br.]. = hyperesthetic.

hy·per·al·do·ste·ron·ism (hī′pĕr-al-dos′tĕr-ōn-izm). 高アルドステロン症. = aldosteronism.

hy·per·al·ge·si·a (hī′pĕr-al-jē′zē-ā). 痛覚過敏（痛みの刺激に対して過敏であること）.

hy·per·al·ge·sic, hy·per·al·get·ic (hī′pĕr-al-jē′sik, -jet′ik). 痛覚過敏の.

hy·per·al·i·men·ta·tion (hī′pĕr-al′i-men-tā′shŭn). 高栄養療法, 過栄養（栄養欠乏症をなくす目的で, 最低必要量よりも栄養素を大量に投与または消費すること）.

hyperamylasaemia [Br.]. = hyperamylasemia.

hy·per·am·y·la·se·mi·a (hī′pĕr-am′i-lā-sē′mē-ā). 高アミラーゼ血〔症〕, アミラーゼ過剰血〔症〕（血清アミラーゼが増加することで, 急性膵炎の特徴の1つとして通常みられる）. = hyperamylasaemia.

hy·per·an·a·ki·ne·si·a, hy·per·an·a·ki·ne·sis (hī′pĕr-an′ă-ki-nē′zē-ă, -ki-nē′sis). 運動機能亢進〔症〕（例えば, 胃または腸などの過剰な動き）.

hy·per·a·phi·a (hī′pĕr-ā′fē-ā). 触覚過敏.

hy·per·aph·ic (hī′pĕr-af′ik). 触覚過敏の.

hy·per·bar·ic (hī′pĕr-bar′ik). 高圧の, 高比重の（①周囲の気体の圧が1大気圧以上についていう. ②溶液については, 希釈液または媒質より濃度が高い場合についていう. 例えば, 脊髄麻酔の場合, 高比重局所麻酔薬は脊髄液より濃度が高い）.

hy·per·bar·ic cham·ber 高圧室（大気圧よりもかなり高圧にできる部屋で, 主として潜函病の治療や高圧酸素療法に用いる）.

hy·per·bar·ic ox·y·gen, high pres·sure ox·y·gen 高圧酸素（1気圧以上の圧力下の酸素）.

hy·per·bar·ic ox·y·gen ther·a·py 高圧酸素療法（密閉室を環境気圧1気圧以上にし, 酸素を与える治療法）.

hy·per·bar·ism (hī′pĕr-bar′izm). 高圧症（周囲の気圧が1大気圧より高いため起こる身体の変調. 例えば, 窒素性ナルコーシス, 酸素毒性, 減圧痛など）.

hyperbilirubinaemia [Br.]. = hyperbilirubinemia.

hy·per·bil·i·ru·bi·ne·mi·a (hī′pĕr-bil′i-rū-bi-nē′mē-ā). 高ビリルビン血〔症〕, ビリルビン過剰血〔症〕（循環血液中に異常に大量のビリルビンが存在すること. 濃度が十分に高くなると臨床的に明らかな黄疸となる）. = hyperbilirubinaemia.

hypercalcaemia [Br.]. = hypercalcemia.

hy·per·cal·ce·mi·a (hī′pĕr-kal-sē′mē-ā). 高カルシウム血〔症〕, カルシウム過剰血〔症〕（循環血液中のカルシウム化合物濃度が異常に高くなること. 通常, 血中カルシウムイオンの高濃度を表すのに用いる）. = calcemia; hypercalcaemia.

hy·per·cal·ci·u·ri·a (hī′pĕr-kal′sē-yū′rē-ā). 高カルシウム尿〔症〕, カルシウム過剰尿〔症〕（尿中に異常に大量のカルシウムが排出されること）.

hy·per·cap·ni·a (hī′pĕr-kap′nē-ā). 高炭酸ガス〔症〕, 炭酸ガス過剰〔症〕（動脈炭酸ガス圧が異常に増加すること）. = hypercarbia.

hy·per·cap·nic a·cid·o·sis = respiratory acidosis.

hy·per·car·bi·a (hī′pĕr-kahr′bē-ā). = hypercapnia.

hy·per·ca·tab·o·lism (hī′pĕr-kă-tab′ō-lizm). 異化亢進（一般に体組織の分解が亢進している状態. 体重減少や体力の消耗が生じる. →catabolism）.

hy·per·ce·men·to·sis (hī′pĕr-sē′mĕn-tō′sis). セメント質肥大（歯根面における第二セメント質の過剰な沈着で, 局所の外傷や炎症, 歯の過剰な挺出, 変形性骨炎, または特発的原因により発症すると考えられている）.

hyperchloraemia [Br.]. = hyperchloremia.

hy·per·chlor·e·mi·a (hī′pĕr-klōr-ē′mē-ā). 高塩素血〔症〕, 塩素過剰血〔症〕（循環血液中に異常に大量の塩素イオンが存在すること）. = hyperchloraemia.

hy·per·chlor·hy·dri·a (hī′pĕr-klōr-hī′drē-ā). 過塩酸〔症〕（胃中の塩酸の量が過剰であること）. = chlorhydria.

hypercholesteraemia [Br.]. = hypercholesteremia.

hy·per·cho·les·ter·e·mi·a (hī′pĕr-kō-les′tĕr-ē′mē-ā). = hypercholesterolemia; hypercholesteraemia.

hypercholesterolaemia [Br.]. = hypercholesterolemia.

hy·per·cho·les·ter·ol·e·mi·a (hī′pĕr-kō-les′tĕr-ol-ē′mē-ā). 高コレステロール血〔症〕, コレステロール過剰血〔症〕（血液中のコレステロール量が異常に多いこと）. = hypercholesteremia; hypercholesterolaemia.

hy·per·cho·li·a (hī′pĕr-kō′lē-ā). 胆汁〔分泌〕過多〔症〕（異常に大量の胆汁が肝臓内でつくられる状態）.

hy·per·chro·ma·si·a (hī′pĕr-krō-mā′zē-ā). = hyperchromatism.

hy·per·chro·mat·ic (hī′pĕr-krō-mat′ik). ***1*** 血色素増加〔性〕の, 高色素〔性〕の. = hyperchromic (1). ***2*** クロマチン増加〔性〕の.

hy·per·chro·ma·tism (hī′pĕr-krō′mă-tizm). = hyperchromasia; hyperchromia. ***1*** 過度色素沈着. ***2*** 過染色性（特にヘマトキシリンに対する細胞核の染色能力が増加すること）. ***3*** 染色質過多（細胞核の染色質が増加すること）.

hy·per·chro·mi·a (hī′pĕr-krō′mē-ā). 血色素増加〔症〕, 高色素血〔症〕. = hyperchromatism.

hy·per·chro·mic (hī′pĕr-krōm′ik). ***1*** = hyperchromatic (1). ***2*** 光吸収の増加を表す.

hy·per·chro·mic a·ne·mi·a, hy·per·chro·mat·ic a·ne·mi·a 高色〔素〕性貧血（赤血球容積に対するヘモグロビン重量の比率の低下を特徴とする貧血. すなわち, 平均ヘモグロビン濃度が正常より低くなる. 各々の細胞は最適な条件下の場合よりも少ないヘモグロビンを含んでいる）.

hy·per·chy·li·a (hī′pĕr-kī′lē-ā). 胃酸過多〔症〕.

hyperchylomicronaemia [Br.]. = hyperchylomicronemia.

hy·per·chy·lo·mi·cro·ne·mi·a (hī′pĕr-kī′lō-mī′krō-nē′mē-ă). 高乳状脂粒血〔症〕，乳状脂粒過剰血〔症〕（乳状脂粒の血漿濃度が高くなること）. = hyperchylomicronaemia.

hy·per·cor·ti·coid·ism (hī′pĕr-kōr′ti-koyd-izm). 高コルチコイド〔症〕，コルチコイド過剰〔症〕（副腎皮質のステロイドホルモンのいずれかが過剰に分泌すること．糖質コルチコイド作用をもつステロイドの大量投与によってつくられる状態を表すのに用いられることもある．例えばヒドロコルチゾン. →Cushing syndrome).

hy·per·cor·ti·so·nism (hī′pĕr-kōr′ti-sōn-izm). 副腎皮質亢進症（集中ステロイド治療の結果として起こる症状．丸顔，多毛症，肥満，腹部と背部に脂肪体がある（野牛肩とも），などが徴候. →hypercorticoidism).

hypercryaesthesia [Br.]. = hypercryesthesia.

hy·per·cry·al·ge·si·a (hī′pĕr-krī′al-jē′zē-ă). = hypercryesthesia.

hy·per·cry·es·the·si·a (hī′pĕr-krī′es-thē′zē-ă). 冷覚過敏（寒さに対する感覚が過敏なこと）. = hypercryaesthesia; hypercryalgesia.

hypercupraemia [Br.]. = hypercupremia.

hy·per·cu·pre·mi·a (hī′pĕr-kyū-prē′mē-ă). 高銅血〔症〕，銅過剰血〔症〕（血漿の銅濃度が異常に高いこと）. = hypercupraemia.

hy·per·cy·a·not·ic (hī′pĕr-sī′ă-not′ik). 高度チアノーゼの.

hypercythaemia [Br.]. = hypercythemia.

hy·per·cy·the·mi·a (hī′pĕr-sī-thē′mē-ă). 赤血球増加〔症〕（循環血液内に，異常に多数の赤血球が存在すること）.= hypercythaemia; hyper-erythrocythemia.

hy·per·cy·to·sis (hī′pĕr-sī-tō′sis). 〔白〕血球増加〔症〕（循環血液中または組織内の血球数が異常に増加する状態．leukocytosis の類義語として用いることもある）.

hy·per·di·crot·ic (hī′pĕr-dī-krot′ik). 高度重拍の.

hy·per·ech·o·ic (hī′pĕr-ĕ-kō′ik). 高エコーの（①超音波検査において，周囲より高い反射濃度をもつ物質についていう．②超音波画像において，正常あるいは周囲の構造より高エコーな部分を意味する）.

hy·per·ek·plex·i·a (hī′pĕr-ek-pleks′ē-ă). 驚愕過剰〔症〕（病的驚愕反応がみられる遺伝性疾患．予期しない音などの驚くような刺激に対して，過剰に防衛反応を起こす．頭部，頸部，背部，ときに四肢の筋肉に広範な強い突然の収縮を起こし，不随意的な叫び，攣縮，跳躍，転倒などがみられる．第5染色体長腕にある遺伝子が関与しており，常染色体優性遺伝または常染色体劣性遺伝である．抑制性神経伝達物質であるグリシンまたは GABA の欠乏が原因と考えられている）. = kok disease; startle disease.

hy·per·em·e·sis (hī′pĕr-em′ĕ-sis). 悪阻（おそ）（嘔吐が度重なること）.

hy·per·em·e·sis grav·i·da·rum 妊娠悪阻（重症の場合，脱水，アシドーシス，体重減少をきたし，入院が必要なこともある）.

hy·per·e·met·ic (hī′pĕr-ē-met′ik). 悪阻（おそ）の（度重なる嘔吐を特徴とする）.

hy·per·e·mi·a (hī′pĕr-ē′mē-ă). 充血（身体の一部，すなわち器官の血流量が増加すること. →congestion).

hy·per·e·mic (hī′pĕr-ē′mik). 充血〔性〕の. = hyperaemic.

hy·per·en·ceph·a·ly (hī′pĕr-en-sef′ă-lē). 脳露出症（頭蓋天井の胎生期発達不全で，十分に形成されていない脳を示す）.

hy·per·en·dem·ic dis·ease 高度地方流行病（高い罹患率または有病割合が常に持続し，すべての年齢集団が同様に侵されている疾病）.

hy·per·e·o·sin·o·phil·i·a (hī′pĕr-ē′ō-sin-ō-fil′ē-ă). 過好酸球増加〔症〕（循環血液中または組織内の好酸性顆粒球が病気あるいは増加を起こす状態で期待されるよりもさらに異常に増加すること）.

hy·per·e·o·sin·o·phil·ic syn·drome 好酸球増多症候群（骨髄，心臓，その他の臓器への好酸球の浸潤を伴う末梢血での持続する好酸球増多症．盗汗，咳嗽，食欲不振や体重減少，そう痒および種々の皮膚病変，Löffler 心内膜炎の症候を随伴する）.

hy·per·er·ga·si·a (hī′pĕr-ĕr-gā′zē-ă). 機能亢進.

hy·per·er·gi·a (hī′pĕr-ĕr′jē-ă). ヒペルエルギー（アレルギー性過敏症）. = hypergia.

hy·per·er·gic (hī′pĕr-ĕr′jik). ヒペルエルギーの. = hypergic.

hypererythrocythaemia [Br.]. = hypererythrocythemia.

hy·per·e·ryth·ro·cy·the·mi·a (hī′pĕr-ĕ-rith′rō-sī-thē′mē-ă). = hypercythemia; hypererythrocythaemia.

hy·per·es·o·pho·ri·a (hī′pĕr-es′ō-fōr′ē-ă). 上内斜位（両眼の視力を遮ったとき，一方の眼が上方かつ内側に寄ること）.

hy·per·es·the·si·a (hī′pĕr-es-thē′zē-ă). 知覚過敏，触覚過敏（接触，痛み，その他の感覚刺激に対し異常に過敏なこと）. = hyperaesthesia; oxyesthesia.

hy·per·es·thet·ic (hī′pĕr-es-thet′ik). 知覚過敏の，触覚過敏の. = hyperaesthetic.

hy·per·ex·o·pho·ri·a (hī′pĕr-ek′sō-fōr′ē-ă). 上外斜位（両眼視力を遮ったとき，一方の眼が上方かつ外側に寄ること）.

hy·per·ex·ten·sion (hī′pĕr-eks-ten′shŭn). 過伸展（肢，または他の部位が正常限度以上にのびること）.

hy·per·ex·ten·sion-hy·per·flex·ion in·jur·y 過伸展–過屈曲損傷（身体への衝撃によって，固定されていない頭が頸を過度に伸展，屈曲させることによって急に前後に動かされて起こる損傷．結果として起こる特定の損傷あるいは症候については用いない）.

hyperferraemia [Br.]. = hyperferremia.

hy·per·fer·re·mi·a (hī′pĕr-fĕr-ē′mē-ă). 高鉄血〔症〕（血清の鉄含有量が多いこと．血色素症にみられる）. = hyperferraemia.

hyperfibrinogenaemia [Br.]. = hyperfibrinogenemia.

hy·per·fi·brin·o·ge·ne·mi·a (hī′pĕr-fī-brin′ō-jĕ-nē′mē-ă). フィブリノ〔ー〕ゲン過剰血〔症〕, 線維素原過剰血〔症〕, 高フィブリノゲン血〔症〕, 高線維素原血〔症〕（血液中のフィブリノゲン量が増加すること）. = fibrinogenemia; hyperfibrinogenaemia.

hy·per·fi·bri·nol·y·sis (hī′pĕr-fī-brin-ol′i-sis). 線溶亢進（硬膜下血腫でみられるような線維素溶解現象の著明な亢進状態）.

hy·per·flex·ion (hī′pĕr-flek′shŭn). 過屈曲（肢または部位が正常以上に屈曲すること）.

hy·per·frac·tion·at·ed ra·di·a·tion 多分割照射法（1日の照射量をさらに分割して頻回に照射する法）.

hy·per·func·tion·al oc·clu·sion 過度咬合（正常の生理的必要性を超えた歯の咬合力）.

hy·per·gal·ac·to·sis (hī′pĕr-gă-lak-tō′sis). 乳汁〔分泌〕過多〔症〕, 過乳〔症〕.

hypergammaglobulinaemia [Br.]. = hypergammaglobulinemia.

hy·per·gam·ma·glob·u·lin·e·mi·a (hī′pĕr-gam′ă-glob′yū-lin-ē′mē-ă). 高ガンマグロブリン血〔症〕, ガンマグロブリン過剰血〔症〕（血漿中の γ-グロブリンの量が増加すること）. = hypergammaglobulinaemia.

hy·per·gen·e·sis (hī′pĕr-jen′ĕ-sis). 発育過度性肥大（身体の部分あるいは器官の過度の発育または余分な成育）.

hy·per·ge·net·ic (hī′pĕr-jĕ-net′ik). 発育過度性肥大の.

hy·per·gen·i·tal·ism (hī′pĕr-jen′i-tăl-izm). 性器発育過度（性器が過度に発育すること）.

hy·per·geu·si·a (hī′pĕr-gū′sē-ă). 味覚過敏. = oxygeusia.

hy·per·gi·a (hī-pĕr′jē-ă). = hyperergia.

hy·per·gic (hī-pĕr′jik). = hyperergic.

hy·per·glan·du·lar (hī′pĕr-glan′dyū-lăr). 腺機能亢進の（腺の過剰機能, または拡大を特徴とするものについていう）.

hy·per·glob·u·lin·e·mi·a (hī′pĕr-glob′yū-lin-ē′mē-ă). 高グロブリン血〔症〕, グロブリン過剰血〔症〕（循環血漿中のグロブリン濃度が異常に高値であること）.

hyperglycaemia [Br.]. = hyperglycemia.

hy·per·gly·ce·mi·a (hī′pĕr-glī-sē′mē-ă). 高血糖〔症〕, 過血糖〔症〕（循環血液中のグルコース濃度が異常に高いことで, 特に糖尿病患者にみられる）. = hyperglycaemia.

hyperglyceridaemia [Br.]. = hyperglyceridemia.

hy·per·glyc·er·i·de·mi·a (hī′pĕr-glis′ĕr-i-dē′mē-ă). 高グリセリド血〔症〕, グリセリド過剰血〔症〕（血漿中のグリセリド濃度が高くなること. 脂質を含む食事を吸収した後に一時的に存在する場合は正常であるが, 持続的になると異常）. = hyperglyceridaemia.

hyperglycinaemia [Br.]. = hyperglycinemia.

hy·per·gly·ci·ne·mi·a (hī′pĕr-glī′si-nē′mē-ă). 高グリシン血〔症〕, グリシン過剰血〔症〕（血漿中のグリシン濃度が高くなること）. = hyperglycinaemia.

hy·per·gly·ci·nu·ri·a (hī′pĕr-glī′si-nyūr′ē-ă). 高グリシン尿〔症〕, グリシン過剰尿〔症〕（尿中のグリシン排出量が多いこと）.

hy·per·gly·co·gen·ol·y·sis (hī′pĕr-glī′kō-jĕ-nol′i-sis). 糖原分解過度.

hy·per·gly·cor·rha·chi·a (hī′pĕr-glī′kō-rā′kē-ă). 髄液糖過剰〔症〕.

hy·per·gly·co·su·ri·a (hī′pĕr-glī′kō-syūr′ē-ă). 高血糖〔症〕性糖尿, 高尿糖〔症〕（尿中に, 持続的に大量のグルコースが排出されること）.

hy·per·go·nad·ism (hī′pĕr-gō′nad-izm). 性機能亢進〔症〕（生殖腺ホルモンの分泌過剰に起因する病態）.

hy·per·go·nad·o·tro·pic (hī′pĕr-gō-nad′ō-trō′pik). 性腺刺激ホルモン過剰の（性腺刺激ホルモンの生産増加または分泌増加についていう）.

hy·per·go·nad·o·tro·pic eu·nuch·oid·ism ゴナドトロピン過剰性類宦官症（生殖腺に原因がある類宦官症. 一般的には血中および尿中のゴナドトロピンの過剰排出を伴う. この種の障害例は Klinefelter 症候群）.

hyperhaemoglobinaemia [Br.]. = hyperhemoglobinemia.

hy·per·he·mo·glo·bi·ne·mi·a (hī′pĕr-hē′mō-glō-bin-ē′mē-ă). 高血色素血〔症〕, 高ヘモグロビン血〔症〕, 血色素過剰血〔症〕, ヘモグロビン過剰血〔症〕（循環血漿中に異常に大量のヘモグロビンが存在すること）. = hyperhaemoglobinaemia.

hy·per·hi·dro·sis (hī′pĕr-hī-drō′sis). 発汗過多〔症〕, 多汗〔症〕. = hyperidrosis; polyhidrosis; polyidrosis.

hy·per·hy·dra·tion (hī′pĕr-hī-drā′shŭn). 水分過剰, 過水〔症〕（体内に過剰の水分が存在すること）.

hy·per·i·dro·sis (hī′pĕr-ī-drō′sis). = hyperhidrosis.

hy·per-IgM syn·drome 高 IgM 症候群（血清中の IgG と IgA が非常に低濃度であるとともに, ポリクローナルな IgM が正常あるいは顕著に上昇している X 連鎖の免疫不全疾患. 罹患少年は 1—2 歳時に反復する細菌感染を起こす）.

hy·per·im·mu·no·glob·u·lin E syn·drome 高 IgE 症候群（血漿中の IgE 濃度の高値, 白血球遊走能の欠如, 皮膚や上気道などにみられる難治性のブドウ球菌感染症などを特徴とする免疫不全）.

hy·per·in·fec·tion (hī′pĕr-in-fek′shŭn). 超感染（免疫不全の結果, 非常に多数の微生物が感染すること）.

hy·per·in·fla·tion (hī′pĕr-in-flā′shŭn). 過膨張（気道の閉塞によってもたらされる肺胞の過伸）.

hyperinsulinaemia [Br.]. = hyperinsulinism.

hy·per·in·su·li·ne·mi·a (hī′pĕr-in′sŭ-lin-ē′mē-ă). 高インスリン血症（膵ベータ細胞よりのインスリン分泌過剰のためインスリン血漿濃度が上昇している状態）. = hyperinsulinaemia; hyperinsulinism.

hy·per·in·su·lin·ism (hī′pĕr-in′sŭ-lin-izm). 高インスリン〔血〕症. = hyperinsulinemia.

hy·per·in·vo·lu·tion (hī′pĕr-in-vō-lū′shŭn). 子宮過度退縮. = superinvolution.

hy·per·i·so·ton·ic (hī′pĕr-ī′sō-ton′ik). = hypertonic.

hyperkalaemia [Br.]. = hyperkalemia.

hyperkalaemic periodic paralysis [Br.]. = hyperkalemic periodic paralysis.

hy·per·ka·le·mi·a (hī′pĕr-kă-lē′mē-ă). 高カリウム血〔症〕, カリウム過剰血〔症〕(血液中のカリウム濃度が正常値より大きいこと). = hyperkalaemia; hyperpotassemia.

hy·per·ka·le·mic pe·ri·od·ic pa·ral·y·sis 高カリウム血性周期性〔四肢〕麻痺 (発作時に血中カリウムの上昇を認める周期性麻痺の一型. 乳児期に発症し, 頻回ながら比較的軽症であり, 筋緊張がしばしばみられる). = hyperkalaemic periodic paralysis.

hy·per·ker·a·tin·i·za·tion (hī′pĕr-ker′a-tin-ī-zā′shŭn). = hyperkeratosis.

hy·per·ker·a·to·sis (hī′pĕr-ker′ă-tō′sis). 角質増殖〔症〕, 〔過〕角化〔症〕(表皮あるいは粘膜の角質層の肥厚. →keratoderma; keratosis). = hyperkeratinization.

hyperketonaemia [Br.]. = hyperketonemia.

hy·per·ke·to·ne·mi·a (hī′pĕr-kē′tō-nē′mē-ă). 高ケトン血〔症〕, ケトン過剰血〔症〕(血液中のケトン体濃度が高くなること). = hyperketonaemia.

hy·per·ke·ton·u·ri·a (hī′pĕr-kē′tō-nyūr′ē-ă). 高ケトン尿〔症〕, ケトン過剰尿〔症〕(尿中にケトン化合物が過剰に排出されること).

hyperkinaemia [Br.]. = hyperkinemia.

hy·per·ki·ne·mi·a (hī′pĕr-ki-nē′mē-ă). 運動過剰血〔症〕(循環量が多いこと. 循環速度が高いこと. 心拍出量が過剰なこと). = hyperkinaemia.

hy·per·ki·ne·sis, hy·per·ki·ne·si·a (hī′pĕr-ki-nē′sis, -nē′zē-ă). 運動過剰〔症〕, 運動亢進〔症〕, 多動 (①過剰な運動. ②過剰な筋活動). = supermotility.

hy·per·ki·net·ic (hī′pĕr-ki-net′ik). 運動過剰〔症〕の, 運動亢進〔症〕の, 多動の.

hy·per·ki·ne·tic dys·arth·ri·a 運動過多性構語障害〔症〕(錐体外路運動系の障害に伴う構語障害. 発声器官や呼吸器系の不随意運動のために, 発語の音量や速度が変動したり, 発語の進行が妨げられる. →extrapyramidal motor system; myoclonus; athetosis; Tourette syndrome).

hy·per·ki·net·ic syn·drome 多動症候群 (病的な過剰活動を特徴とする症状で, 脳損傷, 精神病, 注意力欠損疾患をもつ年少小児およびてんかんにときにみられる. 運動過剰および情緒不安定が主な特徴である. 被転導性, 不注意, 羞恥心および恐怖感の欠如がよく随伴する).

hy·per·ky·pho·sis (hī′pĕr-kī-fō′sis). 過度後傾症 (胸椎が過度に前方へ弯曲している症状).

hy·per·ky·phot·ic (hī′pĕr-kī-fot′ik). 過度後傾 (胸椎に, 病理学上過度な後方傾斜が認められることをさす. しばしばショイエルマン病や骨粗しょう症の合併症となる. →Scheuermann disease; osteoporosis).

hy·per·leu·ko·cy·to·sis (hī′pĕr-lū′kō-sī-tō′sis). 白血球増加〔症〕(循環血液中または組織中の, 白血球の数および比率が異常に大幅な増加をすること. すなわち leukocytosis の通常例よりはるかに多いもの).

hyperlipaemia [Br.]. = hyperlipemia.

hy·per·li·pe·mi·a (hī′pĕr-li-pē′mē-ă). 高脂〔肪〕血〔症〕, 脂肪過剰血〔症〕(血中の脂質が増加している状態. →lipemia). = hyperlipaemia.

hyperlipidaemia [Br.]. = hyperlipidemia.

hy·per·lip·id·e·mi·a (hī′pĕr-lip′i-dē′mē-ă). 高脂〔質〕血〔症〕. = lipemia; hyperlipidaemia.

hyperlipoidaemia [Br.]. = hyperlipoidemia.

hy·per·lip·oi·de·mi·a (hī′pĕr-lip′oy-dē′mē-ă). 高類脂〔質〕血〔症〕. = lipemia; hyperlipoidaemia.

hyperlipoproteinaemia [Br.]. = hyperlipoproteinemia.

hy·per·lip·o·pro·tein·e·mi·a (hī′pĕr-lip′ō-prō-tēn-ē′mē-ă). 高リポ蛋白血〔症〕, リポ蛋白過剰血〔症〕(血中リポ蛋白濃度が増加すること). = hyperlipoproteinaemia.

hy·per·lith·ur·i·a (hī′pĕr-li-thyūr′ē-ă). 高尿酸尿〔症〕, 尿酸過剰尿〔症〕(尿中に尿酸が過剰に排泄されること).

hy·per·lor·do·sis (hī′pĕr-dō′sis). 脊柱前弯過度.

hy·per·lor·dot·ic (hī′lōr-dot′ik). 過度前弯 (腰椎に, 病理学上過度な前方弯曲が認められることを指す. 口語的表現は swayback).

hy·per·lu·cent (hī′pĕr-lū′sĕnt). 透過性亢進 (X 線の透過亢進による正常のフイルム黒色調以上を示す胸部 X 線写真上の部位).

hy·per·lu·cent lung 透過性亢進肺 (正常肺よりも低密度の一側肺あるいはその一部の X 線写真所見で, 気管支異常による空気貯留様の非対称性肺気腫あるいは血流減少).

hyperlysinaemia [Br.]. = hyperlysinemia.

hy·per·ly·si·ne·mi·a (hī′pĕr-lī-si-nē′mē-ă). 高リシン血〔症〕, リシン過剰血〔症〕(代謝異常の疾患で, 精神遅滞, 痙攣, 貧血, および無力症が特徴である. リシンケトグルタレートレダクターゼの欠損により末梢血液中のアミノ酸リシンが増加する. 一亜型として, α-アミノアジピン酸セミアルデヒドシンセターゼの欠損による高リシン血症とサッカロピン血症を示すものがある). = hyperlysinaemia; lysinaemia.

hy·per·ly·sin·ur·i·a (hī′pĕr-lī-si-nyūr′ē-ă). 高リシン尿〔症〕, リシン過剰尿〔症〕(尿中に異常に高濃度のリシンが存在すること. アミノ酸尿症の一形態で, シスチン尿症, 肝レンズ核変性症, および Fanconi 症候群において発生するもの).

hypermagnesaemia [Br.]. = hypermagnesemia.

hy·per·mag·ne·se·mi·a (hī′pĕr-mag′nĕ-sē′mē-ă). 高マグネシウム血症 (血清中に異常に高濃度のマグネシウムが存在すること).

hy·per·mas·ti·a (hī′pĕr-mas′tē-ă). ***1*** 多乳房

〔症〕. = polymastia. *2* 乳腺肥大（過度に大きな乳腺）.

hy·per·ma·ture cat·a·ract 過熟白内障（水晶体が液化し，核が水晶体嚢内に沈下している白内障(Morgagni 白内障)）.

hy·per·men·or·rhe·a (hī′pĕr-men-ŏr-ē′ă). 過多月経，月経過多〔症〕（過度な持続性または大量の月経）. = hypermenorrhoea; menorrhagia; menostaxis.

hypermenorrhoea [Br.]. = hypermenorrhea.

hy·per·me·tab·o·lism (hī′pĕr-mĕ-tab′ŏ-lizm). 代謝亢進（正常値を超えた熱を身体が生産すること．甲状腺中毒症の場合などにみられる）.

hy·per·me·tri·a (hī′pĕr-mē′trē-ă). 測定過大〔症〕，推尺過大（求める対象物または目標を通り越してしまう運動失調．通常，小脳疾患でみられる．*cf.* hypometria）.

hy·per·me·tro·pi·a (hī′pĕr-mē-trō′pē-ă). 遠視. = hyperopia.

hy·per·mo·bile pa·tel·la 高可動性膝蓋骨（膝蓋骨の可動域がその 4 分の 3，あるいはそれ以上に該当する場合）.

hy·per·mo·tor sei·zure 近位の肢体筋優位の自動運動で特徴付けられる痙攣発作で，著明な四肢の偏位を生じる.

hy·per·my·o·to·ni·a (hī′pĕr-mī′ō-tō′nē-ă). 筋緊張過度.

hy·per·my·ot·ro·phy (hī′pĕr-mī-ot′rŏ-fē). 筋発育過度，筋肥大過度.

hy·per·na·sal·i·ty (hī′pĕr-nā-zal′i-tē). 開鼻性（鼻腔に過度に共鳴する音声．軟口蓋に機能障害がある場合が多い）. = hyperrhinophonia.

hypernatraemia [Br.]. = hypernatremia.

hypernatraemic encephalopathy [Br.]. = hypernatremic encephalopathy.

hy·per·na·tre·mi·a (hī′pĕr-nă-trē′mē-ă). 高ナトリウム血〔症〕，ナトリウム過剰血〔症〕（ナトリウムイオンの血漿中濃度が異常に高いこと）. = hypernatraemia.

hy·per·na·tre·mic en·ceph·a·lop·a·thy 高ナトリウム血性脳障害(脳症)，高ナトリウム血性エンセファロパシー（高ナトリウム血性脱水を起こした乳児において，クモ膜下および硬膜下に滲出をみる）. = hypernatraemic encephalopathy.

hy·per·ne·o·cy·to·sis (hī′pĕr-nē′ō-sī-tō′sis). 幼若白血球増加〔症〕（白血球増加症で，未熟または幼若細胞(特に顆粒球系列において)がかなり存在するもの）.

hypernoea [Br.]. = hypernoia.

hy·per·noi·a (hī′pĕr-noy′ă). 精神機能亢進，思考過剰（精神活動または想像力が過剰なことで，躁うつ病の躁病相に典型的にみられる）. = hypernoea.

hy·per·on·cot·ic (hī′pĕr-on-kot′ik). 高張性の（正常よりも高いコロイド浸透圧．例えば，血漿の浸透圧についていう）.

hy·per·o·nych·i·a (hī′pĕr-ō-nik′ē-ă). 爪〔甲〕肥大〔症〕，爪〔甲〕肥厚〔症〕.

hy·per·o·pi·a (H) (hī′pĕr-ō′pē-ă). 遠視（網膜によって妨げられなければ，収束する光線のみが網膜面上に焦点をもたらすような眼の状態）. = farsightedness; hypermetropia.

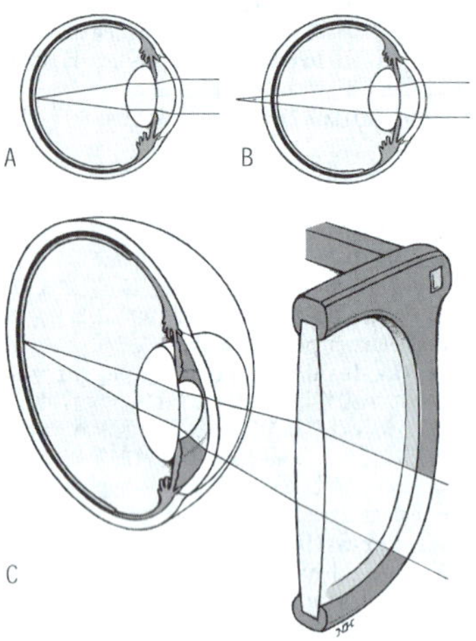
A
B
C

hyperopia

A：正視(20/20＝1.0)．光線は網膜上に鮮明に焦点を結ぶ．B：遠視(遠目)．近方の物体からの光線は網膜の後方に鮮明な焦点を結ぶ．C：凸レンズの眼鏡により矯正された遠視眼.

hy·per·o·pic (H) (hī′pĕr-ō′pik). 遠視の.

hy·per·o·pic a·stig·ma·tism 遠視性単乱視（経線の 1 つが遠視で，それに直交する経線に屈折異常のない乱視の型）.

hy·per·or·chi·dism (hī′pĕr-ōr′ki-dizm). 精巣(睾丸)の大きさまたは機能が増大すること.

hy·per·or·tho·cy·to·sis (hī′pĕr-ōr′thō-sī-tō′sis). 正常白血球増加〔症〕（白血球増加症で，白血球百分率が正常な範囲内にあり，未成熟のものは観察されないもの）.

hy·per·os·mi·a (hī′pĕr-oz′mē-ă). 嗅覚過敏（異常に鋭い嗅覚）.

hy·per·os·mo·lal·i·ty (hī′pĕr-oz′mō-lal′i-tē). 高浸透圧〔症〕（血清水のキログラム当たりの溶質のオスモルとして表した溶液濃度の増大）.

hy·per·os·mo·lar (hy·per·gly·cem·ic) non·ke·tot·ic co·ma 高浸透圧性(高血糖性)非ケトン性昏睡（高血糖(例えば 1 dL あたり 800 mg を超えている場合)が認められる糖尿病の合併症．脳細胞の水分浸透圧に変化が起こり，結果として昏睡を導く．死亡に至る，または永久的な神経損傷を被る可能性がある．ケトアシドーシスは起こらない）.

hy·per·os·mo·lar·i·ty (hī′pĕr-oz′mō-lar′i-tē). 高浸透圧〔症〕（溶液の浸透圧濃度の増大で，溶液 1L 当たりの溶質の浸透圧によって表される).

hy·per·os·mot·ic (hī′pĕr-oz-mot′ik). *1* 他の液体よりも浸透圧の高いことをいう.通常は,血漿や細胞外液と考えられる液体についていう. *2* 高浸透圧の.

hy·per·os·te·oi·do·sis (hī′pĕr-os′tē-oyd-ō′sis). 過類骨症(類骨の過剰形成状態.くる病や骨軟化症に認められる).

hy·per·os·to·sis (hī′pĕr-os-tō′sis). *1* 骨化過剰〔症〕,過骨症(骨の肥大). *2* 外骨〔腫〕. = exostosis.

hy·per·o·var·i·an·ism (hī′pĕr-ō-var′ē-ăn-izm). 卵巣機能亢進〔症〕(少女の性的早熟で,間脳-下垂体系の早期成熟および卵巣ホルモンの分泌を伴う卵巣の早期発達による). = true precocious puberty.

hy·per·ox·al·u·ri·a (hī′pĕr-ok-să-lyūr′ē-ă). 高シュウ酸尿〔症〕,シュウ酸過剰尿〔症〕(異常に大量のシュウ酸またはシュウ酸塩が尿中に存在すること). = oxaluria.

hy·per·ox·i·a (hī′pĕr-ok′sē-ă). 高酸素〔症〕,酸素過剰〔症〕(①組織および器官に大量の酸素が存在する状態.②酸素圧が正常よりも大きい状態).

hyperoxygenised [Br.]. = hyperoxygenized.

hy·per·o·xy·gen·ized (hī′pĕr-oks′i-jĕn-īzd). 高酸素化(大量の酸素が結合された状態). = hyperoxygenised.

hy·per·par·a·sit·ism (hī′pĕr-par′ă-sīt-izm). 重複寄生,寄生過度,過寄生(すでに寄生生物がいるところへ次の寄生生物が発育する現象).

hy·per·par·a·thy·roid·ism (hī′pĕr-par′ă-thī′royd-izm). 副甲状腺〔機能〕亢進〔症〕,上皮小体〔機能〕亢進〔症〕(副甲状腺ホルモン分泌の亢進によってもたらされる1つの状態で,血清カルシウム値の上昇および血清リン値の低下,カルシウムとリンの排泄増加,腎結石ときに広汎性嚢胞性線維性骨炎をきたす).

hy·per·pep·sin·i·a (hī′pĕr-pep-sin′ē-ă). 高ペプシン〔症〕,ペプシン過剰〔症〕(胃液中にペプシンが過剰にあること).

hy·per·per·i·stal·sis (hī′pĕr-per′i-stal′sis). ぜん動亢進(食物が胃腸を通過する速度が速いこと).

hyperphenylalaninaemia [Br.]. = hyperphenylalaninemia.

hy·per·phen·yl·al·a·ni·ne·mi·a (hī′pĕr-fen′il-al′ă-ni-nē′mē-ă). 高フェニルアラニン血症(新生児で血中のフェニルアラニン値が異常に高いもの.フェニルケトン尿症,母体由来のフェニルケトン尿症,ないしはフェニルアラニンヒドロキシラーゼや*p*-ヒドロキシフェニルピルビン酸オキシダーゼの一過性欠損に伴って起こる). = hyperphenylalaninaemia.

hy·per·pho·ne·sis (hī′pĕr-fō-nē′sis). 打診音増強,声音増強(打診音が大きい,または聴診時声音が大きいこと).

hy·per·pho·ri·a (hī′pĕr-fōr′ē-ă). 上斜位(両眼視力をさえぎったとき,一眼の視軸が上方に寄ること).

hyperphosphataemia [Br.]. = hyperphosphatemia.

hy·per·phos·pha·te·mi·a (hī′pĕr-fos′fă-tē′mē-ă). リン酸〔塩〕過剰血〔症〕,高リン酸〔塩〕血〔症〕(循環血液中のリン酸塩濃度が異常に高いこと).

hy·per·phos·pha·tu·ri·a (hī′pĕr-fos′fă-tyūr′ē-ă). 高リン酸塩尿〔症〕,過リン酸塩尿〔症〕(尿中へのリン酸塩排泄の増加).

hy·per·pig·men·ta·tion (hī′pĕr-pig-men-tā′shŭn). 色素過剰〔症〕,色素増強(組織または身体の一部における色素の過剰).

hy·per·pi·tu·i·ta·rism (hī′pĕr-pi-tū′i-tă-rizm). 下垂体〔機能〕亢進〔症〕(下垂体前葉ホルモン,特に成長ホルモンが過剰産生されること.巨人症または先端巨大症に至る場合がある).

hy·per·pla·si·a (hī′pĕr-plā′zē-ă). 過形成,増殖,増生,肥厚(組織または器官における細胞数の増大.過形成のみられる部位または器官の体積は増大する. →hypertrophy. *cf.* hypoplasia).

hy·per·plas·tic (hī′pĕr-plas′tik). 過形成の,増殖性の.

hy·per·plas·tic gin·gi·vi·tis 増殖性歯肉炎(経過の長い歯肉炎で,線維性結合組織の増殖のため,歯肉は肥大して硬くなる).

hy·per·plas·tic in·flam·ma·tion 増殖性炎〔症〕. = proliferative inflammation.

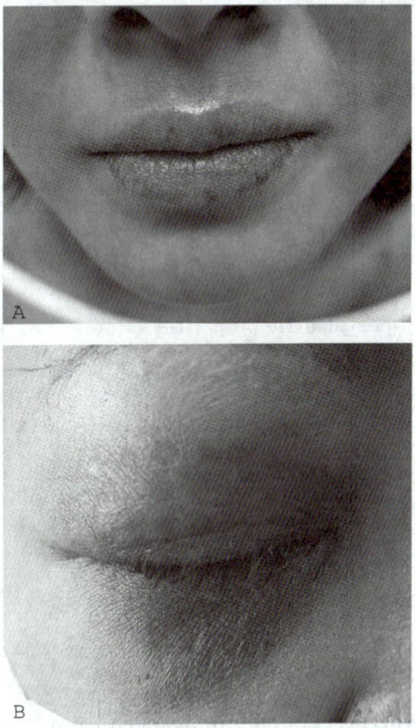
A
B

hyperpigmentation

H

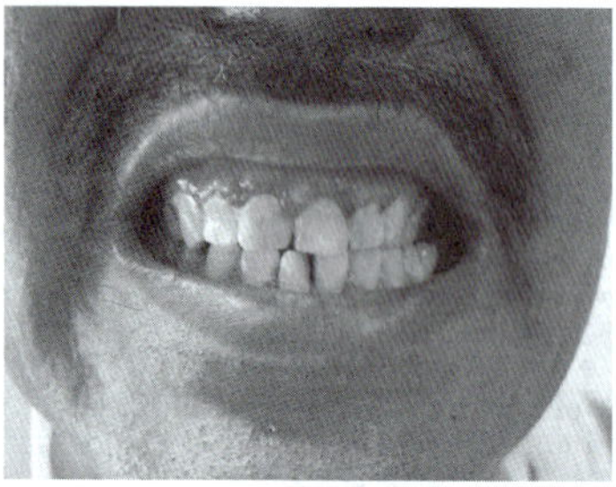

drug-induced gingival hyperplasia

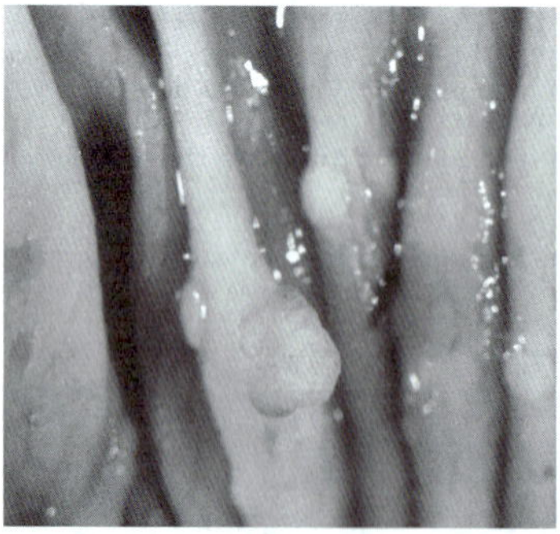

hyperplastic polyp

hy·per·plas·tic pol·yp 過形成性ポリープ（粘膜腺の伸展と嚢胞状拡張を示す大腸の良性の小さい無茎性のポリープ．胃粘膜の非腫瘍性のポリープもいう）. = metaplastic polyp.

hy·per·plas·tic pulp·i·tis 増殖性歯髄炎，歯髄ポリープ（大きなう窩をもった歯における，露髄面からの肉芽組織の増殖）.

hy·per·pne·a (hī′pĕrp-nē′ă). 呼吸亢進，過呼吸（安静時における，正常よりも深く速い呼吸）. = hyperpnoea.

hyperpnoea [Br.]. = hyperpnea.

hy·per·po·lar·i·za·tion (hī′pĕr-pō′lăr-ī-zā′shŭn). 過分極，高分極（膜，神経または筋細胞の分極が増大すること．興奮作用に伴う変化とは逆の変化）.

hy·per·po·ne·sis (hī′pĕr-pō-nē′sis). 運動亢進（運動神経系内の亢進された活動）.

hyperpotassaemia [Br.]. = hyperpotassemia.

hy·per·po·tas·se·mi·a (hī′pĕr-pō′tă-sē′mē-ă). = hyperkalemia; hyperpotassaemia.

hyperprebetalipoproteinaemia [Br.]. = hyperprebetalipoproteinemia.

hy·per·pre·be·ta·lip·o·pro·tein·e·mi·a (hī′pĕr-prē′bā′tă-lip′ō-prō′tēn-ē′mē-ă). 高プレβリポ蛋白血〔症〕（血液中のプレβリポ蛋白濃度の増加）. = hyperprebetalipoproteinaemia.

hyperproinsulinaemia [Br.]. = hyperproinsulinemia.

hy·per·pro·in·su·li·ne·mi·a (hī′pĕr-prō-in′sŭl-i-nē′mē-ă). 高プロインスリン血症（血漿中にプロインスリンまたはプロインスリン類似物質が高濃度に存在する状態）. = hyperproinsulinaemia.

hyperprolactinaemia [Br.]. = hyperprolactinemia.

hy·per·pro·lac·ti·ne·mi·a (hī′pĕr-prō-lak′ti-nē′mē-ă). 過プロラクチン血症（血中プロラクチン値の上昇した状態．授乳中は正常な生理的状態であるが，その他の場合は病的で，身体的ないし心理的なストレスや急激な体重減少によることが多い．ある種の下垂体腫瘍でも上昇し，無月経を伴うことが多い）. = hyperprolactinaemia.

hyperprolinaemia [Br.]. = hyperprolinemia.

hy·per·pro·li·ne·mi·a (hī′pĕr-prō′li-nē′mē-ă). 高プロリン血〔症〕（代謝障害の一種で，血漿中のプロリン濃度の増大および尿中へのプロリン，ヒドロキシプロリン，グリシン排出量の増加が特徴．常染色体劣性遺伝．I型高プロリン血症はプロリンオキシダーゼの欠損，腎疾患を合併する．II型高プロリン血症はΔ-ピロリン-5-カルボン酸デヒドロゲナーゼの欠損，精神遅滞と痙攣を合併する．第1染色体短腕のδ-プロリン5カルボキシレート遺伝子(P5CD)の突然変異による）. = hyperprolinaemia.

hyperproteinaemia [Br.]. = hyperproteinemia.

hy·per·pro·tein·e·mi·a (hī′pĕr-prō′tēn-ē′mē-ă). 蛋白過剰血〔症〕，高蛋白血〔症〕（血漿中の蛋白濃度が異常に高いこと）. = hyperproteinaemia.

hy·per·pro·te·o·sis (hī′pĕr-prō′tē-ō′sis). 過蛋白症（食事中の蛋白量の過剰により生じる状態）.

hy·per·py·ret·ic (hī′pĕr-pī-ret′ik). 超高熱の，過高体温の，異常高熱〔症〕の. = hyperpyrexial.

hy·per·py·rex·i·a (hī′pĕr-pī-rek′sē-ă). 超高熱，過高体温，異常高熱〔症〕.

hy·per·py·rex·i·al (hī′pĕr-pī-rek′sē-ăl). = hyperpyretic.

hy·per·re·ac·tive ma·lar·i·ous sple·no·meg·a·ly 過反応性マラリア性脾腫（持続性の脾腫，非常に高濃度の血清IgMとマラリア抗体，肝類洞へのリンパ球浸潤を特徴とする症候群．再発性のマラリアへの液性反応のT細胞による調節が断たれたために生じると考えられている）. = tropical splenomegaly syndrome.

hy·per·re·flex·i·a (hī′pĕr-rē-flek′sē-ă). 反射亢進（深部腱反射が亢進した状態）.

hy·per·res·o·nance (hī′pĕr-rez′ŏ-năns). 共鳴亢進（①共鳴の程度が亢進していること．②身体の部分を打診した際，正常以上に増強した共鳴をいい，しばしばそのピッチは低い．胸部では肺気腫における肺の過膨張や気胸の場合，腹部では膨満した腸の部分にみられる）.

hy·per·rhi·no·pho·ni·a (hī′pĕr-rī′nō-fō′nē-ă). = hypernasality.

hy·per·sal·i·va·tion (hī′pĕr-sal′i-vā′shŭn). 過流涎(ぜん)（唾液分泌の増大).

hy·per·sen·si·tiv·i·ty (hī′per-sen′si-tiv′i-tē). 過敏症，過敏性（異常な感受性で，外部からの刺激に対して身体が過剰に反応する状態. →allergy).

hy·per·sen·si·tiv·i·ty pneu·mo·ni·tis 過敏性肺〔臓〕炎. = extrinsic allergic alveolitis.

hy·per·sen·si·ti·za·tion (hī′pĕr-sen′si-tī-zā′shŭn). 過〔剰〕感作，過増感（過感作が誘発される免疫学的過程のこと).

hy·per·sex·u·al (hī′pĕr-sek′shū-ăl). 性欲過剰（精神医学において，異常な量の性的活動を示す人をさす).

hy·per·som·ni·a (hī′pĕr-som′nē-ă). 睡眠過剰，過眠症（睡眠時間が過度に長い状態. ただし，眠っていないときは正常に反応する. somnolens(傾眠)とは区別される).

hy·per·splen·ism (hī′pĕr-splēn′izm). 脾機能亢進〔症〕（脾臓により血中の細胞成分や血小板が異常に速く除去される状態).

hy·per·sthe·ni·a (hī′pĕr-sthē′nē-ă). 異常興奮，異常緊張.

hy·per·sthen·ic (hī′pĕr-sthen′ik). ***1*** 異常興奮の，異常緊張の. ***2*** 骨格筋の過剰発達で特徴付けられた体型についていう.

hy·per·sthen·u·ri·a (hī′pĕr-sthē-nyū′rē-ă). 高張尿〔症〕（比重および溶質濃度が異常に高い尿を排泄することで，通常，脱水または水分の喪失によって起こる).

hy·per·tel·or·ism (hī′pĕr-tel′ōr-izm). 隔離症（2個1組になっている器官の，各個の間隔が異常に離れていること).

hy·per·ten·sion (HTN) (hī′pĕr-ten′shŭn). 高血圧〔症〕（高い血圧状態. 一般に高血圧は，収縮血圧が140 mmHg以上，拡張血圧が90 mmHg以上と定義されている. すでに同定されたまれな型を除いて，多くの明瞭かつ遺伝性の型が存在するにもかかわらず，大部分の血圧は多因子の，恐らくGalton形質を示す).

hy·per·ten·sive (hī′pĕr-ten′siv). ***1*** 〚adj.〛高血圧〔性〕の，昇圧性の. ***2*** 〚n.〛高血圧患者.

hy·per·ten·sive ar·te·ri·op·a·thy 高血圧性動脈症（動脈性高血圧による動脈の変性).

hy·per·ten·sive ar·te·ri·o·scle·ro·sis 高血圧性動脈硬化〔症〕（高血圧による動脈壁の筋肉組織および弾性組織の進行性増加. 長期におよぶ高血圧では，動脈内膜に弾性組織が集中した層を形成し，筋肉が膠原線維によって置き換えられ，細動脈内膜の硝子性肥厚がみられる. このような変化は，高血圧でなくとも年をとるにつれ進行し老年性動脈硬化症とみなされる).

hy·per·ten·sive ret·i·nop·a·thy 高血圧〔性〕網膜症（急速進行性高血圧にみられる網膜像. 細動脈の狭細化，火焔状出血，綿花様滲出物，黄斑部の著しい星芒状浮腫，および乳頭浮腫を特徴とする).

hy·per·ten·sive up·per e·so·pha·ge·al sphinc·ter 肥厚性上部食道括約筋. = cricopharyngeal achalasia.

hy·per·ten·sor (hī′pĕr-ten′sŏr). 昇圧薬. = pressor.

hy·per·the·co·sis (hī′pĕr-thē-kō′sis). 卵胞莢膜増殖〔症〕（胞状卵胞の卵胞膜細胞のびまん性増殖).

hy·per·thel·i·a (hī′pĕr-thē′lē-ă). 過多乳頭症. = polythelia.

hy·per·ther·mal·ge·si·a (hī′pĕr-thĕrm′al-jē′zē-ă). 熱感覚過敏〔症〕（熱に対する極度の過敏性).

hy·per·ther·mi·a (hī′pĕr-thĕr′mē-ă). 高体温，高熱，過温症（治療のために引き起こされた異常高熱).

hyperthrombinaemia [Br.]. = hyperthrombinemia.

hy·per·throm·bi·ne·mi·a (hī′pĕr-throm′bi-nē′mē-ă). 高トロンビン血〔症〕（血液中のトロンビンが異常に増加することで，しばしば血管内凝固を引き起こす). = hyperthrombinaemia.

hy·per·thy·mic (hī′pĕr-thī′mik). ***1*** 気分高揚の. ***2*** 胸腺機能亢進〔症〕の.

hy·per·thy·roid·ism (hī′pĕr-thī′royd-izm). 甲状腺機能亢進〔症〕（通常，甲状腺ホルモンの分泌が亢進し，視床下部–下垂体中枢の調節的制御の支配を受けていない甲状腺機能異常. 代謝が亢進し，一般に体重減少，身体のふるえ，血中サイロキシンやトリヨードサイロニンの高値や眼球突出を伴う. 眼球突出を伴うことが多い(Graves病)).

hyperthyroxinaemia [Br.]. = hyperthyroxinemia.

hy·per·thy·rox·i·ne·mi·a (hī′pĕr-thī-rok′si-nē′mē-ă). 高サイロキシン血〔症〕（血液中のサイロキシン濃度が上昇している状態). = hyperthyroxinaemia.

hy·per·to·ni·a (hī′pĕr-tō′nē-ă). 高張，緊張過度，緊張亢進（筋肉または動脈の極度の緊張).

hy·per·ton·ic (hī′pĕr-tŏn′ik). = hyperisotonic. ***1*** 緊張過度の. = spastic(1). ***2*** 高張〔性〕の，優張の，優浸圧の，高浸透〔圧〕的の（標準溶液よりも高い浸透圧を有する. 標準溶液としては通例，血漿または腸液が想定される. 特殊なものとして，細胞萎縮などの際の流動液をさす).

hy·per·to·ni·cit·y (hī′pĕr-tō-nis′i-tē). ***1*** = hypertonia. ***2*** 高張性，高浸透性（体液の有効浸透圧が増加すること).

hy·per·ton·ic la·bor 過強陣痛（陣痛の際に子宮が弛緩せず，一般的な子宮筋収縮痙攣が胎児の排出を妨げる場合).

hy·per·ton·ic sa·line 高張食塩水（濃度1—15%の塩化ナトリウムを含んだ溶液).

hy·per·tri·cho·sis (hī′pĕr-tri-kō′sis). 多毛〔症〕（異常に多くの毛が生えていること. →hirsutism).

hypertriglyceridaemia [Br.]. = hypertriglyceridemia.

hy·per·tri·glyc·er·i·de·mi·a (hī′pĕr-trī-glis′ĕr-i-dē′mē-ă). 高トリグリセリド血症（血液中のトリグリセリド濃度の上昇). = hypertriglyceridaemia.

hy·per·tro·phic (hī′pĕr-trō′fik). 肥大性の，肥

H

厚性の.

hy·per·tro·phic ar·thri·tis 肥厚性関節炎. = osteoarthritis.

hy·per·tro·phic car·di·o·my·op·a·thy 肥大型心筋症（著しい心筋線維の配列異常を伴う心室中隔や左室壁の肥厚. しばしば自由壁より中隔に肥厚が強いため左室流出路の狭小化と流出路の圧較差を生じる. 拡張期コンプライアンスが非常に損なわれる. →sudden death).

hy·per·tro·phic pul·mo·nar·y os·te·o·ar·throp·a·thy 肥大性肺性骨関節症（長骨の末端, または骨全体の拡大を呈するもので, ときに関節軟骨のびらん, 滑液膜の肥厚および絨毛増殖を合併することがあり, しばしばばち指を合併する. 本疾患はいくつかの慢性の肺疾患, 心疾患, ときには他の急性および慢性疾患において現れる). = Bamberger-Marie disease.

hy·per·tro·phic py·lor·ic ste·no·sis 肥厚性幽門狭窄〔症〕（通常は生後 2, 3 週間の男児にみられる噴出性嘔吐に関連した幽門括約筋の肥厚). = congenital pyloric stenosis.

hy·per·tro·phic rhi·ni·tis 肥厚性鼻炎（粘膜の永久的肥厚化を伴う慢性鼻炎).

hy·per·tro·phy (hī-pĕr′trō-fē). 肥大, 肥厚, 栄養過度, 過栄養（ある部位または器官が全体的に大きくなること. 本用語は, 細胞その他の個々の組織要素の量的増大による体積の増加に限定されるのであって, 数的増加を示すのではない. →hyperplasia).

hy·per·tro·pi·a (hī′pĕr-trō′pē-ă). 上斜視（一眼が瞭眼より上方に偏位する眼).

hyperuricaemia [Br.]. = hyperuricemia.

hyperuricaemic [Br.]. = hyperuricemic.

hy·per·u·ri·ce·mi·a (hī′pĕr-yūr′i-sē′mē-ă). 尿酸過剰血〔症〕, 高尿酸血〔症〕（血液中の尿酸濃度が増大する状態). = hyperuricaemia.

hy·per·u·ri·ce·mic (hī′pĕr-yūr′i-sē′mik). 尿酸過剰血〔症〕の, 高尿酸血〔症〕の. = hyperuricaemic.

hypervalinaemia [Br.]. = hypervalinemia.

hy·per·val·i·ne·mi·a (hī′pĕr-val′i-nē′mē-ă). 高バリン血〔症〕（血漿中のバリン濃度が異常に高いこと. カエデシロップ病において一般にみられる). = hypervalinaemia.

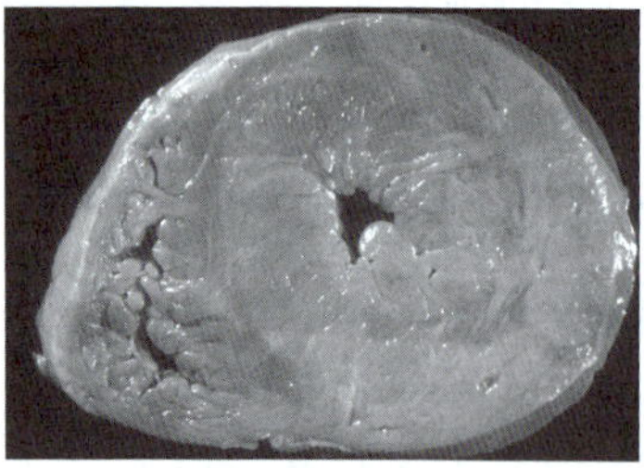

myocardial hypertrophy

hy·per·vas·cu·lar (hī′pĕr-vas′kyū-lăr). 血管〔像〕過多の, 血管分布過多の（異常に血管の多い. 過剰な数の血管を有する).

hy·per·ven·ti·la·tion (hī′pĕr-ven′ti-lā′shŭn). 換気亢進, 呼吸亢進, 過換気, 過度呼吸, 換気増大, 過剰換気（代謝性二酸化炭素生成に伴う肺胞換気量の増大で, これにより肺胞の二酸化炭素圧が正常以下になる傾向がある).

hy·per·ven·ti·la·tion tet·a·ny 過換気テタニー（強制呼吸で生じるテタニー. 血中二酸化炭素の減少による).

hy·per·vi·ta·min·o·sis (hī′pĕr-vī′tă-mi-nō′sis). ビタミン過剰〔症〕, ビタミン過多〔症〕, 過ビタミン症（ビタミン製剤を過度に摂取した結果起こる状態で, 症状はそれぞれのビタミンの種類によって異なる).

hypervolaemia [Br.]. = hypervolemia.

hypervolaemic [Br.]. = hypervolemic.

hy·per·vo·le·mi·a (hī′pĕr-vō-lē′mē-ă). 〔循環〕血液量過多〔症〕, 多血症（血液の量が異常に増大する状態). = circulatory overload; hypervolaemia; plethora (1); repletion (1).

hy·per·vo·le·mic (hī′pĕr-vō-lē′mik). 〔循環〕血液量過多〔症〕の, 多血症の. = hypervolaemic.

hyp·es·the·si·a (hīp′es-thē′zē-ă). 知覚減退, 触覚減退（刺激に対する感受性が減少すること). = hypaesthesia; hypoesthesia.

hy·pha, pl. hy·phae (hī′fă, -fē). 菌糸（線維性真菌（カビ）に特徴的な, 分枝した管状の細胞. 自然の基質や実験室の人工培地の上では, 相互交流のある菌糸が菌糸体を構築する).

hyphaema [Br.]. = hyphema.

hyphaemia [Br.]. = hyphemia.

hyp·he·do·nia (hīp′hē-dō′nē-ă). 快感減退, 冷感症（正常なら大きな快感を与える出来事に対し, 習慣的に軽度の, または減退した快感しか感じない症状).

hy·phe·ma (hī-fē′mă). 前房出血（眼前房内の出血). = hyphaema.

hy·phe·mi·a (hī-fē′mē-ă). = hypovolemia; hyphaemia.

hyp·na·gog·ic (hip′nă-goj′ik). 半眠の, 入眠幻覚の（眠りに先だつ催眠様の遷移状態についていう. その時点で現れる場合のある種々の幻覚に対しても用いる. →hypnoidal).

hyp·na·gog·ic hal·lu·cin·a·tion 入眠〔時〕幻覚（ナルコレプシーに多くみられる症状で, 生々しい夢のような知覚が睡眠開始（入眠）時に生じること. この知覚はしばしば恐ろしい状況に関するものであり, それが現実感をもった幻視や幻触や幻聴として表現される).

hyp·na·gog·ic star·tle 睡眠時ひきつけ（突然の目覚めの際に起こるひきつけ, またはミオクローヌス（間代性筋痙攣). しばしば落下を伴う).

hyp·na·gogue (hip′nă-gog). 催眠薬.

hyp·nap·a·gog·ic (hip-nap′ă-goj′ik). 半睡の (hypnagogic（半眠の）に類似した状態についていい, その状態を経て精神が睡眠から覚醒に至るもの. そのときに経験する幻覚もさす).

hypno-, hypn- 睡眠, 催眠に関する連結形.

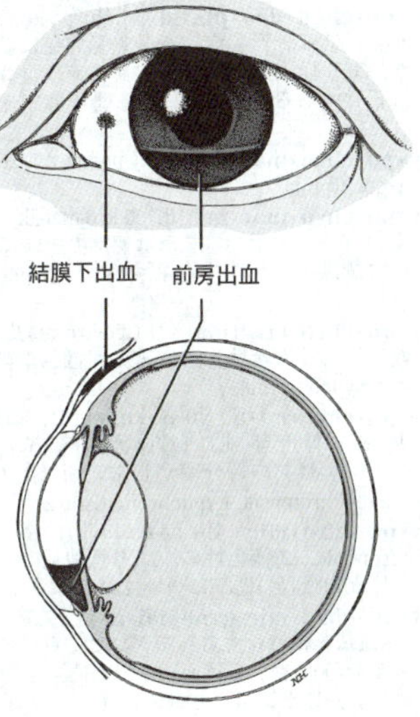
結膜下出血
前房出血

hyphema
前房出血と結膜下出血.

hyp·no·a·nal·y·sis (hip′nō-ă-nal′i-sis). 催眠分析（精神分析またはその他の精神療法で，催眠を補助技法として用いるもの）.

hyp·no·gen·e·sis (hip′nō-jen′ĕ-sis). 催眠（睡眠または催眠状態に誘導すること）.

hyp·no·gen·ic, hyp·nog·e·nous (hip′nō-jen′ik, -noj′ĕ-nŭs). *1*〘adj.〙催眠の. *2*〘n.〙催眠薬（催眠状態をもたらしうる薬物. →hypnosis）.

hyp·no·gen·ic spot 催眠〔性〕点（敏感な人の身体上の圧迫敏感点で，圧迫すると催眠を誘発する）.

hyp·noi·dal (hip-noy′dăl). 催眠様の，睡眠様の（半眠状態すなわち睡眠と覚醒の中間の精神状態についていう. →hypnagogic）.

hyp·no·pom·pic hal·lu·ci·na·tion 覚醒〔時〕幻覚（睡眠から起きた時に起こるはっきりした幻覚. ナルコレプシーでみられるが，入眠時幻覚といっしょにされる）.

hyp·no·sis (hip-nō′sis). 催眠〔状態〕（人為的に誘導された昏睡状態で夢遊症に類似する. この状態では，被術者は暗示に対して高度の感受性を示し，施術者の命令に速やかに反応する. →mesmerism）.

hyp·no·ther·a·py (hip′nō-thār′ă-pē). *1* 催眠〔術〕療法（催眠を用いての精神療法的治療）. *2* 睡眠療法（トランス様の睡眠を生じさせて疾病を治療する方法）.

hyp·not·ic (hip-not′ik). *1*〘adj.〙催眠性〔の〕（睡眠を引き起こす）. *2*〘n.〙催眠薬. *3*〘adj.〙催眠術の，催眠法の.

hyp·not·ic sug·ges·tion 催眠下指示（トランス中またはトランス後の行動についての指示. 対象者は指示を受けたことに気づかずに指示に従う）. = posthypnotic suggestion.

hyp·not·ic trance 催眠的トランス（誰かの催眠術によって，眠気または解離を感じている状態）.

hyp·no·tism (hip′nō-tizm). *1* 催眠術（催眠を誘導する手順または行為）. *2* 催眠法（催眠の実施または研究. →mesmerism）.

hyp·no·tist (hip′nō-tist). 催眠術者.

hyp·no·tize (hip′nō-tīz). 催眠誘導する.

hyp·no·zo·ite (hip′nō-zō′īt). ヒプノゾイト（ヒト肝の三日熱マラリア原虫 *Plasmodium vivax* または卵形マラリア原虫 *P. ovale* の赤血球外分裂小体で，発育が遅れたもの. マラリアの再発はこれによると考えられている）.

hypo- *1* 欠乏あるいは正常以下を示す接頭語. →hyp-. *cf.* sub-. *2* 化学において，1つの系列に属する化合物中で最低位のもの，または酸素含有が最小のものを示す.

hy·po·a·cid·i·ty (hī′pō-a-sid′i-tē). 低酸〔症〕（正常よりも酸度が低いこと. 胃液などについていう）.

hy·po·ac·tiv·i·ty (hī′pō-ak-tiv′i-tē). 自発運動抑制（予想されたよりも，自発運動量が少ない状態）.

hy·po·a·cu·sis (hī′pō-ă-kyū′sis). = hypacusis.

hy·po·a·dre·nal·ism (hī′pō-ă-drē′năl-izm). 低アドレナリン症，副腎〔機能〕低下（不全）〔症〕（副腎皮質の機能が低下すること）.

hypoaesthesia [Br.]. = hypoesthesia.

hypoalbuminaemia [Br.]. = hypoalbuminemia.

hy·po·al·bu·mi·ne·mi·a (hī′pō-al-bū′mi-nē′mē-ă). 低アルブミン血〔症〕，低蛋白血〔症〕（血液中のアルブミン濃度が異常に低いこと）. = hypalbuminemia; hypoalbuminaemia.

hy·po·al·do·ster·on·u·ri·a (hī′pō-al-dos′tĕr-on-yūr′ē-ă). 低アルドステロン尿症（尿中アルドステロンの異常低値）.

hy·po·al·ge·si·a (hī′pō-al-jē′zē-ă). 痛感鈍麻. = hypalgesia.

hy·po·az·ot·u·ri·a (hī′pō-az′ō-tyūr′ē-ă). 窒素減少尿〔症〕（尿中の，非蛋白性の窒素含有物（特に尿素）の排泄量が異常に少ないこと）.

hy·po·bar·ic (hī′pō-bar′ik). 低圧の，低比重の，低〔比〕重性の（①周囲の気体の圧が1大気圧以下についていう. ②溶液に関しては，希釈液または媒質より濃度が低い場合. 例えば脊椎麻酔の場合，低比重局所麻酔薬は脊髄液より濃度が低い）.

hy·po·bar·ism (hī′pō-bar′izm). 〔異常〕低〔気〕圧〔病〕，〔異常〕低気圧病（酸素圧の低下がないのに，身体に対する大気圧が減少して生じる気圧の異常. 体腔に存在する気体が膨張し，体液中に溶解している気体は気泡となって溶液から出てこようとする. *cf.* decompression sickness; bends）.

hy·po·ba·rop·a·thy (hī′pō-bar-op′ă-thē). 低圧病（大気圧の減少によって起こる病気）.

hypobetalipoproteinaemia [Br.]. = hypobetalipoproteinemia.

hy·po·be·ta·lip·o·pro·tein·e·mi·a (hī′pō-bā′tă-lip′ō-prō-tēn-ē′mē-ă). 低ベータリポ蛋白血症（血漿中のβリポ蛋白が，異常に低値である状態．ときに，有棘赤血球増加と神経徴候を伴う．→abetalipoproteinemia）. = hypobetalipoproteinaemia.

hy·po·blast (hī′pō-blast). 胚盤葉下層. = endoderm.

hy·po·blas·tic (hī′pō-blas′tik). 内胚葉〔性〕の.

hypocalcaemia [Br.]. = hypocalcemia.

hy·po·cal·ce·mi·a (hī′pō-kal-sē′mē-ă). 低カルシウム血〔症〕，血清石灰減少症（循環血液中のカルシウム量が異常に低いこと．通常，カルシウムイオン濃度が正常以下の場合についていう）. = hypocalcaemia.

hy·po·cal·ci·fi·ca·tion (hī′pō-kal′si-fi-kā′shŭn). 低石灰化（骨または歯の石灰化の不全）.

hy·po·cap·ni·a (hī′pō-kap′nē-ă). 低炭酸〔症〕，炭酸不足（循環血液中の炭酸ガス圧が異常に低いこと）. = hypocarbia.

hy·po·car·bi·a (hī′pō-kahr′bē-ă). = hypocapnia.

hypochloraemia [Br.]. = hypochloremia.

hy·po·chlor·e·mi·a (hī′pō-klōr-ē′mē-ă). 低塩素血〔症〕，低クロル血〔症〕（循環血液中の塩化物イオン値が異常に低いこと）. = hypochloraemia.

hy·po·chlor·hy·dri·a (hī′pō-klōr-hī′drē-ă, -hid′rī-ă). 低塩酸〔症〕，減酸症（胃における塩酸量が異常に少ないもの）.

hy·po·chlor·u·ri·a (hī′pō-klōr-yūr′ē-ă). 低塩酸塩尿症（尿中の塩化物イオンの排出量が異常に少ないこと）.

hypocholesterolaemia [Br.]. = hypocholesterolemia.

hy·po·cho·les·ter·ol·e·mi·a (hī′pō-kō-les′tĕr-ol-ē′mē-ă). 低コレステロール（コレステリン）血〔症〕（循環血液中のコレステロール量が異常に少ないこと）. = hypocholesterolaemia.

hy·po·chon·dri·a (hī′pō-kon′drē-ă). = hypochondriasis.

hy·po·chon·dri·ac (hī′pō-kon′drē-ak). ***1*** 〖n.〗心気症質〔者〕（肉体機能の細部に病的な注意をはらったり，とるに足らないあらゆる徴候を誇張するなど身体への関心が過剰な人）. ***2*** 〖n.〗心気症患者. ***3*** 〖adj.〗下肋部の.

hy·po·chon·dri·a·cal (hī′pō-kon-drī′ă-kăl). 心気的な，心気症の.

hy·po·chon·dri·a·cal mel·an·cho·li·a ヒポコンドリー性メランコリー，心気性うつ病（しばしば根拠がないのに身体に関する病訴を伴うメランコリー）.

hy·po·chon·dri·ac re·gion 下肋部（腹部の両側にある肋軟骨上の部分．上胃部の側方にある）.

hy·po·chon·dri·a·sis (hī′pō-kon-drī′ă-sis). 心気症，ヒポコンドリー〔症〕（自己の健康に対する病的な関心および何らかの異常な身体的・精神的感覚に対する過大な関心．身体的根拠はないにもかかわらず，自己が何らかの疾病を患っているという誤った信念）. = hypochondria.

hy·po·chon·dro·pla·si·a (hī′pō-kon′drō-plā′zē-ă). 低軟骨形成症（軟骨無形成症に似ているが，より軽症型の軟骨形成異常症．頭蓋や顔面は正常である．少年期になるまで臨床症状は現れない）.

hy·po·chro·ma·si·a (hī′pō-krō-mā′zē-ă). = hypochromia.

hy·po·chro·mat·ic (hī′pō-krō-mat′ik). 低色素〔性〕の（少量の，または個々の組織にとって正常量以下の色素を含有する）. = hypochromic (1).

hy·po·chro·ma·tism (hī′pō-krō′mă-tizm). ***1*** 減色性，低色素性，低色素症（低色素の状態）. ***2*** = hypochromia.

hy·po·chro·mi·a (hī′pō-krō′mē-ă). 血色素減少〔症〕，低色素〔症〕（貧血状態で，赤血球中のヘモグロビンの百分率が正常範囲以下のもの）. = hypochromasia; hypochromatism (2).

hy·po·chro·mic (hī′pō-krō′mik). ***1*** = hypochromatic. ***2*** 淡色性の（より低波長にλの移動を伴う光吸収の低下についていう）.

hy·po·chro·mic a·ne·mi·a 低色〔素〕性貧血（赤血球容積に対するヘモグロビン重量の比率の減少を特徴とする貧血．すなわち，平均ヘモグロビン濃度が正常より低い）.

hy·po·cone (hī′pō-kōn). ヒポコーン，次錐（①ヒトの上顎臼歯の遠心口蓋側の咬頭．②臼歯の進化過程の後期に現れる咬頭）. = talon.

hy·po·con·id (hī′pō-kon′id). ヒポコニッド，次錐（①下顎臼歯の遠心頬側咬頭．②臼歯のタロニッドからなる咬頭の1つ）.

hy·po·con·u·lid (hī′pō-kon′yū-lid). ヒポコヌリッド，次小錐（①下顎臼歯の遠心第五咬頭．②タロニッドを構成する咬頭の1つ）.

hy·po·cor·ti·coid·ism (hī′pō-kōr′ti-koyd-izm). 低副腎皮質機能. = adrenocortical insufficiency.

hypocupraemia [Br.]. = hypocupremia.

hy·po·cu·pre·mi·a (hī′pō-kyū-prē′mē-ă). 低銅血症（血液中の銅含有量が低下すること．Wilson 病においてみられるが，これは，血清におけるアルブミン中の銅が増加するにもかかわらず，セルロプラスミンが抑制されるために起こるものである）. = hypocupraemia.

hy·po·cy·cloi·dal (hī′pō-sī-kloy′dăl). ハイポサイクロイドの，三つ葉〔軌道〕の（ぼかしの最適化を行いアーチファクトを減少させるような，機械的断層撮影に用いられる三連円様の動き）.

hypocythaemia [Br.]. = hypocythemia.

hy·po·cy·the·mi·a (hī′pō-sī-thē′mē-ă). 血球減少症（循環血液中の血球減少で，再生不良性貧血などにおいて観察される）. = hypocythaemia.

hy·po·dac·ty·ly, hy·po·dac·tyl·ia, hy·po·dac·tyl·ism (hī′pō-dak′ti-lē, -dak-til′ē-ă, -dak′til-izm). 指(趾)欠損（正常構成要素が全部そろわず，手足の指が少ないこと）. = oligodactyly; oligodactylia.

hy·po·der·mic (hī′pō-dĕr′mik). 皮下の. = subcutaneous.

hy·po·der·mic im·plan·ta·tion 皮下注射型投与（長期間にわたって薬を注入する，通常金属製あるいはプラスチック製の装置を植え込むこと）.

hy·po·der·mic in·jec·tion 皮下注射（液状の治療薬を皮下組織へ注射により投与すること）.

hy·po·der·mic sy·ringe 皮下注射器（外筒に目盛りの付いた小さい注射器で，完全に合った内筒と先端を有し，皮下注射および吸引のための中空の針を付けて用いる）.

hy·po·der·mic tab·let 皮下注射用錠剤（注射液を調製する目的で蒸留水に完全に溶解させて用いる圧縮錠剤，または擦り込み錠剤）.

hy·po·der·mis (hī′pō-dĕr′mis). 皮下組織. = superficial fascia.

hy·po·der·moc·ly·sis (hī′pō-dĕr-mok′li-sis). 皮下注入（生理食塩水またはその他の溶液を皮下注射すること）.

hy·po·dip·si·a (hī′pō-dip′sē-ă). 潜在性口渇（恐らく体液の高張性による生理的状態．緩慢な乏渇感症）.

hy·po·don·ti·a (hī′pō-don′shē-ă). 歯数不足〔症〕（歯が先天的あるいは後天的に欠如している状態）. = oligodontia.

hy·po·dy·nam·ic (hī′pō-dī-nam′ik). 活力低下の，弱力の.

hy·po·ec·cri·sis (hī′pō-ek′ri-sis). 排泄減退.

hy·po·ec·crit·ic (hī′pō-ĕ-krit′ik). 排泄減退の.

hy·po·ech·o·ic (hī′pō-ĕ-kō′ik). 低エコー（超音波画像において，正常あるいは周囲の構造より低エコーな部分）.

hy·po·es·o·pho·ri·a (hī′pō-es′ō-fōr′ē-ă). 下内斜位（片眼の眼軸が下内方へ偏位する傾向のこと．両眼視が妨げられる）.

hy·po·es·the·si·a (hī′pō-es-thē′zē-ă). = hypesthesia; hypoaesthesia.

hy·po·ex·o·pho·ri·a (hī′pō-eks′ō-fōr′ē-ă). 下外斜位（片眼の眼軸が下外方へ偏位する傾向のこと．両眼視が妨げられる）.

hypoferraemia [Br.]. = hypoferremia.

hy·po·fer·re·mi·a (hī′pō-fĕr-ē′mē-ă). 低鉄血症（循環血液中における鉄の欠乏）. = hypoferraemia.

hypofibrinogenaemia [Br.]. = hypofibrinogenemia.

hy·po·fi·brin·o·ge·ne·mi·a (hī′pō-fī-brin′ō-jĕ-nē′mē-ă). 低フィブリノ〔ー〕ゲン血〔症〕，低線維素原血〔症〕，線維素原減少〔症〕（フィブリノゲンの循環血漿中の濃度が異常に低いこと）. = hypofibrinogenaemia.

hy·po·frac·tion·at·ed ra·di·a·tion 低分割照射法（1日の照射量を増やし，照射回数を減らす照射法）.

hy·po·fron·tal·i·ty (hī′pō-frŭn-tal′i-tē). 前頭葉機能低下（前頭葉の種々の部位の神経活動の低下で，種々の原因による．多くの臨床症状や疾患と関連する）.

hy·po·func·tion (hī′pō-fŭngk′shŭn). 機能低下，機能不全，機能減退.

hy·po·ga·lac·ti·a (hī′pō-gă-lak′shē-ă). 乳汁〔分泌〕過少（減少），乏乳〔症〕，乳汁分泌不全（乳汁分泌が正常より少ないこと）.

hy·po·ga·lac·tous (hī′pō-gă-lak′tŭs). 乳汁分泌過少（減少）の，乏乳〔症〕の，乳汁分泌不全の（正常より少ない量の乳汁を分泌する）.

hypogammaglobulinaemia [Br.]. = hypogammaglobulinemia.

hy·po·gam·ma·glob·u·lin·e·mi·a (hī′pō-gam′ă-glob′yū-li-nē′mē-ă). 低ガンマグロブリン血〔症〕（血清グロブリンのガンマ分画の減量．化膿性菌による感染症に対する感受性が亢進する）. = hypogammaglobulinaemia.

hy·po·gan·gli·o·no·sis (hī′pō-gang′glē-ō-nō′sis). 神経節細胞減少〔症〕（神経節の神経細胞数の減少）.

hy·po·gas·tric (hī′pō-gas′trik). 下腹部の.

hy·po·gas·tric ar·ter·y = internal iliac artery.

hy·po·gas·tric nerve 下腹神経（上下腹神経叢から骨盤にはいり，下下腹神経叢に加わる左右2本の神経幹）. = nervus hypogastricus.

hy·po·gas·tros·chi·sis (hī′pō-gas-tros′ki-sis). 下腹裂（下腹部における腹壁の先天的裂溝）.

hy·po·gen·e·sis (hī′pō-jen′ĕ-sis). 発育不全〔症〕，減形成（成長の先天的欠陥で，身体の部位または器官の発育不全）.

hy·po·ge·net·ic (hī′pō-jĕ-net′ik). 発育不全性の，減形成の.

hy·po·gen·i·tal·ism (hī′pō-jen′i-tăl-izm). 性器発育不全〔症〕，性腺機能減退〔症〕（生殖器の部分的または完全な成熟不全．一般に性機能低下の結果生じる）.

hy·po·geu·si·a (hī′pō-gū′sē-ă). 味覚減退（味覚の鈍麻）.

hy·po·glos·sal (hī′pō-glos′ăl). 舌下の（①舌の下の．②第十二脳神経である舌下神経に関する）.

hy·po·glos·sal ca·nal 舌下神経管（舌下神経がこの管を通り頭蓋から外に出る）. = canalis hypoglossalis; anterior condyloid foramen.

hy·po·glos·sal nerve [**CN XII**] 舌下神経（第十二脳神経(CN XII)．延髄の舌下神経核から起こり，錐体とオリーブの間からオリーブ前溝を通って数根糸が出る．舌下神経管を通り，下前方に向かい内舌筋および4ないし5の外舌筋に分布する）. = nervus hypoglossus; twelfth cranial nerve.

hy·po·glos·sal nu·cle·us 舌下神経核（内舌筋および5個のうち4個の外舌筋を支配している運動神経核．延髄の中で，正中線に近く菱形窩の下陥凹の床のすぐ下に位置している）.

hy·po·glot·tis (hī′pō-glot′is). 舌下（舌の下面）.

hypoglycaemia [Br.]. = hypoglycemia.

hypoglycaemic [Br.]. = hypoglycemic.

hypoglycaemic coma [Br.]. = hypoglycemic coma.

hy·po·gly·ce·mi·a (hī′pō-glī-sē′mē-ă). 低血糖〔症〕（循環血液中のブドウ糖濃度が異常に低いこと）. = hypoglycaemia.

hy·po·gly·ce·mic (hī′pō-glī-sē′mik). 低血糖

〔症〕の. = hypoglycaemic.

hy·po·gly·ce·mic a·gent 血糖降下薬（2型糖尿病において処方される経口型の薬物．1型糖尿病に対して効果は無い）．

hy·po·gly·ce·mic co·ma 低血糖性昏睡（低血糖によって起こる代謝性脳症．通常，糖尿病患者にみられ，体外からのインスリンの過剰による）. = hypoglycaemic coma.

hy·po·gly·cor·rhach·i·a (hī′pō-glī-kō-rā′kē-ă)．髄液糖減少〔症〕（脳脊髄液中の糖の低濃度状態．特に細菌性や真菌性，結核性の髄膜炎におけるものがよく知られている）．

hy·pog·na·thous (hī-pog′na-thŭs)．小下顎症の（下顎の先天的な発育不全についていう）．

hy·po·go·nad·ism (hī′pō-gō′nad-izm)．性腺機能低下症，生殖機能不全（性腺の機能不全で，生殖発生および性腺ホルモン分泌の一方または双方の欠損によって発現するものなどがある）．

hy·po·go·nad·o·tro·pic (hī′pō-gon′ă-dō-trō′pik)．下垂体性機能不全〔性〕の，性腺刺激ホルモン分泌低下〔性〕の，低ゴナドトロピン性の（ゴナドトロピンの分泌不全およびそれによって生じる結果についていう）．

hy·po·hi·dro·sis (hī′pō-hī-drō′sis)．発汗減少〔症〕．

hy·po·hi·drot·ic (hī′pō-hi-drot′ik)．発汗減少〔症〕の．

hy·po·hy·dra·tion (hī′pō-hī-drā′shŭn)．水分減少症（体内水分量の減少．水分量減少の新たな定常状態）．

hypokalaemia [Br.]. = hypokalemia.

hy·po·ka·le·mi·a (hī′pō-kă-lē′mē-ă)．低カリウム血〔症〕（循環血液中に存在するカリウムイオンの濃度が異常に低いこと．家族性周期性麻痺および消化管または腎臓からの過剰喪失によるカリウム枯渇において発生する．低カリウム血症における各種変化には，尿濃縮能および酸性化作用の欠陥を伴う腎尿細管上皮細胞質の空胞化，心電図のT波の平坦化および筋の脱力などがある）. = hypokalaemia; hypopotassemia.

hy·po·ka·le·mic pe·ri·od·ic pa·ral·y·sis 低カリウム血性周期性〔四肢〕麻痺（発作時に低カリウム血症を認める周期性麻痺．発作は寒冷暴露，高炭水化物食，アルコール摂取により促進され，数時間から数日間続くことがあり，呼吸麻痺の原因となることがある）. = hypokalaemic periodic paralysis.

hy·po·ki·ne·sis, hy·po·ki·ne·si·a (hī′pō-ki-nē′sis, -nē′zē-ă)．運動低下〔症〕，減動，運動機能減少〔症〕（動きが減少すること，または遅くなること）. = hypomotility.

hy·po·ki·net·ic (hī′pō-ki-net′ik)．運動低下〔症〕の，減動の．

hy·po·ki·ne·tic dys·arth·ri·a 低運動性構語障害（錐体外路運動系の障害で起こる構音障害．口が硬くて動きが悪くなるため，言語の抑揚がなく，小声で，アクセントがなく，子音の発音が不明確になる．→extrapyramidal motor system; parkinsonian dysarthria）．

hypolakaemic periodic paralysis [Br.]. = hypokalemic periodic paralysis.

hy·po·ley·dig·ism (hī′pō-lī′dig-izm)．ライディヒ細胞機能低下〔症〕（精巣の間質(Leydig)細胞からのアンドロゲン分泌が正常以下であること）．

hypolipoproteinaemia [Br.]. = hypolipoproteinemia.

hy·po·lip·o·pro·tein·e·mi·a (hī′pō-lip′ō-prō-tēn-ē-mē′ă)．低リポ蛋白血〔症〕（血清中のリポ蛋白が低下していること）. = hypolipoproteinaemia.

hypomagnesaemia [Br.]. = hypomagnesemia.

hy·po·mag·ne·se·mi·a (hī′pō-mag′nĕ-sē′mē-ă)．血中マグネシウム減少〔症〕，低マグネシウム血〔症〕（血清中のマグネシウム濃度が正常以下であること）．

hy·po·mas·ti·a (hī′pō-mas′tē-ă)．乳房矮小〔症〕，乳房発育不全（乳房の萎縮または先天的矮小）．

hy·po·me·li·a (hī′pō-mē′lē-ă)．肢形成不全〔症〕（1肢以上の一部あるいは全体の形成不全に対する一般用語）．

hy·po·men·or·rhe·a (hī′pō-men-ō-rē′ă)．月経過少〔症〕，過少月経（月経量が少ないこと，または出血持続期間の短いこと）. = hypomenorrhoea.

hypomenorrhoea [Br.]. = hypomenorrhea.

hy·po·mere (hī′pō-mēr)．***1*** 腹外側筋節（腹部外側に伸展して体壁筋や体肢筋を形成し，脊髄神経の第一前枝の支配を受ける筋節の部分）．***2*** 中胚葉外側板（***1*** ほど一般的ではないが，外側中胚葉の体細胞層および内臓包層をさす．これらは体腔の壁を形成する）．

hy·po·me·tab·o·lism (hī′pō-mĕ-tab′ō-lizm)．代謝低下．

hy·po·me·tri·a (hī′pō-mē′trē-ă)．測定減少〔症〕（対象あるいは目標に届かない運動失調．小脳疾患でみられる．*cf.* hypermetria）．

hy·pom·ne·si·a (hī′pom-nē′zē-ă)．記憶減退（記憶障害）．

hy·po·mo·bile pa·tel·la 低可動性膝蓋骨（膝蓋骨の可動域がその4分の1，あるいはそれ以下に相当する場合）．

hy·po·morph (hī′pō-mōrf)．***1*** 矮小体型（四肢が短いために，身長が座高に比して短い人のこと．*cf.* endomorph）．***2*** ハイポモルフ（その遺伝子により制御されている活性を部分的に減少させるような突然変異遺伝子）．

hy·po·mo·til·i·ty (hī′pō-mō-til′i-tē)．低運動〔性〕，運動性減弱. = hypokinesis.

hy·po·mo·tor sei·zure 完全または不完全な運動機能の停止で特徴付けられる痙攣発作で，患者の意識レベルを正確に決定するのは困難となる（例えば，新生児，幼児，精神発達遅滞患者）．

hy·po·my·e·li·na·tion, hy·po·my·e·lin·o·gen·e·sis (hī′pō-mī′ĕ-lin-ā′shun, -ō-jen′ĕ-sis)．ミエリン形成減少〔症〕（脊髄および脳におけるミエリンの形成不全．多くの脱髄疾患のもと）．

hy·po·my·o·to·ni·a (hī′pō-mī′ō-tō′nē-ă)．筋弛緩〔症〕，筋緊張減退．

hy·po·myx·i·a (hī′pō-mik′sē-ă). 粘液分泌減退.

hy·po·na·sal·i·ty (hī′pō-nā-zal′i-tē). 閉鼻声(発語中，鼻腔に十分に共鳴しないこと．鼻道が閉塞していることが多い). = hyporhinophonia.

hyponatraemia [Br.]. = hyponatremia.

hy·po·na·tre·mi·a (hī′pō-nă-trē′mē-ă). 低ナトリウム血〔症〕(循環血液中のナトリウム濃度が異常に低いこと). = hyponatraemia.

hy·po·ne·o·cy·to·sis (hī′pō-nē′ō-sī-tō′sis). 白血球減少症で，幼若白血球(特に顆粒球系のもの)が存在するもの.

hy·po·nych·i·al (hī′pō-nik′ē-ăl). 爪床の，爪下皮の (①= subungual. ②爪下皮に関する).

hy·po·nych·i·um (hī′pō-nik′ē-ŭm). 爪下皮(爪床の上皮，特にその半月付近の近位部分で，爪床を形成する).

hy·pon·y·chon (hī-pon′i-kon). 爪床溢血 (爪下の出血).

hy·po·or·tho·cy·to·sis (hī′pō-ōr′thō-sī-tō′sis). 正常百分率性白血球減少〔症〕(様々な形の白血球数の比率が正常範囲内にある白血球減少症).

hy·po·pan·cre·a·tism (hī′pō-pan′krē-ă-tizm). 膵機能減退 (膵臓の消化酵素分泌活動が減退した状態).

hy·po·par·a·thy·roid·ism (hī′pō-par′ă-thī′royd-izm). 副甲状腺(上皮小体)機能低下〔症〕(副甲状腺ホルモン分泌の減少または欠如により起こる状態．低カルシウム血症を呈し，テタニーを生じる．ときには骨密度が増加している．→pseudohypoparathyroidism).

hy·po·pha·lan·gism (hī′pō-fă-lan′jizm). 減指骨症 (手足の指節骨が先天的に1個以上欠如していること).

hy·po·pha·ryn·ge·al di·ver·tic·u·lum 下咽頭憩室. = pharyngoesophageal diverticulum.

hy·po·phar·ynx (hī′pō-far′ingks). 下咽頭，咽頭喉頭部. = laryngopharynx.

hy·po·pho·ne·sis (hī′pō-fō-nē′sis). 聴診音減弱，打診音減弱 (打診または聴診において，普通よりも音が減少または弱化していること).

hy·po·pho·ri·a (hī′pō-fōr′ē-ă). 下斜位 (片眼の眼軸が下方へ偏位する傾向のこと．両眼視が妨げられる).

hypophosphataemia [Br.]. = hypophosphatemia.

hy·po·phos·pha·ta·si·a (hī′pō-fos′fă-tā′zē-ă). 低ホスファターゼ血〔症〕(循環血液中のアルカリホスファターゼ含有量が異常に低いこと).

hy·po·phos·pha·te·mi·a (hī′pō-fos-fă-tē′mē-ă). 低リン酸〔塩〕血〔症〕(循環血液中のリン酸塩の濃度が異常に低いこと).

hy·po·phos·pha·tu·ri·a (hī′pō-fos′fă-tyūr′ē-ă). 低リン酸〔塩〕尿症 (リン酸塩の尿中への排泄低下).

hy·poph·y·sec·to·my (hī-pof′i-sek′tŏ-mē). 下垂体切除〔術〕(下垂体の外科的切除).

hy·po·phys·e·o·priv·ic (hī′pō-fiz′ē-ō-priv′ik). 下垂体〔機能〕欠乏性の. = hypophysioprivic.

hy·po·phys·e·o·tro·pic (hī′pō-fiz′ē-ō-trō′pik). 下垂体刺激性. = hypophysiotropic.

hy·po·phy·si·al (hī′pō-fiz′ē-ăl). 下垂体〔性〕の.

hy·po·phy·si·al ca·chex·i·a 下垂体性悪液質. = Simmonds disease; panhypopituitarism.

hy·po·phy·si·al di·ver·tic·u·lum 下垂体性憩室 (肛子口陥からの管状外胚葉生成物．下垂体主部と中間部になる). = adenohypophysial pouch; pituitary diverticulum; Rathke pocket; Rathke pouch.

hy·po·phy·si·al fos·sa 下垂体窩 (下垂体を包む蝶形骨の陥凹. →sella turcica).

hy·po·phy·si·al syn·drome 視床下部症候群. = dystrophia adiposogenitalis.

hy·po·phys·i·o·priv·ic (hī′pō-fiz′ē-ō-priv′ik). 下垂体機能不全の (下垂体機能不活性または欠如の状態についていう). = hypophyseoprivic.

hy·po·phys·i·o·sphe·noi·dal syn·drome 下垂体–蝶形骨症候群 (しばしば鞍背の破壊を伴う蝶骨洞領域頭蓋底の新生物浸潤).

hy·po·phys·i·o·tro·pic (hī′pō-fiz′ē-ō-trō′pik). 下垂体刺激性の (下垂体に作用する刺激性のホルモンについていう). = hypophyseotropic.

hy·poph·y·sis (hī-pof′i-sis). 〔脳〕下垂体 (対をなさない複合腺で，短い索状の漏斗伸展部，すなわち下垂体茎によって視床下部の基底から下垂しているもの．下垂体は2つの主な部分からなる．ⓘ神経性下垂体は漏斗とその先端の膨隆部(神経葉，漏斗突起，後葉)とからなり，グリア様の下垂体細胞，血管，無髄線維を含む．この無髄線維は視床下部下垂体路をなし，その細胞体は視索上核，室傍核にあって後葉に神経分泌ホルモン(オキシトシン，抗利尿ホルモン)を運ぶ，ⓘⓘ腺性下垂体は大きな末端部と漏斗を包む袖状の延長部と前葉と後葉の間にある薄い中間部(ヒトでは発達が悪い)とからなり，いくつかの異なった型の細胞と下垂体門脈系の毛細血管を含む．成長ホルモン，プロラクチン，甲状腺刺激ホルモン，性腺刺激ホルモン，副腎皮質刺激ホルモンおよび関連するペプチドを分泌するが，どれも視床下部でつくられる促進および抑制因子によって調節されている．これらの調節因子は中央隆起にある第一次毛細血管に取り込まれ漏斗にある下垂体門脈によって末端部にある第二次毛細血管へと運ばれる．→hypothalamus). = pituitary gland.

hy·poph·y·si·tis (hī-pof′i-sī′tis). 下垂体炎 (下垂体の炎症).

hy·po·pi·e·sis (hī′pō-pī-ē′sis). = hypotension (1).

hy·po·pig·men·ta·tion (hī′pō-pig′mĕn-tā′shŭn). 色素脱失 (周囲皮膚に対してメラニン量が低下している状態. →albinism).

hy·po·pi·tu·i·ta·rism (hī′pō-pi-tū′i-tăr-izm). 下垂体〔機能〕低下(不全)〔症〕(下垂体前葉の活動減退によって起こる状態．種々の程度の，1種以上の下垂体前葉ホルモンの分泌不全を必然的に伴う).

hy·po·pla·si·a (hī′pō-plā′zē-ă). ***1*** 発育不全,

H

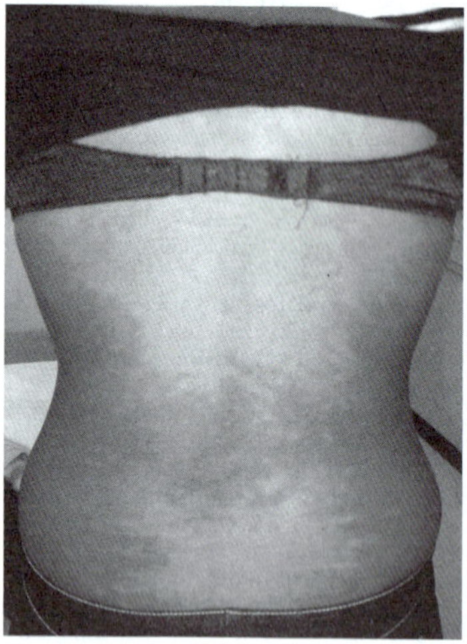

hypopigmentation

形成不全，減形成〔症〕（組織または器官の発育不全で，通常，細胞数の不足によって起こる）．*2* 減形成体質，形成不全体質（構成要素の大きさの減少のみによらず，その破壊によって起こる萎縮）．

hy·po·plas·tic (hī′pō-plas′tik). 発育不全の，形成不全の，減形成症の，減形成体質の，形成不全体質の，低形成の．

hy·po·plas·tic a·ne·mi·a 低形成貧血（骨髄が高度に抑制され，機能異常をきたしたことによる進行性非再生性貧血．この状態が持続すると，再生不良性貧血が起こる場合もある）．

hy·pop·ne·a (hī-pop′nē-ă). 呼吸低下，減〔少〕呼吸（正常より浅いか遅いか，あるいはその両方を含む呼吸）. = hypopnoea; oligopnea.

hypopnoea [Br.]. = hypopnea.

hy·po·po·si·a (hī′pō-pō′sē-ă). 低飲症（主に口渇感の減少より，飲用傾向の減少による潜在性口渇）．

hypopotassaemia [Br.]. = hypopotassemia.

hy·po·po·tas·se·mi·a (hī′pō-pō-tă-sē′mē-ă). = hypokalemia; hypopotassaemia.

hy·po·prax·i·a (hī′pō-prak′sē-ă). 行動減退．

hypoproteinaemia [Br.]. = hypoproteinemia.

hy·po·pro·tein·e·mi·a (hī′pō-prō′tēn-ē′mē-ă). 低蛋白血〔症〕（循環血漿中の総蛋白量の異常低値）. = hypoproteinaemia.

hypoprothrombinaemia [Br.]. = hypoprothrombinemia.

hy·po·pro·throm·bin·e·mi·a (hī′pō-prō-throm′bin-ē′mē-ă). 低プロトロンビン血〔症〕（循環血液中のプロトロンビンの異常低値）. = hypoprothrombinaemia.

hy·pop·ty·a·lism (hī′pop-tī′ă-lizm). 唾液分泌不全，唾液分泌減退. = hyposalivation.

hy·po·py·on (hī-pō′pē-on). 前房蓄膿（眼の前房に白血球が存在すること）．

hy·po·re·flex·i·a (hī′pō-rē-flek′sē-ă). 反射低下，反射減退．

hyporeninaemia [Br.]. = hyporeninemia.

hyporeninaemic [Br.]. = hyporeninemic.

hy·po·ren·i·ne·mi·a (hī′pō-rē′ni-nē′mē-ă). 低レニン血症（循環血液中のレニンの濃度が低い状態）. = hyporeninaemia.

hy·po·ren·i·ne·mic (hī′pō-rē′ni-nē′mik). 低レニン血症を呈した，あるいはその特徴的症状を呈した. = hyporeninaemic.

hy·po·rhi·no·pho·ni·a (hī′pō-rī′nō-fō′nē-ă). = hyponasality.

hy·po·ri·bo·fla·vin·o·sis (hī′pō-rī′bō-flā-vi-nō′sis). リボフラビン欠乏症（食物中のリボフラビン欠乏によって起こる低栄養状態で，口唇症あるいは口角炎やいちご様赤色舌，その他のビタミンB欠乏症状がみられる．一般的に用いられている ariboflavinosis の，より正確な用語）．

hy·po·sal·i·va·tion (hī′pō-sal′i-vā′shŭn). 唾液分泌減退. = hypoptyalism.

hy·po·scle·ral (hī′pō-skler′ăl). 強膜下の（眼球の強膜下についていう）．

hy·po·sen·si·tiv·i·ty (hī′pō-sen′si-tiv′i-tē). 感受性低下（感受性が正常以下の状態で，刺激に対する反応は，通常遅れるか程度が小さくなる）．

hy·pos·mi·a (hī-poz′mē-ă). 嗅覚減退（嗅覚の鈍麻）．

hy·po·so·ma·to·tro·pism (hī′pō-sō-mat′ō-trō′pizm). 低ソマトトロピン症（脳下垂体成長ホルモン（ソマトトロピン）の分泌不足に特有な状態）．

hy·po·spa·di·ac (hī′pō-spā′dē-ak). 尿道下裂の．

hy·po·spa·di·as (hī′pō-spā′dē-ăs). 尿道下裂（尿道壁欠損を特徴とする発生異常で，陰茎の腹側表面で様々な距離の位置に尿道が開いており，外尿道口は正常の腺管位より近位にあり索状物を伴うこともある．女性の同様な欠損では尿道が腟内に開く．*cf.* epispadias）. = urogenital sinus anomaly.

hy·po·sphyg·mi·a (hī′pō-sfig′mē-ă). 低脈拍症（循環鈍化による異常に低い血圧）．

hy·po·splen·ism (hī′pō-splēn′izm). 脾機能低下症（脾機能の低下または減弱．通常，外科切除，先天性無形性，腫瘍による置換，脾血管トラブルにより起こる）．

hy·pos·ta·sis (hi-pos′tă-sis). *1* 沈渣（液体の底に沈殿物を形成すること）．*2* 血液沈滞，沈下うっ血，体液沈下. = hypostatic congestion. *3* 下位性（通常，ある遺伝子座によって示される表現型が，他の上位遺伝子座によって抑制される現象）．

hy·po·stat·ic (hī′pō-stat′ik). *1* 沈下性の（従属位置の結果として起こる）．*2* 下位性の．

hy·po·stat·ic con·ges·tion 沈下〔性〕うっ血（垂れ下がった部分に静脈血が貯留して起こるう

っ血). = hypostasis(2).

hy·po·stat·ic ec·ta·si·a 就下性拡張〔症〕(脚の静脈瘤におけるように，身体下部における血管(通常は静脈)の拡張).

hy·po·stat·ic pneu·mo·ni·a 就下性肺炎，沈下性肺炎（換気の減弱やそれによる気管支分泌物排出不全が原因で，体位で下になる領域(背部，下肺部)に発生した感染による肺炎．主に老年者や疾病により衰弱している人など同じ体位で長期間寝ている人に起こる).

hy·pos·the·ni·a (hī′pos-thē′nē-ă). 衰弱状態(→asthenia).

hy·pos·then·ic (hī′pos-then′ik). ***1*** 衰弱した. ***2*** 骨格筋の発育不全を伴う，ほっそりした体型について.

hy·pos·the·nu·ri·a (hī′pos-thē-nyūr′ē-ă). 低張尿〔症〕(低比重尿の排泄で，腎尿細管が濃縮尿を生成できないことで起こる．または尿崩症で水分摂取過多によっても起こる).

hy·po·sto·mi·a (hī′pō-stō′mē-ă). 下唇症（小口症の一型で，口裂が小さく垂直である).

hy·po·tel·or·ism (hī′pō-tel′ŏr-izm). 眼の異常な接近.

hy·po·ten·sion (hī′pō-ten′shŭn). ***1*** 低血圧〔症〕（正常以下の動脈血圧). = hypopiesis. ***2*** すべての種類の圧力または張力の減少.

hy·po·ten·sive (hī′pō-ten′siv). 低血圧性の.

hy·po·tha·lam·ic in·fun·dib·u·lum 〔視床下部の〕漏斗（下垂体茎内へのびる灰白隆起の先端部).

hy·po·thal·a·mic-pi·tu·i·ta·ry-a·dre·nal ax·is (HPA ax·is) 視床下部–下垂体–副腎系（視床下部，下垂体前葉，副腎皮質より構成されるストレス対応システム．副腎を刺激してコルチゾールの分泌を促進する).

hy·po·thal·a·mo·hy·po·phy·si·al por·tal sys·tem 視床下部下垂体門脈系. = portal hypophysial circulation.

hy·po·thal·a·mus (hī′pō-thal′ă-mŭs). 視床下部（脳の腹側と内側の領域で，第３脳室の腹側半分の壁を形成しており，視床下溝により視床と区別され，内包と視床腹側部の内側に位置し，前方では前交連中隔と後方では中脳被蓋および中心灰白質と続いている．視床下部の腹側表面は，前方から後方に向かって，視束交叉，視床漏斗茎を通って下垂体の後葉へのびる対をなさない視床漏斗，対をなす乳頭体，により標識される．視床下部の神経細胞は，大形細胞の視索上核，室傍核，外側前視索核，外側視床下部核，隆起核，前視床下部核，腹内側核，背内側核，弓状核，後部視床下部核，前乳頭核，および乳頭体に分類される．中脳，小脳，大脳辺縁系を結ぶ求心性線維結合をもち，それらと下垂体後葉を結ぶ遠心性線維結合をもつ．下垂体前葉との機能的な結合は，視床下部下垂体の門脈系によって確立されている．視床下部は，自律神経系の内臓運動性機能に深く関与しており，下垂体前葉との血管連絡を通じて内分泌機構に関与している．情緒や動機付けの基礎である神経機構にも役割を演じているように思われる．→hypophysis).

hy·po·the·nar (hī′pō-thē′năr). ***1*** 〖n.〗小指球. = hypothenar eminence. ***2*** 〖adj.〗小指球の（小指球およびその内部のすべての構造に関係する構造についていう).

hy·po·the·nar em·i·nence 小指球（手掌内側の肉塊). = hypothenar(1).

hy·po·ther·mal (hī′pō-thĕr′măl). 低体温〔症〕の.

hy·po·ther·mi·a (hī′pō-thĕr′mē-ă). 低体温〔症〕，体温異常降下，低温症（37°C(98.6°F)より有意に低い体温).

hy·poth·e·sis (hī-poth′ĕ-sis). 仮説（発見的目的のために提唱される推測 conjecture で，これは定義された実験の遂行と実験的データの批判的構築による確証または論証に従う型式で組み立てられている．想定 assumption，仮定 postulation や，焦点の定まらない推測 unfocused speculation とは区別すべきものである．→postulate; theory).

hy·po·thet·ic mean or·ga·nism (HMO) 仮定的平均生物（算術的平均生物にあい対する，同分類群に属する生物の有利な形質を平均的にもった仮定的な生物).

hypothrombinaemia [Br.]. = hypothrombinemia.

hy·po·throm·bi·ne·mi·a (hī′pō-throm′bin-ē′mē-ă). 低トロンビン血〔症〕（循環血液中のトロンビン量が異常に低いこと). = hypothrombinaemia.

hy·po·thy·mi·a (hī′pō-thī′mē-ă). 気分沈滞，感情減退症（精神の抑うつ).

hy·po·thy·mic (hī′pō-thī′mik). 気分沈滞の，感情減退症の.

hy·po·thy·roid (hī′pō-thī′royd). 甲状腺〔機能〕低下(不全)性の.

hy·po·thy·roid·ism (hī′pō-thī′royd-izm). 甲状腺〔機能〕低下(不全)〔症〕（甲状腺ホルモンの産生が減少し，甲状腺機能不全になること．基

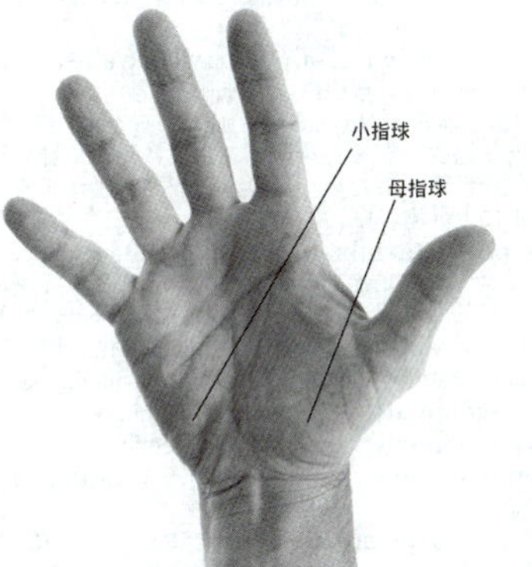
小指球
母指球

hypothenar eminence

礎代謝の低下，体重増加の傾向，傾眠，ときに粘液水腫を生じる).

hy·po·to·ni·a (hī′pō-tō′nē-ă). = hypotonicity (1). ***1*** 低張，低圧(眼球のように，ある部分の張力が低下すること). ***2*** 低血圧〔症〕(動脈の弛緩状態). ***3*** 緊張低下（筋肉の緊張性が減少または減退した状態で，その結果筋肉は正常限界以上に伸展されうる).

hy·po·ton·ic (hī′pō-ton′ik). ***1*** 低緊張の（より低度の張力をもった). ***2*** 低張〔性〕の（通常，血漿または間質液と仮定される基準液より低い浸透圧を有する).

hy·po·to·nic·i·ty (hī′pō-tō-nis′i-tē). ***1*** 緊張低下〔状態〕. = hypotonia; low muscle tone. ***2*** 低張圧（浸透圧効果が減少すること).

hy·po·ton·ic la·bor 微弱陣痛（出産の際に起こる乱れた変化で，陣痛が出産時に継続するうえで必要な回数を下回る場合).

hy·po·ton·ic sa·line 低張食塩水（塩化ナトリウムの濃度が，等張食塩水よりも低い溶液).

hy·po·tri·cho·sis (hī′pō-tri-kō′sis). 貧毛〔症〕，乏毛〔症〕（頭部および(または)身体の毛の量が正常より少ないこと).

hypotriglyceridaemia [Br.]. = hypotriglyceridemia.

hy·po·tri·gly·cer·i·de·mi·a (hī′pō-trī-glis′ĕr-i-dē′mē-ă). 低トリグリセリド血症（血漿中のトリグリセリドの異常に低い値). = hypotriglyceridaemia.

hy·po·tro·pi·a (hī′pō-trō′pē-ă). 下斜視（一眼が他眼より低い位置にある眼位偏位).

hy·po·tym·pa·not·o·my (hī′pō-tim-pă-not′ō-mē). 下鼓室切開〔術〕（下鼓室に限局した小さな腫瘍を，聴力を損なうことなく切除するための外科的手術法).

hy·po·tym·pa·num (hī′pō-tim′pă-nŭm). 下鼓室（鼓室下部).

hypouricaemia [Br.]. = hypouricemia.

hy·po·u·ri·ce·mi·a (hī′pō-yūr′i-sē′mē-ă). 低尿酸血〔症〕（血中尿酸濃度が低下した状態). = hypouricaemia.

hy·po·u·ri·cu·ri·a (hī′pō-yūr′i-kyū′rē-ă). 低尿酸尿〔症〕（尿中の尿酸排泄の減少).

hy·po·ven·ti·la·tion (hī′pō-ven-ti-lā′shŭn). 換気過少（代謝性炭酸ガス生成に比して肺胞換気が低下するため，肺胞の炭酸ガス圧が正常以上に上昇する).

hy·po·vi·ta·min·o·sis (hī′pō-vī′tă-min-ō′sis). ビタミン不足症（1種類以上の必須ビタミンの相対的な不足を特徴とする状態で，最初は組織内の濃度が低下し，次いで機能的変化が起こり，最後には形態的病変が現れる. *cf.* avitaminosis).

hypovolaemia [Br.]. = hypovolemia.

hypovolaemic [Br.]. = hypovolemic.

hypovolaemic shock [Br.]. = hypovolemic shock.

hy·po·vo·le·mi·a (hī′pō-vō-lē′mē-ă). 〔循環〕血液量減少（全身の血液量の減少). = hyphemia; hypovolaemia.

hy·po·vo·le·mic (hī′pō-vō-lē′mik). 循環血液量減少に関連した，あるいはその特徴的症状を呈した. = hypovolaemic.

hy·po·vo·le·mic shock 循環血液量減少性ショック（例えば，出血または脱水による血液量減少から生じるショック). = hypovolaemic shock.

hy·po·vo·li·a (hī′pō-vō′lē-ă). 減量症（ある部分の含水量が減少すること. 例えば，細胞外液の減量症).

hypoxaemia [Br.]. = hypoxemia.

hy·po·xan·thine (hī′pō-zan′thēn). ヒポキサンチン（筋肉および他の組織に存在するプリンの1つで，プリン分解中にアデニンの脱アミノ化により生成される. モリブデン補因子欠損症で上昇する).

hy·pox·e·mi·a (hī′pok-sē′mē-ă). 低酸素血〔症〕，血中酸素減少（無酸素症には至らないが動脈血酸素飽和が正常以下であること). = hypoxaemia.

hy·pox·i·a (hī-pok′sē-ă). 低酸素〔症〕（吸気中，動脈血中の酸素が正常レベル以下に減少すること. または生体組織の酸素欠乏).

hy·pox·ic (hī-pok′sik). 低酸素症を呈した，あるいはその特徴的症状を呈した.

hy·pox·ic hy·pox·i·a 低酸素性低酸素〔症〕（肺での酸素付加の過程に障害があって生じる低酸素症).

hy·pox·ic ne·phro·sis 低酸素性ネフローゼ（急性の乏尿性腎不全で，出血，熱傷，ショックなどの血液量減退症および腎血流の減量によって起こる).

hyp·sa·rhyth·mi·a (hip′să-ridh′mē-ă). ヒプサリスミア（点頭てんかんの患者に共通してみられる，異常で独特の無秩序さのある脳波).

hyp·so·dont (hip′sō-dont). 高歯性（一部の動物では歯冠と歯体の双方が伸長し，他の動物では尖頭が顕著に伸長した長い歯をもつこと).

Hyr·tl loop ヒルトルわな（左右舌下神経間にある連絡わなで，おとがい舌骨筋とおとがい舌筋の間，またはおとがい舌骨組織の中にある. 10人に約1人の割合で見出される).

hys·ter·al·gi·a (his′tĕr-al′jē-ă). 子宮痛. = hysterodynia; metrodynia.

hys·ter·a·tre·si·a (his′tĕr-ă-trē′zē-ă). 子宮閉鎖〔症〕（通常，炎症性子宮頸管内膜癒着の結果起こる子宮閉鎖).

hys·ter·ec·to·my (his′tĕr-ek′tŏ-mē). 子宮摘出〔術〕（子宮の摘出で，特別な場合を除いて通常，子宮の完全な摘出(子宮体部および頸部)を意味する).

hys·ter·e·sis (his′tĕr-ē′sis). ヒステリシス，履歴現象（①歩調を合わせる2つの関連現象のうち，どちらか一方がペースを乱すようなこと. または，一方の値が他方の値の増減に依存しているとき，その値が他方の変化に直従しないような状態が起こること. ②磁気効果がその原因より遅れて起こること. ③融解点と凝固点との温度差. ④協同度が酵素のゆっくりしたコンホメーション変化に関連している多くの酵素触媒反応で観察された協同性の様式の根拠. *cf.* allosterism).

hys·ter·eu·ry·sis (his′tĕr-yūr-ē′sis). 子宮口

拡張〔法〕（子宮体下部および子宮頸管の拡張）.

hys·te·ri·a (his-tĕr′ē-ă). ヒステリー（身体機能の変化や欠落のみられる身体表現性障害. 上肢の麻痺や視力障害のように身体疾患が疑われるが，そうではなく明らかに心理葛藤や欲求の表現である）.

hys·ter·ic a·pho·ni·a ヒステリー〔性〕失声〔症〕= conversion disorder.

hys·ter·ic a·tax·i·a ヒステリー性運動失調〔症〕. = conversion disorder.

hys·ter·ic blind·ness ヒステリー盲（心理的に外傷的な出来事に続いて生じる視力喪失や視力低下）.

hys·ter·ic cho·re·a ヒステリー性舞踏病. = conversion chorea.

hys·ter·ic con·vul·sion ヒステリー性痙攣，ヒステリー様痙攣（転換疾患(以前はヒステリー)による痙攣）.

hys·ter·ic joint ヒステリー性関節（疼痛，ときに腫脹，運動障害などの徴候を伴う関節疾患の身体表現性擬態）.

hys·ter·ic psy·cho·sis ヒステリー性精神病（重症な転換性反応の古用語で，現実の対人接触を障害し，それは短期，反応性，文化に限られる）.

hys·ter·ics (his-tĕr′iks). ヒステリー発作（しばしば泣き叫び，笑い，悲鳴を伴う感情の表現）.

hystero-, hyster- *1* 子宮を意味する連結形. → metr-; utero-. *2* ヒステリーを意味する連結形. *3* 後で，続いて，を意味する連結形.

hys·ter·o·cat·a·lep·sy (his′tĕr-ō-kat′ă-lep-sē). ヒステリー性カタレプシー（強硬症状を伴うヒステリー）.

hys·ter·o·cele (his′tĕr-ō-sēl). *1* 子宮ヘルニア（子宮の一部または全部を含む腹部または会陰のヘルニア）. *2* 子宮瘤（子宮内容物が，子宮壁の弱まった膨隆部分に突出すること）.

hys·ter·o·clei·sis (his′tĕr-ō-klī′sis). 子宮口縫合〔術〕（子宮の閉鎖手術）.

hys·ter·o·dyn·i·a (his′tĕr-ō-din′ē-ă). 子宮痛. = hysteralgia.

hys·ter·o·ep·i·lep·sy (his′tĕr-ō-ep′i-lep-sē). ヒステリーてんかん（ヒステリー性痙攣）.

hys·ter·o·gen·ic, hys·ter·og·en·ous (his′tĕr-ō-jen′ik, -oj′ĕ-nŭs). ヒステリー発生の，ヒステリー起因性の.

hys·ter·o·gram (his′tĕr-ō-gram). *1* 子宮造影図（子宮のX線診断で，通常は造影剤を用いる）. *2* 子宮収縮描写図（子宮収縮力の記録）.

hys·ter·o·graph (his′tĕr-ō-graf). 子宮収縮力を記録するための装置.

hys·ter·og·ra·phy (his′tĕr-og′ră-fē). *1* 子宮造影〔法〕（造影剤で満たされた子宮腔のX線撮影）. *2* 子宮収縮描写〔法〕（子宮収縮の画像記録法）.

hys·ter·oid (his′tĕr-oyd). ヒステリー様の.

hys·ter·ol·y·sis (his′tĕr-ol′i-sis). 子宮剥離〔術〕（子宮とその周辺部を剥離すること）.

hys·ter·om·e·ter (his′tĕr-om′ĕ-tĕr). 子宮計（子宮腔の深さを測るための目盛り付きゾンデ）. = uterometer.

hys·ter·o·my·o·ma (his′tĕr-ō-mī-ō′mă). 子宮筋腫.

hys·ter·o·my·o·mec·to·my (his′tĕr-ō-mī′ō-mek′tŏ-mē). 子宮筋腫切除〔術〕，筋腫摘出術.

hys·ter·o·my·ot·o·my (his′tĕr-ō-mī-ot′ŏ-mē). 子宮筋腫切開〔術〕.

hys·ter·o-o·oph·o·rec·to·my (his′tĕr-ō-ō-of′ŏr-ek′tŏ-mē). 子宮卵巣摘除〔術〕.

hys·ter·op·a·thy (his′tĕr-op′ă-thē). 子宮疾患.

hys·ter·o·pex·y (his′tĕr-ō-pek-sē). 子宮固定〔術〕（異常な位置にある，または異常に移動しやすい子宮を固定すること）. = uterofixation; uteropexy.

hys·ter·o·plas·ty (his′tĕr-ō-plas-tē). 子宮形成術. = uteroplasty.

hys·ter·or·rha·phy (his′tĕr-ōr′ă-fē). 子宮縫合〔術〕（破裂した子宮を縫合修復すること）.

hys·ter·or·rhex·is (his′tĕr-ō-rek′sis). 子宮破裂.

hys·ter·o·sal·pin·gec·to·my (his′tĕr-ō-sal-pin-jek′tŏ-mē). 子宮卵管切除〔術〕（子宮および一方または両方の卵管を切除する手術）.

hys·ter·o·sal·pin·gog·ra·phy (his′tĕr-ō-sal-ping-gog′ră-fē). 子宮卵管造影(撮影)〔法〕（造影剤注入後の子宮および卵管のX線撮影法）. = hysterotubography; metrosalpingography; uterosalpingography; uterotubography.

hys·ter·o·sal·pin·go·o·oph·o·rec·to·my (his′tĕr-ō-sal-ping′gō-ō-of′ŏr-ek′tŏ-mē). 子宮卵管卵巣摘出術（子宮，卵管，卵巣を切除すること）.

hys·ter·o·sal·pin·gos·to·my (his′tĕr-ō-sal-ping-gos′tŏ-mē). 子宮卵管開口〔術〕，子宮卵管造瘻術（子宮卵管の再開通のための手術）.

hys·ter·o·scope (his′tĕr-ō-skōp). 子宮鏡，ヒステロスコープ（子宮腔内の直接視診に用いる内視鏡）. = metroscope; uteroscope.

hys·ter·os·co·py (his′tĕr-os′kŏ-pē). 子宮鏡検査〔法〕（子宮腔の視診器具による検査）. = uteroscopy.

hys·ter·o·spasm (his′tĕr-ō-spazm). 子宮痙攣.

hys·ter·ot·o·my (his′tĕr-ot′ŏ-mē). 子宮切開〔術〕. = uterotomy.

hys·ter·o·tra·chel·ec·to·my (his′tĕr-ō-trā′kĕ-lek′tŏ-mē). 子宮頸部切除〔術〕.

hys·ter·o·tra·chel·o·plas·ty (his′tĕr-ō-tra′kĕ-lō-plas-tē). 子宮頸部形成〔術〕.

hys·ter·o·tra·che·lor·rha·phy (his′tĕr-ō-trā′kĕ-lōr′ă-fē). 子宮頸部縫合〔術〕（破裂した子宮頸部の縫合手術）.

hys·ter·o·tra·chel·ot·o·my (his′tĕr-ō-trā′kĕ-lot′ŏ-mē). 子宮頸管切開〔術〕.

hys·ter·o·tu·bog·ra·phy (his′tĕr-ō-tū-bog′ră-fē). 子宮卵管造影〔法〕. = hysterosalpingography.

Hz hertz の略.

H

I

ι (ī-ō′ta). イオータ (→iota).
I *1* ヨウ素の元素記号．光度 luminous intensity, または放射強度 radiant intensity の記号．イオン強度 ionic strength (mol/L における)の記号．イソロイシン，イノシンの記号．*2* アンペアで表現される電流の強さの略．*3* 下付き文字として吸気 inspired gas の記号．*4* I 血液型の記号．
IA intraarterial の略.
-ia 状態または条件を示す接尾語で，しばしば異常な状態または条件に関する用語を形成する．*cf.* -ism.
IADL instrumental acivities of daily living(手段的日常生活動作)の略．→ADL; BADL.
I and O (fluid) intake and output の略.
IAP intermittent acute porphyria の略.
-iasis 特に不健康な状態または状況を意味する接尾語.
i·at·ric (ī-at′rik). 医薬の，医師の，治療者の.
-iatrist, -iatrician ある医療分野の専門者であることを表す連結形.
iatro- 医師，医薬，医療に関する連結形．*cf.* medico-.
i·at·ro·gen·ic (ī-at′rō-jen′ik). 医原性の (治療自体によって引き起こされた，内科的あるいは外科的治療への反応についていう．通常，好ましくない反応について用いる).
i·at·ro·gen·ic di·a·be·tes mel·li·tus 医原性糖尿病 (外科的，あるいはそれ以外の治療介入ののちに発見された病気).
i·at·ro·gen·ic pneu·mo·thor·ax 医原性気胸 (医療手技によって起こる気胸で，最も多いのは中心静脈カテーテル挿入，胸腔穿刺，経気管支あるいは経胸壁肺生検である).
i·at·ro·gen·ic trans·mis·sion 医原性感染 (医療行為による病原体の感染(例えば汚染された注射針による感染)).
I band I 帯 (横紋筋線維の Z 線の両側にある明るい帯状部分で，細いアクチンフィラメントと太いミオシンフィラメントが重なり合っていない部分に相当する).
IBD inflammatory bowel disease の略.
IBS irritable bowel syndrome の略.
-ic *1* …を表す，…の意の接尾語．*2* 化学において，化合物の最も高い原子価をもつ元素を表す接尾語．*cf.* -ous(1)．*3* 酸を表す接尾語.
ICAO stan·dard at·mos·phere ICAO 標準気圧 (国際民間航空機関により採用された標準気圧で，高度計の較正や低気圧室圧の表現における高度表示に用いられる).
ic·co·somes (ī′kō-sōmz). イコソーム (濾胞内樹状細胞にみられる数珠状の細胞質内構造物．抗原の貯蔵場と考えられている).
ICD International Classification of Diseases; implantable cardioverter defibrillator; intravenous contraceptive device の略.
ICDA International Classification of Diseases, Adapted for Use in the United States の略．米国で使用される国際疾病分類.
Ice·land dis·ease アイスランド病．= epidemic neuromyasthenia.
I cell I 細胞 (膜に囲まれた封入体を含む培養皮膚線維芽細胞．ムコリピドーシス II に特徴的．→immunocyte)．= inclusion cell.
ice pick head·ache アイスピック頭痛．= idiopathic stabbing headache.
ICF intracellular fluid; intermediate care facility; International Classification of Functioning, Disability, and Health; Intermediate Care Facility の略.
ICH intracranial hypertension; intracerebral hemorrhage; International Conference on Harmonization の略.
i·chor (ī′kōr). 膿漿〔液〕(潰瘍または病的創面から出る薄い水様の排出液にまれに用いる語).
ichorhaemia [Br.]．= ichorrhemia.
i·cho·roid (ī′kō-royd). 膿漿〔液〕様の (薄い化膿性排出液を示す).
i·chor·ous (ī′kōr-ūs). 膿漿〔液〕性の.
i·chor·rhe·a (ī′kō-rē′ă). 膿漿〔液〕漏 (多量の膿漿液排出)．= ichorrhoea.
i·chor·rhe·mi·a (ī′kō-rē′mē-ă). 敗血症 (膿漿性分泌物を伴う敗血症)．= ichorhaemia.
ichorrhoea [Br.]．= ichorrhea.
ich·thy·ism (ik′thē-izm). 魚〔肉〕中毒〔症〕(腐敗魚または食用に不適な魚の摂取により起こる中毒).
ichthyo- 魚に関する連結形.
ich·thy·oid (ik′thē-oyd). 魚状の.
ich·thy·o·si·form e·ryth·ro·der·ma 魚鱗癬様紅皮症．= congenital ichthyosiform erythroderma.
ich·thy·o·sis (ik′thē-ō′sis). 魚鱗癬 (角化の先天性異常で，非炎症性の皮膚の乾燥と鱗屑を特徴とし，しばしば他の異常や脂質代謝異常を伴い，遺伝的，臨床的，顕微鏡的に，また表皮細胞の動態により識別される).
ich·thy·ot·ic (ik′thē-ot′ik). 魚鱗癬の.
ich·thy·o·tox·ism (ik′thē-ō-tok′sizm). 魚肉中毒，魚中毒.
ICM International Confederation of Midwives の略.
ICN International Council of Nurses の略.
icon (ī′kon). アイコン (弁別的特長として用いられるあらゆる視覚的イメージ).
ICP intracranial pressure の略.
ICS incident command system の略.
-ics 系統立てた学問，診療，治療，を意味する接尾語.
ICSD International Classification of Sleep Disorders の略.
ICSH interstitial cell-stimulating hormone の略.
ICt_{50} incapacitating Ct_{50} の略.
ic·tal (ik′tăl). 発作〔性〕の.
ic·ter·ic (ik-ter′ik). 黄疸の.
ictero- 黄疸を表す連結形.

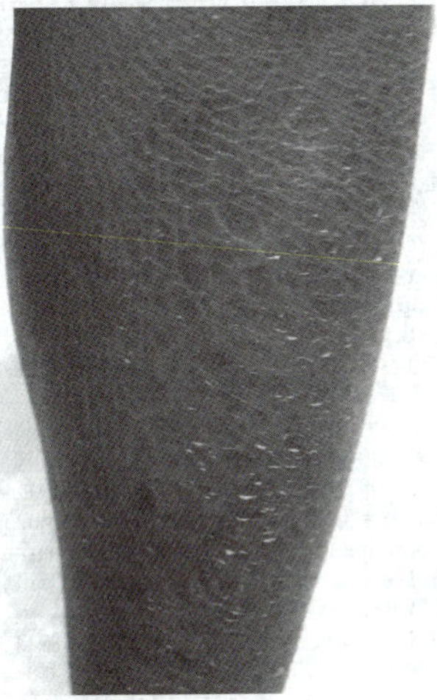

ichthyosis vulgaris

ic·ter·o·gen·ic (ik′tĕr-ō-jen′ik). 黄疸を起こす.

icterohaemorrhagic fever [Br.]. = icterohemorrhagic fever.

ic·ter·o·hem·or·rhag·ic fe·ver 黄疸出血性熱（種々の *Leptospira interrogans* の血清型の感染で，黄疸出血症として知られている．発熱，黄疸，出血性病巣，高窒素血症，中枢神経症状が特徴である）.

ic·ter·o·hep·a·ti·tis (ik′tĕr-ō-hep′ă-tī′tis). 黄疸性肝炎（黄疸を主症状とする肝炎）.

ic·ter·oid (ik′tĕr-oyd). 黄疸様の，黄色調の.

ic·ter·us (ik′tĕr-us). 黄疸. = jaundice.

ic·ter·us gra·vis 重症黄疸（高熱，せん妄を伴う黄疸．重症肝炎や重症機能不全を伴う他の肝疾患にみられる）. = malignant jaundice.

ic·ter·us ne·o·na·to·rum 新生児期黄疸（ときに正常であるが，過度の溶血，敗血症，新生児肝炎，先天性胆道閉鎖症などの，様々な要因で増強される新生児の黄疸）. = jaundice of the newborn; physiologic icterus; physiologic jaundice.

ic·tus (ik′tŭs). *1* 発作. *2* 拍動.

ic·tus cor·dis 心拍動，心拍. = apex beat.

ICU intensive care unit の略.

ICU psy·cho·sis ICU 精神病（精神病性のエピソードで，精神病の既往のない患者が，ICU に入って 24 時間以内に起こる．睡眠の剥奪，ICU 内の過剰な刺激，生命維持装置内で過ごす時間などが関係する）.

ID intradermal の略.

id (id). イド，エス（①精神分析学で，Freud 学派の構造論モデルで精神的装置の 3 要素の 1 つ．残りの 2 つは自我と超自我．すなわち完全に無意識の領域にあって，無秩序で，心的エネルギーまたはリビドーの貯蔵庫であり，一次過程の影響下にある部分をさす．②新生児の生物学的飢餓，食欲，身体欲求，先天的衝動によって生じるすべての心的エネルギー）.

-id *1* 原発病変部から隔たった部位が病原性物質と反応し（-id 反応），二次的に炎症性病変を起こすような皮膚の過敏状態を示す接尾語．この反応の結果現れる病変は -id とよばれる．*2* 小さなまたは幼若な標本を示す接尾語.

IDC indwelling catheter の略.

IDD iodine deficiency disorder の略.

-ide *1* 二元性化合物中の，より電気陰性な元素を示す接尾語．*2* 糖の名称の接尾語として，ヘミアセタール OH の H に対する置換を示す．例えば glycoside.

IDEA (ī-dē′ă). Individuals with Disabilities Education Act の略.

i·de·a (ī-dē′ă). 観念，表象（あらゆる心像または観念）.

i·deal (ī-dēl′). 理想（完全性の 1 つの標準）.

i·de·a of ref·er·ence 関係念慮（実際にはそうでないのに，他人の言動や行動または同じ環境下にあるまったく関係のないものが自分に関係していると誤解すること）.

i·de·a·tion (ī′dē-ā′shŭn). 観念化，思考過程（観念や思考の形成）.

i·de·a·tion·al (ī′dē-ā′shŭn-ăl). 観念の，観念的な.

i·dée fixe 固着観念，定着観念. = fixed idea.

i·den·ti·cal twins = monozygotic twins.

i·den·ti·fi·ca·tion (ī-den′ti-fi-kā′shŭn). *1* 確認（対象の分類や性質をはっきりさせる行為や過程）．*2* 同一視，同一化（他の人またはグループとの同一感覚または精神的連続性．万人に共通する Freud の防御機制の 1 つで，一般大衆の中で共通点を認め，または幼少時に親のようなより強力な人間と同一視する心理過程を通して，自己同一性や価値観と関連した不安が消失すること）.

i·den·ti·fi·er (ī-den′ti-fī-ĕr). 鑑定者，識別子（事物のある特定な性質，同一性を確立または特徴付ける人あるいは物）.

i·den·ti·ty (ī-den′ti-tē). 同一〔性〕（個人の社会的役割とその認識）.

i·den·ti·ty cri·sis 同一性危機（自意識，価値，および社会における自分の役割に関する見当識障害．しばしば急性発症し，生活に特殊な，重大な出来事が起こったときに現れる）.

i·den·ti·ty dis·or·der 同一性障害（自ら受け入れることができる一貫性のある自己感覚に，自己の各側面をまとめあげていく能力に関して著しく苦悩する小児・青年期の精神障害）.

ideo- 観念あるいは思考過程を表す連結形. *cf.* idio-.

i·de·o·ki·net·ic a·prax·i·a, id·e·o·mo·tor a·prax·i·a 有意運動性失行〔症〕，観念失行〔症〕（単純な行為ができない失行症の一型．意志を制御する皮質中枢と運動皮質の間の連絡が障害されるために起こると考えられている）.

i·de·ol·o·gy (ī′dē-ol′ō-jē). イデオロギー，観

念形態（他に対する個人または集団の組織だった見解を構成する観念，信仰，態度の集成）．

idio- 個別的，特異的なことを意味する連結形．*cf.* ideo-.

id·i·o·glos·si·a（id′ē-ō-glos′ē-ă）. = idiolalia. ***1*** 構語不全（個人で案出した言語で，通常の会話とは著しく異なるため他者には理解不能でコミュニケーションが成立しない．通常は精神疾患や精神遅滞の徴候）．***2*** 自作言語（双生児同士の間で使われる会話表現の一型）．

id·i·o·gram（id′ē-ō-gram）．***1*** 核型．= karyotype. ***2*** イディオグラム（種または個体群に特異な染色体形態を図示したもの）．

id·i·o·het·er·o·ag·glu·ti·nin（id′ē-ō-het′ĕr-ō-ă-glū′tin-in）．自発性異種凝集素（ある種の動物の血液中に生じる自発性凝集素で，他種由来の抗原物質とも結合しうる）．

id·i·o·het·er·ol·y·sin（id′ē-ō-het-ĕr-ol′i-sin）．自発性異種溶解素（ある種の動物の血液中に生じる自発性溶解素で，他種の赤血球とも結合しうる）．

id·i·o·i·so·ag·glu·ti·nin（id′ē-ō-ī′sō-ă-glū′tin-in）．自発性同種凝集素（ある種の動物の血液中に生じる自発性凝集素で，同種動物の赤血球を凝集しうる）．

id·i·o·i·sol·y·sin（id′ē-ō-ī-sol′i-sin）．自発性同種溶解素（ある種の動物の血液中に生じる自発性溶解素で，同種動物の赤血球と結合して補体の存在下で溶血を引き起こす）．

id·i·o·la·li·a（id′ē-ō-lā′lē-ă）. = idioglossia.

id·i·ol·y·sin（id′ē-ol′i-sin）．自発性溶解素（ヒトまたは動物の血液中に自然に発生する溶解素で，感作性抗原の注射あるいは抗体を受動的に移入せずに生じる）．

id·i·o·mus·cu·lar con·trac·tion 特発〔性〕筋収縮．= myoedema.

id·i·o·path·ic（id′ē-ō-path′ik）．特発〔性〕の（原因不明の疾病についていう）．= agnogenic.

id·i·o·path·ic al·do·ste·ron·ism 特発性アルドステロン症．= primary aldosteronism.

id·i·o·path·ic en·vi·ron·men·tal in·tol·er·ance（IEI） 本態性環境不寛容状態（推定される様々な化学物質への低レベルな環境暴露が原因で，未解明なメカニズムによって，多くの器官系に起こる非特異的症状が存在する，原因不明な状態）．= multiple chemical sensitivity.

id·i·o·path·ic hy·per·cal·ce·mi·a of in·fants 乳幼児特発性高カルシウム血〔症〕，乳幼児特発性カルシウム過剰血〔症〕（幼児に起こる原因不明の持続性高カルシウム血症で，骨軟化症，腎不全，およびときには高血圧症を伴う）．

id·i·o·path·ic hy·per·tro·phic sub·a·or·tic ste·no·sis 特発性肥厚性大動脈弁下部狭窄〔症〕（一般に先天性の心室中隔の肥大による左心室流出路の閉塞）．

id·i·o·path·ic neu·ral·gi·a 特発〔性〕神経痛（原因のはっきりしない神経の痛み）．

id·i·o·path·ic pul·mo·nar·y fi·bro·sis（IPF） 特発性肺線維症（亜急性型はHamman-Rich症候群ともよばれる．原因不明あるいは膠原血管病に合併する急性から慢性に至る肺の炎症過程あるいはびまん性肺胞障害や急性間質性肺炎の治療段階）．= cryptogenic fibrosing alveolitis; Hamman-Rich syndrome.

id·i·o·path·ic stab·bing head·ache 特発性刺痛性頭痛（頭の側頭・頭頂部に起こる短い反復性の鋭い痛み）．= ice pick headache.

id·i·o·path·ic sub·glot·tic ste·no·sis 特発性声門下狭窄〔症〕（原因不明の声門下腔狭窄．女性だけに生じる）．

id·i·o·path·ic throm·bo·cy·to·pe·nic pur·pu·ra（ITP） 特発性血小板減少性紫斑病（広い範囲の斑状出血，粘膜からの出血，極度の血小板低値を特徴とする全身症．抗血小板抗体によるマクロファージの血小板破壊の結果生じる．小児の症例は通常，ウイルス感染に続発し，軽症で一過性であるが，成人の症例では，しばしば再発し，大出血，特に頭蓋内の危険性が高い）．= immune thrombocytopenic purpura; purpura hemorrhagica; thrombopenic purpura.

id·i·op·a·thy（id′ē-op′ă-thē）．特発〔性〕疾患，特発症（原発性疾患）．

id·i·o·phren·ic（id′ē-ō-fren′ik）．脳自体の（反射または二次的なものではなく精神または脳のみに関する，または由来するものについていう）．

id·i·o·syn·cra·sy（id′ē-ō-singk′ră-sē）．***1*** 個人的特質（個人の精神的・行動的・身体的特徴または特異性）．***2*** 特異体質（薬理学において，薬物に対し特異な反応をすること．遺伝的に決定される場合がある）．

id·i·o·syn·crat·ic（id′ē-ō-sin-krat′ik）．特異体質〔性〕の．

id·i·ot-sa·vant（ē′dē-ō′sah-vawn[h]′）．イディオ・サヴァン，賢いばか（一般常識には乏しいが，ほとんどの正常人には不可能なある特定の精神的作業に対して並はずれた才能を有する人）．

id·i·o·type（id′ē-ō-tīp）．イディオタイプ（免疫グロブリン分子に構造上の特異性を与える決定基で，しばしば特定の動物中で対象抗体に特徴ある性質を付与している）．

id·i·o·typ·ic an·ti·bod·y イディオタイプ抗体（抗体のイディオトープに結合する抗体）．

id·i·o·ven·tric·u·lar（id′ē-ō-ven-trik′yū-lăr）．心室固有の．

id·i·o·ven·tric·u·lar rhythm 心室固有調律（心室中枢支配下のゆっくりした独立心室調律で，心ブロックや洞停止で生じる）．= ventricular rhythm.

IDLH Immediate Danger to Life and Health levelの略．

id re·ac·tion 過敏性反応（カンジダ症，皮膚糸状菌症，その他の真菌症に伴う過敏性の発疹で，そう痒と小水疱を特徴とし，過敏性反応の部位から遠隔の表在性感染に対する反応として現れる．→dermatophytid; -id(1)）．

IDU injection drug user（注射乱用者）の略．

i.e. つまり，すなわち．

IEI idiopathic environmental intolerance の略．

IEP individualized education program の略．

IF initiation factor; intrinsic factor の略．

IFC interferential current の略.
IFN interferon の略.
IFSP individualized family service plan の略.
Ig immunoglobulin の略.
IgA immunoglobulin A(免疫グロブリン A)の略.
IgD immunoglobulin D(免疫グロブリン D)の略.
IgE immunoglobulin E(免疫グロブリン E)の略.
IGF insulinlike growth factors の略.
IgG immunoglobulin G(免疫グロブリン G)の略.
IgM immunoglobulin M(免疫グロブリン M)の略.
ig·ni·punc·ture (igʹni-pŭngk-shŭr). 烙刺法(焼灼器で裂孔を貫通することにより網膜剥離の裂孔を閉鎖する原法).
IGRT intensity guided radiation therapy の略.
I.H.P. individual habilitation plan の略.
IL interleukin の略.
ILA insulinlike activity の略.
il·e·ac (ilʹē-ak). ***1*** イレウスの. ***2*** 回腸の.
il·e·al (ilʹē-ăl). 回腸の.
il·e·al ar·ter·ies 回腸動脈(上腸間膜動脈より起こり,回腸に分布する.上腸間膜動脈の他の分枝と吻合). = arteriae ileales.
il·e·al di·ver·tic·u·lum 回腸憩室. = Meckel diverticulum.
il·e·al or·i·fice 回腸口(回腸が盲腸と上行結腸との間に開く口). = ileocecal valve; ileocolic valve; ileocolic vein; ostium ileale.
il·e·al u·re·ter 回腸尿管. = ureteroileoneocystostomy.
il·e·al veins 回腸静脈(→ jejunal and ileal veins).
il·e·ec·to·my (ilʹē-ekʹtŏ-mē). 回腸切除〔術〕.
il·e·i·tis (ilʹē-īʹtis). 回腸炎.
ileo- 回腸を意味する連結形.
il·e·o·a·nal (ilʹē-ō-āʹnăl). 回腸肛門の.
ileocaecal [Br.]. = ileocecal.
ileocaecostomy [Br.]. = ileocecostomy.
il·e·o·ce·cal (ilʹē-ō-sēʹkăl). 回盲の(回腸と盲腸の両方についていう). = ileocaecal.
il·e·o·ce·cal or·i·fice →ileal orifice.
il·e·o·ce·cal valve 回盲弁. = ileal orifice.
il·e·o·ce·cos·to·my (ilʹē-ō-sē-kosʹtŏ-mē). 回腸盲腸吻合〔術〕,回盲吻合〔術〕(回腸と盲腸を吻合すること). = cecoileostomy; ileocaecostomy.
il·e·o·co·lic (ilʹē-ō-kolʹik). 回結腸の(回腸と結腸についていう).
il·e·o·co·lic ar·ter·y 回結腸動脈(上腸間膜動脈より起こり,しばしば右結腸動脈と共通する幹をもつ.回腸の終末部,盲腸,虫垂,上行結腸に分布する.右結腸動脈,回腸動脈と吻合). = arteria ileocolica.
il·e·o·co·lic valve = ileal orifice.
il·e·o·co·lic vein 回結腸静脈. = ileal orifice.
il·e·o·co·li·tis (ilʹē-ō-kō-līʹtis). 回結腸炎(回腸と結腸の両方の炎症).
il·e·o·co·los·to·my (ilʹē-ō-kō-losʹtŏ-mē). 回腸結腸吻合〔術〕(回腸の結腸への吻合).
il·e·o·cys·to·plas·ty (ilʹē-ō-sisʹtō-plas-tē). 小腸膀胱形成〔術〕(膀胱容量を増大させるために血管をつけて遊離した回腸の一部を用いた膀胱の再建手術).
il·e·o·il·e·os·to·my (ilʹē-ō-il-ē-osʹtŏ-mē). ***1*** 回腸回腸吻合〔術〕(回腸の2分節の間を吻合すること). ***2*** 回腸回腸吻合によってつくられた吻合口.
il·e·o·je·ju·ni·tis (ilʹē-ō-jĕʹjū-nīʹtis). 空回腸炎(空腸および回腸の一部または大部分の慢性炎症状態).
il·e·o·pex·y (ilʹē-ō-pek-sē). 回腸固定〔術〕(回腸を外科的に固定すること).
il·e·o·proc·tos·to·my (ilʹē-ō-prok-tosʹtŏ-mē). 回腸直腸吻合〔術〕(回腸と直腸を吻合すること).
il·e·or·rha·phy (ilʹē-ōrʹă-fē). 回腸縫合〔術〕.
il·e·o·sig·moid·os·to·my (ilʹē-ō-sigʹmoyd-osʹtŏ-mē). 回腸S状結腸吻合〔術〕(回腸とS状結腸を吻合すること).
il·e·os·to·my (ilʹē-osʹtŏ-mē). 回腸造瘻〔術〕,回腸フィステル形成〔術〕(回腸から直接体外に排泄するフィステルを形成すること).
il·e·ot·o·my (ilʹē-otʹŏ-mē). 回腸切開〔術〕.
il·e·um (ilʹē-ŭm). 回腸(小腸の第三部位で,長さ約3.6 mで,空腸から回盲の開口部に至る).
il·e·us (ilʹē-ŭs). イレウス,腸閉塞〔症〕(機械的,運動亢進性または無力性の腸管閉塞で,激しい仙痛や腹部膨満,嘔吐,糞便排泄困難,ときに発熱や脱水を伴う).
il·e·us sub·par·ta 分娩下イレウス(妊娠中の子宮の圧迫による大腸の閉塞).
il·i·ac (ilʹē-ak). 腸骨の.
il·i·ac bone 腸骨. = ilium.
il·i·ac co·lon 腸骨部結腸(左腸骨窩を占める下行結腸の左腸骨稜から骨盤上口までの部分).
il·i·ac crest 腸骨稜(腸骨翼の長い,弯曲した上縁).
il·i·ac mus·cle 腸骨筋. = iliacus muscle.
il·i·a·cus mus·cle 腸骨筋(起始:腸骨窩.停止:大腰筋との共同腱によって小転子前面と股関節嚢.作用:大腿の屈曲と内旋.神経支配:腰神経叢). = musculus iliacus; iliac muscle.
ilio- 腸骨を表す連結形.
il·i·o·coc·cyg·e·al (ilʹē-ō-kok-sijʹē-ăl). 腸骨

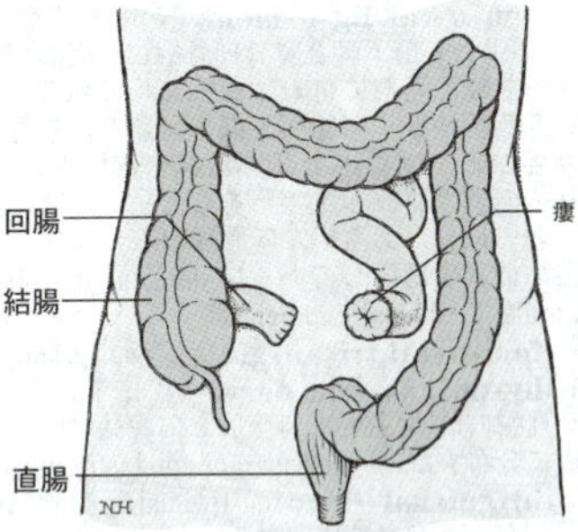
回腸
結腸
直腸
瘻
ileostomy

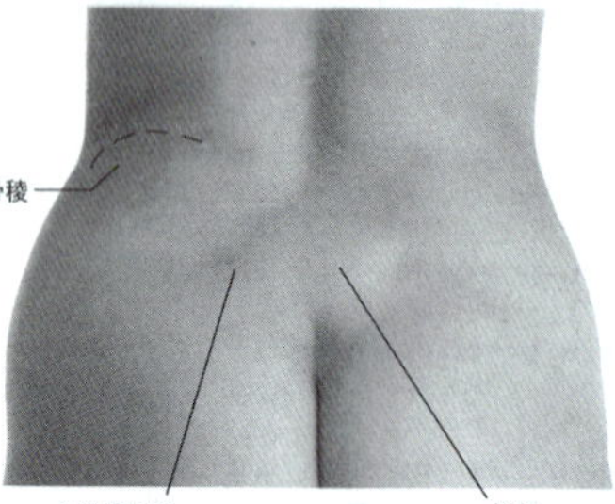
腸骨稜
上後腸骨棘
仙骨

iliac crest

尾骨の（腸骨と尾骨に関する）.

il·i·o·coc·cyg·e·al mus·cle 腸骨尾骨筋. = iliococcygeus muscle.

il·i·o·coc·cyg·e·us mus·cle 腸骨尾骨筋（肛門挙筋の後方部分. 起始：肛門挙筋もしくは閉鎖筋膜の腱弓. 停止：尾骨と肛門尾骨靱帯）. = musculus iliococcygeus; iliococcygeal muscle.

il·i·o·cos·ta·lis cer·vi·cis mus·cle 頸腸肋筋（深背筋の1つ. 起始：上方の6本の肋骨角. 停止：中部頸椎の横突起. 作用：頸椎の伸展・外転・回旋. 神経支配：上部胸神経の後枝）.

il·i·o·cos·ta·lis lum·bo·rum mus·cle 腰腸肋筋（深背筋の1つ. 起始：仙骨背面と胸腰筋膜. 停止：下方の6本の肋骨角. 作用：腰椎の伸展・外転・回旋. 神経支配：胸神経後枝, 腰神経後枝）. = lumbar iliocostal muscle.

il·i·o·cos·ta·lis mus·cle 腸肋筋（脊柱起立筋の外側部. 腰腸肋筋, 胸腸肋筋, 頸腸肋筋の3つの部分からなる）. = musculus iliocostalis; iliocostal muscle.

il·i·o·cos·tal mus·cle 腸肋筋. = iliocostalis muscle.

il·i·o·fem·o·ral (il′ē-ō-fem′ŏr-ăl). 腸骨大腿骨の（腸骨と大腿骨に関する）.

il·i·o·fem·o·ral lig·a·ment 腸骨大腿靱帯（先端が腸骨の前下棘と寛骨臼骨縁に, 底部が大腿骨の前転子間線に付着する三角形の靱帯. 強力な内側帯が転子間線の下部に付着し, 強力な外側部が転子間線の上部で結節に固定される. これらの帯は開散しY字形をなし, その間に結合の弱い部分がある. 人体最強の靱帯に属し股関節の伸展を制限している）. = ligamentum iliofemorale; Y-shaped ligament.

il·i·o·fem·o·ral tri·an·gle = Bryant triangle.

il·i·o·hy·po·gas·tric nerve 腸骨下腹神経（第一腰神経の最終枝で, 腹筋と前腹壁の下部の皮膚に分布する）. = nervus iliohypogastricus.

il·i·o·in·gui·nal (il′ē-ō-ing′gwi-năl). 腸骨鼡径の（腸骨部と鼡径部に関する）.

il·i·o·in·gui·nal nerve 腸骨鼡径神経（腸骨下腹神経とともに第一腰神経の最終枝で鼡径管から浅鼡径輪を通って, 大腿上内側部, 恥丘, 陰嚢あるいは大陰唇の皮膚に分布する）. = nervus ilioinguinalis.

il·i·o·lum·bar (il′ē-ō-lŭm′bahr). 腸腰の（腸骨部と腰部に関する）.

il·i·o·lum·bar ar·ter·y 腸腰動脈（内腸骨動脈より起こり, 骨盤および骨盤筋に分布する. 深腸骨回旋動脈, 腰動脈と吻合）. = arteria iliolumbalis.

il·i·o·lum·bar vein 腸腰静脈（同名の動脈に伴行し, 腰静脈および深腸骨回旋静脈と吻合し, 内腸骨静脈へ注ぐ）. = vena iliolumbalis.

il·i·o·pec·tin·e·al (il′ē-ō-pek-tin′ē-ăl). 腸恥の（腸骨と恥骨に関する）.

il·i·o·pec·tin·e·al arch 腸恥筋膜弓（腸骨筋と大腰筋の筋膜が癒合してできた部厚い帯状構造で, 前方は鼡径靱帯の後部から起こり, 大腿神経の前を横切って, 後方は寛骨の腸恥隆起に着付して終わる. これによって鼡径靱帯下の腔所を外側の筋窩と内側の脈管窩とに分けている. 小腰筋が存在する場合, その停止腱はここに合流する）.

il·i·o·pec·tin·e·al line = linea terminalis.

il·i·op·so·as mus·cle 腸腰筋（腸骨筋と大腰筋からなる複合筋）. = musculus iliopsoas.

il·i·o·pu·bic tract 腸恥靱帯（鼡径靱帯の深部をこれと平行して走る横筋膜の肥厚した下縁で, 外側の腸骨大腿血管群が通るところで腸恥弓から恥骨上枝にかけて鼡径管の外壁を形成する. 深鼡径輪の下縁, 大腿管の内側縁をなす. このあたりは腹腔を内部から観察したときに見られるものであるので腹腔鏡検査のときやヘルニアの修復のときのよい目安となる）. = tractus iliopubicus.

il·i·o·tib·i·al band fric·tion syn·drome 腸脛靱帯摩擦症候群（股関節部, 大腿, 膝部に疼痛を生じる疾患で, 腸脛靱帯が大転子, 上前腸骨棘, Gerdy 結節, または大腿骨外側顆の上を滑走する際に刺激を受け痛みを生じる. ときにばね現象やきしる感じを伴う）.

il·i·o·tib·i·al band syn·drome 腸脛靱帯症候群（腸脛靱帯と大腿骨外側上顆との間の機械的摩擦による炎症の結果生じる膝痛を呈する疾患）.

il·i·o·tib·i·al tract 腸脛靱帯（大腿外側部の大腿筋膜の補強線維束. 腸骨稜(特に結節)から脛骨外側顆へのびる）.

il·i·o·tro·chan·ter·ic (il′ē-ō-trō′kan-ter′ik). 腸骨転子の（腸骨と大腿骨の大転子に関する）.

il·i·o·tro·chan·ter·ic lig·a·ment 腸骨転子靱帯（Y字形の腸骨大腿靱帯のうちで外側の強靱な靱帯. 転子間線上部の結節の下に付着している）.

il·i·um, pl. il·i·a (il′ē-ŭm, -ă). 腸骨（寛骨のうち幅広く外方に張り出している部分. 出生時には別個の骨であるが, 後に坐骨および恥骨と癒合する. 恥骨および坐骨と結合して寛骨臼を形成する腸骨体および翼とよばれる幅広くて薄い部分とからなる）. = iliac bone.

Il·i·zar·ov tech·nique イリザロフ法（骨の延長および角状や回旋変形の矯正のために管理化に骨形成を促進する方法. 外科的に骨切りした

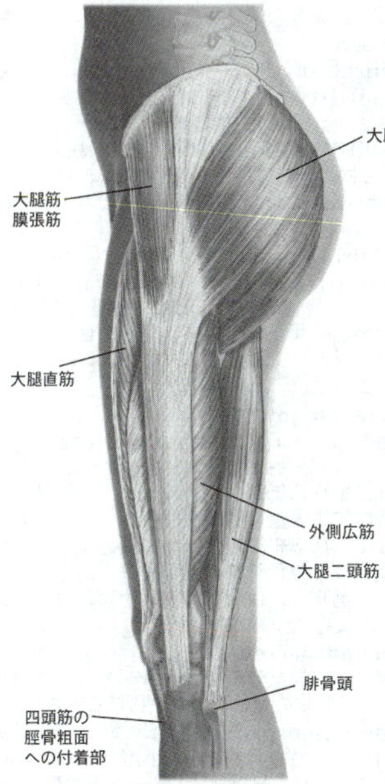
大殿筋
大腿筋
膜張筋
大腿直筋
外側広筋
大腿二頭筋
腓骨頭
四頭筋の
脛骨粗面
への付着部

iliotibial tract

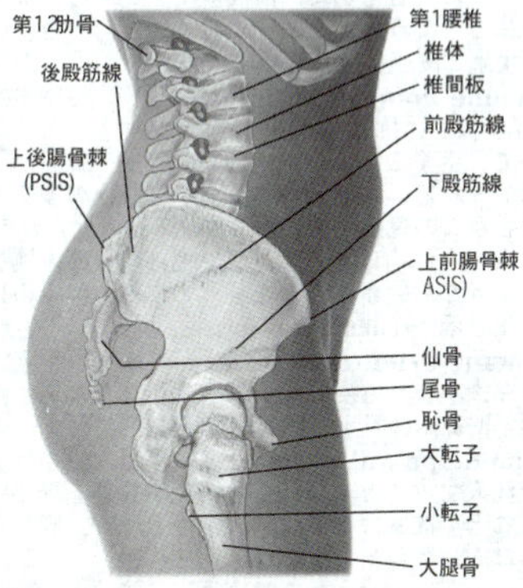
第12肋骨
後殿筋線
上後腸骨棘
(PSIS)
第1腰椎
椎体
椎間板
前殿筋線
下殿筋線
上前腸骨棘
ASIS)
仙骨
尾骨
恥骨
大転子
小転子
大腿骨

ilium

骨の両骨片に創外固定器(Ilizarov 装置)をつけ，それにゆっくりと力をかけていく方法).

il·le·git·i·mate (il′lē-jit′i-măt). 私生児（古い，今日では侮蔑的な意味も持つ，未婚の女性に生まれた子供についての用語).

ill·ness (il′nes). 疾患，疾病. = disease(1).

il·lu·mi·nat·ing gas 照明用ガス（瀝青炭の分解蒸留によって作り出された，メタン，エチレン，水素の合成的な混成物で，照明用に用いられる).

il·lu·sion (i-lū′zhŭn). 錯覚（誤った認識．実在しない事物をあたかも存在するかのように思い違いすること).

il·lu·sion·al (i-lū′zhŭn-ăl). 錯覚の，錯覚的な.

ILV independent lung ventilation の略.

IM internal medicine; intramuscular (ly) の略.

im·age (im′ăj). 像（①物体の発光または物体からの反射光によってできる映像．②X線，超音波，断層法，サーモグラフィ，放射性同位元素などによりつくられた像．③これらの像をつくること).

im·age am·pli·fi·er イメージアンプリファイアー，蛍光倍増管（弱い蛍光透視像を明るい環境下でも肉眼で見えるようにする装置．通常，光電子増幅器としてブラウン管に接続されている).

im·ag·e·ry (im′ăj-rē). 心象（行動療法の技法で，患者は不安と結び付いた不快感情に対抗するために楽しい空想に置き換えるように条件付けられる).

i·mag·ing (im′ăj-ing). イメージング，画像化（X線，超音波，CT, MRI, RI, およびサーモグラフィを用いた臨床画像法．特に超音波，CT，あるいは MRI による断層像をさすことが多い．— image).

i·ma·go, pl. **i·mag·i·nes** (i-mā′gō, -maj′i-nēz). ***1*** 成虫（昆虫の変態の最終段階で，卵，幼虫，さなぎを経た後に完成される．成虫体). ***2*** = archetype(2).

im·bal·ance (im-bal′ăns). 不均等（①相反する力の間での均一の欠如．②両眼視の要素すなわち筋力バランスや像の大きさでの均衡の欠如).

im·bi·bi·tion (im′bi-bish′ŭn). ***1*** 浸染，吸水（固体による液体の吸収で，両者に化学的変化はない). ***2*** 膨潤，膨化（膠体による水の取込み).

im·bri·cate, im·bri·cat·ed (im′bri-kāt, im′bri-kāt′ĕd). かわら状の，かわら合せの（屋根がわらのように重なり合ったものについていう).

im·bri·ca·tion (im′bri-kā′shŭn). 鱗状重層〔術〕（創をおおうため，または欠損修復のために組織層を鱗状に重ね合わせる手術).

IME independent medical evaluation の略.

IMF inframammary fold の略.

IMI intramuscular injection の略.

im·id·a·zole (i-mid′i-zōl). イミダゾール（複素五員環化合物で，L-ヒスチジンおよび生物学的に重要な他の化合物中に存在する).

im·ide (im′īd). イミド（2つの -CO- 基に結合した -NH 基または部分).

imido- -NH 基の H が取れてできるイミド基を示す接頭語.

im·i·dole (im′i-dōl). イミドール. = pyrrole.

-imine -NH 基を示す接尾語.

imino- -NH 基を示す接頭語.

i·mi·no ac·ids イミノ酸（酸基とイミノ基の両方を含んだ化合物).

Im·lach fat-pad イムラック脂肪パッド（鼡径管部分の子宮の円靱帯を取り囲んでいる脂肪）.

im·ma·ture cat·a·ract 未熟白内障（水晶体混濁化の一段階）.

im·me·di·ate al·ler·gy 即時〔型〕アレルギー（I 型過敏性アレルギー反応．感作された個体では，アレルゲン（抗原）に接触すると，通常，数分以内に反応が発現し始め，およそ 1 時間以内でピークに達し，その後速やかに消失する．*cf.* delayed allergy. →immediate reaction; anaphylaxis）.

im·me·di·ate aus·cul·ta·tion, di·rect aus·cul·ta·tion 直接聴診〔法〕（身体の表面に耳を当てて行う聴診法）.

Im·me·di·ate Dan·ger to Life and Health lev·el（IDLH） Immediate Danger to Life and Health level の略.

im·me·di·ate den·ture 即時義歯（天然歯の抜去後，直ちに装着されるためにつくられた総義歯または部分床義歯）.

im·me·di·ate en·er·gy sys·tem 即時エネルギーシステム（高エネルギーリン酸塩 ATP および PCr からなる，筋肉内の無酸素性エネルギーシステムで，6—8 秒間までの全力的な身体運動にエネルギーを供給する）.

im·me·di·ate flap = direct flap.

im·me·di·ate per·cus·sion 直接打診〔法〕（指または打診板が間にはいることなく直接検査される部分を打つこと）.

im·me·di·ate re·ac·tion 即時〔型〕反応（ヒトが感作されたのと同じ抗原にさらされた後，数分から約 1 時間以内に始まる局所または全身の反応．→skin test; wheal-and-erythema reaction）.

im·me·di·ate trans·fu·sion = direct transfusion.

im·mer·sion (i-mĕr′zhŭn). 液浸（①物体を水中または他の液体中に浸すこと．②鏡検の際に対物レンズとカバーガラスの間に水または油のような液体を満たすこと．球面収差が減少し，開口数を大きくできる）.

im·mer·sion foot 浸水足（湿気と冷水に長期間さらされた結果起こる足の神経血管障害．足は最初，冷たく感覚が脱失しており，温めることにより，充血，知覚異常，発汗過多になる．回復は遅いことが多い）. = immersion injury(2); trenchfoot.

im·mer·sion in·ju·ry 浸水負傷（①溺死に関連する外傷．②= immersion foot）.

im·mer·sion ob·jec·tive 液浸系対物レンズ（スライドガラス上の，検体とレンズの間を 1 滴の油で満たして使う高倍率対物レンズ．開口数をより大きくすることができる．油の代わりに水を用いるレンズもある）.

im·mis·ci·ble (i-mis′i-bĕl). 不混和性の（水と油のように相互に溶け合わないものについていう）.

im·mis·sion (i-mish′ŭn). 注入量，投入量，汚染量（環境汚染物質の投入量と消散量の総和から由来する環境濃度．exposure（暴露量）と同義に使われることが多い）.

im·mit·tance (i-mit′ăns). イミタンス（中耳のインピーダンスとコンプライアンスの測定）. = admittance.

immobilisation [Br.]. = immobilization.

im·mo·bil·i·ty (i′mō-bil′i-tē). 不動性（動きがないこと，または動く能力が無いこと）.

im·mo·bil·i·za·tion (i-mō′bi-lī-zā′shŭn). 不動〔化〕，固定，非可動化. = immobilisation.

im·mo·bi·lize (i-mō′bi-līz). 固定する，不動にする.

immortalisation [Br.]. = immortalization.

im·mor·tal·i·za·tion (i-mōr′tăl-ī-zā′shŭn). 不朽化（試験管内で培養している正常細胞に，任意の突然変異，化学発癌物質への暴露，ウイルス感染などによって永遠の寿命という性質を与えること）.

im·mov·a·ble joint = fibrous joint.

im·mune (i-myūn′). 免疫〔性〕の，免疫された（①流行中の感染症にかかる可能性のないこと，または感染症に抵抗性があること．②抗原との接触経験により反応性が変化するため，その後の接触では反応組織が速やかに反応するような細胞媒介性または液性の感作機構，あるいは感作された動物またはヒトの抗体を含む血清との試験管内反応についていう）.

im·mune ad·her·ence 免疫接着（補体活性化を惹起した抗原抗体複合物を介して細胞が結合すること．特定の補体レセプタに接着する）.

im·mune ad·sorp·tion 免疫吸着（①特異抗原を用いて行う抗血清からの抗体の除去．②同様の方法で行う特異抗血清による抗原の除去）.

im·mune com·plex 免疫複合体（抗原物質が特異抗体と結合した状態で，さらに補体も結合している場合もある．溶液中に沈殿あるいは結合体として浮遊している．多くの場合，自己免疫疾患と関連している）.

im·mune com·plex dis·ease 免疫複合体病（細胞表面に抗原抗体複合体が沈着することによって発生する免疫学的疾患．血管炎や腎炎が一般的である．大部分の膠原病を含む他の多くの疾患がこの免疫学的疾患に属すると考えられる．免疫複合体病はさらに，亜急性細菌性心内膜炎のような原因が明らかな種々の疾患の経過中にも生じる．→autoimmune disease）.

im·mune e·lec·tron mi·cros·co·py 免疫電子顕微鏡法，免疫電顕法（特異抗体を加えた生物学的標本に対する電子顕微鏡法）.

im·mune pa·ral·y·sis 免疫麻痺（大量の抗原を注入することによって免疫寛容状態を誘導すること．抗原は不完全に代謝されるが，麻痺状態はそれが存在する間のみ存続する）.

im·mune re·ac·tion 免疫反応（ある程度の抵抗を示す抗原-抗体反応）.

im·mune re·sponse 免疫応答（①抗原に対する免疫機構のいかなる応答をもさし，抗体産生，細胞媒介免疫なども含まれる．②抗原（免疫原）に対する免疫機構の応答のうち，感受性が誘導された状態へ導く反応をいう．初回抗原暴露に対する免疫応答（一次免疫応答）は，通常，数日から 2 週間の期間を経た後にのみ検出可能であるが，同一の抗原による次の刺激に対する免疫応答(二次免疫応答)は，一次応答より迅速である).

im·mune re·sponse genes 免疫応答遺伝子群(ヒトの第6染色体の組織適合性複合体のHLA-D領域にある遺伝子群で，特異抗原に対する免疫応答を制御している).

im·mune se·rum 免疫血清. = antiserum.

im·mune sur·veil·lance 免疫監視機構（免疫機構は，生涯を通じて生体に発生する癌細胞を認識し，排除するという説). = immunologic surveillance.

im·mune sys·tem 免疫機構（外界から侵入した微生物や物質，体内に生じた異常な細胞などに対する防御(免疫応答)のしくみで，細胞・遺伝子・分子の成分が複雑に相互作用を及ぼしてそれらを排除する機構).

im·mune throm·bo·cy·to·pe·nic pur·pu·ra 免疫性血小板減少性紫斑病. = idiopathic thrombocytopenic purpura.

im·mu·ni·fa·cient (im′yū-ni-fā′shĕnt). 免疫形成の（特定の疾患後に免疫を獲得する).

im·mu·ni·ty (i-myū′ni-tē). 免疫〔性〕（免疫された状態，性質). = insusceptibility.

im·mu·ni·za·tion (im′myū-nī-zā′shŭn). 免疫，免疫法(処置)（伝染病から被験者を守る方法で，生きた弱毒因子を投与したり，死菌または不活化毒素の懸濁液を使用する. →vaccination).

im·mu·nize (im′yū-nīz). 免疫状態にする.

immuno- 免疫の，を意味する，または免疫に関する連結形.

im·mu·no·ad·ju·vant (im′yū-nō-ad′jū-vănt). →adjuvant(2).

im·mu·no·as·say (im′yū-nō-as′ā). 免疫学的検定〔法〕，免疫測定〔法〕（血清学的(免疫学的)方法による物質の検出分析. →radioimmunoassay; radioimmunoelectrophoresis; immunologic pregnancy test). = immunochemical assay.

im·mu·no·blast (im′yū-nō-blast). 免疫芽球，免疫芽細胞，イムノブラスト（抗原刺激によって活性化されたリンパ球. 境界明瞭な強塩基好性細胞質をもった大型細胞で，核膜の顕著な大きな核と，明瞭な核小体，集合クロマチンをもつ).

im·mu·no·blot, im·mu·no·blot·ting (im′yū-nō-blot′, -blot′ing). 免疫ブロット法（抗原を電気泳動により分子量で分離し，ニトロセルロース膜に結合させた後，適当な標識抗体により目的分子を同定する手法. →Western blot analysis).

im·mu·no·chem·i·cal as·say 免疫化学〔的〕定量〔法〕，免疫化学的分析〔法〕. = immunoassay.

im·mu·no·com·pe·tence (im′yū-nō-kom′pĕ-tĕns). 免疫能（正常な免疫反応を起こすことができる能力).

im·mu·no·com·pe·tent (im′yū-nō-kom′pĕ-tĕnt). 免疫応答性（正常な免疫反応をする能力を有すること).

im·mu·no·com·pro·mised (im′yū-nō-kom′prŏ-mīzd). 免疫無防備状態（免疫不全疾患または免疫抑制(薬剤)因子によって免疫機構が欠損した状態のヒトを表す).

im·mu·no·com·pro·mised host 免疫低下宿主（免疫システムの防御力が疾病，薬物，放射線治療などにさらされて弱まっている人).

im·mu·no·con·glu·ti·nin (im′yū-nō-kŏn-glū′ti-nin). 免疫コングルチニン（自動抗体様の免疫グロブリン(IgM)で，補体含有複合体または感作細菌の注入後，動物(ヒト)の体内で自らの補体に対して産生される).

im·mu·no·cyte (im′yū-nō-sīt). 免疫担当細胞（免疫能力を担うリンパ球. 抗体の産生能あるいは細胞性免疫反応を発現する能力を有する. →I cell).

im·mu·no·cy·to·ad·her·ence (im′yū-nō-sī′tō-ad-hēr′ĕns). 免疫組織接着（細胞表面の性質を決定するために用いられる方法で，1つの細胞群が表面に有する免疫グロブリンやレセプタによって，特有なロゼットを形成する性質を利用する).

im·mu·no·cy·to·chem·is·try (im′yū-nō-sī′tō-kem′is-trē). 免疫細胞学（蛍光抗体などの免疫学的方法による細胞成分の研究).

im·mu·no·de·fi·cien·cy (im′yū-nō-dĕ-fish′ĕn-sē). 免疫欠損(欠乏)（免疫機構の機能不全によって起こる状態. 一次的(免疫機構自体の欠陥による)，または二次的(他の病気の経過による)に生じる場合もある). = immunologic deficiency.

im·mu·no·de·fi·cien·cy dis·ease 免疫不全疾病（不完全な，あるいは抑制された免疫反応に関係付けられる不全や状態).

im·mu·no·de·fi·cient (im′yū-nō-dĕ-fish′ĕnt). 免疫不全（免疫系の重要な機能に何らかの欠陥が生じている状態).

im·mu·no·dif·fu·sion (im′yū-nō-di-fyū′zhŭn, im-ū′nō-). 免疫拡散〔法〕（それぞれ離れて位置している特異的な抗原および抗体がゲル中で拡散して互いの組み合わせで形成された抗原抗体複合物を，沈降として観察する抗原-抗体反応研究の一手法).

im·mu·no·e·lec·tro·pho·re·sis (im′yū-nō-ē-lek′trō-fōr-ē′sis). 免疫電気泳動〔法〕（沈降反応の一種で，まず一群の免疫反応成分を電気移動度によって分け，次にその各成分を，他の一群の反応物(抗体群)との間に生じる沈降物によって同定する).

im·mu·no·en·hance·ment (im′yū-nō-en-hans′mĕnt). 免疫増強（免疫応答の増強を図ること. 抗体以外に非特異的物質もまた免疫応答の増強に働く). = immunologic enhancement.

im·mu·no·en·hanc·er (im′yū-nō-en-hans′ĕr). 免疫促進物質（免疫反応を特異的あるいは非特異的に促進する物質).

im·mu·no·flu·o·res·cence (im′yū-nō-flōr-es′ĕns). 免疫蛍光検査〔法〕，蛍光抗体法（抗体を特異標識して，細菌，ウイルス，その他の抗原物質を特異的に同定する免疫組織化学的方法である. 抗体の特異結合は，紫外線を標本に照射すると生じる特徴的な可視光線の発色を通して，顕微鏡下で同定しうる. →fluorescent antibody technique).

I

im·mu·no·flu·o·res·cent stain 免疫蛍光染色〔法〕（蛍光色素結合抗体に特異的な抗原と蛍光抗体の結合による染色）.

im·mu·no·gen (i-myū′nō-jen). イムノゲン，免疫〔抗〕原. = antigen.

im·mu·no·ge·net·ics (im′yū-nō-jĕ-net′iks). 免疫遺伝学（移植と組織拒絶反応，組織適合性遺伝子座，免疫応答，免疫グロブリン構造および免疫抑制に関する遺伝学的研究）.

im·mu·no·gen·ic (im′yū-nō-jen′ik). イムノゲンの，免疫〔抗〕原〔性〕の. = antigenic.

im·mu·no·ge·nic·i·ty (im′yū-nō-jĕ-nis′i-tē). 免疫〔抗〕原性. = antigenicity.

im·mu·no·glob·u·lin (Ig) (im′yū-nō-glob′yū-lin). 免疫グロブリン（構造の類似した一群の蛋白で，それぞれ 2 対のポリペプチド鎖，すなわち 1 対の L 鎖 light chain（κ または λ）と 1 対の H 鎖 heavy chain（γ, α, μ, δ および ε）よりなり，通常 4 鎖はすべてジスルフィド結合によって結合されている．H 鎖の構造特性および抗原的特性をもとに，免疫グロブリンは正常血清中の相対存在量の順に次のクラスに分類される．IgG（サイズ 7 S，80%），IgA（10—15%），IgM（サイズ 19 S，基本単位 5 個からなる，5—10%），IgD（0.1% 以下），IgE（0.01% 以下）．この抗体群は均一であり，アミノ酸配列分析が可能である．H 鎖の各クラスは κ または λL 鎖のいずれかに結合でき．サブクラス（細分画）は，H 鎖の差異に基づいて IgG1 のように表される．パパイン処理によって分解され，3 分画を生じる．すなわち，H 鎖の C 末端側からなり，抗体活性はないが補体結合能を有する結晶性の Fc 分画と，抗原結合部位を含み，H 鎖の残部とそれに結合している L 鎖からなる 2 つの等しい Fab 分画である．抗体は Ig であり，すべての Ig は大体抗体としての機能をもつ．しかしながら，Ig は通常の抗体をさすのみでなく，ミエローマ蛋白として分類される多数の病理学的蛋白質でもある．ミエローマ蛋白は多発性骨髄腫で出現し，Bence Jones 蛋白，ミエローマグロブリン，Ig 断片などがある．Bence Jones 蛋白のアミノ酸配列により，すべての L 鎖は配列可変部分 V_L と定常部分 C_L とに分かれており，それぞれ L 鎖の約半分の長さからなることが知られている．ヒトの同型（κ あるいは λ）L 鎖の定常部位はすべて 1 個のアミノ酸置換を除いては，遺伝的支配によりまったく同一である．H 鎖も同様に分けられるが，V_L 部分と長さがほぼ等しい V_H 部分は，C_H 部分の長さの 1/3 あるいは 1/4 にすぎない．抗原結合部位は V_L と V_H の蛋白部位が組み合わさったところである．L 鎖と H 鎖の可能な多数の組合せが各個体の抗体のライブラリを構成している）.

im·mu·no·glob·u·lin do·mains 免疫グロブリンドメイン（およそ 110 アミノ酸からなる免疫グロブリン H 鎖あるいは L 鎖の構造単位．免疫グロブリン L 鎖は，1 つの定常領域と 1 つの可変領域を有し，H 鎖は 3 あるいは 4 定常領域と 1 可変領域からなる）.

im·mu·no·his·to·chem·is·try (im′yū-nō-his′tō-kem′is-trē). 免疫組織化学（特異抗原を組織中に証明する方法で，蛍光色素や酵素をマーカとして用いる）.

im·mu·no·log·ic com·pe·tence 免疫能力（免疫学的応答を組織する能力）.

im·mu·no·log·i·c de·fi·cien·cy 免疫〔学的〕欠損. = immunodeficiency.

im·mu·no·log·ic en·hance·ment 免疫〔学的〕増強. = immunoenhancement.

im·mu·no·log·ic mech·a·nism 免疫的機序（一群の細胞（主にリンパ球と細網内皮細胞）で，能動的獲得免疫（誘導性感受性，アレルギー）を確立する機能を有する）.

im·mu·no·log·ic pa·ral·y·sis 免疫麻痺（大量の抗原を注入することによって免疫寛容状態を誘導すること．麻痺状態は抗原が存在する間のみ存続する）.

im·mu·no·log·ic preg·nan·cy test 免疫学的妊娠試験（血液中または尿中に増加したヒト絨毛性性腺刺激ホルモン（HCG）を免疫学的方法（ラテックス粒子凝集反応，赤血球凝集抑制，ラジオイムノアッセイ，ラジオレセプタアッセイなどの方法）で検出する検査法の一般名称）.

im·mu·no·log·ic sur·veil·lance 免疫〔学的〕監視. = immune surveillance.

im·mu·no·log·ic tol·er·ance 免疫学的寛容（抗原に対する免疫反応の欠如．寛容誘導論には，クローン除去やクローンアネルギーも含まれる．クローン除去においては，細胞クローンが実際に消失するのに対し，クローンアネルギーでは，細胞は存在するが機能しないとする）.

im·mu·nol·o·gist (im′yū-nol′ŏ-jist). 免疫学者.

im·mu·nol·o·gy (im′yū-nol′ŏ-jē). 免疫学（①免疫，誘発された感受性，アレルギーの種々な現象を扱う科学．②免疫系の構造および機能に関する学問）.

im·mu·no·mod·u·la·to·ry (im′yū-nō-mod′yū-lă-tōr-ē). ***1*** 〖adj.〗免疫調節性の（免疫機能を修飾あるいは調節できる）. ***2*** 〖n.〗免疫調節（免疫学的な適応，調節，あるいはそれらの可能性）.

im·mu·no·per·ox·i·dase tech·nique 免疫ペルオキシダーゼ法（化学的に酵素ペルオキシダーゼを結合させた抗体を用いる免疫学的試験）.

im·mu·no·phil·in (im′yū-nō-fil′in). イムノフィリン（免疫抑制剤と高い親和性をもつ，細胞質内の受容体蛋白．ロータマーゼ阻害作用をもち，T 細胞の活性化が抑制される）.

im·mu·no·po·ten·ti·a·tion (im′yū-nō-pō-ten′shē-ā′shŭn). 免疫増強（免疫反応の起こる頻度を増加させたり，免疫応答を延長させたりすることによる免疫応答能力の増強）.

im·mu·no·po·ten·ti·a·tor (im′yū-nō-pō-ten′shē-ā-tŏr). 免疫増強物質（接種により，免疫応答能力を増強させる物質の総称）.

im·mu·no·pro·lif·er·a·tive dis·or·ders 免疫増殖疾患（免疫細胞の持続的増殖による障害．慢性リンパ球性白血病，マクログロブリン血症，多発性骨髄腫などにおける自己アレルギー障害や免疫グロブリン異常に帰す）.

im·mu·no·ra·di·o·met·ric as·say イムノ

ラジオメトリックアッセイ（従来の放射免疫測定法(RIA)と異なり，測定する化合物に放射活性物質で標識した抗体を直接結合させる測定法).

im·mu·no·re·ac·tive (im′yū-nō-rē-ak′tiv). 免疫反応性（免疫反応を示す状態を表す).

im·mu·no·sor·bent (im′yū-nō-sōr′bĕnt). イムノソルベント，免疫吸着剤（溶液あるいは懸濁液から特異的な抗原(あるいは抗体)を除去するために用いる抗体(あるいは抗原)).

im·mu·no·sup·pres·sant (im′yū-nō-sŭ-pres′ănt). 免疫抑制薬（免疫抑制を誘発する薬剤). = immunosuppressive (2).

im·mu·no·sup·pres·sion (im′yū-nō-sŭ-presh′ŭn). 免疫抑制（免疫反応の進行の防止あるいは阻害のことで，自然の免疫不応答(トレランス)を反映している場合や化学的・生物的・物理的な物質によって人工的に誘導される場合，あるいは疾病によってもたらされる場合もある).

im·mu·no·sup·pres·sive (im′yū-nō-sŭ-pres′iv). ***1***〘adj.〙免疫抑制性（免疫反応の抑制を示すことを表す). ***2***〘n.〙免疫抑制剤. = immunosuppressant.

im·mu·no·sup·pres·sive ther·a·py 免疫抑制療法（患者自身の抗原抗体反応を抑制するために，患者に行われる薬物治療．例えば器官あるいは組織移植を受けた患者に対して行う).

im·mu·no·sur·veil·lance (im′yū-nō-sŭr-vā′lăns). 免疫学的監視（自然発生した癌細胞は免疫機構によって排除されるとする理論).

im·mu·no·ther·a·py (im′yū-nō-thār′ă-pē). 免疫療法（元来，すでに感染して抗体をもっている他人の血清あるいは免疫グロブリン(IgG)を治療のために投与することであったが，現在では，非特異的な種々のアジュバントによる免疫反応の増強，能動免疫や養子免疫などを用いた治療など広義に用いられる．新しい免疫療法には，単クローン性抗体の利用が含まれる). = biologic immunotherapy.

im·mu·no·trans·fu·sion (im′yū-nō-trans-fyū′zhŭn). 免疫輸血（間接的輸血で，供血者は最初，血液の受容者(患者)から単離された微生物で調製した抗原注射により免疫される．その後，供血者からの採血はフィブリンを除去して患者に輸血される．こうして患者は供血者体内で生成された抗体により受動的に免疫される).

IMP inosine 5′-monophosphate の略.

im·pact·ed (im-pak′tĕd). 楔合した，嵌入した（一体として動くように，楔合あるいは嵌入させた状態).

im·pact·ed fe·tus 嵌頓胎児（胎児の大きさあるいは産道狭窄のために嵌頓し，分娩の進行や還納が不能になった状態).

im·pact·ed frac·ture 嵌入骨折（破片の1つが，他の破片の網状組織内にはいり込んでいる骨折).

im·pact·ed tooth 埋伏歯（①正常な萌出が隣接歯や骨に妨げられた歯．②外傷によって歯槽突起や周囲組織に埋入した歯).

im·pact fac·tor インパクトファクター（ある特定の医学雑誌に掲載された原本の論文が他の医学雑誌に引用される頻度を数量的に表示したもの).

im·paired cog·ni·tion syn·drome 認知障害症候群（3つある湾岸戦争症候群(Gulf War syndrome)の型の一つ).

im·pair·ment (im-pār′mĕnt). 欠陥，障害（心理的，生理的または解剖学的構造または機能の喪失または異常である).

im·par (im′pahr). 不対の（対をなさない).

im·ped·ance (im-pē′dăns). インピーダンス（①気体，液体，電流の流れに対する抵抗．②音響系を作動させる際の抵抗).

im·ped·ance match·ing インピーダンス整合（外気と内耳液の音響インピーダンスの差を克服するため，耳小骨のテコ作用および鼓膜と卵円窓の面積比によって，音圧を増幅し内耳に効率よく伝達する中耳の機能).

im·per·fect fun·gus 不完全真菌（有性生殖法が認められていない真菌．これらの真菌類は一般に分生子によって増殖する．*cf.* Fungi Imperfecti).

im·per·fect stage 不完全期（真菌の無性生活環期を示すのに用いる真菌学用語).

im·per·fo·rate (im-pĕr′fōr-āt). 閉塞した，無孔の. = atretic.

im·per·fo·rate a·nus ***1*** 無孔肛門. = anal atresia. ***2*** = ectopic (1).

im·per·fo·ra·tion (im′pĕr-fōr-ā′shŭn). 無開口，不穿孔，閉塞（無孔の，閉じられた状態).

im·per·me·a·ble (im-pĕr′mē-ă-bĕl). 不透過性の，不浸透性の（膜あるいはその他の組織に物質(例えば，液体，気体)あるいは熱を通さない).

im·pe·tig·i·nous (im′pe-tij′i-nŭs). 膿痂疹の，膿痂疹性の.

im·pe·ti·go (im-pĕ-tī′gō). 膿痂疹，インペチゴ（黄色ブドウ球菌，A群連鎖球菌によって起こる伝染性の表在性膿皮症で，表在性の弛緩した小水疱から始まり，やがて破れて厚い黄色調の痂皮を生じる．小児の顔面に生じる場合が最も多い). = impetigo contagiosa; impetigo vulgaris.

im·pe·ti·go con·ta·gi·o·sa 伝染性膿痂疹. = impetigo.

im·pe·ti·go her·pet·i·for·mis 疱疹状膿痂疹（まれな膿皮症で，妊娠末期に現れる場合が最も多い．密に集簇した小膿疱からなる発疹で，重篤な全身症状あるいは胎児死亡を伴う).

im·pe·ti·go ne·o·na·to·rum 新生児膿痂疹（①= dermatitis exfoliativa infantum. ②= bullous impetigo of newborn).

im·pe·ti·go vul·ga·ris 尋常性膿痂疹. = impetigo.

im·pinge·ment sign インピンジメント徴候（腱板の腱炎または断裂の患者において理学的誘発テストにより肩峰下腔部に痛みが生じる徴候).

im·pingement syn·drome インピンジメント症候群（周囲にある突起および靱帯により腱板(特に棘上筋腱)が損傷され，慢性の肩痛と肩の機能障害を生じる疾患．頭より高い位置での作業中などに生じる).

im·pinge·ment test インピンジメント試験

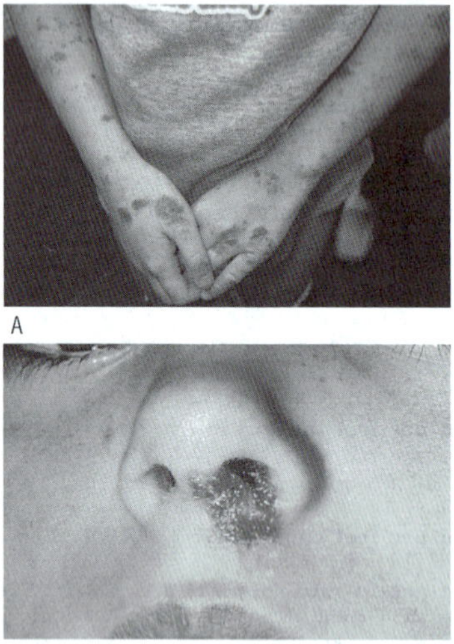

A

B

impetigo

(インピンジメント症候群の診断法の1つで，肩峰下腔に局所麻酔薬を注射する診断法．注射後誘発手技を行っても疼痛が軽快していれば，病変は肩峰下腔にあることが示される)．

im·plant ***1*** (im-plant′)．〚v.〛移植する，埋没する．***2*** (im′plant)．〚n.〛移植片，埋没物（組織に埋没または移植される物質．→graft; transplant)．***3***〚n.〛インプラント（歯科において，顎骨内に形成された窩洞(インプラント床)もしくは顎骨上面に設置される移植体(挿入体)．→implant denture)．***4***〚n.〛整形外科において，関節再建に用いる金属または合成樹脂の装置．

im·plan·ta·tion (im′plan-tā′shŭn)．***1*** 着床（受精卵(胚盤胞)の子宮内膜への付着，次いで緻密層内への着床で，ヒトでは卵子の受精後6, 7日目に起こる)．***2*** 器具や物質を生体内へ埋入する過程．例えば胸部皮下に生理食塩水バッグを埋入すること．***3*** 移植（自然歯を人工的につくられた歯槽内に挿入すること)．***4***〔体内〕移植，組織移植（→transplantation)．

im·plant den·ture 嵌植義歯，インプラントデンチャー（義歯床の軟組織の下に，部分的または全体的に植えられた支台装置によって安定，維持される義歯)．

im·plant·ed su·ture 植込み縫合（ピンを創縁に切開線と平行に通し，ピンを巻いて締める)．

im·ple·men·ta·tion (im′plĕ-mĕn-tā′shŭn)．実行（看護過程の一段階．評価，看護診断，計画に従う．この段階において，看護活動が実施される)．= intervention (3)．

im·pli·cit learn·ing 暗黙のうちの学び（観察可能な，しかし当人は何も気づいていないような，個人の動作遂行における改善)．

im·plied con·sent インプライドコンセント（①= emergency doctrine．②患者が医師に治療を任せる際，危篤状態などに陥ったときに，正式な同意がなくとも，救命のためのあらゆる治療に関して許可を与えること)．

im·plo·sion (im-plō′zhŭn)．内破（①内容のない血管におけるような突然の崩壊．外側よりも内側に破裂する．②情動洪水法に類似した一種の行動療法で，患者に極度の不安感のもととなっている刺激を十分与える)．

im·po·tence, im·po·ten·cy (im′pŏ-tĕns, -tĕn-sē)．***1*** 虚弱，無力．***2*** 不能〔症〕，インポテンス（特に男性が陰茎勃起不能のため性交ができないこと．神経性，血管性，あるいは精神的な障害によって起こる)．

im·preg·nate (im-preg′nāt)．***1*** 受胎させる，受精させる，妊娠させる．***2*** 浸透させる，飽和させる（→saturate)．

im·pres·si·o, pl. **im·pres·si·o·nes** (im-pres′ē-ō, -ō′nēz)．圧痕．= impression.

im·pres·sion (im-presh′ŭn)．***1*** 圧痕，陥凹（他の臓器や器官の圧迫によってできた外観上のくぼみで特に死体で顕著．種々の肺の陥凹についてはgrooveを参照．例えば，下行大動脈，鎖骨下動脈，鎖骨下大静脈によるものなど)．= impressio．***2*** 印象（外界の事物が，感覚器官を通して心に生じさせた効果)．***3*** 型穴，痕跡（特に口腔の歯および(または)他の組織の陰型で，これらの組織との接触によって相関的に硬化するか，凝固する可塑性材料が使用される．印象した組織の陽型の再現のために用いる．使われる材料により，可逆性と非可逆性ハイドロコロイド印象，モデリングプラスチック印象，石膏印象，ワックス印象に分類される)．

im·pres·sion tray 印象用トレー（口腔組織の印象採得を行うとき，印象材を運びかつ限局するために用いる容器)．

im·print·ing (im′print-ing)．刻印付け，刷り込み（出生後数時間内に起こる特殊な学習で，種族認知行動を決定する)．

im·prop·er dose quan·ti·ty 不適正服用量（医療提供者が間違った投薬や投薬量を行う薬品に関わる過失)．

im·prove·ment (ĭm-prūv′mĕnt)．改善（より良くするという行為や過程)．

im·pulse (im′pŭls)．***1*** 衝動，インパルス（突然に押し動かす力)．***2*** 欲求，インパルス（ある事を行うための突然の，多くは理由のない決定)．***3*** インパルス（神経線維の活動電位)．

im·pulse con·trol dis·or·der 衝動調節障害（自分自身もしくは他者に害を与えるように行動したいという衝動に抗しきれないことを特徴とする一群の精神障害．これには，病的賭博，小児愛，盗癖，放火癖，抜毛癖，間欠性および単一性爆発性障害が含まれる)．

im·pul·sion (im-pŭl′shŭn)．衝動（何らかの行動をとるように駆り立てられる抑えがたい力)．

im·pul·sive (im-pŭl′siv)．衝動的な（理性または慎重な思慮により抑制されず，衝動によって駆り立てられること，または衝動についてい

う).

im·pul·sive ob·ses·sion 衝動的強迫観念 (行動を伴うもので，ときには熱狂的，マニア的になる).

im·pure flut·ter 不純粗動 (心電図上において，心房粗動(FF)と細動(ff)が混合していること). = flitter; flutter-fibrillation.

IMRT intensity modulated radiation therapy の略.

IMV intermittent mandatory ventilation の略. → mode of ventilation.

In インジウムの元素記号. イヌリンの記号.

in- *1* 否定を意味する接頭語. ギリシア語の *a-*, *an-*, 英語の un- に同じ. *2* 内へ，内に，内側の，を意味する接頭語. *3* 非常に，を意味する接頭語. b, p, m の前では *im-* となる.

in·ac·ti·vate (in-ak′ti-vāt). 不活性化する，不活化する (薬剤または物質の生物学的活性や効力を破壊すること).

in·ac·ti·vat·ed po·li·o·vi·rus vac·cine 不活性化ポリオウイルスワクチン (→poliovirus vaccine(1)).

in·ac·tive re·pres·sor 不活性リプレッサ (補リプレッサ分子(通常は酵素反応の生成物)と結合してしまうまでは，オペレータ遺伝子と結合することができないリプレッサ. 活性化後は，レプレッサはオペレータ遺伝子により制御されている酵素の生成を停止させる. 制御可能な酵素系の調節における恒常性維持機構の1つ). = aporepressor.

in·ad·e·quate per·son·al·i·ty 不適性人格 (人格障害の1つで，個人的・社会的不適応感や情緒的・身体的不安定さを特徴とするもので，そのため生活場面で遭遇する一般的な障壁をも克服することができない).

in·ad·e·quate stim·u·lus 不適当刺激，不適合刺激 (反応を起こすには弱すぎる刺激).

in·an·i·mate (in-an′i-măt). 生命のない，無生物の，不活発な.

in·a·ni·tion (in′ă-nish′ŭn). 飢餓〔性〕衰弱 (食物の欠乏，同化障害，または腫瘍性疾患による極度の衰えと消耗).

in·ap·pe·tence (in-ap′ĕ-tĕns). 欲望欠如，食欲不振.

in·ar·tic·u·late (in′ahr-tik′yū-lăt). *1* 言語不明瞭の. *2* 言葉による自己表現が満足にできない.

in·as·sim·i·la·ble (in′ă-sim′il-ă-bĕl). 同化不能の (→assimilation).

in·born (in′bōrn). 生来の，生得の，先天〔性〕の (子宮内での成育中に授かったことを意味する. 先天代謝異常症の特徴的な背景としては，遺伝的酵素異常が示唆される. →inborn error of metabolism). = innate.

in·born er·rors of me·tab·o·lism 先天性代謝異常症 (特定の単酵素の障害を伴う疾患群. 遺伝的な要因による，生まれつきの疾患である. 症状は，通常なら酵素が働くはずの基質が蓄積すること(フェニルケトン尿症等)，酵素産物の欠損(白皮症等)，または補助経路を通じた強制代謝(シュウ酸尿症等)に起因する).

in·bred (in′bred). 近交系，同系，純系 (ほとんど単一の祖先から数世代にわたって系統化され，そのため高い血縁関係をもつ集団(群，遺伝系など)を表す).

in·breed·ing (in′brēd-ing). 近親交配，同系交配 (①集団から任意に選んだ生物体よりも遺伝的により近密なもの同士を交配すること. ②近親関係の動物を交配すること).

in·ca·pac·i·tat·ing chem·i·cal a·gent 無力化剤 (①米国軍用語では，戦場で兵士の能力を一時的に減退させるために使用される化学剤. 米国軍の慣行では催涙剤は除外されており，眠気と混乱を引き起こす抗コリン化合物のみを意味する. 米国軍の唯一公式な無力化剤は 3-キヌクリジニルベンジラート(NATO コードは BZ)である. ②より広義では，重度の病気や死ではなく一時的な機能障害を引き起こすよう作られた化学化合物の総称. 例えば催涙剤やオピオイドを含む. ある状況下では(高用量等)これらの化合物は死に至らしめる可能性もあるため，非致死剤と呼ぶべきではない).

in·ca·pac·i·ta·ting Ct_{50} (ICt_{50}) 半数不能量 (曝露グループの 50%の人に無力化(一時的な能力の減退)をもたらすべき積算濃度(濃度と曝露時間の積算値)).

in·ca·pac·i·ta·ting dose 不能量 (無力化を引き起こす可能性の高い，化学製剤または生物製剤(例えば菌体外毒素，菌体懸濁液)の用量. 動物の種類，および投薬経路によって変わってくる. 添字(一般的に ID_{50} または半数不能量)が加えられている場合には，実験動物の内のある一定の割合(例えば 50%)を無力化する可能性の高い用量を意味する. 半数不能量は ID_{50}，絶対不能量は ID_{100}，最小不能量は ID_{05}).

in·car·cer·at·ed (in-kahr′sĕr-ā-tĕd). 嵌頓した.

in·car·cer·at·ed her·ni·a 嵌頓ヘルニア. = irreducible hernia.

in·cen·tive pay sys·tem 奨励給方式 (医療記録転写士が，要求水準以上の仕事をどれほどしたかということに基づいて支払われるシステム).

in·cen·tive spi·rom·e·ter 動機づけ肺活量計 (気管支健康療法に用いられる装置で，あらかじめ定められた呼吸の流速や量を達成する努力の間に視覚的または他のフィードバックを与える. 吸気量の増加，吸気筋肉動作の改善，気道の開存維持，および無気肺の予防またはそれを覆すのに有効である).

in·cest (in′sest). 近親相姦 (①近親血族間の性関係. 特に親子，兄弟姉妹間. ②法律で禁止されているような，血族間の性関係の罪).

in·ces·tu·ous (in-ses′chū-ŭs). *1* 近親相姦の. *2* 近親相姦罪の.

in·ci·dence (in′si-dĕns). *1* 発生数 (ある特定の疾病に罹患するなど，特定の新たな事象が特定の集団の中で一定期間中に発生する数). *2* 入射〔角〕，投射〔角〕 (光学において，光線が表面に交差すること).

in·ci·dent (in′si-dĕnt). *1* 〖adj.〗 起こりやすい，入射の，投射の. *2* 〖n.〗 事変，事件，インシデント (通常やっかいな都合の悪いことが起こること. 疾病に合併症が起きたり，病院内の患者

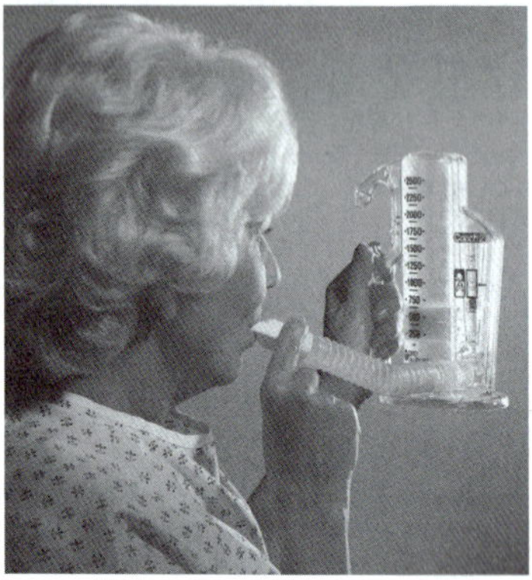

incentive spirometer

に災難が起きること).

in·ci·dent·a·lo·ma (in′si-den′tă-lō′mă). 偶発腫 (別の理由で行われたCT検査でたまたまうまくみつかった腫瘍).

in·ci·den·tal par·a·site 付随寄生生物, 偶生寄生生物 (正規の宿主以外の宿主の中で正常に生活している寄生生物). = accidental parasite.

in·ci·dent com·mand sys·tem (ICS) 事故命令システム. = incident management system.

in·ci·dent man·age·ment sys·tem 事故マネージメントシステム (大事故や災害に対処するための統一的な指令および管理のための国が認めたシステム).

in·ci·dent point 入射光点 (光学系に光線がはいる点).

in·ci·dent re·port インシデントレポート (普通でない出来事, 特に, 不都合な結果を招く, または招く可能性のある誤りや過失について, 公式に書かれた記述).

in·ci·dent to 付随した (医療サービスが, 医師の直接監督の下, 医療関係者(例えば看護師, 技師, その他のタイプの療法師)によって患者に提供されることを意味する術語).

in·ci·sal (in-sī′zăl). 切端の (切歯, 犬歯の鋭利な先端についていう).

in·ci·sal guide an·gle 切歯路角 (歯が中心咬合位にあるとき, 矢状面に上顎および下顎の中切歯の切縁を結ぶ線と水平面(咬合平面)がなす角).

in·cise (in-sīz′). 〔ナイフで〕切開する.

in·cised wound 切創, 切り傷 (鋭利な器具でできたような創縁平滑な切開).

in·ci·sion (in-sizh′ŭn). 切開〔術〕(切り口. 外科的創. ナイフで軟部組織を切り開くこと).

in·ci·sion·al her·ni·a 切開創ヘルニア (外科的切開または瘢痕から起こるヘルニア).

in·ci·sion bi·op·sy 切開生検 (病変部を切開し, その一部を除去する生検法).

in·ci·sive (in-sī′siv). *1* 鋭利な, 切るのに適した. *2* 切歯の.

in·ci·sive bone 切歯骨. = os incisivum.

in·ci·sive ca·nal, in·ci·sor ca·nal 切歯管 (鼻腔床から上顎骨口蓋面上の切歯窩に通じる数本の骨管. 大口蓋動脈枝と鼻口蓋神経がこの管を通り, 大口蓋動脈枝は蝶形骨口蓋動脈の中隔枝と吻合する). = canalis incisivus.

in·ci·sive ca·nal cyst 切歯管嚢胞 (切歯管の中もしくは近くにみられる嚢胞で鼻口蓋管の遺残上皮の増殖によって形成されるもの. よくみられる上顎の発生上の嚢胞).

in·ci·sive fo·ra·men 切歯孔 (切歯窩に開いている切歯管のいくつか(通常4つ)の孔の1つ).

in·ci·sive pa·pil·la 切歯乳頭 (口蓋ひだの前端にある粘膜の小さな突起で, 切歯窩の直前に位置する).

in·ci·sor (in-sī′zŏr). 切歯. = incisor tooth.

in·ci·sor tooth 切歯 (チゼル(のみ)状の歯冠と先細で円錐形の単根をもつ歯. 上下顎の前部に4歯ずつあり, 乳歯列および永久歯列それぞれに存在する). = dens incisivus; incisor.

in·ci·su·ra, pl. in·ci·su·rae (in′sis-ū′ră, -rē). 切痕. = notch.

in·ci·sure (in-sī′zhŭr). 切痕. = notch.

in·cli·na·tion (in′kli-nā′shŭn). 傾斜 (①傾き. ②歯科において, 歯の長軸の垂直からのずれ). = version(3).

in·clu·sion (in-klū′zhŭn). *1* 封入体 (外傷によるものではなく, 細胞, 組織, 臓器中に含まれている異物または異種物質). *2* 封入 (異物または異種物質が他の組織中に誤って混入する過程).

in·clu·sion bod·ies 封入〔小〕体 (ある種の濾過性ウイルスによって感染した細胞内の核または細胞質(ときには両方)内でしばしばつくられる特色のある構造で, 特に神経, 上皮細胞, 内皮細胞にみられる).

in·clu·sion bod·y dis·ease 封入体病. = cytomegalic inclusion disease.

in·clu·sion cell 封入体細胞. = I cell.

in·clu·sion con·junc·ti·vi·tis 封入体〔性〕結膜炎 (トラコーマクラミジア *Chlamydia trachomatis* によって起こる濾胞性結膜炎).

in·com·pat·i·bil·i·ty (in′kŏm-pat′i-bil′i-tē). *1* 不適合〔性〕, 配合禁忌, 不和合〔性〕(相容れない特性). *2* 不和合性 (細菌のプラスミドを分類する方法. 2つのプラスミドが1個の宿主細胞に共存することができない場合, それらは不和合性である).

in·com·pat·i·ble (in-kŏm-pat′i-bĕl). *1* 不適合な, 配合禁忌の (配合したり混合することが不適当である). *2* 不和合の (他の人々と共同で行動する際, 必ず不安や葛藤を引き起こす人についていう). *3* 不適合の, 不和合の (子孫に重篤な劣性遺伝障害を引き起こす危険性が高いか, 母親と胎児に有害な反応を起こす遺伝型を有すること).

in·com·pe·tence, in·com·pe·ten·cy (in-kom′pĕ-tĕns, -tĕn-sē). *1* 〔機能〕不全〔症〕(定め

られた機能の遂行が不完全あるいは不能であること．特に，心臓や静脈の弁が完全に閉じられないこと）．= insufficiency (2)．*2* 無能力（司法精神医学において，善悪を弁別したり，自己の事柄を処理する能力がないこと）．*3* 子宮頸管が早期に開大してしまい，妊娠を継続できないこと．

in·com·pe·tent cer·vi·cal os 頸管無力症（子宮頸管が妊娠早期に開大してしまう，内子宮口の強度の欠陥）．

in·com·plete a·bor·tion 不全流産（妊娠子宮の内容の一部は排出されたが，一部（通常は胎盤）は子宮内に残っている流産）．

in·com·plete an·ti·bod·y 不完全抗体（①= univalent antibody．②= serum agglutinin）．

in·com·plete an·ti·gen 不完全抗原．= hapten．

in·com·plete fis·tu·la 不完全フィステル（瘻）．= blind fistula．

in·com·plete foot pre·sen·ta·tion 不全足位（→breech presentation）．

in·com·plete frac·ture 不〔完〕全骨折（骨折線が骨全体に完全には及ばない骨折）．

in·com·plete pro·tein 不完全蛋白質（必須アミノ酸を全く含んでいない蛋白質食品）．

in·con·stant (in-kon′stănt)．*1* 不規則な．*2* 不定の（解剖学において，動脈や神経などが存在する場合もしない場合もある，といったときに用いられる）．

in·con·ti·nence (in-kon′ti-nĕns)．= incontinentia．*1* 失禁，失調〔症〕（排出物，特に尿や便などの排出を防止できないこと）．*2* 淫乱，不節制（欲望，特に性欲の抑制欠如）．

in·con·ti·nent (in-kon′ti-nĕnt)．失禁の，失調の．

in·con·ti·nen·ti·a (in-kon′ti-nen′shē-ă)．失禁，失調〔症〕．= incontinence．

in·co·or·di·na·tion (in′kō-ōr′di-nā′shŭn)．共調〔運動〕不能，協調不能．= ataxia．

in·crease (in′krēs)．増殖，増大．

in·cre·ment (in′krĕ-mĕnt)．増強，増分（変動値の変化．増減いずれの場合にも適用できるが，通常は増分を示し，減少分には decrement を用いる）．

in·cre·tin (in-krē′tin)．インクレチン（糖を含む食物により血中に放出される消化管由来のインスリン分泌促進作用を有する物質の総称．1つは近位十二指腸の空腸の陰窩細胞から糖あるいは長鎖脂肪酸を含む食事により放出されるブドウ糖依存性インスリン分泌ポリペプチドである．もう1つはグルカゴンの分解産物であるプログルカゴン由来ポリペプチドで，これはさらにグルカゴン様ペプチド1に分解され，次いでグルカゴン様インスリン分泌ペプチドに分解される．*cf.* bioregulator）．

in·cre·tion (in-krē′shŭn)．内分泌，内分泌物（内分泌腺の機能的活動）．

in·crus·ta·tion (in′krŭs-tā′shŭn)．*1* 痂皮形成，結痂．*2* 痂皮，かさぶた（外来性物質または滲出物でできた外被）．

in·cu·ba·tion (in′kyū-bā′shŭn)．*1* 培養，保温，ふ卵（微生物の発育成長または組織培養に好ましい一定の環境や，化学反応あるいは免疫反応に最適な環境を維持すること）．*2* 保育（新生児（通常は早産児または酸素欠乏児）に適当な温度，湿度，および通常は酸素を与えることによって人工的環境を保つこと）．*3* 潜伏〔期〕（感染後最初の徴候または症候が現れるまでの無症候の進行期間）．

in·cu·ba·tion pe·ri·od 潜伏期（①病原体が宿主に侵入してから，それによる最初の徴候や症状を発現するまでの期間．= incubative stage; latent period (3); latent stage; prodromal stage．②病気の媒介動物において，病原体の侵入から，その病気が別のヒトに伝播可能になるまでの期間）．

in·cu·ba·tive stage 潜伏期．= incubation period (1)．

in·cu·ba·tor (in′kyū-bā-tŏr)．*1* ふ卵器，培養器，恒温器，インキュベータ（微生物の培養などのために好適な環境を保つ容器）．*2* 保育器（通常は未熟児を，適当な酸素・湿度・温度下に保つための装置）．

in·cu·bus (in′kyū-bŭs)．*1* 夢魔，悪夢（本来，眠っている人にのしかかり，圧迫する悪魔を意味する．特に，睡眠中女性と性交する男性悪霊をいう．*cf.* succubus）．*2* 悪夢．= nightmare．

in·cu·dal (in′kū-dăl)．きぬた骨の．

in·cu·dec·to·my (in′kū-dek′tŏ-mē)．きぬた骨切除〔術〕．

in·cu·des (in-kū′dēz)．incus の複数形．

in·cu·do·sta·pe·di·al (in-kū′dō-stā-pē′dē-ăl)．きぬたあぶみ骨の（中耳のきぬた骨とあぶみ骨の間の関節についていう）．

in·cur·va·tion (in′kŭr-vā′shŭn)．内屈，屈曲（内側への屈曲）．

in·cus, gen. in·cu·dis, pl. in·cu·des (ing′kŭs, in-kū′dis, -dēz)．きぬた骨（中耳にある3個の耳小骨のうち中央のもの．体と2個の脚または突起（きぬた骨長脚，きぬた骨短脚）を有する．長脚の先端には小頭（豆状突起）があり，あぶみ骨頭と連結する）．= anvil．

in·cy·clo·duc·tion (in-sī′klō-dŭk′shŭn)．内旋，単眼内旋運動，内回しひき（角膜の上極が内方に回転する回旋運動）．

in·cy·clo·pho·ri·a (in-sī′klō-fōr′ē-ă)．内旋斜位，内回し斜位（虹彩の12時の位置が内方に動く傾向にある回旋眼位）．

in·cy·clo·tro·pi·a (in-sī′klō-trō′pē-ă)．内旋斜視（両眼の角膜上極が内側（内方）に回転した回旋斜視）．

IND investigational new drug（治験新薬）の略．

in·dem·ni·ty (in-dem′ni-tē)．損害保障（保険会社またはその他の金融機関が，カバーされたサービスについて，保険契約者が受けた損失を引き受けるという合意）．

in·de·pen·dent liv·ing 自立生活（障害者のための自己決定と機会の平等という原理．障害を持たない人と同じ機会とチャンスに恵まれた生活をする権利を含む）．

in·de·pen·dent liv·ing mod·el 個別生活方式（消費者を，保健医療やその他日常生活におけるニーズの意志決定者として認定するサービス提供方式. 保健医療提供者が選択肢を提示する).

in·de·pen·dent lung ven·ti·la·tion (ILV) 独立肺換気（人工呼吸の一様式).

in·de·pen·dent med·i·cal e·val·u·a·tion (IME) 自立度医療評価（患者の診断や継続治療の必要性, 障害の程度や持続性, または仕事に復帰する能力を判定するため, 保険業者に使用される).

in·de·pen·dent nurs·ing ac·tions 自立的看護行動（看護師主導の介入. 患者ケアのため看護師が独自に指示を出して行動する. 監督なしで着手される).

in·de·pen·dent prac·tice as·so·ci·a·tion 無所属実地医家団体, 独立診療団体（1つ以上の管理医療機関と契約を結ぶ目的で結成された無所属の医師または少数の医師集団の団体. メンバーとなった医師は自分の診療所で HMO 患者に医療を提供するが, 私的な医療も続けることができる. →managed care; health maintenance organization).

in·de·pen·dent prac·tice as·so·ci·a·tion HMO 個別医療連携 HMO（各患者に対しては出来高払いを前提とし, 医療提供者である医師が HMO と交渉して HMO が報酬を支払うような制度).

in·de·pen·dent var·i·a·ble 独立変数（ある事象や現象の出現(従属変数)に影響を与えるという仮定のもとで測定, 観察される要因).

in·dex, gen. **in·di·cis,** pl. **in·di·ces, in·dex·es** (in′deks, -di-sis, -di-sēz, -dek-sĕz). ***1*** 示指, ひとさしゆび. = index finger. ***2*** 指数, 示数（ある物または部分の大きさ, 容量, 機能の他に対する関係を示す基準, 指標, 記号, または数. →quotient; ratio). ***3*** インデックス（1本以上の歯の, 他の歯や模型に対する相関的位置を記録, 維持するために用いるコアまたは型). ***4*** 指標（通常, 石膏でつくられ, 歯や模型を再装着するのに用いる指標). ***5*** 尺度（疫学における評価尺度のこと).

in·dex case インデックスケース（伝染病の発生調査における最初の症例).

in·dex ex·ten·sor mus·cle = extensor indicis muscle.

in·dex fin·ger 示指, ひとさしゆび（親指を第一指とすると第二指). = index(1).

in·dex my·o·pi·a 屈折係数性近視（水晶体の増加した屈折力によって起こる近視).

In·di·an gin·seng = ashwagandha.

In·di·an paint = blood root.

in·di·can·i·dro·sis (in′di-kan′i-drō′sis). インジカン汗〔症〕（汗中にインジカンが排出されること).

in·di·can·u·ri·a (in′di-kan-yūr′ē-ă). インジカン尿〔症〕（尿中へのインジカンの排出が増大すること. インジカンはインドールの誘導体で, 主に腸内で蛋白が腐敗した際に生成される. インドールは他の場所で蛋白が腐敗した場合にも生成される).

in·di·ca·tion (in′di-kā′shŭn). 適応〔症〕, 適用, 指示, 指標（ある疾患の治療または診断上の検査を始めるにあたって基準となるもの. これは, 原因を知ることによって(原因適応 **causal indication**)もあれば, 現症状によって(対症適応 **symptomatic indication**), または当該疾患の特性によって(特異適応 **specific indication**)与えられる場合もある).

in·di·ca·tor (in′di-kā-tŏr). ***1*** 指示薬（化学分析において, pH または酸化電位のある一定範囲内で変色する, あるいは何らかの方法で化学反応の完了を視認可能にする物質. 例えば, リトマス, フェノールスルホンフタレイン). ***2*** インジケーター（トレーサとして用いられる同位元素). ***3*** インジケーター（標識物質で, ある系での反応物間でのその分布により存在する被検体を定量することに用いる).

in·di·ces (in′di-sēz). index の複数形の1つ.

in·dif·fer·ent go·nad 未分化生殖腺（胚の原基器官で, 精巣, 卵巣に分化する以前のもの).

in·dif·fer·ent tis·sue 未分化組織（未分化で特殊化していない胚組織).

in·di·gent (in′dij-ĕnt). 低所得の（医療費やその他の生活必需品の費用を支払うための収入が十分にないこと).

in·di·ges·tion (in′di-jes′chŭn). 消化障害, 消化不良（消化管における食物の適正な消化吸収の不良が原因でみられる様々な症状について用いる不適切な語).

in·di·rect cal·o·rim·e·try 間接測熱, 間接熱量測定〔法〕（酸化反応による熱発生量を決定する方法. 酸素の消費量または炭酸ガスの発生量またはその両方, および窒素の排出量の測定後, 発生した熱の量を計算する).

in·di·rect Coombs test 間接クームズ(クームス)試験. = Coombs indirect test.

in·di·rect frac·ture 介達骨折（特に頭蓋の骨折で, 衝撃を受けた位置ではない部分に起こる).

in·di·rect he·mag·glu·ti·na·tion test = passive hemagglutination.

in·di·rect im·mu·no·flu·o·res·cence 間接蛍光抗体法（正常組織構成物質に対する抗体(自己抗体)を検出するために, 被検血清を正常組織に反応させて蛍光顕微鏡で観察する. →fluorescent antibody technique).

in·di·rect lar·yn·gos·co·py 間接喉頭鏡検査〔法〕（喉頭を鏡に反射させて観察する検査法).

in·di·rect nu·cle·ar di·vi·sion 間接核分裂. = mitosis.

in·di·rect oph·thal·mo·scope 倒像検眼鏡（眼内を観察するためにつくられた器具. 器具を被検眼から腕の長さにおき, 検者は被検眼と器具の間においた凸レンズを通して倒立像を認める).

in·di·rect re·act·ing bil·i·ru·bin 間接〔反応型〕ビリルビン（肝細胞中でグルクロン酸に抱合されていない血清ビリルビン分画. Ehrlich ジアゾ試薬とアルコールを加えたときのみ反応することからこのようによばれる. 肝疾患や溶血において増加する).

in·di·rect trans·fu·sion 間接輸血（事前に供

血者から採り，適当な容器に保存しておいた血液を患者に注入すること）．

in·di·rect vi·sion 間接視. = peripheral vision.

in·di·um（In）（in′dē-ŭm）．インジウム（金属元素で，原子番号 49，原子量 114.82）．

in·di·vid·u·al ha·bil·i·ta·tion plan（I.H.P.） 個別居住計画（日常生活と機能的自立の機会を促進するために，グループ居住様態で暮らす，障害を持つ人々へ提供されるサービスの規定についての大要を示す文書）．

In·di·vid·u·al·ized Ed·u·ca·tion Pro·gram（IEP） 個別化教育プログラム（障害をもつ特定の個人に合わせてつくった，法律で義務づけられた教育プログラム．IDEA の規定により，計画自体とそれを補完する文書からなる．→ Individuals with Disabilities Education Act）．

in·di·vid·u·a·lized fam·i·ly ser·vice plan（IFSP） 個別家族支援計画（個々の子どもおよびその家族のための早期介入サービスについて定める約定書．サービスを受ける資格については，IDEA（米国障害者教育法）で定められている）．

in·di·vid·u·al li·cen·sure 個別免許の交付（医療制度においては，研修の完了とそれに続く承認機関による調査を経た上で，医療従事者に対し免許を与えること）．

in·di·vid·u·al prac·tice as·so·ci·a·tion（IPA） 開業医協会（HMO（健康維持機構）の形式で，患者はプランに載っている医師であれば誰でも，受診するのに紹介や許可を必要としない）．

in·di·vid·u·al psy·chol·o·gy 個体心理学，個人心理学. = adlerian psychology.

In·di·vid·u·als with Dis·a·bil·i·ties Ed·u·ca·tion Act（IDEA） 身体障害者教育法（身体に障害がある学生（3—21 歳）すべてが，各自のニーズに合った自由で適切な学校教育を受ける権利を保証する連邦法（公法 94-142，1975 年制定．その後修正）．→Individualized Education Program）．

in·di·vid·u·a·tion（in′di-vij′yū-ā′shŭn）．***1*** 個人化，個体化（種族固有のものから個体固有のものを発達させること）．***2*** 個性化，個別化（Jung 心理学において，個人の人格が他と区別されて発達し，表現されていく過程）．***3*** 個性化（胚子においてオルガナイザの働きに応じて，地域性実現活動が起きること）．

in·di·vid·u·a·tion field 個体化野（形成体が始原組織を再編成して，完全な胚を形成できるような領域）．

in·do·cy·a·nine green インドシアニングリーン（血清アルブミンと結合するトリカルボシアニン色素で，血液量の測定および肝機能検査に用いる）．

in·do·cy·an·ine green an·gi·og·ra·phy インドシアニングリーンアンギオグラフィ（赤外線を 805 nm で吸収し，835 nm で放射するインドシアニングリーンによって染まる脈絡膜の脈管構造を調べるための検査．経静脈的に注射され，網膜血管と脈絡膜の脈管が撮像される）．

in·dol·ac·e·tu·ri·a（in′dōl-as′ĕ-tyūr′ē-ă）．インドール酢酸尿〔症〕（多量のインドール酢酸が尿中に排出される病態．Hartnup 病の所見の 1 つ）．

in·dol·a·mine（in-dol′ă-mēn）．インドールまたは第一，第二，第三アミンをもつインドール誘導体（例えばセロトニン）の総称．

in·dole（in′dōl）．インドール（① 2,3-benzopyrrole; 多くの生物学的活性を有する物質（例えば，セロトニン，トリプトファン）の基礎物質．トリプトファンの分解生成物. = ketole. ②インドールを含有する多くのアルカロイドのいずれかを示す）．

in·do·lent（in′dō-lĕnt）．無痛〔性〕の，不活性の（病気の過程についていう）．

in·do·lent bu·bo 無痛〔性〕横痃（鼡径部の硬化腫脹）．

in·do·lic ac·ids インドール酸（体内または腸内細菌により産生されるL-トリプトファンの代謝産物）．

in·dox·yl（in-dok′sil）．インドキシル（3-ヒドロキシインドールの基．インドール酢酸の腸内細菌による分解産物．フェニルケトン尿症においては量が増大する）．

in·dox·yl·u·ri·a（in-dok′sil-yūr′ē-ă）．インドキシル尿〔症〕（インドキシル基，特に硫酸インドキシルが尿中に排泄される状態．インジカンが加水分解されることによりインドキシル基が生成されるため，インドキシル尿症はインジカン尿症を伴う場合がある）．

in·duced a·bor·tion 人工流産（薬物または機械的方法を用いて人工的に行われる流産）．

in·duced en·zyme, in·duc·i·ble en·zyme 誘導酵素（培地に特定の物質（誘導物質）を添加後，微生物の増殖培養で検出できる酵素．誘導物質によって活動でき，添加前では検出できない）．

in·duced e·ryth·ro·cy·the·mi·a = blood doping.

in·duced hy·po·ten·sion, con·trolled hy·po·ten·sion 人工的に誘発した低血圧，低血圧法（手術中の失血を減らすために，麻酔や手術中に薬物を用いて動脈血圧を故意に急速に下げること）．

in·duc·er（in-dūs′ĕr）．誘発因子，誘発要因，誘導物質，インデューサ（分子，それも通常は特定の酵素経路の基質で，活性リプレッサ（調節遺伝子によってつくられた）と結合し，これを非活性化する．この結果，それまで抑制されていた作動遺伝子が制御していた構造遺伝子を活性化し，酵素産生を引き起こすことが可能となる．これが誘導酵素系における調節酵素産生の恒常性機構である）．

in·duc·tance（in-dŭk′tăns）．自己感応係数，インダクタンス（電磁誘導係数．インダクタンスの単位はヘンリー．→induction）．

in·duc·tion（in-dŭk′shŭn）．***1*** 誘発，誘致．***2*** 誘導，感応（きわめて接近した一方の個体内の電気または磁性によってもう一方の個体内の電流または磁性を生じること）．***3*** 導入（麻酔を開始してから，それが外科的手法を行うに十分な麻酔深度に達する期間）．***4*** 誘導（発生学において，隣接する細胞の分化や構造の発生に対してのオルガナイザが及ぼす影響）．***5*** 誘導（片親あるいは両親の生殖細胞に対する環境の作用によって子孫に現れる変異）．***6*** 誘導，誘発（微生物学において，プロバクテリオファージが増殖期ファージに変化すること．これは自然に起こる場合もあれば，何らかの物理的・化学的因子による刺激を受けて起こる場合もある）．***7*** 誘導（酵素学において，蛋白の量または活性を増大させる過程．→inducer）．***8*** 導入（催眠の過程における一段階）．***9*** 誘導（原因分析において，1つ以上の特異的観察からより一般的定理に推論する理由付けの方法．*cf.* deduction）．

in·duc·tion of fol·lic·u·lo·gen·e·sis 濾胞形成の誘導（薬物療法薬またはホルモンを使って濾胞を生成すること）．

in·duc·tion of la·bor 分娩誘導（薬物または外科的介入・処置により出産プロセスを改善する医学的試み）．

in·duc·tion pe·ri·od 誘導期（①ある特異な因子が疾病を引き起こすのに要する期間．②原因となる要因の作用から疾病の開始までの期間．③抗原の最初の注入から，血液中に論証しうる抗体が出現するまでの期間）．

in·duc·tor (in-dŭk′tŏr)．誘導物質（①誘導を引き起こすもの．②発生学において，喚起因子あるいは形成体）．

in·du·rat·ed (in′dūr-ā-tĕd)．硬化した，硬結した（通常，軟組織が，骨ほどではないが極度に硬くなった状態をさす）．

in·du·ra·tion (in′dūr-ā′shŭn)．硬化，硬結，硬変（①極度に硬くなる過程，あるいはそのような物理的特徴をもつこと．一indurated．②硬化した組織の病巣または部位．= sclerosis (1)）．

in·du·ra·tive (in-dūr′ă-tiv)．硬化〔性〕の．

in·du·si·um, pl. in·du·si·a (in-dū′zē-ŭm, -zē-ă)．***1*** 被膜，被包（膜様の層または被覆）．***2*** 羊膜．= amnion.

in·du·si·um gris·e·um 灰白層（脳梁上面にある灰白質の薄い層で，その中を内側および外側縦条が走っている．灰白層は海馬が退化したものであって，後方には，脳梁膨大を回って小帯回または灰白小束へ続く．この細い脳回は，ここから海馬の歯状回または歯状膜へつながる．灰白層は前方には，脳梁膝および脳梁吻を回り，嗅三角に向かって蓋ひもまたは海馬痕跡として頭方へのびるが，このとき，終板傍回または交連前中隔の前縁を境する後嗅傍溝の深部を通る）．

in·dus·tri·al dis·ease 産業病（企業が環境内に放出した病因物質に暴露した結果起こる疾病．*cf.* occupational disease）．

in·dus·tri·al hear·ing loss = noise-induced hearing loss.

in·dus·tri·al hy·giene 産業衛生（産業の立場から職業関連疾患や外傷を減少させる保健活動）．

in·dwell·ing cath·e·ter (IDC) 留置カテーテル（膀胱の中に置いておくカテーテルで，通常はバルーンカテーテル）．

in·e·bri·ant (in-ē′brē-ănt)．***1***〚adj.〛酩酊させる，中毒させる．***2***〚n.〛酩酊薬（アルコールなど．一inebriation）．

in·e·bri·a·tion (in-ē′brē-ā′shŭn)．酩酊（特にアルコールによる酩酊．一inebriant）．

In·er·mi·cap·si·fer (in-er-mī-kap′si-fer)．イネルミカプチフェル（条虫類属(円葉目)．1935年に発見される．節足動物が媒介していると考えられている(げっ歯類からヒト，ヒトからヒト))．

In·er·mi·cap·si·fer ma·da·gas·car·i·en·sis イネルミカプチフェルマダガスカリエンシス（キューバ，マダガスカル，アフリカの1—3歳の小児にしばしばみられる，人に感染する条虫であり，あいまいな消化器症状を呈する．節足動物の媒介が疑われている．片節，卵，卵殻が方形条虫(*Raillietina* 線虫)に類似している)．

in·ert (in-ĕrt′)．***1*** 鈍い，遅鈍な，不活発な（動きの遅い，惰性的な）．***2*** 活性のない，化学作用を起こさない（不活性ガスのように化学的に活発な性質すなわち活性に欠ける）．***3*** 非活性の，不活性の（薬理学的または治療上の作用がない薬物についていう）．

in·ert gas·es 不活性ガス．= noble gases.

in·er·ti·a (in-ĕr′shē-ă)．***1***〚n.〛慣性（静止している点から動かそうとする力に対して抵抗する物体の性質）．***2***〚adj.〛無気力な，活動力欠如の（不活発であること，力の欠如を表す．精神的または身体的活力の欠如．思考や活動が活発でないこと）．

in·er·ti·a time 惰性時間（神経から刺激を受けて筋肉が収縮するまでの時間）．

in·ev·i·ta·ble a·bor·tion 進行流産（破水あるいは頸管開大を伴う胎児生育可能限界以前の流産）．

in·ex·suf·fla·tor (in′eks′sŭf-lā-tŏr)．カフマシーン（咳嗽を促進するため陽圧と陰圧を交互に与える装置）．

in ex·tre·mis 臨終に，死に際して．

in·fan·cy (in′făn-sē)．新生児期，乳児期（子宮外生活の最初の期間．大まかには生後の1年間）．

in·fant (in′fănt)．乳児（1歳以下の小児．特に生まれたての赤ん坊）．

in·fant grasp re·flex = palmar reflex.

in·fan·ti·cide (in-fan′ti-sīd)．***1*** 嬰児殺し．***2*** 殺児者．

in·fan·tile (in′făn-tīl)．***1*** 乳児の，乳児期の．***2*** 子供っぽい（子供じみた振舞いについていう）．

in·fan·tile ac·ro·pus·tu·lo·sis 乳児先端(肢端)膿疱症（周期的に再発する丘疹性膿疱および痂皮を伴うそう痒性皮疹で，たいてい黒人の子供にみられる）．

in·fan·tile au·tism 幼児自閉〔症〕（相互交流のある対人関係の障害およびコミュニケーション，言語および社会的発達の障害を特徴とする小児期の重症感情障害）．= Kanner syndrome.

in·fan·tile ec·ze·ma 乳児湿疹（乳児における湿疹．中心的な原因機構，例えば，接触型過敏症，カンジダ症，アトピー，脂漏症，間擦疹とおむつ皮膚炎を含めてこれらの原因の組合せによって臨床像が異なる）．

in·fan·tile hy·po·thy·roid·ism 乳児期甲状腺機能低下症（地方病性の先天的な甲状腺腫によるものの他に，非地方病性のものとして胎生期における甲状腺の形成障害，視床下部・下垂体原の機能障害，甲状腺ホルモンの生成障害や作用機序障害，または胎生期に甲状腺機能障害性の物質の投与を受けた場合に生じる）．

in·fan·tile neu·ro·ax·o·nal dys·tro·phy 乳児型神経軸索ジストロフィ（小児期早期にみられるまれな家族性の疾患で，進行性の精神運動退行，腱反射亢進，Babinski 徴候，筋緊張低下および進行性視覚喪失を呈する）．

in·fan·tile os·te·o·ma·la·ci·a, ju·ve·nile os·te·o·ma·la·ci·a 乳児骨軟化症，若年性骨軟化症．= rickets.

in·fan·tile pu·ru·lent con·junc·ti·vi·tis 乳児化膿性結膜炎．= ophthalmia neonatorum.

in·fan·tile scur·vy 乳児壊血病（栄養失調が原因で起こる乳児の悪液質病で，蒼白，悪臭息，苔舌，下痢，骨膜下出血が特徴である．恐らく，壊血病と，ビタミンCとDの両方の欠乏に起因するくる病の合併したものと思われる）．= Barlow disease; osteopathia hemorrhagica infantum.

in·fan·tile sex·u·al·i·ty 小児性欲（精神分析学的人格理論の概念において，小児の精神・性的発達に関したもの．5歳くらいまでの精神・性的発達が口唇期，肛門期，および男根期と重畳し合いながら発達するといわれ，これらの段階を含めて小児性欲という）．

in·fan·tile spi·nal mus·cu·lar at·ro·phy 乳児脊髄性筋萎縮〔症〕（第5染色体長腕の常染色体劣性遺伝，脊髄前角細胞と脳幹脳神経の進行性機能障害により，生後2年以内に高度の脱力と延髄機能障害が起こる．臨床的発症年齢により3群に分けられる）．

in·fan·ti·lism (in-fan′ti-lizm). 幼稚症（①精神および身体の発育が遅い状態．②青年や成人のかんしゃく発作に特徴付けられるような子供っぽさ．③性器の発育不全）．

in·fant mor·tal·i·ty rate 乳児死亡率（1歳未満の生産児の死亡率．分子は一定地域内の満1歳未満の年間乳児死亡数．分母は合生産数．地域の衛生状態を示す指標となる）．

in·farct (in′fahrkt). 梗塞（動脈または静脈血の供給が急に不全となることにより起こる壊死部）．= infarction(2).

in·farc·tion (in-fahrk′shŭn). 梗塞（①動静脈血の供給が塞栓，血栓，機械的な要因や，肉眼的な大きさの懐死を起こすほどの圧力などにより急に不全状態を起こすことで，心臓，脳，膵臓，腎臓，腸，肺，精巣に多い．また，特に卵巣や子宮において腫瘍により起こる場合もある．②= infarct）．

in·farc·tus my·o·car·di·i = myocardial infarction.

in·fect (in-fekt′). ***1*** 感染する（微生物が他の生体に侵入し，住みつき，感染または汚染を引き起こす）．***2*** 内寄生する（体外に寄生する(外寄生する)のとは反対に，体内に寄生して住みつく）．

in·fect·ed a·bor·tion 感染性流産（流産の感染性合併症）．

in·fec·tion (in-fek′shŭn). 感染，伝染（病気を引き起こす可能性がある生物が体内に侵入すること）．

in·fec·tion-ex·haus·tion psy·cho·sis 感染消耗精神病，感染へばり精神病（急性感染，ショック，慢性中毒後に起こる精神病を表す，現在では用いられない語．せん妄として始まり，幻覚，非体系的妄想，ときには昏迷を伴う著明な精神錯乱が起こる）．

in·fec·tion im·mu·ni·ty 感染免疫（初めの感染の持続と再感染への抵抗性とが同時に起こるという逆説的な免疫の状態）．

in·fec·tion trans·mis·sion pa·ram·e·ter 感染伝播パラメータ（感染例と新たな感染を起こす可能性のあるものとの間の接触機会の比率．→serial interval; mass action principle）．

in·fec·tious (in-fek′shŭs). 感染の，感染性（①実際の接触の有無を問わず，ヒトからヒトへの感染によって伝播される疾患．②= contagion; contagious; infective. ③微生物の作用により起こる疾患を示す）．

in·fec·tious bo·vine ker·a·to·con·junc·ti·vi·tis ウシの伝染性角膜炎（伝染性の強い角膜結膜炎で，*Moraxella bovis* に起因する．眼瞼痙攣，結膜炎，流涙，角膜混濁，角膜潰瘍が特徴．= pinkeye(2)）．

in·fec·tious crys·tal·line ker·a·top·a·thy 感染性クリスタリン(結晶状)角膜症，感染性結晶状角膜症（α 溶連菌感染を主体とする細菌性角膜炎でみられるシダ状の針状沈着）．

in·fec·tious dis·ease, in·fec·tive dis·ease 感染症（微生物の存在や活動によって起こる病気）．

in·fec·tious ec·zem·a·toid der·ma·ti·tis 湿疹様感染性皮膚炎（化膿性感染症の部位に隣接する皮膚の炎症．常在微生物に対する局所的感作が原因と考えられている）．

in·fec·tious en·do·car·di·tis, in·fec·tive en·do·car·di·tis 感染性心内膜炎（微生物の感染により起こる心内膜炎）．

in·fec·tious hep·a·ti·tis vi·rus 感染性肝炎ウイルス．= hepatitis A virus.

in·fec·tious mon·o·nu·cle·o·sis 伝染(感染)性単核球症，伝染(感染)性良性リンパ節疾患，伝染(感染)性腺熱（Epstein-Barr ウイルスによって起こる急性の熱性疾患．しばしば唾液を介して伝播する．特有の症状は発熱，咽頭痛，リンパ節と脾臓の腫脹，単球に類似の異常リンパ球を含むリンパ球増加症，血清中の異好性抗体）．

in·fec·tious·ness (in-fek′shŭs-nĕs). 感染性（感染性のある状態，あるいは性状）．

in·fec·tious pap·il·lo·ma·vi·rus = human papillomavirus.

in·fec·tive (in-fek′tiv). 感染力のある．= infectious(2).

in·fec·tive dose 感染量（感受性のある宿主に感染を起こすのに必要な病原菌量(個数で表す)．*cf.* minimal infecting dose）．

in·fec·tive em·bo·lism 感染性塞栓症．= pye-

I

mic embolism.

in·fec·tiv·i·ty (in′fek-tiv′i-tē). 感染性（①病原体の性状としての宿主への侵入能と感受性を有する宿主での生存および増殖能力. ②ある決められた条件下で，感染を起こすのに必要な病原体の量）.

in·fe·ri·or (in-fēr′ē-ŏr). 下の（①下方にある，または下方を向いている. ②特に人体解剖学においては，何らかの基準点よりも足底に近い位置を占めることを意味する. superior の対語. ③役に立たない，または質の劣った）.

in·fe·ri·or al·ve·o·lar ar·ter·y 下歯槽動脈（顎動脈の第一部より起こり，下顎管を通って下顎歯およびおとがいに分布する. 歯枝，顎舌骨筋枝，おとがい動脈を分枝する）.

in·fe·ri·or al·ve·o·lar nerve 下歯槽神経（下顎神経の終枝. 下顎管にはいり，下顎歯および下顎骨の骨膜や歯肉に分布する. このうちおとがい神経はおとがい孔を抜け，下唇とおとがいの皮膚と粘膜に分布する）. = nervus alveolaris inferior.

in·fe·ri·or a·nal nerves 下直腸神経（陰部神経の数枝で，外肛門括約筋と肛門部の皮膚にのびる）. = nervi anales inferiores; inferior rectal nerves; nervi rectales inferiores; inferior hemorrhoidal nerves.

in·fe·ri·or ba·sal vein 下肺底静脈（各肺の下葉の中部および後部から血液を集める総肺底静脈の枝）.

in·fe·ri·or bor·der 下縁（ある構造の尾側縁または最下縁）.

in·fe·ri·or cer·e·bel·lar pe·dun·cle 下小脳脚（延髄上部の背外側面から起こり菱形窩の外側陥凹の下を通り背側に回って中小脳脚の尾内側で小脳にはいる左右1対の大線維束で，索状体という外側の大きな束と索状傍体という内側の小さな束とからなる脊髄ニューロンと延髄中継核からの線維の複合体である. 大部分は下オリーブ核からの線維と交叉する. 背側脊髄小脳路正中傍網様体核，舌下神経周囲核などからの線維を含む. 第八神経線維は下小脳脚中の内側に位置するのでしばしば切り離して索状傍体として扱われる）.

in·fe·ri·or ce·re·bral veins 下大脳静脈（大脳半球の下面を流れ海綿静脈洞および横静脈洞へ注ぐ多数の大脳静脈）.

in·fe·ri·or cer·vi·cal car·di·ac nerve 下頸心臓神経（頸胸神経節から心臓神経叢に向かう神経）.

in·fe·ri·or clu·ne·al nerves 下殿皮神経（後大腿皮神経の分枝. 大殿筋の下縁の下から現れ，殿部の下半部の皮膚に供給する）. = nervi clunium inferiores.

in·fe·ri·or con·stric·tor mus·cle of phar·ynx 下咽頭収縮筋（起始：甲状軟骨外面から起こる甲状咽頭部と，輪状軟骨・輪状咽頭筋・上咽頭収縮筋から起こる輪状咽頭部. 停止：咽頭後壁の咽頭縫線. 作用：えん下に際して咽頭の下方を収縮させる. 輪状咽頭部は食道に対して括約筋のような作用を行い，意識的なおくびや逆流を可能にする. 神経支配：咽頭神経叢）. = laryngopharyngeus; musculus constrictor pharyngis inferior; musculus laryngopharyngeus; superior esophageal sphincter.

in·fe·ri·or ep·i·gas·tric vein 下腹壁静脈（同名の動脈に伴行し鼡径靱帯のすぐ近位で外腸骨静脈へ注ぐ）.

in·fe·ri·or ex·ten·sor ret·i·nac·u·lum 〔足の〕下伸筋支帯（Y字形の靱帯で，足指の伸筋腱を足関節の遠位部に押さえ付けている）.

in·fe·ri·or fib·u·lar ret·i·nac·u·lum 下腓骨筋支帯（長短腓骨筋の腱が足の外側を通るところではずれないように止めている帯状の深筋膜. Y字形の下伸筋支帯から外側へ延びたもので，踵骨の腓骨滑車から踵骨下外側面にまで延びている）. = inferior peroneal retinaculum.

in·fe·ri·or gan·gli·on of glos·so·pha·ryn·ge·al nerve 舌咽神経の下神経節（舌咽神経の2つの知覚性神経節のうち下方の著明なほうのもので舌咽神経が頸静脈孔を出てすぐ下方にある）.

in·fe·ri·or gan·gli·on of va·gus nerve 〔迷走神経の〕下神経節（大きな知覚性の神経節で，内頸静脈の前方にある）. = ganglion inferius nervi vagi.

in·fe·ri·or ge·mel·lus mus·cle 下双子筋（殿部最深層の筋. 起始：坐骨結節. 停止：内閉鎖筋の腱. 神経支配：仙骨神経叢）. = gemellus; musculus gemellus inferior.

in·fe·ri·or glu·te·al ar·ter·y 下殿動脈（内腸骨動脈より起こり，股関節，殿部に分布する. 内陰部動脈の枝，外側仙骨動脈，上殿動脈，閉鎖動脈，内側・外側大腿回旋動脈と吻合）. = arteria glutea inferior; arteria ischiadica; arteria ischiatica.

in·fe·ri·or glu·te·al nerve 下殿神経（仙骨神経叢の枝として第五腰神経および第一・第二仙骨神経から起こり大殿筋を支配する. この神経は座業の人で圧迫，虚血により損傷を受けやすく，座位からの立ちあがりや階段をのぼることが困難となる）. = nervus gluteus inferior.

in·fe·ri·or hem·or·rhoid·al ar·ter·y = inferior rectal artery.

in·fe·ri·or hem·or·rhoid·al nerves 下痔神経. = inferior anal nerves.

in·fe·ri·or hy·po·gas·tric (nerve) plex·us 下下腹神経叢（骨盤内臓に分布する骨盤内の左右の交感・副交感神経の混合した自律神経叢. 下腹神経と骨盤内臓神経からなり，内臓からの求心性線維を運ぶ）.

in·fe·ri·or·i·ty (in-fēr′ē-ōr′i-tē). 劣等感（特に仲間や同じような条件のもとにある他者と比較して，劣性である状態，またはそのように感じること）.

in·fe·ri·or·i·ty com·plex 劣等感（極度のはにかみ，自信のなさ，臆病あるいは露出症や攻撃性の中に代償反応として表される不全感）.

in·fe·ri·or la·bi·al ar·ter·y 下唇動脈. = inferior labial branch of facial artery.

in·fe·ri·or la·bi·al branch of fa·cial ar·ter·y 下唇動脈（顔面動脈より起こり下唇に分布する. 反対側の下唇動脈，おとがい動脈，口唇下の動脈と吻合). = arteria labialis inferior; inferior labial artery; ramus labialis inferior arteriae facialis.

in·fe·ri·or la·bi·al vein 下唇静脈（下口唇から血液を集めて顔面静脈へ注ぐ).

in·fe·ri·or lin·gual mus·cle 下縦舌筋. = inferior longitudinal muscle of tongue.

in·fe·ri·or lin·gu·lar ar·ter·y 下舌枝（左肺動脈の肺舌動脈の枝. 左肺上葉の下舌区に分布する). = arteria lingularis inferior; inferior lingular branch of lingular branch of left pulmonary artery; ramus lingularis inferior.

in·fe·ri·or lin·gu·lar branch（of lin·gu·lar branch）of left pul·mon·ar·y ar·ter·y 左肺動脈の肺舌動脈の舌下枝. = inferior lingular artery.

in·fe·ri·or lin·gu·lar（bron·cho·pul·mon·ar·y）seg·ment〔肺区域の〕下舌区（左肺臓上葉の4区のうちの1つで, 最も下方にあり, 下舌区気管支と下舌区動脈が分布している領域. ほぼ右肺臓中葉の内側区に相当する. 舌とはその姿形からついた名前である).

in·fe·ri·or lon·gi·tu·di·nal fas·cic·u·lus 下縦束（大脳の後頭葉および側頭葉の全長にわたって走行する長い連合線維のはっきりした神経束. 側脳室の下角と一部平行している). = fasciculus longitudinalis inferior.

in·fe·ri·or lon·gi·tu·di·nal mus·cle of tongue 下縦舌筋（左右両側の下面を占める円筒形の内舌筋. 作用：舌の下部を短縮する. 神経支配：運動は舌下神経, 感覚は舌神経). = musculus longitudinalis inferior linguae; inferior lingual muscle.

in·fe·ri·or lum·bar tri·an·gle 腰三角, 下腰三角（後腹壁内側にみられる部位. 広背筋, 外腹斜筋および腸骨稜により境された部分. ときとして, この部位にヘルニアが生じる). = Petit lumbar triangle.

in·fe·ri·or mac·u·lar ar·te·ri·ole 下黄斑動脈（網膜中心動脈より起こり, 黄斑下部に分布する). = arteriola macularis inferior.

in·fe·ri·or med·ul·lar·y ve·lum 下髄帆（小脳扁桃に隠れ, 小葉脚に沿い, かつ正中線で, または正中線の近くで虫部小結節と付着した白質の薄い板. これは尾部で第4脳室の上皮板および脈絡叢に接続する).

in·fe·ri·or me·sen·ter·ic ar·ter·y 下腸間膜動脈（第三腰椎の高さで腹大動脈の3番目の前臓側枝として起こり, 前臓側枝のなかで最も細い. 左結腸動脈, S状結腸動脈, 上直腸動脈に分枝する. 中結腸動脈, 中直腸動脈と吻合). = arteria mesenterica inferior.

in·fe·ri·or mes·en·ter·ic（nerve）plex·us 下腸間膜動脈神経叢（腹大動脈神経叢から起こり, 下腸間膜動脈を囲み, 下行結腸, S状結腸, 直腸に分枝する自律神経叢).

in·fe·ri·or nas·al con·cha 下鼻甲介（①縁が弯曲した薄い海綿状骨板で, 鼻腔の側壁にあり, 中鼻道と下鼻道を分ける. 篩骨, 涙骨, 上顎骨, 口蓋骨とで関節をなす. ②上記骨板とその肥厚した粘膜骨膜で, 熱交換のための広範な海綿状の血管床を含む).

in·fe·ri·or o·blique mus·cle 下斜筋（外眼筋の1つ. 起始：涙溝外側の上顎骨の眼窩板. 停止：上直筋と外側直筋の間の強膜. 作用：眼球を上外側に向ける. 外方捻転. 神経支配：動眼神経下枝). = musculus obliquus inferior.

in·fe·ri·or o·blique mus·cle of head 下頭斜筋. = obliquus capitis inferior muscle.

in·fe·ri·or ol·i·var·y nu·cle·us 下オリーブ核（多くの小さな密集した神経細胞で内側・外側副オリーブ核と主オリーブ核に分かれ, 内方に向いた開口(門)をもった財布のような形のしわの深い灰白板をなしている. それはオリーブ内に位置し, オリーブ小脳路を通じて, 対側の全小脳皮質に線維を出し小脳の登上線維の唯一の供給源であると考えられている. その求心性連絡は脊髄・歯状核・運動皮質からの線維によるが, 最も重要な入力線維は中脳レベルの種々の核に始まる中心被蓋路からのもののようである).

in·fe·ri·or or·bi·tal fis·sure 下眼窩裂（蝶形骨大翼と上顎骨眼窩部の間にある裂隙. ここを通過するのは, 上顎神経, 下眼静脈およびこれと側頭下窩にある翼突筋静脈叢を結ぶ交通枝である).

in·fe·ri·or pal·pe·bral（ar·te·ri·al）arch 下眼瞼動脈弓（瞼板縁に沿って涙腺動脈の分枝につながる内・外側眼瞼動脈が形成する下眼瞼の動脈弓).

in·fe·ri·or pan·cre·at·i·co·du·o·de·nal ar·ter·y 下膵十二指腸動脈（上腸間膜動脈より起こり, 膵頭, 十二指腸下部に分布する. 通常, 前および後の2本ある. 上膵十二指腸動脈と吻合). = arteria pancreaticoduodenalis inferior.

in·fe·ri·or pel·vic ap·er·ture 骨盤下口（前方は恥骨弓, 側方は坐骨板と左右の仙結節靱帯, 後方はこの靱帯と尾骨尖が境界をなす小骨盤の下口).

in·fe·ri·or per·o·ne·al re·ti·nac·u·lum = inferior fibular retinaculum.

in·fe·ri·or phren·ic ar·ter·y 下横隔動脈（横隔膜下の腹大動脈の左右対の第一枝として起こり, 横隔膜に分布する. 上横隔動脈, 内胸動脈, 筋横隔動脈と吻合). = arteria phrenica inferior.

in·fe·ri·or pos·te·ri·or ser·ra·tus mus·cle 下後鋸筋. = serratus posterior inferior muscle.

in·fe·ri·or pu·bic lig·a·ment 恥骨弓靱帯（恥骨結合下方にある弓状の靱帯).

in·fe·ri·or pu·bic ra·mus 恥骨下枝（恥骨体から下方へ延びる部分で, 坐骨枝と癒着して恥骨坐骨枝を形成する).

in·fe·ri·or rec·tal ar·ter·y 下直腸動脈（内陰部動脈より起こり, 肛門管, 肛門部の筋肉と皮膚, 殿部の皮膚に分布する. 中直腸会陰動脈, 殿部動脈と吻合). = arteria rectalis inferior; inferior hemorrhoidal artery.

in·fe·ri·or rec·tal nerves 下直腸神経. = inferior anal nerves.

in·fe·ri·or rec·tus mus·cle 下直筋（外眼筋

I

の1つ．起始：総腱輪の下部．停止：眼の強膜下部．神経支配：動眼神経下枝．作用：眼球を下内側に向ける．内転して外方捻転）．= musculus rectus inferior.

in·fe·ri·or re·nal seg·ment 下腎区（腎下区動脈が分布する範囲）．

in·fe·ri·or seg·ment 下区（器官や構造の内部で，他の部分と比較して最も下方に位置する部分）．

in·fe·ri·or su·pra·re·nal ar·ter·y 下副腎動脈，下腎上体動脈（腎動脈より起こり，副腎に分布する）．= arteria suprarenalis inferior.

in·fe·ri·or tem·po·ral line 下側頭線（頭頂骨上の2本の曲線のうちの下方の線．側頭筋の付着の限界を示す）．

in·fe·ri·or tem·po·ral re·ti·nal ar·te·ri·ole 網膜下外側動脈（黄斑の下外側を通って網膜の下外側，すなわち下側頭部に血液を供給する網膜中心動脈の枝）．

in·fe·ri·or tem·po·ral sul·cus 下側頭溝（内側後頭側頭回と下側頭回をその外側で分ける，側頭葉の底面にある溝）．

in·fe·ri·or tha·lam·ic pe·dun·cle 下視床脚（視床の前部から腹側方向に出現する大きな線維束で，一部は内包の内側線維と一緒になり，他は内包の内側縁に沿って外側に曲がり無名質に至る．線維の多くは視床の背内側核と前頭葉の眼窩回との相互性の線維連絡をなすが，多くの他の線維は扁桃および嗅皮質から背内側核への伝導路を構成している．→ansa peduncularis）．

in·fe·ri·or thal·a·mo·stri·ate veins 下視床線条体静脈（視床と線条体からの血液を集め，前有孔質を抜けて脳底静脈に注ぐ静脈）．= striate veins.

in·fe·ri·or thy·roid ar·ter·y 下甲状腺動脈（上行頸動脈とともに甲状頸動脈の終末枝で，上行頸動脈，下喉頭動脈，筋枝，食道枝，気管枝を分枝する）．= arteria thyroidea inferior.

in·fe·ri·or ul·nar col·lat·e·ral ar·ter·y 下尺側側副動脈（上腕動脈より起こり，肘背部の筋肉に分布する．尺側反回動脈の前枝および後枝，上尺側側副動脈，上腕深動脈，反回骨間動脈と吻合して肘関節血管網となる）．= arteria collateralis ulnaris inferior; arteria anastomotica magna; great anastomotic artery.

in·fe·ri·or ve·na ca·va（IVC） 下大静脈（下肢および骨盤と腹部の器官の大部分から血液を受ける．右側の第五腰椎の高さで左右総腸骨静脈の合流として始まり，第八胸椎の高さで横隔膜を貫き，右心房の後下方へ注ぐ）．= postcava.

in·fe·ri·or ves·i·cal ar·ter·y 下膀胱動脈（内腸骨動脈より起こり，膀胱底，尿管，男性の場合は精嚢，精管，前立腺に分布する．中直腸動脈，他の動脈の膀胱枝と吻合）．= arteria vesicalis inferior.

in·fer·til·i·ty（in′fĕr-til′i-tē）．不妊症，不妊〔性〕，不育症（男性，女性ともに不妊症ほど不可逆的ではないが，受胎能の減退あるいは欠如した状態）．

in·fest（in-fest′）．外寄生する（外面上の部位を占有し外部寄生的に住みつく）．

in·fes·ta·tion（in′fes-tā′shŭn）．インフェステーション，外寄生（体外に病原体が付着すること．通常は多細胞生物（蠕虫，節足動物）についていう）．

in·fib·u·la·tion（in-fib′yū-la′shŭn）．外陰閉鎖（大陰唇を癒合させて腟前庭を閉鎖すること．小陰唇と陰核を切除し，大陰唇を切開して剥離面をつくり外科的にピンで左右を合わせ，最終的には同時に発育する．医学的理由ではなく文化的理由で行われる．→female circumcision）．

in·fil·trate（in′fil-trāt）．*1*〖v.〗浸潤する．*2*〖n.〗浸潤〔物〕，浸潤巣．= infiltration（2）．*3*〖n.〗肺浸潤（胸部X線上の限局性，境界不鮮明の陰影から推定される肺の細胞浸潤）．

in·fil·tra·tion（in′fil-trā′shŭn）．*1* 浸潤（物質・細胞・組織内にはいり込む，または侵入する行為．気体・液体・溶液中にある物質についていう）．*2* 浸潤物（物質，細胞，または組織内にはいり込んだ気体，液体，または溶解物質）．= infiltrate（2）．*3* 浸潤（浸潤麻酔のように，組織内へ溶液を注入すること）．*4* 遊出（血管内注入をしようとする溶液が血管外へ遊出すること）．

in·fil·tra·tion an·es·the·si·a〔局所〕浸潤麻酔〔法〕（疼痛部位または術野に直接局所麻酔薬を注入する麻酔法）．

in·fi·nite dis·tance 無限遠点（遠方視の限界．無限遠点での物体から目にはいる光線は事実上平行である）．

in·firm（in-fĭrm′）．虚弱な（高齢または疾病による弱々しい状態）．

in·fir·ma·ry（in-fĭr′măr-ē）．病院，〔付属〕診療所，医務室（小規模な病院．特に学校や大学の小規模な診療所．→infirm）．

in·fir·mi·ty（in-fĭr′mi-tē）．〔虚〕弱質，虚弱（弱いこと．精神または身体の異常な，多少とも虚弱な状態．→infirm）．

in·flam·ma·tion（in′flă-mā′shŭn）．炎症（物理的，化学的，または生物学的作用物質による損傷や異常刺激によって罹患した血管および隣接する組織に起こる細胞学的・組織学的反応の動的な複合体からなる基本的な病理学上の過程）．

in·flam·ma·to·ry（in-flam′ă-tōr-ē）．炎症性の．

in·flam·ma·to·ry bow·el dis·ease（IBD） 炎症性腸疾患（Crohn病と潰瘍性大腸炎の総称．小腸および大腸の慢性疾患で，原因不明，著明な炎症を伴い，個々の疾患に特徴的ではあるが，オーバーラップする症候がみられる）．

in·flam·ma·to·ry car·ci·no·ma 炎症性乳癌（乳房の浮腫，充血，圧痛および急速な増大を示す乳癌．顕微鏡的には皮膚リンパ管の癌による広範な浸潤が認められる）．

in·flam·ma·tor·y lin·e·ar ver·ru·cous ep·i·der·mal ne·vus 炎症性線状疣状表皮母斑（そう痒を伴う淡紅色，疣状小丘疹が集簇し，列序性に配列するまれな疾患．普通，幼少時に下肢に出現し成人までに消失する）．

in·flam·ma·to·ry lymph 炎症リンパ（微黄色の，通常，凝固しうる液（すなわち正常形成性リンパ）．急性炎症を起こした膜や損傷した皮膚の表面に集まる）．

in·flam·ma·to·ry pap·il·lar·y hy·per·pla·si·a 炎症性乳頭状過形成〔症〕（ポリープ状の線維のひだで，不適合な義歯下の口蓋にみられるもの）.

in·flam·ma·to·ry pseu·do·tu·mor 炎症性偽腫瘍（肺その他の部位にみられる腫瘤様病変で，炎症細胞が浸潤した線維性または肉芽性組織からなるもの）.

in·flam·ma·to·ry rheu·ma·tism 炎症性リウマチ（関節リウマチ，または別の原因による関節の炎症）.

in·flare (in′flār). 内旋（仙腸関節の内旋によって特徴づけられる腰帯の機能障害）.

in·fla·tion (in-flā′shŭn). 膨張，鼓脹（液体または気体による拡張）. = vesiculation (2).

in·flec·tion, in·flex·ion (in-flek′shŭn, in-flek′shŭn). 内弯，内曲，内弯症（内側への屈曲）.

in·flu·en·za (in-flū-en′ză). インフルエンザ，流行性感冒，流感（急性の感染性呼吸器疾患．インフルエンザウイルスによって起こる．吸入されたウイルスが感受性を有する人々の呼吸上皮細胞を侵襲し，カタル性炎を起こす．本症の特徴は，突然の発病，悪寒，短期間（3—4 日間）の発熱，極度の疲はい，頭痛，筋肉痛，咳で，これは通常二次的な細菌感染が起こるまで乾性で 10 日間ほど続く．本疾患は一般に流行病，ときに汎発性に流行し，急速に蔓延する．株特異性のある免疫が成立するが，ウイルスの変異が頻繁で，免疫は抗原性の異なる株には無効である）. = flu; grip; grippe.

in·flu·en·zal (in′flū-en′zăl). インフルエンザの，流行性感冒の，流感の.

in·flu·en·zal pneu·mo·ni·a インフルエンザ肺炎（①インフルエンザに合併する肺炎．②インフルエンザ菌 *Haemophilus influenzae* による疾患の総称）.

In·flu·en·za·vi·rus (in′flū-en′ză-vī-rŭs). インフルエンザウイルス属（オルトミクソウイルス科の一属で，インフルエンザウイルスの A 型と B 型とからなる）.

in·for·mal ad·mis·sion 自発的入院（患者が精神科病院に自発的に入院すること．この場合，患者はスタッフの許可なしに自由に退院することができる）.

in·for·ma·tics (in′fōr-mat′iks). インフォマティックス，情報科学（①情報およびその処理・取り扱い方法に関する学問．特に膨大な量のデータを高速で転送・処理・分析するコンピュータその他の電子装置など情報技術を用いた方法を研究する．②遺伝と機能的遺伝研究の成果を整理・統合する科学のことで，有益な見解がもたらされる．→bioinformatics）.

in·for·ma·tion (in′fōr-mā′shun). 情報（知識．事実やデータの集積）.

in·for·ma·tion the·o·ry 情報理論（行動科学における情報処理を研究するための体系．信号のコード化，伝送，データ化などすべての処理の側面について，しばしば数学的詳細な分析を含むが，信号の内容そのものには立ち入らない）.

in·formed con·sent インフォームドコンセント（目的，方法，手段，有益性およびリスクについて説明を受けた後に，ある調査，ワクチン接種計画，治験，侵襲的医療などへの参加に対し，ある個人ないし法的代理人（親など）によって行われる任意の同意．インフォームドコンセントの必須の条件は，本人が知識と理解の両者をもつこと，同意は強制や不当な圧力なしで自由に行われること，いつでも中止できる権利があることを本人に伝えてあることである）.

in·for·mo·fers (in-fōrm′ō-fĕrz). インフォルモファー（RNA が核蛋白粒子から除かれるとき出現する蛋白粒子に提案された名前）.

in·for·mo·somes (in-fōrm′ō-sōmz). インフォルモソーム（動物細胞の細胞質中にみられるメッセンジャー（情報）RNA と蛋白との複合体に対して提示された名称）.

infra- 接続される単語が意味する部位の下位を意味する接頭語.

in·fra·bulge (in′fră-bŭlj). 添窩部〔領域〕（①歯冠の歯肉側から最大豊隆線までの部分．②部分床義歯の鉤の保持部が設置されている歯の領域）.

in·fra·cla·vic·u·lar fos·sa 鎖骨下窩（上は鎖骨，前は大胸筋，後ろは三角筋で囲まれた三角形のくぼみ）.

in·fra·clu·sion (in′fră-klū′zhŭn). 低位咬合（歯が相互嵌合の咬合平面まで萌出していない状態）. = infraocclusion; infraversion (3).

in·frac·tion (in-frak′shŭn). 特に変位を伴わない骨折をいう.

in·fra·di·an (in-fră′dē-ăn). 24 時間ごとよりも少ない周期で起こる生物学的変化またはリズムに関する. *cf.* circadian; ultradian.

in·fra·di·an rhythm 長日周期（1 日または 24 時間よりも短い周期のバイオリズム）.

in·fra·glot·tic (in′fră-glot′ik). 声門下の.

in·fra·hy·oid (in′fră-hī′oyd). 舌骨下の.

in·fra·mam·il·lar·y (in′fră-mam′i-lar-ē). 乳頭下の（乳頭より下方にあるものについての）.

in·fra·mam·ma·ry fold (IMF) 乳房下部の折り目（女性の乳房の下の胸壁にある半月状域．真皮内のコラーゲンの規則配列と，その下の浅筋膜の縮合から成る．乳房に形を与え，胸筋筋膜と結びつけている）.

in·fra·man·dib·u·lar (in′fră-man-dib′yū-lăr). 下顎下の. = submandibular.

in·fra·mar·gin·al (in′fră-mahr′ji-năl). 辺縁下の.

in·fra·max·il·lar·y (in′fră-mak′si-lar-ē). 顎下の. = mandibular.

in·fra·nod·al ex·tra·sys·to·le = ventricular extrasystole.

in·fra·oc·clu·sion (in′fră-ō-klū′zhŭn). 低位咬合. = infraclusion.

in·fra·or·bit·al ar·ter·y 眼窩下動脈（顎動脈第三部より起こり，上犬歯および切歯，下直筋，下斜筋，下眼瞼，涙嚢，上顎洞，上唇に分布する．眼動脈，顔面動脈，上唇動脈，顔面横動脈，頬動脈の各分枝と吻合）. = arteria infraorbitalis.

in·fra·or·bit·al ca·nal 眼窩下管（上顎骨眼

I

窩縁下を，眼窩床の眼窩下溝から眼窩下孔に通じる管．眼窩下動脈および神経を入れる）. = canalis infraorbitalis.

in·fra·or·bit·al fo·ra·men 眼窩下孔（上顎体前面にある眼窩下管の外開口）.

in·fra·or·bit·al nerve 眼窩下神経（上顎神経の延長で，蝶口蓋窩を通って眼窩にはいった後に眼窩下裂から眼窩下管を通って顔面に至る．上顎洞粘膜，上顎の切歯，犬歯，小臼歯，上顎の歯肉，下眼瞼と結膜，鼻の一部，上唇に分布する）. = nervus infraorbitalis.

in·fra·or·bit·o·me·a·tal line 耳眼線（眼窩下縁と外耳道を結んだ線．画像撮影時に，頭蓋を一定の位置に合わせるのに利用される）.

in·fra·pa·tel·lar fat pad 膝蓋下脂肪体（膝関節の膝蓋下滑膜ヒダと膝蓋靱帯との間の部分を占める脂肪体）.

in·fra·psy·chic (in′frā-sī′kik). 意識下の（意識下で生じる観念または行動についていう）.

in·fra·red (in′frā-red). 赤外線の，赤外部の（波長 770 nm から 1,000 nm までの電磁スペクトルの領域）.

in·fra·red mi·cro·scope 赤外線顕微鏡（赤外線用光学系を備えた顕微鏡で，光電管の助けを借りて微量試料の赤外線吸収を測定する．像は像転化器またはテレビで観察される）.

in·fra·son·ic (in′frā-son′ik). 可聴閾下の（人間の耳に聞こえない周波についていう）.

in·fra·spi·na·tus bur·sa 棘下筋腱下包（棘下筋の腱と肩関節との間にある滑液包）.

in·fra·spi·na·tus mus·cle 棘下筋（起始：肩甲骨の棘下窩．停止：上腕骨大結節中央．作用：腕を伸展し外側に回す．神経支配：肩甲上神経（第五-六脊髄神経由来））. = musculus infraspinatus.

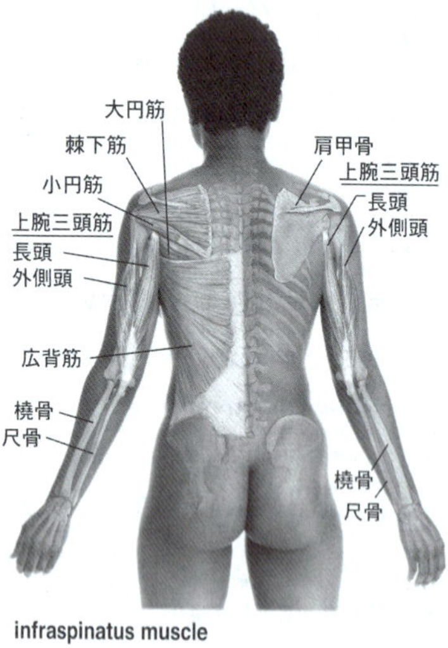

大円筋
棘下筋
小円筋
上腕三頭筋
長頭
外側頭
広背筋
橈骨
尺骨
肩甲骨
上腕三頭筋
長頭
外側頭
橈骨
尺骨

infraspinatus muscle

in·fra·spi·nous fos·sa 棘下窩（肩甲棘下方のくぼみで，主に棘下筋が起始する）.

in·fra·tem·po·ral ap·proach 側頭下到達法（アプローチ）（側頭葉の下面から頭蓋底部に達する手術的到達法）.

in·fra·tem·po·ral crest 側頭下稜（蝶形骨の大翼の側頭面と側頭下面を結ぶ角をなす粗い隆起）.

in·fra·tem·po·ral fos·sa 側頭下窩（頭骨両側にある窩状空間で，外側は頬骨弓と下顎枝，内側は蝶形骨外側翼突板，前方は上顎骨の頬骨突起と側頭下面，後方は側頭骨鼓室板と茎状・乳頭突起，上方は蝶形骨大翼の側頭下面で境される）.

in·fra·troch·le·ar nerve 滑車下神経（鼻毛様体神経の最終枝．上斜筋滑車下を通り眼窩の前部に至り，眼瞼と鼻根の皮膚に分布する）. = nervus infratrochlearis.

in·fra·ver·sion (in′frā-vĕr′zhŭn). *1* 下転（下方向への回転）. *2* 下向き（生理学的眼科学において，両眼の下方回旋）. *3* 低位歯. = infraclusion.

in·fun·dib·u·la (in′fŭn-dib′yū-lā). infundibulum の複数形.

in·fun·dib·u·lar (in′fŭn-dib′yū-lăr). 漏斗部の.

in·fun·dib·u·lar stalk 漏斗茎. = infundibular stem.

in·fun·dib·u·lar stem 漏斗茎（下垂体柄の神経性部分で視床下部から脳下垂体後葉に行く神経線維を含む）. = infundibular stalk.

in·fun·dib·u·lec·to·my (in′fŭn-dib′yū-lek′tō-mē). 漏斗部切除〔術〕（漏斗部の切除．特に心室流出路を妨害する肥大した心筋についていう）.

in·fun·dib·u·lo·fol·lic·u·li·tis (in′fŭn-dib′yū-lō-fō-lik′yū-lī′tis). 漏斗部毛包炎（毛包漏斗，すなわち毛包の脂腺開口部より浅い部分における炎症）.

in·fun·dib·u·lo·ma (in′fŭn-dib′yū-lō′mă). 漏斗腫（下垂体のうちの神経下垂体から出る毛嚢腫性星状神経膠腫）.

in·fun·dib·u·lum, pl. **in·fun·dib·u·la** (in′fŭn-dib′yū-lŭm, -lă). *1* 漏斗（漏斗または漏斗形の構造や通路）. *2* 卵管漏斗. = infundibulum of uterine tube. *3* 腎盤漏斗，腎盂漏斗（腎盤(腎盂)へと開く腎杯の膨張部）. *4* = arterial cone. *5* 肺胞漏斗（肺胞での細気管支の終末）. *6* 蝸牛漏斗（蝸牛頂直下の蝸牛管の終末）. *7* 漏斗（漏斗形の，対をなさない視交叉背後の視床下部基底の隆起．第 3 脳室の漏斗状陥凹を囲み下方へ，下垂体茎へとつながる）. *8* ウマの切歯および奥歯における接触面陥凹. = mark(2).

in·fun·dib·u·lum of di·en·ceph·a·lon = neurohypophysial diverticulum.

in·fun·dib·u·lum tu·bae u·te·ri·nae 卵管漏斗. = infundibulum of uterine tube.

in·fun·dib·u·lum of u·ter·ine tube 卵管漏斗（卵管起始部の漏斗様の膨張）. = infundibulum tubae uterinae; infundibulum(2).

in·fu·sion (in-fyū′zhŭn). ***1*** 温浸法（可溶性成分を抽出するために物質を冷水または(沸点以下の)湯に浸す過程）．***2*** 浸剤（生薬を水に浸すことによって得られる医薬製剤）．***3*** 注入，輸液（血液以外の液体，例えば，食塩水を静脈内に投与すること）．

in·fu·sion-as·pi·ra·tion drain·age 注入-吸引ドレナージ（抗生物質を持続的に腔内に注入し，同時に腔より吸引するドレナージ）．

In·gel·fin·ger rule インゲルフィンガー規定（ルール）（Franz Ingelfinger が *New England Journal of Medicine* の編集部で用いるよう策定した基本方針．発表目的で投稿された論文の原本はこれを掲載審査する間に同様の情報が他所でも発表用に重複投稿されないことを条件に審査を行うというもの．このルールは他の論文審査を行う医学雑誌でも多く採用されている）．

in·ges·ta (in-jes′tă)．栄養物，飲食物（体内に取り入れられる固体または液体の栄養素）．

in·ges·tion (in-jes′chŭn)．***1*** 〔経口〕摂取，食物摂取（食物または飲料を胃に取り入れること）．***2*** 粒子が小胞として細胞膜の一部分の陥入により食細胞の細胞質へ取り込むこと．

in·ges·tive (in-jes′tiv)．〔経口〕摂取の，食物摂取の．

in·gra·ves·cent (in′gră-ves′ĕnt)．漸悪性の（重篤さが増すことについていう）．

in·grown hair 内方発育毛（正常よりも急な角度であらゆる方向に生える毛．毛髪が毛包から完全に出られずに逆戻りする結果，偽性毛嚢炎が生じる）．

in·grown nail 嵌入爪〔甲〕，爪嵌入症，刺爪（足の爪で，その一端が爪縁部に成長しすぎて化膿性の肉芽腫となったもの．爪の切り方が悪いか，きつい靴により圧力がかかることによる）．

in·gui·nal (ing′gwi-năl)．鼡径〔部〕の．

in·gui·nal ca·nal 鼡径管（下腹壁の筋腱膜層を斜めに貫通する通路で，男性では精索が，女性では子宮円索が骨盤腔から陰嚢または大陰唇へと通っている）．= canalis inguinalis.

in·gui·nal falx 鼡径鎌（恥骨稜，恥骨櫛，腸恥線に停止する腹横筋と内腹斜筋の共通の腱．しばしば，腱膜というよりも筋肉であり，発達が悪い．鼡径管の後壁をなす）．= falx inguinalis; Henle ligament.

in·gui·nal her·ni·a 鼡径ヘルニア（鼡径部におけるヘルニア．direct inguinal hernia（直接鼡径ヘルニア）は下腹壁動脈と腹直筋外縁の間の腹壁を通過する．indirect inguinal hernia（間接鼡径ヘルニア）は内鼡径輪を抜けて鼡径管にはいる）．

in·gui·nal lig·a·ment 鼡径靱帯（外腹斜筋腱膜の肥厚した下縁からなる靱帯で，上前腸骨棘から恥骨結節まで筋裂孔と血管裂孔をまたぐように走っており，鼡径管の床をなしてもいる．内腹斜筋や腹横筋の最下方の腱線維もここに終わっている）．= ligamentum inguinale.

in·gui·nal re·gion 鼡径部（体表区分の１つで，恥部の外側の鼡径管のあるあたりの下腹部域）．= groin (1).

in·gui·nal tri·an·gle 鼡径三角（腹壁下部の三角形の部位．下縁外方は鼡径靱帯，内方は腸恥路，内側縁は腹直筋外縁，外側縁は下腹壁動

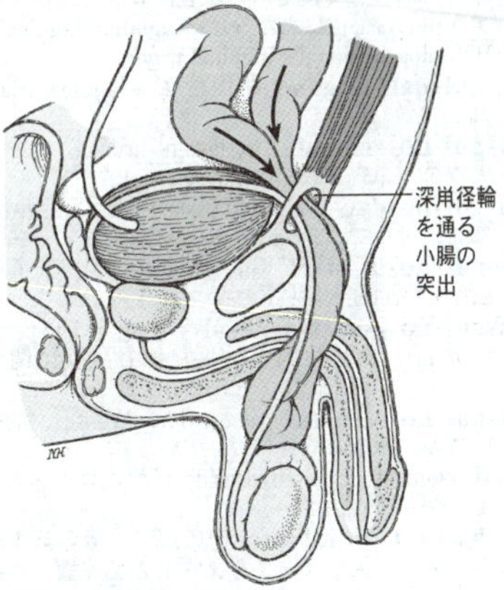
深鼡径輪
を通る
小腸の
突出
KH
indirect inguinal hernia

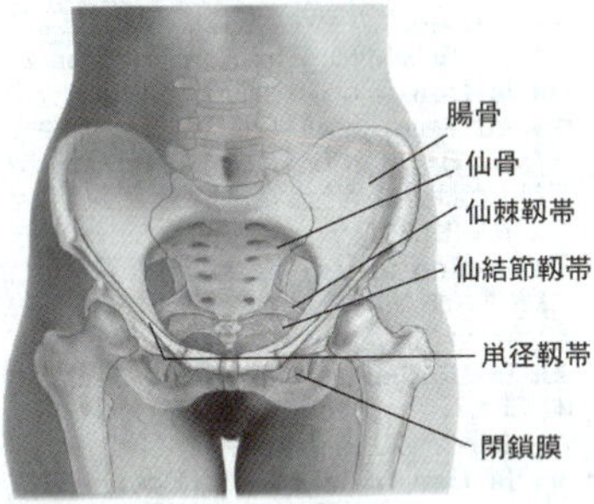
腸骨
仙骨
仙棘靱帯
仙結節靱帯
鼡径靱帯
閉鎖膜
inguinal ligament

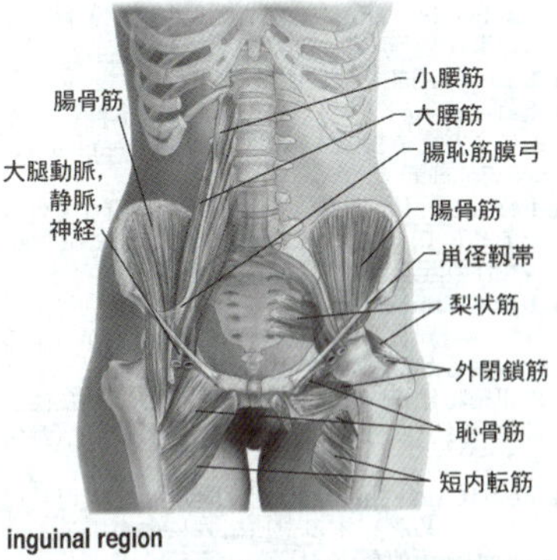
腸骨筋
大腿動脈，
静脈，
神経
小腰筋
大腰筋
腸恥筋膜弓
腸骨筋
鼡径靱帯
梨状筋
外閉鎖筋
恥骨筋
短内転筋
inguinal region

I

脈(外側臍索)で境される部位. 直接鼡径ヘルニアが生じる部位に当たる). = trigonum inguinale; Hesselbach triangle; inguinal trigone.

in·gui·nal tri·gone 鼡径三角. = inguinal triangle.

in·gui·no·cru·ral (ing′gwi-nō-krūr′ăl). 鼡径大腿の (鼡径と大腿についていう).

in·gui·no·dyn·i·a (ing′gwi-nō-din′ē-ă). 鼡径部痛に対して, まれに用いる語.

in·gui·no·la·bi·al (ing′gwi-nō-lā′bē-ăl). 鼡径陰唇の (鼡径と陰唇についていう).

in·gui·no·per·i·to·ne·al (ing′gwi-nō-per′i-tō-nē′ăl). 鼡径腹膜の (鼡径部と腹膜に関する).

in·gui·no·scro·tal (ing′gwi-nō-skrō′tăl). 鼡径陰嚢の (鼡径と陰嚢についていう).

INH isonicotinic acid hydrazide(イソニコチン酸ヒドラジド)の略.

in·hal·ant (in-hāl′ănt). 吸入剤 (①吸い込まれるもの. 吸入によって与えられる治療薬. ②高い蒸気圧を有し, 気流によって鼻道に運ばれ, そこで効果を発揮する薬剤. ③微細粉末または液状の薬剤からなる一群の生成物で, 低圧エーロゾル容器などの特殊な装置を用いて気道に送られる. →inhalation; aerosol. = insufflation(2)).

in·ha·la·tion (in′hă-lā′shŭn). ***1*** 吸息 (息を吸うこと). = inspiration. ***2*** 吸入〔法〕(医薬の蒸気を息とともに吸い込むこと). ***3*** 吸入薬 (単一薬剤または合剤の溶液で, 呼吸樹に到達させるべく噴霧化して投与するためのもの).

in·ha·la·tion an·es·the·si·a 吸入麻酔〔法〕(麻酔ガスまたは吸入剤を吸入させて行う全身麻酔).

in·ha·la·tion an·es·thet·ic 吸入麻酔薬 (気体, または吸入したとき全身麻酔を起こさせるのに十分な蒸気圧をもつ液体).

in·ha·la·tion in·ju·ry 気道熱傷, 気道損傷 (火事または毒や致死性ガスへの曝露によって引き起こされる, 咽頭や肺, その他関連部位の外傷).

in·ha·la·tion ther·a·py 吸入療法 (気体または煙霧質を吸引する治療法).

in·hale (in-hāl′). 吸息する, 吸入する. = inspire.

in·hal·er (in-hāl′ĕr). 吸入器, 吸入麻酔器 (吸入により薬を投与するための装置). = metered-dose inhaler.

in·her·ent (in-her′ĕnt). 固有の (固有なものの一部として, あるいは自然な結果として生じる. 潜在性の緊迫, 本質についていう).

in·her·i·tance (in-her′i-tăns). ***1*** 遺伝〔的〕形質(体質) (細胞の遺伝暗号情報により親から子孫へ伝わる形質または性質. 受け継がれるもの). ***2*** 相続物件(財産), 遺産 (文化的あるいは法的に賦与されたもの endowment). ***3*** 遺伝 (遺伝すること).

in·her·it·ed (in-her′it-ĕd). 遺伝した (両親にあらかじめ存在する遺伝暗号に由来する. acquired(後天的な)の対語).

in·her·it·ed char·ac·ter 遺伝形質 (メンデルの法則によって世代から世代へと一遺伝子座で伝えられる動植物の独立した属性. →gene).

in·her·i·ted dis·or·der 遺伝性疾患 (遺伝子異常に由来する病気や疾患).

in·her·i·ted trait 遺伝形質 (一つの世代から次の世代へと受け継がれる性質).

in·hib·it (in-hib′it). 抑制する, 阻止する, 阻害する, 制止する.

in·hi·bi·tion (in′hi-bish′ŭn). ***1*** 抑制, 阻止, 阻害 (機能の抑圧または停止. →inhibitor). ***2*** 制止 (精神分析学において, 本能的, 無意識的衝動または傾向が特に自己の良心や社会の要請に抵触するような場合, これを抑止すること). ***3*** 抑制 (心理学において, 以前に条件付けられていた反応が漸進的に減衰し, マスキングし, 消滅していくのに伴う種々の過程に対する総称).

in·hib·i·tor (in-hib′i-tŏr). ***1*** 抑制因子(薬), 抑制物質(体), 阻害因子(薬), 阻害物質(体) (生理学的・化学的・酵素的作用を抑止または遅延する因子, 物質, 薬物). ***2*** 抑制神経 (刺激により活動を抑圧する神経. →inhibition).

in·hib·i·to·ry (in-hib′i-tōr-ē). 抑制〔性〕の, 抑制的の, 阻害の.

in·hib·i·to·ry fi·bers 抑制〔性〕線維 (シナプス結合をする神経細胞またはその中で線維が終わる効果器(平滑筋, 心筋, 腺)の活動性を抑制する神経線維).

in·hib·i·to·ry nerve 抑制神経 (ある部分の機能を低下させるインパルスを伝達する神経).

in·hib·i·to·ry ob·ses·sion 抑制的強迫観念 (行動障害を含むもので, 通常は恐怖症を表す).

in·hib·i·to·ry post·syn·ap·tic po·ten·tial 抑制性シナプス後電位 (抑制性影響をもつインパルスがシナプスに到着したとき, 次のニューロンの膜に生じる電位の変化で, これは過分極の方向への局所的変化である. あるニューロンの発射頻度は, 興奮性シナプス後電位を導くインパルスが, 抑制性シナプス後電位の原因となるインパルスを卓越する程度によって決定される).

in-house med·i·cal tran·scrip·tion 院内医療文書作成 (医療記録転写士が医療施設の建物内で働く制度).

in·i·on (in′ē-on). イニオン (外後頭隆起上にあって左右の上項線に引いた接線と正中線との交点).

i·ni·tial as·sess·ment 初期評価 (場面評価後のプレホスピタル患者に関する最初の評価で, ただちに生命に危機が及ぶかどうかを判断する).

i·ni·tial heat 初期熱 (筋の収縮の開始後生じる最初の熱で, A.V. Hill によって記述された).

in·i·tial·ism (i-ni′shăl-izm). 頭字語 (ある表現の各単語または選ばれた単語の頭文字から作られる略語. 例えば CPK).

in·i·ti·at·ing a·gent →initiation.

in·i·ti·at·ing co·don 開始コドン (トリヌクレオチド AUG(ときに GUG)であり, 蛋白配列の最初のアミノ酸, ホルミルメチオニンに対する遺伝暗号である. ホルミルメチオニンは, しばしば転写後に脱離される).

in·i·ti·a·tion (i-nish′ē-ā′shŭn). ***1*** イニシエー

ション（発癌物質による腫瘍誘導の第 1 段階．発癌物質に暴露されると細胞にわずかな変化が起こり，引き続いてプロモータにさらされると腫瘍を形成しやすくなる）．*2* 開始点（高分子生合成における複製または翻訳の開始点）．*3* 反応開始（化学または酵素反応の開始）．

in·i·ti·a·tion co·don 開始コドン（特別のメッセンジャー RNA 配列（通常 AUG，しかしときに GUG）でホルミルメチオニル-トランスファー RNA 付加と翻訳開始のシグナルである）．

in·i·ti·a·tion fac·tor（IF） 開始因子（蛋白や RNA の合成開始に関与するいくつかの可溶性蛋白のうちの 1 つ）．

in·i·tis（in-ī′tis）．*1* 線維組織炎．*2* 筋炎．= myositis.

in·ject（in-jekt′）．注入する，注射する（体内に導入する．皮下，血管などに強制的に液体を送り込む）．

in·ject·ed（in-jek′tĕd）．*1* 注入された，注射された（体内に導入された液体を示す）．*2* 充血した（血液によって，視認可能なほど膨張した血管についていう）．

in·jec·tion（in-jek′shŭn）．*1* 注射，注入（医薬品または栄養物を，皮下組織（皮下注射），筋組織（筋肉注射），静脈（静脈注射），動脈（動脈注入），直腸（直腸注入，注腸，浣腸），腟（腟注入または圧注法），尿道，その他の体内の管または空洞に導入すること）．*2* 注射剤（注入しうる製剤）．*3* 充血．

in·jec·tion drug us·er（IDU） 注射薬物使用者（皮下注射薬から投与薬に至る薬物の使用者．通常，不法である（例えば，ヘロイン，メタンフェタミン）．しばしば，身体部位や器具が不潔なことから皮膚疾患や血液疾患を招く．HIV の伝染と関連付けられている．薬物乱用者とも呼ばれる）．= intravenous drug user.

in·ju·ry（in′jŭr-ē）．損傷，傷害，外傷．

ink·blot test = Rorschach test.

in·lay（in′lā）．インレー（①歯科において，窩洞にセメントで固定する前もってつくられた修復物．②骨窩へ移植する骨の移植片．③上皮化するため創腔に移植する皮膚の移植片．④整形外科学において，靴の中に入れる矯正器具．いわゆる〝アーチ足底板 arch support〞）．

in·lay graft 充填移植〔片〕（固型の補填材料の周囲を真皮側を外にした皮膚片で包み，外科処置後の欠損腔に挿入する皮膚移植）．= Esser graft.

in·let（in′lĕt）．入口（腔へ通じる経路）．= aditus.

in·nate（i-nāt′）．生得の，先天〔性〕の，生来の．= inborn.

in·nate im·mu·ni·ty 先天免疫，生得免疫（感染経験やワクチン接種によって感作されていないにもかかわらず現れる抵抗性．非特異的であり，特異抗原による刺激を受けない．→self）．= natural immunity; nonspecific immunity.

in·ner cell mass 内細胞塊．= embryoblast.

in·ner·most in·ter·cos·tal mus·cle 最内肋間筋（胸郭の扁平な筋で，内肋間筋と平行にある，元来は内肋間筋の一部である筋層．肋間血管と神経によって内肋間筋と分離）．= musculus intercostalis intimus.

in·ner·va·tion（in′ĕr-vā′shŭn）．神経支配（あ

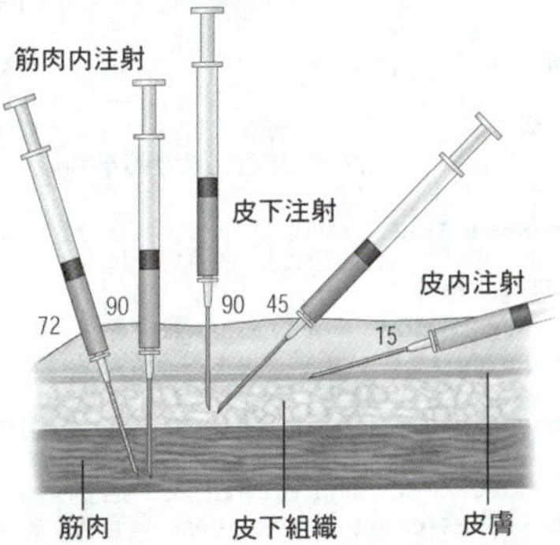
筋肉内注射
皮下注射
皮内注射
72
90
90
45
15
筋肉
皮下組織
皮膚

injections

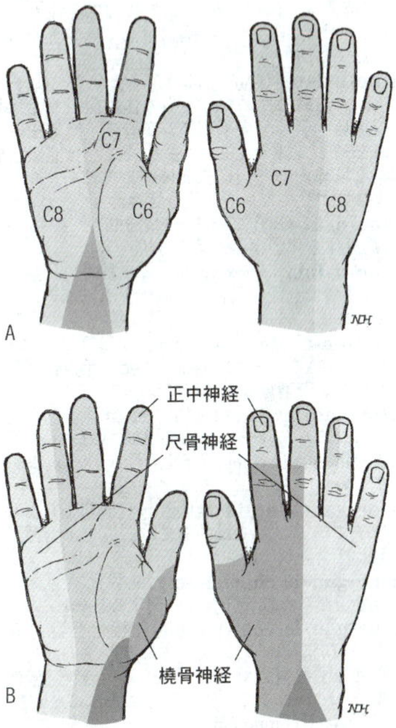
C7
C8
C6
C7
C6
C8
A
正中神経
尺骨神経
橈骨神経
B

innervation of the hand and wrist:
A：部分的皮膚知覚帯．B：皮膚の神経分布．

I

る部位と機能的に関連のある神経線維があること).

in·nid·i·a·tion (i-nid′ē-ā′shŭn). 転移〔増殖〕(異常細胞がリンパ,血流,またはその両者によって転移し,その部位において成長,増殖すること. →metastasis).

in·no·cent (in′ō-sĕnt). *1* 無害〔性〕の,良性の. *2* 純潔な(法律的悪あるいは道徳的悪に染まらない).

in·no·cent mur·mur 無害性雑音. = functional murmur.

in·noc·u·ous (i-nok′yū-ŭs). 無害〔性〕の.

in·nom·i·nate (i-nom′i-nāt). 無名の. = anonyma.

in·nom·i·nate ar·ter·y brachiocephalic trunk を表す,現在では用いられない語.

in·nom·i·nate bone = hip bone.

in·nom·i·nate veins 無名静脈. = brachiocephalic veins.

INO internuclear ophthalmoplegia; inhaled nitric oxide の頭文字.

Ino inosine の記号.

in·oc·u·la·bil·i·ty (i-nok′yū-lă-bil′i-tē). 接種感受性(接種感受性を有する,または接種可能な性状).

in·oc·u·la·ble (i-nok′yū-lă-bĕl). *1* 接種可能な(接種により伝播しうる). *2* 接種感受性の(接種により伝播される疾病に対して感受性を有する).

in·oc·u·late (i-nok′yū-lāt). 接種する(①予防,治療,実験のために,疾病の作用因子または他の抗原物質を,皮下組織,血管内,擦過や吸収面を通して挿入する. ②微生物または感染性物質を培地内あるいは表面に植え付ける. ③ウイルスによって疾病を伝染させる).

in·oc·u·la·tion (i-nok′yū-lā′shŭn). 接種〔法〕(病原体を体内に導入する方法).

in·oc·u·lum (i-nok′yū-lŭm). 接種材料,接種物(接種によって導入される微生物またはその他の物質).

in·op·er·a·ble (in-op′ĕr-ă-bĕl). 手術不能の(手術を施すことが不可能,または手術によって治すことが不可能なことについていう).

in·or·gan·ic (in′ōr-gan′ik). *1* 無器官の(器官をもたない. 生体によって形成されていない). *2* →inorganic compound. *3* 無機の(炭素を含まない).

in·or·gan·ic ac·id 無機酸(有機基をもたない分子で構成される酸. 例えば,塩化水素酸,硫酸,リン酸).

in·or·gan·ic chem·is·try 無機化学(炭素含有分子をもたない化合物に関する科学).

in·or·gan·ic com·pound 無機化合物(原子や基が炭素以外の元素からなり,多くは共有結合でなく静電力で結合している化合物. 極性溶媒(例えば水)中でイオンに分離することが多い. *cf.* organic compound).

in·or·gan·ic or·tho·phos·phate (P_i, P_1) 無機正リン酸塩(リン酸のあらゆる種類のイオンまたは塩).

inosaemia [Br.]. = inosemia.

in·os·a·mine (in-ōs′ă-mēn). イノサミン(イノシトール誘導体で,OH 基の 1 つが NH_2 基に置換されたもの).

in·os·co·py (in-os′kŏ-pē). 線維診断法(生物学的物質(例えば,組織,痰,血餅)に対する顕微鏡的試験. 線維成分や線維素の線維を離断あるいは化学的に軟化した後に行う).

in·o·se·mi·a (in′ō-sē′mē-ă). イノシトール血〔症〕(血液中にイノシトールが存在すること). = inosaemia.

in·o·sine (I, Ino) イノシン(アデノシンの脱アミノ化によって形成されるヌクレオシド).

in·o·sine 5′-mon·o·phos·phate (IMP) イノシン 5′-一リン酸. = inosinic acid.

in·o·sine 5′-tri·phos·phate (ITP) イノシン 5′-三リン酸(5′位にエステル化した三リン酸をもつイノシン. 多くの酵素触媒反応に関与する).

in·o·sin·ic ac·id イノシン酸(リン酸イノシン. 筋組織およびその他の組織において見出されるモノヌクレオチド. プリン生合成の重要中間体である. また,筋肉中に比較的高濃度で生成される). = inosine 5′-monophosphate.

in·o·si·tol (in-ō′si-tol). イノシトール(ビタミン B 複合体の 1 つ).

in·o·si·tu·ri·a (in′ō-si-tyūr′ē-ă). イノシトール尿〔症〕(イノシトールが尿中に排出される状態).

in·o·tro·pic (in′ō-trō′pik). 変力〔性〕の(筋組織の収縮に影響する).

in·pa·tient (in′pā-shĕnt). 入院患者(保健医療施設でベッドを提供され,診察と治療を受ける患者).

in·put and out·put rec·ord = fluid balance chart.

in·quest (in′kwest). 検死(突然死,暴力による死,変死の原因に対する法的な検索).

INR international normalized ratio の略.

in·sane (in-sān′). *1* 精神錯乱の,重篤な精神障害性の,心神喪失の,狂気の. *2* 精神病の.

in·san·i·tary (in-san′i-tar-ē). 非(不)衛生的な,不健康な(通常,不潔な環境に関連する). = unsanitary.

in·san·i·ty (in-san′i-tē). 狂気,精神障害,精神錯乱,精神病(①重度の精神的病気または精神病についていう一般用語. ②法律で,個人の法的責任または能力を否定する程度の精神病の状態).

in·scrip·tion (in-skrip′shŭn). *1* 薬名分量(調剤に用いる薬品とその分量を記した処方箋の主要部). *2* 印.

in·sec·ti·cide (in-sek′ti-sīd). 殺虫薬.

in·se·cu·ri·ty (in′sĕ-kyūr′i-tē). 不安定(安定していなくて頼りない感じ).

in·sem·i·na·tion (in-sem′i-nā′shŭn). 精液注入,授精,媒精(精液を膣内に注入すること. 正常では性交の間に注入される). = semination.

in·se·nes·cence (in′sĕ-nes′ĕns). 老衰,老朽(老衰していく過程).

in·sen·si·ble (in-sen′si-bĕl). *1* 知覚のない,自覚のない,意識のない. = unconscious. *2* 無感

覚の，不感〔性〕の．

in·sen·si·ble pers·pi·ra·tion 不感〔性〕発汗，不感〔性〕蒸散，不感〔性〕蒸泄（皮膚上に液体として認められる前に蒸発する蒸散．この語は，ときに肺からの蒸散も含むことがある）．

in·ser·tion (in-sĕr′shŭn)．*1* 挿入．*2* 停止（筋肉のよく動くほうの骨への付着で，起始部とは区別される）．*3* 装着（歯科において，補てつ物を口腔内に付着させること）．*4* 細胞質遺伝子の任意の大きさの分子断片を正常ゲノムの中に組み込むこと．

in·ser·tion·al mu·ta·gen·e·sis 挿入突然変異（正常な遺伝子の中に新しく他の遺伝情報が組み込まれることによって起こる突然変異．特にレトロウイルスの染色体DNAへの挿入がある）．

in·ser·tion se·quen·ces 挿入配列（不連続なDNA配列で，細菌染色体，ある種のプラスミドやバクテリオファージなどの多くの部位で反復している．ある染色体上の一部位から他部位へ，あるいは1個の細菌中の他のプラスミドやバクテリオファージへと移動可能である）．

in·sid·i·ous (in-sid′ē-ŭs)．潜行性の，潜伏性の（重大な症候がほとんどないまま進行する疾病についていう）．

in·sight (in′sīt)．洞察，病識（自分自身や他人の行動の背後にある動機や理由について自分で理解していること）．

in si·tu 本来の位置に，その部位に．

in·sol·u·ble (in-sol′yū-bĕl)．不溶〔解〕性の．

in·sol·u·ble fi·ber 不溶性線維（食糧(例えば，ぬか)の内，消化されず，変化せずに消化器系を通りすぎる部分）．

in·som·ni·a (in-som′nē-ă)．不眠〔症〕（正常なら眠っているはずの時間に，騒音，照明など外的妨害がないのに眠れないこと．落ち着けない，あるいは睡眠が邪魔される程度のものから，正常な睡眠時間の短縮化あるいは絶対的不眠まである）．

in·som·ni·ac (in-som′nē-ak)．*1*〘n.〙不眠症患者．*2*〘adj.〙不眠〔症〕性の．

in·sorp·tion (in-sōrp′shŭn)．吸収（消化管内腔から血液中に物質が移動すること）．

in·sper·sion (in-spĕr′zhŭn)．散布（液体あるいは粉末をまくこと）．

in·spi·ra·tion (in′spir-ā′shŭn)．吸息．= inhalation(1)．

in·spi·ra·to·ry (in′spir-ă-tōr-ē)．吸息の，吸入〔時〕の．

in·spi·ra·to·ry ca·pac·i·ty 深吸気量（安静呼気後に可能な吸気量．一回換気量と予備吸気量との合計）．= complementary air.

in·spi·ra·to·ry re·serve vol·ume (IRV) 予備吸気量（正常吸息後に吸息されうる量から一回換気量を減じた最大空気量．深呼気量は一回換気量より少ない）．= complemental air.

in·spi·ra·to·ry stri·dor 吸気性ぜん鳴（特に喉頭蓋または喉頭の上気道を含む病変による呼吸の吸気相の大きな音）．

in·spire (in-spīr′)．吸息する，吸入する．= inhale.

in·spired gas (I) 吸気（下付き記号I．①吸入されたすべての気体．②特に，体温で加湿されている気体）．

in·spis·sate (in-spis′āt)．濃厚な，稠厚性の，固くなった．

in·spis·sa·tion (in′spi-sā′shŭn)．濃縮化（①蒸発あるいは液体の吸収によって濃厚にするまたは凝縮すること．②濃縮度の増加，あるいは流動性の減少）．

in·sta·bil·i·ty (in′stă-bil′i-tē)．*1* 不安定性（不安定な状態または安定性を失った状態）．*2* 不安定症（通常の活動および応力によって亜脱臼または脱臼する関節の異常状態．→laxity）．

in·star (in′stahr)．〔虫〕齢（昆虫の変態において，次々と続くさなぎあるいは幼虫の諸段階の各々をいう）．

in·step (in′step)．足の甲（足の曲がったところ，あるいは足背の最も高い部分．→tarsus）．

in·stil·la·tion (in′sti-lā′shŭn)．点滴注入〔法〕，滴注，点眼〔法〕（体のある部位に液体を滴下または滴注すること）．

in·stinct (in′stingkt)．本能（①生物がその種に特有の，系統だった，生物学的に適応する方法で行動するという永続的性質あるいは傾向．②ある行動がどんな結果を招くか意識しないで，何らかの目的のため行動を遂行しようとする理性的でない衝動．③精神分析論において，イドの要求により起こされる緊張の背後に存在すると仮定される力）．

in·stinc·tive, in·stinc·tu·al (in-stingk′tiv, -stingk′shū-ăl)．本能の．

In·sti·tute of Med·i·cine (IOM) 米国医学研究所（全米科学アカデミーの一部として1970年に設立．科学的情報に基づく分析や独立運営を確保するため，政府の枠組みの外で活動しており，きわめて重要なサービス提供母体となっている．健康向上のためのアドバイザーとして米国のために尽くすことを使命としており，健康と科学政策に関して，公平で，証拠に基づき，信頼できる情報と助言を，政策決定者や専門家，社会のあらゆる分野の指導者，そして一般公衆に提供している）．

in·sti·tu·tion·al li·cen·sure 機関免許交付（個人ではなく機関単位に与えられる資格．これによりその機関には，関係当局から許可され指定された機関として医療サービスを提供する権利が与えられる）．

In·sti·tu·tion·al Re·view Board (IRB) 倫理調査委員会，病院(研究所)調査委員会（研究対象者の安全および健康を確保する義務のある病院やその他の施設の常置委員会）．

in·stru·ment (in′strŭ-mĕnt)．器械，器具，機器，道具．

in·stru·men·tal ac·tiv·i·ties of dail·y liv·ing (IADL) 手段的日常生活動作（環境との相互作用と関連した活動で，日常生活動作(ADL)よりも複雑なもの．通常は任意の活動，または代理人に任せられる活動である(例えばペットの世話，財政管理，食事の準備，掃除，買い物)）．= personal activities of daily living.

in·stru·men·tal la·bor 器械分娩（機械装置

の使用により完了または改善する分娩).

in·stru·men·tar·i·um (in′strŭ-mĕn-tār′ē-ŭm). 器具整備函 (手術その他の医学的操作のための器具を集めたもの).

in·stru·men·ta·tion (in′strŭ-men-tā′shŭn). ***1*** 器械(器具)使用. ***2*** インストルメンテーション, 器械使用(歯科において, 修復処置のとき器具を用いること).

in·su·date (in′sū-dāt). 壁内滲出液 (動脈壁内の液体の膨張(通常は漿液性). 壁外性でない点で, exudate(滲出液)とは異なる).

in·suf·fi·cien·cy (in′sŭ-fish′ĕn-sē). 〔機能〕不全〔症〕(①機能または能力が不完全なこと. ② = incompetence(1)).

in·suf·fi·cient sleep syn·drome 睡眠不足症候群 (一般的に, 患者が必要な睡眠量をとることができない状態. ストレス, 化学剤(例えばカフェイン), または神経障害が原因となる).

in·suf·flate (in′sŭ-flāt). 吹き込む (空気, ガス, あるいは細い粉末を腔へ送り込むこと).

in·suf·fla·tion (in′sŭ-flā′shŭn). ***1*** 通気〔法〕, ガス注入〔法〕. ***2*** 吸入剤. = inhalant(3).

in·suf·fla·tion an·es·the·si·a 吹送麻酔〔法〕(自発呼吸下の患者の気道に, 直接麻酔ガスを供給し吸入麻酔を維持する方法).

in·suf·fla·tor (in′sŭf-lā′tŏr). 注入器 (注入に用いる器具).

in·su·la, gen. & pl. **in·su·lae** (in′sū-lă, -lē). 島 (①外包の上, レンズ核の外側にあり, 大脳外側溝の奥に埋まる大脳皮質の楕円形の区域で, これにおおいかぶさる弁蓋とは輪状溝で境される. = island of Reil. ②= island. ③皮膚の眼局した領域あるいは局面).

in·su·lar (in′sŭ-lăr). 島の (特に Reil 島についていう).

in·su·lar gy·ri 島回 (島短回と島長回の総称).

in·su·lin (in′sŭ-lin). インスリン (Langerhans 島のベータ細胞から分泌されるポリペプチドホルモン. ブドウ糖の利用, 蛋白の合成, 中性脂肪の形成および貯蔵を促進する. 種々のインスリンがあるが遺伝子工学的に作製されたヒトインスリンが最も使用されている. インスリンは非経口的に投与され, 糖尿病患者の治療に用いられている. *cf.* bioregulator).

insulinaemia [Br.]. = insulinemia.

in·su·lin-an·tag·o·niz·ing fac·tor インスリン拮抗因子. = glycotropic factor.

in·su·lin-de·pen·dent di·a·be·tes mel·li·tus インスリン依存性糖尿病 (Type 1 diabetes の旧称. この語は米国糖尿病学会によって現在では用いられない語とされた).

in·su·lin·e·mi·a (in′sŭ-li-nē′mē-ă). インスリン血症 (文字どおり, 循環血液中にインスリンのあること. 通常, 循環血液中のインスリン濃度が異常に高い場合をさす). = insulinaemia.

in·su·lin·like ac·tiv·i·ty (ILA) インスリン様活性 (各種のバイオアッセイにおいて, 通常, 血漿中に存在しインスリンに類似の生物学的効果を与える物質の測定値. 血漿インスリン濃度の測定値として用いる. インスリン測定の免疫化学的方法より常に高い値を示す).

in·su·lin·like growth fac·tors (IGF) インスリン様成長因子 (成長ホルモンによって刺激される構造をもつペプチド類. これらのペプチド類は末梢組織に成長ホルモンの効果をもたらし, ヒトのインスリンと高い(約 70%)類似性をもつ).

in·su·lin·o·gen·e·sis (in′sŭ-lin-ō-jen′ĕ-sis). インスリン生成.

in·su·lin·o·gen·ic, in·su·lo·gen·ic (in′sŭ-lin-ō-jen′ik, -lō-jen′ik). インスリン生成の.

in·su·li·no·ma (in′sŭ-li-nō′mă). インスリノーマ (インスリンを分泌する膵島細胞腺腫). = insuloma.

in·su·lin pump インスリンポンプ (インスリンを持続的な基礎分泌と, 間欠的に大量を投与できるように工夫されたインスリンの皮下注射器).

in·su·lin re·cep·tor sub·strate-1 (IRS-1) インスリン受容体基質-1 (活性化されたインスリン受容体の基質である細胞質中に存在する蛋白. インスリンは IRS-1 にある多数のチロシンを急速にリン酸化する. リン酸化された部位はいくつかの高親和性のある細胞質蛋白と結合する. IRS-1 はレセプタキナーゼの受け取り分子であり, インスリン作用を種々の細胞内活性物質に伝達する. IRS-1 は IGF-1 やいくつかのインターロイキン刺激によってもリン酸化される).

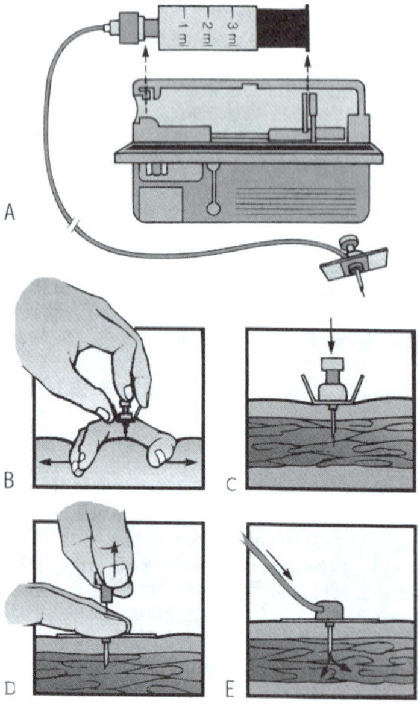
3 ml
2 ml
1 ml
A
B
C
D
E

insulin pump

in·su·lin re·sis·tance インスリン抵抗性（インスリンの低血糖作用の減弱した病態．高血糖やケトーシスを防ぐのに1日200単位以上のインスリンを要する場合にインスリン抵抗性と称する．通常，抗インスリン抗体によることが多いが，インスリン受容体異常によるものもある．肥満，ケトアシドーシス，感染症，その他のまれな疾患に伴うことが多い）．

in·su·lin-re·sis·tance syn·drome = metabolic syndrome.

in·su·lin shock インスリンショック（インスリンの投与による重篤な低血糖性ショック．発汗，振せん，不安，めまい，複視が生じ，これにせん妄，痙攣，虚脱が続く）．

in·su·li·tis (in′sŭ-lī′tis)．インスリン炎（Langerhans 島の炎症．ウイルス感染症などに続発して起こり，リンパ球の浸潤を伴う．1型糖尿病の初期症状であることが多い）．

in·su·lo·ma (in′sŭ-lō′mă)．〔膵〕島細胞〔腺〕腫．= insulinoma.

in·sult (in′sŭlt)．傷害，発作．

in·sur·ance (in-shŭr′ăns)．保険（病気や怪我によって起こる家計の損失を補うもので，そうした保障を与える会社や代理店から，契約によってもたらされる）．

in·sured (in-shŭrd′)．= beneficiary.

in·sus·cep·ti·bil·i·ty (in′sŭ-sep′ti-bil′i-tē)．非感受性．= immunity.

in·take (in′tāk)．摂取（①何かを消費または吸収する行為．②摂取されるもの．*cf.* output）．

in·te·gra·tion (in′tĕ-grā′shŭn)．***1*** 統合（1つの完全な調和のとれた全体へと統合されている状態あるいは統合する過程．→sensory integration）．***2*** 形成（生理学において，付加や同化などによって構築すること）．***3*** 積分（数学において，微分から得られる関数を求める手続き）．***4*** 組込み（分子生物学において，遺伝因子を挿入する組換え事象）．

in·te·gra·tive med·i·cine 統合医療（主流の医学療法を，安全性と効果について信頼できる科学的証拠のある補完・代替医学療法と組み合わせること）．

in·teg·ri·ty (in-teg′ri-tē)．完全〔性〕（構造の充全性，完全性をいう．健全で損なわれていない状態）．

in·teg·u·ment (in-teg′yū-mĕnt)．= integumentum commune; tegument. ***1*** 外皮（身体を包む膜．表皮，真皮の他に表皮に由来するもの（毛髪，爪，汗腺，脂腺，乳腺など）すべてを含む）．***2*** 被膜，被包（身体または部分の上皮，包嚢，おおい）．

in·teg·u·men·ta·ry (in-teg′yū-men′tăr-ē)．外皮の（→cutaneous; dermal）．

in·teg·u·men·tum com·mu·ne 外皮．= integument.

in·tel·lec·tu·al·i·za·tion (in′tĕ-lek′shū-ăl-ī-zā′shŭn)．知性化，観念化（無意識の防御機制の一種．不愉快な衝動や感情や対人的状況に直面することを避けようとして観念的な理由付けや理論付けをしたり，ささいなことに知的興味の焦点をあて，言語化すること）．

in·tel·li·gence (in-tel′i-jĕns)．***1*** 知能，知性，知力（目的をもって行動し，合理的に思考し，環境に効果的に対処し，特に試練に遭った際にその能力の程度がわかるような個人の総合能力をいう）．***2*** 知能（心理学では，ⓘ心理検査で測定された知能，およびⓘⓘ適応行動の有効性，という2つの量的指標について各個人を相対的に位置付けたものをいう）．

in·tel·li·gence quo·tient (IQ) 知能指数（知能の二分割的判定における一部分としての知能測定に関する心理学者の指数．もう一方の部分は適応行動の指数である．知能指数は一般に，ある個人に施行された検査の成績点の，平均的な同年齢者達が同じ検査で得た成績点に対する比率として表される）．

in·ten·si·ty (in-ten′si-tē)．強度，強さ（単に性質の程度や量の尺度を示すものとしてしばしば用いられる）．

in·ten·si·ty mod·u·lat·ed ra·di·a·tion ther·a·py (IMRT) 強度変調放射線治療（腫瘍線量を増やし，その一方で正常組織線量を減らすよう，（不均一な）放射線ビーム強度を調節する放射線治療法．通常は逆方向放射線治療計画を用いる）．

in·ten·sive care u·nit (ICU) 集中治療室（重症患者の治療を集中的に行うための病院の施設で，質量ともに高度の看護および医療監督を連続的に行い，またむずかしいモニターや蘇生装置を用いることが特徴である．特殊な患者群の管理のために組織化されることがある．例えば，新生児ICU，神経学的ICU，呼吸器ICUなど）．= critical care unit.

in·ten·tion (in-ten′shŭn)．***1*** 意図，企図．***2*** 過程（外科における手術の経過）．

in·ten·tion spasm 意図痙攣，企図痙攣（随意運動をしようとするとき起こる筋肉の痙攣性収縮）．

in·ten·tion-to-treat an·al·y·sis 全例解析（無作為対照試験の結果の解析法の1つで，治療を受けるはずだったが何らかの理由で受けなかった人も含めてすべての症例を対象とするもの．それぞれのグループに割り当てられた症例すべてを，指示された治療を最後まで受けたか途中で止めたかに関わりなく，そのグループを代表するものとしてひっくるめて解析する）．

in·ten·tion trem·or 企図振せん（細かい随意運動を行っているときに起こる振せん．小脳またはその連絡路の疾患による）．= volitional tremor(2).

inter- …の間，を意味する接頭語．

in·ter·ac·tion (in′tĕr-ak′shŭn)．***1*** 相互作用（化学的相互作用や生態学的相互作用，社会的相互作用のような共通の環境での2つの存在物間の相互作用）．***2*** 相互作用（2つの実在物が，協同して作用する場合に起き，それぞれ単独では起こりえない効果）．***3*** 交互作用（統計学，薬理学，量的遺伝学において，2つの要因を組み合わせた場合の効果が（相乗作用，拮抗作用として）それぞれ単独での効果の和とならないような現象をさす）．***4*** 相互作用（2つ以上の独立した操作がある効果を生み出したり，効果をうち消し

I

合ったりすること). ***5*** 交互作用（統計学的には線形モデルにおいて，〝積の項〟が必要となる).

in·ter·al·ve·o·lar sep·tum ***1*** 肺胞間中隔（2 個の隣接肺胞間に介在する組織．両面を非常に薄い肺胞上皮細胞でおおわれた緻密な毛細血管網からなる). ***2*** 槽間中隔（上下顎骨で隣接歯槽間にある骨性隔壁).

in·ter·arch dis·tance 顎間距離（①特定の高径の状態で，上顎弓と下顎弓間の垂直距離．②上顎堤と下顎堤の間の垂直距離).

in·ter·ar·y·te·noid fold 披裂間ひだ（披裂軟骨間の軟部組織).

in·ter·a·tri·al block 心房内ブロック. = intra-atrial block.

in·ter·a·tri·al con·duc·tion time = intraatrial conduction time(2).

in·ter·a·tri·al sep·tum 心房中隔（心房間の壁). = septum interatriale.

in·ter·au·ral (in′tĕr-awr′ăl). 両耳間（両側の耳の間の違いをさす．特に両耳の中で起きる，または両耳から生じる一過性の事柄に関する差).

in·ter·au·ral at·ten·u·a·tion 両耳間減衰（一方の耳に加えられた音が頭を介して反対の耳に到達する前に強度が減衰すること．気導では減衰量は約 35 dB，骨導ではわずかに約 10 dB).

in·ter·bod·y (in′tĕr-bod′ē). 椎体間（2 つの隣接した椎骨の椎体の間をいう).

in·ter·ca·dence (in′tĕr-kā′dĕns). 間入〔性期外収縮〕（普通の 2 拍動の間に 1 拍動多く起こるもの).

in·ter·ca·dent (in′tĕr-kā′dĕnt). 間入〔性期外収縮〕の.

in·ter·ca·lar·y (in-tĕr′kă-lar′ē). 介在の（① 2 つの異なるものの中間に生じる．例えば，脈拍の記録において，正常な 2 拍動の間にはさまった重畳脈拍．②真菌類において，菌糸端ではなく，1 本の菌糸の中に，すなわち菌糸の分節と分節の中間に位置することについていう).

in·ter·ca·lat·ed (in-tĕr′kă-lā-tĕd). 介在した，挿し込まれた（2 つのものの間に挿入されたものについていう).

in·ter·ca·lat·ed disc 介在板，〔光〕輝線（心筋細胞にみられる特殊な細胞間接着装置でギャップ結合，接着線維膜，ときにはデスモソームがみられる).

in·ter·ca·lat·ed ducts 介在導管，挿入導管（腺房から出ている微細な管で，唾液腺や膵臓にみられる．低い立方細胞で形成されている).

in·ter·cap·il·lar·y glo·mer·u·lo·scle·ro·sis 毛細管内糸球体硬化症. = diabetic glomerulosclerosis.

in·ter·ca·pit·u·lar veins 骨頭間静脈（手の背側と掌側の静脈の間，または足の背側と底側の静脈の間を結ぶ静脈).

in·ter·ca·rot·id bod·y 頸動脈小体. = carotid body.

in·ter·car·pal joints 手根間関節（手根骨の間の関節). = carpal joints(1).

in·ter·car·pal lig·a·ments 手根間靱帯（2 例の手根骨をつなぐ 3 組の短い線維帯．位置によって，背側手根間靱帯(dorsal intercarpal ligament; ligamentum intercarpalia dorsalia)，骨間手根間靱帯(interosseous intercarpal ligament; ligamentum intercarpalia interossea)，掌側手根間靱帯(palmar intercarpal ligament; ligamentum intercarpalia palmaria)とよばれる).

in·ter·cav·er·nous si·nus·es 海綿間静脈洞（左右の海綿静脈洞を前方および後方で吻合させる静脈洞で，脳下垂体の後ろを前方に進み海綿静脈洞とともに輪状静脈洞を形成する).

in·ter·cel·lu·lar bridg·es 細胞間橋（隣接した細胞を結合している細い細胞質の突起．組織標本にみられるものは突起がデスモソームで結合しているが，実は固定の際，収縮によって生じた人為像である．真の細胞間橋は，不完全分裂をする生殖細胞間にみられる). = cell bridges; cytoplasmic bridges.

in·ter·cel·lu·lar can·a·lic·u·lus 細胞間小管（唾液腺の漿液細胞間にみられるような，隣接する分泌細胞間にある細管).

in·ter·cil·i·um (in′tĕr-sil′ē-ŭm). 眉間の. = glabella(2).

in·ter·cos·tal mem·branes 肋間膜（肋骨間の肋間筋層のうち膜状の部分).

in·ter·cos·tal nerves 肋間神経（胸神経[T1-T11]の前枝). = nervi intercostales.

in·ter·cos·tal space 肋間隙（肋骨と肋骨の間隙で，筋肉，静脈，動脈，神経によって満たされている).

in·ter·cos·to·brach·i·al nerves 肋間上腕神経（第二・第三肋間神経の枝で，上腕内側の皮膚に向かう). = nervi intercostobrachiales.

in·ter·course (in′tĕr-kōrs). 交際，交通（人々の間での意思伝達や付き合い. →coitus).

in·ter·cri·co·thy·rot·o·my (in′tĕr-krī′kō-thī-rot′ō-mē). 輪状甲状軟骨間切開〔術〕. = cricothyrotomy.

in·ter·crines (in′tĕr-krīnz). = chemokines.

in·ter·cross (in′tĕr-kraws). 異種交配（ある特定の遺伝子座で異型接合である 2 個体間の交配).

in·ter·cur·rent (in′tĕr-kŭr′ĕnt). 介入性の，併発の，介在性の（すでに別の病気に罹患している人がかかる病気についていう).

in·ter·cus·pal po·si·tion 咬合位. = centric occlusion.

in·ter·cus·pa·tion (in′tĕr-kŭs-pā′shŭn). 咬頭嵌合（①上下顎臼歯の相互間における咬合対窩の関係．②対合歯の咬頭の組合せと適合. = interdigitation(4)).

in·ter·den·tal (in′tĕr-den′tăl). 歯間の（①歯の間についていう．②同一歯列弓にある歯の隣接面間の関係をさす).

in·ter·den·tal ca·nals 歯間管（上下顎切歯と上顎小臼歯の歯根間にある歯槽骨内を垂直にのびている管). = Hirschfeld canals.

in·ter·den·tal pa·pil·la 歯間乳頭（隣接する 2 歯間の隣接面間を埋める歯肉).

in·ter·den·tal sep·tum 歯間中隔（歯列弓内で 2 本の隣接歯を分けている骨性部分).

in·ter·den·tal splint 歯間副子（骨折した顎

に用いる副子．2本の金属またはアクリル樹脂の帯からなり，上下顎の歯に各々針金で結紮し，しっかり固定して顎を不動にする）．

in·ter·den·ti·um (in′tĕr-den′shē-ŭm). 歯間（隣接する2歯間の間隔）．

in·ter·dig·it (in′tĕr-dij′it). 指（趾）間部（手または足の隣接2指間の部分）．

in·ter·di·gi·tat·ing re·tic·u·lum cell 嵌合細網細胞（リンパ節の傍皮質にある抗原提示細胞．Tリンパ球と反応する）．

in·ter·dig·i·ta·tion (in′tĕr-dij′i-tā′shŭn). ***1*** 指状突起鉗合（舌のようなあるいは歯のある突起の相互鉗合）．***2*** 指状突起（相互鉗合した突起）．***3*** 鉗合ひだ（隣接細胞あるいは原形質膜のひだ）．***4*** 咬頭嵌合．= intercuspation (2).

in·ter·dis·ci·pli·nar·y (in′tĕr-dis′i-pli-nār-ē). 学際的な，学際の（医学および科学の種々の分野の重複部分を対象とすることを示す）．

in·ter·face (in′tĕr-fās). ***1*** 界面（2つの物体の間の共有境界面）．***2*** 界面（異なる放射線吸収度，超音波，磁気共鳴持性部位間の境界．そのような特性の異なる組織間の界面は画像に写し出される）．***3*** インターフェース（コンピュータシステムにおいて異なる部分をつなぐ接続器）．

in·ter·fa·cial ca·nals 細胞面間管（重層扁平上皮にあるデスモソームによる細胞連結に関連した細胞間隙．固定処理によって縮んだ結果生じた人工産物であることが多い）．

in·ter·fer·ence (in′tĕr-fēr′ĕns). 干渉（①媒質内で，一方の波動の山が他方の波動の谷に対応すれば互いの波動を弱め，また2つの波動の山が対応すれば互いの波動を高め合うような形で波動が出合うこと．②不整脈の房室解離状態で認められるように，各々の伝導刺激によって支配される領域の接合部で2波興奮が心筋内で衝突すること．③また房室解離で，心房からの刺激（例えば，干渉拍動）により心室の正常リズムが乱れること．④細胞があるウイルスに感染していることが，他のウイルスによる重複感染を妨げている状態．2種のウイルスが存在するにもかかわらず，どちらか一方のウイルスの感染によって生じる影響を妨げている状態．⑤目的とする分析物の測定精度に対する他の成分の影響）．

in·ter·fe·ren·tial cur·rent (IFC) 干渉電流（痛みの感覚を抑えるため，2つの多相正弦波の干渉を利用する電気療法の一様式）．

in·ter·fer·on (IFN) (in′tĕr-fēr′on). インターフェロン（ウイルス感染や他の生物学的全身刺激によってT細胞，線維芽細胞などから分泌される低分子蛋白と糖蛋白サイトカイン（15—28 kD）の一群．インターフェロンは細胞膜上の特異的レセプタに結合する．その作用は酵素誘導，細胞分裂の抑制，ウイルス増殖の抑制，マクロファージの食作用活性増強，Tリンパ球の細胞傷害作用の増強など多岐にわたる．インターフェロンはその生理化学的性質，由来細胞，誘導様式，抗体の反応から5つの代表型（アルファ，ベータ，ガンマ，タウ，オメガ）といくつかの亜型（アラビア数字と文字で表される）に分類されている）．

in·ter·fer·on·al·pha (α) インターフェロンα（ウイルス誘発性白血球によって作られる主要インターフェロン．ウイルス感染または二重鎖RNAの刺激に対する反応として白血球によって産生される，いくつかの異なるサブタイプが存在する）．

in·ter·fer·on al·pha (α) 2b インターフェロンα-2b（ウイルスに感染した細胞から分泌される水溶性蛋白質（分子量19271）．ヘアリーセル白血病，悪性黒色腫，尖圭コンジローマ，エイズ関連型カポジ肉腫，C型肝炎ウイルスの慢性感染症の治療に利用される）．

in·ter·fer·on be·ta (β) 1b インターフェロンベータ1b（抗ウイルスおよび免疫調節効果を有する165個のアミノ酸（分子量約18,500）を含有する精製された蛋白．再発を繰り返す多発性硬化症の治療に用いられ，臨床的増悪の頻度を減らせる）．

in·ter·fer·on o·me·ga (ω) インターフェロンω（インターフェロンα2として知られるインターフェロンの一種）．

in·ter·fer·on tau (τ) インターフェロンτ（ウシ受胎産物から分泌されるインターフェロンで，潜在的に抗レトロウイルス活性を有する．試用段階）．= trophoblast interferon; trophoblastin.

in·ter·fer·on type I インターフェロンI型（抗ウイルス性インターフェロンでインターフェロンアルファとインターフェロンベータを含む）．

in·ter·fer·on type II インターフェロンII型（免疫インターフェロンでインターフェロンガンマが属す）．

in·ter·gan·gli·on·ic branches of sym·pa·thet·ic trunk 交感神経幹の節間枝（交感神経幹の隣接する神経節間を結ぶ神経束．節前，節後線維および臓性求心性線維からなり，上位-下位神経節を連絡している）．

in·ter·glo·bu·lar den·tin 球間ぞうげ質（ぞうげ質の遠位（外周）にみられる，石灰化球間の石灰化が不完全なぞうげ質基質）．

in·ter·ic·tal (in′tĕr-ik′tăl). 発作間の（痙攣発作と痙攣発作の間の期間についていう）．

in·ter·im den·ture 暫間義歯，仮義歯（より確かな補てつ治療ができるまで短期間使用される有床義歯．審美性，そしゃく，咬合支持，便宜上などの理由で，あるいは患者が喪失した天然歯の代わりに入れる人工的代替物に慣れるのに使用される）．= temporary denture.

in·ter·ki·ne·sis (in′tĕr-ki-nē′sis). 中間期（減数分裂において，第一分裂と第二分裂の間期．有糸分裂の分裂間期に相当する）．

in·ter·lam·i·nar jel·ly 層間ゼリー（外胚葉と内胚葉の間のゲル状物質で，その上を間葉細胞が遊走する）．

in·ter·leu·kin (IL) (in′tĕr-lū′kin). インターロイキン（アミノ酸配列が解明された時点で命名された多機能なサイトカインの一群．リンパ球，単球，マクロファージなどで産生される．→ lymphokine; cytokine）．

in·ter·leu·kin-1 (in′tĕr-lū′kin). インターロイ

キン-1（主として単核性食細胞で産生されるサイトカインで，ヘルパーT細胞の増殖とB細胞の成長と分化を促進する）．

in·ter·leu·kin-2 (in′tĕr-lū′kin). インターロイキン-2（ヘルパーTリンパ球から産生されるサイトカインで，ヘルパーTリンパ球を増殖させ，Bリンパ球を活性化させる）．

in·ter·leu·kin-3 (in′tĕr-lū′kin). インターロイキン-3（単球，線維芽細胞，表皮細胞より産生されるサイトカインで，単球の増殖を促進する）．= multicolony-stimulating factor.

in·ter·leu·kin-4 (in′tĕr-lū′kin). インターロイキン-4（T4リンパ球から産生されるサイトカインで，Bリンパ球の分化を促進する）．= B-cell differentiating factor.

in·ter·leu·kin-5 (in′tĕr-lū′kin). インターロイキン-5（Tリンパ球から産生されるサイトカインで，Bリンパ球の活性化と好酸球の分化を促進する）．

in·ter·leu·kin-6 (in′tĕr-lū′kin). インターロイキン-6（線維芽細胞，マクロファージ，腫瘍細胞より産生されるサイトカインで，Bリンパ球による免疫グロブリンの合成と分泌を増加させる）．= B-cell stimulatory factor 2.

in·ter·leu·kin-7 (in′tĕr-lū′kin). インターロイキン-7（骨髄細胞で産生されるサイトカインで，Bリンパ球とTリンパ球の増殖を引き起こす）．

in·ter·leu·kin-8 (in′tĕr-lū′kin). インターロイキン-8（内皮細胞，線維芽細胞，角質細胞，マクロファージ，単球で産生されるサイトカインで，好中球とTリンパ球の走化性を誘導する）．= anionic neutrophil-activating peptide; monocyte-derived neutrophil chemotactic factor; neutrophil-activating factor.

in·ter·leu·kin-9 (in′tĕr-lū′kin). インターロイキン-9（T細胞で産生されるサイトカインで，T細胞の増殖・分化を発動する）．

in·ter·leu·kin-10 (in′tĕr-lū′kin). インターロイキン-10（ヘルパーTリンパ球，Bリンパ球，単球で産生されるサイトカインで，Tリンパ球からのインターフェロンγの分泌と単核球性の炎症を抑制する）．

in·ter·leu·kin-11 (in′tĕr-lū′kin). インターロイキン-11（骨髄間質細胞(内皮細胞，マクロファージ，前脂肪細胞)より産生されるサイトカインと成長因子で，血漿中の急性期蛋白の濃度を上昇させる）．

in·ter·leu·kin-12 (in′tĕr-lū′kin). インターロイキン-12（Bリンパ球，Tリンパ球，マクロファージで産生されるサイトカインで，Tリンパ球とNK細胞におけるインターフェロンγ遺伝子の発現を誘導する）．

in·ter·leu·kin-13 (in′tĕr-lū′kin). インターロイキン-13（ヘルパーTリンパ球より産生されるサイトカインで，単核球性の炎症を抑制する）．

in·ter·leu·kin-14 (in′tĕr-lū′kin). インターロイキン-14（T細胞で産生されるサイトカインで，B細胞の分化を促進し，免疫グロブリンの分泌を抑制する）．

in·ter·leu·kin-15 (in′tĕr-lū′kin). インターロイキン-15（T細胞で産生されるサイトカインで，T細胞の増殖とNK細胞の活性化を開始させる）．

in·ter·leu·kin-16 (in′tĕr-lū′kin). インターロイキン-16（T細胞で産生されるサイトカインの1つで，$CD4^+$ T細胞の強力な化学誘導物質である）．

in·ter·leu·kin-17 (in′tĕr-lū′kin). インターロイキン-17（T細胞で産生される炎症誘発性サイトカイン）．

in·ter·leu·kin-18 (in′tĕr-lū′kin). インターロイキン-18（マクロファージで産生されるサイトカイン．T細胞やNK細胞によるインターフェロン-γの強力な誘導物質）．

in·ter·lo·bar duct 葉間導管（腺葉の分泌物を排出する管で，多数の小葉間導管の吻合からなる）．

in·ter·lo·bar veins of kid·ney 腎葉間静脈（弓状静脈から血液を受け，葉間動脈に平行して走り，腎静脈で終わる）．

in·ter·lo·bi·tis (in′tĕr-lō-bī′tis). 葉間炎（2肺葉を分けている胸膜の炎症）．

in·ter·lob·u·lar ar·ter·ies 葉間動脈（臓器の小葉の間を通る動脈）．= arteriae interlobulares.

in·ter·lob·u·lar duct 小葉間導管（腺小葉を起始点とし，小葉内細管の吻合によりできる管）．

in·ter·lob·u·lar em·phy·se·ma 小葉間気腫（肺小葉間の結合組織中隔における間質性気腫）．

in·ter·lob·u·lar pleu·ri·sy 葉間胸膜炎，小葉間胸膜炎（肺葉間溝内の胸膜に限局した炎症）．

in·ter·lob·u·lar veins of kid·ney 腎小葉間静脈（小葉間動脈に平行して走る．尿細管周囲毛細管網から血液を集め弓状静脈へ注ぐ）．

in·ter·lob·u·lar veins of liv·er 肝小葉間静脈（肝小葉間を走り，肝洞様毛細血管へ注ぐ門脈の終末枝）．

in·ter·max·il·lar·y bone = os incisivum.

in·ter·max·il·lar·y su·ture 上顎間縫合（左右の上顎骨間にある連結）．

in·ter·me·di·ar·y nerve 中間神経（膝神経節中に細胞体があり舌の前2/3の味覚を伝える感覚線維と上唾液核からの副交感性節後線維からなる顔面神経の一根で，鼓索神経を経て舌神経に合流する線維）．= nervus intermedius; intermediate nerve.

in·ter·me·di·ate (in′tĕr-mē′dē-ăt). = intermedius. ***1*** 〖adj.〗中間の，中間にある，介在の．***2*** 〖n.〗中間体（化学反応の途中で形成され，さらに反応する物質で，常に微小濃度でしか存在しない．代謝に関係する化学反応の過程中に現れると，代謝中間生成物となる）．***3*** 〖n.〗裏装剤（歯科において，裏装に用いるセメントのこと）．***4*** 〖n.〗中間（右と左(あるいは外側と内側)の構造の中間にある要素，あるいは器官）．

in·ter·me·di·ate ba·sil·ic vein 尺側正中皮静脈（前腕正中皮静脈の内側枝で，尺側皮静脈に注ぐ）．

in·ter·me·di·ate care fa·cil·i·ty (ICF) 中

間ケア施設（単独では生活できないか在宅介護以上の管理を必要とする患者に対し，病院やその他の専門看護施設ほどのレベルを必要としない看護サービスを提供する施設. ―nursing facility）.

in·ter·me·di·ate ce·phal·ic vein 橈側正中皮静脈（前腕正中皮静脈の外側枝で，肘の辺りで橈側皮静脈に注ぐ）.

in·ter·me·di·ate cu·ne·i·form bone 中間楔状骨（足根の遠位列の骨. 内側および外側楔状骨，舟状骨，第二中足骨と関節する）. = wedge bone.

in·ter·me·di·ate heart 中間心（約＋30°―＋60°の間の電気軸をもつ心臓）.

in·ter·me·di·ate host, in·ter·me·di·ar·y host 中間宿主（①幼虫または発育段階の寄生体が寄生する宿主. ②微生物が通過できたり，無性世代の寄生虫を宿す宿主）.

in·ter·me·di·ate nerve 中間神経. = intermediary nerve.

in·ter·me·di·ate sa·cral crest 中間仙骨稜（全仙椎の関節突起の癒合により形成される稜）. = articular crest.

in·ter·me·di·ate su·pra·cla·vic·u·lar nerve 中間鎖骨上神経（頸神経叢の C3-C4 部から起こる神経. 肩の上を越え鎖骨を横切って下行し，肩部上面と鎖骨下部の皮膚に分布する）. = nervus supraclavicularis intermedius; middle supraclavicular nerve.

in·ter·me·di·ate trait 中間形質（単純な1つの主原因の作用がある程度明確ではあるが，推定の範囲での多様性から重複がみられるような形質のことで，いかなる詳細な論文の分類にもあるあいまいな表現である）.

in·ter·me·di·ate vas·tus mus·cle 中間広筋. = vastus intermedius muscle.

in·ter·me·di·o·lat·er·al nu·cle·us 中間外側核（脊髄の灰白質の側角を形成している神経細胞柱. 第一胸髄から第二腰髄までのび，交感神経系の節前線維を出す自律神経性運動ニューロンを含む）.

in·ter·me·di·o·me·di·al fron·tal branch of cal·lo·so·mar·gin·al ar·ter·y 脳梁縁動脈の中間内側前頭葉枝（脳梁縁動脈の中央部から出て前頭葉の内側面の前上部に分布する）.

in·ter·me·di·o·me·di·al nu·cle·us 中間内側核（脊髄の胸髄と上部の2つの腰髄にある胸髄核のすぐ腹方に位置する散在性の内臓運動ニューロンの小群. すべての脊髄レベルで内臓求心性線維を受けると考えられている）.

in·ter·me·di·us (in′tĕr-mē′dē-ŭs). = intermediate.

in·ter·men·stru·al pain 〔月経〕中間痛（①通常，月経周期の中間点に，排卵の時期に一致して起こる骨盤の不快感. ②= mittelschmerz）.

in·ter·met·a·car·pal joint 中手間関節（第二–第五中手骨基部の間の関節）.

in·ter·met·a·tar·sal joint 中足間関節（5つの中足骨基部の間の関節）.

in·ter·mit·tent (in′tĕr-mit′ĕnt). 間欠性の（2つの活動期の間に完全な休止期間のあることをさす）.

in·ter·mit·tent a·cute por·phyr·ia (IAP) 急性間欠性ポルフィリン症（先天的な肝臓の δ-アミノレブリン酸産生過剰によって起こる. ポルホビリノーゲンデアミナーゼの欠乏により δ-アミノレブリン酸およびポルホビリノーゲンの尿排泄は著しく亢進し，尿中ウロポルフィリン排泄も増加する. 本疾患は，反復する高血圧の急性発作，腹部仙痛，精神異常，多発性神経炎を特徴とするが，光線過敏症は伴わない. ある種の薬剤(例えばバルビツール剤)の内服により悪化する）. = acute intermittent porphyria; acute porphyria.

in·ter·mit·tent clau·di·ca·tion 間欠〔性〕跛行（足の筋肉の虚血によって起こる状態. 歩行の際の突然の跛行と疼痛が特徴で，主に腓筋に起こるが，他の筋肉群にも起こることがある）. = Charcot syndrome; myasthenia angiosclerotica.

in·ter·mit·tent com·pres·sion 間欠的加圧（①よりよい安定性を得るため，その関節の周囲の筋に直接圧迫を加えて，筋収縮を促進させる神経発育治療法. = pressure tapping. ②四肢の浮腫を減らすために，間欠的に外から圧迫を加える治療法）.

in·ter·mit·tent cramp 間欠性痙攣（①= tetany. ②= benign tetanus）.

in·ter·mit·tent ex·plo·sive dis·or·der 間欠性爆発性障害（幼児期に始まる，暴力的，攻撃的行為の反復を特徴とするまれな疾患で，行動を誘発する出来事へのバランスは著しく失っているが，他の点は正常である）.

in·ter·mit·tent man·da·to·ry ven·ti·la·tion (IMV) 間欠的強制換気(呼吸)（気道に対しあらかじめ決められた頻度で陽圧容量を機械的に送るもので，人工呼吸器回路を通じて患者自身の自発呼吸の間に挿入される）.

in·ter·mit·tent per·cus·sive ven·ti·la·tion (IPV) 間欠性パーカッション換気法（生理的レベルの定常流ガスに加え，呼吸ガスをフルフェイスマスクを通して高速で(80―650 サイクル/秒)短時間放出する換気技術. パーカッションの効果により気道は拡大し，気管支分泌物の排除も増強される）.

in·ter·mit·tent pos·i·tive pres·sure breath·ing (IPPB) 間欠的陽圧呼吸. = controlled mechanical ventilation.

in·ter·mit·tent tet·a·nus 間欠性破傷風. = tetany.

in·ter·mus·cu·lar sep·tum 筋間中隔（四肢の種々の筋肉を分けている腱膜に対する用語. 以下のものがある. 下腿の前・後筋間中隔，大腿の外側・内側筋間中隔，上腕の外側・中側筋間中隔）.

in·tern (in′tĕrn). インターン，医学研修生（監督ないし指導のもとに入院患者の内科的あるいは外科的治療の助手をすることにより，進んだ教育を受けるもの. かつては病院内に住み込んでいるものをさした）.

in·ter·nal (in-tĕr′năl). 内の，内部の（表面より離れたの意だが，しばしば medial(内側の)の意味で誤って用いられる）.

in·ter·nal ad·he·sive per·i·car·di·tis 内癒着性心膜炎. = concretio cordis.

in·ter·nal au·dit 内部監査（被雇用者が企業や専門組織の書類や運営が正確かつ合法的であるかを検証すること）.

in·ter·nal au·di·to·ry veins = labyrinthine veins.

in·ter·nal base of skull 内頭蓋底（脳が鎮座する頭蓋底の内面．頭蓋腔の床．→base of skull）.

in·ter·nal branch of trunk of ac·ces·so·ry nerve 副神経幹内枝（副神経延髄根から出て頸静脈孔の中で迷走神経に合流する．→accessory nerve）.

in·ter·nal cap·sule 内包（内側の尾状核と視床を，さらに外側に位置しているレンズ核（淡蒼球と被殻）から分離している白質の厚い層（厚さ8—10 mm)．ⓘ視覚，聴覚，体性感覚放線などを構成して視床から大脳皮質へ上行している線維と，ⓘⓘ大脳皮質から視床，視床腹側部，中脳，後脳，脊髄へ下降している線維から構成される．内包は，大脳皮質と脳幹と脊髄を結合する主要通路である．外側は，大脳半球白質の大部分を形成している放線冠に続く．尾側と内側は，非常に小さくなって皮質脊髄路線維などを含む大脳脚として続く．水平切断では，側方に広がるV形にみえる．Vの鈍角は膝とよばれ，前肢，後肢は，それぞれ前脚，後脚という．内包は以下のものからなる．前脚，内包膝，後脚，レンズ後脚，レンズ下脚）. = capsula interna.

in·ter·nal ca·rot·id ar·ter·y 内頸動脈（第四頸椎の高さで甲状軟骨上縁の対側の総頸動脈より始まり，中頭蓋窩で終わり，前・中大脳動脈に分かれる）. = arteria carotis interna.

in·ter·nal ca·rot·id nerve 内頸動脈神経（上顎神経節からの交感性節後線維のうち総頸動脈沿いに出るもので，内頸動脈に沿って上行し，内頸動脈神経叢を形成する）. = nervus caroticus internus.

in·ter·nal ce·phal·ic ver·sion 内回転〔術〕（片方の手を子宮内に入れて行う回転術．→cephalic version）.

in·ter·nal ce·re·bral veins 内大脳静脈（脈絡叢静脈，視床線条体静脈（分界静脈），および透明中隔静脈の合流によってつくられ，第3脳室の脈絡組織の中を正中線に近く尾方へ流れる有対の静脈．尾方で2本が合流して大大脳静脈となる）. = venae internae cerebri.

in·ter·nal dose 内部線量（肌や眼，気道，消化管などの上皮バリアを貫通して体に吸収された化合物の総量）.

in·ter·nal ear 内耳（→ear. →labyrinth）.

in·ter·nal en·er·gy (U, *U*) 内部エネルギー（その系の外界から吸収された熱および，外界によってその系に働いた仕事量によって測定された系のエネルギー）.

in·ter·nal fis·tu·la 内フィステル（瘻）（管腔臓器間に連絡する瘻孔交通）.

in·ter·nal fix·a·tion 内固定（外科的ワイヤ，ねじ，針，釘，プレートやメタクリル酸メチルを用いて骨折部を直接に相互に固定して安定化する方法）.

in·ter·nal hem·or·rhage 内出血（臓器または体腔への出血）. = concealed hemorrhage.

in·ter·nal il·i·ac ar·ter·y 内腸骨動脈（総腸骨動脈より起こり，腸腰動脈，外側仙骨動脈，閉鎖動脈，上殿動脈，下殿動脈，臍動脈，上膀胱動脈，下膀胱動脈，中直腸動脈，内陰部動脈に分枝する）. = arteria hypogastrica; arteria iliaca interna; hypogastric artery.

in·ter·nal il·i·ac vein 内腸骨静脈（小骨盤の中を大坐骨切痕の上縁から骨盤上縁へ走る．そこで外腸骨静脈と合流して総腸骨静脈をつくる．これは内腸骨動脈によって供給される領域の大部分からの血液を集める）.

in·ter·nal in·ju·ry 身体内部損傷（体腔や臓器などの肉体の損傷）.

in·ter·nal in·ter·cos·tal mus·cle 内肋間筋（胸郭の扁平な筋で各々の筋は1本の肋骨の下縁より起こり，後下方に斜めに走り，下位の肋骨の上縁に付着．作用：呼息期に収縮する．また肋間部の緊張を維持し，内外側方向の動きを防ぐ．神経支配：肋間神経）.

in·ter·nal·i·za·tion (in-tĕr′năl-ī-zā′shŭn). 内在化（他人あるいは別の社会の基準や価値を自分自身のものとして採用すること）.

in·ter·nal·ized ho·mo·pho·bi·a 内在性同性愛恐怖（同性愛者に生じる同性愛恐怖で，自己嫌悪，自己非難，自己検閲感をしばしば伴う）.

in·ter·nal jug·u·lar vein 内頸静脈（頸部の重要な静脈．硬膜のS状静脈洞の続きで頸動脈鞘の中に包まれて頸部を下降し胸鎖関節の後ろで鎖骨下静脈に合流し腕頭静脈となる）.

in·ter·nal med·i·cine (IM) 内科学（成人の非外科的疾病を取り扱う医学の一分野．ただし，皮膚や神経系に限局した疾病は含めない）.

in·ter·nal o·blique mus·cle 内腹斜筋（前外側腹壁の筋の1つ．起始：鼡径靱帯の外側部の深部にある腸骨筋膜，腸骨稜の前方1/2，および腰筋膜．停止：第十-第十二肋骨と腹直筋鞘．鼡径靱帯より起こる線維のうち，鼡径鎌で終わるものもある．作用：腹部の容量を減少させ，腰部脊柱を屈曲させて胸を前方に曲げる．神経支配：下位胸神経）. = musculus obliquus internus abdominis.

in·ter·nal ob·tu·ra·tor mus·cle 内閉鎖筋. = obturator internus muscle.

in·ter·nal oc·cip·i·tal crest 内後頭稜（内後頭隆起から大後頭孔の後縁に至る，小脳鎌の付着する隆起）.

in·ter·nal oph·thal·mop·a·thy 内眼疾患（眼球内部組織の病気）.

in·ter·nal oph·thal·mo·ple·gi·a 内眼筋麻痺症. = ophthalmoplegia interna.

in·ter·nal phase 内相（コロイド溶液中に存在する粒子）.

in·ter·nal po·dal·ic ver·sion 足位内回転術（術者の手を子宮腔内に挿入し，片側または両側の胎児足を把持して足位で分娩させる手技．双胎第2子への適応以外には最近ほとんど用いられない）.

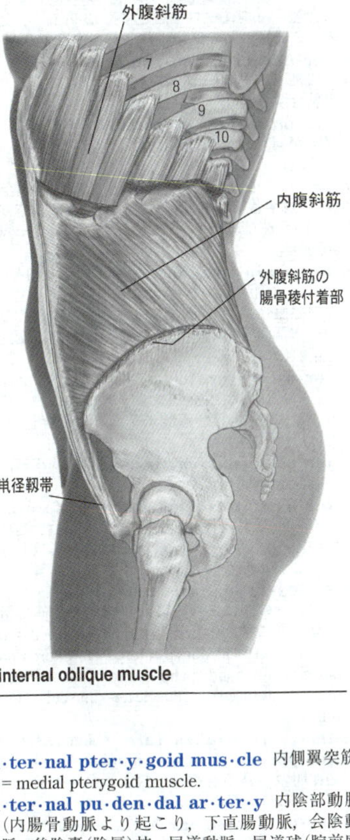
外腹斜筋
7
8
9
10
内腹斜筋
外腹斜筋の
腸骨稜付着部
鼡径靱帯

internal oblique muscle

in·ter·nal pter·y·goid mus·cle 内側翼突筋. = medial pterygoid muscle.

in·ter·nal pu·den·dal ar·ter·y 内陰部動脈（内腸骨動脈より起こり，下直腸動脈，会陰動脈，後陰嚢(陰唇)枝，尿道動脈，尿道球(腟前庭球)動脈，陰茎(陰核)深動脈，陰茎(陰核)背動脈に分枝する）.

in·ter·nal pu·den·dal vein 内陰部静脈（内陰部動脈に単一で，または2本で伴行し，内腸骨静脈に流入する．会陰からの血液を集める）.

in·ter·nal rep·re·sen·ta·tion 内部描写，内的表出（神経言語学のプログラムで用いられる用語で，精神的な空想(視覚，聴覚，運動感覚)を体験に変換する過程をいう．内的現実と外的現実を含む）.

in·ter·nal res·pi·ra·tion 内呼吸. = tissue respiration.

in·ter·nal ro·ta·tion 内部回転（関節とその周囲の長軸が体の正中線へ向かう動き）. = medial rotation.

in·ter·nal trac·tion 内牽引（骨折線の上部の頭蓋骨の1つを固定部として利用する牽引法）.

in·ter·nal u·re·thral or·i·fice 内尿道口（尿道の内口で，膀胱三角の前下方にある）.

in·ter·na·sal su·ture 鼻骨間縫合（左右の鼻骨間の連結）.

In·ter·na·tion·al Clas·si·fi·ca·tion of Dis·eas·es（ICD） 国際疾病分類（世界保健機関(WHO)による国際的な専門委員会によって決定された疾患または疾患群の分類で，WHOは定期的に改訂して完全なリストを *Manual of the International Statistical Classification of Diseases, Injuries and Causes of Death* として出版している．第10回改訂ICDは1992年に使用開始となった．本版は20章からなり，各章には階層的亜分類(項目)が付けられている．章によっては病因的分類が付けられ，多くは身体区分による分類がなされているが，ときに疾病分類や方法論的分類もある）.

In·ter·na·tion·al Clas·si·fi·ca·tion of Func·tion·ing, Dis·a·bil·i·ty, and Health 国際生活機能分類（WHOが定めた機能障害と社会的不利に関する分類）.

In·ter·na·tion·al Clas·si·fi·ca·tion of Health Prob·lems in Pri·ma·ry Care 国際プライマリケア疾病分類（正確な診断がほとんど不可能なプライマリケアで使用できるようにしてある疾病・異常などの分類）.

In·ter·na·tion·al Clas·si·fi·ca·tion of Im·pair·ments, Dis·a·bil·i·ties and Hand·i·caps 国際障害機能喪失身体障害分類（WHOによる分類で，損傷や病気に由来する障害，機能喪失および身体障害を数字で表す）.

In·ter·na·tion·al Clas·si·fi·ca·tion of Sleep Dis·or·ders（ICSD） 睡眠障害の国際分類（米国睡眠医学会によって発行されたコード化されたリストで，2005年に修正された．睡眠中の病気や症状の診察に用いられる）.

In·ter·na·tion·al Con·fed·e·ra·tion of Mid·wives（ICM） 国際助産師連盟（助産師の立場を強化し医療熟練者として訓練することにより，女性や幼児の生活を改善することを目的とした専門機関）.

In·ter·na·tion·al Con·fer·ence on Har·mo·ni·za·tion（ICH） 医薬品規制調和国際会議（単一基準に基づいて新薬の研究や開発調査し結集させることを目的とした世界的規則と調査局）.

In·ter·na·tion·al Coun·cil of Nurs·es（ICN） 国際看護師協会（日雇い労働者の問題より，教育に焦点を置いた専門看護機関）.

in·ter·na·tion·al nor·mal·ized ra·ti·o（INR） 国際標準比（プロトロンビン時間を測定する際に標準試薬を使っていたとしたら得られたであろうプロトロンビン比．この比は，標準試薬を使った場合の患者のプロトロンビン時間をプロトロンビン時間の基準範囲の平均値で割った値で表す．検査室で実際に使われている試薬の場合には国際感度指数とよばれる係数を使って求める．→international sensitivity index）.

In·ter·na·tion·al Pho·net·ic Al·pha·bet（IPA） 国際表音アルファベット（言語音声を表すよう考案された正字法の記号体系．どんな言語や無秩序な言語音声でも，この記号体系で表すことができる）.

In·ter·na·tion·al Red Cross So·ci·e·ty 国

際赤十字社（アメリカ赤十字と似た目的を持つ，ジュネーブに拠点を置く善意団体．避難民，戦争捕虜，自然災害の犠牲者に人道援助を施す）.

in·ter·na·tion·al sen·si·ti·vi·ty in·dex (ISI) 国際感度指数（正常人および安定した経口抗凝固剤療法を受けている患者の双方について，標準試薬で得られたプロトロンビン時間の対数と実際に用いられる試薬で得られたプロトロンビン時間の対数とを相関させた直線の勾配．この補正に用いる標準試薬は，WHO の標準試験で較正した基準品である．→international normalized ratio）.

In·ter·na·tion·al Sys·tem of U·nits (SI) 国際単位系（メートル法に基づくこの制度は，国際的な科学および技術の一般分野で使用することが提案され，首尾一貫した単位(基本，補助，および組立単位)と，接尾語を使ってつくられるこれら単位の 10 の整数乗倍を表すものとして，The International Organization for Standardization(1960)の第 11 回度量衡総会で採択された．この単位は，長さ，質量，時間，電流，温度，光度，物質の量の各基本量に対して，メートル(m)，キログラム(kg)，秒(s)，アンペア(A)，ケルビン(K)，カンデラ(cd)，モル(mol)の 7 単位を勧告している．補助単位としては平面角にラジアン(rad)，立体角にステラジアン(sr)が提案された．組立単位(力，仕事率，周波数など)は基本単位を用いて表される．例えば，速度はメートル毎秒(ms^{-1})で表している．単位の 10 の整数乗倍(接頭語)は，大きな順にエクサ(E, 10^{18})，ペタ(P, 10^{15})，テラ(T, 10^{12})，ギガ(G, 10^{9})，メガ(M, 10^{6})，キロ(k, 10^{3})，ヘクト(h, 10^{2})，デカ(da, 10^{1})，デシ(d, 10^{-1})，センチ(c, 10^{-2})，ミリ(m, 10^{-3})，マイクロ(μ, 10^{-6})，ナノ(n, 10^{-9})，ピコ(p, 10^{-12})，フェムト(f, 10^{-15})，アト(a, 10^{-18})である．接頭語として提唱されているものにゼプト(z, 10^{-21})がある）.

in·ter·na·tion·al u·nit 国際単位（国際団体によって定義され，国際的に受け入れられている特定の効果を生じさせる，薬物，ホルモン，ビタミン，酵素などの物質の量）. = unit(4).

interneurones [Br.]. = interneurons.

in·ter·neu·rons (in′tĕr-nūr′onz). 介在ニューロン（知覚ニューロンと運動ニューロンの間に介在し，協調活動を支配するニューロンの結合あるいは集団）. = interneurones.

in·tern·ist (in-tĕr′nist). 内科医（内科学を修めた医師）.

in·ter·nod·al seg·ment 輪間節，髄鞘節（隣接する 2 つの結節の間の有髄神経線維の部分）. = internode.

in·ter·node (in′tĕr-nōd). 〔結〕節間〔部〕. = internodal segment.

in·ter·nu·cle·ar (in′tĕr-nū′klē-ăr). 核間の（脳あるいは網膜の神経細胞群の間の）.

in·ter·nu·cle·ar oph·thal·mo·ple·gi·a (INO) 核間性眼筋麻痺（内側縦束の障害による外眼筋麻痺．水平注視において内転の障害があるが，輻輳は維持されている）.

in·ter·nun·ci·al (in′tĕr-nun′sē-ăl). ***1*** 介在ニューロン（2 個以上のニューロンの間に機能的に介在するニューロンをさす）. ***2*** 介在の，連絡の（2 器官の間の連絡媒体として作用する）.

in·ter·nun·ci·al neu·ron 介在ニューロン（2 つの別々のニューロンの間に介在して，それらを結合するニューロン）.

in·ter·ob·serv·er er·ror 観測者間誤差（2 人以上が同じ現象を観測したときに生じる解釈上の誤差）.

in·ter·oc·clu·sal dis·tance 安静〔位〕空隙（①相対する咬合面間の垂直距離．特に指定がなければ安静位が考えられる．② = freeway space）.

in·ter·o·cep·tive (in′tĕr-ō-sep′tiv). 内受容〔性〕の（内臓(胸郭，腹腔，骨盤内の各器官，および心血管系)を支配する知覚神経細胞およびその終末器官，あるいはそれが脊髄や脳に伝達する情報についていう）.

in·ter·o·cep·tor (in′tĕr-ō-sep′tŏr). 内受容器（気道や胃腸管の壁，またはその他の内臓中にある種々の形の小型感覚終末器官(受容器)の 1 つ）.

in·ter·os·se·ous car·ti·lage 骨間軟骨. = connecting cartilage.

in·ter·os·se·ous mem·brane of fore·arm 前腕骨間膜（橈骨と尺骨の骨間縁同士を連結しているぶ厚い膜で，橈尺靱帯結合を形成し，両骨とともに前腕の屈側と伸側とを分けている）.

in·ter·os·se·ous mus·cles 骨間筋（中手骨や中足骨の間にあってこれらを動かす筋で指の運動を起こす．→dorsal interossei (interosseous muscles) of foot; dorsal interossei (interosseous muscles) of hand; palmar interosseous muscle; plantar interosseous muscle）. = musculi interossei.

in·ter·pa·ri·e·tal su·ture = sagittal suture.

in·ter·par·ox·ys·mal (in′tĕr-par′ok-siz′măl). 発作間の（ある疾病の連続する発作の間に起こることについていう）.

in·ter·pe·dun·cu·lar fos·sa 脚間窩（大脳脚間にある中脳後表面上の深い陥凹で底面は後有孔質によって形成されている）.

in·ter·pe·dun·cu·lar nu·cle·us 脚間核（左右の大脳脚の間にある中脳被蓋基部の正中部で，対をなさない卵形の神経細胞群．手綱から反屈束を受け，中脳の縫線域(縫線核)および中心灰白質へ線維を出す）.

in·ter·pel·vi·ab·dom·i·nal am·pu·ta·tion 骨盤腹間切断〔術〕. = hemipelvectomy.

in·ter·pha·lan·ge·al (in′tĕr-fă-lan′jē-ăl). 指節間の（手足の指関節についていう）.

in·ter·pha·lan·ge·al joints of hand 指節間関節.

in·ter·phase (in′tĕr-fāz). 間期，〔細胞〕分裂間期（連続した 2 回の細胞核分裂の間の期間．細胞の生化学的および生理学的機能が完成し，染色体の複製が起こる）.

in·ter·phy·let·ic (in′tĕr-fī-let′ik). 中間型の，中元型の（異形成の途上にある 2 種の細胞の間の移行型をさす）.

in·ter·pleu·ral space = mediastinum(2).

in·ter·po·lat·ed ex·tra·sys·to·le 間入性期外収縮（代償性または非代償性休止期が後に続く代わりに，心室性または心房性期外収縮が2つの連続した洞周期にはさまれる）．

in·ter·pre·ta·tion (in-tĕr′prĕ-tā′shŭn). 解釈（①精神分析において，分析家が特有な治療的介入をすること．②臨床心理学において，心理テストや精神療法中の個人の固有な反応を，精神力動的に推論し体系立てること）．

in·ter·prox·i·mal (in′tĕr-prok′si-măl). 隣接面の（相接している歯面の間）．

in·ter·prox·i·mal space 歯間腔，隣接間隙（歯列弓における隣接歯間の空隙．接触部位まで咬合面鼓形空隙部分と歯肉面空隙とに分けられる）．

in·ter·pu·bic disc 恥骨間円板（恥骨結合部で左右の恥骨を結ぶ線維軟骨円板）．

in·ter·ra·dic·u·lar space 根間空隙（多根歯の根の間にできる空隙）．

in·ter·rupt·ed su·ture 断続縫合，結節縫合（両端を結んだ単一の縫合の一種）．

in·ter·scap·u·lar gland 肩甲間腺．= brown fat.

in·ter·scap·u·lar hi·ber·no·ma 肩甲骨間冬眠腺腫．= brown fat.

in·ter·sec·ti·o, pl. **in·ter·sec·ti·o·nes** (in′tĕr-sek′shē-ō, -ō′nēz). 〔腱〕画．= intersection.

in·ter·sec·tion (in′tĕr-sek′shŭn). 〔腱〕画（2構造の交わる点）．= intersectio.

in·ter·seg·men·tal vein 〔肺〕区間静脈（隣接する肺区域から血液を受ける静脈．肺区域の下縁から起こり，肺静脈の枝に注ぐ）．

in·ter·space (in′tĕr-spās). 間空（肋骨間空など類似2物体の間の空間，あるいは上下の肋骨の中間）．

in·ter·spi·na·les mus·cles 棘間筋（隣接の椎骨の棘突起間にある対になっている筋．頸棘間筋，胸棘間筋，腰棘間筋に区別される）．= musculi interspinales; interspinal muscles.

in·ter·spi·nal mus·cles 棘間筋．= interspinales muscles.

in·ter·spi·nal plane 腸〔骨〕棘面（左右の上前腸骨棘を通る水平面．上方の側腹部，臍部と下方の鼡径部，恥骨部の境界をなす）．

in·ter·stice, pl. **in·ter·stic·es** (in-tĕr′stis, -sti-sēz). 間隙．= interstitium.

in·ter·sti·tial (in′tĕr-stish′ăl). ***1*** 間隙〔性〕の，介在性の，割込みの（構造の中にある空間あるいは間隙についていう）．***2*** 間隙の（組織や臓器の中にある間隙をさしていう．ただし，体腔や潜在的な空間は除く．*cf.* intracavitary）．

in·ter·sti·tial cells 間〔質〕細胞（①精巣の精細管の間にあってテストステロンを分泌すると考えられる細胞．= Leydig cells. ②卵巣の閉鎖細胞の内膜由来の細胞．黄体細胞に似ておりエストロゲンの主要な供給源である．③長い突起を有する神経膠細胞に似た松果体細胞）．

in·ter·sti·tial cell-stim·u·lat·ing hor·mone (ICSH) 間質細胞刺激ホルモン．= lutropin.

in·ter·sti·tial cys·ti·tis 間質性膀胱炎（膀胱の上皮および筋にも及ぶ病因不明の慢性炎症の状態で，膀胱容量の減少をもたらす．膀胱に激しい刺激症状があるが，痛みは排尿によって和らぐ．→Hunner ulcer）．

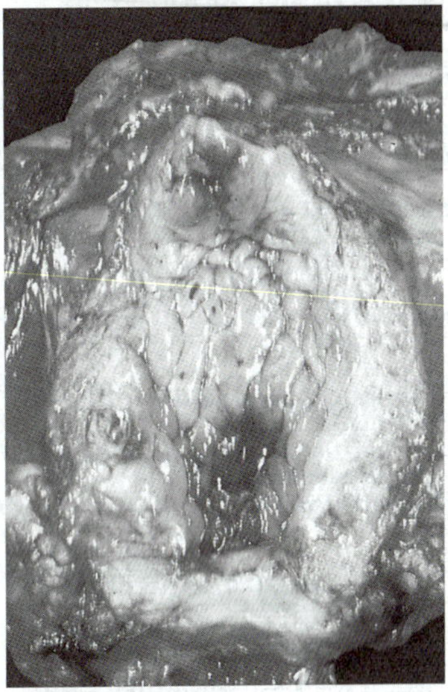

interstitial cystitis

in·ter·sti·tial dis·ease 間質性疾患（器官の結合組織構造に主に起こる疾患で，二次的に実質に影響を与える）．

in·ter·sti·tial em·phy·se·ma 間質性気腫（①肺胞破裂の結果として肺組織に空気が存在するもの．②結合組織に空気または気体が存在するもの）．

in·ter·sti·tial flu·id 間質液（組織細胞間にある液体で，体重の約16%を占める．リンパ液の成分と非常に類似している）．

in·ter·sti·tial gas·tri·tis 間質性胃炎（粘膜下組織と筋外膜に及ぶ胃の炎症）．

in·ter·sti·tial ges·ta·tion = intramural pregnancy.

in·ter·sti·tial growth 間質成長，介在性成長（ある部位の内部にある多くの異なる中心からの成長．付加成長とは対照的に，含まれる物質が硬くない場合にのみ可能）．

in·ter·sti·tial her·ni·a 〔鼡径〕間質ヘルニア（突出が腹壁のいずれかの2層の間にあるヘルニア）．

in·ter·sti·tial im·plant 壁内着床（影響を受けない組織への放射線拡大の可能性を少なくするために，放射能機械装置を直接腫瘍に導入すること）．

in·ter·sti·tial in·flam·ma·tion 間質〔性〕炎〔症〕（炎症性反応が，主として器官の支持線維

I

結合組織または間質に発生するもの).

in·ter·sti·tial ker·a·ti·tis 角膜実質炎(角膜実質の炎症. しばしば新生血管を伴う).

in·ter·sti·tial la·mel·la 介在層板(新しくできた完全な骨単位の間にみられる, 部分的に吸収された層板). = ground lamella.

in·ter·sti·tial ne·phri·tis 間質性腎炎(間質結合組織が主として侵される腎炎).

in·ter·sti·tial neu·ri·tis 間質性神経炎(神経の結合組織の炎症). = Eichhorst neuritis.

in·ter·sti·tial nu·cle·us 間質核. = Cajal nucleus.

in·ter·sti·tial plas·ma cell pneu·mo·ni·a 間質形質細胞性肺炎. = *Pneumocystis jirovecii* pneumonia.

in·ter·sti·tial pneu·mo·ni·a 間質性肺炎. = giant cell pneumonia.

in·ter·sti·tial preg·nan·cy 〔卵管〕間質妊娠. = intramural pregnancy.

in·ter·sti·tial ra·di·a·tion ther·a·py 組織内放射線治療(密封小線源を, 針状, ワイヤー状, 粒子状にして, 直接悪性組織に挿入する放射線治療法. 一時的挿入の場合と永久挿入の場合がある).

in·ter·sti·tial ther·a·py 組織内治療(照射)(照射されるべき組織内に, 直接放射性のシードあるいは針を埋め込む放射線治療).

in·ter·sti·tial tis·sue = connective tissue.

in·ter·stit·i·um (in′tĕr-stish′ē-ŭm). 間隙(器官あるいは組織の実質中にある小区域, 空間, 裂け目. →connective tissue). = interstice.

in·ter·tar·sal (in′tĕr-tahr′săl). 足根骨間の(足根骨相互の関節についていう).

in·ter·tar·sal joints 足根間関節(足根骨の間の関節). = tarsal joints.

in·ter·trans·ver·sar·i·i mus·cles 横突間筋(隣接椎骨の横突起間にある対になった筋. 頸部には前筋と後筋. 腰部には外側筋と内側筋, 胸部には単一の筋がある). = musculi intertransversarii; intertransverse muscles.

in·ter·trans·verse lig·a·ment 横突間靱帯(隣接脊椎の横突起を結ぶ靱帯).

in·ter·trans·verse mus·cles 横突間筋. = intertransversarii muscles.

in·ter·tri·go (in′tĕr-trī′gō). 間擦疹(殿部の間, 陰嚢と大腿の間などのように, 皮膚のすれ合うところまたは近位の皮膚表面に生じる刺激性皮膚炎. 摩擦, 汗の滞留, 湿気, 暖かい温度, 寄生微生物の相伴した過繁殖によって起こる).

in·ter·tro·chan·ter·ic crest 転子間稜(大腿骨の大転子から小転子まで続いている丸い隆起. 大腿骨の頸部と骨幹の連結部を示す).

in·ter·tro·chan·ter·ic frac·ture 転子間骨折(近位大腿骨骨折の1つで, 大・小転子間部での骨幹端の骨折).

in·ter·tro·chan·ter·ic line 転子間線(大腿骨の頸部と骨幹部を前方で分画する粗な線. 大転子から小転子へ走り, 粗線の内側唇へ続く). = linea intertrochanterica.

in·ter·tu·ber·cu·lar groove 結節間溝(2結節の間を通り上腕骨体を下行する溝, 上腕二頭筋長頭の腱が通り, その床に広背筋が付着している).

in·ter·tu·ber·cu·lar sheath 結節間滑液鞘.

in·ter·u·re·ter·ic fold 尿管間ひだ(一側の尿管開口部から他側の尿管開口部にのびる膀胱粘膜のひだ). = plica interureterica.

in·ter·val (in′tĕr-văl). 間隔, 中間〔期〕, 間欠期(2期間あるいは2物体間の時間あるいは空間, 1つの流れの過程の中断などをいう).

in·ter·val train·ing インターバルトレーニング, 間欠訓練(休憩時間を挟んだ非常に組織的な運動を利用することで, 〝最大限を超える〞労力を用いて, 特定のエネルギー転移系に過負荷を与える. これによって, 疲労を比較的最小限に抑えながら過剰に高い運動強度を実施することができる).

in·ter·ve·nous tu·ber·cle 静脈間隆起(大動脈開口の間にある右心房壁上の小隆起).

in·ter·ven·tion (in′tĕr-ven′shŭn). 介入(①何らかの影響を及ぼしたり, あるいは病的過程を変えることを意図する行動や援助. ②生物戦争において大規模災害を引き起こす病原体の意図的な放出を中止・変更させるための行動, 措置, 装置. = countermeasure. →absorption. ③= implementation).

in·ter·ven·tion·al (in′tĕr-ven′shŭn-ăl). 介入的な(何かの結果を防いだり変えたりする行為, 進歩に関わる).

in·ter·ven·tion ap·proach 介入アプローチ(健康促進, 技術や機能の確立, 回復, 現状の維持, 補償や適した方法の指導, より深刻な障害などの予防につながる介入過程を指導するための戦略を用いること).

in·ter·ven·tion im·ple·men·ta·tion 介入実践(状況(物理的, 精神的, 社会的, 文化的など)による関与を支えるための, 職業や活動への従事につながる人間の行動に変化を与える技術的作業).

in·ter·ven·tion re·view 介入再調査(介入計画, その効率性, 目標までの進歩状況を再評価, 再考する作業).

in·ter·ven·tric·u·lar fo·ra·men 室間孔(左右両側にある短い割れ目のような通路で, 間脳の第3脳室と大脳半球の側脳室をつなぐ. 前内側方を脳弓柱で, 後外側方を背側視床の前極と前隆起とで区切られている). = Monro foramen; porta(2).

in·ter·ven·tri·cu·lar sep·tal branch·es of left-right cor·o·nar·y ar·ter·y 右・左冠動脈の心室中隔枝(心臓の前・後室間動脈の枝で, 心室中隔に分布する).

in·ter·ven·tric·u·lar sep·tum 心室中隔(心室間の壁).

in·ter·ver·te·bral disc 椎間円板(隣接する2個の椎体間にある円板. 中心部の膠様核(髄核)とそれを取り囲む外側の結合線維部分(線維輪)からなる).

in·ter·ver·te·bral for·a·men 椎間孔(脊柱管の外側面に開く孔で, 脊髄神経および動静脈が通る. 上下を隣接する椎骨の椎弓根によって, 前方を上になっている椎体と椎間円板とによって，後方を椎間関節を形成する関節突起によって囲まれている）.

in·ter·ver·te·bral vein 椎間静脈（脊髄神経に伴行する多数の静脈で，脊髄や椎骨静脈叢からの血液を椎間孔を経て集め，頸部では椎骨静脈へ，胸部では肋間静脈へ，腰部および仙骨部において腰静脈および仙骨静脈へ注ぐ多数の静脈）.

in·ter·vil·lous la·cu·na 絨毛間裂孔（絨毛が突出している胎盤中の血液腔）.

in·ter·vil·lous spac·es 絨毛間腔（母体血を含む胎盤絨毛の間隙で，合胞体栄養細胞層によっておおわれている）.

in·tes·ti·nal (in-tes′ti-năl). 腸〔管〕の.

in·tes·ti·nal a·nas·to·mo·sis 腸吻合〔術〕. = enteroenterostomy.

in·tes·ti·nal an·gi·na 腸管アンギナ. = abdominal angina.

in·tes·ti·nal ar·ter·ies 腸動脈（→ileal arteries; jejunal arteries）.

in·tes·ti·nal a·tre·si·a 腸閉鎖（小腸管腔の閉塞. 50%は回腸に生じ，次に空腸，十二指腸と続く. 新生児における腸閉塞の最多原因である. 病因は，初期の発達段階における再疎通の不全，または子宮内生活中の血液供給障害に関連していると思われる）.

in·tes·ti·nal col·ic 腸疝痛（腸痙攣による間欠的な腹部の痛み）.

in·tes·ti·nal di·ges·tion 腸内消化（腸内で行われる消化の一部. デンプン，脂肪，蛋白などあらゆる食物に作用を及ぼす）.

in·tes·ti·nal dys·pep·si·a 腸消化不良（胃ではなく腸が原因の消化不良）.

in·tes·ti·nal em·phy·se·ma 腸気腫. = pneumatosis cystoides intestinalis.

in·tes·ti·nal fis·tu·la 腸フィステル（瘻）（小腸から外部へ通じる管）. = fecal fistula.

in·tes·ti·nal flo·ra 腸内細菌叢（腸内に存在し，消化と排出を助力するバクテリアの集合体）.

in·tes·ti·nal flu 腸管流感（急性ウイルス性胃腸炎の口語表現）.

in·tes·ti·nal fluke 腸管内吸虫（人の小腸内に寄生する様々な吸虫をいう. 重度の感染によって潰瘍，吸収不良，閉塞症を引き起こすことがある）.

in·tes·ti·nal fol·li·cles = intestinal glands.

in·tes·ti·nal gas 腸内ガス（病原菌や食物によって生じる. *cf.* flatus）.

in·tes·ti·nal glands 腸腺（大腸と小腸の粘膜にある管状腺）. = intestinal follicles; Lieberkühn glands.

in·tes·ti·nal vil·li 腸絨毛（腸粘膜突起（長さ0.5—1.5 mm）. 十二指腸内では葉の形をしているが，回腸内ではもっと短く指状で，まばらになる）.

in·tes·tine (in-tes′tin). = intestinum; bowel; gut (1). ***1***〘n.〙腸〔管〕（消化管のうちで胃と肛門との間にある部分. 大きく小腸と大腸に分かれる）. ***2***〘adj.〙内部の，内の.

in·tes·ti·num, pl. in·tes·ti·na (in-tes-tī′num, -nă). = bowel; intestine.

in-the-ca·nal hear·ing aid 挿耳型補聴器（外耳道内に置かれるのが外からまだ見える補聴器）.

in-the-ear hear·ing aid 耳穴式補聴器（耳殻に収まる補聴器）.

in·ti·ma (in′ti-mă). 最も内部の（→tunica intima）.

in·ti·mal (in′ti-măl). 内膜の（内膜あるいは血管内膜についていう）.

in·ti·mate part·ner vi·o·lence →domestic

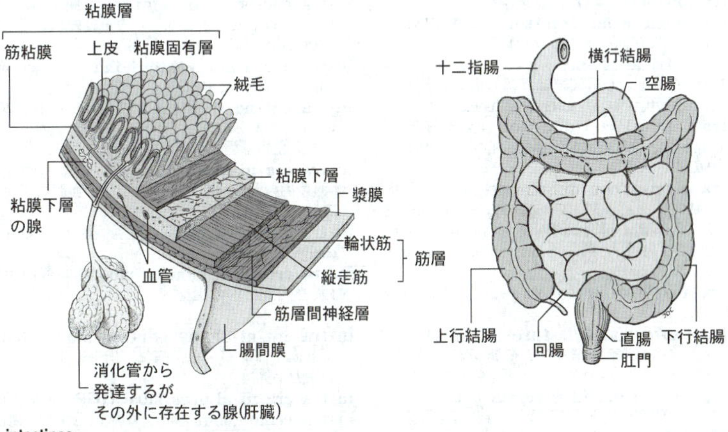
粘膜層
筋粘膜
上皮
粘膜固有層
絨毛
粘膜下層
漿膜
粘膜下層
の腺
輪状筋
筋層
縦走筋
血管
筋層間神経層
腸間膜
消化管から
発達するが
その外に存在する腺(肝臓)
十二指腸
横行結腸
空腸
上行結腸
回腸
直腸
下行結腸
肛門

intestines
左：横隔膜下の消化管の4つの主な層(粘膜，粘膜下層，筋層，漿膜)の図. 右：腹部腸管の前面図.

violence.

in·ti·mi·tis (in′ti-mī′tis). 脈管内膜炎（血管内膜炎におけるような脈管の炎症）.

in·toe (in′tō). 足指内反（足軸が内側に曲がっている足）. = metatarsus varus.

in·tol·er·ance (in-tol′ĕr-ăns). 不耐〔性〕（ある一定の物質の異常な代謝，排出，その他の素因についていう．栄養物質の利用障害や処理不全状態を表すのにしばしば用いる語）.

in·to·na·tion (in′tō-nā′shŭn). イントネーション（強さ，周波数，強調および付加的意味を呈する音節の変調によって生じる音声の質）.

in·tor·sion (in-tōr′shŭn). 内方捻転（各々の角膜の上方が共同性に内回りする運動）.

in·tor·tor (in-tōr′tŏr). 内回旋筋（体部を内側に回旋する筋肉. →invertor）.

in·tox·i·cant (in-tok′si-kănt). ***1***〚adj.〛酔わせる. ***2***〚n.〛酔わせる物質（アルコールのような酒類）. = toxicant.

in·tox·i·ca·tion (in-tok′si-kā′shŭn). ***1*** 中毒. = poisoning. ***2*** 酔い，酔わせること.

intra- 内部のを意味する接頭語. extra- の対語. → endo-; ento-.

in·tra·ab·dom·i·nal pres·sure 腹内圧（腹腔に生じる痛みや不快感）.

in·tra·al·ve·o·lar in·jec·tion 歯槽内注射（歯科で用いられる麻酔薬の投与方法で，麻酔する歯の周囲の軟組織へ注射する）.

in·tra·a·or·tic bal·loon 大動脈内バルーン. →intraaortic balloon pump.

in·tra·a·or·tic bal·loon pump 大動脈内バルーンポンプ（外部からの駆動により間欠的に膨張するバルーンで，下行大動脈に留置する．いわゆるカウンターパルセイションの原理で，拡張期にバルーンを充満させ活性化して拡張期血圧と臓器灌流を増加させ，収縮期にバルーンを虚脱させて心臓の後負荷を軽減するもの）.

in·tra·ar·ter·i·al (IA) 動脈内の.

in·tra·ar·tic·u·lar frac·ture 関節内骨折（骨折線が関節面に達する骨折）.

in·tra·a·tri·al block 心房内ブロック（心房内の伝導障害．心電図では，幅の広い結節性のP波として現れる）. = interatrial block.

in·tra·a·tri·al con·duc·tion 心房内伝導（心房心筋を通る刺激の伝導で，心電図上P波によって表される）.

in·tra·a·tri·al con·duc·tion time ***1*** 心房内伝導時間（一心周期内の心房の電気的活動の全持続時間）. ***2*** 心房間伝導時間（右心房と左心房の活動の時間間隔）. = interatrial conduction time.

in·tra·au·ric·u·lar (in′tră-awr-ik′yū-lăr). 耳介内の.

in·tra·cap·su·lar frac·ture 関節包(関節嚢)内骨折（関節近傍の骨折で，骨折線が関節包の付着部内にあるもの）.

in·tra·cap·su·lar lig·a·ments 関節〔包〕内靱帯（滑膜関節包内およびこれと離れて位置する靱帯）. = ligamenta intracapsularia.

in·tra·car·di·ac cath·e·ter 心〔臓〕カテーテル（動脈または静脈を経て心臓に通すことのできるカテーテル．このカテーテルにより，血液標本を取り出し，心室または大血管内の圧力を測定し，造影剤を注入することができる．主に，先天性，リウマチ性，および冠状動脈などの病変の診断と心機能の評価や心臓の収縮・拡張能の評価に用いる）. = cardiac catheter.

in·tra·car·di·al in·jec·tion 心臓内注射（心臓へ管や針を通して直接薬剤を投入すること）.

in·tra·cath·e·ter (in′tră-kath′ĕ-tĕr). 〔血管〕内カテーテル（注入，注射，あるいは圧測定のために血管内に挿入される，通常，穿刺針に付けられたプラスチック管）.

in·tra·cav·i·tar·y (in′tră-kav′i-tar-ē). 腔内性の（臓器腔または体腔内の）.

in·tra·cav·i·tar·y ra·di·a·tion ther·a·py 腔内放射線治療（密封小線源を悪性腫瘍近傍の腔内に配置する放射線治療法）.

in·tra·cel·lu·lar (in′tră-sel′yū-lăr). 細胞内の.

in·tra·cel·lu·lar can·a·lic·u·lus 細胞内〔分泌〕細管（細胞膜が細胞質内部へ陥入してつくられる細管．例えば胃の壁細胞にみられるもの）.

in·tra·cel·lu·lar flu·id (ICF) 細胞内液（組織細胞内の液．体重の約30—40%を占める）. = intracellular water.

in·tra·cel·lu·lar tox·in 細胞内毒素，細菌内毒素. = endotoxin.

in·tra·cel·lu·lar wa·ter = intracellular fluid.

in·tra·ce·re·bral (in′tră-ser′ă-brăl). 大脳内の.

in·tra·ce·re·bral he·ma·to·ma 脳内血腫（通常鈍的外傷によって脳質内にできる血液の集積）.

in·tra·cer·vi·cal (in′tră-sĕr′vi-kăl). 頸〔管〕内の. = endocervical(1).

in·tra·chon·dral os·si·fi·ca·tion = endochondral ossification.

in·tra·cor·ne·al im·plants 角膜内挿入体（眼の屈折を変化させるための角膜内ポケットへの挿入物）.

in·tra·cor·o·nar·y stent·ing = percutaneous coronary intervention.

in·tra·cor·po·re·al (in′tră-kōr-pōr′ē-ăl). 体内の（①身体内についていう．②解剖学的に体の形をした構造内についていう）.

in·tra·cra·ni·al an·eur·ysm 頭蓋内動脈瘤（頭蓋内の動脈瘤をさし，いかなる血管にも生じる）.

in·tra·cra·ni·al cav·i·ty 頭蓋腔. = cranial cavity.

in·tra·cra·ni·al hem·or·rhage 頭蓋内出血（頭蓋円蓋部内の出血で，しばしば血腫をつくる）.

in·tra·cra·ni·al hy·per·ten·sion (ICH) 頭蓋内圧高進（腫瘍，病気，損傷による頭蓋内の圧力上昇）.

in·tra·cra·ni·al pres·sure (ICP) 頭蓋内圧.

in·tra·crine (in′tră-krin). 細胞内分泌の（細胞内で作用する因子を細胞が産生することによって細胞自身を刺激する働きをさす）.

in·trac·ta·ble (in-trak′tă-bĕl). 難治〔性〕の

(①= refractory(1). ②= obstinate(1)).

in·tra·cu·ta·ne·ous re·ac·tion, in·tra·der·mal re·ac·tion 皮内反応（ツベルクリン試験の場合にみられるような，感受性の強い被検者の皮膚への抗原注射に伴う反応）.

in·tra·cy·to·plas·mic sperm in·jec·tion 細胞質内精子注入法（体外受精で精子細胞1個を卵細胞内に注入すること）.

in·trad (in′trad). 内方へ（内側の部分に向かって）.

in·tra·der·mal in·jec·tion 皮内注射(注入)，皮内注（真皮，すなわち皮膚本体に打つ注射）.

in·tra·der·mal ne·vus 真皮内母斑（メラノサイト胞巣が真皮内にみられるが，表皮-皮膚境界部にはみられない母斑．成人の良性の色素性母斑は最も一般的には真皮内母斑である）.

in·tra·der·mal test 皮内反応. = skin test.

in·tra·em·bry·on·ic (in′trǎ-em′brē-on′ik). 胎芽内の，胎児内の（胎芽内に存在する部分についていう．例えば胎芽(胎児)内に存在する臍静脈．*cf.* extraembryonic）.

in·tra·em·bry·on·ic ce·lom 胚内体腔（壁側中胚葉と臓側中胚葉の間の体腔部位で，胚内体腔から由来する）. = celom(2); celoma.

in·tra·fi·lar (in′trǎ-fī′lǎr). 網内の.

in·tra·fu·sal (in′trǎ-fyū′zǎl). 錘内線維の（筋紡錘内の筋線維について用いる）.

in·tra·fu·sal fi·bers 錘内〔筋〕線維（筋紡錘内にある筋線維）.

in·tra·he·pat·ic cho·le·sta·sis of preg·nan·cy 妊娠性肝内胆汁うっ滞（炎症細胞や間葉系細胞の増殖を伴わない小葉中心部に胆汁が染まる肝内胆汁うっ滞．臨床的にはそう痒，黄疸がみられる．原因は不明であるがエストロゲン濃度の上昇を伴う）. = cholestasis of pregnancy; recurrent jaundice of pregnancy.

in·tra·lig·a·men·ta·ry preg·nan·cy 子宮広間膜〔内〕妊娠（広靱帯内の妊娠）.

in·tra·lin·gual in·jec·tion 言語内注射（注射器，針で舌に薬剤を注入すること）.

in·tra·lob·u·lar duct 小葉内管（腺小葉の内部に位置する管）.

in·tra·med·ul·lar·y trans·fu·sion 骨髄輸液（新生児に最も一般的で，たいてい大腿骨，脛骨などの長管骨の髄腔内に行われる）.

in·tra·mu·ral he·ma·to·ma 壁内血腫（腸または膀胱のような組織の壁内の血腫．通常，外傷により生じる）.

in·tra·mu·ral preg·nan·cy 壁内妊娠，間質部妊娠（卵管の間質部における受精卵の発育）. = interstitial gestation; interstitial pregnancy.

in·tra·mus·cu·lar (IM) 筋〔肉〕内の.

in·tra·mus·cu·lar in·jec·tion (IMI) 筋肉注射（深部筋肉への液体注射．筋肉注射する場所は臀部，外側広筋，三角筋などである．吸収は皮下より速く，3 mL まで注入が可能である）.

in·tra·na·sal an·es·the·si·a 鼻内麻酔〔法〕（①吸入麻酔薬を，鼻または鼻咽頭を通過する吸気に添加する吹送麻酔．②鼻粘膜への局所麻酔薬溶液の浸潤および表面塗布による鼻腔の麻酔）.

in·tra·ob·serv·er er·ror 観測者内誤差（1人が，同じ現象を時を異にして観測した場合に生じる解釈上の誤差）.

in·tra·oc·u·lar (in′trǎ-ok′yū-lǎr). 眼内の.

in·tra·oc·u·lar lens (IOL) 眼内レンズ（疾患(白内障)または屈折異常により機能障害となった水晶体と置換するために眼科領域で用いられる人工埋植物）.

in·tra·oc·u·lar pres·sure (IOP) 眼内圧（圧力計で計った眼内液の圧）.

in·tra·op·er·a·tive (in′trǎ-op′ěr-ǎ-tiv). 術中の（手術の間に起こる）.

in·tra·op·er·a·tive hy·per·ther·mi·a 術中温熱療法（治癒を促すために体部位や術部の温度を意図的に上昇させること）.

in·tra·op·er·a·tive ra·di·a·tion ther·a·py (IORT) 術中照射治療（外科露出した後に腫瘍，腫瘍床に施す放射線治療）.

in·tra·o·ral (in′trǎ-ōr′ǎl). 口内の.

in·tra·o·ral an·es·the·si·a 口腔〔内〕麻酔〔法〕（①吸入麻酔薬を口腔を通過する吸気に添加する吹送麻酔．②局所麻酔薬の，口腔粘膜への表面塗布，局所浸潤，または神経ブロックより得られる口およびその周辺の局所麻酔）.

in·tra·o·ral cam·er·a 口内カメラ（歯科医師と患者が即時に口腔をみるためにデジタル画像で映し出すカメラ．通常見にくい場所をみるのに用いられる）.

in·tra·os·se·ous (in′trǎ-os′ē-ŭs). 骨内の.

in·tra·os·se·ous an·es·the·si·a 骨内麻酔〔法〕.

in·tra·os·se·ous in·jec·tion 骨内注射（歯の周りの歯根間の骨内に麻酔薬を注射すること．通常，歯科用バーを用いて骨皮質を穿孔し，続いて海綿骨内に麻酔液を注入する）.

in·tra·pa·ri·e·tal sul·cus 頭頂間溝（中心後溝からある間隔をおいて後方へのび，さらに垂直に2枝に分かれて中心後溝とともにH字形をつくる水平な溝．頭頂葉を上頭頂小葉と下頭頂小葉とに分けている）.

in·tra·pa·rot·id plex·us of fa·cial nerve 顔面神経の耳下腺内神経叢（耳下腺の実質を通り，多くのわな状吻合により結合している顔面神経の放散した枝）. = pes anserinus(1).

in·tra·par·tum (in′trǎ-pahr′tŭm). 分娩時の（*cf.* antepartum; postpartum）.

in·tra·par·tum hem·or·rhage 分娩時出血（正常な分娩過程で起こる出血）.

in·tra·per·i·to·ne·al (in′trǎ-per-i-tō-nē′ǎl). 腹腔内の.

in·tra·per·i·to·ne·al in·jec·tion 腹腔内注射（腹腔内への薬剤の注入）.

in·tra·psy·chic (in′trǎ-sī′kik). 心内の，精神内の（他人や外部の出来事とは関係なく個人の精神内部に生じる心理的力動についていう）.

in·tra·seg·men·tal bron·chi 区内気管支（肺区域にはいる区気管支の枝管）. = bronchi intrasegmentales.

in·tra·the·cal (IT) ***1*** 鞘内の．***2*** クモ膜下腔または硬膜下腔内の.

in·tra·tho·ra·cic air·way ob·struc·tion

I

胸腔内気道閉塞（気道閉塞部位が胸腔入口より下方の気道狭窄の型．可動性(すなわち呼気流は減少するが吸気流は減少しない)あるいは固定性(呼気と吸気両相で流量減少)がある）．

in·tra·tra·che·al (in′trā-trā′kē-āl). 気管内の（気管を通じて薬剤を投入する方法）．

in·tra·u·ter·ine am·pu·ta·tion 子宮内切断．= congenital amputation.

in·tra·u·ter·ine de·vice (IUD), in·tra·u·ter·ine con·tra·cep·tive de·vice (IUCD) 子宮内〔避妊〕器具（避妊目的で子宮内に挿入されるプラスチックまたは金属の器具．コイル状，ループ状，T 型弧状のような様々な形態のものがある）．

in·tra·u·ter·ine frac·ture 子宮内骨折（出生前に起こる胎児の 1 本以上の骨の骨折）．

in·tra·u·ter·ine growth re·tar·da·tion (IUGR) 胎内発育遅延．

in·tra·u·ter·ine in·sem·i·na·tion (IUI) 子宮内受精法（頸管通過を短絡に直接洗浄精子を子宮内に注入すること）．

in·tra·vas·cu·lar flu·id 血管内液（心臓血管系とリンパ管に存在する体液）．

in·tra·vas·cu·lar lig·a·ture 血管内結紮〔術〕（脳動静脈奇形の栄養血管をバルーンを用いて血管内から閉塞すること）．

in·tra·ve·nous (IV) 静脈〔内〕の．

in·tra·ve·nous al·i·men·ta·tion = parenteral nutrition.

in·tra·ve·nous an·es·the·si·a 静脈〔内〕麻酔〔法〕（中枢神経系抑制薬を循環血液中に注入して行う全身麻酔）．

in·tra·ve·nous bo·lus 静脈内ボーラス（反応を早めたり拡大するために静脈内に比較的大量の液体，薬物，または検査物質を急速に投与すること．放射線医学においては，血管造影における像の濃度を上げるために，大量の造影剤を急速に注入すること）．

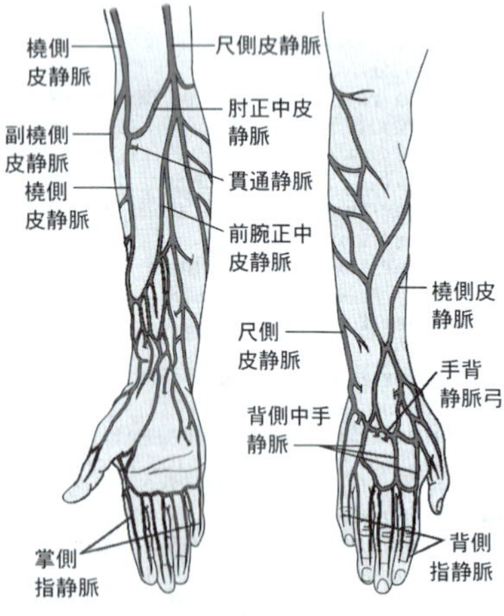
橈側皮静脈
尺側皮静脈
肘正中皮静脈
副橈側皮静脈
橈側皮静脈
貫通静脈
前腕正中皮静脈
橈側皮静脈
尺側皮静脈
手背静脈弓
背側中手静脈
掌側指静脈
背側指静脈
intravenous cannulation site

in·tra·ve·nous cath·e·ter 静脈内カテーテル（薬物療法薬を投入するために静脈に導入するカテーテル）．

in·tra·ve·nous chol·an·gi·og·ra·phy 経静脈性胆管造影(撮影)〔法〕（経静脈性造影剤の経肝的排泄による胆道造影）．

in·tra·ve·nous drip 点滴静注，静脈内滴注〔法〕（溶液を 1 滴ずつ，徐々に，連続的に静脈内に注入すること）．

in·tra·ven·ous drug user (IVDU) = injection drug user.

in·tra·ve·nous in·jec·tion (IVI) 静脈注射（静脈への液体注射．大量の液体の投与と速い薬物の吸収を可能にする）．

in·tra·ve·nous push (IVP) 静注（静脈への薬剤投与を迅速に行う手法）．

in·tra·ve·nous py·el·o·gram/py·el·og·ra·phy (IVP) →intravenous urography.

in·tra·ve·nous re·gion·al an·es·the·si·a 経静脈内局所麻酔〔法〕（圧力または重力よりあらかじめ放血し，閉塞性駆血帯で止血した四肢末梢に局所麻酔薬を静注する局所麻酔）．= Bier method (1).

in·tra·ve·nous ur·og·ra·phy, ex·cre·to·ry ur·og·ra·phy 経静脈的尿路造影(撮影)〔法〕，排泄性尿路造影(撮影)〔法〕（腎，尿管，および膀胱の X 線撮影で，造影剤を静脈に注入して行う）．

in·tra·ven·tric·u·lar block, IV block 心室内ブロック（心室内伝導系または心筋内の伝導の遅延．脚ブロックや梗塞周囲ブロック，束ブロック，非特異的な心室内ブロックおよび Wolff-Parkinson-White (予定前期興奮) 症候群を含む）．

in·tra·ven·tric·u·lar con·duc·tion 心室内伝導（心臓の刺激が心室筋を伝導することで，心電図上 QRS 群によって表される）．= ventricular conduction.

in·tra·ven·tric·u·lar hem·or·rhage (IVH) 脳室内出血（脳室系への溢血）．

in·tra·vi·tal stain 生体染色〔法〕（非経口投与，例えば，静脈内投与または皮下投与で生体細胞に染色液を摂取させる染色）．

in·tra vi·tam 生存中に．

in·tra·vox·el de·phas·ing ボクセル内ディフェージング（ボクセル内の流動核と不動核の間の位相差）．

in·trin·sic (in-trin′zik). = essential (6). ***1*** 内因性の，内在性の（ある部分にすべて帰着する）．***2*** 固有の（解剖学において，起始部と付着部が同じ構造にある筋肉についていう．他の構造から起始している外来筋と区別していう．主として体肢の筋について用いられるが，毛様体筋を眼球外面にある直筋その他の外眼筋と区別するときにも適用される）．

in·trin·sic asth·ma 内因性ぜん息（外因性の原因が証明されず，内因性過程によるものと思われる気管支ぜん息）．

in·trin·sic co·ag·u·la·tion path·way 内因系凝固経路（凝固蛋白が負に帯電した表面に接触することによって活性化される凝固経路の一部．全成分は血流中にあり，第 XII，第 XI，第 IX，第 VII 因子，HMWK，およびプレカリクレインを含んでいる．活性部分トロンボプラスチン時間テストで，この経路の異常をテストする）．

in·trin·sic dys·men·or·rhe·a 内因性月経困難〔症〕．= primary dysmenorrhea.

in·trin·sic fac·tor (IF) 内〔性〕因子（胃液腺頸細胞によって分泌される比較的小さなムコ蛋白(分子量約 50,000)で，ビタミン B_{12} の吸収に必須である．悪性貧血患者では，この因子が欠損している）．

in·trin·sic PEEP 自己陽圧呼気終末圧．= auto-positive-end-expiratory-pressure.

in·trin·sic re·flex 内在反射（外部からの刺激により誘発される筋収縮に対して，筋を伸張するというような(内部)刺激を筋肉に与えることにより生じる反射性筋収縮．腹部の皮膚反射などにおけるものなど）．

in·trin·sic sphinc·ter 固有括約筋（臓器の筋層の輪走筋線維の肥厚）．

in·trin·sic sphinc·ter de·fi·cien·cy (ISD) 内因性括約筋不全（緊張性尿失禁の 3 番目の位．便座でいきんだときに腹圧が上昇して尿道壁が縮む障害）．

intro- 内部あるいは中へを意味する接頭語．extra- の対語．*cf.* intra- .

in·tro·duc·er (in′trō-dūs′ĕr)．誘導針，導入器（カテーテル，針，または気管内チューブなどの可撓性の器具を挿入するための器械）．

in·tro·duc·to·ry mas·sage 初歩的マッサージ（マッサージ治療において，痛みが発生する場所に直に触れない場合，その周辺をなでること）．

in·tro·flec·tion, in·tro·flex·ion (in′trō-flek′shŭn, in′trō-flek′shŭn)．内屈（内方へ曲がること）．

in·tro·i·tus (in-trō′i-tŭs)．入口，口（管あるいは腟などの中空臓器の入口）．

in·tro·ject (in′trō-jekt′)．取り入れ（力動的に賦与された持続的な対象の内的な表象）．

in·tro·jec·tion (in′trō-jek′shŭn)．摂取，取込み，取入れ（外部の出来事を取り入れ，人格によりそれを同化して自己の一部とすることを意味する心理的防衛機制）．

in·tro·mis·sion (in′trō-mish′ŭn)．挿入，送入（ある部分を他の部分へ挿入または導入すること）．

in·tro·mit·tent (in′trō-mit′ĕnt)．挿入の，送入の（身体あるいは腟の中に送り込むことについていう）．

in·tron (in′tron)．イントロン（2 つのエキソン間に位置する DNA 配列で，RNA に転写されるが，成熟 mRNA 中には存在しない．イントロンはスプライシングにより取り除かれ，蛋白合成時には(蛋白として)発現しないからである）．

in·tro·spec·tion (in′trō-spek′shŭn)．内省（内面をみつめること，自己を吟味すること，自分自身の精神過程を熟考すること）．

in·tro·spec·tive (in′trō-spek′tiv)．内省〔的〕の．

in·tro·sus·cep·tion (in′trō-sŭs-sep′shŭn)．= intussusception.

in·tro·ver·sion (in′trō-vĕr′zhŭn)．*1* 内翻（構造がそれ自身の中へ陥入すること．→intussusception; invagination）．*2* 内向〔性〕（自分自身のことに没頭する傾向で，内向的な人にみられる．*cf.* extraversion）．

in·tro·vert *1* (in′trō-vert)．〘n.〙内向型（他人事には関心を示したり，関わることを避け，異常なほど内気で内省的，自己没入型の人をいう．*cf.* extrovert）．*2* (in-trō-vert′)．〘v.〙内翻する（構造がそれ自身の中へ陥入する）．

in·tu·bate (in′tū-bāt)．挿管する．

in·tu·ba·tion (in′tū-bā′shŭn)．挿管〔法〕（チューブを管，中空臓器，あるいは腔に挿入すること．特に麻酔または肺換気のため，口気管チューブあるいは経鼻気管チューブを挿入すること）．

in·tu·i·tive stage 直観期（心理学用語で，通常は 4―7 歳ぐらいまでに相当する発達段階である．この時期には，小児の思考過程が論理的思考によって決定付けられるというよりもむしろ，最も強く受けた刺激の局面で決定される）．

in·tu·mesce (in′tū-mes′)．膨張する，膨大する．

in·tu·mes·cence (in′tū-mes′ĕns)．膨大，膨張（①= enlargement．②腫脹または膨大の過程．脊髄膨大を記述するのに用いられる）．

in·tu·mes·cent (in′tū-mes′ĕnt)．膨大〔性〕の，膨張〔性〕の．

in·tu·mes·cen·ti·a (in′tū-mes-sen′shē-ă)．膨大．= enlargement.

in·tus·sus·cep·tion (in′tŭ-sŭ-sep′shŭn)．重積〔症〕（①ある部分が別の部分に陥入または嵌頓すること．特に腸の一分節が別の分節に陥入すること．→introversion; invagination．②特に，細胞壁の成長において新しい物質を取り込む過程をしばしば示す）．= introsusception.

in·tus·sus·cep·tive (in′tŭ-sŭ-sep′tiv)．重積〔症〕の，腸重積〔症〕の．

in·tus·sus·cep·tum (in′tŭ-sŭ-sep′tŭm)．内管，陥入部（腸重積の内筒．他部分に陥入する腸の部分）．

in·tus·sus·cip·i·ens (in′tŭ-sŭ-sip′ē-ĕnz)．外鞘，外筒（腸重積で他の部分を受け入れる腸の部分）．

in·u·lin (In) (in′yū-lin)．イヌリン（*Inula* 属およびその他の植物の根茎から得られる，多糖類で果糖．糸球体濾過率を決定するため静脈注射に用いる *cf.* inulin clearance）．

in·u·lin clear·ance イヌリンクリアランス（糸球体濾過率の正確な尺度．イヌリンは(糸球体から)完全に濾過され尿細管より排泄，再吸収されないという理由による．イヌリンは血漿の正常成分ではないので，測定中血漿中の濃度と尿中排泄率を一定に保つため持続的に点滴静注しなければならない）．

in·unc·tion (in-ŭngk′shŭn)．塗擦，塗膏（薬物を軟膏の形で皮膚にすり込んで，その有効成分を吸収させること）．

I

in u·ter·o 胎内（子宮内．分娩前の状態）．

in·vag·i·nate (in-vaj′i-nāt)．陥入する，重積する（1つの構造がそれ自身または他の構造の中へ陥入，包囲，挿入する）．

in·vag·i·na·tion (in-vaj′i-nā′shŭn)．*1* 陥入（構造がそれ自身または他の構造の内部へ陥入，包囲，挿入すること）．*2* 重積〔症〕（陥入されている状態．→introversion; intussusception）．

in·va·lid (in′vă-lid)．*1*〖adj.〗病弱の，廃疾の．*2*〖n.〗病弱者，廃疾者，傷病兵（部分的に，もしくは完全に無力な人）．

in·va·sion (in-vā′zhŭn)．*1* 侵入，侵襲（病気の初発あるいは侵入）．*2* 浸潤（隣接組織を浸潤あるいは破壊して，悪性新生物が局部的に広がること．上皮性腫瘍の場合は，上皮基底膜下に浸潤すること）．*3* 浸潤(異質の細胞が組織内にはいり込むこと．炎症の際の多形核白血球など)．

in·va·sion of pri·va·cy プライバシーの侵害（治療や症状に関する書類を不法使用すること）．

in·va·sive (in-vā′siv)．侵襲性の（①侵襲により特徴付けられるような．②診断または治療のために機器または器具を皮膚あるいは身体開口部を通じ，挿入することを要するような方法についていう）．

in·va·sive car·ci·no·ma 浸潤癌（上皮細胞の集合体が，周囲の組織を浸潤あるいは破壊するような新生物）．

in·va·sive mole 破壊性奇胎．= chorioadenoma destruens.

in·va·sive pro·ce·dure 侵襲的治療（装置や道具，人の手で人体に穴を開ける外科行為や調査行為）．

in·ven·to·ry (in′vĕn-tōr-ē)．項目表，目録（詳しい項目リスト）．

in·verse ra·ti·o ven·ti·la·tion (IRV) 吸気・呼気時間比逆転換気（機械的人工換気方法）．

in·verse square law 逆自乗(逆2乗)の法則（点線源に関して，放射の強さは放射源からの距離の2乗に反比例して減弱する）．

in·ver·sion (in-vĕr′zhŭn)．*1* 逆位，内反〔症〕，転位，逆生，倒置，反転（内方，逆方向など既存の向きと反対の方向に向きを変えること）．*2* 転化（二糖類，多糖類が加水分解で単糖類に変わること．特にショ糖をD-グルコースとD-フルクトースに加水分解すること．旋光性の変化のためこうよばれる）．*3* 逆位（あるフラグメントを除去し，その配列を逆にしてから，元の位置に戻すことによって生じるDNA分子の変化）．*4* 転化（シリカの熱誘導変化．鱗石英あるいはクリストバル石が熱膨張により物理的性質を変えること）．

in·ver·sion of the u·ter·us 子宮内反〔症〕（通常，分娩後に起こる）．

in·ver·te·brate (in-vĕr′tĕ-brăt)．*1*〖adj.〗無脊椎の．*2*〖n.〗無脊椎動物（脊椎のないすべての動物）．

in·ver·tor (in-vĕr′tŏr)．内回旋筋（足などで一部を内方に向ける筋．→inversion）．

in·vert sug·ar 転化糖（D-グルコースとD-フルクトースの等量混合物で，ショ糖の加水分解(転化)により生じる）．

in·ves·ti·ga·tion·al new drug (IND) 研究新薬，治験薬（人体実験中で，まだFDAに認可されていない薬物療法薬）．

in·vet·er·ate (in-vet′ĕr-ăt)．難治性の（経過が長く固定していること．病気や固定した習慣についていう）．

in·vis·ca·tion (in′vis-kā′shŭn)．*1* 粘着性物質を塗り付けること．*2* 混唾（そしゃく時に食物が唾液と混ざること）．

in vi·tro〔試験〕管内で（試験管や培養器内のような人工環境内で生じる過程または反応についていう．*cf. in vivo*）．

in vi·tro fer·ti·li·za·tion (IVF) 体外(胎外)受精（採卵された卵(通常，複数)を培養液中で精子を加え受精させる過程．したがって胚となった受精卵を子宮内に移植し，分娩を期待する）．

in vi·vo 生体内で（生体内で起こる過程または反応についていう．*cf. in vitro*）．

in vi·vo fer·til·i·za·tion (IVF) 体内(胎内)受精（人工培養液の代わりにドナー(供給者)の卵管遠位端で受精させ，その後不妊患者へ移植する受精法）．

in·vo·lu·crum, pl. **in·vo·lu·cra** (in′vō-lū′krŭm, -lū′kră)．*1* 被膜，包被（例えば，さや，嚢など）．*2* 骨柩（腐骨の周囲にできる新しい骨のさや）．

in·vol·un·tar·y (in-vol′ŭn-tār-ē)．*1* 不随意の（意志と無関係の，または意志的でないことについていう）．*2* 不本意の（意志に反したことについていう）．

in·vol·un·tar·y mus·cles 不随意筋（意志に支配されない筋．心筋以外は横紋のない平滑筋で，自律神経系に支配される）．

in·vol·un·tar·y pa·tient 非同意患者（精神医学において，同意なしに施設に収容された患者）．

in·vo·lu·tion (in′vō-lū′shŭn)．= catagenesis. *1* 退縮，復古（拡張した器官が正常の大きさに戻ること）．*2* 内巻き（ある部分の端を内方へ翻転すること）．*3* 退行（精神医学において，高齢に伴う精神的退化）．

in·vo·lu·tion·al (in′vō-lū′shŭn-ăl)．退縮の，復古の，内巻きの，退行の．

in·vo·lu·tion·al de·pres·sion 退行期うつ病（退行期(女性では40—55歳，男性では50—65歳)に初発するうつ病または精神病）．

in·vo·lu·tion·al mel·an·cho·li·a 退行期メランコリー，退行期うつ病（通常，更年期に起こる中年のうつ状態）．

in·vo·lu·tion·al pto·sis = aponeurotic ptosis.

in·volved field 浸潤野（放射線治療における，腫瘍そのものの領域）．

i·o·dide (ī′ō-dīd)．ヨウ化物（ヨウ素の負に荷電したもの．I^-）．

i·o·dide ac·ne ヨード痤瘡（顔面，体幹，四肢に生じる毛包性の発疹で，ヨード過敏症の人がヨウ化物を注射または服用した場合にみられる．→iododerma）．

i·o·di·nate (ī-ō′di-nāt)．ヨウ素化する（ヨウ素で処理する，あるいはヨウ素を結合させる）．

i·o·di·nat·ed ^{131}I hu·man se·rum al·bu·min ヨウ素(^{131}I)標識ヒト血清アルブミン（1 mL につき放射性ヨウ素標識正常ヒト血清アルブミンを 10 mg 以上含み，1 mL につき 1 mCi 以上の放射活性のないように調製された殺菌緩衝化等張溶液．血液量と心拍出量の測定に用いる診断補助薬）．

i·o·di·nat·ed ^{125}I se·rum al·bu·min ヨウ素(^{125}I)標識血清アルブミン（1 mL につき放射性ヨウ素標識正常ヒト血清アルブミンを 10 mg 以上含み，1 mL につき 1 mCi 以上の放射活性のないように調製された殺菌緩衝化等張溶液．血液量と心拍出量の測定に用いる診断補助薬）．

i·o·dine (I) (īʹō-dīn, īʹŏ-dēn)．ヨウ素（非金属元素．原子番号 53，原子量 126.90447．ヨウ素化合物の製造に，または触媒，試薬，トレーサ，X 線撮影の造影剤の成分，局所防腐薬，アルカロイド中毒の解毒薬およびある種の染色液，溶液に用いる）．

i·o·dine de·fi·cien·cy dis·or·der ヨード欠乏症（成長過程に欠かせないヨードが不足すること）．

i·o·dine-fast (īʹō-dīn-fast)．耐ヨードの，耐ヨウ素の（ヨード療法では効果がなく，逆にこの療法では症状が進む場合の多い甲状腺機能亢進についていう）．

i·o·dine stain ヨード染色〔法〕（アミロイド，セルロース，キチン，デンプン，カロチン，グリコゲンの検出や，グリコゲンを豊富に含むアメーバを染めるための染色．糞便や湿った標本は Lugol ヨード溶液で直接染色する．スミアは Schaudinn 固定液で処理した後，ヨードアルコールで染め，続いて Heidenhain 鉄ヘマトキシリンで染色する）．

i·o·din·o·phil, i·o·din·o·phile (īʹō-dinʹō-fil, -fīl)．***1***〖adj.〗ヨウ素親和性の（ヨウ素によって速やかに染色されることについていう）．= iodinophilous. ***2***〖n.〗ヨウ素親和体（ヨウ素によって速やかに染色される組織体の総称）．

i·o·din·oph·i·lous (īʹō-din-ofʹi-lŭs)．= iodinophil(1)．

i·o·dism (īʹō-dizm)．ヨード中毒，ヨウ素中毒（激しい鼻感冒，痤瘡状発疹，衰弱，唾液分泌，臭い息などの症状が特徴．ヨウ素またはヨウ化物の連続投与により起こる）．

i·o·dize (īʹō-dīz)．ヨウ素化する，ヨードを加える（ヨウ素を用いて治療，または飽和する）．

i·o·dized salt ヨウ素添加塩（甲状腺腫を予防するためにヨードが添加された食塩．米国で入手できる食塩は一般にこれである）．

i·o·do·der·ma (ī-ōʹdō-dĕrʹmă)．ヨード性皮疹（ヨウ素毒性または過敏性によって起こる毛包性丘疹および膿疱，または皮下脂肪組織炎．→iodide acne）．

i·o·do·form gauze ヨードホルムガーゼ（ヨードホルムを染込ませた滅菌ガーゼであり，それは腫瘍を包むのに用いられたり，ドラネージ促進する際の芯となる）．

i·o·do·met·ric (īʹōʹdō-metʹrik)．ヨウ素滴定に関連した．

i·o·dom·e·try (īʹō-domʹĕ-trē)．ヨウ素滴定（広義），ヨウ素還元滴定（狭義），ヨードメトリー（ヨウ素の可視化体の生成または消費を利用した滴定による分析法．ヨウ素が現れたり，消える時点を終点とする）．

i·o·do·phil·i·a (ī-ōʹdō-filʹē-ă)．ヨード親和性，ヨード好性（一定条件下の白血球にみられるようなヨウ素の親和性）．

i·o·do·phor (ī-ōʹdō-fōr)．ヨードフォア（ヨウ素と界面活性物質，通常はポリビニルピロリドンとの混合物．商業用製剤は，1%の〝有効〟ヨウ素を含有し，これが徐々に放出されて微生物に対して有効となる．皮膚の消毒薬，特に手術前の手の清浄に用いる）．

i·o·dop·sin (īʹō-dopʹsin)．ヨードプシン（網膜の錐体にあるオプシンに結合した 11-*cis*-レチナールからなる 3 視色素のいずれか）．= visual violet.

i·o·do·ther·a·py (ī-ōʹdō-thārʹă-pē)．ヨード療法（ヨウ素を用いる治療法）．

i·o·du·ri·a (īʹō-dyūrʹē-ă)．ヨウ素尿症（尿中にヨウ素が排出される状態）．

IOL intraocular lens の略．

IOM Institute of Medicine の略．

i·on (īʹon)．イオン（1 個以上の電子を得るかあるいは失うことにより電荷をもつ原子または原子基．陽極に向かって移動する負の電荷は陰イオン(アニオン)，陰極に向かう正の電荷は陽イオン(カチオン)とよばれる．イオンは固体，液体，気体中に存在するが，液体中のイオン(電解質)が最も一般的でよく知られている）．

i·on chan·nel dis·or·ders イオンチャネル疾患（神経または筋肉のカルシウム，塩素イオン，カリウムまたはナトリウムチャネルの機能障害が原因で，遺伝性のことが多く，挿間性の症候を呈することの多い疾患の総称．遺伝性ミオクローヌスや周期性四肢麻痺は，本疾患に含まれる．第 7 染色体長腕 32 領域，第 17 染色体長腕または第 1 染色体長腕 31—32 領域の部位の突然変異が原因で，優性遺伝のことが多い）．= channelopathies.

i·on ex·change イオン交換（→ anion exchange; cation exchange; ion-exchange chromatography）．

i·on-ex·change chro·ma·tog·ra·phy イオン交換クロマトグラフィ（クロマトグラフィの一種で，移動相に存在するカチオンやアニオン類を固定相との静電的相互作用によって分離するもの．→anion exchange; cation exchange）．

i·on-ex·change res·in イオン交換樹脂（→ anion exchange; cation exchange; ion-exchange chromatography）．

i·on·ic (ī-onʹik)．イオンの，イオン化した．

i·on·ic strength (I) イオン強度（Γ/2 または I の記号で表され，$0.5\ \Sigma m_i z_i^2$ に等しい．m_i はモル濃度，z_i はイオンの電荷数．もしモル濃度(c_i)が重量モル濃度の代わりに用いられると(さらに溶液が希釈である場合)，$I = 0.5(1/\rho_0)\Sigma c_i z_i^2$ (ρ_0 は溶媒濃度)となる．多くの生化学で重要な事柄，例えば，蛋白溶解度，酵素活性度は溶液のイオン強度によって変化する）．

i·on·i·za·tion (īʹon-ī-zāʹshŭn)．***1*** イオン化，

I

電離（電解質を水あるいはある種の液体に溶解したとき，または分子を電気放電やイオン放電に付した際に起こるイオンの解離）. ***2*** 物質と(電離)放射線の相互作用によるイオンの生成. ***3*** = iontophoresis.

i·on·i·za·tion cham·ber 電離箱（囲われた気体中の電離を検知する小型容器. 電離放射線の強さを測定するのに用いる）.

i·on·ize (ī′on-īz). イオン化する，電離する（イオンに分離すること. 原子や分子を荷電した原子や分子に解離すること）.

i·on·iz·ing ra·di·a·tion 電離放射線（照射された物質がイオン化するに十分なエネルギーをもつ，中性子や電子のような粒子放射線やガンマ線のような電磁放射線）.

i·o·none (ī′ō-nōn). イオノン（スミレやシーダー材の香りを有する二環式テルペンケトンの1つ）.

i·on·o·phore (ī-on′ō-fōr). イオノフォ(ホ)ア（イオンと複合体を形成して，それを膜透過させる化合物または物質）.

i·on·o·pho·re·sis (ī-on′ō-fŏr-ē′sis). イオン泳動. = electrophoresis.

i·on·o·pho·ret·ic (ī-on′ō-fŏr-et′ik). イオン泳動の. = electrophoretic.

i·on·to·pho·re·sis (ī-on′tō-fŏr-ē′sis). イオン導入〔法〕，イオン電気導入〔法〕，イオン浸透療法（電流を用いて薬物のイオンを組織内に導入すること）. = ionization(3).

i·on·to·pho·ret·ic (ī-on′tō-fŏr-et′ik). イオン導入〔法〕の，イオン電気導入〔法〕の.

IOP intraocular pressure の略.

i·o·pro·mide (ī′ō-prō′mīd). イオプロミド（経静脈的尿路造影あるいは血管造影に用いられる，単量体，非イオン性，水溶性，低浸透圧性のX線造影剤）.

IORT intraoperative radiation therapy の略.

i·o·ta (ι) (ī-ō′tă). イオータ（①ギリシア語アルファベットの第9字. ②化学では，シリーズの9番目に付ける，またはカルボキシル基や他の官能基から9番目の原子に付ける. ③微少量のこと）.

IPA International Phonetic Alphabet; isopropyl alcohol; individual practice association の略.

ip·e·cac·u·a·nha (ip′ē-kak-wahn′ă). トコン（ブラジルその他の南アメリカ各地の薬草，アカネ科 *Uragoga* (*Cephaelis*) *ipecacuanha* の乾燥根茎. エメチン，セファエリン，エメタミン，トコン酸，サイコトリン，メチルサイコトリンを含む. 去痰・催吐・抗赤痢薬）.

IPF idiopathic pulmonary fibrosis の略.

i·po·date (ī′pō-dāt). イポデート（X線造影剤で，胆嚢および胆管の造影を目的として，ナトリウム塩あるいはより多くカルシウム塩として経口投与される）.

I·po·mo·e·a (ī′pō-mē′ă). サツマイモ属（アサガオを含むヒルガオ科の一属）.

IPPB intermittent positive pressure breathing の略.

ip·si·lat·er·al (ip′si-lat′ĕr-ăl). 同側の（与えられた点に関して同じ側である. 例えば，散大した瞳孔は硬膜血腫と同側にある）. = homolateral.

IPV intermittent percussive ventilation の略.

IQ intelligence quotient の略.

IR infrared の略.

Ir イリジウムの元素記号.

IRB Institutional Review Board の略.

ir·i·dal (ir′i-dăl). 虹彩の. = iridial; iridian; iridic.

ir·i·dec·to·my (ir′i-dek′tŏ-mē). 虹彩切除〔術〕（①虹彩の一部を切除すること. ②手術的虹彩切開により形成される虹彩の穴）.

ir·i·den·clei·sis (ir′i-den-klī′sis). 虹彩はめ込み〔術〕（緑内障において，強角膜切開創に虹彩の一部を嵌頓させ，前房と結膜下腔との間に濾過効果を図る手術のこと）.

irideraemia [Br.]. = irideremia.

ir·i·de·re·mi·a (ir′i-dĕr-ē′mē-ă). 無虹彩〔症〕（先天性のもので，虹彩が原基痕跡状態にあり，欠如しているようにみえる. *cf.* aniridia）. = irideraemia.

ir·i·des (ir′i-dēz). iris の複数形.

ir·id·e·sis (ī-rid′ĕ-sis). 虹彩結合〔術〕，虹彩結紮〔術〕，虹彩移動〔術〕（角膜を切開してその切開創に虹彩の一部を引いてきて結紮すること）.

ir·id·i·al, i·rid·i·an, ir·id·ic (ī-rid′ē-ăl, -ē-ăn, -rid′ik). = iridal.

ir·id·i·um (Ir) (ī-rid′ē-ŭm). イリジウム（銀白色の金属元素. 原子番号 77，原子量 192.22. ^{192}Ir は放射性同位元素(半減期 73.83 日)で，ある種の癌の組織内治療に用いる）.

irido-, irid- 虹彩に関する連結形.

ir·i·do·a·vul·sion (ir′i-dō-ă-vŭl′shŭn). 虹彩裂離（虹彩を引き離すこと）.

ir·i·do·cele (ī-rid′ō-sēl). 虹彩嚢胞（角膜欠損部から虹彩の部分的ヘルニア）.

ir·i·do·cho·roid·i·tis (ir′i-dō-kōr′oyd-ī′tis). 虹彩脈絡膜炎（虹彩と脈絡膜の両方の炎症）.

ir·i·do·col·o·bo·ma (ir′i-dō-kol′ō-bō′mă). 虹彩欠損〔症〕（虹彩の欠損または先天的欠損）.

ir·i·do·cor·ne·al an·gle 虹彩角膜角（前眼房周縁において，虹彩と角膜とが鋭角をなして結合する部分）. = angulus iridocornealis; angle of iris; filtration angle.

ir·i·do·cor·ne·al en·do·the·li·al syn·drome 虹彩角膜内皮症候群（緑内障，虹彩萎縮，角膜内皮細胞減少症，周辺虹彩前癒着と多発性虹彩結節からなる症候群）. = Cogan-Reese syndrome; iris-nevus syndrome.

ir·i·do·cy·clec·to·my (ir′i-dō-sī-klek′tŏ-mē). 虹彩毛様体切除〔術〕（腫瘍の切除を行うために虹彩と毛様体を除去すること）.

ir·i·do·cy·cli·tis (ir′i-dō-sī-klī′tis). 虹彩毛様体炎（虹彩と毛様体の両方の炎症. →iritis; uveitis）.

ir·i·do·cy·clo·cho·roid·i·tis (ir′i-dō-sī′klō-kōr′oyd-ī′tis). 虹彩毛様体脈絡膜炎（毛様体および脈絡膜を含む虹彩の炎症）. = panuveitis.

ir·i·do·cys·tec·to·my (ir′i-dō-sis-tek′tŏ-mē). 虹彩嚢摘出〔術〕（白内障の嚢外摘出後に虹彩後癒着が生じた場合に行う人工瞳孔形成術）.

ir·i·do·di·al·y·sis (ir′i-dō-dī-al′i-sis). 虹彩離断（虹彩が強膜岬から分離してできる虹彩欠損）.

ir·i·do·di·la·tor (ir′i-dō-dī′lāt-ŏr). 瞳孔散大を起こすもので，瞳孔散大筋に相当する.

ir·i·do·do·ne·sis (ir′i-dō-dō-nē′sis). 虹彩振とう.

ir·i·do·ki·net·ic (ir′i-dō-ki-net′ik). 虹彩運動の. = iridomotor.

ir·i·do·ma·la·ci·a (ir′i-dō-mă-lā′shē-ă). 虹彩軟化〔症〕（虹彩の退行性軟化）.

ir·i·do·me·so·di·al·y·sis (ir′i-dō-mē′sō-dī-al′i-sis). 虹彩内縁剥離〔術〕（虹彩内縁周囲の癒着を分離すること）.

ir·i·do·mo·tor (ir′i-dō-mō′tŏr). = iridokinetic.

ir·i·do·pa·ral·y·sis (ir′i-dō-păr-al′i-sis). = iridoplegia.

ir·i·dop·a·thy (ir′i-dop′ă-thē). 虹彩症（虹彩の病変）.

ir·i·do·ple·gi·a (ir′i-dō-plē′jē-ă). 虹彩〔括約筋〕麻痺. = iridoparalysis.

ir·i·dop·to·sis (ir′i-dop-tō′sis). 虹彩脱出症，虹彩脱.

ir·i·dor·rhex·is (ir′i-dō-rek′sis). 虹彩断裂〔術〕，虹彩離断〔術〕（欠損幅を拡大するために計画的・手術的に強膜岬から虹彩を断裂すること）.

ir·i·dos·chi·sis (ir′i-dos′ki-sis). 虹彩分離症（虹彩前層が後層から分離すること．房水中に断裂した前線維が浮揚していることがある）.

ir·i·do·scle·rot·o·my (ir′i-dō-skler-ot′ō-mē). 虹彩強膜切開〔術〕（強膜と虹彩にわたる切開）.

ir·i·dot·o·my (ir′i-dot′ō-mē). 虹彩切開〔術〕，瞳孔形成〔術〕（①虹彩線維を横に切って人工瞳孔をつくること．②閉塞隅角緑内障の予防または治療を目的として虹彩に孔を開けること）.

IRI:G ra·ti·o 免疫反応性インスリンと血清または血漿グルコースとの比.

i·ris, pl. ir·i·des (ī′ris, ir′i-dēz). 虹彩（眼の血管層の前方部分をつくる隔膜で，中心部は穴が開き（瞳孔），周囲辺縁は強膜岬に付着している．支質と 2 層の網膜色素上皮からなり，瞳孔括約筋と散大筋がある）.

I·rish tops = broom.

iris-naevus syndrome [Br.]. = iris-nevus syndrome.

i·ris-ne·vus syn·drome 虹彩-母斑症候群. = iridocorneal endothelial syndrome; iris-naevus syndrome.

i·ris pit 虹彩小窩（正常の色素上皮を有する虹彩支質の欠損）.

i·ris spat·u·la 虹彩スパーテル（創間から脱出した虹彩を整復するのに使用される扁平な手術器具）.

i·rit·ic (ī-rit′ik). 虹彩炎性の.

i·ri·tis (ī-rī′tis). 虹彩炎（→iridocyclitis; uveitis）.

IRMA (ĕrma). immunoradiometric assay の略.

i·ron (Fe) (ī′ŏrn). 鉄（金属元素，原子番号 26，原子量 55.847．ヘモグロビンのヘム，ミオグロビン，トランスフェリン，フェリチン，鉄含有ポルフィリン中に存し，カタラーゼ，ペルオキシターゼ，その他種々のシトクロムなどの酵素の必須成分．鉄塩は医療用）.

i·ron 59 鉄 59（鉄の同位元素．44.51 日の半減期でガンマ線とベータ線を放出する．鉄代謝，血液容量の決定，輸血の研究においてトレーサとして用いる）.

i·ron bind·ing ca·pac·i·ty 鉄結合能（血清中の鉄結合蛋白質（トランスフェリン）が血清中の鉄分に結合できる能力）.

i·ron de·fi·cien·cy a·ne·mi·a 鉄欠乏性貧血（低色素性小球性貧血で，血清鉄低値，血清鉄結合能の上昇，血清フェリチンの減少，骨髄貯蔵鉄の減少を特徴とする）.

i·ron fil·ings 鉄のやすり屑（喀痰中にみられる肺吸虫 *Paragonimus* の卵がはいった小さな袋．卵の集塊は黄褐色を呈する傾向がある）.

i·ron line 鉄沈着線（角膜上皮内の鉄沈着線）.

i·ron lung 鉄の肺. = Drinker respirator.

i·ron me·tab·o·lism 鉄代謝（鉄分による化学的自然現象の総和が体内へと取り込まれ，或いは体外へと排出される）.

i·ron o·ver·load 鉄過剰負荷（体内で非生理学的に起こる毒性の可変レベルまたは鉄分の不耐レベル）.

i·ron poi·son·ing 鉄中毒（体内における鉄分の非生理学的レベルの存在に関連する測定可能毒性）.

i·ron-stor·age dis·ease 鉄蓄積（沈着）病（特発性ヘモクロマトーシスや輸血後ヘモジデリン沈着症のように多くの器官の実質に過剰鉄分が蓄積される）.

ir·ra·di·ate (ir-rā′dē-āt). 照射する（照射源からの放射線を生物組織または器官に当てること．→irradiation）.

ir·ra·di·a·tion (ir-rā′dē-ā′shŭn). ***1*** 光滲（暗いものを背景として明るい物体を見たときに，実際より大きく見えること）．***2*** 照射（電磁放射線（例えば，熱，光，X 線）の作用を受けさせること）．***3*** 拡延，放発（脳，索の一部，またはある神経路から発生する神経インパルスが，他の神経路にまで広がること．→radiation）．***4*** 照射（食物の品質保持期間を延ばすために低線量の放射線を照射して殺菌する調製法）.

ir·ra·tion·al (ir-rash′ŭn-ăl). 不合理な，理性のない.

ir·re·duc·i·ble (ir′rē-dū′si-bĕl). 非還元性の（①還納できない，小さくすることができない．②化学において，単純化，置換，水素添加，または陽電荷の減少などが不可能なことについていう）.

ir·re·duc·i·ble her·ni·a 非還納性ヘルニア（手術をしないと還納できないヘルニア）. = incarcerated hernia.

ir·reg·u·lar a·stig·ma·tism 不正乱視（同一主経線の各部の屈折度が異なる乱視）.

ir·reg·u·lar bone 不規則形骨（特別な，または複雑な形をした骨．例えば，椎骨や頭骨の多くのもの）.

ir·reg·u·lar den·tin, ir·ri·ta·tion den·tin

不規則ぞうげ質. = tertiary dentin.

ir·reg·u·lar pulse 不規則性脈波（不整脈による動脈の不規則な拍動）.

ir·re·sus·ci·ta·ble (ir′rē-sŭs′i-tă-bĕl). 蘇生不能の.

ir·re·ver·si·ble co·ma 覚醒しない昏睡〔状態〕（覚醒することのできない深く意識消失した状態. *cf.* brain death）.

ir·re·vers·i·ble pulp·i·tis 不可逆性歯髄炎（歯髄炎のうち回復不能のもの. 臨床的には，温度刺激の後に長く持続する痛みが生じるのが特徴であるが，症状を認めないこともある）.

ir·ri·gate (ir′i-gāt). 洗浄する，灌注する.

ir·ri·ga·tion (ir′i-gā′shŭn). 洗浄，灌注〔法〕（身体の腔，隙，または創を液体で洗い流すこと）.

ir·ri·ta·bil·i·ty (ir′i-tă-bil′i-tē). 被刺激性（刺激に対して反応する原形質に固有の性質）.

ir·ri·ta·ble (ir′i-tă-bĕl). ***1*** 刺激反応性の，感応性の（刺激に対して反応可能なことについていう）. ***2*** 過敏な（刺激に対して極端に反応する傾向についていう. *cf.* excitable）.

ir·ri·ta·ble bow·el syn·drome (IBS), ir·ri·ta·ble co·lon 過敏性腸症候群，過敏性結腸（便秘，下痢，ガス，鼓脹などの胃腸の症候が特徴の疾患で，どの症候もその器質的病変はわかっていない. 大腸の非協調的で不十分な収縮に関連する）. = spastic colon.

ir·ri·tant (ir′i-tănt). ***1*** 〘adj.〙刺激性の（刺激を起こすことについていう）. ***2*** 〘n.〙刺激原，刺激物（薬）（刺激作用をもつ物質）.

ir·ri·tant con·tact der·ma·ti·tis 刺激性接触皮膚炎（非免疫学的障害により生じる皮膚の反応で，その程度は紅斑と鱗屑から壊死性熱傷にまで及ぶ. 皮膚に接触した化学薬品により直ちにまたは繰り返し生じる）.

ir·ri·ta·tion (ir′i-tā′shŭn). 刺激，過敏（①組織の損傷に対する過度の初期炎症反応. ②刺激に対する神経または筋の反応. ③刺激物を与えたときに組織内に正常または過度に起こる反応）.

ir·ri·ta·tion fi·bro·ma 刺激性線維腫（口腔粘膜に認められる小結節で，上皮におおわれた線維性結合組織よりなる. 緩慢な成長を示し，義歯，充填物，咬頬癖などの機械的刺激に起因する）.

ir·ri·ta·tive (ir′i-tā′tiv). 刺激性の.

ir·rup·tion (i-rŭp′shŭn). 侵入（表面を突破する行為または過程）.

IRS-1 insulin receptor substrate-1 の略.

IRV inspiratory reserve volume; inverse ratio ventilation の略.

Ir·vine-Gass syn·drome アーヴァイン-ガス症候群（黄斑浮腫，無水晶体眼，白内障摘出術創への硝子体癒着）.

I·saacs syn·drome, I·saacs-Mer·tons syn·drome アイザックス症候群，アイザックス-マートンス症候群（神経性の自発性筋活性の異常が原因で起こる稀な疾患である. 運動後に持続性筋硬直や遅延弛緩がみられ，痛み，痙攣，線維束性痙縮，発汗増加，そして筋肉肥大（筋電図でミオキミアとして示される）をよく伴う. アイザックス症候群は主に，下肢に症状が現れるが，腹部，上肢，発声や呼吸筋にも影響を及ぼす. すなわち常染色体優性遺伝であることが報告されてきたが，ほとんどの場合，それは散発性である. 恐らく，これは自己免疫疾患であり，末梢神経のカリウムチャネルに対する抗体に由来する）.

is·aux·e·sis (is′awk-sē′sis). 等速成長（部分が全体と同じ速度で成長すること）.

ischaemia [Br.]. = ischemia.

ischaemic [Br.]. = ischemic.

ischaemic heart disease [Br.]. = ischemic heart disease.

ischaemic hypoxia [Br.]. = ischemic hypoxia.

ischaemic necrosis [Br.]. = ischemic necrosis.

is·che·mi·a (is-kē′mē-ă). 虚血，乏血（血液供給の器質的障害（主に動脈の狭窄または中断）による局所性貧血. しばしば痛みと臓器不全を呈する）. = ischaemia.

is·che·mic (is-kē′mik). 虚血性の，乏血性の. = ischaemic.

is·che·mic con·trac·ture of the left ven·tri·cle 左心室の虚血性拘縮（心肺補助循環早期の合併症の１つで，左心室が収縮したまま元に戻らなくなること. 現在適切な心筋保護液を用いて予防できる）. = stone heart.

is·che·mic heart dis·ease 虚血性心疾患（心筋層への血液の供給が不十分なことが原因で起こる心臓の疾患の一般名. 例えば，粥状硬化冠状動脈疾患，狭心症，不安定狭心症，心筋梗塞）. = ischaemic heart disease.

is·che·mic hy·pox·i·a 虚血性低酸素〔症〕（組織の酸素不足を特徴とする組織低酸素. 動脈あるいは小動脈の閉塞，あるいは動脈収縮のために生じる）. = ischaemic hypoxia.

is·che·mic ne·cro·sis 虚血性壊死，乏血性壊死（梗塞形成によるような，血液供給の局所的妨害による低酸素症によって起こる壊死）. = ischaemic necrosis.

is·che·mic pain = rest pain.

is·chi·a (is′kē-ă). ischium の複数形.

is·chi·ad·ic (is′kē-ad′ik). = sciatic (1).

is·chi·al (is′kē-ăl). 坐骨の. = sciatic (1).

is·chi·al bone 坐骨. = ischium.

is·chi·al bur·sa 大殿筋の坐骨包（大殿筋と坐骨結節との間にある滑液包）.

is·chi·al bur·si·tis 坐骨滑液包炎（坐骨結節の上にある滑液包の炎症）.

is·chi·al·gi·a (is′kē-al′jē-ă). 坐骨神経痛（①股関節部の痛みを表す語. = ischiodynia. ② sciatica を表す現在では用いられない語）.

is·chi·al spine 坐骨棘（寛骨臼の後下縁で，坐骨の後縁から後内方に突出する尖状突起で尾骨筋と仙棘靱帯が付着する. この突起の背側を陰部神経が通っており，腟または直腸から触れることができるので陰部神経ブロックを施すときの穿刺の目安とされる）.

is·chi·al tu·ber·os·i·ty 坐骨結節（坐骨体下端と坐骨枝との連結部にみられる粗大な骨隆起で，膝屈曲筋の起始するところでもある）.

is·chi·at·ic (is′kē-at′ik). = sciatic(1).
is·chi·at·ic her·ni·a 坐骨〔孔〕ヘルニア（仙坐骨孔を通るヘルニア）.
ischio- 坐骨を表す連結形.
is·chi·o·cap·su·lar (is′kē-ō-kap′sŭ-lăr). 坐骨股関節包の（坐骨に連続する股関節包についていう）.
is·chi·o·cav·ern·ous mus·cle 坐骨海綿体筋（尿生殖三角筋の1つ．起始：坐骨枝．停止：陰茎(陰核)海綿体．作用：陰茎(陰核)脚を圧迫して内部の静脈血を陰茎(陰核)海綿体の遠位へ排出する働きをする．神経支配：会陰神経）. = musculus ischiocavernosus.
is·chi·o·cele (is′kē-ō-sēl). = sciatic hernia.
is·chi·o·coc·cyg·e·al (is′kē-ō-kok-sij′ē-ăl). 坐骨尾骨の（坐骨と尾骨についていう）.
is·chi·o·coc·cyg·e·us (is′kē-ō-kok-sij′ē-ŭs). 尾骨筋. = coccygeus muscle.
is·chi·o·dyn·i·a (is′kē-ō-din′ē-ă). = ischialgia(1).
is·chi·o·fem·o·ral (is′kē-ō-fem′ŏr-ăl). 坐骨大腿の（坐骨または寛骨と大腿または大腿骨についていう）.
is·chi·o·fib·u·lar (is′kē-ō-fib′yū-lăr). 坐骨腓骨の（坐骨と腓骨をつなぐ，または坐骨と腓骨についていう）.
is·chi·o·ni·tis (is′kē-ō-nī′tis). 坐骨突起炎.
is·chi·o·tib·i·al (is′kē-ō-tib′ē-ăl). 坐骨脛骨の（坐骨と脛骨をつなぐ，または坐骨と脛骨についていう）.
is·chi·o·ver·te·bral (is′kē-ō-vĕr′tĕ-brăl). 坐骨脊椎の（坐骨と脊椎についていう）.
is·chi·um, gen. **is·chi·i,** pl. **is·chi·a** (is′kē-ŭm, -ī, -ă). 坐骨（寛骨の後方下部にあたり，出生時には別個の骨であるが，後に腸骨および恥骨と癒合する．腸骨と恥骨上枝とを結合して寛骨臼をつくる坐骨体，および恥骨下枝と結合する坐骨枝からなる）. = ischial bone.
is·chu·ri·a (is-kyūr′ē-ă). 尿閉（尿の貯留または停滞．原因には脱水，ADHの不適切分泌，腎障害，膀胱の弛緩，尿道閉塞などがある）.
ISD intrinsic sphincter deficiency の略.
Ish·i·ha·ra test 石原試験（色覚異常試験．数字または文字が点状に基本色相でプリントされ，その周囲が他の色相の点で囲まれている，一連の混同色テストプレートを用いる．点による図形は正常色覚者は認識しうる）.
ISI international sensitivity index の略.
is·land (ī′lănd). 島（解剖学において，溝によって周囲の組織から分離されていたり，また構造の違いがはっきりしている孤立部分をいう）. = insula(2).
is·land flap 島状皮弁（弁を栄養する動静脈のみ，ときには動静脈と神経よりなる茎を有する皮弁）.
is·land of Reil ライル島. = insula(1).
is·let (ī′lĕt). 小島，島.
is·let cell 〔膵〕島細胞.
is·let cell tu·mor ランゲルハンス島細胞腫瘍（正常のLangerhans島内に存在する細胞の腫瘍．良性も悪性もある．一般にホルモン産生性であり，インスリノーマ，グルカゴノーマ，ビポーマ，ソマトスタチノーマ，ガストリノーマ，膵性ポリペプチド産生腫瘍などがある．また数種類のホルモンを産生するものやまったくホルモンを産生しないものもある）.
is·lets of Lan·ger·hans ランゲルハンス島（膵臓の間質組織にある数個から数百個の細胞からなる細胞塊．インスリンおよびグルカゴンを分泌する）.
-ism *1* ある特定のものの結果として生じた症状または疾患を表す接尾語．*2* 実地診療または学説を表す接尾語．*cf.* -ia; -ismus.
-ismus -ism のラテン語．通常，痙攣，収縮を表すのに用いる.
iso- *1* 同等，同一を意味する接頭語．*2* 化学において，〝…の異性体〞(異性)を示す接頭語．例えば，cyanate に対する isocyanate．*3* 免疫学において，属する種が同一であることを示す接頭語．近年では，個体の遺伝的構成が同一であることを意味するように変わってきている.
i·so·ag·glu·ti·na·tion (ī′sō-ă-glū′ti-nā′shŭn). 同種凝集現象（細胞内または細胞表面の特異抗原と同種凝集素との反応によって起こる赤血球の凝集）. = isohemagglutination.
i·so·ag·glu·ti·nin (ī′sō-ă-glū′ti-nin). 同種凝集素（同種中の，遺伝学的には異なったものの細胞の凝集を起こす同種抗体）. = isohemagglutinin.
i·so·ag·glu·tin·o·gen (ī′sō-ă-glū-tin′ō-jen). 同種凝集原（特異同種抗体で，細胞の凝集が誘発される同種抗原）.
i·so·am·y·lase (ī′sō-am′il-ās). イソアミラーゼ（グリコゲン，アミロペクチン，およびその

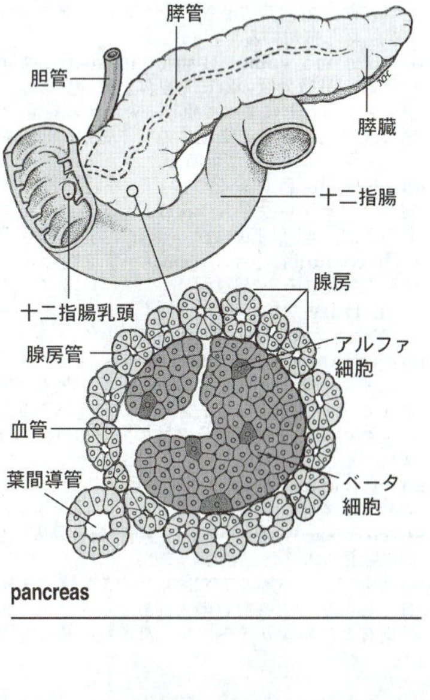
膵管
胆管
膵臓
十二指腸
腺房
十二指腸乳頭
腺房管
アルファ
細胞
血管
葉間導管
ベータ
細胞

pancreas

I

β-リミットデキストリンの1，6-α-D-グルコシド結合を切る加水分解酵素．この複合体の一部はデブランチングエンザイムとして知られている）．

i·so·an·ti·bod·y (ī′sō-an′ti-bod-ē)．同種抗体（①同一種のうちのいくつかの個体にしかみられない抗体で，特に非自己の同種抗原に対して特異的に反応する．② alloantibody の類義語としてときに用いる）．

i·so·an·ti·gen (ī′sō-an′ti-jen)．同種抗原（①同一種のある個体にのみ存在する抗原物質で，ヒトの血液型抗原など．② alloantigen の類義語としてときに用いる）．

i·so·bar (ī′sō-bahr)．***1*** 同重体（陽子と中性子の数の和が同じであるが，その割合が異なっている2個以上の核種に用いる語）．***2*** 等圧線（地図上で，同一大気圧点を結ぶ線）．

i·so·bar·ic (ī′sō-bar′ik)．等重の，等圧の（①同じ重量または圧力をもつ．②溶液において，希釈剤または溶媒と同じ密度をもつ）．

i·so·cap·ni·a (ī′sō-kap′nē-ă)．等炭酸ガス〔血症〕（動脈血二酸化炭素分圧が一定あるいは変化なく経過する状態）．

i·so·cel·lu·lar (ī′sō-sel′yū-lăr)．等細胞の（同じ大きさの，または類似した性質の細胞からなる）．

i·so·cen·ter (ī′sō-sen′tĕr)．アイソセンター（放射線治療における3軸の回転，すなわちガントリー・コリメーター・カウチの座標軸回転の交差点）．

i·so·chro·mat·ic (ī′sō-krō-mat′ik)．***1*** 等色性の，同一色の．***2*** 同じ色の2個の物体についていう．

i·so·chro·mat·o·phil, i·so·chro·mat·o·phile (ī′sō-krō-mat′ō-fil, fīl)．等染性の（同じ色素に対して同等の親和性をもつ．細胞または組織に対して用いる）．

i·so·chro·mo·some (ī′sō-krō′mŏ-sōm)．同腕染色体（減数分裂の際に動原体が縦分裂でなく横分裂することによって生じる染色体の異常．2個の娘染色体は各々染色体の腕1個が欠け，もう一方が二重になっている）．

i·so·chro·ni·a (ī′sō-krō′nē-ă)．等時値性（①同じクロナキシーをもつ状態．②あるプロセス間の時間，速度，振動数が一致している状態）．

i·soch·ro·nous (ī-sok′rō-nŭs)．等時性の（等時間内に起こる，の意）．

i·so·ci·trate (ī′sō-sit′rāt)．イソシトレート（イソクエン酸の塩またはエステル）．

i·so·ci·trate de·hy·dro·gen·ase イソクエン酸デヒドロゲナーゼ（*threo*-D_s-イソクエン酸から α-ケトグルタル(2-オキソグルタル)酸と CO_2 への反応を触媒する2種の酵素のうちの1種）．

i·so·cit·ric ac·id イソクエン酸（トリカルボン酸サイクルの中間体）．

i·so·co·ri·a (ī′sō-kōr′ē-ă)．等瞳，瞳孔等大（2個の瞳孔の大きさが等しいこと）．

i·so·cor·tex (ī′sō-kōr′teks)．同種皮質，等皮質（哺乳類の大脳皮質の大部分を表す語で，異種皮質とは異なり6層になった多数の神経細胞からなる．→cerebral cortex）．

i·so·cy·tol·y·sin (ī′sō-sī-tol′i-sin)．同種細胞溶解素（同種の異なる動物の細胞とは反応するが，同種細胞溶解素を形成する個体の細胞とは反応しない細胞溶解素）．

i·so·dem·o·graph·ic map 同人口統計地図（国またはある国の行政管轄区分の人口に直接比例させて，各地区を二元的に示す表示法）．

i·so·dense (ī′sō-dĕns)．等濃度（ある組織のX線不透過性が，他のあるいは接する組織の不透過性と近似する場合をいう）．

i·so·dose (ī′sō-dōs)．等線量（等しい放射線線量の領域）．

i·so·dy·nam·ic (ī′sō-dī-nam′ik)．等価の（①同じ力または強さの．②同量の燃焼エネルギーを放出する食物またはその他の物質についていう）．

i·so·e·lec·tric line 等電位線（心電図の基線）．

i·so·e·lec·tric pe·ri·od 等電期（心電図におけるS波の終末とT波の開始の間の変則的な期間．この間，電力は互いに中和するような方向に働き，したがって電極間の電位差はなくなる）．= abnormal ST segment.

i·so·e·lec·tric point (pI) 等電点（蛋白またはアミノ酸などの両性物質が電気的に中性であるときの pH 値）．

i·so·en·er·get·ic (ī′sō-en′ĕr-jet′ik)．等エネルギーの（同出力，等活性を示す）．

i·so·en·zyme (ī′sō-en′zīm)．イソエンチーム，アイソエンザイム，イソエンザイム，同位酵素（同じ反応を触媒するが，等電点や電気泳動度，反応速度パラメータ，制御様式などの物性が異なる酵素の一群の1つ）．= isozyme.

i·so·e·ryth·rol·y·sis (ī′sō-ĕ-rith-rol′i-sis)．同種溶血現象（同種抗体による赤血球の破壊）．

i·so·fla·vones (ī′sō-flā′vōnz)．イソフラボン（癌や心臓病を予防するのを助ける植物由来化学物質）．

i·so·ga·mete (ī′sō-gam′ēt)．同形配偶子（①2個またはそれ以上の類似した細胞で，その接合または融合とそれに続く分裂によって生殖が行われるもの．②接合する対手と同じ大きさをもっている配偶子）．

i·sog·a·my (ī-sog′ă-mē)．同形配偶（2個の同形配偶子またはあらゆる点で類似性をもつ2個の細胞間の接合）．

i·so·ge·ne·ic, i·so·gen·ic (ī′sō-jĕ-nē′ik, -jen′ik)．同系，同遺伝子系．= syngeneic.

i·so·ge·ne·ic graft = syngraft.

i·sog·e·nous (ī-soj′ĕ-nŭs)．同質のゲノムの（同組織または同細胞由来のものについていう）．

i·so·graft (ī′sō-graft)．〔同種〕同系移植片．= syngraft.

isohaemagglutinin [Br.]. = isohemagglutinin.

isohaemolysin [Br.]. = isohemolysin.

isohaemolysis [Br.]. = isohemolysis.

i·so·he·mag·glu·ti·na·tion (ī′sō-hē′mă-glū′ti-nā′shŭn)．同種血球凝集．= isoagglutination.

i·so·he·mag·glu·ti·nin (ī′sō-hē′mă-glū′ti-nin)．同種血球凝集素．= isoagglutinin; isohaemagglutinin.

i·so·he·mo·ly·sin (ī′sō-hē-mol′i-sin). 同種溶血素（赤血球と反応する同種溶解素）. = isohaemolysin.

i·so·he·mo·ly·sis (ī′sō-hē-mol′i-sis). 同種溶血〔現象〕（同種溶解の型. 同種溶解素（同種溶血素）と細胞中または細胞上にある特異抗原との反応により赤血球が溶解すること）. = isohaemolysis.

i·so·im·mu·ni·za·tion (ī′sō-im′yū-nī-zā′shŭn). 同種免疫（同種の異なる個体の赤血球の上または中に含まれる物質による抗原刺激の結果, 特異抗体価が大きくなること）.

i·so·ki·net·ic ex·er·cise 等運動性訓練（運動全域にわたって一定した抵抗に抗して行う筋収縮訓練）.

i·so·late (ī′sō-lāt). ***1*** 〖v.〗分離する, 隔離する. ***2*** 〖n.〗分離あるいは隔離されたもの. ***3*** 〖v.〗単離する（化学的汚染物を除去する）. ***4*** 〖v.〗隔離する（精神分析において, 観念, 経験, 記憶をそれに伴う感情と分離すること）. ***5*** 〖n.〗孤立（集団精神療法において, 同じグループの他の者の反応が得られない者）. ***6*** 〖n.〗分離菌（宿主または培養系から採取された標本より一回に分離した生菌）. ***7*** 〖n.〗隔絶（地形や言語, 文化, 社会, 宗教あるいはその他の理由で, 遺伝子流動をほとんど, あるいはまったく受けない集団）.

i·so·lat·ed ex·plo·sive dis·or·der 単一性爆発性障害（衝動調節障害の1つで, 他者に著しい影響を及ぼすような外に向けられた抑えきれない暴力的行為の単一エピソードを特徴とする）.

i·so·lat·ed pro·tein·ur·i·a 孤立性蛋白尿（無症状で腎機能や沈渣が正常で, 最初の検査の時点で全身性疾患がない患者にみられる蛋白尿をいう）.

i·so·la·tion (ī′sŏ-lā′shŭn). ***1*** 単離, 分離（細菌学において, 他から1つの生物種を分離すること. 通常, 一連の培養により行われる）. ***2*** 隔離, 分離, 単離（感染者や感染動物が伝染性を有する期間, 他者から引き離すこと. それによって感染者から感受性を有する者への病原体の直接的または間接的な伝播が予防あるいは制限される. *cf.* quarantine）.

i·so·lec·i·thal (ī′sō-les′i-thăl). 等卵黄の（均一に分布した卵黄が適量存在する卵についていう）.

i·so·lette (ī′sŏ-let′). アイソレット（新生児のために育児室で使用される清潔なかご）.

i·so·leu·cine (I) (ī′sō-lū′sēn). イソロイシン（ほとんどすべての蛋白中に存在するL-アミノ酸. ロイシンの異性体で, ロイシンと同様, 必須アミノ酸の1つである）.

i·sol·o·gous (ī-sol′ŏ-gŭs). 〔同種〕同系の. = syngeneic.

i·sol·o·gous graft = syngraft.

i·sol·y·sin (ī-sol′i-sin). 同種溶解素, 同種溶血素（特異な同種抗原を有する細胞と結合し, 感作し, 結果として補体結合を生じて溶解をもたらす抗体のこと. 同種溶解素は, ある種の, ある個体の血液中に生じ, 同一種の細胞と反応するが, 先天的に同種溶解素が形成された個体（すなわち同形）の細胞とは反応しない）.

i·sol·y·sis (ī-sol′i-sis). 同種溶解〔現象〕, 同種溶血〔現象〕（細胞の中または細胞表面にある特異抗原と同種溶解素との反応の結果, 細胞の溶解が生じること. →isohemolysis）.

i·so·lyt·ic (ī′sō-lit′ik). 同種溶解〔現象〕の, 同種溶血〔現象〕の.

i·so·malt·ose (ī′sō-mawl′tōs). イソマルトース（2個のグルコース分子が α-1,6位で結合している二糖類. マルトースの場合は α-1,4位で結合している）.

i·so·mer (ī′sō-mĕr). ***1*** 異性体（異性を示す2個以上の物質. *cf.* stereoisomer）. ***2*** 核異性体（同一原子番号, 同一質量数をもつが, 一定の時間, エネルギー水準を異にする2個以上の核種）.

i·som·er·ase (ī-som′ĕr-ās). イソメラーゼ（ある物質の異性体の変化を触媒する酵素群（EC-class 5））.

i·so·mer·ic (ī′sō-mer′ik). 異性の, 異性体の.

i·som·er·ism (ī-som′ĕr-izm). 異性（化学組成は同じであるが分子内の1個以上の原子の位置, および物理的・化学的性質が異なる2個以上の化合物が存在すること）.

i·som·er·i·za·tion (ī-som′ĕr-ī-zā′shŭn). 異性化（イソメラーゼの作用などにより, 1つの異性体を他の異性体に変換すること）.

i·so·met·ric (ī′sō-met′rik). 等尺〔性〕の, 等長〔性〕の, 同長性の（①同じ寸法の. ②生理学において, 一定の全長にわたって, 収縮が緊張の増大を生じさせるように収縮筋末端が固定された状態を表す. *cf.* auxotonic; isotonic (3); isovolumic）.

i·so·met·ric con·trac·tion 等尺性収縮（長さを一定に保った状態で発生する力. *cf.* isotonic contraction）.

i·so·met·ric ex·er·cise 等尺性運動（筋が本来行う関節を動かすことなく, 筋収縮のみを行わせる運動）.

i·so·met·ric pe·ri·od of car·di·ac cy·cle 心周期の等尺期（心筋が興奮し心室の圧力が高まるが筋線維が短縮しない期間. すなわち房室弁の閉鎖から半月弁の開放（等容性収縮期）または逆に半月弁の閉鎖から房室弁の開放までの期間（等容性拡張期））. = isovolumic period.

i·so·me·tro·pi·a (ī′sō-mĕ-trō′pē-ă). 同屈折（両眼屈折状態が等しいこと）.

i·so·mor·phic (ī′sō-mōr′fik). = isomorphous.

i·so·mor·phism (ī′sō-mōr′fizm). 同形, 同型（2個以上の生体, あるいは体の部分の間の形の類似性）.

i·so·mor·phous (ī′sō-mōr′fŭs). 同形の, 同型の. = isomorphic.

i·sop·a·thy (ī-sop′ă-thē). 同種毒療法（同じ病気の原因物質や産物を用いて治療すること. 健康な動物の類似器官からの抽出物を用いて病気の器官を治療することもいう. →homeopathy）.

i·so·per·i·stal·tic a·nas·to·mo·sis 順ぜん動〔性〕吻合〔術〕（内容物を正常な方向へ流す吻合）.

i·soph·a·gy (ī-sof′ă-jē). 自解. = autolysis.

i·so·phane in·su·lin イソフェンインスリン. = NPH insulin.

i·so·plas·tic (ī′sō-plas′tik). 同種組織移植の. = syngeneic.

i·so·plas·tic graft = syngraft.

i·so·pre·cip·i·tin (ī′sō-prē-sip′i-tin). 同種沈降素（同種のある個体から採った血漿または血清，あるいは細胞抽出物中の可溶抗原物質と結合し沈降させるが，同種のすべての個体のものとは反応しない抗体）.

i·so·prene (ī′sō-prēn). イソプレン（側鎖をもつ C-5 不飽和炭化水素で，イソプレノイドの生成に用いられる基質．例えばテルペン，カロチノイドおよび関連色素，ゴム．脂溶性のビタミンはイソプレノイドかイソプレノイドの側鎖をもつかのいずれかである．ステロイドはイソプレノイド中間体を経て合成される）.

i·so·pre·noids (ī′sō-prēn′oydz). イソプレノイド（炭素骨格の全体または大部分が，末端と末端が結合したイソプレン単位からなるポリマー）.

i·sop·ter (ī-sop′tĕr). 〔視野〕網膜の等感度線（視野内の網膜等感度線）.

i·sor·rhe·a (ī′sō-rē′ă). 水分均衡（水分の摂取と排出が等量であること）. = isorrhoea.

isorrhoea [Br.]. = isorrhea.

i·sos·best·ic point 等吸収点，等濃度点（応用分光学において，互いに他のものに変わりうる 2 つの物質の吸光度が等しくなる波長）.

i·so·sex·u·al (ī′sō-sek′shū-ăl). ***1*** 両性的な（1 人の人が両性の特徴または感情をもつことについていう）. ***2*** 同性的な（その個体がもつ性に一致する個体の身体的特徴，あるいはその個体の内部でその性に一致するようになる過程を表す用語）.

i·sos·mot·ic (ī′sos-mot′ik). 等浸透圧〔性〕の（他の液体（通常は細胞液）と同じ浸透圧または浸透性をもつ，の意．液体が自由に細胞膜を通過する溶質を含む場合は等張とはいわない）.

I·sos·po·ra (ī-sos′pŏr-ă). イソスポラ属（球虫類の一属で，主として哺乳類中に存在する）.

i·sos·po·ri·a·sis (ī-sos′pŏ-rī′ă-sis). イソスポーラ症（*Isospora* 属，例えばヒトの *I. belli* による感染による疾患．エイズのような免疫不全で難治性下痢を引き起こすのを除けば，ヒトの病気は一般に軽い）.

i·sos·the·nu·ri·a (ī-sos′thĕ-nyūr′ē-ă). 等張尿（慢性腎疾患でみられ，腎臓が蛋白除去血漿の比重より高比重や低比重の尿を生成できない尿の状態．尿比重は水分摂取にかかわりなく約 1.010 に固定する）.

i·so·ther·mal (ī′sō-thĕr′măl). 等温の.

i·so·tone (ī′sō-tōn). 同中性子体（核内の中性子数が等しい核の 1 つ）.

i·so·to·ni·a (ī′sō-tō′nē-ă). 等張〔性〕，等浸透圧〔性〕（2 種の物質または溶液の張力や浸透圧が同一である状態）.

i·so·ton·ic (ī′sō-ton′ik). ***1*** 等張〔性〕の，等浸透圧〔性〕の. ***2*** 等張の（同じ浸透圧をもつ溶液についていう．より狭義には，液内で細胞が膨張も収縮もしない溶液に限定される．したがって，尿素など細胞膜を自由に通過する溶質を含む溶液の場合は細胞液と等浸透圧であっても等張ではない）. ***3*** 均等緊張の（生理学において，重い物を持ち上げるときのように，収縮筋が一定の荷重に対して収縮する状態についていう．*cf.* auxotonic; isometric (2)）.

i·so·ton·ic con·trac·tion 等張性収縮（力が一定に保たれている状態での短縮．*cf.* isometric contraction）.

i·so·ton·ic ex·er·cise 等張性訓練（運動を行わず，一定した抵抗に抗して行う筋収縮訓練）.

i·so·to·nic·i·ty (ī′sō-tō-nis′i-tē). ***1*** 等張〔性〕（同一の緊張力または張力をもち，維持する性質）. ***2*** 等浸透圧〔性〕（溶液が等張であるという性質）.

i·so·tope (ī′sŏ-tōp). 同位体，アイソトープ，同位元素（核内の中性子数が異なるために，化学的に同一で同数の陽子をもつが質量数の相異なる 2 個以上の核種．個々の同位体は質量数を ^{12}C のように左上に付け加えて表す．そして原子番号（核内陽子数）は $_6$C のように左下に添える）.

i·so·to·pic (ī′sō-top′ik). 同位体の，アイソトープの（同じ化学組成をもつが，原子量などの物理的性質の異なるものについていう）.

i·so·tro·pic, i·sot·ro·pous (ī′sō-trō′pik, ī-sot′rō-pūs). 等方性の，等方的な（性質，特質がすべての方向にわたって同じである）.

i·so·type (ī′sō-tīp). アイソタイプ（免疫グロブリン重鎖の全クラスあるいは軽鎖のあるクラスにみられる抗原決定基（マーカ））.

i·so·typ·ic (ī′sō-tip′ik). アイソタイプの.

i·so·vol·u·mic (ī′sō-vol-yū′mik). 等容性の，等容の（体積変化しない，の意．例えば，初期心室収縮時に筋線維が初めは短くならずに張力を増すため心室体積が変化せず，一定に保たれる．→isometric）.

i·so·vol·u·mic per·i·od 等容性時間，等容期. = isometric period of cardiac cycle.

i·so·zyme (ī′sō-zīm). イソチーム，アイソザイム，同位酵素. = isoenzyme.

isth·mec·to·my (is-mek′tō-mē). 峡部切除〔術〕（甲状腺の正中部の切除）.

isth·mic, isth·mi·an (is′mik, -mē-ăn). 峡部の，峡の（解剖学的峡部についていう）.

isth·mo·pa·ral·y·sis (is′mō-păr-al′i-sis). 口峡部麻痺（口蓋帆と口峡前柱をつくる筋の麻痺）. = isthmoplegia.

isth·mo·ple·gi·a (is′mō-plē′jē-ă). = isthmoparalysis.

isth·mus, pl. **isth·mi, isth·mus·es** (is′mŭs, -mī, -mŭs-ĕz). 峡（①解剖学的構造で 2 つの大きな部分を結合する狭いくびれた部分．② 2 つの大きな腔を連結する細い通路．③中脳と後脳間の連結部にある脳幹の最も細い部分）.

isth·mus of au·di·to·ry tube 耳管峡（耳管軟骨部と耳管骨部の境界にある耳管の最も細い部分）. = isthmus tubae auditivae.

isth·mus tu·bae au·di·ti·vae 耳管峡. = isthmus of auditory tube.

IT intrathecal の略.
itch (ich). ***1*** かゆみ (掻きたくなるような皮膚の特別な刺激感). = pruritus (2). ***2*** 疥癬 (scabies に対する通称).
itch·ing (ich′ing). かゆみ, そう痒 (皮膚または粘膜の不快な刺激感で, その部分を引っ掻いたり, こすったりするようになる). = pruritus (1).
-ite →-ites. ***1*** 単語に〝…性の″, 〝…に類似した″の意味を付加する接尾語. ***2*** -ous で終わる酸の塩を表す. ***3*** 比較解剖学において, この語が付くもとの名称に対する主要部分を表す接尾語.
i·ter (ī′tĕr). 通路, 入口 (1 つの解剖学的部分から別の部分へと続く通路. →canaliculus).
i·ter·al (ī′tĕr-ăl). 通路の, 入口の.
-ites 名詞の語幹に付く形容詞的接尾語. ラテン語の *-alis*, *-ale*, または *-inus*, *-inum*, あるいは英語の -y, -like, ハイフンで連結された名詞などに相当する. この接尾語で形成される形容詞は, あるフレーズを表すのにそれ単独となることがある. →-ite.
-itic 疾患を意味する連結形.
-itides -itis の複数形.
-itis →-ites.
I·to ne·vus 伊藤母斑 (上鎖骨神経の側枝と, 腕の外側皮神経によって神経支配される皮膚の色素沈着. 真皮内に散在する色素沈着の強い, 樹枝状のメラノサイトによって生じる).
ITP idiopathic thrombocytopenic purpura; inosine 5′-triphosphate の略.
IUCD intrauterine contraceptive device の略.
IUD intrauterine device の略.
IUGR intrauterine growth retardation の略.
IUI intrauterine insemination の略.
-ium 通例, 自然要素を意味する連結形.
^{131}I up·take test ヨウ素 (^{131}I) 摂取試験 (甲状腺機能の試験. ^{131}I-ヨウ化物を経口的に与え, 24 時間後, 甲状腺内に存在する量を測定し, 正常値と比較する).
IV intravenous; intraventricular の略.
IVC inferior vena cava の略.
IVDU intravenous drug user の略.
I·ve·mark syn·drome イヴェマルク症候群. = polysplenia.
Ives disease アイブス疾患 (皮膚の過敏症が進行して (ヒョウのような斑点), 腫れ上がり, 皮膚に発赤などがお年寄にみられる. 治療法としては, 日に浴びるのを避け, 系統的副腎皮質ステロイドや他の何らかの医薬を避けることである).
IVF *in vivo* fertilization; *in vitro* fertilization の略.
IVH intraventricular hemorrhage の略.
IVI intravenous injection の略.
I·vor Lew·is e·soph·a·gec·to·my イボールルイス食道切除 (開腹, 右開胸と胸腔内吻合で行う, よく施行される食道切除).
IVP intravenous pyelogram/pyelography; intravenous push の略.
IV tub·ing Ⅳチューブ (投薬用のバッグを患者につなぐ方法. 重力によるものとポンプ駆動によるものがあり, 長期間にわたって補液を行うように調整されている).
IVU intravenous urogram (静脈性尿路造影) の略.
Ix·o·des (ik-sō′dēz). マダニ属 (マダニ科のダニの一属で, その多くはヒトや動物に寄生する. マダニには眼および花采がなく, 肛門前部に肛門溝があるのを特徴とし, 雌雄二形である. 約 40 種が北アメリカにいることが記録されている).
Ix·o·des red·i·kor·ze·vi ユーラシアに分布する種で, イスラエルではヒトの中毒を引き起こす.
Ix·o·des scap·u·lar·is 米国南部および東部の動物にみられる種で, 米国におけるライム病およびヒト顆粒球性エールリヒア症の主要な媒介者である.
ix·o·di·a·sis (ik′sō-dī′ă-sis). マダニ症 (マダニに刺されて起こる皮膚病).
ix·od·ic (ik-sod′ik). マダニの.
ix·o·did (ik′sō-did). マダニ (マダニ科に属するダニ類の一般名).
Ix·od·i·dae (ik-sod′i-dē). マダニ科 (ダニの一科で, 通称 "hard (硬)" マダニとよばれる. 本科に含まれる属は, ヒトや動物の多くの疾病の主要な媒介動物となっており, マダニ麻痺を起こす).

J

J ジュール，電流密度の記号．

J flux(4) の記号．

Ja·bou·lay am·pu·ta·tion ジャブレー切断術．= hemipelvectomy.

jack·et (jak′ĕt)．ジャケット，包被（①脊柱を固定するため体の周りに着ける被覆．②歯科において，焼成陶材あるいはアクリルレジンでつくる人工歯冠に関して用いる語）．

jack·pot syn·drome ジャックポット症候群（医師が大した事ではないとみなすことに対して，過度の診療報酬を追求する患者の行動を示す臨床および法律上の用語）．

jack·so·ni·an sei·zure, jack·so·ni·an ep·i·lep·sy ジャクソン発作（身体の一部から始まり，その後に同側の身体の他の部位に進行性に広がる運動発作．全般化することもある．反対側の Rolando 新皮質またはその付近からしばしば起こる）．

Jack·son law ジャクソンの法則（疾病による精神機能の喪失は進化過程の逆コースをたどる）．

Jack·son mem·brane ジャクソン膜（盲腸から右結腸曲までの上行結腸の前表面をおおっている，薄い血管膜または帆様癒着．腸がねじれて閉塞の原因となることがある）．

Jack·son rule ジャクソンの法則（てんかん発作後に単純かつ準自律的な機能は複雑な機能よりも侵される程度が少なく早く回復する）．

Jack·son sign ジャクソン徴候（静かに呼吸する間は胸の麻痺側の運動は対側より大きいが，強度の呼吸では麻痺側は他方より動きが小さい）．

Ja·cob·son re·flex ヤコブソン反射（手首関節または橈骨下端で屈筋の腱を叩打することにより生じる指の屈曲）．

jac·ti·ta·tion (jak′ti-tā′shŭn)．転々反側（極端に落ち着かないこと，また左右にころげ回ること）．

JADA (jă′dă)．Journal of the American Dental Association の略．

Jae·ger test types イエーガー視力表（大きさの異なる活字で，近方視力検査に用いる）．

Jahn·ke syn·drome ヤーンケ症候群（緑内障を伴わない Sturge-Weber 症候群）．

jail fe·ver 刑務所熱．= epidemic typhus.

JAMA (jam′ă)．米国医師会(AMA)が出版する学術誌の正式名称．

Ja·mai·ca pep·per = allspice.

ja·mais vu ジャメビュ（以前の行動や状況が確認されているにもかかわらず，患者にみられる記憶の欠如と感覚見当識障害．→déjà-vu）．

Ja·net test ジャネー検査（機能的または器質的感覚脱失の試験．患者(目は閉じている)は，検査者の指の接触を感じたか感じなかったかによって，〝はい〟，〝いいえ〟と答えるように指示される．機能的感覚脱失の場合は，感覚脱失部分に触れられても，〝いいえ〟と言うことがある．しかし，器質的感覚脱失の場合は，触れていることに気付かず，何も言わないことがある）．

Jane·way gas·tros·to·my ジェーンウェー胃瘻造設〔術〕（胃へ永続的に到達する際に用いられる外科処置や装置．胃蓋は大弯から取られ，それからカテーテルの辺りへ閉じられ，皮膚表面へと送りだされる．皮膚粘膜組織は皮膚縁にある乳頭に形成される）．

Jane·way le·sion ジェーンウェー病変（感染性心内膜炎の徴候の1つ．平坦で無痛性の不規則な紅斑が手掌，足底，母指球および母指球下部隆起，指先，趾足底部にみられる）．

jan·i·ceps (jan′i-seps)．ヤーヌス体，一頭二顔体（頭部が癒合した双生児で，それぞれの顔は反対側を向く．→conjoined twins）．

Jan·sen op·er·a·tion ヤンゼン手術（前頭洞疾患の手術で，前頭洞の下壁と前壁下部を切除し粘膜を掻爬する法）．

Ja·nus green B ［CI 11050］．ヤーヌスグリーンB（組織学において用いる塩基性色素で，ミトコンドリアを超生体染色する）．

Jap·a·nese B en·ceph·a·li·tis 日本脳炎（日本，ロシアのシベリア地方，その他のアジア地域における流行性脳炎または脳脊髄炎で，日本脳炎ウイルス(*Flavivirus* 属)によって起こり，カが媒介する．無症状，不顕性感染しているが，急性髄膜脳脊髄炎を起こすことがある）．

Jap·a·nese B en·ceph·a·li·tis vi·rus 日本脳炎B型ウイルス（*Flavivirus* 属の抗原群Bのアルボウイルス．通常，ヒト，特に小児に不顕性感染として存在するが，発熱やときには脳炎を起こす）．

Jap·a·nese spot·ted fev·er 日本紅斑熱（*Rickettsia japonica* による熱性疾患で，頭痛と発疹を特徴とし，日本でみられる）．

jar·gon (jahr′gŏn)．*1* 専門家用語，特殊用語（特定の分野，専門，またはグループで用いる特殊な語）．*2* ジャーゴン（脳の障害に起因する無意味な発話）．

jar·gon a·pha·si·a ジャーゴン失語〔症〕，錯覚性失語〔症〕．= paragrammatism.

Ja·risch-Herx·hei·mer re·ac·tion ヤーリッシュ-ヘルクスハイマー反応．= Herxheimer reaction.

Jar·man score ジャーマンスコア（社会的および医学的損失の指標．主に家庭医，特に英国で用いられる）．

Jar·vik ar·ti·fi·cial heart ジャーヴィック型人工心臓（空気駆動型人工心臓）．

jaun·dice (jawn′dis)．黄疸（外皮，強膜，深部組織および排泄物が胆汁色素で黄色に染まることで，血漿中濃度の上昇により生じる）．= icterus.

jaun·dice ber·ry = barberry.

jaun·dice of the new·born 新生児黄疸．= icterus neonatorum.

jaw (jaw)．顎（①口の骨格を形成し，歯が納まっている骨構造の1つ．②上顎または下顎のいずれかに対する一般名）．

jaw bone 下顎骨．= mandible.

jaw gra·da·tion 下顎漸次的変化（長さや深さ，そして筋肉の収縮の総和による機能として，発声中に垂直的下顎運動をコントロールすること）．

Ja·wor·ski bod·ies ヤヴォルスキー〔小〕体（胃酸過多症で胃の内容物にみられる粘液小片）．

jaw re·flex 下顎反射（緩く懸垂した下顎を下方に叩打することにより生じる側頭筋の痙攣性収縮）．

jaw re·trac·tion 下顎後退（非定型経口パターンとは，下顎を極端に引き戻すこと，食事中或いは言語コミュニケーション中に完全に口を開くことが難しくさせることを含む）．

jaw thrust 下顎挙上（ボトル，胸，カップ，またはスプーンが渡されるとき，またはコミュニケーションが試みる際に誘発される，強くて突発的な下顎の下方伸張がみられる際の非定型パターン．体中の伸筋緊張による過剰な動きに伴うことがある．この反応で結果的に口腔からの食物がこぼれ落ちたり顎関節を外すことがある）．

jaw wink·ing ジョーウインキング（顎運動に関連した不随意な眼瞼の動き）．

jaw-wink·ing syn·drome 下顎眼瞼異常運動症候群（そしゃく中の瞼裂幅の増加で，ときには口が開いているときに上眼瞼が律動的に挙上し，口を閉じているときには眼瞼下垂がみられる）．= Gunn syndrome; Marcus Gunn phenomenon; Marcus Gunn syndrome.

JCAHO Joint Commission on Accreditation of Healthcare Organizations の略．

J chain J鎖（J は joining の略．IgA, IgM が重合体を形成する際に架橋する糖ペプチドである．IgA, IgM のモノマーを確実に正しく重合させる機能と細胞外に分泌させる機能を有する）．

Jef·fer·son frac·ture ジェファーソン骨折（第一頸椎の骨折で，ふつう圧縮外傷によるものである）．

je·ju·nal (jĕ-jū′năl)．空腸の．

je·ju·nal ar·ter·ies 空腸動脈（上腸間膜動脈より起こり，空腸に分布する．いくつものアーチを形成して相互に，回腸動脈と吻合）．= arteriae jejunales.

je·ju·nal and il·e·al veins 空回腸静脈（空腸および回腸からの血液を集める静脈．上腸間膜静脈へはいる）．

je·ju·nec·to·my (jĕ′jū-nek′tŏ-mē)．空腸切除〔術〕（空腸全体またはその一部を切除すること）．

je·ju·ni·tis (jĕ′jū-nī′tis)．空腸炎．

jejuno-, jejun- 空腸に関する連結形．

je·ju·no·co·los·to·my (jĕ-jū′nō-kō-los′tŏ-mē)．空結腸吻合〔術〕（空腸と結腸を吻合すること）．

je·ju·no·il·e·al (jĕ-jū′nō-il′ē-ăl)．空回腸の（空腸と回腸に関する）．

je·ju·no·il·e·al by·pass, je·ju·no·il·e·al shunt 空腸回腸バイパス（空腸上部と末端の回腸を吻合して短絡させる術式．重篤な肥満の治療に行われる）．= bowel bypass.

je·ju·no·il·e·i·tis (jĕ-jū′nō-il′ē-ī′tis)．空回腸炎．

je·ju·no·il·e·os·to·my (jĕ-jū′nō-il′ē-os′tŏ-mē)．空回腸吻合〔術〕（空腸と回腸間を吻合すること）．

je·ju·no·je·ju·nos·to·my (jĕ-jū′nō-jĕ′jū-nos′tŏ-mē)．空腸空腸吻合〔術〕（空腸の異なる2か所を吻合すること）．

je·ju·no·plas·ty (jĕ-jū′nō-plas-tē)．空腸形成〔術〕．

je·ju·nos·to·my (jĕ′jū-nos′tŏ-mē)．空腸造瘻術，空腸フィステル形成〔術〕（空腸から腹壁への瘻を手術によりつくること．通常，開口をつくる）．

je·ju·not·o·my (jĕ′jū-not′ŏ-mē)．空腸切開〔術〕．

je·ju·num (je-jū′nŭm)．空腸（十二指腸と回腸の間の長さ約 2.4 m の小腸部分．次の点で回腸と区別できる．回腸より近位にあり，太く壁が厚く，輪状ひだが大きくてよく発達しており，血管分布が豊富で動脈弓が少なく，直細動脈が長い）．

jel·ly (jel′ē)．ゼリー，凝膠体（振せん性の半固体で，通常は水溶液中でゼラチン状態である）．

jel·ly·fish (jel′ē-fish)．クラゲ（ヒドロゾア綱に属する海産の腔腸動物で，いくつかの有毒種を含む．触肢にある刺胞によって毒が皮膚内に注入されると，線状の膨疹をつくる）．

Jen·dras·sik ma·neu·ver イエンドラッシク操作（膝蓋腱反射を増強する方法で，両側の手指を曲げて組み合わさせ，力いっぱい左右に牽引させる）．

Jen·ner stain ジェンナー染料（Wright 染料に類似するが，多色化メチレンブルーを用いないメチレンブルーのエオシン塩．血液スミアの染色に用いる）．

Jen·sen dis·ease イエンセン病．= retinochoroiditis juxtapapillaris.

jerk (jĕrk)．***1*** 痙動，単収縮（急激な引きつり）．***2***〔筋〕反射．= deep reflex.

jerk nys·tag·mus 律動眼振（一般に迷路性，または神経性に起こり，一方向への緩徐相と，すぐ続く反対方向への急速相のある眼振で，急速相の方向で示される）．

Jer·ne plaque as·say ヤーネの溶血斑形成法（抗体産生細胞を1つずつ数え上げる方法）．= hemolytic plaque assay.

jer·sey fin·ger ジャージー指（自動屈曲している指が突然他動的に伸展されたため，深指屈筋腱が末節骨から剥離した指）．

jet (jet)．ジェット（血管の狭搾部下流部分の高速血流）．

jet lag 時差ぼけ（時間帯の異なる地域に飛行機で旅行することによる正常の日周期の失調で，疲労，興奮，種々の機能障害を呈する）．

jet neb·u·liz·er ジェット噴霧器（空気あるいはガス流を用いて液体を小さな粒子にする噴霧器）．

Jeune syn·drome ジュヌ症候群．= asphyxiating thoracic dystrophy.

jew·el·er's for·ceps 宝石商摂子（非常に細かな先端部をもつ小母指摂子．マイクロサージェリーにおいて組織を把持するために用いる）．

Jew·ett nail ジューエットネイル(釘)（転子骨折に用いられる髄内股関節スクリュー）．

Jew·ett and Strong stag·ing ジューエト(ジュエット)–ストロング病期分類（膀胱癌の病期分類を表す現在では用いられない語．O：浸潤なし，A：粘膜下浸潤あり，B：筋層浸潤あり，C：周囲脂肪組織浸潤あり，D：リンパ節転移あり）．

jew's harp plant = trillium.

JH vi·rus JH ウイルス（最初に分離された *J*ohns *H*opkins 大学に由来する．ヒトライノウイルス株 1A）．

jig·ger (jig′ĕr)．スナノミ（スナノミ *Tunga penetrans* の一般名．→chigoe）．

Jo·bert de Lam·balle su·ture ジョベール・ド・ランバル縫合（円形腸縫合で，腸縁を陥入するために用いる結節腸縫合）．

Jo·cas·ta com·plex ヨカスタ・コンプレックス（母親の息子に対する肉欲的執着）．

jock itch = tinea cruris.

Jod-Ba·se·dow phe·nom·e·non ヨードバセドウ病（もともと甲状腺機能正常であった者が大量のヨードに暴露されたために生じる甲状腺機能亢進症．ヨード摂取不足のため甲状腺腫大の患者の多い地域や多結節性甲状腺腫の患者に起こりやすい．診断のためヨード含有性の造影剤を使用後にも生じることがある）．

Jof·froy re·flex ジョフロア反射（痙性麻痺患者において，殿部を強く圧迫したときに生じる殿筋の収縮）．

Jof·froy sign ジョフロア徴候（①器質的脳疾患の初期段階での算術能力の異常（加法や乗法の単純な計算ができない）．②眼球突出性甲状腺腫において患者が上方を見るときの顔面筋収縮の欠如）．

John·son meth·od ジョンソン法．= chloropercha method.

joint (joynt)．関節，連結，結合（解剖学において，2 個またはそれ以上の骨が，多かれ少なかれ可動な仕方で連結されていることをいう．骨の連結様式は非常に様々であるが，形態的には次の 3 つに大別されている．線維性連結または靱帯結合，軟骨性連結または軟骨結合，滑膜性連結または関節）．= arthrosis (1); articulation (1); junctura (1).

joint cap·sule 関節包，関節嚢．= articular capsule.

Joint Com·mis·sion on Ac·cre·di·ta·tion of Health·care Or·ga·ni·za·tions (JCAHO) 保健医療機関資格承認合同委員会（米国の保健医療機関を評価し，資格を与える私的な非営利機関）．

joint ef·fu·sion 関節滲出液（滑膜性関節で関節液が増加した状態）．

joint ex·ten·sion 関節伸展．= close-packed position.

joints of foot 足の関節（距腿・足根間・足根中足・中足間・中足指節・指節間関節の総称）．

joints of hand 手の関節（橈骨手根関節または手根関節，手根間・手根中手・中手間関節，中手指節・指節間関節の総称）．

joint sta·bil·i·ty 関節安定性（運動中の関節を安定させるための動的連鎖能力（すなわち，神

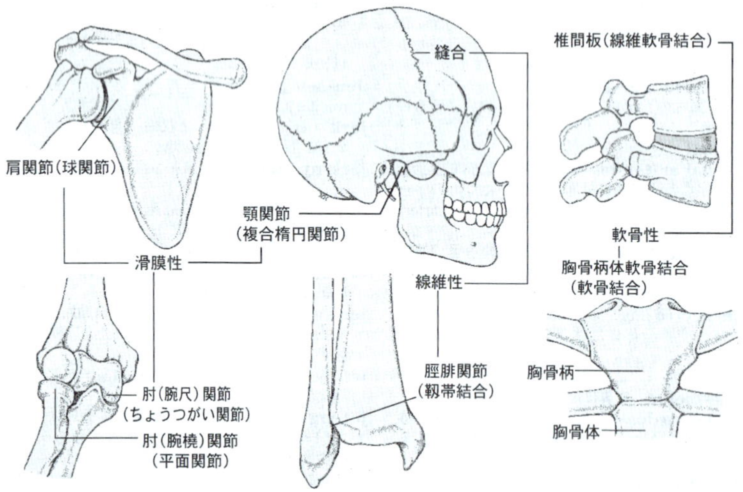
肩関節(球関節)
縫合
椎間板(線維軟骨結合)
顎関節
(複合楕円関節)
滑膜性
線維性
軟骨性
胸骨柄体軟骨結合
(軟骨結合)
肘(腕尺)関節
(ちょうつがい関節)
肘(腕橈)関節
(平面関節)
脛腓関節
(靱帯結合)
胸骨柄
胸骨体

joints

経，骨格，筋肉組織））.

jo·jo·ba （hō-hō′bă）．ホホバ（*Simmondsia chinensis* と *S. californic* を圧搾したハーブ油．毛髪が伸び，皮膚疾患が治るといわれてる）.

Jones I test ジョーンズI法試験．= primary dye test.

Jones II test ジョーンズII法試験．= secondary dye test.

Jones cri·ter·i·a ジョーンズ分類（T.D. Jones により1944年に提案され，1965年に修正されたリウマチ熱診断のための分類．心臓炎，多発性関節炎，ヒョレア，有縁性紅斑，および皮下結節の5大症状と，熱，関節痛，血沈またはCRPの亢進，および心電図上PR間隔の延長の小症状を示す．診断にはβ-溶血連鎖状球菌の感染と大症状の2項目と小症状の1項目，または大症状の1項目と小症状の2項目を証明する必要がある．改正後の分類には他の理由のない無痛性心臓炎またはヒョレアがある場合，リウマチ熱の既応があり，最近の連鎖状球菌の感染に伴う上記の大症状の1つまたは小症状の2つがあれば診断が許される）.

Jones frac·ture ジョーンズ骨折（第五中足骨骨幹部近位の横疲労骨折）.

Jo·ne·si·a den·i·trif·i·cans 運動性のある，グラム陽性の細菌種で，以前には *Listeria denitrificans* として分類されていた．*Jonesia* 属では唯一の菌種である.

Jones test = fluorescein instillation test.

Jones trans·fer ジョーンズ式腱移行術（母趾の鉤爪変形に対する手術法で，長母趾伸筋腱を母趾中足骨頸部に移行する方法．小趾の鉤爪変形を矯正するのにも用いられる）.

Jons·ton al·o·pe·ci·a = alopecia areata.

Jou·bert syn·drome ジュベール症候群（小脳虫部の形成不全．臨床的に過呼吸または長い無呼吸発作，異常眼球運動，失調，精神遅滞が特徴である）.

joule (J) （jūl）．ジュール（エネルギーの単位．1オームの抵抗に対して1秒間に流れる1アンペアの電流によって発生する熱または消費されるエネルギー．10^7 エルグまたは1ニュートンメートルに等しい．ジュールはエルグの国際単位系(SI)基本単位として認められており，いまやカロリー単位(1 cal = 4.184 J)に取って代わろうとしている）.

Joule e·quiv·a·lent (J) ジュール当量（熱の仕事当量．1ポンドの水の温度を1°F上げる熱量は仕事量にして778フートポンドに相当する．メートル法の単位では，1 gの水を1°C上げる1 calの熱量は 4.184×10^7 dyn·cmになり，4.184ジュール(J)に相当する）.

J point J点（心電図でQRS群の終端とS波またはT波の開始を示す点）.

J-tube （tūb）．経皮空腸瘻チューブ（経皮空腸瘻から挿入されたチューブでの栄養補給）.

Ju·det view 骨盤斜位像（前斜位像と後斜位像の2つの股関節斜位撮影法．X線入射方向は，真の前後像の方向に対して，45°内側に，または外側に傾けられる．臼蓋窩の骨折や変形の診断に役立つ）.

judgement ［Br.］. = judgment.

judg·ment （jŭj′mĕnt）．判断（行動や状況の良い側面，悪い側面を判断して，適切な行動をとったり，適切に反応する能力．*cf.* discrimination judgement）.

ju·ga （jū′gă）．jugumの複数形.

ju·gal （jū′găl）．*1* つながる，連結した．*2* 頬の，頬骨の.

ju·gal bone 頬骨．= zygomatic bone.

ju·ga·le （jū-gā′lē）．ユガーレ（頭蓋計測点で，頬骨の側頭突起と前頭突起が合一する点）. = jugal point.

ju·gal point = jugale.

jug·u·lar （jŭg′yū-lăr）．*1*〘adj.〙頸の．*2*〘adj.〙頸静脈の．*3*〘n.〙頸静脈.

jug·u·lar fo·ra·men 頸静脈孔（側頭骨の錐体部と後頭骨の頸静脈突起との間にある通路で，しばしば，頸静脈孔内突起により2つに分けられる．ここを，内頸静脈，下錐体静脈洞，舌咽神経，迷走神経，副神経，上行咽頭動脈および後頭動脈の硬膜枝が通る）.

jug·u·lar fos·sa 頸静脈窩（茎状突起の内側で，側頭骨錐体部後縁の卵形の陥凹．内頸静脈(頸静脈球)がある）.

jug·u·lar gland 頸腺．= signal lymph node.

jug·u·lar glo·mus 頸静脈糸球（頸静脈球の外膜中にある化学受容体細胞の小さな集り．この細胞の腫瘍によって声帯麻痺，めまい，眼前暗黒，眼振が生じることがある）.

jug·u·lar nerve 頸静脈神経（交感神経の上顎神経節，迷走神経の上神経節，舌咽神経の下神経節を結ぶ交通枝）. = nervus jugularis.

jug·u·lar pulse 頸静脈波（頸静脈，通常深部頸静脈に認められる静脈の脈拍）.

jug·u·lo·di·gas·tric lymph node 頸静脈二腹筋リンパ節（顎二腹筋の下方で内頸静脈の前方にある1個の著明なリンパ節で，深外側頸リンパ節群に属する．咽頭，口蓋扁桃，舌からのリンパを受け取る）.

jug·u·lo·o·mo·hy·oid lymph node 頸静脈肩甲舌骨筋リンパ節（肩甲舌骨筋中間腱の上方で内頸静脈の前方にある1個のリンパ節で，深部側頸リンパ節に属する．おとがい下，顎下，深前頸リンパ節からリンパを受け取り他の深外側頸リンパ節に注ぐ）.

ju·gum, pl. ju·ga （jū′gŭm, -gă）．*1* 隆起（2点を結ぶ隆線または溝）. = yoke．*2* 鉗子の一種.

juice （jūs）．汁，液（①動植物の組織液．②消化液）.

juice ther·a·py ジュース療法（液体へと機械的に変え続ける野菜と果実の治療的投与と食餌）.

jump flap 跳躍皮弁（段階的に中間担体を設けて移植される遠距離皮弁．例えば，腹部の皮弁を手首に移し，その後，次の手術で手首を顔面につけて皮弁を移す）.

jump·ing dis·ease, jump·er dis·ease 跳躍者病（世界の孤立した地域にみられる病的驚愕症候群の1つ．跳躍，上肢の飛ぶような動作，叫びのような非常に誇張した反応が，わずかな刺激で起こるのが特徴）. = jumping Frenchmen of Maine syndrome.

jump·ing French·men of Maine syn·drome = jumping disease.

junc·ti·o (jŭngk′shē-ō). = junction.

junc·tion (jŭngk′shŭn). 連結，接合部（2 つの部分，主に骨や軟骨の 2 つの部分が連結する点，線または面をいう）. = junctio.

junc·tion·al ep·i·the·li·um 付着上皮（歯の表面に付着しているカラー状の上皮細胞と上皮下結合組織で，歯肉溝の底部にみられる）.

junc·tion·al rhythm 接合部〔性〕調律（房室結合部から発生する調律で，以前は房室結節性調律 AV nodal rhythm あるいは単に結節性調律 nodal rhythm とよばれた）.

junc·tion·al tach·y·car·di·a 接合部〔性〕頻拍症（房室接合部から発生する頻拍症で，心室応答が 100 拍/分以上のもの）.

junc·tion ne·vus 境界母斑，接合部母斑（基底細胞領域，すなわち表皮真皮境界におけるメラノサイト巣からなる母斑．軽度に隆起した，小さい，扁平な，無毛性の色素性（褐色または黒色）腫瘍として現れる）.

junc·tu·ra, pl. **junc·tu·rae** (jŭngk-tyūr′ă, -rē). 連結（①関節をいう. = joint. ② 2 つの部分が接する際の境界点，線ないし面，特に骨や軟骨についていう. = juncture）.

junc·ture (jŭngk′shŭr). 連結，接合部. = junctura(2).

jung·i·an (yung′ē-ăn). ユング主義の（心理学体系およびそれから導かれた精神分析的治療形態．Carl Gustav Jung により開発された）.

jung·i·an psy·cho·a·nal·y·sis ユング派精神分析〔学〕（Carl G. Jung の原理による精神病理学の理論と精神療法の実際．ヒトの象徴性を強調する心理学と精神療法のシステムで，Freud の精神分析とは，特に本能的（性的）衝動を重視しない点で異なる）. = analytic psychology.

junk DNA ジャンク DNA，がらくた DNA（転写も発現もされない DNA の部分で，ヒトゲノムの 30 億塩基対の 90%を占め，その機能は不明である）. = selfish DNA.

junk food ジャンクフード（風味ある食品の俗称であるが，そのほとんどが高脂肪，塩分過多或いは砂糖が多く，蛋白質，食物線維，ビタミンが不足しており健康に良くないものである）.

Jur·kat cells ジャーカット細胞（Burkitt リンパ腫由来の T 細胞株．免疫学的研究に用いる）.

jus·tice (jŭs′tis). 公平性（同じような状況や状態にある人は同じように扱われるべきであるとする倫理上の原則. →Nursing Interventions Classification）.

ju·ve·nile ar·thri·tis, ju·ve·nile rheu·ma·toid ar·thri·tis 若年性関節炎，若年性関節リウマチ（小児期に発症する慢性関節炎で，ほとんどの場合少数関節性，すなわち罹患する関節は数関節にとどまる．本症にはいくつかの病型がある．主に女児を侵し，しばしば虹彩炎を伴い，通常抗核抗体が陽性の型，主に男児を侵し，強直性脊椎炎に類似する脊椎の関節炎が高頻度にみられる型などがある．また小児期に発症した真の関節リウマチである群もあり，この場合リウマトイド因子は陽性で，関節の破壊による関節の変形としばしば思春期に寛解がみられるのが特徴である. →Still disease）.

ju·ve·nile cat·a·ract 若年性白内障（小児あるいは青年に起こる軟性白内障）.

ju·ve·nile cell 幼若細胞. = metamyelocyte.

ju·ve·nile de·lin·quen·cy 少年非行（社会的期待に相反する作用を示す 10 代の行動を描写するのによく用いられた古い用語. *cf.* sociopath; antisocial personality disorder）.

ju·ve·nile di·a·be·tes 若年性糖尿病（インスリン依存性糖尿病（現在では 1 型糖尿病）に対して用いられた言葉．現在では廃語となっている）.

ju·ve·nile ky·pho·sis 若年性後弯〔症〕. = Scheuermann disease.

ju·ve·nile my·o·clon·ic ep·i·lep·sy 若年ミオクローヌスてんかん（典型的には早期青年期に始まるてんかん症候群．早朝のミオクローヌスを特徴とし，全身性強直・間代発作に進行することもある）.

ju·ve·nile of·fend·er 少年犯罪者（法的に成年に達してはいないが，現行の法律に違反した人）.

ju·ve·nile-on·set di·a·be·tes 若年発症糖尿病. = Type 1 diabetes mellitus.

ju·ve·nile pel·vis 幼若型骨盤（骨がほっそりしている均等狭窄骨盤）.

ju·ve·nile per·i·o·don·ti·tis 若年性歯周炎（急速に破壊が進む歯周疾患で，若年者にみられる．歯周組織の破壊量が近隣の歯の局所的刺激因子の量に比して大きいのが特徴である．炎症性変化が加わることにより，骨破壊，歯の移動，挺出が認められる．この疾患には，ⓘ切歯と第一大臼歯に限局している限局型，ⓘⓘすべての歯に認められる広汎型，の 2 つの型がある）. = periodontosis.

ju·ve·nile plan·tar der·ma·to·sis 若年性足底皮膚症（小児に初発する有痛性の皮膚炎で，足底の皮膚に光択と亀裂が生じる．恐らく多汗症が関与している）.

ju·ve·nile spi·nal mus·cu·lar a·tro·phy 若年性脊髄性筋萎縮〔症〕（小児期に始まる緩徐進行性の近位筋の脱力と萎縮．脊髄前角の運動ニューロンの変性が原因．通常 2—17 歳で発症．通常，常染色体劣性遺伝）.

jux·ta·col·ic ar·ter·y = marginal artery of colon.

jux·ta·crine (jŭks′tă-krin). ジャクスタクリン（あるホルモンを産生する細胞がそのホルモン受容体を有する細胞と直接接触して作用するようなホルモンの情報伝達法）.

jux·ta·ep·i·phys·i·al (jŭks′tă-ep-i-fiz′ē-ăl). 骨端近傍の.

jux·ta·e·soph·a·ge·al pul·mo·nar·y lymph nodes, jux·ta·e·soph·a·ge·al lymph nodes 食道傍リンパ節（食道の両側に沿って位置しているいくつかの後縦隔リンパ節．すなわち，食道と肺，食道傍リンパ節の両方からリンパ液を受ける）.

jux·ta·glo·mer·u·lar (jŭks′tă-glō-mĕr′yū-lăr). 傍糸球体の，糸球体近接の．

jux·ta·glo·mer·u·lar cells 傍糸球体細胞（腎小体の血管極にある細胞で，レニンを分泌し傍糸球体複合体の一部をなす．それらは主として腎糸球体の輸入動脈の平滑筋細胞を修正している）．

jux·ta·glo·mer·u·lar cell tu·mor 傍糸球体細胞腫瘍（傍糸球体細胞由来の腫瘍で通常，腫瘍がレニンを産生するために生じると考えられる著明な拡張期高血圧を伴う二次性アルドステロン症の徴候を示す．組織所見は血管周囲細胞種 hemangiopericytoma の所見と類似している）．

jux·ta·glo·mer·u·lar gran·ules 傍糸球体顆粒（傍糸球体細胞中に存在するオスミウム酸好性の分泌顆粒で，レニンを含むと考えられている）．

jux·tal·lo·cor·tex (jŭks′tă-lō-kōr′teks). 傍異種皮膚，中間皮膚（同種皮膚と異種皮膚の中間部を占める大脳皮質部分を示す総称）．

juxta-oesophageal lymph nodes ［Br.］. = juxtaesophageal lymph nodes.

juxta-oesophageal pulmonary lymph nodes ［Br.］. = juxtaesophageal pulmonary lymph nodes.

jux·ta·po·si·tion (jŭks′tă-pō-zish′ŭn). 近位（接近した部分．→apposition; contiguity）．

K

κ カッパ（→kappa）.

k *1* リシン，kilo- を示す記号．*2* 眼科において，強膜硬性の係数．*3* コンタクトレンズの適合における円錐角膜の最も平坦な経線の曲率半径．

K カリウムの元素記号．ケルビンの記号．

k 割合 rate constants の記号．

Kai·ser·ling fix·a·tive カイゼルリング固定（正常組織標本または病理組織標本を硝酸カリウム，酢酸カリウム，およびホルマリンのはいった水溶液中に浸し，色を変えずに保存する方法）.

kak-, kako- →caco-.

kal-, kali- カリウムに関する連結形．適切ではないが kalio- と書くこともある．

ka·la a·zar カラアザール．= visceral leishmaniasis.

kalaemia ［Br.］. = kalemia.

ka·le·mi·a (kă-lē′mē-ă). カリウム血〔症〕（血液中にカリウムがある状態）. = kalaemia.

ka·li·o·pe·ni·a (kā′lē-ō-pē′nē-ă). カリウム欠乏（体内のカリウム欠乏）.

ka·li·o·pe·nic (kā′lē-ō-pē′nik). カリウム欠乏の．

ka·li·um（k） (kā′lē-ŭm). カリウム．= potassium.

ka·li·u·re·sis (kā′lē-yūr-ē′sis). = kaluresis.

ka·li·u·ret·ic (kā′lē-yūr-et′ik). = kaluretic.

kal·lak (kal′ak). 膿疱性皮膚炎（エスキモー人にみられる膿疱性皮膚炎）.

kal·li·kre·in (kal′i-krē′in). カリクレイン（キニノゲンを蛋白分解によりブラジキニンまたはカリジンに変換する酵素(例えば，血漿カリクレイン，組織カリクレイン，膵臓カリクレイン，尿カリクレイン，下顎骨下のカリクレイン)の総称名．トリプシン，プラスミンもこの酵素反応を起こしうる．血漿カリクレインは Hageman 因子を活性化したり，キニノゲンに作用する．組織カリクレインはセリンエンドペプチダーゼで，キニノーゲンからカリジンを生成させる）. = kininogenase; kininogenin.

kal·u·re·sis (kal′yūr-ē′sis). カリウム尿（尿中のカリウム排出量が増加すること）. = kaliuresis.

kal·u·ret·ic (kal′yūr-et′ik). カリウム尿の．= kaliuretic.

Ka·na·ga·wa phe·nom·e·non 神奈川現象（腸炎ビブリオ菌株による，特殊高塩濃度マンニトール培地(我妻培地)上での β 溶血の形成）.

Kan·ner syn·drome カンナー症候群．= infantile autism.

ka·od·ze·ra (kah′od-zer′ā). *Trypanosoma rhodesiense* による睡眠病と類似した疾患で，ジンバブエで流行している．→Rhodesian trypanosomiasis.

ka·o·lin clot·ting time（KCT） カオリン凝固時間（患者および対照グループの血漿を混合することにより，ループスアンチコアグラントの検出を目的とする血小板除去血漿を用いた高感度試験法．カオリンが接触因子を介して凝固を開始し，その後，他の内因子が凝固経路に関与してくる）.

ka·o·lin·o·sis (kā′ō-lin-ō′sis). カオリンじん(塵)肺症（陶土の粉じんを吸入することによって起こるじん肺症）.

Kap·lan-Mei·er a·nal·y·sis カプラン-マイヤー解析（対象とする患者集団の生存割合を計算する方法．ある時点における生存割合が増えることが，患者の実生存時間が増えることに対応する．註用語としては analysis ではなく estimate または estimator(推定量)のほうが適切である）.

Kap·lan-Mei·er es·ti·mate カプラン-マイヤー法（計算された生存率と見切り観察も考慮に入れた推計を組み合わせて生命表あるいは生存表を作成するノンパラメトリック法．主に癌や同様の長期的な疾患の生存調査に用いられる）.

Kap·o·si sar·co·ma カポジ肉腫（原始血管形成組織に生じる多病巣性の悪性または良性の新生物で，皮膚およびときにリンパ節あるいは内臓にみられる．紡錘細胞および小血管腔よりなり，血鉄素(ヘモシデリン)を有するマクロファージの浸潤と赤血球の溢出をしばしば伴う．紅紫色から暗青色の斑点や小結節からなる皮膚病変によって臨床的に証明された．最も一般的には 60 歳以上の男性にみられ，またエイズ患者ではヒトヘルペスウイルス 8 の日和見疾患としてみられる）.

Kap·o·si var·i·cel·li·form e·rup·tion カポジ水痘様発疹症（アトピー性皮膚炎に伴って発症する単純ヘルペスまたは種痘ウイルスによる合併症の一種で，現在ではまれである．播種性水疱と丘疹性水疱と高熱を伴う）.

kap·pa（κ） (kap′ă). カッパ（①ギリシア語アルファベットの第 10 字．②化学では，カルボキシル基または他の官能基から第 10 番目の原子に位置する置換基の位置を表示する．③観察者間の作為的な一致の程度を測定，または同じ範疇に属する変数の測定）.

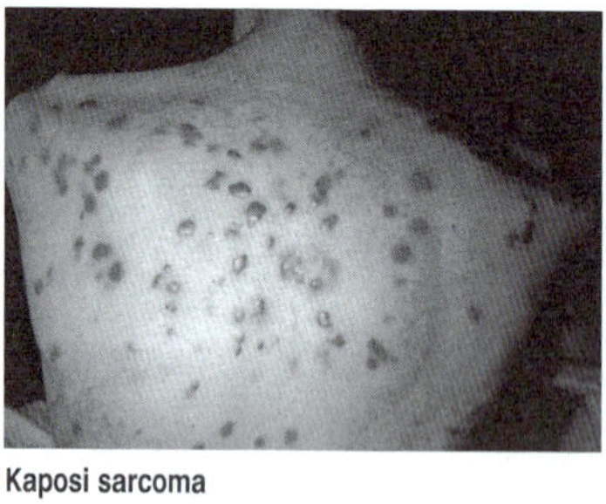

Kaposi sarcoma

kap·pa an·gle カッパ角（瞳孔中心線と視線のなす角．前者が後者の鼻側にあるときは陽性(+)，耳側では陰性(−)となる）．

Kar·nof·sky scale カルノフスキーの尺度(基準)（患者の日常活動能力を段階付けするための尺度．治療後の改善を評価するのに使われる）．

Kar·tag·e·ner syn·drome カルタゲナー症候群（気管支拡張症と慢性の副鼻腔炎を伴う全内臓逆位症．線毛の動きの障害，呼吸気道上皮における線毛粘液移送の障害を伴う．種々の表現率による常染色体性劣性遺伝である．内臓逆位の機構は不明だが，真の逆位よりむしろ正確には正常の左右差がまったく消失してでたらめになるように思われる）．

Kar·von·en meth·od カルボーネン法（安静時の心拍数に心拍数の範囲(安静時の心拍数と最大心拍数の差)に所定の割合(60—85%)を加えることで，トレーニング時の心拍数を決める方法）．

karyo- 核に関する連結形．*cf.* nucleo-.

kar·y·o·cyte (kar′ē-ō-sīt)．カリオサイト（若い，未熟な正常赤芽球）．= rubricyte.

kar·y·o·gam·ic (kar′ē-ō-gam′ik)．カリオガミーの，核合体の．

kar·y·og·a·my (kar′ē-og′ă-mē)．カリオガミー，核融合，核合体（受精または真の接合の際に起こる2つの細胞核の融合）．

kar·y·o·gen·e·sis (kar′ē-ō-jen′ĕ-sis)．核発生．

kar·y·o·gen·ic (kar′ē-ō-jen′ik)．核発生の．

kar·y·ol·o·gy (kar′ē-ol′ŏ-jē)．細胞核学（細胞学の一分野で，細胞核，核内小器官核の構造と機能を扱う）．

kar·y·ol·y·sis (kar′ē-ol′i-sis)．核溶解（膨潤と，核染色質の塩基性色素に対する親和性の消失とによって，細胞核が外見上溶解すること）．

kar·y·o·lyt·ic (kar′ē-ō-lit′ik)．核溶解の．

kar·y·o·mor·phism (kar′ē-ō-mōr′fizm)．*1* 核形成（細胞核の形成）．*2* 核形態（細胞核，特に白血球核の形態を表す）．

kar·y·on (kar′ē-on)．核．= nucleus(1)．

kar·y·o·phage (kar′ē-ō-fāj)．カリオファージ（宿主の細胞核を食する細胞内寄生生物）．

kar·y·o·plast (kar′ē-ō-plast)．核質（細胞質(形質)と原形質膜の狭いバンドによって取り巻かれている細胞核）．

kar·y·o·pyk·no·sis (kar′ē-ō-pik-nō′sis)．核凝縮（染色質濃縮が起こり無構造の塊になる重層扁平上皮の表面性角質細胞の細胞学的特徴）．

kar·y·or·rhex·is (kar′ē-ō-rek′sis)．核崩壊（染色質が細胞質中に不規則に分散されるような核の断片化．通常，壊死状態に続いて核溶解が起こる）．

kar·y·o·some (kar′ē-ō-sōm)．カリオソーム，染色中心（静止期細胞核中によくみられる染色質の塊で，染色質糸状体の濃縮された部分を表す）．

kar·y·o·type (kar′ē-ō-tīp)．核型（個体または細胞系統の染色体の特性．通常，単一の細胞核の顕微鏡写真から，中期染色体を，大きさの順に動原体の位置に従って並べ，体系的配列として表す）．= idiogram(1)．

Kas·a·bach-Mer·ritt syn·drome カサバッハ−メリット症候群（広範な血管腫があり，血小板減少と消費性凝固障害をきたす．通常，幼少の早期にみられる）．

Ka·sai op·er·a·tion 葛西の手術．= portoenterostomy.

Ka·so·ker·o vi·rus カソケロウイルス（ブンヤウイルス科の一種．ヒトに感染し，頭痛，腹痛，下痢，高度の筋肉痛，関節痛を生じる）．

Kas·ten fluo·res·cent Feul·gen stain カステン蛍光フォイルゲン染色〔法〕（種々の塩基性蛍光色素のどれか1つに二酸化硫黄を加えて用いる，Feulgen 染色の蛍光法．きらびやかな蛍光を発するのでこの方法はきわめて感度が高く，細胞蛍光強度測光による DNA の定量にも利用できる）．

Kas·ten fluo·res·cent per·i·od·ic a·cid-Schiff stain カステン蛍光パス染色（多糖のためのパス染色という蛍光修飾であり，カステン蛍光シッフ試薬を用いる）．

Kas·ten fluo·res·cent Schiff re·a·gents カステンの蛍光シッフ試薬（酸性側鎖を欠き，少なくとも1個より多くの第一級アミン基をもつ蛍光塩基染料である Schiff 試薬の蛍光性類似体．Kasten の蛍光 Feulgen 染色の DNA, Kasten の蛍光 PAS 染色の多糖類，およびニンヒドリン−Schiff 染色での蛋白の細胞化学的検出に用いられる．そのような類縁体にアクリフラビン，オーラミン O，およびフラボホスフィン N が含まれる）．

Kast syn·drome = Maffucci syndrome.

kat katal の略．

kata- cata- ともつづる．下へ，を意味する連結形．

kat·al (kat) (kat′ăl)．カタール，カット（毎秒生成物(または消費する基質)1モルに相当する触媒活性の単位で，1秒間に基質1モルの転換を触媒する酵素の量）．

ka·thex·is (kath-eks′is)．まれな異常で，骨髄球系の細胞が骨髄に停留し重篤な末梢好中球減少を起こす．好中球に明らかに異常な形態を示す．Gm-CSF は検出不能でこれを投与することは治療上効果的である．= myelokathexis.

Katz in·dex カッツインデックス（日常生活の活動評価方法．すなわち，介護付き住宅へ配置後の股関節骨折からの回復と死亡率とに関連している）．

ka·va, ka·va-ka·va (kah′vă, kah′vă-kah′vă)．カワカワ，カバ（Piper methysticum. 由来の試薬．抗痙攣作用といわれている．睡眠補助薬として不安神経症を治療するためによく用いれており，筋痙縮と性感染症の治療上有用であることが示唆されている）．

Ka·wa·sa·ki dis·ease, Ka·wa·sa·ki syn·drome 川崎病（主に8歳以下の小児に起こる原因不明の全身性の血管炎．5日以上続く発熱，不定形発疹，口唇の紅潮，乾燥，亀裂，眼球結膜の充血，手足の腫脹，易刺激性，リンパ節腫脹，会陰の落屑を伴う発疹の症状を呈す．未治療患者のうちおよそ20%に，冠動脈瘤を生じる．

K

治療法は高用量の経口アスピリン，免疫グロブリンの静注，支持療法など．回復期には血小板増加症と手足の指端の膜様落屑が現れる）．= mucocutaneous lymph node syndrome.

Kay·ser-Flei·scher ring カイザー–フライシャー輪（肝レンズ核変性症にみられる角膜強膜縁すぐのところで角膜を包囲する緑色を帯びた黄色色素の輪．Descemet 膜における銅の沈着による）．

Ka·zan·ji·an op·er·a·tion カザニアン手術（無歯隆線前庭溝の外科伸長術で，その溝の高さを増し義歯保持をする）．

kc kilocycle の略．

kcal kilogram calorie; kilocalorie の略．

K cells K 細胞．= killer cells.

KCT kaolin clotting time の略．

Kearns-Sayre syn·drome キーンズ・セイアー症候群（慢性進行性外眼筋麻痺の一型で，心伝導系障害，低身長，難聴を伴う．小児期に発症する散在性に起こるミトコンドリアミオパシー）．

Keat·ing-Hart meth·od ケアタン–アール法（外部癌または悪性新生物を除去した後の手術野に放電を行う方法）．

Keen op·er·a·tion キーン手術（斜頸治療のため，罹患筋を支配する脊髄神経後枝と脊髄副神経を切除する方法）．

Keg·el ex·er·cis·es ケーゲル練習法（緊張性尿失禁の治療として行われ，会陰筋の収縮および弛緩を交互に繰り返す方法）．

Kehr sign ケール徴候（脾破裂の場合，左肩に感じる激痛）．

Kel·ly op·er·a·tion ケリー手術（①子宮仙骨靱帯のひだ形成による子宮後傾症の矯正術．②膀胱頸部下を経腟的に縫合することによる緊張性尿失禁の矯正術）．

Kel·ly rec·tal spec·u·lum ケリー肛門鏡（肛門検査のための栓子のある管状鏡）．

ke·loid (kē′loyd)．ケロイド，蟹足(かいそく)腫（結節状で硬く，可動性で皮膜をもたない，しばしば線状に配列する過形成瘢痕組織塊で，膠原の幅広くかつかなり不規則に分布する束からなる．ケロイドは通常，外傷，外科手術，熱傷，嚢腫性痤瘡のような重症の皮膚病の後に生じる）．

ke·loid ac·ne ケロイド痤瘡（小胞構造や特に頸背部に，炎症や化膿を伴う，ほとんどのアフリカ系アメリカ人にみられる，最も一般的な皮膚疾患の形態）．

ke·loi·do·sis (kē′loy-dō′sis)．ケロイド症（多発性のケロイド）．

ke·lo·plas·ty (kē′lō-plas-tē)．ケロイド形成〔術〕，瘢痕形成〔術〕（ケロイドあるいは瘢痕を除去する手術）．

kel·vin (K) (kel′vin)．ケルビン(ケルヴィン)（熱力学的温度の単位で，水の三重点を表す熱力学的温度の 1/273.16 に等しい．→Kelvin scale）．

Kel·vin scale ケルビン(ケルヴィン)温度目盛り（水の三重点が 273.16 K である温度目盛り．°C = K − 273.15）．= absolute scale.

Kemp ech·o ケンプエコー，ケンプ耳音響放射（David Kemp が 1978 年に見出した現象．自動的に，または聴覚の刺激に反応して，正常な蝸牛の中で耳音響放射が起こる．→otoacoustic emission）．

Ken·dall (ken′dăl)．→Abell-Kendall method.

Ken·ne·dy dis·ease ケネディ病（進行性脊髄性および延髄性筋萎縮を特徴とする X 連鎖劣性疾患．随伴症状は感覚軸索遠位部変性および，糖尿病，女性化乳房，精巣萎縮など内分泌機能異常徴候を含む）．= X-linked recessive bulbospinal neuronopathy.

Ken·ne·dy syn·drome ケネディ症候群（中心暗点を伴う一側の視神経萎縮と対側の乳頭浮腫．一側の視神経の髄膜腫により起こる）．= Foster Kennedy syndrome.

Ken·ny-Caf·fey syn·drome ケニー–キャフェィ症候群（間欠的な低カルシウム血症(PTH 分泌異常を伴う)や骨と眼の異常を特徴とする疾患．常染色体優性遺伝と劣性遺伝のものがある）．

Kent bun·dle ケント束（①= atrioventricular bundle. ②心房心室間の副伝導路として生じることがある筋線維束．ウルフ–パーキンソン–ホワイト症候群に関連する）．

Ker·an·del sign ケランデル徴候（アフリカトリパノソーマ症でみられる痛みに対する感覚の遅れ）．

ker·a·tan sul·fate ケラタン硫酸（軟骨，骨，結合組織，角膜，大動脈，椎間板に存在する硫酸ムコ多糖類の一種．Morquio 症候群で蓄積される）．= keratosulfate.

ker·a·tec·to·my (ker′ă-tek′tŏ-mē)．角膜切除〔術〕．

ke·rat·ic (ker-at′ik)．角質〔性〕の．= horny.

ke·rat·ic pre·cip·i·tates 角膜後面沈着物（角膜内皮の炎症細胞）．

ker·a·tin (ker′ă-tin)．ケラチン，角質（毛や爪に存在する硬蛋白またはアルブミン様蛋白．比較的多量の硫黄を含有する．胃液中では不溶性．腸内でのみ溶解するように意図された被覆腸溶丸剤にときに利用される）．= cytokeratin.

ker·a·tin·as·es (ker′ă-tin-ās-ĕz)．ケラチナーゼ，角質分解酵素（ケラチンの加水分解を触媒する加水分解酵素の一群）．

ker·a·tin·i·za·tion (ker′ă-tin-ī-ză′shŭn)．角〔質〕化，角質生成（ケラチン形成または角質層形成．ケラチンの早熟形成をさすこともある）．= cornification.

ke·rat·i·no·cyte (ke-rat′i-nō-sīt)．ケラチノサイト（角層が死んで完全に角質化した細胞に至る分化の過程でケラチンを産生する，生きた表皮やある口蓋表皮の細胞）．

ke·rat·i·no·some (ke-rat′i-nō-sōm)．ケラチノソーム（ある種の重層扁平上皮の有棘層上層に存在する顆粒）．= membrane-coating granule.

ke·rat·i·nous (ke-rat′i-nŭs)．***1*** ケラチンの．***2*** 角質〔性〕の．= horny.

ke·rat·i·nous cyst 角質嚢腫（ケラチンを内容とする上皮性嚢腫）．

ker·a·tin pearl ケラチン真珠（異常な扁平細胞の同心円層内の中央にケラチン化の中心のあ

るもの．扁平細胞癌でみられる）. = epithelial pearl.

ker·a·ti·tis (ker′ă-tī′tis). 角膜炎（→keratopathy）.

kerato-, kerat- *1* 角膜を意味する連結形. *2* 角質組織または角質細胞を意味する連結形. →cerat-; cerato-.

ker·a·to·ac·an·tho·ma (ker′ă-tō-ak′an-thō′mă). 角化棘細胞腫（急速に発育する腫瘍で，通常，皮膚の露出部に生じる．病変は真皮に及ぶが局所的であり，治療しない場合は自然消退する）.

ker·a·to·cele (ker′ă-tō-sēl). 角膜瘤（角膜外層の欠損部よりの角膜後境界板の脱出）.

ker·a·to·con·junc·ti·vi·tis (ker′ă-tō-kŏn-jŭngk′ti-vī′tis). 角結膜炎（結膜と角膜の炎症）.

ker·a·to·con·junc·ti·vi·tis sic·ca 乾性角結膜炎（涙液の減少を伴う角結膜炎）.

ker·a·to·co·nus (ker′ă-tō-kō′nŭs). 円錐角膜（基質の非薄化による角膜中央の円錐形の突出で，通常は両眼性. →Fleischer ring; Munson sign）. = conic cornea.

ker·a·to·cyst (ker′ă-tō-sist). 角化嚢胞（歯堤残遺由来の歯原性嚢胞で，単胞性または多胞性のX線透過像を示し，顎骨の膨隆を認めることもある．二分肋骨を呈する基底細胞母斑症候群と関連している）.

ker·a·to·cyte (ker′ă-tō-sīt). *1* 角膜実質細胞（角膜の線維芽細胞の基質細胞）. *2* ケラトサイト（いろいろな形をした変形赤血球で，傷害を受けた小血管を血球が通過する際にできる断片化した赤血球）. = schistocyte.

ker·a·to·der·ma (ker′ă-tō-dĕr′mă). *1* 角皮（角質の表在性増殖）. *2* 角皮症（表皮角質層の広範囲にわたる肥厚）.

ker·a·to·der·ma blen·nor·rhag·i·cum 膿漏性角皮症（Reiter 症候群にみられる散在性の厚い角化性皮膚病変(例えば，膿疱，痂皮））.

ker·a·to·der·ma plan·ta·re sul·ca·tum 裂溝性足蹠角皮症（足底の角質増殖と裂溝形成）. = cracked heel.

ker·a·to·der·ma·ti·tis (ker′ă-tō-dĕr′mă-tī′tis). 角質皮膚炎，皮膚角質層炎（皮膚角質層の増殖を伴う炎症）.

ker·a·to·ec·ta·si·a (ker′ă-tō-ek-tā′zē-ă). 角膜拡張症（角膜の前方への隆起）.

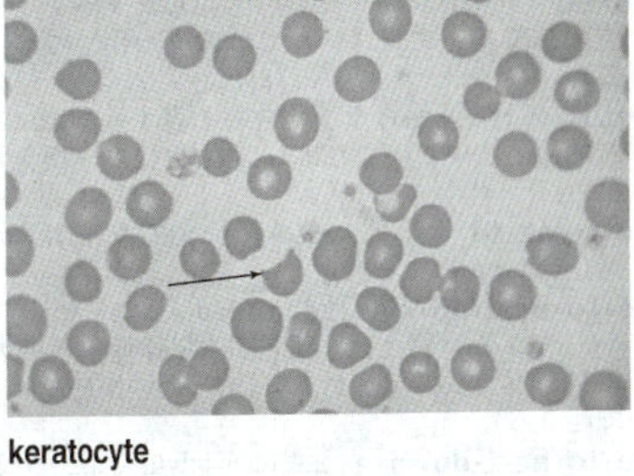

keratocyte

ker·a·to·ep·i·the·li·o·plas·ty (ker′ă-tō-ep-i-thē′lē-ō-plas-tē). 角膜上皮形成術（遷延性角膜上皮欠損の修復に対する手術的方法．レシピエントの角膜上皮を除去し，上皮を保持したドナー角膜小片を角膜輪部に移植する）.

ker·a·tog·e·nous (ker′ă-toj′ĕ-nŭs). 角質形成〔性〕の（ケラチンを産生し，指爪，鱗屑，羽毛などの角質組織を形成する細胞を増殖させることについていう）.

ker·a·tog·e·nous mem·brane = nail matrix; nail bed.

ker·a·to·hy·a·lin, ker·a·to·hy·a·lin gran·ules (ker′ă-tō-hī′ă-lin, ker′ă-tō-hī′ă-lin gran′yūlz). ケラトヒアリン（表皮顆粒層の好塩基性顆粒中にある物質）.

ker·a·toid (ker′ă-toyd). *1* = horny. *2* 角膜組織様の.

ker·a·toid ex·an·the·ma 類角化疹（イチゴ腫の第二期に現れる徴候．細かい淡色の小鱗状落屑が四肢や体躯に不規則に散在する）.

ker·a·to·lep·tyn·sis (ker′ă-tō-lep-tin′sis). ケラトレプティンシス，角膜削り術（①= gutter dystrophy of cornea. ②整容的理由で角膜の表面を除去し球結膜を移動する手術）.

ker·a·to·leu·ko·ma (ker′ă-tō-lū-kō′mă). 角膜白斑，角膜白色混濁.

ker·a·tol·y·sis (ker′ă-tol′i-sis). *1* 角質溶解（表皮角質層の剥離）. *2* 表皮剥離（特に表皮の脱落が多少規則的な間隔で反復することを特徴とする疾患）.

ker·a·to·lyt·ic (ker′ă-tō-lit′ik). 角質溶解性の，表皮剥離性の.

ker·a·to·ma (ker′ă-tō′mă). *1* 角化腫. = callosity. *2* 角質性腫瘍.

ker·a·to·ma·la·ci·a (ker′ă-tō-mă-lā′shē-ă). 角膜軟化〔症〕（角膜の潰瘍形成と穿孔を伴う乾燥状態で，炎症反応はなく，悪液質の小児に起こる．重度のビタミンA欠乏症から起こる）.

ker·a·tome (ker′ă-tōm). 角膜切開刀，槍状刀（角膜を切るために用いるナイフ）. = keratotome.

ker·a·tom·e·ter (ker′ă-tom′ĕ-tĕr). 角膜〔曲率〕計（角膜前部表面の曲率を測定する器械）. = ophthalmometer.

ker·a·tom·e·try (ker′ă-tom′ĕ-trē). 角膜曲率測定〔法〕（角膜曲率を測定する方法）.

ker·a·to·mi·leu·sis (ker′ă-tō-mī-lū′sis). 角膜曲率形成〔術〕（角膜深層の形状を変化させることにより屈折異常を変化させる手術）.

ker·a·to·path·i·a (ker′ă-tō-path′ē-ă). 角膜症. = keratopathy.

ker·a·to·path·i·a gut·ta·ta 滴状角膜症（角膜後面の瘤状内皮細胞の隆起）.

ker·a·top·a·thy (ker′ă-top′ă-thē). 角膜症（機能的障害または異常を有する角膜疾患）. = keratopathia.

ker·a·to·pha·ki·a (ker′ă-tō-fā′kē-ă). ケラトファキア（屈折異常の矯正を目的とした角膜実質内への提供移植角膜片またはプラスチックレンズの移植）.

K

ker·a·to·plas·ty (ker′ă-tō-plas-tē). 角膜移植〔術〕(角膜の手術的矯正法. 角膜の混濁を含む部分を除去し, その場所に同じ大きさ, 形の角膜を他から移植すること). = corneal graft.

ker·a·to·pros·the·sis (ker′ă-tō-pros-thē′sis). 人工角膜移植〔術〕(混濁した角膜の中央部分を合成樹脂で置き換えること).

ker·a·to·rhex·is, ker·a·tor·rhex·is (ker′ă-tō-rek′sis, kĕr′ă-tō-rek′sis). 角膜破裂 (外傷または穿孔性潰瘍による角膜破裂).

ker·a·to·scle·ri·tis (ker′ă-tō-skler-ī′tis). 角膜強膜炎.

ker·a·to·scope (ker′ă-tō-skōp). 角膜鏡 (角膜反射像が観察できるように線または円輪を記した器械). = Placido da Costa disk.

ker·a·tos·co·py (ker′ă-tos′kō-pē). *1* 角膜検影法, 角膜鏡検査〔法〕(角膜乱視の性質およびその程度を測定するために角膜前面からの反射を調べる検査). *2* Cuignet の検影法に対して彼が最初に用いた語.

ker·a·tose (ker′ă-tōs). 角化症の, 角質の (角化に関係するか, もしくは角化(症)のあるところを示す).

ker·a·to·sis, pl. **ker·a·to·ses** (ker′ă-tō′sis, -sēz). 角化症 (角質層の限局性発育過剰を特徴とする表皮の病変).

ker·a·to·sis fol·lic·u·la·ris 毛包性角化症 (通常は幼少期後半に発症し, 毛包および毛包間表皮由来の角化性丘疹が, 体幹, 顔面, 頭皮, 腋窩に生じ, 痂皮を付着したりいぼ状になったりするのが特徴の家族性発疹. これはしばしばかゆみが激しい). = Darier disease; Hailey and Hailey disease.

ker·a·to·sul·fate (ker′ă-tō-sŭl′fāt). = keratan sulfate; keratosulphate.

keratosulphate [Br.]. = keratosulfate.

ker·a·to·tome (ker-ăt′ō-tōm). 角膜切開刀, 槍状刀. = keratome.

ker·a·tot·o·my (ker′ă-tot′ō-mē). 角膜切開〔術〕(①角膜を通過する何らかの切開. ②角膜を平坦化させその屈折力を弱める部分的(非穿孔性)角膜切開術).

Kerck·ring folds ケルクリングひだ. = circular folds of small intestine.

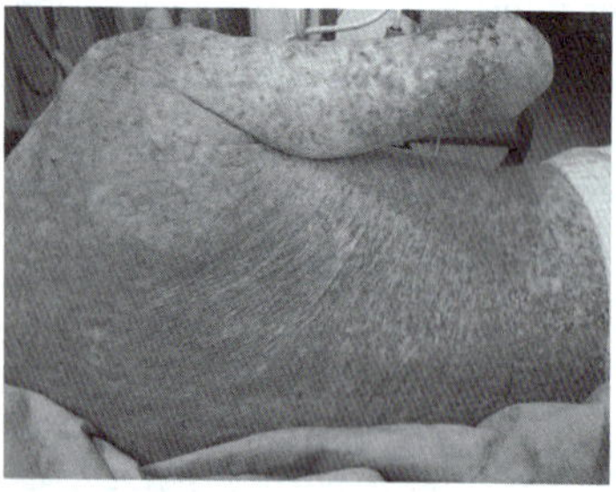
keratosis follicularis

Kerck·ring valves ケルクリング弁. = circular folds of small intestine.

ke·ri·on (kē′rē-on). 禿瘡 (毛髪の真菌感染を合併した肉芽腫性二次感染病変. 典型的には隆起浸潤性病変).

Ker·ley B lines カーリーの B 線 (細い末梢性の小葉間隔壁による線).

KERMA (kĕr′mă). カーマ (kinetic energy released in a material の頭字語. 囲非荷電粒子が物質内で反応を起こし生じる荷電粒子の初期運動エネルギーの総和を物質の質量で割った量).

ker·nic·ter·us (kĕr-nik′tĕr-ŭs). 核黄疸 (非抱合型のビリルビンが高値の小児における大脳基底核の黄色色素沈着および変性病変. これらは Rh あるいは ABO 不適合による赤芽球症や G6PD 欠損症などの溶血性疾患と同様に, 新生児敗血症や Crigler-Najjar 症候群において生じうる. 後弓反張, かん高い泣き声, 嗜眠傾向, 哺乳力低下とともに Moro 反射の異常または消失や眼球の上方凝視消失が初期の症状であり, その後難聴, 脳性麻痺, その他の感覚神経の欠損や精神遅滞などをきたす). = bilirubin encephalopathy; nuclear jaundice.

Ker·nig sign ケルニヒ徴候 (被検者を仰臥位に寝かせ, 大腿を股関節で直角に屈曲させたとき, 膝を完全に伸展させるのが不可能なこと. 各種髄膜炎の場合にみられる).

Ker·no·han notch カーノハン切痕 (経テントヘルニアにより脳幹がテント切痕に押し付けられてできる大脳脚の切痕).

ker·oid (ker′oyd). 角膜様の, 角質様の. = horny.

Ke·shan dis·ease 克山病 (中国の克山で女性や子供らのあいだで発見された, セレン欠乏が原因で生じる心筋症).

Kes·ten·baum num·ber ケステンバウム値 (片眼を遮眼状態にして明所において測定した両眼の瞳孔間距離. 両眼正常な神経支配の虹彩を有する患者での相対的求心性瞳孔反応欠如の指標).

Kes·ten·baum pro·ce·dure ケステンバウム法 (眼球振とうを合併する斜頸症例に適応になる, 外眼筋に対する術式).

Kes·ten·baum sign ケステンバウム徴候 (視神経炎の 1 つの徴候とされる視神経円板縁と細動脈の交差数の減少).

ke·tal (kē′tăl). ケタール (水和したケトンの両方の水酸基をアルコールでエステル化してつくる).

keto- ケトン基からなる化合物を表す連結形. 系統的命名法においてしばしば oxo- に置き換えられる.

ke·to ac·id ケト酸 (酸基に加えてカルボニル基(–CO–)からなる酸).

ke·to·ac·i·do·sis (kē′tō-as-i-dō′sis). ケトアシドーシス (例えば, 糖尿病や飢餓時にみられるアシドーシスで, ケトン体の産生増加によって起こる).

ke·to·ac·i·du·ri·a (kē′tō-as-i-dyūr′ē-ă). ケト酸尿〔症〕(ケトン酸が増加している尿を排泄す

る状態).

ke·to·gen·e·sis (kē′tō-jen′ĕ-sis). ケトン体生成（ケトンまたはケトン体の代謝による生成).

ke·to·gen·ic (kē′tō-jen′ik). ケトン体生成の（物質代謝でケトン体を生成することについていう).

ke·to·gen·ic di·et ケトン誘発食, ケトン産生食（高脂肪, 低炭水化物糖類, 正常蛋白からなる食事で, ケトーシスを起こす).

ke·to·hep·tose (kē′tō-hep′tōs). ケトヘプトース, ケト七炭糖（ケトン基をもつヘプトース).

ke·to·hex·ose (kē′tō-heks′ōs). ケトヘキソース（ケトン基を有する六炭糖. 例えば, フルクトース). = hexulose.

ke·tol (kē′tol). ケトール（CO 基に近接した OH 基をもつケトン).

ke·tole (kē′tōl). ケトール. = indole(1).

ke·tole group ケトール基（2-ケトースの第1位, 2位の炭素を含む官能基($HOCH_2CO-$)).

ke·to·lyt·ic (kē′tō-lit′ik). ケトン体分解の, アセトン体分解の（ケトンまたはアセトン物質の溶解を起こすことについていう. 通常はグルコースの酸化生成物およびその同類物質に関して用いる).

ketonaemia [Br.]. = ketonemia.

ke·tone (kē′tōn). ケトン（2個の炭素原子を連結するカルボニル基をもつ物質. 医学的に最も重要で最も単純なものはジメチルケトン(アセトン)である).

ke·tone bo·dy ケトン体（ケトン類の1つで, アセト酢酸とその還元生成物のβ-ヒドロキシ酪酸とその脱炭酸化生成物のアセトンが含まれる. ケトーシスでは組織, 体液中のケトン体が増加する). = acetone body.

ke·to·ne·mi·a (kē′tō-nē′mē-ă). ケトン血〔症〕（血漿中に測定可能な濃度のケトン体が存在する状態). = ketonaemia.

ke·ton·u·ri·a (kē′tō-nyūr′ē-ă). ケトン尿〔症〕（ケトン体の尿中排泄が増加する状態).

ke·tose (kē′tōs). ケトース（ケトンに特徴的な基であるカルボニル基をもつ炭水化物).

ke·to·sis (kē-tō′sis). ケトーシス, ケトン症（ケトン体産生の増加を特徴とする状態で, 糖尿病や飢餓時などにみられる).

17-ke·to·ste·roids (kē′tō-ster′oydz). 17-ケトステロイド（C-17 位にケトン基をもつステロイド. 一般的にはこの構造的特徴を有する男性ホルモンおよび副腎皮質ホルモンの尿中代謝産物を意味する. *cf.* bioregulator). = 17-oxosteroids.

ke·to·tic (kē-tot′ik). ケトン性の（ケトン体に関連した. コントロール不良のインスリン依存性糖尿病で, ケトン体産生過剰のためアシドーシスになっているような状態をいう).

key-in-lock ma·neu·ver キー・イン・ロック法（産科用鉗子で胎児の頭を回転させる方法).

kg kilogram の略.

ki (kī). = chi.

kid·ney (kid′nē). 腎〔臓〕（尿を排泄する臓器で, 2つある. ソラマメの形をした臓器(長さが約 11 cm, 幅が約 5 cm, 厚さが約 3 cm)で, 脊

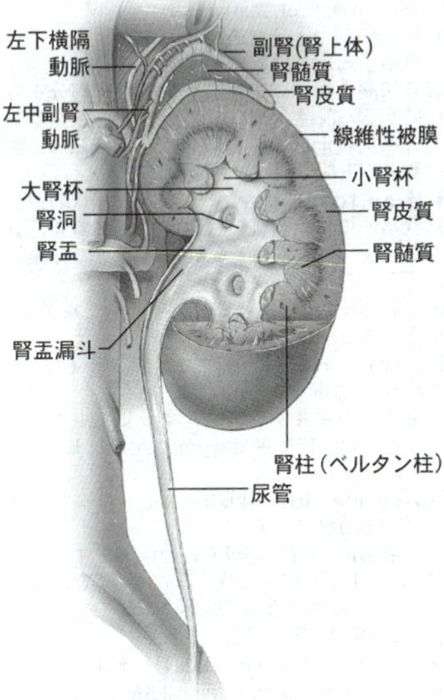
左下横隔
動脈
左中副腎
動脈
大腎杯
腎洞
腎盂
腎盂漏斗
副腎(腎上体)
腎髄質
腎皮質
線維性被膜
小腎杯
腎皮質
腎髄質
腎柱(ベルタン柱)
尿管

left kidney and adrenal gland

髄の両側, 腹膜の後ろ, 第十二胸椎および上部三腰椎にわたる位置にある). = ren.

kid·ney fail·ure = renal failure.

kid·ney ma·chine 人工腎臓（dialyzer の口語表現).

kid·ney stone = renal calculus.

Kiel clas·si·fi·ca·tion キール分類（非 Hodgkin 病の分類法で, ⓘ低度悪性群：リンパ球性, リンパ形質細胞様, 胚中心球性, 胚中心芽球-胚中心球性, ⓘⓘ高度悪性群：胚中心芽球性, リンパ芽球性(Burkitt 型またはクルミ状核型), 免疫芽球性, のように分類される).

Kien·böck dis·ease キーンベック病（月状骨の骨壊死. 外傷後にも起こるが, 原因は不明である).

Kien·böck dis·lo·ca·tion キーンベック脱臼（月状骨の脱臼).

Kier·nan space キールナン腔(隙)（肝臓における小葉間隙).

Kies·sel·bach ar·e·a キーセルバッハ野（毛細血管が多く(Kiesselbach 叢), しばしば鼻出血の位置となる鼻中隔前部にある区域). = Little area.

Ki·ku·chi dis·ease 菊地病（病因不明の壊死性リンパ節炎で, 多くは若年日本人女性に起こるが他の地域でもみられる. 発熱を伴うリンパ節腫脹があり, 自然に軽快する).

kill·er cells キラー細胞（抗体依存性細胞性免疫反応に関与する細胞傷害性細胞). = K cells; null cells(1); T-cytotoxic cells.

K

Kil·li·an bun·dle キリアン束（→inferior constrictor muscle of pharynx）.

Kil·li·an op·er·a·tion キリアン手術（前頭洞疾患の手術．眼窩縁内側 1/3 から鼻根にかけて皮膚切開を行い，それより少し上の部分を骨膜切開する．前壁全体を切除して粘膜を掻爬する．篩骨蜂巣は上顎骨の鼻腔側から取り除き，眼窩内側壁の上部も同様に切除する）.

Kil·li·an tri·an·gle キリアン三角（咽頭部下部収縮筋の斜走線維によって境される頸部食道と Zenker 憩室が起こる輪状咽頭筋横行線維でつくられる三角形の部分）.

kilo-（k） 国際単位系（SI）およびメートル法で 10^3 を意味する接頭語.

kil·o·cal·o·rie（kcal）（kil′ō-kal′ŏr-ē）. キロカロリー（水 1 kg の温度を 14.5°C から 15.5°C に上げるのに要するエネルギー量．小カロリーの値の 1,000 倍）. = kilogram calorie; large calorie.

kil·o·cy·cle（kc）（kil′ō-sī-kĕl）. キロサイクル（毎秒 1,000 サイクル）.

kil·o·gram（kg）（kil′ō-gram）. キログラム（質量の国際単位系（SI）. 1,000 g. 15,432.358 グレーン，常衡 2.2046226 ポンド，または金衡 2.6792289 ポンドに等しい）.

kil·o·gram cal·o·rie（kcal） キログラムカロリー，キロカロリー. = kilocalorie.

kil·o·gram-me·ter（kil′ō-gram-mē′tĕr）. キログラムメートル（1 kg の質量を 1 m の高さに引き上げるのに必要なエネルギー，または仕事．国際単位系（SI）の 9.80665 ジュールに等しい）. = kilogram-metre.

kilogram-metre ［Br.］. = kilogram-meter.

ki·lo·joule（kil′ō-jūl）. キロジュール（1000 ジュールに等しい）.

kil·o·volt（kv）（kil′ō-vōlt）. キロボルト（電位，電位差，または起電力の単位．10^3 ボルトに等しい）.

kil·o·volt peak（kVp） 管電圧最高値，管電圧波高値（X 線管球にかける最高電圧．X 線ビームの透過力に影響を与える）.

Kim·mel·stiel-Wil·son syn·drome, Kim·mel·stiel-Wil·son dis·ease キンメルスティール-ウィルソン症候群（糖尿病性糸球体硬化症に関連して起こる，糖尿病患者におけるネフローゼ症候群および高血圧症）.

kinaesthesia ［Br.］. = kinesthesia.

kinaesthesiometer ［Br.］. = kinesthesiometer.

kinaesthesis ［Br.］. = kinesthesis.

kinaesthetic ［Br.］. = kinesthetic.

kinaesthetic awareness ［Br.］. = kinesthetic awareness.

kinaesthetic sense ［Br.］. = kinesthetic sense.

kinanaesthesia ［Br.］. = kinanesthesia.

kin·an·es·the·si·a（kin′an-es-thē′zē-ă）. 運動〔感〕覚脱失（消失）（深部知覚の障害による運動の方向または範囲の知覚能力欠如．その結果運動失調となる）. = kinanaesthesia.

ki·nase（kī′nās）. キナーゼ（①前酵素から活性酵素への転換を触媒する酵素．②リン酸基を転移し，三リン酸塩（例えば ATP）を生成する反応を触媒する酵素）.

kin·dred（kin′drĕd）. 家系（遺伝的に縁続きの集団．系図でその遺伝様式を表現する）.

kin·e·mat·ic chain 運動学的連鎖（特定の運動をしたり，特定の姿勢をとるのに必要な肢節をつなぎ合わせるいくつかの関節の組合せ）.

kin·e·mat·ics（kin′ĕ-mat′iks）. 運動学（身体の各部分の運動を研究対象とする生理学の一部門）.

kin·e·mat·ic vis·cos·i·ty（ν, υ） 運動粘性率，動粘度（流体流動の研究に用いる．ポアズ単位の動粘性率 μ を物質の密度で除したもの．単位はストークス）.

kin·e·plas·tics（kin′ĕ-plas′tiks）. 動形成切断〔術〕. = cineplastic amputation.

kin·e·sal·gi·a, ki·ne·si·al·gi·a（kin′ĕ-sal′jē-ă, ki-nē′sē-al′jē-ă）. 筋運動痛（筋運動により起こる痛み）.

kinesi-, kinesio-, kineso- 運動に関する連結形.

ki·ne·si·a（ki-nē′sē-ă）. 動揺病，運動病，乗物酔い. = motion sickness.

ki·ne·si·at·rics（ki-nē′sē-at′riks）. = kinesitherapy.

ki·ne·sics（ki-nē′siks）. キネシクス（コミュニケーションにおける非言語的身体動作の研究）.

kin·e·sim·e·ter（kin′ĕ-sim′ĕ-tĕr）. 運動定量計，キネジメータ（運動量を測定する器械）. = kinesiometer.

ki·ne·si·ol·o·gy（ki-nē′sē-ol′ō-jē）. 運動学，キネジオロジー（能動的および受動的構造を含めた運動の科学または研究）.

ki·ne·si·om·e·ter（ki-nē′sē-om′ĕ-tĕr）. = kinesimeter.

ki·ne·sis（ki-nē′sis）. 動性（接尾語として，運動または活性化を意味するために用いる．特に刺激によって誘発されたものに用いる）.

ki·ne·si·ther·a·py（ki-nē′si-thār′ă-pē）. 運動療法（運動訓練と関節可動域訓練を行う理学療法．→movement）. = kinesiatrics.

kin·es·the·si·a, kin·es·the·sis（kin′es-thē′zē-ă, -sis）. ***1*** 運動〔感〕覚，筋覚．***2*** キネステジー（空間を動いているという錯覚）. = kinaesthesia.

kin·es·the·si·om·e·ter（kin′es-thē′sē-om′ĕ-tĕr）. 運動感覚計，筋覚計（筋覚の度合いを測定する器械）. = kinaesthesiometer.

kin·es·thet·ic（kin′es-thet′ik）. 運動感覚性の. = kinaesthetic.

kin·es·thet·ic a·ware·ness = body scheme; kinaesthetic awareness.

kin·es·thet·ic sense 運動〔感〕覚. = myesthesia; kinaesthetic sense.

ki·net·ic（ki-net′ik）. 運動〔性〕の，速動性の.

ki·net·ic chain ex·er·cise 運動連鎖（筋骨格や神経系統が動作を作りだす際の運動）.

ki·net·ic en·er·gy 運動エネルギー.

ki·net·ics（ki-net′iks）. 速度論，動態，運動学（運動，加速，または変化の度合いの研究）.

kineto- 運動に関する連結形.

ki·ne·to·car·di·o·gram（ki-nē′tō-kahr′dē-ō-gram). キネトカルジオグラム（心臓の運動による胸壁の振動の図式記録の1つ).

ki·ne·to·car·di·o·graph (ki-nē′tō-kahr′dē-ō-graf). キネトカルジオグラフ（心臓の運動による前胸部拍動を記録する装置. 横臥の患者上に固定されたある基準点からの胸壁のある点の位置の変化の実測値を記録する).

ki·ne·to·chore (ki-nē′tō-kōr). 動原体（微小管が結合する染色体の構造上の位置. *cf.* centromere).

ki·ne·to·gen·ic (ki-nē′tō-jen′ik). 運動発生の，運動惹起の（運動を引き起こす，または運動をつくり出す).

ki·ne·to·plast (ki-nē′tō-plast). キネトプラスト（寄生性の鞭毛虫であるトリパノソーマ科においてべん毛の基部近くに見出される強染性の核外DNA構造. その位置は光学顕微鏡でも確認でき，電子顕微鏡写真はこれが無べん毛期の細胞質のほとんどを占める巨大な1本のミトコンドリアの一部であることを示している. →parabasal body).

Kin·gel·la (king-gel′ă). キンゲラ属（新たに記載されたナイセリア科の一属. 分離培養のためには高濃度の二酸化炭素を要求するグラム陰性の球菌).

Kin·gel·la in·do·log·e·nes = *Suttonella indologenes.*

Kin·gel·la kin·gae ヒト心内膜炎を起こす一種. 特に免疫減弱状態の患者に多く，また小児の骨関節感染症にも関連する. →HACEK group.

ki·nin (kī′nin). キニン（著しい，劇的な生理学的効果をもつ，非常に異なった多数の物質の総称. あるキニンはある病理学的過程に対して二次的な蛋白分解により血液中に形成されるポリペプチドである. 内臓の平滑筋を刺激するが血管の平滑筋を弛緩させる. したがって，血管拡張を起こす).

ki·nin·o·gen (ki-nin′ō-jen). キニノーゲン（(プラスマ)キニンのグロブリン前駆物質).

ki·nin·o·ge·nase (ki-nin′ō-jĕ-nās). キニノゲナーゼ. = kallikrein.

ki·nin·o·gen·in (ki-nin′ō-jen′in). キニノゲニン. = kallikrein.

kink (kingk). ねじれ，屈曲.

kin·ky-hair dis·ease 縮れ毛病（生後2—3週目に発症する先天性銅代謝異常症. 短く薄くて，色素の足りない縮れ毛や発育障害がある. 痙攣を生じ，筋強直，進行性の知能発育不全を生じ，死亡する. X染色体劣性遺伝で，銅輸送の障害により生じる. X染色体長腕の銅輸送性ATPaseをコードしているMenkes遺伝子(MNK)の突然変異により生じる). = Menkes syndrome.

kino- 運動に関する連結形.

ki·no·cil·i·um (kin′ō-sil′ē-ŭm). 運動〔線〕毛（通常，運動性の線毛で，9本の周辺二重微小管と2本の単一性中央微小管をもつ).

kin·ship (kin′ship). 血族（遺伝的に関係がある状態).

Kirk am·pu·ta·tion カーク切断術（大腿骨下端の切断. 大腿四頭筋の腱を用いて断端をおおう).

Kirsch·ner wire キルシュナー鋼線（長骨骨折時の骨格牽引用の装置).

Kisch re·flex キッシュ反射（外耳道深部の皮膚の刺激に反応して生じる閉眼).

kis·sing punc·ta キッシング涙点（開瞼時，上涙点と外涙点が対応する状態).

Ki·ta·sa·to ba·cil·lus 北里杆菌. = *Yersinia pestis.*

Kjel·land for·ceps ケーランド(キーラン)鉗子（接合部がスライド式になった産科用鉗子で，骨盤軸弯曲はほとんどない).

Kjer op·tic at·ro·phy = dominant optic atrophy.

Kleb·si·el·la (kleb-sē-el′ă). クレブシエラ属（好気性，通性嫌気性，非運動性で芽胞形成をしない腸内細菌科細菌の一属で，単独，1対，または短い鎖にみられる莢膜でおおわれたグラム陰性の杆菌. これらの細菌はアセチルメチルカルビノールとリシンカルボキシル基分解酵素またはオルニチンカルボキシル基分解酵素をつくる. 通常はゼラチンを液化しない. クエン酸塩とブドウ糖が通常は唯一の炭素源として用いられる. これらの細菌は病原性または非病原性のこともある. ヒトの気道，腸管，泌尿生殖器，また土，水，穀粒の中にもみられる. 標準種は *Klebsiella pneumoniae*).

Kleb·si·el·la ox·y·to·ca クレブシエラ・オキシトカ（インドール産生能を特徴とする種. 臨床的には肺炎杆菌 *Klebsiella pneumoniae* に似るが，日和見感染株は抗生剤耐性となる性質を示す傾向がある).

Kleb·si·el·la pneu·mo·ni·ae 肺炎杆菌（土や水の中，穀粒，またヒトその他の動物の腸管にみられる菌種. また尿道感染，喀痰，糞便，雌ウマの子宮筋層炎などにおいてもみられる. この菌のうち，莢膜のある1·2·3型は肺炎を起こす. 以前アエロゲネス菌 *Aerobacter aerogenes* の非運動性菌株とされた菌は，現在この肺炎杆菌種に含められている. *Klebsiella* 属の標準種). = Friedländer bacillus.

Klei·ger test クレイガーテスト（三角靱帯の安定性を決定する際に用いられた術策. 検者は片手を使い，足首の真上で脚を固定する. 三角靱帯の損傷により，痛みや不安定性質が示唆されている).

Klei·hau·er-Bet·ke tech·nique クライハウアー-ベトケ法（母親の循環血中の胎児の細胞濃度を定量するために使用する分析手技).

Klei·hau·er stain クラインハウアー染料（アニリンブルーと Biebrich スカーレットレッドの混合液で，母親血液中の胎児赤血球の検出に用いる).

klep·to·ma·ni·a (klep′tō-mā′nē-ă). 〔窃〕盗癖.

klep·to·ma·ni·ac (klep′tō-mā′nē-ak). 〔窃〕盗癖者，盗癖.

Kline·fel·ter syn·drome クラインフェルター症候群（染色体数47，XXY性染色体成分をもつ染色体異常. 患者は男性として成長するが，精細管の発育不全，血漿および尿中ゴナドトロピン増加，種々の女性型乳房，類宦官体質を伴う). = XXY syndrome.

Klip·pel-Feil syn·drome クリペル-フェーユ症候群（頸椎の癒合として発現する先天的欠陥）.

Klump·ke-De·jer·ine pal·sy = Klumpke palsy.

Klump·ke pal·sy, Klump·ke pa·ral·y·sis クルンプケ麻痺（前腕遠位と手の筋肉(尺骨神経支配の全部の筋とより遠位の橈骨神経と正中神経支配筋)の麻痺を起こす分娩麻痺の一型．上腕神経叢の下方の幹の病変や C8 と T1 の神経根病変で起こる）. = Klumpke-Dejerine palsy.

kly·stron (klī′stron). クライストロン（マイクロ波増幅器として機能した線形加速器装置. →magnetron）.

Knapp streaks ナップ線条. = angioid streaks.

Knapp stri·ae ナップ線〔条〕. = angioid streaks.

knee (nē). 膝（①= genu (1). ②屈した膝に似た角張った構造）.

knee-ank·le-foot orth·o·sis 長下肢装具（大腿上部から膝を通り，足関節，趾まで至る装具で，膝と足関節の動きを制御できるよう設計されている）.

knee·cap (nē′kap). 膝蓋骨. = patella.

knee-chest po·si·tion 膝胸位（婦人科の検査または直腸検査のためにとられる，膝と胸の上部をついたうつぶせの姿勢）. = genupectoral position.

knee com·plex 膝関節複合体（頸大腿関節，膝蓋大腿関節とそれらを動かす筋系，および結合組織の総称. →patellofemoral joint）.

knee dis·ar·tic·u·la·tion am·pu·ta·tion 膝関節離断術. = Callander amputation.

knee-el·bow po·si·tion 膝肘位（直腸や婦人科の検査または手術のためにとられる，膝と肘をついたうつぶせの姿勢）. = genucubital position.

knee-jerk re·flex = patellar reflex.

knee joint 膝関節（関節半月(半月状軟骨)が介在する大腿骨顆と脛骨顆の間にある関節，大腿骨と膝蓋骨間の関節からなる複合顆状関節）.

knee pre·sen·ta·tion 膝位（→breech presentation）.

knee re·flex = patellar reflex.

knife, pl. knives (nīf, nīvz). メス，小刀，ナイフ（外科手術および解剖に用いる切断器具）.

knit·ting (nit′ing). 癒合，結合（骨折した骨片または創縁の結合を意味する非医学的用語）.

knob (nob). 瘤，こぶ.

knock-knee (nok′nē). 外反膝. = genu valgum.

knock·out (nok′owt). ノックアウト（ある遺伝子が欠損するように，部位特異的遺伝子組換えによってゲノムが人工的に改変された生物）.

knock·out mouse ノックアウトマウス（マウスのゲノムから 1 遺伝子を人工的に欠損させたマウス）.

knot (not). ***1*** 結び目，結紮（2 本のひも，テープ，縫合糸などの端と端が離れないように絡み合わせた状態，または 1 本のひもの両端を同様に絡み合わせること）. ***2*** 結節（解剖学または病理学において，結び目を連想させるようなもの，すなわち結節，神経節，限局性の腫脹など）.

Knott tech·nique ノット法（ミクロフィラリアを検出するために考案された濃縮法で，血液に希釈フォルマリン液を加える）.

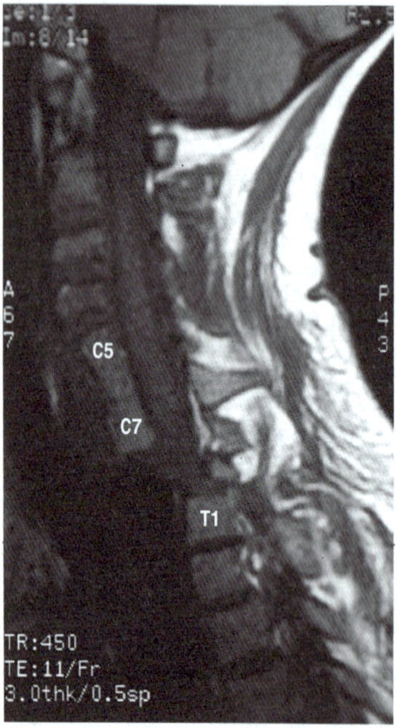
Se:1/3
Im:8/14
A
6
7
P
4
3
C5
C7
T1
TR:450
TE:11/Fr
3.0thk/0.5sp

Klippel-Feil deformity

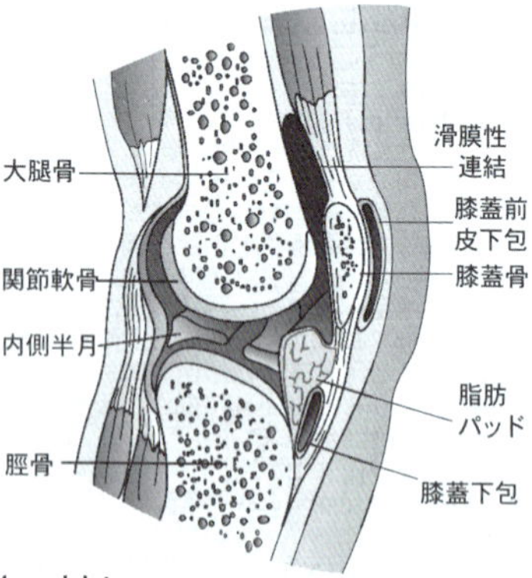
大腿骨
関節軟骨
内側半月
脛骨
滑膜性
連結
膝蓋前
皮下包
膝蓋骨
脂肪
パッド
膝蓋下包

knee joint

knuck·le (nŭk′ĕl). ***1*** 中手指節関節（こぶしを握ったときの指の関節）．***2*** ヘルニアにおけるような腸のねじれ，またはわな．

knuck·le pads ***1*** ナックルパッド，指結節（常染色体優性遺伝で，近位指節間関節上に皮膚の硬化結節がみられる．ときとして爪白斑，難聴，または Dupuytren 拘縮と合併する）．***2*** ナックルパッド（職業性または自瀆性外傷の結果生じる胼胝様反応）．

Knud·sen hy·po·the·sis ヌードセン仮説（両側性(そして早期)に発生する遺伝性網膜芽細胞腫に対する説明．もし1つの癌抑制遺伝子に遺伝的に変異が認められた場合，他の対立遺伝子を不活化するためには1つの体性変異が必要である．散発型では，各々の対立遺伝子を不活化するために2つの変異が必要である）．

knurl·ing (nŭr′ling)．ナーリング，刻みづけ（臨床医が滑りにくくするための，連続系列破砕リッジによるノブやハンドルのテクスチャリング）．

Kob·ber·ling-Dun·ni·gan syn·drome コベリング-ダンニガン症候群．= familial partial lipodystrophy.

Ko·belt tu·bules コーベルト〔細〕管（女性の中腎小管の遺残物で，卵巣上体(副卵巣)内に含まれる）．

Ko·ber re·ac·tion コーバー反応（血液，尿中のエストロゲン検出する比色分析．すなわち，反応が陽性ならば，硫黄またはフェノールスルホン酸加水分解反応のサンプルが，桃色へと変化する）．

Koch ba·cil·lus コッホ杆菌．= *Mycobacterium tuberculosis.*

Ko·cher in·ci·sion コッヒャー(コッヘル)切開〔術〕（右肋骨縁の数インチ下でそれに平行に切開する方法）．

Ko·cher sign コッヒャー(コッヘル)徴候（Graves 病において上方注視をした際，眼球が上眼瞼の動きに遅れを生じる）．

Koch law コッホの法則．= Koch postulate.

Koch old tu·ber·cu·lin コッホの旧ツベルクリン（→tuberculin）．

Koch phe·nom·e·non コッホ現象（① Robert Koch によって記述された感染免疫の現象．結核菌の初回感染は悪化し続け最終的に動物を死亡させることはあっても，結核にかかっているモルモットに生きているヒト結核菌 *Mycobacterium tuberculosis* を接種した場合は再感染は起きない(すなわち動物は再感染に対して免疫がある)．②ツベルクリン注射の後，結核性被検者の体温が上がり，局所病変が増大すること）．

Koch pos·tu·late コッホ仮説（特殊な病原微生物であることを証明するには，病原微生物がその疾病のすべての例において必ず存在すること，その純培養を動物に接種すると病原微生物がその動物に伝播したのと同じ病気を起こすこと，この動物から再び病原微生物が得られ，それが純培養で伝播しうることが必要である）．= Koch law.

Koch tri·an·gle コッホ三角（右心房壁にみられる三角形の領域で，房室結節の存在するおよその部位）．

Koch-Weeks ba·cil·lus コッホ-ウィークス杆菌．= *Haemophilus aegyptius.*

Kock pouch コック嚢（回腸瘻造設術の1つ．回腸を重積する形で貯留部 reservoir と弁を形成するもの）．

Koeb·ner phe·nom·en·on ケブネル現象（乾癬，扁平苔癬，他の慢性皮膚病にてさらされる，精神的外傷や化学物質の影響に対する感受性の増大）．

KOH 水酸化カリウム potassium hydroxide の化学式．

Köh·ler dis·ease ケーラー病（足の舟状骨または膝蓋骨の骨端壊死）．

koi·lo·cyte (koy′lō-sīt)．扁平上皮細胞で，しばしば2核で核周辺光輪がみられること．ヒト乳頭腫ウイルス感染に特徴的．

koi·lo·cy·to·sis (koy′lō-sī-tō′sis)．空胞細胞症（核周囲の空胞変性．→koilocyte）．

koi·lo·nych·i·a (koy′lō-nik′ē-ă)．匙（さじ）状爪，スプーン状爪（表面が凹形になった爪の変形．鉄欠乏症や職業的に油に接触して爪が軟化した人にしばしばみられる）．= spoon nail.

kok dis·ease = hyperekplexia.

Ko·kos·kin stain ココスキン染色〔法〕（微胞子虫の芽胞を染めるためのトリクローム染色変法で，染色時間を短縮するために加熱操作を加えたもの）．

Koll·mann di·la·tor コルマン拡張器（尿道狭窄を開くために用いる金属製の拡大器）．

kolp- →colpo-.

ko·lyt·ic (kō-lit′ik)．自重自制性の，制止性の．

Kom·mer·ell di·ver·tic·u·lum コマレル憩室（第四大動脈弓の遺残により，左鎖骨下動脈の起始部が球状に拡大して起こる憩室様の病変．合併する血管輪圧迫症候群は右大動脈弓遺残を含む．左鎖骨下動脈は食道背部を通ることがある．血管輪が分岐しても憩室がさらに大きくなれば気管と食道を圧迫し，外科的切除を要するが，その際に胸壁や椎骨表面の筋膜に縫合することが必要となる）．

Kon·do·le·on op·er·a·tion コンドレオン手術（象皮病治療のため，皮下結合組織を切除する手術）．

ko·ni·o·cor·tex (kō′nē-ō-kōr′teks)．顆粒性皮質，じん(塵)皮質（特に発達した顆粒層(第四層)を特徴とする大脳皮質．この型の大脳皮質は主要感覚中枢である視覚の第17野，体性感覚の第1-第3野，聴覚の第41野により代表される．→cerebral cortex）．

kon·zo (kon′zō)．コンゾー（アフリカでみられるシアン化物が原因の上位運動ニューロン疾患で，痙性対麻痺を呈する．不適切に調理されたカッサバ根を食べて起こる．カッサバ根はシアン化物を生成するグルコシドを大量に含む）．

Kop·lik spots コプリック斑〔点〕（頬粘膜上にできる小さい赤色斑．各斑点の中心に強い光を当てると細い青味がかった白色の斑点がみられる．麻疹の初期，皮膚発疹の前に発生し，この疾患の特徴的徴候とみなされる）．

kopro- →copro-.

Ko·re·an hand ac·u·punc·ture 韓国(高麗)手指鍼療法/高麗手指減（手指を使って特定のつぼを刺激し，その構造が全身をコントロールするという信念の下でのアジア式治療法）.

Ko·re·an hem·or·rhag·ic fe·ver, Ko·re·an hem·or·rhag·ic fe·ver vi·rus 朝鮮出血熱（Hantaan ウイルスによって起こる流行性出血熱の一型. *cf.* hemorrhagic fever with renal syndrome; epidemic hemorrhagic fever）.

Ko·re·an mint = agastache.

Ko·rot·koff sounds コロトコフ音（聴診法により血圧を測定するとき動脈上に聞こえる音で，収縮期血圧以下まで駆血する圧力が低下したときに聴取される）.

Ko·rot·koff test コロトコフ試験（副行循環の試験. 動脈瘤上部の動脈を圧迫しながら，末端の循環における血圧を測る. 非常に高い場合，副行循環は良い）.

Kor·sa·koff syn·drome コルサコフ症候群（錯乱および重篤な記憶障害，特に記銘力の障害をもち，患者がそれを作語で補おうとすることが特徴となるアルコール健忘症候群. 典型的なものは慢性アルコール中毒でみられる. 本症候群に振せんせん妄が先行することがあり，Wernicke 症候群がしばしば随伴する. 詳しい病因は不明であるが，アルコールによる直接の中毒作用というよりは，慢性アルコール中毒にしばしば伴う重篤な栄養失調のほうがより重要な影響を及ぼすと考えられる）. = amnestic syndrome (1); polyneuritic psychosis.

ko·sher (kō′shĕr). コーシャ〔ー〕（正統ユダヤ教を順守する信者に必要とされる食物の法律に従った食事を示したもの. すなわち，ある食品の消費量と日用品や精肉品の消費される必要性はその時々や様々な料理において，禁止されている. ユダヤ教の掟に適っていない肉屋を使うより，衛生的教訓がより強いお店に従い，コーシャの肉屋では精肉と鶏肉が置かれている）.

Kr クリプトンの元素記号.

Kras·ke op·er·a·tion クラスケ手術（癌や狭窄した直腸の切除のため，尾骨と仙骨左翼を切除する方法）.

krau·ro·sis vul·vae 外陰萎縮症（腟および外陰の上皮が萎縮し収縮することで，硬化性萎縮性苔癬にみられるような深部組織の慢性炎症性反応を伴うことが多い）.

Krau·se end bulb クラウゼ終末小体（皮膚，口，結膜などにみられる神経終末. 結合組織の層状の被膜におおわれ，求心性神経線維末端の分枝した糸球を包んでいる. 一般に冷覚を感受するとされる）.

Krebs cy·cle クレープス(クレブス)サイクル. = tricarboxylic acid cycle.

Krebs-Hen·se·leit cy·cle, Krebs or·ni·thine cy·cle, Krebs u·re·a cy·cle クレープス(クレブス)-ヘンゼライトサイクル，クレープス(クレブス)オルニチンサイクル，クレープス(クレブス)尿素サイクル. = urea cycle.

krig·ing (krī′jing). クリージ化（空間的に散らばった測定データを平滑化する手法. 地球科学において最初に用いられ地理疫学で利用されている）.

Krim·sky test クリムスキー試験（眼前にペンライトを提示しプリズムレンズで反射光を中心に合せることによる両眼眼球運動のアライメントの試験. これにより眼球偏位量を測定できる）.

krin·gle (kring′gĕl). クリングル（ある蛋白にみられる構造モチーフまたはドメインで，その大きなループの折りたたみ構造はジスルフィド結合によって安定化されている. 血液凝固因子における重要な構造的特徴である）.

Kro·nec·ker stain クローネッカー染色〔液〕（炭酸ナトリウムにより弱アルカリ性にした 5% 食塩水で，顕微鏡下での新鮮組織の検査に用いる）.

Krö·nig a·re·a クレーニッヒのエリア（広範囲の共鳴音と，前後の肺尖とを結びつけ，肩部分まで及ぶ共鳴場の狭い肩ひも部分）.

Krö·nig steps クレーニッヒ階段（右心の肥大において絶対的心濁音界の右辺縁下部が拡大したもの）.

Kru·ken·berg am·pu·ta·tion クルーケンベルク(クルッケンベルグ)切断術（前腕遠位端を橈骨と尺骨の間で分け，フォーク状の断端に形成した手根部での動形成切断術. 断端に知覚があるため特に盲人に有用である）.

Kru·ken·berg spin·dle クルーケンベルク(クルッケンベルグ)紡錘（角膜の後部表面で，メラニン色素沈着によりできた鉛直方向に走る紡錘状領域）.

Kru·ken·berg tu·mor クルーケンベルク(クルッケンベルグ)腫〔瘍〕（卵巣への転移癌. 通常，両側性で粘液の充満した印環細胞を有する胃の粘膜癌から二次的に発生する）.

Kru·ken·berg veins クルーケンベルク(クルッケンベルグ)静脈. = central veins of liver.

Kru·se brush クルーゼブラシ（ホルダーに取り付けた細い白金製ブラシ. 細菌学検査において，培地表面に検体を広げるために用いる）.

Krus·kal-Wal·lis sta·tis·ti·cal test クラスカル・ワリス検定（3 つ以上の群があるときに用いるノンパラメトリック検定で，量的変数をそのまま用いる分散分析に対応する. 注statistical は通常つけない）.

krymo-, kryo- →crymo-; cryo-.

kryp·ton (Kr) (krip′ton). クリプトン（希ガス元素の 1 つで，大気中に少量(乾燥体積で 1.14 ppm)存在する. 原子番号 36，原子量 83.80. ^{85}Kr(半減期 10.73 年)は心異常の研究に用いられてきた）.

kryp·ton la·ser クリプトンレーザー（主に硝子体出血での網膜光凝固での眼科処置に用いられる. 赤(647 nm)スペクトル光からなる）.

KTP la·ser KTP レーザー（ネオジム YAG からのビームが KTP 結晶を通過することで周波数を倍増することによって得られる青緑から緑のスペクトル(532 nm)のレーザー光線. 止血に用いられる. KTP は *K* (potassium) *T*itanyl *P*hosphate の頭文字）.

KUB kidneys, ureters, bladder の略. 背臥位での腹部単純 X 線写真正面像.

Küh·ne fi·ber キューネ線維（昆虫の腸管を変形菌類の増殖物で充満させた人工筋線維．原形質の収縮性を示すのに用いる）．

Küh·ne meth·yl·ene blue キューネメチレンブルー（無水アルコールのフェノール溶液）．

Küh·ne phe·nom·e·non キューネ現象（一定の電流が筋肉を通過するとき，波状運動が陽極から陰極へ通るのがみられること）．

Küh·ne plate キューネ板（筋紡錘の運動神経線維の終板）．

Kuhnt spac·es クーント腔(隙)（眼の後房に通じる毛様体と毛様小帯の間にある浅い憩室または陥凹）．

ku·ma·ri (kū-mah′rē). = *Aloe vera*.

küm·mel (kim′el). = caraway.

Kupf·fer cells クップファー細胞（肝臓の洞様血管壁の管腔側にみられる単核食細胞系の食細胞）．

Kür·stei·ner ca·nals キュルスタイナー管（小胞状，小管状，および腺に類似した構造をもつ胎児複合体で，副甲状腺，胸腺，または胸腺索に由来する．これは痕跡で機能をもたないが，生後に嚢胞構造として現れることがある）．

Kurtz·ke mul·ti·ple scle·ro·sis dis·a·bil·i·ty scale = expanded disability status scale.

ku·ru (kū′rū). クールー（進行性の致命的な形の海綿状脳疾患で，ニューギニアの風土病．プリオンによって起こる．儀式人食い中に汚染や摂取が起きて伝播すると考えられている．→prion）．

Kuss·maul res·pi·ra·tion クスマウル呼吸，糖尿病〔昏睡〕性大呼吸（糖尿病性アシドーシスまたはその他の原因で起こるアシドーシスを特徴とする深く速い呼吸）．

Kuss·maul sign クスマウル徴候（収縮性心外膜炎の吸気時に静脈拡張および静脈圧が逆説的に増大すること．収縮している心外膜炎をおおう位の心嚢液がタンポナーデを起こし，滲出液性収縮性心外膜炎でしばしば認められる）．

kv kilovolt の略．

Kveim an·ti·gen クヴェーム(クベイム)抗原（活動性サルコイドーシス患者の脾臓から取ったサルコイド組織の生食懸濁液．Kveim 試験に用いる）．

Kveim test クヴェーム(クベイム)試験（サルコイドーシスの検査のための皮内反応．サルコイドーシス患者の脾臓より得た Kveim 抗原を注射し，3—6 週間後に皮膚生検を行い調べる．陽性の場合，典型的なサルコイド組織の結節がみられる）．

KVO keep vein open の略．

kVp 管電圧最高値（kilovolt peak の略で，X 線管に印加される瞬間最高エネルギー(電圧)のこと．放出される X 線の最高エネルギーに対応する）．

kwa·shi·or·kor (kwah-shē-ōr′kōr). クワシオルコル（アフリカ人，特に 1—3 歳の小児において最初に認められた疾患で，食事の欠陥，特に蛋白の欠乏による．貧血，浮腫，太鼓腹，皮膚色素脱失，脱毛あるいは毛の色の赤色への変化，未消化の食物が混ざった大量の糞便が特徴である）．

ky·ma·tism (kī′mă-tizm). = myokymia.

ky·mo·gram (kī′mō-gram). キモグラム，運動記録図（キモグラフによって描かれた図形曲線）．

ky·mo·graph (kī′mō-graf). キモグラフ，運動記録器（波状の動きまたは変調を記録する一般的にはすでに使われていない器械．時計仕掛けで回転し，いぶした紙でおおった円筒形部からなり，その上に描画用針によって描かれる）．

ky·mog·ra·phy (kī-mog′ră-fē). キモグラフィ，動態記録〔法〕（キモグラフを用いて行う方法）．

kyn·u·ren·ic ac·id キヌレン酸（L-トリプトファンの代謝産物で，著しいピリドキシン欠乏症においてのみヒトの尿に現れると思われる）．

kyn·u·ren·ine (kin-yūr′ĕ-nēn). キヌレニン（トリプトファンの代謝産物で，尿に少量排泄される）．

ky·phos (kī′fos). こぶ（後弯症の凸状隆起）．

ky·pho·sco·li·o·sis (kī′fō-skō-lē-ō′sis). 〔脊柱〕後側弯〔症〕（脊柱の側弯と後弯が合併したもの．晩期合併症として重篤なうっ血性心不全を合併することがある）．

ky·pho·sis (kī-fō′sis). 円背，〔脊柱〕後弯（①脊柱の後方凸弯曲．脊柱には後弯と前弯があるが，胸椎と仙骨部の正常でみられる後弯が一次弯曲である．②脊椎の前方(屈曲)弯曲．胸椎は正常でも軽度の後弯を呈する．胸椎が高度に前方弯曲していれば病的である．*cf.* hyperkyphotic）．

ky·phot·ic (kī-fot′ik). 円背の，〔脊柱〕後弯〔症〕の．

ky·phot·ic pel·vis 〔脊柱〕後弯〔性〕骨盤（脊柱後弯変形により生じた変形した骨盤）．

kyte (kīt). キット（胃，腹部(スコットランドの方言)）．

kyto- →cyto-.

K

L

λ, *λ* ラムダ(一lambda).

L リットルの記号. Lewisite の NATO コード.

L リンキング数の記号.

L- ***1*** 左旋性を示す接頭語. *cf. d-.* ***2*** 構造的(立体的)に, レーグリセルアルデヒドに関する化学物質を示す接頭語.

La ランタンの元素記号.

La·band syn·drome レーバンド症候群（歯肉の線維腫で, 遠位指節骨の発育不全, 爪の形成異常, 関節の運動亢進症, ときには肝脾腫を伴う. 常染色体優性遺伝).

la·bel (lā′bĕl). ***1*** 〚v.〛 標識する（放射性核種のような容易に検出され, その代謝が追跡できたり, その体内分布が検出される物質を化合物に導入すること). ***2*** 〚n.〛 標識（そのように導入された物質).

la belle in·dif·fer·ence 善良な無関心（自分の機能障害を他人がどうみるか心配したり関心を示したりしないこと. 転換ヒステリーに特徴的にみられる).

la·bi·a (lā′bē-ă). labium の複数形.

la·bi·al (lā′bē-ăl). ***1*** 〚adj.〛 口唇の, 唇の. ***2*** 〚adj.〛 唇側の.

la·bi·al branch·es of men·tal nerve おとがい神経の唇枝（下唇に分布するおとがい神経の枝).

la·bi·al her·ni·a 陰唇ヘルニア（Nuck 管を通って出るヘルニア).

la·bi·al splint 唇側副子（プラスチック, 金属, またはその両方からなる固定装置で, 歯列弓の外側面に合せてつくられ, 顎および顔の傷害の処置に用いる).

la·bi·al ves·ti·bule 唇側前庭（口腔前庭の口唇に関連する部分).

la·bi·a ma·jo·ra labium の複数形.

la·bi·a mi·no·ra labium minus の複数形.

la·bile (lā′bīl). ***1*** 不安定な, 変わりやすい（変化または修飾に適応しやすい, すなわち比較的容易に変化あるいは再配列しうる). ***2*** 加熱により影響を受けやすい血清成分. ***3*** 移動しやすい(有効電流が患部上を動き回ることをいう). ***4*** 動揺性の, 不安定な（心理学や精神医学において, 情動が自由で制御されない感情や行動の形で表出すること). ***5*** 不安定な（脱離しやすい. 例えば, 不安定水素原子).

la·bil·i·ty (lă-bil′i-tē). 不安定性.

labio- 唇に関する連結形. →cheilo-.

la·bi·o·cer·vi·cal (lā′bē-ō-sĕr′vi-kăl). 唇面歯頸部の（特に歯頸部の唇面または頬面についていう).

la·bi·o·cho·re·a (lā′bē-ō-kōr-ē′ă). 口唇舞踏病（発語を妨げるような口唇の慢性痙縮).

la·bi·o·cli·na·tion (lā′bē-ō-kli-nā′shŭn). 唇側傾斜（正常より唇側方向へ位置が傾斜している歯についていう).

la·bi·o·den·tal (lā′bē-ō-den′tăl). 唇歯の（唇と歯によって発音される文字そのものについていう).

la·bi·o·gin·gi·val (lā′bē-ō-jin′ji-văl). 唇側歯肉面の（切歯の遠心面または近心面上の唇縁と歯肉線の境界についていう).

la·bi·o·graph (lā′bē-ō-graf). 唇動記録器（話すときの唇の動きを記録する装置).

la·bi·o·men·tal (lā′bē-ō-men′tăl). 唇頤の（下唇とおとがいについていう).

la·bi·o·na·sal (lā′bē-ō-nā′zăl). 唇鼻の（①口唇鼻部についていう. ②発音するときに唇と鼻の両方を用いる文字についていう).

la·bi·o·pal·a·tine (lā′bē-ō-pal′ă-tīn). 唇口蓋の（唇と口蓋についていう).

la·bi·o·place·ment (lā′bē-ō-plās′mĕnt). 唇側転位（例えば, 歯などが正常よりも唇側に位置すること).

la·bi·o·plas·ty (lā′bē-ō-plas-tē). 口唇形成〔術〕.

la·bi·o·ver·sion (lā′bē-ō-vĕr′zhŭn). 唇側転位（前歯が咬合正常線より唇側にある不正位).

la·bi·um, gen. la·bi·i, pl. la·bi·a (lā′bē-ŭm, -ī, -ă). 唇（①= lip. ②唇の形をした構造).

la·bi·um ma·jus 大陰唇（陰裂の外側の境界を形成する 2 つの丸みのある皮膚のひだで, 男性の陰嚢と相同のもの).

la·bi·um mi·nus 小陰唇（大陰唇の内側にある 2 つの粘膜の薄い縦のひだ. 後方では次第に大陰唇と合併し陰唇小帯を形成する. 前方ではそれぞれ 2 つの部分に分かれ, 陰核亀頭の前部で反対側の小陰唇と結合し包皮を形成する).

la·bor (lā′bŏr). 分娩（胎児および付属物を子宮外へ排出する過程. 分娩第 1 期(開口期) : 陣痛発来から子宮口全開大までの期間. 分娩第 2 期(娩出期) : 子宮口全開大より胎児娩出までの期間. 分娩第 3 期(後産期) : 胎児娩出から胎盤および卵膜(胎児付属物)の娩出終了までの期間). = labour.

lab·o·ra·to·ri·an (lab′ŏr-ă-tōr′ē-ăn). 実験〔室〕助手（実験室で働く人. 医学関係の職業では主に診断, 治療, 予防のため, あるいは健康や環境衛生の基礎として, 様々な化学的・生物学的物質を調べたり試験したり, またそれらの処理を管理したりする人).

lab·o·ra·tor·y (lab′ō-ră-tōr-ē, la-bōr′a-tōr′ē). 実験室, 試験室, 検査室, 製剤室, 研究所, 作業所（検査や実験をしたり, 手法を検討したり, 試薬や治療の薬剤を調製するためなどに, 準備した場所).

lab·o·ra·tor·y di·ag·no·sis 検査室診断（分泌物, 排泄物, 血液, あるいは組織の化学的, 顕微鏡的, 微生物学的, 免疫学的, 病理学的検討によって下される診断).

lab·o·ra·tor·y in·for·ma·tion sys·tem 検査情報管理システム（臨床実験の収集物, 報告, 検体の品質保証のための完全なソフトウェアシステム).

la·bor coach 分娩立ち会い（専門家でない人が

母の分娩の支援をする，通常，妊娠した患者やが呼吸法や身体の位置決めの方法を学ぶ授業に参加した友人と血縁者）.

la·bor curve = partogram; labour curve.

la·bor pains〔分娩〕陣痛（正常な状態では，その強さ，頻度，持続時間が次第に増加し，胎児が腟を通って娩出されるとき最高頂に達する周期的な子宮収縮）. = labour pains.

labour［Br.］. = labor.

labour curve［Br.］. = labor curve.

labour pains［Br.］. = labor pains.

la·brum, pl. la·bra（lā′brŭm, -bră）. ***1*** 口唇（顔面にある解剖学的口唇）. ***2*** 唇（唇のような形をしたもの）.

lab·y·rinth（lab′ĭ-rinth）. ***1*** 迷路（無数の相通じる小室または管をもったいくつかの解剖学的構造に適用される語. ⓘ半規管，前庭，蝸牛からなる内耳. ⓘⓘ篩骨迷路にみられるような連結した空洞の集団）. ***2*** 迷〔路状試験〕管（U字形と逆U字形の管が交互に連結した一群の直立試験管. 非運動性微生物または運動性の劣った微生物から運動性微生物を分離するとき用いる）.

lab·y·rin·thec·to·my（lab′ĭ-rin-thek′tŏ-mē）. 迷路摘出〔術〕，迷路切除〔術〕（迷路機能を破壊する手術）.

lab·y·rin·thine（lab′ĭ-rin′thēn）. 迷路の.

lab·y·rin·thine an·es·the·si·a test 迷路麻酔検査（罹患した耳の鼓室に局所麻酔注入し，正円窓を通り，内耳に吸収させる. 一時的な消散やめまいの改善や姿勢の不安定が生じた場合，このテストで問題の原因が想定可能である. このテストは，又，温度試験によって，感知できない余剰な迷路機能を特定できる）.

lab·y·rin·thine ar·ter·y 迷路動脈（内耳道を通って迷路にはいる脳底動脈の分枝，内耳道枝）.

lab·y·rin·thine dys·func·tion 迷路機能不全（異常，または，迷路センサーの一部機能の低下. 脳外科学会の異常に対する補償内の有効性は，迷路の変わりやすさと不規則の度合いの比例が主に低い）.

lab·y·rin·thine fis·tu·la 内耳瘻孔（液体で満たされた内耳の一区画と，内耳内の他の区画（内瘻孔），または中耳，乳突蜂巣，クモ膜下腔（外瘻孔）との間の瘻孔. 瘻孔の位置によって聴覚や前庭機能の障害が生じる）.

lab·y·rin·thine nys·tag·mus 迷路〔性〕眼振. = vestibular nystagmus.

lab·y·rin·thine re·flex 迷路反射（胞果または三半規管の受容体に対する刺激によって生じる反射）.

lab·y·rin·thine right·ing re·flex·es 迷路性立直り反射（迷路受容器に対する刺激により生じる反射で，頸筋の緊張力を変化させ，頭の位置を適切にする）.

lab·y·rin·thine veins 迷路静脈（迷路動脈に伴行する左右両側1本以上の静脈. 内耳からの血液を集め内耳道を通って出て，横静脈洞または下錐体静脈洞へ注ぐ）. = internal auditory veins.

lab·y·rin·thine ver·ti·go 迷路性めまい. = Ménie`re disease.

lab·y·rin·thi·tis（lab′ĭ-rin-thī′tis）. 迷路炎（迷路（内耳）の炎症をいい，ときにめまいと難聴を伴う）. = otitis interna.

lab·y·rin·thot·o·my（lab′ĭ-rin-thot′ŏ-mē）. 迷路切開〔術〕.

lac·er·at·ed（las′ĕr-ā-tĕd）. 裂傷した，裂かれた.

lac·er·a·tion（las′ĕr-ā′shŭn）. 裂傷，破傷，裂創（①引き裂かれずたずたの傷，または事故による傷. ②組織を引き裂く過程や行為）.

la·cer·tus（lă-sĕr′tŭs）. ***1*** 腱膜（筋に関連した線維の帯・束・切れ）. ***2*** 本来，肩から肘に至る上肢の筋肉をいう.

Lach·man test ラックマン試験（前十字靱帯欠損を調べる手技. 膝関節を20—30度屈曲位で脛骨を大腿骨に対して前方に移動させてみる. その移動感が軟性にとまる場合と4 mm以上移動する場合は陽性（病的）である）.

lac·ri·mal（lak′ri-măl）. 涙液の（涙，涙液の分泌，分泌腺，排出器官についていう）.

lac·ri·mal ap·pa·ra·tus 涙器（涙腺，涙湖，涙小管，涙嚢，鼻涙管からなる）.

lac·ri·mal ar·ter·y 涙腺動脈（眼動脈より起こり，涙腺，外直筋，上直筋，上眼瞼，前額，側頭窩に分布する）. = arteria lacrimalis.

lac·ri·mal bone 涙骨（不規則な矩形の薄板. 上顎骨の前頭突起後方の眼窩の内壁の一部をなす. 下鼻甲介，篩骨，前頭骨，上顎骨と連結する）.

lac·ri·mal can·a·lic·u·lus 涙小管（内側眼瞼交連付近の上下の各眼瞼辺縁にある涙点から始まり，内側に横走し他側の涙小管とともに涙嚢に流れ込む曲がった管）.

lac·ri·mal ca·run·cle 涙丘（内眼角にある小さな帯紅色の肥厚部で，変化した皮脂腺および汗腺を含む）.

lac·ri·mal fold 鼻涙管ひだ（鼻涙管の下部開口部を保護する粘膜のひだ）. = plica lacrimalis.

lac·ri·mal fos·sa 涙腺窩（前頭骨の眼窩板上にあるくぼみで，涙腺を入れる. 眉弓下部の下垂と頬骨突起により形成されている）.

lac·ri·mal gland 涙腺（涙を分泌する腺. 6—12本の別々の複合管状胞状漿液腺からなり，眼窩の上外側部にある. 部分的に眼瞼挙筋腱膜により，眼瞼部と眼窩部に分けられる）.

lac·ri·mal lake 涙湖（眼の内眼角における結膜の小さな槽状部位. その中に，眼球と結膜嚢の前部表面を湿した後の涙がたまる）. = lacus lacrimalis.

lac·ri·mal nerve 涙腺神経（眼神経の枝. 上眼瞼外側部，結膜，涙腺に感覚枝を送る. 涙腺への分泌線維は上顎神経の枝である頬骨神経からその交通枝を経て送られてくる）. = nervus lacrimalis.

lac·ri·mal pa·pil·la 涙乳頭（正中交連近くの眼瞼辺縁からの小さい突起. 中心部には涙点（涙管開口部）がある）.

lac·ri·mal punc·tum 涙点（各眼瞼縁の内側交連の近くにある涙管の細く丸い開口部）.

lac·ri·mal sac 涙嚢（鼻涙管の上方の拡張した

部分．2 本の涙管が注ぐ）．= saccus lacrimalis; dacryocyst; tear sac.

lac·ri·mal vein 涙腺静脈（涙腺からの血液を集め，涙腺動脈とともに眼窩を通り，後方へ走り上眼静脈へ注ぐ小静脈）．

lac·ri·ma·tion (lak′ri-mā′shŭn)．流涙，涙液分泌（涙の分泌，特にその過剰分泌）．

lac·ri·ma·tor (lak′ri-mā-tŏr)．催涙薬（催涙ガスのように，目を刺激して涙を出させる薬剤）．

lac·ri·ma·to·ry (lak′ri-mă-tōr-ē)．催涙性の．

lac·ri·mo·gus·ta·to·ry re·flex そしゃく流涙反射（食物のそしゃくによる涙の分泌．→crocodile tears syndrome）．

lac·ri·mot·o·my (lak′ri-mot′ō-mē)．涙道切開〔術〕．

lact-, lacti-, lacto- 乳汁に関する連結形．→galacto-.

lac·tac·i·do·sis (lakt-as′i-dō′sis)．ラクトアシドーシス（乳酸の増加によるアシドーシス）．

lac·tam, lac·tim (lak′tam, lak′tim)．ラクタム，ラクチム（lactoneamine と lactoneimine の短縮形．NH–CO– と –N=C (OH)– の互変異性体に対してそれぞれ用いられ，多くのプリン，ピリミジンその他の物質中に存在する）．

lac·tase (lak′tās)．ラクターゼ，乳糖分解酵素．= β-D-galactosidase.

lac·tate (lak′tāt)．*1*〘n.〙乳酸塩またはエステル．*2*〘v.〙乳汁を分泌する，乳汁を産生する．

lac·tate de·hy·dro·gen·ase (LDH) 乳酸デヒドロゲナーゼ（4 つの酵素，L-乳酸デヒドロゲナーゼ(シトクロム)，D-乳酸デヒドロゲナーゼ(シトクロム)，L-乳酸デヒドロゲナーゼ，D-乳酸デヒドロゲナーゼに対する名称．初めの 2 つの酵素は水素をフェリシトクロム *c* に伝達し，後の 2 つの酵素は乳酸を酸化してピルビン酸にする反応を触媒するとき NAD^+ に伝達する．心臓や筋肉乳酸デヒドロゲナーゼのアイソザイム分布は，心筋梗塞の診断で役立つ）．

lac·tate de·hy·dro·gen·ase vi·rus 乳酸デヒドロゲナーゼウイルス（種々の移植可能なマウス腫瘍に passenger として存在すると思われるアルテリウイルス．恐らく一生続く感染をする．血漿中の乳酸デヒドロゲナーゼが増加して発見される）．

lac·tat·ed Ring·er so·lu·tion 乳酸加リンガー(リンゲル)〔溶〕液（蒸留水に塩化ナトリウム，乳酸ナトリウム，塩化カルシウム(二水和物)，塩化カリウムを含む溶液．Ringer 液と同じ目的で用いる）．= Hartmann solution (1).

lac·tate par·a·dox 乳酸パラドックス（動脈血 PO_2 が低下するにもかかわらず，高地での運動中に骨格筋による乳酸の産生量が低下すること．運動中に，グルコース動員性のホルモンであるエピネフリンが高地では減少することに関連する）．

lac·tate thresh·old 乳酸性作業閾値，乳酸塩閾値（血中乳酸塩濃度の増加を伴わない最高運動強度または最大酸素摂取量．→ventilatory threshold; anaerobic threshold）．= onset of blood lactate accumulation.

lac·ta·tion (lak-tā′shŭn)．*1* 乳汁分泌．*2* 授乳期（出産後，乳房で乳汁がつくられる時期）．

lac·ta·tion a·men·or·rhe·a 授乳性無月経（授乳中の生理的な月経の抑制）．

lac·te·al (lak′tē-ăl)．*1*〘adj.〙乳汁の，乳汁様の．*2*〘n.〙乳び管，乳び腔（腸から乳びを運ぶリンパ管）．= chyle vessel; lacteal vessel.

lac·te·al ves·sel 乳び管．= lacteal (2).

lac·tic ac·id 乳酸（糖の発酵(酸化，代謝)での正常中間体）．

lac·tic ac·i·de·mi·a 乳酸血〔症〕（循環血液中に右旋性乳酸が存在する状態）．

lac·tif·er·ous (lak-tif′ĕr-ŭs)．乳汁分泌性の．= lactigerous.

lac·tif·er·ous ducts 乳管（乳腺葉の乳分泌を行う 15—20 本の導管．乳頭へ開口する）．= galactophore; mammillary ducts; milk ducts.

lac·tif·er·ous glands = mammary gland.

lac·tif·er·ous si·nus 乳管洞（乳管が乳頭にはいる直前の，乳管の紡錘状の拡大部．母乳哺育ではこの部分が拡張して乳汁を貯え，新生児の吸啜で圧出される．催乳反射が持続する間，連続した吸啜を可能にする）．

lac·tig·e·nous (lak-tij′ĕ-nŭs)．乳汁産生の．

lac·tig·er·ous (lak-tij′ĕr-ŭs)．= lactiferous.

Lac·to·ba·cil·lus (lak′tō-bă-sil′ŭs)．乳酸杆菌属（微好気性または嫌気性で，胞子を形成しない，通常，非運動性の細菌の一属．グラム陽性杆菌で，細長い菌から球杆菌まである．一般に連鎖する．酪農品，穀類や肉製品の廃水，水，下水汚物，ビール，ワイン，果物や果汁，野菜の漬物，すっぱいパン種やかゆの中にみられ，あるものはヒトを含む恒温動物の口，腸管，および腟に寄生する．標準菌種は *Lactobacillus delbrueckii*）．

lac·to·ba·cil·lus (lak′tō-bă-sil′ŭs)．乳酸杆菌属 *Lactobacillus* の菌種をさして用いる通称．

Lac·to·ba·cil·lus ac·i·doph·i·lus アシドフィルス菌（母乳を飲んでいる乳児や，乳，乳糖，デキストリンを多く含んだ食事をとっている老年者の糞便中にみられる菌種）．

Lac·to·ba·cil·lus bul·gar·i·cus ブルガリア菌（ヨーグルトをつくるために用いる菌種）．

lac·to·cele (lak′tō-sēl)．乳腺嚢胞，乳瘤．= galactocele.

lac·to·fer·rin (lak′tō-fer′in)．ラクトフェリン（哺乳類の数種のミルクに見出され，赤血球に鉄分を運ぶうえで関わりがあると思われているトランスフェリン）．

lac·to·gen (lak′tō-jen)．ラクトゲン（乳汁の産生や分泌を促進する物質）．

lac·to·gen·e·sis (lak′tō-jen′ĕ-sis)．乳汁産生．

lac·to·gen·ic (lak′tō-jen′ik)．乳汁産生の．

lac·to·gen·ic hor·mone 乳腺刺激ホルモン．= prolactin.

lac·to·glob·u·lin (lak′tō-glob′yū-lin)．ラクトグロブリン（乳汁中に存在するグロブリンの一種．ウシの乳漿蛋白の 50—60% を包含する）．

lac·tone (lak′tōn)．ラクトン（-OH 基と -COOH 基から水を脱離することによりヒドロオキシン酸から生じる分子内有機無水物．環状エステル）．

lac·to-o·vo·veg·e·ta·ri·an (lak′tō-ō′vō-vej′i-tār′ē-ăn). 酪農・卵・菜食主義者（酪農物と卵は食べるが，動物の肉は食べない菜食主義者）.
lac·to·phe·nol cot·ton blue stain ラクトフェノール-コットンブルー染色（石炭酸結晶，グリセリン，乳酸，蒸留水にコットンブルーまたはクリスタルバイオレットを加えた溶液．真菌学において染色液として用いられている）.
lac·tor·rhe·a (lak′tō-rē′ă). 乳汁漏出〔症〕，乳漏〔症〕. = galactorrhea; lactorrhoea.
lactorrhoea [Br.]. = lactorrhea.
lac·tose (lak′tōs). 乳糖，ラクトース（哺乳類の乳汁中に存在する二糖類．牛乳から得られ，調製乳汁の生産，小児や回復期の病人の食物，製薬に用いる．浸透圧利尿薬や緩下剤として大量投与される）. = milk sugar.
lac·tose in·tol·e·rance 乳糖不耐症. = adult lactase deficiency.
lac·tos·u·ri·a (lak′tō-syūr′ē-ă). 乳糖尿〔症〕（尿中に乳糖が排泄される状態．妊娠や授乳中および新生児，特に未熟児には通常みられる所見である）.
lac·to·ther·a·py (lak′tō-thār′ă-pē). 牛乳療法，乳汁療法. = galactotherapy.
lac·to·ve·ge·tar·i·an (lak′tō-vej-ĕ-tār′ē-ăn). 牛乳菜食主義者（乳汁，乳製品，卵，野菜を常食とする人）.
la·cu·na, pl. la·cu·nae (lă-kū′nă, -kū′nē). ***1*** 裂孔（小さな空間，空洞，またはくぼみ）. ***2*** 空隙，欠落. ***3*** 皮膚の層や細胞間の異常な間隙. ***4*** = corneal space.
la·cu·na mag·na 大裂孔（陰茎の舟状窩の上壁の陥凹．粘膜のひだ，舟状窩弁によって形成される）.
la·cu·nar (lă-kū′năr). 裂孔の，窩の，空隙の.
la·cu·nar am·ne·si·a, lo·cal·ized am·ne·si·a 脱漏〔性〕健忘〔症〕，限局〔性〕健忘〔症〕（個々の事柄についての健忘）.
la·cu·nar lig·a·ment 裂孔靱帯（鼡径靱帯の内側端から水平に，後方へ恥骨稜線まで走る弯曲した線維帯．大腿輪の内側境界を形成する）. = ligamentum lacunare.
la·cu·nule (lă-kū′nyūl). 小窩，小裂孔.
la·cus, pl. la·cus (lā′kŭs). 湖（液体の小塊）. = lake(1).
la·cus la·cri·ma·lis 涙湖. = lacrimal lake.
la·cus se·mi·na·lis 精液湖（射精後の腟円蓋）. = seminal lake.
LAD leukocyte adhesion deficiency の略.
Ladd band ラッド帯（不完全に回転した盲腸の腹膜付着で，腸の異常回転でみられる．十二指腸の閉塞を起こす）.
lad·der splint 金網副子（交差する細い鋼線が付いた2本のしっかりした鋼線からなり，曲げることができる副子）.
Ladd op·er·a·tion ラッド手術（腸の異常回転で起こる十二指腸閉塞を軽減するために Ladd 帯を分離すること）.
La·dy Win·der·mere syn·drome ウィンデミア夫人症候群（しばしば漏斗胸や脊椎側弯のある虚弱な高齢女性の非結核菌性マイコバクテリウム肺疾患）.
La·ën·nec cir·rho·sis ラエネック肝硬変（線維組織の細かな索状構造でかなり規則正しく仕切られた小さな再生結節（ときに脂肪を含む）によって，肝小葉が置き換えられた肝硬変（鋲釘肝）．通常，慢性アルコール中毒によって起こる．重篤な肝機能障害，腹水や食道静脈瘤を伴う門脈圧亢進，あるいは致死的な合併症の原因となる可能性がある）.
la·e·trile (lā′ĕ-tril). レトリル（アンズの種から得られたアミグダリンが主成分で，抗腫瘍性を有するといわれている薬物．その抗腫瘍効果は証明されていない）.
laev- = levo-.
laevo- [Br.]. = levo-.
laevocardia [Br.]. = levocardia.
laevodopa [Br.]. = levodopa.
laevorotation [Br.]. = levorotation.
laevorotatory [Br.]. = levorotatory.
La·fo·ra bod·y ラフォラ〔小〕体（家族性ミオクローヌスてんかんにみられる酸性ムコ多糖体からなるニューロン内細胞質内封入体）.
la·ge·na, pl. la·ge·nae (lă-jē′nă, -jē-nē). ***1*** 頂盲端. = cupular cecum of the cochlear duct. ***2*** つぼ（下等脊椎動物の内耳の膜迷路の3部のうちの1つ．哺乳類では蝸牛管となる）.
lag·ging (lag′ing). 呼吸運動遅滞（筋肉補填による胸膜病変や，肺の虚脱により，患側胸部の換気運動が遅れたり減弱したりすること）.
-lagnia, -lagny 不適切な性的嗜好を示す連結形.
lake (lāk). ***1*** 湖（→lacuna）. = lacus. ***2*** 溶血，深紅色化（赤血球を水に懸濁させたときに赤血球からヘモグロビンが遊出して血漿が赤くなること）.
La·ki-Lor·and fac·tor レーキ-ローランド因子. = factor XIII.
la·ky (lā′kē). 溶血の，深紅色化の（血清または血漿が透明な明るい赤色にみえること．破壊された赤血球からヘモグロビンが分離することによって起こる）.
La Le·che League In·ter·na·tion·al (LLLI) ラ・レーチェ・リーグ（乳児の栄養や他の栄養法を越える母乳の利点を活発に推進する団体）.
-lalia 言語障害を示す連結形.
lal-, lalio-, lalo- 話すことや発音器官に関する連結形.
lal·ling (lal′ing). 片こと，児様語（話すことがほとんど理解できないどもりの一種）.
lal·o·che·zi·a (lal′ŏ-kē′zē-ă). ラロケジア（行儀の悪い，またはみだらな言葉を発して感情的解放を得ること）.
la·lo·ple·gi·a (lal′ŏ-plē′jē-ă). 発語〔器官〕麻痺（発語にかかわる筋肉の麻痺）.
La·maze meth·od ラマーズ法（分娩の苦痛を和らげるために出産の準備として行う精神的予防策）.
lamb·da(λ, λ) ラムダ（①ギリシア語のアルファベットの11番目の文字. ②Avogadro 数の記号(λ). 波長の記号. 放射性崩壊定数の記号. Ostwald 溶解度係数の記号. 電解質のモル電導率(Λ). ③化学では，カルボキシル基や他の置換基から11番目の原子にある置換基の位置を表す(λ). ④矢状縫合とラムダ縫合とが出合う頭蓋計測点).

lamb·doid (lam′doyd). ラムダ字形の（ギリシア語のラムダという字に似た形のもの. 例えばラムダ縫合など).

lamb·doid su·ture ラムダ〔状〕縫合（後頭骨と左右の頭頂骨との間の連結線).

Lam·bert law ランバートの法則（①等しい厚さの各層はそれを横切る光を等しく吸収する. ②光源からの光は光源からの距離に対応する反対側に投影する面).

Lam·bl ex·cres·cence 半月弁結節（大動脈半月弁の辺縁の小突起. 意義は不明).

Lam·bli·a in·tes·ti·na·lis *Giardia lamblia* の旧名. 現在でも特に旧ソ連の原生動物学者によって頻繁に用いられている.

lam·bli·a·sis (lam-blī′ă-sis). ラムブル鞭毛虫症. = giardiasis.

Lam·bri·nu·di op·er·a·tion ランブリヌーディ手術（通常は小児麻痺に起こるような尖足を矯正するために行われるような三関節固定術の一型).

la·mel·la, pl. la·mel·lae (lă-mel′ă, -mel′ē). ***1*** 層板（緻密骨にみられるような薄板，薄層あるいは細薄層). ***2*** ラメラ（薬物添加ゼラチン板で，溶液の代わりに結膜の局所に用いる).

la·mel·lar (lă-mel′ăr). 層板〔状〕の（①薄板または薄鱗屑状に配列している. ②層板についていう).

la·mel·lar bone 層板骨（哺乳類成体の骨にみられる通常のタイプで海綿質では並行層板をしており，緻密質では同心円層板をしている).

la·mel·lar cat·a·ract 層間白内障（混濁が皮質に限定されている白内障). = zonular cataract.

lam·el·lat·ed cor·pus·cles 層板小体（指の皮膚，腸間膜，腱，その他の部位にみられる円形の神経終末装置. 同心円状に重なる結合組織の層からなり，その軟らかい中心部を神経線維の軸索が通る. 軸索は分かれて膨大部をつくり終わる. 圧を感受する器官). = corpuscula lamellosa; pacinian corpuscles.

la·mel·li·po·di·um, pl. la·mel·li·po·di·a (lă-mel′i-pō′dē-ŭm, -ă). ラメリポディウム（遊走多形核白血球の全周で産生される細胞形質の被膜突起).

lam·i·na, pl. lam·i·nae (lam′i-nă, -nē). 板（→layer; stratum).

lam·i·na ar·cus ver·te·brae 椎弓板. = lamina of vertebral arch.

lam·i·na ba·sa·lis cho·roi·de·ae 〔脈絡膜の〕基底板（網膜の色素上皮に接した脈絡膜の，透明でほとんど構造をもたない内層). = basal layer of choroid; Bruch membrane; vitreous lamella; vitreous membrane(3).

lam·i·na cho·roid·o·ca·pil·la·ris 脈絡毛細管板. = choriocapillary layer.

lam·i·na cri·bro·sa os·sis eth·moi·da·lis 篩骨篩板. = cribriform plate of ethmoid bone.

lam·i·na cri·bro·sa scler·ae 強膜篩板（視神経の線維が通る強膜の部分).

lam·i·na fus·ca of scle·ra 強膜褐色板（強膜内面の色素をもった疎性結合組織の著しく薄い層で，脈絡膜と結合している).

lam·i·na·gram (lam′i-nă-gram). 断層写真（断層撮影法によって得られた画像).

lam·i·na·graph (lam′i-nă-graf). 断層撮影装置（断層撮影法のための装置).

lam·i·na of lens 水晶体の層（水晶体質を形成する水晶体線維からなる同心円状の層).

lam·i·na lim·i·tans an·te·ri·or cor·ne·ae 〔角膜の〕前境界板. = anterior elastic lamina of cornea.

lam·i·na lim·i·tans pos·ter·i·or cor·ne·ae 〔角膜の〕後境界板. = posterior elastic lamina of cornea.

lam·i·na me·dul·la·ris me·di·a·lis →medullary laminae of thalamus.

lam·i·na me·dul·la·ris me·di·a·lis nu·cle·i len·ti·for·mis = medial medullary lamina of lentiform nucleus.

lam·i·na of mes·en·ce·phal·ic tec·tum 中脳蓋板（四丘体を形成する中脳の蓋板). = tectum of midbrain.

lam·i·na mul·ti·for·mis = multiform layer of cerebral cortex.

lam·i·na pro·pri·a 粘膜固有層（粘膜の上皮の下にある結合組織の層).

lam·i·nar (lam′i-năr). ***1*** 層状の（板状あるいは層状に配列されたものについていう). ***2*** 層の.

lam·i·nar flow 層流（平行かつ滑らかに流れる流体の各部分の相対的な動き. Reynolds数が小さい値のときに起こる).

lam·i·nar flow hood 無菌実験台（微生物によっての無菌器具の汚染を防ぐために，気流の囲い込みを直接行うもの). = hood.

lam·i·nat·ed clot 層状血餅（動脈瘤の自然経過に起こるような，層が連続してできた血塊).

lam·i·nat·ed ep·i·the·li·um = stratified epithelium.

lam·i·na of ver·te·bral arch 椎弓板（椎弓の平らな部分で，椎弓根と正中線の間にあって脊柱管の後壁をつくっており，その正中結合部から棘突起が出ている). = lamina arcus vertebrae; neurapophysis.

lam·i·na vis·ce·ra·lis 臓側板. = visceral layer.

lam·i·nec·to·my (lam′i-nek′tŏ-mē). 椎弓切除〔術〕，ラミネクトミー（椎弓を切除すること. 通常，後弓の切除に対して用いられる).

lam·i·ni·tis (lam′i-nī′tis). 板〔層〕の炎症.

lam·i·nog·ra·phy, lam·i·nag·ra·phy (lam′i-nog′ră-fē, lam′i-nag′ră-fē). 断層撮影法（X線管球とフイルムホルダーを相対的に動かすことで対象となる面の上下の組織像をぼかしてしまい，より鮮明に目的の領域を撮影するX線撮影法. →tomography).

lam·i·not·o·my (lam-i-not′ŏ-mē). 椎弓切開〔術〕（椎弓の一部を切除する術式で，これにより椎間孔が拡大される). = rachiotomy.

lamp (lamp). 灯（点滅する装置. 光源. →light).

Lan·cas·ter red-green test ランカスター赤緑試験（後天性斜視，複視の成人例において様々な注視野での眼球偏位を測定する試験法．右眼に赤フィルタ，左眼に緑フィルタを置き，検者には反対の色の明りを投影し，赤または緑色光を患者にアライメントさせることにより検査を行う）．

lance (lans). ***1*** 〚v.〛 切開する（膿瘍または癤の部分を切開する）．***2*** 〚n.〛 ランス，乱切刀．

Lance·field clas·si·fi·ca·tion ランスフィールド分類〔法〕（溶血性連鎖球菌をA群からO群までに血清学的に分類する方法．炭水化物からなる群特異物質に対する抗体を用いた沈降反応によって決定する）．

lan·cet (lan′set). ランセット，乱切刀（先のとがった，短くて幅の広い両刃の外科用ナイフ）．

lan·ci·nat·ing (lan′si-nāt-ing). 刺すような，電撃〔性〕の（鋭く切るような，引き裂くような痛みについていう）．

Lan·ci·si sign ランチージ徴候（頸静脈波で三尖弁の逆流によって生じる大きな収縮波のために，正常の収縮期陰性 "x" 下降部がみえなくなること）．

Lan·dau-Kleff·ner syn·drome ランドー-クレッフナー症候群（後天性失語症を伴う小児期の全身性および神経運動性痙攣．脳波では多巣性と棘徐波放電がある）．= acquired epileptic aphasia.

Lan·dau re·flex ランドウ反射（生後3か月-2年の児にみられる．腹臥位のまま胸部を水平に持ち上げると，首，脊柱，下肢が伸展する．頭を前屈させると，伸筋緊張は停止する）．

Lan·dol·fi sign ランドルフィ徴候（大動脈弁閉鎖不全の場合，瞳孔が心収縮期に収縮し，拡張期に散大する）．

Lan·dry pa·ral·y·sis, Lan·dry syn·drome ランドリー麻痺．= Guillain-Barré syndrome.

land·scape e·col·o·gy 景観生態学（生態学的過程に対する空間パターンの相互的効果についての学問）．

Lane band レーン帯（うっ滞を引き起こす遠位回腸上にある先天性の帯で右腸骨窩に及ぶこともある）．= Lane kink.

Lane kink レーン屈曲．= Lane band.

Lan·gen·beck tri·an·gle ランゲンベック三角（上前腸骨棘から大転子と大腿骨外科頸へ引いた線からなる三角形．この部を貫通する損傷は関節に達することが多い）．

Lan·gen·dorff meth·od ランゲンドルフ法（摘出した哺乳類の心臓で，大動脈内に圧をかけて液を注入することにより冠動脈系を灌流する方法）．

Lan·ger·hans cell his·ti·o·cy·to·sis ランゲルハンス細胞組織球増殖症（Langerhans 細胞の増殖が共通にみられる密接に関連した一連の疾患．3つのオーバラップする症候群が認められている．1か所にのみ生じる好酸球性肉芽腫，多発性であるが1組織に限定する Hand-Schuller-Christian 病，多発性多組織性組織球増多症である Letter-Siwe 病である．以前はこれらは組織球増多症Xとよばれていた）．

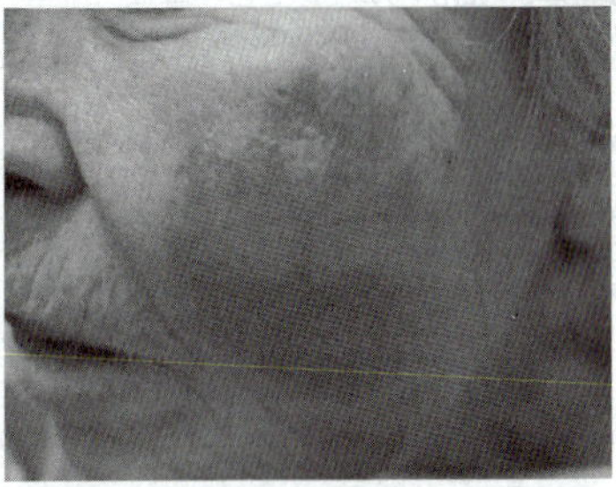

Langerhans cell histiocytosis

Lan·ger·hans cells ランゲルハンス細胞（①表皮に存在し，特徴的顆粒を有する樹枝状明細胞で，組織切片上では杆状またはラケット状の形を呈するが，トノフィラメント，メラノソーム，およびデスモソームを欠く．細胞表面に免疫グロブリン(Fc)および補体(C3)に対する受容体をもち，抗原を固定し，単核球由来のプロセッシング細胞であると考えられている．皮膚の遅延型過敏反応に関与する．②肺における好酸球性肉芽腫とリンパ腫でみられる細胞）．

Lan·ger-Sal·di·no syn·drome = achondrogenesis type II.

Lang·hans cells ラングハンス細胞（①結核やその他の肉芽腫性疾患にみられる多核巨細胞．核は細胞の周辺に弓形に配列される．= Langhans-type giant cells. ②= cytotrophoblastic cells）．

Lang·hans-type gi·ant cells ラングハンス型巨細胞．= Langhans cells(1).

lan·guage (lang′gwāj). 言語（話したり，手振りしたり，書いたり，あるいは他の記号を手段として表現したり，描写したり，伝達し受け取ること）．

lan·guage board 言語具(装置)．= communication board.

lan·guage de·lay 言語発達遅滞（小児科とSLPにおいて，年齢に応じたレベルで小児が言語技能が発達しない状態を表す）．

lano- ウールに関する連結形．

lan·o·lin (lan′ō-lin). ラノリン，羊毛脂．= adeps lanae.

lan·tha·nides (lan′thă-nīdz). ランタニド（希土類元素．化学的性質がきわめて類似している，原子番号57から71までの元素．かつては互いに分離するのが困難であった）．

lan·tha·num (La) (lan′thă-nŭm). ランタン（金属元素．原子番号57，原子量138.9055．希土類(ランタニド)の第1番目の元素）．

la·nu·gi·nous (lă-nū′ji-nŭs). うぶ毛の生えた．

la·nu·go (lă-nū′gō). 胎毛（細く柔らかい，色素の少ない胎児の毛で，小さな毛幹と大きな毛乳頭を有する．在胎3か月の終わりにみられる）．= lanugo hair.

L

la·nu·go hair うぶ毛，生毛. = lanugo.

LAO left anterior oblique projection（左斜位投影法）の略. 心腔造影の，特に左心房と左心室容積の測定に用いる.

laparo- 腰または一般に腹（適切ではない）に関する連結形.

lap·a·ro·cele (lap′ă-rō-sēl). 腹部ヘルニア. = abdominal hernia.

lap·a·ro·en·do·scop·ic (lap′ă-rō-en′dō-skop′ik). 腹腔内視鏡的な，腹腔鏡的な（様々な腹腔内手技を行うために腹腔内へ内視鏡を挿入すること）.

lap·a·ror·rha·phy (lap′ă-rōr′ă-fē). 腹壁縫合〔術〕. = celiorrhaphy.

lap·a·ro·scope (lap′ă-rō-skōp). 腹腔鏡. = peritoneoscope.

lap·a·ro·scop·ic-as·sis·ted vag·i·nal hys·ter·ec·to·my 内視鏡下腟式子宮全摘出術（腟式子宮全摘出術で，卵巣提索，広靱帯，仙骨子宮靱帯の切断を内視鏡的に行った後，標準術式で腟円蓋を切開し子宮を摘出する）.

lap·a·ro·scop·ic cho·le·cys·tot·o·my 腹腔鏡下胆嚢摘出術（胆嚢摘除のための低侵襲手術手技. 4 ないし 5 か所（10 mm 以下）の切開が腹腔鏡と様々な器具の腹腔内挿入のために用いられる）.

lap·a·ro·scop·ic knot 腹腔鏡下結紮（腹腔鏡手術器械を用いる結紮. 結び目は体外でつくり，カニューレを通して体内に運ばれる場合と，操作を腹腔内ですべて行う場合がある）.

lap·a·ro·scop·ic ne·phrec·to·my 腹腔鏡下腎摘出術（経皮的内視鏡手技を用いた腎摘出術）.

lap·a·ro·scop·ic u·ter·o·sa·cral nerve ab·la·tion 内視鏡的仙骨子宮神経切除（原発性月経困難症治療のための仙骨子宮神経（仙骨子宮靱帯）の内視鏡的切断（通常，KTP またはアルゴンレーザーを使用する））.

lap·a·ros·co·py (lap′ă-ros′kŏ-pē). 腹腔鏡検査〔法〕，ラパロスコピー（腹壁を通した腹腔鏡を用いて腹腔の内容を調べる手技. 腹腔は最初に炭酸ガスが送入され，腹腔鏡が腹壁の小切開創から挿入される. 虫垂切除，胆嚢摘出，鼡径ヘルニア縫縮，卵巣摘除，卵巣腫瘍摘除後の再検手術，子宮内膜症の診断的評価と女性不妊症などの以前は開腹術を要した多くの日常の手術手技に代わって，この技術が標準化してきた. 切開，ドレナージ，摘除，凝固，結紮，縫合，その他の処置を腹腔鏡で行うための精巧な器具が開発されている. →peritoneoscopy）.

lap·a·rot·o·my (lap′ă-rot′ŏ-mē). ***1*** 側腹切開〔術〕（腰部から切開すること）. ***2*** 開腹〔術〕. = celiotomy.

lap·a·rot·o·my pad 開腹パッド（ガーゼを数層に重ねて長方形に整えたパッド. 腹部手術で，血液を吸収させたり，臓器を押さえておくためなどに用いる）. = abdominal pad.

La·picque law ラピックの法則（時値は軸索の直径に反比例する）.

lap·i·ni·za·tion (lap′i-nī-zā′shŭn). 家兎継代（ウサギでウイルスまたはワクチンを継代すること）.

lap·i·nized (lap′i-nīzd). 家兎継代した（ウイルスをウサギで継代させることによって順代させることについていう）.

La·place for·ceps ラプラース鉗子（外科的吻合の際，腸を接近させるために用いる鉗子）.

La·place law ラプラースの法則（壁の外圧と内

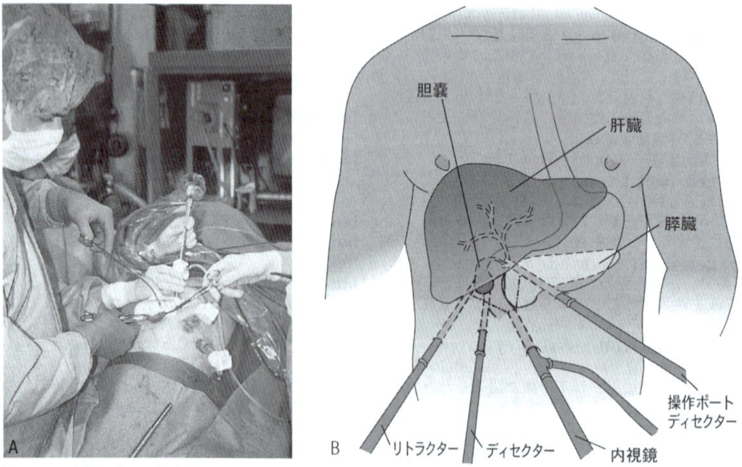
A
B
胆嚢
肝臓
膵臓
操作ポート
ディセクター
リトラクター
ディセクター
内視鏡

laproscopic cholecystectomy

圧との差(ΔP)，壁の張力(T)，凹面の曲率半径(R)との関係を示す．球の場合は $\Delta P = 2T/R$．円柱の場合は $\Delta P = T/R$)．

la·quer stain for al·co·hol·ic hy·a·lin ラクヴェアーのアルコール性ヒアリン染色〔法〕(Altmann アニリン酸性フクシン染色と Masson 三重染色の組合せで，灰褐色の背景上に，アルコール性ヒアリン(Mallory 小体)を赤色，コラーゲンを緑色，核を褐色に染める)．

large cal·o·rie (C) 大カロリー．= kilocalorie.

large cell car·ci·no·ma 大細胞癌（肺のえん麦細胞よりはるかに大きな細胞よりなる未分化癌．特に気管支癌をいう)．

large cell lym·pho·ma 大細胞型リンパ腫（未分類の大単核球細胞からなるリンパ腫)．

large for ges·ta·tion·al age (LGA) 児の体重が 90 パーセンタイルを超えること．母体の高血糖や遺伝因子を含む，さまざまな原因がある．

large in·tes·tine 大腸（消化管の一部で，回盲弁から肛門までの部分．盲腸，結腸，直腸，および肛門管からなる)．

La·ron-type dwarf·ism ラロン型小人症（ソマトメジン C(インスリン様成長因子 I)が欠損あるいは非常に低レベルであるか，またはその受容体異常による小人症)．

La·ro·yenne op·er·a·tion ラロワイエーヌ手術（骨盤内膿瘍で膿を排除し，誘導するために直腸子宮窩を穿刺する方法)．

Lar·rey am·pu·ta·tion ラレー切断術（肩関節部の切断)．

Lar·son-Jo·hans·son dis·ease ラーソン-ヨハンソン病（牽引力による膝蓋骨下極の炎症または部分剥離．→Osgood-Schlatter disease)．

lar·va, pl. lar·vae (lahr′vă, -vē)．***1*** 幼虫，仔虫（昆虫や蠕虫にみられる虫様の発育期)．***2*** 幼虫，幼ダニ（マダニの生活環上の第 2 段階．卵からふ化し，飽血した後，脱皮して若虫になる)．***3*** 幼生（しばしば成体と外見が異なる，魚類や両生類の若い個体)．

lar·va cur·rens 流動幼虫（皮膚の遊走虫症で，*Strongyloides stercoralis* の幼虫が急速に(10 cm/時に達する速さ)移動して生じる．典型的なものは，肛門部から大腿上方まで広がり，急速に進行する線状じんま疹状の痕跡がみられる)．

lar·val (lahr′văl)．***1*** 幼虫の．***2*** 仮性の．= larvate.

lar·va mi·grans 移行性幼虫，幼虫移行症（一定期間宿主の組織中を動き回るが成虫にはならない幼虫で，典型的なものは線虫類．通常，正常でない宿主の中で発生するため，寄生虫の正常な発育を阻害する)．

lar·vate (lahr′vāt)．仮性の，仮面の，潜在の（無症状の，非定型的徴候の疾病に対して用いる語)．= larval(2)．

lar·vi·cid·al (lahr′vi-sī′dăl)．幼虫撲滅の．

lar·vi·cide (lahr′vi-sīd)．幼虫撲滅薬．

la·ryn·ge·al (lă-rin′jē-ăl)．喉頭の．

la·ryn·ge·al mask 喉頭マスク（喉頭直上にあって，ふくらませたときに密閉した弁を形成する，末端でふくらむ縁を有する管状中咽頭気道)．

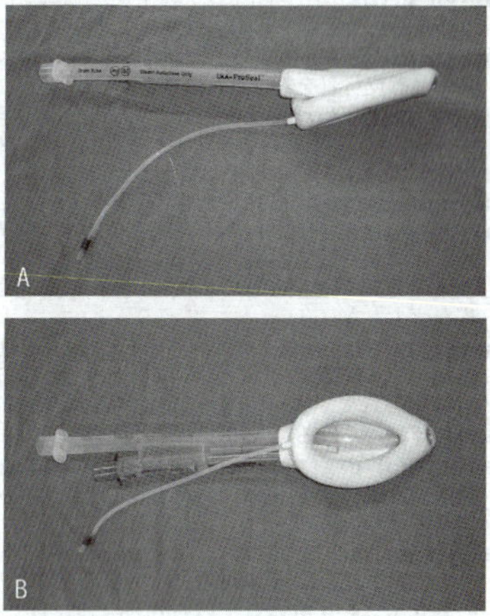

laryngeal mask

la·ryn·ge·al mask air·way (LMA) = laryngeal mask.

la·ryn·ge·al pap·il·lo·ma·to·sis 喉頭乳頭腫症（多発性の喉頭の扁平細胞上皮乳頭腫で，年少小児に最も多くみられる．通常，誕生時母親のコンジロームより，ヒトパピローマウイルスの感染を受けることによって生じる)．

la·ryn·ge·al prom·i·nence 喉頭隆起（喉頭の甲状軟骨によって形成される前頸部の突出．外から第五頸椎の水準を知る指標となる)．

la·ryn·ge·al ste·no·sis 喉頭狭窄〔症〕（喉頭の一部あるいは全体の狭窄．先天性と後天性とある)．

la·ryn·ge·al syn·co·pe 喉頭性失神（喉頭のそう痒感のような異常感覚を伴う，咳発作が特徴の発作性神経症で，短期間，意識消失が続く)．

lar·yn·ge·al ven·tri·cle 喉頭室（前庭ひだと声帯ひだの間で，左右の側壁にある 1 対の陥凹で咽頭小嚢はここに開口している)．= Morgagni sinus(3)．

la·ryn·ge·al web 喉頭横隔膜症（声帯の腹側から背側にかけて，可変性の結合織におおわれた粘膜を認める先天奇形で，新生児期の嗄声と気道閉塞の原因となる)．

la·ryn·gec·to·my (lar′in-jek′tŏ-mē)．喉頭切除〔術〕，喉頭摘出〔術〕．

la·ryn·ges (lă-rin′jēz)．larynx の複数形．

lar·yn·gis·mus (lar′in-jiz′mŭs)．声門痙攣（声門の痙攣性狭窄または閉塞)．

lar·yn·gis·mus stri·du·lus ぜん鳴痙攣，小児〔笛声〕喉頭痙攣（声門の痙攣性閉塞．ぜん鳴を生じる．*cf.* laryngitis stridulosa)．= pseudocroup.

lar·yn·git·ic (lar′in-jit′ik)．喉頭炎〔性〕の．

lar·yn·gi·tis (lar′in-jī′tis). 喉頭炎（喉頭粘膜の炎症．声帯浮腫を伴い，嗄声を生じる）．

lar·yn·gi·tis sic·ca 乾性喉頭炎（喉頭粘膜の乾燥と痂皮付着を特徴とする喉頭炎）．

lar·yn·gi·tis stri·du·lo·sa ぜん鳴性喉頭炎（小児の喉頭の感染による炎症．夜間に声門の痙攣性狭窄発作を起こしぜん鳴を伴う）．

laryngo-, laryng- 喉頭を意味する連結形．

la·ryn·go·cele (lă-ring′gō-sēl). 喉頭気腫，喉頭ヘルニア，喉頭室嚢胞(嚢腫)（喉頭室と連なる気腫で，しばしば首の組織へ突出する．特に咳をするときに多い）．

la·ryn·go·fis·sure (lă-ring′gō-fish′ŭr). 喉頭切開〔術〕（喉頭の手術による開口で，通常，正中線に沿って，初期腫瘍の切除や喉頭狭窄矯正のために行われる）．= thyrotomy (2).

lar·yn·gol·o·gy (lar′ing-gol′ŏ-jē). 喉頭科学，喉頭学，喉頭病学（喉頭，声およびその疾病を扱う医学の一専門分野）．

la·ryn·go·ma·la·ci·a (lă-ring′gō-mă-lā′shē-ă). 喉頭軟化症（年少小児にみられる喉頭軟骨の軟化で，特に喉頭蓋でみられ，結果として吸気時ぜん鳴を示す）．

la·ryn·go·pa·ral·y·sis (lă-ring′gō-păr-al′i-sis). 喉頭麻痺（喉頭筋肉の麻痺）．= laryngoplegia.

la·ryn·go·pha·ryn·ge·al (lă-ring′gō-fă-rin′jē-ăl). 喉頭咽頭の（喉頭と咽頭または咽頭喉頭部についていう）．

la·ryn·go·phar·yn·gec·to·my (lă-ring′gō-far′in-jek′tŏ-mē). 喉頭〔下〕咽頭摘出〔術〕，咽喉頭切除〔術〕．

la·ryn·go·phar·yn·ge·us (lă-ring′gō-făr-in′jē-ŭs). 喉頭咽頭筋．= inferior constrictor muscle of pharynx.

la·ryn·go·phar·yn·gi·tis (lă-ring′gō-far′in-jī′tis). 咽頭喉頭炎．

la·ryn·go·phar·ynx (lă-ring′gō-far′ingks). 咽頭喉頭部（喉頭の開口より下で喉頭の背後にある咽頭部．喉頭前庭から輪状軟骨の下縁の高さで食道に続く）．= hypopharynx.

la·ryn·go·plas·ty (lă-ring′gō-plas-tē). 喉頭形成〔術〕．

la·ryn·go·ple·gi·a (lă-ring′gō-plē′jē-ă). = laryngoparalysis.

la·ryn·gop·to·sis (lă-ring′gop-tō′sis). 喉頭下垂〔症〕（喉頭が異常に低い位置にあること．先天性または後天性．加齢とともにある程度の下垂はみられる）．

la·ryn·go·scope (lă-ring′gō-skōp). 喉頭鏡（電光装置のついた管で，口から喉頭の内部を検査したり手術するのに用いる）．

la·ryn·go·scop·ic (lă-ring′gō-skop′ik). 喉頭鏡の．

lar·yn·gos·co·py (lar′in-gos′kŏ-pē). 喉頭鏡検査〔法〕（喉頭鏡を用いて喉頭を検査すること）．

la·ryn·go·spasm (lă-ring′gō-spazm). 喉頭痙攣，声門痙攣（声門の痙攣性閉塞）．

la·ryn·go·ste·no·sis (lă-ring′gō-stĕ-nō′sis). 喉頭狭窄．

lar·yn·gos·to·my (lar′in-gos′tŏ-mē). 喉頭開口〔術〕，喉頭開窓〔術〕（首から喉頭内へ永久的な開口部を設けること）．

lar·yn·got·o·my (lar′in-got′ŏ-mē). 喉頭切開〔術〕．

la·ryn·go·tra·che·al (lă-ring′gō-trā′kē-ăl). 喉頭気管の（喉頭と気管についていう）．

la·ryn·go·tra·che·al di·ver·tic·u·lum 喉頭気管憩室（原始咽頭の尾側端からの憩室で，喉頭，喉頭気管管，食道を形成する）．

la·ryn·go·tra·che·al tube 喉頭気管管（呼吸憩室が気管食道ひだにより上部の喉頭と中部の気管に分けられる際の間の部位）．

la·ryn·go·tra·che·i·tis (lă-ring′gō-trā′kē-ī′tis). 喉頭気管炎（喉頭と気管両方の炎症）．

la·ryn·go·tra·che·o·bron·chi·tis (lă-ring′gō-trā′kē-ō-brong-kī′tis). 喉頭〔気管〕気管支炎（喉頭，気管，および気管支に起こる急性の呼吸疾患．→croup）．

la·ryn·go·trach·e·o·e·so·pha·ge·al cleft 喉頭気管食道裂（筋または輪状軟骨板の癒合が不完全な状態．様々な程度のものがある．タイプ1：披裂筋の粘膜下裂(潜在性後喉頭裂または粘膜下喉頭裂として知られている)．タイプ2：部分的輪状軟骨裂(部分的後喉頭裂としても知られている)．タイプ3：完全輪状軟骨裂(喉頭気管食道裂としても知られている)．タイプ4：裂溝が食道に達しているもの）．= laryngotracheo-oesophageal cleft.

laryngotracheo-oesophageal cleft [Br.]. = laryngotracheoesophageal cleft.

lar·yn·go·tra·che·o·plas·ty (lă-ring′gō-trā′kē-ō-plas′tē). 喉頭気管形成〔術〕（声門下狭窄を修復する手術）．

lar·ynx, pl. la·ryn·ges (lar′ingks, lă-rin′jēz). 喉頭（咽頭と気管の間にある気道の一部である発声器官．軟骨格，声帯ひだを含む弾性膜，およびこれらの位置と緊張を調節する筋肉からなる）．

lase (lāz). レーザーカットする，レーザー処理する（レーザー光線によって物質を切断する，あるいは解剖学的構造物を処理する）．

La·sègue sign ラゼーグ徴候（股関節を屈曲して仰臥し，膝を伸展させた場合，下肢を背屈して大腿背側に疼痛あるいは筋攣縮が生じれば，腰部神経根あるいは坐骨神経が刺激されていることを示す）．

La·sègue syn·drome ラゼーグ症候群（転換ヒステリーで，視覚の支配下にない場合，麻痺した四肢を動かすことができないもの）．

LASEK (lā′sek). ラセク（laser-assisted epithelial keratoplasty の頭字語）．

la·ser (lā′zĕr). *l*ight *a*mplification by *s*timulated *e*mission of *r*adiation の頭文字．***1*** 〚n.〛 レーザー（高いエネルギーを絞って細い単色可視電磁線とする装置．顕微鏡手術，焼灼および種々の診断のために用いられる）．***2*** 〚v.〛 レーザーを用いて組織を処置する．

la·ser-as·sis·ted ep·i·the·li·al ker·a·to·plas·ty レーザー角膜上皮形成術（角膜上皮層を除去し，設定屈折矯正に対応するエキシマレーザーで角膜実質を切除する屈折矯正手術．上

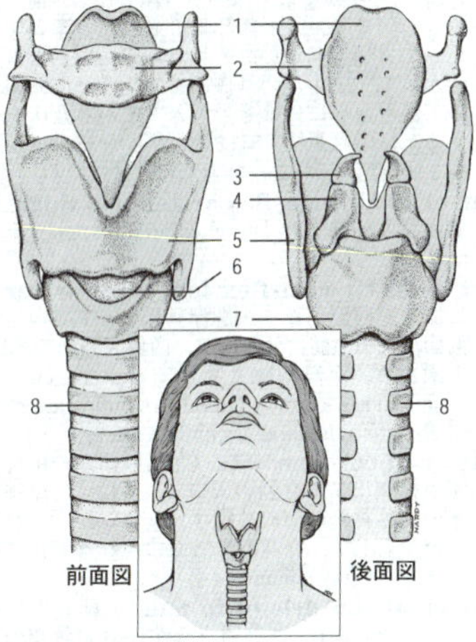
1
2
3
4
5
6
7
8
8
前面図
後面図

laryngeal cartilages

1：喉頭蓋，2：舌骨，3：小角軟骨，4：被裂軟骨，5：甲状軟骨，6：輪状甲状靱帯，7：輪状軟骨，8：気管

皮層はその後復位される）．

la·ser-as·sis·ted in si·tu ker·a·to·mi·leu·sis（LASIK） レーザー角膜内切削形成〔術〕（近視矯正のための屈折手術．角膜フラップを作製し，角膜実質のエキシマレーザー切除後，角膜フラップを元の位置に戻す方法）．

la·ser plume レーザー切断での煙の産生．術者が呼吸困難を引き起こすことがある．

Lash ca·sein hy·drol·y·sate-se·rum me·di·um ラッシュカゼイン血清水解物培地（腟トリコモナス *Trichomonas vaginalis* の検出に用いる）．

Lash op·er·a·tion ラッシュ手術（内子宮口を楔状に切除した後に，頸管をしっかりした管状構造に縫合する方法）．

LASIK（lā′sik）．laser-assisted *in situ* keratomileusis の略．

Las·sa fe·ver ラッサ熱（ナイジェリアのラッサで初めて認識された死亡率の高い流行性出血熱の重症型．アレナウイルス科のラッサウイルスが原因で，高熱，咽頭痛，激しい筋肉痛，出血を伴う皮膚発疹，頭痛，腹痛，嘔吐，下痢を特徴とする．多乳房ラット *Mastomys natalensis* が保有宿主であるが，ヒトからヒトへの伝播もよく起こる）．

Las·sa vi·rus 死亡率の高い急性発熱疾患，ラッサ熱の原因となるアレナウイルス．

las·si·tude（las′i-tūd）．倦怠，疲労．

la·tah（lah′tah）．ラーター（病的驚愕症候群の1つ．文化と関係した疾患で，驚きや予期せぬ暗示による過度の身体的反応を特徴とする．患者は無意識に泣き声を発したり，命令に応じて行動したり他人の行為を見聞きし，それを模倣して行動したりする．→jumping disease）．

late au·di·to·ry-e·voked re·sponse 緩〔聴性誘発〕反応（聴覚刺激に対する大脳皮質聴覚領の反応）．

late dump·ing syn·drome 後期ダンピング症候群（幽門括約筋機能をなくした患者にみられる症候群．食事2—3時間後に潮紅，発汗，めまい，脱力，血管運動虚脱が生じる．これらはインスリン分泌を刺激する大量の炭水化物が急速に吸収されることによる低血糖により生じる．→dumping syndrome）．

late ef·fect 遅発効果（発病後の急性疾患や損傷が生じた検査所見．無関係というよりむしろ二次続発と通常考えられている）．

late lu·te·al phase dys·phor·i·a = premenstrual syndrome.

la·ten·cy（lā′tĕn-sē）．***1*** 潜伏．***2*** 潜伏期，潜伏時間（ある条件下，あるいは行動の実験で刺激を与えたときと反応が起こる瞬間までの，外見上の不応期間）．***3*** 精神分析において，およそ5歳頃から思春期までの時期．

la·ten·cy phase, la·ten·cy pe·ri·od 潜伏期（①精神分析的人格理論において，5歳前後から青年期の始まりの12歳ぐらいまでの小児の精神・性的発達の時期をいう．この時期に性的なことへの関心が見かけ上停止するのは，エディプス的関係を避けるために，リビド的，性的衝動が強く積極的に封鎖されるためである．この時期の子供達は，同性の友達を選択し，同性同士のグループに参加したがる．②生物戦争において，微生物が休眠状態にある期間）．

la·tent（lā′tĕnt）．潜伏〔性〕の．

la·tent al·ler·gy 潜在性アレルギー，潜伏性アレルギー（何の徴候も症状もないが，特異的アレルゲンを用いた免疫テストによって現れるアレルギー）．

la·tent car·ri·er 潜在保因者（形質について固有の遺伝型(劣性に対するホモ接合性，優性に対するホモ接合性あるいはヘテロ接合性，X連鎖性に対するヘミ接合性あるいはホモ接合性)をもつ人．典型的には将来の親となり，ある条件下(例えば年齢，環境障害など)のみで形質を表す）．

la·tent con·tent 潜在内容（考えや行為の隠れた無意識の意味．特に夢や空想の中のものをいう）．

la·tent gout 潜在性痛風（痛風の症状を伴わない高尿酸血症．しばしば痛風間期 interval gout と同じ意味に用いられる）．

la·tent hy·per·o·pi·a 潜伏遠視（全遠視と顕在遠視との差）．

la·tent im·age 潜像（撮影したX線フイルムの未現像映像．これを化学処理して現像する）．

la·tent learn·ing 潜在学習（それが生じた時点においては明瞭ではないが，その後の行動によって存在が推論されるような学習．すなわち，その後の行動で，前述した経験がない場合に比べ速やかな学習効果がみられる）．

la·tent mem·brane pro·tein 潜在性膜蛋白，

不顕性膜蛋白（Epstein-Barr ウイルスの遺伝子産物）.

la·tent nys·tag·mus 潜伏眼振（一方の眼をおおうことで起こる律動性眼振．急速相は常に遮へい眼から離れる方向である）.

la·tent pe·ri·od ***1*** 潜伏時（刺激を与えてから反応(例えば筋肉の収縮)が起こるまでの経過時間）．***2*** 潜伏期(生物化学戦争において，薬品や毒物，放射性物質に曝露してから最初の徴候または症状が現れるまでの期間）．***3*** 潜伏期= incubation period(1).

la·tent re·flex 潜伏性反射（正常とみなされるべきだが，通常はその閾値を低下させるある種の疾病のみにみられる反射）.

la·tent schiz·o·phre·ni·a 潜伏統合失調症（すでにその可能性は認められるが，強い感情的ストレスのもとで初めて顕現化される）.

la·tent stage = incubation period(1).

lat·er·ad (lat′ĕr-ad)．外側へ.

lat·er·al (lat′ĕr-ăl)．***1*** 外側の，側方の，横向きの（側方にある）．***2*** 外側の，側方の，横向きの（正中面または正中矢状面から遠い位置にある）．***3*** 外側の，側方の，横向きの（歯科において，中心矢状面から右あるいは左に位置する）．***4*** 側面像（フイルムを矢状面に置いて撮影する X 線撮影法で，胸部の検査では正面像に次いで 2 枚目の撮影として行われる）.

lat·er·al ab·er·ra·tion 横収差（球面収差で，光軸と中心光線がつくる近軸焦点の間の隔たりのこと）.

lat·er·al an·te·brach·i·al cu·ta·ne·ous nerve 外側前腕皮神経. = lateral cutaneous nerve of forearm.

lat·er·al an·te·ri·or tho·rac·ic nerve 外側〔前〕胸筋神経. = lateral pectoral nerve.

lat·er·al ap·er·ture of fourth ven·tri·cle 第 4 脳室外側口（小脳橋角でクモ膜下腔(外側小脳延髄槽)へ連結する第 4 脳室の左右にある開口）. = apertura lateralis ventriculi quarti.

lat·er·al ar·cu·ate lig·a·ments 外側弓状靱帯（第一腰椎横突起と横隔膜の一部に付着する両側の第十二肋骨との間の腰方形筋筋膜肥厚部（弓状靱帯の 1 つ））.

lat·er·al ba·sal (bron·cho·pul·mon·ar·y) seg·ment [S IX] 外側肺底区（左右肺臓下葉の 4 区のうちの 1 つで，横隔膜に接し右肺では最も右方にあり左肺では最も左方にある．外側肺底区気管支[B IX]と外側肺底区動脈が分布する）.

lat·er·al bor·der 外側縁（ある構造の辺縁のうち，中心線から最も遠い縁）.

lat·er·al branch·es of ar·ter·y of tu·ber cin·er·e·um 灰白隆起動脈の外側枝（灰白隆起動脈の外側から出る動脈枝）.

lat·er·al branch·es of pon·tine ar·ter·ies 橋動脈の外側枝（脳底動脈の長い枝で橋下面を通って外側部に分布する）.

lat·er·al car·ti·lage of nose 外側鼻軟骨（鼻翼軟骨上方の鼻の側壁にある軟骨）. = cartilago nasi lateralis.

lat·er·al ce·re·bral sul·cus 〔大脳〕外側溝（皮質溝のなかで最も深く最も顕著な溝．前有孔質から始まり，前頭葉と側頭葉の間の深い切れ込みで外側へ向かい，それから後，やや上方へ向かって大脳半球の外側面を越える．上側頭回の下堤とともに島はその大きく広がった床をつくる．短い二側枝，前枝および上行枝が下前頭回を眼窩部，三角部，弁蓋部に分けている）.

lat·er·al cir·cum·flex ar·ter·y of thigh 外側大腿回旋動脈. = lateral circumflex femoral artery.

lat·er·al cir·cum·flex fem·o·ral ar·ter·y 外側大腿回旋動脈（大腿深動脈より起こり，股関節，大腿の筋に分布する．内側大腿回旋動脈，下殿動脈，上殿動脈と吻合）. = arteria circumflexa femoris lateralis; lateral circumflex artery of thigh; lateral femoral circumflex artery.

lat·er·al col·umn 側柱（左右の側索の中にわずかに突出する脊髄の灰白質．特に，自律神経系の交感神経の節前神経ニューロンが含まれる胸部で著しい．脊髄の横断面に現れる側角に相当する. →gray columns）.

lat·er·al con·dyle of fe·mur 大腿骨外側顆（大腿骨遠位端で関節頭をなす一対の骨顆のうち，外側のもの．前方では膝蓋面で他側に連なるが，後下方は顆間窩で隔てられている．外側顆は内側顆より長い）.

lat·er·al cord of brach·i·al plex·us 腕神経叢の外側神経束（腕神経叢で，上神経幹および中神経幹の前枝よりなる神経線維束で腋窩動脈の外側に位置する．外側胸筋神経を出した後，筋皮神経および正中神経に分かれて終わる）.

lat·er·al cor·ti·co·spi·nal tract (LCST) 外側皮質脊髄路（皮質脊髄路交叉(錐体交叉)で反対側へ移行し脊髄側索の後半部を下行する線維束）.

lat·er·al cri·co·ar·y·te·noid mus·cle 外側輪状披裂筋（喉頭の筋の 1 つ．起始：輪状軟骨弓の上縁．停止：披裂筋の筋突起．神経支配：反回神経．作用：声帯ひだの内転，すなわち声門裂の狭窄）. = musculus cricoarytenoideus lateralis.

lat·er·al cu·ne·i·form bone 外側楔状骨（足根の遠位列の骨．中間楔状骨，立方骨，舟状骨，第二-第四中足骨と関節する）. = wedge bone.

lat·er·al cu·ta·ne·ous nerve of fore·arm 外側前腕皮神経（筋皮神経の最終皮枝で上腕二頭筋と上腕筋の間から出て前腕の橈側の皮膚に分布する）. = nervus cutaneus antebrachii lateralis; lateral antebrachial cutaneous nerve.

lat·er·al cu·ta·ne·ous nerve of thigh 外側大腿皮神経（腰神経叢から起こり第二・第三腰神経の線維を大腿外側面と前外側面とに送る）. = nervus cutaneus femoris lateralis; lateral femoral cutaneous nerve.

lat·er·al ep·i·con·dyle of hu·mer·us 上腕骨外側上顆（遠位端外側にある）.

lat·er·al ep·i·con·dy·li·tis 上腕骨外側上顆炎. = tennis elbow.

lat·er·al fem·o·ral cir·cum·flex ar·ter·y = lateral circumflex femoral artery.

lat·er·al fem·o·ral cu·ta·ne·ous nerve 外

側大腿皮神経. = lateral cutaneous nerve of thigh.

lat·er·al folds 外側ひだ（胚盤の外側縁の腹側に向かう屈曲で，これの発達によって最終的な胚の形がつくり上げられる）.

lat·er·al fu·nic·u·lus 側索（脊髄の前外側柱．前根および後根の出口と入口の線の間にある脊髄の外側白質柱）.

lat·er·al ge·nic·u·late bo·dy 外側膝状体（視床の後下面よりわずかに突出している1対の小さな卵形の塊の外側部分．外側膝状体の主部（背側の部分）は，網膜から大脳皮質への視覚伝導路における中継地として働く，視索からの線維を受け，これから後頭葉の皮質視覚中枢への膝鳥距視放線を出している）. = corpus geniculatum laterale.

lat·er·al her·maph·ro·dit·ism 側半陰陽（一側に精巣，他側に卵巣のあるもの）.

lat·er·al hu·mer·al ep·i·con·dy·li·tis 上腕骨外側上顆炎. = lateral epicondylitis.

lat·er·al·i·ty (lat′ĕr-al′i-tē). ***1*** 側性（体や構造物の一側についていう）. ***2*** 一側優位（特に左右どちらかの大脳皮質または体の優性）.

lat·er·al lin·gual bud 外側舌芽. = lateral lingual swellings.

lat·er·al lin·gual swel·ling 外側舌隆起（原始口内の底面内の2つの卵形隆起のどちらか一方，各サイドの二等分される舌の隆起．舌の3分の2が前腹部として覆われている）. = distal tongue bud; lateral lingual bud.

lat·er·al lon·gi·tu·di·nal stri·a 外側縦条（帯状回におおわれた脳梁上面の両外側縁近くで，灰白質を伴って前後に走る細い神経線維束）.

lat·er·al mal·le·o·lus 外果，そとくるぶし（腓骨下端の外側にあり，足首の外側に突出を形成する．内果より下方に位置する）.

lat·er·al med·ul·lar·y branch·es of (in·tra·cra·ni·al part of) ver·te·bral ar·te·ry 椎骨動脈頭蓋内部の外側延髄枝（頭蓋内で椎骨動脈あるいはその太い枝から出る細枝で，延髄の腹側に沿って外側へ分布する）.

lat·er·al me·nis·cus 外側半月（脛骨の上関節面の外側に付着する半月形の線維軟骨で，大腿骨と頸骨の接触面の周囲を占める）.

lat·er·al na·sal branch of fa·cial ar·te·ry 顔面動脈の外側鼻枝（顔面動脈から出て鼻翼と鼻背に分布し，以下の動脈と吻合する．対側の同名枝，上唇動脈の中隔枝と鼻翼枝，眼動脈の鼻背枝，上顎動脈の眼窩下枝）.

lat·er·al oc·cip·i·tal ar·ter·y 外側後頭動脈（後大脳動脈の最終枝の1つで，前側頭枝，中間側頭枝，内側側頭枝，後側頭枝を出して側頭葉に分布する）.

lat·er·al pec·to·ral nerve 外側胸筋神経（腕神経叢の外側神経束から出て小胸筋の内側を通り大胸筋の鎖骨部に分布する神経）. = nervus pectoralis lateralis; lateral anterior thoracic nerve.

lat·er·al pinch 横つまみ（作業療法において，母指指腹の先端と示指近位指節間(PIP)関節の側面との間でつまむこと．key grasp ともいう）.

lat·er·al plan·tar ar·ter·y 外側足底動脈（後脛骨動脈の2本の終末枝のうち太いほうの枝．足底動脈弓を形成し，そこから足底と足指底面に血液を送る．内側足底動脈，足背動脈と吻合）. = arteria plantaris lateralis.

lat·er·al plan·tar nerve 外側足底神経（脛骨神経の2終枝の1つ．足底の外側を通り，浅枝と深枝に分かれる．足底外側面と小指および第四指外側面の皮膚に分布し，母指外転筋と短指屈筋を除く足底部の筋を支配する．この神経の足における分布は手における尺骨神経の分布とよく似ている）. = nervus plantaris lateralis.

lat·er·al plate 外側板（胎生最初期胚盤の外側周辺部でいまだ分節していない中胚葉細胞塊）.

lat·er·al po·si·tion 側臥位（横たわった姿勢）.

lat·er·al pter·y·goid mus·cle 外側翼突筋（側頭下窩のそしゃく筋の1つ．起始：下頭は翼状突起外側板から，上頭は側頭下稜とその近くの蝶形骨大翼から．停止：下顎骨翼突窩，顎関節円板，関節包．作用：下顎を前に突き出して口を開ける．片側だけ働かせればおとがい部を左右に動かすことが可能となり，そしゃくに際してのすりつぶし運動が行える．神経支配：三叉神経下顎枝の外側翼突筋神経）. = musculus pterygoideus lateralis; external pterygoid muscle; musculus pterygoideus externus.

lat·er·al rec·tus mus·cle 外側直筋（外眼筋の1つ．起始：上眼窩裂にまたがる総腱輪．停止：眼の強膜の外側部．作用：眼球を外側に向ける．神経支配：外転神経）. = musculus rectus lateralis; abducens oculi.

lat·er·al rec·tus mus·cle of the head 外側頭直筋. = rectus capitis lateralis muscle.

lat·er·al re·cum·bent po·si·tion 側横臥位. = Sims position.

lat·er·al ro·ta·tion = external rotation.

lat·er·al sa·cral ar·ter·ies 外側仙骨動脈（内腸骨動脈またはその枝から出る通常は2本の動脈．付近の筋肉，皮膚に血液を送り，仙骨管内へ分枝し脊髄動脈と根動脈を出した後，仙骨をおおう皮膚や皮下組織に分布する）. = arteriae sacrales laterales.

lat·er·al sa·cral veins 外側仙骨静脈（仙骨静脈叢と仙骨部の椎間静脈とからの血液を受ける数本の静脈で，同名の動脈に伴行して内腸骨静脈に注ぐ）.

lat·er·al su·pra·cla·vic·u·lar nerve 外側鎖骨上神経（頸神経叢の C3–C4 部から起こる枝．下行して肩峰と三角筋部の皮膚に分布する）. = nervus supraclavicularis lateralis; posterior supraclavicular nerve.

lat·er·al tar·sal strip pro·ce·dure 外側瞼板棚状法（水平方向の眼瞼弛緩による下眼瞼異常を外眼角端で強めることにより矯正する術式）.

lat·er·al tho·rac·ic ar·ter·y 外側胸動脈（腋窩動脈の第三部より起こり，胸筋外側縁を回って胸筋などの胸壁の筋と乳腺に分布する）. = arteria thoracica lateralis; external mammary artery; long thoracic artery.

lat·er·al vas·tus mus·cle 外側広筋. = vastus

lateralis muscle.

lat·er·al ven·tri·cle 側脳室（大脳半球の基本形と一致して馬蹄形に似た形をした腔．Monro室間孔によって第3脳室に通じ，室間孔から，前方には前角として前頭葉内にのび，後方には中心部または体部として視床上に広がり，視床の後ろで外方に曲がり，下角として側頭葉内を前方にのび，この腹外方への曲がりの頂点から，大きさは一定しないが後頭葉の白質内に後角がのびる．側脳室のよく発達した脈絡叢は中心部と下角(前角や後角ではない)のところで内方からはいり込む)．

late rick·ets = osteomalacia.

latero- 外側の，を意味する連結形．

lat·er·o·de·vi·a·tion (lat′ĕr-ō-dē′vē-ā′shŭn)．側方偏位（一側への屈曲あるいは移動)．

lat·er·o·duc·tion (lat′ĕr-ō-dŭk′shŭn)．側方偏視，側方運動（一側へ引き寄せること．四肢の動きや眼球の正中から遠位への回転をいう)．

lat·er·o·flex·ion, lat·er·o·flec·tion (lat′ĕr-ō-fleks′shŭn, -shŭn)．側方屈曲，側屈（一側へ傾いたり曲がったりする状態)．

lat·er·o·tor·sion (lat′ĕr-ō-tōr′shŭn)．側方捻転（一側へ回転すること．眼球がその前後軸の周囲を回転することをいう．結果として角膜の上部は前後軸から離れる)．

lat·er·o·tru·sion (lat′ĕr-ō-trū′zhŭn)．ラテロトルージョン，外側偏位（下顎運動時，そしゃく筋によって生じる下顎頭の外側への偏位)．

lat·er·o·ver·sion (lat′ĕr-ō-vĕr′zhŭn)．側傾，側反，側彎屈（一側あるいは他側への回転．特に子宮の変位をいう)．

late sys·to·le = prediastole.

la·tex (lā′teks)．ラテックス（①ある種の種子植物の産生する乳濁液または懸濁液．この液には天然ゴムの微視的な小球体が懸濁している．②ポリスチレンやポリビニルクロリドなどの類似合成物質)．

la·tex al·ler·gy ラテックスアレルギー（天然ゴムに皮膚過敏症，工場のゴム手袋，コンドーム，その他の品物に使用される)．

la·tex sen·si·tiv·i·ty ラテックス過敏症（アナフィラキシーまたは接触性皮膚炎を原因とする加工されたゴム製品にある特異蛋白質への過敏性)．

lath·y·rism (lath′i-rizm)．ラチリスム，イタチササゲ中毒（エチオピア，アルジェリア，インドにみられる疾患で，様々な神経症の発現，振せん，痙性対麻痺，感覚異常を特徴とする．ソラマメ，イタチササゲ *Lathyrus sativus*，およびそれらと近縁の種を主食とする地域に流行する)．

la·tis·si·mus dor·si mus·cle 広背筋（胸郭体肢筋の1つ．起始：下部の第五または第六胸椎と腰椎の棘突起，正中仙骨稜および腸骨稜の外側唇．停止：大円筋とともに上腕骨二頭筋溝の後唇に付着．作用：上腕の外転・内旋・伸展．神経支配：胸背神経)．= musculus latissimus dorsi.

lat·i·tude (lat′i-tūd)．寛容度（光またはX線の露光に対する写真感光乳剤の許容範囲)．

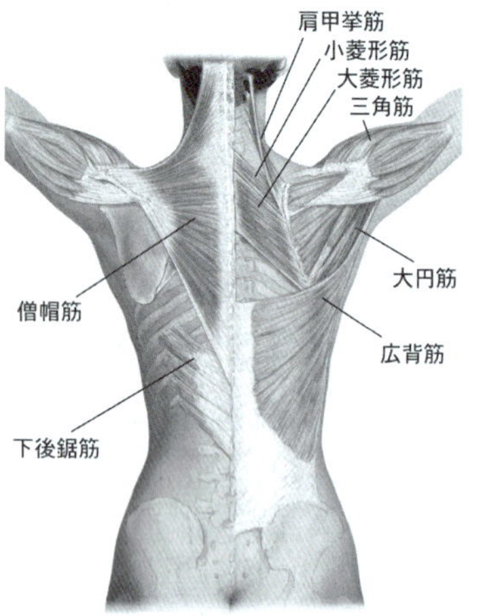

肩甲挙筋
小菱形筋
大菱形筋
三角筋
大円筋
僧帽筋
広背筋
下後鋸筋

latissimus dorsi muscle

La·tro·dec·tus (lat-rō-dek′tŭs)．ゴケグモ属（比較的小型のクモの一属．強い毒性のある神経毒を発し，咬まれると痛みを伴う)．

LATS (lats)．long-acting thyroid stimulator の略．

lat·us, gen. **lat·e·ris,** pl. **lat·e·ra** (lat′us, -ĕr-is, -ĕr-ă)．側腹，わきばら．= flank.

Latz·ko ce·sar·e·an sec·tion ラッコ帝王切開〔術〕（腹膜腔からではなく，膀胱側腔の鈍的切開によって腹膜外から子宮に至る帝王切開)．

lau·da·num (law′dă-nŭm)．アヘンチンキ（アヘンを含むチンキ剤)．

laugh·ing gas 笑気．= nitrous oxide.

Lau·gi·er her·ni·a ロジェヘルニア（裂孔靱帯の開口を通って出ているヘルニア)．

Lau·rence-Moon syn·drome ローレンス-ムーン症候群（精神遅滞，色素性網膜症，性器発育不全，および痙性対麻痺を特徴とする症候群．常染色体劣性遺伝．Bardet-Biedl 症候群とは区別するべきである．以前は，この2つの症候群は Laurence-Moon-Bardet-Biedl 症候群としてよばれていた)．

Lau·rer ca·nal ラウラー管（吸虫の卵形成腔の表面を起点とする管で，背側表面またはその近傍に通じている．本来は腟あるいは恐らく過剰な卵殻物質の貯蔵場所であると思われる)．

Lauth ca·nal ラウト管．= scleral venous sinus.

Lauth vi·o·let = thionine.

LAV lymphadenopathy-associated virus の略．

la·vage (lă-vahzh′)．洗浄（大量の液体を注入し排出することによって，腔または器官を洗うこと．→gastric lavage)．

la·va·tion (lă-vā′shŭn)．洗浄．

lav·en·der-top tube ラベンダートップチューブ（EDTA を抗凝血剤として使用する管で，血液学の手順に使用される)．

law (law). ***1*** 原理，法則. ***2*** 法則（ある条件において，変化する現象の過程や関係に関する詳しい記述. →principle; rule; theorem).

law of Bergonié and Tribondeau ベルゴニー・トリボンドウの法則（分裂が活発で未分化な細胞は，長い有糸分裂のサイクルを持ち，電離放射線の有効性に関連し，放射線生物学の概念に用いられる).

law of con·ti·gu·i·ty 接近の法則（2つの観念または心理的出来事が，ひとたび密接に関連して生じると再び同じように起こりがちである．すなわち1つの事象の発生が他方を誘発する傾向がある．この法則は条件付けや学習における最近の学説で重きをなしている).

law of ex·ci·ta·tion 興奮の法則（運動神経は電流の絶対量ではなく電流量の時間変化に反応する．すなわち電流の強さの変化率がその効果を決定する要因である).

law of the heart 心臓の法則（心臓の収縮時に放出されるエネルギーは，心拡張期の心筋線維の長さの関数で表される).

law of in·de·pen·dent as·sort·ment 独立〔組合せ〕の法則（配偶子形成の際，異なる遺伝子は独立に組み合わされるという法則．連鎖遺伝子座の形質は例外である). = Mendel second law.

law of par·tial pres·sures 分圧の法則. = Dalton law.

law of re·ferred pain 関連痛の法則（身体の表面に痛みを起こす刺激が与えられたとき，それらの刺激に対して敏感な神経が刺激されることによってのみ痛覚が発生する).

law of re·frac·tion 屈折の法則（2つの媒質において，入射角の正弦と屈折角の正弦は一定の比をもつ). = Descartes law; Snell law.

law·ren·ci·um (Lr) (lawr-en′sē-ŭm). ローレンシウム（人工トランスプルトニウム元素，原子番号 103，原子量 262.11).

law of seg·re·ga·tion 分離の法則（発生に影響を与える諸因子が存在し，それが世代から世代へと個体性を引き継ぎ，雑種において混合しても相互干渉をしないで，配偶子の次世代形成の際にお互い同士別々に分けられる). = Mendel first law.

law of sim·i·lars 類症の法則（→similia similibus curantur).

lax·a·tive (lak′să-tiv). 緩下薬（痛みや急激な作用を起こさずに腸管の動きをわずかに高める治療薬).

lax·i·ty (laks′i-tē). 弛緩性（関節のゆるみまたは動きの自由度をいう．正常範囲のものと異常なものとがある. →instability).

lay·er (lā′ĕr). 層（他の物質上に存在する物質の幅広く薄い面で，構造や色の違いにより，あるいは単に連続していないというだけで他と区別される. →stratum; lamina).

la·zy eye 斜視（斜視の中または重度の屈折障害の目からの視覚中心的抑制). = amblyopia.

lb pound の略.

LBW low birth weight（低出生体重，低出産体重）の略.

LCAT de·fi·cien·cy LCAT 欠損〔症〕（角膜混濁，溶血性貧血，蛋白尿，腎不全，早期のアテローム性動脈硬化症および lecithin cholesterol acyltransferase (LCAT) 活性の極度の低下を特徴とするまれな状態．血漿や組織の非エステル化コレステロールが著しく増加する).

LCD local coverage determination の略.

LCST lateral corticospinal tract の略.

LCt_{50} lethal Ct_{50} の略.

LD lethal dose の略.

LDH lactate dehydrogenase の略.

LDL low density lipoprotein（低比重リポ蛋白）の略.

LDL-C low density lipoprotein-cholesterol の略.

L-do·pa (dō′pă). L-ドパ. = levodopa.

L dos·es 毒素量（ジフテリア毒素の相対的活動度あるいは効力を示す一群の語．これは最小致死量 MLD，最小反応量 MRD とは無関係で，MLD, MRD は毒素の直接効果を表し，L doses は特定の抗毒素との毒素の結合力に関係する).

LE, L.E. left eye（左眼); lupus erythematosus の略.

leach·ing (lēch′ing). 浸出（水を通すことによって物質の水溶性成分を除去すること).

lead (Pb) (led). 鉛（金属元素．原子番号 82，原子量 207.2．天然には酸化物あるいは塩の形で，主に硫化物，例えば方鉛鉱として存在する. ^{210}Pb（半減期 22.6 年）は，ある種の眼疾患の治療に用いられている). = plumbum.

lead (lēd). ***1*** リード，導線（電気の導線で，器官または組織と電気または電子機器の間で電流または間欠的な信号を伝える). ***2*** リード（電極位置の特定の組合せから得られる脳波記録).

lead en·ceph·a·lop·a·thy, lead en·ceph·a·li·tis 鉛脳障害（脳症)，鉛エンセファロパシー（鉛化合物の摂取によって引き起こされる代謝性脳症で，特に小児期早期にみられる．病理学的特徴としては，広範な脳浮腫，海綿状態，神経細胞溶解，および何らかの反応性炎症があげられる．臨床症状は痙攣，せん妄，幻覚がある. →lead poisoning).

lead poi·son·ing 鉛中毒（鉛あるいは鉛の塩による急性あるいは慢性の中毒．急性鉛中毒 **acute lead poisoning** の症状は通常，成人の胃腸炎や小児の脳症の症状と同じ．慢性鉛中毒 **chronic lead poisoning** は貧血，便秘症，仙痛性腹痛，前腕伸筋を侵し下垂手を伴う麻痺を呈する末梢神経障害，歯肉の青みがかった鉛線，間質性腎炎を主に呈する．鉛痛風，痙攣，昏睡がみられることもある). = plumbism.

lean (lēn). 赤身肉（FDA の規定により，一食分あたり 10 g 以下の脂肪，4.5 g 以下の飽和脂肪と 95 mg 以下のコレステロールを含むラベル表示された製品).

lean bod·y mass 脂肪なし体重. = fat-free body mass.

Lear com·plex リア〔ー〕・コンプレックス（父親の娘に対する肉欲的執着).

learn (lĕrn). 学ぶ（勉強や練習を通して，知識，理解，または，技能を得ること).

learned drive 習得性欲求. = motive（1).

learned help·less·ness 学習性無力（古典的（レスポンデント）条件付け，および道具的（オペラント）条件付けをともに含むうつの実験モデル．回避不能なショックを与え続けることによって，対処可能な他の状況にも対処できなくなること）．

learn·ing （lĕrn′ing）．学習（①練習の結果，行動に現れる半永久的な変化を示す一般用語．→ conditioning; memory. ②看護学において，経験に基づく行動の変化（技能の上達や振舞の変化））．

learn·ing dis·a·bil·i·ty 学習障害（書き言葉または話し言葉を理解すること，あるいは使用することに関係する１つまたはそれ以上の基本的な認知過程および心理過程に生じる障害．読む能力，単語や文章を書く能力，話す能力，または算数計算をする能力に関して年齢に応じた障害として顕在化することがある）．

least con·fu·sion cir·cle 最小錯乱円（非点収差レンズ系から出る光線束の結像面のうち，焦点をつくろうとするレンズの発散性が，第２のレンズの光線束収束作用によって抑制される範囲）．

leath·er-bot·tle stom·ach 革袋状胃（内腔の容積の減少を伴う胃壁の顕著な肥厚と硬化．閉塞しない場合が多い．これは形成性胃組織炎におけるように，ほとんど常に硬性癌が原因となる）．

Le·ber con·gen·i·tal am·au·ro·sis レーバー先天性黒内障（網膜色素変性は，重度の視覚障害，眼振と' flat'網膜電図の特徴がある）．

Le·ber he·red·i·tar·y op·tic at·ro·phy レーバー遺伝性視神経萎縮（視神経と乳頭黄斑束の変性で，中心視力の消失あるいは失明をきたす．数週間の進行の後は，通常，変化のない永続的な中心暗点となる．発症年齢は不定だが 20 代が最も多く，女性より男性が優位に発症する．ミトコンドリア遺伝あるいは細胞質遺伝による母系遺伝を示し，単独あるいは相互に関連して働くミトコンドリア遺伝子の変異による）．

Le·ber id·i·o·path·ic stel·late ret·i·nop·a·thy レーバー特発性星状網膜症（→neuroretinitis）．

LE cell LE 細胞（多形核白血球の細胞質中にみられる無定形の円形の小体．この細胞は *in vitro* で全身性紅斑性狼瘡患者の血液中に形成される）．= lupus erythematosus cell.

LE cell test LE 細胞試験（全身性紅斑性狼瘡患者の血液や骨髄液の *in vitro* での培養によって，または患者血清を正常白血球に作用させることによって，特徴的な LE 細胞の形成が起こる）．= lupus erythematosus cell test.

Le Cha·te·lier law ル・シャトリエの法則（温度や圧力などの外的要因によって平衡が乱されると，その作用に基づく効果を最小にするような動きが起こる）．

lec·i·thal （les′i-thăl）．卵黄を有する，卵黄の（特に接尾語として用いる）．

lec·i·thin （les′i-thin）．レシチン（加水分解により脂肪酸２分子とグリセロリン酸１分子，コリン１分子を生じるリン脂質の慣用名．レシチンは神経組織中，特に髄鞘中や卵黄中に存在し，一般に動植物細胞の必須成分である）．

lec·i·thi·nase （les′i-thi-nās）．レシチナーゼ．= phospholipase.

lec·i·thin:sphin·go·my·e·lin ra·ti·o レシチン：スフィンゴミエリン比（羊水のテストによって，胎児肺の成熟度の比率を決めることができる；肺が成熟した際，レシチンが 2 : 1 でスフィンゴミエリンを上回る）．

lec·i·tho·blast （les′i-thō-blast）．卵黄胚（増殖して卵黄嚢内胚葉を形成する細胞）．

Le·cler·ci·a （le-kler′shē-ă）．レクレルシア属（腸内細菌科の一属で，*Escherichia* 属に似ているが，代謝や遺伝子分類によって区別される．ヒトや動物の糞便から分離され，医学的には血液，糞便，喀痰，尿，創傷から回収される．病原性については不明である）．

lec·tin （lek′tin）．レクチン（主として植物（通常は種子）や動物から抽出される蛋白で，細胞表面で糖蛋白と結合し，凝集反応，沈降反応，その他特異抗体反応に類似した現象に作用する．植物性凝集素（フィトアグルチニン，フィトヘマグルチニン），植物性沈降素，それに恐らくある種の動物性蛋白を含む．有糸分裂誘発性のものもある）．

lec·tin gly·co·his·to·chem·is·try レクチン糖質組織化学（胚上皮の同定での特異的糖質構造（例えば，ピーナツ凝集素，小麦胚芽凝集素，ハリエニシダ種子凝集素など）に対する内在性リガンドの測定技術）．

lec·tin path·way mol·e·cule レクチン経路分子（マンノース結合蛋白の細菌性炭水化物への結合で，補体経路の活性化をもたらす）．

ledge （lej）．堤（解剖学において，棚状突起物に似た構造をさす．→lamina）．

leech （lēch）．***1*** 〖n.〗ヒル（チスイビル属 *Hirudo* の吸血性水生環形動物．以前，医学で局所しゃ血用に利用された）．***2*** 〖v.〗ヒルを用いて医学的治療を施す．

LEEP （lēp）．loop electrocautery excision procedure の略．

Le Fort am·pu·ta·tion ル・フォール切断術（Pirogoff 切断術の変法．患者が術前と同じ踵の部分で踏むことができるように，踵骨を垂直ではなく水平に切断する方法）．

Le Fort I frac·ture ル・フォール I 骨折．= horizontal maxillary fracture.

Le Fort II frac·ture ル・フォール II 骨折．= pyramidal fracture.

Le Fort III frac·ture ル・フォール III 骨折．= craniofacial dysjunction fracture.

left an·te·ri·or de·scend·ing ar·ter·y = anterior interventricular branch of left coronary artery.

left a·tri·um of heart 左心房（心臓の左側にある心房で，肺静脈から血液を受ける）．= atrium cordis sinistrum; atrium pulmonale; atrium sinistrum cordis.

left bun·dle of a·tri·o·ven·tric·u·lar bun·dle 房室束の左脚（心室中隔膜性部直下で分岐して左心室の中隔壁を下降し，心内膜下

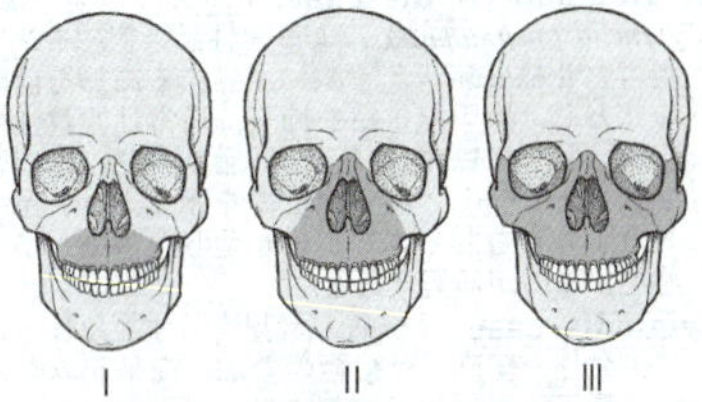
I
II
III

Le Fort classification of facial fractures
I：上顎底の水平骨折，II：錐体状骨折，
III：頭蓋顔面分離骨折

を走行分枝する).

left col·ic ar·ter·y 左結腸動脈（下腸間膜動脈より起こり，下行結腸，脾弯曲部に分布する．中結腸動脈，S状結腸動脈と吻合）. = arteria colica sinistra.

left col·ic flex·ure 左結腸曲（横行結腸と下行結腸の移行部における弯曲）. = flexura coli sinistra; splenic flexure.

left cor·o·nar·y ar·ter·y 左冠状動脈（左心膜横洞より起こり，前室間溝に下行する前室間枝と左心室の横隔膜表面に向かう回旋枝の2本の大きな枝とに分かれる．その先端はさらに心房，心室，房室の各枝に分かれる）. = arteria coronaria sinistra.

left-foot·ed (left-fut′ĕd). 左足の，左足利きの. = sinistropedal.

left fron·to·an·te·ri·or →frontoanterior position.

left fron·to·pos·te·ri·or → frontoposterior position.

left fron·to·trans·verse → frontotransverse position.

left gas·tric ar·ter·y 左胃動脈（腹腔動脈より起こり，食道の腹腔部，胃の小弯側の噴門，およびしばしば出現する左肝枝によって肝臓の左葉に分布する．食道枝，右胃動脈と吻合）.

left gas·tric vein 左胃静脈（胃の噴門部と食道の噴門部とからの静脈の合流によって形成される静脈で，小網中を走り門脈へ注ぐ．→esophageal veins）.

left gas·tro·ep·i·plo·ic ar·ter·y 左胃大網動脈. = left gastroomental artery.

left gas·tro·o·men·tal ar·ter·y 左胃大網動脈（起始は脾動脈で，胃の大弯と大網とに分布し，右胃大網動脈・短胃動脈と吻合している）. = arteria gastroomentalis sinistra; arteria gastroepiploica sinistra; left gastroepiploic artery.

left-hand·ed (left-hand′ĕd). 左利きの（字を書いたり，手を用いるほとんどの作業に習慣的に左手を用いたり，左手を用いるほうがうまく作業ができる人についていう）. = sinistromanual.

left heart 左心（左心房と左心室）.

left heart by·pass 左心バイパス（肺循環から体循環へ左の心臓を通らずに血液を短絡する手段．一部の心臓外科手術と，重症な左心不全あるいは心原性ショックのときに実験的に用いられる）.

left he·pat·ic duct 左肝管（方形葉，尾状葉の左側を含む肝臓の左半分から胆汁を総肝管に送る管）.

left lat·er·al di·vi·sion of liv·er 肝臓の左外側部（外科手術のための肝臓の区分で，左肝静脈のほぼ垂直な面の左側で左後・前外側区(II とIII)を含む部分．ほぼ解剖学でいう左葉に相当し，外的には1つは横隔面の肝鎌状間膜で境され，もう1つは臓側面の肝静脈索と肝円索のつくる溝で境される）. = divisio lateralis sinistra hepatis.

left liv·er 肝臓左半部（肝動脈左枝，門脈左枝から血液を受け，左肝管から胆汁が出て行く肝臓の部分．中肝臓静脈面が肝臓の右半と左半を分ける）.

left lobe of liv·er 肝臓の左葉（前上方は肝鎌状靱帯と肝冠状靱帯とによって右葉と境され，肝円索や静脈管索の収まる裂隙によって方形葉や尾状葉と境される部分．門脈，肝動脈，胆管の分布は肝の肉眼的葉区分と一致しない．上部と下部に分けられる）. = lobus hepatis sinister.

left mar·gin·al ar·ter·y 左心室縁動脈（左冠状動脈の回旋枝から出る大きな心室枝で，心臓の左肺面中央を心尖まで延びる）. = ramus marginalis sinister arteriae coronariae sinistrae.

left me·di·al di·vi·sion of liv·er 肝臓の左内側部（外科手術のための肝臓の区分で，左肝静脈を通るほぼ垂直な面と中肝静脈を通るほぼ垂直な面との間の部分で左側で左内側区(IV)を含む部分．ほぼ解剖学でいう右葉の左1/3に相当し臓側面ではその下方は方形葉に相当する）. = divisio medialis sinistra hepatis.

left pul·mo·na·ry ar·te·ry 左肺動脈（肺動脈幹の2分枝のうち短かいほうの枝で，心外膜を貫いて左肺門にはいる．多数の枝を出して気管支区や気管支下区に分布するが個人差は大である．典型的には上葉動脈の枝として肺尖動脈，前区動脈，後区動脈(後2者は上行枝・下行枝を出す)，肺舌動脈の枝として上舌動脈・下舌動脈，下葉動脈の枝として上区動脈と肺底区の枝(前肺底動脈，後肺底動脈，外側肺底動脈，内側肺底動脈)を出す）.

left-to-right shunt 左右短絡（中隔欠損を通っているような左心から右心への血流の分流，または開存した動脈管を通るような体系循環から肺循環への血液の分流）.

left um·bil·i·cal vein 左臍静脈（胎盤から胎児に血液を戻す静脈．臍帯を通り，臍で胎児体内にはいり，さらにそこから肝臓にはいり門脈とつながる．血液はその後，静脈管と下大静脈を通って右心房にはいる．右臍静脈は7週で消失する）. = vena umbilicalis; umbilical vein.

left ven·tri·cle 左心室（左心房からの動脈血を受け入れ，壁の収縮によりこれを大動脈に送り出す心臓の左側の下方の腔所）.

left-ven·tric·u·lar as·sist de·vice 左心補助装置（機械的なポンプで，左室の活動と並行に循環に組み込まれ，その結果負荷を軽減する）.

left ven·tric·u·lar e·jec·tion time (LVET)

L

左心室駆出時間（頸動脈拍の開始から頸動脈または他の脈波の切痕まで臨床上測定される時間．大動脈弁の開放から始まり，閉鎖で終わる血液の駆出時間を用いるほうが適切である）．

left ven·tric·u·lar fail·ure 左室不全（肺うっ血および肺浮腫の徴候が現れるうっ血性心不全）．

left ven·tri·cu·lar vol·ume re·duc·tion sur·ger·y 左室容積削減手術（拡大してはいるが，心室瘤を形成していない左心室の容積を，心室の形状と機械的な機能を改善するため心筋を切除して減らす手術．末期のうっ血性心不全を治療する）．= Battista operation; Battista procedure; partial left ventriculectomy; reduction left ventriculoplasty; ventricular reduction surgery.

leg (leg)．脚（①厳密には膝とくるぶしの間の部分．一般的には自由下肢全体をさす．②脚に似た構造をもつもの）．= crus(1)．

le·gal blind·ness 法的盲（一般に，Snellen 視力表で視力 0.1 未満または視力がよい方の眼で視野の 20° 以下の狭窄．基準は状況により異なる）．

le·gal med·i·cine = forensic medicine.

Le·gen·dre sign ルジャーンドル徴候（中枢性の顔面神経片麻痺の場合，積極的に閉じた眼の眼瞼を検者が持ち上げたとき患者のほうが抵抗が小さい）．

Legg-Cal·vé-Per·thes dis·ease, Legg dis·ease, Legg-Per·thes dis·ease レッグ-カルヴェ-ペルテス病，レッグ-ペルテス病，レッグ病（血流不良による大腿骨の疾患で自然治癒する．大腿骨上端の分解後，再生と吸収が起こり，約 4 年間で終了する．通常，4—8 歳の小児にみられる）．= coxa plana.

-legia 読むことに関する接尾語．ギリシア語由来で演説を意味する -lexis, -lexy と区別される．

Le·gion·el·la (lē-jŭ-nel′lă)．レジオネラ属（好気性，運動性，非抗酸性，無莢膜性，グラム陰性の杆菌の一属．水中に生息し，空気伝播し，ヒトに病原性を示す．標準種は *Legionella pneumophila*）．

Le·gion·el·la boze·man·i·i ヒトの肺炎を起こす細菌種．

Le·gion·el·la mic·da·de·i レジオネラ症の変形であるピッツバーグ肺炎の起炎菌．レジオネラ肺炎の約 60% はこの種以外の *Legionella* 属の菌種が原因になる．= Pittsburgh pneumonia agent.

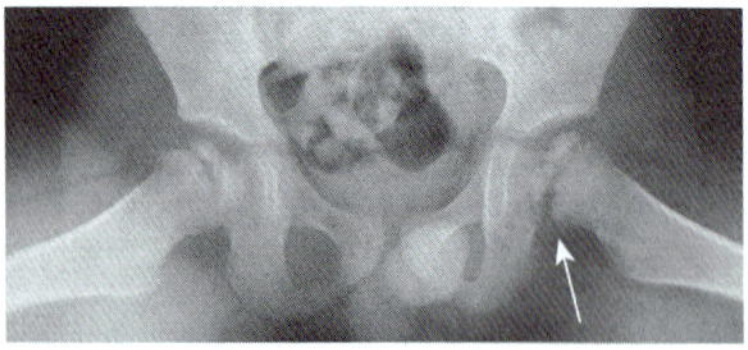

Legg-Calvé-Perthes disease

Le·gion·naires′ dis·ease レジオネラ症（*Legionella pneumophila* による急性感染症．インフルエンザ様の症状と急激に上昇する高熱を前駆症状とし，次いで重篤な肺炎，通常は非膿性の喀痰，ときには精神錯乱，肝脂肪変化，尿細管変性などを呈し，高い死亡率を示す．ヒトからヒトよりもむしろエアゾール化した汚染水から感染するのが通例である）．

Leigh dis·ease リー病（乳児を侵す亜急性脳炎で，発作，痙直，視神経の萎縮，痴呆がみられる．遺伝的原因は多種類あり，シトクロム c 酸化酵素，NADH-ユビキノン酸化還元酵素，エネルギー代謝に関係する他の酵素の欠損によることもある．常染色体劣性遺伝，X 連鎖劣性遺伝，ミトコンドリア遺伝の報告がある．第 9 染色体の過食 1 遺伝子(SURF)，ATP シンターゼのミトコンドリア DNA コード化サブユニット，ピルビン酸デヒドロゲナーゼの X 連鎖 E1 アルファサブユニット，ミトコンドリア複合体のいくつかのサブユニットに変異がみつかっている）．

Lei·ner dis·ease ライナー病．= erythroderma desquamativum.

leio- 平滑を意味する連結形．

lei·o·der·mi·a (lī′ō-dĕr′mē-ă)．平滑皮膚（異常に平滑で光沢のある皮膚）．

lei·o·my·o·fi·bro·ma (lī′ō-mī-ō-fī-brō′mă)．平滑筋線維腫．= fibroleiomyoma.

lei·o·my·o·ma (lī′ō-mī-ō′mă)．平滑筋腫（平滑筋から発生する良性新生物）．

lei·o·my·o·ma cu·tis 皮膚平滑筋腫（皮膚に生じる多発性の有痛性小結節．平滑筋線維からなり，この線維の由来は毛の立毛筋である）．= dermatomyoma.

lei·o·my·o·ma·to·sis (lī′ō-mī′ō-mă-tō′sis)．平滑筋腫〔症〕（身体全体に平滑筋腫が多発する状態）．

lei·o·my·o·ma·to·sis per·i·to·ne·a·lis dis·sem·i·na·ta 播種性腹膜平滑筋腫（腹腔および骨盤腹膜にみられる多発性小結節．卵巣癌の播種性転移に間違われやすいが良性筋腫の組織的特徴をもつ．妊娠後にみられることが多い）．

lei·o·my·o·sar·co·ma (lī′ō-mī′ō-sahr-kō′mă)．平滑筋肉腫（平滑筋から発生する悪性新生物）．

Leish·man-Don·o·van bod·y リーシュマン-ドノヴァン〔小〕体（*Leishmania* 属の種や，*Trypanosoma cruzi* の細胞内型のように，特定の細胞寄生性鞭毛虫の細胞質内における無べん毛性のリーシュマニア型）．= amastigote.

Leish·man·i·a (lēsh-man′ē-ă)．リーシュマニア属（2 宿主性で無性生殖を行う鞭毛虫類の一属で，脊椎動物のマクロファージ内ではアマスティゴート型として，無脊椎動物体内および培養液中ではプロマスティゴート型として存在する）．

leish·man·i·a, pl. **leish·man·i·ae** (lēsh-man′ē-ă, -ē)．リーシュマニア（*Leishmania* 属のメンバー）．

leish·man·i·a·sis (lēsh′mă-nī′ă-sis)．リーシュマニア症（伝統的に大きく以下の 4 型に分類

されている *Leishmania* 属原虫による疾患群である．ⓘ内臓リーシュマニア症(カラアザール)，ⓘⓘ旧世界皮膚リーシュマニア症，ⓘⓘⓘ新世界皮膚リーシュマニア症，ⓘⓥ皮膚粘膜リーシュマニア症．→tropical diseases)．

Leish·man stain リーシュマン染色〔法〕(血液塗抹検査に用いる多色化エオシン-メチレンブルー染色)．

Lem·bert su·ture ランベール縫合 (Czerny-Lembert 腸縫合の第二層．腸手術のための内翻縫合．連続縫合または結節縫合に用い，膠質粘膜下層を含む漿膜接合を施すもので，腸管腔にははいらないもの)．

Le·min·or·el·la (lem′in-ō-rel′ă)．レミノレラ属 (*Leminorella grimontii* と *Leminorella richardii* の2菌種を含む腸内細菌科の一属で，臨床材料，主に糞便材料から分離されている．現在のところその病因的重要性については不明である)．

lem·mo·blast (lem′ō-blast)．髄鞘芽細胞 (胚における神経堤起原の細胞．神経線維鞘細胞を形成しうる)．

lem·mo·cyte (lem′ō-sīt)．髄鞘細胞．

lem·nis·cus, pl. **lem·nis·ci** (lem-nis′kŭs, -nis′ī)．毛帯 (感覚核から視床へ上行する神経線維の束)．= fillet(1)．

lem·on sign レモン徴候 (Arnold-Chiari 奇形に合併する前頭骨の異常所見)．

Len·drum phlox·ine-tar·tra·zine stain レンドラムのフロキシン-タルトラジン染色〔法〕(好酸性封入体を証明するための染色．黄色の背景上で，好酸性封入体は赤く見える．また核は青く染まるが，Negri 小体は染まらない)．

Le·nègre syn·drome ルネーグル症候群 (心臓の刺激伝達系にのみ障害を生じる疾患で，硬化変性病変を生じる．通常，房室結節，His 束，脚の原因不明の線維化で対応する刺激伝達系のブロックを伴う)．

length (length)．長さ (2点間の直線距離)．

length-breadth in·dex 長幅指数．= cephalic index.

Len·nert lym·pho·ma レナートリンパ腫 (類上皮細胞がびまん性に散在し，大部分を占めている悪性リンパ腫．扁桃を侵し，予知しにくい経過をたどる)．

Len·nox-Gas·taut syn·drome, Len·nox syn·drome レノックス-ガストー症候群 (精神遅滞を伴う小児の全身性ミオクローヌス失立てんかん．周生期低酸素症，脳出血，脳炎，脳の発育不全や代謝疾患のような種々の脳障害が原因となる．多数の発作型(全般性強直型，無緊張型，ミオクローヌス型，強直・間代型，異型アプサンス)，脳波での背景活動の徐波化と低周波数棘徐波パターンを特徴とする)．

lens (lenz)．***1*** レンズ (片面あるいは両面が凹または凸に弯曲している透明な物質．電磁エネルギーの影響を受けて，光線を収束または発散させる)．***2*** 水晶体 (虹彩と硝子体液の間にある両側が凸面の透明細胞屈折体で，柔らかい外部(皮質)と密な部分(核)からなり，基底膜(被膜)でおおわれている．前面には立方上皮があり，赤道では細胞が細長くなり水晶体線維になる)．

lens cap·sule 水晶体包，水晶体嚢 (水晶体を包んでいる嚢)．

lens·ec·to·my (lenz-ek′tō-mē)．水晶体切除術 (眼の水晶体を除去すること)．

lens pits 水晶体小窩 (水晶体板が眼杯の方向に沈下するとき，発生期の頭部の表層の外胚葉に形成される1対になったくぼみ．小窩の外口は水晶体胞が形成されるときに閉じられる)．

lens stars 水晶体星芒 (①= radii of lens. ②水晶体の縫合線に沿って混濁を有する先天性白内障．前部，後部，あるいは両者の場合がある)．

lens ves·i·cle 水晶体胞 (眼杯の反対側の部分をつくる胚の外胚葉陥入．眼の水晶体の原基)．

len·ti·co·nus (len′ti-kō′nŭs)．円錐水晶体 (眼の水晶体が前面または後面へ円錐状に突出しているもので，発生異常として起こる)．

len·tic·u·lar (len-tik′yŭ′lăr)．***1*** レンズの．***2*** レンズ形の，レンズ状の．

len·tic·u·lar a·stig·ma·tism 水晶体乱視 (水晶体の曲率，位置，または屈折率の異常による乱視)．

len·tic·u·lar loop レンズ核わな (淡蒼球から起こる線維束で，内包の内側縁を取り巻く)．

len·tic·u·lar nu·cle·us レンズ核 (大脳半球の中核をなす大きな円錐状の灰白質．円錐体の凸面をなす底部は外側と上方に向いているが，被殻によってつくられている．この被殻は尾状核とともに，小細胞性線条体を構成する．先端部は内側と下方に向き，大細胞性の淡蒼球からなる．レンズ核は視床と尾状核の腹外方にあり，内包によって分離されている．レンズ核は尾状核とともに線条体を形成する)．

len·tic·u·lar pro·cess of in·cus 豆状突起 (きぬた骨長脚の先端にみられるドアの把手形の部分で，あぶみ骨と関節している)．= orbiculare.

len·tic·u·lo·pap·u·lar (len-tik′yŭ-lō-pap′yŭ-lăr)．レンズ形丘疹の (ドーム形またはレンズ形の丘疹の発疹についていう)．

len·ti·form (len′ti-fōrm)．レンズ形の，レンズ状の．

len·tig·i·no·sis (len-tij′i-nō′sis)．黒子症 (黒子が非常に数多く，または特徴的な配列で存在する)．

len·ti·glo·bus (len′ti-glō′bŭs)．球形円錐水晶体 (水晶体後面上に球状膨隆を呈するまれな先天性異常)．

len·ti·go, pl. **len·tig·i·nes** (len-tī′gō, len-tij′i-nēz)．ほくろ，黒子 (そばかすに似た良性で後天性の褐色の斑であるが，通常，境界線は規則正しく，顕微鏡的に(㊟組織学的に)表皮突起の増殖があり，基底層のメラノサイトの増加を伴う．中年以降に日光曝露によって生じることが多い．→junction nevus)．= lentigo simplex.

len·ti·go ma·lig·na 悪性黒子 (不規則な形を呈し，ゆっくりと増大する褐色または黒色の斑で，黒子に似る．病変部表皮では多くは異型性のあるメラノサイトが散在性に増加する．通常，高齢者の顔面に生じる．長期間の後，真皮に浸潤することがあり，そのときその病変は悪性黒

L

子黒色腫 lentigo maligna melanoma とよばれる). = Hutchinson freckle.

len·ti·go sim·plex 単純黒子. = lentigo.

le·o·nine fa·ci·es 獅子面，獅子顔貌. = leontiasis.

le·on·ti·a·sis (lē′on-tī′ă-sis). 獅子(しし)顔，獅子(しし)面〔症〕(進行した結節性らい患者の顔貌. 額と頬に隆線と溝がある. 獅子に似た容貌となる). = leonine facies.

leop·ard bane = arnica.

LEOPARD syn·drome LEOPARD 症候群 (黒子(多発性)*l*entigines (multiple)，心伝導系の異常 *e*lectrocardiographic abnormalities，両眼隔離症 *o*cular hypertelorism，肺動脈狭窄症 *p*ulmonary stenosis，性器の奇形 *a*bnormalities of genitalia，発育遅延 *r*etardation of growth，難聴(知覚神経性) *d*eafness (sensorineural) を呈する症候群).

Le·o·pold ma·neu·vers レオポルド操作 (胎児の位置を診断する 4 つの操作. ⓘ子宮底部に何があるかの診断，ⓘⓘ胎児の背中と四肢の確認，ⓘⓘⓘ恥骨結合部上にある物の触診，ⓘⓥ頭の方向と屈曲程度の決定).

lep·er (lep′ĕr). らい患者.

le·pid·ic (lĕ-pid′ik). 鱗状の (うろこ，またはうろこでおおわれた層についていう).

lep·o·thrix (lep′ō-thriks). 黄菌毛〔症〕. = trichomycosis axillaris.

lep·re·chaun·ism (lep′rĕ-kawn-izm). 妖精症 (極度の成長遅延と内分泌異常およびるいそうを特徴とする先天的小人症で，小妖精様顔貌と低位にある大きな耳をもつ).

lep·rid (lep′rid). らい疹 (らいの初期の皮膚病変).

le·pro·ma (lĕ-prō′mă). らい腫 (らい菌 *Mycobacterium leprae* により生じる，かなり境界鮮明な分離した肉芽腫様炎症の病巣).

lep·ro·ma·tous (lep-rō′mă-tŭs). らい腫の.

lep·ro·ma·tous lep·ro·sy らい腫らい (結節性皮膚病変を伴うらいの一型で，病変は浸潤性で境界不鮮明. 病変部は細菌学的に陽性である).

lep·ro·min (lep′rō-min). レプロミン (らいの病期を類別する皮膚テストに用いる，らい菌 *Mycobacterium leprae* に感染した組織からの抽出物. →lepromin test).

lep·ro·min test レプロミン試験 (レプロミンの皮内注射を利用した，らいの病期を分類する検査. 結核様らいでは注射部位に陽性遅延反応がみられることにより，反応の起こらない(すなわち陰性)らい腫らいとは区別される).

lep·ro·sar·i·um (lep′rō-sar′ē-ŭm). らい隔離病院 (特に専門的治療を要するらい患者のために特別につくられた病院を意味する旧語).

lep·ro·stat·ic (lep′rō-stat′ik). ***1***〖adj.〗抗らい菌性の (らい菌 *Mycobacterium leprae* の成長を抑制する). ***2***〖n.〗抗らい菌薬 (***1*** の作用を有する薬剤).

lep·ro·sy (lep′rŏ-sē). らい〔病〕(①らい菌 *Mycobacterium leprae* により起こる慢性の肉芽腫性感染症で，温度の低い部位，特に皮膚，末梢神経，精巣などを侵す. らい腫型と類結核型の 2 型に大別され，それぞれ両極端の免疫応答を示す. ②聖書の中で種々の皮膚疾患，特に慢性，伝染性のものを記述するのに用いられた名称で，乾癬や白斑を含んでいたと思われる). = Hansen disease.

-lepsis, -lepsy 発作に関する連結形.

lep·tin (lep′tin). レプチン (脂肪組織から分泌されるヘリックス構造をもつ蛋白で，視床下部の腹内側核の受容体部位に作用して食欲の抑制や体脂肪蓄積の増加に伴ってエネルギー消費を増大させる. 血中レプチン濃度は女性のほうが 40% 高く，さらに初経直前に 50% まで上昇し，その後，基準濃度まで戻る. その濃度は，絶食によって低下し，炎症によって増加する).

lepto- 軽い，細い，もろい，を意味する連結形.

lep·to·ceph·a·lous (lep′tō-sef′ă-lŭs). 狭小頭蓋の (異常に丈高で，幅の狭い頭蓋をもつことについていう).

lep·to·ceph·a·ly (lep′tō-sef′ă-lē). 小頭症 (異常な頭蓋の長頭化および狭小化を特徴とする奇形).

lep·to·cyte (lep′tō-sīt). 菲薄赤血球. = target cell.

lep·to·cy·to·sis (lep′tō-sī-tō′sis). 菲薄赤血球症 (循環血液中に菲薄赤血球がみられる状態で，地中海貧血，脾摘した患者などにみられる).

lep·to·dac·ty·lous (lep′tō-dak′ti-lŭs). 繊柔指の (ほっそりした指をもつことについていう).

lep·to·me·nin·ge·al (lep′tō-mĕ-nin′jē-ăl). 軟〔髄〕膜の.

lep·to·me·nin·ges, sing. **lep·to·men·inx** (lep′tō-mĕ-nin′jēz, lep′tō-men′ingks). 軟髄膜，〔広義の〕軟膜 (繊細な 2 枚の膜(クモ膜と軟膜)の総称. →arachnoid; pia mater). = pia-arachnoid; piarachnoid.

lep·to·men·in·gi·tis (lep′tō-men′in-jī′tis). 軟膜炎 (→arachnoiditis). = pia-arachnitis.

lep·to·so·mat·ic, lep·to·som·ic (lep′tō-sō-mat′ik, -tō-sō′mik). やせ型の (やせた，軽いまたは厚みのない身体についていう).

Lep·to·spi·ra (lep′tō-spī′ră). レプトスピラ属 (長さ 6—20 μm の細く，きっちり巻いたらせん状の細菌からなる運動性好気性菌属. 黄疸出血熱に関与する).

lep·to·spi·ral jaun·dice レプトスピラ性黄疸 (種々の *Leptospira* 属の感染によって起こる黄疸).

lep·to·spi·ro·sis (lep′tō-spī-rō′sis). レプトスピラ症 (*Leptospira interrogans* による人獣共通の急性感染症で，全世界に分布している).

lep·to·spi·ru·ri·a (lep′tō-spīr-yūr′ē-ă). レプトスピラ尿症 (腎尿細管内のレプトスピラ症のため，尿中に *Leptospira* 属の種がみられる).

lep·to·tene (lep′tō-tēn). レプトテン〔期〕，細糸〔期〕(減数分裂前期の最初の時期で，染色体が収縮し，各々がよく分離した長い細糸として見える).

Lep·to·trich·i·a (lep′tō-trik′ē-ă). レプトトリキア属 (嫌気性非運動性細菌の一属. グラム陰性の直線状またはやや彎曲した杆菌で，その一

端または両端は丸いものもあり，とがったものもみられる．これらの細菌はヒトの口腔内に発生する．標準種は *Leptotrichia buccalis*）．

Lep·to·trom·bid·i·um (lep′tō-trom-bid′ē-ŭm)．ツツガムシ科ダニの重要な一属で，ツツガムシ病（ヤブチフス scrub typhus）のすべての媒介動物が含まれる．

Lep·to·trom·bid·i·um a·ka·mu·shi アカツツガムシ（日本および東洋各地におけるツツガムシ病の病原体である *Rickettsia tsutsugamushi* の伝播に関与する 2 種のうちの 1 種．もう一方の種は *Leptotrombidium deliensis*（*Trombicula deliensis*））．

Le·riche op·er·a·tion ルリーシュ手術．= periarterial sympathectomy.

Le·riche syn·drome ルリーシュ症候群（末梢部の虚血症状と徴候を起こす大動脈腸骨動脈閉塞性疾患）．

Le·ri sign ルリー徴候（片麻痺の場合，麻痺側の手首を受動的に屈曲させると，肘を随意的に屈曲できない）．

Ler·moy·ez syn·drome レルモワイエ症候群（めまい発作に先行して難聴，耳鳴が悪化し，その後に聴力が改善する．Ménie`re 病の一型）．

LES lower esophageal sphincter の略．

les·bi·an (lez′bē-ăn)．→gay．***1*** 女子同性愛．***2*** 女子同性愛者，レスビアン．

les·bi·an·ism (lez′bē-ăn-izm)．女子同性愛．= sapphism.

Lesch-Ny·han syn·drome レッシュ-ナイハン症候群（ヒポキサンチン-グアニンホスホリボシルトランスフェラーゼ欠損によるプリン代謝異常で，高尿酸血症，精神遅滞，舞踏病アテトーシス，および指や唇をかむ自己損傷行為を特徴とする）．

le·sion (lē′zhŭn)．***1*** 外傷，損傷．***2*** 病変（組織の病理学的変化）．***3*** 病巣（多病巣疾患の個々の病巣）．

les·ser a·lar car·ti·lag·es 小鼻翼軟骨（小鼻翼軟骨後部にある 2—4 個の小さな軟骨板）．

les·ser cur·va·ture of stom·ach 小弯（小網が付着する胃の右縁）．

les·ser in·ter·nal cu·ta·ne·ous nerve = medial cutaneous nerve of forearm.

les·ser oc·ci·pi·tal nerve 小後頭神経（第二・第三頸神経の前枝からなる頸神経叢から起こり，耳介の後面と隣接部の頭皮の皮膚に分布する）．= nervus occipitalis minor.

les·ser o·men·tum 小網（2 層の薄い腹膜ひだで胃の腹側腸間膜（腹側胃間膜）が胃の小弯から十二指腸の近位部（幽門より 2 cm 遠位）と肝臓（肝門縁と静脈管索のある裂隙深部）とに付着したもの）．

les·ser pal·a·tine ar·ter·y 小口蓋動脈（大口蓋管の下行口蓋より出る後枝の 1 つで，軟口蓋と扁桃腺に分配される）．= arteria palatina minor.

les·ser pa·la·tine ca·nals 小口蓋管（口蓋骨の後部にある管）．

les·ser pal·a·tine fo·ram·i·na 小口蓋孔（口蓋骨の粗面を通り，鉛直に走る口蓋管の硬口蓋への開口で，小口蓋神経および血管を通す）．= foramina palatina minora.

les·ser pal·a·tine nerves 小口蓋神経（通常，2 本あり，小口蓋孔から出て，軟口蓋と口蓋垂の粘膜と腺に分布する．翼口蓋神経節の枝で上顎神経の副交感性節後線維と感覚線維を含む）．= nervi palatini minores.

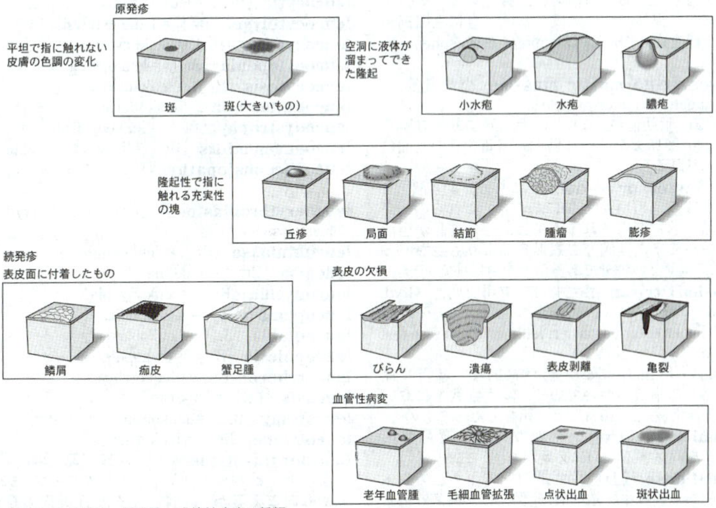
原発疹
平坦で指に触れない皮膚の色調の変化
斑
斑(大きいもの)
空洞に液体が溜まってできた隆起
小水疱
水疱
膿疱
隆起性で指に触れる充実性の塊
丘疹
局面
結節
腫瘤
膨疹
続発疹
表皮面に付着したもの
鱗屑
痂皮
蟹足腫
表皮の欠損
びらん
潰瘍
表皮剥離
亀裂
血管性病変
老年血管腫
毛細血管拡張
点状出血
斑状出血

lesions: 原発疹，続発疹，血管性病変の種類．

les·ser pel·vis 小骨盤（骨盤入口すなわち骨盤上口より下方の骨盤腔）.

les·ser pe·tro·sal nerve 小錐体神経（耳神経節の副交感神経根．鼓室神経叢から起こり，小錐体神経管を抜け鼓室を出て，頭蓋内を蝶錐体裂，卵円孔あるいは錐体孔に向かい，それを抜けて下行し耳神経節に至る．舌咽神経からの副交感性節前線維で耳下腺の分泌を支配する）. = nervus petrosus minor; parasympathetic root of otic ganglion; radix parasympathica ganglii otici; lesser superficial petrosal nerve.

les·ser rhom·boid mus·cle 小菱形筋. = rhomboid minor muscle.

les·ser splanch·nic nerve 小内臓神経（腹骨盤内臓神経の１つで，胸郭内で最後の２つの交感神経節から起こり，横隔膜を通過して大動脈腎神経節にはいる．交感性節前線維と内臓求心性神経を含む）. = nervus splanchnicus minor.

les·ser su·per·fi·ci·al pe·tro·sal nerve 小錐体神経. = lesser petrosal nerve.

Les·ser tri·an·gle レッサー三角（顎二腹筋腹と舌下神経の間の空間）.

les·ser tro·chan·ter 小転子（幹と頸の結合線部で，大腿骨幹の近位内側部にある角錐状突起．大腰筋と腸骨筋（腸腰筋）が付着している）.

less·er tu·ber·cle of the hu·mer·us 上腕骨小結節（上腕腕骨頭の外側に隣接する２つの隆起のうち，前面突出する小さい方）.

les·ser ves·tib·u·lar glands 小前庭腺（腟口と尿道口間の前庭面に開いている多数の微小粘膜腺）.

les·ser wing of sphe·noid bone 蝶形骨小翼（蝶形骨体上外側から外側へのびた先尖り三角形の１対の骨板で，前頭蓋窩の後端をなし，先尖りの部分は前頭蓋窩と中頭蓋窩を分ける鋭い骨縁をなしている．内側端は二脚をもって骨体に付着し，視神経管を形成するとともに上眼窩裂の上縁を形成する）. = ala minor ossis sphenoidalis.

les·ser zy·go·ma·tic mus·cle 小頬骨筋. = zygomaticus minor muscle.

less fat 脂肪低減（FDA の指示により，対照食品より 25％またはそれ以下の脂肪含量の食品に表示される）.

less, few·er, or re·duced より低，より減，または低減（FDA の規制に基づき，これらの語が食品表示に使用される際には，その食品が当該の栄養素または成分を類似食品よりも少なくとも 25％少ない含量であることを意味する）.

Less·haft tri·an·gle レスハフト三角. = Grynfeltt triangle.

LET linear energy transfer; leukocyte esterase test の略.

le·thal (lē′thăl). 致死の，致命的な（①特に原因となる物質についていう．②生物戦争において，健常成人の 10％以上に死をもたらすもの）.

le·thal Ct$_{50}$ (LCt$_{50}$) 半数致死量（曝露群の 50％を殺傷するために必要な Ct 量）.

le·thal dose (LD) 致死量（死に至らしめる化学的あるいは生物学的製剤（例えば，細菌外毒素や細菌の懸濁液）の用量．動物の種類や投与経路によって変化する．下に数字が記された場合（一般に LD$_{50}$ あるいは半数致死量），そのパーセンテージ（例えば 50％）の実験動物を死に至らしめる用量であることを示す．中央致死量は LD$_{50}$，絶対致死量は LD$_{100}$，最小致死量は LD$_{05}$ である）.

le·thal fac·tor 致死因子（→genetic lethal）.

le·thal gene 致死遺伝子（個体の生殖年齢以前に死に至らしめたり，生殖を阻止したりする遺伝子型を生成する遺伝子．劣性遺伝子の場合は，ホモ接合あるいはヘミ接合の状態は致死的である）.

le·thal mu·ta·tion 致死〔突然〕変異（子孫の存続が不可能になる形質を獲得する突然変異）.

leth·ar·gy (leth′ăr-jē). 嗜眠（長期に及ぶ深い意識消失状態．通常の睡眠と異なり，目覚めることはあるが直後に意識を失う）.

LETS (letz). *l*arge（分子量が大きく），*e*xternal（細胞表面に存在し），*t*ransformation-*s*ensitive fibronectin（細胞の変形に深く関与するフィブロネクチン）の頭文字.

Let·ter·er-Si·we dis·ease レテラー-ジーヴェ病（Langerhans 細胞性組織球症の急性播種型）. = nonlipid histiocytosis.

leuc-, leuco- 白，白血球を意味する連結形. → leuko-; leuk-.

leucaemia [Br.]. = leukemia.

leucapheresis [Br.]. = leukapheresis.

leu·cine (lū′sēn). ロイシン（L-異性体は蛋白を構成するアミノ酸の１つで，栄養的に必須アミノ酸）.

leu·cin·u·ri·a (lū′si-nyūr′ē-ă). ロイシン尿〔症〕（尿中にロイシンの排泄をみる症状）.

leucocidin [Br.]. = leukocidin.

leucocyte [Br.]. = leukocyte.

leucocytic [Br.]. = leukocytic.

leucocytolysis [Br.]. = leukocytolysis.

leucocytoma [Br.]. = leukocytoma.

leucocytopenia [Br.]. = leukopenia.

leucocytosis [Br.]. = leukocytosis.

leucoderma [Br.]. = leukoderma.

leucodystrophy [Br.]. = leukodystrophy.

leucoencephalitis [Br.]. = leukoencephalitis.

leucoencephalopathy [Br.]. = leukoencephalopathy.

leucoerythroblastosis [Br.]. = leukoerythroblastosis.

leucokininase [Br.]. = leukokininase.

leucoma [Br.]. = leukoma.

leuconychia [Br.]. = leukonychia.

leucopenia [Br.]. = leukopenia.

leucoplakia [Br.]. = leukoplakia.

leucopoiesis [Br.]. = leukopoiesis.

leucorrhoea [Br.]. = leukorrhea.

leucosis [Br.]. = leukosis.

leucotomy [Br.]. = leukotomy.

leucotriene [Br.]. = leukotrienes.

Leu·det tin·ni·tus ルデー耳鳴（乾性の痙攣的なピチッピチッという音．オトスコープを通しても聞こえるが，耳管のカタル性炎症の際に，口蓋帆張筋の反射痙攣を生じることによって聞こえる).

leukaemia [Br.]. = leukemia.

leukaemia cutis [Br.]. = leukemia cutis.

leukaemia inihibitory factor [Br.]. = leukemia inhibitory factor.

leukaemic [Br.]. = leukemia.

leukaemic retinopathy [Br.]. = leukemic retinopathy.

leukaemid [Br.]. = leukemid.

leukaemogen [Br.]. = leukemogen.

leukaemogenesis [Br.]. = leukemogenesis.

leukaemogenic [Br.]. = leukemogenic.

leukaemoid [Br.]. = leukemoid.

leukaemoid reaction [Br.]. = leukemoid reaction.

leuk·a·phe·re·sis (lū′kă-fĕr-ē′sis). 白血球搬出〔法〕(血漿しゃ血と同様の手順で，吸引血液から白血球を除去し，血液の残りを再び供血者に輸血する技術). = leucapheresis.

leu·ke·mi·a (lū-kē′mē-ă). 白血病（造血組織，その他の器官，および通常，血液中の異常白血球の進行性増殖．白血病は優勢な細胞型と発症から死亡までの期間により分類される．急性白血病においては多くの場合，2，3か月以内に死亡し，重症貧血，出血，リンパ節または脾臓の軽度腫大を含む急性症状を伴う．慢性白血病の継続期間は1年を超え，貧血あるいは脾臓，肝臓，またはリンパ節の著明な腫大が徐々に現れる). = leucaemia; leukaemia.

leu·ke·mi·a cu·tis 皮膚白血病（皮膚に白血病細胞のびまん性浸潤を伴った黄褐色，赤色，青赤色，紫色の，ときには結節性の病変). = leukaemia cutis.

leu·ke·mi·a in·hib·i·to·ry fac·tor 白血病抑制因子（好中球の遊走を阻害するリンホカイン). = leukaemia inihibitory factor.

leu·ke·mic (lū-kē′mik). 白血病〔性〕の. = leukaemic.

leu·ke·mic ret·i·nop·a·thy 白血病〔性〕網膜症（あらゆる型の白血病にみられる網膜像．静脈のうっ血および蛇行，散在する出血，網膜や乳頭の浮腫を特徴とする). = leukaemic retinopathy.

leu·ke·mid (lū-kē′mid). 白血病性皮疹（しばしば白血病に合併する(症候群の一面として)非特異的な皮膚病変で，限局性の白血病細胞の集積がない．例えば，点状出血，小疱，丘斑，水疱，血腫，表皮剥離性皮膚疾患や帯状疱疹の病変などの中にある). = leukaemid.

leu·ke·mo·gen (lū-kē′mō-jen). 白血病誘発物質（白血病の因子とみなされている物質または実体). = leukaemogen.

leu·ke·mo·gen·e·sis (lū-kē′mō-jen′ĕ-sis). 白血病誘発（白血病性疾患の誘発，発生，および進行). = leukaemogenesis.

leu·ke·mo·gen·ic (lū-kē′mō-jen′ik). 白血病誘発〔性〕の（白血病を引き起こすものについていう). = leukaemogenic.

leu·ke·moid (lū-kē′moyd). 類白血病〔性〕の，白血病様の（種々の徴候や症状(特に循環血液中の変化)が白血病に類似する．→leukemoid reaction). = leukaemoid.

leu·ke·moid re·ac·tion 類白血病反応（種々の白血病に起こるものと類似するが，白血病に起因するものではない白血球増加症．類白血病反応はときに，感染疾患(結核，ジフテリア)，中毒(子癇，マスタードガス中毒)，悪性新生物，急性出血または溶血のなかの1つの病像となる). = leukaemoid reaction.

leuko-, leuk- 白，白血球を意味する連結形．以下に記載のない語については leuc-, leuco- の項参照.

leu·ko·ag·glu·ti·nin (lū′kō-ă-glū′ti-nin). 白血球凝集素（白血球を凝集させる抗体).

leu·ko·blast (lū′kō-blast). 白芽球，白芽細胞，白血球芽細胞（類リンパ球および前骨髄球の移行段階にある未熟白血球．細胞質は多染性で，染色質の核網が厚く，核が不明瞭である).

leu·ko·blas·to·sis (lū′kō-blas-tō′sis). 白芽球症（骨髄性白血球およびリンパ性白血病に特に生じる，白血球の異常増殖に対する総称).

leu·ko·ci·din (lū′kō-sī′din). ロイコチジン，白血球殺滅素（黄色ブドウ球菌 *Staphylococcus aureus*, *Streptococcus pyogenes*, 肺炎球菌の多くの菌株より生成される耐熱性物質で，細胞溶解を伴ったり，または伴わずに白血球に破壊作用を現す). = leucocidin.

leu·ko·co·ri·a, leu·ko·ko·ri·a (lū′kō-kōr′ē-ă, lū′kō-kōr′ē-ă). 白色瞳孔（眼球内の白色物質からの反射で，瞳孔が白くみえる).

leu·ko·cyte (lū′kō-sīt). 白血球（身体の種々の部位にある細網内皮系の細網部，骨髄およびリンパ組織で産生され，通常，これらの部位および循環血液中(まれに他の組織中)に存在する細胞の一型．種々の異常条件下で，その総数および割合は著明に増減したりまたは不変であったりし，ときに他の組織や器官に存在する場合もある．白血球は幹細胞より発生し，骨髄性，リンパ性，単球性の3系に分化する．それらの形態を多染性の色素を用いた種々の染色法でみると，骨髄系の細胞はしばしば顆粒白血球または顆粒球とよばれ，リンパ系や単球系の細胞は細胞質中に顆粒を含むが，小さく目立たず(しばしばルーチンの方法では明瞭に見えない)，しかも性質が異なるため，ときに非顆粒性白血球あるいは無顆粒性白血球とよばれる．顆粒球は多形核球として一般に知られるが，それは成熟核が2—5個の円形または卵円形の核葉に分割され，染色質の薄い線維または小帯でつながっているためである．顆粒球は3つの異なった型すなわち好中球，好塩基球，好酸球からなり，それらは細胞質顆粒の染色反応をもとに名付けられている．単球系の細胞は通常，他のリンパ球より大きく，比較的豊富でわずかに不透明で青白い，または青灰色の細胞質を特徴とし，きわめて微細な赤味がかった青色の顆粒を無数に含む．単球は通常，陥凹しており，腎臓状，馬蹄状であるが，ときに円形，卵形をなす．単球の核は通常，大きく中央に位置し，中心からずれていても細胞質がその周囲を取り巻いている). = leucocyte; white blood cell.

leu·ko·cyte ad·he·sion de·fi·cien·cy

L

(**LAD**) 白血球接着不全 (遺伝性疾患(常染色体劣性)で, CD18 接着複合体の欠陥により白血球走化能が阻害される. たび重なる細菌感染, 傷の回復の遅れなどの特徴がある).

leu·ko·cyte es·ter·ase test (LET) 白血球エステラーゼ試験 (白血球またはその残渣が尿中に存在するかどうかを調べる化学試験. 一般検尿の一環として, 試験紙を使用して検査する. 尿沈査鏡検の補助として役立つ. 症状がない尿路感染患者, 特にクラジミア菌による尿道炎のスクリーニングに使用する).

leu·ko·cyt·ic (lū′kō-sit′ik). 白血球の (白血球に関する, 白血球の特徴がある). = leucocytic.

leu·ko·cy·to·blast (lū-kō-sī′tō-blast). 白血球芽細胞 (白血球になる未熟細胞に対する非特異的な名称で, リンパ芽球や骨髄芽球などを含む).

leu·ko·cy·toc·la·sis (lū′kō-sī-tok′lă-sis). 白血球崩壊 (白血球の核崩壊).

leu·ko·cy·to·clas·tic vas·cu·li·tis 白血球破砕性血管炎 (皮膚の急性血管炎であり, 臨床的には特に下肢に触知できる紫斑をみることが特徴. また組織学的には, 好中球とときに真皮小静脈周囲のフィブリンの滲出が特徴である. 核の細破や赤血球の溢出を伴う. 皮膚に限定される場合と Henoch-Schönlein 紫斑病のように皮膚以外の他の組織にも病変をみる場合がある. →cutaneous vasculitis).

leu·ko·cy·to·gen·e·sis (lū′kō-sī′tō-jen′ĕ-sis). 白血球生成 (白血球の形成と発達).

leu·ko·cy·tol·y·sin (lū′kō-sī-tol′i-sin). 白血球溶解素 (白血球溶解を引き起こす物質(溶解抗体を含む)). = leukolysin.

leu·ko·cy·tol·y·sis (lū′kō-sī-tol′i-sis). 白血球溶解. = leucocytolysis.

leu·ko·cy·to·lyt·ic (lū′kō-sī′tō-lit′ik). 白血球溶解の (白血球溶解に関する, を引き起こす, を現出する).

leu·ko·cy·to·ma (lū′kō-sī-tō′mă). 白血球腫 (かなり境界鮮明な, 結節性の密度の高い白血球の集積). = leucocytoma.

leu·ko·cy·to·pe·ni·a (lū′kō-sī′tō-pē′nē-ă). = leukopenia.

leu·ko·cy·to·pla·ni·a (lū′kō-sī′tō-plā′nē-ă). 白血球遊出 (血管腔から漿膜を通過する, あるいは組織内へはいる白血球の運動).

leu·ko·cy·to·poi·e·sis (lū′kō-sī′tō-poy-ē′sis). 白血球生成. = leukopoiesis.

leu·ko·cy·to·sis (lū′kō-sī-tō′sis). 白血球増加〔症〕 (血中の白血球の総数の増加で, 脱水時にみられる相対的な増加とは異なる). = leucocytosis.

leu·ko·cy·to·tac·tic (lū′kō-sī′tō-tak′tik). 白血球走性の. = leukotactic.

leu·ko·cy·to·tax·i·a (lū-kō-sī′tō-tak′sē-ă). 白血球走性 (①白血球の活発なアメーバ様運動で, 特に好中球でみられ, ある種の微生物やしばしば炎症組織内に形成される種々の物質に向かう(陽性白血球走性 **positive leukocytotaxia**)か, または離れる(陰性白血球走性 **negative leukocytotaxia**). ②白血球を引き付けたり追い払ったりする性質). = leukotaxia; leukotaxis.

leu·ko·cy·to·tox·in (lū′kō-sī′tō-tok′sin). 白血球毒素 (白血球の変性や壊死を起こす物質で, ロイコリジンやロイコチジンが含まれる). = leukotoxin.

leu·ko·cy·tu·ri·a (lū′kō-sī-tyūr′ē-ă). 白血球尿〔症〕 (排泄直後の尿またはカテーテルより採取した尿中に白血球がみられるもの).

leu·ko·der·ma (lū′kō-dĕr′mă). 白斑 (皮膚の部分的または全体的な色素の欠如). = leucoderma; leukopathia; leukopathy.

leu·ko·dys·tro·phy (lū′kō-dis′trŏ-fē). 白質萎縮〔症〕, 白質ジストロフィ (白質疾患の一群の一般名で, 一部は家族性で, 進行性大脳障害が通例幼小児期に起こることが多い. 病理学的には中枢・末梢神経系のミエリンの原発性欠損またはグリア反応を伴った変性がみられる. 脂質代謝の欠損と関係があると思われる. 成人型 Pelizaeus-Merzbacher 病は, 常染色体優性形質で遺伝する). = leucodystrophy.

leu·ko·e·de·ma (lū′kō-ē-dē′mă). 白色水腫 (頬粘膜に認められる青みがかった乳白色を呈する変化で, その部を伸展すると正常な粘膜色となる. 病変ではなく, 正常の範疇に含まれる). = leuko-oedema.

leu·ko·en·ceph·a·li·tis (lū′kō-en-sef′ă-lī′tis). 白質脳炎 (白質に限局した脳炎). = leucoencephalitis.

leu·ko·en·ceph·a·lop·a·thy (lū′kō-en-sef′ă-lop′ă-thē). 白質脳症 (白血病の小児で最初に記載された白質の変化で, 放射線や化学療法による障害と合併し, しばしばメトトレキサートと関係する. 病理的には広汎性反応性星状細胞増加症を特徴とし, 多数の壊死巣を伴い, 炎症は伴わない). = leucoencephalopathy.

leu·ko·e·ryth·ro·blas·to·sis (lū′kō-ē-rith′rō-blas-tō′sis). 白赤芽球症 (骨髄の占拠病変(腫瘍, 肉芽など)に起因する貧血状態をさす. 循環血液中には顆粒球系の未熟細胞やしばしば貧血の割に不釣合いに多い有核赤血球が含まれる). = leucoerythroblastosis; myelophthisic anemia; myelopathic anemia.

leu·ko·ki·ni·nase (lū′kō-kī′ni-nās). ロイコキニナーゼ (タフトシンを切断してロイコキニンを放出する酵素). = leucokininase.

leu·kol·y·sin (lū-kol′i-sin). ロイコリジン. = leukocytolysin.

leu·ko·ma (lū-kō′mă). 〔角膜〕白斑 (密で, 不透明な角膜の乳白混濁). = leucoma.

leu·ko·ma·tous (lū-kō′mă-tŭs). 白斑〔性〕の.

leu·ko·my·e·lop·a·thy (lū′kō-mī′ĕ-lop′ă-thē). 白質脊髄障害, 白質脊髄症 (脊髄の白質すなわち伝導路を侵す器官系疾患).

leu·ko·nych·i·a (lū′kō-nik′ē-ă). 爪〔甲〕白斑〔症〕 (爪下に平滑な白点または白斑が生じるもので, 爪と爪床の間に気泡が入ることによる). = leuconychia.

leuko-oedema [Br.]. = leukoedema.

leu·ko·path·i·a, leu·kop·a·thy (lū′kō-path′ē-ă, lū-kop′ă-thē). 白皮症, 白斑. = leukoderma.

leu·ko·pe·de·sis (lū′kō-pĕ-dē′sis). 白血球漏

出（白血球，特に多形核球の毛細血管壁から組織内への移動）．

leu·ko·pe·ni·a (lū′kō-pē′nē-ă). 白血球減少〔症〕（循環血液中の総白血球数が正常以下の状態．正常下限は 4,000—5,000/mm^3 と一般に考えられている）．= leucocytopenia; leucopenia; leukocytopenia.

leu·ko·pe·nic (lū′kō-pē′nik). 白血球減少〔症〕の．

leu·ko·pe·nic in·dex 白血球減少指数（ある食物に対して患者が過敏である場合，これを摂取した後に白血球数が有意な減少を示すことがある．正常空腹時における白血球数を食後の数値の基準として計算する）．

leu·ko·pe·nic leu·ke·mi·a 白血球減少性白血病（循環血液中の総白血球数が正常範囲内または有意に正常以下に減少する，リンパ性，顆粒球性，または単球性白血病の一型）．

leu·ko·pla·ki·a (lū′kō-plā′kē-ă). 白斑症，白板症（口腔または女性器の粘膜に認められる白斑のうち，剥離困難で，かつ臨床的にどの特異的疾患にも分類不可のものをさす．斑点は平滑で大きさや形は不整，硬く，亀裂が入っていることもある．パイプ喫煙者に多くみられ，生検により悪性または前悪性変化を呈することがある）．= leucoplakia.

leu·ko·pla·ki·a vul·vae 外陰白板症（外陰上皮の過角化性の白色斑につけられた臨床病名．特異診断(匯確定診断)には生検が必要である）．

leu·ko·poi·e·sis (lū′kō-poy-ē′sis). 白血球産生（種々の型の白血球の産生および成熟）．= leucopoiesis; leukocytopoiesis.

leu·ko·poi·et·ic (lū′kō-poy-et′ik). 白血球産生の（骨髄，細網内皮組織やリンパ組織の一部で明らかにされている白血球産生に関連した，あるいは特徴付けられた．それぞれの組織で，顆粒球，単球，リンパ球がつくられている）．

leu·kor·rha·gi·a (lū′kō-rā′jē-ă). = leukorrhea.

leu·kor·rhe·a (lū′kōr-ē′ă). 〔白〕帯下，こしけ（粘液や白血球を含んだ，白色または黄色で粘液性の腟からの排出物）．= leucorrhoea; leukorrhagia; leukorrhoea.

leukorrhoea [Br.]. = leukorrhea.

leu·ko·sis (lū-kō′sis). 白血症（1つ以上の白血球産生組織の異常増殖．この用語は，骨髄症，細網内皮症のある型，全身リンパ節症を含む）．= leucosis.

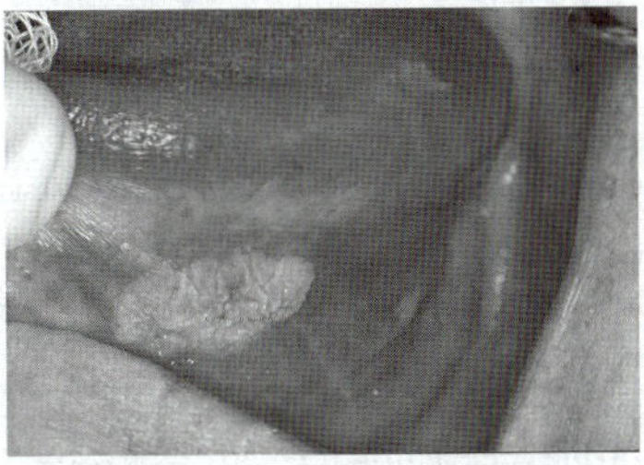

leukoplakia

leu·ko·tac·tic (lū′kō-tak′tik). = leukocytotactic.

leu·ko·tax·i·a (lū′kō-tak′sē-ă). = leukocytotaxia.

leu·ko·tax·ine (lū′kō-tak′sēn). ロイコタキシン（外傷，急性変性組織，炎症巣滲出物から得られる細胞外窒素性物質）．

leu·ko·tax·is (lū′kō-tak′sis). = leukocytotaxia.

leu·kot·ic (lū-kot′ik). 白血症の．

leu·kot·o·my (lū-kot′ŏ-mē). 白質切断〔術〕（脳の前頭葉の白質の切開術）．= leucotomy.

leu·ko·tox·in (lū′kō-tok′sin). ロイコトキシン，白血球毒素．= leukocytotoxin.

leu·ko·trich·i·a (lū′kō-trik′ē-ă). 白毛症．

leu·ko·tri·enes (LT) (lū′kō-trī′ēnz). ロイコトリエン，リューコトリエン（炎症やアレルギー反応の伝達物質として生理活性を発揮するエイコサノイドの代謝産物）．= leucotriene.

LEU M1 好中球，接着性単球，活性化 T 細胞の一部に遊走するヒト組織球細胞株に対して作製されたモノクローナル抗体のエピトープ．

le·va·tor (le-vā′tŏr). *1* 起子，エレバトリウム（頭蓋骨折の陥凹部分を持ち上げる手術器械）．*2* 挙筋（停止部分を持ち上げる筋肉）．

le·va·tor an·gu·li o·ris mus·cle 口角挙筋（起始：上顎骨犬歯窩．停止：口角における口輪筋と皮膚．作用：口角を広げる．神経支配：顔面神経）．= musculus levator anguli oris.

le·va·tor a·ni mus·cle 肛門挙筋（恥骨尾骨筋および腸骨尾骨筋によってつくられる．起始：恥骨背部，肛門挙筋の半腱様筋弓(閉鎖筋膜)および坐骨棘．停止：肛門尾骨靱帯，仙骨下部および尾骨の両側．作用：排便時に肛門の反転を防ぎ上部に引き上げる．骨盤を支える．神経支配：肛門挙筋神経(第四仙骨神経))．= musculus levator ani.

le·va·tor cos·ta·rum mus·cles 肋骨挙筋（胸部の筋肉．起始：C7，T1–T11 の椎体の横突起に付着．停止：肋骨結節・肋骨角に付着．作用：肋骨を引き上げる．神経：C8–T11 の後枝脊髄神経）．= elevator muscle of rib; musculilevatores costarum.

le·va·tor la·bi·i su·pe·ri·o·ris a·lae·que na·si mus·cle 上唇鼻翼挙筋，眼角筋（起始：上顎骨の鼻突起の根．停止：鼻翼と上唇の口輪筋．作用：上唇と鼻翼の挙上．神経支配：顔面神経）．= musculus levator labii superioris alaeque nasi.

le·va·tor la·bi·i su·pe·ri·o·ris mus·cle 上唇挙筋，眼窩下筋（起始：眼窩下孔下の上顎骨．停止：上唇の口輪筋．作用：上唇の挙上．神経支配：顔面神経）．= musculus levator labii superioris.

le·va·tor mus·cle of thy·roid gland 甲状腺挙筋（甲状舌骨筋より起こり甲状腺峡部に達するまれにみられる筋束）．= musculus levator glandulae thyroideae.

le·va·tor pal·pe·brae su·pe·ri·o·ris mus·cle 上眼瞼挙筋（起始：視神経管の上部と前部

にある蝶形骨小翼の眼窩面．停止：停止腱膜の内側と外側への拡大により，眼瞼皮膚，瞼板，および眼窩壁に付着．作用：上眼瞼の挙上．神経支配：動眼神経）．= musculus levator palpebrae superioris; elevator muscle of upper eyelid.

le·va·tor pros·ta·tae mus·cle 前立腺挙筋（男性で恥骨から前立腺の筋膜にのびる肛門挙筋（恥骨尾骨筋）の最も内側にある線維）．= musculus levator prostatae.

le·va·tor scap·u·lae mus·cle 肩甲挙筋（起始：4個の上部頸椎の横突起後結節．停止：肩甲骨の上角．作用：肩甲骨の挙上．神経支配：肩甲背神経）．= musculus levator scapulae; elevator muscle of scapula.

le·va·tor ve·li pa·la·ti·ni mus·cle 口蓋帆挙筋（起始：側頭骨の錐体尖と耳管（Eustachio管）軟骨．停止：口蓋帆の腱膜．作用：口蓋帆の挙上．収縮の際の筋腹の膨隆が耳管を圧平衡のために開くのを助ける．神経支配：喉頭神経叢（副神経の延髄根））．= musculus levator veli palatini; elevator muscle of soft palate.

lev·el (lev′ĕl)．レベル，水準（値を等級化した尺度における順位や位置）．

lev·el of con·scious·ness 意識水準，意識レベル（自己や環境に対して被験者がもつ自覚や認識に関する様々な水準の程度で，多様である．例えば，覚醒，嗜眠から昏睡まで．低下の測定にはグラスゴー昏睡尺度を用いることが多く，改良されてきている．主観的アセスメントデータを標準化する方法として，複数の観察者による評価の一致に利用される．→Glasgow Coma Scale）．

lev·el-de·pen·dent fre·quen·cy re·sponse 音圧レベル依存性周波数特性変化（高周波数と低周波数の間で増幅バランスを変えるために補聴器に用いられる技法のうちの1つ）．

Le·vey-Jen·nings chart リーヴェイ-ジェニングス図表．= quality control chart.

lev·i·ga·tion (lev′i-gā′shŭn)．練り粉化（薬物の粒状性を和らげるためにクリームや軟膏を混ぜる前の粉末の湿潤工程）．

Lev·in·stein pro·cess 一Löwenstein process.

Le·vin tube レヴィン管（軟らかい管で，鼻から上部消化管に挿入する管．胃内圧の減圧に用いる）．

levo- 左，左方向，左側，を示す接頭語．= laev-; laevo-.

le·vo·car·di·a (lē′vō-kahr′dē-ă)．左胸心（他の臓器は逆の位置にあるが，心臓は正常な位置（左）にあるもの．先天性心疾患が合併していることが多い）．= laevocardia.

le·vo·do·pa (l-do·pa) (lē′vō-dō′pă)．レボドパ（ドパの生物学的活性型．パーキンソン症候群治療薬であり，ドパミンに代謝される）．= laevodopa.

le·vo·duc·tion (lē′vō-dŭk′shŭn)．左ひき運動（一眼の左方回転）．

le·vo·ro·ta·tion (lē′vō-rō-tā′shŭn)．= laevorotation. ***1*** 左旋（左へ，回転またはねじれること．特に，ある種の光学的活性をもつ物質の溶液は平面偏光の反時計方向に回転させる）．***2*** 左回転．= sinistrotorsion.

le·vo·ro·ta·to·ry (lē′vō-rō′tă-tōr-ē)．左旋性の（左旋または左旋しうる特定の結晶あるいは溶液についていう．化学接頭語として通常，*l*- または（−）と略記する．*cf.* dextrorotatory）．= laevorotatory.

le·vo·tor·sion (lē′vō-tōr′shŭn)．***1*** 左回転．= sinistrotorsion. ***2*** 左方回旋（一眼または両眼の角膜の上極が左へ回転すること）．

le·vo·ver·sion (lē′vō-vĕr′zhŭn)．***1*** 左回転．***2*** 左方偏視（眼科において両眼の左方への共同回転）．

Lev·ret for·ceps レヴレー鉗子（Chamberlen鉗子の修正型で，産道の弯曲に対応して曲がっている）．

Lev syn·drome レヴ症候群（正常心筋・正常冠動脈の患者に生じる脚ブロックで，刺激伝導系に線維化・石灰化を生じる結果起こる．膜性中隔，筋性中隔頂上や，僧帽弁輪，大動脈弁輪を侵す）．

Lew·is ac·id ルイス酸（電子対受容体として定義された酸の呼称）．

Lew·is base ルイス塩基（電子対供与体である塩基の呼称）．

Lew·i·site (L) ルイサイト（戦争で用いた毒ガス．マスタードガスのような発泡性の肺刺激薬．全身性毒素が肺や皮膚から循環血液中にはいり，有糸核分裂性毒素が中期の核分裂を止めてしまう．ジメルカプロールが解毒薬である）．

Le·wy bod·y de·men·ti·a レヴィー小体痴呆．= diffuse Lewy body disease.

lex·i·cal (leks′i-kăl)．語彙の（会話あるいは言語の用語範囲を示す）．

-lexis, -lexy 接尾語で，話すことに関連しているが，しばしば -legia（ラテン語 *lego* 読むこと）と混同されるため，誤って読書と関連して用いられる．

Ley·den neu·ri·tis ライデン神経炎（罹患神経線維の脂肪変性）．

Ley·dig cells ライディヒ細胞（精巣の間質細胞）．= interstitial cells(1)．

Ley·dig cell tu·mor ライディヒ細胞腫〔瘍〕（Leydig細胞による精巣，まれには卵巣に起こる腫瘍で，通常は良性だが悪性のこともある．アンドロゲンまたはエストロゲンを分泌する．成人の女性化乳房，思春期前の性的早熟の原因となる）．

LF low frequency の略．

LFT *l*eft *f*ronto*t*ransverse position（左前頭横位胎位）; liver function test（肝機能テスト）の略．

LGA large for gestational age の略．

LGSIL low-grade squamous intraepithelial lesion の略．

LH luteinizing hormone の略．

Lher·mitte sign レールミット徴候（患者が頭を屈曲させると，電気的ショックが突然脊髄下方に広がること）．

Li リチウムの元素記号．

li·a·ble (lī′ă-bĕl)．責任がある（医療において，法的責任を意味する（例えば，適切な治療・請求））．

lib·er·ins (lib′ĕr-inz). 分泌刺激因子. = releasing factors.

li·bid·i·nous (li-bid′i-nŭs). 淫乱な，好色の（性的欲望あるいはエネルギーをもった，または喚起する).

li·bi·do (li-bē′dō). リビド〔ー〕，性欲（①意識的または無意識的な性欲. ②情欲的な関心，あるいは生命力の現れ. ③ Jung の心理学においては，心的エネルギー psychic energy と同義に用いる).

Lib·man-Sacks en·do·car·di·tis, Lib·man-Sacks syn·drome リブマン-サックス心内膜炎（いぼ状心内膜炎で，播種性紅斑性狼瘡を合併することがある). = atypical verrucous endocarditis; nonbacterial verrucous endocarditis.

lice (līs). louse の複数形.

li·censed prac·ti·cal nurse (LPN) 免許准看護師，免許専修看護師（一定の実践(職業性)看護学校を卒業し，州の免許試験に合格し，州当局より免許を与えられた看護師).

li·censed vo·ca·tion·al nurse (LVN) 免許職業看護師. = practical nurse.

li·chen (lī′ken). 苔癬（孤立性の扁平丘疹あるいは丘疹の集まったもので，岩に生えているコケに似た形態を示す).

li·chen·i·fi·ca·tion (lī′ken-i-fi-kā′shŭn). 苔癬化（アトピー性皮膚炎あるいは慢性の接触皮膚炎において，掻破により生じる角質増殖を伴う皮膚の皮革様硬化と肥厚).

li·chen myx·e·de·ma·to·sus 粘液水腫性苔癬（丘疹からなる上部体幹の苔癬様皮疹. 皮膚のグリコサミノグリカンの沈着により生じるムチン性浮腫と線維芽細胞の増殖による. 内分泌疾患はない). = papular mucinosis.

li·chen·oid (lī′kĕ-noyd). ***1*** 〚adj.〛苔癬様の. ***2*** 〚n.〛類苔癬（慢性湿疹の症例にみられる正常皮膚紋理の粗大化). ***3*** 〚adj.〛扁平苔癬様の（病理組織学的に扁平苔癬に類似した).

li·chen·oid der·ma·to·sis 苔癬様皮膚病(症)（臨床的に皮膚が硬化かつ肥厚して皮膚紋理の増強をきたす慢性の皮疹一般).

li·chen·oid ker·a·to·sis 苔癬様角化症（日光照射部または非照射部に生じる，扁平苔癬類似の顕微鏡的特徴を有した，孤発性良性の丘疹または斑).

li·chen pla·nus, li·chen ru·ber pla·nus 扁平苔癬（屈側部，男性性器，頬粘膜に生じる扁平な光沢のある原因不明の青紫色の丘疹からなる発疹. 線状配列をなすことがある. 通常，数か月から数年後に自然消退する).

li·chen scle·ro·sus et a·tro·phi·cus 硬化性萎縮性苔癬（かゆみを伴う白色萎縮性の丘疹および局面からなる発疹. 病変は孤立性，または融合性で，中央陥凹，あるいは黒色角栓を有することがある).

li·chen scrof·u·lo·so·rum 腺病性苔癬（結核の小児の体幹に生じる小さな無症候性の苔癬化した丘疹). = papular tuberculid.

li·chen stri·a·tus 線状苔癬（もともと小児に生じる一過性の丘疹性皮疹(一般には女性がかかる).病変は線状に配列し，通常は，四肢のうち一肢に発生する).

li·chen ur·ti·ca·tus じんま疹様苔癬. = papular urticaria.

lid (lid). 眼瞼，まぶた. = eyelid.

lie (lī). 方向，位置（胎児の長軸が母親の長軸に対してもつ関係).

Lie·ber·kühn glands リーベルキューン腺. = intestinal glands.

Lie·ber·mei·ster rule リーベルマイスターの法則（成人の熱性頻拍，体温が 1°C 上昇するごとに脈拍数が約 8 回増加する).

Lie·big the·o·ry リービッヒ説（容易に酸化し燃焼する炭化水素は動物体内で熱を大量に発するという説).

lie de·tec·tor うそ発見器. = polygraph (2).

li·en (lī′en). 脾臓. = spleen.

lien-, lieno- 脾臓に関する連結形. →spleno-.

li·en ac·ces·so·ri·us 副脾. = accessory spleen.

li·e·nal (lī-ē′năl). 脾〔臓〕の. = splenic.

li·e·nal ar·ter·y 脾動脈. = splenic artery.

li·en mo·bi·lis 遊走脾. = floating spleen.

li·en·ter·ic (lī′en-ter′ik). 不消化下痢の.

li·en·ter·ic di·ar·rhe·a 消化不良性下痢（未消化の食物が便に出てしまう下痢).

li·en·ter·y (lī′en-ter-ē). 不消化下痢（便中に未消化食物が排出されること).

life (līf). ***1*** 生命，生存，生活（生きていることの根源的状態. 代謝，発育，生殖，適応，刺激に対する反応などの諸機能によって特徴づけられる存在の状態). ***2*** 生物（動物や植物のような生き物).

life e·vents 生活上の出来事（ときにストレッサーとして働く日常生活上の出来事).

life in·stinct 生命本能，生の本能（自己保存と性的生殖本能. 種の保存に対する基本的要求).

life-span de·vel·op·ment 生涯発達（周産期から老年期に至る全生涯の異なる時期において，それぞれ異なる生物学的，知的，行動的，および社会的技能の発達と獲得(あるいは喪失)).

life stress 生活上のストレス（強い緊張を生じる出来事や体験，例えば仕事上の失敗，別居，愛する対象を喪失すること).

life·style (līf′stīl). ライフスタイル（生涯にわたる社会化過程からつくられた習癖と慣習一式. アルコールや煙草などの物質の社交的な使用，食習慣，運動など健康に大きな意味をもつあらゆるものが含まれる).

life ta·ble 生命表（ある一定の対象からなる集団において，生存・死亡がどのように起こりうるかを年次によって表現したもの).

lift (lift). ***1*** 〚v.〛持ち上げる. ***2*** 〚n.〛挙上（持ち上げること). ***3*** 〚n.〛昇降機（持ち上げるための装置).

lig·a·ment (lig′ă-mĕnt). = ligamentum. ***1*** 靱帯（2 本以上の骨，軟骨，その他の組織を結合させたり，筋膜や筋肉の支持の役目をする線維性組織の帯，または膜). ***2*** ひだ（腹部臓器を支持する腹膜のひだ). ***3*** 間膜（靱帯に似ているがその機能のない構造). ***4*** 索（原腔を失った胎児血管その他の組織の索状遺残物).

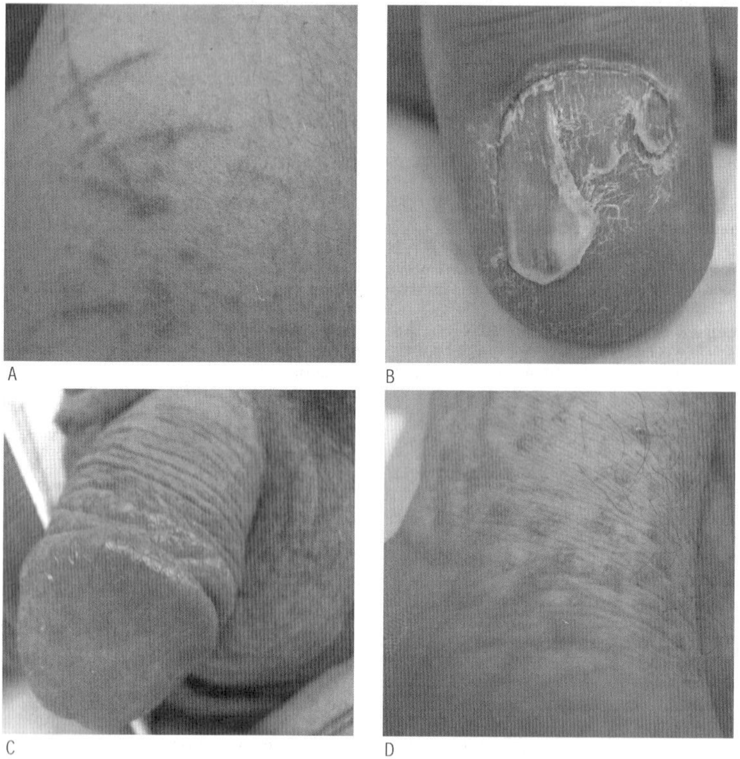
A
B
C
D

lichen planus　A：Koebner現象，B：爪ジストロフィ，C：陰茎，D：手首.

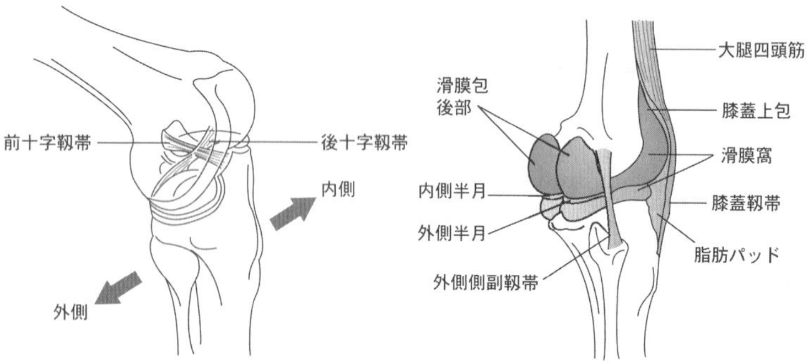
前十字靭帯
後十字靭帯
内側
外側
滑膜包
後部
大腿四頭筋
膝蓋上包
滑膜窩
内側半月
外側半月
膝蓋靭帯
脂肪パッド
外側側副靱帯

knee ligaments, tendons, and menisci

lig·a·men·ta in·tra·cap·su·la·ri·a 関節〔包〕内靱帯. = intracapsular ligaments.

lig·a·men·ta sus·pen·so·ri·a mam·mae 乳房提靱帯. = suspensory ligaments of breast.

lig·a·ment of head of fe·mur 大腿骨頭靱帯（大腿骨頭窩から寛骨臼切痕縁の寛骨臼横靱帯にのびる扁平な靱帯で，関節としての一部をなすとはいえず，その動きに関係しているわけでもない）. = ligamentum capitis femoris; round ligament of femur.

lig·a·men·to·pex·is, lig·a·men·to·pex·y (ligʹă-menʹtō-pekʹsis, -pekʹsē). 子宮索固定〔術〕（子宮索を短縮する手術）.

lig·a·men·tous (ligʹă-menʹtŭs). 靱帯の，靱帯状の.

lig·a·men·tum, pl. lig·a·men·ta (lig-ă-menʹtŭm, -tă). = ligament.

lig·a·men·tum ca·pi·tis fem·o·ris 大腿骨頭靱帯. = ligament of head of femur.

lig·a·men·tum cor·a·co·ac·ro·mi·a·le 烏口肩峰靱帯. = coracoacromial ligament.

lig·a·men·tum cor·a·co·cla·vi·cu·la·re 烏口鎖骨靱帯. = coracoclavicular ligament.

lig·a·men·tum cos·to·cla·vi·cu·la·re 肋鎖靱帯. = costoclavicular ligament.

lig·a·men·tum cos·to·trans·ver·sa·ri·um 肋横突靱帯. = costotransverse ligament.

lig·a·men·tum cru·ci·a·tum an·te·ri·us 前十字靱帯. = anterior cruciate ligament.

lig·a·men·tum cru·ci·a·tum pos·te·ri·us 後十字靱帯. = posterior cruciate ligament.

lig·a·men·tum del·toi·de·um 三角靱帯. = deltoid ligament.

lig·a·men·tum fal·ci·for·me hep·a·tis 肝鎌状間膜. = falciform ligament of liver.

lig·a·men·tum il·i·o·fem·o·ra·le 腸骨大腿靱帯. = iliofemoral ligament.

lig·a·men·tum in·gui·na·le 鼡径靱帯. = inguinal ligament.

lig·a·men·tum la·cu·na·re 裂孔靱帯. = lacunar ligament.

lig·a·men·tum la·tum u·ter·i 子宮広間膜. = broad ligament of the uterus.

lig·a·men·tum lon·gi·tu·di·na·le 縦靱帯. = longitudinal ligament.

lig·a·men·tum lum·bo·cos·ta·le 腰肋靱帯. = lumbocostal ligament.

lig·a·men·tum nu·chae 項靱帯（肥厚した棘上靱帯で形成される頸の後ろの矢状面の靱帯状の帯．頭側では外後頭隆起から大後頭孔後縁まで，下方では第七頸椎棘突起までのびる）. = nuchal ligament.

lig·a·men·tum pa·tel·lae 膝蓋靱帯. = patellar ligament.

lig·a·men·tum pec·ti·ne·a·le 恥骨櫛状靱帯. = pectineal ligament.

lig·a·men·tum phre·ni·co·co·li·cum 横隔結腸ひだ. = phrenicocolic ligament.

lig·a·men·tum pul·mo·na·le 肺間膜. = pulmonary ligament.

lig·a·men·tum splen·o·re·na·le 脾腎ひだ. = splenorenal ligament.

lig·a·men·tum sus·pen·so·ri·um o·va·ri·i 卵巣提索. = suspensory ligament of ovary.

lig·a·men·tum te·res hep·a·tis 肝円索. = round ligament of liver.

lig·a·men·tum te·res u·ter·i 子宮円索. = round ligament of uterus.

lig·a·men·tum trans·ver·sum ge·nus 膝横靱帯. = transverse ligament of knee.

lig·a·men·tum trap·e·zoi·de·um 菱形靱帯. = trapezoid ligament.

lig·a·men·tum vo·ca·le 声帯靱帯. = vocal ligament.

lig·and (līʹgand). 配位子，リガンド（①多重配位結合によって中央の金属イオンに付着している有機分子．②トレーサ元素と結合する有機分子．例えばラジオアイソトープ．③高分子と結合する分子．例えばレセプタに対するリガンドの結合．④ラジオイムノアッセイのような競合的結合検定での被検体）.

lig·and-bind·ing site リガンド結合部位（リガンドを結合する蛋白表面の部位．もしリガンドがある酵素の基質であるならば，活性部位に相当する）.

li·gase (līʹgās). リガーゼ（ATP や類似の化合物のピロリン酸結合の開裂と共役した 2 分子の結合を触媒する酵素(EC class 6)の総称名. →synthetase）.

li·gase chain re·ac·tion リガーゼ連鎖反応，LCR（DNA 標的増幅法であり，試験管内で標的配列に結合させておいた，標的配列に相補的なオリゴヌクレオチド・プローブ 2 つを連結させるために DNA リガーゼが用いられる．そしてこの連結反応産物は，さらに相補的オリゴヌクレオチドの連結反応のテンプレートとして，この酵素的反応を何度も繰り返すことにより，問題とする標的配列の同定用 DNA を指数関数的に増幅させることができる

li·gate (līʹgāt). 結紮する.

li·ga·tion (lī-gāʹshŭn). ***1*** 結紮（結紮すること．結んだり，焼還したりすること）. ***2*** ライゲーション，連結反応.

lig·a·ture (ligʹă-chŭr). ***1*** 結紮〔糸〕（血管，腫瘍茎，その他の構造を締め付けるためにその周囲にきつく結んだより糸，針金，ひも，またはそれらに類似した物）. ***2*** リガチャー，結紮線（矯正歯科において，矯正用アタッチメントや歯をアーチワイヤに固定するために用いるワイヤまたは材料）.

light (līt). 光，光線（電磁放射線で，網膜が感応する部分. →lamp）.

light ad·ap·ta·tion 明順応（照明を強くしたときに起こる視覚の順応で，光に対する網膜の感受性が減退する. →light-adapted eye）. = photopic adaptation.

light-a·dapt·ed eye 明順応眼（光を受けてロドプシン(視紅)が退色し，弱い光を感じなくなっている状態）. = photopic eye.

light blue-top tube ライトブルートップチューブ（クエン酸ナトリウムを抗凝血剤で治療される容器を示す．クエン酸血漿の収集に凝集研究

L

に使用される).

light (cal·o·ries) 軽い(消費量) (FDAの規定により，同様の食品より3分の1の消費カロリーとラベル表示された商品).

light chain L鎖，軽鎖 (免疫グロブリン構成成分中，κ, λ鎖という低分子約200のアミノアシル残基ポリペプチド鎖).

light chain-re·lat·ed am·y·loi·do·sis L鎖関連性アミロイドーシス (原発性アミロイドーシスの最も一般的な一型．免疫グロブリンL鎖の可変部分に由来する物質が，フィブリン状のアミロイドとして沈着した病態で，Bリンパ球やプラズマ細胞系の疾患で認められる).

light·en·ing (līt'ĕn-ing). 下降感，軽減感 (妊娠の後期に，胎児の頭部が骨盤入口に下降するため，腹部の膨満が減少したように感じること).

light fat (lite) ライト脂肪量 (FDAの指示により，同様の食品に比べ半分またはそれ以下の脂肪含量の食品にラベル表示される).

light green-top tube ライトグリーントップチューブ (リチウムヘパリンとゲル分離機によって処理された容器を示す．所定の科学テストのために，ヘパリン化した血漿を収集することに用いられる).

light re·flex *1* 対光反射〔反応〕. = pupillary reflex. *2* 検影法などの場合に，網膜に光を照射したときに眼底から反射する赤色発光. *3* 光錐. = Wilde triangle; Politzer luminous cone; red reflex.

light sleep 浅い眠り. = dysnystaxis.

light ther·a·py 光線療法 (癒す力のある，色の用いた，レーザー光で治療法をう治療法で，日中リズムを回復痛みやうつを軽減する).

light treat·ment 光線療法. = phototherapy.

light work 軽量の仕事 (物を動かす際に，最大20ポンド以内の激しい体力を使う場合や，10ポンド以内の体力を複数回，あるいは常時ごくわずかな体力をを必要とするレベルを表す. →sedentary work; medium work; medium-heavy work; very heavy work).

lig·nin (lig'nin). リグニン (小麦麩，穀物，野菜中に存在する非水溶性線維).

like·li·hood ra·ti·o 尤度比 (通常は前に〝最大〞をつける(すなわち最大尤度比).最大尤度比は，経験的に観測されるデータが発生する確率(尤度)を2つのモデルの下でそれぞれ最大化するようにモデルパラメータを動かし，その比として求められる).

Li·kert scale リカート尺度 (質問あるいは意見に対する答え，賛否の程度を表現するための順序尺度．強い否定から強い肯定まで順序づけられる．行動科学や精神医学領域で主に使われる).

Lil·lie al·lo·chrome con·nec·tive tis·sue stain リリーのアロクローム結合組織染色〔法〕(PAS，ヘマトキシリン，ピクリン酸，メチレンブルーを用いる方法で，基底膜とレチクリンの区別，および動脈硬化性病変の証明に用いる).

Lil·lie az·ure-e·o·sin stain リリーのアズール-エオシン染色〔法〕(アズール-エオシン塩溶液を用いる染色．組織内の細菌またはリケッチアの染色に用いる).

Lil·lie fer·rous i·ron stain リリー第一鉄染色〔法〕(フェロシアン化カリウムの酢酸溶液を用いる方法で，メラニンを深緑色に染め出す．リポフスチンやヘム色素とは反応しない).

Lil·lie sul·fu·ric ac·id Nile blue stain リリー硫酸ナイルブルー染色〔法〕(高濃度で存在する脂肪酸を示す方法).

limb (lim). *1* 四肢，肢 (上肢または下肢). = member. *2* 肢節 (関節構造の部分. →leg).

limb bud 肢芽 (前肢または後肢を生じるもととなる，胚の側腹部上の外胚葉でおおわれた間葉における増生).

limb-gir·dle mus·cu·lar dys·tro·phy 肢帯筋ジストロフィ (筋ジストロフィの1つで，恐らく異質な疾患である．骨盤帯，肩帯あるいは両方の，通常は左右対称的な筋力低下あるいは筋のるいそうを特徴とするが，顔面筋は侵されない．筋の仮性肥大，心合併および知能障害は伴わない).

lim·bic (lim'bik). *1* 縁の. *2* 辺縁系の.

lim·bic sys·tem 〔大脳〕辺縁系 (大脳半球，特に海馬，扁桃，脳弓回など，大脳半球内側面辺縁部またはその近くの脳構造を意味する集合名詞．この名称は，これらの構造の相互連結，および中隔野，視床下部，中脳被蓋の中心部との連結を表すのにもしばしば用いる．後者の連結により，大脳辺縁系は，内分泌系と自律運動系に対して重要な役割を果たす．その機能はまた情緒にも影響を及ぼすようである).

limb lead 四肢誘導 (3標準誘導(leads I, II, III)または単極四肢誘導(aV_R, aV_L, aV_F)の1つ).

lim·bus, pl. lim·bi (lim'bŭs, -bī). 縁 (ある部分の縁，へりまたは境界).

lim·bus of cor·ne·a 角膜縁 (強膜と重なり合う角膜の縁).

lime (līm). *1* 石灰 (灰白色の塊に生じるアルカリ性土壌酸化物(生石灰)．空気中にさらされると水酸化カルシウムおよび炭酸カルシウムへ変化する(風化石灰)．酸化カルシウムに水を直接加えると水酸化カルシウム(消石灰)となる). = calx(1). *2* ライム果 (ミカン科ライム *Citrus medica* の果実．アスコルビン酸を多量に含み，抗壊血病薬として用いられる).

li·men, pl. lim·i·na (lī'men, lim'i-nă). 限 (管や空所の外口，例えば島限). = threshold(4).

li·men in·su·lae 島限 (島の灰白質前部と前有孔質の前方との間の移行帯．外側嗅条の外側に沿った小帯状の嗅皮質によって形成される).

li·men na·si 鼻限 (狭義の鼻腔と鼻前庭との境界を示す隆線).

li·mes (lī'mēz). 限界，限度，閾値 (→L doses).

lim·i·nal (lim'i-năl). *1* 閾値の，限界の. *2* 閾値刺激の，限界刺激の (神経または筋肉のような組織を興奮させるのに適度な刺激についていう).

lim·it (lim'it). 限界，限度，境界，制限.

lim·it·ed neck dis·sec·tion = functional neck dissection.

lim·it·ed ra·di·og·ra·pher 限定されたX線技師 (診断目的で特定のX線を照射する免許を

有する医学専門家．限定されたX線技師の明確な義務は州の法律によって様々だが，患者の姿勢，X線の設備の操作やX線のフイルムの工程を含め多くある）．

lim·it·ing de·cis·ion 限定決断（重大な出来事や外傷体験的な出来事の反応の結果獲得された自我の理解．→Time-Line therapy）．

limp（limp）．跛行（非硬直性の不自由な歩行．非対称性歩行．→claudication）．

Lin·dau tu·mor リンダウ腫〔瘍〕．= hemangioblastoma.

Lind·ner bod·ies リンドナー〔小〕体（トラコーマの感染による上皮の剥離物にみられる初期の小体で，封入体に似ている）．

line（līn）．= linea. ***1*** 線（印，条片，条．解剖学において，色，構造，隆起によって隣接組織から区別される長く細い線または帯．→linea）．***2*** 系（単一の祖先あるいは前駆体に由来する細胞または個体の株）．***3*** ライン（輸液のためや測定のために波動を伝えるようなチューブ類のこと．例えば，静脈ライン，動脈ライン）．

lin·e·a, gen. & pl. **lin·e·ae**（lin′ē-ă, -ē-ē）．線．= line.

lin·e·a al·ba 白線（前腹壁の中央を全長にわたって縦に走る線維帯．腹斜筋と腹横筋が付着する）．= white line(1).

lin·e·a a·no·cu·ta·ne·a 肛皮線，櫛状線．= pectinate line.

lin·e·a as·pe·ra 粗線（2つの明白な唇をもつギザギザした隆線で，大腿骨幹の後部表面を下降する）．

lin·e·ae a·tro·phi·cae 萎縮線条．= striae cutis distensae.

lin·e·a ep·i·phys·i·a·lis 骨端線．= epiphysial line.

lin·e·a in·ter·tro·chan·te·ri·ca 転子間線．= intertrochanteric line.

line an·gle 線角（歯科において，歯冠あるいは窩洞の2面のなす角（窩洞線角））．

lin·e·a ni·gra 黒線（白線が妊娠中に着色したもの）．

lin·e·ar（lin′ē-ăr）．線状の，直線の．

lin·e·ar ac·cel·er·a·tor 直線加速器，リニアアクセルレータ（原子あるいは原子を構成する粒子を高速かつ高エネルギーとする装置．放射線治療に用いる重要な装置）．

lin·e·ar am·pli·fi·ca·tion 直線増幅（すべての周波数に対して同程度の増幅を行う補聴器回路）．

lin·e·ar at·ro·phy 線状萎縮．= striae cutis distensae.

li·ne·ar en·er·gy trans·fer (LET) 線エネルギー付与（単位飛程当たりに放射線によって付与されたエネルギーの総量）．

lin·e·ar frac·ture 線状骨折（骨の長軸に平行に走る骨折）．= fissured fracture.

lin·e·ar·i·ty（lin′ē-ar′i-tē）．直線性（2つの数量間の一方の数量の変化により他方が正比例して変化する関係）．

lin·e·ar scle·ro·der·ma 線状強皮症（帯状の皮膚硬化，萎縮や色素沈着，脱失をきたす限局性強皮症の一型．皮下組織へ及び，変形や関節拘縮を伴うこともある．前額から前頭部にかけて生じたものをサーベル状切痕 coup de Sabre とよぶ）．

lin·e·a sem·i·lu·na·ris 半月線（腹直筋鞘の外側縁に平行する，外腹壁のわずかな溝）．= semilunar line; Spigelius line.

lin·e·a ster·na·lis 胸骨線．= sternal line.

lin·e·a ter·mi·na·lis 分界線（腸骨の内面上を走り恥骨へ続く斜めの隆線．腸骨窩の下方の境界をなす．大骨盤から小骨盤を分ける）．= iliopectineal line; terminal line.

line of de·mar·ca·tion 分画線（健常組織から壊疽部分を分ける炎症反応帯）．

line of fix·a·tion 固視線（対象あるいは固視点と中心窩を結ぶ線）．

line of pull 一連の影響（線維の順応，骨格の付着，腱の性質，軸の動きによる関節の影響により，筋肉によって力の向きが及ぼす記述）．

lines of Blasch·ko ブラシュコの線（皮膚病や色素異常の分布の1つのパターン．四肢では線状に，腹部ではS字形に，背部ではV字形になる．遺伝子のモザイクと横方向のクローンの増殖と縦方向の成長と胎児の屈曲の結果から形成されると考えられている）．

line spec·trum 線スペクトル（光の発光帯が非常に狭い範囲のエネルギーからなる，元素の放射スペクトル）．

Lin·gels·hei·mi·a（ling′gels-hī′mē-ă）．リンゲルシャイミア属．= *Acinetobacter.*

lin·gua, gen. & pl. **lin·guae**（ling′gwă, -gwē）．舌，した（①= tongue(1)．②= tongue(2)）．

lin·gua ge·o·gra·phi·ca 地図〔状〕舌．= geographic tongue.

lin·gual（ling′gwăl）．***1*** 舌の．= glossal. ***2*** 舌側の，舌方向の．

lin·gual ar·ter·y 舌動脈（外頸動脈より起こり，舌面下を走り舌深動脈となる．舌骨上枝，舌背枝，舌下動脈に分枝）．

lin·gual bar リンガルバー，舌側バー（下顎の可撤性部分床義歯において，2個以上の両側部分を結合する目的で，歯列弓の舌側部に設定される大連結子）．

lin·gual crib 舌クリップ（親指や舌突出の習慣を子供が乗り越えるために，舌から上顎の門歯に置く歯列矯正の針金器具）．

lin·gual flange 舌側フレンジ（舌に隣接する空隙を占める下顎義歯床部分）．

lin·gual fol·li·cles 舌小胞（舌の分界溝後方の粘膜上にみられるリンパ組織の隆起で，集合的に舌扁桃を形成する）．= folliculi linguales.

lin·gual fren·u·lum 舌小帯．= frenulum of tongue.

lin·gual gin·gi·va 舌側歯肉（歯と歯槽の舌側をおおっている歯肉）．

lin·gual goi·ter 舌根甲状腺腫（甲状腺組織の腫瘍で，舌根の胚原基痕跡に関連する）．

lin·gual gy·rus 舌状回（大脳の内側で側頭葉と後頭葉の境界領域で，水平に走る比較的短い回．深い側副溝により外側後頭側頭回（紡錘状回）から区切られ，また鳥距溝により楔部から分けられている．その前端は海馬傍回の峡に隣接する．鳥距溝の下縁を形成する回の中部と上部の帯は，有線領(一次視覚領)の下半部に対応し，両眼視の際，視覚野の反対側の上部 1/4 を占める)．

lin·gual nerve 舌神経（下顎神経の枝．外側翼突筋の内側を通り，内側翼突筋と下顎の間，口腔底の粘膜の下を通って舌の外側にいき，舌の前 2/3 と口腔底の粘膜に分布する．第二・第三大臼歯根の舌側に沿って走っているので抜去の際に傷つける恐れがある）. = nervus lingualis.

lin·gual pa·pil·la 舌乳頭（①舌背の粘膜上にある種々の形状をもつ突起．②隣接歯間の隣接面間を充填する歯肉の舌部分．大臼歯と小臼歯部分では，舌乳頭と頬乳頭に分かれる．→interdental papilla）.

lin·gual rest 舌側レスト（歯の舌側面上への金属性の延長物で，可撤性部分床義歯に対する支持または間接固定となる）.

lin·gual ton·sil 舌扁桃（舌背の後方または咽頭部にあるリンパ様組織の集合）. = tonsilla lingualis.

lin·gual vein 舌静脈（舌，舌下腺，顎下腺，および口腔底の筋肉からの血液を受け，内頸静脈または顔面静脈へ注ぐ）.

lin·gua ni·gra 黒〔色〕舌，黒毛舌. = black tongue.

lin·gui·form (ling′gwi-fōrm). 舌状の.

lin·gu·la, pl. **lin·gu·lae** (ling′gyū-lă, -lē). 小舌（①いくつかの舌状の突起，特に小脳および左肺の上葉にみられるものに適用される語．②限定されないときは小脳小舌）.

lin·gu·lar (ling′gyū-lăr). 小舌の.

lin·gu·lec·to·my (ling′gyū-lek′tŏ-mē). ***1*** 舌切除〔術〕. = glossectomy. ***2***〔肺〕舌状葉切除〔術〕（肺の左上葉舌区の切除）.

linguo- 舌を意味する連結形.

lin·guo·clu·sion (ling′gwō-klū′zhŭn). 舌側咬合（歯列弓の内側または舌の方向への歯の変位）.

lin·guo·pap·il·li·tis (ling′gwō-pap′i-lī′tis). 舌乳頭炎（舌縁の乳頭を侵す小さい有痛性の潰瘍）.

lin·guo·ver·sion (ling′gwō-vĕr′zhŭn). 舌側転位（正常な位置より舌側にある歯の変位）.

lin·i·ment (lin′i-mĕnt). リニメント〔剤〕，塗布剤，擦剤（外用に適用される液剤．しばしば皮膚に擦り込んで用いる）.

li·ni·tis (li-nī′tis). 胃組織炎，胃線維炎（胃の血管周囲組織の炎症）.

li·ni·tis plas·ti·ca 形成性胃組織炎(胃線維炎)(浸潤性硬癌が原因となって起こる胃壁の広範囲にわたる肥厚と認められる．leather-bottle stomach とよばれることもある）.

link·age (lingk′āj). ***1*** 結合（化学的等価結合）. ***2*** 連鎖，リンケージ（シンテニーの遺伝子座間が十分に近接しているため，それぞれの対立遺伝子が子にそれぞれ独立に遺伝されないような関係．遺伝子座の特徴で遺伝子の特徴ではない）.

link·age dis·e·qui·lib·ri·um 連鎖不平衡（2つの遺伝子座の接合配偶子の可能性が，構成遺伝子の産物の可能性と等しくない状態．これらの量的違いは不平衡を増加させる．不平衡の原因はたくさんある）.

link·age mark·er 連鎖マーカ（ヘテロ接合体の可能性の高い染色体部位(連鎖分析の際，必ず考えに入れなければいけない状態)であるが，臨床的には恐らく興味がない部位）.

linked (lingkt). 連鎖した（連鎖を示す 2 つの遺伝子座をいう）.

link·er (lingk′ĕr). リンカー（遺伝子の継ぎ合わせに使われる制限酵素切断部位を含む合成 DNA 断片）.

link·ing num·ber (***L***) リンキング数，巻数（(二本鎖 DNA のような)長いバイオポリマーの性質で,(らせんの中心軸のまわりの回転頻度に関係した)回転数とねじれ数を加えたものに等しい）.

lip (lip). = labium(1). ***1*** 唇（表面が重層扁平上皮層である表層粘膜におおわれた 2 つの筋肉のひだで，口の前方の境界をなす）. ***2*** 唇縁（空洞または溝と境を接している唇状の構造）.

lipaemia [Br.]. = lipemia.

lipaemia retinalis [Br.]. = lipemia retinalis.

lipaemic [Br.]. = lipemic.

li·pase (lip′ās). リパーゼ，脂肪分解酵素（カルボキシルエストラーゼ，脂肪分解酵素をさす）.

lip·ec·to·my (lip-ek′tŏ-mē). 脂肪組織切除〔術〕（脂肪症の場合などに行われる脂肪組織の外科的除去）.

lip·e·de·ma (lip′ĕ-dē′mă). 脂肪〔性〕浮腫，脂肪〔性〕水腫（通常，下肢の慢性浮腫，特に中年女性に多い．皮下脂肪および体液の広範な一様の分布によって起こる）.

li·pe·de·ma·tous al·o·pe·ci·a 成人黒人女性にみられる脱毛症で，頭皮のそう痒，疼痛，または圧痛を伴う．頭皮は肥厚し軟らかく，皮下脂肪織が増加し，毛髪は疎で短い.

li·pe·mi·a (li-pē′mē-ă). 脂〔肪〕血症（循環血液中に異常に多量の脂質が存在すること）. = hyperlipidemia; hyperlipoidemia; lipaemia; lipidemia; lipoidemia.

li·pe·mi·a re·ti·na·lis 網膜脂〔肪〕血症（血液のリポイドが 5% を超えると，網膜血管がクリーム状の形態を呈す）. = lipaemia retinalis.

li·pe·mic (li-pē′mik). 脂〔肪〕血症の. = lipaemic.

lip·id (lip′id). 脂質，リピド（無極性溶媒によって，動植物細胞から抽出された脂溶性の物質をいう．脂質は溶解特性を述べる言葉で，化学物質を示すものではない．このようにして抽出されうる物質の不均質な集合体には，脂肪酸，グリセリド，グリセリルエーテル，ホスホリピド，スフィンゴリピド，長鎖アルコール，ろう，テルペン，ステロイド，および脂溶性のビタミン A・D・E が含まれる）.

lip·id A 脂質 A，リピド A（リポ多糖の糖脂質成分で，エンドトキシン活性発現成分である）.

lipidaemia [Br.]. = lipidemia.

lip·i·de·mi·a (lip′i-dē′mē-ă). = lipemia; lipidaemia.

lip·id gran·u·lo·ma·to·sis, lip·oid gran·u·lo·ma·to·sis 類脂性肉芽腫症，リポイド性

肉芽腫症. = xanthomatosis.

lip·i·do·sis, pl. lip·i·do·ses (lip′i-dō′sis, -sēz). リピドーシス (脂質が異常に沈着する遺伝性の脂質代謝障害. 脂質代謝に重要な酵素の欠損や沈着した脂質により分類されている. リソソーム酵素の異常によることが多く, リソソーム沈着症として異常が現れる. スフィンゴリピドーシスがリピドーシスの中でも最も多く, ガングリオシド, セラミド, セレブロシドの代謝異常を伴っている).

lip·id pneu·mo·ni·a, lip·oid pneu·mo·ni·a 脂肪肺炎 (種々の油性または脂性物質, 特に液体ワセリンの吸入によって肺の炎症と線維化が生じる肺の状態. または骨折の状態. または, 閉塞性肺炎から生じるコレステロール, あるいは骨折の結果生じる. 内因性脂肪物質の肺の中への蓄積から生じる. 通常, 脂肪を含む食細胞が存在する).

lipo-, lip- (lip). 脂肪または脂質を意味する連結形.

lip·o·ar·thri·tis (lip′ō-ahr-thrī′tis). 関節脂肪組織炎 (膝関節周囲の脂肪組織の炎症).

lip·o·ate (lip′ō-āt). リポ酸塩.

lip·o·ate a·ce·tyl·trans·fer·ase リポ酸アセチルトランスフェラーゼ. = dihydrolipoamide acetyltransferase.

lip·o·at·ro·phy (lip′ō-at′rŏ-fē). 脂肪組織萎縮〔症〕(身体全体に及ぶ先天的な皮下脂肪の喪失. 肝腫, 骨の過剰発育, インスリン抵抗性糖尿病を伴う).

lip·o·blast (lip′ō-blast). 脂肪芽細胞 (胚子脂肪細胞).

lip·o·blas·to·ma (lip′ō-blas-tō′mă). 脂肪芽細胞腫 (①= liposarcoma. ②胚の脂肪組織からなる良性の皮下腫瘍で, 異なった小葉に分かれる. 幼児に起こりやすい).

lip·o·blas·to·ma·to·sis (lip′ō-blas-tō′mă-tō′sis). 脂肪芽細胞腫症 (局所的に浸潤するが, 転移することのない脂肪芽細胞腫のびまん型).

lip·o·cer·a·tous (lip′ō-ser′ă-tŭs). 死ろう〔性〕の. = adipoceratous.

lip·o·cere (lip′ō-sēr). 死ろう. = adipocere.

lip·o·chrome (lip′ō-krōm). リポクロム, 色素類脂質 (①ルテイン, カロチンなどの色素脂質. ②消耗性色素, すなわち脂褐素, ヘモフスチン, セロイドなどを表すためにときに用いる語. 正確にはカロチンやキサントフィルと同一と思われる黄色色素を示し, しばしば血清, 皮層, 副腎皮質, 黄体, 動脈硬化斑, 肝臓, 脾臓, 脂肪組織にみられる. ③ある種のバクテリアがつくる色素).

lip·o·crit (lip′ō-krit). リポクリット (血液や他の体液中の脂質を分離し, 定量的に分析する器具および方法).

lip·o·cyte (lip′ō-sīt). 脂肪細胞. = fat-storing cell.

lip·o·der·moid (lip′ō-dĕr′moyd). 脂肪類皮腫 (結膜下に発生する先天的な黄白色の脂肪性, 良性の腫瘍).

lip·o·dys·tro·phy (lip′ō-dis′trŏ-fē). 脂肪異栄養〔症〕, リポジストロフィ (脂肪の代謝障害).

lip·o·e·de·ma (lip′ō-ĕ-dē′mă). 皮下脂肪の浮腫, 特に女性の下肢に有痛性の膨隆をきたす. = cellulite (2); lipo-oedema.

lip·o·fi·bro·ma (lip′ō-fī-brō′mă). 脂肪線維腫 (著しい数の脂肪細胞を有する, 線維性結合組織よりなる良性新生物).

lip·o·fus·cin (lip′ō-fyūs′in). 脂褐素, リポフスチン (リソソームによる消化遺残物にあたる, 脂質を含む褐色の色素粒. 加齢または消耗色素の1つと考えられる. 肝臓, 腎臓, 心筋, 副腎や神経節細胞などにみられる).

lip·o·fus·ci·no·sis (lip′ō-fyūs′i-nō′sis). 脂褐素〔沈着〕症, リポフスチン〔沈着〕症 (一群の脂肪色素のうちの一色素の異常な蓄積).

lip·o·gen·e·sis (lip′ō-jen′ĕ-sis). 脂質生成 (脂肪変性または脂肪浸潤のどちらかによる脂肪の生成. 正常な脂肪蓄積や炭水化物あるいは蛋白の脂肪への転化にも適用される語). = adipogenesis.

lip·o·gen·ic (lip′ō-jen′ik). 脂質生成の. = adipogenic; adipogenous; lipogenous.

li·pog·e·nous (li-poj′ĕ-nŭs). = lipogenic.

lip·o·gran·u·lo·ma (lip′ō-gran′yū-lō′mă). 脂肪肉芽腫 (組織に沈積した脂質物質を伴う肉芽腫性炎症の小結節または病巣(通常は異物型の). ある種の油などの注射後にみられる. →paraffinoma).

lip·o·gran·u·lo·ma·to·sis (lip′ō-gran′yŭ-lō′mă-tō′sis). 脂肪肉芽腫症 (①複数の脂肪肉芽腫が存在すること. ②脂肪組織の壊死に対する局所炎症性反応).

lip·oid (lip′oyd). = adipoid. ***1*** 〚adj.〛リポイドの, 類脂〔質〕の. ***2*** 〚n.〛リポイド, 糖脂〔質〕(lipid の旧名).

lipoidaemia [Br.]. = lipoidemia.

lip·oi·de·mi·a (lip′oy-dē′mē-ă). リポイド血症, 類脂〔質〕血症. = lipemia; lipoidaemia.

lip·oid gran·u·lo·ma リポイド性肉芽腫 (脂質含有のかなり大きな単核食細胞の集合または蓄積を特徴とする肉芽腫).

lip·oid ne·phro·sis リポイドネフローゼ (主に小児にみられる特発性ネフローゼ症候群で, 糸球体の変化は乏しい. 基底膜の肥厚はなく, 尿細管上皮に脂肪空胞を示し, 糸球体(上皮細胞)足突起の融合がみられる).

lip·oi·do·sis (lip′oy-dō′sis). リポイド〔沈着〕症, 類脂〔質〕〔沈着〕症 (細胞中に複屈折性類脂体が存在すること).

lip·oid the·o·ry of nar·co·sis 麻酔のリポイド説 (麻酔薬の効率は, 油と水との間の分配係数と並行する. 細胞中および細胞膜上のリポイドは, その親和力により薬剤を吸収するという説).

lip·o·in·jec·tion (lip′ō-in-jek′shŭn). 脂肪細胞注入法 (声帯麻痺や瘢痕などの萎縮の痕を脂肪細胞で補強する方法).

li·pol·y·sis (li-pol′i-sis). リポリーシス, 脂肪分解 (脂肪の分解(水解)または化学的分解).

lip·o·lyt·ic (lip′ō-lit′ik). 脂肪分解の.

li·po·ma (li-pō′mă). 脂肪腫 (成熟した脂肪細胞からなる, 脂肪組織の良性新生物).

li·po·ma·toid (li-pō′mă-toyd). 類脂肪腫の，脂肪腫様の（脂肪腫に類似した．新生物とはいいがたい単なる脂肪組織の集積に対してもしばしば用いる）．

lip·o·ma·to·sis (lip′ō-mă-tō′sis). 脂肪腫症．= adiposis.

li·po·ma·tous (li-pō′mă-tŭs). 脂肪腫〔性〕の（脂肪腫に関する，脂肪腫の特徴を示す，あるいは脂肪腫の存在によって特徴づけられる）．

li·po·ma·tous in·fil·tra·tion 脂肪腫浸潤（脂肪腫様の腫瘤を形成した被膜に囲まれていない脂肪組織．通常，心房中隔にみられ，不整脈や突然死を引き起こすことがある）．

lip·o·me·nin·go·cele (lip′ō-mĕ-ning′gō-sēl). 脂肪髄膜瘤（二分脊椎に伴う脊髄内馬尾の脂肪腫）．

lipo-oedema [Br.]. = lipoedema.

lip·o·pe·nia (lip′ō-pē′nē-ă). 脂肪欠乏症（身体の脂質が異常に少ないか欠乏していること）．

lip·o·phage (lip′ō-fāj). 脂肪貪食細胞（脂肪を摂取する細胞）．

lip·o·pha·gic (lip′ō-fā′jik). 脂肪貪食の．

lip·oph·a·gy (lip-of′ă-jē). 脂肪貪食（脂肪貪食細胞による脂肪の摂取）．

lip·o·phil (lip′ō-fil). 脂質親和体（脂質を溶解（親和）する物質）．

lip·o·phil·ic (lip′ō-fil′ik). 脂肪親和〔性〕の（脂質を溶解または吸収しうることについていう）．

lip·o·pol·y·sac·cha·ride (lip′ō-pol′ē-sak′ă-rīd). リポ多糖類，リポ多糖体（①脂質と炭水化物の化合物または複合体．②敗血症ショックを起こすグラム陰性菌の細胞壁から遊離されるリポ多糖(エンドトキシン)）．

lip·o·pro·tein (lip′ō-prō′tēn). リポ蛋白（脂質と蛋白とを含有する複合体または化合物．血漿中のほとんどすべての脂質はリポ蛋白として存在し，その形で運搬される．血漿リポ蛋白は浮遊定数によって次のように特徴づけられる．カイロミクロン，超低比重(VLDL)，中比重(IDL)，低比重(LDL)，高比重(HDL)，超高比重(VHDL)．分子量175,000から1,000,000,000までである．リポ蛋白の濃度は心臓血管疾患の危険性を評価するのに重要である）．

lip·o·pro·tein (alpha) [α] リポ蛋白質 α (LDL粒子にアポリポ蛋白質(α)が共有結合しているリポ蛋白質血清濃度の上昇は，冠動脈疾患の危険要因とされている）．

lip·o·pro·tein li·pase リポ蛋白(リポプロテイン)リパーゼ（トリアシルグリセロールから1つの脂肪酸を遊離させる酵素．この酵素の活性はヘパリンによって増大され，ヘパリナーゼによって不活性化する．→clearing factors）．

lip·o·sar·co·ma (lip′ō-sahr-kō′mă). 脂肪肉腫（特に後腹膜組織および大腿に発生する成人の悪性新生物．組織学的には，よく分化した脂肪細胞あるいは脱分化し，粘液様の，丸い細胞を有する多形性の細胞からなる．再発はよくみられ，脱分化した脂肪肉腫は肺や漿膜表面へ転移する）．= lipoblastoma(1)．

li·po·sis (li-pō′sis). 脂肪症（①= adiposis. ②脂肪が浸潤し中性脂肪が細胞中に存在すること）．

lip·o·sol·u·ble (lip′ō-sol′yŭ-bĕl). 脂溶性の．

lip·o·suc·tion (lip′ō-sŭk′shŭn). 脂肪吸引〔法〕（経皮的吸引管を用いた不用な皮下脂肪の除去法）．

lip·o·suc·tion·ing (lip′ō-sŭk′shŭn-ing). 吸引脱脂〔術〕（高陰圧による脂肪の除去法．体形の矯正に用いる）．

lip·o·tro·phic (lip′ō-trōf′ik). 脂肪増加症の．

li·pot·ro·phy (li-pot′rŏ-fē). 脂肪増加症．

lip·o·tro·pic (lip′ō-trō′pik). ***1*** 脂肪肝防止の（コリン欠乏の脂肪肝を予防または矯正する物質についていう）．***2*** 脂肪親和〔性〕の，脂〔肪〕向性の．

lip·o·tro·pic hor·mone, lip·o·tro·pic pi·tu·i·tar·y hor·mone 向脂肪ホルモン，向脂肪性脳下垂体ホルモン．= lipotropin.

lip·o·tro·pin (lip′ō-trō′pin). リポトロピン（脂肪組織細胞からの脂肪の動員を行う脳下垂体ホルモン．*cf.* bioregulator）．= lipotropic hormone; lipotropic pituitary hormone.

li·pot·ro·py (li-pot′rŏ-pē). ***1*** 脂肪親和性（塩基性染料の脂肪組織への親和性）．***2*** 脂肪肝防止（肝臓における脂肪の蓄積の予防）．***3*** 疎水親和性（無極性物質の相互の親和性）．

lip·o·vac·cine (lip′ō-vak-sēn′). リポワクチン，脂肪ワクチン（溶剤である植物油に懸濁したワクチン）．

li·pox·i·dase (li-poks′i-dās). リポキシダーゼ．= lipoxygenase.

li·pox·y·ge·nase (li-poks′ē-jĕ-nās). リポキシゲナーゼ（不飽和脂肪酸の O_2 による酸化を触媒する酵素の一群．脂肪酸過酸化物を生じる）．= lipoxidase.

lip·ping (lip′ing). 骨辺縁（骨関節炎で骨の関節端に起こるような唇状構造の形成）．

Lipp·man-Cobb meth·od リップマン-コブ法（脊柱側弯の角度の度合いの測定に用いられる）．

lip read·ing 読唇〔法〕. = speech reading.

lip re·flex 口唇反射（口角付近をたたくと口唇をとがらす，乳児にみられる運動）．

lip re·trac·tion 口の収縮（唇が元の形にピンと張った水平のラインに戻ろうとした際，液体の吸引，食事のスプーンやカップの除去，食べ物を口の中で保持する補助が難しい状況が生じる非定型の口内事例）．

li·pu·ri·a (li-pyūr′ē-ă). 脂肪尿〔症〕（尿中に脂質を排泄すること）．= adiposuria.

li·pur·ic (li-pyūr′ik). 脂肪尿〔症〕の．

liq·ue·fa·cient (lik′wĕ-fā′shĕnt). ***1*** 〖adj.〗融解の，液化の．***2*** 〖n.〗融解剤，液化剤（充実性腫瘍の内容物を液化することによって融解をもたらすと思われる薬剤）．

liq·ue·fac·tion (lik′wĕ-fak′shŭn). 融解，液化（固体から液体への変化．→liquefacient）．

liq·ue·fac·tive ne·cro·sis 液化壊死（壊死の一型で，不透明または濁ってくすんでおり，部分的または全体にわたり液状の組織の残遺物からなる．同壊死は，膿瘍中に観察され，またしばしば脳の梗塞中にみられる）．

li·ques·cent (li-kwes′ĕnt). 液体の，流動性の，

液化性の．

liq·uid (lik′wid). ***1*** 〚n.〛 液体 (水のような非弾性流体．固体，気体のどちらでもないもの．その状態では，分子は分子間力により制限を受けているが，比較的，お互い自由に運動している)．***2*** 〚adj.〛 液状の，液体の，流動性の．

liq·uid-liq·uid chro·ma·tog·ra·phy 液-液クロマトグラフィ (移動相と固定相(逆流相)がともに液体であるクロマトグラフィ．向流分配に類似している)．

liq·uid pro·tein di·et 蛋白流動食 (蛋白質の量と摂取頻度を調節し，体重を落とす，あるいは筋肉量を増やす(もしくはその両方)ために摂取する液体状の滋養物あるいは食事の代わりとなるもの)．

liq·uid scin·til·la·tor 液体シンチレータ (シンチレータの性質をもつ液体で，放射能を測定したい物質を溶かし込むことができ，ウェルカウンタ(井戸型計数管)で使用される)．

li·quor, gen. **li·quor·is,** pl. **li·quo·res** (lik′ŏr, lī′kwōr; lī-kwōr′is; -kwōr′ēz). ***1*** 液体，流体．***2*** 液 (ある種の体液に対して用いる語)．***3*** 溶液 (不揮発性物質の水溶液(煎出液や浸出液ではない)や気体の水溶液に対する薬局方用語．→ solution)．

li·quor am·ni·i 羊水．= amnionic fluid.

LIS laboratory information system; low-intensity stimulator の略．

Lisch nod·ule リッシュ結節 (典型例としてはI型神経線維腫症にみられる虹彩の過誤腫)．

Lis·franc am·pu·ta·tion リスフラン切断術 (蹠骨足根関節における足の切断．足底は皮膚弁をつくるために残す)．

Lis·franc in·ju·ry リスフラン損傷 (足根中足関節の損傷．骨折を伴う場合と伴わない場合がある)．

lisp·ing (lis′ping). 舌もつれの発音，舌足らずの発音 (サ行またはザ行の発音障害で，歯擦音 *s*, *z* を誤って発音すること)．

lis·pro in·su·lin リスプロインスリン (天然型ヒトインスリンを一部置換したインスリンで，非病原性の大腸菌 *Escherichia coli* により遺伝子工学的に合成される．B鎖の末端部のリジン(Lys)とプロリン(Pro)を置換することによりレギュラーインスリン(Lys-Pro)よりも早く頂値に達する速効性のインスリンとなる)．

lis·sen·ce·pha·li·a (lis′en-sĕ-fā′lē-ă). 脳回欠損，滑沢脳．= agyria.

lis·sen·ce·phal·ic (lis′en-sĕ-fal′ik). 脳回欠損の，滑沢脳の．

lis·sive (lis′iv). 穏和の，平滑な (筋弛緩を起こさずに筋痙攣を軽減する性質をもつ)．

lis·so·sphinc·ter (lis′ō-sfingk′tĕr). 平滑筋性括約筋．

list (list). リスト (一定の規則に従って集められた，あるいは整理された一連の言葉)．

Lis·te·ri·a (lis-tēr′ē-ă). リステリア属 (好気性から微好気性の，運動性，周毛性細菌の一属．小さい球状グラム陽性杆状菌を含む．ヒトおよび他の動物の糞便中，植物および保存牧草中に発見される．変温動物やヒトを含む温血動物に寄生する．標準種は *Listeria monocytogenes*)．

lis·te·ri·o·sis (lis-tēr′ē-ō′sis). リステリア症 (*Listeria monocytogenes* によって起こる動物とヒト，特に免疫異常ないし妊娠中のもので散発的に認められる疾患)．

lis·ter·ism (lis′tĕr-izm). リスター法．= Lister method.

Lis·ter meth·od リスター法 (1867年に Lister によって最初に提唱された無菌手術法．手術は希釈石炭酸の噴霧下で行い，器具は使用前に石炭酸液に浸し，創部は厚い石炭酸ガーゼでおおう．これから現在の無菌手術が発展した)．= listerism.

List·ing law リスティングの法則 (眼球がある目標から別の目標に移動するとき，眼球は前の視線と現在の視線の双方を切る平面に垂直な軸の周りを回転する)．

List·ing re·duced eye リスティング省略眼 (網膜の結像計算を簡略化する方式．前屈折面半径 5.1 mm，全長 20 mm，結点から網膜までの距離 15 mm)．

li·ter (L) (lē′tĕr). リットル (1,000 cm^3，または 1 dm^3 の容積量．1.056688 クオート(米国，液体)と等しい)．

lit·er·a·cy (lit′ĕr-ă-sē). 読み書き能力，リテラシー (英語を読み，書き，話す能力．また社会で仕事を全うするにあたり適切に問題を解決する能力)．

lit·er·a·ture (lit′ĕr-ă-chŭr). 文献 (特定のトピックに関する書かれたものの本体)．

lith·a·gogue (lith′ă-gog). 結石排出の (結石(特に尿路結石)の移動や排除をもたらす)．

li·thec·to·my (li-thek′tŏ-mē). 結石摘出〔術〕，摘石術．= lithotomy.

li·thi·a·sis (li-thī′ă-sis). 結石症 (種々の種類の結石ができること．特に胆石または尿路結石)．

lith·i·um (Li) (lith′ē-ŭm). リチウム (アルカリ金属グループの元素．原子番号 3，原子量 6.941．多種類の塩が臨床で使用されている)．

litho-, lith- 石，結石，石灰化，を意味する連結形．

lith·o·clast (lith′ō-klast). 砕石器．= lithotrite.

lith·o·gen·e·sis, li·thog·e·ny (lith′ō-jen′ĕ-sis, lith-oj′ĕ-nē). 結石生成，結石形成．

lith·o·gen·ic (lith′ō-jen′ik). 結石形成性の (結石形成を助長するような)．

lith·og·e·nous (lith-oj′ĕ-nŭs). 結石生成性の，結石形成性の．

li·thol·a·pax·y (li-thol′ă-pak-sē). 抽石〔術〕(膀胱内で結石を破砕し，その断片をカテーテルを通して洗い出す方法)．

li·thol·y·sis (li-thol′i-sis). 結石溶解 (尿路結石を溶かすこと)．

lith·o·lyt·ic (lith′ō-lit′ik). 結石溶解性の (①結石を溶解する傾向．②①の作用をもつ物質)．

lith·o·ne·phri·tis (lith′ō-nĕ-frī′tis). 結石性腎炎 (結石形成を伴う間質性腎炎)．

lithopaedion [Br.]. = lithopedion.

lithopaedium [Br.]. = lithopedium.

lith·o·pe·di·on, lith·o·pe·di·um (lith′ō-pē′

dē-on, -ŭm). 化石〔胎〕児，石児（通常は子宮外にとどまっている石灰化した胎児をいう).

li·thot·o·my (li-thot′ō-mē). 切石術（結石，特に膀胱結石を除去するために切開すること). = lithectomy.

li·thot·o·my po·si·tion 切石位，砕石位（背臥位で，手術台の端に殿部を載せて，股関節と膝は十分に曲げ，足は革ひもで固定する).

lith·o·trip·sy (lith′ō-trip-sē). 砕石術（腎盂，尿管，または膀胱の石を機械的にあるいは音波エネルギーを焦点に合わせることにより粉砕すること). = lithotrity.

lith·o·trip·tic (lith′ō-trip′tik). ***1***〘adj.〙砕石術の．***2***〘n.〙結石溶解薬，溶石薬.

lith·o·trip·tos·co·py (lith′ō-trip-tos′kŏ-pē). 砕石鏡法（砕石用内視鏡を用いて直視下で膀胱結石を破砕すること).

lith·o·trite (lith′ō-trīt). 砕石器（砕石術で尿路結石を破砕する器械). = lithoclast.

li·thot·ri·ty (li-thot′ri-tē). = lithotripsy.

lit·mus (lit′mŭs). リトマス（リトマスゴケ *Roccella tinctoria* および地衣類の他の種から得られる青色物質で，主要成分はアゾリトミンである．指示薬として用いられ，酸によって赤色になり，アルカリによって再び青色となる).

litre [Br.]. = liter.

lit·ter (lit′ĕr). ***1*** 担架（病人や負傷者を運搬するための担架または携帯用寝いす). ***2*** 同産児，同腹子（同じ両親から同時に生まれた一群の動物).

lit·tle a·dre·no·cor·ti·co·tro·pic hor·mone (ACTH) 小副腎皮質刺激ホルモン（大きい ACTH と比べて小さい通常の ACTH 分子).

Lit·tle ar·ea リトル野. = Kiesselbach area.

Lit·tle League el·bow 少年野球肘. = medial epicondylitis.

Lit·tle League shoul·der リトルリーグ肩（青年期における上腕骨頭の成長板の骨折で，野球の投球動作において成長板に繰り返し回転応力が加わって生じる).

lit·tle toe [V] 足小指（足の 5 番目の指).

lit·to·ral cell 沿岸細胞，堤防細胞（リンパ節のリンパ管洞と骨髄の血脈洞にある管壁細胞).

Lit·tré glands リトル腺. = Morgagni glands.

Lit·tré her·ni·a リトルヘルニア（①= parietal hernia. ② Meckel 憩室のヘルニア).

Litz·mann ob·liq·ui·ty リッツマン不正軸進入（骨盤入口平面に対して両頭頂骨径が傾斜して胎児頭が進入する状態で，後在頭頂骨が産道に位置する). = posterior asynclitism.

live·born in·fant 生産児（出産後に生命現象の徴候を示す新生児).

li·ve·do (li-vē′dō). 青色皮斑（青味がかった皮膚の変色で，限局性の斑として現れる場合と全身性の場合がある).

liv·e·doid (liv′ĕ-doyd). 〔青色〕皮斑〔様〕の.

liv·e·doid der·ma·ti·tis 皮斑様皮膚炎（皮膚の血管系が侵されることにより，皮膚が赤みがかった青色の網状皮斑を呈する).

li·ve·do re·tic·u·la·ris 網状皮斑（持続的な紫色，網状の皮膚の変色で，下層にある血管の硝子化を含む変化やうっ滞により毛細血管および細静脈が拡張するために生じる).

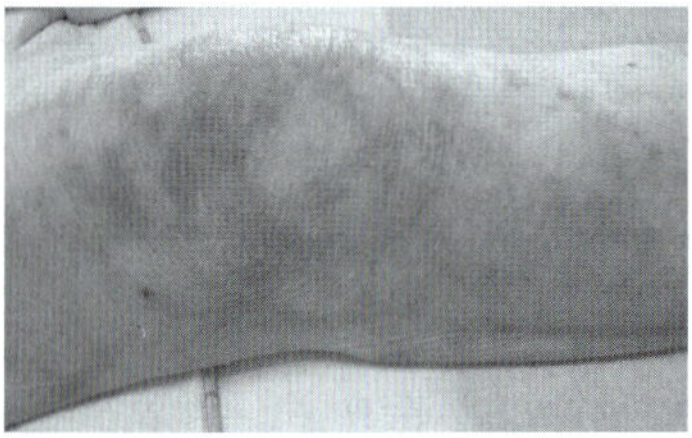

livedo reticularis

liv·er (liv′ĕr). 肝〔臓〕（身体の中で最も大きな腺で，横隔膜の下の右季肋部および心窩部上部にある．不規則な形で，1—2 kg，体重の約 1/40 の重量があり，外分泌腺として胆汁を分泌する．炭水化物・蛋白代謝でも非常に重要である). = hepar.

liv·er ac·i·nus 肝腺房（肝の機能単位．門脈肝動脈末梢枝により還流されている肝実質からなる).

liv·er bud 肝芽. = hepatic diverticulum.

liv·er lil·y = blue flag.

liv·er spot 肝斑. = senile lentigo.

live vac·cine 生ワクチン（生の，弱毒化された微生物でつくられたワクチン).

liv·id (liv′id). 青藍色の（挫傷，充血，チアノーゼなどによる変色のように，青黒い，鉛色または灰色の色調を有する).

li·vid·i·ty (li-vid′i-tē). 青藍色状態.

liv·ing and well = alive and well.

liv·ing will リビングウィル，尊厳死（回復の見込みがない病気や怪我をした場合に，人工的に生命を維持するよりも死を望む意志を示すための法律文書．→ advance directive). = durable power of attorney (2).

li·vor (lī′vōr). 死斑，青藍色斑（死体の下になった部分の皮膚にみられる紫色の変色).

LLLI La Leche League International の略.

LM licentiate in midwifery (助産学免許) の略.

lm lumen (2) の略.

LMA left mentoanterior position (左頤前位胎位); laryngeal mask airway の略.

LMP left mentoposterior position (左頤後位胎位) の略.

LMRP Local Medical Review Policy の略.

LMT left mentotransverse position (左頤横位胎位) の略.

LMWH low molecular weight heparin の略.

LNPF lymph node permeability factor の略.

load (lōd). ***1*** 負荷（水，塩類，または熱が正常な体の容量からかけ離れること．positive loads は過剰な容量，negative loads は不足した容量). ***2*** 容量（物質や生物体がもつ測定しうる実在物の量).

load-and-shift ma·neu·ver 負荷変位手技

(上腕骨頭を関節窩に向けて押し，前後に動かして肩関節の不安定性を調べるテスト).

load·ing (lōd′ing). 負荷 (①代謝機能を試験するため，または短時間で薬物の治療レベルに達するための物質投与. ②筋肉や関節に対する重量または抵抗の付与. →axial loading).

load·ing dose 負荷投与量 (薬剤の効果を得るために，治療の初めに与える比較的多めの用量).

Lo·a lo·a ロア糸状虫 (オンコセルカ科の一種で，ロア糸状虫症の原因となる. ヒトが唯一の既知の固有宿主であり，この寄生虫はアブ科メクラアブ属 *Chrysops* によって媒介される. これらのハエによって感染した幼虫は成熟までに3年またはそれ以上を要し，成虫は17年以上にわたりヒトに寄生し続ける. →loiasis).

lo·bar (lō′bahr). 葉の.

lo·bar pneu·mo·ni·a 大葉性肺炎，クループ性肺炎 (1つの肺葉の(2つ以上の肺葉)または肺葉の一部が侵される肺炎で，硬化がほぼ均質に起こる. しばしば *Streptococcus pneumoniae* の感染が原因で起こり，喀痰は少なく，通常は血液が変化したさび色がかっている).

lo·bate (lō′bāt). ***1*** 葉に分かれた. ***2*** 葉状の (縁が深い波形をした細菌集落についていう).

lobe (lōb). = lobus. ***1*** 葉 (臓器その他の部分の細区分の1つで，裂，結合組織中隔，その他の構造分画によって境される). ***2*** 小葉 (耳垂のような円形の突出部分. →lobule). ***3*** 葉 (歯冠の主分画の1つで，石灰化の明らかな部分から形成される).

lo·bec·to·my (lō-bek′tŏ-mē). ロベクトミー，葉摘〔手術〕，葉切除〔術〕 (臓器または腺の葉の切除).

lo·bi (lō′bī). lobus の複数形.

lo·bi·tis (lō-bī′tis). 葉炎.

lo·bot·o·my (lō-bot′ŏ-mē). ***1*** 葉切断〔術〕，葉切り〔術〕 (葉を切開すること). ***2*** ロボトミー (大脳葉にある神経路を1つ以上分断すること).

lob·u·lar (lob′yū-lăr). 小葉の.

lob·u·lar cap·il·la·ry he·man·gi·o·ma = pyogenic granuloma.

lob·u·lar glo·mer·u·lo·ne·phri·tis 分葉性糸球体腎炎. = membranoproliferative glomerulonephritis.

lob·u·late, lob·u·lat·ed (lob′yū-lāt, -ĕd). 小葉に分かれた.

lob·ule (lob′yūl). 小葉 (葉の細区分をいう). = lobulus.

lob·ules of ep·i·did·y·mis 精巣上体小葉 (輸出小管の回旋部分で，精巣上体の頭部を構成し，精巣上体管に合流する). = lobuli epididymidis.

lob·ules of liv·er 肝小葉 (肝臓の多角形の組織学的概念的単位で，肝静脈の1つの終末枝である中心静脈の周囲に存在する肝細胞集団からなり，周辺部には門脈枝，肝動脈，胆管がある). = lobulus hepatis; hepatic lobule.

lob·u·li ep·i·did·y·mi·dis 精巣上体小葉. = lobules of epididymis.

lob·u·lus, gen. & pl. **lob·u·li** (lob′yū-lŭs, yū-lī). 小葉. = lobule.

lob·u·lus hep·a·tis 肝小葉. = lobules of liver.

lob·u·lus pa·ra·me·di·a·nus = gracile lobule.

lo·bus, gen. & pl. **lo·bi** (lō′bŭs, -bī). 葉. = lobe.

lo·bus an·te·ri·or hy·po·phys·e·os 〔下垂体の〕前葉. = adenohypophysis.

lo·bus cau·da·tus 尾状葉. = posterior hepatic segment I; caudate lobe.

lo·bus hep·a·tis dex·ter 〔肝臓の〕右葉. = right lobe of liver.

lo·bus hep·a·tis sin·is·ter 〔肝臓の〕左葉. = left lobe of liver.

lo·bus pos·te·ri·or hy·po·phys·e·os 〔下垂体の〕後葉 (→hypophysis). = neurohypophysis.

lo·bus tem·po·ra·lis 側頭葉. = temporal lobe.

lo·cal (lō′kăl). 局所の (全身的または系統的ではない).

lo·cal an·a·phy·lax·is 局所アナフィラキシー (感作されたヒトの皮膚に抗原(アレルゲン)の注射後生じる即時的一過性の反応で，接種部位の周辺に限定されるもの. →skin test).

lo·cal an·es·the·si·a 局所麻酔〔法〕，局麻 (通常は脊椎麻酔または硬膜外麻酔を除き，表面麻酔，浸潤麻酔，周囲浸潤麻酔または神経ブロックによる麻酔法をさす一般名).

lo·cal as·phyx·i·a 局所仮死 (循環の停滞で，ときには主として指の局所壊疽を起こす. 通常 Raynaud 病に合併する症状の1つ).

lo·cal cov·er·age de·ter·mi·na·tion (LCD) 地方保険適用範囲規定 (遺伝や特定の医療行為の必要性に関して詳細かつ最新の情報を含む報告書. 医療保険関連の請求の正確性を保証するために使われる).

lo·cal death 局所〔壊〕死 (壊死による身体または組織の一部の死).

lo·cal flap 局所皮弁 (健常皮膚の茎を有し，隣接部位に移植される皮弁).

lo·cal im·mu·ni·ty 局所免疫 (ある感染源に対する自然免疫，獲得免疫で，ある器官，組織の全体または部分に現れる).

lo·cal·i·za·tion (lō′kăl-ī-zā′shŭn). ***1*** 限局化 (一定の区域に限られること). ***2*** 位置確認 (感覚の発生点に関していう). ***3*** 局在，定位 (病変の位置の決定).

lo·cal·i·za·tion-re·lat·ed ep·i·lep·sy 局在関連てんかん (①= myoclonus epilepsy. ②= focal epilepsy).

lo·cal·ized (lō′kăl-īzd). 限局性の.

lo·cal·ized mu·ci·no·sis 限局性ムチン沈着症 (→mucinosis).

lo·cal·ized nod·u·lar ten·o·syn·o·vi·tis 限局性結節性腱滑膜炎. = giant cell tumor of tendon sheath.

lo·cal·ized scle·ro·der·ma 限局性強皮症. = morphea.

lo·cal·iz·ing symp·tom 局在症状 (病的過程の起こっている場所を明確に示す症状).

Lo·cal Med·i·cal Re·view Pol·i·cy

(LMRP) 地域医療再検討方策 (特定のメディケアの規則，または国の医療保障政策がない場合に，地域の医療保障を決定するための指針．または既存の国の保障範囲政策の補助となる．医療保障契約供与者が地域の医療団体と協議して案出する)．

lo·cal re·ac·tion 局所反応. = focal reaction.

lo·cal stim·u·lant 局所性興奮薬 (作用が適応部位のみに限定されるもの)．

lo·ca·tor (lō′kā-tŏr). 探知器 (組織中の異物の位置を探索する器械または装置)．

lo·chi·a (lō′kē-ă). おろ(悪露) (分娩後，腟から排泄される粘液，血液，および組織残屑を含む排泄物)．

lo·chi·al (lō′kē-ăl). おろ(悪露)の．

lo·chi·o·me·tra (lō′kē-ō-mē′tră). おろ(悪露)滞留，おろ(悪露)子宮停滞〔症〕 (滞留したおろによる子宮膨満)．

lo·chi·or·rhe·a, lo·chi·or·rha·gi·a (lō′kē-ōr-ē′ă, -ā′jē-ă). おろ(悪露)過多 (おろの流出が多いこと). = lochiorrhoea.

lochiorrhoea [Br.]. = lochiorrhea.

lo·ci (lō′sī). locus の複数形．

lock (lok). ロック (①封入，係留，固定する装置．②これを動かすことで物体を通過させたり阻止したりする機構)．

locked-in syn·drome 閉込め症候群 (橋底部の梗塞で，四肢麻痺，水平眼球運動障害，えん下障害，顔面両側麻痺を呈するが意識は正常．脳底動脈閉塞が原因)．

locked knee 膝ロッキング (通常，半月断裂の結果，膝内障により膝の完全伸展と屈曲ができない状態)．

locked twins 懸鉤双胎 (双胎で，1児が骨盤位，他児が頭位で分娩中，顎が懸鉤して分娩が停止する)．

Locke so·lu·tion ロック〔溶〕液 (塩化ナトリウム，塩化カルシウム，塩化カリウム，炭酸水素ナトリウム，D-グルコースを含む液．実験室で哺乳類の心臓やその他の組織を灌注するのに用いる．また天然に存在する体物質(血清，組織抽出物など)と化学的にみてより複雑に定義された液，またはそのどちらかとともに動物細胞の培養にも用いる)．

lock·ing su·ture 輪止め縫合 (縫合糸を前の縫目でできた輪の中を通してから縫っていく連続縫合の1つ). = lock stitch.

lock·jaw (lok′jaw). 開口障害. = trismus.

lock stitch = locking suture.

lo·co·mo·tor (lō′kō-mō′tŏr). 運動の，移動の．

loc·u·lar (lok′yū-lăr). 小房の，小胞の．

loc·u·late (lok′yū-lāt). 小房(小胞)を含む，小房(小胞)に分かれた．

loc·u·lat·ed pleu·ral ef·fu·sion 多胞性胸水 (胸膜腔の1つあるいはそれ以上の固定されたポケットに限界される胸水)．

loc·u·la·tion (lok′yū-lā′shŭn). ***1*** 小房体 (器官または組織の小房を含む部分．または器官，粘膜，漿膜面の間に形成される小房をもつ構造)．***2*** 小房形成，小胞形成．

loc·u·lus, pl. loc·u·li (lok′yū-lŭs, -lī). 〔小〕房，小腔．

lo·cus, pl. lo·ci (lō′kŭs, -sī). ***1*** 位置 (通常は特殊な部位をさす)．***2*** 座 (遺伝子が染色体に占める位置)．***3*** 位置 (グラフ上の座標によって定義される点の位置)．

lo·cus of con·trol 制御の部位 (自己の行動に対する制御感を評価するうえで考えられた理論構成であり，ある出来事を自分で制御できると感じる場合，〝内部にある *internal*〟とし，他者が制御していると感じる場合，〝外部にある *external*〟として分類する)．

lod score ロッド値 (遺伝連鎖の研究において使用される数．遺伝連鎖を支持する公算(オッズ)の常用対数)．

Loeb de·cid·u·o·ma レーブ脱落膜腫 (脱落膜組織の腫脹．機械的なまたはホルモンの刺激により，受精卵のない子宮で形成される)．

Loe·wen·stein Oc·cu·pa·tion·al Ther·a·py Cog·ni·tive As·sess·ment (LOTCA) ローウェンスタイン作業療法認知テスト (外傷性脳損傷患者の初期査定と継続的な評価に用いられる一連の認知テスト)．

Loe·wen·thal re·ac·tion レーヴェンタル反応 (回帰熱における凝集反応)．

Löf·fler ba·cil·lus = *Corynebacterium diphtheriae*.

Löf·fler caus·tic stain ロッフラー苛性染色 (鞭毛に使われる染色技術で水溶性のタンニン液と硫酸鉄にアルコールを含んだフクシンを加えたもの)．

Löf·fler cul·ture me·di·um ロッフラー培養基 (ウシの血清とヒツジの血清，またペプトン，グルコース，塩化ナトリウムを含むウシのブイヨンから成る培養基．コリネバクテリウムジフテリアを分離するために使われる)．

Löf·fler en·do·car·di·tis レフラー心内膜炎 (好酸球増加症を合併する線維増殖性拘縮性壁性心内膜炎．進行性うっ血性心不全，多発性全身性塞栓，好酸球増加症を特徴とする原因不明の心内膜炎)．

Löf·fler pa·ri·e·tal fi·bro·plas·tic en·do·car·di·tis レフラーの壁側の線維形成性心内膜炎 (好酸球の増多により心内膜に発生する硬化状態)．

Löf·fler stain ロッフラー染色 (鞭毛のための染色技術．被検物を硫酸鉄，タンニン酸，アルコール性フクシンの混合液に漬けけたあと，フクシンを含むアニリン水あるいは水酸化ナトリウム溶液でアルカリ性にしたメチル·バイオレットと染色する)．

Löf·fler syn·drome レフラー症候群. = pulmonary eosinophilia.

log·ag·no·si·a (lawg′ag-nō′zē-ă). 失語〔症〕. = aphasia.

log·a·graph·i·a (lawg′ă-graf′ē-ă). 失書〔症〕. = agraphia.

log·am·ne·si·a (lawg′am-nē′zē-ă). 失語〔症〕. = aphasia.

Lo·gan bow ローガン弓 (手術したばかりの口唇裂において，切開創を保護するために強いステンレスワイヤを弧状に曲げて，両頬へ縛り付けたもの).

log·a·pha·si·a (lawg′ă-fā′zē-ă). 失語〔症〕(構音上のもの).

log·as·the·ni·a (lawg′as-thē′nē-ă). 失語〔症〕. = aphasia.

-logia *1* 一般的に，その単語の語幹の意味する主題の研究または論文を表す接尾語．英語の同義語は -logy または連結母音を付けて -ology となる．*2* 集める，摘む，を意味する接尾語．

Lo·gis·tic Or·gan Dys·func·tion Score 集中管理で用いられる評価法．各臓器と臓器系間の機能不全の程度を算定する．心血管系，肝，血液，肺，腎，神経系の機能不全の程度の評価を算入する．

logo-, log- 言語，言葉，を意味する連結形.

log·o·ple·gi·a (lawg′ō-plē′jē-ă). 言語麻痺（言語器官の麻痺).

log·or·rhe·a (lawg′ōr-ē′ă). 言葉漏れ（異常または病的な多弁に対してまれに用いる語). = logorrhoea.

logorrhoea [Br.]. = logorrhea.

-logy →-logia.

lo·i·a·sis (lō-ī′ă-sis). ロア糸状虫症（糸状虫類の線虫であるロア糸状虫 *Loa loa* によって起こる慢性疾患で，感染アブに咬まれた後約 3—4 年で初めて症状が現れる．感染幼虫が成熟し，成虫となり，体内の結合組織を不規則に動き回り，皮膚や粘膜下においてしばしば眼で見えるようになる．この虫がいると充血と組織液の滲出を起こす．患者は腫脹が腱や関節部にみられる場合，ときに痛みとむずがゆさに悩まされる).

loin (loyn). 腰，側腹（肋骨と骨盤の間の側部および背部). = lumbus.

Lom·bard re·flex ロンバルド反射（他の音がする環境において声量が強まること．話し手が他の音に勝るよう無意識に行う).

lo·mi·lo·mi (lō′mē-lō′mē). ロミロミ（ハワイの伝統的なマッサージ法で広い範囲を揉むために両手，肘，前腕を集中的に使う. →Swedish massage).

lo·mus·tine (lō-mŭs′tēn). ロムスチン；1-(2-chloroethyl)-3-cyclohexy-l-nitrosourea(抗腫瘍薬).

Lone Star tick アメリカキララマダニ（*Amblyomma americanum*. ロッキー山紅斑熱の第一次病原菌媒介生物．マダニは米国南部でみられる．犬やその他主に牧場の家畜に寄生する).

long ab·duc·tor mus·cle of thumb 長母指外転筋. = abductor pollicis longus muscle.

long-act·ing thy·roid stim·u·la·tor (LATS) 長時間作用型甲状腺刺激物質（甲状腺機能亢進症患者の血液内に存在し，甲状腺を長期にわたって刺激する物質．血漿内では，IgG (7S γ-グロブリン)分画に関連をもつ抗体．恐らく免疫複合体と考えられている．*cf.* bioregulator).

long ad·duc·tor mus·cle 長内転筋. = adductor longus muscle.

long bone 長骨（四肢にある長くのびた骨．管状の骨幹および幅の広い 2 つの骨端からなる．骨幹は中央の髄腔を囲む緻密な骨からなる．*cf.* short bone).

long cil·i·ar·y nerve 長毛様体神経（2，3 の鼻毛様体神経の枝で，毛様体神経節の傍らを過ぎて交感性節後線維を瞳孔散大筋に，感覚枝を毛様体筋，虹彩，角膜に送る). = nervus ciliaris longus.

lon·gev·i·ty (lawn-jev′i-tē). 〔最長〕寿命，長寿，長命（その種族の水準を超えた個体の生存期間).

long ex·ten·sor mus·cle of thumb 長母指伸筋. = extensor pollicis longus muscle.

long ex·ten·sor mus·cle of toes 〔足の〕長指伸筋. = extensor digitorum longus muscle.

long fib·u·lar mus·cle 長腓骨筋. = fibularis longus muscle.

long flex·or mus·cle of great toe 〔足の〕長母指屈筋. = flexor hallucis longus muscle.

long flex·or mus·cle of thumb 〔手の〕長母指屈筋. = flexor pollicis longus muscle.

long flex·or mus·cle of toes 〔足の〕長指屈筋. = flexor digitorum longus muscle.

long gy·rus of in·su·la 〔島〕長回（島を構成する細くまっすぐな回のうち，最後部にある最長のもの).

lon·gis·si·mus ca·pi·tis mus·cle 頭最長筋（頸部脊柱起立筋の 1 つ．起始：上部胸椎の横突起．下部と中部頸椎の横および関節突起．停止：乳様突起．作用：頭部を直立させ後方または片側に動かす．神経支配：頸神経後枝). = musculus longissimus capitis.

lon·gis·si·mus cer·vi·cis mus·cle 頸最長筋（頸部脊柱起立筋の 1 つ．起始：上部胸椎の横突起．停止：中部と上部の頸椎の横突起．作用：頸椎をのばす．神経支配：下部頸神経と上部胸神経の後枝). = musculus longissimus cervicis.

lon·gis·si·mus tho·ra·cis mus·cle 胸最長筋（脊柱起立筋の 1 つ．起始：腸肋筋とともに下部胸椎の横突起から起こる．停止：外側筋束で大部分または全部の肋骨角と肋骨結節の間および上部腰椎の副突起と胸椎の横突起に付着．作用：脊柱の伸展．神経支配：胸神経と腰神経の後枝). = musculus longissimus thoracis; thoracic longissimus muscle.

lon·gi·tu·di·nal (lon′ji-tū′di-năl). *1* 縦の（身体の長軸または身体部分の長軸に沿っていることをいう). *2* 縦断的（長期間にわたる通時的研究，横断的と対比していわれる．横断的研究の結果は安定性や平衡性が厳密に成立している条件でのみ，縦断的研究の結果と一致する).

lon·gi·tu·di·nal ab·er·ra·tion 縦収差（曲面収差で，近軸光線と周辺光線の光軸上における焦点の間の隔たりのこと).

lon·gi·tu·di·nal dis·so·ci·a·tion 縦解離（心房と心室間の解離と違い，1 つの心房と別の心房，あるいは 1 つの心室と別の心室というような並列の解離).

lon·gi·tu·di·nal frac·ture 縦骨折（軸線上の骨における骨折).

lon·gi·tu·di·nal lie 縦位（胎児の長軸が縦で，母親の長軸にほぼ平行な関係．先進部は頭部か殿部).

lon·gi·tu·di·nal lig·a·ment 縦靱帯（脊柱の全長にわたって走る線維性の帯状構造で，前縦靱帯と後縦靱帯がある）. = ligamentum longitudinale.

lon·gi·tu·di·nal pon·tine fas·cic·u·li 橋縦束（皮質遠心性の太い神経束で，橋腹側部を縦走する．皮質橋，皮質延髄，および皮質脊髄線維からなる）.

lon·gi·tu·di·nal pon·tine fi·bers 橋縦束（→longitudinal pontine fasciculi）.

lon·gi·tu·di·nal re·lax·a·tion 縦緩和（核磁気共鳴において，水素原子核の磁気双極子(磁化ベクトル)が，磁場に対して 90 度方向に振られた後に，磁場と平行な平衡状態に戻る回復過程．異なる組織で縦緩和の率は変化し，純水では 15 秒にもなる．→T1）.

lon·gi·tu·di·nal sec·tion 縦断面（実際にまたは画像技術によって人体，人体の一部分，または解剖学的構造物を，長軸または垂直軸に平行な面で切った断面．縦断面には正中断，矢状断，冠状断が含まれるが，これらに限定されない）.

lon·gi·tu·di·nal tear 縦断裂（関節軟骨が骨のほぼ長軸方向に裂けること）.

long le·va·to·res cos·ta·rum mus·cles 長肋骨挙筋（停止：その起始の下方 2 つ目の肋骨．作用：肋骨の挙上．神経支配：肋間神経）.

Long·mire op·er·a·tion ロングマイアー手術（胆管閉塞症の手術で，部分的に肝切除をして肝臓内の胆管と空腸を吻合する）.

long mus·cle of head 頭長筋. = longus capitis muscle.

long mus·cle of neck 頸長筋. = longus colli muscle.

long pal·mar mus·cle 長掌筋. = palmaris longus muscle.

long per·o·ne·al mus·cle 長腓骨筋. = fibularis longus muscle.

long pos·te·ri·or cil·i·ar·y ar·ter·ies 長後毛様体動脈（強膜外被と脈絡膜外被との間を虹彩に向かって走る眼動脈の 2 本の枝．2 本の分枝は虹彩の外縁と内縁で吻合して 2 つの円をつくる）. = arteriae ciliares posteriores longae.

long QT syn·dromes QT 延長症候群（心電図上，年齢や性別を考慮して求めた QT 時間より延長する先天性または後天性の疾患．QT 延長は不整脈や突然死に先行することがある．→QT interval）.

long ra·di·al ex·ten·sor mus·cle of wrist = extensor carpi radialis longus muscle.

long slow dis·tance train·ing 長距離徐行訓練. = continuous training.

long-term care fa·ci·li·ty 長期医療施設. = nursing facility.

long-term mem·o·ry (LTM) 長期記憶（情報が記銘，コード化されて短期記憶となり，さらに符号化，リハーサルを経て，将来の想起のために転移され永久に貯蔵される記憶過程．認知能力の基礎となるのは長期記憶にある材料と情報である）.

long tho·ra·cic ar·ter·y = lateral thoracic artery.

long tho·rac·ic nerve 長胸神経（第五・第六・第七頸神経根(腕神経叢の根)から出て，腕神経叢の後ろの頸部を下行し，前鋸筋に分布する．この神経が他の神経と異なる点は，支配している筋の表面を走行していることである．この麻痺は翼状肩甲骨症を生じる）. = nervus thoracicus longus.

lon·gus ca·pi·tis mus·cle 頭長筋（頸部椎前筋の 1 つ．起始：第三−第六頸椎の横突起の前結節．停止：後頭骨の外側部．作用：首の捻転または前屈．神経支配：頸神経叢）. = musculus longus capitis; long muscle of head.

lon·gus col·li mus·cle 頸長筋（頸部椎前筋の 1 つ．内側部は第三胸椎から第五頸椎体に起始をもち，第二−第四頸椎の椎体に付着．上外側部は第三−第五頸椎の横突起の前結節より起こり環椎の前結節に付着．下外側部は第一−第三胸椎の椎体より起こり第五−第六頸椎の横突起の前結節に付着．作用：捻転と前屈．神経支配：頸神経の前枝）. = musculus longus colli; long muscle of neck.

loop (lūp). ***1*** 輪，わな，係蹄，ループ（管，太いひも，その他円柱状の物体が，楕円または環状に弯曲している状態. →ansa）. ***2*** 白金耳（針金(通常はプラチナかニクロム)で，一方の端にある柄に固定し，他端を円形に曲げてある．炎に当てて滅菌し微生物を移すために用いられる）.

loop di·u·ret·ic ループ利尿薬（ナトリウムと塩素の再吸収を抑制する作用をもつ利尿薬の 1 つ．例えば，フロセミド，エタクリン酸．再吸収は近位尿細管と遠位尿細管のみならず，Henle わなでも作用する）.

loop e·lec·tro·cau·ter·y ex·ci·sion pro·ce·dure (LEEP) 異常な頸部組織を電気メスにより切除生検すること.

loop elec·tro·sur·gi·cal ex·ci·sion pro·ce·dure ループ切除. = loop excision.

loop ex·ci·sion ループ切除（子宮頸部の異型細胞を取り除く婦人科領域の診断および治療的な外科手技）. = loop electrosurgical excision procedure.

loops of spi·nal nerves 脊髄神経わな（脊髄神経前枝初部を結ぶ神経わな）. = ansae nervorum spinalium.

loose as·so·ci·a·tions 連合弛緩（思考障害の表現で，患者が面接者の質問に関連のない返答をしたり，ある文章や節，句が前後と論理的なつながりを欠くこと）.

loose bod·ies 遊離体（関節滑膜の軟骨または骨がばらばらになること．通常以前の外傷からくるもので必ずしも症状があるとは限らない）.

loos·en·ing of as·so·ci·a·tions 連合弛緩（ある考えや文節が，次の考えや文節と明らかな連関をもたない，あるいは質問と返答には連関がないことを特徴とする高度な思考障害）.

loose-packed po·si·tion ゆるみの肢位（関節の安静位．最も緊張のない肢位. →open-packed position）.

loph·o·dont (lofʹō-dont). ひだ歯の（草食動物

にみられるような横または縦の，隆線の付いた大臼歯がある）．

lor·do·sco·li·o·sis (lōr′dō-skō′lē-ō′sis)．脊柱前側弯〔症〕（脊柱の後方凹への弯曲と側方への弯曲が結合したもの）．

lor·do·sis (lōr-dō′sis)．〔脊柱〕前弯〔症〕（①正常な脊柱の前方凸弯曲．②棘（通常は腰椎）の異常な前方凸弯曲．*cf.* hyperlordosis; hyperlordotic）．

lor·do·sis cer·vi·cis = cervical lordosis.

lor·do·sis col·li = cervical lordosis.

lor·do·sis lum·ba·lis = lumbar lordosis.

lor·dot·ic (lōr-dot′ik)．〔脊柱〕前弯〔症〕の．

lor·dot·ic po·si·tion 前弯位（腰を大きく前弯曲させたX線写真用の体位．鎖骨が重なることなく肺尖のX線検査を行うことができる）．

Lo·schmidt num·ber ロシュミット数（0°C，1気圧における理想気体1 cm^3 中の分子数．Avogadro数を22,414で除した数（すなわち2.6868 × 10^{19} cm^{-3}））．

loss (laws)．損失（剥奪，死別．何かを保持したり支配したりするのに失敗すること）．

LOT (lot)．*l*eft *o*ccipito*t*ransverse position（左後頭横位胎位）の略．

LOTCA Loewenstein Occupational Therapy Cognitive Assessment の略．

lo·tion (lō′shŭn)．ローション剤（薬局方製剤の一種で，外用の懸濁液または分散液）．

loud·ness dis·com·fort lev·el 不快レベル（音，特に会話音が不快を生じる際の音の大きさ）．

Lou Geh·rig dis·ease ルー・ゲーリグ病．= amyotrophic lateral sclerosis.

Lou·is an·gle, Lud·wig an·gle ルイ角．= sternal angle.

loupe (lūp)．ルーペ，拡大鏡，凸レンズ（拡大用レンズ）．

louse, pl. lice (lows, līs)．シラミ（外部寄生性のシラミ目（吸血性のシラミ）およびハジラミ目（咬むシラミ）の一般名）．

love-lies-bleed·ing (lŭv-līz-blēd′ing)．= amaranth.

Lo·vi·bond an·gle ラヴィボンド角（橈側面からみて，後爪郭と爪甲との間に形成される角．正常では180°以下であるが，ばち状指の場合これが180°を超える）．

low birth weight (LBW) 低出生体重（2500 g以下の出生体重．子宮内での生育の妨害や早産など様々な原因による）．

low cal·o·rie 低カロリー（FDAの指示により低カロリーの表示は，一人分が40 kcal未満の食品を意味する）．

low cho·les·ter·ol 低コレステロール（FDAの指示により，一人分が20 mg未満のコレステロールを含みかつ2 g未満の飽和脂肪を含む食品であることを意味する）．

low den·si·ty li·po·pro·tein-cho·les·ter·ol (LDL-C) 低比重リポ蛋白コレステロール（俗にbad cholesterol（悪玉コレステロール）と呼ばれる．主に脂質を含み，蛋白質を含む成分は少ない．健康状態を改善するにはこの数値は最低限に抑えるべきである）．

Lö·wen·berg for·ceps レーヴェンベルク鉗子（鼻咽腔のアデノイドを除去するために工夫された，末端の把握部が丸く，短い弯曲葉をもつ鉗子）．

Löw·en·stein pro·cess ローウェンスタイン製法（第一次世界大戦（1914―1918）に発達した化学兵器マスタードガス（サルファマスタードともいう）を製造するための技術; 乾燥したエチレンを一塩化硫黄で沸騰させることによって製造される．Levinsteinとも綴る）．

low·er air·way 下気道（声門下から終末細気管支を含む呼吸気道の部分）．

low·er e·soph·a·ge·al sphinc·ter (LES) 下部食道括約筋（胃食道接合部の筋系で，えん下時以外は持続的に活動している）．

low·er ex·trem·i·ty 下肢．= lower limb.

low·er limb 下肢（殿骨盤部，大腿，下腿，足根，足）．= lower extremity.

low·er mo·tor neu·ron 下位運動ニューロン（骨格筋の神経支配を行う運動ニューロンを意味するのに用いる臨床的用語で，皮質脊髄路をつくる運動皮質の上位運動ニューロンとは区別される．→motor neuron）．

low·est splanch·nic nerve 最下内臓神経（腹部骨盤内臓神経の1つで，胸郭内で起こり，横隔膜を貫通して交感性節前線維を腎神経叢へ送る．通常，小内臓神経に含まれるが，ときに独立した神経として存在する）．= nervus splanchnicus imus.

low·est thy·roid ar·ter·y 最下甲状腺動脈．= thyroid ima artery.

low fat 低脂肪（FDAの指示により，一人分が3 g未満の脂肪を含む食品を低脂肪と表示する）．

low-fre·quen·cy trans·duc·tion 低頻度〔形質〕導入（ごく一部のプロファージ粒子のみが，有効な形質導入を行う特殊な形質導入で，それらは増殖できない欠損ファージのため，低頻度の導入しかできない）．

low-grade ex·plo·sive 低度爆発物（爆発の際に超音速の圧縮波（爆風）ではなく亜音速の圧縮波をうみだす爆弾）．

low-grade squa·mous in·tra·ep·i·the·li·al le·sion (LGSIL, LSIL) 上皮内低悪性度扁平上皮異型（頸部/腟上皮細胞診の報告でベセスダ分類に用いられる用語．ヒトパピローマウイルスによる細胞異形および軽度異形成（頸部上皮内異形1度）．→Bethesda system; reactive changes; ASCUS; atypical glandular cells of undetermined significance）．

low-in·ten·si·ty stim·u·la·tor (LIS) = microcurrent.

low, lit·tle, few, or low source of... 低，少，僅かおよび低供給源（FDAの規制により，その食品を頻繁に摂取しても一日の栄養摂取量を超えることがないことを示す食品成分表示）．

low mo·lec·u·lar weight hep·ar·in (LMWH) 低分子量ヘパリン（ヘパリンの一種で半減期が長く，副作用（例えば血小板減少症）の少ないものをさす）．

low mo·lec·u·lar weight pro·tein 低分子量

蛋白質（プロテオソームを構成する遺伝物質の一つ）.

low mus·cle tone = hypotonicity.

low os·mo·lar con·trast a·gent 低浸透圧造影剤（非イオン性水溶性造影剤）. = low osmolar contrast medium; nonionic contrast agent.

low os·mo·lar con·trast me·di·um 低浸透圧造影剤. = low osmolar contrast agent.

low-pu·rine di·et 低プリン食（プリン前駆物質(肝臓や肉などの核の多い細胞に多い)の少ない食事. 尿酸の産生を減少させることにより，痛風や尿酸塩の尿路結石症の患者の治療食として用いられる）.

low-salt di·et 低塩食（食塩を制限した食事. 高血圧，心不全，体液貯留や浮腫などのある患者の治療食）.

low so·di·um 低ナトリウム（FDA の指示により，一人分が 140 mg 以上のナトリウムを含まない食品に表示される）.

low TENS 低経皮的末梢神経電気刺激（低周波と長パルスを特徴とし，運動神経に作用する経皮的末梢神経電気刺激）.

low-ten·sion glau·co·ma 低眼圧緑内障（眼圧が正常範囲内であるにもかかわらず，緑内障に典型的な視野欠損を伴った視神経萎縮および陥凹）. = normal-tension glaucoma.

low-tone hear·ing loss 低音障害型難聴（低音または低い周波数の音を聴くことができないこと）.

lox·os·ce·lism (lok-sos′ĕ-lizm). ロクソスセレス症（北アメリカの褐色のクモ *Loxosceles reclusus* によって起こる疾病. 咬傷局所の壊疽性脱落，悪心，不快感，発熱，溶血，血小板減少を特徴とする）.

loz. lozenge の略.

loz·enge (loz.) (loz′ĕnj). ロゼンジ，菓子錠剤，舐剤，口内錠. = troche.

LPN licensed practical nurse の略.

LPO X 線撮影で，検査する左後部がフイルムに最も近い left posterior oblique(左後斜位像)の略.

Lr ローレンシウムの元素記号.

Lr dose, L_r dose ジフテリア毒素と反応する閾値，限界を表す記号. すなわち，抗毒素 1 単位と混合し，感受性の強いモルモットの剃毛部の皮膚に皮内注射をすると，最小の陽性反応と注射部分に限局した炎症を起こす最小毒素量. 中和されない少量の余分の毒素が反応を生じるので，L_r d. は期待されるように L_o d. に非常に近似する.

LSA *l*eft *s*acro*a*nterior position(左仙骨前方位胎位)の略.

L se·lec·tin L セレクチン（白血球によりつくられる細胞表面レセプタ）.

L shell L 殻（原子の中で，K 殻の次にエネルギーが低い電子の軌道）.

LSIL low-grade squamous intraepithelial lesion の略.

LSP *l*eft *s*acro*p*osterior position(左仙骨後方位胎位)の略.

LST *l*eft *s*acro*t*ransverse position(左仙骨横方位胎位)の略.

LT leukotrienes の略. 通常は，LTA_4，LTC_4 のように下付き数字のついた他の文字を後につける.

LTM long-term memory の略.

LTOT long-term oxygen therapy の略.

Lu ルテチウムの元素記号.

Lu·barsch crys·tals ルーバルシュ結晶（精液結晶に類似した，精巣の細胞内結晶）.

lu·bri·cat·ing en·e·ma = oil retention enema.

lu·cerne (lū-sĕrn′). = alfalfa.

lu·cid (lū′sid). 清明な（はっきりしており，くもったり，混乱したりすることがない. 意識清明な時間あるいは明快な言語表現のように用いる）.

lu·cid·i·ty (lū-sid′i-tē). 清明，正気（明晰性，正気であること）.

lu·cif·u·gal (lū-sif′yū-găl). 光を避ける，羞明の.

Lu·cio lep·ro·sy ルシオらい（純型広汎性らい腫らいの急性型で，不規則な形の，強度に紅斑性の圧痛斑が特に足にみられ，潰瘍形成と瘢痕形成の傾向を呈する）.

lu·cip·e·tal (lū-sip′i-tăl). 向光性の.

Luc·ké vi·rus リュッケウイルス（Lucké 癌と関連のあるヘルペスウイルス）.

Luc op·er·a·tion リュック手術. = Caldwell-Luc operation.

Lud·wig an·gi·na ルートヴィヒアンギナ（通常，歯性疾患による両側性の蜂巣炎で，顎下部，舌下部，おとがい部に及び，口腔壁の疼痛性腫脹，舌の挙上に，えん下困難，発語障害，ときに気道障害を引き起こす）.

Lud·wig gan·gli·on ルートヴィヒ神経節（心房中隔内の副交感神経細胞の小集合）.

Lu·er a·dap·ter ルアー・アダプター（注射針を注射器にしっかりと接続するためのもの）.

Lu·er sy·ringe ルーアー(ルアー)注射器（針を固定するために，先端に金属および固定装置の付いたガラスの注射器で，皮下注射や静脈注射に用いる）.

lu·es (lū′ēz). 梅毒（感染症または悪疫. 特に syphilis(梅毒)）.

lu·et·ic (lū-et′ik). 梅毒〔性〕の. = syphilitic.

lu·et·ic mask 梅毒性顔貌（肝斑に類似した汚い帯褐黄色の色素沈着で，斑点をなして前額部，こめかみ，ときに頬部に現れる三期梅毒の症状）.

Luft dis·ease ルフト病（骨格筋のリン酸化反応の相対的脱共役による代謝疾患. 筋障害と全身性代謝亢進を伴う. ミトコンドリアミオパシー）.

Luft po·tas·si·um per·man·ga·nate fix·a·tive ラフト過マンガン酸カリウム固定液（酸化的性質により，膜やミエリンのリポ蛋白複合物をよく保存するので，電子顕微鏡による細胞観察に有用な固定液）.

Lu·gol i·o·dine so·lu·tion ルゴールヨウ素溶液（ヨウ素-ヨウ化カリウム溶液. 水銀固定アーチファクトの除去や組織化学やアメーバを染色するための酸化剤として用いる）.

lu-hui (lū-hwē). = *Aloe vera*.

lu·lib·er·in (lū-lib′ĕr-in). ルリベリン（視床下

部に由来するデカペプチドで，下垂体前葉を刺激して卵胞刺激ホルモンと黄体化ホルモンの両者を分泌させる．性腺刺激ホルモン放出ホルモン．*cf.* bioregulator)．= luteinizing hormone-releasing hormone.

lum·ba·go (lŭm-bā′gō)．腰痛〔症〕（背の中央および下部の痛み．病因が特定できない記述用語)．= lumbar rheumatism.

lum·bar (lŭm′bahr)．腰〔部〕の，腰椎の（肋骨と骨盤の間の背側部および両側部についていう)．

lum·bar ar·ter·y 腰動脈（4，5 対からなる動脈．腹大動脈より起こり，腰椎，背筋，腹壁に分布する．肋間動脈，肋下動脈，上・下腹壁動脈，深腸骨回旋動脈，腸腰動脈と吻合)．= arteriae lumbales.

lum·bar flex·ure 腰椎前弯（脊柱の腰部に正常にみられる腹側に凸の弯曲)．

lum·bar gan·gli·a 腰神経節（大腰筋のいずれかの側の正中境界上にある 4 つ以上の交感神経幹の脊椎傍神経節で，仙尾骨神経節および神経節間枝とともに，腹部骨盤交感神経幹の一部を形成している)．

lum·bar her·ni·a 腰ヘルニア（腹横筋の腱膜が広背筋によってのみおおわれている最下位の肋骨と腸骨稜の間のヘルニア)．

lum·bar il·i·o·cos·tal mus·cle 腰腸肋筋．= iliocostalis lumborum muscle.

lum·bar·i·za·tion (lŭm′bahr-ī-zā′shŭn)．腰椎化（腰仙移行部の先天性奇形で，第一仙椎が腰椎化したもの．腰椎は正常では 5 個であるが，6 個となる)．

lum·bar lor·do·sis 腰部前凸弯曲，腰前弯（脊柱の腰部に正常にみられる前方に凸の弯曲で，生後幼児が直立して歩行できるようになると備わってくる)．= lordosis lumbalis.

lum·bar nerves［L1-L5］ 腰神経（脊髄腰部の両側から対をなして出る 5 本の神経．最初の 4 神経は腰神経叢にはいり，第四・第五神経は仙骨神経叢にはいる)．= nervi lumbales.

lum·bar plex·us ***1*** 腰神経叢（最初の 4 腰神経前枝からなる神経叢．大腰筋の内部にある)．***2*** 腰リンパ管叢（約 20 個のリンパ節と結合リンパ管からなり，大動脈と総腸骨血管の下部に沿って存在するリンパ管叢)．

lum·bar punc·ture 腰椎穿刺（診断または治療を目的として，髄液を得るための腰部のクモ膜下腔への穿刺)．= rachicentesis; rachiocentesis; spinal tap.

lum·bar rheu·ma·tism 腰リウマチ．= lumbago.

lum·bar rib 腰肋（第一腰椎の横突起と関節をなす破格にみられる肋骨)．

lum·bar splanch·nic nerves 腰内臓神経（交感神経幹腰部の内側面から出る神経枝で前内側方に進み，腹腔神経叢，腸間膜動脈神経叢，大動脈神経叢，上・下腹動脈神経叢に節前線維を送り内臓求心性線維を受け取る)．= nervi splanchnici lumbales.

lum·bar tri·an·gle 腰三角（後腹壁内側にみられる部位．広背筋，外腹斜筋，および腸骨稜により境された部分．ときとして，この部位にヘルニアが生じる)．= trigonum lumbale.

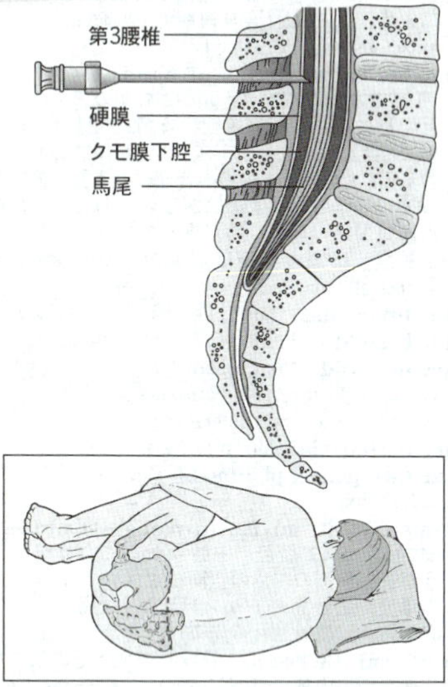
第3腰椎
硬膜
クモ膜下腔
馬尾
lumbar puncture

lum·bar vein 腰静脈（これらの静脈は腰動脈に伴行し，後部体壁および腰椎静脈叢からの血液を集め，前方で，第一・第二は上行腰動脈，第三・第四は下大静脈，第五は腸腰静脈にはいる．すべて上行腰静脈によって連絡している)．

lum·bar ver·te·brae［L1-L5］ 腰椎（通常は 5 個，腰部にある椎骨)．= vertebrae lumbales.

lum·bi (lŭm′bī)．lumbus の複数形．

lum·bo·cos·tal (lŭm′bō-kos′tăl)．腰肋の（①腰部と下肋部についていう．②腰椎と肋骨についていう．第一腰椎と第十二肋骨の頸部とを結合する靱帯を意味する)．

lum·bo·cos·tal lig·a·ment 腰肋靱帯（第十二肋骨を第一・第二腰椎の横突起の先端に結び付ける強力な帯)．= ligamentum lumbocostale.

lum·bo·cos·to·ab·dom·i·nal tri·an·gle 腰肋腹三角（下後鋸筋，外腹斜筋，内腹斜筋，脊柱起立筋により境界される部分)．

lum·bo·in·gui·nal (lŭm′bō-ing′gwi-năl)．腰鼡径の（腰部と鼡径部についていう)．

lum·bo·sa·cral (lŭm′bō-sā′krăl)．腰仙の（腰椎と仙骨についていう)．= sacrolumbar.

lum·bri·cal mus·cles of foot 足の虫様筋（足底筋群第二層の 4 筋．起始：第一の筋は長指屈筋の第二指に至る腱の脛側．第二・第三・第四は深指屈筋の 4 個すべての腱の相対する側面．停止：第二–第五指それぞれの背面にある総指伸筋腱の脛側．作用：基節骨の屈曲，中節骨およ

L

び末節骨の伸展．神経支配：外側足底神経(第二・第三・第四)と内側足底神経(第一))．= musculus lumbricalis pedis.

lum·bri·cal mus·cles of hand 手の虫様筋(手掌の4個の固有筋．起始：外側の2個は示指と中指に至る深指屈筋腱の橈側．内側の2個は第二・第三および第三・第四の深指屈筋腱の相対する面．停止：4本の指の背面にある総指伸筋腱の橈側．作用：中手指節関節の屈曲と近・遠位指節間関節の伸展．神経支配：橈側の2個は正中神経，尺側の2個は尺骨神経)．= musculus lumbricalis manus.

lum·bri·ci·dal (lŭm′bri-sī′dăl)．回虫駆除の．

lum·bri·cide (lŭm′bri-sīd)．回虫駆除薬．

lum·bri·coid (lŭm′bri-koyd)．虫の，虫状の(特に，回虫 *Ascaris lumbricoides* または類似の虫についていう．→vermiform)．

lum·bri·co·sis (lŭm′bri-kō′sis)．回虫症．

lum·bus, gen. & pl. **lum·bi** (lŭm′bŭs, -bī)．腰，こし．= loin.

lu·men, pl. **lu·mi·na, lu·mens** (lū′mĕn, -mi-nă, -mĕnz)．***1*** 管腔，内腔(動脈または腸のような管状構造の内側の空間)．***2*** ルーメン(光束の単位．記号 lm．1カンデラの点光源から単位立体角内に放射される光束)．

lu·mi·nal (lū′mi-năl)．管腔の(血管その他の管状構造物の内腔についていう)．= luminalis.

lu·mi·na·lis (lū′mi-nā′lis)．= luminal.

lu·mi·nance (lū′mi-năns)．輝度(物体の単位面積，単位立体角当たりの光束で表した物体の明るさ．ランベルトまたはカンデラ毎平方メートルで測定する．[注]ランベルト(L)はSI単位ではない)．

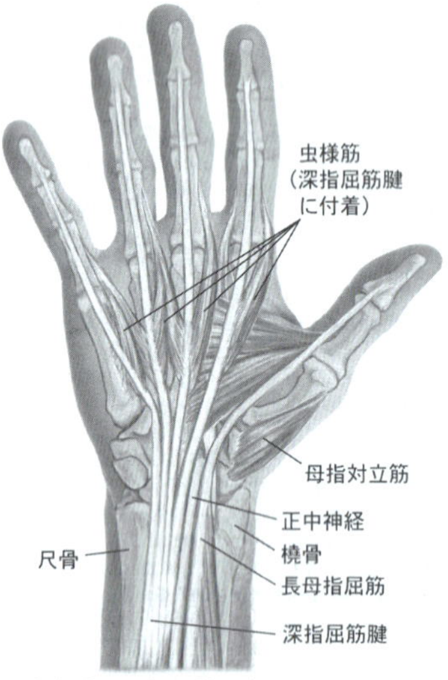
虫様筋
(深指屈筋腱
に付着)
母指対立筋
正中神経
橈骨
長母指屈筋
尺骨
深指屈筋腱

lumbrical muscles of hand

lu·mi·nes·cence (lū′mi-nes′ens)．ルミネセンス，冷光，発光(化学反応の結果，物体から光が放出されること)．

lu·mi·nif·er·ous (lū′mi-nif′ĕr-ŭs)．発光の，光を伝達する．

lu·mi·no·phore (lū′mi-nō-fōr)．発光団，発光原子団(有機化合物内の原子または原子団で，光の放出を増強する)．

lu·mi·nous (lū′mi-nŭs)．発光の，明るい(発熱の有無にかかわらず光を発することをいう)．

lu·mi·nous in·ten·si·ty (I) 光度(特定の方向に放出される単位立体角当たりの光束)．= radiant intensity.

lu·mi·rho·dop·sin (lū′mi-rō-dop′sin)．ルミロドプシン(光によってロドプシンを漂白している間に得られる，ロドプシンとオール-*trans*-レチナール+オプシンとの中間産物．バリロドプシンから生成され，約20 μsの半減期をもつメタロドプシンIへ変換される)．

lump·ec·to·my (lŭmp-ek′tō-mē)．ランペクトミー，腫瘍摘除(乳房の基本的な解剖構成を温存しつつ乳房から特に悪性病変を摘除する方法)．

lu·nar (lū′năr)．***1*** 月の．***2*** 月状の，三日月状の，半月状の(→crescentic)．= lunate (1); semilunar. ***3*** 銀の(月は錬金術において銀の象徴であった)．

lu·nate (lū′nāt)．***1*** = lunar(2)．***2*** 月状骨の．

lu·nate bone 月状骨(手根の近位列の骨で，舟状骨および三角骨の間にある．橈骨，舟状骨，三角骨，有鉤骨，有頭骨と関節する)．

Lund-Brow·der chart ランド・ブローダー図表(子どものやけどの範囲を測定するために使われる平面図表)．

lung (lŭng)．肺(胸肺腔を占める一対の臓器で，血液の曝気が行われる呼吸器官．一般に，右肺は左肺より少し大きく3葉に分かれる(上葉，中葉，下葉または肺底)が，左肺は2葉のみである(上葉，下葉または肺底)．各葉は不規則な円錐形で，鈍な上端(肺尖)，横隔膜面に沿う陥凹した肺底，外凸面(肋骨面)，一般に内側または中央面(縦隔洞面)は凹面で，薄く鋭い前縁，丸い後縁を呈する)．= pulmo.

lung bud 肺芽．= respiratory diverticulum.

lung com·pli·ance 肺コンプライアンス(経肺圧の1回の変化に対する肺容量の変化．静的と動的がある)．

lung vol·ume re·duc·tion sur·gery 気腫肺減量術(肺気腫患者の機能していない肺組織を切除する手術．これにより，胸腔内に比較的健全な肺組織のための空間がより多くなり，理論的に肺機能が改善する．→emphysema)．

lung·worms (lŭng′wŏrmz)．肺虫(ヒツジ，ウシ，まれにヒトの肺および気道に寄生する線虫)．

lu·nu·la, pl. **lu·nu·lae** (lūn′yū-lă, -lē)．半月(①爪板近位部の白っぽいアーチ形の領域．②小さな半月形の構造物)．

lu·nule (lūn′yūl)．***1*** 爪半月．= lunule of nail. ***2*** 半月(半月形のもの)．

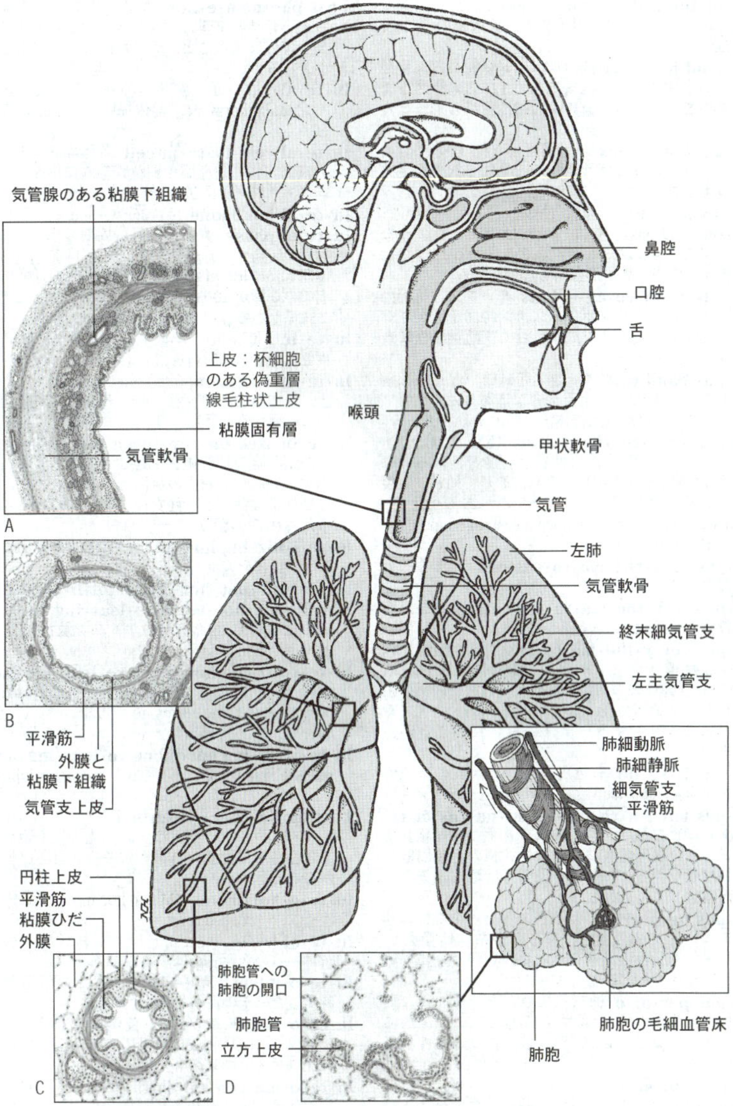
気管腺のある粘膜下組織
上皮：杯細胞
のある偽重層
線毛柱状上皮
粘膜固有層
気管軟骨
A
B
平滑筋
外膜と
粘膜下組織
気管支上皮
円柱上皮
平滑筋
粘膜ひだ
外膜
C
D
肺胞管への
肺胞の開口
肺胞管
立方上皮
鼻腔
口腔
舌
喉頭
甲状軟骨
気管
左肺
気管軟骨
終末細気管支
左主気管支
肺細動脈
肺細静脈
細気管支
平滑筋
肺胞の毛細血管床
肺胞

lungs and respiratory anatomy

A：気管，B：肺内気管支，C：終末細気管支，D：呼吸細気管支と肺胞

lu·nule of nail 爪半月（爪板近位部の白っぽいアーチ形の領域）. = lunule(1).
lu·pi·form (lū′pi-fōrm). = lupoid.
lu·poid (lū′poyd). 類狼瘡の，狼瘡様の. = lupiform.
lu·poid hep·a·ti·tis ルポイド肝炎（肝細胞障害の形跡を示し，抗核抗体や LE 細胞テストで陽性を示す黄疸．全身性紅斑性狼瘡の形跡はない）.
lu·poid sy·co·sis 狼瘡様毛瘡（ひげの毛嚢の丘疹性または膿疱性炎症で，後に点状の瘢痕と脱毛とをきたす）.
lu·pous (lū′pŭs). 狼瘡〔性〕の.
lu·pus (lū′pŭs). 狼瘡（最初は咬まれたような皮膚のびらんを示す用語であったが，現在は種々の疾患を表す形容語となっている）.
lu·pus an·ti·co·ag·u·lant ループス性抗凝固因子（部分トロンボプラスチン時間を延長させる抗リン脂質抗体で，静脈および動脈血栓に合併する）.
lu·pus band test ループス帯試験（紅斑性狼瘡患者の皮膚の真皮-上皮接合部にある免疫グロブリン帯を，直接蛍光抗体法で明示する方法）.
lu·pus er·y·the·ma·to·sus (LE, L.E.) エリテマトーデス，紅斑性狼瘡（全身性あるいは播種状(抗核抗体が認められ，そして通常，主要な臓器組織は侵される)のものがある疾患. → discoid lupus erythematosus; systemic lupus erythematosus）.
lu·pus er·y·the·ma·to·sus cell 紅斑性狼瘡細胞. = LE cell.
lu·pus er·y·the·ma·to·sus cell test 紅斑性狼瘡細胞試験. = LE cell test.
lu·pus er·y·the·ma·to·sus pro·fun·dus 深在性エリテマトーデス，深在性紅斑性狼瘡（深在性弾性硬の結節を形成し，通常は顔面に生じる皮下脂肪織炎．全身性エリテマトーデスや限局性エリテマトーデスにみられることがある）.
lu·pus li·ve·do 青色皮斑狼瘡（四肢の持続性紫藍病変．Raynaud 病の皮膚症状を伴う）.
lu·pus mil·i·a·ris dis·se·mi·na·tus fa·ci·e·i 顔面播種状粟粒性狼瘡（顔面の粟粒様丘疹である．病理組織学的には結核様の毛包周囲性の浸潤を伴っているが，恐らくは結核感染よりは酒皶と関連がある）.
lu·pus ne·phri·tis ループス腎炎（全身性エリテマトーデスの患者にみられる糸球体腎炎で，血尿と進行性の経過をとりながら腎不全になることを特徴とする）.
lu·pus per·ni·o 凍瘡状狼瘡（耳，頬，鼻，手，指を侵す類肉腫(サルコイド)病変で，臨床的には凍傷に似ているが，顕微鏡的には尋常性狼瘡に似ている）.
lu·pus vul·ga·ris 尋常性狼瘡（顔面，特に鼻および耳の周りの特徴的な結節性病変を伴った皮膚結核）.
LUQ left upper quadrant (of abdomen) ((腹部の)左上四分円領域，左上腹部)の略.
lus·i·tro·pic (lū′si-trō′pik). 拡張性（心筋や心腔の拡張機能に関する）.
lus·it·ro·py (lū-sit′trō-pē). 拡張機能（心筋や心腔の拡張機能）.
Lust phe·nom·e·non ルスト現象（腓骨頭部の総腓骨神経を叩打したときに足が背屈するとともに外反すること．テタニーによって引き起こされる）.
lu·te·al (lū′tē-ăl). 黄体の（例えば，黄体ホルモン luteal hormone，黄体細胞 luteal cells などをいう）.
lu·te·al cell, lu·te·in cell 黄体細胞，ルテイン細胞（排卵前卵胞の顆粒膜細胞に由来し，プロゲステロンおよびエストロゲンを分泌する）.
lu·te·al hor·mone = progesterone.
lu·te·al phase 黄体期（月経周期の中で，黄体形成の時期から月経発来までの約 14 日間．短黄体期 **short luteal phase** は，排卵から月経開始までの期間が 10 日以下のことで，しばしば不妊と関係がある）.
lu·te·in (lū′tē-in). ルテイン（①黄体，卵黄の黄色色素または脂肪色素．②= xanthophyll）.
lu·te·in·i·za·tion (lū′tē-in-ī-zā′shŭn). 黄体化，黄体形成（排卵後，卵胞とその内莢膜が黄体に転換すること）.
lu·te·in·ized un·rup·tured fol·li·cle 黄体化閉鎖卵胞（卵胞破裂を起こさずそのまま黄体化する卵胞．不妊症の原因と考えられたが，現在は妊孕女性にも不妊女性にも同様に起こると考えられている）.
lu·te·i·niz·ing hor·mone (LH) 黄体化ホルモン，黄体形成ホルモン. = lutropin.
lu·te·i·niz·ing hor·mone/fol·li·cle-stim·u·lat·ing hor·mone-re·leas·ing fac·tor 黄体化ホルモン/卵胞刺激ホルモン放出因子. = gonadoliberin(2).
lu·te·i·niz·ing hor·mone-re·leas·ing fac·tor 黄体化ホルモン放出因子（luteinizing hormone-releasing hormone の古語. *cf.* bioregulator）.
lu·te·i·niz·ing hor·mone-re·leas·ing hor·mone 黄体化ホルモン放出ホルモン. = luliberin.
Lu·tem·ba·cher syn·drome リュタンバッシェ(ルタンバッシャー)症候群（先天性心臓異常で，心房中隔欠損，僧帽弁狭窄症，右心房拡大からなる）.
lu·te·o·hor·mone (lū′tē-ō-hōr′mōn). 黄体ホルモン. = progesterone.
lu·te·ol·y·sis (lū′tē-ol′i-sis). 黄体融解（卵巣黄体組織の変性または破壊）.
lu·te·o·lyt·ic (lū′tē-ō-lit′ik). 黄体の消退化の特徴またはその促進効果.
lu·te·o·ma (lū′tē-ō′mă). 黄体腫（顆粒膜または莢膜-黄体膜細胞起源の卵巣腫瘍で，子宮粘膜にプロゲステロン作用を及ぼす）.
lu·te·o·pla·cen·tal shift 黄体から胎盤への機能転換（ヒトの妊娠維持に必須のエストロゲンおよびプロゲステロンの黄体から胎盤への産生部位の変化．大部分の哺乳類では卵巣摘除は十分量のエストロゲンとプロゲステロンが産生されないため流産を起こすが，ヒトでは妊娠 6 週以降は胎盤から十分量のホルモン産生があるため，卵巣摘除後も流産を防止できる）．

lu·te·o·tro·pic, lu·te·o·tro·phic (lū′tē-ō-trō′pik, -trōf′ik)．黄体刺激〔性〕の（黄体の発達および機能の刺激作用をもつものについていう）．

lu·te·o·tro·pic hor·mone 黄体刺激ホルモン．= luteotropin.

lu·te·o·tro·pin (lū′tē-ō-trō′pin)．ルテオトロピン（下垂体前葉ホルモンで，黄体の機能を維持する作用がある．*cf.* bioregulator）．= luteotropic hormone.

lu·te·ti·um (Lu) (lū-tē′shē-ŭm)．ルテチウム（希土類元素．原子番号 71，原子量 174.967）．

lu·tro·pin (lū-trō′pin)．ルトロピン（2 種の糖蛋白ホルモンの 1 つであり，卵胞の最終成熟を促し，排卵を起こさせ，プロゲステロンの分泌を促進する．そして破裂した卵胞を黄体に転化させる．*cf.* bioregulator）．= interstitial cell-stimulating hormone; luteinizing hormone.

Lutz-Splen·do·re-Al·mei·da dis·ease ルッツ-スプレンドレ-アウメーダ病．= paracoccidioidomycosis.

lux (lŭks)．ルクス（照度の単位．1 平方メートルの面を 1 ルーメンの光束で一様に照らしたときの照度）．= candle-meter; meter-candle.

lux·a·tion (lŭk-sā′shŭn)．脱臼（①= dislocation. ②歯科において，下顎関節窩における顆頭の，あるいは歯槽からの，歯の転位または移動）．

Lux·ol fast blue ルクソールファストブルー（神経線維のミエリン染色(PAS，PTAH，ヘマトキシリン，硝酸銀などを用いる)に用いる密接に関連したフタロシアニン銅染料の一群の名称）．

LVET left ventricular ejection time の略．

LVN licensed vocational nurse の略．

L&W living and well の略．

ly·ase (lī′ās)．リアーゼ（基質から非加水分解的に置換基を取り去る酵素(EC class 4)．“hydro-” および “ammonia-” の接頭語が反応の型を示すのに用いられる．リアーゼの慣用名にはシンターゼ，デカルボキシラーゼ，アルドラーゼ，デヒドラターゼがある．*cf.* synthase; synthetase）．

ly·can·thro·py (lī-kan′thrŏ-pē)．狼狂，オオカミ憑(つ)き（自分がオオカミであるという病的な妄想）．

lycopenaemia [Br.]．= lycopenemia.

ly·co·pene (lī′kō-pēn)．リコペン（トマトの特徴的な赤色色素で，化学的に全天然カロチノイド色素の親物質と考えられる）．

ly·co·pe·ne·mi·a (lī′kō-pĕ-nē′mē-ă)．リコペン血〔症〕（血液中に高濃度のリコペンが存在する状態．皮膚にカロチノイド様の黄色色素沈着を生じ，トマトやトマトジュースまたはリコペンを含有した果実および漿果を過剰に摂取する人にみられる）．= lycopenaemia.

ly·co·per·do·no·sis (lī′kō-per′dō-nō′sis)．ホコリタケ症（*Lycoperdon pyriforme* と *L. bovista* の胞子を吸入して起こる持続性肺炎）．

Ly·ell syn·drome ライエル症候群．= toxic epidermal necrolysis.

Lyme ar·thri·tis ライム関節炎（ライム病が関節に現れたもの）．

Lyme dis·ease ライム病（典型的には夏季に起こる炎症性疾患で，スピロヘータ *Borrelia burgdorferi* の感染によって起こり，米国東部ではシカマダニ *Ixodes scapularis*，米国西部では *I. pacificus* によって媒介される．特徴的な皮膚病変の遊走性慢性紅斑は，通常，発熱，倦怠感，疲労，頭痛，および頸部硬直が先行するかあるいは同時に起こる．神経症状，心障害，または関節炎(Lyme 関節炎)が数週から数か月後に起こることがある．イヌ，ウマ，ウシも侵される）．

lymph (limf)．リンパ（清澄，透明，ときにわずかに黄色のやや不透明な液体で，身体中の組織から集められ，リンパ節を通してリンパ管へ流れ，静脈血循環に合流する．リンパは，清澄な液体部分，数量不定の白血球(主にリンパ球)，および若干の赤血球からなる）．

lym·phad·e·nec·to·my (lim-fad′ĕ-nek′tŏ-mē)．リンパ節切除〔術〕．

lym·phad·e·ni·tis (lim-fad′ĕ-nī′tis)．リンパ節炎．

lymphadeno-, lymphaden- リンパ節を意味する連結形．

lym·phad·e·nog·ra·phy (lim-fad′ĕ-nog′ră-fē)．リンパ節造影〔法〕（造影剤を注入してリンパ節を X 線像として見る方法．リンパ管造影）．

lym·phad·e·noid (lim-fad′ĕ-noyd)．リンパ節様の．

lym·phad·e·nop·a·thy (lim-fad′ĕ-nop′ă-thē)．リンパ節症，リンパ節腫脹〔症〕，リンパ節(腺)病（リンパ節を侵す疾病過程の総称）．

lymph·ad·e·nop·a·thy-as·so·ci·at·ed vi·rus (LAV) = human immunodeficiency virus.

lym·phad·e·no·sis (lim-fad′ĕ-nō′sis)．リンパ節症（リンパ性白血病やある種の炎症におけるリンパ節の拡大を起こす基礎的増殖過程）．

lymphaemia [Br.]．= lymphemia.

lym·phan·gi·al (lim-fan′jē-ăl)．リンパ管の．

lym·phan·gi·ec·ta·sis, lym·phan·gi·ec·ta·si·a (lim-fan′jē-ek′tă-sis, -ek-tā′zē-a)．リンパ管拡張〔症〕（リンパ管の拡張．リンパ管腫の形成を起こす基礎的過程）．= lymphectasia.

lym·phan·gi·ec·tat·ic (lim-fan′jē-ek-tat′ik)．リンパ管拡張〔症〕の．

lym·phan·gi·ec·to·my (lim-fan′jē-ek′tŏ-mē)．リンパ管切除〔術〕．

lym·phan·gi·i·tis (lim-fan′jē-ī′tis)．= lymphangitis.

lymphangio-, lymphangi- リンパ管に関する連結形．

lym·phan·gi·o·en·do·the·li·o·ma (lim-fan′jē-ō-en′dō-thē′lē-ō′mă)．リンパ管内皮腫（リンパ管に由来すると考えられる管状構造の集塊と，内皮細胞の不規則な集団または小さな塊とからなる新生物）．

lym·phan·gi·og·ra·phy (lim-fan′jē-og′ră-fē)．リンパ管造影(撮影)〔法〕（造影剤を注入してリンパ管とリンパ節を X 線撮影する方法．リンパ造影法の 1 つ）．

lym·phan·gi·ol·o·gy (lim-fan′jē-ol′ō-jē)．リン

パ管学（リンパ管に関する医学の分野）. = lymphology.

lym·phan·gi·o·ma (lim-fan′jē-ō′mă). リンパ管腫（リンパ管壁は正常内皮細胞によっておおわれ，通常高度に拡張する．通常，リンパ組織は病巣の末梢部にある．リンパ管腫は出生時または出生直後に出現し，真性新生物というよりもリンパ管の異常発育を示すものと考えられる．リンパ管腫がよくできるのは頸部や腋窩である）.

lym·phan·gi·o·phle·bi·tis (lim-fan′jē-ō-flĕ-bī′tis). リンパ管静脈炎.

lym·phan·gi·o·plas·ty (lim-fan′jē-ō-plas-tē). リンパ管形成〔術〕（手術的にリンパ管を改変すること）.

lym·phan·gi·o·sar·co·ma (lim-fan′jē-ō-sahr-kō′mă). リンパ管肉腫（脈管組織に由来する悪性新生物．通常，乳房切除根治手術の数年後に腕に発生する）.

lym·phan·gi·ot·o·my (lim-fan′jē-ot′ŏ-mē). リンパ管切開〔術〕.

lym·phan·gi·tis (lim′fan-jī′tis). リンパ管炎. = lymphangiitis.

lym·pha·phe·re·sis (lim′fă-fĕ-rē′sis). リンパ球除去. = lymphocytapheresis.

lym·phat·ic (lim-fat′ik). ***1***〖adj.〗リンパの. ***2***〖n.〗リンパを運ぶ脈管. ***3***〖adj.〗リンパ質の（精神遅鈍または粘液質の意味で用いられることがある）.

lym·phat·ic duct リンパ本幹（左右のリンパ本幹のいずれかをさす．すなわち右リンパ本幹 right lymphatic duct と胸管 thoracic duct のこと）.

lym·phat·ic fil·a·ri·a·sis gran·u·lo·ma リンパ性フィラリア性肉芽腫（死んだミクロフィラリア周囲にしばしば認められる）.

lym·phat·ic leu·ke·mi·a = lymphocytic leukemia.

lym·phat·ic node →lymph node.

lym·phat·i·cos·to·my (lim-fat′i-kos′tŏ-mē). リンパ管造瘻術（リンパ管への開口をつくること）.

lym·phat·ic plex·us リンパ管叢（1本以上の比較的大きなリンパ管にはいる，通常は弁のないリンパ毛細管の網工）.

lym·phat·ic si·nus リンパ洞（リンパ節にあるリンパの通路．細胞と線維の細網が交叉し，沿岸細胞とよぶ細網内皮で境される．周辺洞(被膜下)，中間洞(梁柱)，髄洞(髄質)の各洞がある）.

lym·phat·ic tis·sue, lym·phoid tis·sue リンパ組織（細網線維と細網細胞の立体状の網．この網目は種々の密度で，リンパ球で保持される．小結節性・びまん性・疎性リンパ組織がある）. = adenoid tissue.

lym·pha·ti·tis (lim′fă-tī′tis). リンパ組織炎（リンパ管またはリンパ節の炎症）.

lym·pha·tol·y·sis (lim′fă-tol′i-sis). リンパ組織溶解（リンパ管，リンパ組織，またはその両方の破壊）.

lym·pha·to·lyt·ic (lim-fat′ō-lit′ik). リンパ組織破壊の.

lymph cap·il·lar·y 毛細リンパ管（リンパ管系の起始部．極度に扁平で基底膜の発達の貧弱な内皮細胞におおわれ，種々の内径をもつ．→lacteal(2)）.

lymph cor·pus·cle, lym·phat·ic cor·pus·cle, lym·phoid cor·pus·cle リンパ球，類リンパ球（リンパ節その他のリンパ組織および血液中でも形成される単核白血球）.

lymph drain·age = manual lymph drainage.

lym·phec·ta·si·a (lim′fek-tā′zē-ă). = lymphangiectasis.

lymph·e·de·ma (lim′fē-dē′mă). リンパ水腫（浮腫）（リンパ管またはリンパ節の閉塞と病変部位への多量のリンパの蓄積による，特に皮下組織の腫脹）. = lymphoedema.

lym·phe·mi·a (lim-fē′mē-ă). リンパ球血症，リンパ性白血病（異常に多数のリンパ球またはその前駆細胞，あるいはその両者が循環血液中に存在すること）. = lymphaemia.

lymph fol·li·cle, lym·phat·ic fol·li·cle リンパ小節（リンパ細網組織の球状の緻密部で，しばしば明るい中心部を有する）. = folliculus lymphaticus; lymph nodule; nodulus lymphaticus.

lymph gland = lymph node.

lymph node リンパ節（円形，卵形，エンドウマメ形の小体で，リンパ管沿いにみられる．大きさは直径 1—25 mm と様々で，通常，リンパ節門といわれる1か所くぼんだところがあり，ここから血管が出入りし輸出リンパ管が出ていく．外部から包むリンパ節被膜と内部の小柱とがリンパ組織を支持している．リンパ組織は，皮質では結節状，髄質では索状をなしている．輸入リンパ管はリンパ節表面の至るところから進入する）. = nodus lymphaticus; nodus lymphoideus; lymph gland; lymphoglandula; lymphonodus.

lymph node per·me·a·bil·i·ty fac·tor (LNPF) リンパ節透過因子（リンパ球が刺激されたり，破壊されたとき放出する物質で，毛細管透過性と単球集合を促す）.

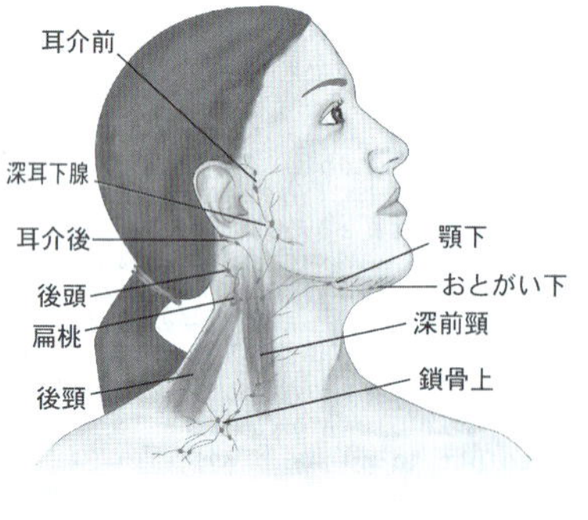
耳介前
深耳下腺
耳介後
後頭
扁桃
後頸
顎下
おとがい下
深前頸
鎖骨上

location of lymph nodes of the neck

lymph nod·ule リンパ小節. = lymph follicle.
lympho-, lymph- リンパを意味する連結形.
lym·pho·blast (lim′fō-blast). リンパ芽球（成熟してリンパ球になる幼若未熟細胞. リンパ芽球の特徴は, ⓘリンパ球より細胞質が多い, ⓘⓘ核のクロマチンがリンパ球より細かい(しかし骨髄芽球より粗い), ⓘⓘⓘ1つまたは2つのやや目立った核小体をもつ). = lymphocytoblast.
lym·pho·blas·tic (lim′fō-blas′tik). リンパ芽球の.
lym·pho·blas·tic leu·ke·mi·a リンパ芽球性白血病（異常細胞が主に(またはほとんどすべてが)リンパ芽球であるか, または成熟リンパ球とともに未熟型が異常に多く発生する急性リンパ性白血病).
lym·pho·blas·tic lym·pho·ma リンパ芽球性リンパ腫（横隔膜より上に分布し, 渦巻き状になった核を有するTリンパ球を伴う小児のびまん性リンパ腫. 多くの患者が急性リンパ芽球性白血病に進展する).
lym·pho·blas·to·ma (lim′fō-blas-tō′mă). リンパ芽球腫（主要細胞がリンパ芽球である悪性リンパ腫の一型).
lym·pho·blas·to·sis (lim′fō-blas-tō′sis). リンパ芽球症（末梢血管にリンパ芽球が存在すること. しばしば急性リンパ性白血病と同じ意味で用いる).
lym·pho·cy·ta·phe·re·sis (lim′fō-sīt-ă-fĕr-ē′sis). リンパ球除去（血液中からリンパ球を分離または除去し, 残りの血液成分は供血者に再び輸注する). = lymphapheresis.
lym·pho·cyte (lim′fō-sīt). リンパ球（全身のリンパ組織, 例えば, リンパ節, 脾臓, 胸腺, 扁桃, Peyer板, ときには骨髄でつくられる白血球. 正常の成人では循環血液中の総白血球数の約22—28%を占める. リンパ球は一般に小さい(7—8 μm)が, 大型のもの(10—20 μm)もしばしばみられる. Wright染色法で核は濃く染まり(紫青色), 輪郭の明瞭な核膜内のクロマチンの密な集塊からなる. 核は通常, 円形であるがわずかにへこむこともあり, 通常は顆粒のない比較的少量の明青色の原形質内で中心からはずれて存在する. リンパ球の中でも特に大型のものは原形質がかなり豊富で, 数個の明赤紫色の小さい顆粒をもつ. 骨髄系細胞の顆粒と違い, リンパ球中のそれはオキシダーゼ反応またはペルオキシターゼ反応が陽性にならない. リンパ球は, 表面マーカと機能からT細胞とB細胞の2つの大きなグループに分けられる. ナチュラルキラー細胞は大きな顆粒をもった細胞で, リンパ球全体のごく一部を占める).
lymphocythaemia [Br.]. = lymphocythemia.
lym·pho·cy·the·mi·a (lim′fō-sī-thē′mē-ă). = lymphocytosis; lymphocythaemia.
lym·pho·cyt·ic (lim′fō-sit′ik). リンパ球〔性〕の.
lym·pho·cyt·ic ad·e·no·hy·poph·y·si·tis リンパ球性腺下垂体炎（下垂体前葉にびまん性にリンパ球の浸潤がみられ, しばしば妊娠に併発する. 免疫機構の破綻によると思われる).
lym·pho·cyt·ic cho·ri·o·men·in·gi·tis リンパ球性脈絡髄膜炎（秋から冬にかけて主として青年にみられるウイルス性髄膜炎の一種. イエネズミが媒介する. →lymphocytic choriomeningitis virus).
lym·pho·cyt·ic cho·ri·o·men·in·gi·tis vi·rus リンパ球脈絡髄膜炎ウイルス（リンパ球性脈絡髄膜炎の原因となるRNAウイルス. ヒトの場合は不顕性感染であるが, ときとしてインフルエンザ様疾患, 髄膜炎, まれには髄膜脳脊髄炎を起こすこともある).
lym·pho·cy·tic hy·po·phy·si·tis リンパ球性下垂体炎（下垂体前葉への急性のリンパ球浸潤によって生じる下垂体前葉機能不全症. 抗下垂体抗体が血中に検出されるので, 恐らく自己免疫疾患と考えられている).
lym·pho·cyt·ic leu·ke·mi·a リンパ性白血病（リンパ節, 脾, 骨髄, 肺, その他におけるリンパ組織の無制限増殖および著明な腫大, および循環血液中におけるリンパ系の細胞の増加を特徴とする種々の白血病). = lymphatic leukemia.
lym·pho·cyt·ic se·ries, lym·phoid se·ries リンパ球系（成熟リンパ球のリンパ組織内で種々の発育段階にある細胞. 例えば, リンパ芽球, 幼若リンパ球, 成熟リンパ球).
lym·pho·cy·to·blast (lim′fō-sī′tō-blast). = lymphoblast.
lym·pho·cy·to·ma (lim′fō-sī-tō′mă). リンパ細胞腫（成熟リンパ球の限局性結節または塊で, 肉眼的には新生物に類似している).
lym·pho·cy·to·pe·ni·a (lim′fō-sī′tō-pē′nē-ă). = lymphopenia.
lym·pho·cy·to·poi·e·sis (lim′fō-sī′tō-poy-ē′sis). リンパ球産生.
lym·pho·cy·to·sis (lim′fō-sī-tō′sis). リンパ球増加〔症〕（絶対的または相対的な白血球増加症の一型で, リンパ球の数が増加する). = lymphocythemia.
lym·pho·duct (lim′fō-dŭkt). リンパ管.
lymphoedema [Br.]. = lymphedema.
lym·pho·ep·i·the·li·o·ma (lim′fō-ep′i-thē′lē-ō′mă). リンパ上皮腫（扁桃および鼻咽頭部のリンパ様組織を侵す分化の乏しい放射線感受性の扁平細胞癌. 初期には頸部リンパ節に転移する).
lym·pho·gen·ic (lim′fō-jen′ik). = lymphogenous(1).
lym·phog·e·nous (lim-foj′ĕ-nŭs). ***1*** リンパ〔行〕性の（リンパまたはリンパ系から発生することについていう). = lymphogenic. ***2*** リンパ形成の.
lym·phog·e·nous me·tas·ta·sis リンパ行性転移（→metastasis).
lym·pho·glan·du·la (lim′fō-glan′dyū-lă). リンパ腺. = lymph node.
lym·pho·gran·u·lo·ma (lim′fō-gran-yū-lō′mă). リンパ肉芽腫（結果として肉芽腫または肉芽腫様病変を特に種々のリンパ節(リンパ節の顕著な腫脹をみる)に起こす, 基本的には類似していない数種の疾病に対して用いた古い非特異的な語).
lym·pho·gran·u·lo·ma ve·ne·re·um, ve·

ne·re·al lymph·o·gran·u·lo·ma 性病性リンパ肉芽腫（通常，トラコーマクラミジア *Chlamydia trachomatis* により生じる性病で，男性では一過性の性器潰瘍と鼡径部のリンパ節腫脹を特徴とする．女性では肛門周囲のリンパ節の感染および肛門狭窄を通例とする）. = tropical bubo.

lym·phog·ra·phy (lim-fog′ră-fē). リンパ管造影(撮影)〔法〕（油性ヨード性造影剤をリンパ管内に注入してリンパ系をX線撮影する方法(リンパ管造影法)およびリンパ節を撮影する方法(リンパ節造影法)).

lym·pho·his·ti·o·cy·to·sis (lim′fō-his′tē-ō-sī-tō′sis). リンパ組織球増多〔症〕（リンパ球と細網細胞の増殖あるいは浸潤）.

lym·phoid (lim′foyd). ***1*** リンパ〔球〕様の，リンパ〔球〕系の. ***2*** = adenoid (1).

lym·phoi·dec·to·my (lim′foy-dek′tŏ-mē). リンパ節切除〔術〕（リンパ様組織の切除）.

lym·pho·kine (lim′fō-kīn). リンフォカイン，リンホカイン（ホルモン様のペプチド．活性化リンパ球により放出され免疫応答を調節するリンパ球由来のサイトカイン）.

lym·pho·ki·ne·sis (lim′fō-ki-nē′sis). ***1*** リンパ循環（リンパ管およびリンパ節を通るリンパの循環）. ***2*** リンパ運動（内耳の半規管内の内リンパの運動）.

lym·phol·o·gy (lim-fol′ŏ-jē). = lymphangiology.

lym·pho·ma (lim-fō′mă). リンパ腫（リンパ組織の新生物のこと．一般的には悪性リンパ腫の意味で使われる）.

lym·pho·ma·toid (lim-fō′mă-toyd). リンパ腫様の.

lym·pho·ma·toid pol·y·po·sis リンパ腫様ポリポ〔ー〕シス（小腸に多数のリンパ性ポリープを生じる多発性のマントル細胞リンパ腫）.

lym·pho·ma·to·sis (lim′fō-mă-tō′sis). リンパ腫症（多発性の広範に分布しているリンパ腫を特徴とする症状の総称）.

lym·pho·ma·tous (lim-fō′mă-tŭs). リンパ腫の.

lym·pho·myx·o·ma (lim′fō-mik-sō′mă). リンパ性粘液腫（緩い疎性結合組織の基質にリンパ様組織を含む軟性で良性の新生物）.

lym·pho·no·dus (lim′fō-nō′dŭs). = lymph node.

lym·phop·a·thy (lim-fop′ă-thē). リンパ管症（リンパ管またはリンパ節の疾病の総称）.

lym·pho·pe·ni·a (lim′fō-pē′nē-ă). リンパ球減少〔症〕（循環血液中のリンパ球の数が，相対的または絶対的に減少する状態）. = lymphocytopenia.

lym·pho·plas·ma·cel·lu·lar dis·or·ders リンパ形質細胞疾患（形質細胞腫，多発性骨髄腫，リンパ形質細胞性リンパ腫，MALT リンパ腫，アミロイドーシスなどを含む疾患のグループをさし示すために用いる語）.

lym·pho·plas·ma·phe·re·sis (lim′fō-plaz′mă-fĕr-ē′sis). リンパ血漿除去，リンパプラスマフェレーシス（採血した血液からリンパ球と血漿を分離除去し，残留成分を本人に戻すこと）.

lym·pho·poi·e·sis (lim′fō-poy-ē′sis). リンパ球産生.

lym·pho·poi·et·ic (lim′fō-poy-et′ik). リンパ球産生〔性〕の.

lym·pho·re·tic·u·lo·sis (lim′fō-rē-tik′yū-lō′sis). リンパ性細網内皮症，リンパ性網内症（リンパ節の網内細胞(マクロファージ)の増殖）.

lym·phor·rhe·a, lym·phor·rha·gi·a (lim′fō-rē′ă, -rā′jē-ă). リンパ漏，リンパ流出（破れたり，裂けたり，あるいは切れたりしたリンパ管から皮膚表面にリンパが漏れること）. = lymphorrhoea.

lymphorrhoea [Br.]. = lymphorrhea.

lym·phor·rhoid (lim′fō-royd). リンパ管拡張（痔に類似した，リンパ管の拡張）.

lym·phos·ta·sis (lim-fos′tă-sis). リンパうっ滞（リンパの正常の流れが閉塞すること）.

lym·pho·tax·is (lim′fō-tak′sis). 趨リンパ球性（リンパ球を引き付けたり，退けたりする作用を行うこと）.

lym·pho·tox·ic·i·ty (lim′fō-tok-sis′i-tē). リンパ球毒性（リンパ球に対する毒性）.

lym·pho·tox·in (lim-fō-tok′sin). リンフォトキシン，リンホトキシン（多くの細胞を溶解または破壊するTリンパ球からのリンフォカイン）.

lymph ves·sels リンパ管（リンパを運ぶ管で，相互に吻合している）. = vasa lymphatica.

Lynch syn·drome リンチ症候群（I 型は通常若年で発症する家族性大腸直腸癌．II 型は女性器癌あるいは近位の消化管癌を伴って若年に生じる家族性大腸結腸癌）.

lyo- 溶解に関する連結形. →lyso-.

Ly·on hy·poth·e·sis ライオン仮説. = lyonization.

ly·on·i·za·tion (lī′on-ī-zā′shŭn). ライオニゼーション（個々の細胞のX連鎖遺伝子の2個以上の一倍体が存在する場合には通常，遺伝子の1個を除くすべてが明らかに無作為に不活性化しており，表現型の発現がまったくないという正常な現象のこと．男性より女性においてX連鎖形質の発現が多岐にわたるのはこの無作為による. →gene dosage compensation). = Lyon hypothesis; X-inactivation.

Ly·on rat リヨンラット（スプラーグ-ダーレイラットに由来する実験動物．経口カルシウムに対する血圧の反応を観察するための被験者として使われる）.

ly·o·phil, ly·o·phile (lī′ō-fil, -fīl). 親液〔性〕物質.

ly·o·phil·ic (lī′ō-fil′ik). 親液性の，乳濁性の（膠質化学において，分散媒に対する著しい親和力をもつ分散相を意味する．分散相が親液性であるとき，膠質は通常，可逆性である）. = lyotropic.

ly·oph·i·li·za·tion (lī-of′i-lī-zā′shŭn). 凍結乾燥〔法〕（溶液を凍結し，真空下で氷を蒸発させ溶液から固体物質を分離する過程）. = freeze-drying.

ly·o·phobe (lī′ō-fōb). 疎液〔性〕物質.

ly·o·pho·bic (lī′ō-fō′bik). 疎液性の，懸濁性の，疎媒性の（膠質化学において，分散媒に対

してごく わずかの親和力しかもたない分散相を意味する．分散相が疎液性のとき，膠質は通常，不可逆性である）．

ly·o·tro·pic (lī′ō-trō′pik). = lyophilic.

Lys リシンまたはペプチド中のリシン基の記号.

lysaemia ［Br.］. = lysemia.

ly·sate (lī′sāt). 溶解産物（細胞溶解現象の破壊過程で生じる物質）.

lyse (līs). 溶解する，崩壊する，渙散する，消散する. = lyze.

ly·se·mi·a (lī-sē′mē-ă). 血液崩壊，溶血（赤血球の崩壊または溶解と循環血漿あるいは尿中への血色素の出現）. = lysaemia.

ly·sin (lī′sin). 溶解素（①細胞や組織に破壊的に作用する特別の補体固定抗体．溶解素の産生を刺激する抗原の種類によって種々の型が命名されている．例えば，溶血素 hemolysin，溶菌素 bacteriolysin など．②溶解を起こす物質の総称）.

lysinaemia ［Br.］. = lysinemia.

ly·sine (k, Lys) リシン，リジン（L-異性体は多数の蛋白中にある栄養学的に必須の α-アミノ酸である．特徴として ε-アミノ基をもつ）.

ly·sin·e·mi·a (lī′si-nē′mē-ă). リシン血〔症〕. = hyperlysinemia lysinaemia.

ly·sin·o·gen (lī-sin′ō-jen). 溶解素原（特定の溶解素の形成を刺激する抗原）.

ly·sin·o·gen·ic (lī′si-nō-jen′ik). 溶解素原の.

ly·sin·u·ri·a (lī′si-nyūr′ē-ă). リシン尿〔症〕（尿中にリシンが存在すること）.

ly·sis (lī′sis). ***1*** 〔細胞〕溶解〔現象〕，崩壊，リーシス（赤血球，細菌，他の構造が特異的溶解素により破壊されること．それらの溶解素は通常，破壊される構造に関係している（例えば，溶血，溶菌，腎細胞溶解など）．また，直接的毒素か，標的細胞表面の抗原と反応する抗体のような免疫機構によって作用する．通常，酵素活性をもつ血液内の一連の蛋白（補体系）の活性化と結合することにより起こる）. ***2*** 渙散，消散（急性の疾病の症状が徐々に減退すること．治癒過程の一型で，発症 crisis と区別される）.

ly·sis of ad·he·sions 癒着剝離（炎症または手術後の癒着，特に腹部（腹膜）の癒着を外科的に切り離すこと）.

lyso-, lys- 渙散，溶解，を意味する連結形. → lyo-.

ly·so·gen (lī′sō-jen). ***1*** 溶原（溶解を起こしうるもの）. ***2*** 溶原菌（溶原性の状態にある細菌）.

ly·so·gen·e·sis (lī′sō-jen′ĕ-sis). 溶解素の産生.

ly·so·gen·ic (lī′sō-jen′ik). 溶原〔性〕の（①ある種の抗体や化学物質の作用のように，溶解を起こすものあるいはその能力のあるものをいう．②溶原性の状態にある細菌についていう）.

ly·so·gen·ic bac·te·ri·um 溶原菌（①テンペレートバクテリオファージのゲノム（プロバクテリオファージ）と宿主菌のゲノムとが共生状態にある細菌．細菌ゲノムからプロバクテリオファージが分離し増殖期バクテリオファージに変換し，やがて成熟して宿主細菌の溶解と感染性テンペレートバクテリオファージの培養液への流出をもたらす場合もある．②以前は，偽溶原菌菌株，すなわち低感染性バクテリオファージ〝担体 carrier〞菌株を意味した）.

ly·so·ge·nic·i·ty (lī′sō-jē-nis′i-tē). 溶原性.

ly·sog·e·ny (lī-soj′ĕ-nē). 溶原性（テンペレートバクテリオファージが感染すると DNA が宿主細菌の遺伝子に組み込まれ，細菌の DNA とともに複製され，潜在または表出しないままの状態でいる．溶菌サイクルの誘発は自然に，またはある種の因子によって起こり，結果的に子孫のバクテリオファージの生成と宿主細胞の溶解を引き起こす）.

ly·so·ki·nase (lī′sō-kī′nās). 溶菌素酵素（ストレプトキナーゼ，ウロキナーゼ，スタフィロキナーゼのような賦活剤に用いる語．これらはプラスミノゲンに間接的なあるいは複雑な作用を及ぼしてプラスミンを生じさせる）.

ly·so·so·mal dis·ease リソソーム（ライソソーム）病（リソソーム酵素の機能不全による疾患で，多くの場合，蓄積症に合併する）.

ly·so·some (lī′sō-sōm). リソソーム，ライソソーム，水解小体（細胞質膜に結合した 5—8 nm の厚さの小胞（一次リソソーム）で pH が酸性で活性な種々の糖蛋白性加水分解酵素をもつ，外因性物質．例えば細菌を消化したり，細胞のオルガネラを自己消化する）.

ly·so·type (lī′sō-tīp). リソタイプ（特定のファージに対する反応によって決定される細菌種内のタイプ）.

ly·so·zyme (lī′sō-zīm). リゾチーム，ライソザイム（ある種の細菌の細胞膜を破壊する酵素．涙や体液中，卵白，ある種の植物組織中に存在する．カリエスの予防や乳児用調合乳の調製に用いられる）. = muramidase.

lys·sa (lis′ă). ***1*** 犬の舌の軟骨. ***2*** rabies（狂犬病）の古語.

Lys·sa·vi·rus (lis′ă-vī′rŭs). リッサウイルス属（狂犬病ウイルス群を含むウイルスの一属（ラブドウイルス科））.

Lyth·o·glyph·op·sis (lith′ō-glif-op′sis). リソグリフォプシス属（イツマデガイ科（イツマデガイ亜科，前鰓亜綱）に属する水陸両生のヘタをもつ淡水性巻貝の一属．メコン河のデルタ地帯では *Lythoglyphopsis aperta* がメコン住血吸虫 *Schi`stosoma mekongi* の中間宿主として働いている）.

lyt·ic (lit′ik). 渙散の，消散の，〔細胞〕溶解〔現象〕の，崩壊の，リーシスの（osteolytic の略として口語で用いる）.

lyze (līz). = lyse.

L

M

μ ミュー（→mu）.

M_r 分子量 molecular weight ratio，相対分子量 relative molecular mass の記号.

mM millimolar（ミルモル濃度）の略.

M モル濃度 molarity の記号．M または *M* とも書く．

m- meta-（3）の略.

MA mental age; mentoanterior position の略.

ma, mA milliampere の略.

MAC *Mycobacterium avium* complex の略.

Mac·chi·a·vel·lo stain マッキアヴェロ染色〔法〕（スミアを塩基性フクシン，クエン酸，メチレンブルーの順で連続的に染めると，リケッチアと封入体は赤色に，核は青色に染まる）.

Mac·Con·key a·gar マッコンキー寒天〔培地〕（ペプトン，乳糖，胆汁酸，ニュートラルレッド，クリスタルバイオレットを含んだ寒天培地．グラム陰性菌を同定し，乳糖発酵性の有無を調べる．乳糖発酵菌は赤いコロニーを形成し，非発酵菌は無色のコロニーを形成する）.

mac·er·ate（mas′ĕr-āt）. 浸軟する，冷浸する，浸解する，単離する（水に浸して軟らかくする．→maceration）.

mac·er·a·tion（mas′ĕr-ā′shŭn）. ***1*** 浸軟，冷浸（液体の作用によって軟らかくすること）. ***2*** 浸軟，浸解（非腐敗性（無菌の）自己分解による死後の組織軟化．特に死産児にみられ，表皮が剥離する）.

Mac·ew·en sign マキューエン徴候（脳水腫の場合，頭蓋を打診すると破壺共鳴音がする）.

Mac·ew·en tri·an·gle マキューエン三角. = suprameatal triangle.

Ma·cha·do-Jo·seph dis·ease マチャド-ジョセフ病（遺伝性運動失調のまれな型で，成人期初期に発症する．外眼筋麻痺，筋硬直，ジストニー症状，しばしば末梢筋萎縮を伴う進行性脊髄小脳徴候と錐体外路徴候を特徴とする．アゾレア人の家系に主にみられる．常染色体優性遺伝．第 14 染色体長腕の Machado-Joseph 遺伝子（MJD1）の，トリヌクレオチドリピート伸長変異が原因である）.

Mach band マッハ帯（輝度が急速に増加または減少する領域で知覚される比較的明るいあるいは暗い帯）.

Mach ef·fect マッハ効果（凹面または凸面の境界が存在する X 線写真において，明線または暗線が見えること．輪郭強調に関する生理学的視覚現象の一形態）.

ma·chine（mă-shēn′）. 機械，器械.

ma·chin·er·y mur·mur 機械様雑音，機械的雑音（動脈管開存症におけるゴロゴロという長時間連続性の雑音）. = Gibson murmur.

Mac·ken·zie am·pu·ta·tion マッケンジー切断術（足関節における Syme 切断術の変法．皮膚弁を内側から取る）.

Mac·leod syn·drome マクラウド（マクレオド）症候群. = unilateral lobar emphysema.

Mac·Neal tet·ra·chrome blood stain マックニール四色血液染色〔法〕（血液スミア用の染色．メチレンブルー，アズール A，メチルバイオレット，エオシン Y からなる）.

mac·ren·ceph·a·ly, mac·ren·ce·pha·li·a（mak′ren-sef′ă-lē, mak′ren-sĕ-fā′lē-ă）. 巨大脳髄症，巨脳症，大脳〔髄〕症（脳の肥大．大きな脳をもつ状態）.

macro-, macr- 大きい，長い，を意味する連結形. →mega-; megalo-.

mac·ro·ad·e·no·ma（mak′rō-ad′ĕ-nō′mă）. マクロアデノーマ，巨大腺腫（直径 10 mm 以上の下垂体腺腫）.

macroamylasaemia［Br.］. = macroamylasemia.

mac·ro·am·y·lase（mak′rō-am′i-lās）. マクロアミラーゼ（血清アミラーゼの一種で，酵素アミラーゼはグロブリンと結合して存在する）.

mac·ro·am·y·la·se·mi·a（mak′rō-am′i-lā-sē′mē-ă）. マクロアミラーゼ血〔症〕（血清アミラーゼの一部分がマクロアミラーゼとして存在する高アミラーゼ血症の一型）. = macroamylasaemia.

mac·ro·bi·ot·ic（mak′rō-bī-ot′ik）. ***1*** 長寿の. ***2*** 延命の（→macrobiotic diet）.

mac·ro·bi·ot·ic di·et 長寿食（長生きするとされる食事で，自然食品の摂取，肉食やアルコールの制限にしばしば重きが置かれる）.

mac·ro·blast（mak′rō-blast）. 大赤芽球.

mac·ro·car·di·a（mak-rō-kahr′dē-ă）. 大心〔臓〕症. = cardiomegaly.

mac·ro·ce·phal·ic, mac·ro·ceph·a·lous（mak′rō-sĕ-fal′ik, mak′rō-sef′ă-lŭs）. 大頭蓋症の，大頭症の. = megacephalic.

mac·ro·ceph·a·ly, mac·ro·ce·pha·li·a（mak′rō-sef′ă-lē, mak′rō-sĕ-fā′lē-ă）. 大頭蓋症，大頭症. = megacephaly.

mac·ro·chei·li·a, mac·ro·chi·li·a（mak′rō-kī′lē-ă）. 大唇〔症〕（①異常に大きな唇．②唇の海綿様リンパ管腫．非常に拡張したリンパによる唇の永久的腫脹の状態）.

mac·ro·chei·ri·a, mac·ro·chi·ri·a（mak′rō-kī′rē-ă）. 大手〔症〕（異常に大きな手を特徴とする状態）. = megalocheiria; megalochiria.

mac·ro·co·lon（mak′rō-kō′lŏn）. 大結腸〔症〕（S 状結腸が異常に長いこと）.

mac·ro·cor·ne·a（mak′rō-kōr′nē-ă）. 巨大角膜（異常に大きな角膜）.

mac·ro·cra·ni·um（mak′rō-krā′nē-ŭm）. 大頭蓋（水頭症でみられるような，特に脳を入れる部分が拡大した頭蓋．顔は相対的に小さくみえる）.

mac·ro·cry·o·glob·u·li·ne·mi·a（mak′rō-krī′ō-glob′yū-lin-ē′mē-ă）. マクロクリオグロブリン血〔症〕（末梢血液中に寒冷で沈殿するマクログロブリンが存在すること．このようなマクログロブリンはしばしば cold hemagglutinins（寒冷血球凝集素）とよばれる）.

mac·ro·cyte (mak′rō-sīt). 大赤血球（悪性貧血でみられるような大形の赤血球. 平均赤血球容積の増大により示される）.

macrocythaemia [Br.]. = macrocythemia.

mac·ro·cy·the·mi·a (mak′rō-sī-thē′mē-ă). 大赤血球症, 大球症（循環血液中に異常に多数の大赤血球がみられること）. = macrocythaemia; macrocytosis.

mac·ro·cyt·ic a·ne·mi·a 大球性貧血（循環赤血球の平均の大きさが正常以上, すなわち平均赤血球容積が 94 μm^3 以上(正常範囲 82—92 μm^3)の貧血. 悪性貧血, スプルー, 小児脂肪便症, 妊娠性大球性貧血, 裂頭条虫症性貧血などでみられる）.

mac·ro·cy·to·sis (mak′rō-sī-tō′sis). = macrocythemia.

mac·ro·don·ti·a, mac·ro·don·tism (mak′rō-don′shē-ă, mak′rō-don′tizm). 巨大歯型（異常に大きな歯をもっている状態）. = megadontism; megalodontia.

mac·ro·el·e·ments (mak′rō-el′ĕ-mĕnts). マクロ元素（毎日, 比較的大量に(100 mg/日以上)摂取すべき非有機物. 例えばカルシウム, リン, ナトリウムなど）.

mac·ro·ga·mete (mak′rō-gam′ēt). 大配偶子（異形配偶における雌性要素. 2つの性細胞のうちの大きいほうで, 貯蔵物質がより多く, 通常, 運動性はほとんどない）.

mac·ro·ga·me·to·cyte (mak′rō-gă-mē′tō-sīt). 大配偶子母細胞（異形配偶の原生動物または真菌で, 大配偶子を生む生殖母細胞または母細胞）.

mac·ro·gen·i·to·so·mi·a (mak′rō-jen′i-tō-sō′mē-ă). 大性器症（身体と性器の過剰発達）.

mac·rog·li·a (mak-rog′lē-ă). 大膠細胞. = astrocyte.

macroglobulinaemia [Br.]. = macroglobulinemia.

mac·ro·glob·u·lin·e·mi·a (mak′rō-glob′yū-li-nē′mē-ă). マクログロブリン血〔症〕, 大グロブリン血〔症〕（循環血液中に増加したマクログロブリンが存在すること）. = macroglobulinaemia.

mac·ro·glos·si·a (mak′rō-glos′ē-ă). 巨舌〔症〕（発生学的な原因によるか, 腫瘍または血管性過誤腫による二次的な原因による舌の肥大）. = megaloglossia.

mac·ro·gna·thi·a (mak′rog-nā′thē-ă). 大上顎〔症〕（顎の拡大または伸長）.

mac·ro·lide (mak′rō-līd). マクロライド（14—20 原子で構成される巨大な天然ラクトン環を有す化合物. エリスロマイシンなどを含む抗生物質. 蛋白生合成を阻害する）.

mac·ro·mas·ti·a, mac·ro·ma·zi·a (mak′rō-mas′tē-ă, mak′rō-mā′zē-ă). 巨大乳房〔症〕（異常に大きな乳房. →hypermastia(2)）.

mac·ro·me·li·a (mak′rō-mē′lē-ă). 大肢〔症〕（1つ以上の四肢が異常に大きいこと）. = megalomelia.

mac·ro·mol·e·cule (mak′rō-mol′ĕ-kyūl). 高分子（コロイド型, 特に, 蛋白, 核酸, 多糖類の分子）.

mac·ro·mon·o·cyte (mak′rō-mon′ō-sīt). 大単球（異常に大きな単球）.

mac·ro·my·e·lo·blast (mak′rō-mī′ĕ-lō-blast). 大骨髄芽球（異常に大きな骨髄芽球）.

mac·ro·nor·mo·blast (mak′rō-nōr′mō-blast). 大正赤芽球（①大きな正赤芽球. ②不完全な血球素をもつ有核の大赤血球で〝cart-wheel(車軸)〟核を有する）.

mac·ro·nu·cle·us (mak′rō-nū′klē-ŭs). 大核（①細胞の比較的広い部分を占める核, または1つの細胞に2つ以上の核があるとき, その大きいほうの核をいう. ②特に繊毛虫の2つの核のうちの大きいほうで, 栄養代謝機能をつかさどり, 生殖には関係しない. →micronucleus(2)）.

mac·ro·nu·tri·ent (mak′rō-nū′trē-ĕnt). 多量養素（多量に必要とされる栄養素. 例えば, 炭化水素, 蛋白, 脂肪など）.

mac·ro·nych·i·a (mak′rō-nik′ē-ă). 大爪〔症〕（手指または足指の爪が異常に大きな状態）.

mac·ro·pe·nis (mak′rō-pē′nis). 巨大陰茎.

mac·ro·phage (mak′rō-fāj). マクロファージ, 大食細胞（骨髄中の単球幹細胞由来の単核で活動的な食細胞. 広く生体内に分布しており, 形態学的および活動性に違いがみられる. しかし多くは球形に近い核をもつ大きい長寿命細胞であり, 多量の飲食性液胞, リソソームやファゴリソソームを含有する. 食作用はある免疫グロブリンや補体系の成分などの血清認識因子により仲介されることが主であるが, 肺胞マクロファージの場合のようにある不活性物質や細菌に対しては非特異的である場合もある. マクロファージはまた抗体産生や細胞介在性免疫応答に関与し, リンパ球への抗原の呈示に関与したり種々の免疫制御分子を分泌する）.

mac·ro·phage col·o·ny-stim·u·lat·ing fac·tor (M-CSF) マクロファージコロニー刺激因子（前駆細胞をマクロファージへと増殖・成熟させる単球系糖蛋白. →colony-stimulating factors）.

mac·ro·po·di·a (mak′rō-pō′dē-ă). 巨足〔症〕（異常に大きな足をもつ状態）. = megalopodia.

mac·ro·pol·y·cyte (mak′rō-pol′ē-sīt). 大多分葉核球（多分葉核(例えば, 8, 10, またはそれ以上の分葉)を有する異常に大きな多形核好中球. クロマチンの配列は正常好中球より密でなく, 細胞質顆粒はより大きく, より好酸性である. このような変化は悪性貧血, その他の貧血の場合のように, しばしば赤血球の特異的変化に先行して起こる）.

mac·ro·pro·so·pi·a (mak′rō-prō-sō′pē-ă). 大顔〔症〕（頭蓋の大きさに比べて顔が非常に大きい状態）.

mac·ro·rhin·i·a (mak′rō-rīn′ē-ă). 巨鼻症, 巨大鼻（先天的または病的に鼻が大きいこと）.

mac·ro·scop·ic (mak′rō-skop′ik). ***1*** 肉眼で見える（肉眼で, すなわち顕微鏡を使わないで見える大きさの）. ***2*** 肉眼〔的〕検査の.

mac·ro·scop·ic a·nat·o·my = gross anatomy.

ma·cros·co·py (mă-kros′kŏ-pē). 肉眼〔的〕検査

（肉眼で対象物を検査すること）.
mac·ro·sig·moid (mak′rō-sig′moyd). 大 S 状結腸〔症〕（S 状結腸の拡大や拡張）.
mac·ro·so·mi·a (mak′rō-sō′mē-ă). 巨人症.
mac·ro·sto·mi·a (mak′rō-stō′mē-ă). 大口〔症〕, 巨口〔症〕（異常に大きな口. 胚芽期に上顎突起と下顎突起の間の融合がうまくいかないことにより生じる）.
mac·ro·ti·a (mak-rō′shē-ă). 大耳〔症〕, 巨耳〔症〕（耳介または耳翼が先天的に極端に大きい状態）.
mac·ro·trau·ma (mak′rō-traw′mă). 大外傷（1 度の傷害で生じる組織の損傷）.
mac·u·la, pl. mac·u·lae (mak′yū-lă, -lē). = macule; spot(1). ***1*** 斑（周りの組織との色の違いを知覚できる小さな点）. ***2*** 斑, 斑点, 斑紋（隆起も陥凹もしていない皮膚の小さな変色した斑または点. →spot）.
mac·u·la ad·he·rens = desmosome.
mac·u·la a·tro·phi·ca 萎縮斑（皮膚の萎縮性で光沢のある白斑）.
mac·u·la ce·ru·le·a 青〔色〕斑（ノミやシラミの刺傷, 特に外陰部毛ジラミ症で生じる皮膚の青みがかった斑点）. = blue spot(1).
mac·u·la cor·ne·ae 角膜斑（角膜の密な混濁）.
mac·u·la cri·bro·sa, pl. mac·u·lae cri·bro·sae 篩状斑（迷路の前庭壁の 3 部位で, 膜迷路部への神経線維の通路になる多数の孔の開いているのが特徴である. **macula cribrosa inferior** 下篩状斑：後骨膨大部にあって後膨大部神経が通っている. **macula cribrosa media** 中篩状斑：蝸牛底の近くにあって球形嚢神経が通っている. **macula cribrosa superior** 上篩状斑：卵形嚢陥凹の上部にあって卵形嚢膨大部神経が通っている）.
mac·u·la den·sa 緻密斑（遠位尿細管上皮にある, 密に集合して, 濃厚に染色される細胞群で, 傍糸球体細胞に直接接する. 傍糸球体細胞に情報を与える化学受容体または圧受容体として機能すると思われる）.
mac·u·lae a·cus·ti·cae 聴斑（→macula of saccule; macula of utricle）.
mac·u·la fla·va 黄斑（2 つの声帯ひだが合する声門裂の前端の黄色の点）.
mac·u·lar, mac·u·late (mak′yū-lăr, -lāt). ***1*** 斑の, 斑状の, 斑点のある. ***2*** 黄斑の（中心網膜の斑, 特に黄斑についていう）.
mac·u·lar am·y·loi·do·sis 斑状アミロイドーシス（皮膚アミロイドーシスの限局型で, そう痒感ある左右対称性の網目状の褐色斑が特徴的で, 特に上背部に多い. 組織学的には, 表皮直下にアミロイドの小さい集塊が沈着してみられる）.
mac·u·lar ar·ter·ies 黄斑動脈（→inferior macular arteriole; superior macular arteriole）.
ma·cu·lar cor·ne·al dys·tro·phy 斑状角膜ジストロフィ（角膜実質へのグリコサミノグリカン沈着を特徴とする常染色体劣性疾患）.
mac·u·lar de·gen·er·a·tion 黄斑変性（後極部を主に侵す黄斑変性）. = age-related macular degeneration.
mac·u·lar dys·tro·phy 黄斑変性. = macular retinal dystrophy.
ma·cu·la of ret·i·na 黄斑（網膜の感受性の高い部位にみられる 3 × 5 mm の卵円形の部位で, 視神経円板の外側にあり眼球の後極に相当する. 中央に中心窩があり, ここに錐状体のみが含まれている）. = macula retinae.
mac·u·la ret·i·nae 黄斑. = macula of retina.
mac·u·lar lep·ro·sy 斑紋らい（結核様らいの一型. 病巣は小さく, 無毛, 乾燥している. 明色皮膚では紅斑性であり, 暗色皮膚では脱色性か銅色となる）.
mac·u·lar ret·i·nal dys·tro·phy 網膜黄斑ジストロフィ（感覚網膜, 網膜色素上皮, Bruch 膜, 脈絡膜, またはそれらのいくつかの組織の変性による主に眼底後極に異常を生じる疾患群. →Stargardt disease; Best disease）. = macular dystrophy.
mac·u·la of sac·cule 球形嚢斑（球形嚢の前壁の卵形の神経上皮感覚受容器. 神経上皮の有毛細胞が平衡砂膜を支え, その細胞の周囲に前庭神経線維の終末分枝がある）.
mac·u·la of u·tri·cle 卵形嚢斑（卵形嚢の下外側壁にある神経上皮性感覚受容器. 神経上皮の有毛細胞が平衡砂膜を支え, その細胞の周囲に前庭神経線維の終末分枝がある. 身体の縦軸方向の加速や重力の変動に感じる）.
mac·ule (mak′yūl). 斑〔点〕, 斑紋. = macula.
mac·u·lo·ce·re·bral (mak′ū-lō-ser′ē-brăl). 黄斑〔大〕脳の（網膜と脳の両方の変性病変を特徴とする神経疾患についていう）.
mac·u·lo·er·y·the·ma·tous (mak′yū-lō-ĕr-i-thē′mă-tŭs). 斑紅斑の, 紅斑〔性〕の（広範な紅斑性発疹についていう）.
mac·u·lo·pap·ule (mak′yū-lō-pap′yūl). 斑〔点状〕丘疹（中心部の丘疹を取り囲む平らな斑を有する病変）.
mac·u·lop·a·thy (mak′yū-lop′ă-thē). 黄斑障害, 黄斑症.
mad·a·ro·sis (mad′ă-rō′sis). 先天性脱毛症. = alopecia adnata.
mad-dog weed = alisma.
Mad·dox rod マドックス杆（ガラス杆, または一連の平行ガラス杆. 光源像を杆状体軸に垂直な光の線条に変える. 他眼が見る光源像に対するこの線条の位置が斜位の存在と程度を示す）.
Ma·de·lung de·for·mi·ty マーデルング変形（橈骨遠位部尺側の縦方向の成長が橈側に比べ障害され遠位橈尺関節が亜脱臼する変形. その結果橈骨遠位は異常に掌側, 尺側に傾斜する）.
Ma·de·lung neck マーデルング頸（頸部に限局する多発性対称性脂肪腫症(Madelung 病)）.
Mad Hat·ter syn·drome マッド・ハッター症候群（①慢性水銀中毒の胃腸症候と中枢神経系症候で, 口内炎, 下痢, 失調, 振せん, 反射亢進, 感覚神経障害, 情動不安定を含む. 以前は, 曲げやすくするために鉛を含む物質を口に入れていた鉛製造業の労働者にみられた. ②グリコール酸系抗コリン作動物質による特徴的な知覚障害(具体性の高い幻覚等)で, ムスカリン性アセチルコリン受容体の阻害作用が原因．原因物質として最も知られているのは，3-キニクリジニルベンジレート(QNB, NATO コード BZ)と，その類縁物質 Agent-15 で，後者はサダム・フセイン時代(1979—2003)のイラクで用いられた．→anticholinergic toxidrome)．

Mad·u·ra boil マズラ癤(せつ)．= mycetoma (1)．

Mad·u·rel·la (mad′yū-rel′ă)．マズレラ属（菌腫の原因となるいくつかの種を含む菌類の一属）．

ma·du·ro·my·co·sis (ma-dū′rō-mī-kō′sis)．マズラミコーシス．= mycetoma(1)．

M.A.Ed. Master of Arts in Education の略．

Maf·fuc·ci syn·drome マフッチ症候群（静脈奇形と静脈リンパ管奇形を伴う四肢の内軟骨腫症．他の良性，悪性腫瘍を生じる傾向がある）．= Kast syndrome.

Ma·gen·die law マジャンディの法則．= Bell law.

mag·got (mag′ŏt)．ウジ（ハエの幼虫）．

Ma·gill for·ceps マギル鉗子（経鼻挿管を容易にするための彎曲した先の鈍い鉗子）．

mag·ma (mag′mă)．マグマ，岩漿（①活性成分を抽出した後に残る軟らかい塊．②軟膏または厚い泥膏）．

Mag·nan sign マニャン徴候（コカイン中毒性精神病においてみられる感覚異常で，患者は皮下に粉末や細かい砂のような性状をもった異物があり，それが常に位置を変えるという感じをもっている）．= coke bugs.

Mag·nan trom·bone move·ment マニャントロンボーン運動（舌を口から引き出したときの舌の不随意な前後運動．基底核疾患でみられることがある）．

mag·ne·si·um (Mg) (mag-nē′zē-ŭm)．マグネシウム（アルカリ土類元素，原子番号 12，原子量 24.3050．マグネシアに酸化される．必須元素であり，多種類の塩が臨床使用されている）．

mag·net (mag′nĕt)．***1*** 磁石（鉄，コバルト，ニッケル，その他あらゆる合金の粒子を引き付ける性質があり，自由回転できるようにつるすと，地球の両磁極の間で，ある決まった方向をとろうとする性質を有する(磁気極性))．***2*** 人工磁石（棒状または蹄鉄状の鉄片，鉄鋼片で，他の磁石との接触，あるいは電磁石のように金属(鉄)製の芯の周囲に電流を通すことによって磁気を帯びるようになったもの)．***3*** マグネット，磁石（中心に患者を収容できるように円筒状の構造をした MRI 装置用の電磁石)．

mag·net hos·pi·tal マグネットホスピタル（アメリカ看護師協会の下部組織であるアメリカ看護師資格審査センターによって介護の基準が管理されている施設．マグネットという地位は国際看護専門基準のサポートの下，最高の介護，看護サービスを提供する卓越した保健機関に授与される）．

mag·net·ic gait 磁石歩行，磁気歩行．= Bruns ataxia.

mag·net·ic re·son·ance an·gi·og·ra·phy (MRA) 磁気共鳴血管造影．

mag·net·ic res·o·nance im·ag·ing (MRI) 磁気共鳴画像法（核磁気共鳴技術を用いた画像診断法で，均一な強磁場内では，磁性核(特にプロトン)の磁気方向がそろい，同調されたパルス状のラジオ波のエネルギーを吸収し，励起状態の消退とともにラジオ波信号を放出する．この信号は，原子核の，および分子の化学的環境により強度が変化するが，信号の発生源を三次元的に特定できる磁場の勾配を利用して，一連の断層像を得る．X 線や CT と異なり，MRI では放射線被曝はない)．

mag·net·o·stric·tive ul·tra·son·ic de·vice 磁歪型超音波スケーラー（電力により作動する器具で，先端が高速で振動することにより歯の表面の歯石を粉砕し，歯周ポケット内を清掃する．磁歪式超音波スケーラーは，小型の超音波振動子を内蔵する本体，ハンドピース，付け替え可能な先端部(チップ)からなる．この先端部は毎秒 18,000—42,000 回振動する．[註]超音波スケーラーには，磁歪振動子ならびに電歪振動子(ピエゾ)を利用したものの 2 種類があるが，現在では後者が一般的である．→piezoelectric ultrasonic device)．

mag·ne·tron (mag′nĕ-tron)．マグネトロン，磁電管（線形加速器の内部にあり，マイクロ波増幅器また発振器として機能する．→klystron)．

mag·ni·fi·ca·tion (mag′ni-fi-kā′shŭn)．倍率，拡大（①顕微鏡によって物体の見かけの大きさが増すこと．この見かけの大きさは×の次に数字を書いて表すが，それは拡大した直径が何倍になったかを示す．②筋収縮などの自動記録器の図における拡大された振幅．これは長い腕をもつ記録用レバーを用いるためである)．

mag·ni·fi·ca·tion ra·di·og·ra·phy 拡大 X 線撮影（小焦点の X 線管を用い，像の鮮鋭度，分解能を損なうことなく，放射線被曝量も増やさずに拡大した画像を撮影する方法)．

mag·ni·tude im·age 強度画像（MRI において，位相情報を含まない信号の大きさから構成される画像．→magnetic resonance imaging)．

mag·no·cel·lu·lar (mag′nō-sel′yū-lăr)．大型細胞の．

ma-huang (mah-hwahng)．マオウ（麻黄)．= ephedra.

MAI *Mycobacterium avium-intracellulare* の略．→ *Mycobacterium avium-intracellulare* complex.

mAi milliampere-impulse の略．

MAIC *Mycobacterium avium-intracellulare* complex の略．

main·stream aer·o·sol 主流エアロゾル（エアロゾル投与システムで，エアロゾル発生器で発生する吸入気流の主流の方向を決める)．

main·stream·ing (mān′strēm-ing)．メインストリーミング，主流化（社会的，身体的，教育的に制限の少ない環境を慢性障害を有する患者に提供し，彼らを同一集団として，常に管理下にある保護環境に置くのではなく，自然環境へ導いていくこと)．

main·tain·er (mān-tān′ĕr)．維持装置（歯を一定の部位に維持する装置)．

main·te·nance (mān′ten-ăns)．維持（①利益

保持を維持する治療用規制. *cf.* compliance (2); adherence (2). ②患者が指導なしに健康でいられ, 一般の生活スタイルが営める程度をいう. *cf.* compliance).

main·te·nance of wake·ful·ness test (MWT) 覚醒維持試検査 (8時間に及ぶ検査で眠気を誘起する環境において患者の睡眠と不眠を測定する).

Mai·son·neuve frac·ture メゾヌーブ骨折 (足関節が激しく外旋されて生じる腓骨頸部のらせん骨折).

ma·jor ag·glu·ti·nin 主凝集素 (抗血清にその主要抗体として存在し, 種々の抗原決定基の主要部分を占めるために生じる免疫凝集素). = chief agglutinin.

ma·jor his·to·com·pat·i·bil·i·ty com·plex (MHC) 主要組織適合遺伝子複合体 (免疫担当細胞間の認識機構(組織特異抗原や移植適合性)をつかさどる細胞表面糖蛋白をコードする遺伝子領域で, 密に連鎖して一定の染色体領域に存在する. マウスではH-2, ヒトではHLA複合体よりなる).

ma·jor min·er·als 主要ミネラル (成人の1日の必要所要量が100 mg以上のミネラル).

ma·jor sal·i·var·y glands 大唾液腺 (三大唾液腺の総称で, 口腔内に分泌される唾液の大部分を分泌する. 耳下腺, 顎下腺, 舌下腺をいう).

ma·jor sub·lin·gual duct 大舌下腺管 (舌下腺前部の排出を行う管. 舌下小丘に開口する).

mal (mahl). 疾患, 疾病.

mal- 悪い, 不良, を意味する連結形. eu-の対語. *cf.* dys-; caco-.

ma·la (mā′lă). ***1*** 頬, ほほ. = cheek. ***2*** 頬骨. = zygomatic bone.

Mal·a·bar car·da·mom = cardamom.

mal·ab·sorp·tion (mal′ab-sōrp′shŭn). 吸収不良 (胃腸の吸収が不完全なこと).

mal·ab·sorp·tion syn·drome 吸収不良症候群 (下痢, 衰弱, 浮腫, 倦怠, 体重減少, 食欲不振, 腹部の隆起, 蒼白, 出血傾向, 感覚異常, 筋肉痙攣を特徴とする状態で, 栄養の吸収不良, 例えばスプルー, グルテン誘発性腸症, 胃回腸吻合, 結核, ある種の瘻孔といった状態のいずれでも起こりうる).

ma·la·ci·a (mă-lā′shē-ă). 軟化〔症〕(器官や組織の軟化, あるいは硬さ, 近接性の消失. 語尾に付いて連結形としても用いる). = mollities (2); malacosis.

mal·a·co·pla·ki·a, mal·a·ko·pla·ki·a (mal′ă-kō-plā′kē-ă). マラコプラキア (膀胱などの粘膜のまれな病変で, 無数のマクロファージと石炭小球(Michaelis-Guttmann体)からなる, まだら状で黄灰色の軟らかい無数の斑ないし結節を特徴とする).

mal·a·co·sis (mal′ă-kō′sis). = malacia.

mal·a·cot·ic (mal′ă-kot′ik). 軟化〔症〕の.

mal·ad·just·ment (mal′ad-jŭst′mĕnt). 適応障害, 順応障害 (精神衛生専門用語. 日常生活の問題や課題に対して適応できないこと).

mal·a·dy (mal′ă-dē). 疾患, 疾病.

mal·aise (mă-lāz′). 倦怠〔感〕(全身に不快感がありけだるいこと. しばしば感染その他の病気の初期の徴候としてみられる).

mal·a·lign·ment (mal′ă-līn′mĕnt). 歯列不正 (歯列弓の正常な位置からの歯の転位).

ma·lar (mā′lăr). 頬〔部〕の, 頬骨の.

ma·lar bone = zygomatic bone.

ma·lar·i·a (mă-lar′ē-ă). マラリア (ヒトまたは他の脊椎動物の赤血球に胞子虫類のマラリア原虫(*Plasmodium*属)が侵入することにより引き起こされる病気. 通常, マラリア患者を吸血した雌の感染ハマダラカ属*Anopheles*の刺咬により伝播する. ヒトの感染は肝臓の実質細胞内の赤外型サイクルで始まり, 続いて一定間隔で赤内型分裂サイクルを繰り返す. 別の赤血球内の生殖母体が次のカに感染すると生殖体になる. 激しい悪寒と高熱, 衰弱, ときに致死的な転帰をとることを特徴とする. →tropical diseases. →*Plasmodium*). = swamp fever (2).

ma·lar·i·ae ma·lar·i·a 四日熱〔マラリア〕(典型的には熱発作の日を第1日と数えて72時間ごとあるいは4日目ごとに熱発作を繰り返すマラリア熱. この熱発作は四日熱マラリア原虫*Plasmodium malariae*が新しい赤血球中に侵入, 多数分裂(シゾゴニー)により感染赤血球から分裂小体(メロゾイト)を放出することにより生じる). = quartan malaria.

ma·lar·i·al (mă-lar′ē-ăl). マラリア〔性〕の, マラリア感染した.

ma·lar·i·al cres·cent 半月体 (熱帯熱マラリア原虫*Plasmodium falciparum*の雌雄の生殖母体細胞. ヒトの赤血球中の半月体は熱帯マラリアの診断材料となる). = crescent (3).

ma·lar·i·o·ther·a·py (mă-lar′ē-ō-thār′a-pē). = therapeutic malaria.

Ma·las·sez ep·i·the·li·al rests マラセー上皮遺残 (歯周靱帯のHertwig上皮鞘の上皮残物).

Mal·as·se·zi·a (mal-ă-sē′zē-ă). マラセジア属 (病原性の低い真菌の一属(クリプトコックス科)で, 病原性中鎖と長鎖の脂肪酸を合成することができず, 皮膚でみられるように, 生育にはこれら脂肪を外部から供給することが必要となる).

Mal·as·se·zi·a fur·fur でん(癜)風菌 (正常皮膚微生物叢を構成する真菌種であるが, でん風や毛包炎の原因となり, また静脈内脂肪をもつ患者に真菌血症を起こすこともある).

mal·as·sim·i·la·tion (mal′ă-sim′i-lā′shŭn). 同化不良 (同化の不完全, 欠如または吸収不良を表す, まれに用いる語).

ma·late (mal′āt). リンゴ酸塩またはエステル.

ma·late de·hy·dro·gen·ase リンゴ酸デヒドロゲナーゼ (リンゴ酸のオキサロ酢酸への脱水素反応を触媒する酵素. 少なくとも6種が知られている. 1つはトリカルボン酸回路の酵素である).

mal·ax·a·tion (mal′ak-sā′shŭn). ***1*** 練和 (丸剤および膏剤の成分を練合すること). ***2*** 捏揉運動 (マッサージでもむこと).

mal del pin·to 斑点病. = pinta.

mal de mer 船酔い. = seasickness.

mal de mo·ra·do マルデモラド（中米でみられる赤紫の皮膚の変色で *Onchocerca volvulus* が原因のオンコセルカ症の急性発病の際に見られる）.

male (māl). *1* 雄（動物学において，精子を生産するものが属する性を示す．雄の個体）. *2* 男性. = masculine.

male gen·i·tal sys·tem 男性生殖器系（男性の生殖器．精巣，精巣上体，精管，精嚢，前立腺，外生殖器からなる）.

male pat·tern al·o·pe·ci·a 男性型脱毛〔症〕（最も一般的な男性ホルモン性脱毛．前額と両側の側頭三角の髪際部の後退と頭頂部の脱毛として男性に認められる．これは全頭性脱毛に進行することがある）.

mal·e·rup·tion (mal′ē-rŭp′shŭn). 生歯不全（歯の萌出が不完全なこと）.

mal·for·ma·tion (mal′fōr-mā′shŭn). 奇形，先天異常（適切あるいは正常の発生発達が失敗した状態．より明確にいえば，局所的な形態発生の誤りから生じる一次的な構造の欠如．例えば唇裂．*cf.* deformation）.

mal·func·tion (mal-fŭngk′shŭn). 機能不全.

Mal·gaigne her·ni·a マルゲーニュヘルニア（精巣の下降に先行して起こる小児鼡径ヘルニア）.

Mal·gaigne lux·a·tion マルゲーニュ脱臼. = nursemaid's elbow.

Mal·her·be cal·ci·fy·ing ep·i·the·li·o·ma マルヘルベ石灰化上皮腫. = pilomatrixoma.

mal·ic ac·id リンゴ酸；hydroxysuccinic acid（リンゴその他の酸味のある果物中に見出される酸で，トリカルボン酸回路，グリオキシル酸回路，あるシャトル機構の中間物質）.

ma·lig·nan·cy (mă-lig′năn-sē). 悪性〔度〕，悪性疾患.

ma·lig·nant (mă-lig′nănt). 悪性の（①治療に対して抵抗性があることをいう．重症型でしばしば致命的．漸悪性の経過をとる．②新生物に関しては局部的浸潤性，破壊的増殖性，および転移性を有するものをいう）.

ma·lig·nant a·ne·mi·a = pernicious anemia.

ma·lig·nant bu·bo 悪性横痃（腺ペストに合併する腫脹したリンパ節）.

ma·lig·nant cil·i·ar·y ep·i·the·li·o·ma 悪性毛様体上皮腫（毛様体上皮の悪性増殖．しばしば色素含有層まで浸潤する）.

ma·lig·nant dys·ker·a·to·sis 悪性異常角化症（前癌性または悪性病変に伴った異常角化症）.

ma·lig·nant ex·ter·nal o·ti·tis 悪性外耳道炎（高齢者の糖尿病患者でみられる *Pseudomonas* 属による側頭骨骨髄炎であり致死的となりうる．疼痛，外耳道腫脹，外耳道からの滲出液といった症状を呈する）. = *Pseudomonas* osteomyelitis.

ma·lig·nant fi·brous his·ti·o·cy·to·ma 悪性線維性組織球腫（四肢，後腹膜に好発する肉腫で，悪性度は様々である．切除後しばしば局所再発するが転移は少ない．一部は線維芽細胞や組織球への分化を示し，多様な層状パターンや粘液腫様変化や巨細胞などを伴う）.

ma·lig·nant gran·u·lo·ma 悪性肉芽腫. = midline lethal granuloma.

ma·lig·nant hep·a·to·ma 悪性ヘパトーム，悪性肝〔細胞〕癌（肝実質にできた癌）. = hepatocarcinoma; hepatocellular carcinoma.

ma·lig·nant his·ti·o·cy·to·sis 悪性組織球増殖〔症〕（リンパ腫の速やかに死に至る型で，発熱，黄疸，汎血球減少症，および肝臓・脾臓・リンパ節の腫脹が特徴．患部器官は，組織球の増殖と赤血球の貪食を伴う病巣壊死と出血を起こす）.

ma·lig·nant hy·per·ten·sion 悪性高血圧〔症〕（重症の高血圧で，急速な経過をとり腎臓，網膜などの小動脈壁の壊死をもたらす．出血が起こり，死因の多くは尿毒症または脳血管出血である）.

ma·lig·nant hy·per·ther·mi·a 悪性高熱，悪性高体温，悪性過温症（極度の高熱が急激に発生することで，筋硬直を伴う．遺伝的に感受性の強い人に外因性の要因が加わると突然発症する．その因子としてはハロタンまたはスクシニルコリンが知られている）.

ma·lig·nant jaun·dice 悪性黄疸. = icterus gravis.

ma·lig·nant lym·pho·ma 悪性リンパ腫（リンパ・網内系組織の悪性新生物を表す一般用語．腫瘍は境界明瞭な固形腫瘍として存在し，未熟な細胞やリンパ球，形質細胞，細網細胞などと似た細胞より構成される．リンパ腫の発生する部位は，リンパ節，脾臓，その他リンパ様・網内系細胞の存在する部位である．リンパ腫は細胞の型，分化の程度，結節型かびまん型かなどによって分類される．Hodgkin 病，Burkitt リンパ腫は特殊型である）.

ma·lig·nant neph·ro·scle·ro·sis 悪性腎硬化〔症〕（悪性の高血圧症による腎の変化．被膜下点状出血がみられ，糸球体の輸入細動脈の血管壁に散在性に壊死が起こる．尿には赤血球と血液円柱とが混ざり，尿毒症の転帰を伴うことが多い）.

ma·lig·nant ter·tian ma·lar·i·a 悪性三日熱〔マラリア〕. = falciparum malaria.

ma·lig·nant tu·mor 悪性腫瘍（周辺組織を侵し，通常は転移する腫瘍．除去しても再発することがあり，適切に処置しないと死に至りやすい．→cancer）.

ma·ling·er (mă-ling′gĕr). 仮病を使う，詐病を使う（同情をかき立てたり，仕事や責任を逃れたり，治療を継続したり，補償を得るために，病気や能力のないふりをしたり回復が遅れているように装うこと）.

ma·ling·er·er (mă-ling′gĕr-ĕr). 仮病者，詐病者.

ma·ling·er·ing (mă-ling′gĕr-ing). 仮病，詐病（仕事を逃れたり，補償を得るために，病気や能力のないふりをすること）.

mal·in·ter·dig·i·ta·tion (mal′in-tĕr-dij′i-tā′shŭn). 咬合不正（歯の咬合が不全なこと）.

mal·le·a·ble (mal′ē-ă-bĕl). 展性の（打ったり，圧力をかけたりして形づくる金や銀のような金属の性質についていう).

mal·le·ar folds つち骨ひだ(前・後部の2つの靱帯. 鼓室切痕の各末端からつち骨突起にのびて鼓膜の鼓室側にひだをつくり, 鼓膜の緊張部と弛緩部の間を区切る).

mal·le·o·in·cu·dal (mal′ē-ō-ing′kyū-dăl). つちきぬた骨の(鼓室のつち骨ときぬた骨に関する).

mal·le·o·lar (mă-lē′ō-lăr). 果の, くるぶしの.

mal·le·o·lar stri·a つち骨条(鼓膜に透けて見える明るい線. つち骨柄が付着していることにより形成される).

mal·le·o·lus, pl. mal·le·o·li (ma-lē′ō-lŭs, -lī). 果, くるぶし(果関節の両側にある丸い骨の突起).

mal·le·ot·o·my (mal′ē-ot′ŏ-mē). ***1*** つち骨切開〔術〕. ***2*** 果靱帯切開術(ある種の内反足においてくるぶしを分離するために, それを並列に保っている靱帯を切断すること).

mal·let fin·ger 槌指(①指節骨への強力な他動屈曲により伸筋腱が裂離した結果生じた末節骨の屈曲変形. ②= baseball finger).

mal·let toe マレット趾(中手指節間関節と近位指節間関節は正常の位置にあり, 遠位指節間関節に限って屈曲変形を生じている趾).

mal·le·us, gen. & pl. mal·le·i (mal′ē-ŭs, -ī). つち骨(3つの耳小骨中最大のもので, 槌よりもむしろこん棒に似ている. つち骨頭の下につち骨頸があり, そこからつち骨柄と細長い前突起が分岐し, 底部の柄から短い外側突起が出る. つち骨柄と外側突起は鼓膜に固く付着し, つち骨頭はきぬた骨体のサドル形の面と関節をなす). = hammer.

Mall for·mu·la マル〔公〕式(胚の年齢(日数で表す)は, 長さ(頭頂から殿部まで)の mm 数の平方根を 100 で乗じる).

Mal·lo·ry an·i·line blue stain マロリーのアニリンブルー染色〔法〕. = Mallory trichrome stain.

Mal·lo·ry bod·ies マロリー〔小〕体(境界のはっきりしない大きな好酸性物質蓄積物で, 特にアルコール中毒で生じたある型の肝硬変により損傷した肝細胞質内にみられる).

Mal·lo·ry col·la·gen stain マロリー膠原線維染色〔法〕(リンモリブデン酸かリンタングステン酸を, アニリンブルーのような酸性染料またはヘマトキシリンとともに用いて, 結合組織を染める種々の方法の1つ).

Mal·lo·ry i·o·dine stain マロリーのヨード染色〔法〕(アミロイドが Gram ヨード液で赤茶色に染まり, 次に希硫酸をかけると青紫色となる).

Mal·lo·ry phlox·ine stain マロリーのフロキシン染色〔法〕(過度染色の後, 炭酸リチウムで脱色した際, ヒアリンによりフロキシンが保持されることに基づく方法で, 核染色のためのミョウバンヘマトキシリンと組み合わせて用いる. ヒアリンは赤く見えるが, 古くなったヒアリンは桃色または無色に, アミロイドは淡桃色に, 核は黒青色に染まる).

Mal·lo·ry phos·pho·tung·stic ac·id he·ma·tox·y·lin stain マロリーのリンタングステン酸ヘマトキシリン染料. = phosphotungstic acid hematoxylin.

Mal·lo·ry stain for ac·ti·no·my·ces マロリー放線菌染色〔法〕(ミョウバンヘマトキシリン, 次いでエオシンを用いる染色. Ehrlich アニリンクリスタルバイオレットに浸し, Weigert のヨウ素溶液で処理する. 菌糸体は青色に, こん状体は赤色に染まる).

Mal·lo·ry stain for he·mo·fuch·sin マロリー血褐素染色〔法〕(切片をミョウバンヘマトキシリンと塩基性フクシンで連続的に染める. リポフスチン様色素とセロイドは明赤色に, 核は青色に染まるが, メラニンとヘモジデリンは, もともと褐色調なので染まっていないようにみえる).

Mal·lo·ry tri·chrome stain マロリー三色染色〔法〕(主に結合組織の検索に適した染色法. 薄切切片を酸性フクシン, アニリンブルー-オレンジ G 溶液, およびリンタングステン酸で染めると, 膠原線維は青色に, 結合織性原線維, 神経膠, 筋線維は赤色に, 弾性線維は桃色か黄色に染まる). = Mallory aniline blue stain; Mallory triple stain.

Mal·lo·ry tri·ple stain マロリー三重染色〔法〕. = Mallory trichrome stain.

Mal·lo·ry-Weiss le·sion マロリー-ヴァイス病変(Mallory-Weiss 症候群にみられるような胃噴門の裂傷). = Mallory-Weiss tear.

Mal·lo·ry-Weiss syn·drome マロリー-ヴァイス症候群(食道下端の裂創で, 出血, または縦隔の穿通, それに続く縦隔炎を伴う. 通常, ひどい吐気や嘔吐により起こる).

Mal·lo·ry-Weiss tear マロリー-ヴァイス裂傷. = Mallory-Weiss lesion.

mal·nu·tri·tion (mal′nū-trish′ŭn). 栄養失調(吸収不良, 貧弱な食事, 過食から起こる栄養不全).

mal·oc·clu·sion (mal′ŏ-klū′zhŭn). 不正咬合(①生理学的に機能しえない対合歯との咬合. ②すべての正常でない咬合).

ma·lon·di·al·de·hyde-mod·i·fied low-den·si·ty lip·o·pro·tein (LDL) マロンジアルデヒド修飾低密度リポ蛋白(アポ蛋白部分にアルデヒド置換リシン残基をもつ IDL 分子で, プロスタグランジン合成や血小板凝固を伴う酸化反応生成物である).

ma·lon·ic ac·id マロン酸(中間代謝で重要なジカルボン酸の1つ. コハク酸デヒドロゲナーゼ阻害剤).

mal·o·nyl-CoA (mal′ō-nil). マロニル CoA(マロン酸とコエンチーム A の縮合物で, 脂肪酸生合成の中間体である).

mal·pi·ghi·an (mal-pig′ē-ăn). Marcello Malpighi の記した, または彼に起因する.

mal·pi·ghi·an bod·ies マルピーギ〔小〕体. = splenic lymph follicles.

mal·pi·ghi·an cap·sule ***1*** マルピーギ嚢. ***2*** マルピーギ被膜(脾臓を包む薄い線維性被膜で, 脾門にはいる血管も包んでいる).

mal·pi·ghi·an pyr·a·mid マルピーギ錐体. =

renal pyramid.
mal·pi·ghi·an stig·mas マルピーギ小孔（脾臓の小さいほうの静脈が大きいほうの静脈にはいる個所）.
mal·pi·ghi·an stra·tum マルピーギ層（基底層，有棘層，顆粒層を構成する生きた表皮細胞層）.
mal·po·si·tion (mal′pō-zish′ŭn). 位置異常，偏位. = dystopia.
mal·prac·tice (mal-prak′tis). 不正治療，医療過誤（無知，不注意，無視，あるいは犯意などによる治療上の過失）.
mal·pre·sen·ta·tion (mal′prez-ĕn-tā′shŭn). 胎位(胎向)異常（後頭位以外の正常でない胎位）.
mal·ro·ta·tion (mal′rō-tā′shŭn). 異常回転（胎児発育期における腸管，腎臓などの器官あるいは系の全部または一部の回転異常）.
mal·ro·ta·tion of the kid·ney 回転異常腎（腎臓が骨盤からの上昇過程において正常に回転しないこと．ほとんどの場合，腎門が体の中心部ではなく正面を向いた状態になっている）.
MALT (mawlt). mucosa-associated lymphoid tissue の略.
Mal·tese cross マルタ十字（バベシア症において赤血球内にみられる早期の環状の寄生虫の4つの形）.
MALToma (mawl′tō-mă). MALT の B 細胞リンパ腫. = extranodal marginal zone lymphoma.
mal·tose (mawl′tōs). マルトース，麦芽糖（デンプンの加水分解によりできる二糖類で，2つの D-グルコース残基が結合してできる）.
ma·lum (mā′lŭm). 疾患，疾病.
mam·ma, gen. & pl. mam·mae (mam′ă, -ē). 乳房，ちぶさ（→mammary gland）. = breast.
mam·mal·gi·a (mă-mal′jē-ă). = mastodynia.
mam·ma·plas·ty (mam′ă-plas-tē). 乳房形成〔術〕（乳房の形，大きさ，位置，またはそれらすべてを変更する形成手術）. = mammoplasty; mastoplasty.
mam·ma·ry (măm′ă-rē). 乳房の.
mam·ma·ry crest 乳腺堤（胎芽の外胚葉性表皮の帯のように厚くなった部分で，胎芽両側において上肢の基部から下肢の領域までに広がっている．人間の胎芽の場合，乳腺は胸部の隆線にみられる原基から発達する）. = mammary fold; milk line; milk ridge.
mam·ma·ry duct ec·ta·si·a 乳管拡張〔症〕（比較的高齢の女性にみられる，脂肪や細胞の破片による乳管の膨張．管の破裂は肉芽腫様炎症や形質細胞による浸潤を引き起こす．→plasma cell mastitis）.
mam·ma·ry fold = mammary crest.
mam·ma·ry gland 乳腺（乳房の中にある乳汁分泌腺で静止期または活動期にある複合胞状アポクリン腺で，15—24 腺葉からなり，それぞれ脂肪組織や線維中隔によって多数の小葉に区分されている．性成熟後の女性の静止期乳腺実質はほとんど管状で，腺房は妊娠期のみ現れる）.
mam·mec·to·my (mă-mek′tŏ-mē). = mastectomy.
mam·mi·form (mam′i-fōrm). 乳房状の. = mammose(1).
mammil-, mammilli- 乳頭を意味する連結形. *cf.* thelo-.
mam·mil·la, pl. mam·mil·lae (mă-mil′ă, -ē). 乳頭（①乳房に似た小さな丸い突起物．②= nipple）.
mam·mil·la·plas·ty (mă-mil′ă-plas-tē). 乳頭形成〔術〕（乳首と乳輪の形成外科手術）. = theleplasty.
mam·mil·la·re (mam′i-lar-ē). = mammillary.
mamm·il·lar·i·a (mam′i-lar′ē-ă). →mammillary body.
mam·mil·la·ry (mam′i-lar-ē). 乳頭の（乳首の，乳首のような形の）. = mammillare.
mam·mil·la·ry bod·y 乳頭体（視床下面から脚間窩に突出している左右1対の半球状の隆起．脳弓から海馬足の主要線維束を受け，視床前核と脳幹被蓋部とに線維を出す）. = corpus mammillare.
mam·mil·la·ry ducts = lactiferous ducts.
mam·mil·la·ry line 乳頭線（左右各々の乳頭を通る垂直線）. = nipple line.
mam·mil·late, mam·mil·lat·ed (mam′i-lāt, -ĕd). 乳頭状の（乳頭の形をした突起がある）.
mam·mil·la·tion (mam′i-lā′shŭn). ***1*** 乳頭状突起. ***2*** 乳頭状状態.
mam·mil·li·form (mă-mil′i-fōrm). 乳頭の（乳首のような形の）.
mam·mil·li·tis (mam′i-lī′tis). 乳頭炎.
mammo- 乳房に関する連結形. *cf.* masto-.
mam·mo·gram (mam′ō-gram). 乳房X線像，乳房造影図.
mam·mog·ra·phy (mă-mog′ră-fē). マンモグラフィ，乳房撮影〔法〕（乳房のX線による画像検査で，乳房疾患のスクリーニングあるいは精査に用いられる）.
Mam·mo·mon·o·ga·mus (mam′ō-mon-og′ă-mus). マンモモノガムス属（開嘴虫(かいしちゅう)科に属する線虫の一属で，反すう動物，ときとしてヒトの呼吸器にみられる．通常，雌雄の虫体が結合してY字状になっている）.
Mam·mo·mon·o·ga·mus la·ryn·ge·us 数種の哺乳類の上部気道にみられる線虫．およそ100例のヒト症例があり，その多くはカリブ海の島々でみられている．虫体は赤色ないし赤褐色で，雄と雌が結合してY字状を呈する．生活環は知られていない.
mam·mo·plas·ty (mam′ō-plas-tē). 乳房形成〔術〕. = mammaplasty.
mam·mose (mam′ōs). ***1*** 乳房状の. = mammiform. ***2*** 巨大乳房の.
mam·mo·so·ma·to·troph cell ade·no·ma プロラクチン・成長ホルモン産生細胞腺腫（まれなプロラクチンと成長ホルモン産生性の下垂体腺腫．成長ホルモンとプロラクチン産生細胞に分化した単一の形態をもった細胞より構成される）.
mam·mot·o·my (ma-mot′ŏ-mē). = mastotomy.
mam·mo·tro·pic, mam·mo·tro·phic (mam′ō-trō′pik, -trō′fik). 向乳腺性の（乳腺の

発達，成長，または機能を刺激する効果のあることを示す）.

man·aged care 管理ケア（医療），統制医療（第三者機関の支払者（保険会社，連邦政府あるいは協会など）が医師と患者の仲介をし，医療費の協定をしたり，治療内容を監視したりするもの．第三者機関の支払者は，入院を必要とする患者について他の専門家の意見（セカンドオピニオン）を聞いたり，診断内容を前もって検討する必要があり，また，医師と一括経費の協定をしたり，病院の審査や請求書のチェックを含む，費用削減を遂行する．→health maintenance organization. →capitation）.

man·age·ment (man′ăj-mĕnt). マネージメント，管理（病気の状態進行の監視，管理）.

Man·ches·ter op·er·a·tion マンチェスター手術（子宮頸切断と子宮傍結合組織固定からなる子宮脱治療のための腟式手術）. = Fothergill operation.

man·dat·ed re·por·ter 委任通報者（子供や老人に対する虐待やネグレクト（放置）の事実や疑いがある場合，それらを通報する義務が課せられた専門家．内科医，外科医，検査医，看護師，ソーシャルワーカー，（福祉施設の）入居者，インターンに加え，事務，介護，検査，患者の治療に関わるその他の医療従事者をさすが，他にも広く適用される）.

man·da·to·ry breath 強制呼吸（機械的換気中の強制呼吸とは，患者本人によるものではなく，人工呼吸器のあらかじめ設定された機能によって，開始（誘発）または停止（反復）されるものである）.

man·di·ble (man′di-bĕl). 下顎骨（下顎を形成する上面観でU字形の骨で，上向きの突起によって両側の側頭骨と関節をなす）. = jaw bone; mandibula; submaxilla.

man·dib·u·la, pl. man·dib·u·lae (man-dib′yū-lă, -lē). 下顎骨. = mandible.

man·dib·u·lar (man-dib′yū-lăr). 下顎〔骨〕の. = inframaxillary; submaxillary (1).

man·dib·u·lar arch 顎弓（第一内臓弓のこと）. = mandibular process.

man·dib·u·lar car·ti·lage 下顎軟骨（第一鰓弓にある軟骨板で胎性下顎の一時的な支持構造をなす．近位端からはつち骨ときぬた骨の軟骨原基が発達してくる．蝶下顎靱帯や前つち骨靱帯がここから起こる）. = first pharyngeal arch cartilage; Meckel cartilage.

man·di·bu·lar for·a·men 下顎孔（下顎枝の内側にある下顎管の始まるところで，下歯槽神経・動脈・静脈の通路）. = foramen mandibulae.

man·dib·u·lar fos·sa 下顎窩（頬骨弓根部の側頭骨鱗部にある深い凹窩で，下顎頭がはいる）. = glenoid fossa (2).

man·dib·u·lar joint 顎関節. = temporomandibular joint.

man·dib·u·lar lymph node 下顎リンパ節（顔面リンパ節群の1つで，顔面動脈が下顎骨を横切るところにあるもの）.

man·dib·u·lar nerve［CN V3］ 下顎神経（第五脳神経第三枝（CN V3）．三叉神経節からの感覚線維と運動根が卵円孔で結合してできる三叉神経の第三枝．卵円孔を出て，硬膜，咬筋，深側頭，外側・内側翼突筋，頬，耳介側頭，舌，下歯槽の各神経となる．知覚枝は耳介，外耳道，鼓膜，側頭部，頬，下顎角を除く下顎骨をおおう皮膚，舌の前2/3，口底部，下顎歯と歯肉に分布する．運動枝はすべてのそしゃく筋，おとがい舌骨筋，顎二腹筋の前腹，口蓋帆張筋および鼓膜張筋に分布する）. = nervus mandibularis.

man·dib·u·lar pro·cess 下顎突起. = mandibular arch.

man·dib·u·lar sym·phy·sis おとがい結合（胎児で左右の下顎骨体を正中で連結する線維軟骨結合．生後1年以内に骨結合となる）. = mental symphysis.

man·dib·u·lo·ac·ral dys·pla·si·a 下顎肢端形成不全〔症〕（歯の叢生，先端骨溶解症，関節強直，手や足の皮膚の萎縮を特徴とする常染色体劣性障害．鎖骨は発育不全で，頭蓋縫合の幅が広く，多数のウォーム骨が存在する）.

man·dib·u·lo·fa·cial (man-dib′yū-lō-fā′shăl). 下顎顔面の（下顎骨と顔面に関する）.

man·dib·u·lo·fa·cial dys·os·to·sis 〔下〕顎顔面骨形成不全〔症〕. = Treacher Collins syndrome.

man·dib·u·lo·oc·u·lo·fa·cial (man-dib′yū-lō-ok′yū-lō-fā′shăl). 下顎眼窩顔面の（下顎骨と顔面の眼窩部に関する）.

man·drel, man·dril (man′drĕl, man′dril). ***1*** 心軸（器具が取り付けられている軸，心棒，または取っ手で，それによって器具が回転する）. ***2*** = mandrin. ***3*** マンドレール（歯科において，切削や研磨に用いるディスク，ストーン，またはカップを保持し，ハンドピースに付けて用いる器具）.

man·drin (man′drin). マンドリン〔線〕（柔軟なカテーテルの腔内に挿入された硬い針金またはスタイレットで，中空の管状構造物を通す際に形と硬さを与える）. = mandrel (2); mandril.

ma·ne (mah′nā). 朝に.

ma·neu·ver (mă-nū′vĕr). 操作，手技. = manoeuvre.

man·ga·nese (Mn) (mang′gă-nēz). マンガン（金属元素で鉄に類似し，特に鉱石中でしばしば鉄と共存する．原子番号25，原子量54.94．2価マンガン塩はときに薬用される）.

mange (mānj). ダニ症，疥癬（皮膚に潜伏するダニ類による家畜と野生動物の皮膚病．ヒトではscabiesとよばれる）.

ma·ni·a (mā′nē-ă). 躁病（爽快気分または易刺激性，精神運動活動の増加，早口，観念奔逸，睡眠欲求の減少，集中困難，誇大妄想，判断能力の低下を特徴とする感情障害．通常は双極性障害で起こる．→manic-depressive）.

-mania 何らかの特定の物，場所，行動への異常な愛あるいは病的な衝動を意味する連結形.

ma·ni·a·cal (mă-nī′ă-kăl). 躁病の，躁病状の. = manic.

man·ic (man′ik). 躁病の. = maniacal.

man·ic-de·pres·sive (man′ik dĕ-pres′siv). ***1*** 〖adj.〗躁うつ病の. ***2*** 〖n.〗躁うつ病患者（→

mania; bipolar disorder).

man·ic-de·pres·sive psy·cho·sis 躁うつ病. = bipolar disorder.

man·ic ep·i·sode 大気分障害のある状態で，個人の著明な気分が高い，誇大し，あるいは易刺激的である明確な時期であり，双極性障害の興奮したあるいは躁病的な病相にみられる症状との関連がある. →affective disorder; endogenous depression.

man·i·fes·ta·tion (manʹi-fes-tāʹshŭn).〔症状〕発現（疾病の特徴的徴候や症状の発現).

man·i·fest con·tent 顕在内容（意識的に用いられ，報告できる空想や夢の内容).

man·i·fest hy·per·o·pi·a 顕在遠視（毛様体筋の生理的反応によって調節しきれない遠視総体の中の成分．無散瞳薬状態で検査). = facultative hyperopia.

man·i·fest·ing het·er·o·zy·gote 顕在性異型接合体（特殊な機序(ライオニゼーション，対立遺伝子排除，相同染色体の欠失など)により，通常は劣性状態で表現型は顕在しているような，異型接合体をもつ生物体).

ma·nip·u·la·tion (mă-nipʹyū-lāʹshŭn). 触診（①ものや人に対して行う巧みな触診. →manual therapy; mobilization. ②患者の関節可動域の限界でみられる低振幅・高速の運動に対する消極的な治療処置).

man-made death *1* = euthanasia. *2* = slow code.

man·ner (mănʹĕr). 方法（何かが行われる際のやり方やスタイル).

man·ner·ism (manʹĕr-izm). 衒奇(げんき)，わざとらしさ（動作や身振り，言動が奇妙であること，または普通でないこと).

Mann·kopf sign マンコプフ徴候（疼痛点が圧迫されると拍動が増加する).

Mann meth·yl blue-e·o·sin stain マンのメチルブルー-エオシン染色〔法〕（脳下垂体前葉やウイルスの封入体の染色法として有用．2種の色素によって，アルファ細胞の顆粒は赤色，ベータ細胞の顆粒は濃青色，嫌色素性の顆粒は灰色または桃色，コロイドは赤色，赤血球は橙赤色，膠原線維は青色に染まる．この染色法は腸クロム親和性の杯細胞，Paneth 細胞，膵島部の細胞染色にも有用である．また Negri 小体は赤色に染まり，青色の核や中心顆粒と区別される).

man·nose (manʹōs). マンノース（種々の植物源(すなわちマンナン)から得られるアルドヘキソース).

man·nose-bind·ing pro·tein マンノース結合蛋白（先天性免疫に関与する蛋白で，マンノシル化した微生物と結合して補体系を活性化する).

manoeuvre [Br.]. = maneuver.

ma·nom·e·ter (mă-nomʹĕ-tĕr). マノメータ，圧力計（流体の圧力，または気体や液体の2つの流体の圧力の差を示す器械).

man·o·met·ric (manʹō-metʹrik). マノメータの，圧力計の.

ma·nom·e·try (mă-nomʹĕ-trē). マノメトリ（マノメータによる気体や流体の圧力の測定. → manometer).

Man·so·ni schis·to·so·mi·a·sis = schistosomiasis mansoni.

man·tle (manʹtĕl). *1* 被膜（外側をおおう層). *2* 大脳外套. = pallium.

man·tle cell lym·pho·ma マントル細胞リンパ腫（臨床的および生物学的に他と全く異なるB細胞の新生物．再発性の後天性遺伝子異常で，t(11；14)の転座を示す．また，異種起源の組織像を呈し，そのため反応性あるいは他の腫瘍性リンパ増殖性疾患と混同される場合がある).

man·tle ra·di·o·ther·a·py マントル放射線治療（腫瘍の浸潤のない放射性感受性の高い臓器を照射から防護する放射線治療法).

Man·toux test マントー試験（→ tuberculin test).

man·u·al air·way man·eu·ver = head-tilt/chin-lift maneuver.

man·u·al Eng·lish 手話英語（高度難聴のある人が身振り，手振り，指文字を組み合わせて英語でコミュニケーションをとる方法).

man·u·al lymph drain·age (MLD, mld) リンパ管内の流れを刺激することにより，間質液の吸収を促進することを目的としたマッサージ技術. = lymph drainage.

man·u·al mus·cle test·ing (MMT) 徒手筋力検査（徒手によって筋肉の筋力を判定する検査法である．重力を加えた際，次に重力に徒手抵抗を加えた際の筋の等尺性収縮によって段階づけし，判定する).

man·u·al ther·ap·y 徒手療法（施術者が徒手を用いて身体を操作することで，運動能力を回復したり，痛みを和らげたりする他，健康の促進やリラックス効果もある).

man·u·al ven·ti·la·tion 用手呼吸（患者の肺内に強制的にガスを送り込むガスを満たした呼吸バッグを間欠的に用手圧迫して無呼吸あるいは低換気の際に酸素投与と炭酸ガス排出を維持する).

man·u·al vis·u·al meth·od 視覚手話法（ろう(聾)児の教育法のうち，視覚によるコミュニケーションや，英語あるいは他国語の手話を早期から継続して修得するやり方を強調した方法. →oral auditory method; combined methods; total communication).

ma·nu·bri·o·ster·nal joint 胸骨柄体軟骨結合（後に癒着型の結合となる，ヒアリン軟骨による，胸骨柄と胸骨体の初期結合).

ma·nu·bri·um, pl. ma·nu·bri·a (mă-nūʹbrē-ŭm, -ā). 柄（つち骨または胸骨の部分で刀やかなづちの柄にみたてられる部分).

ma·nu·bri·um of mal·le·us つち骨柄（つち骨頸から下内後方へ出ている部分．全長にわたって鼓膜内に埋没している).

ma·nu·bri·um of ster·num 胸骨柄（胸骨上端にある，ほぼ三角形をした平らな骨で，まれに胸骨体とわずかな角度(胸骨角)をなして融合する).

ma·nus, gen. & pl. ma·nus (māʹnŭs). 手. = hand.

MAOI monoamine oxidase inhibitor の略.

map (map). 地図 (例えばDNAの領域あるいは構造の表示).

map·ping func·tion 地図関数 (連鎖分析において, 組換え断片の組換え率と座位間の図距離(モーガン)の関係を表す式).

Ma·ra·ñón sign マラニョン徴候 (Graves 病患者の前頭部の皮膚を刺激したときにみられる血管運動反射).

ma·ran·tic (mă-ran′tik). 衰弱の, 消耗性の. = marasmic.

ma·ras·mic (mă-raz′mik). 消耗症の, 衰弱の. = marantic.

ma·ras·mus (mă-raz′mŭs). 消耗症, 衰弱 (特に年少小児にみられる悪液質で, 長期間にわたる蛋白とカロリーの不足が本質的な原因である). = Parrot disease(2).

Mar·burg dis·ease マルブルク病 (フィロウイルス科に暫定的に編入されている, RNAと脂質からなるまれなラブドウイルスによる感染症. 汎向性でほとんどの臓器を侵す. 著明な発疹, 多臓器の出血を特徴とし, しばしば致死性である. ドイツのMarburgの実験室で, アフリカミドリザルを扱った研究者の間で初めてみられた. ヒトからヒトへの感染も数例みられている. このウイルスの分離を試みるときは高度な安全対策の施された実験室でのみ行うべきである. →Marburg virus). = Marburg virus disease.

Mar·burg vi·rus マルブルクウイルス (フィロウイルス科 *Filovirus* 属のRNA含有性のウイルス. 最初にMarburg大学(ドイツ)で, ミドリザルの研究者の間の高死亡率の出血熱の病原体として認められた. →Marburg disease).

Mar·burg vi·rus dis·ease マルブルクウイルス病. = Marburg disease.

Mar·chand a·dre·nal マルヒャント副腎 (子宮の広靱帯または精巣にある副副腎組織の小集合体).

Mar·chand wan·der·ing cell マルヒャント遊走細胞 (単核食細胞系の細胞).

march frac·ture 行軍骨折 (中足骨幹の圧力骨折で, しばしば長時間の行軍によって引き起こされる. このような行動に慣れていない軍隊の新兵にみられる).

march he·mo·glo·bi·nu·ri·a 行軍血色素尿症 (マラソンレース, 長時間の行軍, または激しい運動の後に起こる).

Mar·chi·a·fa·va-Big·na·mi dis·ease マルキアファーヴァ-ビニャーミ病 (主に慢性アルコール中毒者, 特にワインを飲む人に起こる脳梁の脱髄と前頭葉と側頭葉の皮質層状壊死からなる病的状態を主に認める疾患).

Mar·chi fix·a·tive マルキ固定液 (Müller固定液と四酸化オスミウムの混合液. Müller固定液の重クロム酸カリウムの代わりに塩素酸カリウムを用いるとさらに良好な結果が得られる. 変性したミエリンの証明に用いる. →Marchi stain).

Mar·chi re·ac·tion マルキ反応 (オスミウム酸の作用を受けても黒くならない神経のミエリン鞘).

Mar·chi stain マルキ染色〔法〕(検体をMüller変法の固定液で8—10日間硬化させ, 次いでオスミウム酸を加えて同様に1—3週間放置する染色法. 脂肪および変性した神経線維は黒色に染まる).

Mar·cus Gunn phe·nom·e·non, Mar·cus Gunn syn·drome マーカス・ガン現象. = jaw-winking syndrome.

Mar·cus Gunn sign マーカス・ガン徴候. = Gunn sign.

Ma·rek dis·ease vi·rus マレク病ウイルス. = avian neurolymphomatosis virus.

ma·re·no·strin (mar′ē-nos′trin). = pyrin.

Ma·rey law マレーの法則 (脈拍数は血圧に反比例する. すなわち高血圧のとき脈拍は遅い. これは圧受容器が反射して心拍数に影響を及ぼす結果である).

mar·fa·noid (mahr′fahn-oyd). マルファン症候群様の (その表現型がMarfan症候群と表面的に類似した患者を表す語).

Mar·fan syn·drome マルファン症候群 (骨格変化(クモ指症, 長い四肢, 関節弛緩, 胸郭奇形), 血管障害(解離性大動脈瘤, 僧帽弁逸脱症), 水晶体転位を特徴とする結合組織の多系統障害. 第15染色体長腕のフィブリリン1遺伝子(FBN1)の突然変異による常染色体優性遺伝).

mar·gin (mahr′jin). 縁 (→border). = margo.

mar·gi·nal (mahr′ji-năl). 縁の, 辺縁の, 周縁の.

mar·gi·nal ar·cade = marginal artery of colon.

mar·gi·nal ar·ter·y of col·on 結腸辺縁動脈 (左右の結腸動脈の吻合により形成される. 左結腸曲よりS状結腸の尾方端へ下行する). = arteria marginalis coli; arcus marginalis coli; arteria juxtacolica; juxtacolic artery; marginal arcade; artery of Drummond; Riolan arc.

mar·gi·nal ridge 辺縁隆線 (①エナメル質の隆起で, 小臼歯および大臼歯の咬合面の隣接面境

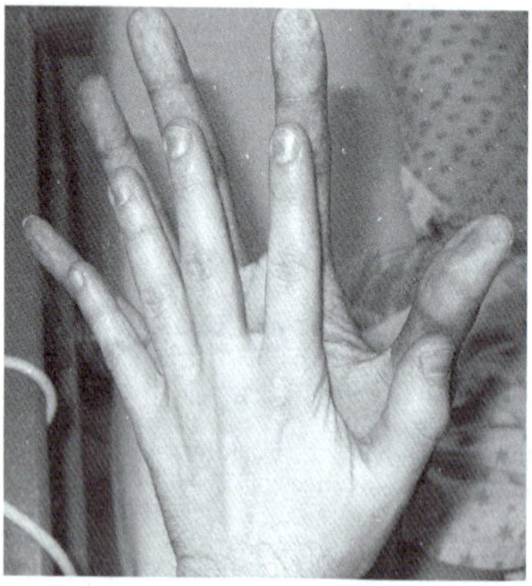

Marfan syndrome

界を形成する．②切歯舌側面の近・遠心の隆起，ときに唇面の隆起もさす）．

mar·gi·nal ten·to·ri·al branch of in·ter·nal ca·rot·id ar·ter·y 内頸動脈のテント縁枝（内頸動脈の海綿部から出る小枝で，小脳テントの自由縁に至る）．

mar·gi·nal zone 辺縁帯（脾臓内で赤脾髄と白脾髄との境界に存在する層で，無数の大食細胞を含み洞様毛細血管が分布し白脾髄でつくられた抗体を含んだ細動脈が合流している）．

mar·gi·nal zone lym·pho·ma 辺縁層リンパ腫（リンパ節のB細胞に富んだ領域や脾臓，あるいは節外性のリンパ様組織などから発生する異種起源新生物グループ．粘膜関連のリンパ組織(MALT)から発生するものは胃に最も多く，腸，唾液腺，肺などから発生し，MALToma と称される）．

mar·gin·a·tion (mahr′ji-nā′shŭn). 辺縁趨向（炎症の比較的初期に起こる現象．毛細管の拡張と流速の低下の結果，白血球が管腔横断面の外側に集まり，血管内壁の内皮細胞に付着しやすくなる）．

mar·gi·no·plas·ty (mahr′ji-nō-plas-tē). 辺縁形成〔術〕（瞼板縁の形成手術）．

mar·gin of safe·ty 安全限界（薬の最小治療量と最小致死量との境界）. = safety margin.

mar·go, gen. **mar·gi·nis,** pl. **mar·gi·nes** (mahr′gō, -ji-nis, -nēz). 縁. = margin; border.

mar·go or·bi·ta·lis = orbital margin.

mar·i·jua·na (mar′i-hwahn′ă). マリファナ（*Cannabis sativa* の乾燥花弁の一般名で，巻きたばこ "joints"，または "reefers" として吸われる．米国では，この用語は雌株のすべての部分，またはその抽出物をも含む．mariguana, marihuana ともつづる．→cannabis）．

Mar·ine-Len·hart syn·drome マリン-レンハルト症候群（中毒性多結節性甲状腺腫）．

Ma·ri·nes·co suc·cu·lent hand マリネスコ浮腫状手（脊髄空洞症にみられる冷たく鉛色をした皮膚をもつ手の浮腫）．

Mar·i·on dis·ease マリョン病（先天性の後尿道閉鎖症）．

Mar·i·otte ex·per·i·ment マリョット(マリオット)実験（紙上の黒点および黒い十字記号を片方の眼で注視する(他眼は閉じる)実験．紙を眼から離したり近づけたりすると，ある点で十字記号が見えなくなり，また，紙をそのまま動かし続けると再び見えるようになる．これは，視神経が眼にはいる部分には光受容体が存在しないことを証明している）．

Mar·i·otte law マリョットの法則. = Boyle law.

Mar·jo·lin ul·cer マルジョラン潰瘍（骨髄炎の病巣部をおおう皮膚瘢痕組織に通じる膿瘻の上皮縁に生じる，よく分化しているが，侵襲性の強い扁平上皮癌）．

mark (mahrk). マーク（①皮膚または粘膜皮膚上の斑点状，線状などの形をしたもので，色の違い，盛り上がり，その他の特異性によって肉眼で見えるもの．②= infundibulum(8)）．

mark·er (mahrk′ĕr). ***1*** 標識，マーカ（印を付けたり，尺度を示すのに用いる道具）．***2*** 標識，マーカ（細胞や分子の認識あるいは同定を可能にする特徴または因子）．***3*** 遺伝標識（無害，共通性があり，そのため連鎖分析を容易にする異型接合体を，高頻度に出現させる2つ以上の対立遺伝子を含む遺伝子座）．

mark·er trait マーカ形質（それ自身にはほとんど重要性がなくとも，関連・連鎖などの手段で病気の検出・予想・理解を容易にしたり(遺伝的疾患で)，原因遺伝子の核型上での位置を突き止めやすくできる形質）．

mark·er X syn·drome = fragile X syndrome.

Mark 1 kit マーク1神経ガス解毒剤キット（アトロピンとプラリドキシムヨウ化メチルから成る神経ガス解毒剤キット）．

mar·mo·rat·ed (mahr′mō-rā-tĕd). 大理石様の（皮膚が大理石のような縞模様になった状態についていう．→cutis marmorata）．

Mar·quis re·a·gent マルキス試薬（ホルムアルデヒドの呈色試験に用いるホルムアルデヒドの硫酸溶液）．

mar·row (ma′rō). →medulla. ***1*** 骨髄（骨の髄腔と骨端の海綿質を満たす造血細胞に富んだ結合組織．年齢とともに脂肪に置き換わっていき，それは特に四肢の長骨で顕著である）．***2*** 骨髄に類似したすべての軟らかいゼラチン様または脂肪様物質．

mar·row-mes·en·chyme con·nec·tions 骨髄-間葉性結合（胎児あるいは新生児の中耳の骨盤間葉性組織の連続した結合）．

Mar·shall ob·lique vein マーシャル斜静脈. = oblique vein of left atrium.

marsh drain = alisma.

marsh·mal·low root アルテア根. = althea.

marsh tre·foil = bog bean.

mar·su·pi·al·i·za·tion (mahr-sū′pē-ăl-ī-zā′shŭn). 造袋術（嚢腫あるいはその他の被包化された腔の外界への開放術．前壁を切除し，残った壁の縁を近くの皮膚縁へ縫い付けて袋をつくるようにする）．

Mar·te·gi·a·ni ar·e·a マルテジャーニ野. = Martegiani funnel.

Mar·te·gi·a·ni fun·nel マルテジャーニ漏斗（硝子体管の起始部を示す視神経乳頭の漏斗状の広がり）. = Martegiani area.

Mar·tin ban·dage マーティン包帯（静脈瘤や潰瘍の治療の際に，肢を圧迫するのに用いる弾性ゴムの巻軸包帯）．

Mar·tin-Bell syn·drome = fragile X syndrome.

Mar·ti·not·ti cell マルティノッティ細胞（小型の多極神経細胞で，分枝した短い樹状突起があり大脳皮質の種々の層に散在する．軸索は皮質表面にのびる）．

Mar·tin tube マルティン管（空洞から滑脱しないように末端に十字の付いたドレナージ管）．

Mar·to·rell syn·drome マルトレル症候群. = Takayasu arteritis.

Mar·y·land co·ma scale →coma scale.

mA-s milliampere-second の略．

mas·cu·line (mas′kyū-lin). 男性の，雄性の. = male(2).

mas·cu·line pel·vis 男性型骨盤（①骨が大き

くて重い均等狭窄骨盤．②女性の軽度の漏斗骨盤で，形が男性骨盤に似ている）．

mas·cu·line u·ter·us = prostatic utricle.

mas·cu·lin·i·ty (mas′kyū-lin′i-tē)．男性特徴．

mas·cu·lin·i·za·tion (mas′kyū-lin-ī-zā′shŭn)．男性化〔徴候〕（ひげのような男性の特徴を備えた状態．生理学的には男性の特徴を，また病理学的には男性と女性，両方の特徴を備えている）．

mas·cu·li·nize (mas′kyū-li-nīz)．雄性化する，男性化する．

mask (mask)．*1* 顔の皮膚に変化または変色を起こす様々な病状．*2* 仮面状顔貌（パーキンソン病の顔貌などでみられる無表情な顔）．*3* 顔面包帯．*4* マスク（ガーゼのおおいで，無菌状態を維持するために口と鼻をおおう）．*5* マスク（麻酔その他のガスの吸入を管理するため口と鼻をおおうように考案された装置．→mission-oriented protective posture; gas mask）．

masked vi·rus 潜在性ウイルス（通常は非感染状態で宿主中に存在するが，実験動物に植え継いでいく blind passage などの特別な方法によって活性化され証明されるウイルス）．

mask·ing (mask′ing)．*1* マスキング，隠ぺい，遮へい（1 つの音の可聴度を妨げるために別の音を用いること．低音はいかなる強度においても高音より大きな隠ぺい効果を有する）．*2* マスキング，隠ぺい，遮へい（聴能学において，一方の耳の聴力を検査するために，他方の耳に騒音を聞かせる）．*3* マスキング，隠ぺい，遮へい（脳波の記録で，小さいリズムが大きくてゆっくりしたリズムによって隠ぺいされ，その波形がゆがむこと）．*4* マスキング，隠ぺい，遮へい（歯科において，義歯の金属部分を隠すために用いる不透明なカバー）．*5* マスク処理（X 線写真で，もとのネガ画像に，手を加えたポジ画像を重ね合わせ，写真工学的に強調された複写画像をつくること）．

mask·ing di·lem·ma マスキング・ジレンマ（高度の両側性伝音難聴において骨導閾値を決定する際に生じる問題．非検査耳のマスキング量が両耳間減衰量を上回るため，十分なマスキングを行おうとすると非常に大きなマスキング音を加えなくてはならなくなること）．

mask·ing lev·el dif·fer·ence マスキング・レベル差（両耳に同時にマスキング・ノイズと逆位相の検査音を聴取させたときの聴力閾値とマスキング・ノイズと正位相の検査音を同時に聴取させたときの聴力閾値の差．この値が大きい（註 1 kHz で 5 dB 以上）場合，脳幹交差部の聴覚伝導路は正常と診断する）．

mask·like face 仮面状（仮面様）顔〔貌〕．= Parkinson facies.

mask of preg·nan·cy = melasma.

Mas·low hi·er·ar·chy マスロー階層（生理的欲求，愛と所有物，自尊心，自己実現というように，人間が低いものから高いものへと順次満たしていくと考えられる欲求の段階付け）．

mas·o·chism (mas′ō-kizm)．マゾヒスム，被虐愛（①倒錯の一型で，人にたたかれたり，はずかしめられたり，虐待されることにより性的快感が高められること．*cf.* sadism．②自らを苦しめることにより罪から救われて良いことがあるという人生全般についての考え方の方向付け）．

mas·o·chist (mas′ō-kist)．マゾヒスト（マゾヒスム行為における受動的な者）．

mas·o·chis·tic per·son·al·i·ty 被虐性人格（自分の興味を犠牲にして他の人に利用されるのを甘受するが，それと同時に，道徳的な優越感をもち，または道徳的に優っているふりをし，同情を誘おうとし，他者の罪悪感を引き起こそうとするような人格障害）．

ma·son's lung 石工肺（石粉による珪肺症）．

MASS (măs)．*1* 米国医師会が推奨する大量死傷事故の際のトリアージ評価法を表す頭文字で，move（患者の動作），assess（評価），sort（分類），send（搬送）を意味する．*2* *m*itral valve prolapse（僧帽弁逸脱），*a*ortic anomalies（大動脈奇形），*s*keletal changes（骨格変化），and *s*kin changes（皮膚変化）の頭文字．

mass (mas)．= massa．*1* 塊（凝集性物質の塊または集塊）．*2* 錬剤（薬学における活性薬剤を含有する軟らかい固形調合剤で，そのため小塊に分けて錠剤に丸められる）．*3* 質量（国際単位系（SI）の 7 つの基準質量の 1 つで，しばしば重量と混同される．その単位はキログラム（kg）で，キログラムの国際原型の塊とされ，プラチナイリジウムでつくられており，International Bureau of Weights and Measures に保管されている）．

mas·sa, gen. & pl. **mas·sae** (mas′să, -sē)．= mass.

mass ac·tion prin·ci·ple 集団作用の原則（流行理論における基本的原則．感染症の罹患率は，現在の有病率とその集団中の感受性者数の積で決められるというもの．→serial interval; infection transmission parameter）．

mas·sage (mă-sahzh′)．マッサージ（身体またはその一部に，こすったり，つまんだり，もんだり，軽くたたいたりするなどの操作を加える方法）．

mas·sage the·ra·py マッサージ療法（術者が触れるという手段または筋などの軟部組織に用手操作を加えることによって，健康の改善を図ろうとする理学療法の一群．→bodywork）．= massotherapy; myotherapy.

mass-cas·u·al·ty in·ci·dent 大量殺傷（入院設備完備の病院と通院のみの病院の両方を含めても現地の医療施設では治療できないほどの負傷者を出す出来事）．

mass-ca·su·al·ty weap·ons (MCW) 大量殺傷兵器（多くの人（または動物）を死や重症に至らせることを目的に作られた兵器（例：化学兵器，生物兵器，放射性物質を含む兵器）．大量破壊兵器とは異なり，大量殺傷兵器はインフラを破壊することなく生物の命を奪うこともある）．

massed prac·tice 集中実施法（休憩の方が実際の治療の時間より長い治療計画）．

mas·se·ter·ic ar·ter·y 咬筋動脈（顎動脈の第二（側頭下）枝より起こり，下顎切痕，顎関節を経由して咬筋に分布する．顔面横動脈の分枝，顔面動脈の咬筋枝と吻合）．= arteria masseterica.

mas·se·ter·ic nerve 咬筋神経（下顎神経の筋枝．下顎切痕を通って咬筋の内側面に至りその筋および顎関節に分布する）. = nervus massetericus.

mas·se·ter mus·cle 咬筋（起始：浅部は頬骨弓の前 2/3 の下縁．深部は頬骨弓の下縁と内側面．停止：下顎骨の下顎枝外側面と筋突起．作用：下顎を挙上し口を閉じる．神経支配：三叉神経の下顎枝の咬筋神経）. = musculus masseter.

mass hys·te·ri·a 集団ヒステリー（①ある集団において同一の身体的あるいは情動的症状が，自然発生的に生じる．②ある出来事に対する反応として，非理性的な行動がある集団内において伝播する狂気をさす）. = mass sociogenic illness.

mass me·di·an aer·o·dy·nam·ic di·am·e·ter（MMAD） 空気力学的質量中央値（吸い込まれた微粒子のサンプルにおける空気動力学径に関する質量分布の中央値）.

Mas·son ar·gen·taf·fin stain マッソン(マソン)銀親和性染色〔法〕（腸クロム親和性顆粒を黒褐色に染めるのに用いる染色）.

Mas·son-Fon·tan·a am·mo·ni·a·c sil·ver stain マッソン(マソン)-フォンターナのアンモニア銀染色〔法〕（メラニンおよび銀親和性顆粒を明示するのに用いる染色）.

Mas·son tri·chrome stain マッソン(マソン)三色染料（多種の細胞や組織を染め分ける染料で，原法は ponceau de xylidine，酸性フクシン，鉄ミョウバンヘマトキシリン，およびアニリンブルーかファーストグリーン FCF(ジニトロレソルシン FCF)を用いる．クロマチンは黒色，原形質は淡赤色，好酸球や肥満細胞の顆粒は濃赤色，赤血球は黒色，弾性線維は赤色，膠原線維や粘液は暗青色(アニリンブルー)か緑色(ファーストグリーン FCF)に染まる．変法では Biebrich スカーレットレッド，ウールグリーンのような色素を用いる）.

mas·so·the·ra·py（mas′ō-thār′ă-pē）．マッサージ療法. = massage therapy.

mass per·i·stal·sis 集団ぜん動（1 日に 3 回から 4 回起こる短期間の強力なぜん動移動．大腸の内容物を上行結腸から横行結腸へというように，ある部分から他の部分へ移動させる）.

mass so·ci·o·gen·ic ill·ness = mass hysteria.

mass spec·trum 質量スペクトル（質量の順序によって配置された価電粒子の配列）.

MAST（mast）．military antishock trousers の略.

mast·ad·e·ni·tis（mast′ad-ĕ-nī′tis）．乳腺炎. = mastitis.

mast·ad·e·no·ma（mast′ad-ĕ-nō′mă）．乳腺腫(乳房の腺腫).

Mast·ad·e·no·vi·rus（mast-ad′ĕ-nō-vī′rŭs）．マストアデノウイルス属（アデノウイルス科の一属で，そのうち 40 以上の抗原型(種)がヒトに感染性である．小児に気道感染を，軍隊の新兵に流行性の急性呼吸器病を，成人に急性濾胞性結膜炎を起こすほか，流行性角結膜炎を引き起こす．感染の多くは不顕性である）.

mas·tal·gi·a（mas-tal′jē-ă）. = mastodynia.

mas·tat·ro·phy, mas·ta·tro·phi·a（mas-tat′rō-fē, mast-ă-trō′fē-ă）．乳腺萎縮.

mast cell 肥胖細胞，肥満細胞，マスト細胞（粗大な好塩基性メタクロマチン分泌顆粒を含む結合組織細胞．顆粒にはヘパリン，ヒスタミンが含まれる）. = mastocyte.

mast cell leu·ke·mi·a 肥満(肥胖)細胞性白血病. = basophilic leukemia.

mas·tec·to·my（mas-tek′tŏ-mē）．乳房切除〔術〕，乳房切断〔術〕. = mammectomy.

mas·ter pa·tient in·dex（MPI） 患者索引原本（ある保健医療施設でこれまでに治療を受けた全患者のデータベース）.

Mas·ter of Sci·ence in Nurs·ing（MSN） 看護修士（看護教育の所定の学士カリキュラムを修了した後に与えられる称号）.

mas·ti·cate（mas′ti-kāt）．そしゃくする.

mas·ti·ca·tion（mas′ti-kā′shŭn）．そしゃく（えん下および消化の準備として食物をかむことで，歯ですりつぶし細かく砕く行為をいう）.

mas·ti·ca·to·ry（mas′ti-kă-tōr-ē）．そしゃくの.

mas·ti·ca·to·ry force = force of mastication.

mas·ti·gote（mas′ti-gōt）．鞭毛虫.

mas·ti·tis（mas-tī′tis）．乳腺炎，乳房炎. = mastadenitis.

mast leu·ko·cyte 肥満(肥胖)細胞. = basophilic leukocyte.

masto-, mast- 乳房，乳突に関する連結形. *cf.* mammo-; mazo-.

mas·to·cyte（mas′tō-sīt）．肥満(肥胖)細胞，マスト細胞. = mast cell.

mas·to·cy·to·ma（mas′tō-sī-tō′mă）．肥満(肥胖)細胞腫（肥満細胞のかなり限局された集積または結節病巣で，腫瘍によく似ている）.

mas·to·cy·to·sis（mas′tō-sī-tō′sis）．肥満(肥胖)細胞症（種々の組織における肥満細胞の異常な増殖．種々の器官を侵し，全身的に生じることも皮膚にのみ生じる(色素性じんま疹)こと

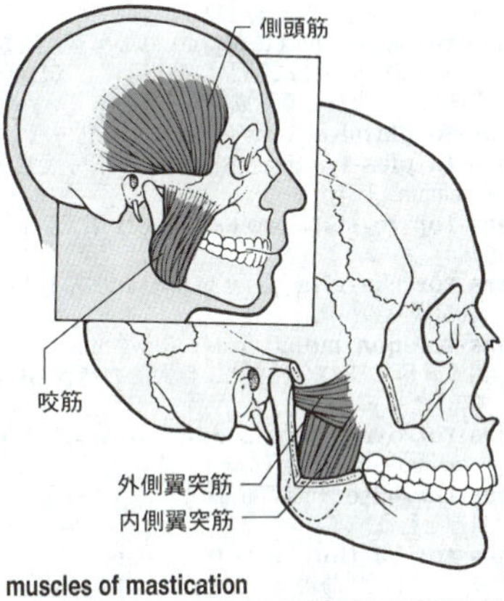
側頭筋
咬筋
外側翼突筋
内側翼突筋
muscles of mastication

もある).
mas·to·dyn·i·a (mas′tō-din′ē-ă). 乳房痛. = mammalgia; mastalgia.
mas·toid (mas′toyd). *1* 乳頭様の. *2* 乳〔様〕突起の, 乳〔様〕突の, 乳〔様〕突起洞の, 乳〔様〕突洞の, 乳〔様〕突起蜂巣の, 乳〔様〕突蜂巣の.
mas·toid air cells 乳突蜂巣 (側頭骨乳様突起内にある多数の小さな相通じている腔. 乳様突起洞あるいは鼓室洞に連なる).
mas·toid an·trum 乳〔様〕突起洞, 乳〔様〕突洞 (後方で乳突蜂巣とつながり, 前方では洞孔を経て中耳の上鼓室陥凹とつながる側頭骨錐体部の空洞).
mas·toid bone = mastoid process.
mas·toid can·a·lic·u·lus 乳突小管 (頸静脈窩から外側に走り乳様突起を貫通する管. 迷走神経の耳介枝を入れる).
mas·toid cor·tex 乳突板 (側頭骨の乳様突起の外側面の骨板).
mas·toid·ec·to·my (mas′toy-dek′tŏ-mē). 乳〔様〕突起削開(開放)術, 乳〔様〕突削開(開放)術, 乳突切除〔術〕(側頭骨の乳様突起と中耳への一連の手術で感染性・炎症性・腫瘍性病変の排液, 露出, 摘除を行う).
mas·toid fo·ra·men 乳突孔 (乳突様突起の後方にある孔で, 小動脈を硬膜へ, 導出静脈をS状静脈洞へ送っている).
mas·toid·i·tis (mas′toy-dī′tis). 乳〔様〕突起炎, 乳〔様〕突炎.
mas·toid pro·cess 乳様突起 (側頭骨錐体部にある乳頭様の突起). = mastoid bone.
mas·ton·cus (mas-tongk′ŭs). 乳房腫脹 (乳房の腫瘍または腫脹).
mas·to-oc·cip·i·tal (mas′tō-ok-sip′i-tăl). 乳突後頭〔骨〕の (側頭骨乳突部と後頭骨に関する. それらを結合する縫合線についていう).
mas·to·pa·ri·e·tal (mas′tō-pă-rī′ĕ-tăl). 乳突頭頂〔骨〕の (側頭骨乳突部と頭頂骨に関する. それらを結合する縫合線についていう).
mas·top·a·thy (mas-top′ă-thē). 乳腺症, マストパチー (乳房の病気全般).
mas·to·pexy (mas′tō-pek-sē). 乳房固定〔術〕(垂れ下がった乳房を正常に挙上し, しばしば形態的にも向上させる形成外科手術).
mas·to·pla·si·a (mas′tō-plā′zē-ă). 乳房肥大.
mas·to·plas·ty (mas′tō-plas-tē). 乳房成形術. = mammaplasty.
mas·top·to·sis (mas′top-tō′sis). 乳房下垂〔症〕.
mas·tor·rha·gi·a (mas′tō-rā′jē-ă). 乳腺出血 (乳房からの出血).
mas·to·squa·mous (mas′tō-skwā′mŭs). 乳突側頭骨鱗状部の (乳突と, 側頭骨の鱗状部に関する).
mas·tot·o·my (mas-tot′ŏ-mē). 乳房切開〔術〕. = mammotomy.
mas·tur·bate (mas′tŭr-bāt). オナニーをする, 自慰を行う.
mas·tur·ba·tion (mas′tŭr-bā′shŭn). オナニー, 自慰 (性的快感を得るために自身の性器を刺激すること. 多くはオルガスムに至る).
MAT (mat). multifocal atrial tachycardia の略.
matched groups 対応群 (実験者が影響を与えると考えるすべての生体条件(例えば, 年齢, 性別, 身長, 体重)に関して, ある群の被検体と他の群の被検体を1対1で対応させる対照実験法).
match·ing (mach′ing). マッチング (疫学研究において, 年齢, 性, あるいは体重などの外的要因・交絡要因に関し対象集団と対照集団とを比較可能にするため行われる選択のプロセス).
ma·ter (mā′ter). 膜 (中枢神経系の保護カバー. →arachnoid mater; dura mater; pia mater).
ma·te·ri·a al·ba 白質 (歯垢, 歯, 歯肉, 歯科矯正装置の表面に軽く付着した細菌や剥離した上皮細胞, 血液細胞, 食物かすの沈着, または蓄積したもの).
ma·te·ri·al (mă-tēr′ē-ăl). 材料, 物質.
Ma·te·ri·al Safe·ty Da·ta Sheet (MSDS) 製品安全データシート (①化学や工業の製造業者によって供給される, 危険な化学薬品に関する情報を含む書類. 化学薬品の性質, 化学薬品を使用する際にとられるべき予防措置, 安全使用の条件, こぼした際の片付けの手順, そして推奨される廃棄手順が含まれる. ②通常, 製造業者によって用意される, 一般名による含有物, 有毒性, 安全使用のための推奨, その他の重要な情報).
ma·te·ri·a med·i·ca *1* 薬物学 (薬物の起源と調製, 薬用量, 投与方法を取り扱う医科学の分野を意味する古語. →pharmacognosy; pharmacology). *2* 治療に用いる薬剤の総称を表す古語.
ma·ter·nal (mă-tĕr′năl). 母性の, 母親の, 母系の.
ma·ter·nal death rate 母体死亡率 (出生100,000当たりの生殖過程の直接の結果として発生する母体の死亡数). = maternal mortality ratio.
ma·ter·nal dys·to·ci·a 母体性難産 (母親の異常または身体の問題のためにみられる難産).
ma·ter·nal-fe·tal med·i·cine 母子医学 (産婦人科学の専門分野で, 妊娠の産科的, 内科的, 外科的合併症の研究を専攻する分野).
ma·ter·nal mor·bid·i·ty 母体罹病, 母体合併症 (妊娠, 分娩に伴う母体の合併疾患).
ma·ter·nal mor·tal·i·ty ra·ti·o 母体死亡率. = maternal death rate.
ma·ter·nal part of pla·cen·ta 胎盤の母胎部 (子宮内膜の基底層もしくは基底脱落膜から派生する胎盤の一部). = pars uterina placentae.
mat·er·nic·i·ty (mat′ĕr-nis′i-tē). 母性 (母親と新生児間に生じる重要な感情的前兆).
ma·ter·ni·ty (mă-tĕr′ni-tē). 母性 (→maternal).
mat·ing (māt′ing). 交配 (生殖を目的として雌と雄が対合すること).
mat·ri·cal (mat′ri-kăl). 子宮の, 爪床の, 基質の.
ma·tri·ces (mā′tri-sēz). matrix の複数形.
mat·ri·cide (mat′ri-sīd). *1* 母親殺し. *2* 母親殺人者.
mat·ri·lin·e·al (mat′ri-lin′ē-ăl). 母系線形の.
ma·trix, pl. ma·tri·ces (mā′triks; -tri-sēz, mat′

ri-sēz). *1* 床（ⓘ歯, ⓘⓘ爪, の形成部分). *2* 基質（組織の細胞間物質). *3* 基質（何かが含まれているか, 埋まっている周囲の, 物質). *4* マトリックス, 母型, 鋳型（鋳造または型鉄でつくられた鋳型. 特有な型をした道具, プラスチック材料, 金属片で, 歯の窩洞を充填する材料を保持し形づくるために用いる). *5* マトリックス, 行列（数あるいは量的シンボルの直角的配列で冗長で複雑なものを一次的操作により遂行することを単純化する. 行列の理論は連立方程式をとく場合や集団遺伝学で広く使用されている).

ma·trix band マトリックスバンド（金属製またはプラスチックのバンドで, 歯冠周囲に固定し, 修復材が窩洞に適合するように制限するもの).

ma·trix cal·cu·lus 基質結石（黄白色から淡褐色の尿路結石. カルシウム塩を含み, 有機基質から主に構成され, 通常は慢性炎症を伴う).

ma·trix me·tal·lo·pro·tein·ase マトリックスメタロプロテアーゼ（細胞内蛋白, 特にコラーゲナーゼやエラスチンを加水分解するエンドペプチダーゼのサブファミリー. この酵素は細胞外マトリックスの整合性や組成を制御し, 細胞増殖, 分化, 細胞死を制御するマトリックス分子により誘発されたシグナルのコントロールに重要な役割を果たしている).

ma·trix un·guis 爪床. = nail bed.

mat·ter (mat′ĕr). 物質, 物体. = substance.

mat·tress su·ture さし縫い縫合, U 字縫合, ふとんとじ縫合（創口面の両側の組織の周りに輪をつくり, 結紮したとき端に外反を生じる二重縫合).

mat·u·ra·tion (mach′ūr-ā′shŭn). 成熟（①完全に成長すること. ②成熟に至るまでの発育変化. ③高分子のプロセッシング. 例えばRNAの転写後修飾または蛋白の翻訳後修飾).

mat·u·ra·tion ar·rest 成熟停止, 成熟抑制（未成熟段階で細胞の完全な分化が停止すること. 精子形成性成熟停止においては, 細精管は精母細胞を有するが, 精子はできない).

mat·u·ra·tion in·dex 成熟指数（腟上皮における成熟程度を表す指数. 腟上皮から剥脱した細胞の型によって判定される. この指数は, ホルモンの分泌や反応を評価する際に客観的な手段となる. また, 傍基底細胞, 中間細胞, 表層細胞の順にそれら百分率を表す. 〝左方への移動〟は, 表面により多くの未成熟細胞が存在すること(萎縮)を表し, 〝右方への移動〟は, 上皮がより成熟していることを表す).

ma·ture (mă-chūr′). *1*〚adj.〛成熟した, 完熟した. *2*〚v.〛成熟する, 完熟する.

ma·ture bac·te·ri·o·phage 成熟〔バクテリオ〕ファージ（完全な感染性を有するバクテリオファージ).

ma·ture cat·a·ract 成熟白内障（核と皮質の両方が混濁する白内障).

ma·ture mi·nor 成人として扱われる未成年者（18 歳以下にもかかわらず, 物事の本質や提案された処置の影響の理解力を有している人).

ma·ture on·set di·a·bet·es of youth (MODY) →Type 2 diabetes.

ma·tu·ri·ty (mă-chūr′i-tē). 成熟（成熟または完全に成長した状態).

ma·tu·ri·ty-on·set di·a·be·tes 成人発症型糖尿病（インスリン非依存性糖尿病).

Mau·rer dots マウラー斑点（熱帯熱マラリア原虫 *Plasmodium falciparum* の栄養型, ときには四日熱マラリア原虫 *P. malariae* の栄養型が感染した赤血球内に, 通常, びまん性に出現する細かい顆粒状の沈殿物または不規則な細胞質粒子. 熱帯熱マラリア原虫 *P. falciparum* の栄養型は末梢血にはほとんどみられないので, 血液スミアではまれにしか観察されない).

Mau·ri·ac syn·drome モリャック症候群（糖尿病の十分なコントロールができていない小児における肥満と肝脾腫大を伴う小人症).

Mau·ri·ceau ma·neu·ver モリソー操作（殿位分娩の介助法で, 胎児の体を右前腕に騎上させ, 右手中指を胎児の口に入れて胎児の体を支えつつ, 左手で肩を牽引する).

Mauth·ner sheath マウトナー鞘. = axolemma.

max·il·la, gen. & pl. max·il·lae (mak-sil′ă, -ē). 上顎骨（不規則な形をした含気骨で, 上歯を支え, 眼窩, 硬口蓋, 鼻腔の形成に関与する).

max·il·lar·y (mak′si-lar-ē). 上顎〔骨〕の.

max·il·lar·y ar·ter·y 顎動脈（外頸動脈より起こり, 第一(下顎後)枝として深耳介動脈, 前鼓室動脈, 第二(側頭下)枝として中硬膜動脈, 下歯槽動脈, 咬筋動脈, 深側頭動脈, 頬動脈, 第三(翼突口蓋)枝として後上歯槽動脈, 眼窩下動脈, 下行口蓋動脈, 翼突管動脈, 蝶口蓋動脈に分枝する). = arteria maxillaris.

max·il·lar·y gland = submandibular gland.

max·il·lar·y nerve［CN V2］ 上顎神経（第五脳神経第二枝(CN V2). 三叉神経第二枝. 中頭蓋窩の三叉神経節から正円孔を抜け翼口蓋窩に

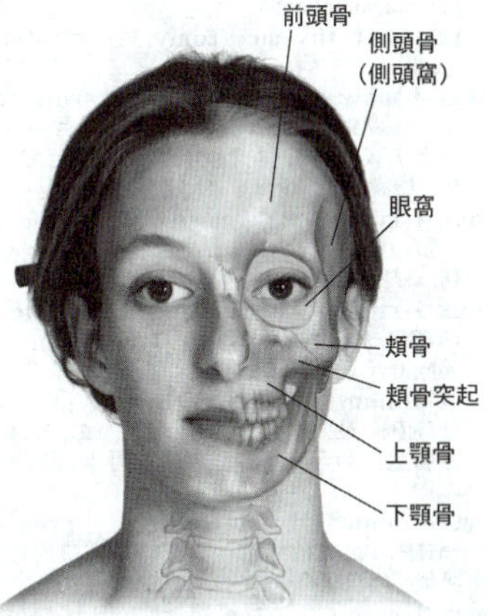
前頭骨
側頭骨
(側頭窩)
眼窩
頬骨
頬骨突起
上顎骨
下顎骨

maxilla

M

至る．そこで翼口蓋神経節に神経節枝を出し，さらに前方に頬骨神経を出して眼窩にはいり，眼窩下神経となる．知覚枝は下眼瞼の皮膚と結膜，上唇と頬の皮膚と粘膜，口蓋，上顎歯と歯肉，上顎洞，鼻翼および鼻腔の後下部に分布する）. = nervus maxillaris.

max·il·lar·y pro·cess 上顎突起（下鼻甲介上縁の中央から突出している不規則な形の薄い板．上顎骨と連結し，上顎洞口の一部を閉鎖している）.

max·il·lar·y si·nus 上顎洞（上顎体の中にある最大の副鼻腔．中鼻道とつながる）. = antrum of Highmore.

max·il·lar·y vein 顎静脈（翼突筋静脈叢の後方への延長．浅側頭静脈と合一して下顎後静脈を形成する）.

max·il·lo·den·tal (mak-sil′ō-den′tăl). 上顎歯の（上顎およびその関与する歯に関する）.

max·il·lo·fa·cial (mak-sil′ō-fā′shăl).〔上〕顎顔面の（顎骨と顔面，特にこの部位における特別な手術についていう）.

max·il·lo·man·dib·u·lar (mak-sil′ō-man-dib′yū-lăr). 上下顎の（上顎と下顎に関する）.

max·il·lot·o·my (mak′si-lot′ŏ-mē). 顎骨切開〔術〕（顎骨の一部または全部を望ましい位置に動かすために顎骨を外科的に切開すること）.

max·i·mal as·sis·tance 最大限の支援（患者にとって望まれる活動が安全に行われることを援助する，1人または複数の人による，3つ以上の接点における応用．それは介護者による75%以上，患者による25%以下の寄与を伴う）.

max·i·mal dose 極量，最大量（成人が安全に服用できる薬や，身体的処置の最大量）.

max·i·mal ox·y·gen con·sump·tion 最大酸素消費量（数分間の最大限の運動中に個人が消費しうる酸素の最大量）. = aerobic capacity; aerobic power; maximal oxygen uptake; VO_{2max}.

max·i·mal ox·y·gen up·take = maximal oxygen consumption.

max·i·mal thy·mec·tomy = extended thymectomy.

Max·i·mow stain for bone mar·row マキシモフ骨髄染色〔法〕（ミョウバン-ヘマトキシリンとアズールII-エオシンによる染色で，顆粒球，肥満細胞，軟骨を染め分ける）.

max·i·mum (mak′si-mŭm). 最大，最高，極大（得られた，または得ることのできる最大の量，値，程度）.

max·i·mum breath·ing ca·pac·i·ty (MBC) 分時最大〔呼吸〕換気量. = maximum voluntary ventilation.

max·i·mum ex·pi·ra·tory pres·sure (MEP) 最大呼気圧（努力性呼気の間に発生する肺胞内の最大圧．肺の最大呼気時に測定する）.

max·i·mum in·spi·ra·tory pres·sure (MIP) 最大吸気圧（吸気時の肺胞内最大圧．吸気筋肉機能の全体的評価となる）.

max·i·mum in·ten·si·ty pro·jec·tion (MIP) 最大値投影法（MR血管造影法とヘリカルCTで使われるコンピュータによる画像表示法．一連のスライスは，各場所で，すべてのスライス上で最も明るいピクセルのディスプレイと組み合わせられ，背景は抑制される）.

max·i·mum med·i·cal im·prove·ment (MMI) 最大限の医学的改善（医師によって指定された，回復期間中の回復力が最高潮の点）.

max·i·mum per·mis·si·ble dose (MPD) 最大許容線量（国際放射線防護委員会(ICRP)で定められた，現在の知識に照らし合わせて，人の一生を通して検出可能な障害の原因とはならないとされる最大放射線量．この線量は委員会の報告のたびに小さい値に変更されてきている．MPDは全身，臓器，系，または人体の部位ごとに，また急性または慢性の被曝ごとに定められている．職業被曝のMPDは公衆被曝のMPDより大きい．註これはICRPの1950年勧告で初めて提唱された線量で，1977年勧告以降は用いられていない）.

max·i·mum pow·er out·put 最大出力（装置が産生可能な最大限に増幅された音．補聴器性能の指標となる）.

max·i·mum ve·loc·i·ty (V_{max}) 最高速度（①所定の酵素濃度で基質濃度を連続的に増加させることにより達成しえる酵素触媒反応の最高速度．基質阻害では，V_{max}はそのような阻害がないときの外挿した値である．②零負荷で得られる心筋線維の短縮の最大初期速度．線維の収縮性を評価する）.

max·i·mum vol·un·tar·y con·trac·tion (MVC) 最大限の随意収縮（筋力テストなどで見られる，筋肉が生み出したり持続することのできる張力の最大量）.

max·i·mum vol·un·tar·y ven·ti·la·tion (MVV) 最大換気〔量〕（一定時間内にできるだけの深呼吸をできるだけ早く繰り返したときの換気量）. = maximum breathing capacity.

May·er he·mal·um stain マイアーのヘマラム染色〔法〕（進行性の核染色法で，対比染色としても用いる）.

May·er mu·ci·car·mine stain マイアーのムシカルミン染色〔法〕（→mucicarmine）.

May·er mu·ci·he·ma·te·in stain マイアーのムシヘマテイン染色〔法〕（→mucihematein）.

May·er pes·sa·ry マイアーペッサリー. = Dumontpallier pessary.

May·er re·flex マイアー反射. = basal joint reflex.

Mayne·ord fac·tor メイノード因子（放射線治療における逆二乗の法則の適用．距離に関連する線量深度の百分率の逆二乗補正）.

May·o op·er·a·tion メーオー(メーヨー)手術（臍ヘルニアの根治手術．2つの長円切開によって嚢頸を出し，腸は腹腔に戻し，嚢および癒着した大網は切除し，開口部の縁はさし縫い縫合で重畳するようにして閉鎖する）.

May·o-Rob·son point メーオー(メーヨー)-ロブソン点（臍の真上右の点．膵臓疾患の場合，圧痛がある）.

May·o-Rob·son po·si·tion メーオー(メーヨー)-ロブソン体位（背臥位で，腰の下に厚い当て物を入れる．それによりこの部位に著しい脊椎前弯がもたらされる．胆嚢の手術の際に用いる）．

May·o stand メイヨー盤（移動式スタンドにのせる取り外し式の器具用トレー．手術部分の上部またはこれに隣接して置かれる．手術で使用する消毒器具や必要品を置く）．

May-White syn·drome メイ-ホワイト症候群（脂肪腫，難聴，運動失調を伴う進行性ミオクローヌスてんかん．ミトコンドリア脳筋症の家族型と考えられている）．

mazo- 乳房に関する連結形．→masto-.

Mb ミオグロビンの記号．

M band = M line.

MBC maximum breathing capacity の略．

MbCO myoglobin と CO の結合の記号．

MbO_2 oxymyoglobin の略．

mc millicurie の旧式な略．

mcω microhm の略．

Mc·Ar·dle dis·ease マッカードル病．= glycogenosis type 5.

Mc·Ar·dle-Schmid-Pear·son dis·ease マッカードル-シュミット-ピアーソン病．= glycogenosis type 5.

Mc·Bur·ney in·ci·sion マックバーニー切開〔術〕（前上腸骨棘から 3—5 cm 内上方で外腹斜筋の走行と平行に切開する方法）．

Mc·Bur·ney point マックバーニー点（臍棘線上で上前腸骨棘より，4—5 cm の間にある点．急性虫垂炎の場合，圧迫すると圧痛を生じる．→appendicitis）．

Mc·Bur·ney sign マックバーニー徴候（臍部より前上腸骨棘に至る 2/3 の部位での圧痛．虫垂炎で認められる）．

Mc·Call cul·do·plas·ty pro·ce·dure マックコール腟円蓋形成法（経腟子宮全摘術の際，仙骨子宮靱帯および基靱帯を腹膜に縫合し，結紮時，中央部に牽引して Douglas 窩閉鎖を行う）．

Mc·Car·ey-Kauf·mann me·di·a マッケアリー-カウフマン溶液（角膜移植用の摘出眼を保存するための培養液）．

Mc·Car·thy re·flex·es マッカーシー反射．= spinoadductor reflex.

mcCi マイクロキュリーの記号．

Mc·Cune-Al·bright syn·drome マックキューン(マッキューン)-オールブライト症候群（特に思春期直前の女児における不整形で茶色の皮膚斑状色素沈着および内分泌の機能不全を伴う，多骨性線維性骨異形成症．→pseudohypoparathyroidism）．= Albright disease; Albright syndrome(1).

Mc·Don·ald ma·neu·ver マクドナルド操作（恥骨結合の上縁から腹部にある子宮底の接線までの高さを巻尺で測る測定法．妊娠 20—34 週の間では 1 cm が在胎週数 1 週間に相当する）．

mcg マイクログラムの記号．

Mc·Goon tech·nique マクグーン法（後尖の腱索断裂による僧帽弁閉鎖不全の際に，後尖にひだをつくることにより弁の形成再建をする方法）．

MCH mean corpuscular hemoglobin の略．

MCHC mean corpuscular hemoglobin concentration の略．

mCi millicurie の略．

McKu·sick met·a·phys·i·al dys·pla·si·a = cartilage-hair hypoplasia.

mcL, mcl microliter の記号．

mcM micromolar の記号．

mcm マイクロメートルの記号．

McMas·ters cy·cle test = submaximal exercise testing.

mcmc micromicro-; micromicron の略．

mcmol マイクロモルの記号．

mcmol/L micromolar の記号．

Mc·Mur·ray test マクマリー試験（半月板の損傷の有無を調べる検査法で，大腿骨に対し脛骨を回転させ調べる）．

Mc·Ne·mar test マクネマー検定（カイ二乗検定の 1 つの形で，マッチドペアデータに対し用いられる）．

MCP metacarpophalangeal の略．

Mc·Ro·berts ma·neu·ver マックロバーツ法（母体股部(大腿)を屈曲させて胎児の肩甲娩出困難を緩和する方法）．

MCS multiple chemical sensitivity の略．

M-CSF macrophage colony-stimulating factor の略．

MCUS midstream urine specimen の略．

MCV mean corpuscular volume の略．

mcV マイクロボルトの記号．

Mc·Vay op·er·a·tion マクヴェー手術（腹横筋とそれに連続した筋膜(横層)を恥骨櫛靱帯に縫合する鼡径ヘルニアと大腿ヘルニアに対する修復法）．

MCW mass-casualty weapons の略．→CBR; CBRNE; NBC; weapons of mass destruction.

MD methyldichloroarsine の略．

M.D. medical doctor の略．

Md メンデレビウムの元素記号．

M.D. An·der·son sys·tem M.D. アンダーソン体系（悪性黒色腫の分類．ⓘ皮膚のみに限局した病変．ⓘⓘ領域リンパ節転移．ⓘⓘⓘ遠隔転移）．

MDF myocardial depressant factor の略．

MDI metered-dose inhaler の略．

MDS minimum data set の略．

ME myalgic encephalomyelitis; medical examiner の略．

mead·ow der·ma·ti·tis, mead·ow grass der·ma·ti·tis イチゴツナギ皮膚炎（フロクマリンを含む植物との接触により起こる光アレルギー反応．日光浴の後によく起こる）．= phytophlyctodermatitis.

Mead·ows syn·drome メドーズ症候群（妊娠中あるいは産褥期にみられる心筋症）．

meal (mēl). ***1*** 食事（規則的間隔で，または特定の時間に食べる食物）．***2*** ひき割り，あらびき粉（穀類をひいた粉）．

mean (mēn). 平均値（分布の中心を示す，あるいは何らかの意味で一群の数を均して得られる，統計的な尺度．特に断らない限り算術平均をさす）．

mean cal·o·rie 平均カロリー（水 1 g の温度を

0℃ から 100℃ まで上げるのに必要な熱量の 1/100).

mean cor·pus·cu·lar he·mo·glo·bin (MCH) 平均赤血球ヘモグロビン量（赤血球の平均ヘモグロビン含有量．ヘモグロビンと赤血球数より計算される).

mean cor·pus·cu·lar he·mo·glo·bin con·cen·tra·tion (MCHC) 平均赤血球ヘモグロビン濃度（Hgb/HcT．一定容積の濃縮赤血球における平均ヘモグロビン濃度で，ヘモグロビンとヘマトクリットから計算される赤血球恒数).

mean cor·pus·cu·lar vol·ume (MCV) 平均赤血球容積（赤血球の平均容量で，ヘマトクリットと赤血球数から計算される).

mean life 平均寿命（放射性原子の減衰の平均的な生存期間). = average life.

mean QRS ax·is 平均 QRS 軸（標準 12 誘導心電図で記録されたすべての QRS 群の平均的な傾向(向き)).

mea·sles (mē′zĕlz). ***1*** 麻疹，はしか（麻疹ウイルスにより引き起こされる急性発疹性疾患．特徴として発熱や他の体調不良，呼吸器粘膜のカタル性炎症，暗赤色の斑点状様丘疹の発疹がある．発疹は初期に頬粘膜上に Koplik 斑とよばれる型で出現する．潜伏期間は 10—12 日間である). = morbilli; rubeola. ***2*** 嚢〔尾〕虫（有鉤条虫 *Taenia solium* の幼虫，すなわち嚢虫(有鉤嚢虫 *Cysticercus cellulose*)の寄生によって起こるブタの疾患). ***3*** 嚢〔尾〕虫(無鉤条虫 *Taenia saginata* の幼虫，すなわち嚢虫(無鉤嚢虫 *Cysticercus bovis*)の寄生によって起こるウシの疾患).

mea·sles vi·rus 麻疹ウイルス，はしかウイルス（ヒトの麻疹の原因となるパラミクソウイルス科 *Morbillivirus* 属の RNA ウイルス．本ウイルスは呼吸器官を通じて伝播される．赤血球凝集性，赤血球吸着性，溶血性を有する). = rubeola virus.

mea·sure·ment (mezh′ŭr-mĕnt). 測定（大きさまたは質の決定).

me·a·tal (mē-ā′tăl). 道の.

meato- meatus(道)を意味する連結形.

me·a·to·plas·ty (mē-at′ō-plas-tē). 管形成〔術〕(外耳道や尿道などの道や管の拡大や他の外科的治療法).

me·a·tor·rha·phy (mē′ă-tōr′ă-fē). 尿道口縫合〔術〕（外尿道口切開手術により創口を縫合すること).

me·a·tos·co·py (mē-ă-tos′kŏ-pē). 尿道口鏡検査〔法〕（開口部，特に尿道口を機器を用いて検査する方法).

me·a·tot·o·my (mē′ă-tot′ŏ-mē). 〔外〕尿道口切開〔術〕（尿道口や尿管を拡大するための切開).

me·a·tus, pl. me·a·tus (mē-ā′tŭs). 道（道，通路，特に管の外側開口).

me·a·tus a·cus·ti·cus 耳道. = acoustic meatus.

me·a·tus na·si = nasal meatus.

me·chan·i·cal (mĕ-kan′i-kăl). ***1*** 機械的な（手ではなく器械を用いて行われたことについていう). ***2*** 力学的な（力学用語で，現象についていう). ***3*** 自動的な.

me·chan·i·cal an·ti·dote 機械的解毒薬（毒物の吸収を予防する薬物).

me·chan·i·cal dys·men·or·rhe·a 機械性月経困難〔症〕（子宮頸部閉塞などによる月経血の流出障害によって起こる月経困難症). = obstructive dysmenorrhea.

me·chan·i·cal ef·fi·ci·en·cy 機械効率（百分率で表される，行う仕事に対して実際になされた仕事の比率).

me·chan·i·cal il·e·us 機械的イレウス（腸軸捻転，胆石，癒着などの機械的原因による腸管閉塞).

me·chan·i·cal jaun·dice 機械的黄疸. = obstructive jaundice.

me·chan·i·cal vec·tor 機械的ベクター（病原体の媒介だけをするもので，被感染体の体内での生活環を営まないもの．例えば，イエバエの足や口による腐敗菌の運搬).

me·chan·i·cal ven·ti·la·tion 機械換気(呼吸)（体が呼吸するという作業の全部または一部を行うために自動機械装置を用いること. → ventilator).

me·chan·ics (mĕ-kan′iks). 力学（運動の発起・継続または平衡を維持する力の作用に関する科学. ─mechanical).

mech·a·nism (mek′ă-nizm). ***1*** 機構，構造（ある物の部分の配列または組分けで，一定の作用をもつ). ***2*** 機制，機転，機能（効果が得られるような方法). ***3*** 特定の過程での一連の現象. ***4*** メカニズム，反応機構（反応経路についての詳細な記述).

mech·a·nisms of la·bor 分娩のメカニズム（胎児が産道の空間に適合するときに起こる受動的な胎児の動き．頭頂位の場合は児頭の下降，屈折，陥入，内部回転，伸展，外部回転，そして娩出がある).

me·chan·o·e·lec·tric trans·duc·tion メカノエレクトリック変換，機械電気変換（蝸牛や前庭の有毛細胞のような感覚細胞により物理的エネルギーを電気的エネルギーに変換すること).

mech·a·no·re·cep·tor (mek′ă-nō-rē-sep′tŏr). 機械的受容器，力学的受容器（機械的圧力やひずみに対応する受容器で，例えば頸動脈洞や皮膚の触覚受容器).

me·chlor·eth·a·mine (mek′lōr-eth′ă-mēn). → nitrogen mustards.

Mec·kel car·ti·lage メッケル軟骨. = mandibular cartilage.

Mec·kel di·ver·tic·u·lum メッケル憩室，臍腸間膜憩室（胎生時の卵黄嚢の残存物．成人に盲嚢として存在するのは異常であるが，この場合は盲腸から少し口側の回腸に位置し，臍に結合することもある．内腔面に胃粘膜が存在すると，消化性潰瘍と出血を生じることがある). = ileal diverticulum.

Mec·kel scan メッケルスキャン（Meckel 憩室内の異所性胃粘膜を検出するための $^{99m}TcO_4^-$ を用いた小腸スキャン. $^{99m}TcO_4^-$ は胃粘膜上皮より分泌される).

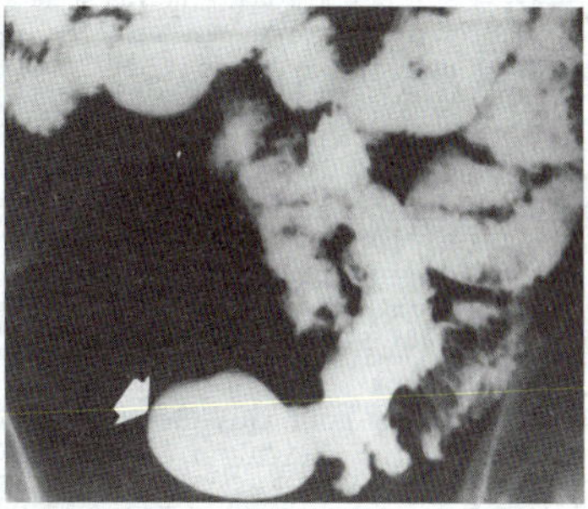
Meckel diverticulum

me·co·ni·um (mē-kō′nē-ŭm). 胎便（新生児の最初の腸排泄物で，緑色がかっており，上皮細胞，粘膜，胆汁からなる）.

me·co·ni·um as·pi·ra·tion 羊水吸引（胎児仮死による混濁羊水の吸引）.

me·co·ni·um as·pi·ra·tion syn·drome 羊水吸収症候群. = fetal aspiration syndrome.

me·co·ni·um il·e·us 胎便性イレウス（胎便の濃縮に続発する胎児や新生児の小腸閉塞で，トリプシンの欠乏による．嚢胞性線維形成を伴う）.

me·co·ni·um per·i·to·ni·tis 胎便性腹膜炎（分娩中または新生児の膵臓の先天性障害あるいは線維嚢胞性疾病に合併して起こる腹膜炎）.

me·co·ni·um plug 胎便栓（腸閉塞を起こす可能性がある，太くて硬い胎便）.

me·di·a (mē′dē-ă). ***1*** 中膜. = tunica media. ***2*** medium の複数形.

me·di·al (mē′dē-ăl). 内側の，正中矢状面寄りの，中央の，中間の.

me·di·al an·te·bra·chi·al cu·ta·ne·ous nerve 内側前腕皮神経. = medial cutaneous nerve of forearm.

me·di·al an·te·ri·or tho·rac·ic nerve 内側胸筋神経. = medial pectoral nerve.

me·di·al ar·cu·ate lig·a·ments 内側弓状靱帯（弓状靱帯の１つ．第一腰椎体から両側の横突起にのびる腰筋筋膜の腱様肥厚部．横隔膜の一部がここから起始する）.

me·di·al bra·chi·al cu·ta·ne·ous nerve 内側上腕皮神経. = medial cutaneous nerve of arm.

me·di·al cir·cum·flex ar·ter·y of thigh 内側大腿回旋動脈. = medial circumflex femoral artery.

me·di·al cir·cum·flex fem·or·al ar·ter·y 内側大腿回旋動脈（大腿深動脈より起こり，股関節，大腿の筋に分布する．下殿動脈，上殿動脈，外側大腿回旋動脈と吻合．外側大腿回旋動脈との吻合が，いわゆる〝十字形吻合〟である）. = arteria circumflexa femoris medialis; medial circumflex artery of thigh; medial femoral circumflex artery.

me·di·al clu·ne·al nerves 中央皮神経（仙骨神経後枝の末梢枝で，中臀部の皮膚を提供する）. = middle cluneal nervi; nervi clunium medii.

me·di·al col·lat·er·al ar·ter·y 中側副動脈. = middle collateral artery.

me·di·al col·lat·er·al lig·a·ment 内側側副靱帯（上方は大腿骨内顆，下方は脛骨内顆に付着している，幅広で扁平な靱帯．外反応力に対して，膝関節を内側で安定させる役目をもつ）. = tibial collateral ligament.

me·di·al con·dyle of fe·mur 大腿骨内側顆（大腿骨遠位端で関節頭をなす一対の骨顆のうち，内側のもの．前方では膝蓋面で他側につづくが，後下方は顆間窩で隔てられている．内側顆は外側顆より短い）.

me·di·al cru·ral cu·ta·ne·ous branch·es of sa·phe·nous nerve 伏在神経の内側下腿皮枝. = medial cutaneous nerve of leg.

me·di·al cru·ral cu·ta·ne·ous nerve = medial cutaneous nerve of leg.

me·di·al cu·ne·i·form bone 内側楔状骨（3個の楔状骨中で最大の骨．足根の遠位列の内側の骨．中間楔状骨，舟状骨，および第一・第二中足骨と関節する）. = wedge bone.

me·di·al cu·ta·ne·ous nerve of arm 内側上腕皮神経（腕神経叢の内側神経束から起こり，腋窩で第二肋間神経の外側皮枝と結合し，上腕の内側の皮膚に分布する）.

me·di·al cu·ta·ne·ous nerve of fore·arm 内側前腕皮神経（腕神経叢の内側神経束から起こり，上腕動脈，次いで尺側皮静脈とともに下行し，前腕の前面と尺側面の皮膚に分布する）. = nervus cutaneus antebrachii medialis; medial antebrachial cutaneous nerve.

me·di·al cu·ta·ne·ous nerve of leg 内側下腿皮枝（伏在神経の枝で下腿内側の皮膚に分布する）. = rami cutanei cruris mediales nervi saphenі; medial crural cutaneous nerve; medial crural cutaneous branches of saphenous nerve.

me·di·al dor·sal cu·ta·ne·ous nerve 内側足背皮神経（足背に分布する浅腓骨神経の内側終末枝で，背枝を（第一指と第二指の対面側を除く）足指へ送る）. = nervus cutaneus dorsalis medialis; dorsal medial cutaneous nerve.

me·di·al ep·i·con·dyle of hu·mer·us 上腕骨内側上顆（内側顆の近位かつ内側にある）.

me·di·al epi·con·dy·li·tis 上腕骨内側上顆炎. = Little League elbow.

me·di·al fem·or·al cir·cum·flex ar·ter·y = medial circumflex femoral artery.

me·di·al fore·brain bun·dle 内側前脳束（視床下部の外側帯（野）を縦走して，視床下部を中脳被蓋および辺縁系の種々の構成要素と互いに結ぶ線維系．また，脳幹にあるノルエピネフリン，セロトニン含有細胞群から視床下部および大脳皮質へ線維を送り，黒質から尾状核および被殻へドパミンを運ぶ線維を送っている）.

me·di·al ge·nic·u·late bod·y 内側膝状体（視床の後下方にある１対の隆起した細胞群のうち内側部分．大脳皮質への聴覚伝導路のうちの

M

最終中継基地として働く．下丘からの線維束が下丘腕を経てここに達し，中継後，上側頭回の皮質聴覚中枢へ聴放線を出している）．

med·i·al·i·za·tion (mē′dē-ăl-ī-zā′shŭn). 正中固定術（ある部分を中間線に寄せる手術．例えば，声帯麻痺の際の披裂軟骨や声帯を中間に寄せる手術）．

me·di·al lig·a·ment 内側靱帯（顎関節包の内側を補強している線維束）．

me·di·al lon·gi·tud·in·al fas·cic·u·lus (MLF) 内側縦束（中脳の上縁から始まり，主として頸髄に至る神経線維の縦束．主に前庭神経核からの神経線維からなり，外眼筋（外転神経核，滑車神経核，動眼神経核）を神経支配している運動神経ニューロンへと上行している）．

me·di·al med·ul·lar·y la·mi·na of len·ti·form nu·cle·us レンズ核内側髄板（淡蒼球の内節と外節を分ける線維の層）. = lamina medullaris medialis nuclei lentiformis.

me·di·al me·nis·cus 内側半月（脛骨の上関節面の内側に付着する半月形の線維軟骨）．

me·di·al oc·cip·i·tal ar·ter·y 内側後頭動脈（後大脳動脈の最終枝の１つで，数枝に分かれて脳梁後部および視覚領を含む後頭葉の内側部と上外側部とに分布する）．

me·di·al pec·tor·al nerve 内側胸筋神経（腕神経叢の内側神経束から出て胸筋群に分布する神経．通常は小胸筋を貫通した後，主として大胸筋の胸肋部に分布する）. = nervus pectoralis medialis; medial anterior thoracic nerve.

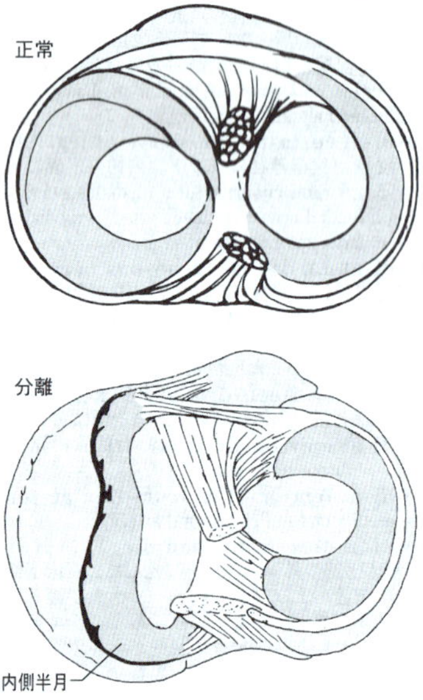
正常
分離
内側半月
marginal separation of medial meniscus

me·di·al plan·tar ar·ter·y 内側足底動脈（後脛骨動脈の終末枝．足底の内側に分布し，足背動脈，外側足底動脈と吻合）. = arteria plantaris medialis.

me·di·al plan·tar nerve 内側足底神経（脛骨神経の２終末枝の１つ．足底の内側面を通って母指外転筋と短指屈筋に分布する．総・固有の各指神経を経て足の内側面と内側三指および第四指内側面の皮膚に分布する）. = nervus plantaris medialis.

me·di·al pter·y·goid mus·cle 内側翼突筋（側頭下窩のそしゃく筋の１つ．起始：蝶形骨の翼突窩と上顎結節．停止：下顎骨内側面の下顎角と顎舌骨神経溝の間．作用：下顎を上げて顎を閉じる．神経支配：三叉神経下顎枝の内側翼突筋神経）. = musculus pterygoideus medialis; internal pterygoid muscle; musculus pterygoideus internus.

me·di·al rec·tus mus·cle 内側直筋（外眼筋の１つ．起始：総腱輪の内側部．停止：眼の強膜の内側部．作用：眼球を内側に向ける．神経支配：動眼神経）. = musculus rectus medialis.

me·di·al ro·ta·tion = internal rotation.

me·di·al su·pra·cla·vic·u·lar nerve 内側鎖骨上神経（頸神経叢の C3-C4 ループから出る神経．胸郭の上内側部の皮膚に分布）. = nervus supraclavicularis medialis; anterior supraclavicular nerve.

me·di·al vas·tus mus·cle 内側広筋. = vastus medialis muscle.

me·di·an (mē′dē-ăn). ***1*** 〚adj.〛 正中の，中央の，中心線にある．***2*** 〚n.〛 中央値，中数（一連の測定値の中央値．平均値，中心傾向に関する測定値など）．

me·di·an an·te·brach·i·al vein 前腕正中皮静脈（母指基部背面から起こり橈側を回って前腕屈側中央を上行し，肘窩の直下で分岐して尺側中間皮静脈と橈側中間皮静脈になる．ときには下方で分枝して尺側皮静脈と肘中間皮静脈に合流することもある）．

me·di·an ap·er·ture of fourth ven·tri·cle 第４脳室正中口（小脳延髄槽と脳室を連絡する第４脳室蓋の後下部にある大きな正中線上の開口）. = apertura mediana ventriculi quarti.

me·di·an ar·ter·y 正中動脈（前骨間動脈より起こり，正中神経に伴走して手掌に至り，浅掌動脈弓の分枝と吻合）. = arteria mediana; comitant artery of median nerve.

me·di·an ax·il·lar·y line = midaxillary line.

me·di·an cu·bi·tal vein 肘正中皮静脈（肘窩前面を横切って橈側皮静脈と尺側皮静脈を結ぶ静脈．通常，中間橈側皮静脈と中間尺側皮静脈とよび変えられている．しばしば静脈穿刺に用いられる）．

me·di·an ef·fec·tive dose (ED_{50}) → effective dose.

me·di·an e·pi·si·ot·o·my = midline episiotomy.

me·di·an groove of tongue 舌正中溝（舌盲

孔から舌尖に向けて縦走する溝).

me·di·an ling·ual swell·ing 正中舌隆起（胚子の第一・第二咽頭弓の間の口腔底の隆起．舌前方 2/3 の後部の形成に関与するが，成人の舌では認められる部分は形成されていない）. = median tongue bud; tuberculum impar.

me·di·an nerve 正中神経（腕神経叢の内側幹と外側幹から由来する内側神経束と外側神経束との合流によって形成される神経．尺側手根屈筋と深指屈筋尺側半を除く前腕前面のすべての筋に分布した後，手根管を通った後の反回枝によって母指内転筋と短母指屈筋の深頭を除く手掌の筋に分布する．知覚枝は手掌の皮膚と橈側3指半の遠位背面とその近くの掌面に分布する．手根管症候群で最も傷害されやすい神経で，その結果，母指対向性が失われてサル手となり，手の橈側の感覚が失われる）.

me·di·an plane 正中〔矢状〕面（解剖学的姿勢で身体の正中線を通る垂直な平面で，身体を左右の半分に分ける）. = midsagittal plane.

me·di·an rhi·nos·co·py 中検鼻〔法〕（長い鼻鏡または鼻咽頭鏡によって鼻腔蓋と後篩骨洞および蝶形骨洞の開口部を視診すること）.

me·di·an rhom·boid glos·si·tis 正中菱形舌炎（有郭乳頭の前方で舌の背面の正中で乳頭を欠如し，無症状で，卵形または菱形で，斑点状の，紅斑性病変．不対結節の遺残を表現していると思われる．通常，*Candida albicans* の感染による）.

me·di·an sa·cral crest 正中仙骨稜（上位4つの仙椎の癒合した棘突起により形成される，対になっていない稜）.

me·di·an sa·cral vein 正中仙骨静脈（正中仙骨動脈に伴行し，仙骨静脈叢から血液を受け左総腸骨静脈に注ぐ一対の静脈）.

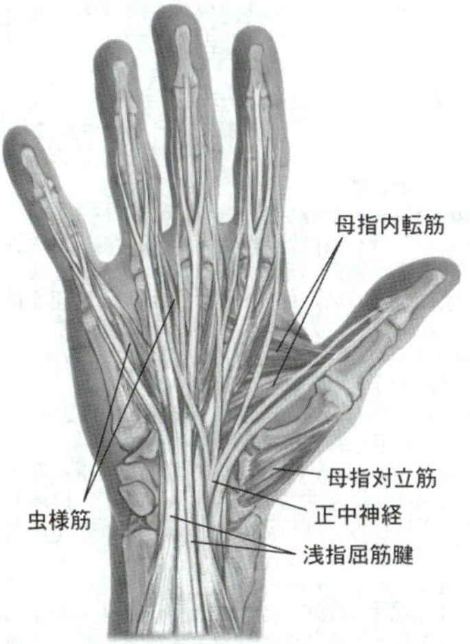
母指内転筋
母指対立筋
正中神経
虫様筋
浅指屈筋腱

median nerve

me·di·an sec·tion 正中断〔面〕（実際にまたは画像技術によって人体，または正中面を占めるか横切るような人体の一部分を正中面で切った断面．あるいは，手指や細胞等のように対称的な解剖学的構造物の中央での切断面．実際の切断は正中面が左右半分ずつになるので，解剖学的正中断面とはどちらか片方の正中切断表面の二次元的描像ともいえる）.

me·di·ant (mē′dē-ănt). 範囲や過程の途中で.

me·di·an tongue bud = median lingual swelling.

me·di·as·ti·nal (mē′dē-as-tī′năl). 縦隔の.

me·di·as·ti·nal em·phy·se·ma 縦隔気腫（通常，気腫性水疱の破裂の結果，縦隔洞組織に空気が片寄ること）.

me·di·as·ti·nal fi·bro·sis 縦隔線維症（上大静脈，肺動脈，肺静脈や気管支を閉塞する線維症．ほとんどの場合ヒストプラズマ症によって起こるが，結核や原因不明の場合もある）.

me·di·as·ti·nal space 縦隔. = mediastinum (2).

me·di·as·ti·nal veins 縦隔静脈（縦隔から腕頭静脈または上大静脈へ注ぐ数本の小静脈）.

me·di·as·ti·ni·tis (mē′dē-as-ti-nī′tis). 縦隔炎（縦隔洞の細胞組織の炎症）.

me·di·as·ti·nog·ra·phy (mē′dē-as-ti-nog′ră-fē). 縦隔造影(撮影)〔法〕.

me·di·as·ti·no·per·i·car·di·tis (mē′dē-ă-stinō-per′i-kar-dī′tis). 縦隔心膜炎（心外膜および周囲の縦隔洞細胞組織の炎症）.

me·di·as·tin·o·scope (mē′dē-as′tī-nō-skōp). 縦隔鏡（胸骨上切開から縦隔洞を診察するための内視鏡）.

me·di·as·ti·nos·co·py (mē′dē-as′ti-nos′kŏ-pē). 縦隔鏡検査〔法〕（胸骨上切開を通して縦隔洞を内視鏡検査することで，通常，気管傍リンパ節の生検に行われる）.

me·di·as·ti·not·o·my (mē′dē-as′ti-not′ŏ-mē). 縦隔切開〔術〕.

me·di·as·ti·num (me′dē-ă-stī′nŭm). 縦隔（①器官または腔の2つの部分の間の隔膜．②胸腔を中央で左右に分ける仕切り構造．左右の面は壁側胸膜の縦隔部でおおわれ内部には肺臓を除くすべての胸部内臓や諸構造が含まれる．便宜的に上下の2つに大別されている．縦隔上部は胸骨角と第四–五椎間円板を通る水平面より上方の部分で，それより下方を縦隔下部とする．縦隔下部はさらに心臓を含む縦隔中部，縦隔前部，食道や大動脈や胸管を含む縦隔後部に区分されている. = interpleural space; mediastinal space).

me·di·as·ti·num tes·tis 精巣縦隔（白膜に続く線維組織塊で，精巣後縁から内部に向かって隆起する）. = Highmore body.

me·di·ate *1* (mē′dē-it). 〚adj.〛 中間の，仲介の. *2* (mē′dē-āt). 〚v.〛 仲介する，介在する（補体仲介性食作用のように媒介物質を介して作用を及ぼすこと）.

me·di·ate aus·cul·ta·tion 間接聴診〔法〕（聴診器を用いる方法）.

me·di·at·ed trans·port 仲介輸送（輸送体(蛋白質等)の助けを借りた，細胞膜を横切る溶液の動き）．

me·di·ate per·cus·sion 間接打診〔法〕（打つ指または槌と打診される部分の間に，指または打診板を入れて行う打診法）．

me·di·a·tor com·plex メディエーター複合体（DNA セグメントの RNA ポリメラーゼ転写に関与する補助活性化蛋白群）．

med·i·ca·ble (med′i-kă-bĕl)．治療しうる．

Med·i·caid (medi′i-kād)．メディケイド，生活困窮者健康保険制度（低所得者に健康保険を提供するプログラム．州および連邦政府の資金提供を受ける．1965 年に，社会保障法の修正条項として成立した．*cf.* Medicare(1)）．

med·i·cal (med′i-kăl)．*1* 医学の，医療の，医用の．= medicinal(2)．*2* = medicinal(1)．

med·i·cal as·sis·tant 医療助手（事務，管理業務，および日常の技術業務で，医師を手助けする人）．

med·i·cal cas·tra·tion = functional castration.

med·i·cal di·a·ther·my 内科的ジアテルミー（軽度のジアテルミーで，組織破壊を起こさないもの）．

med·i·cal di·rec·tor 医療監視者（① EMS システムまたはサービスが任命した医師で，医療上の管理を行う．通常，上級レベルのプレホスピタル医療提供者は医療指導者の医学的許可を受けて活動する．②教育プログラムまたは教育機関が任命した医師で，EMS の教育プログラムまたは課程の医学的な監視を行う）．

med·i·cal er·ror 医療ミス（看護の用法では，計画された行動の実行におけるあらゆる失敗，もしくは不適切な看護計画の実行）．

med·i·cal eth·ics 医道（医者，患者，および他の医療従事者の権利と義務に関する適正な職業上の行為の原則）．

med·i·cal ex·am·in·er (ME) *1* 診断医（患者または保険加入の申込者を診査し，診査を希望した会社や個人に対し健康状態を報告する医師）．*2* 検死医（検死官が廃止された州や自治体で，急死，暴力死または変死のすべての例を検査するため任命された医師）．

med·i·cal ge·net·ics 遺伝医学（何らかの遺伝的異常を有する疾患について，原因，病理，自然経過などを研究する学問．*cf.* clinical genetics; human genetics）．

med·i·cal in·sur·ance = health insurance.

med·i·cal in·ten·sive care u·nit (MICU) 内科集中治療室（手術を行わない状態にある，危篤状態の患者の介護のため指定された病院組織）．

med·i·cal·i·za·tion (med′i-kăl-ī-zā′shŭn)．医学的見地からの分析（人生上の問題が，健康や精神的健康状態につながるようになった過程）．

med·i·cal lan·guage spe·cial·ist (MLS) 医学言語の専門家（医師やその他の医療関連機関の口述を通訳し，患者管理の永久に残る記録を提供するためにそれを印刷された形式に変換する人）．

med·i·cal·ly nec·es·sar·y 医学上の必需品（診断や治療，介護に必要なサービスや必需品）．

med·i·cal mod·el 医学的モデル（行動異常を身体疾患や身体的異常と同じ枠組みの中で考えようとする一連の仮説）．

med·i·cal psy·chol·o·gy 医学的心理学（心理学の原理を医学の実践に適用することにかかわる心理学の一派．通常，病院における臨床心理学，または臨床健康心理学の応用）．

med·i·cal rec·ord 医学記録，医療記録，診療記録（→record(1)）．

med·i·cal re·view of·fi·cer (MRO) 医学評論家（薬物乱用のテスト結果を再検討・分析するために訓練を受け，認定された医師）．

Med·i·cal Sub·ject Head·ings (MeSH) 医学問題表題集（学術論文や生命科学の本に索引を付ける目的の，莫大な管理用語(もしくはメタデータシステム)．米国国立医学図書館で作られ改正され，メドラインの文献データベースや国立医学図書館の所有図書目録によって使用される．医学問題表題集はインターネット上で無料で閲覧・ダウンロードでき，印刷版は年に一度出版される）．

med·i·cal tran·scrip·tion·ist 医学記録転写士（患者の医療あるいは健康管理に関する医師による口述医学報告の，機器による転写を業とする者．その記録は患者の永久的な医学記録となる．認定医学記録転写士(CMT)は米国医学転写協会 the American Association for Medical Transcription による認定を受けた者である）．

med·i·cal tran·scrip·tion ser·vice 医学転写サービス（口述された医療関係の記録を転写するために，医師や医療施設と契約を結ぶ事業）．

Med·i·care (med′i-kār)．メディケア，高齢者および身体障害者健康保険制度（65 歳以上の米国人およびある種の身体障害がある 65 歳未満の米国人のための，連邦政府が管轄する健康保険制度．社会保障法の 1965 年修正条項により確立された．→Medicaid）．

Med·i·care Part A メディケア・パート A（入院患者の病院滞在，特殊技能を持つ介護施設，ホスピスケア，在宅医療を対象とする米国のメディケアプログラムの一部）．

Med·i·care Part B メディケア・パート B（医師の医療行為，外来患者の入院治療，耐久性のある医療機器，そしてメディケアパート A で対象になっていないサービスに対する費用を助成する米国のメディケアプログラムの一部）．

med·i·cate (med′i-kāt)．*1* 薬物で治療する．*2* 薬物を添加する．

med·i·ca·tion (med′i-kā′shŭn)．*1* 投薬〔法〕，薬物適用．*2* 薬物，薬剤．

med·i·ca·tion er·ror 投薬ミス（誤った医薬品投与．投与する投薬量，薬，患者，間隔や投与法，もしくは不適合薬物間の相互作用などが原因となり起こる）．

med·i·ca·tion rec·on·cil·i·a·tion 投薬調整（有害な相互作用を避けるため，患者が服用している薬と医療施設が提供しようとしている薬を比較する過程）．

me·dic·i·nal (mĕ-dis′i-năl)．*1* 薬の，医薬の．=

medical(2). *2* = medical(1).

med·i·cine (med′i-sin). *1* 薬剤, 薬物, 薬. *2* 医学, 医療 (病気を予防したり治す行為. 病気に関するすべてのことを取り扱う科学). *3* 内科学 (一般的病気または特に身体内部を侵す病気, 特に通常, 外科的な治療を必要としない病気に関する研究および治療).

medico- 医学を意味する連結形. *cf.* iatro-.

med·i·co·chi·rur·gi·cal (med′i-kō-kī-rŭr′ji-kăl). 内科外科学の, 内科外科医の.

med·i·co·le·gal (med′i-kō-lē′găl). 法医学の (医学と法律についていう. →forensic medicine).

Med·i·gap in·sur·ance 補完保険 (メディケアプログラムで対象となっていない介護やサービスを補完するよう意図された補完保険政策). = supplemental insurance.

medio-, medi- 中央の, 中間の, を意味する連結形.

me·di·o·car·pal (mē′dē-ō-kahr′păl). 中手根の. = midcarpal.

me·di·o·dor·sal (mē′dē-ō-dōr′săl). 背側正中の, 中背側の.

me·di·o·lat·er·al (mē′dē-ō-lat′ĕr-ăl). 中外側の.

me·di·o·ne·cro·sis (mē′dē-ō-nĕ-krō′sis). 中膜壊死 (動脈中膜の壊死).

me·di·o·tar·sal am·pu·ta·tion 足根中部切断〔術〕. = Chopart amputation.

med·i·ta·tion (med′i-tā′shŭn). 瞑想 (実行者の注意を現在に引きつけておくことを目的とするあらゆる種類の精神活動. 肉体的, 感情的, 精神状態の平衡を保つため数千年の間使用されてきた. 時にさまざまな病状の一般的な治療の一部として使用される. 例えば痛みの緩和, 血圧の低下).

Med·i·ter·ra·ne·an di·et 地中海食 (自然食, 特に穀物, 果物および野菜, オリーブ油に富み, 肉や酪農製品からの飽和脂肪酸を避ける特徴がある).

Med·i·ter·ra·ne·an er·y·the·ma·tous fe·ver 地中海紅斑熱 (皮膚の発赤を起こす地中海斑熱の一型. その経過と他の症状は恐らく地中海発疹熱と同じ. →*Rickettsia conorii*).

Med·i·ter·ra·ne·an ex·an·them·a·tous fe·ver 地中海発疹熱 (地中海沿岸に散在的に発生する感染症で, 体温の急上昇と激しい悪寒, 関節痛, 扁桃炎, 下痢, および嘔吐を特徴とする. 3—5 日目に, 隆起した非融合性の発疹がまず大腿部に生じ, 全身に広がる. 発疹は 10 日から 2 週間続き, 落屑することなく, 急速な融解により消失する. ブートン熱同様, *Rickettsia conorii* によって起こると思われる).

Med·i·ter·ra·ne·an spot·ted fe·ver 地中海斑熱 (*Rickettsia conorii* によるダニ伝播性の感染症で, アフリカ, ヨーロッパ, 中東, インドでみられる. 地域により異なる名称が知られており, 例えば, マルセーユ熱, クリミア熱, インドダニチフス, ケニア熱がある. 皮膚に発疹を生じる地中海発疹熱 Mediterranean exanthematous fever と, 皮膚に潮紅を生じる地中海紅斑熱 Mediterranean erythematous fever の 2 型がある. →*Rickettsia conorii*).

me·di·um, pl. me·di·a (mē′dē-ŭm, -ă). *1* 手段 (行動を遂行する手だて). *2* 媒体 (刺激または影響を伝達する物質). *3* 培地, 培養基. = culture medium. *4* 媒質 (物質を溶液または懸濁液として保持する液体).

me·di·um-heav·y work ある程度の重作業 (物体を動かすのに, 最大 75 ポンドまでのエネルギー, もしくは頻繁に 35 ポンドまでのエネルギー, もしくは常時 15 ポンドのエネルギーを必要とする激しい運動と表現される, 肉体的に求められるレベル. →very heavy work).

me·di·um work 中くらいの作業 (物体を動かすのに, 最大 50 ポンドまでのエネルギー, もしくは頻繁に 20 ポンドまでのエネルギー, もしくは常時 10 ポンドのエネルギーを必要とする激しい運動と表現される, 肉体的に求められるレベル. →sedentary work; light work; medium-heavy work; very heavy work).

MEDLARS (med′lahrz). Medical Literature Analysis and Retrieval System(米国医学文献分析検索システム)の略. U.S. National Library of Medicine のコンピュータ化された索引システムである.

MEDLINE (med′līn). 医学文献を迅速に供給するため MEDSCAPE にコンピュータ電話やインターネット回線を接続したもの.

MEDLINEplus (med′līn-plŭs). メドラインプラス (国立医学図書館, 国立衛生研究所からの広範囲で権威のある健康情報のウェブサイト. 医療関係の情報源へのリンク集).

me·dul·la, pl. me·dul·lae (mĕ-dŭl′ă, -ē). 髄質 (特に中央部にある軟らかい骨髄様構造物. →medulla oblongata). = substantia medullaris (1).

me·dul·la of hair shaft 毛髄質 (毛髪の中心軸で, 白髪の場合には空気の層を含む. 髄質の部分は皮質で囲まれている).

me·dul·la of lymph node 〔リンパ節の〕髄質 (リンパ節の中心部で, 細網線維の固有質中にマクロファージ・プラスマ細胞・リンパ球の髄索があり, リンパ洞によって分離されている. リンパ節門においてはリンパ節表面にまで達している).

me·dul·la ob·lon·ga·ta 延髄 (脳幹の最下部に位置し, 直接脊髄に連続する. 錐体交叉の下部境界から上にのびて橋に至る. 腹側表面は両側のオリーブの突出を除いて脊髄表面に類似する. 上半分の背側表面は第 4 脳室底の一部をなす. 延髄の運動神経核は, 舌下神経核, 背側運動核, 下唾液核, 迷走神経の疑核を含み, 知覚神経核は後索核(薄束核と楔状束核), 蝸牛神経核, 前庭神経核, 三叉神経の脊髄路核の中部, 弧束核を含む. →medulla). = myelencephalon; oblongata.

me·dul·lar (me-dŭl′ăr). = medullary.

med·ul·lar·y (med′ŭ-lar′ē). 髄質の, 骨髄の, 延髄の. = medullar.

med·ul·lar·y ar·ter·ies of brain 大脳髄質動脈 (皮膚動脈の枝で, 大脳白質を穿通しこれに分布する).

med·ul·lar·y car·ci·no·ma 髄様癌（主として腫瘍性上皮細胞からなる悪性新生物で，線維性支質はごくわずかしかない．比較的軟らかく，脳に似た硬さを示す）．

med·ul·lar·y car·ci·no·ma of breast 乳腺髄様癌（線維成分の乏しい間質に囲まれた，大型の上皮細胞群で構成される乳癌の亜型．柔らかく境界明瞭で，浸潤性乳管癌と比較して予後良好である）．

med·ul·lar·y car·ci·no·ma of thy·roid 甲状腺髄様癌（カルシトニン産生性のC細胞とアミロイドに富んだ間質からなる悪性の甲状腺腫瘍(新生物)．散発性，家族性がある．家族性では，多発性内分泌腫瘍症候群，2A型と2B型での一部であることがある）．

med·ul·lar·y cav·i·ty 骨髄腔（長骨の骨幹内部にある骨髄を満たした腔所）．

med·ul·lar·y cone 脊髄円錐（脊髄の先が下にいくにつれて次第に細くなっていること）．= conus medullaris.

med·ul·lar·y la·mi·nae of thal·am·us 視床髄板（視床の横断面に現れる有髄線維層．外側髄板は視床の腹側縁を形成し，視床下核や網様核との境界をなす．内側髄板は視床の背内側核と腹側核との間を走り，髄板内核(中心内側核，中心傍核，外側中心核)を包む）．

med·ul·lar·y mem·brane 骨内膜．= endosteum.

med·ul·lar·y plate = neural plate.

med·ul·lar·y pyr·a·mid = renal pyramid.

med·ul·lar·y ray 髄放線（腎小葉の中心．小錐体形で，直尿細管部分からなる．すなわち，尿細管わなの上行脚・下行脚，そして集合管である）．= Ferrein pyramid.

med·ul·lar·y space 〔骨〕髄腔（髄質で満たされた骨髄中心腔と骨梁間の細胞間隙）．

med·ul·lar·y spi·nal ar·ter·ies 脊髄髄質動脈．= segmental medullary arteries.

med·ul·lar·y sponge kid·ney 髄質海綿腎(結石形成と血尿を伴う腎錐体の嚢胞性疾患．通常，腎不全を起こさない点で腎髄質嚢胞病と異なる）．

med·ul·lar·y stri·ae of fourth ven·tri·cle 第4脳室髄条（線維の細い束で，第4脳質の上衣性の床の下を正中溝から横に広がり，下小脳脚にはいっている．延髄の弓状核に起始する）．

med·ul·lar·y stri·a of thal·a·mus 視床髄条(細長く稠密な線維の束で，第3脳室の頂天が，左右から視床に付着している付着線に沿ってのびており，後方は手綱核に終わっている．中隔部，前有孔質，外側の視索前核，淡蒼球の内側部由来の線維からなる）．

med·ul·lar·y sub·stance 髄質（①神経線維のミエリン鞘に存在する脂肪性物質．②骨や他の器官の骨髄）．= substantia medullaris(2).

me·dul·la spi·na·lis 脊髄．= spinal cord.

med·ul·lat·ed (medʹŭ-lā-tĕd). *1* 有髄の（髄質を有することについていう）．*2* 有髄鞘の．= myelinated.

med·ul·lec·to·my (medʹyū-lek′tŏ-mē). 髄質切除〔術〕．

med·ul·li·za·tion (medʹŭ-lī-zā′shŭn). 髄質化(種々の骨疾患の治療法として骨髄腔を拡大すること）．

medullo- 髄質を意味する連結形．*cf.* myel-.

me·dul·lo·ar·thri·tis (mĕ-dŭlʹō-ar-thrīʹtis). 関節部骨髄炎（長骨の網状組織性関節末端の炎症）．

me·dul·lo·blas·to·ma (mĕ-dŭlʹō-blas-tōʹmă). 髄芽〔細胞〕腫（原始髄管の未分化細胞に似た腫瘍細胞からなる腫瘍．通常，小脳虫部に限局し，頭蓋内腫瘍の約3%を占めており，小児に最も多い）．

me·dul·lo·ep·i·the·li·o·ma (mĕ-dŭlʹō-epʹi-thēʹlē-ō-ʹmă). 髄〔様〕上皮腫（胚芽性髄管細胞原発性と思われる未分化で成長の速いまれな頭蓋内新生物）．

Me·du·sa's head = caput medusae.

Mees line ミーズ線（慢性ヒ素中毒およびときにはらい病で，爪にみられる水平な白帯）．

mega- *1* 巨大な，を意味する連結形．micro- の対語．→macro-; megalo-. *2* 国際単位系(SI)およびメートル法において，100万(10^6)の倍数を意味する接頭語．

meg·a·bac·te·ri·um (megʹă-bak-tērʹē-ŭm). 巨大バクテリア（異常に大きなバクテリア）．

me·ga·blad·der (megʹă-blad-ĕr). 巨大膀胱．= megacystis.

meg·a·ce·phal·ic (megʹă-se-falʹik). 巨大頭蓋症の，巨頭症の．= macrocephalic; macrocephalous; megacephalous.

meg·a·ceph·a·lous (megʹă-sefʹă-lŭs). = megacephalic.

meg·a·ceph·a·ly (megʹă-sefʹă-lē). 巨大頭蓋症，巨頭症（頭蓋が異常に大きい状態で，通常1,450 mL以上の容量をもつ成人頭蓋に対して適用される．先天性，後天性のものがある）．= macrocephaly; macrocephalia; megalocephaly; megalocephalia.

meg·a·co·lon (megʹă-kō-lŏn). 巨大結腸（結腸が極度に拡張した状態）．

meg·a·cy·cle (megʹă-sī-kĕl). メガサイクル（1秒当たり100万サイクル）．

meg·a·cys·tic syn·drome 巨大膀胱症候群(平滑で壁の薄い大きな膀胱，膀胱尿管逆流，拡張した尿管の合併したもの）．

meg·a·cys·tis (megʹă-sisʹtis). 巨大膀胱（小児における病的に大きな膀胱）．= megabladder; megalocystis.

meg·a·dac·ty·ly, meg·a·dac·tyl·i·a, meg·a·dac·tyl·ism (megʹă-dakʹti-lē, -dak-tilʹē-ă, -dakʹti-lizm). 巨指〔症〕（手足の1本以上の指が大きいことを特徴とする状態）．= dactylomegaly.

meg·a·don·tism (megʹă-donʹtizm). = macrodontia.

meg·a·dose (megʹă-dōs). 大量投与（周知の治療域を超えた大量もしくは最大限の薬の服用）．

meg·a·e·soph·a·gus (megʹă-e-sofʹă-gŭs). 巨大食道（噴門痙攣および Chagas 病の患者にみられるような食道下部の巨大化）．= megaoesophagus.

meg·a·hertz (MHz) (megʹă-hĕrts). メガヘル

ツ（100万ヘルツ）.

meg·a·kar·y·o·blast (meg-ă-kar′ē-ō-blast). 巨核芽球（巨核球の前駆体）.

meg·a·kar·y·o·cyte (meg-ă-kar′ē-ō-sīt). 巨核球, 骨髄巨核球（通常, 多分葉の倍数体の核をもった巨大細胞(直径100 μm ほどもある)で, 正常では骨髄に存在し, 循環血液中には存在せず, 血小板を生産する）. = megalokaryocyte.

meg·a·kar·y·o·cyte growth and de·vel·op·ment fac·tor = thrombopoietin.

meg·a·kar·y·o·cyt·ic leu·ke·mi·a 〔骨髄〕巨核球性白血病（骨髄中の巨核球の無制限増殖, および循環血液中の多数の巨核球の存在を特徴とする骨髄増殖性疾患のまれな型）.

meg·al·gi·a (meg-al′jē-ă). 激痛.

megalo-, megal- 大きいを意味する連結形. Micro- の対語. →macro-; mega-.

meg·a·lo·blast (meg′ă-lō-blast). 巨〔大〕赤芽球（悪性貧血にみられる, 異常な赤血球造血過程における赤血球の前駆細胞である, 大きな, 有核の幼若細胞. その成熟の4段階は, ⓘ前巨赤芽球, ⓘⓘ好塩基性巨赤芽球, ⓘⓘⓘ多染性巨赤芽球, ⓘⓥ正染性巨赤芽球である. →erythroblast）.

meg·a·lo·blas·tic a·ne·mi·a 巨赤芽球性貧血（悪性貧血のように, 骨髄の過形成の赤芽球のうち, 正赤芽球が比較的少なく巨赤芽球が非常に多い貧血）.

meg·a·lo·car·di·a (meg′ă-lō-kahr′dē-ă). = cardiomegaly.

meg·a·lo·ceph·a·ly, meg·a·lo·ce·pha·li·a (meg′ă-lō-sef′ă-lē, -sĕ-fā′lē-ă). = megacephaly.

meg·a·lo·chei·ri·a, meg·a·lo·chi·ri·a (meg′ă-lō-kī′rē-ă). = macrocheiria.

meg·a·lo·cys·tis (meg′ă-lō-sis′tis). 巨大膀胱. = megacystis.

meg·a·lo·cyte (meg′ă-lō-sīt). 巨〔大〕赤血球（巨大な(10—20 μm)無核赤血球）.

meg·a·lo·don·ti·a (meg′ă-lō-don′shē-ă). = macrodontia.

meg·a·lo·en·ce·phal·ic (meg′ă-lō-en′se-fal′ik). 巨〔大〕脳髄の（異常な大きさの脳についていう）.

meg·a·lo·en·ceph·a·lon (meg′ă-lō-en-sef′ă-lon). 巨〔大〕脳髄（異常な大きさの脳）.

meg·a·lo·en·ceph·a·ly (meg′ă-lō-en-sef′ă-lē). 巨大脳〔髄〕症, 巨脳症（脳が異常に大きい状態）.

meg·a·lo·en·ter·on (meg′ă-lō-en′tĕr-on). 巨大腸〔症〕（腸管が異常に大きい状態）. = enteromegaly; enteromegalia.

meg·a·lo·gas·tri·a (meg′ă-lō-gas′trē-ă). 巨大胃症（胃が異常に大きい状態）.

meg·a·lo·glos·si·a (meg′ă-lō-glos′sē-ă). = macroglossia.

meg·a·lo·he·pat·i·a (meg′ă-lō-hē-pat′ē-ă). = hepatomegaly.

meg·a·lo·kar·y·o·cyte (meg′ă-lō-kar′ē-ō-sīt). = megakaryocyte.

meg·a·lo·ma·ni·a (meg′ă-lō-mā′nē-ă). 誇大妄想（①自分自身を偉大であるとみなす妄想の一型. 自らをキリスト, 神, ナポレオン, 皇太子, スポーツ万能の一流選手などと信じていること. ②自己または自己のある面を病的に過大評価すること）.

meg·a·lo·ma·ni·ac, me·ga·lo·ma·ni·a·cal (meg′ă-lō-mā′nē-ak, -mă-nī′ă-kăl). 誇大妄想者.

meg·a·lo·me·li·a (meg′ă-lō-mē′lē-ă). = macromelia.

meg·a·loph·thal·mos (meg′ă-lof-thal′mŏs). 巨大眼球（先天性の拡張眼球）.

meg·a·lo·po·di·a (meg′ă-lō-pō′dē-ă). = macropodia.

meg·a·lo·sple·ni·a (meg′ă-lō-splē′nē-ă). = splenomegaly.

meg·a·lo·syn·dac·ty·ly, meg·a·lo·syn·dac·tyl·i·a (meg′ă-lō-sin-dak′ti-lē, sin′dak-til′ē-ă). 巨合指症（大形の手指または足指にみずかきまたは融合のある状態）.

meg·a·lo·u·re·ter (meg′ă-lō-yur′ĕ-tĕr). 巨大尿管.

-megaly 大きいを意味する接尾語.

mega-oesophagus [Br.]. = megaesophagus.

meg·a·poi·e·tin (meg′ă-poy′ĕ-tin). メガポエチン. = thrombopoietin.

meg·a·rec·tum (meg′ă-rek′tŭm). 巨大直腸（直腸の過剰な拡張）.

meg·a·vi·ta·min ther·a·py ビタミン大量療法（肉体, 精神病を治療する薬として使用されるビタミン, ミネラル, アミノ酸の大量服用）. = orthomolecular medicine.

meg·a·volt (mV) (meg′ă-vōlt). メガボルト（100万ボルト）.

mei·bo·mi·an (mī-bō′mē-ăn). Meibom による, または彼の記した.

mei·bo·mi·an cyst マイボーム〔腺〕嚢胞（嚢腫）. = chalazion.

mei·bo·mi·an glands マイボーム腺. = tarsal glands.

mei·bo·mi·tis, mei·bo·mi·a·ni·tis (mī′bō-mī′tis, -mē-ă-nī′tis). マイボーム腺炎（瞼板腺の炎症）.

Meig·e dis·ease メージュ病（常染色体優性遺伝性リンパ水腫. ほぼ思春期の年齢に発症する）.

Meigs syn·drome メグズ（メイグス）症候群（腹水と胸水を伴う卵巣の線維筋腫）.

meio- この形で始まり, 以下に記載のない語については mio- の項参照.

mei·o·sis (mī-ō′sis). 減数分裂, 成熟分裂, 還元分裂（連続した2回の核分裂を含む時別の細胞分裂の課程. 体細胞の半数の染色体をもった4つの配偶子細胞ができる）.

mei·ot·ic (mī-ot′ik). 減数分裂の, 成熟分裂の, 還元分裂の.

Meis·cher syn·drome マイシャー症候群. = cheilitis granulomatosa.

Meiss·ner cor·pus·cle マイスナー小体. = tactile corpuscle.

mel-, melo- *1* 肢を意味する連結形. *2* 頬を意味する連結形. *3* ハチ蜜または砂糖を意味する連結形. →meli-. *4* ヒツジを意味する連結形.

melaena [Br.]. = melena.

me·lag·ra (mĕ-lag′ră). 肢痛（上肢または下肢のリウマチ様疼痛あるいは筋痛）.

me·lal·gi·a (mĕl-al′jē-ă). 四肢痛（肢の痛み，特に下腿を伸ばしてあげたときの焼けるような痛み，大腿にも起こる）.

melan-, melano- 黒，または色相が非常に黒っぽいことを意味する連結形.

mel·an·cho·li·a (mel-ăn-kō′lē-ă). メランコリー，うつ病（①快感消失，不眠，精神運動の変化，罪悪感を特徴とする重症のうつ病．②①以外の疾患で生じる一症候．気分の沈み，思考の停滞が特徴）. = melancholy.

mel·an·chol·ic (mel-ăn-kol′ik). メランコリック（①メランコリアに関係がある，あるいはメランコリーに特徴的である．②かつては，易刺激性や悲観的な外見を特徴とする気質を意味していた．③メランコリーを呈する人）.

mel·an·chol·y (mel′ăn-kol-ē). = melancholia.

mel·an·e·de·ma (mel′ăn-ĕ-dē′mă). 黒水腫. = anthracosis; melanoedema.

mel·a·nif·er·ous (mel-ă-nif′ĕr-ŭs). メラニン含有の（メラニンまたは他の黒色色素を含むものについていう）.

mel·a·nin (mel′ă-nin). メラニン（皮膚，毛髪，網膜の色素膜，および副腎の髄質と網状層に存在する黒褐色または黒色の色素）.

mel·a·nism (mel′ă-nizm). メラニン沈着（体毛や皮膚(通常，虹彩は侵されない)のきわめて著明な，びまん性のメラニンによる色素沈着のこと．→melanosis）.

mel·a·no·ac·an·tho·ma (mel′ă-nō-ak′an-thō′mă). メラノアカントーマ（メラニン色素沈着のある脂漏性角化症で，表皮内のメラノサイトの増殖を伴う）.

mel·a·no·blast (mel′ă-nō-blast). メラニン芽細胞（神経堤に由来する細胞．メラニンを形成できる成熟メラノサイトになる）.

mel·a·no·cyte (mel′ă-nō-sīt). メラノサイト，メラニン〔形成〕細胞（表皮基底層にある色素産生細胞で，分枝する突起を有し，これによってメラノソームが表皮細胞に運ばれて表皮の色素沈着をきたす）.

mel·a·no·cyte-stim·u·lat·ing hor·mone (MSH) メラニン細胞刺激ホルモン. = melanotropin; bioregulator.

mel·a·no·cy·to·ma (mel′ă-nō-sī-tō′mă). 褐色細胞腫（①ブドウ膜実質の色素性腫瘍．②通例，視神経円板の良性メラノーマをいい，円板の縁に位置する色素の強い小腫瘍で，ときに網膜，脈絡膜に波及している）.

mel·a·no·der·ma (mel′ă-nō-dĕr′mă). 黒皮症（①過剰のメラニンの沈着により皮膚が異常に黒くなること．②メラニンあるいは鉄，銀，薬剤代謝物のような黒い物質の沈着による皮膚の色素増加）.

mel·a·no·der·ma·ti·tis (mel′ă-nō-dĕr′mă-tī′tis). 黒色皮膚炎（皮膚炎の部位にメラニンが過剰に沈着するもの）.

mel·a·no·der·mic (mel′ă-nō-dĕr′mik). 黒皮症の.

melanoedema [Br.]. = melanedema.

me·lan·o·gen (mĕ-lan′ō-jen). メラノゲン（無色の物質でメラニンに転化する）.

mel·a·no·gen·e·sis (mel′ă-nō-jen′ĕ-sis). メラニン産生（メラニンが形成されること）.

mel·a·no·glos·si·a (mel′ă-nō-glos′ē-ă). 黒〔色〕舌. = black tongue.

mel·a·noid (mel′ă-noyd). 類メラニン（メラニン類似の黒い色素．キチン質に含まれるグルコサミンからつくられる）.

mel·a·no·leu·ko·der·ma (mel′ă-nō-lū′kō-dĕr′mă). 白斑黒皮症（大理石様の斑点を有する）.

mel·a·no·leu·ko·der·ma col·li 頸部白斑黒皮症. = syphilitic leukoderma.

mel·an·o·lib·er·in (mel′ă-nō-lib′ĕr-in). メラノリベリン（オキシトシン類似ヘキサペプチド．メラノトロピンの放出促進作用がある）. = melanotropin-releasing factor; melanotropin-releasing hormone.

mel·a·no·ma (mel′ă-nō′mă). 黒色腫，メラノーマ（メラニン産生可能な細胞から生じる悪性新生物．身体の各部の皮膚，眼，まれに性器，肛門，口腔，その他の部位の粘膜に発生する．ほとんどの場合成人に生じ，*de novo* あるいは色素性母斑あるいは悪性黒子より生じる．黒色腫はしばしば広範囲にわたって転移し，所属リンパ節，皮膚，肝臓，肺，および脳が侵されやすい）.

mel·a·no·ma in si·tu 表皮内悪性黒色腫（表皮内に限局され，異型メラノサイトの巣状集合から成り，上層表皮に及ぶ個別細胞が散在した黒色腫．局所切除は根治的であるが，放置された場合，病変は遅からず真皮に浸潤する．悪性黒子は表皮内悪性黒色腫のゆっくりと進行するタイプではないかと考えられている）.

mel·a·no·ma·to·sis (mel′ă-nō′mă-tō′sis). 黒色腫症（多数の，広範囲にわたって存在する黒色腫からなる状態）.

mel·a·no·nych·i·a (mel′ă-nō-nik′ē-ă). 黒爪〔症〕（爪の黒色色素沈着）.

mel·a·no·phage (mel′ă-nō-fāj, mĕ-lan′ō-fāj). メラノファージ（貪食されたメラニンをもつ組織球）.

mel·a·no·phore (mel′ă-nō-fōr′). メラニン保有細胞（色素顆粒を分泌しない皮膚の色素細胞．細胞内でメラノソームを凝集したり拡散したりして急速な皮膚の変色にあずかる．魚類，両性類，は虫類でよく発達しているが，ヒトでは欠如している）.

mel·a·no·pla·ki·a (mel′ă-nō-plā′kē-ă). 黒斑症（舌や頬粘膜の色素斑）.

mel·a·no·sis (mel′ă-nō′sis). 黒色症，メラノーシス（種々の組織あるいは器官に現れる黒褐色または茶黒色の異常色素沈着．メラニン，あるいはある場合にはメラニン類似の他の物質によって生じる．例えば皮膚の黒色症は，広範囲の黒色腫の転移，日焼け，妊娠，慢性的な感染により生じる）.

mel·a·no·sis co·li 結腸黒色症(メラノーシス)（固有層のマクロファージ内に組成不明の色素が

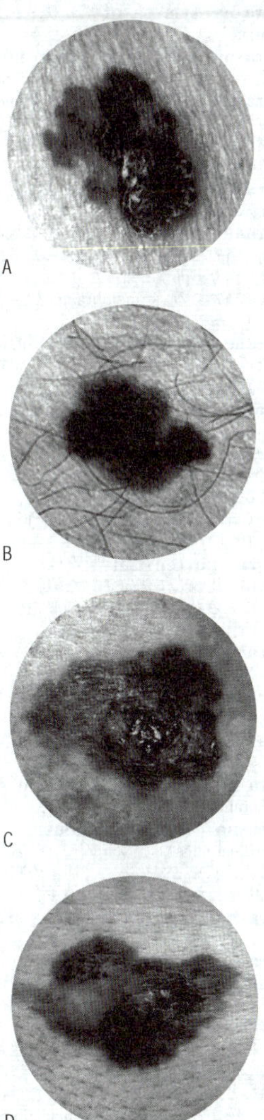
A
B
C
D

melanoma: ABCDs.
A : Asymmetry(非対称), B : Border(境界不明瞭),
C : Color(色調不均一), D : Diameter(長径6mm以上)

蓄積することによって起こる大腸粘膜の黒色症).

mel·a·no·some (mel′ă-nō-sōm). メラノソーム(メラノサイトで産生される通常は長円形(0.2 × 0.6 μm)色素顆粒).

mel·a·no·stat·in (mel′ă-nō-stat′in). メラノスタチン(メラノトロピンの合成・放出を抑制する). = melanotropin release-inhibiting hormone.

mel·a·not·ic (mel′ă-not′ik). ***1*** メラニン〔性〕の. ***2*** 黒色〔症〕の.

mel·a·not·ic car·ci·no·ma 黒色癌(melanomaを表す現在では用いられない語).

mel·a·not·ic neu·ro·ec·to·der·mal tu·mor of in·fan·cy 乳児黒色神経外胚葉腫(生後1年以内の乳児の上顎骨前方部に好発する神経外胚葉起源の良性腫瘍. 臨床的には, 急速に成長する濃い藍色の病変として発現し, 骨破壊性のX線透過像を示す. 組織学的には, 小さな円形の未分化な腫瘍細胞が胞巣状に存在することが特徴であり, やや大きな多形性のメラニン産生細胞の散在を認める).

mel·a·no·troph (mel′ă-nō-trōf). メラニン細胞刺激ホルモン産生細胞(メラニン細胞刺激ホルモンを産生する下垂体中葉の細胞).

mel·a·no·tro·phin (mel′ă-nō-trō′fin). メラノトロピン. = melanotropin.

mel·a·no·tro·pin (mel′ă-nō-trō′pin). メラノトロピン, メラニン細胞刺激ホルモン(ヒトの下垂体中葉(他の種では神経下垂体)から分泌されるポリペプチドホルモン, 黒色素胞のメラニンを拡散し, 皮膚の暗化を引き起こす. 恐らくメラニン合成を促進すると考えられる. この効果はカエルや魚類のような下等脊椎動物で容易に引き起こされる. α-メラノトロピンはアミノ酸13個からなる*N*-アセチルペプチドである. β-メラノトロピンは22個のアミノ酸からなる. *cf.* bioregulator). = melanocyte-stimulating hormone; melanotrophin.

mel·a·no·tro·pin re·lease-in·hib·it·ing hor·mone (MIH) メラノトロピン放出抑制ホルモン. = melanostatin.

mel·a·no·tro·pin-re·leas·ing fac·tor (MRF) メラノトロピン放出因子. = melanoliberin.

mel·a·no·tro·pin-re·leas·ing hor·mone (MRH) メラノトロピン放出ホルモン. = melanoliberin.

mel·a·nu·ri·a (mel′ă-nyū′rē-ă). 黒色尿〔症〕(メラニンまたは他の色素の存在により, あるいはフェノール, その他のコールタール誘導体の作用によって生じる黒色尿の排泄).

mel·a·nu·ric (mel′ă-nyū′rik). 黒色尿〔症〕の.

MELAS (mel′as). メラス(*m*itochondrial myopathy(ミトコンドリアミオパシー), *e*ncephalopathy(脳症), *l*actic *a*cidosis(乳酸アシドーシス), *s*trokelike episodes(脳卒中様エピソード)の頭文字. ミトコンドリア疾患の1つで遺伝性のことが多い. ミトコンドリアゲノムの3243部位の変異が原因である).

me·las·ma (mĕ-laz′mă). 黒皮症(露光部に生じる斑状の色素沈着で妊娠時にみられることが多い. →chloasma). = mask of pregnancy.

me·las·ma grav·i·dar·um 妊娠性黒皮症(妊娠時にみられる皮膚の色素沈着).

M

mel·a·to·nin (mel′ă-tōn′in). メラトニン（松果体でつくられる物質で，性腺機能を抑制する．セロトニンの前駆物質．メラトニンは急速に代謝され，多くの組織によって取り込まれる．概日リズムに関与する．*cf.* bioregulator）．

me·le·na (mĕ-lē′nă). メレナ（血液が消化液で変化して，黒色のタール便が排出されること．*cf.* hematochezia）. = melaena.

Me·le·ney ul·cer メレニー潰瘍（皮膚および皮下組織の穿掘性潰瘍で，微好気性非溶血性連鎖球菌と好気性溶血性ブドウ球菌の相乗感染により起こる）．

meli- ハチ蜜または砂糖に関する連結形. →mel-.

me·li·tis (mĕ-lī′tis). 頬〔部〕炎．

Mel·nick-Nee·dles os·te·o·dys·plas·ty メルニック-ニドルズ骨異形成〔症〕（突出した前頭部と小さな下顎を伴う全身的骨形成異常．X線写真上は，肋骨と管状骨にリボン状の不整なくびれがある．恐らくX連鎖遺伝だが，常染色体優性および劣性遺伝も示唆されている）. = osteodysplasty.

mel·o·plas·ty (mel′ō-plas-tē). 頬形成術．

mel·o·rhe·os·to·sis (mel′ō-rē-os-tō′sis). メロレオストーシス（四肢に限局した流線状過骨症）．

me·lo·ti·a (me-lō′shē-ă). 頬耳症（耳介から頬部の先天性の位置異常）．

melt (melt). メルト，融解（変性，RNAポリメラーゼ作用によりDNA塩基対が開裂することを表すのに用いられる）．

melt·ing-curve a·nal·y·sis 融解曲線分析（非特異性のポリメラーゼ連鎖反応の生成物もしくはプライマー二量体が形成されたか決定するのに使われる，リアルタイムのポリメラーゼ連鎖反応方式．この方式は目的物の正体を突き止めるのにも使用される）．

melt·ing point (Tm) 融点（①固体が液体になる温度．②高分子の50%が変性する温度）．

Melt·zer law メルツァーの法則（すべての生体機能は常に相反する2つの力で支配されている．その1つは増強または活動であり，もう1つは抑制である）．

mem·ber (mem′bĕr). 肢，四肢. = limb(1).

mem·bra (mem′bră). membrum の複数形．

mem·bra·na, gen. & pl. **mem·bra·nae** (mem-brā′nă, -nē). 膜. = biomembrane; membrane(1).

mem·bra·na ad·ven·ti·ti·a = decidua capsularis.

mem·bra·na de·cid·u·a 脱落膜. = decidua.

mem·bra·na pu·pil·la·ris 瞳孔膜. = pupillary membrane.

mem·bra·na re·tic·u·la·ris 網状膜. = reticular membrane.

mem·bra·na ser·o·sa 漿膜（① = serosa; chorion. ②= serosa(2)）．

mem·bra·na syn·o·vi·a·lis 滑膜. = synovial membrane.

mem·bra·na tec·to·ri·a duc·tus co·chle·a·ris 〔蝸牛管の〕蓋膜. = tectorial membrane of cochlear duct.

mem·bra·na tym·pa·ni 鼓膜. = tympanic membrane.

mem·bra·na tym·pa·ni se·cun·dar·i·a 第二鼓膜. = secondary tympanic membrane.

mem·bra·na vit·el·li·na = yolk membrane. ***1*** 卵黄膜（卵黄を包む膜，特に大卵黄卵の厚い細胞膜）. = ovular membrane. ***2*** ときに哺乳類の卵の透明帯を示すために用いる語．

mem·bra·na vi·tre·a 硝子体膜. = posterior limiting layer of cornea.

mem·brane (mem′brān). 膜（①柔軟な組織の薄い層．各部をおおったり，包んだり，腔の裏打ちをしたり，隔壁となったり，2つの構造体を連結したりする. = membrana. ②= biomembrane）．

mem·brane bone 膜性骨（発生学的に血管に富んだ原始間葉組織の膜の中に発達する骨で，軟骨による前形成がない）．

mem·brane-coat·ing gran·ule = keratinosome.

mem·brane ex·pan·sion the·o·ry 膜拡大説，膜膨張説（膜への麻酔薬の吸着が，膜の容量および（または）形態を著しく変え，このような方法で麻酔が起こるとする（麻酔作用機序を説明する1つの）説）．

mem·brane po·ten·tial 膜電位（すぐ外側にある液体と比較して測定された細胞膜内の電位．静止している状態では負で，活動電位の間は正となる）．

mem·brane rup·ture 破水（羊膜の破断により羊水が膣を通って流出すること）．

mem·brane strip·ping 卵膜剥離（頸管に手指を挿入して卵膜を子宮下部から剥離すること．Ferguson反射の誘発，脱落膜からのプロスタグランジン分泌を促し分娩を促進する）．

mem·bra·ni·form (mem-brā′ni-fōrm). 膜様の. = membranoid.

mem·bra·no·car·ti·lag·i·nous (mem′bră-nō-kahr′ti-laj′i-nŭs). 膜軟骨の（①一部は膜状で一部は軟骨状をしている．②間葉の膜と軟骨の両者に由来したある種の骨についていう）．

mem·bra·noid (mem′bră-noyd). = membraniform.

mem·bra·no·pro·lif·er·a·tive glo·mer·u·lo·ne·phri·tis 膜性増殖性糸球体腎炎（メサンギウム細胞の増殖，糸球体小葉分離の拡大，糸球体毛細血管壁の肥厚，メサンギウム基質の増加，血清低補体価を特徴とする慢性糸球体腎炎．主に年長児に好発し，ゆっくりした進行性の経過をとることが多く，血尿または浮腫，および高血圧がみられる）. = lobular glomerulonephritis.

mem·bra·nous (mem′bră-nŭs). 膜〔性〕の，膜〔様〕の．

mem·bra·nous am·pul·lae of the sem·i·cir·cu·lar ducts 膜膨大部（前側・後側・外側の各半規管の卵形嚢に結合する端がほぼ球状に膨大した部分．各膨大部は神経上皮性の稜をもつ）. = ampulla membranacea.

mem·bra·nous cat·a·ract 膜様白内障（肥厚した水晶体嚢の遺残と変性した水晶体線維から

なる続発性白内障).

mem·bra·nous dys·men·or·rhe·a 膜様月経困難〔症〕(月経時子宮内膜の膜様剥脱を伴う月経困難症).

mem·bra·nous glo·mer·u·lo·ne·phri·tis 膜性糸球体腎炎 (基底膜物質のスパイクにより分けられた免疫グロブリンの上皮下沈着による, 糸球体毛細管基底膜のびまん性肥厚を特徴とする糸球体腎炎で, 臨床的にはネフローゼ症候群が徐々に発症し, 蛋白尿が消失しない. 本疾患はほとんどが特発性であるが, 悪性腫瘍, 薬剤, 感染, または全身性エリテマトーデスに続発することがある).

mem·bra·nous lab·y·rinth 膜迷路 (複雑に連絡している一連の膜性の細管と嚢. 骨迷路の空洞の中にあり, 内部は内リンパで満たされ, 周囲は外リンパで囲まれる. 主に蝸牛管, 前庭迷路からなる).

mem·bra·nous lar·yn·gi·tis 膜様喉頭炎 (声帯に偽膜性滲出物を生じるもの).

mem·bra·nous os·si·fi·ca·tion 膜性骨化 (軟骨から骨が形成されるのではなく, 間葉組織から骨が形成される骨化形態. 前頭骨や側頭骨などでみられる).

mem·brum, pl. **mem·bra** (mem′brŭm, -bră). 体肢.

mem·o·ry (mem′ŏ-rē). 記憶 (①体験したり学習したことを想起することに対して用いる一般用語. ②情報刺激を受容(登録), 修飾, 貯蔵, 想起する心的情報処理系. コード化 encoding, 貯蔵 storage, 想起 retrieval の3段階よりなる).

mem·o·ry B cells 記憶B細胞 (免疫学的記憶をつかさどるBリンパ球. 正常な免疫能力を有する個体が抗原に再暴露されたとき, 免疫応答を増強する働きをもつ).

mem·o·ry T cells 記憶T細胞 (免疫学的記憶をつかさどるTリンパ球. 正常な免疫能力を有する個体が抗原に再暴露されたとき, 免疫応答を増強する働きをもつ).

MEN multiple endocrine neoplasia の略.

MEN1 multiple endocrine neoplasia 1 の略.

MEN2 multiple endocrine neoplasia 2 の略.

MEN2B multiple endocrine neoplasia 2B の略.

MEN3 multiple endocrine neoplasia 3 の略.

men·ac·me (me-nak′mē). 月経年齢 (女性の一生で月経のある期間).

Me·nan·gle vi·rus オーストラリアでブタ, ヒト, およびフルーツバットに感染を起こすパラミクソウイルス科の一ウイルス. ヒトに感染すると皮疹を伴うインフルエンザ様疾患となる.

men·a·quin·one-6 (MK-6) (men′ă-kwin′ōn). メナキノン-6 (腐敗した魚粉から分離される. フィロキノン(ビタミン K_1)の約60%の活性がある). = vitamin K_2; vitamin K_2(30).

men·ar·che (men′ahr′kē). 初経, 初潮 (月経機能の開始. 月経が始まった時期).

Men·del-Bech·te·rew re·flex メンデル-ベヒテレフ反射. = Bechterew-Mendel reflex.

Men·de·lé·eff law メンデレーエフの法則 (元素の性質は原子量の周期的関数である. すなわち元素を原子量に従って並べると, その性質においてすべての元素は8番目前後の原子と関連性をもつ).

men·de·le·vi·um (Md) (men-dĕ-lē′vē-ŭm). メンデレビウム (1955年, アインスタイニウムにアルファ粒子を衝撃して得られた元素. 原子番号101, 原子量258.1).

Men·del first law メンデルの第1法則. = law of segregation.

men·de·li·an (men-dē′lē-ăn). Gregor Mendel による, または彼の記した. 単一遺伝子座形質の遺伝伝授の挙動および機構のことをさすときに通常は用いられる.

men·de·li·an in·her·i·tance メンデル遺伝 (単一遺伝子座によってまったく, あるいは圧倒的に制御されている安定で変質しない特徴が幾世代にもわたって伝達される遺伝. →law of segregation; law of independent assortment).

Men·de·li·an In·her·i·tance in Man (MIM) ヒトにおけるメンデル遺伝 (標準的, 包括的で, 定期的に更新されるヒトの形質に関する参照資料で, 形質はメンデル性であることが示されているか, 正当な根拠に基づいてそうであると考えられているものからなる. 各記載は6桁のカタログ番号をもつ. (分子生物学あるいは広範囲の臨床研究によって)確立されたものは星印で印されている).

Men·del in·step re·flex メンデル足背反射 (足が強く内側に押さえつけられているときに, 背側の腱を強く叩打すると, 第二趾から第五趾までがのびること).

Men·del sec·ond law メンデルの第2法則. = law of independent assortment.

Men·del·sohn ma·neu·ver メンデルソン法 (物を飲み込むとき, 随意筋の収縮により喉頭を2—3秒間首の最高位置に保つこと. このように喉頭を持ち上げておくと, 食道を長時間広げておくことができる. えん下障害の治療方法となっている).

Mé·né·tri·er dis·ease, Mé·né·trier syn·drome メネトリエ病 (胃粘膜の粘液様あるいは腺性の過形成. 腺性の過形成は Zollinger-Ellison 症候群に伴うことがある).

Men·ge pes·sa·ry メンゲペッサリー (中央に水平な横杆を付け, それに, 取りはずしのできる小棒を付けた環状ペッサリー).

Mé·nière dis·ease, Mé·nière syn·drome メニエール病 (めまい, 吐気, 嘔吐, 耳鳴り, 進行性難聴などの臨床的特徴をもつ疾患. 内リンパ管の水腫が原因とされる). = auditory vertigo; endolymphatic hydrops; labyrinthine vertigo.

me·nin·ge·al (men′in-jē′ăl). 〔脳脊〕髄膜の.

me·nin·ge·al veins 硬膜静脈 (硬膜動脈に伴行する静脈. 静脈洞および板間静脈と交通し, 頭蓋冠外部の局所の静脈へ血液を導く).

me·nin·ge·or·rha·phy (mĕ-nin′jē-ōr′ă-fē). 髄膜縫合〔術〕(頭蓋または脊髄の髄膜あるいはその他の膜の縫合).

me·nin·ges (mĕ-nin′jēz). meninx の複数形.

me·nin·gi·o·ma (mĕ-nin′jē-ō′mă). 髄膜腫 (クモ膜組織から発生する良性, 被包性の新生物で, 成人に多発する. 最も多い型は, 渦巻き状や偽小葉状の，長い紡錘状の細胞から構成され，しばしば砂腫がみられる．好発部位は上矢状静脈洞，蝶形骨隆起に沿った部位および視神経交叉の近辺である．髄膜上皮性髄膜腫の他に，線維性，移行性，化生性，砂粒腫性，分泌性，明細胞性，乳頭状，索状，リンパ形質細胞性などの種類がある）．

me·nin·gism (men′in-jizm)．髄膜症（症状は髄膜炎に類似するが，これらの膜に実際には炎症はない）．

men·in·git·ic (men′in-jit′ik)．髄膜炎〔性〕の．

men·in·git·ic streak 髄膜炎線条（皮膚をとがった先でこすったためにできる赤色の線条で，特に髄膜炎の場合に著しい）．= Trousseau spot.

men·in·gi·tis, pl. **men·in·git·i·des** (men′in-jī′tis, -jit′i-dēz)．髄膜炎（脳髄膜または脊髄膜の炎症．→arachnoiditis; leptomeningitis）．= cerebrospinal meningitis.

meningo-, mening- 髄膜を意味する連結形．

me·nin·go·cele (mĕ-ning′gō-sēl)．髄膜瘤，髄膜ヘルニア（頭蓋骨または脊柱欠損部から，脳膜または脊髄膜が突出すること）．

meningococcaemia [Br.]. = meningococcemia.

me·nin·go·coc·cal men·in·gi·tis 髄膜炎菌性〔脳脊〕髄膜炎（髄膜炎菌 *Neisseria meningitidis* によって起こり，小児および若年成人がかかる急性感染症．鼻咽頭カタル，頭痛，嘔吐，痙攣，項部硬直，光恐怖，便秘，皮膚の知覚過敏，紫斑性またはヘルペス様の発疹，Kernig 徴候などが特徴である．激症型では Waterhouse-Friderichsen 症候群を引き起こすことがある）．

me·nin·go·coc·ce·mia (mĕ-ning′gō-kok-sē′mē-ă)．髄膜炎菌血〔症〕（髄膜炎菌 *Neisseria meningitidis* が循環血液中に存在すること）．= meningococcaemia.

me·nin·go·coc·cus, pl. **me·nin·go·coc·ci** (mĕ-ning-gō-kok′ŭs, -kok′ī)．髄膜炎菌．= *Neisseria meningitidis.*

me·nin·go·cor·ti·cal (mĕ-ning-gō-kōr′ti-kăl)．髄膜皮質の（脳の髄膜と皮質に関する）．

me·nin·go·cyte (mĕ-ning′gō-sīt)．髄膜組織球（クモ膜下腔の間葉上皮細胞．マクロファージになる）．

me·nin·go·en·ceph·a·li·tis (mĕ-ning′gō-en-sef-ăl-ī′tis)．髄膜脳炎（脳とその膜の炎症）．= cerebromeningitis; encephalomeningitis.

me·nin·go·en·ceph·a·lo·cele (mĕ-ning′gō-en-sef′ă-lō-sēl)．髄膜脳瘤（通常は前頭部または後頭部の頭蓋骨先天性欠損部から髄膜と脳が突出すること）．= encephalomeningocele.

me·nin·go·en·ceph·a·lo·my·e·li·tis (mĕ-ning′gō-en-sef′ă-lō-mī-ē-lī′tis)．髄膜脳脊髄炎（脳と脊髄および脳髄膜と脊髄膜の炎症）．

me·nin·go·en·ceph·a·lop·a·thy (mĕ-ning′gō-en-sef-ă-lop′ă-thē)．髄膜脳障害，髄膜脳症（髄膜と脳を侵す疾患）．= encephalomeningopathy.

me·nin·go·my·e·li·tis (mĕ-ning′gō-mī-ĕ-lī′tis)．髄膜脊髄炎（脊髄およびそれを包むクモ膜と軟膜，まれに硬膜の炎症）．

me·nin·go·my·e·lo·cele (mĕ-ning′gō-mī′ĕ-lō-sēl)．髄膜脊髄瘤（脊柱の欠損部から脊髄とその膜が突出すること）．= myelocystomeningocele; myelomeningocele.

me·nin·go·ra·dic·u·lar (mĕ-ning′gō-ră-dik′yū-lăr)．髄膜神経根の（脳をおおう髄膜または脊髄の神経根に関する）．

me·nin·go·ra·dic·u·li·tis (mĕ-ning′gō-ră-dik′yū-lī′tis)．髄膜神経根炎（髄膜と神経根の炎症）．

me·nin·gor·rha·chid·i·an (mĕ-ning′gō-ră-kid′ē-ăn)．髄膜脊髄の（脊髄と脊髄膜に関する）．

me·nin·gor·rha·gi·a (mĕ-ning-gō-rā′jē-ă)．髄膜出血（脳髄膜または脊髄膜の中あるいは直下への出血）．

men·in·go·sis (men′in-gō′sis)．膜性骨癒合（新生児の頭蓋骨にみられるような骨の膜性結合）．

me·nin·go·vas·cu·lar (mĕ-ning-gō-vas′kyū-lăr)．髄膜脈管の（髄膜の血管または髄膜と血管についていう）．

me·ninx, gen. **me·nin·gis**, pl. **me·nin·ges** (mē′ninks, mĕ-nin′jis, -jēz)．髄膜（膜，特に脳と脊髄をおおう膜．→arachnoidea; dura mater; pia mater）．

men·is·cec·to·my (men′i-sek′tō-mē)．〔膝関節〕半月〔板〕切除〔術〕（半月板を通常，膝関節から切除すること）．

me·nis·ci (mĕ-nis′ī)．meniscus の複数形．

men·is·ci·tis (men-i-sī′tis)．〔膝関節〕半月〔板〕炎，〔膝関節〕半月軟骨炎（線維軟骨性炎症）．

me·nis·cus, pl. **me·nis·ci** (mĕ-nis′kŭs, mĕ-nis′ī)．***1*** = meniscus lens. ***2*** 半月，盤（半月形の構造）．***3*** 半月〔板〕（膝，肩鎖，胸鎖，側頭下顎関節にみられる半月形の線維軟骨様構造）．

me·nis·cus lens メニスク〔ス〕レンズ（一面が球状凹面，他面が球状凸面のレンズ）．= meniscus(1)．

me·nis·cus sign 半月板徴候．= crescent sign.

Men·kes syn·drome メンケズ症候群．= kinky-hair disease.

meno- 月経を意味する連結形．

men·o·me·tror·rha·gi·a (men′ō-mē-trō-rā′jē-ă)．機能性子宮出血（月経期間中または月経と月経との間の，不規則あるいは過剰な出血）．

men·o·pau·sal (men′ō-paw′zăl)．閉経期の．

men·o·pause (men′ō-pawz)．閉経〔期〕，月経閉止〔期〕（月経の永久的停止．月経年齢の終わり）．

men·or·rha·gi·a (men′ō-rā′jē-ă)．月経過多．= hypermenorrhea.

men·or·rhal·gi·a (men′ō-ral′jē-ă)．月経痛．= dysmenorrhea.

me·nos·che·sis (me-nos′kĕ-sis)．月経閉止（月経の抑制）．

men·o·stax·is (men′ō-stak′sis)．過多月経，月経期間延長．= hypermenorrhea.

men·o·tro·pins (men′ō-trō′pinz)．メノトロピン（主として卵胞刺激ホルモンを含む閉経後婦人の尿からの抽出物．→human menopausal gonadotropin; urofollitropin）．

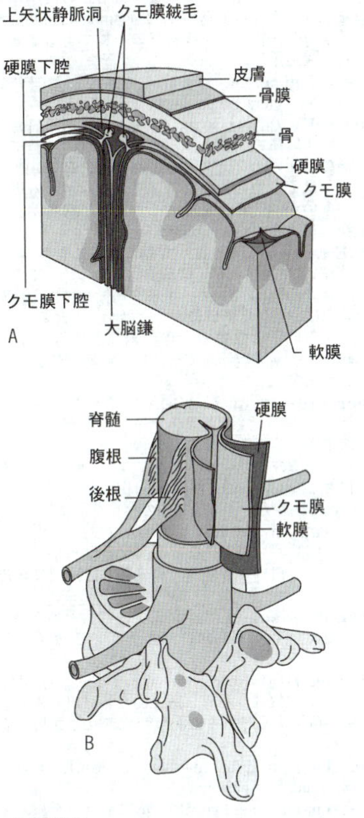

上矢状静脈洞
クモ膜絨毛
硬膜下腔
皮膚
骨膜
骨
硬膜
クモ膜
クモ膜下腔
大脳鎌
A
軟膜
脊髄
硬膜
腹根
後根
クモ膜
軟膜
B

meninges

MENS microcurrent electrical neuromuscular stimulator の略.

men·ses (men′sēz). 月経（約 4 週間間隔で起こり，子宮粘膜に源をもつ周期性の生理的出血. 通常，出血は排卵と子宮内膜の前脱落膜変化の後に起こる. →menstrual cycle). = emmenia; menstrual period.

men·stru·al (men′strū-ăl). 月経の. = emmenic.

men·stru·al cramps 生理痛（月経に付随して起こる腹骨盤の痛み).

men·stru·al cy·cle 月経周期（卵細胞が成熟・排卵し，卵管を通って子宮腔にはいるまでの期間. 卵巣ホルモン分泌は受精した場合に卵着床が可能になるように子宮内膜を変化させる. 受精しなかった場合には，卵巣ホルモン分泌は衰え，子宮内膜は剥脱して月経が始まる. この周期は平均して 28 日間であり，通常，月経の始まる日を周期の第 1 日目とする).

men·stru·al mo·lim·i·na 月経モリミナ. = premenstrual syndrome.

men·stru·al pe·ri·od 月経周期. = menses.

men·stru·ate (men′strū-āt). 月経がある，月経が通じる.

men·stru·a·tion (men′strū-ā′shŭn). 月経（子宮内膜の周期的剥落と月経周期中の子宮からの血性分泌物の放出. →menstruate).

men·ta de lo·bo = bugleweed.

men·tal (men′tăl). ***1*** 精神〔的〕の. ***2*** おとがい（頤）の. = genial; genian.

men·tal age (MA) 精神年齢，知能年齢（Stanford-Binet 知能スケールにより決定される小児の知能の測定値で，各年齢の標準値と比較して年数と日数で表される).

men·tal ar·ter·y おとがい動脈（下歯槽動脈の終末枝. おとがいに分布し下唇動脈と吻合する). = arteria mentalis.

men·tal branch of in·fe·ri·or al·ve·o·lar ar·ter·y 下歯槽動脈のおとがい動脈.

men·tal dis·ease 精神病（→mental illness; mental disorder).

men·tal dis·or·der 精神障害（自覚的な苦悩，および(または)他覚的な異常を伴う心理学的症候群または行動パターン. →mental illness; behavior disorder).

men·tal fo·ra·men おとがい孔（おとがい結節の外側上部の下顎体部にある下顎管の出口でおとがい動脈・おとがい神経の通路).

men·tal health 精神保健，精神衛生，精神健康（感情，行動および社会性の上で成熟しあるいは正常であること. 精神上および行動上の障害がないこと. 自身にもその属する共同体においても受け入れられるように本能を満足に調節できる精神的に健康な状態. 恋愛，仕事，余暇の探求がほどよいバランスがとれていること).

Men·tal Health As·so·ci·a·tion (MHA) 精神衛生協会（国立精神衛生協会の公式の支部で，米国で最古・最大の非営利団体. 目的は精神衛生と精神病に関連するすべての問題に取り組むことである. 目標は支援グループ，住宅サービス，社会化のような率先とともに，教育，支援運動，研究，サービスを通し達成される).

men·tal hy·giene 精神衛生〔学〕（精神の健康を維持し回復するための科学および実践. 20 世紀初期の精神医学の一分野で，心理学，看護学，ソーシャルワーク，法律，その他の部門の専門家の注目を集める学際的領域となってきた).

men·tal ill·ness 精神病（①広い包括的用語で，通常，次の 1 つまたはすべてを示す. ヒステリーや統合失調症のような異常行動を示す精神または人格の病気. ②米国医学会(AMA)の *Current Medical Information and Terminology*，米国精神医学会(APA)の *Diagnostic and Statistical Manual of Mental Disorders* に記載されているすべての精神の病気. →behavior disorder).

men·tal im·age 心像（記憶や想像によって心の中でつくられる物体像).

men·ta·lis mus·cle おとがい筋（起始：下顎の切歯窩. 停止：おとがいの皮膚. 作用：おとがいの皮膚を持ち上げてしわを寄せ，下唇を挙上する. 神経支配：顔面神経). = musculus men-

M

talis.

men·tal·i·ty (men-tal′i-tē). 心性.

men·tal nerve おとがい神経（下歯槽神経の枝. 下顎管内で分枝し，おとがい孔を経ておとがいと下唇に至る）. = nervus mentalis.

men·tal point = pogonion.

men·tal re·tar·da·tion 精神遅滞（全般的知的能力が平均以下で，発達期間中に生じ，適応行動に欠陥を伴う. 精神遅滞の定義は，2つの相互に関連のある判定基準について，同年齢者と比較した作業能力についての指数の決定を必要とする. 2つの判定基準とは，測定された知能(IQ)および全般的な社会的適応力からなる. 一般的にIQ 70以下を精神遅滞とする. この用語は差別的ととられるおそれがある）.

men·tal sco·to·ma 精神的暗点（個人にとって高度に感情的な内容を伴う問題に関して，洞察が欠如したり，理解ができなかったりすること）. = blind spot(2).

men·tal spine おとがい棘（下顎骨体の後部表面の中心線にあるわずかな突起(ときに上下2個ある)で,(下に)おとがい舌骨筋および(上に)おとがい舌筋が付着する）. = genial tubercle.

men·tal stat·us (MS) 精神状態（投薬，投薬形態，薬名に関連する疾病状態もしくは生理学的状態）.

men·tal sym·phy·sis おとがい結合. = mandibular symphysis.

men·thol (men′thawl). メントール，ハッカ脳（ペパーミント油または他のハッカ油から得られる，または合成されるアルコール. 止痒薬，局所麻酔薬として，鼻噴霧器，咳止めドロップや吸入器に，また矯味矯臭薬として用いる）.

-mentia 認知症に見られるような，精神の状態を意味する接尾語.

men·to·an·te·ri·or po·si·tion (MA) 頭位分娩で，胎児の顎部が母体の恥骨結合あるいは寛骨臼の右(**right mentoanterior, RMA**)または左(**left mentoanterior, LMA**)に向かう胎向.

men·ton (men′tŏn). メントン（頭蓋計測の外側顎投影でみられる結合影の下点）.

men·to·plas·ty (men′tō-plas-tē). おとがい(頤)形成〔術〕（おとがいの形または大きさを変える手術的治療のこと）. = genioplasty.

men·to·pos·te·ri·or po·si·tion (MP) 頭位分娩で，胎児の顎部が母体の仙骨あるいは右(**right mentoposterior, RMP**)または左(**left mentoposterior, LMP**)の腸仙骨部に向かう胎向.

men·to·trans·verse po·si·tion (MT) 頭位分娩で，胎児の顎部が母体骨盤の右(**right mentotransverse, RMT**)または左(**left mentotransverse, LMT**)に向かう胎向.

men·tum, gen. **men·ti** (men′tŭm, -tī). おとがい(頤). = chin.

MEOS microsomal ethanol-oxidizing system の略.

MEP maximum expiratory pressure の略.

me·phit·ic (me-fit′ik). 悪臭のある，有毒な.

mEq, meq milliequivalent の略.

mEq/L milliequivalents per liter の記号.

-mer ***1*** mono-, di-, poly-, tri-, のような接頭語に付く化学の接尾語で，反復する構造の最小単位を表す. 例えば polymer. ***2*** isomer, enantiomer のように，特別のグループの一員であることを示す接尾語.

me·ral·gi·a (mĕ-ral′jē-ă). 大腿痛（大腿の痛み，特に meralgia paraesthetica をいう）.

me·ral·gi·a par·a·es·thet·i·ca 知覚異常性大腿神経痛（外側大腿皮神経分布域の大腿部下部の外側のチクチクする痛み，蟻走感，かゆみ，またはその他の種の異常感覚. 痛みがある場合が多いが，皮膚は通常触ってみると感覚が鈍くなっている）. = Bernhardt disease.

M:E ra·ti·o M：E比（骨髄における骨髄(顆粒球)系前駆細胞と赤芽球系前駆細胞の比. 正常は2：1から4：1である. 感染や慢性骨髄性白血病または赤芽球低形成により上昇がみられる. M：E比の低下は骨髄の全体の細胞数にもよるが，顆粒球系細胞の低形成または正赤芽球性過形成を意味する）.

mer·cap·tan (mĕr-kap′tan). メルカプタン（①チオアルコールまたはチオール. アルコールの酸素が硫黄で置換されたもの. 例えばシステイン. ②歯科において，ときにラバーベース印象材として用いる弾力性のある印象材）.

mercapto- チオール基–SHの存在を示す接頭語.

mer·cap·tu·ric ac·id メルカプツール酸（ブロムベンゼンのような芳香族化合物とL-システインとの縮合物. 肝臓で形成され，尿中に排出する）.

Mer·ci·er sound メルシェゾンデ（その突出部が短くほとんど直角に曲がっているカテーテル）.

mer·cu·ri·al (mĕr-kyū′rē-ăl). ***1*** 〖adj.〗 水銀の. ***2*** 〖n.〗 水銀剤，汞剤（医薬品として用いる水銀塩. 精神状態をすみやかに変化させる作用を有する）.

mer·cu·ri·a·lism (mĕr-kyū′rē-ă-lizm). 水銀中毒. = mercury poisoning.

mer·cu·ric (mĕr-kyū′rik). 第二水銀（金属イオンが2価である水銀塩についていう）.

mer·cu·rous (mĕr-kyū′rŭs). 第一水銀の（金属イオンが1価である水銀塩についていう）.

mer·cu·ry (Hg) (mĕr′kyū-rē). 水銀（比重の高い液体金属元素. 原子番号80，原子量200.59. 体温計，気圧計，圧力計，その他の科学機器に使用される. いくつかの塩類および有機水銀は医療上用いられる. ^{197}Hg(半減期2.672日)と^{203}Hg(半減期46.61日)は脳および腎の走査(スキャン)に使用されてきた）.

mer·cu·ry poi·son·ing 水銀中毒（通常，水銀あるいは水銀化合物を摂取または吸入して起こる疾病. これらの化合物は水銀イオンをつくる能力に関連して毒性がある. 急性水銀中毒 **acute mercury poisoning** は通常，胃と腸の潰瘍形成および尿細管の毒性変化を起こし，無尿と貧血が起こることがある. 慢性水銀中毒 **chronic mercury poisoning** は通常，工業用の水銀中毒の結果起こり，口内炎，下痢，頭痛，運動失調，振せん，反射亢進，感覚神経障害，情緒不安定，ときにせん妄を伴う胃腸障害や中枢神経系障害を発現する(Mad Hatter 症候群)）.

= hydrargyria; hydrargyrism; mercurialism.

mer·cy kill·ing 安楽死（赦免行為として意図されている，不治または痛みを伴う病気の人を意図的に死なせること．*cf.* euthanasia）．

mere-, mero- 部分を表す連結形．一連の同じ部分のうちの1つを示すこともある．→mer.

Mer·en·din·o tech·nique メレンディーノ法（太い縫合絹糸を用いて内側交連部の弁輪を縫縮する僧帽弁閉鎖不全の形成再建術）．

Me·re·to·ja syn·drome メレトヤ症候群（家族性全身性アミロイドーシスで，角膜異栄養症，脳神経および末梢神経麻痺，口唇突出，仮面様顔貌，耳下垂を伴う）．

me·rid·i·an (mĕ-rid′ē-an)．*1* 子午線，経線（球体を囲む線で，赤道に直角に交差し両極に達する．または極から極までの半分をさす）．*2* 経絡（刺鍼術において，異なる解剖上の部位をつなぐ線をいう）．

me·rid·i·o·nal (mĕ-rid′ē-ō-năl)．経線の．

me·rid·i·o·nal ab·er·ra·tion 経線収差（レンズの1つの経線を含む面内に生じる収差）．

me·rid·i·o·nal am·bly·op·i·a 視機能発達での弱視惹起期間における矯正しない状態での強い乱視による弱視．

me·rid·i·o·nal fi·bers of ci·li·ar·y mus·cle 〔毛様体筋の〕経線状線維（毛様体筋の縦走線維）．= fibrae meridionales muscularis ciliaris.

Mer·kel cell car·ci·no·ma メルケル細胞癌（通常露光部皮膚あるいは皮膚直下に病変がみられる，まれで極めて進行性の皮膚癌で，痛みのない硬くて小さな結節や腫瘍として現れる．早期より転移し，他の身体部分に広がり，局所リンパ節に向かう傾向がある．年配の男性に一般の2倍の頻度でみられる）．

Mer·kel cor·pus·cle メルケル小体．= tactile meniscus.

Mer·kel tac·tile cell メルケル触覚細胞，メルケル触細胞．= tactile meniscus.

Mer·kel tac·tile disc メルケル触覚盤．= tactile meniscus.

Mer·mis (mer′mis)．メルミス属（細長い不透明な線虫の一属で，幼虫は昆虫，特にバッタ類の血体腔に寄生するが，成虫は土壌中で自由生活する．偶発的な摂取によりヒトへの感染が起こることがある）．

Mer·mis ni·gres·cens 土壌中にみられる線虫の種で，卵は草の上に産卵される．通常の宿主はバッタ類．ヒトの消化管や泌尿生殖器にみられることもあるが，まれである．

mer·o·crine gland メロクリン腺，部分分泌腺，漏出分泌腺（ホロクリン腺とは対照的に，細胞成分を含まない分泌産物を放出する腺）．

mer·o·di·a·stol·ic (mer′ō-dī-ă-stol′ik)．部分的拡張期の（心臓の拡張期の一部分についていう）．

mer·o·en·ceph·a·ly (mĕr′ō-en-sef′ă-lē)．無脳症（脳と頭蓋が痕跡的に存在する脳の先天的な発育不全）．= anencephaly.

mer·o·gen·e·sis (mer-ō-jen′ĕ-sis)．分節発生，体節形成（①分節による生殖．②卵子の卵割）．

mer·o·ge·net·ic, mer·o·gen·ic (mer′ō-jĕ-net′ik, -jen′ik)．分節発生の，体節形成の．

me·rog·o·ny (mĕ-rog′ō-nē)．*1* 卵片発生，単精発生（壊れた卵子の不完全な発育）．*2* メロゴニー，メロゾイト産生（無性生殖のシゾゴニーの一型．典型的なのは胞子虫類の原生動物で，細胞質が分裂する前に核が数度分裂する．生活環のこの無性生殖期に，シゾントは分裂してメロゾイトをつくる）．

mer·o·me·li·a (mer-ō-mē′lē-ă)．肢部分欠損〔症〕（肢（肢帯部は除外）の部分的欠損．例えば，半肢症，アザラシ肢症）．

mer·o·mi·cro·so·mi·a (mer′ō-mī-krō-sō′mē-ă)．部分小人症，部分小体症（身体のある部分が異常に小さいこと．局部的小人症）．

mer·o·my·o·sin (mer-ō-mī′ō-sin)．メロミオシン（ミオシンのトリプシン処理によってできる産生物．2つの型，すなわちHメロミオシンとLメロミオシンが産生される）．

me·ros·mi·a (mĕ-roz′mē-ă)．部分的無嗅覚〔症〕，部分的嗅覚消失（脱失）（色盲と類似した状態．特定のにおいに対する感覚が欠けていること）．

mer·o·sys·tol·ic (mer′ō-sis-tol′ik)．部分的収縮〔期〕の（心臓の収縮期の一部分についていう）．

me·rot·o·my (mĕ-rot′ō-mē)．細胞切断（細胞の生存や発生の能力を研究するために，1つの細胞をいくつかの部分に切断するような，部分への切断操作）．

mer·o·zo·ite (mer-ō-zō′īt)．メロゾイト，分裂小体（シゾゴニーまたは類似した型の無性生殖に由来する胞子虫類原生動物の運動性の感染性期．メロゾイトは寄生性胞子虫類の盛んな繁殖力の原因となる）．

mer·o·zy·gote (mer-ō-zī′gōt)．部分接合体，メロザイゴート（微生物遺伝において，それ自身のゲノムエンドゲノートに加えて他の生体のゲノムの断片エキソゲノートを含む生体．比較的小型のエキソゲノートは限られた場所のエンドゲノートでのみ二倍体の状態になる）．

MERRF (mĕrf)．マーフ，エムイーアールアールエフ（*m*yoclonic *e*pilepsy with *r*agged *r*ed *f*iber myopathy（もじゃもじゃ赤色線維ミオパシーを伴うミオクローヌスてんかん）の頭文字．ミトコンドリア疾患の1つ．転移RNAがコード化されているミトコンドリアゲノム8344部位の変異が原因である）．

MES microcurrent electrical stimulator の略．

mes-, meso- *1* 中央の，平均の，中間の，を意味する接頭語．*2* 腸間膜，腸間膜様構造物，を意味する接頭語．*3* 2つ以上のキラル中心をもち，内部に対称面をもつ化合物を示す接頭語．そのような化合物は光学活性を示さない．例えば *meso*-シスチン．

me·sad (mē′sad)．正中方向に（身体または部分の正中面を通る，に向かう）．= mesiad.

mes·an·gi·al (mes-an′jē-ăl)．メサンギウムの，糸球体間質の．

mes·an·gi·al ne·phri·tis メサンギウム増殖性腎炎（糸球体メサンギウム細胞または基質，あるいはメサンギウム沈着物の増加に伴う糸球体腎炎）.

mes·an·gi·al pro·lif·er·a·tive glo·mer·u·lo·ne·phri·tis メサンギウム増殖性糸球体腎炎（臨床的にはネフローゼ症候群を呈し，組織学的には血管内皮細胞，メサンギウム細胞やメサンギウム基質の増殖を示す．中には IgM や補体のメサンギウム沈着を伴うものがある）.

mes·an·gi·um (mes-anʹjē-ŭm). メサンギウム，糸球体間質（毛細血管の間の腎糸球体の中心部分．メサンギウム細胞は食細胞性で，大部分は内皮細胞により毛細管腔と仕切られている）.

mes·a·or·ti·tis (mesʹā-ōr-tīʹtis). 大動脈中膜炎（大動脈の中膜すなわち筋膜の炎症）.

mes·ar·ter·i·tis (mesʹahr-tĕr-īʹtis). 動脈中膜炎.

me·sat·i·pel·lic, me·sat·i·pel·vic (mĕ-sat-i-pelʹik, mĕ-sat-i-pelʹvik). 中骨盤の（骨盤指数が 90—95° の個体についていう．骨盤上部の入口は円形で，横径は前後径より 1 cm 弱長い）.

mes·ax·on (mes-akʹson). 神経軸索を取り囲んで幾重にも重なっている神経鞘の細胞膜．電子顕微鏡写真では 2 重の層が外見上腸間膜に類似する.

mes·ca·line (mesʹkă-lin). メスカリン（リュウゼツラン，メキシコセンニンショウ *Lophophora williamsii* の芽にある最も活性の高いアルカロイド．精神異常発現作用，すなわち情緒の変動，知覚の変化，幻想，視覚性幻覚，妄想，離人症，散瞳，瞳孔動揺，そして体温と血圧の上昇を生じる）.

mes·ec·to·derm (mes-ekʹtō-dĕrm). 中外胚葉（①中胚葉および外胚葉の分化の完成途上にある原口の背縁周囲部位の細胞．②外胚葉，特に非常に幼若な胎児における頭部の神経堤由来の間葉からなる部分）.

mes·en·ce·phal·ic (mesʹen-se-falʹik). 中脳の.

mes·en·ce·phal·ic flex·ure 中脳屈．= cephalic flexure.

mes·en·ce·phal·ic teg·men·tum 中脳被蓋（黒質から中脳水道にまでのびる中脳の大部分）．= tegmentum (2).

mes·en·ceph·a·li·tis (mesʹen-sefʹă-līʹtis). 中脳炎（中脳の炎症）.

mes·en·ceph·a·lon (mesʹen-sefʹă-lon). 中脳（胎児の 3 つの原始脳胞の中央部から発育する脳幹の部分．成人では中脳は肉眼解剖学上，屋根をなす板，つまり中脳蓋板，中脳視(左右の上丘と下丘よりなる)のユニークな構造および腹側表面にある大脳脚の大きな類似する左右の突出を特徴とする．中脳の突起細胞群は，滑車神経と動眼神経の運動核，赤核，および黒質を含む）．= midbrain.

mes·en·ceph·a·lot·o·my (mesʹen-sef-ă-lotʹō-mē). 中脳切開〔術〕（①中脳における構造物の切断，特に頑痛の軽減に対する脊髄視床路やジスキネジー(異常運動)に対する大脳脚の切断をいう．②中脳における脊髄視床路切断術）.

me·sen·chy·mal (mes-engʹki-măl). 間葉の.

mes·en·chyme (mesʹeng-kīm). 間葉（①間葉細胞または線維芽細胞様細胞の集合体．②通常は星形で，層間ゼリーで支えられた間葉細胞で構成される始原胎性結合組織）.

mes·en·chy·mo·ma (mesʹeng-kī-mōʹmă). 間葉腫（線維組織以外の間葉組織由来の混合物からなる新生物を表すまれに用いる語．**benign mesenchymoma**(良性間葉腫)は血管，筋肉，脂肪，類骨，骨，軟骨組織の病巣を含むことがある．**malignant mesenchymoma**(悪性間葉腫)も生じることがあり，これは同様に線維組織細胞以外の 2 種以上の間葉細胞の混合物で悪性のものをさす）.

mes·en·ter·ic (mesʹen-terʹik). 腸間膜の.

mes·en·ter·i·o·pex·y (mesʹen-ter-ē-ō-pekʹsē). 腸間膜固定〔術〕（裂けた腸間膜または切開された腸間膜の固定）．= mesopexy.

mes·en·ter·i·or·rha·phy (mesʹen-ter-ē-ōrʹă-fē). 腸間膜縫合〔術〕．= mesorrhaphy.

mes·en·te·ri·pli·ca·tion (mesʹen-ter-i-pli-kāʹshŭn). 腸間膜成襞〔術〕，腸間膜ひだ形成〔術〕（1 つ以上のしわをつくることによって腸間膜の余分を減らす方法）.

mes·en·ter·i·tis (mesʹen-tĕr-īʹtis). 腸間膜炎.

mes·en·te·ri·um (mesʹen-terʹē-ŭm). 腸間膜．= mesentery.

me·sen·ter·o·ax·i·al vol·vu·lus 腸間膜軸捻転（胃腸内膜のラインに平行に軸捻転した胃軸捻転の一型）.

mes·en·ter·y (mesʹen-ter-ē). 腸間膜（①腹壁に付着する 2 重の膜になった腹膜で，そのひだの中に腹部内臓の一部または全部を包み込み，血管と神経を搬送している．②小腸(空腸と回腸)の大部分を支えていて，それを腸間膜根で後腹壁に付着させている腹膜の扇形のひだ）．= mesenterium.

MeSH (mesh). Medical Subject Headings(医学事項索引の見出し)の略.

mesh graft 網状移植〔片〕（互い違いの点線状切開を施して拡張できるようにした分層植皮．血液のドレナージが必要であったり，採皮部位が大きくなるとき,(それを制限して)創面を被覆するのに用いられる）.

me·si·ad (mēʹzē-ad). = mesad.

me·si·al (mēʹzē-ăl). 近心の（遠心に対し，歯列弓の弯曲に従った中心線方向）．= proximal (2).

me·si·al an·gle 近心隅角（歯の近心面が唇面(頬面)または舌面となす角）.

me·si·al oc·clu·sion 近心咬合（①下顎歯が上顎歯と正常よりも前方で咬合するもの．= mesio-occlusion. ②= mesioclusion）.

mesio- 近心の，を意味する(特に歯科用語の)連結形.

me·si·o·buc·cal (mēʹzē-ō-bŭkʹăl). 近心面頬面の（歯の近心面と頬側面に関し，特にこれら 2 面の接合により形成される角についていう）.

me·si·oc·clu·sion (mēʹzē-ŏ-klūʹzhŭn). 近心咬合（顎弓が上顎弓と近心から通常の位置で関節結合を成す不正咬合．アングル分類では，第 3 綱不正咬心）．= mesial occlusion (2).

me·si·o·cer·vi·cal (mēʹzē-ō-sĕrʹvi-kăl). 近心面歯頸側の（①近心壁と歯頸側壁からなる窩洞の線角についていう．②近心面と歯頸部からなる歯の部分についていう）．

me·si·o·dens (mē´zē-ō-denz)．正中歯（上顎中切歯の間で，上顎前歯部の正中線に位置する過剰歯．通常は抜歯する）．

me·si·o·dis·tal (mē´zē-ō-dis´tăl)．近遠心の（歯の近心面と遠心面を切る平面または直径についていう）．

me·si·o·gin·gi·val (mē´zē-ō-jin´ji-văl)．近心面歯肉側の（歯の近心面と歯肉縁の接合により形成される角に関する）．

me·si·o·la·bi·al (mē´zē-ō-lā´bē-ăl)．近心面唇面の（歯の近心面と唇面に関し，特にこれら2面の接合により形成される角についていう）．

me·si·o·lin·gual (mē´zē-ō-ling´gwăl)．近心面舌面の（歯の近心面と舌面に関し，特にこれら2面の接合により形成される角についていう）．

me·si·o·lin·guo·oc·clu·sal (mē´zē-ō-ling´gwō-ŏ-klū´zăl)．近心面舌面咬合面の（小臼歯または大臼歯の近心の，舌の，そして咬合の表面の接点によって形成される角度を示す）．

me·si·o·lin·guo·pul·pal (mē´zē-ō-ling´gwō-pŭl´păl)．近心面舌面髄面の（歯の窩洞形態で，近心面，舌面，髄面の接合により形成される角についていう）．

me·sio·oc·clu·sal (mē´zē-ō-ŏ-klū´zăl)．近心面咬合面の（小臼歯または大臼歯の近心そして咬合の表面の接点によって形成される角度を示す）．

me·sio·oc·clu·sion (mē´zē-ō-ŏ-klū´zhŭn)．= mesial occlusion(1)．

me·si·o·ver·sion (mē´zē-ō-ver´zhŭn)．近心転位（歯が正常な位置より近心位にある位置異常．歯列弓の弯曲に沿って前方に変位すること）．

mes·mer·ism (mes´mĕr-izm)．動物磁気，動物電気，メスメリズム（1つの治療体系で，そこから催眠術と暗示療法が発展した）．

mes·o·ap·pen·dix (mez´ō-ă-pen´diks)．虫垂間膜（回腸末端に位置する虫垂の短い腸間膜で，虫垂動脈が通る）．

mes·o·bi·lane (mez´ō-bī´lān)．メソビラン（ピロール環の間に二重結合がなく，無色の還元メソビリルビン．→bilirubinoids）．= mesobilirubinogen．

mes·o·bil·i·ru·bin (mez´ō-bil-i-rū´bin)．メソビリルビン（ビリルビンのビニル基がエチル基に還元された点がビリルビンと異なる化合物．→bilirubinoids）．

mes·o·bil·i·ru·bin·o·gen (mez´ō-bil-i-rū-bin´ō-jen)．メソビリルビノゲン．= mesobilane．

mes·o·blast (mez´ō-blast)．中胚葉．= mesoderm．

mes·o·blas·te·ma (mez´ō-blas-tē´mă)．中胚葉芽細胞（初期の未分化の中胚葉を構成する一群の細胞）．

mes·o·blas·te·mic (mez´ō-blas-tē´mik)．中胚葉芽細胞の．

mes·o·blas·tic (mez´ō-blas´tik)．中胚葉の．

mesocaecal [Br.]．= mesocecal．

mesocaecum [Br.]．= mesocecum．

mes·o·car·di·a (mez´ō-kahr´dē-ă)．*1* 胸郭中央位心臓（早期胚のまだ正常位にない心臓で，胸郭の中心にある）．*2* mesocardium の複数形．

mes·o·car·di·um, pl. **mes·o·car·di·a** (mez-ō-kahr´dē-ŭm, -dē-ă)．心間膜（心膜腔に胚子の心臓を支えている内臓中胚葉の二重層．出生前に消失する）．

mes·o·ca·val shunt 腸間膜静脈下大静脈吻合〔術〕，腸間膜静脈下大静脈シャント〔術〕（①上腸間膜静脈の側面と離断された下大静脈の近位端とを吻合する．門脈圧亢進症のコントロールに用いる．②下大静脈と上腸間膜静脈とをH形に合成血管または自家静脈を用いて吻合する）．

mes·o·ce·cal (mez´ō-sē´kăl)．盲腸間膜の．= mesocaecal．

mes·o·ce·cum (mez´ō-sē´kŭm)．盲腸間膜（盲腸を支えている腸間膜．胎児期に上行結腸が腹膜後器官であったときのものがときとして残存したもの）．= mesocaecum．

Mes·o·ces·toi·des (mez´ō-ses-toy´dēz)．メソセストイデス属（キツネなどの肉食性哺乳類にみられる条虫の一属．中間宿主は恐らくダニ類（註本属の有線条虫 *M. leneatus* は糞食性甲虫(第一)と脊椎動物(第二)の2つの中間宿主をとることが知られている）．日本，米国，カナダにおいて，ごくわずかのヒト感染例が知られている）．

mes·o·col·ic (mez´ō-kol´ik)．結腸間膜の．

mes·o·co·lon (mez´ō-kō´lŏn)．結腸間膜（結腸を後腹壁に固定している腹膜のひだ．結腸の各部位に対応して，ⓘ上行結腸間膜，ⓘⓘ横行結腸間膜，ⓘⓘⓘ下行結腸間膜，ⓘⓥS状結腸間膜に区別される．上行および下行結腸間膜は後腹壁の腹膜と癒着しているが，可動性は残されている）．

mes·o·co·lo·pex·y (mez´ō-kō´lō-pek-sē)．結腸間膜固定〔術〕（結腸間膜を短くする手術．結腸の過度の運動と下垂を元に戻すために行う）．= mesocoloplication．

mes·o·co·lo·pli·ca·tion (mez´ō-kō´lō-pli-kā´shŭn)．結腸間膜成襞〔術〕，結腸間膜ひだ形成〔術〕．= mesocolopexy．

mes·o·cord (mez´ō-kōrd)．臍帯付着ひだ（ときに臍帯の分節を胎盤に結合している羊膜のひだ）．

mes·o·derm (mez´ō-dĕrm)．中胚葉（胚の3つの原始胚層の中層(他の2つは外胚葉と内胚葉)．結合組織，筋芽細胞，血液，心臓循環系，リンパ系の起源となり，泌尿生殖系のほとんど，心膜腔，胸腔，腹膜腔の裏打ちになる）．= mesoblast．

mes·o·der·mic (mez´ō-dĕrm´ik)．中胚葉の．

mes·o·du·o·de·nal (mez´ō-dū-ō-dē´năl)．十二指腸間膜の．

mes·o·du·o·de·num (mez´ō-dū´ō-dē´nŭm)．十二指腸間膜（十二指腸の腸間膜）．

mes·o·ep·i·did·y·mis (mez´ō-ep-i-did´i-mis)．精巣上体間膜（精巣上体を精巣に結合する鞘膜にまれにみられるひだ）．

mes·o·gas·ter (mez´ō-gas´tĕr)．胃間膜．= mesogastrium．

mes·o·gas·tric (mez´ō-gas´trik)．胃間膜の．

mes·o·gas·tri·um (mez´ō-gas´trē-ŭm)．胃間膜（胚において，将来胃になる腸管の拡張した部分の腸間膜．ここから大網がつくりだされ，したがって網嚢の形成に加わる．脾臓と膵体はこの中に発達するので，脾腎間膜や胃脾間膜もこの背側部からつくられる）．= mesogaster.

mes·o·gen·ic (mezʹō-jenʹik)．中間毒力の，亜病原性の（短い潜伏期後，胎児には致死感染を起こすが，幼若動物や成熟動物には不顕性感染しか起こさないウイルスの毒性を表す用語）．

me·sog·li·a (me-sogʹlē-ă)．メソグリア（中胚葉由来の神経膠細胞．→microglia）．= mesoglial cells.

me·sog·li·al cells 中グリア細胞，中〔神経〕膠細胞．= mesoglia.

mes·o·glu·te·al (mezʹō-glūʹtē-ăl)．中殿筋の．

mes·o·il·e·um (mezʹō-ilʹē-ŭm)．回腸間膜．

mes·o·je·ju·num (mezʹō-jē-jūʹnŭm)．空腸間膜．

mes·o·lym·pho·cyte (mezʹō-limʹfō-sīt)．中型リンパ球（中型で単核の白血球でリンパ球と思われる．大型の濃染する核をもつが，大多数のリンパ球の核よりも比較的小さい）．

mes·o·me·li·a (mezʹō-mēʹlē-ă)．異常に短い前腕と下肢を有する状態．

mes·o·mel·ic dwarf·ism 中割球小人症（前腕と下腿が短い小人症）．

mes·o·mere (mezʹō-mēr)．*1* 中割球（卵割期の大割球と小割球の中間の大きさの割球）．*2* 中分節（筋板の上分節と下分節との間の帯状部分）．

mes·o·met·a·neph·ric car·ci·no·ma 中腎腫．= mesonephroma.

mes·o·me·tri·um (mezʹō-mēʹtrē-ŭm)．子宮間膜（卵管間膜下の子宮の広靱帯）．

mes·o·morph (mezʹō-mōrf)．中胚葉型（中胚葉由来の組織が優勢であるような生まれつきの体型または体格．形態学上の観点からみると，体幹の四肢の均衡がとれている．→hypomorph; ectomorph; endomorph）．

mes·o·mor·phic (mezʹō-mōrfʹik)．中胚葉型の．

me·son (mesʹon)．中間子（静止質量が電子と陽子の中間にある素粒子）．

mes·o·neph·ric (mezʹō-nefʹrik)．中腎の．

mes·o·neph·ric duct 中腎管（胚の中腎小管からの排出を行う管．男性の場合は精管および尿管になり，女性の場合は痕跡的遺残となる）．= wolffian duct.

mes·o·neph·ric fold 中腎堤．= mesonephric ridge.

mes·o·neph·ric ridge 中腎隆線（初期のヒト胎児において，すべての泌尿生殖隆線を形成するもの．もっとも，発生後期になるとより内側の生殖隆線より将来生殖腺になるものがそれから分かれていく．→urogenital ridge）．= mesonephric fold.

mes·o·neph·roi (mezʹō-nefʹroy)．mesonephros の複数形．

mes·o·ne·phro·ma (mezʹō-ne-frōʹmă)．中腎腫（まれな卵巣と子宮体部の新生物で，胎生期に卵巣組織に迷入した中腎組織由来のものと考えられる）．= clear cell carcinoma; mesometanephric carcinoma.

mes·o·neph·ros, pl. **mes·o·neph·roi** (mezʹō-nefʹros, mezʹō-nefʹroy)．中腎（脊椎動物の進化の過程で現れる 3 排泄器官のうちの 1 つ．後腎の発達途上で，中腎は後腎と退化した前腎の間で後腎の頭位に位置する．哺乳類の幼若胚では中腎はよく発達し，恒久腎となる後腎の完成以前には機能を有する．年長胚では中腎は排泄器官としては退化するが，その管構造は男性においては精巣上体および精管として残存する）．= wolffian body.

mes·o·neu·ri·tis (mezʹō-nūr-īʹtis)．神経中膜炎（神経またはその結合組織の炎症であるが，神経鞘は含まれない）．

mes·o·pexy (mezʹō-pek-sē)．= mesenteriopexy.

mes·o·phil, mes·o·phile (mezʹō-fil, -fīl)．中温菌（至適温度が 25—40°C で，10—45°C の限界内で発育する微生物）．

mes·o·phil·ic (mezʹō-filʹik)．中温〔性〕の，中温菌の．

mes·o·phle·bi·tis (mezʹō-flĕ-bīʹtis)．静脈中膜炎．

me·soph·ry·on (mez-ofʹrē-on)．眉間．= glabella(2).

mes·o·por·phy·rins (mezʹō-pōrʹfi-rinz)．メソポルフィリン（プロトポルフィリンのビニル側鎖がエチル側鎖に還元されている以外は，プロトポルフィリンに類似するポルフィリン化合物（例えばメソビラン））．

me·sor·chi·al (mez-ōrʹkē-ăl)．精巣間膜の．

me·sor·chi·um (mez-ōrʹkē-ŭm)．精巣間膜（①胎児の中腎と発育途上の精巣を支えている精巣鞘膜のひだ．②成人にみられる精巣と精巣上体間の精巣鞘膜のひだ）．

mes·o·rec·tum (mezʹō-rekʹtŭm)．直腸間膜（直腸の腹膜で，上部だけをおおっている）．

mes·or·rha·phy (mez-ōrʹă-fē)．= mesenteriorrhaphy.

mes·o·sal·pinx (mezʹō-salʹpingks)．卵管間膜（卵管を包む広い靱帯の部分）．

mes·o·sig·moid (mezʹō-sigʹmoyd)．S 状結腸間膜（→mesocolon）．

mes·o·sig·moid·i·tis (mezʹō-sig-moy-dīʹtis)．S 状結腸間膜炎．

mes·o·sig·moid·o·pex·y (mezʹō-sig-moyʹdō-pek-sē)．S 状結腸間膜固定〔術〕（S 状結腸間膜の外科的固定術）．

mes·o·some (mezʹō-som)．メソソーム（ある種の細菌類の原形質膜の巻き込みによって形成されるうず巻状の膜様体で，細胞呼吸や隔壁形成に働いている）．

mes·o·ten·din·e·um (mezʹō-ten-dinʹē-ŭm)．腱間膜．= mesotendon.

mes·o·ten·don (mezʹō-tenʹdon)．腱間膜（腱が骨線維管内にあるような場所で，腱と腱鞘の壁をつなぐ滑膜の層で，多くの場合，退化してひもとして残っているにすぎない）．= mesotendineum.

mes·o·the·li·a (mezʹō-thēʹlē-ă)．mesothelium の複数形．

mes·o·the·li·al (mezʹō-thēʹlē-ăl)．中皮の．

mes·o·the·li·o·ma (mezʹō-thē-lē-ōʹmă)．中皮腫（胸膜または腹膜の壁細胞から生じるまれな悪性新生物．内臓をおおう厚い膜として発育する）．

mes·o·the·li·um, pl. mes·o·the·li·a (mez′ō-thē′lē-ŭm, mez′ō-thē′lē-ă)．中皮（漿液腔壁の上皮を形成する扁平細胞の1層の被膜．例えば腹膜，胸膜，心膜など）．

mes·o·tym·pan·um (mez-ō-tim′pă-nŭm)．中鼓室（中耳内で鼓膜の内側の部分）．

mes·o·va·ri·um, pl. mes·o·va·ri·a (mez′ō-vā′rē-ŭm, -ă)．卵巣間膜（子宮広間膜の一部で卵巣に反転してこれを支持する）．

mes·sen·ger RNA (mRNA) メッセンジャーRNA，伝令RNA（遺伝的に活性なDNAのヌクレオシド配列を正確に写し，その配列として暗号化されたDNAの〝メッセージ〟を蛋白を合成する細胞質領域に伝えるRNA．細胞質中で蛋白mRNAによって規定された(元はDNA)アミノ酸配列に従って合成される．ウイルスのRNAは自然のmRNAと考えられる）．

MET metabolic equivalent; muscle energy technique の略．

Met アミノ酸 methionine の略．→methionine.

meta- ***1*** 医学や生物学において，…の後，を意味する接頭語．*cf.* post-. ***2*** 化学において，共同の作用，共有，を意味するイタリック体の接頭語．***3*** (***m-***).化学において，1つの炭素原子によって分離しているベンゼン環(例えば，第1と第3，第2と第4などの炭素原子に連結している)の2つの置換によって形成されていることを意味する接頭語．*meta-* または略字 *m-* で始まる化学用語は各々の名称参照．

met·a·a·nal·y·sis (met′ă-ă-nal′i-sis)．メタアナリシス（統計的方法を用いて，異なった研究の結果を併合するプロセス．多くの異なった研究から，通常は統計表などの形式で表された情報を用いて，ある問題を系統的，体系的に評価すること．→analysis）．

me·tab·a·sis (mĕ-tab′ă-sis)．疾病転換，病変転移（疾病の徴候または経過に生じた何らかの変化を表す，まれに用いる語）．

met·a·bi·o·sis (met′ă-bī-ō′sis)．寄生（ある生物がその生存を他の生物に依存すること．→commensalism; mutualism; parasitism）．

met·a·bi·sul·fite test 異性重亜硫酸試験，メタバイスルファイト試験，鎌状赤血球形成試験(鎌状赤血球ヘモグロビン(Hb S)の検出試験．異性重亜硫酸ナトリウムを血液に加えると，Hb Sを含む赤血球の脱酸素化は増強され，スライド上で赤血球の鎌状化がみられるようになる．ある種の他の異常ヘモグロビン(HbC_{Harlem} と Hb I)でも，この試験により鎌状化がみられる）．

met·a·bol·ic (met′ă-bol′ik)．〔物質〕代謝の．

met·a·bol·ic ac·i·do·sis 代謝性アシドーシス（下痢または腎疾患の場合のように，酸の蓄積，または人体からの固定塩基の異常喪失のいずれかによって起こる体液のpHおよび重炭酸濃度の減少）．

met·a·bol·ic al·ka·lo·sis 代謝性アルカローシス（動脈の血漿重炭酸イオン濃度の増加を伴うアルカローシス．この状態は，恐らくアルカリ性物質の過剰摂取，または尿中への酸の排泄過剰あるいは持続的嘔吐による酸の過剰喪失が原因となって起こる．ベースエクセスおよび標準重炭酸イオン濃度はいずれも増加する．→compensated alkalosis）．

met·a·bol·ic burst 代謝バースト（食作用の直後に起こる，一時的な酸素消費の増加．呼吸バーストともいわれる）．

met·a·bol·ic cir·rho·sis 代謝性肝硬変（ヘモクロマトーシス(鉄沈着)やウィルソン病(銅沈着)などの，肝臓に物質の沈着を引き起こす代謝異常による肝硬変）．

met·a·bol·ic co·ma 代謝性昏睡（神経細胞や膠細胞の代謝障害により生じた，神経代謝の広範な障害による昏睡．中毒や，電解質のアンバランスなど，脳以外の病変により生じる場合もある）．

met·a·bol·ic cra·ni·op·a·thy 代謝性頭蓋骨障害．= Morgagni syndrome.

met·a·bol·ic en·ceph·a·lop·a·thy 代謝性脳障害(脳症)（記憶障害，めまい，全身の脱力などを呈する脳症で，低酸素症，虚血，低血糖などの代謝性脳疾患によるか，あるいは肝臓や腎臓のような他の臓器不全などに続発する）．

met·a·bol·ic e·quiv·a·lent (MET) 代謝当量（安静臥位時に消費される酸素量(1 MET = 3.5 mL(酸素)/kg(体重)/min)．ある運動の酸素消費量はMETの倍数で表される）．

met·a·bol·ic mu·ci·no·sis 代謝性ムチン沈着症（→mucinosis）．

met·a·bol·ic path·way 代謝経路（酵素によって大きな変化が起こる細胞内の化学反応．その中には，生物が恒常性を保ったり，分子を分解，作成するのに必要な，ほとんどが酵素による主要な科学反応も含む）．

met·a·bol·ic res·pi·ra·tor·y quo·tient →respiratory quotient.

met·a·bol·ic syn·drome メタボリックシンドローム，代謝症候群（心血管疾患，脳卒中，糖尿病のリスクが高くなることが判明している代謝性の危険因子群．次のうち，どれか3つ以上あれば本症と診断される．ⓘ血圧＞130/80 mmHg，ⓘⓘ腹囲(男性では＞102 cm，女性では＞88 cm)，ⓘⓘⓘ高中性脂肪血症＞150 mg/dL，ⓘⓥ低HDLコレステロール血症(男性では＜40 mg/dL，女性では＜50 mg/dL)，ⓥ空腹時血糖の高値(＞110 mg/dL)．[註]日本では，診断基準は異なる）．= insulin-resistance syndrome; multiple metabolic syndrome; syndrome X.

me·tab·o·lism (mĕ-tab′ō-lizm)．〔物質〕代謝（①組織内で起こる化学または物理的変化の全体．同化すなわち小さな分子を大きな分子に変える反応と，異化すなわち大きな分子を小さな分子に変える反応からなる．異化は外因性生化学物質の生物学的分解のみならず内因性の大きな分子をも含む．②しばしば同化 anabolism または異化 catabolism の同義語として不適切に使用されている）．

me·tab·o·lite (mĕ-tab′ō-līt)．代謝産物（代謝産物(養分，中間産物，老廃物)の総称）．

me·tab·o·lize (mĕ-tab′ō-līz)．代謝する（代謝の化学変化を行うこと）．

M

me·tab·o·re·cep·tors (mĕ-tab′ō-rē-sep′tŏrz). 代謝受容体（活性筋が産生する代謝産物(乳酸塩，CO_2，pH)に反応する末梢求心性神経終末）.

met·a·car·pal (met′ă-kahr′păl). ***1*** 〚adj.〛中手の. ***2*** 〚n.〛中手骨（5つの長骨で，橈側または母指側から数えてI-Vの番号がつけられている）.

met·a·car·pal bones [I-V] 中手骨（中手や掌の骨格を形成する5本の長骨(橈骨または親指の側からI-Vと番号付けされている)．手首の末端列の骨関節と指骨を関節でつなぐ）. = ossa metacarpi.

met·a·car·pec·to·my (met′ă-kahr-pek′tŏ-mē). 中手骨切除〔術〕（1つあるいはすべての中手骨の切除）.

met·a·car·po·pha·lan·ge·al (MCP) (met′ă-kahr′pō-fă-lan′jē-ăl). 中手指節関節の（中手骨と指節骨の関節に関する）.

met·a·car·po·pha·lan·ge·al joint 中手指節関節（中手骨頭と手の指の基節骨基部の間にある顆状もしくは楕円関節）.

met·a·car·pus, pl. **met·a·car·pi** (met′ă-kahr′pŭs, -pī). 中手（手根骨と指骨の間にある手の5つの骨）.

met·a·cen·tric chro·mo·some 中部動原体染色体（動原体が中央に位置する染色体．染色体はほぼ均等の長さの2本の腕に分けられる）.

met·a·cer·ca·ri·a, pl. **met·a·cer·ca·ri·ae** (met′ă-sĕr-kar′ē-ă, -ē). 被嚢幼虫，メタセルカリア，メタケルカリア（吸虫類の生活環における，セリカリア後の固有宿主に感染する前の被嚢幼虫．セルカリアが草や他の植物に付着してメタセルカリアとなり，次いで草食動物に摂取されるものもある．一方，魚肉中あるいはザリガニに被嚢するものもある）.

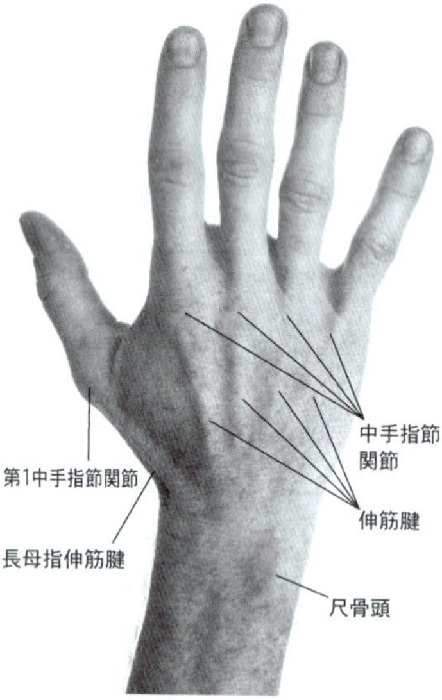
中手指節関節
伸筋腱
第1中手指節関節
長母指伸筋腱
尺骨頭
metacarpophalangeal joint

met·a·chro·ma·si·a (met′ă-krō-mā′zē-ă). メタクロマジー，異染〔色〕性（①細胞または組織の構成要素が染色液と異なる色を呈する状態. = metachromatism(2). ②ある塩基性チアジン系色素(例えばトルイジンブルーのような)の特徴的な色が変化することをさす．これは色素分子が組織中のポリアニオン系ポリマーに対し，近接配列で結合した場合にみられる）.

met·a·chro·mat·ic (met′ă-krō-mat′ik). 異染〔色〕性の（異染性を示す細胞または色素についていう）. = metachromophil; metachromophile.

met·a·chro·mat·ic bod·ies 異染〔小〕体（多くのバクテリア，藻類，真菌類，原生動物類にみられるポリメタリン酸塩を主成分とする濃縮沈殿物．この顆粒は周囲にある原形質とは染色性が異なる. →metachromasia）.

met·a·chro·mat·ic leu·ko·dys·tro·phy 異染性白質萎縮〔症〕（通常，乳児期に発症する代謝疾患．ミエリンの欠如，異染性脂質(galactosyl sulfatidates)の中枢・末梢神経系の白質内への蓄積，進行性麻痺，精神遅滞などを特徴とする．成人では精神病や痴呆がみられる）.

met·a·chro·mat·ic stain メタクロマチック染色〔法〕，異染染色〔法〕（メチレンブルー，チオニン，アズールAなどの色素を用いて染色することで，同一の色素で種々の組織や細胞が異なった色に染まること）.

met·a·chro·ma·tism (met′ă-krō′mă-tizm). ***1*** 変色（自然に，または塩基性アニリン染料によって生じる色の変化）. ***2*** = metachromasia(1).

met·a·chro·mo·phil, met·a·chro·mo·phile (met′ă-krō′mō-fil, -fīl). = metachromatic.

met·a·cone (met′ă-kōn). メタコーヌス（①上臼歯の遠心頬側咬頭．②臼歯の進化の過程において，プロトコーンに由来する咬頭）.

met·a·co·nid (met′ă-kon′id). メタコニッド，後錐（①下顎臼歯の近心面舌側咬頭．②臼歯の進化の過程で，プロトコニッドから派生した咬頭）.

met·a·her·pet·ic ker·a·ti·tis メタヘルペス性角膜炎（ヘルペス性角膜炎での感染後角膜炎症で，上皮びらんを生じる．ウイルス活動によるものではない）.

met·a·ki·ne·sis, met·a·ki·ne·si·a (met′ă-ki-nē′sis, -sē-ă). 〔染色体〕変位，〔染色分体〕移動（有糸分裂の後期に，各染色体の2つの染色分体が分離し，向かい合った両極へと移動すること）.

met·al (met′ăl). 金属（陽性元素の1つで，両性または塩基性．通常，光沢，展性，柔軟性，伝導性，および化学反応で電子を得るよりはむしろ失う傾向を特徴とする）.

met·al fume fe·ver 金属〔蒸気〕熱（燻蒸気や金属酸化物の吸入による職業病で，インフルエンザ様の症状を特徴とする．溶接や金属加工，鋳造といった金属業に多い）.

met·a·lin·guis·tics (met′ă-ling-gwis′tiks). メタ言語学（熟語，同意語などを理解，整理，解釈できる能力）.

metallo- 金属，金属性の，を意味する連結形.

me·tal·lo·en·zyme (mĕ-tal′ō-en′zīm). 金属結合酵素（活性構造上必要な部分として，金属(イオン)を含む酵素. 例えば，シトクロム(鉄，銅)，アルデヒドオキシターゼ(モリブデン)，カテコールオキシダーゼ(銅)，カルボニックアンヒドラーゼ(亜鉛)）.

me·tal·lo·por·phy·rin (mĕ-tal′ō-pōr′fi-rin). 金属ポルフィリン（金属とポルフィリンの結合物. 例えば，鉄(ヘマチン)，マグネシウム(葉緑素中)，銅(ヘモシアニン中)，亜鉛など）.

me·tal·lo·pro·tein (mĕ-tal′ō-prō′tēn). 金属結合蛋白（ヘモグロビンのような金属イオンが強く結合している蛋白）.

me·tal·lo·pro·tein·ase (mĕ-tal′ō-prō′tēn-ās). メタロプロテアーゼ（蛋白を加水分解するエンドペプチダーゼ群で，活性構造部分として亜鉛イオンを含有する）.

me·tal·lo·thi·o·ne·in (mĕ-tal′ō-thī′ō-nē′in). メタロチオネイン（システイニル基に富む小蛋白の一群の総称. 二価のイオン(亜鉛，水銀，カドミウム，銅など)の存在に対応して肝臓または腎臓で生合成され，これらのイオンと強く結合する. イオンの輸送や解毒において重要である）.

met·a·mer (met′ă-mĕr). メタマー，同分異性体(他の実体と類似しているが，最終的に区別しうるもの).

met·a·mere (met′ă-mēr). 体節（身体における一連の相同な分節. →somite）.

met·a·mer·ic (met-ă-mer′ik). 体節の（体節制に関する，体節制を示す，体節がみられる）.

met·a·mer·ic ner·vous sys·tem 体節性神経系（個体発生において分節状に並んだ体節または頭部における鰓弓から発生して，体の各構造に分布する神経系の一部. この名称は，脊髄と脳幹に特有な神経機構(感覚核，運動性ニューロン細胞群，および網膜形成の関連介在ニューロンなど)を表すこともある. 厳密な定義を行う場合は，自律神経系は除外する）.

me·tam·er·ism (me-tam′ĕr-izm). 体節制（解剖学的構造の型. 脊椎，肋骨，肋間筋，脊髄神経として，類似構造が連続的に繰り返す）.

met·a·mor·phop·si·a (met′ă-mōr-fop′sē-ă). 変視症，変形視〔症〕（像の歪み）.

met·a·mor·pho·sis (met′ă-mōr′fŏ-sis). 変態（①形態，構造，機能における変化. ②ある発育ステージから他のステージへの移行）. = transformation(1).

met·a·mor·phot·ic (met′ă-mōr-fot′ik). 変態の.

met·a·my·el·o·cyte (met′ă-mī′el-ō-sīt). 後骨髄球（成熟骨髄球(Sabin の骨髄球 C)と二分葉の顆粒白血球の中間の核構造をもつ骨髄球の遷移型）. = juvenile cell.

met·a·neph·ric blas·te·ma 後腎性芽体. = metanephric mass of mesoderm.

met·a·neph·ric di·ver·tic·u·lum 後腎憩室（中腎管から両側に生じるもので，尿管，腎盂，集合管の上皮を生じさせる）. = ureteric bud.

met·a·neph·ric duct 後腎管（後腎憩室の細い管状部. 尿管を形成する上皮の原基）.

met·a·neph·ric mass of mes·en·chyme = metanephrogenic blastema.

met·a·neph·ric mass of mes·o·derm 後腎中胚葉組織塊（後腎憩室の末端を覆う中胚葉. 腎臓内に伸びてネフロンをつくる）. = metanephric blastema.

met·a·neph·rine (met′ă-nef′rin). メタネフリン（尿やある種の組織中で見出されるエピネフリンの異化代謝産物. →respiratory quotient）.

met·a·neph·ro·gen·ic, met·a·ne·phrog·e·nous (met′ă-nef-rō-jen′ik, -nĕ-froj′ĕ-nŭs). 後腎発生の（後腎憩室の誘導作用のもとで，後腎管を形成する能力のある中間中胚葉の，より尾方の部位についていう）.

met·a·neph·ro·gen·ic blas·te·ma 後腎芽体（後腎憩室の末端を覆う間葉. 腎臓内に伸びてネフロンをつくる）. = metanephric mass of mesenchyme.

met·a·neph·ros, pl. met·a·neph·roi (met′ă-nef′rŏs, met′ă-nef′roy). 後腎（脊椎動物の進化中に現れる 3 つの排泄器官のうち，最も尾方に位置しているもの(他の 2 つは前腎と中腎). 哺乳類の胚では中腎が退行するにつれてその後に発育し，永久腎になる）.

met·a·phase (met′ă-fāz). 〔分裂〕中期（染色体が，動原体が分かれる赤道面に配列するようになる有糸分裂または減数分裂の時期. 有糸分裂および第二減数分裂では，各染色体の動原体は分割し，2 つの娘動原体は細胞の向かい合った両極へ向かう. 第一減数分裂では，動原体は分割しないで，向かい合った両極へ分かれて移動する）.

met·a·phys·i·al dys·os·to·sis 骨幹端性骨形成不全〔症〕（まれな骨の発生性奇形. 軟骨の

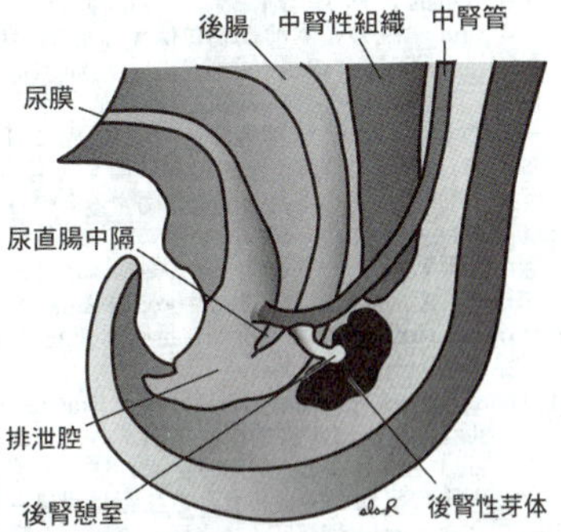
後腸
中腎性組織
中腎管
尿膜
尿直腸中隔
排泄腔
後腎憩室
後腎性芽体

metanephric diverticulum

M

蓄積によって管状骨の骨幹端が拡張したもの).

met·a·phys·i·al dys·pla·si·a 骨幹端形成異常(異形成)(長管骨の骨幹端での新生骨が正常の管状構造へと再構築されないために生じる異常．長管骨の両端は膨大・萎縮し，骨皮質は菲薄化する．頭蓋骨の過成長を伴うことがある(頭蓋骨幹端異形成症)).

met·a·phys·i·al fi·brous cor·ti·cal de·fect 骨幹端における線維状皮質欠陥 (長骨の骨幹端における小さな線維状の皮質欠陥).

me·taph·y·sis, pl. **me·taph·y·ses** (mĕ-taf′i-sis, -sēz). 骨幹端 (長骨の骨端と骨幹との間の円錐形の部分).

met·a·pla·si·a (met′ă-plā′zē-ă). 化生 (成熟し，十分に分化したある種の組織が，他の種の分化した組織へと異常に変化すること．化生は異形成とは対照的に後天性である).

met·a·plasm (met′ă-plazm). 後形質. = cell inclusions(1).

met·a·plas·tic (met′ă-plas′tik). 化生の.

met·a·plas·tic a·ne·mi·a 化生性貧血 (悪性貧血．血液中の各種の細胞成分が変化を示す貧血のこと．例えば，過分葉，異常に大きな好中球(大分葉核球)，未熟骨髄細胞，異常な形をした血小板など．*cf.* diphyllobothriasis).

met·a·plas·tic car·ci·no·ma 化生性癌 (あるものは，一部の腫瘍細胞が紡錘形で，肉腫の形態を示し，またあるものは間質内に骨組織巣や軟骨組織巣を認める).

met·a·plas·tic os·si·fi·ca·tion 変形骨化 (筋肉，肺，脳などのような種々の軟組織や本来骨組織のないような場所に起こる不規則な点状の骨化で，ときとして骨髄も認められる).

met·a·plas·tic pol·yp 異形成性ポリープ. = hyperplastic polyp.

met·a·psy·chol·o·gy (met′ă-sī-kol′ŏ-jē). メタ心理学 (①経験的な事実や心理学の法則を超えて存在するもの(例えば，身体と心の関係または宇宙における精神の所在に関するもの)を認識し，記述する系統的試み．②精神分析あるいは精神分析的メタ心理学において，精神についての Freud 学説の基本的仮説に関する心理学は，以下にあげる5つの視点を伴う．ⓘ力動的(心理的力に関するもの)，ⓘⓘ経済的(心理的エネルギーに関するもの)，ⓘⓘⓘ構造的(心理的構成に関するもの)，ⓘⓥ発生的(心理的起源に関するもの)．ⓥ適応的(環境と心理との関連に関するもの)).

met·ar·te·ri·ole (met-ahr-tēr′ē-ōl). メタ細動脈，後細動脈 (真の毛細血管と細動脈との間の末梢血管で，壁に平滑筋線維が散在する).

met·a·ru·bri·cyte (met-ă-rū′bri-sīt). 正染性正赤芽球 (→normoblast).

me·tas·ta·sis, pl. **me·tas·ta·ses** (mĕ-tas′tă-sis, -sēz). 転移 (①疾病が身体のある部分から他の部分へ移ること．例えば，流行性耳下腺炎で耳下腺の症候が治まったときに精巣が侵されることなどをいう．②原発腫瘍の位置から離れた身体の部位に新生物が出現すること．リンパ管あるいは血管により，または漿膜腔，クモ膜下腔，その他の間隙を通しての腫瘍細胞の播種による．③細菌が身体のある部位から他の部位へ運ばれること．その経路によって hematogenous metastasis(血行性転移)，lymphogenous metastasis(リンパ行性転移)とよばれる).

me·tas·ta·size (mĕ-tas′tă-sīz). 転移する.

met·a·stat·ic (met′ă-stat′ik). 転移〔性〕の.

met·a·stat·ic ab·scess 転移〔性〕膿瘍 (化膿性細菌がリンパまたは血液により運ばれたために，一次病巣から離れた場所にできる二次膿瘍).

met·a·stat·ic cal·ci·fi·ca·tion 転移性石灰化 (高カルシウム血症における非骨性の生活組織に発生する石灰化).

met·a·tar·sal (met′ă-tahr′săl). 中足〔骨〕の (中足部についての，中足骨についての).

met·a·tar·sal ar·ter·y 中足動脈 (中足骨沿いに走る背側4本，足底側4本の動脈で，先端で内側と外側に分かれて指動脈となり，隣接する指の背面・足底面に分布する).

met·a·tar·sal (bones) [I-V] 中足骨 (足の先部の骨格を形成する中央側からI-Vと番号付けられた5本の長骨．後部では，3本の楔状骨と立方骨を，前部では5本の指骨を関節でつないでいる). = ossa metatarsi.

met·a·tar·sal·gi·a (met′ă-tahr-sal′jē-ă). 中足骨痛〔症〕(前足部中足骨頭部分の疼痛).

met·a·tar·sec·to·my (met′ă-tahr-sek′tŏ-mē). 中足骨切除〔術〕.

met·a·tar·so·pha·lan·ge·al (MTP) (met′ă-tahr′sō-fă-lan′jē-ăl). 中足指節の (中足骨と指節骨に関する．これらの間の関節についていう).

met·a·tar·so·pha·lan·ge·al joints 中足指節関節 (中足骨頭と足の指の基節骨基部の間にある顆状もしくは楕円関節).

met·a·tar·sus, pl. **me·ta·tar·si** (met′ă-tahr′sŭs, -sī′). 中足 (足の甲の最高位と足指の間にある足の遠位部．5本の長骨をもち，後方では立方骨と楔条骨，末梢では指節骨と関節をなす).

met·a·tar·sus la·tus 開張足，開張中足〔症〕(足の横隆起が下がることによって起こる変形).

met·a·tar·sus val·gus 外反中足骨 (足の長軸を軸にして回転し，足の先端部分で固定された欠陥．これによって，踵はまっすぐなままで足底の表面が体の中心線からずれている). = duck walk; toeing out.

met·a·tar·sus var·us 内反中足〔症〕(足の固定化した変形．足底面が身体の正中線を向くように，前足部が足の長軸で回転する). = intoe.

met·a·thal·a·mus (met′ă-thal′ă-mŭs). 視床後部 (視床の尾側で腹側の部分で，内側膝状体および外側膝状体からなる).

me·tath·e·sis (me-tath′ĕ-sis). ***1*** 病部転位 (病的産物(例えば結石)を，身体から除去することが不可能なとき，あるいはそれが得策でないとき，害の少ない他の場所に移すこと). ***2*** 置換 (複分解．化学反応で，化合物 A-B が他の化合物 C-D と反応して，A-C + B-D または A-D + B-C が生じること).

met·a·tro·phic (met′ă-trō′fik). 複合有機栄養性の (種々の栄養源すなわち窒素および炭素性の有機物を異化し，それから栄養を入手しうる能力についていう).

Met·a·zo·a (met′ă-zō′ă). 後生動物亜界（動物界の一亜界．細胞が分化して組織を形成しているすべての多細胞動物を含み，原生動物亜界すなわち単細胞動物とは区別される).

met·a·zo·o·no·sis (met′ă-zō-ŏ-nō′sis). 脊椎非脊椎動物間人獣伝染病（生活環の完成に脊椎動物宿主と非脊椎動物宿主の両方を必要とする寄生動物による動物原性感染症).

Metch·ni·koff the·o·ry メチニコフ説（生体は，侵入する微生物を取り込んで，破壊する白血球やその他の細胞によって感染から守られているという食細胞説).

met·en·ce·phal·ic (met′en-se-fal′ik). 後脳の.

met·en·ceph·a·lon (met′en-sef′ă-lon). 後脳（菱脳の主要な 2 つの部分のうち前方部分(後方は髄脳あるいは延髄)をいう．橋と小脳からなる).

Me·te·nier sign メテニエル徴候（Ehlers-Danlos 症候群における上眼瞼の易外反性).

me·te·or·ism (mē′tē-ō-rizm). 鼓脹. = tympanites.

me·te·or·o·tro·pic (mē′tē-ŏr-ō-trō′pik). 気象向性の（天候によってその発症が影響を受ける疾病についていう).

me·ter (mē′tĕr). ***1*** メートル（国際単位系(SI)およびメートル法における基本的な長さの単位で 1 メートルは 39.37007874 インチにあたる．1/299792458 秒で真空中，光が進む経路の長さとして定義される). ***2*** メータ（それ自身の中を通過するものの量を測定する器具).

me·ter an·gle メートル角（1 m 離れた物体を両眼で見るのに必要な輻輳の量で，1 ジオプトリの調節を行う). = metre angle.

me·ter-can·dle (mē′tĕr-kan′dĕl). メートル燭. = lux; metre-candle.

me·tered-dose in·hal·er (MDI) 定量吸入器. = inhaler.

met·es·trus, met·es·trum (met-es′trŭs, -trŭm). 発情後期（発情周期における発情期と発情静止期との間の時期). = metoestrus.

meth-, metho- 通常，メチル基またはメトキシ基を示す化学の接頭語.

methaemalbumin [Br.]. = methemalbumin.

methaemalbuminaemia [Br.]. = methemalbuminemia.

methaemoglobin [Br.]. = methemoglobin.

methaemoglobinaemia [Br.]. = methemoglobinemia.

methaemoglobinuria [Br.]. = methemoglobinuria.

meth·ane (meth′ān). メタン（有機物質の分解で生じる無臭性の気体．7 または 8 容量の空気と混合すると爆発性となり，炭坑の爆発性メタンガスの構成要素である).

meth·an·o·gen (meth-an′ō-jen). メタン産生菌（メタノバクテリア科のメタンを産生するすべての細菌).

meth·a·nol (meth′ă-nol). メタノール. = methyl alcohol.

metHb methemoglobin の略.

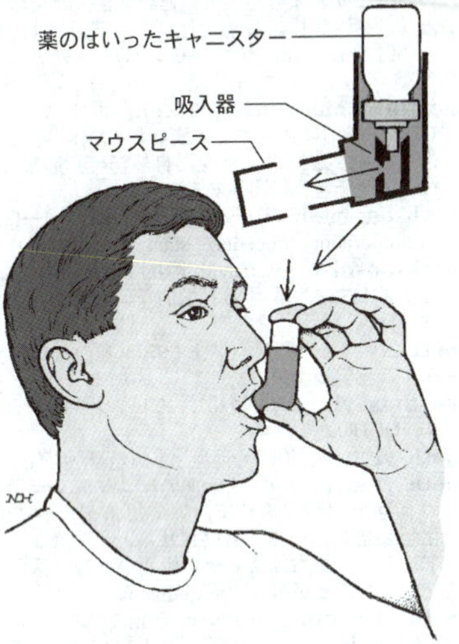
薬のはいったキャニスター
吸入器
マウスピース
metered dose inhaler

met·hem·al·bu·min (met′hēm-al-bū′min). メトヘムアルブミン（ヘムと血漿アルブミンが結合した結果，血液中に形成される異常な化合物). = methaemalbumin.

met·hem·al·bu·mi·ne·mi·a (met′hēm-al-bū′min-ē′mē-ă). メトヘムアルブミン血症（循環血液中にメトヘムアルブミンが存在すること．急激なヘモグロビンの分解を伴う血管内溶血を示唆する．黒水熱や発作性夜間血色素尿症の患者でみられる). = methaemalbuminaemia.

met·he·mo·glo·bin (metHb) (met-hē′mō-glō′bin). メトヘモグロビン（正常な Fe^{2+} が Fe^{3+} に酸化されてできる変形産物の酸化ヘモグロビン．フェロプロトポルフィリンはフェリプロトポルフィリンに変換される．多血質の滲出液中，アセトアニリド，塩素酸カリウムなどの中毒の後に循環血液中に見出される). = hemiglobin; methaemoglobin.

met·he·mo·glo·bi·ne·mi·a (met-hē′mō-glō-bi-nē′mē-ă). メトヘモグロビン血症（循環血液中にメトヘモグロビンが存在すること). = hemiglobinemia; methaemoglobinaemia.

met·he·mo·glo·bi·nu·ri·a (met-hē′mō-glō-bin-yūr′ē-ă). メトヘモグロビン尿性（尿中にメトヘモグロビンが存在すること). = hemiglobinuria; methaemoglobinuria.

meth·en·a·mine sil·ver stain メテナミン銀染色（主に *Pneumocystis jiroveci*（旧名 *P. carinii*）の嚢子の染色に用いるが，他の病原体(真菌，蠕虫)にも有効).

meth·i·cil·lin so·di·um メチシリンナトリウム（非経口投与のための半合成ペニシリン．耐ペニシリン G ブドウ球菌による感染症だけに用いることが望ましい．溶血連鎖球菌，肺炎球菌，淋菌，ペニシリンG感受性ブドウ球菌により起こる感染症には，ペニシリンGより効力が劣る）．

me·thi·o·nine（me-thī′ō-nēn）．メチオニン（その栄養的に必須アミノ酸である．体中の〝活性メチル〟基の最も重要な自然源で，通常，*in vivo* のメチル化に関与する）．

meth·od（meth′ŏd）．方法，様式，順序（→fixative; operation; procedure; stain; technique）．

meth·od·ol·o·gy（meth′ŏ-dol′ŏ-jē）．方法論，方法学（方法に関する科学的な研究または論理的な分析）．

methoxy- メトキシ（メトキシル基の付加を意味する化学接頭語）．

me·thox·yl（me-thok′sil）．メトキシル（1価の基，OCH_3）．

meth·yl（meth′il）．メチル（1価の基，CH_3）．

meth·yl al·co·hol メチルアルコール（可燃性の有毒な流動性液体で，工業用溶剤，不凍液，化学製造に用いる．摂取されると，重篤なアシドーシス，視力障害，その他の中枢神経系障害を起こすことがある）．= methanol.

meth·yl·a·tion（meth′i-lā′shŭn）．メチル化（メチル基の付加．組織化学においては，メチル化は，塩酸存在下熱メタノールで組織切片を処理することによりカルボキシル基のエステル化および硫酸基の脱離に用いる．正味の効果は組織好塩基性を減少させたり，異染性をなくしたりすることである）．

meth·yl·di·chlo·ro·ar·sine（MD）（meth′il-dī-klōr′ō-ahr′sēn）．メチルジクロロアルシン（発疱薬で，気道を刺激し，肺損傷および眼損傷を起こす．ある種の軍事作戦に用いられてきた）．

meth·yl·ene（meth′i-lēn）．メチレン基（$-CH_2-$基）．

meth·yl·ene blue メチレンブルー（塩基性染料で，容易に酸化され，染料混合物のアズールになる．組織学および微生物学において，湿式貼付標本での腸内原虫類の染色や，電気泳動での RNA や Rnase の追跡に用いる．メトヘモグロビン血症の解毒薬としても用いる．その酸化還元指示薬としての性質は牛乳の細菌学において有用である）．

meth·yl green メチルグリーン（塩基性トリフェニルメタン染料．クロマチン染料やピロニンとともにリボ核酸（赤色）とデオキシリボ核酸（緑色）を鑑別する染色に用いる．電気泳動で DNA の飛跡染色としても用いる）．

meth·yl·ol（meth′i-lol）．メチロール；hydroxymethyl（$-CH_2OH$ 基）．

meth·yl·pen·tose（meth′il-pen′tōs）．メチルペントース（C-6 がメチル基である六炭糖（6-デオキシヘキソース）．例えばラムノースやフコース）．

meth·yl·trans·fer·ase（meth′il-trans′fĕr-ās）．メチルトランスフェラーゼ（ある化合物から別の化合物へメチル基を移す酵素）．= transmethylase.

metMb metmyoglobin の略．

met·my·o·glo·bin（metMb）（met-mī′ō-glō′bin）．メトミオグロビン（ヘム配合群の第一鉄イオンが酸化されて第二鉄イオンになったミオグロビン）．

metoestrum ［Br.］. = metestrum.

metoestrus ［Br.］. = metestrus.

me·ton·y·my（mĕ-ton′i-mē）．換喩症（事物または事象に対して類似した不正確な呼び方をすることを表す，まれに用いる語．統合失調症の言語障害の特徴であるといわれる．例えば，患者は〝食事〟をとったというより〝メニュー〟をとったというように話す）．

me·top·ic（mē-top′ik）．前額の．

me·top·ic su·ture 前頭縫合（残存した前頭縫合をいう．ときには前頭鼻骨縫合の上部に短い線として認められることもある）．

met·o·po·plas·ty（met′ŏ-pō-plas-tē）．前頭形成［術］（前頭部の皮膚または骨の修復術）．

metr-, metra-, metro- 子宮に関する連結形．→hystero-(1); utero-.

me·tra（mē′tră）．子宮．= uterus.

me·tral·gi·a（mē-tral′jē-ă）．子宮痛（子宮内の敏感さや痛み）．

me·tra·to·ni·a（mē-tră-tō′nē-ă）．子宮アトニー，子宮弛緩［症］（分娩後にみられる子宮壁のアトニー）．

me·trat·ro·phy, me·tra·tro·phi·a（mē-trat′rŏ-fē, mē-tră-trō′fē-ă）．子宮萎縮．

metre ［Br.］. = meter.

metre angle ［Br.］. = meter angle.

metre-candle ［Br.］. = meter-candle.

me·tri·a（mē′trē-ă）．産褥熱（産褥期の骨盤蜂巣炎または他の炎症性疾患）．

met·ric（met′rik）．測定の，メートル［法］の（→metric system）．

met·ric sys·tem メートル法（メートル，グラム，およびリットルを基本単位とする重さと長さの計量単位系．科学の分野では全世界で使われている）．

me·tri·tis（mĕ-trī′tis）．子宮［筋層］炎（子宮の炎症）．

me·tro·cyte（mē′trō-sīt）．母細胞．= mother cell.

me·tro·dyn·i·a（mē′trō-dī′nē-ă）．子宮痛．= hysteralgia.

me·tro·fi·bro·ma（mē′trō-fī-brō′mă）．子宮線維腫．

me·trol·o·gy（mĕ-trol′ŏ-jē）．度量衡学（①重さや長さの科学．②調剤の計算方法，また薬の処方，準備，調合や投与の方法）．

me·tro·lym·phan·gi·tis（mē′trō-lim-fan-jī′tis）．子宮リンパ管炎．

me·tro·pa·ral·y·sis（mē′trō-pă-ral′i-sis）．子宮麻痺（分娩中または分娩直後に起こる子宮筋の弛緩または麻痺）．

me·tro·path·i·a（mē′trō-path′ē-ă）．= metropathy.

me·tro·path·ia hem·or·rhag·i·ca 出血性メトロパチー，出血性子宮症（月経周期の卵胞期の存続や増強のために起こる異常で，過多でしばしば絶えまなく起こる子宮出血．子宮内膜は囊腫状腺増殖を示す).

me·tro·path·ic (mē′trō-path′ik). メトロパチーの（子宮疾患に関する，または起因するものについていう).

me·trop·a·thy (mē-trop′ă-thē). メトロパチー，慢性子宮症（子宮，特に子宮筋層における疾患). = metropathia.

me·tro·per·i·to·ni·tis (mē′trō-per-i-tō-nī′tis). 子宮腹膜炎. = perimetritis.

me·tro·phle·bi·tis (mē′trō-flĕ-bī′tis). 子宮静脈炎（通常，分娩に引き続いて起こる子宮静脈の炎症).

met·ro·plas·ty (mē′trō-plas-tē). 子宮形成〔術〕. = uteroplasty.

me·tror·rha·gi·a (mē′trō-rā′jē-ā). 子宮出血，不正子宮出血（月経と月経の間に起こる子宮からの不規則な非周期性出血).

me·tror·rhe·a (mē′trō-rē′ă). 子宮漏（子宮から粘液や膿が排出されること). = metrorrhoea.

metrorrhoea [Br.]. = metrorrhea.

me·tro·sal·pin·gi·tis (mē′trō-sal-pin-jī′tis). 子宮卵管炎（子宮と片方または両方の卵管の炎症).

me·tro·sal·pin·gog·ra·phy (mē′trō-sal-pin-gog′ră-fē). 子宮卵管造影(撮影)〔法〕. = hysterosalpingography.

me·tro·scope (mē′trō-skōp). 子宮鏡. = hysteroscope.

me·tro·stax·is (mē′trō-stak′sis). 子宮漏血（少量だが持続的な子宮粘膜からの出血).

me·tro·ste·no·sis (mē′trō-stĕ-nō′sis). 子宮狭窄（子宮腔が狭くなること).

Mev メブ（10^6 電子ボルトすなわち 10^6 eV を表す記号).

Mex·i·can hat cell メキシコ帽細胞. = target cell.

Mex·i·co seed = castor bean.

Mey·en·burg com·plex マイエンブルク複合体（門脈域から離れて，囊胞肝に生じる小胆管の集合).

Mey·en·burg dis·ease マイエンブルク病. = relapsing polychondritis.

Mey·er line マイヤー線（正常な足の母指の長軸を通り，かかとの中点を通る線).

Mey·nert cells マイネルト細胞（鳥距溝の皮質にある孤立した錐体細胞).

MFD minimal fatal dose の略.

Mg マグネシウムの元素記号.

mg ミリグラムの記号.

MGUS monoclonal gammopathy of unknown significance の略.

MHA Mental Health Association の略.

MHC major histocompatibility complex の略.

mho (mō). モー. = siemens.

MHSS Military Health Services System の略.

MHz メガヘルツの記号.

MI myocardial infarction の略.

Mi·bel·li an·gi·o·ker·a·to·ma ミベリ被角血管腫（四肢の毛細血管拡張性小丘疹で，若年女子に多い).

Mi·bel·li dis·ease ミベリ病. = porokeratosis.

mi·ca (mī′kă). 雲母（薄片の薄層でおこるほぼ完璧な分裂状態のケイ酸塩. それが保有する熱抵抗力によって，ガラスの代わりにストーブや灯油ヒーターの窓に使用されている).

mi·ca·to·sis (mī′kă-tō′sis). 雲母症（雲母粒子の吸入によるじん肺症. →pneumoconiosis).

Mi·chae·lis con·stant ミヒャエーリス(ミカエリス)定数（①単一基質の急速な平衡系の酵素触媒反応での酵素-基質二元複合体の真の解離定数(通常，K_s の記号で表す). ②酵素触媒反応の真の最大速度の 1/2 に達したときの基質の濃度).

Mi·chae·lis-Men·ten hy·poth·e·sis ミヒャエーリス(ミカエリス)-メンテン仮説（酵素-基質結合体が生成され(O'Sullivan-Tompson 仮説ともよばれる)，それが分解して遊離酵素と反応生成物を生じる(Brown 仮説ともよばれる).後半の反応経路が基質-反応生成物変換の全体の速度に対する律速段階であるという説).

Mi·chel mal·for·ma·tion ミッシェル型奇形（錐体突起の低形成と内耳の無形成を呈する奇形).

Mi·chel spur ミッシェル岬（括約筋の周辺領域における瞳孔散大筋の上皮性増殖. 虹彩括約筋への散大筋の付着部).

-micin いくつかのアミノグリコシド系抗菌薬の名称に使われる接尾語.

mi·cra·cou·stic (mī′kră-kū′stik). = microcoustic. ***1*** 微聴音の（微音についていう). ***2*** 微音拡大の（非常にかすかな音を聞こえるように拡大する).

mi·cren·ceph·a·ly (mī′kren-sef′ă-lē). 小脳〔髄〕症（異常に脳が小さいこと). = microencephaly.

micro-, micr- ***1*** 小さいことを意味する接頭語. ***2*** (μ). 国際単位系(SI)およびメートル法において，その単位の 100 万分の 1(10^{-6})の分量単位を表すために用いられる接頭語. ***3*** 化学において，化学的試験，方法などを意味する語に付けて被検物質の最小量が用いられることを表すために用いられる接頭語. ***4*** microscopic を意味する連結形. macro-, megalo- の反意語.

mi·cro·ab·scess (mī′krō-ab′ses). 微小膿瘍（充実性組織における白血球の非常に小さな限局性の集合).

mi·cro·ad·e·no·ma (mī′krō-ad-ĕ-nō′mă). ミクロアデノーマ（直径 10 mm 以下の下垂体腺腫).

mi·cro·aer·o·phil, mi·cro·aer·o·phile (mī-krō-ār′ō-fil, -fīl). ***1*** 〖n.〗微好気性菌（空気中に存在するよりも少ない酸素を必要とし，修正した大気状態で最も良好に発育する好気性細菌). ***2*** 〖adj.〗微好気性の，微好気性菌の. = microaerophilic.

mi·cro·aer·o·phil·ic (mī′krō-ār-ō-fil′ik). = microaerophil(2).

mi·cro·ag·gre·gate (mī′krō-ag′rĕ-gāt). 微小凝集塊（フィブリン，変性血小板，白血球，または細胞の残骸からなる小さな(20—120 ミクロン)凝集体. 血液を冷蔵庫の中に 5 日以上貯蔵するときにみられる. 輸血時に微小凝集塊フィルタを用いて除去できる).

mi·cro·al·bu·mi·nu·ri·a (mī′krō-al-bū-min-yūr′ē-ă). ミクロアルブミン尿（通常の尿蛋白検査法では検出されず，免疫検査法で検出される尿中アルブミン排泄の増加．糖尿病性腎症の早期マーカである).

mi·cro·a·nas·to·mo·sis (mī′krō-ă-nas-tō-mō′sis). 微小吻合〔術〕（手術用顕微鏡下で行われる微小構造の吻合).

mi·cro·a·nat·o·mist (mī′krō-ă-nat′ŏ-mist). = histologist.

mi·cro·a·nat·o·my (mī′krō-ă-nat′ŏ-mē). = histology.

mi·cro·an·eu·rysm (mī-krō-an′yūr-izm). 微細動脈瘤，小動脈瘤，小血管瘤（真性糖尿病，網膜静脈障害，絶対緑内障における網膜毛細血管の巣状拡張，または血栓性血小板減少性紫斑病における多くの器官の動脈毛細血管連結).

mi·cro·an·gi·og·ra·phy (mī′krō-an-jē-og′ră-fē). 細血管造影(撮影)〔法〕（造影剤を注入して器官の微細血管の X 線写真をとり，できた写真を拡大すること).

mi·cro·an·gi·o·path·ic he·mo·lyt·ic a·ne·mi·a 細血管異常性溶血性貧血（赤血球の血管内破砕による溶血．小循環病変や心血管系の人工物の装着によることが多い).

mi·cro·an·gi·op·a·thy (mī′krō-an-jē-op′ă-thē). 細小(微小)血管症，細小(微小)血管障害. = capillaropathy.

mi·cro-As·trup meth·od マイクロアストラップ法（酸塩基測定のための補間法で，Siggaard-Andersen 共線図表の使用と pH に基づいて行う).

mi·crobe (mī′krōb). 微生物（非常に小さな生物．顕微鏡的および超顕微鏡的生物の両方(スピロヘータ，細菌，リケッチア，ウイルス)の意味を含んでいる．これらの生物は生物学的に特異な群を形成していると考えられており，その群では遺伝物質は核膜に囲まれておらず，複製中に有糸分裂が起こらない).

mi·cro·bi·al (mī-krō′bē-ăl). 微生物の. = microbic.

mi·cro·bic (mī-krō′bik). 微生物の(→microbe). = microbial.

mi·cro·bi·ci·dal (mī-krō′bi-sī′dăl). = microbicide(1).

mi·cro·bi·cide (mī-krō′bi-sīd). ***1***〖adj.〗殺菌性の. = microbicidal. ***2***〖n.〗殺菌薬（微生物を殺す薬物).

mi·cro·bi·o·log·ic (mī′krō-bī-ŏ-loj′ik). 微生物学の.

mi·cro·bi·ol·o·gist (mī′krō-bī-ol′ŏ-jist). 微生物学者.

mi·cro·bi·ol·o·gy (mī′krō-bī-ol′ŏ-jē). 微生物学（真菌類，原生動物，細菌，ウイルスなどの微生物に関する科学).

mi·cro·blast (mī′krō-blast). 小赤芽球（小さな有核の赤血球).

mi·cro·bleph·a·ron (mī′krō-blef′ă-ron). 小眼瞼〔症〕（垂直方向の長さが異常に短い眼瞼).

mi·cro·bod·y (mī′krō-bod-ē). マイクロボディ. = peroxisome.

mi·cro·bra·chi·a (mī′krō-brā′kē-ă). 小腕症（腕が異常に小さい状態).

mi·cro·cal·ci·fi·ca·tions (mī′krō-kal-si-fi-kā′shŭns). 微小石灰化（マンモグラフィでみられるような径 1 mm 以下の石炭化．しばしば悪性病変と関連がある).

mi·cro·car·di·a (mī′krō-kahr′dē-ă). 小心症（異常に小さい心臓).

mi·cro·cen·trum (mī′krō-sen′trŭm). 中心体. = cytocentrum.

mi·cro·ce·phal·ic (mī′krō-se-fal′ik). 小頭蓋の，小頭の（小さな頭についていう). = nanocephalous; nanocephalic.

mi·cro·ceph·a·ly (mī′krō-sef′ă-lē). 小頭蓋症，小頭症（頭が異常に小さい状態．容量が 1,350 mL 以下の頭蓋．通常，精神発達遅滞を合併する). = nanocephaly.

mi·cro·chei·li·a, mi·cro·chi·li·a (mī-krō-kī′lē-ă). 小唇症（唇が小さい状態).

mi·cro·chei·ri·a, mi·cro·chi·ri·a (mī-krō-kī′rē-ă). 小手症（手が小さい状態).

mi·cro·chem·is·try (mī′krō-kem′is-trē). 微量化学（肉眼では見えない微量または微小反応を含む化学的プロセスを用いる分野).

micro·chim·er·ism (mī′krō-kim′ĕr-izm). マイクロキメラ（移植レシピエントに存在するドナー細胞，あるいは母体循環血液中に遺残する胎児細胞のことで，分子生物学的には検出可能であるが，フローサイトメトリーでは検出不能である).

mi·cro·cin·e·ma·tog·ra·phy (mī′kro-sin′ĕ-mă-tog′ră-fē). 顕微〔鏡〕映画撮影〔法〕（器官や組織の動きを研究するために拡大したレンズを使って映画を撮る方法．例えば，生きている胎児(胎子)の循環を撮影すること).

mi·cro·cir·cu·la·tion (mī′krō-sĭr-kyū-lā′shŭn). 微小循環（最小血管，すなわち細動脈，毛細血管，細静脈の血液の流れ).

Mi·cro·coc·ca·ce·ae (mī′krō-kok-ā′sē-ē). ミクロコッカス科（グラム陽性の球形細胞の細菌類の一科で，単独，または対，4 つ組み，束，不規則な塊状，鎖状などの形態をとっている．これらの細菌で運動性があるのはまれで，自生性，腐生性，寄生性，病原性の種がある．標準属は *Micrococcus* である).

mi·cro·coc·ci (mī′krō-kok′sī). micrococcus の複数形.

Mi·cro·coc·cus (mī′krō-kok′ŭs). ミクロコッカ(ク)ス属，〔小〕球菌属（グラム陽性の球形細胞で，不規則の塊状を呈するミクロコッカス科の細菌属．運動性のものあるいは運動性の突然変異体を生じるものがある．これらの細菌は腐生性で通性寄生性または寄生性である．標準種は *Micrococcus luteus*).

mi·cro·coc·cus, pl. mi·cro·coc·ci (mī′krō-kok′ŭs, -sī). ミクロコッカス（*Micrococcus* 属の種を表すのに用いる通称).

mi·cro·co·lon (mī′krō-kō-lŏn). 小結腸（管径の小さな，使用されていない結腸．注腸 X 線造影で新生児にみられる．腸管閉塞や胎便性腸閉塞の結果生じる).

mi·cro·co·ri·a (mī′krō-kōr′ē-ă). 小瞳孔〔症〕(瞳孔が先天的に小さく拡張できない状態(縮瞳)).

mi·cro·cor·ne·a (mī′krō-kōr′nē-ă). 小角膜〔症〕(異常に小さい角膜).

mi·cro·cou·lomb (mī′krō-kū′lom). マイクロクーロン (1クーロンの100万分の1).

mi·cro·cou·stic (mī′krō-kū′stik). = micracoustic.

mi·cro·cu·rie (mcCi) (mī′krō-kyūr′ē). マイクロキュリー (1キュリー(Ci)の100万分の1. 核種によらず, 毎秒 3.7×10^4 個の壊変を起こす放射性核種の量).

mi·cro·cur·rent (mī′krō-kŭr′rĕnt). マイクロ電流 (循環や細胞熱を促進したり, 痛みや浮腫を減らすのに使われる, 低レベルのマイクロ電流(1 mA以下)を用いる電気療法様式). = low-intensity stimulator; microcurrent electrical neuromuscular stimulator; microcurrent electorical stimulator.

mi·cro·cur·rent e·lec·tri·cal neu·ro·mus·cu·lar stim·u·la·tor (MENS) = microcurrent.

mi·cro·cur·rent e·lec·tri·cal stim·u·la·tor (MES) = microcurrent.

mi·cro·cyst (mī′krō-sist). 小嚢腫 (観察するために拡大レンズや顕微鏡を必要とするような小さな嚢腫).

mi·cro·cyte (mī′krō-sīt). 小赤血球 (5 μm 以下の小さな無核赤血球). = microerythrocyte.

microcythaemia [Br.]. = microcythemia.

mi·cro·cy·the·mi·a (mī′krō-sī-thē′mē-ă). 小〔赤血〕球症 (循環血液中に多くの小赤血球が存在する症状). = microcythaemia; microcytosis.

mi·cro·cyt·ic a·ne·mi·a 小球性貧血 (循環赤血球の平均の大きさが正常以下, すなわち平均赤血球容積が 80 μm^3 以下(正常範囲 82—92 μm^3)の貧血).

mi·cro·cy·tic hy·po·chro·mic a·ne·mi·a 小球性低色素性貧血 (大きさが縮小され, ヘモグロビンを有する小赤血球貧血症. もっとも一般的なのは, 鉄欠乏性貧血).

mi·cro·cy·to·sis (mī′krō-sī-tō′sis). = microcythemia.

mi·cro·dac·ty·ly (mī′krō-dak′ti-lē). 小指症 (手足の指が小さいかあるいは短い状態).

mi·cro·di·al·y·sis (mī′krō-dī-al′i-sis). 微量透析法 (透析膜のついた中空の探触子を組織に刺入して, 組織液を流速 1—3 μL/min で流しながら細胞外液の組成や外来物質に対する変化を調べる方法).

mi·cro·dis·sec·tion (mī′krō-dī-sek′shŭn). 顕微解剖 (顕微鏡または拡大鏡下で組織を解剖すること. 通常, 針で組織を引き裂く).

mi·cro·don·ti·a, mi·cro·don·tism (mī′krō-don′shē-ă, -tizm). 小歯症 (一歯, 一対の歯または歯全体が不釣合いに小さい状態).

mi·cro·drip (mī′krō-drip). マイクロドリップ (静脈療法において, 少量(50 mL/時)が流されるときに60滴/mLを注入する注入システム. これは, 注入の遅さによる静脈内での血液凝固のリスクを減らす. マイクロドリップシステムを使用する際, 静注ドリップ計算方法は以下の通り : 滴/分= mL/時).

mi·cro·en·ceph·a·ly (mī′krō-en-sef′ă-lē). = micrencephaly.

mi·cro·e·ryth·ro·cyte (mī′krō-ĕ-rith′rō-sīt). = microcyte.

mi·cro·fi·bril (mī′krō-fī′bril). 細線維 (直径が13 nm前後の微細な線維で, さらに細い微細糸の集りであることもある).

mi·cro·fil·a·ment (mī′krō-fil′ă-mĕnt). 細糸 (細胞骨格の最も細い糸状要素で, 直径約 5 nm, 主としてアクチンからなる. →actin filament).

microfilaraemia [Br.]. = microfilaremia.

mi·cro·fil·a·re·mi·a (mī′krō-fil-ă-rē′mē-ă). ミクロフィラリア血症 (ミクロフィラリアによる血清感染症). = microfilaraemia.

mi·cro·fi·lar·i·a, pl. **mi·cro·fi·lar·i·ae** (mī′krō-fi-lar′ē-ă, -ē). ミクロフィラリア (オンコセルカ科の糸状虫類線虫の幼虫に対する名称. →*Filaria*).

mi·cro·ga·mete (mī′krō-gam′ēt). 小配偶子 (不同配偶すなわち大きさが異なる細胞の接合における雄性の要素. 2つの細胞のうちの小さいほうで活発に運動している).

mi·cro·ga·me·to·cyte (mī′krō-gă-mē′tō-sīt). 小生殖母細胞 (小配偶子, あるいは原生動物および菌類の有性生殖の雄性要素を産生する母細胞).

mi·cro·gas·tri·a (mī′krō-gas′trē-ă). 小胃症.

mi·cro·gen·i·a (mī′krō-jēn′ē-ă). 小下顎症 (おとがいが異常に小さいこと. おとがい結合の未発達のために生じる).

mi·cro·gen·i·tal·ism (mī′krō-jen′i-tăl-izm). 小性器症, 性器矮小症 (外性器が異常に小さいこと).

mi·cro·glan·du·lar ad·e·no·sis 微小乳腺腺症 (乳房の腺症で, 小腺管の不規則な集簇が脂肪組織あるいは線維組織の中にみられ, 管状腺癌に似た組織像を示すが, 間質に線維芽球の増殖像はみられない).

mi·crog·li·a (mī-krog′lē-ă). 小〔神経〕膠細胞, 小グリア細胞 (中胚葉に由来すると思われる小さな神経膠細胞. 神経の損傷または炎症のある部位では, 食細胞になることがある). = Hortega cells.

mi·crog·li·a·cyte (mī-krōg′lē-ă-sīt). 小グリア細胞, 小〔細胞〕膠細胞 (小グリア細胞の胎児細胞をさすことが多い).

mi·cro·glos·si·a (mī′krō-glos′ē-ă). 小舌症 (舌が小さいこと).

mi·cro·gna·thi·a (mī′krog-nā′thē-ă). 小顎症 (顎全体, 特に下顎骨が異常に小さいこと).

mi·cro·gram (mcg) (mī′krō-gram). マイクログラム (1グラムの100万分の1).

mi·cro·graph (mī′krō-graf). 顕微鏡写真. = photomicrograph.

mi·cro·gy·ri·a (mī′krō-jī′rē-ă). 小脳回 (脳回が異常に狭い状態).

microhaematocrit concentration [Br.]. =

microhematocrit concentration.

mi·cro·he·mat·o·crit con·cen·tra·tion ミクロヘマトクリット濃度（ミクロヘマトクリット・チューブ(毛細管)を用いて全血に抗凝固剤を加圧遠心すると白血球を含むバッフィーコートが得られる．この層の細胞から血液塗沫標本を調製し，寄生虫(トリパノソーマ，細胞内のリーシュマニア)の存在を検査する)．= microhaematocrit concentration.

mi·cro·he·pat·i·a (mī′krō-he-pat′ē-ă)．小肝症（肝臓が異常に小さい状態)．

mi·crohm (mcω) (mī′krōm)．マイクロオーム（1 オームの 100 万分の 1)．

mi·cro·in·cis·ion (mī′krō-in-sizh′ŭn)．微小切開（顕微鏡下で行う切開)．

mi·cro·in·va·sion (mī′krō-in-vā′zhŭn)．微小浸潤（上皮内癌に直接隣接している組織浸潤で，悪性新生物浸潤の最初の段階)．

mi·cro·kat·al (mī′krō-kat′ăl)．マイクロカタール（カタールの 100 万分の 1)．

mi·cro·li·ter (mcL, mcl, λ) マイクロリットル（1 リットルの 100 万分の 1)．= microlitre.

mi·cro·lith (mī′krō-lith)．小結石（小さな結石で，通常は多発性，結砂とよばれる粗い砂から成り立っている)．

mi·cro·li·thi·a·sis (mī′krō-li-thī′ă-sis)．微石症（小さな結石すなわち結砂の形成，存在，あるいは排出)．

microlitre [Br.]. = microliter.

mi·cro·ma·nip·u·la·tion (mī′krō-mă-nip′yū-lā′shŭn)．顕微操作，極微操作（顕微鏡下で，微小構造，例えば組織細胞や単細胞生物を解剖したり，引き裂いたり，刺激したりすること)．

mi·cro·me·li·a (mī′krō-mē′lē-ă)．小肢〔症〕（不均衡に短い，または小さい肢をもつ状態．→ achondroplasia)．= nanomelia.

mi·cro·mel·ic dwarf·ism 四肢短小型小人症（四肢が異常に短いか，または小さい型の小人症)．

mi·cro·mere (mī′krō-mēr)．小〔分〕割球（小形の割球．例えば両生類の卵の動物極での割球の 1 つをいう)．

mi·cro·me·tas·ta·sis (mī′krō-mĕ-tas′tă-sis)．微小転移巣（転移腫瘍が微小で，臨床的に検出困難な状態の転移病巣をさす．微小転移病変にみられる)．

mi·cro·met·a·stat·ic (mī′krō-met-ă-stat′ik)．微小転移〔性〕の（微小転移の，またはそれによって特徴付けられる．例えば micrometastatic disease のように用いる)．

mi·crom·e·ter (mcm) (mī-krom′ĕ-tĕr)．***1*** (**μm**)．マイクロメートル（1 メートルの 100 万分の 1．以前はミクロンと称された)．***2*** マイクロメータ（精密に種々の物体を測定する装置．医学・生物学では，本用語は顕微鏡下に見える物体を測定するために，正確に目盛られたスライドガラスまたはレンズに対する基準として用いられる)．

micrometre [Br.]. = micrometer.

mi·crom·e·try (mī-krom′ĕ-trē)．測微法（対象物をマイクロメータと顕微鏡で測定すること)．

micromicro-(mcmc) 1 兆分の 1 (10^{-12}) を意味する，以前用いられた接頭語．現在の pico- にあたる．

mi·cro·mo·lar (mcM, mcmol/L) マイクロモル濃度の（1 リットル当たり 10^{-6} モルの濃度についていう)．

mi·cro·mole (mcmol) (mī′krō-mōl)．マイクロモル（1 モルの 100 万分の 1)．

mi·cro·my·e·li·a (mī′krō-mī-ē′lē-ă)．小脊髄症（脊髄が異常に小さいか短いこと)．

mi·cro·my·el·o·blast (mī′krō-mī′el-ō-blast)．小骨髄芽球（小さな骨髄芽球で，しばしば骨髄芽球性白血病で多くみられる細胞)．

mi·cro·my·el·o·blas·tic leu·ke·mi·a 小骨髄芽球性白血病（循環血液中あるいは骨髄や他の組織中に，小骨髄芽球が比較的多くの割合を占める骨髄性白血病の一型)．

mi·cron (mī′kron)．ミクロン（micrometer に対して以前用いられた語)．

mi·cro·nod·u·lar (mī′krō-nod′yū-lăr)．小結節性の（顆粒状の組織や物質よりもいくぶん粗大な外見を示す)．

mi·cro·nu·cle·us (mī′krō-nū′klē-ŭs)．***1*** 小核（大きな細胞の小さな核，または 2 つ以上の核をもつ細胞において小さいほうの核)．***2*** 生殖核（特に繊毛虫類の 2 つの核のうちの小さいほう．有糸分裂で分裂し，固有の遺伝物質を含む．→ macronucleus(2))．

mi·cro·nu·tri·ents (mī′krō-nū′trē-ĕnts)．微量養分（身体にとって少量だけ必要な必須食品成分．例えば，ビタミン類，微量無機質)．

mi·cro·nych·i·a (mī′krō-nik′ē-ă)．小爪症（爪が異常に小さいこと)．

mi·cro·oph·thal·mi·a trans·crip·tion fac·tor gene 微小眼炎転写因子遺伝子（その変異によって，常染色体優性遺伝疾患である Waardenburg 症候群と Tietz 症候群を家系中の少なくとも複数の家族に引き起こす遺伝子)．

mi·cro·or·gan·ism (mī′krō-ōr′găn-izm)．微生物（顕微鏡的な動植物)．

mi·cro·pa·thol·o·gy (mī′krō-pă-thol′ō-jē)．顕微病理学（病変の顕微鏡的研究)．

mi·cro·pe·nis (mī′krō-pē′nis)．小陰茎〔症〕（異常に小さい陰茎)．= microphallus.

mi·cro·phage (mī′krō-fāj)．小食細胞，小食球，ミクロファージ（食細胞性の多核白血球．→ phagocyte)．

mi·cro·phal·lus (mī′krō-fal′ŭs)．= micropenis.

mi·cro·pho·to·graph (mī′krō-fō′tŏ-graf)．マイクロ写真（様々な被写体の微小写真．顕微鏡写真 photomicrograph とは区別される)．

mi·croph·thal·mos (mī′krof-thal′mŏs)．小眼球〔症〕（眼が異常に小さい状態)．

mi·cro·pleth·ys·mog·ra·phy (mī′krō-pleth-iz-mog′ră-fē)．ミクロプレチスモグラフィ，微小体積〔変動〕記録法（血液の流入や流出により生じた，ある臓器の微細な変化を測定する方法)．

mi·cro·po·di·a (mī′krō-pō′dē-ă)．小足症（足が異常に小さいこと)．

mi·crop·si·a (mī-krop′sē-ă)．小視症（対象を実際よりも小さく知覚すること)．

mi·cro·punc·ture (mī′krō-pungk-chŭr). 〔微〕小穿刺（顕微鏡下で行う穿刺）.

mi·cro·re·frac·tom·e·ter (mī′krō-rē-frak-tom′ĕ-tĕr). 微細屈折計（血球の研究に用いる屈折計）.

mi·cro·res·pi·rom·e·ter (mī′krō-res-pi-rom′ĕ-tĕr). 微量呼吸計（分離した組織の小部分，細胞または細胞の小部分での酸素の利用を測定する装置）.

mi·cro·scope (mī′krŏ-skōp). 顕微鏡（微小な，肉眼では見えない物体または物質の拡大像を与える器械．通常，複式顕微鏡を意味し，低倍率のものは単純顕微鏡あるいは拡大鏡という）.

mi·cro·scop·ic, mi·cro·scop·i·cal (mī′krŏ-skop′ik, mī′krŏ-skop-i-kăl). ***1*** 顕微鏡的の，微視的な（非常に小さい．顕微鏡の助けを借りてのみ見ることができるものについていう）. ***2*** 顕微鏡の.

mi·cro·scop·ic a·nat·o·my 顕微解剖学（細胞，組織，および器官の構造を光学顕微鏡で研究する解剖学の一分野．→histology）.

mi·cro·scop·ic pol·y·an·gi·i·tis 顕微鏡的多発血管炎（全身性非肉芽腫性の小血管における血管炎．糸状体腎炎や肺の毛細血管炎，丘疹性紫斑，抗好中球細胞質抗体(ANCA)を合併する）.

mi·cros·co·py (mī-kros′kŏ-pē). 顕微鏡検査〔法〕，鏡検（微小物を顕微鏡を用いて検査すること．→microscope）.

mi·cro·so·mal eth·a·nol·ox·i·diz·ing sys·tem (MEOS) ミクロソームエタノール酸化系（肝臓の酵素システムで，血液内のアルコール，薬やその他の外部物質を新陳代謝させる）.

mi·cro·some (mī′krō-sōm). ミクロソーム，顆粒体（細胞を破壊し，超遠心分離により得られる小胞体に由来する微小球形の小胞の一種）.

mi·cro·so·mi·a (mī′krō-sō′mē-ă). 小児や胎児で異常に身体が小さいこと．小人症. = nanocormia.

mi·cro·spec·tro·pho·tom·e·try (mī′krō-spek′trō-fō-tom′ĕ-trē). 顕微分光測光〔法〕（単一細胞または細胞小器官中の核蛋白を，それ自体のもつ吸収スペクトル(紫外域)によって，またはDNAのFeulgen染色のような選択的細胞化学と化学量論的に結合させて，特徴付けたり定量したりする技術）.

mi·cro·spec·tro·scope (mī′krō-spek′trŏ-skōp). 顕微分光計（顕微鏡的対象のスペクトルを観察する器械）.

mi·cro·sphe·ro·cy·to·sis (mī′krō-sfēr′ō-sī-tō′sis). 小球状赤血球症（小球状赤血球が優勢である溶血症黄疸にみられる血液の状態．赤血球は正常よりも小さく，より球形である）.

mi·cro·sphyg·my (mī′krō-sfig′mē). 小脈症（手で脈を識別するのが難しい状況）.

mi·cro·sple·ni·a (mī′krō-splē′nē-ă). 小脾〔症〕（脾臓が異常に小さい状態）.

Mi·cro·spo·rum (mī-krō-spō′rŭm). 小胞子菌属（皮膚糸状菌症の原因となる病原真菌類の一属）.

Mi·cro·spo·rum au·dou·i·ni 頭部白癬原因菌（子供の頭部白癬を引き起こす白癬菌）. = *Audouin microsporum.*

Mi·cro·spo·rum ca·nis イヌ小胞子菌（イヌおよびネコの白癬の主要な原因となり，ヒトの頭部白癬の原因となる動物寄生性の真菌種）.

Mi·cro·spo·rum gyp·se·um 石膏状小胞子菌（ヒトの散発性皮膚糸状菌症の原因となる土壌生息性の真菌）.

mi·cro·steth·o·scope (mī′krō-steth′ŏ-skōp). 微小聴診器（音を拡大する非常に小さい聴診器）.

mi·cro·sto·mi·a (mī′krō-stō′mē-ă). 小口症（口の開口部が小さいこと）.

mi·cro·sur·gery (mī′krō-sŭr′jĕr-ē). マイクロサージェリー，顕微手術，顕微外科（特別な外科用顕微鏡の拡大のもとで行う外科的手技）.

mi·cro·su·ture (mī′krō-sū′chūr). 微小縫合糸（針付きの極小径の縫合糸で，9―0か10―0のものが多い．マイクロサージェリーで用いる）.

mi·cro·sy·ringe (mī′krō-si-rinj′). 微量注射器（ピストンにマイクロメータが付いている皮下注射器で，正確に測った微量の液を注射できる）.

mi·cro·ti·a (mī-krō′shē-ă). 小耳症（耳の耳介が小さいこと．外耳道の盲端や欠損を伴う）.

mi·cro·tome (mī′krō-tōm). ミクロトーム，マイクロトーム（顕微鏡検査用に生物組織の切片をつくる器械）. = histotome.

mi·crot·o·my (mī-krot′ŏ-mē). 顕微〔鏡〕切片作成法（顕微鏡検査用に組織の薄い切片をつくること）. = histotomy.

mi·cro·trau·ma (mī′krō-traw′mă). 微小外傷（軽微なまたは顕微鏡的な外傷．頻繁に繰り返すと症状を呈することがある）. = cumulative trauma disorder.

Mi·cro·trom·bid·i·um (mī′krō-trom-bid′ē-ŭm). 小型アカケダニ属（ツツガムシダニあるいは収穫時ダニの一属で，その幼虫(ツツガムシ)が皮膚にいると，激しいかゆみを生じる）.

mi·cro·tu·bule (mī′krō-tūb′yūl). 微小管（円筒状の細胞質成分で，細胞の細胞骨格，繊毛，べん毛に広く存在する．微小管は細胞の形態維持の役割を果たしており，有糸分裂や減数分裂で数が増加し，その際には核紡錘体による染色体の運動に関与している）.

mi·cro·vil·lus, pl. mi·cro·vil·li (mī′krō-vil′ŭs, -ī). 微〔小〕絨毛（細胞膜の微小突起の1つで，表面積を著しく増加させる．微小絨毛はある種の細胞のしま状またははけ状縁を形成する）.

mi·cro·volt (mcV) (mī′krō-vōlt). マイクロボルト（1ボルトの100万分の1）.

mi·cro·waves (mī′krō-wāvz). マイクロ波，極超短波，マイクロウェーブ（最も波長の短い電波で，1 mmから30 cm(毎秒1,000から300,000メガサイクル)の波長のものをさす）.

mi·crox·y·phil (mī-krok′si-fil). 小好酸球（多核の好酸性白血球）.

mi·cro·zo·on (mī′krō-zō′on). 動物界で顕微鏡的に小型のものをいう.

mi·crur·gi·cal (mī-krŭr′ji-kăl). 顕微解剖の,

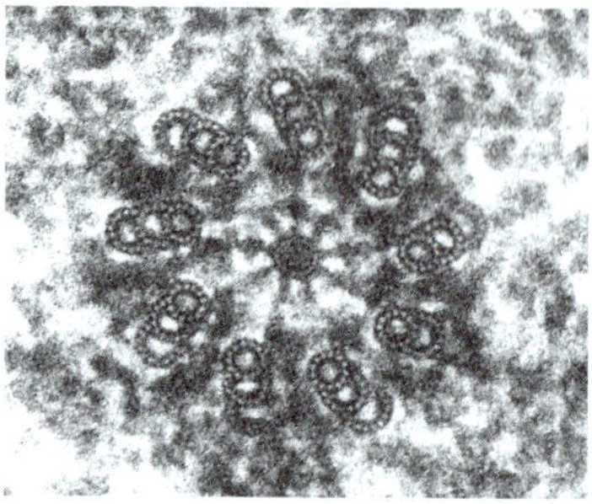

microtubules
電子顕微鏡写真(×330,000). 中心小体の横断面. 9つの3本対微小管が軸を中心に車輪様構造に並んでいる.

顕微手術の (顕微鏡下で非常に小さい構造体を操作することについていう).

mic·tion (mik′shŭn). 排尿, 放尿. = urination.

mic·tu·rate (mik′chū-rāt). 放尿する (→micturition). = urinate.

mic·tu·rat·ing cys·to·u·re·thro·gram 排泄性膀胱尿道造影像. = voiding cystourethrogram.

mic·tu·ri·tion (mik-chūr-ish′ŭn). ***1*** 排尿. = urination. ***2*** 尿意 (排尿を欲すること). ***3*** 排尿の頻度.

mic·tu·ri·tion re·flex 排尿反射 (膀胱内圧の上昇に反応した尿道括約筋の弛緩).

MICU medical intensive care unit の略.

MID minimal infecting dose の略.

mid- 中央を意味する連結形.

mid·ax·il·lar·y line 腋窩中線 (前後腋窩ひだ(線)の中点を通る垂直線). = median axillary line.

mid·bod·y (mid′bod-ē). 中央体 (有糸分裂後期に形成され, 終期に娘細胞と結合する残留中間帯紡錘糸(微小管群)やアクチン含有線維系の厚い茎状のもの. 中央体は精子細胞間でよく観察される).

mid·brain (mid′brān). 中脳. = mesencephalon.

MID-CABG minimally invasive directed coronary artery bypass graft の略. 左前方の開胸術において, 心肺バイパスなしで行われる.

mid·car·pal (mid-kahr′păl). 中手根の (①手首の中央部に関する. ②手根骨の2列の中間の関節についていう). = mediocarpal.

mid·cla·vic·u·lar line 鎖骨中線 (鎖骨の中心を通る垂直線). = midclavicular plane.

mid·cla·vic·u·lar plane = midclavicular line.

mid·dle (mid′ĕl). 中間の, 中央の (2つの似た構造の間にある構造, または位置的に中央にある構造についていう).

mid·dle a·dult 中年 (特定の年齢でなく, 若いか年老いているかの間に存在する人のこと. エリック・エリクソンによると, 40—65歳の人のことで生殖という発達(生理学的に)タスクに絶望がある人のこと. 中年期の自信喪失の潜在的な始まりとしばしば関連付けられる).

mid·dle car·di·ac vein 中心臓静脈 (大心臓静脈と吻合のある心尖に始まり, 後室間溝を上行して冠状静脈洞へ流れる).

mid·dle cer·e·bel·lar pe·dun·cle 中小脳脚 (3対ある小脳脚のうち最大のもので, 主として橋核から起始する線維からなり, 橋底の正中線を越えて対側の背側に移り太い束となって橋被蓋の外側を乗り越えて小脳にはいる. 少数の対側へ移らない線維もある. 線維は主に小脳半球の皮質に分布し, 少数の側副線維が小脳核に達している).

mid·dle ce·re·bral ar·ter·y 中大脳動脈 (内頸動脈の(前大脳動脈とともに)2大終末枝の1つ. 側頭葉の極の周囲を外側に走り, 次いで後方に向かい外側大脳裂の深部に達する). = arteria cerebri media.

mid·dle cer·vi·cal gan·gli·on 中頸神経節 (脊椎傍の小さな交感神経節で, 存在しないこともある. 輪状軟骨の高さに位置する).

mid·dle clu·ne·al nerves = medial clunial nerves.

mid·dle col·ic ar·ter·y 中結腸動脈 (上腸間膜動脈より起こり, 横行結腸に分布する. 左・右結腸動脈と吻合).

mid·dle col·lat·er·al ar·ter·y 中側副動脈 (肘関節動脈網を形成する動脈と吻合する上腕深動脈の背側終末枝). = arteria collateralis media; medial collateral artery.

mid·dle con·stric·tor mus·cle of phar·ynx 中咽頭収縮筋 (咽頭を輪状に囲む筋のうち中央のもの. 起始:茎突舌骨靱帯, 舌骨小角(小角咽頭部), 舌骨大角(大角咽頭部). 停止:咽頭後壁の咽頭縫線. 作用:えん下時の咽頭の狭窄. 神経支配:咽頭神経叢).

mid·dle ear 中耳 (→ear. →tympanic cavity).

mid·dle-ear ef·fu·sion 中耳貯留液 (中耳炎のため中耳内の空気が漿液性または粘液性の液体で置き換わっている状態). = serous otitis media.

mid·dle fos·sa ap·proach 中頭蓋窩到達法(アプローチ) (側頭骨錐体部前縁の中頭蓋底部を経由して小脳橋角部に達する手術的到達法).

mid·dle ge·nic·u·lar ar·ter·y 中膝動脈 (膝窩動脈より起こり, 膝関節の十字靱帯と滑膜とに分布する).

mid·dle he·morr·hoid·al ar·ter·y = middle rectal artery.

mid·dle kid·ney 中腎. = mesonephros.

mid·dle la·ten·cy re·sponse 〔聴性〕中間〔潜時〕反応 (聴覚刺激に対し大脳皮質聴覚から記録される反応).

mid·dle mac·u·lar ar·ter·i·ole 中黄斑細動脈 (網膜の視神経円板と黄斑との間の部分に分布する小動脈).

mid·dle me·nin·ge·al veins 中硬膜静脈 (翼突筋静脈叢に注ぐ中硬膜動脈の伴行静脈).

mid·dle na·sal con·cha 中鼻甲介 (①中間の

薄い，海綿状の，曲がった縁をもつ骨板で，篩管迷路の部分．鼻腔の側壁から突出し，上鼻道と中鼻道を分ける．②上記骨板とその肥厚した粘膜骨膜で，熱交換のための海綿状の血管床を有する）．

mid·dle rec·tal ar·ter·y 中直腸動脈（内腸骨動脈より起こり，直腸中部に分布する．上・下直腸動脈と吻合）．= arteria rectalis media; middle hemorrhoidal artery.

mid·dle rec·tal lymph node 中直腸リンパ節（中直腸動脈に伴行する1個のリンパ節．直腸傍リンパ節からのリンパを受け取り内腸骨リンパ節に注ぐ）．

mid·dle su·pra·cla·vic·u·lar nerve 中間鎖骨上神経．= intermediate supraclavicular nerve.

mid·dle su·pra·re·nal ar·ter·y 中副腎動脈，中腎上体動脈（腹大動脈の外側臓側枝の第一枝（上枝）として起こる一対の動脈．副腎に分布する）．= arteria suprarenalis media.

mid·dle tem·po·ral vein 中側頭静脈（外眼角付近から発し，浅側頭静脈と合流して下顎後静脈をつくる）．

mid·foot (mid′fut)．足の中間（足の後部と全部の間の部分のこと．7本の足根骨骨のうち5本を含む．例えば，舟状骨，立方骨と三本のくさび形骨）．

midge (mij)．ヌカカ（*Culicoides* 属のきわめて小さな刺咬性双翅類．群をなしてヒトやその他の動物を襲うことがある．糸状虫の媒介者となる）．

mid·gut (mid′gŭt)．中腸（①消化管の中央部，すなわち十二指腸遠位部，空・回腸，結腸近位部．②胎児の腸管で前腸と後腸の間で，最初は卵黄嚢に開いていた部分）．

mid·gut loop 中腸ループ（未発達の体腔（最初の腹腔）が腸のループを含むのに一時的に小さくなりすぎたとき，へその緒の近い部分の胚体外の体腔でヘルニアとなる未発達の中腸のU型をした部分）．= umbilical intestinal loop.

mid·life (mid′līf)．中年．

mid·life cri·sis 中年の危機（一連の出来事が重なって生じる中年の一時期であり，この時期の前後に生じた出来事のもつ特定の傾向が思案されるようになる．一般的にはこの時期に個人的，仕事上，性生活上の不満が集積する）．

mid·line e·pi·si·ot·o·my 正中会陰切開術（会陰の正中部切開によって児の娩出を容易にすること．正外側方向の切開よりは分娩後の痛みが少ないが，肛門括約筋や直腸への裂傷のリスクがより高い）．= median episiotomy.

mid·line le·thal gran·u·lo·ma 致死性正中肉芽腫（鼻中隔，硬口蓋，鼻腔外側壁，副鼻腔，顔面皮膚，眼窩および鼻咽頭を破壊する炎症性細胞浸潤で，異形リンパ球および組織球からなる．恐らく，多くの場合は未知の抗原に対する過敏性反応である．放射線療法以外では，予後は不良）．= malignant granuloma.

mid·line my·e·lot·o·my 正中〔線〕脊髄切開〔術〕（頑痛の治療のための脊髄の正中線横断線維の切開）．= commissurotomy(2)．

mid·riff (mid′rif)．横隔膜．= diaphragm(1)．

mid·sag·it·tal plane = median plane.

mid-spec·trum a·gent 中間スペクトル薬（化学兵器剤や生物細菌剤の両方の特徴を持つ集団薬である毒素，合成ウイルスや虐殺薬の言及にしばしば使われる単語）．

mid·stream ur·ine spec·i·men (MCUS) 中間尿検体（外陰部の清浄の後の中間尿の検体．感染性の薬や抗生物質の感受性を明らかにする微生物の研究に使用される）．

mid·tar·sal (mid-tahr′săl)．中足根の（足根の中央部に関する）．

mid·wife (mid′wīf)．助産師，産婆（助産を実践する資格を有する人．産科学ならびに育児学の専門研修を受けた人．→doula）．

mid·wif·e·ry (mid-wif′ĕ-rē)．助産学，助産術，助産師の業務内容（原則として正常健康婦人の妊娠・分娩・産褥における管理・治療・指導，および新生児の育児を対象とする学問で，産科的治療・管理・指導も含まれる．業務の場所は，病院，出産センター，家庭のいずれでもよく，正常分娩の介助を含む．医師の意見を聞いたり医師と協力して業務を行い，異常例は医師に依頼する．出産・育児の準備のために両親を教育指導すること，特に〝出産は正常の生理的過程で，医学的干渉を最小限度にすべきだ〟という教育に重点を置く．→doula）．

Mie·scher e·las·to·ma ミーシャー弾力線維腫（環状の角化性丘疹の消失後に弾力線維性仮性黄色腫に関連する小陥没が残存する）．

Mie·scher gran·u·lo·ma ミーシャー肉芽腫．= actinic granuloma.

Mie·scher tube ミーシャー管（細長い紡錘状あるいは円筒形のシストで，筋肉内に肉胞子虫属 *Sarcocystis* の原生動物における被包性筋肉期のものを含有する）．

mi·graine (mī′grān)．片頭痛（周期的に起こり，通常，片側性の頭痛，めまい，悪心，嘔吐，羞明，光の内輝を特徴とする症候群．古典的片頭痛，普通片頭痛，群発性頭痛，片麻痺性片頭痛，眼筋麻痺性片頭痛，下半身麻痺性片頭痛として分類される）．= hemicrania(1); sick headache.

mi·graine head·ache 片頭痛（→migraine）．

mi·graine-re·lat·ed ves·tib·u·lop·a·thy 片頭痛関連性前庭障害（体動時平衡障害，不安定感，空間や動作の不快感，めまいなどが特徴となる障害で，頭痛発症の前に起こる）．

mi·grat·ing ab·scess = perforating abscess.

mi·gra·tion (mī-grā′shŭn)．移動（①場所から場所へ移ることで，ある種の病的な過程や症候についていう．②= diapedesis．③正常位からの歯の移動．④電気泳動中の分子の移動．⑤病原体，統治者，人口などの地理的な拡散）．

MIH melanotropin release-inhibiting hormone の略．

Mi·ku·licz aph·thae ミクリッチアフタ．= aphthae major.

Mi·ku·licz dis·ease ミクリッチ病（涙腺の良性肥大．またはリンパ組織の浸潤による唾液腺の良性肥大．→Mikulicz syndrome; Sjögren syndrome）．

Mi·ku·licz drain ミクリッチ（ミクリッツ）ドレ

ーン，ガーゼタンポン（1枚のガーゼによって包まれた，数枚のガーゼからなるタンポン）.

Mi·ku·licz op·er·a·tion ミクリッチ手術（2段階にわたる腸の切除術で，第1段階では罹患部を体外に出し，その中枢側と末梢側の腸壁を寄せて縫合し，その周囲で腹壁を閉じた後，罹患部を切除する．しばらく経ってから第2段階として腸切開刀で隔壁を切り，腸瘻を腹膜外で閉鎖する）.

Mi·ku·licz syn·drome ミクリッチ症候群（Mikulicz 病に特徴的な症状で，リンパ肉腫，白血病，ブドウ膜耳下腺熱など他の疾病との合併症として現れる）.

Miles op·er·a·tion マイルズ手術（直腸癌に対する腹会陰合併術式）.

mil·i·a (mil′ē-ā). milium の複数形.

mil·i·a·ri·a (mil-ē-ā′rē-ā). 汗疹，あせも，粟粒疹（汗腺の開口部に液が貯留して生じる細かい小水疱と丘疹からなる発疹）. = miliary fever(2).

mil·i·a·ri·a ru·bra 紅色汗疹（汗腺の開口部に生じた小水疱を中央にもつそう痒性の皮疹で，皮膚の発赤と炎症性反応を伴う）. = heat rash; prickly heat; strophulus; tropical lichen; lichen tropicus.

mil·i·a·ry (mil′ē-ā-rē). 粟粒〔性〕の，粟粒大の（①大きさがアワの種(約2 mm)くらいのものについていう．②表面にアワの種の大きさの結節があることを特徴とするものについていう．→ miliaria）.

mil·i·a·ry ab·scess 粟粒膿瘍（多くの微細な膿の集合で，局所全体または全身に広がっている膿瘍）.

mil·i·a·ry em·bo·lism 粟粒〔性〕塞栓症（多数の毛細管で同時に起こる塞栓症）.

mil·i·a·ry fe·ver 粟粒熱（①多量の発汗および汗疹発生を特徴とする感染症で，以前は重篤な流行病とされた．②= miliaria）.

mil·i·a·ry pat·tern 粟粒パターン（胸部写真にみられる小粒状陰影で，結核の血行播種において特徴的で，大きさは粟粒にたとえられる）.

mil·i·a·ry tu·ber·cu·lo·sis 粟粒結核（血中の結核菌の全身性播種により各種の器官や組織に粟粒結核を形成し，ときにひどい毒血症の症状を示す）. = generalized tuberculosis.

mi·lieu (mēl-yeuh′). 環境，ミリュー（①周囲の状況，環境．②精神医学において，精神病患者の社会的環境をいう．例えば家庭環境や病院など）.

mil·ieu ther·a·py 環境療法（社会環境を患者の利益になるように操作する精神医学的治療法）.

mil·i·tar·y an·ti·shock trou·sers (MAST) 軍用の抗ショック治療ズボン. = pneumatic antishock garment.

Mil·i·tar·y Health Ser·vic·es Sys·tem (MHSS) 軍公共医療システム（米国軍隊の公共医療システムを構成している病院やクリニックのネットワーク．米国軍人の健康を保つことが第一の機能であるが，もし場所とサービスに空きがあれば，TRICARE という米国軍健康手当制度に参加している扶養家族，退職者やその他の参加者にも提供される）.

mil·i·um, pl. mil·i·a (mil′ē-ŭm, -ā). 稗粒腫（小さな表皮下の角質嚢腫のこと．通常は多発性であるため，一般に複数形で用いる）. = whitehead(1).

milk (milk). ***1*** 〚n.〛乳，乳汁（子のための栄養物として，乳腺から分泌される蛋白，糖，脂肪を含んだ白色の液体）. ***2*** 〚n.〛乳状液（白色の乳状の液体．例えば，ココナッツの果汁や種々の金属酸化物の懸濁液）. ***3*** 〚n.〛乳剤（不溶性薬剤と水媒質との懸濁液である薬局方製剤で，乳剤の懸濁粒子がより大きいことでゲルと区別する）. ***4*** 〚v.〛搾乳する，搾り出す. = strip(1).

milk-al·ka·li syn·drome ミルク・アルカリ症候群（腎臓の慢性疾患で，早期には可逆性であり，消化性潰瘍の治療で以前に用いられていたカルシウムとアルカリ剤の大量摂取によって起きる．腎不全に進むこともある）. = Burnett syndrome.

milk crust 乳痂. = crusta lactea.

milk den·ti·tion 乳歯列. = deciduous tooth.

milk ducts = lactiferous ducts.

milk fe·ver ***1*** 授乳熱，軽症産褥熱（出産後の軽度の発熱で，乳汁分泌体制の確立によるとみられるが，恐らく吸収熱と同じものと考えられる）. ***2*** 乳熱，ウシの分娩麻痺，ウシの不全麻痺（ウシの出産直後に起こる無熱性代謝性疾患で，意識喪失および全身麻痺をきたす．低カルシウム症を特徴とする）.

milk·ing (milk′ing). ミルキング（検体をとったり，圧痛のテストのためにチューブや管の中身を表現するのに行われる行程）.

milk line 乳線. = mammary crest.

Milk·man syn·drome ミルクマン症候群（多発性の偽骨折を伴う骨軟化症で，通常，両側対称性で，病的骨折を生じることがある）.

milk ridge = mammary crests.

milk sug·ar 乳糖. = lactose.

milk tooth 乳歯. = deciduous tooth.

milk vetch root = *Astragalus*.

Mil·ler-Ab·bott tube ミラー-アボット管（2つの内腔を有するチューブで，1つは小さな軟らかいバルーンに，もう1つは小さな孔のたくさん開いた金属性の先端に通じている．内圧の減圧または小腸のステントに用いる）. = Abbott tube.

Mil·ler chem·i·co·par·a·sit·ic the·o·ry ミラー化学細菌説（う食について，その原因は，食物の炭水化物を発酵させ，歯を脱灰する酸を産生する口腔内細菌によるとする説）.

mill·er's asth·ma 製粉工ぜん息（粉や穀類のアレルゲンにより生じるぜん息）.

milli- 1,000分の1(10^{-3})の分量単位を意味する，国際単位系(SI)およびメートル法で用いる接頭語.

mil·li·am·pere (ma, mA) ミリアンペア（1アンペアの1,000分の1）.

mil·li·am·pere-im·pulse (mAi) (mil′i-am′pēr-im′pŭls). = milliampere-second.

mil·li·am·pere-sec·ond (mA-s) (mil′i-am′pēr-sek′ŏnd). ミリアンペア秒，マス（X線管球

の陰極に当てる電子の数と曝露時間(秒)の積を表す放射線単位．生成するX線のエネルギー量を直接決定する)．= milliampere-impulse.

mil·li·cu·rie (mc, mCi) ミリキュリー（毎秒 3.7×10^7 の崩壊に相当する放射能の単位)．

mil·li·e·quiv·a·lent (mEq, meq) ミリグラム当量（1グラム当量の1,000分の1．10^{-3} モルを原子価で除したもの)．

mil·li·gram (mg) (mil′i-gram)．ミリグラム（1グラムの1,000分の1)．

mil·li·li·ter (mL, ml) ミリリットル（1リットルの1,000分の1)．= millilitre.

millilitre [Br.]. = milliliter.

mil·li·me·ter (mm) (mil′i-mē′tĕr)．ミリメートル（1メートルの1,000分の1)．= millimetre.

millimetre [Br.]. = millimeter.

millimicro- 10億分の1(10^{-9})の分量単位を意味する，以前用いられた接頭語．現在の nano- にあたる．

mil·li·mi·cron (mmcm) (mil′i-mī′kron)．nanometer の古称．

mil·li·mole (mmol) (mil′i-mōl)．ミリモル（1グラム分子の1,000分の1)．

mil·li·sec·ond (msec) (mil′i-sek′ŏnd)．ミリセカンド（1秒の1,000分の1)．

mil·li·volt (mV) (mil′i-vōlt)．ミリボルト（1ボルトの1,000分の1)．

mil·pho·sis (mil-fō′sis)．睫毛脱落症．

Mil·roy dis·ease ミルロイ病（先天性常染色体優性リンパ水腫)．

MIM (mim)．Mendelian Inheritance in Man の略．

mi·me·sis (mi-mē′sis)．擬症（①器質性疾患のヒステリー性模倣．②ある器質性疾患の症候に別の疾患の症候が似ること)．

mi·met·ic (mi-met′ik)．擬症の．

mim·ic (mim′ik)．模倣する，まねる．

MIM num·ber MIM番号（MIMシステムにおけるメンデル形質の目録指定(㊟Mendelian Inheritance in Man (MIM)に登録・記載された番号)．もし最初の数字が1なら形質は常染色体優性，もし2なら常染色体劣性，もし3ならX連鎖と考えられる)．

Mi·na·ma·ta dis·ease 水俣病（水銀工業廃物に汚染された魚を摂取して起こるメチル水銀中毒による神経疾患で，最初，日本の水俣湾住民に発生した．末梢感覚喪失，振せん，構語障害，運動失調，聴覚および視覚喪失などを特徴とする)．

mind (mīnd)．精神〔力〕，知力，心（①意識や認知，理性，意志，感情などの脳の高位機能をつかさどる器官または場所．②現象との関連性を重視してすべての精神過程と精神活動を統合したものをいう)．

mind/bod·y med·i·cine 心/体の薬（肯定的な身体と心の環境が与えられたときに体を自然治療する潜在能力などの心と体の関係についての説)．

min·er·al (min′ĕr-ăl)．無機質，鉱質，無機塩類（地殻に見出される均質の無機物質)．

min·er·al·o·cor·ti·coid (min′ĕr-ăl-ō-kōr′ti-koyd)．鉱質コルチコイド，ミネラルコルチコイド（水や電解質(特にナトリウムやカリウム)代謝やそのバランスに影響を与える副腎皮質ステロイドホルモン．*cf.* bioregulator)．

min·er·al wa·ter 〔鉱〕泉水（治療効果をもたらすある種の塩を大量に含有する水)．

min·er's elbow 肘頭滑液嚢炎（肘頭粘膜嚢の滑液膨満を伴う炎症)．

min·er's lung 坑夫肺（①= anthracosis. ②= black lung)．

min·i·lap·a·rot·o·my (min′ē-lap-ă-rot′ŏ-mē)．小切開不妊手術，小開腹不妊手術（卵管を外科的に結紮する避妊法の一種で，恥骨上部あるいは臍下部に小切開を加えて行う)．

min·im (min′im)．***1*** ミニム，液（液体の測定単位で液量ドラムの60分の1．水の場合は約1滴)．***2*** 最小．

min·i·mal brain dys·func·tion 微小脳機能不全．→attention deficit disorder.

min·i·mal dose 最小量，最小有効量（成人に対して，生理学的効果を及ぼす最小の薬量や，身体的処置)．

min·i·mal fa·tal dose (MFD) →minimal lethal dose.

min·i·mal in·fect·ing dose (MID) 最小感染量（感染を起こさせる最小の感染物質量．通常は，動物または細胞(細胞培養)の適当な系の50%に感染を起こさせる量を $I.D._{50}$ というように表す)．

min·i·mal le·thal dose (MLD, mld) 最小致死量（①毒物あるいは感染源を種々の動物に試用し，死に至らしめる最小用量．下に数字が記された場合に(一般に MLD_{50})，試用された動物のそのパーセンテージ(例えば50%)を死に至らしめる最小用量であることを示す．② LD_{05}. →lethal dose)．

min·i·mal oc·clu·ding vol·ume (MOV) 最低閉塞量（人工呼吸療法おいて使用されるカフの圧力のレベルが人の吸気を漏れを防ぐ程度に設定される量)．

min·i·mal re·act·ing dose (MRD, mrd) 最小反応量（感受性の強い実験動物の皮膚に現れるような反応を生じる毒物の最小量．この検査は，特有，最小ではあるが一定の，〝基準〟病巣炎症の出現に基づいている)．

Mi·ni-Men·tal State Ex·am·i·na·tion 簡易知能検査（認知機能や精神障害を測定し評価するのに広く使用されている質問紙法による評価尺度であり，患者の状態に対する時間の効果を測定するために連続的に使用されることがある)．

min·i·mum as·sis·tance 最低補助（患者が行動を安全に行うことを可能とするために，サポートや援助をする介護者の接触においての最低限の適用．患者は最低75%の援助を費やし，介護者は25%またはそれ以下を費やす)．

min·i·mum da·ta set (MDS) 最小データセット（患者を特定するのに必要な最少収集データ．→Nursing Minimum Data Set)．

min·i·mum leak tech·nique (MLT) 最低漏洩技術（気管内や気管形成術の管の閉塞カフの最大膨張の後，膨張のしすぎによる気管病を防ぐために，吸気の最後にわずかな空気の漏れを聞くことができるように少量の空気や生理食塩水を取り除くこと．呼吸療法では，気管切開術とともに人工呼吸の一種が使われる．浸潤性の過程では，患者が液体の吸引を行うというリスクがある）．

mi·ni·thor·a·cot·omy (min′ē-thōr′ă-kot′ă-mē). 小開胸〔術〕（典型的な後側方開胸と比べて筋切離の少ない開胸法）．

Min·ne·so·ta Mul·ti·pha·sic Per·son·al·i·ty In·ven·to·ry（MMPI） ミネソタ多面人格目録（16 歳以上の年齢を対象とする質問形式の心理検査．4 つの妥当性尺度と 10 の人格尺度にコードさらた 550 項目の，はい・いいえ回答式設問からなる．個別と集団の両方式が施行される）．

mi·nor (mī′nŏr). 小の（2 つの同じような構造のうちの小さいほうを示す）．

mi·nor ag·glu·ti·nin 副凝集素（主凝集素より低濃度で，抗血清中に存在する免疫凝集素）．= partial agglutinin.

mi·nor his·to·com·pat·i·bil·ity com·plex 副組織適合性複合体（MHC の外側の遺伝子で，種々の染色体に存在して，移植片拒絶に関与する抗原をコードする）．

mi·nor hys·te·ri·a 小ヒステリー〔発作〕（ヒステリーの軽度の型で，主に自覚痛感，神経過敏，過度の感受性，ときに感情的興奮の発作があるが，麻痺または他の症状はないのを特徴とする）．

mi·nor sal·i·var·y glands 小唾液腺（口腔内に粘液性の唾液を分泌する小さな腺で，唇，頬，臼歯近傍，舌，口蓋に区別される）．

mi·nor sub·lin·gual ducts 小舌下腺管（8—20 本の舌下腺の小導管からなり，口腔の舌下ひだ表面上に開口する．数本は，顎下腺管と結合する）．= Rivinus ducts; Walther ducts.

min·ute ven·ti·la·tion = minute volume.

min·ute vol·ume 分時拍出量（気体や流動体が毎分動く量．例えば，心拍出量または呼吸分時量）．= minute ventilation.

mio- より少ないことを意味する連結形．

mi·o·sis (mī-ō′sis). ***1*** 縮瞳（瞳孔の収縮）．***2*** meiosis（減数分裂）の代わりのつづりとして誤って用いられる．

mi·o·sphyg·mi·a (mī-ō-sfig′mē-ă). ミオスフィグミア（脈拍数が心拍数より少ない状態）．

mi·ot·ic (mī-ot′ik). ***1*** 〚adj.〛 縮瞳の．***2*** 〚n.〛 縮瞳薬（瞳孔が狭くなるように瞳孔を収縮させる薬剤）．

MIP maximum inspiratory pressure; maximum intensity projection; middle interphalangeal joint の略．

mire (mēr). ミーア（角膜曲率計の検査対象物の 1 つ．角膜表面に反射される像（マイヤーとも称される）により角膜曲率半径を算出する）．

Mi·riz·zi syn·drome ミリッシ症候群（攣縮あるいは周囲結合組織の線維性瘢痕化によって生じる肝管の良性閉塞．しばしば胆嚢管の結石と慢性胆嚢炎を伴う）．

mir·ror (mir′ŏr). 鏡，反射鏡（その前面にある物体からの光線を反射する磨かれた表面）．

mir·ror-im·age cell 鏡像細胞（①核が同一の形態をもち細胞質中に同じ状態で置かれている細胞．② Hodgkin 病にしばしばみられる Reed-Sternberg 細胞の二核小体形．対をなす核は，1 つの核と鏡に映っているその像のように面対称の位置にある）．

mir·ror speech 鏡像性言語（言語の音節の順序が逆で，鏡像書法に類似する）．

mir·yach·it (mēr-yach′it). ミリアチット（シベリアでみられる神経疾患．→jumping disease）．

mis- 否定，逆，正しくない，正当でないを意味する連結形．

mis·ad·min·i·stra·tion (mis′ad-min′i-strā′shŭn). 誤投与（放射線治療において，線量や照射法において正しくない投与を行うこと）．

mis·an·dry (mis′an-drē). 男嫌い（男性に対する嫌悪あるいは憎悪）．

mis·an·thro·py (mis-an′thrŏ-pē). 人間嫌い（人間に対する嫌悪および憎悪）．

mis·car·riage (mis′kar-ăj). 流産（妊娠の中期半ば以前に妊娠産物が自然に排出すること．㊟日本では 22 週未満）．

mis·ci·ble (mis′i-bĕl). 混和性の（混合することができ，混合過程の終了後もその状態でとどまる）．

mis·di·ag·no·sis (mis′dī-ag-nō′sis). 誤診．

mi·sog·a·my (mi-sog′ă-mē). 結婚嫌い（結婚に対する嫌悪）．

mi·sog·y·ny (mi-soj′i-nē). 女嫌い（女性に対する嫌悪あるいは憎悪）．

mis·o·pe·di·a, mis·op·e·dy (mis-ō-pē′dē-ă, mis-op′ĕ-dē). 子供嫌い（子供に対する嫌悪あるいは憎悪）．

missed a·bor·tion 稽留流産（胎児は子宮内で死んでいるが，妊娠産物は 2 か月以上（㊟日本では 2 か月以上とはいわない），子宮内に残っている流産）．

missed la·bor 稽留分娩（正常な娩出時期にわずかな陣痛があるが，やがてそれがやみ，胎児が長時間娩出されないもの．通常，胎児は子宮内で死亡しているか，腹腔内にある）．

mis·sense mu·ta·tion ミスセンス〔突然〕変異（コドン内の塩基の変化または置換により，異なったアミノ酸が合成中のポリペプチド鎖内にはいり，変種蛋白がつくられる突然変異）．

mis·sion-or·i·ent·ed pro·tec·tive pos·ture（MOPP） 任務志向防護態勢（さまざまな脅威に対する衣服や道具によってなされる防御の描写．脅威によって MOPP のレベルは上昇する）．

Mis·sou·ri（Kan·sas）snake·root = echinacea.

Mitch·ell dis·ease ミッチェル病．= erythromelalgia.

Mitch·ell pro·ce·dure ミッチェル法（外反母趾を矯正する手術法で，第 1 中足骨近位部での骨切りとバニオン切除および母趾中足指節関節の軟部組織矯正との合併手術）．

Mitch·ell treat·ment ミッチェル療法（安静と栄養のある食事と環境を変えることによって

行う精神障害の治療法).

mite (mīt). ダニ (ダニ目に属する小さな節足動物で, 多数の寄生性および元来は自活性のダニを含む. 少数のみが医学的に重要である. すなわちⓘ病原体の媒介動物または中間宿主として, ⓘⓘ直接に皮膚炎または組織障害を起こすことによって, ⓘⓘⓘ血液または組織液の喪失を起こすことによって).

mite ty·phus ダニチフス. = tsutsugamushi disease.

mith·ri·da·tism (mith-ri-dā'tizm). ミトリダート法 (少量ずつ徐々に量を増やすことによって毒物の作用に対し免疫を得ること).

mi·ti·ci·dal (mī-ti-sī'dāl). 殺ダニの (ダニに対して有毒なことを示す).

mi·ti·cide (mī'ti-sīd). 殺ダニ薬.

mit·i·gate (mit'i-gāt). 緩和する. = palliate.

mi·to·chon·dri·a (-ā). mitochondrion の複数形.

mi·to·chon·dri·al (mī-tō-kon'drē-āl). ミトコンドリアの, 糸粒体の.

mi·to·chon·dri·al bi·o·gen·e·sis ミトコンドリアバイオジェネシス (ミトコンドリアが, 逐次, 呼吸酵素複合体を生合成することによりATP合成能を上げるプロセス).

mi·to·chon·dri·al chro·mo·some ミトコンドリア染色体 (主な機能はアデノシン三リン酸の合成と細胞エネルギーの統御であるミトコンドリアのDNA成分).

mi·to·chon·dri·al dis·or·ders ミトコンドリア病 (ミトコンドリアDNAの遺伝的変異に由来する種々の先天性疾患の総称. 濃赤染線維ミオパシー, 進行性外眼筋麻痺, Leigh 症候群, 濃赤染線維ミオパシーを伴ったミオクローヌスてんかん(MERRF), ミトコンドリアミオパシー, 脳症, ラクトアシドーシス, 発作(MELAS), Lieber 眼性ニューロパシーが含まれる).

mi·to·chon·dri·al mem·brane ミトコンドリア膜 (ミトコンドリアを形成している生体二重膜).

mi·to·chon·dri·on, pl. mi·to·chon·dri·a (mī-tō-kon'drē-ŏn, -ā). ミトコンドリア, 糸粒体 (2組の膜, すなわち滑らかな連続性の外膜と, 細管状またはしばしば稜 cristae とよばれる板状の二重膜を形成してひだ状に配列している内膜とから構成されている細胞質の小器官. ミトコンドリアは細胞の主なエネルギー源で, 末端電子伝達のシトクロム酵素群, クエン酸サイクル, 脂肪酸酸化, 酸化的リン酸化反応の諸酵素群を含む).

mi·to·gen (mī'tō-jen). マイトジェン, ミトゲン, 〔有糸〕分裂促進剤 (有糸分裂やリンパ球幼若化を刺激するほとんど植物由来の物質. フィトヘマグルチニンやコンカナバリンAのようなレクチンだけでなく, 連鎖球菌からの物質(ストレプトリシンSを伴う)や α-トキシン産生ブドウ球菌からの物質も含む).

mi·to·gen·e·sis (mī-tō-jen'ĕ-sis). 有糸分裂誘発 (細胞に有糸分裂や形質転換を誘導する過程).

mi·to·ge·net·ic (mī'tō-jĕ-net'ik). 有糸分裂誘発性の (細胞有糸分裂を促進する因子についていう).

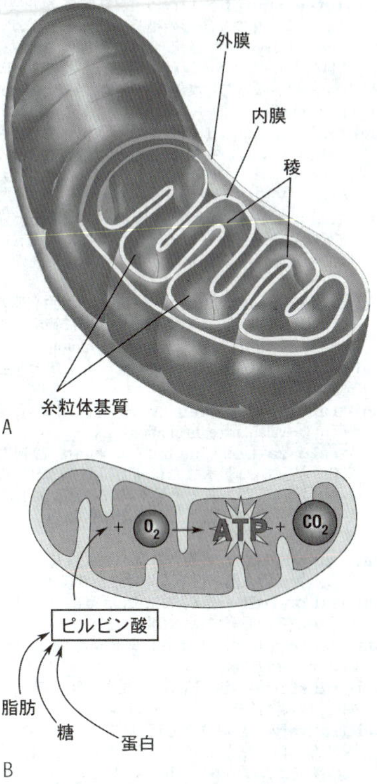
外膜
内膜
稜
糸粒体基質
A
+
O_2
ATP
+
CO_2
ピルビン酸
脂肪
糖
蛋白
B

mitochondrion (A) and cellular respiration (B)

mi·to·gen·ic (mī-tō-jen'ik). マイトジェンの (有糸分裂や形質転換を生じさせること).

mi·to·sis, pl. mi·to·ses (mī-tō'sis, -sēz). 有糸分裂 (細胞の体細胞生殖の通常の過程で, 核の一連の変化(前期, 前中期, 中期, 後期, 末期)からなる. その結果, 元の細胞とまったく同じ染色体とDNAをもつ2つの娘細胞を形成する. →cell cycle). = indirect nuclear division.

mi·tot·ic (mī-tot'ik). 有糸分裂の.

mi·tot·ic fig·ure 有糸〔核〕分裂像 (有糸分裂中の細胞の顕微鏡像. 光学顕微鏡で見ることのできる細胞染色体).

mi·tot·ic rate 分裂速度 (有糸分裂している組織中の細胞数. 分裂指数として, あるいは, 大ざっぱに, 組織片中の各顕微鏡による高倍率下での, 有糸分裂を行っている細胞数として表す).

M

mi·tot·ic spin·dle〔有糸分裂〕紡錘体（分裂中の細胞に特有の紡錘形の構造．紡錘糸とよばれる微小管からなり，あるものは染色体の動原体に付着して染色体の運動に関与し，他のものは極から極へ張っていて連続糸とよばれる）．= nuclear spindle.

mi·tral（mī′trăl）．*1* 僧帽弁の（僧帽弁すなわち二尖弁についていう）．*2* 僧帽の（僧帽のような形を示す．鉢巻き，またはターバンの形に似た構造についていう）．

mi·tral a·tre·si·a 僧帽弁閉鎖症（左心房と左心室の間の左房室弁の先天性の欠如．大血管の転位や左心低形成症候群と多くの場合関連がある）．

mi·tral com·mis·sur·ot·o·my 僧帽弁交連切開〔術〕（僧帽弁狭窄を軽減するために狭窄した僧帽弁口を開くこと）．= mitral valvulotomy.

mi·tral gra·di·ent 僧帽弁勾配（左心房と左心室間の拡張期圧の差）．

mi·tral in·suf·fi·cien·cy 僧帽弁閉鎖不全〔症〕（→valvular regurgitation）．

mi·tral·i·za·tion（mī′tral′ī-zā′shŭn）．僧帽弁変化（左心耳の拡大または肺流出路の突出によって，胸部X線写真上心陰影の左縁が直線化すること．僧帽弁疾患として完全に信頼しうる基準ではない）．

mi·tral mur·mur 僧帽弁雑音（僧帽弁において生じる雑音で，閉塞性あるいは逆流性である）．

mi·tral or·i·fice 僧帽弁口，左房室口（心臓の左心房から左心室にはいる開口部）．

mi·tral re·gur·gi·ta·tion 僧帽弁逆流（→valvular regurgitation）．

mi·tral ste·no·sis（MS） 僧帽弁狭窄〔症〕（僧帽弁口の病的狭窄）．

mi·tral valve 僧帽弁（心臓の左心房と左心室の間にある口を閉じる弁で，その2つの尖は，前尖，後尖とよばれる）．= bicuspid valve.

mi·tral valve pro·lapse（MVP） 僧帽弁逸脱〔症〕（左室収縮期に，僧帽弁の一弁尖または両弁尖が左房内へ過剰に落ち込み，しばしば僧帽弁逆流症を伴う．Barlow 症候群のクリックや雑音の原因となる．まれにリウマチ性心臓炎あるいは Marfan 症候群や腱索の断裂（ふらふら動く僧帽弁尖 flail mitral leaflet）のような結合織疾患によるものも認められる）．

mi·tral val·vu·lo·to·my = mitral commissurotomy.

Mit·su·o phe·nom·e·non 水尾現象（Oguchi 病における暗順応時，眼底が正常の色に変化すること）．

mit·tel·schmerz（mit′el-schmārtz）．中間痛（排卵部からの出血による腹膜刺激の結果生じる排卵時の腹痛）．= intermenstrual pain（2）．

Mit·ten·dorf dot ミッテンドルフ点（眼科の検査で水晶体嚢の後面にみられる小さな点で，未熟硝子体血管系の遺残）．

mixed ag·glu·ti·na·tion re·ac·tion 混合凝集反応（凝集物が共通の抗原決定因子をもつ2種類の細胞からなる免疫凝集．同種抗原の同定に用いるときには，試験細胞を適当な同種抗体にさらして洗浄した後，試験細胞に付着した同種抗体上の遊離部位と結合する指示体である赤血球と混合する）．

mixed ag·glu·ti·na·tion test 混合凝集試験（→mixed agglutination reaction）．

mixed a·pha·si·a 混合性失語〔症〕．= global aphasia.

mixed a·stig·ma·tism 混合乱視，雑性乱視（1つの主経線が遠視で，直交するもう一方の主経線が近視である乱視）．

mixed con·nec·tive-tis·sue dis·ease 混合結合組織病（様々な全身性の結合組織病の特徴が重複して発病した状態．核のリボ核蛋白に対する血中抗体が検出される）．

mixed ex·pired gas 混合呼気（死腔および肺胞から完全に混ざって出てくる1回以上の呼気）．

mixed gland 混合腺（①漿液と粘液を含む腺．②内分泌腺と外分泌腺がある腺，例えば膵臓）．

mixed hear·ing loss 混合性難聴（伝音難聴と感音難聴がともにみられる難聴のタイプ）．

mixed leu·ke·mi·a, mixed cell leu·ke·mi·a 混合型白血病（顆粒球性白血病の一型で，顆粒球系の種々の細胞（例えば，好中球，好酸球，好塩基球）の出現を認めた場合に用いる）．

mixed lym·pho·cyte cul·ture（MLC） 混合リンパ球培養（→mixed lymphocyte culture test）．

mixed lym·pho·cyte cul·ture test リンパ球混合培養試験（供給体のリンパ球と受容体のリンパ球とを培養液中で混合して行う HLA 抗原の組織適合性試験．不適合度は，変形および有糸分裂した細胞の数または放射性同位元素標識チミジン摂取量で測る）．

mixed nerve 混合神経（求心性線維と遠心性線維の両方を含む神経）．

mixed pa·ral·y·sis 混合麻痺（運動と感覚の組み合わさった麻痺）．

mixed tu·mor 混合腫瘍（2種あるいはそれ以上の種類の組織からなる腫瘍）．

-mixis, -mixia, -mixy, mixo- 生殖に関連する連結形．例えば amphimixis（融合生殖）．

mix·ture（miks′chŭr）．*1* 混合物，混和物，合剤（2つ以上の物質が化学結合せず相互に混入していることで，各々の組成の物理的特質はそのままである．**mechanical mixture**（機械的混合物）は顕微鏡または他の方法で区別できる粒子または塊の混合物である．**physical mixture**（物理的混合物）は気体や多くの溶液の場合に得られるような分子のより緊密な混合物である）．*2* 混合（化学において，個々の特性を失うような反応を起こさずに2つ以上の物質を混合すること，すなわち永久的に電子を得たり失ったりすることがない）．*3* 水性懸濁剤（薬学において，不溶性の薬物をアラビアゴム，サッカロース，または他の粘着性物質を用いて懸濁状に保った液剤）．

Mi·ya·ga·wa·nel·la（mē′yă-gah-wă-nel′ă）．ミヤガワネラ属（以前はクラミジア科の一属と考えられていたが，現在では *Chlamydia* と同義）．

mi·zi·boc（mē′sē-bōk）．= damiana.

MK-6 menaquinone-6 の略．

mL, ml milliliter の記号.
MLC mixed lymphocyte culture の略.
MLD, mld minimal lethal dose; manual lymph drainage の略.
MLEE multilocus enzyme electrophoresis の略.
MLF medial longitudinal fasciculus の略.
M line M 線(帯)（横紋筋筋原線維の筋節の A 帯の中央にある細い線）. = M band.
MLS medical language specialist の略.
MLST multiple sleep latency test; multilocus sequence typing の略.
MLT minimum leak technique; medical laboratory technician; multiple logical tasking の略.
mm millimeter の略.
MMAD mass median aerodynamic diameter の略.
mmcm millimicron の略.
MMFR mixed midexpiratory flow rate の略.
mmHg millimeters of mercury (torr)(水銀柱ミリメートル, ミリメートル水銀柱)の略.
MMI maximum medical improvement の略.
M-mode (mōd). M モード（超音波診断におけるエコーの時間的変化の表示方法の一種. エコーを発生する境界面が, 1 つの軸に沿って時間(T)の経過に従って表示され, 探触子に対して近づいたり遠ざかったりする境界面の動き(M)がもう 1 つの軸に沿って表示される）.
M-mode ech·o·car·di·og·ra·phy ― M-mode.
mmol millimole の略.
MMPI Minnesota Multiphasic Personality Inventory の略.
MMR measles, mumps, and rubella の略.
MMT manual muscle testing の略.
Mn マンガンの元素記号.
M'Nagh·ten rule マクノーテンの法則（古典的な英国の犯罪責任規定(1843 年). "狂気を理由にして弁護するには, 犯罪の犯された時点で被告は精神病により理性の欠陥に苦しんでおり, 自分がなしつつあった行為の本質と性質を知らず, あるいはもしそれがわかっていたとしても自分が悪いことをしているとは知らなかったということが明白に証明されなければならない" と述べられている）.
mne·men·ic, mne·mic (nē-men′ik, nē′mik). ムネメの, 記憶の.
mne·mon·ic (nē-mon′ik). 記憶力増進の, 記憶を助ける. = anamnestic(1).
mne·mon·ics (nē-mon′iks). 記憶術（記憶を増進する技術. 記憶を助ける方法）.
MNL mononuclear leukocyte の略.
Mo モリブデン(水鉛)の元素記号.
mo·bile end 可動端（ある運動の際, 筋活動または重力によって動かされるほうの骨端. もう一方の骨端(固定端)は静止状態に保たれる）. = punctum mobile.
mo·bi·li·za·tion (mō′bi-lī-zā′shŭn). ***1*** 援動〔術〕, 可動化（動くことができるようにする, 関節の駆動力を回復すること）. ***2*** 動員（動員行為. いままで静止していた過程を生理学的活動へと作用させること）.
Mo·bitz block モービッツブロック（第二度房室ブロックで, 2 拍以上の心房興奮(P 波)の数と心室応答は比例する）.
Mö·bi·us sign メービウス徴候（Graves 病の場合の眼球の輻輳障害）.
Mö·bi·us syn·drome メービウス症候群（発達性の両側顔面麻痺で, 通常, 動眼または他の神経障害を伴う）.
mo·dal fre·quen·cy = habitual pitch.
mo·dal·i·ty (mō-dal′i-tē). ***1*** 治療薬や治療法の適用または使用の様式. ***2*** 種々の感覚, 例えば, 触覚, 視覚など.
mo·dal pitch = habitual pitch.
mode (mōd). 最頻値, モード（一連の測定において最も頻繁に現れる値）.
mod·el (mod′ĕl). ***1*** 標準型（あるものの表現で, 通常, 概念的に理解しやすくするために理想化したり修正したりする）. ***2*** 模型, モデル(模倣したもの). ***3*** 模型(歯科においての模型). ***4*** 数理モデル（特定な現象を数学的に表現したもの）. ***5*** モデル（病的な状態をまねるために用いられる動物）.
mod·el·ing (mod′ĕl-ing). = modelling. ***1*** 学習理論において, 他者が行う行動を観察し, 模倣することによって新しい技術を獲得し学習すること. ***2*** 行動変容において, 治療者あるいは深い関係のある他者を学習者が模倣し, 自分のレパートリーの一部にするような標的行動を提示する(モデルする)ことによる治療法の 1 つ. ***3*** モデリング, 成形機能（骨の成長の際, 部位ごとに異なった割合で吸収したり新形成したりして骨の形や大きさを絶えず整えていく過程）.
modelling [Br.]. = modeling.
mod·er·ate as·sis·tance 通常補助（患者がしようとする行動を安全に行うことを可能とするために 1 人またはそれ以上の介護者による 2 か所以上の接触による援助. 介護者は必要とする援助の 25%から 75%を提供する）.
mode of trans·mis·sion 伝達方法（生物がある宿主から他の宿主へと伝達される道筋）.
mode of ven·ti·la·tion 人工呼吸方法（人工呼吸器が提供する特定の呼吸パターン. その方法は人工呼吸器がコントロールする変数(例えば, 量の調節, 圧力の調節, 二重のコントロール)や呼吸パターンによって表現できる. 圧力援助は圧力が調整された, 連続的で自発的な人工呼吸と表現できる）.
mod·i·fi·ca·tion (mod′i-fi-kā′shŭn). ***1*** 〔一時〕変異, 修飾（生体の非遺伝性の変化. 例えば, それ自身の活動または環境から獲得したもの）. ***2*** 修飾（分子の化学的・構造的改変）.
mod·i·fied acid-fast stain 抗酸菌染色変法（*Cryptosporidium* 属, *Cyclospora* 属, *Isospora* 属といったコクシジウムの染色法. 脱色液として非常に薄い酸(1―3%硫酸)を使うので脱色が過度になりがたい）.
mod·i·fied bar·i·um swal·low バリウム検査（飲み込みの前, 最中, そして後における中咽頭, 咽頭, 喉頭, 上部食道の構造と機能を査定する放射線学的テスト）.
mod·i·fied jaw thrust 下顎挙上方（頸部の怪我の疑惑がある時に蘇生の努力の最中に使われ

る気道開閉処置．顔は本来の位置に位置しながら，下顎の角度に顎が前にずらされる．救護者が指先を顎の後に置き，患者の首を鵜が動かさないで顎を前/上に押し，患者の後頭部側からあごをずらす）．

mod·i·fied rad·i·cal mas·tec·to·my 非定型的乳房切除〔術〕（乳頭・乳輪・皮膚を含む全乳房とともに，腋窩のリンパ組織を胸筋を温存しつつ切除する手術）．

mod·i·fied rad·i·cal mas·toid·ec·to·my 保存的根治的乳突削開術（耳小骨から鼓膜の近傍に位置する真珠腫に対する治療として行われる手術．乳様突起内の残存蜂巣と外耳道の上壁，後壁を除去し，乳突洞と中耳上鼓室を外気へ開放し，聴力を保存する）．

mod·i·fied tri·chrome stain トリクローム染色変法（Gomori トリクローム染色の Wheatley 変法から発展した染色法で，10 倍量のクロモトロープ 2R 色素を使う．微胞子虫の芽胞の検出に用いる）．

mod·i·fi·er (mod′i-fī′ĕr)．修飾物質（変えるあるいは限定するもの）．

mo·di·o·lus, pl. mo·di·o·li (mō-dī′ō-lŭs, -ō-lī)．*1* 蝸牛軸（海綿状骨の中心部の円錐状の芯で，その周りを蝸牛管のらせんが取り巻く）．*2* = modiolus labii.

mo·di·o·lus la·bi·i 口唇軸（口角近くの点で，いくつかの顔面表情筋が集まっている）．= modiolus(2)．

mod·u·la·tion (mod-yū-lā′shŭn)．*1* 転形（環境状態の変化に反応する細胞の機能的および形態的変動）．*2* 変調（持続した振動特性(例えば周波数や振幅)における規則的な変動で，付加された情報を信号化するためのもの）．*3* モジュレーション（酵素や代謝経路の反応速度の変化）．*4* モジュレーション（モジュレーションコドンによる mRNA の翻訳速度の制御）．*5* モジュレーション(電気療法におけるパラメータ(周波数や振幅)の変更)．

mod·u·la·tor (mod′yū-lā′tōr)．調節因子（様々な生物反応において調節を行う因子）．

mo·du·lus (mod′yū-lŭs)．モジュラス（物理的性質の変化の大きさを数値で表したもの．係数，率）．

MODY mature onset diabetes of youth の略．

mohel (moyl)．モヘル（ユダヤ人の風習に従って，ユダヤ人が割礼を行うこと）．

Mohs che·mo·sur·ger·y モース氏手術（皮膚腫瘍の摘出において塩化亜鉛を用いてあらかじめ壊死させた後，摘出組織の凍結標本を水平断面によって顕微鏡的に検査することで完全切除を行い，正常組織の切除を最小限にする方法．最近では最初の段階である化学的壊死は省略される）．

Mohs fresh tis·sue che·mo·sur·ger·y tech·nique モーズ化学的新鮮組織切除法（表在性腫瘍を *in vivo* で固定後切除する方法）．

moi·e·ty (moy′i-tē)．*1* 半量，半数，折半，部分，成分（元の意味は半分，現在は漠然とあるものの一部）．*2* 機能基．

moist gan·grene 湿性壊疽．= wet gangrene.

moist rale 湿性ラ音（気管支あるいは空洞内の滲出液と空気が混じることによって生じる水泡音）．

Mo·ko·la vi·rus モコラウイルス（致命的な神経系疾患を起こす *Lyssavirus* 属の狂犬病近縁のウイルス）．

mol mole(4) の略．

mo·lal (mō′lăl)．重量モルの（溶媒 1,000 g に溶解する 1 モルの溶質を示す．溶液は溶媒分子に対して溶質の割合が一定している．*cf.* molar (4)）．

mo·lal·i·ty (mō-lal′i-tē)．重量モル濃度（溶媒 1 kg 当たりの溶質のモル数．重量モル濃度は $m\rho/(1+mM)$ に等しい．m は重量モル濃度，ρ は溶液の密度，M は溶液のモル質量である．*cf.* molarity）．

mo·lar (mō′lăr)．*1*〖n.〗摩砕．*2*〖n.〗大臼歯，臼歯．= molar tooth. *3*〖adj.〗質量の（分子に関するものではない）．*4*〖n.〗モル濃度（化学においてよく用いる濃度の単位で，溶液 1 L 当たり 1 g 分子量(1 モル)の溶質の濃度を示す．*cf.* molal)．*5*〖adj.〗モルの（特定の量についていう．例えばモル容積(1 モルの溶積))．

mo·lar ab·sorp·tion co·ef·fi·cient (ε) モル吸光係数，分子吸光係数（単位濃度(モル/L)の溶液の厚さ 1 cm の層を通した際の吸光度．分光分析の基本単位）．= absorbancy index(2); absorptivity(2)．

mo·lar·i·ty (M) (mō-lar′i-tē)．モル濃度（溶液 1L 当たりの溶質のモル数(mol/L)．*cf.* molality)．

mo·lar tooth 大臼歯（咬合面に 4 つまたは 5 つの咬頭を有し，歯冠が四角形に近い形の歯．歯根は下顎では 2 つに分かれるが，上顎では 3 つの円錐形根がある．大臼歯は上下顎に 6 歯ずつあり，永久歯列では左右に 3 歯ずつ小臼歯の後方にある．乳歯列では，上下顎に 4 歯ずつあるのみで，左右に 2 歯ずつ犬歯の後方にある）．= dens molaris; molar(2)．

mold (mōld)．*1*〖n.〗カビ，糸状菌（繊維状の真菌．一般に円状コロニーで，綿様や羊毛様であったり，または無毛であったりする．しかしフィラメントでキノコのように大きな子実体を形成することはない）．*2*〖n.〗型，鋳型（鋳物をつくるとき，ろうを入れたり，液状石膏を注ぎ入れる，形づくられた容器）．*3*〖v.〗成形する（一定の型に従ってプラスチック材料を形付ける）．*4*〖v.〗応形機能する（形を変える．特に胎児の児頭が産道に適応することを意味する）．*5*〖n.〗モールド（人工歯の形を指定するために用いる語）．

mold·ing (mōld′ing)．応形機能，成形，鋳造（型によって形付けること）．

mole (mōl)．*1* 母斑．= nevus(2)．*2* 色素性母斑．= nevus pigmentosus. *3* 奇胎（ある程度発育した妊娠産物が変性した子宮内の塊）．*4* (**mol**)．モル（国際単位系(SI)における物質の単位．モルは 0.0120 kg の炭素 12 中の原子数と同数の〝元素単位〟を含む物質の量と定義される．元素単位は原子，分子，イオン，または何らかの記述できる単位または単位混合物であり，使用に際し，明細に記されなければならない．実際には1モルは6.0221367 × 10^{23} 元素単位である．→Avogadro number）．

mo·lec·u·lar（mō-lek′yū-lăr）．分子の．

mo·lec·u·lar bi·ol·o·gy 分子生物学（現象を生物学的・分子的相互作用の観点から研究すること．生化学と異なるのは，DNAの複製，そのDNAのRNAへの転写，そのRNAの蛋白への翻訳あるいは発現などの化学的相互作用を重視するところである）．

mo·lec·u·lar dis·ease 分子病（分子の構造や機能の変化による疾患）．

mo·lec·u·lar epi·de·mi·ol·o·gy 分子疫学（DNAタイピングなど，分子生物学の手法を疫学研究に利用すること）．

mo·lec·u·lar move·ment 分子運動．= brownian movement.

mo·lec·u·lar ro·ta·tion モル旋光度（光学的に活性な化合物の比旋光度にその物質の分子量を乗じた積の1/100）．

mo·lec·u·lar weight（mol wt, MW） 分子量（分子を構成する全原子の原子量の和．標準とする原子として現在では ^{12}C の質量（12.000とする）が用いられ，^{12}C に対して相対的に決定される．相対分子量（M_r）はダルトンに関係した量であり，無単位である．→atomic weight）．= molecular weight ratio; relative molecular mass.

mo·lec·u·lar weight ra·ti·o（M_r） = molecular weight.

mol·e·cule（mol′ĕ-kyūl）．分子（物質の化学的特性をとどめる最小量で，2つ，3つ，または多くの原子からなる）．

mo·li·men, pl. mo·lim·i·na（mō-lī′men, -lim′i-nă）．モリミナ，月経付随症状，努力的機能（骨折り．正常機能を苦心して遂行すること）．

Mol·la·ret men·in·gi·tis モラレー髄膜炎（再発性無菌性髄膜炎．頭痛，倦怠感，髄膜徴候，髄液単核球増加を伴う熱性疾患）．

Moll glands モル腺．= ciliary glands.

mol·li·ti·es（mō-lish′ē-ēz）．***1***〘adj.〙軟性の．***2***〘n.〙軟化〔症〕．= malacia.

Mol·lusc·i·pox·vi·rus（mo-lusk′i-poks-vī′rŭs）．伝染性軟属腫ウイルス（ポックスウイルス科に属する．水いぼ（伝染性軟属腫）の原因ウイルス）．

mol·lus·cous（mo-lŭs′kŭs）．軟ゆう（疣）の，軟属腫の．

mol·lus·cum（mo-lŭs′kŭm）．軟ゆう（疣），軟属腫（皮膚に軟らかい半球状の腫瘍を生じる疾患）．

mol·lus·cum con·ta·gi·o·sum 伝染性軟属腫（ポックスウイルス科のウイルスが核内増殖することで生じる皮膚の伝染性疾患．表皮の下方へ増殖拡大する数個から多数の小さな真珠様の中心臍窩のある発疹で，細胞質内封入体（軟属腫小体）を含んでいる．成人では主として生殖器およびその周辺に生じ，性感染する）．

Mo·lo·ney test モロニー試験（ジフテリアトキソイドへの感受性の度合いをみる検査．皮内投与した（1/20）希釈トキソイドに対する反応が最小局所反応により大きいときは，適当な間隔で予防的トキソイドを分割接種する必要がある）．

Mo·lo·ney vi·rus モロニーウイルス（レトロウイルス科のマウスのリンパ性白血病レトロウイルスで，本来S37マウス肉腫の増殖時に分離された）．

molt（mōlt）．脱け変わる，脱皮する（羽毛，毛髪，あるいはクチクラが脱け変わる，脱皮をする）．

mol wt molecular weightの略．

mo·lyb·den·ic, mo·lyb·de·nous（mō-lib′den-ik, mō-lib′den-ŭs）．モリブデンの．

mo·lyb·de·num（Mo）（mō-lib′dĕ-nŭm）．モリブデン，水鉛（銀白色の金属元素．原子番号42，原子量95.94．多くの蛋白（例えばキサンチンオキシダーゼ）に存在する生体元素．→molybdenum target tube）．

mo·lyb·de·num tar·get tube モリブデンX線管（陽極表面にタングステンの代わりにモリブデンを使用したX線管．乳房撮影に用いる）．

mo·men·tum（mō-men′tŭm）．はずみ（物体が動作をしていて，その動作をし続ける傾向）．

mo·nad（mō′nad）．***1*** 一価元素，一価基．***2*** 単細胞生物．***3*** 単染色体（減数分裂において，第1・第2成熟分裂後，四分染色体からできる単染色体）．

monaesthetic［Br.］．= monesthetic.

Mo·na·kow syn·drome モナーコウ症候群（前脈絡膜動脈の閉塞による反対側性の片麻痺，片側感覚消失および同側半盲）．

mon·ar·thric（mon-ahr′thrik）．= monarticular.

mon·ar·thri·tis（mon′ahr-thrī′tis）．単関節炎．

mon·ar·tic·u·lar（mon′ahr-tik′yū-lăr）．単関節の．= monarthric.

mon·as·ter（mon-as′tĕr）．単星（有糸分裂において，前期の終わりに単一で現れる星状体）．

mon·ath·e·to·sis（mon′ath-ĕ-tō′sis）．単アテトーシス（一側の上肢または下肢が罹患するアテトーシス）．

mon·a·tom·ic（mon′ă-tom′ik）．***1*** 1原子の（1原子に関する，1原子を含む）．***2*** 一価の．= monovalent（1）．

mon·au·ral（mon-aw′răl）．単耳の．

Mön·cke·berg ar·te·ri·o·scle·ro·sis メンケベルク動脈硬化〔症〕（特に老年者の足にみられる末梢動脈を含む動脈硬化症で，中膜のカルシウム沈着（パルプ柄状運動）を伴うが，内腔はほとんど侵されない）．= Mönckeberg calcification; Mönckeberg degeneration; Mönckeberg sclerosis.

Mön·cke·berg cal·ci·fi·ca·tion メンケベルク石灰化．= Mönckeberg arteriosclerosis.

Mön·cke·berg de·gen·er·a·tion メンケベルク変性．= Mönckeberg arteriosclerosis.

Mön·cke·berg scle·ro·sis メンケベルク硬化〔症〕．= Mönckeberg arteriosclerosis.

Mon·day fe·ver 月曜熱（週の始めに症状が起こり，週が終わるにつれて消えていき耐性が生じる職業性の過敏症．悩んでいる人が綿，ほこり，アサや亜麻に晒されたときに一般的に起こる）．

Mon·de·green syn·drome モンデグリーン症

候群（聴覚の機能障害のまれな形や英語圏の若者の間の回りくどい表現）.

Mon·di·ni dys·pla·si·a モンディーニ型内耳形成異常(異形成)（蝸牛発育不全，前庭半規管の形成不全があり，聴覚，前庭機能の部分的あるいは完全喪失を特徴とする先天性骨性，膜性迷路奇形）.

Mon·di·ni hear·ing im·pair·ment モンディーニ型難聴（Mondini 型異形性の構造異常により生じる難聴）.

Mon·dor dis·ease モンドール病（乳房および胸壁の胸腹静脈の血栓性静脈炎）.

mon·es·thet·ic (mon-es-thet′ik). 単〔一〕感覚性の. = monaesthetic.

Mon·ge dis·ease モンへ病. = chronic mountain sickness.

Mon·go·li·an (mon-gō′lē-ăn). 蒙古人の.

mon·go·li·an spot 蒙古斑，小児斑，児斑（仙骨部の暗青色またはクワの実の色の円形または卵円形斑点. 異所性の真皮の散在性メラノサイトの存在による. 先天性のもので，黒人，アメリカ原住民，アジア人の 2—12 歳の小児にみられるが，徐々に消退する. 圧迫しても退色せず，小児虐待による打撲傷と間違われることがある）. = blue spot(2).

mo·nil·e·thrix (mō-nil′ĕ-thriks). 連珠毛（常染色体優性遺伝の毛の異常で，狭窄が連続したもろい毛で，通常毛髄質を欠く）. = beaded hair; moniliform hair.

Mo·nil·i·a (mō-nil′ē-ă). モニリア属（一般に果実カビとして知られる真菌類に対する属名. アカパンカビ属 *Neurospora* の有性状態. 以前本属に分類されていた少数のごく近縁の病原体は現在 *Candida* 属とよばれる）.

mo·nil·i·al (mō-nil′ē-ăl). モニリア〔性〕の（厳密には *Monilia* 属の真菌についていう）.

mon·i·li·a·sis (mō′ni-lī′ă-sis). カンジダ症，モニリア疹. = candidiasis.

mo·nil·i·form (mō-nil′i-fōrm). じゅず(数珠)状の.

mo·nil·i·form hair 連珠毛. = monilethrix.

Mo·nil·i·for·mis (mō-nil′i-fōr′mis). モニリフォルミス属（鉤頭虫の一属. ヒトに感染した例が 2，3 報告されている）.

mo·nil·i·id (mō-nil′ē-id). カンジダ疹，モニリア疹（小さい斑状または丘疹性の発疹で，モニリア感染に対するアレルギー反応として生じる）.

mon·i·tor (mon′i-tŏr). ***1*** 〚n.〛 モニター，監視装置（一定した一連の出来事，作業，あるいは環境の特定のデータを表示および(または)記録する装置）. ***2*** 〚v.〛 モニターする(ほぼ一定の環境において生体の機能を評価する）.

mon·i·tor·ing (mon′i-tŏr′ing). モニタリング，監視（①環境やある人口集団の健康状態の変動を調べる目的で日常的に検査測定を行い分析すること. ②保健サービスの実施状況をみること. ③ある活動の実施状況を持続的に監視すること）.

mon·i·tor u·nit (MU) 排出線量値（放射線治療において，放射線曝露の排出測定値）.

mon·key·pox (mŏng′kē-poks). サル痘（ポックスウイルス科の一種であるサル痘ウイルスに起因するサルの疾病で，まれにヒトも罹患する. ヒトの疾患は重症で臨床的には痘瘡に類似している. 2003 年に米国中西部で発生が報告され，ペットショップで Gambian giant rat と接触したプレーリードッグを介してヒトに感染したものである）.

monks·hood (mŭngks′hud). トリカブト. = aconite.

mono-, mon- 単一要素あるいは単一部分からなることを示す接頭語. *cf.* uni-.

mon·o·a·me·li·a (mon-ō-ă-mē′lē-ă). 一肢欠損症（1 肢の欠損）.

mon·o·am·ide (mon-ō-am′īd). モノアミド（アミド基を 1 個含む分子）.

mon·o·am·ine (mon′ō-ă-mēn′). モノアミン（アミノ基を 1 個含む分子）.

mon·o·am·ine hy·poth·e·sis 3 つのモノアミン性神経伝達物質のノルエピネフリン，セロトニン，ドパミンのうち少なくとも 1 つの欠乏とうつ病とを関連付ける，うつ病の古典的神経化学的理論.

mon·o·am·ine ox·i·dase in·hib·i·tor (MAOI) モノアミンオキシダーゼ阻害薬（交感神経系・アドレナリン作動性のモノアミン系神経伝達物質の酵素的分解を阻害する抗うつ薬群. チーズ，チョコレート，ビールおよびワインなどの昇圧アミンを含有する食物や飲物を摂取後に高血圧発作の危険があるため，第一選択の治療には用いられない）.

mon·o·am·i·ner·gic (mon′ō-am-i-nĕr′jik). モノアミン作用(作動)〔性〕の（カテコールアミンまたはインドールアミンを媒介して神経インパルスを伝達する神経細胞または線維についていう）.

mon·o·am·ni·ot·ic twins 一羊膜〔一卵〕性双生児(双胎)（正常羊膜内の双生児. こうした双生児は，元来一卵性であり接着することがある）.

mon·o·ba·sic (mon′ō-bā′sik). 単塩基の，一塩基の（置換可能な，あるいは置換された水素原子が 1 個だけある酸についていう）.

mon·o·blast (mon′ō-blast). 単芽球（単球に分化成熟する未成熟細胞）.

mon·o·blas·tic leu·ke·mi·a → monocytic leukemia.

mon·o·cho·re·a (mon′ō-kō-rē′ă). 局部舞踏病（頭だけ，あるいは一肢だけに発現する舞踏病）.

mon·o·cho·ri·on·ic (mon′ō-kōr-ē-on′ik). 単一絨毛膜性の（単一絨毛膜に関する，あるいは単一の絨毛膜を有する. 一卵性双生児をさす）.

mon·o·cho·ri·on·ic di·am·ni·on·ic pla·cen·ta 単絨毛膜二羊膜胎盤（→twin placenta）.

mon·o·chro·mat·ic (mon′ō-krō-mat′ik). ***1*** 単色の（1 色だけを呈する）. ***2*** 単色光の（単一波長の光についていう）. ***3*** 単色の，一色性の（単色に関する，単色を特徴とする）.

mon·o·chro·mat·ic ab·er·ra·tion 単色収差（レンズの性質に起因する光学像の欠陥. そ

の主なものは，斜めに入射する光束に対する球面収差，コマ収差，曲率収差，ゆがみ収差，非点収差である）．

mon·o·chro·mat·ic ra·di·a·tion 単色放射線（非常に狭い波長幅（理想的には単波長）の光線あるいは電離放射線．*cf.* characteristic radiation）．

mon·o·chro·ma·tism (mon′ō-krō′mă-tizm). ***1*** 単色性，一色性（1 色だけを有する，あるいは呈する状態）．***2*** 全色盲．= achromatopsia.

mon·o·chro·mat·o·phil, mon·o·chro·mat·o·phile (mon′ō-krō-mat′ō-fil, -fīl). ***1*** 〚adj.〛好単色性の（1 色だけに染まる）．***2*** 〚n.〛ある種の染料だけに染まる細胞あるいは組織．

mon·o·clo·nal (mon′ō-klōn′ăl). 単〔一〕クローン〔系〕の（免疫化学において，単一細胞系クローン由来の蛋白（すべての分子は同一）をいう）．

mon·o·clo·nal an·ti·bod·y モノクローナル抗体（1 つのクローンあるいは遺伝学的に同一の集団からなる融合ハイブリッド細胞（ハイブリドーマ細胞）が産生する抗体．ハイブリッド細胞は特異的な抗体を産生する細胞株を樹立するためにクローニングされる．この抗体は化学的にも免疫学的にも単一物質である．→cluster of differentiation）．

mon·o·clo·nal gam·mop·athy of un·known sig·ni·fi·cance (MGUS) 意味不明の単クローン性高ガンマグロブリン血症（無症候で，形質細胞の腫瘍新生がまったく確認できない老人において，血清電気泳動により診断される高ガンマグロブリン血症．20% が形質細胞の悪性化へと進行する）．

mon·o·clo·nal im·mu·no·glob·u·lin 単〔一〕クローン性免疫グロブリン（単一クローンの形質細胞の増殖の結果生じる均一な免疫グロブリン．血清の電気泳動の際，狭いバンドあるいはスパイクとして現れる．これは単一のクラスおよびサブクラスの H 鎖と単一のタイプの L 鎖によって形成されている）．= paraprotein (2).

mon·o·crot·ic (mon′ō-krot′ik). 単拍脈の（脈拍曲線が，下向脚で切痕あるいは消退波をまったく示さない脈拍についていう）．

mon·o·crot·ic pulse 単拍脈（→monocrotic; monocrotism）．

mon·oc·ro·tism (mon-ok′rō-tizm). 単拍脈（脈拍が単脈である状態）．

mo·noc·u·lar (mon-ok′yū-lăr). 単眼〔性〕の，一眼の．

mo·noc·u·lar di·plo·pi·a 単眼複視（1 眼の中に生じる複視または極端なゴースト像）．

mon·o·cyte (mon′ō-sīt). 単球，単核細胞（直径が比較的大きい（16—22 μm）単核白血球．単球は循環血液中の白血球の 3—7% を構成し，リンパ節，脾臓，骨髄，疎性結合組織にもみられる．通常の染料で処理すると単球は多数の薄青あるいは青みがかった灰色の細胞質を現す．その中は細かい，じん埃状の赤みがかった青色の顆粒が多数含まれ，空胞がしばしばみられる．核に陥凹あるいはわずかなひだがある）．

mon·o·cyte che·mo·a·ttrac·tant pro·tein 単球化学誘引物質（単球遊走に関与するサイトカイン）．

mon·o·cyte-de·rived neu·tro·phil che·mo·tac·tic fac·tor 単球由来好中球走化因子．= interleukin-8.

mon·o·cyt·ic leu·ke·mi·a 単球性白血病（単球と確認できる多数の細胞，および細網内皮組織の無制限増殖から形成された，外見上類似した大細胞による白血病の一型．これら 2 種類の細胞が網内系の正常部位を越え，循環血液中に多数出現したと思われる白血病で，単球性白血病の Schilling 型とよばれることが多いが，ときに真性単球性白血病とみなされる．成人では急性，亜急性の経過をとり，歯肉の腫脹，口腔内潰瘍，皮膚または粘膜の出血，二次感染，脾腫などを特徴とする）．

mon·o·cy·toid cell 単球様細胞（形態は単球の特徴をもつが食細胞ではない）．

mon·o·cy·to·pe·ni·a (mon′ō-sī-tō-pē′nē-ă). 単球減少〔症〕（循環血液中の単球数が減少すること）．

mon·o·cy·to·sis (mon′ō-sī-tō′sis). 単球増加〔症〕（循環血液中の単球数が異常に増加すること）．

mon·o·dac·ty·ly, mon·o·dac·tyl·ism (mon′ō-dak′ti-lē, -lizm). 単指症（手あるいは足の指が 1 本しかないこと）．

mon·o·fix·a·tion syn·drome 単眼固視症候群（優位眼での中心固視，偏位眼での中心抑制，および周辺視野での両眼性融像を有する微小角斜視（10 プリズムジオプター以下））．

mon·o·ga·met·ic (mon′ō-gă-met′ik). = homogametic.

mo·nog·a·my (mon-og′ă-mē). 単婚，一夫一婦婚（各パートナーが，相手を 1 人あるいは 1 個だけもつ結婚あるいは交配）．

mon·o·gen·e·sis (mon′ō-jen′ĕ-sis). ***1*** 単性世代（各世代に同じ生体を産出すること）．***2*** 単性生殖，無性生殖（無性世代，単為生殖のように単一の親のみから子が生まれること）．***3*** 一宿主性（単一の宿主に寄生する過程．そこで寄生生物は生活環を過ごす）．

mon·o·ge·net·ic (mon′ō-jĕ-net′ik). 一宿主性の．= monoxenous.

mon·o·gen·ic (mon′ō-jen′ik). 単一遺伝子の（単一の遺伝子座にある対立遺伝子により支配されている遺伝病または症候群，あるいは遺伝的特性についていう）．

mo·nog·e·nous (mŏ-noj′ĕ-nŭs). 無性生殖の（分裂，芽生，あるいは胞子形成のように，無性的な生殖についていう）．

mon·o·hy·dric al·co·hol 一価アルコール（OH 基を 1 つ有するアルコール）．

mon·o·lay·ers (mon′ō-lā′ĕrz). 単層，単一層（①蛋白や脂肪酸など，一定の物質により水上にできる単分子の薄層で，それらの分子の特徴は水溶性原子団と疎水性原子団とをもつことにある．②細胞培養において，表面にできる単一細胞の厚さの，細胞同士が接着し合った薄層）．

mon·o·loc·u·lar (mon′ō-lok′yū-lăr). 単房性の（脂肪細胞のように腔が 1 つある）．= unicameral; unicamerate.

mon·o·ma·ni·a (mon′ō-mā′nē-ă). モノマニー，単一狂，偏執狂（1つの観念や主題に固執すること，あるいは異常に極端に熱中すること．パラノイアの妄想のように，多少とも一定の事柄に症状が限定される特徴のある精神病）．

mon·o·mel·ic (mon′ō-mel′ik). 単肢の．

mon·o·mer (mon′ō-mĕr). ***1*** モノマー，単量体（繰返しにより，大型構造あるいは重合体を構成する分子単位）．***2*** モノマー（莢膜の蛋白構造の単位. →virion）．***3*** モノマー，単量体（いくつかの弱く会合した単位からなる蛋白における蛋白サブユニット．通常，非共有結合的に連結している）．

mon·o·mer·ic (mon′ō-mer′ik). ***1*** 単一の（1つの成分からなる）．***2*** 単(一)遺伝子性の（遺伝学において，1つの座における遺伝子によって制御される遺伝性の病気や遺伝的特徴についていう）．***3*** 単量体の．

mon·o·mor·phic (mon′ō-mōr′fik). 単形〔態〕性の（1形態の，あるいは形態が無変化のものをさす）．

mon·o·my·o·ple·gi·a (mon′ō-mī-ō-plē′jē-ă). 単筋麻痺（1つの筋肉に限られた麻痺）．

mon·o·my·o·si·tis (mon′ō-mī-ō-sī′tis). 単筋炎．

mon·o·neu·ral, mon·o·neu·ric (mon′ō-nūr′ăl, -ik). 単神経の（①ニューロン1本だけをもつ．②単一神経により供給される）．

mon·o·neu·ral·gi·a (mon′ō-nūr-al′jă). 単神経痛（1本の神経の走行に沿う痛み）．

mon·o·neu·ri·tis (mon′ō-nūr-ī′tis). 単神経炎．

mon·o·neu·rop·a·thy (mon′ō-nūr-op′ă-thē). モノニューロパシー，単神経障害（単一神経を侵す疾病）．

mon·o·nu·cle·ar (mon′ō-nū′klē-ăr). 単核〔性〕の（特に血球についていう）．

mon·o·nu·cle·ar phag·o·cyte sys·tem 単核食細胞系（骨髄にある前駆細胞から単球を経て全身に分布する遊離または組織固定性のマクロファージの集合．その旺盛な食作用は免疫グロブリンおよび補体によって仲介される．結合組織，リンパ組織ではいずれも遊離型と固定型がある．肝臓の類洞では Kupffer 細胞，肺では肺胞マクロファージ，神経系ではミクログリアとして存在する）．

mon·o·nu·cle·o·sis (mon′ō-nū-klē-ō′sis). 単核細胞症（循環血液中に，単核白血球が異常に多数存在する疾患．特に形態が正常でないものについていう）．

mon·o·nu·cle·o·tide (mon′ō-nū′klē-ō-tīd). 単一核酸塩. = nucleotide.

mon·o·ox·y·ge·na·ses (mon′ō-ok′si-jĕ-nās-ez). モノオキシゲナーゼ（O_2 からの酸素原子1個を酸化される物質に組み込むオキシドレダクターゼ）．

monoparaesthesia [Br.]. = monoparesthesia.

mon·o·pa·re·sis (mon′o-pă-rē′sis). 単不全麻痺（単一肢あるいは四肢の一部を侵す不全麻痺）．

mon·o·par·es·the·si·a (mon′ō-par-es-thē′zē-ă). 単感覚異常〔症〕（単一区域だけを侵す知覚異常）. = monoparaesthesia.

mon·o·path·ic (mon′ō-path′ik). 単一疾患の，単一部疾患の．

mo·nop·a·thy (mon-op′ă-thē). ***1*** 単一疾患（合併症のない単一の疾患）．***2*** 単一部疾患（単一の器官，あるいは一部だけを侵す局部的疾患）．

mon·o·pha·si·a (mon′ō-fā′zē-ă). 単語症，一語症（1語あるいは1文の他は話せないこと）．

mon·o·pha·sic (mon′ō-fāz′ik). ***1*** 単語症の，一語症の．***2*** 1回の挿話または1回のステージで生じる，あるいはそれに特徴的な．***3*** 基準線の一方向だけで動揺する．

mon·oph·thal·mos (mon′of-thal′mŏs). 単眼症（眼組織の欠如を示す原始眼胞の発達の障害．残された眼はしばしば奇形を伴う）．

mon·o·phy·let·ic (mon′ō-fī-let′ik). ***1*** 単元発生の（単一の細胞型起源を有する．polyphyletic（多元発生の）とは対照的に，1系統から派生したことについていう）．***2*** 単元論の，一元論の（血液学において，単元論についていう）．

mon·o·ple·gi·a (mon′ō-plē′jē-ă). 単麻痺（一肢の麻痺）．

mon·o·po·di·a (mon′ō-pō′dē-ă). 単足症（外見上，足が1本しかない奇形）．

mon·o·po·lar cau·ter·y 単極焼灼器（焼灼する部位に置いた1個の電極から高周波電流を流す電気焼灼器で，患者の身体がアースとなる）．

mon·or·chid·ic, mon·or·chid (mon′ōr-kid′ik, mon-ōr′kid). 単精巣の（①精巣を1個だけもつ．②1個の精巣が下降していないため，外見上精巣が1個しかない）．

mon·or·chism (mon′ōr-kizm). 単精巣症（精巣が1個だけ明らかで，他方は欠如しているか下降していない状態）．

mon·o·sac·cha·ride (mon′ō-sak′ă-rīd). 単糖類（単純な加水分解によりそれ以上単純な糖を形成できない最小単位の炭水化物．例えばペントースやヘキソース）．

mon·o·so·di·um glu·ta·mate (MSG) グルタミン酸一ナトリウム（天然の L-グルタミン酸の一ナトリウム塩．香味促進剤として用い，口語での “Chinese restaurant” 症候群の原因あるいは寄与因子である．肝疾患に関連した脳障害の治療の補助として静脈注射でも用いる）．

mon·o·some (mon′ō-sōm). モノソーム，一染色体（①リボソームを表す現在では用いられない語．②一分子の mRNA を結合した1個のリボソームからなる構造）．

mon·o·so·mi·a (mon′ō-sō′mē-ă). 単躯二頭体（接着双生児で，胴体は完全に融合しているが頭部は分離している状態. →conjoined twins）．

mon·o·so·mic (mon′ō-sō′mik). 一染色体性の，モノソミーの．

mon·o·so·my (mon′ō-sō-mē). 一染色体性，モノソミー（1対の相同染色体の片方の欠損）．

mon·o·spasm (mon′ō-spazm). 限局痙攣，単痙攣（1つあるいは1群の筋肉，あるいは1肢だけの痙攣）．

mon·o·stot·ic (mon′os-tot′ik). 単骨性の．

mon·o·stra·tal (mon′ō-strā′tăl). 単層の．

mon·o·symp·to·mat·ic (mon′ō-simp-tō-mat′ik). 単一症状の（1つの顕著な症状だけによって明示される疾病あるいは病状についていう）.

mon·o·sy·nap·tic (mon′ō-si-nap′tik). 単シナプスの（直接神経性結合(介在ニューロンを含まないもの)をいう）.

mon·o·ther·mi·a (mon′ō-thĕr′mē-ă). 単調体温（体温が一定なこと．夕方に熱が上昇しないこと）.

mo·not·ri·chous (mŏ-not′ri-kŭs). 単毛〔性〕の（べん毛あるいは線毛を1本有する微生物についていう）.

mon·o·un·sat·ur·at·ed fat 一価不飽和脂肪酸（血液中のコレステロールレベルを減らす効果のある不飽和脂肪酸の一種）.

mon·o·va·lence, mon·o·va·len·cy (mon′ō-vā′lĕns, mon′ō-vā′lĕn-sē). 一価，一原子価（水素原子1個に相当する結合力(原子価)）. = univalence; univalency.

mon·o·va·lent (mon′ō-vā′lĕnt). 一価の（①水素原子1つと結合力のある，1価を意味する. = monatomic (2); univalent. ②1つの抗原や生物に対する一価(特異)抗血清 monovalent (specific) antiserum についていう）.

mon·o·xe·nic cul·ture 単一宿主性培養（一種類の既知の細菌と一緒に培養された寄生性微生物）.

mon·ox·e·nous (mon-oks′ē-nŭs). 一宿主性の. = monogenetic.

mon·ox·ide (mon-ok′sīd). 一酸化物（酸素原子1個だけをもつ酸化物．一酸化炭素 CO など）.

mon·o·zy·got·ic (MZ), mon·o·zy·gous (mon′ō-zī-got′ik, -zī′gŭs). 一卵〔性〕の，単一接合子の（→monozygotic twins）. = unigerminal.

mon·o·zy·got·ic twins 一卵〔性〕双生児（双胎）（単一受精卵から生じた双生児．発達の初期段階で，独立に成長する細胞集合に分離し，同性で，遺伝構造が同一の2つの個体を発生する）. = enzygotic twins; identical twins.

Mon·ro doc·trine モンロー法則（頭蓋腔は堅くて変形しない閉鎖腔であるため，頭蓋内の血液量の変化は脳脊髄液の偏位または置換により代償されること）.

Mon·ro for·a·men モンロー孔. = interventricular foramen.

mons, gen. **mon·tis,** pl. **mon·tes** (monz, mon′tis, mon′tēz). 丘（表面の一般的水準を上回る解剖学的隆起あるいはわずかな高まり）.

mons pu·bis 恥丘（女性の恥骨結合に脂肪組織がついてできた隆起）.

mons ve·ne·ris ヴィーナスの丘. = mons pubis.

Mon·teg·gi·a frac·ture モンテッジャ(モンテジア)骨折（橈骨頭の脱臼を伴う尺骨付近の骨折）.

Mon·te·vi·de·o u·nit モンテビデオ単位（分娩中の子宮収縮の強度の計測単位．陣痛強度は収縮極期圧から静止圧を差引いて算出する）.

Mon·te·zu·ma's re·venge メキシコでつけられた，旅行者の下痢の口語表現．もっとも一般的な原因となる生物は腸内毒素原性の大腸菌，赤痢菌やカンピロバクター・ジェジュニ.

Mont·gom·er·y fol·li·cles モントゴメリー濾胞. = areolar glands.

Mont·gom·er·y straps = Montgomery tapes.

Mont·gom·er·y tapes モンゴメリーテープ（絆創膏を固定し，引き続きテープを貼りなおさずに交換するために，ガーゼテープがペアになっているテープの真ん中の各端の穴の間に貼れるように互いに反対に並べられた，皮膚に貼り付けられた粘着性のあるストラップ(テープ)．頻繁な交換を有する，腹部の切り口にもっとも使用される）. = Montgomery straps.

Mont·gom·er·y tu·ber·cles モントゴメリー結節（通常，妊娠と関連する，赤く隆起した乳輪腺）.

mon·tic·u·lus, pl. **mon·tic·u·li** (mon-tik′ū-lŭs, -lī). ***1*** 小丘（表面上のわずかな円い突出）. ***2*** 小山（上虫部の中心部分．小脳表面の突出を形成する．その前部と最も顕著な部分は山頂 culmen とよばれる．後部傾斜部分は山腹 declive とよばれる）.

mood (mūd). 気分，機嫌（その人個人の感情，トーン，情動．これらが障害されたとき，実質上，その人の行動または周囲をとりまく出来事への知覚は全局面に大きく影響が与えられる）.

mood-con·gru·ent hal·lu·ci·na·tion 気分調和性の幻覚（その内容が気分に妥当であるような幻覚）.

mood-in·con·gru·ent hal·lu·ci·na·tion 気分不調和性の幻覚（外的刺激にそぐわない幻覚で，内容は躁またはうつのどちらの気分とも一致しない）.

mood sta·bil·i·zing a·gent 抗躁うつ病薬（感情，特に感情の波を和らげる薬物．リチウム，カルバマゼピンやバルプロ酸などの抗てんかん薬がある）.

mood swing 気分変動（人間の情緒感情が上機嫌と抑うつの間を揺れ動くこと）.

moon face 満月状(満月様)顔〔貌〕（通常，赤みを伴った下ぶくれの丸顔で，Cushing 病や外因性のステロイド投与で認められる）.

Moon mo·lars ムーン大臼歯（先天梅毒で起こる小さな円蓋状の第一大臼歯）.

Moore light·ning streaks ムーア稲妻線条〔症〕（光視症の特殊型で，光の垂直閃光をみるもの．通常，患眼の耳側にみられ，硝子体液が収縮したために起こる）.

Moore meth·od ムーア法（嚢へ銀または亜鉛の針金を入れてフィブリン沈着を起こす動脈瘤の治療法）.

Moo·ren ul·cer モーレン潰瘍（角膜非薄化および，ときに穿孔を生じつつ角膜中央に徐々に進行する周辺角膜の慢性または急性の炎症）.

MOPP (mop). mission-oriented protective posture の頭字語.

mor·al (mōr′ăl). モラル（①行動の正しさや誤りに属すること．②道徳規準にかなっている．何が正しいかという規則に従っていること．③モラルを教えたり，伝達すること．すなわち，モラル講義）.

Mor·ax·el·la (mōr′ak-sel′ă). モラクセラ属

(偏性好気性・非運動性のバクテリアの一属．グラム陰性球菌あるいは短杆状菌を含み，通常，対になっている．ヒトや他の哺乳類の粘膜に感染する)．

mor·bid (mōr′bid)．病的な (①病気に罹患した状態についていう．②心理学において，異常な状態についていう)．

mor·bid·i·ty (mōr-bid′i-tē)．***1*** 病的状態 (病気にかかっている状態)．***2*** 罹病率，罹患率 (地域での健常者に対する病人の比．→morbidity rate)．***3*** 外科的手技または他の治療により起こる合併症の発現頻度．

mor·bid·i·ty rate 罹患率，罹病率 (一定の年における単位人口当たり，特定な疾患をもつ患者の比率)．

mor·bid o·be·si·ty 病的肥満 (正常な活動あるいは生理的な機能を妨げたり病的な症状を発現するほどの肥満)．

mor·bif·ic (mōr-bif′ik)．病原性の，病因性の．= pathogenic.

mor·bil·li (mōr-bil′ī)．麻疹，はしか．= measles (1)．

mor·bil·li·form (mōr-bil′i-fōrm)．麻疹状の．

Mor·bil·li·vi·rus (mōr-bil′i-vī′rŭs)．麻疹ウイルス属 (パラミクソウイルス科の一属で，麻疹ウイルス，イヌジステンパーウイルス，牛疫ウイルスを含む)．

mor·bus (mōr′bŭs)．疾患，疾病．= disease (1)．

mor·cel·lat·ed neph·rec·tomy 細切腎摘出術 (腎臓を分割して摘出する)．

mor·cel·la·tion (mōr′sĕ-lā′shŭn)．細切〔除去〕〔術〕(腫瘍などを分割して少しずつ除去する方法)．

mor·cel·la·tion op·er·a·tion 半截術 (腟式子宮摘出術で，子宮を多数に分割して切除する方法)．

mor·dant (mōr′dănt)．***1*** 〘n.〙媒染剤 (染料と染色される物質を結合させることができる物質．染料の親和性と結合性を増加させる)．***2*** 〘v.〙媒染剤で処理する．

Mo·rel ear モレル耳 (大きな奇形の突出した耳介．耳介溝は閉塞し，耳輪は薄くなっている)．

mor·gag·ni·an cyst モルガニー嚢胞．= vesicular appendages of epoophoron.

Mor·ga·gni cat·a·ract モルガニー白内障 (水晶体核が水晶体嚢内に沈下している過熟白内障)．

Mor·ga·gni col·umns モルガニー柱．= anal columns.

Mor·ga·gni dis·ease モルガニー病．= Adams-Stokes syndrome.

Mor·ga·gni for·a·men her·ni·a モルガニー孔ヘルニア (腹腔内容物の胸骨後前縦隔への先天的ヘルニアで，内乳腺動脈が通り，上腹壁動脈に移行する孔である右胸骨後 Morgagni 孔を通して主に網が脱出するが，ときには胃が脱出する．しばしば無症状)．= parasternal hernia.

Mor·ga·gni glands モルガーニ腺 (男性の尿道腔に位置する粘液分泌腺)．= Littré glands.

Mor·ga·gni glob·ules モルガニー球 (初期の白内障において被膜の下や水晶体線維間にある液体の小滴)．

Mor·ga·gni pro·lapse モルガニー脱出症，モルガニー脱，喉頭室脱出症，喉頭室脱，喉頭室翻転 (喉頭室の慢性炎症)．

Mor·ga·gni ret·i·nac·u·lum モルガニー支帯．= frenulum of ileal orifice.

Mor·ga·gni si·nus モルガニー洞 (①= anal sinuses (1)．②= prostatic utricle．③= laryngeal ventricle)．

Mor·ga·gni syn·drome モルガニー症候群 (老年女性にみられる内前頭骨の骨増殖症で，肥満と原因不明の神経精神的疾患を伴う家族性のものがある)．= metabolic craniopathy.

mor·gan (mōr′găn)．モルガン (遺伝地図における遺伝距離の基準単位．減数分裂当たり平均して1回の交叉が起こるような2つの遺伝子座間の距離．通常はセンチモルガン(0.01 M)を用いる)．

Mor·gan·el·la (mōr′gan-el′-ă)．モルガネラ属 (グラム陰性，有機栄養性，通性嫌気性の直線的な杆菌の腸内細菌科の一属で，周毛性べん毛によって運動する．ヒトやその他の動物および虫類の糞便中にみられる．ときに血液，呼吸器，傷口，尿管の日和見感染を起こすことがある)．

Mor·gan·el·la mor·gan·i·i *Morganella* 属の標準種．

Mor·gan lens モーガンレンズ (眼球表面の持続洗浄に用いられる，滅菌プラスチック製凹面レンズと接続チューブからなる器具)．

morgue (mōrg)．モルグ，霊安室 (①病院または他の施設内の建物あるいは一室で剖検，埋葬，あるいは火葬をするまでの間死体を置く場所．②身元不明死体を身元確認のため埋葬まで安置する所)．= mortuary (2)．

mo·ri·a (mōr′ē-ă)．***1*** 痴呆 (愚かさ，理解の鈍いことを表すまれに用いる語)．***2*** モリア，ふざけ症 (浅薄，陽気，著しい冗談癖，何事もまじめに受け取れないことが特徴であるような精神状態を表すまれに用いる語)．

mor·i·bund (mōr′i-bŭnd)．瀕死の．

Mor·mon tea = ephedra.

Mör·ner test メルナー試験 (①システイン試験：ニトロプルシドナトリウムを加えると明るい紫色を呈する．②チロシン試験：ホルムアルデヒドを含んだ硫酸を加え，煮沸すると緑色を呈する)．

morn·ing af·ter pill 緊急避難ピル (性交後2—3日以内に妊娠を回避するために用いる経口避妊薬で，2剤を12時間おきに服用する)．= emergency contraceptive; emergency hormonal contraception; postcoital contraception.

morn·ing sick·ness 早朝嘔吐，つわり (妊娠の初期に起こる吐き気と嘔吐)．= nausea gravidarum.

Mo·ro re·flex モーロ反射 (生後3か月までの新生児にみられる反射で，音声刺激に対して腕・手掌・指を開いた後屈曲する)．

mor·phe·a (mōr-fē′ă)．限局性強皮症，斑状強皮症 (肥厚した真皮線維組織からなるやや陥凹した硬結性の局面を特徴とする皮疹．白色あるいは黄色の色調を有し，淡紅色あるいは紫色の色調のかさに囲まれている). = localized scleroderma; morphoea.

-morphia, -morphy 状態, 形態を意味する接尾語.

mor·phine (mōr′fēn). モルヒネ, モルフィン(アヘンの主要フェナントレンアルカロイド. 無水モルヒネを9—14%含む. 中枢神経系と一部の末端組織に抑圧と興奮の両方を生じさせる. 中枢刺激と抑圧のどちらが優勢になるかは薬の種類と量による. 再三投与すると, 耐性と身体的依存性, さらに乱用すると精神的依存性が進行する. 鎮痛薬, 鎮静薬, 抗不安薬として用いる).

mor·phine sul·fate (MS) 硫酸モルヒネ(痛みを緩和するために, 錠剤, および注射, 硬膜外, あるいは鞘内投与液に用いるモルヒネ).

morpho-, morph- 形, 型, 構造に関する連結形.

morphoea [Br.]. = morphea.

mor·pho·gen·e·sis (mōr′fō-jen′ĕ-sis). ***1*** 形態発生(早期胚における細胞や組織の分化で体の種々の部分や器官の形態や構造が確立される). ***2*** 形態形成(ある形態を形づくるための分子または分子群(特に巨大分子)の能力).

mor·pho·ge·net·ic (mōr′fō-jĕ-net′ik). 形態発生の.

mor·pho·ge·net·ic move·ment 形態形成運動(早期胚における, 組織や器官を形成するための細胞の流動).

mor·pho·log·ic (mōr′fō-loj′ik). 形態学的な.

mor·phol·o·gy (mōr-fol′ŏ-jē). 形態学(動植物の形態や構造に関する学問).

mor·pho·met·ric (mōr′fō-met′rik). 体型測定の.

mor·phom·e·try (mōr-fom′ĕ-trē). 体型測定(生体または生体を形成する各部分の測定).

mor·pho·sis (mōr-fō′sis). 形成過程, 形態発生(ある部分の発達様式).

mors, gen. **mor·tis** (mōrz, mōr′tis). = death.

mor·tal (mōr′tăl). ***1*** 致死の, 致命的の. ***2*** 死ぬべき運命の.

mor·tal·i·ty (mōr-tal′i-tē). ***1*** 死亡している状態. ***2*** 死亡率. = death rate. ***3*** 死亡が発生したという観察結果.

mor·tal·i·ty rate 死亡率. = death rate.

mor·tar (mōr′tăr). 乳鉢(内側が丸い容器. 生薬やその他の物質を乳棒ですりつぶす).

mor·ti·fi·ca·tion (mōr′ti-fi-kā′shŭn). 壊疽, 壊死. = gangrene(1).

mor·ti·fied (mōr′ti-fīd). 壊死性の. = gangrenous.

mor·tise joint = ankle joint.

Mor·ton neu·ral·gi·a モートン神経痛(指間神経の神経痛で, 通常内側および外側足底神経間の吻合枝に起こる. 中足指節関節によって神経が圧迫されて起こる).

Mor·ton neu·ro·ma モートン神経腫(中足骨頭が感覚神経を圧迫することによる中足骨痛で, 神経腫の形成による場合もある).

Mor·ton syn·drome モートン症候群(先天的に第一中足骨が短く, 中足骨痛症の原因となる).

Mor·ton toe モートン趾(中足骨痛を生じる疾患のなかで最も多い疾患で, 足指神経の肥大により生じる).

mor·tu·a·ry (mōr′chū-ar-ē). ***1*** 〚adj.〛 死の, 埋葬の. ***2*** 〚n.〛 霊安室, 死体安置所. = morgue.

mor·u·la (mōr′yū-lă). 桑実胚(接合体の初期卵割の結果である割球の固体塊).

mor·u·la·tion (mōr-yū-lā′shŭn). 桑実胚形成.

Mor·van cho·re·a モルヴァン舞踏病. = myokymia.

Mor·van dis·ease モルヴァン病. = syringomyelia.

mo·sa·ic (mō-zā′ik). ***1*** 〚adj.〛 モザイクの, 寄木細工様の. ***2*** 〚n.〛 モザイク(遺伝学的に異なる組織が生体内で並置して存在する状態. ときに起こる現象として通常でも(lyonization 参照), 病的状態としても見出される).

mo·sa·ic in·her·i·tance モザイク式遺伝(ある細胞群においては父系の影響が, 他においては母系の影響が優勢である遺伝. *cf.* lyonization).

mo·sa·i·cism (mō-zā′i-sizm). モザイク現象(モザイクである状態).

mo·sa·ic pat·tern モザイクパターン(肺の高分解能CTにおいて, 含気の相違による高あるいは低吸収域が入り交じった像で, 慢性の肺梗塞あるいは閉塞性細気管支炎などでみられる. *cf.* oligemia).

mo·sa·ic wart モザイク様足底いぼ(足底にモザイク模様を形成している多数の密集したいぼ. しばしばヒト乳頭腫ウイルス2型によって引き起こされる).

Mos·ler sign モスラー徴候(急性骨髄性白血病の患者で認められる胸骨上の圧痛).

mos·qui·to, pl. **mos·qui·toes** (mŏs-kē′tō, -tōz). カ(蚊)(カ科に属する吸血性双翅類昆虫. ヤブカ属 *Aedes*, ハマダラカ属 *Anopheles*, イエカ属 *Culex*, マンソニア属 *Mansonia*, シマカ属 *Stegomyia* は病気を引き起こす原虫類や媒介の役割を演じる多くの種を含む).

Mos·so er·go·graph モッソ作業記録器(滑車, おもり, 記録レバーからなる装置. 指, 手, または腕の屈曲を図に記録するために用いる).

Mos·so sphyg·mo·ma·nom·e·ter モッソ血圧計(指動脈の血圧を測定するための装置).

Moss tube モス管(①栄養補給と減圧が同時にできるように工夫された, 経鼻的に挿入する三管式のチューブ. 胃内のバルーンを膨らませて食道噴門接合部を閉鎖することにより, 食道内の吸引と胃内への食物の注入を同時に行うことができるようになっている. ②胃洗浄に用いる二管式のチューブ. 小口径のチューブを通して連続的に生理食塩水を送り, 同時に大口径のチューブからその液と胃内残渣を吸引する).

Mo·tais op·er·a·tion モテー手術(瞼板と皮膚の間の上眼瞼に眼球上直筋腱の中央1/3を移植して, 挙筋の動きを補助する).

mote (mōt). 微片, みじん.

moth·er (mŏth′ĕr). ***1*** 母(女親). ***2*** 母体(細胞その他の組織構造で, そこから類似体が形成されるもの).

moth·er cell 母細胞(分裂して2個以上の娘細

胞を生じる細胞). = metrocyte.

moth·er cyst 母〔嚢〕胞（その嚢胞壁内層または胚芽層から頭節を含む二次嚢胞(娘嚢胞)が発育する包虫嚢胞. 肝臓に最も頻繁にみられるが, 他の臓器, 組織にも見出される). = parent cyst.

moth·er yaw 母イチゴ腫（イチゴ腫の最初の感染病巣と考えられ, 最も一般的には, 手, 下肢, 足に現れる大きな肉芽腫性の病巣). = buba madre; frambesioma.

mo·tile (mō′til). *1* 〚adj.〛〔自発〕運動能力のある. *2* 〚adj.〛運動型の（運動で感じたことを最も容易に学習し, 想起できるような表象の型についていう. *cf.* audile). *3* 〚n.〛運動型の人（*2* のような表象型の人).

mo·til·i·ty (mō-til′i-tē). 〔自動〕運動性（自発的に運動する力).

mo·tion seg·ment 運動分節（隣接した2つの関節面および, それらをつなげる結合組織から構成される機能単位).

mo·tion sick·ness 動揺病, 乗物酔い（蒼白, 吐気, 衰弱, 倦怠感をきたし, 嘔吐, 無気力状態に至る. 船, 飛行機, ブランコ, 遊園地の回転乗物などに乗ったとき, 半規管が刺激されることが原因). = kinesia.

mo·ti·va·tion (mō-ti-vā′shŭn). 動機付け（心理学において, ある個人に働き, 意志に影響を与え行動を生じさせる原動力).

mo·tive (mō′tiv). 動機（①目標に向けて行動を喚起, 維持し, 方向付ける個人内部の後天的な素因や要求, または特異な緊張状態. = learned drive. ②ある行為に対する個人的な理由. *cf.* instinct).

mo·to·fa·cient (mō′tō-fā′shĕnt). 運動誘発性の（実際の動きが起こる筋肉活動の第2段階についていう).

mo·to·neu·ron (mō′tō-nūr′on). 運動ニューロン. = motor neuron.

motoneurone [Br.]. = motor neuron.

mo·tor (mō′tŏr). 運動〔性〕の（①解剖学・生理学的において, インパルスを発生・伝達し, 筋線維や色素細胞を収縮させたり, 腺の分泌を促したりする神経構造をいう. →motor cortex; motor endplate; motor neuron. ②心理学において, 生体が刺激に対して起こす目で見える反応(motor response)についていう).

mo·tor a·lex·i·a →alexia.

mo·tor a·pha·si·a 〔皮質〕運動性失語〔症〕. = expressive aphasia; Broca aphasia (1).

mo·tor a·prax·i·a 運動失行〔症〕（運動する能力および対象物を自分の意図する目的に用いる能力の欠如).

mo·tor ar·e·a 運動野. = motor cortex.

mo·tor a·tax·i·a 〔歩行性〕運動失調（協調性筋肉運動を行おうとしたとき出現する運動失調).

mo·tor con·trol 運動制御（動かす, 向きを変える, 傾かせるといった, 目的のある自発的運動を行う過程).

mo·tor cor·tex 運動皮質（顔面, 頸部, 体幹, 四肢の運動に最も直接に影響を及ぼす大脳皮質の部分. 骨格筋を支配する運動ニューロンに対する作用は皮質脊髄線維(錐体路)により伝達される). = excitable area; motor area; Rolando area.

mo·tor de·cus·sa·tion = pyramidal decussation.

mo·tor end·plate 運動終板（運動ニューロンの軸索が横紋筋線維(細胞)とシナプス接合する, 大きい複合的な末端構造).

mo·tor fi·bers 運動〔神経〕線維（例えば, 筋肉や腺組織内の効果器細胞を活性化させるインパルスを伝導する神経線維).

mo·tor im·age 運動像（身体の動きに関する像).

mo·tor learn·ing 運動学習, 運動性学習（①学習者が練習や同化を通して, 目標とする動きを洗練し, 自動化する技能を獲得する過程. ②新たな運動課題を実行する能力を生み出す, 体内の神経的行為).

mo·tor nerve 運動性神経（大部分もしくはすべて遠心性神経線維からなる神経. 筋収縮を起こすインパルスを伝える遠心性神経と自律神経系で腺上皮に働きかけて分泌を促す遠心性神経が含まれる).

mo·tor neu·ron 運動ニューロン（中枢神経系を離れて効果器(筋または腺の)組織との機能的結合をつくる, 軸索をもつことを特徴とする脊髄, 菱脳, 中脳内にある神経細胞. 体性運動ニューロン **somatic motor neurons** は, 運動終板により横紋筋線維と直接シナプス接合する. 内臓運動ニューロン **visceral motor neurons**, または自律神経運動ニューロン(節前運動ニューロン) **autonomic motor neurons** は, 対照的に, 自律神経節にある第二末梢ニューロン(節後運動ニューロン)を介して, 平滑筋の神経支配を行う. →motor endplate; autonomic division of nervous system). = motoneuron; motoneurone.

mo·tor neu·ron dis·ease 運動ニューロン疾患（進行性脊髄性筋萎縮(幼児, 青年, 成人の), 筋萎縮性側索硬化症, 進行性球麻痺, 原発性側索硬化症などを含む総称. しばしば家族性疾患).

mo·tor pa·ral·y·sis 運動麻痺（筋収縮力の喪失).

mo·tor plate 運動終板（→motor endplate).

mo·tor point 運動点（皮下の筋肉の終板の上方の皮膚の点. 電極を介して電気刺激を与えると筋肉の収縮が起こる).

mo·tor speech cen·ter 運動性言語中枢. = Broca center.

mo·tor speech dis·or·der 運動性言語野障害（筋肉制御または筋緊張に起因する発話に関する障害. 例えば発語失行, 構音障害).

mo·tor u·nit 運動単位（単一体運動ニューロンと, それが神経支配する筋線維の一群).

mo·tor ur·gen·cy 筋性尿意促迫（利尿筋の過度の活動から起こる尿意促迫).

MOTT (mot). *Mycobacterium tuberculosis*, *M. bovis*, *M. africanum* (結核菌群)以外のマイコバクテリアを表す語.

mot·tled e·nam·el 虫食いエナメル質, 斑状歯（歯の形成中にフッ化物を過剰に摂取したために起こるエナメル質形成不全. 妊娠前期にテトラサイクリン療法を受けた女性や歯が発育中の小児にみられることがある).

mot·tling (mot′ĕ-ling). 斑点形成 (様々な明度や色の斑点状の病変からなる皮膚の部分).

mound·ing (mownd′ing). 筋膨隆. = myoedema.

mount (mownt). ***1*** 顕微鏡標本を作製する(鏡検のための標本をスライドガラスに載せる). ***2*** 背乗り (交尾の目的で背乗りになる).

moun·tain dai·sy = arnica.

moun·tain sick·ness 高山病. = altitude sickness.

mouse (mows). マウス, ハツカネズミ (ハツカネズミ属 *Mus* の小型げっ歯類).

mouse-tooth for·ceps 有鉤鉗子(摂子), ネズミ歯摂子 (各葉の先端に1, 2個の鋭い歯が付いており, 反対側の葉のその部分の穴にうまくかみ合う鉗子).

mouth (mowth). 口, くち (①= oral cavity. ②腔あるいは管の開口部(通常は外側への開口部). —os(2); ostium; orifice; stoma(2)).

mouth-to-mouth res·pi·ra·tion マウス・ツー・マウス人工呼吸〔法〕(患者の口(年少小児では鼻も)を術者の口でふさぎ, 息を送ることにより患者の肺を膨らませ, 呼気は患者の胸郭および肺の弾力性による収縮により行われる人工換気法. 1分間に12—16回繰り返す. 鼻は術者の口ではおおわず, 外鼻孔をつまんで閉じる).

mouth-to-mouth re·sus·ci·ta·tion マウス・ツー・マウス人工呼吸法 (救命心肺蘇生時に行われる人工呼吸で, 口対口で行う).

mouth·wash (mowth′wawsh). うがい薬, 含そう薬 (口を洗浄し, 粘膜の病的状態を治療するための薬用液).

MOV minimal occluding volume の略.

mov·a·ble joint = synovial joint; moveable joint.

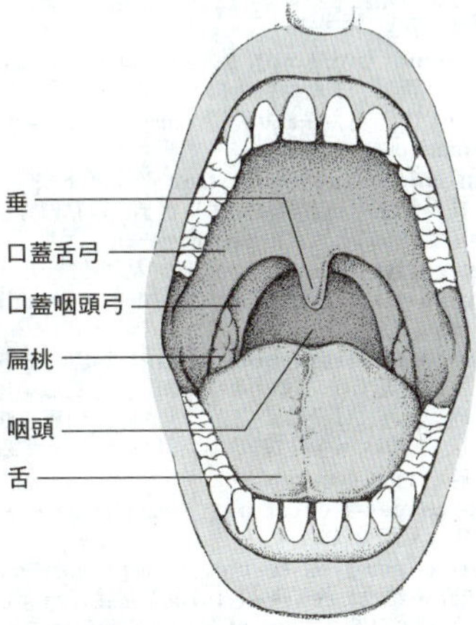
垂
口蓋舌弓
口蓋咽頭弓
扁桃
咽頭
舌

oral cavity

mov·a·ble spleen = floating spleen; moveable spleen.

moveable joint [Br.]. = movable joint.

moveable spleen [Br.]. = movable spleen.

move·ment (mūv′mĕnt). ***1*** 運動 (全身あるいはその一部分またはいくつかの部分についていう). ***2*** 〔大〕便, 糞〔便〕. = stool. ***3*** 排便. = defecation.

move·ment de·com·po·si·tion 運動分解 (神経学的症候の一つ. 一連の滑らかな, 滞りのない組織的な動作ではなく, 独特なぎくしゃくした, バラバラな動きが特徴である).

move·ment e·con·o·my = exercise economy.

move·ment sys·tem 運動系 (①身体全体またはその構成部分の運動をつくりだす生理系. ②運動行為に関与する各構造が互いに機能的に作用を及ぼしあうこと).

move·ment time 運動時間 (ある運動の開始から終了までの経過時間).

mov·er (mūv′ĕr). 運動者, 動力源, 発動機 (動いている, または動きを引き起こす人あるいは物).

Mow·ry col·loi·dal i·ron stain モーリーのコロイド鉄染色〔法〕(酸性ムコ多糖類の検出のための染色).

mox·i·bus·tion (mok-sē-bŭs′chŭn). きゅう(灸)〔療法〕(疾病の治療で, 反対刺激としてモグサのような薬草を皮膚の上で燃やすこと. 中国および日本の伝統的な医療の一部).

MP mentoposterior position の略.

6-MP 6-mercaptopurine (mercaptopurine)の略.

MPD maximum permissible dose の略.

M.P.H. Master of Public Health の略.

MPI master patient index の略.

mR milliroentgen の記号.

MRA magnetic resonance angiography の略.

mrad millirad の記号.

MRD, mrd minimal reacting dose の略.

mrem millirem の記号.

MRF melanotropin-releasing factor の略.

MRH melanotropin-releasing hormone の略.

MRI magnetic resonance imaging の略.

mRNA messenger RNA の略. ribonucleic acid の項を参照.

MRO medical review officer の略.

MRSA methicillin-resistant *Staphylococcus aureus* (メチシリン耐性ブドウ球菌)の略.

MS multiple sclerosis; morphine sulfate; mitral stenosis の略.

ms millisecond の略.

MSAFP test maternal serum alfa-fetoprotein test の略.

MSDS Material Safety Data Sheet の略.

msec millisecond の略.

MSG monosodium glutamate の略.

MSH melanocyte-stimulating hormone の略.

M shell M殻 (この軌道からの電子の遷移でX線の生成が可能となるような最も低いエネルギーレベルの軌道).

MSN Master of Science in Nursing(看護学修士)の略.

MT medical transcription; medical transcriptionist; mentotransverse position の略.

MTCC medical transcription certification commission の略. →CMT.

MTP metatarsophalangeal の略.

MU monitor unit の略.

mu (myū). ミュー (ギリシア語アルファベットの第 12 字, *μ*).

Much ba·cil·lus ムーフ杆菌 (抗非酸性顆粒で, 結核菌の変型と考えられるもの. Ziehl 染料では染色されないが, 変法グラム染色では染色される. 結核皮膚病変にみられる構造をもつといわれている).

muci- 粘液, 粘液性の, ムチンを意味する連結形. →muco-.

mu·ci·car·mine (myū′si-kahr′mīn). ムシカルミン (塩化アルミニウムとカルミンとからなる赤色染料. 上皮性ムチンやムチン分泌性腺癌の検出に用いる. また *Cryptococcus neoformans* の莢膜やその他の真菌の検出にも用いる).

mu·ci·form (myū′si-fōrm). 粘液状の. = blennoid; mucoid (2).

mu·ci·he·ma·te·in (myū′si-hē′mă-tē-in). ムシヘマテイン (塩化アルミニウムとヘマテインからなる青紫色の染色液. 結合組織性ムチンの検出に用いる).

mu·ci·lage (myū′si-lăj). 漿剤, 粘滑薬 (植物の粘滑性成分を水に溶かした製剤. 粘膜の鎮静, 薬局方による即時合剤の調剤に用いる).

mu·ci·lag·i·nous (myū′si-laj′i-nŭs). 粘滑性の, 粘質物様の, 粘着性の.

mu·cin (myū′sin). ムチン, 粘素 (腸の杯細胞, 顎下腺, その他の粘液腺細胞から分泌されるような炭水化物に富む糖蛋白を含む分泌物. 結合組織, 特に粘液結合組織の間質物質にも存在する).

mu·cin·ase (myū′si-nās). ムチナーゼ (ムコ多糖類(ムチン)を加水分解する酵素). = mucopolysaccharidase.

mu·cin·o·gen (myū-sin′ō-jen). 粘素原 (糖蛋白. 水を吸収してムチンを形成する).

mu·ci·noid (myū′si-noyd). ***1*** = mucoid (1). ***2*** ムチン様の, 粘素様の.

mu·ci·no·sis (myū′si-nō′sis). ムチン沈着症 (ムチンが皮膚に過量に存在する, あるいは異常な分布を示す状態. 代謝性ムチン沈着症, 続発性ムチン沈着症, 限局性ムチン沈着症に分類される).

mu·ci·nous (myū′si-nŭs). ムチンの. = mucoid (3).

mu·ci·nous car·ci·no·ma 粘液性癌腫 (腫瘍細胞が多量のムチンを分泌するため, 新生物がきらきら光り, 粘つき, ゼラチン様の硬度を示す腺癌の一形態). = colloid carcinoma.

muco- 粘液, 粘液性の, 粘膜を意味する連結形. →muci-.

mu·co·cele (myū′kō-sēl). 粘液嚢腫, 粘液瘤 (唾液腺, 涙嚢, 副鼻腔, 虫垂, 胆嚢の貯留嚢胞).

mu·co·cil·i·ar·y (myū′kō-sil′ē-ar-ē). 粘液線毛性の (線毛をもつ円柱上皮に関する. このような上皮は気管支樹の終末細気管支および卵管の中に見出だされる. —ciliary).

mu·co·cil·i·ar·y clear·ance 粘膜線毛清浄能 (線毛のむち打ちによる気道上皮をおおう粘液の移動. 速い前方(効果的)むち打ちとゆっくりした返りの(もとへ戻す)むち打ち).

mu·co·cil·i·ar·y clear·ance rate 粘膜線毛クリアランス率 (呼吸器上皮をおおう粘液層の運動速度で, 通常 mm/時で表される).

mu·co·cil·i·ar·y trans·port 粘液線毛輸送 (線毛運動によって, 気管支樹を通して粘液やムコイド液が移動する).

mu·co·cu·ta·ne·ous (myū′kō-kyū-tā′nē-ŭs). 粘膜皮膚の (粘膜と皮膚に関する. 鼻, 口, 腟口, 肛門での 2 部分の接点をいう).

mu·co·cu·ta·ne·ous junc·tion 粘膜皮膚移行部 (表皮から粘膜上皮に移行する部位).

mu·co·cu·ta·ne·ous leish·man·i·a·sis 皮膚粘膜リーシュマニア症 (*Leishmania braziliensis* を病原体とする重篤な疾患で, 流行地は南メキシコおよび中央・南アメリカ. このリーシュマニアは内臓は侵さないので, 疾患は皮膚および粘膜に限られる. 病変は皮膚リーシュマニア症のびらんに似ている. 下疳性びらんは短期間で治癒するが, 数か月後あるいは数年後に菌状のびらん性潰瘍が舌および頬粘膜あるいは鼻粘膜に出現することがある. →espundia). = American leishmaniasis; nasopharyngeal leishmaniasis; New World leishmaniasis.

mu·co·cu·ta·ne·ous lymph node syn·drome 皮膚粘膜リンパ節症候群. = Kawasaki syndrome.

mu·co·en·ter·i·tis (myū′kō-en-tĕr-ī′tis). 小腸粘膜炎 (①小腸粘膜の炎症. ②= mucomembranous enteritis).

mu·co·ep·i·der·moid (myū′kō-ep-i-dĕr′moyd). 粘膜表皮の (粘液性類表皮癌にみられるような粘液分泌細胞と表皮細胞の混合についていう).

mu·coid (myū′koyd). ***1*** 〚n.〛 ムコイド (ムチン, ムコ蛋白, または糖蛋白の一般名). = mucinoid (1). ***2*** 〚adj.〛 粘液状の. = muciform. ***3*** 〚adj.〛 = mucinous.

mu·coid de·gen·er·a·tion ムコイド変性, 類粘液変性 (結合組織がゲル状または粘液様物質に変わること). = myxomatosis (1).

mu·co·lyt·ic (myū′kō-lit′ik). 粘液溶解の.

mu·co·mem·bra·nous (myū′kō-mem′bră-nŭs). 粘膜の.

mu·co·mem·bra·nous en·ter·i·tis 粘液性膜性腸炎 (腸粘膜の障害により便秘あるいは下痢, ときにはそれが交互に出現し, 仙痛を起こし, 偽膜片や腸の鋳型状のものを排出する疾病). = mucoenteritis (2).

mu·co·per·i·os·te·al (myū′kō-per-ē-os′tē-āl). 粘膜骨膜の.

mu·co·per·i·os·te·um (myū′kō-per-ē-os′tē-ŭm). 粘膜骨膜 (粘膜と骨膜が密接に結合しており, 実際には単一膜となって硬口蓋をおおう).

mu·co·pol·y·sac·cha·ri·dase (myū′kō-pol-ē-sak′ă-ri-dās). ムコポリサッカリダーゼ. = mucinase.

mu·co·pol·y·sac·cha·ride (myū′kō-pol-ē-sak′ă-rīd). ムコ多糖類（プロテオグリカンから得られた蛋白-多糖類複合体の一般名. 約95%の多糖類を含む. 血液型物質もこれに属する. より現代的な名称はグリコサミノグルカン).

mu·co·pol·y·sac·cha·ri·do·sis, pl. mu·co·pol·y·sac·cha·ri·do·ses (myū′kō-pol-ē-sak′ă-ri-dōs′is, myū′kō-pol-ē-sak′ă-rī-dōs′ēz). ムコ多糖〔体〕症, ムコ多糖〔体〕沈着〔症〕（各種のムコ多糖体の尿中排泄と結合組織中にこれらの物質が浸潤することによって証明されるムコ多糖体の代謝異常を共通にもつリソソーム蓄積症. この結果, 骨格, 軟骨, 結合組織およびその他の器官に種々の欠陥が生じる).

mu·co·pol·y·sac·cha·ri·du·ri·a (myū′kō-pol-ē-sak′ă-ri-dyūr′ē-ă). ムコ多糖〔体〕尿（尿中にムコ多糖体が排出される状態).

mu·co·pro·tein (myū′kō-prō′tēn). ムコ蛋白, 粘〔性〕蛋白（蛋白と多糖類の複合体の一般名. 通常, 蛋白成分が主体であることを意味し, ムコ多糖類とは対照をなす. 血清およびその他の α_1- および α_2-グロブリンを含む).

mu·co·pu·ru·lent (myū′kō-pyūr′yū-lent). 粘液膿性の, 粘液膿の（膿が主体であるが, 粘液性物質の割合が比較的顕著な滲出物についていう).

Mu·cor (myū′kōr). ケカビ属（菌類の一属(接合菌綱ケカビ科)で, その多くの菌種は腐生性である. 数種が病原性で, ヒトに接合菌症を起こすことがある).

Mu·cor·al·es (myū′kō-rā′lēz). ケカビ目（接合菌綱に属する真菌の一目で, ヒトに対してムコール症を起こすすべての種を含んでいる. *Cunninghamella*, *Rhizopus*, *Absidia*, *Rhizomucor*, *Mucor*, *Apophysomyces*, *Saksenaea*, *Syncephalastrum*, および *Cokeromyces* の各属を含む. *Mortierella* 属の菌も含まれているが, 本属のヒトに対する病原性は疑わしい).

mu·cor·my·co·sis (myū′kōr-mī-kō′sis). ムコール症. = zygomycosis.

mu·co·sa (myū-kō′să). 粘膜（管構造の内面をおおう粘性の組織で上皮, 固有層および消化器系では平滑筋層と粘膜筋板とからなる). = mucous membrane.

mu·co·sa-as·so·ci·at·ed lym·phoid tis·sue (MALT) 粘膜関連リンパ組織（呼吸器, 消化器や泌尿系のような湿った粘膜でみられる結節性集合体よりなるリンパ組織).

mu·co·sal (myū-kō′săl). 粘膜の.

mu·co·sal wave 粘膜波動（発声時の声帯粘膜の動きのこと).

mu·co·san·guin·e·ous, mu·co·san·guin·o·lent (myū′kō-san-gwin′ē-ŭs, -ŏ-lent). 粘液血様の（血液と粘液を比較的大きな割合で含む滲出物, およびその他の液体についていう).

mu·co·sec·to·my (myū′kō-sek′tŏ-mē). 粘膜抜去術（通常, 回腸肛門吻合を行う前に, 直腸粘膜を切除すること).

mu·co·se·rous (myū′kō-sē′rŭs). 粘液性漿液の（粘液と血清あるいは水様物質の両方を含む滲出物, あるいは分泌物についていう).

mu·co·se·rous cells 粘液漿液性細胞（組織学的に漿液細胞と粘液細胞の中間の性質を示す腺細胞).

mu·cous (myū′kŭs). 粘液〔性〕の.

mu·cous cell 粘液細胞（杯細胞のように粘液を分泌する細胞).

mu·cous co·li·tis 粘液性大腸(結腸)炎（結腸粘膜の疾患で, 仙痛, 便秘または下痢, ときにはこれが交互に起こる. さらに粘性, 泥状の偽粘膜性の小片や破片の排出がみられるのが特徴).

mu·cous con·nec·tive tis·sue 粘液様結合組織（結合組織の１つであるが, 間葉期以後はほとんど分化しない. その蛋白多糖類の間質物質は多くあり, 細い膠原線維や線維芽細胞を含む. その最も特徴的な型は, 臍帯にみられ, 血管を支持し, Wharton 臍帯膠質とよばれる).

mu·cous cyst 粘液嚢胞(嚢腫)（粘液腺管の閉塞によって起こる停滞嚢胞).

mu·cous gland 粘液腺（粘液を分泌する腺).

mu·cous glands of au·di·to·ry tube 耳管腺（耳管の分泌腺で, 主に耳管の咽頭側末端近くにある腺).

mu·cous mem·brane = mucosa.

mu·cous plug 粘液栓（妊娠時または中間期に子宮頸管を充填する粘液と細胞の塊. 主あるいは分葉気管支を閉塞する粘液の塊).

mu·cus (myū′kŭs). 粘液（粘膜の透明な粘着性分泌物. ムチン, 上皮細胞, 白血球, 水中の各種無機塩からなる).

mu·cus blan·ket 粘液表層（呼吸上皮の表面をおおう粘液層).

mud fe·ver 沼地熱（*Leptospira interrogans* の血清型亜種 *L. grippotyphosa* によって引き起こされるレプトスピラ症).

Muehr·cke line ミュルケ線（爪半月と平行な白色の線で, 正常のピンク色の部分によって互いに分離されている. 低アルブミン血症に伴う. 爪が成長しても外側に移動せず, 血清アルブミンが正常に戻ると消失する).

Muel·ler e·lec·tron·ic to·nom·e·ter ミュラー電子眼圧計（角膜圧入の広がりを示すために, 耳管形の電子装置が付着している Schiötz 型眼圧計. 継続して圧力を記録する装置(トノグラフィ)も付いている).

Muel·ler-Hin·ton me·di·um ミュラー-ヒントン培地（寒天に肉汁, カサミノ酸, デンプンを含んだ培地. たいていの好気性菌, 通性嫌気性菌の薬剤感受性試験用に推奨されている).

MUGA (mū′gă). multiple-gated acquisition scan の頭文字.

mug·wort (mŭg′wōrt). = carline thistle.

mul·ber·ry mo·lar 桑実状臼歯（歯冠表面に非解剖学的なくぼみと小円形エナメル滴が交互に存在する歯で, 通常は先天梅毒に伴う).

Mules op·er·a·tion ミュールズ手術（眼球内容除去術で, 義眼台として球形のプロテーゼを強膜内に挿入する術式).

mule-spin·ner's can·cer 紡績工癌（油に接し

ている人の陰嚢および隣接皮膚の癌で，紡績工場の工員にみられる）.

mu·li·e·bri·a (mū′lē-ē′brē-ă). 女性性器.

Mül·ler duct, mül·le·ri·an duct ミュラー管. = paramesonephric duct.

Mül·ler fix·a·tive ミュラー固定液（Regaud固定液と同様に重クロム酸カリウムと亜硫酸ナトリウムと蒸留水を含む硬化固定液）.

mül·le·ri·an in·hib·i·ting sub·stance ミュラー阻害物質（精巣の Sertoli 細胞によって分泌される 535 個のアミノ酸を含む糖蛋白）.

Mül·ler law ミュラーの法則（各種の感覚神経終末部は，電気的，機械的，その他いかなる方法で刺激されてもそれぞれ特有の感覚を起こす．さらにそれぞれの感覚は異なった神経の特殊な性質に依存するのではなく，神経線維が帰結している脳の部位に依存する）.

Mül·ler ma·neu·ver ミュラー手技（深呼息後に，口と鼻を閉じてまたは声門を閉じて吸息し，胸および肺中の陰圧を大気圧以下にすること．Valsalva maneuver の逆法）.

Mül·ler sign ミュラー徴候（大動脈弁閉鎖不全の場合，心臓作用とともに，口蓋帆と扁桃の腫脹発赤を伴う口蓋垂の律動的な拍動）.

Mül·ler tu·ber·cle ミュラー結節. = sinual tubercle.

mul·tang·u·lar bone →trapezium; trapezoid bone.

multi- 多数を示す接頭語. →pluri-. *cf.* poly-.

mul·ti·ar·tic·u·lar (mŭl′tē-ahr-tik′yū-lăr). 多関節性の. = polyarthric; polyarticular.

mul·ti·ax·i·al joint 多軸〔性〕関節（多軸の動きをする関節. →ball and socket joint）. = polyaxial joint.

mul·ti·col·o·ny-stim·u·lat·ing fac·tor 重複コロニー刺激因子. = interleukin-3.

mul·ti·cus·pi·date (mŭl′tē-kŭs′pi-dāt). ***1*** 〖adj.〗多咬頭の（2 咬頭以上あることについていう）. ***2*** 〖n.〗多咬頭歯（歯冠に咬頭あるいは突起が 3 個以上ある臼歯）.

mul·ti·dis·ci·plin·a·ry (mŭl′tē-dis′i-pli-nar′ē). 集学的（少なくとも 2 つ以上の学問分野にわたって，治療集団が構成されている. →interdisciplinary）.

mul·ti·drug-re·sis·tant or·gan·isms 多剤耐性微生物（多種の抗生物質に対して耐性を発展させてきたバクテリアや細菌．例えばメチシリン/オクサシリン耐性を持つ黄色ブドウ球菌，バンコマイシン耐性を持つ腸球菌，ペニシリン耐性を持つ肺炎球菌）.

mul·ti·fac·to·ri·al in·her·i·tance 多因子性遺伝（多因子が関与する遺伝．そのうち少なくとも 1 つの因子は遺伝性であるが，1 つ 1 つはそれほど決定的でない．疾患の原因として多数の遺伝的・環境的要因による場合をいう）.

mul·ti·fid (mŭl′ti-fid). 多裂の（多数の裂け目あるいは分節に分かれた）.

mul·tif·i·dus mus·cle 多裂筋（起始：仙骨，仙腸骨靱帯，腰椎の乳頭突起，胸椎の横突起および第四–第七頸椎の関節突起．停止：軸椎以下の全椎骨の棘突起．作用：脊柱の回旋．神経支

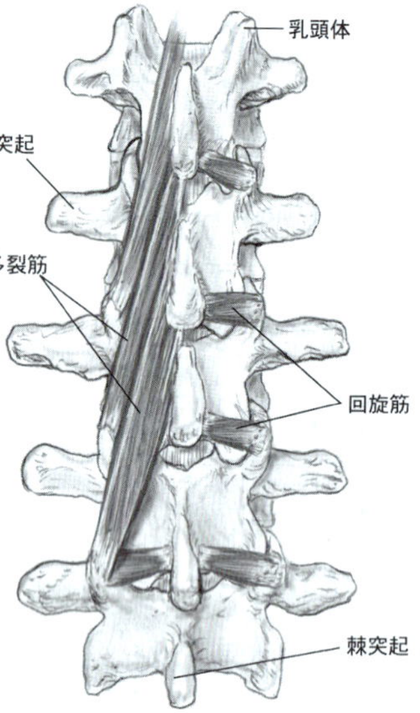
乳頭体
横突起
多裂筋
回旋筋
棘突起

multifidus muscles

配：脊髄神経後枝）. = musculus multifidus lumborum; musculus multifidus.

mul·ti·fo·cal (mŭl′tē-fō′kăl). 多病巣性の.

mul·ti·fo·cal a·tri·al tach·y·car·di·a (MAT) 多源性心房頻拍. = atrial chaotic tachycardia.

mul·ti·fo·cal lens 多焦点レンズ（度の異なる 2 つ以上の部分からなるレンズ．通常，三焦点の場合が多い）.

mul·ti·form (mŭl′ti-fōrm). 多形の. = polymorphic.

mul·ti·for·mat cam·er·a マルチ〔フォーマット〕カメラ（CT や超音波検査において，1 枚のフイルムに可変枚数の指状の信号画像を記録することができる写真方式またはレーザー方式の記録装置）.

mul·ti·form lay·er of cer·e·bral cor·tex 大脳皮質の多形細胞層（大脳皮質の最深層，XI 層）. = lamina multiformis.

mul·ti·grav·i·da (mŭl′tē-grav′i-dă). 経妊婦（1 回またはそれ以上妊娠を経験した妊婦）.

mul·ti·in·fec·tion (mŭl′tē-in-fek′shŭn). 多感染（2 つ，あるいはそれ以上の微生物によって，同時に発生した混合感染）.

mul·ti·lam·el·lar bod·y 多層体. = cytosome (2).

mul·ti·lo·bar, mul·ti·lo·bate, mul·ti·lo·bed (mŭl′tē-lō′bahr, -lō′bāt, -lōbd′). 多葉〔性〕の.

mul·ti·lob·u·lar (mŭl′tē-lob′yū-lăr). 多小葉

〔性〕の.

mul·ti·lo·cal (mŭl′tē-lō′kăl). 多局性（複数の遺伝子座が同時に働くことに起因する形質を表す）.

mul·ti·loc·u·lar (mŭl′tē-lok′yū-lăr). 多房〔性〕の，多室の.

mul·ti·loc·u·lar ad·i·pose tis·sue 多房性脂肪組織. = brown fat.

mul·ti·loc·u·lar cyst 多房〔性〕嚢胞（隔膜によって分けられたいくつかの区分を含む複合嚢胞）.

mul·ti·loc·u·lar fat 多房脂肪. = brown fat.

mul·ti·lo·cus en·zyme e·lec·tro·pho·re·sis (MLEE) 酵素電気泳動法（増幅せずに菌株をタイピングする方法. 蛋白質は該当する株より分離され，ゲル内で隔てられる. 特定の蛋白質を検出するために使われる方法）.

mul·ti·lo·cus se·quence typ·ing (MLST) 多座位配列タイピング（ポリメラーゼ連鎖反応を利用して，いくつかの異なった遺伝子座を増幅するタイピング法. 得られた断片は電気泳動法により分離され，解析される）.

mul·ti·nod·u·lar, mul·ti·nod·u·late (mŭl′tē-nod′yū-lăr, -yū-lāt). 多結節性の，多節〔性〕の.

mul·ti·nod·u·lar goi·ter 多結節性甲状腺腫（数個のコロイド結節を伴う腺腫様甲状腺腫）.

mul·ti·nu·cle·ar, mul·ti·nu·cle·ate (mŭl′tē-nū′klē-ăr, -āt). 多核〔性〕の. = polynuclear; polynucleate.

mul·tip·a·ra (mŭl-tip′ă-ră). 経産婦（死産か否かにかかわらず，500 g 以上あるいは推定妊娠 20 週以上の新生児を 2 回以上出産した経験のある婦人. 註日本では 22 週以後）.

mul·ti·par·i·ty (mŭl′tē-par′i-tē). 経産婦たること.

mul·tip·a·rous (mŭl-tip′ă-rŭs). 経産婦の.

mul·ti·ple chem·i·cal sen·si·tiv·i·ty (MCS) 化学物質頻回暴露感度. = idiopathic environmental intolerance.

mul·ti·ple e·go states 多自我状態（心理的組織化が様々になされている自我の状態で，異なった生活体験が反映されている）.

mul·ti·ple en·do·crine de·fi·cien·cy syn·drome 多発性内分泌機能低下症候群（後天性にいくつかの内分泌腺が機能低下症に陥った症候群. 通常，自己免疫疾患であることが多い）.

mul·ti·ple en·do·crine ne·o·pla·si·a (MEN) 多発性内分泌腫瘍（1 つ以上の内分泌腺に存在する機能的腫瘍により特徴づけられる疾患群）.

mul·ti·ple en·do·crine ne·o·pla·si·a 1 (MEN1) 多発性内分泌腫瘍 1（下垂体腺，膵島細胞，副甲状腺の腫瘍により特徴づけられる症候群. 第 11 染色体長腕の MEN 1 遺伝子の変異による常染色体優性遺伝を示す Zollinger-Ellison 症候群と関連がある場合がある）.

mul·ti·ple en·do·crine ne·o·pla·si·a 2 (MEN2) 多発性内分泌腫瘍 2（褐色細胞腫，副甲状腺腺腫，甲状腺髄様癌が認められる症候群. 常染色体優性遺伝を示し，第 10 染色体長腕の RET 癌遺伝子の変異により発症する）.

mul·ti·ple en·do·crine ne·o·pla·si·a 2B (MEN2B) = multiple endocrine neoplasia 3.

mul·ti·ple en·do·crine ne·o·pla·si·a 3 (MEN3) 多発性内分泌腫瘍 3（MEN 2 に認められる腫瘍. 長身でやせ型の体型，隆起した唇，舌および眼瞼の神経腫により特徴づけられる症候群. 第 10 染色体長腕に存在する RET 癌遺伝子の変異により発症する）. = multiple endocrine neoplasia 2B.

mul·ti·ple ep·i·phys·i·al dys·pla·si·a (EDM) 多発性骨端骨異形成〔症〕（歩行困難，関節の疼痛と拘縮，ずんぐりした指を特徴とし，ほとんどの場合小人症を呈する骨端異常症. X 線で見ると骨端は不規則，斑状で，骨化核はその出現が遅れ，分節化していることがあるが，脊椎は正常である. 常染色体劣性型もある）. = dysplasia epiphysialis multiplex.

mul·ti·ple fis·sion 多分裂，複分裂（核が同時また連続的に多数の娘核に分裂し，次いで細胞質がそれぞれに核を有する同数の部分に分裂する）.

mul·ti·ple frac·ture 多発〔性〕骨折（①1 つの骨に 2 か所以上起こる骨折. ②同時にいくつかの骨に起こる骨折）.

mul·ti·ple-ga·ted ac·qui·si·tion scan (MUGA) 多関門集積スキャン（核医学で，多関門でデータを集め解析する心プールスキャン. 駆出率と壁運動の確認に用いる. →radionuclide ejection fraction）.

mul·ti·ple in·tes·ti·nal pol·y·po·sis 多発性腸ポリポ〔ー〕シス（①ポリープは通常，小児期後期に形成され始め，数が増加し，慢性腸炎の症状を呈する. 未治療の状態では，ほとんど必らず結腸癌が発現する. 常染色体優性遺伝，Gardner 症候群では結腸外の変化（類腱腫など）がある. ②小腸や大腸の過誤腫性ポリープ，Peutz-Jeghers 症候群. 口唇にメラニン沈着を認め，頻度は低い）.

mul·ti·ple mark·er screen 多項目マーカスクリーニング（母体血清中の 2 種類以上のマーカを用いて異常胎児の相対リスクを評価する. → triple screen）.

mul·ti·ple me·ta·bol·ic syn·drome = metabolic syndrome.

mul·ti·ple mu·co·sal neu·ro·ma syn·drome 多発性粘膜神経腫症候群（若年者の舌，口唇および眼瞼の多発性粘膜下神経腫または神経線維腫. 甲状腺または副腎髄質の腫瘍または皮下の神経線維腫症を伴うことがある）.

mul·ti·ple my·e·lo·ma, my·e·lo·ma mul·ti·plex 多発〔性〕骨髄腫（まれな疾病で，女性よりも男性に多い. 貧血，溶血，反復する感染，倦怠感を伴う. 骨髄に発生する悪性腫瘍とされ，主に頭蓋に罹患が多い. 本疾患は種々の骨髄，特に頭蓋骨，ときには骨格骨外部に多数の広汎性病巣または異常形質細胞の小結節性蓄積を特徴とし，そのため骨に膨隆を触知する. 本骨髄腫細胞は血清および尿中に異常蛋白を産生する. 最も多い蛋白代謝異常としてはⅰBence Jones 蛋白尿の発生，ⅱ血清中の γ-グロブリンの異常な増加，ⅲクリオグロブリンがときに形成され

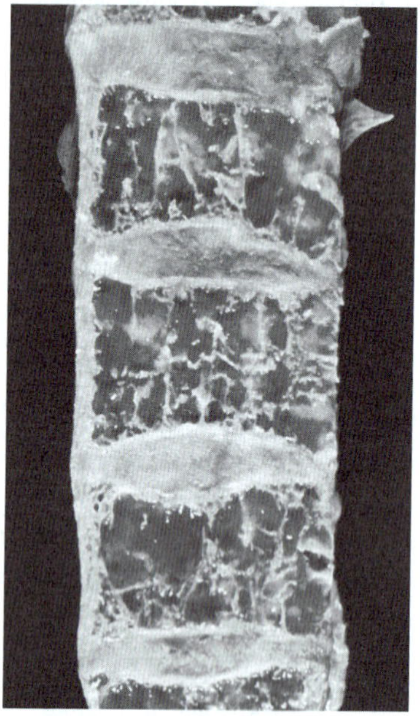

multiple myeloma
椎骨にみられる骨溶解性病変

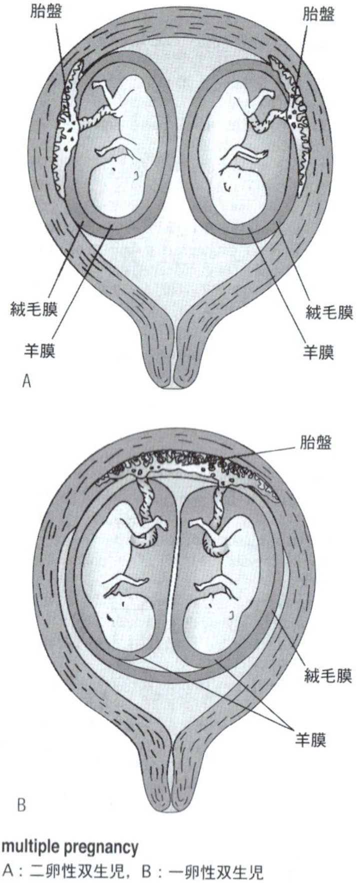
胎盤
胎盤
絨毛膜
絨毛膜
羊膜
羊膜
A
胎盤
絨毛膜
羊膜
B

multiple pregnancy
A：二卵性双生児，B：一卵性双生児

ること，ⓘⓥ一種の原発性アミロイド症の形態をとることがある．→plasma cell myeloma）. = plasma cell myeloma（1）.

mul·ti·ple my·o·si·tis 多発〔性〕筋炎（身体の種々の部位の筋組織とそれをおおう皮膚の急性炎症の多発病巣の発生．発熱，その他の全身感染の特徴を伴う．→dermatomyositis）.

mul·ti·ple neu·ri·tis 多発〔性〕神経炎. = polyneuropathy.

mul·ti·ple per·son·al·i·ty 多重人格（2つまたはそれ以上の独立した意識をもつ人格が，同一人物内で代わる代わる出現する障害で，ときにはその各々の人格がその他をまったく気づかないこともある）.

mul·ti·ple preg·nan·cy 多胎妊娠（同時に2人以上の胎児を妊娠している状態）. = polycyesis.

mul·ti·ple punc·ture tu·ber·cu·lin test 多刺ツベルクリン試験（尖叉試験の一種. →tuberculin test）.

mul·ti·ple scle·ro·sis (MS) 多発〔性〕硬化〔症〕（中枢神経系の頻度の高い脱髄疾患で，脳と脊髄に硬化斑をつくる．主に若年成人に起こり，硬化斑の場所と大きさにより，種々の臨床症状を呈する．典型的な症状は視覚喪失，複視，眼振，構音障害，脱力，異常感覚，膀胱異常，気分変化であり，臨床的には症状は増悪と寛解を呈する）.

mul·ti·ple sleep la·ten·cy test (MLST) 多数睡眠潜時検査（多数の短い睡眠の機会の間，睡眠ポリグラフ計を施行して検査する）.

mul·ti·ple stain 多重染料（数種の色素の混合液で，それぞれ組織の一部分以上に独立した選択的作用をする）.

mul·ti·ple sys·tem at·ro·phy 多系統萎縮〔症〕（原因不明の非遺伝性神経変性疾患．パーキンソン症候群，運動失調，自律神経障害，錐体路徴候が種々の組み合わせで出現する．病理学的には神経細胞の消失，グリオーシス，基底核，小脳，脊髄中間外側柱の乏突起膠細胞とニューロンの細胞質と核に異常細管構造の蓄積がみられる．パーキンソン症候群が前景に立ったり，運動失調が前景に立ったり，パーキンソン症候群，運動失調，自律神経障害の組み合わせが出現したりする症例もある．比較的進行が速く致死的な疾患である）．

mul·ti·ple vi·sion 複視，多視〔症〕. = polyopia.

mul·ti·plex PCR マルチプレックス PCR 法（同じ試験管に入っている 2 つのプライマーセットを利用してポリメラーゼ連鎖反応を起こす方法．それぞれのプライマーセットは異なった標的配列に対して特異的である）．

mul·ti·pli·ca·tive di·vi·sion 増殖性分裂（母細胞が多数の娘細胞になる同時分裂による生殖．この過程が母細胞の受精あるいはシスト形成なしに起きる場合，その娘細胞は娘虫（メロゾイト）とよばれる．シスト内で成長する場合，通常は受精後であって，種虫（スポロゾイト）とよばれる）．

mul·ti·po·lar (mŭl′tē-pō′lăr). 多極〔性〕の，多重極の（2 個以上の極をもつ．数か所から枝が出ている神経細胞についていう）．

mul·ti·po·lar cell 多極細胞（細胞体から多数の樹状突起を出す神経細胞）．

mul·ti·po·lar neu·ron 多極ニューロン（通常は軸索と 3 個以上の樹状突起からなるニューロン）．

mul·ti·sy·nap·tic (mŭl′tē-si-nap′tik). 多シナプスの. = polysynaptic.

mul·ti·va·lence, mul·ti·va·len·cy (mŭl′tē-vā′lĕns, -vā′lĕn-sē). 多価〔性〕であること．

mul·ti·va·lent (mŭl′tē-vā′lĕnt). = polyvalent (1). ***1*** 〚adj.〛 多価〔性〕の（化学において，2 個以上の水素原子と結合する力（原子価）をもつことについていう）．***2*** 〚adj.〛 多効果の（2 つ以上の方面に効果があることについていう）．***3*** 〚n.〛 多価抗体（1 つの抗体分子が，1 つ以上の抗原や細菌などの生体に反応性を有すること）．

mul·ti·va·lent vac·cine = polyvalent vaccine.

mum·mi·fi·ca·tion (mŭm′i-fi-kā′shŭn). ***1*** 乾性壊疽. = dry gangrene. ***2*** ミイラ化（死体が萎縮して原型を維持すること）．***3*** 乾屍法（歯科において，治療された歯を比較的短期間保存するために固定剤（通常はホルムアルデヒド誘導剤）で炎症性歯髄を治療すること．一般には，乳歯についてのみ受け入れられる）．

mumps (mŭmps). ムンプス，耳下腺炎，おたふくかぜ. = epidemic parotiditis.

mumps or·chi·tis 流行性耳下腺炎性（ムンプス）精巣炎（おたふくかぜウイルス（ルブラウウイルス属パラミクソウイルス）により起こる精巣の炎症．十代や成人男性では症状が強く，不妊になることもある．精巣痛や精巣腫脹が生じる．→epidemic parotiditis）．

mumps skin test an·ti·gen 流行性耳下腺炎皮膚試験抗原（流行性耳下腺炎の死滅ウイルスを等張食塩水に懸濁し滅菌した液．流行性耳下腺炎に対する感受性を調べたり，感染の既応症を確認するのに用いる）．

mumps vi·rus 流行性耳下腺炎ウイルス（ヒトの耳下腺炎の原因となるパラミクソウイルス科 *Rubulavirus* 属のウイルス．ときには精巣炎，卵巣炎，膵炎，髄膜脳炎その他の合併症を伴う．感染したヒトの唾液によって伝播される）. = epidemic parotitis virus.

Munch·hau·sen syn·drome ミュンヒハウゼン症候群（医学的な注意を得るために，病気と思わせるような真似を繰り返して行う作話症）．

Munch·hau·sen syn·drome by prox·y 代理ミュンヒハウゼン症候群（介護人が子供，または後見を必要とする成人に病気を捏造すること）．

munch·ing (mŭnch′ing). マンチング（生後約 6 か月の子供に見られる口の運動パターン．噛むの前段階．リズムよくあごが上下する運動がよく見られる．また，あごの開きを変え，調節する運動も含まれる．ガムまたは歯の刺激によって生じる）．

Mun·ro mi·cro·ab·scess マンロー微小膿瘍（乾癬の角質層にみられる多形核白血球の顕微鏡的集合）．

Mun·ro point マンロー点（直腸筋右縁，臍と腸骨の前上棘の間にある点．虫垂炎のとき，圧迫すると圧痛を生じる）．

Mun·son sign マンソン徴候（円錐角膜において眼球を下転させた際，角膜により下眼瞼が突出する状態）．

mu·ral (myū′răl). 壁の，壁在〔性〕の（あらゆる空洞の壁についていう）．

mu·ral en·do·car·di·tis 壁〔性〕心内膜炎（心臓の内腔壁を障害する心内膜の炎症）．

mu·ral throm·bo·sis 壁在血栓症（心腔の内膜に接して形成される血栓．大血管の内膜に形成される血栓の場合も，もしそれが閉塞性でなければ用いられる）．

mu·ral throm·bus 壁性血栓，心壁血栓（弁や大血管の側面にではなく，心内膜の病変部に形成・付着する血栓. →parietal thrombus）．

mu·ram·i·dase (myū-ram′i-dās). ムラミダーゼ. = lysozyme.

mu·rine (myūr-ēn′). ネズミの．

mu·rine ty·phus 発疹熱（発疹熱リケッチア *Rickettsia typhi* によって起こり，ネズミノミ，ハツカネズミノミによってヒトに伝播される流行性発疹チフスの軽症型）. = endemic typhus.

mur·mur (mŭr′mŭr). 雑音（心臓や血管を聴診して聴取される異常な，通常は周期的な音）．

Mur·phy but·ton マーフィボタン（腸管吻合に用いる装置物．2 個の円い中空円柱からなり，切離腸管の両側端に挿入し縫合して腸管にしっかり固定する．両端を近づけ 2 つの円柱をロック機構で結合させる．この器具は分解性で約 10 日で分解して腸管内に排出される．同名の金属性の改造品もあるが用いられていない）．

Mur·phy drip マーフィ点滴注入〔法〕. = proctoclysis.

Mur·phy per·cus·sion マーフィ打診〔法〕（第五指から順番に片手の指先で胸壁を叩く濁音の検査）．

Mur·phy sign マーフィ徴候（右肋骨弓下部の触診時，呼気時に痛む．急性胆嚢炎としばしば関連する）．

Mur·ray Val·ley en·ceph·a·li·tis マリーバレー脳炎（死亡率の高い重篤な脳炎で，オーストラリアのマリーバレーに発生するといわれる．この疾患は小児において最も重篤で，頭痛，発熱，倦怠感，嗜眠状態または痙攣，および頸部硬直に始まり，広範な脳損傷を起こす．*Flavivirus* 属のマリーバレー脳炎ウイルスにより起こる）．= Australian X disease.

Mus·ca (mŭs′kă). イエバエ属（ハエの一属で，普通のイエバエ *Musca domestica* を含む．汚物や有機廃物中で繁殖し，数多くの病原物の機械的伝播に関係している）．

mus·cae vol·i·tan·tes 飛蚊症（眼前で点が動き回るように見える状態．硝子体中の発生上の硝子体血管系の遺残から生じる）．

mus·ca·rine (mŭs′kă-rēn). ムスカリン（神経に作用する毒で，最初にベニテングタケ *Amanita muscaria* から単離された．*Hebeloma* 属，*Inocybe* 属などの数種にも存在する．薬理学的効果はアセチルコリン作用および節後副交感神経刺激作用（心臓機能抑制，血管拡張，唾液分泌，流涙，気管支収縮，胃腸刺激）に類似するコリン作用物質）．

mus·ca·rin·ic (mŭs-kă-rin′ik). ***1*** 〚adj.〛 ムスカリン様の（ムスカリン様作用をもつ．すなわち，節後副交感神経刺激作用に似た効果を生じることについていう）．***2*** 〚n.〛 節後副交感神経レセプタを刺激する薬物．→muscarine; nicotinic.

mus·cle (mŭs′ĕl). 筋，筋肉（高度に特殊化した収縮能をもつ細胞からなる基本組織で，骨格筋，心筋，平滑筋に分類される．顕微鏡的に平滑筋には他の 2 筋にみられる横紋がない．身体の収縮器官の 1 つで種々の器官や体部が動かされる．典型的な筋肉では，筋線維の集まった筋腹の両端が腱によって骨その他の構造に付着している．両端のうち，より近位で固定しているほうを起始，遠位で動くほうを停止という．筋腹が細くなって腱によって起始に付着しているとき，この部分を筋頭という．全体の解剖学的説明については musculus の項参照）．= musculus.

mus·cle-bound (mŭs′ĕl-bownd). 個々の筋は過度に発達しているが，その作用に協調性がない状態をいう．

mus·cle con·trac·tion head·ache 筋収縮性頭痛．= tension headache.

mus·cle en·er·gy tech·nique (MET) 筋エネルギーテクニック（ストレッチや抵抗に抗した筋収縮訓練を通して静止張力時の固有受容器の活動とレベルを調節するマッサージを用いた治療方法．→proprioceptive neuromuscular facilitation）．= strain-counterstrain.

mus·cle fa·tigue 筋肉疲労（激しい運動に伴う乳酸の蓄積から生じる，極度の疲労または筋肉の強度や持久性が失われている状態）．

mus·cle fi·ber 筋線維（収縮特性や代謝特性に基づく筋線維の分類．単収縮の遅い（I 型）線維はゆっくりと収縮し，相対的に緊張力は弱い．酸化能が高く解糖能が弱いので，耐久性がある．単収縮の速い（II 型）線維は活動が素速く，緊張力は強い．酸化能が低く解糖能が強いので，強さと力がでる）．

mus·cle of heart 心筋．= cardiac muscle.

mus·cle he·mo·glo·bin 筋肉ヘモグロビン．= myoglobin.

mus·cle plate = myotome(2).

mus·cles of au·di·to·ry os·si·cles 耳小骨筋（あぶみ骨筋と鼓膜張筋）．

mus·cle se·rum 筋血清（筋漿を凝固させミオシンを分離して残った液体成分）．

mus·cles of head 頭部の筋（表情筋，そしゃく筋，後頭下筋の総称）．

mus·cles of lar·ynx 喉頭筋（声帯の長さ・位置・張力を決定し，披裂喉頭蓋ひだ，喉頭前庭ひだ，声帯ひだ間の開口部の大きさを調節する）．= musculi laryngis.

mus·cle-spar·ing thor·a·cot·omy 筋肉温存開胸〔術〕（広背筋と前鋸筋を極力切離しないで行う開胸法）．

mus·cle spasm 筋痙攣．= spasm.

mus·cle spin·dle 筋紡錘．= neuromuscular spindle.

mus·cle spin·dle re·flex = myotactic reflex. →neuromuscular spindle.

mus·cle tone 筋緊張度（①各筋および筋グループ内における筋線維緊張の本態．②安静時，または筋伸張に対する対応として起こる筋の張力または抵抗力の度合い．→hypertonia; hypotonia (3)）．

mus·cle of tra·gus 耳珠筋．= tragicus muscle.

mus·cle of u·vu·la 口蓋垂筋．= uvular muscle.

mus·cu·lar (mŭs′kyū-lăr). ***1*** 筋〔性〕の．***2*** 筋系がよく発達している．

mus·cu·lar as·the·no·pi·a 〔動眼〕筋性眼精疲労（外眼筋の平衡異常による眼精疲労）．

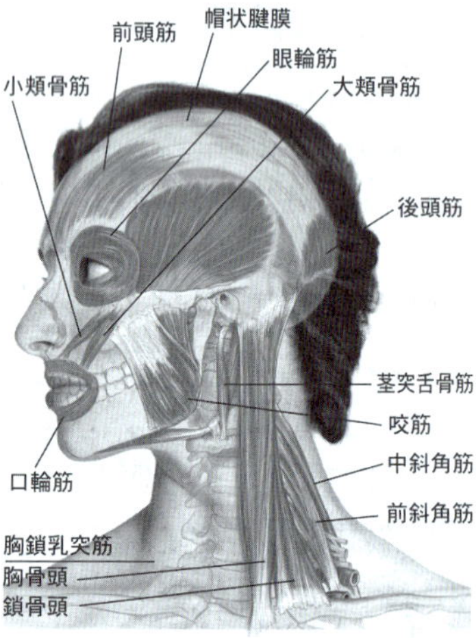
帽状腱膜
前頭筋
眼輪筋
小頬骨筋
大頬骨筋
後頭筋
茎突舌骨筋
咬筋
口輪筋
中斜角筋
前斜角筋
胸鎖乳突筋
胸骨頭
鎖骨頭

muscles of the head

mus·cu·lar at·ro·phy 筋萎縮（筋組織の萎縮）．

mus·cu·lar coat 筋層（通常は管状構造の中層で，胃腸管の大部分では外縦層と内輪層とからなる）．

mus·cu·lar dys·tro·phy 筋ジストロフィ（骨格筋やしばしば他器官の筋を侵す一連の遺伝性，進行性の変性疾患に対する一般用語）．= myodystrophy; myodystrophia.

mus·cu·lar en·du·rance 筋持久力（長時間にわたって張力を働かせうる筋の能力）．

mus·cu·la·ris (mŭs-kyū-lā′ris)．筋層（管腔器官あるいは管構造の筋性のおおい）．

mus·cu·la·ris mu·co·sae 粘膜筋板（消化管の大部分にみられる平滑筋の薄い層．粘膜固有層の外に位置し粘膜下組織に接している）．

mus·cu·lar·i·ty (mŭs′kyū-lar′i-tē)．筋肉質（十分に発達した筋を有する状態）．

mus·cu·lar pow·er 筋力（ある一定の時間に引き起こされる筋の力）．

mus·cu·lar re·lax·ant 筋弛緩薬（横紋筋を弛緩させる薬．脳および（または）脊髄レベルに働く薬，筋肉に直接働く薬，神経筋接合部に働く薬を含む）．

mus·cu·lar sense 筋肉感覚．= myesthesia.

mus·cu·lar strength train·ing = strength training.

mus·cu·lar tis·sue 筋組織（刺激に対し収縮可能なことを特徴とする組織．骨格筋，心筋，平滑筋組織の 3 つに分かれる．→muscle）．= flesh (2).

mus·cu·lar tri·an·gle 筋三角（胸鎖乳突筋，肩甲舌骨筋上腹，および正中線に囲まれた領域．主に舌骨下筋群によって占められている）．= trigonum musculare.

mus·cu·la·ture (mŭs′kyū-lă-chŭr)．筋系（身体の一部あるいは全体の筋の配列）．

mus·cu·li ar·rec·to·res pi·lo·rum 立毛筋．= arrector muscle of hair.

mus·cu·li in·ter·os·se·i = interosseous muscles.

mus·cu·li in·ter·os·se·i dor·sal·es ma·nus = dorsal interossei (interosseous muscles) of hand.

mus·cu·li in·ter·os·se·i dor·sa·les pe·dis = dorsal interossei (interosseous muscles) of foot.

mus·cu·li in·ter·spi·na·les 棘間筋．= interspinales muscles.

mus·cu·li in·ter·trans·ver·sa·ri·i 横突間筋．= intertransversarii muscles.

mus·cu·li la·ryn·gis 咽頭筋．= muscles of larynx.

mus·cu·li lev·a·to·res cos·tar·um = levator costarum muscles.

mus·cu·li pec·ti·na·ti 櫛状筋．= pectinate muscles.

mus·cu·li ro·ta·to·res 回旋筋．= rotatores muscles.

mus·cu·li sub·oc·cip·i·ta·les 後頭下筋．= suboccipital muscles.

mus·cu·lo·ap·o·neu·rot·ic (mŭs′kyū-lō-ap′ō-nūr-ot′ik)．筋腱膜の（筋組織およびその起始部または停止部の腱膜に関する）．

mus·cu·lo·cu·ta·ne·ous (mŭs′kyū-lō-kyū-tā′nē-ŭs)．筋皮の（筋と皮膚の両方に関する）．= myocutaneous.

mus·cu·lo·cu·ta·ne·ous nerve 筋皮神経（腕神経叢外側神経束から出て烏口腕筋を抜け，上腕筋と上腕二頭筋の間を下行する．これらの 3 つの筋肉に分布し，末梢は前腕の外側皮神経となる）．= nervus musculocutaneus.

mus·cu·lo·cu·ta·ne·ous nerve of leg = superficial fibular nerve.

mus·cu·lo·mem·bra·nous (mŭs′kyū-lō-mem′bră-nŭs)．筋結織膜の（筋組織と膜の両方に関する．後頭前頭筋のように，そのほとんどが膜性の筋についていう）．

mus·cu·lo·phren·ic ar·ter·y 筋横隔動脈（内胸動脈の外側終末枝より起こり，横隔膜，肋間筋に分布する．心膜横隔動脈，下横隔動脈，後肋間動脈の枝と吻合）．= arteria musculophrenica.

mus·cu·lo·phren·ic veins 筋横隔静脈（筋横隔動脈に伴い，上腹壁，下位肋間隙の前部，および横隔膜から血液を集める静脈）．

mus·cu·lo·skel·e·tal (mŭs′kyū-lō-skel′ĕ-tăl)．筋骨格の（筋と骨格に関する．例えば骨筋系についていう）．

mus·cu·lo·spi·ral pa·ral·y·sis 橈骨神経麻痺（橈骨（筋らせん状）神経の損傷による前腕の筋麻痺）．

mus·cu·lo·ten·di·nous (mŭs′kyū-lō-ten′di-nŭs)．筋腱の（筋組織と腱組織の両方に関する）．

mus·cu·lo·tro·pic (mŭs′kyū-lō-trō′pik)．向筋〔肉〕の（筋に影響する，働きかける，引き寄せられる，の意）．

mus·cu·lo·tu·bal ca·nal 筋耳管管（側頭骨鱗部との縫合部に近い錐体部の前縁に始まり，鼓室に至る．さじ状突起により 2 管に分かれ，一方は耳管を，他方は鼓膜張筋を入れる）．= canalis musculotubarius.

mus·cu·lus, gen. & pl. mus·cu·li (mŭs′kyū-lŭs, -lī)．筋（組織学的説明については muscle 参照）．= muscle.

mus·cu·lus ab·duc·tor hal·lu·cis 〔足の〕母指外転筋．= abductor hallucis muscle.

mus·cu·lus ab·duc·tor pol·li·cis brev·is 短母指外転筋．= abductor pollicis brevis muscle.

mus·cu·lus ab·duc·tor pol·li·cis lon·gus 長母指外転筋．= abductor pollicis longus muscle.

mus·cu·lus ad·duc·tor brev·is = adductor brevis muscle.

mus·cu·lus ad·duc·tor hal·lu·cis 〔足の〕母指内転筋．= adductor hallucis muscle.

mus·cu·lus ad·duc·tor lon·gus 長内転筋．= adductor longus muscle.

mus·cu·lus ad·duc·tor mag·nus 大内転筋．= adductor magnus muscle.

mus·cu·lus ad·duc·tor min·i·mus 小内転筋．= adductor minimus muscle.

M

mus·cu·lus ad·duc·tor pol·li·cis 〔手の〕母指内転筋. = adductor pollicis muscle.

mus·cu·lus an·co·ne·us 肘筋. = anconeus muscle.

mus·cu·lus an·ti·trag·i·cus 対珠筋. = antitragicus muscle.

mus·cu·lus ar·ti·cu·la·ris cu·bi·ti 肘関節筋. = articularis cubiti muscle.

mus·cu·lus ar·ti·cu·la·ris ge·nus 膝関節筋. = articularis genus muscle.

mus·cu·lus ar·y·ep·i·glot·ti·cus 披裂喉頭蓋筋. = aryepiglottic muscle.

mus·cu·lus at·tol·lens au·rem, mus·cu·lus at·tol·lens au·ric·u·lam = auricularis superior muscle.

mus·cu·lus at·tra·hens au·rem, mus·cu·lus at·tra·hens au·ric·u·lam = anterior auricular muscle.

mus·cu·lus au·ric·u·lar·is an·te·ri·or 前耳介筋. = auricularis anterior muscle.

mus·cu·lus au·ric·u·lar·is pos·te·ri·or 後耳介筋. = auricularis posterior muscle.

mus·cu·lus au·ric·u·lar·is su·pe·ri·or 上耳介筋. = auricularis superior muscle.

mus·cu·lus bi·ceps bra·chi·i 上腕二頭筋. = biceps brachii muscle.

mus·cu·lus bi·ceps fem·o·ris 大腿二頭筋. = biceps femoris muscle.

mus·cu·lus bra·chi·a·lis 上腕筋. = brachialis muscle.

mus·cu·lus bra·chi·o·ra·di·a·lis 腕橈骨筋. = brachioradialis muscle.

mus·cu·lus buc·ci·na·tor 頬筋. = buccinator muscle.

mus·cu·lus bul·bo·ca·ver·no·sus = bulbospongiosus muscle.

mus·cu·lus bul·bo·spon·gi·o·sus 球海綿体筋. = bulbospongiosus muscle.

mus·cu·lus cap·i·tis pos·te·ri·or ma·jor = rectus capitis posterior major muscle.

mus·cu·lus cer·a·to·cri·coi·de·us 下角輪状筋. = ceratocricoid muscle.

mus·cu·lus cil·i·ar·is 毛様体筋. = ciliary muscle.

mus·cu·lus coc·cyg·e·us 尾骨筋. = coccygeus muscle.

mus·cu·lus con·stric·tor phar·yn·gis in·fe·ri·or 下咽頭収縮筋. = inferior constrictor muscle of pharynx.

mus·cu·lus con·stric·tor phar·yn·gis su·pe·ri·or 上咽頭収縮筋. = superior constrictor muscle of pharynx.

mus·cu·lus con·stric·tor u·reth·rae = external urethral sphincter muscle.

mus·cu·lus cor·a·co·bra·chi·a·lis 烏口腕筋. = coracobrachialis muscle.

mus·cu·lus cor·ru·ga·tor su·per·ci·li·i 皺眉筋. = corrugator supercilii muscle.

mus·cu·lus cre·mas·ter 精巣挙筋, 挙睾筋. = cremaster muscle.

mus·cu·lus cri·co·ar·y·te·noid·e·us la·ter·a·lis 外側輪状披裂筋. = lateral cricoarytenoid muscle.

mus·cu·lus cri·co·ar·y·te·noid·e·us pos·te·ri·or 後輪状披裂筋. = posterior cricoarytenoid muscle.

mus·cu·lus cri·co·thy·roi·de·us 輪状甲状筋. = cricothyroid muscle.

mus·cu·lus del·toi·de·us 三角筋. = deltoid muscle.

mus·cu·lus de·pres·sor an·gu·li o·ris 口角下制筋. = depressor anguli oris muscle.

mus·cu·lus de·pres·sor la·bi·i in·fe·ri·o·ris 下唇下制筋. = depressor labii inferioris muscle.

mus·cu·lus de·pres·sor sep·ti 鼻中隔下制筋. = depressor septi nasi muscle.

mus·cu·lus de·pres·sor su·per·ci·li·i 眉毛下制筋. = depressor supercilii muscle.

mus·cu·lus di·gas·tri·cus 顎二腹筋. = digastric muscle(2).

mus·cu·lus di·la·ta·tor pu·pil·lae 瞳孔散大筋. = dilator pupillae muscle.

mus·cu·lus di·la·ta·tor tu·bae 耳管開大筋. = dilator tubae muscle.

mus·cu·lus e·jac·u·la·tor sem·i·nis = bulbospongiosus muscle.

mus·cu·lus ep·i·cra·ni·us 頭蓋表筋. = epicranius muscle.

mus·cu·lus e·rec·tor spi·nae 脊柱起立筋. = erector spinae muscles.

mus·cu·lus ex·ten·sor brev·is pol·li·cis = extensor pollicis brevis muscle.

mus·cu·lus ex·ten·sor car·pi ra·di·a·lis brev·is 短橈側手根伸筋. = extensor carpi radialis brevis muscle.

mus·cu·lus ex·ten·sor car·pi ra·di·a·lis long·us 長橈側手根伸筋. = extensor carpi radialis longus muscle.

mus·cu·lus ex·ten·sor car·pi ul·na·ris 尺側手根伸筋. = extensor carpi ulnaris muscle.

mus·cu·lus ex·ten·sor di·gi·ti mi·ni·mi 小指伸筋. = extensor digiti minimi muscle.

mus·cu·lus ex·ten·sor di·gi·to·rum 〔総〕指伸筋. = extensor digitorum muscle.

mus·cu·lus ex·ten·sor di·gi·to·rum brev·is 〔足の〕短指伸筋. = extensor digitorum brevis muscle.

mus·cu·lus ex·ten·sor di·gi·to·rum com·mu·nis 総指伸筋. = extensor digitorum muscle.

mus·cu·lus ex·ten·sor di·gi·to·rum lon·gus 〔足の〕長指伸筋. = extensor digitorum longus muscle.

mus·cu·lus ex·ten·sor hal·lu·cis brev·is 〔足の〕短母指伸筋. = extensor hallucis brevis muscle.

mus·cu·lus ex·ten·sor hal·lu·cis lon·gus 〔足の〕長母指伸筋. = extensor hallucis longus muscle.

mus·cu·lus ex·ten·sor in·di·cis 示指伸筋. = extensor indicis muscle.

mus·cu·lus ex·ten·sor os·sis me·ta·car·pi pol·li·cis = abductor pollicis longus muscle.

mus·cu·lus ex·ten·sor pol·li·cis brev·is 短母指伸筋. = extensor pollicis brevis muscle.

mus·cu·lus ex·ten·sor pol·li·cis lon·gus 長母指伸筋. = extensor pollicis longus muscle.

mus·cu·lus fib·u·lar·is lon·gus 長腓骨筋. = fibularis longus muscle.

mus·cu·lus fib·u·lar·is ter·ti·us 第三腓骨筋. = fibularis tertius muscle.

mus·cu·lus flex·or car·pi ra·di·a·lis 橈側手根屈筋. = flexor carpi radialis muscle.

mus·cu·lus flex·or car·pi ul·na·ris 尺側手根屈筋. = flexor carpi ulnaris muscle.

mus·cu·lus flex·or di·gi·ti mi·ni·mi brev·is ma·nus〔手の〕短小指屈筋. = flexor digiti minimi brevis muscle of hand.

mus·cu·lus flex·or di·gi·ti mi·ni·mi brev·is pe·dis〔足の〕短小指屈筋. = flexor digiti minimi brevis muscle of foot.

mus·cu·lus flex·or di·gi·to·rum brev·is〔足の〕短指屈筋. = flexor digitorum brevis muscle.

mus·cu·lus flex·or di·gi·to·rum lon·gus〔足の〕長指屈筋. = flexor digitorum longus muscle.

mus·cu·lus flex·or di·gi·to·rum pro·fun·dus 深指屈筋. = flexor digitorum profundus muscle.

mus·cu·lus flex·or di·gi·to·rum su·per·fi·ci·a·lis〔手の〕浅指屈筋. = flexor digitorum superficialis muscle.

mus·cu·lus gas·troc·ne·mi·us 腓腹筋. = gastrocnemius muscle.

mus·cu·lus ge·mel·lus in·fe·ri·or 下双子筋. = inferior gemellus muscle.

mus·cu·lus ge·mel·lus su·pe·ri·or 上双子筋. = superior gemellus muscle.

mus·cu·lus ge·ni·o·glos·sus おとがい舌筋. = genioglossus muscle.

mus·cu·lus ge·ni·o·hy·o·glos·sus = genioglossus muscle.

mus·cu·lus ge·ni·o·hy·oi·de·us おとがい舌骨筋. = geniohyoid muscle.

mus·cu·lus glu·te·us max·i·mus 大殿筋. = gluteus maximus muscle.

mus·cu·lus glu·te·us me·di·us 中殿筋. = gluteus medius muscle.

mus·cu·lus glu·te·us mi·ni·mus 小殿筋. = gluteus minimus muscle.

mus·cu·lus grac·i·lis 薄筋. = gracilis muscle.

mus·cu·lus hy·o·glos·sus 舌骨舌筋. = hyoglossus muscle.

mus·cu·lus il·i·a·cus 腸骨筋. = iliacus muscle.

mus·cu·lus il·i·o·coc·cyg·e·us 腸骨尾骨筋. = iliococcygeus muscle.

mus·cu·lus il·i·o·cos·ta·lis 腸肋筋. = iliocostalis muscle.

mus·cu·lus il·i·o·pso·as 腸腰筋. = iliopsoas muscle.

mus·cu·lus in·fra·spi·na·tus 棘下筋. = infraspinatus muscle.

mus·cu·lus in·ter·cos·ta·lis ex·ter·nus = external intercostal muscle.

mus·cu·lus in·ter·cos·ta·lis in·ti·mus 最内肋間筋. = innermost intercostal muscle.

mus·cu·lus in·ter·os·se·us pal·mar·is, pl. **mus·cu·li in·ter·os·se·i pal·ma·res** 掌側骨間筋. = palmar interosseous muscle.

mus·cu·lus in·ter·os·se·us plan·tar·is, pl. **mus·cu·li in·ter·os·se·i plan·tar·es** 底側骨間筋. = plantar interosseous muscle.

mus·cu·lus is·chi·o·cav·er·no·sus 坐骨海綿体筋. = ischiocavernous muscle.

mus·cu·lus is·chi·o·coc·cy·ge·us = coccygeus muscle.

mus·cu·lus la·ryn·go·pha·ryn·ge·us = inferior constrictor muscle of pharynx.

mus·cu·lus la·tis·si·mus dor·si 広背筋. = latissimus dorsi muscle.

mus·cu·lus le·va·tor an·gu·li o·ris 口角挙筋. = levator anguli oris muscle.

mus·cu·lus le·va·tor a·ni 肛門挙筋. = levator ani muscle.

mus·cu·lus le·va·tor glan·du·lae thy·roi·de·ae 甲状腺挙筋. = levator muscle of thyroid gland.

mus·cu·lus le·va·tor la·bi·i su·pe·ri·o·ris 上唇挙筋, 眼窩下筋. = levator labii superioris muscle.

mus·cu·lus le·va·tor la·bi·i su·pe·ri·o·ris a·lae·que na·si 上唇鼻翼挙筋, 眼角筋. = levator labii superioris alaeque nasi muscle.

mus·cu·lus le·va·tor pal·pe·brae su·pe·ri·o·ris 上眼瞼挙筋. = levator palpebrae superioris muscle.

mus·cu·lus le·va·tor pro·sta·tae 前立腺挙筋. = levator prostatae muscle.

mus·cu·lus le·va·tor scap·u·lae 肩甲挙筋. = levator scapulae muscle.

mus·cu·lus le·va·tor ve·li pa·la·ti·ni 口蓋帆挙筋. = levator veli palatini muscle.

mus·cu·lus lon·gis·si·mus ca·pi·tis 頭最長筋. = longissimus capitis muscle.

mus·cu·lus lon·gis·si·mus cer·vi·cis 頸最長筋. = longissimus cervicis muscle.

mus·cu·lus lon·gis·si·mus tho·ra·cis 胸最長筋. = longissimus thoracis muscle.

mus·cu·lus lon·gi·tu·di·na·lis in·fe·ri·or lin·guae 下縦舌筋. = inferior longitudinal muscle of tongue.

mus·cu·lus lon·gi·tu·di·na·lis su·pe·ri·or lin·guae 上縦舌筋. = superior longitudinal muscle of tongue.

mus·cu·lus lon·gus ca·pi·tis 頭長筋. = longus capitis muscle.

mus·cu·lus lon·gus col·li 頸長筋. = longus colli muscle.

mus·cu·lus lum·bri·ca·lis ma·nus, pl. **mus·cu·li lum·bri·ca·les ma·nus**〔手の〕

虫様筋. = lumbrical muscles of hand.

mus·cu·lus lum·bri·ca·lis pe·dis, pl. **mus·cu·li lum·bri·ca·les pe·dis** 〔足の〕虫様筋. = lumbrical muscles of foot.

mus·cu·lus mas·se·ter 咬筋. = masseter muscle.

mus·cu·lus men·ta·lis おとがい筋. = mentalis muscle.

mus·cu·lus mul·tif·i·dus 多裂筋. = multifidus muscle.

mus·cu·lus mul·ti·fi·dus lum·bo·rum = multifidus muscle.

mus·cu·lus my·lo·hy·oi·de·us 顎舌骨筋. = mylohyoid muscle.

mus·cu·lus na·sa·lis 鼻筋. = nasalis muscle.

mus·cu·lus ob·li·qu·us ca·pi·tis in·fe·ri·or 下頭斜筋. = obliquus capitis inferior muscle.

mus·cu·lus ob·li·qu·us ca·pi·tis su·pe·ri·or 上頭斜筋. = obliquus capitis superior muscle.

mus·cu·lus ob·li·qu·us ex·ter·nus ab·do·mi·nis 外腹斜筋. = external oblique muscle.

mus·cu·lus ob·li·qu·us in·fe·ri·or 下斜筋. = inferior oblique muscle.

mus·cu·lus ob·li·qu·us in·ter·nus ab·do·mi·nis 内腹斜筋. = internal oblique muscle.

mus·cu·lus ob·li·qu·us su·pe·ri·or 上斜筋. = superior oblique muscle.

mus·cu·lus ob·tu·ra·tor·i·us ex·ter·nus 外閉鎖筋. = obturator externus muscle.

mus·cu·lus ob·tu·ra·tor·i·us in·ter·nus 内閉鎖筋. = obturator internus muscle.

mus·cu·lus oc·cip·i·to·fron·ta·lis 後頭前頭筋. = occipitofrontalis muscle.

mus·cu·lus o·mo·hy·oi·de·us 肩甲舌骨筋. = omohyoid muscle.

mus·cu·lus op·po·nens di·gi·ti mi·ni·mi 小指対立筋. = opponens digiti minimi muscle.

mus·cu·lus op·po·nens pol·li·cis 母指対立筋. = opponens pollicis muscle.

mus·cu·lus or·bi·cu·la·ris oc·u·li 眼輪筋. = orbicularis oculi muscle.

mus·cu·lus or·bi·cu·la·ris o·ris 口輪筋. = orbicularis oris muscle.

mus·cu·lus or·bi·ta·lis 眼窩筋. = orbitalis muscle.

mus·cu·lus pal·a·to·glos·sus 口蓋舌筋. = palatoglossus muscle.

mus·cu·lus pal·a·to·pha·ryn·ge·us 口蓋咽頭筋. = palatopharyngeus muscle.

mus·cu·lus pal·ma·ris brev·is 短掌筋. = palmaris brevis muscle.

mus·cu·lus pal·mar·is lon·gus 長掌筋. = palmaris longus muscle.

mus·cu·lus pa·pil·la·ris 乳頭筋. = papillary muscle.

mus·cu·lus pec·ti·ne·us 恥骨筋. = pectineus muscle.

mus·cu·lus pec·to·ral·is ma·jor 大胸筋. = pectoralis major muscle.

mus·cu·lus pec·to·ral·is mi·nor 小胸筋. = pectoralis minor muscle.

mus·cu·lus pe·ro·ne·us lon·gus 長腓骨筋. = fibularis longus muscle.

mus·cu·lus pe·ro·ne·us ter·ti·us 第三腓骨筋. = fibularis tertius muscle.

mus·cu·lus pi·ri·for·mis 梨状筋. = piriformis muscle.

mus·cu·lus plan·tar·is 足底筋. = plantaris muscle.

mus·cu·lus pleu·ro·e·so·pha·ge·us 胸膜食道筋. = pleuroesophageal muscle.

mus·cu·lus pop·lit·e·us 膝窩筋. = popliteus muscle.

mus·cu·lus pro·ce·rus 鼻根筋. = procerus muscle.

mus·cu·lus pro·na·tor quad·ra·tus 方形回内筋. = pronator quadratus muscle.

mus·cu·lus pro·na·tor te·res 円回内筋. = pronator teres muscle.

mus·cu·lus pso·as ma·jor 大腰筋. = psoas major muscle.

mus·cu·lus pso·as mi·nor 小腰筋. = psoas minor muscle.

mus·cu·lus pte·ry·goi·de·us ex·ter·nus = lateral pterygoid muscle.

mus·cu·lus pte·ry·goi·de·us in·ter·nus = medial pterygoid muscle.

mus·cu·lus pte·ry·goi·de·us lat·e·ra·lis 外側翼突筋. = lateral pterygoid muscle.

mus·cu·lus pte·ry·goi·de·us me·di·a·lis 内側翼突筋. = medial pterygoid muscle.

mus·cu·lus pu·bo·coc·cy·ge·us 恥骨尾骨筋. = pubococcygeus muscle.

mus·cu·lus pu·bo·pros·ta·ti·cus 恥骨前立腺筋. = puboprostatic muscle.

mus·cu·lus pu·bo·rec·ta·lis 恥骨直腸筋. = puborectalis muscle.

mus·cu·lus pu·bo·va·gi·na·lis 恥骨腟筋. = pubovaginalis muscle.

mus·cu·lus pu·bo·ve·si·ca·lis 恥骨膀胱筋. = pubovesicalis muscle.

mus·cu·lus py·ra·mi·da·lis 錐体筋. = pyramidalis muscle.

mus·cu·lus py·ra·mi·da·lis au·ric·u·lae 耳介錐体筋. = pyramidal auricular muscle.

mus·cu·lus quad·ra·tus fem·o·ris 大腿方形筋. = quadratus femoris muscle.

mus·cu·lus quad·ra·tus la·bi·i su·pe·ri·o·ris 上唇方形筋. = quadratus labii superioris muscle.

mus·cu·lus quad·ra·tus lum·bo·rum 腰方形筋. = quadratus lumborum muscle.

mus·cu·lus quad·ra·tus plan·tae 足底方形筋. = quadratus plantae muscle.

mus·cu·lus quad·ri·ceps fem·o·ris 大腿四頭筋. = quadriceps femoris muscle.

mus·cu·lus rec·to·coc·cyg·e·us 直腸尾骨筋. = rectococcygeus muscle.

mus·cu·lus rec·to·u·re·thra·lis 直腸尿道筋. = rectourethralis muscle.

mus·cu·lus rec·to·u·te·ri·nus 直腸子宮筋. = rectouterine muscle.
mus·cu·lus rec·to·ve·si·ca·lis 直腸膀胱筋. = rectovesicalis muscle.
mus·cu·lus rec·tus ab·do·mi·nis 腹直筋. = rectus abdominis muscle.
mus·cu·lus rec·tus ca·pi·tis an·te·ri·or 前頭直筋. = rectus capitis anterior muscle.
mus·cu·lus rec·tus ca·pi·tis la·te·ra·lis 外側頭直筋. = rectus capitis lateralis muscle.
mus·cu·lus rec·tus fem·o·ris 大腿直筋. = rectus femoris muscle.
mus·cu·lus rec·tus in·fe·ri·or 下直筋. = inferior rectus muscle.
mus·cu·lus rec·tus la·te·ra·lis 外側直筋. = lateral rectus muscle.
mus·cu·lus rec·tus me·di·a·lis 内側直筋. = medial rectus muscle.
mus·cu·lus rec·tus su·pe·ri·or 上直筋. = superior rectus muscle.
mus·cu·lus re·tra·hens au·rem = auricularis posterior muscle.
mus·cu·lus rhom·boi·de·us ma·jor 大菱形筋. = rhomboid major muscle.
mus·cu·lus rhom·boi·de·us mi·nor 小菱形筋. = rhomboid minor muscle.
mus·cu·lus ri·so·ri·us 笑筋. = risorius muscle.
mus·cu·lus sal·pin·go·pha·ryn·ge·us 耳管咽頭筋. = salpingopharyngeus muscle.
mus·cu·lus sar·to·ri·us 縫工筋. = sartorius muscle.
mus·cu·lus sca·le·nus an·te·ri·or 前斜角筋. = scalenus anterior muscle.
mus·cu·lus sca·le·nus an·ti·cus = scalenus anterior muscle.
mus·cu·lus sca·le·nus me·di·us 中斜角筋. = scalenus medius muscle.
mus·cu·lus sca·le·nus pos·te·ri·or 後斜角筋. = scalenus posterior muscle.
mus·cu·lus sca·le·nus pos·ti·cus = scalenus posterior muscle.
mus·cu·lus sem·i·mem·bra·no·sus 半膜様筋. = semimembranosus muscle.
mus·cu·lus sem·i·spi·na·lis ca·pi·tis 頭半棘筋. = semispinalis capitis muscle.
mus·cu·lus sem·i·spi·na·lis cer·vi·cis 頸半棘筋. = semispinalis cervicis muscle.
mus·cu·lus sem·i·spi·na·lis tho·ra·cis 胸半棘筋. = semispinalis thoracis muscle.
mus·cu·lus sem·i·ten·di·no·sus 半腱様筋. = semitendinosus muscle.
mus·cu·lus ser·ra·tus an·te·ri·or 前鋸筋. = serratus anterior muscle.
mus·cu·lus ser·ra·tus pos·te·ri·or in·fe·ri·or 下後鋸筋. = serratus posterior inferior muscle.
mus·cu·lus ser·ra·tus pos·te·ri·or su·pe·ri·or 上後鋸筋. = serratus posterior superior muscle.
mus·cu·lus so·le·us ヒラメ筋. = soleus muscle.
mus·cu·lus sphinc·ter a·ni ex·ter·nus 外肛門括約筋. = external anal sphincter muscle.
mus·cu·lus sphinc·ter duc·tus cho·le·do·chi 総胆管括約筋. = sphincter of common bile duct.
mus·cu·lus sphinc·ter duc·tus pan·cre·a·ti·ci 膵管括約筋. = sphincter of pancreatic duct.
mus·cu·lus sphinc·ter pu·pil·lae 瞳孔括約筋. = sphincter pupillae.
mus·cu·lus sphinc·ter py·lo·ri·cus 幽門括約筋. = pyloric sphincter.
mus·cu·lus sphinc·ter u·re·thrae 尿道括約筋. = sphincter urethrae.
mus·cu·lus sphinc·ter u·re·thrae extern·us = external urethral sphincter muscle.
mus·cu·lus sphinc·ter vag·i·nae = bulbospongiosus muscle.
mus·cu·lus sphinc·ter ve·si·cae 膀胱括約筋. = sphincter vesicae.
mus·cu·lus spi·na·lis ca·pi·tis 頭棘筋. = spinalis capitis muscle.
mus·cu·lus spi·na·lis cer·vi·cis 頸棘筋. = spinalis cervicis muscle.
mus·cu·lus spi·na·lis tho·ra·cis 胸棘筋. = spinalis thoracis muscle.
mus·cu·lus sple·ni·us ca·pi·tis 頭板状筋. = splenius capitis muscle.
mus·cu·lus sple·ni·us cer·vi·cis 頸板状筋. = splenius cervicis muscle.
mus·cu·lus sta·pe·di·us あぶみ骨筋. = stapedius muscle.
mus·cu·lus ster·na·lis 胸骨筋. = sternalis muscle.
mus·cu·lus ster·no·clei·do·mas·toi·de·us 胸鎖乳突筋. = sternocleidomastoid muscle.
mus·cu·lus ster·no·hy·oi·de·us 胸骨舌骨筋. = sternohyoid muscle.
mus·cu·lus ster·no·thy·roi·de·us 胸骨甲状筋. = sternothyroid muscle.
mus·cu·lus sty·lo·glos·sus 茎突舌筋. = styloglossus muscle.
mus·cu·lus sty·lo·hy·oi·de·us 茎突舌骨筋. = stylohyoid muscle.
mus·cu·lus sty·lo·pha·ryn·ge·us 茎突咽頭筋. = stylopharyngeus muscle.
mus·cu·lus sub·cla·vi·us 鎖骨下筋. = subclavius muscle.
mus·cu·lus sub·cos·ta·lis, pl. **mus·cu·li sub·cos·ta·les** 肋下筋. = subcostal muscle.
mus·cu·lus sub·scap·u·la·ris 肩甲下筋. = subscapularis muscle.
mus·cu·lus su·pi·na·tor 回外筋. = supinator muscle.
mus·cu·lus su·pra·spi·na·tus 棘上筋. = supraspinatus muscle.
mus·cu·lus sus·pen·so·ri·us du·o·de·ni 十二指腸提筋. = suspensory muscle of duodenum.
mus·cu·lus tem·po·ra·lis 側頭筋. = temporalis muscle.

mus·cu·lus tem·po·ro·pa·ri·e·ta·lis 側頭頭頂筋（→anterior auricular muscle; superior auricular muscle）. = temporoparietalis muscle.

mus·cu·lus ten·sor fas·ci·ae la·tae 大腿筋膜張筋. = tensor fasciae latae muscle.

mus·cu·lus ten·sor tym·pa·ni 鼓膜張筋. = tensor tympani muscle.

mus·cu·lus ten·sor ve·li pa·la·ti·ni 口蓋帆張筋. = tensor veli palati muscle.

mus·cu·lus te·res ma·jor 大円筋. = teres major muscle.

mus·cu·lus te·res mi·nor 小円筋. = teres minor muscle.

mus·cu·lus thy·ro·ar·y·te·noi·de·us 甲状披裂筋. = thyroarytenoid muscle.

mus·cu·lus thy·ro·ep·i·glot·ti·cus 甲状喉頭蓋筋. = thyroepiglottic muscle.

mus·cu·lus thy·ro·hy·oi·de·us 甲状舌骨筋. = thyrohyoid muscle.

mus·cu·lus tib·i·al·is pos·te·ri·or 後脛骨筋. = tibialis posterior muscle.

mus·cu·lus tib·i·o·fas·ci·a·lis an·te·ri·or, mus·cu·lus tib·i·o·fas·ci·a·lis an·ti·cus 前脛骨筋膜筋. = anterior tibiofascial muscle.

mus·cu·lus tra·che·a·lis 気管筋. = trachealis muscle.

mus·cu·lus tra·gi·cus 耳珠筋. = tragicus muscle.

mus·cu·lus trans·ver·so·spi·na·lis 横突棘筋. = transversospinalis muscle.

mus·cu·lus trans·ver·sus ab·do·mi·nis 腹横筋. = transversus abdominis muscle.

mus·cu·lus trans·ver·sus lin·guae 横舌筋. = transverse muscle of tongue.

mus·cu·lus trans·ver·sus men·ti おとがい横筋. = transversus menti muscle.

mus·cu·lus trans·ver·sus nu·chae 項横筋. = transversus nuchae muscle.

mus·cu·lus trans·ver·sus pe·ri·ne·i pro·fun·dus 深会陰横筋. = deep transverse perineal muscle.

mus·cu·lus trans·ver·sus pe·ri·ne·i su·per·fi·ci·a·lis 浅会陰横筋. = superficial transverse perineal muscle.

mus·cu·lus trans·ver·sus tho·ra·cis 胸横筋. = transversus thoracis muscle.

mus·cu·lus tra·pe·zi·us 僧帽筋. = trapezius muscle.

mus·cu·lus tri·ceps bra·chi·i 上腕三頭筋. = triceps brachii muscle.

mus·cu·lus tri·ceps su·rae 下腿三頭筋. = triceps surae muscle.

mus·cu·lus u·vu·lae 口蓋垂筋. = uvular muscle.

mus·cu·lus ver·ti·ca·lis lin·guae 垂直舌筋. = vertical muscle of tongue.

mus·cu·lus vo·ca·lis 声帯筋. = vocalis muscle.

mus·cu·lus zy·go·ma·ti·cus = zygomaticus major muscle.

mus·cu·lus zy·go·ma·ti·cus ma·jor 大頬骨筋. = zygomaticus major muscle.

mus·cu·lus zy·go·ma·ti·cus mi·nor 小頬骨筋. = zygomaticus minor muscle.

mush·room poi·son·ing キノコ中毒（→mycetism）.

mu·si·cian's ear·plugs ミュージシャン用耳栓（あらゆる周波数，日常の聴覚活動に関わるものさえも弱めることのできる，カスタマイズされた耳栓．音質を損なわずに，ダメージを負うリスクを下回る環境でミュージシャンが音楽を聞くことが可能となる．必ず免許をもった専門聴覚士が装着しなくてはならない）.

mu·sic ther·a·py, mu·si·co·ther·a·py 音楽療法（精神疾患に対する，音楽を使った補助療法）.

Mus·set sign ミュセー(ミュッセ)徴候（心拍動とともに頭部が律動的に前後に揺れる．大動脈弁閉鎖不全で起こる）. = de Musset sign.

mus·si·ta·tion（mŭs-i-tā'shŭn）. 呟語，つぶやき（音声を発しないが，話しているかのように唇を動かすこと．せん妄および半昏睡にみられる）.

mus·tard（mŭs'tĕrd）. カラシ（①アブラナ科の白ガラシ *Brassica alba* と黒ガラシ *B. nigra* の熟した種を乾燥させたもの．②香辛料に用いる①の種の調製品）.

mus·tard gas マスタードガス（第一次世界大戦で使われ始めた発疱性毒ガス．いわゆるナイトロジェンマスタードの原料である．化学兵器として用いられ，発癌物質として知られている）.

Mus·tard op·er·a·tion マスタード手術（大血管転移症による異常な血行動態を，心房のレベルで修正する手術．心房内に隔壁をつくり，肺静脈血は三尖弁を通して右心室へ，全身静脈血は僧帽弁を通して左心室へ導く）.

mu·ta·gen（myū'tă-jen）. 突然変異原，〔突然〕変異誘発物質(因子)，変異原性因子（突然変異を促したり，突然変異が起こる割合を増加させる作因．例えば放射性物質，X線，またはある種の化学物質）.

mu·ta·gen·e·sis（myū-tă-jen'ĕ-sis）. 〔突然〕変異誘発（①突然変異をつくり出すこと．②化学物質あるいは放射線照射によって遺伝変位をもたらすこと）.

mu·ta·gen·ic（myū-tă-jen'ik）. 〔突然〕変異促進性の.

mu·tant（myū'tănt）. 〔突然〕変異体（①突然変異を受けた表現型．②野生型遺伝子とは対照的にまれで，普通有害な遺伝子のこと．以前から存在していたものが顕在してくる場合もある）.

mu·tant gene 突然変異遺伝子（現世代への必要性とは別に，代々の塩基配列を変化させた遺伝子．→mutant; mutation）.

mu·tase（myū'tās）. ムターゼ，転位酵素（1個の分子内で，外見的には基の転位を触媒する酵素．時々，分子から分子に転位する）.

mu·ta·tion（myū-tā'shŭn）. 〔突然〕変異（①遺伝子の化学的構造の変化で，この変化が起きた細胞が分裂してもその変化は永続する．染色体分子の塩基対の配列の変化．② variation（変異）とは異なり，ある種が突然発生すること）．

mu·ta·tion·al fal·set·to ファルセット変移（思春期後も続く異常な高音の常用）．= puberphonia.

mu·ta·tion rate 突然変異率（両親のいずれにも存在しない特別な遺伝子成分を子孫の遺伝子に含む可能性（割合）．通常，1つの遺伝子または遺伝子座に起こる突然変異を世代当たりの数で表現する）．

mute（myūt）．*1*〘adj.〙唖の．*2*〘n.〙唖者（話すことのできない人）．

mu·tein（myū′tēn）．ムテイン（突然変異の結果生じた蛋白に対して用いられた語）．

mu·ti·lat·ing ker·a·to·der·ma 断節性角皮症（四肢のびまん性角化症で，小児期に中指骨あるいは中趾骨の周りに線維性の絞扼輪を生じるもの．それより末梢が自然に脱落することがある）．

mu·ti·la·tion（myū-ti-lā′shŭn）．断節（身体の必要部分の除去または破壊による損傷）．

mut·ism（myū′tizm）．*1* 無言〔症〕（黙っている状態）．*2* 唖（話す能力の器質的または機能的欠如）．

mu·ton（myū′ton）．ミュートン，突然変異単位（遺伝学で突然変異が起こりうる染色体の最小単位（1塩基変化））．

mu·tu·al·ism（myū′chyū-ăl-izm）．相利共生（両方の種が利益を得るような共生的関係．*cf.* commensalism; metabiosis; parasitism）．

mu·tu·al·ist（myū′chū-ăl-ist）．相利共生動物．= symbion.

mu·tu·al re·sis·tance 相互抵抗．= antagonism.

mV millivolt; megavolt の略．

MVC maximum voluntary contraction の略．

MVP mitral valve prolapse の略．

MVV maximum voluntary ventilation の略．

MW molecular weight の略．

MWT maintenance of wakefulness test の略．

MX monozygotic の記号．

myaesthesia［Br.］．= myesthesia.

my·al·gi·a（mī-al′jē-ă）．筋〔肉〕痛．= myodynia.

my·al·gic as·the·ni·a 筋無力症（筋肉痛や圧痛，全般的筋力の低下，喪失と関連する症状）．

my·al·gic en·ceph·a·lo·mye·li·tis（ME） 筋〔肉〕痛性脳脊髄炎．= chronic fatigue syndrome.

my·as·the·ni·a（mī-as-thē′nē-ă）．筋無力症．

my·as·the·ni·a an·gi·o·scle·ro·ti·ca 血管硬化性筋無力症．= intermittent claudication.

my·as·the·ni·a gra·vis 重症筋無力症（変動する筋力低下を特徴とする神経筋接合部の疾患．脳幹運動核が支配しているものも含む，随意筋の疲労がみられる．神経筋接合部のシナプス後膜のアセチルコリン受容体の数の顕著な減少が原因である．自己免疫機序による）．= Goldflam disease.

my·as·then·ic（mī-as-then′ik）．筋無力症の，筋無力性の．

my·as·then·ic fa·ci·es 筋無力症顔〔貌〕（顔面筋の筋力低下により生じる重症筋無力症における眼瞼や口角が下垂した顔貌）．

my·as·then·ic syn·drome 筋無力症症候群（神経筋腱伝達の障害で，主に肢と肢帯の脱力，深部腱反射消失，口渇，インポテンスを特徴とする．免疫疾患による．特に男性では，肺の小細胞癌に関係した傍新生物症候群によることがしばしばある）．

my·ce·li·a（mī-sē′lē-ă）．mycelium の複数形．

my·ce·li·an（mī-sē′lē-ăn）．菌糸〔体〕の．

my·ce·li·um, pl. my·ce·li·a（mī-sē′lē-ŭm, -ă）．菌糸〔体〕（菌類のコロニーをつくる菌糸の塊）．

mycet-, myceto- 真菌に関する連結形．→myco-.

my·cete（mī′sēt）．真菌．

my·ce·tism, my·ce·tis·mus（mī′sĕ-tizm, -tiz′mŭs）．キノコ中毒．

my·ce·to·ge·net·ic, my·ce·to·gen·ic（mī′sĕ-tō-jĕ-net′ik, -jen′ik）．真菌性の．

my·ce·to·ma（mī-sĕ-tō′mă）．*1* 菌腫，足菌腫（皮膚，皮下組織，隣接する骨を侵す慢性感染症で，腫脹と多くの排出膿瘻を伴った限局性病変の形成を特徴とする．滲出液は原因菌により黄色，白色，赤色，褐色，黒色など様々な色の顆粒を含む．放線菌性菌腫は放線菌類によって起こる．真菌性菌腫は真正菌類によって起こる）．= Madura boil; maduromycosis. *2* 糸状菌に起因する排出膿瘻を伴う腫瘍の総称．

my·cid（mī′sid）．糸状菌疹（糸状菌感染の遠位病巣に対するアレルギー反応）．

myco- 真菌に関する連結形．→mycet-.

my·co·bac·te·ri·a（mī′kō-bak-tēr′ē-ă）．ミコバクテリア，マイコバクテリア（*Mycobacterium* 属に属する細菌）．

my·co·bac·te·ri·o·sis（mī′kō-bak-tēr-ē-ō′sis）．ミコバクテリア症，マイコバクテリア症（ミコバクテリアによる感染症）．

My·co·bac·te·ri·um（mī′kō-bak-tēr′ē-ŭm）．ミコバクテリウム属，マイコバクテリウム属（グラム陽性，抗酸性，細長い直線状，または少し曲がった杆体を含むミコバクテリウム科の好気性・非運動性バクテリアの一属．細い線維状のものが現れることもあるが，枝分かれはほとんど生じない．寄生種と腐生菌種もみられる．多くの種が免疫的障害をもつ人々，特にエイズ患者と関わりをもっている．標準種はヒト型結核菌 *Mycobacterium tuberculosis*．ミコバクテリウム科の標準属）．

My·co·bac·te·ri·um a·vi·um トリ〔型〕結核菌（ニワトリや他の鳥類に結核を起こす細菌種．ヒトにも日和見感染症を起こす）．= tubercle bacillus（3）．

***My·co·bac·te·ri·um a·vi·um-in·tra·cel·lu·la·re* com·plex（MAIC）** トリ〔型〕結核菌群（特にエイズ患者にみられる日和見感染の一病因．*M. avium intracellulare* は多くの抗生物質に耐性を示すので，治療は困難である．慢性の下部呼吸器感染を起こすこともある）．

My·co·bac·te·ri·um bo·vis ウシ〔型〕結核菌（ウシの結核の一次病原菌となる細菌種．ヒト，その他の動物に伝染して結核を起こす）．= tubercle bacillus（2）．

My·co·bac·te·ri·um che·lo·nae 急速発育性のマイコバクテリウム種で，散発性に各種の組織や臓器に感染症を起こす．ヒトでは心臓胸郭部の手術後や腹膜または血液透析，乳房形成術，関節形成術や免疫不全症などの患者に感染する．

My·co·bac·te·ri·um gor·do·nae 土壌や水道水などで見られる暗発色性の病原菌．脳室心房短絡術を患った髄膜炎患者から分離することが報告されている．

My·co·bac·te·ri·um hae·mo·phi·lum 非発色性かつ耐酸性の病原菌．主に免疫不全の患者(エイズやホジキン病患者)に感染をひき起こす．顎下リンパ腺炎および皮下結節，潰瘍から発展した膿瘍，瘻が一般的徴候．

My·co·bac·te·ri·um kan·sa·si·i 結核に似た肺の疾病を起こす細菌種．髄液，脾臓，肝臓，膵臓，精巣，腰関節，膝関節，指，手首，リンパ節内の感染を起こすことが知られている．

My·co·bac·te·ri·um lep·rae らい菌 (Hansen 病(らい病)を起こす細菌種)．= Hansen bacillus.

My·co·bac·te·ri·um ma·ri·num 海水魚に自発性結核を起こす細菌種．その他の冷血動物，水槽，水泳プール，灌漑用運河，堀，海辺にもみられ，水泳プールではヒトの皮膚感染症が起こることがある．

My·co·bac·te·ri·um scro·fu·la·ce·um しばしば小児の頸部腺炎と関連する細菌種．

My·co·bac·te·ri·um sim·i·ae 光発色性で成長が遅く，耐酸性の病原菌である．まれにヒトに肺疾患を起こす．

My·co·bac·te·ri·um tu·ber·cu·lo·sis ヒト〔型〕結核菌 (ヒトの結核を引き起こす細菌種．*Mycobacterium* 属の標準種)．= Koch bacillus; tubercle bacillus(1).

My·co·bac·te·ri·um vac·cae 暗発色性に迅速に増殖する非病原性の種で，自然界に幅広く分布している．

my·co·der·ma·ti·tis (mī′kō-dĕr-mă-tī′tis). 真菌皮膚炎 (カビ，酵母菌，糸状菌などの真菌による発疹を表す現在では用いられない語)．

my·col·o·gist (mī-kol′ŏ-jist). 〔真〕菌学者．

my·col·o·gy (mī-kol′ŏ-jē). 〔真〕菌学 (分類，可食性，培養，病原性などを研究する)．

my·co·phage (mī′kō-fāj). マイコファージ，真菌ファージ (真菌を宿主とするウイルス．→mycovirus)．

My·co·plas·ma (mī′kō-plaz′mă). マイコプラスマ属，ミコプラスマ属 (3 層の膜で包まれているが，真の細胞壁をもたないグラム陰性菌を含む好気性から通性嫌気性に及ぶマイコプラスマ科の細菌の一属．細胞は多形性であり，液体培地では，球状・環状・糸状を呈する．これら細菌は，一般にヒト，動物に見出され，病原性がある)．

my·co·plas·ma, pl. my·co·plas·ma·ta (mī′kō-plaz-mă, -plaz′mă-tă). マイコプラスマ (*Mycoplasma* 属の種にのみ用いる通称)．

My·co·plas·ma hom·i·nis 骨盤内炎症性疾患や他の泌尿生殖器系感染症の原因となる細菌種．絨毛羊膜炎，分娩熱の原因にもなりうる．

my·co·plas·mal pneu·mo·ni·a マイコプラスマ肺炎．= primary atypical pneumonia.

My·co·plas·ma my·coi·des 亜種がウシ，ヒツジ，およびヤギの伝染性胸膜肺炎の原因となる細菌種．*Mycoplasma* 属の標準種．

My·co·plas·ma pha·ryn·gis ヒトの中咽頭に共生的に存在する細菌種．

My·co·plas·ma pneu·mo·ni·ae 肺炎マイコプラスマ (ヒトの原発性異型肺炎の原因となる細菌種)．= Eaton agent.

My·co·plas·ma·ta·les (mī′kō-plaz-mă-tā′lēz). マイコプラスマ目 (3 層の膜で包まれているが，真の細胞壁をもたない細胞を含むグラム陰性菌の目．病原性種および腐生菌種がある．これらの菌は，分岐した線維状菌糸が分裂して球状で濾過性の基本小体をつくることで増殖する．本目はいわゆるウシ肺疫菌様微生物 pleuropneumonia-like organisms (PPLO)を含む)．

my·co·sis, pl. my·co·ses (mī-kō′sis, -sēz). 真菌症 (真菌類(糸状菌または酵母)によって起こる疾病の総称)．

my·co·sis fun·goi·des 菌状息肉腫 (皮膚に生じる慢性進行性リンパ腫の一型．初期にこの

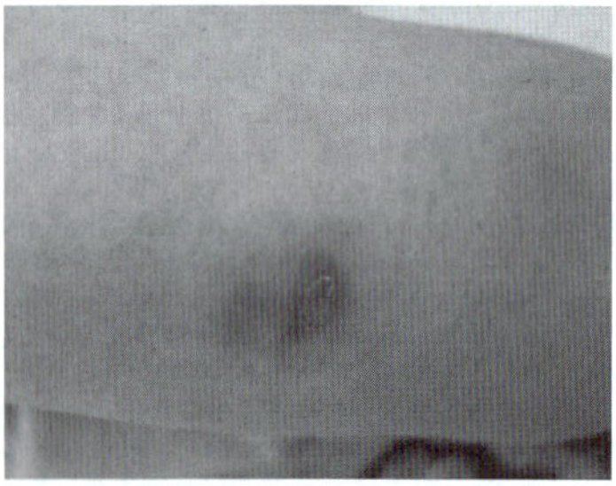

Mycobacterium marinum infection

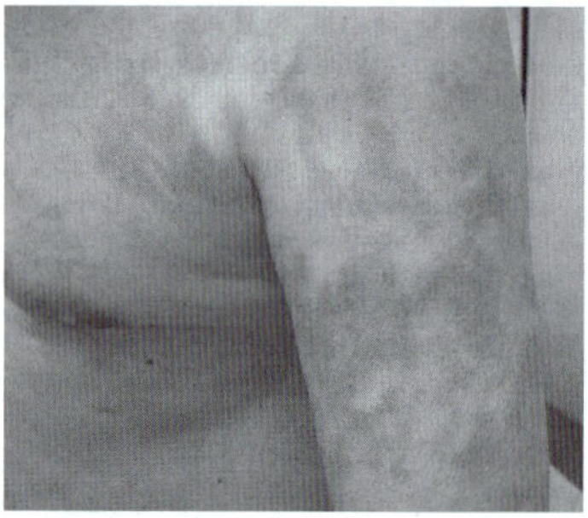

mycosis fungoides

疾患は，湿疹またはその他の炎症性皮膚疾患に類似し，進行した症例では潰瘍化した腫瘍やリンパ節への浸潤が生じることがある）．

my·cot·ic (mī-kot′ik)．真菌〔性〕の，糸状菌〔性〕の，真菌による．

my·cot·ic an·eu·rysm 真菌性動脈瘤（主に敗血病性塞栓の埋伏後，血管壁内での真菌の増殖により生じる動脈瘤．また動脈瘤の血管壁内の細菌の増殖を意味することもある．敗血症の塞栓が血管壁に浸潤する，または血管壁への一次感染に帰因する）．

my·co·tox·i·co·sis (mī′kō-tok-si-kō′sis)．マイコトキシン症（真菌の作用によって特定の食品に産生された物質を摂取することにより，あるいは真菌自身を摂取することによって起こる中毒．例えば麦角中毒など）．

my·co·tox·in (mī′kō-tok′sin)．マイコトキシン（ある種の真菌によって産生される中毒性物質．→yellow rain; trichothecene mycotoxin; alimentary toxic aleukia (ATA) toxicosis）．

my·co·vi·rus (mī′kō-vī′rŭs)．マイコウイルス（真菌に感染する一種のウイルス）．

my·dri·a·sis (mi-drī′ă-sis)．散瞳，瞳孔散大．

myd·ri·at·ic (mi-drē-at′ik)．***1***〖adj.〗散瞳の．***2***〖n.〗瞳孔を拡大させる因子．

my·ec·to·my (mī-ek′tŏ-mē)．筋切除〔術〕（筋肉の一部の切除）．

my·ec·to·py, my·ec·to·pi·a (mī-ek′tŏ-pē, mī-ek-tō′pē-ă)．筋転移を表す，まれに用いる語．

myel-, myelo- ***1*** 骨髄を表す連結形．***2*** 脊髄および延髄を表す連結形．*cf.* medullo-．***3*** 神経線維の髄鞘に関係があることを示す連結形．

my·el·ap·o·plex·y (mī-el-ap′ō-plek-sē)．脊髄〔内〕出血，脊髄卒中．= hematomyelia.

my·el·a·te·li·a (mī′el-ă-tē′lē-ă)．脊髄形成不全．

my·el·en·ceph·a·lon (mī′el-en-sef′ă-lon)．髄脳．= medulla oblongata.

my·e·lin (mī′ĕ-lin)．ミエリン（①リポ蛋白物質で，脂質ラメラと蛋白との規則的な層状構造の膜よりなる，ミエリン鞘の構成成分．②自己分解または死後の分解の過程で生成される脂質の小滴）．

my·e·li·nat·ed (mī′ĕ-li-nāt-ĕd)．ミエリン化された（髄鞘を有する）．= medullated (2).

my·e·li·na·tion (mī′ĕ-li-nā′shŭn)．髄鞘形成，有髄化（神経線維の周囲に髄鞘を獲得，発育，形成すること）．

my·e·li·nol·y·sis (mī′ĕ-li-nol′i-sis)．ミエリン溶解（神経線維の髄鞘の溶解）．

my·e·lin sheath ミエリン鞘（直径0.5 μm以上のほとんどの軸索をおおっている脊椎動物の脂質蛋白性被膜．これは種々の回数で軸索をきつく巻いている二重原形質膜からなり，乏突起膠細胞（脳および脊髄）またはSchwann細胞（末梢神経）によってつくられる）．

my·e·lit·ic (mī′ĕ-lit′ik)．脊髄炎の，骨髄炎の．

my·e·li·tis (mī′ĕ-lī′tis)．***1*** 脊髄炎．***2*** 骨髄炎．

my·e·lo·blast (mī′ĕ-lō-blast)．骨髄芽球，骨髄芽細胞，ミエロブラスト（顆粒球系の未成熟細胞で正常では骨髄に生じ，循環血液中にはない．普通染色で用いる色素で染色すると細胞質は淡青色，非顆粒性で量は一定せず，ときには核の周囲を薄く縁どっているだけのこともある．核は濃紫青色で細かく分かれた点状の糸状クロマチンをもち，周辺部にやや集まっている．少数の淡青色の核小体が通常は核の中にあるが，これらは一般に，骨髄芽球が前骨髄球を経て骨髄球へと成熟するにつれ消失する）．

myeloblastaemia [Br.]. = myeloblastemia.

my·e·lo·blas·te·mi·a (mī′ĕ-lō-blas-tē′mē-ă)．骨髄芽球血症，骨髄芽細胞血症（循環血液中に骨髄芽球が存在すること）．= myeloblastaemia.

my·e·lo·blas·tic leu·ke·mi·a 骨髄芽球性白血病（種々の組織（および器官）や循環血液中に多数の骨髄芽球が存在する顆粒球性白血病の一型．急性顆粒球性白血病 acute granulocytic leukemia と同義に用いる）．

my·e·lo·blas·to·ma (mī′ĕ-lō-blas-tō′mă)．骨髄芽球腫，骨髄芽細胞腫（急性骨髄芽球性白血病または萎黄病にみられるような骨髄芽球の小結節性病巣，またはかなり限局した蓄積がみられること）．

my·e·lo·blas·to·sis (mī′ĕ-lō-blas-tō′sis)．骨髄芽球症，骨髄芽細胞症（（急性白血病にみられるように）循環血液，または組織，あるいはその両方に，骨髄芽球が異常に多く存在すること）．

my·e·lo·cele (mī′ĕ-lō-sēl)．***1*** 脊髄瘤，脊髄ヘルニア（二分脊椎における脊髄の突出）．***2*** 脊髄の中央管．

my·e·lo·cyst (mī′ĕ-lō-sist)．脊髄嚢胞（中枢神経系の痕跡的中心管から発育する嚢胞の総称．通常，円柱状または立方体状の細胞が配列している）．

my·e·lo·cyst·ic (mī′ĕ-lō-sist′ik)．脊髄嚢胞の．

my·e·lo·cys·to·cele (mī′ĕ-lō-sis′tō-sēl)．脊髄嚢瘤，脊髄嚢ヘルニア（脊髄物質からなる二分脊椎）．

my·e·lo·cys·to·me·ning·o·cele (mī′ĕ-lō-sis′tō-mĕ-ning′gō-sēl)．脊髄嚢髄膜瘤，脊髄嚢髄膜ヘルニア．= meningomyelocele.

my·e·lo·cyte (mī′ĕ-lō-sīt)．***1*** 骨髄球，ミエロサイト（顆粒球系の幼若細胞で，通常，骨髄中にあり，循環血液中には存在しない．普通染色で用いる色素で染色すると，細胞質は明らかに好塩基性（註日本では一般に好塩基性の薄れたものを骨髄球という）であり，その量は骨髄球が小型の細胞であるにもかかわらず，骨髄芽球や前骨髄球に比して多い．より成熟した骨髄球には，多種の細胞質顆粒が存在している．核の輪郭はかなり整っており（ぎざぎざでない），多くの細胞質顆粒中に埋没しているようにみえる）．***2*** 髄鞘球（脳の灰白質または脊髄の神経細胞）．

myelocythaemia [Br.]. = myelocythemia.

my·e·lo·cy·the·mi·a (mī′ĕ-lō-sī-thē′mē-ă)．骨髄球血症（循環血液中に，特に持続的に（骨髄性白血病のように）多数の骨髄球が存在すること）．= myelocythaemia.

my·e·lo·cyt·ic (mī′ĕ-lō-sit′ik)．骨髄球の，骨髄〔球〕性の．

my·e·lo·cyt·ic leu·ke·mi·a, my·e·lo·gen·ic leu·ke·mi·a, my·e·log·e·nous leu·ke·mi·a, my·e·loid leu·ke·mi·a 骨髄性白血病. = granulocytic leukemia.

my·e·lo·cy·to·ma (mī′ĕ-lō-sī-tō′mă). 骨髄球腫, 骨髄細胞腫（骨髄性白血病患者のある種の組織にみられるような, 骨髄球の小結節性病巣またはかなり限局された比較的濃厚な蓄積物）.

my·e·lo·cy·to·ma·to·sis (mī′ĕ-lō-sī-tō′ă-tō′sis). 骨髄球腫症（主として骨髄球による一種の腫瘍）.

my·e·lo·cy·to·sis (mī′ĕ-lō-sī-tō′sis). 骨髄球増加〔症〕（循環血液中または組織, あるいは両方に異常に多数の骨髄球が発生すること）.

my·e·lo·dys·pla·si·a (mī′ĕ-lō-dis-plā′zē-ă). ***1*** 脊髄形成異常〔症〕（脊髄, 特に脊髄下部の発育の異常）. ***2*** 骨髄異形成症（異常幹細胞が増殖し, 白血病に進展する可能性がある骨髄疾患）.

my·e·lo·dys·plas·tic syn·drome 骨髄異形成症候群（原発性・腫瘍性・多能性の幹細胞の障害. 末梢血血球減少および骨髄の著しい成熟異常が特徴である. この病気は次第に進展し, 白血病へ移行する. フランス-米国-英国(FAB)システムにより, 5つのグループに分類される. →French-American-British classification system）. = chronic erythremic myelosis; preleukemia; smoldering leukemia.

my·e·lo·fi·bro·sis (mī′ĕ-lō-fī-brō′sis). 骨髄線維症（骨髄の線維症. 特に全身化し, 脾臓や他臓器の骨髄様異形成, 白血赤芽球性貧血, 血小板減少に合併する. しかし骨髄は巨核球を含むことが多い）. = myelosclerosis.

my·e·lo·gen·e·sis (mī′ĕ-lō-jen′ĕ-sis). 骨髄形成（①骨髄の発達. ②中枢神経系の発達. ③軸索周囲の髄鞘形成）.

my·e·lo·ge·net·ic, my·e·lo·gen·ic (mī′ĕ-lō-jĕ-net′ik, -jen′ik). ***1*** 骨髄形成の. ***2*** 骨髄性の. = myelogenous.

my·e·log·e·nous (mī-ĕ-loj′ĕ-nŭs). = myelogenetic(2).

my·e·lo·gone, my·e·lo·go·ni·um (mī′ĕ-lō-gōn, -gō′nē-ŭm). 骨髄母細胞（骨髄球系の幼若白血球で, ⓘ青白く染まる核小体を有する比較的大型のかなり濃く染まる細網状の核, ⓘⓘ少量の円形, 非顆粒状, 中程度に好塩基性の細胞質, を特徴とする）.

my·e·lo·gram (mī′ĕ-lō-gram). ミエログラム（脊髄のクモ膜下腔およびその内容のX線造影法）.

my·e·log·ra·phy (mī′ĕ-log′ră-fē). ミエログラフィ〔ー〕, 脊髄造影(撮影)〔法〕（脊髄クモ膜下腔に造影剤を注入した後の脊髄および神経根のX線造影法）.

my·e·loid (mī′ĕ-loyd). ***1*** 骨髄様の, 骨髄性の, 骨髄系の. ***2*** 脊髄の. ***3*** 骨髄球様の（骨髄球型の特徴についていうが, 必ずしも骨髄における発生を意味するとはかぎらない）.

my·e·loid met·a·pla·si·a 骨髄〔様〕化生（貧血, 脾腫, 循環血液中の有核赤血球と未熟顆粒球, 脾臓や肝臓における顕著な髄外造血巣を特徴とする症候群. 真性多血球血症の経過中にこの状態が起こることもある. 骨髄性白血病へ発展する頻度が高い）.

my·e·loi·do·sis (mī′ĕ-loy-dō′sis). 骨髄組織過形成（骨髄組織の全身的過形成）.

my·e·loid sar·co·ma 骨髄性肉腫. = granulocytic sarcoma.

my·e·loid se·ries 骨髄性系（顆粒球系と赤血球系）.

my·e·loid tis·sue 骨髄組織（骨髄静脈洞を有し, 細網細胞と線維の間質に幼若, 成熟の各段階の赤血球, 顆粒球, 巨核球とからなっている骨髄）.

my·e·lo·ka·thex·is (mī′ĕ-lō-kă-thek′sis). = kathexis.

my·e·lo·li·po·ma (mī′ĕ-lō-li-pō′mă). 骨髄脂肪腫（副腎の血液洞中の細網内皮組織の限局性増殖に由来する細胞の結節状集塊. 実際は赤血球生成細胞または骨髄性細胞を含む骨髄巣である）.

my·e·lo·ma (mī′ĕ-lō′mă). 骨髄腫（①骨髄の造血組織から派生する細胞からなる腫瘍. ②形質細胞の腫瘍）.

my·e·lo·ma·la·ci·a (mī′ĕ-lō-mă-lā′shē-ă). 脊髄軟化〔症〕.

my·e·lo·ma·to·sis (mī′ĕ-lō-mă-tō′sis). 骨髄腫〔症〕（種々の部位における骨髄腫の発生を特徴とする疾患）.

my·e·lo·me·nin·go·cele (mī′ĕ-lō-mĕ-ning′gō-sēl). = meningomyelocele.

my·e·lo·mere (mī′ĕ-lō-mēr). 髄節（脳または脊髄の神経分節）.

my·e·lo·neu·ri·tis (mī′ĕ-lō-nūr-ī′tis). 脊髄神経炎. = neuromyelitis.

my·e·lon·ic (mī′ĕ-lon′ik). 脊髄の.

my·e·lo·path·ic (mī′ĕ-lō-path′ik). ミエロパシーの, 脊髄障害の.

my·e·lop·a·thy (mī′ĕ-lop′ă-thē). ***1*** ミエロパシー, 脊髄障害, 脊髄症（脊髄の疾患）. ***2*** 骨髄障害, 骨髄症, ミエロパシー（骨髄造血組織の疾患）.

my·e·lop·e·tal (mī′ĕ-lop′ĕ-tăl). 脊髄走向性の（脊髄の方向へ進む. 種々の神経インパルスについていう）.

my·e·loph·this·ic (mī′ĕ-lof-thiz′ik). 脊髄ろう(癆)〔性〕の, 骨髄ろう(癆)〔性〕の.

my·e·loph·this·ic a·ne·mi·a, my·e·lo·path·ic a·ne·mi·a 骨髄ろう性貧血, 骨髄障害性貧血. = leukoerythroblastosis.

my·e·loph·thi·sis (mī′ĕ-lof′thi-sis). ***1*** 脊髄ろう(癆)（脊髄の衰弱, 萎縮）. ***2*** 骨髄ろう(癆)（骨髄の造血組織が異常組織, 通常, 転移癌であることが最も多い悪性腫瘍や線維組織によって置換されること）. = panmyelophthisis.

my·e·lo·plast (mī′ĕ-lō-plast). 骨髄芽細胞（骨髄における白血球系の細胞, 特に幼若型）.

my·e·lo·poi·e·sis (mī′ĕ-lō-poy-ē′sis). 骨髄造血, 骨髄発生（骨髄の組織要素, 骨髄から出るすべての型の血球の形成, または両方の過程）.

my·e·lo·poi·et·ic (mī′ĕ-lō-poy-et′ik). 骨髄造血の, 骨髄発生の.

my·e·lo·pro·lif·er·a·tive (mī′ĕ-lō-prō-lif′ĕr-ă-tiv). 骨髄増殖性の.

my·e·lo·pro·lif·er·a·tive syn·dromes 骨髄増殖性症候群（骨髄細胞の生成異常により起こる症候群で，慢性骨髄性白血病，赤血病，骨髄硬化症，汎骨髄症，赤血病性骨髄症および赤白血病を含む）.

my·e·lo·ra·dic·u·li·tis (mī′ĕ-lō-ră-dik′yū-lī′tis). 脊髄神経根炎（脊髄と神経根の炎症）.

my·e·lo·ra·dic·u·lo·dys·pla·si·a (mī′ĕ-lō-ră-dik′yū-lō-dis-plā′zē-ă). 脊髄神経根形成障害（脊髄と脊髄神経根の先天性発育異常）.

my·e·lo·ra·dic·u·lop·a·thy (mī′ĕ-lō-ră-dik′yū-lop′ă-thē). 脊髄神経根障害（脊髄と神経根を侵す疾患）. = radiculomyelopathy.

my·e·lor·rha·gi·a (mī′ĕ-lō-rā′jē-ă). 脊髄出血. = hematomyelia.

my·e·lor·rha·phy (mī-ĕ-lōr′ă-fē). 脊髄縫合〔術〕（脊髄の創の縫合）.

my·e·lo·scle·ro·sis (mī′ĕ-lō-skle-rō′sis). 骨髄硬化〔症〕，脊髄硬化〔症〕. = myelofibrosis.

my·e·lo·sis (mī′ĕ-lō′sis). ***1*** 骨髄症（骨髄の組織または細胞成分の異常増殖を特徴とする状態．例えば，多発性骨髄腫，骨髄性白血病，骨髄線維症など）. ***2*** 脊髄症（グリオーマにみられるように脊髄組織の異常増殖がある状態）.

my·e·lo·sup·pres·sion (mī′ĕ-lō-sŭ-presh′ŭn). 骨髄機能抑制（骨髄の血球（血小板，赤血球，白血球）産出能力が低下すること．典型的にはガンの化学療法や放射療法によって起こる．骨髄機能が抑制されている間，患者は感染，出血しやすく，あるいは貧血症の症状にかかるリスクが高まる）.

my·e·lot·o·my (mī′ĕ-lot′ŏ-mē). 脊髄切開〔術〕.

my·e·lo·tox·ic (mī′ĕ-lō-tok′sik). 骨髄毒の（①骨髄の１つ以上の成分を阻害，抑制，破壊する．②罹患骨髄の特色についていう）.

my·en·ter·ic (mī′en-ter′ik). 腸管筋の.

my·en·ter·ic plex·us 筋層間神経叢（食道，胃，および腸の筋層内にある無髄線維と節後自律神経細胞体の叢．漿膜下および粘膜下神経叢，すべての腸神経叢と結合する）.

my·en·ter·on (mī-en′tĕr-on). 腸管筋層（腸の筋層または筋）.

my·es·the·si·a (mī-es-thē′zē-ă). 筋〔感〕覚（収縮時に筋肉に感じられる感覚．筋や関節の運動あるいは活動がわかる．位置や運動の感覚は大部分が後索と内側毛帯によって伝えられる．→bathyesthesia）. = kinesthetic sense; muscular sense; myaesthesia.

my·i·a·sis (mī-ī′ă-sis). ハエウジ病，ハエ幼虫症（双翅目昆虫の幼虫が人体の組織あるいは体腔に侵入して生じる感染症）.

my·lo·hy·oid (mī′lō-hī′oyd). 顎舌骨の（大臼歯あるいは下顎後部と舌骨についていう．種々の構造をいう．→nerve; muscle; region; sulcus）.

my·lo·hy·oid ar·ter·y 顎舌骨筋動脈. = mylohyoid branch of inferior alveolar artery.

my·lo·hy·oid branch of in·fe·ri·or al·ve·o·lar ar·ter·y 顎舌骨筋動脈（顎舌骨筋へ向かう下歯槽動脈の枝）. = ramus mylohyoideus arteriae alveolaris inferioris; mylohyoid artery.

my·lo·hy·oid mus·cle 顎舌骨筋（起始：下顎骨の顎舌骨筋線．停止：舌骨の上縁と他の筋から舌骨筋を分ける縫線．作用：口底と舌の挙上．舌骨を固定した場合，顎を下げる．神経支配：三叉神経の下顎枝からの顎舌骨筋神経）. = musculus mylohyoideus.

my·lo·hy·oid nerve 顎舌骨筋神経. = nerve to mylohyoid.

myo- 筋に関する連結形.

***myo*-in·o·si·tol** (mī′ō-in-os′i-tol). *myo*-イノシトール，ミオイノシトール（様々なホスファチジルイノシトールの成分で，微生物，高等植物，動物中に最も広く存在するイノシトール）.

my·o·ar·chi·tec·ton·ic (mī′ō-ahr-ki-tek-ton′ik). 筋構築の（筋肉や筋線維の全体的構造配列についていう）.

my·o·blast (mī′ō-blast). 筋芽細胞，筋原細胞（後に筋線維になる原始筋細胞）. = sarcoblast.

my·o·blas·tic (mī′ō-blas′tik). 筋芽細胞の（筋芽細胞または筋肉細胞の形成様式についていう）.

my·o·blas·to·ma (mī′ō-blas-tō′mă). 筋原細胞腫，筋芽細胞腫（未熟筋肉細胞の腫瘍）.

my·o·bra·di·a (mī′ō-brā′dē-ă). 筋収縮遅滞（刺激に対する筋肉の反応が緩慢なこと）.

my·o·car·di·al (mī-ō-kahr′dē-ăl). 心筋〔層〕の.

my·o·car·di·al de·pres·sant fac·tor (MDF) 心筋抑制因子（ショック時に出現する毒性因子で，心筋の収縮力を障害する）.

my·o·car·di·al in·farc·tion (MI) 心筋梗塞（心筋の一部分における梗塞で，通常，冠動脈の閉塞の結果起こる）. = heart attack; infarctus myocardii.

my·o·car·di·al in·suf·fi·cien·cy 心筋不全〔症〕. = heart failure (1).

my·o·car·di·o·graph (mī′ō-kahr′dē-ō-graf). 心運動記録器（記録レバーのついたタンブールからなる器械．心筋運動の記録に用いる）.

my·o·car·di·op·a·thy (mī′ō-kahr-dē-op′ă-thē). 心筋障害，心筋症. = cardiomyopathy.

my·o·car·di·tis (mī′ō-kahr-dī′tis). 心筋炎（心筋壁の炎症）.

my·o·car·di·um, pl. my·o·car·di·a (mī′ō-kahr′dē-ŭm, -ă). 心筋層（心筋からなる心臓壁の中央層）.

my·o·cele (mī′ō-sēl). ***1*** 筋脱，筋ヘルニア（筋肉鞘内の裂口を通る筋肉の脱出）. ***2*** 体節腔（体節中に現れる小空洞）.

my·o·cel·lu·li·tis (mī′ō-sel-yū-lī′tis). 筋蜂巣炎（筋肉と細胞組織の炎症）.

my·o·ce·ro·sis (mī′ō-sē-rō′sis). 筋ろう様変性.

my·o·clo·ni·a (mī′ō-klō′nē-ă). 間代性筋痙攣（ミオクローヌスを特徴とする障害）.

my·o·clon·ic (mī′ō-klon′ik). ミオクロ〔ー〕ヌスの，間代性筋痙攣の.

my·o·clon·ic a·stat·ic ep·i·lep·sy ミオクローヌス失立てんかん（小発作の一型で，脱力（ドロップアタック）と強直あるいは強直間代発作が神経障害（半身麻痺，失調など）と精神遅滞を合併する小児に起こるのが特徴．薬物治療にもかかわらず一般に進行性である).

my·oc·lo·nus (mī′ok′lō-nŭs). ミオクロ〔ー〕ヌス,筋クロ〔ー〕ヌス,筋間代(筋群の1回または数回のショック様の収縮.規則性,同期性,対称性は種々で,通常,中枢神経系の病変が原因).

my·oc·lo·nus ep·i·lep·sy ミオクローヌスてんかん(てんかん症候群の臨床的に広い群で,あるものは良性で,あるものは進行性である.多くは遺伝性で,すべてのものが,ミオクローヌスの出現を特徴とする.特異的症候群はチェリー赤斑ミオクローヌス症候群,セロイドリポフスチン症,不整赤色線維を伴うミオクローヌスてんかん,バルチックミオクローヌスを含む). = localization-related epilepsy(1).

my·oc·lo·nus mul·ti·plex 多発性ミオクロ〔ー〕ヌス(速く広範な筋収縮を特徴とする,あいまいに定義された疾患). = polyclonia; polymyoclonus.

my·o·cu·ta·ne·ous (mī′ō-kyū-tā′nē-ŭs). 筋皮〔神経〕の. = musculocutaneous.

my·o·cyte (mī′ō-sīt). 筋細胞.

my·o·cy·tol·y·sis (mī′ō-sī-tol′i-sis). 筋細胞融解(筋線維が溶けること).

my·o·cy·to·ma (mī′ō-sī-tō′mă). 筋細胞腫(通常,筋肉から発生する良性新生物).

my·o·de·mi·a (mī′ō-dē′mē-ă). 筋脂肪変性.

my·o·dyn·i·a (mī′ō-din′ē-ă). = myalgia.

my·o·dys·to·ny (mī′ō-dis′tō-nē). 筋張力障害(筋肉の電気刺激後に一連の軽度の収縮によって中断される緩慢な弛緩状態).

my·o·dys·tro·phy, my·o·dys·tro·phi·a (mī′ō-dis′trŏ-fē, -trō′fē-ă). 筋ジストロフィ,筋異栄養〔症〕. = muscular dystrophy.

my·o·e·de·ma (mī′ō-ĕ-dē′mă). 筋水腫(鋭い強打点に起こる変性筋肉の限局性収縮.神経支配とは無関係). = idiomuscular contraction; mounding; myo-oedema.

my·o·e·las·tic (mī′ō-ē-las′tik). 筋弾力線維性の(密接に関連する平滑筋線維と弾性結合組織についていう).

my·o·en·do·car·di·tis (mī′ō-en′dō-kahr-dī′tis). 心筋内膜炎(心臓の筋肉壁と内膜の炎症).

my·o·ep·i·the·li·al (mī′ō-ep-i-thē′lē-ăl). 筋上皮〔性〕の.

my·o·ep·i·the·li·o·ma (mī′ō-ep′i-thē-lē-ō′mă). 筋上皮腫(筋上皮細胞の良性腫瘍).

my·o·ep·i·the·li·um (mī′ō-ep-i-thē′lē-ŭm). 筋上皮(汗腺と乳腺の分泌腺腔の周囲に縦と斜めに配列している,紡錘状で収縮性があり,上皮起原の平滑筋様細胞.星状筋上皮細胞は涙腺といくつかの唾液腺分泌単位の周囲に発生する).

my·o·fas·ci·al (mī′ō-fash′ē-ăl). 筋の筋膜の(筋肉を取り囲んだり,仕切ったりしている筋膜についていう).

my·o·fas·ci·al pain-dys·func·tion syn·drome 筋筋膜疼痛〔機能障害〕症候群(そしゃく筋の痙攣に関係したそしゃく装置の機能不全.咬合協調障害や顎の垂直寸法の変化が誘因となり,情動ストレスで増悪する.耳前部の痛み,筋圧痛,顎関節のはじけるような音,下顎の運動制限を特徴とする). = temporomandibular joint pain-dysfunction syndrome; TMJ syndrome.

my·o·fas·ci·tis (mī′ō-fă-sī′tis). 筋膜炎. = myositis fibrosa.

my·o·fi·bril (mī′ō-fī′bril). 筋原線維,筋細線維(骨格筋または心筋線維に発生する細い縦走線維.規則的に重なっている多くの超顕微鏡的太さと薄さの筋フィラメントからできている).

my·o·fi·bro·blast (mī′ō-fī′brō-blast). 筋線維芽細胞(創の収縮の役割を果たすと考えられる細胞.この細胞は収縮能や筋原線維といった平滑筋の特徴のいくつかを備え,また一時的に,III 型コラーゲンを産生するとされている).

my·o·fi·bro·ma (mī′ō-fī-brō′mă). 筋線維腫(主として線維性結合組織からなり,種々の数の筋細胞が腫瘍の一部分を形成している良性新生物).

my·o·fi·bro·sis (mī′ō-fī-brō′sis). 筋線維症(筋組織を圧迫して萎縮を起こす間質性結合組織のびまん性過形成を伴う慢性筋炎).

my·o·fi·bro·si·tis (mī′ō-fī-brō-sī′tis). 筋線維膜炎,筋細合組織炎(筋周膜の炎症).

my·o·fil·a·ments (mī′ō-fil′ă-mĕnts). 筋フィラメント(横紋筋で筋線維をつくる超顕微鏡的フィラメント蛋白の糸状物.太いものはミオシンを含み,薄いものはアクチンを含む.両者とも平滑筋線維にも起こるが,孤立ミオフィブリルでは規則正しい構造をしていないので,これらの細胞では横紋はない).

my·o·func·tion·al ther·a·py 筋機能療法,機能的筋訓練法(舌と口唇の筋緊張の強化訓練による治療法.舌刺激えん下の治療によく利用される. →tongue thrust). = tongue thrust therapy.

my·o·gen·e·sis (mī′ō-jen′ĕ-sis). 筋発生(胚における筋細胞や筋線維の形成).

my·o·ge·net·ic, my·o·gen·ic (mī′ō-jĕ-net′ik, -jen′ik). = myogenous. ***1*** 筋〔原〕性の(筋肉から発生する,出発する). ***2*** 筋組織に由来する(筋細胞や筋線維の発生についていう).

my·og·e·nous (mī-oj′ĕ-nŭs). = myogenetic.

my·o·glo·bin (MbO$_2$, Mb) ミオグロビン(分子量がヘモグロビンの約 1/4 である筋肉の酸素運搬・貯蔵蛋白.血清値が急性心筋梗塞の診断に利用される,発症の 2—4 時間後に循環血中に現れ,8—12 時間後にピークを迎え,18—24 時間に正常値に戻る. →oxymyoglobin). = muscle hemoglobin.

my·o·glo·bi·nu·ri·a (mī′ō-glō-bi-nyūr′ē-ă). ミオグロビン尿〔症〕(尿中へのミオグロビンの排泄.血中へミオグロビンを放出させる筋変性の結果生じる.圧挫症候群,筋肉の高度のまたは持続性の虚血,原因不明で発作性に発生する場合がある).

my·o·glob·u·lin (mī′ō-glob′yū-lin). ミオグロブリン(筋組織に存在するグロブリン).

my·o·glob·u·li·nu·ri·a (mī′ō-glob′yū-li-nūr′ē-ă). ミオグロブリン尿〔症〕(尿中にミオグロブリンが排泄されること).

my·o·gram (mī′ō-gram). 筋運動〔記録〕図.

my·o·graph (mī′ō-graf). 筋運動記録器，ミオグラフ．

my·o·graph·ic (mī-ō-graf′ik). 筋運動〔記録〕図の．

my·og·ra·phy (mī-og′ră-fē). ***1*** 筋運動描記法（筋運動記録図で筋運動を記録すること）．***2*** 筋学（筋肉に関する説明や論文）．

my·oid (mī′oyd). ***1***〚adj.〛筋様の，筋組織様の．***2***〚n.〛類筋（下等動物のある種の上皮細胞中にみられる，細かい，収縮性で，糸状の原形質成分の1つ）．

my·oid cells 筋様細胞（中胚葉由来の扁平な平滑筋様細胞で精細管の基底膜のすぐ外側にみられる）. = peritubular contractile cells.

my·o·kin·e·sim·e·ter (mī′ō-kin-ĕ-sim′ĕ-tĕr). 筋攣縮描画器（電気刺激に反応する下肢の大筋肉の収縮の正確な時間と程度を記録する装置）．

my·o·ky·mi·a (mī′ō-kī′mē-ă). ミオキミア，筋波動〔症〕（安静時の筋の連続性不随意性のふるえるような波うつような運動．運動単位電位の一群の連続性興奮による）. = kymatism; Morvan chorea.

my·o·li·po·ma (mī′ō-li-pō′mă). 筋脂肪腫（主として脂肪細胞（脂肪組織）からなり，種々の数の筋細胞が腫瘍の一部分を形成する良性新生物）．

my·ol·o·gy (mī-ol′ŏ-jē). 筋学（筋肉とその付属器である腱，腱膜，滑液包，筋膜に関する科学の分野）．

my·ol·y·sis (mī-ol′i-sis). 筋変性（脂肪浸潤，萎縮，脂肪変性などの変性がしばしば先行する筋組織の溶解あるいは液化）．

my·o·ma (mī-ō′mă). 筋腫（筋組織に発生する良性新生物．→leiomyoma; rhabdomyoma）．

my·o·ma·la·ci·a (mī′ō-mă-lā′shē-ă). 筋軟化〔症〕（筋組織の病的軟化）．

my·o·ma·tous (mī-ō′mă-tŭs). 筋腫の．

my·o·mec·to·my (mī′ō-mek′tŏ-mē). 筋腫摘出（核出）〔術〕（筋腫，特に子宮筋腫の手術的切除）．

my·o·mel·a·no·sis (mī′ō-mel-ă-nō′sis). 筋黒色症（筋組織の異常な色素沈着．→melanosis）．

my·o·mere (mī′ō-mēr). 筋節. = myotome(4).

my·om·e·ter (mī-om′ĕ-tĕr). 筋収縮計（筋収縮の程度を測定する器械）．

my·o·me·tri·al (mī′ō-mē′trē-ăl). 子宮筋層の．

my·o·me·tri·tis (mī′ō-mē-trī′tis). 子宮筋層炎，子宮実質炎（子宮筋の炎症）．

my·o·me·tri·um (mī′ō-mē′trē-ŭm). 子宮筋層（子宮の筋壁）．

my·o·ne·cro·sis (mī′ō-nĕ-krō′sis). 筋壊死．

my·o·neme (mī′ō-nēm). 糸筋，筋糸（①筋原線維．②ある種の原生動物の収縮性原線維の1つ．後生動物筋線維と類似の形で機能すると思われる）．

my·o·neu·ral (mī′ō-nūr′ăl). 神経筋の（筋肉と神経に関する．特に運動ニューロンと横紋筋線維とのシナプス，すなわち神経筋接合部または運動終板をいう．→neuromuscular）．

my·o·neu·ral block·ade 神経筋遮断（クラーレなどの薬剤を用いて，神経節接合部における神経インパルスの伝達を阻止すること）．

my·o·neu·ral junc·tion 神経筋接合部（筋線維と運動ニューロン軸索とのシナプス接合部．→motor endplate）．

myo-oedema [Br.]. = myoedema.

my·o·pal·mus (mī′ō-pal′mŭs). 〔筋〕単収縮（筋肉の不規則な軽度の攣縮）．

my·o·pa·ral·y·sis (mī′ō-pă-ral′i-sis). 筋麻痺．

my·o·pa·re·sis (mī′ō-pă-rē′sis). 筋不全麻痺（軽度の筋麻痺）．

my·o·path·ic (mī′ō-path′ik). ミオパシー性の，筋障害性の（筋組織を侵す疾患についていう）．

my·op·a·thy (mī-op′ă-thē). ミオパシー，筋障害（筋組織の異常状態，または疾患．一般に骨格筋を侵す疾患を示す）．

my·o·per·i·car·di·tis (mī′ō-per-i-kahr-dī′tis). 心筋心膜炎（心臓の筋壁とそれを包む心膜の炎症．また心膜心筋炎 perimyocarditis ともよばれる）．

my·o·pi·a (mī-ō′pē-ă). 近視（眼球から有限距離の光線のみが網膜面上に焦点を結ぶような眼の状態）. = nearsightedness; shortsightedness.

my·op·ic (mī-op′ik). 近視〔性〕の．

my·op·ic a·stig·ma·tism 近視性単乱視（直交する経線が両方とも近視である乱視の型）．

my·op·ic cres·cent 近視性半月（強膜がみえるほど脈絡膜が萎縮し，そのため視神経乳頭の

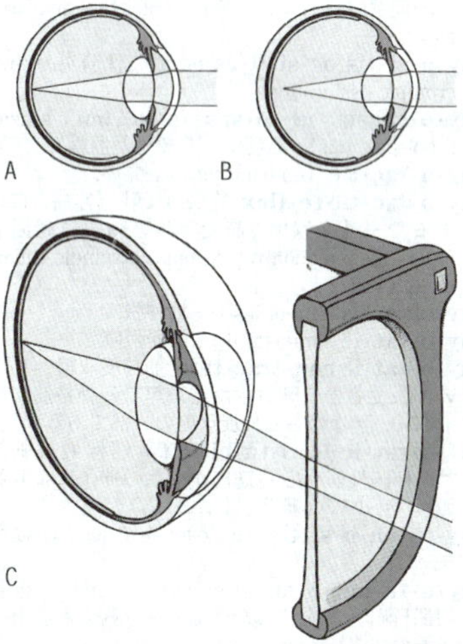

A
B
C

myopia

A：正視(20/20＝1.0)．光線は網膜上に鮮明に焦点を結ぶ．B：近視(近目)．遠方からの光線は網膜の前方に鮮明な焦点を結ぶ．C：凹レンズによる眼鏡により矯正された近視．

M

側頭側に位置する眼底に現れる白色または灰白色の半月形斑).

my·o·plasm (mī′ō-plazm). 筋〔細胞〕線維質(筋形質とは区別される,筋細胞の収縮性部分).

my·o·plas·tic (mī′ō-plas′tik). 筋形成〔術〕の(筋肉の形成手術,または欠陥を補填するための筋組織の使用についていう).

my·o·plas·ty (mī′ō-plas-tē). 筋形成〔術〕(筋組織の形成手術).

my·or·rha·phy (mī-ōr′ă-fē). 筋縫合〔術〕(筋肉の縫合).

my·or·rhex·is (mī-ō-rek′sis). 筋断裂(筋肉が引裂すること).

my·o·sal·pinx (mī′ō-sal′pingks). 卵管筋層(卵管の筋肉層).

my·o·sar·co·ma (mī′ō-sahr-kō′mă). 筋肉腫(筋組織に由来する悪性新生物の一般用語. →leiomyosarcoma; rhabdomyosarcoma).

my·o·scle·ro·sis (mī′ō-skle-rō′sis). 筋硬化〔症〕(間質結合組織の過形成を伴う慢性筋炎).

my·o·sin (mī′ō-sin). ミオシン(筋中に存在するグロブリンでアクチンと結合してアクトミオシンを形成する.ミオシンは筋肉内で,太いフィラメントを形成する).

my·o·sin fil·a·ment ミオシンフィラメント(骨格筋,心筋,平滑筋にみられる収縮物質の1つ.骨格筋では長さ約 1.5 μm,外径約 10 nm).

my·o·sit·ic (mī-ō-sit′ik). 筋炎の.

my·o·si·tis (mī-ō-sī′tis). 筋炎. = initis(2).

my·o·si·tis fi·bro·sa 線維性筋炎(線維性組織の間質性成長による筋肉の硬化). = myofascitis.

my·o·si·tis os·si·fi·cans 骨化性筋炎. = heterotopic ossification.

my·o·spasm, my·o·spas·mus (mī′ō-spazm, mī-ō-spaz′mŭs). 筋痙攣(痙攣性筋収縮).

my·o·tac·tic (mī-ō-tak′tik). 筋覚の.

my·o·tac·tic re·flex 筋張力反射(伸縮力に対する緊張性筋収縮.筋受容体の刺激に起因する). = deep tendon reflex; muscle spindle reflex; stretch reflex.

my·ot·a·sis (mī-ot′ă-sis). 筋伸張.

my·o·tat·ic (mī-ō-tat′ik). 筋伸張の.

my·o·tat·ic con·trac·tion 筋伸展収縮(筋肉の伸長受容器を刺激した結果起こる骨格筋の反射収縮.すなわち筋伸展反射の一部である).

my·o·tat·ic ir·ri·ta·bil·i·ty 筋伸展被刺激性,伸張性筋感応(筋肉が突然の伸張により刺激に反応して収縮できること).

my·o·ten·o·si·tis (mī′ō-ten-ō-sī′tis). 筋腱筋炎.

my·o·te·not·o·my (mī′ō-te-not′ō-mē). 筋腱切開〔術〕(筋全体または部分を分割する筋肉の主腱の切開). = tenomyotomy.

my·o·ther·a·py (mī′ō-thār′ă-pē). 筋肉治療. = massage therapy.

my·o·tome (mī′ō-tōm). ***1*** 筋切開刀(筋肉を分割する刀). ***2*** 筋板(胚で骨格筋の原基となる体節の部分). = muscle plate. ***3*** 神経筋単位(同一の体節から生じ同一の脊髄神経によって支配されるすべての筋肉). ***4*** 筋節(原始脊椎動物の体節の筋肉部分). = myomere.

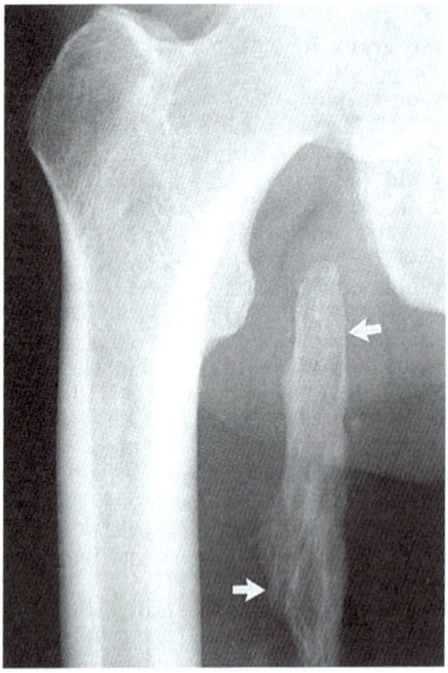

myositis ossificans:
大内転筋内にみられる骨化の成熟した血腫(矢印).

my·ot·o·my (mī-ot′ō-mē). ***1*** 筋肉解剖. ***2*** 筋〔肉〕切り術.

my·o·to·ni·a (mī-ō-tō′nē-ă). ミオトニー,筋緊張〔症〕(強い収縮後の筋肉の遅延弛緩,あるいは機械的刺激(叩打のような)または短い電気刺激後の持続性収縮.筋肉の膜,特にイオンチャネルの異常による).

my·o·ton·ic (mī-ō-ton′ik). 筋緊張性の.

my·o·ton·ic chon·dro·dys·tro·phy 筋緊張性軟骨形成異常〔症〕(まれな先天性疾患であり,筋緊張,筋肥大,関節や長管骨の奇形,幼若化を呈する疾患).

my·o·ton·ic re·sponse 筋緊張反応(筋線維の活動電位が繰り返し発射されることにより筋の弛緩が起こらない反応).

my·ot·o·noid (mī-ot′ŏ-noyd). 筋緊張様の(自然または電気的に興奮した筋肉にみられる,緩慢な収縮と特に緩慢な弛緩を特徴とする筋反応についていう).

my·ot·o·nus (mī-ot′ŏ-nŭs). 筋強直性痙攣(1つの筋あるいは筋群の強直性痙攣,または一時的硬直).

my·ot·o·ny (mī-ot′ŏ-nē). 筋緊張.

my·ot·ro·phy (mī-ot′rŏ-fē). 筋栄養.

my·o·tube (mī′ō-tūb). 筋管(筋芽細胞の融合により形成される発育段階中の骨格筋線維).

My Pyramid = Food Guide Pyramid.

my·rin·ga (mi-ring′gă). 鼓膜. = tympanic membrane.

myr·in·gec·to·my (mir-in-jek′tŏ-mē). 鼓膜切除〔術〕.

myr·in·gi·tis (mir-in-jī′tis). 鼓膜炎. = tympanitis.

myringo-, myring- 鼓膜を意味する連結形.

my·rin·go·plas·ty (mi-ring′gō-plas′tē). 鼓膜形成〔術〕（損傷した鼓膜の外科的修復）.

my·rin·go·scle·ro·sis (mi-ring′gō-skler-ō′sis). 鼓膜硬化症（鼓膜中間層の硬化. 通常は聴力障害と関連しない）.

my·rin·go·sta·pe·di·o·pex·y (mi-ring′gō-stā-pē′dē-ō-pek′sē). 鼓膜あぶみ骨固定〔術〕（鼓膜あるいは移植鼓膜とあぶみ骨を機能的に結合させる鼓室形成術の一技法）.

myr·in·got·o·my (mir-in-got′ŏ-mē). 鼓膜切開〔術〕, 鼓膜穿刺〔術〕. = tympanostomy; tympanotomy.

my·rinx (mir′ingks). 鼓膜. = tympanic membrane.

myr·me·ci·a (mir-mē′shē-ă). ミルメシア（ウイルス性いぼの一型で, 表面はアリ塚様のドーム状をなす）.

my·so·phil·i·a (mī-sō-fil′ē-ă). 不潔嗜好（排泄物に対する性的興味）.

my·so·pho·bi·a (mī-sō-fō′bē-ă). 不潔恐怖〔症〕（普通の対象物に触れても不潔になり汚れるという病的な恐れ）.

myx-, myxo- 粘液と関係があることを示す連結形.

myx·ad·e·no·ma (miks-ad-ĕ-nō′mă). 粘液腺腫（腺上皮組織から発生する良性腫瘍）.

myx·as·the·ni·a (miks-as-thē′nē-ă). 粘液分泌欠乏〔症〕.

myx·e·de·ma (miks-ĕ-dē′mă). 粘液水腫（皮下組織の比較的硬い水腫を特徴とする甲状腺機能低下症で, プロテオグリカンの増加を伴う. 傾眠, 思考力の減退, 毛髪の乾燥と脱毛, 心嚢液などの貯留, 軽度の体温異常, 嗄声, 筋力低下, 腱反射遅延などを特徴とする. 通常, 甲状腺の摘出または甲状腺組織の機能低下により起こる）.

myx·e·dem·a·toid (miks-ĕ-dem′ă-toyd). 粘液水腫様の. = myxoedematoid.

myx·e·dem·a·tous (miks-ĕ-dem′ă-tŭs). 粘液水腫の. = myxoedematous.

myx·o·chon·dro·fi·bro·sar·co·ma (mik′sō-kon′drō-fī′brō-sahr-kō′mă). 粘液軟骨線維肉腫（線維性結合組織から発生する悪性新生物. すなわち線維肉腫. 軟骨および粘液腫組織に密接に関連した病巣をもつ）.

myx·o·chon·dro·ma (mik′sō-kon-drō′mă). 粘液軟骨腫（軟骨組織の良性腫瘍で, 支質が比較的原始間葉組織に似ている）.

myx·o·cyte (mik′sō-sīt). 粘液細胞（粘液組織に存在する星状細胞, または多面細胞の１つ）.

myxoedema [Br.]. = myxedema.

myxoedematoid [Br.]. = myxedematoid.

myxoedematous [Br.]. = myxedematous.

myx·o·fi·bro·ma (mik′sō-fī-brō′mă). 粘液線維腫（原始間葉組織に類似する線維結合組織の良性新生物）.

myx·o·fi·bro·sar·co·ma (mik′sō-fī′brō-sahr-kō′mă). 粘液線維肉腫（原始間葉組織に似た類粘液組織が大部分を占める悪性線維性組織球腫）.

myx·oid (mik′soyd). 粘液様の.

myx·oid cyst 粘液様嚢胞. = ganglion (2).

myx·o·li·po·ma (mik′sō-li-pō′mă). 粘液脂肪腫（脂肪組織の良性腫瘍. 腫瘍の部分は粘液様間葉組織に類似する）.

myx·o·ma (mik-sō′mă). 粘液腫（結合組織から発生する良性新生物. 主成分である多面状および星状細胞が軟らかい粘液様基質中にまばらに包埋されているため, 骨, 皮膚, 筋肉内にしばしば発生し, 心筋に発生した場合は心房内に侵出する）.

myx·o·ma·to·sis (mik′sō-mă-tō′sis). ***1*** 粘液腫症. = mucoid degeneration. ***2*** 多発性粘液腫.

myx·o·ma·tous (mik-sō′mă-tŭs). ***1*** 粘液腫〔性〕の（粘液腫の特色に関する, 粘液腫を特徴とする）. ***2*** 原始間葉状の（原始間葉組織に似た組織についていう）.

myx·o·pap·il·lar·y ep·en·dy·mo·ma 粘液乳頭型脳室上衣腫（若年成人に最も多く発生する脊髄終糸の成長の遅い脳室上衣腫. 血管腔を中心に粘液産生性の立方形の細胞が乳頭状に配列する）.

myx·o·pap·il·lo·ma (mik′sō-pap′i-lō′mă). 粘液乳頭腫（上皮組織の良性腫瘍. 基質が原始間葉組織に似ている）.

myx·o·poi·e·sis (mik′sō-poy-ē′sis). 粘液生成, 粘液産生.

myx·o·sar·co·ma (mik′sō-sahr-kō′mă). 粘液肉腫（結合織性ムチンを含む原始間葉組織に似た類粘液組織を主成分とする肉腫で, 通常, 脂肪肉腫または悪性線維性組織球腫である）.

MZ monozygotic の記号.

𝔑

ν ニュー（→nu）．

N_A アヴォガドロ数 Avogadro number の記号．

n nano-(2)，反応次数 reaction order の記号．

N normal concentration の記号．→normal(3)．

n ***1*** 科学研究で用いられる数値．標本数．***2*** 屈折率 refractive index の記号．

Na ナトリウムの元素記号．

Na·ber probe ネーバー式ポケット探針（歯周用器具の一つで，2 根あるいは 3 根を有する歯の根分岐部における骨のレベルを測定するために用いられる．囲ポケット探針(歯周プローブ)の一つ．根分岐部の歯周ポケットの測定に用いられる）．= furcation probe.

na·both·i·an cyst ナーボト（ナボット）嚢胞（子宮頸管の粘液腺の閉鎖による停滞嚢胞．しばしば頸管の慢性的炎症により起こる．病的定義はない）．= nabothian follicle.

na·both·i·an fol·li·cle ナーボト濾胞．= nabothian cyst.

***N*-a·ce·tyl·cys·teine** (ă-sē′til-sis′tēn)．N-アセチルシステイン（経口または吸入投与される物質で，アセタミノフェンの毒性を中和するために用いられる）．

na·cre·ous (nā′krē-ŭs)．真珠光の，光沢のある（細菌のコロニーを記述する用語）．

NAD nicotinamide adenine dinucleotide の略．

NAD^+ nicotinamide adenine dinucleotide（酸化型）の略．

NADH nicotinamide adenine dinucleotide（還元型）の略．

NADH de·hy·dro·gen·ase NADH デヒドロゲナーゼ（鉄，硫黄を含むフラビン蛋白で，NADH を可逆的に酸化して NAD^+ にする．この複合体の遺伝的欠損により重篤なアシドーシスになる）．

NADP nicotinamide adenine dinucleotide phosphate の略．

$NADP^+$ nicotinamide adenine dinucleotide phosphate（酸化型）の略．

NADPH nicotinamide adenine dinucleotide phosphate（還元型）の略．

Nae·ge·li syn·drome ネーゲリ症候群（網様皮膚色素沈着，発汗減少，歯数不足，および手掌と足底の角化症および水疱形成）．

Nae·gle·ri·a (nā-glē′rē-ă)．ネグレリア属（自由生活性の，土壌，水中，汚水性のアメーバの一属で，アメーバ性髄膜炎の原因）．

naevi [Br.]. = nevi.

naevoid [Br.]. = nevoid.

naevose [Br.]. = nevose.

naevous [Br.]. = nevous.

naevus [Br.]. = nevus.

naevus cell [Br.]. = nevus cell.

naevus comedonicus [Br.]. = nevus comedonicus.

naevus flammeus [Br.]. = nevus flammeus.

naevus pigmentosus [Br.]. = nevus pigmentosus.

naevus pilosus [Br.]. = nevus pilosus.

naevus spilus [Br.]. = nevus spilus.

naevus unius lateris [Br.]. = nevus unius lateris.

naevus vascularis [Br.]. = nevus vascularis.

naevus vasculosus [Br.]. = nevus vasculosus.

Naff·zi·ger op·er·a·tion ナフジガー手術（上外側眼窩壁を切除して極度の悪性眼球突出症を治すこと）．

Nä·ge·le ob·liq·ui·ty ネーゲレ不正軸進入（扁平骨盤の場合に，骨盤入口平面に対して両頭頂径が傾斜して胎児頭が進入する状態で，前在頭頂骨が産道に位置する）．

Nä·ge·le pel·vis ネーゲレ骨盤（斜めに狭窄または片側性に骨癒合している骨盤で，一方の仙腸骨関節の強直によってその側の仙骨の発育が停止し，仙骨は同側に曲がり，恥骨結合は反対側に偏位する）．

Nä·ge·le rule ネーゲレの法則（最後の正常月経周期の初日に 7 日を加え，3 か月さかのぼり 1 年を加えて分娩予定日を決定する方法）．

Na·gel test ナーゲル試験（被検者は黄色に対応するのに必要な赤色と緑色の相対量を決めることによる色覚検査．Nagel のアノマロスコープとよばれる装置が使用される）．

nail (nāl)．***1*** 爪，平爪（指趾の各末節の遠位端背側面をおおう薄い角質性の透明な板．皮膚のひだに隠れた近位端にある爪根と，可視部すなわち爪体からなる．爪の下部は表皮の胚芽層から，爪の表面は透明層からつくられ，爪半月と重なり合う薄い爪小皮は角膜層を示す）．= unguis; nail plate; onyx. ***2*** 釘（骨折のため離れた骨片を結合させるために手術で用いる金属，骨，または他の堅い物質からなる細い棒）．

nail bed 爪床（爪が乗っている部の真皮領域．きわめて鋭敏でその表面には多くの縦の隆起がある）．= keratogenous membrane(2); matrix unguis.

nail fold 爪郭（爪の壁で，爪の外側縁と近位縁をおおう皮膚のひだ）．

nail ma·trix 爪床．= keratogenous membrane (1).

nail pits 爪の点状凹窩（爪の形成異常による爪甲表面の小さな点状のくぼみ．乾癬などでみられる）．

nail plate 爪板．= nail.

Nair buf·fered meth·y·lene blue stain ネアーの緩衝メチレンブルー染色〔法〕（原虫の栄養型の核の細部の観察に適している．pH 3.6—4.8 の酸性条件下で染色する）．

Na·ka·ni·shi stain 中西染色〔法〕（細菌の生体染色法の 1 つで，スライドガラスを温めたメチレンブルー溶液で処理し，空色になったら菌液をカバーガラス上に 1 滴滴下し，スライドガラスに密着させると細菌が染まり，一部が濃染してみえる）．

na·ked vi·rus 裸のウイルス（ヌクレオカプシドだけからできているウイルス．すなわち，周りを包むエンベロープをもたないウイルス）．

NANB non-A, non-B hepatitis の略．

Nance-In·sley syn·drome = chondrodystrophy with sensorineural deafness.

Nance-Swee·ney chon·dro·dys·pla·si·a = chondrodystrophy with sensorineural deafness.

NANDA (nanda). North American Nursing Diagnosis Association の略．

nan·ny·ber·ry (nan′ē-ber-ē). = black haw.

nano- *1* 小人症に関する連結形．*2* (n). 国際単位系(SI)およびメートル法で用いる接頭語．10億分の1(10^{-9})であることを示す．

nan·o·ceph·a·lous, nan·o·ce·phal·ic (nan′ō-sef′ă-lŭs, -se-fal′ik). 小頭の．= microcephalic.

nan·o·ceph·a·ly (nan′ō-sef′ă-lē). 小頭症．= microcephaly.

nan·o·cor·mi·a (nan′ō-kōr′mē-ă). = microsomia.

nan·o·gram (ng) (nan′ō-gram). ナノグラム（1 g の10億分の1(10^{-9} g)）．

nan·o·me·li·a (nan′ō-mē′lē-ă). 小肢症．= micromelia.

nan·o·me·ter (nm) (nan′ŏ-mē-tĕr). ナノメートル（1 m の10億分の1(10^{-9} m)）．

nanometre [Br.]. = nanometer.

nan·o·sec·ond (nan′ō-sek-ŏnd). ナノ秒，ナノセカンド（10億分の1秒）．

nape (nāp). 項〔部〕，うなじ．= nucha.

naph·thol yel·low S [CI 10316]. ナフトールイエローS（微量分光光度測定法で，塩基性蛋白の染色剤として用いる酸性染料）．

nar·cis·sism (nar′si-sizm). 自己愛，ナルシシスム，ナルチシスム（①自分を愛すること．自分自身に性的魅力を感じることも含む．②すべての事柄を自分自身に結び付けて解釈し，考え，他人や他のものに結び付けない状態）．= self-love.

narco- 麻酔，昏睡を意味する連結形．

nar·co·a·nal·y·sis (nahr′kō-ă-nal′i-sis). 麻酔分析（軽度の麻酔を施して行う精神療法的処置）．= narcosynthesis.

nar·co·hyp·ni·a (nahr-kō-hip′nē-ă). 覚醒無感覚，寝くたびれ（睡眠から覚醒したときに経験する一般的な無感覚）．

nar·co·hyp·no·sis (nahr′kō-hip-nō′sis). 麻酔催眠（催眠によって誘導される昏迷あるいは深い睡眠）．

nar·co·lep·sy (nahr′kō-lep-sē). ナルコレプシー，睡眠発作（通常，若年成人期に発症する睡眠障害．昼間の睡眠発作の繰返しとしばしば，夜間の睡眠障害を呈する．脱力発作，睡眠麻痺，入眠時幻覚をしばしば伴う．遺伝的疾患）．= Gélineau syndrome.

nar·co·sis (nahr-kō′sis). 麻酔〔法〕，ナルコーシス（神経細胞の興奮性の一般的かつ非特異的可逆的低下についていうのに用いる．多くの物理的および化学的作用因子によってつくり出され，通常は anesthesia（麻酔，以前は narcosis が本同義語として用いられた）というよりも昏迷を意味する）．

nar·co·syn·the·sis (nahr′kō-sin′thĕ-sis). = narcoanalysis.

nar·co·ther·a·py (nahr′kō-thār′ă-pē). 麻酔療法（鎮静薬あるいは麻酔薬の影響下で患者に行う精神療法）．

nar·cot·ic (nahr-kot′ik). *1* 〖n.〗麻酔薬，麻薬（もともとアヘンやアヘン様化合物から誘導され，精神と行動の著しい変化および依存性と耐性の可能性を伴う強力な鎮痛作用をもつすべての薬物）．*2* 〖n.〗麻酔薬，麻薬（最近は，合成あるいは天然の薬物で，アヘンやアヘン誘導体と作用が類似しているものすべてをさす）．*3* 〖adj.〗麻酔性の，麻薬の（昏迷性無痛覚状態を誘発しやすい）．

nar·cot·ic an·al·ge·sic →narcotic.

nar·cot·ic an·tag·o·nist →opioid antagonist.

nar·cot·ic block·ade 麻薬遮断（ナロキソンのような薬剤を用いて麻薬物質の作用を抑制すること）．

nar·cot·ic re·ver·sal 麻薬逆転（ナロキソンなどの麻薬拮抗薬を用いて，麻薬の作用を終わらせること）．

na·ris, pl. na·res (nā′ris, -res). 外鼻孔．= nostril.

NARP (nahrp). 先天性ミトコンドリア病の1つで，*n*europathy（ニューロパシー），*a*taxia（運動失調），*r*etinitis *p*igmentosa syndrome（色素性網膜炎症候群）の頭文字．点変異の結果，ミトコンドリア DNA8993 番の1アミノ酸が置換して起こる疾患．同じ位置の点変異のさらに重篤な表現型は臨床的には Leigh 病として表れる．

nar·row-an·gle glau·co·ma 狭〔隅〕角緑内障．= angle-closure glaucoma.

nar·row·band (nar′rō-band′). 狭帯域（音の周波数帯域が限局されているもの．白色雑音に代表される広周波帯域の音と反対の意味で用いられる．聴力検査時に非検側耳のマスキングに用いられる）．

na·sal (nā′zăl). 鼻の，鼻側の，鼻骨の．= rhinal.

na·sal bal·loon tam·pon·ade 鼻腔バルーンタンポナーデ（鼻の後部出血を抑える手技．鼻用バルーンまたはフォーリーカテーテルを鼻腔に挿入した後，食塩水で満たし，圧を加えて出血性静脈瘤を抑える）．

na·sal bone 鼻骨（長くのびた矩形の骨．左右の鼻骨が鼻橋を形成する．上部で前頭骨と，後方で篩骨および上顎骨の前頭突起と，内側で左右が連結する）．= os nasale.

na·sal can·nu·la 鼻カニューラ（鼻孔に酸素を送るための装置．一般的には複数の流率がある）．= nasal prongs.

na·sal cap·sule 鼻胞（発生途上の胎児の鼻腔を囲む軟骨）．

na·sal car·ti·lage 鼻軟骨（密集した鼻の結合組織；大鼻翼軟骨（下外側），小鼻翼軟骨，外側鼻軟骨（上外側），鋤鼻軟骨，副鼻軟骨を含む）．

na·sal cav·i·ty 鼻腔（鼻中隔の両側の腔所で，線毛上皮でおおわれ，前は外鼻孔から後鼻孔まで広がる．副鼻腔とは側壁に開いた口で連結し

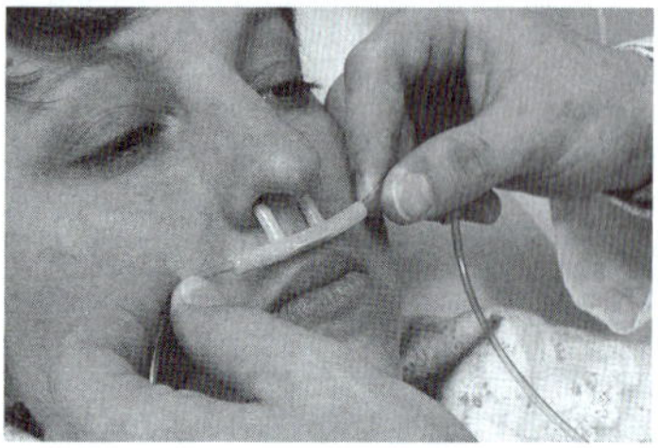
nasal cannula

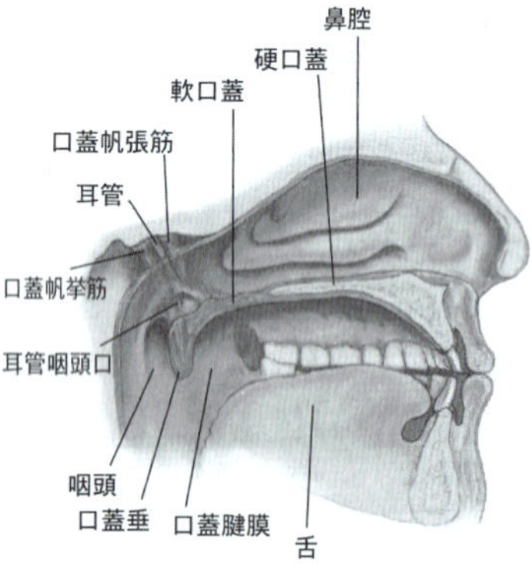
鼻腔
硬口蓋
軟口蓋
口蓋帆張筋
耳管
口蓋帆挙筋
耳管咽頭口
咽頭
口蓋垂
口蓋腱膜
舌
nasal cavity

ている．側壁から 3 個の鼻甲介が突出している．天井は篩板になっており，ここから嗅神経が出ていく．床は硬口蓋で形成されている）．

na·sal crest 鼻稜（鼻腔の床の中央にある隆起．1 対の上顎骨と口蓋骨の結合により形成される．鋤骨がこの稜に接する）．

na·sal e·mis·sion 鼻腔放射（言語病理学で，話しているときに，鼻を通して強制的に流れる空気の音(nasal resonance の逆)．口蓋裂のように，通常，口腔と鼻腔の間の弁機能が十分でないことによって起こる．━hypernasality）．= nasal escape.

na·sal es·cape = nasal emission.

na·sa·lis mus·cle 鼻筋（鼻にある顔面筋の 1 つ．横部(鼻孔圧迫筋)と鼻翼部(鼻孔開大筋)の複合としての呼称．横部は犬歯根上部の上顎骨から起こり腱膜をなして鼻稜を越える．鼻翼部は側切歯上部の上顎骨から起こり鼻翼に停止するが，この筋が働けば鼻孔が開く）．= musculus nasalis; nasal muscle.

na·sal me·a·tus 鼻道（鼻甲介により形成される鼻腔中の 3 つの通路で，下鼻甲介の下にある下鼻道，下鼻甲介と中鼻甲介の間にある中鼻道，上鼻甲介と中鼻甲介の間にある上鼻道からなる）．= meatus nasi.

na·sal mus·cle 鼻筋．= nasalis muscle.

na·sal pits 鼻窩（近接した鼻突起の急速な成長の結果，鼻板が発育しつつある顔面の下方に横たわるようになったときに形成される対になったくぼみ．鼻腔の吻側部の原基である）．

na·sal point = nasion.

na·sal prongs = nasal cannula.

na·sal re·flex くしゃみ反射，鼻性反射（鼻粘膜の刺激によるくしゃみ）．

na·sal sep·tal car·ti·lage 鼻中隔軟骨（鋤骨と篩骨垂直板の間にあり，鼻中隔前部を構成する薄い軟骨板）．

na·sal sep·tum 鼻中隔（鼻腔を二分している壁．両側を粘膜でおおわれた正中の支持骨格からなる）．

na·sal spine of fron·tal bone 〔前頭骨の〕鼻棘（前頭骨の鼻部の中央からの突起．鼻骨と篩骨鉛直板の間にあり，これらと連結する）．

na·sal spines 鼻棘（前鼻棘，後鼻棘，および前頭骨鼻棘）．

nas·cent (nā′sĕnt). ***1*** 生まれようとする，発生しようとする，なり始めの．***2*** 発生期の（ある元素がその化合物の 1 つから遊離する瞬間の状態についていう）．

na·si·on (nā′zē-on). ナジオン（前頭鼻骨縫合の中央にあたる頭蓋骨上の点）．= nasal point.

naso- 鼻に関する連結形．

na·so·an·tral (nā′zō-an′trăl). 鼻洞の（鼻と上顎洞に関する）．

na·so·cil·i·ar·y nerve 鼻毛様体神経（上眼窩裂で分枝する眼神経[CN V1]の枝．眼窩を通り，前篩骨孔を抜けて頭蓋にはいり，鼻裂を通って鼻腔にはいる．毛様体神経節長根，長毛様体神経，前後篩骨神経を発し，滑車下神経，鼻枝に終わり，鼻の粘膜，鼻尖の皮膚，結膜に分布する）．= nervus nasociliaris.

na·so·fron·tal (nā′zō-frŭn′tăl). 鼻前頭の（鼻と前頭，または鼻腔と前頭洞に関する）．

na·so·fron·tal vein 鼻前頭静脈（眼窩の前内側部にあり，上眼静脈と眼角静脈を結ぶ静脈）．

na·so·gas·tric (nā′zō-gas′trik). 経鼻胃の（経鼻胃管挿入のように鼻孔と胃に関する，あるいは鼻孔と胃を含む）．

na·so·gas·tric tube 経鼻胃管（鼻孔から胃減圧のために胃に通す軟らかい管）．= NG tube.

na·so·la·bi·al (nā′zō-lā′bē-ăl). 鼻唇の（鼻と上唇に関する）．

na·so·la·bi·al lymph node 鼻唇リンパ節（顔面リンパ節群の 1 つで，顔面動脈から上唇動脈が分枝する近傍にあるもの）．

nasolachrymal [Br.]. = nasolacrimal.

na·so·lac·ri·mal (nā′zō-lak′ri-măl). 鼻涙の（鼻骨と涙骨，または鼻腔と涙管に関する）．= nasolachrymal.

na·so·lac·ri·mal ca·nal 鼻涙管（上顎骨，涙骨，下鼻甲介により形成される骨性の管で，眼窩から下鼻道までの鼻涙管(nasolacrimal duct)を通す）．= canalis nasolacrimalis.

na·so·lac·ri·mal duct 鼻涙管（涙嚢から下鼻道前上部に通じる通路で涙を鼻腔に運ぶ管）．

na·so-o·ral (nā′zō-ō′răl). 鼻口〔腔〕の（鼻と口

に関する).

na·so·pal·a·tine (nā′zō-pal′ă-tīn). 鼻口蓋の(鼻と口蓋に関する).

na·so·pal·a·tine nerve 鼻口蓋神経 (翼口蓋神経節からの枝. 蝶口蓋孔を抜けて鼻中隔を横切った後下行し, 切歯孔を抜け硬口蓋の粘膜に分布する). = nervus nasopalatinus; Cotunnius nerve.

na·so·pha·ryn·ge·al (nā′zō-fă-rin′jē-ăl). 鼻咽頭の (鼻あるいは鼻腔と咽頭, または鼻咽頭に関する).

na·so·pha·ryn·ge·al car·ci·no·ma 鼻咽腔癌 (鼻咽腔の表面上皮から発生する扁平上皮癌. 組織学的に, 角化癌, 非角化癌, および未分化癌の3つの亜型が確認されている).

na·so·pha·ryn·ge·al cul·ture 鼻咽頭培養 (鼻を通って鼻咽頭まで挿入された綿棒で得られた標本微生物の培養).

na·so·pha·ryn·ge·al leish·man·i·a·sis 鼻咽頭リーシュマニア症. = mucocutaneous leishmaniasis.

na·so·pha·ryn·go·la·ryn·go·scope (nā′zō-fă-ring′gō-lă-ring′gō-skōp). 鼻咽頭喉頭鏡, 鼻咽喉ファイバースコープ (上気道および咽頭を観察する器具. 多くはファイバースコープである).

na·so·pha·ryn·gos·co·py (nā′zō-far-in-gos′kŏ-pē). 鼻咽頭鏡検査 (屈曲可能なまたは硬性の光学機器, あるいは鏡で行う鼻咽腔の検査).

na·so·pha·rynx (nā′zō-far′ingks). 鼻咽頭 (咽頭のうち, 軟口蓋より上方の部分. 前方は後鼻孔によって鼻腔に開き, 下方は口峡を経て口咽頭と連絡し, 外側方は耳管によって鼓室とつながる). = epipharynx.

na·so·si·nus·i·tis (nā′zō-sī-nŭ-sī′tis). 鼻洞炎, 鼻副鼻腔炎 (鼻腔と副鼻の炎症).

na·so·tra·che·al tube 鼻気管チューブ (鼻腔を経由して挿入された気管チューブ).

Nas·se law ナッセの法則 (最初に示されたX連鎖劣性遺伝の型. 血友病では男児のみが罹患するが, 母と姉妹を通して遺伝する).

na·sus (nā′sŭs). 鼻, はな (①= external nose. ②= nose).

NASW National Association of Social Workers の略.

na·tal (nā′tăl). *1* 出生の, 分娩の, 出産の. *2* しりの.

na·tal·i·ty (nā-tal′i-tē). 出生率, 出産率 (総人口に対する出生数の割合. →natal(1)).

Na·tal sore ナタール潰瘍 (皮膚リーシュマニア症の病変).

na·tal tooth 出産歯, 誕生歯 (出生時に萌出している過剰乳歯).

na·tes (nā′tēz). 殿部, しり. = buttocks.

na·ti·mor·tal·i·ty (nā′ti-mōr-tal′i-tē). 周産(周生)期死亡率 (総出生率に対する胎児および新生児の死亡の割合).

Na·tion·al Cen·ter for Com·ple·men·ta·ry and Al·ter·na·tive Med·i·cine (NCCAM) 米国国立補完代替医療センター (国民の安全のために補完および代替医療の発展と研究を支援するために設立された連邦政府の計画).

Na·tion·al Com·mit·tee for Qual·i·ty As·su·rance (NCQA) 全国品質保証委員会 (管理医療計画を評価する米国の独立非営利組織).

Na·tion·al Cor·rect Cod·ing I·ni·ti·a·tive (NCCI) 米国コレクト・コーディング・イニシアチブ (医療手当ての過払いを防ぐために, 高齢者向け医療保険制度において保険者と被保険者が使うソフトウェア).

Na·tion·al Counc·il Li·cen·sure Ex·am·in·a·tion-Prac·ti·cal Nurse (NCLEX-PN) 米国准看護師国家試験 (コンピュータ管理された基準試験で, 州免許交付のために受験する. 米国看護評議会によってすべての州で行われる. 安全な診療のため, 受験者の最低能力を決める合格基準が設けられる).

Na·tion·al Coun·cil Li·cen·sure Ex·am·i·na·tion-Reg·is·tered Nurse (NCLEX-RN) 米国正看護師国家試験 (コンピュータ管理された基準試験で, 州免許交付のために受験する. 米国看護評議員会によってすべての州で行われる. 安全な診療のため, 受験者の最低能力を決める合格基準が設けられる).

Na·tion·al For·mu·la·ry 国民医薬品集 (米国薬剤師協会によって以前に発行された公認処方集. 現在は米国薬局方委員会によって発行されている. 薬剤および治療薬の品質の評価に使用できるように基準と規格とを提供することを目的とする).

Na·tion·al In·ci·dent Man·age·ment Sys·tem (NIMS) 米国緊急時対処体制 (米国が, 大量死傷事件に対してあらゆる単位(各地方から連邦レベルまで)で対応できるように共通の用語と手順を定めた計画).

Na·tion·al In·sti·tute for Oc·cu·pa·tion·al Safe·ty and Health (NIOSH) 米国立労働安全衛生研究所 (労働上の病気と負傷, およびそれらを防ぐための手段に関する疫学的や実験研究のため設けられた, 米連邦に属する機関. また, 労働上の安全衛生分野における専門家訓練の強化にも努める).

Na·tion·al In·sti·tutes of Health 米国立衛生研究所 (非規制の連邦機関. 海外の研究活動に出資する).

Na·tion·al League of Nurs·ing (NLN) 国際看護連盟 (約120国際専門機構から構成される国際組織. スイス, ジュネーヴに本拠地. 看護教育の基準を推進する).

Na·tion·al Li·bra·ry of Med·i·cine (NLM) 米国立医学図書館 (世界最大の医学図書館. 生物医学および医療, 自然科学・人文科学・物理学・生命科学・社会学の生物医学関連分野の文献を蒐集. 所蔵文献は本, ジャーナル, 技術報告, 原稿, 写真, 画像からなる. ウェブページでは様々な医療情報を閲覧できる).

Na·tion·al Pro·vi·der I·den·ti·fi·er (NPI) 米国プロバイダー識別番号 (米国保健福祉省が所管する, 医療服務, 物資, 設備の各プロバイダーに対する, 独特な標準識別番号).

Na·tion·al Re·sponse Plan (NRP) 全国対

応計画（米国が，国の深刻な大量死傷事件に対処する連邦計画の可動化を体系付けるプログラム）.

Na·tion·al School Lunch Pro·gram 全国学校給食プログラム（児童に栄養的な昼食と，教室の栄養教育から健康的な選択をするきっかけを提供するために，米国農務省が作成したプログラム）.

Na·tion·al Stu·dent Nurs·es As·so·ci·a·tion 米国看護学生連盟（1952 年，標準看護課程に入学した学生および，その卒業生のために設立された非営利法人．機関紙は「インプリント(刻印)」，1 年に 5 回，すべてのメンバーに対して発行される．同連盟は同時に年度表彰や奨学金交付，立法活動への関与を援助し，医療，看護の今後を振興する）.

Na·tive A·mer·i·can med·i·cine 先住民医療（人生の精神的な面に則った治療法．祈祷，詠唱，音楽，燻し(セージや香木を燃やす)，薬草，按手による治療，マッサージ，カウンセリング，心像，断食，自然との合一，夢見，スエットロッジ，幻覚剤(例えばペヨーテ)の服用，内的沈黙の発展，シャーマニズムの旅に出る，儀式の参加，といった療法がある）.

NATO code NATO コード（NATO(北大西洋条約機構)によって，戦場で重要だと考えられる(戦争時の化学剤を含めた)化合物に対して割り当てられた 1 文字から 3 文字までのコードのこと）.

natraemia [Br.]. = natremia.

na·tre·mi·a, na·tri·e·mi·a (nă-trē′mē-ă, -trē-ē′mē-ă). ナトリウム血〔症〕（血液中にナトリウムが存在すること）. = natraemia.

natriaemia [Br.]. = natriemia.

na·trif·er·ic (nā-trif′ĕr-ik). ナトリウム排泄の（ナトリウム輸送を増加させること）.

na·tri·um (nā′trē-ŭm). ナトリウム. = sodium.

na·tri·u·re·sis (nā′trē-yū-rē′sis). ナトリウム排泄増加（ナトリウムの尿中排泄だが，通常，ある種の疾患あるいは利尿薬の投与によってみられるナトリウム排泄増加をいう）.

na·tri·u·ret·ic (nā′trē-yū-ret′ik). ***1*** 〘adj.〙 ナトリウム排泄増加性の. ***2*** 〘n.〙 ナトリウム排泄増加薬（通常，糸球体濾過されたナトリウムイオンの尿細管再吸収を減少させることにより，ナトリウムの尿排泄を増加させる物質）.

Nat·tras·si·a man·gi·fe·rae デマチウス科の真菌．かつて *Hendersonula toruloidea* として知られていたもので，爪真菌症や黒色真菌症の原因菌．*Scytalidium dimidiatum* は同一菌.

na·tu·ral an·ti·bod·y 自然抗体. = normal antibody.

nat·u·ral birth = natural childbirth.

nat·u·ral child·birth 自然分娩（医療処置を出来るだけ少なくとどめ，母親がリラクゼーションを図ったり特別な呼吸法を用いることで，痛みをコントロールしたり分娩しやすくする出産方法のこと．また自然分娩の方が出生後健康であったり，会陰切開や帝王切開の痛みも早く回復することが多い）. = natural birth.

na·tu·ral dye 天然染料（動物や植物から採れた染料）.

na·tu·ral im·mu·ni·ty, non·spe·cif·ic im·mu·ni·ty 自然免疫，非特異免疫. = innate immunity.

na·tu·ral kil·ler cell leu·ke·mi·a NK 細胞白血病（ナチュラルキラー細胞を起源とする白血病．しばしば単クローン性の Epstein-Barr ウイルスに感染した腫瘍細胞が出現する．通常は予後不良の白血病である）.

na·tu·ral kill·er (NK) cells ナチュラルキラー(NK)細胞（T 細胞と B 細胞のどちらでもないマーカーで，大型の顆粒状リンパ球のこと．これらの細胞は抗体依存性細胞性細胞傷害を用いてターゲットの細胞を殺す．また抗体がない時にパーフォリンを用いて細胞を殺す．事前に感作させなくても細胞を殺すことが起こることがある）. = NK cells.

na·tu·ral pitch = optimal pitch.

na·tu·ral se·lec·tion 自然淘汰，自然選択（環境に最もよく適応できたものが生き延びて繁殖し，適応できなかったものは子孫ができず死滅するという自然界の原理(survival of the fittest)．生存者に担われた遺伝子はその数を増していく．この原理は実験することができないので，厳密なものではなくむしろ発見的なものであり，結果は経験的適合性の検証の反復によっている）.

nat·ur·o·path (nach′ūr-ō-path). 自然療法医（自然療法を行使する人）.

na·tur·o·path·ic (na′chūr-ō-path′ik). 自然療法の.

na·tur·o·path·ic med·i·cine 自然療法医療（自然治癒の力を認めた上に成り立つヘルスケア(医療機関による保健医療)で，従来の医学理論を補い，患者を理解し治療することに重きを置く．害のありそうな治療は行わず，患者にセルフケアの教育をして，自然に健康や心の平静を取り戻すようにさせるものである．具体的方法としては食事の見直しや生活習慣を変えるためのカウンセリング，植物や自然の医薬品，心と体のセラピーがある．自然療法医は州によっては一次診療を提供する医師で，処方箋も出せるライセンスを持っている）.

na·tur·op·a·thy (na-chŭr-op′ă-thē). 自然療法（外科的手段も薬物の力も用いずに，ただ自然の(非医薬的)力だけに頼る療法）.

nau·se·a (naw′zē-ă). 悪心，吐き気（嘔吐傾向から起こる症状）.

nau·se·a grav·i·dar·um 妊娠悪阻，つわり. = morning sickness.

nau·se·ant (naw′zē-ănt). ***1*** 〘adj.〙 催吐性の. ***2*** 〘n.〙 催吐薬（吐気を起こさせる薬）.

nau·se·ate (naw′zē-āt). 吐気を催す，吐気を催させる.

nau·se·at·ed (naw′zē-ā-tĕd). 吐気を催した. = sick(2).

nau·se·ous (naw′shŭs). 催吐性の.

Nau·ta stain ノータ染色〔法〕（変性した軸索を銀で染色する．軸索は断裂し，膨化した線維として観察される）.

na·vel (nā′vĕl). 臍，へそ. = umbilicus.

na·vic·u·lar (nă-vik′yū-lăr). 舟状の. = scaphoid.

na·vic·u·lar ab·do·men 舟状腹. = scaphoid abdomen.

na·vic·u·lar bone 〔足の〕舟状骨（足根部内側にある扁平な骨，すなわち後ろの面は凹面をなして距骨頭と関節し，前の面は凸面をなして3個の楔状骨と関節している骨）.

na·vic·u·lar fos·sa of u·re·thra 尿道舟状窩（陰茎亀頭内の尿道末端拡張部分）.

nav·i·ga·tor ech·o ナビゲーターエコー（電磁反響像で用いられる呼吸運動の人工的影響を少なくする呼吸測定法．シグナルは横隔膜の頂点からとられ，影像は一定の範囲にあるときにのみ得られる）.

Nb ニオビウム，ニオブの元素記号.

n.b. ラテン語 *nota bene*, note well の略.

NBC nuclear, biologic, chemical の略．無差別殺傷兵器として扱われる.

NBNA the National Black Nurses Association の略.

NCCAM National Center for Complementary and Alternative Medicine の略.

NCCI National Correct Coding Initiative の略.

NCHS U.S. National Centers for Health Statistics の略.

NCLEX-PN National Council Licensure Examination-Practical Nurse の略.

NCLEX-RN National Council Licensure Examination-Registered Nurse の略.

NCQA National Committee for Quality Assurance の略.

ND Doctor of Naturopathic Medicine の略.

Nd ネオジムの元素記号.

NDC U.S. National Drug Code の略.

NDT neurodevelopmental treatment の略.

Nd:YAG la·ser Nd: YAG レーザー（赤外線スペクトル(1064 nm)を持つ装置．他のレーザーよりも貫通力が高い）.

Ne ネオンの元素記号.

near in·fra·red 近赤外光（波長が 700—1500 nm の範囲の光で，最も可視光線に近い）.

near point 近点（最大に調節した状態で網膜に焦点を結ぶ点）.

near·sight·ed·ness (nēr-sīt′ĕd-nĕs). 近視. = myopia.

ne·ar·thro·sis (nē-ahr-thrō′sis). 新関節〔症〕（新しい関節，例えば，癒合しない骨折により生じる偽関節，あるいは関節置換術に起因する人工関節）. = neoarthrosis.

near ul·tra·vi·o·let 近紫外光（波長が 290—390 nm の範囲の光）.

NEAT nonexercise activity thermogenesis の略.

neat (nēt). 混じりけのない（混じりけのない，蒸留された，混ざっていないなど，化合物のことを述べる時に用いる）.

neb·u·la, pl. neb·u·lae (neb′yū-lă, -lē). *1* 角膜白濁（角膜がわずかに混濁して半透明になっていること）. *2* スプレー.

neb·u·liz·er (neb′yū-lī-zĕr). 噴霧器，ネブライザ（液体の薬物をきわめて微細に分離した霧状の粒子に変換する装置．呼吸器の深部に薬物を投与するのに有用である．→atomizer; vaporizer）.

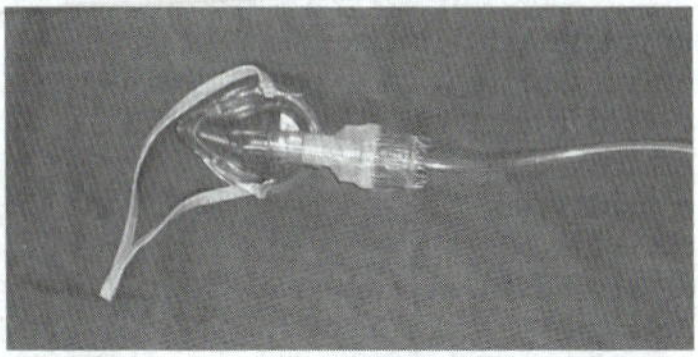

nebulizer

Ne·ca·tor (nē-kā′tŏr). アメリカ鉤虫属（線形動物門に属する鉤虫の一属(鉤虫科アメリカ鉤虫亜科)で，アメリカ鉤虫 *Necator americanus*, いわゆる新世界鉤虫を含む．本種の成虫は，小腸絨毛に接着して吸血し，腹痛，下痢(通常，黒色便を伴う)，仙痛，食欲不振，体重減少，低色素性小赤血球性貧血を生じる．→*Ancylostoma*）.

ne·ca·to·ri·a·sis (nē-kā-tō-rī′ă-sis). アメリカ鉤虫症（アメリカ鉤虫属 *Necator* により起こる鉤虫症．感染の結果起こる貧血は，通常，*Ancylostoma* により起こる鉤虫症の貧血より軽症である）.

ne·ces·sar·y (ne′se-sar-ē). 必要な.

neck (nek). 頸〔部〕，くび（①頭部と体幹部とを結合している身体部分で頭蓋底から肩の最上部までの部位．②解剖学において，動物の首に似ていると思われるくびれた部分の総称．③体節あるいは片節を発達させる条虫類の成虫の発育部分をさす．頭節の後方の条虫分節部分）. = cervix(1); collum.

neck of glans 〔陰茎の〕亀頭頸（陰茎亀頭冠後方のくびれ）.

neck·lace (nek′lăs). ネックレス（頸部の周りを取り巻くように生じる皮疹を示す用語）.

neck of pan·cre·as 膵頸（膵臓の頭部と体部をつなぐ 2 cm ほどの部分で，前は十二指腸，上腸間膜静脈，脾静脈の合流部，後ろは門静脈の開始部に当たる）. = collum pancreatis.

neck of ur·i·nar·y blad·der 膀胱頸（底および下外側面の会合によって形成される膀胱最下部）.

necro-, necr- 死あるいは壊死に関する連結形.

nec·ro·bi·o·sis (nek′rō-bī-ō′sis). = bionecrosis. *1* 生理的組織変性（発育，老化，あるいは使用に伴う変化の結果，細胞あるいは組織の生理的あるいは正常な死）. *2* 類壊死〔症〕（組織の局所の壊死）.

nec·ro·bi·o·sis li·poi·di·ca, nec·ro·bi·o·sis li·poi·di·ca di·a·be·ti·co·rum リポイド類壊死〔症〕，糖尿病性リポイド類壊死〔症〕（多くの場合，糖尿病に関連し，萎縮した黄色の病変が1つ以上下肢にできる状態）.

nec·ro·bi·ot·ic (nek′rō-bī-ot′ik). 生理的組織変性の，類壊死〔性〕の.

nec·ro·cy·to·sis (nek′rō-sī-tō′sis). 細胞壊死

(異常なあるいは病理的な細胞の死).

nec·ro·gen·ic (nek′rō-jen′ik). 死物〔性〕の.

nec·ro·gen·ic wart = postmortem wart.

ne·crol·o·gy (nĕ-krol′ŏ-jē). 死亡統計学(死亡統計値を収集し,分類し,解釈する科学).

ne·crol·y·sis (nĕ-krol′i-sis). 表皮壊死症(組織の壊死と剥離).

nec·ro·ma·ni·a (nek′rō-mā′nē-ă). ***1*** 死亡狂(死に対するあこがれをもち続ける病的な傾向). ***2*** 死体狂(死体に病的に惹きつけられること).

ne·croph·a·gous (nĕ-krof′ă-gŭs). ***1*** 死肉食の(死肉を常食とする). ***2*** = necrophilous.

nec·ro·phil·i·a, ne·croph·i·lism (nek′rō-fil′ē-ă, nĕ-krof′i-lizm). ***1*** 死体〔性〕愛(死体と一緒にいたいという病的な嗜好). ***2*** 死姦(死体と性交,あるいは類似の行為をしたいという衝動.通常,男性が女性の死体に対してもつ).

ne·croph·i·lous (nĕ-krof′i-lŭs). 死物寄生性の,腐生〔性〕の,腐食性の(死んだ組織を好む,ある種の細菌についていう). = necrophagous(2).

nec·ro·pho·bi·a (nek′rō-fō′bē-ă). 死体恐怖〔症〕(死体に対する病的な恐れ).

ne·crop·sy (nek′rop-sē). 検死,剖検. = autopsy.

ne·crose (nek′rōs). ***1*** 壊死を起こす. ***2*** 壊死になる.

ne·cro·sis (nĕ-krō′sis). 壊死(1つ以上の細胞,あるいは組織や器官の一部分の病理的な死.不可逆性の損傷により生じる.最初の不可逆性変化は,電子顕微鏡でみられるミトコンドリアの腫脹および顆粒性カルシウム沈積である.最もよく変化がみられるのは核である.ⓘ核濃縮,すなわち萎縮して塩基性の色素に異常に濃く染まる.ⓘⓘ核溶解,すなわち膨潤して好塩基性の色素に異常に薄く染まる.ⓘⓘⓘ核崩解,すなわち核の破壊および細分化.これらの変化の後に個々の細胞の輪郭が不明瞭になり,影響を受けた細胞が併合し,ときには粗い顆粒状の,無形の,あるいはヒアリン質の病巣を形成する).

nec·ro·sper·mi·a (nek′rō-spĕr′mē-ă). 精子死滅〔症〕,死精子〔症〕(精液中に死んでいるか,動かない精子がいる状態).

ne·crot·ic (nĕ-krot′ik). 壊死〔性〕の.

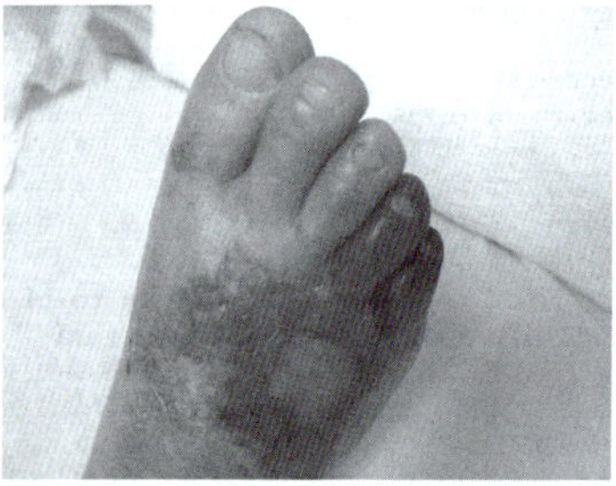

necrosis

ne·crot·ic a·rach·ni·dism 壊死性クモ咬傷(*Loxosceles* 属のクモ咬傷により起こるもので,皮膚壊死を生じて治癒が遅く,醜形を残すこともある).

ne·crot·ic cir·rho·sis = postnecrotic cirrhosis.

ne·crot·ic in·flam·ma·tion, nec·ro·tiz·ing in·flam·ma·tion 壊死性炎〔症〕(通常,急性炎症反応で,その顕著な組織学的変化は非常に急速な壊死である.これは,罹患組織内に比較的大きな病巣となって広範囲に起こる).

ne·crot·ic pulp 壊死歯髄(歯髄が壊死に陥った状態で,臨床的には温度刺激に対する反応が認められない状態.無症状の場合や,打診および触診に反応する場合もある). = dead pulp; nonvital pulp.

nec·ro·tiz·ing (nek′rō-tīz-ing). 壊死性の(細胞や生物の死を引き起こすもの. →necrosis).

nec·ro·tiz·ing ar·ter·i·o·li·tis 壊死性細動脈炎(細動脈中膜の壊死,悪性高血圧症に特徴的に起こる). = arteriolonecrosis.

nec·ro·tiz·ing en·ter·o·co·li·tis 壊死性腸炎(未熟児の新生児期にみられる小腸および大腸の広範な潰瘍と壊死).

nec·ro·tiz·ing ker·a·ti·tis 壊死性角膜炎(ヘルペス感染の組織反応でみられる角膜組織の強い炎症と傷害).

nec·ro·tiz·ing ul·cer·a·tive gin·gi·vi·tis (NUG) 壊死性潰瘍性歯肉炎(急性,再発性の歯肉炎で,若年から中年の成人に多くみられる.臨床的には,歯肉の紅斑と痛み,口気悪臭,歯間乳頭および辺縁歯肉の壊死,脱落を認め,それらは灰色の偽膜を形成する.発熱,局部的なリンパ節症,および種々の全身症状を認めることもある.多数の紡錘杆菌および *Treponema vincentii* が,歯肉組織より分離同定され,発病に重要な役割を果たしていると思われるが,確認はされていない). = fusospirochetal gingivitis; trench mouth; ulceromembranous gingivitis; Vincent disease; Vincent infection.

ne·crot·o·my (ne-krot′ŏ-mē). ***1*** 死体解剖. = dissection. ***2*** 壊死組織除去〔術〕,腐骨摘出〔術〕(腐骨あるいは骨の壊死部分を除去する手術).

ne·do·cro·mil (ne-dok′ră-mil). ネドクロミル(非気管支拡張性・抗炎症性のぜん息治療薬.マスト細胞に作用してヒスタミンの放出を阻害する).

nee·dle (nē′dĕl). ***1*** 〖n.〗 針(通常は鋭い先端をもつ細く,堅い道具.組織を穿刺したり,縫合したり,血管の周りに結紮糸を通すために用いる). ***2*** 〖n.〗 針(注入,吸引,生検,あるいは血管その他の箇所にカテーテルを導入するために用いる管状針). ***3*** 〖v.〗 切開する(小部分の解剖で,1,2本の針を用いて組織を分ける). ***4*** 〖v.〗 切割する(針尖刀で白内障の切離を行う).

nee·dle bath 針状灌水浴(多量の水を非常に細く噴出させて,身体に勢いよく当てる方法).

nee·dle bi·op·sy 針生検,針バイオプシー(皮下注入針,あるいは套管針を通して組織標本を吸引採取する生検法.針は皮膚あるいは臓器の外表面を貫通して検査目的の組織内へ穿刺される). = aspiration biopsy.

nee·dle cri·co·thy·rot·o·my 輪状甲状靱帯穿刺（輪状甲状靱帯穿刺は大きな穴の注射器を用いて輪状甲状の皮膚を通し，気管に空気を入れるものである．外科的手術が出来ない時に行われる）. = percutaneous transtracheal ventilation.

nee·dle for·ceps = needle-holder.

nee·dle-hold·er, nee·dle-car·ri·er, nee·dle-driv·er (nē′dĕl hōl′dĕr, kar′ē-ĕr, drī′vĕr). 持針器（縫合の際，針をつかむために用いる器具）. = needle forceps.

nee·dle·less sys·tem ニードルレス(金属針を用いない)システム（金属針ではなく，静脈注射用の薬の入った太いカニューレが付いた注射器を用いる方法）.

nee·dle·stick (nē′dĕl-stik). 針刺し傷（医療従事者の皮膚に汚染された注射針が事故によって刺さること．患者に対する使用が終わっても安全に廃棄されるまではこの危険が付きまとう）.

need·ling (nēd′ĕ-ling). 切割，穿刺（軟性白内障あるいは二次性白内障の切割）.

NEEP (nēp). negative end-expiratory pressure の略.

Neer im·pinge·ment sign ニアーのインピジメント徴候（上肢の最大前方挙上を強制したときに痛みが生じる徴候）.

ne·ga·tion (nĕ-gā′shŭn). 否定. = denial.

neg·a·tive (neg′ă-tiv). ***1*** 陰〔性〕の，負の，否定的な．***2*** 負の，マイナスの（数学において，0より小さい値を示すこと）．***3*** 陰性の，負の，マイナスの（物理学，化学において，電子の取得または不足により負の電荷を有すること．これにより電子を供与(損失)することができる）．***4*** 陰性の（医学において，診断技術または臨床検査に対する反応に関して，検査対象の疾患または状態がないことを示す）.

neg·a·tive ac·com·mo·da·tion 虚性調節（近くの物から遠くの物を見るときに調節が減退すること）.

neg·a·tive base ex·cess 負の塩基過剰（代謝性アシドーシスの計量．通常，Siggaard-Andersen 計算図表から予想される．37°C で二酸化炭素圧 40 mmHg での pH 7.4 まで滴定するための，全血の単位体積当たり加えられるべき強アルカリの量）.

neg·a·tive con·ver·gence 虚性輻輳（遠点を見ているとき，または睡眠時のように，輻輳していないときの，視軸のわずかな開散）.

neg·a·tive e·lec·trode 陰極. = cathode.

neg·a·tive end-ex·pi·ra·to·ry pres·sure (NEEP) 陰性呼気終圧（呼気の終りにおける気道内の大気圧以下の圧）.

neg·a·tive en·er·gy bal·ance ネガティブエネルギーバランス（食べ物を十分に摂っていなかったために生じるエネルギーの蓄えの枯渇．消費カロリーより摂取カロリーが少ないこと）.

neg·a·tive my·o·clon·ic seiz·ure 突然の短い筋活動の停止で特徴付けられる痙攣発作で，ときに単回のミオクローヌス性の筋収縮が先行する．通常，片側性の遠位筋に適応される用語.

neg·a·tive ni·tro·gen bal·ance ネガティブ窒素バランス（窒素の消費より摂取が足りない非生理的状態）.

neg·a·tive pre·dic·tive val·ue 陰性的中率（検査結果が陰性の場合に，分析対象が実際に存在しなかったり，特定の病気にかかっていない確率）.

neg·a·tive pres·sure ven·ti·la·tion 陰圧換気法（胸郭拡張による吸気を惹起する陰圧あるいは大気圧より低い圧をつくり出す，胸郭をおおう種々の装具による機械的換気法）.

neg·a·tive sco·to·ma 虚性暗点（通常は自覚しないが，視野検査によりみつけられる暗点）.

neg·a·tive stain 陰性染色〔法〕（不透明あるいは着色した背景に目的物が透明または無色に観察される．電子顕微鏡では表面の微細構造を観察するために，リンタングステン酸やリンタングステン酸ナトリウムなどの不透明物質を用いる）.

neg·a·tive symp·tom 陰性症状（意欲低下や無力・無作動を含む遂行機能低下，周囲との関わりの欠如，思考の貧困，社会からの引きこもり，感情の平板化などを含む統合失調症の欠陥症状の1つ）.

neg·a·tiv·ism (neg′ă-tiv-izm). 拒絶〔症〕（頼まれたことと逆のことをしたり，理由がはっきりせず頑固に抵抗する傾向．緊張性昏迷状態やよちよち歩きの子供にみられる）.

neg·a·tron (neg′ă-tron). 陰電子（陽電子の運ぶ正の電荷に対し負の電荷を運ぶことを強調するために電子に用いる語）.

ne·glect (nĕ-glekt′). 無視（作業療法において用いる用語で，身体の片側および(または)空間の片側が存在しないかのように行動する傾向をいう．熟練を要するまたは目的のある動きに障害を生じる．無視には，身体に関するものと空間に関するものの2種類がある．→hemiapraxia）.

neg·li·gence (neg′li-jĕns). 怠慢，不注意（当然の勤勉さや注意を払うべき義務や活動を怠ること．また普段の介護の基準に合わないこと）.

Ne·gri bod·ies ネグリ〔小〕体（好酸性の，はっきりした外縁をもつ直径 2—10 μm の特徴的な封入体．狂犬病ウイルスをもつある種の神経細胞の細胞質，特に海馬の Ammon 角にみられる）.

Neis·se·ri·a (nī-sē′rē-ă). ナイセリア属（隣接面が扁平で対になってみられるグラム陰性球菌で，好気性ないし通性嫌気性の細菌の一種）.

neis·se·ri·a, pl. neis·se·ri·ae (nī-sē′rē-ă, -ē). ナイセリア類（*Neisseria* 属の種をさして用いる通称）.

Neis·se·ri·a gon·or·rhoe·ae 淋菌（ヒトに淋病や他の感染症を引き起こす種．*Neisseria* の標準種）. = gonococcus.

Neis·se·ri·a me·nin·gi·ti·dis 髄膜炎菌（ヒトの鼻咽頭にみられるが，他の動物中ではみられない種．髄膜炎菌性脳脊髄膜炎および髄膜炎菌血症の原因菌．顕著な病原性をもつ菌は，強いグラム陰性を示し，単独あるいは対になって出現する．対になっている場合は，菌体はの

びて長軸に平行に並び，腎臓形の側面を向かい合わせる．血清学的特異性を有する被嚢多糖体の特徴によってグループ分けをし，大文字で表記する（主たる血清学的グループは A, B, C, D））．= meningococcus.

Neis·se·ri·a sic·ca ヒトの気道の粘膜中にみられる細菌種．

NEJM New England Journal of Medicine の一般的な略称．

Né·la·ton cath·e·ter ネラトンカテーテル，ゴム製カテーテル（赤色ゴムの軟性カテーテル）．

Né·la·ton line ネラトン線（上前腸骨棘から坐骨粗面へ引いた線で，通常，大転子はこの線上にある．股関節の腸骨脱臼または大腿骨頸部の骨折の場合は，大転子はこの線の上方に触れる）．

Nel·son syn·drome ネルソン症候群（色素沈着，第三脳神経損傷，トルコ鞍部拡大の症候群．Cushing 症候群での副腎摘出後，術前から存在していた下垂体腫瘍が術後に急速に腫大し，症状を呈するに至る）．= postadrenalectomy syndrome.

nem ネム（栄養価の単位．母乳の栄養成分が 2/3 cal に相当するカロリー価をもつ 1 g の母乳として定義される）．

nema- 糸，糸様の，を意味する接頭語．

nem·a·to·cyst (nem′ă-tō-sist)．刺胞，刺糸胞（腔腸動物の刺す細胞．有毒な嚢と，突き出すことができ接触した動物の皮膚を刺すコイル状のさかとげのある刺糸をもつ．大きなクラゲや電気クラゲに主にみられ，それらの膨大な刺細胞は激痛をもたらし，ときには死に至らせる）．

Nem·a·to·da (nem-ă-tō′dă)．線形動物門（線虫類．人体寄生の種とそれよりはるかに多数の植物寄生性ならびに土壌中や水中にすむ自由生活性の種からなる蠕虫の多くを含む大きな門．寄生線虫は，ⓘ腸管内線虫，ⓘⓘ血液，リンパ組織，および内臓に寄生する糸状虫，の 2 つのグループに分けられる）．

nem·a·tode (nem′ă-tōd)．線虫（線虫門の回虫をさす一般名）．

nem·a·to·di·a·sis (nem′ă-tō-dī′ă-sis)．線虫症（線虫寄生体による感染症）．

nem·a·toid (nem′ă-toyd)．***1*** 線虫の．***2*** 糸状の．

neo- 新しい，最近の，を意味する接頭語．

ne·o·ad·ju·vant (nē′ō-ad′jū-vănt)．新補助療法（癌に対して術前に行う化学療法あるいは放射線照射）．

ne·o·an·ti·gens (nē′ō-an′ti-jenz)．= tumor antigens.

ne·o·ar·thro·sis (nē′ō-ahr-thrō′sis)．新関節．= nearthrosis.

ne·o·blad·der (nē′ō-blad′ĕr)．新膀胱（手術によってつくられ膀胱の代用となる．通常は胃または腸が用いられる）．

ne·o·blas·tic (nē′ō-blas′tik)．新生組織の（新しい組織中で成長する，あるいは新しい組織の特徴をもつことをいう）．

ne·o·cer·e·bel·lum (nē′ō-ser-ĕ-bel′ŭm)．新小脳（小脳半球の外側の大部分をさす系統発生学の用語．主として橋核から線維が入力しているが，橋核には大脳皮質のあらゆるところから発した線維が届いている．系統発生的には古小脳，旧小脳よりも新しい．ヒトを含む霊長類で最高度に発達している）．

ne·o·cor·tex (nē′ō-kōr′teks)．新皮質，ネオコルテックス（高次機能を司る大脳皮質の最も新しい層．大脳白質の外側を覆う灰白質細胞層からなり，大脳のニューロンの約 20% を有する）．= neopallium.

ne·o·cys·tos·to·my (nē′ō-sis-tos′tŏ-mē)．新膀胱造瘻術．

ne·o·cyte (nē′ō-sīt)．幼若血球（新しい細胞．骨髄から末梢血液中に放出されてすぐの細胞．→reticulocyte）．

ne·o·dym·i·um (Nd) (nē′ō-dim′ē-ŭm)．ネオジム（希土元素の 1 つで，原子番号 60，原子量 144.24）．

ne·o·gen·e·sis (nē′ō-jen′ĕ-sis)．新生．= regeneration (1)．

ne·o·ge·net·ic (nē′ō-jĕ-net′ik)．新生の．

ne·o·ki·net·ic (nē′ō-ki-net′ik)．新運動〔性〕の（運動系の一区分で，その機能は随意的な共同運動を伝達することである．旧運動機能よりもずっと高度な運動形態をもつ）．

ne·ol·o·gism (nē-ol′ō-jizm)．言語新作，造語〔症〕（統合失調症にしばしばみられる，患者自身によってつくられた新しい単語や句（例えば，帽子を頭の靴という），あるいはすでに存在する言葉を新たな意味に用いること．精神医学では，そのような用語は，患者のみに意味をもつか，患者の状態を示している）．

ne·o·mem·brane (nē′ō-mem′brān)．偽膜．= false membrane.

ne·on (Ne) (nē′on)．ネオン（大気中の不活性ガス元素．原子番号 10，原子量 20.1797）．

ne·o·na·tal (nē′ō-nā′tăl)．新生児〔期〕の（分娩直後から分娩後 28 日の期間についていう）．= newborn.

ne·o·na·tal a·ne·mi·a 新生児貧血．= erythroblastosis fetalis.

ne·o·na·tal con·junc·ti·vi·tis 新生児結膜炎．= ophthalmia neonatorum.

ne·o·na·tal death 新生児死亡（生産新生児の死亡で，早期と晩期に分類される．**early neonatal death**（早期新生児死亡）は，出生後 7 日（168 時間）未満における死亡．**late neonatal death**（晩期新生児死亡）は，出生後 7 日以降 28 日未満における死亡）．

ne·o·na·tal di·ag·no·sis 新生児診断（疾病や奇形の有無を調べるために行う新生児の系統的な診察および診断）．

ne·o·na·tal hep·a·ti·tis 新生児肝炎（新生児期の肝炎で主にウイルス性であるが，様々な原因によると推定される）．

ne·o·na·tal her·pes 新生児疱疹，新生児ヘルペス（ヘルペス 1 型，2 型の母子垂直感染．しばしば産道通過時に感染する）．

ne·o·na·tal hy·per·bil·i·ru·bi·ne·mi·a 新生児高ビリルビン血症（血清ビリルビンが 12.9 mg/dL（220 μmol/L）以上，または 1 日に 5

mg/dL 以上の速度で上昇している状態. 非生理的な高ビリルビン血症の意味にも用いられる. 例えば, 生後 24 時間内に出現したり, または生後 1 週間以上乳児期まで延長する黄疸).

ne·o·na·tal in·ten·sive care u·nit (NICU) 新生児集中治療室 (危機的状況にある早産児または満産児の治療のための病院設備).

ne·o·na·tal med·i·cine 新生児学. = neonatology.

ne·o·na·tal mor·tal·i·ty rate 新生児死亡率 (1 年間における生後 28 日未満の児死亡数を 1 年間の出生数で除したもの).

ne·o·na·tal period 新生児期 (生まれてから 28 日までの期間のこと. 子宮外に出たことによって生命にかかわる生理的適応をする時間である最初の 24 時間の生存が最も危険だとされている).

ne·o·na·tal tet·a·ny 新生児テタニー (低カルシウムによるテタニーで, 新生児や乳児期にリンを多く含有する牛乳の摂取により一過性に副甲状腺機能低下症になることにより起こる). = tetanism.

ne·o·nate (nē′ō-nāt). 生後 1 か月以内の乳幼児. = newborn.

ne·o·na·tol·o·gist (nē′ō-nā-tol′ŏ-jist). 新生児科医 (新生児学に携わる医師).

ne·o·na·tol·o·gy (nē′ō-nā-tol′ŏ-jē). 新生児学, 新生児科学 (新生児の疾病に関する小児科の一分野). = neonatal medicine.

ne·o·neu·rot·i·za·tion (nē′ō-nū-rot′i-zā′shŭn). 新神経再生 (顔面神経の切断後に, 顔面運動機能が回復するまれな現象. 顔面筋の三叉神経による神経再支配と考えられている).

ne·o·pal·li·um (nē′ō-pal′ē-ŭm). 新外套, 新皮質. = neocortex.

ne·o·pla·si·a (nē′ō-plā′zē-ă). 新形成 (新生物の生成と成長を伴う病的過程).

ne·o·plasm (nē′ō-plazm). 新生物 (細胞増殖によって正常細胞より速く成長する異常組織で, 新しい成長を開始させた刺激が終わった後にも成長し続ける. 新生物は構造機構の部分的あるいは完全な欠如や, 正常細胞との機能的な協調の欠如がみられ, 通常, はっきりした組織の塊をつくる. 良性(benign tumor)と悪性(cancer)の両方がある). = tumor(2).

ne·o·plas·tic (nē′ō-plas′tik). 腫瘍性の, 新〔生物〕形成の.

ne·o·prene sleeve ネオプレンスリーブ (上肢・下肢を温めサポートをするための合成ゴム製のシース(おおい)のこと).

ne·op·ter·in (nē-op′tĕr-in). ネオプトリン (体液中に存在するプテリジンの一種. 免疫系の活性化, 悪性疾患, 同種移植の拒絶反応, ウイルス感染, 特にエイズで上昇する).

ne·o·stri·a·tum (nē′ō-strī-ā′tŭm). 新線条体 (尾状核と被殻との包括名称. 両者に淡蒼球を合わせて線条体が形成されている).

ne·o·thal·a·mus (nē′ō-thal′ă-mŭs). 新視床 (新皮質に突出した視床の部分).

ne·o·vas·cu·lar·i·za·tion (nē′ō-vas′kyū-lar-ī-zā′shŭn). 新生血管形成 (正常では血管増殖のないような組織での血管増殖, あるいは組織における通常とは異なった種の血管増殖).

ne·per (ne′pĕr). ネーパー (通例, 電力や音響などで 2 つの出力エネルギーの大きさを比較するのに使う単位. 2 つの出力の比の自然対数の 1/2 で表す).

neph·e·lom·e·try (nef-ĕ-lom′ĕ-trē). 比濁〔法〕(溶液を通過した光線の散乱により懸濁液中の粒子の数と大きさを定量する技術).

ne·phral·gi·a (ne-fral′jē-ă). 腎臓痛, 腎疼痛.

ne·phrec·to·my (ne-frek′tŏ-mē). 腎摘出〔術〕, 腎摘, 腎切除〔術〕.

neph·rel·co·sis (nef-rel-kō′sis). 腎臓潰瘍 (腎盂腎杯の粘膜の潰瘍).

neph·ric (nef′rik). 腎〔臓〕の. = renal.

-nephric 腎臓を意味する接尾語.

ne·phrit·ic (ne-frit′ik). 腎炎の.

ne·phrit·ic syn·drome 腎炎症候群 (急性糸球体腎炎の臨床的症状. 特に血尿, 高血圧, および腎不全).

ne·phri·tis, pl. **ne·phrit·i·des** (nĕ-frī′tis, frit′i-dēz). 腎炎.

ne·phrit·o·gen·ic (ne-fri′tō-jen′ik). 腎炎原性 (腎炎を引き起こすこと. 腎炎を引き起こす状態や物質について用いる語).

nephro-, nephr- 腎臓を意味する連結形. → reno-.

neph·ro·blas·to·ma (nef′rō-blast-ō′mă). 腎芽細胞腫. = Wilms tumor.

neph·ro·cal·ci·no·sis (nef′rō-kal-si-nō′sis). 腎石灰〔症〕, 腎石灰沈着〔症〕(腎臓結石症の一種. 腎実質中に広汎に散在する病巣によって特徴付けられる. リン酸カルシウム, 一水化シュウ酸カルシウムや他の類似化合物の沈着は, 通常, X 線写真上確認できる).

neph·ro·car·di·ac (nef′rō-kahr′dē-ak). 腎心臓の. = cardiorenal.

neph·ro·cele (nef′rō-sēl). ***1*** 腎ヘルニア, 腎脱 (腎臓のヘルニア性脱出). ***2*** 腎節腔 (下等な脊椎動物にみられる体腔と体節腔をつなぐ発生上の腔).

neph·ro·cys·ti·tis (nef′rō-sist-ī′tis). 腎臓嚢胞炎 (腎臓や嚢胞の炎症のこと).

neph·ro·cys·to·sis (nef′rō-sis-tō′sis). 腎〔臓〕嚢胞形成, 腎〔臓〕嚢腫形成 (腎臓嚢腫の形成).

neph·ro·ge·net·ic, neph·ro·gen·ic (nef′rō-jĕ-net′ik, -jen′ik). 腎形成〔性〕の (腎組織になる).

neph·ro·gen·ic di·a·be·tes in·sip·i·dus 腎〔原〕性尿崩症 (尿崩症の一種で, 抗利尿ホルモンに対し腎尿細管が反応しないために起こる).

ne·phrog·e·nous (ne-froj′ĕ-nŭs). 腎原〔性〕の (腎組織に由来する).

neph·ro·gram (nef′rō-gram). ネフログラム (水溶性造影剤の静脈注射後の腎の X 線撮影. 腎血流および糸球体濾過を反映する造影剤静注後の腎実質全体の濃染. ネフログラムの遷延は尿路の閉塞を示す).

ne·phrog·ra·phy (ne-frog′rā-fē). 腎造影 (撮影)〔法〕(腎臓の X 線撮影法).

neph·roid (nef′royd). 腎臓形の. = reniform.

neph·ro·li·thi·a·sis (nef′rō-li-thī′ă-sis). 腎石症.

neph·ro·li·thot·o·my (nef′rō-li-thot′ŏ-mē). 腎石切り術, 腎切石〔術〕(腎石を除くためにする腎臓の切開).

ne·phrol·o·gy (ne-frol′ŏ-jē). 腎臓病学.

ne·phrol·y·sis (ne-frol′i-sis). ***1*** 腎剥離〔術〕(被膜を保存したまま, 炎症性の癒着から腎臓をはがすこと). ***2*** 腎細胞溶解 (腎細胞の破壊).

neph·ro·lyt·ic (nef-rō-lit′ik). 腎細胞溶解〔性〕の. = nephrotoxic(2).

ne·phro·ma (ne-frō′mă). 腎腫 (腎組織に由来する腫瘍).

neph·ro·meg·a·ly (nef′rō-meg′ă-lē). 腎肥大〔症〕(一方あるいは両方の腎臓の著しい肥大).

neph·ron (nef′ron). ネフロン (腎臓にある長く彎曲した管状構造物で, 腎小体, 近位曲尿細管, 尿細管ループ, 遠位曲尿細管からなる).

neph·ron·ic loop 尿細管わな. = nephron loop.

neph·ron loop ネフロンループ (ネフロンのヘアピン状をした部分. 近位尿細管から遠位尿細管に至る過程で形成される. 下行脚, ループ部, 上行脚からなる. 腎髄質および髄放線内に存在する). = Henle ansa; Henle loop; nephronic loop.

neph·ro·path·i·a (nef′rō-path′ē-ă). 腎症. = nephropathy.

ne·phrop·a·thy (ne-frop′ă-thē). 腎症, ネフロパシー (腎臓の疾病で, 炎症性と変性性に分けられる). = nephropathia; nephrosis(1).

neph·ro·pex·y (nef′rō-pek-sē). 腎固定〔術〕(遊走腎または移動腎の固定手術).

neph·roph·thi·sis (nef-rof′thi-sis). ***1*** 腎ろう(瘻) (腎組織の消耗を伴う化膿性腎炎). ***2*** 腎結核〔症〕.

neph·rop·to·sis, neph·rop·to·si·a (nef′rop-tō′sis, -tō′sē-ă). 腎下垂〔症〕(腎の脱出).

neph·ro·py·o·sis (nef′rō-pī-ō′sis). 腎化膿症. = pyonephrosis.

neph·ror·rha·phy (nef-rōr′ă-fē). 腎縫着〔術〕(腎臓の縫合による腎臓固定).

neph·ro·scle·ro·sis (nef′rō-skle-rō′sis). 腎硬化〔症〕(間質結合組織の過成長および収縮により起こる腎臓の硬化).

neph·ro·scle·rot·ic (nef′rō-skle-rot′ik). 腎硬化〔症〕の.

neph·ro·scope (ne′frō-skōp). 腎盂鏡 (腎盂を観察するために腎盂に挿入する内視鏡. 到達経路としては経皮的, 外科的に露出した腎に直接, または尿管経由で逆行的に到達する経路がある).

ne·phro·sis (ne-frō′sis). ネフローゼ (①= nephropathy. ②尿細管上皮の変性. ③= nephrotic syndrome).

ne·phros·to·gram (ne-fros′tō-gram). 腎ろう造影 (腎ろうチューブより造影剤を注入し, 腎盂を造影する腎部のX線写真).

ne·phros·to·my (ne-fros′tŏ-mē). 腎造ろう術, 腎フィステル形成〔術〕(腎実質を通して腎の腎盂腎杯系から身体の外表面に開口を設置する手術).

ne·phros·to·my tube 腎瘻チューブ (ドレナージ, 診断試験や結石除去のために腎盂などに設置するチューブで, 到達経路としては経皮的や外科的に(腎盂に)到達させる方法がある).

neph·rot·ic (nef-rot′ik). ネフローゼの.

neph·rot·ic syn·drome ネフローゼ症候群 (浮腫, 蛋白尿, 血漿アルブミンの減少, 尿中の複屈折性体, および通常は血中コレステロールの増加を特徴とする臨床的状態. 脂肪滴が腎細尿管の細胞中に存在するが, 基礎病変は糸球体毛細管基底膜の透過性の増大で, 原因不明かまたは糸球体腎炎, 糖尿病性糸球体硬化症, 全身性紅斑性狼瘡, アミロイドーシス, 腎静脈血栓症, または種々の毒物に対する過敏症により起こる). = nephrosis(3).

neph·ro·to·mo·gram (nef-rō-tō′mō-gram). ネフロトモグラム (ヨード造影剤を静脈に注入した後の腎X線断面像).

neph·ro·to·mog·ra·phy (nef′rō-tō-mog′ră-fē). 腎断層撮影〔法〕(断層撮影法による腎臓の診断).

ne·phrot·o·my (ne-frot′ŏ-mē). 腎切開〔術〕.

neph·ro·tox·ic (nef-rō-tok′sik). ***1*** 腎〔細胞〕毒素の (腎細胞に対して毒性のある). ***2*** = nephrolytic.

neph·ro·tox·ic·i·ty (nef′rō-tok-sis′i-tē). 腎毒性 (腎細胞へ毒性のある性質や状態).

neph·ro·tox·in (nef′rō-tok′sin). 腎〔細胞〕毒素 (腎細胞に対して特異的な細胞毒素).

neph·ro·tro·phic (nef′rō-trō′fik). 腎〔臓〕向性の. = renotrophic.

neph·ro·tro·pic (nef′rō-trō′pik). 腎〔臓〕向性の. = renotrophic.

neph·ro·tu·ber·cu·lo·sis (nef′rō-tū-bĕr-kyū-lō′sis). 腎結核〔症〕.

neph·ro·u·re·ter·ec·to·my (nef′rō-yūr-ē-tĕr-ek′tō-mē). 腎尿管切除〔術〕(腎臓とその尿管の外科的切除). = ureteronephrectomy.

neph·ro·u·re·ter·o·cys·tec·to·my (nef′rō-yūr-ē′tĕr-ō-sis-tek′tŏ-mē). 腎尿管膀胱切除〔術〕(腎臓, 尿管, および膀胱の一部またはすべての切除).

Nep·tune gir·dle ネプチューン帯 (腹部周辺に当てる湿布).

nep·tu·ni·um (Np) (nep-tū′nē-ŭm). ネプツニウム (放射性元素. ^{237}Np の半減期は 2.14 × 10^6 年. 原子番号 93. 超ウラン系列の最初の元素(天然には見出せない)).

Né·ri sign ネリー徴候 (片麻痺の場合, 脚が受動的に伸展されると同時に膝が折れる).

Nernst e·qua·tion ネルンスト式 (電極の平衡電位とイオン濃度の関係を示す式, 電位と平衡状態において透過膜を通すイオンの濃度勾配を表す式, $E = [RT/nF][\ln (C_1/C_2)]$. E は電位, R は絶対気体定数, T は絶対温度, n は原子価, F は Faraday 定数, ln は自然対数, C_1 と C_2 は両側のイオン濃度. 非理想溶液では濃度を活性に置き換える. →activity(2)).

nerve (nĕrv). 神経 (有髄・無髄あるいは多くの場合, 混合神経線維束の1本または数本からなる白っぽい索状構造. 結合組織を伴って中枢神経系の外にある．個々の神経線維を包む神経内膜，束を包む神経周膜，全体を包み血管を含む神経上膜がある．刺激は神経によって中枢神経系から体部へ，またその逆に伝えられる）．= nervus.

nerve a·gent 神経剤（コリンエステラーゼの化学反応を抑制するので，戦場で化学剤として使用される高度に有害な数種の有機リン化合物（殺虫剤）のこと．永続性の G 剤と非永続性の V 剤がある）．

nerve a·vul·sion 神経裂離，神経捻除（引っ張ることによって，末梢神経が親神経からの分岐部位で引きちぎれること）．

nerve block 神経ブロック（局所麻酔薬を注入することにより，末梢神経または神経幹のインパルスの伝導を遮断する方法）．

nerve block an·es·the·si·a 神経ブロック麻酔〔法〕，神経遮断麻酔〔法〕（局所麻酔薬を神経，神経幹，または神経叢に注入する伝達麻酔法）．

nerve cell 神経細胞. = neuron.

nerve con·duc·tion 神経伝導（神経線維に沿ったインパルスの伝導）．

nerve de·com·pres·sion 神経減圧〔術〕（絞扼している帯状物を切除したり骨腔を広げて神経幹の圧力を減じる方法）．

nerve growth fac·tor（NGF） 神経発育因子（交感神経節後ニューロンの発達と，哺乳類の知覚（後根）神経節細胞の発達とを調節する蛋白．類似因子が数種類の蛇毒から分離されている．雄マウスの下顎腺から分離されている．新生動物に注入すると交感神経節は過形成となり肥大する．核酸と蛋白の合成を刺激する）．

nerve to my·lo·hy·oid 顎舌骨筋神経（下歯槽神経の小枝で，神経が下顎孔にはいる直前に後方に出る．顎二腹筋の前腹と顎舌骨筋に分布する）. = nervus mylohyoideus; mylohyoid nerve.

nerve plex·us 神経叢（多くの交通枝により神経が交織してできる叢）．

nerve of pter·y·goid ca·nal 翼突管神経（翼口蓋神経節の交感・副交感神経根を構成する神経．浅錐体神経と深錐体神経が結合して破裂孔周辺に形成され，翼突管を抜け翼口蓋窩に至る）. = nervus canalis pterygoidei.

nerve to sta·pe·di·us mus·cle あぶみ骨筋神経（顔面神経管内から起こり，あぶみ骨筋を支配する顔面神経の枝）. = nervus stapedius.

nerve of ten·sor tym·pa·ni mus·cle 鼓膜張筋神経（鼓膜張筋神経の代わりをするために，シナプスでなく耳の神経節を通る三叉神経の運動根から神経線維を運ぶ下顎神経の分岐部のこと）. = nervus musculi tensoris tympani.

nerve of ten·sor ve·li pa·la·ti·ni mus·cle 口蓋張筋神経（鼓膜張筋神経の代わりをするために，シナプスでなく耳の神経節を通る三叉神経の運動根から神経線維を運ぶ下顎神経の分岐部のこと）. = nervus tensoris veli palatini.

ner·vi（něr′vī）. nervus の複数形.

ner·vi a·nal·es in·fe·ri·or·es = inferior anal nerves.

ner·vi au·ric·u·la·res an·te·ri·o·res 前耳介神経. = anterior auricular nerves.

ner·vi car·di·a·ci tho·ra·ci·ci 胸心臓神経. = thoracic cardiac nerves.

ner·vi ca·ro·ti·ci ex·ter·ni 外頸動脈神経. = external carotid nerves.

ner·vi ca·ver·no·si cli·tor·i·dis 陰核海綿体神経. = cavernous nerves of clitoris.

ner·vi ca·ver·no·si pe·nis 陰茎海綿体神経. = cavernous nerves of penis.

ner·vi clu·ni·um in·fe·ri·or·es 下殿皮神経. = inferior clunial nerves.

ner·vi clu·ni·um me·di·i 中殿皮神経. = medial clunial nerves.

ner·vi clu·ni·um su·pe·ri·or·es 上殿皮神経. = superior clunial nerves.

ner·vi cra·ni·a·les 脳神経. = cranial nerves.

ner·vi dig·i·ta·les dor·sa·les man·us 背側指神経. = dorsal digital nerves of hand.

ner·vi dig·i·ta·les dor·sa·les pe·dis 足の背側指神経. = dorsal digital nerves of foot.

ner·vi dig·i·ta·les pal·mar·es com·mu·nes 総掌側指神経. = common palmar digital nerves.

ner·vi dig·i·ta·les plan·tar·es com·mu·nes 総底側指神経. = common plantar digital nerves.

ner·vi e·ri·gen·tes 勃起神経. = pelvic splanchnic nerves.

ner·vi in·ter·cos·ta·les 肋間神経. = intercostal nerves.

ner·vi in·ter·cos·to·bra·chi·a·les 肋間上腕神経. = intercostobrachial nerves.

ner·vi la·bi·al·es pos·te·ri·or·es 後陰唇神経. = posterior labial nerves.

ner·vi lum·ba·les 腰神経. = lumbar nerves.

ner·vi·mo·tor（něr′vi-mō′tŏr）. 運動神経の. = neurimotor.

ner·vine（něr-vēn′）. 神経鎮静薬，鎮静剤（ハーブのように自然の物質で神経系を鎮静化させるもののこと）．

ner·vi ol·fac·to·ri·i 嗅神経. = olfactory nerves.

ner·vi pa·la·ti·ni mi·no·res = lesser palatine nerves.

ner·vi pel·vi·ci splanch·ni·ci = pelvic splanchnic nerves.

ner·vi pe·ri·ne·al·es 会陰神経. = perineal nerves.

ner·vi phren·i·ci ac·ces·so·ri·i 副横隔神経. = accessory phrenic nerves.

ner·vi pte·ry·go·pa·la·ti·ni 翼口蓋神経. = ganglionic branches of maxillary nerve.

ner·vi rec·ta·les in·fe·ri·o·res 下直腸神経. = inferior anal nerves.

ner·vi sa·cra·les 仙骨神経. = sacral nerves [S1–S5].

ner·vi spi·na·les 脊髄神経. = spinal nerves.

ner·vi splanch·ni·ci lum·ba·les 腰内臓神経. = lumbar splanchnic nerves.

ner·vi splanch·ni·ci sa·cra·les 仙骨内臓神経. = sacral splanchnic nerves.

ner·vi sub·scap·u·la·res = subscapular

nerves.

ner·vi tem·po·ra·les pro·fun·di 深側頭神経. = deep temporal nerves.

ner·vi ter·mi·na·les 終神経. = terminal nerves.

ner·vi tho·ra·ci·ci [**T1-12**] 胸神経. = thoracic nerves [T1-T12].

ner·vi va·gi·na·les 腟神経. = vaginal nerves.

ner·von·ic ac·id ネルボン酸（C-15とC-16の間に不飽和結合をもつ炭素24の直鎖状脂肪酸. ネルボンのようなセレブロシドに生じる).

ner·vous (něr′vŭs). ***1*** 神経の. ***2*** 神経質な, 興奮しやすい, 刺激されやすい, 精神的・感情的に不安定な, 緊張している, 不安な. ***3*** 従来は精神的および身体的な過剰覚醒, 頻脈, 易興奮性, そしてしばしば多弁ではあるが, 必ずしも目的が定まらない特徴をもつ気質をさした.

ner·vous blad·der 神経性膀胱（頻繁に排尿したくなるが, 完全に排尿しきれない膀胱の状態).

ner·vous break·down 神経衰弱（情動や精神の疾患を表す非医学的な用語であり, しばしば精神障害を婉曲的に表現するのに用いる).

ner·vous in·di·ges·tion 神経性消化不良（情動的乱れによって起こる消化不良).

ner·vous lobe of hy·poph·y·sis 下垂体神経葉（漏斗によって視床下部とつながっている神経性下垂体の球形の部分. 下垂体細胞・血管および視索上核や室傍核からの神経線維の末端などからなる).

ner·vous·ness (něr′vŭs-nĕs). 神経質（不安でいらいらしている(→nervous(2))状態).

ner·vous sys·tem 神経系（脳, 脊髄, 自律神経節, 中枢部, 末梢部, 脳神経, 脊髄神経, 叢からなる神経の全器官).

ner·vus, gen. & pl. **ner·vi** (něr′vŭs, -vī). 神経. = nerve.

ner·vus ab·du·cens [**CN VI**] 外転神経（第六脳神経). = abducent nerve [CN VI].

ner·vus ac·ces·so·ri·us [**CN XI**] 副神経（第十一脳神経). = accessory nerve [CN XI].

ner·vus al·ve·o·la·ris in·fe·ri·or 下歯槽神経. = inferior alveolar nerve.

ner·vus a·no·coc·cyg·e·us 肛門尾骨神経, 肛尾神経. = anococcygeal nerve.

ner·vus au·ric·u·la·ris mag·nus 大耳介神経. = great auricular nerve.

ner·vus au·ric·u·la·ris pos·te·ri·or 後耳介神経. = posterior auricular nerve.

ner·vus au·ric·u·lo·tem·po·ra·lis 耳介側頭神経. = auriculotemporal nerve.

ner·vus ax·il·la·ris 腋窩神経. = axillary nerve.

ner·vus buc·ca·lis 頬神経. = buccal nerve.

ner·vus ca·na·lis pte·ry·goi·de·i 翼突管神経. = nerve of pterygoid canal.

ner·vus ca·ro·ti·cus in·ter·nus 内頸動脈神経. = internal carotid nerve.

ner·vus cil·i·ar·is brev·is 短毛様体神経. = short ciliary nerve.

ner·vus cil·i·ar·is lon·gus 長毛様体神経. = long ciliary nerve.

ner·vus coc·cyg·e·us 尾骨神経. = coccygeal nerve.

ner·vus cu·ta·ne·us an·te·bra·chi·i la·ter·al·is 外側前腕皮神経. = lateral cutaneous nerve of forearm.

ner·vus cu·ta·ne·us an·te·bra·chi·i me·di·a·lis 内側前腕皮神経. = medial cutaneous nerve of forearm.

ner·vus cu·ta·ne·us bra·chi·i me·di·a·lis 内側上腕神経. = medial cutaneous nerve of arm.

ner·vus cu·ta·ne·us dor·sal·is me·di·a·lis 内側足背皮神経. = medial dorsal cutaneous nerve.

ner·vus cu·ta·ne·us fem·o·ris la·ter·a·lis 外側大腿皮神経. = lateral cutaneous nerve of thigh.

ner·vus cu·ta·ne·us fem·o·ris pos·te·ri·or 後大腿皮神経. = posterior cutaneous nerve of thigh.

ner·vus dor·sa·lis cli·tor·i·dis 陰核背神経. = dorsal nerve of clitoris.

ner·vus dor·sa·lis pe·nis 陰茎背神経. = dorsal nerve of penis.

ner·vus dor·sa·lis scap·u·lae 肩甲背神経. = dorsal scapular nerve.

ner·vus eth·moi·da·lis an·te·ri·or 前篩骨神経. = anterior ethmoidal nerve.

ner·vus eth·moi·dal·is pos·te·ri·or 後篩骨神経. = posterior ethmoidal nerve.

ner·vus fa·ci·a·lis [**CN VII**] 顔面神経（第七脳神経). = facial nerve [CN VII].

ner·vus fe·mo·ra·lis 大腿神経. = femoral nerve.

ner·vus fib·u·lar·is com·mu·nis 総腓骨神経. = common fibular nerve.

ner·vus fib·u·lar·is pro·fun·dus 深腓骨神経. = deep fibular nerve.

ner·vus fib·u·lar·is su·per·fi·ci·al·is 浅腓骨神経. = superficial fibular nerve.

ner·vus fron·ta·lis 前頭神経. = frontal nerve.

ner·vus gen·i·to·fe·mo·ra·lis 陰部大腿神経. = genitofemoral nerve.

ner·vus glos·so·pha·ryn·ge·us [**CN IX**] 舌咽神経（第九脳神経). = glossopharyngeal nerve [CN IX].

ner·vus glu·te·us in·fe·ri·or 下殿神経. = inferior gluteal nerve.

ner·vus glu·te·us su·pe·ri·or 上殿神経. = superior gluteal nerve.

ner·vus hy·po·gas·tri·cus 下腹神経. = hypogastric nerve.

ner·vus hy·po·glos·sus [**CN XII**] 舌下神経（第十二脳神経). = hypoglossal nerve [CN XII].

ner·vus il·i·o·hy·po·gas·tri·cus 腸骨下腹神経. = iliohypogastric nerve.

ner·vus il·i·o·in·gui·na·lis 腸骨鼡径神経. = ilioinguinal nerve.

ner·vus in·fra·or·bi·ta·lis 眼窩下神経. = infraorbital nerve.

ner·vus in·fra·troch·le·a·ris 滑車下神経. = infratrochlear nerve.

ner·vus in·ter·me·di·us 中間神経. = intermediary nerve.
ner·vus in·ter·os·se·us an·te·bra·chi·i an·te·ri·or 前骨間神経. = anterior interosseous nerve.
ner·vus in·ter·os·se·us an·te·bra·chi·i pos·te·ri·or = posterior interosseous nerve.
ner·vus in·ter·os·se·us cru·ris 下腿骨間神経. = crural interosseous nerve.
ner·vus is·chi·a·di·cus 坐骨神経. = sciatic nerve.
ner·vus ju·gu·la·ris 頸静脈神経. = jugular nerve.
ner·vus la·cri·ma·lis 涙腺神経. = lacrimal nerve.
ner·vus lar·yn·ge·us su·pe·ri·or 上喉頭神経. = superior laryngeal nerve.
ner·vus lin·gua·lis 舌神経. = lingual nerve.
ner·vus man·di·bu·la·ris [CN V3] 下顎神経（第五脳神経第三枝）. = mandibular nerve [CN V3].
ner·vus mas·se·te·ri·cus 咬筋神経. = masseteric nerve.
ner·vus max·il·la·ris [CN V2] 上顎神経（第五脳神経第二枝）. = maxillary nerve [CN V2].
ner·vus men·ta·lis おとがい神経. = mental nerve.
ner·vus mus·cu·li ten·so·ris tym·pa·ni = nerve to tensor tympani muscle.
ner·vus mus·cu·lo·cu·ta·ne·us 筋皮神経. = musculocutaneous nerve.
ner·vus my·lo·hy·oi·de·us 顎舌骨筋神経. = nerve to mylohyoid.
ner·vus na·so·cil·i·a·ris 鼻毛様体神経. = nasociliary nerve.
ner·vus na·so·pal·a·tin·us 鼻口蓋神経. = nasopalatine nerve.
ner·vus ob·tu·ra·to·ri·us 閉鎖神経. = obturator nerve.
ner·vus oc·cip·i·ta·lis mi·nor 小後頭神経. = lesser occipital nerve.
ner·vus o·cu·lo·mo·to·ri·us [CN III] 動眼神経（第三脳神経）. = oculomotor nerve [CN III].
ner·vus ol·fac·to·ri·i [CN I] 嗅神経（第一脳神経）. = olfactory nerves [CN I].
ner·vus oph·thal·mi·cus [CN V1] 眼神経（第五脳神経第一枝）. = ophthalmic nerve [CN V1].
ner·vus op·ti·cus [CN II] 視神経（第二脳神経）. = optic nerve [CN II].
ner·vus pal·a·ti·nus ma·jor 大口蓋神経. = greater palatine nerve.
ner·vus pec·to·ral·is la·te·ra·lis 外側胸筋神経. = lateral pectoral nerve.
ner·vus pec·to·ral·is me·di·a·lis 内側胸筋神経. = medial pectoral nerve.
ner·vus pe·ro·ne·us com·mu·nis 総腓骨神経. = common fibular nerve.
ner·vus pe·ro·ne·us pro·fun·dus 深腓骨神経. = deep fibular nerve.
ner·vus pe·ro·ne·us su·per·fi·ci·al·is 浅腓骨神経. = superficial fibular nerve.
ner·vus pe·tro·sus ma·jor 大錐体神経. = greater petrosal nerve.
ner·vus pe·tro·sus mi·nor 小錐体神経. = lesser petrosal nerve.
ner·vus pe·tro·sus pro·fun·dus 深錐体神経. = deep petrosal nerve.
ner·vus pha·ryn·ge·us = pharyngeal nerve.
ner·vus phre·ni·cus 横隔神経. = phrenic nerve.
ner·vus plan·tar·is la·te·ra·lis 外側足底神経. = lateral plantar nerve.
ner·vus plan·tar·is me·di·a·lis 内側足底神経. = medial plantar nerve.
ner·vus pte·ry·goi·de·us 翼突筋神経. = pterygoid nerve.
ner·vus pu·den·dus 陰部神経. = pudendal nerve.
ner·vus ra·di·a·lis 橈骨神経. = radial nerve.
ner·vus sac·cu·la·ris 球形嚢神経. = saccular nerve.
ner·vus sa·phe·nus 伏在神経. = saphenous nerve.
ner·vus splanch·ni·cus i·mus 最下内臓神経. = lowest splanchnic nerve.
ner·vus splanch·ni·cus ma·jor 大内臓神経. = greater splanchnic nerve.
ner·vus splanch·ni·cus mi·nor 小内臓神経. = lesser splanchnic nerve.
ner·vus sta·pe·di·us あぶみ骨筋神経. = nerve to stapedius muscle.
ner·vus sub·cla·vi·us 鎖骨下筋神経. = subclavian nerve.
ner·vus sub·cos·ta·lis 肋下神経. = subcostal nerve.
ner·vus sub·lin·gua·lis 舌下部神経. = sublingual nerve.
ner·vus sub·oc·cip·i·ta·lis 後頭下神経. = suboccipital nerve.
ner·vus su·pra·cla·vic·u·la·ris in·ter·me·di·us 中間鎖骨上神経. = intermediate supraclavicular nerve.
ner·vus su·pra·cla·vic·u·la·ris la·te·ra·lis 外側鎖骨上神経, 後鎖骨上神経. = lateral supraclavicular nerve.
ner·vus su·pra·cla·vic·u·la·ris me·di·a·lis 内側鎖骨上神経, 前鎖骨上神経. = medial supraclavicular nerve.
ner·vus su·pra·or·bi·ta·lis 眼窩上神経. = supraorbital nerve.
ner·vus su·pra·scap·u·la·ris 肩甲上神経. = suprascapular nerve.
ner·vus su·pra·troch·le·ar·is 滑車上神経. = supratrochlear nerve.
ner·vus su·ra·lis 腓腹神経. = sural nerve.
ner·vus ten·so·ris ve·li pa·la·ti·ni 口蓋帆張筋神経. = nerve to tensor veli palatini muscle.
ner·vus ten·to·ri·i テント神経. = tentorial nerve.
ner·vus tho·ra·ci·cus lon·gus 長胸神経. =

long thoracic nerve.

ner·vus tho·ra·co·dor·sa·lis 胸背神経. = thoracodorsal nerve.

ner·vus tib·i·a·lis 脛骨神経. = tibial nerve.

ner·vus trans·ver·sus col·li 頸横神経. = transverse cervical nerve.

ner·vus tri·gem·i·nus [CN V] 三叉神経(第五脳神経). = trigeminal nerve [CN V].

ner·vus troch·le·ar·is [CN IV] 滑車神経(第四脳神経). = trochlear nerve [CN IV].

ner·vus tym·pa·ni·cus 鼓室神経. = tympanic nerve.

ner·vus ul·na·ris 尺骨神経. = ulnar nerve.

ner·vus u·tri·cu·la·ris 卵形嚢神経. = utricular nerve.

ner·vus u·tri·cu·lo·am·pul·la·ris 卵形嚢膨大部神経. = utriculoampullar nerve.

ner·vus va·gus [CN X] 迷走神経 (第十脳神経). = vagus nerve [CN X].

ner·vus ver·te·bra·lis 椎骨動脈神経. = vertebral nerve.

ner·vus ves·ti·bu·lo·co·chle·a·ris [CN VIII] 内耳神経 (第八脳神経). = vestibulocochlear nerve [CN VIII].

ner·vus zy·go·ma·ti·cus 頬骨神経. = zygomatic nerve.

-ness ある特性や状態であることを示す接尾語.

nest (nest). 巣 (類似体の集合, 集団. →nidus).

nest·ed pol·y·mer·ase chain re·ac·tion (PCR) ポリメラーゼ連鎖反応 (特定のDNA断片(数百から数千塩基対)だけを選択的に連続して増幅させることで, DNAが極端に少ない場合や背景に問題があるか, 他を汚染するDNAがある場合に用いられる).

net (net). 網, 網目. = network(1).

Neth·er·ton syn·drome ネザートン症候群 (先天性魚鱗癬様紅皮症あるいは限局性線状魚鱗癬に竹状毛, アトピー, じんま疹, 間欠性アミノ酸尿, 精神遅滞を伴う. 恐らく常染色体劣性遺伝. 成長とともに成人期にはいって各症状は消滅するか改善することがきわめて多い).

net ox·y·gen con·sump·tion 正味酸素消費率 (生命を平静に維持するのに十分な量以上の酸素を消費すること. すなわち, ある特定の運動の際の平静をあまり維持できない酸素消費のこと).

net pro·tein u·ti·li·za·tion (NPU) 正味蛋白質利用率 (身体が摂取した蛋白質の使用量を計る計量法).

Net·tle·shop-Falls al·bin·ism ネトルショップ-フォールス白子[症]. = ocular albinism 1.

net·work (net′wŏrk). ***1*** 網, 網様構造 (織物に似た構造. 神経線維や小血管の網工. →reticulum). = rete(1); net. ***2*** ネットワーク, 連絡網 (患者の周囲にいる人. 特に, 疾病の経過に対して意味をもつ人).

net·work mod·el HMO ネットワーク方式HMO (HMOが診療医師グループと契約し, この医師グループがHMO加入者に対して保健医療を実施すると同時に, 他の患者も診る選択権を保持する制度).

net wt. net weightの略.

Neu·bau·er ar·ter·y ノイバウアー動脈. = thyroid ima artery.

Neu·feld cap·su·lar swell·ing ノイフェルト莢膜膨化 (莢膜をもった微生物が, 特異的抗莢膜凝集抗体に接触して, 莢膜の混濁度や可視度が増加すること). = Neufeld reaction; quellung phenomenon; quellung reaction(1); quellung test.

Neu·feld re·ac·tion ノイフェルト反応. = Neufeld capsular swelling.

Neu·mann law ノイマンの法則 (相似化学構造をもつ化合物では, 分子熱すなわち原子量と比熱の積は常に等しい).

neur-, neuri-, neuro- 神経を意味する, または神経系に関する連結形.

neu·ral (nūr′ăl). 神経[性]の (①神経細胞またはその突起からなる構造, あるいは発育して神経細胞を生じる構造についていう. ②脊髄が位置する椎体またはその前駆体の背側についていう. hemal(2)の対語).

-neural, -neuric 神経を意味する接尾語.

neu·ral arch = vertebral arch.

neu·ral ca·nal 神経[管]腔 (胚の神経管内にある腔所. 脊髄中心管の原基).

neu·ral crest 神経堤 (神経ひだまたは神経管の背面から発生する神経外胚葉細胞. これらの細胞は神経管や神経ひだを離れて, 後根神経節細胞, 自律神経節細胞, 副腎髄質クロム親和性細胞, 神経鞘細胞(Schwann細胞), 第五・第七・第八・第九・第十知覚神経節細胞, 外皮色素細胞など種々の細胞型に分化する).

neu·ral crest syn·drome 神経堤症候群 (痛覚消失, 自律神経不全, 瞳孔異常, 神経原性無汗, 血管運動不安定, 歯牙エナメル質形成不全, 髄膜肥厚, 過屈曲, ある程度の白子症よりなる症候群. 神経堤の発達異常によると考えられている).

neu·ral folds 神経ひだ (神経溝の膨隆した縁).

neu·ral·gi·a (nū-ral′jē-ă). 神経痛 (神経の走行路あるいは分布領域に起こる, 激しく, 拍動性の, 刺すような痛み). = neurodynia.

neu·ral·gi·a fa·ci·a·lis ve·ra 真正顔面神経痛. = geniculate neuralgia.

neu·ral·gic (nū-ral′jik). 神経痛[様]の.

neu·ral·gic a·my·ot·ro·phy 神経痛性筋萎縮[症] (原因不明の神経疾患. 通常, 肩付近のしばしば夜間に起こる強い痛みの突発を特徴とする. まもなくその肢の肩甲帯などの種々の筋肉の脱力と萎縮が起こる. 孤発例と家族性に起こるものがあり, 孤発例のほうが多い. しばしば上気道感染, 入院, ワクチン接種, 非特異的外傷などが前駆する. 障害された神経線維は上幹に由来するものが多いので, 通常, 上腕神経叢の病変が原因とされるが, 実際には多発性近位単神経障害である). = shoulder-girdle syndrome.

neu·ral groove 神経溝 (胎児の発生過程において, 神経板の外側縁が徐々に隆起することにより, 背面の正中線に形成されるというような溝. 最終的に左右の縁(神経ひだ)が融合して神経管が形成される).

neu·ral hear·ing loss 神経性難聴 (第八脳神

経の聴覚技の障害で生じる感音難聴).

neu·ral plate 神経板（初期胚の背面の神経外胚葉性部分で，後に発育して神経管と神経堤をつくる). = medullary plate.

neu·ral ret·i·na 神経網膜（視力の部分の網膜で可視光線に弱い光受容体を含む).

neu·ral spine 神経弓棘（典型的脊椎の神経弓の中点．棘突起に相当する).

neu·ral ther·a·py 神経セラピー（累積したトラウマによる身体への影響を軽減するために麻酔薬を注射すること).

neu·ral tube de·fect 神経管欠損（妊娠初期における葉酸不足が原因であろう生来の欠陥のことで，中枢神経系の発達の不十分な正中融解が特徴である).

neur·a·min·ic ac·id ノイラミン酸（D-マンノサミンとピルビン酸のアルドール生成物．ノイラミン酸の *N*-および *O*-アシル誘導体はシアル酸として知られ，ガングリオシドや，多くの組織，分泌物などにみられるムコ蛋白および糖蛋白を構成する多糖類の成分である).

neur·an·a·gen·e·sis (nūr′an-ă-jen′ĕ-sis). 神経再生.

neur·a·poph·y·sis (nūr′ă-pof′i-sis). = lamina of vertebral arch.

neur·a·prax·i·a (nūr′ă-prak′sē-ă). ニューラプラクシー，ニューラプラキシー（臨床症状を起こす局所神経障害の最も軽症な型．神経に沿った伝導の局所的喪失で，軸索変性を伴わない．通常，脱髄性で完全に回復する．→axonotmesis).

neur·as·the·ni·a (nūr′as-thē′nē-ă). 神経衰弱〔症〕（一般に，心身の機能低下に併発または続発する不明確な症状で，漠然とした疲労を特徴とする．心理的要因によって起こると考えられている).

neur·as·then·ic (nūr′as-then′ik). 神経衰弱〔症〕の.

neur·ax·is (nū-rak′sis). 脳脊髄幹，脳脊髄軸（中枢神経系で対になっていない部分．対になった大脳半球または終脳に対比して脊髄，菱脳，中脳，間脳のことをいう).

neur·ec·ta·sis, neur·ec·ta·si·a, neur·ec·ta·sy (nūr-ek′tă-sis, nūr-ek-tā′zē-ă, nūr-ek′tă-sē). 神経伸張術（神経または神経幹をのばす手術).

neu·rec·to·my (nūr-ek′tŏ-mē). 神経切断〔術〕，神経切除〔術〕（神経の一部を切除すること).

neur·ec·to·pi·a, neur·ec·to·py (nūr′ek-tō′pē-ă, nūr-ek′tō-pē). 神経転位〔症〕（①神経幹の転位．②神経が異常な走行をしている状態).

neur·en·ter·ic cysts 神経腸管嚢胞（傍脊髄嚢胞．通常，骨髄膜に連絡するかあるいは胎生早期に脊索の内皮の不全分離から発生する．しばしば症候性).

neu·rer·gic (nūr-ĕr′jik). 神経作用〔性〕の，神経活動〔性〕の.

neur·ex·er·e·sis (nūr′ek-ser′ĕ-sis). 神経捻除〔術〕，神経抜去〔術〕.

neu·ri·lem·ma (nūr′i-lem′ă). 神経線維鞘（末梢神経系の１本以上の軸索を包む細胞．有髄線維では，その細胞膜がミエリン層板を形成する). = neurolemma; sheath of Schwann.

neu·ri·lem·ma cells 神経〔線維〕鞘細胞. = Schwann cells.

neu·ri·lem·mo·ma (nūr′i-le-mō′mă). = schwannoma.

neu·ri·mo·tor (nūr′i-mō′tŏr). = nervimotor.

neu·ri·no·ma (nūr′i-nō′mă). schwannoma を表す現在では用いられない語.

neu·rit·ic (nūr-it′ik). 神経炎の.

neu·rit·ic plaque 神経炎性局面. = senile plaque.

neu·ri·tis, pl. neu·ri·ti·des (nūr-ī′tis, -rit′i-dēz). ***1*** 神経炎（神経の炎症). ***2*** = neuropathy.

neuro- 神経，神経組織，神経系を意味する連結形.

neu·ro·an·as·to·mo·sis (nūr′ō-ă-nas-tō-mō′sis). 神経吻合術（手術により神経間の接合を形成すること).

neu·ro·a·nat·o·my (nūr′ō-ă-nat′ŏ-mē). 神経解剖学（神経系，通常は特に中枢神経系の解剖学).

neu·ro·ar·throp·a·thy (nūr′ō-ahr-throp′ă-thē). 神経性関節症（関節の感覚喪失による関節疾患. →Charcot joint).

neu·ro·blast (nūr′ō-blast). 神経芽細胞（胎児の神経細胞).

neu·ro·blas·to·ma (nūr′ō-blas-tō′mă). 神経芽〔細胞〕腫（未熟で，ほとんど分化していない胎児型の神経細胞すなわち神経芽細胞を特徴とする悪性新生物．通常，間質はまばらで，壊死性，出血性の病巣もまれではない．乳幼児の縦隔および腹膜後部に多く発生し，肝臓，肺，リンパ節，頭蓋腔，骨格への広範な転移が非常に一般的にみられる).

neu·ro·car·di·ac (nūr′ō-kahr′dē-ak). ***1*** 神経心臓の（心臓の神経支配に関する). ***2*** 心臓神経症の.

neu·ro·car·di·o·gen·ic syn·co·pe = vasodepressor syncope.

neu·ro·chem·is·try (nūr′ō-kem′is-trē). 神経化学（神経系の構造および機能の化学的側面に関する学問).

neu·ro·cho·ri·o·ret·i·ni·tis (nūr′ō-kōr′ē-ō-ret-in-ī′tis). 脈絡網膜神経炎（脈絡膜，網膜および視神経の炎症).

neu·ro·cho·roi·di·tis (nūr′ō-kōr-oyd-ī′tis). 脈絡膜視神経炎（脈絡膜と視神経の炎症).

neu·roc·la·dism (nū-rok′lă-dizm). 神経軸索再生，神経新分枝形成（切断神経の切れ目に橋をかけるように断端から軸索が成長すること).

neu·ro·cra·ni·um (nūr′ō-krā′nē-ŭm). 脳頭蓋（顔面骨と区別して，脳を包む頭蓋骨をいう). = brain box; braincase.

neu·ro·cris·top·a·thy (nūr′ō-kris-top′ă-thē). 神経堤障害，神経堤症（神経堤細胞の発育障害による発育奇形).

neu·ro·cyte (nūr′o-sīt). 神経細胞. = neuron (1).

neu·ro·cy·tol·y·sin (nūr′ō-sī-tol′i-sin). 神経細胞溶解素（ある種の蛇(コブラやサンゴヘビ

等)の毒液に含まれる毒性の物質のこと．これにより神経細胞の溶融が起こる)．

neu·ro·cy·tol·y·sis (nūr′ō-sī-tol′i-sis)．神経細胞溶解（神経細胞の破壊)．

neu·ro·cy·to·ma (nūr′ō-sī-tō′mă)．神経細胞腫（神経分化を示す腫瘍で，通常，脳室内にでき，一様の核をもった細胞層からなり，ときに血管周囲に偽ロゼットを形成する)．

neu·ro·den·drite (nūr′ō-den′drīt)．神経樹状突起. = dendrite(1)．

neu·ro·der·ma·ti·tis (nūr′ō-dĕr-mă-tī′tis)．神経皮膚炎（限局性または散在性の慢性の苔癬化した皮膚病巣)．= neurodermatosis.

neu·ro·der·ma·to·sis (nūr′ō-dĕr-mă-tō′sis)．= neurodermatitis.

neu·ro·de·vel·op·men·tal treat·ment (NDT) 神経発達〔学的〕治療法（神経疾患の作業療法や理学療法において，正常な運動パターンを促進するための用手的治療法で，痙縮を避けるために6つの方法を併用する)．

neu·ro·dy·nam·ic (nūr′ō-dī-nam′ik)．神経エネルギーの，神経力の．

neu·ro·dyn·i·a (nūr′ō-din′ē-ă)．神経痛. = neuralgia.

neu·ro·ec·to·derm (nūr′ō-ek′tō-dĕrm)．神経外胚葉（後に発達して脳，脊髄，神経堤になって神経細胞と末梢神経系の神経線維鞘または Schwann 細胞をつくる初期外胚葉の中心部分)．

neu·ro·ec·to·der·mal (nūr′ō-ek-tō-dĕr′măl)．神経外胚葉の．

neu·ro·en·ceph·a·lo·my·e·lop·a·thy (nūr′ō-en-sef′ă-lō-mī-ĕ-lop′ă-thē)．神経脳脊髄障害．

neu·ro·en·do·crine (nūr′ō-en′dō-krin)．神経内分泌の（①神経系と内分泌器官の解剖学的および機能的関係についていう．②神経刺激に対応して，循環血液中にホルモンを分泌する細胞を表す)．

neu·ro·en·do·crin·ol·o·gy (nūr′ō-en′dō-krin-ol′ō-jē)．神経内分泌学（神経系と内分泌器官の解剖学的および機能的関係に関する専門分野)．

neu·ro·ep·i·the·li·al (nūr′ō-ep-i-thē′lē-ăl)．感覚上皮の．

neu·ro·ep·i·the·li·um (nūr′ō-ep-i-thē′lē-ŭm)．感覚上皮（外部刺激の受容のみを行う上皮細胞．内耳の有毛細胞と味蕾の受容細胞，網膜の杆体および錐体など)．

neu·ro·fi·bril (nūr′ō-fī′bril)．神経細線維（光学顕微鏡によって神経細胞体，樹状突起，軸索，さらにときにはシナプス末端にみられる線維構造)．

neu·ro·fi·bril·lar (nūr′ō-fī′bri-lăr)．神経細線維の．

neu·ro·fi·bro·ma (nūr′ō-fī-brō′mă)．神経線維腫（良性の被包性腫瘍で，不規則な Schwann 細胞の増殖により生じる)．= fibroneuroma.

neu·ro·fi·bro·ma·to·sis (nūr′ō-fī-brō-mă-tō′sis)．神経線維腫症（この病名には現在，2つのはっきり異なった遺伝性疾患が含まれることがわかっている．1型(末梢型)は2型よりはるかに頻度が高く，皮膚の色素沈着斑と皮膚および皮下腫瘍を臨床的特徴とする．色素沈着斑は生下時から存在し，カフェオレ斑とよばれる．皮膚および皮下腫瘍や神経線維腫とよばれる神経鞘の腫瘍が，末梢神経の走行に沿って，神経根から遠位部に至るあらゆる部位に多発性に生じる．神経線維腫は非常に大きくなることがあり，著しく容姿を損なったり，骨を浸食したり，いろいろな末梢神経組織を圧迫したりする．小さな過誤腫(Lisch 結節)がほとんどすべての患者の虹彩にみられる．1型は von Recklinghausen 病ともよばれる．2型(中枢型)はほとんど皮膚症状がなく，主に聴神経鞘腫を生じ，聴力障害を呈する．しばしば髄膜腫や神経膠腫などの頭蓋内または傍脊柱腫瘍を伴う)．= elephant man disease(2)．

neu·ro·fil·a·ment (nūr′ō-fil′ă-mĕnt)．神経糸，神経フィラメント（ニューロンの中にみられる中位のフィラメントの群)．

neu·ro·gang·li·on (nūr′ō-gang′lē-ŏn)．神経節. = ganglion(1)．

neu·ro·gen·e·sis (nūr′ō-jen′ĕ-sis)．神経発生．

neu·ro·gen·ic, neu·ro·ge·net·ic (nūr′ō-jen′ik, -jĕ-net′ik)．***1*** 神経〔原〕性の（神経系または神経インパルス，に由来する，から発生する，によって生じる)．= neurogenous. ***2*** 神経形成の，神経組織発生の．

neu·ro·gen·ic blad·der 神経因性膀胱〔障害〕，過敏膀胱. = neuropathic bladder.

neu·ro·gen·ic clau·di·ca·tion 神経原性跛行（神経損傷による跛行．腰部脊柱管狭窄に伴うことが多い)．

neu·ro·gen·ic frac·ture 神経原性骨折（神経疾患により弱くなった骨の骨折)．

neu·ro·gen·ic shock 神経原性ショック（不十分な灌流をもたらす点では他のと似ているショック状態(脊髄ショックなど).自律神経系の障害による血管運動緊張低下が原因である．頻脈，皮膚発汗(冷たくしっとりした皮膚)の古典的徴候がないという臨床的特徴で鑑別されることがしばしばある)．

neu·rog·e·nous (nūr-oj′ĕ-nŭs)．= neurogenic (1)．

neu·rog·li·a (nūr-og′lē-ă)．神経膠（中枢および末梢神経系の非神経細胞成分．重要な代謝機能をもつと考えられている．中枢神経組織には，乏突起神経膠細胞，星状膠細胞，上衣細胞，小膠細胞が含まれる)．= glia; reticulum(2)．

neu·rog·li·a·cyte (nūr-og′lē-ă-sīt)．神経膠細胞（→neuroglia)．

neu·rog·li·al, neu·rog·li·ar (nūr-og′lē-ăl, -ăr)．神経膠の．

neu·rog·li·o·ma·to·sis (nūr-og′lē-ō-mă-tō′sis)．神経膠腫症. = gliomatosis.

neu·ro·gram (nūr′ō-gram)．ニューログラム（精神的経験をする度に理論的に脳物質に刻まれる印象．すなわち，精神的経験のエングラムまたは物理的記録．この刺激が原経験を回復・再生させ，それによって記憶をつくる)．

neu·ro·his·tol·o·gy (nūr′ō-his-tol′ō-jē)．神経組織学（神経系の顕微鏡学的解剖学)．

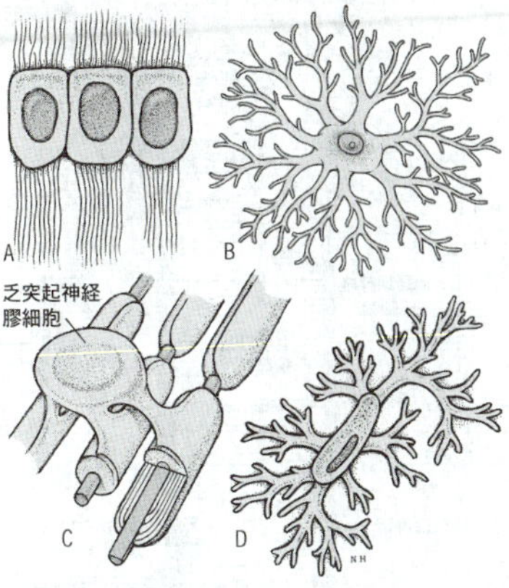
A
B
乏突起神経
膠細胞
C
D

neuroglia A：上衣細胞．B：星状膠細胞．
C：乏突起神経膠細胞．D：小膠細胞．

neu·ro·hor·mone (nūr′ō-hōr′mōn)．神経ホルモン（神経分泌細胞によってつくられ，神経インパルスから放出されるホルモン．例えばノルエピネフリン）．

neu·ro·hy·po·phys·i·al (nūr′ō-hī-pō-fiz′ē-ăl)．神経下垂体の．

neu·ro·hy·po·phys·i·al bud 神経性下垂体芽．= neurohypophysial diverticulum.

neu·ro·hy·po·phys·i·al di·ver·tic·u·lum 神経性下垂体憩室（間脳の神経外胚葉から発育し，神経性下垂体を形成する(下垂体神経部)）．= infundibulum of diencephalon; neurohypophysial bud.

neu·ro·hy·poph·y·sis (nūr′ō-hī-pof′i-sis)．神経下垂体（漏斗部と下垂体神経葉よりなる．→ hypophysis）．= lobus posterior hypophyseos; posterior lobe of hypophysis.

neu·roid (nūr′oyd)．神経様の．

neu·ro·lem·ma (nūr′ō-lem′ă)．= neurilemma.

neu·ro·lem·ma cells 神経〔線維〕鞘細胞．= Schwann cells.

neuroleptanaesthesia [Br.]．= neuroleptanesthesia.

neu·ro·lept·an·al·ge·si·a (nūr′ō-lept-an-ăl-jē′zē-ă)．神経遮断無痛〔法〕，神経遮断麻酔〔法〕，NAL(麻薬性の鎮痛薬と神経遮断薬の投与により生じさせる極度の無痛，記憶消失状態．意識はある場合とない場合があり，心肺機能も変化があることがある)．

neu·ro·lept·an·es·the·si·a (nūr′ō-lept-an-es-thē′zē-ă)．神経遮断麻酔〔法〕（神経遮断薬の静脈注射により行う全身麻酔法の技術で，神経筋弛緩薬とともに(併用しなくてもよい)，弱い麻酔薬を吸入させる)．= neuroleptanaesthesia.

neu·ro·lep·tic (nūr′ō-lep′tik)．*1*〖n.〗精神遮断薬，神経弛緩薬，抗精神病薬（精神病，特に統合失調症の治療に用いられる向精神薬の一群．フェノチアジン，チオキサンテン，ブチロフェノン誘導体およびジヒドロインドロン酸が含まれる．→antipsychotic agent)．= neuroleptic agent. *2*〖adj.〗*1*のような薬剤により生じた状態と同様のものを意味する．

neu·ro·lep·tic a·gent = neuroleptic(1).

neu·ro·lep·tic ma·lig·nant syn·drome 神経弛緩薬〔性〕悪性症候群（神経弛緩薬の使用後にみられる錐体外路障害と自律神経障害を伴った高熱で，死亡することもある)．

neu·ro·lin·guis·tic pro·gram·ming 神経言語学的プログラミング（特殊な技能を必要とする認知-行動心理学の一部門．クライアントの内的状態または外的行動を変えるために言語を使い無意識に接近するというもの)．

neu·ro·lin·guis·tics (nūr′ō-ling-gwis′tiks)．神経言語学（言語およびその障害の神経原性の基礎を研究する医学の部門)．

neu·ro·log·ic as·sess·ment 神経のアセスメント(判定)（保健医療従事者による神経系の評価)．

neu·rol·o·gist (nūr-ol′ō-jist)．神経学者，神経科医（神経筋系，中枢，末梢，自律神経系，神経筋接合部，筋の疾患の診断および治療を行う専門家)．

neu·rol·o·gy (nūr-ol′ō-jē)．神経学（種々の神経系(中枢，末梢，自律神経，および神経筋接合部，筋)とその障害を扱う医学の一分野)．

neu·rol·y·sin (nūr-ol′i-sin)．神経溶解素（脳物質注射によって得られる抗体で，神経節と皮質細胞の破壊を引き起こす)．= neurotoxin(1).

neu·rol·y·sis (nūr-ol′i-sis)．*1* 神経溶解（神経組織を破壊すること)．*2* 神経剥離〔術〕（炎症性癒着からの神経剥離)．

neu·ro·lyt·ic (nūr′ō-lit′ik)．神経溶解の，神経剥離〔術〕の．

neu·ro·ma (nūr-ō′mă)．神経腫（神経系細胞から発生する新生物を表す一般名．例えば，神経節性神経腫 ganglioneuroma，神経鞘腫 neurilemmoma，偽神経腫 pseudoneuroma，その他に分類されている)．

neu·ro·ma cu·tis 皮膚神経腫．

neu·ro·ma·la·ci·a (nūr′ō-mă-lā′shē-ă)．神経軟化（神経組織の病的軟化)．

neu·ro·ma tel·an·gi·ec·to·des 毛細〔血〕管拡張様神経腫（かなり多数の血管を含む神経線維腫で，(壁の厚さに比べて)異常に大きな管腔をもつものもある)．

neu·ro·ma·to·sis (nūr′ō-mă-tō′sis)．神経腫症（神経線維腫症でみられるように多数の神経腫が存在すること)．

neu·ro·mere (nūr′ō-mēr)．神経分節（発生しつつある神経管壁にみられる隆起で，特に菱脳についていう．また，発生しつつある脊髄で前根や後根が出入りする部分をいう)．

neu·ro·mus·cu·lar (nūr′ō-mŭs′kyū-lăr)．神経筋の（神経と筋の関係，特に骨格筋の運動神経支配とその病理学(例えば神経筋障害)についていう．→myoneural)．

neu·ro·mus·cu·lar block·ade 神経筋遮断（ニコチン受容体における神経筋接合部の伝達の

阻害のことで，骨格筋の緊張状態を減少させる．結果として筋肉が弱くなったり麻痺が起こる）．

neu·ro·mus·cu·lar block·ing a·gent 神経筋遮断薬（神経筋接合部において神経筋の伝達を阻害するために使用される薬剤．病気に冒された骨格筋の麻痺を引き起こす．またこの種の薬剤は低血圧症，潮紅，頻脈，気管支痙攣を引き起こすので，重症筋無力症者，高齢で衰弱した患者や腎臓，肝臓，肺臓の病気を持つ患者の時には注意が必要である）．

neu·ro·mus·cu·lar spin·dle 筋紡錘（骨格筋内に存在する紡錘状の感覚器で，求心性および少数の遠心性の神経線維が末端をつくる．この知覚末端はその周囲の筋肉ののび縮みなどの変化に特に敏感である）．= muscle spindle.

neu·ro·mus·cu·lar ther·a·py（NMT） 神経筋セラピー（神経反応と筋膜組織の状態を統合するためのボディワーク（指圧・マッサージをはじめとする特殊技術を使う治療法）．これにより原因箇所，筋肉の緊張過度，体位の補償構造がわかり，動作範囲を改善し，筋骨格の痛みを減少させ，神経と骨格筋系のバランスを整えることができる）．

neu·ro·my·as·the·ni·a （nūr′ō-mī-as-thē′nē-ă）．通常，情緒的原因による筋の衰弱を表す現在では用いられない語．

neu·ro·my·e·li·tis （nūr′ō-mī-ē-lī′tis）．神経脊髄炎（脊髄の炎症に伴う神経炎）．= myeloneuritis.

neu·ro·my·e·li·tis op·ti·ca 視神経脊髄炎（横断性脊髄障害と視神経炎からなる脱髄障害）．= Devic disease.

neu·ro·my·op·a·thy （nūr′ō-mī-op′ă-thē）．ニューロミオパシー，神経筋障害（①筋の障害で，神経に支配される筋の疾病または障害による．②神経と筋を同時に侵す疾患）．

neu·ron （nūr′on）．= neurone. ***1*** ニューロン，神経単位（神経細胞体，樹状突起と軸索からなる神経系の形態的および機能的単位）．= neurocyte. ***2*** axon を表す現在では用いられない語．

neuronaevus ［Br.］. = neuronevus.

neu·ro·nal （nūr′ō-năl）．ニューロンの，神経単位の．

neurone ［Br.］. = neuron.

neu·ro·ne·vus （nūr′ō-nē′vŭs）．神経母斑（成人にみられる真皮内母斑の一種で，真皮深部の萎縮性母斑細胞巣が硝子化し神経束に似る）．

neu·ron·i·tis （nūr′ō-nī′tis）．ニューロン炎（神経細胞の炎症疾患）．

neu·ro·nop·a·thy （nūr-o-nop′ă-thē）．神経細胞障害，ニューロン障害（ニューロンの障害で，しばしば中毒による）．

neu·ron·o·phage （nūr-on′ō-fāj）．神経食細胞（ニューロン成分を摂取する食細胞．→microglia）．

neu·ron·o·pha·gi·a, neu·ro·noph·a·gy （nūr-on′ō-fā′jē-ă, nūr′ō-nof′ă-jē）．神経細胞侵食（神経細胞の食作用）．

neu·ron-spe·ci·fic e·no·lase ニューロン特異性エノラーゼ（ニューロンと神経膠細胞に存在するエノラーゼのアイソザイム．ニューロンや神経内分泌の腫瘍の鑑別診断に本酵素の染色がよく用いられる）．

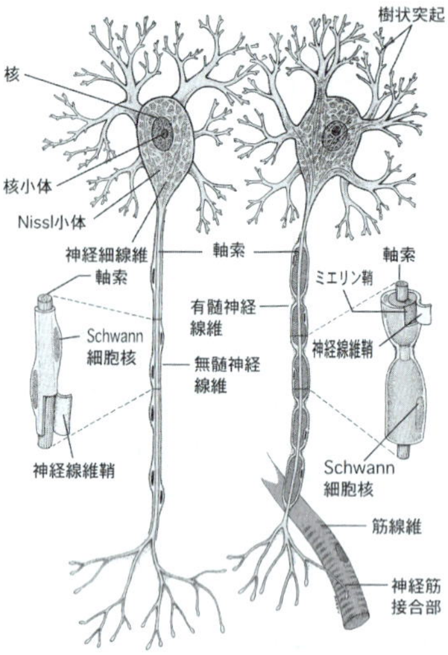

樹状突起
核
核小体
Nissl小体
神経細線維
軸索
軸索
軸索
ミエリン鞘
有髄神経線維
Schwann細胞核
無髄神経線維
神経線維鞘
神経線維鞘
Schwann細胞核
筋線維
神経筋接合部

typical efferent neurons 左：無髄線維，右：有髄線維

neu·ro·on·col·o·gy （nūr′ō-on-kol′ō-jē）．神経腫瘍学（神経系，神経筋接合部，筋に対する新生物の直接および間接効果に関する医学の一部門）．

neu·ro·oph·thal·mol·o·gy （nūr′ō-of-thal-mol′ō-jē）．神経眼科学（視器官の神経学的問題に関する医学分野）．

neu·ro·o·tol·o·gy （nūr′ō-ō-tol′ō-jē）．神経耳科学（聴覚，平衡器官に関連する神経系に関する医学分野）．

neu·ro·pa·ral·y·sis （nūr′ō-pă-ral′i-sis）．神経麻痺（罹患部を支配する神経の疾患によって起こる麻痺）．

neu·ro·par·a·lyt·ic （nūr′ō-par-ă-lit′ik）．神経麻痺の．

neu·ro·par·a·lyt·ic ker·a·ti·tis 神経麻痺性角膜炎．= neurotrophic keratitis.

neu·ro·par·a·lyt·ic ker·a·top·a·thy 神経麻痺性角膜炎（三叉神経の眼神経分枝の障害に伴う角膜の炎症や潰瘍）．

neu·ro·path·i·a （nūr′ō-pāth′ē-ă）．= neuropathy.

neu·ro·path·ic （nūr′ō-path′ik）．ニューロパシー〔性〕の，神経障害〔性〕の．

neu·ro·path·ic ar·throp·a·thy 神経障害性関節症．= neuropathic joint.

neu·ro·path·ic blad·der 神経因性膀胱〔障害〕，過敏膀胱（神経支配障害による膀胱機能の様々な欠陥）．= neurogenic bladder.

neu·ro·path·ic joint 神経障害性関節症（固有

感覚の減弱に起因する破壊性関節疾患．繰り返し受けた認知閾値以下の外傷により関節が漸次破壊される．通常，脊髄ろうや糖尿病性ニューロパシーに合併する）．= Charcot joint; neuropathic arthropathy.

neu·ro·path·o·gen·e·sis (nūr′ō-path-ō-jen′ĕ-sis)．神経病発生，神経病因（神経系疾患の由来あるいは原因）．

neu·ro·pa·thol·o·gy (nūr′ō-pă-thol′ŏ-jē)．神経病理学（神経系を取り扱う病理学の一分野）．

neu·rop·a·thy (nūr-op′ă-thē)．ニューロパシー，神経障害（①神経系のいかなる部分のいかなる障害に対しても用いられた古典的な語．②現在では，脳神経または末梢神経または自律神経系の疾病を表す）．= neuritis(2); neuropathia.

neu·ro·pep·tide (nūr′ō-pep′tīd)．神経ペプチド（神経組織で見出された種々のペプチド．例えば，エンドルフィン，エンケファリンなど．*cf.* bioregulator）．

neu·ro·pep·tide Y (NPY) 神経ペプチドY（脳や自律神経系に存在する36アミノ酸からなるペプチド性神経伝達物質．ノルアドレナリン作用性ニューロンの血管収縮効果を増強させる）．

neu·ro·phar·ma·col·o·gy (nūr′ō-fahr′mă-kol′ŏ-jē)．神経薬理学（神経組織に影響を与える薬の研究）．

neu·ro·phys·ins (nūr′ō-fiz′inz)．ニューロフィシン（視床下部で合成される蛋白で，神経分泌顆粒中ではバソプレシンおよびオキシトシンの大きな前駆蛋白の一部である．下垂体ホルモンの運搬と貯蔵の担体としての役割を果たしている）．

neu·ro·phys·i·ol·o·gy (nūr′ō-fiz-ē-ol′ŏ-jē)．神経生理学．

neu·ro·pil, neu·ro·pile (nūr′ō-pil, nūr′ō-pīl)．神経網，神経絨（中枢神経系の灰白質塊をつくり，内部に神経細胞体が埋め込まれている軸索や樹状突起とグリアの分枝のフェルト状の複雑な網）．

neu·ro·plasm (nūr′ō-plazm)．神経形質（神経細胞の原形質）．

neu·ro·plas·ty (nūr′ō-plas-tē)．神経形成術（神経への外科的手術）．

neu·ro·ple·gic (nūr′ō-plē′jik)．神経麻痺の（神経系の疾病による麻痺についていう）．

neu·ro·po·di·a (nūr′ō-pō′dē-ă)．神経足，腹肢．= axon terminals.

neu·ro·pore (nūr′ō-pōr)．神経孔（神経管の中心管から外部管に通じる胚期の開口部）．

neu·ro·psy·chi·a·try (nūr′ō-sī-kī′ă-trē)．神経精神医学，神経精神病学（神経系の器質的および精神的障害を扱う分野）．

neu·ro·psy·cho·log·ical dis·or·der 神経心理学的障害（生理学的なあらゆる原因による大脳の機能障害で，気分，行動，知覚，記憶，認知あるいは判断，そして精神生理の変化により明らかにされる）．

neu·ro·psy·chop·a·thy (nūr′ō-sī-kop′ă-thē)．神経精神病質（神経学的原因による情動疾患）．

neu·ro·ra·di·ol·o·gy (nūr′rō-rā-dē-ol′ŏ-jē)．神経放射線学（脳神経および頭頸部疾患の放射線診断を行う臨床専門分野）．

neu·ro·reg·u·la·tor (nūr′ō-reg′yū-lā-tŏr)．神経調節物質（ニューロンに修飾作用を及ぼす化学因子）．

neu·ro·ret·i·ni·tis (nūr′ō-ret-i-nī′tis)．視神経網膜炎（視神経乳頭と網膜後極部を障害する炎症．網膜近くの硝子体中の細胞を伴い，通常，星芒状黄斑を形成する）．= papilloretinitis.

neu·ror·rha·phy (nūr-ōr′ă-fē)．神経縫合〔術〕（通常は縫合により，分離された神経の2部分を結合すること）．= neurosuture.

neu·ro·sar·co·clei·sis (nūr′ō-sahr-kō-klī′sis)．神経筋肉剥離〔術〕（神経が横切る骨管の壁の1つを切除し，神経を軟組織へ移動させる神経痛治療の手術）．

neu·ro·sar·coid·o·sis (nūr′ō-sahr-koy-dō′sis)．神経サルコイドーシス（中枢神経系を侵す原因不明の肉芽腫性疾患で，通常，全身症候を伴う）．

neu·ro·sci·ence (nūr′ō-sī′ĕns)．神経科学（神経系の発育・構造・機能・化学・薬理学，臨床評価，病理学に関する科学の分野）．

neu·ro·se·cre·tion (nūr′ō-sē-krē′shŭn)．神経分泌（脳のある神経細胞の軸索終末から循環血液中への分泌物質の放出）．

neu·ro·se·cre·to·ry (nūr′ō-sē′krĕ-tōr-ē)．神経分泌の．

neu·ro·sis, pl. neu·ro·ses (nūr-ō′sis, -sēz)．神経症，ノイローゼ（①不安を主な特徴とする心理的または行動的障害．防衛機制またはいかなる恐怖症も，基本的な不安を克服するために個人が習得した調整技法である．精神病とは対照的に，神経症の人はひどい現実検討力のゆがみや，人格解体を示すことはない．②機能的神経疾患，すなわちはっきりした病変をもたない疾患．③神経系が緊張しまたは刺激過敏になっている独特の状態．何らかの形の神経質）．= neurotic disorder; psychoneurosis.

neu·ro·splanch·nic (nūr′ō-splangk′nik)．= neurovisceral.

Neu·ros·po·ra (nūr′ō-spōr′ă)．アカパンカビ属（培養液内で成長し，遺伝学または細胞生物学の研究に用いる子嚢菌綱の真菌の一属）．

neu·ro·sur·geon (nūr′ō-sŭr′jŭn)．〔脳〕神経外科医（脳，脊髄，脊柱，末梢神経の手術を専門とする外科医）．

neu·ro·sur·ger·y (nūr′ō-sŭr′jĕr-ē)．〔脳〕神経外科〔学〕．

neu·ro·su·ture (nūr′ō-sū′chūr)．= neurorrhaphy.

neu·ro·syph·i·lis (nūr′ō-sif′i-lis)．神経梅毒（梅毒トレポネーマ *Treponema pallidum* による中枢神経系の感染）．

neu·ro·ten·di·nous (nūr′ō-ten′di-nŭs)．神経腱の（神経と腱の両方に関する）．

neu·ro·ten·di·nous spin·dle 腱紡錘．= Golgi tendon organ.

neu·ro·ten·sin (nū′rō-ten′sin)．ニューロテンシン（視床下部，扁桃体，基底核，脊髄後角のシナプソームにみつかったアミノ酸 13 個のペプチド神経伝達物質).

neu·ro·the·ke·o·ma (nūr′ō-thē-kē-ō′mă). 神経鞘粘液腫(皮膚神経鞘由来の良性粘液腫).

neu·rot·ic (nūr-ot′ik). 神経症の, 神経性の(→neurosis).

neu·rot·ic dis·or·der 神経症性障害. = neurosis.

neu·rot·i·za·tion (nūr′ō-tī-zā′shŭn). 神経植込み〔術〕, 神経再生(神経物質を供給すること. 神経の再生).

neu·rot·me·sis (nūr′ot-mē′sis). 神経断裂〔症〕(局所末梢神経損傷による軸索切断病変の一型. 損傷部では軸索とミエリンに加えて, 程度の差はあるが, 神経支質も障害され, 遠位方向への変性が起こる. →axonotmesis; neurapraxia).

neu·rot·o·my (nūr-ot′ŏ-mē). 神経切断〔術〕(神経の手術的分割).

neu·ro·ton·ic (nūr′ō-ton′ik). ***1*** 〘adj.〙 神経伸張術の. ***2*** 〘adj.〙 神経緊張性の(傷害された神経作用を強化または刺激する). ***3*** 〘n.〙 神経緊張薬(神経系の緊張または力を改善する薬物).

neu·ro·tox·ic (nūr′ō-tok′sik). 神経毒〔性〕の(神経物質に対して有毒であることについていう).

neu·ro·tox·in (nūr′ō-tok′sin). 神経毒(①= neurolysin. ②神経組織に特異的に作用する毒素).

neu·ro·trans·mit·ter (nūr′ō-trans′mit-ĕr). 神経伝達物質(興奮時にシナプス前の細胞から放出され, シナプスを横切ってシナプス後の細胞を刺激または抑制する特異的化学物質).

neu·ro·trip·sy (nūr′ō-trip′sē). 神経挫砕術(神経の手術的圧挫).

neu·ro·tro·phic (nūr′ō-trō′fik). 神経栄養の.

neu·ro·tro·phic ker·a·ti·tis 神経栄養性角膜炎(角膜の麻酔後に生じる角膜の炎症). = neuroparalytic keratitis.

neu·rot·ro·phy (nū-rot′rŏ-fē). 神経栄養(神経の影響下の組織の栄養と代謝).

neu·ro·tro·pic (nūr′ō-trō′pik). 神経親和性の, 神経向性の.

neu·rot·ro·py, neu·rot·ro·pism (nū-rot′rŏ-pē, -pizm). ***1*** 神経親和性(神経組織に対する塩基性色素の親和性). ***2*** 神経向性, 神経親和性(ある種の病原性微生物, 毒, 栄養物が神経中枢に引き付けられること).

neu·ro·tu·bule (nūr′ō-tūb′yūl). 神経細管(ニューロンの細胞体, 樹状突起, 軸索, およびシナプス終末のあるものにある直径 10—20 nm の微細管).

neu·ro·vac·cine (nūr′ō-vak-sēn′). 神経ワクチン(ウサギの脳に連続的に接種して得られる, 一定の強さをもつ固定したまたは標準化したワクチンウイルス).

neu·ro·vas·cu·lar (nūr′ō-vas′kyū-lăr). 神経血管の(神経系と血管系の両方に関する. 血管壁に供給する神経, 血管運動神経についていう).

neu·ro·vas·cu·lar bun·dle of Walsh ウオルシュの神経血管束(前立腺に向かう被膜の動脈と静脈および海綿体神経よりなる解剖学的構造で, 神経保存の骨盤内手術の際, 肉眼的な目印として用いられる).

neu·ro·vi·rus (nūr′ō-vī′rŭs). 神経ウイルス(神経組織内に入れて成長させることにより変性させたワクチンウイルス).

neu·ro·vis·cer·al (nūr′ō-vis′ĕr-ăl). 内臓神経の(自律(内臓運動)神経系による内臓の神経支配についていう). = neurosplanchnic.

neu·ru·la, pl. neu·ru·lae (nūr′yū-lă, -lē). 神経胚(神経板形成と, その閉鎖による神経管形成が顕著な過程である胚発生の段階).

neu·ru·la·tion (nūr′yū-lā′shŭn). 神経胚形成(神経板の形成と, 神経ひだと神経孔の閉鎖による神経管の形成).

Neus·ser gran·ule ノイサー顆粒(白血球の核周囲を不鮮明に取り巻いて, ときにみられる微細な好塩基性顆粒).

neu·ter (nū′tĕr). 中性の(雄または雌の動物を外科手術によって不妊にすること).

neu·tral (nū′trăl). 中性の(①明確な性質を示さないことについていう. ②化学において, 酸性でもアルカリ性でもないことについていう. すなわち$[OH^-]=[H^+]$).

neu·tral fat 中性脂肪(脂肪酸とグリセロールのトリエステル. すなわちトリアシルグリセロール).

neutralisation [Br.]. = neutralization.

neu·tral·i·za·tion (nū′trăl-ī-zā′shŭn). 中和(①アルカリ性または酸性の物質を加え, 溶液を酸性またはアルカリ性から中性に変えること. ②作用, 過程, 能力の無力化). = neutralisation.

neu·tral·i·za·tion plate 中和プレート(長管骨骨折の内固定に際し, 転位を生じる力を中和させるために用いられる金属プレート).

neu·tral·i·za·tion test 中和試験. = protection test.

neu·tra·liz·ing an·ti·bod·y 中和抗体(感染因子(一般にウイルス)と反応し, その感染力や発病力を破壊または抑制する抗体).

neu·tral mu·ta·tion 中立突然変異(自然淘汰に有利でも不利でもない突然変異).

neu·tral oc·clu·sion 正常咬合(①上下顎の第一永久大臼歯が, 正常な前後的位置関係にある歯列を有する咬合. = normal occlusion(2). ②= neutroclusion).

neu·tral stain 中性染料(酸性染料と, メチレンブルーのエオシン塩などの塩基性染料の化合物で, 陰イオンと陽イオンがそれぞれ発色団を有する).

neutro-, neutr- 中性の, を意味する連結形.

neu·tro·clu·sion (nū′trō-klū′zhŭn). 中性咬合(上顎と下顎が正常な前後関係を有するような不正咬合. Angle 分類では I 級不正咬合). = neutral occlusion(2).

neu·tron (nū′tron). 中性子, ニュートロン(陽子より少し大きい質量をもち, すべての原子核(水素-1 を除く)の中に存在する電気的に中性な粒子. 原子核外では陽子と電子に崩壊し, その半減期は 10.3 分である).

neu·tro·pe·ni·a (nū′trō-pē′nē-ă). 好中球減少〔症〕(循環血液中の好中球が異常に少なくなる

こと).

neu·tro·phil, neu·tro·phile (nū′trō-fil, -fīl). *1* 好中球 (顆粒球系にみられる成熟白血球. 骨髄でつくられ, 循環血液中に放出され, 正常な場合, 血中総白血球数の 54—65%を占める. 通常の Romanowsky 染色法で染色した場合, ⅰかなり密な染色体の粗い網様構造をもつ暗紫青色の核と, ⅱその核と明瞭に区別できる薄桃色の, 多数の細かい桃色または紫桃色の顆粒(すなわち非好酸性で非好塩基性)をもつ細胞質がみられる. 好中球の前段階の細胞としては成熟度の低いものから, 骨髄芽球, 前骨髄球, 骨髄球, 後骨髄球, 帯状型がある. →leukocyte; leukocytosis). *2* 好中性, 中性親和〔性〕(酸性または塩基性染料に対して特別な親和性を示さない細胞または組織. 例えば, 細胞質はどちらの型の染料でもほとんど同程度に染色される).

neu·tro·phil-ac·ti·vat·ing fac·tor 好中球活性化因子. = interleukin-8.

neu·tro·phil-ac·ti·vat·ing pro·tein 好中球活性化蛋白 (interleukin-8 を表す古語).

neu·tro·phil·i·a (nū′trō-fil′ē-ă). 好中球増加〔症〕(血液中または組織中の好中球の増加).

neu·tro·phil·ic (nū′trō-fil′ik). *1* 好中球〔性〕の (好中球に関する, または好中球によって特徴付けられることについていう. 例えば, 主要細胞が好中球である滲出液など). *2* 好中性の, 中性親和〔性〕の (酸性または塩基性染料に対して親和性を示さない(すなわち両者にほとんど同程度に染色される)ことについていう).

neu·tro·phil·ic leu·ko·cyte 好中〔性白血〕球 (最も多い多形核球であり, 種々の白血球中で最も活発な食作用がある好中性顆粒球. Wright 染色法(または類似の染色法)により, かなり多くの細胞質はかすかにピンクになり, 多数の小さい, わずかに光屈折性のある比較的明るいピンクまたは紫がかったピンクをした, 広範に拡散した顆粒が細胞質内に認められる. 濃く染まった青色, 紫青色の核は細胞質とは明確に区別でき, 明らかに分葉し, 3—5 個の核葉が染色質の細い線維でつなげられている).

neu·tro·tax·is (nū′trō-tak′sis). 好中球走性 (白血球が, ある物質によって刺激され, その方向へ移動する正好中球走性 **positive neutrotaxis** または反発し反対方向へ移動する負好中球走性 **negative neutrotaxis** の現象).

ne·vi (nē′vī). nevus の複数形. = naevi.

ne·void (nē′voyd). 母斑様の. = naevoid; nevose (2); nevous.

ne·vose, ne·vous (nē′vōs, -vŭs). = naevose. *1* 母斑性の. *2* 母斑様の. = nevoid.

ne·vus, pl. **ne·vi** (nē′vŭs, -vī). 母斑 (①皮膚の限局性奇形, 特に過剰色素や血管の増加により色が付いているもの. 表皮性, 付属器性, メラノサイト性, 血管性, または中胚葉性の増殖あるいはそれらのいくつかの増殖を主体とする. ②誕生時, または幼少時に皮膚に現れるメラニン形成細胞の良性限局性過剰増殖. = mole (1)). = naevus.

ne·vus cell 母斑細胞 (皮膚の色素性母斑にみられる細胞で, メラノサイトと異なり樹状突起をもたない).

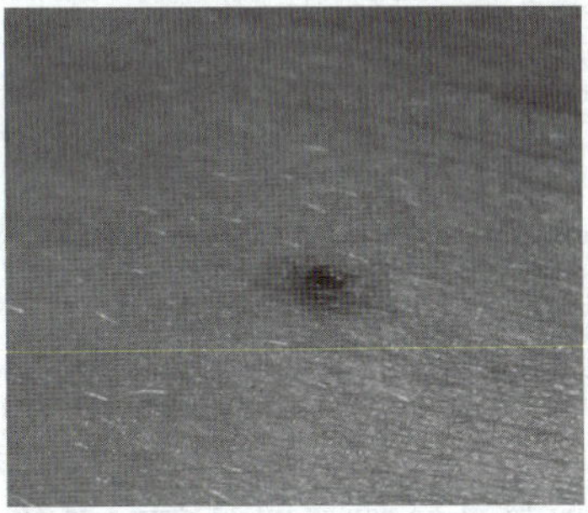

nevus

ne·vus co·me·do·ni·cus, com·e·do ne·vus コメド母斑, 面ぽう母斑 (正常な毛囊脂腺系の発育不全を伴う表皮の先天性または子供の頃に生じる線状の角質囊腫性陥入). = naevus comedonicus.

ne·vus flam·me·us 火炎状母斑 (紫色の大きな先天性の血管腫. 通常は頭部と頸部とにみられ, 生涯を通じて存在する). = naevus flammeus; port-wine mark; port-wine stain.

ne·vus pig·men·to·sus 色素性母斑 (良性の色素性メラノサイトの増殖. 皮膚と同じ高さか, または隆起しており, 生下時存在するか, または一生のうち早期に生じる). = mole (2); naevus pigmentosus.

ne·vus pi·lo·sus 有毛母斑 (豊富な毛髪でおおわれた母斑). = hairy mole; naevus pilosus.

ne·vus spi·lus 扁平母斑 (色素性母斑(平坦な)の一種). = naevus spilus.

ne·vus u·ni·us la·te·ris 片側性母斑 (先天性全身性の線状母斑で, 身体の片側または片側肢部に限局する. 病変は広範囲にわたることが多く, 体幹に波状の帯を, 四肢に渦巻状の条を形成する). = naevus unius lateris.

ne·vus vas·cu·la·ris, ne·vus vas·cu·lo·sus 血管性母斑. = capillary hemangioma; naevus vascularis.

new·born (nū′bōrn). 新生児の, 新産児の. = neonatal; neonate.

New·cas·tle dis·ease ニューカッスル病 (家禽ペストに似た急性・熱性・接触伝染性の家禽病で, パラミクソウイルス(ニューカッスル病ウイルス)によって起こる).

New·com·er fix·a·tive ニューカマー固定液 (イソプロパノールとプロピオン酸とジオキサンを含む固定液で, クロマチンの保存には Carnoy 固定液に代えて用いることが推奨されている. 多糖類の固定にも有用であり, また過度の縮小を起こすこともあるが, 小組織片の固定には必ず用いる).

New Hamp·shire rule ニューハンプシャー法〔則〕(開拓期の米国人の犯罪責任規定(1871

年)．"犯罪行為が狂気の産物であった場合には，犯罪的意図がそれを生んだのではない" と述べられている)．

new pa·tient 新規患者（ある特定の医師，あるいはその医師が属する専門のグループ内の医師が一度も診察したことがないか，過去3年間診察したことがない患者)．

new·ton (nū′tŏn)．ニュートン（国際単位系(SI)における力の単位で，$m \cdot kg \cdot s^{-2}$ で表される．CGS 単位系における 10^5 ダインに相当する)．

New·ton disc ニュートン円板（7色に塗り分けた厚紙製の円板．各色はスペクトルの原色に対応し面積が等しい．円板を急速に回転させると白く見える)．

new·to·ni·an con·stant of grav·i·ta·tion (G) ニュートン重力定数，ニュートン万有引力定数（普遍的定数の1つ．重力 F と距離 r を隔てて互いに引き付け合う2つの質量 m_1，m_2 を，式 $F = G\ (m_1 m_2 / r^2)$ によって関連付ける定数．その値は 6.67259×10^{-8} dyne $cm^2 g^{-2} = 6.67259 \times 10^{-11}\ m^3 kg^{-1} s^{-2}$(SI 単位))．

New·ton law ニュートンの法則（2つの物体間に働く引力は両質量の積に比例し，両者の中心間の距離の2乗に反比例する)．

new·ton-me·ter (nū′tŏn-mē′tĕr)．ニュートンメートル（MKS 系単位．1 m につき1ニュートンの力によって費やされたエネルギーまたは仕事量として表す．1ジュール(= 10^7 エルグ)に等しい)．

New World leish·man·i·a·sis 新世界リーシュマニア症．= mucocutaneous leishmaniasis.

New York Heart As·so·ci·a·tion clas·si·fi·ca·tion ニューヨーク心臓協会(NYHA)の心機能分類（心機能の分類で，次の4型に分けられる．I 度：患者は何ら障害なく活動できる心臓の状態で，通常，症状を呈さない．II 度：患者は軽度の活動制限を有し，安静時では症状を呈さないが，通常の身体活動で疲労，動悸，息切れまたは狭心症症状を呈する．III 度：身体活動を著しく制限される．安静状態では症状は軽微であるが，通常の身体活動以下でも症状を呈する．IV 度：患者は非常に軽微な身体的活動でも心不全症状を呈し，その症状を安静時でも示す)．

New York vi·rus ニューヨークウイルス（ハンタ肺症候群を起こす米国のハンタウイルス種)．

nex·ins (neks′inz)．ネキシン（繊毛や鞭毛の軸糸の周辺微小管の2本を架橋する蛋白)．

nex·us, pl. nex·us (neks′ŭs)．ネクサス，細隙結合．= gap junction.

Ney·man-Pear·son test ネイマン-ピアソン検定（検出力を最大とするように，検定統計学の棄却域を決定する基本的な手続き．注対立仮説に対する尤度(likelihood)と帰無仮説に対する尤度の比が一定値以上の領域を棄却域とする．この一定値は有意水準を設定値(通常は5%)に保つように決定される)．

NFPA sym·bol 全米防火協会マーク（火災の際，消防士のために有害物質の場所を特定するための全米防火協会(NFTA)発行のラベル．ラベルにはダイヤモンド形と四分円形のマークが付いており，それぞれ危険度を示す．健康被害(青)，火災(赤)，化学的安定性(黄)，そしてその他の危険要素の種類の4つである)．

ng nanogram(10^{-9} g)の略．

NGF nerve growth factor の略．

NG tube = nasogastric tube.

Ni ニッケルの元素記号．

ni·a·cin (nī′ă-sin)．= nicotinic acid.

ni·a·cin·a·mide (nī′ă-sin′ă-mīd)．= nicotinamide.

Ni·ag·ar·a blue = Congo blue.

nib (nib)．ニブ（歯科において用いられる填実(コンデンス)用器具の先端で，修復材料を填実する部分)．

NIC (nik)．Nursing Interventions Classification の略．

niche (nich, nēsh)．***1*** ニッシェ（消化管および血管の X 線造影検査において，造影剤で満たされたときに検出できるびらんまたは潰瘍のある領域)．***2*** ニッチ，生態学的地位（生物社会において種の占める位置，特に他の種々の競争者，捕食者，被食者，寄生種などとの関係)．

nick·el (Ni) (nik′ĕl)．ニッケル（金属生体元素．原子番号 28，原子量 58.6934．コバルトに類似し，しばしばそれを伴っている．リボソームを熱変性から守る．ニッケルの欠損により，肝臓の超(微細)構造に変化をきたす)．

nick·ing (nik′ing)．網膜血管狭窄（網膜血管の局所性狭窄)．

Nick pro·ce·dure ニック法（大動脈の無冠動脈尖と左房の天井に切り込み，大動脈弁輪を拡大すること)．

Ni·colle stain for cap·sules ニコル莢膜染色〔法〕（ゲンチアナバイオレットのアルコール-フェノール飽和混合溶液中での染色)．

nic·o·tin·a·mide (nik′ō-tin′ă-mīd)．ニコチンアミド（生物活性のあるニコチン酸のアミド．ペラグラの予防と治療に用いる)．= niacinamide.

nic·o·tin·a·mide ad·e·nine di·nu·cle·o·tide (NAD) ニコチンアミドアデニンジヌクレオチド（リボシルニコチンアミド 5′-リン酸(NMN)とアデノシン 5′-リン酸(AMP)が，2個のリン酸基間でホスホ無水物結合をつくって連結したもの．補酵素として蛋白に結合し，呼吸代謝(水素の受容体と供与体)で働く)．= diphosphopyridine nucleotide.

nic·o·tin·a·mide ad·e·nine di·nu·cle·o·tide phos·phate (NADP) ニコチンアミドアデニンジヌクレオチドリン酸（$NADP^+ + 2H \rightleftharpoons NADPH + H^+$ の反応が起こる多くの酸化酵素(デヒドロゲナーゼ)の補酵素．第三リン酸基は，NAD のアデノシン部分の 2′-ヒドロキシルをエステル化する)．

nic·o·tin·a·mide mon·o·nu·cle·o·tide (NMN) ニコチンアミドモノヌクレオチド（ニコチンアミドの N をリボースの(β) C-1 に結合した，ニコチンアミドとリボース-5-リン酸の縮合物．NAD^+ 合成の前駆体)．

nic·o·tine (nik′ō-tēn′)．ニコチン（タバコ(*Nicotiana* 属)から分離され，タバコの多くの作用の原因となる毒性揮発性アルカロイド．自律神経節と神経筋接合部を，最初は刺激し(少量)，次に抑制する(大量)．生理学的・薬理学的研究において重要な役割を果たし，殺虫薬および燻蒸剤としても用いる)．

nic·o·tin·ic (nik′ō-tin′ik)．ニコチン〔様〕の(自律神経節，副腎髄質，および横紋筋の運動終板に対する，アセチルコリンと他のニコチン様薬物の刺激作用についていう)．

nic·o·tin·ic ac·id ニコチン酸（ビタミンB複合体の一部．ペラグラの予防や治療に，血管拡張薬，HDLを増加させる薬剤として用いる．尿検査において薬物使用を隠す目的で不正に用いられることがあるが，不正使用では消化器症状や目まい，意識障害を誘発することがある．註 他の高脂血症薬のプロブコールはコレステロールを下げ，かつHDLも低下させる)．= niacin.

nic·ti·ta·tion (nik′ti-tā′shŭn)．瞬目，まばたき．

NICU neonatal intensive care unit の略.

ni·dal (nī′dăl)．核の，巣の，病巣の.

ni·da·tion (nī-dā′shŭn)．〔卵〕着床（初期の胚が子宮内膜に埋め込まれること)．

ni·dus, pl. ni·di (nī′dŭs, -dī)．*1* 巣．*2* 核（神経が起始する中心部)．*3* 病巣．*4* 結晶核（結晶または同様な固形生成物の始まりである分子または小粒子の凝集)．*5* 病巣中核（X線上にみられる類骨骨腫の中心にある濃度の減少を呈する病巣)．

ni·dus a·vis 鳥巣（虫部垂と二腹小葉の間にある小脳下部両側の深い陥凹で，小脳扁桃が収まっている)．

Nie·mann-Pick C1 dis·ease (NPC) ニーマン-ピック病（まれな遺伝性の脂肪蓄積症で，内臓と中枢神経系を侵す．常染色体劣性遺伝である．2型あるが，臨床所見と生化学的異常は同じで，2つの別個の遺伝子，主遺伝子座のNPC-1と副遺伝子座のNPC-2の異常により生じる．同じ臨床的・生化学的表現型を有する．本病の患者の細胞はコレステロールのエステル化とリソソームからの放出に欠陥がある．LDL由来のコレステロールがリソソームに囲い込まれることにより，LDLの取り込みの抑制が遅れ，LDLの新たな合成が生じる)．

Nie·mann-Pick cell ニーマン-ピック細胞. = Pick cell.

Nie·mann sple·no·meg·a·ly ニーマン病脾腫(Niemann-Pick病で認められる脾臓の腫大)．

night blind·ness 夜盲〔症〕. = nyctalopia.

night guard ナイトガード（顎関節痛や歯ぎしり(ブラキシズム)の影響を軽減するための可撤式アクリル製装置．通常，睡眠中の歯ぎしりの対策として夜間に用いる)．= occlusal guard.

night·mare (nīt′mār)．悪夢（助けを求めても声が出せなかったり，迫ってくる悪魔から逃げ出せないような恐ろしい夢)．= incubus(2).

night·shade (nīt′shād)．ナス，イネホオズキ（ナス科ナス属 *Solanum* およびその他のいくつかの属に属する植物の総称)．

night soil 肥やし（肥料用の人糞)．

night·stick frac·ture 警棒骨折（直接的な殴打による尺骨の骨折)．

night sweats 寝汗（夜間の多量発汗で，リンパ腫や肺結核の徴候であることもある)．

night ter·rors 夜驚〔症〕（悪夢に類する状態で，小児にみられる．突然，恐怖に駆られて叫び，目を覚ます．その窮迫は半無意識状態のまましばらく持続する)．= pavor nocturnus.

night vi·sion 夜間視力. = scotopic vision.

ni·gra (nī′gră)．黒質（神経解剖学において黒質substantia nigraをさす)．

ni·gri·ti·es (nī-grish′ē-ēz)．黒変症，黒色（黒色の色素沈着)．

ni·gro·sin, ni·gro·sine (nī′grō-sin, nī′grō-sēn)．［CI 50420］．ニグロシン（青黒色のアニリン色素の変わりやすい混合物．神経組織の組織染料およびバクテリアやスピロヘータの研究用に陰性染色法の染料として用いる．また，染料排除染色(レリーフ)法で生・死細胞を区別するのにも用いる)．

ni·gro·stri·a·tal (nī′grō-strī-ā′tăl)．黒質線状体の（黒質から線状体に向かう線維結合についていう. →substantia nigra)．

NIH 合衆国公衆衛生局所属の National Institutes of Health(国立衛生院)の略.

ni·hil·ism (nī′i-lizm)．*1* 虚無妄想（精神医学において，あらゆるもの(特に自己または自己の一部)が存在しないという妄想をいう)．*2* 虚無主義（自分自身および自己の属する集団の目的に対し完全に破壊的な行動をとること)．

Ni·ki·fo·roff meth·od ニキフォーロフ法（血液塗抹標本の固定法．無水アルコール，等量のアルコールとエーテルの混合物，または純エーテルに5—15分浸す)．

Ni·kol·sky sign ニコルスキー徴候（尋常性天疱瘡の場合の皮膚の特異なぜい弱性．外見上は正常な表皮が，こすることによって基底層のところで分離し，浮き上がる)．

nil or·al·ly 患者に経口摂取を禁ずることをいう.

nil per os (NPO, n.p.o.) 絶食.

NIMS National Incident Management System の略.

nin·hy·drin (nin-hī′drin)．ニンヒドリン（遊離アミノ酸と反応して二酸化炭素，アンモニア，アルデヒドを生成し，生成アンモニアは有色物質をつくる. →ninhydrin reaction)．

nin·hy·drin re·ac·tion ニンヒドリン反応（遊離カルボキシル基とα-アミノ基をもつ蛋白，ペプトン，ペプチド，およびアミノ酸のための試験．トリケトヒドリンデン水和物との反応に基づいている．この青い呈色反応は遊離アミノ酸の定量に用いる)．

ninth cra·ni·al nerve [CN IX] 第九脳神経. = glossopharyngeal nerve [CN IX].

ni·o·bi·um (Nb) (nī-ō′bē-ŭm)．ニオブ，ニオビウム（希金属元素．原子番号41，原子量92.90638．通常はタンタルとともに存在)．

NIOSH (nī′osh)．U.S. National Institute for Occupational Safety and Health の略.

Ni·pah vi·rus ニパーウイルス（ヒトで致死性疾患を起こすことがあるパラミクソウイルス.

脳炎や髄膜炎の症候がみられる．本ウイルスはブタからヒトへ伝播する）．

nip·ple (nip′ĕl)．乳頭，乳首(ちくび)（乳房の先端にあるいぼ状突起で，表面に乳管の開口部がある．輪状の色素性部分である乳輪により囲まれる）．= mammilla(2); teat(1); thelium(3).

nip·ple line 乳頭線．= mammillary line.

nip·ple shield 乳頭帽（育児中，乳頭を保護するためにかぶせるふた，または円蓋）．

NIPPV noninvasive positive pressure ventilation の略．

ni·sin (nī′sin)．ナイシン（乳連鎖球菌 *Streptococcus lactis* より産生されるポリペプチド系抗生物質．特定の連鎖球菌(ヒト結核菌 *Mycobacterium tuberculosis*，ディフィシル菌 *Clostridium difficile*)や他の細菌に作用する）．

Nis·sen fun·do·pli·ca·tion ニッセン胃底ひだ形成〔術〕（完全(360°)な胃底ひだ形成．腹腔あるいは胸腔からのアプローチでなされる．最近では多くは腹腔鏡的に行われる）．

Niss·l bod·ies ニッスル〔小〕体．= Nissl substance.

Niss·l gran·ules ニッスル顆粒．= Nissl substance.

Niss·l stain ニッスル染色〔法〕（①神経細胞を塩基性フクシンで染色する方法．②ニューロン細胞体および樹状突起粗面小胞体やリボソームの集合体を塩基性染料，例えばクレシルバイオレット(またはクレシルエクトバイオレット)，チオニン，トルイジンブルーOやメチレンブルーで染色する方法）．

Niss·l sub·stance ニッスル物質（顆粒性細胞形質細網やリボソームからなる物質で，神経細胞体や樹状突起に発生する）．= Nissl bodies; Nissl granules.

nit (nit)．***1*** ニット（カラダジラミ，カミジラミ，ケジラミの卵あるいはふ化した卵で，それはキチン質の層によって患者の毛または衣服に付着する）．***2*** ニト（輝度の単位．垂直に見た面の1 m^2 当たり1カンデラの輝度）．

Ni·ta·buch mem·brane, Ni·ta·buch stri·a, Ni·ta·buch lay·er ニータブーフ膜（子宮内膜緻密層の辺縁部と胎盤の細胞栄養層外皮の間のフィブリンの層）．

ni·trate (nī′trāt)．硝酸塩．

ni·tric ac·id 硝酸（強酸の酸化剤で，腐食性がある）．

ni·tric ox·ide (NO) 一酸化窒素（無色のフリーラジカルガス．O_2 と速やかに反応して他の酸化窒素類(例えば，NO_2，N_2O_3 や N_2O_4)になり，最終的に亜硝酸塩(NO_2^-)や硝酸塩(NO_3^-)に変換される．生理学的には，内皮細胞，マクロファージ，好中球や血小板などのL-アルギニンから誘導された天然由来の血管拡張作用物質(内皮細胞由来弛緩因子)である．骨，脳，内皮，顆粒球，膵臓のβ細胞および末梢神経において，ガス性の細胞間伝達メディエータおよび強力な血管拡張物質）．

ni·trid·a·tion (nī′tri-dā′shŭn)．窒化物形成（アンモニアの作用による窒素化合物の形成．酸化に類似）．

ni·tride (nī′trīd)．窒化物（窒素と他の1元素との化合物．例えば窒化マグネシウム Mg_3N_2）．

ni·tri·fi·ca·tion (nī′tri-fi-kā′shŭn)．硝化，硝酸化（①細菌が窒素化合物を硝酸塩に転換すること．②物質を硝酸で処理すること）．

ni·trile (nī′tril)．ニトリル（シアン化アルキルの1つ．個々のニトリルは加水分解して形成される酸に対する名称である）．

nitrilo- 3つの同じ基に結合している3価の窒素原子を意味する接頭語．例えば，nitrilotriacetic acid, $N(CH_2COOH)_3$.

ni·trite (nī′trīt)．亜硝酸塩．

ni·tri·tu·ri·a (nī-tri-tyūr′ē-ă)．亜硝酸塩尿〔症〕（大腸菌 *Escherichia coli*, *Proteus vulgaris*，その他の微生物によって硝酸塩が減少し，尿中に亜硝酸塩が存在すること）．

nitro- $-NO_2$(ニトロ基)を意味する接頭語．

ni·tro dyes ニトロ染料（$-NO_2$(ニトロ基)を発色団にもつ染料．ニトロ基はきわめて酸性が強いので，このグループに属する染料はすべて酸性タイプである）．

ni·tro·fu·ran·to·in (nī′trō-fyūr-an′tō-in)．ニトロフラントイン（グラム陽性・陰性菌に対して種々の作用を及ぼす尿路殺菌薬．また，ニトロフラントインナトリウムを注射剤として用いる）．

ni·tro·gen (nī′trŏ-jĕn)．窒素（①気体元素．原子番号7，原子量14.00674．乾燥大気の重さの約78.084％を占める．②窒素の分子型，N_2．③薬用窒素．N_2 を容積の99％以上含有する．薬用気体の希釈に，また製剤の空気置換に利用する）．

ni·tro·ge·nase (nī-troj′ĕ-nās)．ニトロゲナーゼ（窒素固定菌が還元型フェレドキシンとATPを用いて分子状窒素を還元し，アンモニアを生成する過程を触媒する酵素系を表する語）．

ni·tro·gen bal·ance 窒素出納（生物体による全窒素摂取量(N_{in})と全窒素排泄量(N_{out})の差．ゼロ窒素出納は健常成人で見出されている）．

ni·tro·gen cy·cle 窒素サイクル（大気中の窒素が固定され動植物の生活に利用された後，大気中に戻る一連の事象．硝化細菌が N_2 と O_2 を亜硝酸イオン NO_2^- と硝酸イオン NO_3^- に変える．後者は植物に吸収され，蛋白に変わる．植物が朽ちるとその窒素の一部は大気中に放たれ，残りは微生物によりアンモニア，亜硝酸塩，硝酸塩に変えられる．植物が動物に摂取されると，その排泄物や細菌による腐敗により窒素は土壌および空気中に戻る）．

ni·tro·gen dis·tri·bu·tion = nitrogen partition.

ni·tro·gen e·quiv·a·lent 窒素当量（蛋白の窒素含量で，尿中に排出される窒素から体内の蛋白分解を計算するのに用いられる．1 gの窒素は6.25 gの分解蛋白に等しい）．

ni·tro·gen group 窒素族（5つの，3価元素または5価元素．窒素，リン，ヒ素，アンチモン，ビスマスで，それらの水素化合物は塩基性である．それらのオキシ酸は一塩基から四塩基まである）．

ni·tro·gen lag 窒素〔排泄〕遅延時間（蛋白を摂

取後，尿中にそれと同量の窒素が排泄されるまでにかかる時間).

ni·tro·gen mus·tards (HN) ナイトロジェンマスタード（R-N(CH_2CH_2-Cl)の一般式で表される化合物．いくつかの化合物がリンパ組織に対する破壊作用をもつので，リンパ肉腫，白血病，Hodgkin 病，その他癌などの治療に用いられてきた．ほとんどが発疱剤である).

ni·tro·gen nar·co·sis 窒素性ナルコーシス（①ある種の尿毒症および肝性昏睡にみられるような窒素化合物により生じる意識混濁．②判断力と技術能力の喪失を特徴とする昏迷状態．潜水作業中，深海潜水夫の吸入空気中の窒素分圧の上昇によって起こる．通常，rapture of the deep(深海の狂喜)とよばれる).

ni·trog·e·nous (nī-troj′ĕ-nŭs)．窒素〔性〕の．

ni·tro·gen par·ti·tion 窒素分配，窒素分布（種々の成分の間での尿中の窒素分布を決定すること)．= nitrogen distribution.

ni·tro·prus·side test ニトロプルシド試験（シスチン尿症に対する定性試験．尿にシアン化ナトリウムを加え，さらにニトロプルシドを添加すると，もしシスチンが存在するならばシアン化物がシスチンを還元してシステインにすることにより赤紫色を呈する).

ni·tro·sa·mines (nī-trō′să-mēnz)．ニトロサミン（ニトロソ(NO)基によって置換されたアミンで，通例，窒素原子上にあり，*N*-ニトロサミンを与える．これらはアミンと亜硝酸(酸性胃液中，亜硝酸塩から生成される)との直接的結合により生成される．その中には変異原性または発癌性があるものがある).

nitroso- ニトロシルを含有する化合物を意味する接頭語．

***S*-ni·tro·so·he·mo·glo·bin** (nī-trō′sō-hē′mō-glō′bin)．*S*-ニトロソヘモグロビン（酸化窒素とヘモグロビンが結合形成された化合物．酸化窒素類を放出，吸収することにより，血管抵抗や血流を変化させ，酸素の恒常性を助けている).

ni·tro·syl (nī′trō-sil)．ニトロシル（1 価の基 -N=O で，ニトロソ化合物を生成する).

ni·trous (nī′trŭs)．亜硝酸の（硝酸化合物より 1 原子少ない窒素化合物を示す．窒素は 3 価状態).

ni·trous ac·id 亜硝酸（実験室で用いる生物学的，臨床的な標準試薬).

ni·trous ox·ide 亜酸化窒素，笑気（不燃性，非爆発性の気体で燃焼を助ける．効果発現が速く，覚醒も速い，毒性のない吸入麻酔薬として，他の麻酔薬や鎮痛薬に補足して広く利用されている．その麻酔効力だけでは外科麻酔をするのには不十分である)．= laughing gas.

ni·tryl (nī′tril)．ニトリル（ニトロ化合物の $-NO_2$ 基).

NK cells = natural killer (NK) cells.

NLM National Library of Medicine(国立医学図書館)の略．

NLN National League for Nursing(全国看護師連合会)の略．

nM nanomolar(ナノモル濃度．10^{-9} M)の略．

nm ナノメートルの記号．

NMDS Nursing Minimum Data Set の略．→minimum data set.

NMN nicotinamide mononucleotide の略．

NMR nuclear magnetic resonance の略．

NMT neuromuscular therapy の略．

NNN me·di·um NNN 培地（脱フィブリンウサギ血を重畳した寒天斜面培地．*Leishmania* 属や *Trypanosoma cruzi* の検出に用いる).

NNRTIs nonnucleoside reverse transcriptase inhibitors の略．

NO 一酸化窒素の記号．

No ノーベリウムの元素記号．

No·ack syn·drome = Pfeiffer syndrome.

no·bel·i·um (No) (nō-bel′ē-ŭm)．ノーベリウム（不安定な超ウラン元素．原子番号 102，原子量 259.1009 で，炭素 12 の核とキュリウムや超ウラン系の他の元素に同様な重イオンとを衝突させてつくられた).

no·ble gas·es 貴ガス，希ガス（希ガス類(元素)，周期律表における 0 族の元素．ヘリウム，ネオン，アルゴン，クリプトン，キセノン，ラドン)．= inert gases.

No·ble po·si·tion ノーブル体位（患者は立体で少し前にかがむ．腎盂腎炎に伴って生じる腰部の腫脹の検査に有用).

No·ble stain ノーブル染色〔法〕（固定後の組織でウイルスの封入体を検出するフクシン-オレンジ G 染色法).

NOC (nok)．Nursing Outcomes Classification の略．

No·car·di·a (nō-kahr′dē-ă)．ノカルジア属（好気性の放線菌(放線菌目ノカルジア科)の一属．高等な細菌で，弱い抗酸性を示し，細い杆状体または線維状で，これがしばしば膨満し，また，ときには分枝して菌糸体を形成する．これらの菌では球状ないし杆状型が形成される．本菌は主に腐生菌であるが，菌腫あるいはノカルジア症の原因になることもある).

no·car·di·a, pl. no·car·di·ae (nō-kahr′dē-ă, -ē)．ノカルジア類（*Nocardia* 属に属する各種を表すのに用いる通称).

No·car·di·a as·ter·oi·des 好気性，グラム陽性，部分的には抗酸性の種で，ヒトのノカルジア症および恐らくは菌腫症の原因となる枝分かれして成長する微生物．

No·car·di·a bra·sil·i·en·sis *N. asteroides* に非常によく似た細菌種で，ヒトの菌腫およびノカルジア症の原因菌となる．

No·car·di·a ca·vi·ae ヒトの菌腫症の原因となる菌種．

No·car·di·a far·ci·ni·ca ウシの鼻疽を起こす種．*Nocardia* の標準種．

No·car·di·a med·i·ter·ra·ne·i リファマイシンを産生する細菌種．

No·car·di·a no·va ヒト感染例から普通に検出される細菌種．

No·car·di·a or·i·en·ta·lis バンコマイシンを産生する細菌種．

No·car·di·a o·ti·ti·dis·ca·vi·a·rum 土壌中に高密度で生息する細菌種で(以前には *Nocar-*

dia caviae といわれていた), ノカルジア症や放線菌腫の原因の1つとなる.

No·car·di·a trans·va·len·sis 好気性の放線菌で, ノカルジア症を起こす.

No·car·di·op·sis (nō-kahr-dē-op′sis). ノカルディオプシス属 (土壌中に高密度に生息する細菌属で, 通常, 免疫抑制状態の患者に亜急性あるいは慢性の肺炎, 皮下感染, あるいは播種性の疾患を引き起こす).

No·car·di·op·sis das·son·vil·le·i 好気性の放線菌で, 以前には *Nocardia dassonvillei* とよばれていた. 放線菌症の原因菌.

no·car·di·o·sis (nō-kahr′dē-ō′sis). ノカルジア症 (*Nocardia asteroides*, および *N. brasiliensis* などの真菌によるヒトおよび他動物にみられる全身感染症で, 原発性の肺病変を特徴とするが, これは亜急性または慢性に経過し, 血行性に散布され, 中枢神経系を含む深部臓器を侵す).

no·ce·bo (nō-sē′bō). ノセボ (プラセボの投与により生じた好ましくない作用. ジャーゴン).

noci- 損傷, 痛み, 傷害に関する連結形.

no·ci·cep·tive (nō′si-sep′tiv). 侵害受容の (痛みを受容あるいは伝達できる. →nociceptor).

no·ci·cep·tive re·flex 侵害〔受容〕反射 (脊髄による防衛反射で, 痛みを伴う刺激を受けた際に自動的(不随意)に起こる神経筋反応). = nociceptive withdrawal reflex.

no·ci·cep·tive stim·u·lus 侵害受容刺激 (有害な痛みを伴う物質(刺激)).

no·ci·cep·tive with·draw·al re·flex = nociceptive reflex.

no·ci·cep·tor (nō′si-sep′tŏr). 侵害受容器 (苦痛や外傷などの刺激を, 受容および伝達する末梢神経器官あるいは構造).

no·ci·fen·sor (nō′si-fen′sŏr). 侵害防衛機構 (外傷から身体を守る過程および機構. 特に血管を拡張して隣接傷害部に作用する皮膚および粘膜中の神経組織).

no·ci-in·flu·ence (nō′si-in′flū-ĕns). 外傷影響, 有害効果.

no·ci·per·cep·tion (nō′si-pĕr-sep′shŭn). 痛覚, 侵害知覚 (神経中枢が外傷の影響を感知すること).

noct- 夜間の, を意味する連結形. →nycto-.

noc·te (nok′tē). 夜に.

noc·tu·ri·a (nok-tyūr′ē-ă). 夜間多尿〔症〕, 夜間頻尿〔症〕.

noc·tur·nal (nok-tŭr′năl). 夜行性の (diurnal (1)の対語).

noc·tur·nal en·u·re·sis 夜間遺尿症 (夜尿症, 睡眠中の尿失禁). = bed-wetting.

noc·tur·nal my·oc·lo·nus 夜間ミオクロ〔ー〕ヌス (眠りに落ちる瞬間に発生し, 反復することが多い筋反射).

noc·tur·nal ox·y·gen ther·a·py trial (NOTT) 夜間の酸素療法試験 (進行した慢性閉塞性肺疾患患者に対して行われる試験で, 24時間以上の酸素吸引と短期の療法の効果を比較する).

noc·u·ous (nok′yū-ŭs). 有害な.

no·dal (nō′dăl). 結節性の.

no·dal point 節点 (複合視覚系にある2点のうちの1つ. 最初の点の方向に向けられた光線は, 元の方向と平行に第2番目の点を通過したかのようにみえる). = axial point.

nod·ding spasm 点頭痙攣 (①乳児においては, 点頭てんかんでみられるような首の筋肉の緊張喪失によるか, West症候群でみられるような首前部の筋肉の緊張性痙攣による頭部の胸部への落下. ②成人においては, 胸乳突筋の間代性痙攣による点頭).

node (nōd). 結節, 節 (①限局性腫脹. 限局性の組織塊. ②解剖学では, 限局性の分化組織の塊. 特に, リンパ節のこと). = nodus.

node of Clo·quet クロケー結節 (大腿管の中, またはその隣接部にある深鼡径リンパ節の1つ. 肥大すると, しばしば大腿ヘルニアと間違えられる).

node of Ran·vi·er ランヴィエ絞輪. = Ranvier node.

no·di (nō′dī). nodus の複数形.

no·dose (nō′dōs). 結節〔性〕の, 節のある. = nodous; nodular; nodulate; nodulated; nodulous.

no·dose rheu·ma·tism ***1*** = rheumatoid arthritis. ***2*** 結節〔性〕リウマチ (急性または亜急性の関節リウマチで, 患部関節に隣接する腱, 靱帯, および骨膜に結節を形成する).

no·dos·i·ty (nō-dos′i-tē). ***1*** 結節状隆起 (結節状または結節性の腫脹). ***2*** 結節症, 結節形成 (節のある状態).

no·dous, nod·u·lar, nod·u·late, nod·u·lat·ed (nō′dŭs, nod′jū-lăr, nod′jū-lāt, nod′jū-lā-tĕd). = nodose.

nod·u·lar am·y·loi·do·sis 結節性アミロイドーシス (アミロイドが, 皮膚または喉頭などの粘膜下に硬質の塊や結節をなして生じるアミロイドーシスの限局型). = amyloid tumor; focal amyloidosis.

nod·u·lar lep·ro·sy 結節らい. = tuberculoid leprosy.

nod·u·lar lym·pho·ma 結節型リンパ腫 (リンパ節濾胞の小型あるいは大型のB細胞から発生する悪性リンパ腫. 結節状に増生する). = follicular lymphoma.

nod·u·la·tion (noj′yū-lā′shŭn). 小結節形成.

nod·ule (nod′jūl). 小〔結〕節. = nodulus (1).

nod·ule of sem·i·lu·nar valve 半月弁結節 (肺動脈および大動脈起始部の半月弁の各弁の自由縁中央にみられる小結節).

nod·u·lous (nod′jū-lŭs). = nodose.

no·du·lus, pl. no·du·li (nod′yū-lŭs, -lī). ***1*** 小節. = nodule. ***2*** 〔虫部〕小節 (後髄帆とともに片葉小節葉をなす小脳虫部の下方後端). = nodulus vermis.

no·du·lus lym·pha·ti·cus リンパ小節. = lymph follicle.

no·du·lus ver·mis 虫部小節. = nodulus.

no·dus, pl. no·di (nō′dŭs, -dī). 〔結〕節. = node.

no·dus lym·pha·ti·cus, pl. no·di lym·pha·ti·ci = lymph node.

no·dus lym·phoid·e·us, pl. no·di lym·

phoid·e·i = lymph node.

-noia 精神に関連する意味を持つ接尾語.

noise (noyz). 雑音, 騒音, ノイズ (①不要な音のことで, 音楽的な特質に欠け, 含まれる多種の周波数が互いに整数比や分数比ではなく, 調和の取れていないものが混ざった音. ②ある信号に対して付加される不要な要素. 画像表示に現れるノイズを含む. →signal: noise ratio. ③ 1 組のデータ内の測定分布に影響する制御できない余剰変動).

noise-in·duced hear·ing loss 騒音性難聴(強大な衝撃音や持続性の音にさらされることによって生じる感覚性難聴). = boilermaker's hearing loss; industrial hearing loss; occupational hearing loss.

noise pol·lu·tion 騒音公害 (自動車のエンジン, 工場の機械, 音楽の増幅などによって生み出される, 生理的に傷つけられ, 悩まされる環境の騒音レベル).

NOK, nok next of kin の略.

no·ma (nō′mă). 水癌 (壊疽性口内炎で, 組織の壊死や腐肉形成が起こる. 通常, いくつかの生物が壊死物質中にみられるが, 紡錘状菌, スピロヘータ, ブドウ球菌, 嫌気性連鎖球菌などが最も頻繁に観察される). = stomatonecrosis.

nomen- 名称を意味する, もしくは名称に関連する意味を持つ接頭語. 例えば nomenclature.

no·men·cla·ture (nō′mĕn-klā-chūr). 命名法, 学名, 用語 (専門の学問分野で用いる系統的にまとめられた名称. 例えば, 解剖学用語, 動植物の学名など).

nom·i·nal a·pha·si·a 名詞失語〔症〕, 失名詞〔症〕. = anomic aphasia.

nom·o·gram (nōm′ō-gram). 計算図表, ノモグラム (特定の式に含まれる変数に対応する目盛りをつけた直線図表で, そこでは各変数に対して相応する値は全目盛りの交差する直線のところに存在する).

no·mo·top·ic (nō-mō-top′ik). 正所〔性〕の, 常位の.

non- 逆, 反対, 否定を意味する接頭語.

nona- 9 を意味する接頭語.

non-A-E hep·a·ti·tis 非 A-E 型肝炎 (既知の A 型-E 型肝炎ウイルス以外の原因による肝炎).

non-A, non-B hep·a·ti·tis (NANB) 非 A・非 B 型肝炎 (A 型・B 型肝炎ウイルスの診断法によって検出されない多数の感染源によって起こる肝炎).

non·a·vail·a·bil·i·ty state·ment 診療不可書 (軍の医療治療施設(管轄区域)から 40 マイル以内の基地であるにも関わらず, TRICARE の患者に対し当該患者もしくは家族が基地の外で治療を行えるよう, 基地司令官により作成された書類).

non·bac·te·ri·al ver·ru·cous en·do·car·di·tis 非細菌性いぼ状心内膜炎. = Libman-Sacks endocarditis.

non·chro·mo·ge·nic (non-krō-mō-jen′ik). 非発色性の (コロニーが光にさらされた時に色素を生成しないことに関連する).

non·com·mu·ni·cat·ing hy·dro·ceph·a·lus 非交通性水頭〔症〕. = obstructive hydrocephalus.

non·com·pet·i·tive in·hi·bi·tion 非競合的阻害 (酵素阻害の一型で, 阻害物質は, その酵素上の活性部位に対して天然の基質と競合しないが, 酵素-基質複合体あるいは遊離型酵素と連結することによって反応を抑制する).

non com·pos men·tis 心神喪失の (健常でない精神についていう. 自己に関する物事の処理が精神的な理由でできない).

non·con·ju·ga·tive plas·mid 非接合性プラスミド (染色体外要素すなわちプラスミドのうちで, 他の細菌(細菌株)との接合およびそれへの自己伝達を行うことができないもの. 伝達は他の(接合性)プラスミドの作用に依存する).

non·con·tained disc her·ni·a·tion 非包含椎間板ヘルニア (脱出した椎間板組織が後方線維輪と後縦靱帯の完全欠損部を通って硬膜外腔前方と直接接触している椎間板ヘルニア. 2 型ある. ⅰ脱出型：脱出した椎間板は椎間板腔と連続性を有しているが, 完全に硬膜外腔に出ているもの. ⅱ分離脱出型：ヘルニアが椎間板腔との連続性を失い, 硬膜外腔で遊離片となっているもの).

non·co·va·lent bond 非共有結合 (原子間で電子の共有がない結合. すなわち, 静電結合 electrostatic bond および水素結合 hydrogen bond).

non·de·po·lar·iz·ing block 非脱分極〔性〕遮断 (運動神経終板の極性の変化を伴わない骨格筋麻痺. 例えば, ツボクラリン投与により発生する麻痺).

non·dis·junc·tion (non′dis-jŭngk′shŭn). 〔染色体〕不分離 (有糸核分裂の減数期に 1 組またはそれ以上の染色体が分離せずに両方とも一方の娘細胞に運ばれ, 他方にはいかないこと).

non-dose-re·lat·ed ad·verse ef·fect 投与量と無関係の副作用 (投与量に比例しない強さもしくは重症度を伴う副作用で, 通常アレルギー反応が含まれる).

non·e·lec·tro·lyte (non′ē-lek′trō-līt). 非電解質 (溶液中でイオンを分離しない物質. したがって電流を伝導しない).

non·es·sen·tial a·mi·no ac·ids 可欠アミノ酸 (生体によって合成できるので, 食事によって摂取しなくてもよいアミノ酸).

non·ex·er·cise-ac·tiv·i·ty ther·mo·gen·e·sis (NEAT) 非運動活動による熱産生 (有益な活動または熱を生産しないエネルギー出力).

non·fen·es·trat·ed for·ceps 非有窓鉗子 (葉に穴のない産科用鉗子で, 胎児の頭を回転させるのに用いる).

non·flu·en·cy (non-flū′en-sē). = dysfluency.

non·flu·ent a·pha·si·a 非流暢失語〔症〕. = expressive aphasia.

non·he·mo·ly·tic jaun·dice 非溶血性黄疸 (ビリルビンの代謝に異常があることによって, 血液中に非抱合型ビリルビンが過剰に蓄積されたため生じてくる黄疸. 例えば新生児の生理的黄疸).

non-Hodg·kin lym·pho·ma 非ホジキンリンパ腫（Hodgkin 病以外のリンパ腫．Rappaport により腫瘍のパターンにより結節性とびまん性に，また細胞の型によっても分類された．国際分類ではこれらのリンパ腫を軽度，中等度，高度悪性群に分類し，また濾胞中心細胞起源かその他の細胞起源かにより細胞学的亜群に分類した）．

non·im·mune se·rum 非免疫血清（免疫されていない個体から得られる血清，すなわち特定の抗原に対する抗体を含んでいない血清）．

non-in·su·lin-de·pen·dent di·a·be·tes mel·li·tus インスリン非依存性糖尿病．= Type 2 diabetes.

non·in·va·sive (non′in-vā′siv)．非侵襲性の（診断や治療のために機器や器具を，皮膚または身体開口部を通じ，挿入する必要のない方法のこと）．

non·in·va·sive pos·i·tive pres·sure ven·ti·la·tion (NIPPV) 非侵襲的陽圧換気法（鼻あるいは鼻と口の全面マスクを通じて陽圧を送るもので，気管内挿管を避けて患者の治療を短期間にするために，しばしば用いられる）．

non·i·on·ic con·trast a·gent 非イオン性造影剤．= low osmolar contrast agent.

non·i·so·lat·ed pro·tein·u·ri·a 非孤立性蛋白尿（他の異常と関係する蛋白尿）．

non·la·mel·lar bone = woven bone.

non·le·thal a·gent 非致死化学薬品（身体能力の無力化を行う化学薬品の，一般的だが誤って使用されている用語）．

non·lip·id his·ti·o·cy·to·sis 非脂質性組織球増殖〔症〕．= Letterer-Siwe disease.

non·ma·lef·i·cence (non′mal-ef′i-sens)．悪をせず，有害事不実行，悪事不行（有害なことをしないという倫理原則）．

non·med·ul·lat·ed fi·bers = unmyelinated fibers.

non·nu·cle·o·side re·verse tran·scrip·tase in·hi·bi·tors (NNRTIs) 非核酸系逆転写酵素阻害薬（HIV 感染を治療するための薬品．例えばエファビレンツ，ネビラピン）．

non·nu·tri·tive suck·ing 栄養価のないおしゃぶり行動（幼児が自己を落ち着かせたり，制御したり，頭を整理したり，探索するためのおしゃぶり行動法; 食事とは関連しないもの）．

non·ob·struc·tive jaun·dice 非閉塞性黄疸（主要胆管の閉塞によらない黄疸）．

non·or·al com·mu·ni·ca·tion 非口頭コミュニケーション．= augmentative and alternative communication.

non·os·te·o·gen·ic fi·bro·ma 非骨形成性線維腫．= fibrous cortical defect.

non·ox·y·nol 9 ノンオキシノール 9（界面活性剤の一種．発泡性避妊薬や避妊ゼリーなどの殺精子剤の調製に用いられる）．

nonPAR (non′pahr)．= nonparticipating physician.

non·pa·ra·met·ric (non-par′ă-met′rik)．ノンパラメトリック（非正規型ないし非ガウス分布を示すデータに対し有効な統計手法の総称）．

non·par·ti·ci·pat·ing phy·si·cian 非メディケア参加医師（米国のメディケア（高齢者向け医療保険制度）において，メディケアの全請求に基づいた仕事を引き受けない医師のこと）．= nonPAR.

non·path·o·gen·ic (non-path′ō-jen′ik)．非病原性の．

non·pen·e·trance (non-pen′ĕ-trăns)．非浸透性（ある遺伝形質が，適当な遺伝子型で存在しているにもかかわらず，修飾因子によって表現型として表出できない状態．*cf.* hypostasis）．

non·pen·e·trant trait 非侵入性形質（非遺伝的要因によって，表現型としては明確でない遺伝的形質．したがって劣性遺伝や，上位性，下位性，両側性は示さないが，環境要因やライオニゼーションのような純粋に無作為な作用は含まれる）．

non·pen·e·trat·ing wound 非穿通創（体表面の破裂を伴わない，特に胸腔または腹部内の損傷）．

non·per·sis·tent a·gent 非永続的薬品（一定の温度，圧力，風力，およびその他要因の条件の下，一日足らずしか留まることのできない化学薬品．蒸発または化学分解によって除去される．例として塩素，ホスゲン，シアン化物，神経ガスの G シリーズが挙げられる）．

non·pit·ting e·de·ma 非陥凹性浮腫（押しても容易に圧痕を残さない皮下組織の腫大．通常，グリコースアミノグリカンの蓄積などの代謝異常により生じる．Graves 病（前脛骨浮腫）や皮膚硬化症の初期に生じる）．= brawny edema.

non·pre·scrip·tion drug 市販薬（医師の処方箋なしに購入可能な医薬品）．= over-the-counter medication.

non·prop·o·si·tion·al speech 非命題的言語（言表）．= automatic speech.

non·pro·pri·e·tar·y name 非専売名（化学物質，薬物，あるいは他の物質の短い名称で，しばしば一般名でよばれる．商標（専売）権の対象ではないが，慣用名に短縮され，政府機関（例えば U.S. Food and Drug Administration）および準公的機構（例えば，U.S. Adopted Names Council）によって，一般の公的使用のために承認，推奨されている．*cf.* trivial name; proprietary name; systematic name）．

non·pro·tein ni·tro·gen (NPN) 非蛋白性窒素（蛋白以外の窒素成分で，例えば，血液中の非蛋白性窒素の約半分は尿素中に含有される）．

non·rap·id eye move·ment sleep (NREM) ノンレム睡眠（急速眼球運動が起きない睡眠）．

non·re·as·sur·ing fe·tal stat·us 胎児困難状態（虚血状態が推定される胎児心拍モニタリングでの心拍数または律動異常）．

non·re·breath·ing an·es·the·si·a 非再呼吸麻酔〔法〕（回路から呼気すべてを排出する弁を用いた吸入麻酔の技法）．

non·rig·id con·nec·tor 緩圧型連結装置（固定性でない連結装置あるいは関節型連結装置）．= stress-broken connector; stress-broken joint.

non·se·cre·tor (non′sē-krē′tŏr)．非分泌者（唾液中に ABO 血液型の抗原を含有しない人．

→secretor).

non·sense (non′sens). ナンセンス (遺伝学において使われる語で，伸長しているペプチド鎖が終止するような DNA 配列を引き起こす突然変異に関係し，それはしばしば数個の間違ったアミノ酸残基が取り込まれた後に起こる).

non·sense trip·let ナンセンストリプレット，ナンセンスコドン (①トリプレット中の塩基の終末コドンへの変化により，ポリペプチド鎖の成長が未成熟のまま停止し，その結果，不完全蛋白分子をもたらすトリヌクレオチド(コドン). ②終末コドン).

non·sex·u·al gen·er·a·tion 無性世代. = asexual generation.

non·shiv·er·ing ther·mo·gen·e·sis 非ふるえ性熱産生〔性〕(交感神経系の神経伝達物質であるエピネフリンとノルエピネフリンの効果による熱産生. 骨格筋や他の組織の細胞代謝率を増加させて熱産生を増やす. 脂肪組織の特殊な型である褐色脂肪では，交感神経の神経伝達物質はミトコンドリアによる非共役酸化的リン酸化の率を増加させ，ATP の形成なしに熱産生を増加させる効果がある).

non·spec·i·fic build·ing-re·lated ill·ness·es 非特異性建物関連疾病 (明瞭な客観的身体所見または検査所見を伴わず仕事場もしくは住居に関係した症状を呈する異なる疾病の群. *cf.* specific building-related illnesses).

non·spe·cif·ic pro·tein 非特異蛋白 (特異抗原–抗体反応によって仲介されない反応を引き起こす蛋白).

non·ste·roi·dal an·ti·in·flam·ma·to·ry drug (NSAID) 非ステロイド性抗炎症薬 (抗炎症(さらに通常は鎮痛および解熱)作用を及ぼす薬物療法薬群のうちいずれか一つのこと. 例えばアスピリン，ジクロフェナク，イブプロフェンおよびナプロキセン. 抗炎症作用を及ぼすステロイド化合物(ヒドロコルチゾンやプレドニゾン)と対照を成す).

non·sup·pres·si·ble in·su·lin·like ac·tiv·i·ty 非抑制性インスリン様活性 (抗インスリン抗体によって抑制されないインスリン様活性，膵を摘出しても血漿中に存在する. 大部分の非抑制性インスリン様活性は IGF-I や IGF-II などのインスリン様成長因子によるものである).

non·throm·bo·cy·to·pe·nic pur·pu·ra 血小板非減少性紫斑病. = purpura simplex.

non·tox·ic goi·ter 非中毒性甲状腺腫 (甲状腺機能亢進を伴わない甲状腺腫).

non·trop·i·cal sprue 非熱帯性スプルー (熱帯地方から離れた地域の人々に発生するスプルー. 通常，celiac disease とよばれる. グルテン誘発性腸症による).

non·un·ion (non-yūn′yŭn). 偽関節 (骨折した骨が正常に治癒していないこと).

non·va·lent (non-vā′lĕnt). 無価の (価をもたない. 化学組成ができない).

non·ver·bal com·mu·ni·ca·tion 非口語コミュニケーション. = augmentative and alternative communication.

non·vi·a·ble (non-vī′ă-bĕl). 生育不能の，子宮外成育不能の，無成育性の (①独立して生存ができないこと. 未熟で出生した児に用いることが多い. ②代謝あるいは増殖が不能な微生物または寄生生物についていう).

non·vi·su·al ret·i·na 非視覚的網膜 (網膜色素上皮層の前方延長部. 光に反応しない).

non·vit·al pulp 失活(非生活)歯髄. = necrotic pulp.

non-weight-bear·ing ex·er·cise 免荷での運動. = weight-supported exercise.

Noo·nan syn·drome ヌーナン症候群 (Turner 症候群を思わせる表現型で，男にも女にも認められる症候群. 眼瞼下垂と両眼間隔の拡大，翼状頸，低身長，特に肺動脈狭窄などの先天性心疾患を伴うのが特徴である. 通常は，正常の染色体を示すが常染色体優性遺伝である).

nor- ***1*** ⅰ鎖からメチレン基 1 個を除去することを意味する接頭語で，一番大きな位置番号で位置を示す. ⅱ(ステロイド)環が CH_2 単位 1 個だけ小さくなることを意味する接頭語で，その環を示す大文字で位置を示す. 2 つのメチレン基の除去は接頭語 dinor-, 3 つの場合は trinor- で表される. ***2*** 脂肪族化合物のノルマル(炭素原子の分枝のない鎖)を意味する接頭語で，同数の炭素原子の分枝に対抗する. 例えば，ロイシンに対するノルロイシン.

nor·a·dren·a·line (nor′ă-dren′ă-lin). ノルアドレナリン. = norepinephrine.

nor·ep·i·neph·rine (nōr′ep-i-nef′rin). ノルエピネフリン (カテコールアミンホルモンの 1 つで，α および β レセプタに作用すると考えられる. 副腎髄質中のクロマフィン顆粒に貯えられるが，エピネフリンよりはるかに量が少なく，低血圧および身体的ストレスに反応して分泌される. 主に酒石酸水素塩として，薬理学的に昇圧薬として用いる). = noradrenaline.

nor·leu·cine (nōr-lū′sēn). ノルロイシン; α-amino-*n*-caproic acid; 2-aminohexanoic acid (α–アミノ酸であるが，蛋白中には存在しない. L–リシンの脱アミノ体で，コラーゲン中に結合している).

nor·ma, pl. nor·mae (nōr′mă, -mē). 基準面. = profile (1).

nor·mal (nōr′măl). ***1*** 正常の，標準の. ***2*** 正常の (細菌学において，微生物またはその生成物に対する免疫性をもたない動物，血清，またはそれに含まれる物質などを示す). ***3*** 規定の (置換可能な水素または水酸基を 1 L 当たり 1 当量含有する溶液を示す). ***4*** 正常の (精神医学および心理学において，個人および個人を取り巻く社会環境の両方にとって満足な効果的機能の水準を示す).

nor·mal an·ti·bod·y 正常抗体 (人為的なあるいは自然接触の結果などの特異抗原による刺激が明らかにされていないヒトや動物の血清または血漿中に一般にみられる抗体). = natural antibody.

nor·mal an·ti·tox·in 正常抗毒素 (等量の正常毒素溶液を中和できる血清).

nor·mal con·cen·tra·tion (N) 規定濃度 (→normal(3)).

nor·mal dis·tri·bu·tion 正規分布. = gaussian distribution.

nor·mal flo·ra 正常細菌叢（一定の部位に通常住み着いている微生物で，普通の状況下では病気の原因とならないもの）.

nor·mal hu·man plas·ma 正常ヒト血漿（輸血で病気が伝染されることはないと証明された成人 8 人以上のクエン酸塩加全血の液状部分をプールして得られる滅菌血漿. 細菌またはウイルスによる汚染を防ぐ目的で紫外線照射で処理される）.

nor·mal hu·man se·rum al·bu·min 正常ヒト血清アルブミン（健康人から血漿蛋白を分画して得られる血清アルブミンの滅菌製剤. 輸液剤として，また低蛋白血症に基因する浮腫の治療に用いる）.

normalisation ［Br.］. = normalization.

nor·ma·li·za·tion (nōr′măl-ī-zā′shŭn). 正規化，規格化，基準化（①正常にすることあるいは標準どおりにすること. ②溶液を薄めたり，あるいは濃くしたりして規定のものにすること. ③ある曲線の各点に共通の任意因子を掛けて他の曲線に直すこと）. = normalisation.

nor·mal oc·clu·sion 正常咬合（①健康な状態で通常はみられ，理想的または標準的な歯列および歯の支持構造を有する咬合. ②= neutral occlusion (1)）.

nor·mal op·so·nin 正常オプソニン（既知の，ある補体成分のような特異抗原による刺激がなくても，通常は血液中にあるオプソニン. 比較的不耐熱性で種々の生物に反応する）.

nor·mal pres·sure hy·dro·ceph·a·lus 正常圧水頭〔症〕（クモ膜顆粒による脳脊髄液の吸収が障害されて起こる，通常，老年者にみられる水頭症の一型. 進行性痴呆，不安定歩行，尿失禁，および通常は正常な脊髄液圧を臨床的特徴とする）.

nor·mal range 正常範囲. = reference range.

nor·mal res·pir·a·tor·y se·cre·tions (NRS) 通常の呼吸器分泌物（透明，無色，もしくは白色の痰のこと）.

nor·mal sa·line = normal saline (NS) solution.

nor·mal sa·line (NS) so·lu·tion 生理食塩水 (0.9 重量% (mL あたりの溶質の g) の塩化ナトリウムを含む水で，血液と等浸透圧と見なされる滅菌溶液のこと）. = normal saline.

nor·mal se·rum 正常血清（非免疫血清で，通常，免疫前に採取した血清をいう）.

nor·mal so·lu·tion 規定液（→normal (3)）.

nor·mal-ten·sion glau·co·ma 正常眼圧緑内障. = low-tension glaucoma.

nor·mal val·ues 正常値（明らかに健康な個人を特徴付けるのに用いる検査室における一連の検査値. 現在では参照値 reference values という用語が多く使われる）.

normo- 正常の，普通の，を意味する連結形.

nor·mo·blast (nōr′mō-blast). 正赤芽球，正常芽細胞（ヒトの正常赤血球の直接的幼若型の有核赤血球. その成長の 4 段階は次のとおりである. ⅰ前正赤芽球，ⅱ好塩基性正赤芽球，ⅲ多染性正赤芽球，ⅳ正染性正赤芽球. →erythroblast）.

nor·mo·cap·ni·a (nōr-mō-kap′nē-ă). 炭酸正常状態（静脈の二酸化炭素圧が正常である，すなわち約 40 mmHg である状態）.

nor·mo·chro·mi·a (nōr-mō-krō′mē-ă). 正色素性（血液の赤血球中のヘモグロビンの量が正常であること）.

nor·mo·chro·mic a·ne·mi·a 正色〔素〕性貧血（赤血球中のヘモグロビン濃度が正常範囲内，すなわち平均血球ヘモグロビン濃度が 32—36% の貧血）.

nor·mo·cyte (nōr′mō-sīt). 正赤血球（正常な大きさ，形，色の赤血球）.

nor·mo·cyt·ic a·ne·mi·a 正球性貧血（赤血球が正常の大きさ，すなわち平均赤血球容積が 82—92 μm^3 の貧血）.

nor·mo·cy·to·sis (nōr′mō-sī-tō′sis). 正赤血球症，血球正常〔状態〕（構成成分に関して正常な血液の状態）.

normoglycaemia ［Br.］. = normoglycemia.

normoglycaemic ［Br.］. = normoglycemic.

nor·mo·gly·ce·mi·a (nōr′mō-glī-sē′mē-ă). 正常血糖〔血〕. = euglycemia; normoglycaemia.

nor·mo·gly·ce·mic (nōr′mō-glī-sēm′ik). 血糖正常の. = euglycemic; normoglycaemic.

normokalaemia ［Br.］. = normokalemia.

normokalaemic periodic paralysis ［Br.］. = normokalemic periodic paralysis.

nor·mo·ka·le·mi·a, nor·mo·ka·li·e·mi·a (nōr′mō-kă-lē′mē-ă, nōr′mō-ka-lē-ē′mē-ă). 正常カリウム血（血液中のカリウム量が正常であること）. = normokalaemia.

nor·mo·ka·le·mic pe·ri·od·ic pa·ral·y·sis 正常カリウム血性周期性〔四肢〕麻痺（発作時に血清カリウム濃度が正常範囲内である周期性四肢麻痺の一種. しばしば重症の四肢麻痺が生じるが，通常はナトリウム塩投与で軽減する）.

normokaliaemia ［Br.］. = normokaliemia.

nor·mo·ten·sive (nōr-mō-ten′siv). 正常血圧〔性〕の（正常な動脈血圧をさす）. = normotonic (2).

nor·mo·ther·mi·a (nōr-mō-thĕr′mē-ă). 適温（体細胞の活動の増強や，減弱を惹起しない環境温度）.

nor·mo·ton·ic (nōr-mō-ton′ik). ***1*** 正常緊張状態の. = eutonic. ***2*** = normotensive.

normovolaemia ［Br.］. = normovolemia.

nor·mo·vol·e·mi·a (nōr′mō-vō-lē′mē-ă). 正常血液量. = normovolaemia.

norm-re·fer·enced (nōrm-ref′ĕr-ĕnst). 基準準拠検査（個人の能力と一般集団の能力とを比較する標準検査の精神測定特性）.

Nor·rie dis·ease ノリエ病（先天性両眼性の網膜または硝子体に生じる組織塊で，神経膠腫に類似（偽神経膠腫）する. 通常，虹彩萎縮や白内障を伴う. 精神遅滞とろう（聾）を伴う. X 連鎖劣性遺伝を示し，X 染色体短腕の Norrie 病原因遺伝子 (NDP) の変異による）.

Nor·ris cor·pus·cle ノリス小体（脱色赤血球で，うまく染色しないと，血漿中ではまったく，あるいはほとんど見えない).

North A·mer·i·can blas·to·my·co·sis 北アメリカブラストミセス症（→blastomycosis).

North A·mer·i·can Nurs·ing Di·ag·no·sis As·so·ci·a·tion (NANDA) 北米看護診断協会（看護診断の発展と分類のための看護師団体).

North·ern blot a·nal·y·sis ノザンブロット分析（Southern ブロットに類似した手法で, RNA 断片を識別・同定するのに用いる. 一般的にはアガロースゲルで展開された RNA 断片をニトロセルロース紙に転写(ブロット)して, 適当なプローブで検出, 同定する).

Nor·ton op·er·a·tion ノートン手術（膀胱の側方からはいる腹膜外帝王切開手術の術式).

Nor·walk vi·rus ノーウォークウイルス（急性ウイルス性胃腸炎に関与するウイルスで, カルシウイルス群に属する).

Nor·wood op·er·a·tion ノーウッド手術（大動脈下狭窄と三尖弁閉鎖の乳児に対する手術で, 肺動脈は分離されて両端を大動脈に吻合され, 遠位端は代用血管を介する).

nose (nōz). 鼻（硬口蓋の上の呼吸路の一部. 外鼻と鼻腔とを含む). = nasus(2).

nose·bleed (nōz′blēd). 鼻出血, はなぢ. = epistaxis.

nose·piece (nōz′pēs). 転換器（中心枢軸を囲む数個の対物鏡からなる顕微鏡の付属物).

noso- 疾病に関する連結形. →path-.

no·so·ac·u·sis (nō-sō-ă-kyu′sis). 疾患性聴力障害（加齢によるものではなく疾患により生じた聴力障害).

nos·o·co·mi·al (nō′sō-kō′mē-ăl). 病院の, 院内の（①病院にかかわる. ②病院で治療を受けていることにかかわる(患者のもとの状態とは無関係の)新しい病気, 例えば院内感染症をさす).

nos·o·gen·ic (nos-ō-jen′ik). 病因の. = pathogenic.

nos·o·log·ic (nos-ō-loj′ik). 疾病分類学の.

no·sol·o·gy (nō-sol′ŏ-jē). 疾病分類学（①疾病の分類に関する科学. ②病気のヒトをグループに分ける分類法およびグループの境界に関する取決め. 分類基準は問わない). = nosonomy; nosotaxy.

nos·o·ma·ni·a (nos-ō-mā′nē-ă). 疾病狂（何か特別な病気にかかっていると病的に信じること).

no·son·o·my (nō-son′ŏ-mē). 疾病分類学. = nosology.

nos·o·phil·i·a (nos-ō-fil′ē-ă). 好病症（病気でありたいと病的に望むこと).

nos·o·pho·bi·a (nos-ō-fō′bē-ă). 疾病恐怖〔症〕(病気に対する異常なまでの恐れ).

nos·o·poi·et·ic (nos′ō-poy-et′ik). 病原〔性〕の. = pathogenic.

nos·o·tax·y (nos′ō-tak′sē). 疾病分類学. = nosology.

nos·tal·gi·a (nos-tal′jē-ă). 郷愁, 懐郷（故郷または住み慣れた環境に帰りたいという願望).

nos·tril (nos′tril). 外鼻孔. = naris; prenaris; prenaris.

nos·trum (nos′trŭm). 売薬, 秘密薬（あらゆる疾病に対する特効薬として一般の人に売られている治療薬の総称. ときに専売で, 通常, 組成は極秘).

no·tal (nō′tăl). 背部の.

no·tan·ce·pha·li·a (nō′tan-se-fā′lē-ă). 背側頭蓋の欠損（頭蓋の後頭骨部分の欠損を特徴とする胎児の奇形).

no·tan·en·ce·pha·li·a (nō′tan-en-se-fā′lē-ă). 小脳欠損.

notch (noch). 切痕（①組織縁の切れ込み, 陥凹. ②直線的にたどったとき向きのいかんにかかわらず V 字型になる短く狭い切れ込み). = incisura; incisure.

no·ten·ceph·a·lo·cele (nō′ten-sef′ă-lō-sēl). 背脳ヘルニア（脳実質の突出を伴う頭蓋後頭骨の奇形).

Noth·na·gel syn·drome ノートナーゲル症候群（めまい, ふらつき, および横揺れ歩行で, 不規則な動眼神経麻痺としばしば眼振を伴い, 中脳の腫瘍の場合にみられる).

no·tice of non·cov·er·age 保険非適応通知. = advance beneficiary notice.

No·tice of Pri·va·cy Prac·tic·es (NPP) プライバシー方針についての通知（医療施設から患者に配布される, 当該患者の保護されている医療情報の使用について説明する通知案内書).

no·ti·fi·a·ble dis·ease 届出疾患（発見された場合に公衆衛生, 衛生当局へ届け出ることが法令で定められている疾病). = reportable disease.

no·to·chord (nō′tō-kōrd). 脊索（①原始的な脊椎動物において, 体の構造を支える主軸をなす構造で, 早期胚の脊索突起に由来する. 神経系統とそれに関連する構造の形態を決定する重要なオルガナイザ. ②胚においては, 線維と細胞からなる索状の軸で, その周りに椎骨原基が発生する. 成体においても, 椎間板の髄核として痕跡が残る).

no·to·chor·dal (nō-tō-kōr′dăl). 脊索の.

NOTT nocturnal oxygen therapy trial の略.

nour·ish·ment (nŭr′ish-mĕnt). 食物（食べたり, 生命体の生命や成長を維持するための物質).

No·vy and Mac·Neal blood a·gar ノーヴィーマックニール血液寒天〔培地〕(ウサギの脱線維素血液 2 容量を含む普通寒天培地. いくつかのトリパノソーマ類の培養に適している).

nox·ious (nok′shŭs). 有害〔性〕の.

NP nurse practitioner の略.

Np ネプツニウムの元素記号.

NPC Niemann-Pick C1 disease の略.

NPH in·su·lin NPH インスリン（インスリン, プロタミン, 亜鉛で構成される変性型インスリン. 真性糖尿病の治療に用いる中間作用型の製剤). = isophane insulin.

NPI National Provider Identifier number の略.

NPN nonprotein nitrogen の略.

NPO, n.p.o. ラテン語 *non per os, nil per os*（絶食)の略.

NPP Notice of Privacy Practices の略.

NPU net protein utilization の略.
NPY neuropeptide Y の略.
NREM nonrapid eye movement の略.
nRNA nuclear RNA の略.
NRP National Response Plan の略.
NRS normal respiratory secretions の略.
NRTIs nucleoside reverse transcriptase inhibitors の略.
NSAID (en´sād). nonsteroidal antiinflammatory drug の略.
NSNA National Student Nurses Association の略.
NSR normal sinus rhythm の略.
NTD neural tube defect の略.
N ter·mi·nus N-末端 (一amino-terminal).
NTG nitroglycerin の略.
nu (nū). ニュー (①ギリシア語アルファベットの第 13 文字 ν. ②動粘度 kinematic viscosity ; 周波数 ; 化学量論数 stoichiometric number の記号. ③化学において, カルボキシル基などの官能基から 13 番目の原子にある置換基の位置を示す).
nu·cha (nū´kă). 項, うなじ (頸部の後ろ). = nape.
nu·chal (nū´kăl). うなじの, 項部の.
nu·chal arm 上肢巻絡 (骨盤位分娩で片側あるいは両側の上肢が頸部後方に挙上し分娩障害となる胎位).
nu·chal cord 臍帯巻絡 (胎児の頸部に臍帯がループ状に巻絡すること. 胎児低酸素症, 胎児仮死, あるいは胎児死亡のリスクが増大する).
nu·chal lig·a·ment 項靱帯. = ligamentum nuchae.
nu·chal plane 項面 (頸の後ろの筋肉が付着している上項線より下の後頭鱗の外面).
nu·chal rig·id·i·ty 項部硬直 (頸部伸筋の筋痙縮(本当の固縮でない)により頸部の屈曲が障害されること. 通常, 髄膜刺激により起こるものをいう).
nu·cle·ar (nū´klē-ăr). 核の (細胞または原子のいずれかの核を意味し, 後者では通常, 原子核から放出される α, β, または γ 線といった放射線または原子分裂を表す).
nu·cle·ar ag·gre·ga·tion = syncytial knot.
nu·cle·ar cat·a·ract 核性白内障 (水晶体核に生じた白内障).
nu·cle·ar: cy·to·plas·mic (N: C) ra·ti·o 核 : 細胞質比 (細胞質量に対する核量比. 通常は血液細胞の成熟に伴い増大する).
nu·cle·ar en·ve·lope 核包膜 (核質の周囲にある二重の膜. それは円筒状の核膜孔複合体によっておおわれた間隙孔を規則正しくもっている. 2 層の間には幅が約 150 Å の間隙または槽が存在する. 外側の膜はところどころで小胞体と連続している). = nuclear membrane.
nu·cle·ar fac·tor-κB 核性因子 κB (サイトカイン産生と関連した転写因子).
nu·cle·ar fam·i·ly 核家族 (遺伝学において, 通常, 両親とその子孫をさす).
nu·cle·ar in·clu·sion bod·ies 核封入体 (一inclusion bodies).
nu·cle·ar jaun·dice 核黄疸. = kernicterus.
nu·cle·ar mag·net·ic res·o·nance (NMR) 核磁気共鳴 (磁気モーメントを有する原子核は, 強磁場において, 磁軸を中心に歳差運動(みそすり運動)をする. 歳差運動の周波数(Lamor 係数)は, それぞれの原子核に固有で, かつ磁場の強度に比例する. 回転する原子核には波状の磁場が生じ, 電磁放射線を放つので, それを同じ周波数をもつ信号としてとらえることができる. NMR は共有結合の性質を明らかにする方法として用いられ, また臨床では磁気共鳴映像法 magnetic resonance imaging (MRI) として応用されている).
nu·cle·ar med·i·cine 核医学 (密封された放射線源も含めて放射性核種の診断, 治療利用に関わる臨床分野).
nu·cle·ar med·i·cine tech·nol·o·gist 核医学技術者 (病気の診断において, 体内に投与された放射性同位元素を追跡し画像化することに熟練した人).
nu·cle·ar mem·brane 核膜. = nuclear envelope.
nu·cle·ar oph·thal·mo·ple·gi·a 核性眼筋麻痺 (眼の運動神経起点核の障害による眼筋麻痺).
Nu·cle·ar Reg·u·la·to·ry Com·mis·sion 米国原子力規制委員会 (商用あるいは医学上の目的での放射活性副産物の使用について監視を行う米国連邦政府委員会. 米国エネルギー省の前身である米国原子力委員会から発足した後継).
nu·cle·ar RNA (nRNA) 核 RNA (核にみられるか, DNA または核構造(核小体)と関連している RNA).
nu·cle·ar spin·dle 核紡錘. = mitotic spindle.
nu·cle·ar stain 核染色〔法〕(細胞核の染色で, 通常, DNA またはヌクレオヒストンと色素との結合を原理としたもの).
nu·cle·ase (nū´klē-ās). ヌクレアーゼ (ホスホジエステル結合を開裂して, 核酸をヌクレオチドまたはオリゴヌクレオチドに加水分解する酵素. *cf.* exonuclease; endonuclease).
nu·cle·ate (nū´klē-āt). 核酸塩.
nu·cle·at·ed (nū´klē-āt-ĕd). 有核の (すべての真の細胞の特徴である核をもつ).
nu·cle·a·tion (nū´klē-ā´shŭn). 核形成 (結晶核 nidus の生成過程).
nu·cle·i (nū´klē-ī). nucleus の複数形.
nu·cle·i an·ter·i·or·es thal·a·mi 視床前核. = anterior nuclei of thalamus.
nu·cle·ic ac·id 核酸 (すべての細胞の染色体, 核小体, ミトコンドリア, 細胞質, ウイルス中にみられる高分子物質. 蛋白と結合して核蛋白とよばれる).
nu·cle·i co·chle·a·res 蝸牛核 (後蝸牛核と前蝸牛核からなり, 菱形窩の外側陥凹の中で, 下小脳脚の背側および外側面に存在する. 前蝸牛核はさらに前部と後部に分けられ, 蝸牛神経から入力線維を受け, 外側毛帯または中枢聴覚路の主な起始部となっている).
nu·cle·i·form (nū´klē-i-fōrm). 核形の, 核状の. = nucleoid (1).
nu·cle·i of or·i·gin 起始核 (脊髄および脳神

経の運動神経線維の起始をなす運動ニューロンの集合で，脊髄では一続きの柱を，延髄や橋では不連続の柱を形成している）．

nucleo-, nucl- 核，核の，を意味する連結形．→ karyo-; caryo-.

nu·cle·o·cap·sid (nū′klē-ō-kap′sid)．ヌクレオカプシド（→virion）．

nu·cle·of·u·gal (nū′klē-of′yū-găl)．離核〔性〕の（①細胞内で核から離れる方向に動く．②神経核から離れた方向に動く．神経伝達についていう）．

nu·cle·o·his·tone (nū′klē-ō-his′tōn)．ヌクレオヒストン（ヒストンとデオキシリボ核酸の複合体で，後者が細胞核内に存在するときは，一般にこの形で存在する）．

nu·cle·oid (nū′klē-oyd)．***1***〚adj.〛= nucleiform. ***2***〚n.〛核封入体．***3***〚n.〛= nucleus(2)．

nu·cle·o·lar (nū′klē-ō′lăr)．核小体の．

nu·cle·o·li (nū′klē-ō′lī)．nucleolus の複数形．

nu·cle·o·li·form (nū′klē-ō′li-fōrm)．核小体状の．= nucleoloid.

nu·cle·o·loid (nū′klē-ō-loyd)．= nucleoliform.

nu·cle·o·lo·ne·ma (nū′klē-ō′lō-nē′mă)．核小体糸（大部分の核小体を形成しているリボ核蛋白の微細顆粒または微細線維の不規則な網目または列）．

nu·cle·o·lus, pl. nu·cle·o·li (nū-klē′ō-lŭs, nū′klē-ō′lī)．核小体，仁（細胞核内にある小球形の塊で，リボ核蛋白が産出されるところ）．

nu·cle·on (nū′klē-on)．***1*** 核子（原子核の微粒子の1つ．陽子または中性子）．***2*** ヌークレオン（核医学専門医の俗称）．

nu·cle·op·e·tal (nū′klē-op′ĕ-tăl)．求核〔性〕の（①細胞体内で核の方に向かって動く．②神経核の方に向かって動く神経インパルスについていう）．

nu·cle·o·phil, nu·cle·o·phile (nū′klē-ō-fil, -fīl)．***1***〚n.〛求核〔性〕試薬（求電子試薬(物質)によって，電子対が受け取られるような，化学反応における電子対供与原子）．***2***〚adj.〛求核〔性〕の．= nucleophilic(1)．

nu·cle·o·phil·ic (nū′klē-ō-fil′ik)．***1*** = nucleophil(2)．***2*** 求核試薬が関与する反応．

nu·cle·o·plasm (nū′klē-ō-plazm)．核質（細胞核の原形質）．

nu·cle·o·pro·tein (nū′klē-ō-prō′tēn)．核蛋白（蛋白と核酸の複合体で，すべての核酸は本質的にこの形で存在する．染色体およびウイルスは本質的にはほとんど核蛋白に相当する）．

nu·cle·or·rhex·is (nū′klē-ō-rek′sis)．核崩壊（細胞核の断片化）．

nu·cle·o·si·das·es (nū′klē-ō-sī′dās-ēz)．ヌクレオシダーゼ（ヌクレオシドの加水分解または加リン酸分解を触媒し，プリンまたはピリミジン塩基を遊離させる酵素）．

nu·cle·o·side (nū′klē-ō-sīd)．ヌクレオシド（糖(通常，リボースまたはデオキシリボース)とプリンまたはピリミジン塩基が結合した化合物）．

nu·cle·o·side re·verse tran·scrip·tase in·hib·i·tors (NRTIs) 核酸系逆転写酵素阻害薬（HIV 感染を治療するための薬品．例えばジドブジン，ラミブジン）．

nu·cle·o·some (nū′klē-ō-sōm)．ヌクレオソーム（染色質が凝集していない状態のときにみられるヒストンと DNA とが局在的に凝集した構造）．

nu·cle·o·ti·da·ses (nū′klē-ō-tī′dās-ēz)．ヌクレオチダーゼ（ヌクレオチドをヌクレオシドとリン酸に加水分解する酵素）．

nu·cle·o·tide (nū′klē-ō-tīd)．ヌクレオチド（核酸成分のプリンまたはピリミジンと1個の糖(通常，リボースまたはデオキシリボース)およびリン酸基とが結合したもの）．= mononucleotide.

nu·cle·o·tid·yl·trans·fer·as·es (nū′klē-ō-tī′dil-trans′fĕr-ās-ēz)．ヌクレオチジルトランスフェラーゼ（ヌクレオチド残基をヌクレオシド二リン酸または三リン酸から二量体または多量体へと転移させる転移酵素）．

nu·cle·o·tox·in (nū′klē-ō-tok′sin)．核毒素（細胞核に作用する毒素）．

nu·cle·us, pl. nu·cle·i (nū′klē-ŭs, -ī)．核（①細胞学において，植物細胞，動物細胞の細胞質の中にある原形質の(多くは)円形，卵形の塊をいう．核膜で包まれ，真正染色質，異質染色質，1個以上の核小体，核液をもち，細胞分裂中に有糸分裂を行う．= karyon. ②広義には，構造が比較的簡単で核膜をもたず，増殖時には有糸分裂を行わないが，しかし核様体と似たような機能をもつことから，微生物 microbes のゲノムも核という．→virion. = nucleoid(3)．③神経細胞学において，異なった型の細胞，または神経線維や細胞の少ない神経網で周囲が取り囲まれているために，他と区別できるような脳，脊髄の神経細胞群をさす．④尿結石や他の結石ができるとき，その中核となる物質(例えば，異物，粘膜，結晶)．⑤原子核．原子の中心部分(陽子と中性子からなる)で，質量の大部分と正電荷のすべてが集中している．⑥結晶，液滴，泡が生成するときの基となる粒子．⑦母核．一連の分子群の特徴的原子配列．例えば，ベンゼン母核をもつものは芳香族化合物である）．

nu·cle·us of the an·sa len·tic·u·lar·is レンズ核わなの核（→dorsal hypothalamic area）．

nu·cle·us cae·ru·le·us 青斑核（中脳水道に近い菱形窩の最前端の外側にある浅い凹みで，新鮮脳では青色をしている部分．第4脳室の外側壁にも近く約2万の含メラニン顆粒細胞からなるが，そこから出るノルエピネフリン含有神経線維は広く大脳皮質，視床上部，扁桃体，海馬，中脳被蓋，小脳皮質や核，橋延髄の核，脊髄灰白質に分布する）．

nu·cle·us den·ta·tus 小脳歯状核．= dentate nucleus of cerebellum.

nu·cle·us of pos·ter·i·or com·mis·sure 後交連核（中脳間脳移行部の後交連に隣接する細胞群で，腹側部，背側部，中間部に分かれる）．

nu·cle·us of sol·i·tary tract 孤束核（延髄の背部を通って縦にのびる細い細胞柱で，菱形窩の床の下で，境界溝のすぐ外側に位置する．これは脳幹にある内臓知覚性(内臓求心性)の核であり，孤束を介して迷走・舌咽・顔面神経からの求心性線維を受けている．この核の下2/3は，咽頭，喉頭，腸，気道，心臓と大血管からのインパルスを処理している．核の上1/3は，味蕾からのインパルスを受けており，菱脳味覚核として知られている）. = nucleus tractus solitarii.

nu·cle·us tract·us so·li·ta·ri·i 孤束核. = nucleus of solitary tract.

nu·clide (nū′klīd). 核種（明確な原子量，原子番号をもった特定の（原子の）核の種類. →isotope).

NUG necrotizing ulcerative gingivitis の略.

null cells ヌル細胞（①= killer cells. ②顆粒性の大型リンパ球で，表面マーカ抗原（Tリンパ球またはBリンパ球を決定する）を発現していない細胞).

null hy·poth·e·sis 帰無仮説（ある1つの変数が他の1つまたは1組の変数と関連がないとする統計学的仮説．得られた結果が偶然によって予想される結果と違わないということ).

nul·li·grav·i·da (nŭl-i-grav′i-dă). 未妊婦（妊娠したことのない女性).

nul·lip·a·ra (nŭ-lip′ă-ră). 未産婦（子供を産んだことのない女性).

nul·li·par·i·ty (nŭl′i-par′i-tē). 未〔経〕産.

nul·lip·a·rous (nŭl-ip′ă-rŭs). 未〔経〕産の.

numb chin syn·drome しびれたおとがい症候群（おとがいと下唇の片側の異常感覚と感覚低下を呈する症候群．同側のおとがい神経に新生物が浸潤して起こる．多発性骨髄腫，乳癌，前立腺癌が原因のことが多い).

num·ber (nŭm′bĕr). 番号，数（①ある値を示す，あるいは数値を決める特殊な量の記号．②一連のものの中で各個の位置付け).

numb·ness (nŭm′nĕs). しびれ〔感〕，麻痺，無感覚（感覚異常の不明確な用語で，異常感覚に加えて感覚の消失や低下も含む).

num·mu·lar (nŭm′yū-lăr). *1* 貨幣状の（ある種の呼吸疾患における濃い粘液性または粘液膿性の痰についていう．痰が水または透明な消毒薬のはいった痰コップの底で平たくなるとき，円板状を呈したためにこうよばれる). *2* 連銭状の（硬貨を積み重ねたように，赤血球の平面が互いに重なり合ってつくる連銭体状形態についていう).

num·mu·lar ec·ze·ma 貨幣状湿疹（とびとびにでるコイン型の斑状湿疹).

num·mu·lar spu·tum 連銭痰（球状に喀出される濃厚な粘性塊で，カップの底部では流れず，硬貨に似た円板状塊を形成する).

nurse (nŭrs). *1* 〘n.〙 看護師（定められた教育基準のもとで看護学の教育を受け，病気ないし健康問題の診断および治療に関与する人). *2* 〘v.〙 授乳する，母乳で育てる.

nurse a·nes·the·tist 麻酔看護師，看護師麻酔士（高等な訓練を受けて麻酔の認可を得た公認の看護師．米国において certified registered nurse anesthetist (CRNA) の資格を得るには，登録看護師 registered nurse として1年以上の救急看護を経験した後，アメリカ麻酔看護師協会公認のプログラムを受講し，国家試験に合格する必要がある．米国の多くの地方病院において，CRNA だけが麻酔の認可を受けている).

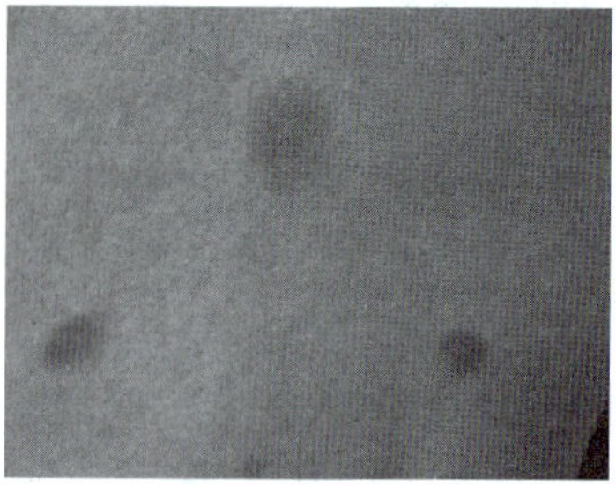

nummular eczema

nurse-cli·ent re·la·tion·ship 看護師と患者の関係（治療上のコミュニケーションに基づいた，患者と看護師の仕事上の関係のこと．社交的関係ではない).

nurse·maid's el·bow 子守女肘（輪状靱帯が橈骨頭近位に亜脱臼すること). = Malgaigne luxation.

nurse prac·tice act 看護実習法（米国の各州毎に看護実習を規制するという法規制．一般市民を保護し，当該実習の許容基準を実行することを意図している).

nurse prac·ti·tion·er (NP) ナースプラクティショナー（少なくとも看護学の修士の学位をもち，特定の患者のプライマリケアの高度の教育を受けた登録看護師．種々の場で独立して看護医療を行うことができる).

nurs·ing (nŭrs′ing). *1* 看護（看護とは学問分野であり，専門的職業であり，また業務の一分野である．学問分野としての看護は知識発展の中心に置かれ，専門看護医療のための知識の習得，説明，展開および修正に重点が置かれる．専門的職業としての看護には社会的な権限が与えられ，医療を提供する公衆に対して責任を負う．看護は保健医療システムに欠くことのできない一分野であり，またそれ自体としてはすべての年齢層の健康の増進，病気の予防，身体的な病気，精神的な病気および障害者へのケアをあらゆる保健医療環境やその他の地域医療環境で行う．このような幅広い保健医療の範疇で，看護に特に関連する事象は現実または潜在的に存在する健康上の問題に対する個人，家族またはグループの反応である．人間の反応は幅広く，個人的な病気のエピソードに対して健康を取り戻したいという反応から，多くの人々の長期的な健康の増進に関する方針の発展にまで及ぶ). *2* 保育，哺乳，養育（幼児に母乳を与えたり，子供の世話をしたりすること).

nurs·ing au·dit 看護監査（ある施設で病人に対し提供される看護ケアの質を評価するのに用いられる特定の方法).

nurs·ing care plan 看護計画（患者のニーズを

評価した結果，看護師によって立てられた計画で，医療介入ではなく看護介入に重点を置いている）.

nurs·ing con·cep·tu·al frame·work 看護の概念的枠組み（看護師が看護実習，教育および研究を指導する際重要となる，関連する概念や理論の分類のこと）. = nursing model.

nurs·ing di·ag·no·sis 看護診断（潜在的または現存する健康問題(家庭や地域社会に関連する問題も含む)を評価する方法で，看護医療の範疇である．さらに，このような評価の結果として，または評価データを基にして，判定または結論を下す）.

nurs·ing ed·u·ca·tion pro·gram 看護教育プログラム（看護師になるための準備として，通常は臨床診療体験を含むカリキュラム．学位(病院看護学校)，準学士，学士(学士号)，修士号，および博士号レベルを含む．さらに修了証書，継続教育および現職教育プログラムも含まれる）.

nurs·ing fa·cil·i·ty 看護施設，ナーシング施設（長期間の看護またはリハビリテーションを必要とする患者のための保健医療施設．ナーシングホームとよばれていたこともある）. = assisted living facility; long-term care facility.

nurs·ing his·to·ry 看護歴，看護病歴（患者の医療的，心理学的，社会的，および精神的な履歴に関する情報を集積したもの．看護診断および医療計画の公式化の基になる）.

nurs·ing home ナーシングホーム. = extended-care facility.

nurs·ing in·for·mat·ics 看護情報科学（①看護実習，管理，研究および教育を支援するコンピュータ技術の使用を取り巻く看護の専門分野．情報科学と看護学の両方から情報を得ている．②患者ケア，看護師およびその他の供給者を支援するためのデータ統合）.

nurs·ing in·ter·ven·tion 看護介入（あらゆる状況および専門分野で看護師が行う治療．看護師が実施する活動．看護ケア対策）.

Nurs·ing In·ter·ven·tions Clas·si·fi·ca·tion (NIC) 看護介入の分類（患者・クライアントが評価した介護介入の効果の標準化された分類）.

Nurs·ing Min·i·mum Da·ta Set (NMDS) 看護の最小データ（①幅広い臨床診療場面に適用される看護を説明するために開発された標準化された看護データ．②看護の費用と品質を明確にするために最小限の情報）.

nurs·ing mod·el 看護モデル. = nursing conceptual framework.

Nurs·ing Out·comes Clas·si·fi·ca·tion (NOC) 看護成果の分類（介護介入の効果を評価した患者・クライアントの成果の標準化された分類）.

nurs·ing pro·cess 看護プロセス，看護過程（アセスメント，看護診断，計画(プラニング)，実施，および評価よりなる体系付けられた看護方法で，患者ごとに必要に応じてケアを提供する）.

nurs·ing the·o·ry 看護理論（看護に特有の役割に関連した様々な現象を体系的な視点で提示する一連の概念，定義および提案；実践，教育および研究を導くもの）.

nu·tans (nū′tahns). うなずき.

nu·ta·tion (nū-tā′shŭn). 点頭（カイロプラティックにおいて，仙骨の上での腸骨の後方回転）.

nu·tra·ceu·ti·cal (nū′tră-sū′ti-kăl). 栄養補助食品（医薬品の形態で市販されている食物由来の製品．生理学的な効果があること，または慢性疾患を予防することが実証されている．*cf.* functional food）.

nu·tra·ge·nom·ics (nū′tră-jē-nō′miks). = nutrigenomics.

nu·tri·ent (nū′trē-ĕnt).〔栄〕養分，栄養素（正常の生理的機能に必要な食物の成分）.

nu·tri·ent ar·ter·ies of hu·mer·us 上腕骨栄養動脈（上腕動脈深部より起こり，上腕骨の骨髄腔に分布する）.

nu·tri·ent ar·ter·y 栄養動脈（管状骨の骨髄腔に血液を送る血管）. = arteria nutricia; nutrient vessel.

nu·tri·ent ar·ter·y of fe·mur 大腿栄養動脈（第一・第三貫通動脈(ときに第二・第四)から起こる上下の２枝）. = arteria nutricia femoris.

nu·tri·ent ar·ter·y of fib·u·la 腓骨栄養動脈（腓骨動脈から起こり腓骨に分布する）. = arteria nutricia fibulae.

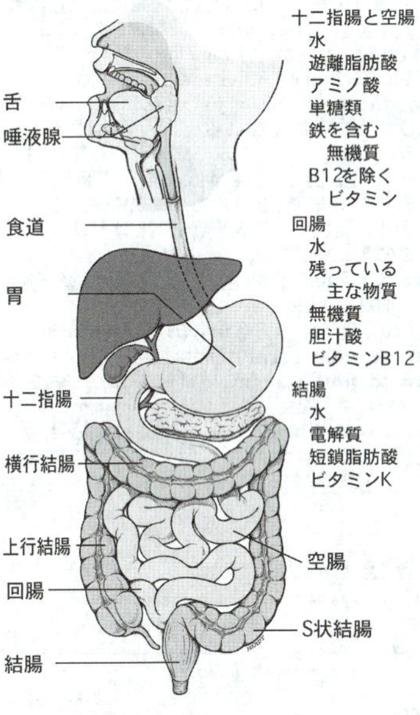
十二指腸と空腸
水
遊離脂肪酸
アミノ酸
単糖類
鉄を含む
無機質
B12を除く
ビタミン
回腸
水
残っている
主な物質
無機質
胆汁酸
ビタミンB12
結腸
水
電解質
短鎖脂肪酸
ビタミンK
舌
唾液腺
食道
胃
十二指腸
横行結腸
上行結腸
回腸
結腸
空腸
S状結腸

nutrient absorption

nu·tri·ent ca·nal 栄養管（長骨の骨幹あるいは不規則形骨の種々の個所にある管．この管を通じて栄養動脈が骨にはいる）．= canalis nutricius.

nu·tri·ent fo·ra·men 栄養孔（骨の栄養管の外部への開口）．

nu·tri·ent ves·sel = nutrient artery.

nu·tri·ge·no·mics (nū′tri-jē-nō′miks)．ニュートリゲノミクス（食事が遺伝子発現および健康にどのように影響を及ぼすか研究すること）．= nutragenomics; nutritional genomics.

nu·trit·ion (nū-trish′ŭn)．*1* 栄養（生きている植物および動物の1つの機能で，物質を取り入れて同化し，それにより組織をつくりエネルギーを産生すること）．*2* 栄養学（ヒトや動物のエネルギー，生存，成長，活動，生殖，および授乳など正常な生理機能に必要な食物と飲料の研究）．

nu·tri·tion·al as·sess·ment 栄養評価（身体計測，生化学的試験，臨床検査および食事摂取を通じた身体測定のこと）．

nu·tri·tion·al ge·no·mics = nutrigenomics.

nu·tri·tive (nū′tri-tiv)．栄養の（①栄養に関した．②栄養のある）．

nu·tri·tive e·qui·lib·ri·um 栄養〔的〕平衡（栄養物の摂取と排泄の完全な平衡状態．そのため体重の増減がない）．

nu·tri·tive suck·ing 栄養価のあるおしゃぶり（幼児が母親の乳房や哺乳瓶から栄養をとるためのおしゃぶり行動のこと）．

nu·tri·ture (nū′tri-chūr)．栄養状態（体の栄養具合または状況．栄養物に関した体の状態）．

NV, n&v nausea and vomiting の略．

NWR nociceptive withdrawal reflex の略．

nyc·tal·gi·a (nik-tal′jē-ă)．夜間痛（夜間の痛み，特に夜間に起こる梅毒の骨痛についていう）．

nyc·ta·lo·pi·a (nik-tă-lō′pē-ă)．夜盲〔症〕（薄明りの中で，物を見る力が減退すること．杆体機能の障害症例にみられる．しばしばビタミンA欠乏に関連する）．= night blindness.

nyc·ter·ine (nik′tĕr-ēn)．*1* 夜間の．*2* 薄暗い，不明瞭な．

nycto-, nyct- 夜を意味する連結形．→noct-.

nyc·to·hem·e·ral (nik′tō-hem′ĕr-ăl)．昼夜の．

nyc·to·phil·i·a (nik-tō-fil′ē-ă)．暗所嗜好（夜または暗所を好むこと）．= scotophilia.

nyc·to·pho·bi·a (nik-tō-fō′bē-ă)．暗所恐怖〔症〕（夜または暗所に対する病的な恐れ）．= scotophobia.

nym·pha, pl. nym·phae (nim′fă, -fē)．小陰唇．

nym·phec·to·my (nim-fek′tŏ-mē)．小陰唇切除〔術〕（肥大した小陰唇の切除）．

nym·phi·tis (nim-fī′tis)．小陰唇炎．

nympho-, nymph- 小陰唇を意味する連結形．

nym·pho·ma·ni·a (nim-fō-mā′nē-ă)．女子色情〔症〕（女性の性欲に対する絶え間ない衝動．男性の色情症 satyriasis に対応する語）．

nym·pho·ma·ni·a·cal (nim′fō-mă-nī′ă-kăl)．女子色情〔症〕の．

nym·phon·cus (nim-fongk′ŭs)．小陰唇腫脹（小陰唇の一方または両方の腫脹または肥大）．

nym·phot·o·my (nim-fot′ŏ-mē)．小陰唇切開〔術〕（小陰唇または陰核の切開）．

Ny·quist the·o·rem ナイキストの定理（周波数は，正確に再生するためには少なくとも2回抽出しなければならないという定理）．

nys·tag·mic (nis-tag′mik)．眼振の，眼振を患っている．

nys·tag·mi·form (nis-tag′mi-fōrm)．= nystagmoid.

nys·tag·mo·graph (nis-tag′mō-graf)．眼振計（眼が動くときの静止電位の変化を測定することにより，眼振における眼球の動きの幅と周期性，速度を測定するための装置）．

nys·tag·mog·ra·phy (nis′tag-mog′ră-fē)．眼振〔記録〕法（眼振を記録する技法）．

nys·tag·moid (nis-tag′moyd)．眼振様の，偽眼振の．= nystagmiform.

nys·tag·mus (nis-tag′mŭs)．眼振，眼〔球〕振とう，ニスタグムス（眼球の不随意性で律動性の振動．振子型または緩・急速性を有するものがある）．

nyx·is (nik′sis)．穿刺．

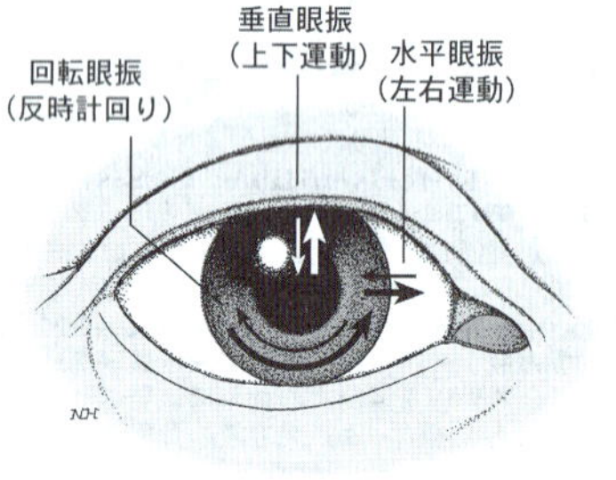
垂直眼振
(上下運動)
水平眼振
(左右運動)
回転眼振
(反時計回り)

nystagmus 太い矢印は緩徐相を示す．

ω, ω オメガ（→omega）.

O ***1*** 酸素の元素記号．オロチジンの記号．***2*** opening（電気反応式における開放）の略．***3*** ABO 血液型分類における O 型．***4*** *ohne Hauch*（曇りがないこと）由来の略号で，次のことを示す．ⓘべん毛中に生じるものとは対照的に，バクテリアの細胞中に生じる抗原．ⓘⓘⓘのような菌体抗原に対する特異抗体．ⓘⓘⓘ菌体抗原とその抗体間の凝集反応．

O_2 oxygen molecule の記号．→oxygen.

OA occipitoanterior position の略．

OAE otoacoustic emission の略．

O ag·glu·ti·nin O 凝集素（微生物の菌体中にあり，かなり耐熱性の抗原による刺激の結果として形成され，同抗原と反応する凝集素）．

oak（ōk）．オーク（葉や樹皮から様々な形態の生薬の原材料を提供する落葉樹（Quercus spp.）．皮膚疾患の治療薬である収斂剤（ドイツではこの目的での使用が承認されている）として，さらに未確認の数えきれない方法で使用されている．タンニン酸の含有度が高いため，死亡，呼吸不全および肝毒性を引き起こしたことがある）．

O an·ti·gen O 抗原（グラム陰性腸内細菌の菌体抗原．菌体外壁の糖脂質．→H antigen（1））．

OASIS（ō-ā′sĭs）．Outcomes and Assessment Information Set の略．

oat cell 燕麦細胞（先端の丸い，短かい紡錘形の細胞で，比較的大きな濃染する核をもつ．未分化型気管支癌のうちのいくつかのタイプでしばしばみられる）．

oat cell car·ci·no·ma 燕麦細胞癌（未分化で高度に悪性の，通常は気管支より発生する癌．小卵円形で細胞質にきわめて乏しい細胞よりなる．本癌と小円形細胞腫瘍が肺癌の 3 分の 1 を占める）．= small cell carcinoma（2）．

OB（ob）．obstetrics の略．

ob·dor·mi·tion（ob-dōr-mi′shŭn）．無感覚，麻痺，しびれ（知覚神経の圧迫による四肢のしびれ）．

o·be·li·ac（ō-bē′lē-ak）．オベリオンの．

o·be·li·on（ō-bē′lē-on）．オベリオン（ラムダ縫合近くの左右の頭頂孔を結ぶ線が矢状縫合と交わる点）．

O·ber test オーベル試験（腸脛靱帯の緊張度，短縮，または炎症の存在を評価するテスト．健側下の側臥位で膝 90° 屈曲にして股関節の内転が可能な状態で他動的に患側股関節を外転していく．股関節の外転角度または腸脛靱帯に沿っての痛みにより炎症と拘縮の部位を明らかにすることができる）．

o·bese（ō-bēs′）．肥満の（極度に太った．BMI が 30 以上についていう）．= corpulent.

o·be·si·ty（ō-bē′si-tē）．肥満〔症〕（体重の割には皮下脂肪が過剰な状態）．= adiposity（1）; corpulence; corpulency.

o·be·si·ty-hy·per·ven·ti·la·tion syn·drome →pickwickian syndrome.

o·be·si·ty-hy·po·ven·ti·la·tion syn·drome 肥満低換気症候群（肥満，低酸素血症，高炭酸ガス血症，赤血球増加症および傾眠傾向を伴う疾患）．

o·bex（ō′beks）．閂（かんぬき）（延髄背面の正中線上の点で，菱形窩または第 4 脳室の後角の境をなしている．筆尖上にかぶさっている小さな横髄条に相当する）．

OBG obstetrics and gynecology の略．

OB/GYN（ob-gīn′）．obstetrics and gynecology の略．

ob·ject（ob′jekt）．対象（①思考または行為が向けられるもの．②精神分析において，本能がそれを介して作用を発揮できるような媒体．③精神分析において，しばしば人と同じ意味で用いる）．

ob·ject choice 対象選択（精神分析用語で，精神エネルギーが主に向けられる対象（通常は人物））．

ob·jec·tive（ŏb-jek′tiv）．***1*** 対物レンズ，対物鏡（顕微鏡本体の管状部の検体に面した端にある 1 枚のレンズまたはレンズ群）．***2*** 客観的な（外界の出来事または現象をあるがままに，非個人的または偏見のない態度でみること．自分自身でまたは他人により自由に観察できるものについていう．*cf.* subjective）．***3*** 目標，目的（望ましい治療成果など）．

ob·jec·tive as·sess·ment da·ta 客観的評価データ（看護者により観察され評価されたもの）．

ob·jec·tive sen·sa·tion 外因感覚（実体のある物によって引き起こされた感覚）．

ob·jec·tive symp·tom 他覚症状（観察者に明白に認識できる症状）．

ob·ject per·ma·nence 物体の永続性（視界から物体がなくなっても，その物体が存在していることを理解できるという子どもの能力を表す発達上の用語．8 か月以下の幼児が同能力を持つことはまれ）．

ob·ject re·la·tion·ship 対象関係（行動科学において，個人（グループ）の自分自身（グループ自体）に対する関心とは逆に，個人と他者（2 つのグループ）との間に存在する情緒的なつながり）．

OBLA（ob′lă）．onset of blood lactate accumulation の略．

ob·li·gate（ob′li-gāt）．絶対の，偏性の，真正の（他に代わるべき系や経路がないことについていう）．

ob·li·gate aer·obe 偏性好気性菌（酸素がないと生息または成長できない細菌）．

ob·li·gate an·aer·obe 偏性嫌気性菌（生物），純嫌気性菌（生物）（遊離酸素が存在しないときにのみ増殖する微生物）．

ob·li·gate par·a·site 偏性寄生生物（独立した自由生活を営むことができない寄生生物．*cf.* facultative parasite）．

o·blig·a·to·ry wa·ter loss 義務的な水分損失（溶解した老廃物を排出するために生産されなければならない尿の最小限の量．1日あたり約600 mOsm）．
ob·lique（ō-blēk′）．斜めの，斜位の，斜傾した（①身体の垂直面，水平面，矢状断面，冠状断面からずれたことについていう．②X線像において，正面像，側面像以外の像をいう）．
ob·lique am·pu·ta·tion 斜走切断〔術〕（四肢の切断線が直角以外の角度で行われる切断．切断面が卵形になる）．
ob·lique ban·dage 傾斜包帯（渦巻き状に肢の上方または下方に斜めに巻いていく包帯法）．
ob·lique di·am·e·ter 斜径（骨盤の斜径．片側の仙腸骨関節から他の側の腸恥隆起に至る骨盤入口面における距離）．
ob·lique fi·bers of mus·cu·lar la·yer of stom·ach 胃の斜線維（胃の最内筋層の平滑筋．胃の噴門端から発し，前壁および後壁表面に広がっている）．
ob·lique frac·ture 斜骨折（骨折線が縦方向の骨軸に対し斜めに走っている骨折）．
ob·lique lie 斜位．= oblique presentation.
ob·lique pre·sen·ta·tion 斜位（母親の子宮の縦軸に対し，胎児の縦軸が傾いている(傾斜している)胎位）．= oblique life.
ob·lique ridge 斜走隆線（近心舌側咬頭から遠心頬側咬頭への上顎大臼歯のそしゃく面上の隆線）．
ob·lique sec·tion オブリーク，斜断面（実際にまたは画像技術によって人体，人体の一部分または解剖学的構造物を斜めに切った断面．長軸に平行でも直角でもないすべての面，すなわち縦断面(垂直面)でも横断面(水平面)でもない面）．
ob·lique vein of left a·tri·um 左心房斜静脈（左心房の後壁の小静脈で大心臓静脈と合流して冠状静脈洞に至る．発生期の左総主静脈に由来するもので，ときとして左上大静脈となって残ることもある）．= Marshall oblique vein.
ob·liq·ui·ty（ob-lik′wi-tē）．不正軸進入，傾軸進入．= asynclitism.
ob·li·quus ca·pi·tis in·fe·ri·or mus·cle 下頭斜筋（後頭下筋の1つであるが，その名に反して後頭骨には付着していない．起始：軸椎の棘突起．停止：環椎の横突起．作用：頭部の回旋．神経支配：後頭下神経）．= musculus obliquus capitis inferior; inferior oblique muscle of head.
ob·li·quus ca·pi·tis su·pe·ri·or mus·cle 上頭斜筋（後頭下筋の1つ．起始：環椎の横突起．停止：後頭骨の下項線の外方1/3．作用：頭部の回旋．神経支配：後頭下神経）．= musculus obliquus capitis superior; superior oblique muscle of head.
ob·lit·er·ans（ob-lit′ĕ-ranz）．閉塞性の．
ob·lit·er·a·tion（ob-lit-ĕr-ā′shŭn）．閉塞，遮断（①特に線維症または炎症により，体腔または管腔が満たされることによって起こる閉塞．②放射線学において，近接する組織が同じX線吸収を有すれば臓器の形が消失すること）．
o·blit·er·a·tive bron·chi·tis, bron·chi·tis ob·li·te·rans 閉塞性気管支炎（滲出液が器質化し，気管支の罹患部分を閉塞してしまう線維素性気管支炎．その結果その末梢部肺の永続的な虚脱をきたす）．
ob·lit·er·at·ive per·i·car·di·tis 閉塞性心外膜炎（炎症後の癒着によって心嚢膜腔が完全に閉塞すること）．
ob·lon·ga·ta（ob-long-gah′tă）．延髄．= medulla oblongata.
OBS organic brain syndrome の略．
ob·ses·sion（ob-sesh′ŭn）．強迫〔観念〕（繰り返し現れ，持続し，行動を起こさせる観念，思考，衝動．これは自我異和的で，意味がないものあるいはいやなものとして体験され，意識的に抑圧することができない）．
ob·ses·sive-com·pul·sive（ob-ses′iv-kŏm-pŭl′siv）．強迫の（強迫神経症にみられるように，不安を取り除くためにある種の反復行動または儀式的振舞いを行う傾向をもつ．例えば，1日の間に繰り返し強迫的，儀式的に手を洗うこと）．
ob·ses·sive-com·pul·sive dis·or·der (OCD) 強迫性障害（反復する強迫観念，持続的に侵入し続ける観念，思考，衝動またはイメージ，または強迫行為(強迫観念に反応して目的をもって意図的に行われる反復性の行動)を基本的な特徴とする不安障害の一種であり，これらの症状は著しい苦悩を引き起こしたり，時間を使ったり，日常の活動，職業上の機能，または社会的活動や対人関係に著しい障害を引き起こしたりするほどに重篤である）．
ob·stet·ric, ob·stet·ri·cal（ob-stet′rik, -ri-kăl）．産科〔学〕の．
ob·stet·ric bind·er 産科用腹帯（肋骨から転子までの腹部を包み，背中のところをピンできつく留める支持包帯．出産後，またはまれに分娩中に用いる）．
ob·stet·ric con·ju·gate 産科〔学〕的真結合線（骨盤入口部で児頭が下行し通過する最短径を表す直径で，その測定はX線により，仙骨岬角から，恥骨結合の上縁より数ミリメートル下の恥骨結合内面までの距離となる）．
ob·stet·ric for·ceps 産科鉗子（胎児の頭をはさんで牽引または回転する鉗子．産道へ別々に挿入し，確実に最小限の圧迫で胎児の頭をはさんで正しい位置に置いた後かみ合わせて用いる）．
ob·stet·ri·c hand = accoucheur's hand.
ob·ste·tri·cian（ob-stĕ-trish′ŭn）．産科医（妊産婦の診察を専門とする医師．→obstetrics）．
ob·stet·ric pal·sy 分娩麻痺（分娩経過中に生じる胎児の頸腕神経叢麻痺．3型に分類される．ⅰ上部麻痺(Erb 麻痺．最も頻度が高い)：肩甲および上腕の障害．ⅱ全麻痺：全上肢の麻痺．ⅲ下部麻痺(Klumpke 麻痺)：前腕および手指の障害）．= obstetric paralysis.
ob·stet·ric pa·ral·y·sis = obstetric palsy.
ob·stet·rics (OB)（ob-stet′riks）．産科学（妊娠，分娩，および産褥時に妊婦の管理をする医学の専門分野）．
ob·sti·nate（ob′sti-năt）．***1*** 頑固な，かたくなな

（たとえ間違っていても自分の目的，意見に強く固執して，論争，説得，嘆願に左右されない）. = intractable（2）; refractory（2）. ***2*** 難治の. = refractory（1）.

ob·sti·pa·tion（ob′sti-pā′shŭn）. 便秘（腸の閉塞. 重症の便秘）.

ob·struc·tion（ŏb-strŭk′shŭn）. 閉塞〔症〕（閉鎖または狭窄などによるもの）.

ob·struc·tive ap·ne·a, pe·riph·e·ral ap·ne·a 閉塞性無呼吸，末梢性無呼吸（気道の閉塞の結果，あるいは呼吸筋の不適切な活動性による無呼吸）.

ob·struc·tive dys·men·or·rhe·a 閉鎖性月経困難〔症〕. = mechanical dysmenorrhea.

ob·struc·tive hy·dro·ceph·a·lus 閉塞性水頭〔症〕（脳室内または脳室と脊椎管内のクモ膜下腔との間における脳脊髄液の通過障害による二次性の水頭症）. = noncommunicating hydrocephalus.

ob·struc·tive jaun·dice 閉塞性黄疸（主要胆管の閉塞により十二指腸へ胆汁が流出しないため肝臓内外に起こる黄疸）. = mechanical jaundice.

ob·struc·tive mur·mur 閉塞性雑音（弁口の狭窄によって生じる雑音）.

ob·struc·tive sleep ap·ne·a（OSA） 閉塞性睡眠時無呼吸（1965年に初めて記述された障害で，弛緩した，巨大なあるいは咽頭組織（軟口蓋，口蓋垂，ときに咽頭扁桃）の奇形による気道の一時的閉塞によるもので，低酸素血症や慢性倦怠をもたらす）.

ob·struc·tive throm·bus 閉塞性血栓，閉鎖性血栓（圧迫，その他の原因による血管の閉塞によって起こる血栓）.

ob·struc·tive ur·op·a·thy 閉塞性尿路疾患（解剖学的または機能的に尿路が閉塞される病態をいう）.

ob·struc·tive ven·ti·la·tory de·fect 閉塞性換気障害（努力性呼吸動作時，通常は呼気時に気流速度が低下している状態）.

ob·tund（ob-tŭnd′）. 鈍感にする（鈍くする，特に感覚を鈍らせる，または痛みを和らげる）.

ob·tu·rat·ing em·bo·lism 閉塞性塞栓症（塞栓による血管内腔の完全閉塞）.

ob·tu·ra·tion（ob′tūr-ā′shŭn）. 閉塞，閉鎖（→obturator）.

ob·tu·ra·tor（ob′tŭr-ā-tŏr）. ***1*** 栓子，栓塞子（開口部をふさぐ物）. ***2*** 閉鎖孔，閉鎖膜（閉鎖孔，閉鎖膜，あるいはこの孔に関連した部分をさす）. ***3*** 閉鎖具（硬口蓋孔，通常は口蓋裂を閉じるのに用いる補助具）. ***4*** 閉塞具（種々の管状器具の挿入時に用いるスタイレットまたは除去可能な栓）.

ob·tu·ra·tor ar·ter·y 閉鎖動脈（内腸骨動脈の前枝より起こり，腸骨，恥骨，閉鎖筋，内転筋に分布する. 腸腰動脈，下腹壁動脈，内側大腿回旋動脈と吻合し，恥骨枝，寛骨臼枝，前枝，後枝に分枝する）. = arteria obturatoria.

ob·tu·ra·tor branch of pu·bic branch of in·fe·ri·or epi·gas·tric vein 下腹壁静脈恥骨枝の閉鎖枝（骨盤縁を下行して閉鎖動脈の恥骨枝と吻合する. 20—30%で閉鎖動脈より太いか，これに置き換わっている）.

ob·tu·ra·tor ca·nal 閉鎖管（閉鎖膜の上部にある開口で，これを通じて閉鎖神経および同名血管が骨盤腔から大腿に通じる）. = canalis obturatorius.

ob·tu·ra·tor crest 閉鎖稜（恥骨結節から寛骨臼切痕に至る隆起. 股関節の恥骨大腿靱帯が付着する）.

ob·tu·ra·tor ex·ter·nus mus·cle 外閉鎖筋（大腿内側区の筋の1つ. 起始：閉鎖孔辺縁の下半分，閉鎖膜の外面の隣接部分. 停止：大転子の転子窩. 作用：大腿の外旋. 神経支配：閉鎖神経）. = musculus obturatorius externus; external obturator muscle.

ob·tu·ra·tor fo·ra·men 閉鎖孔（寛骨にある卵形または不規則な三角形をした大きな孔で，その縁は恥骨と坐骨により形成されている. 自然な状態では閉鎖動静脈および閉鎖神経が通る小孔が開いている他は，閉鎖膜によって閉じられている）. = foramen obturatum.

ob·tu·ra·tor her·ni·a 閉鎖孔ヘルニア（閉鎖孔からのヘルニア）.

ob·tu·ra·tor in·ter·nus mus·cle 内閉鎖筋（骨盤内筋の1つであるが，殿部にまで伸びている. 起始：閉鎖膜の骨盤面，閉鎖孔縁. 停止：小坐骨孔を通って骨盤の外に出て90°折れ曲がって大転子の内側面に付く. 作用：大腿の外旋. 神経支配：仙骨神経叢）. = musculus obturatorius internus; internal obturator muscle.

ob·tu·ra·tor mem·brane 閉鎖膜（閉鎖孔を埋めている強力な線維交織性の薄い膜で，周囲の骨とともに内外閉鎖筋の起始となっている）.

ob·tu·ra·tor nerve 閉鎖神経（腰筋中で第二・第三・第四腰神経からなる腰神経叢から起こり，骨盤縁を横切り閉鎖管を抜けて，大腿にはいる.

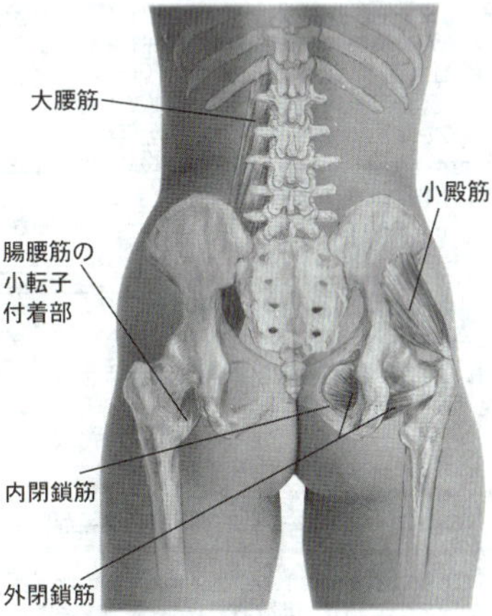
大腰筋
小殿筋
腸腰筋の
小転子
付着部
内閉鎖筋
外閉鎖筋

obturator externus muscle

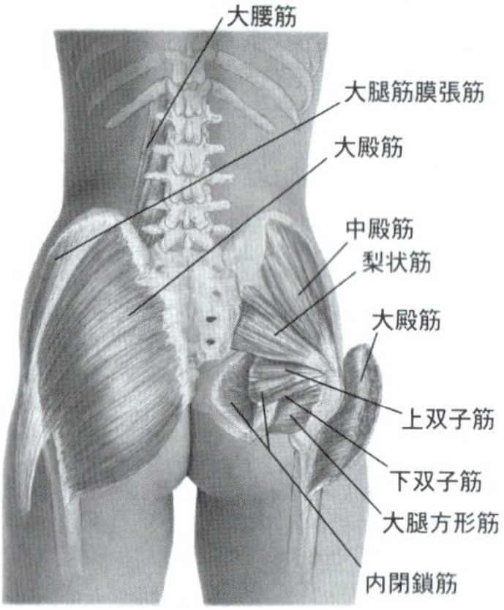
大腰筋
大腿筋膜張筋
大殿筋
中殿筋
梨状筋
大殿筋
上双子筋
下双子筋
大腿方形筋
内閉鎖筋

obturator internus muscle

大腿内側にあって股関節で内転を起こす筋に分布した後，皮枝として終わり，膝より上の大腿内側の小範囲に分布する）. = nervus obturatorius.

ob·tu·ra·tor vein 閉塞静脈（大腿部の股関節，閉鎖筋・外転筋を流れる静脈の融合から成る．閉鎖管から閉鎖動脈の併行静脈として骨盤内に入り，内腰骨静脈に流れ込む）.

ob·tuse（ob-tūs′）. ***1*** 知能の劣った，理解の遅い．***2*** 鈍い（→obtund）.

ob·tu·sion（ob-tū′zhŭn）. ***1*** 感受性の鈍いこと．***2*** 感受性を弱めること，感受性を鈍くすること．

OC oral contraceptive の略．

Oc·cam's ra·zor オッカムのかみそり（科学的単純性の原則．William of Occam（14 世紀の哲学者）は「あることを説明するために導入する仮説は，必要以上に複雑であってはならない」と述べている）.

oc·cip·i·tal（ok-sip′i-tăl）. 後頭の（後頭骨または後頭に関する）.

oc·cip·i·tal ar·ter·y 後頭動脈（外頸動脈より起こり，胸鎖乳突筋枝，乳突枝，硬膜枝，耳介枝，後頭枝，下行枝に分枝する）. = arteria occipitalis.

oc·cip·i·tal bone 後頭骨（頭蓋の後方下部の骨．大きな卵形の穴である大後頭孔を囲む 3 部（底部，後頭顆，後頭鱗）よりなる．頭頂骨および側頭骨に両側で関節し，前方で蝶形骨，下部で環椎と関節する）. = os occipitale.

oc·cip·i·tal ce·re·bral veins 後頭葉静脈（後頭葉の血液を集め上矢状静脈洞や横静脈洞に注ぐ）.

oc·cip·i·tal con·dyle 後頭顆（後頭骨下面にある 2 つの細長い卵形をした関節面で，大後頭孔の両側に 1 つずつあり，環椎と関節をなす）.

oc·cip·i·tal·i·za·tion（ok-sip′i-tăl-ī-zā′shŭn）.

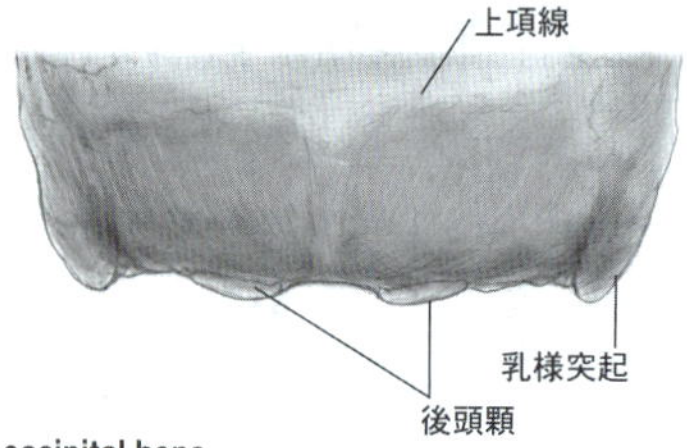
上項線
乳様突起
後頭顆

occipital bone

後頭骨環椎癒合（環椎骨と後頭骨間の骨性強直）.

oc·cip·i·tal lobe of cer·e·brum 後頭葉（大脳半球の後方に存在し，いくぶん錐体状の部分．大脳半球外表面ではあまり明瞭でない脳溝により頭頂葉，側頭葉と分画される．しかし大脳半球内側面では頭頂後頭溝により頭頂葉と明確に区分される）.

oc·cip·i·tal lobe ep·i·lep·sy 後頭葉てんかん（後頭葉から痙攣が起こる局在関連てんかん．症状は通常，発作中の視覚異常を含む）.

oc·cip·i·tal pole of cer·e·brum 大脳の後頭極（各大脳半球の最後岬角．後頭葉の先端）.

oc·cip·i·tal si·nus 後頭静脈洞（静脈洞交会から発し，小脳鎌の基部を下方に進み大後頭孔に達する不対の硬膜静脈洞）.

oc·cip·i·tal vein 後頭静脈，後頭葉静脈（後頭部からの血液を集め内頸静脈あるいは後頭下静脈叢に注ぐ）.

occipito- 後頭または後頭の構造を示す連結形．

oc·cip·i·to·an·te·ri·or po·si·tion（OA） 頭位分娩で，胎児の後頭部が母体の恥骨結合あるいは寛骨臼の右（**right occipitoanterior, ROA**）または左（**left occipitoanterior, LOA**）に向かう胎向．

oc·cip·i·to·fa·cial（ok-sip′i-tō-fā′shăl）. 後頭顔面の（後頭と顔面に関する）.

oc·cip·i·to·fron·tal（ok-sip′i-tō-frŏn′tăl）. 後頭前頭の（①後頭と前頭に関する．②大脳皮質の後頭葉と前頭葉およびこれらの部位を連結する連合路に関する）.

oc·cip·i·to·fron·tal di·am·e·ter 前後径（胎児頭蓋の後頭結節と前頭骨の中央線上の最も突出した点とを結ぶ径線）.

oc·cip·i·to·fron·ta·lis mus·cle 後頭前頭筋（頭蓋表筋の一部．後頭筋腹（後頭筋）は後頭骨より起こり，帽状腱膜に付着．前頭筋腹（前頭筋）は腱膜より起こり，眉毛と鼻の皮膚に付着．作用：頭皮を動かす．神経支配：顔面神経）. = musculus occipitofrontalis; occipitofrontal muscle.

oc·cip·i·to·fron·tal mus·cle 後頭前頭筋. = occipitofrontalis muscle.

oc·cip·i·to·men·tal（ok-sip′i-tō-men′tăl）. 後頭おとがい（頤）の（後頭とおとがいに関する）.

oc·cip·i·to·men·tal di·am·e·ter 大斜径（胎児頭蓋の後頭結節とおとがいの中点を結ぶ径

線).

oc·cip·i·to·pos·te·ri·or po·si·tion (OP) 頭位分娩で，胎児の後頭部が母体の仙骨あるいは右(**right occipitoposterior, ROP**)または左(**left occipitoposterior, LOP**)の腸仙骨部に向かう胎向.

oc·cip·i·to·trans·verse po·si·tion 頭位分娩で，胎児の後頭部が母体骨盤の右(**right occipitotransverse, ROT**)または左(**left occipitotransverse, LOT**)に向かう胎向.

oc·ci·put, gen. **oc·cip·i·tis** (okʹsi-put, ok-sipʹi-tis). 後頭.

oc·clude (ō-klūdʹ). ***1*** 咬合する，閉塞する. ***2*** 封入する（閉塞ウイルスについていう. →occlusion).

oc·clu·sal (ō-klūʹzăl). 咬合〔側〕の，閉口の（①咬合または閉口についていう. ②歯科において，相対する咬合単位(歯または咬合堤)の接触面または臼歯のそしゃく面についていう).

oc·clu·sal ad·just·ment 咬合調整（歯の咬合表面および切縁表面間の調和関係がとれるように行う修正).

oc·clu·sal a·nal·y·sis 咬合分析（対合歯の咬合面の関係と，それらの関連構造への作用を研究すること). = bite analysis.

oc·clu·sal e·quil·i·bra·tion 咬合調整（咬合力を均等化するか，同時に咬合接触させるか，あるいは咬頭関係を整合させるために，削合して歯の咬合面形態を修正すること).

oc·clu·sal film 咬合法（上顎骨および口蓋，または下顎骨および口腔底の広い範囲をみるために行う，口腔内のX線投影. 歯の萌出パターンをみるのに用いる).

oc·clu·sal force 咬合力（相対する歯に筋力が加えられる結果出る力).

oc·clu·sal guard = night guard.

oc·clu·sal im·bal·ance 咬合不調和（閉口運動時および機能的運動時において，上下顎の歯と歯の関係の調和がとれていない状態).

oc·clu·sal po·si·tion 咬合位（顎を閉じ歯を咬合したときの下顎骨と上顎骨の関係. これは中心咬合と一致する場合としない場合とがある).

oc·clu·sion (ō-klūʹzhŭn). ***1*** 閉塞，閉鎖（閉じること，または閉じている状態). ***2*** 吸蔵（化学において，気体が固体内に吸収されること. またはゼラチン状沈殿におけるように，ある物質が他の物質中に含まれること). ***3*** 咬合，かみ合わせ（上下顎の歯の切縁または咬合面の間における接触). ***4*** 咬合位（上下顎の歯列がかみ合ったときの咬合面間の位置関係).

oc·clu·sive (ō-klūʹsiv). 閉塞〔性〕の，閉鎖〔性〕の（閉じるのに役立つ. 外傷をふさぎ空気を遮断するための包帯についていう).

oc·clu·sive dress·ing 閉鎖包帯（創を密閉する包帯).

oc·clu·sive il·e·us 閉塞性イレウス（小腸内腔の機械的な完全閉塞).

oc·clu·sive men·in·gi·tis 閉鎖性髄膜炎（脊髄液通路の閉塞を起こす軟膜炎).

oc·cult (ō-kŭltʹ). ***1*** 〖adj.〗おおい隠された，潜められた，不顕性の. ***2*** 〖adj.〗間接的な証拠または特別な試験によって確認を推測される臨床的に不明確な疾病または出血，感染などの状態に関していう. →occult blood. ***3*** 〖n.〗腫瘍学において，転移が認められるのに臨床的に確認されない原発巣.

oc·cult blood 潜血（糞便に混じる微量の血液. 可視できないが，化学テストで検出可能).

oc·cult cho·roi·dal ne·o·vas·cu·l·ar·i·za·tion 潜在性脈絡膜血管新生（網膜血管造影の後期相にみられる同定不能部分の漏出領域).

oc·cult cleft pa·late 潜在性口蓋裂（硬口蓋の骨または軟口蓋の筋肉は閉鎖していないが，その上にある表面組織が完全に閉鎖している状態). = submucous cleft palate.

oc·cult frac·ture 不顕性骨折（骨折の臨床症状はあるが，X線写真によって証明されない骨折. 3—4週間後に，X線写真上新しい骨形成がみられる).

oc·cult PEEP 潜在性自己陽圧呼気終末圧. = auto-positive-end-expiratory-pressure.

oc·cult pos·te·ri·or la·ryn·ge·al cleft 潜在性後部喉頭裂（→laryngotracheoesophageal cleft).

oc·cu·pa·tion (okʹyū-pāʹshŭn). 職業（通常，何らかの報酬を受け取ることのできる社会貢献活動).

oc·cu·pa·tion·al dis·ease 職業病（職業上の日常作業環境で，病因物質に暴露した結果起こる疾病. *cf.* industrial disease).

oc·cu·pa·tion·al hear·ing loss 職業性難聴. = noise-induced hearing loss.

oc·cu·pa·tion·al per·for·mance 専門能力（概して，ある目的を持った活動に従事する役割で，心理的・社交的な機能に組織的・統合的影響を与える. 興味・自信の回復もしくは維持のため，あるいは身体障害の克服や身体的・心理的病状への様々な徴候を払拭するための専門治療によって得られる).

oc·cu·p·atio·nal pro·file 職業評（人物の職業履歴や日常生活の方式，興味，価値観，そしてニーズを，組織的に表す方法).

oc·cu·pa·tion·al role 仕事，遊び，休息の時間を配分するためにそれらの相互の関連付けをする機能. 学生，配偶者，勤労者，介護者などの役を演じる.

oc·cu·pa·tion·al sci·ence 職業科学（職業が人間の行動に及ぼす影響を研究する学問分野).

oc·cu·pa·tion·al ther·a·pist 専門療法士（文学士または理学士が2年間の専門学習の完了後に与えられる称号. 病気・負傷後の患者を通常生活へ復帰，もしくは継続させるためにその能力を果たす).

oc·cu·pa·tion·al ther·a·py 作業療法（機能の自立を高め，発達を促し，無能力になることを防ぐために，個人生活，仕事，趣味活動を治療的に用いること. 最大の自立と理想的な生活の質を獲得するために仕事や環境へ適応することが含まれる).

oc·cur·rence (ō-kŭrʹĕns). 発生（何らかの出

来事または事件).

OCD obsessive-compulsive disorder の略.

***o*-chlor·o·ben·zyl·i·dene mal·o·non·i·trile** o-クロロベンジリデンマロノニトリル(戦場での催涙ガス,および法の執行における暴動鎮圧用化学剤として広く用いられる化合物. NATO コード CS).

O·cho·a law オチョアの法則(X 染色体上の遺伝情報は系統発生学上,保存されやすい).

och·ra·tox·in (ō-kra-toks′in). オクラトキシン(貯蔵穀粒で生育する *Aspergillus* 属の真菌 *Aspergillus ochraceus* により産生されるマイコトキシン. その穀物を食べた家禽などの動物を侵す).

och·ra·tox·in A オクラトキシン A (*Aspergillus* 属や *Penicillium* 属のある菌種が産生するオクラトキシンで,これらの真菌は主に貯蔵が不適当だと穀類や食物を汚染する. げっ歯類には癌原活性がある).

o·chre co·don オーカーコドン(終止コドン, UAA).

Och·ro·bac·trum (ō-krō-bak′trum). オクロバクトラム属(環境中や水源における分布や培養性状が *Alcaligenes* 属や *Pseudomonas* 属に似たグラム陰性菌の菌属. これらは多くの臨床材料から分離されており,院内感染の菌血症の原因となるようである).

o·chrom·e·ter (ō-krom′ĕ-tĕr). 〔皮膚〕毛細管血圧計(毛細血管圧を測定する器具. 2 本の隣接する指の 1 本を,皮膚が白くなるまでゴム球で締め付け,この変化を起こすのに必要な圧力を水銀柱の高さ(mmHg)で読み取るもの).

o·chro·no·sis (ō-kron-ō′sis). 組織褐変症,オクロノーシス(軟骨の色素沈着を伴うアルカプトン尿を特徴とする. 強膜,唇の粘膜,および耳・顔・手の皮膚も侵される. 尿を放置しておくと黒変し,着色した円柱がみられることがある. 色素沈着は,酸化ホモゲンチシン酸によると考えられている. また,軟骨の変性のため,特に脊椎骨の骨関節症を生じる).

o·chro·not·ic (ō-kron-ot′ik). 組織褐変症の,オクロノーシスの.

OCN oncology certified nurse の略.

oct-, octi-, octo-, octa- 8 を意味する連結形.

oc·ta·fluor·o·pro·pane (ok′tă-flōr′ō-prō′pān). オクタフルオロプロパン(超音波検査用の造影剤).

oc·tan (ok′tan). 八日目ごとの(発作の起こった日を含めて 8 日目ごとに反復する発作,熱病に対して用いる語).

oc·u·lar (ok′yū-lăr). ***1*** 〚adj.〛 = ophthalmic. ***2*** 〚n.〛 接眼レンズ,接眼鏡(顕微鏡の観察者側の 1 枚のレンズまたはレンズ群で,対物レンズにより焦点を結んだ像がこのレンズにより見える).

oc·u·lar al·bin·ism 1 眼白子〔症〕1 型(眼底の無色素および著明な脈絡膜血管,眼球振とう,頭部振せんを特徴とする眼白子症. 視力は通常,障害される. X 染色体短腕の OA1 遺伝子での変異による. X 連鎖遺伝). = Nettleshop-Falls albinism.

oc·u·lar al·bin·ism 2 眼白子〔症〕2 型(眼底の白子症に加えて,黄斑低形成,著明な視力障害,眼球振とう,近視,乱視,および 1 型色覚異常を特徴とする眼白子症). = Forsius-Eriksson albinism.

oc·u·lar al·bin·ism 3 眼白子〔症〕3 型(視力障害,虹彩透光性,先天性眼球振とう,羞明,黄斑低形成を伴う白子状眼底と斜視を特徴とする眼白子症. 第 6 染色体長腕の pinkeye 遺伝子(P)での変異による,常染色体劣性遺伝).

oc·u·lar al·bi·nism 眼白子〔症〕(主に虹彩,脈絡膜,および網膜の色素上皮における色素欠如で難聴を伴う. X 連鎖遺伝).

oc·u·lar cic·a·tri·cial pem·phi·goid 眼瘢痕性類天疱瘡(結膜,口腔,および腟粘膜の癒着と進行性の瘢痕と萎縮をきたす慢性疾患).

oc·u·lar dys·me·tri·a 眼ディスメトリア(目標物注視の際に行き過ぎてしまう眼球異常運動).

oc·u·lar hu·mor 眼水(眼の 2 液素すなわち房水および硝子体の総称).

oc·u·lar hy·per·tel·or·ism 両眼隔離〔症〕(両眼の間が異常に広いことで,蝶形骨の発育の拡大による. 他に先天奇形,精神遅滞と関連している). = Greig syndrome; Opitz BBB syndrome; Opitz G syndrome.

oc·u·lar·ist (ok′yū-lăr-ist). 義眼製造者(義眼の設計,製作と調整および眼の外観と機能をもった人工器官を作製するのに長じた者).

oc·u·lar lar·va mi·grans gran·u·lo·ma 眼幼虫徘徊性肉芽腫(眼内で死滅した寄生虫(通常 *Toxocara* 属の種)周囲にみられる好酸性肉芽. 網膜芽細胞腫に類似することがある).

oc·u·lar ten·sion (Tn) 眼圧(変形に対する眼球の抵抗. 触診により推定または眼圧計により測定されうる).

oc·u·lar ver·ti·go 視性めまい(外筋の反射誤差または不均衡によるめまい感).

oc·u·li (ok′yu-lī). oculus の複数形.

oc·u·list (ok′yū-list). 眼科医. = ophthalmologist.

oculo- 眼,眼の,を意味する連結形. →ophthalmo-.

oc·u·lo·cu·ta·ne·ous (ok′yū-lō-kyū-tā′nē-ŭs). 眼皮膚の(眼と皮膚に関する).

oc·u·lo·dyn·i·a (ok′yū-lō-din′ē-ă). 眼球痛.

oc·u·lo·fa·cial (ok′yū-lō-fā′shăl). 眼顔面の(眼と顔面に関する).

oc·u·log·ra·phy (ok′yū-log′ră-fē). 眼球運動記録法(眼の位置と動きを記録する方法).

oc·u·lo·gy·ri·a (ok′yū-lō-jī′rē-ă). 動眼限界(眼球回転の限界).

oc·u·lo·gy·ric (ok′yū-lō-jī′rik). 動眼の,注視の(眼球の回転運動についていう. 動眼限界を特徴とする).

oc·u·lo·mo·tor (ok′yū-lō-mō′tŏr). ***1*** 眼球運動の,眼球運動を起こす. ***2*** 動眼神経の.

oc·u·lo·mo·tor nerve [CN III] 動眼神経(第三脳神経(CN III). 外側直筋と上斜筋を除くすべての外眼筋に分布する第三脳神経. 上眼瞼挙筋にも線維を送り,さらに副交感性節前線維を毛様体神経節に送り毛様体筋,瞳孔括約筋を支配する．中脳水道下の中脳から起こり，脚間窩で脳から出る．硬膜を突き抜け後床突起の外側に至り，海綿静脈洞外壁内を通り上眼窩裂から眼窩にはいる）．= nervus oculomotorius; third cranial nerve.

oc·u·lo·mo·tor nu·cle·us 動眼神経核（外側直筋および上斜筋を除き，上眼瞼挙筋を含むすべての外眼筋を支配している運動ニューロンの複合群．最も吻側の部分は Edinger-Westphal 核で，毛様体神経節を介して瞳孔括約筋，毛様体筋を支配している．動眼神経核は中脳の上半分にあり，正中線の近くで中心灰白質の最も腹側部に位置を占め，内側縦束の線維はその外側縁をなしている）．

oc·u·lo·na·sal (ok′yū-lō-nā′zăl)．眼鼻の（眼と鼻に関する）．

oc·u·lo·pha·ryn·ge·al dys·tro·phy 眼咽頭筋ジストロフィ（優性遺伝を呈し，慢性進行性の外眼筋麻痺．通常は中年から老年になって発症する．慢性の眼瞼下垂に，えん下困難を合併することがある．多くの発病者はフランス系カナダ人である）．

oc·u·lo·pleth·ys·mog·ra·phy (ok′yū-lō-pleth-iz-mog′ră-fē)．眼動脈の分枝から伝播する，眼圧変化の患側と同側の遅延を測定することによる，眼頸動脈狭窄または閉塞の血行動態の間接的測定．

oc·u·lo·pneu·mo·pleth·ys·mog·ra·phy (ok′yū-lō-nū′mō-pleth-iz-mog′ră-fē)．内頸動脈の血圧，血流を反映する眼動脈圧の両側性測定法．→oculoplethysmography.

oc·u·lo·pu·pil·lar·y (ok′yū-lō-pyū′pi-lar-ē)．眼瞳孔の（眼と瞳孔についていう）．

oc·u·lo·sym·pa·thet·ic (ok′yū-lō-sim-pă-thet′ik)．眼交感神経系の（眼の交感神経系に関する．その障害は Horner 症候群を生じる）．

oc·u·lo·zy·go·mat·ic (ok′yū-lō-zī-gō-mat′ik)．眼頬骨の（眼窩またはその縁および頬骨に関する）．

oc·u·lus, gen. & pl. **oc·u·li** (ok′yū-lŭs, -lī)．眼，め．= eye(1).

ocy- →oxy-.

OD overdose(過剰投与); optical density(→absorbance); oculus dexter(右眼); Doctor of Optometry の略．

od (od)．オッド（磁力により神経系に働くと仮定される力）．

o·dax·et·ic (ō′dak-set′ik)．***1***〖adj.〗蟻走感またはかゆみを起こす．***2***〖n.〗蟻走感またはかゆみを起こす物質または薬物．

OD'd (ō-dēd′)．overdose の略語．通常，ヘロイン等の不法薬物の過剰摂取によって有害影響を被った人間を指す．

-odes …の形の，…に類似している意を表す接尾語．

odont-, odonto- 歯を意味する連結形．

o·don·tal·gi·a (ō-don-tal′jē-ă)．歯痛．= toothache.

o·don·tal·gic (ō-don-tal′jik)．歯痛の．

o·don·tec·to·my (ō-don-tek′tŏ-mē)．抜歯（抜歯のための力を加える前に歯根周囲の骨を切除し，粘膜性骨膜弁を反転して歯を抜去する方法）．

-odontia, -odontic 歯，歯科を意味する連結形．

o·don·ti·a·sis (ō′don-tī′ă-sis)．生歯（特に乳歯が萠出すること）．

o·don·to·blast (ō-don′tō-blast)．ぞうげ芽細胞（ぞうげ質を形成する細胞で，神経堤由来の間葉より分化し，歯髄腔を裏打ちする）．

o·don·to·blas·tic lay·er ぞうげ芽細胞層（歯髄の辺縁にある結合組織細胞層）．

o·don·to·blas·to·ma (ō-don′tō-blas-tō′mă)．ぞうげ芽細胞腫，歯牙細胞腫（①新生上皮と，石灰化した歯様物質を生成できる細胞へと分化する間葉細胞とからなる腫瘍．②初期の歯牙腫）．

o·don·to·clast (ō-don′tō-klast)．破歯細胞（乳歯の根を吸収すると考えられる細胞）．

o·don·to·dys·pla·si·a (ō-don′tō-dis-plā′zē-ă)．歯牙形成不全〔症〕（1 本または隣りあう数本の歯における病因不明の発育障害．エナメル質およびぞうげ質の形成不全が特徴的であり，その結果，異常に大きな歯髄腔を認め，X 線写真上ではゴースト像を呈する．このような歯は萠出遅延を起こしやすい）．

o·don·to·gen·e·sis (ō-don′tō-jen′ĕ-sis)．歯牙発生，歯牙形成．= odontogeny; odontosis.

o·don·to·gen·ic cyst 歯原性嚢胞（歯原性上皮に由来する嚢胞）．

o·don·to·gen·ic ke·ra·to·cyst 歯原性角化嚢胞（歯堤由来の嚢胞．再発しやすく，波状に錯角化した表面，一様に薄い上皮，柵状に配列した基底層など，明らかな組織学的特徴を有する．基底細胞母斑症候群の一徴候）．

o·don·tog·e·ny (ō′don-toj′ĕ-nē)．= odontogenesis.

o·don·to·glyph·ics (ō-don′tō-glif′iks)．オドントグリフィックス（指紋のように，個人特有の型によって決まる臼歯裂溝の分類法）．

o·don·toid (ō-don′toyd)．歯状の，歯のような（①歯に類似した形についていう．②第二頸脊椎の歯突起についていう）．

o·don·toid pro·cess of ep·i·stro·phe·us 〔軸椎〕歯突起．= dens(2).

o·don·tol·o·gy (ō′don-tol′ŏ-jē)．歯〔科〕学（歯そのものや歯の支持構造についての学問）．

o·don·tol·y·sis (ō′don-tol′i-sis)．歯質吸収．= erosion(3).

o·don·to·ma (ō′don-tō′mă)．歯牙腫（①歯の発生に由来する腫瘍．②過誤腫性の歯原性腫瘍で，エナメル質，ぞうげ質，セメント質，および歯髄組織よりなり，それらが通常の歯の形をなすものとなさないものとがある）．

o·don·to·neu·ral·gi·a (ō-don′tō-nū-ral′jē-ă)．歯性神経痛（う食歯によって起こる顔面神経痛）．

o·don·ton·o·my (ō′don-ton′ŏ-mē)．歯科命名法．

o·don·top·a·thy (ō′don-top′ă-thē)．歯科疾患（歯または歯槽の疾患）．

o·don·to·plas·ty (ō-don′tō-plas-tē)．歯冠形態修正（歯の一部を形成すること．治療や美容目的のために行われる).
o·don·to·sis (ō′don-tō′sis). = odontogenesis.
o·don·tot·o·my (ō′don-tot′ŏ-mē). 予防的歯の開削法.
o·dor (ō′dŏr). 香り，におい，臭気 (嗅覚感覚細胞を刺激する物質からの放散物). = smell(3).
ODTS organic dust toxic syndrome の略.
odyn-, odyno- 痛みに関する連結形.
o·dyn·a·cu·sis (ō-din′ă-kyū′sis). 騒音耳痛 (聴器官の感覚過敏. したがって，音が実際の疼痛を起こす).
o·dy·nom·e·ter (ō′di-nom′ĕ-tĕr). 痛覚計. = algesiometer.
o·dyn·o·pha·gi·a (ō-din′ō-fā′jē-ă). えん(嚥)下痛.
oe- この形で始まり以下に記載のない語については e- の項参照.
oedema [Br.]. = edema.
oedematous [Br.]. = edematous.
oe·di·pal phase エディプス期 (精神分析理論において，両親のうち異性の親に性愛的な愛着をもつが，同性の親に対する恐怖のために抑圧されている時期. 通常 3—6 歳までの間に起こる).
oe·di·pism (ed′i-pizm). エディピズム (①眼に自ら傷をつけること，通常，摘出の試み. ② Oedipus コンプレックスの顕現).
Oed·i·pus com·plex エディプス・コンプレックス (一般に 3—6 歳の男児にみられる，発達過程における明確な一群の連想観念，目的，本能的衝動，恐怖など. この期間は精神・性的発達の男根期の頂点と一致し，子供の性的興味は主として異性の親に向けられ，同性の親に対し攻撃的感情をもつ. 精神分析理論において，去勢コンプレックスがこれに代わって出現する).
oenology [Br.]. = enology.
oenomania [Br.]. = delirium tremens.
OER oxygen enhancement ratio の略.
oer·sted (er′sted). エルステッド (磁場の強さの CGS 電磁単位. 1 エルステッドは単位磁極に 1 ダインの力を及ぼす磁場の強さ. $(1{,}000/4\pi)$ A/m に等しい).
oesophageal [Br.]. = esophageal.
oesophageal achalasia [Br.]. = esophageal achalasia.
oesophageal hiatus [Br.]. = esophageal hiatus.
oesophageal lead [Br.]. = esophageal lead.
oesophageal reflux [Br.]. = esophageal reflux.
oesophageal speech [Br.]. = esophageal speech.
oesophageal varices [Br.]. = esophageal varices.
oesophageal veins [Br.]. = esophageal veins.
oesophagectasia [Br.]. = esophagectasia.
oesophagectasis [Br.]. = esophagectasis.
oesophagectomy [Br.]. = esophagectomy.
oesophagi [Br.]. = esophagi.
oesophagism [Br.]. = esophagism.
oesophagitis [Br.]. = esophagitis.
oesophagocardioplasty [Br.]. = esophagocardioplasty.
oesophagocele [Br.]. = esophagocele.
oesophagoduodenostomy [Br.]. = esophagoduodenostomy.
oesophagoenterostomy [Br.]. = esophagoenterostomy.
oesophagogastrectomy [Br.]. = esophagogastrectomy.
oesophagogastric junction [Br.]. = esophagogastric junction.
oesophagogastroanastomosis [Br.]. = esophagogastroanastomosis.
oesophagogastroduodenoscopy [Br.]. = esophagogastroduodenoscopy.
oesophagogastroplasty [Br.]. = esophagogastroplasty.
oesophagogastrostomy [Br.]. = esophagogastrostomy.
oesophagogram [Br.]. = esophagogram.
oesophagography [Br.]. = esophagography.
oesophagomalacia [Br.]. = esophagomalacia.
oesophagomyotomy [Br.]. = esophagomyotomy.
oesophagoplasty [Br.]. = esophagoplasty.
oesophagoplication [Br.]. = esophagoplication.
oesophagoptosia [Br.]. = esophagoptosia.
oesophagoptosis [Br.]. = esophagoptosis.
oesophagoscope [Br.]. = esophagoscope.
oesophagoscopy [Br.]. = esophagoscopy.
oesophagospasm [Br.]. = esophagospasm.
oesophagostenosis [Br.]. = esophagostenosis.
oesophagostomiasis [Br.]. = esophagostomiasis.
Oe·soph·a·gos·to·mum (ē-sof′ă-gos′tō-mŭm). 腸結節虫属 (線虫(円虫上科)の一属で，動物の腸管に寄生する. 幼虫は腸壁に被嚢する).
oesophagostomy [Br.]. = esophagostomy.
oesophagotomy [Br.]. = esophagotomy.
oesophagus [Br.]. = esophagus.
oestradiol [Br.]. = estradiol.
oestriol [Br.]. = estriol.
oestrogen [Br.]. = estrogen.
oestrogenic [Br.]. = estrogenic.
oestrogen receptor [Br.]. = estrogen receptor.
oestrogen replacement therapy [Br.]. = estrogen replacement therapy.
oestrone [Br.]. = estrone.
oestrous cycle [Br.]. = estrous cycle.
oestrual [Br.]. = estrual.
oestruation [Br.]. = estruation.
oestrus [Br.]. = estrus.
of·fice hy·per·ten·sion オフィス高血圧. = white coat hypertension.
Of·fice of In·spec·tor Gen·er·al (OIG) 監察総局 (政府の健康管理計画内に存在する不正を調査，起訴する政府(連邦・州)機関).
Of·fice of the In·spec·tor Gen·er·al's (OIG) work plan 監察総局 (監査総局が連邦政府による「医療保障の不正と乱用に対する発議」に基づき作成する年次計画書).

of·fi·cial (ŏ-fish′ăl). 局方の，公定書収載の（薬局方で標準品として認められた医薬品や製剤についていう）.

of·fi·cial for·mu·la 公定処方（薬局方または国民医薬品集に記載されている処方）.

off-la·bel in·di·ca·tion 適応外使用（薬物をFDAで承認されている以外の目的で治療に用いること）.

off-site tran·scrip·tion 外部での文書作成（健康管理設備外で行われる文書作成制度．衛星設備，在宅での文書作成，または医療文書作成業務が利用される）. = remote transcription.

off-ver·ti·cal ro·ta·tion 垂直線外回転（身体の軸と中心を異にする軸のまわりでの回転）.

O·fu·ji dis·ease オフジ病. = eosinophilic pustular folliculitis.

Og·il·vie syn·drome オジルヴィ症候群（偽性の閉塞で，主に結腸に起こり，物理的な閉塞はなく，運動障害の結果生じると考えられている）.

O·gi·no-Knaus rule 荻野-クナウスの学説（月経周期において，妊娠が最も起こりやすい時期は，両月経期間の中間ごろであるという法則．卵の受精は月経直前直後が最も起こりにくい．避妊のリズム法の根拠）.

Og·ston line オグストン線（大腿骨の内転筋結節から顆間切痕へ引いた線．X脚の内側顆の切除に対する指標となる）.

O·gu·chi dis·ease 小口病（まれな先天性非進行性夜盲症で，眼底の色調がびまん性に黄色や灰色を呈する．2，3時間の完全暗順応で眼底の色調は正常になる．常染色体劣性遺伝を示し，第2染色体長腕にあるアレスチン遺伝子 *(SAG)* の変異，あるいは第13染色体長腕のロドプシンキナーゼ遺伝子 *(RHOK)* の変異による）.

O·gu·ra op·er·a·tion オグラ手術（上歯窩につくられた開口部から眼窩底を除去し眼窩を減圧する方法）.

O·har·a dis·ease 大原病（註日本にこの呼称はない）. = tularemia.

OHI-S Simplified Oral Hygiene Index の略.

ohm(ω) (ōm). オーム（電気抵抗の実用単位．1V起電力下で1Aの電流を流しうる任意の導体の抵抗．註オームは国際単位系(SI)でも電磁抵抗の組立単位となっている）.

Ohm law オームの法則（導線を電流が流れるとき，電流の強さ(アンペア：*I*)は起電力(ボルト：*E*)に正比例し，抵抗(オーム：*R*)に反比例する．$I = E/R$）.

oh·ne Hauch 寒天培地上での無べん毛細菌の非拡散性生育を示すのに用いる語．菌体凝集反応を示すときにも用いられる．→O antigen.

Ohn·gren line オーングレン線（内眼角より下顎角を通る理論上の平面．この面により上顎洞癌を分類する．上後部型は早期に周囲組織に進展し予後が悪く，下前部型は予後が比較的良い）.

OI osteogenesis imperfecta の略.

OID object-to-image distance の略.

-oid 類似していることを表す接尾語．ギリシア語を語根とする語に正しく接続される．form と同義.

o·id·i·o·my·cin (ō-id′ē-ō-mī′sin). オイディオマイシン（ある種のカンジダに感染した患者において，皮膚の過敏性を証明するのに用いる抗原．各種皮膚抗原に対して反応してしまう免疫不全の患者の反応性を検証するのに用いる一連の抗原）.

OIG Office of Inspector General の略.

oil (oyl). 油（油状粘度をもち，滑らかな感触で水に不溶，アルコールには可溶または不溶性，エーテルには易溶性で可燃性の液体．起源に従えば動物性，植物性，および鉱物性の油に分類される(元来，鉱物油は動物および植物に由来したものと思われる)．また，脂肪油(固定油)と揮発油とに分類され，乾燥性油と非乾燥性(脂肪性)油にも分類され，前者は空気にさらしておくと次第に濃くなり，最終的には乾燥し，ワニスになる．後者は乾燥しないが，さらしておくと悪臭を放つ傾向を示す．揮発性油，不揮発性油とも医学で用いられる．個々の油については特定名を参照）.

oil re·ten·tion en·e·ma 油性停留浣腸（便を軟らかくするために，排便の前数時間にわたり鉱油を低圧で注入し停留させる直腸注入）.

oil of vi·tri·ol ビトリオール油. = sulfuric acid.

oint·ment (oynt′mĕnt). 軟膏〔剤〕（通常，医薬品を含有し，外用につくられた半固体製剤）. = salve; unguent.

OKT cells OKT細胞（Tリンパ球抗原に対するモノクローナル抗体で分類される細胞．近年ではCD分類に従うのが一般的である）.

-ol アルコールまたはフェノールであることを示す接尾語.

Old·field syn·drome オールドフィールド症候群（家族性大腸ポリポーシス）.

Old World leish·man·i·a·sis 旧世界リーシュマニア症. = cutaneous leishmaniasis.

-ole 小さな，小型の，を意味する連結形.

o·le·ag·i·nous (ō-lē-aj′i-nŭs). 油性の.

o·le·ate (ō′lē-āt). ***1*** オレイン酸塩またはエステル. ***2*** オレイン酸剤，油酸剤（アルカロイドまたはオレイン酸の金属塩の混合物または溶液からなる米国局方製剤．塗擦剤として用いる）.

o·lec·ra·non (ō-lek′ră-non). 肘頭（肘の端．尺骨の近位端にある，隆起して曲がっている部分．この上外側面は上腕三頭筋の腱の付着部で，腹側面は滑車切痕になっている）. = elbow bone; point of elbow.

ole·fin (ō′lĕ-fin). オレフィン. = alkene.

oleo- 油に関する連結形. →eleo-.

o·le·o·sa (ō-lē-ō′să). 油〔性〕の，油っこい.

o·les·tra オレストラ（加熱に対して安定しているが，脂肪酸と脂溶性ビタミンの吸収も抑える脂質．いくつかの有害作用が報告されている）.

o·le·um car·i = caraway.

ol·fac·tion (ōl-fak′shŭn). = osphresis. ***1*** 嗅覚. = smell(2). ***2*** 嗅覚作用（嗅ぐ行為）.

ol·fac·to·ry (ōl-fak′tŏr-ē). 嗅覚の（← olfaction）. = osphretic.

ol·fac·tory ag·no·si·a 嗅覚脱失（におい刺激物質を分類あるいは同定することができない

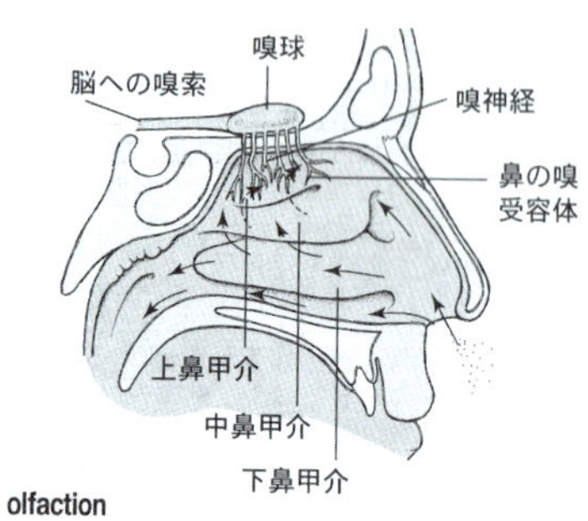
嗅球
脳への嗅索
嗅神経
鼻の嗅
受容体
上鼻甲介
中鼻甲介
下鼻甲介
olfaction

こと．ただしにおい刺激物質を区別したり感知する能力は正常であることもある．全般的，部分的，あるいは特異的である場合がある）．

ol·fac·tory au·ra 嗅覚前兆（嗅覚の錯覚または幻覚を特徴とするてんかんの前兆．→aura (1)）．

ol·fac·to·ry bulb 嗅球（灰色の膨らんだ嗅索の前端．篩骨篩板上にあって嗅覚線維を受ける）. = bulbus olfactorius.

ol·fac·to·ry ep·i·the·li·um 嗅上皮（一種の多列上皮で嗅細胞，受容器細胞，軸索が脳の嗅球まで達する神経細胞を含む）．

ol·fac·to·ry fo·ra·men 嗅神経孔（篩骨篩板に開いている孔で，嗅神経を通過させる）．

ol·fac·to·ry glands 嗅腺（鼻腔嗅部の粘膜にある分岐管状胞状漿液分泌腺(Bowman 腺)）．

ol·fac·to·ry mem·brane 嗅膜（嗅覚の受容器細胞と嗅腺を有する鼻粘膜の部分）．

ol·fac·to·ry nerve［CN I］ 嗅覚神経（嗅覚器官の繊状組織を表す総称．その組織は，ミエリン鞘で覆われていない軸索突起によって作られる細い線維束である．その軸索突起は鼻粘膜内の嗅覚局地にある，8—10 の両極嗅覚器官細胞から成る．嗅覚器官の繊状組織は篩骨の小孔質板を通り抜け，嗅球に進入する．そこで組織は，僧帽細胞，房状細胞，そして顆粒細胞とのシナプス接触をもって終点する）. = nervi olfactorii; nervus olfactorii［CN I］; first cranial nerve［CN I］.

ol·fac·to·ry re·cep·tor cells 嗅〔覚〕受容〔器〕細胞（大型核をもつ非常に細長い神経細胞で，鼻根の嗅上皮で 6—8 本の長い感覚毛によっておおわれる．嗅覚の受容器）．

ol·fac·to·ry sul·cus 嗅溝（大脳の前頭葉の下面あるいは眼窩面にある矢状溝．直回と眼窩回とを区分しており，眼窩面上で嗅球と嗅索におおわれている）．

o·lib·a·num (ō-lib′ă-nŭm)．乳香（カンラン科 *Boswellia* 属のある種の木から採れるゴム樹脂で，気管支炎の去痰薬，燻蒸，または焼香に用いる）. = frankincense; thus.

oligaemia［Br.］. = oligemia.

oligaemic［Br.］. = oligemic.

ol·i·ge·mi·a (ol-i-jē′mē-ă)．血液過少（減少）〔症〕，乏血〔症〕（全身，臓器または組織の血液量の不足）. = oligaemia.

ol·i·ge·mic (ol-i-jē′mik)．血液過少(減少)〔症〕の，乏血〔症〕の. = oligaemic.

ol·i·go (ol′i-gō)．オリゴ（分子遺伝学において，オリゴヌクレオチドのこと）．

oligo-, olig- *1* 少数，少量を表す連結形．*2* 化学用語において，重合体を示す poly- とは対照的に用いる．例えば oligosaccharide など．

ol·i·go·am·ni·os (ol′i-gō-am′nē-os)．羊水過少〔症〕. = oligohydramnios.

ol·i·go·clo·nal band オリゴクローナルバンド（髄液電気泳動でガンマグロブリン領域にみられる互いに分離した数本の細いバンド．中枢神経系内で免疫グロブリンが産生されていることを示す．多発性硬化症でしばしばみられるが，中枢神経系の梅毒，サルコイドーシス，慢性炎症などでもみられることがある）．

ol·i·go·cys·tic (ol′i-gō-sis′tik)．寡嚢胞性の（数個の小嚢胞で構成される）．

o·l·i·go·dac·ty·ly, ol·i·go·dac·tyl·i·a (ol′i-gō-dak′ti-lē, -dak-til′ē-ă)．指(趾)不足〔症〕，乏指(趾)〔症〕. = hypodactyly.

ol·i·go·den·dri·a (ol′i-gō-den′drē-ă). = oligodendroglia.

ol·i·go·den·dro·cyte (ol′i-gō-den′drō-sīt)．希(乏)突起〔神経〕膠細胞．

ol·i·go·den·drog·li·a (ol′i-gō-den-drog′lē-ă)．希(乏)突起〔神経〕膠細胞（神経細胞とともに中枢神経系組織を構成する 3 型の神経膠細胞の 1 つ(他の 2 つは，星状膠細胞および小膠細胞)．特徴として種々の数のベール様またはシーツ様の突起を有し，それぞれ軸索の周囲を包み，中枢神経線維のミエリン鞘を形成する）. = oligodendria.

ol·i·go·den·dro·gli·o·ma (ol′i-gō-den′drō-glī-ō′mă)．希(乏)突起〔神経〕膠腫（希突起神経膠細胞由来の，比較的緩慢に成長する，比較的まれな神経膠腫で，成人の大脳に最も頻繁に生じる）．

ol·i·go·dip·si·a (ol′i-gō-dip′sē-ă)．乏渇感〔症〕（渇感が異常に乏しいこと．→hypodipsia）．

ol·i·go·don·ti·a (ol′i-gō-don′shē-ă)．乏歯〔症〕. = hypodontia.

ol·i·go·dy·nam·ic (ol′i-gō-dī-nam′ik)．微量作用の（ごく微量でも効力を有する）．

ol·i·go·ga·lac·ti·a (ol′i-gō-gă-lak′tē-ă)．乳汁〔分泌〕過少〔症〕（乳汁の分泌がわずかである，または不十分であること）．

ol·i·go-α1,6-glu·co·si·dase (ol′i-gō glū-kō′si-dās)．オリゴ-α-1,6-グルコシダーゼ（α-アミラーゼによりデンプンおよびグリコゲンから生成されるイソマルトースおよびデキストリン中の α-1,6 結合を開裂するグルカノヒドロラーゼ．十二指腸へ分泌される．この酵素の欠損により，限定デキストリンの腸内消化が欠損する．→sucrose α-D-glucohydrolase）．

ol·i·go·hy·dram·ni·os (ol′i-gō-hī-dram′nē-os)．羊水過少〔症〕（羊水量が不十分な状態(満期で 300 mL 未満)）. = oligoamnios.

ol·i·go·men·or·rhe·a (ol′i-gō-men-ō-rē′ă). 希発月経，過少月経. = oligomenorrhoea.

oligomenorrhoea [Br.]. = oligomenorrhea.

oligomerisation [Br.]. = oligomerization.

o·li·go·mer·i·za·tion (ol′i-gō-mĕr-ī-zā′shŭn). オリゴマー形成（大きな分子や小さな分子によるオリゴマーの形成）. = oligomerisation.

ol·i·go·mor·phic (ol′-i-gō-mōr′fik). 乏形の，少〔数〕形〔態〕の（形の変化がほとんどない．多形でない）.

ol·i·go·nu·cle·o·tide (ol′i-gō-nū′klē-ō-tīd). オリゴヌクレオチド（少数の核酸(標準的には20以下)の縮合によってできた化合物．*cf.* polynucleotide）.

ol·i·go·pep·tide (ol′igō-pep′tīd). オリゴペプチド（分子中に約20個までのアミノ酸残基を含有するペプチド）.

ol·i·gop·ne·a (ol′i-gop-nē′ă). 呼吸数減少. = hypopnea.

ol·i·gop·ty·a·lism (ol′i-gop-tī′ă-lizm). 唾液過少〔症〕（唾液の分泌が乏しいこと）.

ol·i·gor·i·a (ol′i-gōr′ē-ă). 病的無関心，関心薄弱（ある種のうつ病で，人または物に対して異常に無関心または嫌悪感をもつこと）.

ol·i·go·sac·cha·ride (ol′i-gō-sak′ă-rīd). 寡糖類，少糖，オリゴ糖（少数の単糖が縮合してできた化合物．*cf.* polysaccharide）.

ol·i·go·sper·mi·a, ol·i·go·sper·ma·tism (ol′i-gō-spĕrm′ē-ă, -mă-tizm). 精子過少(減少)〔症〕（陰茎射精における精子の濃度が正常以下であること）. = oligozoospermia.

ol·i·go·sy·nap·tic (ol′i-gō-si-nap′tik). 乏シナプスの（多シナプスな経路とは対照的に，ごく少数のシナプス連結のみで分断された，すなわちごく少数の神経細胞の連続からできている神経伝達経路についていう）. = paucisynaptic.

ol·i·go·tro·phi·a, ol·i·got·ro·phy (ol′i-gō-trō′fē-ă, -got′rō-fē). 栄養不良.

ol·i·go·zo·o·sper·mi·a (ol′i-gō-zō′ō-spĕrm′ē-ă). 精子過少(減少)〔症〕. = oligospermia.

ol·i·gu·ri·a (ol′i-gyūr′ē-ă). 尿量過少(減少)〔症〕，乏尿〔症〕（排尿が乏しいこと(24時間に500 mL未満)で，代謝産物の排出に障害をきたす）.

o·lis·thy (ō-lis′thē). 骨ずれ（通常の身体構造から，骨がずれること）.

o·li·va, pl. o·li·vae (ō-lī′vă, -vē). オリーブ（延髄の前外側面，錐体路の外側にある卵形の滑らかな隆起で，下オリーブ核にあたる）. = corpus olivare; olive(1).

ol·i·var·y (ol′i-var-ē). ***1*** オリーブの．***2*** オリーブ様の，オリーブ状の.

ol·ive (ol′iv). オリーブ（①= oliva．②モクセイ科 *Olea* 属の木またはその果実を表す一般名）.

ol·i·vif·u·gal (ol′i-vif′yū-găl). オリーブ核から離れる.

ol·i·vip·e·tal (ol′i-vip′ĕ-tăl). オリーブ核へ向かう.

ol·i·vo·pon·to·cer·e·bel·lar (ol′i-vō-pon′tō-ser′ĕ-bel′ăr). オリーブ橋小脳の（オリーブ核，橋底，小脳についていう）.

Ol·li·er graft オリエ移植〔片〕（薄い中間層皮膚移植片）. = Ollier-Thiersch graft.

Ol·li·er the·o·ry オリエ説（代償性成長説．1つの骨の関節端を切除すると，後にその関節の構成にあずかっている他の骨の関節軟骨の成長が増加するという説）.

Ol·li·er-Thiersch graft オリエ-ティールシュ移植〔片〕. = Ollier graft.

Olm·sted syn·drome オルムステッド症候群（先天性の掌蹠および口囲の角化症で，屈曲拘縮と指趾の自然脱落を生じる）.

-ology ***1*** 研究を意味する接尾語．***2*** =-logia.

-olol ベータ遮断薬を意味する連結形.

OM otitis mediaの略.

-oma, -omata 腫瘍あるいは新生物を意味する接尾語.

O·ma·ha sys·tem オマハ方式（個々の患者，家族，共同体を含むデータを管理するための分類方式．データは3つの要素(問題・治療処置・結果)のもとで編成される）.

o·mal·gi·a (ō-mal′jē-ă). 肩痛.

o·me·ga (ō-mā′gă). ***1*** オメガ（ギリシア語アルファベットの24番目，最後の文字 ω）．***2*** = ohm.

o·me·ga-6 fat·ty ac·id (ω) オメガ6脂肪酸（最初の二重結合がメチル端から6番目と7番目の炭素原子間にある，不飽和結合が多い脂肪酸）.

o·me·ga-9 fat·ty ac·id (ω) オメガ9脂肪酸（最初の二重結合がメチル端から9番目と10番目の炭素原子間でにある，不飽和結合が多い脂肪酸）.

o·me·ga (ω)-3 fat·ty ac·ids ω-3脂肪酸（食物中に含まれる多価不飽和脂肪酸の総称で，α-リノレン酸，エイコサペンタエン酸(EPA)，ドコサヘキサエン酸(DHA)が含まれる．コレステロールとLDL濃度の低下作用があるという報告がある）.

o·me·ga-ox·i·da·tion the·o·ry オメガ酸化説（脂肪酸の酸化は CH_3 基から始まる．それは末端基つまりオメガ基である．次いで脂肪酸鎖の両端でベータ酸化が進む）.

O·menn syn·drome オーメン症候群（急速に死に至る常染色体劣性の免疫不全症で，紅皮症，下痢，反復性感染症，肝脾腫，好酸球増多症を伴う白血球増多症を特徴とする．常染色体劣性遺伝．第11染色体長腕に存在する組み換え活性遺伝子1(RAG1)か近隣のRAG2遺伝子の変異による）.

o·men·tal (ō-men′tăl). 大網の. = epiploic.

o·men·tal ap·pen·dices 腹膜垂（直腸を除く大腸をおおう漿膜(腹膜)から突出する多数の小突起または小嚢で，中に脂肪を入れる．横行結腸とS状結腸に最も顕著で，自由ひも沿いに最も多い）. = appendices omentales.

o·men·tal bur·sa 網嚢（腹膜腔の分離した部分で，胃の背側にあり，上後方は肝臓および横隔膜まで，下方は大網内まで広がる．網嚢孔のところで腹腔に開く）.

o·men·tal flap 大網弁（血行を伴った大網の一区域をそのままの茎としてあるいは遊離組織と

して遠方へ移植し，動静脈交通による血流再開通を得る）．

o·men·tal for·a·men 網嚢孔（腹腔と盲嚢をつないでいる肝門下後方の通路で，前方は肝十二指腸間膜，後方は下大静脈をおおう腹膜ひだで形成されている）．

o·men·tal graft 大網移植〔片〕. = omental flap.

o·men·tec·to·my（ō′men-tek′tŏ-mē）．大網切除〔術〕．

o·men·ti·tis（ō′men-tī′tis）．大網炎（網を含む腹膜炎）．

omento-, oment- 網に関する連結形. →epiplo-.

o·men·to·fix·a·tion（ō-men′tō-fik-sā′shŭn）. = omentopexy.

o·men·to·pex·y（ō-men′tō-pek-sē）．大網固定〔術〕（①門脈の側副血行を促進するために大網を腹壁に縫合すること．②動脈血行を促すために大網を他の臓器に縫合すること．→omentoplasty）. = omentofixation.

o·men·to·plas·ty（ō-men′tō-plas-tē）．大網形成〔術〕（欠損部を被覆または補充して，動脈や門脈の血行を促進し，または滲出液を吸収してリンパ液の排出を増加させるために行う大網の処置．→omentopexy）．

o·men·tor·rha·phy（ō′men-tōr′ă-fē）．大網縫合〔術〕（大網における開口部の縫合）．

o·men·tum, pl. **o·men·ta**（ō-men′tŭm, -tă）．網（胃から出て腹部の他の臓器に至る腹膜のひだ）．

o·mis·sion（ō-mi′shŭn）．欠落（薬の必要絶対量が誤って失われてしまうという薬事上の過失．→improper dose quantity）．

OML orbitomeatal line の略．

omni- 全てを意味する連結形．

om·ni·fo·cal lens 全焦点レンズ（遠近両用のレンズの一種．見る位置が連続的につながり曲線をなしているもの）．

om·niv·o·rous（om-niv′ŏ-rŭs）．雑食〔性〕の（動植物性のあらゆる種類の食物を食べて生きている）．

omo- 肩（ときに上腕を含む）を意味する連結形．

o·mo·hy·oid mus·cle 肩甲舌骨筋（舌骨下筋の1つ．中間腱で結合する2個の筋腹からなる．起始：下腹に寄り，肩甲骨上縁の上角と肩甲切痕の間．停止：上腹に寄り舌骨に．作用：舌骨を押し上げる．神経支配：頸神経わなを経る上位頸神経）. = musculus omohyoideus.

o·mo·pha·gi·a（ō′mō-fā′jē-ă）．生食物摂取（生の食物，特に生肉を食べること）．

omphal-, omphalo- 臍に関する連結形．

om·pha·lec·to·my（om′fă-lek′tŏ-mē）．臍切除〔術〕（臍または臍に結合した新生物の切除）．

om·phal·el·co·sis（om′fal-el-kō′sis）．臍潰瘍．

om·phal·ic（om-fal′ik）．臍の. = umbilical.

om·pha·li·tis（om′fă-lī′tis）．臍炎（臍および臍周囲の炎症）．

om·phal·o·cele（om-fal′ŏ-sēl）．臍ヘルニア（臍帯基部内への先天的な内臓脱出で，腹膜−羊膜の薄い膜におおわれている．→umbilical hernia）. = exomphalos (3); exumbilication (3).

om·pha·lo·en·ter·ic（om′fă-lō-en-ter′ik）．臍小腸の．

om·pha·lo·en·ter·ic duct 胚内腸管と卵黄包間の狭窄結合部. = omphalomesenteric duct; yolk stalk.

om·pha·lo·mes·en·ter·ic（om′fă-lō-mez-en-ter′ik）．***1*** 臍腸管の（胚子で中腸と卵黄嚢との関係についていう．頭部と尾部の屈曲が形成されるにつれて両者の関係は消滅し細い卵黄柄もしくは卵黄管となる）．***2*** 卵黄管の（卵黄管に関する）．

om·pha·lo·mes·en·ter·ic duct = omphaloenteric duct.

om·pha·lo·phle·bi·tis（om′fă-lō-fle-bī′tis）．臍静脈炎．

om·pha·lor·rha·gi·a（om′fă-lō-rā′jē-ă）．臍出血．

om·pha·lor·rhe·a（om′fă-lō-rē′ă）．臍リンパ液漏（臍からの漿液性漏出）. = omphalorrhoea.

om·pha·lor·rhex·is（om′fă-lō-rek′sis）．臍破裂（出産時に臍帯が破裂すること）．

omphalorrhoea［Br.］. = omphalorrhea.

om·pha·lo·site（om′fă-lō-sīt）．臍帯栄養児（尿嚢膜血行の不等一卵性双生児）．

om·pha·lo·spi·nous（om′fă-lō-spī′nŭs）．臍〔腸骨〕棘の（McBurney 点上の臍と腸骨の前上棘を結ぶ線についていう）．

om·pha·lot·o·my（om′fă-lot′ŏ-mē）．臍帯切断〔術〕（出生時における臍帯の切断）．

o·nan·ism（ō′năn-izm）．腟外射精，中絶性交（①男性の腟外射精をする行為．避妊のため射精の前に陰茎を抜出すること．②自慰 masturbation と同じ意味に誤って用いられている）．

on·cho·cer·co·ma（ong′kō-sĕr-kō′mă）．オンコセルカ腫瘤（回旋糸状虫 *Onchocerca volvulus* の成虫がつくる腫瘤）．

onco-, oncho- 腫瘍を意味する連結形．

on·co·cyte（ong′kō-sīt）．腫瘍細胞，膨大細胞，好酸性顆粒細胞（多数のミトコンドリアを含む大型，顆粒状の好酸性腫瘍細胞．新生好酸性細胞）．

on·co·cy·tic ade·no·ma = Hürthle cell adenoma.

on·co·cy·tic car·ci·no·ma = Hürthle cell carcinoma.

on·co·cyt·ic hep·a·to·cel·lu·lar tu·mor = fibrolamellar liver cell carcinoma.

on·co·fe·tal（ong′kō-fē′tăl）．腫瘍胎児性（胎児組織に存在する腫瘍関与の物質に関係すること．例えば，腫瘍胎児抗原）．

on·co·fe·tal an·ti·gens 腫瘍胎児抗原（胎児組織には見出されるが，正常成人組織には存在しない腫瘍関連抗原で，α-フェトプロテインおよび癌胎児抗原が含まれる）．

on·co·fe·tal mark·er 腫瘍胎児マーカ（腫瘍組織あるいはそれと同種の胎児組織で産生されるが，その腫瘍が発生した成人正常組織からは分泌されない腫瘍マーカ）．

on·co·gene（ong′kō-jēn）．オンコジーン，癌遺伝子（通常は細胞増殖や調節（プロテインキナーゼ，GTP アーゼ，核蛋白，成長因子など）に関わる蛋白をコードしているが，レトロウイルスとの接触によって変異や活性化されると悪性化を促進する可能性のある遺伝子ファミリー．癌遺伝子は発癌と調和を保って機能できるが，その作用はレトロウイルスやジャンピング遺伝子や先天性遺伝子変異などで悪化する可能性がある．→antioncogene）．

on·co·gen·e·sis (ong′-kō-jen′ĕ-sis)．腫瘍形成（新生物が発生し，増殖すること）．

on·co·gen·ic (ong′kō-jen′ik)．= oncogenous.

on·co·gen·ic vi·rus 腫瘍ウイルス（腫瘍を誘発できるあらゆるウイルス．RNA 腫瘍ウイルス（レトロウイルス科）は良く定義されていて比較的均一である．一方 DNA 腫瘍ウイルスは腫瘍誘導可能な何種かのウイルスがある）. = tumor virus.

on·cog·en·ous (ong-koj′ĕ-nŭs)．腫瘍形成の，腫瘍発生の（腫瘍の形成および成長を起こす，あるいはそれに適したことについていう）. = oncogenic.

on·co·log·ic e·mer·gen·cies 癌救急（癌，または癌治療の結果から発生した，生命レベル脅威の健康危機．閉塞性（上大動脈症候群），代謝性（高カルシウム血症），浸潤性（頸動脈破裂）がある）．

on·col·o·gist (ong-kol′ŏ-jist)．腫瘍遺伝子学者．

on·col·o·gy (ong-kol′ŏ-jē)．腫瘍学（原因，病因，および治療を含め，腫瘍の物理的，化学的，および生物学的性質や特徴を取り扱う学問または科学）．

on·col·o·gy cer·ti·fied nurse (OCN) 癌治療認定看護師（癌患者への対応に特化した看護師で，癌治療看護認定法人（ONCC）によって開発，運営されている認定試験を通過した者である）．

On·col·o·gy Nurs·ing So·ci·e·ty (ONS) 癌治療看護団体（登録された看護師や健康管理従事者による専門組織で，癌治療における患者ケア，教育，研究，実施において高レベルを有す．世界最大の専門の癌治療機関）．

on·col·y·sis (ong-kol′i-sis)．腫瘍崩壊（腫瘍の崩壊．ときに腫脹または塊が縮小したことに対して用いる）．

on·co·lyt·ic (ong′kō-lit′ik)．腫瘍崩壊〔性〕の．

on·cor·na·vi·rus·es (ong-kōr′nă-vī′rŭs-ĕz). = Oncovirinae.

on·co·sis (ong-kō′sis)．腫瘍症（新生物または腫瘍が1つ以上できることを特徴とする症状）．

on·cot·ic (ong-kot′ik)．腫脹の．

on·cot·ic pres·sure コロイド浸透圧，膨張圧（蛋白や他のコロイド型高分子体によってもたらされる浸透圧）．

on·co·tro·pic (ong′kō-trō′pik)．腫瘍親和性の（新生物または腫瘍細胞に特別な親和性を示す）．

On·co·vir·i·nae (ong′kō-vir′i-nē)．オンコウイルス亜科（RNA 腫瘍ウイルス類からなるウイルスの一亜科（レトロウイルス科）．ウイルス粒子中にはまったく同じプラス鎖の一本鎖 RNA 分子を2つもつ）. = oncornaviruses.

on·co·vi·rus (ong′kō-vī′rŭs)．オンコウイルス，腫瘍ウイルス（オンコウイルス亜科のウイルス．→oncogenic virus）．

On·dine curse オンディーヌののろい（特発性中心性肺胞低換気で，呼吸の不随意コントロールが抑制されるが，随意コントロールは障害されていない状態）．

-one ケトン基(–CO–)をさす接尾語．

one-car·bon frag·ment 一炭素単位（ホルミル基転移反応またはメチル基転移反応におけるホルミル基またはメチル基をさす．これらの反応により，チミン生成におけるメチル基，セリン生合成のヒドロキシメチル基の添加，プリン生成の際の閉環反応などのように生合成される化合物に炭素原子を含む基を添加する）．

o·nei·ric (ō-nī′rik)．*1* 夢の．*2* 夢幻精神病の．

o·nei·rism (ō-nī′rizm)．夢幻症（覚醒時に夢想状態を呈すること）．

o·nei·ro·dyn·i·a (ō-nī′rō-din′ē-ă)．悪夢，夢魔（不快な，あるいは苦しい夢を表すまれに用いる語）．

o·nei·ro·phre·ni·a (ō-nī′rō-frē′nē-ă)．夢幻精神病（長期にわたる不眠，知覚遮断，および種々の薬物などにより引き起こされる幻覚発現状態）．

o·nei·ros·co·py (ō′nī-ros′kŏ-pē)．夢解釈診断法（夢を分析して患者の精神状態を診断することに対してまれに用いる語）．

one-rep·e·ti·tion max·i·mum (1-RM) 一動作最大値（適切な形式と方法によって一度に持ち上げられる最大重量値．通常，ベンチプレス，レッグプレス，片腕カールといった運動の正しい回数に言及される）．

on·go·ing as·sess·ment 継続評価（プレホスピタル患者に集中的で迅速な評価を繰り返し行うこと．搬送前または搬送中の状態の変化を感知したり，治療の効果を判定するために行う．不安定な患者には5分おきに，安定している患者には15分おきに繰り返す）．

-onium オニウム（正電荷をもつ基，例えばアンモニウム(NH_4^+)を示す接尾語）．

onko- →onco-.

on·lay (on′lā)．アンレー（①前歯の舌面，臼歯の咬合面の金属（通常は金合金）鋳造修復物．その全面がぞうげ質中にあり，側壁はない．前歯の維持はピンで，臼歯の維持はピンや頬舌側にある保持溝により行われる．②骨の表面に用いる移植片）．

on-off phe·nom·e·non オンオフ現象（パーキンソン病の *l*-ドパによる治療中のある状態で，無動（off）と舞踏病アテトーシス様運動（on）の急速な変動がある）．

on·o·mat·o·ma·ni·a (on′ō-mat-ō-mā′nē-ă)．名称強迫，命名強迫（特定の語に強くこだわり，その語に重大な意味があると考えて執着すること．また特定の語を思い出そうとして必死になるような異常な衝動）．

on·o·mat·o·pho·bi·a (on′ō-mat-ō-fō′bē-ă)．名称恐怖〔症〕（意味を想像して，ある言葉または名前を異常に恐れること）．

ONS Oncology Nursing Society の略．

on·set of ac·tion 動作開始（薬剤投与から，その薬物により可視されるはっきりした効果，または反応が及ぼされるまでの期間）．

on·set of blood lac·tate ac·cu·mu·la·tion (OBLA) 乳酸蓄積閾値. = lactate threshold.

on-site mas·sage = seated massage.

on·to·gen·e·sis (on′tō-jen′ĕ-sis). = ontogeny.

on·to·ge·net·ic, on·to·gen·ic (on′tō-jĕ-net′ik, -jen′ik). 個体発生の.

on·tog·e·ny (on-toj′ĕ-nē). 個体発生 (系統発生すなわち種の進化的発生とは区分される，個体の発生). = ontogenesis.

on·y·chal·gi·a (on′i-kal′jē-ă). 爪痛.

on·ych·a·tro·phi·a, on·ych·at·ro·phy (on′i-kă-trō′fē-ă, on′ik-at′rō-fē). 爪萎縮.

on·y·chaux·is (on′i-kawk′sis). 巨爪〔症〕(指爪または趾爪が著しく大きくなること).

on·y·chec·to·my (on′i-kek′tō-mē). 爪切除〔術〕(指爪または趾爪の切除).

o·nych·i·a (ō-nik′ē-ă). 爪炎 (爪床の炎症). = onychitis.

on·y·chi·tis (on′i-kī′tis). = onychia.

onycho-, onych- 指爪，趾爪を意味する連結形.

on·y·choc·la·sis (on′i-kok′lă-sis). 爪甲破壊〔症〕(爪が破壊された状態).

on·y·cho·dys·tro·phy (on′i-kō-dis′trŏ-fē). 爪ジストロフィ，爪異栄養〔症〕(先天的欠陥，または奇形爪を引き起こすような病気や傷害によって生じる爪の発育異常変化).

on·y·cho·graph (on′i-kō-graf). 爪部脈波描写器 (爪下の循環によって示される毛細管圧を記録する器械).

on·y·cho·gry·po·sis (on′i-kō-gri-pō′sis). 爪〔甲〕鉤弯症 (指爪または趾爪の肥厚と弯曲を伴う巨大化).

on·y·cho·het·er·o·to·pi·a (on′i-kō-het′ĕr-ō-tō′pē-ă). 異所性爪甲〔症〕(爪の存在部位が異常なこと).

on·y·choid (on′i-koyd). 爪状の，爪様の (構造または形が爪に似ている).

on·y·chol·y·sis (on′i-kol′i-sis). 爪〔甲〕離床症，爪〔甲〕剥離症 (爪の剥離で，遊離端から始まり，通常は部分的なもの).

on·y·cho·ma (on′i-kō′mă). 爪腫 (爪床から生じる腫瘍).

on·y·cho·ma·de·sis (on′i-kō-mă-dē′sis). 爪〔甲〕脱落〔症〕(通常，全身性疾患に関連して爪が完全に脱落すること).

on·y·cho·ma·la·ci·a (on′i-kō-mă-lā′shē-ă). 爪〔甲〕軟化〔症〕.

on·y·cho·my·co·sis (on′i-kō-mī-kō′sis). 爪〔甲〕真菌症 (爪の最も一般的な真菌感染症で，爪の肥厚，粗糙化，および断裂をきたす．しばしば，紅色白癬菌 *Trichophyton rubrum* または毛瘡白癬菌 *T. mentagrophytes*，カンジダ *Candida* により，ときには糸状菌により生じる).

on·y·cho·path·ic (on′i-kō-path′ik). 爪障害の.

on·y·chop·a·thy (on′i-kop′ă-thē). 爪障害. = onychosis.

on·y·choph·a·gy, on·y·cho·pha·gi·a (on′i-kof′ă-jē, on′i-kō-fā′jē-ă). 爪かみ (爪をかむ習癖).

on·y·cho·plas·ty (on′i-kō-plas-tē). 爪〔甲〕形成〔術〕(爪床の修正または形成手術).

on·y·chor·rhex·is (on′i-kō-rek′sis). 爪〔甲〕縦裂〔症〕(遊離端の断裂を伴った爪の異常なぜい弱化).

on·y·cho·schiz·i·a (on′i-kō-skit′sē-ă). 爪甲層状分裂〔症〕(爪が層状に裂ける状態).

on·y·cho·sis (on′i-kō′sis). = onychopathy.

on·y·chot·il·lo·ma·ni·a (on′i-kot′i-lō-mā′nē-ă). 爪甲引抜き癖.

on·y·chot·o·my (on′i-kot′ŏ-mē). 爪切開〔術〕(足指または手指の爪への切開).

on·yx (on′iks). 爪. = nail.

oo- 卵，卵黄を意味する接頭語. →oophor-; ovario-; ovi-; ovo-.

oob out of bed の略.

oobe out of body experience の略.

o·o·cyst (ō′ō-sist). 接合子嚢，オーシスト (受精した雌性生殖細胞，すなわち接合子の被嚢した形．コクシジウム目の胞子虫類における，胞子形成がこの中で行われ，次いで，スポロゾイトの形成が行われる．スポロゾイトは胞子虫の生活環における次の段階に進むための感染体である).

o·o·cyte (ō′ō-sīt). 卵細胞 (雌の性細胞．卵細胞は精子によって受精すると，同種の新しい個体に発達することが可能になる．成熟期には，精子と同じく卵細胞の染色体補体は 2 つに分割されるため，雄の精子との結合の際に種の染色体数(ヒトの場合は 46)は保たれる．それぞれの種の卵子中の卵黄は数も分布も非常に様々で，このことが卵割のパターンに影響を与えている.). = ovum.

o·o·gen·e·sis (ō-ō-jen′ĕ-sis). 卵子形成，卵子発生 (卵子の形成と成長の過程). = ovigenesis.

o·o·ge·net·ic (ō′ō-jĕ-net′ik). 卵子形成の. = ovigenetic; ovigenic.

o·o·go·ni·um, pl. **o·o·go·ni·a** (ō-ō-gō′nē-ŭm, -nē-ă). ***1*** 卵原細胞 (減数分裂によって増殖する．すべて出生までに原始卵胞に成長する). ***2*** 生卵器 (真菌で，1 つ以上の卵胞子をもった雌性配偶子嚢).

o·o·ki·ne·sis, o·o·ki·ne·si·a (ō′ō-ki-nē′sis, -nē′zē-ă). 卵子分裂 (成熟および受精過程での卵子の染色体運動).

o·o·ki·nete (ō′ō-kī′net). オーキネート，オーキネット (マラリア原虫の運動性接合子で，ハマダラカの胃壁に侵入し，消化管外膜下に接合子嚢を形成する．接合子嚢の内容物は次いで分裂し，多数のスポロゾイトを形成する).

o·o·lem·ma (ō-ō-lem′ă). 卵細胞膜 (卵母細胞の原形質膜).

oophor-, oophoro- 卵巣に関する連結形. →oo-; ovario-.

o·oph·or·al·gi·a (ō-of′ŏr-al′gē-ă). 卵巣痛.

o·oph·o·rec·to·my (ō′of-ōr-ek′tŏ-mē). = ovariectomy.

o·oph·or·i·tis (ō′of-ōr-ī′tis). 卵巣炎. = ovaritis.

o·oph·or·o·cys·tec·to·my (ō-of′ōr-ō-sis-tek′tŏ-mē). 卵巣嚢腫切除〔術〕.

o·oph·or·o·cys·to·sis (ō-of′ōr-ō-sis-tō′sis). 卵巣嚢腫形成.

o·oph·or·o·hys·ter·ec·to·my (ō-of′ōr-ō-his-tĕr-ek′tŏ-mē). = ovariohysterectomy.

o·oph·or·on (ō-of′ŏr-on). 卵巣. = ovary.

o·oph·or·o·pex·y (ō-of′ōr-ō-pek′sē). 卵巣固定〔術〕.

o·oph·or·o·plas·ty (ō-of′ōr-ō-plas-tē). 卵巣形成〔術〕.

o·oph·or·o·sal·pin·gec·to·my (ō-of′ŏr-ō-sal′pin-jek′tŏ-mē). 卵巣卵管摘除〔術〕(卵巣と同位の卵管の外科的摘出).

o·oph·or·o·sal·pin·gi·tis (ō-of′ŏr-ō-sal′pin-jī′tis). 卵巣卵管炎. = ovariosalpingitis.

o·oph·or·os·to·my (ō-of′ōr-os′tŏ-mē). = ovariostomy.

o·oph·or·ot·o·my (ō-of′ōr-ot′ŏ-mē). = ovariotomy.

o·oph·or·rha·gi·a (ō-of′ōr-rā′jē-ă). 排卵性出血 (卵巣出血).

o·o·plasm (ō′ō-plazm). 卵〔細胞〕質 (卵細胞の原形質部分).

o·o·tid (ō′ō-tid). 成熟卵, オーチッド (第一減数分裂を終えて第二期にはいったばかりの, ほぼ成熟した卵. ほとんどの高等哺乳類では, 受精が起こらなければ第二減数分裂は完成されない).

OP occipitoposterior position の略.

o·pac·i·fi·ca·tion (ō-pas′i-fi-kā′shŭn). ***1*** 不透明化, 混濁化. ***2*** 混濁形成.

o·pac·i·ty (ō-pas′i-tē). ***1*** 混濁, 不透明. ***2*** 不透過性, 非透過性 (X線写真において, 体内の非透過性の部分が, より透明な部分としてみられる). ***3*** 遅鈍.

o·pal co·don オパールコドン. = umber codon.

o·pal·es·cent den·tin オパール様(乳白色)ぞうげ質 (通常, ぞうげ質形成不全症に付随するぞうげ質異常. 歯は, オパール様色調, あるいは透過性の亢進といった異常を呈する).

o·paque (ō-pāk′). 不透明な (光を通さない. 透明でないか, わずかに半透明である場合にいう. *cf.* radiopaque).

OPD outpatient department の略.

o·pen am·pu·ta·tion 開放切断 (創面切除術と抗生物質治療の実施期間中, 断面が未縫合(皮膚組織が閉鎖されていない状態)で数週間放置された後の切断. 傷がバクテリアや塵を取り除かれる前の断面閉鎖は, 感染症や妥協治療の危険性を高める).

o·pen-an·gle glau·co·ma 開放〔隅〕角緑内障 (小柱網の閉塞により房水の流れが徐々に低下する). = simple glaucoma; glaucoma simplex.

o·pen bi·op·sy 直視下生検 (外科的切開をして病変を切除し, そこから生検組織を採取する生検法).

o·pen chain com·pound 非環式化合物, 鎖式化合物. = acyclic compound.

o·pen-chain movement 開鎖運動 (身体の末梢部分が空間を自由に可動する事が出来る範囲での, 運動上の連鎖動作).

o·pen chest mas·sage 開胸心マッサージ (胸腔内で心室を手で規則正しく圧迫すること).

o·pen-cir·cuit meth·od 開放回路法 (一定時間呼気を集めてその容量と組成を測定することにより, 酸素消費と炭酸ガス産生を測定する方法).

o·pen-cir·cuit ni·tro·gen wash-out 開放回路窒素洗い出し (機能的残気量(FRC)を測定するためのガス希釈手技. 残存窒素を洗い出すために, 被検者に100%酸素を吸入させる).

o·pen-cir·cuit spi·rom·e·try 開放式肺活量測定法, 開放経路呼吸測定法 (容量と呼吸気流量を測定するもので, 被検者が吸入室内気をその中へ呼出する器具を用いる).

o·pen com·e·do 開放面ぽう (表皮壊死によるメラニンを含んだ黒色物質で皮表をおおわれた開口部をもつ面ぽう). = blackhead(1).

o·pen dis·lo·ca·tion 開放性脱臼 (皮膚表面から患部関節へと開放した創を合併する脱臼). = compound dislocation.

o·pen drain·age 開放ドレナージ (空気を遮断しないドレナージ).

o·pen drop an·es·the·si·a 開放滴下麻酔〔法〕(口と鼻をおおうガーゼマスク上に滴下した液体麻酔薬の気化によって行う吸入麻酔).

o·pen flap = flat flap.

o·pen frac·ture 開放骨折 (皮膚に孔が開き, 骨折部まで露出した骨折). = compound fracture.

o·pen head in·ju·ry 開放〔性〕頭部外傷 (頭皮および粘膜の連続性を喪失した頭部外傷. 本用語は外界と頭蓋腔内との交通をさして用いることがある. →penetrating wound).

o·pen heart sur·ger·y 開心術 (開胸し, 心臓を直接切開することにより行われる手術手技で通常, 体外循環下に行う).

o·pen hos·pi·tal 開放式病院 (所属医やメンバーシップリストに掲載されている医師以外の開業医が自由に患者を入院させ治療できる病院).

o·pen·ing (ō′pĕn-ing). 孔, 開口〔部〕, 口 (器官, 管, 腔に開いた隙間または入口. →aperture; fossa; ostium; orifice; pore).

o·pen·ing of ex·ter·nal a·cous·tic me·a·tus 外耳孔 (側頭骨の鼓室部における外耳道の口).

o·pen·ing of in·ter·nal a·cous·tic me·a·tus 内耳孔 (側頭骨の錐体部の後面にある内耳道の内側の開口).

o·pen·ing of pul·mo·na·ry trunk 肺動脈幹口 (肺動脈の右心室からの開口で, 肺動脈弁によりふさがれている).

o·pen·ing snap 開弁期弾撥音 (初期拡張期の鋭い高音のカチッという音. 僧帽弁狭窄症の場合に異常弁の開放に関連して生じ, 通常, 心尖部と下部胸骨左縁で最もよく聞こえる).

o·pen-packed po·si·tion ***1*** 接合位 (関節を構成する骨が最も適合する関節の位置). ***2*** = flexion.

o·pen pneu·mo·thor·ax 開放〔性〕気胸 (肺あるいは胸壁のいずれかを通り, 大気と胸腔の間に自由な交通がある気胸). = sucking chest wound; sucking wound.

o·pen re·duc·tion of frac·tures 骨折観血的整復〔法〕(骨折の部位上を切開した後に, 直接骨を整復すること).

o·pen skill 開放技術（環境上の変化に対応して個々がある動作と取らなければならない様な，可変性の環境における一連の動作パターン．例えば，サッカーをする，自転車に乗る，山道を越える）．

o·pen tu·ber·cu·lo·sis 開放性結核（肺結核，潰瘍性結核その他で，排出物や分泌物に結核菌が存在するもの．肺においては通常，空洞形成の結果である）．

o·pen wound 開放創（組織が露出した創）．

op·er·a·ble（op′ĕr-ă-bĕl）．手術可能な（外科的処置によって治癒または軽減ができるような患者または状態についていう）．

op·er·ant（op′ĕr-ănt）．オペラント（条件付けの際に実験者が選択した行動あるいは特定の反応．その回数の増減は，起こる反応に強化刺激をうまく配合させて調整することができる）．= target response.

op·er·ate（op′ĕr-āt）．手術する（手や切断器具あるいは他の器具によって身体を手当する）．

op·er·at·ing mi·cro·scope 手術用顕微鏡．= surgical microscope.

op·er·at·ing room tech·ni·cian 手術室助手（外科手術に向けたの手術室準備の際や，その他の実務(設備の整理，医師に道具を渡す等)をこなす際に，補佐を行う外科チームの構成員．訓練課程は 1〜2 年かかる．学習者は訓練期間が終了すると，外科手術技術者連合による試験を通過し，認定を受けなければならない）．= surgical technician; surgical technologist.

op·er·a·tion（op-ĕr-ā′shŭn）．***1*** 手術（外科的処置のすべてについていう）．***2*** 施行，操作，作用(機能の働き，方法，過程．→method; procedure; technique）．

Op·er·a·tion Re·store Trust（ORT） オペレーション・レストア・トラスト，作戦再建信用計画（メディケアおよびメディケード計画における不正，浪費，または悪用に対抗するための連邦のパイロット計画）．

op·er·a·tive（op′ĕr-ă-tiv）．***1*** 手術の．***2*** 効力のある．

op·er·a·tive cho·lan·gi·og·ra·phy 胆管造影検査（手術中に行う，余剰胆汁による結石を発見するための造影剤を用いた胆管の X 線写真検査）．

op·er·a·tor（op′ĕr-ā-tŏr）．***1*** 術者（手術をする人，あるいは手術器具を操作する人）．***2*** オペレータ（遺伝学において，オペロンのリプレッサと相互作用し，隣接構造遺伝子の発現を制御する DNA 配列．→operator gene）．***3*** 演算子（数学的な演算を示す記号）．

op·er·a·tor gene オペレータ遺伝子，作動遺伝子（1 個以上の隣接する構造遺伝子の座によるメッセンジャー RNA の生成を賦活する機能をもつ遺伝子．酵素生成率を決めるためのフィードバックの一部）．

o·per·cu·lar（ō-per′kyū-lăr）．弁蓋の．

o·per·cu·li·tis（ō-per′kyū-lī′tis）．歯冠周囲炎（歯をおおう粘膜弁下に始まる炎症）．

o·per·cu·lum, gen. **oper·cu·li,** pl. **oper·cu·la**（ō-per′kū-lŭm, -lī, -lă）．弁蓋，ふた（①蓋またはおおいに似たもの．②特に解剖学において，外側溝を分け，島をおおう葉である前頭弁蓋，前頭頭頂弁蓋，側頭弁蓋をさす．③受胎後の子宮頸管内を密封する粘液．④寄生虫学において，前鰓亜綱に属する淡水産巻貝の殻口をおおうヘタ，およびある種の吸虫や条虫の卵にある蓋．⑤網膜剥離における付属被弁．⑥未萌出の歯を部分的に，または完全におおっている粘膜弁）．

o·phi·a·sis（ō-fī′ă-sis）．蛇行状脱毛〔症〕（円形脱毛症の一型．頭皮の辺縁の帯状の脱毛が部分的に，または完全に頭を取り巻くように生じる）．

oph·ri·tis（of-rī′tis）．眉毛〔部皮膚〕炎（眉毛部分の皮膚炎）．

oph·ry·on（of′rē-on）．オフリオン（眉間のやや上の前額正中点）．

oph·ry·o·sis（of′rē-ō′sis）．眉毛〔部〕痙攣（眉毛のしわ寄せを起こす眼瞼輪筋上部の痙性単収縮）．

oph·thal·mi·a（of-thal′mē-ă）．眼〔結膜〕炎（①重症な，化膿性の結膜炎．②眼の深部の炎症）．

oph·thal·mi·a ne·o·na·to·rum 新生児眼炎（生後 10 日以内に発症する結膜炎．淋菌 *Neisseria gonorrhoeae*，ブドウ球菌属 *Staphylococcus*，肺炎連鎖球菌 *Streptococcus pneumoniae*，トラコーマクラミジア *Chlamydia trachomatis* が原因）．= infantile purulent conjunctivitis.

oph·thal·mic（of-thal′mik）．眼の．= ocular(1).

oph·thal·mic ar·tery 眼動脈（内頸動脈より起こり，毛様体動脈，網膜中心動脈，前硬膜動脈，涙腺動脈，結膜動脈，強膜上動脈，眼窩上動脈，篩骨動脈，眼瞼動脈，鼻背動脈，滑車上動脈に分枝する）．= arteria ophthalmica.

oph·thal·mic nerve［CN V1］ 眼神経（第五脳神経第一枝(CN V1)．海綿静脈洞外壁にある三叉神経節から前方に向かい，上眼窩裂を通って眼窩にはいる三叉神経の枝．その枝である前頭・涙腺・鼻毛様体神経を経て，眼窩とその内容物，鼻腔前部，鼻と額の皮膚に感覚線維を送る）．= nervus ophthalmicus.

oph·thal·mic solution 点眼剤，眼科用液剤（異物粒子を含まず，点眼に適した配合，調製，消毒をした薬剤）．

oph·thal·mic ves·i·cle 眼胞（胚における，前脳の腹外側壁からの対になった膨出の一対で，ここから網膜の感覚層と色素層が発達する）．

ophthalmo-, ophthalm- 眼に関する連結形．→oculo-.

oph·thal·mo·dy·na·mom·e·ter（of-thal′mō-dī′nă-mom′ĕ-tĕr）．眼底血圧計（網膜血管の血圧を測る器械）．

oph·thal·mo·dy·na·mom·e·try（of-thal′mō-dī′nă-mom′ĕ-trē）．眼底血圧測定〔法〕（眼底血圧計で網膜血管の血圧を測定すること）．

oph·thal·mo·lith（of-thal′mō-lith）．眼結石．= dacryolith.

oph·thal·mol·o·gist（of′thăl-mol′ŏ-jist）．眼科医（眼科学の専門医）．= oculist.

oph·thal·mol·o·gy（of′thăl-mol′ŏ-jē）．眼科学（眼病，眼の屈折異常など眼に関する医学の分野）．

oph·thal·mo·ma·la·ci·a (of-thal′mō-mă-lā′shē-ă). 眼球軟化〔症〕(眼球が異常に軟化すること).

oph·thal·mom·e·ter (of-thăl-mom′ĕ-tĕr). 角膜曲率計，眼球計. = keratometer.

oph·thal·mo·my·co·sis (of-thal′mō-mī-kō′sis). 眼糸状菌症（真菌によって起こる眼または眼の付属器の病気).

oph·thal·mop·a·thy (of-thăl-mop′ă-thē). 眼障害，眼症.

oph·thal·mo·ple·gi·a (of-thal′mō-plē′jē-ă). 眼筋麻痺（1つ以上の眼球運動神経が麻痺すること).

oph·thal·mo·ple·gi·a ex·ter·na 外眼筋麻痺（外眼筋を動かす1つ以上の神経の麻痺). = external ophthalmoplegia.

oph·thal·mo·ple·gi·a in·ter·na 内眼筋麻痺（瞳孔と毛様筋の括約筋のみの麻痺). = internal ophthalmoplegia.

oph·thal·mo·ple·gic (of-thal′mō-plē′jik). 眼筋麻痺の.

oph·thal·mo·scope (of-thal′mŏ-skōp). 検眼鏡（瞳孔を通して眼球内部を検査するための装置). = funduscope.

oph·thal·mo·scop·ic (of′thăl-mŏ-skop′ik). 眼の内部の検査に関すること.

oph·thal·mos·co·py (of′thăl-mos′kŏ-pē). 検眼鏡検査〔法〕(検眼鏡による眼底検査).

oph·thal·mo·vas·cu·lar (of-thal′mō-vas′kyū-lăr). 眼血管の.

-opia 視覚を意味する接尾語.

o·pi·ate (ō′pē-ăt). アヘン〔製〕剤，アヘン誘導体.

o·pi·ate re·cep·tors アヘン剤レセプタ(受容体)（モルヒネと結合する能力を有する脳の部位. 中脳水道に沿って中枢正中にみられるあるものは痛覚に関係した部位に位置するが，線条体にみられるような他のものは痛覚と関係していない).

-opic, -opical 視野を意味する連結形.

o·pi·o·cor·tin (ō′pē-ō-kōr′tin). オピロコルチン. = opiomelanocortin.

o·pi·oid (ō′pē-oyd). オピオイド（天然ないし合成の麻薬).

o·pi·oid ant·ag·on·ist オピオイド〔受容体〕拮抗薬(アンタゴニスト)（ナロキソンやナルトレキソンのように，オピオイド受容体に高親和性を有するが活性を示さない一連の薬物. これらは，モルヒネ，ヘロイン，メペリジン，メサドンなどの外来性の麻薬や，エンドルフィン，エンケファリンなどの内因性の麻薬性物質の作用を阻害する).

o·pi·o·mel·a·no·cor·tin (ō′pē-ō-mel′ă-nō-kōr′tin). オピオメラノコルチン（下垂体由来の直鎖状ポリペプチドで，その配列中にエンドルフィン，MSH, ACTH などの配列を含み，酵素的分解により切り出される). = opiocortin.

o·pis·the·nar (ō-pis′thē-năr). 手背部.

o·pis·thi·on (ō-pis′thē-on). オピスチオン（バジオンの反対の大後頭孔後縁の中点).

opistho- 後部，背部を意味する接頭語.

op·is·tho·ton·ic (ō-pis-thot′ō-nik). 弓なり緊張の，強直性発作の.

op·is·thot·o·nos, op·is·thot·o·nus (ō-pis-thot′ō-nŭs). 弓なり緊張，強直性発作（脊椎および四肢が前方凸に曲がり，頭と踵で体を支える姿勢になるテタヌス性痙攣).

O·pitz BBB syn·drome = ocular hypertelorism.

O·pitz G syn·drome = ocular hypertelorism.

Op·pen·heim dis·ease オッペンハイム病. = amyotonia congenita.

Op·pen·heim re·flex オッペンハイム反射（下腿の内側を引っ掻いたり，大腿を急速に屈曲して腹部へ近付けたり，下腿を急速に屈曲することによる爪先の伸展. 脳の刺激の徴候).

op·po·nens di·gi·ti mi·ni·mi mus·cle 小指対立筋（小指球筋の1つ. 起始：有鉤骨鉤と手根横靱帯. 停止：第五中手骨幹. 作用：手掌の中央へ尺側部(第五指)を引き付け手掌を杯形にすぼめる. 神経支配：尺骨神経). = musculus opponens digiti minimi.

op·po·nens pol·li·cis mus·cle 母指対立筋（母指球筋の1つ. 起始：大菱形骨隆起と屈筋支帯(横手根靱帯). 停止：第一中手骨全長の前面. 作用：手根中手関節に働いて，手掌を杯形にすぼめる，手の母指を他の指と対立させる. 神経支配：正中神経). = musculus opponens pollicis.

op·por·tun·is·tic (op′ŏr-tū-nis′tik). 日和見〔性〕の（①例えば他の病気や薬剤によって宿主の抵抗力が弱まったときだけ，宿主に病気を起こさせる微生物をいう. ②日和見感染性微生物によって起こる病気をいう).

op·po·si·tion·al de·fi·ant dis·or·der 反抗挑戦性障害（権威者への頻発する拒絶・敵対・反抗的態度に特徴付けられる児童期や思春期の障害).

op·pres·sion (ŏ-pres′shŭn). 圧迫（看護学において，健康管理の意思決定に関して，支配され，抑圧された行動).

ops-, opto-, opti-, optico- 眼や視界を意味する連結形.

op·sin (op′sin). オプシン（ロドプシン分子の蛋白部分. 少なくとも3つの別々のオプシンが錐体細胞に存在する).

op·sin·o·gen (op-sin′ō-jen). オプシノゲン（免疫用に用いる細菌の懸濁液中にある抗原のように，オプソニン形成を促進する物質). = opsogen.

op·si·u·ri·a (op-sē-yū′rē-ă). 遅尿（満腹後よりも空腹時に排尿が多い状態).

op·so·clo·nus (op′sō-klō′nus). 眼球クローヌス（小脳または脳幹の障害により眼が水平，垂直方向に，不規則かつ非律動的にすばやく動くこと).

op·so·gen (op′sō-jen). = opsinogen.

op·so·ma·ni·a (op′sō-mā′nē-ă). 美食狂（特定の食物，またはよく調味された食物を強く欲すること).

op·son·ic (op-son′ik). オプソニンの.

op·son·ic in·dex オプソニン指数（感染性疾患患者血液中のオプソニンの相対含有量を表す

値で，*in vitro* で正常と推定される血液と比較することにより測定され，次の式に求められる．正常血清の食細胞指数÷被検血清の食細胞指数=1÷*x*．*x* はオプソニン指数）．

op·so·nin（op′sŏ-nin）．オプソニン（抗原と結合し，食菌作用を高める血中の血清蛋白の総称）．

opsonisation［Br.］. = opsonization.

op·son·i·za·tion（op′sŏ-nī-zā′shŭn）．オプソニン作用（細菌および他の細胞がたやすく効果的に食細胞によって飲み込まれるように変えられていく過程）. = opsonisation.

op·so·nize（op′sŏn-īz）．オプソニン処理する（貪食作用と最終破壊のために微生物を準備すること）．

op·so·no·cy·to·pha·gic（op′sŏ-nō-sī′tō-fā′jik）．オプソニン食菌の（特異オプソニンを含む血液中の白血球食菌作用の増強についていう）．

op·so·nom·e·try（op-sŏ-nom′ĕ-trē）．オプソニン〔指数〕測定〔法〕（オプソニン指数またはオプソニン食菌作用の測定）．

op·tic, op·ti·cal（op′tik, -ti-kăl）．眼の，視覚の，光学の．

op·tic ab·er·ra·tion 光学収差（点光源からの光線が，光学系を通過した後に完全な像を結ばないこと）．

op·tic ac·tiv·i·ty 光学活性（偏光面を回転させる溶液内の物質（通常は1個以上の非対称炭素原子の存在により対称面がない）の能力）．

op·tic a·lex·i·a →alexia.

op·tic a·tax·i·a 視覚性運動失調（視覚情報を用いて，手を物体にもっていくことができない．Balint 症候群でみられる）．

op·tic ax·is 視軸（前極と後極を結ぶ眼の軸．通常，視線から5° 以上離れる）．

op·tic ca·nal 視神経管（眼窩の奥で蝶形骨の小翼を貫く短管で，視神経および眼動脈の通路）. = canalis opticus; optic foramen.

op·tic cap·sule 視嚢（発育中の眼杯周囲の間葉の集中帯．眼の強膜の原基）．

op·tic chi·asm 視〔神経〕交叉（交差）（脳の灰白隆起や下垂体漏斗の前方にある平たい四角形の構造で視神経線維が交叉しているところ．眼球網膜の鼻側半からの線維は交叉して対側へ行き，側頭半からの線維は同側を交叉せずに後方へ進む．視索後面を横切る線維や視神経前面を横切る線維もある）. = optic decussation.

op·tic cup 眼杯（胚眼胞の陥入によって生じる二重壁の杯．内部成分は網膜の感覚層になり外層は色素層になる）．

op·tic de·cus·sa·tion 視〔神経〕交叉. = optic chiasm.

op·tic den·si·ty（OD） 光学密度. = absorbance.

op·tic disc 視神経円板，視神経乳頭（眼球底にある卵円形の部分で，光受容器を欠如し，網膜の神経節細胞が視神経となって出ていくところ）. = discus nervi optici; blind spot (3); optic papilla.

op·tic fis·sure 眼杯裂. = retinal fissure.

op·tic fo·ra·men = optic canal.

op·ti·cian（op-tish′ăn）．眼鏡士（矯正レンズの作成や眼鏡の調整・修理，コンタクトレンズの調整の資格を有する専門家）．

op·tic im·age 視覚像（光の屈折や反射によって形成される像）．

op·tic i·som·er·ism 光学異性（1個以上の不斉原子（通常，炭素）の周りに置換体があると，偏光面の回転度に応じて種々の異性体の性質が変化するような立体異性．*cf.* stereoisomerism）．

op·tic ker·a·to·plas·ty 視力補充角膜移植（視力を障害する白斑または瘢痕の部分への，透明な角膜組織の移植）．

op·tic nerve［CN II］ 視神経（第二脳神経（CN II）．脳神経の1つとして扱われてはいるが，実は前脳胞の延長部である．網膜の神経節細胞から起こり，眼窩を出て視神経管を通り視交叉に至る．そこで線維の一部は反対側に交差し，視索を通って外側膝状体，上丘および視蓋前野に至る）. = nervus opticus; second cranial nerve.

op·tic neu·ri·tis 視神経炎（→neuromyelitis optica; retrobulbar neuritis; papillitis）．

op·ti·co·cil·i·a·ry（op′ti-kō-sil′ē-ar-ē）．視〔神経〕毛様体の，眼毛様体の．

op·ti·co·pu·pil·lary（op′ti-kō-pyū′pi-lar-ē）．視神経瞳孔の．

op·tic pa·pil·la（p） 視神経乳頭. = optic disc.

op·tic ra·di·a·tion 視放線（視床の外側膝状体から出て視覚皮質に至る大きい扇状の線維系．この線維系は，内包レンズ後部とレンズ下部を経て放線冠に続くが，側脳室の下角と後角の外側壁に沿って鋭く後方へ曲がり，後頭葉の内面と後頭極にある有線皮質に至る）. = radiatio optica.

op·tic ro·ta·tion 旋光度（一定の波長の偏光が光学的活性物質を通過する際の偏光面における変化．化学構造の研究，特に炭化水素に関して重要な手段である旋光分析法により比旋光度 specific rotation が測定される）．

op·tic ro·ta·to·ry dis·per·sion 旋光分散（入射単色偏光の波長による旋光度の変化．吸収帯において，旋光度が0から変化することは Cotton 効果という）．

op·tics（op′tiks）．光学（光の性質，屈折，吸収，およびそれに関係した眼の屈折媒体などを扱う学問）．

op·tic tract 視索（視交叉と外側膝状体の間の視覚路．左右の対称な視索は各々同側網膜の外側半から起こる神経線維と，対側網膜の内側半からのほぼ同数の神経線維とで構成される．密集し，厚みをもった線維束は，視床下部基底部の後外側からさらに大脳脚基底部を回って後外方へ走る．ほとんどの線維は外側膝状体に終わるが，少数の線維は背内側に沿い，上丘腕となって上丘と視蓋前域に終わる）. = tractus opticus.

op·ti·mal dose 最適量（望ましくない徴候の可能性を最小限に抑えた上で，求められた効果をもたらすための薬物や放射線の量）．

op·ti·mal pitch 最適ピッチ（最小の発声努力で最適な共鳴を起こす，個人の声帯ひだの動きの周波数. →habitual pitch; fundamental frequency). = natural pitch.

opto-, optico- 眼，視覚，視力，光学を意味する連結形.

op·to·ki·net·ic nys·tag·mus 視〔線運〕動〔性〕眼振（動いている視覚の刺激物を見ることによって起こる眼振）.

op·tom·e·ter (op-tom′ĕ-tĕr). オプトメータ，眼計測計（眼の屈折状態を測定する器具）.

op·tom·e·trist (op-tom′ĕ-trist). 検眼士（検眼を行う人）.

op·tom·e·try (op-tom′ĕ-trē). ***1*** オプトメトリー（眼の検査，視力異常や眼異常の有無について眼および関連組織の検査を行い，眼鏡その他の器具の処方や調整，または最大限の視力を得るための視力訓練にかかわる専門職）. ***2*** 検眼（眼計測計を使うこと）.

op·to·my·om·e·ter (op′tō-mī-om′ĕ-tĕr). 眼筋計（外眼筋の比較筋力を測定する器具）.

OPV oral poliovirus vaccine の略.

OR operating room(手術室)の略.

o·ra, pl. o·rae (ō′ră, -ē). 縁.

o·ra (ō′ră). os の複数形.

or·ad (ōr′ad). aborad の対語. ***1*** 口の方へ. ***2*** 口に近い（特定の点との関係で口に近い方にある）.

or·al (ōr′ăl). 口の（口についていう）.

or·al a·prax·i·a 発語器官失行〔症〕（皮質知覚運動の障害により，口筋系の自発的な運動能力，特に連続運動能力が低下する症状．しばしば言語障害を伴う. →apraxia). = oral motor apraxia.

or·al au·di·tory meth·od 聴覚口話法（ろう(聾)児の教育として，早期聴覚訓練，読唇法，残聴覚の早期からの継続した増幅を強調して行う方法. →manual visual method; combined methods; total communication).

or·al a·ware·ness 口述による認知（その人自身の口頭で述べられる範囲内の，構成や状態についての認知）.

or·al bi·ol·o·gy 口腔生物学（健康時および疾病時(例えば，う食，そしゃく，歯周疾患)に口腔にみられる生物学的現象を研究することを目的とした生物学の分野）.

or·al cav·i·ty 口腔（口腔前庭(唇・頬と歯・歯肉との間の狭い間隙)と固有口腔とからなる). = mouth(1).

or·al con·tra·cep·tive (OC) 経口避妊薬（妊娠を予防するためにつくられた，経口的に有効な薬物の総称）.

or·al de·fen·sive·ness 口防衛性（口に入れた物の味または舌触りに対して，過剰反応を示すこと）.

or·al hy·giene 口腔衛生（ブラシ，フロス，洗浄，マッサージ，その他の方法を用いて口をきれいにすること）.

o·ral·i·ty (ōr-al′i-tē). 口愛（Freud 心理学において，精神的性発達の口愛期に由来し，そのような特徴をもつ精神構造を表すのに用いる語）.

o·ral·ly (ōr′ă-lē). 口頭で（口によって，または口を通して）.

or·al and max·il·lo·fa·cial sur·ge·ry 口腔顎顔面外科（顔面中央部，顎，および歯列の損傷ならびに形成不全を外科的に治療する歯科の専門分野. *cf.* oral surgery).

or·al mo·tor a·prax·i·a = oral apraxia.

or·al pa·thol·o·gy 口腔病理学（口腔軟組織，歯，顎，および唾液腺を含む口腔と口腔周囲の疾患の原因や病因に関して，臨床的，肉眼的，および顕微鏡的に観察する歯学の分野）.

or·al phase 口愛期（精神分析的人格理論において，精神・性的発達の最初の時期．生後約 18 か月続くが，この時期には幼児の要求，表現，満足，性愛的な経験の喜びなどが口の周辺に集中している．これは小児の精神の組織化と発達に強い影響を及ぼす）.

or·al po·li·o·vi·rus vac·cine (OPV) 経口ポリオウイルスワクチン（→poliovirus vaccine (2)).

or·al sur·geon 口腔外科医. = dental surgeon.

or·al sur·ge·ry 口腔外科（口腔および上顎顔面部位の疾患，創傷，変形について診断を下し，外科的処置とそれに付随する治療をする歯科の一分野）.

or·al ves·ti·bule 口腔前庭（外側は唇と頬，内側は歯と歯肉またはそのどちらか，上部と下部は唇と頬から歯肉への粘膜の反転によって囲まれる口の一部）.

or·ange-top tube オレンジトップ・チューブ（容器がリチウムヘパリンによって処理されていることを示す）.

or·ange wood オレンジウッド，木契（咬合圧により架工義歯，冠などを装着するために歯科で用いる軟らかい木材．歯根面を磨くためのバニッシングポイントとしても用いる）.

o·ra ser·ra·ta re·ti·nae 鋸状縁（網膜視部の鋸状になった縁．毛様体のやや後ろにあり，網膜知覚部の境界をつくる）.

or·bic·u·lar (ōr-bik′yū-lăr). 輪状の，円形の，輪筋の.

or·bic·u·la·re (ōr-bik′yū-lā′rē). = lenticular process of incus.

or·bi·cu·la·ris oc·u·li mus·cle 眼輪筋（眼瞼にある顔面筋の 1 つ．次の 3 つの部分からなる．ⓘ眼窩部または外部は，上顎骨前頭突起と前頭骨の鼻突起より起こり，眼窩口を囲み，起始の近くに付着．ⓘⓘ眼瞼部または内部は，内側眼瞼靱帯より起こり，眼瞼を通り，外側眼瞼縫線に付着．ⓘⓘⓘ涙嚢部(Duverney muscle, Horner muscle)は，後涙嚢稜より起こり，涙嚢を通り眼瞼部に結合する．作用：眼を閉じ，額に縦のしわを寄せる．神経支配：顔面神経の頬骨枝と側頭枝). = musculus orbicularis oculi.

or·bi·cu·la·ris o·ris mus·cle 口輪筋（口唇にある顔面筋の 1 つ．起始：鼻唇帯により鼻の中隔から，上部切歯束により上顎骨切歯窩から，下部切歯束により下顎骨結合の各側から起こる．停止：線維が口の周囲を唇と頬の皮膚と粘膜間を通って囲み，他の筋と交織する．作用：唇を閉じる．神経支配：顔面神経). = musculus orbicularis oris.

or·bi·cu·lus cil·i·ar·is 毛様体輪（黒く着色した毛様体の後面にあり，鋸状縁で網膜と連続

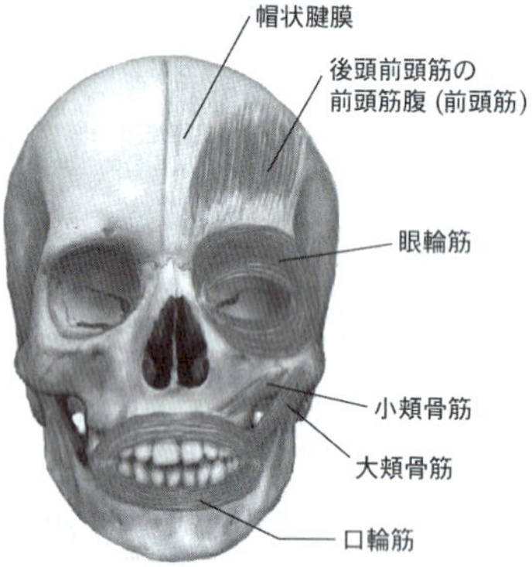
帽状腱膜
後頭前頭筋の
前頭筋腹(前頭筋)
眼輪筋
小頬骨筋
大頬骨筋
口輪筋
orbicularis oris muscle

する). = ciliary disc; ciliary ring; pars plana.

or·bit (ōr′bit). 眼窩(眼球とその付属器からなる骨腔. 前頭骨, 上顎骨, 蝶形骨, 涙骨, 頬骨, 篩骨, および口蓋骨の7つの骨の部分からできている). = orbita; orbital cavity.

or·bi·ta, gen. or·bi·tae (ōr′bi-tă, -tē). 眼窩. = orbit.

or·bi·tal (ōr′bi-tăl). 眼窩の.

or·bi·tal cav·i·ty = orbit.

or·bi·tal cel·lu·li·tis 眼窩蜂巣炎(眼窩隔壁より後方の組織の蜂巣炎).

or·bi·ta·le (ōr-bi-tā′lē). オルビターレ(頭蓋計測において, 皮膚の下に感じられる眼窩下縁の最下点).

or·bi·tal ex·en·te·ra·tion 眼窩内容除去〔術〕(眼窩の内容物を残らず取り除くこと).

or·bi·tal gy·ri 眼窩回(大脳の左右の前頭葉の凹状下部表面にある, 多数の不規則な小回).

or·bi·ta·lis mus·cle 眼窩筋(痕跡的な非横紋筋で, 眼窩下溝と下眼窩裂を横切り, 眼窩骨膜と結合する). = musculus orbitalis; orbital muscle.

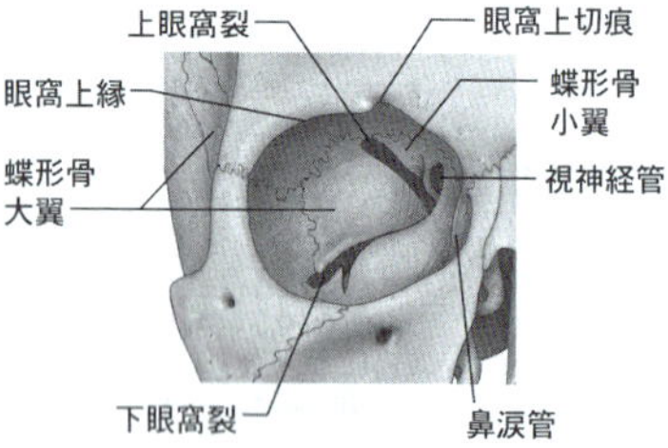
上眼窩裂
眼窩上切痕
眼窩上縁
蝶形骨
小翼
蝶形骨
大翼
視神経管
下眼窩裂
鼻涙管
bony orbit

or·bi·tal mar·gin 眼窩縁(眼窩口の縁で, 大部分は鋭い稜をなしピラミッド形の眼窩の底部をなす. 上半を上縁, 下半を下縁という. 前頭骨・上顎骨・頬骨によってつくられ眼球を強力に保護している. 骨折しやすい部位というのは3骨の連結部である縫合である). = margo orbitalis.

or·bi·tal mus·cle 眼窩筋. = orbitalis muscle.

or·bi·tal plane 眼窩平面(上顎骨の眼窩面. オルビターレのところでは耳眼面に垂直になっている).

or·bi·tal pro·cess 眼窩突起(口蓋骨垂直板の上端にある2つの突起のうち前方の大きいほうで, 上顎骨, 篩骨, 蝶形骨と連結する).

or·bi·tog·ra·phy (ōr-bi-tog′ră-fē). 眼窩造影法(眼窩のX線写真による評価).

or·bi·to·me·a·tal line (OML) 耳眼線. = base line.

or·bi·to·me·a·tal plane 耳眼面(左右のポリオンと左のオルビターレを通る標準頭蓋計測平面. 側面写真またはX線写真上で外耳孔上縁とオルビターレとを線で結ぶ).

or·bi·to·na·sal (ōr′bi-tō-nā′zăl). 眼窩鼻腔の(眼窩および鼻または鼻孔についていう).

or·bi·to·nom·e·ter (ōr′bi-tō-nom′ĕ-tĕr). 眼窩内圧計(眼球を眼窩内に圧入する力に対する抵抗を測定する器械).

or·bi·to·nom·e·try (ōr′bi-tō-nom′ĕ-trē). 眼窩内圧測定〔法〕(眼窩内圧計を用いた測定法).

or·bi·top·a·thy (ōr′bi-top′ă-thē). 眼窩疾患(眼窩およびその内容物の疾患).

or·bi·tot·o·my (ōr-bi-tot′ō-mē). 眼窩切開〔術〕.

Or·bi·vi·rus (ōr′bi-vī′rŭs). オルビウイルス属(節足動物中で増殖する脊椎動物ウイルスの一属で, コロラドダニ熱ウイルスが含まれる).

or·ce·in (ōr′sē-in). オルセイン(オルシノールから得られる天然色素. 種々の組織学的染色法に用いる).

orch·al·gi·a (ōr-kal′jē-ă). = orchialgia.

orchi-, orchido-, orchio- 精巣(睾丸)に関する連結形.

or·chi·al·gi·a (ōr-kē-al′jē-ă). 精巣(睾丸)痛. = orchalgia; testalgia.

or·chi·dec·to·my (ōr-ki-dek′tŏ-mē). = orchiectomy.

or·chid·ic (ōr-kid′ik). 精巣(睾丸)の.

or·chi·dom·e·ter (ōr-ki-dom′ĕ-tĕr). 精巣(睾丸)計測器(①精巣の大きさを測定する器具. ②精巣の発達を調べるためにつくられた様々な大きさの精巣模型のセット).

or·chi·do·pex·y (ōr-kid′ō-peks′ē). = orchiopexy.

or·chi·ec·to·my (ōr-kē-ek′tŏ-mē). 精巣(睾丸)摘除〔術〕(一方あるいは両方の精巣の除去). = orchidectomy; testectomy.

or·chi·ep·i·did·y·mi·tis (ōr′kē-ep′i-did-i-mī′tis). 精巣精巣上体炎, 睾丸副睾丸炎(精巣と精巣上体の炎症).

or·chi·o·cele (ōr′kē-ō-sēl). 精巣(睾丸)ヘルニア様脱出(鼡径管中に精巣が停留する状態).

or·chi·op·a·thy (ōr′kē-op′ă-thē). 精巣(睾丸)障害.

or·chi·o·pex·y (ōr′kē-ō-pek′sē). 精巣(睾丸)固定〔術〕(下降していない精巣を下ろして，陰嚢内にはめ込む精巣の外科的治療). = cryptorchidopexy; orchidopexy.

or·chi·o·plas·ty (ōr′kē-ō-plas-tē). 精巣(睾丸)形成〔術〕(精巣の手術的再建).

or·chi·ot·o·my (ōr′kē-ot′ŏ-mē). 精巣(睾丸)切開〔術〕.

or·chis, pl. **or·chis·es** (ōr′kis, -ki-sēz). 精巣，睾丸. = testis.

or·chit·ic (ōr-kit′ik). 精巣(睾丸)炎の.

or·chi·tis (ōr-kī′tis). 精巣(睾丸)炎. = testitis.

Ord オロチジンの記号.

or·der (ōr′dĕr). ***1*** 目(モク)(生物分類において，綱(または亜綱)のすぐ下で，科の上に位する分類群). ***2*** 次数(ある反応において，次数はその反応速度式での全反応物濃度項のベキ数の総和をいう).

or·der of draw 採取順序(管内の異物残留が要因となる鑑定時の妨害を最小限にするための，血液標本採取の推奨手順).

or·der·ly (ōr′dĕr-lē). オーダリ(病棟で患者の治療の手助けをする職員).

or·di·nate (ōr′di-nāt). 縦座標(デカルト座標における垂直の軸(*y*)).

Or·e·gon grape = barberry.

O·rem self-care de·fi·cit the·o·ry オーレム自己介護理論(米国の看護教育者，Dorothea Orem(1914 年生)によって提唱された看護理論. 患者に自己介護を指導することに焦点を当てた看護).

-orexia 空腹(の状態)を意味する連結形.

o·rex·i·gen·ic (ō-rek-si-jen′ik). 食欲促進の.

o·rex·in (ōr-eks′in). オレキシン(睡眠サイクルやエネルギー消費に関与している神経ペプチド. おそらく食欲に直接影響することはない).

or·gan (ōr′găn). 器官(呼吸，排泄，消化などの特別な機能を営む身体の部分). = organum; organon.

or·ga·na (ōr′gă-nă). organum の複数形.

or·gan of Cor·ti コルティ(コルチ)器(音の振動を感知し脳に伝達する特殊な有毛細胞で，内耳の基底板に 2 列に並んでいる).

or·gan cul·ture 器官培養，臓器培養(*in vitro* において，分化あるいは構造や機能の保持が可能な方法を用いて組織や器官原基や器官の一部あるいは全部の成長を維持すること).

or·gan·elle (ōr′gă-nel′). 〔細胞〕小器官(原生動物や組織細胞の特殊化した部分. これらの細胞下の単位は，ミトコンドリア，Golgi 装置，細胞中心および中心粒，顆粒状および非顆粒状小胞体，小胞，ミクロソーム，リソソーム，原形質膜，ある種の原線維，および植物細胞の色素体を含む). = organoid(3).

or·gan·ic (ōr-gan′ik). ***1*** 器官の. ***2*** 生体の，有機体の. ***3*** 有機的な，組織的な，構造上の. ***4*** 有機の(→organic compound).

or·gan·ic ac·id 有機酸(有機基をもつ分子で構成される酸. 例えばイオン化 -COOH 基をもつ，酢酸，クエン酸).

or·gan·ic brain syn·drome (OBS) 器質〔性〕脳症候群(一過性ないし永続性の脳機能障害により生じる注意・集中・記憶の障害，意識混濁，不安，抑うつなどの行動面ないし心理面での一群の症状).

or·gan·ic chem·is·try 有機化学(共有結合原子，特にこの型の炭素化合物を中心として取り扱う化学の分科. 元来，そして現在も天然物化学を包含する).

or·gan·ic com·pound 有機化合物(原子(そのいくつかは炭素原子)が共有(電子を分かち合う)結合によって結ばれている化合物. *cf.* inorganic compound).

or·gan·ic con·trac·ture 器質性拘縮(本人の意識・無意識にかかわらず持続する，筋肉内の線維形成による拘縮).

or·gan·ic de·lu·sions 器質〔性〕妄想(頭部外傷や Alzheimer 症候群，コカインもしくは他の薬物中毒などの脳器質性変化から生じる痴呆を伴うせん妄でみられる誤った確信).

or·gan·ic dis·ease 器質性疾患(機能障害，特に心因性のものとは対照的に，身体の組織または器官に解剖学的または病態生理学的な変化のある疾病).

or·gan·ic dust tox·ic syn·drome (ODTS) 有機粉塵中毒症候群(重い有機粉塵にさらされた後に起こる，寒気，倦怠，筋肉痛，乾いた咳，呼吸困難，頭痛，そして吐き気を伴った，非感染性の熱病. 重度の農夫肺や，その他の過敏性肺炎類と，多くの臨床的特徴を共有する状態である. 例えば気管支肺胞の洗浄における好中性白血球数増加の状態).

or·gan·ic ev·o·lu·tion 生物進化. = biologic evolution.

or·gan·ic food 有機食品(添加剤や着色料，合成薬品(農薬，殺虫剤，ホルモン)，放射能，遺伝子操作が施されず，米国農務省国家規格の有機プログラムに準拠し，栽培された食品).

or·gan·ic hear·ing im·pair·ment 基質性難聴(病的過程または器質的病変によって生じる難聴. 心因性難聴の対語).

or·gan·ic men·tal dis·or·der 器質性精神障害(一過性または持続性の脳機能障害に伴う心理面，認知面，ないし行動面の異常であり，通常，器質性精神症候群 organic mental syndrome がみられるのが特徴).

or·gan·ic mur·mur 器質性雑音.

or·gan·ic ver·ti·go 器質性めまい(脳損傷によるめまい).

or·ga·nism (ōr′gă-nizm). 生物，生体，有機体(動植物を問わず，生きている個体の総称).

or·ga·ni·za·tion (ōr′găn-ī-zā′shŭn). ***1*** 構築，構成，組織，機構(まったく別ではあるが，相互関係のある各部分の配列). ***2*** 器質化(凝固血液，滲出液，あるいは死んだ組織の線維組織への変化).

or·ga·nize (ōr′găn-īz). 組織化する，器官を形成する(構造を与える，あるいは想定する).

or·ga·niz·er (ōr′găn-ī-zĕr). 形成体，オーガナイザー(①隣接部の成長と発生を制御しながら胚中の細胞分化を誘発する原口背唇上の一群の細胞. ②制御の影響力をもつ細胞群に対して用いる. この効果は喚起因子の作用を通じて引き起こされる).

organo- 器官あるいは器官の, を意味する連結形.

or·gan·o·gel (ōr-gan′ō-jel). 有機ゲル (分散剤として水の代わりに有機溶媒で満たされたヒドロゲル).

or·ga·no·gen·e·sis (ōr′gă-nō-jen′ĕ-sis). 器官発生, 器官形成 (発生段階での器官の形成). = organogeny.

or·ga·no·ge·net·ic, or·ga·no·gen·ic (ōr′gă-nō-jĕ-net′ik, -jen′ik). 器官発生の, 器官形成の.

or·ga·nog·e·ny (ōr-gă̆n-oj′ĕ-nē). = organogenesis.

or·gan·oid (ōr′gă-noyd). *1* 〚adj.〛類器官の, 器官様の (外観や構造が身体の器官や腺に似ていることについていう). *2* 〚adj.〛類臓器〔性〕の (腺あるいは生体要素からなり, 単一の組織ではない. ある特定の新生物(例えば腺腫)に関係したもので, 正常の器官にきわめて類似するか, 事実上同一の様式で配列されている細胞や組織の要素をもつ. →histoid). *3* 〚n.〛小器官. = organelle.

or·gan·oid tu·mor 奇形腫 (腺組織に発生し, 上皮, 結合組織を含む複合構造の腫瘍).

or·ga·no·meg·a·ly (ōr′gă-nō-meg′ă-lē). 臓器巨大〔症〕. = visceromegaly.

or·gan·o·mer·cur·i·al (ōr′gă-nō-mĕr-kyūr′ē-ăl). 有機水銀化合物 (メルブロミン, チメロサールなどについていう).

or·ga·no·me·tal·lic (ōr′gă-nō-mĕ-tal′ik). 有機金属化合物の (その構造に1つ以上の金属原子を含む有機化合物についていう).

or·ga·non, pl. or·ga·na (ōr′gă-non, -nă). 器官. = organ.

or·ga·no·phos·phates (ōr′gă-nō-fos′fāts). 有機リン酸類 (→ organophosphorous compounds).

or·gan·o·phos·phor·ous com·pounds 有機リン化合物 (抗コリンエステラーゼとして働く(コリンエステラーゼを不活性化する)ことによって, 体内でコリン作用効果を生じさせる, リン含有の有機化合物. これら化合物はある殺虫剤(有機リン酸系殺虫剤)や, またあらゆる化学兵器的な神経ガスを含む. また, 誤って organaphosphates 呼ばれることがある).

or·ga·no·tro·phic (ōr′gă-nō-trō′fik). *1* 臓器栄養の. *2* 還元力の源として有機体を用いる微生物についていう.

or·ga·no·tro·pic (ōr′gă-nō-trō′pik). 臓器向性の.

or·ga·no·tro·pism (ōr′gă-nō-trō′pizm). 臓器向性 (特定の薬剤, 病原体, あるいは転移性腫瘍が特定の臓器またはその構成物に対して有する特殊な親和性. *cf.* parasitotropism).

or·gan-spe·cif·ic (ōr′gan-spe-sif′ik). 器官特異〔的〕の, 臓器特異〔的〕の (ある器官あるいは組織細胞の注射によって生じた血清で, 他の動物に注射すると対応する器官の細胞を破壊する血清についていう).

or·gan-spe·cif·ic an·ti·gen 器官特異性抗原, 臓器特異性抗原 (器官特異性を有する異種抗原. 例えば, 種属特異性抗原に加えて, 1つの種の腎臓が他種の腎臓と同一の抗原をもつ場合). = tissue-specific antigen.

or·ga·num, pl. or·ga·na (ōr′gă-nŭm, -nă). 器, 器官. = organ.

or·gasm (ōr′gazm). オルガズム (性行為の頂点または絶頂). = climax(2).

or·gas·mic, or·gas·tic (ōr-gaz′mik, ōr-gas′tik). オルガズムの (オルガズム(性的興奮絶頂感)と関係したもの, その特徴, あるいはそれを誘導するものについていう).

or·i·en·ta·tion (ōr-ē-ĕn-tā′shŭn). *1* 見当識, 指南〔力〕 (自己の時間的, 空間的, 人間的関係と外界に対する認識). *2* 配位 (1つの原子と, それが結合している原子との位置関係).

Or·i·en·ti·a (ōr-ē-en′shă). オリエンティア属 (リケッチア科に属する細菌群).

Or·i·en·ti·a rick·ett·si·a ツツガムシ病を引き起こすバクテリア種. 旧名 *Rickettsia tsutsugamushi.*

Or·i·en·ti·a tsut·su·ga·mu·shi ツツガムシ病の病原体で, ダニによって媒介される. 以前は *Rickettsia tsutsugamushi* とよばれていた.

or·i·ent·ing re·flex 指向反射, 定位反射 (変化または新しい刺激が加わる場合に, 生物が刺激の繰返しに対してさらに敏感になるような反射の方向付け. 例えば, 薄暗い光が与えられた際に生じる瞳孔の拡張). = orienting response.

or·i·ent·ing re·sponse 指向応答, 定位応答. = orienting reflex.

or·i·fice (ōr′i-fis). 口, 開口〔部〕. = orificium.

or·i·fi·cial (ōr-i-fish′ăl). 口の, 開口の (あらゆる種類の開口についていう).

or·i·fi·ci·um, pl. or·i·fi·ci·a (ōr-i-fish′ē-ŭm, -shē-ă). 口. = orifice.

or·i·gin (ōr′i-jin). 起始, 起点 (①筋肉の付着する2点のうち動かないほうをいい, 骨格のより固定した部分に付着する. ②脳神経または脊髄神経の起点. 前者は2つの起始をもつ. 1つは **ental origin**(内部の起始), **deep origin**(深部の起始), または **real origin**(真の起始)とよばれ, 神経線維が始まる脳あるいは延髄中の細胞群で, もう1つは **ectal origin**(外面の起始), **superficial origin**(表在の起始), または **apparent origin**(見せかけの起始)とよばれ, 神経が脳から出る点である).

or·ig·i·na·tor (ŏr-ij′i-nā-tĕr). = author.

or·li·stat (ōr′li-stat). オルリスタット (身体の脂肪吸収を抑制するために胃腸の表面で働くリパーゼ抑制体).

Or·mond dis·ease オーモンド病. = retroperitoneal fibrosis.

Orn オルニチンまたはその基の記号.

or·ni·thine (Orn) (ōr′ni-thēn). オルニチン (その L-異性体は L-アルギニンをアルギナーゼで加水分解して得られるアミノ酸. 尿素サイクルの重要な中間体. ある尿素サイクル欠陥で,

濃度が増加する).

or·ni·thi·nu·ri·a (ōr′ni-thi-nyūr′ē-ă). オルニチン尿（多量のオルニチンが尿中に排出されること).

Or·ni·thod·o·ros (ōr-ni-thod′ŏ-rŏs). カズキダニ属（ヒメダニ科軟マダニの一属. このうち数種は種々の回帰熱の病原体の媒介動物である).

or·ni·tho·sis (ōr-ni-thō′sis). オルニトーシス，鳥類病. = psittacosis.

Oro オロチン酸，オロチン酸塩またはエステルを示す記号.

oro- 口に関する連結形.

or·o·dig·i·to·fa·cial (ōr′ō-dij′i-tō-fā′shăl). 口指顔の（口，指，および顔に関する).

or·o·fa·cial (ōr-ō-fā′shăl). 口顔の（口および顔に関する).

or·o·lin·gual (ōr-ō-ling′gwăl). 口舌の（口および舌に関する).

or·o·na·sal (ōr-ō-nā′zăl). 口鼻の（口および鼻に関する).

or·o·pha·ryn·ge·al (ōr′ō-fă-rin′jē-ăl). 口腔咽頭の（口腔咽頭部に関する).

or·o·phar·ynx (ōr′ō-far′ingks). 口腔咽頭部（口腔後方にある咽頭部分. 上は咽頭峡を経て咽頭鼻部に，下は咽頭喉頭部に続く).

O·ro·pouche fe·ver オロポーチ熱（ブンヤウイルスの一種によって起こる急性の熱性疾患).

or·o·so·mu·coid (ōr′ō-sō-myū′koyd). オロソムコイド（炎症によって血漿中濃度が上昇する).

or·o·tate (Oro) (ōr′ō-tāt). オロチン酸塩またはエステル.

o·rot·ic ac·id (Oro) オロチン酸（ピリミジンヌクレオチド生成における重要な中間体. ある遺伝性ピリミジン生合成欠陥で上昇する).

o·rot·i·dine (O, Ord) オロチジン；orotic acid-3-β-D-ribonucleoside; uridine-6-carboxylic acid（オロチジン尿症の症例で上昇する).

or·o·tra·che·al tube 口腔気管チューブ（口から挿入された気管チューブ).

O·ro·ya fe·ver オロヤ熱（全身性，急性，熱性，散発性のバルトネラ症の全身症. 高熱，リウマチ性疼痛，進行性重症貧血，および蛋白尿が特徴). = Carrión disease.

or·phan dis·ease 希少疾患（まれであるがゆえに，いかなる治療法も開発されていない疾病. →orphan products).

or·phan drugs 稀用薬（→orphan products).

or·phan pro·ducts みなし児製品，見捨てられた良薬（薬，生物製剤，医療器具（体外診断薬も含む）などで，ありふれた病気あるいはまれな病気に役立つ可能性はあるが，商品的価値がないとされたもの).

or·phan re·cep·tor オーファンレセプタ（リガンドがいまだ同定されていない核レセプタ).

or·phan vi·rus·es オーファンウイルス（最初発見されたときは特別病気との関連性はみられなかった enteric orphan viruses. これまでにその多くが病原性であることがわかった).

-orrhagia, -rrhagia, -rrhage 過度の流出を意味する連結形.

-orrhea, -rrhea 排出や流出を意味する連結形.

-orrhexis, -rrhexis 破裂を意味する連結形.

ORT Operation Restore Trust の略.

or·the·sis (ōr-thē′sis). 矯正器. = orthosis.

or·thet·ics (ōr-thet′iks). = orthotics.

Orth fix·a·tive オルト固定液（Müller 固定液にホルマリンを加えたもの. クロム親和性を明瞭にして，初期の変性過程や壊死を調べたり，リケッチアや細菌を証明するのに用いる).

ortho-, orth- ***1*** 真っすぐな，正常な，正規な，を意味する接頭語. ***2*** 化学において，ベンゼン環の隣接した炭素原子上に2つの置換基をもつ化合物をさす接頭語で，イタリック体で記される. *ortho-* または *o-* で始まる語は特定名参照.

or·tho·cho·re·a (ōr′thō-kōr-ē′ă). 直立性舞踏病（患者が直立の姿勢でいるときのみに，または主にそのようなときに，痙縮が起こる舞踏病の一種).

or·tho·chro·mat·ic (ōr′thō-krō-mat′ik). 正染性の（組織または細胞が，用いた染料の色，すなわちそれらを染めた染色溶液と同じ色に染まることについていう).

or·tho·cy·to·sis (ōr′thō-sī-tō′sis). 成熟血球状態（種々の形の割合や総数に関係なく，循環血液中の細胞要素が成熟した形をとる状態).

or·tho·de·ox·i·a (ōr′thō-dē-oks′ē-ă). 体位性脱酸素現象（直立姿勢で動脈血の酸素含量が低下すること).

or·tho·don·tics (ōr-thō-don′tiks). 歯科矯正学（歯学の一分野で，歯列不正並びや不正咬合の矯正および予防を扱う).

or·tho·dont·ist (ōr-thō-don′tist). 矯正歯科医（歯科矯正学に従事する歯科専門医).

or·tho·dro·mic (ōr-thō-drō′mik). 順方向〔性〕の，順行〔性〕の（正常な方向の伝導系（神経線維など）に沿う刺激の伝達についていう. *cf.* antidromic).

or·thog·na·thi·a (ōr-thog-nath′ē-ă). 顆顎異常矯正学（顎の骨の位置異常に関連する病態の原因および治療に関する研究).

or·thog·nath·ic, or·thog·na·thous (ōr-thōg-nath′ik, -thog′nă-thŭs). ***1*** 顆顎異常矯正学の. ***2*** 正顎の（顎が出っ張っていない，顎指数が 98 以下の顔についていう. →prognathic). ***3*** 正顎の（上顎と下顎の位置関係が正常なこと).

or·thog·o·nal ra·di·o·graphs 直交 X 線写真（90° 離れて映し出された 2 つの X 線写真. 放射線治療計画で用いられる).

or·tho·grade (ōr′thō-grād). 直立歩行位（直立して歩いたり立ったりすること. ヒトの姿勢を表す. 伏位歩行位 pronograde の対語).

or·tho·grade de·gen·er·a·tion 順行〔性〕変性. = wallerian degeneration.

or·tho·ker·a·tol·o·gy (ōr′thō-ker′ă-tol′ō-jē). 角膜矯正〔術〕（コンタクトレンズで角膜をかたどり，視力を向上させる方法).

or·tho·ker·a·to·sis (ōr′thō-ker′ă-tō′sis). 正常角化（正常表皮に認められる核の消失したケラチン層の形成).

or·tho·me·chan·i·cal (ōr′thō-mĕ-kan′i-kăl).

整形外科的器械の（装具，補てつ物，整形外科器械，およびそれらの応用物に関係する）．

or·tho·mo·lec·u·lar (ōr′thō-mŏ-lek′yū-lăr). 正常生体分子の（生体機能を維持するため至適な分子環境をつくるように企画された治療法．人体内に正常状態で存在する成分の至適濃度に対して特別基準で調べる）．

or·tho·mol·e·cu·lar me·di·cine = megavitamin therapy.

Or·tho·myx·o·vir·i·dae (ōr′thō-mik′sō-vir′i-dē). オルト(オルソ)ミクソウイルス科（インフルエンザウイルスの3型(A，B，C型)からなるウイルスの科．インフルエンザウイルスA型およびB型はどちらも突然変異を起こしやすいので大流行する．インフルエンザウイルスC型は，A型およびB型と相違し，別の属に属する．→*Influenzavirus*）．

or·tho·pae·dic sur·ger·y 整形外科（四肢や脊椎の傷害，疾病，機能障害，変形(小児の奇形)を含む，筋骨格系の急性および慢性疾患の治療を包含する外科の一分野．→orthopaedics）．

or·tho·pe·dics, or·tho·pae·dics (ōr′thō-pē′diks). 整形外科〔学〕（薬物療法，手術療法，物理療法による筋骨格系，四肢，脊柱，および付属器官の形態・機能の保持，修復，および発達に関する医学の専門分野）．

or·tho·per·cus·sion (ōr′thō-pĕr-kŭsh′ŭn). 限界〔弱〕打診〔法〕（胸部をきわめて弱くたたく打診法．心臓の大きさを測るために用いる）．

or·tho·pho·ri·a (ōr-thō-fōr′ē-ă). 眼球正位（斜位でないこと．融像刺激なしに視線が遠近の対象点で一致する両眼固視の状態）．

or·tho·phor·ic (ōr-thō-fōr′ik). 眼球正位の．

or·tho·phos·phate (ōr-thō-fos′fāt). 正リン酸塩またはエステル．

or·tho·phos·phor·ic ac·id 正リン酸；phosphoric acid; O=P (OH)$_3$ (H_3PO_4 の無水物であるメタリン酸$(HPO_3)_n$ およびピロリン酸 OP(OH_2)OP$(OH)_2$O と区別する）．

or·thop·ne·a (ōr-thop-nē′ă). 起座呼吸（仰臥によって惹起あるいは増悪する呼吸困難または困難感．*cf.* platypnea）. = orthopnoea.

or·thop·ne·ic (or-thop-nē′ik). 起座呼吸の. = orthopnoeic.

orthopnoea [Br.]. = orthopnea.

orthopnoeic [Br.]. = orthopneic.

Or·tho·pox·vi·rus (ōr′thō-poks′vī′rŭs). オルトポックスウイルス属（ポックスウイルス科の属で，アラストリム，ワクシニア，バリオラ，牛痘，エクトロメリア，サルポックス，家兎痘の各ウイルスを含む）．

or·tho·psy·chi·a·try (ōr′thō-sī-kī′ă-trē). 矯正精神医学（小児精神医学や発達精神医学，小児科学，家族ケアなどを組み込んだ学際的な科学．小児や思春期の精神的・心理的障害の発見，予防，治療に寄与する学問）．

or·thop·tic (ōr-thop′tik). 視能訓練の，両眼視矯正学の．

or·thop·tics (ōr-thop′tiks). 視能矯正学（両眼視機能の欠陥，眼筋運動の障害，視力習性の障害に対する研究および治療）．

Or·tho·re·o·vi·rus (ōr′thō-rē′ō-vī′rŭs). レオウイルス科の一属で種々の呼吸器および消化器疾患でみられる．しかし，その因果関係は証明されていない．

or·tho·scope (ōr′thō-skōp). オルソスコープ（頭蓋の種々の基準面での輪郭を描画できるようにつくられている器械）．

or·tho·sis, pl. or·tho·ses (ōr-thō′sis, -sēz). 装具（装具 brace や副子 splint など整形外科で用いられる外固定具．脊椎や四肢の動きを制限または補助する道具）. = orthesis.

or·tho·stat·ic (ōr′thō-stat′ik). 起立〔性〕の，直立の．

orth·o·sta·tic con·ges·tion 起立性うっ血（直立姿勢状態における下半身の血液の貯留）．

or·tho·stat·ic de·con·di·tion·ing 起立性デコンデショニング（長期間のベッド生活や低重力での宇宙飛行が招くネガティブな効果．起立時に頻拍症や低血圧が生じる）．

or·tho·stat·ic hy·po·ten·sion 起立性低血圧〔症〕（起立時に起こる低血圧の一型）. = postural hypotension.

or·tho·stat·ic in·tol·er·ance 起立性調節障害（起立位になると静脈還流量が減少すること．一般的に，宇宙飛行士が重力の支配下に戻った後に生じる）．

or·tho·tic (ōr-thot′ik). ***1*** 〖adj.〗装具学の．***2*** 〖n.〗装具学的アプライアンス．

or·thot·ics (ōr-thot′iks). 歯科矯正学（歯科矯正装置の製作と装着を扱う科学）. = orthetics.

or·tho·tist (ōr-thŏt′ist). 歯科矯正医（歯科矯正装置の作製者であり，取り付ける人でもある）．

or·thot·o·nos, or·thot·o·nus (ōr-thot′ŏ-nŭs). 真直緊張（テタヌス痙攣の一種で，首，四肢，および体幹が真っすぐに固定される）．

or·tho·top·ic (ōr-thō-tō′pik). 正常位の（正常または通常の位置における）．

or·tho·top·ic u·re·ter·o·cele 正位性(型)尿管瘤（尿管瘤全体が膀胱内にある状態）．

or·tho·tro·pic (ōr′thō-trō′pik). 直伸の，垂直向性の（真っすぐな，特に垂直の方向へ伸びる，または成長することについていう）．

Orth stain オルト染色〔法〕（神経細胞とその突起に用いるリチウムカルミン染色）．

Or·to·la·ni man·eu·ver オルトラニー手技（股関節脱臼の整復法．大腿骨頭を前方に引っ張って股関節を屈曲，外転する．整復時に大腿骨頭が臼蓋の元の位置に戻っていることを触って確認する）．

Or·to·la·ni sign オルトラニサイン（先天性股関節脱臼の乳幼児の大腿を内転および外転させることにより誘発される，触知および聴き取り可能なクリック音）．

ORYX 保健医療機関の成果および実績評価を標準化することが可能な方法論．保健医療機関認可合同委員会が確立．

Os (os). オスミウムの元素記号．

os, gen. o·ris, pl. o·ra (os, ō′ris, ō′ră). 口（① = mouth. ②空洞のある器官または管の口，特に厚い縁または肉質の縁をもつものを表すのにときに用いる語).
os, gen. os·sis, pl. os·sa (os, os′is, -ă). 骨 (組織学的定義については各々の bone の項参照). = bone.
OSA obstructive sleep apnea の略.
osche-, oscheo- 陰嚢を意味する連結形.
os·che·al (os′kē-ăl). 陰嚢の. = scrotal.
os·che·i·tis (os-kē-ī′tis). 陰嚢炎.
os·che·o·hy·dro·cele (os′kē-ō-hī′drō-sēl). 陰嚢水瘤.
os·che·o·plas·ty (os′kē-ō-plas-tē). 陰嚢形成〔術〕. = scrotoplasty.
os·cil·lat·ing vi·sion 振動視, 動揺視. = oscillopsia.
os·cil·la·tion (os′il-ā′shŭn). 振動 (①前後の動き. ②炎症における血管の変化の一段階. 小血管中の白血球の滞留により, 血流が停止し, 心臓の各収縮時に前後運動だけがある状態).
os·cil·la·to·ry po·ten·tial 律動様小波 (アマクリン細胞から発生する暗順応状態での網膜電図の陽性成分(β波)の変動する電位).
os·cil·lom·e·ter (os-i-lom′ĕ-tĕr). 振動計, オシロメータ (あらゆる種類の振動を測定するための器械. 特に脈拍測定の血流の振動を測定するのに用いる).
os·cil·lo·met·ric (os′i-lō-met′rik). 振動計の, オシロメータの.
os·cil·lom·e·try (os′i-lom′ĕ-trē). 振動測定〔法〕(オシロメータを用いてあらゆる種類の振動を測定する方法).
os·cil·lop·si·a (os′i-lop′sē-ā). 振動視, 動揺視 (対象が揺れて見える自覚的感覚). = oscillating vision.
os cox·a = hip bone.
os·cu·lum, pl. os·cu·la (os′kyū-lŭm, -lā). 細孔, 小孔.
-ose ***1*** 化学において, 通常, 炭水化物をさす接尾語. ***2*** -ous(2)の意味をもつ, ラテン語由来の語に付く接尾語. ***3*** …の多いを意味する接尾語.
Os·good-Schlat·ter dis·ease オズグッド-シュラッター病 (脛骨結節を形成する成長核(骨端)の炎症または部分剥離). = Schlatter disease; Schlatter-Osgood disease.
OSHA (ō′shă). Occupational Safety and Health Administration(米国労働省の労働安全衛生局)の略. 作業環境の安全および衛生基準の作成と施行を受け持つ.
os ha·ma·tum 有鉤骨. = hamate bone.
O shell O 殻 (電子軌道のうち外側に位置するもので, その殻の電子の遷移によって可視光領域の電磁波の放出を起こす).
os in·ci·si·vum 切歯骨 (上顎骨の前内側部. 胎児およびときには成人でも独立した骨をなしている. 切歯縫合は, 切歯管から側切歯と犬歯の間へと走る). = incisive bone; intermaxillary bone; premaxillary bone.
os in·ter·met·a·tar·se·um 中足間骨 (第一中足骨の底, あるいは第一と第二中足骨の間にある過剰骨. 通常, 前記いずれかの骨または内側楔状骨と癒合する).
-osis, pl. -os·es 通常, 疾病の過程, 状況, または状態を意味する接尾語. 生理的あるいは病理的産生または増加, 生体内への寄生虫の侵入および増殖を意味する.
Os·ler dis·ease オースラー病. = polycythemia vera.
Os·ler node オースラー結節 (亜急性細菌性心内膜炎患者の手足の皮膚または皮下組織に生じるもので, 帽針頭大からエンドウマメ大の境界明瞭な有痛性紅色腫脹を呈する).
Os·ler-Va·quez dis·ease オースラー-ヴァケー病. = polycythemia vera.
OSMED (os′med). otospondylomegaepiphysial dysplasia の略.
os·mic ac·id オスミウム酸, オスミン酸 (揮発性腐食性のある強力な酸化剤. 無色の結晶体で, ほとんど水に不溶であるが有機溶媒には可溶. 水溶液は脂肪およびミエリンの染色液であり, また電子顕微鏡のための一般的な固定液でもある).
os·mics (oz′miks). 嗅覚学.
os·mi·dro·sis (oz-mī-drō′sis). 臭汗症. = bromidrosis.
os·mi·um (Os) (oz′mē-ŭm). オスミウム (白金族の金属元素. 原子番号 76, 原子量 190.2).
osmo- ***1*** 浸透を表す連結形. ***2*** におい, 香りに関する連結形.
os·mo·lal·i·ty (os′mō-lal′i-tē). 重量オスモル濃度 (溶媒 1 kg に対する溶質粒子のオスモルで表される溶液の濃度).
os·mo·lar (os-mō′lăr). = osmotic.
os·mo·lar·i·ty (os′mō-lar′i-tē). 容量オスモル濃度 (溶液 1 L 当たりの溶質粒子のオスモル数で表される溶液の浸透圧活性物質の浸透濃度).
os·mole (os′mōl). 浸透圧モル (溶質の分子量(g)を溶液に溶解しているイオンまたは粒子の数で除した数).
os·mo·me·ter (os-mom′ĕ-tĕr). 浸透圧計 (①浸透圧重量モル濃度を氷点降下法または気圧上昇法によって測定する装置. ②嗅覚の鋭敏さを測定する装置).
os·mom·e·try (os-mom′ĕ-trē). 浸透圧測定〔法〕(浸透圧計を用いて重量オスモル濃度を測定すること).
os·mo·re·cep·tor (os′mō-rē-sep′tŏr, -tōr). ***1*** 浸透圧受容器 (血液の浸透圧の変化に反応する中枢神経系(視床下部と思われる)内の受容器). ***2*** 嗅〔覚〕受容器 (においの刺激を受け取る受容器).
os·mo·reg·u·la·to·ry (os′mō-reg′yū-lă-tōr-ē). 浸透調節の (浸透圧の程度および速度に影響することについていう).
os·mose (os′mōs). 浸透する (浸透現象によって膜を通過する).
os·mo·sis (os-mō′sis). 浸透〔現象〕(溶媒が, 膜に対し比較的不透過な溶質の低浸透圧の濃度側から高浸透圧の濃度側へ半透膜を透過する現象).
os·mot·ic (os-mot′ik). 浸透の. = osmolar.
os·mot·ic di·u·ret·ics 浸透圧性利尿薬 (マンニトールのように, その浸透圧効果により尿中の水分や電解質の消失を促進する).

O

os·mot·ic fra·gil·i·ty 浸透圧ぜい弱性（赤血球が低浸透圧性食塩水内で溶血しやすい傾向）. = fragility of the blood.

os·mot·ic pres·sure (π) 浸透圧（溶液と純溶媒が完全な半透膜により隔てられているときに，溶液が溶媒に向かって通過するのを妨げるようにかかる圧力）.

os mult·ang·u·lum ma·jus 大多角骨. = trapezium (2).

os na·sale 鼻骨. = nasal bone.

os oc·ci·pi·ta·le 後頭骨. = occipital bone.

osphresio- においまたは嗅覚を表す連結形.

os·phre·sis (os-frē′sis). 嗅覚〔作用〕. = olfaction.

os·phret·ic (os-fret′ik). 嗅覚の. = olfactory.

os·sa (os′ă). ラテン語 *os*（骨）の複数形.

os·sa cra·ni·i 頭蓋骨. = bones of cranium.

os·sa me·ta·car·pi 中手骨. = metacarpal bones [I–V].

os·sa me·ta·tar·si, pl. **os·sa me·ta·tar·sa·li·a** = metatarsal (bones).

os sca·phoi·de·um 〔手の〕舟状骨. = scaphoid (bone).

os·se·in, os·se·ine (os′ē-in, īn). オセイン，骨質. = collagen.

osseo- 骨の，を意味する連結形. →ossi-; osteo-.

os·se·o·car·ti·lag·i·nous (os′ē-ō-kahr′ti-laj′i-nŭs). 骨軟骨の（骨と軟骨との両方についていう）. = osteocartilaginous.

os·se·o·in·te·gra·tion (os′ē-ō-in′tĕ-grā′shŭn). オッセオインテグレーション，骨結合（歯科インプラントのように，結合組織を介在させずに，不活性な人工物を骨に直接的に結合させること）.

os·se·o·mu·cin (os′ē-ō-myū′sin). オセオムチン（骨組織の間質物質）.

os·se·ous (os′ē-ŭs). 骨〔性〕の，骨様の. = osteal.

os·se·ous hy·da·tid cyst 骨包虫性囊胞（単包条虫 *Echinococcus granulosus* によって起こる包虫囊胞の形態）.

os·se·ous la·cu·na 骨小窩（骨細胞によって占められた骨組織内の空洞）.

os·se·ous spi·ral lam·i·na 骨らせん板（蝸牛軸の周りをらせん状に取り巻いている二重の骨の板で，蝸牛のらせん管を鼓室階と前庭階の2つに不完全に分けている．2枚の板の間で蝸牛神経線維がらせん器(Corti 器)にまで達している）.

os·se·ous tis·sue 骨組織（その基質が膠原線維，間質物質からなる結合組織．その中にカルシウム塩(リン酸塩，炭酸塩フッ化物)がリン灰石の形で沈着する）. = bone tissue.

ossi- 骨に関する連結形. →osseo-; osteo-.

os·si·cle (os′i-kĕl). 小骨（特に鼓室(中耳)の骨）. = bonelet; ossiculum.

os·sic·u·la (ŏ-sik′yū-lă). ossiculum の複数形.

os·sic·u·la au·di·tus 耳小骨. = auditory ossicles.

os·sic·u·lar (ŏ-sik′yū-lăr). 小骨の.

os·sic·u·lar re·con·struc·tion 耳小骨連鎖再建（鼓膜から卵円窓までの耳小骨連鎖を回復する手術手技の総称．音圧伝達の回復および，その結果の聴力の回復を目的とする）.

os·sic·u·lec·to·my (os′i-kyū-lek′tŏ-mē). 耳小骨摘出〔術〕，耳小骨切除〔術〕（中耳の耳小骨の1本以上の除去）.

os·si·cu·lot·o·my (os′i-kyū-lot′ŏ-mē). 耳小骨剥離〔術〕，耳小骨切開〔術〕（中耳の小骨の突起1つ，あるいは2つの小骨間で強直の原因となっている線維帯の切離）.

os·sic·u·lum, pl. **os·sic·u·la** (ŏ-sik′yū-lŭm, -lă). 小骨. = ossicle.

os·sif·er·ous (ŏ-sif′ĕr-ŭs). 骨性の.

os·sif·ic (ŏ-sif′ik). 骨化の，骨形成の.

os·sif·i·cans (ŏs-if′i-kănz). 骨化（骨化すること．骨を形成する，または骨に変化すること）.

os·si·fi·ca·tion (os′i-fi-kā′shŭn). ***1*** 骨形成（骨の形成）. ***2*** 骨化（骨への変化）.

os·sif·ic cen·ter 骨化準備中心. = center of ossification.

os·si·fy (os′i-fī). 骨化する，骨形成する.

os·te·al (os′tē-ăl). = osseous.

os·te·al·gi·a (os-tē-al′jē-ă). 骨痛. = osteodynia.

os·te·al·gic (os-tē-al′jik). 骨痛の.

os·tec·to·my (os-tek′tŏ-mē). 骨切除〔術〕（①骨を外科的に除去すること．②歯科において，歯周ポケットをなくすために支持骨組織を切除すること）.

os·te·in, os·te·ine (os′tē-in, -īn). = collagen.

os·te·it·ic (os-tē-it′ik). 骨炎の. = ostitic.

os·te·i·tis (os-tē-ī′tis). 骨炎. = ostitis.

os·te·i·tis de·for·mans 変形性骨炎. = Paget disease (1).

os·te·i·tis fi·bro·sa cys·ti·ca 囊胞性線維性骨炎（石灰化した骨の破骨細胞の吸収が増加して線維性組織によって置換される．主に上皮小体機能亢進症または他の原因によって無機塩が急速に移動することによる）. = Recklinghausen disease of bone.

os·te·i·tis pu·bis 恥骨骨炎（恥骨結合部の恥骨の骨硬化．内転筋への負荷やストレスの蓄積により生じる）.

os·te·mi·a (os-tē′mē-ă). 骨充血.

os tem·po·ra·le 側頭骨. = temporal bone.

os·tem·py·e·sis (os′tem-pī-ē′sis). 骨化膿.

osteo-, ost-, oste- 骨に関する連結形. →osseo-; ossi-.

os·te·o·an·a·gen·e·sis (os′tē-ō-an-ă-jen′ĕ-sis). 骨再生.

os·te·o·ar·thri·tis (os′tē-ō-ahr-thrī′tis). 変形性関節症（関節軟骨のびらんを特徴とする関節炎で，一次性のものと，外傷や疾患による二次性のものとがある．関節軟骨は軟化し，すりきれ，菲薄化し，軟骨下骨のぞうげ質化と辺縁部の骨棘形成を伴う．疼痛と機能障害を生じる．主に荷重関節を侵し，老年者によりよくみられる）. = degenerative joint disease; hypertrophic arthritis; osteoarthrosis.

os·te·o·ar·throp·a·thy (os′tē-ō-ahr-throp′ă-thē). 骨関節症（骨と関節を侵す障害）.

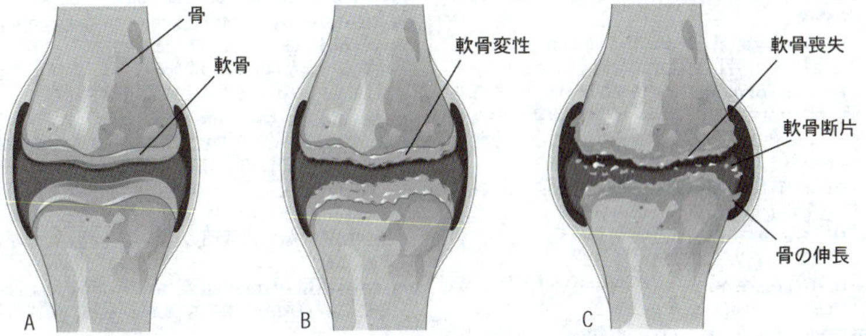
骨
軟骨
A
軟骨変性
B
軟骨喪失
軟骨断片
骨の伸長
C

osteoarthritis A：正常関節，B：初期，C：進行後期

O

os·te·o·ar·thro·sis (os′tē-ō-ahr-thrō′sis). = osteoarthritis.

os·te·o·blast (os′tē-ō-blast). 骨芽細胞（間葉性骨原細胞からできた骨形成細胞．この細胞は骨基質を形成し，骨細胞としてその中に封入される）．

os·te·o·blas·tic (os′tē-ō-blas′tik). *1* 骨芽細胞の．*2* X線写真上で骨濃度の上昇している部分を描写するのに用いる語．特に骨芽細胞を活性化する転移についていう．

os·te·o·blas·to·ma (os′tē-ō-blas-tō′mă). 骨芽細胞腫（骨芽細胞のまれな良性腫瘍で，類骨および石灰化した組織部分がある．若い人の脊椎に起こることが最も多い）．

os·te·o·car·ti·lag·i·nous (os′tē-ō-kahr-ti-laj′i-nŭs). 骨軟骨の．= osseocartilaginous.

os·te·o·chon·dral frac·ture 骨軟骨骨折（関節軟骨およびその下の骨に及ぶ骨折）．

os·te·o·chon·dri·tis (os′tē-ō-kon-drī′tis). 骨軟骨炎，骨端炎（関節軟骨とその下の骨の炎症）．

os·te·o·chon·dri·tis dis·se·cans 離断性骨軟骨炎（関節軟骨とその下の骨との完全または不完全な分離で，通常，膝関節にみられ，骨端側は無菌性壊死の状態を呈す）．

os·te·o·chon·dro·dys·tro·phy (os′tē-ō-kon-drō-dis′trŏ-fē). 骨軟骨形成異常〔症〕，骨軟骨ジストロフィ．= chondro-osteodystrophy.

os·te·o·chon·dro·ma (os′tē-ō-kon-drō′mă). 骨軟骨腫（増殖性軟骨細胞の縁でおおわれた正常骨の茎(皮質から突き出ている)からなる良性軟骨性新生物．多発性骨軟骨腫は遺伝し，遺伝性多発性外骨腫症とみなされている）．

os·te·o·chon·dro·sar·co·ma (os′tē-ō-kon′drō-sahr-kō′mă). 骨軟骨肉腫（骨にできる軟骨肉腫．骨の骨肉腫とともに新生軟骨巣を含む骨の肉腫は骨原性骨肉腫として分類される）．

os·te·o·chon·dro·sis (os′tē-ō-kon-drō′sis). 骨軟骨症，骨端症（小児における1個以上の骨化中枢の障害群で，変性または無腐性壊死に続いて再骨化の起こるのが特徴．骨端無菌壊死の種々の型が含まれる）．

os·te·oc·la·sis, os·te·o·cla·sia (os-tē-ok′lă-sis, -ō-klā′zē-ă). 骨砕き術（骨の奇形を治療するため人為的に骨折させる法）．

os·te·o·clast (os′tē-ō-klast). *1* 破骨細胞（多くの好酸性細胞質をもつ単一細胞の基と考えられる大型多核細胞で，骨細胞の吸収・除去をする）．= osteophage. *2* 砕骨器（奇形骨の治療のため骨を破壊する器械）．

os·te·o·clast ac·ti·vat·ing fac·tor 破骨細胞活性化因子（骨吸収を促進し，骨コラーゲン合成を抑制するリンフォカイン）．

os·te·o·clas·tic (os′tē-ō-klas′tik). 破骨の（破骨細胞，特に骨組織の吸収および除去をする細胞についていう）．

os·te·o·clas·to·ma (os′tē-ō-klas-tō′mă). 骨巨細胞腫，破骨細胞腫．= giant cell tumor of bone.

os·te·o·cra·ni·um (os′tē-ō-krā′nē-ŭm). 骨化頭蓋（膜性頭蓋の骨化の後，胎児の頭蓋が硬くなっていること）．

os·te·o·cys·to·ma (os′tē-ō-sis-tō′mă). 骨嚢腫．= solitary bone cyst.

os·te·o·cyte (os′tē-ō-sīt). 骨細胞（骨小腔を埋める骨組織の細胞で，骨細管にのびる細胞形質突起をもつ．他の骨細胞の突起と連結している）．

os·te·o·den·tin (os′tē-ō-den′tin). 骨様ぞうげ質（①急速に形成された第三ぞうげ質で，その内に取り込まれたぞうげ芽細胞を認め，ぞうげ細管の数は少ない．それゆえ，見かけ上は骨に類似する．②ある種の海洋哺乳類および魚類にみられる骨に似たぞうげ質）．

os·te·o·der·mi·a (os′tē-ō-dĕrm′ē-ă). 皮膚骨化，皮膚骨形成．= osteoma cutis.

os·te·o·di·as·ta·sis (os′tē-ō-dī-as′tă-sis). 骨離開（例えば，頭蓋骨などの2個の隣接した骨の離開）．

os·te·o·dyn·i·a (os′tē-ō-din′ē-ă). = ostealgia.

os·te·o·dys·plas·ty (os′tē-ō-dis-plas′tē). 骨異形成〔症〕．= Melnick-Needles osteodysplasty.

os·te·o·dys·tro·phi·a (os′tē-ō-dis-trō′fē-ă). 骨異栄養〔症〕，骨ジストロフィ．= osteodystrophy.

os·te·o·dys·tro·phy (os′tē-ō-dis′trŏ-fē). 骨形成異常〔症〕，骨ジストロフィ（骨の発育不良．

通常，慢性腎炎のイヌにみられる）. = osteodystrophia.

os·te·o·ec·ta·si·a (os′tē-ō-ek-tā′zē-ă). 骨肥大〔症〕（骨，特に長管骨が彎曲すること）.

os·te·o·fi·bro·ma (os′tē-ō-fī-brō′mă). 骨線維腫（骨の良性疾患で，恐らく真性の新生物ではなく，結合組織からなり，その中に小さな骨形成巣がある）.

os·te·o·fi·bro·sis (os′tē-ō-fī-brō′sis). 骨線維症（主に赤色骨髄を含む骨の線維症）.

os·te·o·gen (os′tē-ō-jen). 骨形成原（骨の基質を生産する組織または層）.

os·te·o·gen·e·sis (os′tē-ō-jen′ĕ-sis). 骨形成，骨発生. = osteogeny; osteosis(2).

os·te·o·gen·e·sis im·per·fec·ta (OI) 骨形成不全〔症〕（骨ぜい弱性，ささいな外力による骨折，骨格変形，青色強膜，靱帯弛緩，難聴を特徴とする）. = brittle bones.

os·te·o·gen·e·sis im·per·fec·ta con·gen·i·ta 先天性骨形成不全症（コラーゲン障害による遺伝性疾患で，骨ぜい弱性，ささいな外力による骨折を特徴とする．骨格変形，青色強膜，靱帯弛緩，難聴もみられる）.

os·te·o·gen·e·sis im·per·fec·ta tar·da 遅発性骨形成不全症（より軽症のもので，小児期後期に起こる）.

os·te·o·gen·e·sis im·per·fec·ta type I 骨形成不全症 I 型（骨形成不全症の軽症型で，青色強膜，聴覚障害，易溢血性，思春期の易骨折性と低身長を特徴とする）.

os·te·o·gen·e·sis im·per·fec·ta type II 骨形成不全症 II 型（骨形成不全症のうち周産期致死性型で，死産または生存期間が 1 年以内である．結合組織が非常にぜい弱で，X 線写真上子宮内で骨折がみられ，大きな軟らかい頭蓋，小肢，管状の長い骨と数珠状の肋骨がみられる）.

os·te·o·gen·e·sis im·per·fec·ta type III 骨形成不全症 III 型（骨形成不全症のうち進行性変形型で，骨は高度にもろく，易骨折性で，相対的大頭蓋を伴う三角形顔面，側弯，胸郭変形，四肢弯曲，小人症などの骨格変形がみられる．X 線写真上では縫合骨形成を伴う長骨骨幹端部の拡大がみられる．ほとんどの例は常染色体優性遺伝であるが，常染色体劣性遺伝の例も報告されている）.

os·te·o·gen·e·sis im·per·fec·ta type IV 骨形成不全症 IV 型（骨形成不全症のうちの中等度重症型で，低身長，骨ぜい弱性，歩行開始前での骨折，長骨の弯曲を特徴とする）.

os·te·o·ge·net·ic fi·bers 骨形成性線維（骨膜の骨形成層にある線維）.

os·te·o·ge·net·ic lay·er 骨形成層（骨膜内側の骨形成層）.

os·te·o·gen·ic, os·te·o·ge·net·ic (os′tē-ō-jen′ik, -jĕ-net′ik). 骨原〔性〕の，骨形成〔性〕の. = osteogenous.

os·te·o·gen·ic sar·co·ma 骨原性肉腫（骨性肉腫の最も一般的で悪性のもの．骨形成細胞に由来し，主に長骨の末端を侵す．10—25 歳の発生が最も多い）. = osteosarcoma.

os·te·og·e·nous (os-tē-oj′ĕ-nŭs). = osteogenic.

os·te·og·e·ny (os-tē-oj′ĕ-nē). = osteogenesis.

os·te·oid (os′tē-oyd). ***1*** 〖adj.〗骨状の（骨に関係する，または骨に類似すること）. ***2*** 〖n.〗類骨（石灰化前の新しく形成された有機骨組織）.

os·te·oid os·te·o·ma 類骨骨腫（通常は下肢骨，特に 10 代から 20 代で大腿骨または脛骨に発生する有痛性の良性新生物．類骨物質，血管に富む骨形成基質，未発達の骨からなる病巣中核(通常は直径 1 cm 以下)を特徴とする．病巣中核周囲に比較的広範囲の反応性の骨皮質肥厚がみられる）.

os·te·o·kin·e·mat·ics (os′tē-o-kin-ē-mat′iks). 骨運動学（関節を形成する骨の運動に関する研究）.

os·te·ol·o·gy (os′tē-ol′ŏ-jē). 骨学（骨の解剖学，骨およびその構造を扱う科学）.

os·te·ol·y·sis (os′tē-ol′i-sis). 骨溶解（骨組織の軟化・吸収・破壊で，破骨細胞の一機能）.

os·te·o·lyt·ic (os′tē-ō-lit′ik). 骨溶解性の.

os·te·o·ma (os′-tē-ō′mă). 骨腫（成熟した，成長の遅い良性の塊．主に層板骨，通常は頭蓋または下顎骨から生じる）.

os·te·o·ma cu·tis 皮膚骨腫（皮膚の石灰化で，腫瘍中の変性部分や炎症病変の二次的石灰巣のことが多いが，まれには正常皮膚に新しい骨形成が原発性にみられることもある）. = osteodermia; osteosis cutis.

os·te·o·ma·la·ci·a (os′tē-ō-mă-lā′shē-ă). 骨軟化症（様々な疼痛を伴って徐々に骨が軟化し弯曲することを特徴とする病気．軟化が起こるのは，ビタミン D の欠乏または腎機能不全のために，骨が石灰化していない類骨組織を含んでいるためである）. = adult rickets; late rickets.

os·te·o·ma·la·cic (os′tē-ō-mă-lā′sik). 骨軟化症の.

os·te·o·ma·la·cic pel·vis 骨軟化〔症〕骨盤（骨軟化症における骨盤の変形．仙骨に対する体幹の圧力と大腿骨頭にかかる側方の圧力が，骨盤口を三角形またはハート形またはクローバー形にし，一方，恥骨はくちばし状になる）. = beaked pelvis.

os·te·o·ma me·dul·la·re 髄様骨腫（骨髄の種々の成分がはいった腔を含む骨腫）.

os·te·o·ma spon·gi·o·sum 海綿様骨腫（主に海綿状骨組織からなる骨腫）.

os·te·o·ma·toid (os′tē-ō′mă-toyd). 類骨腫（骨の過剰発育による異常小結節または小塊．実際には新生物ではなく異常発育で，皮質が外側に突出している．正確には exostosis(外骨腫症）とよばれる）.

os·te·o·mere (os′tē-ō-mēr). 骨節（連続した骨分節の 1 つ．例えば脊椎）.

os·te·o·my·e·li·tis (os′tē-ō-mī-ĕ-lī′tis). 骨髄炎（骨髄およびその隣接骨の炎症）. = central osteitis(1).

os·te·o·my·e·lo·dys·pla·si·a (os′tē-ō-mī′ĕ-lō-dis-plā′zē-ă). 骨髄形成異常〔症〕，骨髄異形成〔症〕（骨髄腔の拡大，骨組織の菲薄化，白血球減少，不規則な発熱が特徴）.

os·te·on, os·te·one (os′tē-on, os′tē-ōn). 骨単

位，オステオン（緻密骨にみられる毛細血管を含む中心管とその周囲の同心円性骨層板）. = haversian system.

os·te·o·ne·cro·sis (os′tē-ō-nĕ-krō′sis). 骨壊死（一塊の骨の壊死で，カリエス（分子死 molecular death），一般には骨の比較的小さな病巣の壊死をも含めた用語）.

os·te·o·path (os′tē-ō-path). 整骨医. = osteopathic physician.

os·te·o·path·i·a (os′tē-ō-path′ē-ă). オステオパシー，骨障害，骨症. = osteopathy (1).

osteopathia haemorrhagica infantum [Br.]. = osteopathia hemorrhagica infantum.

os·te·o·path·i·a he·mor·rhag·i·ca in·fan·tum 乳児出血性オステオパシー，乳児出血性骨障害. = infantile scurvy; osteopathia haemorrhagica infantum.

os·te·o·path·ic (os′tē-ō-path′ik). ***1*** オステオパシーの，骨障害性の，骨症性の. ***2*** 整骨治療学の.

os·te·o·path·ic med·i·cine 整骨医学. = osteopathy (2).

os·te·o·path·ic phy·si·cian 整骨医（整骨医学を行う医師）. = osteopath.

os·te·op·a·thy (os′tē-op′ă-thē). ***1*** オステオパシー，骨障害，骨症. = osteopathia. ***2*** 整骨治療学（医学の一学派で，正常な身体は正しく調整されていれば感染その他の中毒状態を自ら治しうる生きた機械であるという考えに立ち，通常の医学の診断と治療手段に加えて，触診法を用いる）. = osteopathic medicine.

os·te·o·pe·ni·a (os′tē-ō-pē′nē-ă). オステオペニア，骨減少〔症〕（①骨のカルシウム沈着または密度の減少．このような状態のみられるすべての骨格系についていう．原因は不明．②不十分な類骨合成による骨質量の減少）.

os·te·o·per·i·os·ti·tis (os′tē-ō-per′ē-os-tī′tis). 骨骨膜炎（骨膜とその下にある骨の炎症）.

os·te·o·pe·tro·sis (os′tē-ō-pĕ-trō′sis). 大理石骨病（長管骨に好発し，肥厚した海綿骨と石灰化軟骨の過剰生産がその病態で，骨髄腔が閉塞し貧血を惹起する．骨髄様化生および肝脾腫大を伴い，幼児期より発症する骨のぜい弱性，進行性難聴および盲を伴う）. = Albers-Schönberg disease.

os·te·o·phage (os′tē-ō-fāj). = osteoclast (1).

os·te·o·phle·bi·tis (os′tē-ō-flĕ-bī′tis). 骨静脈炎.

os·te·o·phy·ma (os′tē-ō-fī′mă). 骨腫. = osteophyte.

os·te·o·phyte (os′tē-ō-fīt). 骨増殖体，骨棘（骨性の突出または隆起）. = osteophyma.

os·te·o·plas·tic bone flap 骨形成用骨弁（生骨を含む血管付き組織．通常は血管茎を付着した筋や筋膜を含み，微小血管吻合によって他部位へ移植される）.

os·te·o·plas·tic ob·lit·er·a·tion of the fron·tal si·nus 前頭洞骨形成充填術（前頭洞の粘膜を含めて病変部を除去し，前頭洞の外形を変えることなく脂肪組織を充填する手術）.

os·te·o·plas·ty (os′tē-ō-plas-tē). 骨形成〔術〕

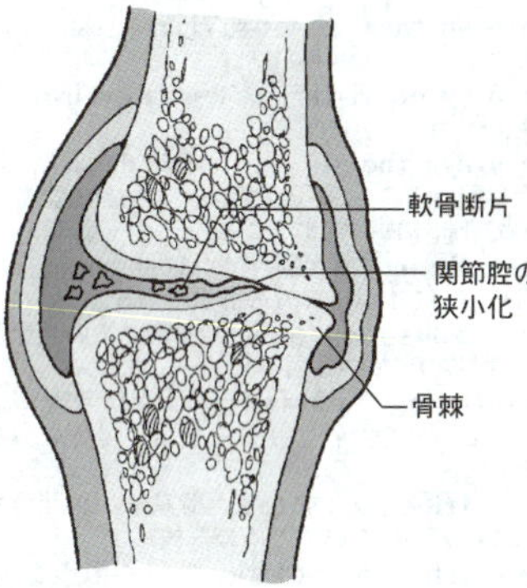
軟骨断片
関節腔の狭小化
骨棘

osteophytes

（①骨移植術．骨の修復形成術．②歯科において，適切な歯肉の豊隆を得るために骨組織を切除すること）.

os·te·o·poi·ki·lo·sis (os′tē-ō-poy-ki-lō′sis). オステオポイキリー，骨斑紋症（斑状骨で，海綿質に広がった緻密骨の小病巣に生じる．常染色体優性遺伝）.

os·te·o·po·ro·sis (os′tē-ō-pŏr-ō′sis). 骨粗しょう（鬆）症，オステオポローシス（骨量の減少または骨格組織の萎縮で，閉経後女性や高齢男性にみられる．骨質量の減少と破骨吸収の減少を特徴とする）.

os·te·o·po·rot·ic (os′tē-ō-pŏ-rot′ik). 骨粗しょう（鬆）症の，オステオポローシスの.

os·te·o·pro·gen·i·tor cell 前骨芽細胞（骨芽細胞に分化する前の間葉細胞）. = preosteoblast.

os·te·o·pro·teg·er·in (os′tē-ō-prō-tej′ĕr-in). オステオプロテゲリン（破骨細胞の分化を阻害する分泌蛋白）.

os·te·o·ra·di·ol·o·gy (os′tē-ō-rā-dē-ol′ō-jē). 骨放射線学（骨系統の放射線診断に携わる臨床の専門分野）.

os·te·o·ra·di·o·ne·cro·sis (os′tē-ō-rā′dē-ō-ne-krō′sis). 骨放射線壊死（電離線により生じる骨の壊死．意図的に壊死を起こさせる場合と，結果的に生じるものとがある）.

os·te·or·rha·phy (os-tē-ōr′ă-fē). 骨縫合〔術〕（砕けた骨の破片を集めて針金接合すること）. = osteosuture.

os·te·o·sar·co·ma (os′tē-ō-sahr-kō′mă). 骨肉腫. = osteogenic sarcoma.

os·te·o·scle·ro·sis (os′tē-ō-skle-rō′sis). 骨硬化〔症〕（骨の異常硬化または化骨性骨炎）.

os·te·o·scle·rot·ic (os′tē-ō-skle-rot′ik). 骨硬化〔性〕の.

os·te·o·sis (os-tē-ō′sis). ***1*** 骨化症（骨の病的隆起）. ***2*** = osteogenesis.

os·te·o·sis cu·tis 皮膚骨化症. = osteoma cutis.

os·te·o·su·ture (os′tē-ō-sū′chŭr). = osteorrhaphy.

os·te·o·sy·no·vi·tis (os′tē-ō-sin′ō-vī′tis). 滑膜炎.

os·te·o·syn·the·sis (os′tē-ō-sin′thĕ-sis). 骨接合〔術〕（ピン，螺子，プレートなどの器材を用いて骨折を内固定すること）.

os·te·o·throm·bo·sis (os′tē-ō-throm-bō′sis). 骨血栓症（1本以上の骨の静脈の血栓症）.

os·te·o·tome (os′tē-ō-tōm). 骨切りのみ，骨刀（骨を切るのに用いる器具）.

os·te·ot·o·my (os′tē-ot′ŏ-mē). 骨切り術（通常，のこぎりや，骨切りのみを用いて骨を切ること）.

os·te·o·tribe (os′tē-ō-trīb). 骨鑷子（壊死骨または骨疽の骨片を砕くための器械）.

os·te·o·trite (os′tē-ō-trīt). 鋭匙（刃のある，円錐形またはオリーブ状の先端をもつ器具．歯科のバーに似ていて，腐骨の除去に用いる）.

os·ti·a (os′tē-ă). ostium の複数形.

os·ti·al (os′tē-ăl). 口の.

os·ti·tic (os-tĭ′tik). = osteitic.

os·ti·tis (os-tī′tis). = osteitis.

os·ti·um, pl. os·ti·a (os′tē-ŭm, -ă). 口（特に陥凹臓器または管への開口）.

os·ti·um il·e·a·le = ileal orifice.

os·to·mate (os′tō-māt). 人工瘻をもつ人を意味する用語.

os·to·my (os′tŏ-mē). オストミー（①尿路，消化管，気管などへの，人工的な瘻孔．②2つの中空臓器の間，あるいは気管瘻のように中空臓器と皮膚との間に永久瘻をつくる手術）.

os tra·pe·zi·um 大菱形骨. = trapezium.

os tri·go·num 三角骨（足根中にときに存在する独立した小骨．通常は距骨の一部を形成し，後突起の外側結節をなす）. = triangular bone.

Ost·wald sol·u·bil·i·ty co·ef·fi·cient (λ, lamb·da) オストヴァルト（オストワルド）溶解度係数（一定温度で1気圧（760 mmHg）の気体が1 mLの液体に溶けるmL数．Bunsen溶解度係数 α がSTPD（標準状態）換算であるのに対し，実験時温度である点が異なる．したがって $\lambda = \alpha(1 + 0.00367t)$ となる．t はセ氏温度）.

os zy·go·ma·ti·cum 頬骨. = zygomatic bone.

ot- 耳に関する連結形. →auri-.

o·tal·gi·a (ō-tal′jē-ă). 耳痛. = earache.

o·tal·gic (ō-tal′jik). ***1***〚adj.〛耳痛の．***2***〚n.〛耳痛の治療薬.

OTC 処方箋なしで入手できる薬物に関する，*o*ver *t*he *c*ounter の略.

oth·er-di·rect·ed (ŭth′ĕr-di-rek′tĕd). 外部志向の（他人の態度に容易に影響を受ける人について いう）.

o·tic (ō′tik). 耳の.

o·tic cap·sule 耳嚢（内耳構造を囲む軟骨嚢）.

o·tic gan·gli·on 耳神経節（卵円孔のすぐ下で下顎神経の内側にある自律神経節．その節後線維（副交感神経性）は分泌促進性で耳下腺へ分布する）.

o·ti·tic (ō-tit′ik). 耳炎の.

o·ti·tic ab·scess 耳炎性膿瘍（中耳の細菌感染に続発し，通常，側頭葉または小脳半球に生じる膿瘍）.

o·tit·ic men·in·gi·tis 耳性髄膜炎（中耳炎または乳様突起炎に続発する髄膜の感染）.

o·ti·tis (ō-tī′tis). 耳炎.

o·ti·tis ex·ter·na 外耳炎（外耳道の炎症で，通常は細菌または真菌の感染による．水泳，耳垢，異物，外傷等が素因となる）.

o·ti·tis in·ter·na 内耳炎. = labyrinthitis.

o·ti·tis me·di·a (OM) 中耳炎（中耳または鼓室の炎症）.

oto- 耳を意味する連結形. →auri-.

o·to·a·cous·tic e·mis·sion (OAE) 耳音響放射（蝸牛の外有毛細胞から発せられていると考えられている，耳から放射される音. →Kemp echo）.

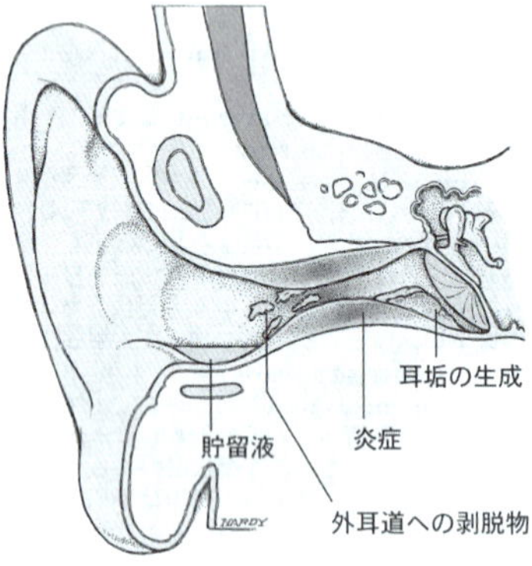
耳垢の生成
貯留液
炎症
外耳道への剥脱物

otitis externa

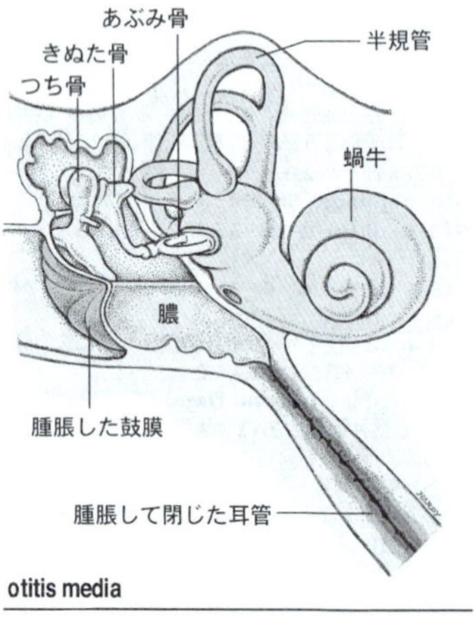
あぶみ骨
きぬた骨
つち骨
半規管
蝸牛
膿
腫脹した鼓膜
腫脹して閉じた耳管

otitis media

o·to·ceph·a·ly (ō-tō-sef′ă-lē). 耳頭症（下顎が著しく欠損(小下顎症または無顎症)しており，頸の前面で耳が結合または接近(合耳症)している奇形).

o·to·co·ni·a, sing. **o·to·co·ni·um** (ō-to-kō′nē-ă, ō-tō-kō′nē-ŭm). 平衡砂. = statoliths.

o·to·cra·ni·al (ō-tō-krā′nē-ăl). 頭蓋骨耳部の，耳頭蓋の.

o·to·cra·ni·um (ō-tō-krā′nē-ŭm). 頭蓋骨耳部，耳頭蓋（内耳および中耳を包む骨で，側頭骨の錐体をなす部分).

o·to·dyn·i·a (ō-tō-din′ē-ă). 耳痛. = earache.

o·to·en·ceph·a·li·tis (ō′tō-en-sef-ă-lī′tis). 耳性脳炎（中耳および乳突蜂巣から波及した脳の炎症).

o·to·gen·ic, o·tog·e·nous (ō-tō-jen′ik, ō-toj′ĕ-nŭs). 耳原〔性〕の，耳性の（耳に原因する．耳の中，特に耳の炎症を原因とするものについていう).

o·to·lar·yn·gol·o·gist (ō′tō-lar-in-gol′ŏ-jist). 耳鼻咽喉科医.

o·to·lar·yn·gol·o·gy (ō′tō-lar-in-gol′ŏ-jē). 耳鼻咽喉科学（耳と喉頭の疾患の両方を専門とし，上気道，および頭頸部，気管気管支系，食道の多くの疾患が含まれることが多い).

o·to·lith·ic cri·sis 耳石クリーゼ，耳石発症（意識消失，めまい，聴力障害，自律神経症候を伴わない突然の失立発作).

o·to·lith·ic or·gans 耳石器（内耳の卵形嚢と球形嚢の総称．内部に耳石を含み，重力を含む直線的な加速・減速に反応する).

o·to·liths (ō′tō-līths). 平衡砂（耳の卵形嚢斑および球形嚢斑のゼラチン状膜に付着する炭酸カルシウムと蛋白の結晶状粒子).

o·to·log·ic (ō-tō-loj′ik). 耳科学の.

o·tol·o·gist (ō-tol′ŏ-jist). 耳科医（耳科学の専門家).

o·tol·o·gy (ō-tol′ŏ-jē). 耳科学（耳および関連構造体の疾患の研究，診断，治療に関する医学分野).

o·to·mu·cor·my·co·sis (ō-tō-myū′kōr-mī-kō′sis). 耳毛菌症，耳ケカビ症.

-otomy →-tomy.

oto·my·co·sis (ō′tō-mī-kō′sis). 耳真菌症，オトミコーシス（真菌が外耳道の耳垢や脱落した細胞中にみられる感染症．通常は片側性で，初期の症状として落屑を伴うかゆみ，疼痛がある).

o·top·a·thy (ō-top′ă-thē). 耳病.

o·to·pha·ryn·ge·al (ō′tō-fă-rin′jē-ăl). 耳咽頭の（中耳と咽頭に関する).

o·to·plas·ty (ō′tō-plas-tē). 耳形成〔術〕（耳の修復または再建).

o·to·rhi·no·lar·yn·gol·o·gy (ō′tō-rī′nō-lar-in-gol′ŏ-jē). 耳鼻咽喉科学（耳，鼻，咽頭，喉頭の疾患を併せた学問の専門分野．頭頸部を包括する．→otolaryngology).

o·tor·rhe·a (ō-tō-rē′ă). 耳漏（耳からの排泄). = otorrhoea.

otorrhoea [Br.]. = otorrhea.

o·to·scle·ro·sis (ō′tō-skle-rō′sis). 耳硬化〔症〕(耳胞(骨性迷路)の疾患で，軟らかい，血管性の骨の形成と，その結果として耳管および鼓膜に障害を認めない進行性伝音難聴を特徴とする).

o·to·scope (ō′tō-skōp). 耳鏡，オトスコープ，耳聴管（鼓膜を検査する器械).

o·tos·co·py (ō-tos′kŏ-pē). 耳鏡検査〔法〕，検耳〔法〕(耳，特に鼓膜の視診).

o·to·spon·dy·lo·me·ga·epi·phy·si·al dys·pla·si·a 耳・脊椎・巨大骨端異形成症. = chondrodystrophy with sensorineural deafness.

o·to·spon·gi·o·sis (ō′tō-spŭn-jē-ō′sis). 耳海綿化症（耳硬化症を病理学的な変化に基づいて，より正確に表す名称).

o·tos·te·al (ō-tos′tē-ăl). 耳小骨の.

o·to·tox·ic (ō′tō-tok′sik). 耳毒性の.

o·to·tox·ic·i·ty (ō′tō-tok-sis′i-tē). 聴器毒性，耳毒性（耳に対して有害な性質).

Ot·to dis·ease オット病（寛骨臼が骨盤腔に向け内側に膨隆することを特徴とする疾患で，結果として大腿骨頭が骨盤腔に突出する．股関節の炎症を原因とし，通常，関節リウマチにみられる).

Ouch·ter·lo·ny tech·nique オークターロニー法（反応物同士(抗原と抗体)をゲルの中を互いに拡散させて，沈降反応を起こさせる方法).

ounce (owns). オンス（①調剤度量衡法では480 グレーン(1/12 ポンド)，常衡法では 437.5 グレーン(1/16 ポンド)．調剤オンス(USP)は 8 ドラムで，31.10349 g に相当する．常衡法オンスは 28.35 g)．②液量オンス：米国では 1/128 米ガロン(29.57 mL, 1.804 立方インチ．ポンド-ヤード法では華氏 62 度(28.41 mL, 1.734 立方インチ)の蒸留水の 1 常衡オンスにより占められる容積).

-ous ***1*** 化学において，原子価の低いほうの元素の名に付く接尾語. *cf.* -ic(1). ***2*** 多くの量をもつことを意味する接尾語.

Out·come and As·sess·ment In·for·ma·tion Set (OASIS) アウトカムおよび評価情報セット（在宅医療において，サービスの質と患者の満足度を測定するために用いられるスタンダードシステム．米国保健社会福祉省の指示により利用される).

out·comes (owt′kŏmz). アウトカム，成果（治療や処置の最終結果).

out·come score 転帰評点. = Glasgow Coma Scale.

out·comes man·age·ment アウトカム管理（治療やサービスの有効性や価値を向上させるため，アウトカムの測定を通して集められた情報を利用すること).

out·let (owt′lĕt). 出口，排出口（→aperture).

out·let for·ceps de·liv·ery 出口鉗子分娩（児頭が骨盤床に達し陣痛間欠時にも視診できる状態で鉗子分娩を行うこと).

out·li·er (owt′lī-ĕr). アウトライヤー，域外値（結論を正当化するにあたって，大きな誤差が生じたか，または異なった集団から得られたことにより，一集団での大部分が示す値から極端に異なった観測値).

out-of-pock·et costs = copayment.

O

out-of-pock·et ex·pens·es = copayment.
out·pa·tient (owt′pā′shĕnt). 外来患者.
out·pa·tient de·part·ment (OPD) 外来診療科（緊急でない外来医療が提供される病院または病院の一部門）.
out·pa·tient sur·ger·y = ambulatory surgery.
out·put (owt′put). 拍出量，排出量，出力（ある特定の時間内または単位時間に産生，排出，分泌される特定の物の量．例えば尿の塩排出量．intake, input の対語）.
out·sourced tran·scrip·tion 医療転写の外部委託（医療記録の転写を，専門のサービス機関へと外注するシステム）.
out·stand·ing ear 突出耳（頭部から過度に突出している耳．通常，対耳輪ひだの発達障害による）. = protruding ear.
o·va (ō′vă). ovum の複数形.
o·val am·pu·ta·tion 卵円状切断〔術〕（①皮膚と筋肉を卵形に切開し，皮膚弁を得る切断．② oblique amputation（斜走切断）の意味でまれに用いる）.
o·val·bu·min (ōv′al-bū′min). オボアルブミン，卵白アルブミン（血清アルブミンに類似し，卵白に存在する主蛋白．リン酸化合物として見出される）. = albumen; egg albumin.
o·val·o·cyte (ō′val-ŏ-sīt). 楕円赤血球. = elliptocyte.
o·val·o·cy·to·sis (ō′val-ō-sī-tō′sis). 楕円赤血球症. = elliptocytosis.
o·val win·dow 卵円窓. = fenestra vestibuli.
o·va and pa·ra·site ex·am·in·a·tion 寄生虫および寄生虫卵検査（原虫や栄養型，嚢胞，接合子嚢，胞子，卵，幼虫といった段階の寄生虫を検出同定するために直接湿潤封入標本，濃縮湿潤封入標本，および永久塗抹染色標本を使って糞便を徹底的に調べること）.
o·var·i·al·gi·a (ō-var-ē-al′jē-ă). 卵巣痛.
o·var·i·an (ō-var′ē-ăn). 卵巣の.
o·var·i·an ar·ter·y 卵巣動脈（大動脈より起こり，尿管，卵巣，卵巣索，卵管に分布する．子宮動脈と吻合）. = arteria ovarica.
o·var·i·an can·cer 卵巣癌（女性の生殖器に生じる悪性腫瘍．最も一般的な婦人科悪性腫瘍の一つで，女性の癌死亡の主たる疾患の一つである．卵巣癌の 50%が，65 歳以上の女性に起こっている）.
o·var·i·an cy·cle 卵巣周期（正常な性周期で，卵胞の発育，卵胞破裂と排卵，黄体の形成と衰退を含む）.
o·var·i·an cyst 卵巣嚢胞（嚢腫）（卵巣の嚢胞性腫瘍．非腫瘍性（卵胞嚢胞，ルテイン嚢胞，胚封入嚢胞，子宮内膜嚢胞）および腫瘍性のいずれについてもいう）.
o·var·i·an fol·li·cle 卵胞（卵巣にみられる球形の細胞塊で，中に卵を入れている）.
o·var·i·an fos·sa 卵巣窩（骨盤の壁側腹膜にみられる陥凹で，前方は痕跡的な臍動脈で，後方は尿管と子宮血管で囲まれ，中に卵巣が収まっている）.
o·var·i·an preg·nan·cy 卵巣妊娠（卵胞内で受精卵が発育すること）. = ovariocyesis.
ovar·i·ec·to·my (ō-var-ē-ek′tŏ-mē). 卵巣摘出〔術〕（卵巣の片方または両方の切除）. = oophorectomy.
ovario-, ovari- 卵巣を意味する連結形. →oo-; oophor-.
o·var·i·o·cele (ō-var′ē-ō-sēl). 卵巣瘤，卵巣ヘルニア.
o·var·i·o·cen·te·sis (ō-var′ē-ō-sen-tē′sis). 卵巣穿刺〔術〕（卵巣または卵巣嚢の穿刺）.
o·var·i·o·cy·e·sis (ō-var′ē-ō-sī-ē′sis). 卵巣妊娠. = ovarian pregnancy.
o·var·i·o·hys·ter·ec·to·my (ō-var′ē-ō-his-tĕr-ek′tŏ-mē). 卵巣子宮摘出〔術〕. = oophorohysterectomy.
o·var·i·or·rhex·is (ō-var′ē-ō-rek′sis). 卵巣破裂.
o·var·i·o·sal·pin·gec·to·my (ō-var′ē-ō-sal-pin-jek′tŏ-mē). 卵巣卵管摘除〔術〕（卵巣と同位の卵管の外科的摘出）.
o·var·i·o·sal·pin·gi·tis (ō-var′ē-ō-sal′pin-jī′tis). 卵巣卵管炎. = oophorosalpingitis.
o·var·i·os·to·my (ō-var-ē-os′tŏ-mē). 卵巣造瘻術（卵巣嚢の排液のために一時的な瘻孔をつくること）. = oophorostomy.
o·var·i·ot·o·my (ō-var-ē-ot′ŏ-mē). 卵巣切開〔術〕（卵巣の切開，例えば生検または楔状切除）. = oophorotomy.
o·va·ri·tis (ō-vă-rī′tis). = oophoritis.
ovar·i·um, pl. ova·ri·a (ō-var′ē-ŭm, -ă). 卵巣. = ovary.
o·va·ry (ō′vă-rē). 卵巣（対をなす女性の生殖腺で，卵または生殖細胞を含む．間質は血管に富む結合組織で，卵を内部に包み込む多数の卵胞が存在する．周囲にはより密な基質層があり，白膜とよばれる）. = ovarium; oophoron.
o·ver·anx·ious dis·or·der 過剰不安障害（分離や最近のストレスとは特異的な関係がない過度の心配および恐怖行動を特徴とする小児期または青年期の精神障害で，現在は全般性不安障害に含まれる）.
o·ver·bite (ō′vĕr-bīt). 被蓋咬合，オーバーバイト. = vertical overlap.
o·ver·clo·sure (ō′vĕr-klō′zhūr). オーバークロージャー（咬合高径の減少）.
o·ver·com·pen·sa·tion (ō′vĕr-kom-pen-sā′shŭn). 代償過度，過剰補償量，過補償（①個人の能力を誇張し，それにより，実際ないし想像上の劣等感を克服すること．②心理的欠陥が誇大な修正を生む過程. →compensation）.
o·ver·cor·rec·tion (ō′vĕr-kŏ-rek′shŭn). 過剰修正（行動変容治療プログラムの 1 つで，特に精神遅滞者を対象にしたもの．ある行動を学習した後にそれを部分的に忘れたりそれが弱まったりした場合でも，その行動が一定の基準を確実に満たし続けるように，望まれる目標行動を決められた基準以上に強く学習させること）.
o·ver the coun·ter (OTC) 一般用医薬品（医療専門家による処方箋を必要とせずに消費者に販売することのできる薬や治療薬のこと）.
o·ver·den·ture (ō′vĕr-den′chūr). = overlay denture.

o·ver·de·ter·mi·na·tion (ō′vĕr-dē-tĕr′min-ā′shŭn). 重複決定（精神分析において，単一の行動的または感情的な，反応，精神症状，あるいは夢の原因を2つ以上の力に帰すること．例えば，情動の爆発を突発的行動とみるだけでなく，根底には劣等感があると考えること）.

o·ver·dom·i·nance (ō′vĕr-dom′i-năns). 超優性（ヘテロ接合体がより重要な表現型としての力値をもち，適応度が恐らくホモ接合体のそれより高いこと．*cf.* balanced polymorphism）.

o·ver·dom·i·nant (ō′vĕr-dom′i-nănt). 超優性の（超優性を示すヘテロ接合体の状態についていう）.

o·ver·drive (ō′vĕr-drīv). 過剰駆動（異常のペースメーカが出す心拍数を超えて過剰に電気刺激する技術で，通常，心房のペースメーカを制御するために用いる）.

o·ver·jet, o·ver·jut (ō′vĕr-jĕt, ō′ver-jŭt). オーバージェット. = horizontal overlap.

o·ver·lap (ō′vĕr-lap). 折り重ね，オーバーラップ（①組織層を補強するため，その上または下の層と縫合すること．②組織が他の組織の上にのびる，または突き出すこと）.

o·ver·lay den·ture オーバー〔レイ〕デンチャー（総義歯が適合するように変えられた軟組織と天然歯によって支持される総義歯．その変えられた天然歯は長短のコーピング，固定装置あるいはコネクティングバーによって固定される）. = overdenture.

o·ver·load prin·ci·ple 過負荷原理（運動科学において，通常の運動より激しい運動をすると，身体がさらに高能率で機能できるという，非常に特殊な適応力が得られるというトレーニングの基本原理．過負荷はトレーニングの頻度，激しさ，持続性を組み合わせてかける）.

o·ver·rid·ing (ō′vĕr-rī′ding). ***1***〘n.〙骨折した長骨の下方の骨片が基部の横に重なること．***2***〘adj.〙児頭骨盤不適合のために恥骨結合部上で触診しうる胎児頭.

o·ver·shoot (ō′vĕr-shūt). オーバーシュート（①一般的にはある因子の急激な変化に応じた初期変化である．その因子の新しいレベルに対する定常状態応答以上のもので，負のフィードバックでの慣性や遅滞が生じたダンピングより優っている系でよく起こる．②活動電位があるときの細胞膜電位の一時的逆転（内部が外部に比べて正になる））.

o·ver-the-coun·ter med·i·ca·tion 市販薬，OTC 薬. = nonprescription drug.

o·vert ho·mo·sex·u·al·i·ty 顕性同性愛（意識的に体験され，実際の同性愛行為に現れる同性愛傾向）.

o·ver·train·ing syn·drome 過剰訓練症候群，オーバートレーニング症候群（過度の身体トレーニングから生じる症状の一群．疲労，運動能力の低下，頻繁な上気道感染症，気分変動，全身倦怠感，体重減少，筋硬直，高いレベルのトレーニングに対する興味の喪失など）. = burn-out; staleness.

o·ver·use syn·drome 使いすぎ症候群（身体またはその一部に微小な外傷が繰り返し加わり，それが蓄積してその組織が損傷される疾患）.

o·ver·weight (ō′vĕr-wāt′). 過体重（正常範囲より多く肥満範囲より少ないという体重の分類．米国国立保健研究所による定義では，肥満度指数 25—30 kg/m^2 とされている）.

o·ver·win·ter·ing (ō′vĕr-win′tĕr-ing). 冬越しの（感染性生物が，媒介動物の中に一定期間，例えば寒い冬の間居続けること．その間は媒介動物は再感染することなく，また他の動物を感染させることもない）.

ovi- 卵に関する連結形. →oo-; ovo-.

o·vi·ci·dal (ō′vi-sī′dăl). 殺卵子〔性〕の（卵の死を起こす）.

o·vi·du·cal (ō-vi-dū′kăl). = oviductal.

o·vi·duct (ō′vi-dŭkt). 卵管. = uterine tube.

o·vi·duc·tal (ō′vi-dŭk′tăl). 卵管の. = oviducal.

o·vif·er·ous (ō-vif′ĕr-ŭs). 輸卵の（卵を運ぶ，またはもっている，または生む）.

o·vi·form (ō′vi-fōrm). = ovoid(2).

o·vi·gen·e·sis (ō-vi-jen′ĕ-sis). = oogenesis.

o·vi·ge·net·ic, o·vi·gen·ic (ō′vi-jĕ-net′ik, -jen′ik). = oogenetic.

ovo- 卵に関する連結形. →oo-; ovi-.

o·void (ō′voyd). ***1***〘n.〙卵形．***2***〘adj.〙卵形の. = oviform.

o·voids (ō′voydz). 腟内線源（colpostats ともいう．婦人科悪性腫瘍の放射線治療の目的で用いられるもので，外側腟円蓋に挿入される卵形アプリケーター．子宮内線源と組み合わせて使用される. →tandem; colpostats）.

o·vo·lac·to·ve·ge·tar·i·an (ō′vō-lakt′ō-vej-e-tar′ē-ăn). 卵・酪農・菜食主義者（野菜，卵，乳製品を含む食事を採る人. →vegetarian; vegan）.

o·vo·tes·tis (ō′vō-tes′tis). 卵巣精巣（睾丸）（精巣と卵巣が併存する性腺．半陰陽の一種）.

ovu·lar (ov′yū-lăr). 卵子の.

o·vu·lar mem·brane = membrana vitellina(1).

o·vu·la·tion (ov′yū-lā′shŭn). 排卵（卵胞から卵子が排出すること）.

o·vu·la·to·ry (ov′yū-lă-tō-rē). 排卵の.

o·vule (ov′yūl). = ovulum. ***1*** 卵（哺乳類の卵，特にまだ卵胞内にある場合をいう）．***2*** 小卵（卵子に類似した，小さくてガラス玉様のもの）.

o·vu·lo·cy·clic (ov′yū-lō-sīk′lik). 排卵周期〔性〕の（排卵に伴って，または排卵周期内のある時期に繰り返し起こる現象をさす．例えば排卵周期性ポルフィリン症）.

o·vu·lum, pl. o·vu·la (ov′yū-lŭm, -lă). = ovule.

o·vum, gen. o·vi, pl. o·va (ō′vŭm, -vī, -vă). 卵，卵子. = oocyte.

Ow·en lines オーエン線（ぞうげ質の目立った成長線で，鉱化過程の障害によると考えられる）.

Ow·ren dis·ease オーレン病（先天性第Ｖ因子欠乏による疾患で，その結果プロトロンビン時間が延長する．出血時間，凝固時間もともに延長している．第1染色体長腕の F5 遺伝子における突然変異による常染体劣性遺伝である）.

oxa- 有機化合物名に挿入される連結形で，エーテルにみられるように，鎖や環内に酸素原子の存在，付加を意味する．ケトンやアルデヒドのような場合には付けない．→hydroxy-; oxo-; oxy-.

oxalaemia [Br.]. = oxalemia.

ox·a·late (ok′să-lāt). シュウ酸塩.

ox·a·late cal·cu·lus シュウ酸塩結石（シュウ酸カルシウムよりなる硬い尿路結石）.

ox·a·le·mi·a (ok-să-lē′mē-ă). シュウ酸塩血〔症〕（血液中に異常に大量のシュウ酸塩が存在すること）. = oxalaemia.

ox·al·ic ac·id シュウ酸（多くの植物や野菜に見出される酸．獣医学において止血薬として用いるが，ヒトが摂取すると高濃度では有毒．インクやその他の染色の除去，および一般的還元剤として使われる．シュウ酸塩は腎結石中認められる．初期の高シュウ酸尿の例で蓄積する）.

ox·a·lo·a·ce·tic ac·id オキサロ酢酸（トリカルボン酸(TCA)回路における重要な中間生成物であるケトジカルボン酸）.

ox·a·lo·suc·cin·ic ac·id オキサロコハク酸（トリカルボン酸回路の酵素結合体中間体）.

ox·a·lu·ri·a (ok-sal-yūr′ē-ă). シュウ酸塩尿. = hyperoxaluria.

ox·a·lyl·u·re·a (ok′să-lil-yūr′ē-ă). オキサリル尿素（オキサルル酸の環状(末端から末端)アミド無水物．尿酸の酸化生成物）.

ox·a·zin dyes オキサジン染料（結合しているN(窒素)原子の1個がO(酸素)原子と置き換わっている点を除きアジン染料に類似）.

ox·a·zo·lid·i·nones (oks′ă-zō-lid′i-nōnz). オキサゾリジノン類（新規の抗菌性抗生物質の一種）.

ox heart 牛心（慢性の高血圧，しばしば大動脈弁疾患，特に逆流による異常に大きな心臓）. = cor bovinum.

ox·i·dant (ok′si-dănt). 酸化剤（還元される物質で，そのため酸化還元系において他方の化合物を酸化する）.

ox·i·dase (ok′si-dās). オキシダーゼ，酸化酵素（酸素が(水素原子または電子の)受容体として作用する有機反応を媒介する酵素群の1つ）.

ox·i·da·tion (ok′si-dā′shŭn). 酸化〔作用〕（①酸素と結合すること．②水素あるいは1個以上の電子が奪われて陽電荷が増大し，原子価またはイオン価が大きくなること．③細菌学において，エネルギーと水との産生を伴う基質の好気的分解．発酵と対照的に，酸化過程における電子の伝達は，呼吸鎖を経由して達成され，その最終原子受容体として酸素を用いる）.

ox·i·da·tion-re·duc·tion (ok′si-dā′shŭn rē-dŭk′shŭn). 酸化還元（完全に酸化と還元の両方を含む化学的酸化または還元反応．すべての酸化作用をもつ酵素をオキシドレダクターゼ oxidoreductase(以前はオキシダーゼ)とよぶ．しばしば redox と短縮される）.

ox·i·da·tive (ok′si-dā′tiv). 酸化〔性〕の（酸化力をもつことを示す．酸化を含む過程についていう）.

ox·i·da·tive phos·pho·ryl·a·tion 酸化的リン酸化〔反応〕（種々の基質の脱水素化すなわち酸化によって放出されるエネルギーによる高エネルギーリン酸結合の生成）.

ox·ide (ok′sīd). 酸化物（酸素と他の元素または基との化合物）.

ox·i·dize (ok′si-dīz). 酸化する（元素や基を酸素と結合させる，または電子を放出させる）.

ox·i·do·re·duc·tase (ok′si-dō-rē-dŭk′tās). オキシドレダクターゼ，酸素還元酵素（酸化還元反応を触媒する酵素(EC class 1)．慣用名として，デヒドロゲナーゼ，レダクターゼ，オキシダーゼ(酸素は H 受容体)，オキシゲナーゼ(酸素が基質の中に取り込まれる)，ペルオキシダーゼ(過酸化水素が受容体．カタラーゼは例外)，ヒドロキシラーゼ(2つの供与体の共役酸化)などが含まれる．→oxidase）.

ox·ime (ok′sēm). オキシム（ヒドロキシアミン NH_2OH をケトンまたはアルデヒドに作用させ，=N−OH 基をヒドロキシアミンのカルボニルの炭素原子に結合させて生じた化合物）.

ox·im·e·ter (ok-sim′ĕ-tĕr). 酸素濃度計（1つの血液検体中の酸化ヘモグロビン，還元ヘモグロビン，一酸化炭素ヘモグロビン，およびメトヘモグロビンの濃度を同時に測定できる検査器具）. = co-oximeter; hemoximeter.

ox·im·e·try (ok-sim′ă-trē). オキシメトリー，酸素測定〔法〕（酸素濃度計による血液試料中のヘモグロビンの酸素飽和度の測定）.

oxo- 酸素の付加を意味する接頭語．しばしば系統的命名法における keto- の代わりに用いる．→hydroxy-; oxa-; oxy-.

3-ox·o·ac·yl-ACP re·duc·tase 3-オキソアシル-ACP レダクターゼ（脂肪酸シンターゼ複合体の構成成分）.

3-ox·o·ac·yl-ACP syn·thase 3-オキソアシルACP シンターゼ（脂肪酸合成に関与する酵素）.

17-ox·o·ste·roids (oks′ō-ster′oydz). 17-オキソステロイド. = 17-ketosteroids.

ox's tongue = borage.

oxy- ***1*** かん高い，鋭い，とがった，急速な（ギリシア語 *ōkys*（迅速に）に由来する ocy- が誤用された）. ***2*** 化学においては，物質中に付加または置換された酸素が存在すること，を意味する連結形. →hydroxy-; oxa-; oxo-.

oxyaesthesia [Br.]. = oxyesthesia.

ox·y·ce·phal·ic, ox·y·ceph·a·lous (ok′sē-se-fal′ik, -sef′ă-lŭs). 尖頭症の. = acrocephalic; acrocephalous.

ox·y·ceph·a·ly (ok′sē-sef′ă-lē). 尖頭症（頭蓋骨癒合症の一種．ラムダ縫合と冠状縫合の早期閉鎖のため，異常に高くとがった，あるいは円錐形の頭蓋になる）. = acrocephaly; acrocephalia.

ox·y·chro·mat·ic (ok′sē-krō-mat′ik). = acidophilic.

11-ox·y·cor·ti·coids (ok′sē-kōr′ti-koydz). 11-オキシコルチコイド（C-11 にアルコールまたはケト基をもつコルチコステロイド．例えば，コルチゾン，コルチゾル）.

ox·y·es·the·si·a (ok′sē-es-thē′zē-ă). 知覚過敏. = hyperesthesia; oxyaesthesia.

ox·y·gen (O) (ok′si-jĕn). 酸素（①気体元素，原子番号 8．原子量は ^{12}C = 12.0000 として 15.9994．豊富で，広く分布し，大部分の元素と結合して酸化物をつくり，動物や植物の生命に不可欠な化学元素．②分子状酸素，O_2．③ O_2 を体積で 99%以上含む医用ガス）．

ox·y·gen af·fin·i·ty hy·pox·i·a 酸素親和性亢進による低酸素症．ヘモグロビンの酸素解離能の低下によってもたらされた低酸素症．

ox·y·gen·ase (ok′si-jĕ-nās)．オキシゲナーゼ（酸素の基質への直接の取込みを触媒する酵素群(EC subclass 1.13)のうちの 1 つ．*cf.* dioxygenase; monooxygenases）．

ox·y·gen·ate (ok′si-jĕ-nāt)．酸素を付加する．

ox·y·gen·a·tion (ok′si-jĕ-nā′shŭn)．酸素付加（あらゆる化学系，物理系への酸素添加のこと）．

ox·y·gen ca·pac·i·ty 酸素容量（血液の単位容積当たりのヘモグロビンと化学的に結合する酸素の最大量で，通常，ヘモグロビン 1 g 当たり酸素 1.34 mL，あるいは血液 100 mL 当たり酸素 20 mL）．

ox·y·gen con·cen·tra·tor 酸素濃縮器（家庭内で酸素を供給するための電力を用いる装置．大気を取り込んで純化するための濾過装置）．

ox·y·gen con·sump·tion ($\mathring{V}O_2$) 酸素消費量（1 分当たりに生体組織で消費される酸素量．単位は標準状態(STPD)で L/min, mL/min）．= oxygen uptake.

ox·y·gen con·tent 酸素含量（血液に運搬される酸素総量．赤血球中のヘモグロビンによって運搬される酸素と，血漿中に溶解した酸素の合計量である）．

ox·y·gen debt 酸素負債（運動の回復期に，身体の回復の必要以上に体内に取り入れられる余分の酸素．ときに酸素欠乏 oxygen deficit と同義に用いる）．

ox·y·gen def·i·cit 酸素欠乏（運動の初期と運動の一定状態の継続との間の身体の酸素摂取量の差．酸素負債の形成とみなされることがある）．

ox·y·gen-de·rived free rad·i·cals 酸素フリーラジカル（酸素原子が不対電子をもつ原子または原子団．通常，分子状酸素から誘導される．例えば，O_2 の一電子還元によりスーパーオキシド(ラジカル)$O_2^{-\cdot}$ を生成させる．他の例としてヒドロペルオキシルラジカル(HOO・)，ヒドロキシルラジカル(HO・)，一酸化窒素(NO・)がある．これらのラジカルは再灌流障害に関与することが明らかになっている）．

ox·y·gen de·sat·u·ra·tion 酸素脱飽和（血液中の酸素濃度が減少すること．二酸化炭素と酸素の交換に影響を及ぼす状態によって引き起こされる．→oxygen debt; oxygen deficit）．

ox·y·gen di·lu·tion meth·od 酸素希釈法（残気量の測定時に 100%の酸素を用いる技術）．

ox·y·gen en·hance·ment ra·ti·o (OER) 酸素増感比（酸素非存在下で一定の生体反応を引き起こすのに必要な放射線の線量と，酸素存在下で同様の反応を達成するのに必要な線量との比）．

ox·y·gen ex·trac·tion 酸素抽出（毛細管を通る際に血液から取り除かれる酸素の量(動脈血と静脈血の酸素含有量の差)）．

ox·y·gen pulse ($\mathring{V}O_2$ HR) 一心拍酸素消費量，酸素パルス（一心拍当たり身体が消費する酸素量）．

ox·y·gen sat·u·ra·tion (SaO_2) 酸素飽和度（酸素と結合した血液中における酸素結合部位の割合）．

ox·y·gen sat·u·ra·tion test (SaO_2 test) 酸素飽和度検査（血中酸素濃度の非観血測定法．酸素濃度計を皮膚にあて，赤色光と赤外光の吸収度の違いにより測定する）．

ox·y·gen ther·a·py 酸素療法（鼻カテーテル，酸素テント，酸素室，酸素吸入器などを通して，酸素濃度を増す治療法）．

ox·y·gen tox·ic·i·ty 酸素中毒，酸素毒性（高分圧酸素を呼吸した結果生じる身体障害．視聴覚異常，異常な疲労を伴う呼吸，筋攣縮，不安，混乱，協調不能，および痙攣を特徴とする）．

ox·y·gen up·take = oxygen consumption.

ox·y·geu·si·a (ok-sē-gū′sē-ă)．味覚過敏．= hypergeusia.

oxyhaeme [Br.]. = oxyheme.

oxyhaemochromogen [Br.]. = oxyhemochromogen.

oxyhaemoglobin [Br.]. = oxyhemoglobin.

oxyhaemoglobin dissociation curve [Br.]. = oxyhemoglobin dissociation curve.

ox·y·heme (ok′si-hēm)．オキシヘム．= hematin; oxyhaeme.

ox·y·he·mo·chro·mo·gen (ok′sē-hēm′ō-krō′mō-jen)．オキシヘモクロモゲン．= hematin; oxyhaemochromogen.

ox·y·he·mo·glo·bin (ok′sē-hē′mō-glō′bin)．オキシヘモグロビン，酸化血色素（酸素と結合したヘモグロビン．動脈血にあるヘモグロビン形態で，水に溶かすと鮮紅色を呈する）．= oxyhaemoglobin.

ox·y·he·mo·glo·bin dis·so·ci·a·tion curve オキシヘモグロビン解離曲線（ヘモグロビンの酸素飽和度と動脈酸素分圧(P_aO_2)の関係をグラフで示したもの．水素イオン濃度(pH)，体温，二酸化炭素濃度(PCO_2)，および有機リン酸塩の存在により，S 字型曲線の位置および全体の形が変化する）．= oxyhaemoglobin dissociation curve.

ox·y·my·o·glo·bin (MbO_2) (ok′sē-mī′ō-glō′bin)．オキシミオグロビン（オキシヘモグロビンの構造に類似する酸素付加型ミオグロビン．→myoglobin）．

ox·yn·tic (ok-sin′tik)．酸分泌〔性〕の（胃腺の壁細胞などのように酸を生成することについていう）．

ox·yn·tic cell 〔胃〕酸分泌細胞．= parietal cell.

ox·y·phil, ox·y·phile (ok′sē-fil, -fīl)．***1*** 〚n.〛 好酸性細胞．= oxyphil cell. ***2*** 〚n.〛 好酸球．= eosinophilic leukocyte. ***3*** 〚adj.〛 = oxyphilic.

ox·y·phil cell 好酸性細胞（加齢とともに増加する上皮小体の細胞．細胞質は多数のミトコンドリアを有し，エオシンで染まる．同様の細胞やその細胞からなる腫瘍が唾液腺や甲状腺にも見出される．特に後者にあっては Hürthle 細胞ともよばれる）．

ox·y·phil·ic (ok′sē-fil′ik)．好酸性の，酸親和〔性〕の，酸性色素親性の（酸性色素に対して親和性をもつ，特定の細胞や組織要素についていう）. = oxyphil(3); oxyphile.

ox·y·phil·ic car·ci·no·ma 好酸性癌. = Hürthle cell carcinoma.

ox·y·phil·ic leu·ko·cyte 好酸球. = eosinophilic leukocyte.

ox·y·pho·ni·a (ok-sē-fō′nē-ă). 音声高鋭（金切り声，高い声）.

ox·y·ta·lan (ok-sit′ă-lan). オキシタラン（歯周靱帯と歯肉にあり，コラーゲン，弾性線維とは組織化学的に区別される結合組織線維の一種）.

ox·y·to·ci·a (ok′sē-tō′shē-ă). 分娩促進.

ox·y·to·cic (ok′sē-tō′sik). 子宮収縮性の，分娩促進の.

ox·y·to·cin (ok′sē-tō′sin). オキシトシン（神経下垂体ノナペプチドホルモン．周期的な子宮筋の収縮を起こし，授乳期の射乳を促進し，分娩誘発または刺激，分娩後の出血と弛緩の処置，および痛みを伴う乳房のうっ滞緩和に用いる．下垂体後葉で産生される）.

ox·y·to·cin chal·lenge test オキシトシン負荷試験（オキシトシン希釈液を静注して子宮収縮を誘発（正常と類似の陣痛を誘発）する）. = contraction stress test.

ox·y·u·ri·a·sis (ok′sē-yūr-ī′ă-sis). ぎょう虫症（*Oxyuris* 属の寄生線虫による感染症）.

ox·y·u·ri·cide (ok′sē-yūr′i-sīd). ぎょう虫駆除薬.

ox·y·u·rid (ok-sē-yū′rid). ぎょう虫（蟯虫科の寄生虫の一般名）.

Ox·y·u·ri·dae (ok′sē-yū′ri-dē). 蟯虫科（脊椎動物の大腸または盲腸，無脊椎動物，特に昆虫とヤスデの腸にみられる寄生線虫（蟯虫上科）の一科）.

Ox·y·u·ris (ok′sē-yū′ris). 通常，ぎょう虫とよばれる線虫の一属．ヒトに寄生するぎょう虫は本属と近縁の *Enterobius vermicularis*.

-oyl アシル基を示す接尾語．yl を -ic とすると酸の名称になる.

ozaena [Br.]. = ozena.

o·ze·na (ō-zē′nă). 臭鼻〔症〕，オツェーナ（鼻の内部の痂皮，萎縮，悪臭を特徴とする疾患）. = ozaena.

o·zone (ō′zōn). オゾン（強力な酸化薬．大気中には放電またはリン酸の緩徐な燃焼により生成される O_3 がある程度含まれている．また，大気 O_2 に対し，太陽 UV 放射の作用で生成される）.

P

π, π パイ（→pi）.
ϕ, φ ファイ（→phi）.
ψ サイ（→psi）.
P_{CO_2}, pCO_2 二酸化炭素分圧（圧力）の記号. → partial pressure.
P_i 無機正リン酸塩 inorganic orthophosphate の記号.
P_b 気圧 barometric pressure の記号.
p *1* 瞳孔 pupil, 視神経乳頭 optic papilla の略. *2* ポリヌクレオチドを略記するときのリン酸エステルまたはリン酸塩. *3* pico-（2）, 運動量（イタリック体を用いる）を表す記号. *4* 細胞遺伝学で, 染色体の短い腕を表す記号. *5* 核酸におけるリン残基を示す記号.
p53 p53 遺伝子（第 17 染色体短腕に存在する癌抑制遺伝子で, DNA に結合し, 細胞分裂を負に制御する核リン蛋白をコードする. 悪性疾患のマーカとしてしばしば測定される）.
P_1 parental generation の略.
P_2 II 音肺動脈成分を表す記号.
PA posteroanterior の略.
P & A *1* posterior and anterior の略. *2* percussion and auscultation の略.
Pa パスカルの記号. プロトアクチニウムの元素記号.
paan (pahn). パーン. = betel palm (nut).
Paas dis·ease パース病（家族性（恐らく遺伝性）の骨格奇形で, 外反肢, 二重膝蓋骨, 手足指の中節骨・末節骨の短小, 肘変形, 側弯, 腰椎の変形性脊椎炎などを特徴とする. 一側または両側に起こる）.
PABA *p*-aminobenzoic acid の略.
pab·lum (pab′lŭm). パブラム（調理済みの幼児食. コムギ, カラスムギ, トウモロコシのひき割り粉, およびコムギ胚芽, ムラサキウマゴヤシの葉, ビール酵母, 鉄分, 塩化ナトリウムの混合物）. = pabulum.
pab·u·lum (pab′yū-lŭm). = pablum.
PA-C physician assistant, certified の略.
PAC premature atrial contraction の略.
pac·chi·o·ni·an (pahk-ē-ō′nē-ăn). Antonio Pacchioni（1665—1726）の, または彼の記した.
pac·chi·o·ni·an bod·ies パッキオーニ〔小〕体. = arachnoid granulations.
pace·fol·low·er (pās′fol-ō-ĕr). ペースメーカ追従細胞（ペースメーカからの刺激に反応して興奮する組織の細胞）.
pace·ma·ker (pās′mā-kĕr). *1* ペースメーカ, 歩調取り（生物学的用語で, 活動の歩調を定める律動中枢のこと）. *2* ペースメーカ（速度を人工的に調節する器械）. *3* 調節物質（化学において, その反応速度が一連の連鎖反応の速度を決定するような物質）.
pace·ma·ker lead ペースメーカ導線（人工ペースメーカから心臓へ電気刺激を伝える導線）.
pace·ma·ker rule ペースメーカー・ルール（最も速度の速いペースメーカー部位が, 心臓をコントロールすること）.
pace·ma·ker syn·drome ペースメーカ症候群（心室をペースメーカで刺激している患者で, 房室間の調和がなくなったときの症状, あるいは心房と心室の収縮のタイミングが不適当になって起こる症状）.
Pa·che·co par·rot dis·ease vi·rus 伝染性喉頭気管炎のウイルスに関連するヘルペスウイルス科のウイルス.
Pa·chon meth·od パション法（患者を左側臥位にして行う心拍記録法）.
Pa·chon test パション試験（動脈瘤の症例で, 血圧測定によって側副血行を決定する）.
pachy- 厚い, を意味する接頭語.
pach·y·bleph·a·ron (pak-ē-blef′ă-ron). 瞼縁肥厚症（眼瞼の瞼板辺縁の肥厚化）.
pach·y·ce·phal·ic, pach·y·ceph·a·lous (pak′ē-se-fal′ik, -sef′ă-lŭs). 頭蓋肥厚〔症〕の.
pach·y·ceph·a·ly (pak-ē-sef′ă-lē). 頭蓋肥厚〔症〕（頭蓋の異常な肥厚）.
pach·y·chei·li·a, pach·y·chi·li·a (pak-ē-kī′lē-ă). 口唇肥厚〔症〕（口唇の腫脹または異常な肥厚）.
pach·y·cho·li·a (pak′i-kō′lē-ă). 胆汁濃縮〔症〕.
pach·y·chro·mat·ic (pak-ē-krō-mat′ik). 濃染性の, 肥厚染色体〔性〕の（粗大染色質細網を有する）.
pach·y·dac·ty·ly (pak-ē-dak′ti-lē). 指趾肥厚（手指あるいは足指, 特にその末端部の肥大. 神経線維腫症によくみられる）.
pach·y·der·ma (pak-ē-dĕr′mă). 強皮症, 硬皮症（異常に厚い皮膚. →elephantiasis）.
pach·y·der·ma la·ryn·gis 喉頭強皮（硬皮）症（喉頭の後交連における限局性結合組織過形成）.
pach·y·der·mat·o·cele (pak-ē-der-mat′ō-sēl). 硬性皮膚懸垂症. = dermatochalasis.
pach·y·der·mo·dac·ty·ly (pak-ē-dĕr′mo-dak′ti-lē). 指皮膚肥厚〔症〕（示・中・環指（ときに小指, まれに母指も含む）の近位指節間関節に生じるびまん性線維腫症による指の腫脹. 家族性の場合もある）.
pach·y·glos·si·a (pak-ē-glos′ē-ă). 厚舌症（肥大した厚い舌のこと）.
pach·y·gy·ri·a (pak-ē-jī′rē-ă). 脳回肥厚〔症〕（大脳皮質の脳回が異常に大きい状態. 正常より脳回の数は少なく, 脳実質の量は少し増加している症例もある）.
pach·y·lep·to·men·in·gi·tis (pak-ē-lep′tō-men-in-jī′tis). 硬軟〔髄〕膜炎（脳または脊髄のすべての膜の炎症）.
pach·y·men·in·gi·tis (pak′ē-men-in-jī′tis). 硬〔髄〕膜炎. = perimeningitis.
pach·y·me·nin·gop·a·thy (pak′ē-mĕn-in-gop′ă-thē). 硬〔髄〕膜障害.
pach·y·me·ninx (pak-ē-mē′ningks). 硬膜.
pa·chyn·sis (pă-kin′sis). 病的肥厚.
pa·chyn·tic (pă-kin′tic). 病的肥厚の.

P

pach·y·o·nych·i·a (pak′ē-ō-nik′ē-ă). 爪肥厚〔症〕(手足の爪の異常な肥厚).
pach·y·per·i·os·ti·tis (pak′ē-per-ē-ŏs-tī′tis). 肥厚性骨膜炎 (炎症によって生じる骨膜の増殖性肥厚化).
pach·y·per·i·to·ni·tis (pak′ē-per′i-tō-nī′tis). 肥厚性腹膜炎 (膜の肥厚化を伴う腹膜の炎症).
pach·y·pleu·ri·tis (pak′ē-plū-rī′tis). 肥厚性胸膜炎 (膜の肥厚化を伴う胸膜の炎症).
pach·y·sal·pin·gi·tis (pak′ē-sal-pin-jī′tis). 肥厚性卵管炎. = chronic interstitial salpingitis.
pach·y·sal·pin·go-o·va·ri·tis (pak′ē-sal-pin′gō-ō-va-rī′tis). 肥厚性卵管卵巣炎 (卵巣と卵管の慢性肥厚性炎症).
pach·y·so·mi·a (pak-ē-sō′mē-ă). 軟部肥厚症 (先端巨大症にみられるような身体の軟らかい部分の病的肥厚).
pach·y·tene (pak′i-tēn). パキテン期, 厚糸期, 太糸期, 合体期 (相同染色体の対合が完成していく減数分裂前期. 各染色体に縦裂が生じ, 2本の姉妹染色体を生成するために, 各相同染色体は一組の4本のからみ合った染色体となる).
pach·y·vag·i·nal·i·tis (pak′ē-vaj-i-năl-ī′tis). 肥厚性鞘膜炎 (精巣鞘膜の肥厚化を伴う慢性の炎症).
pach·y·vag·i·ni·tis (pak′ē-vaj-i-nī′tis). 肥厚性腟炎 (腟壁の肥厚化と硬化を伴う慢性の腟炎).
pac·ing cath·e·ter ペーシングカテーテル (心臓カテーテルの1つで, 1つまたはそれ以上の電極が先端についていて, 心臓を人工的にペースするのに使われる. 通常は右心室に挿入する).
pa·ci·ni·an (pă-chē′nē-ăn). Filippo Pacini (1812—1883)の, または彼の記した.
pa·ci·ni·an cor·pus·cles パチーニ小体. = lamellated corpuscles.
pack (pak). ***1*** 〚v.〛 パックする, 満たす, 詰める. ***2*** 〚v.〛 シーツ, 毛布, あるいは他の物で身体をくるむ, または包む. ***3*** 〚v.〛 填入する (手術した位置に詰め物またはカバーをする). ***4*** 〚n.〛 創をおおうのに用いる物.
pack·age (păk′ăj). パッケージ (①移送や貯蔵のために何かを詰めることのできる箱や容器. ②そのような容器や中身からなる小包).
pack·age in·sert 添付文書 (薬剤の使用法を説明した製薬会社による印刷物. 薬理動態, 投与方法, その他の関連情報が記載されている).
packed cells 血球製剤 (血漿の大部分を取り除いた濃縮細胞から成る血液製剤. 赤血球は必要だが液量は増やすべきでない患者, 例えばうっ血性心不全の患者などに与えられる). = packed red blood cells.
packed red blood cells = packed cells.
pack·er (pak′ĕr). ***1*** 挿入器 (タンポンを入れるのに用いる器具). ***2*** 填塞器, パッカー. = plugger.
pack·ing (pak′ing). ***1*** 填塞, 挿入 (腟または創を物で充填すること). ***2*** 詰め物, パッキング (填塞に用いる材料). ***3*** パックすること.
pack years 喫煙量 (1日の喫煙箱数と喫煙年数を掛けて求められるタバコの消費量. 例えば1日1.5箱を20年間吸い続けた人は30 pack years となる).
PA con·duc·tion time →atrioventricular conduction.
PACS (paks). *p*icture *a*rchive and *c*ommunication *s*ystem (画像収集通信解析システム) の頭文字. デジタル化放射線画像と報告書のためのコンピュータネットワーク.
PACU postanesthesia care unit の略.
PAD peripheral arterial disease の略.
pad (pad). パッド, 当て物, 詰め物 (①クッション用の柔らかい材質. 圧力を一部にかけたり, 圧力を緩和したり, 包帯がずれないように陥凹部を充填するのに用いる. ②間隙を埋めたり, 体内のクッションとして作用して, 脂肪体その他の組織を多少とも被包する(すなわち足踵部)).
PADL personal activities of daily living の略.
pad-to-pad pinch パッド-パッドピンチ (作業療法において, 遠位指節間関節の末端にある親指の指球と人差し指の指球のあいだの握り).
PAE postantibiotic effect の略.
Pae·cil·o·my·ces (pē-sil-ō-mī′sēz). ペシロミセス属 (*Penicillium* 属の毛筆状体に表面が類似した分生子をもつ菌糸を有する非病原性不完全菌類の一属. 汚染菌, ときには病原体として分離される).
Pae·cil·o·my·ces li·la·ci·nus カビの一種. まれにペシロミセス症の原因となる. 汚染した移植眼内レンズによるヒトの眼への感染症に関与している. 旧名 *Penicillium lilacinum*.
paed- [Br.]. = ped-.
paederasty [Br.]. = pederasty.
paedi- [Br.]. = pedi-.
-paedia [Br.]. =-pedia.
paediatric [Br.]. = pediatric.
paediatric dentist [Br.]. = pediatric dentist.
paediatric dentistry [Br.]. = pediatric dentistry.
paediatrician [Br.]. = pediatrician.
paediatrics [Br.]. = pediatrics.
paedo- [Br.]. = pedo-.
paedodontia [Br.]. = pedodontia.
paedodontics [Br.]. = pedodontics.
paedodontist [Br.]. = pedodontist.
paedomorphism [Br.]. = pedomorphism.
paedophilia [Br.]. = pedophilia.
paedophilic [Br.]. = pedophilic.
PAF platelet-aggregating factor の略.
PAGE (pāj). polyacrylamide gel electrophoresis の略.
Pa·gen·stech·er cir·cle パーゲンシュテッヒャー(パーゲンステッケル)輪 (自由に移動できる腹部腫瘍の場合, 腫瘍を全範囲に移動させ, その位置を腹壁に記す. その点をつなぎ合わせたとき環になり, その中心が腫瘍の付着点となる).
Pa·get cell パジェット細胞 (比較的大型の新生上皮細胞(癌細胞)で, 染色体過剰の核と豊富な淡染性の細胞質を含む. 乳房 Paget 病では乳管の新生上皮，乳首，乳輪，近隣の皮膚の表皮に生じる）.

Pa·get dis·ease パジェット病（①老年者のしばしば家族性の全骨格病で，骨吸収と骨形成の両方が進み，例えば，頭蓋骨のように骨の肥厚と軟化をきたし，体重支持骨の彎曲を起こす．= osteitis deformans．②老年女性の疾病で，乳房や乳輪付近の浸潤やある程度の湿疹症状があり，悪性細胞による表皮浸潤や下側腺管内乳癌と関連する．③= extramammary Paget disease）.

pag·et·oid cells パジェット〔病〕様細胞（Paget 細胞に似た異型メラノサイトで，表在性拡大型の皮膚黒色腫でみられる）.

pa·go·pha·gi·a (pāg′ō-fā′jē-ă)．食氷（強迫観念にかられての氷の摂取．鉄欠乏性貧血に伴うこともある）.

-pagus 接着双生児を意味する接尾語．語の最初の部分は結合している部位を示す．→-didymus; -dymus.

PAI-1 plasminogen activator inhibitor-1 の略.

pain (pān)．痛み，疼痛（現実のまたは潜在的な組織損傷を伴う不快な感覚．特異的神経線維によって脳に伝えられ，そこでの意識的な認識は種々の要因によって修飾される）.

pain·ful arc sign 有痛弧徴候（上肢を自動的に外転する際，60° から 120° の外転で痛みが誘発される徴候）.

pain·ful heel 踵骨痛（踵で重さを支えたときに様々な強い痛みが起こる状態）. = calcaneodynia; calcodynia.

pain-plea·sure prin·ci·ple 苦痛・快感原則（人間の精神機能において，快楽を追求して苦痛を避ける傾向があるという精神分析学の概念．学習環境にある動物と同じ傾向を示すために，実験心理学から借用した語）. = pleasure principle.

pain-spasm-is·che·mi·a cy·cle = pain-spasm-pain cycle.

pain-spasm-pain cy·cle 疼痛–痙攣–疼痛サイクル（骨格筋痙攣が局所の虚血および疼痛を引き起こし，それが痙攣を悪化させ，次にそれがさらに疼痛を悪化させるという無期限に留まることのないサイクル．→myofascial pain-dysfunction syndrome; trigger point）. = pain-spasm-ischemia cycle.

PA in·ter·val PA 間隔（His 束心電図に現れる，P 波の発現から A 波の最初の急速な振れまでの時間(通常は 25—45 msec)．心房内の伝導時間を表す）.

pal·a·tal (pal′ă-tăl)．口蓋の. = palatine.

pal·a·tal lift 軟口蓋挙上装置（硬口蓋にフィットするようデザインされた装置で，歯に固定され，軟口蓋に向かって軟口蓋咽頭口まで伸びている．主に軟口蓋咽頭筋の弱い人や，軟口蓋咽頭口が過剰に広い人に適応され，発話時の鼻腔の共鳴および気流を減少させる働きを担っている）.

pal·a·tal my·oc·lo·nus 口蓋ミオクロ〔ー〕ヌス（軟口蓋の収縮によると考えられている耳鳴）.

pal·a·tal re·flex, pal·a·tine re·flex 口蓋反射（口蓋刺激により生じるえん下反射）.

pal·ate (pal′ăt)．口蓋（口腔の天井．口腔と鼻腔の間にある骨性および筋性の仕切り）. = palatum.

pal·a·tine (pal′ă-tīn). = palatal.

pal·a·tine ap·o·neu·ro·sis 口蓋腱膜（軟口蓋の前 2/3 に広がるからみ合った口蓋帆張筋の腱で，他の口蓋筋が付着している）.

pal·a·tine bone 口蓋骨（上顎骨の後方の不規則な形の骨．鼻腔，眼窩，硬口蓋の形成に関与する．上顎骨，下鼻甲介，蝶形骨，篩骨，鋤骨および反対側の口蓋骨と関節する）.

pal·a·tine pro·cess 口蓋突起（胎児で上顎口腔面から内側方に張り出した棚状構造で，さらに張り出して正中で癒合して二次口蓋になる）.

pal·a·tine ra·phe 口蓋縫線（硬口蓋中央にあるやや狭く，低い隆起で，切歯乳頭から後方へ硬口蓋粘膜の全長にわたってのびる）.

pal·a·tine spines 口蓋棘（上顎骨の口蓋突起の下面に口蓋溝沿いにある縦の隆線）.

pal·a·tine ton·sil 口蓋扁桃（口蓋弓間の両側にある咽頭側壁に埋まったリンパ様組織の大きな卵形のもの）. = tonsilla palatina; tonsilla; faucial tonsil; tonsil(2).

pal·a·tine u·vu·la 口蓋垂（軟口蓋の中央後縁から出る円錐形の突起．多数の房状腺と若干の筋線維(口蓋垂筋)を含む結合組織からなる）.

pal·a·tine vein 口蓋静脈（口蓋領域の血液を集め顔面静脈に注ぐ静脈）.

pal·a·ti·tis (pal-ă-tī′tis)．口蓋炎.

palato- 口蓋を意味する連結形.

pal·a·to·glos·sal (pal′ă-tō-glos′ăl)．口蓋舌の（口蓋と舌，または口蓋舌筋についていう）.

pal·a·to·glos·sal arch 口蓋舌弓（軟口蓋から舌の側面へのびる粘膜の 1 対の隆線あるいはひだ．口蓋舌筋を囲み扁桃窩の前縁を形成する．また，口峡部と口腔の境界ともなっている）.

pal·a·to·glos·sus mus·cle 口蓋舌筋（扁桃窩の前口蓋弓をつくる口蓋の筋．起始：軟口蓋の口腔面．停止：舌の側部．作用：舌を後方に上げ口峡を狭くする．神経支配：咽頭神経叢(副神経の延髄根)）. = musculus palatoglossus.

pal·a·tog·na·thous (pal-ă-tog′nă-thŭs)．口蓋裂の.

pal·a·to·max·il·lar·y (pal′ă-tō-mak′si-lar-ē)．口蓋上顎の（口蓋と上顎に関する）.

pal·a·to·na·sal (pal′ă-tō-nā′zăl)．口蓋鼻の（口蓋と鼻腔に関する）.

pal·a·to·pha·ryn·ge·al (pal′ă-tō-fă-rin′jē-ăl)．口蓋咽頭の（口蓋と咽頭に関する）.

pal·a·to·pha·ryn·ge·al arch 口蓋咽頭弓（軟口蓋の後縁から咽頭側壁へ下がる 1 対の粘膜の隆線あるいはひだ．口蓋咽頭筋を囲み扁桃窩の後縁を形成する．また，口峡峡部と咽頭口部の境界ともなっている）.

pal·a·to·pha·ryn·ge·al mus·cle 口蓋咽頭筋. = palatopharyngeus muscle.

pal·a·to·pha·ryn·ge·us mus·cle 口蓋咽頭筋（後口蓋弓(口蓋咽頭弓)をつくる．起始：軟口蓋．停止：甲状軟骨後縁と咽頭腱膜に付着して咽頭の内縦筋層のようになる．作用：口峡を狭くして軟口蓋を下げ，咽頭および喉頭を上げる．神経支配：咽頭神経叢(副神経の延髄根))．= musculus palatopharyngeus; palatopharyngeal muscle.

pal·a·to·pha·ryn·gor·rha·phy (pal′ă-tō-far′in-gōr′ă-fē)．口蓋咽頭縫合〔術〕．= staphylopharyngorrhaphy.

pal·a·to·plas·ty (pal′ă-tō-plas-tē)．口蓋形成〔術〕(口蓋の形と機能を修復する形成術)．= staphyloplasty; uranoplasty.

pal·a·to·ple·gi·a (pal′ă-tō-plē′jē-ă)．軟口蓋麻痺 (軟口蓋筋の麻痺)．

pal·a·tor·rha·phy (pal-ă-tōr′ă-fē)．口蓋縫合〔術〕．= staphylorrhaphy; uranorrhaphy.

pal·a·tos·chi·sis (pal-ă-tos′ki-sis)．口蓋〔披〕裂．= cleft palate.

pa·la·tum, pl. pa·la·ti (pă-lā′tŭm, -tī)．口蓋．= palate.

PALE postantibiotic leukocyte enhancement の略．

paleo-, pale- 古い，原始の，本来の，初期の，を意味する連結形．

pa·le·o·cer·e·bel·lum (pā′lē-ō-ser-ĕ-bel′ŭm)．旧小脳 (虫部の大部分とその近くの小脳半球全部とをあわせていう系統発生学用語．脊髄小脳路の終わる部分と一致するところから脊髄小脳とよばれることもある．系統発生的な古さからいうと古小脳と新小脳の中間にあたると考えられている)．= spinocerebellum.

pa·le·o·cor·tex (pā′lē-ō-kōr′teks)．旧皮質 (嗅覚皮質に相当する，大脳半球の皮質の系統発生学上最古の部分)．

pa·le·o·ki·net·ic (pā′lē-ō-ki-net′ik)．旧運動〔性〕の (筋反射と自動常同運動の基礎をなす原始運動機序をいう)．

pa·le·o·pa·thol·o·gy (pā′lē-ō-pă-thol′ŏ-jē)．古生物病理学 (骨，ミイラ，および考古学的人工物にみられるような有史以前の疾病に関する科学)．

pa·le·o·stri·a·tal (pā′lē-ō-strī-ā′tăl)．旧線条体の．

pa·le·o·stri·a·tum (pā′lē-ō-strī-ā′tŭm)．旧線条体 (線条体の構成要素である淡蒼球を意味する用語で，新線条体 neostriatum よりも早く発生し，間脳由来であると仮定する考えからの呼称)．

pa·le·o·thal·a·mus (pā′lē-ō-thal′ă-mŭs)．旧視床 (進化において最も早く発生した視床の構成要素と考えられる髄板内核．等皮質との相互連絡を欠く)．

pal·i·ki·ne·si·a, pal·i·ci·ne·si·a (pal′i-ki-nē′zē-ă, pal′i-si-nē′zē-ă)．〔同〕運動反復〔症〕(運動の無意識的な反復)．

pal·i·la·li·a (pal-i-lā′lē-ă)．= paliphrasia.

pal·in·drome (pal′in-drōm)．パリンドローム (分子生物学において，自己相補的核酸配列のこと．同じ 5′ から 3′ への方向で読んだ場合，配列がその相補的鎖と同じになる．あるいは対称軸のいずれの側においても，反転した繰返し配列が逆方向に(5′-AGT-TGA-3′)並んでいること．パリンドロームは重要な反応の起こる部位に存在する)．

pal·in·dro·mi·a (pal-in-drō′mē-ă)．再発，回帰．

pal·in·drom·ic (pal-in-drom′ik)．再発性の，回帰性の．

pal·i·nop·si·a (pal-i-nop′sē-ă)．反復視 (異常な反復幻覚)．

pal·i·phra·si·a (pal-i-frā′zē-ă)．言語反復〔症〕(会話中に言葉または文章を無意識に反復すること．→echolalia)．= palilalia.

pal·la·di·um (Pd) (pă-lā′dē-ŭm)．パラジウム (白金に似た金属元素．原子番号 46，原子量 106.42)．

pallaesthesia [Br.]．= pallesthesia.

pallaesthetic [Br.]．= pallesthetic.

pallanaesthesia [Br.]．= pallanesthesia.

pall·an·es·the·si·a (pal′an-es-thē′zē-ă)．振動覚脱失(消失)〔症〕．= apallesthesia; pallanaesthesia.

pall·es·the·si·a (pal-es-thē′zē-ă)．振動〔感〕覚 (振動の感知，すなわち圧覚の一種．振動している音叉を骨隆起に当てた場合に最も鋭敏である)．= pallaesthesia.

pall·es·thet·ic (pal-es-thet′ik)．振動〔感〕覚の．= pallaesthetic.

pal·li·al (pal′ē-ăl)．外套の (脳の皮質についていう)．

pal·li·ate (pal′ē-āt)．緩和する，軽減する．= mitigate.

pal·li·a·tive (pal′ē-ă-tiv)．待機的な，姑息的な (緩和する，潜伏している疾病を治癒することなく徴候を和らげることについていう)．

pal·li·a·tive treat·ment 待期療法 (疾患を治療せずに症状を軽減させる療法)．

pal·lid (pal′id)．生彩のない (青白い，弱々しい，欠乏している状態の顔色)．

pal·li·dal (pal′i-dăl)．淡蒼球の．

pal·li·dec·to·my (pal-i-dek′tŏ-mē)．淡蒼球切除〔術〕(通常，定位脳手術による淡蒼球の切除あるいは破壊)．

pal·li·do·an·sot·o·my (pal′i-dō-an-sot′ŏ-mē)．淡蒼球わな切断(切開)〔術〕(淡蒼球とレンズ核わなを切断する手術のこと)．

pal·li·dot·o·my (pal-i-dot′ŏ-mē)．淡蒼球切断(切開)〔術〕(淡蒼球を破壊する手術．不随意運動や筋硬直を軽減するために行う)．

pal·li·dum (pal′i-dŭm)．淡蒼球．= globus pallidus.

pal·li·um (pal′ē-ŭm)．外套．= mantle(2).

pal·lor (pal′ŏr)．蒼白 (皮膚などにみられる)．

palm (pahlm)．手掌，てのひら (手の平たい部分．手の屈側または前面で，手指は含まない．手背の対語)．= palma.

pal·ma, pl. pal·mae (pahl′mă, -mē)．手掌，てのひら．= palm.

pal·mar (pahl′măr)．手掌の，掌側の．

pal·mar arch 手掌動脈弓 (① deep palmar arch 深掌動脈弓．手の深指屈筋腱深部にある動脈弓で橈骨動脈と尺骨動脈の深掌枝で形成される．= arcus palmaris profundus. ② superficial palmar arch 浅掌動脈弓．手の深指屈筋腱浅層にある動脈弓で主に尺骨動脈で形成され，通常，橈骨動脈の浅掌枝との連絡によって弓形が完成される. = arcus palmaris superficiales). = arcus palmaris.

pal·mar car·pal branch of ra·di·al ar·ter·y 〔橈骨動脈〕掌側手根枝（手首の内側を横切って手根関節に分布する小枝. 尺骨動脈の前手根枝と吻合する). = ramus carpalis palmaris arteriae radialis; ramus carpeus palmaris arteriae radialis.

pal·mar car·pal branch of ul·nar ar·ter·y 〔尺骨動脈〕掌側手根枝（手根関節に分布し橈骨動脈の前手根枝と交通する枝). = ramus carpalis palmaris arteriae ulnaris; ramus carpeus palmaris arteriae ulnaris.

pal·mar e·ry·the·ma 手掌紅斑（多彩な生理的および病的な変化に伴ってみられる手掌の発赤で，主たる原因の一つは門脈圧亢進である. 肝機能障害を持つ患者にも見られ，また湿疹や乾癬といった皮膚疾患の結果であることもある. しかしながら，普通に見られることもあり，その場合は，高いエストロゲンレベルに起因する).

pal·mar grasp 手掌つかみ（生後5—6か月でみられる把握のパターンで，下向きにした前腕あるいは手を物体上に置き，指を同時に物体の周りに曲げて，物体をかろうじて掌の中央部で把握する. 親指は掌の橈骨の側面に向けて内転され把握の支持には関与しない).

pal·mar in·ter·os·se·ous ar·ter·y 掌側中手動脈. = palmar metacarpal artery.

pal·mar in·ter·os·se·ous mus·cle 掌側骨間筋（3つの筋からなる. 起始：第一筋は第二中手骨の尺側，第二・第三筋は第四・第五中手骨の橈側より起こる. 停止：第一筋は示指の尺側，第二・第三筋は薬指・小指の橈側に付着. 作用：中指の軸の方向へ各指を内転する. 神経支配：尺骨神経). = musculus interosseus palmaris.

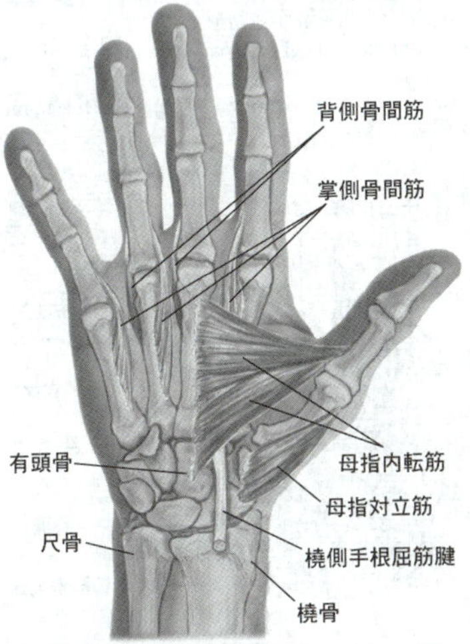
背側骨間筋
掌側骨間筋
有頭骨
母指内転筋
母指対立筋
尺骨
橈側手根屈筋腱
橈骨

palmar interosseous muscle

pal·mar·is brev·is mus·cle 短掌筋（手の皮筋. 起始：手掌腱膜の中心部の尺側. 停止：手の尺側の皮膚. 神経支配：尺骨神経. 作用：手掌内側部の皮膚にしわを寄せる). = musculus palmaris brevis; short palmar muscle.

pal·mar·is lon·gus mus·cle 長掌筋（前腕前区浅層の筋. 起始：上腕骨内側顆. 停止：手首の屈筋支帯と手掌腱膜. 神経支配：正中神経. 作用：手掌腱膜を緊張させて手と前腕を曲げる. 約20%で欠如する. この筋が緊張すると手首で腱が鋭く隆起し正中神経より上になる). = musculus palmaris longus; long palmar muscle.

pal·mar met·a·car·pal ar·ter·y 掌側中手動脈（深掌動脈弓から突然現れ，内側の骨間の中手骨の空間に流れ込む，3つある動脈の一つ. これらは総掌と吻合し，穿孔性の分岐を通り抜けて，背側中手動脈と吻合する).

pal·mar pinch 指腹つまみ（作業療法において，母指指腹と示指および中指の指腹との間でつまむこと. →pinch).

pal·mar pso·ri·a·sis 手掌型乾癬（指腹や手掌の接触部位に生じる斑状で角質増生型の乾癬. 手掌以外の部位に軽度の乾癬を伴うこともある. 同形の反応であると考えられており，スポーツや仕事で使われる片側の手掌のみに発症する例もある).

pal·mar ra·di·o·car·pal lig·a·ment 掌側橈骨手根靱帯（手根関節の前面で橈骨の遠位端から手根骨の近位列まで走る強力な靱帯).

pal·mar re·flex 手掌反射（手掌をくすぐると生じる指の屈曲).

pal·mar ul·no·car·pal lig·a·ment 掌側尺骨手根靱帯（尺骨茎状突起から手根骨へ走る線維帯).

pal·mate folds 棕状ひだ（子宮頸との境界をなす粘膜内の前後2つの縦の稜. ここから多数の二次的なひだまたはしわが分枝する). = plicae palmatae.

Pal·mer den·tal no·men·cla·ture パルマー歯式（①永久歯を識別する方法. 正中線から遠心に向かって何番目の歯であるかを示す歯の番号を，上下左右の位置を示す線とともに用いて識別する. ②永久歯の識別方法に類似した乳歯の識別方法で，数字の代わりにアルファベットを用いる. 例えば，A から E，または a から e. →F.D.I. dental nomenclature; universal dental nomenclature). = Zsigmondy dental nomenclature.

palm·ic (pahl′mik). 心拍の，拍動の.

pal·mit·o·le·ic ac·id パルミトレイン酸（炭素数16の単一不飽和カルボン酸. ヒトの脂肪組織トリアシルグリセロールの共通成分の1つ).

pal·mus, pl. pal·mi (pahl′mŭs, -mī). ***1*** 顔面筋痙攣. = facial tic. ***2*** 筋律動性線維性収縮（→jumping disease). ***3*** 心拍.

pal·pa·ble (pal′pă-bĕl). ***1*** 触知可能の（→palpation). ***2*** 明白な.

pal·pate (pal′pāt). 触診する.

pal·pa·tion (pal-pā′shŭn). ***1*** 触診〔法〕（手を用いて，身体の臓器，塊，浸潤を触知したり，

P

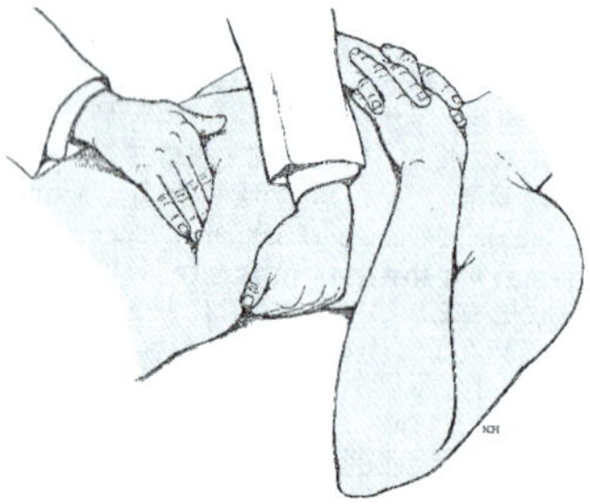

palpation technique

心拍動, 脈拍, 胸部の振動などを調べること). = touch(2). **2** 触感 (触覚で感じ取ること).

pal·pa·to·ry per·cus·sion 触診的打診〔法〕(引き出される音よりも, 指の下の組織の反響に注意が集中される打診法).

pal·pe·bra, pl. pal·pe·brae (pal-pē′brǎ, -brē). 眼瞼, まぶた. = eyelid.

pal·pe·bral (pal′pĕ-brăl). 眼瞼の, まぶたの.

pal·pe·bral ar·ter·ies 眼瞼動脈 (上下の眼瞼に血液を送る眼動脈の分枝で, 外側, 内側の2組からなる). = arteriae palpebrales.

pal·pe·bral fis·sure 眼瞼裂. = rima palpebrarum.

pal·pe·bral veins 眼瞼静脈 (上眼瞼後方の血液を集め上眼静脈に注ぐ).

pal·pi·tate (pal′pi-tāt). 激しく動悸を打つ・震える (①過度な速度を伴って打つこと. ストレスや特定の心臓の状態にある区間中の心臓が早く打っている間, 動悸を打つこと. ②軽く震えて動くこと. 震える, 揺れ動く, ぶるぶる震える).

pal·pi·ta·tion (pal-pi-tā′shŭn). 動悸, 心悸亢進 (患者が感受しうる心臓の強力で不規則な拍動で, 通常は拍動数が増加し, 律動の不規則性を伴う場合と伴わない場合とがある). = trepidatio cordis.

PALS (palz). pediatric advanced life support の略.

pal·sy (pawl′zē). 麻痺 (完全麻痺または不完全麻痺).

PAM (pam). potential acuity meter の頭文字.

2-PAM chlo·ride = pyridostigmine bromide.

***p*-ami·no·ben·zo·ic ac·id (PABA)** *p*-アミノ安息香酸 (葉酸の一部分を形成し, その生成に必要. ビタミンB複合体の一因子. バクテリアの必須発育因子を備えているために, バクテリアの必須発育因子の利用を阻害するスルホンアミドの静菌作用を中和する. ローションやクリームでの紫外線スクリーン作用物質として用いられる).

pam·pin·i·form (pam-pin′i-fōrm). 蔓状の.

pam·pin·i·form plex·us 蔓状静脈叢 (男性において精巣(睾丸)と精巣上体(副睾丸)からの静脈によりつくられる叢で, 精管の前の8または10の静脈から構成され精索の一部をなす. 女性の場合は, 卵巣静脈が広間膜内にこの静脈叢をつくる. 男性では精巣の温度調節系の一部をなし, 精巣の温度を体温よりやや低く保つ働きを補助している).

pan- すべての, 全体の, を意味する接頭語. 正確にはギリシア語由来の語に付く. →pant-.

pan·a·ce·a (pan-ǎ-sē′ǎ). 万能薬 (すべての疾病を治すといわれる薬).

panaesthesia [Br.]. = panesthesia.

pan·ag·glu·ti·nins (pan-ǎ-glū′ti-ninz). 汎凝集素 (すべてのヒトの赤血球と反応する凝集素).

pan·an·gi·i·tis (pan-an-jē-ī′tis). 汎血管炎 (血管のすべての層を侵す炎症).

pan·ar·thri·tis (pan-ahr-thrī′tis). 汎関節炎 (関節の全組織を侵す炎症).

pan·at·ro·phy (pan-at′rŏ-fē). 汎萎縮〔症〕(①ある構造のすべての部分が萎縮する状態. ②全身性の萎縮).

pan·cake kid·ney 円盤腎 (両側の腎臓が融合することによってできる円盤状の腎臓).

pan·car·di·tis (pan-kahr-dī′tis). 汎心炎 (心臓全体の炎症).

Pan·coast syn·drome パンコースト症候群 (上肺溝の部位の悪性腫瘍による上腕神経下幹とHorner症候群).

pan·co·lec·to·my (pan′kō-lek′tŏ-mē). 結腸全摘出〔術〕.

pan·cre·as, pl. pan·cre·a·ta (pan′krē-ǎs, -ā′tǎ). 膵臓, 膵 (十二指腸の弯曲部から脾臓にのびる被膜をもたない長い分葉腺. 十二指腸曲内の平らな頭部, 腹部を横切る細長い三面体形の体部, および脾臓と接する尾部からなる. 腺は外分泌部から腸に注がれる膵液, 内分泌部からインスリンとグルカゴンを分泌する).

pancreat-, pancreatico-, pancreato-, pancreo- 膵臓を表す連結形.

pan·cre·a·tal·gi·a (pan-krē-ǎ-tal′jē-ǎ). 膵〔臓〕痛.

pan·cre·a·tec·to·my (pan-krē-ǎ-tek′tŏ-mē). 膵切除〔術〕.

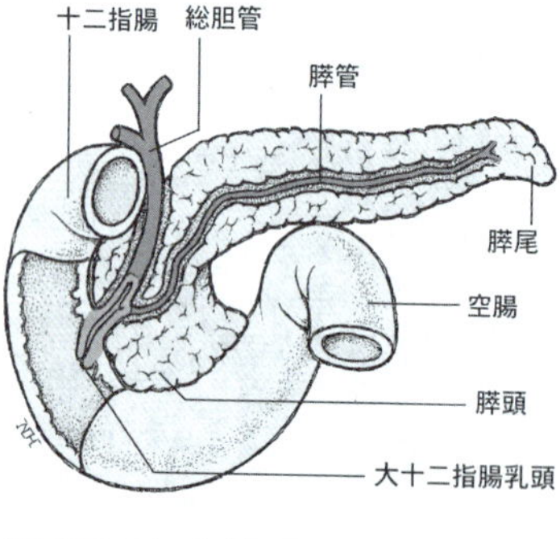
十二指腸
総胆管
膵管
膵尾
空腸
膵頭
大十二指腸乳頭

pancreas and part of duodenum

pan·cre·at·ic (pan-krē-at′ik). 膵〔臓〕の.

pan·cre·at·ic am·y·lase 膵臓アミラーゼ(膵臓により分泌される酵素で，デンプンを消化する).

pan·cre·at·ic buds 膵芽 (前腸の尾側部の内胚葉性の配列の腹側と背側が癒合して膵臓となる．腹側膵芽は鉤状突起と膵頭の下部，残りの部分が背側膵芽を形成する).

pan·cre·at·ic cal·cu·lus 膵石 (膵管内にみられる結石．通常は多数存在し，慢性膵臓炎に合併する).

pan·cre·at·ic cys·to·du·o·de·nos·to·my 膵嚢胞十二指腸瘻造設術 (膵嚢胞を十二指腸に手術的に，もしくは内視鏡的に誘導する術式). = duodenocystostomy (3).

pan·cre·at·ic di·ges·tion 膵液消化 (膵液の酵素による腸内消化).

pan·cre·at·ic duct 膵管 (膵臓の導管で，膵尾から膵頭まで貫通し，大十二指腸乳頭で十二指腸に開口している). = Wirsung canal; Wirsung duct.

pan·cre·at·i·co·du·o·de·nal (pan-krē-at′i-kō-dū-ō-dē′năl). 膵十二指腸の (膵臓と十二指腸についていう).

pan·cre·at·i·co·du·o·de·nal veins 膵十二指腸静脈 (上下の膵十二指腸動脈に伴行し，上腸間膜静脈または門脈に注ぐ).

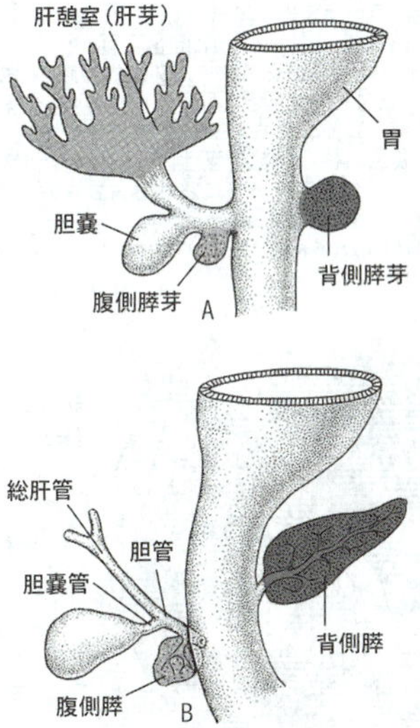

肝憩室(肝芽)
胃
胆嚢
背側膵芽
腹側膵芽
A
総肝管
胆管
胆嚢管
背側膵
腹側膵
B

stages in development of the pancreas
A：30日目(約5mm)，B：35日目(約7mm)．腹側膵芽は最初，肝憩室近傍にあるが，その後十二指腸の周りを移動して背側膵芽に向かう．

pan·cre·at·ic veins 膵静脈 (膵臓から出て脾静脈および上腸間膜静脈に注ぐ静脈).

pan·cre·at·in (pan′krē-ă-tin). パンクレアチン (ウシまたはブタの膵臓から得られる酵素の混合物．消化薬として内用に，あるいは消化のよい食物の製造にペプトン化剤としても用いる．蛋白分解酵素トリプシン，デンプン分解酵素アミロプシン，脂肪分解酵素ステアプシンが含まれる).

pan·cre·a·ti·tis (pan′krē-ă-tī′tis). 膵〔臓〕炎.

pan·cre·at·o·du·o·de·nec·to·my, pan·cre·at·i·co·duo·den·ec·to·my (pan-krē-at′ō-dū-ō-dĕ-nek′tŏ-mē, pan-krē-at′i-kō-dū-ō-dĕ-nek′ō-mē). 膵〔頭〕十二指腸切除〔術〕(十二指腸と膵臓の全部または一部の合併切除．通常，胃遠位部). = Whipple operation.

pan·cre·at·o·du·o·de·nos·to·my (pan-krē-at′ō-dū-ō-dĕ-nos′tŏ-mē). 膵十二指腸吻合〔術〕(膵管，膵嚢胞，または膵瘻と十二指腸との手術的吻合).

pan·cre·at·o·gas·tros·to·my (pan′krē-at′ō-gas-tros′tŏ-mē). 膵胃吻合〔術〕(膵嚢胞または膵瘻と胃との手術的吻合).

pan·cre·a·to·gen·ic, pan·cre·a·tog·en·ous (pan-krē-ă-tō-jen′ik, -toj′ĕ-nŭs). 膵臓由来の，膵臓の.

pan·cre·a·tog·ra·phy (pan′krē-ă-tog′ră-fē). 膵〔臓〕撮影，膵〔臓〕撮影術(法) (膵管への造影剤の逆行性注入後，膵管をX線撮影で描出すること).

pan·cre·at·o·je·ju·nos·to·my (pan-krē-at′ō-jĕ′jūn-os′tŏ-mē). 膵空腸吻合〔術〕(膵管，膵嚢胞，または膵瘻と空腸との外科的吻合).

pan·cre·at·o·li·thec·to·my (pan-krē-at′ō-li-thek′tŏ-mē). = pancreatolithotomy.

pan·cre·at·o·li·thi·a·sis (pan-krē-at′ō-li-thī′ă-sis, pan′krē-ă-tō-). 膵石症 (通常，膵管系にみられる膵臓内の結石).

pan·cre·at·o·li·thot·o·my (pan-krē-at′ō-li-thot′ŏ-mē). 膵石切開〔術〕(結石を除去するために膵臓を切開すること). = pancreatolithectomy.

pan·cre·a·tol·y·sis (pan-krē-ă-tol′i-sis). 膵組織崩壊.

pan·cre·a·to·lyt·ic (pan-krē-ă-tō-lit′ik). 膵組織崩壊〔性〕の.

pan·cre·at·o·meg·a·ly (pan-krē-at′ō-meg′ă-lē). 膵腫〔脹〕(膵臓の異常な腫脹).

pan·cre·a·top·a·thy (pan-krē-ă-top′ă-thē). 膵疾患.

pan·cre·a·to·re·nal syn·drome 膵腎症候群 (劇症急性膵炎患者に起こる急性腎不全で，致死率が高い).

pan·cre·a·tot·o·my (pan′krē-ă-tot′ŏ-mē). 膵切開〔術〕.

pan·cre·a·tro·pic (pan′krē-ă-trō′pik). 膵〔臓〕刺激性の，膵〔臓〕刺激向性の.

pan·cre·li·pase (pan-krē-lip′ās). パンクレリパーゼ (リパーゼ含有量の標準となる膵酵素の

濃縮物．補助治療に用いる脂肪分解薬）．

pan·cy·to·pe·ni·a (pan′sī-tō-pē′nē-ă)．汎血球減少〔症〕（循環血液中の赤血球，全種類の白血球，血小板が極端に減少すること）．

pan·dem·ic (pan-dem′ik)．汎〔発〕流行の，汎〔発〕流行病(性)の，汎発流行〔病〕（広範囲に流行する，広範な地域，国，大陸，世界の人々を侵す疾患についていう）．

pan·di·a·stol·ic (pan′dī-ă-stol′ik)．= holodiastolic．

pan·en·ceph·a·li·tis (pan′en-sef-ă-lī′tis)．汎脳炎，全脳炎（広汎性脳炎）．

pan·en·do·scope (pan-en′dō-skōp)．万能膀胱尿道鏡（テレスコープレンズ系によって膀胱と同時に尿道内部も観察できる光源付きの器具）．

pan·es·the·si·a (pan-es-thē′zē-ă)．全感覚，一般感覚（一個人が一度に経験するすべての感覚の総体．→cenesthesia）．= panaesthesia．

pang (păng)．突発性疼痛（急激な短い痛み）．

pan·hy·po·pi·tu·i·tar·ism (PHP) (pan-hī′pō-pi-tū′i-tă-rizm)．汎下垂体機能低下〔症〕（すべてあるいは大部分の下垂体前葉ホルモンの分泌が不十分，または欠如している状態）．= hypophysial cachexia．

pan·hys·ter·ec·to·my (pan-his′ter-ek′tŏ-mē)．子宮全摘術（子宮と子宮頸部の外科的切除）．

pan·ic (pan′ik)．パニック，恐慌（異常で，理由のない不安と恐怖．しばしば呼吸困難や動悸，血管運動性変化，発汗，恐怖感を伴う．→anxiety）．

pan·ic at·tack パニック発作，恐慌発作（突然に生じる強い不安，恐怖，死が差し迫っている感じで，自律神経系の活動の増強，様々な身体症状，離人感，現実感消失を伴う）．

pan·ic dis·or·der 恐慌性障害（予期せず起こる再発性の恐怖発作(パニック発作)．→generalized anxiety disorder）．

pan·im·mu·ni·ty (pan-i-myū′ni-tē)．汎免疫〔性〕（多くの感染症に対する一般的な免疫）．

pan·lo·bar (pan′lō-bahr)．汎大葉性の（肺葉のすべてに関わる）．

pan·lob·u·lar em·phy·se·ma 汎小葉性肺気腫（二次肺小葉の全体を侵す肺気腫で，典型的には肺下野に起こり，しばしば α_1-アンチトリプシン欠損症に起こる）．

pan·my·e·loph·thi·sis (pan′mī-ĕ-lof′thi-sis)．汎骨髄ろう(癆)．= myelophthisis(2)．

pan·my·e·lo·sis (pan′mī-ĕ-lō′sis)．汎骨髄症（骨髄線維症に伴う，脾臓および肝臓に異常な未熟血球を含む骨髄性異形成）．

Pan·ner dis·ease パナー病（上腕骨小頭の骨端骨壊死）．

pan·nic·u·lar her·ni·a 皮下脂肪性ヘルニア（筋膜または腱膜の裂孔から皮下脂肪が脱出すること）．= fatty hernia．

pan·nic·u·lec·to·my (pă-nik-yū-lek′tŏ-mē)．脂肪層切除（過剰な脂肪層の，通常は腹部における外科的切除）．

pan·nic·u·li·tis (pă-nik-yū-lī′tis)．皮下脂肪〔組〕織炎．

pan·nic·u·lus, pl. pan·nic·u·li (pă-nik′yū-lŭs, -lī)．層（組織の層）．

pan·ning (pan′ing)．パニング（抗原あるいは抗体で表面をおおったプラスチックプレートを用いて，対応レセプタに対する特異的な細胞を分離あるいは濃縮すること）．

pan·nus, pl. pan·ni (pan′ŭs, -ī)．パンヌス（正常組織の表面をおおう肉芽組織の膜，ⓘ関節リウマチにかかった関節にみられる炎症性滑膜組織で，関節軟骨をおおい次第に軟骨を破壊していく．結核など他の慢性肉芽腫性疾患でもみられる，ⓘⓘトラコーマにおける角膜をおおう肉芽組織の膜．→corneal pannus）．

pan·nus cras·sus 肥厚パンヌス（→corneal pannus）．

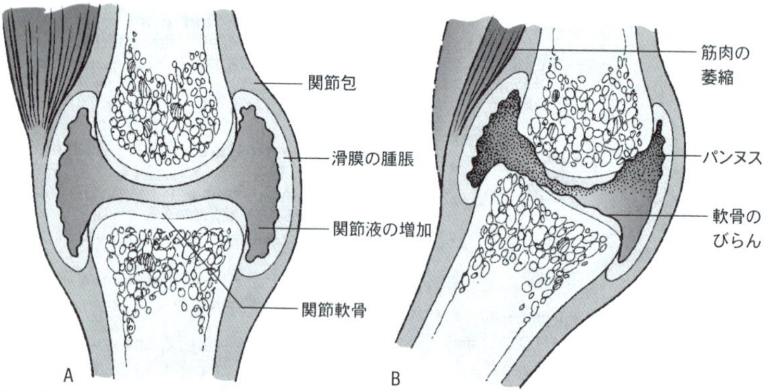
関節包
滑膜の腫脹
関節液の増加
関節軟骨
A
筋肉の
萎縮
パンヌス
軟骨の
びらん
B

pannus

pan·nus sic·cus 乾性パンヌス（→corneal pannus）.

pan·nus ten·u·is 淡性パンヌス（→corneal pannus）.

pan·o·ram·ic ra·di·o·graph パノラマX線像（上顎および下顎の左下顎窩から右下顎窩へ至る全体像）.

pan·o·ram·ic x-ray film パノラマX線写真. = panoramic radiograph.

pan·o·ti·tis (pan-ō-tī′tis). 全耳炎（耳のすべての部分全般の炎症. 特に内耳炎に始まり，続いて炎症が中耳と隣接部に広がる疾病をいう）.

pan·si·nu·si·tis (pan-sī-nŭ-sī′tis). 汎副鼻腔炎，全副鼻腔炎，全洞炎（片側または両側のすべての副鼻腔の炎症）.

pan·sys·tol·ic (pan′sis-tol′ik). 汎収縮期〔性〕の，全収縮期〔性〕の（第1心音から第2心音に及ぶ収縮期間にわたって持続することについていう）. = holosystolic.

pan·sys·tol·ic mur·mur 汎収縮〔期〕雑音，全収縮〔期〕雑音（第1心音から第2心音までの収縮期全体に及ぶ雑音）.

pant (pant). あえぐ，浅速呼吸する.

pant-, panto- すべての，全体の，を意味する接頭語. →pan-.

pan·tal·gi·a (pan-tal′jē-ă). 全身痛.

pan·ta·loon her·ni·a パンタロンヘルニア（直接および間接ヘルニアの両者を合併する鼡径ヘルニア）.

Pan·to·e·a ag·glom·er·ans 旧名 Enterobacter agglomerans. 腸内細菌科の一種で，汚染された静脈内の流動物からもたらされる感染と関連している.

pan·to·mo·gram (pan′tō-mō-gram). パントモグラム（上顎および下顎歯列弓とその周囲組織のパノラマX線写真で，パントモグラフ(パノラマX線撮影装置)によって得られる）.

pan·to·mo·graph (pan′tō-mō-graf). パントモグラフ（全歯牙，歯槽骨，および隣接する組織を1枚の口腔外フイルムで観察できるようにするパノラマX線写真撮影装置）.

pan·to·mog·ra·phy (pan-tō-mog′ră-fē). パントモグラフィ（上下顎の歯列弓や隣接組織のX線写真(パントモグラム)が1枚のフイルム上に得られるようなX線写真撮影法）.

Pan·ton-Val·en·tine leu·ko·ci·din パントン-ヴァレンタイン・ロイコシジン（多形核の白血球に作用する，ブドウ球菌の細胞溶解性の毒素）.

pan·to·scop·ic tilt 汎視性傾斜（球面レンズの傾斜により生じる斜め方向の乱視. 光線は非垂直方向の角度でレンズに当たり，レンズの球面および円柱屈折力が変化する）.

pan·to·the·nate (pan-tō′then-āt). パントテン酸塩またはエステル.

pan·to·then·ic ac·id パントテン酸（パントイン酸のβ-アラニンアミド. 動植物組織に広く分布している成長物質. 多くの生物の成長に必須. 食物の中で欠如すると，ひなとラットは皮膚炎を起こし，ラットの場合は毛の色素欠乏症を起こす. CoAの前駆物質）.

Pan·um ar·ea パーヌム野（経験的なホロプターの前後の範囲で網膜の非対応点の刺激によっても両眼で単一視が得られる領域）.

pan·u·ve·i·tis (pan-yū-vē-ī′tis). 汎ぶどう膜炎. = iridocyclochoroiditis.

PAP (pap). *p*eroxidase *a*nti*p*eroxidase complex（ペルオキシダーゼ-抗ペルオキシダーゼ複合体）の頭文字. 3′-phosphoadenosine 5′-phosphateの略. →PAP technique.

Pa·pa·ni·co·laou (Pap) smear パパニコラウ・スメア試験（腟あるいは子宮頸管の細胞診で，子宮または腟の悪性腫瘍のスクリーニングのために行われる）.

Pa·pa·ni·co·laou (Pap) stain パパニコラウ染色（主として剥離した細胞の多色染色で，婦人科がんのスクリーニングに用いられる. 95%のエチルアルコールで固定した後，水性性色素であるヘマトキシリンで核を暗青色に染める. 高い透明度と細部の構造を表現することができる）.

Pa·pa·ni·co·laou (Pap) test パパニコラウ検査（粘膜の表面から剥離した，あるいは擦過で採取した細胞をパパニコラウ染色法で染色した後に顕微鏡下で診断を下すこと. 特に子宮頸部の癌の検出に，用いられる）.

pa·per chro·ma·tog·ra·phy 濾紙クロマトグラフィ（移動相は液体で，固定相は紙を用いる方法の分配クロマトグラフィ）.

pa·per mill work·er's dis·ease 製紙工場作業者病（*Alternaria* 属の真菌胞子を含む，カビの生えた木パルプによる外因性アレルギー性肺胞炎）.

pa·pil·la, pl. pa·pil·lae (pă-pil′ă, -ē). 乳頭（小さな乳首状の突起. →dental papilla）. = teat (3).

pa·pil·la of der·mis 真皮乳頭（表皮に指状に突出する真皮の突起. 真皮乳頭内には血管ループと特殊化した神経終末があり，稜線状に配列し，手と足に最もよく発達する）. = dermal papillae.

pa·pil·lae val·la·tae 有郭乳頭. = vallate papilla.

pa·pil·la pi·li 毛乳頭（毛嚢底部の把手状のぎざぎざの陥凹で，毛根が帽子のように固定される. 真皮から生じ，毛根の栄養を得るための血管わなを含む）. = hair papilla.

pap·il·lar·y, pap·il·late (pap′i-lar-ē, -i-lāt). 乳頭〔状〕の.

pap·il·lar·y ad·e·no·car·ci·no·ma 乳頭状腺癌（腫瘍上皮におおわれた血管結合組織の指状突起を有し，嚢胞，腺腔，あるいは小胞中に突出した腺癌. 卵巣および甲状腺に最も多発する）.

pap·il·lar·y ad·e·no·ma of large in·tes·tine 大腸乳頭状腺腫. = villous adenoma.

pap·il·lar·y car·ci·no·ma 乳頭状癌（表層が腫瘍上皮細胞でおおわれた線維性基質が，無数の不規則な指状の突起を形成するのを特徴とする悪性新生物）.

pap·il·lar·y cys·tic ad·e·no·ma 乳頭状嚢〔胞〕状腺腫（腺房腔がしばしば液体により膨張

P

し，腫瘍性上皮要素が不規則な指状突起を形成する傾向のある腺腫).

pap·il·lar·y ducts 乳頭管（腎錐体から乳頭に至るまっすぐで太い排出管で，開口部は篩状野を形成し小腎杯に開口する．この管は集合管からの続きである). = Bellini ducts.

pap·il·lar·y hi·drad·e·no·ma 乳頭状汗腺腫（通常，女性の大陰唇にできる嚢胞状・乳頭状の孤立性腫瘍．アポクリン腺上皮に似た上皮からなる). = apocrine adenoma.

pap·il·lar·y mus·cle 乳頭筋（房室弁尖に付着し，腱索に移行する心筋束群．前乳頭筋と後乳頭筋とがあり，右心室はしばしば中隔乳頭筋をもつ). = musculus papillaris.

pap·il·lar·y sta·sis うっ血乳頭（papilledema を表す現在では用いられない語).

pap·il·lar·y tu·mor 乳頭状腫瘍. = papilloma.

pa·pil·la val·la·ta 有郭乳頭. = vallate papilla.

pap·il·lec·to·my (pap-i-lek′tō-mē). 乳頭切除〔術〕（乳頭様のものの外科的切除).

pa·pil·le·de·ma (pap′il-ĕ-dē′mă). 乳頭水腫（浮腫）（視神経乳頭の水腫・浮腫．しばしば頭蓋内圧の上昇による). = choked disk; papilloedema.

pa·pil·li·form (pă-pil′i-fōrm). 乳頭〔状〕の.

pap·il·li·tis (pap-i-lī′tis). 乳頭炎（①腫張を伴う視神経炎．②腎乳頭の炎症).

papillo- 乳頭，乳頭状の，を意味する連結形.

pap·il·lo·ad·e·no·cys·to·ma (pap′i-lō-ad′ĕ-nō-sis-tō′mă). 乳頭腺嚢腫（腺，腺状構造，嚢の形成，線維性結合組織の中心部をおおう指状突起を特徴とする良性上皮新生物).

pap·il·lo·car·ci·no·ma (pap′i-lō-kar-si-nō′mă). 乳頭〔状〕癌（①悪性化した乳頭腫．②支持構造の線維状間質を中心として乳頭状，指状の突起を特徴とする癌).

papilloedema [Br.]. = papilledema.

pap·il·lo·ma (pap-i-lō′mă). 乳頭腫（表層から突出する限局性良性上皮性腫瘍．より正確には，新生物細胞によっておおわれた線維血管性間質が絨毛状または分枝状に成長した良性上皮性新生物). = papillary tumor; villoma.

pap·il·lo·ma·to·sis (pap′i-lō-mă-tō′sis). 乳頭腫症（①多数の乳頭腫の増殖．②波形の表面を形成する表皮の乳頭状突出).

pap·il·lo·ma·tous (pap-i-lō′mă-tŭs). 乳頭腫〔性〕の.

Pa·pil·lo·ma·vi·rus (pap-i-lō′mă-vī-rŭs). 乳頭腫ウイルス属（二重鎖 DNA 含有のウイルスの一属で，ヒトや他の哺乳類の乳頭腫および腫瘍ウイルスを含み，そのうちのいくつかは癌の誘発に関与している．70 以上の型がヒトに感染することが知られており，DNA 相同性で区別できる).

pap·il·lo·ret·i·ni·tis (pap′i-lō-ret-i-nī′tis). 乳頭網膜炎. = neuroretinitis.

pap·il·lot·o·my (pa-pi-lot′ŏ-mē). 乳頭切開〔術〕（乳頭への切開．通常は大十二指腸乳頭に行う).

pa·poose root = blue cohosh.

Pa·po·va·vir·i·dae (pă-pō′vă-vir′i-dē). パポバウイルス科（感染した細胞の核内で複製する，小型の，はっきりした抗原性をもつウイルスの一科．多くは腫瘍誘発性をもつ．本科は，乳頭腫ウイルス属 *Papillomavirus* と *Polyomavirus* 属の 2 属からなる).

pa·po·va·vi·rus (pă-pō′vă-vī′rŭs). パポバウイルス（パポバウイルス科のウイルスの総称).

Pap·pen·hei·mer bod·ies パッペンハイマー体（鉄芽球性貧血，溶血性貧血，鎌状赤血球症などの疾患で赤血球内にみられる鉄含有顆粒を含むファゴゾーム(食作用胞)).

PA pro·jec·tion 後前方向撮影（X 線を後方から前方へ照射する撮影方法). = posteroanterior projection.

PAP tech·nique PAP 法（酵素抗体法染色の非標識抗体法の 1 つで，ウサギ抗ペルオキシダーゼ抗体(註ウサギとは限らない)と遊離の西洋ワサビペルオキシダーゼの両者に反応する抗体とが，可溶性のペルオキシダーゼ-抗ペルオキシダーゼ複合体すなわち PAP を形成する．非常に高感度な免疫組織化学法で，パラフィン包埋組織に適用できる).

pap·u·lar (pap′yū-lăr). 丘疹〔状〕の.

pap·u·lar mu·ci·no·sis = lichen myxedematosus.

pap·u·lar tu·ber·cu·lid 丘疹状結核疹. = lichen scrofulosorum.

pap·u·lar ur·ti·car·i·a 丘疹状じんま疹（虫刺症，特にヒトやペットのノミに対する過敏性反応で，膨疹として出現，後に丘疹を呈する．露出部にみられ，通常は幼小児に好発する). = lichen urticatus.

pap·u·la·tion (pap-yū-lā′shŭn). 丘疹形成.

pap·ule (pap′yūl). 丘疹（1 cm までの大きさの限局性の固い皮膚の隆起).

papulo- 丘疹を意味する連結形.

pap·u·lo·er·y·them·a·tous (pap′yū-lō-er-i-them′ă-tŭs). 丘疹紅斑〔性〕の（紅斑上の丘疹をいう).

pap·u·lo·ne·crot·ic tu·ber·cu·lid 丘疹性壊疽性結核疹（四肢に好発する非肉芽腫性血管病変を伴う暗赤色丘疹で，やがて痂皮と潰瘍をきたす．深在性の結核病巣あるいは結核の既往のある若年成人に多い).

pap·u·lo·pus·tu·lar (pap′yū-lō-pŭs′chū-lăr). 丘疹膿疱〔性〕の（丘疹と膿疱からなる皮疹をいう).

pa·pu·lo·sis (pap-yū-lō′sis). 丘疹症（多数の汎発性丘疹が生じるもの).

pap·u·lo·squa·mous (pap′yū-lō-skwā′mŭs). 丘疹鱗屑〔性〕の（丘疹と鱗屑からなる皮疹をいう).

pap·u·lo·ve·sic·u·lar (pap′yū-lō-ve-sik′yū-lăr). 丘疹小水疱〔性〕の（丘疹と小水疱からなる皮疹をいう).

PAPVR partial anomalous pulmonary venous return(肺静脈還流の部分異常)の略.

pap·y·ra·ceous (pap-i-rā′shŭs). 紙状の.

PAR par level; periodic automatic replenishment; participate の略.

par (pahr). 対（特に脳神経対．例えば par nonum(第九対)は舌咽神経, par vagum(迷走対または第十対)は迷走神経).

par·a (par′ă). 経産婦 (1人以上の児を産んだ婦人. para にローマ数字またはラテン語の接頭語 (primi-, secundi-, terti-, quadri- など)を付けて出産回数を表す. 例えば, 初めて出産した婦人は **para I**(primipara), 2度目の出産をした婦人は **para II**(secundipara), のように. *cf.* gravida).

para- パラ, 傍 (①正常な個所から離れていることを意味する接頭語. ②下肢対のように2個を対としてもつことを意味する接頭語. ③近傍の, 横側に, 近くになどを意味する接頭語. ④(*p*-). 化学において, ベンゼン環に対称に配置される2個の置換基によってつくられる化合物(例えば, 環の反対位置の炭素原子に結合している化合物)のイタリック体の接頭語. *para*- あるいは *p*- で始まる語については特定名の項参照).

par·a·a·or·tic bod·ies 大動脈傍体 (腹大動脈に沿った交感神経節付近にみられるクロム親和細胞の小塊. この器官は胎生期に顕著である. クロム親和性細胞はノルエピネフリンを産生する. 血液ガスの化学受容体と考えられている). = corpora para-aortica; Zuckerkandl bodies.

par·a·bal·lism (par-ă-bahl′izm). 対バリスム (両下肢の激しい単収縮性運動).

par·a·ba·sal bod·y 副基体 (ある種の寄生鞭毛虫類の巨大ミトコンドリアの一部分で, 以前は副基体と毛基体がキネトプラストあるいは運動器官を構成すると考えられていたが, 現在ではキネトプラストは DNA 巨大ミトコンドリアの一部のみを意味している).

par·a·bi·o·sis (par-ă-bī-ō′sis). パラビオーゼ, 並体結合 (①卵または胚全体がある種の接着双生児のように結合していること. ②2つの生体の血管系の外科的結合).

par·a·bi·ot·ic (par-ă-bī-ot′ik). パラビオーゼの, 並体結合の.

par·a·bu·li·a (par-ă-bū′lē-ă). 意欲錯誤 (意欲または意志の錯誤. 1つの衝動が抑制され, 他の衝動がそれに置換される).

par·a·ca·se·in (par-ă-kā′sē-in). パラカゼイン (κ-カゼイン(糖蛋白を放出する)にレンニンを作用させて産生される化合物. カルシウムイオンにより不溶凝乳として沈殿する).

paracenaesthesia [Br.]. = paracenesthesia.

par·a·ce·nes·the·si·a (par′ă-sē-nes-thē′zē-ă). 一般感覚異常 (身体の健康, すなわち器官の正常機能の感覚の悪化). = paracenaesthesia.

par·a·cen·te·sis (par′ă-sen-tē′sis). 穿刺〔術〕, 穿開〔術〕 (液体を除去するために, 腔に, 套管針とカニューレ, 針, または中空の器具を挿入すること. 手術は, 穿刺する腔に応じて種々の名称をもつ). = tapping(2).

par·a·cen·tet·ic (par-ă-sen-tet′ik). 穿刺〔術〕の, 穿開〔術〕の.

par·a·cen·tral fis·sure 中心傍溝 (大脳半球の内側面にある弯曲した溝で, 中心傍回を境界し, 楔前部および帯状回から分ける).

par·a·cer·vi·cal (par′ă-sĕr′vi-kăl). 頸傍の (子宮頸の周辺の結合織についていう).

par·a·cer·vix (par′ă-sĕr′viks). 頸管傍組織 (子宮広間膜層の間で, 子宮頸部から側方に広がり骨盤底に達する結合織).

par·ac·e·tal·de·hyde (par-as′ĕt-al′dĕ-hīd). = paraldehyde.

par·a·chol·er·a (par′ă-kol′ĕr-ă). パラコレラ (臨床的にはアジアコレラに類似するが, コレラ菌 *Vibrio cholerae* (Koch 菌)とは明らかに異なるビブリオ菌による疾病).

par·a·chor·dal (par′ă-kōr′dăl). 脊索傍の (胚期の脊索前部に沿っている頭蓋底を形成する両側にある軟骨稜についていう).

par·a·chro·ma, par·a·chro·ma·to·sis (par′ă-krō′mă, -tō′sis). 皮膚変色 (皮膚の色の異常).

par·a·chute mi·tral valve パラシュート僧帽弁 (僧帽弁の先天異常で, 単一の乳頭筋のみが存在し, そこから2つの弁尖の腱索が起始しているため, パラシュートに類似している. この状態で腱索が強く引っ張られて弁尖間が狭くなるため, 僧帽弁狭窄症を引き起こすことが多い).

par·a·chute re·flex パラシュート反射. = startle reflex(1).

par·a·ci·ca·tri·cial em·phy·se·ma 瘢痕周辺性気腫 (肺内の瘢痕に隣接する拡張した終末気腔).

par·a·coc·cid·i·oi·dal gran·u·lo·ma = paracoccidioidomycosis.

Par·a·coc·cid·i·oi·des bra·sil·i·en·sis ブラジルパラコクシジオイデス (パラコクシジオイデス菌症の原因となる二形性の真菌).

par·a·coc·cid·i·oi·din (par′ă-kok-sid-ē-oy′din). パラコクシジオイジン (病原性真菌 *Paracoccidioides brasiliensis* の菌糸形から調製した濾過性抗原. 風土病地域の検出に有用である).

par·a·coc·cid·i·oi·do·my·co·sis (par′ă-kok-sid-ē-oy′dō-mī-kō′sis). パラコクシジオイドミコーシス (*Paracoccidioides brasiliensis* による肺に原発する慢性真菌症で, 多臓器へ播種し, 頬部あるいは鼻粘膜の著明な潰瘍性肉芽腫は皮膚にまで達し, 全身性のリンパ管炎を伴う). = Almeida disease; Lutz-Splendore-Almeida disease; paracoccidioidal granuloma; South American blastomycosis.

par·a·co·li·tis (par′ă-kō-lī′tis). 結腸周囲炎, 結腸傍結合組織炎 (結腸の腹膜の炎症).

par·a·cone (par′ă-kōn). パラコーヌス (上顎大臼歯の近心頬側咬頭).

par·a·con·id (par′ă-kon′id). パラコニッド (下顎大臼歯の近心頬側咬頭).

par·a·crine (par′ă-krin). パラクリン (あるホルモンの作用がその産生細胞の周辺にのみ限局して作用することを表す. *cf.* endocrine).

par·a·cu·sis, par·a·cu·si·a (par′ă-kyū′sis, -sē-ă). ***1*** 聴覚障害. ***2*** 錯聴〔症〕, 聴覚性錯覚 (錯聴または幻聴).

par·a·cys·tic (par′ă-sis′tik). 膀胱傍結合組織の (嚢, 特に膀胱の付近の).

par·a·cys·ti·tis (par′ă-sis-tī′tis). 膀胱傍結合組織炎 (膀胱周囲の結合組織とその他の組織の炎症).

P

par·a·did·y·mis, pl. **par·a·did·y·mi·des** (par-ă-did′i-mis, -mi-dēz). 精巣傍体（精巣上体の頭部の上の，精索下部の前方に付着していることもある小体．中腎管の残遺物）．= parepididymis.

par·a·dip·si·a (par′ă-dip′sē-ă). 異常口渇（身体の要求とは無関係に，飲料を摂取したいという異常な欲求）．

par·a·dox (par′ă-doks). 逆説，パラドックス（一見，周知の事実と矛盾するか相反しているようにみえるが，実際はそうではないもの）．

par·a·dox·i·c con·trac·tion 奇異性収縮（足部に突然の受動的背屈が生じた際の，前脛骨筋の強い収斂）．

par·a·dox·i·c di·a·phragm phe·nom·e·non 横隔膜逆運動現象（膿気胸，水気胸症，およびある種の損傷の場合に，罹患している側の横隔膜が，吸気作用中に上がり，呼気作用中に下がること）．

par·a·dox·ic ef·fect 逆説的効果（最小殺菌濃度検査に関して，比較的濃度の高い抗菌剤の殺菌効力が減少してしまうこと．低めの濃度の時よりも，濃い目の濃度の時のほうが，二次培養においてより多くのコロニーが成長することによって生じる）．

par·a·dox·ic ex·ten·sor re·flex 逆説伸筋反射，奇異伸筋反射．= Babinski sign(1).

par·a·dox·i·c pulse 奇脈（脈容量の呼吸に伴う正常変移の強調された体動脈圧で，吸気の場合は弱く，呼気の場合は強くなる．心タンポナーデに特徴的で収縮性心膜炎にはまれである．本変化が直接または心電図によって測定した脈拍数の変化と無関係なのでこの名称がある）．= pulsus paradoxus.

par·a·dox·ic pu·pil·lar·y re·flex 逆説瞳孔反射，奇異瞳孔反射（予想と反対の光に対する瞳孔反応．例えば，明かりを消した際の縮瞳反応）．

par·a·dox·i·c re·flex 逆説反射，奇異反射（通常の反応と反対，または特異反射の型の特徴に従わない反射の総称）．

par·a·dox·i·c res·pi·ra·tion 奇異呼吸（吸気において肺から空気を抜き，呼気の段階に肺に空気を入れること．開放性気胸の側の肺で見られる）．

par·a·dox·i·c sleep 逆説睡眠（脳波のパターンが，睡眠の他の状態のときよりも，覚醒時のものと類似している深い眠り．レム睡眠時に生じる．→rapid eye movement sleep）．

par·a·dox·i·c vo·cal cord move·ment 奇異声帯動作（呼気による声帯の内転で，ぜいぜいいう音や気道閉塞を生じさせる）．

paraesthesia [Br.]. = paresthesia.

paraesthetic [Br.]. = paresthetic.

par·af·fin bait tech·nique パラフィン誘発技術（汚染されたサンプルから，ノルカジア属や好気性放線菌を回復させるために用いられる技術．これらの有機体が栄養摂取のために単純な炭素源を使うという原則に基づいている）．

par·af·fin bath パラフィン浴（体の部分を温めるために，組織の中に浸透させるための熱を起こす，熱したパラフィンのワックスとミネラル油［石油］の混合物を使用する．関節炎の治療に用いられる）．

par·af·fi·no·ma (par′ă-fi-nō′mă). パラフィン腫（整形または治療の目的で組織にパラフィンを注入することで生じる腫脹．通常は肉芽腫となる．→lipogranuloma）．

par·a·fol·lic·u·lar cells 傍濾胞細胞（甲状腺の濾胞間に存在するか，あるいは濾胞細胞間に散在する細胞．ミトコンドリアが豊富でチロカルシトニンの源と考えられる）．

par·a·func·tion (par′ă-fŭngk′shŭn). 異常機能活動，パラファンクション（①異常または不調な機能．②正常な機能を外れた下顎の歯科学的な運動．例えば，歯ぎしり）．

par·a·gan·gli·a (par′ă-gang′glē-ă). paraganglion の複数形．

par·a·gan·gli·o·ma (par′ă-gang-glē-ō′mă). パラガングリオーマ，傍神経節腫（通常，頸動脈小体のような傍神経節のクロム親和性組織または副腎髄質由来の新生物．後者がホルモンを産生するとき，通常，クロム親和性細胞腫 chromaffinoma または褐色細胞腫 pheochromocytoma とよばれる）．

par·a·gan·gli·on, pl. **par·a·gan·gli·a** (par′ă-gang′glē-ŏn, -ă). パラガングリオン，傍神経節（クロム親和性細胞をもつ丸い小体．多くは後腹膜に，大動脈の近くや，腎臓，肝臓，心臓，生殖腺などの器官内にみられる）．= chromaffin body.

par·a·geu·si·a (par′ă-gū′sē-ă). 錯味〔症〕，味覚錯誤．

par·a·geu·sic (par′ă-gū′sik). 錯味〔症〕の，味覚錯誤の．

par·a·glot·tic space 副(傍)声門腔（側方は甲状軟骨膜と輪状甲状膜で，後方は梨状陥凹粘膜で境界された声門両側の空間．前上方で前喉頭蓋腔に続いている．喉頭癌の声門を越える進展や喉頭外への進展に重要な経路である）．

***Par·a·go·ni·mus* gran·u·lo·ma** 肺吸虫肉芽腫（肺実質内に捕促された肺吸虫卵や成虫による病巣）．

par·a·gram·ma·tism (par′ă-gram′ă-tizm). 錯文法（流暢ではあるが，主に意味および音声に関する誤りがある発語(錯語症)で，その結果，文法的構造および意味を理解できない．この障害は重症の受容失語症で典型的にみられる）．= jargon aphasia.

par·a·graph·i·a (par′ă-graf′ē-ă). 錯書〔症〕，書字錯誤（①言葉を聞いたり理解することはできても，聞き取って書く能力が欠如している．②書こうとした字以外の字を書いてしまうこと）．

par·a·hip·po·cam·pal gy·rus 海馬傍回（側頭葉の内側面上にある長回．弓隆回の下部を形成し，脳梁膨大の後ろから海馬の歯状回に沿ってのびるが，歯状回とは，海馬溝によって区切られている．回の前端は鉤状に曲がって，嗅覚皮質の主要位置である鉤を形成する）．

par·a·hor·mone (par′ă-hōr′mōn). パラホルモン（正常な代謝生成物で，特別の目的でつくられるものではなく，ホルモン様の作用で遠隔臓器の活性を修飾する．よく知られている例は，呼吸をコントロールする二酸化炭素の作用）．

par·a·in·flu·en·za vi·rus·es パラインフルエンザウイルス（*Paramyxovirus* 属のウイルスで 4 種よりなる．ⓘ1 型（hemadsorption virus type 2）：小児，ときに成人に急性喉頭気管炎を起こすセンダイウイルスを含む．ⓘⓘ2 型（croup-associated virus）：年少小児の急性喉頭気管炎やクループおよび成人の軽症上気道感染を示す．ⓘⓘⓘ3 型（hemadsorption virus type 1；shipping fever virus）：幼児の咽頭炎，細気管支炎，肺炎から分離され，ときに成人の呼吸気感染を起こす．ⓘⓥ4 型：軽い呼吸器疾患の少数の小児から分離された）．

par·a·ker·a·to·sis (par′ă-ker-ă-tō′sis)．錯角化〔症〕，不全角化（表皮角質層の細胞内に核の遺残があるもの．乾癬や亜急性または慢性皮膚炎などの多くの落屑性皮膚病にみられる）．

par·a·ki·ne·si·a, par·a·ki·ne·sis (par′ă-ki-nē′zē-ă, -sis)．運動錯誤（すべての運動異常）．

par·a·la·li·a (par′ă-lā′lē-ă)．言語錯誤（すべての言語障害．特に，ある音が習慣的に他の音と置換するもの）．

par·al·de·hyde (par-al′dĕ-hīd)．パラアルデヒド（アセトアルデヒドの環状ポリマー．経口・直腸内投与に適した，効力のある催眠・鎮静薬．しかし，不快なにおいにより使途が制限される）．= paracetaldehyde.

par·a·lex·i·a (par′ă-lek′sē-ă)．錯読〔症〕，読字錯誤（書き言葉，または印刷された言葉を間違って理解し，読むときに意味のない言葉をその代わりに用いること）．

par·al·ge·si·a (par′al-jē′zē-ă)．痛覚異常〔症〕，錯痛覚〔症〕（痛みの感覚異常症．痛覚の障害または異常）．

par·al·lac·tic (par′ă-lak′tik)．視差の．

par·al·lax (par′ă-laks)．視差（見る場所を変えることにより，物体がずれて見えること）．

par·al·lax test 視差試験（プリズムを用いて斜視角を中和させるとともに交代遮へい試験による斜視角の測定）．

par·al·lel play 並行遊び（発展心理学の概念．(2—3 歳の）幼児たちが並んで遊ぶという明らかに互いのコミュニケーションや相互作用のない活動と似た活動．それよりも幼若な子供は，ひとりで遊ぶ傾向がある（一人遊び）．またそれよりも年齢の高い子供（幼稚園の年齢）は，集団遊びを通じてより互いに相互作用する）．

par·al·ler·gic (par′ă-lĕr′jik)．パラレルギーの（ある特異アレルゲンによる最初の感作後，体が非特異性刺激に対して感作しやすくなるアレルギー状態についていう）．

par·a·lo·gi·a, pa·ral·o·gism, pa·ral·o·gy (par′ă-lō′jē-ă, pă-ral′ō-jizm, -jē)．錯論理〔症〕（自己欺瞞を含む誤った論理）．

pa·ral·y·sis, pl. **pa·ral·y·ses** (păr-al′i-sis, -sēz)．〔完全〕麻痺（①神経供給の損傷，または疾病による筋肉の随意運動力の喪失．②感覚，分泌，精神作用などの機能の喪失）．

par·a·lyt·ic (par′ă-lit′ik)．麻痺〔性〕の，麻痺患者の．

par·a·lyt·ic de·men·ti·a 麻痺〔性〕認知症（緩徐に進行する認知症と運動麻痺）．

par·a·lyt·ic il·e·us 麻痺性イレウス．= adynamic ileus.

par·a·ly·tic in·con·ti·nence 麻痺性失禁（尿失禁の形態．脳や脊髄の損害に関する神経障害の症状．仙骨の排尿中枢に渡る自発的コントロールが失われ，乳児にみられるような膀胱機能反射の形態へと戻ってしまう）．= reflex bladder.

par·a·ly·zant (pă-ral′i-zănt)．***1***〖adj.〗麻痺を生じる．***2***〖n.〗麻痺薬（麻痺を起こすクラーレのような薬物）．

par·a·lyze (par′ă-līz)．麻痺させる．

Par·a·me·ci·um (par′ă-mē′sē-ŭm)．ゾウリムシ属（繊毛虫綱に属する一属で，形状はやや長く大形のものは肉眼で見える．普通，遺伝およびその他の研究で用いられる）．

par·a·me·di·an in·ci·sion 傍正中切開〔術〕（正中線の側方を切開する方法）．

par·a·med·ic (par′ă-med′ik)．救急医療士．= prehospital provider.

par·a·med·i·cal (par′ă-med′i-kăl)．パラメディカルの（①補助的な資格で医学的職業に関係する，例えば，理学療法，言語病理学などの関連保健分野の職業をいう．②救急医療士に関係する）．

par·a·me·ni·a (par′ă-mē′nē-ă)．月経不順，月経障害．

par·a·mes·o·neph·ric duct 中腎傍管（中腎管にほぼ平行して，中腎に沿ってのびる 1 対の管で，総排泄孔に開いている．女性の場合は，管の上部は卵管，下部は融合して子宮と膣の一部を形成する．男性の場合は管の遺残が男性子宮および精巣垂として残る）．= Müller duct; müllerian duct.

pa·ram·e·ter (pă-ram′ĕ-tĕr)．パラメータ，指標，助変数，媒介変数（物体の測定または記述，あるいは主題の評価を行う種々の方法の 1 つ．例えば，ⓘ数表式において異なった値をとることができ，それぞれ他の式を定義しうるが，式の一般性を決定することのできない任意の定数．ⓘⓘ統計学において，母集団からの標本を対照に，母集団の特性を規定する語．ⓘⓘⓘ精神分析学において，患者の進歩をさらに進めるために分析者が用いる解釈以外の手段）．

par·a·me·tri·al (par′ă-mē′trē-ăl)．子宮傍〔結合〕組織の．

par·a·met·ric (par′ă-met′rik)．子宮傍〔結合〕組織の（子宮傍結合組織あるいは子宮に直接隣接する構造についていう）．

par·a·me·trit·ic (par′ă-me-trit′ik)．子宮傍〔結合〕組織炎の．

par·a·me·tri·tis (par′ă-me-trī′tis)．子宮傍〔結合〕組織炎（特に広靱帯内の蜂巣組織の炎症）．= pelvic cellulitis.

par·a·me·tri·um, pl. **par·a·me·tri·a** (par′ă-mē′trē-ŭm, -ă)．子宮傍〔結合〕組織（子宮の頸部より上の部分の線維性漿膜下組織外膜から，外側に広靱帯層の間に広がる骨盤床の結合組織).

par·a·mim·i·a (par′ă-mim′ē-ă). 表現錯誤 (用いた言葉に適さない表情や身ぶりをすること).

par·am·ne·si·a (par′am-nē′zē-ă). 記憶錯誤 (誤った記憶. 現実には起こらなかった事件を想起すること).

par·am·y·loi·do·sis (par-am′i-loy-dō′sis). パラアミロイドーシス, パラアミロイド症 (①原発性アミロイドーシスまたは特に多発性骨髄腫による非定型アミロイドーシスにおける, アミロイド様蛋白の組織沈着. ②ポルトガルや米国インディアナ州の家族性アミロイドーシスなどの様々な遺伝性アミロイドーシスのこと. 末梢神経・自律神経へアミロイドが沈着するために生じる, 知覚異常を伴う進行性肥厚性多発性神経炎, 運動失調, 不全麻痺, 筋萎縮を特徴とする).

par·a·my·o·to·ni·a (par′ă-mī-ō-tō′nē-ă). パラミオトニア, 筋緊張〔症〕(不定型の筋緊張).

Par·a·myx·o·vir·i·dae (par′ă-mik-sō-vir′i-dē). パラミクソウイルス科 (RNA 含有ウイルスの一科. *Paramyxovirus* 属, 麻疹ウイルス属 *Morbillivirus*, 肺炎ウイルス属 *Pneumovirus* の 3 属が認められている. この科に含まれるウイルスすべてが, 細胞融合を引き起こし, また細胞質性の好エオシン性封入体をつくる).

Par·a·myx·o·vi·rus (par′ă-mik′sō-vī′rŭs). パラミクソウイルス属 (ニューカッスル病ウイルス, ムンプスウイルス, パラインフルエンザウイルス(タイプ 1—4)を含むウイルスの一属).

paranaesthesia [Br.]. = paranesthesia.

par·a·na·sal (par′ă-nā′zăl). 鼻傍の (鼻の近くの, 鼻に隣接した).

par·a·na·sal si·nus·es 副鼻腔 (鼻腔に連なる粘膜で裏打ちされた顔面骨の中の有対の含気空洞. これらの空洞には, 前頭洞, 蝶形骨洞, 上顎洞, 篩骨洞がある).

par·a·ne·o·pla·si·a (par′ă-nē-ō-plā′zē-ă). 腫瘍随伴病変 (悪性新生物に関連して起こる, ホルモン, 神経, 血液, 他の臨床上ならびに生化学的異常で, 原発巣の浸潤, 転移巣に直接関係のないもの).

par·a·ne·o·plas·tic (par′ă-nē-ō-plas′tik). 腫瘍随伴性の (腫瘍随伴病変に関連した, または特徴的な).

par·a·ne·o·plas·tic en·ceph·a·lo·my·e·lop·a·thy 新生物傍脳脊髄症, パラネオプラスティック脳脊髄症 (癌の遠隔効果として起こる脳脊髄症で, 肺の燕麦細胞癌が最も多い).

par·a·ne·o·plas·tic pem·phi·gus 腫瘍随伴性天疱瘡 (重篤な粘膜病変. 多彩な皮膚病変をもち, 悪性腫瘍を合併した疾患. 尋常性天疱瘡と同様にすべての上皮細胞間に反応する血清自己抗体をもつ. 通常, 短期間に死亡する).

par·a·ne·o·plas·tic syn·drome 新生物随伴症候群 (悪性新生物に直接起因する症候群であるが, 罹患部位の腫瘍細胞の存在によって起こるものではない).

par·a·neph·ric (par′ă-nef′rik). ***1*** 副腎の. ***2*** 腎傍の. = pararenal.

par·a·neph·ros, pl. **par·a·neph·roi** (par′ă-nef′rŭs, -roy). 副腎. = suprarenal gland.

par·an·es·the·si·a (par′an-es-thē′zē-ă). 対感覚(知覚)脱失(消失), 対知覚麻痺 (下半身の無感覚症). = paranaesthesia.

par·a·noi·a (par′ă-noy′ă). パラノイア, 妄想症, 偏執狂 (重篤だが比較的まれな精神障害で, 体系妄想の存在が特徴である. しばしば妄想は, あとをつけられる, 毒をもられる, あるいは別の手段でひどい目にあっているなどと被害的な特徴をもち, その他の点では人格の障害はない. →paranoid personality).

par·a·noid (par′ă-noyd). ***1*** 〚adj.〛 妄想〔性〕の, パラノイア様の. ***2*** 〚n.〛 被害妄想をもつこと.

par·a·noid per·son·al·i·ty 偏執性人格 (敏感さや頑固さ, 強い猜疑心, 嫉妬心, 他罰的傾向および他者に悪意を感じる, といった点が特徴とされる一種の人格障害. 神経症でも精神病でもないが, このために対人関係を維持することに支障をきたす).

par·a·noid schiz·o·phre·ni·a 妄想型統合失調症 (主として被害妄想や誇大妄想が特徴となる).

par·a·no·mi·a (par′ă-nō′mē-ă). 錯名〔症〕(物の名前を誤ってよぶ失語症の一種).

par·a·nu·cle·ar (par′ă-nū′klē-ăr). ***1*** = paranucleate. ***2*** 核傍の.

par·a·nu·cle·ate (par′ă-nū′klē-āt). 副核の, 副核をもつ. = paranuclear(1).

par·a·nu·cle·us (par′ă-nū′klē-ŭs). 副核, 小核 (核の付近にある副存の核または染色質の小塊).

par·a·op·er·a·tive (par′ă-op′ĕr-ă-tiv). 手術付随の. = perioperative.

par·a·pa·re·sis (par′ă-pă-rē′sis). 不全対麻痺 (下肢を侵す脱力).

par·a·pa·ret·ic (par′ă-pă-ret′ik). ***1*** 〚adj.〛 不全対麻痺の. ***2*** 〚n.〛 不全対麻痺患者.

par·a·per·i·to·ne·al her·ni·a 傍腹膜膀胱ヘルニア (膀胱ヘルニアの 1 つで, 脱出した臓器の一部が腹膜によるヘルニア嚢でおおわれている).

par·a·pha·ryn·ge·al ab·scess 副咽頭腔膿瘍 (咽頭の外側部の膿瘍).

par·a·pha·si·a (par′ă-fā′zē-ă). 錯語〔症〕(失語症の一型で, 発語は流暢だが言葉を取り違えて使用すること. →paragrammatism; receptive aphasia).

par·a·pha·sic (par′ă-fā′zik). 錯語〔症〕の.

pa·ra·phi·a (pă-rā′fē-ă). 触覚錯誤〔症〕. = parapsia; pseudesthesia(1).

par·a·phil·i·a (par′ă-fil′ē-ă). 性欲倒錯, パラフィリア (性倒錯症によって特徴付けられる精神障害).

par·a·phi·mo·sis (par′ă-fī-mō′sis). 嵌頓包茎 (冠の後ろに引っ込んだ包茎の包皮による陰茎の疼痛を伴う圧縮).

par·a·plec·tic (par′ă-plek′tik). = paraplegic.

par·a·ple·gi·a (par′ă-plē′jē-ă). 対麻痺 (両下肢と, 一般的には下体幹の麻痺).

par·a·ple·gic (par′ă-plē′jik). 対麻痺の. = paraplectic.

par·a·prax·i·a (par′ă-prak′sē-ă). 錯行〔症〕

(意図した行為を間違って行うことで，錯語症や錯書症に類似する状態．例えば，舌の滑りや，物を間違えて置くことなど)．

par·a·pro·tein (par′ă-prō′tēn)．パラプロテイン（①血漿中に存在する単クローン性の免疫グロブリン．1つの形質細胞が急激に異常増殖してクローンを形成し，一種類の免疫グロブリンが単独に増加するために生じる．悪性，良性，非腫瘍性の様々な疾患で，血清中にパラプロテインがみられる．②= monoclonal immunoglobulin)．

paraproteinaemia [Br.]. = paraproteinemia.

par·a·pro·tein·e·mi·a (par′ă-prō-tēn-ē′mē-ă)．パラプロテイン血〔症〕（血液中の異常蛋白の存在)．= paraproteinaemia.

pa·rap·si·a (pă-rap′sē-ă)．= paraphia.

par·a·pso·ri·a·sis (par′ă-sō-rī′ă-sis)．類乾癬（苔癬状ひこう疹と小・大斑の亜型を含む乾癬を含む皮膚疾患の異種グループ)．

par·a·psy·chol·o·gy (par′ă-sī-kol′ŏ-jē)．超心理学，パラサイコロジー（テレパシーや千里眼などのような超感覚的知覚に関する学問)．

par·a·re·flex·i·a (par′ă-rē-flek′sē-ā)．反射異常〔症〕．

par·a·re·nal (par′ă-rē′năl)．腎傍の（腎臓の近くの)．= paranephric(2)．

par·a·ro·san·i·lin (par′ă-rō-san′i-lin)．[CI 42500]．パラローザニリン（重要な赤色の生物学的色素で，Schiff 試薬として細胞内 DNA (Feulgen 染色)，ムコ多糖類(PAS 染色)，蛋白(ニンヒドリン-Schiff 染色)を検出するのに用いる)．

par·ar·rhyth·mi·a (par′ă-ridh′mē-ă)．副調律(2つの独立したリズムが共存する心臓の律動不整であるが，房室ブロックによるものではない．したがって，副収縮と房室解離を含むが，完全房室ブロックは含まない)．

par·a·si·noi·dal (par′ă-sī-noy′dăl)．傍静脈洞の（洞のそば，特に脳静脈洞のそばについていう)．

parasitaemia [Br.]. = parasitemia.

par·a·site (par′ă-sīt)．*1* 寄生生物，寄生虫，寄生体（他の生物体の体表あるいは体内に住んでいてそこから栄養を得ている生物体)．*2* 寄生体(胎児封入あるいは接着双生児の場合に，ほぼ完全な自生体に依存する不完全な一方)．

par·a·si·te·mi·a (pă̆r′ă-sī-tē′mē-ă)．寄生虫血〔症〕，パラサイテミア(寄生虫が循環血液中に存在すること．この語は特にマラリア原虫，その他の原生動物，ミクロフィラリアに関して用いる)．= parasitaemia.

par·a·sit·ic (par′ă-sit′ik)．*1* 寄生生物の，寄生虫〔性〕の（寄生生物の特性に関する)．*2* 寄生〔性〕の（通常，宿主の生体中，あるいは生体体表上においてのみ生育する生体についていう)．

par·a·sit·ic cyst 寄生虫性嚢胞（包虫や旋毛虫のような後生動物寄生虫の幼虫により形成される嚢胞)．

par·a·sit·i·ci·dal (par′ă-sĭt-i-sī′dăl)．殺寄生生物の．

par·a·sit·i·cide (par′ă-sĭt′i-sīd)．殺寄生生物薬，殺寄生虫薬，駆虫薬．

par·a·sit·ic mel·a·no·der·ma 寄生虫性黒皮症（コロモジラミ *Pediculus corporis* に咬まれた部位を掻きむしることによって生じる表皮剥脱と黒皮症)．= vagabond's disease; vagrant's disease.

par·a·sit·ism (par′ă-sīt-izm)．寄生（1つの種(寄生者)が他の種(宿主)の犠牲によって利益を得るような共生関係．*cf.* mutualism; commensalism; symbiosis; metabiosis)．

par·a·si·tize (par′ă-si-tīz)．寄生する．

par·a·si·to·gen·ic (par′ă-sī-tō-jen′ik)．*1* 寄生生物性の，寄生虫性の（寄生生物(寄生虫)によって引き起こされる)．*2* 寄生誘発の．

par·a·si·tol·o·gist (par′ă-sī-tol′ŏ-jist)．寄生生物学者，寄生虫学者．

par·a·si·tol·o·gy (par′ă-sī-tol′ŏ-jē)．寄生生物学，寄生虫学（寄生に関連する全事象を取り扱う生物学と医学の部門)．

par·a·sit·o·sis (par′ă-sī-tō′sis)．寄生生物症，寄生虫症．

par·a·si·to·tro·pic (par′ă-sī-tō-trō′pik)．寄生生物向性の，寄生生物親和性の．

par·a·si·tot·ro·pism (par′ă-sī-to′trō-pizm)．寄生生物向性，寄生生物親和性（小さな寄生生物がより大きな寄生生物に感染する場合も含めて，宿主に対してよりも寄生生物に対して特定の薬剤または他の作用物質が示す特別の親和性をいう．*cf.* organotropism)．

par·a·som·ni·a (par′ă-som′nē-ă)．錯眠（夢遊症，夜驚症，夜尿，夜間痙攣など睡眠に伴う何らかの機能異常)．

par·a·sta·sis (par′ă-stā′sis)．両側性安定状態(①欠損を補ったり隠したりする原因機構間の相互関係．②遺伝学において，上位性などで分類される非対立遺伝子間の関係をいう)．

par·a·ster·nal her·ni·a 傍胸骨ヘルニア．= Morgagni foramen hernia.

par·a·sym·pa·thet·ic (par′ă-sim-pă-thet′ik)．副交感神経の（自律神経系の一区分についていう．→autonomic division of nervous system)．

par·a·sym·pa·thet·ic gan·gli·a 副交感神経節（自律神経系の神経節で，コリン作用性ニューロンからなり，脳幹または脊髄の正中仙骨分節(S2 から S4)の節前内臓運動ニューロンからの求心性線維を受けている．→autonomic division of nervous system)．

par·a·sym·pa·thet·ic nerve 副交感神経．

par·a·sym·pa·thet·ic ner·vous sys·tem 副交感神経系（自律神経系の一部を構成する神経系)．

par·a·sym·pa·thet·ic re·sponse 副交感神経反応（恐怖や緊張状態が消えた際にみられる，腺状の平滑筋や心臓組織における反応．この状態を表す一般用語は，交感神経反応に関する一般用語「闘争か逃亡か」と反対の，「休息と消化」である)．

par·a·sym·pa·thet·ic root of o·tic gan·gli·on 耳神経節の副交感神経根．= lesser petrosal nerve.

par·a·sym·pa·thet·ic root of pel·vic gan·

gli·a 骨盤神経節の副交感神経根. = pelvic splanchnic nerves.

pa·ra·sym·pa·thet·ic root of pte·ry·go·pal·a·tine gan·gli·on 蝶口蓋神経節の副交感神経根. = greater petrosal nerve.

par·a·sym·pa·tho·lyt·ic (par′ă-sim′pă-thō-lit′ik). 副交感神経遮断の（副交感神経の作用を無効にする薬剤についていう. 例えばアトロピン).

par·a·sym·pa·tho·mi·met·ic (par′ă-sim′pă-thō-mi-met′ik). 副交感神経〔様〕作用(作動)の. = cholinomimetic.

par·a·sym·pa·tho·mi·met·ic drug 副交感神経作動薬（刺激を与えたり副交感神経様の作用をする薬物. アセチルコリンが副交感神経系の神経伝達物質であるため, コリン作動薬とも呼ばれる).

par·a·sy·nap·sis (par′ă-si-nap′sis). 平行接合（減数分裂過程における染色体の並び合った結合).

par·a·sy·no·vi·tis (par′ă-si-nō-vī′tis). 滑液包(嚢)傍炎（関節に隣接する組織の炎症).

par·a·sys·to·le (par′ă-sis′tŏ-lē). 副収縮（正常な洞調律と同時に存在する第2の自律動. 副収縮中心は主調律から保護される結果, 基本的なリズムは影響されない. 心電図上は基本拍動間隔の整数倍のときに示される).

par·a·tax·ic dis·tor·tion パラタクシックな歪曲(ゆがみ)（他人に対してゆがんだ評価に基づく態度をとること. 通常よくみられるのは, 患者の過去の生活における, 感情的に重要な人物とのあまりに緊密な同一化による).

par·a·ten·on (par′ă-ten′on). 腱傍〔結合〕組織（腱とその鞘の間にある脂肪あるいは滑液組織).

par·a·thy·roid (par′ă-thī′royd). ***1***〚adj.〛甲状腺近傍にある, 副甲状腺の, 上皮小体の. ***2***〚n.〛 = parathyroid gland.

par·a·thy·roid·ec·to·my (par′ă-thī-roy-dek′tŏ-mē). 上皮小体摘出〔術〕, 上皮小体切除〔術〕.

par·a·thy·roid gland 上皮小体, 副甲状腺（小さな2対の内分泌腺である上上皮小体および下上皮小体からなり, 通常, 甲状腺の後面の結合組織被膜内に埋没している. カルシウムおよびリンの代謝を調節するホルモンを分泌する. 実質は主細胞と好酸性細胞の索状網工よりなる. 甲状腺摘出の際, 誤って上皮小体を全摘出してしまうとホルモン補充処置を行わなければテタニーを起こして死を招く). = parathyroid(2).

par·a·thy·roid hor·mone (PTH) 副甲状腺ホルモン, 上皮小体ホルモン（上皮小体でつくられるペプチドホルモン. 非経口的投与で, 骨吸収によって血清カルシウム濃度を増加させ, カルシウムの腎クリアランスを減少させ, 腸管のカルシウム吸収率を増加させる. *cf.* bioregulator).

par·a·thy·roid hor·mone-re·lat·ed pep·tide (PTHrP) 副甲状腺ホルモン関連ペプチド（特に扁平上皮癌などの悪性腫瘍により産生されるホルモン. 大量に産生されると高カルシウム血症や副甲状腺機能亢進症のような諸症状を呈する. PTHrP は, 副甲状腺ホルモン(PTH)の受容体に作用し, PTH と同様の生物活性を発揮する. PTH/PTHrP の受容体は腎, 骨, 軟骨の成長板に大量に発現している. PTHrP は胎児期において重要な役割を果たしているが, 果たして正常ヒト血中に存在しているか, また正常の成人で何らかの役割を果たしているかは不明である. ヒト PTHrP の遺伝子構造は PTH よりも複雑であり, PTH と構造の類似した 141,139, 173 個のアミノ酸を有する PTHrP が産生される. *cf.* bioregulator).

par·a·thy·roid hor·mone test 甲状腺ホルモン検査（低カルシウム血症レベルに応じて, 甲状腺から分泌されるホルモンの血中濃度を決定するために行われる静脈血液検査).

par·a·thy·roid tet·a·ny 上皮小体除去テタニー（特発性または上皮小体除去後に生じるテタニーで, 上皮小体機能の欠乏による).

par·a·thy·ro·tro·pic, par·a·thy·ro·tro·phic (par′ă-thī-rō-trō′pik, -trō′fik). 上皮小体刺激〔性〕の（上皮小体の成長や活動に影響を与えることについていう).

par·a·tope (par′ă-tōp). パラトープ（抗体分子中でL鎖とH鎖の可変領域からなる部位で, 抗原との結合を司る). = antibody-combining site.

par·a·ty·phoid fe·ver, par·a·ty·phoid パラチフス熱（腸チフスに類似した症状および病変を伴う急性感染症で, 症状はより軽度. パラチフス生体による. 少なくとも3種類(A・B・C型)の菌型がある).

par·a·um·bil·i·cal veins 臍傍静脈（臍周囲の皮静脈から出発し肝円索に沿って進み, 副門静脈として肝臓の実質内に終わる数個の小静脈. これらの小静脈は門脈大静脈間吻合血管をなしており, 門脈圧が亢進すると静脈瘤を起こしやすい. 静脈瘤を起こした臍傍静脈は〝メズサの頭〟となって現れる).

par·a·u·re·thral ducts 尿道傍管（女性の尿道側壁にみられる不定の管. 尿道傍線の粘液分泌物を前庭まで運ぶ).

par·a·vag·i·ni·tis (par′ă-vaj-i-nī′tis). 腟傍〔結合〕組織炎.

par·a·ver·te·bral (par′ă-vĕr′tĕ-brăl). 脊椎傍の, 脊柱傍の.

par·a·ver·te·bral gan·gli·a 脊椎傍神経節. = ganglia of sympathetic trunk.

par·ax·i·al (par-ak′sē-ăl). 軸傍の, 近軸の（身体や身体部分の軸のそばをいう).

par·ax·on (par-ak′son). パラクソン, 軸索側枝（軸索の側副枝).

pa·ren·chy·ma (pă-rengk′i-mă). 実質（①腺あるいは器官に特有の細胞. 結合組織の枠組み, すなわち基質の中に存在しそれらに支持されている. ②原生動物の内形質).

pa·ren·chy·ma·ti·tis (par′ĕn-kim-ă-tī′tis). 実質炎（腺あるいは器官の実質あるいは分化した実質の炎症).

par·en·chym·a·tous (par′ĕn-kim′ă-tŭs). 実質の.

par·en·chym·a·tous de·gen·er·a·tion 実質変性. = cloudy swelling.

par·en·chym·a·tous goi·ter 実質性甲状腺腫

(上皮の増殖を伴う，小胞の著明な増加のみられる甲状腺腫). = follicular goiter.

par·en·chym·a·tous hem·or·rhage 実質内出血（臓器の組織内への出血).

par·en·chym·a·tous neu·ri·tis 実質性神経炎（本来の神経物質である軸索とミエリンの炎症).

pa·ren·tal gen·er·a·tion (P$_1$) 親世代（対照的遺伝子を含む，通常，実験的な交配の親．遺伝的実験の最初の交配．F_1 世代の親).

par·ent cyst 親嚢胞. = mother cyst.

par·en·ter·al (pă-ren′tĕr-ăl). 非経口の，腸管外の（胃腸管または肺を通過する以外の方法によって，特に物質を生体内に導入することについていう．すなわち静脈・皮下・筋肉・髄内注射をいう).

par·en·ter·al nu·tri·tion (PN) 非経口栄養法（静脈経由で身体に栄養を供給する). = intravenous alimentation.

par·en·ter·ic fe·ver チフス・パラチフス様熱病（腸チフスおよびパラチフスA・B型に臨床的に類似した熱性疾患の一群だが，病原菌は特異的で，これらとは異なる).

Pa·ren·ti-Frac·ca·ro syn·drome = achondrogenesis type IB.

par·ep·i·did·y·mis (par′ep-i-did′i-mis). = paradidymis.

pa·re·sis (pă-rē′sis). *1* 不全麻痺（部分的あるいは不完全な麻痺). *2* 進行麻痺，全身不全麻痺（梅毒に起因する脳の疾患．進行性痴呆，振せん，言語障害，筋力低下が起こる．たいていの場合，過敏症の前段階があり，誇大妄想と興奮が続く). = Bayle disease.

par·es·the·si·a (par-es-thē′zē-ă). 感覚異常〔症〕（ヒリヒリする，チクチクする，ムズムズする，ウズウズするなど，感覚の異常). = paraesthesia.

par·es·thet·ic (par-es-thet′ik). 感覚異常の，感覚異常性(症)の（感覚異常に関する，または感覚異常を特徴とする．通常，一過性の圧迫や軽度の傷害後に神経への血流が回復して起こる四肢のしびれ感と刺痛についていう). = paraesthetic.

Pa·ré su·ture パレー縫合（創表面に細長い布を貼り付け，皮膚の代わりにそれを縫合することによる創縁の接合).

pa·ret·ic (pă-ret′ik). 麻痺〔性〕の.

pa·reu·ni·a (pă-rū′nē-ă). 性交. = coitus.

par·fo·cal (pahr-fō′kăl). 同焦点の（レンズの再調整が必要のない，交換レンズの顕微鏡をいう).

par·i·es, gen. **pa·ri·e·tis,** pl. **pa·ri·e·tes** (par′ē-ēz, pă-rī′ĕ-tis, -tēz). 壁. = wall.

pa·ri·e·tal (pă-rī′ĕ-tăl). *1* 壁の，壁在の，壁側の（腔の壁に関する). *2* = somatic(1). *3* = somatic(2). *4* 頭頂骨の（頭頂骨に関する).

pa·ri·e·tal bone 頭頂骨（扁平，弯曲した不規則な四角い骨．頭蓋の両側にある．内側でその対と，前方で前頭骨と，後方で後頭骨と，下方で側頭骨および蝶形骨と関節する).

pa·ri·e·tal cell 壁細胞（胃腺細胞の１つ．主細胞によっておおわれた基底膜上にあり，塩酸を分泌する．これは細胞内分泌細管や細胞間小管を通り腺の内腔に達する). = acid cell; oxyntic cell.

pa·ri·e·tal fis·tu·la 体壁フィステル(瘻)（盲瘻または完全瘻孔のいずれかで，胸壁あるいは腹壁の瘻孔).

pa·ri·e·tal fo·ra·men 頭頂孔（後方の矢状縁に近い頭頂骨上にときとして出現する一対の孔．導出静脈を上矢状静脈洞に通す).

pa·ri·e·tal her·ni·a 腸壁ヘルニア（腸壁の一部のみが突出するヘルニア). = Littré hernia(1); Richter hernia.

pa·ri·e·tal lobe of cer·e·brum 頭頂葉（大脳半球の中央の部分．中心溝により前頭葉から分けられる．外側溝によって前方，仮想の線によって後方が，側頭葉から分けられる．大脳内側にある頭頂後頭溝により，部分的に後頭葉から分けられる).

pa·ri·e·tal lymph nodes 腹壁リンパ節（腹壁や骨盤壁のリンパを集めるリンパ節群).

pa·ri·e·tal pleu·ra 壁側胸膜（肺腔壁の各部分を裏打ちする漿膜で，内張りする部分に応じて，肋骨胸膜，横隔胸膜，縦隔胸膜とよばれる).

pa·ri·e·tal throm·bus 壁在血栓，管壁血栓（脈管壁の側に付着する動脈血栓. →mural thrombus).

pa·ri·e·tal wall 胞胚体壁（体壁あるいはそれが形成される壁側板).

parieto- 壁(身体の．例えば，腹壁など)，頭頂骨への関係を示す連結形.

pa·ri·e·tog·ra·phy (pă-rī-ē-tog′ră-fē). 体壁撮影〔法〕（気腹術と胃の空気注入とバリウムの組合せによる胃壁のX線撮影検査で，最近ではほとんど施行されない).

pa·ri·e·to·oc·cip·i·tal (pă-rī′ĕ-tō-ok-sip′i-tăl). 頭頂後頭の（頭頂骨と後頭骨，または当該部位の大脳皮質に関する).

pa·ri·e·to·oc·cip·i·tal sul·cus 頭頂後頭溝（頭頂葉楔前部と後頭葉楔部との境をつくる，大脳皮質内側面上にある，非常に深い，ほぼ垂直に走る裂．その下部は前方に曲がり鳥距溝の前部と合する．この結合した溝はきわめて深いので，側脳室後頭角の内側壁に膨隆，すなわち鳥距ができる).

Pa·ri·naud con·junc·ti·vi·tis パリノー結膜炎（大型の，不整で，赤みがかった小胞と局所のリンパ節疾患を特徴とする結膜の慢性壊死性炎症).

Pa·ri·naud oc·u·lo·glan·du·lar syn·drome パリノー結膜腺症候群（野兎病，下疳，結核，およびネコ引っ掻き病でみられる耳前部のリンパ節腫脹を伴う片側の結膜の肉芽腫).

Pa·ri·naud syn·drome, Pa·ri·naud oph·thal·mo·ple·gi·a パリノー症候群（共同上方注視の麻痺で，上丘位の病変を伴う．輻輳・眼球後退眼振，対光近見瞳孔反応解離，眼瞼後退を特徴とする). = dorsal midbrain syndrome.

par·ish nur·sing 地域看護（精神コミュニティのメンバーを看護師が訪問して行う看護と精神カウンセリング).

P

par·i·ty (par′i-tē). 経産（単胎児または複数胎児を，生死にかかわらず分娩した状態．多胎出産は単分娩経験とみなす）．

Park an·eu·rysm パーク動脈瘤（上腕動脈が上腕および尺側正中皮静脈と通じている動静脈瘤）．

Parkes Web·er syn·drome パークス・ウェーバー症候群（多発性の先天性動静脈瘻または肥大した4肢の毛細管性のあざとリンパ静脈異常を伴う動静脈奇形）．

Par·kin·son dis·ease パーキンソン病．= parkinsonism(1)．

Par·kin·son fa·ci·es パーキンソン顔〔貌〕（パーキンソン病に特徴的な無表情で仮面のような顔）．= masklike face.

par·kin·so·ni·an (par-kin-sō′nē-an)．振せん麻痺の，パーキンソン症候群の．

par·kin·so·ni·an dys·arth·ri·a パーキンソン〔病〕性構語障害〔症〕（パーキンソン病で起こる運動低下性構語障害．口が硬くて動きが悪くなるため，発語時の運動幅が狭く，声の高さと大きさに抑揚がなく，小声で，短時間に急いで話し，話し方が速いことに特徴がある．→parkinsonism）．

par·kin·son·ism (pahr′kin-sŏn-izm)．*1* 振せん麻痺（通常は，基底神経節の変性性，血管性，炎症性変化により起こる神経伝達物質ドパミンの欠乏を原因とする神経の症候群．筋肉の律動的振せん，運動の硬直，加速歩行，前傾姿勢，仮面状顔貌を特徴とする）．= Parkinson disease. *2* パーキンソン症候群（ある抗精神病薬の副作用として現れる振せん麻痺に似た症候群）．

par level (PAR) パーレベル（減レベルよりも下のレベルに位置づけられる，自動的に記録される，蓄積物の最小限の量）．

par·ol·fac·tory sul·ci 嗅傍溝（嗅傍野にみられる小溝群で終板のすぐ吻側にある．しばしば前群と後群に分かれる）．= sulci paraolfactorii.

par·om·pha·lo·cele (par-om-fal′ō-sēl)．*1* 傍臍瘤腫（臍の近くの腫瘍）．*2* 臍ヘルニア（臍の近くの腹壁の欠損部を通るヘルニア）．

par·o·nych·i·a (par-ō-nik′ē-ă)．爪〔周〕囲炎，爪郭炎（爪甲の周囲の爪縁の化膿性の炎症．細菌や真菌によることがあり，大部分がブドウ球菌と連鎖球菌である）．

par·o·nych·i·al (par-ō-nik′ē-ăl)．爪〔周〕囲炎の，爪郭炎の．

par·o·oph·o·ron (par-ō-of′ōr-on)．卵巣傍体（卵巣上体と子宮の間にある広間膜の中に，いくつか散在性に存在する痕跡細管．中腎下部の細管と糸球体の残遺物．男性の精巣傍体に相当する）．

par·or·chid·i·um (par-ōr-kid′ē-ŭm)．精巣（睾丸）転位〔症〕．= ectopia testis.

par·o·rex·i·a (par-ō-rek′sē-ă)．異物嗜好，食欲倒錯．

par·os·mi·a (par-oz′mē-ă)．嗅覚錯誤（嗅覚の障害．特に存在しない臭気の主観的な認知）．

par·os·te·o·sis, par·os·to·sis (par′os-tē-ō′sis, -os-tō′sis)．*1* 異所性化骨（骨が皮膚など異常な位置に発育すること）．*2* 骨傍症，傍骨症（異常な，あるいは欠陥のある骨化）．

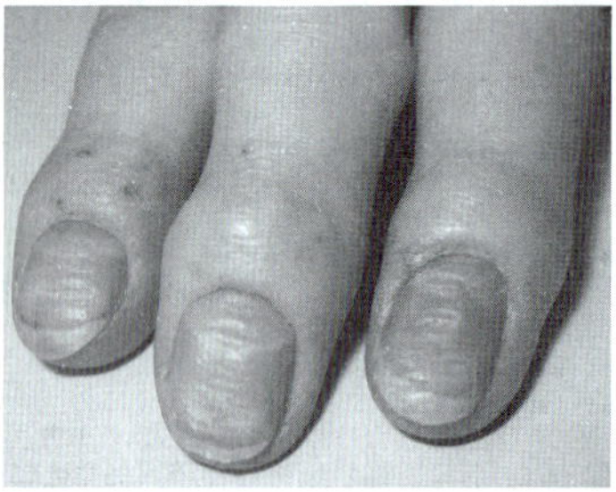

chronic paronychia

pa·rot·ic (pă-rot′ik)．耳傍の．

pa·rot·id (pă-rot′id)．耳下腺の（耳の近くにある組織についていう．通常は耳下腺をいう）．

pa·rot·id duct 耳下腺管（頬から，上顎第二大臼歯頸部の高さでその対側の口腔前庭に開く耳下腺の導管）．= Stensen duct; Steno duct.

pa·rot·i·dec·to·my (pă-rot′i-dek′tō-mē)．耳下腺摘出〔術〕（耳下腺の外科的除去）．

pa·rot·id gland 耳下腺（最大の唾液腺で，対性の複合胞状腺で左右の耳の前下方にあり，下は下顎角まで，上は頬骨弓まで，後方は胸鎖乳突筋まで，内側は側頭下窩の下顎骨下顎枝まで広がっている．顔面神経の枝によって浅部と深部とに分けられる．分泌物（唾液）は耳下腺管によって排出される）．

pa·rot·i·di·tis (pă-rot-i-dī′tis)．耳下腺炎．= parotitis.

pa·rot·id notch 耳下切痕（下顎枝と側頭骨乳様突起の間の空隙）．

pa·rot·id pa·pil·la 耳下腺乳頭（上顎第二大臼歯頸部と向かい合った口腔前庭にある耳下腺開口部の突起）．

pa·rot·id veins 耳下腺静脈（耳下腺の一部からの血液を集め，下顎後静脈に注ぐ）．

par·o·ti·tis (par-ō-tī′tis)．= parotiditis.

par·ous (par′ŭs)．経産の．

par·o·var·i·an (par-ō-var′ē-ăn)．*1* 卵巣傍体の．*2* 卵巣傍の．

par·ox·ysm (par′ok-sizm)．*1* 痙攣（急な痙縮または痙攣）．*2* 発作（症状あるいは疾病の突然の発症．特にマラリアの悪寒と硬直など，再発性の症状発現を伴うもの）．

par·ox·ys·mal (par-ok-siz′măl)．発作〔性〕の．

par·ox·ys·mal cold he·mo·glo·bin·u·ri·a (PCH) 発作性寒冷ヘモグロビン尿症（寒冷に暴露される時に起こる溶血および続いて起こるヘモグロビン尿を特徴とする自己免疫性溶血性貧血．溶血は Donath-Landsteiner 抗体により引き起こされるが，この抗体は 15°C 以下の温度で赤血球に結合する．温度が上がると抗体は細胞から分離するが，補体の終末成分は活性化され，細胞損傷および溶血を引き起こす．→Donath-Landsteiner antibody）．

par·ox·ys·mal hy·per·ten·sion 発作性高血圧. = episodic hypertension.

par·ox·ys·mal noc·tur·nal dysp·ne·a (PND) 発作性夜間呼吸困難（夜間突然出現する急性呼吸困難で，通常，患者を睡眠から覚醒させる．左室不全に基づく肺うっ血による）.

par·ox·ys·mal noc·tur·nal he·mo·glo·bin·e·mi·a 発作性夜間血色素尿症（後天性の造血幹細胞異常で，不完全な血小板，顆粒球，赤血球，そして恐らくリンパ球の形成が特徴である．赤血球の異常により，補体介在性の血管内溶血が不規則，不顕性に起こる）.

par·ox·ys·mal noc·tur·nal he·mo·glo·bin·u·ri·a (PNH) 発作性夜間血色素尿症（赤血球を補体による溶解に異常に感受性のあるようにさせる赤血球膜の異常の結果起こる溶血性貧血．グリコシルホスファチジルイノシトール(GPI)の欠失により赤血球膜から崩壊促進因子(DAF)やC8結合蛋白(C8bp)の欠損がみられる．GPIは膜糖脂質で，細胞膜への蛋白の結合に作用する．溶血は血管内で間欠性に起こり赤色尿を特徴とする）.

par·ox·ys·mal tach·y·car·di·a 発作〔性〕頻拍(頻脈)（突然発現し，しばしば突然終了する再発性の頻拍で，心房性，房室接合部性，または心室性の異所性始点から起こる）.

PAR-Q Physical Readiness Questionnaire の略.

par·rot beak tear オウム嘴状断裂（オウムのくちばしに似た，細く弯曲したくさびの分裂の結果，引き起こされる関節軟骨の損傷）.

Par·rot dis·ease パロー病（①梅毒性骨軟骨炎による小児の偽性麻痺．②= marasmus. ③= psittacosis）.

par·rot fe·ver オウム熱. = psittacosis.

Par·ry dis·ease パリー病. = Graves disease.

pars, pl. **par·tes** (pahrz, pahr′tēz). 部.

pars ab·dom·i·na·lis a·or·tae 大動脈腹部. = abdominal aorta.

pars a·mor·pha 無形部（核小体の一部で核小体系の間にみられる不規則な間隙．微細な線維様構造がみられる．→pars granulosa）.

pars as·cen·dens a·or·tae 大動脈上行部. = ascending aorta.

pars gran·u·lo·sa 顆粒部（核小体系の顆粒状線条性の部分）.

pars in·ter·ar·tic·u·lar·is 関節間部（骨の上下関節の間の部分，特に腰椎棘突起について いう）.

pars pla·na = orbiculus ciliaris.

pars-pla·ni·tis (pahrz-plā-nī′tis). 扁平部炎（網膜や扁平部の末梢結節性炎症，硝子体基部への滲出，および視神経円板および網膜の浮腫を呈する臨床的症候群）.

pars tho·ra·ci·ca a·or·tae 大動脈胸部，胸大動脈. = thoracic aorta.

pars tym·pan·i·ca 鼓室部（側頭骨の鼓室部分．外耳道壁の大部分を形成している）.

pars u·te·ri·na pla·cen·tae 胎盤子宮部. = maternal part of placenta.

par·the·no·gen·e·sis (pahr′thĕ-nō-jen′ĕ-sis). 単為生殖，処女生殖（無性生殖の一型．雌は雄による受精作用なしにその種を生殖する）.

par·tial ag·glu·ti·nin 部分的凝集素. = minor agglutinin.

par·tial an·om·a·lous pul·mo·na·ry ve·nous con·nec·tions 部分肺静脈還流異常症. →anomalous pulmonary venous connections, total or partial.

par·tial an·ti·gen 部分抗原. = hapten.

par·tial cri·coid cleft 部分的輪状軟骨裂（→laryngotracheoesophageal cleft）.

par·tial den·ture 部分〔床〕義歯，局部〔床〕義歯（全部ではないが1本以上の天然歯および(または)関連部分を修復する有床義歯．歯，粘膜によって支持される．可撤性と固定性がある）. = bridgework.

par·tial lar·yn·gec·to·my 喉頭部分切除〔術〕（声門上部を摘出し声帯を保存する不完全喉頭切除術）. = horizontal laryngectomy; supraglottic laryngectomy.

par·tial left ven·tric·u·lec·tomy 部分左心室心筋切除術. = left ventricular volume reduction surgery.

par·tial pos·te·ri·or la·ryn·ge·al cleft 部分的後部喉頭裂（→laryngotracheoesophageal cleft）.

par·tial pres·sure 分圧（混合気体中の1つの構成要素によって示される圧．通常，mmHgあるいはトールで表す．液体中に溶解している気体の場合は，溶解気体と平衡状態にある気体の圧がその分圧である．呼吸生理学においては，P_{CO_2}，P_{O_2}，Pa_{CO_2}などのように大文字のPの後に位置とともに(あるいは単独に)化学種を示す添字を付けて表している）.

par·tial re·breath·ing mask 部分的再呼吸マスク（呼気ガスの一部が規定のガスと混合するためのバッグにはいるフェイスマスク）.

par·tial sei·zure 部分発作（大脳局所からの発作発生を特徴とする発作．体験する症状は発作発生や発作拡散が起こる皮質部位によって異なる）.

par·tial-thick·ness burn 分層熱傷（表皮および真皮が侵され，通常，水疱が形成される．熱傷が真皮全層にまで及ばなければ，皮膚付属器は保持される）. = second-degree burn.

par·tial-thick·ness flap 分層皮弁. = split-thickness flap.

par·tial-thick·ness graft 分層植皮. = split-thickness graft.

par·tial throm·bo·plas·tin time (PTT) 部分トロンボプラスチン時間（→activated partial thromboplastin time）.

par·tial vol·ume 分体積，分容積（溶液中で1種の分子あるいは粒子が実際に占める容積．分子密度の逆数）.

par·ti·ci·pa·ting phy·si·cian or sup·pli·er 参加内科医あるいは供給者（老齢者医療保険制度の控除免除金額の要求や共同保険総額の割り当てを認めた，内科医や健康管理供給者）.

par·ti·ci·pa·tion (pahr-tis-i-pā′shŭn). 参加（作業療法における生活状況への参加）.

P

par·ti·cle (pahr′ti-kĕl). ***1*** 粒子，微粒子（何かの非常に小さな断片や部分．微粒子）．***2*** 粒子（陽子や電子のような基本的粒子）．

par·tic·u·late (pahr-tik′yū-lăt)．粒状の（微粒子の形で存在するもので，周囲の液体あるいは半液体物質と比較して，形のある個々の要素をさす．例えば，細胞中の顆粒あるいはミトコンドリア）．

par·tic·u·late wear de·bris 粒子状磨耗破片（人工関節全置換術における関節面間での摩擦によりつくられた微小粒子．これは，金属，ポリエチレン，ポリメチルメタクリレイトセメントの粒子からなり，骨溶解の原因となる）．

par·ti·tion chro·ma·tog·ra·phy 分配クロマトグラフィ（2 種類の不混和性液体への分配を何回も繰り返すことによって類似物質を分離する方法．その結果，実際，類似物質は 2 液相にそれぞれ分配される）．

par·to·gram (pahr′tō-gram)．分娩経過図表，パルトグラム（子宮口開大と時間的関係をグラフ表示したもの．警戒域および開大曲線が逸脱したとき直ちに対応する危険域を付加している）．= Friedman curve; labor curve.

par·tu·ri·ent (pahr-chŭr′ē-ĕnt)．分娩の．

par·tu·ri·ent ca·nal 産道．= birth canal.

par·tu·ri·om·e·ter (pahr-chŭr′ē-om′ĕ-tĕr)．陣痛計（分娩時の子宮の収縮力を測定する器械）．

par·tu·ri·tion (pahr-chŭr-ish′ŭn)．分娩，〔出〕産．= childbirth.

pa·ru·lis (pă-rū′lis)．パルーリス，歯肉膿瘍．= gingival abscess.

par·vo·cel·lu·lar (pahr-vō-sel′yū-lăr)．小細胞性の（小型の細胞の，小型の細胞からなる）．

Par·vo·vir·i·dae (pahr-vō-vir′i-dē)．パルボウイルス科（一本鎖 DNA よりなる小型のウイルスの一科．*Parvovirus* 属，*Densovirus* 属，およびアデノ関連性ウイルスを含む *Dependvirus* 属の 3 属が認められている）．

Par·vo·vi·rus (pahr′vō-vī′rŭs)．パルボウイルス属（適切な細胞の中で自律的に複製するウイルスの一属）．

Par·vo·vi·rus B19 パルボウイルス B19（パルボウイルス科に属する一本鎖 DNA ウイルスで，伝染性紅斑(第 5 病)と無形成発作の原因ウイルスである）．

pas·cal (Pa) (pas-kahl′)．パスカル（ニュートン毎平方メートルで表される圧力の国際単位系(SI)組立単位．10^{-5} バールまたは 7.50062 × 10^{-3} トールに相当する）．

Pas·cal law パスカルの法則（静止時の流体はどの部分にも等しい圧力を及ぼす）．

Pas·sa·vant ridge パッサファント隆線（鼻咽頭の後部壁上の隆起．えん下中に咽頭の上部括約筋が収縮するためにできる）．

Pas·sa·voy fac·tor 凝固因子の一種．これが先天的に欠乏していると，活性化部分トロンボプラスチン時間(APTT)が延長する，中等度の出血体質となる．→Hageman factor.

pas·sive (pas′iv)．受身の，受動の，消極的な．

pas·sive-ag·gres·sive per·son·al·i·ty 受動攻撃性人格（ひねくれたり，ぐずぐずした行動パターンを特徴とする人格障害で，攻撃的感情が，横やりをいれたりすねたりするような受身的姿勢をとって現れる）．

pas·sive an·a·phy·lax·is 受身アナフィラキシー，被動性アナフィラキシー（他の動物の特異抗血清を静脈内に前もって接種した動物で，抗原の接種によって起こる反応．この 2 つの接種の間に潜伏期が必要である）．= antiserum anaphylaxis.

pas·sive at·el·ec·ta·sis 受動的無気肺（気胸あるいは水胸のような場所をとる胸腔内プロセスに基づいて起こる肺虚脱）．

pas·sive clot 受動〔性〕血餅（動脈瘤の循環が停止または停滞した結果形成される動脈瘤嚢内の血塊）．

pas·sive con·ges·tion 受動性うっ血（静脈還流の閉塞または遅延の結果，毛細管静脈に血液が部分的に停滞するために起こる充血）．

pas·sive dif·fu·sion 受動拡散（半透膜を介する分子の移動で，エネルギー消費を伴わない）．

pas·sive he·mag·glu·ti·na·tion 受身〔赤〕血球凝集〔反応〕（受身凝集反応の一種で，通常，タンニン酸または他の化学薬品による緩い処理により変性した赤血球を用いて，その表面に可溶性抗原を吸着させる．この吸着された抗原に対する特異抗血清が存在すると赤血球が凝集する）．= indirect hemagglutination test.

pas·sive hy·per·e·mi·a 受動性(受動的)充血（静脈小根の拡張により，罹患部分からの血液の流れが阻止されて起こる充血）．= venous hyperemia.

pas·sive im·mu·ni·ty 受動免疫，受身免疫（→acquired immunity）．

pas·sive move·ment 他動(受動)運動（生体あるいはその一部が外部因子により与えられる運動．主体の関与がなく他人の手または機械的な手段でなされるあらゆる関節の運動）．

pas·sive range of mo·tion (PROM) 他動可動域（外力または療法士により関節を動かした場合の関節運動域）．

pas·sive trans·port 受動輸送（半透膜を介する粒子の移動で，エネルギー消費を伴わない．膜の両側における粒子の数の差(化学勾配)や，荷電粒子またはイオンの数の差(電子勾配)に影響される）．

pas·siv·ism (pas′iv-izm)．受動性（特に性的関係において．→passive）．

Pas·sy-Mu·ir valve パッシーミューアバルブ措置（気管切開を受けている患者の排気と会話を用にさせる，一方通行のバルブ措置）．

paste (pāst)．パスタ（軟らかい半固形物質．パンがゆより硬いが，形をとどめるほどではなくゆっくりと流れる程度）．

Pas·teur ef·fect パスツール効果（Pasteur が最初に観察した，酸素による発酵抑制．悪性腫瘍においては観察されないか，またはわずかしか観察されない）．

Pas·teur·el·la (pas-tur-el′ă)．パスツレラ属（好気性または通性嫌気性の非運動性細菌の一属（ブルセラ科）．非常に小形のグラム陰性球菌も

しくは楕円形ないし長杆菌で，特殊な方法では二極染色性を示すことがある．ヒトおよび鳥類を含む他の動物に寄生する．標準種は *Pasteurella multocida*）．

pas·teu·rel·la, pl. pas·teu·rel·lae（pas-tur-elʹă, -ē）．パスツレラ（*Pasteurella* 属の種を表すのに用いる通称）．

Pas·teur·el·la aer·o·gen·es ブタに認められる種で，ブタによる咬傷の後，ヒトに創傷感染を起こすことがある．

Pas·teur·el·la mul·to·ci·da 家禽のコレラと温血動物の出血性敗血症を起こす細菌種．イヌやネコの咬傷または掻傷に感染がみられることがあり，また慢性疾患のヒトでは蜂巣炎や敗血症を起こすことがある．イヌ，ネコの咬傷に関連する最も普通の病原菌．*Pasteurella* 属の標準種．

Pas·teur·el·la pseu·do·tu·ber·cu·lo·sis 偽結核菌．= *Yersinia pseudotuberculosis*.

pas·teur·el·lo·sis（pasʹtur-ĕ-lōʹsis）．パスツレラ症（*Pasteurella* 属の菌による感染）．

pasteurisation［Br.］. = pasteurization.

pas·teur·i·za·tion（pasʹtyur-ī-zāʹshŭn）．低温殺菌〔法〕（牛乳，ブドウ酒，果物ジュースなどを 68℃(154.4°F) で約 30 分間加熱すること．これによって細菌は死滅するが，風味，芳香は保たれる．芽胞は影響を受けないが，その発育は液体を直ちに 10℃(50°F) 以下に冷却して保つことにより防げる．→sterilization）. = pasteurisation.

Pas·ti·a sign パスティア徴候（猩紅熱の前発疹期に，肘窩に桃色あるいは赤色の横線が現れること．発疹期も持続し，落屑後も色素線として残る）. = Thomson sign.

pas·tille, pas·til（pas-tēlʹ, pasʹtil）．パステル剤（①ベンゾインと，燃やして燻蒸した他の芳香性物質の小さな塊．②= troche）．

patch（pach）．斑（①周囲とは色や構造が異なる限局性の小領域．②皮膚科領域では，1 cm を超える大きさの扁平な領域のこと．③細胞表面上にキャップが形成される途中の段階）．

patch test 貼付試験，パッチ試験（皮膚過敏性試験．非刺激性の希釈試験液でぬらした小さな紙やテープまたはカップを上背部や上腕外側に当て，48 時間後に健常部と比較する．貼付物質が接触アレルギーの原因であれば，小水疱を伴う紅斑反応が惹起される．→photo-patch test）．

pa·tel·la, gen. & pl. pa·tel·lae（pă-telʹă, -ē）．膝蓋骨（下肢の伸筋群の共同腱内にある大種子骨．膝前面を被覆する）. = kneecap.

pa·tel·la al·ta 膝蓋高位〔症〕（膝の X 線写真側面像で膝蓋骨の位置が通常よりもより近位にあることを表すのに用いる語）．

pa·tel·la ap·pre·hen·sion test = patellar apprehension sign.

pa·tel·la ba·ja 膝蓋低位〔症〕（膝の X 線写真側面像で膝蓋骨の位置が通常よりもより遠位にあることを表すのに用いる語）．

pa·tel·lar（pă-telʹăr）．膝蓋骨の．

pa·tel·lar ap·pre·hen·sion sign 膝蓋骨不安感徴候（膝蓋骨を他動的に外側へ転位させようとすると膝蓋骨外側不安定性の病歴のある患者では膝蓋骨が脱臼しそうな不安感を感じ，それに抵抗を示すという理学所見）. = patella apprehension test.

pa·tel·lar lig·a·ment 膝蓋靱帯（膝蓋骨尖とその両側下縁から脛骨粗面まで走る強力な扁平線維帯）. = ligamentum patellae.

pa·tel·lar re·flex 膝蓋〔腱〕反射（下腿を大腿に対して直角に垂れ下げておき，膝蓋腱を軽く叩打することにより生じる大腿前筋群の突然の収縮）. = knee reflex; knee-jerk reflex; quadriceps reflex.

pat·el·lec·to·my（pat-ĕ-lekʹtŏ-mē）．膝蓋骨切除〔術〕．

pa·tel·li·form（pă-telʹi-fōrm）．膝蓋骨状の，皿状の．

pa·tel·lo·ad·duc·tor re·flex 膝〔蓋〕内転筋反射（四頭筋腱を叩打することにより生じる下腿の交差内転）．

pa·tel·lo·fem·or·al joint 膝蓋大腿関節（膝蓋骨と遠位大腿骨の間にある滑動関節．→knee complex）．

pa·tel·lo·fem·or·al stress syn·drome 膝蓋大腿ストレス症候群. = runner's knee.

pa·tel·lo·fem·or·al syn·drome 膝蓋大腿症候群（アライメント不良または大腿四頭筋腱の牽引方向が偏位した結果，膝蓋骨が大腿骨膝蓋溝でスムーズに滑走できなくなって生じる慢性の膝痛．→chondromalacia patellae）．

pa·ten·cy（pāʹtĕn-sē）．開存性，開通性（自由に開くかあるいは開口している状態）．

pa·tent（pāʹtĕnt）．開存〔性〕の. = patulous.

pa·tent duc·tus ar·te·ri·o·sus 動脈管開存〔症〕（肺動脈と大動脈を結ぶ動脈管が生後も閉鎖しない状態．胎児期は酸素交換が胎盤で行われるため肺循環は迂回される．正常では，生後，肺の拡大とともに動脈管は閉鎖される）．

pa·tent for·a·men o·va·le 開存性卵円孔（心臓の卵円孔の弁機能不全．卵円孔の消息子開存（消息子によって認知される潜存的開存）とは異なり，卵円孔弁に異常穿孔があるか，または卵円孔弁が出生前に適切な弁機能を果たし，出生後に完全閉鎖するには不十分な大きさである状態）．

pa·tent med·i·cine 売薬，特許薬（通常，もともとは特許を受け，大衆に宣伝された薬）．

path（path）．路，道，経路（電流あるいは神経インパルスが通る経路）．

path-, -pathy, patho-, pathic 病気に関する連結形．

path·er·gy（pathʹĕr-jē）．パテルギー（アレルギー性(免疫性)と非アレルギー性両方の活性の変化した状態により起こる反応）．

-pathetic, -pathetical 感情を意味する連結形．

path·find·er（pathʹfīnd-ĕr）．開通器（狭窄部に挿入するための糸状ブジー．より大きなゾンデやカテーテルを通す先導とする）．

-pathic 病気や苦痛を意味する連結形．

path·o·bi·ol·o·gy（pathʹō-bī-olʹŏ-jē）．病理生物学（医学面よりも生物学面に重点を置く病理学）．

P

path·o·bi·o·me·chan·ics (path′ō-bī′ō-mĕ-kan′iks). 疾病生物力学（力，不釣り合いな力，支える(相乗効果)筋肉矛盾の不適切な行動などの不均衡，そして反対側の(拮抗の)筋肉の過度な行動矛盾に関する，姿勢の調整と非対称）．

path·o·clis·is (path-ō-klis′is). 特異的過敏性（特定の毒素に特異的に感受性の傾向があること．毒素が一定の器官に作用する傾向のあること）．

path·o·gen (path′ō-jĕn). 病原体（疾病を起こすウイルス，細菌，その他の物質）．

path·o·gen·e·sis (path′ō-jen′ĕ-sis). 病因〔論〕，病原〔論〕（疾病あるいは病的過程の進行中に起こる病理学的，生理学的，または生化学的機序．*cf.* etiology）．

path·o·gen·ic, path·o·ge·net·ic (path′ō-jen′ik, -jĕ-net′ik). 病原〔性〕の（病気や異常を起こす）. = morbific; nosogenic; nosopoietic.

path·o·ge·nic·i·ty (path′ō-jĕ-nis′i-tē). 病原性（病気の状態あるいは性質．病気を起こす力）．

path·o·gen·ic oc·clu·sion 病原性咬合（支持組織に病的変化を起こしうるような咬合関係）．

path·og·no·mon·ic (path′og-nō-mon′ik). 〔疾病〕特有症候の（疾患に特徴的な，あるいは疾患そのものを示す症候．ある疾患に特徴的な1つ以上の症候，異常所見で，他の状態ではみられないものをいう）．

path·og·no·mon·ic symp·tom 特徴的症状（明らかにある特定の疾病の存在を示す症状）．

path·o·log·ic, path·o·log·i·cal (path′ō-loj′ik, -i-kăl). ***1*** 病理学の．***2*** 病的の，異常の．

path·o·log·ic ab·sorp·tion 病的吸収（膿，尿，胆汁などのような排泄物または病的物質の血流内への腸管外吸収）．

path·o·log·ic a·nat·o·my 病理解剖学. = anatomic pathology.

path·o·log·ic cal·ci·fi·ca·tion 病的カルシウム沈着，病的石灰化（排出路や分泌路に結石として，また骨や歯以外の組織にカルシウム沈着が起こること）．

path·o·log·ic frac·ture 病的骨折（先在疾患，特に腫瘍や壊死のような疾患によって弱くなった骨の部位に起こる骨折）．

path·o·log·ic mod·el 疾病モデル，病態モデル（遺伝または人工的手技で興味ある疾患に似た疾患が起きた動物または動物の血統．直接的または間接的に疾患の病因の証拠を得たり，予防法や治療法の研究のモデルとして使用される）．

path·o·log·ic my·o·pi·a 病的近視（眼底の変化，後極ブドウ膜腫，矯正視力不良を特徴とする進行性近視）．

path·o·log·ic pro·teins 異常蛋白（形質細胞の障害に伴う不完全モノクローナル免疫グロブリン．→paraprotein）．

path·o·log·ic re·trac·tion ring 病的収縮輪（薄層化した下部子宮と，厚く収縮した上部子宮の接合部に位置する狭窄．閉塞性分娩によって生じる．これは切迫子宮破裂の典型的な徴候の1つである）. = Bandl ring.

pa·thol·o·gist (pa-thol′ō-jist). 病理学者（病理学の専門家．生体または死体から採った試料を使った診断学的検査を実行，判定，あるいは監督し，臨床医に対しては検査に関するコンサルタントの役目を果たす医師．または病的変化の原因，本質をつきとめるために実験，その他の研究を行う医師）．

pa·thol·o·gy (pă-thol′ō-jē). 病理学（病気のすべての面に関して，特に病気の本質，原因，異常状態の進展，病的過程による構造上および機能上の変化を取り扱う医学およびその専門的研究）．

path·o·mi·me·sis (path′ō-mī-mē′sis). 仮病，詐病（意識的または無意識的に病気または機能不全を装うこと）．

path·o·phys·i·ol·o·gy (path′ō-fiz-ē-ol′ō-jē). 病態生理学（①疾患の原因となる組織および臓器の構造的・機能的変化の研究．②病気でみられる機能の乱れ，すなわち構造上の欠陥と区別される機能上の変化を扱う）．

pa·tho·sis (pă-thō′sis). 病的状態，病的所見（病気の状態または実態を表す，まれに用いる語）．

path·way (path′wā). 経路（①神経細胞のある群から他の群の神経細胞への，あるいは筋肉または腺細胞からなる効果器への，神経インパルスの伝導路を形成する軸索の集り．②ある化合物から他の化合物へ導く化学反応の連鎖．生体組織中で起こる場合，通常 biochemical pathway（生化学的経路）といわれる）．

pa·tient (pā′shĕnt). 患者（何かの病気や行動障害に罹患し，その治療を受けている人．*cf.* case(1); client）．

pa·tient care tech·ni·cian (PCT) 患者治療技術師（病院で患者の治療のためのセッティングを行う，看護と医療の両方のアシスタント技術を有する，医療従事者）．

pa·tient-con·trolled an·al·ge·si·a (PCA), pa·tient-con·trolled an·es·the·si·a 希釈した麻酔薬を持続的に静脈内，まれに硬膜外腔へ注入器によって注入する疼痛管理法で，その量で痛みがとれない場合，あらかじめ設定された麻酔薬量を，あらかじめ設定された投与間隔で，自己投与できる機構を併せ備えている．

pa·tient edu·ca·tion 患者教育（患者の看護教育．患者が健康の問題や健康促進に関する知識や技術，そして価値観や姿勢を支援する過程）．

pa·tient sat·is·fac·tion 患者満足度（治療を受けた患者の意見）．

Pa·tient's Bill of Rights 患者の権利章典（1973年に米国病院協会によって患者の権利を主張するために発展させた．主張な権利要求の要素には，尊重し思いやりのある治療，プライバシー，治療に関する情報，予後，そして治療を拒否する権利がある）．

Pat·rick test パトリック試験（仙腸骨部の病変の有無を決める試験．仰臥した患者の股関節と膝関節を屈曲させ，足関節外果を他方の膝蓋骨の上にのせる．通常，この操作で痛みはないが，仙腸骨部に病変がある場合，膝を押すことにより疼痛が生じる).

pat·ri·lin·e·al (pat-ri-lin′ē-ăl). 父系の，父親家系の（男性系を通じた遺伝．Y 染色体性の遺伝は父系のみに遺伝する）.

pat·tern (pat′ĕrn). *1* 模様. *2* 原型，型，パターン（歯科において，インレーまたは部分的な歯の枠組みの鋳型をつくるために用いる型）.

pat·tern dis·tor·tion am·bly·o·pi·a パターン歪像弱視（視機能発達での弱視惹起期間における不正な網膜像による弱視）.

pat·terned al·o·pe·ci·a = androgenic alopecia.

pat·tern ret·i·nal dys·tro·phy パターン網膜ジストロフィ（軽度から中等度の視力障害を生じる網膜色素上皮を障害する常染色体優性疾患群）.

pat·tern-sen·si·tive ep·i·lep·sy パターン感受性てんかん（特定の模様を見ることで誘発されるてんかんの一型）.

pat·u·lous (pat′yū-lŭs). 開存〔性〕の. = patent.

pau·ci·ar·ti·cu·lar (paw-sē-ahr-tik′yū-lăr). 少関節性の（数関節(1—5 関節)が障害された状態）.

pau·ci·bac·il·lary (pa-sē-bas′i-lār-ē). 少数杆菌性（少数の杆菌からなる，あるいは杆菌が存在する）.

pau·ci·sy·nap·tic (paw′sē-si-nap′tik). 乏シナプスの. = oligosynaptic.

Pau·li ex·clu·sion prin·ci·ple パウリの排他原理（原子の軌道や殻に存在する電子の数を制限する理論．どの 2 つの電子も 4 つのまったく同一の量子数をもつことはできない）.

pause sig·nal 休止シグナル（RNA ポリメラーゼによる転写の休止を引き起こす DNA 配列）.

Pau·tri·er mi·cro·ab·scess ポトリエ微小膿瘍（菌状息肉症でみられる表皮の顕微鏡的病変，真皮に浸潤する細胞と同じ型の単核異型細胞から構成される）.

PAV proportional assist ventilation の略.

Pav·lov re·flex パヴロフ反射. = auriculopressor reflex.

pav·or noc·tur·nus 夜驚〔症〕，夜なき. = night terrors.

pay·ee (pā-ē′). 受取人（送金による支払いや返済金の受取人）.

Payne op·er·a·tion ペイン手術（超肥満者に対して用いる空腸回腸バイパス吻合術．バイパスされる小腸の口側端は閉鎖して高位空腸を回腸末部に端側吻合する）.

pay·or, pay·er (pā′ŏr, -ĕr). 支払人（手形を支払う，要求を満たす，あるいは債務を弁済する人）.

Payr clamp パイル鉗子（胃切除または腸切除に用いる大きくて少し曲がった鉗子）.

Payr sign パイル徴候（足裏に圧力がかかると痛む．血栓性静脈炎の前徴）.

PB pyridostigmine bromide の略.

Pb 鉛の元素記号.

PBG porphobilinogen の略.

p.c. ラテン語 *post cibum*（食後）の略.

PCA patient-controlled analgesia の略.

pCa カルシウムイオン濃度の尺度．カルシウムイオン濃度の負の常用対数(10 を底とする対数)の値.

PCH paroxysmal cold hemoglobinuria の略.

PCI percutaneous coronary intervention の略.

PCIRV pressure-controlled inverse ratio ventilation の略.

PCIS *p*atient *c*are *i*nformation *s*ystem(患者医療情報システム)の略．医療施設内で医療記録保管に用いる相互コンピュータシステム.

PCM protein calorie malnutrition の略.

P con·gen·i·ta·le 先天性 P（先天性心疾患のあるものにみられる心電図の P 波で，I, II, aV_F, aV_L 誘導で高いとがった P 波(通常 II 誘導で最も大きい)と V_{1-2} 誘導で陽性部分が優勢の二相性の P 波とからなる）.

PCR polymerase chain reaction の略.

PCr phosphocreatine の略.

PCT patient care technician(患者ケア技術者，医療テクニシャン)の略.

PCWP pulmonary capillary wedge pressure の略.

PD phenyldichloroarsine; peritoneal dialysis の略.

Pd パラジウムの元素記号.

PDCAAS protein digestibility corrected amino acid score の略.

PDLL poorly differentiated lymphocytic lymphoma の略.

PDT photodynamic therapy の略.

PE pulmonary embolism; preeclampsia の略.

PEA pulseless electrical activity の略.

peak (pēk). ピーク（グラフ上の曲線，あるいは何らかの変動の最も高い点または上限値）.

peak ex·pi·ra·to·ry flow rate (PEFR) 最大呼吸速度（息を吐きだしたときの最初の気流の流れの割合．喘息など，気管閉塞ではその割合は著しく減少する）.

peak flow·me·ter 最大呼気流量計（患者の最大呼吸流量を測定して表示するポータブル装置．一般に気道の可逆性疾患患者の肺機能のモニタに使用される）.

peak lev·el ピークレベル（治療薬物モニタリングの際に決定される，薬物により達成される最高濃度）.

peak and trough spec·i·mens ピーク・トラフ標本（血液中の抗生物質や他の薬物レベルの変化をみるために収集された血清サンプル）.

pearl (pĕrl). 真珠，パール（①ある種の貝殻の中で 1 粒の砂や異物の周りに形成される凝固物．②ぜん息の喀痰にみられる粘液のように小さな固い塊）.

pearl bar·ley = barley.

Pearl in·dex パール指数（100 例の女性の年間平均の避妊失敗数）.

peau d'or·ange 乳癌が発生した部位の皮表が，腫脹し点状陥凹を伴う状態．間質への細胞浸潤と浮腫を伴うリンパ管の閉塞が起きている.

pec·cant (pek′ănt). 病的な，病原性の.

pec·ten (pek′tĕn). *1* 櫛（櫛状の突起をもつ構造）. *2* 肛門櫛. = anal pecten.

pec·ten an·a·lis 肛門櫛. = anal pecten.

pec·ten·i·tis (pek-ten-ī′tis). 肛門櫛炎（肛門

P

括約筋の炎症).

pec·ten·o·sis (pek-ten-ō′sis). 肛門櫛症 (肛門櫛が肥大腫脹していること).

pec·ten pu·bis 恥骨櫛 (分界線が恥骨上枝にのびた部分で鋭い隆線を形成している).

pec·ti·nate (pek′ti-nāt). 櫛状〔の〕(①櫛状をした, 櫛の形をした. = pectiniform. ②真菌類において, 皮膚糸状菌の培養における菌糸の分枝形成の特殊な型を表すのに用いる).

pec·ti·nate line 櫛状線 (直腸の単層円柱上皮が肛門管の重層上皮に変わるところの境界線). = linea anocutanea.

pec·ti·nate mus·cles 櫛状筋 (右心房の大部分の内部表面と左右の心耳にある心房筋の著しい隆起). = musculi pectinati.

pec·ti·nate zone 櫛状帯 (蝸牛管基底板の外側 2/3 の部分). = zona pectinata.

pec·tin·e·al (pek-tin′ē-ăl). 櫛の, 隆線の (恥骨または何らかの櫛様構造についていう).

pec·tin·e·al lig·a·ment 恥骨櫛靱帯 (恥骨櫛状線に沿って裂孔靱帯から外側に走る太い強靱な線維帯). = ligamentum pectineale.

pec·tin·e·al mus·cle 恥骨筋. = pectineus muscle.

pec·ti·ne·us mus·cle 恥骨筋 (起始: 恥骨稜. 停止: 大腿骨の恥骨筋線. 作用: 大腿の内転と屈曲の補助. 神経支配: 閉鎖神経および大腿神経). = musculus pectineus; pectineal muscle.

pec·tin·i·form (pek-tin′i-fōrm). = pectinate(1).

pector- 胸部を意味する連結形.

pec·to·ral (pek′tŏr-ăl). 胸の, 胸筋の.

pec·to·ral·gi·a (pek′tŏr-al′jē-ă). 胸痛.

pec·to·ral gir·dle 上肢帯. = shoulder girdle.

pec·to·ra·lis ma·jor mus·cle 大胸筋 (胸部の胸郭体肢筋の1つ. 起始: 鎖骨部は鎖骨の内側 1/2, 胸肋部は胸骨柄と胸骨体の前面と第一–第六肋軟骨, 腹部は外腹斜筋の腱膜. 停止: 上腕骨の大結節稜. 作用: 上腕の内転と内旋. 神経支配: 前胸神経). = musculus pectoralis major; greater pectoral muscle.

pec·to·ra·lis mi·nor mus·cle 小胸筋 (胸部の胸郭体肢筋の1つ. 起始: 第三–第五肋骨の肋骨肋軟骨連結部. 停止: 肩甲骨の烏口突起先端. 作用: 肩甲骨を引き下げる, または肋骨を挙上する. 神経支配: 内側胸筋神経). = musculus pectoralis minor; smaller pectoral muscle.

pec·to·ral re·gion 胸筋部 (胸部にあって大胸筋の存在する範囲. →regions of chest).

pec·to·ral veins 胸筋静脈 (胸筋からの血液を集め, 直接鎖骨下静脈に注ぐ静脈).

pec·to·ril·o·quy (pek-tō-ril′ō-kwē). 胸声 (肺組織を通して声が伝わるのが増強し, したがって胸部聴診で明瞭に聴取される. 通常, 肺実質の硬化の存在を示す).

pec·tus, gen. **pec·to·ris,** pl. **pec·to·ra** (pek′tŭs, pek-tōr′is, -ră). 胸. = chest.

pec·tus ca·ri·na·tum 鳩胸 (胸骨が前方に突出し, 両側の胸は平らで, 船の竜骨に似ている). = chicken breast.

pec·tus ex·ca·va·tum 漏斗胸 (剣状突起が後方に変位しているため胸の下方がくぼんでいる). = funnel breast; funnel chest.

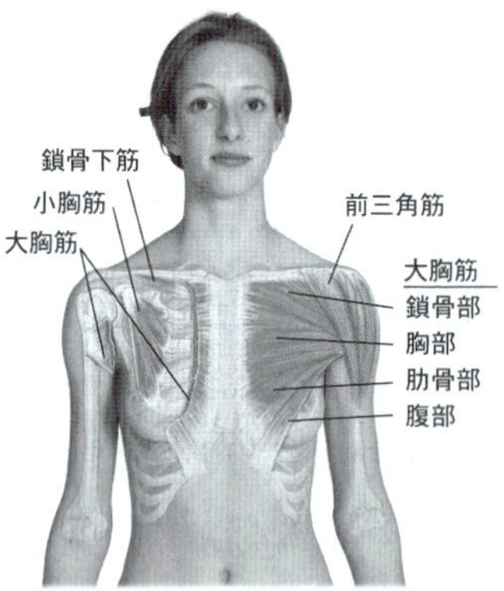
鎖骨下筋
小胸筋
大胸筋
前三角筋
大胸筋
鎖骨部
胸部
肋骨部
腹部

pectoral region

ped-, pedi-, pedo- = paed-. ***1*** 小児に関する連結形. ***2*** 足に関する連結形.

ped·al (ped′ăl). 足の (足または足とよばれる構造に関する).

ped·er·as·ty (ped′ĕr-as-tē). 肛門性交 (同性愛者の肛門性交. 特に少年との肛門性交). = paederasty.

Pe·der·son spec·u·lum ピーダーセン鏡 (入口の狭い腟に用いる細い平らな鏡).

pe·de·sis (pē-dē′sis). 分子運動. = brownian movement.

pedia-, pedo- 子供を意味する連結形.

-pedia 教育する, あるいは完全なリスト/知識の一覧を示すことを意味する連結形. = -paedia.

pe·di·at·ric (pē-dē-at′rik). 小児〔科学の〕. = paediatric.

pe·di·at·ric ad·vanced life sup·port (PALS) 小児二次救命処置 (子どもの心肺停止の前後そして停止中における, 肺と循環機能の評価と管理).

pe·di·at·ric den·tist 小児歯科医. = paediatric dentist; pedodontist.

pe·di·at·ric den·tis·try 小児歯科〔学〕(小児の歯科治療を扱う歯科の分野). = paediatric dentistry; pedodontia; pedodontics.

pe·di·a·tric·ian (pē′dē-ă-trish′ăn). 小児科医. = paediatrician.

pe·di·a·tric in·ten·sive care u·nit (PICU) 小児科集中治療室 (危篤状態の病状にある, 子どもの治療のための病院設備).

pe·di·at·rics (pē-dē-at′riks). 小児科学 (誕生から青年期に達するまでの小児の健康と病気の研究, 治療を取り扱う医学の分野). = paediatrics.

ped·i·cel (ped′i-sel). 小足 (腎小体の内臓被膜を形成するポドサイトの第二突起). = foot process; footplate(2); foot-plate.

ped·i·cel·late (ped′i-sel′āt). = pediculate.

ped·i·cel·la·tion (ped′i-sĕ-lā′shŭn). 茎発生，脚発生（茎や脚の形成）.

ped·i·cle (ped′i-kĕl). 茎（①狭窄部位あるいは茎. = pediculus(1). ②固着性でない腫瘍と正常組織とをつなぐ茎. = peduncle(2); pedunculus. ③皮弁，筋弁などを他所に移植する際の栄養血管を含んだ茎）.

ped·i·cle arch of ver·te·bra 椎弓根のアーチ（身体から薄膜まで伸びている椎弓の一部．隣接する椎骨の茎が椎間孔を形成し，そこを通って脊髄神経が発生する）.

ped·i·cle flap 有茎皮弁（①移植中に供与部位からの茎より血行が維持される皮弁．②歯周手術において，歯に接した歯肉の厚さを増すため，または歯根部表面をおおう目的で行う．歯肉を，片側は歯根部につけたままにして，対側を隣接部へ動かし，端を縫合して行う）.

pe·dic·u·lar (pĕ-dik′yū-lăr). シラミの.

pe·dic·u·late (pĕ-dik′yū-lāt). 有茎の，有柄の. = pedicellate; pedunculate.

pe·dic·u·la·tion (pĕ-dik-yū-lā′shŭn). シラミ寄生症（シラミに寄生された状態）.

pe·dic·u·li (pĕ-dik′yū-lī). pediculus の複数形.

pe·dic·u·li·cide (pĕ-dik′yū-li-sīd). 殺シラミ薬.

pe·dic·u·lo·sis (pĕ-dik-yū-lō′sis). シラミ寄生症（シラミが寄生している状態）.

pe·dic·u·lo·sis pu·bis ケジラミ寄生症（ケジラミ *Pthirus pubis* による寄生．特に陰毛にみられ，そう痒と空色の斑を生じる）.

pe·dic·u·lous (pĕ-dik′yū-lŭs). シラミ寄生症の.

Pe·dic·u·lus (pĕ-dik′yū-lŭs). シラミ属（ヒトジラミ科の一属．毛の中に住み，人体から周期的に栄養をとっている寄生虫．重要種はヒトに寄生するアタマジラミ *Pediculus humanus* var. *capitis*，ヒトの着衣に寄生し，卵を産み，吸血するコロモジラミ *Pediculus humanus* var. *corporis*（*Pediculus corporis* ともよばれる）およびケジラミ *Pediculus pubis* である）.

pe·dic·u·lus, pl. pe·dic·u·li (pĕ-dik′yū-lŭs, -lī). ***1*** 茎. = pedicle(1). ***2*** シラミ（→*Pediculus*）.

ped·i·gree (ped′i-grē). 家系図（家系の先祖代々の系列で，特に家系歴を示すために表に図解したもの．メンデル式遺伝を分析するために遺伝学で用いる）.

ped·i·gree a·nal·y·sis 家系分析（ある家系にみられる形質のパターンについて，その遺伝確率，発現年齢，表現型の多様性などを決定する古典的調査）.

pe·do·don·ti·a (pē′dō-don′shē-ă). = pediatric dentistry; paedodontia.

pe·do·don·tics (pē′dō-don′tiks). 小児歯科〔学〕（小児の歯科治療を扱う歯科の分野）. = pediatric dentistry; paedodontics.

pe·do·don·tist (pē′dō-don′tist). 小児歯科医. = pediatric dentist; paedodontist.

ped·o·dy·na·mom·e·ter (ped′ō-dī-nă-mom′ĕ-tĕr). 足力測定器（足の筋肉の強さを測定する器械）.

pe·do·me·ter (pĕ-dom′ĕ-tĕr). 歩数計，ペドメータ（歩行による歩数を測定するための器械．移動距離や消費エネルギーを推計できるモデルもある）.

pe·do·mor·phism (pē-dō-mōr′fizm). 小児の行動を描写する用語を成人の行動について用いること. = paedomorphism.

pe·do·phil·i·a (pē-dō-fil′ē-ă). 小児〔性〕愛（精神医学において，性的目的をもつ成人の小児に対する異常な興味）. = paedophilia.

pe·do·phil·ic (pē-dō-fil′ik). 小児〔性〕愛の. = paedophilic.

pe·dun·cle (pĕ-dŭngk′ĕl). ***1*** 脚（神経解剖学においては，この用語は，もっぱら白質(例えば小脳脚)または白質と灰白質(例えば大脳脚)からなる脳の種々の脚状の連絡組織に漠然と用いる）. ***2*** 茎. = pedicle(2).

pe·dun·cu·lar (pĕ-dŭngk′yū-lăr). 茎の，柄の，脚の.

pe·dun·cu·late (pĕ-dŭngk′yū-lāt). 有茎の，柄のある. = pediculate.

pe·dun·cu·lot·o·my (pĕ-dŭngk′yū-lot′ŏ-mē). ***1*** 大脳脚切断術（大脳脚の全部または一部の切断）. ***2*** 脚切断〔術〕，脚切開〔術〕（中脳における錐体路切断術）.

pe·dun·cu·lus, pl. pe·dun·cu·li (pĕ-dŭngk′yū-lŭs, -lī). 脚. = pedicle(2).

PEEP positive end-expiratory pressure の略.

peep·ing tes·tis かくれ精巣（内鼡径輪の位置で出たりはいったり移動する状態の停留精巣）.

peer re·view 同等者(同僚)検閲（研究計画，投稿原稿，科学的会議での発表抄録などを同一分野の研究者が検閲し批判すること）.

peer-re·view or·gan·i·za·tion (PRO) 同僚者評価機関（保健医療財政局(メディケア制度の患者に代わって，支払いを行う)と契約を結んで，メディケア制度の患者に提供する医療の必要性と質のチェックや，保健医療施設への支払い額を算出するときに，その基礎となる診断別分類(DRG)のチェックの管理業務を行う組織）.

PEFR peak expiratory flow rate の略.

PEG percutaneous endoscopic gastrostomy の略.

pegged tooth 栓状歯（歯頸部から切端部に向かって栓状をなす歯）.

PEG tube percutaneous endoscopic gastrostomy tube の略．水分もしくは栄養の投与のために X 線透視検査時に挿入される.

pei-ma (pā-mah). = castor bean.

Pel-Eb·stein fe·ver, Pel-Eb·stein dis·ease ペル-エブスタイン熱（Hodgkin 病でよくみられる弛張熱）.

pe·li·o·sis (pel′ē-ō′sis). 紫斑病. = purpura.

pe·li·o·sis hep·a·tis 肝臓紫斑病（肝臓全体に血液の充満した腔が存在する．その小腔は内皮で裏打ちされていることもあり，器質化されていることもある．杆菌性血管腫症状が特徴．免疫無防備状態のヒトに *Rochalimaea henselae* によって引き起こされる）.

pel·lag·ra (pĕ-lag′ră). ペラグラ（ナイアシンの欠乏した食事で引き起こされる下痢，皮膚炎，および痴呆を特徴とする病気).

pel·lag·rous (pĕ-lagʹrŭs). ペラグラの.

Pel·le·gri·ni dis·ease ペレグリーニ病 (膝内側側副靱帯の石灰化および(または)大腿骨内顆内側部での骨形成を示す疾患).

pel·let (pelʹĕt). ***1*** 小丸剤, 顆粒剤. ***2*** ペレット剤, 植込み剤 (ごく小さな丸い杆状または卵形の無菌性の製剤で, 主に純粋のステロイドホルモンの圧縮形. 体組織の皮下に植え込むことを目的としているペレット剤は, 長期間ホルモンがゆっくり放出するデポ剤として作用する).

pel·li·cle (pelʹi-kĕl). ***1*** 周皮, 薄皮, 小皮 (文字どおり, 非特異的に薄い皮膚をいう). ***2*** 薄膜, 菌膜 (液体表面の薄膜または浮きかす). ***3*** 外皮, 外被, 薄皮, 薄膜 (Apicomplexa 亜門(胞子虫綱)に属する原生動物のスポロゾイトとメロゾイトの細胞限界膜で, 単位膜性の外膜と 2 つの単位膜からなる内膜より構成されている).

pel·lu·cid (pĕ-lūʹsid). 透明の (光を通過させる).

pel·lu·cid mar·gi·nal cor·ne·al de·gen·er·a·tion ペルーシド辺縁角膜変性 (角膜周辺部の両眼性混濁で, 進行すると溝や拡張形成をきたす).

pel·lu·cid zone 透明帯. = zona pellucida.

pel·ta·tion (pel-tāʹshŭn). 接種予防効果 (抗血清またはワクチンを接種することによる予防効果).

pelvi-, pelvio-, pelvo- 骨盤を意味する連結形. *cf.* pyelo-.

pel·vic (pelʹvik). 骨盤の.

pel·vic ax·is 骨盤軸 (骨盤の 4 平面の各中点を結ぶ仮想線. 各平面の高さでそれぞれ中心点を求める). = plane of pelvic canal.

pel·vic cav·i·ty 骨盤腔 (側方を骨盤の諸骨で囲まれ, 上方は骨盤上口を境とし下方は骨盤隔膜までをいう. 骨盤内臓を収容する).

pel·vic cel·lu·li·tis 骨盤蜂巣炎. = parametritis.

pel·vic di·a·phragm, di·a·phragm of pel·vis 骨盤隔膜 (一対の肛門挙筋と尾骨筋およびその上下の筋膜とからなる).

pel·vic di·rec·tion 骨盤腔の中軸の方向.

pel·vi·ceph·a·lom·e·try (pelʹvi-sef-ă-lomʹĕ-trē). 骨盤児頭計測〔法〕(女性の骨盤径と児頭径の相関関係を測定すること).

pel·vic fas·ci·a 骨盤筋膜 (壁側筋膜と臓側筋膜とに区別される).

pel·vic gan·gli·a 骨盤神経節 (下下腹神経叢(骨盤神経叢)内に散在する副交感神経節).

pel·vic gir·dle 下肢帯 (骨盤と仙骨で形づくられた下肢と連絡しているところの骨の環状構造).

pel·vic in·flam·ma·to·ry dis·ease (PID) 骨盤腹膜炎 (女性生殖器官(子宮内膜, 卵管, 骨盤腹膜)の急性あるいは慢性の化膿性疾患. 淋菌 *Neisseria gonorrhoeae*, クラミジア *Chlamydia trachomatis*, およびその他の起因菌で発症する典型的性行為感染症の合併症である. 月経, 分娩, 流産を含む外科的操作でも誘発される. 卵管–卵巣膿腫, 不妊症の原因となる卵管狭窄, 子

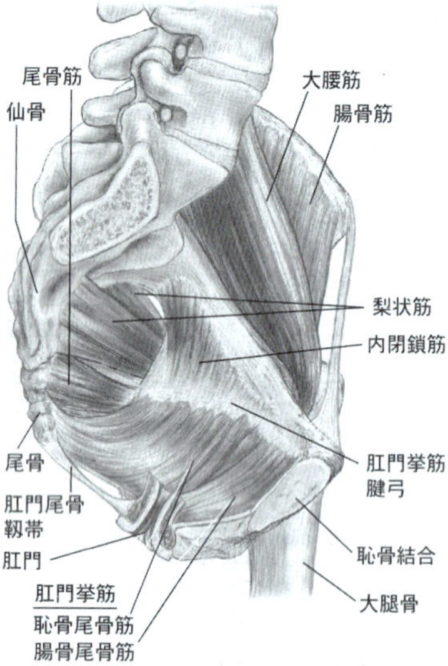
尾骨筋
仙骨
大腰筋
腸骨筋
梨状筋
内閉鎖筋
尾骨
肛門挙筋
腱弓
肛門尾骨
靱帯
肛門
恥骨結合
大腿骨
肛門挙筋
恥骨尾骨筋
腸骨尾骨筋

pelvic diaphragm

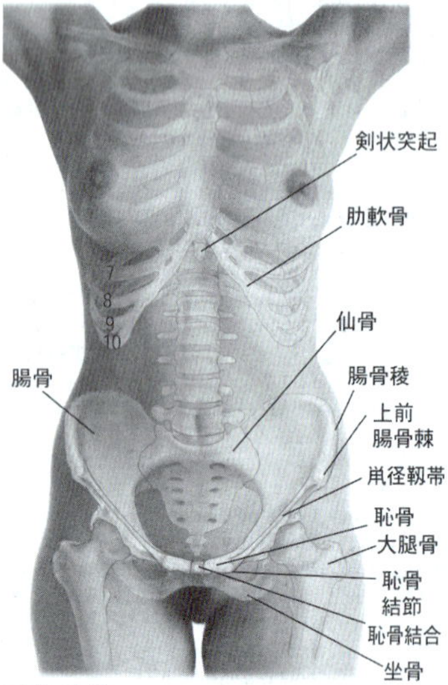
剣状突起
肋軟骨
7
8
9
10
仙骨
腸骨
腸骨稜
上前
腸骨棘
鼡径靱帯
恥骨
大腿骨
恥骨
結節
恥骨結合
坐骨

pelvic girdle

宮外妊娠の強いリスク要因となり腹膜癒着の合併をきたす).

pel·vic per·i·to·ni·tis 骨盤腹膜炎 (子宮と卵管の周囲の腹膜に拡大した炎症). = pelviperitonitis.

pel·vic plane of great·est di·men·sions 最大骨盤面 (恥骨結合の後面の中央から,第二・第三仙椎の連結部を結び,側方は寛骨臼の中央上にて坐骨を結ぶ骨盤).

pel·vic plane of least di·men·sions 最小骨盤面 (仙骨の末端から恥骨結合の下端に達している.後方は仙骨の末端で,側方は坐骨棘で,前方は恥骨結合の下端で区切られている).

pel·vic pole 骨盤極 (胎児の殿端).

pel·vic splanch·nic nerves 骨盤内臓神経 (第二-第四仙骨神経前枝の内臓枝で,下下腹神経叢と合流して骨盤神経叢を形成する.副交感性節前線維と感覚枝を含む). = nervi pelvici splanchnici; parasympathetic root of pelvic ganglia; radices parasympathicae gangliorum pelvicorum; nervi erigentes.

pel·vic tilt 骨盤傾斜調整 (腹筋を強化し,腰痛から回復させ,そして姿勢を改善させる運動.安定した平らな面(壁や床)に背中を押しつけ,背骨をべったりとつける.この運動は仰向け状態,座った状態,あるいは立った状態で行うことができる.この骨盤傾斜調整運動は,出産前の背中痛のための運動として一般的に勧められている).

pel·vic ver·sion 骨盤回転〔術〕(胎児の殿部を操作して,横位または斜位を骨盤位に変える回転術).

pel·vi·fix·a·tion (pel′vi-fik-sā′shŭn). 骨盤臓器固定〔術〕(遊離している骨盤臓器を骨盤壁に外科的に固定すること).

pel·vi·li·thot·o·my (pel′vi-li-thot′ŏ-mē). 腎盂切石〔術〕. = pyelolithotomy.

pel·vim·e·ter (pel-vim′ĕ-tĕr). 骨盤計 (骨盤の径を外部から測定するカリパス様の器械).

pel·vim·e·try (pel-vim′ĕ-trē). 骨盤計測〔法〕(骨盤径の測定).

pel·vi·o·plas·ty (pel′vē-ō-plas-tē). ***1*** 骨盤形成〔術〕(女性の骨盤下口を拡張するための恥骨結合切開または恥骨切開). ***2*** 腎盂形成〔術〕. = pyeloplasty.

pel·vi·ot·o·my, pel·vit·o·my (pel′vē-ot′ŏ-mē, pel-vit′ŏ-mē). ***1*** 骨盤切開〔術〕. = symphysiotomy. ***2*** = pubiotomy. ***3*** 腎盂切開〔術〕. = pyelotomy.

pel·vi·per·i·to·ni·tis (pel-vē-per-i-tō-nī′tis). = pelvic peritonitis.

pel·vis, pl. **pel·ves** (pel′vis, -vēz). ***1*** 骨盤 (体幹の下端に位置し,靱帯とともに両側と前方は寛骨(恥骨,腸骨,坐骨),後方は仙骨と尾骨よりできている大きな杯状の骨の環). ***2*** 杯,盤 (腎盤のような,たらい状または杯状の洞).

pel·vis jus·to ma·jor 均等膨大骨盤 (径がどの部分でも正常値より大きい対称性骨盤).

pel·vis jus·to mi·nor 均等狭窄骨盤 (女性型の骨盤の1つで,径がどの部分でも正常より狭い).

pel·vi·ver·te·bral an·gle 骨盤椎骨角 (体幹または脊柱の全身軸と骨盤上口面とによってできる角).

pel·vo·ca·li·ec·ta·sis (pel′vō-kal-ē-ek-tā′sis). 腎盂腎杯拡張症. = hydronephrosis.

PEM *protein energy malnutrition* の略.

pem·phi·goid (pem′fi-goyd). ***1*** 〚adj.〛天疱瘡様の. ***2*** 〚n.〛類天疱瘡 (天疱瘡に類似するが,有意に識別でき,組織学的には棘融解はなく,臨床的には概して良性である).

pem·phi·gus (pem′fi-gŭs). 天疱瘡 (①棘融解を伴う自己免疫性水疱性疾患. ②水疱形成性皮膚疾患を表す一般的用語).

pem·phi·gus er·y·the·ma·to·sus 紅斑性天疱瘡 (太陽にさらされた皮膚,特に顔面に生じる発疹.病変は落屑性の紅斑と水疱を示す).

pem·phi·gus fo·li·a·ce·us 落葉状天疱瘡 (一般的に慢性の経過をとる天疱瘡の一型.水疱に加えて広範な剥脱性皮膚炎が存在するもの).

pem·phi·gus gan·gre·no·sus 壊疽性天疱瘡 (①= dermatitis gangrenosa infantum. ②= bullous impetigo of newborn).

pem·phi·gus vul·ga·ris 尋常〔性〕天疱瘡 (重篤な疾患で,中年者に生じ,皮膚では弛緩性棘融解性の基底層直上の水疱を,口腔粘膜ではびらんを呈する.初めは限局性で,2,3か月後に汎発化することがある.水疱は容易に破れて治りが遅い.この疾患は重層する有棘細胞上皮の細胞間に局在する自己免疫性抗体の作用によって生じる).

Pen·dred syn·drome ペンドレッド症候群 (甲状腺のヨード有機化障害による甲状腺腫(通常は小さい)を伴う先天性の感覚性聴力障害.患者の甲状腺機能は正常であることが多い.常染色体劣性遺伝で,第7染色体長腕にあるペンドリン蛋白をコードしている Pendred 症候群

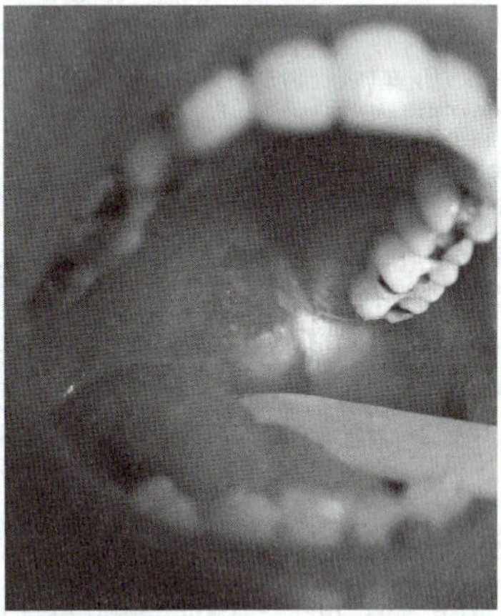

pemphigus vulgaris

P

(PDS)遺伝子の突然変異により生じる).

pen·du·lar nys·tag·mus 振子様眼振 (一般に視力障害により起こり，どの注視方向においても同じ速度と振幅をもつ眼振).

pe·nes (pē-nēz). 多陰茎体症 (陰茎が複数あること).

pen·e·trance (pen′ĕ-trăns). 浸透度 (ある遺伝子型をもつ個体中で，表現型に影響を受けた個体の出現頻度. 分数または百分率で表す. 表現に障害を与える因子としては，環境，あるいは純粋な突発的な変異によることもある. 表現型が遺伝によるもので，血族で相関がある傾向をもつ下位性とは対照的である).

pen·e·trat·ing wound 穿通創 (深部組織や体腔にまで及ぶ体表面の離開を伴う創).

-penia 欠乏を意味する連結形で，接尾語.

pe·ni·cil·li·o·sis (pen′i-sil′ē-ō′sĭs). ペニシリウム症 (*Penicillium* 属の菌による侵襲性感染).

Pen·i·cil·li·um (pen-i-sil′ē-ŭm). ペニシリウム属 (種々の抗生物質と生物学的薬剤を産生する真菌の一属. →penicillus).

pen·i·cil·lus, pl. pe·ni·cil·li (pen-i-sil′ŭs, -sil′ī). ***1*** 筆毛動脈 (脾臓で細い動脈が相次いで分岐してできるふさ状の動脈). ***2*** 毛筆状体 (真菌類において，*Penicillium* 属の種の，菌糸形成を担っている分岐系).

pe·nile (pē′nīl). 陰茎の.

pe·nile pros·the·sis 陰茎プロテーゼ (勃起障害を是正するため陰茎内に埋め込む器具).

pe·nile ra·phe 陰茎縫線 (陰嚢縫線が陰茎下面に続いたもの).

pe·nis, pl. pe·nes (pē′nis, pē-nēz). 陰茎 (男性の交接および排尿器. 3つの円柱状の勃起に関する組織からなり，2つの陰茎海綿体は背外側に，1つの尿道海綿体は正中下方に位置する. 尿道は後者を貫く. 尖端の亀頭は尿道海綿体の膨大により形成され，皮膚の自由ひだ(包皮)によっておおわれる).

pe·nis·chi·sis (pē-nis′ki-sis). 陰茎裂 (陰茎に亀裂があり，尿道に開口する. 上方(尿道上裂)，下方(尿道下裂)，側方(尿道側裂)がある).

pen·nate (pen′āt). 羽毛の，羽毛状の，羽の. = penniform.

pen·ni·form (pen′i-fōrm). = pennate.

Pen·rose drain ペンローズドレーン (軟らかい管状のドレーン).

penta- 5を意味する連結形.

pen·tose (pen′tōs). ペントース，五炭糖 (分子に5つの炭素原子をもつ単糖類).

pen·tose phos·phate path·way ペントースリン酸経路 (D-グルコース酸化の二次的経路(骨格筋には存在しない). ミトコンドリア外の細胞質においての還元物質(NADPH)の生成およびペントースやいくつかの他の糖を合成する. このペントースリン酸経路は，ある遺伝性疾患(例えばグルコース-6-リン酸デヒドロゲナーゼ欠損症)で欠損している). = Dickens shunt.

pen·to·su·ri·a (pen-tō-syūr′ē-ă). ペントース尿〔症〕，五炭糖尿〔症〕(尿中に1種以上の五炭糖が過剰に排泄されること).

pen·tyl (pen′til). ペンチル (①= amyl. ② CH_3-$(CH_2)_3CH_2$- 部分).

pe·num·bra (pĕ-nŭm′bră). 半影 (点光源(線源)ではない光源やX線源によって不完全に照明・照射された領域). = geometric unsharpness.

pep·lo·mer (pep′lō-mĕr). ペプロマー (ウイルス粒子のペプロス(外被)のノブ様のサブユニットの一部で，その配列によって完全なペプロスをつくる. ペプロスの洗剤処理によって生じる. →peplos).

pep·los (pep′lōs). ペプロス (あるウイルス粒子を包んでいるリポ蛋白の外被).

pep pills 中枢神経興奮薬，特にアンフェタミンを含有する錠剤を意味する口語.

pep·sin (pep′sin). ペプシン (胃で産生される蛋白質分解酵素).

pep·sin·o·gen (pep-sin′ō-jen). ペプシノゲン (胃粘膜の主細胞でつくられ分泌されるプロ酵素. 胃液の酸性とペプシン自身がペプシノゲンから42個のアミノアシル残基を除去し，活性ペプシンを生じる). = propepsin.

pep·tic (pep′tik). 消化〔性〕の，ペプシンの.

pep·tic cell 消化細胞. = zymogenic cell.

pep·tic di·ges·tion = gastric digestion.

pep·tic ul·cer 消化性潰瘍 (酸性胃腸分泌液にさらされている，通常は胃または腸の消化器粘膜の潰瘍).

pep·ti·dase (pep′ti-dās). ペプチダーゼ (ペプチドのペプチド結合を加水分解する酵素. 例えば，カルボキシペプチダーゼ，アミノペプチダーゼなど).

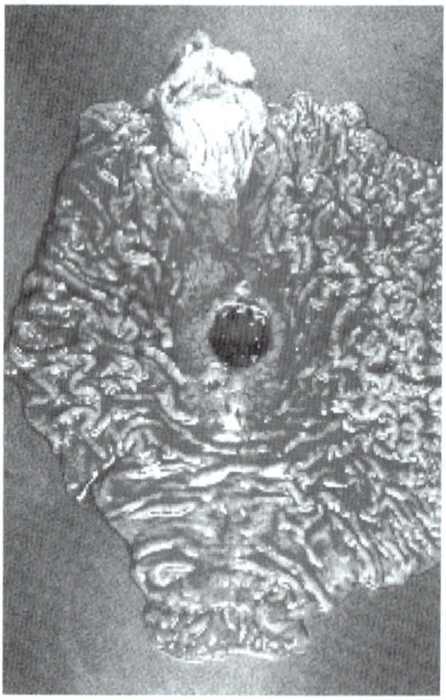

deep peptic ulcer

pep·tide (pep′tīd). ペプチド（2分子以上のアミノ酸からなる化合物. 1つのアミノ酸のカルボキシル基が, 他のアミノ酸の *α*-アミノ基と結合し, 水1分子が除去され, ペプチド結合 -CO-NH- が生じる, すなわち置換アミド. *cf.* bioregulator).

pep·tide an·ti·bi·ot·ic ペプチド抗生物質（ペプチドを成分とする抗生物質. 抗菌作用は細胞膜の物理的破壊に基づく).

pep·tide bond ペプチド結合（蛋白のアミノ酸間の一般的な結合 -CO-NH- で, 実際は置換アミド. 1つのアミノ酸の -COOH 基ともう1つのアミノ酸の H_2N 基とから H_2O を除去してつくられる).

pep·ti·der·gic (pep-ti-dĕr′jik). ペプチド作用（作動)〔性〕の（小ペプチド分子を神経伝達物質にしていると考えられている神経細胞または神経線維に関する).

pep·tide YY ペプチドYY（脳に食べることをやめるようにサインを送るための, 小腸から放出されるホルモン).

pep·ti·do·gly·can (pep′ti-dō-glī′kan). ペプチドグリカン（糖に結合したアミノ酸またはペプチドを含む化合物で, 糖が主構成成分である. *cf.* glycopeptide).

pep·ti·doid (pep′ti-doyd). ペプチドイド（*α*-カルボキシル基または *α*-アミノ基以外の, 少なくとも1個の基で縮合した2つのアミノ酸の縮合物. 例えばグルタチオン).

pep·ti·do·lyt·ic (pep′ti-dō-lit′ik). ペプチド分解の（ペプチドの開裂または消化を起こすものについていう).

pep·ti·dyl di·pep·ti·dase A ペプチジルジペプチダーゼA（種々の基質からC-末端ジペプチドを切断させる亜鉛含有加水分解酵素. 例えば, 基質としてアンギオテンシンIがアンギオテンシンIIとヒスチジルロイシンに変換される. ある種の血圧上昇物質の代謝の重要段階である).

Pep·to·coc·cus (pep-tō-kok′ŭs). ペプトコッカス属（非運動性・嫌気性・有機栄養要求性細菌の一属. グラム陽性の球形細胞で, 単独, 2個, 4個ずつ, または不規則な塊で存在し, まれには短鎖のこともある. しばしば病的状態に関連して見出される. 標準種は *Peptococcus niger*).

pep·to·gen·ic, pep·tog·e·nous (pep-tō-jen′ik, -toj′ĕ-nŭs). ***1*** ペプトン産生〔性〕の. ***2*** 消化促進〔性〕の.

pep·tol·y·sis (pep-tol′i-sis). ペプトン分解（ペプトンの水解).

pep·to·lyt·ic (pep-tō-lit′ik). ペプトン分解の（①ペプトン水解についていう. ②ペプトンを水解する酵素または他の試薬についていう).

pep·tone (pep′tōn). ペプトン（蛋白の部分的水解により生じる中間体ポリペプチドをさす用語. 通常, 水に溶解, 拡散し, 熱により凝固しない. 細菌培養培地に用いる).

pep·ton·ic (pep-ton′ik). ペプトン性の.

pep·to·ni·za·tion (pep′ton-ī-zā′shŭn). ペプトン化（天然の蛋白を酵素の作用によって可溶性ペプトンに変換すること).

Pep·to·strep·to·coc·cus (pep′tō-strep-tō-kok′ŭs). ペプトストレプトコッカス属（非運動性・嫌気性・有機栄養性細菌の一属. 球形または卵形のグラム陽性細胞で, 2個ずつおよび短鎖または長鎖で存在する. この細菌は, 正常または病的な女性の生殖器系および産褥熱における血液, 正常なヒトおよび他の動物の気道および腸管, または口腔, 化膿性感染, 腐敗性の戦傷, および虫垂炎などに見出される. これらは病原性がある. 標準種は *Peptostreptococcus anaerobius*).

PER protein efficiency ratio の略.

per- ***1*** …を通して, を意味する接頭語. 強烈(過度)という概念をもつ. ***2*** 化学において, ⓘ化合物中の所定の元素(過塩素酸におけるように通常は酸素)または基の量に関して, より多いまたは最も多い, ⓘⓘ水素元素に対する置換の程度(過酸化水素, 過ギ酸), についていう. →peroxy-.

per·ac·id (per-as′id). 過〔酸素〕酸, ペル酸（過酸化基(-O-OH)を含む酸. 例えば過酢酸).

per·a·cute (per′ă-kyūt′). 超急性（疾病に用いられる語).

per an·um 経肛門的に（肛門によって, または肛門を通して).

per·cept (pĕr′sept). ***1*** 知覚表象（対象または思考についての完全な心像で, 知覚過程によってつくられたもの). ***2*** 認知（臨床心理学において, 知覚の報告からなる1単位をなすものをいう. 例えば Rorshach 試験において, インキのしみに対する反応の1つをいう).

per·cep·tion (pĕr-sep′shŭn). 知覚, 認知（ある対象や思考に気付いたり, 認識するようになる精神過程. その過程は感情的あるいは能動的であるというよりは, 基本的にはむしろ認識的であるが, これら3つの側面が明らかに関与している). = esthesia.

per·cep·tive (pĕr-sep′tiv). 知覚の, 知覚しうる（通常より高い知覚能力と関連した, あるいはその力をもつことをいう).

per·cep·tiv·i·ty (pĕr-sep-tiv′i-tē). 知覚力.

per·cep·tu·al nar·row·ing 知覚的狭窄化（注意力の集中が乏しくなり, 興奮レベルが増加している状態において, 特定のタイプの情報においてミスを起こす個人的傾向. 例えば, ゴルフ練習場で練習しているゴルフ初心者が, 初めてゴルフトーナメントに出場する際など).

per·cep·tu·al pro·ces·sing 知覚過程, 知覚処理（知覚を意味のあるパターンにインプットする機構).

per·co·la·tion (pĕr-kō-lā′shŭn). ***1*** 濾過. = filtration. ***2*** パーコレーション（液体溶媒を通過させることにより固体混合物から可溶部分を抽出すること). ***3*** 浸透（歯の構造と修復物間の間隙を唾液または他の液体が通過すること. ときに温度の変化によって引き起こされる).

per con·tig·u·um 接触的に（炎症またはその他の病的過程が隣接した構造へ侵襲し拡散する形式についていう).

per con·tin·u·um 連続的に（炎症またはその他の病的過程がある部分から他の部分へ連続した組織を通して拡散する形式についていう).

per·cuss (pĕr-kŭs′). 打診する.

P

per·cus·sion (pĕr-kŭsh′ŭn). *1* 打診〔法〕(指または打診槌で軽くたたくことにより発生した音によってその身体部位の密度を推定するために考案された診断法．主として胸部で肺に正常な含気が存在することを診るために，あるいは腹部で小腸ループの空気を評価するために実施する)．*2* 軽打按摩〔法〕(力を変えて繰り返し強打または軽打することからなるマッサージの形式)．

per·cus·sor (pĕr-kŭs′ŏr)．打診槌．= plessor.

per·cu·ta·ne·ous (pĕr-kyū-tā′nē-ŭs)．経皮の(皮膚を通しての物質の経路についていう．例えば塗擦による吸収，および Seldinger 法による針金やカテーテルの挿入を含めた，針による皮膚の穿孔によって通じる経路なども含む)．

per·cu·ta·ne·ous co·ro·nar·y in·ter·ven·tion (PCI) 経皮的冠動脈インターベンション(冠状動脈内部の閉塞を減らしたり取り除くために心臓カテーテルを挿入する治療法．心筋への血流を増加させる．粥腫切除術，小線源療法，ステント挿入術，血管形成術，そしてレーザー血行再建術が含まれる)．= intracoronary stenting.

per·cu·ta·ne·ous en·do·scop·ic gas·tros·to·my (PEG) 経皮的内視鏡下胃瘻造設術(開腹することなく胃瘻を造設する方法で，通常は胃鏡，胃への送気，胃と腹壁の穿刺，そして特別なチューブの設置からなる)．

per·cu·ta·ne·ous en·do·scop·ic gas·tros·to·my tube (PEG tube) 経皮内視鏡的胃瘻チューブ(内視鏡の助けをかりて腹壁を通って胃の中に入れられるチューブ．食べ物を飲みこむことのできない患者に食事を与えるために使用される)．= G-tube; gastrostomy tube.

per·cu·ta·ne·ous trans·he·pa·tic chol·an·gi·og·ra·phy (PTHC) 経皮経肝胆管造影(撮影)〔法〕(経皮的に肝内胆管に挿入した穿刺針から造影剤を注入して行う胆管系の造影 X 線検査)．

per·cu·ta·ne·ous trans·lu·mi·nal an·gi·o·plas·ty (PTA) 経皮経管動脈形成〔術〕(血管造影用カテーテルの先端にあるバルーンを狭窄部位で膨張させる(その後撤退する)ことにより狭窄した血管内腔を拡大する手技で，血管内ステントの留置を含むこともある．アテローム硬化性冠動脈疾患や不安定狭心症の治療で血流の改善に用いる)．

per·cu·ta·ne·ous trans·tra·che·al ven·ti·la·tion 経皮気管〔静脈カテーテル〕換気．= needle cricothyrotomy.

per·en·ceph·a·ly (pĕr-en-sef′ă-lē)．脳嚢胞〔症〕(1 つ以上の脳の嚢胞を特徴とする状態)．

per·fect fun·gus 完全真菌(有性および無性の両生殖法を有し，その交配型が両方とも認められている真菌)．

per·fec·tion·ism (pĕr-fek′shŭn-izm)．完全主

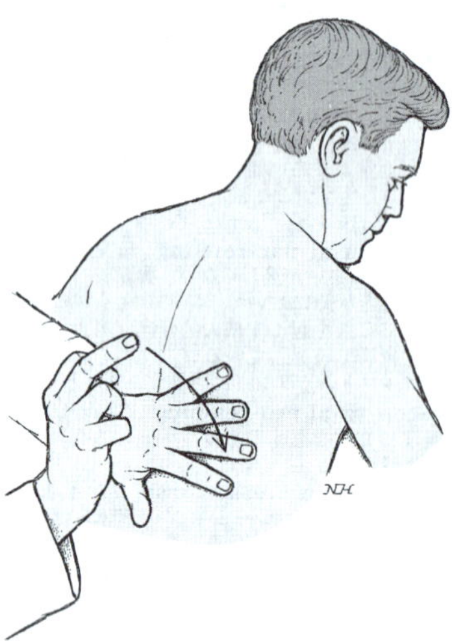
NH

percussion

左中指の遠位指節を肋骨と平行にして胸壁に対してしっかり固定する．右手中指の先で，左中指の遠位指節の基部を短く，すばやい打ち方で叩く．

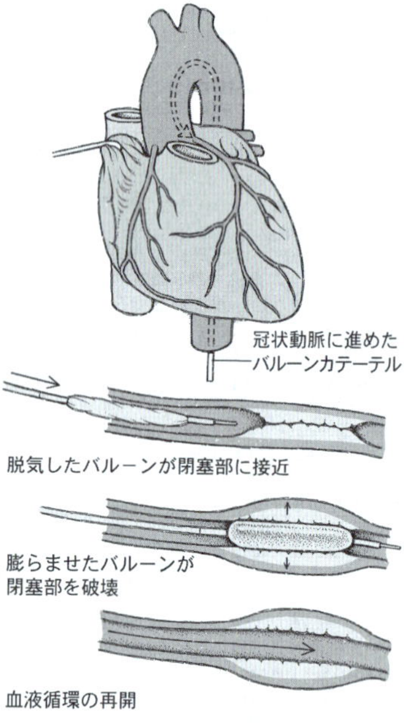
冠状動脈に進めた
バルーンカテーテル
脱気したバルーンが閉塞部に接近
膨らませたバルーンが
閉塞部を破壊
血液循環の再開

percutaneous transluminal angioplasty

義（自己に対してかなり高い要求水準を保とうとする傾向）.

per·fec·tion·is·tic per·so·na·li·ty 完全主義性格（堅さ，極端な抑制，極度のこだわりへの服従，しばしば特殊な基準に固着することなどに特徴付けられる性格）.

per·fect stage 完全期（真菌の有性生活環期を示すのに用いる真菌学用語で，胞子が核融合後に形成される）.

per·fo·rat·ed (pĕr′fŏr-āt-ĕd). 穿孔した，有孔の，貫通した.

per·fo·rat·ed ul·cer 穿孔性潰瘍（器官の壁を貫通する潰瘍）.

per·fo·rat·ing ab·scess 穿孔〔性〕膿瘍（組織壁を貫いて隣接部位に侵入する膿瘍）. = migrating abscess; wandering abscess.

per·fo·rat·ing ar·ter·ies 貫通動脈（大腿深動脈から起こり，大内転筋の腱膜を貫通する 3，4 本の血管で，大腿の後部および前部に分布する）. = arteriae perforantes.

per·fo·rat·ing fi·bers 貫通線維（骨の外環状層板，または歯のセメント質の中を通る膠原線維の束）.

per·fo·rat·ing veins 貫通静脈（大腿深動脈からの貫通動脈に伴う静脈. 外側広筋と大腿屈筋群から血液を集めて，大腿深静脈に注ぐ）.

per·fo·rat·ing wound 穿孔創（創入口と創出口のある創傷）.

per·fo·ra·tion (pĕr′fŏr-ā′shŭn). 穿孔（管腔臓器にみられる異常な開口. →perforated）. = tresis.

per·fo·rin (pĕr′fō-rin). パーフォリン（細胞傷害性Tリンパ球とナチュラルキラー細胞の細胞質内顆粒に貯蔵されている蛋白. 標的細胞の溶解に関係する）.

per·for·mance (pĕr-fōr′măns). 行為（一定の状況下にある個人に特徴的ないし期待される組織化された行動パターン）.

per·for·mance ar·e·as 行為領域（個人の機能的能力を決定し，人間の行動を規定する日常生活活動，仕事ないし他の生産的活動，遊び，余暇活動）. = performance patterns.

per·for·mance com·po·nents 行為構成要素（機能的行為における知覚運動，認識，心理・社会的，および心理的な構成要素. 行為領域にうまく参画するために必要とされる）.

per·for·mance con·text 行為文脈（日常生活における意味のある，目的をもった課題の遂行に影響を与える，環境の物理的，社会的，文化的な特徴）.

per·for·mance in·ten·si·ty 認識向上（音圧を上げるにしたがって言葉の認知が向上すること）.

per·for·mance pat·terns = performance areas.

per·fuse (pĕr-fyūz′). 灌流する（血液や他の液体を動脈から組織の血管床や中空構造の腔内に流す(例えば分離腎尿細管)）.

per·fu·sion (pĕr-fyū′zhŭn). 灌流（①灌流すること. ②換気灌流比のように，単位組織当たりの血液や他の灌流液の流れをいう）.

peri- …の周囲の，…の周りの，…の近くの，を意味する接頭語. *cf.* circum-.

per·i·ad·e·ni·tis (per′ē-ad-ĕ-nī′tis). 腺周囲炎（腺周囲の組織の炎症）.

per·i·ad·e·ni·tis mu·co·sa ne·cro·ti·ca re·cur·rens 再発性壊死性粘膜腺周囲炎. = aphthae major.

per·i·a·nal (per′ē-ā′năl). 肛門周囲の.

per·i·a·nal ab·scess 肛門周囲膿瘍（肛門管の周りの軟組織の伝染病. 離散的に膿瘍空洞が形成される）.

per·i·an·gi·tis (per′ē-an-jī′tis). 脈管周囲炎（脈管外膜，外膜周囲組織，またはリンパ節の炎症. →periarteritis; periphlebitis; perilymphangitis）. = perivasculitis.

per·i·a·or·ti·tis (per′ē-ā-ōr-tī′tis). 大動脈周囲炎（大動脈外膜および外膜周囲組織の炎症）.

per·i·ap·i·cal (per′ē-ap′i-kăl). 歯根尖〔端〕周囲の（①歯根尖またはその周囲についていう. ②尖周囲についていう）.

per·i·ap·i·cal ce·ment·al dys·pla·si·a 根尖性セメント質異形成症，根尖性線維性〔骨〕異形成症（良性で，無症状の顎骨の非腫瘍性病変. もっぱら中年の黒人女性にみられる. 病変は通常，多発性で，生活歯である下顎の前歯の根尖周囲に認められることが多く，初期にはX線透過性であるが，成熟するに従って不透過性が増す）.

per·i·ap·i·cal cu·ret·tage 根尖周囲掻爬〔術〕（①病理的骨欠損部からキューレットを用いて歯根周囲の嚢胞や肉芽腫を除去すること. ②抜歯またはそれに引き続いて行われる腐骨分離後に，歯槽より歯の破片および残屑を除去すること）.

per·i·ap·i·cal film 根尖投影法（口腔内のX線写真投影. 歯の根尖部および周囲の歯槽骨を調べるために行う. フイルムサイズは 0—2 が使用される. →periapical radiograph）.

per·i·ap·i·cal gran·u·lo·ma 歯根肉芽腫（失活歯の根尖周囲に認められる増殖肉芽組織. 歯髄の壊死に起因する）. = apical granuloma; dental granuloma.

per·i·ap·i·cal ra·di·o·graph 根尖周囲X線写真（口腔内の特定領域の根尖およびその周囲組織を観察するためのX線写真）.

per·i·ap·pen·di·ce·al ab·scess 虫垂周囲膿瘍. = appendiceal abscess.

per·i·ap·pen·di·ci·tis (per′ē-ă-pen-di-sī′tis). 虫垂周囲炎（虫垂周囲の組織の炎症）.

per·i·ar·te·ri·al plex·us 動脈周囲神経叢（動脈に伴う自律神経叢で，動脈を取り囲み自律神経線維の網工を形成する）.

per·i·ar·te·ri·al plex·us·es of co·ro·na·ry ar·te·ries 冠状動脈〔動脈〕周囲神経叢（冠状動脈への心臓神経叢の続き）.

per·i·ar·te·ri·al sym·pa·thec·to·my 血管周囲交感神経切除〔術〕（動脈剥離による交感神経支配の除去）. = Leriche operation.

per·i·ar·te·ri·tis (per′ē-ahr-tĕr-ī′tis). 動脈周囲炎（動脈外膜の炎症）.

per·i·ar·te·ri·tis no·do·sa 結節性動脈周囲炎. = polyarteritis nodosa.

per·i·ar·thri·tis (per′ē-ahr-thrī′tis). 関節周囲炎.

per·i·ar·tic·u·lar ab·scess 関節周囲膿瘍（関節周囲に生じ，必ずしも関節そのものは侵さない膿瘍）.

per·i·bron·chi·o·li·tis (per′i-brong-kē-ō-lī′tis). 細気管支周囲炎（細気管支周囲の組織の炎症）.

per·i·bron·chi·tis (per′i-brong-kī′tis). 気管支周囲炎（気管支周囲の組織または気管支の炎症）.

per·i·car·di·a (per′i-kahr′dē-ă). pericardium の複数形.

per·i·car·di·ac, per·i·car·di·al (per′i-kahr′dē-ak, per′i-kahr′dē-ăl). ***1*** 心臓周囲の. ***2*** 心膜の.

per·i·car·di·a·co·phren·ic ar·ter·y 心膜横隔動脈（内胸動脈より起こり，心膜，横隔膜，胸膜に分布する．筋横隔動脈，下横隔動脈，内胸動脈の縦隔枝・心膜枝と吻合）. = arteria pericardiacophrenica.

per·i·car·di·a·co·phren·ic veins 心膜横隔静脈（心膜横隔動脈に伴い，腕頭静脈または上大静脈に注ぐ静脈）.

per·i·car·di·al cav·i·ty ***1*** 心膜腔（漿膜性心膜の壁側板と臓側板の間にある潜在的空隙）. ***2*** 心嚢（胎児の場合は，心臓を含む一次体腔部分．最初は心膜腹膜腔に通じ，それを経由して間接的に体腔の腹膜部につながる）.

per·i·car·di·al de·com·pres·sion = cardiac decompression.

per·i·car·di·al ef·fu·sion 心内膜液浸出（心嚢膜内の過剰の液貯留．通常は炎症による）.

per·i·car·di·al frem·i·tus 心膜振とう音（相対する心膜粗糙面の摩擦によって胸壁に生じる振動）.

per·i·car·di·al mur·mur 心外膜雑音（心臓の動きと同時に起こる摩擦音．心膜炎の際に聴取されることがある）.

per·i·car·di·al sym·phy·sis 心膜の癒着（心膜の壁側および臓側の層間の癒着）.

per·i·car·di·al veins 心膜静脈（心膜から始まり直接腕頭静脈または上大静脈に注ぐ小静脈）.

per·i·car·di·cen·te·sis (per′i-kahr′dē-sen-tē′sis). 心膜腔穿刺〔術〕（心膜腔を穿刺して誘導（ドレナージ）すること．引き続き持続的誘導のための留置カテーテルを挿入するのが普通である）.

per·i·car·di·ec·to·my (per′i-kahr′dē-ek′tŏ-mē). 心嚢(心膜)切除術（心嚢(心膜)の一部を切除すること）.

per·i·car·di·ol·o·gy (per′i-kahr′dē-ol′ŏ-jē). 心外膜学（心外膜の生理や疾患の研究）.

per·i·car·di·o·per·i·to·ne·al (per′i-kahr′dē-ō-per′i-tō-nē′ăl). 心膜腹膜の（心膜腔と腹膜腔に関する）.

per·i·car·di·o·per·i·to·ne·al ca·nal 心膜腹膜腔管（心膜腔と腹膜腔を結ぶ胚腔部分で，胸膜腔に発達する）.

per·i·car·di·o·phren·ic (per′i-kahr′dē-ō-fren′ik). 心膜横隔の（心膜と横隔膜に関する）.

per·i·car·di·o·pleu·ral (per′i-kahr′dē-ō-plūr′ăl). 心膜胸膜の（心膜腔および胸腔に関する）.

per·i·car·di·or·rha·phy (per′i-kahr′dē-ōr′ă-fē). 心嚢(心膜)縫合〔術〕.

per·i·car·di·os·to·my (per′i-kahr′dē-os′tŏ-mē). 心嚢造瘻術，心嚢開窓〔術〕（心嚢に窓をつくること）.

per·i·car·di·ot·o·my (per′i-kahr′dē-ot′ŏ-mē). 心嚢(心膜)切開〔術〕.

per·i·car·dit·ic (per′i-kahr-dit′ik). 心膜炎の.

per·i·car·di·tis (per′i-kahr-dī′tis). 心膜炎，心外膜炎.

per·i·car·di·tis ob·li·te·rans 閉塞性心膜炎（2 層の心膜が癒着し，心嚢閉塞を起こす心膜の炎症. →adhesive pericarditis）.

per·i·car·di·tis with ef·fu·sion 貯留性心外膜炎(心嚢炎)（大量の心嚢液生産を伴う心嚢膜炎症）.

per·i·car·di·um, pl. **per·i·car·di·a** (per′i-kahr′dē-ŭm, -dē-ă). 心膜（中皮と中皮下結合組織よりなる線維漿膜性の膜．心膜および大血管の起始部をおおう．2 層からなる閉鎖嚢で，一方は心臓全表面を直接おおう臓側板または心外膜，他方は壁側板で，漿膜(漿膜性心膜 serous pericardium)を伴う強靱な線維性組織(線維性心膜 fibrous pericardium)よりなる）. = heart sac; theca cordis.

per·i·cho·lan·gi·tis (per′i-kō-lan-jī′tis). 胆管周囲炎（胆管周囲組織の炎症）.

per·i·chon·dral, per·i·chon·dri·al (per′i-kon′drăl, -drē-ăl). 軟骨膜の.

per·i·chon·dral bone 軟骨膜骨（長骨の発生過程中，軟骨周囲の結合組織である軟骨膜の中にできる骨組織．それにより，軟骨膜は骨膜となる）.

per·i·chon·dri·tis (per′i-kon-drī′tis). 軟骨膜炎.

per·i·chon·dri·um (per′i-kon′drē-ŭm). 軟骨膜（軟骨周囲の厚く不規則な結合組織膜）.

per·i·chrome (per′i-krōm). ペリクロム（色素親和性物質または染色されうる物質が細胞質中に散在する神経細胞をいう）.

per·i·co·li·tis (per′i-kō-lī′tis). 結腸周囲炎（結腸を囲む結合組織または腹膜の炎症）. = serocolitis.

per·i·col·pi·tis (per′i-kol-pī′tis). 腟周囲炎. = perivaginitis.

per·i·cor·o·ni·tis (per′i-kōr-ŏ-nī′tis). 歯冠周囲炎（通常，不完全萌出の下顎第三大臼歯の歯冠周囲の炎症）.

per·i·cra·ni·tis (per′i-krā-nī′tis). 頭蓋骨膜炎.

per·i·cra·ni·um (per′i-krā′nē-ŭm). 頭蓋骨膜.

per·i·cys·tic (per′i-sis′tik). = perivesical. ***1*** 膀胱周囲の. ***2*** 胆嚢周囲の. ***3*** 嚢胞周囲の.

per·i·cys·ti·tis (per′i-sis-tī′tis). 膀胱周囲炎（嚢，特に膀胱の周囲組織の炎症）.

per·i·cyte (per′i-sīt). 周皮細胞，血管周囲細胞（毛細血管壁の外側と密着している細長い間葉状細胞の一種．比較的未分化で，線維芽細胞，マクロファージ，または平滑筋細胞になることもある). = adventitial cell.

per·i·cyt·ic ven·ules = postcapillary venules.

per·i·den·tal mem·brane 歯根膜. = periodontal ligament.

per·i·derm, per·i·der·ma (per′i-děrm, -děr′mă). 胎児表皮（胎生6か月までの胚および胎児の表皮の最外層．脱落した胎児表皮細胞は胎脂の重要成分である). = epitrichium.

per·i·des·mi·tis (per′i-dez-mī′tis). 靭帯膜炎（靭帯周囲の結合組織の炎症).

per·i·des·mi·um (per′i-dez′mē-ŭm). 靭帯膜（靭帯周囲の結合組織膜).

per·i·did·y·mi·tis (per′i-did-i-mī′tis). 精巣鞘膜炎.

per·i·di·ver·tic·u·li·tis (per′i-dī-vĕr-tik′yū-lī′tis). 憩室周囲炎（回腸憩室の周囲組織の炎症).

per·i·du·o·de·ni·tis (per′i-dū-ō-dē-nī′tis). 十二指腸周囲炎.

per·i·du·ral an·es·the·si·a 硬膜周囲麻酔〔法〕. = epidural anesthesia.

per·i·en·ceph·a·li·tis (per′ē-en-sef-ă-lī′tis). 脳周囲炎（脳膜の炎症，特に軟髄膜炎または軟膜の炎症で，その下の皮質の障害を伴う).

per·i·en·ter·i·tis (per′ē-en-tĕr-ī′tis). 腸周囲炎（腸管の腹膜被覆の炎症). = seroenteritis.

per·i·e·soph·a·gi·tis (per′ē-ē-sof′ă-jī′tis). 食道周囲炎（食道の周囲組織の炎症). = perioesophagitis.

per·i·fol·lic·u·li·tis (per′i-fŏ-lik′yū-lī′tis). 毛包周囲炎（毛包の周囲に炎症性の細胞浸潤が存在すること．しばしば毛包炎と関連して起こる).

per·i·gas·tri·tis (per′i-gas-trī′tis). 胃周囲炎（胃の腹膜被覆の炎症).

per·i·glot·tis (per′i-glot′is). 舌粘膜.

per·i·hep·a·ti·tis (per′i-hep-ă-tī′tis). 肝周囲炎（肝臓をおおう漿膜または腹膜の炎症).

per·i·in·farc·tion block 梗塞周囲ブロック（心筋梗塞に伴う心電図の異常．梗塞領域にある心筋の興奮遅延によって起こる．初期ベクトルは梗塞領域と反対方向を呈し，終期ベクトルは梗塞領域方向を呈することを特徴とする).

per·i·je·ju·ni·tis (per′i-jĕ-jū-nī′tis). 空腸周囲炎.

per·i·kar·y·on, pl. **per·i·kar·y·a** (per′i-kar′ē-on, -ă). ***1*** 細胞質（神経細胞の細胞体部の原形質のように核を囲む原形質). ***2*** 核周囲部（デンチン線維を除くぞうげ芽細胞体). ***3*** 神経細胞形質（軸索突起および樹状突起と区別される神経細胞の細胞体部).

per·i·ky·ma·ta (per′i-kī′mă-tă). 周波条（歯のエナメル質表面上の横走の凹凸．歯のエナメル質の浅く水平な溝．Retzius 線条と表面で交わる).

per·i·lab·y·rin·thi·tis (per′i-lab′i-rin-thī′tis). 迷路周囲炎（迷路の周囲組織の炎症).

per·i·lymph (per′i-limf). 外リンパ（骨迷路の中に含まれる液体で，膜迷路を取り囲み，これを保護している．構成分は(正の電解質としてはナトリウムが優位であるが)細胞外液と似ており，外リンパ管を経て脳脊髄液と連絡している). = perilympha.

per·i·lym·pha (per′i-lim′fă). 外リンパ. = perilymph.

per·i·lym·phan·gi·tis (per′i-lim-fan-jī′tis). リンパ管周囲炎（リンパ管の周囲組織の炎症).

per·i·lym·phat·ic (per′i-lim-fat′ik). ***1*** リンパ周囲の（リンパ節またはリンパ管などリンパ組織の周囲についていう). ***2*** 外リンパの（内耳の膜迷路周囲の空間と組織についていう).

per·i·lym·phat·ic duct 外リンパ管（蝸牛の外リンパ隙と，クモ膜下腔を連結する細管). = aqueductus cochleae.

per·i·lym·pha·tic fis·tu·la 外リンパ瘻（内耳と中耳との間の瘻孔．外リンパ液が漏出し聴覚や前庭機能障害が生じる．最もよく瘻孔が生じる部位は卵円窓と正円窓である．卵円窓瘻孔ではあぶみ骨の底板を貫通してあるいは底板の縁から，正円窓瘻孔では正円窓膜を通過して漏れが生じる).

per·i·lym·pha·tic gush·er 外リンパ液ガッシャー（あぶみ骨底板に穴があいた際に外リンパ液が流れる異常．POU3F4 の変異や X 染色体性混合性難聴(DFN3)やその他の病気で生じる).

per·i·lym·phat·ic space 外リンパ腔（迷路の骨部と膜部の間隙).

per·i·men·in·gi·tis (per′i-men-in-jī′tis). 髄膜周囲炎. = pachymeningitis.

pe·rim·e·ter (pĕ-rim′ĕ-tĕr). ***1*** 周界（周線，縁，境界). ***2***〔周辺〕視野計（視野の範囲を定める器具．通常，半円形または球体である).

per·i·met·ric (per′i-met′rik). ***1*** 子宮周囲の，子宮外膜の. = periuterine. ***2*** 周界の（ある部分または地域の周線についていう). ***3***〔周辺〕視野計測の，〔周辺〕視野測定〔法〕の.

per·i·me·trit·ic (per′i-me-trit′ik). 子宮周囲炎の.

per·i·me·tri·tis (per′i-me-trī′tis). 子宮周囲炎. = metroperitonitis.

per·i·me·tri·um, pl. **per·i·me·tri·a** (per′i-mē′trē-ŭm, -ă). 子宮外膜（子宮の漿膜(腹膜)性外膜).

pe·rim·e·try (pĕr-im′ĕ-trē). 視野測定〔法〕（①視野の限界を測定すること．②視野の閾値等高線のマッピング).

per·i·mol·y·sis (per′i-mol′i-sis). 胃酸性歯牙酸触症（慢性的な嘔吐症の患者において，胃酸にさらされることから起こる歯の脱灰).

per·i·my·e·li·tis (per′i-mī-ĕ-lī′tis). 骨髄周囲炎. = endosteitis.

per·i·my·o·si·tis (per′i-mī-ō-sī′tis). 筋周囲炎（筋肉の周囲の疎性蜂巣織の炎症). = perimysiitis (2); perimysitis (2).

per·i·my·si·al (per′i-mis′ē-ăl). 筋周膜の，筋周囲の.

per·i·my·si·i·tis, per·i·my·si·tis (per′i-mis-ē-ī′tis, -mī-sī′tis). ***1*** 筋周膜炎. ***2*** = perimyositis.

per·i·my·si·um, pl. **per·i·my·si·a** (per′i-mis′ē-ŭm, -ă). 筋周膜（骨格筋線維の各々一次束を包む線維性鞘).

P

per·i·na·tal (per′i-nā′tăl). 周産（周生）期の（分娩前期，分娩中，分娩後期に起こることについていう．すなわち，妊娠22週目から生後28日目までの期間(註日本では生後7日までを早期新生児期として区別している)).

per·i·na·tal med·i·cine 周産期医学. = perinatology.

per·i·na·tol·o·gist (per′i-nā-tol′ŏ-jist). ペリナトロジスト（専門分野が周産期医学の産科医）.

per·i·na·tol·o·gy (per′i-nā-tol′ŏ-jē). 周産期学（妊娠，分娩，出産の間の母親と胎児，特に母親や胎児に異常がある場合やハイリスクの場合のケアを行う産科の専門領域）. = perinatal medicine.

per·i·ne·al (per′i-nē′ăl). 会陰の.

per·i·ne·al ar·ter·y 会陰動脈（内陰部動脈より起こり，会陰の表層構造に分布する．外陰部動脈と吻合）. = arteria perinealis.

per·i·ne·al fas·ci·a 会陰筋膜（浅会陰筋(坐骨海綿体筋，球海綿体筋，浅会陰横筋)を包み込む膜で，前方では陰茎(陰核)提靱帯と癒着し外腹斜筋や腹直筋の筋膜にまで続いている）. = superficial investing fascia of perineum.

per·i·ne·al her·ni·a 会陰ヘルニア（骨盤隔膜から突き出るヘルニア）.

per·i·ne·al mem·brane 会陰膜，下尿生殖隔膜筋膜（尿道括約筋と深会陰横筋の下で，坐骨枝と恥骨下枝との間にある筋膜の層）.

per·i·ne·al nerves 会陰神経（陰部神経の浅終枝．深枝は会陰筋の大部分に，浅枝は皮膚に分布する）. = nervi perineales.

per·i·ne·al ra·phe 会陰縫線（会陰中央を前後に走る線．男性に顕著で陰嚢縫線に続く）.

per·i·ne·al sec·tion 会陰切開〔術〕（会陰部を通しての切開で，会陰側方切開術，会陰正中切開術，外尿道切開術）.

perineo- 会陰を意味する連結形.

per·i·ne·o·cele (per′i-nē′ō-sēl). 会陰ヘルニア，会陰瘤（会陰部において，直腸と腟の間，直腸と膀胱の間，または直腸に沿った部位に発生するヘルニア）.

per·i·ne·o·plas·ty (per′i-nē′ō-plas-tē). 会陰形成〔術〕（会陰の形成手術）.

per·i·ne·or·rha·phy (per′i-nē-ōr′ă-fē). 会陰縫合〔術〕（会陰形成術において行う会陰の縫合）.

per·i·ne·o·scro·tal (per′i-nē′ō-skrō′tăl). 会陰陰嚢の（会陰と陰嚢に関する）.

per·i·ne·os·to·my (per′i-nē-os′tŏ-mē). 会陰造瘻術（会陰を通して行う尿道造瘻術）.

per·i·ne·ot·o·my (per′i-nē-ot′ŏ-mē). 会陰切開〔術〕（分娩を容易にするように行う会陰の切開. →episiotomy）.

per·i·ne·o·vag·i·nal (per′i-nē′ō-vaj′i-năl). 会陰腟の（会陰と腟に関する）.

per·i·neph·ri·al (per′i-nef′rē-ăl). 腎周囲組織の.

per·i·neph·ri·tis (per′i-ne-frī′tis). 腎周囲炎.

per·i·neph·ri·um, pl. **per·i·neph·ri·a** (per′i-nef′rē-ŭm, -ă). 腎周囲組織（腎臓を取り巻く結合組織および脂肪）.

per·i·ne·um, pl. **per·i·ne·a** (per′i-nē′ŭm, -nē′ă). ***1*** 会陰（えいん）（尾骨から恥骨へ広がり，骨盤隔膜の下部にある両大腿の間の部分）. ***2*** 会陰縫線（女性では外陰部と肛門の間．男性では陰嚢と肛門の間に位置する会陰の腱中心）.

per·i·neu·ral an·es·the·si·a 神経周囲麻酔〔法〕（神経周辺に麻酔薬を注入する麻酔方法）.

per·i·neu·ri·al (per′i-nūr′ē-ăl). 神経周膜の.

per·i·neu·ri·tis (per′i-nūr-ī′tis). 神経周膜炎（→adventitial neuritis）.

per·i·neu·ri·um, pl. **per·i·neu·ri·a** (per′i-nūr′ē-ŭm, -ē-ă). 神経周膜（末梢神経束の支持構造の1つで，扁平な神胞層と膠原結合組織からなり，神経束を包んで主要な拡散関門を形成する．神経内膜および神経上膜とともに末梢神経の支質をなす）.

pe·ri·od (pēr′ē-ŏd). ***1*** 期間（ある持続期間または時間の区分）. ***2*** 周期（病気の一段階．例えば，潜伏期，回復期. →stage; phase）. ***3*** 月経（menses の口語）. ***4*** 周期（周期表の化学元素の水平列の総称）.

pe·ri·od·ic (pēr′ē-od′ik). ***1*** 周期〔的〕の，周期〔性〕の（規則的な間隔をおいて再発する）. ***2*** 周期〔的〕の，周期〔性〕の(周期的に起こる再燃増悪または発作を伴う疾病についていう).

pe·ri·od·ic dis·ease 周期性疾患（一定の期間をおいて反復して起こる疾患．家族性地中海熱であることが多い．周期性の原因は通常不明）.

per·i·o·dic·i·ty (pēr′ē-ō-dis′i-tē). 周期性（規則的な間隔で再燃する傾向）.

per·i·od·ic limb move·ments dis·or·der (PLMD) →restless legs syndrome.

pe·ri·od·ic neu·tro·pe·ni·a 周期性好中球減少〔症〕（一定の周期で繰り返す好中球減少症で，様々な感染症を合併する）.

pe·ri·od·ic pa·ral·y·sis 周期性〔四肢〕麻痺（意識，言語，感覚の喪失は伴わない筋脱力または弛緩麻痺のエピソードの再発を特徴とする疾病群に対する名称．発作は患者が安静にしているときに生じ，発作と発作の間はまったく健康にみえる. →hyperkalemic periodic paralysis; hypokalemic periodic paralysis; normokalemic periodic paralysis）.

pe·ri·od·ic ta·ble 化学周期表（原子記号と化学特性による，化学元素の表配列）.

per·i·o·di·za·tion (pēr′ē-ŏd-ī-zā′shŭn). ペリオダイゼイション（様々な長さの一塊の時間の中にトレーニングを配列することによって，生理機能能力および運動能力を最大限に活用すべくトレーニングの量および強度を変化させる一定の順序に配列されたプログラム(マクロサイクル，メソサイクル).目的は競技で生理学上ピークに達している間の疲労を防ぐことにある）.

per·i·o·don·tal (per′ē-ō-don′tăl). 歯周の，歯根膜の.

Per·i·o·don·tal In·dex (PI) 歯周指数（歯周疾患の疫学的分類をするための指数）.

per·i·o·don·tal lig·a·ment 歯周靱帯（歯根を取り囲んでこれを歯槽に固定している結合組織で，セメント質から歯槽骨の中にのびている．

歯を取り囲み支える組織としては，歯肉，セメント質，歯周靱帯，歯槽骨，支持骨がある）. = alveolodental ligament; alveolodental membrane; peridental membrane; periodontal membrane; periodontium(2).

per·i·o·don·tal mem·brane 歯根膜. = periodontal ligament.

per·i·o·don·tal poc·ket 歯周ポケット（歯肉溝が病的に深くなったもの．歯から歯肉が離れるのが原因で起こる）.

Per·i·o·don·tal Screen·ing Rec·ord (PSR) ペリオドンタルスクリーニングレコード（主に米国で利用されている修正版 CPITN. →Community Periodontal Index of Treatment Needs）.

Per·i·o·don·tal Screen·ing and Re·cord·ing (PSR) 歯周スクーリングと記録（米国歯科医師会の，早期の歯周病発見システム）.

per·i·o·don·ti·a (per′ē-ō-don′shē-ă). periodontium の複数形.

per·i·o·don·tics (per′ē-ō-don′tiks). 歯周病学（歯に密接している正常な組織の研究と異常な組織の治療に関する歯科の部門）.

per·i·o·don·tist (per′ē-ō-don′tist). 歯周病専門歯科医.

per·i·o·don·ti·tis (per′ē-ō-don-tī′tis). 歯周炎，歯根膜炎（①歯周組織の炎症. ②歯周組織における慢性炎症病変で，歯垢が原因である．特徴的な所見として，歯肉炎，歯槽骨および歯根膜の破壊，上皮付着の根尖側への移動などが認められ，その結果，歯周ポケットが形成され，最終的には歯の動揺，脱落に至る）.

per·i·o·don·ti·um, pl. **per·i·o·don·ti·a** (per′ē-ō-don′shē-ŭm, -ă). 歯根膜，歯周組織（①歯を取り囲んで支えているすべての組織. ② = periodontal ligament）.

per·i·o·don·to·cla·si·a (per′ē-ō-don-tō-klā′zē-ă). 歯周組織崩壊症（歯周組織，歯肉，歯根膜，歯槽骨，およびセメント質の破壊）.

per·i·o·don·to·sis (per′ē-ō-don-tō′sis). 歯周症. = juvenile periodontitis.

perioesophagitis [Br.]. = periesophagitis.

per·i·o·nych·i·a (per′ē-ō-nik′ē-ă). *1* 爪囲炎. *2* perionychium の複数形.

per·i·o·nych·i·um, pl. **per·i·o·nych·i·a** (per′ē-ō-nik′ē-ŭm, -ă). = eponychium(2).

per·i·o·o·pho·ri·tis (per′ē-ō-of-ŏr-ī′tis). 卵巣周囲炎（卵巣をおおう腹膜の炎症）. = periovaritis.

per·i·o·o·pho·ro·sal·pin·gi·tis (per′ē-ō-of′ŏr-ō-sal′pin-jī′tis). 卵巣卵管周囲炎（卵巣および卵管の周囲および他の組織の炎症）. = perisalpingo-ovaritis.

per·i·op·er·a·tive (per′ē-op′ĕr-ă-tiv). 周術期の，手術時の. = paraoperative.

per·i·or·bit (per′ē-ōr′bit). 眼窩骨膜. = periorbita.

pe·ri·or·bi·ta (per′ē-ōr′bi-tă). 眼窩骨膜. = periorbit.

per·i·or·bi·tal (per′ē-ōr′bi-tăl). *1* 眼窩骨膜の. *2* 眼窩周囲の. = circumorbital.

per·i·or·bi·tal cel·lu·li·tis 眼窩周囲蜂巣炎. = preseptal cellulitis.

per·i·or·chi·tis (per′ē-ōr-kī′tis). 精巣周囲炎.

pe·ri·os·te·a (per′ē-os′tē-ă). periosteum の複数形.

per·i·os·te·al (per′ē-os′tē-ăl). 骨膜の.

per·i·os·te·al bud 骨膜芽（将来骨に変わっていく軟骨体の骨化の中心に，軟骨膜から侵入していく血管に富んだ結合組織塊）.

per·i·os·te·al el·e·va·tor 骨膜起子（骨から骨膜を剥離するために用いる器具）. = rugine (1).

per·i·os·te·al graft 骨膜移植（骨膜の移植）.

per·i·os·te·i·tis (per′ē-os-tē-ī′tis). = periostitis.

periosteo- 骨膜を意味する連結形.

per·i·os·te·o·ma (per′ē-os-tē-ō′mă). 骨膜腫（骨膜に起源を有する新生物）. = periosteophyte.

per·i·os·te·o·my·e·li·tis (per′ē-os′tē-ō-mī-ĕ-lī′tis). 骨膜骨髄炎（骨膜と骨髄を含む骨全体の炎症）.

per·i·os·te·o·phyte (per′ē-os′tē-ō-fīt). 骨膜新生物. = periosteoma.

per·i·os·te·o·plas·tic am·pu·ta·tion 骨膜形成〔性〕切断〔術〕. = subperiosteal amputation.

per·i·os·te·o·sis (per′ē-os-tē-ō′sis). 骨膜症（骨膜腫の形成）. = periostosis.

per·i·os·te·ot·o·my (per′ē-os-tē-ot′ŏ-mē). 骨膜切開〔術〕（骨膜を経て骨に達する手術）.

per·i·os·te·um, pl. **pe·ri·os·te·a** (per′ē-os′tē-ŭm, -ă). 骨膜（関節軟骨を除く，骨の全表面をおおう厚い線維膜．幼若な骨では２層からなる．内側は新しい骨組織を形成する造骨組織層であり，外側の線維結合組織層は骨に分布する血管や神経を含む．古い骨においては造骨組織層が減少する. →perichondral bone）.

per·i·os·ti·tis (per′ē-os-tī′tis). 骨膜炎. = periosteitis.

per·i·os·to·sis, pl. **per·i·os·to·ses** (per′ē-os-tō′sis, -sēz). = periosteosis.

per·i·o·va·ri·tis (per′ē-ō′văr-ī′tis). = perioophoritis.

per·i·pach·y·men·in·gi·tis (per′i-pak′ē-men-in-jī′tis). 硬膜外層炎（中枢神経系の硬膜と頭蓋骨との間の部位の炎症）.

per·i·pan·cre·a·ti·tis (per′i-pan′krē-ă-tī′tis). 膵周囲炎（膵臓の腹膜被覆の炎症）.

pe·riph·e·rad (pĕr-if′ĕr-ad). 末梢方向へ.

pe·riph·e·ral (pĕr-if′ĕr-ăl). 末梢〔性〕の，辺縁の，周辺の（①末梢に関する，末梢に位置する. ②ある特定の基準点と比べて臓器または体の部分のより末梢側に位置する. central (centralis) の対語）. = eccentric(3).

pe·riph·e·ral ar·te·ri·al di·sease 末梢動脈疾患（心臓周囲や末梢の動脈の疾患）.

pe·riph·e·ral fa·cial pa·ral·y·sis 末梢性顔面麻痺. = Bell palsy.

pe·riph·er·al·ly in·sert·ed cen·tral cath·e·ter (PICC) 末梢挿入中心静脈カテーテル（末梢静脈を通して上大静脈に挿入されたチューブ）.

P

pe·riph·e·ral ner·vous sys·tem (PNS) 末梢神経系（脳脊髄から根束をなして末梢に行く神経の末梢部分．神経節・感覚神経・自律神経そして神経線維を派出する神経叢を含む．→autonomic division of nervous system）．= peripheral part of nervous system.

pe·riph·e·ral os·si·fy·ing fi·bro·ma 周辺性化骨性線維腫（局所反応性の歯肉の増生で，組織発生的には歯根膜に由来する．通常，歯苔や歯石が局所の歯を刺激し，その反応として生じる．顕微鏡的には細胞成分に富んだ線維性の基質で，そこに骨，セメント質，未熟石灰質が沈着しやすい）．

pe·riph·e·ral part of ner·vous sys·tem 末梢神経系．= peripheral nervous system.

pe·riph·er·al re·sist·ance 末梢抵抗（血流に対する細動脈および毛細血管の抵抗）．

pe·riph·e·ral sco·to·ma 周辺暗点（視野の中心 30° より外方にある暗転）．

per·iph·e·ral T-cell lym·pho·ma, un·spe·ci·fied〔不特定〕末梢 T 細胞リンパ腫（T 細胞新生物中の異種の一群で，典型的な T 細胞マーカの CD2，CD3，CD5，あるいは T 細胞レセプタ α/β か γ/δ のいずれかを発現している）．

pe·ri·phe·ral vas·cu·lar dis·ease (PVD) 末梢血管疾患（非心臓性の血管の疾患で，四肢で起こることが多い．spider vein はこの疾患の徴候の一つ）．

pe·riph·e·ral vi·sion 周辺視〔覚〕，周辺視力（黄斑部を外れて網膜刺激を受けたときの視覚）．= indirect vision.

pe·riph·e·ry (pĕr-if′ĕr-ē)．*1* 末梢（中心から離れた体の部分，外部または表面）．*2* = denture border.

per·i·phle·bi·tis (per′i-flĕ-bī′tis)．静脈周囲炎（静脈の外膜，またはその周囲の組織の炎症）．

per·i·po·ri·tis (per′i-pŏr-ī′tis)．汗孔周囲炎（ブドウ球菌の感染を伴った粟粒大の丘疹および膿液性丘疹．顔面に，また幼児に最も好発する）．

per·i·proc·ti·tis (per′i-prok-tī′tis)．肛門周囲炎（直腸の周りの疎性組織の炎症）．= perirectitis.

per·i·pros·ta·ti·tis (per′i-pros-tă-tī′tis)．前立腺周囲炎（前立腺の周囲組織の炎症）．

per·i·py·le·phle·bi·tis (per′i-pī′lĕ-flĕ-bī′tis)．門脈周囲炎（門脈周囲組織の炎症）．

per·i·rec·ti·tis (per′i-rek-tī′tis)．= periproctitis.

per·i·rhi·zo·cla·si·a (per′i-rī-zō-klā′zē-ă)．歯根周囲組織破壊（歯根周囲組織における急速な炎症性破壊）．

per·i·sal·pin·gi·tis (per′i-sal′pin-jī′tis)．卵管周囲炎，卵管外膜炎（卵管をおおう腹膜の炎症）．

per·i·sal·pin·go·o·va·ri·tis (per′i-sal-pin′gō-ō-văr-ī′tis)．= perioophorosalpingitis.

per·i·sal·pinx (per′i-sal′pingks)．卵管外膜（卵管をおおう腹膜）．

per·i·scop·ic (per′i-skop′ik)．周辺視性の（視軸方向で物を見るのと同じように他方向の物体を見る能力があることについていう）．

per·i·sig·moi·di·tis (per′i-sig-moy-dī′tis)．S 状結腸周囲炎（S 状結腸曲の周囲の結合組織の炎症．左の腸骨窩に関する症状で，右の腸骨窩における盲腸周囲炎の症状と類似する）．

per·i·sper·ma·ti·tis (per′i-spĕr′mă-tī′tis)．精索周囲炎（精索の周囲組織の炎症）．

per·i·splanch·ni·tis (per′i-splangk-nī′tis)．内臓周囲炎（各臓器または臓器群の周囲の炎症）．

per·i·sple·ni·tis (per′i-splē-nī′tis)．脾周囲炎（脾臓をおおう腹膜の炎症）．

per·i·spon·dy·li·tis (per′i-spond′i-lī′tis)．脊椎周囲炎（脊椎の周囲組織の炎症）．

per·i·stal·sis (per′i-stal′sis)．ぜん動（腸その他の管状構造の運動．管が交互に環状収縮と弛緩を繰り返し，内容物を前進させる）．= vermicular movement.

per·i·stal·tic (per′i-stal′tik)．ぜん動〔性〕の．

pe·ris·to·le (pĕr-is′tŏ-lē)．胃ぜん動（胃壁の緊張性活動．その際，器官は内容物の周りで収縮する．ぜん動波と違って噴門から幽門へ通過する）．

per·i·stol·ic (per′i-stol′ik)．胃ぜん動の．

per·i·tec·to·my (per′i-tek′tŏ-mē)．*1* 結膜輪状切除〔術〕（角膜の疾病除去のための結膜輪部の除去）．*2* 乳輪切開〔術〕．= circumcision (2).

pe·ri·ten·di·ne·um, pl. **pe·ri·ten·di·ne·a** (per′i-ten-din′ē-ŭm, -ē-ă)．腱周膜（腱の中で線維の一次束を囲む線維性鞘）．

per·i·ten·di·ni·tis (per′i-ten′di-nī′tis)．腱周囲炎，腱鞘炎．= peritenonitis; peritenontitis.

peri·ten·on·i·tis (per′ē-ten′ŏn-ī′tis)．= peritendinitis.

per·i·ten·on·ti·tis (per′i-ten′ŏn-tī′tis)．= peritendinitis.

per·i·the·li·um, pl. **per·i·the·li·a** (per′i-thē′lē-ŭm, -ă)．周皮〔細胞〕，〔血管〕外皮〔細胞〕（小血管と毛細血管を囲む結合組織）．

per·i·thy·roi·di·tis (per′i-thī′roy-dī′tis)．甲状腺周囲炎（甲状腺の周囲の被膜または組織の炎症）．

pe·rit·o·my (pĕr-it′ŏ-mē)．*1* 角膜周囲切開（結膜の切開）．*2* = circumcision (1).

per·i·to·ne·al (per′i-tō-nē′ăl)．腹膜の．

per·i·to·ne·al cav·i·ty 腹膜腔（腹膜による袋の内部で，通常は，壁側腹膜と臓側腹膜の間の潜在的空隙にすぎない）．

per·i·to·ne·al di·al·y·sis (PD) 腹膜透析（腹膜を通して水溶性の物質および水を人体より取り除くこと．間欠的に腹腔へ透析液を注入し除去する）．

per·i·ton·e·al in·suf·fla·tion 腹腔内送気（通常，炭酸ガスを用いる，腹腔鏡下手術を容易にするための腹腔内へのガス送気）．

peritoneo- 腹膜を意味する連結形．

per·i·to·ne·o·cen·te·sis (per′i-tō-nē′ō-sen-tē′sis)．腹膜穿刺．

per·i·to·ne·oc·ly·sis (per′i-tō-nē-ok′li-sis)．腹腔内灌注〔法〕（腹腔の洗浄）．

per·i·to·ne·o·per·i·car·di·al (per′i-tō-nē′ō-per′i-kahr′dē-ăl)．腹膜心膜の（腹膜と心膜に関

する).

per·i·to·ne·o·pex·y (per′i-tō-nē′ō-pek-sē). 腹膜固定〔術〕(腹膜の懸吊または固定).

per·i·to·ne·o·plas·ty (per′i-tō-nē′ō-plas-tē). 腹膜形成〔術〕(再形成を防ぐために,癒着を剥離し,その表面を腹膜でおおうこと).

per·i·to·ne·o·scope (per′i-tō-nē′ŏ-skōp). 腹腔鏡. = laparoscope.

per·i·to·ne·os·co·py (per′i-tō-nē-os′kŏ-pē). 腹腔鏡検査〔法〕(腹腔鏡による経腹壁的腹腔内容の検査. →laparoscopy). = abdominoscopy; celioscopy; ventroscopy.

per·i·to·ne·ot·o·my (per′i-tō′nē-ot′ŏ-mē). 腹膜切開〔術〕, 開腹術.

per·i·to·ne·o·ve·nous shunt 腹腔静脈シャント〔術〕(通常はカテーテルを用いて行う腹腔と胸腔内中枢静脈系との間のシャント).

per·i·to·ne·um, pl. **pe·ri·to·ne·a** (per′i-tō-nē′ŭm, -ă). 腹膜 (中皮と不規則な結合組織の薄い層からなる漿膜嚢. 腹腔を裏打ちし,その中に含まれる内臓の大部分をおおう. 腹膜嚢(大嚢)および網嚢(小嚢)の2つの嚢よりなり,これらは網嚢孔によってつながっている).

per·i·to·ne·um uro·gen·i·ta·le = urogenital peritoneum.

per·i·to·ni·tis (per′i-tō-nī′tis). 腹膜炎.

per·i·ton·sil·lar ab·scess 扁桃周囲膿瘍 (扁桃窩の被膜と筋層の間に膿瘍形成を伴う,扁桃被膜の外まで広がった扁桃感染). = quinsy.

per·i·ton·sil·li·tis (per′i-ton′si-lī′tis). 扁桃周囲炎 (扁桃の上部または後部の結合組織の炎症).

pe·rit·ri·chal, pe·rit·ri·chate, per·i·trich·ic (per′i-trik′ăl, -āt, -ik). = peritrichous (2).

pe·rit·ri·chous (per′i-trik′ŭs). ***1*** 端毛の (細胞の末端から突出している線毛または他の付属器官についていう). ***2*** 周毛〔性〕の (細胞表面に均一にべん毛があることをいう. 特に細菌についていう). = peritrichal; peritrichate; peritrichic.

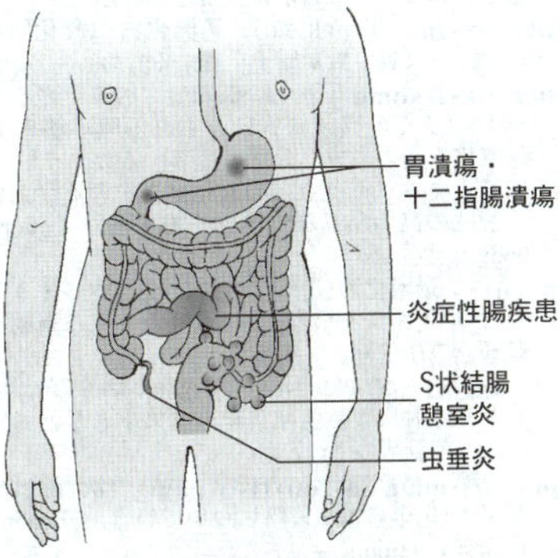
胃潰瘍・
十二指腸潰瘍
炎症性腸疾患
S状結腸
憩室炎
虫垂炎

common GI causes of peritonitis

per·i·tu·bu·lar con·trac·tile cells 周細管性収縮細胞, 筋様細胞. = myoid cells.

per·i·u·re·ter·i·tis (per′ē-yū-rē-tĕr-ī′tis). 尿管周囲炎 (尿管の周囲組織の炎症).

per·i·u·re·thri·tis (per′ē-yū-rē-thrī′tis). 尿道周囲炎 (尿道の周囲組織の炎症).

per·i·u·ter·ine (per′ē-yū′ter-in). 子宮周囲の. = perimetric (1).

per·i·vag·i·ni·tis (per′i-vaj-i-nī′tis). 腟周囲炎 (腟の周囲の結合組織の炎症). = pericolpitis.

per·i·vas·cu·li·tis (per′i-vas-kyū-lī′tis). = periangitis.

per·i·ves·i·cal (per′i-ves′i-kăl). = pericystic.

per·i·vis·cer·i·tis (per′i-vis-ĕr-ī′tis). 内臓周囲炎.

PERLA (pĕr′lă). pupils equal and reactive to light and accommodation の略.

per·ma·nent car·ti·lage 恒久軟骨 (骨化することのない軟骨).

per·ma·nent den·ti·tion 永久歯列 (32本の永久歯からなる歯列. 上下左右に,正中線から2本の切歯,1本の犬歯,2本の小臼歯,3本の大臼歯がある. →permanent tooth).

per·ma·nent stained smear ex·am·i·na·tion 永久塗抹染色標本検査 (トリクローム,鉄ヘマトキシリンなどの染色液で染めた糞便材料を油浸(1,000 ×)で鏡検すること. 主に栄養型原虫,嚢胞,接合子嚢,胞子の検出に用いる).

per·ma·nent thresh·old shift 永久的聴力閾値上昇 (強大音や持続的な音響にさらされたこ

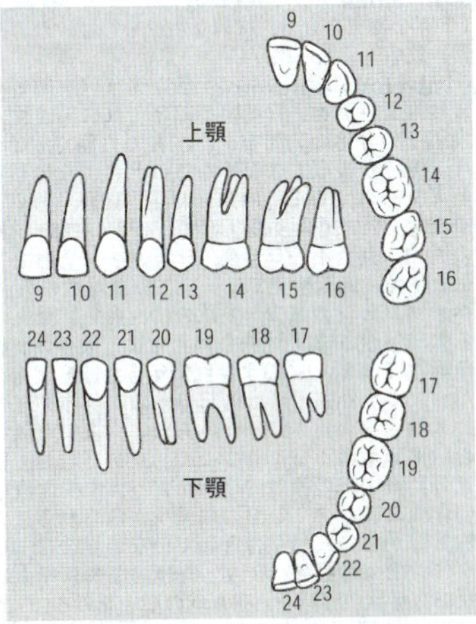
上顎
9 10 11 12 13 14 15 16
24 23 22 21 20 19 18 17
下顎

permanent dentition
米国で用いられるuniversal systemによる歯式
9, 24:中切歯, 10, 23:側切歯, 11, 22:犬歯,
12, 21:第一双頭歯, 13, 20:第二双頭歯,
14, 19:第一大臼歯, 15, 18:第二大臼歯,
16, 17:第三大臼歯,

とにより生じる不可逆性聴力低下．同様な原因により生じる可逆的な一過性聴力閾値上昇に対して用いられる）．

per·ma·nent tooth 永久歯（第二生歯，すなわち永久歯は 32 歯ある．永久歯は 5—7 歳で萠出し始め，17—23 歳に最後の第三大臼歯が萠出して完了する）．= dens permanens; second tooth; secondary dentition.

per·me·a·bil·i·ty (pĕr′mē-ă-bil′i-tē)．透過性，浸透性．

per·me·a·bil·i·ty co·ef·fi·cient 透過係数（単純拡散による膜透過に関する係数．分配係数拡散係数に比例し，膜の厚さに反比例する）．

per·me·a·bil·i·ty con·stant 透過定数（イオンが濃度差 1.0 mol/L で駆動された膜の単位面積当たりの通過しやすさの度合．普通，cm/sec 単位で表される．*cf.* permeability coefficient）．

per·me·a·ble (pĕr′mē-ă-bĕl)．透過性の，浸透性の（液体，気体などの物質を膜その他の構造物を通して通過させることができる．→permeate）．= pervious.

per·me·ase (pĕr′mē-ās)．透過酵素，パーミアーゼ（半透過性膜に対する溶質の運搬に作用する膜結合性担体(酵素)の一群）．

per·me·ate (pĕr′mē-āt)．***1***〘v.〙透過する（膜や他の構造体を通過する）．***2***〘n.〙透過〔物〕（***1*** のように通過できるもの）．

per·me·a·tion (pĕr-mē-ā′shŭn)．浸管，透過（細胞増殖によって悪性新生物が血管またはリンパ節に沿って連続的に広がっていくこと）．

per·ni·cious (pĕr-nish′ŭs)．悪性の，壊滅の（重篤な特徴をもち，特別な治療をしなければ通常，致命的になる疾病についていう）．

per·ni·cious a·ne·mi·a 悪性貧血（高齢者の慢性進行性貧血．胃粘膜萎縮とそれに関連する内因子の分泌の欠如をきたす胃の欠陥で，ビタミン B_{12} が吸収できなくなることにより生じると考えられている．麻痺，刺痛，衰弱，赤く平滑な舌，軽い運動後の息切れ，失神，皮膚・粘膜の蒼白，食欲不振，下痢，体重減少，発熱を特徴とする．臨床検査では一般に赤血球数の激減，ヘモグロビンの減少，多数の楕円形を特徴とする大球性赤血球(色素指数は正常より大きいが高色素性ではない)，および低酸症または無酸症を示す．また骨髄中には著しく多数の巨赤芽球と比較的少ない正赤芽球がみられる．末梢血液中の白血球数は正常より少なく，リンパ球および過分葉好中球の相対的増加を伴う．末梢血液中の赤血球にビタミン B_{12} の減少がみられる．悪性貧血が他の疾患を合併していない場合は，ビタミン B_{12} の投与により，特徴的な網状赤血球反応，症状の軽減や，赤血球の増加をみる．→diphyllobothriasis）．= Addison anemia; malignant anemia.

per·ni·cious vom·it·ing 悪性嘔吐，悪阻（手におえない嘔吐）．

pero- 不具の，または奇形の，を意味する連結形．

pe·ro·dac·ty·ly, pe·ro·dac·tyl·i·a (pē-rō-dak′ti-lē, -dak-til′ē-ă)．指趾奇形（先天的に変形した手指または足指）．

pe·ro·me·li·a, pe·rom·e·ly (pē-rō-mē′lē-ă, pĕ-rom′ĕ-lē)．奇肢症（手または足の欠損を含む四肢の重症先天性奇形）．

per·o·ne·al (pĕr′ō-nē′ăl)．腓骨の．（腓骨，下肢の外側，またはそこにある筋肉に関する）．

per·o·ne·al ar·ter·y 腓骨動脈（後脛骨動脈より起こり，ヒラメ筋，後脛骨筋，長母指屈筋，腓骨筋，下脛腓関節，足の関節に分布する．前外果動脈，外側足根動脈，外側足底動脈，足背動脈と吻合）．= arteria peronea; fibular artery.

per·o·ne·al mus·cu·lar at·ro·phy 腓骨筋萎縮〔症〕（四肢遠位筋，特に腓骨筋群の著明な筋萎縮を共通症状とし，結果として細長い下腿を呈する末梢性神経筋症患群．通常，上肢より下肢を侵し，初期症状としてしばしば凹足がみられる）．= Charcot-Marie-Tooth disease.

per·o·ne·al ret·i·nac·u·lum 腓骨筋支帯（上・下線維帯で，長腓骨筋の腱および短腓骨筋の腱がくるぶしの外側で交差するように保持している）．= retinacula of peroneal muscles.

per·o·ne·al veins 腓骨静脈（腓骨動脈に伴う静脈．後脛骨静脈と合流して膝窩静脈にはいる）．= fibular veins.

pe·ro·ne·us long·us mus·cle 長腓骨筋．= fibularis longus muscle.

per·o·ne·us ter·ti·us mus·cle 第三腓骨筋．= fibularis tertius muscle.

per·o·ral (pĕr-ō′răl)．経口〔的〕の（薬剤の適用方法あるいは投与方法についていう）．

per os (**PO**) 経口的に（適用方法についていう）．

Pe·rout·ka syn·drome ペルートカ症候群（暗いところから明るいところへ移動したときにくしゃみがでる．米国人口の 25% に見られる，常染色体優性の状態）．

peroxi- →peroxy-.

per·ox·i·das·es (pĕr-ok′si-dās-ēz)．［EC subclass 1.11］．ペルオキシダーゼ（過酸化水素を還元する酸化還元酵素．過酸化水素の存在において種々の物質の脱水素(酸化)を触媒する動植物組織中の酵素．この過程で，過酸化水素は水素受容体として働き水に交換される）．

per·ox·ide (pĕr-ok′sīd)．過酸化物（酸化物系列で，最大数の酸素原子を有するもの）．

per·ox·i·some (pĕr-ok′si-sōm)．ペルオキシソーム（多くの真核細胞にみられる膜小器官で，過酸化水素の形成と分解に関与するカタラーゼ，尿酸オキシダーゼなどの酸化酵素を含有する電子密度の高い結晶様内容物を有する）．= microbody.

peroxy- 過酸化物(過酸化水素など)，ペルオキシ酸(ペルオキシギ酸など)におけるような過剰酸素原子の存在を表す接頭語．

per·ox·yl (pĕr-ok′sil)．ペルオキシル（高エネルギー照射による組織被曝の結果生じると考えられる遊離基の 1 つ）．

per pri·mam in·ten·ti·o·nem 一次〔的〕〔治癒〕の（創傷の治癒段階についていう．→healing by first intention）．

per rec·tum (**PR**) 経直腸的に．

per·salt (pĕr′sawlt)．過酸基塩（化学において，

可能な最大数の酸基を有する塩).

per·sev·er·a·tion (pĕr-sĕv′ĕr-ā′shŭn). *1* 保続〔症〕, 反復〔症〕(意味のない言葉や句を繰り返し言うこと). *2* 保続(印象の持続のこと. 回転する2色の円板などで1つの印象から次の印象へ移るその速度によって測定される). *3* 固執(臨床心理学において, 以前は正しく適当であった応答を, もはやその応答が不適当で正しくなくなった後までも, 抑制できずに繰り返し続けること).

per·sis·tence (pĕr-sis′tĕns). 存続, 固執(①特徴的な行動の執拗な持続. ②逆境にもかかわらず存続すること).

per·sis·tent a·gent 持続性薬剤(気温, 気圧, 風や他の変化しやすい条件の環境のもとで, 一日以上その状態をとどめる化学的薬剤. 例えば, 硫化マスタードガス, びらん性毒ガス, VX神経ガスが含まれる).

per·sis·tent an·te·ri·or hy·per·plas·tic pri·mar·y vit·re·ous 前部一次硝子体過形成遺残(満期産新生児にみられる片眼性先天異常. 一次硝子体の遺残, 硝子体動脈の遺残によって形成された水晶体後面の線維性血管膜, 白色瞳孔, 小眼球症, 浅前房, 毛様突起の延長を併発).

per·sis·tent chron·ic hep·a·ti·tis 持続性慢性肝炎(急性A型・B型ウイルス肝炎に引き続いて, あるいは腸疾患に合併して起こることのある良性の慢性肝炎. 肝硬変に進行し, 門脈圧亢進症, 肝不全を生じることはあったとしてもまれである).

per·sis·tent clo·a·ca 総排出腔遺残(胚の総排出腔が尿直腸ひだによって直腸部と尿性器部に分けられなかった状態).

per·sis·tent pos·te·ri·or hy·per·plas·tic pri·mar·y vit·re·ous 後部一次硝子体過形成遺残(満期産新生児にみられる片眼性先天異常. 先天性網膜ひだ形成, 硝子体動脈の遺残を含む茎状硝子体膜様物を有する).

per·sis·tent trun·cus ar·te·ri·o·sus 動脈管遺残(動脈球中隔の発育不全による先天性心臓奇形. 両心室に開口する総動脈管が残存し, 肺動脈は上行共同幹より分枝する).

per·sis·tent veg·e·ta·tive state (PVS) 遷延性植物状態(植物状態 vegetative state の期間が遷延したもの(1か月以上, 1か年以上, あるいは2年以上と, 出典により期間の定義が異なる)で, 通常永続的である. →vegetative).

per·so·na (pĕr-sō′nă). ペルソナ(その個人全体を統合する語. その人個有の物理的, 心理的, 行動的属性の全体像. Jung 心理学において, アニマ(内面人格)と反対の外面人格. 真の人格を隠すために仮想した人格).

per·son·al ac·tiv·i·ties of dail·y liv·ing (PADL) = instrumental activities of daily living.

per·son·al e·qua·tion 個人差, 人格方程式(個人に特有の判断, 知覚反応, あるいは知覚活動におけるわずかな誤差. それは不変であるため個人の述べることや結論を受け入れる際, それを差し引くことにより, おおよその正確さを得ることができる).

per·son·al·i·ty (pĕr′sŏn-al′i-tē). *1* 人格, パーソナリティ(個が独自であるゆえんのもの. 態度や行動素質が総合されたもので, それによって感じ, 考え, 行動し, 印象付け, 他者との関係を確立する). *2* 独自な人格パターンをもつ個人.

per·son·al·i·ty dis·or·der 人格障害(一群の行動障害をさす包括的用語. 通常は生涯続く, 主観的内的体験と逸脱した行動, 生活様式, 社会適応の根深い不適応パターンに特徴付けられる. 以前は psychopath, sociopath と呼称されていた. →antisocial personality disorder).

per·son·al·i·ty for·ma·tion 人格形成(個人の性格特徴の発達と個性の発達に関する生活史).

per·son·al·i·ty pro·file パーソナリティプロフィール(①心理学的検査の結果をグラフで表現する方法. ②簡潔な人格描写).

per·son·al pro·tec·tive e·quip·ment (PPE) 個別防護装備(けがや病気を防ぐため, 直接血液や他の危険な物質に触れることから身を守る特別な服や装備(手袋, 実験室用上着, 眼保護具, 呼吸装置など). 緊急医療従事者などによって使用される).

per·son·al space 個人空間(行動科学において, 意識的あるいは無意識的に個人が1個または複数の個体に対してとる物理的空間をさす用語. 個人空間は, 対人関係における身体的緩衝帯の役目を果たす).

per·son·al train·er 個人トレーナー(年齢や運動能力レベルにかかわらず, 全ての人々を対象とした健康増進プログラムを開発する資格のある人).

pers·pi·ra·tion (pĕrs′pir-ā′shŭn). *1* 発汗(皮膚の汗腺によって, 液体を排泄すること. →sweat(2)). = diaphoresis; sudation; sweating. *2* 蒸散(汗腺分泌であれ, あるいは他の皮膚構造からの発散であれ, 正常な皮膚から液体が失われること). *3* 汗(汗腺から排泄される液体. 塩化ナトリウム, リン酸ナトリウム, 尿素, アンモニア, エーテル硫酸, クレアチニン, 脂肪, その他老廃物などを含んだ水からなる. 1日の平均量は約1,500 g. →sweat(1)). = sudor.

per·tac·tin (pĕr-tak′tin). ペルタクチン(百日咳菌 *Bordetella pertussis* により産生される抗原であり, 百日咳ワクチンの効果を改善するのに用いる).

per·tech·ne·tate (pĕr-tek′nĕ-tāt). 過テクネチウム酸〔イオン〕; $^{99m}TcO_4^-$(広く核医学検査で用いられるテクネチウムの陰イオン).

Per·thes test ペルテス試験(深部大腿静脈が開通しているかどうかを調べる試験. 立位で患者の膝の上に駆血帯を巻き歩かせる. もし深部静脈が開存していれば表在性の静脈瘤は不変で, もし深部静脈が閉塞していれば下肢が痛くなってくる).

Per·tik di·ver·tic·u·lum ペルティク憩室(異常に深い咽頭陥凹).

per tu·bam 経耳管的に.

per·tus·sis (pĕr-tŭs′is). 百日咳(百日咳菌 *Bordetella pertussis* によって起こる急性感染症.

P

痙攣性の咳がひとしきり繰り返し起こり，息を出し尽くすまで続き，最後に喉頭の痙縮によって起こる吸息性のぜん音(フープ音 whoop)で終わる．病変は喉頭，気管，気管支の炎症によって起こる)．= whooping cough.

Pe·ru·vi·an wart ペルーいぼ．= verruga peruana.

per·va·sive de·vel·op·men·tal dis·or·der 広汎発達障害（社会技能，言語の発達の完成に必要で多様な基本的心理機能の習得の障害を特徴とする，乳幼児期，小児期，または青年期の一群の精神障害）．

per vi·as na·tu·ra·les 自然通路を経て（例えば，帝王切開でなく普通に分娩すること，あるいは飲み込んだ異物を外科的除去をせずに便通で出すことについていう）．

per·vi·ous (pĕr′vē-ŭs)．透過性の，浸透性の．= permeable.

pes, gen. **pe·dis,** pl. **pe·des** (pes, ped′is, -dēz)．***1*** 足．= foot(1)．***2*** 足様構造，基部構造．***3*** 弯足（この意味では，特殊な型を示す言葉によって限定される）．

pes an·se·ri·nus ***1*** = intraparotid plexus of facial nerve. ***2*** 鵞足（縫工筋，薄筋，半腱様筋の複合腱の脛骨粗面内側縁での展開）．

pes cav·us 凹足（足の内側縦足弓の高さが増した状態）．= clawfoot; claw foot.

pes pla·nus 扁平足．= talipes planus.

pes·sa·ry (pes′ă-rē)．***1*** ペッサリー（子宮を保持したり，ずれを正すために腟内に入れるいろいろな形のもの）．***2*** 腟坐薬．

pes·ti·cide (pes′ti-sīd)．農薬，殺虫薬（菌類，昆虫，げっ歯類，毛虫などを撲滅するための薬剤を意味する一般的用語）．

pes·ti·lence (pes′ti-lĕns)．悪疫，伝染病（①= plague(2)．②病気の悪疫流行，流行病）．

pes·ti·len·tial (pes-ti-len′shăl)．ペストの，悪疫の，流行病の．

pes·tle (pes′ĕl)．乳棒（一端が丸く，重くなっている棒状の道具．乳鉢の中で，打ち砕いたり，割ったり，すりつぶしたり，混和するために用いる）．

PET (pĕt)．positron emission tomography の略．

peta- ペタ（国際単位系(SI)およびメートル法において 10^{15} を表す接頭語）．

-petal 探索すること，前に付く語の主要部分の方への動き，を意味する接尾語．

pe·te·chi·ae, sing. **pe·te·chi·a** (pe-tē′kē-ē, -ă)．点状出血，溢血点（針の先の大きさから針頭大の大きさの皮膚の小さな出血点で，圧診によって退色しない）．

pe·te·chi·al (pe-tē′kē-ăl)．点状出血の．

pe·te·chi·al hem·or·rhage 点状出血（毛細管の皮内出血．点状出血となる）．= punctate hemorrhage.

Pe·ters o·vum ペーテルス卵子（推定受精年齢約 13 日の卵子．長い間この卵子は，良好な状態で発見された数少ないヒト幼若胚の 1 つとされ，その研究から早期胚に関する多くの事実がわかった）．

pet·i·o·late, pet·i·o·lat·ed (pet′ē-ō-lāt, -ĕd)．有柄の．

pe·ti·o·lus (pĕ-tē′ō-lŭs)．茎，柄．

Pe·tit her·ni·a プティ(プチ)ヘルニア（腰三角に起こる腰ヘルニア）．

Pe·tit her·ni·ot·o·my プティ(プチ)ヘルニア切開〔術〕（ヘルニア嚢を切開しないで行う手術）．

Pe·tit lum·bar tri·an·gle プティ(プチ)腰三角．= inferior lumbar triangle.

pe·tit mal 小発作．

Pe·tri dish cul·ture ペトリ皿培養（濾紙片，糞便検体，水道水を Petri 皿に入れ，線虫卵がふ化し幼虫となる環境を与える方法）．

pet·ri·fac·tion (pet-ri-fak′shŭn)．石化，化石化．

pé·tris·sage (pā-trē-sahzh′)．じゅうねつ(揉捏)法（組織をつまみ上げることで弾性を改善し，血液，リンパの循環を刺激することを意図するマッサージ法．あんまや皮膚をもむことも含む）．

petro- 石の，岩様の，を表す連結形．

pet·ro·mas·toid (pet-rō-mas′toyd)．錐体乳突の（側頭骨の錐体部と乳突部に関する．出生時には，通常，鱗乳頭縫合により融合している）．

pet·ro-oc·cip·i·tal (pet′rō-ok-sip′i-tăl)．錐体後頭の（後頭骨と側頭骨錐体部との間の頭蓋構造についていう）．

pet·ro·oc·cip·i·tal fis·sure 錐体後頭裂（後頭骨底部と側頭骨岩様部の間に破裂孔から前内側方向に走る裂溝で，後端に頸静脈孔を含む）．

pe·tro·sa, pl. **pe·tro·sae** (pe-trō′să, -sē)．錐体（側頭骨の錐体部分）．

pe·tro·sal (pĕ-trō′săl)．錐体の．= petrous(2)．

pet·ro·si·tis (pet-rō-sī′tis)．錐体尖炎，錐体尖化膿症（側頭骨錐体部と含気洞の炎症）．

pet·ro·sphe·noid (pet-rō-sfē′noyd)．錐体蝶形骨の（側頭骨錐体部と蝶形骨に関する）．

pet·ro·squa·mo·sal, pet·ro·squa·mous (pet′rō-skwā-mō′săl, -skwā′mŭs)．錐体鱗状部の（側頭骨の錐体および鱗状部に関する）．

pet·ro·tym·pan·ic fis·sure 錐体鼓室裂（側頭骨の鼓室部と錐体部との間の裂溝．鼓索神経が鼓索の前細管へ通っている）．= glaserian fissure.

pet·rous (pet′rŭs)．***1*** 岩様の（石または岩のように硬い）．***2*** 錐体の．= petrosal.

pet·rous part of in·ter·nal ca·rot·id ar·ter·y 内頸動脈錐体部（頸動脈管の中を通る内頸動脈の一部で，ここから頸動脈鼓室動脈と翼突管動脈が出ている）．

pet·rous part of tem·po·ral bone 側頭骨錐体部（側頭骨のうち内耳や内頸動脈の第二部を収容している部分．胎児期に独立した骨化の中心から発生してくる）．

pet·ti·gree (pet′i-grē)．= butcher's broom.

Petz·val sur·face ペッツヴァル表面（延長した線状物体がレンズで焦点を結ぶ曲面状像面．凸レンズの縁に向かって弯曲し，凹レンズの線から離れる方向に弯曲する．→barrel distortion; pincushion distortion）．

pex·is (pek′sis)．固定〔術〕（組織に物を固定す

ること).

-pexy 固定を意味する接尾語．外科で用いることが多い．

Pey·er patch·es パイアー(パイエル)斑(板)(小腸粘膜に楕円形の膨隆を形成している多くのリンパ小節の密な集合)．

Pey·ro·nie dis·ease ペーロニー病（陰茎海綿体の周囲に稠密な線維組織の塊状または柵状物のできる疾患で，陰茎弯局や勃起痛を起こす．しばしば Dupuytren 拘縮と関連する)．

Pey·rot tho·rax ペーロー胸郭（著しく多量の胸水のため胸郭が卵を斜めにしたような形に変形すること)．

PF platelet factor の略．

Pfan·nen·stiel in·ci·sion プファンネンシュティール切開〔術〕(恥骨の約 2.5 cm 上の下腹部を横に切開し，腹直筋前鞘を切開，筋肉を正中線で線維の方向に分割または分離する方法)．

Pfeif·fer ba·cil·lus プファイファー杆菌．= *Haemophilus influenzae*.

Pfeif·fer phe·nom·e·non プファイファー現象，生体内コレラ溶菌現象（免疫されたモルモットの腹腔内にコレラ菌を入れたとき，あるいは正常なモルモットでも，コレラ菌と同時に免疫血清を注射したときに起こる，コレラ菌の変性と完全な分解をさし，一般的な溶菌についてもいう)．

Pfeif·fer syn·drome プファイファー症候群（幅広く短い母指と母趾と種々の合指症を特徴とする疾患．頭蓋骨癒合症を伴うこともありうる)．= Noack syndrome.

PFT pulmonary function test の略．

pg picogram の記号．

P-gly·co·pro·tein (glī′kō-prō′tēn)．P-糖蛋白（腫瘍の多剤耐性に関連した蛋白で，多くの天然物や化学療法薬に対してエネルギーを必要とするエフラックスポンプとして使用する)．

Ph フェニル基の記号．

pH 水素指数（水素イオン濃度(1 L 中のモル数として測定される)の負の常用対数をとった値を示す記号．溶液は 22°C，pH 7.0 で中性，pH 7.0 を超えるとアルカリ性，pH 7.0 未満では酸性という．温度 37°C で中性は pH 6.8 である)．

PHA phytohemagglutinin の略．

phaco- ***1*** レンズ形を意味する，あるいは水晶体に関する連結形．***2*** 母斑症の母斑を意味する連結形．

phac·o·an·a·phy·lax·is (fak′ō-an-ă-fi-lak′sis)．水晶体アナフィラキシー（水晶体蛋白に対するアナフィラキシーあるいは過敏症)．

phac·o·cele (fak′ō-sēl)．水晶体転位（強膜を通る眼の水晶体のヘルニア)．

phac·o·e·mul·si·fi·ca·tion (fak′ō-ē-mŭl-si-fi-kā′shŭn)．水晶体超音波吸引〔術〕(低周波の超音波針を用いて白内障を乳化させて吸引する方法)．

phac·o·er·y·sis (fak-ō-er′i-sis)．水晶体吸引（エリシフェークとよばれる吸引カップで，水晶体を吸引除去すること)．

phac·o·gen·ic glau·co·ma 水晶体性緑内障．= phacomorphic glaucoma.

pha·coid (fak′oyd)．水晶体状の．

pha·col·y·sis (fă-kol′i-sis)．水晶体融解，水晶体切開（水晶体を切開して除去する手術)．

pha·co·lyt·ic (fak-ō-lit′ik)．水晶体融解の，水晶体切開の．

pha·co·ma (fa-kō′mă)．水晶体腫（母斑症でみられる過誤腫．しばしば結節性硬化症での網膜過誤腫をさす)．= phakoma.

pha·co·ma·la·ci·a (fak′ō-mă-lā′shē-ă)．水晶体軟化（水晶体が軟化すること．過熱白内障にみられる)．

phac·o·ma·to·sis (fak′ō-mă-tō′sis)．母斑症（多数の組織の過誤腫を特徴とする遺伝病の一群．例えば，von Hippel-Lindau 病，神経線維腫症，Sturge-Weber 症候群，結核性脳硬化症などに対する一般名)．= phakomatosis.

phac·o·mor·phic glau·co·ma 水晶体形態性緑内障（水晶体の過大または球状形により生じる続発緑内障)．= phacogenic glaucoma.

phac·o·scope (fak′ō-skōp)．水晶体鏡（水晶体が調節を行うときの変化を観察するための暗室型の器機)．

phaeo- [Br.]．= pheo-.

phaeochrome [Br.]．= pheochrome.

phaeochromocyte [Br.]．= pheochromocyte.

phaeochromocytoma [Br.]．= pheochromocytoma.

phae·o·hy·pho·my·co·sis (fē′ō-hī′fō-mī-kō′sis)．フェオヒフォミコーシス，黒色菌糸症（組織内に黒褐色調の菌糸や酵母様細胞を形成する，皮膚感染性真菌による表在性および深在性皮膚感染症)．

phage (fāj)．〔バクテリオ〕ファージ．= bacteriophage.

-phage, -phagia, -phagy 食べる，むさぼり食う，を意味する接尾語として用いる連結形．

phag·e·de·na (faj-ĕ-dē′nă)．侵食潰瘍（急速に周囲に広がり，組織を破壊しながら増殖する潰瘍)．

phag·e·den·ic (faj-ĕ-den′ik)．侵食〔性〕の．

phag·e·den·ic ul·cer 侵食性潰瘍（拡大性の腐肉形成を伴う急速に広がる潰瘍)．

phago- 食べる，むさぼり食う，を意味する連結形．

phag·o·cyte (fag′ō-sīt)．〔貪〕食細胞（細菌，異物，その他の細胞などを摂取する性質を有する細胞．小食細胞と大食細胞の 2 つに大別される．小食細胞(ミクロファージ)は主として細菌を摂取する多形核白血球．大食細胞(マクロファージ)は主として清掃細胞となって，壊死組織や変性細胞などを摂取する単核細胞(組織球と単球)である)．

phag·o·cyt·ic (fag-ō-sit′ik)．食細胞の，食作用の．

phag·o·cyt·ic in·dex 食細胞指数（洗浄した，正常と推定される白血球の懸濁液，被検血清，患者培養組織，を 37°C で混合し，培養した後に観察される多形核白血球の細胞質中の細菌の平均数)．

phag·o·cyt·ic pneu·mo·no·cyte 貪食性肺胞細胞（ヘモジデリン，炭粉，他の外来粒子を

P

取り込んだ肺胞貪食細胞).

phag·o·cy·tin (fag-ō-sī′tin). ファゴシチン(多形核白血球から単離される非常に不安定な殺菌性物質).

phag·o·cy·tize (fag′ō-sī-tīz). = phagocytose.

phag·o·cy·tol·y·sis (fag′ō-sī-tol′i-sis). 食細胞崩壊 (①食細胞, 白血球の破壊. 血液凝固の過程において, あるいはある種の拮抗異物が体内にはいってきたときに起こる. ②補体の遊離に先立って食細胞が自然に破壊されること).

phag·o·cy·to·lyt·ic (fag′ō-sī-tō-lit′ik). 食細胞崩壊の.

phag·o·cy·tose (fag′ō-sī′tōs). 食〔菌〕作用する, 貪食する (細菌および他の異物を体内に吸収・破壊すること, 食細胞の作用を表す). = phagocytize.

phag·o·cy·to·sis (fāg-ō-sī-tō′sis). 食〔菌〕作用, 貪食作用〔能〕, ファゴサイトーシス (細胞による摂取および消化の過程. 摂取される固形物質には, ほかの細胞, 細菌, 壊死した組織の破片, 異物粒子がある. →endocytosis).

phag·o·ly·so·some (fag-ō-lī′sō-sōm). 食胞融解小体, ファゴリソソーム (食胞または摂食粒子と癒合した水解小体).

phag·o·some (fag′ō-sōm). 食胞 (食細胞が飲み込んだ顆粒(バクテリアなど)を囲んでつくられる小胞で, 細胞膜から切り取られ, 貯蔵顆粒と合体してその内容物(水解小体)をもらい受け, 食胞融解小体 phagolysosome となり, 飲み込んだ顆粒の消化を行う).

phag·o·type (fag′ō-tīp). ファージ型 (微生物学において, ある種のバクテリオファージまたはそれの組合せに対する感受性による菌株の細区分).

pha·kic eye 有水晶体眼 (生体水晶体を有する眼).

phako- この形で始まり以下に記載のない語は phaco- の項参照.

pha·ko·ma (fă-kō′mă). = phacoma.

phak·o·ma·to·sis (fă-kō′mă-tō′sis). = phacomatosis.

pha·lan·ge·al (fă-lan′jē-ăl). 指(趾)節骨の.

phal·an·gec·to·my (fal-an-jek′tō-mē). 節骨切除〔術〕 (指趾の1個あるいは数個の節骨を切除すること).

pha·lanx, gen. **pha·lan·gis,** pl. **pha·lan·ges** (fā′langks, fă-lan′jis, -jēz). ***1*** 指(趾)節骨 (指の長骨. 各手足に14個あり, 母指に2個, 他の4本の指は各3個ずつある. 中手骨から順に, 基節骨, 中節骨, 末節骨とよばれる). ***2*** 多数の小角状の板. 数列をなし, らせん器(Corti 器)の表面に存在する. これは外側列をなす柱細胞と支持細胞の頭であり, その間に有毛細胞の自由面がある.

Pha·len ma·neu·ver ファーレン手技 (手関節を掌屈し続ける手技で, 60秒以内に正中神経支配域に感覚異常が出現すれば手根管症候群の可能性が高い). = Phalen test.

Pha·len test = Phalen maneuver.

phall-, phalli-, phallo- 陰茎を意味する連結形.

phal·lec·to·my (fal-ek′tō-mē). 陰茎切除〔術〕.

phal·lic (fal′ik). ***1*** 陰茎の. ***2*** ファルスの, 男根の (精神分析学で, 陰茎に関することで, 特に男根期についていう. →phallic phase).

phal·lic phase 男根期 (精神分析的人格理論において, 小児が2—6歳までの間に起こる精神・性的発達の一時期をいう. この時期には, 興味, 好奇心, 快楽などが, 少年では陰茎, 少女では陰核に集中している. →genital phase).

phal·lo·camp·sis (fal-ō-kamp′sis). 陰茎彎曲勃起 (→chordee).

phal·lo·dyn·i·a (fal-ō-din′ē-ă). 陰茎痛.

phal·loi·din (fă-loy′din). ファロイジン (毒茸といわれるタマゴテングタケ *Amanita phalloides* に存在する最もよく知られている環状ペプチド化合物. アマニチンと密接に関連する).

phal·lo·plas·ty (fal′ō-plas-tē). 陰茎形成〔術〕 (陰茎の手術的再建).

phal·lot·o·my (fal-ot′ō-mē). 陰茎切開〔術〕 (陰茎に対する外科的切開).

phal·lus, pl. **phal·li** (fal′ŭs, -ī). 原始生殖茎 (発生学において生殖結節から発達し, 陰茎あるいは陰核となる生殖原基).

phan·ta·si·a (fan-tā′zē-ă). = fantasy.

phan·tasm (fan′tazm). 幻影, 幻想 (空想によってつくり出される心像). = phantom(1).

phan·tas·ma·go·ria (fan-taz′mă-gōr′ē-ă). 幻覚連鎖 (偶然に連想した心像の幻想的連鎖).

phan·tom (fan′tŏm). ***1*** = phantasm. ***2*** 模型 (人体あるいはその一部分の模型で, 特にわかりやすくつくられているもの). ***3*** ファントム (放射線医学において, 体内に照射される放射線の線量を予測する機械またはコンピュータ制御によるモデル).

phan·tom cor·pus·cle 血球影. = achromocyte.

phan·tom limb, phan·tom limb pain 幻〔影〕肢 (切断された肢がまだ存在しているように感じることで, 痛みを伴うことが多い). = pseudesthesia(3).

phan·tom tu·mor ファントム腫瘤 (うっ血性心不全によって起こる肺の葉間への液貯留. 放射線学的には新生物に類似する).

Phar.B. Bachelor of Pharmacy の略.

Phar.D. Doctor of Pharmacy の略.

phar·ma·ceu·tic, phar·ma·ceu·ti·cal (fahr-mă-sū′tik, -ti-kăl). 薬学の, 製薬の, 薬局の, 薬事の.

phar·ma·ceu·ti·cal care ファーマシューティカルケア (患者の生活の質を明確に改善する目的で, 責任をもって医薬療法を提供すること).

phar·ma·ceu·tics (fahr-mă-sū′tiks). ***1*** = pharmacy(1). ***2*** 製剤学, 薬剤学 (薬の製剤や形態, 動態などを扱う学問).

phar·ma·cist (fahr′mă-sist). 薬剤師 (薬を製剤・調剤し, その性状についての知識を有する者).

pharmaco- 薬剤に関する連結形.

phar·ma·co·di·ag·no·sis (fahr′mă-kō-dī-ag-nō′sis). 薬物診断学.

phar·ma·co·dy·nam·ic (fahr′mă-kō-dī-nam′ik). 薬力(薬理)学的な.

phar·ma·co·dy·nam·ics (fahr′mă-kō-dī-nam′

iks). 薬力(薬理)学（生体内での薬物の取込み，移動，結合，相互作用に関する学問).

phar·ma·co·ec·o·nom·ics (fahr′mă-kō-ek-ō-nom′iks). 薬物経済学（保健医療制度および社会が負担する薬物治療コストの内容や分析を取り扱う科学).

pharm·a·co·ep·i·de·mi·ol·o·gy (fahr′mă-kō-ep-i-dē-mē-ol′ŏ-jē). 薬剤疫学（集団における薬剤関連のイベントの分布や決定要因を研究し，それを効果的な薬物療法のために応用すること. →epidemiology; pharmacology).

phar·ma·co·ge·net·ics, phar·ma·co·gen·om·ics (fahr′mă-kō-jĕ-net′iks, fahr′mă-kō-jĕn-om′iks). 薬理遺伝学，遺伝薬理学（ヒトや実験動物の薬物による変異を遺伝学的に解明する学問).

phar·ma·cog·no·sy (fahr-mă-kog′nō-sē). 生薬学（生薬の物理学的特性および動植物学的起源を明らかにする薬物学の一分野).

phar·ma·co·ki·net·ic (fahr′mă-kō-ki-net′ik). 薬物速度論の，薬物動態学の（生体内における薬物の状態，すなわちその吸収，分布，代謝および排泄に関した).

phar·ma·co·ki·net·ics (fahr′mă-kō-ki-net′iks). 薬物速度論，薬物動態〔学〕，薬物動力学（吸収，分布，代謝，排泄などによる生体内における薬物の動き，特にその速度過程を記述する学問).

phar·ma·co·log·ic, phar·ma·co·log·i·cal (fahr′mă-kō-loj′ik, -i-kăl). 薬理学の，薬理学的な（①薬理学または薬物の構造，性質，作用に関連する. ②生理的レベルよりも，より多量かまたはより効力があるため，質的に異なった作用を有するであろう用量に関していい，生理学の分野でときとして用いられることがある. *cf.* homeopathic(2); physiologic(4)).

phar·ma·co·log·ic stress test 薬理的ストレステスト（心血管系の持久力。特に冠動脈灌流の評価. ドブタミン，ジピリダモール，アデノシンのような薬剤を静脈へ注入することで身体運動に代用する).

phar·ma·col·o·gist (fahr-mă-kol′ŏ-jist). 薬理学者.

phar·ma·col·o·gy (fahr-mă-kol′ŏ-jē). 薬理学，薬物学（薬物と，その起源・外観・化学・作用・適用に関する学問).

Phar·ma·co·pei·a, Phar·ma·co·poe·i·a (fahr′mă-kō-pē′ă). 薬局方（治療薬の集成，その力価，純度の基準，調剤方の指示などが収められている書物. 多くの国の薬局方が略号で扱われているが，最もよく用いられる略号は *USP*（米国薬局方），*BP*（英国薬局方）である).

phar·ma·co·pe·ial (fahr′mă-kō-pē′ăl). 薬局方の，薬局方収載の（薬局方，薬局方収載医薬品についていう. →official). = pharmacopoeial.

phar·ma·co·pe·ial gel 薬局方のゲル（水溶媒中に水和物として存在する不溶性薬物の懸濁液. その中の粒子径はコロイドの次元に接近あるいは到達する). = pharmacopoeial gel.

pharmacopoeial [Br.]. = pharmacopeial.

pharmacopoeial gel [Br.]. = pharmacopeial gel.

phar·ma·co·ther·a·py (fahr′mă-kō-thār′ă-pē). 薬物療法（薬物を用いて治療を行うこと. →chemotherapy).

phar·ma·cy (fahr′mă-sē). ***1*** 薬学（薬の製剤や形態，動態などを扱う学問). = pharmaceutics (1). ***2*** 薬局.

phar·ma·cy tech·ni·cian 薬剤技術師（正薬剤師の監督の下，その助手として任務にあたる医療従事者).

phar·ma·ki·ne·tics (fahr′mă-ki-net′iks). 薬物動態学（体内における経時的な薬物動態の数学的な特性づけ. 血中薬物濃度を理解して説明する助けとして，また投与量および期間を調節して，治療効果を最大限に得て，毒性作用を最小限に抑えるために利用する).

Pharm.D. = Doctor of Pharmacy.

pha·ryn·ge·al (fă-rin′jē-ăl). 咽頭の.

pha·ryn·ge·al ap·pa·rat·us 咽頭器官（初期胚にみられ，咽頭ら，咽頭嚢，咽頭溝，咽頭膜がみられる). = branchial apparatus.

pha·ryn·ge·al arch 鰓弓（脊椎動物では一般に6対の動脈弓があるが，下等脊椎動物ではこれに鰓が付いている. 高等脊椎動物でも一過性にみられ，頭頸部における特殊構造の原基となる). = branchial arch.

pha·ryn·ge·al arch ar·ter·ies 咽頭弓動脈（咽頭弓の間葉における始原胎生咽頭を取り囲む一連の動脈).

pha·ryn·ge·al branch of pte·ry·go·pal·a·tine gang·li·on 翼口蓋神経節の咽頭枝. = pharyngeal nerve.

pha·ryn·ge·al bur·sa 咽頭嚢. = Tornwaldt cyst.

pha·ryn·ge·al cleft 咽頭鰓溝. = pharyngeal groove.

pha·ryn·ge·al flap 咽頭弁（主として口蓋裂などの鼻咽腔閉鎖不全患者において，鼻腔への空気の流れを正しくするための遮断に用いる. →hypernasality; cleft palate).

pha·ryn·ge·al groove 咽頭溝（発生初期に，一連の鰓弓の間にみられる外胚葉性の溝). = branchial cleft; pharyngeal cleft.

pha·ryn·ge·al nerve 〔翼口蓋神経節の〕咽頭枝（後方へ咽頭管を抜けて副交感性節後線維を鼻咽頭の粘液腺に送る). = Bock nerve; nervus pharyngeus; pharyngeal branch of pterygopalatine ganglion; ramus pharyngeus ganglii pterygopalatini.

pha·ryn·ge·al o·pen·ing of au·di·to·ry tube 耳管咽頭口（耳管の鼻咽頭への開口で，1対ある. 下鼻甲介の後端から1.2 cmほど後方にある鼻咽頭の上部の開口).

pha·ryn·ge·al re·flex 咽頭反射（①= swallowing reflex. ②= vomiting reflex).

pha·ryn·ge·al ton·sil 咽頭扁桃（鼻咽頭の後壁と後蓋に密に凝集したリンパ様組織の集合で，肥大したものはアデノイドとよばれる病変を形成する).

pha·ryn·ge·al tra·che·al lu·men air·way = pharyngeal tracheal multiple balloon system.

pha·ryn·ge·al tra·che·al mul·ti·ple bal·loon sys·tem 咽頭気管多重バルーンシステム（気管内や食道内に入れる２本の管からなる気道確保器具．器具は盲検的に中咽頭に挿入され，気管もしくは食道を通過する）. = esophageal tracheal airway; pharyngeal tracheal lumenairway.

pha·ryn·ge·al veins 咽頭静脈（咽頭静脈叢から内頸静脈に注ぐ数個の静脈）.

pha·ryn·gec·to·my (fă-rin-jek′tō-mē). 咽頭切除〔術〕.

pha·ryn·ges (fă-rin′jēz). pharynx の複数形.

pha·ryn·gis·mus (fă-rin-jiz′mŭs). 咽頭痙攣（咽頭筋の痙攣）. = pharyngospasm.

pha·ryn·git·ic (fă-rin-jit′ik). 咽頭炎の.

pha·ryn·gi·tis (fă-rin-jī′tis). 咽頭炎（咽頭の粘膜，および粘膜下の炎症）.

pharyngo-, pharyng- 咽頭を意味する連結形.

pha·ryn·go·cele (fă-ring′gō-sēl). 咽頭ヘルニア，咽頭脱（咽頭の憩室）.

pha·ryn·go·con·junc·ti·val fe·ver 咽頭結膜熱（発熱，咽頭炎，結膜炎を特徴とし，通常，流行性に起こる疾患で，３型のアデノウイルスや他の型による）.

pha·ryn·go·ep·i·glot·tic, pha·ryn·go·ep·i·glot·tid·e·an (fă-ring′gō-ep-i-glot′ik, fă-ring′gō-ep-i-glo-tid′ē-ăn). 咽頭喉頭蓋の（咽頭と喉頭蓋に関する）.

pha·ryn·go·e·soph·a·ge·al (fă-ring′gō-ē-sŏf-ă′jē-ăl). 咽頭食道の（咽頭と食道に関する）. = pharyngo-oesophageal.

pha·ryn·go·e·soph·a·ge·al di·ver·tic·u·lum 咽頭食道憩室（食道に最も普通にみられる憩室で，下咽頭収縮筋と輪状咽頭筋との間に生じる内圧性憩室）. = hypopharyngeal diverticulum; pharyngo-oesophageal diverticulum; Zenker diverticulum.

pha·ryn·go·glos·sal (fă-ring′gō-glos′ăl). 咽頭舌の（咽頭と舌に関する）.

pha·ryn·go·la·ryn·ge·al (fă-ring′gō-lă-rin′jē-ăl). 咽頭の.

pha·ryn·go·lar·yn·gi·tis (fă-ring′gō-lar-in-jī′tis). 咽頭喉頭炎，咽頭炎.

pha·ryn·go·lith (fă-ring′ō-lith). 咽頭結石.

pha·ryn·go·my·co·sis (fă-ring′gō-mī-kō′sis). 咽頭糸状菌症（糸状菌が咽頭粘膜に侵入すること）.

pha·ryn·go·na·sal (fă-ring′gō-nā′săl). 咽頭鼻腔の（咽頭と鼻腔に関する）.

pharyngo-oesophageal [Br.]. = pharyngoesophageal.

pharyngo-oesophageal diverticulum [Br.]. = pharyngoesophageal diverticulum.

pha·ryn·go·plas·ty (fă-ring′gō-plas-tē). 咽頭形成〔術〕（口蓋帆咽頭機能異常を修正するための手段）.

pha·ryn·go·ple·gi·a (fă-ring′gō-plē′jē-ă). 咽頭麻痺（咽頭壁の麻痺）.

pha·ryn·go·scope (fă-ring′gŏ-skōp). 咽頭鏡（咽頭を検査するのに用いる喉頭鏡に似た器械）.

pha·ryn·gos·co·py (far-ing-gos′kŏ-pē). 咽頭鏡検査〔法〕（咽頭の視診と検査）.

pha·ryn·go·spasm (fă-ring′gō-spazm). = pharyngismus.

pha·ryn·go·ste·no·sis (fă-ring′gō-stĕ-nō′sis). 咽頭狭窄〔症〕.

pha·ryn·got·o·my (far-ing-got′ŏ-mē). 咽頭切開〔術〕（外側あるいは内側から咽頭を切開手術すること）.

pha·ryn·go·tym·pan·ic (au·di·to·ry) tube 耳管（鼓膜腔から上咽頭へと続く管．鼓膜側の（後ろ外側の）骨の部分とと咽頭側の（前内側の）線維軟骨部分からなる．蝶形錐体の溝は，耳管の最も狭い部分である（峡部）．“耳抜き”と俗に言われるが，耳管は鼓膜腔内の空気圧と周囲の空気圧を平等に保つことができる）. = salpinx (2); tuba auditiva; auditory tube; eustachian tube; tuba auditoria.

pha·rynx, gen. **pha·ryn·gis,** pl. **pha·ryn·ges** (far′ingks, fă-rin′jis, -jēz). 咽頭（下方は食道により，上方と前方は口腔と鼻腔により境界付けられる，消化管の上方に拡大した部分）.

phase (fāz). →stage; period. ***1*** 期，段階（変化や成長の過程の一時期）. ***2*** 相（明確な物理的境界により他と区別される物質系の均一な部分．例えば，乳濁液は油・水・ゴムの３相からなる）. ***3*** 相（２つ以上の事象の間の時間的な関係）. ***4*** 位相（周期運動や波形運動における特別な部分）.

phase I block I 相遮断（運動神経終板の脱分極に伴って生じる筋神経接合部の神経刺激伝達の抑制．スクシニルコリンにより生じる筋麻痺にみられる）.

phase II block II 相遮断（運動神経終板の脱分極を伴わない筋神経接合部の神経刺激伝達の抑制．ツボクラリンによる筋麻痺にみられる）.

phase im·age 位相画像（動きの情報を得るために位相のずれの情報のみを表現した MR 画像）.

phase mi·cro·scope, phase-con·trast mi·cro·scope 位相差顕微鏡（位相を変える環の付いた特別のコンデンサと対物レンズを用いて，屈折率の小さな差を，像の光度あるいはコントラストの差として目に見えるように特別に工夫した顕微鏡．この器械は生きているかまたは無染色の細胞や組織のような透明な標本の構造の細部を検査するのに特に有用である）.

pha·sic bite pat·tern 相動性咬合行動（5—6か月の幼児に見られる反射的な反応．機能的な咀嚼ではないあごの開閉として観察される）.

PH con·duc·tion time →atrioventricular conduction.

Phem·is·ter graft フェミスター骨移植（遷延治癒骨折の治療に用いる自家上のせ骨移植）.

phen-, pheno- ***1*** 出現を意味する連結形. ***2*** 化学において，ベンゼンからの誘導体を意味する連結形.

phen·ac·e·tur·ic ac·id フェナセツール酸（偶数個の炭素原子を有するフェニル化脂肪酸の代謝最終生成物）. = phenylaceturic acid.

phe·no·cop·y (fē′nō-kop-ē). 表〔現〕型模写（①実際は遺伝子によるものではなく環境に起因するものでありながら，通例ある特異的な遺伝子異常であるとの診断の根拠となってきた，臨床的実験的形質の1セット．②通常は遺伝的起源による状態に類似するが，実際には環境要因による状態）．

phe·nol co·ef·fi·cient フェノール係数．= Rideal-Walker coefficient.

phe·nol·u·ri·a (fē-nol-yū′rē-ă)．フェノール尿〔症〕（尿中にフェノールを排泄すること）．

phe·nom·e·non, pl. **phe·nom·e·na** (fē-nom′ĕ-non, -nă)．現象，徴候（①症状．正常であれ異常であれ疾病に関連して起こるあらゆるもの．②異常な事実あるいは出来事．③理性や感覚によって知覚される対象）．

phe·no·type (fē′nō-tīp)．表現型（遺伝子の表現あるいはいくつかの異なった遺伝子型の合計の表現型．表現型から遺伝子型の区別が可能かどうかは，鋭敏性の度合による．キャリアを検出する特殊な方法では，単純な身体検査では区別できないようなキャリアを正常人と判別できる．表現型は遺伝病の直接原因であり，遺伝子選択の対象である）．

phe·no·typ·ic (fē-nō-tip′ik)．表現型の．

phe·no·typ·ic val·ue 表現値（統計的遺伝学において，特定の表現型に関与する形質の数量をいう）．

phe·no·zy·gous (fē-nō-zī′gŭs)．狭頭蓋の（顔の幅に比べて狭い頭蓋をもつ．そのために頭蓋を上方から見ると頬弓が見える）．

phen·yl (Ph, φ) フェニル（ベンゼンを構成する1価の部分 C_6H_5–）．

phen·yl·a·ce·tic ac·id フェニル酢酸（フェニルアラニン異化過程の異常生成物．フェニルケトン尿症患者の尿中にみられる）．

phen·yl·a·ce·tur·ic ac·id フェニルアセツール酸．= phenaceturic acid.

phen·yl·al·a·nin·ase (fen′il-al′ă-nin-ās)．フェニルアラニナーゼ；phenylalanine 4-monooxygenase.

phen·yl·al·a·nine (F) (fen′il-al′ă-nēn)．フェニルアラニン（L-異性体は蛋白中の一般的なアミノ酸の1つ．栄養学的必須アミノ酸）．

phen·yl·al·a·nine 4-mon·o·ox·y·gen·ase フェニルアラニン4-モノオキシゲナーゼ（L-フェニルアラニンのL-チロシンへの酸化を触媒する酵素．酵素の欠損により，フェニルケトン尿症になる）．

phen·yl·ben·zene (fen′il-ben′zēn)．フェニルベンゼン．= diphenyl.

phen·yl·di·chlo·ro·ar·sine (PD) (fen′il-dī-klōr-ō-ar′sēn)．フェニルジクロロアルシン（過去に軍・警察がびらん剤，催吐剤として使用した毒性を有する液体．第一次世界大戦において初めて限定的に使用された）．

phen·yl·hy·dra·zine he·mol·y·sis フェニルヒドラジン溶血（グルコース-6-リン酸デヒドロゲナーゼ(G6PD)欠損症の試験管内テスト．赤血球中のG6PDが欠損している血液にフェニルヒドラジンを添加すると溶血が起こり，Heinz-Ehrlich小体が出現する）．

phen·yl·ke·to·nu·ri·a (PKU) (fen′il-kē′tō-nyūr′ē-ă)．フェニルケトン尿〔症〕（フェニルアラニン4-モノオキシゲナーゼあるいはときにジヒドロフェリン還元酵素またはジヒドロビオプテリン合成酵素の先天的欠損症．この疾患はL-チロシン生成不全，血清中のL-フェニルアラニンの上昇，フェニルピルビン酸および他の誘導体の尿中排泄増加をきたす．フェニルアラニンおよびその代謝産物の蓄積を起こして脳に障害をもたらし，重篤な精神発達遅滞，しばしばてんかん発作がみられ，髄鞘形成遅延など他の神経学的異常，および皮膚の低色素症，湿疹を起こすメラニン生成欠損を伴う．*cf.* hyperphenylalaninemia）．= Folling disease.

P

phen·yl·lac·tic ac·id フェニル乳酸（フェニルアラニン異化産物．フェニルケトン尿症患者の尿中に顕著にみられる）．

phe·nyl·py·ru·vic ac·id フェニルピルビン酸（フェニルアラニンアミノトランスフェラーゼの作用によるアミノ基転移生成物．フェニルケトン尿症の患者の尿中では上昇している）．

phen·yl·thi·o·hy·dan·to·in (fen′il-thī′ō-hī-dan′tō-in)．フェニルチオヒダントイン（蛋白分解のEdman法においてアミノ酸から生成される化合物．フェニルイソチオシアネートがN末端アミノ酸のアミノ基と反応してフェニルチオカルバモイルペプチドまたは蛋白を生成し，弱酸によりN末端アミノ酸を含むフェニルチオヒダントインが遊離される）．

pheo- = phaeo-. ***1*** エステル残基とMg以外の，クロロフィル中に存在するものと同種の，phorbinまたはphorbide上の置換基を示す接頭語．***2*** 灰色の，または暗色の，を意味する連結形．

phe·o·chrome (fē′ō-krōm)．= phaeochrome. ***1*** = chromaffin. ***2*** 第二クロム塩で黒く染まっている．

phe·o·chro·mo·cyte (fē′ō-krō′mō-sīt)．クロム親和〔性〕細胞（交感神経傍節，副腎髄質，または褐色細胞腫のクロム親和性細胞）．= phaeochromocyte.

phe·o·chro·mo·cy·to·ma (fē′ō-krō′mō-sī-tō′mă)．褐色細胞腫，クロム親和〔性〕細胞腫（副腎髄質組織の細胞に由来する，通常良性の機能性クロム親和性細胞腫で，カテコールアミンを分泌し，高血圧をきたすのが特徴である．動悸，頭痛，悪心，呼吸困難，不安，蒼白，および大量発汗を伴う発作性の高血圧を起こすことがある．→paraganglioma）．= phaeochromocytoma.

phe·re·sis (fē-rē′sis)．フェレーシス（供血者より採血して，その成分を分離し，一部を残して他をすべて供血者に返却する操作のこと．→leukapheresis; plateletpheresis; plasmapheresis）．

pher·o·mones (fer′ō-mōnz)．フェロモン（1個体から体外に分泌され，同種のもう1つの個体によって感知され，それによってその個体の性的または社会的行動に変化を起こさせる物質．昆虫の性的誘因物質として最初に発見された）．

PHI *protected health information* の略．

phi (*ϕ*, φ) ファイ（①ギリシア語アルファベットの第21字．②(Φ)．フェニル基，ポテンシャルエネルギー，磁束の記号．③(φ)．平面角，容積分率，量子収率，ペプチド結合に関与した $N-C_\alpha$ 結合の回転の二面角に対する記号）．

Phi·a·loph·o·ra (fī-ă-lof′ŏ-ră). フィアロフォラ属（真菌類の一属で，そのうち少なくとも *Phialophora verrucosa* および *Phialophora dermatitidis* の2種はクロモミコーシスを引き起こす）.

phil- 密接な関係や愛を意味する連結形.

-phil, -phile, -philic, -philia …に対する好みまたはあこがれを意味する接尾語.

Phi·la·del·phi·a chro·mo·some フィラデルフィア染色体（第22染色体長腕の一部が第9染色体に転座した結果形成される異常な短小第22染色体．多くの慢性骨髄性白血病患者の培養白血球中に見出される）.

Phi·la·del·phi·a col·lar フィラデルフィア首輪（一般的に固定に使う，スタイロフォームでできた首輪．医療施設へ運搬の際，患者を固定する）.

-philia, -phily, -philous 引き付けるもしくは引き付けられるものを意味する連結形.

Phil·lips cath·e·ter フィリップスカテーテル（尿道に使用する，糸状導子のついたカテーテル）.

Phil·lip·son re·flex フィリップソン反射（対側の膝の伸筋が抑制されたときに生じる，もう一方の膝の伸筋の収縮）.

phil·trum, pl. **phil·tra** (fil′trŭm, -tră). ***1*** 媚薬，ほれ薬．***2*** 人中，にんちゅう（鼻の下のくぼみ，上唇の中央にある溝）.

phi·mo·sis, pl. **phi·mo·ses** (fī-mō′sis, -sēz). 包茎（包皮の亀頭上での反転を妨げるほど包皮口が小さいこと）.

phi·mot·ic (fī-mot′ik). 包茎の.

phleb·ec·ta·si·a (fleb′ek-tā′zē-ā). 静脈拡張〔症〕. = venectasia.

phle·bec·to·my (fle-bek′tō-mē). 静脈切除〔術〕（静脈の一部を切除すること．静脈瘤の治療のためにときに行う．→strip(2)). = venectomy.

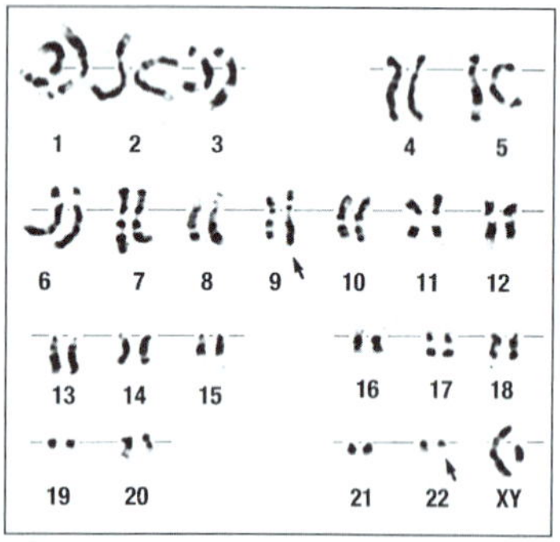

1 2 3 4 5
6 7 8 9 10 11 12
13 14 15 16 17 18
19 20 21 22 XY

Philadelphia chromosome translocation
慢性骨髄性白血病患者の核型で，フィラデルフィア染色体の転座t(9;22)(q34;q11)が認められる．フィラデルフィア染色体は第22染色体上に存在する.

phle·bit·ic (fle-bit′ik). 静脈炎の.

phle·bi·tis (fle-bī′tis). 静脈炎.

phlebo-, phleb- 静脈に関する連結形.

phleb·o·cly·sis (flĕ-bok′li-sis). 静脈〔内〕注射，静脈〔内〕注入（デキストロースまたは他の物質の等張液の大量静脈注射）.

phleb·o·gram (fleb′ō-gram). 静脈〔脈〕波〔曲線〕，静脈図（頸静脈やその他の静脈拍の追跡の記録）. = venogram(2).

phleb·o·graph (fleb′ō-graf). 静脈波計（静脈の脈波計．静脈拍の追跡を行うための器具）.

phle·bog·ra·phy (fle-bog′ră-fē). ***1*** 静脈波描画法（静脈拍の記録）．***2*** 静脈造影(撮影)〔法〕. = venography.

phleb·o·lith (fleb′ō-lith). 静脈結石（静脈壁または血栓内の石灰性の沈着．通常，腹部X線写真で下部骨盤部に認められる）.

phleb·o·li·thi·a·sis (fleb′ō-li-thī′ă-sis). 静脈結石症（静脈結石の形成）.

phle·bo·ma·nom·e·ter (fleb′ō-mă-nom′ĕ-tĕr). 静脈〔血〕圧計（静脈血圧の測定のための圧力計）.

phleb·o·phle·bos·to·my (fleb′ō-fle-bos′tō-mē). 静脈吻合〔術〕. = venovenostomy.

phleb·o·plas·ty (fleb′ō-plas-tē). 静脈形成〔術〕（静脈の修復）.

phle·bor·rha·phy (fle-bōr′ă-fē). 静脈縫合〔術〕.

phleb·o·scle·ro·sis (fleb′ō-skler-ō′sis). 静脈硬化〔症〕（静脈壁の線維性の硬化）. = venosclerosis.

phle·bos·ta·sis (fle-bos′tă-sis). = venostasis. ***1*** 静脈うっ滞（静脈内の血液の動きが異常に遅く，通常，静脈の拡張を伴う）．***2*** 静脈血うっ滞法（四肢の近位静脈を止血帯で圧迫することによるうっ血性心不全の治療）.

phleb·o·ste·no·sis (fleb′ō-sten-ō′sis). 静脈狭窄〔症〕（原因は何であれ静脈の管腔が狭くなること）.

phleb·o·throm·bo·sis (fleb′ō-throm-bō′sis). 静脈血栓症（一次性の炎症なしに起こる静脈中の血栓または血塊）.

phle·bot·o·mist (fle-bot′ō-mist). しゃ(瀉)血士（しゃ血の訓練を受け技術をもつ者）.

phle·bot·o·mize (fle-bot′ō-mīz). しゃ(瀉)血する（①血を抜く．②ヘモクロマトーシスのような鉄過剰を減少するために血液を繰り返し除去する）.

Phle·bot·o·mus (flĕ-bot′ō-mŭs). フレボトムス属（チョウバエ科 Phlebotominae 亜科のきわめて小型の双翅類で，吸血性サシチョウバエの一属）.

phle·bot·o·my (fle-bot′ō-mē). 静脈切開，しゃ(瀉)血（しゃ血のための静脈の切開）. = venesection; venotomy.

phlegm (flem). ***1*** 粘液分泌過多（粘液，特に口腔から痰などとして吐きだす粘液の量が異常に多いこと）．***2*** 粘液質（古代ギリシアの，四体液と考えられたものの1つ）.

phleg·mat·ic (fleg-mat′ik). 粘液質の（古代ギ

リシアの四体液(→phlegm)のうち重いもので，そのため，沈着，無感動で，冷静な気質を有する).

phleg·mon (fleg′mon). 皮下結合組織の急性化膿性炎症を表す．現在では用いられない語.

phleg·mon·ous (fleg′mŏn-ūs). フレグモーネの，蜂巣炎の.

phleg·mon·ous ab·scess 蜂巣炎性膿瘍 (特徴的な限局性の化膿で，罹患部の硬化および肥厚を引き起こす周囲の高度な炎症反応).

phlo·ri·zin gly·cos·ur·i·a, phlo·rid·zin gly·cos·ur·i·a フロリジン糖尿 (フロリジン実験投与後，尿中に糖が現れること．フロリジンの投与はブドウ糖の再吸収に対する腎閾値を低下させる作用がある).

phlyc·te·na, pl. **phlyc·te·nae** (flik-tē′nă, -nē). フリクテン，水疱 (小さな水疱のことで，特にI度熱傷後に生じる多数の小水疱のうちの1つをいう).

phlyc·te·nar (flik′tĕ-năr). フリクテンの，水疱の.

phlyc·te·noid (flik′tĕ-noyd). フリクテン様の.

phlyc·ten·u·la, pl. **phlyc·ten·u·lae** (flik-ten′yū-lă, -yū-lē). 小フリクテン，小水疱 (結膜中にみられる潰瘍尖をもつリンパ様細胞からなる小さく赤い結節). = phlyctenule.

phlyc·ten·u·lar (flik-ten′yū-lăr). 小フリクテンの，小水疱の.

phlyc·ten·u·lar ker·a·ti·tis フリクテン性角膜炎 (強角膜輪部付近のリンパ組織の小さい赤色結節(フリクテン)形成を伴う角膜に沿った結膜の炎症).

phlyc·ten·ule (flik′tĕn-yūl). = phlyctenula.

phlyc·ten·u·lo·sis (flik-ten′yū-lō′sis). フリクテン症 (内因性毒素による角膜および結膜の結節性感受性亢進).

pho·bi·a (fō′bē-ă). 恐怖〔症〕(ある対象に向けられている，客観的な根拠のない病的な恐れや心配で，パニック状態を引き起こす．本語は恐怖を引き起こす対象をさした語と結び付けて用いられる).

pho·bic (fō′bik). 恐怖〔症〕の.

pho·bo·pho·bi·a (fō-bō-fō′bē-ă). 恐怖症恐怖 (ある恐怖症にかかりはしないかと病的に恐れている状態).

pho·co·me·li·a, pho·com·e·ly (fō-kō-mē′lē-ă, -kom′ĕ-lē). フォコメリー，アザラシ肢症，アザラシ状奇形 (腕または脚，あるいはその両方の発達欠如．手と脚とが体幹にぴったりくっつき，アザラシのひれ足に似ている).

phon (fōn). ホン (音の大きさ(ラウドネス)の単位).

pho·nal (fō′năl). 声の，音の.

phon·as·the·ni·a (fō′nas-thē′nē-ă). 音声衰弱〔症〕(発声機能の疲労．発声が困難または異常で，発音は高すぎるか，大きすぎるか，硬調である).

pho·na·tion (fō-nā′shŭn). 発声 (声帯の振動による発声).

pho·na·tor·y (fō′nă-tōr′ē). 発声の.

pho·neme (fō′nēm). 音素 (意味を与える最小の音声単位).

pho·nen·do·scope (fō-nen′dō-skōp). 拡声聴診器 (2枚の平行な共鳴板により聴診音を増幅する聴診器．1枚は患者の胸部上に置くか聴診器のチューブに接続し，もう1枚はそれとともに振動する).

pho·net·ic (fō-net′ik). 音声の (→phonic).

pho·net·ic ba·lance 音声均衡 (聴力を測定する際にその言語において通常の会話で出現するのと同じ頻度で様々な音素が含まれていること．音声学的に均衡のとれた単語リストは語音弁別スコアを決定するのに用いられる).

pho·net·ics (fō-net′iks). 音声学 (発声および発音の科学).

pho·ni·at·rics (fō-nē-at′riks). 音声医学，音声治療学 (発声の研究．発声学).

phon·ic (fon′ik). 音声の，音の (→phonetic).

phono-, phon- 音，言語，音声を意味する連結形.

pho·no·an·gi·og·ra·phy (fō′nō-an-jē-og′ră-fē). 血管音図法 (狭窄部位を通過する渦状動脈血流雑音の成分の周波数と強度を記録・分析する方法).

pho·no·car·di·o·gram (fō-nō-kahr′dē-ō-gram). 心音図 (心音計によって測定された心音の記録).

pho·no·car·di·o·graph (fō-nō-kahr′dē-ō-graf). 心音計 (マイクロホン，増幅器，フィルタを使用して心音を図式に記録するための器械で，オシロスコープ上に表示するかまたはアナログ記録として紙に書かせる).

pho·no·car·di·og·ra·phy (fō′nō-kahr-dē-og′ră-fē). 心音図検査〔法〕(①心音計で心音を記録すること．②心音図の解釈に関する学問).

pho·no·cath·e·ter (fō-nō-kath′ĕ-tĕr). 心音カテーテル (心臓および大きな血管内からの音および雑音を記録するため，その先端に小型マイクロホンを納めてある心臓カテーテル).

pho·no·gram (fō′nō-gram). 音曲線 (音の持続および強度をグラフ上に描写する曲線).

pho·nom·e·ter (fō-nom′ĕ-tĕr). 音声計 (音の周波数および強度を測定する器具).

pho·no·my·oc·lo·nus (fō′nō-mī-ok′lō-nŭs). フォノミオクローヌス，音性筋間代 (音性刺激に従って起こるクローヌス様の筋収縮).

pho·nop·a·thy (fō-nop′ă-thē). 発声異常 (発声に影響する音声器官の病気).

pho·no·pho·re·sis (fō′nō-fŏr-ē′sĭs). 超音波泳動法 (超音波を使って，経皮的に抗炎症剤を注入すること．→iontophoresis).

pho·no·pho·tog·ra·phy (fō′nō-fō-tog′ră-fē). 音写真〔法〕(音波により振動板へ伝達される運動を，動いている写真板上に記録すること，またはその方法).

pho·nop·si·a (fō-nop′sē-ă). 音視〔症〕(ある音を聞くと色の主観的な感覚が起こる状態).

pho·no·re·cep·tor (fō′nō-rē-sep′tŏr). 音〔覚〕受容器 (刺激音に対する受容器).

pho·re·sis (fŏr-ē′sis). *1* 泳動. = electrophoresis. *2* 便乗 (1匹の生物がもう1匹の生物によって運ばれる生物学的関係).

P

phor·i·a (fōr′ē-ā). 斜位（適当な融像刺激が存在しないときに，与えられた目標への注視中の眼位．→cyclophoria; esophoria; exophoria; heterophoria; hyperphoria; hypophoria; orthophoria).

phoro-, phor- 運ぶこと(人)，持つこと(人)，あるいは斜位を意味する連結形．

phos- 光に関する連結形．

phos·gene (fos′jēn). ホスゲン；carbonyl chloride; $COCl_2$(通常の温度で著しい毒性のある気体．8.2℃以下では無色の液体．潜行性ガスであり，致死濃度を吸入したときでも，すぐには刺激しない．第一次世界大戦での化学兵器による死者の80%以上は，ホスゲンによるものである．NATOコードはGG).

phos·gene ox·ime ホスゲンオキシム（軍や一部の組織・団体が保有するびらん剤．速効的に疼痛を誘発させる強力な刺激作用を有する)．= dichloroformoxime.

phosph-, phospho-, phosphoro-, phosphor- 化合物中のリンの存在を示す接頭語．この接頭語の特殊用法はphospho- 参照．

phosphataemia [Br.]. = phosphatemia.

phos·pha·tase (fos′fā-tās). ホスファターゼ（リン酸エステルから正リン酸を遊離させる酵素のグループ).

phos·phate (fos′fāt). ***1*** リン酸塩またはエステル．***2*** 三価イオン，PO_4^{3-}.

phos·phate di·a·be·tes リン酸ダイヤベーテス（腎尿細管でのリン再吸収障害により大量のリンが尿中に排泄される病態．Fanconi症候群のような全身性疾患に伴うことが多い).

phos·pha·te·mi·a (fos-fā-tē′mē-ā). リン酸塩血〔症〕（血液中の異常に高濃度の無機リン酸塩)．= phosphataemia.

phos·phat·ic (fos-fat′ik). リン酸塩の．

phos·phat·i·dyl·glyc·er·ol (fos-fā-tī′dil-glis′ĕr-ol). ホスファチジングリセロール（ヒト羊水中の成分で，妊娠末期に証明されれば胎児肺の成熟度を表す).

phos·pha·tu·ri·a (fos-fā-tyūr′ē-ā). リン酸塩尿〔症〕（リン酸塩の尿中への過剰排泄).

phos·phene (fos′fēn). 閃光〔感覚〕，眼内閃光，眼閃（神経系の末梢あるいは中枢視覚路の機械的または電気的刺激によって生じる光感覚).

phos·phide (fos′fīd). リン化物（原子価3のリンの化合物．例えばsodium phosphide, Na_3P).

phospho- *O*-phosphono- を表す接頭語．接尾語phosphate に相当する．例えば，glucose phosphate は *O*-phosphonoglucose または phosphoglucose である．→phosph-.

3′-phos·pho·a·den·o·sine 5′-phos·phate (PAP) 3′-ホスホアデノシン5′-リン酸（スルフリル(硫酸)基転移反応の生成物).

phos·pho·am·i·dase (fos′fō-am′i-dās). ホスホアミダーゼ（リン-窒素結合の加水分解を触媒する酵素).

phos·pho·am·ides (fos-fō-am′īdz). ホスホアミド（リン酸のアミド類(phosphoramidic acids)およびその塩またはエステル).

phos·pho·cre·a·tine (PCr) (fos′fō-krē′ā-tēn). ホスホクレアチン（クレアチンに(そのアミノ基によって)リン酸が結合した化合物．脊椎動物の筋肉の収縮でのエネルギー源．その脱離によりクレアチンキナーゼによるADPからATPへの再合成に対してリン酸を供給する)．= creatine phosphate; N^{ω}-phosphonocreatine.

phos·pho·di·es·ter·as·es (fos′fō-dī-es′tĕr-ās-ĕz). ホスホジエステラーゼ（cAMPや核酸のヌクレオチド間にみられるようなホスホジエステル結合を開裂し，より小さいポリまたはオリゴヌクレオチド単位またはモノヌクレオチドを遊離させるが，正リン酸を遊離させない酵素).

phos·pho·e·nol·pyr·u·vic ac·id ホスホエノールピルビン酸（エノール形のピルビン酸のリン酸エステル．D-グルコースのピルビン酸への変換の中間体で，高エネルギーリン酸エステルの一例).

6-phos·pho-D-glu·co·no-δ-lac·tone (siks-fos′fō-dē′glū′kō-nō-del′tā-lak′tōn). 6-ホスホ-D-グルコノδ-ラクトン（ペントースリン酸経路の中間体で，D-グルコース6-リン酸から生合成される).

phos·pho·glyc·er·ides (fos′fō-glis′ĕr-īdz). ホスホグリセリド類（アシルグリセロールおよびジアシルグリセロールリン酸．神経組織の成分で，脂肪の転送や貯蔵に関与する).

phos·pho·li·pase (fos′fō-lip′ās). ホスホリパーゼ（リン脂質の加水分解を触媒する酵素)．= lecithinase.

phos·pho·lip·id (fos′fō-lip′id). リン脂質（リンを含む脂質．レシチンおよび他のホスファチジル誘導体，スフィンゴミエリンおよびプラスマロゲンを含む．生体膜の基本構成成分).

phos·pho·mu·tase (fos′fō-myū′tās). ホスホムターゼ（酵素(ムターゼ)の1つで，供与体が再生されるのでリン酸の分子内転移を触媒すると考えられる).

phos·pho·ne·cro·sis (fos′fō-nĕ-krō′sis). リン〔骨〕壊死（リン蒸気吸入中毒によって起こる顎の骨の壊死で，特にリンを扱う労働者に多い).

***N^{ω}*-phos·pho·no·cre·a·tine** (fos′fō-nō-krē′ā-tēn). N^{ω}-ホスホノクレアチン．= phosphocreatine.

phos·pho·pro·tein (fos′fō-prō′tēn). リン蛋白（リン酸基を含む蛋白．その構成アミノ酸の側鎖に直接付いている).

phos·phor (fos′fōr). リン光体，蛍光体（シンチレーションの放射能測定やラジオグラフィ増強スクリーンまたはイメージ増幅物質のように，入射する電磁気あるいは放射線エネルギーを光に転換する化学物質).

phos·pho·res·cence (fos-fō-res′ĕnts). リン光（活性燃焼または熱産生を伴わない発光の性質．通常，放射線への前照射の結果として起こる．誘因が除かれても発光し続ける).

phos·pho·res·cent (fos′fō-res′ĕnt). リン光性の．

5-phos·pho-α-D-ri·bo·syl 1-py·ro·phos·phate (PRPP) 5-ホスホ-α-D-リボシルピロリン酸；5-phosphoribosyl 1-diphosphate(リボースのC-5位にリン酸基を，リボースのC-1位にピ

ロリン酸基をもつ D-リボース．NAD^+ やピリミジンおよびプリンヌクレオチド類の生成の中間体）．

phos·phor·ic ac·id リン酸（工業的に重要な強酸．希釈溶液は尿酸性化剤および壊死性汚物の除去のための包帯剤として使われた．歯科においては，60%の液からなり，リン酸亜鉛セメントおよびケイ酸セメントに用いる．種々の濃度の溶液は，種々の樹脂を塗布する前に，エナメル質やぞうげ質の表面をエッチング処理のために用いる）．

phos·phor·ism (fos′fŏr-izm)．リン中毒（リンによる慢性中毒）．

phos·pho·rol·y·sis (fos-fŏ-rol′i-sis)．加リン酸分解（結合を切るために，水の代わりにリン酸が加えられる以外は加水分解に類似した反応）．

phos·pho·rous (fos′fŏr-ŭs)．***1*** 亜リン酸の，リン様の．***2*** 低い価の状態(+3)のリンについていう．

phos·pho·rus (fos′fŏr-ŭs)．リン（非金属性元素．原子番号 15，原子量 30.973762．天然に広く存在するが，単体としてではなくリン酸塩，亜リン酸塩などとして常に結合し，すべての生きている細胞中のリン酸と結合して存在する．リンは非常に毒性が強く，強度の炎症と脂肪変性をもたらす．繰り返しリン酸の蒸気を吸い込むと，顎の壊死(リン骨壊死)を起こす）．

phos·pho·rus 32 リン 32（放射性のリンの同位元素．半減期 14.28 日でベータ線を放出する．代謝研究のトレーサ，および骨や造血系の疾病の治療に用いる）．

phos·phor·y·lase (fos-fōr′i-lās)．ホスホリラーゼ（正リン酸でポリ(1,4-α-D-グルコシル$)_n$ を開裂し，ポリ(1,4-α-D-グルコシル$)_{n-1}$および α-D-グルコース 1-リン酸を生成させるリン酸化酵素）．

phos·phor·y·lase phos·pha·tase ホスホリラーゼホスファターゼ（1つのホスホリラーゼ *a* を，4つの正リン酸の遊離を伴って，2つのホスホリラーゼ *b* に転換するのを触媒する酵素）．

phos·pho·ryl·a·tion (fos′fŏr-i-lā′shŭn)．リン酸化〔反応〕（有機化合物へのリン酸塩の付加．ホスホトランスフェラーゼ(ホスホリラーゼ)またはキナーゼの作用によるグルコースからのグルコース-リン酸生成などにみられる）．

phos·pho·sug·ar (fos′fō-shug′ăr)．リン糖酸（リン酸化糖類．リン酸によってエステル化されたアルコール基をもつ糖）．

phos·pho·tung·stic ac·id (PTA) リンタングステン酸（リン酸とタングステン酸の混合物．アルギニン，リシン，ヒスチジン，シスチンに対する蛋白沈殿剤で，核および筋肉染色に対するヘマトキシリンとともに用いる．また，コラーゲンの染色剤または逆染色剤として電子顕微鏡検査にも用いる）．

phos·pho·tung·stic ac·id he·ma·tox·y·lin (PTAH) リンタングステン酸ヘマトキシリン（細胞学や組織学で広く応用されている．核，ミトコンドリア，フィブリン，神経膠原線維や骨格筋や心筋の交差線紋が青色に染色．軟骨基質や骨小網やエラスチンは黄橙色または褐赤色の明暗で現れる．また，異常または病的星状細胞に有効で，しばしば過ヨウ素酸 Schiff 染色法や Luxol ファストブルーと併せて用いる）．= Mallory phosphotungstic acid hematoxylin stain.

pho·tal·gi·a (fō-tal′jē-ă)．光痛〔症〕（光誘導性の，特に眼の痛み）．= photodynia.

pho·tic (fō′tik)．光性の，光の．

pho·tic driv·ing 光性駆動，光駆動（頭頂後頭部で記録される活動の周波数が，光刺激の間，フラッシュの周波数に時間固定する正常脳波現象）．

pho·tic-sneeze re·flex 光性くしゃみ反射．= photoptarmosis.

pho·tism (fō′tizm)．視覚性共感覚（聴覚，味覚，触覚などの他の感覚器官に対する刺激により光覚あるいは色覚が生じること）．

photo-, phot- 光を意味する連結形．

pho·to·ab·la·tion (fō′tō-ab-lā′shŭn)．フォトアブレーション，光剥離（レーザー光による組織の光剥離分解の過程．例えば，光学的角膜屈折矯正手術でみられる）．

pho·to·ag·ing (fō′tō-āj′ing)．光加齢（日光による皮膚の老化．しわの形成が顕著）．

pho·to·bi·ot·ic (fō′tō-bī-ot′ik)．好光〔性〕の（光の中でのみ生存し，繁茂するものについていう）．

pho·to·cat·a·lyst (fō′tō-kat′ă-list)．光化学触媒，光触媒（光触媒反応を起こすのを助ける物質．例えばクロロフィル）．

pho·to·chem·i·cal (fō′tō-kem′i-kăl)．光化学的な，光活性化の（光によって生じたり，発光したりする化学変化を表す）．

pho·to·che·mo·ther·a·py (fō′tō-kēm-ō-thār′ă-pē)．光化学療法．= photoradiation.

pho·to·chro·mic lens 調光レンズ（太陽光線の下ではあまり光を通さず，明るさが減少すると光をよく通す，光感受性眼鏡レンズ）．

pho·to·chro·mo·gen·ic (fō′tō-krō-mŏ-jen′ik)．フォト色素生産性の（培養群が光にあたると黄色い色素を発する微生物，例えば Mycobacterium kansasii に関すること）．

pho·to·co·ag·u·la·tion (fō′tō-kō-ag′yū-lā′shŭn)．光凝固〔術〕（電磁エネルギービームを観察下で，目的とする組織に照射する方法．光エネルギーの吸収，熱変換，または組織のプラズマ(電子を失った原子)への変転の結果，局所的な凝固が生じる）．

pho·to·co·ag·u·la·tor (fō′tō-kō-ag′yū-lā-tŏr)．光凝固装置．

pho·to·der·ma·ti·tis (fō′tō-dĕr-mă-tī′tis)．光線皮膚炎（太陽光線への暴露によって起こるか，あるいは誘発される皮膚炎．光毒性と光アレルギー性の場合があり，介在する光毒性，または光アレルギー性物質の局所塗布・摂取・吸入・注入の結果起こりうる．→photosensitization）．= actinic dermatitis; actinodermatitis.

pho·to·de·tec·tor (fō′-tō-dĕ-tĕk-tŏr)．光子検出器（分光光度計の中の装置．通常は，光に敏感な表面に当たる光子の数に比例して反応する）．

pho·to·dis·tri·bu·tion (fō′tō-dis-tri-byū′shŭn). 体表の皮膚のうち，太陽光線の暴露が最も多く，光線過敏性により皮疹を発生する領域.

pho·to·dy·nam·ic sen·si·ti·za·tion 光力学増感作用，光動的感作（ある物質，特に蛍光染料(アクリジン，エオシン，メチレンブルー，ベンガルローズ)が可視光線を吸収し，染料含有懸濁液中の微生物や他の生物に有害となる波長でエネルギーを発生させる作用．または静脈注射したポルフィリンで増感し，赤色レーザー光線で照射し，癌細胞を選択的に殺す効果）. = photosensitization(2).

pho·to·dy·nam·ic ther·a·py (PDT) 光線力学療法（黄斑変性の治療法で，励起性染料を静注した後，眼内で染料が漏出している箇所をレーザーで治療する）.

pho·to·dyn·i·a (fō′tō-din′ē-ă). = photalgia.

pho·to·e·lec·tric (fō′tō-ē-lek′trik). 光電効果の（光の作用により産生される電子効果を表す）.

pho·to·fluor·og·ra·phy (fō′tō-flōr-og′ră-fē). X線蛍光撮影〔法〕（透視板にフイルムを密着させて撮影したミニX線像で，かつては肺の集団検診に用いられた）. = fluorography.

pho·to·gas·tro·scope (fō′tō-gas′trŏ-skōp). 胃カメラ（胃内部の写真を撮る装置）.

pho·to·gen·ic, pho·tog·e·nous (fō′tō-jen′ik, fō-toj′ĕ-nŭs). 発光〔性〕の.

pho·to·gen·ic ep·i·lep·sy 光線性てんかん（光により急発される反射性てんかんの一型）.

pho·to·in·ac·ti·va·tion (fō′tō-in-ak-ti-vā′shŭn). 光不活化（光による不活化．例えば，単純疱疹の治療に際して局所に感光性の染料を塗布し，続いて蛍光灯を照射する，というようなもの）.

pho·to·lu·mi·nes·cent (fō′tō-lū-mi-nes′ĕnt). 光輝性の（可視光線に露出されると発光する）.

pho·tol·y·sis (fō-tol′i-sis). 光分解（光の作用による化学物質の分解や化学結合の切断）.

pho·to·lyt·ic (fō′tō-lit′ik). 光分解の.

pho·to·mi·cro·graph (fō′tō-mī′krō-graf). 顕微鏡写真（顕微鏡で見た物体の拡大写真．マイクロ写真 microphotograph とは区別される）. = micrograph.

pho·to·mi·crog·ra·phy (fō′tō-mī-krog′ră-fē). 顕微鏡写真撮影〔法〕.

pho·to·my·oc·lo·nus (fō′tō-mī-ok′lŏ-nŭs). 光ミオクロ〔ー〕ヌス（視覚刺激に反応する筋肉の間代性痙攣）.

pho·ton (γ) (fō′ton). 光子，光量子（物理でエネルギーまたは光の粒子．光または他の電磁放射線の量子）.

pho·to-patch test 光貼付試験（接触性光感作性試験．疑われる感作物質を2か所貼付して48時間後，もし反応がなければ紅斑量より少ない量の太陽光線，または紫外線を照射する．もし陽性であれば照射していない貼付部位より照射した貼付部位で小水疱を伴う激しい反応となる）.

pho·to·per·cep·tive (fō′tō-pĕr-sep′tiv). 光受容〔性〕の，光覚〔性〕の，感光能のある.

pho·to·pho·bi·a (fō′tō-fō′bē-ă). 光恐怖〔症〕（明るい場所を病的に恐れたり避けたりすること．しばしば眼に対する過度の不安の一表現法であるが，光過敏と光痛の既往歴や現病歴を考慮しなければならない）.

pho·to·pho·bic (fō′tō-fō′bik). まぶしがり〔症〕の，羞明の，光恐怖〔症〕の.

pho·toph·thal·mi·a (fō′tof-thal′mē-ă). 光線眼症（紫外線のエネルギーによって起こる角結膜炎．雪盲，紫外線ランプへの露出，アーク溶接，高圧電流の短絡の場合など. →photoretinopathy）.

pho·to·pi·a (fō-tō′pē-ă). 明所視. = photopic vision.

pho·top·ic (fō-top′ik). 明所視の.

pho·top·ic ad·ap·ta·tion = light adaptation.

pho·top·ic eye 明所視眼. = light-adapted eye.

pho·top·ic vi·sion 明所視（明順応時の視覚. →light adaptation; light-adapted eye）. = photopia.

pho·top·si·a (fō-top′sē-ă). 光視〔症〕（視覚系の電気的あるいは機械的刺激による，光，閃光，または色の主観的感覚）. = photopsy.

pho·top·sin (fō-top′sin). ホトプシン（網膜錐体の色素(ヨードプシン)の蛋白部分(オプシン)）.

pho·top·sy (fō-top′sē). = photopsia.

pho·top·tar·mo·sis (fō-top′tahr-mō′sis). 光性くしゃみ（光，特に明るい光を見たときに生じるくしゃみ）. = photic-sneeze reflex.

pho·to·ra·di·a·tion, pho·to·ra·di·a·tion ther·a·py (fō′tō-rā′dē-ā′shŭn, thār′ă-pē). 光放射線（ヘマトポルフィリンのような光線に対して過敏になる薬剤を経静脈的に投与し，表在性腫瘍には可視光線で，また深部の腫瘍には光ファイバーを用いて光を当て，癌を治療する方法）. = photochemotherapy.

pho·to·re·ac·tion (fō′tō-rē-ak′shŭn). 光反応（光の作用や，その影響で起こる反応．例えば，光化学反応，光分解，光合成，屈光性，チミン二量体生成）.

pho·to·re·ac·ti·va·tion (fō′tō-rē-ak′ti-vā′shŭn). 光回復（不活性であったあるいは不活性化されていたものや過程が光によって活性化すること）.

pho·to·re·cep·tive (fō′tō-rē-sep′tiv). 光受容の，光受容体(器)の.

pho·to·re·cep·tor (fō′tō-rē-sep′tŏr). 光受容体(器)（光に敏感な受容体．例えば，網膜杆体や網膜錐体）.

pho·to·re·cep·tor cells 光受容細胞（網膜の杆体と錐体）.

pho·to·ret·i·ni·tis (fō′tō-ret-i-nī′tis). 光網膜炎（→photoretinopathy）.

pho·to·ret·i·nop·a·thy (fō′tō-ret-i-nop′ă-thē). 光網膜症（日光または他の強い光(例えば短絡路の閃光)に過度に暴露して起こる黄斑熱傷．主観的には視力減退を特徴とする）.

pho·to·scan (fō′tō-skan). フォトスキャン. = scintiscan.

photosensitisation [Br.]. = photosensitization.

pho·to·sen·si·ti·za·tion (fō′tō-sen-si-ti-zā′

shūn). 光感作（①通常ある種の薬物，植物または他の物質の作用による皮膚の光に対する感作．薬物の投与後まもなく発生する(光毒性過敏症)場合と，数日から数か月にわたる潜伏期間後に初めて発生する(光アレルギー性過敏症，光アレルギー)場合がある．②= photodynamic sensitization). = photosensitisation.

pho·to·sta·ble (fō′tō-stā-bĕl). 光安定性の（光に暴露されても変化を受けない).

pho·to·steth·o·scope (fō-tō-steth′ŏ-skōp). 光線聴診器（音を光波動に変換する装置．胎児心音の連続観察に用いる).

pho·to·syn·the·sis (fō′tō-sin′thĕ-sis). 光合成（①光の影響で化学物質を化合または作製すること．②緑色植物が葉緑素と日光のエネルギーを用いて水と炭酸ガスとから炭水化物をつくり，その過程で酸素分子を放出する過程).

pho·to·tax·is (fō′tō-tak′sis). 光走性（生きている原形質の光刺激に対する反応．また生体の刺激へ向かう(**positive phototaxis**)あるいは刺激から離れる(**negative phototaxis**)体運動も意味する．*cf.* phototropism).

pho·to·ther·a·peu·tic ker·a·tec·to·my (PTK) 光(レーザー光)治療的角膜切除（エキシマレーザーによる病的角膜組織の切除).

pho·to·ther·a·py (fō′tō-thār′ă-pē). 光線療法(光線による疾患の治療). = light treatment.

pho·to·ther·mo·ly·sis (fō′tō-thĕrm-ol′ī-sis). 光線熱分解（レーザー皮膚表面形成術．レーザー光線による皮膚表面の深くなった線，小じわ，しみ，刺青の治療術).

pho·to·tim·er (fō′tō-tīm-ĕr). 自動露光計（X線撮影に使用される電子機器で，患者を透過したX線の量を測定し，撮影に十分な量に達したときX線照射を終了させる).

pho·to·tox·ic·it·y (fō′tō-tok-sis′i-tē). 光毒症(紫外線の過剰暴露によるか，ある波長の光線の暴露と光毒性物質との組合せで起こる状態．→ photosensitization).

pho·tot·ro·pism (fō-tot′rŏ-pizm). 光屈性，屈光性（生物の部分の光刺激へ向かう(**positive phototropism**)あるいは光刺激より離れる(**negative phototropism**)運動．*cf.* phototaxis).

pho·tu·ri·a (fō-tyūr′ē-ă).〔リン〕光尿〔症〕（リン光尿を排出すること).

PHP panhypopituitarism の略.

phre·nal·gi·a (fre-nal′jē-ă). ***1*** 精神痛. = psychalgia(1). ***2*** 横隔痛.

-phrenia ***1*** 横隔膜を意味する接尾語．***2*** 精神を意味する接尾語.

phren·ic (fren′ik). ***1*** 横隔膜の. = diaphragmatic. ***2*** 精神の.

phren·i·cec·to·my (fren-i-sek′tŏ-mē). 横隔神経切除〔術〕（横隔神経切断術後に起こるような再結合を防ぐために，横隔神経の一部を切除すること). = phrenicoexeresis.

phren·ic gan·gli·a 横隔神経節（下横隔動脈に伴う叢内に含まれるいくつかの小さな自律神経節).

phren·i·cla·si·a (fren-i-klā′zē-ă). 横隔神経圧挫〔術〕（横隔神経の一部を圧挫すること．これにより，横隔膜を一時的に麻痺させる). = phrenicotripsy.

phren·ic nerve 横隔神経（頸神経叢，主に第四頸神経から起こる．前斜角筋の前を下行し，胸鎖関節の背後の鎖骨下動静脈の間から胸郭にはいり，肺根の前を通り横隔膜に達する．主に横隔膜の運動神経であるが，壁側縦隔胸膜，心膜，横隔胸膜，腹膜に知覚線維を送り(心膜枝)，腹腔神経叢からの枝と交通する(横隔腹枝)). = nervus phrenicus.

phren·i·co·ab·dom·i·nal branches of phren·ic nerve 横隔神経の横隔腹枝（横隔神経の最終枝で横隔膜に運動枝を，横隔膜・横隔胸膜・腹膜に感覚枝を送る).

phren·i·co·col·ic (fren′i-kō-kol′ik). 横隔膜結腸の（横隔膜と結腸に関係した).

phren·i·co·col·ic lig·a·ment 横隔結腸ひだ(左結腸曲と横隔膜に付着している腹膜の三角ひだ．その上に脾臓の下端がのる). = ligamentum phrenicocolicum.

phren·i·co·ex·er·e·sis (fren′i-kō-ek-ser′ĕ-sis). 横隔神経捻除〔術〕. = phrenicectomy.

phren·i·co·gas·tric (fren′i-kō-gas′trik). 横隔膜胃の（横隔膜と胃に関係した).

phren·i·co·he·pa·tic (fren′i-kō-hĕ-pa′tik). 横隔膜肝臓の（横隔膜と肝臓に関係した).

phren·i·co·pleu·ral fas·ci·a 横隔胸膜筋膜(横隔胸膜と横隔膜の間にあり，胸内筋膜が薄くなった部分).

phren·i·cot·o·my (fren-i-kot′ŏ-mē). 横隔神経切断〔術〕（横隔膜の一側性麻痺を起こすために横隔神経を切開すること．それにより横隔膜は腹部内臓に押し上げられ罹患肺を圧迫する).

phren·i·co·trip·sy (fren′i-kō-trip′sē). 横隔神経圧挫〔術〕. = phreniclasia.

phreno-, phren-, phreni-, phrenico- ***1*** 横隔膜を意味する連結形．***2*** 心を意味する連結形．***3*** 横隔神経を意味する連結形.

phren·o·car·di·a (fren-ō-kahr′dē-ă). 心臓神経症（心因性の前胸痛と呼吸困難．不安神経症の症状であることが多い．→cardiac neurosis).

phren·o·ple·gi·a (fren-ō-plē′jē-ă). 横隔膜麻痺.

phren·op·to·si·a (fren-op-tō′sē-ă). 横隔膜下垂〔症〕（横隔膜の異常な垂下).

phryn·o·der·ma (frin-ō-dĕr′mă). ガマ皮〔症〕，フリノデルマ（ビタミンA欠乏に起因すると考えられる毛孔性角質増殖性の発疹).

phy·co·my·co·sis (fī′kō-mī-kō′sis). フィコミコーシス，ムコール〔菌〕症，藻菌症. = zygomycosis.

phy·lax·is (fī-lak′sis). 感染防御（感染に対する防御).

phyl·lo·qui·none (fil-ō-kwin′ōn). フィロキノン（ムラサキウマゴヤシから分離される．合成でもつくられる．植物中に見出される大部分のビタミンK). = vitamin K_1; vitamin K_1(20).

phylo- 種族，人種，分類学上の門 phylum に関する連結形.

phy·lo·gen·e·sis (fī-lō-jen′ĕ-sis). 系統発生. = phylogeny.

P

phy·lo·ge·net·ic, phy·lo·gen·ic (fī′lō-jĕ-net′ik, -jen′ik). 系統発生〔的〕の.

phy·log·e·ny (fī-loj′ĕ-nē). 系統発生 (種の進化的発生. 個体発生とは区別する). = phylogenesis.

phy·lum, pl. phy·la (fī′lŭm, -lă). 門 (分類学上の区分. 界の下で綱の上に位置する).

phy·ma (fī′mă). 瘤腫, 瘤 (皮膚の小結節または小円形の腫瘍).

phy·ma·to·sis (fī-mă-tō′sis). 瘤腫症 (皮膚に瘤や小結節が発生または成長すること).

Phy·sal·i·a (fī-sā′lē-ā). カツオノエボシ属 (有刺胞動物門に属する無脊椎動物の一属. カツオノエボシ Portuguese man-of-war を含む).

Phy·sal·i·a phy·sa·lis カツオノエボシ (個々の生物の複雑な集合体からなるクラゲ状の動物で, きわめて強い疼痛の刺傷を負わせる). = Portuguese man-of-war.

phy·sal·i·form (fi-sal′i-fōrm). 泡状の, 胞状の.

phys·a·lis (fis′ăl-is). 〔細胞内〕空胞 (軟骨腫のようにある種の悪性腫瘍にみられる巨細胞内の空胞).

phys·i·al (fis′ē-āl). 骨端軟骨板の (長骨の骨端と骨幹端の間にある成長軟骨帯についていう).

phys·i·at·rics (fiz-ē-at′riks). ***1*** 物理療法, 理学療法 (physical therapy の古語). ***2*** リハビリテーションの管理.

phys·i·a·trist (fiz-ī′ă-trist). 物理療法医, 理学療法医 (物療学を専門とする医師).

phys·i·a·try (fi-zī′ă-trē). = physical medicine.

phys·i·cal (fiz′i-kăl). 身体的な (精神とは区別され, 身体に関することについていう).

phys·i·cal ac·tiv·i·ty 身体活動 (筋によって引き起こされ, エネルギーを消費するすべての身体の運動. →exercise).

phys·i·cal ac·tiv·i·ty pyr·a·mid 身体活動ピラミッド (日常生活の一部になるまでいかに身体活動増進するかを示した視覚的表現).

phys·i·cal a·gent 物理的外因, 物理的因子 (治療目的または治療時に, 生理学的プロセスを変化させるために生物組織に規則的に加える音響, 水, 電気, 機械, 熱, または光のエネルギー. →modality).

phys·i·cal al·ler·gy 理学的アレルギー (熱あるいは寒冷のような環境因子に対する過剰反応).

phys·i·cal con·di·tion·ing 身体コンディショニング (通常の身体の活動を体系的に利用して, 機能的および構造的な適応を引き出し, エネルギー量および運動能力を強化すること).

phys·i·cal de·mand lev·el 肉体的要求度 (米国労働局が定義した5つのユニフォームの分類. 密着, 軽い, 普通, 重い, とても重い).

phys·i·cal di·ag·no·sis 理学的診断 (①患者の身体的検査の手段を通じて下される診断. ②身体的検査の過程).

phys·i·cal fit·ness 体力良好 (動作が最適となるような健康良好な状態. →health-related physical fitness).

phys·i·cal map 物理的地図 (お互いにわかっている距離を境界標に配列したDNAの地図. 究極の物理的地図は全染色体の塩基配列であろう).

phys·i·cal med·i·cine 物理療法医学, 物療医学 (主に機械的および他の物理的方法でなされる疾病の研究と処置). = physiatry.

Phys·i·cal Read·i·ness Ques·tion·naire (PAR-Q) 身体準備状況アンケート (身体活動プログラムを始めるにあたって, 患者を審査するためにカナダ運動生理学協会によって開発された短期的な評定法).

phys·i·cal sign 身体的徴候, 理学的徴候 (触診, 打診, 聴診で観察される, あるいは引き出される徴候).

phys·i·cal ther·a·pist 理学療法士 (理学療法を行う人). = physiotherapist.

phys·i·cal ther·a·pist as·sis·tant (PTA) 理学療法アシスタント (理学療法士の指示のもと働く専門職助手で, 理学療法処置での助手をする).

phys·i·cal ther·a·py (PT) 理学療法 (①物理的手法により疼痛, 疾患, あるいは外傷を治療する方法. = physiotherapy. ②健康の増進, 身体的廃疾の予防, 疼痛, 疾患, あるいは外傷によって不具となった人の評価と社会復帰, 内科的, 外科的, 放射線的方法に対立するものとしての物理的治療手法による治療などに携わる職業).

phy·si·cian (fi-zish′ŭn). ***1*** 医師 (医学の技術および科学を実行するよう教育を受け, 訓練され, かつ免許を受けた人). ***2*** 内科医 (外科医と区別するのに用い, 非外科医学の実践者をさす).

phy·si·cian as·sis·tant 医師助手 (免許のある医師の指導のもとに, 基本的な医療行為を行う免許を受けた人).

phy·si·cian as·sis·tant, cer·ti·fied (PA-C) 公認の医師アシスタント (学位あるいは2年のコース修了して国家試験に合格した証明書の所持者).

phy·si·cian-as·sis·ted su·i·cide 医師幇助自殺 (医師の直接的あるいは間接的幇助のもとに, 致死的物質を投与することにより自身の生命を自発的に絶つこと. 医師幇助自殺は, 末期あるいは植物状態のため瀕死の状態にある患者を安楽死させるため, 生命維持装置を抑制するか停止すること, および末期癌患者に麻薬鎮静剤を投与して間接的に死を促進させることからは区別される. →end-of-life care; advance directive).

phy·si·cian ex·ten·der 拡大医療行為者 (医師の指示と監督のもと, 医師自身によって行われるかもしれない行為を行う訓練を特別に受け, 資格を得た人. 例えば, 実地看護師, 医療助手).

phy·si·cian of·fice lab·o·ra·tor·y (POL) 診療所内検査室, オフィスラボ (開業医の診療所にある臨床検査室. 診察した患者から採取した標本をその場で検査するところ).

Phy·sick pouch·es フィジック嚢 (粘液分泌と灼熱痛を伴う直腸肛門炎. 特に直腸弁の間に小嚢形成を併発する).

phys·i·co·chem·i·cal (fiz′i-kō-kem′i-kăl). 物理化学〔的〕の (物理化学の分野に関する).

phys·ic root = black root.
phys·ics (fiz′iks). 物理学（物質，エネルギー，これらの相互作用現象を扱う科学の分野）．
physio-, physi- *1* 身体的な，生理的な，を表す連結形．*2* 自然の(物理学に関する)，を表す連結形．
phys·i·o·gen·ic (fiz′ē-ō-jen′ik). 生理的原因の．
phys·i·og·no·my (fiz′ē-og′nŏ-mē). *1* 人相，相貌（顔立ち，顔つき，あるいは性癖．特に性格の指標とみなされるもの）．*2* 人相学，相貌学(顔や全身の他の特徴を研究することによって人の性格，精神的特質を評価すること)．
phys·i·o·log·ic, phys·i·o·log·i·cal (fiz′ē-ō-loj′ik, -i-kăl). *1* 生理学の．*2* 生理的な（種々の生体の正常な過程を示す．pathologic の対語）．*3* 解剖学的構造からではなく，機能的効果が明らかなものを意味する．例えば括約筋．*4* 生理〔学〕的な（生理的に存在する濃度あるいは効力の範囲内の用量(ホルモン，神経伝達物質，あるいは他の生理的物質の用量)あるいはそのような用量における効果についていう．*cf.* homeopathic(2); pharmacologic(2)）．
phys·i·o·log·ic an·ti·dote 生理的解毒薬（ある毒物の全身作用と反対の全身作用を発揮する薬物）．
phys·i·o·log·i·c chem·is·try 生〔理〕化学．= biochemistry.
phys·i·o·log·ic con·ges·tion 生理的うっ血．= functional congestion.
phys·i·o·log·ic dead space 生理学的死腔（解剖学的死腔および肺胞死腔の総量．Bohr 式において，全身動脈血中の炭酸ガス分圧が肺胞ガスの炭酸ガス分圧の代わりに用いるときに算定される死腔．肺の換気，拡散の分布が均等でないためのガス交換の減少を計算に入れた実質上のまたは外見上の量である）．
phys·i·o·log·i·c drives 生理的欲求（生体の生物学的必要性から生じる飢えや渇きのような欲求）．
phys·i·o·log·ic ho·me·o·sta·sis 生理学的ホメオスタシス．= Bernard-Cannon homeostasis.
phys·i·o·log·ic hy·per·tro·phy 生理的肥大（ある器官または臓器の一部が一時的に体積を増大させて機能の増大に応じるもの）．
phys·i·o·log·ic ic·ter·us 生理的黄疸．= icterus neonatorum.
phys·i·o·log·ic jaun·dice 生理的黄疸．= icterus neonatorum.
phys·i·o·log·ic leu·ko·cy·to·sis 生理的白血球増加〔症〕（明らかに正常な状態で生じる白血球増加で，直接，病的状態には関係ないもの）．
phys·i·o·log·ic oc·clu·sion 生理的咬合（そしゃく系の機能と調和している咬合）．
phys·i·o·log·ic rest po·si·tion 生理的安静位．= rest position.
phys·i·o·log·ic re·trac·tion ring 生理的収縮輪（上下子宮部間の境界線の子宮内面上の隆起輪．正常分娩中に発生する）．
phys·i·o·log·ic sa·line 生理食塩水（等浸透圧食塩水．塩化ナトリウム 0.9%を含む）．
phys·i·o·log·ic sco·to·ma 生理的暗点（視神経乳頭に相当する視野内の虚性暗点）．= blind spot(1).
phys·i·o·log·ic sphinc·ter 生理学的括約筋（管腔構造の一部があたかも輪状筋よりなる帯状部を有するように収縮する．しかし，形態学的検索ではそのような特殊な構造は認められない）．= radiologic sphincter.
phys·i·o·log·ic u·nit 生理〔的〕単位（①Spencer の着想による原形質の終局(仮説的の)生活単位．②器官として機能を果たす最小区分，例えば尿細管）．
phys·i·ol·o·gist (fiz′ē-ol′ŏ-jist). 生理学者（生理学を専門とする人）．
phys·i·ol·o·gy (fiz′ē-ol′ŏ-jē). 生理学（生物，動植物の正常の生命過程を扱う科学．特に解剖学的構造や，生体の生化学的組成，生体がいかに薬剤や病気によって影響を及ぼされるかより，いかに生体で物質が正常に機能しているかを扱う）．
phys·i·o·ther·a·peu·tic (fiz′ē-ō-thār′ă-pyū′tik). 物理療法の，理学療法の．
phys·i·o·ther·a·pist (fiz′ē-ō-thār′ă-pist). 理学療法士（→physical therapy (2)）．= physical therapist.
phys·i·o·ther·a·py (fiz′ē-ō-thār′ă-pē). 物理療法，理学療法．= physical therapy(1).
phy·sique (fi-zēk′). 体型（生物型，身体的あるいは肉体的な構造．いわゆる〝体格 build〟）．
physo- *1* 腫脹あるいは膨張する傾向を示す連結形．*2* 空気や気体との関係を示す連結形．
phy·so·cele (fī′sō-sēl). *1* 含気腫瘍（気体の存在に起因する限局性腫脹）．*2* 含気ヘルニア嚢（気体で拡張したヘルニア嚢）．
phy·so·me·tra (fī′sō-mē′tră). 子宮鼓脹〔症〕（空気，ガスによる子宮腔の拡張した状態）．
phy·so·py·o·sal·pinx (fī′sō-pī-ō-sal′pingks). 卵管膿気腫（卵管中の気体生成を伴う卵管留膿症）．
phy·so·stig·mine (fī′sō-stig′mēn). フィゾスチグミン（非極性のカルバミン酸塩で，抗コリン物質の解毒薬として用いる）．
phy·tate (fī′tāt). フィチン酸の塩またはエステル．
phyto-, phyt- 植物を意味する連結形．
phy·to·ag·glu·ti·nin (fī′tō-ă-glū′ti-nin). 植物性凝集素，フィトアグルチニン（赤血球または白血球の凝集反応を起こすレクチンの一種）．
phy·to·be·zoar (fī′tō-bē′zōr). 植物性胃石（果実の種や皮を伴う植物線維，ときにはデンプン顆粒，脂肪滴で形成される胃の結石）．= food ball.
phy·to·chem·i·cal (fī′tō-kem′i-kăl). 植物化学物質（生物学的に活性であるが栄養素ではない物質で植物にみられる．抗酸化物質，フィトステロールなど）．= bioactive non-nutrient; phytoprotectant.
phy·to·der·ma·ti·tis (fī′tō-dĕr-mă-tī′tis). 植物に接触した皮膚領域に物理的，化学的な外傷，アレルギー，光線過敏症などのメカニズムが加わって起こる皮膚炎．

phy·to·es·tro·gens (fī′tō-es′trō-jenz). 植物エストロゲン（体内で弱いエストロゲンのように振舞う植物抽出物）. = phytooestrogens.

phytohaemagglutinin [Br.]. = phytohemagglutinin.

phy·to·hem·ag·glu·ti·nin (PHA) (fī′tō-hēm-ă-glū′ti-nin). 植物性〔赤〕血球凝集素，フィトヘマグルチニン，フィトヘムアグルチニン（赤血球を凝固させる植物由来のフィトマイトジェン．本用語は，Bリンパ球よりもTリンパ球の分裂をより強く促進する分裂促進因子でもあるインゲンマメ(*Phaseolus vulgaris*)由来のレクチンを特にさして用いられる）. = phytohaemagglutinin; phytolectin.

phy·toid (fī′toyd). 植物様の（植物の生物学的特徴を多く有する動物についていう）.

phy·tol (fī′tol). フィトール（クロロフィルの加水分解から誘導される不飽和一級アルコール．ビタミンEとK_1の構成成分）.

phy·to·lec·tin (fī′tō-lek′tin). フィトレクチン. = phytohemagglutinin.

phy·to·med·i·cine (fī′tō-med′i-sin). 植物療法. = herbal therapy.

phy·to·mi·to·gen (fī-tō-mī′tō-jen). フィトマイトジェン（リンパ球に対して抗原刺激によって生じるものと同様の分裂増殖を伴う変化を生じさせる物質，すなわち，細胞分裂性レクチン．例えばフィトヘマグルチニンやコンカナバリンA）.

phyto-oestrogens [Br.]. = phytoestrogens.

phy·to·phlyc·to·der·ma·ti·tis (fī′tō-flik′tō-dĕr-mă-tī′tis). 植物性水疱性皮膚炎. = meadow dermatitis.

phy·to·pho·to·der·ma·ti·tis (fī′tō-fō′tō-dĕr- mă-tī′tis). 植物性光線皮膚炎（光過敏に起因する植物性皮膚炎）.

phy·to·pro·tec·tant (fī′tō-prō-tek′tănt). 植物性保護物質. = phytochemical.

phy·tos·ter·ols (fī′tō-ster′olz). 植物ステロール（小腸からのコレステロールの吸収を阻止する植物ステロールおよびスタノール．事実上，人体内の低密度リポ蛋白質コレステロールを下げる）.

phy·to·ther·a·py (fī′tō-thār′ă-pē). = herbal therapy.

phy·to·tox·ic (fī′tō-tok′sik). ***1*** 植物に有毒な. ***2*** 植物毒素の.

phy·to·tox·in (fī′tō-tok′sin). 植物毒素（植物起源の有毒物質）.

PI Periodontal Index の略.

pI ある物質の等電点(isoelectric point)の pH 値.

pi (π, π) パイ（①ギリシア文字のアルファベットの第16字．②(Π)浸透圧の記号．③(Π)数学で級数の積の記号．④(π)円の円周に対する直径の比率(約3.14159)の記号）.

pi·a (pī′ă). 軟膜. = pia mater.

pi·a-a·rach·ni·tis (pī′ă-ă-rak-nī′tis). 軟膜クモ膜炎. = leptomeningitis.

pi·a-a·rach·noid (pī′ă-ă-rak′noyd). 軟膜クモ膜. = leptomeninges.

pi·al (pī′ăl). 軟膜の.

pi·a mat·er 軟膜（脳(脳軟膜 **pia mater cranialis** [**encephali**])と脊髄(脊髄軟膜 **pia mater spinalis** または膠境界膜)のグリア被膜(境界膜)に固着している繊細な，血管の豊富な線維膜で，大脳の外側の凹凸，脈絡膜と神経叢の上衣に密着する．小脳をおおうが，大脳ほど密接ではなく，全小溝にはいり込んでいるわけではない．軟膜とクモ膜は併せて軟髄膜とよばれ，硬膜とは区別される）. = pia.

pi·a ma·ter en·ceph·a·li = cranial pia mater.

pi·an (pē-an′). イチゴ腫，ピャン. = yaws.

pi·a·no key sign ピアノ鍵盤徴候（鎖骨末端に与えた下向き圧力により烏口鎖骨靭帯の損傷を決定するのに使われる手技．下向き圧力を解放した後，鎖骨が飛び出してきたら結果は陽性）.

pi·a·rach·noid (pī-ă-rak′noyd). 軟膜クモ膜. = leptomeninges.

pi·ca (pī′kă). 異食〔症〕（倒錯した食欲．粘土，乾いた絵の具，デンプン，氷のような食物に適さない物あるいは栄養的に価値のない物を食べたがること）.

PICC peripherally inserted central catheter の略.

Pic·chi·ni syn·drome ピッキーニ症候群（多発性漿膜炎の一型で，横隔膜と接する3つの大きな漿膜，ときに髄膜，精巣鞘膜，滑液鞘，および滑液包をも侵す．トリパノソーマの存在により起こる）.

Pick at·ro·phy ピック萎縮（大脳皮質の限局性萎縮）.

Pick bod·ies ピック〔小〕体（Pick 病のニューロンにみられる細胞質銀親和性封入体）.

Pick cell ピック細胞（比較的大型で円形あるいは多角形の単核細胞．不明瞭にまたは薄く染まる泡状細胞質を有し，中に多くのリン脂質(スフィンゴミエリン)の小滴を含む．脾臓その他の組織中に広く分布し，特に Niemann-Pick 病患者の細網内皮組織に多い）. = Niemann-Pick cell.

Pick dis·ease ピック病（進行性限局性脳萎縮．大脳変性疾患のまれな型で，一次的に痴呆を呈する．前頭葉と側頭葉の部分に顕著な萎縮がみられる）.

Pick·les chart ピックレス図（感染症の新たな症例を日々図上に表記することで，小さくて比較的隔離された集団における流行の進展を示す）.

pick·wick·i·an syn·drome ピックウィック(ピックウィッキアン)症候群（グロテスクな醜い肥満症，傾眠，全身衰弱の合併症で，理論的には肥満より引き起こされた換気過少による．高炭酸ガス症，肺高血圧症，肺性心が起こる）.

pico- ***1*** 小さいを意味する連結形. ***2*** (**p**). 10^{-12}の分量単位の意で，国際単位系(SI)およびメートル法で用いる接頭語. = bicro-.

pi·co·gram (pg) (pī′kō-gram). ピコグラム(10^{-12} g).

pi·co·ka·tal (pkat) (pī′kō-kat′ăl). ピコカタール（カタールの1兆分の1(10^{-12} カタール)）.

pi·com·e·ter (pm) (pī′kō-mē-tĕr). ピコメートル (10^{-12} m). = bicron; picometre.

picometre [Br.]. = picometer.

pi·co·mole (pmol) (pī′kō-mōl). ピコモル

(モルの1兆分の1(10^{-12} モル)).

Pi·cor·na·vir·i·dae (pi-kōr′nă-vir′i-dē). ピコルナウイルス科(一本鎖 RNA の芯をもつ非常に小型のウイルスの一科. この科には多数の種(ポリオウイルス, コクサッキーウイルス, エコーウイルスなど)が含まれる. *Enterovirus* 属, *Rhinovirus* 属, *Cardiovirus* 属, *Apthovirus* 属の4属が認められている).

pi·cor·na·vi·rus (pi-kōr′nă-vī′rŭs). ピコルナウイルス科のウイルス.

pic·ro·car·mine stain, pic·ro·car·mine ピクロカルミン染色剤(末)(カルミン, アンモニア, ピクリン酸の混合液を蒸発させ粉末にした赤色の結晶(水溶性).角質硝子質様顆粒の染色に優れている).

PICU pediatric intensive care unit の略.

PID pelvic inflammatory disease の略.

Pid·gin Sign Eng·lish (PSE) ピジン手話英語(手を用いた英語表現の一体系. 英語の文法にしたがってアメリカ手話の記号を用いている. 語尾変化をもたず, 指文字が適切な名称として用いられる).

PIE pulmonary interstitial emphysema の略.

pie·bald eye·lash まだら睫毛(正常の有色睫毛の間にある孤立した白色の睫毛束).

pie·bald·ism (pī′bawld-izm). まだら症. = piebaldness.

pie·bald·ness (pī′bawld-nĕs). まだら症(縞紋様を呈する毛髪の斑状色素脱失. メラノサイトの欠損のために白斑が他の部位に存在することもある. 神経学的欠陥あるいは眼科異常を伴うこともある). = piebald skin; piebaldism.

pie·bald skin 白黒まだらの皮膚. = piebaldness.

pi·e·dra (pē-ā′dră). 砂毛〔症〕(毛髪の真菌疾患で, 毛幹に多数のろう様, 硬い, 砂粒状小結節形成を特徴とする).

Pi·erre Rob·in syn·drome ピエール・ロバン症候群(小顎症と小舌症がみられる. 口蓋裂, 強度の近視, 先天性緑内障, 網膜剥離を伴うことが多い. 知能は通常, 正常である). = Robin syndrome.

pi·e·ses·the·si·a (pī-ē-ses-thē′zē-ă). 圧感, 圧覚. = pressure sense.

pi·e·sim·e·ter, pi·e·som·e·ter (pī-ĕ-sim′ĕ-ter, -som′ĕ-ter). 圧力計(気体や液体の圧力度を測定する器械).

pi·e·zo·e·lec·tric ul·tra·son·ic de·vice 電歪型(ピエゾ式)超音波スケーラー(電力により作動する器具で, 先端が高速で振動することにより歯の表面の結石を粉砕し, 歯周ポケット内を清掃する. この器具は小型の超音波振動子, ハンドピース, 先端部(チップ)からなる. 器具先端部は, 毎秒 24,000—34,000 回振動する. 註 超音波スケーラーには, 電歪振動子(ピエゾ)を利用した本装置と, 磁歪振動子を利用したものの2種類があるが, 現在では前者が一般的である. →magnetostrictive ultrasonic device).

pi·e·zo·gen·ic ped·al pap·ule 圧迫性足部丘疹(圧迫による踵部の丘疹. 脂肪織がヘルニエーションを起こし生じたもの).

PIF prolactin-inhibiting factor の略.

pig·bel (pig′bel). ピッグベル. = enteritis necroticans.

pi·geon breast 鳩胸. = pigeon chest.

pi·geon chest 鳩胸(胸部が前方に突出している異常). = pigeon breast.

pig·ment (pig′mĕnt). ***1*** 色素(赤血球, 毛髪, 虹彩などの色素. 組織学, 細菌学の研究または彩色に用いる染料). ***2*** 化粧品のように皮膚に塗布する外用剤.

pig·men·tar·y (pig′mĕn-tar-ē). 色素〔性〕の.

pig·men·tar·y ret·i·nop·a·thy 色素性網膜症. = retinitis pigmentosa.

pig·men·ta·tion (pig-mĕn-tā′shŭn). 色素沈着(皮膚または組織の正常なあるいは病的な色素沈着).

pig·ment dis·per·sion syn·drome 色素散乱症候群(前房から後房への瞳孔を介しての房水動態の抵抗増加. Zinn 小帯方向への周辺虹彩の後方弯曲を生じる. 色素性緑内障の機序と考えられている).

pig·ment·ed (pig′men-tĕd). 色素沈着の, 着色の.

pig·ment·ed lay·er of ret·i·na 網膜色素上皮層(網膜の外層で, 色素上皮からなる).

pig·ment·ed vil·lo·nod·u·lar syn·o·vi·tis 色素性絨毛結節性滑膜炎(ヘモシデリン含有と脂肪含有のマクロファージと多核巨細胞が浸潤した滑液膜絨毛と線維結節からなる関節の, びまん性関節(通常は膝関節)滑膜増生. 完全に除去しない場合には再発しやすいが, 状態は炎症と考えられる).

pig·ment·ed vil·lo·nod·u·lar ten·o·syn·o·vi·tis 色素性絨毛結節性滑膜炎. = villous tenosynovitis.

pig·men·to·ly·sin (pig-men′tō-lī-sin). 色素溶解素(色素を破壊させる抗体).

pig·men·tum ni·grum 黒色色素(眼の脈絡膜のメラニン).

pig·tail cath·e·ter ピッグテールカテーテル(きつくカールした先端および複数の側孔を有するカテーテルで, 心腔内で注入剤の衝撃を減らす).

PIH prolactin-inhibiting hormone の略.

pi·lar, pi·la·ry (pī′lăr, pil′ă-rē). 毛髪の, 毛の. = hairy.

pi·lar cyst 皮脂嚢胞(嚢腫)(皮膚や特に頭皮によくみられる嚢腫で, 皮脂とケラチンを含み, 毛包の外毛根鞘由来の淡染する重層上皮細胞でおおわれる).

pi·lar tu·mor of scalp 頭皮の毛髪腫瘍(老年女性の頭皮の単発性腫瘍で潰瘍化することもある. 毛髪嚢腫は良性である).

pile (pīl). ***1*** パイル, 電堆, 堆〔対〕(交互に重ねた一連の2種類の金属板. それぞれ希酸溶液で湿らせた1枚の物質で隔てられている. 電流を起こすために用いる). ***2*** 痔〔核〕(→hemorrhoids).

pi·le·ous (pī′lē-ŭs). 多毛の. = hairy.

pi·le·ous gland 毛腺(毛包に分泌物を流し込む皮脂腺).

piles (pīlz). 痔〔核〕. = hemorrhoids.

pi·li (pī′lī). pilus の複数形.

pi·li tor·ti 捻転毛（多数の毛幹がその長軸を中心としてねじれた状態をさす．先天性あるいは後天性に瘢痕をきたす炎症性過程，機械的刺激，あるいは瘢痕性脱毛により毛嚢(毛包)が歪曲する結果生じる．毛幹は反射光によってピカピカ光ってみえ，もろく，種々の長さのところで折れ，いくつもの場所で黒っぽい切り株を伴った毛がない状態を呈する．Björnstad, Crandall, Menkes などの症候群の際に発生学的欠損としても生じる）. = twisted hairs.

pill (pil). *1* 丸剤（経口用の薬物を含有する粘着性・可溶性物質の小さな球形の塊．口語的には錠剤 tablet やカプセル capsule も含まれる）. *2* ピル（経口避妊薬を意味する俗語）.

pil·lar (pil′ăr). 柱（柱に似た構造または部分）.

pil·lars of fau·ces →palatoglossal arch; palatopharyngeal arch.

pil·lars of for·nix 脳弓柱および後部脳弓脚.

pil·low splint 枕副子（膨らますことができるか，または異常に厚手の織物でできた副子）.

pill-roll·ing trem·or 丸薬丸め振せん（パーキンソン病，遅発性ジスキネジアおよび他の錐体外路症候群でみられる親指と他の指の安静時振せん）.

pilo- 毛髪に関する連結形.

pi·lo·be·zoar (pī-lō-bē′zōr). 毛髪胃石. = trichobezoar.

pi·lo·car·pine i·on·to·phor·e·sis sweat chlo·ride test ピロカルピンイオン泳動発汗塩化物テスト（嚢胞性線維症の検査を確認するための決定的な手法．汗に含まれるナトリウムと塩素の濃度は嚢胞性線維症の小児では顕著に上昇する．診断をくだす前に少なくとも 2 回の陽性結果が示されるべきである）.

pi·lo·cys·tic (pi-lō-sis′tik). 毛嚢腫性の（毛髪を含有する類皮嚢胞(皮様嚢腫)についていう）.

pi·lo·cy·tic as·tro·cy·to·ma 毛細胞性〔神経膠〕星状細胞腫，毛細胞性星状〔膠〕細胞腫（組織学的には長い星状細胞からなるゆっくり成長する星状細胞腫．しばしば第 3 脳室視交差部，視床下部，または小脳に位置する．小児にみられることが多い）.

pi·lo·e·rec·tion (pī′lō-ē-rek′shŭn). 立毛，起毛（立毛筋の作用による毛髪の起立）.

pi·loid (pī′loyd). 毛様の.

pi·lo·jec·tion (pī-lō-jek′shŭn). 毛注入〔術〕（血栓を起こすために脳の小嚢性動脈瘤に硬い哺乳類の毛の幹を注入する方法）.

pi·lo·ma·trix·o·ma (pī′lō-mā-trik-sō′mă). 毛質〔性上皮〕腫（毛包の単発性良性腫瘍で，基底細胞癌に似た細胞と好酸性のゴースト細胞を形成している上皮の壊死領域からなる）. = Malherbe calcifying epithelioma.

pi·lo·mo·tor (pī′lō-mō′tŏr). 毛髪運動の，立毛〔筋〕の（皮膚の立毛筋とこれらの小さな平滑筋を支配する神経節後交感神経線維についていう）.

pi·lo·mo·tor re·flex 立毛〔筋〕反射（軽い触刺激または局部冷却により鳥肌を生じる皮膚の平滑筋の収縮）.

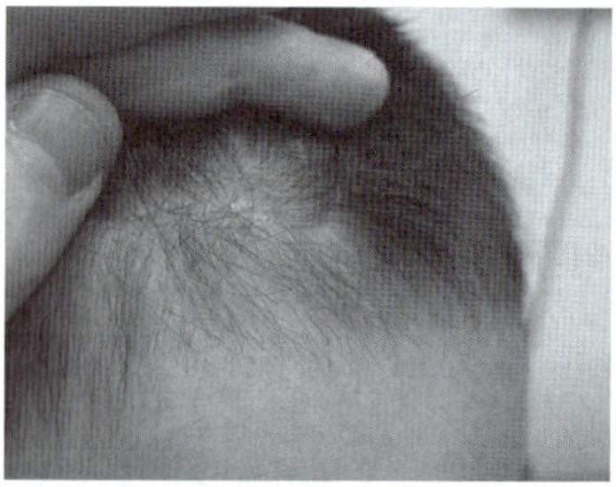

pilomatrixoma

pi·lo·ni·dal (pī′lō-nī′dăl). 毛巣の（類皮嚢腫あるいは皮膚に開孔する洞内に認められる毛髪の存在についていう）.

pi·lo·ni·dal si·nus 毛巣嚢胞（異物として慢性の炎症を引き起こすことがある毛を含んだ仙骨部の瘻管または孔で，外部に通じる）.

pi·lose (pī′lōs). 有毛の，毛様の，毛でおおわれた. = hairy.

pi·lo·se·ba·ceous (pī′lō-sē-bā′shŭs). 毛包(毛嚢)脂腺の.

pi·lus, pl. pi·li (pī′lŭs, -lī). *1* 毛（哺乳類の皮膚から生じ，手掌・足底・関節の屈側面を除く身体の全面に存在する角化した細い糸状の表皮形成物．毛の長さや特性は体部位ごとに著しく異なっている）. *2* ピリ線毛（べん毛にやや類似した細い糸状の付属構造で，ある種の細菌にみられる. →conjugative plasmid）. = fimbria(2).

pi·mel·ic ac·id ピメリン酸（油の酸化作用およびある種の微生物中の中間体．ビオチンの先駆物質）.

pimelo- 脂肪，脂肪の，を意味する連結形.

pim·ple (pim′pĕl). 面ぽう(皰)，丘疹，小膿疱（通常，痤瘡の炎症性病変部を意味する）.

PIN prostatic intraepithelial neoplasia; provider identification number; personal identification number の略.

pin (pin). ピン，留め針，釘（骨折の外科治療で用いる金属挿入物. →nail）.

Pi·nard ma·neu·ver ピナール操作（殿位分娩で，示指で膝窩を圧し，他の 3 指で脚を屈曲させて他側の大腿にこすり付けながら足を引き出す）.

pince·ment (pans-mahn[h]′). マッサージにおけるつまむ技術.

pin·cer grasp はさみ込みつかみ（10—12 か月児に見られる親指の末端と中指あるいは人差し指の間で小さい物体を挟む握り方．人差し指の MCP と PIP 関節が少し屈曲するが，DIP 関節は引き伸ばされる）.

pin·cer nail やっとこ状爪（遠位にいくにつれ横の弯曲が高度に強くなっている爪のことで，爪の外縁が軟部組織にくい込み，圧痛を生じる．発生異常や爪下外骨腫により生じる）.

pinch (pinch). つまみ（指の遠位指節間関節部でつかむこと. →lateral pinch; pad-to-pad pinch; palmar pinch; tip pinch).

pinch graft ピンチ移植片（開放創に対して，健常皮膚から採取して小片として移植する分層あるいは全層の皮片).

pin·cush·ion dis·tor·tion 糸巻き形ひずみ（歪）〔像〕（光軸（中心）の倍率が周辺の倍率より大きい場合に生じる不整な像. →Petzval surface).

pin·e·al (pin′ē-ăl). ***1*** 松果の，松果状の. = piniform. ***2*** 松果体の.

pin·e·al bod·y 松果体. = pineal gland.

pin·e·al bud 松果体芽（間脳の蓋部の尾側部から正中線上の憩室. その壁の神経細胞の増殖により充実性の松果体となる). = pineal diverticulum.

pin·e·al di·ver·tic·u·lum = pineal bud.

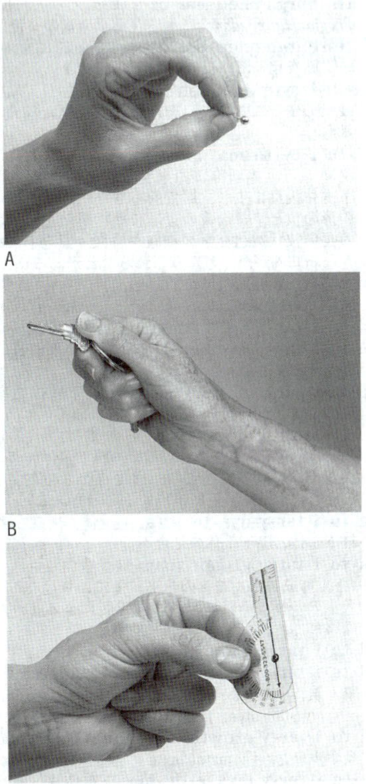
A
B
C

variety of pinch patterns
A：指先つまみ，B：側腹つまみ，C：3指つまみ

pin·e·al·ec·to·my (pin′ē-ă-lek′tō-mē). 松果体切除〔術〕.

pin·e·al gland 松果体（松かさ様の，対をなしていない卵形小器官. 前極で後交連・手綱交連に付着し，下面は脳梁膨大下に位置する左右の上丘間の陥凹部に接する. 腺構造をなし，類上皮細胞や，脳砂とよばれる石灰沈着物を含む小葉からなる. 脳の付着器官であるが，末梢自律神経系からの神経線維だけを受ける. メラトニンがつくられる). = corpus pineale; pineal body.

pin·e·a·lo·cyte (pin-ē′al-ō-sīt). 松果体細胞（松果体の実質細胞すなわち主細胞. 球状拡張に至る長突起を有する. 松果体細胞はシナプスを形成する交感神経から直接支配を受ける).

pin·e·a·lo·ma (pin′ē-ă-lō′mă). 松果体腫（松果体の胚細胞腫 germ cell tumors，松果体細胞腫 pineocytomas，松果体芽腫 pineoblastomas をさして適当に使われてきた用語).

pin·e·al stalk 松果茎（第3脳室蓋への松果体の付着部分. 第3脳室の松果陥凹を含む).

Pi·nel sys·tem ピネル方式（精神病院の患者の治療において強制拘束を廃止する方法).

pin·e·o·blas·to·ma (pin′ē-ō-blas-tō′mă). 松果体芽〔細胞〕腫（松果体の未分化腫瘍で，細胞質に乏しい小さな細胞からなり，しばしば偽ロゼットを形成する).

pin·guec·u·la, pin·guic·u·la (ping-gwek′yū-lă). 瞼裂斑（結膜を肥厚させる結合組織の黄色斑).

pin·hole pu·pil 針の目瞳孔（極度に収縮した瞳孔).

pin·i·form (pin′i-fōrm). = pineal(1).

pink dis·ease 桃色病. = acrodynia(2).

pink·eye (pink′ī). ***1*** 急性カタル性結膜炎. = acute viral conjunctivitis. ***2*** 伝染性角結膜炎. = infectious bovine keratoconjunctivitis. ***3*** ウマのウイルス性動脈炎 equine viral arteritis の一種.

pink-top tube ピンクトップチューブ（抗凝固剤として用いられる EDTA の容器であることを示すピンク色のチューブ. 血液の分類に使用される).

pin·na, pl. pin·nae (pin′ă, -ē). ***1*** 耳介. = auricle(1). ***2*** 羽，翼，ひれ.

pin·nal (pin′ăl). 耳介の，羽の，翼の，ひれの.

pin·o·cyte (pin′ō-sīt). 飲細胞，飲み込み細胞.

pin·o·cy·to·sis (pin′ō-sī-tō′sis). 飲細胞運動，飲作用，ピノサイトーシス（積極的に液体を飲み込む細胞過程. 微細な杯状陥凹あるいは陥入が細胞膜表面に形成されて，含液小胞を形成し閉じる).

pin·o·some (pin′ō-sōm). ピノソーム，飲作用胞（飲作用で形成された含液小胞).

Pins sign ピンス徴候. = Ewart sign.

Pins syn·drome ピンス症候群（心膜液貯留液のある場合に，声音振とうおよび肺胞音の濁音と減衰，およびやや遠い灌水様の音が，左側の胸の後下部で聞かれる. この領域ではときに細かい水泡音も聞こえるが，患者が胸膝位をとるとすべての外膜の聴診所見は消失する).

pint (pīnt). パイント（米国の液量単位. 16 液量米オンス，28.875 立方インチ，473.1765 cc に相当する分量．インペリアルパイントは20液量英オンス，34.67743立方インチ，568.2615 ccに相当する）．

pin·ta (pin′tă)．ピンタ，熱帯白斑性皮膚病（メキシコおよび中央アメリカの風土病で，*Treponema carateum*というスピロヘータによる疾患．色が変化する（初発は小型の丘疹で始まり，その後拡大して局面を形成し二次的に播種性の斑を生じ，最終的には白くなる）斑点からなる発疹が特徴）．= mal del pinto.

pin·worm (pin′wŏrm)．ぎょう虫（*Enterobius*属およびその近縁属の線虫類．ヒト（*Enterobius vermicularis*）を含む非常に様々な脊椎動物に腸寄生する）．= seatworm.

PIP proximal interphalangeal jointsの略．

Pi·per for·ceps パイパー鉗子（殿位で頭部の娩出を容易にするのに用いる産科用鉗子）．

pi·pette, pi·pet (pī-pet′)．ピペット（実験において，一定量の気体または液体を移すのに用いる（mLの）目盛り付きのチューブ）．

pir·i·form (pir′i-fōrm)．梨状の．

pi·ri·for·mis mus·cle 梨状筋（骨盤から殿部に伸びる筋の1つ．起始：骨盤仙骨孔辺縁と腸骨の大坐骨切痕．停止：大転子の上縁．作用：大腿の外旋．神経支配：坐骨神経叢梨状筋枝）．= musculus piriformis; piriform muscle.

pir·i·form mus·cle 梨状筋．= piriformis muscle.

pir·i·form neu·ron lay·er 梨状細胞層（小脳皮質内の分子層と顆粒層の間にあるPurkinje細胞層）．

Pi·ro·goff am·pu·ta·tion ピロゴッフ切断術（足の切断術．脛骨と腓骨の下部関節面を切断し，断端を後上方から下方および前方に切断した踵骨の一部でおおう）．

Pir·quet test ピルケー試験（皮下ツベルクリン試験．→tuberculin test）．

pis·i·form (pis′i-fōrm)．豆状の，豆粒大の．

pis·i·form bone 豆状骨（大きさや形がマメによく似た小骨．手根骨の近位列中で，この骨が関節でつながっている骨である三角骨の前面にある．尺側手根屈筋の腱が付着する）．

pit (pit)．*1*〚n.〛小窩（腋窩のように身体の表面にある自然のくぼみ．*cf.* dimple）．*2*〚n.〛痘痕．= pockmark. *3*〚n.〛穴，咬合面小窩（不完全な石灰化による歯のエナメルの表面のとがったくぼみ．2つ以上のエナメル葉の融合点によって形成される歯の表面のくぼみ）．*4*〚v.〛くぼませる，くぼむ（浮腫のある皮膚を指で押す．指で押したときくぼむ浮腫組織についていう）．

pit-1 (pit)．ピットワン（正常ヒト下垂体の種々の細胞に認められるDNA結合性の転写因子．特に成長ホルモンやTSH陽性の下垂体腺腫に高頻度に発現している）．

pitch (pich)．ピッチ，調子（低音から高音の範囲で測る音の聴覚認識．音を発する対象の振動の周波数を基にする．ヒトの声に関してはピッチは声帯ひだの振動の周波数に関係する．→voice; frequency）．

pitch wart ピッチいぼ（ピッチとコールタール誘導体を扱う労働者に多い前癌性の角化性表皮性腫瘍）．

pith (pith)．*1*〚n.〛毛髄（毛の中心）．*2*〚n.〛脊髄と延髄．*3*〚v.〛脳脊髄を穿刺する（動物の頭蓋基底部に挿入した針で延髄を穿刺する）．

pith·e·coid (pith′ē-koyd)．類猿の．

Pi·tres sign ピートル徴候（①= haphalgesia. ②脊髄ろうの場合の精巣と陰嚢の感覚減退）．

pit·ted ker·a·tol·y·sis 陥凹性角質溶解（足底表面の非炎症性のグラム陽性の細菌感染症で，角質層に小陥凹を生じる．しばしば湿気と多汗に関連する）．

pit·ting (pit′ing)．くぼみ，点食（歯科用語で，限界のはっきりした比較的深いくぼみが表面に形成されること．通常，表面（しばしば金，ろう着面，アマルガム）の欠損を記述するのに用いる．臨床的にはしばしば腐食に関連して起こるが，種々の原因が考えられる．→pitting edema; nail pits）．

pit·ting e·de·ma 圧痕水腫（浮腫）（圧迫により生じる圧痕が一時的に続くような浮腫）．

Pitts·burgh pneu·mo·ni·a ピッツバーグ肺炎（*Legionella micdadei*による在郷軍人病の一種）．

Pitts·burgh pneu·mo·ni·a a·gent ピッツバーグ肺炎起炎菌．= *Legionella micdadei*.

pi·tu·i·cyte (pi-tū′i-sīt)．下垂体細胞（下垂体後葉の主要な細胞で，神経膠によく似た紡錘状細胞）．

pi·tu·i·cy·to·ma (pi-tū′i-sī-tō′mă)．下垂体細胞腫（下垂体細胞に由来する膠細胞性新生物．下垂体後葉に生じ，比較的小さな円形または卵円形の核と，細胞質の複雑な網状構造を形成する長い枝状突起をもつ細胞が特徴．細胞中に小さな脂肪滴がたくさんみられることがある）．

pi·tu·i·tar·ism (pi-tū′i-tar-izm)．下垂体〔機能〕障害（→hyperpituitarism; hypopituitarism）．

pi·tu·i·tar·y (pi-tū′i-tar-ē)．下垂体〔性〕の．

pi·tu·i·tar·y ca·chex·i·a 下垂体性悪液質．= Simmonds disease.

pi·tu·i·tar·y di·ver·tic·u·lum 下垂体憩室．= hypophysial diverticulum.

pi·tu·i·tar·y dwarf·ism 下垂体〔性〕小人症（小人症のなかでもまれな型で，脳下垂体前葉の機能不全によって起こる．出生時から存在することも，小児期早期に出現することもある）．

pi·tu·i·tar·y dys·to·pi·a 下垂体異所症（神経下垂体と腺下垂体の結合不全）．

pi·tu·i·tar·y gi·gan·tism 脳下垂体性巨人症（下垂体成長ホルモンの分泌過多により起こる巨人症の一型．一般に脳下垂体腺腫によるまれな障害）．

pi·tu·i·tar·y gland 下垂体．= hypophysis.

pi·tu·i·tar·y go·nad·o·tro·pic hor·mone 脳下垂体前葉性腺刺激ホルモン．= anterior pituitary gonadotropin.

pi·tu·i·tar·y growth hor·mone 脳下垂体成長ホルモン．= somatotropin.

pi·tu·i·tar·y myx·e·de·ma 下垂体性粘液水腫（甲状腺刺激ホルモンの不十分な分泌に由来する粘液水腫．一般に他の下垂体前葉ホルモンの分泌不足に伴って発生する）．

pi·tu·i·tar·y stalk 下垂体柄（脳下垂体を脳底

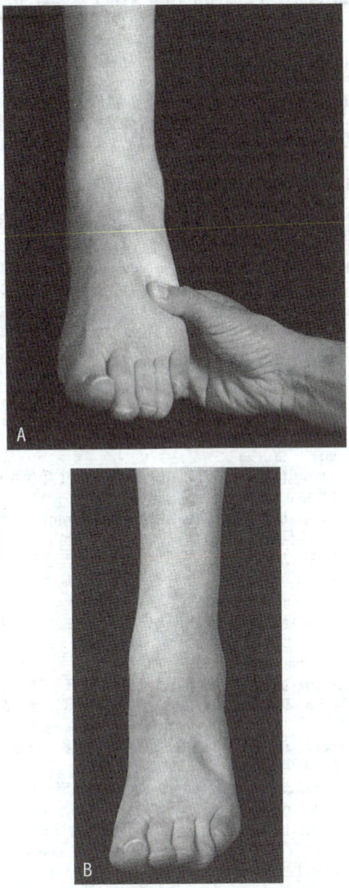
A
B

pitting edema
足首近くを指で握る(A)と，離した後も浮腫の部位にへこみが持続する(B)．

部の灰白隆起に結合している漏斗茎と，それを包む下垂体隆起部とからなる突起)．

pit·y·ri·a·sic (pit′i-rī-as′ik)．ひこう(粃糠)疹〔状〕の．

pit·y·ri·a·sis (pit′i-rī′ă-sis)．ひこう(粃糠)疹(糠状の落屑を特徴とする皮膚病)．

pit·y·ri·a·sis al·ba 白色ひこう疹 (軽度な皮膚炎による皮膚の島状の色素脱失)．

pit·y·ri·a·sis lin·guae 舌ひこう疹．= geographic tongue.

pit·y·ri·a·sis ro·se·a バラ色ひこう疹 (体幹，やや頻度は少ないが四肢，頭部，顔面にも生じる斑や丘疹からなる自然治癒性の発疹．病変は通常，卵円形で皮膚割線に沿う．しばしば初発斑として知られる単発性の比較的大きい鱗屑性病変が先行する)．

pit·y·ri·a·sis ru·bra 紅色ひこう疹．= exfoliative dermatitis.

pit·y·ri·a·sis ru·bra pi·la·ris 毛孔性紅色ひこう疹 (角栓でふさがれた硬くて赤い毛包のまれな慢性のそう痒性の発疹．しばしば融合して落屑性局面を形成する)．

pit·y·ri·a·sis ver·si·col·or でん(癜)風．= tinea versicolor.

pit·y·roid (pit′i-royd)．ひこう(粃糠)状の．= furfuraceous.

Pit·y·ro·spo·rum (pit-i-rō-spō′rŭm)．ピチロスポルム属 (真菌の一種で，ふけや脂漏性皮膚炎にみられる)．

PIVKA (piv′kă)．protein induced by vitamin K absence の略．

piv·ot joint 車軸関節 (1つの骨の円柱の一部が対応する他の骨の凹窩に，ぴったりとはいる関節)．= rotary joint; rotatory joint; trochoid joint.

pix·el (piks′ĕl)．ピクセル，画素 (picture element を縮めた語．CT や MR 画像表示における体積要素(ボクセル)の二次元的表現で，通常はそれぞれ 512 × 512，256 × 256 ピクセルで表示される)．

PJC premature junctional contraction の略．

PJ in·ter·val PJ 間隔 (心電図上で P 波の開始から QRS 群の終わりまでの時間．J は QRS と T 波の接合部 junction を表す)．

PK pyruvate kinase の略．

pK$_a$ 酸のイオン化定数(K_a)の負の常用対数．ある物質(しばしば緩衝液)の酸型と共役塩基型とが等濃度で存在するときの pH に等しい．

pkat picokatal の略．

PKU phenylketonuria の略．

pla·ce·bo (plă-sē′bō)．プラセボ，プラシーボ，偽薬，気休め薬 (①暗示効果をねらって薬剤として与えられる不活性な物質．②実験的研究で試験される物質と外見上同じであるが，医師あるいは患者には知らされておらず，研究中の物質の薬理作用と暗示的な効果を区別するために投与される．③実質的な治療効果はないが，〝プラセボ効果〟を期待して行われる治療的介入)．

place cod·ing 場所符号化 (Corti 器の働きでなされる，周波数に応じた符号化．蝸牛の基底部が高い周波数，そして徐々に先端に行くにしたがって低い周波数に対応している)．

pla·cen·ta (plă-sen′tă)．胎盤 (胎児と母体の間の物質代謝器官．最外層の胎児膜(繁生絨毛膜)の高度に発育した部位に由来する胎児由来の部分と，絨毛小胞が着床した子宮粘膜(床脱落膜)の部分が変形して形成される母体側の部分とをもつ．胎盤内で胎児内を循環した血液を運ぶ毛細血管をもつ絨毛は絨毛をもつ絨毛間腔で母体血にさらされる．胎児血と母体血は直接混合しないが，介在する組織(胎盤膜)が非常に薄いので，栄養物や酸素およびウイルスのような有害物質が胎児血に吸収され，炭酸ガスや窒素老廃物が胎児血から放出される．正常なヒトの胎盤

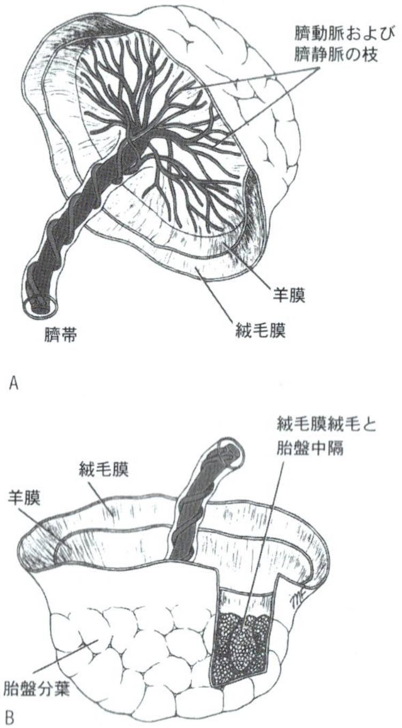
臍動脈および
臍静脈の枝
羊膜
臍帯
絨毛膜
A
絨毛膜絨毛と
胎盤中隔
絨毛膜
羊膜
胎盤分葉
B

mature placenta

は胎児の重さの平均 1/6 から 1/7 であり，円盤状で厚さ 4 cm，直径 18 cm である．胎児面は平滑で，癒着性羊膜で形成される．臍帯は正常ではほぼ中央に付いている．剥離胎盤の母体面は絨毛膜に密着している裂けた脱落膜組織のために粗で，胎盤葉とよばれる葉状の隆起を示す）．

pla·cen·ta ac·cre·ta 癒着胎盤（絨毛の子宮筋層への異常癒着で，基底脱落膜，特に海綿層の一部または完全欠損を伴う）．

pla·cen·ta cir·cum·val·la·ta 周郭胎盤（縁が盛り上がっている杯状の胎盤．胎盤の末梢の周りに厚い円形の白い不透明な輪がある．脱落膜の部分は胎盤の縁を絨毛板から分離している．残りの絨毛膜面は正常の外見を示すが，胎児血管は輪によって胎盤を横切る進路を制限されている．→placenta marginata; placenta reflexa）．

pla·cen·ta fe·nes·tra·ta 有窓胎盤（組織が薄くなっている部分をもつ胎盤で，ときには組織がまったくない場合もある）．

pla·cen·ta in·cre·ta 嵌入胎盤（絨毛が子宮筋層にはいり込んでいる癒着胎盤の一型）．

pla·cen·tal (plă-senʹtăl)．胎盤の．

pla·cen·tal ab·rup·tion 胎盤早期剥離（妊娠 20 週以降で子宮内膜から早期に正常に分離すること）．

pla·cen·tal bar·ri·er 胎盤関門．= placental membrane.

pla·cen·tal cir·cu·la·tion 胎盤循環（胎児の子宮内生活中に胎盤を経る血液循環．胎児の呼吸・吸収・排泄に必要である．さらに母体血の絨毛間腔への循環も含まれる）．

pla·cen·tal dys·to·ci·a 胎盤娩出異常（胎盤の遺残または娩出困難）．

pla·cen·tal growth hor·mone 胎盤成長ホルモン．= human placental lactogen.

pla·cen·tal mem·brane 胎盤膜（胎盤内で母体血と胎児血を分離している半透過性の胎児の組織層．ⓘ絨毛膜絨毛中の胎児血管内皮，ⓘⓘ絨毛間質，ⓘⓘⓘ栄養膜細胞層（妊娠 5 か月以降消失する），ⓘⓥ絨毛をおおう合胞体栄養細胞層，からなる．胎盤膜は母体から胎児血への物質輸送を調節する選択膜として作用する）．= placental barrier.

pla·cen·tal pre·sen·ta·tion = placenta previa.

pla·cen·tal souf·fle 胎盤雑音（胎盤での胎児循環により聞こえる灌水様音）．

pla·cen·tal trans·fu·sion syn·drome 胎盤輸血症候群（双胎で妊娠中 1 児から他児へ輸血されること．供血児は貧血，胎内発育遅延，受血児は多血症となり胎児水腫を発症する．→twin-twin transfusion）．

pla·cen·ta mar·gi·na·ta 辺縁性胎盤（周郭胎盤ほど著明ではないが，縁の隆起している胎盤．→placenta reflexa）．

pla·cen·ta mem·bra·na·ce·a 膜様胎盤（子宮内層の著しく広い部分をおおう異常に薄い胎盤）．

pla·cen·ta pre·vi·a 前置胎盤（胎盤が子宮下部に着床し，内子宮口の辺縁に達し，内子宮口を一部または完全におおっている状態）．= placental presentation.

pla·cen·ta re·flex·a 反曲胎盤（胎盤奇形で，辺縁が肥厚して反曲している．→placenta circumvallata; placenta marginata）．

pla·cen·ta spu·ri·a 偽胎盤（主胎盤と血管の連絡のない胎盤組織の塊）．

plac·en·ta·tion (plās-en-tāʹshŭn)．胎盤形成，胎盤付着様式（胎盤形成における母体組織への胎児付着の構造機構と様式）．

plac·en·ti·tis (plās-en-tīʹtis)．胎盤炎．

plac·en·to·ma (plas-en-tōʹmă)．胎盤腫．= deciduoma.

place of ser·vice (POS) 診療拠点（医療情報処理学における，診察がなされる場所の具体的な指定．例えば，病院，医院，患者の家，長期診療所など．→POS）．

Pla·ci·do da Cos·ta disc プラチドー・ダ・コスタ円板．= keratoscope.

plac·ode (plakʹōd)．プラコード，板，原基，母組織（胚の外胚葉層の局所的な肥厚．板の細胞は感覚器や神経節が発育する原基からなる）．

pla·fond (plă-fondʹ)．プラフォン，〔距腿関節

の〕天井（天井，特に足根関節の天井，すなわち脛骨遠位端の関節面）.

plagio- 斜め，傾斜していることを意味する連結形.

pla·gi·o·ce·phal·ic (plā′jē-ō-se-fal′ik). 斜頭蓋症の，斜頭症の.

pla·gi·o·ceph·a·ly (plā′jē-ō-sef′ă-lē). 斜頭蓋症，斜頭症（一側のラムダ縫合と冠状縫合が早期に閉鎖することによって起こる非対称性頭蓋狭窄症．頭蓋が斜めに変形しているのが特徴）. = asynclitism of the skull.

plague (plāg). ***1*** 悪疫（罹患率が高いか，または死亡率が高い疾病）. ***2*** ペスト（ペスト菌 *Yersinia pestis* によって起こる急性伝染病．臨床的には高熱，中毒血症，疲はい，皮下出血性発疹，リンパ節腫大，肺炎，または粘膜出血を特徴とする．元来はげっ歯類の疾病で，感染した動物を刺したノミによってヒトに伝播される．ヒトでは次の4つの臨床型をとる．bubonic plague（腺ペスト），septicemic plague（敗血性ペスト），pneumonic plague（肺ペスト），ambulant plague（軽症腺ペスト）. →black death）. = pestilence (1).

plain film 単純写真（造影剤を用いずに撮ったX線写真）.

-plakia 皿あるいは平らな平面を意味する連結形．通常，粘膜に対して用いられる.

plan (plan). プラン（①目的を達成するための手順あるいは手段．②構造や部品の配置を示す図や表）.

pla·na (plā′nă). planum の複数形.

plan of care = care plan.

Planck con·stant (*h*) プランク定数（定数，6.6260755 × 10^{-34} Js または 6.6260755 × 10^{-27} erg-seconds = 6.6260755 × 10^{-34} JHz^{-1}）.

Planck the·o·ry プランク説. = quantum theory.

plane (plān). 平面（①二次元上の平らな表面. →planum. ②特に頭蓋計測や骨盤計測で，軸または2つの特定の点をのばして形成される想像上の面）.

plane joint 平面関節（対立面がほとんど平面で，中手間関節のようにわずかの滑走運動しかしない関節）. = arthrodia; arthrodial joint; gliding joint.

plane of pel·vic ca·nal = pelvic axis.

plane su·ture 直線縫合（涙骨上顎縫合にみられるような，2個の骨の間に重なり合いのない平滑面状の単純でしっかりとした連結）. = harmonic suture.

pla·nig·ra·phy (plă-nig′ră-fē). 断層撮影〔法〕，プラニグラフィ. = tomography.

plan·ing (plān′ing). 皮膚剥削術. = dermabrasion.

plan·ning (plăn′ing). 立案（計画を明確にしたり下書きしたりする行為）.

plano-, plan-, plani- ***1*** 平面，平らな，水平の，を意味する連結形. ***2*** 遊走の，を意味する連結形.

pla·no·cel·lu·lar (plā-nō-sel′yū-lăr). 扁平細胞の.

pla·no·con·cave (plā′nō-kon′kāv). 平凹の（片面が平らで他面が凹形のレンズについていう）.

pla·no·con·cave lens 平凹レンズ（一面が平らで他面が凹のレンズ）.

pla·no·con·vex (plā′nō-kon′veks). 平凸の（片面が平らで他面が凸形のレンズについていう）.

pla·no·con·vex lens 平凸レンズ（一面が平らで他面が凸のレンズ）.

pla·nog·ra·phy (plă-nog′ră-fē). = tomography.

pla·no·val·gus (plā′nō-val′gŭs). 扁平外反（足の縦アーチが扁平で後足部が外反している状態）.

plan·ta, gen. & pl. plan·tae (plan′tă, -tē). 足底，足の裏. = sole.

plan·tal·gi·a (plan-tal′jē-ă). 足底痛（足底腱膜に起因する足底面の疼痛）.

plan·tar (plan′tahr). 足底の.

plan·tar arch ***1*** 足底動脈弓（中足骨底と交差し，足背動脈と吻合する外側足底動脈によりつくられる）. ***2*** 足底弓（足の2つの骨弓，縦足弓，横足弓のいずれかをいう）.

plan·tar cal·ca·ne·o·na·vic·u·lar lig·a·ment 底側踵舟靱帯（載距突起から舟状骨の足底面にのびる密な線維弾性靱帯．距骨頭の関節窩の一部を形成している）.

plan·tar fas·ci·a 足底筋膜（足底の深筋膜で，足底の中央部をおおう厚い部分は足底腱膜とよばれ，母指球と小指球をおおう内側部と外側部は薄い）.

plan·tar fas·ci·i·tis 足底筋膜炎（足底筋膜の炎症で，通常は踵骨部で起こる）.

plan·tar fi·bro·ma·to·sis 足底線維腫症（片足または両足の足底筋膜の小結節性線維芽細胞性増殖．まれに拘縮を伴う）. = Dupuytren disease of the foot.

plan·tar·flex·ion (plăn-tahr-flĕk′shŭn). 〔足〕底屈（足または足指を足底面に向けること）.

plan·tar in·ter·os·se·ous mus·cle 底側骨間筋（足の3つの固有筋．起始：第三・第四・第五中足骨の内側．停止：同じ足指の基節骨のそれぞれ相当する側．作用：足の第三-第五指の内転．神経支配：外側足底神経）. = musculus interosseus plantaris.

plan·tar·is mus·cle 足底筋（下腿後区浅層の小筋．起始：大腿骨の外側上顆稜．停止：アキレス腱内側縁と踵の深部筋膜．作用：伝統的には足の底屈とされているが，多くの研究者は第一義的には固有受容器であると信じている．神経支配：脛骨神経）. = musculus plantaris; plantar muscle.

plan·tar me·ta·tar·sal ar·ter·y 底側中足動脈（足指に血液を送る足底指動脈へと分かれる足底動脈弓の4本の枝）. = arteria metatarsalis plantaris.

plan·tar mus·cle 足底筋. = plantaris muscle.

plan·tar re·flex 足底反射（母指球の触刺激に対する反応で，通常は爪先の足底屈曲を生じる．病的反応は Babinski 徴候（→Babinski sign (1)）である）.

P

plan·tar space 足底間隙（足の筋膜間にある4つの区域．足が感染すると，この部分に膿がたまる）．

plan·tar wart 足底いぼ（足底にできるいぼ．しばしば痛みを伴う．通常，ヒト乳頭腫ウイルス1型によって引き起こされる）．= verruca plantaris.

plan·ti·grade (plan′ti-grād)．蹠行〔性〕（ヒトやクマがするように，地面に足裏と踵の全面を着けて歩くこと）．

pla·num, pl. **pla·na** (plā′nŭm, -nă)．平面．→plane.

plaque (plak)．*1* 斑，局面（体の表面(皮膚，粘膜，動脈内皮など)または脳のような臓器の切断面における，斑点あるいは分化した小さな部位）．*2* プラ〔ー〕ク（細菌または組織細胞における平らで融合発育をした明瞭な部位）．*3* 斑，プラ〔ー〕ク（多発性硬化症の特徴である境界の明瞭な脱髄帯）．*4* →dental plaque.

-plasia 形成(特に細胞の)を意味する接尾語．→plasma-.

plasm (plazm)．= plasma.

-plasm, -plasma 組織や生体物質を意味する連結形．

plas·ma (plaz′mă)．= plasm. *1* 血漿，プラスマ（循環血液の細胞を含有していない蛋白性液体成分で，凝固後に得られる血清とは異なる）．= blood plasma. *2* プラスマ（リンパ液の液体部分）．*3* プラスマ（高温のために原子が壊れて，遊離原子およびほとんど裸になった核を形成する〝物質の第四状態〞.星はプラスマからつくられ，プラスマは実験室での水素融合(高熱による原子核反応)でつくられる）．

plasma-, plasmat-, plasmato-, plasmo- 形成する，組織する，血漿，プラスマを意味する連結形．

plas·ma ac·cel·er·a·tor glob·u·lin 血漿促進性グロブリン．= factor V.

plas·ma·blast (plaz′mă-blast)．形質芽球（形質細胞の前駆細胞）．

plas·ma cell プラスマ細胞，形質細胞（偏心性核をもった卵形の細胞．クロマチンを有し，時計ないし自転車のスポーク状を呈する．細胞質は，小胞体中に豊富にリボ核酸(RNA)を含むため，強い好塩基性を示す．形質細胞はBリンパ球に由来し，抗体産生の働きをもつ）．= plasmacyte.

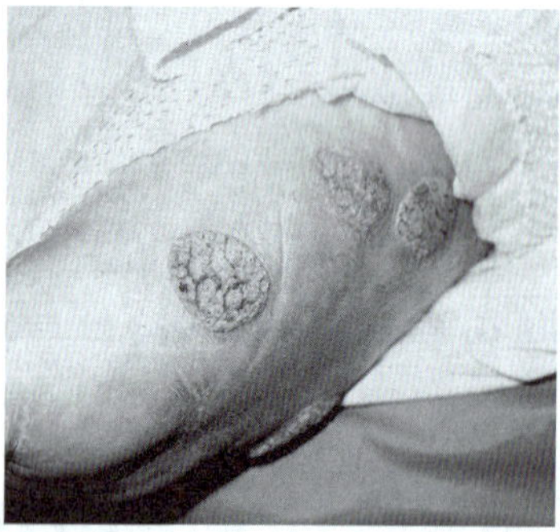

plantar warts

plas·ma cell leu·ke·mi·a 形質細胞性白血病（白血球増加症および白血病を思わせる徴候や症状を特徴とするまれな疾患で，ⓘ脾臓，肝臓，骨髄，リンパ節における形質細胞のびまん性浸潤と集塊，ⓘⓘ循環血液中における多数の形質細胞の出現を伴う）．

plas·ma cell mas·ti·tis 形質細胞〔性〕乳腺炎（無数の形質細胞を含んだ癌様の硬い塊を特徴とする乳房の状態．通常，乳管拡張から起こる．臨床的には悪性疾患に類似するが(皮膚への固定，腋下リンパ節の肥大)，新生物ではない）．

plas·ma cell my·e·lo·ma プラスマ細胞骨髄腫，形質細胞骨髄腫（①= multiple myeloma. ②骨のプラスマ細胞腫で，通常，孤立性病巣を示し，Bence Jones 蛋白や，他の蛋白代謝障害(多発性骨髄腫にみられるような)の発生とは合併しない）．

plas·ma chol·ine·ste·rase 血漿コリンエラステーゼ（血漿中で見つかるコリンエラステーゼの一種．→fluoride number butyrylcholinesterase; pseudocholinesterase）．

plas·ma·crit (plaz′mă-krit)．プラスマクリット（ヘマトクリットとは対照的に，全血液に対し血漿が占める量の百分率）．

plas·ma·crit test プラスマクリット試験（梅毒診断の補助として用いる血清学的スクリーニング法．ヘパリン血数滴(指を少し刺して得る)を特殊な毛細管に採り，この毛細管を遠心分離して血漿を集め，カルジオリピン抗原によって分離する．陽性成績を確定診断と考えるべきではないが，陰性であれば梅毒の疑いはない）．

plas·ma·cyte (plaz′mă-sīt)．プラスマ細胞，形質細胞．= plasma cell.

plas·ma·cy·to·ma (plaz′mă-sī-tō′mă)．プラスマ細胞腫，形質細胞腫（骨または種々の骨髄以外の部位に発生する，離散した孤立性の腫瘍性形質細胞塊．ヒトではそのような病変は形質細胞性骨髄腫の初期の段階と考えられる）．

plas·ma·cy·to·sis (plaz′mă-sī-tō′sis)．プラスマ細胞増加症，形質細胞増加症（①循環血液中に形質細胞が存在すること．②組織や滲出液中に通常大量の形質細胞が存在すること）．

plas·ma fi·bro·nec·tin 血漿フィブロネクチン（循環血液中にある α_2-糖蛋白で，オプソニンとして働く．細網内皮系やマクロファージがフィブリンの微小凝集塊，コラーゲン沈渣，細菌粒子を処理する際働いて微小血管の血流やリンパ管の流通を保護する）．

plas·ma·kin·ins (plaz-mă-kīn′inz)．プラスマキニン（血管，子宮，気管支の平滑筋に作用する血清中に見出された高活性オリゴペプチドの一群．例えば，ブラジキニン，カリジン）．

plas·ma·lem·ma (plaz-mă-lem′ă)．= cell membrane.

plas·mal·o·gens (plaz-mal′ō-jenz)．プラスマ

ロゲン（グリセロリン脂質の総称名で，グリセロールの部分に1-アルケニルエーテル基(まれに1-アルキルエーテル基)をもつ）．

plas·ma mem·brane 〔原〕形質膜．= cell membrane.

plas·ma·phe·re·sis (plazʹmă-fĕr-ēʹsis)．血漿しゃ(瀉)血，血漿搬出，プラスマフェレーシス（全血液を生体から取り出し遠心沈殿によって分離された細胞成分を生理食塩水または他の代用血漿に懸濁して再びその生体に戻すこと．このようにして細胞成分を減らさずに自分自身の血漿蛋白を除くことができる）．

plas·ma·phe·ret·ic (plazʹmă-fē-retʹik)．血漿しゃ(瀉)血の，血漿搬出の，プラスマフェレーシスの．

plas·ma pro·teins 血漿蛋白（血漿に溶解した(100種類以上の)蛋白，主にアルブミンとグロブリン(通常，100 mLに対して6—8 g)．この蛋白の存在によって，浸透圧により血管内に液体を保持している．またこの中には抗体と血液凝固蛋白が含まれている）．

plas·ma re·nin ac·tiv·i·ty (PRA) 血漿レニン活性（血漿レニンはアンギオテンシンIまたはIIの生成速度をもって測定する）．

plas·ma throm·bo·plas·tin an·te·ced·ent (PTA) = factor XI.

plas·ma throm·bo·plas·tin com·pon·ent (PTC) = factor IX.

plas·mat·ic (plaz-matʹik)．血漿の，プラスマの．= plasmic.

plas·mic (plazʹmik)．= plasmatic.

plas·mid (plazʹmid)．プラスミド（宿主の細胞(主として細菌)の染色体から物理的に離れていながら，安定して機能し複製する遺伝粒子で，細胞の基本的な機能にとって必須のものではないもの）．= extrachromosomal element; extrachromosomal genetic element.

plas·min (plazʹmin)．プラスミン，線〔維素〕溶〔解〕酵素（L-アルギニンやL-リシンのペプチドとエステルを加水分解し，特にフィブリンを可溶性にするセリンプロテアーゼ．プラスミンは血餅の溶解に働く）．= fibrinase(2); fibrinolysin.

plas·min·o·gen (plaz-minʹō-jen)．プラスミノゲン（プラスミンの前駆物質．血栓症を助長すると考えられている常染色体優性のプラスミノゲンの欠損がある．→plasmin）．

plas·min·o·gen ac·ti·va·tor プラスミノゲン活性化因子（プラスミノゲンの1つの結合(通常はアルギニン-バリン結合)を切断してプラスミンに変換するプロテイナーゼで，フィブリン塊の凝集を阻害する．アルテプラーゼやストレプトキナーゼが治療に応用されており，プラスミノゲンを活性化することによって血栓溶解を促進する）．= urokinase.

plas·min·o·gen ac·ti·va·tor in·hib·i·tor-1 (PAI-1) プラスミノゲンアクチベーター阻害薬-1（内臓の脂肪組織で生成されるペプチドアディポカイン．線維素溶解と血栓形成を制御する役割を持つ）．

plas·mo·di·a (plaz-mōʹdē-ă)．plasmodiumの複数形．

plas·mo·di·al (plaz-mōʹdē-ăl)．***1*** 形質胞体の，変形体の．***2*** マラリア原虫の．

Plas·mo·di·um (plaz-mōʹdē-ŭm)．プラスモディウム属，マラリア原虫（原生動物亜界Apicomplexa門Haemospondia目の一属で，脊椎動物の血液寄生生物．本属はヒトや他の動物のマラリア病原虫を含む．これは脊椎動物の肝臓および赤血球中で無性生殖を，カの体内で有性生殖を行う．有性生殖の結果，媒介カの唾液腺中に多数の感染スポロゾイトが形成され，カがかんだり，血を吸うことにより伝播される）．

Pla·sm·od·ium fal·ci·pa·rum 熱帯熱マラリア原虫（熱帯熱マラリアあるいは悪性三日熱マラリアの病原種．感染赤血球の大きさは正常あるいは萎縮し，塩基性顆粒や赤い斑点(Maurer裂または斑点)をもつことが多い．重複感染は非常に頻繁にみられ，原虫の増殖サイクルが通常同時的に起こらないことから，やや不規則な熱発作を起こす）．

Plas·mo·di·um ma·lar·i·ae 四日熱マラリア原虫（四日熱マラリアの病原種．感染赤血球は正常の大きさまたは軽度に萎縮し，通常，斑点はないが(三日熱マラリア原虫*Plasmodium vivax*から本種を鑑別するうえで最も重要な2大特徴)，非常に繊細なZiemann斑点がみられることがある．重複感染は非常にまれで，かなり規則的な72時間間隔の熱発作がみられる）．

Plas·mo·di·um o·val·e 卵形マラリア原虫（ヒトマラリア原虫の一種で，感染した赤血球が卵型を呈する．Schüffner斑点が多数，早期に出現する．宿主血球は正常の大きさあるいは軽度に膨大し，内部には約8—10個のブドウ状のメロゾイトが形成される．熱発作は3日目ごと(48時間おき)に現れ，再発はまれである）．

Plas·mo·di·um vi·vax 三日熱マラリア原虫（西アフリカを除き，最も一般的なヒトのマラリア原虫の種．感染赤血球は色が淡く膨大し，発育後期にはSchüffner斑点が現れる．かなり規則正しい48時間間隔の熱発作を起こすことが特徴であるが，複合感染が普通にみられる）．

plas·mog·a·my (plaz-mogʹă-mē)．プラスモガミー（個々の核を保有したまま2つ以上の細胞が結合すること．すなわち形質胞体を形成すること）．

plas·mol·y·sis (plaz-molʹi-sis)．プラスモリシス，原形質分離（①細胞成分の分解．②細胞質の水分を浸透によって失ったために起こる植物細胞の萎縮）．

plas·mo·lyt·ic (plaz-mō-litʹik)．プラスモリシスの，原形質分離の．

plas·mon (plazʹmŏn)．プラスモン（真核細胞細胞質の染色体外遺伝的特性の総称）．

plas·mor·rhex·is (plaz-mō-rekʹsis)．形質細胞崩壊（原形質の圧力で細胞が分裂すること）．

plas·mos·chi·sis (plaz-mosʹki-sis)．原形質分裂，プラスモスキシス（原形質が断片に分裂すること）．

plas·mo·tro·pic (plaz-mō-trōʹpik)．造血器内溶血過度の．

plas·mot·ro·pism (plaz-moʹtrō-pizm)．造血器内溶血過度（骨髄，脾臓，および肝臓が，赤血

球破壊の場となっている状態．循環血液中での破壊とは異なる状態）．

-plast, -plastia, -plasia, -plastic 形成や発達に付属することを意味する連結形．

plas·ter (plas′tĕr)．*1* 硬膏〔剤〕（熱すると広がる固形製剤で，体温で粘着性になる．損傷縁に並置して損傷面を保護するために用いられ，また薬物を添加して皮膚を発赤させたり水疱を形成したりしないよう，また全身作用を防ぐために表面に薬を塗布して用いる）．*2* 歯科において，plaster of Paris（焼石膏）の口語．

plas·ter ban·dage ギプス包帯（焼石膏にしみ込ませた巻軸包帯で，湿して使用し，骨折や関節の疾患に固定した被覆として用いる）．

plas·ter of Par·is 焼石膏（加熱により結晶水を除いた無水硫酸カルシウムで，水を混ぜると泥状になり，やがて固まる）．

plas·tic (plas′tik)．*1*〘adj.〙形成の，可塑性の．*2*〘n.〙プラスチック，可塑物（圧力または熱を加えることにより，窩洞や鋳型の形に成形される物質）．

plas·tic en·ve·lope cul·ture ビニール封筒培養（腟トリコモナス *Trichomonas vaginalis* 感染症の診断のための検体を運搬したり培養したりするための簡便法．封筒の上から液体培地を鏡検するので培地をピペットで取り出す必要がない）．

plas·tic·i·ty (plas-tis′i-tē)．形成性，〔可〕塑性，柔軟性．

plas·tic pleu·ri·sy = dry pleurisy.

plas·tic sur·ger·y 形成外科〔学〕（喪失したり，欠損したり，損傷したり，あるいは格好の悪い身体構造の形や外観を修復したり，つくったり，再建したり，あるいは改良をしたりする外科の特殊領域，あるいは手技）．

plas·tid (plas′tid)．プラスチド，色素体（①光合成その他の細胞過程が行われる，植物細胞の原形質中の構造物．DNA を含有し，自己増殖する．= trophoplast. ②細胞中の異物または分化した物質の顆粒，食物粒子，脂肪，老廃物，色素体，毛胞などの１つ．③宿主細胞内で増殖する自己増殖性のウイルス様粒子，例えば，ある種のゾウリムシにおける κ 粒子）．

-plasty 外科的手段によるような，形成すること，または形成されたもの，を意味する接尾語．

plate (plāt)．*1*〘n.〙板（解剖学において，板，層板，薄く比較的扁平な構造）．*2*〘n.〙金属板（骨折の際，骨端を固定するために用いる金属板）．*3*〘n.〙平板（Petri 皿や類似の容器にはいった寒天層）．*4*〘v.〙平板培養する（集落として発育する個々の微生物が分離するよう，寒天平板（通常，Petri 皿にはいっている）の表面に細菌の筋を付け，非常に薄い細菌培養層をつくることをいう）．*5*〘n.〙分別蒸留での分留塔の構成部品である水平多孔板（または理論的同等な板）．

pla·teau pres·sure 平衡圧（患者と人工呼吸器での気道と肺胞間の平衡圧．肺胞圧の，少なくとも近似値と考えられている）．

pla·teau pulse 稽留脈（緩徐な持続性の脈）．

plate·let (plāt′lĕt)．小板，血小板（巨核球の胞体からの円板状の破片で，骨髄中でつくられ，その後末梢血中に出現し，凝固系において機能する．中心部に顆粒（顆粒質 granulomere）が，周辺部に透明な原形質（透明質 hyalomere）があるが，はっきりした核はない．赤血球の約 1/3—1/2 の大きさ．→plate）．= blood disk; elementary particle (1); thrombocyte; thromboplastid (1)．

plate·let-ac·ti·vat·ing fac·tor 血小板活性化因子．= platelet-aggregating factor.

plate·let-ag·gre·gat·ing fac·tor (PAF) 血小板凝集因子，パフ（血小板凝集，炎症，過敏症のリン脂質の媒介物．好中球，好塩基球，血小板，内皮細胞を含む種々の細胞による特異的な刺激に反応して産生する．*O*-アルキル側鎖の長さの違いによる種々の分子種の PAF が同定されている．気管支狭窄の重要な媒介物である）．= platelet-activating factor.

plate·let ag·gre·ga·tion 血小板凝集作用（血液の中で血小板が集まること．血栓または止血性プラグの形成をうながす一連のできごとの一部）．

plate·let fac·tor (PF) 3 血小板第 3 因子（血小板による血液凝固の因子．化学的にはプロトロンビンをトロンビンに変える血漿トロンボプラスチン因子の働きを持つリン脂質リポ蛋白質である）．

plate·let fac·tor (PF) 4 血小板第 4 因子（巨核球により合成され血小板アルファ顆粒に含まれるカチオン性のペプチド．血小板が活性化され，ヘパリンの抗凝結作用が中和されるとこの顆粒が放出される）．

plate·let neu·tra·li·za·tion pro·ce·dure (PNP) 血小板中和法（リン脂質を用いた種々の凝固検査において，血小板膜由来のリン脂質を使ってループス性抗凝固因子の影響を回避し，延長した凝固時間を補正する方法．凍結・融解した血小板懸濁液中の壊れた血小板膜が患者血漿中のループス性抗凝固因子（リン脂質抗体）を中和する．患者の血漿と凍結・融解した血小板懸濁液とを混和すると，活性化部分トロンボプラスチン時間が，もとの活性化部分トロンボプラスチン時間と比べて修正される）．

plate·let·phe·re·sis (plāt′lĕt-fĕ-rē′sis)．血小板フェレーシス（供血者から採取し，血小板を除く他のすべての血液成分を返却する操作）．

plate·let tis·sue fac·tor 血小板組織因子．= thromboplastin.

plate·like at·el·ec·ta·sis 板状無気肺．= subsegmental atelectasis.

-platin 白金を成分にもつ化学治療薬を意味する連結形．

plat·i·num (Pt) (plat′i-nŭm)．白金，プラチナ（金属元素．原子番号 78，原子量 195.08．酸に対する抵抗性から化学装置の小部分をつくるのに広く用いる．粉末形（黒色白金 **platinum black**）は，水素添加の重要な触媒．誘導体であるシスプラチンは抗癌剤として用いられる）．

platy- 幅広さ，扁平を意味する連結形．

plat·y·ba·si·a (plat′i-bā′sē-ă)．扁平頭蓋底（後頭蓋窩床が大孔周辺部で膨れ上がったために起こる頭蓋の発育異常または頭蓋骨の後天的軟化).

plat·y·ceph·a·ly (plat′i-sef′ă-lē). 扁平頭蓋症, 扁平頭症 (長高指数 70 以下の扁平な頭蓋をもつ状態).

plat·y·hel·minth (plat′i-hel′minth). 扁形動物 (扁形動物門の扁虫の一般名. 条虫類や吸虫類).

Plat·y·hel·min·thes (plat′i-hel-min′thēz). 扁形動物門 (左右対称, 扁平で, 体腔のない扁虫類の門. 医学上および獣医学上重要な寄生生物の種は条虫綱の条虫亜綱と, 吸虫綱の二生類亜綱(吸虫)である).

plat·y·pel·lic pel·vis 扁平骨盤 (横径が前後径より 3 cm 以上長い扁平卵形骨盤).

plat·y·pel·loid pel·vis 扁平骨盤 (単純性扁平骨盤).

pla·typ·ne·a (plă-tip′nē-ă). 扁平呼吸 (直立していると呼吸が困難で, 横臥すると楽になる呼吸. *cf.* orthopnea).

platypnoea [Br.]. 一platypnea.

pla·tys·ma (plă-tiz′mă). 広頸筋. = platysma muscle.

pla·tys·ma mus·cle 広頸筋 (頸部の顔面筋. 起始：第一肋骨または第二肋骨の高さで大胸筋と三角筋をおおう皮下組織層と筋膜. 停止：下顎骨下縁, 笑筋, 反対側の広頸筋. 作用：歯を食いしばったときのように下唇を下げ, 頸部および上胸部の皮膚にしわを寄せ緊張・怒りを示す. 神経支配：顔面神経の頸部枝). = platysma.

plat·y·spon·dyl·i·a, plat·y·spon·dyl·i·sis (plat′i-spon-dil′ē-ă, -i-sis). 扁平椎.

play (plā). 遊戯, 行為 (①娯楽のために演じたり参加したりする活動. ②楽しみあるいはレクリエーションのために催される個人あるいは集団の活動に対する一般用語).

play ther·a·py 遊戯療法 (小児に適用する治療法の一型. 人形, あるいは他の玩具, 図画などで遊ばせることによって, その小児のもつ問題と空想を明らかにする).

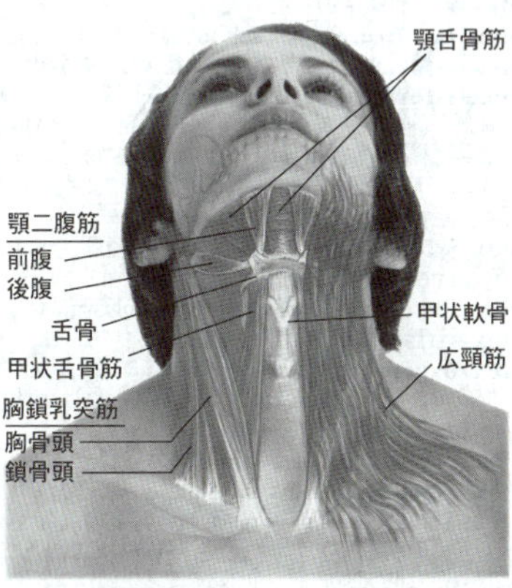
顎舌骨筋
顎二腹筋
前腹
後腹
舌骨
甲状舌骨筋
胸鎖乳突筋
胸骨頭
鎖骨頭
甲状軟骨
広頸筋

platysma muscle

plea·sure prin·ci·ple 快感原則. = pain-pleasure principle.

pled·get (plej′ĕt). 外科用綿撒糸 (毛, 木綿, またはリントのふさ).

-plegia 麻痺を意味する接尾語.

pleio- pleo- と同義にまれに用いるつづり.

plei·o·tro·pic (plī-ō-trō′pik). 多面発現性, 多形質発現性 (多面発現あるいは多面発現の特徴があることを示す).

plei·o·tro·pic gene 多面性遺伝子 (単一の遺伝子で, 多くの明らかに無関係と思われる表現型を表すこと). = polyphenic gene.

plei·ot·ro·py, plei·o·tro·pi·a (plī-ot′rŏ-pē, -ō-trō′pē-ă). 多面〔発現〕作用, 多面発現 (単一の突然変異遺伝子によって, 臨床または表現型のレベルで表面上は無関係な多くの作用を生じること).

pleo- より多い, を意味する連結形.

ple·o·cy·to·sis (plē′ō-sī-tō′sis). 〔髄液〕細胞増加〔症〕, プレオサイトーシス (正常よりも多くの細胞が存在すること. しばしば白血球増加, 特にリンパ球増加または円形細胞浸潤についていう).

ple·o·mas·ti·a, ple·o·ma·zi·a (plē′ō-mas′tē-ă, -mā′zē-ă). = polymastia.

ple·o·mor·phic (plē′ō-mōr′fik). 多〔形〕態〔性〕の, 多形〔性〕の (①= polymorphic. ②真菌類で 2 つ以上の胞子形をもつ. 培養での変性変化に由来する不稔性の突然変異の皮膚糸状菌を記述するのにも用いる).

ple·o·mor·phic li·po·ma 多型性脂肪腫. = atypical lipoma.

ple·o·mor·phism (plē-ō-mōr′fizm). 多〔形〕態性, 多形現象. = polymorphism.

ple·o·mor·phous (plē′ō-mōr′fŭs). = polymorphic.

ple·o·nasm (plē′ō-nazm). プレオナズム (ある部位の数が過剰なこと. 大きすぎること).

ple·on·os·te·o·sis (plē′on-os-tē-ō′sis). 過剰骨化〔症〕.

pless-, plessi- 打つこと, 特に打診, を意味する連結形.

ples·sim·e·ter (ples-sim′ĕ-tĕr). 打診板 (柔軟な長方形の板で, 打診面に対して置き, これを打診槌で打つ間接打診に用いる). = pleximeter; plexometer.

ples·sor (ples′ŏr). 打診槌 (胸部その他の部位の打診において, その部位を直接または打診板を使ってたたくのに用いる, 通常, 柔らかいゴムの頭がついた小さな槌). = percussor; plexor.

pleth·o·ra (pleth′ŏr-ă). ***1*** 多血〔症〕. = hypervolemia. ***2*** 体液過剰〔症〕. = repletion (2).

pleth·o·ric (plĕ-thōr′ik). 多血〔症〕の, 体液過剰〔症〕の. = sanguine (1); sanguineous (2).

ple·thys·mo·graph (plĕ-thiz′mō-graf). プレチスモグラフ, 体積〔変動〕記録器 (部分, 臓器, または身体全体の容積の変化を測定記録する装置).

pleth·ys·mog·ra·phy (pleth-iz-mog′ră-fē). プレチスモグラフィ, 体積〔変動〕記録法 (プレチスモグラフを用い, 器官その他の身体部分の体積変化を測定し記録すること).
pleth·ys·mom·e·try (pleth-iz-mom′ĕ-trē). プレチスモメトリ, 体積〔変動〕測定法 (脈拍のような, 中空器官または血管の充満度を測定すること).
pleur-, pleuro-, pleura- 肋骨, 体側, または胸膜を表す連結形.
pleu·ra, gen. & pl. **pleu·rae** (plūr′ă, -ē). 胸膜 (肺を包み, 胸膜腔の壁を裏打ちする漿膜).
pleu·ral (plūr′ăl). 胸膜の.
pleu·ral cav·i·ty 胸膜腔 (壁側胸膜と臓側胸膜の間の潜在的腔所). = pleural space.
pleu·ral ef·fu·sion 胸水 (胸腔内に増加した液体で, 通常は炎症による).
pleu·ral flu·id 胸膜液 (壁側胸膜と肺胸膜との間にある漿液体).
pleu·ral frem·i·tus 胸膜〔摩擦〕振とう音 (臓側壁側胸膜の不整炎症面がこすれあう摩擦面によって惹起される胸壁の振とう).
pleu·ral space 胸膜腔. = pleural cavity.
pleu·ral tap 胸腔穿刺. = thoracentesis.
pleu·ra·poph·y·sis (plūr′ă-pof′i-sis). 肋骨, 肋骨突起 (肋骨またはそれに相当する頸椎または腰椎の突起).
pleur·ec·to·my (plūr-ek′tŏ-mē). 胸膜切除〔術〕(通常, 胸膜壁側の切除).
pleu·ri·sy (plūr′i-sē). 胸膜炎. = pleuritis.
pleu·ri·sy with ef·fu·sion 滲出性胸膜炎 (漿液滲出を伴う胸膜炎). = serous pleurisy.
pleu·rit·ic (plū-rit′ik). 胸膜性の, 胸膜炎の.
pleu·rit·ic rub 胸膜摩擦音 (粗面化した肋骨胸膜と内臓胸膜の摩擦により生じる音).
pleu·ri·tis (plū-rī′tis). = pleurisy.
pleu·ro·cele (plūr′ō-sēl). = pneumonocele.
pleu·ro·cen·te·sis (plūr′ō-sen-tē′sis). 胸膜穿刺. = thoracentesis.
pleu·ro·cen·trum (plūr′ō-sen′trŭm). 半椎体 (椎体の片側半分をいう).
pleu·roc·ly·sis (plūr-ok′li-sis). 胸膜腔洗浄.
pleu·rod·e·sis (plūr-od′ĕ-sis). 胸膜癒着〔術〕(胸腔をつぶすように, 臓側と壁側胸膜との間に線維性癒着をつくること. 外科的に胸膜を剥離したり, あるいは無菌の刺激物を胸腔管に入れる. 再発性自然気胸, 悪性胸水, 乳び胸の治療として適用される).
pleu·ro·dyn·i·a (plūr-ō-din′ē-ă). 胸膜痛 (①胸膜性の胸部痛. ②胸筋の腱付着部の痛みを伴う疾患で, 通常は片側にだけ現れる). = costalgia.
pleu·ro·e·soph·a·ge·al mus·cle 胸膜食道筋 (縦隔胸膜より起こり, 食道の筋組織を強化する筋束). = musculus pleuroesophageus.
pleu·ro·gen·ic (plūr′ō-jen′ik). 胸膜由来の. = pleurogenous(1).
pleu·rog·e·nous (plūr-oj′ĕ-nŭs). ***1*** = pleurogenic. ***2*** 側生の (真菌類において, 分生子柄または菌糸の側面に発生する胞子または分生子についていう).
pleu·rog·ra·phy (plūr-og′ră-fē). 胸膜腔造影検査〔法〕(造影剤注入による胸腔X線撮影法).
pleu·ro·hep·a·ti·tis (plūr′ō-hep-ă-tī′tis). 胸膜肝炎 (炎症が隣接の胸膜部分に広がる肝炎).
pleu·ro·lith (plūr′ō-lith). 胸腔結石.
pleu·rol·y·sis (plūr-ol′i-sis). 胸膜剥離〔術〕(胸膜癒着の治療に内視鏡を用いて電気焼灼器で剥離する方法).
pleu·ro·per·i·car·di·al (plūr′ō-per-i-kahr′dē-ăl). 胸膜心膜の (胸膜と心膜の両方に関する).
pleu·ro·per·i·car·di·tis (plūr′ō-per′i-kahr-dī′tis). 胸膜心膜炎.
pleu·ro·per·i·to·ne·al (plūr′ō-per′i-tō-nē′ăl). 胸膜腹膜の (胸膜と腹膜の両方に関する).
pleu·ro·per·i·to·ne·al shunt 胸腔腹腔シャント (胸水を腹腔に送り込み, そこで吸収させる目的で, 外科的に埋め込まれたカテーテル. 主として悪性胸水の治療に使用する).
pleu·ro·pneu·mo·nec·to·my (plūr′ō-nū-mō-nek′tŏ-mē). 胸膜肺切除〔術〕(壁側胸膜を含めた全肺切除. かつては結核で破壊された肺に対して行われた. 現在は悪性中皮腫の治療法である).
pleu·ro·pneu·mo·ni·a·like or·ga·nisms (PPLO) ウシ肺疫菌様微生物 (細胞壁をもたない細菌群に付けられた最初の名称. ヒト, およびその他の動物, 土壌, および下水から分離されたこれらの微生物は現在 Mycoplasmatales 目に入れられている).
pleu·ro·pul·mo·nar·y (plūr′ō-pul′mō-nar-ē). 胸膜肺の (胸膜と肺に関する).
pleu·rot·o·my (plūr-ot′ŏ-mē). 胸膜切開〔術〕. = thoracotomy.
pleu·ro·ve·nous shunt 胸腔静脈シャント (胸水を静脈系に送り込むために, 外科的に埋め込まれたカテーテル. ほとんど使用されることはないが, 主として悪性胸水の治療に用いられる).
pleu·ro·vis·cer·al (plūr′ō-vis′ĕr-ăl). = visceropleural.
-plex, -plexus ひも, 神経, あるいはネットワークを意味する連結形.
plex·al (plek′săl). 叢の.
plex·ect·o·my (plek-sek′tŏ-mē). 叢切除〔術〕.
plex·i·form (plek′si-fōrm). 叢状の, 網状の.
plex·i·form neu·ro·fi·bro·ma 叢状神経線維腫 (神経鞘の内面から Schwann 細胞の増殖が起こる神経線維腫の一種で, 新生物というよりは奇形を呈する. 神経線維腫症によくみられる). = plexiform neuroma.
plex·i·form neu·ro·ma 叢状神経腫. = plexiform neurofibroma.
plex·im·e·ter (plek-sim′i-tĕr). = plessimeter.
plex·i·tis (plek-sī′tis). 神経叢炎.
plex·o·gen·ic (plek′sō-jen′ik). 網生成の, 叢生成の, 網化の, 叢化の (網状あるいは叢状構造をつくり出す).
plex·om·e·ter (plek-som′ĕ-tĕr). = plessimeter.
plex·op·a·thy (pleks-op′ă-thē). 神経叢障害 (頸神経叢, 上腕神経叢, 腰仙神経叢のどれかを障害する疾患).
plex·or (plek′sŏr). = plessor.
plex·us, pl. **plex·us, plex·us·es** (plek′sŭs, plek′sŭs, -ĕz). 叢 (神経, 血管またはリンパ管

の網状構造).
plex·us ce·li·a·cus = celiac plexus.
plex·us gul·ae = esophageal nervous plexus.
plex·us ner·vo·sus e·soph·a·ge·us = esophageal nervous plexus.
plic- 襞あるいはうねを意味する連結形.
pli·ca, gen. & pl. pli·cae (plī′kă, -sē). →fold. *1* ひだ（部分の折り重なりでできている解剖学的構造). *2* = false membrane.
pli·ca ar·y·ep·i·glot·ti·ca 披裂喉頭蓋ひだ. = aryepiglottic fold.
pli·cae cir·cu·la·res in·tes·ti·ni te·nu·is 〔小腸の〕輪状ひだ. = circular folds of small intestine.
pli·cae pal·ma·tae 棕状ひだ. = palmate folds.
pli·cae u·re·thra·les 尿道ひだ. = urogenital folds.
pli·ca in·ter·u·re·te·ri·ca 尿管間ひだ. = interureteric fold.
pli·ca la·cri·ma·lis 鼻涙管ひだ. = lacrimal fold.
pli·ca se·mi·lu·nar·is con·junc·ti·vae 結膜半月ひだ. = semilunar conjunctival fold.
pli·ca spi·ra·lis duc·tus cys·ti·ci 〔胆嚢管〕らせんひだ. = spiral fold of cystic duct.
pli·cate (plī′kāt). ひだのついた.
pli·ca·tion (plī-kā′shŭn). ひだ形成（折りたたみ，しわを寄せること．特に壁にしわを寄せて，管腔臓器の大きさを小さくする手術).
pli·ca ves·ti·bu·la·ris 室ひだ. = vestibular fold.
pli·ca vo·ca·lis 声帯ひだ. = vocal fold.
pli·cot·o·my (plī-kot′ŏ-mē). ひだ切開〔術〕（つち骨ひだの切開).
PLMD periodic limb movements disorder の略.
-ploid 多形を意味する接尾語．これと組み合わせて，染色体の特定の倍数について，形容詞的・名詞的に用いる.
ploi·dy (ploy′dē). 倍数性（1個の細胞における一倍体の数．配偶子は正常では1個を，体細胞は2個をもつ. →polyploidy).
plot (plot). プロット（グラフ的表現).
plug (plŭg). 栓，栓子（穴を充填したり，開口部を閉じたりする詰め物).
plug·ger (plŭg′ĕr). 充填器，プラガー（窩洞に，金箔，アマルガム，または他の可塑材を充填するのに用いる器具．手または機械的方法によって扱う). = packer(2).
plum·bism (plŭm′bizm). 鉛中毒. = lead poisoning.
plumb line 測鉛線（糸に錘を付けてぶら下げた場合にできる垂直線).
plum·bum (plŭm′bŭm). 鉛. = lead.
Plum·mer-Vin·son syn·drome プラマー-ヴィンソン症候群（鉄欠乏性貧血，えん下困難，食道狭窄，および萎縮性舌炎).
pluri- 多数，複数を意味する連結形. →multi-; poly-.
plu·ri·glan·du·lar (plūr′i-glan′dyū-lăr). 多腺性の（数個の腺またはその分泌物をいう). = polyglandular.
plu·rip·o·tent, plu·ri·po·ten·tial (plūr-ip′ŏ-tĕnt, plūr′ē-pō-ten′shăl). 多能性の，多潜能力の（①2個以上の器官または組織に影響を及ぼす能力をもつことについていう．②分化方向が固定されていない).
plu·to·ni·um (Pu) (plū-tō′nē-ŭm). プルトニウム（人工放射性超ウラン元素，原子番号94，原子量244.064．最もよく知られているα放出同位体は^{239}Pu（半減期24,110年）で，^{235}Uと同様に核分裂性であり原子爆弾や原子力発電所で用いることができる．^{238}Pu（半減期87.74年）はペースメーカのエネルギー源として用いられる．Puイオンは親骨性で，摂取するとラジウムや放射性ストロンチウムと同様に放射線障害の危険がある).
PLWH persons living with HIV の略.
ply·o·met·ric train·ing プライオメトリックトレーニング（骨格筋の伸張反動特性，および伸展反射または筋伸展反射による神経学的調節を利用する運動トレーニング方法．特殊な力強い動きを必要とする運動選手(例えば，フットボール，バレーボール，跳躍，バスケットボールの選手)が利用する).
Pm プロメチウムの元素記号.
pM picomolar(ピコモル濃度)(10^{-12} M)の略.
pm ピコメートルの記号.
PMDD premenstrual dysphoric disorder の略.
PMI point of maximal impulse の略.
P mit·ra·le 僧帽性P（僧帽弁疾患の特徴であると考えられる心電図の数個または多くの誘導における幅の広い，ノッチのあるP波と，V_1誘導における顕著な遅延した陰性成分を有するP波．P sinistrocardiale(左房性P)とよばれ，左心房の過剰の負荷から生じる). = P sinistrocardiale.
PML progressive multifocal leukoencephalopathy の略.
pmol picomole の略.
PMS premenstrual syndrome の略.
PN parenteral nutrition の略.
PND paroxysmal nocturnal dyspnea; postnasal drip の略.
-pnea 息または呼吸を意味する接尾語.
pneo- 息または呼吸を意味する連結形. →pneum-; pneumo-.
pneum-, pneuma-, pneumat-, pneumato- 空気または気体の存在，肺または呼吸を意味する連結形. →pneo-; pneumo-.
pneu·marth·ro·gram (nū-mahrth′rō-gram). 気体関節造影像，空気関節造影像（気体関節造影法の記録のためのフイルム).
pneu·marth·rog·ra·phy (nū′mahrth-rog′ră-fē). 気体関節造影(撮影)〔法〕，空気関節造影(撮影)〔法〕（空気による関節のX線造影検査．他の造影剤を用いて二重造影にすることもある). = pneumoarthrography.
pneu·mar·thro·sis (nū′mahr-thrō′sis). 関節気腫（関節中に空気が存在すること).
pneu·mat·ic (nū-mat′ik). *1* 空気の，含気〔性〕の. *2* 呼吸の.
pneu·mat·ic an·ti·shock gar·ment ショックパンツ（末梢循環を圧迫するのに使用される

P

空気などで膨らませることのできる着衣．ショックの場合に，中心部の血流を維持するために，組織への血液と体液の流出を減らす）. = military antishock trousers.

pneu·mat·ic bone 含気骨（空洞であるかまたは多くの含気洞を含む骨．例えば側頭骨の乳様突起）. = hollow bone.

pneu·ma·tic di·la·tor 気圧拡張器（遠位端にバルーンの付いた種々のカテーテルで，バルーンは中室臓器の閉塞を広げるため希望の圧に膨らませることができる．アカラシアを治療する目的で下部食道括約筋をこわすために最もよく使用される）.

pneu·mat·ic o·tos·co·py 気密耳鏡検査法（鼓膜に対する気圧を変化できる装置を用いた耳検査法．鼓膜の可動性は正常な中耳のコンプライアンスを示唆する．可動性の欠如は，インピーダンスの増加や鼓膜の穿孔を示す）.

pneu·mat·ic to·nom·e·ter 気動眼圧計（ガスで操作される記録用圧平眼圧計）.

pneu·mat·ic tube 空気チューブ（プレキシガラスキャリアの検体を患者側から実験室側に移す，単一方向に継続的に作用し続ける真空システム）.

pneu·ma·ti·za·tion (nū′mă-tī-zā′shŭn). 含気化，気胞化（乳突骨や篩骨などの空気を含む蜂巣の発達）.

pneu·ma·to·car·di·a (nū′mă-tō-kahr′dē-ă). 気心〔症〕（空気塞栓症により，心臓の血液内に気泡または気体がはいること）.

pneu·mat·o·cele (nū-mat′ō-sēl). 気瘤（①気腫性腫脹または気体性腫脹．②= pneumonocele. ③ブドウ球菌性肺炎の特徴的続発症の１つである，肺の中につくられる薄い壁をもつ空洞）.

pneu·ma·tor·rha·chis (nū′mă-tōr′ă-kis). 脊柱気腫. = pneumorrhachis.

pneu·ma·to·sis (nū′mă-tō′sis). 気症，気腫（身体の組織，またはある部分内での気体の異常蓄積）.

pneu·ma·to·sis cys·toi·des in·tes·ti·na·lis 腸壁嚢胞状気腫（気嚢腫が腸の粘膜に存在する原因不明の状態．腸閉塞を起こすことがある）. = intestinal emphysema.

pneu·ma·tu·ri·a (nū′mă-tyūr′ē-ă). 気尿〔症〕（感染尿，またはより一般的には腸瘻の結果，排尿中または排尿後に尿道から気体または空気が出ること）.

pneumo-, pneumon-, pneumono- 肺，空気，気体，呼吸，または肺炎，を意味する連結形. → aer-; pneo-; pneum-.

pneu·mo·ar·throg·ra·phy (nū′mō-ahr-throg′ră-fē). 気体関節造影(撮影)〔法〕. = pneumarthrography.

pneu·mo·car·di·al (nū′mō-kahr′dē-ăl). 心肺の. = cardiopulmonary.

pneu·mo·cele (nū′mō-sēl). = pneumonocele.

pneu·mo·cen·te·sis (nū′mō-sen-tē′sis). 肺穿刺〔術〕. = pneumonocentesis.

pneu·mo·ceph·a·lus (nū′mō-sef′ă-lŭs). 気脳〔体〕，気脳〔症〕，気頭〔症〕（頭蓋内に空気または気体が存在すること）.

pneumococcaemia [Br.]. = pneumococcemia.

pneu·mo·coc·cal (nū′mō-kok′ăl). 肺炎球菌の.

pneu·mo·coc·ce·mi·a (nū′mō-kok-sē′mē-ă). 肺炎球菌血症（血液中に肺炎球菌が存在すること）. = pneumococcaemia.

pneu·mo·coc·ci·dal (nū′mō-kok-sī′dăl). 肺炎球菌殺菌性の.

pneu·mo·coc·co·sis (nū′mō-kok-ō′sis). 肺炎球菌症を意味する，まれに用いる語.

pneu·mo·coc·co·su·ri·a (nū′mō-kok-ō-syūr′ē-ă). 肺炎球菌尿症（尿中に，肺炎球菌またはそれに特有な莢膜物質が存在すること）.

pneu·mo·coc·cus, pl. **pneu·mo·coc·ci** (nū′mō-kok′ŭs, -kok′sī). 肺炎球菌. = *Streptococcus pneumoniae*.

pneu·mo·co·ni·o·sis, pl. **pneu·mo·co·ni·o·ses** (nū′mō-kō-nē-ō′sis, -sēz). じん（塵）肺〔症〕（様々な職業の人々が，じん埃吸入により，一般的には肺の線維症を起こす炎症．徴候は，胸痛，喀痰をほとんど伴わない咳，呼吸困難，胸郭呼吸運動の減少，ときに生じるチアノーゼ，軽い運動後の疲労などを特徴とする．障害の程度は吸入した粒子およびそれにどの程度暴露されていたかによって決まる）.

pneu·mo·cra·ni·um (nū′mō-krā′nē-ŭm). 頭蓋内気腫（頭蓋骨と硬膜の間に空気が存在すること．硬膜外と硬膜下の空気を示すときによく用いられる）.

Pneu·mo·cys·tis ji·ro·ve·ci ニューモシスティスジロベチー（旧名 *Pneumocystis carinii*. 免疫不全患者，特にエイズ患者に間質性形質細胞性肺炎を惹起する真核微生物）.

***Pneu·mo·cys·tis ji·ro·ve·ci* pneu·mo·ni·a** ニューモシスティスジロベチー肺炎（ニューモシスティスジロベチー感染による肺炎で，エイズ患者，副腎ステロイド治療者，高齢者，未熟児，虚弱児など免疫不全患者にしばしばみられる．肺胞壁全体や喀痰にはびまん性に炎症細胞，主としてプラスマ細胞とマクロファージ，少数のリンパ球が浸潤する．患者は微熱がある（平熱の場合もある）が，衰弱が激しく，呼吸困難やチアノーゼを起こす．エイズ患者の主要な死因である）. = interstitial plasma cell pneumonia; pneumocystosis.

pneu·mo·cys·tog·ra·phy (nū′mō-sis-tog′ră-fē). 気体膀胱造影(撮影)〔法〕（空気を注入した後に膀胱のX線撮影を行うこと）.

pneu·mo·cys·to·sis (nū′mō-sis-tō′sis). ニューモシスティス症. = *Pneumocystis jiroveci* pneumonia.

pneu·mo·der·ma (nū′mō-dĕr′mă). 皮下気腫. = subcutaneous emphysema.

pneu·mo·dy·nam·ics (nū′mō-dī-nam′iks). 呼吸力学.

pneu·mo·gas·tric (nū′mō-gas′trik). 肺胃の（肺と胃に関する）. = gastropulmonary.

pneu·mo·gas·tric nerve 迷走神経. = vagus nerve.

pneu·mo·gram (nū′mō-gram). ***1*** 呼吸曲線（呼吸曲線記録器による記録）. ***2*** 気体注入撮影

図（気体撮影法のX線撮影記録）.

pneu·mo·graph (nū′mō-graf). 呼吸〔曲線〕記録器（体表面の動きから呼吸運動を記録する装置の総称）.

pneu·mog·ra·phy (nū-mog′ră-fē). ***1*** 呼吸〔曲線〕記録〔法〕（呼吸曲線記録器による検査）. ***2*** 気体注入撮影〔法〕（空気を注入した後のX線撮影法を表す一般名）. = pneumoradiography.

pneumohaemopericardium [Br.]. = pneumohemopericardium.

pneumohaemothorax [Br.]. = pneumohemothorax.

pneu·mo·he·mo·per·i·car·di·um (nū′mō-hē-mō′per-i-kahr′dē-ŭm). = hemopneumopericardium; pneumohaemopericardium.

pneu·mo·he·mo·thor·ax (nū′mō-hē-mō-thōr′aks). 気血胸〔症〕. = hemopneumothorax; pneumohaemothorax.

pneu·mo·hy·dro·me·tra (nū′mō-hī-drō-mē′tră). 子宮留気水症（子宮腔内に気体と血清が存在すること）.

pneu·mo·hy·dro·per·i·car·di·um (nū′mō-hī′drō-per-i-kahr′dē-ŭm). = hydropneumopericardium.

pneu·mo·hy·dro·per·i·to·ne·um (nū′mō-hī′drō-per-i-tō-nē′ŭm). = hydropneumoperitoneum.

pneu·mo·hy·dro·thor·ax (nū′mō-hī′drō-thōr′aks). = hydropneumothorax.

pneu·mo·lith (nū′mō-lith). 肺石，肺結石.

pneu·mo·li·thi·a·sis (nū′mō-li-thī′ă-sis). 肺石症（肺内における結石の形成）.

pneu·mo·me·di·as·ti·num (nū′mō-mē-dē-ă-stī′nŭm). 気縦隔症（通常，間質性気腫，または破裂した肺小気胞から，縦隔組織内に空気が逃げること）.

pneu·mo·my·e·log·ra·phy (nū′mō-mī-ĕ-log′ră-fē). 気体脊髄造影(撮影)〔法〕（空気または気体をクモ膜下腔へ注入した後に，脊柱管をX線で検査することでまれに用いる）.

pneu·mo·nec·to·my (nū′mō-nek′tŏ-mē). 肺切除〔術〕（一側肺の全葉切除）.

pneu·mo·ni·a (nū-mō′nē-ă). 肺炎（肺実質の炎症で，侵された部分の硬化，肺胞腔にみられる滲出物，炎症細胞，フィブリンを特徴とする．大多数の例は細菌またはウイルスの感染が原因で起こり，化学物質の吸入や胸壁の外傷が原因で起こる例は少ない．また，リケッチア，真菌，酵母菌で起こる例もわずかながらみられる．侵される範囲は，大葉性のことも肺分節のことも肺小葉性のこともある．肺小葉性の場合は，気管支炎も伴うので，気管支肺炎という言葉を用いる．→pneumonitis）.

pneu·mon·ic (nū-mon′ik). ***1*** 肺〔性〕の. = pulmonary. ***2*** 肺炎の.

pneu·mon·ic plague 肺ペスト（悪寒，側胸部痛，血痰，高熱を伴う肺硬変の炎症性腫脹を起こす．しばしば進行が早く致命的である．→*Yersinia pestis*）.

pneu·mo·ni·tis (nū′mō-nī′tis). 肺〔臓〕炎，肺実質炎（肺の炎症．→pneumonia）. = pulmonitis.

pneu·mo·no·cele (nū-mō′nō-sēl). 気瘤，肺ヘルニア（胸壁の欠損部を通して肺の一部が突出したもの）. = pleurocele; pneumatocele(2); pneumocele.

pneu·mo·no·cen·te·sis (nū-mō′nō-sen-tē′sis). 肺穿刺〔術〕（肺の穿刺を表す，まれに用いる語）. = pneumocentesis.

pneu·mo·no·coc·cal (nū′mō-nō-kok′ăl). *Streptococcus pneumoniae* に関する.

pneu·mo·no·cyte (nū-mō′nō-sīt). 肺胞細胞（肺のガス交換部である肺胞に存在する細胞をさす非特異的な用語）.

pneu·mo·no·pex·y (nū-mō′nō-pek-sē). 肺固定〔術〕（肋骨胸膜と肺胸膜を縫合して，あるいは両方の胸膜の癒着を起こさせて行う肺の固定）.

pneu·mo·nor·rha·phy (nū′mō-nōr′ă-fē). 肺縫合〔術〕.

pneu·mo·not·o·my (nū′mō-not′ŏ-mē). 肺切開〔術〕. = pneumotomy.

pneu·mo-or·bi·tog·ra·phy (nū′mō-ōr′bi-tog′ră-fē). 気体眼窩造影(撮影)〔法〕（気体，通常は空気を注入して眼窩内容をX線撮影する方法）.

pneu·mo·per·i·car·di·um (nū′mō-per-i-kahr′dē-ŭm). 気心膜症，心膜気腫（心膜内に気体(通常では空気)が存在すること）.

pneu·mo·per·i·to·ne·um (nū′mō-per′i-tō-nē′ŭm). 気腹〔症〕，気腹〔術〕（腹腔内に気体が存在すること．疾病の結果生じるものと，腹腔鏡下手術の間腹腔内を露出させるために人工的につくるものがある）.

pneu·mo·per·i·to·ni·tis (nū′mō-per′i-tō-nī′tis). 含気性腹膜炎，気腫性腹膜炎（腹腔に気体のたまる腹膜の炎症）.

pneu·mo·pleu·ri·tis (nū′mō-plūr-ī′tis). 気胸膜炎（胸腔に空気あるいは気体がある胸膜炎）.

pneu·mo·py·e·log·ra·phy (nū′mō-pī-ĕ-log′ră-fē). 気体腎盂造影(撮影)〔法〕（腎盂に空気あるいは気体を注入した後の腎臓のX線検査）.

pneu·mo·py·o·thor·ax (nū′mō-pī′ō-thōr′aks). = pyopneumothorax.

pneu·mo·ra·di·og·ra·phy (nū′mō-rā′dē-og′ră-fē). = pneumography(2).

pneu·mo·ret·ro·per·i·to·ne·um (nū′mō-ret′rō-per′i-tō-nē′ŭm). 後腹腔気腹〔症〕（後腹膜組織の病的な空気の存在）.

pneu·mor·rha·chis (nū′mō-rā′kis). 気脊柱〔症〕（脊柱管に気体が存在すること）. = pneumatorrhachis.

pneu·mo·tach·o·gram (nū′mō-tak′ō-gram). 呼吸流量図（呼吸気流量を時間の関数として記録すること．呼吸気流計により作成される）.

pneu·mo·tach·o·graph (nū′mō-tak′ō-graf). 呼吸タコメータ，呼吸気流計，呼吸流量計（呼吸気の瞬間的流れを測定する器械）. = pneumotachometer.

pneu·mo·ta·chom·e·ter (nū′mō-tă-kom′ĕ-tĕr). = pneumotachograph.

pneu·mo·thor·ax (nū′mō-thōr′aks). 気胸〔症〕（胸腔に空気あるいは気体が存在すること）.

pneu·mot·o·my (nū-mot′ŏ-mē). = pneumonot-

omy.
PNF proprioceptive neuromuscular facilitation の略.
PNH paroxysmal nocturnal hemoglobinuria の略.
PNP platelet neutralization procedure の略.
PNS peripheral nervous system の略.
PO per os の略.
Po ポロニウムの元素記号.
pock (pok). 痘疹 (痘瘡の際みられる特異な膿疱性皮膚病変).
pock·et (pok′ĕt). ***1*** 〚n.〛 嚢 (盲嚢あるいは小袋状の腔). ***2*** 〚n.〛 ポケット, 歯嚢 (病的歯肉付着部. 炎症歯肉と歯の表面の間の空間で, その先端は付着上皮で区切られる). ***3*** 〚v.〛 包み込む, 埋没する (卵巣腫瘍などの腹部腫瘍の茎の断端を外部の創縁の間に包み込むように, 限られた部位に包むこと). ***4*** 〚n.〛 膿嚢, 膿瘤 (ほとんど閉じられた嚢に膿が蓄積したもの).
pock·et do·si·me·ter ポケット線量計 (放射線被曝量を直ちに読み取れる小型の電離箱. → film badge).
pock·et·ed cal·cu·lus = encysted calculus.
pock·mark (pok′mahrk). 痘痕 (痘瘡の膿疱治癒後に残る陥凹性小瘢痕). = pit(2).
pod-, podo- 足あるいは足形を意味する連結形. *cf.* ped-.
po·dag·ra (pō-dag′ră). 足部痛風 (特に母趾の典型的痛風).
po·dal·gi·a (pō-dal′jē-ă). 足痛. = pododynia; tarsalgia.
po·dal·ic (pō-dal′ik). 足の.
po·dal·ic ver·sion 足位回転〔術〕(胎児を足から引き出すような操作過程).
pod·ar·thri·tis (pod′ahr-thrī′tis). 足関節炎 (足根関節あるいは中足関節の炎症).
pod·e·de·ma (pod′ē-dē′mă). 足部浮腫 (足とくるぶしの浮腫). = podoedema.
po·di·a·tric (pō-dē-at′rik). 足病学の.
po·di·a·tric med·i·cine 足病学. = podiatry.
po·di·a·trist (pō-dī′ă-trist). 足痛治療医. = chiropodist.
po·di·a·try (pō-dī′ă-trē). 足病学 (ヒトの足の疾病, 障害, 欠陥の診断, および内科的・外科的・機械的・物理的・補助的療法に関する専門分野). = chiropody; podiatric medicine.
pod·o·cyte (pod′ō-sīt). 有足突起 (腎小体における Bowman 嚢の臓側板にある上皮細胞で, 糸球体毛細管基底膜の外部表面に細胞足 pedicels により付着している. 血液の限外濾過に役割を演じていると考えられる).
pod·o·dy·na·mom·e·ter (pod′ō-dī′nă-mom′ē-tĕr). 足筋力計 (足あるいは脚の筋力を測定する器具).
pod·o·dyn·i·a (pod′ō-din′ē-ă). = podalgia.
podoedema [Br.]. = podedema.
pod·o·gram (pod′ō-gram). 足底像 (足底の跡. 弓の輪郭と状態または外郭線の描写を示す).
pod·o·mech·a·no·ther·a·py (pod′ō-mek′ă-nō-thār′ă-pē). 足機械療法 (機械的器具, 例えばアーチ支持板, 矯正器で足の病的状態を治療する).
poe·ci·li·a (pē-sil′ē-ă). カダヤシ類 (グッピーやモリーなどを含むカダヤシ科の胎生魚. 癌研究および神経学的・生理学的な研究で用いられる種).
po·go·ni·on (pō-gō′nē-on). ポゴニオン (頭蓋計測法で正中線上にある下顎の最前点, すなわち, おとがいの最前突出点). = mental point.
pOH OH^- 濃度(mol/L)の逆対数.
-poiesis 生産を意味する連結形.
poikilo- 不規則, 変化に富む, を意味する連結形.
poi·ki·lo·blast (poy′ki-lō-blast). 変形赤芽球 (不規則形の有核赤血球).
poi·ki·lo·cyte (poy′ki-lō-sīt). 変形赤血球, 奇形赤血球 (不規則形の赤血球).
poikilocythaemia [Br.]. = poikilocythemia.
poi·ki·lo·cy·the·mi·a (poy′ki-lō-sī-thē′mē-ă). = poikilocytosis; poikilocythaemia.
poi·ki·lo·cy·to·sis (poy′ki-lō-sī-tō′sis). 変形赤血球症, 奇形赤血球〔症〕(末梢血液中に変形赤血球が存在する). = poikilocythemia.
poi·ki·lo·der·ma (poy′ki-lō-dĕr′mă). 多形皮膚萎縮症, ポイキロデルマ (皮膚の斑紋状色素沈着と毛細血管拡張で, 萎縮が続発する).
poi·ki·lo·ther·mic, poi·ki·lo·ther·mal, poi·ki·lo·ther·mous (poy′ki-lō-thĕr′mik, -măl, -mŭs). = hematocryal. ***1*** 変温の (周囲環境の温度により体温が変化することについていう. は虫類, 両生類などの冷血動物や植物をいう). ***2*** 温度の変化する環境の中で生存, 成長できるものについていう.
point (poynt). ***1*** 〚n.〛 点, 小さな領域. = punctum. ***2*** 〚n.〛 鋭い先端, 尖. ***3*** 〚n.〛 軽度の隆起. ***4*** 〚n.〛 点, 段階, 程度 (沸点のように, ある状態に至った段階). ***5*** 〚v.〛 開きそうになる(壁が薄くなり, 破裂しそうになった腫瘍や瘤についていう). ***6*** 〚n.〛 点 (数学で用いられる大きさのない幾何的な要素). ***7*** 〚n.〛 点 (図, 図表, 図式の上の場所, 位置). ***8*** 〚n.〛 小数点.
point A A 点. = subspinale.
point an·gle 尖角, 点角 (歯冠の 3 表面, または窩洞の 3 壁面の接合部).
point B B 点. = supramentale.
point of care tes·ting ポイント・オブ・ケア検査, 即ケア検査 (検査室ではなく, 患者ケアの現場での臨床検査の実施. 臨床検査技士以外が行う場合が多い). = bedside testing.
point of el·bow 肘頭. = olecranon.
point ep·i·dem·ic 点流行 (非常に短い期間に(2—3 日, ときには数時間以内)顕著な疾病の集積がみられる流行. ヒトや動物が食物や水などの共通感染源にさらされて起きる).
point of fix·a·tion 注視点, 凝視点 (網膜上の点. 直接見つめる対象物からくる光線が集束する).
poin·til·lage (pwahn-tē-ahzh′). 指圧法, 指あんま (指先を用いるマッサージ法).
point of max·i·mal im·pulse 最大拍動点 (最大心拍動がみられる, または触診される胸壁上の点). = apical(3).
point mu·ta·tion 点〔突然〕変異 (1 個のヌクレ

オチドが関与する突然変異. 1個のヌクレオチドの欠失, 1個のヌクレオチドの置換, または付加的ヌクレオチドの挿入によると考えられる).

point of os·si·fi·ca·tion 骨化の中心, 骨化点. = center of ossification.

poise (pwahz). ポアズ (粘性率のCGS単位. 1 dyn·sec/cm^2 および 0.1 Pa·sec に相当する).

Poi·seuille law ポワズーユ(ポワセイユ)の法則 (層流において, 毛細血管を単位時間内に流れる均質液体の量は管の両端の圧力差と半径の4乗とに正比例し, 管の長さと液体の粘度に反比例する).

Poi·seuille space ポワズーユ(ポワセイユ)腔(隙). = still layer.

Poi·seuille vis·cos·i·ty co·ef·fi·cient ポワズーユ(ポワセイユ)の粘性率 (毛細管中の流体の示す粘性の度合い. 時間 t の間に半径 r, 長さ l の細管内を体積 ν の液体が流れ, 流入口と流出口における圧力差が P のとき, 粘性率 η は $\eta = \pi P r^4 t / 8\nu l$ で表される. 体積を cm^3, 時間を秒, 長さと半径を cm で表したとき, 粘性率の単位はポアズとなる).

poi·son (poy′zŏn). 毒, 毒物, 毒薬 (内用または外用に用いて健康に有害なあるいは生命に危険な物質. →toxicant; intoxicant).

poi·son flag = blue flag.

poi·son·ing (poy′zŏn-ing). ***1*** 毒の投与. ***2*** 中毒, 被毒. = intoxication(1).

poi·son·ous (poy′zŏn-ŭs). 有毒性の (毒をもつ, あるいは毒を含むことについていう). = toxic(1); venenous.

pok·er spine ポーカー脊椎 (脊椎の骨髄炎またはリウマチ性脊椎炎により誘発されうる, 広範囲の関節非可動性または克服しがたい筋痙縮の結果みられる不撓性脊椎).

POL physician office laboratory の略.

Po·land syn·drome ポーランド症候群 (大胸筋, 小胸筋の欠損, その同側の胸部低形成と2—4本の肋骨の欠損よりなる奇形).

po·lar (pō′lăr). ***1*** 極の. ***2*** 極をもつ (極をもち, 1個以上の突起を有する神経細胞についていう).

po·lar bod·y 極体, 極細胞 (卵の成熟分裂の1, 2期でつくられる2個の小細胞の1個. 最初の極体は通常, 排卵の直前に放出されるが, 第2の極体は卵子が卵巣から排出されるまで放出されない).

po·lar cat·a·ract 極白内障 (水晶体前極または後極の部分に限られる水晶体嚢白内障).

po·lar·i·ty (pō-lar′i-tē). 極性 (①磁石のように正反対の2極を有する性質. ②反対の性質または特徴を有すること. ③陽性と陰性の方向. ④ポリヌクレオチド鎖または生体高分子や巨大分子構造(例えば, 微小管)に沿った方向).

po·lar·i·ty ther·a·py 極性治療 (東洋と西洋の伝統的な医療を混合したボディワークの治療方式. 柔らかな触診や揺り動かす動作などの非侵襲的な治療を, 栄養指導や運動とともに利用する. エネルギーバランスの復元, 疼痛の軽減, および全体的な健康状態の改善に効果があるといわれている. →five-element theory; chakra).

po·lar·i·za·tion (pō′lăr-ī-zā′shŭn). ***1*** 分極 (電気で, 電極が水素の泡の厚い層でおおわれること. その結果, 電流が弱まるかまたは停止する). ***2*** 偏光 (ある種の媒質を通過する光線が受ける変化. 普通の光線では横振動がすべての面で起こるが, 偏光では横振動は一平面だけに起こる). ***3*** 分極 (例えば細胞壁の内側と外側というような, 生物組織の2点間に電位差が生じること).

po·lar·ized light 偏光 (ある種の媒質で反射または透過した光. 振動方向が, すべての面でなく, 光線を横断する一平面に限られる).

po·lar star 極星状体. = daughter star.

po·lar tem·por·al ar·te·ry 側頭葉極動脈 (中大脳動脈から起こり側頭葉の上内側部から前端までに分布する). = arteria polaris temporalis.

pole (pōl). 極 (①器官あるいは身体の軸の両端にある2つの点. ②大円(赤道)から最遠である球面上の2点の一方. ③磁石あるいは電池において, 引力と斥力のように, 反対の性質が最も大きい2点の一方. negative pole は陰極, positive pole は陽極である. ④紡錘形のものの両端. ⑤細胞, 器官, あるいは機能的単位構造の中軸に沿ってみたとき両端の対照的に分化している部分). = polus.

po·lice·man (pō-lēs′măn). ポリスマン (ガラス容器から固体粒を取り除くための器具. 通常, 先端にゴムの付いた棒).

pol·i·cy·hold·er (pol′i-sē-hōl′dĕr). 保険契約者 (被保険者. 保険証券によって保護されている人).

po·li·o (pō′lē-ō). poliomyelitis の略.

polio- 灰色または灰白質を意味する連結形.

po·li·o·clas·tic (pō′lē-ō-klas′tik). 灰白質破壊性の (神経系灰白質を破壊することについていう).

po·li·o·dys·tro·phi·a (pō′lē-ō-dis-trō′fē-ă). ポリオジストロフィ, 灰白異栄養〔症〕. = poliodystrophy.

po·li·o·dys·tro·phi·a ce·re·bri pro·gres·si·va in·fan·ti·lis 乳児進行性脳灰白異栄養〔症〕(進行性痴呆, てんかん発作, 盲目, 難聴を伴う四肢の進行性痙性不全麻痺. 常染色体劣性遺伝. 生後1年以内に発症し, 大脳皮質神経細胞の破壊と組織崩壊を伴う).

po·li·o·dys·tro·phy (pō′lē-ō-dis′trŏ-fē). ポリオジストロフィ, 灰白異栄養〔症〕(神経系の灰白質の消耗). = poliodystrophia.

po·li·o·en·ceph·a·li·tis (pō′lē-ō-en-sef′ă-lī′tis). 灰白脳炎 (皮質あるいは中心核いずれかの脳灰白質の炎症. 白質の炎症と対比される).

po·li·o·en·ceph·a·lo·me·nin·go·my·e·li·tis (pō′lē-ō-en-sef′ă-lō-mĕ-ning′gō-mī′ĕ-lī′tis). 灰白脳髄膜脊髄炎 (脳と脊髄の灰白質およびその部分をおおう髄膜の炎症).

po·li·o·en·ceph·a·lo·my·e·li·tis (pō′lē-ō-en-sef′ă-lō-mī′ĕ-lī′tis). 灰白脳脊髄炎. = poliomyeloencephalitis.

po·li·o·en·ceph·a·lop·a·thy (pō′lē-ō-en-sef-ă-lop′ă-thē). 灰白脳症 (脳の灰白質の疾患).

po·li·o·my·e·li·tis (pō′lē-ō-mī-ĕ-lī′tis). ポリオ, 灰白髄炎 (脊髄の灰白質を侵す炎症過程).

P

po·li·o·my·e·li·tis vi·rus ポリオウイルス（ヒトの灰白髄炎の原因となるピコルナウイルス科 *Enterovirus* 属の小型一本鎖 RNA ウイルス．感染経路は消化管であるが，血流や神経系にはいり，ときに四肢麻痺やまれには脳炎を起こすこともある．多くの感染は不顕性．血清型 1・2・3 型が知られているが，1 型がほとんどの麻痺性灰白髄炎や流行病の原因）. = poliovirus hominis.

po·li·o·my·e·lo·en·ceph·a·li·tis (pō′lē-ō-mī′ĕ-lō-en-sef′ă-lī′tis)．灰白脳脊髄炎（顕著な大脳徴候を伴う急性前角灰白髄炎）. = polioencephalomyelitis.

po·li·o·my·e·lop·a·thy (pō′lē-ō-mī-ĕ-lop′ă-thē)．灰白脊髄障害（脊髄灰白質の疾患）.

po·li·o·sis (pō′lē-ō′sis)．白毛〔症〕（頭髪，眉毛，あるいは睫毛にメラニンの斑状の欠如または減少をみるもので，表皮の色素減少に起因する．いくつかの遺伝性の症候群にみられ，また，炎症，放射線照射，帯状疱疹のような感染症などに続発してみられることもある）.

po·li·o·vi·rus hom·i·nis ヒトポリオウイルス. = poliomyelitis virus.

po·li·o·vi·rus vaccine ポリオウイルスワクチン，灰白髄炎ウイルスワクチン（①不活化ポリオウイルスワクチン(IPV)：注射で用いるポリオウイルス(1 型，2 型，3 型)の不活性化株の水性懸濁液．②経口ポリオウイルスワクチン(OPV)：ポリオウイルス(1 型，2 型，3 型)の，生の弱毒化株の水性懸濁液で，灰白髄炎の能動免疫のために経口的に投与される）.

Po·lit·zer bag ポーリツァー嚢（Politzer 法を用いて，耳管に空気を通すために用いる梨状のゴム製袋）.

po·litz·er·i·za·tion (pol′it-zĕr-ī-zā′shŭn)．ポーリツァー法（Politzer 法により耳管と中耳を膨張させること）.

Po·lit·zer lu·mi·nous cone ポーリツァー光錐. = light reflex(3).

Po·lit·zer meth·od ポーリツァー法（患者がえん下する瞬間，鼻孔に空気を吹き込んで，耳管と鼓室を膨張させる方法）.

pol·len (pol′ĕn)．花粉（風あるいは昆虫により受精に先立って運ばれる種子植物の小胞子．枯草熱やその他のアレルギーの病因学において重要）.

pol·lex, gen. **pol·li·cis,** pl. **pol·li·ces** (pol′eks, -li-sis, -sēz)．〔手の〕母指，おやゆび. = thumb.

pol·li·ci·za·tion (pol′i-sī-zā′shŭn)．母指形成〔術〕，母指化（代替母指をつくること）.

pol·li·no·sis, pol·le·no·sis (pol′i-nō′sis)．花粉症（各種植物の花粉が起こす枯草熱）.

pol·lu·tant (pŏ-lū′tănt)．汚染物質，汚濁物質（汚染(汚濁)を引き起こす望ましくない混合物．→pollution）.

pol·lu·tion (pŏ-lū′shŭn)．汚染（有害な不純物との接触あるいは混合によって汚染されたり，使用に適さなくなることをいう）.

po·lo·ni·um (Po) (pŏ-lō′nē-ŭm)．ポロニウム（ピッチブレンドから分離された放射性元素．原子番号 84，最長命同位元素は ^{209}Po(半減期 102 年)．^{210}Po はラジウム F(半減期 138.38 日)で，容易に手にはいる唯一の同位元素である）.

po·lus, pl. **po·li** (pō′lŭs, -lī)．極. = pole.

poly- ***1*** 多数を意味する接頭語．ラテン語の *multi-* に相当する．*cf.* multi-; pluri-. ***2*** 化学において，polypeptide, polysaccharide(多糖類)，polynucleotide におけるように，〝…の重合体〟の意の接頭語．poly (adenylic acid)を poly (A)，poly (L-lysine)を poly (Lys)とするように，記号とともに用いる.

pol·y·ac·ry·la·mide gel e·lec·tro·pho·re·sis (PAGE) ポリアクリルアミドゲル電気泳動（蛋白や核酸の分離に用いられたアクリルアミドの架橋によって生成されたゲル．これら蛋白や核酸などの物質はサイズと荷電の両方に基づいて分離される）.

pol·y·ad·e·ni·tis (pol′ē-ad′ĕ-nī′tis)．多発腺炎（多数のリンパ節の炎症，特に頸部リンパ節に関して用いる）.

pol·y·ad·e·nop·a·thy (pol′ē-ad′ĕ-nop′ă-thē)．多発腺症（多数のリンパ節が罹患する腺症）.

polyaesthesia [Br.]. = polyesthesia.

Pól·ya gas·trec·to·my, Pól·ya op·er·a·tion ポーリャ胃切除〔術〕（胃の部分切除を行った後，横行結腸間膜を通して胃の断端と空腸を端側に吻合する胃空腸吻合術）. = Pólya operation.

pol·y (a·mine) (pol′ē-am′ēn)．ポリアミン（→poly-(2)）.

pol·y·an·gi·i·tis (pol′ē-an′jē-ī′tis)．多発〔性〕血管炎（2 種以上の血管型，例えば，動脈と静脈，あるいは小動脈と毛細血管などを含む多数の血管の炎症）.

pol·y·an·i·on (pol′ē-an′ī-on)．多価陰イオン（腎糸球体におけるプロテオグリカン上の陰イオン部位であり，これは陰性荷電分子の濾過を制限し，陽性荷電蛋白の濾過を促進する．リポイドネフローゼにおいて，多価陰イオンの喪失がアルブミン尿を引き起こすと考えられている）.

pol·y·ar·ter·i·tis (pol′ē-ahr-tĕr-ī′tis)．多発〔性〕動脈炎（多数動脈の同時炎症）.

pol·y·ar·ter·i·tis no·do·sa 結節性多発〔性〕動脈炎（中等度の大きさあるいは小さい動脈の，好酸球による浸潤を伴う分節性炎症と壊死．男性に多く，腎臓，筋肉，胃腸管，心臓にある動脈の病変部位に関連した各種の症候がある）. = periarteritis nodosa.

pol·y·ar·thric (pol′ē-ahr′thrik)．多関節の. = multiarticular.

pol·y·ar·thri·tis (pol′ē-ahr-thrī′tis)．多発〔性〕関節炎（複数個の関節の同時炎症）.

pol·y·ar·tic·u·lar (pol′ē-ahr-tik′yū-lăr)．多関節の. = multiarticular.

pol·y·ax·i·al joint = multiaxial joint.

pol·y·ba·sic (pol′ē-bā′sik)．多塩基の（置換可能な水素原子を 2 個以上有する．塩基性度が 1 より大きい酸をいう）.

pol·y·blast (pol′ē-blast)．多芽細胞，ポリブラスト（アメーバ状，単核遊走の食細胞で，炎症性滲出物の中にみられる）.

pol·y·chon·dri·tis (pol′ē-kon-drī′tis). 多発性軟骨炎（軟骨の炎症）.
polychromaemia [Br.]. = polychromemia.
pol·y·chro·ma·si·a (pol′ē-krō-mā′zē-ă). = polychromatophilia.
pol·y·chro·mat·ic (pol′ē-krō-mat′ik). 多染〔性〕の，多色性の.
pol·y·chro·mat·ic cell 多染〔性〕赤血球（細胞質中に好塩基性物質とヘモグロビン（好酸性）を含む骨髄中の幼若赤血球）. = polychromatophil cell.
pol·y·chro·mat·ic ra·di·a·tion 多色放射線（ガンマ線を含む，多種のエネルギーを有する放射線で，放射線診断では代表的なものが制動放射線）.
pol·y·chro·mat·o·cyte (pol′ē-krō-mat′ō-sīt). = polychromatophil（2）.
pol·y·chro·ma·to·phil, pol·y·chro·ma·to·phile (pol′ē-krō-mat′ō-fil, -fīl). ***1***〚adj.〛多染〔性〕の（酸性，中性，塩基性の色素によく染まる．ある種の細胞，特にある種の赤血球についていう）. = polychromatophilic. ***2***〚n.〛多染性細胞（酸・塩基染色親和性を示す幼若赤血球あるいは退行性赤血球）. = polychromatocyte.
pol·y·chro·ma·to·phil cell = polychromatic cell.
pol·y·chro·ma·to·phil·i·a (pol′ē-krō′mă-tō-fil′ē-ă). 多染性（①悪性貧血の赤血球など，ある種の細胞の傾向．塩基性・酸性染料に染まる．②酸性，塩基性，中性の各染色法に親和性のある赤血球が多数存在している状態）. = polychromasia.
pol·y·chro·ma·to·phil·ic (pol′ē-krō′mă-tō-fil′ik). = polychromatophil（1）.
pol·y·chro·me·mi·a (pol′ē-krō-mē′mē-ă). 多色素血〔症〕（血液中のヘモグロビン量が増大する状態）. = polychromaemia.
pol·y·clin·ic (pol′ē-klin′ik). 総合〔臨床〕診療所（あらゆる種類の疾病の治療や研究を行う診療所）.
pol·y·clo·nal (pol′ē-klō′năl). ポリクローン性（系）の，多クローン性（系）の（免疫化学において，単一クローン性 monoclonal に対比して，複数のクローンからなる抗体産生細胞群に由来する抗体群についていう）.
pol·y·clo·nal gam·mop·a·thy ポリクローナル高ガンマグロブリン血症，ポリクローナルガンモパシー（多クローンの細胞より産生される免疫グロブリンのヘテロ性の増加を示す．炎症，感染や悪性腫瘍などの多様な原因による）.
pol·y·clo·ni·a (pol′ē-klō′nē-ă). 多間代痙攣. = myoclonus multiplex.
pol·y·co·ri·a (pol′ē-kō′rē-ă). 多瞳〔孔〕〔症〕（虹彩の中に瞳孔が2個以上あること）.
pol·y·crot·ic (pol′ē-krot′ik). 多段脈症の.
po·lyc·ro·tism (pol-ik′rō-tizm). 多段脈症（脈波計の図で，下降波に数か所上方への変わり目が示される状態）.
pol·y·cy·e·sis (pol′ē-sī-ē′sis). 多胎妊〔娠〕. = multiple pregnancy.
pol·y·cys·tic (pol′ē-sis′tik). 多嚢胞の（多数の嚢胞から成り立つ）.
pol·y·cys·tic kid·ney, pol·y·cys·tic dis·ease of kid·neys 多発性嚢胞腎（両側腎にびまん性に散在する大小様々の多発性嚢胞形成を特徴とする進行性腎疾患であり，腎実質は圧迫，破壊され，通常，高血圧，肉眼的血尿，進行性腎不全，尿毒症を伴う）.
pol·y·cys·tic liv·er 多嚢胞肝（肝臓の胎児発生時の発生異常により肝小葉内胆管が徐々に嚢胞状に拡張したもの（Meyenburg 複合体）．しばしば両側性の先天的多嚢胞腎を伴う．また，ときに膵，肺などの器官の嚢胞を伴う）.
pol·y·cys·tic o·va·ry 多嚢胞性卵巣（真珠色で厚く白膜があり，肥大した嚢胞性卵巣. →polycystic ovary syndrome）.
pol·y·cys·tic o·va·ry syn·drome 多嚢胞性卵巣症候群（卵巣の硬化性嚢胞性疾患．通常，多毛症，肥満症，月経異常，不妊症，卵巣肥大を特徴とする．卵巣に起因する過剰のアンドロゲン分泌を促すと考えられる. →polycystic ovary）.
polycythaemia [Br.]. = polycythemia.
polycythaemia hypertonica [Br.]. = polycythemia hypertonica.
polycythaemia rubra [Br.]. = polycythemia rubra.
pol·y·cy·the·mi·a (pol′ē-sī-thē′mē-ă). 赤血球増加〔症〕，多血症（血液中の赤血球数が正常以上に増加すること）. = erythrocythemia; polycythaemia.
pol·y·cy·the·mi·a hy·per·to·ni·ca 高血圧性赤血球増加〔症〕（高血圧が関係するが，脾腫はない）. = Gaisböck syndrome; polycythaemia hypertonica.
pol·y·cy·the·mi·a ru·bra = polycythemia vera; polycythaemia rubra.
pol·y·cy·the·mi·a ve·ra 真性（正）赤血球増加〔症〕，真性（正）多血症（原因不明の慢性型多血症．骨髄の過形成，循環血液量および赤血球数の増加．赤味をおびた，またはチアノーゼの皮膚および脾腫を特徴とする）. = erythremia; Osler disease; Osler-Vaquez disease; polycythemia rubra; Vaquez disease.
pol·y·dac·ty·ly (pol′ē-dak′ti-lē). 多指（趾）〔症〕，指（趾）過剰症（手あるいは足に指が6本以上ある状態）.
pol·y·dip·si·a (pol′ē-dip′sē-ă). 多渇症（比較的長期間持続している激しい口渇）.
pol·y·dys·pla·si·a (pol′ē-dis-plā′zē-ă). 多発異形成，多発形成障害（いくつかの点で組織発達が異常なこと）.
poly·en·do·crin·op·athy (pol′ē-en′dō-kri-nop′ā-thē). 多発性内分泌腺症（複数の内分泌腺に機能低下を生じる疾患. →multiple endocrine deficiency syndrome）.
pol·y·e·no·ic ac·ids ポリエン酸（炭素鎖に二重結合が2個以上ある脂肪酸．例えば，リノール酸，リノレン酸，アラキドン酸）.
pol·y·er·gic (pol′ē-ĕr′jik). 多動性の（多種の方法で作動できる）.
pol·y·es·the·si·a (pol′ē-es-thē′zē-ă). 重複感

覚（単一の接触または他の刺激が数個に感じられる感覚の障害）. = polyaesthesia.

pol·y·ga·lac·ti·a (pol′ē-gă-lak′shē-ă). 乳汁過多〔症〕（特に離乳期に乳の分泌が過剰になること）.

pol·y·ga·lac·tu·ro·nase (pol′ē-gă-lak-tūr′ō-nās). ポリガラクツロナーゼ；pectin depolymerase（ペクチン酸やその他のポリガラクトツロナンの 1,4α-D-ガラクトシズロン酸結合の非選択的加水分解を触媒する酵素）.

pol·y·gene (pol′ē-jēn). ポリジーン，多遺伝子（ある量的表現型の発現へ寄与する一群の遺伝子）.

pol·y·gen·ic (pol′ē-jen′ik). ポリジーンの，多遺伝子性の（複数の座を占める遺伝子群の相加的効果により支配される遺伝性疾患あるいは正常な形質についていう）.

pol·y·glan·du·lar (pol′ē-glan′jū-lăr). 多腺の. = pluriglandular.

pol·y·graph (pol′ē-graf). ポリグラフ，多用途〔記録〕計（①数種の異なった発生源，例えば橈骨動脈脈拍，頸動脈脈波，心臓の心尖拍動，心音図や心電図を同時に描画する器械．ほとんどの場合，時相を記録するために心電図を含める．②人があることについて質問されたり，関連・非関連語句の連想語を言うように求められているときに，呼吸，血圧，電気皮膚反射，その他の身体的変化を記録するための器械．生理学的変化は感情的反応，つまりその人が真実を述べているかどうかの指標になるとされる. = lie detector）.

pol·y·gy·ri·a (pol′ē-jī′rē-ă). 脳回過剰（脳に過剰な回が存在する状態）.

pol·y·hi·dro·sis (pol′ē-hī-drō′sis). 多汗症，粟粒熱，発汗病. = hyperhidrosis.

pol·y·hy·dram·ni·os (pol′ē-hī-dram′nē-ŏs). 羊水過多〔症〕.

pol·y·hy·dric (pol′ē-hī′drik). 多価の（多価アルコール，多価酸におけるように水酸基を 2 個以上含んでいること）.

pol·y·i·dro·sis (pol′ē-ī-drō′sis). 粟粒熱，発汗病. = hyperhidrosis.

pol·y·lep·tic (pol′ē-lep′tik). 多発症性の（例えばマラリアやてんかんなど，発作が頻発する疾病についていう）.

pol·y·mas·ti·a (pol′ē-mas′tē-ă). 多乳房〔症〕（ヒトで乳房が 3 つ以上ある状態）. = hypermastia(1); pleomastia; pleomazia.

pol·y·me·li·a (pol′ē-mē′lē-ă). 多肢〔症〕（手足の数，あるいは手足の一部が過剰にある発生異常）.

pol·y·men·or·rhe·a (pol′ē-men′ŏr-ē′ă). 頻発月経（月経周期が通常よりも短いこと）. = polymenorrhoea.

polymenorrhoea [Br.]. = polymenorrhea.

pol·y·mer (pol′i-mĕr). ポリマー，重合体（高分子量の物質．ときに "mers" とよばれる連続する単位鎖から成り立つ. →-mer(1)）.

pol·y·mer·ase (pŏ-lim′ĕr-ās). ポリメラーゼ，重合酵素（ヌクレオチドがポリヌクレオチドになるような重合反応を触媒する酵素についていう一般名．EC class 2, transferases に属する）.

pol·y·mer·ase chain re·ac·tion (PCR) ポリメラーゼ連鎖反応，PCR（ある特定の遺伝子配列の二重鎖 DNA を繰り返しコピーする酵素学的方法）.

pol·y·me·ri·a (pol′ē-mĕr′ē-ă). 多節〔症〕（身体の一部，手足，あるいは臓器が過剰にある症状）.

pol·y·mer·ic (pol′i-mer′ik). ***1*** 重合体の. ***2*** 多節〔症〕の. ***3*** polygenic の同意語としてまれに用いる.

polymerisation [Br.]. = polymerization.

po·lym·er·i·za·tion (pol′i-mĕr′ī-zā′shŭn). 重合〔作用〕（比較的単純な化合物が引き続いて付加，あるいは縮合して，高分子量体が生成される反応）. = polymerisation.

po·lym·er·ize (pol′i-mĕr-īz). 重合する.

pol·y·mor·phic (pol′ē-mōr′fik). 多型(形)〔性〕の（2 種以上の形態で存在する）. = multiform; pleomorphic(1); pleomorphous; polymorphous.

pol·y·mor·phic gen·e·tic mark·er 多型遺伝子マーカ（一定の集団内で，2 種類以上の形質として生じる遺伝的特徴）.

pol·y·mor·phism (pol′ē-mōr′fizm). 多型(形)性，多型(形)現象（1 種以上の形で発生すること．同一種あるいは他の自然集団の中に 1 種以上の形態の型が存在すること）. = pleomorphism.

pol·y·mor·pho·cel·lu·lar (pol′ē-mōr′fō-sel′yū-lăr). 多形細胞の（いくつかの異なった種類の細胞に関する，からなる）.

pol·y·mor·pho·nu·cle·ar (pol′ē-mōr′fō-nū′klē-ăr). 多形核の（種々の形をした核をもつ．白血球の一種についていう）.

pol·y·mor·pho·nu·cle·ar leu·ko·cyte, pol·y·nu·cle·ar leu·ko·cyte 多形核〔白血〕球（顆粒球に対する一般名．好塩基球，好酸球，好中球も含まれるが，通常，好中球に対し特に用いられる）.

pol·y·mor·phous (pol′ē-mōr′fŭs). = polymorphic.

pol·y·mor·phous light e·rup·tion 多形光線(日光)疹（発疹はそう痒を伴うごく普通の丘疹性皮疹で，短波長の紫外線(UVB)に照射された皮膚に数時間以内に出現し数日間持続する．組織では表皮下の浮腫と血管周囲に密なリンパ球浸潤がみられる）.

pol·y·mor·phous low-grade car·ci·no·ma of sal·i·var·y glands 唾液腺の多型性低異型度癌（組織学的に篩状，管状，乳頭状，増殖を示す，唾液腺の低異型度悪性腫瘍）. = terminal duct carcinoma.

pol·y·my·al·gi·a (pol′ē-mī-al′jē-ă). 多〔発性〕筋痛（数個の筋集団の痛み）.

pol·y·my·oc·lo·nus (pol′ē-mī-ok′lŏ-nŭs). 多発性筋間代痙攣. = myoclonus multiplex.

pol·y·my·o·si·tis (pol′ē-mī′ō-sī′tis). 多発〔性〕筋炎（数個の随意筋の同時炎症）.

pol·y·ne·sic (pol′ē-nē′sik). 多病巣性の，散在性の（多数の病巣が離れて存在する．ある型の炎症や感染についていう）.

pol·y·neu·ral (pol′ē-nūr′ăl). 多〔発〕神経〔性〕

の．

pol·y·neu·ral·gi·a (pol′ē-nūr-al′jē-ă)．多発〔性〕神経痛（いくつかの神経に同時に起こる痛み）．

pol·y·neu·rit·ic psy·cho·sis 多発神経炎性精神病．= Korsakoff syndrome.

pol·y·neu·ri·tis (pol′ē-nūr-ī′tis)．多発〔性〕神経炎．= polyneuropathy(2)．

pol·y·neu·rop·a·thy (pol′ē-nūr-op′ă-thē)．多発〔性〕神経障害，多発〔性〕ニューロパシー（①文字通り，末梢神経数本を巻き込む疾病過程．②末梢神経の非外傷性全般疾患．遠位部の線維は近位部のより高度に障害され(すなわち手よりも足の方が早期に強く障害される)，典型的には対称性である．運動線維と感覚線維はほぼ同じぐらい障害されることが多いが，片方だけまたは片方がかなり優位に障害されることがある．軸索変性(軸索性)と脱髄性に分類される．多くの原因があり，特に代謝性，中毒性が多く，家族性のものも散発性のものもある．= polyneuritis. ③ acrodynia(2)）．= multiple neuritis.

pol·y·nu·cle·ar, pol·y·nu·cle·ate (pol′ē-nū′klē-ăr, -klē-āt)．多核〔性〕の．= multinuclear.

pol·y·nu·cle·o·ti·dase (pol′ē-nū′klē-ō′ti-dās)．ポリヌクレオチダーゼ（ポリヌクレオチドがオリゴヌクレオチドあるいはモノヌクレオチドに加水分解するのを触媒する酵素）．

pol·y·nu·cle·o·tide (pol′ē-nū′klē-ō-tīd)．ポリヌクレオチド（ヌクレオチドの数が不定(通常は多数)である線状重合体．1つのリボース(あるいはデオキシリボース)からリン酸残基を経て別のリボースに結合する．*cf.* oligonucleotide)．

pol·y·o·don·ti·a (pol′ē-ō-don′shē-ă)．歯数過剰．

pol·y·on·co·sis, pol·y·on·cho·sis (pol′ē-ong-kō′sis)．多発〔性〕腫瘍症，重複〔性〕腫瘍症．

pol·y·o·nych·i·a (pol′ē-ō-nik′ē-ă)．爪過剰〔症〕，多爪症（手足の指に爪が過剰にあること）．

pol·y·o·pi·a, pol·y·op·si·a (pol′ē-ō′pē-ă, -op′sē-ă)．多視〔症〕（同一物体が数像見えること）．= multiple vision.

pol·y·or·chism, pol·y·or·chid·ism (pol′ē-ōr′kizm, -kid-izm)．精巣(睾丸)過剰〔症〕，多精巣(睾丸)〔症〕（余分な精巣が1個以上あること）．

pol·y·os·tot·ic (pol′ē-os-tot′ik)．多骨性の（2本以上の骨が関係する）．

pol·y·o·ti·a (pol′ē-ō′shē-ă)．耳過剰〔症〕，多耳〔症〕（頭の片側あるいは両側に耳が過剰にあること）．

pol·y·ov·u·lar (pol′ē-ov′yū-lăr)．多卵性（複数の卵を含む）．

pol·y·ov·u·la·tor·y (pol′ē-ov′yū-lă-tōr-ē)．多排卵の（一排卵期に卵を数個放出する）．

pol·yp (pol′ip)．ポリープ（正常平面から外方あるいは上方に膨隆，突出している組織集塊の総称．肉眼的に，半球状，球状，あるいは不規則な丸い形の構造で，比較的広い基盤あるいは細長い茎から出ている．ポリープは新生物，炎症病巣，変性病変，奇形のいずれかである）．= polypus.

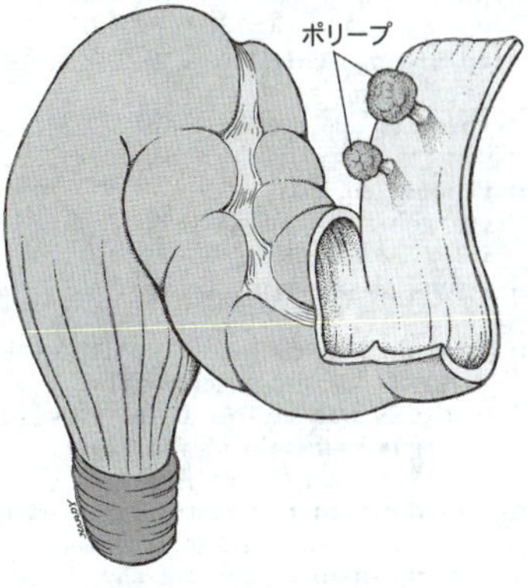
ポリープ

polyps: 大腸のS状結腸部分にある．

pol·yp·ec·to·my (pol′i-pek′tŏ-mē)．ポリープ切除〔術〕．

pol·y·pep·tide (pol′ē-pep′tīd)．ポリペプチド（ペプチド結合(-NH-CO-)により不定数(通常は多数)のアミノ酸が連結されて形成されたペプチド．*cf.* bioregulator)．

pol·y·pha·gi·a (pol′ē-fā′jē-ă)．多食〔症〕，大食性（過度の食事．大食）．

pol·y·phar·ma·cy (pol′ē-fahr′mă-sē)．多剤〔併用〕療法（同時に多種類の薬剤を投与すること）．

pol·y·phen·ic gene 多面性遺伝子．= pleiotropic gene.

pol·y·phe·nols (pol′ē-fē′nolz)．ポリフェノール（一種類以上のフェノール群を含む有機的複合物質．ある野菜や果物の色や，味の決め手となる．抗酸化特性があるかもしれない）．

pol·y·pho·bi·a (pol′ē-fō′bē-ă)．汎恐怖〔症〕（種々のものに対する病的な恐れ．多くの恐怖症状態がみられることが特徴である）．

pol·y·phra·si·a (pol′ē-frā′zē-ă)．多弁〔症〕（極端におしゃべりな状態．→logorrhea)．

pol·y·phy·let·ic (pol′ē-fī-let′ik)．***1*** 多元発生の（monophyletic(単元発生の)とは対照的に，多くの源から派生する，またはいくつかの系統を引く系列をもつ)．***2*** 多元論の（血液学において，多元論についていう)．

pol·y·plas·tic (pol′ē-plas′tik)．***1*** 多構成の（数種の異なる構成物(組織)からなる)．***2*** 多変形の（いくつかの形態をとりうる)．

poly·ploid (pol′ē-ployd)．倍数体の（倍数性によって特徴付けられる)．

pol·y·ploi·dy (pol′ē-ploy′dē)．倍数性（3倍以上の一倍体を含む細胞核の状態．3倍，4倍，5倍，6倍を含む細胞は，それぞれ三倍体，四倍体，五倍体，六倍体とよばれる)．

pol·yp·ne·a (pol′ip-nē′ă)．多呼吸，呼吸頻発．= tachypnea; polypnoea.

polypnoea [Br.]. = polypnea.

pol·yp·oid (pol′i-poyd). ポリープ状の.

po·lyp·or·ous (pŏ-lip′ŏr-ŭs). 多孔性の, 篩状の. = cribriform.

pol·yp·o·sis (pol′i-pō′sis). ポリポ〔ー〕シス, ポリープ症（数個のポリープが存在すること）.

pol·y·pous (pol′i-pŭs). ポリープ性の.

pol·yp·tych·i·al (pol′ip-tik′ē-ăl). 多層の（折り重なって2層以上になっている）.

pol·y·pus, pl. po·ly·pi (pol′i-pŭs, -pī). = polyp.

pol·y·ra·dic·u·li·tis (pol′ē-ră-dik′yū-lī′tis). 多発〔性〕神経根炎. = polyradiculopathy.

pol·y·ra·dic·u·lo·my·op·a·thy (pol′ē-ră-dik′yū-lō-mī-op′ă-thē). 多発神経根筋障害（多発神経根障害とミオパシーの併存）.

pol·y·ra·dic·u·lo·neu·ri·tis (pol′ē-ră-dik′yū-lō-nūr-ī′tis). = Guillain-Barré syndrome.

pol·y·ra·dic·u·lo·neu·rop·a·thy (pol-ē-ra-dik′yū-lō-nūr-op′ă-thē). 多発〔神経〕根神経障害（多発神経根障害と多発神経障害の併存）.

pol·y·ra·dic·u·lop·a·thy (pol′ē-ră-dik′yū-lop′ă-thē). 多発〔神経〕根障害（広範性の神経根障害で, 糖尿病性神経障害(糖尿病性多発神経根障害)や他の疾患でみられる）. = polyradiculitis.

pol·y·ri·bo·somes (pol′ē-rī′bō-sōmz). ポリリボソーム（概念的に, 1個のメッセンジャーRNAの分子によって結合された2個以上のリボソーム）. = polysomes.

pol·y·sac·char·ide (pol′ē-sak′ă-rīd). 多糖類, ポリサッカリド（多数の糖類を含む炭水化物. 例えばデンプン. *cf.* oligosaccharide）. = glycan.

pol·y·sac·cha·ride con·ju·gat·ed vac·cine 多糖類結合型ワクチン（髄膜炎に対するB型インフルエンザワクチンのように, 蛋白と結合させた微生物の莢膜多糖類からなるワクチン）.

pol·y·ser·o·si·tis (pol′ē-sēr′ō-sī′tis). 多漿膜炎, 多発性漿膜炎, 汎漿膜炎（いくつかの漿膜腔において同時に滲出液の貯留する慢性炎症. 線維性肥厚漿膜および収縮性心膜炎をもたらす）. = Bamberger disease(2); Concato disease.

pol·y·si·nu·si·tis (pol′ē-sī′nŭ-sī′tis). 多洞炎, 多副鼻洞炎（2つ以上の洞で同時に起こる炎症）.

pol·y·somes (pol′ē-sōmz). ポリソーム. = polyribosomes.

pol·y·so·mi·a (pol′ē-sō′mē-ă). 多体重複奇形（2つ以上の不完全で部分的に癒合した体を含む胎児奇形）.

pol·y·so·mic (pol′ē-sō′mik). 多染色体性の.

pol·y·som·no·gram (pol′ē-som′nō-gram). 睡眠ポリグラフ（睡眠ポリグラフ計で得られる生理学的機能の記録）.

pol·y·som·nog·ra·phy (pol′ē-som-nog′ră-fē). 睡眠ポリグラフ計（睡眠中における正常および異常な生理的活動を同時に, 連続してモニターする）.

pol·y·so·my (pol′ē-sō′mē). 多染色体性（特定の染色体が3個以上存在する細胞核の状態. 3, 4, 5個の相同の染色体を含む細胞は, それぞれ三染色体性, 四染色体性, 五染色体性とよばれる. *cf.* polyploidy）.

pol·y·sper·mi·a, pol·y·sper·mism (pol′ē-spĕr′mē-ă, -mizm). ***1*** = polyspermy. ***2*** 精子過多〔症〕, 多精子症（異常に多量の精子の分泌）.

pol·y·sper·my (pol′ē-spĕr′mē). 多精子進入, 多精子受精（卵子中に2個以上の精子が進入すること）. = polyspermia(1); polyspermism.

pol·y·sple·ni·a (pol′ē-splē′nē-ă). 多脾症（脾臓の組織がほぼ同じ大きさの塊に分かれている状態. 通常, 先天性心疾患, 腹部臓器の位置異常と不完全形成を呈し, 内臓逆位と関与するのかもしれない. 常染色体劣性遺伝を示唆する症例もあるが, ほとんどは単発性である）. = Ivemark syndrome.

pol·y·stich·i·a (pol′ē-stik′ē-ă). 睫毛多列症（睫毛が2列以上並んでいること）.

pol·y·sym·brach·y·dac·ty·ly (pol′ē-sim-brak′ē-dak′ti-lē). 多指癒着短指症（手または足の先天性奇形で, 短い指の合指および多指をいう）.

pol·y·syn·ap·tic (pol′ē-sin-ap′tik). 多シナプスの（シナプスによって連結された多数の神経細胞の連鎖によって形成される神経伝達経路についていう. 乏シナプス伝達系と区別される）. = multisynaptic.

pol·y·syn·dac·ty·ly (pol′ē-sin-dak′ti-lē). 多合指(趾)症（数本の指あるいは趾の多合指(趾)）.

pol·y·ten·di·ni·tis (pol′ē-ten′di-nī′tis). 多発腱炎.

pol·y·the·li·a (pol′ē-thē′lē-ă). 多乳頭〔症〕（胸部または体のどこかに過剰の乳頭があること）. = hyperthelia.

pol·y·to·mog·ra·phy (pol′ē-tō-mog′ră-fē). 多重断層撮影（複雑な三つ葉軌道の動きをするように特別に設計された装置を用いる体幹の断層X線撮影で, 単純な直線運動あるいは円運動よりも薄い断層で撮影できる）.

pol·y·trich·i·a (pol′ē-trik′ē-ă). 多毛症.

pol·y·un·sat·u·ra·ted fat 多価不飽和脂質（不飽和脂質の一種. 不飽和脂質を多く取り入れた食事療法はコレステロールを下げる）.

pol·y·u·ri·a (pol′ē-yūr′ē-ă). 多尿〔症〕（尿の過剰な排泄で, 大量で頻回の排尿のこと. 尿崩症や糖尿病, 高カルシウム血症が原因だが, 単に水分過剰によることもある）.

pol·y·va·lent (pol′ē-vā′lĕnt). 多価の（① = multivalent. ②多価抗血清についていう）.

pol·y·va·lent al·ler·gy 多価アレルギー（いくつかのあるいは多くの特異的アレルゲンに対して同等に現れるアレルギー反応）.

pol·y·va·lent se·rum 多価血清（1種類の細菌の異なる数種の抗原または数種の細菌あるいは数菌株を動物に接種することにより得られる抗血清）.

pol·y·va·lent vac·cine 多価ワクチン（同一の種または微生物の2つ以上の株の培養からつくられたワクチン）. = multivalent vaccine.

po·made ac·ne ポマード痤瘡（ヘアクリームによって引き起こされる痤瘡の一型. アフリカ系米国人の額や側頭部によくみられる）.

POMC pro-opiomelanocortin の略.

Pom·er·oy op·er·a·tion ポメロイ手術（卵管の結紮した中間部を切除する方法）.

Pom·pe dis·ease ポーンプ病. = glycogenosis type 2.

POMR problem-oriented medical record の略.

pon·ceau de xy·li·dine [CI 16151]. ポンソーデキシリジン（もともと Masson トリクローム染色の対比染色として用いられたモノアゾ染料）.

Pon·fick shad·ow ポンフィック〔陰〕影. = achromocyte.

pons (ponz). 橋（①神経解剖学において，Varolius 橋，または脳橋. 脳幹のこの部分は尾側の延髄と吻側の中脳の間にあり，橋底部と橋被蓋より構成される. 白質の橋の隆起である橋底部は脳の腹側面で横に走るはっきりとした溝で延髄と中脳から区別される. ②同じ構造または器官の多少離れた2つの部分を結合する橋のような構造）.

pon·tic (pon′tik). 架工歯，ポンティック（固定性局部床義歯上の人工歯. 失損した自然歯の代わりをし，その機能を修復し，自然歯冠が占めていた空隙を占める）.

pon·tile, pon·tine (pon′tīl, pon′tēn). 橋の.

pon·tine flex·ure 橋屈（胚子期菱脳の背側が凹の弯曲. これが出現したときは菱脳は後脳と髄脳に分かれていることを示す）. = basicranial flexure; transverse rhombencephalic flexure.

pon·tine nu·cle·i 橋核（橋底に充満する多数の独立核からなる巨大灰白質. どの核もそろって同じ構成で，中小脳脚を経て対側の小脳に投射し，皮質橋路(橋縦束)を経て大脳新皮質の広い範囲から入射するので，結局は大脳半球皮質から対側小脳の後葉への情報伝達の重要な中継点となっている）.

pon·to·cer·e·bel·lar fi·bers 橋小脳路線維（橋底部の核から起こり，正中線を越えて中小脳脚を経て小脳にはいり，苔状線維となって小脳皮質に終わる）.

pon·to·med·ul·lar·y groove 橋延髄溝（脳幹の腹側面にあって橋と延髄を境している溝. この溝の中から第六・第七・第八脳神経が出ている）.

pool (pūl). プール，貯留（①身体のある領域における血液または他の体液の集合. 一部の毛細血管および静脈における循環の拡張と遅滞に基づく血液のプール. ②供給源の集合体）.

Pool phe·nom·e·non プール現象（①テタニーの際，伸展した脚を股関節部で屈曲するときの大腿四頭筋および腓腹筋の両方の痙縮. = Schlesinger sign. ②テタニーの際，前腕を伸展したまま頭の上に腕を挙げることにより上腕神経叢を伸張させたときに起こる. 尺骨神経刺激によるのに似た腕の筋肉の収縮）.

poor·ly dif·fer·en·ti·at·ed lym·pho·cyt·ic lym·pho·ma (PDLL) 未分化型リンパ性リンパ腫（B 細胞のリンパ腫で，大型リンパ球様細胞の結節性またはびまん性リンパ節浸潤や骨髄浸潤を伴う）.

pop·lit·e·al (pop-lit′ē-ăl). 膝窩の.

pop·lit·e·al ar·ter·y 膝窩動脈（膝窩筋下縁で前・後脛骨動脈に分枝する膝窩の大腿動脈の延長部. 外側・内側上膝動脈，中膝動脈，外側・内側下膝動脈，腓腹動脈に分枝する）. = arteria poplitea.

pop·lit·e·al fos·sa 膝窩，ひかがみ（膝関節後方にある菱形の空間で，上方を大腿二頭筋と半膜様筋，下方を腓腹筋の二頭によって，それぞれ囲まれ，脛骨神経，膝窩動脈，膝窩静脈が

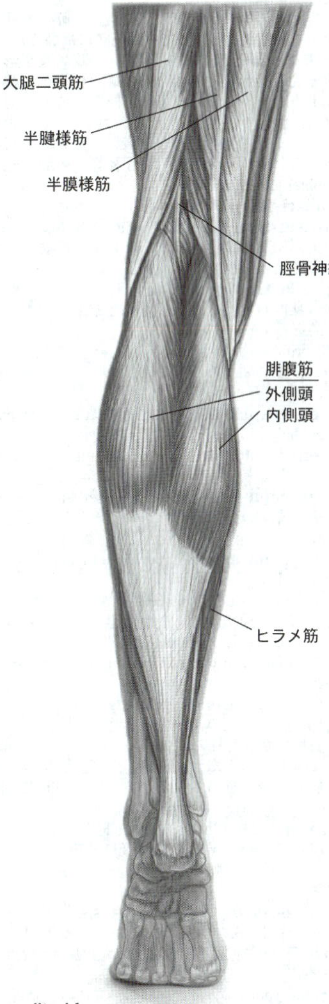
大腿二頭筋
半腱様筋
半膜様筋
脛骨神経
腓腹筋
外側頭
内側頭
ヒラメ筋

popliteal fossa

通っている).

pop·lit·e·al groove 膝窩筋溝 (大腿骨外側上顆と関節縁の間の外側顆上にある溝. その前端部から膝窩筋が起始する. 膝の屈曲時には, その後端部に筋肉の腱がはいり込む).

pop·lit·e·al mus·cle 膝窩筋. = popliteus muscle.

pop·lit·e·al pulse 膝窩脈拍 (膝のうらの触知できる周期的な膝窩動脈の脈拍).

pop·lit·e·al vein 膝窩静脈 (膝窩筋下縁で前・後脛骨静脈が合流して形成され, 膝窩を上行して小伏在静脈の流入を受けた後, 内転筋裂孔を通って大腿静脈となって内転筋管にはいる).

pop·li·te·us mus·cle 膝窩筋 (膝窩底を形成する筋. 起始：大腿骨の外側顆. 停止：斜線より上方の脛骨後面. 作用：膝関節を伸展して固定した状態では脛骨面で 5° ほど内側に大腿骨を回旋する. 関節が弛緩した状態では屈曲も起こさせられる. 神経支配：脛骨神経). = musculus popliteus; popliteal muscle.

po·po·ti·llo (pō-pō-tē′yō). = ephedra.

pop·u·la·tion (pop′yū-lā′shŭn). 母集団 (特定の集団における, 対象物, 出来事, 被検者のすべてを意味する統計学用語. *cf.* sample(1)).

pop·u·la·tion ge·net·ics 集団遺伝学 (個体群の身体的特徴における原因と結果に関する遺伝的影響を研究する学問).

POR problem-oriented medical record の略.

pore (pōr). 孔 (①開口, 孔, 穿孔. ②= sweat pore).

por·en·ce·pha·li·a (pōr′en-sĕ-fā′lē-ă). = porencephaly.

por·en·ce·phal·ic (pōr′en-sĕ-fal′ik). 脳空洞症の, 孔脳〔症〕の. = porencephalous.

por·en·ceph·a·li·tis (pōr′en-sef′ă-lī′tis). 孔脳炎 (脳の実質に空洞形成を伴う脳の慢性炎症).

por·en·ceph·a·lous (pōr′en-sef′ă-lŭs). = porencephalic.

por·en·ceph·a·ly (pōr′en-sef′ă-lē). 脳空洞症, 孔脳〔症〕(通常, 側脳室と交通している脳実質中の空洞の発生). = porencephalia.

PORN (pōrn). progressive outer retinal necrosis の頭文字.

po·ro·ker·a·to·sis (pōr′ō-ker′ă-tō′sis). 汗孔角化〔症〕(環状の角化堤防と鶏眼様層板を伴う角質増生が進行性の中央部の萎縮をとりまくような状態を示すまれな皮膚疾患で, 病変内より皮膚癌の発生をみることがある). = Mibelli disease.

po·ro·ma (pōr-ō′mă). ***1*** = callosity. ***2*** = exostosis. ***3*** 炎症性硬結 (蜂巣炎に続発する硬結). ***4*** 〔汗〕孔腫 (汗腺の皮膚開口部を形成する細胞の腫瘍).

po·ro·sis, pl. po·ro·ses (pōr-ō′sis, -sēz). 小孔形成, 空洞形成 (有孔の状態). = porosity(1).

po·ros·i·ty (pōr-os′i-tē). ***1*** 有孔性. = porosis. ***2*** 穿孔.

po·rous (pōr′ŭs). 多孔〔性〕の, 有孔の (直接または間接に物質を通り抜ける孔があることについていう).

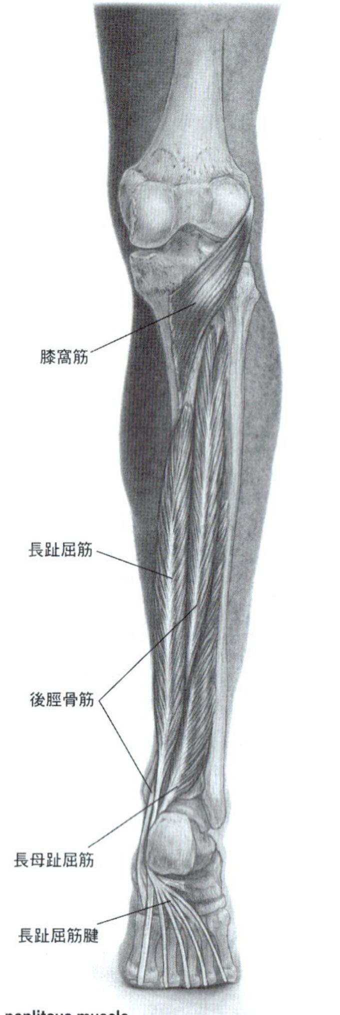

膝窩筋
長趾屈筋
後脛骨筋
長母趾屈筋
長趾屈筋腱

popliteus muscle

por·pho·bi·lin (pōr′fō-bī′lin). ポルホビリン (モノピロール, ポルホビリノーゲンと, ヘムの環状テトラピロール(ポルフィン誘導体), との中間体を意味する総称).

por·pho·bi·lin·o·gen (PBG) (pōr′fō-bī-lin′ō-jen). ポルホビリノーゲン (ポルフィリノーゲン, ポルフィリン, ヘムのポルフィリン前駆体. 急性または先天性ポルフィリン症の症例の尿中に多量に見出される).

por·phyr·i·a (pōr-fir′ē-ă). ポルフィリン症(ポルフィリンの代謝障害. ポルフィリン体や前駆物質が尿中へ大量に排泄されるのが特徴である. 先天性のものやある種の化学物質(例えばヘキサクロロベンゼン)の影響による後天性のものもある).

por·phyr·i·a cu·ta·ne·a tar·da 晩発性皮膚ポルフィリン症(肝機能障害や日光過敏症, 皮膚の色素沈着, 皮質硬化症様変化, 尿中ウロポルフィリン排泄亢進を特徴とする家族性または散発性のポルフィリン症. 散発性の症例では慢性アルコール中毒のためウロポルフィリノーゲン脱炭酸酵素活性が減少するために生じる). = symptomatic porphyria.

por·phy·rin·o·gens (pōr′fir-in′ō-jenz). ポルフィリノーゲン(ヘムの生合成における中間体. ある種のポルフィリノーゲンはある種のポルフィリン症で上昇する).

por·phy·rins (pōr′fir-inz). ポルフィリン(自然界全体に広く分布している色素(例えば, ヘム, 胆汁, シトクロム).環状に結合した4個のピロール核(ポルフィン)よりなる).

por·phy·ri·nu·ri·a (pōr′fir-i-nyūr′ē-ă). ポルフィリン尿〔症〕(ポルフィリンおよび関連化合物の尿中への排泄). = purpurinuria.

Por·phyr·o·mo·nas (pōr′fir-ō-mō′năs). ポルフィロモナス属(グラム陰性, 非運動性で小型の嫌気性球菌, しばしば単杆菌の一属で, スムースで灰色から黒に着色したコロニーを形成し, そのサイズは菌種によって異なる. ヒトにおいてはこれらは歯肉裂を含む口腔咽頭, 膣や腸管の正常細菌叢の一部として認められる. 標準種は *Porphyromonas asaccharolytica*).

Por·phyr·o·mo·nas a·sac·char·o·ly·ti·ca まれに非依存的感染を起こすが, 循環器障害や糖尿病性壊疽に関連した感染症と同様に, 口腔, 泌尿生殖器, 腹腔内膿瘍と関連した混合感染の重要な構成菌種となる.

port (pōrt). = portal.

por·ta, pl. por·tae (pōr′tă, -tē). ***1*** 門. = hilum (1). ***2*** = interventricular foramen.

por·ta·ca·val (pōr′tă-kā′văl). 門脈大静脈の(門脈と下大静脈に関する).

por·ta·ca·val shunt 門脈大静脈シャント, 門脈大静脈吻合〔術〕(①門脈と全身静脈間の手術的吻合. ②門脈と大静脈間の手術的吻合. →Eck fistula).

por·ta hep·a·tis 肝門(尾状葉および方形葉の間にある肝臓の下面上の横裂. 門脈, 肝動脈, 肝神経叢, 肝管, リンパ管が通っている). = caudal transverse fissure; portal fissure.

por·tal (pōr′tăl). = port. ***1*** 〚adj.〛門脈の, 門の(門に関する, 特に肝門および門脈に関する). ***2*** 〚n.〛〔侵入〕門戸(病原微生物の体内への侵入点). ***3*** 〚n.〛 = field size.

por·tal ca·nals 門脈管(神経, リンパ管, 胆管, 門脈, 肝動脈の前終末枝のある肝実質内の結合組織間隙).

por·tal cir·cu·la·tion 門脈循環(①門脈を経る小腸, 大腸右半分, および脾臓からの肝臓への血液循環. ときに肝門脈循環 hepatic portal circulation とよばれている. ②一般的には血液が心臓に還る以前に毛細血管→より太い血管→毛細血管といったように流れる全身循環の一部. 例えば視床下部下垂体門脈系).

por·tal of en·try 進入口(病原体が体内に入る過程. 影響を受けやすい組織に近づき, 病気や感染を引き起こす. 例えば, 直接接触, 注射, 吸入).

por·tal fis·sure = porta hepatis.

por·tal hy·per·ten·sion 門脈圧亢進〔症〕(肝門脈循環の圧の上昇で, 肝硬変または肝組織におけるその他の線維性変化に起因する. 圧が10 mmHg を超えると門脈が注ぐ組織からの静脈還流を維持するため側副循環が発達することがある. 側副静脈が膨張すると, 食道静脈瘤および頻度は少ないがメズサの頭を生じることがある).

por·tal hy·po·phy·si·al cir·cu·la·tion 門脈下垂体循環(視床下部より下垂体刺激性のホルモンを運ぶ毛細血管網. 視床下部で血中に分解されたホルモンは下垂体前葉に運ばれて作用を発揮する. →portal circulation; hypophysis; hypothalamus). = hypothalamohypophysial portal system.

por·tal lob·ule of liv·er 門小葉(肝臓の胆汁分泌という外分泌機能に着目した概念上の単位構造で, おおまかに三角形の断面をしており中心に門静脈管があり, 周辺に3ないし数個の中心静脈がある).

por·tal sys·tem 門脈系(肝門脈系で腸からの血液が肝シヌソイドを通過するように, 毛細血管を通った後の血液が第2の毛細血管を通ってから心臓へ運ばれるような血管系).

por·tal-sys·tem·ic en·ceph·a·lop·a·thy 門脈体循環性脳障害(脳症), 門脈体循環性エンセファロパシー(肝硬変に伴い, 毒性の窒素物質が門脈循環から出て体循環を通過することによって起こる脳疾患. 脳の症状として昏睡が起こることもある). = hepatic encephalopathy(1).

por·tal tri·ad 門脈三管(門静脈の枝と肝動脈と胆管の3管が線維性鞘膜に包まれたもの. あるいは門脈の肝実質内での3分枝). = triad(3).

por·tal vein 門脈(膵臓頸部の後方で上腸間膜静脈と脾静脈との合流によりつくられ, 下大静脈の前を上行し, 肛門の右端で右枝と左枝に分かれ, 肝内でさらに分枝する広範囲にわたる短い静脈). = vena portae hepatis; hepatic portal vein.

por·ti·o, pl. por·ti·o·nes (pōr′shē-ō, -ō′nēz). 部.

por·tion (pōr′shŭn). 部分, 区分.

porto- 門脈の, を意味する連結形.

por·to·bil·i·o·ar·te·ri·al (pōr′tō-bil′ē-ō-ahr-tēr′ē-ăl). 門脈胆管血管系の(分布が類似している, 門脈, 胆管, および肝動脈に関する).

por·to·en·ter·os·to·my (pōr′tō-en′tĕr-os′tō-mē). 肝門部空腸吻合〔術〕(胆道閉鎖に対する手術. 空腸のルーY係蹄を分離させた血管以外の痕跡上の胆管を含んだ肝門部に吻合する). = Kasai operation.

por·to·gram (pōr′tō-gram). 門脈造影像（門脈造影のX線写真による記録）.

por·tog·ra·phy (pōr-tog′ră-fē). 門脈造影（撮影）〔法〕（通常，手術の際に脾臓または門脈に注入された放射線不透物質を用いるX線撮影による門脈循環の造影）.

por·to·sys·tem·ic (pōr′tō-sis-tem′ik). 門脈体静脈の（門脈系と体循環静脈系の間の連結に関する）.

Por·tu·guese man-of-war カツオノエボシ. = *Physalia physalis.*

port-wine mark, port-wine stain ブドウ酒様血管腫. = nevus flammeus.

POS place of service の略.

po·si·tion (pŏ-zish′ŏn). ***1*** 位置（姿勢，体位，または占拠している場所）. ***2*** 体位，姿勢（患者が楽になるために，あるいは診断・外科手術・治療処置を容易にするために取る体位または姿勢）. ***3*** 胎向（産科において，胎児が母体の右あるいは左を任意に選ぶ位置関係．頭位，顔位，骨盤位のそれぞれについて後頭部，頤部，仙骨をそれぞれ基準点として右か左かの胎向がある．*cf.* presentation）.

po·si·tion·al nys·tag·mus 〔異常〕体位眼振，頭位眼振，頭位変換眼振（ある一定の頭位をとったときにのみ起こる眼振）.

po·si·tion·al ver·ti·go 頭位めまい症（体位変換に伴い生じるめまい）.

po·si·tion ef·fect 位置効果（他の遺伝子との物理的位置の変化により1つ以上の遺伝子の表現型発現が変化すること．染色体構造の変化，あるいは交差に起因することもありうる）.

po·si·tion sense 位置覚. = posture sense.

pos·i·tive (poz′i-tiv). ***1*** 陽〔性〕の，正の，肯定的な. ***2*** 正の，プラスの(数学において，0より大きい値を示すこと). ***3*** 陽性の，正の，プラスの（物理学，化学において，電子の喪失または不足により正の電荷を有すること．これにより電子を獲得することができる）. ***4*** 陽性の（医学において，診断技術または臨床検査に対する反応に関して，検査対象の疾患または状態があることを示す）.

pos·i·tive ac·com·mo·da·tion 実性調節（遠くの物から近くの物を見るときに生じる眼の屈折力の増強）.

pos·i·tive con·ver·gence 実性輻輳（輻輳性斜視の場合のように，輻輳していないときでも，視軸が内転していること）.

pos·i·tive end-ex·pi·ra·to·ry pres·sure (PEEP) 呼気終末陽圧（呼気に機械的インピーダンス(抵抗)を導入して，気道圧を大気圧より高くする呼吸療法で使われる技法）.

pos·i·tive en·er·gy bal·ance ポジティブエネルギーバランス（エネルギー消費量が吸収量より少ない場合，体重は増加する）.

pos·i·tive-neg·a·tive pres·sure breath·ing 陽陰圧呼吸（自動換気器を用いて，陽圧で肺を膨張させ，陰圧で空気を抜くこと）.

pos·i·tive ni·tro·gen bal·ance 過剰窒素平衡（窒素の吸収がすべての窒素の排出の合計を超えること）.

pos·i·tive pre·dic·tive val·ue 陽性的中率（検査で陽性の結果が出た場合に分析物あるいは特定の病気が存在する確率）.

pos·i·tive pres·sure ven·ti·la·tion (PPV) 陽圧換気（通常，機械的人工呼吸器によって患者の肺に陽圧下で圧縮ガスを送る換気支援方法）.

pos·i·tive sco·to·ma 実性暗点（視野内に白点として存在を認める暗点）.

pos·i·tive signs of preg·nan·cy 妊娠陽性徴候（妊娠を表す客観的な徴候．超音波による視覚化で胎児の心音，胎児の動きがあること）.

pos·i·tive stain 陽性染色〔法〕（組織成分に色素が直接結合し明暗ができる．電子顕微鏡ではウラニルや鉛塩のような重金属を特定の細胞成分に結合させ，電子線に対する密度(すなわち明暗)を増大させる）.

pos·i·tive symp·tom 陽性症状（統合失調症の急性期または増悪期の症状の1つで，幻覚，妄想，思考障害，連合弛緩，両価性または感情の不安定さが含まれる）.

pos·i·tron (β^+) (poz′i-tron). 陽電子（電子と同じ質量，電荷だが，反対符号の電荷(正電荷)をもつ粒子）.

pos·i·tron e·mis·sion to·mog·ra·phy (PET) 陽電子断層撮影法（自然にある生化学的物質の中に組み込まれ，患者に投与された陽電子射出放射性核種から放出された光子を検出しコンピューターで合成して断層画像が形成される．画像は定量化されたカラーで表示され，組織内での物質の代謝および生理機能の分布状態が示される）.

po·so·log·ic (pō′sō-loj′ik). 薬量学の.

po·sol·o·gy (pō-sol′ō-jē). 薬量学（薬物学および治療学の一分野で，治療薬の用量決定と関連する．投薬量判定学）.

post (pōst). 合釘，ポスト（歯科において，人工歯冠を付着するために自然歯の根管に挿入される合釘またはピン）.

post- 後に，後ろに，後部の，を意味する接頭語. Anti- の対語. *cf.* meta-.

post·a·dre·nal·ec·to·my syn·drome 副腎摘出(切除)後症候群. = Nelson syndrome.

post·an·ti·bi·ot·ic ef·fect (PAE) 抗生物質投与後効果（抗菌薬投与後のバクテリア増殖の継続的な阻止．すなわち，抗菌薬投与の効果がなくなる時間．薬剤の除去後，バクテリアの増殖動態をあらわすことによって生体外に現れる）.

post·an·ti·bi·ot·ic leu·ko·cyte en·hance·ment (PALE) 抗生物質投与後強化（抗生物質，細胞内死滅あるいは白血球による食菌に晒された後にバクテリアの罹患率が増加すること）.

post·au·ri·cu·lar in·ci·sion 耳介後部切開（後耳介ひだと平行に2—3 mm 後方を切開すること．乳様突起の皮質に達する目的で用いる）.

post·ax·i·al (pōst-ak′sē-ăl). 軸後〔方〕の（①体幹または体肢(解剖学的正位において)の軸の方向の．②体肢軸の尾方に位置する体肢芽の部分，すなわち上肢の尺側，下肢の腓側についてい

う).

post·bra·chi·al (pōst-brā′kē-ăl). 上腕後部の.

post·cap·il·lar·y ven·ules 後毛細管小静脈（毛細血管にすぐ続く細小血管系で，直径 10—50 μm，周皮細胞で被膜されている．ここは血球が溢血する場所で，特にヒスタミンに敏感であり，血液と組織液が交換されるのに大切な役割を果たしていると考えられている）. = pericytic venules.

post·ca·va (pōst-kā′vă). 下大静脈. = inferior vena cava.

post·ca·val (pōst-kā′văl). 下大静脈の.

post·cen·tral ar·e·a 中心後野（中心後回の皮質）.

post·cen·tral gy·rus 中心後回（前部は中心溝（Rolando 裂）と，後部は中心後溝と隣接する頭頂葉の最前回）.

post·cen·tral sul·cus 中心後溝（中心後回を上・下頭頂小葉間から区切る溝）.

post·ci·bal (pōst-sī′băl). 食後の，食後性の. = postprandial.

post·co·i·tal (pōst-kō′i-tăl). 性交後の.

post·co·i·tal con·tra·cep·tion 性交後避妊. = morning after pill.

post·co·i·tal test 性交後〔精子疎通性〕検査（排卵期の頸管粘液の精子疎通性検査）.

post·co·i·tus (pōst-kō′i-tŭs). 性交後.

post·com·mis·sur·ot·o·my syn·drome 交連切開後症候群. = postpericardiotomy syndrome.

post·con·cus·sion syn·drome 脳振とう後症候群（脳振とうの後に頭痛，不鮮明な視覚，集中できない，吐気，怒りっぽい，性格の変化などを徴候とする）.

post·cor·di·al (pōst-kōr′jăl). 心臓後〔方〕の.

post·cos·tal a·nas·to·mo·sis 後肋骨吻合（脊椎動脈のもととなる体節間動脈の縦吻合）.

post·cu·bi·tal (pōst-kyū′bi-tăl). 前腕背側の（前腕の後方または背側の部分や部分の上についていう）.

post·date preg·nan·cy 予定日超過妊娠（294 日または満 42 週以上の妊娠）. = prolonged pregnancy.

post·duc·tal (pōst-dŭk′tăl). 管後〔性〕の（動脈管の大動脈開口部より末梢側大動脈の部分に関する）.

pos·ter·i·or (pos-tēr′ē-ŏr). 後（①時間や空間に関連して，後．②人体解剖学において，体の背部表面を示す．ある構造物の位置を他に対比して示すのにしばしば用いる．すなわち体の背側に近い方. = dorsal (2)．③ある種の胎児の尾または尾側末端に近い．④四足獣類では尾側に対する代用語．獣医解剖学においては posterior は，ただ頭部のある構造物を示すのに用いる）.

pos·ter·i·or al·ve·o·lar ar·ter·y = posterior superior alveolar artery.

pos·ter·i·or arch of at·las 環椎後弓（環椎の外側塊を後方で結合する弓状部分で，この位置での脊柱管の後壁をなす）.

pos·ter·i·or a·syn·cli·tism 後不正軸定位（進入）. = Litzmann obliquity.

pos·ter·i·or au·ric·u·lar ar·ter·y 後耳介動脈（顎二腹筋直上の外頸動脈後面から出て，まず耳下腺と茎状突起の間を，ついで耳介軟骨と乳様突起との間を上行し，顎二腹筋・茎状舌骨筋・胸鎖乳突筋に筋枝を，耳下腺に腺枝を送り，茎乳突動脈・後頭枝・耳介枝を出し，後頭動脈および茎乳突動脈を介して前鼓室動脈と吻合する）. = arteria auricularis posterior.

pos·ter·i·or au·ric·u·lar mus·cle 後耳介筋. = auricularis posterior muscle.

pos·ter·i·or au·ric·u·lar nerve 後耳介神経（顔面神経の最初の頭蓋外枝．耳の後ろを通り，後耳介筋と耳介の内筋に分布し，後頭枝を経て，後頭前頭筋の後頭膨大部を支配する）. = nervus auricularis posterior.

pos·ter·i·or ble·pha·ri·tis 後部眼瞼炎. = blepharadenitis.

pos·ter·i·or ce·re·bral ar·ter·y 後大脳動脈（脳底動脈の分枝によってできる．大脳脚を旋回し大脳半球内側部に達する）. = arteria cerebri posterior.

pos·ter·i·or ce·re·bral com·mis·sure 〔大脳の〕後交連（視床上部で松果体手綱と中脳水道上口との間を，端から端まで横切っている白質の薄い帯．主に左右の視蓋前部を連結している線維と中脳の関連細胞群からなる．背側で間脳と中脳の接合部となる）. = commissura posterior cerebri.

pos·ter·i·or cham·ber of eye·ball 後眼房（前方は虹彩，水晶体，後方は毛様体に囲まれた環状隙．眼房で満たされている）.

pos·ter·i·or cir·cum·flex hu·me·ral ar·ter·y 後上腕回旋動脈（腋窩動脈より起こり，肩関節の筋肉と構造物に分布する．前上腕回旋動脈，肩甲上動脈，胸肩峰動脈，深上腕動脈と吻合）. = arteria circumflexa humeri posterior; posterior humeral circumflex artery.

pos·ter·i·or col·umn 後柱（脊髄の各々の外側半分にある灰白質の外後方への著しい膨隆で，脊髄の横断面に現れる後角に相当する）. = posterior column of spinal cord (1).

pos·ter·i·or col·umn of spi·nal cord 〔脊髄の〕後柱（①= posterior column. ②臨床用語で，しばしば脊髄の後索をさす）.

pos·ter·i·or com·mun·i·ca·ting ar·ter·y 後交通動脈（内頸動脈より起こり，視束，大脳脚，脚間部，海馬回に分布する．後大脳動脈と吻合し大脳動脈輪（Willis 輪）の一部をつくる）. = arteria communicans posterior.

pos·ter·i·or com·part·ment of thigh 大腿の後区画（大腿広筋膜で包まれた後方の区画で，前・内側区画とは後・外側筋間中隔で境される．中にハムストリング筋群（股関節を曲げ膝関節を伸展する）と大腿二頭筋の短頭を含み，前者は脛骨神経，後者は腓骨神経に支配される）.

pos·ter·i·or cord of bra·chi·al plex·us 腕神経叢の後神経束（腕神経叢で，上・中・下神経幹の後枝よりなる神経線維束腋窩動脈の後方に位置する．上下の肩甲下神経，胸背神経を出し，腋窩神経，および橈骨神経に終わる）.

pos·ter·i·or cor·ne·al dys·tro·phy 後部角

膜ジストロフィ（原発性角膜内皮障害を伴う混濁）.

pos·ter·i·or cri·co·ar·y·te·noid mus·cle 後輪状披裂筋（喉頭の固有筋の1つ. 起始：輪状軟骨板後面の陥凹. 停止：披裂筋の筋突起. 神経支配：反回神経. 作用：声帯ひだを外転して声門裂を開き深呼吸できるようにする）. = musculus cricoarytenoideus posterior.

pos·ter·i·or cru·ci·ate lig·a·ment 後十字靱帯（脛骨の顆間域の後部と大腿骨内側顆の外側面の前部とを結ぶ靱帯）. = ligamentum cruciatum posterius.

pos·ter·i·or cu·tan·e·ous nerve of thigh 後大腿皮神経（仙骨神経の最初の3本からなる仙骨神経叢から起こり, 大腿後面と膝窩部の皮膚に分布し(S1とS2), 陰嚢または大陰唇の外側面に向かう会陰枝(S3)を出す）. = nervus cutaneus femoris posterior; posterior femoral cutaneous nerve; small sciatic nerve.

pos·ter·i·or den·tal ar·ter·y = posterior superior alveolar artery.

pos·ter·i·or de·scen·ding cor·o·nar·y ar·ter·y = posterior interventricular branch of right coronary artery.

pos·ter·i·or drawer test 後十字靱帯のテスト（膝の後十字靱帯の正常さのテスト）.

pos·ter·i·or e·las·tic la·mi·na of cor·ne·a 角膜の後弾性層（角膜固有質と角膜内皮の間にある繊細な硝子質の膜）. = Descemet membrane; lamina limitans posterior corneae.

pos·ter·i·or em·bry·o·tox·on 後部胎生環（突出したSchwalbeの白色輪を示す共通の発生学的な異常）.

pos·ter·i·or eth·moid·al ar·ter·y 後篩骨動脈（眼動脈より起こり, 鼻腔外側壁の上後部と後篩骨洞に分布する）. = arteria ethmoidalis posterior.

pos·ter·i·or eth·moid·al nerve 後篩骨神経（鼻毛様体神経の枝で, 感覚枝を蝶形骨洞と篩骨蜂巣後部に送る）. = nervus ethmoidalis posterior.

pos·ter·i·or fem·o·ral cu·tan·e·ous nerve 後大腿皮神経. = posterior cutaneous nerve of thigh.

pos·ter·i·or fo·cal point 後焦点（目にはいる平行な光線が焦点を結ぶ複合視覚系の点）.

pos·ter·i·or fos·sa ap·proach 後頭蓋窩到達法(アプローチ)（側頭骨の乳様突起を経由して小脳橋角部に達する手術的到達法）.

pos·ter·i·or fu·nic·u·lus 後索（脊髄後方の白質柱. 後灰白柱と後正中中隔の間にある大きいくさび形の神経束で, 後根線維の大部分をつくる）.

pos·ter·i·or gas·tric ar·ter·y 後胃動脈（脾動脈から起こり網嚢後壁の腹膜後部を上行して胃底に至り胃横隔間膜を通って胃壁に分布する）. = arteria gastrica posterior.

pos·ter·i·or glan·du·lar branch of su·per·i·or thy·roid ar·ter·y 上甲状腺動脈の後腺枝（下行して同側の甲状腺頂部に分布し, 後縁を下行して下甲状腺動脈と吻合する）.

pos·ter·i·or he·pa·tic seg·ment I 後肝区（門静脈左枝の尾状葉枝が分布する小区域で, 内臓面では尾状葉で境される）. = lobus caudatus; Spigelius lobe.

pos·ter·i·or horn 後角（①側脳室の後部で, 後方の後頭葉にのびる. ②脊髄横断面にみられる後柱または後灰白柱）. = cornu posterius.

pos·ter·i·or hu·mer·al cir·cum·flex ar·ter·y = posterior circumflex humeral artery.

pos·ter·i·or in·fe·ri·or cer·e·bell·ar ar·ter·y 後下小脳動脈（椎骨動脈の頭蓋内部より起こり, 延髄外側, 第4脳室脈絡叢, 小脳に分布する. 上小脳動脈, 前下小脳動脈と吻合して後脊髄動脈, 小脳扁桃枝, 第4脳室脈絡枝を出す）. = arteria inferior posterior cerebelli.

pos·ter·i·or in·fe·ri·or na·sal bran·ches of great·er pal·a·tine nerve 大口蓋神経の後下鼻枝. = posterior inferior nasal nerves.

pos·ter·i·or in·fe·ri·or nas·al nerves 後下鼻神経（下鼻甲介, 下鼻道の後部粘膜を含む鼻腔の後下外側壁に分布する. ときに翼口蓋神経節から直接分枝することもある）. = rami nasales posteriores inferiores nervi palatini majoris; posterior inferior nasal branches of greater palatine nerve.

pos·ter·i·or in·ter·cos·tal ar·ter·ies 1-2 = first and second posterior intercostal arteries.

pos·ter·i·or in·ter·cos·tal ar·ter·ies 3-11 後肋間動脈（胸部大動脈から出ている9つの対になった動脈のうちの一つで, 9つの下部の肋間空間, 脊椎, 脊柱, 背中の筋肉や皮膚につながっている. 横隔膜, 胸部内部, 上位心窩部, 下位胸部, そして腰の部分を吻合する）. = arteriae intercostales posteriores Ⅲ-XI.

pos·ter·i·or in·ter·cos·tal veins 肋間静脈（肋間隙から後方に血液を集める静脈. 第1肋間隙からの静脈は腕頭静脈へ, 第2—3間隙からの静脈は左右の上肋間静脈へ, 右の第4—11間隙からの静脈は奇静脈へ, 左の第4—11間隙からの静脈は半奇静脈もしくは副半奇静脈へ流入する）. = venae intercostales.

pos·ter·i·or in·ter·os·se·ous ar·ter·y 後骨間動脈（総骨間動脈より起こり, 前腕後部に分布する）. = arteria interossea posterior; dorsal interosseous artery.

pos·ter·i·or in·ter·os·se·ous nerve 後骨間神経（橈骨神経の深終枝. 肘部に起こり, 回外筋に分布した後これを貫いて後骨間動脈に伴行して前腕の全伸筋に分布する）. = nervus interosseus antebrachii posterior.

pos·ter·i·or in·ter·ven·tri·cu·lar ar·ter·y 後室間動脈. = posterior interventricular branch of right coronary artery.

pos·ter·i·or in·ter·ven·tric·u·lar branch of right cor·o·nar·y ar·ter·y 後室間動脈（右冠状動脈の続きで後室間溝を心尖に向かって下行し, 心室の横隔面の大部分と心室中隔の後1/3の組織に血液を送る）. = ramus interventricularis posterior arteriae coronariae dextrae; posterior descending coronary artery; posterior interventricular artery.

pos·ter·i·or la·bi·al bran·ches of in·ter·nal per·i·ne·al ar·ter·y 内陰部動脈の後陰唇枝（内陰部動脈の枝で陰唇の後部に分布する）.

pos·ter·i·or la·bi·al branch·es of per·i·ne·al ar·te·ry 会陰動脈の後陰唇枝（大小陰唇の後部に分布する）.

pos·ter·i·or la·bi·al com·mis·sure 後陰唇交連（肛門の前で左右の大陰唇の後方をつなぐわずかなひだ）.

pos·ter·i·or la·bi·al nerves 後陰唇神経（陰唇後部と腟前庭の皮膚に分布する浅会陰神経の終末枝．男性の後陰嚢神経に相当する）. = nervi labiales posteriores.

pos·ter·i·or la·bi·al veins 後陰唇静脈（大陰唇，小陰唇から後方へ走り内陰部静脈へ注ぐ）.

pos·ter·i·or lac·ri·mal crest 後涙嚢稜（前涙嚢稜とともに，涙嚢窩をなす涙骨の眼窩面上の垂直な隆起）.

pos·ter·i·or la·ryn·ge·al cleft 後部喉頭裂.

pos·ter·i·or lat·e·ral na·sal ar·ter·ies 外側後鼻動脈（蝶口蓋動脈の枝で，鼻甲介の後部および鼻腔壁外側に血液を送る）. = arteriae nasales posteriores laterales.

pos·ter·i·or leu·ko·en·ceph·a·lop·a·thy syn·drome 後白質脳症症候群（MRI あるいは CT において頭頂後頭部を含む両側白質浮腫を伴う，精神錯乱，頭痛，痙攣，皮質性盲その他の視覚異常，嘔吐，および運動性徴候によって特徴付けられる可逆的な臨床放射線学的症候群）.

pos·ter·i·or lim·it·ing lay·er of cor·ne·a 〔角膜の〕後境界板（透明で均質な無細胞層で，角膜の内皮層と固有質との間にみられる．非常によく発達した基底膜と考えられている）. = membrana vitrea; vitreous membrane (1).

pos·ter·i·or lobe of hy·poph·y·sis 〔下垂体の〕後葉. = neurohypophysis.

pos·ter·i·or na·sal spine 後鼻棘（硬口蓋鼻稜の鋭い後端）.

pos·ter·i·or neph·rec·to·my 後方腎摘出〔術〕（通常，患者を腹臥位にして，後方腰部筋肉の切開により後腹膜的に腎摘出を行う方法）.

pos·ter·i·or pan·cre·at·ic·o·du·o·den·al ar·ter·y = retroduodenal artery.

pos·ter·i·or pol·y·mor·phous cor·ne·al dys·tro·phy 後部多形性角膜ジストロフィ（角膜内皮の嚢胞および線状異常を特徴とする常染色体優性異常．しばしば角膜浮腫を生じる）.

pos·te·ri·or pre·sen·ta·tion = back labor.

pos·ter·i·or ra·mus of la·ter·al ce·re·bral sul·cus 大脳皮質外側溝の後枝溝（外側溝から後方へ長く続く溝で，下方に側頭葉，上方に頭頂葉の間を延びて縁上回に囲まれて終わる）.

pos·ter·i·or ra·mus of spi·nal nerve 脊髄神経後枝（後方を向いた細い枝で，太い前枝とともに 31 対の脊髄神経の最終枝で椎間孔で形成され，唐突に後方へ反転し外側枝と内側枝に分かれ，背中の固有背筋に分布する．内側枝はまた関節突起間関節に関節枝を送ったり椎弓の骨膜にも分布するし，頸部や上背部では浅深背筋を貫いて皮膚にも分布する（背中の下方では外側枝も同じ）．解剖学用語 Terminologia Anatomica では以下のものについてこの名称を採用している．ⓘ頸神経，ⓘⓘ胸神経，ⓘⓘⓘ腰神経，ⓘⓥ仙骨神経，ⓥ尾骨神経）.

pos·ter·i·or rhi·nos·co·py 後検鼻〔法〕（鼻鏡または鼻咽頭鏡で鼻咽腔と鼻腔の後部を視診すること．→nasopharyngoscopy）.

pos·ter·i·or rhi·zot·o·my 脊髄神経後根切断〔術〕. = Dana operation.

pos·ter·i·or sag·it·tal di·am·e·ter 後矢状径（仙骨と尾骨の連結部から，左右の坐骨結節を結ぶ仮想の線の中点までの距離）.

pos·ter·i·or sag test 後方落ち込みテスト（患者は腰を 45° 曲げ，膝を 90° 曲げた状態のあおむけで，後ろで交叉している靱帯の無傷を決定するために使われる処置．横から見た時，頸骨が落ち込み大腿骨に垂れ下がっており，頸骨結節突起の損失が後方交叉している欠陥のある膝にあらわれている）.

pos·ter·i·or sca·lene mus·cle 後斜角筋. = scalenus posterior muscle.

pos·ter·i·or scle·ri·tis 後強膜炎（視神経に隣接する強膜のしばしば片眼性の炎症で，多くは網膜と脈絡膜に進展する）.

pos·ter·i·or scro·tal bran·ches of per·i·ne·al ar·ter·y 会陰動脈の後陰嚢枝（陰嚢後部の皮膚に分布する）. = rami scrotales posteriores arteriae perinealis; posterior scrotal branches of internal pudendal artery; rami scrotales posteriores arteriae pudendae internae.

pos·ter·i·or scro·tal branch of in·ter·nal pu·den·dal ar·ter·y = posterior scrotal branches of perineal artery.

pos·ter·i·or seg·ment of eye·ball 後眼部，硝子体眼房（レンズと網膜間の大きな房．硝子体で満たされている）.

pos·ter·i·or sep·tal ar·ter·y of nose 中隔後鼻動脈. = posterior septal branches of sphenopalatine artery.

pos·ter·i·or sep·tal bran·ches of sphe·no·pal·a·tine ar·ter·y 中隔後鼻動脈. = posterior septal branch of nose.

pos·ter·i·or sep·tal branch of nose 中隔後鼻動脈（蝶口蓋動脈の枝で，鼻中隔に血液を送り，鼻口蓋神経に伴走する）. = arteria nasalis posterior septi; posterior septal artery of nose; posterior septal branches of sphenopalatine artery; ramus septi posterioris nasalis.

pos·ter·i·or spi·nal ar·ter·y 後脊髄動脈（椎骨動脈の頭蓋内部より起こり，延髄，脊髄，軟膜に分布する．肋間動脈の脊髄枝と吻合）. = arteria spinalis posterior.

pos·ter·i·or spi·no·cer·e·bel·lar tract 後脊髄小脳路（脊髄側索の背側半分の周辺部を占める有髄神経線維束．脊髄と同側の胸髄核から起こる太い線維束からなり，下小脳脚を経て小脳虫部皮質顆粒層内の苔状線維として末端まで上行して終わり，また側枝によって小脳核にも

P

終止する．この伝導路は，とりわけ筋紡錘内筋線維の核袋をらせん状に取り巻く神経終末 Golgi 腱紡錘から発する固有知覚情報を中枢神経に伝える）．

pos·ter·i·or staph·y·lo·ma 後極ブドウ〔膜〕腫（強度の近視に起こる変性により，眼球後極部近傍の突出）．= Scarpa staphyloma.

pos·ter·i·or su·per·i·or al·ve·o·lar ar·ter·y 後上歯槽動脈（翼口蓋窩の中で顎動脈第三部より起こり，上顎臼歯およびその歯肉と上顎洞粘膜に分布する）．= arteria alveolaris superior posterior; arteria tibialis posterior; posterior alveolar artery; posterior dental artery.

pos·te·ri·or su·pe·ri·or il·i·ac spine（PSIS） 上後腸骨棘（腸骨稜の後端の目安で，仙腸関節の外側で触知される）．

pos·ter·i·or su·pra·cla·vic·u·lar nerve 後鎖骨上神経．= lateral supraclavicular nerve.

pos·ter·i·or tem·po·ral branch of mid·dle ce·re·bral ar·te·ry 後側頭葉動脈（中大脳動脈の島部（M2 区）の枝で，側頭葉の後部に分布する）．

pos·ter·i·or tib·i·al ar·ter·y 後脛骨動脈（膝窩動脈の 2 本の終末枝のうち太く，直接続いているもの．腓骨動脈，腓骨栄養動脈，後内果動脈，後外果動脈，脛骨栄養動脈，内側・外側足底動脈に分枝する）．

pos·ter·i·or tooth 臼歯，後方歯（小臼歯および大臼歯）．

pos·ter·i·or ur·e·thral valves 後部尿道弁（精丘のレベルでみられる異常なひだ）．= Amussat valvula.

pos·ter·i·or vein of left ven·tri·cle 左心室後静脈（心尖に近い横隔面から発し，後室間溝に平行して左方に進み冠状静脈洞に注ぐ）．

pos·ter·i·or ves·tib·u·lar branch of ves·tib·u·lo·coch·le·ar ar·te·ry 前庭蝸牛動脈の後前庭枝（蝸牛枝とともに前庭蝸牛動脈の最終枝で，卵形嚢と後半規管の膨大部に分布する）．

pos·ter·i·or walk·er 後方歩行器（歩行補助装置で使用者の前の部分が開いている．歩行補助を要する子供の正しい姿勢を促進する）．= postural walker.

postero- 後方の，…の後ろに，を意味する連結形．

pos·ter·o·an·te·ri·or（PA）（pos′tĕr-ō-an-tēr′ē-ŏr）．後前の，背腹の（ある部分を通して後ろから前へと見る，または進行する向きを指示する語）．

pos·ter·o·an·ter·i·or pro·jec·tion = PA projection.

pos·ter·o·ex·ter·nal（pos′tĕr-ō-ek-stĕr′năl）．= posterolateral.

pos·ter·o·in·ter·nal（pos′tĕr-ō-in-tĕr′năl）．= posteromedial.

pos·ter·o·lat·er·al（pos′tĕr-ō-lat′ĕr-ăl）．後外側の（後方で外側方向へ）．= posteroexternal.

pos·ter·o·lat·er·al sul·cus 後外側溝（脊髄の後正中溝の両側にある縦溝．後根のはいる線を示す）．= dorsolateral sulcus.

pos·ter·o·la·ter·al thor·a·cot·o·my 後側方開胸〔術〕（広背筋と前鋸筋を切離する開胸法）．

pos·ter·o·me·di·al（pos′tĕr-ō-mē′dē-ăl）．後内側の（後方で内側方向へ）．= posterointernal.

pos·ter·o·me·di·an（pos′tĕr-ō-mē′dē-ăn）．後正中の（後方の中央位を占める）．

pos·ter·o·su·pe·ri·or（pos′tĕr-ō-sū-pēr′ē-ŏr）．後上〔方〕の（後方上部に位置する）．

post·es·trus, post·es·trum（pōst-es′trŭs, -trŭm）．発情後期（発情期に続く発情周期の期間．黄体の成長およびプロゲステロンの産生に関係する生理的変化によって特徴付けられる）．= postoestrus.

post·ex·tra·sys·tol·ic pause 期外収縮後休止（期外収縮の直後のやや長い周期）．

post·ex·tra·sys·tol·ic T wave 期外収縮後 T 波（期外収縮直後の拍動の修飾された T 波）．

post·gan·gli·on·ic（pōst′gang-glē-on′ik）．〔神経〕節後の（神経節より遠位を意味する．自律神経節の細胞から起始する無髄神経線維をさす）．

post·gas·trec·to·my syn·drome 胃切除後症候群．= dumping syndrome.

post·hep·a·tit·ic cir·rho·sis 肝炎後性肝硬変．= active chronic hepatitis.

pos·thi·o·plas·ty（pos′thē-ō-plas-tē）．包皮形成〔術〕（包皮の手術的再建）．

pos·thi·tis（pos-thī′tis）．包皮炎．

post·hu·mous（pos′chū-mŭs）．死後の．

post·hyp·not·ic（pōst′hip-not′ik）．催眠に引き続いて（催眠をかけられた者が醒めた後で行うように催眠中に暗示された行為をさす）．

post·hyp·not·ic sug·ges·tion 後催眠暗示．= hypnotic suggestion.

post·ic·tal（pōst-ik′tăl）．発作後の（てんかん性などの急発作に続くことについていう）．

post-lum·bar punc·ture syn·drome 腰椎穿刺後症候群．= spinal headache.

post·ma·lar·i·a neur·o·lo·gic syn·drome マラリア後神経学的症候群（熱帯熱マラリアの重症発作から回復した直後に起こる一過性の中枢神経系障害．主に錯乱または精神病の急性症状，全身痙攣が 1—10 日間続くのが特徴である．マラリア寄生虫の血液標本は陰性である．メフロキンによる治療の後に起こると考えられている）．

post·ma·ture, post·ma·ture in·fant, post·term in·fant（pōst′mă-chŭr′, in′fănt, pōst-tĕrm）．過熟，発育過度（胎児が通常の妊娠期間よりも長く子宮内にとどまること．すなわち，ヒトでは 42 週間（288 日）以上で，胎盤機能不全のためのリスクがある．児はたいてい皮膚のしわが多く，ときに重篤な奇形を合併する）．

post·men·o·pau·sal（pōst′men-ŏ-paw′zăl）．閉経後の（月経閉止後の時期に関する）．

post·mor·tem（pōst-mōr′tĕm）．*1*〚adj.〛死後の（死に関する，あるいは死後に生じた）．*2*〚n.〛autopsy の口語．

post·mor·tem de·liv·er·y 死後分娩（母親の

死後，胎児を娩出すること）.

post·mor·tem li·ve·do, post·mor·tem li·vid·i·ty 死後皮斑（圧迫部以外の身体の低い部分に生じる紫色の色調変化で，死後1時間半から2時間で現れる．脈管内の血液がその重力によって移動することによる）.

post·mor·tem ri·gid·i·ty 死後硬直. = rigor mortis.

post·mor·tem wart 死毒性いぼ（検死を行う者の手にできる結核性のいぼ状増殖(皮膚いぼ状結核)）. = anatomic wart; dissection tubercle; necrogenic wart; verruca necrogenica.

post·na·sal (pōst-nā′zăl). ***1*** 鼻後〔方〕の（鼻腔の後方にある）. ***2*** 後鼻腔の（鼻腔の後方部分に関する）.

post·na·sal drip (PND) 後鼻漏（後鼻孔から粘液または粘液膿汁が排出されるときの感覚を表すのに，ときに用いる語）.

post·na·tal (pōst-nā′tăl). 生後の（出生後に起こる）.

post·ne·crot·ic cir·rho·sis 壊死後性肝硬変（全小葉に及ぶ壊死を特徴とする肝硬変．大きい瘢痕を形成する網状構造の虚脱を伴う．再生結節も同様に大きい．本疾患はウイルス性または毒性壊死に引き続いて起こるか，虚血性壊死の結果起こる）. = necrotic cirrhosis.

postoestrum [Br.]. = postestrum.

postoestrus [Br.]. = postestrus.

post·op·er·a·tive (pōst-op′ĕr-ă-tiv). 術後〔性〕の，〔手〕術後の.

post·o·ral (pōst-ōr′ăl). 口後の（口の後方部分，あるいは口の後方にある）.

post·par·tum (pōst-pahr′tŭm). 分娩後に，産後に（分娩の後. *cf.* antepartum; intrapartum）.

post·par·tum a·to·ny 産褥子宮弛緩症（出産後の子宮壁の弛緩）.

post·par·tum blues 産後抑うつ（出産後第1週の女性の50%以上に経験される気分障害(不眠，涙もろさ，うつ，不安，易刺激性を含む).プロゲステロンの急速な離脱により生じると考えられている）.

post·par·tum hem·or·rhage 分娩後出血（分娩後24時間以内に，経腟分娩では500 mL，帝王切開では1,000 mLを超える産道からの出血）.

post·par·tum psy·cho·sis 産後精神病（出産後の母親の抑うつを伴う急性精神障害）.

post·per·i·car·di·ot·o·my per·i·car·di·tis 心筋切開後心外膜炎(心嚢炎)（胸部の外傷に続発する心外膜の炎症性変化）.

post·per·i·car·di·ot·o·my syn·drome 心膜切開後症候群（心臓手術後数週間から数か月で起こる心膜炎で，発熱をみない場合もある）. = postcommissurotomy syndrome.

post·po·li·o·my·e·li·tis syn·drome = postpolio syndrome.

post·po·li·o syn·drome (PPS) ポリオ(灰白髄炎)後症候群（以前にポリオに罹患した人の筋が進行性に筋力低下，萎縮をきたす疾患．通常，ポリオに強く侵された筋が障害されるが，他の筋も障害されることがある）. = postpoliomyelitis syndrome.

post·pran·di·al (pōst-pran′dē-ăl). 食後の，食後に起こる. = postcibal.

post·pu·ber·al, post·pu·ber·tal (pōst-pyū′bĕr-ăl, -bĕr-tăl). = postpubescent.

post·pu·bes·cent (pōst′pyū-bes′ĕnt). 思春期後の. = postpuberal; postpubertal.

post·re·mal cham·ber of eye·ball 後眼腔，硝子体眼房（レンズと網膜間の大きな房．硝子体で満たされている）. = camera postrema; camera vitrea.

post·ro·tar·y ny·stag·mus 誘発眼振（①すばやい回転運動からの誘発の後，眼に起こる反応．内耳の機能障害を決定するのに使われる．②回転活動による内耳組織への刺激後，回転の結果起こる無意識の眼の振動）.

post·sphyg·mic (pōst-sfig′mik). 拍動後の（脈波の後に起こることについていう）.

post-steady state 後定常状態（特に酵素触媒反応において，定常状態後の時間間隔．例えば，酵素触媒反応で生成物生成速度が低下するとき）.

post·syn·ap·tic mem·brane シナプス後膜（軸索終末とシナプス接合部を形成しているニューロンまたは筋線維の細胞膜の部分）.

post·tib·i·al (pōst-tib′ē-ăl). 脛骨後〔方〕の（脛骨の後方にある．脚の後方部分に位置する）.

post·trans·plant lymph·o·pro·li·fer·a·tive dis·ease 移植後リンパ球増殖症（小児における臓器移植後の合併症．単核球症様症状，扁桃腺肥大，Epstein-Barrウイルスセロコンバージョンが特徴的）.

post·trau·mat·ic (pōst′traw-mat′ik). 外傷後の（外傷の後に起こる，外傷と関連した，外傷が原因で起こることについていう）.

post·trau·mat·ic de·lir·i·um 外傷後せん妄（頭部外傷により生じるせん妄）.

post·trau·mat·ic de·men·ti·a 外傷後痴呆（頭部外傷により生じる痴呆）.

post·trau·mat·ic ep·i·lep·sy 外傷後てんかん（頭部外傷後それに関連して起こる痙攣状態．臨床的に脳損傷がみられるか，コンピュータ断層撮影のような特殊検査で脳損傷がみられる）.

post·trau·mat·ic stress dis·or·der (PTSD) 心的外傷後ストレス障害（戦闘，自然災害，拷問，虐待，強姦など一般的に通常の体験を凌駕するような心的外傷体験に伴って生じる特徴的な症状）.

post·trau·mat·ic syn·drome 外傷後症候群（臨床的な疾患で，通常，頭部外傷に続発し，頭痛，めまい，神経衰弱，刺激に対する過敏症，集中力の減退を特徴とする）.

post·trau·mat·ic ver·ti·go 外傷後のめまい（外傷にともなう不均衡さの感覚．事故後数週間および数か月間のうちに一般的に内耳が過敏になって起こる．外傷後のめまいの他の例は，前庭の結石症，外リンパの外傷，内リンパの疎水性を含む）.

post·treat·ment mor·bid·i·ty 治療後の病的状態（手術や化学療法のような治療から生じた有害な徴候あるいは症状）.

P

pos·tu·late (pos′chū-lāt). 仮定, 仮説（解析を進めるうえでの基礎として証明がなくとも自明であるか, または仮定されているものとして考えられる命題. →hypothesis; theory).

pos·tur·al (pos′chŭr-ăl). 体位の, 体位性の（体位に関する, 体位によって影響される).

pos·tur·al a·lign·ment 体位配列, 姿勢配列（身体の各部分の生体力学的な完全性を維持すること).

pos·tur·al con·trac·tion 姿勢収縮（姿勢を保つのに十分な, 筋肉の緊張（通常は等長性）の維持).

pos·tur·al drain·age 体位ドレナージ（気管支拡張症および肺膿瘍で, 患者の頭を後方に下げて気管を患部より低い位置にして行うドレナージ).

pos·tur·al Henn·e·bert test 姿勢ヘネバートテスト（患者が立っている状態で起こす外耳道への空気圧への適用. 姿勢の不安定さや前庭器官（耳石, 三半規管）への空気圧変化に対する異常な反応を測定する. platform pressure test としばしば呼ばれる. 固いプラットフォーム上で行われる時, 姿勢の安定度を定量化し記録する).

pos·tur·al hy·po·ten·sion 体位性低血圧〔症〕. = orthostatic hypotension.

pos·tur·al in·se·cur·i·ty = gravitational insecurity.

pos·tur·al po·si·tion, pos·tur·al rest·ing po·si·tion = rest position.

pos·tur·al sway re·sponse 体位動揺反応（前庭刺激により誘発される体の動揺).

pos·tur·al syn·co·pe 体位性失神, 起立性失神（直立位を保つことによる失神. 正常血管収縮機序の不全による).

pos·tur·al ver·ti·go 体位性めまい（①= benign positional vertigo. ②通常は, 横になったり腰かけた姿勢から立ち上がったときの体位変化に伴い, 特に老年者に生じるめまい感. 起立性低血圧による).

pos·tur·al walk·er = posterior walker.

pos·ture (pos′chŭr). 体位, 姿勢（四肢の位置, または全体としての体の姿勢など).

pos·ture sense 姿勢感覚（目を閉じた状態で手足が受動的に置かれる位置を認識する能力). = position sense.

pos·tur·og·ra·phy (pos′chŭr-og′ră-fē). 姿勢図検査〔法〕, 重心計検査〔法〕. = dynamic posturography.

post·vac·ci·nal en·ceph·a·lo·my·e·li·tis ワクチン後脳脊髄炎（狂犬病ワクチン後に起こる重症の脳脊髄炎).

post·val·var, post·val·vu·lar (pōst-val′văr, -val′vyū-lăr). 弁後部の（肺動脈弁または大動脈弁より末梢の部分についていう).

po·ta·ble (pō′tă-bĕl). 飲用の.

Po·tain sign ポタン徴候（大動脈拡張症の場合, 打診上の濁音界が右側では胸骨柄から第二肋間および第三胸軟骨のほうに拡大し, 上界は1つの円の部分として胸骨基部より右方に拡大する).

po·tas·si·um (K) (pŏ-tas′ē-ŭm). カリウム（アルカリ金属元素, 原子番号 19, 原子量 39.0983. 天然に豊富に産するが, 常に化合物として存在する. その塩は主に薬として使用され

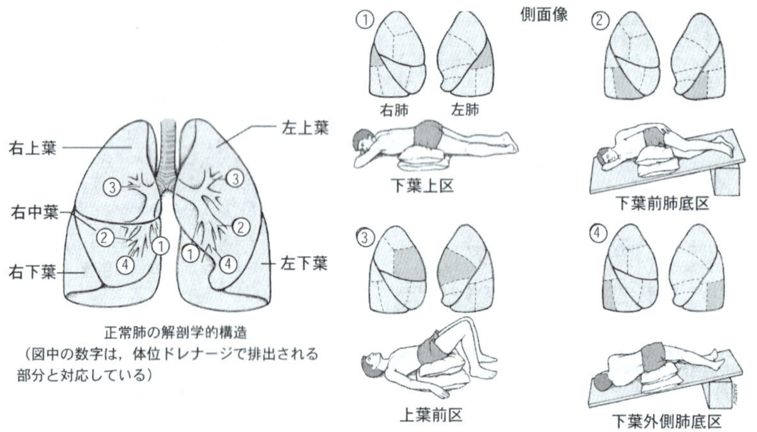
右上葉
右中葉
右下葉
左上葉
左下葉
正常肺の解剖学的構造
（図中の数字は，体位ドレナージで排出される部分と対応している）
側面像
右肺
左肺
下葉上区
下葉前肺底区
上葉前区
下葉外側肺底区

postural drainage

通常，下葉・中葉の気管支はカラで，ドレナージ時は頭部を低くするのが効果的である．重力により，排出物は小気管支気道から主気管支・気管に移動し，咳によって吐き出されやすくなる．この手技は早朝に行うと効果的である．

る). = kalium.

po·tas·si·um 39 カリウム 39（カリウムの最大存在量の非放射性同位元素．天然カリウム中に，93.1％含有している）．

po·tas·si·um-spar·ing di·u·ret·ics カリウム保持性利尿薬（カリウムを保持する薬で，例としてトリアムテレンやアミロライドがある．高血圧やうっ血性心不全に用いられる）．

po·ten·cy（pō′tĕn-sē）．*1* 潜在能〔力〕（力，勢力，強さ．力のある状態および性質）．*2* 性交能〔力〕．*3* 効力（治療学における，化合物の相対的薬理活性）．

po·tent（pō′tĕnt）．能力ある，効力ある（①力，能力，強さをもっている．②原始細胞が分化する能力をもっていることをさす．③精神医学において，性的能力を示す）．

po·ten·tial（pŏ-ten′shăl）．*1*〘adj.〙潜在〔性〕の，潜能の（まだ行われたり，存在していないが，その可能性がある）．*2*〘n.〙電位〔差〕，ポテンシャル（適当な条件下で仕事をすることができる電源の電圧．電気とポテンシャルとの関係は，熱と温度の関係に類似している）．

po·ten·tial a·cu·i·ty me·ter（PAM） ポテンシャル視力測定計（白内障術後の視力を予測する目的のために白内障を通して網膜に Snellen 視力表を投影する装置）．

po·ten·tial di·ag·no·sis 可能性診断（一定のリスク要因の存在により起こりうる健康問題．すなわち潜在的問題）．

po·ten·tial en·er·gy ポテンシャルエネルギー，位置エネルギー（物体が位置あるいは存在の仕方で潜在的にもつエネルギー．時間に作用されない）．

po·ten·ti·a·tion（pō-ten′shē-ā′shŭn）．相乗作用（2 種以上の薬物あるいは化合物の相互作用により，それぞれの薬物あるいは化合物の個々の反応の総計より大きな薬理反応を生じること）．

po·tion（pō′shŭn）．頓服水剤．

Pott ab·scess ポット膿瘍（脊椎の結核性膿瘍）．

Pott an·eu·rysm ポット動脈瘤．= aneurysmal varix.

Pott cur·va·ture ポット彎曲．= angular curvature.

Pott dis·ease ポット病．= tuberculous spondylitis.

Pot·ter-Buck·y di·a·phragm = Bucky diaphragm.

Pot·ter syn·drome ポッター症候群（肺の低形成を伴う腎臓の形成不全で，新生児期の呼吸困難，血行動態不安定，アシドーシス，浮腫と特有顔貌(Potter 顔貌)を示す．通常，尿毒症になる以前に呼吸不全で死亡する）．

Pott frac·ture ポット骨折（足の外転を伴う腓骨下部と脛骨果の骨折）．

Pott par·a·ple·gi·a ポット対麻痺（結核性脊椎炎において，脊髄への圧力により下半身と四肢が麻痺すること）．

Potts clamp ポッツ鉗子（細かい歯が数列並んでついている血管固定用の鉗子．血管をしっかりと把持することができ，しかも血管に対する損傷は少ない）．

Potts op·er·a·tion ポッツ手術（先天性心臓奇形の待機的手術として行う大動脈と肺動脈の側々吻合術）．

pouch（powch）．嚢，窩．

pouch cul·ture ビニール袋培養（腟トリコモナス *Trichomonas vaginalis* を分離，培養，検出するための検体を輸送，培養，検査するための方法）．

pou·drage（pū-drahzh′）．*1* 散剤散布〔法〕．*2* = talc operation.

poul·tice（pōl′tis）．湿布，パップ〔剤〕（種々の粉末やその他の吸収性物質を油性または水性の液体で湿したマグマ，あるいはかゆ状物質．薬物を混ぜることもあり，通常，皮膚表面に直接貼布して使用する．軟化剤，緩和剤，または刺激薬を用い，皮膚や皮下組織に対し逆刺激効果を有する）．

pound（pownd）．ポンド（重さの単位．薬剤量における 12 オンス，常衡量の 16 オンスに相当する．0.45359 kg に相当）．

Pow·as·san en·ceph·a·li·tis ポーワッサン脳炎（他の疾患と区別のつかない発熱から脳炎までの臨床的に多彩な小児の急性疾患で，Flaviviridae 科の Powassan ウイルスによって生じ，マダニによって媒介される）．

pow·der（pow′dĕr）．*1*〘n.〙粉末（ある物質の細粒の乾燥した集まり）．*2*〘n.〙散剤（製薬学用語．1 つ以上の物質からなる細かく砕いた，やや乾燥した粒状物質を均等に混和したもの）．*3*〘n.〙粉剤（粉末状の薬物の一服．薬包紙に包まれている）．*4*〘v.〙粉末にする（硬い物質を非常に細かく砕く）．

pow·er（pow′ĕr）．*1* 拡大能（光学において，レンズ屈折能）．*2* 仕事率（物理学および工学において，仕事がなされる割合）．

pox（poks）．*1* 痘（発疹の出る疾病．通常，smallpox(痘瘡)，cowpox(牛痘)，chickenpox(水痘)のように，説明的な用語を付けて限定される．各語参照）．*2* 痘疹（初期には丘疹で，後に膿疱になる発疹．慢性アンチモン中毒のときに生じる）．*3* syphilis(梅毒)の古語あるいは口語．

Pox·vir·i·dae（poks-vir′i-dē）．ポックスウイルス科（大型で複雑なウイルスの一科．皮膚組織に顕著な親和性を示し，ヒトや他の動物に対し病原性である．*Orthopoxvirus* 属，*Avipoxvirus* 属，*Capripoxvirus* 属，*Leporipoxvirus* 属，*Parapoxvirus* 属を含む多くの属が認められている）．

pox·vi·rus（poks′vī-rŭs）．ポックスウイルス（ポックスウイルス科のウイルス）．

PP pyrophosphate の略．

PPA primary progressive aphasia の略．

PPCA proserum prothrombin conversion accelerator の略．

PPE personal protective equipment の略．

PPI patient package insert の略．

PPLO pleuropneumonia-like organisms の略．

ppm parts per million(百万分率)の略．

PPO 2,5-diphenyloxazole(液体シンチレータ)；preferred provider organization の略．

PPPPPP 急性動脈閉塞症時にみられる症候を記

憶しやすいようにした6つのP (*p*ain, *p*allor, *p*aresthesia, *p*ulselessness (脈なし), *p*aralysis, *p*rostration)の頭文字.

PPS postpolio syndrome; prospective payment system; primary physician services の略.

P pul·mo·na·le 肺性P (II, III, aV_F 誘導体に高くとがった細いP波がみられ, しばしばV_1誘導ではP波の初期の正成分が著明である. 肺疾患や三尖弁狭窄で起こるような右心房肥大の特徴である).

PPV positive pressure ventilation の略.

PQ in·ter·val PQ 間隔. = PR interval.

PR per rectum の略.

Pr presbyopia の略.

PRA plasma renin activity; phosphoribosylamine の略.

prac·ti·cal nurse 付添看護師, 准看護師, 専修看護師 (学士看護師や公認看護師より責任の少ない看護ケアができるような教育プログラムを受けた者). = licensed vocational nurse.

prac·tice (prak′tis). 診療, 開業 (医学または医学に関連した職務を行うこと).

prac·tice guide·lines 診療指針 (種々の徴候に基づく医療について, 医師団が開発した推奨治療法).

prac·ti·tion·er (prak-tish′ŭn-ĕr). 開業医 (医学または医学に関連した職務を行う人).

Pra·der-Wil·li syn·drome プラダー-ヴィリ症候群 (先天性疾患で, 短身, 精神遅滞, 著しい肥満を伴う多食, および性器発育不全を特徴とする. 多くの症例で染色体の欠損を認める).

prae- →pre-.

praecava [Br.]. = precava.

praecommissure [Br.]. = precommissure.

praecoracoid [Br.]. = precoracoid.

praecordia [Br.]. = precordia.

praecordial [Br.]. = precordial.

praecordial leads [Br.]. = precordial leads.

praecordium [Br.]. = precordium.

praecornu [Br.]. = precornu.

praenaris [Br.]. = prenaris.

praenasal [Br.]. = prenasal.

prag·mat·ics (prag-mat′iks). 語用論 (記号論の一部門. 記号とその使用者(送り手と受け手)の間の関係を扱う理論).

prag·ma·tism (prag′mă-tizm). 実用主義, 実践哲学 (実際的な適用を重視し, その結果, 概念や事物の価値は現実的な世界にいかに適用するかに由来するという信念および理論をもつ哲学).

Prague ma·neu·ver プラハ操作 (単殿位で胎児後頭が後方に向いている際の児頭娩出法. 術者の一手で肩甲を娩出させつつ, 他手で恥骨結合上部を圧迫する).

Prague pel·vis プラハ骨盤. = spondylolisthetic pelvis.

pral·i·dox·ime chlo·ride 塩化プラリドキシム (有機リン酸中毒によるコリンエステラーゼの不活性化を回復させるために用いる).

pran·di·al (pran′dē-ăl). 食事の.

pra·se·o·dym·i·um (Pr) (prā′sē-ō-dim′ē-ŭm). プラセオジミウム (ランタニド元素または希土類元素, 原子番号 59, 原子量 140.90765).

Pratt symp·tom プラット症状 (壊疽の発生に先行する外傷肢の筋硬直を表す, まれに用いる語).

prax·is (prak′sis). 実習, 実行 (作業療法において, 周囲の要求に反応して行う運動行為の概念および計画).

PRE progressive-resistance exercise の略.

pre- (時間的, 空間的な)前方, 前, を意味する接頭語. →ante-; pro-(1).

pre·ag·o·nal (prē-ag′ŏ-năl). 死直前の.

preanaesthetic [Br.]. = preanesthetic.

pre·an·es·thet·ic (prē′an-es-thet′ik). 麻酔前の. = preanaesthetic.

pre·au·ric·u·lar pit = preauricular sinus.

pre·au·ric·u·lar sinus 耳瘻孔 (耳介前部の皮膚にある瘻管または小孔. 第一・第二鰓弓の発育欠損により生じる). = preauricular pit.

pre·auth·or·i·za·tion (prē′awth′ŏr-ī-zā′shun). 事前認可, 事前認定 (被保険者である患者が介護や治療を受ける場合に, 担当医がその必要性を文書で示すこと. 保険の支払が保証されているわけではない. →assignment).

pre·au·to·mat·ic pause 自動前休止 (自動ペースメーカが補足する前に心臓の活動が一時的に停止すること. →escape).

pre·ax·i·al (prē-ak′sē-ăl). 軸前〔方〕の (①体幹または(解剖学的体位において)体肢の軸より前方の. ②体肢の軸より頭方にある体肢芽の部位, すなわち上肢の橈側, 下肢の脛側についていう).

pre·bi·ot·ics (prē-bī-ot′iks). プレバイオティクス (特定のヒト大腸内の微生物叢をターゲットにした消化できない食材. ビフィズス菌や乳酸菌のような健康上利益になるものの摂取を強化する. *cf.* functional food).

pre·can·cer (prē-kan′sĕr). 前癌, 前癌状態 (ほとんどの例で悪性新生物の発生が起こると考えられる病変についていう. 前癌病変は臨床的に, または病理組織の顕微鏡的変化によって認められる場合も, 認められない場合もある).

pre·can·cer·ous (prē-kan′sĕr-ŭs). 前癌の (前癌と判断されるすべての病変についていう). = premalignant.

pre·cap·il·lary (prē-kap′i-lar-ē). 毛細血管前の (細動脈あるいは細静脈についていう).

pre·car·ti·lage (prē-kahr′ti-lāj). 前軟骨 (密に詰まった間葉細胞の集合. 胚期軟骨へ分化していく直前の状態).

pre·ca·va (prē-kā′vă). 上大静脈. = superior vena cava; praecava.

pre·cen·tral ar·e·a 中心前野 (中心前回の皮質).

pre·cen·tral gy·rus 中心前回 (後方は中心溝, 前方は中心前溝にはさまれた脳回).

pre·cen·tral sul·cus 中心前溝 (中心溝の前で, 一般的には平行する中断された溝. 中心前回の前縁をつくる).

pre·cep·tor (prē′sep-tŏr). 指導医療従事者

(経験を積んだ看護師，医師や他の健康管理職従事者で学生を含む経験のすくない者を指導し，教える人．助言者)．

pre·cer·ti·fi·ca·tion (prē′sĕr-ti-fi-kā′shŭn)．事前認可（健康管理サービスが行われる前に第三の支払者のために保険でカバーされた金額を検証する過程．これは，サービスにかかる費用すべてをカバーする保証はない)．

pre·ces·sion (prē-sesh′ŭn)．歳差運動（主磁場の周囲にできる磁気モーメントの派生的なスピン)．

pre·cip·i·ta·ble (prē-sip′i-tă-bĕl)．沈殿可能の（析出・沈殿されうることについていう)．

pre·cip·i·tant (prē-sip′i-tănt)．沈殿剤（溶液から沈殿物を生じさせる物質)．

pre·cip·i·tate *1*〚v.〛沈殿する（溶液中の物質を固体として分離させる)．*2*〚n.〛沈殿〔物〕，沈降物，沈着物（溶液あるいは懸濁液から分離される固体．特異抗原とその抗体との混合したものから生じるような小片あるいは塊)．*3*〚n.〛沈着物（ブドウ膜炎で角膜内皮層への炎症性細胞の集積(角膜後面沈着))．

pre·cip·i·tate la·bor 墜落分娩，街路分娩（胎児が急速に娩出してしまう分娩)．

pre·cip·i·ta·tion (prē-sip′i-tā′shŭn)．*1*〔沈殿〕析出（溶液や懸濁液に含まれていたものが，固体として形成される過程)．*2* 沈降〔反応〕（固有の沈降素を加えることによって血清中の蛋白が凝集する現象．→precipitate)．

pre·cip·i·tin (prē-sip′i-tin)．沈降素（適当な条件下でそれに特異的な可溶性抗原と結合し，それを溶液中で沈降させる抗体)．

pre·cip·i·tin·o·gen (prē-sip′i-tin′ō-jen)．沈降原（①動物に接種したときに特異沈降素の形成を促進する抗原．②沈降しうる可溶性の抗原)．

pre·cip·i·tin test 沈降反応（電解質の存在下で，溶解状態の抗原が加えた特異抗体と結合し沈降する試験管内反応．→gel diffusion precipitin tests)．

pre·ci·sion (prē-sizh′ŭn)．精度，精確度（①どれだけ明確に定義できるか，規定できるかという質の程度．精度の1つの指標は測定結果としてどれだけの数の値を選ぶことができるか(あるいは測定結果の桁数)である．②統計学的には測定値あるいは推定値の分散の逆数をさす．③定量的な結果の再現性．確率誤差によって示される)．

pre·clin·i·cal (prē-klin′i-kăl)．*1* 症状発現前の．*2* 前臨床〔医学〕の（医学教育で，学生が患者や臨床業務に携わる前の期間についていう)．

pre·co·cious (prē-kō′shŭs)．早熟の，早発の．

pre·co·cious pu·ber·ty 性的早熟症，思春期早発症（思春期変化が予想外に早期に始まる状態)．

pre·coc·i·ty (prē-kos′i-tē)．早熟（精神的・肉体的特徴が異常に早期にあるいは急速に発達すること．→precocious)．

pre·cog·ni·tion (prē′kog-nish′ŭn)．予知（未来の出来事について正常な感覚とは異なる手段で前もって知ること．超感覚的な知覚)．

pre·col·lag·e·nous fi·bers 膠原前線維（未熟な，好銀性線維)．

pre·com·mis·sure (prē-kom′i-shŭr)．= anterior commissure; praecommissure．

pre·con·cep·tu·al stage 前概念期（心理学用語で，現実的概念思考ができるより前の発達段階で，乳児期に相当する．この時期は感覚運動性の活動が優位に立つ)．

pre·con·scious (prē-kon′shŭs)．前意識（精神分析においては，精神の3区分のうちの1つに属する．他の2つは意識と無意識．前意識には努力することにより意識され想起されうるあらゆる観念・思考・過去の体験および他の記憶刻印が含まれている．*cf.* foreconscious)．

pre·con·vul·sive (prē′kŏn-vŭl′siv)．痙攣前の（てんかん発作における，痙攣に先立つ段階をさす．例えば前兆 aura)．

pre·cor·a·coid (prē-kōr′ă-koyd)．前烏口骨（爬虫類や両生類の肩帯にある烏口骨前部)．

pre·cor·di·a (prē-kōr′dē-ă)．前胸部（心窩部および胸郭下部の前面)．= praecordia．

pre·cor·di·al (prē-kōr′dē-ăl)．前胸部の（前胸部に関する)．= praecordial．

pre·cor·di·al leads 胸部誘導．= chest leads; praecordial leads．

pre·cor·di·um (prē-kōr′dē-ŭm)．precordia の単数形．= praecordium．

pre·cor·nu (prē-kōr′nū)．= anterior horn; praecornu．

pre·cos·tal a·nas·to·mo·sis 前肋骨吻合（甲状頸動脈および肋頸動脈のもととなる胎生期の体節間動脈の縦吻合)．

pre·cu·ne·ate (prē-kyū′nē-āt)．楔前部の（楔前部に関する)．

pre·cu·ne·us (prē-kyū′nē-ŭs)．楔前部（楔部と中心傍小葉の間にある各大脳半球の内側面の一部．頭頂下溝より上に位置し，前方は帯状溝の辺縁部，後方は頭頂後頭溝で区分される)．= quadrate lobe(3)．

pre·cur·sor (prē′kŭrs-ŏr)．前駆体，前駆物質（何かに先立つもの，あるいは何かが起こる起源となっているもの．特に生理学的には，活性型酵素，ビタミン，ホルモンなどに変化する前の不活性物質，あるいは，合成過程を通してより大きな構造に組み立てられていく化学物質を示す)．

pre·cur·so·ry car·ti·lage = temporary cartilage．

pre·de·cid·u·al (prē′dē-sid′yū-ăl)．前脱落膜の（月経周期の月経前期あるいは分泌期についていう)．

pre·den·tin (prē-den′tin)．ぞうげ前質，予成ぞうげ質，プレデンチン（石灰化する前のぞうげ質の有機原線維基質)．

pre-De·sce·met cor·ne·al dys·tro·phy デスメ膜前角膜ジストロフィ（原発性角膜後部(深層)実質の障害を伴う混濁)．

pre·de·ter·mi·na·tion (prē′dĕ-tĕr′mi-nā′shŭn)．事前決定（健康管理サービスが行われる前に第三の支払者からの払戻の金額の決定．これは，サービスにかかる費用すべてをカバーする保証はない)．

P

pre·di·a·be·tes (prē′dī-ă-bē′tēz). 糖尿病前症, 前糖尿病（耐糖能は正常であるが, 将来糖尿病を発症する危険性の高い病態(例えば家族歴などから).米国糖尿病学会により現在では用いられない語とされた).

pre·di·as·to·le (prē′dī-as′tŏ-lē). 拡張前期, 前拡張期（心臓拍動の拡張期の直前にある休止期). = late systole.

pre·di·a·stol·ic (prē′dī-ă-stol′ik). 拡張前期の, 前拡張期の（心臓拡張期の前にある末期収縮期についていう).

pre·dic·tive val·ue 予測価, 的中度（与えられた検査結果の疾病の有無に対するもっともらしさを表現したもの. 正の予測価(陽性反応的中度)は有病かつ検査結果が陽性のものと検査結果が陽性なものの人数の比であり, 負の予測価は検査結果が陰性かつ疾病をもたないものと検査結果が陰性であるものの人数の比である).

pre·di·ges·tion (prē′dī-jes′chŭn). 前消化（食物として摂取する前に蛋白(蛋白分解)やデンプン(デンプン分解)を人工的に消化しておくこと).

pre·dis·pose (prē′dis-pōz′). 素因を与える, 罹患しやすくする.

pre·dis·po·si·tion (prē′dis-pō-zish′ŭn). 素因, 疾病素質（ある疾病に対し特別な感受性を有する状態).

pre·duc·tal (prē-dŭk′tăl). 管前〔性〕の（動脈管の大動脈開口部より中枢側大動脈の部分に関する).

pre·e·clamp·si·a (PE) (prē′ē-klamp′sē-ă). 子かん(癇)前症（蛋白尿か浮腫, あるいはその両方を伴う高血圧症が, 妊娠によりあるいは最近の妊娠の影響により発現すること. 妊娠 20 週以後に発現するのが普通だが, 栄養膜に疾患があるときにはそれより早く発現することもある).

pree·mie (prē′mē). = preterm infant.

pre·ep·i·glot·tic space 前喉頭蓋腔（前方は甲状舌骨膜と甲状軟骨膜上部で, 上方は舌骨喉頭蓋靱帯で, 下方は甲状喉頭蓋靱帯で境界される空間. 側方では副(傍)声門腔へと続く. 喉頭蓋の舌骨下部の癌は前喉頭蓋腔へ進展することが多い).

pre·ex·ci·ta·tion (prē′ek-sī-tā′shŭn). 異常早期興奮（心室心筋部分の早発活性化. 異常通路を通るために房室結節における生理学的遅延を受けないインパルスによって生じる. Wolff-Parkinson-White 症候群の特徴である).

pre·ex·ci·ta·tion syn·drome 早期興奮症候群. = Wolff-Parkinson-White syndrome.

pre·ex·is·ting con·di·tion 既存状態（新しい保険証券の発効日以前に存在したあるいは治療を受けた健康問題のこと).

pre·ferred prac·tice pat·tern 優先診断ひな型（職業的実施見解内で診断してケアプランを立てるために理学療法士によって使われる状態のカテゴリー. 骨格, 神経筋, 循環器, 肺および皮膚を含む).

pre·ferred pro·vi·der or·gan·i·za·tion (PPO) 優先医療提供者機関（保険加入者への医療に対する給付の所定の率について, 参加保健医療提供者と協定する保健機関. 定額支払方式の一種. →health maintenance organization).

pre·formed Vi·ta·min A 既成ビタミンA（ビタミンAの主な貯蔵構造で, 主に動物で見つかるレチノールエステル).

pre·fron·tal ar·e·a 前前頭野（→frontal cortex).

pre·gan·gli·on·ic (prē′gang-glē-on′ik). 〔神経〕節前の（神経節より近位あるいは直前に位置する. 特に, 自律神経系の節前ニューロン(脊髄および脳幹に位置する), およびそれと自律神経節を連結している節前の有髄神経線維についていう).

preg·nan·cy (preg′năn-sē). 妊娠（受胎から妊娠の終了までの間の女性の状態). = gestation.

preg·nan·cy gin·gi·vi·tis 妊娠性歯肉炎. = hormonal gingivitis.

preg·nan·cy-in·duced hy·per·ten·sion 妊娠誘発性高血圧. = gestational hypertension.

preg·nane (preg′nān). プレグナン（プロゲステロン, プレグナンアルコール, ケトン類, および数種の副腎皮質ホルモンの核. *cf.* bioregulator).

preg·nane·di·ol (preg′nān-dī′ol). プレグナンジオール（生物学的には不活性で, 尿中にグルクロン酸抱合プレグナンジオールとして現れるプロゲステロンの主要ステロイド代謝産物. *cf.* bioregulator).

preg·nane·di·one (preg′nān-dī′ōn). プレグナンジオン（プロゲステロンの代謝産物. 比較的少量形成され, 5α または 5β の異性体として存在する. *cf.* bioregulator).

preg·nane·tri·ol (preg′nān-trī′ol). プレグナントリオール（17-ヒドロキシプロゲステロンの尿代謝産物およびコルチゾールの生合成における前駆物質. ある種の副腎皮質疾患において, またコルチコトロピン投与後その排出は増大する).

preg·nant (preg′nănt). 妊娠した(→pregnancy). = gravid.

pre·hen·sile (prē-hen′sil). つかむに適した.

pre·hen·sion (prē-hen′shŭn). 把握, 捕捉.

pre·hor·mone (prē-hōr′mōn). プレホルモン, 前駆体ホルモン（腺分泌物質で, 固有の生理活性はなく, あってもごくわずかである. 末梢において活性なホルモンになる. *cf.* prohormone; bioregulator).

pre·hos·pi·tal care プレホスピタル処置（内科的救急疾患または外傷を受けた患者の評価, 安定化, および処置. 適切な受け入れ施設への搬送など).

pre·hos·pi·tal care re·port プレホスピタル管理報告（プレホスピタル医療提供者が記入する報告書. 人口統計学的および医学的情報を, 患者の治療および搬送に関する記録とともに記載する. プレホスピタル管理報告の1部は多くの場合, 医療上の参考資料として, また患者の医療記録に含めるために, 受け入れ先の施設で保管する).

pre·hos·pi·tal pro·vi·der プレホスピタル医

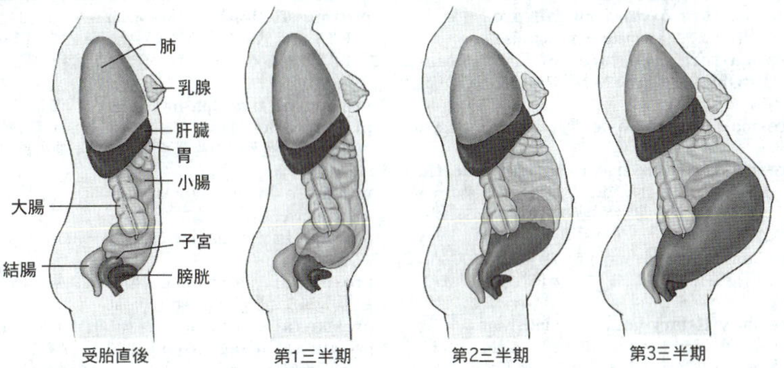
肺
乳腺
肝臓
胃
小腸
大腸
子宮
結腸
膀胱
受胎直後
第1三半期
第2三半期
第3三半期

pregnancy

受胎直後は，体型や内臓の位置にはほとんど変化はない．
第1三半期（1～12週）になると，拡張を始めた子宮が小腸を押し上げ，また乳房も徐々に拡大する．
第2三半期（13～24週）には膀胱が押し下げられて頻尿を呈する．
第3三半期（25～40週）には，拡張した子宮に押し上げられた腸が胃・肝臓・肺を圧迫する．

療提供者（内科的救急疾患または外傷の際に医療を提供する人．多くの場合，救急救命士（EMT）または救急医療士）．= emergency medical technician; paramedic.

pre·hy·per·ten·sion (prē-hī′pĕr-ten′shŭn). 前高血圧症（高血圧の予防，発見，診断，治療に関するジョイントナショナルコミッティーの第7回報告書の分類に基づくと収縮時120—139 mmHg，弛緩時80—89 mmHgの血圧をさす．この範囲の血圧は高血圧への進行予防を管理するのを認める．→holistic medicine）．

pre·ic·tal (prē-ik′tăl). 発作前の（痙攣や発作の前に起こることについていう）．

pre·in·duc·tion (prē′in-dŭk′shŭn). 前誘発（祖先の生殖細胞に対する環境の作用による孫への影響）．

pre·in·farc·tion an·gi·na = acute coronary syndrome.

pre·kal·li·kre·in (prē′kal-i-krē′in). プレカリクレイン（血漿糖蛋白で，キニノーゲンと複合体として因子XIIの活性化での補因子として作用する．プレカリクレインはまた，血漿カリクレインのプロ酵素としても働く）．= Fletcher factor.

preleukaemia [Br.]. = preleukemia.

pre·leu·ke·mi·a (prē′lū-kē′mē-ă). 前白血病．= myelodysplastic syndrome; preleukaemia.

pre·load (prē′lōd). ***1*** 前負荷（筋が収縮する前に負っている負荷）．***2*** = ventricular preload.

pre·log·i·cal think·ing 前論理的思考（小児や幼児，未開人に特徴的な具体的な思考型．統合失調症患者が，ときにこの状態に退行するといわれている）．

pre·ma·lig·nant (prē′mă-lig′nănt). 前悪性の．= precancerous.

pre·ma·ture (prē′mă-chŭr′). ***1*** 早熟の，早発の（一般的なまたは予定されたときより早く発生することについていう）．***2*** 早産の，未熟の（妊娠37週未満で生まれた児についていう）．

pre·ma·ture a·tri·al con·trac·tion (PAC) 心房製期外収縮（異所性の心房頻拍による期外の心拍動）．

pre·ma·ture birth 早産（妊娠満20週または出生時体重500 gを経ているが，37週に達していない出産．[註]日本では22週以降，37週未満の出産）．

pre·ma·ture de·liv·er·y 未熟産（妊娠22—37週未満の分娩．[註]日本では出生後の生存可能限界を22週以降に規定している．→premature birth）．

pre·ma·ture e·jac·u·la·tion 〔精液〕早漏，早発射精（性交中に男子が自ら，あるいは相手の欲求を満たさないうちに絶頂感に達し射精すること）．

pre·ma·ture in·fant = preterm infant.

pre·ma·ture junc·tion·al con·trac·tion (PJC) 接合部期外収縮（正常あるいは不正QRS群を伴う房室接合部で発生する早発の心拍動）．

pre·ma·ture la·bor 早産，早期分娩（最終月経から数えて，37週未満に分娩が開始すること．[註]日本では22週以降24週未満の分娩を未熟産として区別する）．

pre·ma·ture mem·brane rup·ture 前期破水（分娩開始前の破水）．

pre·ma·ture men·o·pause 早発閉経（40歳以前の周期的卵巣機能の障害）．= premature ovarian failure.

pre·ma·ture new·born = preterm infant.

pre·ma·ture o·var·i·an fail·ure 早発性卵巣機能不全. = premature menopause.

pre·ma·ture rup·ture of mem·branes (PROM) 前期破水（陣痛開始前に水腔が破裂すること）.

pre·ma·ture sys·to·le 早期収縮. = extrasystole.

pre·ma·ture ven·tric·u·lar con·trac·tion (PVC) 心室期外収縮（心室内での収縮．このような収縮は，患者が動悸と感じることがある）.

pre·ma·tu·ri·ty (prē′mă-chūr′i-tē). ***1*** 早熟. ***2*** 早期接触（歯科において，偏位性咬合接触のこと）.

pre·max·il·lary bone = os incisivum.

pre·med·i·ca·tion (prē′med-i-kā′shŭn). ***1*** 前投薬，プレメディケイション，準備投薬（麻酔前に，不安の緩和，鎮静，および麻酔を容易にするために患者に薬を投与すること）. ***2*** ***1*** のような目的に用いる薬.

pre·men·stru·al (prē-men′strū-ăl). 月経前の.

pre·men·stru·al dys·phor·ic dis·or·der (PMDD) 月経前不快気分障害（①月経周期の黄体期の最終週に始まり，卵胞期の開始とともに数日で軽快する広範なパターンをもつ障害で，抑うつ気分，気分の不安定さ，著しい不安，易刺激性などの組み合わせと様々な身体症状や著しい機能障害を伴う．症状は重症度において大うつ病に相当するもので，この点がより一般的な月経前症候群と区別される. →premenstrual syndrome. ②今後のさらなる研究が提唱されることを目的につくられた特定のDSM診断基準）.

pre·men·stru·al syn·drome (PMS) 月経前〔緊張〕症候群（生殖年齢の女性において，月経周期の黄体期（月経開始前）に発症し，情動障害あるいは身体的症状，体液貯留による浮腫および体重増加，イライラ，不安定な感情，抑うつなどの特徴がある）. = late luteal phase dysphoria; menstrual molimina; premenstrual tension.

pre·men·stru·al ten·sion 月経前緊張症. = premenstrual syndrome.

pre·men·stru·um (prē-men′strū-ŭm). 月経前期（月経前の数日間）.

pre·mi·um (prē′mē-ŭm). 保険料（健康保険の補償範囲を維持するための保険業者に支払わなければならない金額）.

pre·mo·lar (prē-mō′lăr). ***1*** 〖adj.〗大臼歯の前方の. ***2*** 〖n.〗小臼歯（乳歯に取って代わった永久小臼歯）. ***3*** →bicuspid.

pre·mo·lar tooth 小臼歯（通常，咬合面に2個の隆起または咬頭があり平らな歯根をもつ歯．下顎の小臼歯および上顎の第二小臼歯は単根をもち，上顎第一小臼歯は歯根に溝をもつ．小臼歯は上下顎に4歯であり，左右に2歯ずつ犬歯と大臼歯の間にある．乳歯列には小臼歯がない）. = dens premolaris; bicuspid tooth.

pre·mon·o·cyte (prē-mon′ō-sīt). 前単球（正常では循環血液中にみられない未成熟の単球）. = promonocyte.

pre·mor·bid (prē-mōr′bid). 〔発〕病前の（疾病の発症に先立つ）.

pre·mu·ni·tion (prē′myū-nish′ŭn). 相関免疫（寄生虫の感染あるいは再感染に対して，宿主に抵抗力のある状態．特にマラリアの疫学研究で用いられる）.

pre·mu·ni·tive (prē-myū′ni-tiv). 相関免疫の.

pre·my·e·lo·blast (prē-mī′ĕ-lō-blast). 前骨髄芽球（骨髄芽球の確認されうる最早期の前駆細胞）.

pre·my·e·lo·cyte (prē-mī′ĕ-lō-sīt). 前骨髄球. = promyelocyte.

pre·nar·is (prē-nā′ris). 前鼻孔. = nostril; praenaris.

pre·na·sal (prē-nā′zăl). 鼻前方の（鼻の前に位置することをいう）. = praenasal.

pre·na·tal (prē-nā′tăl). 出生前の. = antenatal.

pre·na·tal di·ag·no·sis 出生前〔胎児〕診断（子宮内の胎児疾患，胎児奇形などの診断法）.

pre·ne·o·plas·tic (prē-nē′ō-plas′tik). 新生物発生前の，前新生物の（すべての新生物，すなわち良性あるいは悪性の新生物形成に先立つことについていう）.

Pren·tice rule プレンティスの法則（レンズの1 cm中心ずれは，レンズパワー1ジオプターにつき1プリズムジオプター分の光の偏位を生じる）.

pre·op·er·a·tive (prē-op′ĕr-ă-tiv). 〔手〕術前の（手術に先立つ）.

pre·os·te·o·blast (prē-os′tē-ō-blast). 前骨芽細胞. = osteoprogenitor cell.

pre·ox·y·gen·a·tion (prē′ok-si-jĕ-nā′shŭn). プレオキシゲネーション（全身麻酔の導入前に100%酸素で脱窒素を行うこと）.

prep (prep). プレプ（皮膚あるいはその他の体表を手術のために準備すること．通常は清拭と抗生剤溶液の塗布による）.

pre·pan·cre·at·ic ar·ter·y 膵前動脈（膵背動脈の左側終末枝で，しばしば2本が膵臓頸部と鉤状突起の間を通って前上膵十二指腸動脈と動脈弓を形成する）. = arteria prepancreatica.

pre·pa·tel·lar bur·sa 膝蓋前皮下包（皮膚と膝蓋骨の下部との間にある滑液包）.

pre·pa·tent pe·ri·od 潜在期（寄生虫学で用いられる語で，微生物感染の潜伏期に同じ．寄生虫は宿主体内で発育段階が異なることから，生物学的に異なったものとして扱っている）.

pre·pon·der·ance (prē-pon′dĕr-ăns). 優位性（一方に片寄っていること，または程度や重要性が過度であること）.

pre·po·ten·tial (prē′pō-ten′shăl). 前電位（細胞膜の電気的活動の際にみられる位相の揺れとして活動電位相互間に電位が徐々に上昇すること．これによって尿管や心臓のペースメーカにみられるように自動活動の数が決まる）.

pre·psy·chot·ic (prē′sī-kot′ik). 精神病前の（①精神病の発症に先立つ時期についていう．②精神病的挿話の生じる可能性をもっていることをいう．例えば，ストレスが持続しているため緊迫感が生じてきたような状態）.

pre·pu·ber·al, pre·pu·ber·tal (prē-pyū′bĕr-ăl, -bĕr-tăl). 思春期前の.

pre·pu·bes·cent (prē′pyū-bes′ĕnt). 思春期直前の.

pre·puce (prē′pyūs). 包皮(陰茎をおおう遊離皮膚片). = preputium; foreskin.

pre·puce of clit·o·ris 陰核包皮(小陰唇の外側のひだ. 陰核をおおう鞘を形成する).

pre·pu·ti·al (pre-pyū′shē-ăl). 包皮の.

pre·pu·ti·al cal·cu·lus 包皮石(包皮下にできる結石).

pre·pu·ti·al glands 包皮腺(亀頭冠および頸の皮脂腺で, 恥垢とよばれる臭気のある物質を分泌する).

pre·pu·ti·ot·o·my (prē-pyū′shē-ot′ō-mē). 包皮切開〔術〕.

pre·pu·ti·um, pl. pre·pu·ti·a (prē-pyū′shē-ŭm, -shē-ă). 包皮. = prepuce.

pre·py·lor·ic vein 幽門前静脈(幽門の前, 十二指腸に続く部分を通る右胃静脈の源流).

pre·sac·ral fas·ci·a 仙骨前筋膜(仙骨と直腸の間にある骨盤内筋膜で, 仙骨前筋膜腔の前壁をなす. この腔には下腹神経叢が収まっている).

pre·sa·cral neu·rec·to·my, pre·sa·cral sym·pa·thec·to·my 仙骨前交感神経切除(切断)〔術〕(重症の月経困難を軽くするために仙骨前神経を切除(切断)すること). = Cotte operation.

presby-, presbyo- 老年を意味する連結形. →gero-.

pres·by·a·cu·sis, pres·by·a·cu·si·a (prez′bē-ă-kyū′sis, -kyū′sē-ă). 老年(老人)性難聴. = presbycusis.

pres·by·a·sta·sis (prez′bē-ă-stā′sis). 老人性平衡障害(加齢に伴う前庭機能障害).

pres·by·cu·sis (prez′bē-kyū′sis). 老年(老人)性難聴(加齢に伴い徐々に進行する聴力の損失. 通常は高調音に顕著だが, 発現のパターンや年齢は様々である). = presbyacusis; presbyacusia.

pres·by·o·pi·a (Pr) (prez′bē-ō′pē-ă). 老視, 老眼(老年期に眼の調節力が生理的に減損すること. 近点が 22 cm(9 インチ)以上になったときがその始まりだといわれている).

pres·by·op·ic (prez′bē-op′ik). 老視の, 老眼の.

pre·scribe (prē-skrīb′). 処方する(治療に用いる薬剤の調剤と施薬について口頭あるいは書面で指示を与える).

pre·scrip·tion (prē-skrip′shŭn). ***1*** 処方箋(治療薬の調剤と施薬について書かれたもの). ***2*** 処方, 処方箋調剤(処方箋に書かれた指示に従って調合される調剤. 正統的な処方箋の記述方法は次の 4 つの部分からなるといわれている. ⅰ 前文 *superscription* は, 処方 *recipe* あるいはそれを表す記号 ℞を書く. ⅱ本文 *inscription* は, 処方箋の主部であり薬剤の名称と量を書く. ⅲ副文 *subscription* は, 成分の混合および薬を作成する形状(錠剤, 散剤, 液剤など)を指示する. ⅳ 用法指示 *signature* は, 薬の用法と投与時間を患者に指示する. ─prescription).

pre·se·nile (prē-sen′il). 早老〔性〕の, 初老期の.

pre·se·nile de·men·ti·a, de·men·ti·a pre·se·ni·lis 初老期痴呆(① 65 歳以前に発病する Alzheimer 病. ②= Alzheimer disease).

pre·se·nil·i·ty (prē′sē-nil′i-tē). 早老, 初老(実際に年はとっていないのに, 初老期の身体的・精神的特徴を呈する状態で, 老年期まではいっていない).

pre·sent (prē-zent′). ***1*** 先進する(最初に子宮口に先進あるいは出現する. 内診で最初に触れる胎児の部分, つまり先進部についていう). ***2*** 検査, 治療などのために現れる. 患者についていう.

pre·sen·ta·tion (prez′ĕn-tā′shŭn). ***1*** 先進部(出産時に先進する胎児の部分). ***2*** 胎位(後頭部, おとがい部, 仙骨はそれぞれ頭位, 顔位, 骨盤位の基準となる. →position(3); present).

pre·sep·tal cell·u·li·tis 〔眼窩〕隔壁前蜂巣炎(眼窩隔壁より前方の組織の蜂巣炎). = periorbital cellulitis.

pre·ser·va·tive (prē-zĕr′vă-tiv). 保存薬, 防腐薬(化学的変化や細菌活動を防止するために食品や有機溶液に加える物質).

pre·so·mite (prē-sō′mīt). 前原体節期の(原体節出現前(ヒトでは 19 日より前)の胚の段階についていう).

pre·sphyg·mic (prē-sfig′mik). 拍動前の(脈拍に先立つ. 心室が血液で満たされ, 心室の収縮力が半月弁を開く前の間で, 等容性収縮期に対応する短い期間をさす).

pres·sor (pres′ŏr). 昇圧の(血管運動性を興奮させる. 血圧を上昇させる. 刺激されると血管収縮中枢を興奮させ末梢抵抗を増大させる求心性の神経線維についていう). = hypertensor.

pres·sor a·mine 昇圧アミン. = pressor base.

pres·sor base 昇圧塩基(①腸内腐敗生成物の 1 つで, 吸収されて本態性高血圧症を引き起こすと考えられているもの. ②血圧を高めるアルカリ性物質). = pressor amine.

pres·so·re·cep·tive (pres′ō-rē-sep′tiv). 圧受容〔体〕の(圧(特に血圧)の変化を刺激として受容しうる). = pressosensitive.

pres·so·re·cep·tor (pres′ō-rē-sep′tŏr). = baroreceptor.

pres·sor fi·bers 昇圧〔神経〕線維(刺激により血管収縮および血圧上昇を引き起こす感覚神経線維).

pres·sor nerve 昇圧神経(求心性神経で, これを刺激すると反射的に血管収縮を起こし, 血圧を上昇させる).

pres·so·sen·si·tive (pres′ō-sen′si-tiv). = pressoreceptive.

pres·sure (presh′ŭr). 圧, 圧力, 圧迫(①抵抗に対してすべての方向で作用する応力, 力. ②(記号 P. しばしば場所を表す添字が付く). 物理学および生理学において, 気体や液体がその容器の壁に対して及ぼす単位面積当たりの力. あるいは流体の中央につかっている壁が受ける単位面積当たりの力. 圧力はある基準圧力, 例えば(壁の片側が接している)周囲大気圧に対して相対的なものと考えられるし,(完全真空中に置かれた場合のように)絶対的なものとなること

P

もある).

pres·sure al·o·pe·ci·a 圧迫性脱毛〔症〕(長時間の手術の際，あるいは薬を飲みすぎて意識不明の状態になり，後頭部が持続的に圧迫されることによって，通常，後頭部の毛髪が限局性に脱落すること).

pres·sure-con·trolled in·verse ra·ti·o ven·ti·la·tion (PCIRV) 圧制御逆比換気(積極的に重い呼吸困難患者に使われる圧換気のモード(例えばARDS). 肺コンプライアンスやガス交換が呼吸時に改善するよう圧力が継続的に下がるように調整されている).

pres·sure con·trolled ven·ti·la·tion 圧制御換気法(患者の自発呼吸とはかかわりなく行われる機械的換気法で，どのくらいの空気を受けとるかでは濃度と時間とともに圧が主要な変数である).

pres·sure dress·ing 圧迫包帯(組織への体液の貯留を予防する目的で，患部に圧力をかけて行う包帯法. 皮膚移植術や熱傷の治療で最も頻用される).

pres·sure e·pi·phy·sis 長骨の関節接合端における骨化の副次的中心.

pres·sure e·qua·li·za·tion (PE) tube 圧平衡チューブ(鼓膜換気チューブ)(持続的に中耳換気をするための鼓膜に留置されるチューブ. 慢性中耳炎(滲出性中耳炎)を改善するためによく使われる).

pres·sure pa·ral·y·sis 圧迫麻痺(神経，神経幹，または脊髄の圧迫による麻痺).

pres·sure point 圧覚点(圧覚がある皮膚上の部位).

pres·sure pulse dif·fer·en·ti·a·tion 圧脈拍微分(入力の変化分で，血圧の場合は dP/dt，非侵襲的な記録の場合は変移の割合 dD/dt で示される出力計算法).

pres·sure-reg·u·la·ted vol·ume con·trol (PRVC) 圧制御従量式換気(機械的換気装置のモード).

pres·sure re·ver·sal 加圧逆転(加圧することで麻酔を終わらせる. 麻酔薬の作用機序の理解のうえで重要である).

pres·sure sense 圧覚(表面への圧力の程度を区別する能力). = baresthesia; piesesthesia.

pres·sure sore とこずれ，褥瘡. = decubitus ulcer.

pres·sure sta·sis 圧迫性うっ血. = traumatic asphyxia.

pres·sure sup·port ven·ti·la·tion (PSV) 圧維持換気法(呼吸が一定圧で規定された量の維持を誘導する機械換気補助法).

pres·sure tap·ping = intermittent compression (2).

pres·sure time in·dex (PTI) 血圧時間指数(動脈血圧曲線の拡張期成分の面積の計算. 左心室の容積指数や拡張期高血圧や慢性的肺疾患における心室への負荷を決定するのに使われる).

pres·sure ul·cer 圧迫潰瘍. = decubitus ulcer.

pres·sure ven·ti·la·tor 加圧型人工呼吸器(設定圧力に到達するまで吸入気を肺内に送るように設計された装置).

pres·sure-vol·ume in·dex 圧-容積指数(脳脊髄液の流体力学的評価法).

pres·sure wave·form 圧波形(心周期に関連した血管内または心腔内圧のグラフ表示で，オシロスコープのモニター画面またはそのハードコピーとして呈示される).

pre-stead·y state 前定常状態(定常状態に達する前の状態および時間間隔).

pre·sumed oc·u·lar his·to·plas·mo·sis 推定眼ヒストプラスマ症(網脈絡膜萎縮を伴った黄斑部の網膜下血管新生と視神経乳頭周囲の色素増殖. 眼底周辺部にヒストスポット histospots とよばれる網脈絡膜萎縮巣がある. *Histoplasma capsulatum* 感染の続発症と考えられている).

pre·sump·tive signs of preg·nan·cy 妊娠に伴う母体の徴候(妊娠を示唆する徴候であるが，妊娠以外にもしばしばみられる. 妊娠初期の段階で起こり，主観的なものである. 無月経，吐気，嘔吐，頻尿，倦怠感などがこれにあたる).

pre·sup·pu·ra·tive (prē-sŭp′yūr-ă-tiv). 化膿前の(炎症において膿形成に先立つ初期段階をいう).

pre·syn·ap·tic (prē′si-nap′tik). シナプス前〔部〕の，接合部前〔部〕の(シナプス間隙の近位側の領域についていう).

pre·syn·ap·tic mem·brane シナプス前膜(軸索終末がシナプス接合部を形成するニューロンまたは筋線維の，形質膜に面した軸索終末の形質膜の部分. →synapse).

pre·sys·to·le (prē-sis′tō-lē). 収縮前期，前収縮期(収縮期直前の拡張期).

pre·sys·tol·ic (prē′sis-tol′ik). 収縮直前に関連した末期拡張期の.

pre·sys·tol·ic gal·lop 収縮前期奔馬調律，前収縮期奔馬調律(拡張後期の奔馬調律で，心房収縮に続く強力な心室充満によって聴取しうる第 4 心音との合成音).

pre·sys·tol·ic mur·mur 収縮前期雑音，前収縮期雑音(心室拡張の末期(洞調律の場合は心房収縮中)に聴取される雑音. 通常は房室弁口の障害によって生じる).

pre·sys·tol·ic thrill 前収縮期振せん(僧帽弁狭窄のように心室が収縮する直前に心尖上を触診したときに感じる振動).

pre·tar·sal (prē-tahr′săl). 瞼板前部の(瞼板の前方部または下方部をさす).

pre·term in·fant 早期〔産〕児(在胎月齢が 20 週以上満 37 週(259 日)未満の新生児). = preemie; premature infant; premature newborn; preterm newborn.

pre·term mem·brane rup·ture 早産での破水(満期以前(妊娠 37 週未満)の破水).

pre·term new·born = preterm infant.

pre·tib·i·al fe·ver 前脛骨熱(ノースカロライナ州フォートブラッグの軍人のあいだで初めてみられた軽症の疾患. 発熱，中等度の疲はい，脾腫，および下肢前部の発疹を特徴とする. *Leptospira interrogans* の血清型亜種 *autumnalis* による). = Fort Bragg fever.

pre·tib·i·al myx·e·de·ma 前脛骨粘液水腫.

= circumscribed myxedema.

pre·tra·che·al lay·er of cer·vi·cal fas·ci·a 頸筋膜の気管前葉（横突起の前部および椎体に付着した筋や頸部椎体をおおう頸部筋膜の部分）.

pre·treat·ment mor·bid·i·ty 治療前状態（処置の開始直前における病気の状態と症状の度合い）.

prev·a·lence (prev′ă-lĕns). 有病率, 有病割合（ある集団を, ある期間観察したとき（期間有病率）, あるいはある一時点で観察したとき（点有病率）, ある疾患に罹患している患者の割合）.

pre·ven·tive (prē-ven′tiv). 予防の, 予防的な. = prophylactic(1).

pre·ven·tive den·tis·try 予防歯〔科〕学（う食の発生, 進行, 再発の予防を目的とした, 歯科的な実践法および実践哲学）.

pre·ven·tive med·i·cine 予防医学（医学の一分野で, 疾病の病因論的, 疫学的研究を通じて, 疾病を予防し, 身体的・精神的健康度を増進する）.

pre·ven·tive nur·sing 予防看護（健康増進と病気と怪我の予防を目的とした看護と介護のこと）.

pre·ver·te·bral gan·gli·a 脊椎前神経節（脊椎前方にある交感神経節（腹腔, 大動脈腎, 上下腸間膜動脈の各神経節）で, 交感神経幹の神経節（脊椎傍神経節）と区別される. これらの神経節の大部分は腹大動脈から出る枝の起始部周辺にあり, その節後交感性線維は動脈周囲神経叢を経て腹部骨盤部内臓に達する）.

pre·ver·te·bral lay·er of cer·vi·cal fas·ci·a 頸筋膜の椎前葉（横突起の前部および椎体に付着した筋や頸部椎体をおおう頸部筋膜の部分）.

pre·vi·us (prē′vē-ŭs). 邪魔になる（産道にある障害物に関していう）.

Pre·vo·tel·la (prev′ō-tel′ă). プレボテラ属（グラム陰性, 非運動性, 非芽胞形成性, 偏性嫌気性, 有機栄養性の多形性杆菌である属. 以前に *Bacteroides* 属に分類されていた多くの種を含む）.

Pre·vo·tel·la bi·vi·a ヒト腟内に高濃度に存在する *Prevotella* 属の種.

Pre·vo·tel·la den·ti·co·la ヒト口腔内にみられる細菌種. 口腔および近傍組織の感染源となる.

Pre·vo·tel·la hep·a·ri·no·lyt·ic·a ヒト歯周疾患に関与する細菌種.

Pre·vo·tel·la in·ter·me·di·a 特に歯肉炎および他の口腔感染症に関連し, 歯肉溝にみられる細菌種.

Pre·vo·tel·la mel·a·nin·o·gen·i·ca 口腔や糞便にみられる種で, 口腔, 軟組織, 呼吸器, 泌尿生殖器, 消化管に感染する. 歯周病に関与している. 吸引物中からも分離される. *Prevotella* 属の標準種. = *Bacteroides melaninogenicus*.

PRF prolactin-releasing factor の略.

PRH prolactin-releasing hormone の略.

pri·a·pism (prī′ă-pizm). プリアピスム,〔有痛性〕持続勃起〔症〕, 陰茎強直〔症〕（陰茎の持続的な勃起. 自発痛, 圧痛を伴う. 性欲よりも病的状態に起因する）.

Price-Jones curve プライス-ジョーンズ曲線（赤血球の直径の分布曲線）.

prick·le cell 有棘細胞（表皮の有棘層の細胞. 組織標本に生じる典型的な収縮した人工的産物のため, デスモソーム結合の部位で細胞間橋が生じるためにこのように名付けられた）.

prick·le cell lay·er 有棘細胞層. = stratum spinosum epidermidis.

prick·ly heat = miliaria rubra.

prim-, primi- 第一を意味する連結形.

pri·mal (prī′măl). ***1*** 最初の, 第一の, 一次〔性〕の, 始原の. ***2*** = primordial(2).

pri·mal scene 原光景（小児が特に親の性交渉を実際にまたはファンタジーとして見てしまうことをさす精神分析的用語）.

pri·mar·y (prī′mar-ē). ***1*** 一次〔性〕の, 原発〔性〕の（他の疾患が二次的に生じたり, 併発したりする原疾患や症状）. ***2*** 始原の（成長や発達の第1段階についていう. →primordial）.

pri·mar·y ad·he·sion 一次癒合. = healing by first intention.

pri·mar·y a·dre·no·cor·ti·cal in·suf·fi·cien·cy 一次性副腎皮質不全（副腎皮質の疾病, 破壊, または外科的除去により生じる副腎皮質不全）.

pri·mar·y al·co·hol 第一級アルコール（1価の基 $-CH_2OH$ を特徴とするアルコール）.

pri·mar·y al·do·ste·ron·ism 原発性アルドステロン症（アルドステロンの過剰分泌により誘発され, 頭痛, 夜間多尿, 多尿, 疲労, 高血圧, カリウム欠乏, 低カリウム性アルカローシス, 循環血液量過多, および血漿レニン活性の減少を特徴とする副腎皮質障害. 小型で良性の副腎皮質腺腫を合併することもある）. = Conn syndrome; idiopathic aldosteronism.

pri·mar·y a·men·or·rhe·a 原発〔性〕無月経（最初から月経がないこと）.

pri·mar·y am·ide →amide.

pri·mar·y a·mine 第一アミン（→amine）.

pri·mar·y am·y·loi·do·sis 原発性アミロイドーシス（他の疾患の合併が認められないアミロイドーシス. 舌, 肺, 腸管, 皮膚, 骨格筋, および心筋の動脈壁および間葉組織を広範に侵す傾向があり, 生命機能を障害する. 本疾患のアミロイドはコンゴーレッドに対する通常の親和性を必ずしも示さず, 隣接組織に異物様の炎症反応を引き起こすことがある）.

pri·mar·y an·es·thet·ic 一次麻酔薬（麻酔薬の混合投与において, 感覚の消失に最も寄与する化合物）.

pri·mar·y at·el·ec·ta·sis 原発性無気肺（すべての死産児と, 呼吸機能の確立以前に死亡する新生児にみられる無気肺）.

pri·mar·y a·typ·i·cal pneu·mo·ni·a 原発性非定型性肺炎, 原発性異型肺炎（肺も含めた急性の全身性疾患の1つ. 通常, 肺炎マイコプラスマ *Mycoplasma pneumoniae* によって引き起こされ, 発熱, 咳が著明だが, 身体所見は比較的乏しく, 胸部X線写真では散布性の斑状影を

P

認める．通常，寒冷凝集素の形成と，感染微生物に対する抗体産生を伴う）．= atypical pneumonia; mycoplasmal pneumonia.

pri·mar·y blast in·jur·y 第一爆発外傷（広範囲にわたるが，えぐられただけではなく大爆発による圧力によって引き起こされる流動体が詰まった器官の外傷）．

pri·mar·y brain ves·i·cle 原始脳胞．= cerebral vesicle.

pri·mar·y bron·chi·al buds 一次気管支芽（気管芽から分岐して現れる最初の気管支芽で，主気管支を生じさせる）．

pri·mar·y care プライマリケア，初期〔包括〕医療（外来患者の保健医療の出発点となる家庭医学，内科，産婦人科，あるいは小児科のような継続的，包括的，予防的な保健医療サービス）．

pri·mar·y care phy·si·cian プライマリケア医師（患者が保健医療の目的で，外来施設で最初にかかったホームドクター，内科医，産婦人科医，または小児科医．→health care provider）．

pri·ma·ry cen·ter of os·si·fi·ca·tion 第一次骨化の中心．= primary ossification center.

pri·mar·y com·plex 初期変化群（初感染肺結核の典型的病巣で，小末梢病巣と肺門あるいは傍気管リンパ節病巣よりなる）．

pri·mar·y den·tin 原生ぞうげ質（歯根が完成する前に形成されるぞうげ質）．

pri·mar·y den·ti·tion 第一生歯．= deciduous tooth.

pri·mar·y de·vi·a·tion 一次偏位，一次ずれ（外眼筋麻痺があり，麻痺眼でない眼で固視した場合の両眼の視線のずれ）．

pri·mar·y di·ges·tion 一次性消化（消化管内の消化）．

pri·mar·y dis·ease 原疾患，一次疾患（原発的な疾病で，既往疾患・傷害・事故を原因としたり，またこれらと関係したりしていないものの，二次疾患につながることもある）．

pri·mar·y dye test 色素試験第I法（フルオレセイン点眼後スワブを用いて下鼻甲介下へのフルオレセイン色素の出現を検査することによる涙道排出路の検査）．= Jones I test.

pri·mar·y dys·men·or·rhe·a 一次性月経困難〔症〕（機能障害により起こる月経困難症で，炎症，新生物，解剖学的要因によるものではない）．= essential dysmenorrhea; functional dysmenorrhea; intrinsic dysmenorrhea.

pri·mar·y fis·sure of cer·e·bel·lum 小脳第一裂（小脳の最も深い溝で，前葉と後葉とを分画している．第二裂は胎生期にのみ出現する）．

pri·mar·y gain 一次性利得（情動負荷を，器質疾患（例えば，ヒステリー性盲または麻痺）に目に見える形で転換して，対人的，社会的，ないし経済的利益を得ること．*cf.* secondary gain）．

pri·mar·y he·mo·chro·ma·to·sis 原発性ヘモクロマトーシス（特異な遺伝的な代謝性疾患で，普通食をとっていても鉄吸収の増加と蓄積とが起こる）．

pri·mar·y hem·or·rhage 原発〔性〕出血，一次出血（損傷または手術直後の出血．intermediate hemorrhage（中間出血）や secondary hemorrhage（後出血）と区別される）．

pri·mar·y her·pet·ic gin·gi·vo·sto·ma·ti·tis = primary herpetic stomatitis.

pri·mar·y her·pet·ic sto·ma·ti·tis 原発性ヘルペス〔性〕口内炎（単純疱疹ウイルスによる口腔組織の初感染．歯肉炎，小水疱，潰瘍を伴うのが特徴）．= primary herpetic gingivostomatitis.

pri·mar·y hy·per·ten·sion 原発性高血圧〔症〕．= essential hypertension.

pri·mar·y im·mune re·sponse 初期免疫反応，第一次免疫反応（→immune response）．

pri·mar·y lat·er·al scle·ro·sis 原発性側索硬化症（運動ニューロン疾患の亜型と考えられている．大脳皮質の運動ニューロンの緩徐進行性変性疾患で，上位運動ニューロン障害による広汎性脱力を起こす．痙直，反射亢進，Babinski 徴候がみられるが，線維束電位はみられず，下位運動ニューロン障害の電気診断所見もみられない）．

pri·mar·y ly·so·somes 一次リソソーム（Golgi 装置で産生される加水分解酵素を含むリソソーム．これはファゴソームやピノソームと融合して二次リソソームになる）．

pri·mar·y non·dis·junc·tion 一次不分離（先に正常細胞で起こる不分離）．

pri·mar·y nur·sing 一次看護（入院患者に行う看護医療の方法で，1人の看護師が特定の患者の24時間にわたる医療計画を立てる．一次看護師は勤務中に担当患者の看護を直接行い，また他の保健管理チームのメンバーと協力しながら，医療計画，会議，委託を通して患者の医療を管理・監督する責任を負う）．

pri·mar·y o·o·cyte 一次卵母細胞（一次還元分裂以前または成長期の卵母細胞）．

pri·ma·ry os·si·fi·ca·tion cen·ter 第一次骨化の中心（長骨の骨幹や不規則形骨の骨体で骨の形成が始まる最初の個所）．= primary center of ossification.

pri·mar·y o·var·i·an fol·li·cle 一次卵胞（卵胞腔ができる前の卵胞．卵細胞と卵胞細胞の発育変化が著しく，卵胞細胞は1つ以上の立方状または円柱状細胞層を形成する．卵胞は間質鞘，卵胞膜によって囲まれるようになる）．

pri·mar·y pre·ven·tive nur·sing 初期予防看護（健康増進を目的とする看護介入やケア．初期予防ケアの焦点は健康的な生活習慣の促進や健康を損なう主なリスク要因の減少を含む．栄養，運動，休養，免疫力，事故(例えば，交通事故外傷，自転車，銃，毒)の回避，安全な環境，精神衛生，禁欲，安全なセックスに重きを置く．肥満，アルコールや薬物の乱用，事故，身体的もしくは精神的虐待，性的乱交および喫煙のリスクを減らすような生活習慣の促進）．

pri·mar·y pro·cess 一次過程（精神分析において，エスと関連した原始的な生命力の機能に直接関係する精神過程．無意識の精神活動を特徴とする．組織されていない非論理的思考を特徴とし，本能的欲求を直接に放出し満足させようとする傾向がある．*cf.* secondary process）．

pri·mar·y pro·gres·sive a·pha·si·a (PPA)

原発性進行性失語症（初期の主な症状は失語症で，それが次第に重症になり，通常の場合，やがて痴呆を伴う変性疾患）.

pri·mar·y pul·mo·nar·y lob·ule 一次肺小葉，呼吸小葉. = pulmonary acinus.

pri·mar·y se·nile de·men·ti·a 一次性老年(老人)痴呆，原発性老年(老人)痴呆. = Alzheimer disease.

pri·mar·y sex char·ac·ters 一次性徴（性腺，精巣，卵巣，副性器）.

pri·mar·y sper·ma·to·cyte 〔第一〕精母細胞（増殖期に精原細胞に由来する精母細胞，減数分裂の最初の分裂を行う）.

pri·mar·y stut·ter·ing 一次性構音障害（言葉または言葉の一部をゆっくりと反復することが特徴の非流暢の形態．不安の徴候は伴わない．より重症な構音障害の前駆症状である可能性がある）.

pri·ma·ry sur·vey = initial assessment.

pri·mar·y syph·i·lis 一期梅毒，早期梅毒，初期梅毒（梅毒の第1段階. →syphilis）.

pri·mar·y tooth 第一生歯. = deciduous tooth.

pri·mar·y tu·ber·cu·lo·sis 一次(初期)結核〔症〕，初感染結核〔症〕（肺辺縁部病巣とその肺門あるいは傍気管リンパ節への進展から形成される初期変化群の肺内での形成を特徴とする結核菌 *Mycobacterium tuberculosis* の初感染で，特に小児にみられるものであるが成人にもみられる．空洞化したり，瘢痕で治癒したり，悪化進展しうる）.

pri·mar·y un·ion 一次癒合. = healing by first intention.

pri·mate (prī′māt). 霊長類（霊長目に属する個体）.

prime mo·vers 主力筋（与えられた動きに対してただ一つの主な役割をもつ筋肉．例えば，ひじを曲げるための上腕二頭筋，第二の屈筋は腕橈骨筋と上腕筋）.

pri·mi·grav·i·da (prī′mi-grav′i-dă). 初妊婦（→gravida）.

pri·ming (prīm′ing). プライミング（チューブに気泡が入らないように点滴容器の液体をチューブに流す工程）.

pri·mip·a·ra (prī-mip′ă-ră). 初産婦（→para）.

pri·mi·par·i·ty (prī′mi-par′i-tē). 初産.

pri·mip·a·rous (prī-mip′ă-rŭs). 初産の.

prim·i·tive (prim′i-tiv). 初期の，始原の，最初の. = primordial(2).

prim·i·tive groove 原始溝（原始線条の中央陥凹．原始隆線と接する）.

prim·i·tive gut 原腸，原始腸管 = primordial gut.

prim·i·tive knot 原始結節. = primitive node.

prim·i·tive node 原始結節（胚の原始線条頭端にみられる胚盤の局所的肥厚）. = Hensen node; primitive knot.

prim·i·tive re·flex 原始反射（成熟した胎児および新生児に普遍的にみられる神経筋反応のことで，通常は出生後1年以内に消失するものをさす．中枢神経系に障害をもつ成人にみられることもある）.

prim·i·tive streak 原始線条（胚盤の尾側端正中線上にみられる外胚葉原基の隆起．これは細胞の内側，次いで外側への移動によりできる．ヒトの胚子では15日目に現れ，明視下での頭尾軸の形状を付与する）.

pri·mor·di·a (-ă). primordium の複数形.

pri·mor·di·al (prī-mōr′dē-ăl). ***1*** 原基の. ***2*** 始原の（発生の第1段階または初期段階における胚の構造についていう）. = primal(2); primitive.

pri·mor·di·al gut 原腸，原始腸管（胎芽の体幹(頭部尾部側方ひだ)ひだ形成によって管状に変化する内胚葉性のシート状の膜）. = primitive gut.

pri·mor·di·al o·var·i·an fol·li·cle 原始卵胞（単層扁平の卵胞細胞層に取り囲まれた卵母細胞）.

pri·mor·di·al sex cords 原始生殖索（未分化生殖腺の状態のとき，生殖提の上皮から起こる細胞索．胚子(男)では輸精索を，胚子(女)では皮質索を形成する）. = germinal cords.

pri·mor·di·um, pl. **pri·mor·di·a** (prī-mōr′dē-ŭm, -ă). 原基（器官初期形成における痕跡的構造をなす胚細胞群）. = anlage(1).

prin·ceps, pl. **prin·ci·pes** (prin′seps, -si-pēz). 主の（解剖学で数種の動脈のうち，最も大きく重要なものを区別する用語）.

prin·ceps pol·li·cis ar·te·ry 母指主動脈（橈骨動脈深掌動脈弓より起こり，手掌面，母指の両側面に分布する．母指背の動脈と吻合）.

prin·ci·pal di·ag·no·sis 主〔要〕診断，基本診断（検査や試験の結果，患者が保健医療サービスを必要とする主な理由となった診断のこと）.

prin·ci·pal op·tic ax·is 主視軸（屈折系のレンズの中心を表面に対して直角に通る線）.

prin·ci·pal point 主点（一点の対象が他の点に拡大も縮小も逆転も生じずに正確に結像する眼軸上の2点のうちの1つ）.

prin·ci·ple (prin′si-pĕl). ***1*** 原理，原則（一般的または基本的な学説や教義. →law; rule; theorem）. ***2*** 成分（ある物質における基本的成分．特にその特徴的性質や効果を与える成分）.

PR in·ter·val PR 間隔（心電図上で P 波の開始から次の QRS 群の開始までの時間．静脈波の a-c 間隔に一致し，通常は 0.12—0.20 sec）. = PQ interval.

Prinz·met·al an·gi·na プリンズメタル(プリンツメタル)型狭心症（狭心症の一型．心臓負荷により痛みが増悪せず，持続が長く，通常はより重症で，典型的な狭心症では通常低下する誘導で，ST 部分が上昇するという非典型的な心電図徴候を伴う点で，典型的な狭心症と異なる．そして通常，対側性の ST 変化を示さず，また症状は夜間就寝中に起こる．治療はニトログリセリンまたは β 遮断薬で行う．註最近では後記3語は同義語ではなく，Prinzmetal angina は後記3語の一部と考えられている）. = angina inversa; variant angina pectoris; variant angina.

pri·on (prī′on). プリオン. = prion protein.

pri·on pro·tein プリオン蛋白（小さな感染能力をもった蛋白性の粒子で，核酸成分を欠く．ヒトでは4種類の神経変性疾患の病原因子．散

P

発性，遺伝性，感染性のいずれかの発症様式をとる．ヒトのものにはクールー(海綿状脳症)，Creutzfeldt-Jakob 病，Gerstmann-Sträussler-Scheinker 症候群，致死性家族性不眠症がある．プリオン蛋白をコードする遺伝子は第 20 染色体にある)．= prion.

prism (prizm)．プリズム，三稜鏡，角柱（透明体で一定の斜めの角度を有する面をもつ．光線を最も厚い部(基底部)に向かって屈折し，白色光を，その構成色調に分離する．眼鏡においては眼筋の不均衡を矯正する)．

pris·ma, pl. pris·ma·ta (priz′mă, priz′mă-tă)．プリズムに似た構造．

prism bar プリズムバー(棒)（枠の中に組み込まれた強⇄弱のプリズム列で，眼科の診断に用いる)．

pri·sm di·op·ter (∂) プリズムジオプトリー（プリズムを通り抜ける光の偏差の測定の単位．1 m の距離につき 1 cm の偏向を単位とする)．

pri·va·cy (prī′vă-sē)．プライバシー（①他人と離れていること．隔離，秘密．②特に精神医学と臨床心理学において，治療者-患者関係の秘密を守る信頼性を尊重すること)．

pri·vate du·ty nurse 付添看護師（①病院職員ではなく，患者ないしは患者の家族によって雇われ，報酬を受けて患者のケアを行う看護師．②特殊の疾病，例えば，外科症例，結核，小児の疾病などの患者の世話を専門にする看護師)．

pri·vate hos·pi·tal 私立病院，個人病院（①組合病院と似ているが，単独の開業医またはその開業医とその診療所や関連の人々によって管理されるものは除かれる．②営利目的で開設された病院)．

priv·i·leged site 免疫学的聖域，免疫学的寛容部位(域)（解剖学的にリンパ液の灌流を受けない部位で，脳，角膜，ハムスターの頬嚢などがこれにあたる．ここでは宿主の感作が起こらないので，異種の腫瘍が増殖できる)．

PRL prolactin の略．

PRN ラテン語 *pro re nata*（必要に応じて，臨機応変に)の略．

PRO peer-review organization の略．

Pro プロリンまたはプロリルを表す記号．

pro- ***1*** 前，前方を意味する接頭語．→ante-; pre-. ***2*** 化学において，…の前駆物質を表す接頭語．→ -gen.

pro·ac·cel·er·in (prō′ak-sel′ĕr-in)．プロアクセレリン．= factor V.

pro·ac·ro·so·mal gran·ules 前先体顆粒（精細胞の Golgi 装置小胞内に出現する炭水化物に富んだ小顆粒で，先体小胞内に含まれる単一の先体顆粒と癒合する)．

pro·ac·ti·va·tor (prō-ak′ti-vā-tŏr)．前駆賦活体，プロアクチベータ（化学分解して，他の物質に酵素活性を与えうるフラグメント(賦活体)を産生する物質)．

prob·a·bil·i·ty (prob′ă-bil′i-tē)．確率（①仮説や命題のもっともらしさの程度を表す，0—1 の範囲にある指標．②一連の N 回のランダム試行の中でのあるイベントの相対頻度の，N を無限に近づけたときの極限)．

prob·a·ble signs of preg·nan·cy 妊娠を強く疑わせる徴候（確からしい徴候とは推定の徴候よりもより確実であるが，確定的ではない．基礎体温の上昇，乳房の圧痛や増大，しみ，黒線，チャドウィック徴候，腹部膨満，子宮頸部軟化，子宮の固まり具合，胎動，妊娠判定テスト陽性反応など)．

pro·bac·te·ri·o·phage (prō′bak-tēr′ē-ō-fāj)．プロ〔バクテリオ〕ファージ（テンペレートファージのゲノムが細菌宿主の染色体に組み込まれている状態)．= prophage.

pro·band (prō′band)．発端者（人類遺伝学において，ある家族を研究する発端となる患者またはその家族の成員)．= index case.

probe (prōb)．***1*** 〚n.〛消息子，探針，ゾンデ（柔軟性のある材質でできた先の丸まった細い棒．洞，瘻孔，その他の空洞，あるいは創を探査するのに用いる)．***2*** 〚n.〛プローブ（ある物質を見出したり，測定するための器具または薬物．例えば，特定の DNA または RNA 断片あるいは特定の細菌コロニーの存在を検出するのに使う分子)．***3*** 〚v.〛消息子などを使って探りを入れる．

probe sy·ringe 消息子注射器（涙道疾患の治療に用いるオリーブ様の形をした尖端を有する注射器)．

pro·bi·o·sis (prō′bī-ō′sis)．共生（双方の生命過程を強める 2 つの生物の関係．*cf.* antibiosis (1); symbiosis; mutualism)．

pro·bi·ot·ic (prō′bī-ot′ik)．共生の．

prob·lem-o·ri·ent·ed med·i·cal rec·ord (POR, POMR) 問題志向型記録（主問題によって患者の情報をまとめることを目的とした医療記録のひな型．この記録では，患者のデータベース，問題点のリスト，医療計画，経過の記録を利用可能な形式で記載する)．

pro·cap·sid (prō-kap′sid)．プロカプシド，プロキャプシド（ウイルスゲノムをもたない蛋白の外殻)．

pro·car·box·y·pep·ti·dase (prō′kahr-boks′ē-pep′ti-dās)．プロカルボキシペプチダーゼ（カルボキシペプチダーゼの不活性前駆体)．

pro·car·y·ote (pro-kar′ē-ōt)．原核生物．= prokaryote.

pro·car·y·ot·ic (prō′kar-ē-ot′ik)．原核生物の．= prokaryotic.

pro·ce·dur·al mem·o·ry 手続き記憶（ある課題を遂行するために必要な知識)．

pro·ce·dure (prŏ-sē′jŭr)．手技，処置，方法，〔手〕法（治療や手術の行為，手法．→method; operation; technique)．

pro·ce·dure code 手順コード（患者に与えられる健康管理サービスを特定するための HIPAA が指定する番号)．

pro·ce·li·a (prō-sē′lē-ă)．側脳室（脳の側脳室．前脳の凹部)．= procoele; procoelia.

pro·cen·tri·ole (prō-sen′trē-ōl)．前中心子（中心体から中心子あるいは基底体が全合成される初期の状態．ジューテロソーム(procentriole organizers)との関係下に形成される)．

pro·ce·phal·ic (prō-sĕ-fal′ik)．前脳の，前頭の．

pro·ce·rus mus·cle 鼻根筋（前額中央の顔面

筋．起始：鼻稜をおおう膜．停止：前頭筋．作用：前頭筋の補助．神経支配：顔面神経の枝）．= musculus procerus.

pro·cess (pros′es). *1* 突起（解剖学的な突起物，隆起物）．= processus. *2* 過程，工程（ある結果に到達するためにとる方法または行動様式）．*3* 病気などの進行，経過，過程．→processus. *4* 病的状態または病気のこと．*5* 重合（歯科において，例えば，ろう義歯床を他のより硬い材料の義歯床に換える一連の操作）．

pro·cess con·sent 過程同意（患者や関係者が継続される関与やケアについて協同で決定する進行中の処理過程）．

proc·es·sing (pros′es-ing). プロセシング，過程（ある特別な目的を達成するための一連の変化の動き）．

proc·es·sor (pros′es-sŏr). プロセッサー（エネルギーの形状を別の形状に変換する装置，または物質の形状を別の形状に変換する装置）．

pro·cess skills 工程技術（日常生活のタスクを遂行する上で，行動を管理したり，拡大したりするために使われる技術．例えば，ペース配分，タスクを遂行するための適切な道具の選択や使用，完了成功のための論理的な手順へのタスク構成など）．

pro·ces·sus (prō-ses′us). 突起．= process(1).

pro·ces·sus ar·ti·cu·la·ris 関節突起．= articular process.

pro·ces·sus cli·noi·de·us an·te·ri·or = anterior clinoid process.

pro·ces·sus fal·ci·for·mis 鎌状突起．= falciform process.

pro·ces·sus va·gi·na·lis of per·i·to·ne·um 腹膜の鞘状突起（胚期の下前腹壁の腹膜憩室で鼡径管を横切っている．男性においては精巣鞘膜となって通常は腹膜と連絡が切れる．女性において鞘状突起が残存したものは Nuck 管として知られる）．

pro·ces·sus xi·phoi·de·us 剣状突起．= xiphoid process.

pro·chon·dral (prō-kon′drăl). 軟骨形成前の（軟骨の形成前の発育段階についていう）．

pro·chy·mo·sin (prō-kī′mō-sin). プロキモシン（キモシン(レニン)の前駆物質）．= prorennin; renninogen; rennogen.

pro·ci·den·ti·a (pros′i-den′shē-ă). 脱出（臓器またはその部分が沈下あるいは脱出すること．通常，子宮脱に随伴して発生する）．

procoele [Br.]. = procelia.

procoelia [Br.]. = procelia.

pro·col·la·gen (prō-kol′ă-jen). プロコラーゲン，前膠原質（膠原質の溶解性前駆物質．膠原質合成の過程で線維芽細胞と他の細胞によって形成されると考えられる）．

pro·con·ver·tin (prō′kŏn-vĕr′tin). プロコンベルチン．= factor VII.

pro·cre·ate (prō′krē-āt′). 生殖する（通常，男親についていわれる言葉）．

pro·cre·a·tion (prō′krē-ā′shŭn). 生殖．= reproduction(2).

pro·cre·a·tive (prō′krē-ā′tiv). 生殖の，生殖力のある．

proc·tal·gi·a (prok-tal′jē-ă). 直腸〔神経〕痛（肛門または直腸の痛み）．= proctodynia; rectalgia.

proc·ta·tre·si·a (prok′tă-trē′zē-ă). 肛門閉塞症，鎖肛．= anal atresia.

proc·tec·to·my (prok-tek′tŏ-mē). 直腸切除〔術〕．= rectectomy.

proc·ti·tis (prok-tī′tis). 直腸炎（直腸粘膜の炎症）．= rectitis.

procto-, proct- 肛門，あるいはより頻繁に直腸を意味する連結形．*cf.* recto-.

proc·to·cele (prok′tō-sēl). 直腸脱（直腸の脱出またはヘルニア形成）．= rectocele.

proc·to·cly·sis (prok-tok′li-sis). 直腸灌注（直腸とS状結腸に点滴注入によって食塩水をゆっくりと持続投与すること）．= Murphy drip.

proc·to·coc·cy·pexy (prok′tō-kok′si-pek-sē). 直腸尾骨固定〔術〕（脱出した直腸を尾骨前面の組織へ縫合すること）．= rectococcypexy.

proc·to·co·lec·to·my (prok′tō-kō-lek′tŏ-mē). 直腸結腸切除〔術〕（結腸の一部あるいは全部と直腸の切除）．

proc·to·co·lo·nos·co·py (prok′tō-kō-lŏn-os′kŏ-pē). 直腸結腸鏡検査〔法〕（直腸と結腸内面の視診）．

proc·to·col·po·plas·ty (prok′tō-kol′pō-plas-tē). 直腸腟形成〔術〕（直腸腟瘻を形成して閉鎖すること）．

proc·to·cys·to·plas·ty (prok′tō-sis′tō-plas-tē). 直腸膀胱形成〔術〕（直腸膀胱瘻の外科的縫合）．

proc·to·cys·tot·o·my (prok′tō-sis-tot′ŏ-mē). 直腸膀胱切開〔術〕（直腸から膀胱への切開）．

proctodaeal [Br.]. = proctodeal.

proctodaeum [Br.]. = proctodeum.

proc·to·de·al (prok-tō′dē-ăl). 肛門陥の，肛門道の．= proctodaeal.

proc·to·de·um, pl. **proc·to·de·a** (prok′tō-dē′ŭm, -dē′ă). 肛門陥，肛門道，肛門窩．= anal pit(1); proctodaeum.

proc·to·dyn·i·a (prok′tō-din′ē-ă). 直腸周囲痛，肛門周囲痛．= proctalgia.

proc·to·log·ic (prok′tō-loj′ik). 直腸病学の，肛門病学の．

proc·tol·o·gist (prok-tol′ŏ-jist). 直腸病専門医，肛門病専門医．

proc·tol·o·gy (prok-tol′ŏ-jē). 直腸病学，肛門病学（肛門と直腸およびそれらの病気に関する外科学の専門分野）．

proc·to·pa·ral·y·sis (prok′tō-păr-al′i-sis). 肛門括約筋麻痺（肛門の麻痺で，便失禁を起こす）．

proc·to·pex·y (prok′tō-pek-sē). 直腸固定〔術〕（脱出した直腸の外科的固定）．= rectopexy.

proc·to·plas·ty (prok′tō-plas-tē). 直腸形成〔術〕，肛門形成〔術〕（肛門または直腸の修復あるいは形成手術）．= rectoplasty.

proc·to·ple·gi·a (prok′tō-plē′jē-ă). 肛門括約筋麻痺（対麻痺に伴う肛門と直腸の麻痺）．

P

proc·top·to·si·a, proc·top·to·sis (prok′top-tō′sē-ă, -tō′sis). 脱肛，肛門脱出症，肛門脱，直腸脱.

proc·tor·rha·phy (prok-tōr′ă-fē). 直腸縫合〔術〕，肛門縫合〔術〕（裂けた直腸または肛門を縫合して修復すること）.

proc·tor·rhe·a (prok′tō-rē′ă). 肛門粘液漏（直腸からの粘液の分泌）.

proc·to·scope (prok′tō-skōp). 直腸鏡. = rectoscope.

proc·tos·co·py (prok-tos′kō-pē). 直腸鏡検査〔法〕（直腸鏡を用いて行う直腸と肛門の視覚的検査法）.

proc·to·sig·moi·dec·to·my (prok′tō-sig′moyd-ek′tō-mē). 直腸S状結腸切除〔術〕.

proc·to·sig·moi·di·tis (prok′tō-sig′moyd-ī′tis). 直腸S状結腸炎.

proc·to·sig·moi·dos·co·py (prok′tō-sig′moyd-os′kō-pē). 直腸S状結腸鏡検査〔法〕（S状結腸鏡を通して，直腸とS状結腸を直接視診すること）.

proc·to·spasm (prok′tō-spazm). ***1*** 肛門痙攣（肛門の痙攣性収縮）. ***2*** 直腸痙攣（直腸の痙攣性収縮）.

proc·to·ste·no·sis (prok′tō-stĕ-nō′sis). 直腸狭窄〔症〕，肛門狭窄〔症〕. = rectostenosis.

proc·tos·to·my (prok-tos′tō-mē). 直腸造瘻術，人工肛門形成〔術〕，直腸フィステル形成〔術〕（直腸への人工的開口の形成）. = rectostomy.

proc·tot·o·my (prok-tot′ō-mē). 直腸切開〔術〕（直腸を切開すること）. = rectotomy.

proc·to·tre·si·a (prok′tō-trē′zē-ă). 直腸開口〔術〕，肛門開口〔術〕（鎖肛の矯正手術）.

proc·to·val·vot·o·my (prok′tō-val-vot′ō-mē). 直腸弁切開〔術〕.

pro·cur·sive ep·i·lep·sy 前走性てんかん（精神運動性発作で，走り回ることで始まる）.

pro·dro·mal (prō-drō′măl). 前駆の. = prodromic; prodromous.

pro·dro·mal la·bor 前駆陣痛（本格的な陣痛に先行してみられる子宮の収縮．収縮は強くならず，子宮頸管の拡張も軽度である．*cf.* active labor）.

pro·dro·mal stage 前駆期. = incubation period (1).

pro·drome (prō′drōm). 前駆症〔状〕，前徴（病気の初期のまたは先立つ症状）.

pro·dro·mic, pro·dro·mous (prō-drō′mik, prod′rō-; -mŭs). = prodromal.

pro·drug (prō′drŭg). プロドラッグ（生体内での代謝過程で変換されること（生物変換）により薬理作用を表す薬物群）.

pro·duc·tive (prŏ-dŭk′tiv). 増殖〔性〕の，増殖的の（特に滲出物の有無にかかわらず新しい組織の産生を起こす炎症についていう）.

pro·duct·ive cough 湿性咳嗽（痰の喀出を伴う咳）.

pro·en·zyme (prō-en′zīm). 前酵素，プロ酵素（酵素の前駆物質で，活性にするには何らかの変化（通常，活性基を妨げている抑制部分の加水分解）を必要とする．例えば，ペプシノゲン，トリプシノゲン，プロフィブロリジン）. = zymogen.

pro·e·ryth·ro·blast (prō′ĕ-rith′rō-blast). 前赤芽球. = pronormoblast.

pro·e·ryth·ro·cyte (prō′ĕ-rith′rō-sīt). 前赤血球（赤血球の前駆細胞．核をもった未熟赤血球）.

pro·es·tro·gen (prō-es′trō-jen). プロエストロゲン（体内で活性のある化合物に代謝された後でのみ作用するエストロゲン）. = pro-oestrogen.

pro·es·trus (prō-es′trŭs). 発情前期（発情前の周期の期間．胞状卵胞の発育とエストロゲン産生に関係する生理的変化を特徴とする）. = pro-oestrus.

pro·fes·sion·al code 職業規範（倫理規定．職業上期待，要求される倫理観．例えば，米国医療協会医療倫理規定による看護師のための倫理規定解釈文）.

pro·fes·sion·al com·po·nent 専門要素（健康管理情報科学において，他の健康管理従事者ではなく医師によって行われるサービスやセラピーの部分をさす）.

Pro·fe·ta law プロフェータの法則（先天性梅毒患者は後天性梅毒に対して免疫がある）.

pro·fi·bri·nol·y·sin (prō′fī-bri-nol′i-sin). プロフィブリノリジン（→plasmin）.

pro·fi·cien·cy sam·ples 外部精度管理試料（検査室が正しい結果を出しているか確認するための精度管理の一環としてしばしば行われる外部精度管理のために検査室に送られる未知検体．→proficiency testing）.

pro·fi·cien·cy test·ing 精度管理試験（精度管理試料を定期的に臨床検査室のグループ会員に送って分析させ，それぞれの検査室の結果を仲間の検査室の結果と比べる事業．→proficiency samples）.

pro·file (prō′fīl). ***1*** 側面像，横顔，プロフィール（外形または輪郭，特に人間の頭の側面像を示す輪郭）. = norma. ***2*** 概要，大略，プロフィール（要約，短い説明，または記録）.

pro·fun·da bra·chi·i ar·ter·y 上腕深動脈（上腕動脈より起こり，上腕骨，上腕の筋肉および皮膚に分布する．橈側反回動脈，反回骨間動脈，尺側側副動脈，後上腕回旋動脈，肘関節血管網と吻合）. = deep artery of arm.

pro·fun·da fem·o·ris ar·ter·y 大腿深動脈. = deep artery of thigh.

pro·gas·trin (prō-gas′trin). プロガストリン（胃の粘膜のガストリン分泌の前駆物）.

pro·ge·ni·a (prō-jē′nē-ă). = prognathism.

pro·gen·i·tor (prō-jen′i-tōr). 先祖（子をもうけるもの）.

prog·e·ny (proj′ĕ-nē). 子孫.

pro·ge·ri·a (prō-jēr′ē-ă). 早老〔症〕（出生児または小児期早期に老化現象をきたす疾患．成長障害，乾燥したしわの多い老人様顔貌，完全脱毛，鳥様の顔を特徴とする．遺伝性は不明）. = Hutchinson-Gilford disease.

pro·ges·ta·tion·al (prō′jes-tā′shŭn-ăl). ***1*** 妊娠のための（妊娠を促進または誘発する．受精卵の着床と成長に必要な子宮の変化（子宮内膜分泌期）に対する刺激的効果をもつことを示す）. ***2***

プロゲステロンの（プロゲステロンに関する，あるいはプロゲステロン類似の性質をもつ薬の）.

pro·ges·ta·tion·al hor·mone 月経前期ホルモン. = progesterone.

pro·ges·ter·one (prō-jes′tĕr-ōn). プロゲステロン，黄体ホルモン；4-pregnene-3, 20-dione（プロゲスチンの一種．黄体分泌の主成分と考えられている抗エストロゲン性ステロイドで，黄体や胎盤から分離されるか，合成でつくられる．避妊，習慣性流産，月経周期の異常の治療に用いる．*cf.* bioregulator）. = luteal hormone; luteohormone; progestational hormone.

pro·gest·er·one chal·lenge test プロゲステロン負荷試験（無月経患者で内膜へのエストロゲン効果を評価するために行う黄体ホルモン製剤の投与）.

pro·gest·er·one re·cep·tor プロゲステロン受容体（プロゲステロンの細胞内受容体．しばしば乳癌で過剰に発現する）.

pro·ges·tin (prō-jes′tin). プロゲスチン（①黄体ホルモン．②プロゲステロンによって引き起こされるいくつかのまたはすべての生物学的変化を生じさせる，天然あるいは合成の物質に対する総称．*cf.* bioregulator）.

pro·ges·to·gen (prō-jes′tō-jen). プロゲストゲン（①プロゲステロンの作用に類似する生物学的作用を生じさせることができる物質の総称．大部分のプロゲストゲンは天然ホルモンのようなステロイドである．②プロゲステロンの生理的活性および薬物的作用のいくつかをもつテストステロンまたはプロゲステロンからの合成誘導体．プロゲステロンはエストロゲンの作用に拮抗するが，いくつかのプロゲストゲンはプロゲステロン作用に加えて，エストロゲン様またはアンドロゲン様の作用をもつ．*cf.* bioregulator）.

pro·glos·sis (prō-glos′is). 舌尖部（舌の前部または先端）.

pro·glot·tid (prō-glot′id). 片節（生殖器官を含む条虫の分節）. = proglottis.

pro·glot·tis, pl. pro·glot·ti·des (prō-glot′is, -i-dēz). = proglottid.

prog·nath·ic (prog-nath′ik). 顎前突の（①顎指数が 103 以上の突出した顎をもつ．→orthognathic. ②頭部顔面の骨格に対して上下顎の一方あるいは両方が前突していることを表す）. = prognathous.

prog·na·thism (prog′nă-thizm). 顎前突〔症〕（顎前突である状態．頭蓋底との正常な位置関係を越えて片顎または両顎が異常に前方に突出していること．下顎頭は下顎関節に対し正常な位置関係にある）. = progenia.

prog·na·thous (prog′nă-thŭs). = prognathic.

prog·no·sis (prog-nō′sis). 予後（病気の経過を前もって告げること．病気の結果を予測すること）.

prog·nos·tic (prog-nos′tik). ***1*** 〖adj.〗予後の. ***2*** 〖n.〗予後徴候（予後を左右する症状）.

prog·nos·ti·cate (prog-nos′ti-kāt). 予後を判定する.

prog·nos·ti·cian (prog′nos-tish′ŭn). 予後診断医.

pro·gram (prō′gram). プログラム（①ある活動を遂行するための手順の形式上のひとまとまり．②ある問題の解決に際してコンピュータに必要な順番通りの演算を実行させるための，コンピュータの動作を規定する命令の秩序だったリスト．③患者，医師，医療関係者向けの計画的教育活動）. = programme.

pro·gram·ma·ble hear·ing aid プログラミング可能補聴器（2 つ以上のレベル依存性周波数反応機構を使用可能な多チャンネル補聴器）.

programme [Br.]. = program.

pro·grammed cell death 枯死，細胞自己死，細胞消滅. = apoptosis.

pro·gram·ming (prō′gram-ing). プログラミング（順次的指示．分かれている区分に対する訓練方法）.

pro·gran·u·lo·cyte (prō-gran′yū-lō-sīt). 前顆粒球. = promyelocyte.

pro·gres·sive (prŏ-gres′iv). 進行〔性〕の，直進〔性〕の（特に制限のない，望ましくない経過についていう）.

pro·gres·sive bul·bar pa·ral·y·sis 進行性球(延髄)麻痺（舌，唇，口蓋，咽頭，喉頭の筋の進行性脱力と萎縮で，通常，後年に起こる．運動ニューロン疾患が原因であることが多い）. = bulbar paralysis.

pro·gres·sive cat·a·ract 進行性白内障（混濁過程が進行し，全水晶体をおおう白内障）.

pro·gres·sive chor·oi·dal a·tro·phy 進行性脈絡膜萎縮. = choroideremia.

pro·gres·sive hy·per·tro·phic pol·y·neu·rop·a·thy 進行性肥厚性多発ニューロパシー（神経障害）. = Dejerine-Sottas disease.

pro·gres·sive mul·ti·fo·cal leu·ko·en·ceph·a·lop·a·thy (PML) 進行性多病巣性白質脳障害，進行性多病巣性白質脳症（まれに起こる亜急性無熱性疾患で，著しく変化したグリアに囲まれた脱髄部分と，グリア細胞の封入体が特徴である．通常，エイズ，白血病，リンパ腫，そのほか衰弱性疾患，または免疫抑制療法を受けている人に起こる．ヒトポリオーマウイルスである JC ウイルスが原因）.

pro·gres·sive mus·cu·lar at·ro·phy 進行性筋萎縮. = amyotrophic lateral sclerosis.

pro·gres·sive out·er ret·i·nal ne·cro·sis (PORN) 進行性網膜外層壊死（エイズ患者に生じるウイルス性症候群．ヘルペスウイルスを原因とし辺縁網膜の破壊を特徴とする）.

pro·gres·sive-re·sis·tance ex·er·cise (PRE) 漸増抵抗運動（過負荷原理を応用して筋力および筋サイズを改善する訓練．訓練が進行するにつれて得られた筋力の増加にペースを合わせて抵抗を徐々にかつ連続的に増加させる）.

pro·gres·sive stain·ing 進行性染色〔法〕（組織成分の染色強度が満足できるまで染色操作を継続すること）.

pro·gres·sive tap·e·to·chor·oi·dal dys·tro·phy 進行性壁板脈絡膜ジストロフィ. =

choroideremia.

pro·hor·mone (prō-hōr′mōn). プロホルモン（ホルモンの腺内前駆物．例えばプロインスリン．*cf.* prehormone; bioregulator）．

pro·in·su·lin (prō-in′sŭ-lin). プロインスリン（インスリンの単鎖前駆体）．

pro·jec·tile vom·it·ing 噴出性嘔吐（非常な勢いで胃内容物を噴出すること）．

pro·jec·tion (prŏ-jek′shŭn). ***1*** 突出（突き出すこと，出芽，隆起）．***2*** 投射（対象に対して知覚が生じること）．***3*** 投影，投射(自分の中に抑圧されているコンプレックスを否定し，他者に属すると考える防衛機制．例えば自分が犯す傾向のある失敗を他者のものと感じ，その人の責任と考えること）．***4*** 主観の客観化（自己に所属している精神現象を外界由来のものと同じように意識し概念付けること）．***5*** 投影法（視覚的印象を空間の中に位置付けること）．***6*** 投射路（神経解剖学において，神経線維からなる系列をいい，それによって一群の神経細胞が他の1つ以上の細胞群へと神経刺激を発射 "project" していく）．***7*** 三次元物体の平面(二次元)への投影像．例えばX線撮影．***8*** 投影法（*X*線撮影においては身体の部分の標準的撮影法で，身体部分，*X*線の方向，あるいは考案者の人名で名前がつけられる）．

pro·jec·tion an·gi·o·gram 投影血管像（デジタルの血管像．コンピュータ断層撮影法や磁気共鳴撮像法において，通常の血管撮影と同様に見えるように，コンピュータで再構成される）．

pro·jec·tion fi·bers 投射線維（大脳皮質と，脳または脊髄の他の中枢とを結ぶ神経線維．中枢神経系の細胞から出て，遠隔部へ行く線維）．

pro·jec·tive i·den·ti·fi·ca·tion 投影同一視（個人の精神的な過程を他者に帰属させる防衛）．

pro·kar·y·ote (prō-kar′ē-ōt). 原核生物（原核生物上界を構成する生物．体制は単一の，恐らく原始的なモネラ細胞，すなわち核膜，対合する染色体，細胞分裂のための有糸分裂機構，微小管，ミトコンドリアを欠いた前細胞よりなる．→eukaryote）．= procaryote.

pro·kar·y·ot·ic (prō′kar-ē-ot′ik). 原核生物の（原核生物の特徴を示す）．= procaryotic.

pro·la·bi·um (prō-lā′bē-ŭm). ***1*** 赤唇（口唇の外反した赤色部）．***2*** 前唇（胚期や治療されていない両側口蓋裂にみられる上口唇中央の分離した軟部組織片）．

pro·lac·tin (PRL) (prō-lak′tin). プロラクチン，黄体刺激ホルモン（乳汁分泌と妊娠中の乳房発育を刺激する脳下垂体前葉のホルモン(蛋白）．*cf.* bioregulator）．= lactogenic hormone.

pro·lac·tin-in·hib·it·ing fac·tor (PIF) プロラクチン抑制因子．= prolactostatin.

pro·lac·tin-in·hib·it·ing hor·mone (PIH) プロラクチン抑制ホルモン．= prolactostatin.

pro·lac·ti·no·ma (prō-lak′ti-nō′mă). プロラクチノーマ．= prolactin-producing adenoma.

pro·lac·tin-pro·duc·ing ad·e·no·ma プロラクチン産生腺腫（通常は小さい被嚢性の下垂体腺腫．プロラクチン産生細胞より構成される．女性では非産褥性の無月経および乳汁漏出(Forbes-Albright 症候群)，男性ではインポテンツを生じる）．= prolactinoma.

pro·lac·tin-re·leas·ing fac·tor (PRF) プロラクチン放出因子．= prolactoliberin.

pro·lac·tin-re·leas·ing hor·mone プロラクチン放出ホルモン．= prolactoliberin.

pro·lac·to·lib·er·in (prō-lak′tō-lib′ĕr-in). プロラクトリベリン（下垂体起源でプロラクチンの分泌を刺激する因子．*cf.* bioregulator）．= prolactin-releasing factor; prolactin-releasing hormone.

pro·lac·to·stat·in (prō-lak′tō-stat′in). プロラクトスタチン（プロラクチンの合成および放出を阻害する視床下部由来の物質．*cf.* bioregulator）．= prolactin-inhibiting factor; prolactin-inhibiting hormone.

pro·lapse (prō′laps). ***1*** 〖v.〗脱〔出〕する（臓器やその一部が沈下する）．***2*** 〖n.〗脱出症，脱（臓器またはその一部が沈下し，特に本来のあるいは人工的な開口部から現れること．→procidentia; ptosis）．

pro·lapse of um·bil·i·cal cord 臍帯脱出〔症〕（胎児の前方に臍帯の一部が先進すること．胎児の先進部と母体の骨盤の間で臍帯が圧迫を受け，胎児死亡をきたすことがある）．

pro·lapse of u·ter·us 子宮脱（通常，出産に伴う損傷や加齢の結果として，骨盤底の筋膜構造や筋肉のゆるみ，弛緩のため子宮が下がってくる動き．第1級，第2級，第3級の3段階がある）．

pro·lec·tive (prō-lek′tiv). 前もって特定死因死亡割合を求めるために計画され，収集されたデータによるもの．ある定まった期間における100または1,000の総死亡数ごとのある原因による死亡の数．

pro·lep·sis (prō-lep′sis). 早期発作（規則的に短い間隔で周期性疾患の発作が起こること）．

pro·lep·tic (prō-lep′tik). 早期発作の．

pro·li·dase (prō′li-dās). プロリダーゼ．= proline dipeptidase.

pro·lif·er·ate (prō-lif′ĕr-āt). 増殖する（同じ

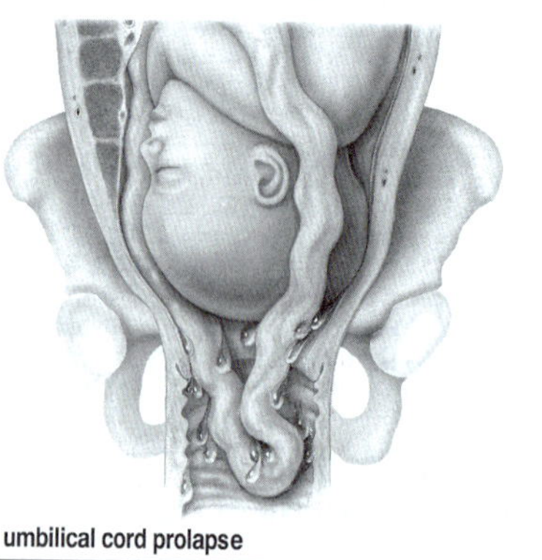

umbilical cord prolapse

形のものの再生によって成長し数が増える).

pro·lif·er·at·ing cell nu·cle·ar ant·i·gen 増殖細胞核抗原（核の非ヒストン蛋白で分子量36 kd. DNAポリメラーゼの働きを増強し，細胞分裂の開始に一役買っている．この抗原の染まり具合は腫瘍の悪性度および有糸分裂活性と相関する).

pro·lif·er·a·tion (prō-lif′ĕr-ā′shŭn). 増殖，繁殖（同じ細胞の再生と成長).

pro·lif·er·a·tive, pro·lif·er·ous (prō-lif′ĕr-ā-tiv, -ĕr-ŭs). 増殖〔性〕の，繁殖〔性〕の（同じ形のものの数が増えることについていう).

pro·lif·er·a·tive der·ma·ti·tis 増殖性皮膚炎. = dermatophilosis.

pro·lif·er·a·tive in·flam·ma·tion 増殖性炎〔症〕（炎症性反応で，明確な特色は組織細胞数増加であり，特に，細網内皮マクロファージ増加が著しく，血管から滲出した細胞と対照をなす). = hyperplastic inflammation.

pro·lif·er·a·tive ret·i·nop·a·thy 増殖性網膜症（硝子体中に広がった網膜の血管新生). = retinitis proliferans.

pro·lig·er·ous (prō-lij′ĕr-ŭs). 生殖的な（子孫をつくることについていう).

pro·li·nase (prō′li-nās). プロリナーゼ，プロリン分解酵素. = prolyl dipeptidase.

pro·line (Pro) (prō′lēn). プロリン（蛋白，特にコラーゲン中に見出されるアミノ酸).

pro·line di·pep·ti·dase プロリンジペプチダーゼ（アミノアシル-L-プロリン結合を切断する酵素. C末端プロリル残基を含有する．この酵素欠損により，高イミドジペプチド尿症になる). = prolidase.

pro·line im·i·no·pep·ti·dase [EC 3.4.11.5]. プロリンイミノペプチダーゼ（ペプチドのN末端からL-プロリル残基を分割する加水分解酵素).

pro·longed preg·nan·cy = postdate pregnancy.

pro·lo·ther·a·py (prō′lō-thār′ă-pē). プロロテラピー（靱帯や腱を強化するために，コラーゲン増殖を刺激する種々の物質を関節周囲軟部組織に注射する方法).

pro·lyl (prō′lil). プロリル（プロリンのアシル基).

pro·lyl di·pep·ti·dase プロリルジペプチダーゼ（N末端のプロリル基をもつジペプチドでのL-プロリル-アミノ酸結合を開裂する酵素). = prolinase.

PROM (prom). passive range of motion; premature rupture of membranes の頭字語.

pro·mas·ti·gote (prō-mas′ti-gōt). プロマスティゴート（この虫型はトリパノソーマ原虫のべん毛が核前方のキネトプラストから発し，虫体の前端から現れるべん毛期を意味する．通常，*Leishmania* 属の昆虫中間宿主中(または培養中)での細胞外発育型である).

pro·meg·a·lo·blast (prō-meg′ă-lō-blast). 前巨赤芽球（巨赤芽球の4つの成熟段階のうちの最初の段階. →erythroblast).

pro·met·a·phase (prō-met′ă-fāz). 前中期（有糸分裂あるいは減数分裂において核膜が崩壊する時期で，中心粒が細胞極に達し染色体が収縮し続ける).

pro·me·thi·um (Pm) (prō-mē′thē-ŭm). プロメチウム（希土類元素の放射性元素．原子番号61. ^{145}Pmの半減期(17.7年)は，知られているうちでは最も長い).

prom·i·nence (prom′i-nĕns). 隆起（解剖学的に表面から突出している組織または部分). = prominentia.

prom·i·nent heel 踵骨膨隆（踵骨の後面をおおっている骨膜あるいは線維組織の肥厚による圧痛を伴う踵骨の膨隆を特徴とする状態).

prom·i·nen·ti·a, pl. **prom·i·nen·ti·ae** (prom′i-nen′shē-ă, -shē-ē). 隆起. = prominence.

PROMM (prom). proximal myotonic myopathy の頭文字.

pro·mon·o·cyte (prō-mon′ō-sīt). = premonocyte.

prom·on·to·ry (prom′ŏn-tōr′ē). 岬角（隆起または突起，一部分の突出).

prom·on·to·ry flush = Schwartze sign.

pro·mot·er (prō-mō′tĕr). ***1*** 助触媒（化学において，触媒の活性を高める物質). ***2*** プロモータ（分子生物学において，RNAポリメラーゼが結合して転写を始めるDNA配列).

pro·mot·ing a·gent プロモーター，促進物質(→promotion).

pro·mo·tion (prō-mō′shŭn). 発癌補助作用（イニシエータが作用した後，単独では発癌作用をもたないプロモータ(発癌補助物質)によって腫瘍誘導の刺激を与えること).

pro·my·e·lo·cyte (prō-mī′ĕ-lō-sīt). 前骨髄球，前骨髄細胞（①骨髄芽球と骨髄球の間にある顆粒白血球の発育段階で，少数の特別の顆粒がアズール顆粒に加えて出現する．②骨髄性白血病の患者の循環血液中に出現する大型単核の細胞). = premyelocyte; progranulocyte.

pro·na·si·on (prō-nā′zē-on). プロナジオン，プロナザーレ（生体計測学上の点で，鼻稜の下端の最前方突出点. 註日本では Martin にならって pronasale とよばれてきた点).

pro·nate (prō′nāt). 回内〔運動〕する（①腹臥位をとる，腹臥位に置かれる．②前腕または足の回内運動をする).

pro·na·tion (prō-nā′shŭn). 回内〔運動〕（うつむきになる状態．腹臥位をとる，または腹臥位になる動作).

pro·na·tor (prō-nā′tōr). 回内筋（回内位にする筋肉. →muscle).

pro·na·tor quad·ra·tus mus·cle 方形回内筋（前腕前区深層の筋の1つ．起始：尺骨前面の遠位1/4．停止：橈骨前面の遠位1/4．作用：前腕の回内．神経支配：前骨間神経). = musculus pronator quadratus.

pro·na·tor syn·drome 回内筋症候群（円回内筋の両頭間での，前腕部での正中神経の絞扼神経症候群).

pro·na·tor te·res mus·cle 円回内筋（前腕前区浅層の筋の1つ．起始：浅頭(上腕骨頭)は上腕の内側上顆，深頭(尺骨頭)は尺骨鉤状突起

P

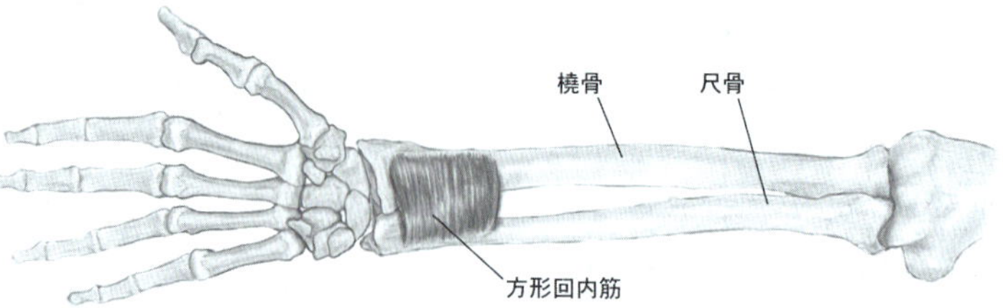
橈骨
尺骨
方形回内筋

pronator quadratus muscle

の内側．停止：橈骨の外側面の中央．作用：前腕の回内．神経支配：正中神経）．= musculus pronator teres.

pro·na·tor te·res syn·drome 回内筋症候群（前腕近位，通常，円回内筋の両頭間を正中神経が通る部位で，正中神経が絞扼または圧迫を受ける症候群）．

prone (prōn)．うつむきになる，腹臥の（手または足が回内されていることについていう．顔を下にして寝ているときの体位をいう）．

pro·neph·ros, pl. **pro·neph·roi** (prō-nefʹrŏs, -roy)．前腎（①原始的魚類の終身的な排泄器官．②高等脊椎動物の胚において，原始腎管を通って総排出腔へはいる一連の蛇行性の管からできている遺残構造．ヒトの胚においては非常に痕跡的な一過性の組織で，やがて中腎そして後に後腎へと変わる）．

prong (prawng)．突起物．

pro·nor·mo·blast (prō-nŏrʹmō-blast)．前正赤芽球（正赤芽球の4つの発育段階の最初の段階．→erythroblast）．= proerythroblast; rubriblast.

pro·nu·cle·us, pl. **pro·nu·cle·i** (prō-nūʹklē-ŭs, -klē-ī)．前核（①細胞核融合で融合を行う2つの核のうちの1つ．②発生学において，卵子が精子により貫入された後の精子の頭部（雄性前核）または卵子（雌性前核）の核物質．各々の前核は正常ならば一倍体の数の染色体を運ぶ．前核が受精で合併すると，その種に特有の二倍体の数の染色体が再び確立される）．

pro-oestrogen [Br.]. = proestrogen.

pro-oestrus [Br.]. = proestrus.

pro·o·pi·o·mel·a·no·cor·tin (POMC) プロオピオメラノコルチン（肺，胃腸管，胎盤や脳の下垂体の前葉と中葉，視床下部などに見出される高分子．ACTH, CLIP, β-LPH, γ-MSH, β-エンドルフィン，met-エンケファリンの前駆体）．

pro·o·tic (prō-ōtʹik)．前耳の．

prop·a·gate (propʹă-gāt)．***1*** 生殖する，成長する．***2*** 伝播する，伝わる（線維に沿って動く，例えば神経刺激の伝播）．

prop·a·ga·tion (propʹă-gāʹshŭn)．伝播，増殖，繁殖，生殖（再生の行為）．

prop·a·ga·tive (propʹă-gāʹtiv)．伝播の，増殖の，生殖の（伝播，増殖，繁殖に関する．体部から区別して，動物または植物の生殖部分についていう）．

pro·pane (prōʹpān)．プロパン（アルカン系炭化水素の1つ）．

pro·par·a·thy·roid hor·mone プロ副甲状腺ホルモン（副甲状腺ホルモンの前駆ホルモン．N末端にアミノ酸が6個多くついている点が異なっている）．

pro·pep·sin (prō-pepʹsin)．プロペプシン．= pepsinogen.

pro·per·din (prōʹpĕr-din)．プロパージン，プロペルジン（感染防止に関与する正常な血清グロブリン．他の因子とともに補体の終末成分の活性化への交代経路に関与する．→properdin system; component of complement）．

pro·per·din fac·tor A プロパージン因子A（プロパージン系の一成分．ヒドラジン感受性のβ_1-グロブリン（分子量約180,000）で，現在，C3（補体第3成分）であることが知られている）．

pro·per·din fac·tor B プロパージン因子B（正常血清蛋白で，プロパージン系の一成分）．

pro·per·din fac·tor D プロパージン因子D（正常血清のα-グロブリンの1つで，プロパージン系に必要とされる）．

pro·per·din fac·tor E プロパージン因子E（血清蛋白（分子量160,000）で，コブラ毒因子によるC3（補体第3成分）の活性化に必要とされる因子．→properdin system）．

pro·per·din sys·tem プロパージン系（免疫系の1つで，補体活性化の第二経路（alternative pathway）である．いくつかの異なる蛋白からなり，連続的に反応し，C3（補体第3成分）を活性化する．プロパージン系は特異性抗体なしで，細菌性内毒素，種々の多糖類やリポ多糖類，コブラ毒の成分により活性化される）．

prop·er pal·mar di·gi·tal ar·ter·y 固有掌側指動脈（各手指の側面へ通る，総掌側指動脈の終末枝）．= arteria digitalis parmaris propia; collateral digital artery; digital collateral artery.

pro·phage (prōʹfāj)．プロファージ．= probacteriophage.

pro·phase (prōʹfāz)．前期（有糸分裂または減数分裂の最初の段階で，染色体（各染色体は2つの染色分体からなる）は長さを縮小し厚みを増し，同時に中心粒は分割して，2つの娘中心粒と星状体は細胞極へ移動する）．

pro·phy·lac·tic (prōʹfi-lakʹtik)．***1*** 〘adj.〙予防

の. = preventive. *2* 〚n.〛 予防薬（病気に対して予防的に作用する物質）.

pro·phy·lac·tic treat·ment 予防療法，予防的治療（ヒトが疾患にさらされていたり，さらされやすい場合，その疾患の発病から守るように考えられた手段や方法）.

pro·phy·lax·is, pl. **pro·phy·lax·es** (prō′fi-lak′sis, -sēz). 予防〔法〕（①病気の予防. ②歯科において，口腔衛生を維持・改善するために行う汚れの除去）.

pro·pi·o·nate (prō′pē-ō-nāt). プロピオン酸塩またはエステル.

Pro·pi·on·i·bac·te·ri·um (prō′pē-on-i-bak-tēr′ē-ŭm). プロピオン酸菌属（非運動性，非芽胞形成性，嫌気性または好気性の細菌の一属. 通常，多形性で類ジフテリア型すなわち一端が丸く他端が先細であるかとがっているこん棒形のグラム陽性杆菌である. 細胞は通常，単独，対，VあるいはY字形，短鎖，漢字様配列の菌塊をなす. これらの菌は乳製品，ヒトの皮膚，ヒトや他の動物の腸管に存在する. 病原性のことがある. 標準種は *Propionibacterium freudenreichii*）.

pro·pi·on·ic ac·id プロピオン酸；methylacetic acid; ethylformic acid（汗の中に見出される）.

pro·por·tion·al as·sist ven·ti·la·tion (PAV) 比例補助換気法（患者の努力に比例して補助する機械換気法）.

pro·por·tion·ate dwarf·ism 均整のとれた小人症（左右対称で，四肢・体幹ともに短縮. 通常は，化学的，内分泌的，栄養的，九炭糖系の異常による）.

pro·po·si·tion·al speech 命題的言語（言表）（特定の意志を伝達することを目的とする，知的で合理的な言葉. →automatic speech）.

pro·pos·i·tus, pl. **pro·po·si·ti** (prō-poz′i-tŭs, -tī). *1* 発端者（通常，確認された最初の発端となった症例についていう）. *2* 前提，議論.

pro·pri·e·tar·y med·i·cine 専売薬（製造とその方法がメーカーの所有となっている薬物）.

pro·pri·e·tar·y name 商品名（米国特許局に登録され保護された商標名すなわち登録商標で，この名前で製造者は製品を市販する. 商品名は頭文字を大文字で書き，さらにしばしば丸の中にRを書き入れた上付き文字®で区別される. *cf.* generic name; nonproprietary name）.

pro·pri·o·cep·tion (prō′prē-ō-sep′shŭn). 固有感覚（視覚とは別に，身体，特に肢の動きや位置を通常，潜在意識レベルで感じる感覚. 筋肉や腱（筋紡錘）の感覚神経末端からの情報を主に，迷路器官からの情報も合わせてこの感覚が得られる. →exteroceptor）.

pro·pri·o·cep·tive (prō′prē-ō-sep′tiv). 固有受容の（筋，腱，その他の内部組織から発する刺激を受容するものについていう）.

pro·pri·o·cep·tive mech·a·nism 固有受容機構（位置感覚と運動感覚に関する機序で，このために筋肉運動は正確に制御し，平衡を維持することができる）.

pro·pri·o·cep·tive neu·ro·mus·cu·lar fa·cil·i·ta·tion (PNF) 固有受容神経筋促進法（柔軟性と筋力を向上させる目的で，筋肉，腱，関節の固有受容体を刺激する訓練法. →muscle energy technique）. = Brunnstrom movement therapy.

pro·pri·o·cep·tive sen·si·bil·i·ty 固有受容感覚（→proprioceptive）.

pro·pri·o·cep·tor (prō′prē-ō-sep′tŏr). 固有受容体，固有受容器（位置覚または筋収縮状態を感じる，筋紡錘や Golgi 腱紡錘のような筋，腱，関節嚢の種々の感覚末端器）.

prop·to·sis (prop-tō′sis). 突出，脱出. = exophthalmos.

prop·tot·ic (prop-tot′ik). 突出の，脱出の.

pro·pul·sion (prō-pŭl′shŭn). 前方突進（振せん麻痺で加速歩調の原因となる，前のめりになる傾向）.

pro·pyl (Pr) (prō′pil). プロピル（プロパンを構成する基 $CH_3CH_2CH_2$–）.

pro·pyl al·co·hol プロピルアルコール；ethylcarbinol（樹脂やセルロースエステルの溶媒）.

pro·py·lene (prō′pi-lēn). プロピレン；methylethylene（気体状オレフィン系炭化水素）.

pro re na·ta (PRN) 必要に応じて，臨機応変に（頓服）の意.

pro·ren·nin (prō-ren′in). プロレンニン. = prochymosin.

pro·rhyth·mic ef·fects 催不整脈作用（抗不整脈薬の投与後の，新しい不整脈もしくは不整脈の悪化）.

pro·ru·bri·cyte (prō-rū′bri-sīt). 前赤芽球（好塩基性正赤芽球. →erythroblast）.

pro·se·cre·tin (prō-sē-krē′tin). プロセクレチン，セクレチン原（非活性のセクレチン）.

pro·sect (prō-sekt′). 講義〔用に〕解剖する（医学生の前で解剖学の実習に供するために死体または部位を解剖する）.

pro·sec·tor (prō′sek-tŏr). プロセクター（医学生の前で講義用に解剖する人，または解剖の実習用材料を準備する人）.

pros·en·ceph·a·lon (pros′en-sef′ă-lon). 前脳（原始脳胞前部. さらに発達して間脳と終脳とに分かれる）. = forebrain.

pro·se·rum pro·throm·bin con·ver·sion ac·cel·er·a·tor (PPCA) = factor VIII.

pros·o·dem·ic (pros′ō-dem′ik). 接触伝染性の（ヒトからヒトへ直接伝播する病気についていう）.

pros·o·dy (proz′ŏ-dē). 作詩法，韻律学（会話のリズム・音圧・周波数を変化させ，意味の伝達を助ける）.

pros·o·pag·no·si·a (pros′ō-pag-nō′sē-ă). 相貌失認（知己の顔を認めるのが困難なこと）.

pros·o·pal·gi·a (pros′ō-pal′jē-ă). 顔面痛，三叉神経痛. = trigeminal neuralgia.

pros·o·pal·gic (pros′ō-pal′jik). 顔面痛の，三叉神経痛の.

pros·o·pla·si·a (pros′ō-plā′zē-ă). 前進形成（唾液管の細胞が分泌細胞に変化するような進行性変形. →cytomorphosis）.

prosopo-, prosop- 顔を意味する連結形. →facio-.

pros·o·po·di·ple·gi·a (pros′ō-pō-di-plē′jē-ă). 両側顔面筋麻痺（顔の両側を侵す麻痺）.

pros·o·po·neu·ral·gi·a (pros′ō-pō-nūr-al′jē-ă). = trigeminal neuralgia.

pros·o·po·ple·gi·a (pros′ō-pō-plē′jē-ă). 顔面筋麻痺. = facial paralysis.

pros·o·po·ple·gic (pros′ō-pō-plē′jik). 顔面筋麻痺の.

pros·o·pos·chi·sis (pros′ō-pos′ki-sis). 顔面裂（口から内眼角までの先天性顔面裂）.

pros·o·po·spasm (pros′ō-pō-spazm). 顔面筋痙攣. = facial tic.

pro·spec·tive pay·ment 定額償還（事前にされた業務，あるいはまだ実施された業務のない業務への立替払い）.

pros·pec·tive pay·ment sys·tem（PPS） 予想支払い制度（1982年に制定された「税の公平および財政義務に関する条例」（Tax Equity and Fiscal Responsibility Act : TEFRA）により義務付けられた，メディケア制度でかかるコストを管理する制度．メディケア制度の患者に提供されるサービスに対する支払いは固定額とし，毎年，保健医療財政局（Health Care Financing Administration : HCFA）により調整される．支払いは，選定された診断別分類（DRGs）に基づいて行われる）.

pros·ta·no·ic ac·id プロスタン酸（プロスタグランジンの基本構造である，炭素を20個もつ酸）.

pros·ta·ta (pros′tă-tă). 前立腺. = prostate.

pros·ta·tal·gi·a (pros′tă-tal′jē-ă). 前立腺痛に対してまれに用いる語.

pros·tate (pros′tāt). 前立腺（男性の尿道起始部を取り囲んでいるクリ形のもの．2つの外側葉からなり，前部は峡部によって，後部は射精管の上と間にある中葉で連結している．前立腺の構造は30—50の複合管状胞状腺からなり，その間に膠原および弾性線維と多くの平滑筋束からなる多くの間質がある．腺の分泌物は乳汁様液体で，精液の射出時に尿道前立腺部へ導管によって放出される．しばしばprostrateと言い間違い，書き間違いがある）. = prostata; prostate gland.

pros·ta·tec·to·my (pros′tă-tek′tō-mē). 前立腺切除〔術〕（前立腺の一部または全部を切除すること）.

pros·tate gland 前立腺. = prostate.

pros·tate-spe·cif·ic an·ti·gen（PSA） 前立腺特異抗原（240アミノ酸残基と4炭水化物側鎖を有する31キロダルトンの単鎖状糖蛋白．前立腺上皮細胞で産生されるカリクレインプロテアーゼの一種で，通常は精液や循環血液中に見出される．血清PSAの上昇は非常に器官特異的であるが，癌（腺癌）と良性疾患（良性前立腺肥厚や前立腺炎）との両者でみられる．器官限局性の癌患者では有意数で正常PSA値である）. = human glandular kallikrein 3.

pros·tat·ic (pros-tat′ik). 前立腺の.

pros·tat·ic bran·ches of in·fe·ri·or ves·i·cal ar·ter·y 下膀胱動脈の前立腺枝（下行して前立腺に分布，この腺の主たる動脈である）. = rami prostatici arteriae vesicalis inferioris.

pros·tat·ic bran·ches of mid·dle rec·tal ar·ter·y 中直腸動脈の前立腺枝（下膀胱動脈の前立腺枝と吻合して前立腺に分布する）. = rami prostatici arteriae rectalis mediae.

pros·tat·ic cal·cu·lus 前立腺結石（前立腺内に生じる結石で，主として炭酸カルシウムとリン酸カルシウム（アミロイド小体）からなる）.

pros·tat·ic duc·tules, pros·tat·ic ducts 前立腺管（約20本の細管で，腺房からの前立腺分泌物を受け取り，尿道背面にある尿道稜の両側にある前立腺洞から排出する）. = ductuli prostatici.

pros·tat·ic flu·id 前立腺液（精液成分の1つである白色の分泌液）.

pros·tat·ic in·tra·ep·i·the·li·al ne·o·pla·si·a（PIN） 前立腺上皮内腫瘍（前立腺の腺体および導管の異形成性変化で，腺癌の前癌状態のことがある．悪性度の低いもの（PIN1）は異形性が軽度で，細胞が密集し，核の大きさ・形が不同であり，細胞の間隔が不規則．悪性度の高いもの（PIN2, PIN3）は異形性が中-高度で細胞が密集し，核・核小体が大きく，細胞の間隔が不規則である）.

pros·tat·ic mas·sage 前立腺マッサージ（①経直腸的手指を用いて前立腺分泌液を圧出する．②繰り返し下方へ圧迫する手法によって前立腺の小葉と管を空にすることで，いろいろなうっ滞，あるいは炎症などの前立腺の状態を治療するために行う）.

pros·tat·ic si·nus 前立腺洞（尿道前立腺部の尿道稜の両側にある溝で，前立腺管が開いている）.

pros·tat·ic u·tri·cle 前立腺小室（精丘の頂上にある前立腺開口部の小室で，女性の子宮と腟が相同のもの．中腎傍管の癒合した尾側末端の残遺物である）. = utriculus prostaticus; masculine uterus; Morgagni sinus (2); vesica prostatica.

pros·ta·tism (pros′tă-tizm). 前立腺症（肥大した前立腺に起因する臨床症候群の1つ．高年男子に多く起こる症状で，通常，前立腺の腫大による．刺激症状（夜間多尿，頻尿，排尿量減少，頻迫感，切迫失禁）と閉塞症状（蔓延性排尿，尿線細小，再延性排尿，二段排尿，尿閉）がある）.

pros·ta·ti·tis (pros′tă-tī′tis). 前立腺炎.

prostato-, prostat- 前立腺を意味する連結形.

pros·ta·to·cys·ti·tis (pros′tă-tō-sis-tī′tis). 前立腺膀胱炎（前立腺と膀胱の炎症．前立腺尿道からの炎症の広がりによる膀胱炎）.

pros·ta·to·li·thot·o·my (pros′tă-tō-li-thot′ō-mē). 前立腺切石〔術〕（結石の除去のために前立腺を切開すること）.

pros·ta·to·meg·a·ly (pros′tă-tō-meg′ă-lē). 前立腺肥大.

pros·ta·tor·rhe·a (pros′tă-tō-rē′ă). 前立腺漏（前立腺液の異常放出）. = prostatorrhoea.

prostatorrhoea [Br.]. = prostatorrhea.

pros·ta·tot·o·my (pros′tă-tot′ō-mē). 前立腺切開〔術〕.

pros·ta·to·ve·sic·u·lec·to·my (pros′tă-tō-vē-sik′yū-lek′tō-mē). 前立腺精囊切除〔術〕（手

術による前立腺と精嚢の切除).

pros·ta·to·ve·sic·u·li·tis (pros′tă-tō-vĕ-sik′yū-lī′tis). 前立腺精嚢炎（前立腺と精嚢の炎症).

pros·the·sis, pl. **pros·the·ses** (pros-thē′sis, pros-thē′sēz). プロテーゼ，人工器官，人工〔補〕装具，補てつ，義歯（身体の損傷したまたは欠損した部分への人工的補てつ物).

pros·thet·ic (pros-thet′ik). ***1*** プロテーゼの，人工器官の，補てつの. ***2*** 補欠分子の（→prosthetic group).

pros·thet·ic group 補欠分子族〔団〕（蛋白に結合する非アミノ酸化合物. しばしば可逆的で，このようにして生成される複合蛋白は新たな特性を示す. →coenzyme).

pros·thet·ics (pros-thet′iks). 補てつ〔学〕，〔補〕装具学（人体の人工的な部分をつくり調節する技術および科学).

pros·the·tist (pros′thĕ-tist). 補てつ歯科医，補てつ外科医（補てつ物の製作と技術に通じた人).

pros·thi·on (pros′thē-on). プロスチオン（上顎歯槽突起の正中線上の最も前にある点). = alveolar point.

pros·tho·don·tics (pros′thō-don′tiks). 歯科補てつ学（障害を受けた機能，外見，壮快感，および患者の健康を修復する目的で，歯冠部，または1歯以上の欠如または欠損歯とその周囲組織に対して適当な補てつ物を与える分野および技術).

pros·tho·don·tist (pros-thō-don′tist). 補てつ専門歯科医.

pros·tra·tion (pros-trā′shŭn). 疲はい，へばり，虚脱（消耗などのように，体力が極端に失われること).

prot- →proteo-; proto-.

prot·ac·tin·i·um (Pa) (prō′tak-tin′ē-ŭm). プロトアクチニウム（放射性元素，原子番号 91，原子量 231.03588. ウランとトリウムの崩壊で生じる. 同位体のうち最も長い寿命をもつ ^{231}Pa の半減期は 32,500 年である).

prot·a·mine (prō′tă-mēn). プロタミン（魚の精子中に核酸とともに存在する蛋白群の1つ. ヘパリンの抗凝血作用を中和する).

pro·ta·no·pi·a (prō-tă-nō′pē-ă). 第一色盲，赤色盲（錐状体の中に赤色感受性の色素がないこと，光の長波長に対する明度の減少と，赤色，緑色の識別がつかないことを特徴とする二色性色覚).

pro·te·an (prō′tē-ăn). 多様の，変形の多い，不定形の（アメーバのように体形を変える能力があるものについていう).

pro·te·ase (prō′tē-ās). プロテアーゼ，蛋白〔質〕分解酵素（エンドペプチダーゼとエキソペプチダーゼの両方の蛋白分解酵素を表す用語. ポリペプチド鎖を加水分解(切断)する酵素).

pro·te·ase in·hib·i·tor プロテアーゼ阻害薬（従来の逆転写酵素阻害薬などの抗レトロウイルス薬とは異なる新しい HIV 感染症治療薬).

pro·te·ases (prō′tē-ā-sēz). = proteolytic enzymes.

pro·te·a·some in·hib·i·tor プロテアソーム阻害薬（成長を阻止するためにプロテアソームを阻害することで，多発性骨髄腫を治療する薬物療法).

pro·tec·ted health in·for·ma·tion (PHI) 保護健康情報（個々の患者の健康に関して，媒体に集められ，保管されたすべてのデータを含む包括的用語. この法廷作成物は，そのような情報を，患者もしくは患者の代理人の明確な許可なしに第三者へ渡すことを禁じる).

pro·tec·ted spec·i·men brush (PSB) 保護標本ブラシ（気管支鏡検査中の検査サンプル収集に使用する道具).

pro·tec·tion test 〔感染〕防御試験，中和試験（患者血清と被検ウイルス，あるいはその他の微生物の混合液を感受性のある動物に接種，または細胞培養によりその微生物の同定あるいは被検血清の抗微生物活性を測定する試験). = neutralization test.

pro·tec·tive i·so·la·tion = reverse isolation.

pro·tec·tive la·ryn·ge·al re·flex 庇護喉頭反射（気道内への異物の侵入を防ぐための声門の閉鎖).

pro·tec·tor (prō-tek′tŏr). プロテクター，保護体（おおいまたは遮へい).

pro·tein (prō′tēn). 蛋白〔質〕（α-アミノ酸[H_2N-CHR-COOH]がペプチド(アミド)結合(連続する残基の α-NH_2 と α-COOH の間で H_2O が除去されること)で長く連結した巨大分子. ほとんどの細胞物質の乾燥重量の 3/4 を占め，身体構造，ホルモン，酵素，筋収縮，免疫反応，および必須生命機能に関与する. 含まれるアミノ酸は一般に遺伝暗号で認知される 20 種の α-アミノ酸(グリシン，L-アラニンなど)である. 球状蛋白を生じる交差結合は，しばしば 2 個の L-システイニル残基の SH 基や非共有結合力(水素結合，親脂性引力など)より生じる. *cf.* bioregulator).

pro·tein·a·ceous (prō′tē-nā′shŭs). 蛋白様の（蛋白に特有の物理化学的性質をある程度有するものについていう).

pro·tein di·gest·i·bil·i·ty cor·rect·ed a·mi·no ac·id score (PDCAAS) 訂正アミノ酸価蛋白質消化率（蛋白質消化率の割合にアミノ酸組成を乗じて求められる蛋白質の栄養価の測定値).

pro·tein ef·fi·cien·cy ra·ti·o (PER) 蛋白効率（グラム表示の蛋白摂取量で除したグラム表示の体重増加).

pro·tein en·er·gy mal·nu·tri·tion (PEM) 蛋白熱量栄養障害(不良)（蛋白質，あるいは熱量(エネルギー)の欠乏，もしくはマラスムス(慢性 PEM)やクワシオルコル(典型的急性 PEM)を含む蛋白質，熱量両方の欠乏). = protein kcalorie malnutrition.

pro·tein in·duced by vit·a·min K ab·sence (PIVKA) ビタミン K 非存在下誘導蛋白（プロトロンビングループの凝固因子(第 II，第 VII，第 IX，第 X 因子)の非機能蛋白前駆体. ビタミン K のないときに肝臓で合成される. この因子をリン脂質表面に結合さすのに必要なカルボキシル基(COOH⁻)を欠いている).

pro·tein k·cal·o·rie mal·nu·tri·tion (PCM) = protein energy malnutrition.

pro·tein ki·nase C プロテインキナーゼC（多くの細胞質カルシウム依存性キナーゼの一群. 多くの反応に関与する. 例えば, ホルモンによる結合, 血小板の活性化, 癌のプロモーション).

pro·tein-los·ing en·ter·op·a·thy 蛋白喪失性腸症（血清蛋白, 特にアルブミンが糞便中に多量に排出され, 低蛋白血症を起こす).

pro·tein me·tab·o·lism 蛋白代謝（蛋白が組織中で受ける分解および合成反応).

pro·tein·o·sis (prō′tē-nō′sis). 蛋白症（異常な蛋白生成, 分配を特徴とする状態. 特に組織内への異常蛋白蓄積を特徴とする).

pro·tein p53 蛋白 p53（多機能性蛋白で, 遺伝子転写の調節, DNA 修復, アポトーシス, 細胞周期の制御を行う).

pro·tein S プロテインS（ビタミンK依存性抗凝固活性をもつ蛋白で活性化されたプロテインCとともにコファクターとして作用する).

pro·tein turn·o·ver 蛋白質代謝回転（アミノ酸の再循環を伴う, 身体中の蛋白質の連続的分解と合成).

pro·tei·nu·ri·a (prō′tē-nūr′ē-ă). ***1*** 蛋白尿（24時間に排出される尿中に 0.3 g 以上の蛋白が存在すること, または少なくとも6時間以上間隔を置いて2回以上にわたって無作為に集めた尿中に, 1 g/L 以上の濃度をもつこと（標準混濁測定法で1+から2+). このときの検体は清潔な中間尿あるいはカテーテル尿でなければならない). ***2*** = albuminuria.

proteo-, prot- 蛋白を意味する連結形.

pro·te·o·gly·can ag·gre·gate プロテオグリカン集合体（長いヒアルロン酸分子と非共有性結合をしたプロテオグリカンの大きな集合体で, 軟骨基質のコラーゲン線維の架橋に関与している).

pro·te·o·gly·cans (prō′tē-ō-glī′kanz). プロテオグリカン（共有結合型錯体の蛋白鎖に結合したグリコアミノグリカン(ムコ多糖類). 結合組織の細胞外基質においてみられる).

pro·te·o·lip·ids (prō′tē-ō-lip′idz). プロテオリピド, 蛋白脂質（脳組織内にある脂溶性蛋白. 水に不溶であるが, クロロホルム-メタノール-水の混合液には可溶).

pro·te·ol·y·sis (prō′tē-ol′i-sis). 蛋白分解（主としてペプチド結合を酵素的または非酵素的加水分解することにより起きる).

pro·te·o·lyt·ic (prō′tē-ō-lit′ik). 蛋白分解〔性〕の.

pro·te·o·ly·tic en·zymes 蛋白質分解酵素（酵素は, ある研究者の意見では, 特定の蛋白質を分解することが可能であり, 酵素療法の基礎を形成する. その効果については, いまだ論争中である). = proteases.

pro·te·o·met·a·bol·ic (prō′tē-ō-met-ă-bol′ik). 蛋白代謝の.

pro·te·ose (prō′tē-ōs). プロテオース（蛋白とペプトンの間の蛋白分解中間体の組成のはっきりしない混合物).

pro·te·o·some (prō′tē-ō-sōm). プロテオソーム（細胞サイトゾル蛋白分解性複合体の構成物をコードする遺伝子集団で, 主要組織適合性複合体クラスI分子の形成にかかわるペプチドの細胞内処理と輸送に関与すると考えられている蛋白の一群).

Pro·te·us (prō′tē-ŭs). プロテウス属（運動性, 周毛性, 非芽胞形成性の好気性または通性嫌気性の腸内細菌科の一属でグラム陰性杆菌. 特定の条件下においては, 球形, 大きくて不規則ならせん形, フィラメント, およびスフェロプラストが生じる. 代謝は発酵性で, グルコースから酸を産生する. 本属は主に糞便や化膿物質中にみられる).

Pro·te·us mi·ra·bi·lis 腐敗した肉, 滲出液, および膿瘍内に見出される細菌種. 腎結石および膀胱結石の形成に関連のある尿路系感染症の原因となる.

Pro·te·us syn·drome プロテウス症候群（巨大な手や足, 調和のとれない発育異常, 色素性母斑, 手掌や足底の肥厚, 血管の奇形, 皮下の脂肪腫などの様々な表現型を呈するまれな疾患. 恐らくは遺伝病. しばしば神経線維腫症I型と混同される). = elephant man's disease(1).

Pro·te·us vul·ga·ris *Proteus* 属の標準種で, 化膿性物質と膿瘍中にみられる細菌種. 呼吸器や尿路の種々の院内感染にみられ, また褥瘡や膿瘍にもみられる. →Weil-Felix reaction.

pro·throm·bin (prō-throm′bin). プロトロンビン（肝実質細胞でつくられ貯蔵される分子量約72,500の糖蛋白で, 血液中に 100 mL 中約 20 mg の濃度で存在する. トロンボプラスチンとカルシウムイオンの存在により, プロトロンビンはトロンビンに変わり, これが次にフィブリノゲンをフィブリンに変える. このプロセスにより血液を凝固させる. プロトロンビンの欠損により血液凝固に障害をきたす).

pro·throm·bin ac·cel·er·a·tor プロトロンビン促進因子. = factor V.

pro·throm·bin·ase (prō-throm′bi-nās). プロトロンビナーゼ. = factor X.

pro·throm·bin frag·ment 1.2 (F1.2) プロトロンビンフラグメント 1.2（プロトロンビンが第Xa因子によりプロセシングされるときに放出されるペプチド. このフラグメントは, カルシウムを介してリン脂質に結合し, 第Va因子に作用する. 血栓症患者あるいは血栓症の前段階にある患者で, F1.2 の血漿濃度が上昇することが報告されている).

pro·throm·bin test プロトロンビン試験（トロンボプラスチンと塩化カルシウム存在下での血漿の凝固時間による血中プロトロンビン定量試験. 血液凝固の外因系路と共通系路に異常がないか調べる. →prothrombin time). = Quick test.

pro·throm·bin time (PT) プロトロンビン時間（フィブリノゲン濃度が正常な血液に, トロンボプラスチンとカルシウムを適量加えた後, 凝固に要する時間. プロトロンビンが減少していれば, 凝固時間は延長する. 外因系の評価に使う．→prothrombin test）．

pro·tist（prō′tist）．原生生物（原生生物界に属する生物）．

Pro·tis·ta（prō-tis′tă）．原生生物界（植物様ならびに動物様の真核単細胞生物からなる界で，原生動物のような単一細胞型か真の組織をもたない細胞コロニー型のいずれかの型をもつ）．

proto-, prot- 連続しているものの最初，順位の最高のもの．

pro·to·col（prō′tō-kawl）．プロトコル（①生物医学的問題研究あるいは治療法の正確で詳細な計画．特に癌化学療法．②実験，調査で発見された記録．特に剖検）．

pro·to·cone（prō′tō-kōn）．プロトコーン（①ヒトの上顎臼歯の近心面舌面の咬頭．②以前は進化によって発達した最初の上顎臼歯の尖頭と考えられていた．→protoconid）．

pro·to·con·id（prō′tō-kon′id）．プロトコニッド（①ヒトの下顎臼歯の近心面舌面の咬頭．②進化において最初に発達する下顎臼歯の尖頭．→protocone）．

Pro·toc·tis·ta（prō′tok-tis′tă）．原生生物界（藻類と原生動物を併せた真核生物の一界で，菌界，植物界，動物界の祖先形と想像される生物群を含む．動物に固有の胞胚から生じる発生過程，植物に固有の胚発生パターン，および菌類にみられるような胞子からの発生を欠く．有核の藻類と海藻，有鞭毛の水カビ，粘菌類，および原生動物が含まれる．単細胞性，群体性，および多細胞性生物があるが，植物や動物にみられるような組織や器官の複合的発達はない）．

pro·to·di·a·stol·ic（prō′tō-dī′ă-stol′ik）．拡張初期の，原弛緩期の（心拡張の初期についていう）．

pro·to·di·a·stol·ic gal·lop 拡張初期奔馬調律（拡張早期に生じる奔馬調律で，異常第3心音がある）．

pro·to·du·o·de·num（prō′tō-dū′ō-dē′nŭm）．前十二指腸（胃十二指腸幽門部から大十二指腸乳頭までの十二指腸の初めの部分で，胚子前腸の尾側部から発生する．輪状ひだがなく十二指腸腺が位置する）．

pro·ton（prō′ton）．陽子（正の電荷をもつ原子核の構成単位．陽子は周囲を負の電荷が回転している原子核の一部（水素1の場合は全体）を形成する）．

pro·ton-den·si·ty weight·ing プロトン（陽子）密度強調（組織の陽子密度の差を明示する磁気共鳴映像）．

pro·ton pump プロトンポンプ（膜を通してのプロトンの正味の輸送の分子機構．通常，ATPアーゼの活性が必要である）．

pro·ton pump in·hib·i·tor プロトンポンプ阻害薬（水素イオンの胃への輸送を阻害する薬物で，潰瘍でみられるような胃の過酸の治療に有用）．

pro·to·nymph（prō′tō-nimf）．第一若虫（ダニにおける第二齢期）．

pro·to·on·co·gene（prō′tō-ong′kō-jēn）．プロトオンコジーン，癌原遺伝子，プロト癌遺伝子（正常ヒト遺伝子の中に存在し，正常な細胞生理機能，細胞増殖や分化の調節に関与する遺伝子で，進化の尺度で長く保存されている．体細胞突然変異の結果，これらの遺伝子は癌遺伝子（オンコジーン）となる．プロトオンコジーンの産物は正常な細胞分化において主要な役割をもっている）．

pro·to·path·ic（prō′tō-path′ik）．原始〔性〕の，原発性の（局在のはっきりしない痛覚・温度覚という低度の感覚を伝える，原始的とされている末梢感覚神経線維または系についていう．*cf.* epicritic）．

pro·to·path·ic sen·si·bil·i·ty 原始〔性〕感覚（→protopathic）．

pro·to·plasm（prō′tō-plazm）．原形質（①動植物細胞を形成する生体物質．→cytoplasm; nucleoplasm．②細胞内小器官を含む細胞物質の全体．*cf.* cytoplasm; cytosol; hyaloplasm）．

pro·to·plas·mic as·tro·cyte 原形質性星状膠細胞（主として灰白質にみられる星状膠細胞の一種で，原線維に乏しく，多数の分岐した突起を有する）．

pro·to·plast（prō′tō-plast）．プロトプラスト（硬い細胞壁を完全に取り除いた細菌細胞．細菌はその固有の形を失う）．

pro·to·por·phyr·i·a（prō′tō-pōr-fir′ē-ă）．プロトポルフィリン症（糞便中へのプロトポルフィリン排泄増加）．

pro·to·sty·lid（prō′tō-stī′lid）．プロトスタイリッド，原錐茎状突起（下側臼歯の近心頬側咬頭の頬側面にみられる副咬頭．大きさは，小さな溝から近心頬側咬頭に匹敵するものまで様々）．

pro·to·troph（prō′tō-trōf）．原栄養菌（株），原栄養体（生物）〔性〕（それが由来する野生菌株と同じ栄養を必要とする細菌株）．

pro·to·type（prō′tō-tīp）．基本型，原型（種の個体が従属する基本的な型）．

pro·to·ver·te·bra（prō′tō-vĕr′tĕ-bră）．原節，原脊椎（椎骨の中心部の原基となる硬節性の細胞集団の後半部）．= provertebra.

Pro·to·zo·a（prō′tō-zō′ă）．原生動物亜界（以前は門と考えられていたが，現在ではいわゆる非細胞あるいは単細胞動物のすべてを含む動物界の亜界とみなされている．1個の機能的細胞単位または緩く結合し組織を形成することがない未分化細胞の集合からなる）．

pro·to·zo·al（prō′tō-zō′ăl）．= protozoan（2）．

pro·to·zo·an（prō′tō-zō′ăn）．***1***〖n.〗原生動物，原虫（原生動物亜界に属する動物）．= protozoon．***2***〖adj.〗原生動物の，原虫の．= protozoal.

pro·to·zo·i·a·sis（prō′tō-zō-ī′ă-sis）．原生動物〔感染〕症，原虫症．

pro·to·zo·ol·o·gy（prō′tō-zō-ol′ō-jē）．原生動物学，原虫学（原生動物に関するあらゆる生物学および人間との利害関係についての科学）．

pro·to·zo·on, pl. pro·to·zo·a（prō′tō-zō′on, -zō′ă）．= protozoan（1）．

pro·to·zo·o·phage（prō′tō-zō′ō-fāj）．食原虫細胞（原生動物を貪食する食細胞）．

pro·trac·tion（prō-trak′shŭn）．前突（①歯科において，歯または上下顎構造を正常より前方の位置にのばすこと．→protractor．②肩甲骨の前方への移動).

pro·trac·tion (prō-trak′shŭn). 前突 (肩甲骨の前進).

pro·trac·tor (prō-trak′tŏr). 伸出筋 (ある部分を前方に引き出す筋. retractor の対語).

pro·trud·ed disc = herniated disc.

pro·tru·ding ear たち耳. = outstanding ear.

pro·tru·sion (prō-trū′zhŭn). 突出, 前突 (①前に突き出た状態. ②歯科において, 中心位から前方に出た下顎の位置).

pro·tru·sive oc·clu·sion 前方咬合 (下顎が中心位から前方に突出しているときの咬合).

pro·tu·ber·ance (prō-tū′bĕr-ăns). 隆起 (ふくらみ, 把手状の生成物, 盛り上がり, 突き出た部分). = protuberantia.

pro·tu·ber·ant ab·do·men 尖腹 (腹部の異常な, あるいは著しい突出. 皮下脂肪の過剰, 腹筋の緊張低下, 腹腔内容の増加などによって起こる).

pro·tu·be·ran·ti·a (prō-tū′bĕr-an′shē-ă). 隆起 (→prominence; eminence). = protuberance.

proud flesh 肉芽 (創傷表面の肉芽組織の過剰な肉芽形成).

Proust space プルス腔 (隙). = rectovesical pouch.

pro·ver·te·bra (prō-vĕr′tĕ-bră). = protovertebra.

Pro·vi·den·ci·a (prov-i-den′sē-ă). プロビデンシア属 (運動性, 周毛性, 非芽胞形成性, 好気性または通性嫌気性の腸内細菌科の一属でグラム陰性杆菌. これらの細菌は腸管外由来のもの, 特に尿路感染症から得られる検体に存在する. 下痢疾患の小流行や散発例からも分離される).

Pro·vi·den·ci·a al·cal·i·fa·ci·ens 腸管外由来の, 特に尿路感染症から見出される細菌種. 下痢疾患の小流行や散発例からも分離される. *Providencia* の標準種.

Pro·vi·den·ci·a rett·ger·i コレラ症状のニワトリおよび胃腸炎のヒトにみられる細菌種.

Pro·vi·den·ci·a stu·ar·ti·i 尿路感染症や下痢疾患の小流行と散発例から分離される細菌種.

pro·vi·der (prō-vī′dĕr). 提供者, プロバイダー (物品またはサービス, 特に医学的またはパラメディカルのサービスを供給する人または機関).

pro·vid·er i·den·ti·fi·ca·tion num·ber (PIN) 医療提供者の識別番号 (特定の保険会社との関係に関して, 医療提供者を識別するのに使用される方法).

pro·vi·rus (prō-vī′rŭs). プロウイルス (動物ウイルス, 通常はレトロウイルスの前駆体で, 理論的には細菌におけるプロファージと相似である. プロウイルスは感染細胞の核に組み込まれ, ある種の刺激に応じて活性化されうる).

pro·vi·ta·min (prō′vī′tă-min). プロビタミン (ビタミンに変化する物質. 例えばβ-カロチン).

pro·vi·ta·min A プロビタミンA (ビタミンAの前駆物質. 緑の葉または黄色の野菜と果物に含まれる).

prox·i·mad (prok′si-mad). 近位に (近位部または中心に向かう).

prox·i·mal (prok′si-măl). ***1*** 近位の,(肢の一部, 動脈または神経などが, 体幹または起始点の近くに位置することについていう). ***2*** 近心の. = mesial. ***3*** 隣接面の (歯科解剖学において, 歯の表面の近心または遠心の, すなわち前後の正中面から近いまたは離れた隣接についていう).

prox·i·mal deep in·gui·nal lymph node 近位深鼡径リンパ節 (大腿管の中, またはその隣接部にある深鼡径リンパ節の1つ. 肥大すると, しばしば大腿ヘルニアと間違えられる). = Rosenmüller gland; Rosenmüller node.

prox·i·mal in·ter·pha·lan·ge·al joints (PIP) 近位指節間関節 (手足の指の基節骨と中節骨を連接する関節).

prox·i·mal my·o·ton·ic my·o·path·y (PROMM) 近位筋筋緊張性ミオパシー, 近位筋筋緊張性筋障害 (常染色体優性遺伝, 青年期発症で, 近位筋の筋緊張と筋力低下, 筋痛, はげ, 白内障, 心筋伝導系障害, 性腺萎縮を特徴とする多臓器疾患. 筋緊張性ジストロフィと異なり, 顔面筋の筋力低下, 眼瞼下垂, 四肢遠位筋の筋力低下と筋萎縮, および筋緊張性ジストロフィの遺伝子座におけるトリヌクレオチド反復増殖はみられない).

prox·i·mal ra·di·o·ul·nar joint 上橈尺関節 (橈骨頭と, 尺骨の橈骨切痕と輪状靱帯が形成する輪の間のピボット関節).

prox·i·mal sple·no·re·nal shunt 〔近位〕脾静脈腎静脈吻合 (門脈圧亢進症で門脈圧の減圧を意図して脾静脈の中枢側断端を左腎静脈に端側吻合する手術. これは中心性あるいは完全な臓器静脈のシャントと考えられる. 註一般に脾静脈と腎静脈を端側吻合するのは distal splenorenal shunt で, proximal の場合には脾摘除術を同時に行う必要がある).

prox·i·mate (prok′si-măt). 近位の, 次の (隣接していて, 直接関係が深い).

proximo-, proxi-, prox- 近位の, を意味する連結形.

prox·i·mo·a·tax·i·a (prok′si-mō-ă-tak′sē-ă). 近位運動失調 (四肢すなわち腕, 前腕, 大腿, 脚の近位部分の運動失調または筋肉の協調の欠如. *cf.* acroataxia).

prox·y (proks′ē). 代理 (①別の人のために代理の, もしくは代理人として振舞うことを公認された人物. ②そのような権限付与を立証する書類).

pro·zone (prō′zōn). 前地帯 (凝集と沈殿の場合に, 抗体が過剰であるために, 特異抗原と抗体の混合物で観察可能な反応が起こらなくなる現象).

PRPP 5-phospho-α-D-ribosyl 1-pyrophosphate の略.

PR seg·ment PR 部分 (心電図において, P 波の終わりと QRS 群の始まりの間の曲線の部分).

pru·rig·i·nous (prūr-ij′i-nŭs). 痒疹〔性〕の (痒疹に関する, 痒疹にかかった).

pru·ri·go (prū-rī′gō). 痒疹 (強いかゆみを伴った丘疹からなる持続性発疹を特徴とする慢性皮膚病).

pru·ri·go mi·tis 軽症痒疹 (再発性で強いかゆみを伴ったアトピー性と思われる丘疹と小結節

を特徴とする慢性皮膚炎の軽症のもの).

pru·ri·go no·du·la·ris 結節性痒疹(強いかゆみを伴い,掻把により生じる硬い半球状隆起結節(Picker 結節)からなる皮膚の発疹).

pru·ri·go sim·plex 単純性痒疹(再発傾向が顕著な,軽症の痒疹).

pru·rit·ic (prūr-it′ik). かゆみ〔性〕の,そう痒〔性〕の.

pru·rit·ic ur·ti·car·i·al pap·ules and pla·ques of preg·nan·cy (PUPPP) 妊娠性そう痒性丘疹(強度のそう痒性丘疹水疱疹で妊娠後期腹壁に初発し末梢に拡大する.分娩後急速に消退し,胎児には影響しない).

pru·ri·tus (prū-rī′tŭs). *1* かゆみ,そう痒. = itching. *2* かゆみ〔症〕,そう痒〔症〕. = itch(1).

pru·ri·tus a·ni 肛門かゆみ(そう痒)〔症〕(脂漏性皮膚炎やカンジダ症,刺激をうけ拡張した痔静脈に伴うことがあり,あるいは皮膚病変とは関係なく,全身病と関連して生じることがある).

pru·ri·tus gra·vi·dar·um 妊娠性そう痒症(肝内胆汁うっ滞に続発する妊娠中の発疹を伴わない重症のそう痒症).

pru·ri·tus se·ni·lis, se·nile pru·ri·tus 老年(老人)性かゆみ(そう痒)〔症〕(老人の皮膚の乾燥に伴うそう痒).

pru·ri·tus vul·vae 外陰かゆみ(そう痒)〔症〕(女性の外性器のそう痒症で,脂漏性皮膚炎,局所接触原に対する過敏症,陰門の老年性萎縮,ときに全身疾患などのような種々の原因によって生じる).

Prus·sian blue [CI 77510]. プルシアンブルー,紺青. = Berlin blue.

PRVC pressure-regulated volume control の略.

PSA prostate-specific antigen の略.

psammo- 砂に関する連結形.

psam·mo·ma (sa-mō′mă). 砂腫,プサモーム(psammomatous meningioma あるいは meningioma を表す現在では用いられない語).

psam·mo·ma bo·dies *1* 砂腫体(髄膜,脈絡膜叢,およびある種の髄膜腫にみられる鉱化体で,通常,中心の毛細血管の周りを同心性渦状に取り囲んだ,種々の程度に硝子化および鉱化を受けた髄膜細胞からなる.卵巣または甲状腺の乳頭癌のような良性および悪性の上皮性腫瘍でもみられることがある). *2* = corpora arenacea. *3* = calcospherite.

psam·mo·ma·tous me·nin·gi·o·ma 砂状石灰化を伴う髄膜腫(髄膜,脈絡叢,および脳に関連する他の構造物の線維状組織に由来する小胞状の硬い新生物.多発性,散発性,周心円の層状の石灰質体の形成が特徴.これらの新生物のほとんどは組織学的に良性であるが,脳の圧迫により重篤な徴候を生じる). = Virchow psammoma.

psam·mous (sam′ŭs). 砂の,砂状の.

PSA vel·o·ci·ty 前立腺特異抗原進行速度,PSA 進行速度(個人の前立腺特異抗原(PSA)の変化の速さを測定すること).

PSB protected specimen brush の略.

PSE Pidgin Sign English の略.

P se·lec·tin P セレクチン(内皮上に存在する細胞表面レセプタで,好中球の炎症組織への移動に関与する).

pseud·a·graph·i·a (sū-dă-graf′ē-ă). 偽〔性〕失書〔症〕,偽〔性〕書字不能〔症〕(部分失書で,自分独自のものを書くことはできないが,正しく模写して書くことはできる). = pseudoagraphia.

Pseud·al·les·che·ri·a boy·di·i 真菌性菌腫およびシュードアレシェリア症の原因となる真菌の一種.その分生子(無性)世代は *Scedosporium apiospermum* である.

pseud·al·les·che·ri·a·sis (sūd′ăl-es′kĕ-rī′ă-sis). シュードアレシェリア症(*Pseudallescheria boydii* によって起こる一連の疾患.例えば,気管支定着,侵襲性肺炎,真菌性角膜炎,眼内炎,心内膜炎,髄膜炎,副鼻腔炎,脳膿瘍,皮膚および皮下感染,びまん性全身性感染).

pseud·an·ky·lo·sis (sūd′ang-ki-lō′sis). 偽強直〔症〕. = fibrous ankylosis.

pseud·ar·thro·sis (sūd′ahr-thrō′sis). 偽関節(非癒合性骨折の部位に生じる新しい偽関節). = false joint; pseudoarthrosis.

pseud·es·the·si·a (sūd′es-thē′zē-ă). 偽感覚(①= paraphia. ②外部刺激から発生するものではない主観感覚. ③= phantom limb). = pseudoaesthesia.

pseudo-, pseud- 偽りの,仮の(しばしば似て非なることについて用いる)を意味する接頭語.

pseudoaesthesia [Br.]. = pseudesthesia.

pseu·do·a·graph·i·a (sū′dō-ă-graf′ē-ă). = pseudagraphia.

pseu·do·al·lel·ic (sū′dō-ă-le′lik). 偽対立遺伝子の.

pseu·do·al·lel·ism (sū′dō-a-ēl′izm). 偽対立性(古典的な遺伝分析では単一遺伝子座と区別が難しいような 2 個以上の遺伝子座の関係).

pseudoanaemia [Br.]. = pseudoanemia.

pseu·do·a·ne·mi·a (sū′dō-ă-nē′mē-ă). 偽〔性〕貧血(貧血の血液的変化をもたずに,皮膚と粘膜が蒼白になること). = false anemia; pseudoanaemia.

pseu·do·ar·thro·sis (sū′dō-ahr-thrō′sis). = pseudarthrosis.

pseu·do·bul·bar (sū′dō-bŭl′bahr). 偽〔性〕球麻痺の,偽〔性〕延髄麻痺の(延髄神経の核上麻痺を表す).

pseu·do·bul·bar pal·sy 偽〔性〕球麻痺,仮性球麻痺(皮質延髄路の上位運動ニューロン線維が両側性に障害されて起こる,延髄筋系の痙性麻痺).

pseu·do·bul·bar pa·ral·y·sis 偽〔性〕球麻痺,偽〔性〕延髄麻痺(両側の上部運動ニューロンを含む脳病変が原因の,進行性球麻痺に類似した唇と舌の麻痺.感情が不安定で,発語とえん下が困難.痙性の陰気な笑いが通常みられる症状である).

pseu·do·car·ti·lage (sū′dō-kahr′ti-lij). 偽〔性〕軟骨. = chondroid tissue(1).

pseu·do·cast (sū′dō-kast). 偽〔性〕円柱. = false cast.

pseu·do·chan·cre (sū′dō-shang′kĕr). 偽〔性〕

P

下疳（通常は陰茎に位置し，下疳に類似した非特異性硬化びらん）.

pseu·do·cho·lin·es·ter·ase (sū′dō-kō′lin-es′tĕr-ās). 偽コリンエステラーゼ. = butyrocholinesterase.

pseu·do·cho·re·a (sū′dō-kōr-ē′ă). 偽〔性〕舞踏病（舞踏病に似た痙性疾患または広範なチック）.

pseudochromaesthesia [Br.]. = pseudochromesthesia.

pseu·do·chro·mes·the·si·a (sū′dō-krō′mes-thē′zē-ă). = pseudochromaesthesia. ***1*** 彩視症（印刷された各母音字が色付いてみえる異常. → photism）. ***2*** 聴色症. = color hearing.

pseu·do·co·arc·ta·tion (sū′dō-kō′ahrk-tā′shŭn). 偽〔性〕大動脈縮窄〔症〕（動脈管索の挿入の高さにおける大動脈弓の軽い狭窄を伴う変形）.

pseu·do·cop·ro·sta·sis (sū′dō-kop′rō-stā′sis). 偽性便秘（獣医学用語. 外部からの肛門の遮断による結腸での便の埋伏. 通常，からみあった毛が肛門をおおうために起こる）.

pseu·do·croup (sū′dō-krūp′). 偽〔性〕クループ. = laryngismus stridulus.

pseu·do·cryp·tor·chism (sū′-dō-krip′tōr-kizm). 偽〔性〕潜在精巣(睾丸)〔症〕（精巣が上下に動き続け，ときには上方は鼡径管にまで上がり，またときには陰嚢にまで下がる状態）.

pseu·do·cy·e·sis (sū′dō-sī-ē′sis). 想像妊娠，偽妊娠. = false pregnancy.

pseu·do·cyl·in·droid (sū′dō-sil′in-droyd). 偽〔性〕類円柱〔体〕（腎円柱に類似する尿中の粘液または他の物質の細片）.

pseu·do·cyst (sū′dō-sist). 偽〔性〕嚢胞，偽シスト（①上皮または他の膜の内張りのない嚢胞様小腔に液体が蓄積したもの. = adventitious cyst. ②壁が寄生生物によってではなく，宿主細胞によって形成されている嚢胞. ③宿主細胞内，特に脳内の細胞にみられる 50 あるいはそれ以上の *Toxoplasma* のブラディゾイトの塊. ただしこれは，以前は〝偽嚢胞〟とよばれていたが，現在では宿主細胞内でそれ自身の膜で囲まれた真の嚢胞であると考えられている. それは破裂して，新しい嚢胞を形成する粒子を放出することがある）.

pseu·do·de·men·ti·a (sū′dō-dĕ-men′shē-ă). 仮性痴呆，偽痴呆（痴呆に類似した状態であるが，通常は脳機能障害よりもうつ病によって生じる）.

pseu·do·diph·the·ri·a (sū′dō-dif-thēr′ē-ă). 偽〔性〕ジフテリア. = diphtheroid (1).

pseu·do·dom·i·nance (sū′dō-dom′i-năns). 偽優性. = quasidominance.

pseu·do·e·de·ma (sū′dō-ĕ-dē′mă). 偽〔性〕浮腫(水腫)（液体の貯留が原因でない皮膚の腫脹）.

pseu·do·ex·fol·i·a·tion syn·drome 偽落屑症候群（水晶体嚢に類似の落屑が水晶体表面に沈着する状態でしばしば緑内障を生じる）.

pseu·do·ex·fol·i·a·tive glau·co·ma 偽剥脱性緑内障（水晶体嚢，眼血管壁，虹彩，毛様体表面への広範な細胞小器官の沈着に合併して生じる緑内障）.

pseu·do·fol·lic·u·li·tis (sū′dō-fō-lik′yū-lī′tis). 偽〔性〕毛嚢炎（ひげそりやちぢれ毛に起因する紅斑性の毛嚢性の丘疹やときには膿疱. 毛幹が成長して毛嚢に一致して皮膚に刺し入る結果として陥入毛髪を生じる. 黒人の顎によくみられる）.

pseu·do·frac·ture (sū′dō-frak′shŭr). 偽〔性〕骨折（X 線所見で，骨の損傷部分に骨膜の肥厚を伴う新しい骨の形成がみられる状態）.

pseu·do·gan·gli·on (sū′dō-gang′glē-ŏn). 偽〔性〕神経節（神経節の外観をもつ神経幹の局所的な肥厚）.

pseudogeusaesthesia [Br.]. = pseudogeusesthesia.

pseu·do·geu·ses·the·si·a (sū′dō-gūs′es-thē′zē-ă). = color taste; pseudogeusaesthesia.

pseu·do·geu·si·a (sū′dō-gū′sē-ă). 偽〔性〕味覚（外部刺激によらない主観的な味覚）.

pseu·do·glan·du·lar stage of lung de·vel·op·ment 肺分化の偽腺期（肺が内分泌線に似る時期(6—16 週)で，この胎児成長期において，呼吸は不可能である）.

pseu·do·gout (sū′dō-gowt). 偽痛風（痛風のように尿酸結石ではなく，カルシウムピロリン酸の結晶が沈着することにより生じる急性発作性滑膜炎. 関節軟骨石灰化症を伴う）.

pseu·do-Grae·fe phe·nom·e·non 偽グレーフェ現象（眼球の下方運動に際して上眼瞼が上がること）.

pseudohaematuria [Br.]. = pseudohematuria.

pseu·do·he·ma·tu·ri·a (sū′dō-hē′mă-tyūr′ē-ă). 偽〔性〕血尿（ある種の食物または薬によって生じた尿の赤色着色. 実際の血尿ではない）. = false hematuria; pseudohaematuria.

pseu·do·her·maph·ro·dite (sū′dō-hĕr-maf′rō-dīt). 偽半陰陽者.

pseu·do·her·maph·ro·dit·ism (sū′dō-hĕr-maf′rō-di-tizm). 偽半陰陽（個人の性腺上の性は明確(精巣あるいは卵巣を有している)であるが，判別不能な外性器を有している状態）. = false hermaphroditism.

pseudohyperkalaemia [Br.]. = pseudohyperkalemia.

pseu·do·hy·per·kal·e·mi·a (sū′dō-hī′pĕr-kă-lē′mē-ă). 偽高カリウム血症（血清カリウム濃度の見かけ上の上昇. カリウム測定の目的で採血した血液検体中の細胞から試験管内でカリウムが遊出したとき起こる. 白血球や血小板の著しい増加を伴った骨髄増殖性疾患などの病気の際や不適切な採血手技による体外溶血の結果生じることがある）. = pseudohyperkalaemia.

pseu·do·hy·per·par·a·thy·roid·ism (sū′dō-hī′pĕr-par-ă-thī′roy-dizm). 偽性副甲状腺機能亢進症（骨転移や原発性副甲状腺機能亢進症が認められない悪性腫瘍患者に生じる高カルシウム血症. 悪性腫瘍細胞が，副甲状腺ホルモン様物質を産生することにより生じると考えられている）.

pseu·do·hy·per·tro·phic (sū′dō-hī′pĕr-trō′

fik). 偽〔性〕肥大の.

pseu·do·hy·per·tro·phy (sū′dō-hī-pĕr′trŏ-fē). 偽〔性〕肥大（その特異的な機能要素の肥大または増殖によるのではなく，他の組織，脂肪または線維組織の増殖による器官または部分の肥大）.

pseu·do·hy·po·a·cu·sis (sū′dō-hī′pō-ă-kyū′sis). 心因性（機能性）難聴（低下を説明できるような器官の障害がなかったり，病理学的にも不十分な，見かけの聴力低下．通常は変換障害あるいは仮病による）.

pseudohyponatraemia [Br.]. = pseudohyponatremia.

pseu·do·hy·po·na·tre·mi·a (sū′dō-hī′pō-nă- trē′mē-ă). 偽〔性〕低ナトリウム血症（高度の高脂血症や高蛋白血症による容量排除が原因となって起こる血清ナトリウム濃度低下症．高血糖の際に起こる血清ナトリウム濃度低下症を記述する場合にもこの語を用いる）. = pseudohyponatraemia.

pseu·do·hy·po·par·a·thy·roid·ism (sū′dō-hī′pō-par-ă-thī′royd-izm). 偽〔性〕上皮小体機能低下〔症〕（上皮小体機能低下症に似て，血清リンの上昇とカルシウムの低下がみられるが，副甲状腺ホルモン濃度は正常ないし上昇している疾患．原因は副甲状腺ホルモンに対する標的器官の反応性欠如による）.

pseu·do·ic·ter·us (sū′dō-ik′tĕr-ŭs). 偽〔性〕黄疸（胆汁色素によらない皮膚の黄色がかった変色）. = pseudojaundice.

pseu·do·i·so·chro·mat·ic (sū′dō-ī′sō-krō-mat′ik). 偽〔性〕同色性の（見かけは同じ色のものについていう．錯色で印刷された図の中に色の付いた点を混ぜてある図表をいう．色覚異常の検査に用いる）.

pseu·do·jaun·dice (sū′dō-jawn′dis). = pseudoicterus.

pseu·do·lo·gi·a (sū′dō-lō′jē-ă). 虚言〔症〕（会話または書くことに表れる病的なうそ）.

pseu·do·lo·gi·a phan·tas·ti·ca 空想虚言〔症〕（完全にうそであるにもかかわらず，患者自身が信じている話や患者のつくり出した空想的な出来事を説明すること）.

pseu·do·lym·pho·ma (sū′dō-lim-fō′mă). 偽〔性〕リンパ腫（顕視的に悪性リンパ腫に類似するリンパ様細胞または組織球の良性浸潤）.

pseu·do·ma·lig·nan·cy (sū′dō-mă-lig′năn-sē). 偽悪性腫瘍（臨床的にも組織学的にも悪性腫瘍のようにみえる良性腫瘍. →pseudotumor）.

pseu·do·ma·ni·a (sū′dō-mā′nē-ă). ***1*** 偽〔性〕精神病（人為的な精神異常）. ***2*** 自己帰罪欲（精神障害にみられるもので，罪を犯したと虚偽主張をすること）. ***3*** 病的虚言〔症〕（一般には，空想虚言にみられるのと同じような病的なうそつきのことをいう）.

pseu·do·mem·brane (sū′dō-mem′brān). 偽膜. = false membrane.

pseu·do·mem·bra·nous (sū′dō-mem′bră-nŭs). 偽膜〔性〕の.

pseu·do·mem·bra·nous bron·chi·tis 偽膜〔性〕気管支炎. = fibrinous bronchitis.

pseu·do·mem·bra·nous co·li·tis = pseudomembranous enterocolitis.

pseu·do·mem·bra·nous en·ter·i·tis 偽膜性腸炎. = pseudomembranous enterocolitis.

pseu·do·mem·bra·nous en·ter·o·co·li·tis 偽膜性腸炎（偽膜物質の形成と便中への排泄を伴う腸炎．一般的には抗生物質治療の結果生じるもの. *Clostridium difficile* 感染により起こる）. = pseudomembranous colitis; pseudomembranous enteritis.

pseu·do·mem·bra·nous gas·tri·tis 偽膜性胃炎（偽膜形成を特徴とする胃炎）.

pseu·do·mem·bra·nous in·flam·ma·tion 偽膜性炎〔症〕（粘膜および漿膜を含む滲出炎の一型．滲出液中の比較的大量の線維素が頑強な膜様の被覆となり，その下の急性炎症組織に強く粘着する）.

pseu·do·men·stru·a·tion (sū′dō-men′strū-ā′shŭn). 偽〔性〕月経（通常の月経前の子宮内膜変化がない子宮内出血）.

pseu·do·mo·nad (sū′dō-mō′nad). シュードモナス，プセウドモナス（*Pseudomonas* 属の種を表すのに用いる通称）.

Pseu·do·mo·nas (sū′dō-mō′nas). シュードモナス属，プセウドモナス属（運動性で極性べん毛を有する非芽胞形成性の好気性細菌（シュードモナス科）の一属．グラム陰性杆菌で，個々に存在する．代謝は呼吸性．主に土と淡水・海水中に存在する．数種は植物病原菌である．ヒトに感染するものもある．標準種は *Pseudomonas aeruginosa*）.

Pseu·do·mo·nas mal·le·i = *Burkholderia mallei*.

***Pseu·do·mo·nas* os·te·o·my·e·li·tis** = malignant external otitis.

pseu·do·mo·nil·e·thrix (sū′dō-mō-nil′ē-thriks). 偽連珠毛（連珠毛のように毛髪に結節を生じるが，結節膨大部で毛が折れる．常染色体優性遺伝で晩期に発症する）.

pseu·do·myx·o·ma (sū′dō-miks-ō′mă). 偽〔性〕粘液腫（粘液腫に類似するが，粘液からなるゼラチン状塊）.

pseu·do·myx·o·ma pe·ri·to·ne·i 腹膜偽〔性〕粘液腫（卵巣または虫垂の良性または悪性の嚢胞性新生物によって，腹腔にムチン物質が大量に蓄積すること）.

pseu·do·ne·o·plasm (sū′dō-nē′ō-plazm). 偽〔性〕新生物. = pseudotumor.

pseu·do·os·te·o·ma·la·cic pel·vis 偽骨軟化症性骨盤（強度のくる病骨盤で，産褥骨軟化症骨盤に類似し，骨盤腔は仙骨が前方に突出し，寛骨臼が接近して狭くなっている）.

pseu·do·pap·il·le·de·ma (sū′dō-pap′il-ē-dē′mă). 偽〔性〕乳頭水腫（浮腫）（視神経円板の異常隆起．高度の遠視と視神経結晶腔でみられる）. = pseudopapilloedema.

pseudopapilloedema [Br.]. = pseudopapilledema.

pseu·do·pa·ral·y·sis (sū′dō-păr-al′i-sis). 偽〔性〕麻痺（疼痛による運動の随意抑制，協調不能，または他の原因によるが，実際の麻痺のない見かけ上の麻痺). = pseudoparesis(1).

pseu·do·par·a·ple·gi·a (sū′dō-par-ă-plē′jē-ā). 偽〔性〕対麻痺（両下肢の見かけ上の麻痺. 腱反射, 皮膚反射, および電気反応は正常. くる病にみられることがある).

pseu·do·pa·re·sis (sū′dō-păr-ē′sis). 偽〔性〕不全麻痺（①= pseudoparalysis. ②初期の不全麻痺を示唆する瞳孔変化, 振せん, 言語障害を特徴とするが, 血清学的試験は陰性である状態).

pseu·do·par·kin·son·ism (sū′dō-pahr′kin-sŏn-izm). 偽性パーキンソン症（振戦や仮面様顔貌, 流涎, 硬直, ぎこちない足取りなどのパーキンソン病に似た症状を引き起こす, 薬の副作用).

pseu·do·pe·lade (sū′dō-pĕ-lahd′). 萎縮性脱毛〔症〕（瘢痕型の脱毛症. 通常, 原因不明の散在性不整形の斑を生じる).

pseu·do·plate·let (sū′dō-plāt′lĕt). 偽血小板（好中球の断片で血小板と間違われたもので, 特に, 白血病患者の末梢血の塗抹標本でみられる).

pseu·do·pod (sū′dō-pod). = pseudopodium.

pseu·do·po·di·um, pl. **pseu·do·po·di·a** (sū′dō-pō′dē-ŭm, -pō′dē-ā). 偽足（アメーバ状の細胞あるいはアメーバ性原生動物が移動や食物の捕捉のために突き出す一時的な原形質突起). = pseudopod.

pseu·do·pol·yp (sū′dō-pol′ip). 偽ポリープ（肉芽組織の突出塊. 潰瘍性大腸炎において多数みられる. 再生上皮でおおわれることもある).

pseu·do·preg·nan·cy (sū′dō-preg′năn-sē). 偽妊娠（①= false pregnancy. ②妊娠に似た症状が存在するが妊娠ではない状態).

pseu·do·pte·ryg·i·um (sū′dō-tĕr-ij′ē-ŭm). 偽〔性〕翼状片（外傷後に起こる角膜への結膜の癒着).

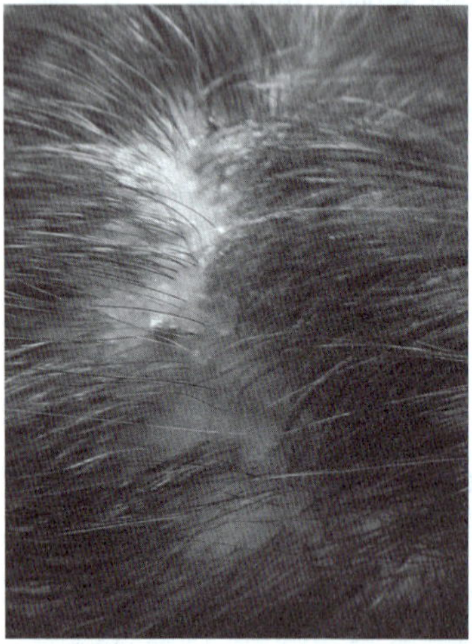

pseudopelade

pseu·dop·to·sis (sū′dō-tō′sis). 偽〔性〕眼瞼下垂〔症〕（眼瞼下垂症に類似した状態で, 眼裂縮小, 眼瞼皮膚弛緩症, または他の疾患によって起こる). = false blepharoptosis.

pseu·do·re·ac·tion (sū′dō-rē-ak′shŭn). 偽〔性〕反応（擬似反応の1つ. 一定の検査で特異的な原因によらない反応).

pseu·do·rick·ets (sū′dō-rik′ĕts). 偽〔性〕くる病. = renal rickets.

pseu·do·ro·sette (sū′dō-rō-zet′). 偽〔性〕ロゼット（小さな血管の周囲に新生物細胞が放射状に配列している状態. →rosette(2)).

pseu·do·scar·la·ti·na (sū′dō-skahr′lă-tē′nă). 偽〔性〕猩紅熱（化膿連鎖球菌 *Streptococcus pyogenes* 以外の原因による発熱を伴う紅斑).

pseu·dos·mi·a (sū-doz′mē-ă). 偽嗅, 幻嗅（実在しない臭気を感じとる主観感覚).

pseu·do·stra·bis·mus (sū′dō-stră-biz′mŭs). 偽斜視（内眼角贅皮, 両眼窩間隔異常, または瞳孔中央に対応しない角膜反射による斜視様所見).

pseu·do·strat·i·fied ep·i·the·li·um 多列上皮（細胞核が異なる高さにあるため一見すると重層であるようにみえるが, 実際はすべての細胞が基底膜に達しているので単層上皮に分類される).

pseu·do·tu·mor (sū′dō-tū′mŏr). 偽腫瘍（肥満した若い女性によくみられ, 細く小さな脳室, 頭蓋内圧亢進, しばしば乳頭浮腫を伴う脳浮腫状態). = pseudoneoplasm; pseudotumour.

pseu·do·tu·mor cer·e·bri 偽脳腫瘍（肥満の若い女性によくみられる疾患で, 脳浮腫と脳室の縮小がみられるが, 頭蓋内圧は亢進し, 乳頭浮腫もみられる).

pseudotumour [Br.]. = pseudotumor.

pseu·do·u·ri·dine(ψ, Q) プソイドウリジン; 5-*β*-D-ribosyluracil(転移リボ核酸にみられるウリジンの天然に存在する異性体. リボシルが窒素とよりも炭素(C5)と結合している点で独特である. 尿中に排泄される).

pseu·do·xan·tho·ma elas·ti·cum 弾性線維〔性〕仮〔性〕黄色腫（結合組織の遺伝性疾患で, 頸部, 腋窩, 腹部, 大腿の黄色斑を特徴とし, 網膜の血管様線条や動脈の弾性線維の同様な変性および石灰化を合併する).

psi (sī). サイ, プサイ, プシー（①ギリシア語アルファベットの第23字, Ψ. ②(Ψ).プソイドリウリジン, pseudo-, psychology, 波動関数, ペプチド結合の C_1-Cα 結合での回転の二面角の記号).

psi pounds per square inch(ポンド/平方インチ)の略. 圧力の単位.

P sin·is·tro·car·di·a·le 左心性 P. = P mitrale.

psi phe·nom·e·non プシー現象（念力および超感覚的知覚の両方を含む現象. 本人のいうテレパシーを送ったり受けたりする能力に関わる超感覚的な精神的過程).

PSIS posterior superior iliac spine の略.

psit·ta·co·sis (sit′ă-kō′sis). オウム病（*Chlamydia psittaci* に起因するオウム類鳥類とヒトの感染性疾患. トリの感染は急性の疾病も起こるが, 主に不顕性ないし潜在性である. ヒトの感染はインフルエンザ様の症候を伴う軽度な疾患となる場合があり, また特に高齢者では気管支肺炎の症状を伴い重症になることがある). = ornithosis; Parrot disease(3); parrot fever.

pso·as ab·scess 腰筋膿瘍（通常は結核性膿瘍で, 結核性脊椎炎によって引き起こされ, 腸腰筋を通って鼡径部に広がる).

pso·as ma·jor mus·cle 大腰筋（起始：第十二胸椎から第五腰椎の椎体と椎間円板, および腰椎の横突起. 停止：腸骨筋と共通腱をつくって大腿骨の小転子. 神経支配：腰神経叢(第一–第三腰神経).作用：股関節の屈曲の主力筋). = musculus psoas major; greater psoas muscle.

pso·as mi·nor mus·cle 小腰筋（約 40%で欠如するまれに出現する筋. 起始：第十二胸椎と第一腰椎の椎体と, その間にある椎間円板. 停止：腸恥筋膜弓を介して腸恥隆起. 神経支配：腰神経叢. 作用：腰部脊柱の屈曲の補助). = musculus psoas minor; smaller psoas muscle.

pso·rel·co·sis (sōr′el-kō′sis). 疥癬性潰瘍（疥癬の際にみられる潰瘍形成).

pso·ri·a·sic (sōr′ē-as′ik). = psoriatic.

pso·ri·a·si·form (sōr-ī′ă-si-fōrm). 乾癬状の.

pso·ri·a·sis (sōr-ī′ă-sis). 乾癬（赤色調を呈し, 銀色の鱗屑を伴った斑状丘疹を特徴とするありふれた多因子性の遺伝性疾患. 病変は肘, 膝, 頭皮, および体幹に特に好発する).

pso·ri·at·ic (sōr′ē-at′ik). 乾癬の. = psoriasic.

pso·ri·at·ic ar·thri·tis 乾癬性関節炎（乾癬に伴って発生する多発性関節炎で, 関節リウマチに似ているが, 1つの疾患単位として考えられる. リウマチ因子は陰性で, 指に多発する). = arthropathia psoriatica.

PSR Periodontal Screening Record; Periodontal Screening and Recording の略.

PSV pressure support ventilation の略.

psy·chal·gi·a (sī-kal′jē-ă). 精神疼痛（①精神的努力に伴う苦痛. 特に抑うつ病にみられる. = phrenalgia(1). ②= psychogenic pain).

psy·cha·tax·i·a (sī′kă-tak′sē-ă). 精神失調（精神の混乱. 注意を集中したり, 精神的努力を続けることができないこと).

psy·che (sī′kē). サイキ（心と自己, 精神の主観的な面を表す語. 人間の身体的特性と区別さ

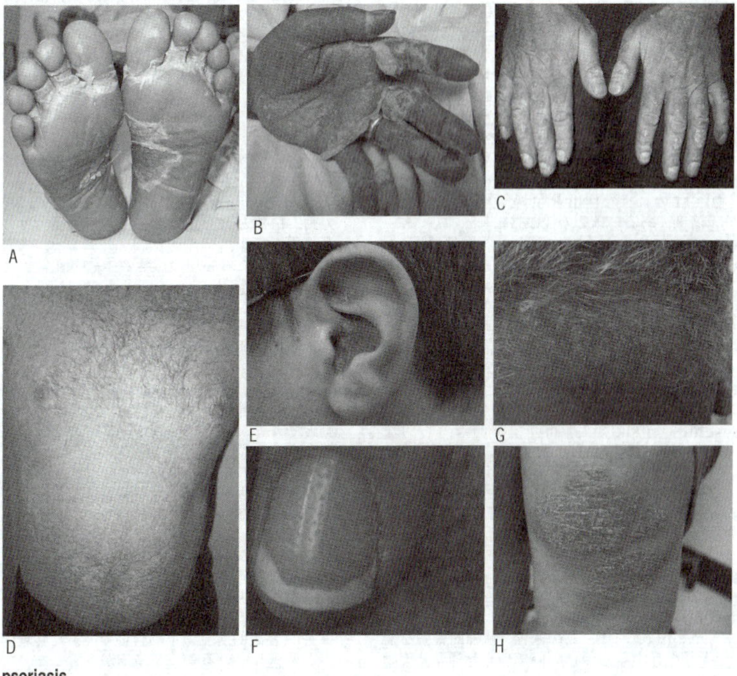
A
B
C
D
E
F
G
H

psoriasis

P

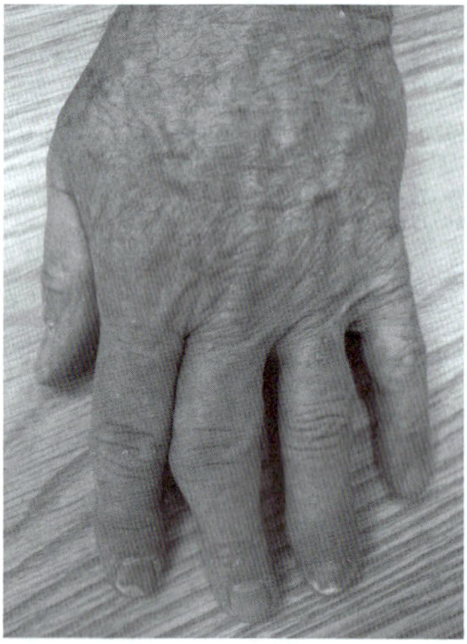

psoriatic arthritis

れる，心理的，精神的なもの）．

psy·che·del·ic (sī′kĕ-del′ik). = hallucinogenic. *1* 〖adj.〗 サイケデリックな，精神異常発現性の（主として中枢神経系に作用し，意識の拡大や高揚に作用すると思われる薬物のやや不正確な分類に関するもので，例えば，LSD，ハシシュ，メスカリンなどについていう）．*2* 〖n.〗 幻覚発動薬〔物〕（*1* のような作用をもつ薬物，視覚的展示物，音楽，あるいはその他の感覚刺激物）．

psy·chi·at·ric (sī′kē-at′rik). 精神医学の．

psy·chi·a·tric re·hab·i·li·ta·tion 精神科リハビリテーション（長期の精神障害者が生活上の課題を自分で決定し実行するのを助ける，専門家があまり関与しないサービスおよび支援）．

psy·chi·a·trist (sī-kī′ă-trist). 精神〔科〕医，精神医学専門医（精神医学を専門とする医師）．

psy·chi·a·try (sī-kī′ă-trē). 精神医学（精神障害の診断と治療を取り扱う専門医学）．

psy·chic (sī′kik). *1* 〖adj.〗 精神的な，心的な（意識，心，魂の現象に関する）．*2* 〖n.〗 巾子，巫女，霊媒（霊と通信する力を与えられていると仮定される人）．

psy·chic trau·ma 心的外傷，精神的外傷（精神障害を誘発あるいは悪化させるようなショック体験）．

psycho-, psych-, psyche- 心，精神，心理学に関する連結形．

psy·cho·ac·tive (sī′kō-ak′tiv). 精神活性の（気分，不安，行動，認識過程，精神的緊張を変える力を有するものについていう．通常，薬物に対して用いる）．

psy·cho·a·nal·y·sis (sī′kō-ă-nal′i-sis). 精神分析〔学〕（① Sigmund Freud が始めた，主として感情転移と抵抗の分析を意識にもたらすように意図した精神療法の一方法．→freudian psychoanalysis. ②精神分析状況において自由連想と夢分析を通して人間の心や心理機能，抵抗の解釈，分析者に対する患者の感情的反応を調べる一方法．③人格発展，動機付け，行動に関する観察と理論の統合体．④ Jung 派または Freud 派の精神分析のように精神治療の制度化された学派）．

psy·cho·an·a·lyst (sī′kō-an′ă-list). 精神分析専門医（精神分析の訓練およびそれを受け，情動障害の治療に適用する訓練を受けた精神療法士．通常は精神科医）．

psy·cho·an·a·lyt·ic (sī′kō-an′ă-lit′ik). 精神分析〔学〕の．

psy·cho·an·a·lyt·ic psy·chi·a·try 精神分析的精神医学（精神分析的原理を強調する精神医学的理論と実践）．= dynamic psychiatry.

psy·cho·an·a·lyt·ic ther·a·py 精神分析療法．= psychoanalysis(1).

psy·cho·bi·ol·o·gy (sī′kō-bī-ol′ŏ-jē). 精神生物学（認知機能における生物学と心理学の相互関係の研究．知能と記憶，それと関連した神経認知過程を含む）．

psy·cho·di·ag·no·sis (sī′kō-dī′ăg-nō′sis). *1* 精神診断（行動，特に不適応または異常行動の基礎にある要因を発見するのに用いるあらゆる方法）．*2* 精神診断学（精神病理を評価するために心理的テストや技法を用いることを強調する臨床心理学の一分野）．

psy·cho·dra·ma (sī′kō-drah′mă). 心理劇，サイコドラマ（患者に下稽古や診断上特徴的な役を与えずに，他の患者の前で演じることによって，彼らの個人的な問題を表出させるような精神療法の一方法）．

psy·cho·dy·nam·ics (sī′kō-dī-nam′iks). 精神力動，精神力学（無意識と意識の動機付けの相互作用と情動の機能的意義を強調する，人間行動の基底にある心理の影響の体系的研究と理論．→role-playing）．

psy·cho·gen·e·sis (sī′kō-jen′ĕ-sis). 心因，精神発生学，精神作用（精神，感情，行動，人格，および関連する心理過程を含む精神過程の起源と発達）．

psy·cho·gen·ic, psy·cho·ge·net·ic (sī′kō-jen′ik, -jĕ-net′ik). *1* 精神性の．*2* 心因性の（情動とそれに関連した心理の発展，または心因に関する）．

psy·cho·gen·ic deaf·ness 心因性難聴（器質的原因でも仮病でもない聴覚喪失．しばしば激しい心理的ショックに続いて起こる）．= functional deafness.

psy·cho·gen·ic pain 心因性疼痛（心理的，感情的，行動刺激と関連しているか相関関係にある痛み）．= psychalgia(2).

psy·cho·gen·ic pain dis·or·der 心因性疼痛障害（客観的所見に不釣合いで，また心理的要素と関係しているような痛みが主訴となっている障害）．

psy·cho·gen·ic vom·it·ing 心因性嘔吐（精神的な苦痛や不安に関係して生じる嘔吐）．

psy·cho·ki·ne·sis, psy·cho·ki·ne·si·a (sī′kō-ki-nē′sis, -nē′zē-ă). *1* 念力（精神力が物質に影響を及ぼすこと．物を動かしたり，曲げたりする精神的な〝力〟）．*2* 精神運動（衝動的行動）．

psy·cho·lin·gui·stics (sī′kō-ling-gwis′tiks). 心理言語学（言語の疎通性と理解とに影響を与える発声，態度，情動，文法を含む言語と関連した多数の心理的要因を研究する学問）．

psy·cho·log·ical (sī′kō-loj′ik-ăl). 心理学の，心〔理〕的の（①心理学に関する．②心理やその作用についていう．→psychology）．

psy·chol·o·gist (sī-kol′ŏ-jist). 心理学者（心理学を専門とする人で，職業として心理学を実践する免許をもっている人(例えば臨床心理学者)や，学問としての心理学を教える資格のある人(例えば学問的心理学者)，あるいは心理学の一分野に専門的に精通している人(例えば研究心理学者)などをいう）．

psy·chol·o·gy (sī-kol′ŏ-jē). 心理学（人や動物の行動および心的・心理的な過程を取り扱う学問）．

psy·cho·met·ric prop·er·ties 精神測定学的特性（検査あるいは測定の統計的強度や弱さに関連する定量化可能な特性．例えば妥当性，信頼性．→reliability, validity）．

psy·cho·met·rics (sī′kō-met′riks). = psychometry.

psy·chom·e·try (sī′kom′ĕ-trē). 精神測定〔学〕，心理測定〔学〕（心理的・精神的検査に関する学問で，個人の心理的特性あるいは態度または精神過程を量的に分析しようとするもの）．= psychometrics.

psy·cho·mo·tor (sī′kō-mō′tŏr). 精神運動の（①筋肉運動や随意運動と関連した心理過程についていう．②障害となる場合も含めて，精神と運動現象との結合性を意味する）．

psy·cho·mo·tor ep·i·lep·sy 精神運動てんかん（緻密で多くの感覚，運動，精神成分をもつ発作で，意識の混濁または消失と発作時に起きたことの健忘を呈することが多い．自動症，短気，怒り，または恐怖の感情突発，運動または精神障害を臨床症状とすることもある．→procursive epilepsy）．= psychomotor seizure.

psy·cho·mo·tor sei·zure 精神運動発作．= psychomotor epilepsy.

psy·cho·neu·ro·sis (sī′kō-nūr-ō′sis). 精神神経症．= neurosis.

psy·cho·neu·rot·ic (sī′kō-nūr-ot′ik). 精神神経症〔性〕の，精神神経患者の．

psy·cho·path (sī′kō-path). 精神病質（以前，反社会的な人格障害をもつ個人をさした語．→antisocial personality disorder; sociopath）．

psy·cho·path·ic (sī′kō-path′ik). 精神障害の．

psy·cho·pa·thol·o·gy (sī′kō-pă-thol′ŏ-jē). 精神病理学（①精神や行動の病理学を取り扱う科学．②精神医学および異常心理学を含めて，精神や行動の障害を研究する学問）．

psy·cho·phar·ma·ceu·ti·cals (sī′kō-fahr′mă-sū′ti-kălz). 向精神薬（情動障害の治療に用いる薬物）．

psy·cho·phar·ma·col·o·gy (sī′kō-fahr′mă-kol′ŏ-jē). 精神薬理学（①精神障害の治療に用いる薬剤の用法に関する学問．②薬剤と行動との関係を研究する学問）．

psy·cho·phys·i·cal (sī′kō-fiz′i-kăl). *1* 精神物理の（身体刺激の精神知覚についていう．→psychophysics）．*2* 心身の，精神身体の．= psychosomatic.

psy·cho·phys·ics (sī′kō-fiz′iks). 精神物理学（刺激の物理的特質と，測定された同一刺激の精神知覚の量的特質との関係の科学(例えば，音響のデシベルレベルでの変化とそれに対するヒトの聴覚の変化の関係)）．

psy·cho·phys·i·o·log·ic (sī′kō-fiz′ē-ō-loj′ik). 精神生理学の（①精神生理学についていう．②いわゆる心身症についていう．③重大な，情動的または心理的病因のある身体疾患を示す）．

psy·cho·phys·i·ol·o·gy (sī′kō-fiz′ē-ol′ŏ-jē). 精神生理学（心理過程と生理過程との関係の科学）．

psy·cho·sen·so·ry, psy·cho·sen·so·ri·al (sī′kō-sen′sŏr-ē, -sen-sōr′ē-ăl). 精神感覚の（①感覚刺激の心的知覚と解釈を示す．②努力によって精神が現実から区別できる幻覚を示す）．

psy·cho·sex·u·al (sī′kō-sek′shū-ăl). 精神・性的の（性または性的発達の情緒的，精神生理的，および行動的な各要素の関係についていう）．

psy·cho·sex·u·al de·vel·op·ment 精神・性的発達（性欲の精神面と行動面での成熟と発達．誕生から成年に達する間に，口唇期，肛門期，男根期，潜伏期，および性器期を経過する）．

psy·cho·sex·u·al dys·func·tion, sex·u·al dys·func·tion 精神性機能障害，性機能障害（性機能の障害をいう．例えば，インポテンツ，早漏，性感欠如などをさし，身体的な原因よりも心理的な原因によると考えられている）．

psy·cho·sis, pl. psy·cho·ses (sī-kō′sis, -sēz). 精神病（①日常生活での通常の要求を処理する能力を妨げるほど，個人の精神力，情動反応，および現実を認識し，他人と意志を疎通し，関係をもつ力を著しくゆがませ，崩壊させる精神および行動上の障害．②精神障害の一般名．最も多い型は統合失調症．③重症の情動および行動上の疾患）．= psychotic disorder.

psy·cho·so·cial (sī′kō-sō′shăl). 心理・社会的の（心理学的視点および社会的視点を含むことについていう．例えば，年齢，教育，結婚，血縁に関する点など）．

psy·cho·so·mat·ic (sī′kō-sō-mat′ik). 心身の，精神身体の（精神あるいは脳の高度の機能(感情，恐怖，欲望など)の影響，特に身体障害または疾患に関連する身体機能への影響についていう．→psychophysiologic）．= psychophysical(2).

psy·cho·so·mat·ic dis·or·der, psy·cho·phys·i·o·log·ic dis·or·der 心身障害，精神生理的障害（精神的起源の身体症候が特徴である障害．自律神経系に神経支配される単一器官系の障害を含む．障害が持続すると生理学的および器質的変化が生じる）．

psy·cho·so·mat·ic med·i·cine 精神身体医学，心身医学（心理学的過程と反応が主要な役割を果たすと思われる病気，障害，異常状態の研究と治療).

psy·cho·so·mi·met·ic (sī′kō-sō-mi-met′ik). = psychotomimetic.

psy·cho·stim·u·lant (sī′kō-stim′yū-lănt). 精神刺激薬（抗うつ性あるいは気分を高揚させる性質をもつ薬物).

psy·cho·sur·ger·y (sī′kō-sŭr′jĕr-ē). 精神外科（脳の手術(例えばロボトミー)による精神障害の治療).

psy·cho·ther·a·peu·tics (sī′kō-thār′ă-pyū′tiks). = psychotherapy.

psy·cho·ther·a·pist (sī′kō-thār′ă-pist). 精神療法士（精神療法の専門的訓練を受け，それに従事している者．通常は精神科医か臨床心理学者．現在この用語は，ソーシャルワーカー，看護師，その他精神療法を含む実践治療を国から許可されている人々にも適用されている).

psy·cho·ther·a·py (sī′kō-thār′ă-pē). 精神療法，心理療法（化学的・物理的方法を利用する治療とは対照的に，主として患者と言語的，非言語的に意志の疎通を図ったり，干渉しあったりすることにより，情動的，行動的，性格的，および精神科的障害を治療すること．→psychoanalysis; psychiatry; psychology; therapy). = psychotherapeutics.

psy·chot·ic (sī-kot′ik). 精神病性の.

psy·chot·ic dis·or·der 精神病性障害. = psychosis.

psy·chot·o·gen·ic (sī-kot′ō-jen′ik). 精神病発現薬の（精神病を誘発させる．特に LSD 系薬物や類似物質に関して用いる).

psy·chot·o·mi·met·ic (sī-kot′ō-mi-met′ik). = psychosomimetic. ***1***〚n.〛精神異常作用薬，精神異常発現薬（精神病に似た心理的・行動的変化をもたらす薬または物質．例えば LSD). ***2***〚adj.〛精神異常作用〔性〕の，精神異常発現〔性〕の（***1*** の作用をもつ薬剤や物質についていう).

psy·cho·tro·pic (sī′kō-trō′pik). 精神作用〔性〕の，向精神性の（精神，感情，行動に作用しうる．特に精神病に用いる薬についていう).

psychro- 寒冷に関する連結形. →cryo-; crymo-.

psy·chro·al·gi·a (sī′krō-al′jē-ă). 〔寒〕冷痛（寒冷を疼痛として感じる感覚).

psy·chrom·e·try (sī-krom′ĕ-trē). 乾湿球湿度測定〔法〕（湿球および乾球温度と気圧から，相対湿度と水蒸気圧を計算すること．相対湿度は普通用いられている値であるが，蒸気圧は生理学的意味をもつ量である). = hygrometry.

psy·chro·phile, psy·chro·phil (sī′krō-fīl, -fil). 好冷菌（低温(0—32°C；32—86°F)で最もよく発育し，15—20°C(59—68°F)で最適な発育をする細菌).

psy·chro·phil·ic (sī′krō-fil′ik). 好冷の.

psy·chro·phore (sī′krō-fōr). 冷却消息子（尿道や他の管や腔を冷やすために冷水が循環する二重カテーテル).

psyl·li·um (sil′ē-ŭm). サイリウム(オオバコ)（サイリウム(オオバコ)の種子の外皮で，便秘を軽減したり，他の消化器官の問題を治療するために使用される).

PT physical therapy; physical therapist; prothrombin time; proficiency testing の略.

Pt 白金の元素記号.

PTA plasma thromboplastin antecedent; phosphotungstic acid; percutaneous transluminal angioplasty; physical therapist assistant の略.

PTAH phosphotungstic acid hematoxylin の略.

PT as·sis·tant physical therapist assistant の略.

PTC plasma thromboplastin component の略.

pter-, ptero- 翼，羽毛を意味する連結形.

pte·ri·on (tēr′ē-on). プテリオン（蝶形骨の大翼，側頭骨鱗部，前頭骨，頭頂骨の結合する前側頭泉門部における頭蓋計測点．中硬膜動脈の前頭蓋へ行く枝はここを横切っている).

pte·ryg·i·um (tĕr-ij′ē-ŭm). ***1*** 翼状片（肥大した眼球結膜下組織の三角形斑で，内眼角から角膜縁以遠に拡大し，先端は瞳孔に向いている). ***2*** 爪甲に爪上皮の前方発育を生じ，扁平苔癬患者において最もよく認められる. ***3*** 異常な皮膚の翼状膜.

pterygo- 翼状の，通常は翼状突起を意味する連結形.

pter·y·goid (ter′i-goyd). 翼状の（蝶形骨に関係する種々の解剖上の部位に用いる語).

pter·y·goid ca·nal 翼突管（蝶形骨の内側翼状突起基部を貫く開口部で，翼突管動脈・静脈・神経が通る). = canalis pterygoideus.

pter·y·goid nerve 翼突筋神経（下顎神経の 2 本の運動枝で，三叉神経運動根から出て内側・外側翼突筋を支配する). = nervus pterygoideus.

pter·y·goid pro·cess 翼状突起（蝶形骨の両側で体部と大翼の結合部から下方にのびている長い突起．2 つの板(外側と内側)から形成され，前方では結合しているが下方で分離し翼突切痕をつくる．翼突窩は後方でこれら 2 つの板の広がりによって形成される).

pter·y·go·man·dib·u·lar (ter′i-gō-man-dib′yū-lăr). 翼突下顎の（翼状突起と下顎骨に関する).

pter·y·go·max·il·lar·y (ter′i-gō-mak′si-lar-ē). 翼突上顎の（翼状突起と上顎骨に関する).

pte·ry·go·men·in·ge·al ar·ter·y 翼突硬膜動脈（上顎動脈または中硬膜動脈から起こり，卵円孔を通過して頭蓋腔にはいり，三叉神経節，硬膜，中頭蓋窩の骨に分布するが，実は主たる分布域は頭蓋の外部にあり，翼状突起，鼓膜張筋，蝶形骨，下顎神経，耳神経節に分布する). = arteria pterygomeningealis.

pter·y·go·pal·a·tine (ter′i-gō-pal′ă-tīn). 翼突口蓋の（翼状突起と口蓋骨に関する).

pter·y·go·pal·a·tine ca·nal = greater palatine canal.

pter·y·go·pal·a·tine gan·gli·on 翼口蓋神経節（翼口蓋窩上部にある小さな副交感神経節で，その分泌促進性節後線維は涙腺・鼻腺・口蓋腺・咽頭腺に分布する).

PTH parathyroid hormone の略.

PTHC percutaneous transhepatic cholangiography の略.

Pthir·us (thir′ŭs). ケジラミ属（シラミの一属で，以前はキモノジラミ属 *Pediculus* の中に分類されていた．主要な種は，ケジラミ *Pthirus pubis* *(crab louse, pubic louse)*で，恥骨部や隣接の有毛部にはびこる寄生虫である．属名はしばしば誤って，*Phthirus* あるいは *Phthirius* とつづられることがある）．

PTHrP parathyroid hormone-related peptide の略．

PTI pressure time index の略．

PTK phototherapeutic keratectomy の頭文字．

pto·maine (tō′mān)．プトマイン，死〔体〕毒（有毒物質に用いられる，やや広義の用語．例えば，細菌による蛋白の分解中にアミノ酸の脱炭酸によって生成される毒性アミン）．

ptosed (tōzd)．= ptotic.

pto·sis, pl. pto·ses (tō′sis, -sēz)．下垂〔症〕（①臓器の陥没あるいは脱出．②= blepharoptosis）．

-ptosis 臓器の下垂，下方変位を表す接尾語．

pto·tic (tot′ik)．下垂〔症〕の．= ptosed.

PTSD posttraumatic stress disorder の略．

PTT partial thromboplastin time の略．

pty·a·lec·ta·sis (tī′ă-lek′tă-sis)．唾液〔排泄〕管拡張〔症〕．= sialectasis.

pty·a·lism (tī′ăl-izm)．流ぜん(涎)症．= sialism.

pty·a·lo·cele (tī′ă-lō-sēl)．唾液囊腫．= ranula (2)．

Pu プルトニウムの元素記号．

pu·bar·che (pyū-bahr′kē)．特に恥毛の出現によって発現する思春期の開始期．

pu·ber·al, pu·ber·tal (pyū′bĕr-ăl, -bĕr-tăl)．青春期の．

pu·ber·pho·ni·a (pyū′bĕr-fō′nē-ă)．パバーフォーニア，思春期変声障害．= mutational falsetto.

pu·ber·ty (pyu′bĕr-tē)．思春期（小児が若い成人に変化する一連の事象．配偶子形成および性ホルモンの分泌が始まり，二次性徴の成長と生殖機能が始まる．性的二形性が強調される．思春期の第1徴候は，少女では8歳で明白となり，その過程は16歳までに大部分完成する．少年では思春期は一般に10―12歳で始まり，18歳までに大部分完成する．人種的・地理的要因が，青春期の典型的な諸事象が発生する時を左右する）．

pu·bes (pyū′bēz)．***1*** 陰部，恥部（外性器直上の思春期に発毛を示す部位）．***2*** 陰毛，恥毛（恥部の毛．しばしば誤って pubis 恥骨とよばれる）．

pu·bes·cence (pyū-bes′ĕns)．思春期（性的成熟の年齢に達すること）．

pu·bes·cent (pyū-bes′ĕnt)．***1*** 思春期の．***2*** 軟毛の．

pu·bic (pyū′bik)．恥骨の．

pu·bic an·gle = subpubic angle.

pu·bic arch 恥骨弓（恥骨下枝・恥骨体・恥骨結合が形成する弓形．→subpubic angle）．

pu·bic bone 恥骨（寛骨の前下部にあり，出生時には分離しているが，後に腸骨および坐骨と癒合する．恥骨結合面でその対と関節をなす体と，2本の枝で構成される．上枝は寛骨臼の形成に関与し，下枝は坐骨の枝と癒合して坐骨恥骨枝となる）．

pu·bic crest 恥骨稜（恥骨体の粗な前縁．外側は恥骨結節に連続する）．

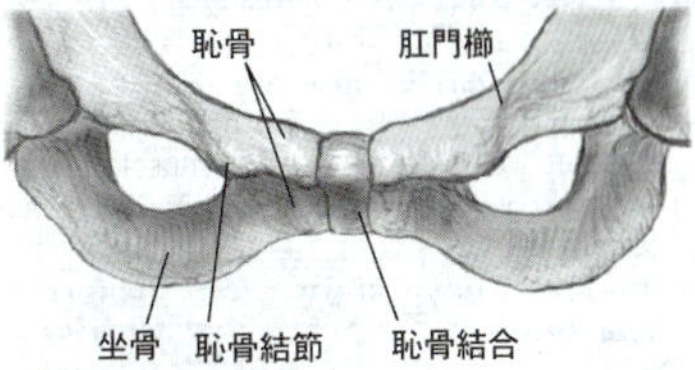
恥骨
肛門櫛
坐骨
恥骨結節
恥骨結合

pubic bone

pu·bic re·gion 恥骨部（臍部の下の下腹の中心部．恥丘より上方の部分）．

pu·bic sym·phy·sis 恥骨結合（2個の恥骨間の強固な線維軟骨性関節）．= symphysis pubis.

pu·bic tu·ber·cle 恥骨結節（恥骨稜前端で恥骨結合から2 cm ほどのところにある触察できる小隆起で，鼡径靱帯の停止位置にあたる）．

pu·bi·ot·o·my (pyū′bē-ot′ō-mē)．恥骨切開〔術〕（生存児を通過させることができるように収縮した骨盤の容量を増加させるため，恥骨結合の外側数センチで恥骨を切断すること）．= pelviotomy (2); pelvitomy.

pu·bis (pyū′bis)．恥骨（os pubis の公式の別名）．

pub·lic health 公衆衛生（人間集団の健康に関する学問および科学で，統計・疫学・衛生・流行性疾患の予防と根絶にかかわるもの．人々の健康を増進し，予防し，かつ保持すべく社会によって組織化された努力．公衆衛生は社会的な施設，サービスおよび実際の行動である）．

pubo- 恥骨，恥骨の，を意味する連結形．

pu·bo·coc·cy·ge·al mus·cle 恥骨尾骨筋．= pubococcygeus muscle.

pu·bo·coc·cy·ge·us mus·cle 恥骨尾骨筋（恥骨体の前面および近くの閉鎖筋膜腱弓より起こり尾骨に付着する肛門挙筋の前方線維）．= musculus pubococcygeus; pubococcygeal muscle.

pu·bo·pros·tat·ic (pyū′bō-pros-tat′ik)．恥骨前立腺の（恥骨と前立腺に関する）．

pu·bo·pros·tat·ic mus·cle 恥骨前立腺筋（恥骨前立腺靱帯内の平滑筋線維）．= musculus puboprostaticus.

pu·bo·rec·tal (pyū′bō-rek′tăl)．恥骨直腸の（恥骨と直腸に関する）．

pu·bo·rec·ta·lis mus·cle 恥骨直腸筋（恥骨体から肛門の後方を通り，肛門直腸移行部で筋わなを形成する肛門挙筋(恥骨尾骨筋)の内側部．収縮すると肛門直腸(会陰)曲を増大し，ぜん動の間便意を抑制する．排便時には弛緩する）．= musculus puborectalis; puborectal muscle.

pu·bo·rec·tal mus·cle 恥骨直腸筋．= puborectalis muscle.

pu·bo·va·gi·na·lis mus·cle 恥骨腟筋（女性の恥骨から腟の外側壁にのびる肛門挙筋(恥骨尾骨筋)の最も内側にある線維）．= musculus pubovaginalis; pubovaginal muscle.

pu·bo·vag·i·nal mus·cle 恥骨腟筋．= pubovaginalis muscle.

pu·bo·ves·i·cal (pyū′bō-ves′i-kăl). 恥骨膀胱の（恥骨と膀胱に関する）.

pu·bo·ves·i·ca·lis mus·cle 恥骨膀胱筋（女性の恥骨膀胱靱帯内にある平滑筋線維）. = musculus pubovesicalis; pubovesical muscle.

pu·bo·ves·i·cal mus·cle 恥骨膀胱筋. = pubovesicalis muscle.

Pucht·ler-Sweat stain for base·ment mem·branes プフトラー-スウェットの基底膜染色（Carnoy 固定液で固定したあとレゾルシン-フクシンと nuclear fast red 液で染める方法. 基底膜は灰色から黒色に，核は桃色から赤色に染まる）.

Pucht·ler-Sweat stain for he·mo·glo·bin and he·mo·sid·er·in プフトラー-スウェットのヘモグロビン-ヘモジデリン染色〔法〕（複合染色法で黄色の背景にヘモグロビンは赤色に，ヘモジデリンは青色から緑色に，弾性線維は桃色に染まる）.

Pucht·ler-Sweat stains →Puchtler-Sweat stain for basement membranes; Puchtler-Sweat stain for hemoglobin and hemosiderin.

puck·ered lip breath·ing = pursed-lip breathing.

pu·den·dal (pyū-den′dăl). 外陰部の. = pudic.

pu·den·dal ca·nal 陰部神経管（坐骨直腸窩の側壁をおおう内閉鎖筋膜内の間隙で，陰部神経・血管を通す）. = canalis pudendalis.

pu·den·dal cleft 陰裂（大陰唇間の裂溝）.

pu·den·dal nerve 陰部神経（第二-第四仙骨神経前枝の枝で，大坐骨孔を抜けて骨盤の外に出た後，仙棘靱帯の後を通り内陰部動脈に伴行して小坐骨孔を経て会陰に分布する. 下直腸神経を分枝した後，陰部神経管を通って坐骨直腸窩外側壁に分布し，陰茎または陰核背神経となって終わる）. = nervus pudendus.

pu·den·dum, pl. pu·den·da (pyū-den′dŭm, -dă). 外陰部（特に女性の外性器. 複数形でも用いる）.

pu·dic (pyū′dik). = pudendal.

pu·er·per·a, pl. pu·er·per·ae (pyū-er′pĕr-ă, -per-ē). 〔産〕褥婦（出産したばかりの婦人）.

pu·er·per·al (pyū-er′pĕr-ăl). 産褥の. = puerperant(1).

pu·er·per·al ec·lamp·si·a 産褥子かん，産床子かん（出産後の婦人に起こる，高血圧，浮腫，または蛋白尿を伴う痙攣や昏睡）.

pu·er·per·al fe·ver 産褥熱，産床熱（分娩 24 時間後，11 日目以内に起こる発熱を伴う分娩後敗血症）. = childbed fever.

pu·er·per·al sep·ti·ce·mi·a 産褥性敗血症（出産または産科的処置により生じる重症の血管内感染症）.

pu·er·per·al tet·a·nus 産褥〔性〕破傷風（分娩損傷部の感染から産褥期に生じる破傷風）.

pu·er·per·ant (pyū-er′pĕr-ănt). *1* 〖adj.〗 = puerperal. *2* 〖n.〗 = puerpera.

pu·er·pe·ri·um, pl. pu·er·pe·ri·a (pyū′er-pēr′ē-ŭm, -ă). 産褥（分娩の終結から子宮の完全退縮までの期間. 通常，42 日間と定義される）.

Pues·tow pro·ce·dure ピュエストー手術（慢性膵炎に対する術式の 1 つで，膵管を縦切開し空腸と側々吻合を行うもの）.

Pu·lex (pyū′leks). ヒトノミ属（ノミ目ヒトノミ科のノミの一属）.

Pul·frich phe·no·me·non プルフリッヒ現象（一眼フィルタによってカバーされた際に，楕円軌道または片側の視神経症例での前頭面での反復運動する小指標が移動する場合の両眼性の認知）.

pu·lic·i·cide, pu·li·cide (pyū′lis′i-sīd, pyū′li-sīd). 殺蚤薬（ノミを死滅させる薬物）.

pul·ley (pul′ē). 滑車，プリー（→trochlea）.

pul·mo, gen. pul·mo·nis, pl. pul·mo·nes (pul′mō, -mō′nis, -mō′nēz). 肺. = lung.

pulmo-, pulmon-, pulmono- 肺に関する連結形. →pneum-; pneumo-.

pul·mo·a·or·tic (pul′mō-ā-ōr′tik). 肺・大動脈の（肺動脈と大動脈に関する）.

pul·mo·nary (pul′mŏ-nār-ē). 肺の，肺性の，肺動脈の（肺，肺動脈，右室から肺動脈への開口部に関する）. = pneumonic(1); pulmonic.

pul·mo·nar·y ac·i·nus 肺細葉（呼吸細気管支とその枝全部からなる気道の部分）. = primary pulmonary lobule.

pul·mo·nar·y ad·e·no·ma·to·sis 肺腺腫症（肺胞と末端気管支に粘液と粘液分泌性円柱上皮細胞が充満している新生物疾患. 極度に粘性の高い喀痰，悪寒，発熱，咳，呼吸困難，胸膜痛を特徴とする）.

pul·mon·ar·y a·gent 肺剤（有毒な化学兵器剤で，気道，特に，呼吸細気管支や肺胞管，肺胞に影響を及ぼす. これらのホスゲンのような薬は，息切れや肺水腫を引き起こす）.

pul·mo·nar·y al·ve·o·lar mi·cro·li·thi·a·sis 肺胞微石症（肺中に散在しているカルシウムまたは骨の顕微鏡的顆粒）.

pul·mo·nar·y al·ve·o·lar pro·tein·o·sis 肺胞蛋白症（PAS 陽性で脂質に富む，肺胞の顆粒蛋白様物質蓄積を特徴とする成人の慢性進行性肺疾患. 炎症細胞滲出液はほとんどなく原因は不明）.

pul·mo·nar·y al·ve·o·li 肺胞（肺胞気と肺毛細管の間でのガス交換が起こる呼吸細気管支，肺胞管，肺胞嚢の薄壁嚢状ターミナル拡張の一つ）. = alveolus(1); air cells(1); air vesicles; alveoli pulmonis; bronchic cell.

pul·mo·nar·y ar·ter·y 肺動脈. = pulmonary trunk.

pul·mo·nar·y ar·ter·y a·tre·si·a 肺動脈閉鎖〔症〕（片側肺動脈（通常は右側）の欠損）.

pul·mo·nar·y ar·ter·y cath·e·ter = Swan-Ganz catheter.

pul·mo·nar·y bleb 肺ブレブ（肺上葉肺尖部あるいは下葉の最上区の肺先端にある 1 cm 以下の空気の充満した肺胞の拡張. 通常，若い人に起こり，破裂して原発性気胸を生じる）.

pul·mo·nar·y cap·il·lar·y wedge pres·sure (PCWP) 肺毛細管楔入圧（カテーテルが右心から肺動脈に至り，終末動脈にウェッジされた際に得られる圧. 肺毛細管楔入圧は肺血流がバルーンカテーテルを細い肺終末動脈へ運ぶことで測定される．ウェッジされたカテーテルより末梢の圧は左心室拡張終末期圧にほぼ等しい．バルーンのガスを抜いたときに記録される圧は肺動脈圧である）．

pul·mo·nar·y cir·cu·la·tion 肺循環（右心室から肺動脈を経て肺にはいり，肺静脈を経て左心房に戻る血液の流れ）．

pul·mo·nar·y col·lapse 肺虚脱（気管支閉塞，胸水または気胸，心臓肥大あるいは肺に接する他の構造の肥大などによる続発性無気肺）．

pul·mo·nar·y dys·ma·tu·ri·ty syn·drome 肺成熟障害症候群（小さい未熟児にみられる呼吸障害で，正常な肺換気能をもたず，6—8 週の病後で低酸素症により死ぬことが多い．肺は広範な局所性気腫性のブレブと厚くなった肺胞壁をもつ実質とを含む）．

pul·mo·nar·y e·de·ma 肺水腫（浮腫）（通常，僧帽弁狭窄症あるいは左室不全に起因する肺の水腫）．

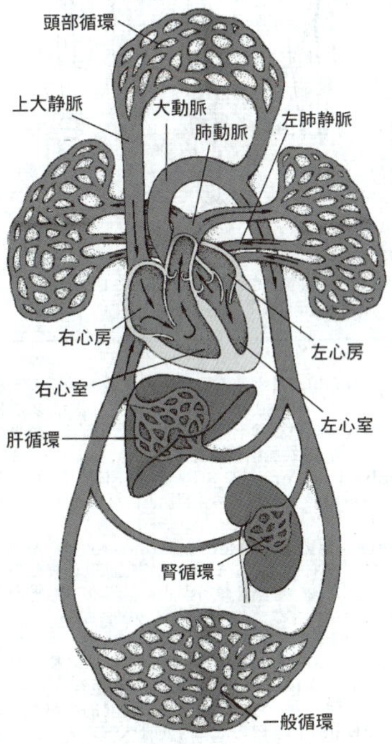
頭部循環
上大静脈
大動脈
肺動脈
左肺静脈
右心房
左心房
右心室
左心室
肝循環
腎循環
一般循環

pulmonary circulation

肺循環：右心室から肺を通って左心房に戻る血液循環．

体循環：全身系の左心室から右心房までの血液循環．

pul·mo·nar·y em·bo·lism (PE) 肺〔動脈〕塞栓症（肺動脈の塞栓で，脚または骨盤の静脈からの血栓の分離した断片によることが最も多い．多くは術後または病臥後に血栓症を起こした場合にみられる）．

pul·mo·nar·y em·phy·se·ma 肺気腫. = emphysema(2).

pul·mo·nar·y e·o·sin·o·phil·i·a 肺好酸球症（好酸球性肺浸潤．寄生虫の移入に伴う場合が多く，ある種の抗生物質，L-トリプトファン，またはクラックコカインへの反応に関連することもある）. = Löffler syndrome.

pul·mo·nar·y func·tion tech·ni·cian 肺機能検査技士. = pulmonary function technologist.

pul·mo·nar·y func·tion tech·no·lo·gist 肺機能技士（診断評価や心肺疾患の監視のために肺機能検査を行うように訓練された人）. = pulmonary function technician.

pul·mo·nar·y func·tion test (PFT) 肺機能検査（空気流量，肺気量，およびガス拡散の情報が得られる検査で，種々の呼吸方法を用いる．空気流量は肺活量測定法，最大流量計，体プレチスモグラフで測定する）．

pul·mo·nar·y ham·ar·to·ma 肺過誤腫（主に軟骨と気管支上皮よりなる銅貨様病巣を生じる肺の過誤腫）. = adenochondroma.

pul·mo·nar·y hy·per·ten·sion 肺高血圧〔症〕（肺循環系の高血圧．原発性の場合と，肺疾患または心疾患，例えば，肺線維症や僧帽弁狭窄などに続いて起こる続発性の場合がある）．

pul·mo·nar·y in·suf·fi·cien·cy 肺動脈弁閉鎖不全〔症〕（→valvular regurgitation）．

pul·mo·nar·y in·ter·sti·ti·al em·phy·se·ma (PIE) 間質性肺気腫（過度な換気圧力の結果として，間質性肺組織に空気が存在することで，通常，内在サーファクタント(表面活性物質)の欠乏に付随する低肺コンプライアンスを克服するため，高圧が必要となる未熟児にみられる）．

pul·mo·nar·y lig·a·ment 肺間膜（肺根の下方で縦隔胸膜が肺表面で折れ返って 2 枚になったひだ）. = ligamentum pulmonale.

pul·mo·nar·y lo·bar buds 肺葉芽. = secondary bronchial buds.

pul·mo·nar·y mur·mur, pul·mon·ic mur·mur 肺性雑音（心臓の肺動脈口で生じる雑音で，閉塞性あるいは逆流性である）．

pul·mo·nar·y plex·us 肺神経叢（左右の肺門の前と後ろにあり，交感神経幹の心肺内臓神経と迷走神経の気管枝からつくられる 2 つの自律神経叢．気管と動脈に伴行して種々の枝が肺にはいる）．

pul·mo·nar·y re·ha·bil·i·ta·tion = chest physical therapy.

pul·mo·nar·y ste·no·sis 肺動脈弁狭窄〔症〕(右心室から肺動脈にはいる部分の狭窄)．

pul·mon·ar·y toi·let 肺洗浄（気管や気管支から粘液や分泌物を取り除くこと）．

pul·mo·na·ry toi·let·ing = chest physical therapy.

pul·mo·nar·y trunk 肺動脈幹（右心室から起こり，右肺動脈，左肺動脈に分かれて右肺と左肺にはいり，区気管支に沿って分枝する）. = truncus pulmonalis; arteria pulmonalis; pulmonary artery.

pul·mo·nar·y valve 肺動脈弁（右心室から肺動脈弁への入口にある弁. 3 枚の半月形の弁葉からなり，成人では右前・左前・後方に位置する. しかし名称は胎生期の発生の由来から定められており，後方のものは左弁葉，右前のものは右弁葉，左前のものは前弁葉とよばれている）.

pul·mo·nar·y vas·cu·lar re·sis·tance 肺血管抵抗（肺循環中の血流に対する抵抗で，肺の動脈および毛細血管の緊張の程度，または管腔の直径が大きな影響を与える. 血流力学の観測値を使って計測できる）.

pul·mo·nar·y ven·ti·la·tion 肺換気〔量〕（最小呼吸容量，すなわち 1 分間に吸入(V_I)または呼出(V_E)される気体量を 1 分間当たりのリットル数で表したもの. 死腔気体交換も含んでおり，肺胞換気とは異なる）.

pul·mon·ic (pul-mon′ik). = pulmonary.

pul·mo·ni·tis (pul′mō-nī′tis). = pneumonitis.

pulp (pŭlp). ***1*** 髄〔質〕（軟らかく湿った粘着性の固体）. = pulpa. ***2*** 歯髄. = dental pulp. ***3*** 軟塊，キームス. = chyme.

pul·pa (pŭl′pă). 髄. = pulp(1).

pul·pal (pŭl′păl). 歯髄の，髄質の.

pulp am·pu·ta·tion 歯髄切断〔法〕，断髄〔法〕. = pulpotomy.

pulp ca·nal = root canal of tooth.

pulp cav·i·ty 歯髄腔（歯の内部にある腔所で歯冠腔と歯根腔とからなる. 内部に線維と血管に富む歯髄を含み，全体がぞうげ芽細胞に囲まれている）.

pulp cham·ber 髄腔（歯冠や歯体にある髄腔部分）.

pulp·ec·to·my (pŭl-pek′tō-mē). 抜髄〔法〕（歯根の歯髄を含む，全歯髄組織の除去）.

pulp horn 髄角（歯髄が咬頭の方に伸長した部分）.

pul·pi·fac·tion (pŭlp′i-fak′shŭn). 髄質化，軟塊化（髄質様に軟らかくすること）.

pul·pi·tis (pŭl-pī′tis). 歯髄炎（歯髄の炎症）.

pulp·ot·o·my (pŭl-pot′ō-mē). 歯髄切断〔法〕，断髄〔法〕（歯髄構造の一部，通常は歯冠部歯髄の除去）. = pulp amputation.

pulp stone 歯髄結石. = endolith.

pulp test 歯髄試験. = vitality test.

pulp·y (pŭl′pē). 髄質様の，柔軟な（軟らかく，湿った固体状であることについていう）.

pul·sate (pŭl′sāt). 拍動する，脈動する（周期的に脈打つ. 心臓または動脈についていう）.

pul·sa·tile (pŭl′să-tīl). 拍動〔性〕の.

pul·sa·tion (pŭl-sā′shŭn). 拍動，脈動（脈拍または心臓などの規則的な拍動）.

pulse (pŭls). 脈，脈拍（心臓の収縮により血管にはいる血液量が増加すると生じる律動的な動脈拡張. 脈は，ときに静脈または肝臓などの血管に富んだ器官にも生じる）. = pulsus.

pulse def·i·cit ***1*** 脈〔拍〕欠損（1 またはそれ以上の心拍に対する末梢動脈の脈波が触診されないこと. 心房細動にしばしばみられる）. ***2*** 脈拍結代（***1*** の触診不可の脈拍の数. 通常，分当たりの心拍数–脈拍数で表す）.

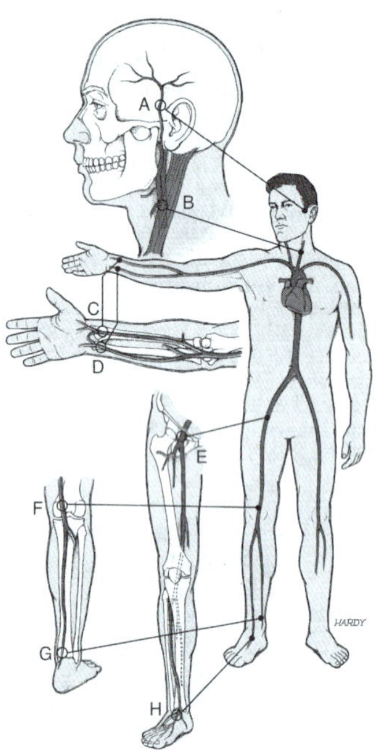
A
B
C
D
E
F
G
H
HARDY

peripheral pulses

A：側頭．B：頸．C：橈側．D：尺側．E：大腿．F：膝窩．G：後脛側．H：足背．

pulsed las·er パルスレーザー（高エネルギーの短い爆発が可能な拍動化したエネルギー出力）.

pulse-field gel e·lec·tro·pho·re·sis パルスフィールドゲル電気泳動（電気泳動の移動が始まった後，電流を短時間止め，異なった方向から再び流すようなゲル電気泳動. 長い DNA 分子の精製を可能とする）.

pulse gen·er·a·tor パルス発生器（整または律動的な波形を有する電気放電を行う装置で，その起電力が時間との関係で特異的なパターンで変化する. 例えば，電気的ペースメーカがその 1 つだが，規則正しい間隔で電気放電を行う. この間隔は感知回路によって変わることがあり，自己の心拍動などによって生じる電気的興奮により，次の放電に対する時間の基礎がリセットされる）.

pulse height an·a·lyz·er パルス波高分析器（検出器によって記録されたシンチレーションのエネルギーを決める回路で，特定の光子を選択する弁別装置として用いられる).

pulse·less dis·ease 脈なし病. = Takayasu arteritis.

pulse·less e·lec·tri·cal ac·ti·vi·ty (PEA) = electromechanical dissociation.

pulse ox·i·me·ter パルスオキシメータ（一定の波長の光を使って，動脈血オキシヘモグロビン(SaO_2)の飽和度を非侵襲的に測定する分光光度計).

pulse pres·sure 脈圧（心周期の間に動脈中に起こる血圧の変化. 収縮期血圧すなわち最高血圧と，拡張期血圧すなわち最低血圧との差である. 値が 30—50 の間であれば正常).

pulse rate 脈拍数（動脈で観察される脈拍. 分当たりの拍動として記録される. 通常は心拍数と等しい).

pulse se·quence パルスシーケンス（磁気共鳴撮像法において，引き起こされた磁場の一連の変化. 位相および周波数エンコード勾配と読み出し機能を含む).

pulse wave 脈波（左心室の各収縮とともに起こる動脈の進行性膨張).

pulse wave du·ra·tion 脈波持続時間（1 脈波の開始から終了の間の時間間隔).

pul·sion (pŭl′shŭn). 圧出，突進，腫脹（外側へ突き出ることまたは膨張).

pul·sion di·ver·tic·u·lum 内圧性憩室，圧出〔性〕憩室（内部からの圧力で形成される憩室. しばしば筋層を貫いて粘膜のヘルニア形成を起こす).

pul·sus (pŭl′sŭs). 脈，脈拍. = pulse.

pul·sus al·ter·nans 交互脈. = alternating pulse.

pul·sus bi·gem·i·nus 二連脈，二段脈. = bigeminal pulse.

pul·sus bis·fe·ri·ens 二峰性脈. = bisferious pulse.

pul·sus ce·ler 速脈，鋭脈（急速に上昇したり下降したりする脈拍).

pul·sus dif·fer·ens 〔左右〕不同脈（両側の橈骨動脈または他の対応する左右の動脈の脈拍の強さが異なる状態).

pul·sus par·a·dox·us 奇脈. = paradoxic pulse.

pul·sus tar·dus 遅脈（重症の大動脈狭窄症の典型例のように，病的にゆっくり立ち上がる脈. →plateau pulse).

pul·sus tri·gem·i·nus 三連脈，三段脈. = trigeminal pulse.

pul·ta·ceous (pŭl-tā′shŭs). 浸軟な，髄質様の，かゆ(粥)状の，じゅく(粥)状の.

pul·vi·nar (pŭl-vī′năr). 視床枕（視床の膨らんだ後端部で，膝状体の上にクッションのように突出している部分).

pump (pŭmp). ポンプ（①気体または液体をある部分から，またはある部分へ送り出す装置. ②物質の能動輸送を行うために，代謝エネルギーを用いる機序).

pumped las·er 励起レーザー（エネルギーレベルが，それ自身一次レーザーとなりうる電子あるいは光子の分離された線源を応用して増大されるレーザー).

pump·ing (pŭmp′ing). ポンピング（静脈切開術の準備で腕の回りに巻かれた止血帯の下の皮下静脈の充満を高めるために，拳を勢い良く広げたり，握ったりすること).

pump lung ポンプ肺. = shock lung.

pump-ox·y·gen·a·tor (pŭmp-ok′si-jĕ-nā′tŏr). 人工心肺〔装置〕（開心術中に，心臓(ポンプ)と肺(酸素供給器)の両方を置換することのできる機械的装置).

punch bi·op·sy パンチ生検，パンチバイオプシー，細切採取法（小さな円筒形の組織標本を採取する生検法. 器官に直接，または皮膚や皮膚の小さい切開部を通して穿刺する特殊な器具を用いる).

punch·drunk syn·drome, punch·drunk 拳闘酔態症候群（ボクサーにみられる症状で，しばしば引退後数年してみられ，反復する脳振とうにより起こると考えられる. 下肢の衰弱，歩行の不安定，筋肉運動の緩徐，手の振せん，構音障害，思考の緩慢さを特徴とする).

punch grafts 打印器移植〔片〕（円形の打抜き器で頭皮から採取され，毛が生えるようにはげたところに移植する頭皮の小さな全層移植片).

punc·ta (pŭngk′tă). punctum の複数形.

punc·tate (pŭngk′tāt). 点状の，斑点状の（色，隆起，性状によって周囲の表面から区別された点または斑点で示されることについていう).

punc·tate hem·or·rhage = petechial hemorrhage.

punc·tate hy·a·lo·sis 点状硝子体症（硝子体中の小さな混濁を特徴とする状態).

punc·ti·form (pŭngk′ti-fōrm). 点状の，小集落の（直径 1 mm 未満で非常に小さいが，顕微鏡的ではない).

punc·tum, gen. punc·ti, pl. punc·ta (pŭngk′tŭm, -tī, -tă). 点（①とがった突起の先端または末端. ②周囲の組織から形状または色が異なる小さな丸い点. ③光学系の光軸上の一点. → point). = point(1).

punc·tum ce·cum 盲点（視神経乳頭に対応する視野上の盲点).

punc·tum fix·um = fixed end.

punc·tum mo·bi·le = mobile end.

punc·tum vas·cu·lo·sum 血管点（動脈切断面の血液小滴が，脳の断面に細かい点としてみられる).

punc·ture (pungk′shŭr). ***1*** 〚v.〛 穿刺する（針などの小さなとがった物体を用いて穴を開けること). ***2*** 〚n.〛 穿刺（とがった器具を用いて開けた穿刺または小さい穴).

punc·ture wound 刺創（深さに比較して開口部が比較的小さい創. 幅の狭いとがった物によってできる).

PUO pyrexia of unknown (undetermined) origin (原因不明熱)の略.

pu·pa, pl. pu·pae (pyū′pă, -pē). さなぎ(蛹)（幼生を過ぎ，成虫になる前の昆虫の変態の一段階).

pu·pil (p) (pyū′pil). 瞳孔（虹彩の中心にある輪状開口部で，ここを通じて光が眼にはいる). = pupilla.

P

pu·pil·la, pl. pu·pil·lae (pyū-pil′ă, -ē). 瞳孔. = pupil.

pu·pil·lar·y (pyū′pi-lār-ē). 瞳孔の.

pu·pil·lar·y block 瞳孔閉鎖，瞳孔ブロック（後眼房から前眼房への瞳孔を通っての房水の流れの抵抗増大．結果的に線維柱帯への周辺虹彩の前方弯曲を生じ，閉塞隅角緑内障を生じる）.

pu·pil·lar·y dis·tance 瞳孔〔間〕距離（左右の瞳孔の中心間の距離．眼鏡枠とレンズの調整のための測定における重要な参照点）.

pu·pil·lar·y mem·brane 瞳孔膜（虹彩瞳孔板の薄い中央部分で，胎児期に瞳孔を閉塞している．通常，胎生 7 か月頃退行するが，細胞遺残の認められることもある．退行不全が先天性盲の原因となることがある）. = membrana pupillaris; Wachendorf membrane(1).

pu·pil·lar·y re·flex 瞳孔反射（各種の刺激に対して生じる瞳孔直径の変化．例えば光による収縮などをいう）. = light reflex(1).

pu·pil·lar·y-skin re·flex 瞳孔–皮膚反射（頸部の皮膚を引っ掻くことにより生じる瞳孔の拡張）. = ciliospinal reflex.

pupillo- 瞳孔を意味する連結形.

pu·pil·lom·e·ter (pyū′pi-lom′ĕ-tĕr). 瞳孔計（瞳孔直径を測定し，記録する器械）.

pu·pil·lom·e·try (pyū′pi-lom′ĕ-trē). 瞳孔測定.

pu·pil·lo·mo·tor (pyū′pi-lō-mō′tŏr). 瞳孔運動の（虹彩の平滑筋を支配する自律神経線維についていう）.

pu·pil·lo·sta·tom·e·ter (pyū′pi-lō-stă-tom′ĕ-tŏr). 瞳孔中心距離計（瞳孔中心間の距離を測定する器械）.

pu·pil·lo·to·nic pseu·do·stra·bis·mus 強直瞳孔性偽斜視. = Adie syndrome.

pu·pil re·ac·tion 瞳孔反応（光線に反応する縮瞳）.

PUPPP *p*regnancy(妊娠)で発症する *p*ruritic(そう痒性)の，*u*rticarial(じんま疹)様，*p*apules(丘疹)，または *p*laques(皮疹)の頭文字．ときとして妊娠後半期に水疱疹，落屑が出現するが胎児に影響はない．予定日 10 日以内に自然消退する.

pure ab·sence 純粋アブ(ブ)サンス，純粋欠神. = simple absence.

pure au·to·no·mic fail·ure 純粋自律神経不全〔症〕（成人期発症の散発性の神経変性疾患で，主に起立性低血圧と失神を呈する．自律神経系の機能障害以外の神経系の障害はみられない．交感神経節のニューロンの選択的変性によると考えられている．平滑筋，血管，副腎の脱神経を伴う）. = Bradbury-Eggleston syndrome.

pure cul·ture 純培養（通常の細菌学的意味としては，単一の細菌種の単一株からなる培養）.

pure tone 純音（正弦波で表すことのできる可聴音．単一振動数からなる振動で，上音や高調波を含まない. →conduction; sine wave）.

pure tone au·di·o·gram 純音オージオグラム，純音聴力図（種々の周波数における聴力閾値を表した図表．通常，正常閾値をデシベルで表し，125—8,000 Hz の周波数を用いる）.

pure tone av·er·age 純音平均値（500Hz, 1 kHz, 2 kHz の純音周波数の平均的聴力レベル．この周波数は，英語の音素の多くがこの周波数レンジ内にあるので，音声周波数と呼ばれる．聞き手がスピーチを聞くことのできるデシベルレベルの信頼性のある指標）.

pur·ga·tion (pŭr-gā′shŭn). しゃ(瀉)下（しゃ下薬または下剤の助けによって腸を空にすること）. = catharsis(1).

pur·ga·tive (pŭr′gă-tiv). しゃ(瀉)下薬，下剤（→cathartic(2)）.

purge (pŭrj). ***1*** 〚v.〛 しゃ(瀉)下する，浄化する（腸の大量の排出を起こす）. ***2*** 〚n.〛 しゃ(瀉)下薬，下剤.

pu·rine (pyūr′ēn). プリン（アデニン，グアニン，および自然界に存在する他のプリン塩基の親物質．哺乳類においてそのままの形での存在は知られていない）.

Pur·kin·je cell lay·er プルキンエ細胞層（小脳皮質の分子層と顆粒層の間に位置する大きな神経細胞体の層．小脳の葉を横切る面で，Purkinje 細胞の樹状突起は分子層に広がる）. = Purkinje cells; Purkinje corpuscles.

Pur·kin·je cells プルキンエ細胞. = Purkinje cell layer.

Pur·kin·je cor·pus·cles プルキンエ小体. = Purkinje cell layer.

Pur·kin·je fi·bers プルキンエ線維. = subendocardial branches of atrioventricular bundles.

Pur·kin·je fig·ures プルキンエ像（網膜血管の影．光が瞳孔ではなく強膜を通して眼にはいるとき，赤色背景上に黒い線としてみられる）.

Pur·kin·je net·work プルキンエ〔線維〕網（心内膜下の Purkinje 線維が形成する網状体）.

Pur·kin·je phe·nom·e·non プルキンエ現象（明順応下では，最大輝度が黄色にあり，暗順応下では，最大輝度は緑色にある）.

Pur·kin·je-San·son im·a·ges プルキンエ–サンソン像（角膜の前後面でつくられる 2 つの像，および水晶体の前後面でつくられる 2 つの像）. = Sanson images.

Pur·mann meth·od プルマン法（嚢の摘出による動脈瘤の治療法）.

pur·ple (pŭr′pĕl). 紫（青色と赤色の混合によりつくられる色．個々の紫染料については，各々の項参照）.

pur·ple med·ick = alfalfa.

pur·pu·ra (pŭr′pyŭr-ă). 紫斑，紫斑病（皮膚内出血を特徴とする状態．病巣の状態は，紫斑病の種類，病変の持続期間，発生時の激しさによって変わる．色は最初は赤いが，徐々に黒ずんで紫色に変わり，次には褐色がかった黄色となり，通常は 2, 3 週間で消える．後に残る永久の色素沈着は，主に溢血後の非吸収性色素のタイプによる．溢血は，粘膜と内臓器官内でも起こることがある）. = peliosis.

pur·pu·ra ful·mi·nans 電撃性紫斑病（重症で急激な経過をとる致命的な紫斑病で，特に小児に起こり，血圧低下，発熱，播種性血管内凝固症候群を伴い，通常は先行感染がみられる）.

pur·pu·ra hem·or·rha·gi·ca 出血性紫斑病. = idiopathic thrombocytopenic purpura.

pur·pu·ra se·ni·lis 老年(老人)性紫斑病（老年者や衰弱した人の脚の萎縮性の皮膚に現れる点状出血と斑状出血）.

pur·pu·ra sim·plex 単純性紫斑病（通常，全身症状を伴わず，全身病とは関係のない点状出血と大きい斑状出血の発疹）. = nonthrombocytopenic purpura.

pur·pu·ric (pŭr-pyŭr′ik). 紫斑〔病〕の.

pur·pu·ri·nu·ri·a (pŭr′pyūr-i-nyūr′ē-ă). プルプリン尿〔症〕. = porphyrinuria.

pursed-lip breath·ing 口すぼめ呼吸（人がおちょぼ口から息を吐く遷延性呼吸法を特徴とする呼吸．利点は，呼吸数の減少，一回呼吸量の増加，酸素供給のコントロール感の向上である）. = puckered lip breathing.

purse-string in·stru·ment 巾着縫合器（取っ手まではさむ部分にでこぼこのある腸管鉗子．腸管を閉じたとき，大きな鋸歯状の溝を通して直針を挿入することができ，両側に行うと鉗子をはずした後で巾着縫合が形成される）.

purse-string su·ture 巾着縫合（内翻(虫垂切断端)または閉鎖(ヘルニア)のため輪状に連続縫合すること）.

Purt·scher ret·i·nop·a·thy プルチャーの網膜症（急性の静脈圧の上昇による一過性の外傷性の網膜血管症．シートベルト外傷による体部圧迫などによる．眼底は乳頭または黄斑部の網膜静脈での大きな白色斑を呈す．出血と網膜浮腫，骨髄からの脂肪塞栓によると考えられている）.

pu·ru·lence, pu·ru·len·cy (pyūr′ū-lĕns, -lĕn-sē; -sē). 化膿（膿を含む，または膿を形成する状態）.

pu·ru·lent (pyūr′ū-lĕnt). 化膿〔性〕の（膿を含む，膿をつくる，あるいは膿からなる，ことについていう）.

pu·ru·lent in·flam·ma·tion 化膿性炎，化膿〔性〕炎症（急性の滲出炎で，多形核白血球が集積し，白血球酵素が局所的あるいは散在的に罹患組織の融解を起こす．化膿性の滲出液はしばしば pus(膿)とよばれる）. = suppurative inflammation.

pu·ru·lent oph·thal·mi·a 化膿性眼炎（化膿性結膜炎で，通常は淋菌による）.

pu·ru·lent pleu·ri·sy 化膿性胸膜炎（膿胸を伴う胸膜炎）.

pu·ru·lent syn·o·vi·tis 化膿性滑膜炎. = suppurative arthritis.

pu·ru·loid (pyū′rū-loyd). 膿状の，膿様の（膿に類似することについていう）.

pus (pŭs). 膿（炎症の液状の産物．白血球と死細胞の残屑を含む液体と組織成分とを含む）.

push (push). ***1*** 〚v.〛 押す，突く（力の源から物体を遠ざけがちな力をかける(加える)）. ***2*** 〚n.〛 押し，突き（***1*** のような力を加える力もしくは行い）.

pus·tu·lar (pŭs′chū-lăr). 膿疱〔性〕の.

pus·tu·la·tion (pŭs′chū-lā′shŭn). 膿疱形成（膿疱の形成または存在）.

pus·tule (pŭs′chūl). 膿疱，プステル（化膿物質を含む，径 1 cm までの皮膚の限局性，表在性の盛り上がり）.

pus·tu·lo·sis (pŭs′chū-lō′sis). 膿疱症（①膿疱性発疹．② acropustulosis(先端膿疱症)に対して用いる語）.

pus·tu·lo·sis pal·mar·is et plan·tar·is 掌蹠膿疱症状（手足の指の無菌性膿疱性発疹で，異汗症，膿疱性乾癬，および同定されていない細菌の感染などに原因が求められている）. = acrodermatitis continua; acrodermatitis perstans; dermatitis repens.

pu·ta·men (pyū-tā′men). 被殻（白質線維の板により，レンズ核が分割された 3 つの部分のうち，外側の大きな暗灰色の部分．内包を貫通する灰白質の帯を通して尾状核と結合する．組織学的構造は尾状核と類似し，この両者が線状体を形成する. →striate body）.

Put·nam-Da·na syn·drome パトナム-デーナ症候群. = subacute combined degeneration of the spinal cord.

pu·tre·fac·tion (pyū′trĕ-fak′shŭn). 腐敗（通常は細菌作用による有機物質の分解で，アンモニアまたはアンモニア誘導体と硫化水素の発生を伴い，より単純な構造をもつ物質を形成する．通常，毒性で悪臭を伴う生成物を特徴とする）. = decay(2); decomposition.

pu·tre·fac·tive (pyū′trĕ-fak′tiv). 腐敗の，腐敗性の（腐敗に関する，腐敗を引き起こす）.

pu·tre·fy (pyū′trĕ-fī). 腐敗させる，腐敗を起こす，腐敗する.

pu·tres·cence (pyū-tres′ĕns). 腐敗（腐敗の状態）.

pu·tres·cent (pyū-tres′ĕnt). 腐敗〔化〕の（腐敗していく過程または腐敗についていう）.

pu·tres·cine (pyū-tres′ēn). プトレシン（毒性ポリアミン．アミノ酸のアルギニンの腐敗分解中につくられる．尿や便中に見出される）.

pu·trid (pyū′trid). ***1*** 腐敗性の（腐敗の状態にある）. ***2*** 腐敗の（腐敗に関する）.

Put·ti-Platt op·er·a·tion プッティ-プラット手術（反復性肩関節前方脱臼の手術法の 1 つ）.

Pu·u·ma·la vi·rus プーマラウイルス（ヨーロッパで発見された腎症を伴い出血熱をおこす *Hantavirus* の一種である）.

PUVA (pū′vă). プバ（ソラレン *p*soralen を経口投与し，その後，長波長紫外線(*uv-a*)を照射する方法に対する頭文字．乾癬の治療に用いる）.

PVA fix·a·tive PVA 固定（塩化水銀か硫化亜鉛または硫化銅を用いた Schaudinn 固定液．固定後に染色するための永久塗抹標本を作製する際の糞便材料の接着剤としてポリビニールアルコールの粉末を含む）.

PVC premature ventricular contraction の略.

PVD peripheral vascular disease の略.

PVS persistent vegetative state の略.

P wave P 波（心電図の第一棘波群．洞と心房調律間の脱分極を示す）.

pyaemia [Br.]. = pyemia.

pyaemic [Br.]. = pyemic.

pyaemic abscess [Br.]. = pyemic abscess.

pyaemic embolism [Br.]. = pyemic embolism.

py·ar·thro·sis (pī′ahr-thrō′sis). 関節膿症.

pycno- →pykno-.
pycnodysostosis 〔Br.〕. = pyknodysostosis.
pycnometer 〔Br.〕. = pyknometer.
py·e·lec·ta·sis, py·e·lec·ta·si·a (pī′ĕ-lek′tă-sis, -lek-tā′zē-ă). 腎盂拡張〔症〕.
py·e·lit·ic (pī′ĕ-lit′ik). 腎盂炎の.
py·e·li·tis (pī′ĕ-lī′tis). 腎盂炎.
pyelo-, pyel- 骨盤，通常は腎盂，を意味する連結形.
py·e·lo·cal·y·ce·al (pī′ĕ-lō-kal′i-sē′ăl). 腎盂腎杯の.
py·e·lo·cys·ti·tis (pī′ĕ-lō-sis-tī′tis). 腎盂膀胱炎（腎盂と膀胱の炎症）.
py·e·lo·flu·o·ros·co·py (pī′ĕ-lō-flōr-os′kŏ-pē). 腎盂〔X 線〕透視〔法〕（造影剤注入後の腎盂と尿管の透視検査）.
py·el·o·gram (pī′el-ō-gram). 腎盂〔X 線〕像（造影剤を注入して行う腎盂と尿管の X 線像）.
py·e·log·ra·phy (pī′ĕ-log′ră-fē). 腎盂尿管造影(撮影)〔法〕（腎，尿管，および膀胱を放射線学的に検査する方法．通常は造影剤を経静脈的に投与するか，尿管カテーテルあるいは尿瘻カテーテルからまたは経皮的に直接投与して行う）. = pyeloureterography; ureteropyelography.
py·e·lo·li·thot·o·my (pī′ĕ-lō-li-thot′ŏ-mē). 腎盂切石〔術〕（腎盂切開により，腎から結石を手術的に除去すること）. = pelvilithotomy.
py·e·lo·ne·phri·tis (pī′ĕ-lō-nĕ-frī′tis). 腎盂腎炎（特に局所性細菌感染による腎実質，腎杯，および腎盂の炎症）.
py·e·lo·plas·ty (pī′e-lō-plas-tē). 腎盂形成〔術〕（尿管腎盂移行部の閉塞を正すための腎盂，尿管の再建手術）. = pelvioplasty(2).
py·e·los·co·py (pī′ĕ-los′kŏ-pē). 腎盂鏡検査〔法〕（尿管から造影剤を注入後，腎盂と腎杯を透視観察すること）.
py·e·los·to·my (pī′ĕ-los′tŏ-mē). 腎盂造瘻術，腎盂フィステル形成〔術〕（尿ドレナージを形成するために腎盂内に開口部をつくること）.
py·e·lot·o·my (pī′ĕ-lot′ŏ-mē). 腎盂切開〔術〕. = pelviotomy(3); pelvitomy.
py·e·lo·u·re·ter·ec·ta·sis (pī′ĕ-lō-yūr-ē′tĕr-ek′tă-sis). 腎盂尿管拡張〔症〕（下部尿管閉塞による水腎症にみられる腎盂と尿管の拡張）.
py·e·lo·u·re·ter·og·ra·phy (pī′ĕ-lō-yūr-ē′tĕr-og′ră-fē). 腎盂尿管〔X 線〕造影(撮影)〔法〕. = pyelography.
py·e·lo·ve·nous (pī′ĕ-lō-vē′nŭs). 腎盂静脈逆流〔現象〕の（圧力増加により腎盂から腎静脈に流れ込む現象についていう）.
py·e·lo·ve·nous back·flow 腎盂静脈逆流（腎盂から腎静脈系への液体(尿や注入した造影剤)の逆流で，遠位ネフロンの閉塞や腎集合管への液体の注入の際に起きる）.

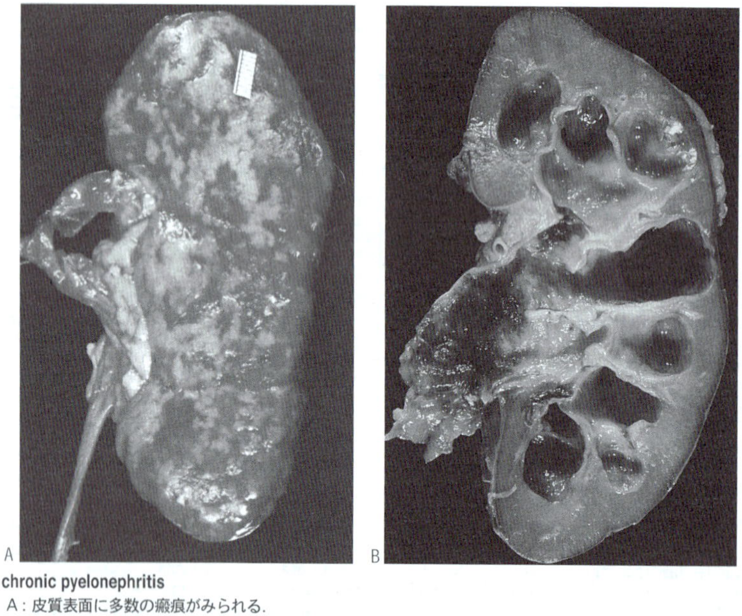
A
B

chronic pyelonephritis
A：皮質表面に多数の瘢痕がみられる.
B：腎乳頭の炎症性破壊により，腎杯の著明な拡張と皮質の萎縮がみられる.

py·em·e·sis (pī-em′ĕ-sis). 吐膿症，膿汁嘔吐.
py·e·mi·a (pī-ē′mē-ă). 膿血〔症〕（多発性腫瘍を起こす化膿性微生物による敗血症）. = pyaemia.
py·e·mic (pī-ē′mik). 膿血〔症〕の（膿血症についていう，または膿血症にかかったものをいう）. = pyaemic.
py·e·mic ab·scess 膿血症性膿瘍（膿血症，敗血症，または菌血症の結果生じる血行性膿瘍）. = pyaemic abscess; septicemic abscess.
py·e·mic em·bo·lism 膿血症〔性〕塞栓症（化膿血栓から分離した塞栓による動脈の塞栓）. = infective embolism; pyaemic embolism.
py·en·ceph·a·lus (pī′en-sef′ă-lŭs). = pyocephalus.
py·e·sis (pī-ē′sis). 化膿〔症〕. = suppuration.
pyg·my (pig′mē). ピグミー（生理的低身長症で，特に中央アフリカに住むピグミー族のような一民族をさす）.
pyk·nic (pik′nik). 肥満型の，太り型の（身体の輪郭が丸く，体腔が大きい全身についていう．事実上は endomorphic（内胚葉型の）と同義）.
pykno-, pyk- 厚い，緻密，濃縮，を意味する連結形.
pyk·no·dys·os·to·sis (pik′nō-dis′os-tō′sis). 低い背丈，泉門の閉鎖遅延，末端指節骨形成不全を特徴とする状態．常染色体劣性遺伝. = pycnodysostosis.
pyk·nom·e·ter (pik-nom′ĕ-tĕr). ピクノメータ（基準容積をもつフラスコで，これを使って重さを測ることで流体の比重を決定する．または液体の密度を測定および比較するための標準フラスコ）. = pycnometer.
pyk·no·mor·phous (pik′nō-mōr′fŭs). 濃染形態の（染色性物質が密閉内包されていることにより濃く染色される細胞または組織についていう）.
pyk·no·sis (pik-nō′sis). 核濃縮〔症〕，ピクノーゼ（特に細胞またはその核の濃縮と大きさの減少で，通常，過染色性と関連する．これは核の壊死の段階である）.
pyk·not·ic (pik-not′ik). 核濃縮〔症〕の，ピクノーゼの.
py·le·phle·bi·tis (pī′lē-flĕ-bī′tis). 門脈炎（門脈またはその枝脈の炎症）.
py·le·throm·bo·phle·bi·tis (pī′lē-throm′bō-flĕ-bī′tis). 血栓性門脈炎（血栓の形成を伴う門脈炎）.
py·le·throm·bo·sis (pī′lē-throm-bō′sis). 門脈血栓〔症〕（門脈またはその枝脈の血栓症）.
py·lo·rec·to·my (pī′lōr-ek′tō-mē). 幽門切除〔術〕（幽門の切除）. = gastropylorectomy; pylorogastrectomy.
py·lo·ri (pī-lōr′ī). pylorus の複数形.
py·lor·ic (pī-lōr′ik). 幽門の.
py·lor·ic an·trum 幽門洞（胃の幽門部の始まりの部分．消化活動の際，一時的に，いわゆる幽門前括約筋のぜん動運動によって胃体から部分的または完全に締め切られることもある．ときに幽門部の第 2 の部位と浅い溝によって区別できることもある）. = antrum(2).
py·lor·ic ca·nal 幽門管（胃の幽門部（長さ約 2—3 cm）で，幽門洞に続き胃十二指腸結合部で終わる部分）. = canalis pyloricus.
py·lor·ic con·stric·tion 幽門狭窄（消化管の表面で胃から十二指腸への移行部にみられる輪状の溝で，その内部に幽門括約筋があり幽門口の位置を示している）.
py·lor·ic glands 幽門腺（粘液を分泌する幽門のコイル状腺）.
py·lor·ic or·i·fice 幽門口（胃と十二指腸上部の間の開口）.
py·lor·ic sphinc·ter 幽門括約筋（胃十二指腸連結部を囲む胃の輪走筋層の肥厚化したもの）. = musculus sphincter pyloricus.
py·lor·ic ste·no·sis 幽門狭窄〔症〕（特に先天性筋肥大症または消化性潰瘍に起因する瘢痕による幽門の狭窄. →hypertrophic pyloric stenosis）.
py·lor·ic vein = right gastric vein.
py·lo·ri·ste·no·sis (pī-lōr′i-stĕ-nō′sis). 幽門狭窄〔症〕（幽門口の狭窄）. = pylorostenosis.
pyloro-, pylor- 幽門を意味する連結形.
py·lo·ro·du·o·de·ni·tis (pī-lōr′ō-dū-od′ĕ-nī′tis). 幽門十二指腸炎（胃幽門出口と十二指腸を含む炎症）.
py·lo·ro·gas·trec·to·my (pī-lōr′ō-gas-trek′tō-mē). 幽門胃切除〔術〕. = pylorectomy.
py·lo·ro·my·ot·o·my (pī-lōr′ō-mī-ot′ō-mē). 幽門筋層切開〔術〕（幽門管の前壁を通って，粘膜下の位置まで縦に切開すること．肥厚性幽門狭窄症の治療に用いる）. = Fredet-Ramstedt operation; Ramstedt operation.
py·lo·ro·plas·ty (pī-lōr′ō-plas-tē). 幽門形成〔術〕（幽門管と近接する十二指腸の狭窄を縦に切開して，横に縫合することによって拡張させる）.
py·lo·ro·spasm (pī-lōr′ō-spazm). 幽門痙攣〔症〕（幽門の痙攣性収縮）.
py·lo·ro·ste·no·sis (pī-lōr′ō-stĕ-nō′sis). = pyloristenosis.
py·lo·ros·to·my (pī′lō-ros′tō-mē). 幽門造瘻術，幽門フィステル形成〔術〕（腹壁表面から胃の幽門付近にフィステルを形成すること）.
py·lo·rot·o·my (pī′lō-rot′ō-mē). 幽門切開〔術〕.
py·lo·rus, pl. py·lo·ri (pī-lōr′ŭs, -ī). 幽門（①器官の口または管腔を開（拡張筋）閉（括約筋）する筋または筋性血管の装置．②胃から腸への出口を囲み調節する筋組織）.
py·lor·us-pre·serv·ing pan·cre·a·tic·o·du·o·de·nec·to·my 幽門輪温存膵〔頭〕十二指腸切除〔術〕（胃遠位側と神経支配のある幽門を温存した膵臓と十二指腸の全部または一部の切除．通常，膵頭と頸部に限局した病変で膵臓癌に対して最も多く施行される）.
pyo- 化膿または膿の蓄積を意味する連結形.
py·o·cele (pī′ō-sēl). 膿瘤（陰嚢に膿がたまること）.
py·o·ceph·a·lus (pī′ō-sef′ă-lŭs). 膿頭症，脳室蓄膿症（頭蓋内への化膿性滲出液の侵入）. = pyencephalus.

P

py·o·che·zi·a (pī′ō-kē′zē-ă). 膿便（腸からの膿の排出）.

py·o·coc·cus (pī′ō-kok′ŭs). 化膿球菌（化膿を起こす球菌の1つで，特に化膿連鎖球菌 *Streptococcus pyogenes* をいう）.

py·o·col·po·cele (pī′ō-kol′pō-sēl). 膿を含む腟の腫瘍または嚢腫.

py·o·col·pos (pī′ō-kol′pos). 腟留膿症，腟膿瘤（腟における膿の蓄積）.

py·o·cy·an·ic (pī′ō-sī-an′ik). 緑膿の，緑膿菌の.

py·o·cy·a·no·gen·ic (pī′ō-sī′ă-nō-jen′ik). 緑膿発生の.

py·o·cyst (pī′ō-sist). 膿嚢胞（化膿性物質を含む嚢胞）.

py·o·der·ma (pī′ō-dĕr′mă). 膿皮症（皮膚の化膿性感染症のすべて．膿痂疹のように原発性のこともあり，また既存の変化に続発して生じることもある）.

py·o·der·ma gan·gre·no·sum 壊疽性膿皮症（慢性で細菌感染の関与しない拡大性，穿掘性潰瘍で，中心治療傾向を示す．真皮のびまん性の好中球浸潤を認め，しばしば潰瘍性大腸炎に合併する）.

py·o·gen·e·sis (pī′ō-jen′ĕ-sis). 膿形成，化膿. = suppuration.

py·o·gen·ic, py·o·ge·net·ic (pī′ō-jen′ik, -jĕ-net′ik). 化膿〔性〕の（膿形成についていう）.

py·o·gen·ic gran·u·lo·ma, gran·u·lo·ma py·o·gen·i·cum 化膿性肉芽腫（血管に富む肉芽組織からなる後天性の小さな丸い腫瘤．しばしば表面が潰瘍化し，皮膚，特に顔の皮膚，口腔粘膜から突出していることが多い．組織学的には小葉状毛細血管血管腫）. = lobular capillary hemangioma.

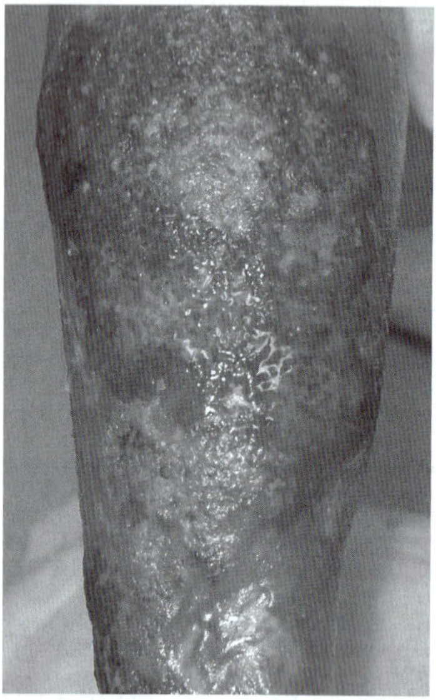

pyoderma gangrenosum

pyohaemothorax [Br.]. = pyohemothorax.

py·o·he·mo·tho·rax (pī′ō-hē′mō-thōr′aks). 血膿胸（胸腔内に膿と血液が存在すること）. = pyohaemothorax.

py·oid (pī′oyd). 膿様の（膿に類似する）.

py·o·me·tra (pī′ō-mē′tră). 子宮留膿症，子宮膿腫（子宮腔内に膿が蓄積すること）.

py·o·me·tri·tis (pī′ō-mē-trī′tis). 化膿性子宮炎（子宮腔内に膿が存在する子宮筋組織の炎症）.

py·o·my·o·si·tis (pī′ō-mī′ō-sī′tis). 化膿性筋炎（筋肉の深部の腫瘍，カルブンケルまたは感染洞）.

py·o·ne·phri·tis (pī′ō-nĕ-frī′tis). 化膿性腎炎.

py·o·neph·ro·li·thi·a·sis (pī′ō-nef′rō-li-thī′ă-sis). 化膿性腎結石〔症〕（腎臓に膿と石が存在すること）.

py·o·ne·phro·sis (pī′ō-nĕ-frō′sis). 膿腎〔症〕，腎膿腫（膿を伴う腎盂と腎杯の拡張．通常，閉塞を伴う）. = nephropyosis.

py·o·o·va·ri·um (pī′ō-ō-var′ē-ŭm). 卵巣膿（卵巣中の膿の存在，卵巣腫瘍）.

py·o·per·i·car·di·tis (pī′ō-per′i-kahr-dī′tis). 化膿性心膜炎（心膜の化膿性炎症）.

py·o·per·i·car·di·um (pī′ō-per′i-kahr′dē-ŭm). 膿心膜〔症〕，心嚢蓄膿.

py·o·per·i·to·ne·um (pī′ō-per′i-tō-nē′ŭm). 腹腔蓄膿（腹腔内に膿がたまること）.

py·o·per·i·to·ni·tis (pī′ō-per′i-tō-nī′tis). 化膿性腹膜炎.

py·o·phy·so·me·tra (pī′ō-fī′sō-mē′tră). 子宮膿気症（子宮内に膿と気体が存在すること）.

py·o·pneu·mo·cho·le·cys·ti·tis (pī′ō-nū′mō-kō′lē-sis-tī′tis). 膿気性胆嚢炎（気体産生微生物の侵入，または十二指腸から胆管を通じて空気がはいることにより，炎症を起こした胆嚢に膿と気体が共存すること）.

py·o·pneu·mo·hep·a·ti·tis (pī′ō-nū′mō-hep′ă-tī′tis). 膿気肝炎（通常は膿瘍に関連して現れ，肝内に膿と気体が存在すること）.

py·o·pneu·mo·per·i·car·di·um (pī′ō-nū′mō-per′i-kahr′dē-ŭm). 膿気心膜症（心嚢内に膿と気体が存在すること）.

py·o·pneu·mo·per·i·to·ne·um (pī′ō-nū′mō-per′i-tō-nē′ŭm). 膿気腹腔（腹腔内に膿と気体が存在すること）.

py·o·pneu·mo·per·i·to·ni·tis (pī′ō-nū′mō-per′i-tō-nī′tis). 膿気性腹膜炎（気体産生微生物または破裂した腸からの気体を伴う）.

py·o·pneu·mo·tho·rax (pī′ō-nū′mō-thōr′aks). 膿気胸（胸腔内に化膿性滲出液とともに気体が存在すること）. = pneumopyothorax.

py·o·poi·e·sis (pī′ō-poy-ē′sis). 化膿，膿形成. = suppuration.

py·o·poi·et·ic (pī′ō-poy-et′ik). 化膿の，膿形成の（膿をつくるものについていう）.

py·o·py·e·lec·ta·sis (pī′ō-pī′ē-lek′tă-sis). 膿性腎盂拡張〔症〕(膿形成性炎症を伴う腎盂の拡張).

py·or·rhe·a (pī′ō-rē′ă). 膿漏〔症〕(膿の放出). = pyorrhoea.

pyorrhoea [Br.]. = pyorrhea.

py·o·sal·pin·gi·tis (pī′ō-sal′pin-jī′tis). 化膿性卵管炎 (卵管の化膿性炎症).

py·o·sal·pin·go-o·oph·o·ri·tis (pī′ō-sal-ping′gō-ō-of′ō-rī′tis). 化膿性卵管卵巣炎 (卵管と卵巣の化膿性炎症).

py·o·sal·pinx (pī′ō-sal′pingks). 卵管留膿症, 卵管留膿腫 (膿貯留による卵管の拡張).

py·o·sis (pī-ō′sis). 化膿〔症〕. = suppuration.

py·o·tho·rax (pī′hō-thōr′aks). 膿胸 (胸腔の蓄膿).

py·o·u·ra·chus (pī′ō-yūr′ă-kŭs). 尿膜管膿瘍 (尿膜管内への蓄膿).

py·o·u·re·ter (pī′ō-yūr′ĕ-tĕr). 尿管蓄膿 (膿による尿管拡張).

pyr·a·mid (pir′ă-mid). ***1*** 錐体 (多少とも錐体形をもつ多くの解剖学的構造に対して用いる語). = pyramis. ***2*** 側頭骨の錐体尖を意味する, 現在では用いられない語.

py·ram·i·dal (pir-am′i-dăl). 錐体の (①錐体形のものをいう. ②錐体とよばれるすべての解剖学的構造についていう).

py·ram·i·dal au·ric·u·lar mus·cle 耳介錐体筋 (耳珠の筋線維が耳輪棘までのびたもので, ときに現れるもの). = musculus pyramidalis auriculae; pyramidal muscle of auricle.

py·ram·i·dal bone = triquetral bone.

py·ram·i·dal cat·a·ract 錐体状白内障 (円錐状の前極白内障).

py·ram·i·dal cells 錐体細胞 (大脳皮質のニューロン. 皮質表面に垂直な断面で, 皮質表面に向かう長い先端樹状突起を有する三角形を呈す. 外側にも樹状突起があり基底軸索は深層にのびる).

py·ram·i·dal de·cus·sa·tion 錐体交叉 (延髄端部での錐体側索路の神経線維束の交叉). = decussatio pyramidum; motor decussation.

py·ram·i·dal frac·ture 錐体状骨折 (主な骨折線が, 鼻骨上面の先端またはその近くで出会う中央顔面骨折). = Le Fort II fracture.

py·ra·mi·da·lis mus·cle 錐体筋 (下腹部の筋の 1 つ. 起始：恥骨稜. 停止：白線の下部. 作用：白線の緊張. 神経支配：肋下神経). = musculus pyramidalis; pyramidal muscle.

py·ram·i·dal lobe of thy·roid gland 甲状腺錐体葉 (甲状腺峡部上縁から上方にのびて, ときには舌骨にまで達する細長い腺葉. 甲状舌管とのかつての連続を示している).

py·ram·i·dal mus·cle 錐体筋. = pyramidalis muscle.

py·ram·i·dal mus·cle of au·ri·cle 耳介錐体筋. = pyramidal auricular muscle.

py·ram·i·dal ra·di·a·tion 錐体放線 (皮質から出て錐体に至る皮質脊髄線維). = radiatio pyramidalis.

py·ram·i·dal tract 錐体路 (中心前回運動領(4 野), 運動前野(6 野), 中心後回のそれぞれ第 5 層にある種々の大きさの錐体細胞から発する神経線維束. これらの皮質からの線維は内包, 大脳脚の内側 1/3, 橋腹側部を下行し, 延髄腹側面に錐体を形成する. 錐体下部で, 大部分の線維は, 錐体交叉をつくって交叉し, 外側錐体路として脊髄側索の背側半分を占め, 途中で脊髄の下端まで達する. 脊髄灰白質の中間部の介在ニューロン, 体肢に対応して発達している脊髄膨大部の運動性細胞群に直接分枝して, 特に手指や足指の運動を調節する遠位体肢節を支配する. 錐体路の一部は交叉を行わず, 前錐体路を形成する. この線維小束は, 脊髄の前索を下行し, 左右の前角の内側半部の介在ニューロンと接触するシナプスを形成する. 皮質起始部またはそれ以下の錐体路の病的遮断は, 反対側の身体半側の運動を阻害する. 特に体肢の運動障害は重度で, 筋力の低下, 痙攣, 反射異常亢進, 個々の指と手を動かす正常な能力の欠如をきたす. babinski 徴候は片麻痺状態に伴って起こる).

pyr·a·mid of light 光錐. = red reflex.

pyr·a·mid of me·dul·la ob·lon·ga·ta 〔延髄〕錐体 (皮質脊髄路線維の位置に対応して, 前正中裂の両側に沿って延髄の腹側にみられる長く白色の隆起). = anterior pyramid; pyramis medullae oblongatae.

pyr·a·mid sign 錐体路〔障害〕徴候 (Babinski 徴候あるいは Gordon 徴候, 痙性麻痺, 足クローヌスなど, 錐体路の障害を示す症候).

pyr·a·mid of ver·mis 小脳虫部錐体 (小脳虫部葉下方で虫部隆起と虫部垂の間の部分).

pyr·a·mis, pl. py·ra·mi·des (pir′ă-mis, -dēz). 錐体. = pyramid(1).

pyr·a·mis me·dul·lae ob·lon·ga·tae 〔延髄〕錐体. = pyramid of medulla oblongata.

pyr·a·mis re·na·lis, pl. py·ra·mi·des re·na·les 腎錐体. = renal pyramid.

pyr·a·nose (pīr′ă-nōs). ピラノース (糖の環状形. 酸素の架橋により, ピランをつくる).

py·ret·ic (pī-ret′ik). 発熱の. = febrile.

pyreto- 熱病を意味する連結形. →pyro-(1).

py·rex·i·a (pī-rek′sē-ă). 発熱. = fever.

py·rex·i·al (pī-rek′sē-ăl). 発熱の.

py·rex·i·a of un·known or·i·gin = fever of unknown origin.

py·ri·din·i·um (pir′i-din′ē-ŭm). ピリジニウム (骨コラーゲンの崩壊産物で, 尿中に排出される物質で, 破骨細胞の活性を評価するために測定される. Paget 病, 一次性上皮小体機能亢進症, および骨粗しょう症などで増加する).

py·ri·din·o·line (pir′i-din′ŏ-lēn). ピリジノリン (ハイトロキシピリジニウム. 骨コラーゲンの崩壊産物で, ピリジニウムと同様に破骨細胞の活性を測るために測定される).

pyr·i·do·stig·mine bro·mide (PB) ピリドスチグミン臭化物 (カルバメート化合物の臭化塩で, 神経ガスのソマンに対する前曝露解毒エンハンサーとして使われる. しばしば誤って“前処理”解毒エンハンサーと呼ばれる). = 2-PAM chloride.

pyr·i·do·stig·mine chlor·ide ピリドスチグ

P

ミン塩化物（カルバメート系抗コリンエステラーゼ薬の塩化物．塩は重症の筋無力症の治療，または前曝露解毒エンハンサーとして使用される．→secondary blast injury; tertiary blast injury; quaternary blast injury）．

pyr·i·dox·al 5′-phos·phate ピリドキサル5′-リン酸（組織内の多くの反応，特にアミノ基転移とアミノ酸の脱炭酸反応に必須な補酵素の1つ）．

pyr·i·dox·a·mine (pir′i-dok′să-mēn)．ピリドキサミン（ピリドキシンのアミン誘導体．生理作用は類似する．→pyridoxine）．

4-pyr·i·dox·ic ac·id 4-ピリドキシン酸（尿中に存在する，ヒトのピリドキサル代謝物質の主要成分）．

pyr·i·dox·ine (pir′i-dok′sēn)．ピリドキシン（元来のビタミンB_6のことで，現在は，ピリドキサルとピリドキサミンも含まれる．アミノ酸代謝やヘム，ヒスタミン，ドパミンの合成に関わる．欠乏すると感応性増加，痙攣，末梢神経炎を起こす．塩酸塩は局方製剤．野菜類に見出される）．

py·rim·i·dine (pir-im′i-dēn)．ピリミジン（複素環式物質で，核酸中に存在する数種の塩基(ウラシル，チミン，シトシン)とバルビツール酸塩の形式的親物質である）．

py·rin (pī′rin)．ピリン（家族性地中海熱の原因遺伝子 MEFV にコードされる異常好中球性蛋白）．= marenostrin.

pyro- ***1*** 火，熱または熱病を意味する連結形．→pyreto-. ***2*** 化学において，水の除去(通常は熱による)によりつくられる無水物などの誘導体を意味する連結形．→anhydro-.

py·ro·gen (pī′rō-jen)．発熱物質，発熱因子（発熱物質．バクテリア，カビ，ウイルス，イースト菌によってつくられる．蒸留水中によくみられる）．

py·ro·gen·ic (pī′rō-jen′ik)．発熱性の．

py·ro·glob·u·lins (pī′rō-glob′yū-linz)．ピログロブリン（血清蛋白(免疫グロブリン)で，通常，多発性骨髄腫やマクログロブリン血症にみられる．56℃に加熱すると非可逆的に沈殿する）．

py·rol·y·sis (pī-rol′i-sis)．熱〔分〕解．

py·ro·ma·ni·a (pī′rō-mā′nē-ă)．放火癖，放火狂（病的な放火衝動）．

py·ro·nin (pī′rō-nin)．ピロニン（蛍光性赤色塩基性キサンテン色素で，メチルグリーンと併用して RNA(赤色)または DNA(緑色)の示差染色に用いる．また電気泳動での RNA の追跡色素として用いる）．

py·ro·pho·bi·a (pī′rō-fō′bē-ă)．火恐怖〔症〕，恐火症（火に対する病的な恐れ）．

py·ro·phos·pha·tase (pī′rō-fos′fă-tās)．ピロホスファターゼ（ピロリン酸結合の2個のリン酸基間を開裂し，2個の断片の各々に1個ずつリン酸基を残す開裂酵素）．= diphosphatase.

py·ro·phos·phate (PP) (pī-rō-fos′fāt)．ピロリン酸塩（低ホスファターゼ血症で蓄積される．ときに inorganic pyrophosphate (PP_i) とよばれる）．

py·ro·sis (pī-rō′sis)．胸焼け（通常は酸性消化性胃液の食道への逆流によって起こる胸骨下の痛みまたは灼熱感）．= heartburn.

pyr·role (pir′ōl)．ピロール（多くの生物学的に重要な物質にみられる複素環式化合物）．= azole; imidole.

pyr·rol·i·dine (pir-ol′i-dēn)．ピロリジン（①ピロールに4個の水素原子が付加したもの．プロリンとヒドロキシプロリンの基本骨格．②ピロリジン部分またはピロリジン誘導体を含有するアルカロイドの一種）．

py·ru·vate (pī′rū-vāt)．ピルビン酸塩またはエステル．

py·ru·vate ki·nase (PK) ピルビン酸キナーゼ；phospho*enol*pyruvate kinase(ホスホエノールピルビン酸から ADP にリン酸を転移し，ATP とピルビン酸をつくる反応を触媒するホスホトランスフェラーゼ．他のヌクレオシドリン酸もこの反応に関与しうる．解糖の鍵段階．ピルビン酸キナーゼの欠損により溶血性貧血になる)．

py·ru·vic ac·id ピルビン酸（最も簡単なα-ケト酸．炭水化物代謝における中間体の1つ．チアミン欠乏症では酸化が障害され，組織内，特に神経構造内に蓄積する．→phosphoenolpyruvic acid）．

py·u·ri·a (pī-yūr′ē-ă)．膿尿（排尿時，尿中に膿が存在すること）．

Q

Q クーロン，熱量，四級，グルタミン，グルタミニル，プソイドウリジン，補酵素Q，電荷，酵素触媒反応で生成する二次生成物の記号．

Q̇ 血流量の記号．→flow(3)．

Q_{CO_2} 炭酸ガス発生力（1時間に1 mgの組織から発生する炭酸ガスのμL(STPD)を表す記号）．

q ***1*** 細胞遺伝学において，染色体の長腕を表す記号(逆に短腕に対してはp)．***2*** ラテン語 *quodque*（各，ごと）の略．***3*** 熱の記号．

QA quality assurance の略．

Q-an·gle (angʹgĕl)．Q角（大腿四頭筋の引っ張り方向と膝蓋腱の縦軸とがなす角．通常，女性のほうが広い）．

Q-band·ing stain Qバンド染色〔法〕，Qバンディング〔染色法〕（染色体の蛍光染色法で，各々一対の相同染色体について特異的な帯状パターンを示す．アクリジン色素の誘導体の塩酸キナクリンや他の誘導体，例えば二塩酸キナクリンは，DNAのデオキシアデニル酸-デオキシチミジン酸(A-T)塩基をもつ構成ヘテロクロマチン(異染色質)に富む染色体の分節(帯)にpH 4.5で緑黄色の蛍光を発せしめる．ヒト染色体3,4,13の中心部が特異的に染まり，アクロセントリック(末端動原体型)染色体の付随物のようにみえる．またY染色体長腕先端も染まる）．

QC quality control の略．

QCSW Qualified Clinical Social Worker の略．

Q fe·ver Q熱（リケッチア *Coxiella burnetii* による疾患で頭痛，筋痛を特徴とし，肺炎や肝炎がみられることもある．病原体は症状を起こさないが，ヒツジとウシの体内で増殖する．ヒトの感染は汚染された土壌やほこりの吸引により起こる）．

QH_2 ユビキノールの記号．

qi (kī)．= chi(4)．

q.i.d. ラテン語 *quater in die*（1日4回）の略．

QNB quinuclidinyl benzilate の略．

q.noct. every night の略．

QNS quantity not sufficient(検体量不足)の略．検査室に提出された検体量が，依頼された検査を行うには不十分であること．

Q.O.L. quality of life の略．→H.R.Q.O.L.

Q-probes (prōbz)．質問プローブ(調査)（米国病理医教会後援の外部ピア比較プログラムで，プロセスと結果，構造指向の品質保証問題に取り組んでいる）．

QRB in·ter·val QRB間隔（心電図上でQ波の開始から右脚電位までの時間．通常は15—20 msec）．

QR in·ter·val QR間隔（QRS群の開始からR波のピークまたはR波が複数あれば最後のR波までに経過する時間．適切な単極誘導で決定できれば，近接様効果の発現時間を測定する）．

QRNG quinolone-resistant *Neisseria gonorrhoeae* の略．

QRS com·plex QRS群（心(室)筋細胞の脱分極に伴う心電図記録の一部）．

q.s. ad quantity sufficient to make の略．

QS_2 in·ter·val QS_2間隔．= electromechanical systole．

Q-switched las·er Q-スイッチレーザー（Qはqualityの略．特性あるいはエネルギー貯蔵容量を非常に高い値と低い値との間で変えられるレーザー）．

qt. quart の略．→quart．

Q-T in·ter·val, QT in·ter·val QT(Q-T)間隔（心電図上でQ波の開始からT波の終わりまでの時間．電気的収縮期に相当する）．

quack (kwak)．にせ医者，やぶ医者．= charlatan．

quad quadriceps; quadrilateral; quadrant; (slang) for quadriplegia の略．

quadr-, quadri- 四を意味する連結形．

qua·dran·gu·lar lob·ule 四角小葉（小脳半球上部の主たる部分で，現行用語法では前四角小葉に当たる．虫部山頂に並ぶ半球部で前部と後部からなり山頂前裂と第一裂の間にある）．= quadrate lobe(2)．

quad·rant (quad) (kwahdʹrănt)．四分円〔部分〕（円の1/4．解剖学において，丸い形のものを説明する都合上，4つに分ける．腹部は臍を通る水平線と垂直線で右上下と左上下に分けられる．眼底の四分円(上下鼻，上下側頭)は視神経円板(乳頭)を通る水平線と垂直線により分けられる．鼓膜はそのつち骨柄の軸上にある直径を

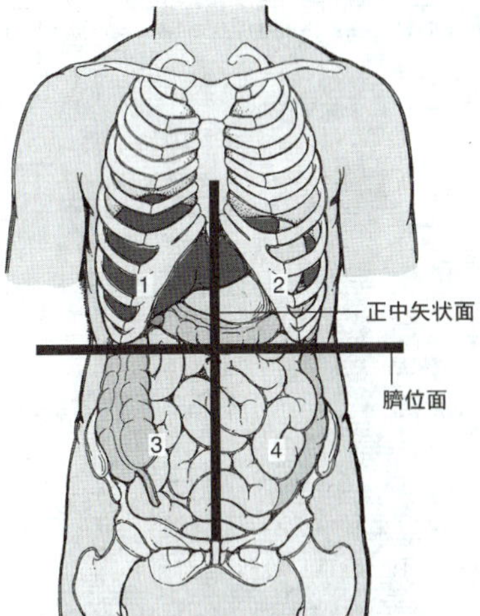

1
2
3
4
正中矢状面
臍位面

quadrants of abdomen
1：右上，2：左上，3：右下，4：左下

通る線と，これと鼓膜臍で直角に交差する線により，前上，前下，後上，後下の四分円に分けられる）.

quad·rate (kwahd′rāt). 方形の，四辺形の（等しい4辺をもつ）.

quad·rate lobe 方形葉（①肝臓の下面にある葉で，胆嚢窩と肝円索裂との間にある. ②= quadrangular lobule. ③= precuneus）.

quad·ra·tus fem·o·ris mus·cle 大腿方形筋（下殿部深層の筋．起始：坐骨結節の外側縁．停止：転子間稜．作用：大腿の外旋．神経支配：仙骨神経叢の大腿方形筋枝）. = musculus quadratus femoris.

quad·ra·tus la·bi·i su·pe·ri·or·is mus·cle 上唇方形筋（通常は独立の筋として名付けられている3筋の総称，すなわち内眼角頭(上唇鼻翼挙筋)，下眼窩頭(上唇挙筋)，頬骨頭(大頬骨筋)からなる）. = musculus quadratus labii superioris.

quad·ra·tus lum·bo·rum mus·cle 腰方形筋（後腹壁の扁平な筋．起始：腸骨稜，腸腰靱帯と下部腰椎の横突起．停止：第十二肋骨と上部腰椎の横突起．作用：体幹の外転．神経支配：上位腰神経前枝）. = musculus quadratus lumborum.

quad·ra·tus plan·tae mus·cle 足底方形筋（足底第二層の筋の1つ．起始：踵骨下面の外側縁および内側縁の2頭．停止：長指屈筋の腱．作用：長指屈筋の補強．神経支配：外側足底神経）. = musculus quadratus plantae.

quadri- 4を表す連結形.

quad·ri·ba·sic (kwah-dri-bā′sik). 四塩基の（塩基の性質をもつ原子または基に置換されうる4個の水素原子を有する酸についていう）.

quad·ri·ceps (quad) (kwahd′ri-seps). 四頭筋（4個の頭をもつ筋で，大腿四頭筋およびふくらはぎの腓腹四頭筋をいう．後者は腓腹筋の2頭，ヒラメ筋，足底筋を合わせて4頭とするが，よ

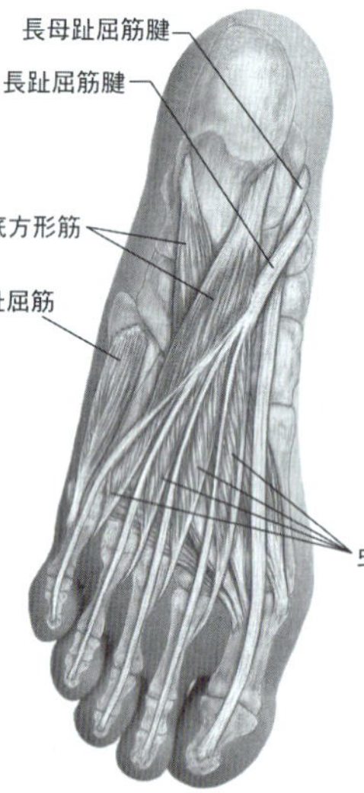
長母趾屈筋腱
長趾屈筋腱
足底方形筋
短小趾屈筋
虫様筋
quadratus plantae muscle

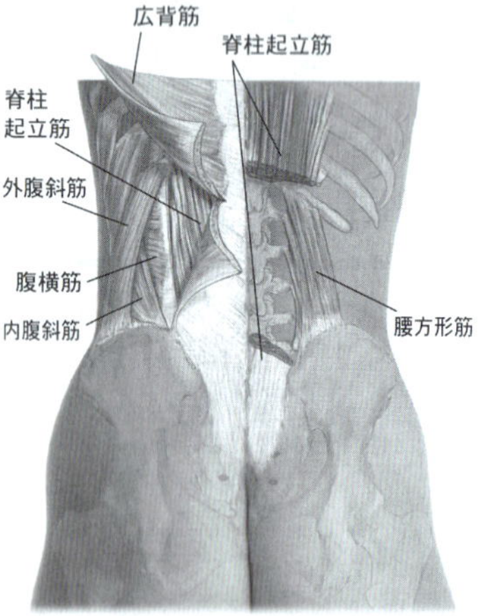
広背筋
脊柱起立筋
脊柱
起立筋
外腹斜筋
腹横筋
内腹斜筋
腰方形筋
quadratus lumborum muscle

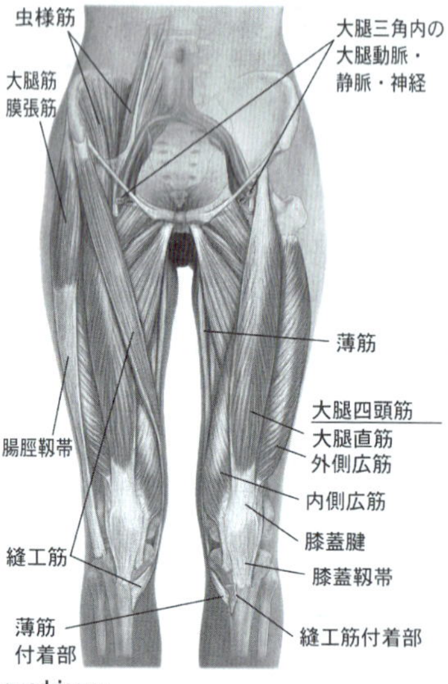
虫様筋
大腿筋
膜張筋
大腿三角内の
大腿動脈・
静脈・神経
薄筋
大腿四頭筋
大腿直筋
外側広筋
腸脛靭帯
内側広筋
膝蓋腱
縫工筋
膝蓋靭帯
薄筋
付着部
縫工筋付着部
quadriceps

り一般的には下腿三頭筋とよばれ，足底筋は別個の筋肉として数える）.

quad·ri·ceps fem·o·ris mus·cle 大腿四頭筋（大腿前部の筋．起始：大腿直筋，外側広筋，中間広筋，内側広筋の4個の頭．停止：膝蓋骨，さらに膝蓋靱帯により脛骨粗面．作用：下腿の伸展．大腿直筋の作用により大腿を曲げる．神経支配：大腿神経）. = musculus quadriceps femoris; quadriceps muscle of thigh.

quad·ri·ceps mus·cle of thigh 大腿四頭筋. = quadriceps femoris muscle.

quad·ri·ceps re·flex 大腿四頭筋反射. = patellar reflex.

quad·ri·gem·i·nal (kwahd′ri-jem′i-năl)．四丘体の，四丘の．

quad·ri·gem·i·nal rhythm 四連脈，四段脈（心拍動が4つで1群となり，各々が通常1回の洞収縮後に期外収縮が3回続くが，反復する4連性の脈を繰り返す不整脈）.

quad·ri·ge·mi·num (kwahd′ri-jem′i-nŭm)．四丘体．

qua·dri·gem·i·ny (kwahd′ri-jem′i-nē)．四連脈，四段脈（4拍ごとに期外収縮を繰り返す不整脈）.

quad·ri·pa·re·sis (kwahd′ri-păr-ē′sis). = tetraparesis.

qua·dri·pe·dal ex·ten·sor re·flex 四足伸筋反射（四肢全部を使うような腹臥位をさせたときに，半身不随の患者の上腕が伸張すること）. = Brain reflex.

quad·ri·ple·gi·a (quad) (kwahd′ri-plē′jē-ă)．四肢麻痺. = tetraplegia.

quad·ri·ple·gic (kwahd′ri-plē′jik)．四肢麻痺〔症〕の．

quad·ri·va·lent (kwahd′ri-vā′lĕnt)．四価の（4つの結合力（原子価）をもつ）. = tetravalent.

quad·rup·let (kwahd-rŭp′let)．四胎，四つ児（1度の出産で同時に生まれた4人の子供）.

qual·i·ta·tive a·nal·y·sis 定性分析（物質を構成する諸要素の量ではなく，性質の決定）.

qua·li·ty (kwahl′i-tē)．質（①物の本質上，固有の特性，特質．②2優位性の度合い）.

qual·i·ty as·sur·ance (QA) メディカルケアの質を評価するために行う，医療・看護行為を定期的に評価するプログラム．註この用語は一般に，品質保証をさす．→quality control.

qual·i·ty con·trol (QC) 精度管理（コントロール血清を用いて検査技術をモニターし，誤差がコントロール（血清）値の平均から一定の幅，多くの場合 ±2SD 以内に収まるように保つことにより検査上の誤差を調整すること）.

qual·i·ty con·trol chart 〔精度〕管理図（検査室で検査を実施するうえで，許容される誤差の範囲を描いた図表．その範囲はコントロール血清の値の平均から一定の偏差内で，通常 ±2SD 以内である）. = Levey-Jennings chart.

qual·i·ty fac·tor 線質係数（吸収線量を乗じて，放射線防護の目的で，吸収線量のおおよその生物学的効果を示す量を求めるための係数）.

qua·li·ty in·di·ca·tors 品質指標（医療の質を査定するための判断基準，基準，その他の評価基準）.

qual·i·ty of life (Q.O.L.) クオリティオブライフ，生活の質（精神状態，ストレスレベル，性的機能，自己認知している健康状態などを含む患者の総合的な生活状態）.

quan·tal ef·fect クオンタルエフェクト（発生するか，あるいは発生しないかの二者択一の語だけで表現される効果）.

quan·tile (kwahn′tīl)．分位点（分布を均等な，順序のあるサブグループに分割する区切り．10分割したものを十分位点（deciles），4分割したものを四分位点（quartiles），5分割したものを五分位点（quintiles），3分割したものを三分位点（terciles），100分割したものを百分位点（centiles）という）.

quan·ti·ta·tive a·nal·y·sis 定量分析（物質を構成する諸要素の量および性質の決定）.

quan·ti·ty (kwahn′ti-tē)．量（①数，あるいは量．②物の測定可能な特性）.

quan·ti·ty suf·fic·i·ent to make (q.s. ad) 十分にする量（特定の最終量，あるいは総重量を達成するために成分を十分加えること）.

Quant sign クワント徴候（多数のくる病患者に生じる後頭骨のT字形のくぼみ．常に後頭部をベッドに押しつけて寝ていた乳児に特に多い）.

quan·tum, pl. quan·ta (kwahn′tŭm, -tă). ***1*** 量子（放射線の振動数（ν）によって変化する放射エネルギー（ε）の基本単位）. ***2*** 定量（明確に定められた量）.

quan·tum the·o·ry 量子論（エネルギーは不連続量（量子）としてのみ放出，伝達，吸収が可能であり，したがって原子および原子構成粒子は特定のエネルギー状態のみを取りうるとする理論）. = Planck theory.

quan·tum yield (ϕ) 量子収量（吸収光の量子に対する転換された（例えば，反応によって）分子数．要求量子数の逆）.

quar·an·tine (kwar′an-tēn, as a noun, kwar-an-tēn′, as a verb)．隔離（伝染病あるいは疑似伝染病患者の隔離. *cf.* isolation）.

quark (kwōrk)．クォーク（すべての中間子と重粒子の最小構成単位であると考えられている基本粒子．クォークは1電気素量の分数電荷をもち，電磁気力と核力で相互作用をする．6種類存在すると考えられており，アップ，ダウン，ストレンジ，チャーム，ボトム，アップという奇妙な名称をもつ）.

quart (kwōrt)．クォート（①液体容積の計量単位．1/4 ガロン．0.9468 L に等しい．②乾量の計量単位で，液量のそれより少し大きい）.

quar·tan (kwōr′tan)．4日目ごとの（ある事象の第1日も算定して，4日目ごとに再現し，その間の2日間は何もない期間となる．→malariae malaria）.

quar·tan ma·lar·i·a 四日熱〔マラリア〕. = malariae malaria.

quartz (kwōrts)．石英（化学装置や光学，または電気器具に用いる二酸化ケイ素の結晶）.

qua·si-con·tin·u·ous wave las·er 準連続発振レーザー（電子制御によって，出力がミリセカンド（1/1,000 秒）あるいは同等の小さな増量での制御の可能なレーザー).

qua·si·dom·i·nance (kwā′zī-dom′i-năns). 準優性(劣性形質の見せかけの優性遺伝. 例えば, 問題となるホモ接合体とヘテロ接合体の交配によって, 劣性形質が世代を追って表現されるようになる). = pseudodominance.

qua·si·dom·i·nant (kwā′zī-dom′i-nănt). 準優性の(準優性を表す形質を近親交配にみることを意味する).

qua·ter·na·ry (Q) (kwah′tĕr-nār-ē). ***1*** 4原子の(4つの元素を含む化合物をいう). ***2*** 第4の(4番目にある). ***3*** 四級の(ある中心原子が4個の官能基と接続する有機化合物についていう). ***4*** 四次構造の(2つ以上の生体高分子からなる高分子構造の一水準についていう).

qua·ter·na·ry am·mo·ni·um i·on →amine.

qua·ter·na·ry blast in·ju·ry 四次的爆風損傷(損傷もしくは他の状態(熱傷や挫滅性損傷を含む)で, 爆発が原因ではあるが, 一次的, 二次的, 三次的爆風損傷としては分類されない).

Queck·en·stedt-Stook·ey test クヴェッケンステット-スツーキー試験(健康人では頸静脈を圧迫することにより, 腰部で測定した脳脊髄液圧が10—12秒以内に上昇し, 圧迫を解除すると急激に正常圧まで低下するが, クモ膜下の閉塞があると静脈圧迫による脳脊髄圧の上昇がまったく, またはほとんどみられない).

quel·lung phe·nom·e·non 膨化現象. = Neufeld capsular swelling.

quel·lung re·ac·tion 膨張反応(①= Neufeld capsular swelling. ②肺炎球菌, 墨汁, 特異抗血清を混合した場合, 血清中に存在する抗体は肺炎球菌莢膜の多糖類抗原に結合し, その結果, 莢膜が腫脹して不明瞭な状態となる).

quel·lung test 膨化試験. = Neufeld capsular swelling.

quench·ing (kwench′ing). ***1*** 消光, 焼入れ(熱や光のような物理的性質を消去, 除去, あるいは消滅させること. 例えば, 熱い金属を水や油の中に沈めることにより急速に冷却させること). ***2*** クエンチング(ベータ線液体シンチレーション計数において, 真のエネルギースペクトルが低エネルギー側へずれること. これは計数溶液中の種々の不純物や着色剤を含む干渉物質により起こる). ***3*** クエンチング(化学的・酵素的反応を停止させること).

que·ry fever クエリー熱(Q熱の起源で, Q熱コクシエラによって引き起こされる).

ques·tion·naire (kwes′chŭn-ār′). 質問票(統計的に有用なデータや個人情報を得るため, 口頭もしくは筆記によりなされる一連の質問).

quick (kwik). ***1*** 胎動を感じること. ***2*** 触れると痛い敏感な部分.

quick·en·ing (kwik′ĕn-ing). 胎動感(胎児の動きによって母親が感じる生命徴候で, 通常, 妊娠16週から20週で気付く).

Quick test クウィック試験. = prothrombin test.

qui·es·cent (kwī-es′ĕnt). 静態の, 休止の, 静止性の.

qui·et lung 静止肺(胸部手術の間, 肺の動きを止めることにより外科処置を促進するための肺の虚脱).

Quinc·ke dis·ease クインケ疾患(きわめて限局した浮腫性疾患で, 深い皮膚層や皮下組織上部の気道や消化管の粘膜表面にも可変的に作用する. 時に, 関節痛や紫斑病または発熱を伴う). = angioedema(2); angioneurotic edema(2).

Quin·cke pulse クヴィンケ脈(手指や足指で大動脈血流が逆流するときに認められる毛細血管の拍動. 消退と充満とがみられる). = Quincke sign.

Quinc·ke sign クヴィンケ徴候. = Quincke pulse.

qui·nine (kwī′nīn). キニーネ(キナから抽出される最も重要なアルカロイド. 寄生生物の無性および赤血球内型に対し有効な抗マラリア薬. 赤血球(組織)外型には無効である. 三日熱マラリア原虫 *Plasmodium vivax*, 四日熱マラリア原虫 *P. malariae*, 卵形マラリア原虫 *P. ovale* 起因によるマラリアの根治はできないが, 脳性マラリア, 悪性三日熱マラリアの重症発作, 熱帯熱マラリア原虫 *P. falciparum* のクロロキン抗性原虫により生じたマラリアの治療に用いる. また, 解熱薬, 鎮痛薬, 硬化薬, 健胃薬, (まれに)分娩促進薬, そして心房細動, 先天性筋硬直症, その他の筋疾患の治療薬としても用いる).

quin·o·lones (kwin′ō-lōnz). キノロン類(DNA合成を阻害して殺菌作用を示す抗菌剤(例えばシプロフロキシン)).

quin·sy (kwin′zē). = peritonsillar abscess.

quint- 第五あるいは5倍を意味する連結形.

quin·tan (kwin′tăn). 5日目ごとの(5日目ごと(3日の間をおいた後)に繰り返される).

quin·tup·let (kwin-tŭp′lĕt). 五胎, 五つ児(1度の出産で同時に生まれた5人の子供).

3-qui·nu·cli·din·yl ben·zi·late (QNB) 3-キヌクリジニル ベンジラート(化学兵器無力化剤として使用するために開発された, 抗コリン性化合物. NATO記号BZ).

qui tam ac·tion 私人による代理訴訟(密告者(内部告発者)によって起こされた民事訴訟で, 通常, 雇用主が, 不正あるいは違法行為の罪に問われる).

quod·que (q) (kwod′kwā). それぞれ, 各.

quo·rum sens·ing 集団感知(ある個体群密度以上のもとで起こっていることに対して, ある行動が制限される現象. 細菌でみられる).

quo·tid·i·an (kwō-tid′ē-ăn). 毎日起こる, 毎日の(→quotidian malaria).

quo·tid·i·an ma·lar·i·a 毎日熱〔マラリア〕(発作が毎日起こるマラリア. 通常, 三日熱の重複したもので, 48時間ごとに交代に胞子小体を形成する三日熱マラリア原虫 *Plasmodium vivax* の異なった2群による感染がみられる).

quo·tient (kwō′shĕnt). 商, 指数(1つの量が他の量に含まれる倍数. 2つの数の比. →index(2); ratio).

q.v. ラテン語 *quantum vis* (任意量)の略.

Q wave Q波(QRS群の陰性(下行性)の初期動揺).

R

ρ, ρ ロー（→rho）.

R_f, R_F ペーパークロマトグラフィにおいて，溶媒フロントに対する（*r*elative to the solvent *f*ront）物質の移動度を示す記号（すなわち遅延因子）.物質の移動距離を溶媒フロントの移動距離で割った値に等しい.

R （イタリック体で）モル気体定数 molar gas constant, Cahn, Ingold，および Prelog 系での２つの立体化学表示のうちの１つ，酸素触媒反応で生成する第３の生成物，の略または記号.

r, R ***1*** racemic の略で，ときに一般的な DL- または（±）- の代わりに〝r-アラニン〞（より一般的には rac-アラニン）のように化合物の命名に用いる．***2*** roentgen; radius の略.

RA remittance advice; rheumatoid arthritis の略.

Ra ラジウムの元素記号.

rab·bet·ing （rab′ĕt-ing）．合決（あいじゃくり）（埋伏後の安定のために，並んでいる骨の表面を適合するように段階的に切ること）.

rab·bit fe·ver 野兎熱. = tularemia.

rab·id （rab′id）．狂犬病の.

ra·bies （rā′bēz）．狂犬病（ヒトを含むすべての温血動物がかかる致死率の高い感染疾患．イヌ，ネコ，スカンク，オオカミ，キツネ，アライグマ，コウモリを含む感染動物にかまれることにより伝染する．これは中枢神経系や唾液腺に存在するラブドウイルス科の神経向性の狂犬病ウイルスにより起こる．症状は神経系の著しい障害が特徴で，興奮，攻撃，狂気がみられ，その後，麻痺が起こり死亡する．特徴的な細胞質封入体（Negri 体）がニューロン中に多数みられ，迅速な診断の助けとなる）. = hydrophobia.

ra·bies vi·rus 狂犬病ウイルス（狂犬病の原因となるラブドウイルス科 *Lyssavirus* 属の大形の弾丸形のウイルス）.

rac- ラセミを意味する接頭語.

rac·coon eyes ラクーン眼（前頭蓋窩底骨折からくる眼の周囲の遅延性変色の数時間後に現れる眼窩周囲の斑状皮下出血）.

rac·e·mase （rā′sĕ-mās）．ラセマーゼ（ラセミ化すなわち不斉基間の相互転換を触媒する酵素．不斉中心が１つ以上の場合エピメラーゼが用いられる）.

rac·e·mate （rā′sĕ-māt）．ラセミ化合物（ラセミの化合物またはラセミ化合物の塩またはエステル．→racemic）.

ra·ceme （rā-sēm′）．ラセミ体（光学不活性化合物．→racemic）.

ra·ce·mic (r, R, rad) ラセミの，ラセミ体の（光学不活性で，同量の右旋性と左旋性物質からなる光学活性物質の混合物で，分離可能なものを示す）.

rac·e·mi·za·tion （rā′sĕ-mī-zā′shŭn）．ラセミ化（１つの光学的対掌体を部分的に他の対掌体に変えること（L-アミノ酸を相応した D-アミノ酸にする）.その結果生じた混合物の旋光性が減少，または０になる）.

rac·e·mose （ras′ĕ-mōs）．蔓状の，ブドウ状の（結節性末端をもつ枝で，ブドウの房に似ている）.

rac·e·mose an·eu·rysm 蔓状動脈瘤，静脈瘤状動脈瘤. = cirsoid aneurysm.

rac·e·mose gland ブドウ房状腺（細葉状腺や胞状腺のように立体構造がブドウの房状の外観を呈する腺）.

rachi-, rachio- 脊髄，脊椎に関する連結形.

ra·chi·al （rā′kē-ăl）．脊髄の，脊柱の，脊椎の. = spinal.

ra·chi·al·gi·a （rā′kē-al′jē-ă）．脊柱痛（脊柱（脊椎）の痛みで，結核性脊椎炎（ポット病）にみられる．以前は，lead colic（鉛疝痛）と呼ばれた）.

ra·chi·cen·te·sis （rā′kē-sen-tē′sis）．脊椎穿刺. = lumbar puncture.

ra·chid·i·al （rā-kid′ē-ăl）．脊髄の，脊椎の，脊柱の. = spinal.

ra·chi·graph （rā′kē-graf）．脊柱描画器（脊柱の彎曲を記録する器械）.

ra·chil·y·sis （rā-kil′i-sis）．脊柱彎曲矯正〔法〕（彎曲凸面に対し外側圧力を加えることにより，脊柱の外側彎曲を強制的に矯正すること）.

ra·chi·o·cen·te·sis （rā′kē-ō-sen-tē′sis）．脊椎穿刺. = lumbar puncture.

ra·chi·om·e·ter （rā′kē-om′ĕ-tĕr）．脊柱彎曲計（脊柱の彎曲が正常か病的かを測定する器具）.

ra·chi·ot·o·my （rā′kē-ot′ŏ-mē）．脊椎切除〔術〕. = laminotomy.

ra·chis, pl. rach·i·des, ra·chis·es （rā′kis, -ki-dēz, -kis-ēz）．脊柱. = vertebral column.

ra·chis·chi·sis （rā-kis′ki-sis）．***1*** 脊椎披裂（椎弓と神経管の発生学的癒合不全で，その結果神経組織が体表に現れる．脊髄瘤か脊髄披裂を伴う嚢状二分脊椎）．***2*** 脊椎管癒合異常.

ra·chit·ic （rā-kit′ik）．くる病の，くる病にかかった.

ra·chit·ic pel·vis くる病骨盤（狭窄し変形した骨盤で，最も一般にみられるのは年少期に骨がくる病で軟化するために起こる扁平骨盤である）.

ra·chit·ic ro·sa·ry くる病じゅず（肋骨・肋軟骨の接点におけるビーズ細工様の列．しばしばくる病の小児にみられる）.

ra·chi·tis （rā-kī′tis）．くる病. = rickets.

rach·i·to·gen·ic （rā-kit′ō-jen′ik）．くる病発生の.

ra·cism （rā′sizm）．人種差別（人種，肌の色，あるいは民族性のために，人を差別する態度，慣行あるいはその他の要因）.

rack·et am·pu·ta·tion ラケット形切断〔術〕（環状またはやや楕円形の切断．肢の軸を長く切開する）.

rad （rad）．***1*** ラド（電離放射線の吸収線量の単位．組織１g 当たり 100 エルグの吸収エネルギーに等しい．100 rad = 1 Gy）．***2*** ラジアンの記号．***3*** racemic の略.

ra·dec·to·my (rā-dek′tŏ-mē). 歯根切除〔術〕. = root amputation.

radi- 根を意味する連結形.

ra·di·a·bil·i·ty (rā′dē-ă-bil′i-tē). 放射線透過性.

ra·di·a·ble (rā′dē-ă-bĕl). 放射線透過性のある(光線，特にX線により透過できる，またはX線で検査ができる).

ra·di·ad (rā′dē-ad). 橈側の.

ra·di·al (rā′dē-ăl). ***1*** 橈側の，橈骨の（橈骨，あるいは上腕の尺側(内側)に対して橈側(外側)をいう). = brachio-(2). ***2*** 半径の. ***3*** 放射の（1つの中心から全方向へ分散している).

ra·di·al ar·ter·y 橈骨動脈（上腕動脈より起こり，橈側反回動脈，背側掌側の手根動脈と中手動脈，背側指動脈，母指主動脈，橈側示指動脈，掌枝と筋枝，貫通枝を出し通常は深掌動脈弓に終わる). = arteria radialis.

ra·di·al col·lat·er·al ar·ter·y 橈側側副動脈(橈側反回動脈と吻合する上腕深動脈の屈側終末枝で肘関節動脈網の形成に参入する).

ra·di·al de·vi·a·tion 橈側偏位（前腕の親指側へ向かう手首の動き).

ra·di·al-dig·i·tal grasp 橈側指つかみ（生後8—9か月に現れる把握パターンで，特徴は，向かい合わせになった親指と指先の間にある物体を掴むのに，親指と指の間の空間が見えるように，物体を指の末節部の方で掴むことである).

ra·di·al flex·ion 橈屈（橈側偏位に伴う手首の屈曲).

ra·di·al flex·or mus·cle of wrist 橈側手根屈筋. = flexor carpi radialis muscle.

ra·di·al growth phase 皮膚悪性黒色腫の発生初期の発育型. 腫瘍細胞は表皮内を水平方向に発育する.

ra·di·al head 橈骨頭（橈骨の近位端. 橈骨輪状靱帯内で動くことにより，前腕の回内および回外に働く).

ra·di·al in·dex ar·ter·y 示指橈側動脈. = radialis indicis artery.

ra·di·a·lis in·di·cis ar·ter·y 示指橈側動脈(橈骨動脈より起こり，示指の橈側面に分布する). = arteria radialis indicis; arteria volaris indicis radialis; radial index artery.

ra·di·al ker·a·tot·o·my 放射状角膜切開（角膜透明部の放射状角膜切開. 近視矯正に用いられる角膜屈折矯正手術の一法).

ra·di·al nerve 橈骨神経（腕神経叢のすべての根枝を含む後神経束から起こる. 上腕骨後面を回って肘窩まで下行し，浅枝と深枝の2終枝に分かれ，上腕と前腕の背面に筋枝と皮枝を送る. 橈骨神経損傷の原因として最も多いものが上腕骨中1/3の骨折で，手関節の背屈が不能(下垂手)になる). = nervus radialis.

ra·di·al-pal·mar grasp 橈側手掌つかみ（生後6—7か月に現れるパターンで，人差し指と中指が物体に指をかけると，親指が向かい合わせになりはじめ，物体を橈側の手掌へと押しいれる).

ra·di·al pulse 橈骨動脈波（手首の橈骨動脈でふれる脈).

ra·di·al re·cur·rent ar·ter·y 橈側反回動脈(橈骨動脈より起こり，肘関節の外側付近を上行する. 橈側側副動脈，反回骨間動脈と吻合).

ra·di·al tu·ber·os·i·ty 橈骨粗面（橈骨頸部から遠位の，橈骨内側面から出た卵形の隆起. その後半部に上腕二頭筋腱が停止する).

ra·di·al tun·nel syn·drome 橈骨管症候群(橈骨神経が肘部，前腕近位を通る間の種々の部位で圧迫されて生じる，運動障害や感覚障害は伴わない，肘から前腕の外側部痛をきたす疾患).

ra·di·al veins 橈骨静脈（深手掌動脈弓の橈側から出る橈骨動脈に伴行する静脈で肘窩で上腕動脈の伴行静脈に流入する).

ra·di·an (rad) (rā′dē-ăn). ラジアン（平面角に対する国際単位系(SI)の補助単位).

ra·di·ant (rā′dē-ănt). ***1*** 〘adj.〙 放射〔状〕の. ***2*** 〘n.〙 光点（光が目に放射する点).

ra·di·ant in·ten·si·ty (I) 放射強度. = luminous intensity.

ra·di·ate (rā′dē-āt). 放射する，放散する（①1点から全方向に広がる. ②放射線を発する).

ra·di·ate crown 放線冠. = corona radiata.

ra·di·ate lig·a·ment of head of rib 放線状肋骨頭靱帯（各肋骨頭と，それと関節をつくる2個の椎体を結合する放線状，星状，または前肋骨脊椎靱帯).

ra·di·a·ti·o, pl. **ra·di·a·ti·o·nes** (rā-dē-ā′shē-ō, -ō′nēz). 放線（神経解剖学上の用語で，視床皮質線維系に用いる. 集まって大脳半球白質の放線冠(例えば，視放線，聴放線など)を形成する). = radiation(3).

ra·di·a·ti·o a·cus·ti·ca 聴放線. = acoustic radiation.

ra·di·a·ti·o cor·po·ris cal·lo·si 脳梁放線. = radiation of corpus callosum.

ra·di·a·tion (rā′dē-ā′shŭn). ***1*** 放射（中心から全方向へ放散すること，または状態). ***2*** 照射(光，短波，紫外線，X線，あるいは他の光線を治療，診断，その他の目的のために放つこと. *cf.* irradiation(2)). ***3*** 放線. = radiatio. ***4*** 放射線. ***5*** 放射エネルギーまたは放射光束.

ra·di·a·tion bi·ol·o·gy 放射線生物学（電離放射線の生物学的効果を研究する科学分野).

ra·di·a·tion burn 放射線熱傷（ラジウム，X線，種々の原子エネルギー，紫外線などに被曝したときに起こる熱傷).

ra·di·a·tion car·ies 放射線原う食(蝕)（頭頸部の放射線療法に起因する口腔乾燥症により，二次的に歯頸部，切歯切縁および咬頭に発生するう食).

ra·di·a·tion of cor·pus cal·lo·sum 脳梁放線（両大脳半球の半卵円中心に放散する脳梁線維). = radiatio corporis callosi.

ra·di·a·tion der·ma·ti·tis 放射線皮膚炎(電離放射線に被爆したことによる皮膚の急性もしくは慢性の炎症で，概して，癌の放射線治療の一環として発症する. 急性型では紅斑から皮膚の湿性落屑(軟性壊死組織)までいろいろみられる. 慢性型では組織萎縮や線維症化，恒久的瘢痕がある. 皮膚色素沈着の永続的変化もまた起こりうる).

ra·di·a·tion der·ma·to·sis 放射線皮膚病(症)(電離放射線を照射した部位に起こる皮膚変化で，特に急性期には紅斑がみられ，また一時的あるいは永久脱毛，そして慢性期の表皮と真皮には光線性角化症に似た変化がみられ，有棘細胞癌の発生母地となる).

ra·di·a·tion ne·cro·sis 放射線壊死(放射能被爆の影響による細胞や組織の死).

ra·di·a·tion on·col·o·gy 放射線腫瘍学(①電離放射線を用いて疾患を治療する医学の専門分野．②放射線治療を専門とする医学の専門分野．③新生物の治療のための放射線の使用). = therapeutic radiology.

ra·di·a·tion sick·ness 放射線宿酔(核爆発，あるいは核事故，まれに治療のための照射を受けた後に起こる全身症状．障害の重篤度は線量に依存し，食欲不振，吐気，嘔吐，白血球減少，出血を伴う血小板の減少，感染を伴う白血球の減少，貧血，中枢神経障害，および死が起こる).

ra·di·a·tion syn·drome 放射線症候群(全身の被爆を示す徴候や症状で，最も顕著なものは，最も影響を受けたシステムに関する).

ra·di·a·tion ther·a·py 放射線治療(X 線または放射性核種での治療).

ra·di·a·tion tol·e·rance dose 放射線許容量(正常組織が耐えうる，または，依然として適切に機能する，放射線被曝量).

ra·di·a·ti·o op·ti·ca 視放線. = optic radiation.

ra·di·a·ti·o py·ra·mi·da·lis 錐体放線. = pyramidal radiation.

rad·i·cal (rad′i-kăl). ***1*** 〖n.〗基，ラジカル(化学において，通常，1つの化合物から他の化合物へそのまま移る原子の集団．通常は遊離状態で長く存在できない(例えば，メチル CH_3)．化学式では，基はしばしばパーレンやブラケットで閉じられ区別される). ***2*** 〖adj.〗根本の，根治的な(病的過程の根源または原因の根絶についていう). ***3*** 〖adj.〗根治的(〝保存的 conservative〞とは対照的に，極端な，激しい，あるいは刷新的な方法による治療を示す). ***4*** = free radical.

rad·i·cal dis·sec·tion 郭清術(全摘除術)(再発や転移の危険性を減らすために，悪性腫瘍だけでなく，病気に冒されるであろう隣接組織まで除去するよう，病気に冒された組織や臓器のみならず，十分なゆとりをもって，周辺組織まで，通常，所属リンパ節をも含め，外科的に除去すること).

rad·i·cal hys·ter·ec·to·my 子宮，膣上部，子宮傍結合組織の完全摘出.

rad·i·cal mas·tec·to·my 定型的〔根治的〕乳房切除〔術〕(乳頭，乳輪，皮膚を含む乳腺全組織とともに，大小胸筋，腋窩のリンパ節組織，およびその周囲の組織を切除する手術). = Halsted operation(2).

rad·i·cal neck dis·sec·tion 根治的頸部郭清術(下顎骨から鎖骨までの浅頸筋膜と深頸筋膜の間のすべての組織を切除して頸部リンパ節転移を郭清する手術. →functional neck dissection).

rad·i·cal vul·vec·to·my 根治的外陰切除(外陰全体の外科的切除．大陰唇，小陰唇，陰核，周囲組織，そして，隣接骨盤リンパ節，外陰部の癌に対する最も一般的治療).

ra·di·ces (rā′di-sēz). radix の複数形.

ra·di·ces pa·ra·sym·path·i·cae gang·li·o·rum pel·vi·co·rum 骨盤神経節の副交感神経根. = pelvic splanchnic nerves.

rad·i·cle (rad′i-kĕl). 小根(静脈小根 radicle of a vein(他の小根と結合して静脈を形成する微細な細静脈)や，神経小根 radicle of a nerve(他の小根と結合して神経を形成する神経線維)のような細根，または細根に似た構造).

rad·i·cot·o·my (rad′i-kot′ŏ-mē). = rhizotomy.

ra·dic·u·la (ră-dik′yū-lă). 小根(脊髄神経根).

ra·dic·u·lal·gi·a (ră-dik′yū-lal′jē-ă). 脊髄根痛(脊髄神経の知覚根の刺激による神経痛).

ra·dic·u·lar (ră-dik′yū-lăr). ***1*** 根〔症〕の，小根の. ***2*** 歯根の.

ra·dic·u·lar fi·la 根糸(すべての脊髄神経およびいくつかの脳神経(舌下神経，迷走神経，動眼神経)の根が脊髄や脳幹に出入りするところで扇状に広がって分かれる細い線維束．脊髄神経の後根は 8—12 本のこのような根糸に分かれる).

ra·dic·u·lar pain 神経根痛(脊椎神経経路に沿った痛み).

ra·dic·u·lec·to·my (ră-dik′yū-lek′tŏ-mē). = rhizotomy.

ra·dic·u·li·tis (ră-dik′yū-lī′tis). 神経根炎. = radiculopathy.

radiculo-, radicul- 小根，小根の，を意味する連結形.

ra·dic·u·lo·gang·li·o·ni·tis (ră-dik′yū-lō-gang′glē-ō-nī′tis). 神経根神経節炎(神経根と神経節の障害).

ra·dic·u·lo·me·nin·go·my·e·li·tis (ră-dik′yū-lō-mĕ-ning′gō-mī-ĕ-lī′tis). = rhizomeningomyelitis.

ra·dic·u·lo·my·e·lop·a·thy (ră-dik′yū-lō-mī′ĕ-lop′ă-thē). = myeloradiculopathy.

ra·dic·u·lo·neu·rop·a·thy (ră-dik′yū-lō-nūr-op′ă-thē). 神経根ニューロパシー，神経根神経障害(脊髄神経根と神経の病気).

ra·dic·u·lop·a·thy (ră-dik′yū-lop′ă-thē). 神経根障害(脊髄神経根の疾病). = radiculitis.

ra·di·ec·to·my (rā′dē-ek′tŏ-mē). 歯根切除〔術〕. = root amputation.

ra·di·i (rā′dē-ī). radius の複数形.

ra·di·i of lens 水晶体放線(水晶体極から赤道へ放散している水晶体前後面上の 9—12 本の弱い線で，水晶体線維末端が隣接している線を示す). = lens stars(1); radii lentis.

ra·di·i len·tis = radii of lens.

radio- 放射線，主に(医学では)ガンマ線または X 線を意味する連結形.

ra·di·o·ac·tive (rā′dē-ō-ak′tiv). 放射性の，放射能の.

ra·di·o·ac·tive con·stant (*λ*, **lamb·da**) 〔放射性〕崩壊定数. = decay constant.

ra·di·o·ac·tive ha·zard sym·bol 放射性有害記号(放射性物質の存在や，被爆の可能性がある危険性を表す記号).

R

ra·di·o·ac·tive i·so·tope 放射性同位元素，ラジオアイソトープ（不安定な核構成をもつ同位体．放射性同位体の原子核は，電子(ベータ粒子)，またはヘリウム核(アルファ粒子)，または放射線(ガンマ線)を放出して自然に崩壊し，安定した核構成となる．トレーサ，放射線，エネルギー源として用いられている．→half-life)．

ra·di·o·ac·tiv·i·ty (rā′dē-ō-ak-tiv′i-tē)．放射能（原子核の崩壊によるガンマ線または原子以下の粒子(アルファ線やベータ線)を自然に放出する原子核の性質)．

ra·di·o·al·ler·go·sor·bent test (RAST) ラスト〔法〕（組織過敏反応の原因となる特異的IgE抗体を検出するためのラジオイムノアッセイ検査．アレルゲンを不溶性物質に結合させ，患者血清をこの結合物に反応させる．血清中にアレルゲンに対する抗体があれば，アレルゲンとの複合物を形成する)．

ra·di·o·au·tog·ra·phy (rā′dē-ō-aw-tog′ră-fē)．ラジオオートグラフィ．= autoradiography.

ra·di·o·bi·cip·i·tal (rā′dē-ō-bī-sip′i-tăl)．橈骨二頭筋の（橈骨と二頭筋に関する)．

ra·di·o·bi·ol·o·gy (rā′dē-ō-bī-ol′ŏ-jē)．放射線生物学（生物の組織における電離放射線の作用に関する生物学的研究．*cf.* radiopathology)．

ra·di·o·car·di·o·gram (rā′dē-ō-kahr′dē-ō-gram)．心放射図，ラジオカルジオグラム（心房・心室内へ注入された放射性同位元素(RI)の濃度の描画記録)．

ra·di·o·car·di·og·ra·phy (rā′dē-ō-kahr-dē-og′ră-fē)．ラジオカルジオグラフィ（心放射図を記録または解読する方法)．

ra·di·o·car·pal (rā′dē-ō-kahr′păl)．橈骨手根骨の（①橈骨と手根骨についていう．②手根骨の橈側(外側)の)．

ra·di·o·car·pal joint 橈骨手根関節．= wrist joint.

ra·di·o·chem·is·try (rā′dē-ō-kem′is-trē)．放射化学（①放射性核種を用いて生化学や生物学的研究用の標識化合物や臨床用診断学的研究用の放射性薬剤を合成することに関する科学．②化合物を放射性核種で標識化する方法に関する研究)．

ra·di·o·cin·e·ma·tog·ra·phy (rā′dē-ō-si′nĕ-mă-tog′ră-fē)．放射線映画撮影〔法〕（X線透視検査で示される器官や他の組織の動きを映画に撮ること)．

ra·di·o·cur·a·ble (rā′dē-ō-kyūr′ă-bĕl)．放射線照射療法により治癒しうる．

ra·di·o·dense (rā′dē-ō-dens′)．放射線不透過性の．= radiopaque.

ra·di·o·den·si·ty (rā′dē-ō-den′si-tē)．放射線濃度．= radiopacity.

ra·di·o·der·ma·ti·tis (rā′dē-ō-dĕr′mă-tī′tis)．放射線皮膚炎（X線またはガンマ線(電離放射線)の被曝による皮膚炎．高温傷害に類似する変化とともに組織液のイオン化が生じる)．

ra·di·o·di·ag·no·sis (rā′dē-ō-dī′ăg-nō′sis)．放射線診断〔法〕（X線による診断，あるいは広義では，放射線，超音波，さらに磁気共鳴をも含む画像診断全体をさす)．

ra·di·o·fre·quen·cy (rā′dē-ō-frē′kwĕn-sē)．*1* 高周波，ラジオ〔無線〕周波（特定の周波の放射エネルギー．例えば，ラジオやテレビは 10^5—10^{11} Hzの周波を有する放射エネルギーを採用しており，診断用X線は 3×10^{18} Hzの周波を有する)．*2* 高周波パルス，RFパルス（MR撮影において，傾斜磁場を切り替えたり発生させたりするために印加されるエネルギー)．

ra·di·o·graph (rā′dē-ō-graf)．X線写真（物質や生体組織を通過したX線を露光して得られる写真フイルム上のネガ像)．

ra·di·og·ra·pher (rā′dē-og′ră-fĕr)．X線撮影技師（患者の撮影体位を決め，X線写真を撮影したり，あるいはその他の放射線診断検査を行うための技術を習得した技術者)．

ra·di·o·graph·ic art·i·fact X線写真アーチファクト（熱，光，増感紙の損傷，埃，またはX線フイルムの不適切な取扱いにより生じたX線写真上の斑点)．

ra·di·o·graph·ic con·trast X線写真コントラスト（X線写真の明るい部分と暗い部分の差)．

ra·di·o·graph·ic den·si·ty X線写真濃度（ハロゲン化銀の結晶が現像剤と反応して起こるX線フイルムの黒化量)．

ra·di·og·ra·phy (rā′dē-og′ră-fē)．X線撮影〔法〕（診断のため，X線を使って身体の任意の部分を検査する方法．その検査記録は通常，写真フイルムに記録される)．

ra·di·o·im·mu·ni·ty (rā′dē-ō-i-myū′ni-tē)．放射線免疫（放射線に対する感受性が減少すること)．

ra·di·o·im·mu·no·as·say (RIA) (rā′dē-ō-im′yū-nō-as′sā)．放射〔性同位元素標識〕免疫測定〔法〕，ラジオイムノアッセイ（放射性同位元素で標識した抗原または他の物質と標識しない抗原とを抗血清に対して，競合させることにより，標識しない抗原を定量する免疫学(免疫化学)的技法．放射性同位元素で標識した作用物質を用いて抗原や抗体を検出したり，定量したりするあらゆる方法をさす．微量な酵素，ホルモンなどの物質を測定できる)．

ra·di·o·im·mu·no·dif·fu·sion (rā′dē-ō-im′yū-nō-di-fyū′zhŭn)．放射〔性同位元素標識〕免疫拡散〔法〕（放射標識抗原または抗体を用いたゲル拡散により抗原–抗体反応を研究する方法)．

ra·di·o·im·mu·no·e·lec·tro·pho·re·sis (rā′dē-ō-im′yū-nō-ĕ-lek′trō-fŏr-ē′sis)．放射〔性同位元素標識〕免疫電気泳動〔法〕（抗原または抗体が放射性同位元素で標識されている免疫電気泳動法)．

ra·di·o·im·mu·no·pre·cip·i·ta·tion (RIP) (rā′dē-ō-im′yū-nō-prē-sip′i-tā′shŭn)．放射性免疫沈降法（放射性同位元素で標識した抗体あるいは抗原を用いる免疫沈降法)．

ra·di·o·im·mun·o·sor·bent test (RIST) 放射性免疫測定法（試験管内で，ある抗原に対する特異的なIgEを測定するための競合試験．抗IgEで被覆された粒子表面に対する結合について，放射性標識した既知量のIgEと，未標識の患者IgEとが競合する．標準IgEとの比較により，患者血清中のIgEによる標識IgEの結合減少が証明され，すなわち，患者の血清総IgE量が決定される）.

ra·di·o·i·so·tope (rā′dē-ō-ī′sŏ-tōp). ラジオアイソトープ，放射性同位元素，放射性同位体（放射線を放射することにより安定状態になる同位元素）.

ra·di·o·le·sion (rā′dē-ō-lē′zhŭn). 放射性病変（電離放射線により生じる病変）.

ra·di·o·li·gand (rā′dē-ō-lī′gand). 放射リガンド（放射性核種トレーサで標識した分子．通常，ラジオイムノアッセイで使われる）.

ra·di·o·log·ic, ra·di·o·log·i·cal (rā′dē-ō-loj′ik, -i-kăl). 放射線〔医〕学の.

ra·di·o·log·ic a·nat·o·my X線解剖学（X線撮影や他の造影方法を用いての身体構造の研究）.

ra·di·o·log·ic dis·tor·tion X線像のゆがみ（X線撮影される対象物の真の大きさや形が，誤って表示（拡大，伸長，短縮）されること）.

ra·di·o·log·ic en·ter·o·cly·sis 小腸造影（十二指腸挿管を行い，低濃度のバリウムを注入する十二指腸および小腸の造影法）.

ra·di·o·log·ic sphinc·ter X線学的括約筋．= physiologic sphincter.

ra·di·o·log·ic tech·no·lo·gist X線技術者（電離放射線を利用して診断するための映像をつくることに熟練した人）.

ra·di·ol·o·gist (rā′dē-ol′ŏ-jist). 放射線科医（X線，核医学，超音波，さらに磁気共鳴の診断上・治療上の使用に熟達し，さらに放射線物理学および生物学を研修している医師）.

ra·di·ol·o·gy (rā′dē-ol′ŏ-jē). 放射線〔医〕学（①高エネルギー放射線とその放射線源および化学的・身体的・生物学的効果に関する科学．通常，疾患の診断や治療をいう．②電離放射線，放射性核種，核磁気共鳴，および超音波を用いた医用画像という科学専門分野．= diagnostic radiology）.

ra·di·o·lu·cen·cy (rā′dē-ō-lū′sĕn-sē). 放射線（X線）の透過性がよい状態.

ra·di·o·lu·cent (rā′dē-ō-lū′sĕnt). 放射線透過性の，X線透過性の，ラジオルーセント（X線または他の放射線に対して比較的透過性である．*cf.* radiopaque）.

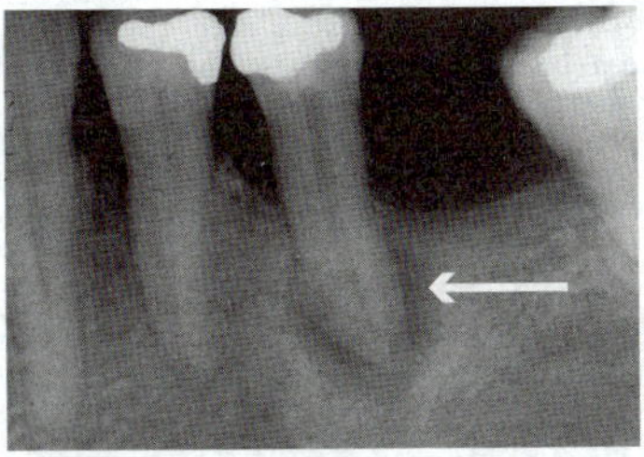

radiolucent area
歯根の周囲に異常が示唆される（矢印部分）

ra·di·om·e·ter (rā′dē-om′ĕ-tĕr). 線量計，放射計，ラジオメータ（X線の透過能を測る装置）.

ra·di·o·mi·met·ic (rā′dē-ō-mi-met′ik). 放射線〔様〕作用の（放射線の生物学的効果に類似した．ナイトロジェンマスタードのような化学薬品などの場合をさす）.

ra·di·o·ne·cro·sis (rā′dē-ō-nĕ-krō′sis). 放射線壊死（放射線による壊死．例えば，X線やガンマ線の過剰照射を受けた後などに起こる）.

ra·di·o·neu·ri·tis (rā′dē-ō-nūr-ī′tis). 放射線神経炎（長期または繰り返しX線またはラジウムの照射を受けたことが原因となって起こる神経炎）.

ra·di·o·nu·clide (rā′dē-ō-nū′klīd). 放射性核種（人工あるいは自然起源の同位体で，放射能を呈するもの．画像診断や癌の治療に利用される）.

ra·di·o·nu·clide an·gi·o·car·di·og·ra·phy 核心血管撮影（心電図同期をかけない通常のシンチレーションカメラで，核ラベルした試薬を急速に投与して，心血管造影を行う画像診断法）.

ra·di·o·nu·clide e·jec·tion frac·tion 放射性核種駆出率（どちらかの心室の駆出率測定のための核医学検査．施設によっては心電同期データ採取法 multiple-gated acquistiion scan に取って代わる．→multiple-gated acquisition scan）.

ra·di·o·nu·clide gen·er·a·tor 〔ラジオアイソトープ〕ジェネレータ（より短い物理的半減期をもつ娘核種に壊変する特定の放射性核種（親核種）を大量に含むイオン交換カラム．娘放射性核種を溶出により親核種から分離しうるので，実験用や診断用に，比較的短寿命の放射性核種を継続的に供給することができる．この溶出過程を，俗に〝ミルキング（搾乳）milking〟といい，ジェネレータを〝カウ radioactive cow〟とよぶ）.

ra·di·o·pac·i·ty (rā′dē-ō-pas′i-tē). 放射線不透過，X線不透過（X線不透過性物質のX線像）. = radiodensity.

ra·di·o·paque (rā′dē-ō-pāk′). 放射線不透過性の，X線不透過性の，ラジオパク（X線や他の放射線に対する不透明度，またはそれらによる不透過性についていう．*cf.* radiolucent）. = radiodense.

ra·di·o·pa·thol·o·gy (rā′dē-ō-pă-thol′ŏ-jē). 放射線病理学（細胞や組織に対する放射線の影響に関する放射線医学または病理学の一分野．*cf.* radiobiology）.

ra·di·o·pel·vim·e·try (rā′dē-ō-pel-vim′ĕ-trē). X線骨盤測定〔法〕（X線を用いた骨盤の計測．→pelvimetry）.

ra·di·o·phar·ma·ceu·ti·cal (rā′dē-ō-fahr′mă-sū′ti-kăl). 放射性薬品（診断や治療に用いる放射性化学薬品や薬剤）.

ra·di·o·phar·ma·ceu·ti·cal syn·o·vec·to·my 放射線医薬品〔性〕滑膜切除術（放射性金などの放射線医薬品を関節内に注入し，それから発生する放射線により異常滑膜を治療する方法）.

ra·di·o·pro·tec·tant (rā′dē-ō-prō-tek′tănt). 放射線防護剤（放射線による反応を防護あるいは軽減する物質）.

ra·di·o·re·cep·tor (rā′dē-ō-rē-sep′tŏr). ***1*** 電磁波受容体（光や熱のような放射エネルギーに正常に反応する受容体）. ***2*** 放射性受容体（放射性受容体測定法とよばれる競合結合測定法において，放射性核種で標識されていない，または標識された分析物のための結合物質として使用される受容体）.

ra·di·o·re·sis·tant (rā′dē-ō-rē-zis′tănt). 放射線抵抗性の（放射線照射による影響が，平均的な哺乳類細胞が受ける影響よりも少ない細胞または組織をさす．新生物の場合は，治療目的の照射による障害に関して周囲の正常組織より感受性が低いことをさす）.

ra·di·o·sen·si·tive (rā′dē-ō-sen′si-tiv). 放射線感受性の. *cf.* radioresistant.

ra·di·o·sen·si·tiv·i·ty (rā′dē-ō-sen-si-tiv′i-tē). 放射線感受性（放射エネルギーにすぐ作用される状態）.

ra·di·o·te·lem·e·try (rā′dē-ō-tē-lem′ĕ-trē). →telemetry; biotelemetry.

ra·di·o·ther·a·peu·tic (rā′dē-ō-thār-ă-pyū′tik). 放射線療法の（放射線療法または放射線治療学についていう）.

ra·di·o·ther·a·peu·tics (rā′dē-ō-thār-ă-pyū′tiks). 放射線治療学（放射線治療薬の研究と用法）.

ra·di·o·ther·a·pist (rā′dē-ō-thār′ă-pist). 放射線治療医（放射線治療を行う医師または放射線治療学に精通している医師）.

ra·di·o·ther·a·py (rā′dē-ō-thār′ă-pē). 放射線治療（病気の治療に電磁放射線または微粒子放射線を用いる医学の専門分野）.

ra·di·o·ther·my (rā′dē-ō-thĕr′mē). ラジオテルミー（放射熱源を利用したジアテルミー）.

radiotoxaemia [Br.]. = radiotoxemia.

ra·di·o·tox·e·mi·a (rā′dē-ō-tok-sē′mē-ă). 放射線毒血症（X 線作用や他の放射能作用により生じる崩壊産物や，生体のある種の細胞，酵素系の欠乏により引き起こされる放射線宿酔）. = radiotoxaemia.

ra·di·o·trans·par·ent (rā′dē-ō-trans-par′ĕnt). 放射線透過性の.

ra·di·o·trop·ic (rā′dē-ō-trō′pik). 放射線趨性の（放射線によって影響される）.

ra·di·sec·to·my (rā′dē-sek′tŏ-mē). 歯根切除〔術〕. = root amputation.

ra·di·um (Ra) (rā′dē-ŭm). ラジウム（ピッチブレンドからごく微量抽出される金属元素．原子番号 88．バリウムに似た性質のアルカリ土類金属である．その治療作用は X 線に似ている）.

ra·di·us, gen. & pl. **ra·di·i** (rā′dē-ŭs, -ī). ***1*** 橈骨（前腕の 2 本の骨のうち，外側の短いほうをさす）. ***2*** 半径（円の中心から円周へのびた直線）.

ra·dix, gen. **ra·di·cis,** pl. **ra·di·ces** (rā′diks, -di-sis, -di-sēz′). ***1*** 根. = root (1). ***2*** = root of tooth. ***3*** 基数（出生コホートや生命表で表現を容易にするために用いられる仮想的な大きさ．通常，1,000 や 100,000 とする）.

ra·dix cli·ni·ca den·tis 臨床歯根. = clinical root of tooth.

ra·dix pa·ra·sym·path·i·ca gang·li·i o·ti·ci 耳神経節の副交感神経根. = lesser petrosal nerve.

ra·dix sym·path·i·ca gang·li·i pter·y·go·pal·a·ti·ni = deep petrosal nerve.

ra·don (Rn) (rā′don). ラドン（放射性元素の 1 つ，原子番号 86．ラジウムの崩壊により生じる．ラドン 222 は半減期 3.8235 日のアルファ線を放出するため医学的に意義がある．ある種の悪性腫瘍の治療で用いられる．米国のある地域での換気の悪い家屋内では，天然由来のラドンガスが危険量蓄積されている）.

RAE retinol activity equivalents の略.

Rae·der par·a·tri·gem·i·nal syn·drome レーダー傍三叉神経症候群（Meckel 腔近くの頸動脈交感神経叢の障害により生じる三叉神経機能不全を伴う節後性 Horner 症候群）.

Rai·ney cor·pus·cles レーニー小体（原生動物肉胞子虫属 *Sarcocystis* の細長いシスト（Miescher 管）内に存在する，12—16 × 4—9 μm 大の丸い卵形または鎌状の胞子すなわちブラディゾイト）.

rak·ing (rāk′ing). かき集め（生後 7—8 か月に現れる把握パターンで，小さな物体を手掌に入れるのに，腕や手，そしてゆるく曲げた手指が一致して動くことを特徴とする）.

rale (rahl). ラ音，水泡音（胸部の聴診上聞かれる異常音に対して使われる用語だがあいまいで，ある者は rhonchus を表すために用い，またある者は捻髪音 crepitation に対して用いる）.

ral·ox·i·fene (ral-ox′i-fēn). ラロキシフェン（選択的エストロゲン受容体修飾物質(SERM)で，骨や脂質代謝に対してはエストロゲン作動薬としての効果があるが，乳房と子宮に対してはエストロゲンに拮抗する作用を有する薬剤．閉経後骨粗しょう症の予防に用いられる）.

ra·mal (rā′măl). 枝の.

Ram·bourg chro·mic ac·id-phos·pho·tung·stic ac·id stain ランブールのクロム酸-リンタングステン酸染色〔法〕（電子顕微鏡に用いる糖蛋白の染色で，超薄切切片で炭水化物複合体は Rambourg 過ヨウ素酸-クロムメテナミン-銀染色で観察されるのと同じ部位に見られる）.

Ram·bourg pe·ri·od·ic ac·id-chro·mic meth·en·a·mine-sil·ver stain ランブールの過ヨウ素酸-クロムメテナミン-銀染色〔法〕（Gomori-Jones 過ヨウ素酸-メテナミン-銀染色を応用した電子顕微鏡用の糖蛋白染色．Golgi 小体の成熟小嚢内やライソソーム小嚢，細胞外皮，基底膜などに銀の沈着が見られる）.

Ram·fjord In·dex Teeth ラムヒョード指標歯（歯周病の疫学研究のために使用される特別な歯．註歯垢の付着状況を示すラムヒョード歯垢指数を調べるとき対象となる歯）.

ra·mi (rā′mī). ramus の複数形.

ra·mi cal·ca·ne·i 踵骨枝. = calcaneal branches.

ra·mi cu·ta·ne·i an·ter·i·or·es ner·vi fem·or·a·lis〔大腿神経〕前皮枝. = anterior cutaneous branches of femoral nerve.

ra·mi cu·ta·ne·i cru·ris med·i·ales ner·vi sap·he·ni = medial cutaneous nerve of leg.

ram·i·fi·ca·tion (ram′i-fi-kā′shŭn). 分枝, 分岐 (枝様の形に分かれた突起).

ram·i·fy (ram′i-fī). 分枝する, 分岐する.

ra·mi in·ter·cos·ta·les an·ter·i·or·es = anterior intercostal branches of internal thoracic artery.

ra·mi in·ter·cos·ta·les an·ter·i·or·es ar·ter·i·ae thor·ac·ic·ae in·ter·nae 内胸動脈の前肋間枝. = anterior intercostal branches of internal thoracic artery.

ra·mi na·sal·es ex·ter·ni ner·vi in·fra·or·bit·al·is 眼窩下神経の外鼻枝. = external nasal branches of infraorbital nerve.

ra·mi na·sal·es pos·ter·i·or·es in·fer·i·or·es ner·vi pa·lat·i·ni ma·jor·is 大口蓋神経の下後鼻枝. = posterior inferior nasal nerves.

ra·mi pro·sta·ti·ci ar·ter·i·ae rec·tal·is med·i·ae = prostatic branches of middle rectal artery.

ra·mi pro·sta·ti·ci ar·ter·i·ae ves·i·cal·is in·fer·i·or·is = prostatic branches of inferior vesical artery.

ra·mi scro·tal·es pos·ter·i·or·es ar·ter·i·ae per·i·ne·al·is = posterior scrotal branches of perineal artery.

ra·mi scro·tal·es pos·ter·i·or·es ar·ter·i·ae pu·den·dae in·tern·ae 内陰部動脈の後陰嚢枝. = posterior scrotal branches of perineal artery.

ram·i·sec·tion (ram′i-sek′shŭn). 交通枝切断〔術〕(交感神経系の交通枝の切断).

ram·i·tis (ram-ī′tis). 枝炎.

ramp test 勾配試験 (トレッドミル(ベルト式強制歩行装置)の速さが一定に保たれるが, 随意枯渇や他の試験終了基準が達成されるまで, 毎分1%から4%の間で勾配が増加する負荷漸増法による運動試験の一型. 例えばハーバープロトコール).

Ram·say Hunt syn·drome ラムジー・ハント症候群 (①= Hunt syndrome. ②= herpes zoster oticus).

Ram·stedt op·er·a·tion ラムステット手術. = pyloromyotomy.

ram·u·lus, pl. **ram·u·li** (ram′yū-lŭs, -lī). 小枝, ラムルス (枝の終末分岐の1つ).

ra·mus, pl. **ra·mi** (rā′mŭs, -mī). 枝 (①= branch. ②1本の神経または血管の最初に枝分かれした部分. →artery; nerve. ③不整形骨の一部分("突起 process"より細長い)で, 骨体から突出している(例えば, 下顎枝). ④1つの大脳溝の最初に分岐した溝).

ra·mus car·pal·is dor·sal·is ar·ter·i·ae rad·i·al·is〔橈骨動脈〕背側手根枝. = dorsal carpal branch of radial artery.

ra·mus car·pal·is dor·sal·is ar·ter·i·ae ul·nar·is〔尺骨動脈〕背側手根枝. = dorsal carpal branch of ulnar artery.

ra·mus car·pal·is pal·mar·is ar·ter·i·ae rad·i·al·is〔橈骨動脈〕掌側手根枝. = palmar carpal branch of radial artery.

ra·mus car·pal·is pal·mar·is ar·ter·i·ae ul·nar·is〔尺骨動脈〕掌側手根枝. = palmar carpal branch of ulnar artery.

ra·mus car·pe·us dor·sal·is ar·ter·i·ae rad·i·al·is〔橈骨動脈〕背側手根枝. = dorsal carpal branch of radial artery.

ra·mus car·pe·us dor·sal·is ar·ter·i·ae ul·nar·is〔尺骨動脈〕背側手根枝. = dorsal carpal branch of ulnar artery.

ra·mus car·pe·us pal·mar·is ar·ter·i·ae rad·i·a·lis〔橈骨動脈〕掌側手根枝. = palmar carpal branch of radial artery.

ra·mus car·pe·us pal·mar·is ar·ter·i·ae ul·nar·is〔尺骨動脈〕掌側手根枝. = palmar carpal branch of ulnar artery.

ra·mus cir·cum·flex·us ar·ter·i·ae cor·o·nar·i·ae sin·is·trae 左冠状動脈の回旋枝. = circumflex branch of left coronary artery.

ra·mus dor·sal·is ner·vi ul·nar·is = dorsal branch of ulnar nerve.

ra·mus in·ter·ven·tri·cu·lar·is an·te·ri·or ar·ter·i·ae cor·o·nar·i·ae sin·is·trae 左冠状動脈の前室間枝. = anterior interventricular branch of left coronary artery.

ra·mus in·ter·ven·tri·cu·lar·is pos·ter·i·or ar·ter·i·ae cor·o·nar·i·ae dex·trae 左冠状動脈の後室間枝. = posterior interventricular branch of right coronary artery.

ra·mus lab·i·al·is in·fe·ri·or ar·ter·i·ae fa·ci·al·is = inferior labial branch of facial artery.

ra·mus lab·i·al·is su·per·i·or ar·ter·i·ae fa·ci·al·is = superior labial branch of facial artery.

ra·mus lin·gu·lar·is in·fe·ri·or 下舌枝. = inferior lingular artery.

ra·mus lin·gu·lar·is su·per·i·or 上舌枝. = superior lingular artery.

ra·mus mar·gin·al·is dex·ter ar·ter·i·ae co·ro·na·ri·ae dex·trae = right marginal branch of right coronary artery.

ra·mus mar·gin·al·is sin·is·ter ar·ter·i·ae co·ro·na·ri·ae sin·is·trae = left marginal artery.

ra·mus men·in·ge·us re·cur·rens ner·vi ophth·al·mi·ci 眼神経の反回硬膜枝. = tentorial nerve.

ra·mus my·lo·hy·oi·de·us ar·ter·i·ae al·ve·o·lar·is in·fer·i·or·is 下歯槽動脈の顎舌骨筋枝. = mylohyoid branch (of inferior alveolar artery).

ra·mus no·di a·tri·o·ven·tric·u·la·ris = atrioventricular nodal branch.

ra·mus phar·yn·ge·us gang·li·i pter·y·go·pa·la·ti·ni 翼口蓋神経節の咽頭枝. = pharyngeal nerve.

R

ra·mus pro·fund·us ner·vi rad·i·al·is 橈骨神経深枝. = deep branch of radial nerve.

ra·mus pro·fun·dus ner·vi ul·nar·is = deep branch of the ulnar nerve.

ra·mus sep·ti pos·ter·i·or·is na·sal·is = posterior septal branches of sphenopalatine artery.

ra·mus su·per·fi·ci·al·is ar·ter·i·ae trans·vers·ae col·li = superficial cervical artery of transverse cervical artery.

ra·mus su·per·fi·ci·al·is ner·vi ra·di·al·is = superficial branch of the radial nerve.

ra·mus su·per·fi·ci·al·is ner·vi ul·nar·is = superficial branch of the ulnar nerve.

ra·mus ten·tor·i·i テント枝. = tentorial nerve.

Ran·cho Los A·mi·gos Lev·els of Cog·ni·tive Func·tion·ing Scale ランチョロサンゼルス友達レベル認知機能尺度（行動の徴候を周到に観察することで，頭部を負傷した人々の認知機能レベルを測るために使われる測定法．診断と進行に関して，医療従事者や家族との間の会話を促進させるために使用され，治療上かつ環境上の刺激に対する患者の反応に基づいている）.

ran·cid (ran′sid). 酸敗臭の，敗油性の（不快なにおいと味を有する．通常，酸化または細菌分解を経て，より揮発性の臭気を放つ物質になりつつある脂肪の特徴をもつ）.

Ran·dall plaques ランダル斑（腎乳頭のミネラル濃縮）.

ran·dom am·pli·fied pol·y·mor·phic DNA (RAPD) ランダム増幅多型 DNA（対象となる系統のランダムな染色体 DNA 配列にアニーリングするランダムな配列をプライマーとして用いる増幅系統タイピング法）.

randomisation [Br.]. = randomization.

ran·dom·i·za·tion (ran′dŏm-ī-zā′shŭn). ランダム化，無作為化（個々の対象を群に，確率的に割り付けること）. = randomisation.

ran·dom mat·ing 任意交配（いかなる卵子もいかなる精子によって等しく受精する機会をもつ交配行為．これにより，ある特定の位置の遺伝子と同じ位置の他の遺伝子との結合による変化がランダムとなる）.

ran·dom pat·tern flap 無軸皮弁（茎からの血行が動脈支配弁のように 1 本の縦走する動脈からの血行ではなく，その領域の血管網から任意に生じる血行による皮弁）.

ran·dom sam·pling ランダム抽出，無作為抽出（集団から対象を選択する方法．ある対象を抽出するか否かが他の対象の抽出結果とは独立で，かつ，各成員が抽出される確率がすべて等しくなるような方法）.

ran·dom spec·i·men 無作為標本（いつでも採取可能と考えられる検査サンプル）.

ran·dom void·ed spec·i·men ランダム排泄標本（尿検査サンプルで 24 時間以内のどの時点でも集められる）.

range (rānj). 較差，レンジ，分布域，値域，範囲（最大値と最小値またはそれらの差によって定められる分布のばらつき具合を示すために用いられる統計的尺度．例えば，6，8，9，10，13，16 歳の子供の群の範囲は 6—16 あるいは 10（16 引く 6）である）.

range of ac·com·mo·da·tion 調節域（眼の最小屈折値で見た対象と最大調節時に見た対象の間の距離）.

range of mo·tion (ROM) 可動域（①自動および他動運動による，関節の最初と最後の角度，および運動した全範囲の角度の測定値．②関節を自動および他動的に，あるいは両者の組合せで動かしてみて，関節の運動範囲が描く弧の大きさを計り，これを維持したり運動範囲を拡大するために行う関節の運動）.

range-of-mo·tion (ROM) ex·er·cise 関節可動域運動（受動的，援助的，あるいは能動的運動で，関節の動く範囲を広げたり，関節の拘縮を防ぐために使われる）.

ra·nine (rā′nīn). ***1*** カエルの. ***2*** 舌下面の.

Ran·kin clamp ランキン鉗子（結腸切除に用いる 3 枚刃の鉗子）.

Ran·so·hoff sign ランソホフ徴候（総胆管破裂の場合の臍周囲の黄変色）.

ran·u·la (ran′yū-lă). ***1*** 舌下. = hypoglottis. ***2*** ガマ腫，ラヌラ（舌下面あるいは口腔底の嚢胞で，特に舌下腺の導管の閉塞により口腔底に生じるものをさす）. = ptyalocele; sialocele; sublingual cyst.

ran·u·lar (ran′yū-lăr). ガマ腫の.

Ran·vi·er node ランヴィエ絞輪（神経線維のミエリン鞘の隣接する分節の間にみられる，ミエリン鞘の中断部．ここでは軸索は，隣接する Schwann 細胞，または中枢神経系にあっては乏突起膠細胞の短い指状突起によってのみ包まれている．→myelin sheath）. = node of Ranvier.

RAO X 線撮影で right anterior oblique（右前斜位像）の略.

Raoult law ラウルの法則（不揮発性非電解質溶液の蒸気圧は，純粋溶媒の蒸気圧に溶液中の溶媒のモル分率を乗じたものに等しい）.

RAPD random amplified of polymorphic DNA の略.

rape (rāp). ***1*** 強姦（暴力，強制，脅迫，あるいは法的な承認なし（例えば未成年）に行う性交）. ***2*** 強姦行為（***1*** の行為の実行）.

ra·phe (rā′fē). 縫線（隣接した両側に対称的な 2 個の構造の結合線）.

ra·phe nu·cle·i 縫線核（中脳被蓋および菱脳蓋の正中面上またはこれに沿って存在する種々の細胞群の包括名称．延髄正中面には不鮮明縫線核，淡蒼球縫線核，大縫線核尾部，橋正中面には大縫線核吻側部，橋縫線核，正中縫線核，後縫線核尾部，中脳正中面には後縫線核吻側部，下線状核，中間線状核，上線状核がある．セロトニンをもつことを特徴とするニューロンを含む．このセロトニン性軸索は視床下部，中隔，海馬，帯状回吻側にのび，脳幹，小脳，脊髄にも連絡する）.

rap·id ca·ni·ti·es 急激な汎発性白毛（一夜のうちにあるいは数日中に毛髪が白色化すること．後者は，円形脱毛症で白色毛を残しもっぱら黒色毛が脱落するときなどにみられる）.

rap·id eye move·ments (REM) REM 眼球運動，急速眼球運動（一夜の睡眠中何回も起こる眼球の急速な対称性共同性運動で，5—60 分ずつまとまって生じる．夢と関連している）．

rap·id eye move·ment sleep 急速眼球運動睡眠，レム睡眠（急速な眼球の動き，活発な脳波のパターン，および夢見が起こる深い眠りの状態．この状態ではいくつかの中枢神経系および自律神経系におけるいくつかの機能が顕著になる．→paradoxic sleep）．

ra·pid me·di·cal as·sess·ment 緊急内科評価（応答不能なプレホスピタルの内科患者に行う頭部から足指までの迅速な身体検査で，搬送前に疾患や損傷の徴候を発見するために行う）．

rap·id re·sponse team 即応チーム（心臓停止や呼吸停止が起こる前に介入する，救命救急診療の専門的知識をもった臨床医の緊急医療チーム）．

ra·pid se·quence in·tu·ba·tion (RSI) 迅速なシーケンス挿管（麻痺薬を投与した患者に行われる気管内挿管．好戦的な患者や頭部損傷患者に対し，病院での治療前手当てとして使用される）．

ra·pid trau·ma as·sess·ment 緊急外傷評価（応答不能なプレホスピタルの外傷患者に行う頭部から足先までの迅速な身体検査で，搬送前に損傷を発見および評価することを目的としている）．

Ra·po·port-Leu·ber·ing shunt ラポポルトーロイベリングシャント（短絡）（1,3-ジホスホグリセリン酸が 2,3-ジホスホグリセリン酸に変換される解糖系シャント（短絡）．2,3-ジホスホグリセリン酸はヘモグロビンから組織への酸素放出を増進させる）．

Ra·po·port test ラポポート試験（腎血管性高血圧が疑われる場合の評価に用いる分別尿管カテーテル検査．両側尿管カテーテルにより各々の腎から尿検体を採取し，各腎の尿中のナトリウムとクレアチニンの濃度を測定することにより，尿細管排泄率を算出する）．

rap·port (rap-ōr′)．*1* 疎通性（対人関係についての感情，特に感情的親和性のある場合をいう）．*2* ラポール（治療過程を促進するような，2 人以上の関係において生じる（例えば主治医と患者），調和，信頼，共感，意気が合うという感覚）．

rare earths 希土類（→lanthanides）．

rar·e·fac·tion (rār′ĕ-fak′shŭn)．希薄化，透明化，消耗，粗化（密度が小さくなる過程．薄い状態．condensation の対語）．

RAS reticular activating system の略．

rash (rash)．発疹，皮疹（皮膚発疹の一般用語）．

Ras·mus·sen an·eu·rysm ラスムッセン動脈瘤（結核性空洞内にある肺動脈の一分枝の動脈瘤性拡張．その破裂は重症の喀血を引き起こすことがある）．

Ras·mus·sen en·ceph·a·li·tis ラスムッセン脳炎（刺激性グルタメート受容体に対する抗体がみられる脳炎で，自己免疫性と考えられている）．

ras on·co·gene ras 癌遺伝子（ラット肉腫細胞が，マウスの発癌モデルと同様に培養中で形質転換活性を示した際の点突然変異として初めて報告された．ras 遺伝子ファミリーは 3 つの異なった染色体上に存在する 3 つのよく関連した遺伝子からなる．種々のヒト癌でその異常がみつかっている）．

ras·pa·to·ry (ras′pă-tōr-ē)．骨膜剥離器（骨膜を剥離するために用いる器機）．

RAST (rast)．radioallergosorbent test の頭文字．

Ras·tel·li op·er·a·tion ラステリー手術（心室中隔欠損と左室流出路障害をもつ大血管転位（心室・血管関係不一致）の〝解剖学的〟修復のために，導管は左室から大動脈へと右室から肺動脈への連続のために用いられる．すべての心室中隔欠損は以前の姑息的シャントのように遮断される）．

rat (rat)．ラット（ネズミ科クマネズミ属 *Rattus* のげっ歯類．広く分布する捕食性の害獣で，家畜や穀物，備蓄食料に被害を与える．腸管寄生虫，疫病，チフス，鼠咬熱などの疾患の媒介に関与する．実験用ラットはノルウェーのアルビノ種 *R. norvegicus* の系統）．

rat-bite fe·ver 鼠咬熱（ラットの咬傷に伴う 2 種類の細菌性疾患の単一名．1 つは *Streptobacillus moniliformis*（例えば Haverhill 熱）により，他は *Spirillum minus*（例えば鼠毒）による．両疾患とも回帰熱，悪寒，頭痛，関節痛，リンパ節腫脹，四肢の斑状丘疹状皮疹を特徴とする）．

rate (rāt)．*1* 速度，量，割合，率，比（ある一定の基準量との関連において事象や過程の観測結果を表現したもの．ある量の他の量に対する比として表された測定値（例えば，速度は単位時間当たりの距離））．*2* 率（ある定められた集団の中で，ある事象が生起する頻度を表す尺度．分子（事象数）と分母（その事象発生のリスクを有する集団の大きさ））．

rate con·stants (*k*) 速度定数（反応の初速度を反応物の濃度で割った値に等しい比例定数．例えば，反応 A→B + C での反応速度は，$-d[A]/dt = k_1[A]$．その速度定数 k_1 は反応に関与する反応種が単分子であるので，単分子反応速度定数であり，逆時間単位（sec^{-1}）で表す．逆反応 B + C→A では，速度は $-d[B]/dt = d[A]/dt = k_2[B][C]$ になる．その速度定数 k_2 は二分子反応速度定数であり，逆濃度-時間単位（$M^{-1}sec^{-1}$）で表す）．

rate of per·ceived ex·er·tion (RPE) 自覚的運動強度（人の運動の強さに対する認識を測るために使用される尺度）．

Rath·ke cleft cyst ラトケ裂溝嚢胞（Rathke 嚢の遺残物由来の立方細胞上皮で包まれた鞍内または鞍外嚢胞）．

Rath·ke pock·et ラトケポケット．= hypophysial diverticulum.

Rath·ke pouch ラトケ嚢．= hypophysial diverticulum.

Rath·ke pouch tu·mor ラトケ嚢腫〔瘍〕．= craniopharyngioma.

rat·ing of per·ceived ex·er·tion 知覚性運動評価（生理的なストレス程度に関して個人がどのように感じるか，運動強度の主観的な数値

(6—19 の範囲)で評価する．13—14 点(やや困難と感じる)の RPE は最大心拍数の 70%に対応する)．= Borg scale.

ra·ti·o (rā′shē-ō)．比，割合（ある量を他の量に対して相対的に表したもの(割合，比率)．→index(2); quotient)．

ra·tion·al (rash′ŭn-ăl)．合理的な，有理的な(①推論，または高い思考過程についていう．経験ではなく客観的・科学的知識に基づく．②感情よりも推論に影響される．③推論能力をもつ．せん妄的，昏睡的でない)．

ra·tion·al for·mu·la 示性式（化学において，物質の組成とともに構造を示す公式)．

ra·tion·al·i·za·tion (ra′shŭn-ăl-ī-zā′shŭn)．合理化（非合理的な行動，動機，感情を合理的にみえるようにするという精神分析的防衛機制)．

ra·tion·al ther·a·py 合理療法（情報の欠乏あるいは非論理的思考様式が，患者の問題の根本的原因であるという前提に基づいた治療方法)．

ra·tion·ing (rash′ŭn-ing)．割り当て（固定部分の割り当て，もしくは分配)．

rat·tle·weed (rat′ĕl-wēd)．= black cohosh.

RAV Rous-associated virus の略．

ray (rā)．*1* 放射線，光線（光線，熱線，あるいはその他の放射線．ラジウムなどの放射性物質からの放射線は原子の自発的壊変によって発生する．この放射線は電荷をもつ物質粒子または非常に短い波長の電磁波である)．*2* 射線（構造物から放射状にのびる部分または枝)．

Ray·naud phe·nom·e·non レーノー(レイノー)現象（手指の白色化，しびれ，疼痛を生じる指動脈の攣縮．しばしば寒冷によって増悪し，指が赤，白，青に変色する．→Raynaud syndrome)．

Ray·naud sign レーノー(レイノー)徴候．= acrocyanosis.

Ray·naud syn·drome レーノー(レイノー)症候群（寒冷および激しい感情の動きによって動脈，細動脈が収縮して起こる両側の指の病的痙攣性チアノーゼ症．→Raynaud phenomenon)．

R-band·ing stain R バンド染色〔法〕，R バンディング〔染色法〕（逆 Giemsa 染色体バンディング法で，G バンドと濃淡が逆のバンドを示す．高温や低い pH，アクリジンオレンジ染色により誘導される．しばしばヒトの核型において欠失の有無を決定するため，G バンディングとともに用いられる)．

rbc, RBC red blood cell; red blood count(赤血球数，血算)の略．

RBF renal blood flow(腎血流量)の略．→effective renal blood flow.

RBP retinol-binding protein の略．

RBRVS Resource Based Relative Value Scale(診療行為別相対価格尺度)の略．

RCP respiratory care practitioner の略．

RCS registered cardiac sonographer の略．

RDA recommended daily allowance の略．

RDPA right descending pulmonary artery の略．

RDS respiratory distress syndrome of the newborn の略．

Re レニウムの元素記号．

re- 再び，または後方へを意味する接頭語．

reach (rēch)．伸ばす（手足を伸ばす，あるいは進める．伸ばす，あるいは進むことにより，掴む，もしくは手に入れる)．

Reach to Re·cov·er·y リーチ・トゥ・リカバリー（乳癌治療に完全に適合した乳癌克服者が，乳癌と診断された女性達やその家族を助けるために，自分の時間や奉仕をボランティア活動にあてる，米国癌協会後援のプログラム)．

re·act (rē-akt′)．反応する（関与する，または化学反応を経る)．

re·ac·tance (X) (rē-ak′tăns)．リアクタンス（針金のコイルまたはコンデンサを通ることによる交流電流の減弱化)．

re·ac·tant (rē-ak′tănt)．反応物，作用物質（化学反応に関与する物質)．

re·ac·tion (rē-ak′shŭn)．反応（①筋肉や他の生きた組織の刺激に対する反応．②酸またはアルカリなどの物質と接触してリトマスや他のある種の有機色素中に生じる色の変化．また，これらの物質が有しているこうした変化を生じる性質．③化学において，2 つ以上の物質の分子間相互作用で，それによってこれらの物質が消失し，新しい物質がその代わりに形成される(化学反応)．④免疫学において，特異的抗原に対する抗体の *in vivo* または *in vitro* における作用．これには補体をはじめ免疫系の諸成分が関与する場合としない場合とがある)．

re·ac·tion of de·gen·er·a·tion (DR) 変性反応（変性した神経とその支配を受ける筋肉の電気的反応．神経の平流・感応電気刺激，および筋肉の感応電気刺激に対する反応の欠如を特徴とする)．

re·ac·tion for·ma·tion 反動形成（精神分析において，想定されている防衛機制の 1 つで，実際の態度や行動が本来実現されたり，無意識の状態で実際に感じるはずのものと正反対に表現される)．

re·ac·tion time 反応時間（刺激の出現から応答反応の出現までの時間)．

re·ac·ti·vate (rē-ak′ti-vāt)．*1* 再活性化させる．*2* 再活性化させる，補体添加する（ことに不活性化された免疫血清に正常血清(補体)を加えることをいう)．

re·ac·ti·va·tion tu·ber·cu·lo·sis 再燃性結核．= secondary tuberculosis.

re·ac·tive air·ways dis·ease 反応性気道疾患．= asthma.

re·ac·tive chan·ges 反応性(炎症性)変化（頸部・腟細胞診のベセスダ分類で用いられる用語．良性で(修復過程を含む)炎症像．炎症，放射療法，避妊リング(IUD)あるいはその他の原因による萎縮性変化を含む．→Bethesda system; AGUS; LSIL; HSIL)．

re·ac·tive de·pres·sion 反応性抑うつ（愛する人を失うことなど，しばしば非常に悲しい外的状況が直接のきっかけとなって起こる心理状態．この外的状況が取り除かれること(例えば，愛する人との再会など)により軽減する)．

re·ac·tive hy·per·e·mi·a 反応性充血（身体

の一部への血液供給を停止し，元の状態に戻すと起こる充血）．

re·ac·tive hy·po·gly·ce·mi·a 反応性低血糖（炭水化物食を摂取後，患者が過剰反応を起こして大量のインスリンを生成し，急速にブドウ糖濃度が減少すること）．

re·ac·tiv·i·ty (rē′ak-tiv′i-tē). ***1*** 反応性（反応する性質のことをいう．化学的あるいは他のどんな意味でも用いられる）．***2*** 反応経過．

read·a·bil·i·ty (rēd′ă-bil′i-tē). 可読性（書かれた，あるいは印刷されたものを容易に読んだり，理解できる．患者教育の評価において重要）．

read·i·ness to learn 学習への準備（患者，職員，また他の学習者が学ぶことへの興味を示す時間．学習することへの受容や学習過程における参加への快諾，もしくは能力）．

read·ing (rēd′ing). 読解（①書くことまたは印字を目で追跡することにより視標（文字または単語）の意味を認知かつ理解すること．②話し手の顔の動きの観察または Braille のように，シンボルを翻訳するいくつかの方法）．

read·through (rēd′thrū). 読み過ごし（分子生物学において，正常の転写終結部位を過ぎて，核酸配列が転写されること）．

re·a·gent (rē-ā′jĕnt). 試薬（化学反応に関与するために他の物質の溶液に加えられる物質）．

re·a·gin·ic an·ti·bo·dy レアギン抗体．= homocytotropic antibody.

REAL (rēl). Revised European-American Classification of Lymphoid Neoplasms（リンパ性腫瘍の改訂ヨーロッパ-アメリカ分類）の略．一REAL classification.

REAL clas·si·fi·ca·tion リアル分類（*R*evised *E*uropean-*A*merican *l*ymphoma の頭文字．1994 年に公表されたリンパ腫の分類で，リンパ腫の臨床的特徴と，腫瘍細胞の組織病理所見，免疫形質，遺伝子型などの相関をもとにしている．リンパ増殖性疾患を，慢性白血病/リンパ腫，節性または節外性リンパ腫，急性白血病リンパ腫，形質細胞の異常，そして Hodgkin 病に分けている）．

re·al·i·ty a·ware·ness 実在意識性（外的対象を自分自身とは違うものとして区別できる能力）．

re·al·i·ty prin·ci·ple 現実原則（人格の発達における快感原則は外的現実の要求によって修正されるという概念．成長しつつある小児に外的現実の要求に適応することを強いる原則）．

re·al·i·ty test·ing 現実検討（客観的世界または現実世界と主観的に感じるその世界への関わりを評価し認識する自我の機能で，精神医学および心理学で用いられる．内的出来事と外的出来事を区別する能力）．

real-time e·cho·car·di·o·gra·phy 即時式心エコー図法．= two-dimensional echocardiography.

ream·er (rē′mĕr). リーマー（骨組織や歯の穴の形成や拡大に用いる回転式仕上げまたは切削工具．歯根管の拡大に用いる）．

rear·foot pro·na·tion 後足部回内．= hindfoot valgus.

rear·foot su·pi·na·tion 後足部回外．= hindfoot varus.

re·bound phe·no·me·non 跳ね返り〔現象〕，反跳〔現象〕（①= Stewart-Holmes sign. ②一般に正常値より逸脱している値が，障害因子が急激に除去された場合に，正常値に戻る前に反対方向にやや動く現象）．

re·bound ten·der·ness 反跳圧痛，反動痛．= Blumberg sign.

re·breath·ing (rē-brēdh′ing). 再呼吸（一度吐き出したガスの一部または全部を吸入すること）．

re·breath·ing an·es·the·si·a 再呼吸麻酔〔法〕（呼気の一部または全部が，二酸化炭素の吸収後に続いて吸入される吸入麻酔の技法）．

re·breath·ing tech·nique 再呼吸法（呼気中の二酸化炭素を吸着して，あるいはそのままで呼気を吸入するという呼吸回路，麻酔回路を用いる方法）．

re·breath·ing vol·ume 再呼吸量（呼吸装置を使用しているために呼気が吸気時に再吸入される量．この量は機械的死腔といわれる）．

re·cal·ci·fi·ca·tion (rē-kal′si-fi-kā′shŭn). カルシウム再沈着，カルシウム再添加（失われたカルシウム塩の組織への回復）．

re·call (rē′kawl). 想起，追想（実際の出来事を思い出そうとする場合にみられ，過去の出来事での考え，言葉，および行為を思い出す過程）．

re·call bi·as 思い出しバイアス（過去の事象あるいは経験を想起する場合に，不正確であったり不完全であったりする程度が比較群あるいは対象者ごとに異なることによって生じる系統的偏り）．

Ré·ca·mier op·er·a·tion レカミエ手術（子宮の掻爬術）．

re·ca·nal·i·za·tion (rē-kan′ăl-ī-zā′shŭn). 再疎通（①血栓性栓塞に続発する血管の管腔の回復で，毛細血管新生を伴う血栓の器質化による．②精管切除後再疎通にみられるような閉塞した導管あるいは管の内腔の連続性が自然に回復すること）．

re·ca·pi·tu·la·tion the·o·ry 反復説（個体はその胚発生において，その個体の種が進化の途中で経過した段階と全般的に構造図式からみて類似した段階を経過するという説．より専門的にいえば，個体発生は系統発生の短縮された反復であるという説）．= Haeckel law.

re·ceive band·width 受信帯域幅（読み出し中に抽出された周波数の幅）．

re·cep·tac·u·lum, pl. re·cep·tac·u·la (rē-sĕp-tak′yū-lŭm, -lă). 嚢．= reservoir.

re·cep·tive a·pha·si·a 受容失語〔症〕（話されたり書かれた語を理解することが障害された失語．構文的にはよいが，意味がわからない発語や書字を努力せずに行う．語の間違い，語の代用，酔っぱらったような話し方を特徴的とする．高度で発語が理解できない場合は，ジャーゴン失語という．患者はしばしば障害に気づかないようにみえる）．= fluent aphasia; sensory aphasia; Wernicke aphasia.

R

re·cep·tor (rĕ-sep′tŏr). レセプタ，受容体，受容器（①細胞表面あるいは細胞質内部でホルモン，抗原，神経伝達物質などの特定の因子と結合する構造蛋白分子．②皮膚，深部組織，内臓，特殊感覚器にある種々の感応神経末端のどれでもがこれに当たる）．

re·cep·tor pro·tein 受容〔体〕蛋白（ステロイドホルモンやアデノシン 3′,5′-サイクリックリン酸のように，刺激を細胞活動へ結び付けるのに高い特異親和性をもつ細胞内蛋白(または蛋白分屑)）．

re·cess (rē′ses). 陥凹（小陥凹または窩洞形成）. = recessus.

re·ces·sion (rĕ-sesh′ŭn). 後転，退縮（→retraction）．

re·ces·sive (rĕ-ses′iv). ***1*** 退縮の．***2*** 劣性の（遺伝学において，ある1つの対立遺伝子あるいは1つの遺伝子座の複数の対立遺伝子に規定される形質が，変異対立遺伝子のホモ接合で存在しない限り表出しないことを意味する）．

re·ces·sive char·ac·ter 劣性形質（同型接合状態の対立遺伝子のみによって決定される遺伝形質）．

re·ces·sive in·her·i·tance 劣性遺伝（→dominance of traits）．

re·ces·sive trait 劣性形質（→dominance of traits）．

re·ces·sus, pl. re·ces·sus (rē-ses′sŭs). 陥凹. = recess.

re·cid·i·va·tion (rĕ-sid′i-vā′shŭn). 再発，回帰，再犯性（ある疾病や症状または，ある不法行為を犯して投獄された経験をもつ者が再びその行為を行うように，行動パターンなどが再現すること，などについていう）．

re·cid·i·vism (rĕ-sid′i-vizm). 常習性，累犯（再犯を行う傾向）．

re·cid·i·vist (rĕ-sid′i-vist). 常習者．

rec·i·pe (Rx) (res′i-pē). ***1*** 〖v.〗 処方せよ（通常，℞の略号で示される処方箋の劈頭）．***2*** 〖n.〗 処方箋．

re·cip·i·ent (rĕ-sip′ē-ĕnt). 受容者，レシピエント. = beneficiary.

re·cip·ro·cal forc·es 相反矯正力（歯科において，1歯または数歯の抵抗が対咬歯の移動に用いられるような矯正力）．

re·cip·ro·cal gait or·thot·ic (RGO) 相互歩行矯正装具（股関節-膝-足首-足用の矯正装具 (hip-knee-ankle-foot orthotic, HKAFO) は，歩行中に股関節の伸展と反対側の腰の屈曲を活性させるケーブルシステムを組み込んでおり，従来の膝-足首-足用矯正具と比較した場合，必要となるエネルギーが減る）．

re·cip·ro·cal in·hi·bi·tion 相互抑制（拮抗筋の収縮に対応する筋肉の弛緩）．

re·cip·ro·cal trans·fu·sion 相互輸血（供血者から採った血液を，同じ疾患にかかっている受血者に輸血して免疫を与える試み．バランスは受血者から採った同量の血液を供血者に輸血することで保たれる）．

re·cip·ro·cal trans·lo·ca·tion 相互転座（証明しうるような遺伝物質の欠損を伴わない転座）．

rec·i·proc·it·y (res′i-pros′i-tē). 相互関係（米国の2つの州の間での相互協定で，それに従い，それぞれの州が，相手の州で許可された人には誰でも医師開業免許を与えることに合意すること）．

Reck·ling·hau·sen dis·ease of bone 骨レックリングハウゼン病. = osteitis fibrosa cystica.

Reck·ling·hau·sen tu·mor レックリングハウゼン腫〔瘍〕. = adenomatoid tumor.

rec·li·na·tion (rek′li-nā′shŭn). 白内障圧下法，撥下法（白内障の水晶体を硝子体内へ曲げ，それを視線から除く方法）．

re·clin·ing po·si·tion リクライニング位置（あおむけに寝た状態）．

rec·luse spi·der 毒イトグモ（有害グモの代表種 *Loxosceles rexclusa*(シカリイダエ科，旧名ロクソセリダエ科)．米国の南中西部からメキシコ湾までの原産．ほとんどの咬傷は小さく，壊死は無いが，場合によっては，結果が悪化することもある）. = brown recluse spider.

rec·og·ni·tion fac·tors 認識因子（多形核白血球による標的抗原の認識に働く因子．恐らく抗体分子の Fc 部分と活性化した補体第3成分 (C3) であって，食細胞はこの両者に対する受容体を保有する）．

re·com·bi·nant (rē-kom′bi-nănt). ***1*** 〖n.〗 組換え型（異なる複数の親株から染色体部分を受け取った後代）．***2*** 〖adj.〗 組換え型の．***3*** 〖n.〗 組換え体，組換え型(連鎖分析において，減数分裂中2つの座の相引相が変化すること．もし2つのシンテニー性で非対立性遺伝子が同じ両親から受け継がれているならば，相引でなければならない)．

re·com·bi·nant DNA 組換え DNA（化学的，酵素学的，または生物学的手法によって，1つの DNA 鎖中に従来自然界には存在していなかった別の DNA の遺伝子配列の全体あるいは一部を挿入することにより得られた改変 DNA）．

re·com·bi·nant vec·tor 組換えベクター（外来 DNA が挿入されたベクター）. = vector(5).

re·com·bi·na·tion (rē-kom′bi-nā′shŭn). ***1*** 再結合（分離された部分を再び結合する過程）．***2*** 組換え（減数分裂における相引相の逆転をいう．生じた表現型で判断される．→recombinant）．

rec·om·mend·ed di·e·tar·y al·low·ance (RDA) 推奨食事許容量（健康な人の必要量を満たすのに十分であると判断される，一日当たりの平均的栄養摂取量で，性別や生活様式によって類別されている）．

re·con·sti·tu·tion (re-kon′sti-tū′shŭn). 再形成（粉剤に希釈剤を加えて懸濁液に調整する過程）．

re·con·struc·tion (rē′kŏn-strŭk′shŭn). 〔画像〕再構成(再合成)（CT における一連の X 線投影データまたは MRI における大量の測定から，コンピュータを用いて1枚以上の二次元画像を合成すること．いくつかの方法が使用され，最も初期のものは逆投影法であり，最もよく用いられるのは二次元 Fourier 変換法である）．

re·con·struc·tive mam·ma·plas·ty 乳房再

建〔術〕（取り去られた乳房に代えて，形成手術によって外見の似たものをつくること）.

re·con·struc·tive sur·ger·y 再建手術（→plastic surgery）.

rec·ord (rek′ŏrd). 記録（①医学では，患者の主訴，病歴，医師の診療所見，診断検査の結果，治療薬ないし治療手技，その疾患の経過中に今後起こると考えられることを含めた経時的な記録をいう．*cf.* health record. ②歯科では望ましい上下顎関係の記録をいう）.

re·cor·ded de·tail 記録された細部構造（例えば骨梁や肺紋理などの，X 線写真の特徴の鮮明さ）.

re·cov·er·y ox·y·gen con·sump·tion = excess postexercise oxygen consumption.

re·cov·er·y room 回復室，リカバリールーム（手術後の患者回復のための部屋）.

re·cru·des·cence (rē′krū-des′ĕns). 再燃（病状軽快期の後の病態またはその症状の再燃）.

re·cru·des·cent (rē′krū-des′ĕnt). 再燃の.

re·cru·des·cent ty·phus 再燃チフス. = Brill-Zinsser disease.

re·cruit·ment (rē-krūt′mĕnt). ***1*** レクルートメント（聴力検査の際，正常耳に比較して感音難聴の耳では音刺激の強さのわずかの増加に対して大きさが異常に増大する）. ***2*** 漸増（神経生理学で，他のニューロンの活性化(空間的漸増)またはニューロンの発射率の増加(時間的漸増). →irradiation）. ***3*** 漸増（系に平行して流入する路を加えること）.

rec·tal (rek′tăl). 直腸の.

rec·tal am·pul·la 直腸膨大部（骨盤隔膜の上で肛門管の近位の直腸膨大部）.

rec·tal an·es·the·si·a 直腸麻酔〔法〕（中枢神経系の抑制薬を含んだ溶液を直腸内に点滴注入して行う全身麻酔）.

rec·tal col·umns 肛門柱. = anal columns.

rec·tal·gi·a (rek-tal′jē-ă). 直腸痛. = proctalgia.

rec·tec·to·my (rek-tek′tŏ-mē). 直腸切除〔術〕. = proctectomy.

rec·ti·fy (rek′ti-fī). ***1*** 矯正する. ***2*** 精留する（蒸留により純化または精製する．一般に繰り返し蒸留するときに用いる）.

rec·ti·tis (rek-tī′tis). 直腸炎. = proctitis.

recto-, rect- 直腸を意味する連結形. →procto-.

rec·to·cele (rek′tō-sēl). 直腸瘤. = proctocele.

rec·to·coc·cyg·e·al mus·cle 直腸尾骨筋. = rectococcygeus muscle.

rec·to·coc·cyg·e·us mus·cle 直腸尾骨筋（直腸の後面から第二または第三尾椎に達する平滑筋線維束）. = musculus rectococcygeus; rectococcygeal muscle.

rec·to·coc·cy·pexy (rek′tō-kok′si-pek-sē). 直腸尾骨固定〔術〕. = proctococcypexy.

rec·to·pex·y (rek′tō-pek-sē). 直腸固定〔術〕. = proctopexy.

rec·to·plas·ty (rek′tō-plas-tē). 直腸肛門形成〔術〕. = proctoplasty.

rec·to·scope (rek′tō-skōp). 直腸鏡. = proctoscope.

rec·to·sig·moid (rek′tō-sig′moyd). 直腸 S 状結腸〔接合部〕（直腸と S 状結腸を 1 つの単位として表した用語．この語は直腸と S 状結腸の接合部についても用いられる）.

rec·to·ste·no·sis (rek′tō-stĕ-nō′sis). 直腸狭窄〔症〕. = proctostenosis.

rec·tos·to·my (rek-tos′tŏ-mē). 直腸瘻造設〔術〕，直腸造瘻術. = proctostomy.

rec·tot·o·my (rek-tot′ŏ-mē). 直腸〔肛門〕切開〔術〕. = proctotomy.

rec·to·u·re·thra·lis mus·cle 直腸尿道筋（直腸の縦筋層から尿道膜性部に達する平滑筋線維で，男性にみられる）. = musculus rectourethralis.

rec·to·u·ter·ine mus·cle 直腸子宮筋（直腸子宮ひだの左右の子宮頸部と直腸間を通る線維組織と平滑筋線維束）. = musculus rectouterinus.

rec·to·u·ter·ine pouch 直腸子宮窩（腹膜が直腸から子宮にかけて反転してつくられる窩）. = excavatio rectouterina; cul-de-sac(2).

rec·to·vag·i·nal sep·tum 直腸腟中隔（腟と直腸下部間の筋膜層）.

rec·to·ve·si·ca·lis mus·cle 直腸膀胱筋（男性の仙骨生殖器ひだ内の平滑筋線維．女性の直腸子宮筋に相当する）. = musculus rectovesicalis; rectovesical muscle.

rec·to·ves·i·cal mus·cle 直腸膀胱筋. = rectovesicalis muscle.

rec·to·ves·i·cal pouch 直腸膀胱窩（男性で，腹膜が直腸から膀胱にかけて反転してつくられる窩）. = excavatio rectovesicalis; Proust space.

rec·to·ves·i·cal sep·tum 直腸膀胱中隔（会陰腱中心から前立腺と直腸間の腹膜まで上方にのびている筋膜層）.

rec·tum, pl. rec·tums, rec·ta (rek′tŭm, -tŭmz, -tă). 直腸（消化管の末端部で直腸 S 状結腸連結部と肛門管(会陰曲)との間にある）.

rec·tus ab·do·mi·nis mus·cle 腹直筋（前腹壁の筋で白線の両脇にあり腱画によって筋腹がいくつかに仕切られているのが特徴である．起始：恥骨稜と恥骨結合．停止：剣状突起，第五–第七肋軟骨．作用：脊柱腰部を屈曲し，胸部を恥部方向に引き下げる．神経支配：下部胸神経の枝）. = musculus rectus abdominis; rectus muscle of abdomen.

rec·tus ca·pi·tis an·te·ri·or mus·cle 前頭直筋（後頭下筋の 1 つ．起始：横突起，環椎の外側塊．停止：後頭骨の底部．作用：頭を回転し，かつ前方に傾ける．神経支配：第一・第二頸神経前枝）. = musculus rectus capitis anterior.

rec·tus ca·pi·tis la·ter·a·lis mus·cle 外側頭直筋（上頸部後頭下筋の 1 つ．起始：環椎の横突起．停止：後頭骨の頸静脈突起．作用：頭部を一方に傾ける．神経支配：第一頸神経(後頭下神経)の前枝）. = musculus rectus capitis lateralis; lateral rectus muscle of the head.

rec·tus ca·pi·tis pos·te·ri·or ma·jor mus·cle 大後頭直筋（後頭下三角の筋の 1 つ．起始：軸椎の棘突起．停止：後頭骨の下項線中央部．作用：頭部を回旋し後方に引く．神経支配：第一頸神経(後頭下神経)の後枝）. = musculus capitis posterior major; greater posterior rec-

R

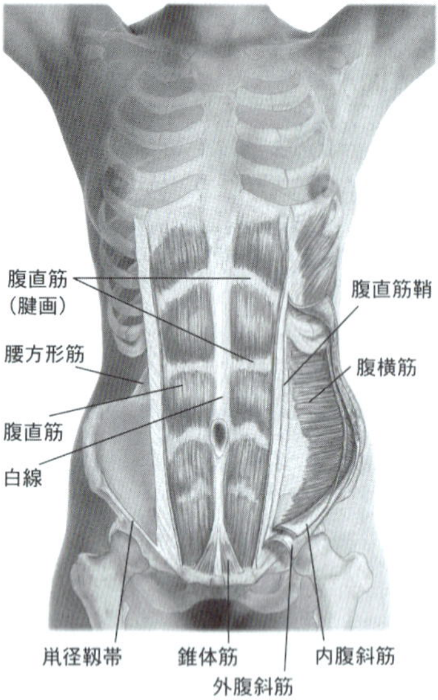
腹直筋
(腱画)
腹直筋鞘
腰方形筋
腹横筋
腹直筋
白線
鼡径靱帯
錐体筋
内腹斜筋
外腹斜筋

rectus abdominis muscle

tus muscle of head.

rec·tus ca·pi·tis pos·te·ri·or mi·nor mus·cle 小後頭直筋（後頭下三角の筋の1つ．起始：環椎の後結節．停止：後頭骨の下項線内側 1/3．作用：頭部を回旋し後方に引く．神経支配：第一頸神経（後頭下神経）の後枝）. = smaller posterior rectus muscle of head.

rec·tus fe·mo·ris mus·cle 大腿直筋（大腿四頭筋の中央浅層の筋．起始：下前腸骨棘．寛骨臼の上縁．停止：大腿四頭筋の共同腱で膝蓋靱帯を経て脛骨粗面に付く）. = musculus rectus femoris; rectus muscle of thigh.

rec·tus mus·cle of ab·do·men 腹直筋. = rectus abdominis muscle.

rec·tus mus·cle of thigh 大腿直筋. = rectus femoris muscle.

re·cum·bent (rē-kŭm′bĕnt). 横臥の.

re·cu·per·ate (rē-kū′pĕr-āt). 回復する.

re·cur·rence (rē-kŭr′ĕns). ***1*** 反復，回帰（症状の改善または寛解後に起こる症状の繰返し）. ***2*** 再発. = relapse. ***3*** 再発，再現（発端者の血縁に遺伝的形質が出現すること）.

re·cur·rence risk 再発危険性（子孫の中の少なくとも1人（発端者）がその疾患を呈する危険性）.

re·cur·rent (rĕ-kŭr′ĕnt). ***1*** 反回の（解剖学において，それ自身に戻ることをいう）. ***2*** 再発性の（間欠期または寛解の後に再び現れる症状あるいは病変を意味する）.

re·cur·rent a·bor·tion 反復流産（妊娠20週以前の3回以上の連続流産）.

re·cur·rent aph·thous ul·cers 再発性アフタ. = aphtha (2).

re·cur·rent her·pet·ic sto·ma·ti·tis 再発性ヘルペス〔性〕口内炎（単純ヘルペスウイルスの再活動化．硬口蓋と付着歯肉の小水疱および潰瘍化を特徴とする）.

re·cur·rent jaun·dice of preg·nan·cy 妊娠性反復性黄疸. = intrahepatic cholestasis of pregnancy.

re·cur·rent la·ryn·ge·al nerve 反回神経（右側は鎖骨下動脈の基部を回り，左側は大動脈弓を回って上方に反回する迷走神経の枝．総頸動脈の後方を上行し，気管と食道の間を通って喉頭に至る．心臓，気管，食道の各枝を出し下喉頭神経となって終わる）.

re·cur·rent re·spir·a·tor·y pa·pil·lo·ma·to·sis 再発性呼吸器パピローマ症（ヒトパピローマウイルスによる気道疾患．外科的切除後にパピローマの早期再発が特徴で，喉頭に及ぶと気道閉塞，嗄声から声が出なくなる. →laryngeal papillomatosis）.

re·cur·rent ul·cer·a·tive sto·ma·ti·tis 再発性潰瘍性口内炎. = aphtha (2).

re·cur·rent ul·nar ar·ter·y 尺側反回動脈（尺骨動脈より起こり，前枝，後枝の2つの枝が肘関節を前後に分かれて逆行性に内側に向かって通る．上・下尺側側副動脈と吻合して肘関節動脈網に加わる）. = arteria recurrens ulnaris.

re·cur·ring dig·i·tal fi·bro·ma of child·hood 〔小児期の〕再発性指線維腫（乳児と年少小児の相隣る指の末梢指節骨の伸展側に多数の線維性の新鮮な色をした結節であり，摘出してもしばしば再発するが，転移することはなく，2—3年の間に自然に消退することがある．この腫瘤は筋原線維に由来すると思われている細胞質封入体を含む紡錘細胞からなっている）.

re·cur·va·tion (rē′kŭr-vā′shŭn). 後屈（後ろに曲げること，または弯曲すること）.

red blood cell (rbc, RBC) 赤血球. = erythrocyte.

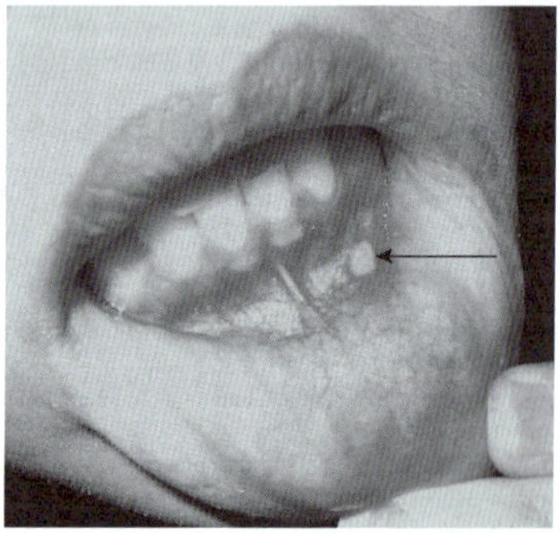

aphthous ulcer

red blood cell cast 赤血球円柱（種々の変性段階を示す赤血球を含む基質からなる尿円柱で，糸球体疾患や腎実質性出血の特徴である）.

red blood cell count 赤血球数（全血の検査サンプルの赤血球濃度．数は年齢(小児で高い)，時刻(就寝中は低い)や，活動・環境温度・高度(すべて増加)により異なる．男性の平均赤血球数は470万―610万細胞/mcL(最大汚染濃度)，女性では420万―540万細胞/mcL）. = erythrocyte count.

red blood cell in·di·ces →erythrocyte indices.

red cell = erythrocyte.

red cocks·comb = amaranth.

red cor·pus·cle 赤血球. = erythrocyte.

red fire ant = *Solenopsis invicta*.

red hep·a·ti·za·tion 赤色肝変（肝変の第1期で，滲出物は血液に染まっている）.

red in·du·ra·tion 赤色硬化（高度の急性受動性充血，急性肺炎，または類似の病理学的過程を有する肺において観察される状態）.

re·din·te·gra·tion (rē′din-tĕ-grā′shŭn). ***1*** 更新，整復（失ったり損傷を受けた部分の復旧）. ***2*** 回復（健康を取り戻すこと）. ***3*** 再統一（ある経験の中にもともとある刺激や情況のうち，いくつかの項目や一部だけに基づいて，その経験全体を相起すること）.

red man syn·drome = red neck syndrome.

red mite →chigger.

red mus·cle 赤筋（主として小暗赤色線維からなる，ゆっくり収縮する筋で，ミオグロビンおよびミトコンドリアが多い．ゆっくりと長く収縮を持続できるのが特徴で，白筋と対照的である）.

red neck syn·drome (RNS) 赤首症候群（超敏感アレルギー反応で，抗菌性のバンコマイシン(抗生物質)があまりに急速に投与された時に最もよくみられる．免疫性のないヒスタミンの関連放出と考えられる．理由は，ヒスタミンの血漿濃度が，バンコマイシンの投与後増加するためである．以下のような複雑な症状を特徴とする．掻痒，じんま疹，紅斑，血管浮腫，頻脈(頻心拍)，低血圧，時折の筋肉痛や斑点状丘疹の発疹などであり，通常，顔，首，上半身にあらわれる）. = red man syndrome.

red neu·ral·gi·a 紅神経痛，紅痛症. = erythromelalgia.

red nu·cle·us 赤核（中脳被蓋の前方に位置し，新鮮脳では赤灰色の，大きな，やや細長い，明瞭な輪郭をした神経細胞群．上小脳脚を通じて対側の小脳から多くの線維を受け，さらに同側の運動皮質からも線維を受ける．前介在核や運動皮質から赤核への投射は局在性を示す．対側の菱脳網様体や脊髄へ，赤核延髄路および赤核脊髄路を経て線維を出す．赤核脊髄路線維も局在性に発している）.

red oil レッドオイル（弱酸性脂溶性のジアゾ色素．中性脂肪の組織学的証明に用いる）.

re·dox (rē′doks). レドックス，酸化還元，酸還(reduction-oxidation の短縮名).

red pep·per = capsicum.

red puc·coon = blood root.

red pulp 赤〔色〕脾髄（脾洞と，脾洞の間にある脾索とからなり，赤血球が豊富なため肉眼的には赤褐色にみえる脾髄）.

red re·flex 赤色反射（健常な眼において光を網膜に照射したときに反射する赤色発光．透光体や屈折度に異常があると変化する）. = cone of light; light reflex(3); pyramid of light.

red·root (red′rūt). = blood root.

red tide 赤潮（海水中で微小藻類である *Gymnodinium breve* が通常よりはるかに高い密度になった結果みられる自然現象）.

red-top tube (plain) 赤栓管(単色)（この色の栓は容器が添加物を使用せずに処理されていることを示し，化学試験や血清学また治療薬モニタリングを含む血清決定のために使用される）.

re·duce (rē-dūs′). ***1*** 適正部位へ戻す，整復する，還納する. ***2*** 還元する.

re·duced cal·o·rie 減カロリー（FDA の指示により，同種の比較食品よりも，少なくとも25%カロリー含有が少ないことを示す）.

re·duced hem·a·tin 還元ヘマチン. = heme.

re·duced he·mo·glo·bin 還元ヘモグロビン(酸化ヘモグロビンの酸素が組織中に遊離された後，赤血球中にあるヘモグロビンの型).

re·duc·i·ble (rē-dūs′i-bĕl). 還納できる，整復できる，還元しうる.

re·duc·i·ble her·ni·a 還納性ヘルニア（ヘルニア嚢の内容物がその正常な位置に戻ることのできるヘルニア）.

re·duc·tant (rē-dŭk′tănt). 還元剤（還元を行っている間に酸化される物質）.

re·duc·tase (rē-dŭk′tās). レダクターゼ，還元酵素（還元を触媒する酵素．すべての酵素はどちらの方向の反応も触媒するので，いかなる還元酵素も適当な状態下で酸化酵素として働くことができ，またその逆も可能である．この種の酵素はオキシドレダクターゼとよばれる）.

5-α-re·duc·tase in·hib·i·tors 5α還元酵素阻害薬（5α還元酵素の作用を阻害する薬物で，前立腺の主要アンドロゲンであるテストステロンから産生される前立腺ジヒドロテストステロン濃度を低下させる）.

re·duc·tion (rē-dŭk′shŭn). ***1*** 整復，還納（外科的処置あるいは徒手操作によるある部分の正常な解剖学的関係への復旧）. = repositioning. ***2*** 還元（化学において，ある物質が1つ以上の電子を獲得する反応をいう）. ***3*** 縮小術（外科的なサイズの縮小）.

re·duc·tion of chro·mo·somes 染色体減数(配偶子形成における減数性細胞分裂の間に生じる過程で，染色体の各相同対の1本ずつが精子または卵子に分配される．したがって体細胞染色体数(ヒトでは46本)が，各配偶子の中では一倍性の数(ヒトでは23本)に減少する．次いで精子と卵子との結合が，1細胞の接合子中で二倍性すなわち体細胞性の数を復活する).

re·duc·tion de·for·mi·ty 縮小奇形（身体の一部分またはそれ以上の先天的な欠損または形成不全で，多くは四肢を構成する部位に生じる）.

re·duc·tion left ven·tri·cu·lo·plas·ty =

left ventricular volume reduction surgery.

re·duc·tion mam·ma·plas·ty 乳房縮小形成〔術〕（乳房の大きさを小さくする手術．しばしばその形および位置を改良する目的で行う形成手術）．

re·du·pli·ca·tion (rē-dū′pli-kā′shŭn). ***1*** 繰返し．***2*** 重複（ある病的状態の心音，あるいは正常では1つであるものが2つ存在するといったように重複すること）．***3*** ひだ（重なり合って2枚のようになっているひだ）．

Red·u·vi·i·dae (rē-dū-vī′ē-dē). サシガメ科（半翅目に属し，動物やヒトを襲う肉食性昆虫の一科．欧米では assassin bugs という．トリアトーマ亜科(kissing or cone-nosed bugs とよばれる)が含まれ，本亜科の標準属である *Triatoma* には，クルーズトリパノソーマ *Trypanosoma cruzi* の媒介昆虫となるものがある）．

red, white, and blue sign 赤，白，青徴候（ロクソスセレス症で，創傷に紅斑，虚血，壊死が同時に生じる）．

REE resting energy expenditure の略．

Reed-Frost mod·el リード-フロストモデル（感染症伝播と集団免疫の数学モデル．固体接触頻度に関する様々な仮定の下，免疫あり・なしの固体が制約なく混在した閉じた集団において一定時間内に発生する新規感染者数の期待値を算出できる）．

Reed-Stern·berg cell リード-スターンバーグ細胞（恐らくB細胞由来の形態の変化した大型リンパ球で，Hodgkin リンパ腫に特有と一般的にみなされている．典型的な細胞は淡染性の好酸性細胞質をもち，その1，2の大型核は辺縁に染色質の塊と異常に目立つ強い好酸性の核小体を有する．二核性の Reed-Sternberg 細胞はしばしば鏡像型(鏡像細胞)を呈する）．

reef·ing (rēf′ing). たたみ込み，絞括（ひだ形成(plication)のときのように組織をたたみ込んで縫合固定し，その広がりを外科的に小さくすること）．

re·en·trant mech·a·nism リエントリー機構（ほとんどの不整脈の基本的な原理と考えられ，次の3条件を要する．ループを形成する回路があること，一方向性のブロックが存在すること，および伝導の遅延が存在すること）．

re·en·try (rē-en′trē). 再入，リエントリー（賦活化された後の不応期を過ぎた心筋の一部へ同一刺激が戻ること．その一部は，もはや不応期を脱し，十分に遅延していれば，ほとんどの異所性の拍動，交互脈や多くの頻脈に認められる）．

re·en·try phe·nom·e·non 再入現象（賦活化された後の不応期を過ぎた心筋の一部へ同一刺激が戻ること．異所性収縮や不整脈の原因となる）．

ref·er·ence lab·o·ra·to·ry 参照試験所（病院検査室では通常行われない，多岐にわたる試験を行う大検査室）．

ref·er·ence range 基準範囲（健康な集団に通常みられる検査結果の範囲）．= normal range.

ref·er·ence val·ues 参照値，レファレンス値（健康と定義される状態にある個人あるいは集団より得られた，検査室における一連の検査値．明らかな健康というよりは健康と定義される状態に基づくので，本用語が正常値 normal values に代わってよく用いられる）．

re·ferr·al (rē-fĕr′ăl). 委託（指示された，もしくは手配された医療サービス）．

re·ferred pain 関連痛（外傷や疾患の実際の起源とは別の部位から発したと感じる痛み）．

re·ferred sen·sa·tion 投射〔性〕感覚，関連〔性〕感覚，波及感覚（ある部分に加わった刺激の反応が別な部分に生じて感覚となったもの）．

re·fine (rē-fīn′). 精製する（不純物を除く）．

re·flec·tance (rē-flek′tăns). リフレクタンス（イミタンス機能や中耳インピーダンスとして反射音響エネルギーを測定するもの）．

re·flec·tance spec·tro·pho·to·me·try 反射率型分光測光(光度)法（光を比色反応表面で反射させ，この反射光を反応生成物の測定に使う定量分光測光法）．

re·flect·ed in·gui·nal lig·a·ment 反転靱帯（外腹斜筋腱膜から対側の恥骨結節に伸びる三角形の線維帯）．

re·flec·tion (rē-flek′shŭn). ***1*** 照らし返すこと．***2*** 照らし返された事柄．***3*** 精神療法において，患者の感情部分で重要な内容を探らせ，解釈させ続けるために，彼(または彼女)の言葉を繰り返したり，言い換えたりする1つの技法．

re·flec·tion co·ef·fi·cient (*σ*) 反射係数（溶液中の膜の溶質に対する相対的透過性の測定値．実測の浸透圧の，van't Hoff の浸透圧の法則より算出した圧に対する比）．

re·flec·tor (rē-flek′tŏr). 反射鏡，反射器，反射体（光，熱，または音を反射する表面）．

re·flex (rē′fleks). ***1*** 〚n.〛反射〔現象〕（末梢に加えられた刺激が，脳または脊髄の神経中枢に伝えられて発生する不随意反応．→phenomenon)．***2*** 〚n.〛反射．

re·flex arc 反射弓（神経インパルスが反射行為を生じるときに，末梢受容器から求心神経を経て中枢神経系シナプスへ，それから遠心神経を経て効果器に至る通路）．

re·flex blad·der = paralytic incontinence.

re·flex cough 反射性咳（耳や胃のような遠隔部位における刺激により反射的に起こる咳）．

re·flex ep·i·lep·sy 反射〔性〕てんかん（末梢部刺激により誘発されるてんかんの一型．聴覚，喉頭，光，他の刺激で誘発される）．

re·flex in·con·ti·nence 反射性〔尿〕失禁（意図せずに，排尿筋の反射亢進のために尿が漏れること）．

re·flex in·hi·bi·tion 反射抑制（感覚的刺激が反射活動を低下させる状況）．

re·flex·ive squeeze grasp 反射つかみ（4か月までの子供にみられるパターンで，物体が手掌の表面におかれた時に，すべての手指を曲げる．→grasp pattern; grasp reflex)．

re·flex neu·ro·gen·ic blad·der 反射性神経因性膀胱〔障害〕（膀胱が完全に上側運動神経単位の調節から切り離されているが，下側運動神経単位は健常であることにより起こる膀胱機能の異常状態）．

re·flex·o·gen·ic (rē-flek′sō-jen′ik). 反射発生の.

re·flex·o·graph (rē-flek′sō-graf). 反射描画器(反射を図形的に記録する器械).

re·flex·o·lo·gy (rē′flek-sol′ŏ-jē). リフレクソロジー(特定ポイント, 特に足, 手, 耳に焦点をあてたマッサージ技術で, 経絡を通じて他の器官または体の部位に対応するといわれる). = reflex zone therapy.

re·flex·om·e·ter (rē′fleks-om′ĕ-tĕr). 反射計(反射を起こすのに必要な力を測定する器械).

re·flex sym·pa·thet·ic dys·tro·phy (RSD) 反射性交感神経性ジストロフィ(通常, 1肢に起こる広範な持続性の痛みで, しばしば血管運動障害, 栄養障害, 関節の運動制限や不動化を伴う. 局所の損傷に続いて起こることがよくある. →causalgia).

re·flex symp·tom 反射症状(関節炎による筋痙攣のように, 病的状態を起こしたところから多少離れた臓器または部分に現れる感覚または機能の障害).

re·flex zone ther·a·py 反射帯治療. = reflexology.

re·flux (rē′flŭks). *1* 逆流(逆向きの流れ. →regurgitation). *2* 還流(化学において, 冷却器を用いて蒸気を液体として戻すことにより, 蒸気を失うことなく煮沸すること).

re·flux e·soph·a·gi·tis, pep·tic e·soph·a·gi·tis 逆流性食道炎, 消化性食道炎(酸性の胃内容物が逆流するために起こる食道下部の炎症. 通常, 食道下部括約筋の機能不全による. 胸骨下の疼痛, 〝胸やけ〞, 胃液の逆流も起こる).

re·flux o·ti·tis me·di·a 逆流性中耳炎(耳管経由で流入する鼻咽腔の分泌物によって生じる中耳炎).

re·fract (rē-frakt′). *1* 屈折する(光線の方向を変えること). *2* 屈折を矯正する(屈折異常を調べて, レンズを用いて矯正すること).

re·frac·tion (rē-frak′shŭn). = refringence. *1* 屈折(異なった光学密度をもつ物質間を通過するときに生じる光線のゆがみ. 密な物体から疎な物体にはいる場合は, 屈折物体表面に垂直な線から離れるようにして曲がるが, 疎から密な物体にはいる場合は, この垂直線に向かって曲がる). *2* 屈折矯正(眼の屈折の状態と度合いを判定し, レンズにより矯正する).

re·frac·tion·ist (rē-frak′shŭn-ist). 屈折矯正士(眼の屈折度測定に熟練し, 正しい矯正レンズを決定する人).

re·frac·tive (rē-frak′tiv). = refringent. *1* 屈折の. *2* 光を屈折する力を有する.

re·frac·tive in·dex (*n*) 屈折率(空気中の光の速度に対する他の媒質中の光の相対速度).

re·frac·tive ker·a·to·plas·ty 屈折矯正角膜形成術(角膜形状を変化させて屈折異常の矯正を目的とした術式. ―keratophakia; keratomileusis; radial keratotomy).

re·frac·tive ker·a·tot·o·my 屈折矯正角膜切開(遠視, 近視, 乱視を軽減するための角膜切開による角膜曲率の矯正).

re·frac·tiv·i·ty (rē′frak-tiv′i-tē). 屈折力.

re·frac·tom·e·ter (rē′frak-tom′ĕ-ter). 屈折率測定器, 屈折計(半透明物体, 特に眼の屈折度を測定する器械. →refractive index).

re·frac·tom·e·try (rē′frak-tom′ĕ-trē). *1* 屈折率測定〔法〕(屈折率の測定). *2* 屈折判定〔法〕(眼の屈折異常を判定するのに屈折計を用いること).

re·frac·to·ry (rē-frak′tŏr-ē). *1* 難治〔性〕の, 抗療性の. 治療抵抗性の. = intractable (1); obstinate (2). *2* 治療不応性の, 無反応性の. = obstinate (1).

re·frac·to·ry a·ne·mi·a 不応性貧血(輸血以外の他の治療に不応性である進行性の貧血).

re·frac·to·ry pe·ri·od *1* 不応期(有効な刺激の後に続く期間. その期間の心筋および神経のような興奮組織は閾値の強さの刺激に対して反応しない, すなわち興奮性が低下する). *2* オルガズムに引き続いて直ちに起こる新たな性的刺激に対する精神生理学的な抵抗期.

re·frac·to·ry state 不応状態(興奮に対する反応にすぐ続く, 正常以下の興奮性. 絶対不応期と相対不応期に分けられる).

re·frac·ture (rē-frak′shŭr). 再骨折(以前に骨折し, 結合している骨が折れること).

re·fresh (rē-fresh′). *1* 新しくする, 回復させる. *2* 創面を新鮮にする (―revivification (2)).

re·frig·er·ant (rē-frij′ĕr-ănt). *1* 〚adj.〛 冷却の, 熱を下げる. *2* 〚n.〛 清涼剤, 寒剤(清涼感を与えたり, 熱を下げる薬剤).

re·frig·er·a·tion (rē-frij′ĕr-ā′shŭn). 冷凍, 低温療法(冷却または熱を下げること).

re·frig·er·a·tion an·es·the·si·a 冷凍麻酔〔法〕. = cryoanesthesia.

re·frin·gence (rē-frin′jĕns). 屈折力. = refraction.

re·frin·gent (rē-frin′jĕnt). 屈折の. = refractive.

Ref·sum dis·ease レフサム病(フィタン酸 α-ヒドロキシラーゼ欠損により生じる, まれな変性疾患. 臨床的には色素性網膜炎, 魚鱗癬, 脱髄性多発ニューロパシー, 難聴, 小脳症状を呈する. 第10染色体短腕にあるフィタノイル CoA ヒドロキシラーゼ遺伝子(PAHX または PAYH)の突然変異によって生じる常染色体劣性遺伝疾患. 幼児型 Refsum 病はフィタン酸やピペコリン酸の蓄積を伴う. ペルオキシソームの障害された病態であり, 第7染色体長腕にある PEX1 遺伝子の突然変異により生じる常染色体劣性遺伝疾患).

re·fu·sal of pro·ce·dure 処置の拒否(患者による処置や療法, 治療への拒否).

re·fu·sion (rē-fū′zhŭn). 再注輸(肢の結紮により一時的に中断されていた血液の循環を元に戻すこと).

Re·gaud fix·a·tive ルゴー固定液(ホルムアルデヒドと重クロム酸カリウムを含む固定液で, ミトコンドリアの保存に用いるが, 脂肪には不適当である. 十分な洗浄と後染色を必要とする).

re·gen·er·a·tion (rē-jen′ĕr-ā′shŭn). 再生(①欠損部または外傷部の再生. = neogenesis. ②無性生殖の一種. 例えば, 虫が2つ以上の部分に分割されたとき，各部分が新しい個体に再生すること）．

re·gen·er·a·tive pol·yp 再生性ポリープ（胃粘膜の過形成性ポリープ）．

reg·i·men (rej′i-mĕn)．生活規則，摂生，養生，養生法（薬を含めて，ヒトの生活様式を，衛生または治療の目的で規制するプログラム．治療のプログラム．ときに誤って regime とよばれる）．

re·gi·o, gen. **re·gi·o·nis,** pl. **re·gi·o·nes** (rē′jē-ō, -ō′nis, -ō′nēz)．部，部位，領域．= region.

re·gion (rē′jŭn)．= regio. *1* 部（→space; zone）．*2* 部位，領域（特定の神経または血管分布をもつ身体の一部，または特定の機能をもつ器官の一部．→area; space; spatium; zone）．

re·gion·al (rē′jŭn-ăl)．局所の，部の，部位の，領域の．

re·gion·al a·nat·o·my 局所解剖学（身体の区域・領域・部位(例えば，足，鼡径部など)についての解剖学で，その場所での異なった器官系の諸構造(例えば，筋，神経，動脈など)の相互関係の解明に意を注ぐ．系統解剖学 systemic anatomyと対比される）．

re·gion·al an·es·the·si·a 局所麻酔〔法〕（限局性の感覚消失領域をつくるために局所麻酔薬を用いること．一般用語としての局所麻酔は，伝達・神経ブロック・脊椎・硬膜外・周囲浸潤・浸潤・表面麻酔を含む）．= conduction analgesia.

re·gion·al en·ter·i·tis 限局性腸炎（原因不明の亜急性慢性腸炎で，回腸末端に好発．低頻度で他の消化管も侵す．限局性腸炎の特徴は，瘻孔を生じる斑点状の深い潰瘍，線維化およびリンパ球浸潤による腸の狭小化と肥厚化で，所属リンパ節にもみられる非乾酪性類結核性肉芽腫を伴う．症状は熱，下痢，痙攣性の腹痛，体重減少）．= Crohn disease; distal ileitis; regional ileitis; granulomatous enteritis.

re·gion·al gran·u·lom·a·tous lym·phad·e·ni·tis 局所性肉芽腫性リンパ節炎．= cat-scratch disease.

re·gion·al hy·po·ther·mi·a 局所低体温法（四肢または臓器を，外部よりの冷却血液または灌流液により灌流し，温度を低下させること）．

re·gi·o·nes (rē′jē-ō′nēz)．regio の複数形．

re·gion of in·ter·est 関心領域（コンピュータ断層撮影やその他のコンピュータ処理画像において，相互作用的に選択された画像上の領域のことで，個々の，あるいは平均の画素(ピクセル)の値は数値で表示される）．

re·gions of back 背部（体表の部位のうち体幹の背面にある部位で，脊柱部，仙骨部，肩甲部，肩甲下部，腰部からなる）．

re·gions of chest 胸部（体表の部位のうち胸部にある部位で，胸骨部，乳房部，乳房下部，腋窩部からなる．→pectoral region）．

re·gions of face 顔面部（体表の部位のうち顔面にある部位で，鼻部，おとがい部，眼窩部，眼窩下部，頬部，耳下線部，頬骨部からなる）．

re·gions of head 頭の部位（体表の部位のうちで頭蓋冠に関連する頭蓋に対応する部位で，前頭部，頭頂部，後頭部，側頭部からなる）．

re·gions of low·er limb 下肢の部位（体表の部位のうち下肢にある部位で，殿部，大腿部，膝部，下腿部，足根部，足からなる）．

re·gions of neck 頸部（局所解剖学的な頸の部位）．

re·gions of up·per limb 上肢の部位（体表の部位のうち上肢にある部位で，三角筋部，上腕，肘，前腕，手根，手からなる）．

reg·is·tered nurse (RN, R.N.) 登録〔正〕看護師（一定の看護教育課程を卒業し，州の免許試験に合格し，州当局より免許を与えられている看護師）．

reg·is·tered res·pi·ra·tor·y ther·a·pist (RRT) 公認呼吸療法士（認定呼吸療法プログラムを卒業し，国家資格認定試験の理論部，実技部ともに合格した医療従事者）．

reg·is·tra·tion (rej′is-trā′shŭn)．記録，描記，描写（歯科における記録をいう）．

reg·is·try (rej′is-trē)．登録〔機関〕（特定の特徴を有する患者に関するデータベース．癌，身体的・心的外傷，および移植はよくある登録である．データは治療の質の評価，傾向の監視，および研究のために用いられる）．

re·gres·sion (rē-gresh′ŭn)．*1* 後退（徴候の沈静）．*2* 回帰（徴候の再発）．= relapse. *3* 後退（逆行する運動または活動）．*4* 退行（より成長したレベルの機能を十分に果たすことができないために，より原始的な行動様式に戻ること）．*5* 退行（優れた先祖の子孫が一般集団に近い特徴をもつようになってしまうこと）．*6* 退行（早期の適応パターンに戻ることによる無意識の防衛機制）．*7* 回帰（関連する他の変数の値が与えられたもとでのある確率変数の分布．例えば身長と胸囲の関数としての体重の分布の定式化）．

re·gres·sion a·nal·y·sis 回帰分析（ある変数を，他の変数で定められる関数として記述するための，〝最良の〟数学的モデルを決定する統計的方法）．

re·gres·sive (rē-gres′iv)．退行〔性〕の，回帰性の，逆行〔性〕の．

re·gres·sive stain·ing 退行性染色〔法〕（組織の染色が濃すぎるときに，過剰の色素を選択的に除去し，満足のいく染色状態とする染色方法）．

reg·u·lar a·stig·ma·tism 正乱視（各経線の曲率が最後まで等しく，最強・最弱主経線は相互に直交している乱視）．

reg·u·la·tion (reg′yū-lā′shŭn)．調節，調整，規定（①過程が進行する，または生成物が形成される速度または様式の調整．②実験発生学において，一部が除去または破壊された後に，正常な構造を修復するための能力が前囊胚期の胚に残っていること．③政府の担当官庁や公認機関が定める規則や指示．医療従事者への免許の下付など）．

reg·u·la·tor (reg′yū-lā′tŏr)．調節因子（他の物質や経路を制御する物質や経路）．

reg·u·la·tor gene 調節遺伝子（オペレータ遺伝子と結合するとき，それを抑制するような抑制物質を生み出す遺伝子．これにより特定酵素の生成を妨げる．酵素が再び要求されると特別の調節代謝物が抑制物質を阻害する）．

reg·u·la·to·ry dis·or·der 調節障害（乳児期および幼児期に最初に現れる障害で，知覚，知覚運動，統合運動の困難を明確に表す行動パターンを特徴とする．陽性の相互作用や相関性，日常の適応性を維持する能力を阻害する）．

reg·u·la·to·ry se·quence 調節塩基配列（プロモータやオペロンのように，遺伝子発現に関するいかなるDNA配列もこうよぶ）．

reg·u·lon (reg′yū-lon)．レギュロン（すべて同じ遺伝子調節を受け，それらの遺伝子産物が同じ反応経路に関与する一組みの構造遺伝子群）．

re·gur·gi·tant (rē-gŭr′ji-tănt)．***1*** 反すうの．***2*** 逆流の．

re·gur·gi·tant mur·mur 逆流性雑音（心臓の弁口における漏出または逆流によって生じる雑音）．

re·gur·gi·tate (rē-gŭr′ji-tāt)．***1*** 逆流する．***2*** 吐き戻す，吐出する，反すうする（胃の内容物を少量または嘔吐に至らない程度に出す）．

re·gur·gi·ta·tion (rē-gŭr′ji-tā′shŭn)．***1*** 逆流（心臓の閉鎖不全の弁を通して血液が流れ出るような逆流）．***2*** 吐き戻し，吐出，反すう．= vomiting.

re·gur·gi·ta·tion jaun·dice 反流性黄疸，逆行性黄疸（胆道閉塞によって起こる黄疸．胆汁色素は肝細胞によって分泌され，血液中に再吸収される）．

re·ha·bil·i·ta·tion (rē′hă-bil′i-tā′shŭn)．リハビリテーション，社会復帰（疾病，病気，負傷の後に，正常またはほとんど正常に機能しうる能力を回復させること）．

re·hears·al (rē-hĕr′săl)．リハーサル（長期記憶と短期記憶の増強に関連した過程で，物の名前や単語リストのような，新たに提示された情報を忘れないように自分で何度も繰り返すこと）．

re·hy·dra·tion (rē′hī-drā′shŭn)．再水和，再水化（一度失われた後に水がその系に戻ること）．

Rei·chel-Pól·ya stom·ach pro·ce·dure ライヘル-ポーリャ胃手術（胃全周と空腸，後結腸吻合）．

Rei·chert car·ti·lage ライヘルト軟骨．= second pharyngeal arch cartilage.

Reid base line リード基線（眼窩の下縁から外耳道孔の中心へ引いた線．後頭骨の中心に向かって後方へのびる．コンピュータ断層法(CT)において基準線として用いる）．

Reif·en·stein syn·drome ライフェンスタイン症候群（部分的にアンドロゲン感受性をもつ男性偽半陰陽の家族性の型で，種々の程度の不明瞭な性器または尿道下裂，思春期後に発育する女性乳房，および精細管硬化を伴う不妊を特徴とする．潜在精巣が存在することもあり，Leydig 細胞機能低下により後に不能症が起こることもある．染色体分析では第 46XY 染色体の X 染色体長腕においてアンドロゲン受容体遺伝子の変異によって生じる，X 染色体依存性の劣性遺伝である）．

Rei·ki (rā′kē)．レイキ（日本で開発されたヒーリングの様式で，手をかざすことで森羅万象のエネルギーを伝達する．施術者はこの力に同期していて，治療を受ける者へエネルギーを送る．→chi; chakra）．

re·im·plan·ta·tion (rē′im-plan-tā′shŭn)．再移植〔術〕. = replantation.

re·in·fec·tion (rē′in-fek′shŭn)．再感染（一次感染から回復した後の，または感染中の，同一微生物による二次感染）．

re·in·force·ment (rē′in-fōrs′mĕnt)．強化，増強，促進（①力または強度の増加．患者がこぶしをきつく握ったり，曲げた指を反対方向に引いたり，あるいは他の筋肉群を収縮したときに，同時に膝蓋腱反射を行うとより鋭くなることを表す．②歯科において，機能に強度を加えるのに用いる構造的付加物または封入体．例えば，義歯台の棒など．③条件付けで，条件刺激後に，それ自身が条件付きの反応を引き出すような無条件刺激が生じるプロセス全体. →reinforcer）．

re·in·forc·er (rē′in-fōrs′ĕr)．強化〔因〕子（条件付けで，望まれた，または前に決められたオペラントの遂行により得られる，満足をもたらす(**positive reinforcer**)または不満足な(**negative reinforcer**)刺激，物体，あるいは刺激的出来事. →reinforcement(3)）. = reward.

Rein·ke space ラインケ腔（声帯ひだの粘膜固有層と外弾性板との間に生じる間隙浅層の粗な結合織．この部分の浮腫により嗄声が生じる）．

re·in·ner·va·tion (rē-in′ĕr-vā′shŭn)．再〔神経〕支配（神経線維が自然にまたは吻合の後に再成長して，麻痺した筋肉または他の効果器器官の神経支配を回復すること）．

re·in·te·gra·tion (rē-in′tē-grā′shŭn)．再統合（精神保健において，精神疾患による障害の後に良好な適応機能が回復すること）．

Reis-Bück·lers cor·ne·al dys·tro·phy ライス-ビュックラース角膜ジストロフィ（角膜の Bowman 膜の常染色体優性異常．網目称混濁を特徴とし再発性角膜びらんを合併する）．

Reis·sei·sen mus·cles ライサイセン筋（最小の気管支にあり，顕微鏡レベルで見られる平滑筋線維）．

Reiss·ner mem·brane ライスナー膜. = vestibular membrane.

Rei·ter syn·drome ライター症候群（尿道炎，虹彩毛様体炎，粘膜皮膚病変，関節炎を主徴として，ときに下痢を伴うこともある．これらの1つ以上の症状が月または年単位の間隔で反復するが，関節炎は持続する．感染に対する不適切な免疫応答が原因と考えられている）．

re·jec·tion (rē-jek′shŭn)．***1*** 拒絶〔反応〕，拒否〔反応〕（移植した臓器が適合しない場合に起こる免疫反応）．***2*** 拒絶，拒否，棄却，不合格．***3*** 排除（表示装置から微弱な超音波のエコーを取り除くこと）．

re·lapse (rē′laps)．再発，回帰（回復期にはいってから病状がぶり返すこと）. = recurrence(2).

re·laps·ing feb·rile nod·u·lar non·sup·pur·a·tive pan·nic·u·li·tis 再発性熱性結節性非化膿性脂肪〔組〕織炎（種々の原因による

R

結節性の脂肪組織壊死）. = Christian disease (2); Christian syndrome; Weber-Christian disease.

re·laps·ing fe·ver 回帰熱（多種の *Borrelia* 属のいずれかにより起こる急性感染症．約 6 日間持続する頻回の発熱発作と，ほぼ同じ期間持続する平熱期を特徴とする．発熱期には，血液中に微生物が見出されるが，平熱期にはみられない．この消失は，特異的抗体と以前に生成された抗体の出現に伴う．疫学的に 2 種の型がある．第 1 はシラミ媒介性の型で，主としてヨーロッパ，北アフリカ，およびインドでみられ，*B. recurrentis* によって起こるもの．第 2 は，ダニ媒介性の型で，アフリカ，アジア，南・北アメリカでみられ，種々の *Borrelia* 属の菌で起こる．このいずれもが，*Ornithodoros* 属の各種の軟マダニによって媒介される）.

re·laps·ing pol·y·chon·dri·tis 再発性多発性軟骨炎（軟骨の退行変性疾患で，耳，鼻の軟骨部分，気管気管支柱の圧潰を伴う特異な関節炎を生じる．気管気管支柱の安定性喪失による慢性炎症や窒息により死亡することがある．常染色体性遺伝）. = Meyenburg disease.

re·la·tion (rē-lā′shŭn). 関係（①人と人または物体の間の関連あるいはつながり. →relationship. ②歯科において，歯の接触様式あるいは口腔構造の位置関係）.

re·la·tion·ship (rĕ-lā′shŭn-ship). 相関，関連性，類縁，関係性.

rel·a·tive ac·com·mo·da·tion 相対調節（ある特定の距離または輻輳度に対する単一の両眼視に必要な調節量）.

rel·a·tive bi·o·log·ic ef·fec·tive·ness 生物学的効果比（異なる線質やエネルギーの電離放射線による吸収線量の生物学的効果を比較する係数．特定の生物，臓器あるいは組織に対して同一の生物学的効果をもたらすような，当該放射線と基準放射線の吸収線量の比である．註 一般に RBE と略される）.

rel·a·tive hu·mid·i·ty 相対湿度（空気または気体中に存在する実際の水蒸気量を，同温同圧の飽和水蒸気量で除したもの．百分率で表す）.

rel·a·tive leu·ko·cy·to·sis 相対的白血球増加〔症〕（真の白血球総数は増加しないが，循環血液中の 1 つ以上の型の白血球の割合が増加すること）.

rel·a·tive mo·lec·u·lar mass (M_r) 相対分子質量. = molecular weight.

rel·a·tive pol·y·cy·the·mi·a 相対的赤血球増加〔症〕（血液の液体成分が失われて，相対的に赤血球数が増加すること）.

rel·a·tive sco·to·ma 比較暗点（視野が抑制されているが光に対する知覚を完全には失っていない暗点）.

rel·a·tive spec·i·fic·i·ty 相対的特異性（ある臨床スクリーニング検査の特異性を同じ種類の検査と比較して表したもの．例えば，ある新しい血清学的検査法の，すでに確立された方法と比較した特異性）.

rel·a·tive val·ue scale (RVS) 相対価値基準（与えられた処置を完了するのに臨床医が要した技術と時間に基づく医療サービスに対する単価を割り当てるシステム. →relative value unit）.

rel·a·tive val·ue u·nit (RVU) 相対価値単位（そのような処置を行うのに要する技術と時間に基づいて記号化する中，医療業務に割り当てられた数因子）.

re·lax·ant (rē-lak′sănt). *1* 〚adj.〛弛緩する（緊張，特に筋緊張を減少させる）. *2* 〚n.〛弛緩薬（筋緊張を小さくする，あるいは骨格筋麻痺を生じさせる薬．通常は筋弛緩薬 muscle relaxant として用いる）.

re·lax·ant re·ver·sal 弛緩薬拮抗，弛緩〔薬〕逆転（非脱分極性神経筋弛緩薬の作用を終わらせるために，アセチルコリンエステラーゼ抑制薬を用いること）.

re·lax·a·tion (rē′lak-sā′shŭn). *1* 弛緩（筋肉の張力をのばしたり緩めたりすること）. *2* 緩和（核磁気共鳴において緩和とは，周囲の磁場の方向が変化した後の組織の磁化の減衰をさす．個々の原子核や組織の緩和速度の違いは，画像合成においてコントラストを生じさせるために用いられる）.

re·lax·a·tion su·ture 弛緩縫合（創の緊張が過度になると弛緩するようになっている縫合）.

re·lax·a·tion time (τ) 緩和時間（酵素的または化学的反応において最初の値の 1/e まで低下する基質にとって必要な時間）.

re·learn·ing (rē-lĕrn′ing). 再学習（部分的または全部が失われていた技術または能力を回復する過程．当初の学習と比較して再学習において節約される分は，記憶保持の度合いを表す指標となる）.

re·lease of in·for·ma·tion = disclosure.

re·leas·ing fac·tors 放出因子（①下垂体前葉のホルモン分泌を促進する，通常は，視床下部由来の因子．② RNA の生合成や蛋白の生合成の最終段階で必要な因子）. = liberins; releasing hormone.

re·leas·ing hor·mone 遊離促進ホルモン. = releasing factors.

re·li·a·bil·i·ty (rē-lī′ă-bil′i-tē). 信頼度，信頼性（同じ条件下で測定が繰り返された際の安定度）.

re·lieve (rē-lēv′). 免荷する，軽減する（身体的または精神的な苦痛や不快感から完全にまたは部分的に解放すること）.

re·lo·ca·tion test リロケーション試験（肩関節前方不安定性を調べるテスト．背臥位でベッドの縁をてこの支点として上腕を外転・外旋する．前方不安定性のある患者ではこの操作で不安感を感じる）.

REM rapid eye movements の頭文字.

rem roentgen-equivalent-man の略.

Re·mak fi·bers レーマック（レマーク）線維. = unmyelinated fibers.

Re·mak nu·cle·ar di·vi·sion レーマック（レマーク）核分裂. = amitosis.

Re·mak re·flex レーマック（レマーク）反射（大腿の上前表面をこすることにより誘発される，第一-第三趾の底屈で，ときに足に底屈と膝の伸展を伴う．脊髄の伝導路が遮断されたときに起こる）.

Re·mak sign レーマック(レマーク)徴候（脊髄ろうと多発性神経炎の場合，触覚と痛覚が解離する）．

rem·e·dy (rem′ĕ-dē)．治療薬（病気を治療し，その症状を緩和する薬）．

re·min·er·al·i·za·tion (rē-min′ĕr-ăl-ī-zā′shŭn)．***1*** 病気または食事不足により失われた必要な鉱物成分を身体または局所に戻すこと．骨のカルシウム塩量に関して一般に用いる語．***2*** 再石灰化（歯科領域において，部分的に脱灰されたエナメル質，ぞうげ質，およびセメント質が，ミネラルの補充によって再石灰化する過程）．

rem·i·nis·cence ther·a·py 回想療法（心理療法の技法で，うつ病の老人に対して，人生で成し遂げてきたことへの自尊心と，個人的満足感の回復のために使用される．しばしば，エリック・エリクソンの最終発展段階で定義される自我の整合性の促進のために使用される）．

re·mis·sion (rē-mish′ŭn)．***1*** 寛解，軽快，寛解傾向（病気の徴候の衰退または減少）．***2*** 寛解期（***1*** のような衰退が生じる時期）．

re·mit·tance (rē-mit′ĕns)．弛張（症状が実際に終息するわけではない，一時的改善）．

re·mit·tance ad·vice (RA) 送金通知書（医療サービス提供者への支払いと精算を記した書類，または給付金の解説(explanation of benefits, EOB)ともいわれる）．

re·mit·tent (rē-mit′ĕnt)．弛張性の（疾患の症状の一時的寛解または衰退期についていう）．

re·mod·el·ing (rē-mod′ĕl-ing)．再造形，再構築，リモデリング（①同一部位で少量の骨が吸収，形成を連続に起こすことにより，骨がその動的定常状態を維持する周期的過程．造形と異なり，再造形される骨はその大きさ，形を変えない．②形や機能をつくり直す過程．③形成術な再建術のような身体部位の変更）．= remodelling.

remodelling [Br.]．= remodeling.

re·mote af·ter·load·ing bra·chy·ther·a·py 遠隔装填式近接照射療法（あらかじめ装着された容器へ，遠隔操作により線源を装填して行う近接照射療法）．

re·mote tran·scrip·tion = off-site transcription.

re·mov·a·ble bridge 可撤性架工義歯．= removable partial denture.

re·mov·a·ble par·tial den·ture 可撤性部分床義歯（部分的に歯のない顎に歯とその周囲組織を補う局部義歯で，口からの取りはずしが可能である）．= removable bridge.

ren, gen. re·nis, pl. re·nes (ren, rē′nis, -nēz)．腎臓．= kidney.

ren- 腎臓を意味する連結形．

re·nal (rē′năl)．腎〔臓〕の，腎性の．= nephric.

re·nal am·y·loi·do·sis 腎アミロイドーシス（腎臓，特に糸球体毛細管壁へのアミロイドの沈着．蛋白尿とネフローゼ症候群を引き起こすことがある）．= amyloid nephrosis (1).

re·nal an·gi·og·ra·phy 腎臓血管造影法（放射線不透過性物質の注入後のX線を使用した腎臓循環の検査）．

re·nal ar·ter·y 腎動脈（大動脈より起こり腎区域動脈，尿管枝，下副腎動脈に分枝し，腎臓に分布する）．= arteria renalis.

re·nal cal·cu·lus 腎石，腎結石（腎臓系の結石）．= kidney stone.

re·nal col·ic 腎仙痛（尿管あるいは腎盂に結石がたまったり，通過することにより起こる激しい仙痛）．

re·nal col·umns 腎柱（腎皮質の延長したもので，腎錐体を仕切っている）．= columnae renales; Bertin columns.

re·nal cor·pus·cle 腎小体（糸球体とそれを包む糸球体嚢からなる）．= corpusculum renis.

re·nal cor·tex 腎皮質（被膜下の外側帯にある腎小葉，錐体間を内方にのびる腎柱の小葉からなる腎臓の部分．腎小体および近位・遠位尿細管を含む）．

re·nal fail·ure 腎不全（急性または慢性の腎機能の廃絶で，その結果，高窒素血症や尿素症症候群をきたす）．= kidney failure.

re·nal fas·ci·a 腎筋膜（腎臓を囲む結合組織と脂肪が袋または鞘となっている全体をいう）．= Gerota capsule; Gerota fascia.

re·nal gan·gli·a 腎神経節（腎神経叢の内部に散在している小さな交感神経節）．

re·nal gly·co·sur·i·a 腎性糖尿（反復性または継続的にブドウ糖を尿中に排泄するが，ブドウ糖の血中濃度は正常範囲にある．糸球体濾過後，ブドウ糖を再吸収する腎近位尿細管の機能不全(低腎閾値)による．ネフロンにおける糖担体の欠損による）．

re·nal he·ma·tu·ri·a 腎性血尿（腎臓の糸球体間隙，細管，または骨盤内への溢血により起こる血尿）．

re·nal hy·per·ten·sion 腎性高血圧〔症〕（腎疾患に続発する高血圧）．

re·nal hy·po·pla·si·a 腎形成不全（形態学的には正常だが異常に小さい腎臓で，ネフロン数が減少しているか，またはネフロンの大きさが小さい）．

re·nal lab·y·rinth = convoluted part of kidney lobule.

re·nal me·dul·la 腎髄質（腎実質内部の暗色部分で，腎錐体よりなる）．

re·nal (nerve) plex·us 腎神経叢（腎動脈を囲み，これとともに腎組織内にはいる自律神経叢）．

re·nal os·te·o·dys·tro·phy 腎性骨形成異常〔症〕，腎性骨ジストロフィ（全身的骨の変化で，骨軟化症，くる病，線維性骨炎に類似する．慢性腎不全をもつ小児または成人に起こる）．

re·nal pa·pil·la 腎乳頭（小腎杯に突出する腎錐体の先端．先端に10—25個の導管開口部があり，篩状野をつくる）．

re·nal pel·vis 腎盤，腎盂（尿管上端の扁平な漏斗状膨大部で腎杯を受け，先端は尿管に続いている）．

re·nal pyr·a·mid 腎錐体（腎の縦断面にみられるピラミッド形の塊で，その集合体が腎髄質である．分泌管の一部と集合管を含む）．= malpighian pyramid; medullary pyramid; pyramis renalis.

re·nal rick·ets 腎性くる病（小児に発生する一種のくる病で，リン酸過剰血症を伴う腎疾患に合併し，明らかにそれによって起こる）. = pseudorickets.

re·nal si·nus 腎洞（脂肪性基質に埋まって腎盤・腎杯・腎区血管が存在する腔所．腎洞があるために腎臓の形が断面や臨床画像で中央がへこんだC字形にみえる）.

re·nal thresh·old 腎閾値（血漿物質が尿中に現れる濃度）.

re·nal tu·bu·lar ac·i·do·sis 尿細管性アシドーシス（尿の酸性化能の低下，血漿重炭酸塩の低値，血漿塩素の高値を特徴とする症候群で，しばしば低カリウム血症を伴う）.

re·nal tu·bules →convoluted tubule.

re·nal veins 腎静脈（腎動脈の前で腎区静脈が合流して腎門の中で形成される太い静脈で，第二腰椎の高さで下大静脈に直角に流入する．左腎静脈は左副腎静脈と左精巣・卵巣静脈の流入を受けた後，腹大動脈と上腸間膜動脈の間を通過する(そこで圧迫されることがある)）.

re·new·ing cell 再生細胞（一生を通じて継続的に自身で再生する，肌や髪や血液にある細胞の種類）.

ren·i·form (ren′i-fōrm). 腎臓形の. = nephroid.

re·nin (rē′nin). レニン（アンギオテンシノゲンをアンギオテンシンIへ転化させる酵素）. = angiotensinogenase.

ren·in-an·gi·o·ten·sin-al·dos·ter·one sys·tem レニン-アンギオテンシン-アルドステロン系（レニン，アンギオテンシン，およびアルドステロンのホルモンが血圧調節に協調すること．血圧が持続的に低下すると腎臓からレニンを放出し，アンギオテンシンをIからIIへと変換する．アンギオテンシンIIは小動脈を直接狭窄して血圧を上昇させる他に，副腎に作用してアルドステロンを分泌させる．アルドステロンは腎の尿細管でナトリウムと水の貯留を促進する結果，血液量と血圧とが上昇する）.

ren·i·por·tal (ren′i-pōr′tăl). ***1*** 腎門の. ***2*** 腎門脈の（門脈または腎の静脈系毛細管循環についていう）.

ren·nin (ren′in). レンニン. = chymosin.

ren·nin·o·gen, ren·no·gen (rĕ-nin′ō-jen, ren′ō-jen). レンニノゲン. = prochymosin.

reno-, reni- 腎臓を意味する連結形. →nephro-.

re·no·gen·ic (rē′nō-jen′ik). 腎原性の（腎内または腎から生じる）.

re·no·gram (rē′nō-gram). レノグラム（腎で濾過排泄される放射性物質を投与した後，外部より放射能感知器により腎機能を調べること）.

re·nog·ra·phy (rē-nog′ră-fē). 腎造影(撮影)〔法〕（腎のX線撮影法）.

re·no·meg·a·ly (rē′nō-meg′ă-lē). 腎肥大〔症〕.

re·no·pri·val (rē′nō-prī′văl). 腎〔機能〕欠損の（すべての腎機能の喪失，あるいは機能している腎組織がすべて消失した状態で特徴付けられる，または起因することについていう）.

re·no·troph·ic (rē′nō-trō′fik). 向腎性の（腎の成長または栄養に影響を与えるような薬物，あるいはこのような薬物の作用についていう）. = nephrotrophic; nephrotropic.

re·no·vas·cu·lar (rē′nō-vas′kyū-lăr). 腎血管〔性〕の（腎の血管に関することで，特にこれらの血管の疾病についていう）.

re·no·vas·cu·lar hy·per·ten·sion 腎血管性高血圧〔症〕（腎動脈閉塞によって起こる高血圧）.

Ren·pen·ning syn·drome レンペニング症候群（ぜい弱X染色体によらないX染色体性精神遅滞で，低身長と小頭症を伴う．女性にもみられるが，男性に多い）.

Ren·shaw cell レンショウ細胞（脊髄の介在ニューロンの一種で，フィードバック回路から運動ニューロンが急速に興奮を繰り返すのを防ぐよう作用する）.

Re·o·vir·i·dae (rē-ō-vir′i-dē). レオウイルス科（二重鎖RNAウイルスの一科で，*Reovirus* 属，*Orbivius* 属，*Rotavirus* 属，細胞質性ポリヘドロシスウイルス群(*Cypovirus* 属)，および植物性レオウイルスの2群(*Phytoreovirus* 属，*Fijivirus* 属)合計6属からなる）.

Re·o·vi·rus (rē′ō-vī′rŭs). レオウイルス属（現在 *Orthoreovirus* とよばれているウイルスの一属(レオウイルス科).上部呼吸器感染症，軽い発熱，ときに下痢を示す小児，一見感染症状を呈しない小児などから検出されている．疾患との関連は明らかになっていない）.

rep. repeat の略.

re·pair (rē-pār′). 修復，再建（創傷治癒機転によって自然に，あるいは外科的手段のような人工的な方法によって，病的組織あるいは損傷組織が回復すること）.

re·par·a·tive den·tin 修復ぞうげ質. = tertiary dentin.

re·par·a·tive gran·u·lo·ma 修復性肉芽腫（あぶみ骨切除術の合併症．卵円窓の人工耳小骨の周りに肉芽が形成される．感音難聴が生じる）.

re·peat (rep.) (rē-pēt′). リピート，繰り返し（薬剤師への処方指示）.

re·pel·lent (rē-pel′ĕnt). ***1*** 〘adj.〙駆散性の，反発力の（追い払うまたははねつけることのできる）. ***2*** 〘n.〙忌避薬，駆散薬（害虫の刺激を追い払うまたは予防する薬）. ***3*** 〘n.〙散らし薬（腫脹を小さくする収れん薬，その他の薬）.

rep·e·ti·tion-com·pul·sion (rep′ĕ-tish′ŭn-kŏm-pŭl′shŭn). 反復強迫（精神分析学において，以前の経験または行動を，後になって打ち勝とうという無意識な努力のうちに反復する傾向．手洗いや鍵がかかっているかどうかを確認する行為を繰り返す病的な要求）.

re·pe·ti·tion max·i·mum (RM) 最大反復回数（疲労時点までのあらかじめ決められた反復回数に対して，筋肉が持ち上げることができる負荷の最大量）.

rep·e·ti·tion time (TR) 繰返し時間（MRIにおいて，パルス系列が繰り返される時間間隔）.

re·pet·i·tive lift·ing test 反復持ち上げテス

ト（軽度から中度の作業に伴う断続的，静的な労力に対する患者の反応の測定）. = weight-carrying test.

re·pe·ti·tive strain dis·or·der = cumulative trauma disorder.

re·place·ment (rē-plās′mĕnt). ***1*** 返還（元の位置に戻すこと）. ***2*** 置換.

re·place·ment ther·a·py 代償療法，置換療法（栄養不良，（腺分泌不全などの）機能障害，（出血などの）損失により生じる欠乏や障害を補う治療法）.

re·plant (rē-plant′). ***1*** 〚v.〛再移植する. ***2*** 〚n.〛再移植片，置換組織（再移植で置換される，または置換されようとしている身体の部分あるいは臓器）.

re·plan·ta·tion (rē′plan-tā′shŭn). 再移植〔術〕（器官またはその他の部分を本来の位置に再び戻し，循環を元のようにすること）. = reimplantation.

re·ple·tion (rē-plē′shŭn). 多血〔症〕（①= hypervolemia. ②= plethora(2)）.

rep·li·case (rep′li-kās). レプリカーゼ（RNA ウイルスの複製に伴う RNA 依存性 RNA ポリメラーゼを表す用語）.

rep·li·cate (rep′li-kāt, rep′li-kit). ***1*** 〚n.〛再現，反復，複製（数個の同一過程または同一観察のうちの1つ）. ***2*** 〚v.〛再現する，反復する，複製する.

rep·li·ca·tion (rep-li-kā′shŭn). ***1*** 重複試験（実験），重複観察（最初の結果を確かめたり，正確さを期したり，標本誤差をより正確に推定するために，2度以上実験や研究を繰り返すこと）. ***2*** 複製（有糸分裂または細胞増殖など. →autoreproduction）. ***3*** 複製（DNA から DNA を合成すること）.

rep·li·ca·tive form 複製型（① DNA あるいは RNA ウイルスゲノムの複製における中間段階で，通常二本鎖である. ②一本鎖の大腸菌ファージ DNA が感受性細菌に感染後に変換してできる二本鎖 DNA 型. 相補鎖（負鎖）の形成はウイルス鎖（正鎖）の侵入前から細菌内に存在した酵素によって行われる）.

rep·li·ca·tor (rep′li-kā-tŏr). 複製開始点（細菌のゲノム（染色体）上の特異な部位で，ここから DNA の複製が始まる）.

rep·li·con (rep′li-kon). レプリコン（①染色体の一部（または染色体や類似する物質の DNA の一部）であるが，それが位置する染色体とは関係なく，自己の開始コドンと終止コドンをもって複製可能なもの. ②複製単位. 真核生物系では，DNA 当たり数か所みられる）.

re·po·lar·i·za·tion (rē-pō′lăr-ī-zā′shŭn). 再分極（脱分極後に，膜，細胞，または線維の外部表面に正電荷が，また内部表面に負電荷が集まるように再び分極する過程）.

re·port (rē-pōrt′). 報告（状況，事象，または行動に関する，口頭または書面による正式な説明）.

re·port·a·ble dis·ease 報告すべき疾病. = notifiable disease.

re·por·ting bi·as 報告バイアス（疾患に関わる過去の情報を報告するとき，選んで報告したり部分的に省略したりすることから生じる系統的偏り. 例えば，性感染症に関する暴露，つまり性交の詳細）.

re·po·si·ti·o (rē-pō-zē′shē-ō). = reposition.

re·po·si·tion (rē′pō-zish′un). 還納（対立位から母指と指がもとに戻る動き. opposition の対語）. = repositio.

re·po·si·tion·ing (rē′pŏ-zish′ŭn-ing). 整復，還納. = reduction(1).

re·pos·i·tor (rē-poz′i-tŏr). 整復器，還納器（転位した臓器を戻す器械）.

re·pressed (rē-prest′). 抑圧された.

re·press·i·ble en·zyme 抑制酵素（酵素過剰の阻害物質（コリプレッサ）によって抑制されない限り生成され続ける酵素. →inactive repressor）.

re·pres·sion (rē-presh′ŭn). ***1*** 抑圧（精神療法において，自我あるいは超自我にとって受け入れがたい観念や刺激を意識から締めだし，追いだそうとする積極的な働きあるいは防衛機制）. ***2*** 抑制（遺伝子発現が抑えられること）.

re·pres·sor (rē-pres′ŏr). リプレッサ，抑制〔因〕子（調節遺伝子または抑制遺伝子による生成物）.

re·pres·sor gene 抑制遺伝子（非対立遺伝子の転写を妨げる遺伝子）.

re·pro·duc·i·bil·i·ty (rē′prō-dūs′i-bil′i-tē). 再現性（①再び存在または出現させる能力. ②異なる検査室の間で長期にわたって測定値を一致させる能力）.

re·pro·duc·tion (rē′prō-dŭk′shŭn). ***1*** 再現（心の中に過去の印象の要素を思い出し，それを現すこと）. ***2*** 生殖，繁殖（生物が子孫を生み出す全過程）. = generation(1); procreation.

re·pro·duc·tive cy·cle 生殖周期（受胎から妊娠および分娩に至る周期）.

rep·ti·lase (rep′ti-lās). レプチラーゼ（ムカデの一種 *Bothrops atrox* の毒液中に見出された酵素. フィブリノペプチドを切断することによりフィブリノゲンを凝血させる）.

re·pul·sion (rē-pŭl′shŭn). ***1*** 相反，斥力，反発（はね返す，または離れる作用. →attraction）. ***2*** 嫌悪，反感. ***3*** 相反（連鎖している遺伝子座で，反対の染色体にある遺伝子の相引相）.

re·quire·ment (rē-kwīr′mĕnt). 要求，必要条件（ある事が起こるかある物が存在するようになるのに必要な条件）.

res·cue (res′kyū). レスキュー（①臨床的あるいは治療的意味において，危害から守ること. ②突発痛のために処方される鎮痛薬. 例えば，癌治療のためのオピオイド）.

res·cue breath·ing = head-tilt/chin-lift maneuver.

res·cue med·i·ca·tion レスキュー薬（予防薬によって通常は抑制される疾患（例えば，ぜんそく，片頭痛）の急性増悪を緩和する目的で投与される薬）.

re·search (rē′sĕrch). ***1*** 〚n.〛研究，リサーチ（自然界や健康および疾病の決定要素など新しい知識やより良い理解を組織立てて求める探求.

R

リサーチには以下のような5つのタイプが認められている．観察(経験)リサーチ，分析的リサーチ，実験的リサーチ，理論的リサーチ，応用リサーチ)．***2***〖v.〗研究する，リサーチする（そのような科学的探究を行うこと）．

re·sect (rē-sekt′)．切除する（①特に関節を形成している一方または両方の骨の関節末端を切離または除去する．②身体の一部分を切除する）．

re·sect·a·ble (rē-sek′tă-bĕl)．切除可能な．

re·sec·tion (rē-sek′shŭn)．切除〔術〕（①臓器や身体構造の一部を除去することなど，特別な目的で切除する方法．②一部分を切除すること．③= excision(1))．

re·sec·to·scope (rē-sek′tō-skōp)．切除用内視鏡（膀胱，前立腺，あるいは尿道などの病変を経尿道的に電気メスで切除するとき用いる特別な内視鏡の器械）．

re·sec·to·scope e·lec·trode 子宮内切除鏡電極（組織の切除，上皮欠損部位の焼灼に用いられるループ状のワイヤ電極．子宮内膜除去に用いられる）．

re·serve (rē-zĕrv′)．予備，余量，貯蔵（利用可能で，後日用いるために蓄えられているもの）．

re·serve air 予備呼気量．= expiratory reserve volume.

re·serve force 予備力（正常機能に必要なエネルギー以上に，有機体またはその有機体の一部分に残っている力）．

res·er·voir (rez′ĕr-vwahr)．レザバー，貯蔵所．= receptaculum.

res·er·voir bag 貯蔵バッグ．= breathing bag.

res·er·voir host 保有宿主（感染生物がその中で増殖・成長し，事実上その生存を依存する感染宿主）．

res·er·voir of in·fec·tion 感染の貯蔵庫（感染性生物が増殖および(または)発育を内部またはその表面で行う生物あるいは無生物で，感染性生物が事実上その生存を依存しているもの．→fomes)．

res·er·voir ox·y·gen-con·serv·ing de·vice 貯蔵槽性酸素維持装置（酸素を貯蔵する装置で，鼻孔の下の弁のない膨らませることができる袋か，胸部に装着した弁のない袋に大口径の有孔チューブで酸素を貯える．鼻孔からの吸気時に酸素は貯蔵袋から吸引される．貯蔵庫からの一定速の流れを減らすことで酸素消費量を減らせる）．

res·er·voir of sperms 精子貯蔵所（精子が貯蔵されている部位．すなわち精巣上体の尾部の遠位部分と精管の起始部）．

res·i·dent (rez′i-dĕnt)．レジデント（臨床実地修得のために病院に属する内勤医）．

res·i·den·tial care = extended-care facility.

re·sid·u·a (rē-zid′yu-ā)．residuum の複数形．

re·sid·u·al (rē-zid′yū-ăl)．残留〔性〕の，残存〔性〕の，残渣の，残余の．

re·sid·u·al ab·scess 残留膿瘍（微生物や膿の残留により，以前に膿瘍があった場所に再発した膿瘍）．

re·sid·u·al air 残気．= residual volume.

re·sid·u·al ca·pac·i·ty = residual volume.

re·sid·u·al dose con·tam·i·na·tion 残留性物質汚染（化学的，生物学的，または放射線学的物質で，特に(しかし必ずではなく)蒸発，吸収の後，被害者または無生物の表面(外部汚染)または内側(内部汚染)に残る部分）．

re·sid·u·al schiz·o·phre·ni·a 残遺統合失調症（感情鈍麻あるいは不適切な感情，社会的引きこもり，奇妙な行動や連合弛緩がみられるが，顕著な精神病症状はない．例えば既往の統合失調症状が残存している分裂病）．

re·sid·u·al ur·ine 残尿（排尿終末時に膀胱に残っている尿．前立腺性閉塞，膀胱弛緩などの場合にみられる）．

re·sid·u·al vol·ume (RV) 残気量（最大呼息努力の後，肺に残存する空気量）．= residual air; residual capacity.

res·i·due (rez′i-dū)．残留物，残渣，残余物，残分（物質を取り除いた後に残った物）．= residuum.

re·sid·u·um, pl. **re·sid·u·a** (re-zid′yū-ŭm, -ā)．残留物，残渣．= residue.

res·in (rez′in)．樹脂，レジン（①多くの植物の硬化分泌物からなる無定形のもろい物質．揮発油から得られると考えられ，ステアロプテンと類似する．②= rosin．③ある種のチンキ剤に水を加えることによりつくられる沈殿物．④水に不溶な有機物質を表すのに広く用いる語）．

re·sin ce·ment レジンセメント（モノマーあるいはモノマー/ポリマーよりなるシステムで，歯科用合着材として用いる．修復物あるいは矯正用ブラケットの歯への合着時に使用される）．

res·in·ous (rez′i-nŭs)．樹脂の．

res ip·sa lo·qui·tur 事実推定則（自明であること．医療過誤の状況証拠が明白で，専門家による証言を必要としないこと）．

re·sis·tance (rē-zis′tăns)．抵抗〔性〕，耐性，抵抗力（①能動的な力に対抗するために働く受動的な力．②電気の導体では，電気の流れに逆らおうとする性質．このためエネルギーの損失が起こり，熱が発生する．電流1アンペア当たりに導体中に生じたボルトで表した電位差を，特に抵抗とよぶ．単位はオーム．*cf.* impedance(1)．③1つ以上の通路を通過する流体(例えば，血流や気管気管支系中の呼吸気体)の流れに逆行する力．単位は通常，単位流量を生じる圧差で表す．*cf.* impedance(2)．④精神分析において，抑圧された考えを意識化させられることに対する個人の無意識的な防衛．⑤赤血球が血漿の浸透圧の変化に対して溶血せず，形態を保つための能力．⑥ある生物のアンタゴニスト性薬剤すなわち病理微生物，毒素，薬物の作用に対して，免疫をもったりまたは抵抗性をもつような先天性または獲得した性質）．

re·sis·tance plas·mids 耐性プラスミド（細菌類(特に腸内細菌科)の間の抗生物質(または抗菌薬)耐性に関与する遺伝子を運ぶプラスミド．接合性プラスミドもあるし，非接合性プラスミドもある．接合性の場合は伝達遺伝子(耐性伝達因子)をもつが，非接合性ではもたない）．

re·sis·tance ther·mom·e·ter 抵抗寒暖計

(金属線の電気抵抗の変化から温度を測定する装置).

re·sist·ance train·ing レジスタンストレーニング（ウエイト(例えばダンベル，バーベル，マシン)を使って，時間をかけて力を強くするために，長期間筋肉群に負荷をかける技術．一部の技術はプログレッシブレジスタンス，アイソメトリック，アイソキネティックといったウエイト・トレーニングを含む）.

re·sis·tance-trans·fer fac·tor 耐性転移因子（耐性プラスミドの転移遺伝子）.

re·sis·tant starch 耐性デンプン（膵アミラーゼに耐性を持つ食物性デンプン．大腸へ逃れ，そこで大腸ミクロフローラにより短鎖脂肪酸へ発酵して変えられる）.

res·o·lu·tion (rez′ŏ-lū′shŭn). ***1*** 消散，消炎，融解（化膿を伴わない炎症過程の停止．炎症産物あるいは新生物の吸収または破壊および除去）. ***2*** 分解能（きわめてよく似た物体の分離など微小な物を光学的に区別するための能力）. = resolving power(3).

re·solve (rē-zawlv′). 消散する，散らす（特に化膿を伴わないで正常に戻す，あるいは戻そうとすること．蜂巣炎あるいは他の炎症においていう）.

re·solv·ing pow·er 分解能（①レンズの解像力．顕微鏡の対物レンズでは，使用される光線の波長を対物レンズの開口数の2倍で除して算出される．②神経学的検査における2点識別など他の方式への類似．③= resolution(2)）.

res·o·nance (rez′ŏ-năns). ***1*** 共鳴，反響（音源の上，下，前，または後ろにある空洞内の空気が共鳴振動あるいは強制振動すること．音声の場合，鼻，咽頭，および頭の空室を空気が通ることによって，音の強さは増さず，音の質(音色)が変化すること）. ***2*** 共鳴音（自由に振動しうる部分を打診することによって得られる音）. ***3*** 共振，共振れ（空洞上を聴診することによって得られる音声の増強および空洞性）. ***4*** 共鳴（化学において，電子あるいは電荷が平面的かつ対称性の化合物中の原子相互間に分配される方法で，特に共役二重結合を有する化合物中で著しい．後者の場合では，共鳴が存在するとエネルギー含量が低下し，化合物の安定性が増加する）. ***5*** 共鳴（すべての振動する系の自然あるいは固有の振動数）. ***6*** 共鳴周波数. = resonant frequency.

res·o·nant fre·quen·cy 共鳴周波数（核磁気共鳴現象において，個々の磁性原子核(スピン)が高周波エネルギーを吸収したり，放出したりする特定の周波数）. = resonance(6).

re·sorb (rē-sōrb′). 再吸収する（滲出物あるいは膿などすでに排出されたものを吸収する）.

re·sorp·tion (rē-sōrp′shŭn). 吸収（①吸収作用．②溶解，あるいは生理的，病理的方法による物質の損失）.

re·sorp·tion la·cu·nae 吸収窩. = Howship lacunae.

Re·source-Based Rel·a·tive Val·ue Scale 診療報酬支払相対評価スケール方式（患者の治療のために医療提供者によって必要とされたスキルと時間の分析を基に，メディケアがメディケアサービスの原価基準を設定することに関する米国連邦法によって義務づけられた支払いシステム）.

Re·source U·ti·li·za·tion Group (RUG) 資源使用群，リソース・ユーティライゼーション・グループ（メディケアが指定する率に相当する1日当たりの返済率を有する44の患者区分の1つ）.

res·pi·ra·ble (res′pir-ă-bĕl). 呼吸に適する.

res·pi·ra·tion (res′pir-ā′shŭn). ***1*** 呼吸（植物および動物の両者に特徴的な生命に欠かせない過程で，酸素が燃料である有機分子を酸化するために用いられ，二酸化炭素および水と同様にエネルギー源を提供する．緑色植物にみられる光合成は呼吸ではない）. ***2*** = ventilation(2).

res·pi·ra·tion rate 呼吸数（分当たりの呼吸の回数として記録された呼吸の頻度）.

res·pi·ra·tor (res′pir-ā′tŏr). ***1*** 呼吸用マスク（ほこり，煙，他の刺激物が気道にはいる前に除去したり空気を換えるために用いる，口と鼻とをおおう器具）. ***2*** レスピレータ，人工呼吸器（呼吸不全症例での人工呼吸用の器機. →ventilator）.

res·pi·ra·to·ry (res′pir-ă-tōr-ē). 呼吸〔性〕の.

res·pi·ra·to·ry ac·i·do·sis 呼吸性アシドーシス（肺換気不全あるいは換気低下による炭酸ガス貯留が原因となって起こり，腎臓での重炭酸貯留による代償が起こらない限り血液 pH は低下する）. = hypercapnic acidosis.

res·pi·ra·to·ry al·ka·lo·sis 呼吸性アルカローシス（過呼吸による炭酸ガスの異常喪失によって起こるアルカローシス．能動性と受動性の両者があり，同時に動脈の血漿重炭酸イオン濃度の減少を伴う. →compensated alkalosis）.

res·pi·ra·to·ry as·sess·ment 呼吸評価（医療提供者による患者の呼吸器の評価．肺のある領域を聴診し，その音を別の肺の対称領域の音と比較することにより行われる）.

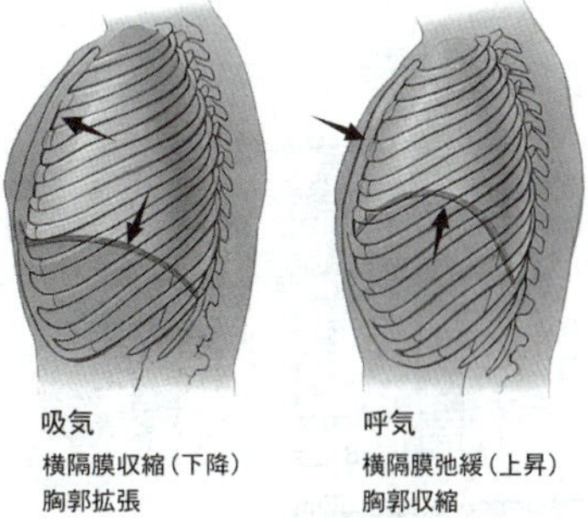
吸気
横隔膜収縮(下降)
胸郭拡張
肺容積増大
呼気
横隔膜弛緩(上昇)
胸郭収縮
肺容積減少

respiration

R

res·pi·ra·to·ry bron·chi·oles 呼吸細気管支（終末細気管支を肺胞管につなぐ最小細気管支（直径 0.5 mm）．肺胞が壁の一部から出ている）．

res·pi·ra·to·ry ca·pac·i·ty 呼吸容量．= vital capacity.

res·pi·ra·to·ry care 呼吸管理（適切な機材および技術を用いて行う，最適な呼吸機能の維持または回復を目指した健康管理医療の補助的な形式．呼吸管理の実施は，様々な状況において医学的な管理のもとで資格をもつ専門家が行うもので，診断検査および持続的監視，患者の教育，治療，リハビリテーションなどがある）．

res·pi·ra·to·ry care prac·ti·tion·er（RCP） 呼吸ケア実施士（医師の指示の下で働く，関連保健専門家．患者を教育・治療し，治療に対する反応および治療を継続するかどうかの評価を行い，また心肺機能に欠陥および異常のある患者を管理・監視する．診療免許を受けた個人に対して，州がこの名称を与える）．= respiratory therapist.

res·pi·ra·to·ry cen·ter 呼吸中枢（呼吸筋への信号を決定するために求心情報を統合する延髄の部分．吸息中枢および呼息中枢をともに包含する）．

res·pi·ra·to·ry com·pli·ance 呼吸コンプライアンス（呼吸筋が弛緩したときの肺内圧の単位当たりの増加での肺の膨張度で，静的と動的に分けられる）．= respiratory system compliance.

res·pi·ra·to·ry dis·tress syn·drome of the new·born 新生児呼吸窮迫症候群（新生児にみられる急性の肺疾患で，頻呼吸，鼻の発赤を特徴とする．主に未熟児にみられ，サーファクタントの欠乏による肺胞の虚脱が原因）．= hyaline membrane disease.

res·pi·ra·to·ry di·ver·tic·u·lum 呼吸憩室（原始咽頭の尾側端からの内胚葉性の憩室で，気管支の上皮と腺を形成する．その後，憩室は前腸から分離し，管となる）．= lung bud; tracheobronchial diverticulum.

res·pi·ra·to·ry en·ter·ic or·phan vi·rus 呼吸器・腸内・オーファンウイルス（エンベロープのない正二十面体のウイルスで，二重鎖 RNA が多分節状となったゲノムからなる 2 層のカプシドを有する．レオウイルス科で，呼吸器と消化管からしばしば分離される）．

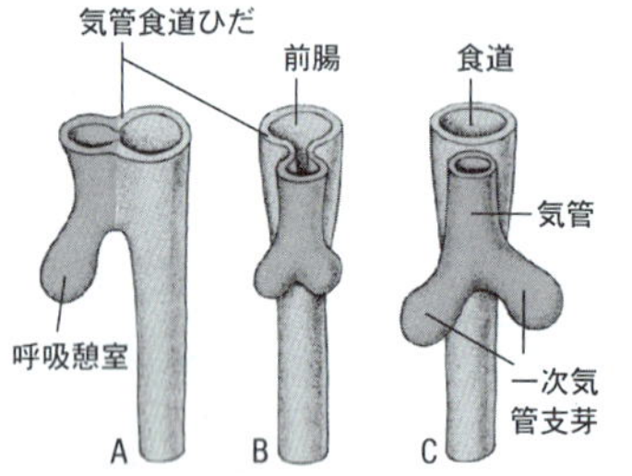

気管食道ひだ
前腸
食道
気管
呼吸憩室
一次気管支芽
A
B
C

respiratory diverticulum
A—C：気管食道ひだが中隔を形成し，前腸が食道と気管支，一次気管支芽に分かれる過程．

res·pi·ra·to·ry en·zyme 呼吸酵素（組織内にあって酸化還元系の一部として基質を炭酸ガスと水に変え，遊離した電子を酸素に与える作用を行う酵素）．

res·pi·ra·to·ry ex·change ra·ti·o 呼吸交換率（一定の部位における炭酸ガスの純放出量の，酸素の同時純吸入量に対する比．ともに単位時間当たりのモル数か STPD で表される）．

res·pi·ra·to·ry fail·ure 呼吸不全（急性あるいは慢性の肺機能低下で低酸素血症あるいは高炭酸ガス血症となる，無数の呼吸器疾患の最終共通路である）．

res·pi·ra·to·ry fre·quen·cy（f） 呼吸頻度（1 分間当たりの呼吸数）．

res·pi·ra·to·ry gat·ing 呼吸ゲーティング（例えば呼気時のデータ集積に役立つような，電気回路の引き金となる呼吸から得られるシグナルをとらえる方法．→navigator echo）．

res·pi·ra·tor·y in·duc·tance pleth·ys·mog·ra·phy（RIP） 呼吸プレチスモグラフィー（肺機能テストに使用されるモダリティ）．

res·pi·ra·tor·y i·so·la·tion 呼吸隔離（飛沫感染によって広がる可能性のある病気にかかった患者に使用される．患者の部屋に入る者は全員マスクを着用しなければならない）．

res·pi·ra·to·ry min·ute vol·ume 分時呼吸量（1 分間の呼吸量．一回換気量と呼吸数の積．→pulmonary ventilation）．

res·pi·ra·to·ry pause 呼吸休止，呼吸停止（10 秒以下の呼吸休止．→sleep apnea）．

res·pi·ra·to·ry pig·ments 呼吸色素（血液と組織中の酸素運搬（着色）物質．ヘモグロビン，ミオグロビン，ヘモシアニンなど）．

res·pi·ra·to·ry quo·tient（RQ） 呼吸商（組織代謝によって生じる二酸化炭素の，同じ組織代謝において消費される酸素に対する定常状態比率）．

res·pi·ra·to·ry rate 呼吸数（分当たりの呼吸の回数として記録された呼吸の頻度）．

res·pi·ra·to·ry scle·ro·ma 〔上〕気道硬化〔症〕（上気道の大部分または全部の粘膜に病変がある鼻硬化症）．

res·pi·ra·to·ry sounds 呼吸音．= breath sounds.

res·pi·ra·to·ry syn·cy·tial vi·rus（RSV） RS ウイルス（パラミクソウイルス科 *Pneumovirus* 属の RNA ウイルスで，組織培養で合胞体を形成する傾向があり，成人には鼻炎や咳を伴う軽症の呼吸器感染症を惹起するが，年少小児では重篤な気管支炎や気管支肺炎の原因となることがある）．

res·pi·ra·tor·y syn·cy·tial vi·rus im·mune glob·u·lin in·tra·ve·nous（RSV-IGIV） RS ウイルス免疫グロブリン静注剤（RS ウイルスによって引き起こされる感染を防ぐため使われる受動免疫薬．呼吸困難または未熟児出産暦のある24か月未満の小児に非経口的に与えられる．本剤に対する禁忌は，ヒト免疫グロブリンに対するアレルギー反応またはヒト免疫グロブリンA (IgA)欠乏症).

res·pi·ra·to·ry sys·tem com·pli·ance = respiratory compliance.

res·pi·ra·to·ry ther·a·pist 呼吸治療士. = respiratory care practitioner.

res·pi·ra·to·ry ther·a·py 呼吸療法 (一respiratory care).

res·pi·ra·to·ry tract 気道 (鼻から咽頭，喉頭，気管，気管支を通じ肺胞に至る空気の通路).

res·pi·rom·e·ter (res′pir-om′ĕ-tŏr). 呼吸計 (①呼吸運動の程度を測定する器具. ②通常，単離した組織を用いた酸素消費または二酸化炭素生成の測定用器具).

res·pite care レスパイトケア (通常の介護者が休息や，責務から離れる時間を取れるように，患者に提供される一時的または定期的なケア).

re·spon·de·at su·pe·ri·or 代位責任 (従業員の行為に対する責任を雇用主に負わせる法原理. ときに「船長の原則」あるいは代理権法と呼ばれる).

re·sponse (rĕ-spons′). ***1*** 応答 (刺激に対する筋肉，神経，腺，または他の部分の反応). ***2*** 反応 (生物がなしうる動作または行動，あるいはその構成要素. 反射は，刺激が非特異的な条件で誘発されるよりはむしろ，特異的な刺激(無条件または自然な)によってより特徴的に誘発されるので通常，反応からは除外される).

res·ponse bi·as 反応バイアス (研究参加を選択したりボランティアとして参加する人とそうでない人の性格・背景の違いによって引き起こされる系統的偏り).

rest (rest). ***1*** 〚n.〛 安静，静止. ***2*** 〚v.〛 静止する，休憩する. ***3*** 〚n.〛 残余，残物，遺残 (別の性質をもつ組織中に置換あるいははめ込まれた胎児の組織の細胞または部分). ***4*** 〚n.〛 レスト (歯科において，垂直的な支持を得るための義歯からの延長物).

re·ste·no·sis (rē′stĕ-nō′sis). 再狭窄 (心臓弁の矯正手術後の狭窄の再発. 以前の狭窄の切除または縮小後の構造(通常は冠状動脈)の狭窄).

rest, ice, com·pres·sion, el·e·va·tion (RICE) 急性炎症，特に整形外科的軟部組織傷に関する，通常の非侵襲性治療法を覚えやすく表した頭字語. 患部を安静にして(rested)，氷を当て(ice)，何かの支え(収縮する包帯，ひもの付いた長靴)を用いて圧迫し(compression)，心臓の高さあるいは心臓より高い位置まで上げる(elevation).

res·ti·form (res′ti-fōrm). 索状の (索状体，すなわち下小脳脚の大きい外側部についていう. 脊髄から小脳への脊髄小脳線維と延髄から小脳への楔状束小脳線維・オリーブ小脳線維・網様体小脳線維を含む).

res·ti·form bo·dy 索状体 (下小脳脚の外側を占める大きいほうの束で，延髄の背外側面であり各種の神経線維を含む. 例えば(これに限らないが)，オリーブ小脳路，網様体小脳路，楔状核小脳路，三叉神経小脳路，背側脊髄小脳路など).

rest·ing en·er·gy ex·pen·di·ture (REE) 安静時エネルギー消費量 (*cf.* basal metabolic rate).

rest·ing hand splint 安静肢位保持用スプリント (痛みや筋収縮を防ぐため，機能しない手や手首をニュートラルな安静位置に固定することを目的としたスプリント).

rest·ing met·a·bol·ic rate (RMR) 安静時代謝率(RMR) (呼吸や循環を含む，基本機能を維持するために必要な最低限のカロリー).

rest·ing ti·dal vol·ume 安静時一回換気量 (正常状態下での一回換気量，すなわち運動や呼吸を刺激するその他の状態にないときの一回換気量).

rest·ing trem·or 安静時振せん (周波数3—5 Hzの粗な律動性振せん. 手と前腕に限局していることが多い. 肢を安静にしたときに出現し，自分で肢を動かすと消失する. パーキンソン病の特徴).

rest·i·tope (res′ti-tōp). 限定構造基 (MHCクラスII分子と相互作用するT細胞レセプタの一部分).

res·ti·tu·tion (res′ti-tū′shŭn). 外回旋，第4回旋 (産科学において，陰門から児頭が発露した後に肩甲に対する相対関係を復旧するために起こる回旋).

rest jaw po·si·tion = rest position.

rest·less legs syn·drome (RLS) 不穏下肢症候群 (表現しがたい落着きのなさ，ひきつり，または不安定さの感覚が就寝後に下肢に起こり，しばしば不眠症をもたらす. 歩き回ることで一時的に治る. 不十分な血液循環により，またはSSRIや他の向精神薬の副作用によるとされている).

Res·ton vi·rus レストンウイルス (エボラウイルスの一変種). = Ebola virus Reston.

res·to·ra·tion (res′tŏr-ā′shŭn). ***1*** 修復 (歯科における補てつ修復または補てつ装置. 歯質または歯，口腔組織の欠損部分を修復する，または補うためのインレー，冠，橋義歯，局部床義歯，または総義歯に適用される広い意味をもつ用語). ***2*** 修復物 (う食の除去によって生じた歯の欠損部を修復するために用いる金やアマルガムなどの材料).

re·stor·a·tive (rĕ-stōr′ă-tiv). ***1*** 〚adj.〛 回復推進の (健康と体力を回復する). ***2*** 〚n.〛 強壮薬 (健康および体力の回復を促進させる薬剤).

re·stor·a·tive den·tis·try 保存修復学 (アマルガム，ポーセレン，樹脂，または金属により個々の歯を修復すること. →implant; oral and maxillofacial surgery).

rest pain 休息痛 (休息しているときの痛み. 通常，四肢に起こり，重症の動脈不全を示唆する).

rest po·si·tion 安静位 (そしゃく筋が弛緩したときの下顎骨の通常の位置). = physiologic rest position; postural position; postural resting position; rest jaw position.

re·straint (rē-strānt′). 抑制，拘束 (病院精神

医学において，興奮したり衝動的であるような患者が，自分自身あるいは他人に危害を加えないようにするための介入処置．拘束用ジャケットの使用も含む）．

re·stric·tion (rē-strik′shŭn)．拘束（①原核細胞に導入された外来DNAが，無効になる過程．②制限）．

re·stric·tion en·do·nu·cle·ase 制限エンドヌクレアーゼ（バクテリアから単離された多くの酵素の1つで，外来の二重鎖DNAの特定のDNA配列の認識部位で加水分解(切断)する．これらの酵素は，配列を推論する第1段階として，DNAの特異的な切断を行う基本的実験手段となっている）．= restriction enzyme.

re·stric·tion en·zyme 制限酵素．= restriction endonuclease.

re·stric·tion frag·ment length pol·y·mor·phism (RFLP) 制限酵素断片長多型（集団あるいは個人間の相互関係を遺伝的に分析する場合に用いる．蛋白をコードしていないヒトゲノムの領域では，しばしば個人間で広範囲の配列多様性が測定されうる）．

re·stric·tion site 制限酵素認識部位（核酸の配列の中で，エンドヌクレアーゼの切断作用を受けやすい不安定な境界塩基部位）．= cleavage site.

re·stric·tion-site pol·y·mor·phism 制限部位多型性（DNA多形性のなかで，1つの存在型には特殊なエンドヌクレアーゼの認識部位を含むが，他型の配列にはそのような部位を欠くもの）．

re·stric·tive ven·ti·la·to·ry de·fect 拘束性換気障害（気道閉塞では説明のつかない肺気量の減少．生理学的には全肺気量の低下として一般に表される）．

rest of Ser·res セレスの遺残（歯肉内に歯堤上皮が取り残されて残存したもの）．

re·sus·ci·tate (rē-sŭs′i-tāt)．蘇生する（仮死状態から生命を回復する）．

re·sus·ci·ta·tion (rē-sŭs′i-tā′shŭn)．蘇生〔法〕，救急蘇生〔法〕（仮死後の生命の回復）．

re·tained men·stru·a·tion 月経貯留．= hematocolpos.

re·tained pro·ducts of con·cep·tion 妊娠の遺残分（胎児部分，胎盤，または卵膜の，分娩あるいは流産後の遺残．出血あるいは感染のリスクが高い）．

re·tain·er (rē-tān′ĕr)．維持装置，支台装置，固定装置，保定装置（補てつ物の固定または安定化のために用いる鉤，アタッチメント，またはその他の装置．歯科矯正治療後の歯の移動を防ぐために用いる歯科矯正装置）．

re·tar·da·tion (rē′tahr-dā′shŭn)．遅延，遅滞（①発達がゆっくりしているか，制限されていること．②認知的発達に関する障害）．

re·tard·ed den·ti·tion 萌出遅延，晩期生歯（石灰化，伸長，萌出などのような歯の成育現象が，何らかの全身的代謝機能不全(例えば甲状腺機能低下)のため，正常の場合の萌出時期より遅く現れること）．

retch (rech)．吐き気を催す，むかつく（無意識に吐こうとする）．

retch·ing (rech′ing)．むかつき，レッチング（嘔吐を伴わない胃，食道の嘔吐様の動き）．= dry vomiting; vomiturition.

re·te, pl. re·ti·a (rē′tē, -shē-ă)．網（①= network(1)．②線維網または網目構造）．

re·te car·pal·e dor·sal·e 背側手根動脈網．= dorsal carpal arterial arch.

re·te car·pi pos·ter·i·us = dorsal carpal arterial arch.

re·te cu·ta·ne·um co·ri·i 真皮血管網（真皮と皮下組織の間で表面に平行して走る血管網）．

re·te mi·ra·bi·le 怪網（動脈または静脈の連続性を断ち切る血管網で，腎糸球体(動脈)または肝(静脈)の中などに存在する）．

re·ten·tion (rē-ten′shŭn)．***1*** 遺残，貯留（通常，そこに属するものを身体中に保持することで，特に胃に食物や飲物を保持することをいう）．***2*** うっ滞，停留，停滞（尿や便など，通常，放出されるべきものの身体内への保留）．***3*** 保持，記銘（今まで習ったことの保持で，その結果，想起，認識，あるいは，もし記銘が部分的ならば，再学習として後に使用されうる．→ memory）．***4*** 固定，保定，維持，保持（移動に対する抵抗）．***5*** 保定（歯科において，動かした歯を新しい位置に保持，安定させるため，治療後患者に装置を装着させる受動的期間）．

re·ten·tion cyst 貯留性囊胞（腺の分泌機構が閉塞したために生じた囊胞）．

re·ten·tion jaun·dice 停留性黄疸（肝臓の機能不全または胆汁色素の過剰産生によって起こる黄疸．胆汁色素は肝細胞を通過しないため，ビリルビンは非抱合型である）．

re·ten·tion su·ture 保持縫合（一次縫合の緊張を軽減するために腹壁の筋肉や筋膜に大きく深くかけた補強縫合）．= tension suture.

re·ten·tion vom·it·ing 停留性嘔吐（機械的閉塞により生じる嘔吐で，通常，食後数時間してみられる）．

re·te o·va·ri·i 卵巣網（発生途上の卵巣中に一過性にみられる細胞の網状配列．精巣網に相当する）．

re·te ridge 乳頭間隆起（真皮乳頭間での表皮の下方への肥厚．真皮乳頭は円柱状であるが，乳頭間の表皮肥厚は円柱状でないので，pegは誤称である）．

re·te sub·pa·pil·la·re 乳頭下層血管網（真皮の乳頭層および網状層の間にある血管網）．

re·te tes·tis 精巣網（精巣縦隔中にあって，直走する精巣輸出小管の先端にみられる管網）．

re·ti·a (rē′shē-ă)．reteの複数形．

re·ti·al (rē′shē-ăl)．網の．

re·tic·u·la (re-tik′yū-lă)．recticulumの複数形．

re·tic·u·lar, re·tic·u·lat·ed (rĕ-tik′yū-lăr, -lāt′ĕd)．網様の，細網〔状〕の．

re·tic·u·lar ac·ti·vat·ing sys·tem (RAS) 網様体賦活系（生物の敏活な体と行動に大きな役割を果たす脳幹網様体を意味する生理学的名称．分散状に組織された神経装置として脳幹中心部を通って，視床下部と視床の層内核に広がる．上行結合により，行動反応性感覚における脳皮質の機能に影響を与える．下行(網様体脊髄)結合は，体の姿勢と反射機構(例えば筋緊張)，部分的にはガンマ運動ニューロンにより活性化を行う．→reticular formation)．

re·tic·u·lar de·gen·er·a·tion 網状変性（重症の表皮浮腫．多房性水疱をもたらす)．

re·tic·u·lar dys·tro·phy of cor·ne·a 格子状角膜ジストロフィ，格子状角膜異栄養〔症〕(両眼性，進行性の，角膜上皮および隣接前境界板の表層の変性)．

re·tic·u·lar fi·bers 細網線維（III 型膠原線維で，胎児組織・間葉・脾赤色髄・リンパ節の皮質および髄質・骨髄の造血部位に明瞭に認められる疎性結合組織間質を形成する．また皮膚・血管・滑膜・子宮・肉芽組織の膠原線維の大部分を占める．細い線維の網状構造，好銀性，PAS 陽性を特徴とする)．

re·tic·u·lar for·ma·tion 網様体（大きいが，漠然としか境界の定まらない神経系の構造で，密に交錯する灰白質と白質からなり，脳幹の中心部に存在し，間脳中に至る．この用語は，運動ニューロンや，特殊感覚伝導路の一部を構成するニューロン群以外の脳幹の多数のニューロンをさす．これらのニューロンは一般に長い樹状突起と様々な求心性線維結合を有する．網様体は非常に複雑な多シナプス性の上行性および下行性の線維結合を有し，これらは自律神経系(呼吸，血圧，体温調節など)や内分泌機能，あるいは姿勢における骨格筋の反射活動，覚醒や睡眠などの一般的な活動状態を中枢支配する上で役割を果たす)．= formatio reticularis; reticular substance(2)．

re·tic·u·lar mem·brane 網状膜（らせん器細胞の板状構造によって形成される膜．上から見ると網状に見える)．= membrana reticularis.

re·tic·u·lar sub·stance 網様質（①顆粒がビーズのように連なった糸状形質物質．未熟赤血球細胞中に生体染色法で証明できる．②= reticular formation)．

re·tic·u·lar tis·sue, ret·i·form tis·sue 細網組織（好銀性の膠原性線維が網絡を形成する，通常，線維と結合した細網細胞をもつ組織)．

re·tic·u·lat·ed bone = woven bone.

re·tic·u·la·tion (rĕ-tik′yū-lā′shŭn)．細網化(細網の存在または形成で，活発な血液再生中の赤血球細胞中にみられるようなものをいう．胸部 X 線パターンを述べるのにも用いられる)．

re·tic·u·lin (rĕ-tik′yū-lin)．レチクリン（細網線維の化学物質の名．III 型コラーゲン(会合したプロテオグリカンおよび構造糖蛋白として存在)とみなされている)．

reticulo-, reticul- 細網，網状の，を意味する連結形．

re·tic·u·lo·cyte (rĕ-tik′yū-lō-sīt)．網〔状〕赤血球（ポリリボソームを示すブリリアントクレシルブルーにより染色される好塩基性の細胞質網をもつ幼若な赤血球．血液産生過程が活性化すると増加する．→reticulocyte production index; erythroblast)．

re·ti·cu·lo·cyte pro·duc·tion in·dex (RPI) 網赤血球産生指数（貧血時に，骨髄反応の指標として用いる計算値．患者のヘマトクリット ÷ 0.45 L/L × 網状赤血球数(%) × 1 ÷ 網状赤血球の成熟時間)．

re·tic·u·lo·cy·to·pe·ni·a (rĕ-tik′yū-lō-sī′tō-pē′nē-ă)．網〔状〕赤血球減少〔症〕（血液中の網状赤血球の不足)．= reticulopenia.

re·tic·u·lo·cy·to·sis (rĕ-tik′ū-lō-sī-tō′sis)．網〔状〕赤血球増加〔症〕（正常値(全赤血球細胞の 1% 以下)以上の循環網状赤血球の増加．活発な血球再生中(赤色骨髄の刺激)およびある種の貧血，特に先天性溶血性貧血にみられる)．

re·tic·u·lo·en·do·the·li·al (rĕ-tik′yū-lō-en′dō-thē′lē-ăl)．細網内〔皮〕細胞の，網内細胞の．

re·tic·u·lo·en·do·the·li·um (rĕ-tik′yū-lō-en′dō-thē′lē-ŭm)．細網内〔皮〕細胞，網内細胞(細網内皮系を構成する細胞)．

re·tic·u·lo·his·ti·o·cy·to·ma (rĕ-tik′yū-lō-his′tē-ō-sī-tō′mă)．細網組織球腫（糖脂質を含んだ多核の大組織球からなる皮膚の孤立結節．ときとして多発性病巣が関節炎(リポイド皮膚関節炎)に随伴して起こる)．

re·tic·u·lo·pe·ni·a (rĕ-tik′yū-lō-pē′nē-ă)．= reticulocytopenia.

re·tic·u·lo·sis (rĕ-tik′yū-lō′sis)．細網症，細網内皮〔増殖〕症（組織球，単球，あるいは他の細網内系要素の増加)．

re·tic·u·lo·spi·nal tract 網様体脊髄路（橋と延髄の網様体から脊髄に向かって下る様々な線維束をさす集合語．これらの線維の一部は，循環機能および呼吸機能を調節する中枢から出る刺激をそれぞれの臓器を支配する脊髄のニューロンに導く．他の線維は，筋緊張と身体運動をコントロールする錐体外路運動神経路を形成し，前運動皮質，小脳，線条体の活動を脊髄運動神経に伝達する)．

re·tic·u·lum, pl. re·tic·u·la (rĕ-tik′yū-lŭm, -lă)．***1*** 小網（細胞によって形成されるか，細胞内のある構造あるいは細胞間の結合組織線維によりつくられる網状体)．***2*** 神経膠．= neuroglia. ***3*** 第二胃（反すう類の第二胃で，その壁の特徴的な構造のため honeycomb(蜂巣胃)ともよばれる．前胃につながるかなり小さな室からなる)．

ret·i·form (ret′i-fōrm)．網様の，網状の．

ret·i·na (ret′i-nă)．網膜（大きく分けて網膜は，網膜視部，網膜毛様体部，網膜虹彩部の 3 つの部分からなる．視覚部分は，視光線を受ける生理的部分で，色素部と神経部の 2 つの部分からなり，***1*** 色素上皮層，***2*** 杆錐状体の内外節の層，***3*** 外境界膜，実際には連結複合体の列，***4*** 外顆粒層，***5*** 外網状層，***6*** 内顆粒層，***7*** 内網状層，***8*** 神経節細胞層，***9*** 神経線維層，***10*** 内境界膜，の各層で構成されている．***2*** から ***10*** の層は神経部である．視軸の後極には，黄斑があり，その中心は中心窩で中心視力を有する域である．ここでは，***6*** から ***9*** の層には血管がなく，伸長した錐体のみが存在する．黄斑に対して約 3 mm 内側には視神経乳頭があり，そこには神経節細胞の軸索が収れんし，視神経となる．網膜の毛様体部および虹彩部は色素上皮層の延長部と，毛様体および虹彩の後面をそれぞれおおっている一層の円柱状上皮細胞層からなる)．

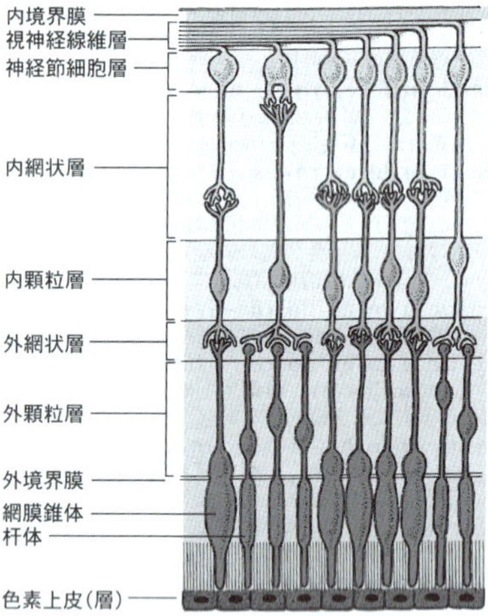
内境界膜
視神経線維層
神経節細胞層
内網状層
内顆粒層
外網状層
外顆粒層
外境界膜
網膜錐体
杆体
色素上皮(層)

layers of the retina

ret·i·nac·u·la of ex·ten·sor mus·cles 〔足の〕伸筋支帯 (→inferior extensor retinaculum; superior extensor retinaculum).

ret·i·nac·u·la of per·o·ne·al mus·cles 腓骨筋支帯. = peroneal retinaculum.

ret·i·nac·u·lum, gen. **ret·i·nac·u·li,** pl. **ret·i·nac·u·la** (ret′i-nak′yū-lŭm, -lī, -lă). 支帯 (小帯，保持帯または靱帯).

ret·i·nac·u·lum cu·tis 皮膚支帯 (すだれ状に配列した無数の細い線維群で，真皮深層面に付着する浅筋膜から深筋膜に走り，その下にある構造と皮膚との間の動きを左右している). = retinaculum of skin.

ret·i·nac·u·lum of skin 皮膚支帯. = retinaculum cutis.

ret·i·nac·u·lum ten·di·num 腱支帯 (腱を拘束する靱帯構造. 例えば，屈筋支帯，伸筋支帯，指の線維鞘の輪状部分など).

ret·i·nal (ret′i-năl). ***1*** 網膜の. ***2*** レチナール；retinaldehyde (ほとんどがオール-*trans* 型である).

11-*cis*-ret·i·nal (sis′ret′i-năl). 11-*cis*-レチナール (レチナールデヒドの異性体で，オプシンと結合してロドプシンを生成する. 11-*trans*-レチナールからレチナールイソメラーゼにより生成される).

ret·i·nal ad·ap·ta·tion 網膜順応 (照明の程度に応じる順応).

ret·in·al·de·hyde (ret-i-nal′dĕ-hīd). レチナールアルデヒド (レチノールの末端基(ヒドロキシル基)が酸化してアルデヒドになったもの. 光によるロドプシンの退色または視覚周期のオプシンの解離で，(オール-*trans*-レチナールとして) 遊離されるカロチン). = retinene.

ret·i·nal de·tach·ment, de·tach·ment of ret·i·na 網膜剥離 (神経網膜と色素上皮の相互位置関係が消失すること).

ret·i·nal fis·sure 網膜裂 (眼杯と眼杯茎の陥入により生じる腹側の溝で，硝子体血管を生じる血管性間葉がつくる). = choroid fissure; optic fissure.

ret·i·nal i·som·er·ase レチナール〔デヒド〕イソメラーゼ (オール-*trans*-レチナール(デヒド)の 11-*cis*-レチナール(デヒド)への *cis-trans* 転換を触媒するイソメラーゼ. 視覚周期の一部分).

ret·i·nene (ret′i-nēn). レチネン，視黄. = retinaldehyde.

ret·i·ni·tis (ret′i-nī′tis). 網膜炎.

ret·i·ni·tis pig·men·to·sa 色素性網膜炎，網膜色素変性症 (両眼性の夜盲，求心性の視野欠損，網膜電図の異常，網膜内の色素浸潤を特徴とする進行性の網膜変性. 註本用語の直訳は〝色素性網膜炎〟であるが，日本では用いられず，〝網膜色素変性症〟といわれる. 欧米では degeneratio pigmentosa retinae または retinary pigmentary degeneration といわれる). = pigmentary retinopathy.

ret·i·ni·tis pro·li·fer·ans 増殖性網膜炎(症). = proliferative retinopathy.

retino-, retin- 網膜を意味する連結形.

ret·i·no·blas·to·ma (ret′i-nō-blas-tō′mă). 網膜芽〔細胞〕腫 (未熟な網膜細胞からなる小児の眼の悪性腫瘍で，通常は生後 3 年以内に発症する. 濃染色する核をもつ小型の円形細胞と，ロゼットを形成する細長い細胞とがみられるのが特徴. 家族例では，本疾患は通例両側性で，同一眼内で多発病巣である. 散発性では，これらはまれ).

ret·i·no·cho·roid (ret′i-nō-kōr′oyd). 網〔膜〕脈絡膜の. = chorioretinal.

ret·i·no·cho·roid·i·tis (ret′i-nō-kōr′oyd-ī′tis). 脈絡網膜炎 (脈絡膜までひろがった網膜の炎症).

ret·i·no·cho·roid·i·tis jux·ta·pa·pil·la·ris 乳頭隣接脈絡網膜炎 (視神経に近接する脈絡網膜炎). = Jensen disease.

ret·i·no·ic ac·id レチン酸 (末端の -CHO が酸化され -COOH になったレチナール. 痤瘡の治療に局所的に用いる. 成長と分化に重要な役割をはたす). = vitamin A_1 acid.

ret·i·no·ic a·cid re·cep·tor レチノイン酸レセプタ (レチノイン酸に対する核レセプタ).

ret·i·noids (ret′i-noydz). レチノイド (レチン酸から誘導される角膜溶解薬に分類され，重度な痤瘡および乾癬の治療に用いる).

ret·i·noid X re·cep·tor レチノイド X レセプタ (レチノイン酸に対するレセプタ. レチノイン酸に対する親和性がレチノイン酸レセプタより低い. その機能は十分には明確にされていない).

ret·i·nol (ret′i-nol). レチノール；vitamin A_1 alcohol (視覚周期の中間体. 成長と分化にも働く).

ret·i·nol ac·tiv·i·ty e·quiv·a·lents (RAE) レチノール活性当量 (少なくとも 1 つの非置換型イオノン環を含むプロビタミンカロ

テノイドをレチンアルデヒドに転換する体の能力を基にしたビタミンA活性度の基準. 1 μg の RAE = 1 mg のレチノール= 12 mg の β カロチン = 24 mg のその他のビタミンA前駆体カロチノイド).

ret·i·nol-bind·ing pro·tein (RBP) レチノール結合蛋白（レチノールを肝臓に輸送する蛋白).

ret·i·nol de·hy·dro·ge·nase レチノールデヒドロゲナーゼ（レチナールとNADHおよびレチノールとNAD^+ の相互転換を触媒するオキシドレダクターゼ).

ret·i·no·pap·il·li·tis (ret′i-nō-pap′i-lī′tis). 乳頭網膜炎（視神経乳頭にまで広がった網膜の炎症).

ret·i·nop·a·thy (ret′i-nop′ă-thē). 網膜症, 網膜障害（網膜の非炎症性変性疾患).

ret·i·nop·a·thy of pre·ma·tu·ri·ty 未熟〔児〕網膜症（線維組織や血管による感覚網膜の異常な置換で, 主として高酸素濃度の環境に置かれた未熟児に起こる). = Terry syndrome.

ret·i·no·pex·y (ret′i-nō-pek-sē). 網膜復位術（剥離網膜を本来の部位に復位させる方法. すなわち冷凍によって網脈絡膜を癒着させる).

ret·i·nos·chi·sis (ret′i-nos′ki-sis). 網膜分離〔症〕（変性による網膜の分割で, この2層間に嚢胞が形成される).

ret·i·no·scope (ret′i-nō-skōp). レチノスコープ（検影法の際に, 検査眼網膜を照明するために用いる光学器械).

ret·i·nos·co·py (ret′i-nos′kŏ-pē). 検影法（網膜を照らし, 眼から帰る光線を観察することにより屈折異常を検出する方法). = shadow test; skiascopy.

ret·i·nyl es·ters レチニルエステル（体内を肝臓から目的地点までレチノール結合蛋白質(RBP)を運ぶことができるレチノールの貯蔵型の一つ).

re·trac·tile (rē-trak′tīl). 退縮性の, 伸縮自在の.

re·trac·tion (rĕ-trak′shŭn). ***1*** 退縮, 後退, 収縮. ***2*** 歯の後方移動で, 通常は矯正装置の助けを借りて行う.

re·trac·tion pock·ets 内陥ポケット, リトラクションポケット（慢性的な中耳腔の除圧のために生じる鼓膜の一部の陥凹. 進行すると真珠腫を形成する可能性がある).

re·trac·tor (rē-trak′tŏr). ***1*** レトラクタ, 開創器,〔開〕創鉤, 牽引子（創縁を広げたり, 手術野に隣接した組織をよけたりするための器具). ***2*** レトラクタ(身体の一部分を後方に引っ張る筋. 例えば, 僧帽筋中部線維と側頭筋水平線維で, 僧帽筋中部線維は肩甲骨のレトラクタであり, 側頭筋水平線維は下顎骨のレトラクタである).

re·treat from re·al·i·ty 現実世界とのかかわりを, 空想的満足または空想で代理すること.

re·trench·ment (rē-trench′mĕnt). 短縮術（ぜい肉組織を切り取ること).

re·triev·al (rē-trē′văl). 想起（記憶過程におけるコード化 encoding と貯蔵 storage の後の第3段階. 貯蔵された情報を意識に呼び戻す精神過程. →memory).

retro- 後方または後部を意味する接頭語.

re·tro·au·ri·cu·lar fold 耳介後ひだ（耳介と耳後部皮膚の境にできる皮膚の溝).

ret·ro·au·ric·u·lar lymph node 耳介後リンパ節（乳様突起の後方にある2, 3個のリンパ節. 頭頂部や耳介からのリンパを受け取り深前頸リンパ節に注ぐ).

ret·ro·buc·cal (ret′rō-buk′ăl). 頬後〔方〕の, 口腔後方の.

ret·ro·bul·bar an·es·the·si·a 球後麻酔（眼の感覚脱失を引き起こすために球後に局所麻酔薬を注入すること).

ret·ro·bul·bar neu·ri·tis 球後視神経炎（視神経円盤の腫脹を伴わない視神経炎).

re·tro·cal·ca·ne·al bur·sa = bursa of tendo calcaneus.

ret·ro·cal·ca·ne·o·bur·si·tis (ret′rō-kal-kā′nē-ō-bŭr-sī′tis). 踵骨後粘液嚢炎. = achillobursitis.

ret·ro·ce·cal (ret′rō-sē′kăl). 盲腸後〔方〕の.

ret·ro·cer·vi·cal (ret′rō-sĕr′vi-kăl). 子宮頸管後〔方〕の.

ret·ro·ces·sion (ret′rō-sesh′ŭn). ***1*** 後退（元に戻ること. 回復). ***2*** 内攻（ある内臓器官またはその一部に徴候が現れた後, 病気の外的症状が一時止まること). ***3*** 後屈（子宮, その他の器官の位置が正常よりかなり後方にあることをいう).

ret·ro·clu·sion (ret′rō-klū′zhŭn). 挿針止血〔法〕（止血のための針圧術の一型. 針を動脈切断端上の組織に通して回転させ, 血管の背面を後方に通し, 刺入点の近くに出すようにする).

ret·ro·co·chle·ar hear·ing loss 後迷路性難聴（蝸牛よりも近位(中枢側)の病変により生じた感音難聴).

ret·ro·col·lic spasm 頸後痙縮（斜頸で, 痙攣が後頸筋に作用する). = retrocollis.

ret·ro·col·lis (ret′rō-kol′is). 頸後屈. = retrocollic spasm.

ret·ro·cur·sive (ret′rō-kŭr′siv). 後退の（後方に走る).

ret·ro·cus·pid pa·pil·la 犬歯後部乳頭（下顎犬歯部の舌側歯肉に認められる小さなポリープ. 通常, 両側性に生じ, 小児に認められることが多い).

ret·ro·de·vi·a·tion (ret′rō-dē′vē-ā′shŭn). 後転（後屈または後傾).

ret·ro·dis·place·ment (ret′rō-dis-plās′mĕnt). 後転（子宮の後屈や後傾など, 後方への移動).

re·tro·du·o·den·al ar·ter·y 十二指腸後動脈（胃十二指腸動脈から十二指腸の後部に向かう数本の小枝. 十二指腸の最初の部分に分布する). = arteria retroduodenalis; posterior pancreaticoduodenal artery.

ret·ro·flex·ion (ret′rō-flek′shŭn). 後屈〔症〕, 反屈（身体が後屈するとき, 子宮体部が頸管と角度をつくるような後方への屈曲).

ret·ro·gnath·ic (ret′rog-nath′ik). 顎後退の, 後退顎の（上顎に比して下顎が正常よりも後方

R

に位置することをいう).

ret·ro·gnath·ism (ret-rog′nă-thizm). 顎後退, 後退顎 (頭顔部の比例関係からみて上顎, 下顎, あるいは両者が正常よりも後方に位置している状態. 通常は下顎について用いる).

ret·ro·grade (ret′rō-grād). 逆行〔性〕の, 逆方向〔性〕の, 退行〔性〕の (①後方に動く. ②退化する. 成長発達の正常な順序に逆らう).

ret·ro·grade am·ne·si·a 逆向〔性〕健忘〔症〕(健忘状態を引き起こす原因となった外傷や疾患を受ける以前に起きた事柄についての健忘).

ret·ro·grade beat 逆行性収縮 (心拍の発生した心腔の頭側にある心腔の部分の電気的活性化としてみられる拍動. 例えば心腔起源の刺激によって誘発された心房拍動).

ret·ro·grade block 逆行〔性〕ブロック (心室または房室結節から逆に心房へと向かう伝導障害).

ret·ro·grade cys·to·u·re·thro·gram 逆行性膀胱尿道造影像 (尿道口あるいは遠位尿道経由で造影剤注入により行う膀胱尿道造影像).

ret·ro·grade e·jac·u·la·tion 逆行性射精 (射精された精液が膀胱内に達してしまう現象. 神経疾患, 糖尿病でみられ, ときには前立腺の手術後に認められる).

ret·ro·grade em·bo·lism 逆行〔性〕塞栓症 (正常な血流と逆の方向に運ばれた塊が, 小静脈にはいった後に生じた静脈の塞栓).

ret·ro·grade her·ni·a 逆行性ヘルニア (二重係蹄ヘルニアで, 中央の係蹄が腹腔内にある).

ret·ro·grade men·stru·a·tion 逆行性月経 (月経血が卵管を逆流すること. ときに子宮内膜細胞も運ばれる).

ret·ro·grade ur·og·ra·phy 逆行性尿路造影術 (尿路のX線撮影で, 造影剤を直接膀胱, 尿管, または腎盂に注入して行う). = cystoscopic urography.

ret·ro·grade VA con·duc·tion 逆行〔性〕室房伝導 (心室または房室結節から心房にはいり, 通過する逆方向の伝導).

ret·ro·gres·sion (ret′rō-gresh′ŭn). 退行, 退化. = cataplasia.

ret·ro·hy·oid bur·sa 舌骨後包 (舌骨体の後面と甲状舌骨膜との間にある滑液包).

ret·ro·jec·tion (ret′rō-jek′shŭn). 腔洗浄 (注入した液体を逆流させることによって腔内を洗い流すこと).

re·tro·len·tal fi·bro·pla·si·a 水晶体後線維増殖〔症〕(未熟児にみられる水晶体後方の混濁を特徴とする疾患で, 網膜剥離や失明に至る. 大量の酸素下に置かれたことが原因).

ret·ro·man·dib·u·lar vein 下顎後静脈 (耳の前で浅側頭静脈と上顎静脈とが合流して形成され, 下顎枝の後方へ進んで耳下腺を通過し後耳介静脈と合流して外頸静脈となる. 通常は顔面静脈との長い交通枝を有する).

ret·ro·mo·lar pad 臼歯後豊隆 (しばしば梨状を呈する軟組織塊で, 最後方大臼歯遠心部の歯槽突起の上に存在する).

ret·ro·per·i·to·ne·al fi·bro·sis 後腹膜線維症 (後腹膜構造物および結合織の線維化で, 尿管をよく侵し, 閉塞する. 原因はたいてい不明). = Ormond disease.

ret·ro·per·i·to·ne·al space 腹膜後隙 (壁側腹膜と後腹壁の筋や骨との間の隙).

ret·ro·per·i·to·ne·um (ret′rō-per′i-tō-nē′ŭm). 腹膜後腔.

ret·ro·per·i·to·ni·tis (ret′rō-per′i-tō-nī′tis). 腹膜後炎, 後腹膜炎 (腹膜後方の細胞組織の炎症).

ret·ro·pha·ryn·ge·al (ret′rō-fă-rin′gē-ăl). 咽頭後〔方〕の.

ret·ro·phar·ynx (ret′rō-far′ingks). 咽頭後部.

ret·ro·pla·si·a (ret′rō-plā′zē-ă). 退行変性 (活性が正常と考えられるそれより低下する細胞または組織の状態. 退化に伴って起こる(損傷, 退化, 死, 壊死など)).

ret·ro·posed (ret′rō-pōzd). 後位の.

ret·ro·po·si·tion (ret′rō-pŏ-zish′ŭn). 後位 (子宮にみられるように, 傾斜, 屈曲, 後屈, または後傾を伴わない, 構造や器官の単純な後方移動).

ret·ro·pos·on (ret′rō-pō′zon). レトロポゾン (DNA の塩基配列の転写で, それが DNA ではなく mRNA 由来の配列である場合をいう. mRNA は逆転写によって遺伝子 DNA に直される).

ret·ro·pu·bic space 恥骨後隙 (膀胱およびその関連筋膜と恥骨および前腹壁との間の疎性結合組織部分).

ret·ro·pul·sion (ret′rō-pŭl′shŭn). 後方突進 (①パーキンソン症候群の患者にみられる, 後方への不随意の歩行または走行. ②あらゆる部分を押し戻すこと).

re·tro·sig·moid ap·proach 後S状静脈洞到達法(アプローチ) (S状静脈洞後方の後頭骨を経由して小脳橋角部に達する手術的到達法).

ret·ro·spec·tive fal·si·fi·ca·tion 追想錯誤, 記憶錯誤 (現在の心理的欲求に一致させるため過去の経験を無意識にゆがめること).

ret·ro·spec·tive pay·ment 遡及払い (行為が発生した後, または出来高払いの診療報酬における治療の提供の後で発生する支払い).

ret·ro·spon·dy·lo·lis·the·sis (ret′rō-spon′di-lō-lis-thē′sis). 脊椎後方すべり症 (椎体が後方へすべって, 隣接している椎が1本にならないでずれてしまうこと).

ret·ro·ver·si·o·flex·ion (ret′rō-vĕr′sē-ō-flek′shŭn). 〔子宮〕後傾後屈〔症〕(子宮の後傾と後屈とが合併したもの).

ret·ro·ver·sion (ret′rō-vĕr′zhŭn). ***1*** 後傾〔症〕(子宮のように後方へ回転したもの). ***2*** 後反 (歯が正常よりも後方位にある状態).

ret·ro·vert·ed (ret′rō-vĕr-tĕd). 後傾した.

Ret·ro·vir·i·dae (ret-rō-vir′i-dē). レトロウイルス科 (RNA ウイルスの一科. *Oncovirinae* 属 (HTLV-I, HTLV-II, RNA 腫瘍ウイルス), *Spumavirinae* 属(フォーミーウイルス), *Lentivirinae* 属(HIV 様ウイルス, ビスナウイルス等)の3属がある).

ret·ro·vi·rus (ret′rō-vī′rŭs). レトロウイルス (レトロウイルス科に属するウイルスの各種. RNA コア遺伝物質をもつウイルスで, RNA をプロウイルス DNA に変換するために逆転写酵素を必要とする).

re·tru·sion (rē-trū′zhŭn). 下顎後退 (①一定の点からの下顎の後退. ②下顎の後方への運動).

re·tru·sive oc·clu·sion 後退咬合 (①下顎が強制的に, または習慣的に患者の中心咬合位よりもより遠心位に位置している咬合関係. ②=distal occlusion(1)).

Rett syn·drome レット症候群 (自閉症, 認知症, 運動失調や無意味な手の動きを呈する進行性疾患. 高アンモニア血症もみられる. 女児に多い).

re·turn ex·tra·sys·to·le 逆行性期外収縮 (心室から発生した刺激が心房の方に進む逆行性リズムの一種であるが, 心房に到達する以前に心室に反射して第2の心室性収縮を起こす).

re·vas·cu·lar·i·za·tion (rē-vas′kyū-lăr-ī-zā′shŭn). 血管再生, 脈管再生 (身体の部分に血液供給を再確保すること).

Re·ver·din nee·dle ルヴェルダン針 (開いたり閉じたりできる目を持った外科用針).

re·ver·sal (rē-vĕr′săl). = detraining. ***1*** 逆転 (病態, 疾病, 症状, または病態の反対方向への回転または変化). ***2*** 反転 (スペクトルの暗線または輝線がそれぞれ反対のものに転化すること). ***3*** 文字逆転症 (印刷または手書きの小文字の p と q または g, b と d, あるいは s と z を識別することが困難なこと). ***4*** 逆転 (精神分析において, 愛が憎悪に変わるように, 感情の本質がその反対のものに変化すること).

re·versed co·arc·ta·tion 逆縮窄〔症〕(腕における血圧が足の血圧よりも低い大動脈弓症候群).

re·versed per·i·stal·sis 逆ぜん動 (正常とは反対方向への収縮の波. それにより管の内容物は逆流を余儀なくされる). = antiperistalsis.

re·verse Eck fis·tu·la 逆エックフィステル (瘻) (門脈と下大静脈を側々吻合し, 吻合部の上, 肝静脈の下の間で下大静脈を結紮する. したがって下半身からの血液は, 直接, 肝循環を通る).

re·verse i·so·la·tion 逆隔離 (患者への感染の伝播を防ぐため保護具の使用が必要とされるような患者の隔離の形態). = protective isolation.

re·verse os·mo·sis 逆浸透 (浸透圧, 上逆方向に溶媒が動くこと).

re·verse pas·sive he·mag·glu·ti·na·tion 逆転受身〔赤〕血球凝集〔反応〕(ウイルス感染の診断法の一種で, あらかじめウイルス特異性抗体で被覆されている赤血球のウイルスによる凝集反応を用いる).

re·verse pu·pil·lar·y block 逆瞳孔閉鎖, 逆瞳孔ブロック (前眼房から後眼房への瞳孔を通っての房水の流れの抵抗増大. 結果として周辺虹彩の Zinn 小帯への後方弯曲を生じる. 色素性緑内障の病態の可能性として考えられている).

re·verse tran·scrip·tase 逆トランスクリプターゼ (RNA 依存性 DNA ポリメラーゼ. RNA 腫瘍ウイルスのビリオン中に存在する).

re·verse tran·scrip·tase pol·y·me·rase chain re·ac·tion (RT-PCR) 逆転写酵素ポリメラーゼ連鎖反応 (特異的な mRNA を増幅する方法で, 試験管内反応に加えられた逆転写酵素により鋳型として mRNA を使用して cDNA が産生された後, 通常の PCR により増幅される).

re·ver·si·bi·li·ty prin·ci·ple 可逆性原理 (運動科学において, 運動プログラムへの参加をやめてしまうと, トレーニングの適応性が比較的速やかに失われるという原理).

re·vers·i·ble cal·ci·no·sis 可逆性石灰〔沈着〕症 (消化性潰瘍の治療などで常時大量の牛乳とアルカリ性薬剤を摂取する患者にみられる可逆性の石灰症の一種).

re·ver·sion (rē-vĕr′zhŭn). ***1*** 先祖返り, 隔世遺伝 (1世代以上の間隠されていた, 離れた先祖の特異的なある物質が発現すること). ***2*** 返転, 転換, 復帰〔突然〕変異 (元の遺伝子型の回復 (真性復帰突然変異)によるか, あるいは最初の突然変異とは異なった部位での突然変異により, 最初の突然変異の効果が打ち消される(サプレッサ突然変異)ことにより元の表現型が回復すること).

re·ver·tant (rē-vĕr′tănt). 復帰〔突然〕変異体 (微生物遺伝学において, その元来の遺伝子型へ戻った突然変異体(真性復帰突然変異体), またはサプレッサ突然変異によって元の表現型に戻った突然変異体).

re·view of symp·toms (ROS) 症状の評価 (主訴との見かけの関連にとらわれずに, 患者の既往歴について情報を集めるプロセス).

re·vised trau·ma score 外傷スコア (心肺データにグラスゴー昏睡尺度を組み合わせたものを基にした評価スコア).

re·viv·i·fi·ca·tion (rē-viv′i-fi-kā′shŭn). ***1*** 蘇生, 回復 (生命および体力の回復). ***2*** 創縁新生 (治癒を促進するために表面を擦過するか削るかして, 創縁を新しくすること). = vivification.

re·vul·sion (rē-vŭl′shŭn). ***1*** 誘導刺激法, 対抗刺激法. = counterirritation. ***2*** 誘出法, 誘導法. = derivation.

re·ward (rē-wōrd′). 診査料, 〔検査〕報酬. = reinforcer.

re·warm·ing (rē-wōrm′ing). 復温 (低体温症の治療のために加温すること).

Reye syn·drome ライ症候群 (インフルエンザや水痘といった急性熱性疾患に引き続いて起こる年少小児の後天的な脳症で, 反復性の嘔吐, 興奮, 嗜眠を特徴とする, 脳内圧亢進を伴う昏睡に至る. アンモニアと血清トランスアミナーゼが上昇している. 脳浮腫とその結果としての脳陥入のために死亡することがある. アスピリン摂取との関連が示唆されている). = hepatic encephalopathy(2).

RFLP restriction fragment length polymorphism の略.

RFP *r*ight *f*ronto*p*osterior position (右前後方位胎位)の略.

RFT *r*ight *f*ronto*t*ransverse position (右前横方位胎位)の略.

RGO reciprocal gait orthotic の略.

Rh ***1*** ロジウムの元素記号. ***2*** Rh 血液型.

rhabdo-, rhabd- 杆，または杆状の，を意味する連結形.

rhab·doid (rab′doyd). 杆状の.

rhabdomyo- 横紋筋または骨格筋を意味する連結形.

rhab·do·my·o·blast (rab′dō-mī′ō-blast). 横紋筋芽細胞（大きな円形，紡錘形，または帯状の細胞で，好酸性に強く染まる，原線維からなる細胞質をもち，横紋を示すこともある．横紋筋肉腫でみられることがある）.

rhab·do·my·ol·y·sis (rab′dō-mī-ol′i-sis). 横紋筋融解〔症〕（骨格筋の急性かつ電撃性の致命的になりうる疾患．骨格筋の崩壊は必然的であり，ミオグロビン血症およびミオグロビン尿症により証明される）.

rhab·do·my·o·ma (rab′dō-mī-ō′mă). 横紋筋腫（横紋筋由来の良性新生物．小児の心臓に原発することがあるが，恐らくは過誤腫的過程で生じるのであろう）.

rhab·do·my·o·sar·co·ma (rab′dō-mī′ō-sahr-kō′mă). 横紋筋肉腫（骨格(横紋)筋由来の悪性腫瘍．ⓘ未熟性，ⓘⓘ腺葉性(小円形細胞の粗な集塊により構築される)，ⓘⓘⓘ多形性(横紋筋芽細胞を含む)に分類される）. = rhabdosarcoma.

rhab·do·sar·co·ma (rab′dō-sahr-kō′mă). = rhabdomyosarcoma.

Rhab·do·vir·i·dae (rab′dō-vir′i-dē). ラブドウイルス科（脊椎動物，昆虫，および植物の杆状または弾丸状のウイルスの一科．恐犬病ウイルスを含む）.

rhab·do·vi·rus (rab′dō-vī′rŭs). ラブドウイルス科のウイルスの総称.

rha·chi·tis (rā-kī′tis). くる病（脊柱の一部の炎症）.

Rhad·in·o·vi·rus (ră-dē′nō-vī′rŭs). ラディノウイルス（ガンマヘルペス亜科，herpesvirus 属で Kaposi 肉腫でみられる）.

rhag·a·des (rag′ă-dēz). 亀裂，皸裂（皮膚粘膜の接合部に生じるあかぎれ，ひび，または亀裂．ビタミン欠乏症および先天性梅毒にみられる．→cheilosis）.

-rhage, -rrhage, -rhagia, -rrhagia 過剰な流れを意味する連結形.

Rh an·ti·gen in·com·pa·ti·bi·li·ty Rh 抗原不一致. = erythroblastosis fetalis.

Rh blood group = Rh factor.

-rhea, -rrhea 流出あるいは漏出を意味する連結形. =-rhoea.

rheg·ma (reg′mă). 破裂（割れ目または亀裂）.

rheg·ma·tog·e·nous (reg′mă-toj′ĕ-nŭs). 破裂性の（器官の破裂または分割により起こる）.

rheg·ma·to·ge·nous ret·i·nal de·tach·ment 裂孔原性網膜剥離（網膜神経上皮の裂孔，円孔などによって起こる網膜剥離）.

rhe·ni·um (Re) (rē′nē-ŭm). レニウム（白金属の金属．原子量 186.207，原子番号 75）.

rheo- 血流あるいは電流を意味する連結形.

rhe·o·base (rē′ō-bās). 基電流（筋肉や神経のように，組織の興奮を引き起こしうる不定期間の電気刺激の最小の力. →chronaxie）.

rhe·o·ba·sic (rē′ō-bā′sik). 基電流の.

rhe·ol·o·gy (rē-ol′ŏ-jē). レオロジー（物質の変形と流動を扱う学問）.

rhe·om·e·try (rē-om′ĕ-trē). 流体測定〔法〕（電流または血流の測定法）.

rhe·os·to·sis (rē-os-tō′sis). 流線状過骨症（肥大性凝縮性骨炎で，ロウソクにロウがしたたるように，縦の線条または円柱を形成する傾向があり，いくつかの長骨を侵す）.

rhe·o·tax·is (rē′ō-tak′sis). 流走性，走流性（陽性の圧走性の一型．流動液体中での微生物がその液体の流れの方向に逆らって進み動くこと）.

rhe·ot·ro·pism (rē-ot′rō-pizm). 流向性，屈流性（流れの運動に逆らう動きで，流走性のように生体全体の動きというより，生体の一部の運動を意味する）.

Rhese pro·jec·tion リース撮影法（視神経管を描出するための頭部斜位撮影法）.

rhestocythaemia [Br.]. = rhestocythemia.

rhes·to·cy·the·mi·a (res′tō-sī-thē′mē-ă). 破壊赤血球血症（末梢循環血液中に破壊された赤血球細胞が存在すること）. = rhestocythaemia.

Rhe·sus fac·tor = Rh factor.

rheum (rūm). 粘液性あるいは水様の下痢.

rheu·mat·ic (rū-mat′ik). リウマチ〔性〕の.

rheu·mat·ic ar·ter·i·tis リウマチ性動脈炎（リウマチ熱による動脈炎．Aschoff 結節は細動脈の外膜，特に心筋内の細動脈によくみられ，線維化と血管内腔の狭窄を引き起こすこともある）.

rheu·mat·ic en·do·car·di·tis リウマチ性心内膜炎（リウマチ性心疾患の一部としての心内膜障害で，臨床的には弁膜障害として認められる．急性期には弁尖の閉塞線上に沿って薄いフィブリンでできたゆうぜいがあり，その後線維性肥厚と弁尖の短縮を生じる）.

rheu·mat·ic fe·ver リウマチ熱（A 群 β 型溶血性連鎖球菌の感染(通常は咽頭炎)後に起こる亜急性の熱性疾患で，本菌に対する免疫応答による．小児および青年によくみられる．症状は発熱，心筋炎(頻脈，ときに急性心不全を起こす)，心内膜炎(弁膜機能不全を伴い，治癒後に病痕を残す)，移動性の多発性関節炎である．まれに皮下の小結節，輪状紅斑，Sydenham 舞踏病を起こす．再発は連鎖球菌の再感染によって起こる．リウマチ性心疾患 rheumatic heart disease ともいう）.

rheu·mat·ic heart dis·ease リウマチ〔性〕心疾患（リウマチ熱によって起こる心臓病で，主に心臓弁膜に異常が現れる）.

rheu·mat·ic pneu·mo·ni·a リウマチ肺炎（重症急性リウマチ熱の患者の肺に起こる肺炎．リウマチ熱はよくみられるが，肺炎はまれである．硬化巣を認め，左室不全による肺水腫とともにフィブリン滲出，小出血巣を伴い，肺はゴム状硬である）.

rheu·ma·tid (rū′mă-tid). リウマチ疹（リウマチに伴って現れるリウマチ性小結節あるいは他の発疹）.

rheu·ma·tism (rū′mă-tizm). リウマチ（関節または筋骨格系の他の構成要素に由来する痛み

やその他の症状を伴う種々の状態に用いる不明確な語).

rheu·ma·toid (rūʹmă-toyd). リウマチ様の (特徴が1つ以上, 関節リウマチに似ている).

rheu·ma·toid ar·thri·tis (RA) 関節リウマチ (全身性疾患で, 特に女性に多く, 最初は結合組織を侵す. 関節炎が主な臨床症状で, 関節炎は多数の関節, 特に手足の関節にみられる関節軟部組織の肥厚を生じ, 関節軟骨を滑膜組織がおおい, 軟骨を侵食する. 経過は多様であるが, しばしば慢性かつ進行性で変形と廃疾に至る). = arthritis deformans; nodose rheumatism (1).

rheu·ma·toid fac·tors リウマチ因子 (関節リウマチ患者の血漿中の抗体. これらの因子は抗原決定基や免疫グロブリンと反応して, ガンマグロブリンに覆われた懸濁粒子の凝集を促進する. リウマチ因子は他の自己免疫疾患やある種の感染症にも見出される).

rheu·ma·toid nod·ules 〔関節〕リウマチ小〔結〕節 (関節リウマチ患者で, 骨性突起の上に最もよく発生する皮下結節).

rheu·ma·toid po·cket = susceptibility cassette.

rheu·ma·toid spon·dy·li·tis リウマチ様脊椎炎. = ankylosing spondylitis.

rheu·ma·tol·o·gist (rūʹmă-tolʹŏ-jist). リウマチ学者.

rheu·ma·tol·o·gy (rūʹmă-tolʹŏ-jē). リウマチ〔病〕学 (リウマチ性疾患の研究, 診断, 治療に関係する医学の一専門分野).

Rh fac·tor Rh 因子. = Rh blood group; Rhesus factor.

RhIG (rig). Rh-immune globulin の略.

Rh-im·mune glo·bu·lin (RhIG) 抗 Rh 免疫グロブリン (Rh 陽性赤血球に暴露された Rh 陰性女性に投与される抗 D 免疫グロブリンの濃縮液. 特に Rh 陽性胎児に娩出あるいは流産した女性に赤血球の免疫原性を中和するために投与される).

rhin-, rhino- 鼻を意味する連結形.

rhi·nal (rīʹnăl). 鼻の. = nasal.

rhi·nal·gi·a (rī-nalʹjē-ă). 鼻痛. = rhinodynia.

rhi·nal sul·cus 嗅脳溝 (海馬傍回の頭端部と紡錘回もしくは外側後頭側頭回とを分ける側副溝の頭方への浅い延長部分. 外套の古い溝の1つで新皮質と不等皮質(嗅野)との境界をなしている).

rhin·e·de·ma (rīnʹĕ-dēʹmă). 鼻浮腫 (鼻粘膜の腫脹). = rhinoedema.

rhin·en·ce·phal·ic (rīnʹen-sĕ-falʹik). 嗅脳の.

rhin·en·ceph·a·lon (rīnʹen-sefʹă-lon). 嗅脳

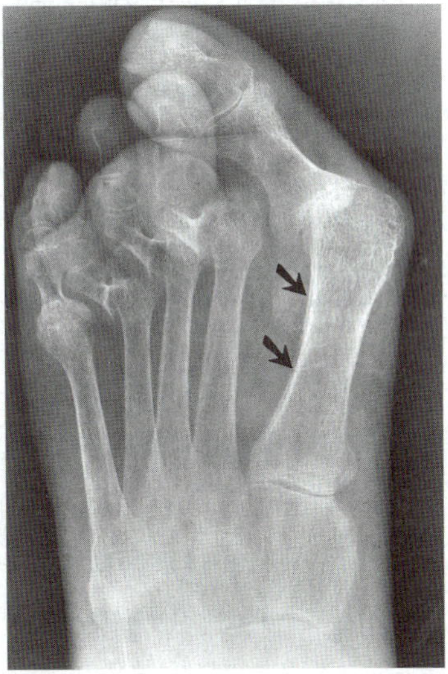

rheumatoid arthritis of the foot

足の関節リウマチ. X線写真は, 中足指節関節の外側屈曲と亜脱臼を示している. 関節面はびまん性の骨粗鬆症を伴ってえぐれ, 骨吸収が進んでいる. 第一中足骨幹には骨膜反応(矢印)もみられる.

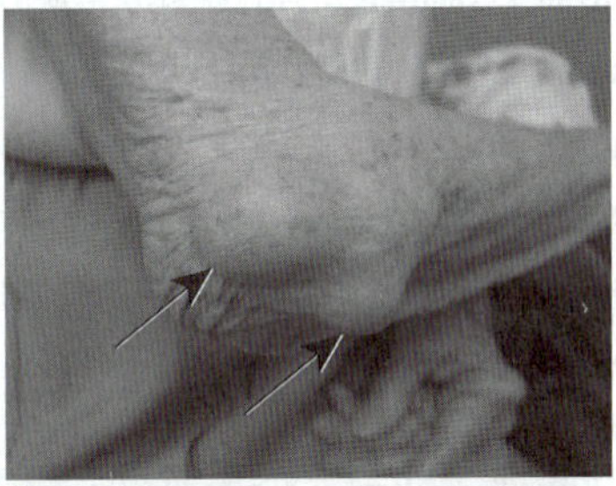

A

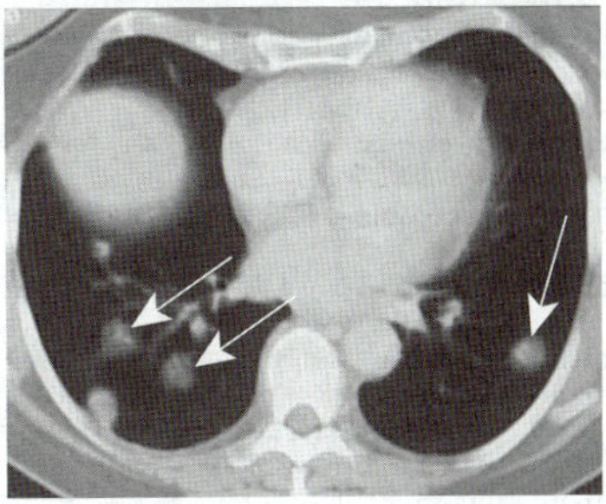

B

rheumatoid nodules

R

（嗅覚に直接関連する脳半球の部分を示す主に古典的な集合語．すなわち，嗅球，嗅脚，嗅結節，扁桃の皮質核を含む嗅皮質または梨状皮質．→limbic system）．

rhi·ni·tis (rī-nī′tis)．鼻炎（鼻粘膜の炎症）．

rhi·no·an·tri·tis (rī′nō-ăn-trī′tis)．鼻上顎洞炎（鼻腔と一側または両側の上顎洞の炎症）．

rhi·no·cele (rī′nō-sēl)．嗅脳室，嗅ヘルニア（嗅脳または終脳の，原始嗅覚部の腔（室））．

rhi·no·ceph·a·ly, rhi·no·ce·pha·li·a (rī′nō-sef′ă-lē, -se-fā′lē-ă)．象鼻〔奇形〕症（一種の単眼症．鼻は細隙様眼窩上に発生する肉の長鼻様隆起で，終脳の嗅脳葉の成長は乏しくほとんど融合傾向を示す）．

rhi·no·chei·lo·plas·ty, rhi·no·chi·lo·plas·ty (rī′nō-kī′lō-plas-tē)．鼻口唇形成〔術〕（鼻および上唇の形成手術）．

Rhi·no·clad·i·el·la (rī′nō-klad′ē-el′ă)．リノクラディア（黒色（暗い色調の）真菌の一属で，アクロテカが特徴でクロモブラストミコーシスの原因となる．→*Phialophora*）．

rhi·no·clei·sis (rī′nō-klī′sis)．鼻腔閉鎖〔症〕．= rhinostenosis.

rhi·no·dyn·i·a (rī′nō-din′ē-ă)．鼻痛．= rhinalgia.

rhinoedema [Br.]. = rhinedema.

rhi·nog·e·nous (rī-noj′ĕ-nŭs)．鼻性の（鼻から発生する）．

rhi·no·ky·pho·sis (rī′nō-kī-fō′sis)．外鼻前弯〔症〕，鼻前弯〔症〕（鼻の突背奇形）．

rhi·no·la·li·a (rī′nō-lā′lē-ă)．鼻声，鼻音症（鼻にかかった発声）．= rhinophonia.

rhi·no·lith (rī′nō-lith)．鼻石（鼻腔の石灰質結石．しばしば異物の周囲に形成される）．

rhi·no·li·thi·a·sis (rī′nō-li-thī′ă-sis)．鼻石症（鼻結石があること）．

rhi·nol·o·gist (rī-nol′ŏ-jist)．鼻科専門医，鼻科医（鼻疾患の専門家）．

rhi·nol·o·gy (rī-nol′ŏ-jē)．鼻科学（鼻と副鼻腔とそれらの疾患に関する医学の部門）．

rhi·no·ma·nom·e·ter (rī′nō-mă-nom′ĕ-tĕr)．鼻気圧計（鼻閉塞の存在と量，鼻気圧，流量関係の測定に用いる気圧計）．

rhi·no·ma·nom·e·try (rī′nō-mă-nom′ĕ-trē)．***1*** 鼻気圧測定〔法〕（鼻気圧計を用いた測定）．***2*** 鼻気圧学（鼻気流圧の研究と測定）．

rhi·no·my·co·sis (rī′nō-mī-kō′sis)．鼻糸状菌症（鼻粘膜の真菌感染）．

rhi·no·ne·cro·sis (rī′nō-nĕ-krō′sis)．鼻骨壊死．

rhi·nop·a·thy (rī-nop′ă-thē)．鼻症（鼻の疾患）．

rhi·no·pho·ni·a (rī′nō-fō′nē-ă)．= rhinolalia.

rhi·no·phy·ma (rī-nō-fī′mă)．鼻瘤，しゅさ（酒皶）鼻（線維増殖と血管拡張を伴う脂腺の肥大による，濾胞拡張を伴った鼻の肥大）．

rhi·no·plas·ty (rī′nō-plas-tē)．鼻形成〔術〕，造鼻術（①鼻の欠陥を補充すること．②鼻の形や大きさを変える形成手術）．

rhi·nor·rhe·a (rī-nōr-ē′ă)．鼻漏（鼻粘膜からの排泄物）．= rhinorrhoea.

rhinorrhoea [Br.]. = rhinorrhea.

rhi·no·sal·pin·gi·tis (rī′nō-sal-pin-jī′tis)．鼻耳管炎（鼻と耳管の粘膜の炎症）．

rhi·no·scle·ro·ma (rī′nō-skler-ō′mă)．鼻硬化〔症〕（鼻，上唇，口，上気道を侵す慢性肉芽腫症．外耳道を侵すこともある．特異菌，恐らく*Klebsiella* 属の菌株によると考えられる）．

rhi·no·scope (rī′nō-skōp)．鼻鏡（杆状取っ手に適当な角度で，取り付けた小さな鏡．後鼻鏡検査および鼻咽頭鏡検査に用いる）．

rhi·no·scop·ic (rī′nō-skop′ik)．鼻鏡の，検鼻の．

rhi·nos·co·py (rī-nos′kŏ-pē)．検鼻〔法〕，鼻鏡検査〔法〕（鼻腔の視診）．

rhi·no·si·nus·i·tis (rī′nō-sī-nŭs-ī′tis)．鼻副鼻腔炎（鼻粘膜および副鼻腔の炎症）．

rhi·no·ste·no·sis (rī′nō-stĕ-nō′sis)．鼻腔狭窄〔症〕．= rhinocleisis.

rhi·not·o·my (rī-not′ŏ-mē)．鼻切開〔術〕（①鼻に対するすべての切開術．②副鼻腔根治手術のため，外鼻の片側に沿って切開，翻転し，鼻道の全視野を得るための手術手技）．

Rhi·no·vi·rus (rī′nō-vī′rŭs)．ライノウイルス（酸に不安定なウイルスの一属で，感冒に関連する．110 以上の抗原型がある）．

rhizo- 根を意味する連結形．

rhi·zoid (rī′zoyd)．***1*** 〚adj.〛根様の，根状の．***2*** 〚adj.〛根様の（根のように不規則に分岐する．一種の細菌増殖についていう）．***3*** 〚n.〛仮根（真菌類において，クモノスカビ属 *Rhizopus* の菌種の菌糸節に現れる根様の菌糸）．

rhi·zo·me·li·a (rī′zō-mē′lē-ă)．***1*** 近節短縮（四肢の近位部分，すなわち上腕，大腿の長さが他の部位と比較して異常に短いこと）．***2*** 肩関節や股関節を侵す疾患．

rhi·zo·mel·ic (rī′zō-mel′ik)．四肢根部の（股関節または肩関節の，またはそれに関連することの）．

rhi·zo·mel·ic chon·dro·dys·pla·si·a punc·ta·ta 近節（近位四節）短縮性点状軟骨形成異常〔症〕，近節（近位四節）短縮性点状軟骨形成不全症（常染色体劣性遺伝の致死的な疾患であり，第 6 染色体長腕の PTS2 受容体をコードしている PEX7 遺伝子の異常による疾患である）．

rhi·zo·mel·ic dwarf·ism 四肢近位短縮性小人症（軟骨異形成症候群の一種．常染色体劣性遺伝で，皮膚の角質化，顔貌，心疾患，眼症状，中枢神経の異常など様々な症状を呈する．松果体の斑状変化も報告されている．ペルオキシソーム中のものを含む様々な酵素の欠損を認め，罹患した乳児は成長障害を呈し，たいてい乳児期に死亡する）．

rhi·zo·me·nin·go·my·e·li·tis (rī′zō-mĕ-ning′gō-mī′ĕ-lī′tis)．神経根髄膜脊髄炎．= radiculomeningomyelitis.

Rhi·zo·mu·cor (rī′zō-myū′kōr)．リゾムコール属（ケカビ科の真菌の一属．ムコール症の原因）．

Rhi·zo·po·da (rī-zop′ō-dă)．根足〔虫〕上綱（ヒトのアメーバを含む肉質虫亜門の一上綱で，偽足をもち，様々な形態をとるが，軸糸はない）．

Rhi·zo·pus (rī′zō-pŭs)．クモノスカビ属（真菌の一属(接合菌綱，ケカビ科)．いくつかの種はヒトの接合真菌症を起こす）．

rhi·zot·o·my (rī-zot′ō-mē)．根切り術，神経根切断〔術〕（痛みや痙性麻痺の緩和のために脊髄神経根を切断すること）．= radicotomy; radiculectomy.

Rh null syn·drome Rh 陰性症候群（すべての Rh 抗原を欠如し，代償された溶血性貧血とストマトサイト増加症が特徴の病態）．

rho (ρ) (rō)．***1*** ロー（ギリシア語アルファベットの 17 番目の文字）．***2*** 母集団相関係数 population correlation coefficient，密度の記号．

Rho·de·sian try·pan·o·so·mi·a·sis ローデシアトリパノソーマ症（*Trypanosoma brucei rhodesiense* によって起こるヒトの病気で，ガンビアトリパノソーマ症に似るが，病気の持続は短く，より急性型である．患者は繰り返す熱発作に苦しみ，貧血になり，通常は心不全で死亡する）．= acute African sleeping sickness; acute trypanosomiasis.

rho·di·um (Rh) (rō′dē-ŭm)．ロジウム（金属元素．原子番号 45，原子量 102.90550）．

Rhod·ni·us (rod′nē-ŭs)．ロドニウス属（サシガメ科の一属で，ベネズエラ，コロンビア，仏領ギアナ，ガイアナ，スリナムにおけるクルーズトリパノソーマ *Trypanosoma cruzi* の主要な媒介者である）．

Rhod·ni·us pro·lix·us サシガメの一種で，南米のトリパノソーマ症の重要な媒介者．

rhodo-, rhod- バラ色または赤色を意味する連結形．

rho·do·gen·e·sis (rō′dō-jen′ĕ-sis)．視紅再生（11-*cis*-レチナールとオプシンの暗所での結合によるロドプシンの再生産）．

rho·do·phy·lac·tic (rō′dō-fi-lak′tik)．視紅防御の．

rho·do·phy·lax·is (rō′dō-fi-lak′sis)．視紅防御（脈絡膜の有色細胞がロドプシン再生を保存または促進する作用）．

rho·dop·sin (rō-dop′sin)．ロドプシン，視紅（赤紫色熱不安定性蛋白．網膜杆状体の外節にみられる．光の作用によって漂白され，オプシンと *trans*-レチナールに転換し，視紅再生により暗所で回復する．杆体細胞の細胞膜における主要蛋白）．= visual purple.

-rhoea [Br.]. =-rhea.

rhomb·en·ce·phal·ic isth·mus 菱脳峡（①中脳と菱脳を仕切る胚の神経管にある狭窄部．②中脳と連結する菱脳の前部）．

rhomb·en·ce·phal·ic teg·men·tum 菱脳蓋（中脳被蓋に続く延髄の上部．網様体，神経路，脳神経核からなり，橋背部を形成する）．

rhomb·en·ceph·a·lon (rom-ben-sef′ă-lon)．菱脳（脳のうちで胚期神経管の 3 個の原始脳胞のうち最も後方のものから発生してくる部分で，後に後脳と髄脳に分かれる．橋，小脳，延髄からなる）．= hindbrain.

rhom·bic (rom′bik)．***1*** = rhomboid. ***2*** 菱脳の．

rhom·bo·cele (rom′bō-sēl)．菱腔，菱形洞．= rhomboidal sinus.

rhom·boid, rhom·boid·al (rom′boyd, -boy′dăl)．菱形の（菱形に似た．すなわち斜平行四辺形であるが辺の長さは等しくない）．= rhombic(1)．

rhom·boid·al si·nus 菱形洞（胸部における脊髄中心管の拡張部）．= rhombocele.

rhom·boid fos·sa 菱形窩（第 4 脳室底．菱脳室面により形成されている）．

rhom·boid lig·a·ment = costoclavicular ligament.

rhom·boid ma·jor mus·cle 大菱形筋（胸郭体肢筋の 1 つ．起始：棘突起，対応する第一－第四胸椎の棘上靱帯．停止：肩甲棘より下方の肩甲骨内側縁．作用：肩甲骨を脊柱に引き寄せる．神経支配：肩甲背神経）．= musculus rhomboideus major; greater rhomboid muscle.

rhom·boid mi·nor mus·cle 小菱形筋（胸郭体肢筋の 1 つ．起始：第六・第七頸椎の棘突起．停止：肩甲棘より上方の肩甲骨の内側縁．作用：肩甲骨を脊柱に向かって引き寄せ，わずかに上方に上げる．神経支配：肩甲背神経）．= musculus rhomboideus minor; lesser rhomboid muscle.

rhon·chal, rhon·chi·al (rong′kăl, -kē-ăl)．ラ音の，水泡音の（ラ音，水泡音に関する，ラ音，水泡音に特有の）．

rhon·chal frem·i·tus 水泡振とう音，ラ音振とう音（粘液により部分的に閉塞された気管支を，空気が通過する際の振動により生じる振とう音）．

rhon·chus, pl. rhon·chi (rong′kŭs, -kī)．ラ音，水泡音（吸気，呼気相で楽曲様ピッチをもつ肺聴診上の副雑音．炎症や平滑筋の攣縮，管腔内の粘液などにより狭くなった気管支を通過する空気により生じる．低音調のものを **sonorous rhonchus**(類鼾音)，高音調で笛声や軋るような音を **sibilant rhonchus**(呻軋音)とよぶ)．

rhythm (ridh′ŭm)．***1*** リズム，調律（調子の整ったリズミカルな時間や運動．2 種またはそれ以上の異なった，または反対の状態の規則的な変化）．***2*** 周期. = rhythm method. ***3*** 律動，リズム(心電図または脳波上の電気活動の規則的な発生．→wave）．***4*** 単一の拍動により構成される心臓の連続性をもった拍動．

rhythm meth·od リズム法（月経周期で受精可能な時期を避けて性交する自然避妊法）．= rhythm(3)．

rhy·tide (rī′tid)．しわ(皺)（皮膚のしわ）．

rhyt·i·dec·to·my (rit′i-dek′tō-mē)．しわ切除〔術〕，皺皮切除〔術〕（顔の余分の皮膚をとって残りを寄せて顔のしわをとるか顔の形を整えること．いわゆる〝顔のしわとり〟）．= rhytidoplasty.

rhyt·i·do·plas·ty (rit′i-dō-plas-tē)．しわ成形〔術〕，皺皮成形〔術〕. = rhytidectomy.

rhyt·i·do·sis (rit′i-dō′sis)．= rutidosis. ***1*** しわより，皺皮症（年齢に不釣合いな顔のしわより）．***2*** 角膜皺皮〔症〕（角膜の弛緩としわより．死の徴候）．

RIA radioimmunoassay の略．

rib (rib)．ribose の略．

R

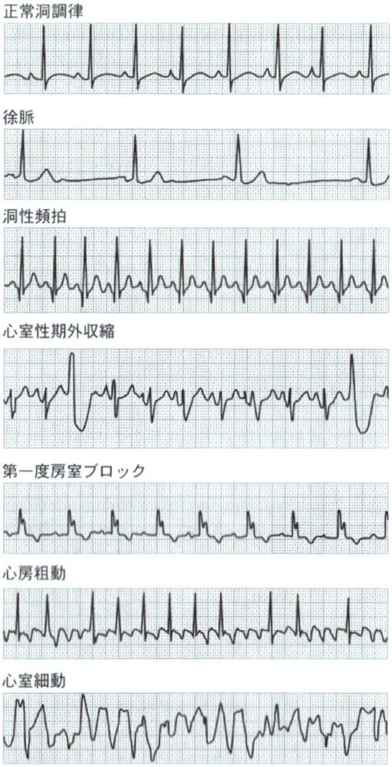
正常洞調律
徐脈
洞性頻拍
心室性期外収縮
第一度房室ブロック
心房粗動
心室細動

rhythm
不整脈の一般的な型を示す心電図記録.

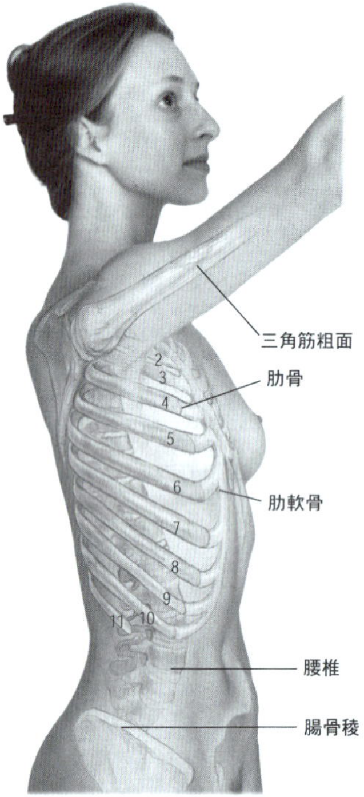
三角筋粗面
肋骨
肋軟骨
腰椎
腸骨稜
2
3
4
5
6
7
8
9
10
11

rib [II-XI]

rib·bon (rib′ŏn). リボン (リボン状の構造).

rib [I-XII] 肋骨[I-XII] (胸部の骨壁の中心部分を形成する 24 の細長い弯曲した骨の 1 つ). = costa(1).

ribo- ***1*** リボース. ***2*** 単糖類の系統名としてのイタリック体接頭語 *ribo-* は, 一組の連続するが必ずしも隣接しない 3 個の CHOH(または不斉の)基の構造がリボースのものであることを示す.

ri·bo·fla·vin (rī′bō-flā-vin). リボフラビン (ビタミン B 複合体の熱安定因子で, そのイソアロキサジンヌクレオチドはフラボデヒドロゲーゼの補酵素である). = flavin; flavine.

ri·bo·nu·cle·ase (RNase) (rī′bō-nū′klē-ās). リボヌクレアーゼ (リボ核酸の加水分解を触媒するトランスフェラーゼまたはホスホジエステラーゼ).

ri·bo·nu·cle·ase H リボヌクレアーゼ H (DNA-RNA ハイブリッド中の RNA を分解するリボヌクレアーゼ).

ri·bo·nu·cle·ic ac·id (RNA) リボ核酸 (リン酸塩結合によるリボヌクレオシド残基からなる高分子. 細胞の化学変化の過程, 特に蛋白合成の調節に関与している. すべての細胞の核と細胞質の両方に, また多くのウイルス中にも見出された).

ri·bo·nu·cle·o·pro·tein (RNP) (rī′bō-nū′klē-ō-prō′tēn). リボ核蛋白 (リボ核酸と蛋白の結合).

ri·bo·nu·cle·o·side (rī′bō-nū′klē-ō-sīd). リボヌクレオシド (糖成分がリボースのヌクレオシド. 一般的な RNA のリボヌクレオシドは, アデノシン, シチジン, グアノシン, ウリジンである).

ri·bo·nu·cle·o·tide (rī-bō-nū′klē-ō-tīd). リボヌクレオチド (糖成分がリボースのヌクレオチド(リン酸ヌクレオシド). RNA の主なリボヌクレオチドはアデニル酸, シチジル酸, グアニル酸, およびウリジル酸である).

ri·bose (rib) (rī′bōs). リボース (その D-異性体としてリボ核酸に存在するペントース. D-リボースのエピマーとしては, D-アラビノース, D-キシロースや L-リキソースがある).

ri·bose-5-phos·phate (rī′bōs fos′fāt). リボース-5-リン酸 (C-5 位がリン酸化されたリボー

ス．ペントースリン酸経路の中間体）．

ri·bose-5-phos·phate i·som·er·ase リボース-5-リン酸イソメラーゼ（D-リボース-5-リン酸およびD-リブロース-5-リン酸の相互転換を触媒する酵素．リボース代謝やペントースリン酸経路に重要）．

ri·bo·som·al RNA リボソーム RNA（リボソームとポリリボソームの RNA）．

ri·bo·some (rī′bō-sōm)．リボソーム（リボ核蛋白の顆粒．直径 120—150 Åで，mRNA により制御されながらアミノアシル-tRNA からの蛋白合成を行う場所である）．

ri·bo·su·ri·a (rī′bō-syūr′ē-ă)．リボース尿〔症〕（D-リボースの尿中排泄増加．一般に筋ジストロフィの発現の1つ）．

ri·bo·syl (rī′bō-sil)．リボシル（-NH- または -CH- 基の H と結合してリボースの環式2形のどちらかからヘミアセタールの OH 基が消失して形成される基）．

ri·bo·thy·mi·dine (T) (rī′bō-thī′mi-dēn)．リボチミジン；5-methyluridine（チミジン（デオキシリボシルチミン）のリボシル類似体．リボ核酸中に少量みられるヌクレオシド）．

ri·bo·thy·mi·dyl·ic ac·id (rTMP, TMP) リボチミジル酸；ribothymidine 5′-phosphate（チミジル酸のリボース類似体．tRNA の微量にしか存在しない成分）．

Ri·bot law of me·mo·ry リボットの記憶法則（進行性の痴呆では，遠隔記憶は保持されるのに対して近時記憶は失われる傾向にあるという法則）．

Ric·co law リッコの法則（小さい像に関していえば，光の強さと面積の積は閾値に対して一定である）．

RICE (rīs)．rest, ice, compression, elevation の略．

rice starch 米デンプン（赤痢アメーバ *Entamoeba histolytica* などの腸管寄生性原虫の培養に使われる様々な培地の補強剤として使われている米製品）．

Rich·ter her·ni·a リヒターヘルニア．= parietal hernia.

Rich·ter syn·drome リクター症候群（慢性リンパ球性白血病に起こる重症のリンパ腫．悪液質，発熱，蛋白異常血，および多核腫瘍細胞をもつリンパ腫を伴う）．

ri·cin (rī′sin)．リシン（トウゴマ（蓖麻ヒマ）の実に含まれる猛毒で，呼吸器や胃腸粘膜に炎症を起こす）．

ric·i·nine (ris′i-nin)．→ricin.

rick·ets (rik′ĕts)．くる病（ビタミンD欠乏によって生じる疾患．類骨組織の生産過剰と石灰化障害を特徴とし，骨変形，成長障害，低カルシウム血症を伴う）．= infantile osteomalacia; juvenile osteomalacia; rachitis.

Rick·ett·si·a (ri-ket′sē-ă)．リケッチア属（リケッチア目細菌の一属．小型で（非濾過性）しばしば多形を示す，球状から杆状のグラム陰性の細菌で，通常，シラミ，ノミ，ダニの細胞質内にいる．無細胞培地では増殖しない．病原種はヒトや動物に感染する．発疹チフス，ネズミのチフスあるいは発疹熱，ロッキー山紅斑熱，ツツガムシ病，リケッチア痘瘡，その他の疾患を起こす．標準種は *Rickettsia prowazekii*）．

Rick·ett·si·a af·ri·cae 主にジンバブエで研究されたリケッチアの一種で，キララマダニ属の *Amblyomma hebraeum* によって伝播されると考えられている．紅斑熱の原因菌．

Rick·ett·si·a a·kar·i 痘瘡リケッチア（ヒトのリケッチア痘瘡を起こす細菌種．ハツカネズミに寄生するワクモ科の *Liponyssoides sanguineus* によって媒介される）．

Rick·ett·si·a co·no·ri·i 南欧，アフリカや中東でボタン熱を引き起こす細菌種．種々のマダニによって媒介される．

Rick·ett·si·a ho·ne·i オーストラリアにおいてフリンダーズ島紅斑熱を引き起こす細菌種．

Rick·ett·si·a ja·po·ni·ca 日本紅斑熱を引き起こす細菌種．

rick·ett·si·al (ri-ket′sē-ăl)．リケッチアの．

rick·ett·si·al·pox (ri-ket′sē-ăl-poks′)．リケッチア痘（*Rickettsia akari* による感染症で，病原巣としてのハツカネズミからダニによって伝播される．良性で自然治癒経過を示す発熱性の疾患）．

Rick·ett·si·a pro·wa·ze·ki·i 発疹チフスリケッチア（再燃チフスを起こす細菌種．コロモジラミによって媒介される．*Rickettsia* の標準種）．

Rick·ett·si·a rick·ett·si·i 斑点熱リケッチア（ロッキー山紅斑熱の病原体となる細菌種．感染したマダニ類，特にカクマダニ属の *Dermacentor andersoni* と *D. variabilis* によって媒介される）．

Rick·ett·si·a slo·va·ca 局所的な紅斑および恐らく髄膜脳炎を引き起こすリケッチア症の原因となる細菌種．カクマダニの一種である *Dermacentor marginatus* によって伝播される．

rick·ett·si·o·sis (ri-ket′sē-ō′sis)．リケッチア症（*Rickettsia* 属による感染）．

Rid·doch phe·no·me·non リドック現象（静止物に対しては盲となる視野領域での小さな移動物体を認知する能力．特に後頭葉領域の病巣と関連する）．

Rid·e·al-Walk·er co·ef·fi·cient ライディール-ウォーカー係数（薬物の殺菌力を示す値．一定時間内に微生物を殺す殺菌薬の希釈度を，同じ時間内に同じ条件下で細菌を殺す石炭酸の希釈度で除したもの）．= phenol coefficient.

Ri·dell op·er·a·tion リデル手術（慢性前頭洞炎で，その前壁と下壁を切除する方法）．

rid·er's bone 乗馬骨，騎馬骨，騎手骨（乗馬で長く圧迫されたため，長内転筋腱が骨化した異所骨）．

ridge (rij)．隆線，稜（①線状の隆起．→crest. ②歯科において，歯の表面の線状の隆起．③抜歯後の歯槽突起とそれをおおう軟組織の残部）．

Rie·del thy·roid·i·tis リーデル甲状腺炎（まれな甲状腺の線維性硬化で，隣接組織への癒着により気管の圧迫を起こす）．

Rie·der cell leu·ke·mi·a リーダー細胞性白血病（急性顆粒球性白血病の特殊型で，病変のあ

R

る組織や循環血液中に比較的多数の非典型的骨髄芽球(Rieder 細胞)を認める．この骨髄芽球は，わずかに顆粒を有するごく普通の未熟な細胞形質と，数個の広く深い陥凹(分葉にみえる)をもつ奇妙な形をした核をもつ)．

Rie·der cells リーダー細胞（異常骨髄芽球で，核は広く深くぎざぎざが付いていて葉のようにみえ，ときには実際に二葉または多葉構造をなす．急性白血病によくみられる）．

Rie·der lym·pho·cyte リーダーリンパ球（大きなへこみを有し(または分葉した)，少しねじれた核をもつリンパ球の異常な型．通常，慢性リンパ性白血病でこのような細胞が認められるケースがある）．

Rie·gel pulse リーゲル脈（呼気の間に容量の減少する脈）．

Rie·ger a·nom·a·ly リーガー異常．= iridocorneal mesenchymal dysgenesis.

Rie·ger syn·drome リーガー症候群（歯数不足症または無歯症や上顎骨形成不全を伴う虹彩角膜中胚葉発育不全．常染色体優性遺伝．性的発達の遅滞と甲状腺機能低下症がみられる）．

Riehl mel·a·no·sis リール黒皮症(メラノーシス)（頸部および顔面の露出部皮膚にみられる，皮膚のマクロファージ中のメラニン色素による褐色沈着．化粧品の原料やいろいろな職業において接する油などの物質による光線皮膚炎から起こると考えられる）．

Rift Val·ley vi·rus リフトバレーウイルス（アフリカの家畜を起源とする発熱を引き起こすウイルスで，ヒトに感染し流行して何千人もの死亡の原因となる）．

Ri·ga-Fe·de dis·ease リーガ-フェーデ病（歯の萌出中の新生児あるいは乳児に起こる舌小帯の潰瘍）．

right a·tri·um of heart 右心房（心臓の右側の心房で，大静脈と冠状静脈洞から血液を受ける）．= atrium cordis dextrum; atrium dextrum cordis.

right au·ri·cle 右心耳（右心房から出た小さな円錐形の突起）．

right col·ic ar·ter·y 右結腸動脈（上腸間膜動脈より，ときに回結腸動脈との共通幹をもって起こる．上行結腸に分布し，中結腸動脈，回結腸動脈と吻合(この吻合は結腸辺縁動脈の形成にあずかる)）．= arteria colica dextra.

right col·ic flex·ure 右結腸曲（上行結腸と横行結腸の移行部における弯曲）．= flexura coli dextra; hepatic flexure.

right cor·o·nar·y ar·ter·y 右冠状動脈（右大動脈洞より起こり，冠状溝で心臓を右回し，右心房と右心室に枝を出す．これらの枝には房室枝や後室間枝がある）．= arteria coronaria dextra.

right de·scen·ding pul·mo·nar·y ar·ter·y (RDPA) 右下行肺動脈（右中・下葉を支配する動脈．胸部 X 線正面像で，右肺門陰影の大部分を構成する）．

right-foot·ed (rīt-fut′ĕd)．右足利きの．= dextropedal.

right fron·to·an·ter·i·or 一frontoanterior position.

right fron·to·pos·ter·i·or 一frontoposterior position.

right fron·to·trans·verse 一frontotransverse position.

right gas·tric ar·ter·y 右胃動脈（総肝動脈より起こり，胃小弯幽門部に分布する．左胃動脈と吻合）．

right gas·tric vein 右胃静脈（胃の上部の両面から静脈を受け，胃の小弯に沿って右方へ走り，門脈へ注ぐ）．= pyloric vein.

right-hand·ed (rīt-hand′ĕd)．右手利きの（書くことや手を使うほとんどの操作で，習慣的にまたは容易に右手を用いる）．= dextral.

right heart 右心（右心房と右心室）．

right heart by·pass 右心バイパス（右房・右室周辺の大静脈から直接に肺動脈へ血液を迂回短絡すること）．

right he·pat·ic duct 右肝管（肝臓の右半分と尾状葉の右側から，胆汁を総肝管に送る管）．

right lat·er·al di·vi·sion of liv·er 肝臓の右外側部（外科手術のための肝臓の区分で，右肝静脈のほぼ垂直な面の右側で右後・前内側区(VI と VII)を含む部分．ほぼ解剖学でいう右葉の右 1/3 に相当する）．= divisio lateralis dextra hepatis.

right-left dis·cri·mi·na·tion 左右識別（身体の片側が反対側と異なることを確認する過程）．

right and left fi·brous rings of heart 心臓の線維輪（心臓の左右の房室口を囲む線維輪で，弁葉を支持し口形を維持している．心臓骨格の一部をなし，心筋の起始・停止ともなっている）．= anulus fibrosus(1)．

right liv·er 肝臓右半部（肝動脈右枝，門脈右枝から血液を受け，右肝管から胆汁が出て行く肝臓の部分．中肝臓静脈面が肝臓の右半と左半を分ける）．

right lobe of liv·er 〔肝臓の〕右葉（肝臓の最も大きい葉．前上方は鎌状靱帯によって左葉から，また大静脈溝および胆嚢窩によって尾状葉，方形葉から分離される）．= lobus hepatis dexter.

right lym·phat·ic duct 右リンパ本幹（長さが約 2 cm の短い幹の，左右の終末リンパ管の右方のもので，右頸リンパ本幹と，右上肢のリンパ管，胸壁，両肺からの管とが結合してつくられるもの．右胸鎖関節の後に位置し，右腕頭静脈に注ぐ）．

right mar·gi·nal branch of right cor·o·nar·y ar·ter·y 右外縁枝(右冠状動脈の)（右冠状動脈の心室枝のうち最大の枝．太く長い枝で，心臓の右縁に沿って心尖に達する）．= ramus marginalis dexter arteriae coronariae dextrae.

right me·di·al di·vi·sion of liv·er 肝臓の右内側部（外科手術のための肝臓の区分で，右肝静脈を通るほぼ垂直な面と中肝静脈を通るほぼ垂直な面との間の部分で，右後・前内側区(V と VIII)を含む．ほぼ解剖学でいう右葉の中 1/3 に相当する）．= divisio medialis dextra hepatis.

right pul·mo·na·ry ar·ter·y 右肺動脈（肺

動脈幹からの2分枝のうちの長いほうで縦隔上部で正中線を横切って右肺門に肺根の一部となって加わる．その分枝は気管支や細気管支に伴行して分布するが個人差が大きい．典型的には ⓘ上肺葉動脈から肺尖動脈と前区動脈・後区動脈がそれぞれ上行枝と下行枝を出す．ⓘⓘ中肺葉動脈から内側区動脈，外側区動脈が出る．ⓘⓘⓘ下肺葉動脈から上区動脈が出る．ⓘⓥ肺底部からは前肺底動脈，後肺底動脈，外側肺底動脈，内側肺底動脈が出る）．

right-to-left shunt 右左シャント（中隔欠損などがある場合の右心から左心への血液の流れ，または開存した動脈管を通るような肺動脈から大動脈への流れをいう．このような血液の短絡は，右心圧が左心圧より高くなったときのみ起こる）．

right ven·tri·cle 右心室（右心房からの静脈血を受け入れ，壁の収縮により血液を肺動脈に送り出す心臓の右側の下方の腔所）．

right ven·tric·u·lar fail·ure 右室不全（右心室のポンプ障害による頸静脈怒張，肝腫大，浮腫などが現れるうっ血性心不全）．

ri·gid con·nec·tor 非緩圧型連結装置（歯科において，はんだ接合のような，非緩圧型の連結装置）．

ri·gid·i·ty (ri-jid′i-tē)．***1*** 硬直，固縮．= rigor (1)．***2*** 硬さ（精神医学と臨床心理学において，変化に対する個人の抵抗を特徴とする人格の一面についていう）．***3*** 硬直，固縮，強剛（神経学で安静時の筋緊張亢進の一型．速度に関係なく受動的伸展に対して抵抗が増加している．左右対称的のこともあり，反対側の筋肉を動かすと筋緊張亢進が増加する．2つの基本的な型は歯車様硬直と鉛管様硬直である．→nuchal rigidity）．

rig·or (rig′ŏr)．***1*** 硬直．= rigidity (1)．***2*** = chill (2)．

rig·or mor·tis 死体硬直（死後1—7時間後の体の硬化．ミオシノゲンとパラミオシノゲンの凝固の結果，筋肉組織が硬化して起こる．1日後から6日後，すなわち分解が始まるときに消失する）．= postmortem rigidity.

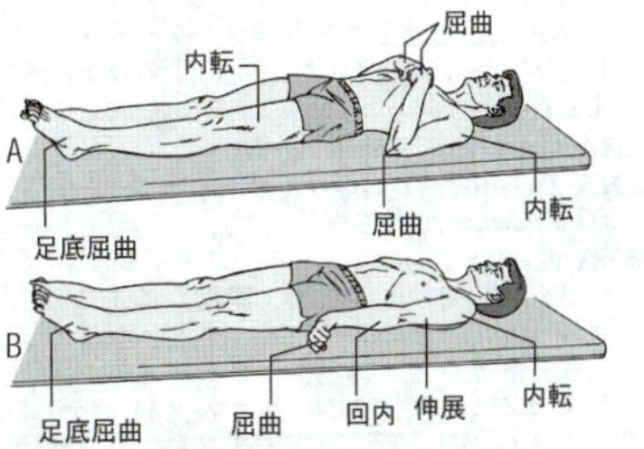
屈曲
内転
A
屈曲
内転
足底屈曲
B
足底屈曲
屈曲
回内
伸展
内転

assessing the level of consciousness by rigidity
A：除皮質．B：除脳．

rim (rim)．縁（通常は円形の縁）．

ri·ma, gen. & pl. ri·mae (rī′mă, -mē)．裂（2つの対称的な部位の間の細隙または裂溝，あるいは狭く長い開口部）．

ri·ma glot·ti·dis 声門裂（声帯間の間隙）．

ri·ma o·ris 口裂（口の開口部）．

ri·ma pal·pe·bra·rum 眼瞼裂（眼瞼間の細隙または裂）．= palpebral fissure.

ri·ma ves·tib·u·li 〔喉頭〕前庭裂（仮声帯または室ひだの間の間隙）．

ri·mose (rī′mōs)．裂け目のある（磁器のひびのように，あらゆる方向へのひびを特徴とする）．

rim·u·la (rim′yū-lă)．小裂（小さな細隙または裂溝）．

ring (ring)．***1*** 輪（広い中心開口部を取り巻く同心円帯．開口部やある水準での領域を輪状または同心円状に取り囲む構造）．= anulus．***2*** 環（環式化合物における原子の閉鎖環．一般に cyclic, cycle を接頭語として用いる）．***3*** 輪（細菌の肉汁培養で起こる上表面の周縁増殖．試験管の側面に付着して，輪形を呈する）．

ring ab·scess 輪状膿瘍（壊死巣が白血球浸潤の輪状帯によって囲まれている急性化膿性の角膜周辺部の炎症）．

ring chro·mo·some 環状染色体（両端が結合して輪状構造をなす染色体．輪状型はヒトでは異常であるが，ある種のバクテリアでは染色体の正常型である）．

Ring·er so·lu·tion リンガー(リンゲル)〔溶〕液（①塩類組成が血清と類似する液．塩化ナトリウム 8.6 g，塩化カリウム 0.3 g，塩化カルシウム 0.33 g に蒸留水を加えて 1,000 mL とした液．点滴用の液体や電解質補充液として用いる．→lactated Ringer solution．②天然に存在する体物質（血清，組織抽出物など）と，化学的に複雑に定義された栄養液，またはそのいずれかとともに動物細胞の培養に通常用いる食塩水）．

ring fin·ger 環指，薬指，くすりゆび（第四指）．

ring-knife (ring′nīf)．環形ナイフ（内側に切断刃の付いた円形または卵形の環．鼻腔や他の腔の腫瘍を削るのに用いる）．

ring·like cor·ne·al dys·tro·phy 輪状角膜ジストロフィ（前部角膜実質の糸状混濁で，視力低下に引き続き急激な疼痛で始まる．常染色体優性遺伝．第5染色体長腕の keratoepithelin をコードする形質転換増殖因子 β 遺伝子(TGFB1)の変異による）．

ring sco·to·ma 輪状暗点（網膜色素変性や緑内障における固視点周囲の視野の輪状欠損）．

ring sy·ringe = control syringe.

ring·worm (ring′wŏrm)．白癬．= tinea.

Rin·ne test リンネ試験（①振動している音叉を，音が消えるまで頭蓋(通常は乳様突起)に接触させておき，次いでその先を耳口に近づけると，聴覚が正常ならかすかな音が聞こえる．気導が骨導より大きいと表現され，中耳を介しての正常な伝音機構がある．②振動している音叉を頭蓋に接触させた際，耳口付近に置いたときより長く，大きく聞こえるならば，骨導が気導より大きいとして表現され，伝音機構に何らかの障害がある).
Ri·o·lan a·nas·to·mo·sis リョラン吻合（中部および左結腸動脈間を結ぶ結腸の辺).
Ri·o·lan arch = marginal artery of colon.
ri·ot-con·trol a·gent 暴動鎮圧剤（群衆整理の状況において，目，のど，および上気道に一時的な刺激を生じさせるために使用される，いくつかの化学物質のいずれかのこと．暴動鎮圧剤は通常，特定の有機溶剤に溶かすことができる固体で，粉末，溶液，あるいは煙として散布される．これらは気体ではないため，「催涙ガス(tear gas)」という名称は，これらの暴動鎮圧剤を表すのには誤称である．嘔吐剤(vomiting agent)は暴動鎮圧剤に含まれる．→tear gas, lacrimator; vomiting agent; CA; CN; CS; CR; DM).
RIP respiratory inductance plethysmography; radioimmunoprecipitation の略.
Ri·pault sign リポー徴候（眼球の一側を圧迫すると瞳孔の形が恒久的に変化する死の徴候).
Rip·stein o·per·a·tion リプシュタイン手術(肛門から大腸が脱出するのを防ぐために，メッシュ帯を経腹的に遊離した直腸周囲に留置する，直腸脱に対する手術).
rise time 上昇時間（脈拍または反響音の起始点から頂点までの時間).
risk (risk). 危険度(性)，危険（①ある事象が起こる確率．②有害な結果を招く可能性).
risk as·sess·ment リスクアセスメント（行動を起こす前に行う，行動に伴うリスクの分析).
risk of in·jur·y 傷害のリスク（環境的な原因による損傷のリスクがクライアントにある状況．この看護診断は，転倒，外傷，窒息，および誤嚥といった(北米看護診断協会が認める看護診断)他の診断と重複する).
Ris·ley ro·ta·ry prism リスレー回転プリズム(目盛りを付けた金属性の縁の中で回転可能な円形底面のプリズム．眼筋不均衡の検査に用いる).
ri·so·ri·us mus·cle 笑筋（口部顔面筋の1つ．起始：広頸筋と咬筋筋膜．停止：口輪と口角の皮膚．作用：口角を広げる．神経支配：顔面神経). = musculus risorius.
Riss·er cast = clam-shell brace.
RIST radioimmunosorbent test の略.
ri·sus ca·ni·nus 痙笑，ひきつり笑い（顔面痙攣によって起こるにやにや笑い，特にテタヌスでみられる). = cynic spasm; sardonic grin.
Rit·gen ma·neu·ver リットゲン操作（胎児の頭を会陰に押し付ける分娩法で，その際，他方の手で頭を押さえながら分娩速度を調節する会陰保護法の1つ).
Rit·ter dis·ease リッター病（剥脱性皮膚炎のこと．ブドウ球菌性熱傷様皮膚症候群(SSSS)としても知られる．表皮剥脱毒素を生成する型の黄色ブドウ球菌によって引き起こされ，皮膚の表皮層の大きな水疱や剥脱を特徴とする).
Rit·ter op·en·ing tet·a·nus リッター開放強直（長くのびている神経を通る強い電流が突然遮断される際に，ときとして生じる強直性収縮).
rit·u·al (rich′ū-ăl). 儀式（精神医学および心理学において，個人が不安を緩和したり，その発生を先回りして防ぐために行う何らかの精神運動活動(例えば，病的な手洗い).強迫性障害に典型的にみられる).
ri·val·ry (rī′văl-rē). 競争，競合（同一物体，目標に対する2人または二存在間以上の間の競争).
Riv·ers cock·tail リヴァーズカクテル（10%ブドウ糖を含む生理食塩水 1,000—2,000 mL に塩酸チアミンおよび25単位のインスリンを加えた静脈注射用薬剤．急性アルコール中毒に対して用いる).
Ri·vi·nus ca·nals リヴィヌス管（→major sublingual duct; minor sublingual ducts).
Ri·vi·nus ducts リヴィヌス管. = minor sublingual ducts.
riz·i·form (riz′i-fōrm). 米粒形の.
RLE right lower extremity の略.
RLL right lower lobe (of lung)((肺の)右下葉)の略.
RLQ right lower quadrant (of abdomen)((腹部の)右下四分円領域，右下腹部)の略.
RLS restless legs syndrome の略.
RM repetition maximum の略.
1-RM one-repetition maximum の略. →dynamometer.
RMA *r*ight *m*ento*a*nterior position(右頤前位胎位)の略.
RML right middle lobe (of lung)((肺の)右中葉)の略.
RMP *r*ight *m*ento*p*osterior position(右頤後位胎位)の略.
RMR resting metabolic rate の略.
RMT *r*ight *m*ento*t*ransverse position(右頤横位胎位)の略.
RN, R.N. registered nurse の略.
Rn ラドンの元素記号.
RNA ribonucleic acid の略.
RNase ribonuclease の略.
RNase-α (ahr-en-az′ al′fă). リボヌクレアーゼα(5′-ホスホモノエステルを産生する O-メチル化 RNA のエンドヌクレアーゼ的切断を触媒する酵素).
Rnase H ribonuclease H の略.
RNase P RN アーゼ(リボヌクレアーゼ) P (tRNA 前駆物質をエンドヌクレアーゼ様に開裂して 5′-ホスホモノエステルにする反応を触媒する酵素).
RNA splic·ing = splicing(2).
RNA tu·mor vi·rus·es RNA 腫瘍ウイルス(*Oncovirinae* 亜科のウイルス).
RNA vi·rus RNA ウイルス（コアが RNA から構成されているウイルス群．動物ウイルスの主要グループで，ピコルナウイルス科，レオウイルス科，トガウイルス科，フラビウイルス科，ブンヤウイルス科，アレナウイルス科，パラミクソウイルス科，レトロウイルス科，コロナウイルス科，オルソミクソウイルス科，ラブドウイルス科を含む).
RNP ribonucleoprotein の略.
RNS red neck syndrome の略.

ROA *r*ight *o*ccipito*a*nterior position(右後頭前〔方位〕胎位); route of administration の略.

Roaf syn·drome ローフ症候群 (先天性または早期の網膜剥離, 白内障, 近視, 長骨短縮, および精神遅滞を伴う非遺伝性頭蓋顔面骨格疾患. コラーゲンII型合成の欠陥が原因. 進行性感音難聴は後に発症する).

ro·bert·so·ni·an trans·lo·ca·tion ロバートソン転座 (2つの末端動原体型染色体の動原体が融合したようにみえ, 2つの異なった染色体の長腕と無短腕からなる異常染色体を形成する転座. 平衡を保ったキャリアは, ほぼ正常な染色体相補性と臨床的に正常な表現型を呈するが, 転座のキャリアとなる. 非平衡型キャリアの場合は, 対象染色体長腕がトリソミーである). = centric fusion.

Rob·i·now syn·drome ロビノー症候群 (隆起した前頭部, 眼間開離, 陥没した鼻弓(いわゆる胎児様顔貌), 広い口, 中間肢短縮, 半脊椎, 性器低形成を特徴とする骨異形性症. 常染色体劣性遺伝).

Rob·in·son in·dex ロビンソン係数 (心負荷を客観的に示すのに計算された係数. →double product).

Rob·in syn·drome ロバン症候群. = Pierre Robin syndrome.

ro·bot·ic (rō-bot′ik). ロボットの, 自動装置の (ロボットに関する, あるいはロボット特有の. 直接の人間の操作なしに人間の機能を再現するように設計された自動的な機械装置).

Ro·cha·li·mae·a (rō-chă-lī′mē-ă). *Bartonella* 属の旧称.

rock·er knife ロッキング・ナイフ (片方の上肢のみ機能する人のために設計された, 曲がった, 上下に動く刃を持つナイフ).

rock pop·py = celandine.

Rock·y Moun·tain spot·ted fe·ver ロッキー山〔紅斑〕熱 (死亡率の高い急性感染症で, 前頭部および後頭部の頭痛, 激しい腰痛, 倦怠感, 中等度の持続熱, 2—5日目に手首, 手掌, 足首, 足底に出現し, その後全身に広がる発疹を特徴とする. 春に起こり, 主に米国南東部とロッキー山地域でみられるが, 米国の他の地域, カナダの一部, メキシコ, 南アメリカでも地方病的にみられる. 病原体は斑点熱リケッチア *Rickettsia rickettsii* で, カクマダニ属 *Dermacentor* の2種以上のマダニによって媒介される. 米国西部の州では *D. andersoni* によって, 東部の州ではイヌのマダニ *D. variabilis* によって媒介される). = tick fever(4).

rod (rod). 杆〔状〕体 (①細い円柱状の構造または装置. ②網膜の外顆粒層中のロドプシンを含む杆状細胞の光感受性外向突起. 錐体とともに何百万もの杆状体と錐状体で光受容層を形成する. = rod cell).

rod cell 杆状体細胞. = rod(2).

ro·den·ti·cide (rō-den′ti-sīd). 殺鼡薬 (げっ歯類に致命的な薬物).

ro·dent ul·cer 蚕食性潰瘍 (通常は顔面にできる, ゆっくり増大する潰瘍性基底細胞癌).

rod gran·ule 杆状体顆粒 (杆状体の1つとつながる網膜細胞の核).

roent·gen (r, R) レントゲン (X線またはガンマ線量の照射線量の(旧)国際単位. 標準状態(註 0°C, 1気圧)の空気1 cm^3, つまり0.001293 gに対して2.08 × 10^{9}個の正負イオン, すなわちそれぞれ1静電単位(esu)の電荷を生じさせる線量のこと. MKSA単位系では, 空気1 kgあたり厳密に2.58 × 10^{-4}クローンになる).

ro·ent·gen-e·quiv·a·lent-man (rem) (rent′gen ē-kwiv′ă-lĕnt-man). レム, 人体レントゲン当量 (線量当量の(旧)単位で, ヒトに対してX線またはガンマ線1ラドと同じ生物的効果を生じさせるような任意の種類の電離放射線の量. レムの値は, ラドで表した吸収線量に当該放射線の線質係数を乗じたものに等しい. 100 rem = 1 Sv).

roent·gen·ol·o·gist (rent′gen-ol′ō-jist). 放射線学者, X線専門家, 放射線科医 (X線を診断や治療に適用することに熟練している医師).

roent·gen·ol·o·gy (rent′gen-ol′ō-jē). X線〔医〕学, 放射線学, レントゲン学 (X線の全適用法の研究. 画像診断においては, radiologyのほうが好んで用いられている).

ro·ent·gen ray レントゲン線. = x-ray.

Roes·ler-Dress·ler in·farct レスラー-ドレスラー〔型〕心筋梗塞 (左心室の前壁, 後壁, または心室中隔の左側を含む亜鈴(ダンベル)型の心筋梗塞).

Rog·er An·der·son pin fix·a·tion ap·pli·ance ロジャー-アンダーソンピン固定装置 (下顎骨骨折および上顎前突症の矯正の口腔外固定に用いる装置で, 骨片に挿入されたピンは金属性連結杆に結ばれる).

Ro·ger bru·it = Roger murmur.

Ro·ger dis·ease ロジェ病 (無症候性の心室中隔欠損からなる先天性心臓奇形. しばしば大きい雑音およびはっきりした振せんを伴う).

Ro·ger mur·mur ロジェ雑音 (胸骨左縁で最強の汎収縮期雑音. 心室中隔の小欠損が原因である). = Roger bruit.

Rog·ers sphyg·mo·ma·nom·e·ter ロジャーズ血圧計 (アネロイド気圧計からなっている).

Ro·ki·tan·sky dis·ease ロキタンスキー病. = acute yellow atrophy of the liver.

Ro·ki·tan·sky her·ni·a ロキタンスキーヘルニア (腸の筋肉線維が分離して, 粘膜嚢が脱出すること).

Ro·ki·tan·sky pel·vis ロキタンスキー骨盤. = spondylolisthetic pelvis.

Ro·ki·tan·sky syn·drome = Budd-Chiari syndrome.

ro·lan·dic (rō-lan′dik). Luigi Rolando に関する, または彼の記した.

ro·lan·dic ep·i·lep·sy ローランドてんかん (良性で常染色体優性遺伝する小児てんかんであり, 臨床的には会話中断, 顔半分と腕に起こる筋収縮を特徴とし, 脳波上てんかん性発射がみられる).

Ro·lan·do ar·e·a ロランド野. = motor cortex.

Ro·lan·do fiss·ure ローランド溝 (各大脳半球の外側面にある亀裂で, 前頭葉と頭頂葉を分

R

ける．ローランド裂，大脳の中心溝とも呼ばれる）．

Ro·lan·do frac·ture ローランド骨折（骨折線がT骨折あるいはY骨折として関節まで垂直に伸びた第一中手骨基部の骨折）．

role（rōl）．役割（①ある人間が示す行動の型．当人が最初に関係をもつ，あるいはもった重要な人々によって影響される．②社会的に容認された一連の行動様式や規範）．

role-play·ing（rōl-plā′ing）．ロールプレイング，役割演技〔法〕（心理劇で用いる精神療法的方法．ストレスに満ちている対人関係における出来事を演じたり再演したりして，感情的葛藤を理解し治療する．→psychodrama）．

rol·ler·ball e·lec·trode 回転球状電極（塗装用の回転ローラーのような回転球状の電極．焼灼に用いられる．子宮内膜除去に用いられる）．

rol·ler ban·dage 巻軸包帯，巻包帯（種々の幅をもつ材質からなる包帯で，使いやすいように円筒状に巻いてあるもの）．

Rol·let stro·ma ロレット支質（赤血球の無色の支質）．

ROM range of motion の略．

Ro·ma·ña sign ロマニャ徴候（片眼瞼あるいは両眼瞼の著明な浮腫．通常は片眼の眼瞼浮腫で，*Trypanosoma cruzi* に感染したある種の昆虫に刺されたときの感受性反応と考えられている．急性 Chagas 病との関連も強く暗示されている）．

Ro·ma·now·sky blood stain ロマノフスキー血液染色〔法〕（血液塗抹標本用のエオシン-メチレンブルー染色の原型．メチレンブルー(飽和)とエオシンの混合水溶液をつくる．この染色は2種の色素の相互反応により生成される化合物の作用に依存しており，万一アルコール中に水が混在していると，中性の色素が沈殿して使用不能となる）．

rom·berg·ism（rom′berg-izm）．= Romberg sign.

Rom·berg sign ロンベルク徴候（患者は両足をそろえて，開眼起立と閉眼起立を行う．もし閉眼時不安定性が増すと，固有感覚統制力が失われていることを示し，Romberg 徴候陽性という）．= rombergism.

ron·geur（rōn[h]-zhur′）．骨鉗子（骨をかじり取るための強力な咬鉗子）．

R/on·ne na·sal step レネ鼻側階段（緑内障にみられる鼻側視野の欠損で，一方の縁は網膜の水平経線に対応している）．

roof（rūf）．蓋（→ tectorium; tectum; tegmen; tegmentum; integument）．

roof plate, roof·plate 上衣板（背方で翼板と連結する胚子神経管の薄い層）．

room·ing-in（rūm′ing-in′）．母児同室（産褥入院時に新生児を保育室よりも母体とともに同室にする）．

root（rūt）．***1*** 根（神経が出る脳，脊髄のように，あらゆる部分の根本または始めの部分）．= radix (1)．***2*** 歯根．= root of tooth. ***3*** 根（植物の地下で下方にのびる部分．水分や栄養を吸収し，植物を支え，栄養を蓄える）．

root am·pu·ta·tion 歯根切除〔術〕（多根歯の1根以上の根を外科的に除去することで，残存歯根は通常，歯内療法を受けている）．= radectomy; radiectomy; radisectomy.

root ca·nal of tooth 歯根管（歯根部にある歯髄腔）．= canalis radicis dentis; cavity of tooth; pulp canal.

root car·ies in·dex 根面う食指数（根面にう食病変をもった歯および(または)根面に修復処置を行った歯の数の，根面の露出した歯の総数に対する比）．

root-form im·plant 歯根型インプラント（形態が歯根に類似したインプラント）．

root·ing re·flex 乳さがし反射（生後4—5か月までの乳児反射行動で，口の周囲を刺激すると唇を開いて刺激方向に向ける）．

root of lung 肺根（肺門部を出入りするすべての構造をさし，胸膜に包まれて脚状をなす．気管支，肺動静脈，気管支動静脈，リンパ管，神経を含む）．

root of nail 爪根（爪の近位末端で，皮膚のひだの下に隠れている）．

root of pe·nis 陰茎根（2本の陰茎脚と尿道球を含む陰茎の近位付着部分）．

root pulp 歯根歯髄，根部歯髄（歯根部に含まれる歯髄）．

root re·sec·tion〔歯〕根切除〔術〕．= apicoectomy.

root sheath 毛根鞘（毛嚢の表皮層の1つ．外毛根鞘は表皮の基底層および有棘層に続いている．内毛根鞘は内毛根の小皮，Huxley 層および Henle 層からなる）．

root of tongue 舌根（舌の後方付着部分）．

root of tooth 歯根（歯頸部以下の部分でエナメル質ではなくセメント質でおおわれ，歯周靱帯によって歯槽骨内についている）．= radix (2); root (2).

ROP *r*ight *o*ccipito*p*osterior position（右後後頭位胎位）の略．

Ror·schach test ロールシャッハ試験（投影法的心理検査．10枚のインクブロット図のそれぞれの中に何が見えるか述べることによって，被検者の態度，情動，人格を明らかにするもの）．= inkblot test.

ROS review of symptoms の略．

ro·sa·ce·a（rō-sā′shă）．しゅさ(酒皶)（鼻とそれに続く頬部とを侵す慢性の血管拡張および毛孔開大．紅斑がみられ，皮脂腺が著明に増大して深在性の丘疹と膿疱を伴い，また毛細血管拡張を伴うものもある）．= acne erythematosa; acne rosacea.

Ro·sai-Dorf·man dis·ease ローサイ-ドーフマン病．= sinus histiocytosis with massive lymphadenopathy.

ro·sar·y（rō′zăr-ē）．じゅず（ビーズ様の配列または構成）．

rose ben·gal［CI 45440］．ローズベンガル（染色に用いる蛍光色素）．

Ro·sen·bach law ローゼンバッハの法則（①神経幹や神経中枢の傷害では，屈筋麻痺のほうが伸筋麻痺より遅れて発生する．②律動性の機能的周期性を有する器官が異常な刺激を受けた場合，個々の反応と集合化とそれに相当する休止の延長が起こることがあるが，反応と休止の総量比はほぼ一定である）.

Ro·sen·bach sign ローゼンバッハ徴候（内臓の急性炎症の場合にみられる腹壁反射の消失）.

Ro·sen·mül·ler gland ローゼンミュラー腺. = proximal deep inguinal lymph node.

Ro·sen·mül·ler node ローゼンミュラー結節. = proximal deep inguinal lymph node.

Ro·sen·thal ca·nal ローゼンタール管. = spiral canal of cochlea.

ro·se·o·la（rō′zē-ō′lă）. バラ疹（密接に集合したバラ色の小斑点が対側性に生じたもの. ヒトヘルペス6型や7型によって生じるものと考えられている. →exanthema subitum）.

ro·se·o·la id·i·o·path·i·ca 特発性バラ疹（他の症候群に付随しない赤みを帯びた対称性の皮疹）.

ro·se·o·la in·fan·ti·lis, ro·se·o·la in·fan·tum 小児バラ疹. = exanthema subitum.

Rose po·si·tion ローズ体位（手術台の端から頭を垂れ，仰臥位. 口腔内あるいは咽頭の手術に用いる）.

rose spots バラ疹（腸チフスの特徴的発疹. 10—20個の小型でピンク色の丘疹が体幹部下方にみられ，2—3日持続して，消退後色素沈着を残す）.

ro·sette（rō-zet′）. ロゼット，菊座（①分節段階あるいは成熟段階にある四日熱マラリア原虫 *Plasmodium malariae*. ②神経芽細胞，神経外胚葉，あるいは上衣起源の新生物に特徴的な細胞群. 多数の細胞核が輪状になり，そこから鍍銀法で検出される神経原線維がのびて中心で交錯する. ③広節裂頭条虫 *Diphyllobothrium latum* など，ある種の擬葉類条虫の胎嚢のバラ状らせん構造）.

ros·in（roz′in）. ロジン，松ヤニ（*Pinus*（マツ属）植物の粗バルサムの水蒸気蒸留により得られた固体樹脂. 接着性を利用して硬膏に，局所刺激性を利用して軟膏に適用される）. = resin(2).

Ro spat·u·la ローベラ（感染物質片（例えば，ジフテリア膜を細菌培養管へ）を移すのに使われる非常に小さなニッケルメッキ鋼製のへら）.

Ros·so·li·mo re·flex, Ros·so·li·mo sign ロッソリーモ反射（足指先端を足底からはじくように動かすことにより起こる足指の屈曲. 足指屈筋の伸張反射で，錐体路の病変の際にみられる. →Starling reflex）.

Ross pro·ce·dure ロス手術（大動脈弁狭窄症または閉鎖不全症のための手技. 大動脈弁を患者自身の肺動脈弁で置換し（自家移植），肺動脈弁は同種移植弁で置換する）.

Ross Riv·er vi·rus ロス川ウイルス（流行性多関節炎の原因となるトガウイルス科のカ媒介性のアルファウイルス）.

ros·tel·lum（ros-tel′ŭm）. 額嘴（条虫の頭節の前端の固定部分あるいは反転可能部分で，しばしば鉤が1列（または数列）配列している）.

ros·trad（ros′trad）. 吻側に（①吻極方向に. ②ある特定の基準点に関して，生物の吻すなわち口吻端により近い方に存するの意で，caudad(2)の対語）.

ros·tral（ros′trăl）. 吻の（吻あるいは吻に似た解剖的構造についていう）.

ros·trate（ros′trāt）. 吻のある，鉤のある.

ros·trum, pl. ros·tra, ros·trums（ros′trŭm, -tră, -trŭmz）. 吻（くちばし状構造）.

ROT *r*ight *o*ccipito*t*ransverse position（右後頭横位胎位）の略.

rot（rot）. ***1***〚v.〛腐敗する. ***2***〚n.〛腐敗（腐る，化膿すること）.

ro·ta·mase（rō′tă-mās）. ローターマーゼ（分子の回転異性体（ロータマー）のコンホメーションを変換させうる酵素）.

ro·ta·mer（rō′tă-mĕr）. ロータマー（その部分の回転配位が他のコンホメーションと異なる異性体. 例えば，シス体とトランス体）.

ro·ta·ry chew·ing 回転性咀嚼（生後15か月までの小児に見られる咀嚼のパターン. 固い物をかみ砕いてすりつぶすために，舌が食物を口の中で正中線を越えて左右に動かして歯の表面に移動できるように顎を側方に回転させる動き）.

ro·ta·ry joint, ro·ta·to·ry joint = pivot joint.

ro·tat·ing an·ode 回転〔型〕陽極（X線撮影において使用される，近代的X線管球のキノコ型の陽極. X線の発生中は，電子線の衝突によって生じる局所的温度上昇を避けるため高速に回転する）.

ro·ta·tion（rō-tā′shŭn）. ***1*** 回転，回旋（軸の周囲を回る動き）. ***2*** 循環（周期性疾病の症状のように，特定の事象が規則的順序で起こること）. ***3*** ローテーション（医学教育において一定期間ずつある特定の医療や専門科医療に従事すること）. ***4*** ローテーション（勤務時間を定期的に変更すること. 交替勤務）.

ro·ta·tion·al nys·tag·mus 回転眼振（いずれの方向であれ，頭部を回転したときに迷路の刺激によって生じる，または運動変化によって誘発される律動性眼振）.

ro·ta·tion flap 転位皮弁（恵皮部よりそれに隣接する受皮部へ転位して移植される有茎皮弁）.

ro·ta·tor（rō′tā-tŏr）. 回旋筋（→rotation）.

ro·ta·tor cuff of shoul·der 回旋筋腱板，ローテーターカフ（肩関節包を前面，上面，後面から補強している板状の腱で，棘上筋，棘下筋，小円筋，肩甲下筋の腱が密着癒合してできたもの）.

ro·ta·to·res mus·cles 回旋筋（3層ある横突棘筋のうち最深部のもので主に胸部に発達する筋. 1個の脊椎の横突起より起こり隣接する上部の2，3個の脊椎の棘突起の根に付着する. 作用：伝統的には脊柱を回旋させるといわれるが，多数の筋紡錘が発達しているところをみると固有受容器として働いているのかもしれない. 神経支配：脊髄神経後枝）. = musculi rotatores.

ro·ta·to·ry nys·tag·mus 回旋眼振（視軸の周囲の眼の動き）.

Ro·ta·vi·rus（rō′tă-vī′rŭs）. ロタウイルス属（ヒト胃腸炎ウイルス（世界中で乳児性下痢の主な原因になっている）を含むRNAウイルスの一

R

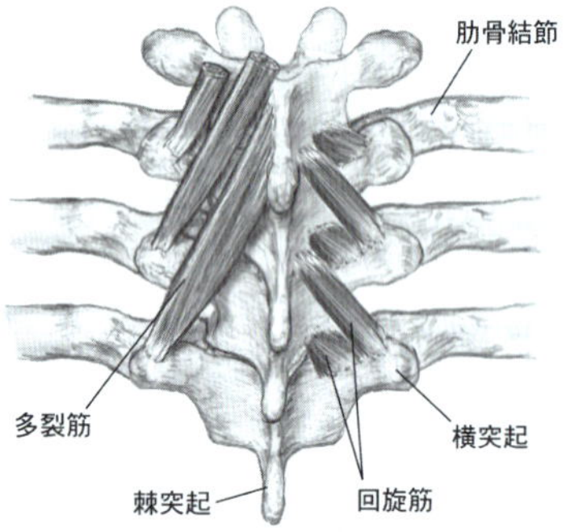
肋骨結節
多裂筋
横突起
棘突起
回旋筋
rotatores muscles

属). = gastroenteritis virus type B.

Rotch sign ロッチ徴候（心膜液貯留の場合，右第五肋間腔に打診濁音が起こる）.

rote learn·ing 機械的学習，暗記学習（任意の関係の学習．一般に学習を反復して暗記することによるもので，関係そのものは理解していない）.

Roth·mund syn·drome ロートムント症候群（皮膚の萎縮，色素沈着，および毛細血管拡張で，通常は若年性白内障，鞍鼻，先天性の骨形成不全，毛髪の発育障害，性腺機能低下を伴う．常染色体劣性遺伝）.

Roth sign = Bernhardt sign.

Roth spot ロート斑〔点〕（出血によって取り巻かれた円形白色斑．細菌性心内膜炎の網膜にみられることがある．他の網膜の出血症状）.

Ro·tor syn·drome ローター症候群（ビリルビン排泄障害によって小児期に生じる黄疸．血漿ビリルビンの大部分は結合型であり，肝機能検査は通常正常で，肝臓の色素沈着はない）.

ro·to·sco·li·o·sis (rō′tō-skō′lē-ō′sis). 回旋側弯〔症〕（側弯と回旋転位を伴うもの）.

ro·to·tome (rō′tō-tōm). ロトトーム（鏡視下手術で使用する回転性の切り離し道具）.

Rou·get bulb ルジェ球（卵巣表面にある静脈叢）.

rough·age (rŭf′ăj). 粗質物，不消化食料（もみがらなどの食物中にあるもので，腸ぜん動の刺激物として作用する）.

rou·leaux for·ma·tion 連銭形成（血液中(または希釈浮遊液中)の赤血球の，両陥凹面が付着した配列で，その形が貨幣を積み上げたのに似ている）.

round·ed at·el·ec·ta·sis, round at·el·ec·ta·sis 円型無気肺（胸膜の線維化に基づく実質組織を包み込んでもたらされる無気肺野で，アスベスト暴露によるものが最も多い．結節様不透明像として現れるので肺癌と間違えられうる．ほうき星尾(コメット)サインを伴うことがある．ダイナミック CT では造影剤陰影増強が高度なことが診断を助ける）.

round heart 球状心（心臓の X 線陰影が球状を呈する状態で，心室の疾患によるか，あるいは多量の心嚢液貯流の結果，心臓の外見が球状を呈する）.

round lig·a·ment of fe·mur 大腿円靱帯. = ligament of head of femur.

round lig·a·ment of liv·er 肝円索（臍静脈の遺残で肝鎌状間膜の自由縁を肝臓から臍までのびており，ここで肝円索裂の中を通って肝門の左肝門脈の起始部につながる）. = ligamentum teres hepatis.

round lig·a·ment of u·ter·us 子宮円索（卵管開口部の前下方，左右両側で子宮に付着している筋線維を含む線維帯．鼡径管から大陰唇に至る）. = ligamentum teres uteri.

round win·dow 正円窓. = fenestra cochleae.

round win·dow mem·brane 正円窓膜. = secondary tympanic membrane.

round·worm (rownd′wŏrm). 回虫（線形動物門の線虫．一般に寄生型虫体に限って用いられる）.

Rous-as·so·ci·at·ed vi·rus (RAV) ラウス関連ウイルス（白血病-肉腫複合体の白血病ウイルス．Rous 肉腫ウイルスの欠損(非感染性)ウイルスと表現型混合によって，本ウイルスの抗原性を有するエンベロープをもった感染性肉腫ウイルスの産生に影響を与える）.

Rous sar·co·ma vi·rus (RSV) ラウス肉腫ウイルス（白血病-肉腫複合体で肉腫を形成するウイルス．1911 年に Rous によって発見された）.

Roux-en-Y a·nas·to·mo·sis ルー Y 吻合〔術〕（切離した空腸の遠位端を，胃，胆管，あるいはその他の臓器に吻合し，空腸近位端は先の吻合部肛側の適当な距離の部位の空腸へ端側吻合する方法．再建された腸の型が Y 字型をしているためこうよばれる）.

Roux meth·od ルー法（舌の切除手術を容易にするために，下顎骨を中央で分割する方法）.

Rov·sing sign ロヴシング徴候（虫垂炎の場合，下行結腸を圧迫すると McBurney 点に生じる疼痛）.

roy·al blue-top tube ロイヤルブルートップチューブ（容器が処理されていない(そのまま)か，または抗凝固薬としてエチレンジアミン四酢酸処理済かのいずれかであることを示す．微量元素の分析のため全血または血清採取において使用される）.

RPE rate of perceived exertion の略.

RPF renal plasma flow(腎血漿流量)の略. →effective renal plasma flow.

RPI reticulocyte production index の略.

rpm revolutions per minute(遠心分回)の略.

RPO X 線撮影で right posterior oblique(右後斜位像)の略.

R-pro·tein (prō′tēn). R 蛋白質（唾液腺によって生成される蛋白質．消化管を通るときにビタミン B12 を保護すると考えられている）.

RQ respiratory quotient の略.

-rrhagia 過剰漏出，異常漏出または出血を表す接尾語.

-rrhaphy 外科縫合を意味する接尾語.

-rrhea 流出あるいは漏出を表す接尾語連結形. = -rrhoea.

-rrhoea [Br.]. →-rrhea.

rRNA ribosomal ribonucleic acid (リボソーム RNA) の略.

RRT registered respiratory therapist の略.

RSA *r*ight *s*acro*a*nterior position (右仙骨前位胎位) の略.

RSD reflex sympathetic dystrophy の略.

RSI rapid sequence intubation の略.

RSP *r*ight *s*acro*p*osterior position (右仙骨後位胎位) の略.

RST *r*ight *s*acro*t*ransverse position (右仙骨横位胎位) の略.

RSV Rous sarcoma virus; respiratory syncytial virus の略.

RSV-IGIV respiratory syncytial virus immune globulin intravenous の略.

rTMP ribothymidylic acid の略.

RT-PCR reverse transcriptase polymerase chain reaction の略.

RTW return to work の略.

Ru ルテニウムの元素記号.

rub (rŭb). 摩擦 (ある物体が別の物と接触し移動する際に生じる抵抗).

rub·ber-bulb sy·ringe ゴム球注射器 (中空のゴム球をもつ注射器. カニューレはチェックバルブを有する. 空気または水のジェット流を得るのに用いる).

rub·ber dam clamp for·ceps 〔ラバーダム〕クランプ鉗子. = clamp forceps.

rub·ber-shod clamp ラバーショッド鉗子 (先端の部分にゴムをかぶせた鉗子. 手術中, 縫合糸をきちんと把持する).

ru·be·do (rū-bē′dō). 皮膚潮紅, 紅疹, 紅斑 (皮膚の一過性潮紅).

ru·be·fa·cient (rū′bĕ-fā′shĕnt). ***1*** 〚adj.〛 発赤〔性〕の, 引赤〔性〕の (皮膚の発赤を生じさせる). ***2*** 〚n.〛 発赤薬, 引赤薬 (皮膚の表面に用いて紅斑を生じさせる誘導刺激薬).

ru·be·fac·tion (rū′bĕ-fak′shŭn). 皮膚発赤 (誘導刺激薬を局部に適用して生じた皮膚の紅斑. →rubefacient).

ru·bel·la (rū-bel′ă). 風疹 (風疹ウイルス(トガウイルス科 *Rubivirus* 属) によって起こる急性軽症発疹性疾患で, リンパ節腫大をみるが, 通常, 発熱や全身性反応に乏しい. 妊娠の最初のトリメスターに母親が感染すると, 出生児の奇形発生率が高くなる(先天性風疹症候群)). = epidemic roseola; German measles; third disease.

ru·bel·la he·mag·glu·ti·na·tion in·hi·bi·tion (HI) test 風疹赤血球凝集阻止試験 (妊婦の出産前の精密検査の一部としてルーチン的によく実施される風疹の検査. 病気にかかっていない状態でのいかなる検出可能な HI 値の存在は, 以前の感染と再感染に対する免疫を示す).

ru·bel·la ti·ter 風疹抗体試験 (風疹に対する人の免疫状態を判定する血清検査. 妊娠中にこの病気に感染すると, 胎児にとって重大なリスクをもたらすためである. 一般的に, 1 : 10 あるいはそれより高い風疹値は, その人が風疹に対する免疫を獲得したことを意味する).

ru·bel·la vi·rus 風疹ウイルス (ヒトの風疹の原因となるトガウイルス科 *Rubivirus* 属の RNA ウイルス). = German measles virus.

ru·be·o·la (rū-bē-ō′lă). 麻疹, はしか. = measles (1).

ru·be·o·la vi·rus = measles virus.

ru·be·o·sis (rū′bē-ō′sis). ルベオーシス, 皮膚潮紅 (①皮膚の赤色変化. ②眼虚血症候群でみられる虹彩の血管新生).

ru·be·o·sis ir·i·dis di·a·be·ti·ca 糖尿病性虹彩ルベオーシス (虹彩前面の血管新生. 真性糖尿病の患者に現れる).

ru·bes·cent (rū-bes′ĕnt). 発赤の, 潮紅の, 引赤の.

ru·bid·i·um (rū-bid′ē-ŭm). ルビジウム (アルカリ金属元素. 原子番号 37, 原子量 85.4678. その塩は類似のナトリウム塩やカリウム塩と同じ目的で医学に利用されてきた).

ru·bid·o·my·cin (rū-bid′ō-mī′sin). ルビドマイシン (抗腫瘍薬として用いられる抗生物質. 抗癌活性や心毒性を有する点はドキソルビシンと同様である). = daunorubicin.

Ru·bi·vi·rus (rū′bi-vī′rŭs). ルビウイルス属 (ウイルスの一属(トガウイルス科) で風疹ウイルスを含む).

Rub·ner laws of growth ルブナーの成長の法則 (①エネルギー消費の法則 : 成長速度は新陳代謝の強度に比例する. ②成長係数の法則 : 大部分の幼若哺乳類では摂取した食品の全エネルギーすなわち熱量の 24% が成長のために利用されるが, ヒトでは 5% しか利用されない).

ru·bor (rū′bōr). 発赤, 潮紅 (Celsus が発表した炎症の四徴候(発赤, 腫脹, 発熱, 疼痛) の 1 つ).

ru·bre·dox·ins (rū′brĕ-dok′sinz). ルブレドキシン (酸に不安定な硫黄を含まず, 典型的メルカプチド配位した鉄を含有するフェレドキシン).

ru·bri·blast (rū′bri-blast). 原始赤芽球. = pronormoblast.

ru·bri·cyte (rū′bri-sīt). 正赤芽球 (多染性正赤芽球. →erythroblast). = karyocyte.

ru·bro·spi·nal de·cus·sa·tion 赤核脊髄路交叉 (→tegmental decussations (2)).

Ru·bu·la·vi·rus (rū′byū-lă-vī′rŭs). ルブラウイルス (パラミクソウイルス科の一属. ムンプスを引き起こす).

ru·di·ment (rū′di-mĕnt). 原基痕跡 (①発育が不完全な器官あるいは組織. ②ある構造の, 個体発生過程における最初の徴候). = rudimentum.

ru·di·men·ta·ry (rū′di-men′tăr-ē). 痕跡の, 不全の, 不完全発育の. = abortive (2).

ru·di·men·tum, pl. **ru·di·men·ta** (rū′di-men′tŭm, -tă). 痕跡器官. = rudiment.

Rud syn·drome ルド(ラド)症候群 (黒色表皮腫, 小人症, 性腺機能不全, てんかんを伴う魚鱗癬様紅皮症. 大部分は散発であるが, X 連鎖劣性遺伝の特性があると思われる).

Ruf·fi·ni cor·pus·cle ルフィーニ小体（指の皮下結合組織内の感覚神経終末構造で，感覚線維が多数の側副球形突起で終わる卵形の嚢に包まれる）.

ru·fous (rū′fŭs). 赤色の. = erythristic.

RUG Resource Utilization Group の略.

ru·ga, pl. ru·gae (rū′gă, -gē). しわ(皺).

ru·gae of stom·ach 胃粘膜皺（胃粘膜の特徴的なひだで特に収縮時の胃で顕著である）.

ru·gine (rū-zhēn′). *1* 爬骨子. = periosteal elevator. *2* 骨膜剥離器.

ru·gose (rū′gōs). しわのある，しわの寄った. = rugous.

ru·gos·i·ty (rū-gos′i-tē). *1* しわのあること. *2* しわ.

ru·gous (rū′gŭs). = rugose.

Ru·he·mann pur·ple ルーヘマン(ルーエマン)紫（ニンヒドリンとアミノ酸との反応で生成する青紫色の色素）.

Ruit·er-Pom·pen dis·ease = Fabry disease.

RUL right upper lobe (of lung)（(肺の)右上葉）の略.

rule (rūl). 法則，通則，尺度（処置，手技，医療行為などを律する規準，基準. →law; principle; theorem）.

rule of bi·gem·i·ny 2段脈の法則（心室性期外収縮は，長い心室周期に続く心拍の後に出現しやすいという法則. 心室周期の突然の延長は刺激伝導系の不応期を変化させることにより多方向性ブロックを示す末梢領域を一過性に一方向性ブロックに変え，興奮回帰を起こしうる潜在的な回路を開く）.

rule of nines 9の法則（熱傷での受傷している体表面積の計算法で，次のように一定の部位に9または18%を割り当てる. 頭頸部9%，体幹部前面18%，体幹部後面18%，上肢はそれぞれ9%，下肢それぞれ18%，会陰部1%）.

rule of out·let 出口の法則（骨盤出口を胎児が通過できるかを決定する産科学法則. 正常な大きさの胎児が通過するには，出口の縦径と横径の和が最低15 cmなければならない）.

Ru·mi·no·coc·cus (rū′mi-nō-kok′ŭs). ルミノコッカス属（ヒトの気道およびヒトと動物の消化管より単離されたグラム陽性の嫌気性短杆菌の一属. 標準種は *Ruminococcus productus* で，本種は以前は *Peptostreptococcus productus* と記述されていた）.

run (rŭn). 連続作業単位（分析操作における一連の連続した測定作業の集合. 測定系の正確度と精密度が安定していると思われる期間）.

run·a·way pace·mak·er ランナウェイペースメーカ（植え込まれたパルス発生器の回路内の不安定性(故障)により起こる，140/分以上の速い心拍）.

Runge dis·ease = Ballantyne disease.

run·ner's blad·der ランナー膀胱（膀胱が空の状態で早く走ることによって生じる血尿）.

run·ner's high ランナーズハイ（走り終える頃に一部のランニングやジョギングをする人が経験する強い高揚感. 肉体的ストレスによって生成されるエンドルフィンの放出と関連していると考えられている. →exercise high）.

run·ner's knee ランナーズ膝（膝前部痛を生じる使いすぎ症候群で，運動中に膝蓋骨が過度に外方に移動するため生じる）. = patellofemoral stress syndrome.

Run·yon clas·si·fi·ca·tion ルニョン分類（結核菌 *Mycobacterium tuberculosis* 以外のマイコバクテリウムの分類法で4群に分ける. ⓘ光発色菌. 光を当てながら培養すると黄色から茶色のカロチン色素を産生する. ⓘⓘ暗発色菌. 光があってもなくても色素を産生する. ⓘⓘⓘ光不発色菌. 色素を産生しない. ⓘⓥ迅速発育菌. 他のマイコバクテリウムが発育に4—8週間かかるとこ

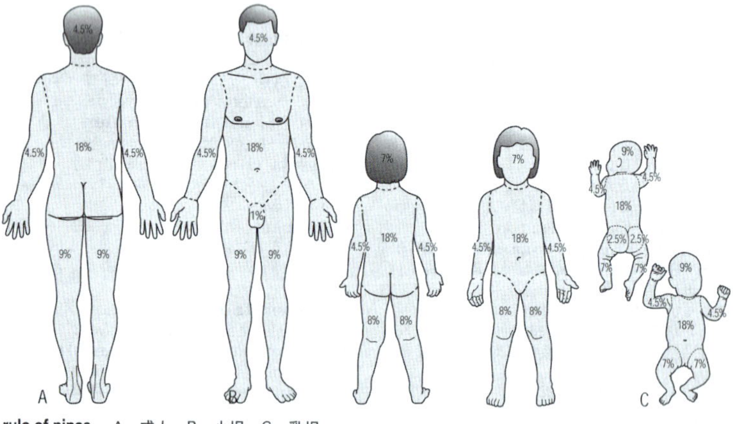
4.5%
18%
4.5%
4.5%
9%
9%
A
4.5%
18%
4.5%
4.5%
1%
9%
9%
B
7%
18%
4.5%
4.5%
8%
8%
7%
18%
4.5%
4.5%
8%
8%
9%
4.5%
4.5%
18%
2.5%
2.5%
7%
7%
9%
4.5%
4.5%
18%
7%
7%
C

rule of nines A：成人，B：小児，C：乳児.

ろ，5—10 日で固形培地上に発育する．この分類は臨床的，遺伝学的には意味がないが，臨床分離株の同定にある程度の意義を依然有している）．

Run·yon group I my·co·bac·te·ri·a ルニョンのⅠ群ミコバクテリア（光の存在するところで成長すると明るい黄色を生じるミコバクテリア．この群の生物は *Mycobacterium kansasii* に属している）．

Run·yon group II my·co·bac·te·ri·a ルニョンのⅡ群ミコバクテリア（暗所で成長しても黄色色素をつくるミコバクテリア．光の当たるところで成長すると色素は橙色になる．*Mycobacterium scrofulaceum* が含まれる）．

Run·yon group III my·co·bac·te·ri·a ルニョンのⅢ群ミコバクテリア（徐々に生長し，色素をつくらないミコバクテリア．この群の細菌には *Mycobacterium avium* および *M. intracellulare* が含まれる）．

Run·yon group IV my·co·bac·te·ri·a ルニョンのⅣ群ミコバクテリア（急速に成長し，色素を産出しないミコバクテリア．この群の細菌は *Mycobacterium ulcerans, M. marinum* などの種に属する）．

ru·pi·a (rū′pē-ă). ***1*** 〔梅毒性〕カキ殻疹（二期梅毒の後期の潰瘍．カキ殻に似た黄色あるいは褐色の痂皮でおおわれる）．***2*** フランベシア．= yaws. ***3*** カキ殻状乾癬（著しい鱗屑を伴い，盛り上がって，二次感染を起こした乾癬病変をさして用いる語）．

ru·pi·al (rū′pē-ăl). カキ殻疹の．

rup·ture (rŭp′shŭr). ***1*** = hernia. ***2*** 破裂，断裂，裂傷（断裂または連続性の喪失．臓器や他の軟部組織の裂開）．

rup·tured disc = herniated disc.

rup·ture of mem·brane 破水（出産前の，羊水の放出を伴う，羊膜嚢の自然な断裂）．

RUQ right upper quadrant (of abdomen)（(腹部の)右上四分円領域，右上腹部）の略．

Rus·sell bod·ies ラッセル〔小〕体（フクシンで濃く染まる，小さな，離散した，種々の大きさの球状細胞質内好酸性硝子状体．慢性炎症の際，形質細胞内にみられる）．

Rus·sell Per·i·o·don·tal In·dex ラッセルペリオドンタルインデックス（歯の周囲の骨欠損と歯肉炎とを診査し，口腔に存在する歯周疾患の程度を評価する指数．歯周疾患の疫学的研究によく用いる）．

Rus·sell sign ラッセル徴候（過食症患者の手の甲にあるすり傷や瘢痕をいい，通常は自ら嘔吐を誘発するときに手を使うために生じる）．

Rus·sell syn·drome ラッセル症候群（一般的には第 3 脳室前方の星状膠質細胞腫であるトルコ鞍上部の病変による乳児および年少小児の体重増加不良で，成長ホルモンは上昇していることがあるにもかかわらず，患児はやせており，体脂肪を失っている）．

Rus·sell trac·tion ラッセル牽引（加えられた牽引力の合成ベクトルを変えることのできる牽引法）．

Rus·sell vi·per ven·om ラッセルクサリヘビ毒，ラッセル蛇毒（Russell クサリヘビ(*Vipera russelli*)由来の毒で，内因性トロンボプラスチンとして作用する．第Ⅹ因子の欠損の臨床検査に用いられたり，血友病の場合での局所的出血を止めるために用いる）．

Rus·sell vi·per ven·om clot·ting time ラッセルクサリヘビ毒凝固時間（クエン酸化した血小板欠乏血漿を，ラッセルクサリヘビ毒を活性化因子として用い，凝固時間を判定する．これは，第Ⅹ因子を他の凝固因子なしで直接活性化し，第Ⅹ因子欠乏を確定するのに用いられる）．

Rus·sian cur·rent ロシアン電流（筋肉強化のため中波(2,000—10,000 Hz)多相交流電流波形を使用する電気療法的モダリティ）．

Rust phe·nom·e·non ルスト現象（頸椎の癌またはカリエスで，患者が横臥位から坐位，またはその逆に変化する際，常に手で頭を支えること）．

rusts (rŭsts). 銹菌類（サビキン属 *Puccinia* その他の植物(特に穀粒)の重要な病原菌の諸種．例えば収穫期などに多数の菌をヒトが吸入すると，重要なアレルゲンとなる）．

rust·y spu·tum さび色痰（大葉性肺炎の特徴である赤味がかった褐色の血液で染まった喀痰）．

ru·the·ni·um (Ru) (rū-thē′nē-ŭm). ルテニウム（白金属の金属元素．原子番号 44，原子量 101.07．半減期 1.020 年の ^{106}Ru がある種の眼の疾患の治療に使用されてきた）．

ru·ti·do·sis (rū′ti-dō′sis). = rhytidosis.

Ruysch mem·brane ライシュ膜．= choriocapillary layer.

Ruysch tube ライシュ管（鼻中隔両面の下部および前部に開口する小さな管）．

RV residual volume の略．

RVS relative value scale の略．

RVU relative value unit の略．

R wave R 波（心電図の QRS 群の第 1 陽性(上行性)動揺．同 QRS 群内でこれに続く上行性動揺は R′，R″などとよぶ）．

Rx *recipe* (℞) in a prescription の略．→prescription (2)．

ry·an·o·dine re·cep·tor リアノジン受容体（細胞の筋小胞体や小胞体におけるカルシウムコンダクタンスチャネルに関与する受容体で，リアノジンと結合してチャネルをサブコンダクタンス状態にし，筋小胞体から細胞質へカルシウムイオンをゆっくりと連続的に放出させる．このチャネルは普通はカルシウムイオンに感受性であり，イノシトール三リン酸には感受性でない）．

Ry·an stain ライアン染色〔法〕（微胞子虫の芽胞を染めるためのトリクローム染色変法．糞便材料に使うトリクローム染色の 10 倍の濃度のクロモトロープ 2R を用い，対比染色にはアニリンブルーを使う）．

Ryle tube ライル管（8 番カテーテルとほぼ同じ大きさの内腔をもつ薄いゴム管で，オリーブ状の先端をもち，試験食を与えるときに用いる）．

R

S

σ, σ シグマ（→sigma）.

S ***1*** sacral vertebrae（S1 から S5），spherical lens, Svedberg unit の略. ***2*** ジーメンスの記号. 硫黄の元素記号. 熱力学におけるエントロピー，Michaelis-Menten 機構における基質，O_2 あるいは CO_2 を下付き文字にしてヘモグロビン飽和の百分率，セリンを表す記号. Cahn-Ingold-Prelog 表示法での 2 つの立体化学的表示（イタリック体で示す）の 1 つ. ***3*** 遺伝学的に MNSs 血液型に関連する，まれなヒト抗原（血球凝集原）の名称.

S100 酸性のカルシウム結合蛋白で硫安の飽和液に部分的に溶ける. 黒色腫は通常 S100 陽性であるため，S100 染色はその鑑別診断に使われる.

S_f 浮上定数 flotation constant を表す記号.

S エントロピーの記号.

s ***1*** ラテン語 *sinister*（左），*semis*（半分）の略. ***2*** 下付き文字で定常状態 steady state を表す.

s 淘汰係数 selection coefficient，沈降係数 sedimentation coefficient の記号.

S_1 第 1 心音の記号.

S_2 第 2 心音の記号.

S_3 第 3 心音の記号.

S_4 第 4 心音の記号.

S-A sinoatrial; sinuatrial の略.

SA sacroanterior position の略.

sa·ber tib·i·a, sa·ber shin サーベル脛骨（三期梅毒やイチゴ腫で生じる脛骨の変形で，ゴム腫や骨膜炎の形成の結果，骨が著しく前方に凸状となる）.

Sa·bi·a vi·rus サビアウイルス（溶血熱に関連したアレナウイルス）.

Sa·bou·raud a·gar サブロー寒天〔培地〕（ネオペプトンまたはポリペプトン寒天とブドウ糖を含み，pH 5.6 に調節した真菌培養培地. 真菌研究に最も広く用いられている標準的培地で，国際基準となっている. コロニーの色素産生をみるにはブドウ糖含量を減らした Sabouraud 寒天培地の変法（Emmons らの変法）がよい）.

Sa·bou·raud dex·trose a·gar サブローデキストロース寒天〔培地〕（デキストロースとペプトンを含む培地で，大部分の病原真菌の発育に適する）.

Sa·bou·raud pas·tilles サブロー錠剤（X 線照射で変色する，白金シアン化バリウムを含む錠剤. 以前は投与量を示すために用いられた）.

sab·u·lous（sab′yū-lŭs）. 砂のような.

sac（sak）. = saccus. ***1*** 嚢，包（→sacculus）. ***2*** 歯根の被嚢膿瘍. ***3*** 嚢，包（腫瘍の被膜あるいは嚢胞の壁）.

sac·cade（sa-kahd′）. 衝動性（視線に沿っての急速眼球運動. →saccadic movement）.

sac·cad·ic（să-kahd′ik）. がたつきの（急に動くことを表す）.

sac·cad·ic move·ment 衝動性眼球運動（①読書中，眼が一点から急速に他の点に移る回転運動. ②迷路性眼振，視運動性眼振などの際の，急速な眼球の修正運動）.

sac·cate（sak′āt）. 包の，嚢の，嚢状の.

sac·cha·rides（sak′ă-rīdz）. サッカリド，糖類（サッカリドは，それらを構成する単糖類の数によって，単糖類，二糖類，三糖類，多糖類に分類される. →carbohydrates）.

sac·cha·rif·er·ous（sak′ăr-if′ĕr-ŭs）. 含糖の，糖産生の.

saccharo-, sacchar-, sacchari- 糖（糖類）を表す連結形.

sac·cha·ro·lyt·ic（sak′ăr-ō-lit′ik）. 糖分解性の（糖分子を加水分解あるいは分解できる）.

sac·cha·ro·met·a·bol·ic（sak′ăr-ō-met′ă-bol′ik）. 糖代謝の.

sac·cha·ro·me·tab·o·lism（sak′ăr-ō-mĕ-tab′ō-lizm）. 糖代謝（細胞において糖を利用する過程）.

sac·cha·rose（sak′ăr-ōs）. ショ糖，サッカロース，白糖. = sucrose.

sac·ci·form（sak′si-fōrm）. 嚢状の. = saccular.

sac·cu·lar（sak′yū-lăr）. = sacciform.

sac·cu·lar an·eu·rysm, sac·cu·lat·ed an·eu·rysm 小嚢性動脈瘤（動脈の一側の嚢状膨隆）.

sac·cu·lar gland 単胞状腺.

sac·cu·lar nerve 球形嚢神経（球形嚢斑に分布する前庭神経下部の枝）. = nervus saccularis.

sac·cu·la·tion（sak′yū-lā′shŭn）. ***1*** 小嚢（一群の嚢が形成する組織）. ***2*** 小嚢形成（袋あるいはポケットの形成）.

sac·cule（sak′yūl）. ***1*** 球形嚢（迷路の前庭にある 2 つの膜性嚢のうちの小さいほうで，球形陥凹にある. ごく短い管である結合管により蝸牛管と，また内リンパ管およびそれにつながる連嚢管の起始部により卵形嚢と連結する）. = sacculus. ***2*** 細胞嚢（ある種の微生物を包む膜の一部（細胞壁）としてペプチドグリカンでつくられた厚い袋状構造）.

sac·cule of la·rynx 喉頭小嚢（粘液腺を備えた小憩室で喉頭室から室ひだと甲状軟骨板の間を上方に広がっている）. = sacculus laryngis.

sac·cu·lo·co·chle·ar（sak′yū-lō-kok′lē-ăr）. 球形嚢蝸牛の（球形嚢と蝸牛に関する）.

sac·cu·lus, pl. sac·cu·li（sak′yū-lŭs, -lī）. 球形嚢. = saccule.

sac·cu·lus al·ve·o·la·ris, pl. sac·cu·li al·ve·o·la·res 肺胞嚢. = alveolar sac.

sac·cu·lus la·ryn·gis 咽頭小嚢. = saccule of larynx.

sac·cus, pl. sac·ci（sak′ŭs, -sī）. 嚢. = sac（1）.

sac·cus con·junc·ti·va·lis 結膜嚢. = conjunctival sac.

sac·cus en·do·lym·phat·i·cus 内リンパ嚢. = endolymphatic sac.

sac·cus la·cri·ma·lis 涙嚢. = lacrimal sac.

sa·crad（sā′krad）. 仙骨の方へ，仙骨に向かって.

sa·cral（sā′krăl）. 仙骨の，仙椎の.

sa·cral ca·nal 仙骨管（仙骨内にある脊柱管の延長）. = canalis sacralis.

sa·cral crest 仙骨稜（仙骨の後面にある，粗な不定形の 3 つの隆起. 正中仙骨稜，外側仙骨稜）.

sa·cral flex·ure = caudal flexure.

sa·cral flex·ure of rec·tum〔直腸の〕仙骨曲（直腸起始部の前方へ凹面を向けた前後方向の屈曲）.

sa·cral fo·ra·men 仙骨孔（癒合した仙椎間にあって仙骨神経を通している孔. 前仙骨孔 anterior sacral foramina は仙骨神経の前枝を通し，後仙骨孔 posterior sacral foramina は仙骨神経の後枝の通路となっている）.

sa·cral·gi·a (sā-kral′jē-ă). 仙骨〔部〕痛. = sacrodynia.

sa·cral ky·pho·sis 仙骨部後凸弯曲，仙後弯（仙骨つまり脊柱の仙骨部に正常にみられる前方に凹（後方に凸）の弯曲で，胎児期にみられた一次弯曲が成熟期までそのまま続いたもの）.

sa·cral nerves [S1-S5] 仙骨神経（各側の仙骨孔から出る 5 本の神経. 初めの 3 本は仙骨神経叢に，次の 2 本は尾骨神経叢にはいる）. = nervi sacrales.

sa·cral plex·us 仙骨神経叢（第四・第五腰神経（腰仙骨神経幹）と，第一・第二・第三仙骨神経からなる. 骨盤後壁の内面上に通常は梨状筋に埋まって存在し，下肢に分布する. →brachial plexus）.

sa·cral splanch·nic nerves 仙骨内臓神経（交感神経幹仙骨部からの枝で下下腹神経叢にはいる. 交感性の腹骨盤内臓神経の一部であるが，機能は不明. 骨盤内臓神経と混同されがちであるが，後者は全体像がかなり明らかにされている）. = nervi splanchnici sacrales.

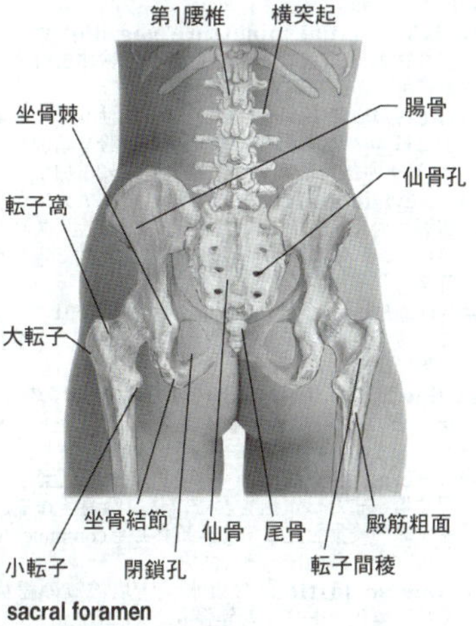
第1腰椎
横突起
坐骨棘
腸骨
仙骨孔
転子窩
大転子
坐骨結節
仙骨
尾骨
殿筋粗面
小転子
閉鎖孔
転子間稜

sacral foramen

sa·cral ver·te·brae [S1-S5] 仙椎（通常は 5 個で，融合して仙骨をつくる脊柱分節）. = vertebrae sacrales.

sa·crec·to·my (sā-krek′tŏ-mē). 仙骨切除〔術〕（手術を容易にするため仙骨の一部を切除すること）.

sa·cred bark = cascara sagrada.

sacro-, sacr- 仙骨を意味する連結形.

sa·cro·an·te·ri·or po·si·tion (SA) 骨盤位で，胎児仙骨部が母体の寛骨臼の右（**right sacroanterior, RSA**）または左（**left sacroanterior, LSA**）に向かう胎向.

sa·cro·coc·cyg·e·al (sā′krō-kok-sij′ē-ăl). 仙尾骨の（仙骨と尾骨に関する）.

sa·cro·col·po·pex·y pro·ce·dure 仙骨腟固定法（子宮全摘術後に仙骨骨膜と腟円蓋を固定する術式）.

sa·cro·dyn·i·a (sā′krō-din′ē-ă). = sacralgia.

sa·cro·il·i·ac (sā′krō-il′ē-ak). 仙腸骨の（仙骨と腸骨に関する）.

sac·ro·il·i·ac joint 仙腸関節（仙骨関節面と腸骨関節面の間の関節）.

sa·cro·lum·bar (sā′krō-lŭm′bahr). 仙腰〔椎〕の. = lumbosacral.

sa·cro·pos·te·ri·or po·si·tion (SP) 骨盤位で，胎児仙骨部が母体の仙腸骨関節の右（**right sacroposterior, RSP**）または左（**left sacroposterior, LSP**）に向かう胎向.

sa·cro·sci·at·ic (sā′krō-sī-at′ik). 仙坐骨の（仙骨と坐骨の両方に関する）.

sa·cro·spi·nal (sā′krō-spī′năl). 仙脊柱の（仙骨と脊柱に関する）.

sa·cro·spi·nous lig·a·ment 仙棘靱帯（坐骨棘から仙骨と尾骨へ走る線維帯）.

sa·cro·spi·nous va·gi·nal vault sus·pen·sion pro·ce·dure 仙棘靱帯固定法（腟円蓋下垂の外科的修復法. 腹式または腟式に腟円蓋と仙棘靱帯を縫合する）.

sa·cro·trans·verse (ST) po·si·tion 仙骨横位（胎児の骨盤位，胎児の仙骨が母親の右仙腸関節を向いている（右仙骨横位）あるいは左仙腸関節を向いている（左仙骨横位））.

sa·cro·tu·ber·ous lig·a·ment 仙結節靱帯（坐骨結節から腸骨，仙骨，および尾骨へ走る靱帯で，これによって坐骨切痕が大坐骨孔となり，さらに仙棘靱帯によって二分される）.

sac·ro·u·ter·ine fold 直腸子宮ひだ（直腸子宮筋を含み，直腸から仙骨を通り広間膜の各々の側の基底部を通り，直腸子宮窩（Douglas 窩）の外側を形成する腹膜のひだ）.

sa·cro·ver·te·bral (sā′krō-vĕr′tĕ-brăl). 仙椎骨の（仙骨と椎骨に関する）.

sa·crum, pl. sa·cra (sā′krŭm, -kră). 仙骨（脊柱の一部で，骨盤の一部をなす. 幅広い，わずかに弯曲した，スペード形の骨で，上部が厚く，下部がより薄く，骨盤の後部をなす. 5 つの元来分離している仙椎の癒合によって形成される. 最下位の腰椎，尾骨，両側の寛骨と関節する）.

SAD seasonal affective disorder の略.

sad·dle (sad′ĕl). *1* 鞍（乗馬に用いる鞍のような形，あるいはそれを思わせる構造）. = sella. *2*

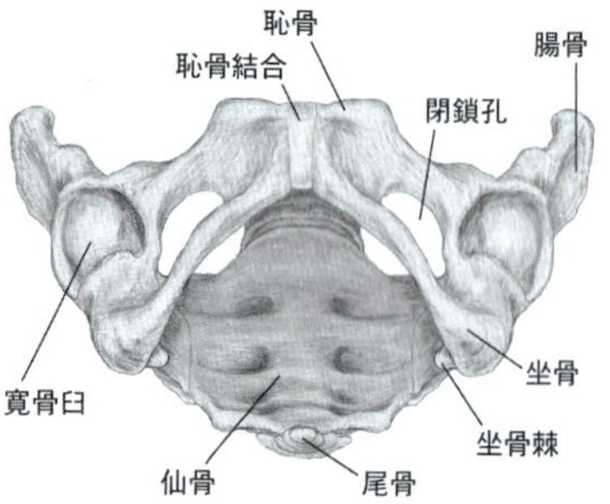
恥骨
恥骨結合
腸骨
閉鎖孔
坐骨
寛骨臼
坐骨棘
仙骨
尾骨

sacrum

= denture base.

sad·dle·back ca·ter·pil·lar サドルバック毛虫（*Sabine stimulea* の幼虫で，毛虫皮膚炎の原因となる）.

sad·dle block an·es·the·si·a サドル麻酔〔法〕，サドルブロック麻酔〔法〕（殿部，会陰，大腿の内面にわたる領域にのみ限定された脊椎麻酔の一種）.

sad·dle head 鞍状頭蓋. = clinocephaly.

sad·dle joint 鞍関節（相対する両関節面の各々が一方向には凹面で，他方向には凸面であるため二運動が行われる二軸関節）.

sad·dle nose 鞍鼻（鼻橋が顕著に陥没した鼻で，先天性梅毒または外傷や手術後にみられる）.

sa·dism (sā′dizm). サディズム，加虐性愛（性倒錯の一形態. 苦痛を加えることに快楽を見出す. *cf.* masochism; sadomasochism）.

sa·dist (sā′dist). サディスト，加虐性愛者（サディズムを行う人）.

sa·dis·tic (să-dis′tik). サディズムの，加虐性愛的な.

sa·do·mas·o·chism (sā′dō-mas′ō-kizm). サドマゾヒズム（性倒錯の一形態で，耐えたり，責めたり，そして(あるいは)なされるがままになったりして残虐性や恥辱を喜ぶのが特徴）.

Sae·misch sec·tion ゼーミッシュ切開〔術〕（潰瘍の下の角膜を貫通して基底部を内側から外側へ切開する方法）.

Sae·misch ul·cer ゼーミッシュ潰瘍（しばしば前房蓄膿を伴うほ行性角膜炎）.

Saen·ger op·er·a·tion ゼンガー手術（3 層縫合により子宮切開創を閉じる帝王切開術）.

Saen·ger sign ゼンガー徴候（瞳孔の対光反応が消失していたのが，暗黒中にしばらくいた後，回復する. 脳梅毒の場合にみられるが，脊髄ろうの場合には起こらない）.

safe sex 安全〔な〕性行為（精液，血液，およびその他の体液を交換することによって起きる感染性疾患の伝播や感染のリスクを抑えるためにコンドームを使用する性行為）.

safe·ty lens 安全レンズ（公的規定の衝撃抵抗度にかなったレンズ. 安全レンズに要する衝撃抵抗度はイオン交換工程の強化，薄板化したレンズ，プラスチックレンズを使用することにより得られる）.

safe·ty mar·gin = margin of safety.

SAF fix·a·tive SAF 固定液（一sodium acetate-acetic acid-formalin fixative）.

sag·it·tal (saj′i-tăl). 矢状〔方向〕の（①矢に似た. ②前後方向の. 矢状面・矢状方向に関する）.

sag·it·tal ax·is 矢状軸（歯科において，作業側顆頭が下顎運動中に前頭面においてその周りを回転する軸）.

sag·it·tal fon·ta·nelle 矢状泉門（新生児にみられる，矢状縫合上でときに起こる泉門様の間隙）. = Gerdy fontanelle.

sag·it·tal plane 矢状面（本来の厳密な意味では正中面をさし，これと平行なすべての面は傍矢状面とよばれるべきであるが，現代の慣用によれば，すべての傍矢状面も単に矢状面とよばれ，同義語となっている）.

sag·it·tal su·ture 矢状縫合（左右の頭頂骨間の連結）. = interparietal suture.

sag·it·tal syn·os·to·sis 矢状縫合癒合症. = scaphocephaly.

sa·go spleen サゴ脾（主に脾リンパ小節を侵す脾臓のアミロイドーシス）.

SaH, SAH subarachnoid hemorrhage の略.

Saint An·tho·ny dance, Saint Vi·tus dance, Saint John dance Sydenham chorea の冠名. 現在では用いられない語.

Saint An·tho·ny fire 聖アントニー熱（①= ergotism. ②皮膚のいくつかの炎症，または壊疽状態(例えば丹毒)）.

Saint tri·ad セイント三徴（裂孔ヘルニア，憩室症，および胆石症の合併）.

Sak·sen·ae·a va·si·for·mis 接合真菌症の原因となる真菌の一種で，外傷後の骨や軟組織にみられる.

sal 塩. = salt.

Sa·lah ster·nal punc·ture nee·dle サラー胸骨穿刺針（胸骨から赤色骨髄の検体を得るために用いる広径針）.

sa·lic·y·late (să-lis′i-lāt). ***1*** 〘n.〙サリチル酸塩またはエステル. ***2*** 〘v.〙サリチル酸を添加する(サリチル酸を防腐薬として食料品に添加する).

sal·i·cyl·ic ac·id サリチル酸（サリシンから誘導されたり，合成的に製造される. アスピリン(アセチルサリチル酸)の原料. 外用で角質溶解薬として用いる）.

sal·i·cyl·ism (sal′i-sil′izm). サリチル酸〔塩〕中毒（サリチル酸あるいはその他のサリチル酸化合物による中毒）.

sa·line (sā′lēn). ***1*** 〘adj.〙塩類の，食塩の. ***2*** 〘n.〙食塩水（塩の溶液. 通常は塩化ナトリウム）.

sa·line ag·glu·ti·nin 生理食塩水凝集素（生理食塩水または蛋白を含む溶液に懸濁されると，赤血球の凝集を起こす完全抗体）. = complete antibody.

sa·line so·lu·tion 食塩水（①塩溶液の総称. ②特に塩化ナトリウム等張液. 0.9/100 mL 水）.

sa·li·va (să-lī′vă). 唾液（透明，無味，無臭，微

酸性(pH 6.8)の粘液．耳下腺，舌下腺，顎下腺，および口腔の粘液腺からの分泌物．機能は，口粘膜を湿らせ，食物のそしゃくを円滑にする，デンプンを麦芽糖に変えるなど)．= spittle.

sal·i·vant (sal′i-vănt)．*1*〚adj.〛催唾〔性〕の（唾液の分泌を起こす)．*2*〚n.〛催唾薬（唾液の分泌を増加させる薬剤)．= salivator.

sal·i·var·y (sal′i-var-ē)．唾液の．= sialic; sialine.

sal·i·var·y di·ges·tion 唾液消化（唾液アミラーゼの作用によるデンプンの糖への転換)．

sal·i·var·y fis·tu·la 唾液腺フィステル(瘻)（唾液管または腺と皮膚表面または口腔粘膜への瘻孔)．

sal·i·var·y gland 唾液腺（口腔に唾液を分泌する外分泌腺)．

sa·li·va sub·sti·tute 代用唾液（人工唾液は天然唾液を再現するために考案されたが，唾液腺活動を刺激することはない．市販の製品には，溶液，噴霧剤，ゲル，トローチなどの多様な剤形がある．口内乾燥(口渇症)を治療するため使用される)．= artificial saliva.

sal·i·vate (sal′i-vāt)．唾液を過剰に分泌させる．

sal·i·va·tion (sal′i-vā′shŭn)．唾液〔分泌〕過多，流ぜん〔症〕．= sialism.

sal·i·va·tor (sal′i-vā-tŏr)．= salivant(2)．

Sal·mo·nel·la (sal′mō-nel′ă)．サルモネラ属（腸内細菌科の好気性から通性嫌気性菌の一属で，運動性，非運動性のグラム陰性杆菌．ヒトその他の動物に病原性がある．標準種は *S. enterica choleraesuis*)．

Sal·mo·nel·la en·ter·ic·a ser·o·var chol·er·ae·su·is ブタコレラ菌（ブタにみられる細菌種．ブタにおいては，ウイルス性疾患のブタコレラにおいて重要な二次侵入者である．他の動物においては自然病原として発生することはない．ヒトにおいて急性胃腸炎と腸炎熱をときに引き起こす．サルモネラ属の基準種である)．

Sal·mo·nel·la en·ter·i·ca ser·o·var en·ter·i·ti·dis 腸炎菌（広く分布する細菌種でヒトや動物，特にげっ歯類に感染する．ヒト胃腸炎を引き起こす)．

Sal·mo·nel·la en·ter·i·ca se·ro·var pa·ra·ty·phi A パラチフスA菌（開発途上国において腸炎熱の重要な病原体である細菌種)．

Sal·mo·nel·la en·ter·i·ca se·ro·var pa·ra·typh·i B パラチフスB菌（2つの異なった型で構成される細菌種．主にヒトにみられ腸炎熱を発生させるものと，ヒトに胃腸炎を発生させ，動物種にもみられるものがある)．

Sal·mo·nel·la en·ter·i·ca se·ro·var ty·phi·mu·ri·um ネズミチフス菌（ヒトにおいて食中毒を引き起こす細菌種．すべての温血動物の自然病原で，ヘビやペットのカメにもみられる．世界中で Salmonella enterica による胃腸炎のもっともよくみられる原因である)．

Sal·mo·nel·la ty·phi 〔腸〕チフス菌（汚染された水や食物を摂取することによって伝播され，ヒトに腸チフスを引き起こす細菌種)．= typhoid bacillus.

sal·mo·nel·lo·sis (sal′mō-nĕl-ō′sis)．サルモネラ症（*Salmonella* 属の細菌による感染症．鎌状赤血球貧血や免疫不全患者では特に感受性が高い)．

sal·pin·gec·to·my (sal′pin-jek′tŏ-mē)．卵管摘除〔術〕．= tubectomy.

sal·pin·ges (sal-pin′jēz)．salpinx の複数形．

sal·pin·gi·an (sal-pin′jē-ăn)．耳管の，卵管の．

sal·pin·git·ic (sal′pin-jit′ik)．耳管炎の，卵管炎の．

sal·pin·gi·tis (sal′pin-jī′tis)．卵管炎，耳管炎（卵管あるいは耳管の炎症)．

sal·pin·gi·tis isth·mi·ca no·do·sa 結節性峡部卵管炎（卵管峡部の筋層の結節性の肥厚が特徴で，内腔が腺組織様，または嚢胞性に2重になっている)．= adenosalpingitis.

salpingo-, salping- 管，通常，卵管か耳管を表す連結形．→tubo-.

sal·pin·go·cele (sal-ping′gō-sēl)．卵管ヘルニア．

sal·pin·gog·ra·phy (sal′ping-gog′ră-fē)．卵管造影(撮影)〔法〕（造影剤を注入後，卵管をX線撮影する)．

sal·pin·gol·y·sis (sal′ping-gol′i-sis)．卵管剥離〔術〕（卵管の癒着を離すこと)．

sal·pin·go·ne·os·to·my (sal-ping′gō-nē-os′tŏ-mē)．卵管開口術（卵管采癒着でこん棒状になった卵管の開放手術)．

sal·pin·go-o·oph·o·rec·to·my (sal-ping′gō-ō-of′ŏr-ek′tŏ-mē)．卵管卵巣摘出〔術〕，卵管卵巣摘除〔術〕．

sal·pin·go-o·oph·o·ri·tis (sal-ping′gō-ō-of′ŏr-ī′tis)．卵管卵巣炎．

sal·pin·go-o·oph·o·ro·cele (sal-ping′gō-ō-of′ŏr-ō-sēl)．卵管卵巣ヘルニア．

sal·pin·go·per·i·to·ni·tis (sal-ping′gō-per′i-tō-nī′tis)．卵管腹膜炎（卵管，卵管外膜，腹膜の炎症)．

sal·pin·go·pex·y (sal-ping′gō-pek-sē)．卵管固定〔術〕．

sal·pin·go·phar·yn·ge·us mus·cle 耳管咽頭筋（起始：耳管軟骨部の内側板．停止：口蓋咽頭筋に関連する咽頭の縦筋層．作用：えん下時に咽頭を上げ，耳管を広げるのを助ける．神経支配：咽頭神経叢)．= musculus salpingopharyngeus.

sal·pin·go·plas·ty (sal-ping′gō-plas-tē)．卵管形成〔術〕．= tuboplasty.

sal·pin·gor·rha·phy (sal′ping-gōr′ă-fē)．卵管縫合〔術〕．

sal·pin·go·scope (sal-ping′gō-skōp)．卵管鏡（卵管の目視検査のため子宮頸部を通して挿入される内視鏡)．

sal·pin·gos·to·my (sal′ping-gos′tŏ-mē)．卵管開口術（卵管に人工的に開口をつくること．原則的に子宮外妊娠の外科療法として用いられる)．

sal·pin·got·o·my (sal′ping-got′ŏ-mē)．卵管切開〔術〕．

sal·pinx, pl. **sal·pin·ges** (sal′pingks, sal-pin′jēz)．*1* = uterine tube. *2* 耳管．= pharyngotympanic (auditory) tube.

S

salt (sal) (sawlt). ***1*** 塩（酸と塩基の相互作用により形成される化合物．酸の水素原子は塩基の陽イオンに取って代わる）．***2*** 食塩（塩の原形またはモデルである塩化ナトリウム）．***3*** 塩類しゃ下薬（特に硫酸マグネシウム，クエン酸マグネシウム，またはリン酸ナトリウム．通常，複数形の salts(塩類)という語を用いる）．

sal·ta·tion (sal-tā′shŭn). 跳躍，舞踏（病気(例えば舞踏病)または生理的機能(例えば跳躍伝導)における舞踏または跳躍）．

sal·ta·to·ry (sal′tă-tōr-ē). 跳躍〔性〕の．

sal·ta·to·ry con·duc·tion 跳躍〔性〕伝導，跳び跳び伝導（神経インパルスが，Ranvier 絞輪を次から次へ〝跳ぶ〟伝導）．

sal·ta·to·ry ev·o·lu·tion 跳躍進化（古い種から新種への進化は，小さな突然変異の積み重ね(ステップ)としてではなく，染色体の大規模な再構成などのような飛躍(ジャンプ)によって起こるとする説）．

sal·ta·to·ry spasm 跳躍性痙攣(痙縮)（下肢筋肉の痙攣性疾患）．= Bamberger disease(1)．

Sal·ter-Har·ris frac·ture ソルター・ハリス骨折（骨端骨折のタイプ 1—5 の分類）．

Sal·ter in·cre·men·tal lines ソールター成長線（ぞうげ質にときにみられる不当なカルシウム沈着による横線）．

salt·ing out 塩析（蛋白を溶液から沈殿させること．塩化ナトリウム，硫酸マグネシウム，硫酸アンモニウムのような中性塩と飽和，あるいは一部飽和させて行う）．

salt-los·ing ne·phri·tis 塩類喪失性腎炎（種々の病因による腎尿細管障害の結果起こるまれな病気．副腎皮質不全症と類似し，腎臓からの塩化ナトリウムの異常な喪失が起こり，低ナトリウム血症，高窒素血症，アシドーシス，脱水症および脈管虚脱を伴う）．= Thorn syndrome.

salt wast·ing 塩分消耗（体には明らかに保持する必要があるのに，大量の塩分を腎臓より不適当に排出すること）．

sa·lu·bri·ous (să-lū′brē-ŭs). 健康によい（通常は気候についていう）．

sal·u·re·sis (sal′yūr-ē′sis). 〔食〕塩排泄（尿中にナトリウムが排泄されること）．

sal·u·ret·ic (sal′yūr-et′ik). 〔食〕塩排泄〔性〕の（ナトリウムの腎排泄を容易にする）．

sal·u·tar·y (sal′yū-tar-ē). 健康的な．

salve (sav). 軟膏〔剤〕. = ointment.

Salz·mann nod·u·lar cor·ne·al de·gen·er·a·tion ザルツマン結節状角膜変性（角膜の表面から突出する孤立性混濁物質の大きな明瞭な結節で，慢性炎症に伴って起こる）．

sa·mar·i·um (Sm) (să-mar′ē-ŭm). サマリウム（ランタニドまたは希土類元素の灰白色金属元素．原子番号 62，原子量 150.36）．

same-day sur·ger·y 日帰り手術. = ambulatory surgery.

sa·men·to (să-men′tō). = cat's claw.

sam·ple (sam′pĕl). ***1*** 試料，標本（全体を代表する検体で，採取することにより全体に影響を及ぼさないくらい小さなもの）．***2*** 標本（母集団より抽出された部分集合．無作為に抽出されたものとされていないもの(haphazard)があり，代表性をもつもの，もたないものがある）．

sam·pling (sam′pling). 標本抽出（ある集団の一部を研究することによって，集団全体の振舞いを推測しようとすること）．

sam·pling bi·as 抽出バイアス（ランダム抽出でないことによって引き起こされる系統的偏り）．

Sam·ter syn·drome サムター症候群（ぜん息，鼻ポリープ，アスピリン不耐容の三徴）．

san·a·to·ri·um (san′ă-tōr′ē-ŭm). サナトリウム，療養所（慢性疾患の治療のための施設で，医学的監督下での回復のための場所としても用いられる．*cf.* sanitarium）．

san·a·to·ry (san′ă-tōr-ē). 病気を治す，健康によい，治療上の．

sand (sand). 砂（石英および他の結晶石の細かい砕岩，あるいは砂状のざらざらした物質）．

Sand·hoff dis·ease ザントホフ(サンドホッフ)病（ヘキソサミニダーゼ A と B の産生欠損を特徴とする G_{M2} ガングリオシドーシスの乳児型．これは Tay-Sachs 病に似ているが，ユダヤ系でない小児に際立って(すべてではないが)生じる．グルコシドと G_{M_2} ガングリオシドの蓄積がみられる．第 5 染色体長腕のヘキソサミニダーゼ B 鎖(HEX B)の突然変異による）．

sands of Sa·har·a = diffuse lamellar keratitis.

sand·wich gen·e·ra·tion サンドイッチ世代（高齢化した親や血縁者の世話をしながら，自分の子供を育てる人たちの世代を表す名称．元来“真ん中”を指す．ゆえに，サンドイッチの名称がある）．

sane (sān). 正気の，健全な．

San·fi·lip·po syn·drome サンフィリポ症候群（ムコ多糖類の代謝障害で，尿中へ多量の硫酸ヘパリチンを排泄する．肝腫脹を伴う重篤な精神遅滞．骨格は正常あるいは Hurler 症候群に類似した緩和な変化を示す．酵素欠乏の度合によって，いくつかの型(A，B，C，D)に分けられる．常染色体劣性遺伝）．

sangui-, sanguin-, sanguino- 血液，血液の，を意味する連結形．

san·gui·fa·cient (sang′gwi-fā′shĕnt). 造血の. = hemopoietic.

san·guif·er·ous (sang-gwif′ĕr-ŭs). 血液運搬の，血液含有の. = circulatory(2).

san·gui·fi·ca·tion (sang′gwi-fi-kā′shŭn). 造血. = hemopoiesis.

san·guine (sang′gwin). ***1*** 血色のよい，〔循環〕血液量過多の. = plethoric. ***2*** = sanguineous(3).

san·guin·e·ous (sang-gwin′ē-ŭs). ***1*** 血液〔性〕の．***2*** 〔循環〕血液量過多の. = plethoric. ***3*** = sanguine(2).

san·guin·o·lent (sang-gwin′ō-lĕnt). 血液様の，血に染まった．

san·gui·no·pu·ru·lent (sang′gwi-nō-pyū′rū-lĕnt). 血液膿性の（血液と膿とを含む滲出物または物質についていう）．

san·guiv·or·ous (sang-gwiv′ŏr-ŭs). 吸血の（ある種のコウモリ，ヒル，昆虫などについていう）．

sa·ni·es (sā′nē-ēz). 〔希薄〕血液膿（薄い，血染性，化膿性の排泄物）.
sa·ni·o·pu·ru·lent (sā′nē-ō-pyūr′ū-lĕnt). 血液膿性の（血液性の膿を特徴とする）.
sa·ni·o·se·rous (sā′nē-ō-sēr′ŭs). 血液血清〔性〕の（血染性血清を特徴とする）.
sa·ni·ous (sā′nē-ŭs). 〔希薄〕血液膿〔性〕の.
san·i·tar·i·an (san′i-tar′ē-ăn). 衛生技師，衛生技術者（公衆衛生学に精通している人）.
san·i·tar·i·um (san′i-tar′ē-ŭm). 健康保養地（*cf.* sanatorium）.
san·i·tar·y (san′i-tar-ē). 衛生の，保健の（健康のためになる．通常，環境を清浄にすることに関していう）.
san·i·tar·y nap·kin 生理用ナプキン（月経を吸収するため身に着ける当て物）.
san·i·ta·tion (san′i-tā′shŭn). 衛生（健康を増進させ，疾病を防ぐために計画された方策．健康に好ましい環境で生活条件を発展，確立させること）.
san·i·ti·za·tion (san′i-tī-zā′shŭn). 衛生化（何かを衛生的にする過程をいう）.
san·i·ty (san′i-tē). 正気，健全（精神，感情，および行動の健全なこと．精神的健康が完全であること）.
San Joa·quin Val·ley Fe·ver サン・ホアキン渓谷熱. = Valley fever.
SA node →sinuatrial node.
San·som sign サンソム徴候（僧帽弁狭窄症の場合の第2心音の亢進）.
San·son im·ag·es サンソン像. = Purkinje-Sanson images.
San·ta Ma·ri·a = feverfew.
San·ti·ni boom·ing sound サンティーニ有響音（包虫嚢胞の聴診的打診法で聞こえるブーンと鳴る共鳴音）.
San·to·ri·ni ca·nal サントリーニ管. = accessory pancreatic duct.
San·to·ri·ni con·cha サントリーニ甲介. = supreme nasal concha.
San·to·ri·ni duct サントリーニ管. = accessory pancreatic duct.
San·to·ri·ni plex·us サントリーニ静脈叢（腹側および外側の前立腺表面にある静脈叢）.
SaO_2 oxygen saturation の記号.
SaO_2 test oxygen saturation test の略.
sa·phe·nous (să-fē′nŭs). 伏在の，伏在静脈の（足にみられる多数の構造についていう）.
sa·phe·nous nerve 伏在神経（大腿三角から足に至る大腿神経の枝．膝の内側で皮神経となる．膝蓋下枝と内側下腿枝を出した後，下腿と足の皮膚に分布する）. = nervus saphenus.
sa·phe·nous o·pen·ing 伏在裂孔（伏在静脈が大腿静脈へ流入する鼡径靱帯内側部下方の大腿筋膜中の孔）. = fossa ovalis(2).
sapo-, sapon- 石けんに関する連結形.
sap·o·na·ceous (sap′ō-nā′shŭs). 石けん状の，石けん質の，石けん様の.
sa·pon·i·fi·ca·tion (să-pon′i-fi-kā′shŭn). けん化（石けんに転化する．脂肪，特にトリアシルグリセロールへのアルカリ加水分解作用をいう）.
sap·o·nins (sap′ō-ninz). サポニン（水中で泡沫を生じ，また細胞を溶解するのを特徴とする植物由来の配糖体．強力な界面活性剤．多くは抗生物質の活性をもつ）.
sap·phism (saf′izm). 女子同性愛. = lesbianism.
sapro-, sapr- 腐った，腐敗した，を表す連結形.
sap·robe (sap′rōb). 腐生生物（死んだ有機物上に生息する生物．現在では，細菌と真菌は植物とみなさないので，この名称のほうが腐生植物の意である saprophyte（腐生菌）より好ましい）.
sa·pro·bic (să-prō′bik). 腐生性の（腐生生物に関する）.
sap·ro·gen (sap′rō-jen). 腐敗菌，腐生菌（死んだ生物に寄生し，それを腐敗させる菌）.
sap·ro·gen·ic, sa·prog·e·nous (sap′rō-jen′ik, să-proj′ĕ-nŭs). 腐敗性の.
sap·ro·phyte (sap′rō-fīt). 腐生菌，非病原菌（死んだ有機物や動植物中で成長する生物. → saprobe）.
sap·ro·phyt·ic (sap′rō-fit′ik). 腐生性の（腐生菌，非病原菌に関する）.
sap·ro·zo·ic (sap′rō-zō′ik). 腐生動物の（腐敗した有機物を食べて生きている，特にある種の原生動物についていう）.
sap·ro·zo·o·no·sis (sap′rō-zō′ō-nō′sis). 腐生人獣共通感染症（脊椎動物宿主と非動物性（食物，土壌，植物）生息地または成長場所の両者をその生活環の完成に必要とする病原体による人獣共通感染症）.
Sar·ci·na (sahr′si-nă). サルシナ属（非運動性・偏性嫌気性のペプトコッカス科細菌の一属で，グラム陽性球菌である．この球菌は3つの垂直平面で分裂し，8つ以上の細胞からなる規則的な箱状の塊をなす．腐生・通性寄生種．標準種は *Sarcina ventriculi*）.
sarco- 筋肉物質，肉類似物を表す連結形.
sar·co·blast (sahr′kō-blast). 筋芽細胞. = myoblast.
sar·co·car·ci·no·ma (sahr′kō-kahr′si-nō′mă). 癌肉腫（癌や肉腫の要素を含む悪性腫瘍. →sinuatrial node. →sarcoma）.
Sar·co·di·na (sahr′kō-dī′nă). 肉質虫亜門（原生動物の肉質鞭毛虫門の一亜門で，運動のための偽足，すなわち原形質の流れをもつ．多くは自由生活性である）.
sar·coid (sahr′koyd). サルコイド，類肉腫. = sarcoidosis.
sar·coid·al gran·u·lo·ma サルコイド様肉芽腫（サルコイドーシスにみられるのと同様な，乾酪壊死を伴わない類上皮細胞肉芽腫）.
sar·coid·o·sis (sahr′koy-dō′sis). サルコイドーシス，類肉腫症（原因不明の全身性肉芽腫症で，特に肺を侵し，その結果，間質性線維症を起こす．しかしまた，リンパ節，皮膚，肝臓，脾臓，眼，指骨，および耳下腺も侵す．肉芽腫は，類上皮細胞および多核巨細胞からなり，壊死はほとんどないかまったくない）. = Besnier-Boeck-Schaumann disease; Boeck disease; sarcoid.

S

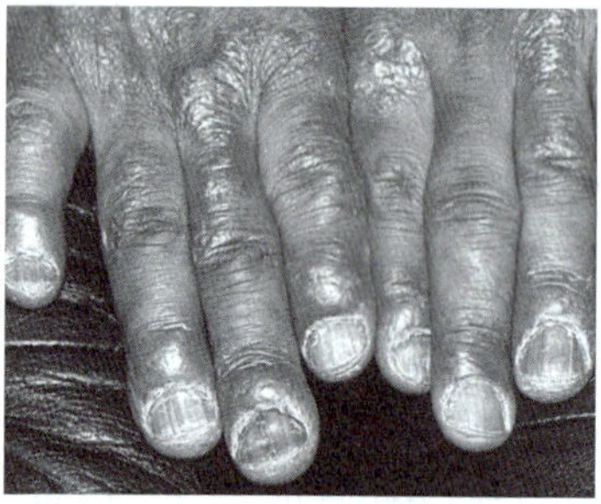

sarcoidosis

sar·co·lem·ma (sahr′kō-lem′ă). 筋細胞膜（筋線維の細胞膜．以前には，筋肉膜の繊細な結合組織を含めて本語を用いた人もいた）．

sar·co·lem·mal, sar·co·lem·mic, sar·co·lem·mous (sahr′kō-lem′ăl, -lem′ik, -lem′ŭs). 筋細胞膜の．

sar·co·ma (sahr-kō′mă). 肉腫（結合組織新生物．通常，きわめて悪性の腫瘍で，中胚葉細胞の増殖により形成される）．

sar·co·ma·toid (sahr-kō′mă-toyd). 肉腫様の，類肉腫の．

sar·co·ma·to·sis (sahr′kō-mă-tō′sis). 肉腫症（身体の異なった部分で肉腫成長が起こること）．

sar·com·a·tous (sahr-kō′mă-tŭs). 肉腫〔性〕の．

sar·co·mere (sahr′kō-mēr). 筋節（横紋筋線維の部分で2つの隣接するZ線の間にある部分．横紋筋の機能単位）．

sar·co·pe·ni·a (sahr′kō-pē′nē-ă). 筋減少〔症〕（加齢による筋の断面積および量の進行性の減少）．

sar·co·plasm (sahr′kō-plazm). 筋形質（筋線維の非線維性細胞質）．

sar·co·plas·mic (sahr′kō-plaz′mik). 筋形質の．

sar·co·plas·mic re·tic·u·lum 筋小胞体（骨格筋および心筋の小胞体．横紋筋原線維周囲の連続構造で，各筋節内構造に従って繰り返される構造をもつ．小胞と細管からなる）．

sar·co·poi·et·ic (sahr′kō-poy-et′ik). 筋肉形成の．

Sar·cop·tes sca·bi·ei ヒゼンダニ，疥癬虫（かゆみを起こすダニ．種々の種類が世界中に分布しており，ヒトおよび多くの動物につく．このダニは皮膚の中にもぐり込み，卵をその場所に産む．約1か月以内に強烈なかゆみと皮疹とがその穴の近くに生じる．→scabies; mange）．

sar·cop·tic (sahr-kop′tik). ヒゼンダニ属 *Sarcoptes* またはヒゼンダニ科に属するダニの，それらに関する，またはそれらによって引き起こされる．

sar·cop·tid (sahr-kop′tid). ヒゼンダニ類（ヒゼンダニ属 *Sarcoptes*, トリヒゼンダニ属 *Knemidokoptes*, およびショウセンコウヒゼンダニ属 *Notoedres* を含むヒゼンダニ科のダニの一般名）．

sar·co·sis (sahr-kō′sis). *1* 筋肉の異常増殖．*2* 筋肉の多発性増殖．*3* 器官全体を侵すびまん性肉腫．

sar·cos·to·sis (sahr-kos-tō′sis). 筋肉骨化〔症〕．

sar·cot·ic (sahr-kot′ik). *1* 筋肉の異常増殖，多発性増殖についていう．*2* 筋肉発達の（肉の増大を起こす）．

sar·co·tu·bules (sahr′kō-tū′byūlz). 筋細管〔系〕（横紋筋の膜小管の一連の系で，他の細胞の滑面小胞体に相当する）．

sar·cous (sahr′kŭs). 肉の，筋〔肉〕組織の．

sar·don·ic grin 痙笑．= risus caninus.

sar·gra·mos·tim (sahr-gram′ŏs-tim). サルグラモスチン（遺伝子組み換えヒト顆粒球-マクロファージコロニー刺激因子(GM-CSF)．急性骨髄性白血病や骨髄移植のときに感染を予防するために用いられる）．

sa·rin (GB) サリン（第2次大戦中にドイツで開発された神経ガス．NATOコードはGB．1995年に東京の地下鉄で起きた大規模テロで使用された．→Adamsite; bromobenzylcyanide; CA; CN; Cr; Cs; vomiting agent）．

SARS サーズ（severe acute respiratory syndrome の頭字語）．

sar·to·ri·us mus·cle 縫工筋（大腿前部浅層の筋．起始：上前腸骨棘．停止：脛骨粗面の内側縁．作用：大腿と下腿の屈曲，下腿を内旋し大腿を外旋させる．神経支配：大腿神経）．= musculus sartorius.

Sart·well in·cu·ba·tion mo·del サートウエル潜伏期モデル（伝染病の潜伏期間が対数線形分布に従うという経験則に基づくモデル．はっきりした外的要因によるある種の癌に当てはまる）．

sat, sat. saturated(飽和の)の略．

sat·el·lite (sat′ĕ-līt). 付随体（①より重要または大型の構造物に付属した小構造．例えば，動脈に付属した静脈，あるいは大きな損傷部の近傍の小さなまたは二次的な損傷部．②連合中の1対の簇胞子虫ガモントのうち，後方のガモント．いくつかの種でみることができる）．

sat·el·lite ab·scess 衛星膿瘍（原発性膿瘍と近接した膿瘍）．

sat·el·lit·o·sis (sat′ĕ-lī-tō′sis). *1* 神経膠細胞集合，サテリトーシス（中枢神経系のニューロンの周囲に神経膠細胞が集積することを特徴とする状態．神経細胞侵食の前徴）．*2* 衛星病変（周辺にできる小さな病変）．

sa·ti·a·tion (sā′shē-ā′shŭn). 飽和（空腹や口渇などの特殊欲求が充足されたことによって生じる状態）．

sat. sol., sat. soln. saturated solution の略．

Satt·ler veil ザットラーベール（コンタクトレンズの使用によって起こる角膜上皮のびまん性浮腫）．

sat·u·rate (sach′ŭr-āt). *1* 深くしみ込ませる（最大可能な程度までしみ込ませる）．*2* 飽和させる（すべての二重結合を一重結合に変えるように物質のすべての化学的親和性を満たす）．*3* 飽和させる（それ以上加えると2相になる濃度まで物を溶かす）．

sat·u·rat·ed col·or 飽和色（白色を最も少なく含有する色）.

sat·u·rat·ed fat 飽和脂肪（動物性食品や一部の植物性油脂に含まれており，血中のコレステロールを増加させ，動脈硬化のリスクを上昇させる）.

sat·u·rat·ed fat free 飽和脂肪抜きの（FDAの規定により，1食当たり0.5 g未満の飽和脂肪と1食当たり0.5 g未満のトランス脂肪酸を含んでいる）.

sat·u·ra·ted fat·ty ac·id 飽和脂肪酸（炭素原子間で，エチレンまたは他の不飽和結合をもたない炭素鎖を有する脂肪酸(例えば，ステアリン酸やパルミチン酸).これ以上水素と結合できないことから飽和とよばれる）.

sat·u·rat·ed so·lu·tion（sat. sol., sat. soln.） 飽和溶液（溶質の溶解可能な全量が含まれる溶液．過剰に遊離した溶質と溶液が平衡状態にある）.

sat·u·ra·tion（sach′ŭr-ā′shŭn）. ***1*** 飽和（1つの物質をもう1つの物質に最大可能な程度まで浸透させること）. ***2*** 中和（例えばアルカリによる酸の中和）. ***3*** 飽和度(それ以上超過できないところまで溶解した物質の濃度). ***4*** 飽和度（光学上の意味についてはsaturated color参照）. ***5*** 飽和（酵素分子上のすべての使用可能な部位をその基質で満たすこと，あるいは酸素(記号So_2)または一酸化炭素(記号Sco)によりヘモグロビン分子を満たすこと）.

sat·u·ra·tion in·dex 飽和指数（赤血球中のヘモグロビンの相対濃度を表すもので，次のように求める．100 mL中のヘモグロビンのグラム数の正常値に対する百分率÷ヘマトクリット値の正常値に対する百分率=飽和指数）.

sat·u·ra·tion sound pres·sure level（SSPL） 最大出力音圧レベル（補聴器の音響出力の最大値）.

sat·ur·nine（sat′ŭr-nīn）. ***1*** 鉛の，鉛性の. ***2*** 鉛〔中〕毒性の.

sat·y·ri·a·sis（sat′ir-ī′ă-sis）. 男子色情症（男性の過剰な性的興奮および行為．女性の色情症nymphomaniaに対応する語）.

sau·cer·i·za·tion（saw′sĕr-ī-zā′shŭn）. 杯形成(浅いくぼみをつくるように組織を取り去ること．感染部分からの排液を容易にするために行う創の処置）.

Sa·var·y bou·gies セイバリーブジー（食道拡張の際にガイドワイヤにかぶせて使用する先端の柔らかい先細りブジー）.

saw（saw）. のこぎり，鋸子（鋭い，歯状の突起よりなる刃をもつ金属性の手術器械で，骨，軟骨，ギプスを切るのに用いる．刃は硬い帯状のもの，柔軟性のあるワイヤかチェーン，または振動性電動器具に取り付けられている）.

sax·i·tox·in（sak′si-tok′sin）. サキシトキシン(イガイやハマグリなどの貝類に見出される強力な神経毒．*Gonyaulax catenella*により産生され，これが貝によって摂取される．California sea mussel，ホタテガイ，アラスカバタークラムの摂食により生じる中毒の原因である）.

Sb アンチモンの元素記号.

SBE subacute bacterial endocarditisの略.

SBS shaken baby syndromeの略.

SC subcutaneousの略.

Sc スカンジウムの元素記号.

scab（skab）. 痂皮，かさぶた（血液，膿，血清あるいはこれらの組み合わさったものの凝固によって形成されるかさぶた．潰瘍，びらん，その他の形の創傷の表面にできる）.

scab·i·ci·dal（skā′bi-sī′dăl）. 殺疥癬虫の.

scab·i·cide（skā′bi-sīd）. 殺疥癬虫薬，疥癬虫撲滅薬.

sca·bies（skā′bēz）. 疥癬（ヒト疥癬虫*Sarcoptes scabiei* var. *hominis*による発疹．雌は皮膚にトンネルを掘ってはいり込み，激しいそう痒を伴う小水疱性の発疹を，指間，男性または女性性器，殿部，体幹，および四肢に出現させる）.

sca·la, pl. sca·lae（skā′lă, -lē）. 階（蝸牛軸の周りにらせん状に巻き付いている空洞）.

sca·la me·di·a = cochlear duct.

sca·la tym·pa·ni 鼓室階（蝸牛のらせん管の部分でらせん板の底側にある）.

sca·la ves·tib·u·li 前庭階（前庭管．蝸牛のらせん管の部分でらせん板および前庭膜の上方にある）. = vestibular canal.

scald（skawld）. ***1***〚v.〛熱傷させる（熱い液体または蒸気との接触によって熱傷をさせる）. ***2***〚n.〛熱傷（熱い液体や蒸気との接触により生じる病変）.

scald·ed mouth syn·drome 熱傷口腔症候群

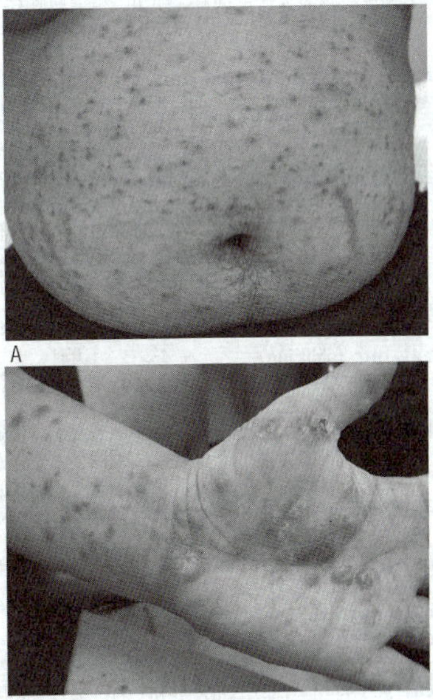

A

B

scabies

S

（舌，口唇，喉，口蓋などに熱湯による熱傷を起こしたような感覚を訴える症候群．臨床的には組織は正常にみえる．アンギオテンシン転換酵素阻害剤と関係がある）．

scale（skāl）．*1*〚n.〛目盛り（定規や測定機器において，単位や区分ごとに記されており量を測定するための刻み目）．*2*〚n.〛階段標準，測定尺度（心理学上，人間性または行動特性を測定するための標準テスト．→score; test）．*3*〚n.〛鱗屑．= squama．*4*〚n.〛板状鱗屑（皮膚からはがれる小さな薄い板状の角質上皮で，魚の鱗に似ている）．*5*〚v.〛落屑する．*6*〚v.〛歯石を除去する．*7*〚n.〛測定器（ある特性を測定する機器）．

sca·le·nec·to·my（skā′lĕ-nek′tō-mē）．斜角筋切除〔術〕．

sca·lene mus·cles 斜角筋（首の側部に位置する3つの筋肉(例えば，前筋，中筋，後筋)の集まり）．

sca·le·not·o·my（skā′lĕ-not′ō-mē）．斜角筋〔筋〕切り術，斜角筋切開〔術〕（前斜角筋の分割または切開）．

sca·len·us an·te·ri·or mus·cle 前斜角筋（側頸部下半の筋の1つ．起始：第三−第六頸椎の横突起の前結節．停止：第一肋骨の斜角筋結節．作用：第一肋骨を上げる．神経支配：頸神経叢）．= musculus scalenus anterior; anterior scalene muscle; musculus scalenus anticus.

sca·le·nus me·di·us mus·cle 中斜角筋（側頸部下半の筋の1つ．起始：第二−第六頸椎の横突起の前部と後部を結ぶ薄い骨板．停止：鎖骨下動脈の後方で第一肋骨．作用：第一肋骨を挙上する．神経支配：頸神経叢）．= musculus scalenus medius.

sca·le·nus mi·ni·mus mus·cle 最小斜角筋（前斜角筋と中斜角筋の間にあり，この両筋と同じ作用と神経をもつ，まれにみられる独立筋束）．

sca·le·nus pos·ter·i·or mus·cle 後斜角筋（側頸部下半の筋の1つ．起始：第四−第六頸椎横突起の後結節．停止：第二肋骨の外側面．作用：第二肋骨を上げる．神経支配：頸神経叢および腕神経叢）．= musculus scalenus posterior; posterior scalene muscle; musculus scalenus posticus.

scal·ing（skāl′ing）．スケーリング（歯科において，特殊な器具を用いて歯冠および歯根から付着物を取り除くこと）．

scal·lop·ing（skal′ŏ-ping）．スキャロピング，波形形成（正常では平滑な辺縁に連続してできたへこみや侵食）．

scalp（skalp）．頭皮（頭蓋骨をおおう有毛部の皮膚および皮下組織のこと）．

scal·pel（skalp′ĕl）．小刀，円刃刀，メス（外科の解剖で用いる小刀）．

scalp hair 頭髪．

scal·prum（skal′prŭm）．*1* 大きく頑丈な小刀．*2* 骨膜剥離子．

scal·y（skāl′ē）．落屑性の，鱗屑のある，鱗片の．= squamous.

scan（skan）．*1*〚v.〛スキャンする（検出器の移動により走査を行う）．*2*〚n.〛スキャン（スキャニングにより得られたイメージ，記録またはデータ．通常は用いられた技法あるいは装置の後につける．例えば，CTスキャン，RIスキャン，超音波スキャンなど）．*3*〚n.〛スキャン（scintiscanの略．通常は脳スキャンや骨スキャンのように前に検査の対象となる臓器や構造をつけて表す）．

scan·di·um（Sc）（skan′dē-ŭm）．スカンジウム（希土類の金属元素．原子番号21，原子量44.955910）．

scan·ner（skan′ĕr）．スキャナー（スキャンするための装置）．

scan·ning（skan′ing）．スキャニング，スキャン〔法〕，走査（能動的あるいは受動的な検出器を移動させることにより走査を行うこと．しばしば，用いられた技法あるいは装置の後につけて表す）．

scan·ning e·lec·tron mi·cro·scope 走査〔型〕電子顕微鏡（真空中の試料を細い電子線によって走査する顕微鏡．走査に同期したCRTモニター上に，試料表面から発生した反射電子または二次電子を用いてつくられた画像が得られる．この方法によって高分解能で焦点深度の深い三次元画像が得られる）．

scan·ning e·qual·i·za·tion ra·di·og·ra·phy 走査式均等濃度X線撮影法（狭いX線ビームを用いて患者を走査し，X線吸収率を測定し，その結果を用いて部分的にX線フイルムの露光を均等にさせるよう電子的に強調して調節する）．

scan·ning speech 断続性言語，分節言語（韻律をつけた，しばしばゆっくりした間のある発語）．

scan·o·gram（skan′ō-gram）．スキャノグラム（測定をしたい構造物(例えば，下肢)と直交する幅の狭いX線ビームを構造物の長さ方向に動かして実際の寸法を計る放射線撮影の技法）．

Scan·zo·ni ma·neu·ver スカンツォーニ操作（分娩時に鉗子を2度かけ直して用い，らせん状に回転牽引する方法）．

sca·pha（skā′fă）．舟状窩（耳介の耳輪と対輪との間にある縦の溝）．

scapho- 舟，舟状の，を表す連結形．

scaph·o·ce·phal·ic（skaf′ō-sĕ-fal′ik）．舟状頭蓋症の，舟状頭症の．

scaph·o·ceph·a·lism（skaf′ō-sef′ă-lizm）．舟状頭蓋症，舟状頭症．= scaphocephaly.

scaph·o·ceph·a·ly（skaf′ō-sef′ă-lē）．舟状頭（頭蓋骨癒合症の一型で，長くて狭い頭の形となる）．= cymbocephaly; sagittal synostosis; scaphocephalism; tectocephaly.

scaph·oid（skaf′oyd）．舟状の，舟形にくぼんだ（→scaphoid（bone））．= navicular.

scaph·oid ab·do·men 舟状腹（前腹壁が陥没し，凸状ではなく凹状輪郭を呈している状態）．= navicular abdomen.

scaph·oid（bone）〔手の〕舟状骨（手根の近位列の最大の骨で，外側(橈側)にある．橈骨，月状骨，有頭骨，大菱形骨，小菱形骨と関節する）．= os scaphoideum.

scaph·oid scap·u·la 舟状肩甲〔骨〕〔症〕（肩甲

棘の高さ以下の肩甲骨の内側縁は正常では凸を示すが，それが程度の差はあれ著しい陥凹を示す場合をいう．肩甲骨の舟状型 **scaphoid type of scapula**(Graves) は肩甲棘と大円筋突起の間の内側縁がまっすぐかいくぶん陥凹のものをいう)．

scap·tion (skap′shŭn)．スキャプション (肩甲骨の面まで関節窩上腕関節を上げること．前額面から約 30° ほど水平外転させる)．

scap·u·la, gen. & pl. scap·u·lae (skap′yū-lă, -lē)．肩甲骨 (三角形をした大型の平坦な骨で肋骨にかぶさっており，左右両端は肩鎖関節で鎖骨と，肩関節で上腕骨と関節している．機能的にみれば，肩甲胸郭関節で胸壁と関節しているといえる)．= shoulder blade.

scap·u·la a·la·ta = winged scapula.

scap·u·lar (skap′yū-lăr)．肩甲〔骨〕の．

scap·u·lar ab·duc·tion 肩甲骨外転 (肩甲骨の前方運動)．

scap·u·lec·to·my (skap′yū-lek′tŏ-mē)．肩甲〔骨〕切除〔術〕．

scapulo- 肩甲骨，肩甲骨の，を表す連結形．

scap·u·lo·cla·vic·u·lar (skap′yū-lō-klă-vik′yū-lăr)．肩甲骨鎖骨の，肩鎖〔骨〕の (①= acromioclavicular. ②= coracoclavicular)．

scap·u·lo·cos·tal syn·drome 肩甲肋骨症候群 (潜行性に発症する肩の上部または後部の疼痛で，頸および後頭に放散したり腕に下がったり胸の周りに放散する．指のしびれあるいはうずきがみられることがある．肩甲骨と胸郭の後壁間の正常な関係が変わったことによる)．

scap·u·lo·hu·mer·al (skap′yū-lō-hyū′mĕr-ăl)．肩甲上腕〔骨〕の (肩甲骨と上腕骨の両方に関する．→glenohumeral)．

scap·u·lo·hu·mer·al rhythm 肩甲上腕リズム (肩関節での外転および内転を含めた，肩甲骨の共調回転運動)．

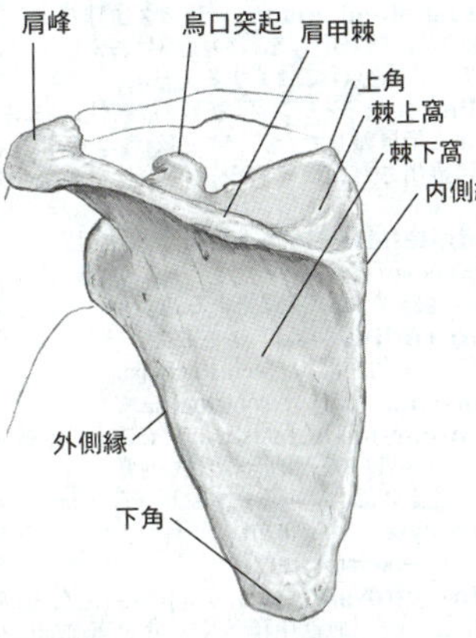
肩峰
烏口突起
肩甲棘
上角
棘上窩
棘下窩
内側縁
外側縁
下角
scapula

scap·u·lo·pex·y (skap′yū-lō-pek-sē)．肩甲〔骨〕固定〔術〕(肩甲骨を手術によって胸壁，または椎骨の棘突起に固定すること)．

scap·u·lo·thor·a·cic (ST) (skap′yū-lō-thōr-as′ik)．肩甲胸郭の (肩甲骨および胸郭背面に関係する．→shoulder complex)．

scap·u·lo·thor·a·cic joint 肩甲胸郭関節 (肩甲骨と胸郭後面との間の関節．滑膜性関節包を欠き，肩甲骨前面と胸郭の間に筋肉が存在するので，解剖学的には真の関節とはいえない．→pectoral girdle; shoulder girdle)．

sca·pus, pl. sca·pi (skā′pŭs, -pī)．幹．

scar (skahr)．瘢痕 (線維組織が，損傷または病変によって破壊された正常な組織と置き換わること)．

scar car·ci·no·ma 瘢痕癌 (肺の末梢の瘢痕から生じたり，あるいは蜂巣状肺における間質性線維化に伴う癌で，腺癌のことが多い)．

scar·i·fi·ca·tion (skar′i-fi-kā′shŭn)．乱切〔法〕，乱刺〔法〕(皮膚に浅い切開を多数加えること)．

scar·i·fi·ca·tor (skar′i-fi-kā-tŏr)．乱切器 (乱切用の器具．バネで発射される切開用の刃が多数まとめて隠されており，これで皮膚に浅い切開を多数加える)．

scar·la·ti·na (skahr′lă-tē′nă)．猩紅熱 (急性の発疹性疾患で，連鎖球菌性の発赤毒により起こる．発熱および他の全身症状，および鮮紅色の密に集合した点または小斑点からなる汎発性の発疹が大きなまたは紙様の落屑をきたすという特徴がある．通常，口腔および咽頭の粘膜も侵される)．= scarlet fever.

scar·la·ti·na hem·or·rha·gi·ca 出血性猩紅熱 (血液が皮膚および粘膜中に滲出して発疹に黒ずんだ色を与える猩紅熱の一型．鼻出血および腸への出血もしばしば起こる)．

scar·la·ti·nal (skahr′lă-tē′năl)．猩紅熱〔性〕の．

scar·la·ti·ni·form (skahr′lă-tē′ni-fōrm)．猩紅熱様の (発疹についていう)．

scar·let fe·ver 猩紅熱．= scarlatina.

scar·let rash バラ疹 (ときに感染を伴う鮮赤色の発疹)．

Scar·pa fasc·i·a スカルパ筋膜 (下腹壁の皮下組織深部の膜様あるいは層状の部分．浅会陰筋膜(Colles 筋膜)に続く)．

Scar·pa meth·od スカルパ法 (嚢の上で，いくらかの間隔をおいて動脈を結紮する動脈瘤の治療法)．

Scar·pa staph·y·lo·ma スカルパブドウ〔膜〕腫．= posterior staphyloma.

Scar·pa tri·an·gle スカルパ三角．= femoral triangle.

scar·ring al·o·pe·ci·a 瘢痕性脱毛〔症〕(外傷，熱傷，エリテマトーデス，毛孔性扁平苔癬，強皮症，脱毛性毛包炎あるいは原因不明にみられる瘢痕形成過程で生じる不可逆性の毛包破壊による脱毛(萎縮性脱毛症))．= cicatricial alopecia.

scataemia [Br.]．= scatemia.

sca·te·mi·a (skă-tē′mē-ă)．腸性中毒，宿便中毒 (腸性の自家中毒)．= scataemia.

scato- 便を意味する連結形. →copro-; sterco-.
scat·o·log·ic (skat′ō-loj′ik). 糞便学の.
sca·tol·o·gy (skă-tol′ŏ-jē). 糞便学 (①生理学的および診断学的目的のための糞便の科学的研究と分析. = coprology. ②精神医学上の見地に関連する排泄物または排泄(肛門)機能の研究).
sca·tos·co·py (skă-tos′kŏ-pē). 糞便検査〔法〕(診断用の糞便の検査).
scat·ter (skat′ĕr). ***1*** 散乱 (衝突または相互作用の結果としての光粒子または原子構成粒子の方向変更). ***2*** 散乱線 (1次放射線と物質との相互作用によって生じた2次放射線).
scat·tered ra·di·a·tion 散乱放射線, 散乱線 (X線と物質の相互作用で放出される2次放射線. 一般にエネルギーは低くなり, 空間的分布は1次放射線のエネルギーに依存する. →secondary radiation).
sca·ven·ger re·cep·tor スカベンジャーレセプタ (マクロファージ上のレセプタで, 酸化LDLと優先的に結合することにより, マクロファージはその LDL を中和する).
Sce·do·spor·i·um (sē-dō-spō′rē-ŭm). セドスポリウム属 (線菌類(形態綱)の不完全菌. *Pseudallescheria* の不完全時代である).
Sce·do·spor·i·um ap·i·o·sper·mum 真菌 *Pseudallescheria boydii* の不完全段階. ヒトに菌腫を起こす真菌の一種.
Sce·do·spor·i·um pro·lif·i·cans カビの一種. まれに重篤な深在性真菌症の原因となる. 骨髄移植患者や免疫減弱状態の患者の播種性疾患にみられる.
Schäf·fer re·flex シェファー反射 (皮質脊髄路に外傷がある場合, アキレス腱の上の皮膚をつまむと足の母指が背屈する).
Schantz dis·ease = Albert disease.
Scha·pi·ro sign シャピーロ徴候 (心筋衰弱の場合, 患者が横臥しても脈拍の緩徐は起こらない).
Schatz·ki ring シャッツキー輪 (食道下部 1/3 の部分の収縮で, 特徴的な X 線像を呈する).
Schau·dinn fix·a·tive シャウディン固定液 (塩化第二水銀, 塩化ナトリウム, アルコール, および氷酢酸よりなる溶液. 未乾燥塗抹標本の細胞固定に用いる).
Sche·de meth·od シェーデ法 (腐骨を除去した後, あるいは骨疽物質を取り除いた後, 血液で腔を満たす, 骨欠損の補充法. 血液は器質化する(Schede 血餅)ことがある).
Schei·be hear·ing im·pair·ment シャイベ型難聴 (蝸牛球形嚢異形成による難聴. 通常, 常染色体性劣性遺伝をする).
Scheie syn·drome シャイエ症候群 (Hurler 症候群と関連のある, 軽症型の症候群. α-L-イズロニダーゼ欠乏症, 角膜混濁, 手の変形, 大動脈弁障害, および正常な知能が特徴. 常染色体劣性遺伝で, 第4染色体短腕の α-L-イズロニダーゼ(IUDA)遺伝子の突然変異により生じる).
Schei·ner ex·per·i·ment シャイナー実験 (調節の証明. カード上の, 瞳孔の直径より離れていない2個の小さな穴を通してピンを見る. 眼から近い場合には点は二重に見える. 眼から離していくと, ある所では点は1つになり, それ以上遠ざけても, 正視眼の場合, 点は1つであるが, 近視眼の場合にはすぐに二重に見えるようになる).
sche·ma, pl. sche·ma·ta (skē′mă, skē-mah′tă). ***1*** 計画, 概要, 配列. = scheme. ***2*** 知覚運動理論における認知経験の組織化された単位.
scheme (skēm). = schema(1).
Schenck dis·ease シェンク病. = sporotrichosis.
Scheu·er·mann dis·ease ショイエルマン病 (胸椎椎体の骨端骨壊死症). = juvenile kyphosis.
Schick test シック試験 (ジフテリア菌 *Corynebacterium diphtheriae* 毒素感受性試験. Schick 試験用毒素は皮膚に注射する. 毒素中和抗体を欠く被検者は発赤を生じる陽性反応を示す).
Schiff re·a·gent シッフ試薬 (塩基性フクシンまたはパラローザニリンの水溶液で, 二酸化硫黄によって脱色され, 一般に metabisulphite や bisulphite salt を含む染料溶液に塩酸を添加して調製される. アルデヒドに対してまた, 組織化学においては, 多糖類, DNA や蛋白の検出に用いる).
Schil·der dis·ease シルダー病 (Schilder によって記載された少なくとも2つの異なる疾患を記述するのに用いられる語. ⓘ広汎性硬化症または広汎性軸周囲脳炎. 主に小児と若年成人に起こる非家族性疾患で, 進行性痴呆, 視覚障害, 難聴, 仮性球麻痺, 片麻痺または四肢麻痺を特徴とする. 大部分の患者は発症後 2—3 年以内に死亡する. 病理的にはミエリン崩壊の大きな非対称的部位がみられ, ときには全大脳半球を侵す. 典型的には脳梁を通って反対側も侵す. ⓘⓘ白質ジストロフィ). = encephalitis periaxialis diffusa.
Schil·ler test シラー試験 (初期癌の部位となる子宮膣部のグリコゲン非含有部試験. そのような部位は, ヨウ素溶液で濃褐色とならない. びらんその他の良性症状によるグリコゲン欠乏も, 陽性を示すことがある).
Schil·ling blood count シリング血球算定〔法〕(血液の多形核好中球を核の塊の数および配列に応じて4群に分けて計算する方法).
Schil·ling test シリング試験 (放射性コバルト同位元素で標識したシアノコバラミンを用いて, 尿中に排出されたビタミン B_{12} の量を測定する方法).
schin·dy·le·sis (skin′di-lē′sis). 夾結合. = wedge-and-groove joint.
schisto- 裂または分裂に関する連結形. →schizo-.
schis·to·ce·li·a (skis′tō-sē′lē-ă). 裂腹奇形 (腹壁の先天的裂溝). = schistocoelia.
schistocoelia [Br.]. = schistocelia.
schis·to·cor·mi·a (skis′tō-kōr′mē-ă). 体幹分裂奇形 (体幹の先天的分裂で, 通常, 胎児の下肢の不完全な発達による). = schistosomia.
schis·to·cyte (skis′tō-sīt). 分裂赤血球, シストサイト. = keratocyte(2).
schis·to·cy·to·sis (skis′tō-sī-tō′sis). 分裂赤血球増加〔症〕(血液中に多くの分裂赤血球の存在する状態).
schis·to·glos·si·a (skis′tō-glos′ē-ă). 舌裂

(舌の先天的な裂溝または中裂).

Schis·to·so·ma (skis′tō-sō′mă). 住血吸虫属(二生類吸虫の一属で，ヒトおよび家畜に住血吸虫症を起こす重要な住血吸虫を含む．長くのびた外形，明瞭な形態的差異を示す雌雄異体で，宿主の小さな血管に寄生する性質が特徴．中間宿主は巻貝).

Schis·to·so·ma hae·ma·to·bi·um ビルハルツ住血吸虫（虫卵は末端にとげをもち，門脈系および膀胱の腸間膜静脈(ヒトのエジプト住血吸虫症を起こす)と直腸に寄生する．アフリカ全土および中東の一部に見出される．中間宿主は *Bulinus truncatus* および他の淡水産巻貝である).

Schis·to·so·ma ja·pon·i·cum 日本住血吸虫（東洋または日本の住血吸虫で，特に肝臓に虫卵の被包化による広範な病変を伴う日本住血吸虫症を起こす．中間宿主は水陸両生の淡水産巻貝で，ブタ，ウシ，イヌなどの多くの動物が保有宿主となる).

schis·to·so·mal der·ma·ti·tis 住血吸虫性皮膚炎（鳥類，哺乳類，あるいはヒトにつく住血吸虫のセルカリアが繰り返し皮膚に侵入することに対して起こる感作反応). = swimmer's itch (2); water itch (2).

Schis·to·so·ma man·so·ni マンソン住血吸虫（マンソン住血吸虫症の原因となり，強い尖棘をもつ大きな虫卵が特徴の一般的な種．ヒラマキガイ類の *Biomphalaria* 属により伝播される).

schis·to·some (skis′tō-sōm). 住血吸虫（住血吸虫属 *Schistosoma* の寄生虫の通称).

schis·to·so·mi·a (skis′tō-sō′mē-ă). = schistocormia.

schis·to·so·mi·a·sis (skis′tō-sō-mī′ă-sis). 住血吸虫症（住血吸虫属 *Schistosoma* の種による感染症．慢性衰弱性で，症状は感染種により異なるが，細静脈中および肝門脈に産み付けられた虫卵に対する組織反応(肉芽形成および線維化)の強さで決まり，後者は門脈圧亢進症と食道静脈瘤および肝硬変に至る肝障害を引き起こす．→schistosomal dermatitis).

schis·to·so·mi·a·sis hae·ma·to·bi·um エジプト住血吸虫症（ビルハルツ住血吸虫 *Schistosoma haematobium* の感染症．虫卵の尿路への侵入により，膀胱炎および血尿の原因となり，恐らく膀胱癌を増加させる). = endemic hematuria.

schis·to·so·mi·a·sis ja·pon·i·ca, Jap·a·nese schis·to·so·mi·a·sis 日本住血吸虫症(日本住血吸虫 *Schistosoma japonicum* の感染症．赤痢様症状，痛みを伴う肝臓および脾臓の腫大，腹水，じんま疹，および進行性貧血が本症の特徴).

schis·to·so·mi·a·sis man·so·ni マンソン住血吸虫症（マンソン住血吸虫 *Schistosoma mansoni* の感染症．虫卵が大腸壁および肝臓に侵入し，刺激，炎症，および最終的には線維症を起こす). = Mansoni schistosomiasis.

schis·to·thor·ax (skis′tō-thōr′aks). 胸裂（胸壁の先天的裂溝).

schiz·am·ni·on (skiz-am′nē-on). 裂隙羊膜（ヒト胎芽にみられるような，内細胞塊内あるいはそれを越えて空洞を形成することにより発達する羊膜).

schiz·ax·on (skiz-ak′son). 裂軸索（2つに分枝した軸索).

schizo-, schiz- 分裂，裂，分割，または統合失調症に関する連結形．→schisto-.

schiz·o·af·fec·tive (skits′ō-ă-fek′tiv). 統合失調感情障害の（分裂病と感情(気分)障害の両方を示すような症状が混じって認められることについていう).

schiz·o·af·fec·tive psy·cho·sis 統合失調-情動精神病（統合失調症状と躁うつ病症状が混合し同時に発生する精神障害).

schiz·o·gen·e·sis (skits′ō-jen′ĕ-sis). 分裂生殖(分裂による増殖). = fissiparity.

schiz·og·o·ny (skits-og′ŏ-nē). シゾゴニー，増員生殖（核が最初にいくつかに分裂し，次いで，細胞が核の数と同じ数に分裂する多員増殖．娘細胞がメロゾイト(分裂小体)ならばメロゴニー，娘細胞がスポロゾイト(胞子小体)ならばスポロゴニー，または娘細胞が生殖体ならばガメトゴニーとよばれる).

schiz·o·gy·ri·a (skits′ō-jī′rē-ă). 脳回裂隙症(連続性がときに中断されるのを特徴とする脳回の奇形).

schiz·oid (skits′oyd). 統合失調質（社会的孤立，引きこもり，友人や社会的関係があるとしてもわずかであることなどがみられる．統合失調症の人格特徴に類似するが，軽症である．→schizoid personality).

schiz·oid per·son·al·i·ty, schiz·oid per·son·al·i·ty dis·or·der 統合失調〔気質〕性人格（持続的，広範的な成人期における社会からの引きこもり，感情的冷淡さや打ち解けなさ，制限，他人への無関心を特徴とする行動パターン).

schiz·ont (skits′ont). シゾント，分裂体（シゾゴニーにより増殖する胞子虫栄養型で，種々の数の娘栄養型すなわちメロゾイト(分裂小体)を産生する).

schiz·o·nych·i·a (skits′ō-nik′ē-ă). 爪〔甲〕〔層状〕剥離症，爪分裂〔症〕，裂爪症.

schiz·o·pha·si·a (skits′ō-fā′zē-ă). 統合失調言語〔症〕(統合失調症患者にみられる言語表出の障害を表す，まれに用いる語).

schiz·o·phre·ni·a (skits′ō-frē′nē-ă). 統合失調症，精神分裂病（最もよくみられる型の精神病で，知覚，思考内容，思考過程の障害(幻覚と妄想)が特徴となるほか，他人や外界に対する関心がまったく失われて引きこもり，過度に自分の精神世界にとらわれてしまう).

schiz·o·phren·ic (skits′ō-fren′ik). 統合失調症性の，統合失調症的な.

schiz·o·trich·i·a (skits′ō-trik′ē-ă). 毛尖〔毛髪〕分裂〔症〕（毛髪の先端の分裂).

schiz·o·typ·al per·son·al·i·ty dis·or·der, schiz·o·typ·al per·son·al·i·ty 統合失調症型人格障害（持続的，広範的な成人期における親密な関係への不快感や能力の低下，認知または知覚のゆがみ，風変わりな行動に特徴付け

S

られる行動パターン).

Schlat·ter dis·ease, Schlat·ter-Os·good dis·ease シュラッター病，シュラッター-オズグッド病. = Osgood-Schlatter disease.

Schlemm ca·nal シュレム管. = sinus venosus sclerae.

Schle·sing·er sign シュレージンガー徴候. = Pool phenomenon(1).

Schmid·el a·nas·to·mo·ses シュミーデル吻合（門脈系と大静脈との間の異常な連絡路).

Schmidt-Lan·ter·man in·ci·sures シュミット-ランテルマン(ランタルマン)切痕（神経線維のミエリン鞘の規則正しい構造中にある漏斗状中断部).

Schmidt syn·drome シュミット症候群（①声帯，口蓋帆，僧帽筋，および胸鎖乳突筋の片側性麻痺. ②原発性甲状腺機能低下症，原発性副腎皮質不全症およびインスリン依存型糖尿病の併発).

Schmorl fer·ric-fer·ri·cy·a·nide re·duc·tion stain シュモルル第二鉄フェリシアニド(フェリシアン化カリウム)還元染色〔法〕（メラニン，嗜銀性顆粒，甲状腺コロイド，ケラチン，ケラトヒアリン，リポフスチン色素などの組織内還元物質を見る染色. フェリシアニド(フェリシアン化カリウム)がフェロシアニド(フェロシアン化カリウム)となり，さらに第二鉄イオンの存在下で不溶性のプルシアンブルーに変わる).

Schmorl nod·ule シュモール(シュモルル)結節，軟骨小結節（椎体終板からそれに接する椎体の海綿骨中への髄核の脱出).

Schmorl pic·ro·thi·o·nin stain シュモルルのピクロチオニン染色〔法〕（緻密な骨組織の染色で，チオニンとピクリン酸溶液を用い，骨細管および骨細胞を青色または黒青色に，骨基質は黄色に，軟骨間質物質は紫色に染める).

Schnei·der car·mine シュナイダーカルミン(45%酢酸に10%のカルミンを含有した染料で，新しい染色体標本に用いる).

Schnei·der first-rank symp·toms シュナイダー1級症状（器質的または中毒性の原因が除外された場合に，それが存在すると統合失調症の診断が疑わしい症状をさす. 制御妄想，考想放送，考想脱出，考想吹入，考想化声，行動を批評する幻聴，2つの声が会話をしている幻聴など).

Schnitz·ler syn·drome シュニッツラー症候群(緊張性，全身化慢性じんま疹，関節痛または骨痛，および κ 型の単クローン免疫グロブリン血症).

Scho·ber test ショーバー試験（腰椎の運動性を測定する方法. 起立位で腰仙移行部の上10 cmと下5 cmに平行な水平線を引く. 最大前屈位で両線の間隔が正常では5 cm以上開くが，強直性脊椎炎ではそれ以下である).

Schön·lein pur·pu·ra シェーンライン紫斑病. = Henoch-Schönlein purpura.

school nurse prac·ti·tion·er スクール・ナース・プラクティショナー（州立，私立の学校組織で働くナース・プラクティショナーとして資格を持つ正看護師).

school pho·bi·a 学校恐怖〔症〕（児童が突然登校を嫌忌したり，恐れたりするようになることで，通常は分離不安の現れとして考えられている).

Schroe·der op·er·a·tion シュレーダー手術(子宮頸管粘膜の切除術).

Schu·chardt op·er·a·tion シューヒャルト手術（膣口の傍を直腸を避けて切開する方法. 瘻孔閉鎖または膣式広範性手術のために膣上部へ到達しやすくするための外科的手技).

Schüff·ner dots シュフナー斑点（細かい，円形の，一様に赤色か赤黄色の斑点(Romanovsky染色で着色).三日熱マラリア原虫 *Plasmodium vivax* や卵形マラリア原虫 *P. ovale* が感染した赤血球内に特徴的にみられるが，四日熱マラリア原虫 *P. malariae*，熱帯熱マラリア原虫 *P. falciparum* の感染では通常みられない).

Schül·ler phe·nom·e·non シュラー現象（片麻痺患者が歩行するとき，機能性疾患の場合は健常側へ曲がり，器質性疾患の場合は麻痺側へ曲がる).

Schül·ler syn·drome シュラー症候群. = Hand-Schüller-Christian disease.

Schultz-Charl·ton re·ac·tion シュルツ-カールトン反応（猩紅熱抗血清の皮内注射の部位に猩紅熱の特異な蒼白が現れること).

Schult·ze mech·a·nism シュルツェ機転（胎児面が先に出る胎盤の娩出機序).

Schult·ze phan·tom シャルツェ模型（女性の骨盤の模型. 分娩の仕組みと，鉗子の利用法について示すのに用いる).

Schult·ze pla·cen·ta シュルツェ胎盤（滑らかな胎児面(羊膜面)から先に娩出された胎盤).

Schult·ze sign シュルツェ徴候（潜伏テタニーの場合，舌を軽打すると舌が陥凹する).

Schwal·be line シュワルベ線（隅角鏡検査で観察される細い白色の，あるいは不規則に色素の入った線. デスメ膜の末梢周縁部を表す).

Schwal·be ring シュヴァルベ輪. = anterior limiting ring.

Schwann cells シュヴァン細胞（外胚葉(神経堤)起源の細胞で，末梢神経の各神経線維の周囲の連続したエンベロープを構成する). = neurilemma cells; neurolemma cells.

schwan·no·ma (shwah-nō′mă). 神経鞘腫(Schwann細胞の腫瘍と構造的に同一の，基本的構成要素をもつ良性で被包性の新生物. 腫瘍性細胞が神経膜内に増殖し，神経周膜は被膜を形成する. この新生物は末梢神経または交感神経，あるいは種々の脳神経，特に第八神経から生じる. 神経が小さい場合は,(全部ではなくとも)通常は新生物の被膜内にみられる. 神経が大きい場合は，神経鞘腫は神経鞘内で発育し，その線維は，新生物の拡大に伴い被膜表面上に広がる. 顕微鏡的には，神経鞘腫は，2種の型であるAntoni type AおよびBの組合せからなる. 2種の型のどちらかが，神経鞘腫の種々の例で優勢であることがある. →neurofibroma). = neurilemoma.

schwan·no·sis (shwah-nō′sis). シュヴァン〔細胞〕症（脊髄血管周囲のSchwann細胞の非新生

物性増殖．特に老人でしかも糖尿病患者にみられる）．

Schwart·ze sign シュヴァルツ徴候（中耳岬角に血管が新生して，紅潮すること．鼓膜を通してみえる．耳硬化症の徴候である．→otosclerosis）．= promontory flush.

sci·age (sē-ahzh′)．シャージュ（マッサージで手を前後にのこぎり様に動かすこと）．

sci·at·ic (sī-at′ik)．*1* 坐骨の（坐骨または腰に関する，または隣接する）．= ischiadic; ischial; ischiatic. *2* 坐骨神経の．

sci·at·i·ca (sī-at′i-kă)．坐骨神経痛（大腿部の後ろから下肢へと放散するような腰部や殿部における痛み．初めは坐骨神経機能障害と考えられたため，その名前がついたが，現在は通常 L5 または S1 神経根を障害する腰椎椎間板ヘルニアによることが知られている．→sciatic）．

sci·a·tic bur·sa of glu·te·us max·i·mus 大殿筋の坐骨包（大殿筋と坐骨結節との間にある滑液包）．

sci·at·ic fo·ra·men 坐骨孔（寛骨の坐骨切痕を横切る仙棘靱帯と仙結節靱帯によって形成される孔で，大坐骨孔 greater sciatic foramen と小坐骨孔 lesser sciatic foramen がある）．

sci·at·ic her·ni·a 坐骨ヘルニア（大仙坐骨孔から腸が脱出すること）．= ischiocele.

sci·at·ic nerve 坐骨神経（仙骨神経叢の多くの枝を合して起こり，大坐骨孔から骨盤を出て大腿を下行し，大腿二頭筋長頭の深部に達する．膝窩上端で総腓骨神経と頸骨神経に分岐するが，ときにはさらに高位で分岐することもある）．= nervus ischiadicus.

sci·ence (sī′ĕns)．科学（①経験と観察に基づいて自然現象の論理的説明を行う学問分野．②①の学問領域のなかで，特定の現象の説明に限定されたもの）．

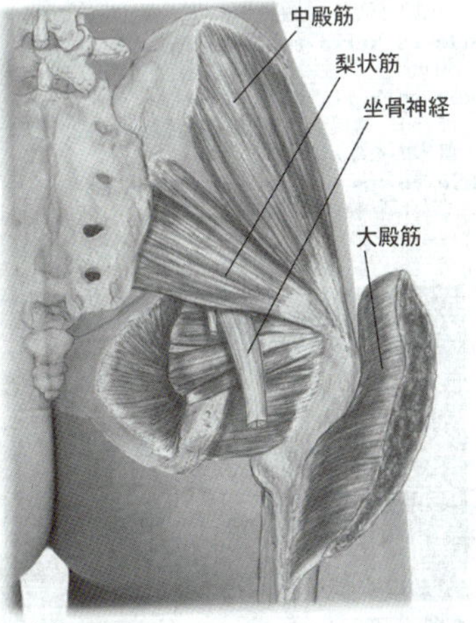
中殿筋
梨状筋
坐骨神経
大殿筋

sciatic nerve

sci·en·ti·fic the·or·y 科学的理論（検証し潜在的に反証しうる理論．反証または反駁できない場合，その理論の信用度は高まるが証明されたとはみなされない）．

sci·en·to·met·rics (sī′ĕn-tō-met′riks)．科学測定法，サイエントメトリックス（科学的生産および科学的発見の公共政策などに対するインパクトを測る測定法）．

scim·i·tar sign シミター徴候（肺静脈還流異常症に伴う胸部 X 腺写真上，肺基底部にみられる曲線の陰影．鎌の形，サーベルに似た形状をさす．また，前髄膜瘤を伴う脊椎縫合障害において，仙骨のほたて貝様の凹凸を調べるのにも用いる）．

scin·ti·cis·tern·og·ra·phy (sin′ti-sis′tĕrn-og′ră-fē)．シンチ大槽造影（撮影）〔法〕（放射性薬品を用いて施行され，放射性核種造影装置を用いて記録される大槽造影法）．

scin·ti·gram (sin′ti-gram)．シンチグラム．= scintiscan.

scin·ti·graph·ic (sin′ti-graf′ik)．シンチグラフィの（シンチグラフィに関する，またはシンチグラフィによる）．

scin·tig·ra·phy (sin-tig′ră-fē)．シンチグラフィ（特殊な臓器あるいは組織に親和性のある放射性核種を投与し，外部よりその物質の体内における分布を固定式あるいは走査式シンチレーションカメラで測定する診断法）．

scin·til·lat·ing sco·to·ma 閃輝暗点，閃光暗点（鮮明な色調の閃光によって縁取られた暗点．通常，片頭痛の前徴である．→fortification spectrum）．

scin·til·la·tion (sin′ti-lā′shŭn)．シンチレーション（①発火または閃光．光を火花または閃光として自覚し感じること．②放射能測定において，結晶または液晶シンチレータのリン光体内のイオン化によって生じる光．→scintillation counter）．

scin·til·la·tion cam·er·a シンチレーション（シンチ）カメラ．= gamma camera.

scin·til·la·tion count·er シンチレーション計数器，シンチレーションカウンター（電離放射線を検出するのに用いられる機器）．

scin·til·la·tor (sin′ti-lā-tŏr)．シンチレータ（放射性粒子，X 線またはガンマ線にぶつかったときに可視光線を発する物質．→scintillation counter）．

scin·ti·pho·tog·ra·phy (sin′ti-fō-tog′ră-fē)．シンチフォトグラフィ（体内に投与された放射性物質の分布を，ガンマカメラを用いて写真記録として得る過程．現在では用いられない）．

scin·ti·scan (sin′ti-skan)．シンチスキャン（シンチグラフィによって得られた記録．→scan）．= photoscan; scintigram.

scin·ti·scan·ner (sin′ti-skan′ĕr)．シンチスキャナ（シンチスキャンを作成するのに用いる装置）．

scir·rhous (skir′ŭs)．硬い，硬性癌の．

scir·rhous car·ci·no·ma 硬〔性〕癌（腫瘍上皮があるために間質組織に線維形成反応が起こ

S

ってできる線維性の硬い癌腫). = fibrocarcinoma.

scis·sion (sizh′ŏn). *1* 分裂, 分離 (融合に対して, 分離, 分裂, または分解すること). *2* 切断. = cleavage(2).

scis·sors (siz′ŏrz). 鋏(はさみ) (互い違いに重ね合わせた2枚の刃が合釘を軸にして動き, 向かい合った刃の間に物を挟んで切る器具). = shears.

scis·sors gait はさみ歩行 (歩行に際し, 各肢が前方かつ内方に振れるもので, 通常, 脳性麻痺による両下肢痙性麻痺でみられる).

scis·su·ra, pl. scis·su·rae (shi-sūr′ă, -rē). = scissure. *1* 裂, 裂溝. *2* 裂片.

scis·sure (sish′ūr). = scissura.

scle·ra, pl. scle·ras, scler·ae (sklēr′ă, -ăz, -ē). 強膜 (眼球の外包を形成している線維性膜層で, 角膜となっている前部 1/6 を除いた部分). = sclerotica.

scler·ad·e·ni·tis (sklēr′ad-ĕ-nī′tis). 硬〔性〕リンパ節炎, 硬性腺炎 (腺の炎症性硬化).

scle·ral (sklēr′ăl). 強膜の. = sclerotic(2).

scle·ral staph·y·lo·ma 強膜ブドウ〔膜〕腫. = equatorial staphyloma.

scle·ral sul·cus 強膜溝 (眼球の外表面にある強膜と角膜の結合線すなわち角膜縁を示す細い溝).

scle·ral veins 強膜静脈 (強膜の血液を集め前毛様体静脈に注ぐ枝).

scle·ral ve·nous si·nus 強膜静脈洞 (眼球の前眼房を取り囲む血管構造で前眼房水はここから循環血へ戻される). = Lauth canal.

scle·rec·ta·si·a (sklēr′ek-tā′zē-ă). 強膜拡張, 強膜膨出 (局部的強膜膨出).

scle·rec·to·my (sklĕr-ek′tŏ-mē). *1* 強膜切除〔術〕(強膜の一部の切除). *2* 硬化鼓膜切除〔術〕(慢性中耳炎で形成された線維性癒着の切除).

scle·re·de·ma (sklēr′ĕ-dē′mă). 水腫(浮腫)性硬化〔症〕(上半身, 両上肢の背面に生じる硬い, 指圧痕をつくらない皮膚の浮腫で, ろう様外観を呈し, 境界がはっきりしない. 糖尿病, 成人性浮腫性硬化症でみられる). = scleroedema.

scler·e·de·ma a·dul·tor·um 成年性水腫(浮腫)性硬化〔症〕(皮膚および皮下組織に次第に広がる良性の硬化症で, 恐らく連鎖球菌が原因と思われ, 熱病に続発することがある. コラーゲンとムチンの沈着による皮膚の非陥凹性肥厚と硬化がみられる). = Buschke disease; scleroedema adultorum.

scle·re·ma (sklĕr-ē′mă). 皮膚硬化〔症〕(皮下脂肪の硬化).

scler·e·ma ne·o·na·to·rum 新生児皮膚硬化〔症〕(出生時または乳児期初期に, 通常, 未熟児または低体温児に, 境界明瞭な黄白色の硬化局面として現れる皮膚硬化症. 通常, 頬部, 殿部, 肩, およびふくらはぎに起こる. 皮下脂肪は飽和脂肪酸が高比率であり, 顕微鏡的には, 葉間線維組織の肥厚や, トリグリセリド結晶や異物巨細胞の形成がみられる. 病変が広汎性に生じるため予後は不良. 局所病変は何か月もかかって徐々に消退する).

scle·ri·tis (sklĕr-ī′tis). 強膜炎.

sclero-, scler- 硬結, 硬化, または sclera(強膜)との関連を意味する連結形.

scle·ro·blas·te·ma (sklēr′ō-blas-tē′mă). 骨芽体 (骨組織に発育していく胚期の組織).

scle·ro·cho·roid·i·tis (sklēr′ō-kōr′oyd-ī′tis). 強膜脈絡膜炎 (強膜および脈絡膜の炎症).

scle·ro·con·junc·ti·val (sklēr′ō-kon′jŭngk-tī′văl). 強膜結膜の (強膜と結膜に関する).

scle·ro·cor·ne·a (sklēr′ō-kōr′nē-ă). 強膜角膜 (①眼の硬い外被膜, 眼球線維膜をともに形成するものとしての強膜および角膜. ②角膜の一部または全部が不透明で強膜に類似する先天異常. その他の眼異常がしばしば存在する).

scle·ro·dac·ty·ly, scle·ro·dac·tyl·i·a (sklēr′ō-dak′ti-lē, -dak-til′ē-ă). 強指(趾)症, 手指(足指)硬化〔症〕. = acrosclerosis.

scle·ro·der·ma (sklēr′ō-dĕr′mă). 強皮症, 硬皮症 (新しくコラーゲン(膠原)が形成されたことで皮膚が厚くなったり, 硬化すること. 毛嚢脂腺系の萎縮を伴う. 進行性全身性強皮症や限局性強皮症(morphea)の一症状). = dermatosclerosis; systemic scleroderma.

scle·ro·der·ma heart 強皮症心臓 (強皮症にかかった患者において, 心筋の線維症(瘢痕)と微小血管の肥厚によって特徴付けられる可変的に深刻な状態).

scleroedema [Br.]. = scleredema.

scleroedema adultorum [Br.]. = scleredema adultorum.

scle·rog·e·nous, scle·ro·gen·ic (sklĕr-oj′ĕ-nŭs, sklēr′ō-jen′ik). 硬化性の (硬変した組織を生じる, 硬化症を引き起こす).

scle·roid (sklēr′oyd). 硬い, 硬化した (異常に硬い構造, なめし皮様または瘢痕様の構造についていう). = sclerosal; sclerous.

scle·ro·i·ri·tis (sklēr′ō-ī-rī′tis). 強膜虹彩炎 (強膜と虹彩の炎症).

scle·ro·ker·a·ti·tis (sklēr′ō-ker′ă-tī′tis). 強膜角膜炎 (強膜と角膜の炎症).

scle·ro·ker·a·to·i·ri·tis (sklēr′ō-ker′ă-tō-ī-rī′tis). 強膜角膜虹彩炎 (強膜, 角膜, および虹彩の炎症).

scle·ro·ma (sklēr-ō′mă). 硬腫, 硬化症 (皮膚または粘膜の肉芽組織にみられる限局性硬化病

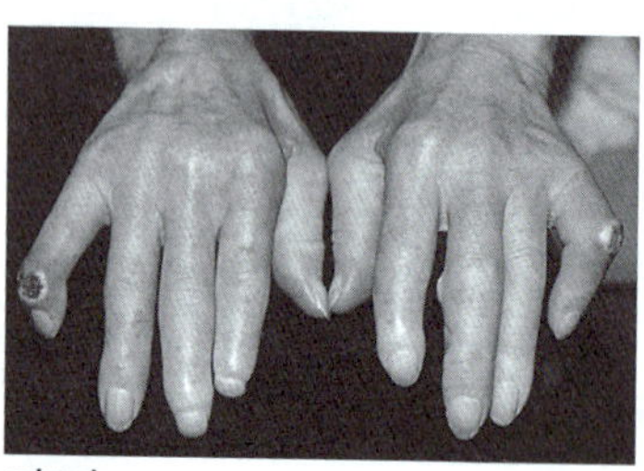

scleroderma

巣).

scle·ro·ma·la·ci·a (sklēr′ō-mă-lā′shē-ă). 強膜軟化〔症〕(強膜の変性薄化で，関節リウマチや他のコラーゲン障害の患者に発症する).

scle·ro·mere (sklēr′ō-mēr). ***1*** 硬節 (分節構造を有する脊椎骨のような骨格の体節構造). ***2*** 椎板尾部 (硬節の尾側半分).

scle·ro·nych·i·a (sklēr′ō-nik′ē-ă). 爪〔甲〕硬化〔症〕(爪の硬化および肥厚).

scle·ro-o·o·pho·ri·tis (sklēr′ō-ō-of′ŏr-ī′tis). 硬化性卵巣炎 (卵巣の炎症性硬化).

scle·roph·thal·mi·a (sklēr′of-thal′mē-ă). 強膜浸湿 (正常には透明な角膜のほぼ全体が不透明な強膜に類似する異常).

scle·ro·pro·tein (sklēr′ō-prō′tēn). 硬蛋白〔質〕. = albuminoid (3).

scle·ro·sal (sklĕr-ō′săl). = scleroid.

scle·ro·sant (sklĕr-ō′sănt). 硬化剤 (静脈瘤中にトロンビンを生成することにより治療する，注射用の刺激物質).

scle·rose (sklĕr-ōs′). 硬化する，硬化される.

scler·o·sing ad·e·no·sis 硬化〔性〕腺疾患 (比較的若い女性に多発する結節性良性乳房病変. 腺組織の小葉は過形成で異常な形をとり，膠原性基質の増加を伴う. この変化は顕微鏡的に癌との鑑別が困難なこともある. また前立腺の顕微鏡的な病変で，基底細胞層が特徴的な平滑筋化生を示し，基質の増加を伴う腺房組織からなる良性結節をいうこともある). = adenofibrosis.

scler·o·sing he·man·gi·o·ma 硬化性血管腫 (良性の肺または気管支病変で，胸膜下にしばしばみられ，ときに多発する. 硝子化した結合織を伴う).

scler·o·sing ker·a·ti·tis 硬化性角膜炎 (強膜炎に合併する角膜の炎症. 角膜実質の混濁を特徴とする).

scler·o·sing os·te·i·tis 硬化性骨炎 (原因不明の骨の紡錘状肥厚または緻密化). = Garré disease.

scle·ro·sis, pl. scle·ro·ses (sklĕr-ō′sis, -sēz). 硬化〔症〕(①= induration (2). ②神経障害において，神経および他の構造物の間質線維性または神経膠性結合組織の増生による硬結).

scle·ro·ste·no·sis (sklēr′ō-stĕ-nō′sis). 硬化狭窄〔症〕(組織が硬化して萎縮すること).

scle·ros·to·my (sklĕr-os′tŏ-mē). 強膜切開〔術〕(緑内障の治療のために強膜に外科的に穿孔すること).

scle·ro·ther·a·py (sklēr′ō-thār′ă-pē). 硬化療法 (血管や組織への硬化液注射を含む治療).

scle·rot·ic (sklĕr-ot′ik). ***1*** 硬化〔性〕の. ***2*** 強膜の. = scleral.

scle·rot·i·ca (sklĕr-ot′i-kă). 強膜. = sclera.

scle·rot·ic bod·ies 硬壁小体 (黒色真菌の栄養型で丸く，ネズミの形をした細胞. クロモブラストミコーシスの原因菌の組織中の形態として特徴的である).

scle·rot·ic ce·ment·al mass 硬化性セメント質塊(腫瘤) (良性の線維骨性病変で，病因は不明である. X線不透過性で無痛性である).

scle·rot·ic den·tin 硬化ぞうげ質 (傷害または加齢に伴って生じるぞうげ質で，ぞうげ細管の石灰化を特徴とする). = transparent dentin.

scle·ro·tome (sklēr′ō-tōm). ***1*** 強膜〔切開〕刀 (強膜切開に用いる刃物). ***2*** 硬節 (体節の腹側内側部から出現して，脊索方向へ移動する間葉細胞の一群. 隣接体壁からの硬節性細胞は，脊椎中心の原基である体壁間の物質中へと移入する).

scle·rot·o·my (sklĕr-ot′ŏ-mē). 強膜切開〔術〕(強膜からの切開).

scle·rous (sklēr′ŭs). = scleroid.

SCM sternocleidomastoid muscle の略.

sco·lex, pl. scol·e·ces, scol·i·ces (skō′leks, -lĕ-sēz, -li-sēz). 頭節 (条虫の頭部または前端で，吸盤およびしばしば額嘴鉤によって小腸壁に付着する).

scolio- ねじれている，あるいは弯曲していることを意味する連結形.

sco·li·o·ky·pho·sis (skō′lē-ō-kī-fō′sis). 脊柱後側弯.

sco·li·o·sis (skō′lē-ō′sis). 〔脊柱〕側弯〔症〕(脊柱の異常な側方回旋弯曲で，原因により側弯が1つの一側性側弯や，一次性側弯に代償性の二次性側弯がみられるものなどがある. 筋肉および(または)骨の変形の結果としての固定型と，不均衡な筋収縮の結果としての可動型がある).

sco·li·ot·ic (skō′lē-ot′ik). 側弯の (脊柱側弯症に関する，脊柱側弯症にかかる).

sco·li·ot·ic pel·vis 脊柱側弯性骨盤 (脊柱側弯を伴う変形骨盤).

scom·broid poi·son·ing サバ中毒 (不適当な保存処理の結果，細菌の作用で耐熱性毒素が産生された，サバ目(マグロ，カツオ，サバなど)の魚肉を摂取することによって起こる中毒. 心窩部痛，吐き気，嘔吐，頭痛，口渇，えん下困難，じんま疹を特徴とする).

-scope 一般的には見るための機器をいうが，他の検査法(例えば聴診器)をも含む接尾語.

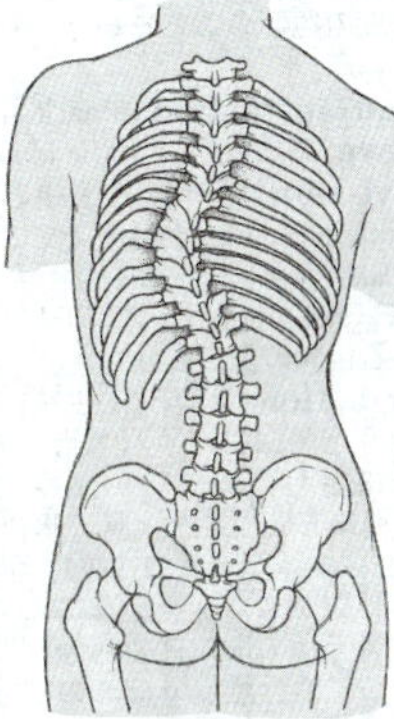

scoliosis

S

sco·po·phil·i·a (skō′pō-fil′ē-ă). 瞠視症. = voyeurism.

sco·po·pho·bi·a (skō′pō-fō′bē-ă). 視線恐怖〔症〕(見つめられることに対する病的な恐れ).

-scopy 観察の目的で器具を用いて行う活動を表す接尾語.

scor·bu·tic (skōr-byū′tik). 壊血病の (壊血病に関する, 壊血病にかかる, 壊血病に類似する).

scor·bu·ti·gen·ic (skōr-byū′ti-jen′ik). 壊血病発生の.

scor·di·ne·ma (skōr′di-nē′mă). あくび (あくびおよび伸張を伴う頭重感. 感染症の前徴として起こる).

score (skōr). 評点 (一定の環境下における状態, 成績または条件に関する評価を表す点数).

Scotch broom = broom.

scoto- 暗さに関する連結形.

sco·to·chro·mo·gen·ic (skō′tō-krō′mō-jen′ik). 暗発色菌 (光がない状態で色素を生成する微生物. コロニーが光にさらされると, 色素は暗くなったり, あるいは強くなったりすることがある).

sco·to·ma, pl. sco·to·ma·ta (skō-tō′mă, -mă-tă). 〔視野〕暗点 (①視野内に, 異なった大きさと形で個々に存在する部分で, 視野が欠損または沈下している. ②心理学的知見における盲点).

sco·tom·a·tous (skō-tō′mă-tŭs). 暗点の.

sco·tom·e·ter (skō-tom′ĕ-tĕr). 〔中心〕暗点計, 暗点視野計 (暗点の大きさ, 形, 強度を測る器具).

sco·tom·e·try (skō-tom′ĕ-trē). 暗点〔視野〕測定(計測)〔法〕(暗点の測定).

scot·o·phil·i·a (skō′tō-fil′ē-ă). 暗所嗜好. = nyctophilia.

scot·o·pho·bi·a (skō′tō-fō′bē-ă). 暗所恐怖〔症〕. = nyctophobia.

sco·to·pi·a (skō-tō′pē-ă). 暗順症. = scotopic vision.

sco·top·ic (skō-top′ik). 暗順応の (眼が暗順応している低度の照明のことをいう. →scotopic vision).

sco·top·ic ad·ap·ta·tion = dark adaptation.

sco·top·ic eye 暗所視眼. = dark-adapted eye.

sco·top·ic vi·sion 暗所視 (暗順応時の視覚. →dark adaptation; dark-adapted eye). = night vision; scotopia.

sco·top·sin (skō-top′sin). スコトプシン (網膜の杆体にある色素の蛋白成分).

Scott op·er·a·tion スコット手術 (超肥満者に対して行う空腸回腸バイパス術. 上部空腸を回腸終末部に端々吻合し, バイパスされた小腸は口側端を閉鎖し肛側端を大腸に吻合する).

scot·ty dog スコッチテリア〔像〕(腰椎斜位像で関節部の外観がスコッチテリアに似ていること. スコッチテリア像の首の部分は椎体の関節間部であり, 脊椎分離症ではこの部分に欠損がみられることが最も多い).

scout film 造影前単純像 (造影剤注入前に撮影するX線像で, 血管造影や尿路, さらに消化管造影検査における単純像のこと).

scrap·ing (skrāp′ing). 擦過標本 (細胞学的検査のために, 病変部または特定の部位から掻爬した検体. →smear).

scratch test スクラッチ試験, 掻爬試験 (皮膚試験の一種. 皮膚を引っ掻いて抗原を皮膚に入れる).

screen (skrēn). *1* 〚n.〛遮へい板, 暗幕 (熱, 光, X線などの影響を遮断するために用いる薄い幕). *2* 〚n.〛映写幕, スクリーン. *3* 〚n.〛隠ぺい (精神分析において, 隠ぺい, すなわちある表象や記憶が別の表象や記憶を隠していること. →screen memory). *4* 〚v.〛検査する, 評価する (集団の中からある種の個体(群)を選んだり, 区別するためその集団を処置する). *5* 〚n.〛写真フイルムを曝射するため, X線を光に変換する結晶の薄層. フイルムによって放射線(X線)写真像をつくるため, カセットの中に入れて使用する.

screen·ing (skrēn′ing). *1* 〚v.〛スクリーニングする(検査する, 選別する). *2* 〚n.〛スクリーニング (通常, 無症候者の集団から, 特定の疾病を有する確率の高い人を選び出す検査で, 典型的には安価な診断的試験を用いる). *3* 〚n.〛判別検査 (精神保健において, 初診時に行われる診断で, 医学的・精神医学的病歴聴取や精神状態の把握, 患者の特別な治療方法に対する適合性を決定するための診断過程などが含まれる).

screen·ing test スクリーニング試験, 選別試験, ふるい分け試験 (はっきりした特性や性質に従って人や物を分けるよう考察された試験方法で, 疾患の早期所見の検索の意図で用いられる).

screen mem·o·ry 隠ぺい記憶 (精神分析的概念. 意識にのぼらせても耐えられる記憶をいい, 思い出せば感情的な苦痛を伴う記憶を無意識におおい隠す役割を果たす).

scro·bic·u·late (skrō-bik′yū-lāt). 小窩のある, 小陥凹のある.

scrof·u·lo·der·ma (skrof′yū-lō-dĕr′mă). 皮膚腺病 (下床の非定型抗酸菌の感染が皮膚に広がり生じた結核のこと. ウシ型結核菌による小児の扁桃炎を伴う頸部リンパ節結核に続発することが多い. *cf.* lupus vulgaris).

scro·tal (skrō′tăl). 陰嚢の. = oscheal.

scro·tal her·ni·a 陰嚢ヘルニア (陰嚢にある完全鼡径ヘルニア).

scro·tal hy·po·spa·di·as 陰嚢尿道下裂 (陰嚢表面に尿道が開口する尿道下裂).

scro·tal ra·phe 陰嚢縫線 (陰嚢の中央を肛門から陰茎根へ走るひも様の線. 陰嚢中隔の位置を示す).

scro·tal sep·tum 陰嚢中隔 (結合組織と平滑筋(肉様膜)でできた不完全な隔壁で, 陰嚢を二分し, 各嚢内に精巣を含む).

scro·tec·to·my (skrō-tek′tō-mē). 陰嚢切除〔術〕(陰嚢の部分または全切除).

scro·ti·tis (skrō-tī′tis). 陰嚢炎.

scro·to·plas·ty (skrō′tō-plas-tē). 陰嚢形成〔術〕(陰嚢の再建手術). = oscheoplasty.

scro·tum, pl. scro·ta, scro·tums (skrō′tŭm,

-tă, -tŭmz). 陰嚢（精巣を包む筋性の皮膚の袋で，非横紋筋線維網(肉様膜)を含んだ皮膚からなり，内部では陰嚢中隔を形成する）.

scrub nurse 手術室看護師，手洗い看護師（腕と手を手ブラシで洗浄し，無菌手袋を着け，通常，無菌ガウンを着て手術中の外科医に主に器具を手渡す看護師）.

scrub ty·phus = tsutsugamushi disease.

scru·ple (skrū′pĕl). スクループル（薬用重量単位で，20 グレーンまたは 1/3 ドラムにあたる）.

Scul·te·tus ban·dage スクルテーツス包帯（端が多数の細いひも状に分かれている大きな長方形の布で，端を結ぶか，重ねて安全ピンで止めて胸部または腹部に用いる）.

Scul·te·tus po·si·tion スクルテーツス体位（ヘルニア切開術および去勢術のために Scultetus が推奨した体位で，背臥位で斜面台に頭を低くして横たわる）.

scurf (skŭrf). ふけ，頭垢. = dandruff.

scur·vy (skŭr′vē). 壊血病（飢餓性衰弱，無気力，貧血，それによる浮腫，歯肉の海綿状化(ときに潰瘍形成と歯牙欠損を伴う)，粘膜や内臓からの皮膚内への出血，および創傷遅延などを特徴とする疾病．ビタミン C を欠いた食事が原因である）.

scute (skyūt). 薄板. = scutum(1).

scu·ti·form (skyū′ti-fōrm). 盾状の.

scu·tu·lar (skyū′tyū-lăr). 菌甲の.

scu·tu·lum, pl. scu·tu·la (skyū′tyū-lŭm, -lă). 菌甲（皿形の黄色痂皮で，黄癬の特徴的な病変．菌糸，膿，鱗屑の塊からなる）.

scu·tum, pl. scu·ta (skyū′tŭm, -tă). ***1*** 薄板. = scute. ***2*** 盾板（マダニ類で，雄の背面の大部分または全体をおおい，雌およびダニの幼虫の小頭後部の前盾を形成する板状構造）.

scyb·a·la (sib′ă-lă). scybalum の複数形.

scyb·a·lous (sib′ă-lŭs). 兎糞の.

scyb·a·lum, pl. scyb·a·la (sib′ă-lŭm, -lă). 兎糞（硬くなった糞便の丸い塊）.

scy·phoid (sī′foyd). 杯状の.

SDA specific dynamic action の略.

Se セレンの元素記号.

sea·ba·ther's e·rup·tion 海水浴発疹（冠クラゲ *Linuche unguiculata* の幼生の毒に対する過敏性で生じると考えられるそう痒性の発疹）.

sea·gull mur·mur カモメ雑音（カモメの鳴き声に似ている心雑音．多くの場合，大動脈狭窄または僧帽弁逆流によって起こる）.

sea louse カムリクラゲの一種 *Linuche unguiculata* のきわめて小型の幼生.

sea net·tle = *Chrysaora quinquecirrha*.

search·er (sĕr′chĕr). 探索子，探石子（膀胱内の結石の存在を検査するために用いるゾンデ(消息子)の一型）.

sea·sick·ness (sē′sik-nĕs). 船酔い（船，ボート，いかだなどの浮遊乗物の動揺により引き起こされる動揺病の一型）. = mal de mer.

sea·son·al af·fec·tive dis·or·der (SAD) 季節性感情障害（毎年ほぼ同じ時期に起こり，同じ時期に自然寛解するうつ病性気分障害．最もよくみられる型は冬期うつ病で，午前中の過眠，意欲低下，食欲亢進，体重増加，炭水化物の嗜好を特徴とし，春期にすべての症状が寛解する）.

seat·ed mas·sage 座位マッサージ（顧客が完全に衣類を身につけ，座った状態で行うマッサージ方法．会社，空港，ショッピングセンターのような公共の場所で行う場合が多い）. = on-site massage.

seat·worm (sēt′wŏrm). = pinworm.

sea wasp = *Chiropsalmus quadrumanus*.

SEB staphylococcal enterotoxin B の略.

se·ba·ceous (sĕ-bā′shŭs). 皮脂〔性〕の，皮脂状の，脂肪の.

se·ba·ceous ad·e·no·ma 脂腺腺腫（脂腺組織の良性腫瘍．成熟した分泌性の脂腺細胞が多い）.

se·ba·ceous cyst 皮脂嚢胞(嚢腫)（皮膚および皮下によくみられる嚢腫で，皮脂とケラチンを含み，毛包脂腺系由来の上皮でおおわれる．→ epidermoid cyst; pilar cyst）.

se·ba·ceous ep·i·the·li·o·ma 脂腺上皮腫（脂腺上皮から発生する良性腫瘍で，小型の好塩基性細胞や胚細胞で形成されている）.

se·ba·ceous fol·li·cles = sebaceous glands.

se·ba·ceous glands 〔皮〕脂腺（真皮中にある多数のホロクリン腺で，通常，毛包に開き，脂様の半水様性の皮脂を分泌する）. = sebaceous follicles.

se·bif·er·ous (sĕ-bif′ĕr-ŭs). 皮脂産生の.

sebo-, seb-, sebi- sebum(皮脂)，sebaceous(皮脂の)の連結形.

seb·o·lith (seb′ō-lith). 皮脂腺結石，皮脂石.

seb·or·rhe·a (seb′ōr-ē′ă). 脂漏〔症〕（皮脂腺の過剰活動で，その結果，皮脂の分泌過剰を生じること）. = seborrhoea.

seb·or·rhe·a fa·ci·e·i, seb·or·rhe·a of face 顔面脂漏〔症〕（特に鼻と前額に生じる油性脂漏）. = seborrhoea faciei.

seb·or·rhe·a fur·fu·ra·ce·a ひこう(粃糠)性脂漏〔症〕. = seborrhea sicca (1); seborrhoea furfuracea.

seb·or·rhe·a o·le·o·sa 油性脂漏〔症〕（皮脂腺の過剰分泌によって起こる皮膚の油っぽい状態）.

seb·or·rhe·a sic·ca 乾性脂漏〔症〕（①皮膚，特に頭皮に乾いた鱗屑が蓄積すること. = seborrhea furfuracea. ② = dandruff）. = seborrhoea sicca.

seb·or·rhe·ic (seb′ōr-ē′ik). 脂漏〔性〕の. = seborrhoeic.

seb·or·rhe·ic bleph·a·ri·tis 脂漏性眼瞼炎（紅斑様と白色の慢性の眼瞼縁の炎症の一般的な型．ときに脂漏性皮膚炎を顔面や頭皮に伴う）. = seborrhoeic blepharitis.

seb·or·rhe·ic der·ma·ti·tis, der·ma·ti·tis seb·or·rhe·i·ca 脂漏性皮膚炎（主に顔，頭皮(ふけ)，その他脂腺分泌の多い部分に初発する．通常，落屑を伴う斑状発疹．発疹は軽度に固着性の油性落屑によりおおわれる）. = dyssebacia; dyssebacea; seborrheic dermatosis; se-

S

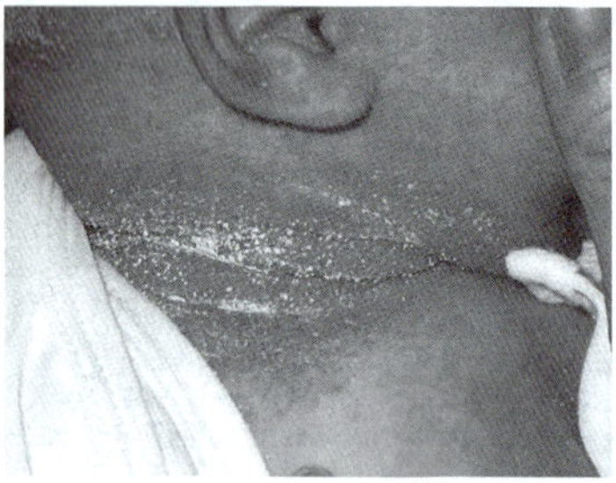

seborrheic dermatitis

borrhoeic dermatitis; Unna disease.

seb·or·rhe·ic der·ma·to·sis 脂漏性皮膚病(症). = seborrheic dermatitis; seborrhoeic dermatosis.

seb·or·rhe·ic ker·a·to·sis, ker·a·to·sis seb·or·rhe·i·ca 脂漏性角化症 (①表在性, 良性のいぼ状病変でしばしば色素沈着を伴い, 油脂性である. 角質嚢腫を囲む, 基底細胞に似た表皮細胞の増殖からなる. 通常, 20 代以降に生じる. ②= senile keratosis). = seborrhoeic keratosis.

seborrhoea [Br.]. = seborrhea.

seborrhoea of face [Br.]. = seborrhea of face.

seborrhoea faciei [Br.]. = seborrhea faciei.

seborrhoea furfuracea [Br.]. = seborrhea furfuracea.

seborrhoea sicca [Br.]. = seborrhea sicca.

seborrhoeic [Br.]. = seborrheic.

seborrhoeic blepharitis [Br.]. = seborrheic blepharitis.

seborrhoeic dermatitis [Br.]. = seborrheic dermatitis.

seborrhoeic dermatosis [Br.]. = seborrheic dermatosis.

seborrhoeic keratosis [Br.]. = seborrheic keratosis.

se·bum (sē′bŭm). 皮脂 (皮脂腺の分泌物).

sec second(秒)の略.

sec·ond·ar·y (sek′ŏn-dar-ē). 二次〔性〕の (①順番の 2 番目. ②別の疾患によって引き起こされた(例えば, 一次感染への抗生物質による治療によって引き起こされる二次感染)).

sec·on·da·ry ab·dom·i·nal preg·nan·cy 続発〔性〕腹腔妊娠 (初期に卵管内やその他において発育していた胎芽または胎児が, そこから排出された後に腹腔内で成長を続けている状態). = abdominocyesis(2).

sec·on·da·ry ad·he·sion 二次癒合. = healing by second intention.

sec·on·da·ry a·dre·no·cor·ti·cal in·suf·fi·cien·cy 二次性副腎皮質不全 (脳下垂体前葉の疾病による ACTH 分泌不全, または外因性ステロイド治療による ACTH 産生の抑制により

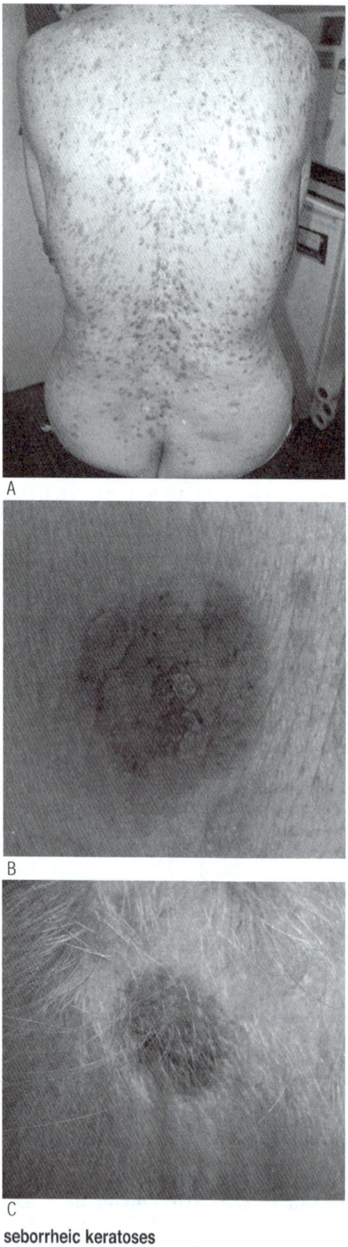

seborrheic keratoses

生じる副腎皮質不全).

sec·on·da·ry al·co·hol 第二級アルコール (2価の原子団 -CH (OH)- をもつアルコール).

sec·on·da·ry al·dos·te·ron·ism 続発性アルドステロン症 (副腎皮質の内因性欠陥ではなく, 副腎外の障害により惹起されるホルモン分泌刺激の結果起こるアルドステロン症. 血漿レニン活性増加に伴うもので, 心不全, ネフローゼ症候群, 肝硬変, および蛋白血症に発生する).

sec·on·da·ry a·men·or·rhe·a 続発〔性〕無月経 (思春期に始まった月経が, その後に停止したもの).

sec·on·da·ry am·ide →amide.

sec·on·da·ry a·mine 第二アミン (→amine).

sec·on·da·ry am·y·loi·do·sis 続発性アミロイドーシス (他の慢性炎症性疾患に併発するアミロイドーシス. 侵される主な器官は, 肝臓, 脾臓, 腎臓, および副腎(頻度は低い)である).

sec·on·da·ry an·es·thet·ic 二次麻酔薬 (2種以上の麻酔薬を同時に投与したとき, 感覚消失に寄与はするが, 最も重要な役割を果たすというわけではない化合物).

sec·on·da·ry at·el·ec·ta·sis 続発性無気肺 (特に新生児の肺虚脱のこと. 他の疾患で死亡する過程に起こるヒアリン膜症または肺の弾性減弱による).

sec·on·da·ry ax·is レンズの光学中心を通る光線.

sec·ond·ar·y blast in·ju·ry 二次的爆傷 (爆発からの飛び散る破片やかけらが原因の損傷).

sec·on·da·ry bron·chi·al buds 二次気管支芽 (気管支の膨隆で, 右肺は3葉, 左肺は2葉となる). = pulmonary lobar buds.

sec·on·da·ry cat·a·ract 続発性白内障 (①ブドウ膜炎のような他の眼疾患を伴ったり, その後に起こる白内障. ②白内障手術の後に, 水晶体の残余や包皮に発生する白内障).

sec·ond·ar·y cen·ter of os·si·fi·ca·tion 第二次骨化の中心. = secondary ossification center.

sec·on·da·ry de·gen·er·a·tion = wallerian degeneration.

sec·on·da·ry de·men·ti·a 二次性痴呆 (精神病あるいはそれ以外の何らかの基底にある疾患過程に続いて, またそれによって発症する慢性痴呆).

sec·on·da·ry den·tin 第二ぞうげ質 (根尖の形成の完了後, 正常な歯髄の機能によって形成されるぞうげ質).

sec·on·da·ry den·ti·tion 第二生歯. = permanent tooth.

sec·on·da·ry de·vi·a·tion 二次偏位, 二次ずれ (外眼筋麻痺があり, 麻痺眼で固視した場合の両眼の視線のずれ).

sec·on·da·ry di·ges·tion 二次性消化 (体細胞の作用によって行われる乳び内の変化. この変化によって消化の最終生成物が代謝の過程内で同化される).

sec·on·da·ry dis·ease *1* 続発疾患, 二次疾患 (最初の病気, 損傷, 事象に続いて, またはその結果起こる病気). *2* 致死的な放射線を浴びた宿主へ骨髄移植をしたときに起こる消耗病. しばしば重篤な症状が起こり, 発熱, 食欲不振, 下痢, 皮膚炎, 落屑などを伴うのが普通である. → graft-versus-host disease.

sec·on·da·ry drives 二次性欲求 (生物学的必要性とは直接関係のない欲求. 一次性欲求の派生物として得られ, その場合にはしばしば動機 motive として言及される). = acquired drives.

sec·on·da·ry dye test 色素試験第II法 (涙道排出路障害部の同定. フルオレセイン点眼と色素試験第I法後, 下涙点および涙道にチューブを挿入し生理食塩水を灌流する). = Jones II test.

sec·on·da·ry dys·men·or·rhe·a 二次性月経困難〔症〕(炎症, 感染, 腫瘍, 解剖学的要因による月経困難症).

sec·on·da·ry en·ceph·a·li·tis 続発性脳炎 (感染症脳炎, 発疹後脳炎, 予防接種後脳炎に対する総称名).

sec·on·da·ry fol·li·cle 二次卵胞. = vesicular ovarian follicle.

sec·on·da·ry gain 二次性利得 (器質疾患により間接的に得られる私的または社会的利益, すなわち援助, 関心, 同情など. *cf.* primary gain).

sec·on·da·ry glau·co·ma 続発緑内障 (すでにかかっている眼病または外傷の結果起こる緑内障).

sec·on·da·ry gout 続発性痛風 (種々の疾患により血中尿酸値が上昇するために生じる痛風. 血液や骨髄などの悪性腫瘍患者, 鉛中毒および長期間血液透析中の腎不全患者にみられる).

sec·on·da·ry he·mo·chro·ma·to·sis 続発性ヘモクロマトーシス (経口的鉄療法や度重なる輸血などの原因により, 二次的に鉄の摂取が増加して蓄積が起こる状態).

sec·on·da·ry hem·or·rhage 後出血, 二次出血 (負傷または手術後, 時間的間隔を置いて起こる出血).

sec·ond·ar·y hy·per·ten·sion 二次性高血圧 (原因不明の一次性高血圧と対比し, 甲状腺機能亢進状態や腎疾患などと合併する原因の明らかな動脈性高血圧. →hypertension).

sec·on·da·ry im·mune re·sponse 二次免疫応答 (→immune response).

sec·on·da·ry ly·so·somes 二次リソソーム (加水分解酵素の作用によって消化されたものを含むリソソーム. 最終的に遺残体になると考えられる).

sec·on·da·ry mu·ci·no·sis 続発性ムチン沈着症 (→mucinosis).

sec·on·da·ry non·dis·junc·tion 二次不分離 (一次不分離の結果として異数体細胞で起こる不分離).

sec·on·da·ry o·o·cyte 二次卵母細胞 (一次還元分裂が完了した卵母細胞. 通常, 二次還元分裂は, 受精が起こらない場合には完了せずに停止する).

sec·ond·ar·y os·si·fi·ca·tion cen·ter 第二次骨化の中心 (第一次より遅れて出現する骨化の中心. 通常は骨端に出現する). = secondary center of ossification.

S

sec·ond·ar·y pal·ate 二次口蓋（一次口蓋の後方にある胎生上顎骨の外側口蓋突起からつくられ，発達して硬口蓋と軟口蓋とになる胚口蓋の部分）.

se·con·da·ry pre·ven·tive nur·sing 二次予防看護（病気の初期の検出や対応に向けて行われる看護介入や介護．癌，心筋梗塞，糖尿病，肥満，感染症，緑内障が，二次予防看護の標的となる主な病気である）.

sec·on·da·ry pro·cess 二次過程（精神分析において，自我の学習し，獲得した機能に直接関係し，意識的・前意識的精神活動を特徴とする精神過程．論理的思考を特徴とし，本能的欲求の放出を調節して満足を遅延させせようとする傾向がある．*cf.* primary process）.

sec·on·da·ry ra·di·a·tion 二次放射線（X 線ビームと物質が相互作用して，そのエネルギーのいくらかを放出するときに作られる放射線の形態で，新しい 1 次放射線より弱い波長をもつ）.

sec·on·da·ry sat·u·ra·tion 二次飽和（笑気麻酔の技術．深く麻酔するために吸入混合物中の酸素を急激に減らし，次いで低酸素症を正すために酸素を投与する）.

sec·on·da·ry sex char·ac·ters 二次性徴（男性または女性に特有の形質．例えば，思春期に発達する男性のひげ，女性の乳房など）.

sec·on·da·ry sper·ma·to·cyte 第二精母細胞（最初の減数分裂により，第一精母細胞からできる精母細胞．各第二精母細胞は二次減数分裂により 2 個の精子細胞を生じる）.

sec·on·da·ry stut·ter·ing 二次性構音障害（定着した構音障害の習性で，流暢でないことの自覚，予期，および結果としての不安を伴う）.

sec·ond·ar·y sur·vey = trauma assessment.

sec·on·da·ry syph·i·lis 二期梅毒（梅毒の第 2 段階．→syphilis）.

sec·on·da·ry tu·ber·cu·lo·sis 二次性結核（成人にみられる結核症で，上葉の肺尖部近くに病巣がみられ，空洞を形成するか，または瘢痕を形成して治癒し，リンパ節に及ぶことはない．理論的には，再感染あるいは潜伏性内因感染の再発によるものとされている）. = reactivation tuberculosis.

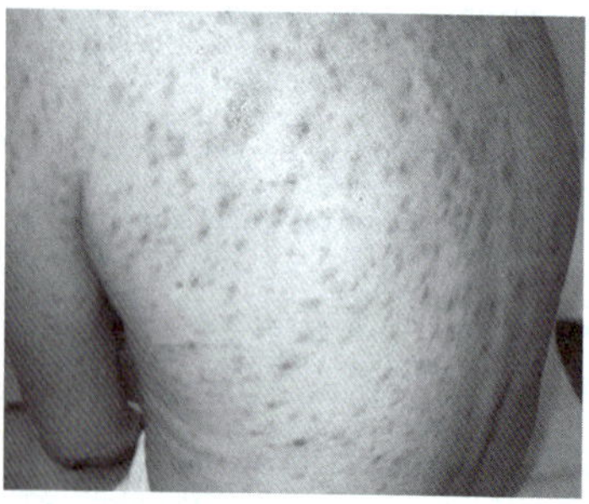

secondary syphilis

sec·on·da·ry tym·pan·ic mem·brane 第二鼓膜（正円窓(蝸牛窓)をおおう膜）. = membrana tympani secundaria; round window membrane.

sec·on·da·ry un·ion 二次癒合. = healing by second intention.

sec·ond cra·ni·al nerve［CN II］ 第二脳神経. = optic nerve.

sec·ond-de·gree AV block →atrioventricular block.

sec·ond-de·gree burn II 度熱傷. = partial-thickness burn.

sec·ond-de·gree pro·lapse 第 2 度子宮脱（子宮頸が膣口の位置にある子宮脱）.

sec·ond heart sound（S_2） 第 2 音（心臓の聴診で 2 番目に聞こえる音．拡張期の始まりを意味し，これは大動脈と肺動脈の半月弁閉鎖音による）.

sec·ond in·ten·tion 二次治癒（2 つの肉芽表面の遅延型閉鎖.. →first intention; third intention）.

sec·ond-look op·er·a·tion セカンドルック手術（腹腔内の癌に対する治癒切除が行われた後 1 年以内に，再発の所見のない患者に対して潜在性の癌があるかないかを確認するために行われる開腹術）.

sec·ond mo·lar 第二大臼歯（歯列弓上で頭蓋の正中矢状面の両側の上顎および下顎の 7 番目の永久歯または 5 番目の乳歯）.

sec·ond pha·ryn·ge·al arch car·ti·lage 第二咽頭弓軟骨（胚子の第二咽頭弓の間葉内にある軟骨で，これよりアブミ骨，茎状突起，舌骨の小角と舌骨体の上部が由来し，近位部からは茎状舌骨靱帯が生じる）. = Reichert cartilage.

sec·ond toe［II］ 足第二指（足の 2 番目の指）.

sec·ond tooth = permanent tooth.

sec·ond wind セカンドウィンド，第 2 呼吸（運動の初期段階に多くみられる，あいまいな苦痛の感覚からの解放を意味する口語的な用語．通常，運動が進むにつれて，肺換気量，好気的代謝，および熱バランスが安定状態に達することに関連する）.

se·cre·ta（sĕ-krēʹtă）. 分泌物.

se·cre·ta·gogue（sĕ-krēʹtă-gog）. 分泌促進薬（物質）（例えばアセチルコリン，ガストリン，セクレチン）.

se·cre·tase（sĕ-krēʹtās）. セクレターゼ（アミロイド前駆体蛋白に作用し，溶解性で，沈殿してアミロイドを生成しないペプチドを生成するプロテイナーゼを述べるときに用いられる語）.

se·crete（sĕ-krētʹ）. 分泌する（細胞によって生理的に活性のある物質(酵素，粘液，代謝産物など)を産生し，直接拡散する）.

se·cre·tin（sĕ-krēʹtin）. セクレチン（胃からの酸性内容物の刺激を受けて十二指腸の上皮細胞でつくられるホルモン．膵液の分泌を促す．膵外分泌性病変の診断や膵細胞を細胞学的検査するときに用いられる．*cf.* bioregulator）.

se·cre·tion（sĕ-krēʹshŭn）. ***1*** 分泌（細胞または腺より活性のある有用な物質が産生され，産生された細胞または臓器内から外へ出ていくこと）. *2* 分泌物（細胞または腺の活動産生物で，固体・液体・気体状のもの．それが産生される生体内に蓄積されるか，またはそれによって利用される．*cf.* excretion）.

se·cre·to·in·hib·i·tor·y (sĕ-krē′tō-in-hib′i-tōr-ē). 分泌抑制性の（分泌を抑制する）.

se·cre·to·mo·tor, se·cre·to·mo·tor·y (sĕ-krē′tō-mō′tŏr, -mō′tōr-ē). 分泌促進〔性〕の.

se·cre·tor (sĕ-krē′tŏr). 分泌者（体液（唾液，精液，腟分泌物）中に，赤血球にみられるABO血液型抗原の水溶性型を含むヒト）.

se·cre·to·ry (sē′krĕ-tōr-ē). 分泌の，分泌物の.

se·cre·to·ry car·ci·no·ma 分泌性乳癌（妊娠・授乳期にみられるような顕著な分泌能を示す淡染色性の細胞よりなる乳癌で，主に小児にみられる）.

se·cre·to·ry nerve 分泌神経（腺の機能活動を刺激するインパルスを伝える神経）.

se·cre·to·ry o·ti·tis me·di·a = serous otitis.

sec·ti·o, pl. sec·ti·o·nes (sek′shē-ō, -ō′nēz). 解剖学において，区分または分節をさす.

sec·tion (sek′shŭn). *1* 切開〔術〕. *2* 切断. *3* 切片（本体から切離された器官または組織の一片または一部分）. *4* 切開面. *5* 切片標本（組織，細胞，微生物，その他顕微鏡検査用材料の薄い切片）.

sec·ti·o·nes (sek′shē-ō′nēz). sectioの複数形.

Sec·tion 504 of the U.S. Re·ha·bil·i·ta·tion Act 米国リハビリテーション法第504条（通常の公教育に入学した身体に障害を持つ子供に対する理学療法サービスの提供に関連した，1973年制定の米国リハビリテーション法の一部．サービス協定と呼ばれる契約のもとでサービスは提供される）.

sec·tor·an·o·pi·a (sek′tŏr-an-ō′pē-ă). 部分半盲（視野の部分的欠損による視力障害）.

sec·tor ec·ho·car·di·o·gra·phy 扇形心エコー図法（固定探触子による二次元（平面）像）.

sec·tor·i·al tooth 裂肉歯. = carnassial tooth.

sec·tor scan セクタスキャン（超音波検査において，探触子または発射された超音波ビームがある角度で移動する方式．扇形の画像が得られる）.

se·cun·di·grav·i·da (sĕ-kun′di-grav′i-dă). →gravida.

se·cun·dines (sē-kun′dīnz). 後産. = afterbirth.

se·cun·dip·a·ra (sē′kun-dip′ăr-ă). →para.

se·date (sĕ-dāt′). 鎮静させる.

se·da·tion (sĕ-dā′shŭn). 鎮静（①特に鎮静薬投与によって静めること．②静かな状態）.

sed·a·tive (sed′ă-tiv). *1* 〘adj.〙 鎮静の. *2* 〘n.〙 鎮静薬（神経興奮を静める薬．これらの鎮静薬は作用する臓器または組織に基づいて，心臓-，大脳-，神経-，呼吸-，脊髄-などとよばれる）.

SEDC spondyloepiphysial dysplasia congenitaの略.

sed·en·tar·y work 座作業（物体を移動させるために体にかかる負荷のレベル．最大10ポンドの力の労作としてときどき，無視できるほどの仕事量としてしばしば，無視できるほどの力の量として常に，表現される）.

sed·i·ment (sed′i-mĕnt). *1* 〘n.〙 沈渣（体液沈下のように液体の底に沈む傾向のある不溶性物質）. *2* 〘v.〙 沈殿させる（遠沈や超遠沈の場合のように沈渣または沈殿物の形成を生じさせる）. = sedimentate.

sed·i·men·tate (sed′i-mĕn-tāt). = sediment (2).

sed·i·men·ta·tion (sed′i-mĕn-tā′shŭn). 沈殿，沈降（沈渣をつくること）.

sed·i·men·ta·tion co·ef·fi·cient (*s*) 沈降係数. = sedimentation constant.

sed·i·men·ta·tion con·stant 沈降係数（定数）（遠心力場内での運動速度から蛋白の分子量を推定するSvedbergの式における比例定数*s*をいう．1×10^{-13} secを1 Svedberg単位（S）と任意に定め，高分子の沈降速度を記述するのにしばしば用いる．例えば4S RNA）. = sedimentation coefficient.

sed·i·men·ta·tion rate (sed. rate) 沈降率，沈降速度（血球の沈降速度．すなわち抜き取った血液中で赤血球が沈降する速さの程度．体内での炎症の程度を調べるために用いる）.

sed·i·men·ta·tor (sed′i-mĕn-tā′tŏr). 遠心沈殿器.

sed·i·men·tom·e·ter (sed′i-mĕn-tom′ĕ-tĕr). 沈降速度計（血液沈降速度を自動記録するための光学器械）.

se·dox·an·trone tri·hy·dro·chlor·ide セドキサントロン三塩酸塩（癌化学療法に用いられるトポイソメラーゼII阻害剤）.

sed. rate →sedimentation rate.

seed (sēd). *1* 〘n.〙 種子（顕花植物の生殖体．成熟胚珠）. = semen (2). *2* 〘v.〙 接種する（細菌学において，培地に微生物を接種する）.

See·lig-Mül·ler sign ゼーリヒミュラー徴候（顔面神経痛の場合，患側の瞳孔が収縮する）.

Sees·sel pock·et ゼーセルポケット（頭部側へは口板の水準に伸張し，尾側へは下垂体憩室（Rathke嚢）に伸張する胚の前腸の部分）.

seg·ment (seg′mĕnt). *1* 〘n.〙 分節（他の部分から分けられた器官，その他の構造物の一部分．→metamere）. = segmentum. *2* 〘n.〙 区〔域〕（独立した機能をもち，動脈または静脈を有する器官の領域）. *3* 〘v.〙 等分割する.

seg·men·tal an·es·the·si·a 分節性感覚（知覚）脱失（消失），分節性知覚麻痺（脊髄神経根の支配領域に限定された感覚消失）.

seg·men·tal ar·ter·ies of kid·ney 腎区動脈（腎臓の解剖学的区域に血液を送る腎動脈の枝．通常5本あり，それぞれが終動脈で，順に葉間動脈・弓状動脈・小葉間動脈を出す．小葉間動脈は腎小体の輸入細動脈と被膜への枝を出す．腎区動脈はⓘ前下区動脈，ⓘⓘ前上区動脈，ⓘⓘⓘ下区動脈，ⓘⓥ後区動脈，ⓥ上区動脈の5本である）.

seg·men·tal ar·ter·ies of liv·er 肝臓の区域動脈（前区動脈・後区動脈（肝動脈右枝から），内側区動脈・外側区動脈（肝動脈左枝から）で，これらは肝臓の5区域のうち4区域に分布するが，各区域にそれぞれ終動脈として分布する）.

seg·men·tal frac·ture 分節〔性〕骨折（同じ骨の2か所が骨折すること）.

S

seg·men·tal med·ul·lar·y ar·ter·ies 体節性脊髄動脈（大径の脊髄あるいは根動脈で，各脊髄の前根・後根沿いに中枢に向かい脊髄に血液を送り，さらに周囲の硬膜に分布する．さらに進んで(縦走する)前・後脊髄動脈に達して吻合する．わずかに四–九の脊髄動脈のみが脊髄根動脈となるが，主に下部頸髄，下部胸髄，上部腰髄にあり，その最大のものが大脊髄根動脈である）. = arteriae medullares segmentales; medullary spinal arteries.

seg·men·tal neu·ri·tis 分節性神経炎（①神経の走行に沿って数か所に生じる炎症．②分節性脱髄性神経障害）.

seg·men·ta·tion cav·i·ty 分割腔. = blastocele.

seg·men·ta·tion cell →blastomere.

seg·men·tec·to·my (seg′men-tek′tŏ-mē). 部分切除（臓器または腺の解剖学的な切除）.

seg·men·ted cell 分葉球，分葉核〔白血〕球，分節核〔白血〕球（杆状核球以上に成熟し，核葉が2つ以上となる多形核白血球）.

seg·men·ted neu·tro·phil 分葉〔核〕好中球（核内が少なくとも2個(5個以下)のはっきりした分葉をもち，活発なアメーバ運動を示す完全に成熟した好中球）.

seg·ments of spi·nal cord [C1-Co] 脊髄分節（1本の脊髄神経にまとまる前根・後根を派出する脊髄の範囲を脊髄分節とよび，全部で31分節に分けられる．C1–C8の頸分節，T1–T12(註日本ではThを慣用している)の胸分節，L1–L5の腰分節，S1–S5の仙骨分節，Coの尾骨分節からなる）.

seg·men·tum, pl. **seg·men·ta** (seg-men′tŭm, -tă). = segment(1).

seg·re·ga·tion (seg′rē-gā′shŭn). 分離，隔離（①全体から一部を引き離すこと．例えば，感染症の場合の隔離．②異型接合体の子孫において，対立形質が分かれること．③還元分裂の減数性分裂に際して生じる遺伝子対合状態の分離．体細胞遺伝子対の一方のみが正常ではそれぞれの精子あるいは卵子中にはいる．④接合体が胚子になっていく過程で発生可能性が次第に制限されていくこと）.

seg·re·ga·tion a·nal·y·sis 分離比分析（遺伝学において，表現型として明確に区別できる子孫を選んで，遺伝のパターン(例えばメンデル性，常染色体優性，上位性，年齢依存性)の推定を行う）.

seg·re·ga·tion ra·ti·o 分離比（遺伝学では，遺伝型が明確な実際の交配から特定の遺伝子型や表現型をもつ子孫が現れる比率．メンデル仮説のテストは，分離比をメンデル比と比較することである）.

Sei·del sco·to·ma ザイデル暗点（Bjerrum暗点の一型．→Seidel sign）.

Sei·del sign ザイデル徴候（盲点が上方または下方へ拡大する鎌形暗転，緑内障でみられる）.

Seip syn·drome セイプ症候群. = congenital total lipodystrophy.

seis·mo·ther·a·py (sīz-mō-thār′ă-pē). 振動療法. = vibratory massage.

sei·zure (sē′zhŭr). ***1*** 発作（疾病または症状の突然の発現）. ***2*** 痙攣（てんかん性の発作）. = convulsion(2).

sei·zure dis·or·der 発作疾患. = epilepsy.

Sel·ding·er tech·nique セルディンガー法（経皮的に血管内あるいは腔にカテーテルを挿入する方法．検査する血管を針を用いて組織を穿刺し，その針の中に細いワイヤ(鋼線)を通し針を抜去して，カテーテルをワイヤを通して血管内に挿入する．カテーテルを留置してワイヤを抜去する）.

se·lec·tin (sĕ-lek′tin). セレクチン（免疫性接着や対話に関与する細胞表面分子）.

se·lec·tion (sĕ-lek′shŭn). 選択，淘汰（性的成熟を獲得する種の子孫の平均数を決定する遺伝的因子の原因および結果の複合効果）.

se·lec·tion co·ef·fi·cient (*s*) 選択係数（性的成熟年齢まで生き延びない子孫あるいはその可能性を有する子孫の割合．通常は人為的に以下のように定義されている．すなわちある特定の表現型の適応度を表すのに平均または最適適応型との比較により適応度を算出する．この場合この割合(*s*)を1より減じたものとする．もし集団における家族の平均的大きさが3.2であり，ある特定の遺伝型に対するそれが2.4であるならば，表現型の適応度は2.4/3.2 = 0.75であり，選択係数は1 − 0.75 = 0.25である）.

se·lec·tive es·tro·gen re·cep·tor mo·du·la·tor (SERM) 選択的エストロゲン受容体モデュレータ（エストロゲン受容体に選択的な親和性を有する薬物．骨や心血管系組織に主たる効果を有し，子宮内膜，生殖器や乳房組織への作用は少ない）.

se·lec·tive in·hi·bi·tion 選択的阻害. = competitive inhibition.

se·lec·tive nor·ep·i·neph·rine re·up·take in·hi·bi·tor 選択的ノルエピネフリン再取り込み阻害剤（選択的に程度の差はあるが，シナプス前ニューロンによるノルエピネフリンの再取り込みを阻害し，この機構により抗うつ効果を発現すると考えられている化合物群）.

se·lec·tive ser·o·to·nin re·up·take in·hi·bi·tor (SSRI) 選択的セロトニン再取り込み阻害剤（選択的に程度の差はあるが，セロトニンの再取り込みを阻害し，この機構により抗うつ効果を発現すると考えられている化合物群．フルオキセチン，セルトラリンなど）.

se·lec·tive stain 選択染色〔法〕（組織または細胞の一部だけを染色する，または他部より濃く着色する方法）.

se·le·ni·um (Se) (sĕ-lē′nē-ŭm). セレン（化学的に硫黄に類似する金属元素．原子番号34，原子量78.96．必須微量元素，大量では有毒．グルタチオンペルオキシダーゼなどの酵素に必須．^{75}Se(半減期119.78日)が膵臓や上皮小体のシンチグラフィに用いられる）.

se·le·ni·um plate セレン板（直接デジタル撮影に使用される放射性感受性物質．→digital radiography）. = amorphous selenium plate.

se·le·no·cys·te·ine (sĕ-lē′nō-sis-tĕ′ēn). セレノシステイン（硫黄原子の1つがセレンになった

シスチン).

sel·e·noid bod·ies = achromocyte.

se·le·no·thi·a·mine (sě-lē′nō-thī′ă-mēn). セレノチアミン(チアミンに付着しているときのセレンの貯蔵型).

self (self). 自己(①人格を形成している態度,感情,記憶,特質,および行動傾向の総和.②自分自身の意識や周囲の環境の中で表現されるような個人.③免疫学では,各個人の自己細胞構成成分をさし,非自己あるいは外来成分と対比される.免疫系は自己と非自己を区別して,自身の抗原成分を保護している.自己を非自己と区別して認識する基本的メカニズムはいまだ解明されていないが,外来抗原の破壊や排除を司る免疫機構に対して,自身の抗原構成成分を免疫学的攻撃から守るのに役立っている).

self-a·ware·ness (self-ă-wār′nĕs). 自己洞察(現在進行中の感情や情動体験が実感化されることで,あらゆる精神療法の主な目標である).

self-con·cept (self kon′sept). 自己概念(社会的あるいは個人的規範を基準にして,自分自身の単一の特徴または多くの人間的側面を基に自分の状態を評価したものを含む).

self-con·trol (self′kŏn-trōl′). セルフコントロール,自己制御(①個人の信念,目標,姿勢,周囲の期待に従い,その行動を自己規制すること.②されるがままで,個人が行動を起こすことのない受動的条件付け戦略と対比して,問題となる状況に対処するのに能動的対処戦略を用いることをさす).

self-ef·fi·ca·cy (self-ef′i-kă-sē). 自己有効感(目標を達成する自分の能力に関する本人の個人的な評価や判断).

self·ish DNA 利己的 DNA. = junk DNA.

self-lim·it·ed (self-lim′i-tĕd). 自己限定〔性〕の(肺炎などのように,ある一定の期間で終わる傾向をもった疾病についていう).

self-love (self-lŏv′). 自己愛,利己心. = narcissism.

self-man·age·ment pro·gram セルフマネジメント・プログラム(患者が自身の健康問題に対処することを助ける,通常の治療と疾患特異的な教育に追加される教育プログラム).

self-reg·is·ter·ing ther·mom·e·ter 自記寒暖計(観察期間の最高温度または最低温度を特殊な装置により記録する温度計).

self-re·tain·ing cath·e·ter 自留カテーテル(取り除くまで尿道および膀胱に留まるようにつくられたカテーテル.例えば,留置カテーテル,Foley カテーテル).

sel·la (sel′ă). 鞍. = saddle(1).

sel·lar (sel′ăr). トルコ鞍の.

sel·la tur·ci·ca トルコ鞍(蝶形骨体上面にある鞍の形をした骨隆起で中頭蓋窩の蝶の形の中央部にあたり,前方に鞍結節,後方に鞍背がある.内部をおおう硬膜とともに下垂体窩を形成して下垂体を収容する).

Sel·lick ma·neu·ver セリック手技(麻酔した患者の気管内挿管を行う際に,逆流を防ぐため,または声帯をみやすくするために輪状軟骨に加える圧迫).

SEM standard error of measurement の略.

se·men, pl. sem·i·na, se·mens (sē′mĕn, -min-ă, -menz). ***1*** 精液(精子を含む稠密な黄白色の粘液で,精巣,精嚢,前立腺,および球尿道腺からの分泌物の混合物). = seminal fluid. ***2*** 種子. = seed(1).

se·men a·nal·y·sis 精液検査(男性の不妊検査における第一ステップであり,精液量,液化時間,精子数,精子形態,運動性, pH, 白血球,果糖の値などを調べる).

se·men·ur·i·a (sē′mĕ-nyūr′ē-ă). 精液尿〔症〕(精液を含んだ尿を排泄すること). = seminuria; spermaturia.

semi- 半分または部分を意味する接頭語. *cf.* hemi-.

sem·i·ca·nal (sem′ē-kă-nal′). 半管(骨の端にある深い溝で,隣接した骨の同じような溝または部分と合わさり完全な管を形成する). = semicanalis.

sem·i·ca·na·lis, pl. sem·i·ca·na·les (sem′ē-kă-nal′is, -ēz). 半管. = semicanal.

se·mi·ca·na·lis tu·bae aud·i·tor·i·ae = canal for pharyngotympanic tube.

Sem·i·chon a·cid car·mine stain セミコン酸カルミン染色〔法〕(吸虫の成虫の染色に用いる).

sem·i·cir·cu·lar ca·nals of bo·ny la·by·rinth 骨半規管(耳の迷路にある3本の骨管で,内部に膜半規管がある.互いに直交する平面に位置し, anterior semicircular canal(前半規管), posterior semicircular canal(後半規管), lateral semicircular canal(外側半規管)に区別される).

sem·i·cir·cu·lar ducts 半規管(骨迷路の骨半規管の中にある3個の小さい膜性の管で,各々が円周の2/3の形をしたループをつくる.3個の管(前半規管 anterior semicircular duct, 外側半規管 lateral semicircular duct, 後半規管 posterior semicircular duct)は,互いに直角な三平面上に位置し,前卵形嚢に通じる.5つの開口のうち1つは,前および外側の管に対して共通.各管は一方の端に膨大部をもち,そこに前庭神経線維がきている).

sem·i·closed an·es·the·si·a 半閉鎖麻酔(呼気の一部は回路から排出され,二酸化炭素を吸収したのち一部は再呼吸される回路を使った吸入麻酔〔法〕).

sem·i·co·ma·tose, sem·i·co·ma (sem′ē-kō′mă-tōs, sem′ē-kō′ma). 半昏睡の(傾眠状態で不活動の状態をさす.反応を起こすには,通常以上の刺激を要し,しかも遅延し不完全である). = semiconscious.

sem·i·con·scious (sem′ē-kon′shŭs). 半意識の. = semicomatose.

sem·i-Fow·ler po·si·tion 半フォーラー体位(頭を約 30° 挙上する傾斜位. *cf.* Fowler position).

sem·i·hor·i·zon·tal heart 半水平心(心臓の電気軸が約 0° のときの位置を漠然と示す).

sem·i·lu·nar (sem′ē-lū′năr). 半月形の,半月状の. = lunar(2).

S

se·mi·lu·nar bod·ies = achromocyte.

sem·i·lu·nar bone lunate bone を表す現在では用いられない語.

sem·i·lu·nar car·ti·lage 関節半月（膝関節の関節半月のひとつ）.

sem·i·lu·nar con·junc·ti·val fold 結膜半月ひだ（①眼瞼結膜によってつくられる内眼角の半月ひだ. ②多くの動物にみられる結膜粘膜のひだ. 通常, 休息時には部分的に眼の背部に隠れるが, 鳥類にみられるように, 角膜を清掃するためのウインク様の動作をすると, 広がって角膜の一部または全体をおおう）. = plica semilunaris conjunctivae.

sem·i·lu·nar fi·bro·car·ti·lage → lateral meniscus; medial meniscus.

sem·i·lu·nar hi·a·tus 半月裂孔（鼻腔の中鼻道の外側壁内にある深く狭い溝で, 上顎洞, 前頭洞鼻管, 中篩骨蜂巣が開口する）.

sem·i·lu·nar line 半月線. = linea semilunaris.

sem·i·lu·nar valve 半月弁（3 枚の半月形の弁葉を 1 セットとする心臓の弁. すなわち肺動脈弁と大動脈がこれにあたる）.

sem·i·mem·bran·o·sus mus·cle 半膜様筋（大腿後区ハムストリング筋の 1 つ. 起始：坐骨結節. 停止：脛骨の内側顆と, 膜状になって膝関節の内側側副靱帯, 膝窩筋膜, およびそれらの反回する線維である斜膝窩靱帯によって大腿骨の外側顆に付着. 作用：下腿の屈曲と屈出時の内旋. 膝関節の関節包の緊張による膝の伸展位の安定性の維持. 神経支配：脛骨神経）. = musculus semimembranosus.

sem·i·mem·bran·ous bur·sa 半膜様筋〔の滑液〕包（腓腹筋頭と膝関節との間にある滑液包）.

sem·i·nal (sem′i-năl). ***1*** 精液の. ***2*** 将来の発達への基本的なあるいは影響的な.

sem·i·nal col·lic·u·lus 精丘（2 つの射精管と前立腺小室が開いている尿道稜の隆起部分）.

sem·i·nal duct 精管（精液を精巣上体から尿道, 前立腺部まで運ぶ管）. = gonaduct(1).

sem·i·nal flu·id 精液. = semen(1).

sem·i·nal gland 精嚢. = seminal vesicle.

sem·i·nal gran·ule 精液顆粒（精液中にある微細な顆粒体の 1 つ）.

sem·i·nal lake 精液湖（射精後の膣円蓋）. = lacus seminalis.

sem·i·nal ves·i·cle 精嚢（精管憩室である 2 つに折れた小嚢形成性の腺状構造の 1 つで, 精液成分の 1 つを分泌する）. = gonecyst; gonecystis; seminal gland.

sem·i·na·tion (sem′i-nā′shŭn). 射精, 注精. = insemination.

sem·i·nif·er·ous (sem′i-nif′ĕr-ŭs). 輸精の（精巣の細管についていう）.

sem·in·if·er·ous cords 輸精索（思春期の精細管に分化する原始輸精索から由来する生殖索）.

sem·i·nif·er·ous ep·i·the·li·um 精上皮（精子形成, 精子成熟の行われる陰茎の屈曲した細管の内膜を形成する上皮）.

sem·i·nif·er·ous tu·bule 精細管（各精巣小葉の中にある 2—3 本の強く屈曲した小管で, その中で精子が形成されている）. = tubuli seminiferi recti; convoluted seminiferous tubule; tubuli contorti(2).

sem·i·nif·er·ous tu·bule dys·gen·e·sis 精細管発育不全（精細管が異常な細胞構築を示し, 著明にヒアリン化する障害. 精巣は小さく, 精子をほとんど形成しない. 体型は類宦官となり, 女性化乳房もみられることがあり, 尿ゴナドトロピン排泄量は通常高い. 精神遅滞や疾患の出現率は増加する. 性染色質は男性型か女性型である. アンドロゲン分泌量は正常値以下から正常値を示す. 精細管発育不全の特徴は Klinefelter 症候群（類義語的に用いられてきた）に常にみられる）.

sem·i·no·ma (sem′i-nō′mă). セミノーマ, 精上皮腫（通常, 若い成年男性の精巣の精細胞から起こる放射線感受性の悪性新生物で, 傍大動脈リンパ節に転移する. 女性では卵巣の未分化胚細胞腫に相当する）.

sem·in·ur·i·a (sē′mi-nyūr′ē-ă). = semenuria.

sem·i·o·pen an·es·the·si·a 半開放麻酔（吸入ガスの一部は麻酔回路から供給されるが, 残りは室内空気より成る吸入麻酔法）.

se·mi·pen·nate (sem′ē-pen′āt). 単羽状の, 半羽状の（一側に羽をもつ. 羽の半分に似た）.

sem·i·per·me·a·ble (sem′ē-pĕr′mē-ă-bĕl). 半透〔性〕の（水（または他の溶剤）に対しては自由に透過させるが, 溶質に対しては比較的非透過性を示す）.

sem·i·po·lar bond 半極性結合（元来は 1 個の原子に属する 2 個の電子を 2 個の原子で共有する結合. 硝酸 O(OH)N→O またはリン酸 $(OH)_3$-P→O のように, しばしば電子受容体の方を向いた小さい矢印で表される）.

sem·i·re·cum·bent (sem′ē-rē-cŭm′bĕnt). 半横臥（部分的にリクライニングすること. ベッドの頭側が 45° 持ち上がった, 傾いた患者体位を指す）. = Fowler position; semisupine position.

sem·i·spi·nal·is ca·pi·tis mus·cle 頭半棘筋（起始：5, 6 個の上部胸椎の横突起と 4 個の下部頸椎の関節突起. 停止：後頭骨の上項線と下項線の間. 作用：頭部を回旋し後方に引く. 神経支配：頸神経の後枝）. = musculus semispinalis capitis.

sem·i·spi·nal·is cer·vi·cis mus·cle 頸半棘筋（胸半棘筋に続く半棘筋. 起始：第二–第五胸椎の横突起. 停止：軸椎と第三–第五頸椎の棘突起. 作用：頸椎の伸展. 神経支配：頸神経および胸神経の後枝）. = musculus semispinalis cervicis.

sem·i·spi·nal·is tho·ra·cis mus·cle 胸半棘筋（起始：第五–第十一胸椎の横突起. 停止：上位 4 個の胸椎と, 第五・第七頸椎の棘突起. 作用：脊柱の伸展. 神経支配：頸神経および胸神経の後枝）. = musculus semispinalis thoracis.

sem·i·sul·cus (sem′ē-sŭl′kŭs). 半溝（骨または他の構造の端にある細い溝で, 対応する隣接構造の同様な溝とつながって完全な溝をつくる）.

sem·i·su·pine po·si·tion = semirecumbent.

sem·i·syn·thet·ic (sem′ē-sin-thet′ik). 半合成

の（天然の化学物質を利用して特定の化学物質を合成する過程をいう．これにより全合成の一部を省くことができる）．

sem·i·ten·di·no·sus mus·cle 半腱様筋（起始：坐骨結節．停止：脛骨の上部 1/4 の内側面．作用：大腿の伸展，下腿の屈曲と内転．神経支配：脛骨神経）．= musculus semitendinosus.

sem·i·ver·ti·cal heart 半垂直心（電気軸が約 + 60° の方向を示すときの心臓の電気軸）．

Sem·li·ki Fo·rest vi·rus まれにヒトの病気に関与するトガウイルス科に属するアルファウイルス．

se·nesc·ence（sĕ-nes′ĕns）．老化，老齢化．

se·nes·cent（sĕ-nes′ĕnt）．老化の，老齢化の．

Seng·sta·ken-Blake·more tube セングズテークン(セングズターケン)-ブレークモアー管（3 つの内腔をもつ管．1 つは胃の内容吸引のための腔で，残りの 2 つは付属した胃と食道の風船を膨らませるための腔．出血性食道静脈瘤の緊急治療に用いる）．

se·nile（sen′il）．老人〔性〕の，老年〔性〕の．

se·nile am·y·loi·do·sis 老年(老人)性アミロイドーシス（高齢者によくみられるアミロイドーシス．通常は軽度で心臓に限局する．→amyloidosis of aging）．

se·nile ar·te·ri·o·scler·o·sis 老年(老人)性動脈硬化〔症〕（高血圧症に類似した動脈硬化症であるが，高血圧が原因というよりも高齢のために起こる）．

se·nile cat·a·ract 老年(老人)〔性〕白内障（老年者に自然に現れる白内障．主に楔状白内障，核性白内障，後嚢下白内障で，単独で起こることも合併することもある）．

se·nile de·men·ti·a 老年(老人)認知症（60 歳以後に発病する認知障害で，通常は Alzheimer 病や脳血管障害による）．

se·nile he·man·gi·o·ma 老年(老人)性血管腫（皮膚の毛細血管壁の脆弱化によって生じる赤色の丘疹．通常 30 歳以上の人にみられる）．= Campbell de Morgan spots; cherry angioma; De Morgan spot.

se·nile ker·a·to·sis 老年(老人)性角化症（黄色から黄褐色を呈する良性の皮膚病変で，体幹に好発し，40 歳以降に増加する．基底細胞由来だが悪性ではなく，基底細胞癌とも関係しない）．= seborrheic keratosis (2); keratosis seborrheica.

se·nile len·ti·go 老年(老人)性黒子（高齢の白人の露出した皮膚に生じる，種々の程度に色素沈着した黒子）．= liver spot.

se·nile mel·a·no·der·ma 老年(老人)性黒皮症（老年者にみられる皮膚の色素沈着）．

se·nile plaque 老人〔性〕斑(局面)（主としてアミロイド線維とねじれた神経突起によってなる球状の塊で，特異的でなく例外もあるが，ひんぱんに Alzheimer 病でよく認められる）．= neuritic plaque.

se·nile psy·cho·sis 老年(老人)性精神病（老年に発生し，変性脳過程に関連する精神障害）．

se·nile ret·i·nos·chi·sis 老年(老人)性網膜分離〔症〕（40 歳以上で最もよく起こり，外網状層を侵す）．

se·nile trem·or 老年(老人)〔性〕振せん（老人になって症候性となった本態性振せん）．

se·nile vag·i·ni·tis 老年(老人)性腟炎（萎縮性腟炎は粘膜へのエストロゲン刺激の消退による癒着性腟炎の形が考えられる）．

se·nil·i·ty（sĕ-nil′i-tē）．老化（老年に起こる身体的および精神的な種々の器質性疾患を意味する総称．→senile）．

sens- 知覚あるいは感覚を意味する連結形．

sen·sate（sen′sāt）．知覚可能な（触覚や他の感覚を知覚しうる．神経や脊髄の部分的な損傷を受けた患者についていう）．

sen·sa·tion（sen-sā′shŭn）．感覚（刺激が加わった結果，感覚器官に生じた興奮が意識されること）．

sen·sa·tion lev·el 感覚レベル（ある刺激の大きさが聴覚閾値よりどれだけ大きいのかをデシベル量で表現したもの）．

sense（sens）．感覚，知覚（刺激を感知する機能）．

sense of e·qui·lib·ri·um 平衡〔感〕覚（正常な生理的姿勢を可能にする感覚）．

sense or·gans 感覚器（視覚，聴覚，嗅覚，味覚器官，およびこれらの器官に関連する付属組織を含む特殊感覚をつかさどる器官）．

sen·si·bil·i·ty（sens′i-bil′i-tē）．感〔受〕性，感覚能，知覚能，感度（感覚を認識すること．感覚刺激を知覚する能力）．

sen·si·ble（sen′si-bĕl）．***1*** 知覚する，感知する．***2*** 知覚しうる，感知しうる．***3*** = sensitive. ***4*** 理非分別のある．

sen·si·ble pers·pir·a·tion 感知性発汗，感知性蒸散（多量に排泄されたり，大気中の湿度が高いときの発汗のことで，皮膚が湿っているようにみえる）．

sen·si·tive（sen′si-tiv）. = sensible (3)．***1***〘adj.〙知覚しうる，感知しうる．***2***〘adj.〙刺激に反応する．***3***〘adj.〙対人関係に敏感な．***4***〘n.〙催眠術にかかりやすい人．***5***〘adj.〙鋭敏な試薬のように，化学変化を引き起こしやすいが周囲の状態でわずかずつ変化する．***6***〘n.〙免疫学において，ⓘ特異抗体と結合した抗原，およびⓘⓘ関連した抗原に以前さらされたことにより免疫反応に過敏になっているヒトまたは動物を示す．***7***〘adj.〙感受性の（抗菌薬により抑制または破壊される微生物についていう）．

sen·si·tiv·i·ty（sen′si-tiv′i-tē）．***1*** いくつもの感覚で物事を受ける能力．***2*** 感受性，感性（感受性のある状態）．***3*** 鋭敏度，感度（臨床病理学および医学的スクリーニングにおいて，その検査が検出すべき疾病を有する人間に対する，陽性検査結果の比率．すなわち，真の陽性と偽陰性の合計に対する真の陽性の比率．*cf.* specificity (2)）．***4*** = susceptibility (2)．

sen·si·ti·za·tion（sen′si-tī-zā′shŭn）．感作（特に感染に関係のない抗原(免疫原)に関する免疫．後天的感受性またはアレルギーの誘発）．

sen·si·tize（sen′si-tīz）．感作する（感受性の状態にする，後天的感受性を誘発する．→sensitized antigen）．

sen·si·tized an·ti·gen 感作抗原（抗原が特異抗体と結合するときに生成される複合体．抗体の介在によって抗原が補体の作用に対し感作されるのでそうよばれる）．

sen·si·tized cell 感作細胞（①抗体によりオプソニン化されるか抗原にさらされた細胞で，補体または補体と抗体とに感受性をもつようになった細胞．②分裂と分化により，休止リンパ球から派生する小型の成熟リンパ球．③特異的な抗体と結合し，補体成分と反応しうる複合体を形成する，細菌細胞を含む細胞）．

SENSOR (sen′sŏr). Sentinel Event Notification System for Occupational Risks の略．

sen·sor (sen′sŏr). センサー（温度，光，磁気，運動などの物理的刺激に反応し，インパルスを認識，記録，運動，制御などに伝える装置．→sense）．

sensori- 感覚の，知覚の，を表す連結形．

sen·so·ri·al (sen-sōr′ē-ăl). 感覚器の，感覚の，知覚の．

sen·so·ri·mo·tor (sen′sōr-i-mō′tŏr). 感覚運動の，知覚運動の（感覚と運動の両方をさす．求心性線維および遠心性線維の混合神経についていう）．

sen·so·ri·mo·tor ar·e·a 感覚運動野（大脳皮質の中心前回および中心後回）．

sen·so·ri·neu·ral deaf·ness 感音難聴（第八脳神経(聴神経)の蝸牛部分の障害．蝸牛の障害，あるいは後迷路の神経伝達路の障害により生じる聴覚障害．conductive deafness(伝音難聴)の対語）．

sen·so·ri·neu·ral hear·ing loss 感音難聴（第八脳神経の聴覚枝または内耳の障害によって生じた難聴）．

sen·so·ri·um, pl. **sen·so·ri·a, sen·so·ri·ums** (sen-sōr′ē-ŭm, -ă, -ŭmz). ***1*** 感覚器．***2*** 感覚神経中枢（仮説的な〝感覚の座点″）．***3*** 精神医学において，consciousness(意識)と同義．ときに知的および認知機能の総称として用いる．

sen·so·ry (sen′sŏr-ē). 感覚の，知覚の．

sen·so·ry a·cu·i·ty lev·el 感覚明瞭度レベル（気導聴力閾値測定法．マスキングのない状態と前額部にマスキングをした状態での閾値の差が伝音性難聴の程度を示す）．

sen·so·ry a·lex·i·a ＝alexia.

sen·so·ry a·pha·si·a 感覚性失語〔症〕. = receptive aphasia.

sen·so·ry a·ware·ness 感覚意識，知覚意識（知覚の刺激を受け取り，これを見分ける能力）．

sen·so·ry con·flict 感覚不一致（空間的定位の感覚(例えば，視覚，体性感覚)を通じて得られた知覚が一致しない状態．これはしばしば吐き気を生じさせる）．

sen·so·ry cor·tex 感覚皮質（以前は特に体性感覚皮質を示したが，現在は大脳皮質の体性感覚，聴覚，視覚，嗅覚部分を総合的に示す）．

sen·so·ry de·fen·sive·ness 感覚防衛（非有害な感覚刺激に対する過剰反応で，有害反応や防衛反応をもたらす．感覚防衛の型は触刺激，口腔刺激，聴覚刺激，嗅覚刺激，視覚刺激，あるいは運動刺激と関連している可能性がある）．

sen·so·ry dep·ri·va·tion 感覚遮断（通常の外的刺激ないし知覚体験のいずれかが減少あるいは欠如していること．その状態が長引くと心理的苦痛や機能異常が現れやすい）．

sen·so·ry ep·i·lep·sy 感覚性てんかん（体性感覚現象によって始まる焦点てんかん）．

sen·so·ry gan·gli·on 知覚神経節（第一感覚ニューロンの集合で，末梢神経またはその後根形成中に，通常，目にみえる膨隆を形成している．この神経細胞は，感覚末端(皮膚，口腔および鼻腔粘膜，筋肉組織，腱，関節嚢，特別感覚臓器，血管壁，内臓器官の組織)と中枢神経系の間に単独の求心性神経連結をつくっている．これらは末梢神経系の全感覚線維の起始細胞である）．

sen·so·ry hear·ing im·pair·ment 感覚性難聴（内耳の病変により生じる難聴）．

sen·so·ry im·age 感覚像（1つ以上の感覚器に基づく像）．

sen·so·ry in·teg·ra·tion (SI) 感覚統合（知覚情報に適応するために脳で情報を整理する過程．作業療法や理学療法で使われる治療理論や手技）．

sen·so·ry in·te·gra·tive dys·func·tion 感覚統合機能障害（感覚間統合を損なう神経系の障害）．

sen·so·ry mod·u·la·tion 感覚調整（興奮性入力と抑制性入力のバランスをとり環境の変化に適応することによって，段階的・順応的方法で感覚入力に対する反応を調節し，組織する能力）．

sen·so·ry nerve 感覚神経，知覚神経（中枢神経系で処理されるインパルスを伝える求心性神経．生体はそれによって自己と周囲を知覚する）．

sen·so·ry neu·ron·op·a·thy 感覚ニューロン障害，知覚神経細胞障害（後根神経節とGasser 神経節に限局した神経細胞障害）．

sen·so·ry pa·ral·y·sis 感覚麻痺（感覚の喪失）．

sen·so·ry phan·tom 感覚幻想（実際の刺激と関係ないか異なって感じられる感覚．どの感覚でも起こりうる）．

sen·so·ry pro·ces·sing 感覚過程，感覚処理（触覚，固有受容感覚，視覚，前庭感覚，聴覚，味覚，および臭覚で得られる刺激など，様々な刺激を解釈し，組織化すること．→sensory integration; sensory awareness）．

sen·so·ry re·gi·stra·tion 感覚登録（情報を受け取り，注意を喚起するものと意識から排除されるものを選択する能力）．

sen·so·ry speech cen·ter 感覚性言語中枢. = Wernicke center.

sen·so·ry ur·gen·cy 神経性尿意促迫（膀胱尿道の過度過敏性による尿意促迫）．

sen·su·al (sen′shū-ăl). 官能的（①身体と感覚に関連しているもので，知性もしくは精神からは区別される．②身体的または感覚的快楽を意味する．必ずしも性的なものに限らない）．

sen·su la·to 広義の．

sen·su stric·to 狭義の．

sen·tient (sen′shē-ĕnt). 知覚しうる.
sen·ti·nel e·vent 歩哨事象（①ケアの質を監視し評価するのに用いられる臨床指標の一種で，即座に注意を要する事象も含む．②看護において，患者の死亡や重症化等につながる予想外の出来事の発生）.
Sen·ti·nel E·vent No·ti·fi·ca·tion Sys·tem for Oc·cu·pa·tion·al Risks（SENSOR） 職業性リスク監視・発生通知システム（職業病の医学臨床医が，職業病の追跡調査や統計分析を機関に報告する，米国国立労働安全衛生研究所の後援によるプログラム）.
sen·ti·nel gland 前哨リンパ節（腸間膜上にある単一の肥大したリンパ節で，対向部胃の大弯または小弯の潰瘍が考えられる）.
sen·ti·nel lymph node センチネルリンパ節（悪性腫瘍からのリンパ流を最初に受けとるリンパ節．センチネルリンパ節は腫瘍に注入された放射線核腫あるいは色素を最初に受けとるリンパ節として確認される．メラノーマや乳癌の手術により多く用いられるようになってきている．もしセンチネルリンパ節に転移が認められない場合は，さらに遠隔のリンパ節にも転移は認められない．→signal lymph node）.
sen·ti·nel node bi·op·sy 前哨リンパ節生検（腫瘍部位から流出する一次リンパ節を郭清するのに，それを同定するため腫瘍近傍にあらかじめ色素あるいは放射性同位元素を注入（射）しておいてから行う生検．悪性腫瘍の広がりの範囲を決めるのに用いられる）.
sen·ti·nel pile 歩哨堆，歩哨痔核（肛門裂下端粘膜の限局性肥厚）.
sen·ti·nel tag センチネル垂（裂肛下端の突き出た浮腫状の皮膚）.
Seoul vi·rus ソウルウイルス（腎症を伴い出血熱を起こす極東での Hantavirus の一種である）.
sep·a·ra·tion anx·i·e·ty 分離不安（親あるいは深い関係のある他者から引き離されたり，彼らを失ったりすることに関する子供の不安あるいは恐れ）.
sep·sis, pl. sep·ses (sep′sis, -sēz). セプシス，敗血症（血液または組織中に，種々の化膿性の細菌や他の病原菌あるいは毒素が存在すること．septicemia は敗血症の一般的な型である）.
-sepsis 特定の原因によって引き起こされる，または特定の種類の，腐敗を意味する連結形.
sep·sis syn·drome 敗血症症候群（高熱または低体温を伴う急性感染の臨床所見．頻脈，多呼吸，臓器不全の所見，あるいは精神状態の変化，低酸素血症，アシドーシス，乏尿，血管内凝固などの少なくとも 1 つが現れた循環不全の所見）.
sept- *1* 腐敗を意味する連結形．*2* 中隔を指す連結形（septoplasty（鼻中隔形成術））．*3* 七あるいは 7 番目を意味する連結形（septigravida（7 回目の妊娠））.
sept- →septi-; septico-; septo-.
sep·ta (sep′tă). septum の複数形.
sep·tal (sep′tăl). 中隔の.
sep·tate (sep′tāt). 中隔のある，区画化された.
sep·tate u·ter·us 中隔子宮（前後に走る中隔により 2 つの腔に分けられる子宮）.
sep·tec·to·my (sep-tek′tō-mē). 〔鼻〕中隔切除〔術〕（中隔（特に鼻中隔）全体または一部を手術で除去すること）.
septi- 7 を意味する連結形.
sep·tic (sep′tik). 敗血〔症〕〔性〕の，敗血〔症〕によって起こる.
sep·tic a·bor·tion 敗血〔性〕流産（発熱，子宮内膜炎，子宮傍結合組織炎を伴う感染性流産）.
septicaemia [Br.]. = septicemia.
septicaemic [Br.]. = septicemic.
septicaemic abscess [Br.]. = septicemic abscess.
sep·ti·ce·mi·a (sep′ti-sē′mē-ă). 敗血症（循環血液を介して微生物やその毒素が広がることにより生じる全身性疾患．以前は血液中毒 blood poisoning とよばれた．→pyemia）. = septic fever; septicaemia.
sep·ti·ce·mic (sep′ti-sē′mik). 敗血症の. = septicaemic.
sep·ti·ce·mic ab·scess 敗血症性膿瘍. = pyemic abscess; septicaemic abscess.
sep·tic fe·ver 敗血症. = septicemia.
sep·tic in·farct 化膿性梗塞，腐敗性梗塞（細菌の凝集塊や感染物質からなる塞栓が原因で血管が閉塞した結果生じた壊死巣）.
septico-, septic- 敗血症，敗血症性の，を意味する連結形.
septicopyaemia [Br.]. = septicopyemia.
septicopyaemic [Br.]. = septicopyemic.
sep·ti·co·py·e·mi·a (sep′ti-kō-pī-ē′mē-ă). 膿敗血症（敗血症と膿血症が同時に起こったもの）. = septicopyaemia.
sep·ti·co·py·e·mic (sep′ti-kō-pī-ē′mik). 膿敗血症の. = septicopyaemic.
sep·tic phle·bi·tis 敗血症性静脈炎（細菌感染による静脈炎）.
sep·tic shock 敗血症性ショック（①外傷ないし手術後の腹部・骨盤感染による敗血症に伴ってみられるショック．②グラム陰性菌によって引き起こされる敗血症に伴ってみられるショック）.
septo-, sept- 中隔を意味する連結形.
sep·to·mar·gi·nal (sep′tō-mahr′ji-năl). 中隔縁の（中隔の縁または中隔と縁に関する）.
sep·to·na·sal (sep′tō-nā′zăl). 鼻中隔の.
sep·to·op·tic dys·pla·si·a 中隔視覚異形成症（先天性の視神経形成不全．正中部脳異常に関連する）. = de Morsier syndrome.
sep·to·plas·ty (sep′tō-plas-tē). 鼻中隔形成〔術〕（鼻中隔の欠損または変形を修復する手術で，しばしば骨格構造の変更あるいは部分除去を行う）.
sep·to·rhi·no·plas·ty (sep′tō-rī′nō-plas-tē). 鼻中隔造鼻〔術〕（鼻中隔と外鼻錐体の欠損または変形を修復する併合手術）.
sep·tos·to·my (sep-tos′tō-mē). 中隔開口〔術〕（外科的に中隔欠損をつくること）.
sep·tu·lum, pl. sep·tu·la (sep′tū-lŭm, -lă). 中隔.
sep·tum, gen. sep·ti, pl. sep·ta (sep′tŭm, -tī,

S

-tă). 中隔，隔壁（①2つの空洞または軟組織塊を仕切る薄い壁. →transparent septum. ②真菌において，壁，それも通常は菌糸の横断壁をいう. 複数形 septa は時々単数形と間違われ，誤った複数形 septae とされる).

sep·tum in·ter·a·tri·a·le 心房中隔. = interatrial septum.

sep·tum pel·lu·ci·dum 透明中隔（脳組織の薄板で，神経細胞と神経線維を含み，下方は脳弓柱と脳弓体，上前方は脳梁にはさまれて扁平垂直な薄板状に広がっている).

sep·tum pe·nis 陰茎中隔（左右の陰茎海綿体を不完全に分けている白膜).

sep·tup·let (sep-tŭp′lĕt). 七胎（一度の分娩で七子を得ること).

se·que·la, pl. **se·que·lae** (sē-kwel′ă, -ē). 続発症，後遺症（病気の結果として続いている病的状態).

se·quence (sē′kwĕns). 続発，連鎖（1つの物または出来事が次から次へと連続あるいは継続すること).

se·quence lad·der シークエンスラダー（エンドヌクレアーゼにより断片化した DNA をゲル電気泳動にかけるとき，標識化により特徴付けられたバンドの配列. ヌクレオチド配列に相当する).

se·quen·tial a·nas·to·mo·sis 連続吻合（体の血管，例えば静脈グラフトや内胸動脈から2つ以上連続して直列の吻合を形成すること).

se·ques·tra (sē-kwes′tră). sequestrum の複数形.

se·ques·tral (sē-kwes′trăl). 分離片の，壊死片の，腐骨の.

se·ques·tra·tion (sē′kwes-trā′shŭn). ***1*** 腐骨形成. ***2*** 壊死巣分離（血液またはその液体成分が体内の血管外へ失われるために，循環血漿量が減少し，血行動態の障害，血液量減退症，低血圧，静脈還流の減少をもたらす).

se·ques·trec·to·my (sē′kwes-trek′tŏ-mē). 腐骨摘出〔術〕，腐骨切除〔術〕（腐骨の手術的除去).

se·ques·trum, pl. **se·ques·tra** (sē-kwes′trŭm, -tră). 分離片，壊死片，腐骨（周囲の健康組織から分離した一片の壊死組織. 通常は骨をさす).

se·quoi·o·sis (sē-kwoy-ō′sis). セコイア症（*Graphium* 属，*Aureobasidium* 属，その他の真菌の胞子を含むアメリカスギのおがくずの吸入によって起こる，外因性アレルギー性肺胞炎).

SER somatosensory evoked response（体性感覚誘発反応）の略. →evoked response.

Ser セリンの記号とセリンを構成する基.

ser·al·bu·min (sēr′al-bū′min). 血清アルブミン. = serum albumin.

Ser·gent white line セルジャン白線. = white line (2).

se·ri·al di·lu·tion 連続希釈溶液（すぐ前の希釈溶液を使用して次の希釈を行ってつくった一連の希釈溶液. 各希釈溶液の濃度は，直前の希釈溶液の溶質/溶液比率を掛けて計算し，目的の希釈度になるまで希釈を行う. この希釈法は，抗体価を測定するときや濃厚な溶液から非常に希薄な溶液をつくるときに使用される).

se·ri·al ex·trac·tion 連続抜歯法（ある乳歯または永久歯，あるいは両者を歯の発育の早期に選択的に抜去すること. 通常は第一小臼歯ときには第二小臼歯を抜去する. 前歯部のひどい叢生を自動的に適度に調整させるために行われる).

se·ri·al in·ter·val 連鎖〔感染〕間隔（ヒトからヒトへ広がる連鎖感染で続けて出現する感染疾病例のある同一局面間の時間間隔. →mass action principle; infection transmission parameter).

se·ri·al ra·di·og·ra·phy 連続撮影法（同一部位の撮影を経時的に行い，複数の像を得る).

se·ri·al sec·tion 連続切片（連続した顕微鏡用切片).

se·ri·al skill 系列スキル（同時に行われる分離した行為として現れる連続した運動パターンの一つ. パターンの配列や順序が成功に必須である. 例えば，体操の規定演技，歯の磨き方).

se·ries, pl. **se·ries** (sēr′ēz). ***1*** 直列，系列，配列（互いに類似した物や対象が空間的または時間的に連続すること). ***2*** 系，列（化学において，同様の性質をもっているか，または一定の割合で組成が互いに異なっている元素または化合物の一群).

ser·ine (S, Ser) セリン（蛋白中に存在するアミノ酸の1つ).

SERM selective estrogen receptor modulator の略.

sero- 漿液〔の〕，血清〔の〕，を表す連結形.

se·ro·co·li·tis (sēr′ō-kō-lī′tis). 結腸漿膜炎. = pericolitis.

ser·o·con·ver·sion (sēr′ō-kŏn-vĕr′zhŭn). セロコンバージョン（感染症の後，あるいはワクチン投与の後に，それまで検出されなかった感染微生物やワクチン物質といった抗原に対する抗体が産生されるようになること).

ser·o·di·ag·no·sis (sēr′ō-dī′ăg-nō′sis). 血清〔学的〕診断〔法〕（体内の血清その他の漿液を使った反応による診断).

ser·o·en·ter·i·tis (sēr′ō-en′tĕr-ī′tis). 小腸漿膜炎. = perienteritis.

ser·o·ep·i·de·mi·ol·o·gy (sēr′ō-ep′i-dē′mē-ol′ŏ-jē). 血清疫学（感染の検出を血清学的検査により行う疫学研究).

ser·o·fi·brin·ous (sēr′ō-fī′bri-nŭs). 漿液線維素性の（漿液と線維素からなる滲出液についていう).

ser·o·fi·brin·ous pleu·ri·sy 漿液線維素性胸膜炎（胸膜表面上の線維素性滲出液と，胸腔内への漿液の滲出を特徴とする，一般にみられる型).

ser·o·fi·brous (sēr′ō-fī′brŭs). 漿膜線維性の（漿膜と線維組織についていう).

ser·o·group (sēr′ō-grūp). 血清群（①共通な抗原を有する細菌群のことで，ある種の細菌族の分類に用いられる. ②抗原的に類似したウイルス種の一群).

ser·o·log·ic (sēr′ō-loj′ik). 血清学の.

se·ro·log·ic test 血清検査（血清を用いる診断検査).

ser·ol·o·gy (sēr-ol′ō-jē). 血清学（血清，特に特定の免疫または溶菌血清を扱う学問の分野．血清中の抗原または抗体の測定）．

ser·o·ma (sēr-ō′mă). 漿液腫（組織や臓器内に漿液が限局して蓄積することにより生じる腫瘤または腫脹）．

ser·o·mem·bra·nous (sēr′ō-mem′bră-nŭs). 漿膜性の．

ser·o·mu·coid (sēr′ō-myū′koyd). 血清ムコイド（血清由来のムコ蛋白(糖蛋白)の一般名）．

ser·o·mu·cous (sēr′ō-myū′kŭs). 漿〔液〕粘液性の（ある腺の分泌物のような水様粘液物質の混合についていう）．

ser·o·mu·cous gland 混合腺（①分泌細胞のいくつかが漿液性，粘液性である腺．②細胞が水性と粘性の中間の物質を分泌する腺）．

ser·o·neg·a·tive (sēr′ō-neg′ă-tiv). セロネガティブ（血清中に特異抗体がない状態．ある微生物に以前感染したことがない場合，治療によって抗体が消失した場合，通常は，抗体がみられる疾患にもかかわらず抗体が存在しない場合などがある）．

ser·o·pos·i·tive (sēr′ō-poz′i-tiv). セロポジティブ（血清中に特異抗体が存在する状態．ある感染症の免疫学的証拠や，診断学上有用な抗体の存在を意味する）．

ser·o·pu·ru·lent (sēr-ō-pyūr′ū-lĕnt). 漿液膿性の（漿液と膿汁からなる，または両方を含んでいる．薄い水様性膿または漿液膿の排出についていう）．

ser·o·pus (sēr′ō-pŭs). 漿液膿（漿液でほとんど希釈された膿）．

ser·o·sa (sēr-ō′să). 漿膜（①胸腔や腹腔に存在する臓器の外表をおおう膜あるいは漿液性の膜．不規則な弾性線維結合組織で補強された中皮の表層をなす．②胎児外膜の最外膜で，胚子と他のすべての膜を包む．これは，壁側板すなわち壁側中胚葉により裏打ちされた外胚葉でできている．哺乳類の胎児漿膜は，しばしば栄養膜とよばれる．→chorion. = membrana serosa(2)）. = membrana serosa(1); serous membrane.

ser·o·san·guin·e·ous (sēr′ō-sang-gwin′ē-ŭs). 漿液血液状の（漿液と血液からなる，または両方を含んでいる滲出液や排出液についていう）．

ser·o·se·rous (sēr′ō-sēr′ŭs). 二漿膜面の（①2つの漿膜面についていう．②腸の縫合のような縫合を示し，創傷の端々は2つの漿膜面が寄り合わさるように包み込まれている）．

ser·o·si·tis (sēr′ō-sī′tis). 漿膜炎．

ser·os·i·ty (sēr-os′i-tē). 漿液性（液体が漿液の性質をもつこと）．

ser·o·syn·o·vi·tis (sēr′ō-sin′ō-vī′tis). 滲出性関節液嚢炎（多量の漿液性滲出液を伴った滑液嚢炎）．

ser·o·ther·a·py (sēr′ō-thār′ă-pē). 血清療法（抗毒素または特異抗体を有する血清の注射による感染性疾患の治療）．

ser·o·to·ner·gic (sēr′ō-tō-nĕr′jik). セロトニン〔様〕の（セロトニンやその前駆体であるL-トリプトファン作用に類似した）．

ser·o·to·nin (ser′ō-tō′nin). セロトニン（血小板から放出される血管収縮物質で，胃分泌を抑制し，平滑筋を刺激する．中枢神経系のある部分(視床下部，基底神経節)に比較的高濃度で存在し，多くの末梢組織や細胞，癌様腫瘍内にも存在する）. = 5-hydroxytryptamine.

ser·o·type (sēr′ō-tīp). 血清型. = serovar.

se·rous (sēr′ŭs). 漿液〔性〕の，血清の．

se·rous cell 漿液細胞（粘液細胞とは対照的に，水様あるいは薄い蛋白液を分泌する細胞で，特に唾液腺の細胞をいう）．

se·rous cyst 漿液性嚢胞〔嚢腫〕（ヒグローマのように透明な漿液を含んだ嚢腫）．

se·rous gland 漿液腺（酵素を含むことも含まないこともある水様性物質を分泌する腺）．

se·rous in·flam·ma·tion 漿液性炎，漿液〔性〕炎症（滲出液が主として液体からなる滲出炎．比較的少数の細胞しかみられない）．

se·rous lig·a·ment 漿膜ひだ（内臓同士または内臓を腹壁に付着させている腹膜のひだ）．

se·rous mem·brane 漿膜. = serosa.

se·rous men·in·gi·tis 漿液性髄膜炎（続発性外水頭症を伴う急性髄膜炎）．

se·rous o·ti·tis 漿液性耳炎（中耳粘膜の炎症で，しばしば耳管閉鎖による液貯留を伴う）. = secretory otitis media.

se·rous o·ti·tis me·di·a 漿液性耳炎. = middle-ear effusion.

se·rous pleu·ri·sy 漿液性胸膜炎. = pleurisy with effusion.

se·rous syn·o·vi·tis 漿液性滑膜炎（大量の非化膿性滲出液を伴う滑膜炎）．

ser·o·vac·ci·na·tion (sēr′ō-vak′si-nā′shŭn). 血清接種（混合免疫を獲得する方法．血清を注射することによって受動免疫を得，弱菌化あるいは死滅化した培養病原体をワクチン接種することにより，後に能動免疫を得る）．

ser·o·var (sēr′ō-vahr). 血液型亜型（抗原性に基づいて他の株から区別される種，あるいは亜種の細区分）. = serotype.

ser·pig·i·nous (sĕr-pij′i-nŭs). 蛇行状の，ほ行状の（弓形の境界部を形成しつつのびる潰瘍または他の皮膚病変．辺縁部は波状にあるいはヘビのようにくねっている）．

ser·pi·go (sĕr-pī′gō). *1* 白癬. = tinea. *2* 疱疹. = herpes. *3* すべてのほ行状または蛇行状の発疹をいう．

ser·rate, ser·rat·ed (ser′āt, -ā′ted). 鋸〔歯〕状の．

ser·rate su·ture 鋸状縫合（矢状縫合の全周にわたってみられるように，骨の連結縁が鋸歯状に深く咬み合った縫合）. = dentate suture.

ser·ra·tion (ser-ā′shŭn). *1* のこぎり状形態（のこぎり状または刻みの付いた状態）．*2* 鋸歯形成．

ser·ra·tus an·te·ri·or mus·cle 前鋸筋（胸郭体肢筋の1つ．起始：上位8，9個の肋骨の外側面中央部．停止：肩甲骨の上下角とその間の内側縁．作用：肩甲骨を回転し，前方に引き，肋骨を上げる．神経支配：腕神経叢からの長胸神経）. = musculus serratus anterior.

S

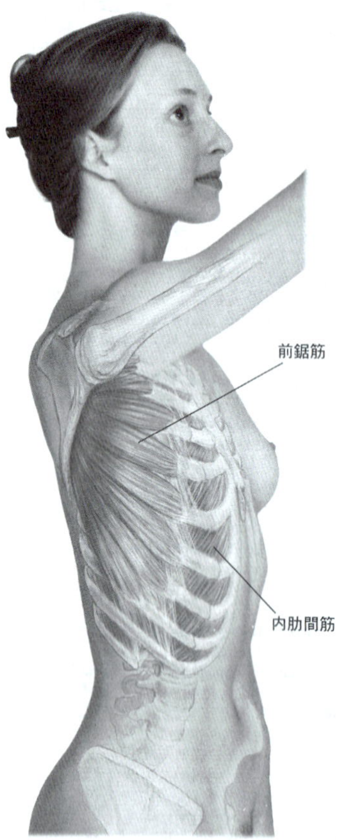
前鋸筋
内肋間筋
serratus anterior muscle

ser·ra·tus pos·te·ri·or in·fe·ri·or mus·cle 下後鋸筋（背筋中間層下半の筋．起始：広背筋とともに下位2個の胸椎と上位2個の腰椎の棘突起から起こる．停止：下位4個の肋骨の下縁．作用：下部肋骨を後方および下方に引く．神経支配：第九-第十二肋間神経）．= musculus serratus posterior inferior; inferior posterior serratus muscle.

ser·ra·tus pos·ter·i·or su·per·i·or mus·cle 上後鋸筋（背筋中間層上半の筋．起始：下位2個の頸椎と上位2個の胸椎の棘突起．停止：第二-第五肋骨角の外側．神経支配：第一-第四肋間神経）．= musculus serratus posterior superior; superior posterior serratus muscle.

ser·re·fine (ser-ĕ-fēn′)．止血小鉗子（スプリング付きの小鉗子で，創口の端を寄せたり，手術中動脈を一時的に閉じるのに用いる）．

Ser·to·li-cell-on·ly syn·drome セルトーリ（セルトリ）細胞唯一症候群（Sertoli細胞のみ存在し，胚芽上皮の精巣の細精管がない状態．無精子症による不妊症はあるが，Leydig細胞は正常で，尿中のゴナドトロピンの量が増加する）．

Ser·to·li cells セルトーリ（セルトリ）細胞（精子細胞を収納し精子形成を支える微細環境を提供する．アンドロゲン結合蛋白を分泌し，近接したSertoli細胞を強固に結合することによって血液精巣隔壁（バリア）を確立する）．

Ser·to·li cell tu·mor セルトーリ（セルトリ）細胞腫〔瘍〕（精巣または卵巣のSertoli細胞からなる腫瘍．ほとんど良性だが悪性のこともある）．

Ser·to·li-Ley·dig cell tu·mor セルトーリ（セルトリ）-ライディッヒ細胞腫（Sertoli細胞およびLeydig細胞成分を含む卵巣腫瘍．アンドロゲンを分泌する）．

Ser·to·li-stro·mal cell tu·mor セルトーリ（セルトリ）間質細胞腫（Sertoli細胞，Leydig細胞，類網上皮細胞成分を含む性索間質性卵巣腫瘍の総称．単純性，複合性を含む）．

se·rum, pl. se·rums, se·ra (sēr′ŭm, -ŭmz, -ă)．*1* 漿液（透明の水様液で漿膜表面を湿らせているもの，また漿膜の炎症時に滲出するもの）．*2* 血清（血液の液体性成分で，フィブリン塊と血球を除いたもの．循環血液中の血漿とは異なる．ときには抗血清antiserumまたは抗毒素antitoxinと同義に用いる）．

se·rum ac·cel·er·a·tor 血清促進因子．= factor VII.

se·rum ac·cel·er·a·tor glob·u·lin 血清促進性グロブリン（トロンボプラスチンとカルシウムの存在下でプロトロンビンをトロンビンに転換するのを促進する血清中のグロブリン）．

se·rum ag·glu·ti·nin 血清凝集素（赤血球を吸着する不完全抗体．赤血球を生理食塩水に懸濁すると凝集しないが，血清またはアルブミンのようなその他の蛋白を含む溶液に懸濁すると凝集する）．= incomplete antibody (2).

se·rum·al (sēr-ū′măl)．血清の．

se·rum al·bu·min 血清アルブミン（血漿中の主要蛋白で，血漿と漿液に存在する．脂肪酸輸送に関与したり，血液浸透圧の制御を助ける）．= blood albumin; seralbumin.

se·rum dis·ease 血清病．= serum sickness.

se·rum-fast (sēr′ŭm-fast)．血清抵抗性の（①治療または免疫的刺激の状態下においてさえ抗体の力価に何ら変化をもたらさない血清についていう．②血清の破壊力に抵抗性を示すこと）．

se·rum glu·ta·mic-ox·a·lo·a·ce·tic trans·am·i·nase (SGOT) 血清グルタミン酸-オキザロ酢酸トランスアミナーゼ．= aspartate aminotransferase.

se·rum glu·tam·ic-py·ru·vic trans·am·i·nase (SGPT) 血清グルタミン酸-ピルビン酸トランスアミナーゼ．= alanine aminotransferase.

se·rum hep·a·ti·tis vi·rus 血清肝炎ウイルス．= hepatitis B virus.

se·rum ne·phri·tis 血清腎炎（血清病中，あるいは異種血清蛋白を注射された動物にみられる糸球体腎炎）．

se·rum pro·throm·bin con·ver·sion ac·cel·er·a·tor (SPCA) 血清プロトロンビン転換促進因子. = factor VII.

se·rum re·ac·tion 血清反応. = serum sickness.

se·rum sep·a·ra·tor tube (SST) 血清分離管（凝血活性薬と，血清と細胞の各密度の間の密度を持つゲル塊が入った採血管．遠心分離の間に，ゲルが血清と細胞の間に入り，血清と細胞の接触を防ぐ）.

se·rum shock 血清ショック（抗毒素または他の個体の血清を注射したため起こるアナフィラキシーショック，または類アナフィラキシー性ショック）.

se·rum sick·ness 血清病（異種血清または異種血清蛋白を注射して数日後(通常1—2週)に起きる免疫複合体病で，じんま疹，発熱，全身性リンパ節腫脹，浮腫，関節炎，関節痛，ときに蛋白尿，重篤な腎炎などの局部および全身症状を呈する）. = serum disease; serum reaction.

ser·vice (sĕr′vis). サービス〔機関〕（内科的救急患者または外傷患者に対して，現場での対応，評価，安定化，初期治療を指示通りに行い，また適切な受け入れ施設(例えば，外傷センター，病院)に搬送する企業または機関）.

ser·vice a·gree·ment サービス協定（通常の公教育に入学した身体に障害を持った子供への，理学療法やその他の関連したサービスの提供について概説した，学区と家族の間の契約）.

ser·vice co·ord·i·na·tor サービスコーディネーター（患者に対して提供される医療や発達サービスの認定，連絡，管理や推進の責任を負う人）.

ses·a·moid (ses′ă-moyd). ***1*** 種子状の（大きさや形がゴマの種子に似ている）. ***2*** 種子骨の.

ses·a·moid bone 種子骨（出生後に腱中に形成される骨で，腱が関節を越える部分にある）.

ses·a·moid car·ti·lage of cri·co·pha·ryn·ge·al li·ga·ment 〔喉頭の〕種子軟骨（披裂軟骨上端の外側に存在することのある弾性軟骨片）.

ses·qui·hy·drates (ses′kwi-hī′drāts). セスキ水和物（(名目上)1.5分子の水を含んで結晶している化合物）.

ses·sile (ses′il). 無茎の，無柄の（付着部が太く，茎のないことについていう）.

set (set). ***1*** 〚v.〛 整復する（骨折を整復する，すなわち骨折を正常な位置に戻したり軸を合わせたりする）. ***2*** 〚n.〛 構え（ある一定の仕方で理解したり応答するような準備性を有していること．結果を前もって予測できるような態度．偏見や頑迷さは構えの例となる）.

se·ta, pl. set·ae (sē′tă, -tē). 剛毛，柄（細く硬い剛毛様の構造）.

se·ta·ceous (sē-tā′shŭs). ***1*** 剛毛の生えた. ***2*** 剛毛様の.

se·ton (sē′tŏn). 串線(かんせん)（洞や瘻孔を形成させるために皮下組織や嚢胞に通す束糸，ガーゼの細長い切れ，長い鋼線または他の材料）.

set·point the·o·ry セットポイント・セオリー（遺伝的に決定され，視床下部によって支配される仮説上の体重のレベルのことで，人により異なる．運動や薬物のみがセットポイントを変える(低くする)ことが示されている）.

set·ting sun sign 落陽現象（上眼瞼が後退し，上を凝視することなく虹彩が下眼瞼の下に沈む現象．新生児の神経学的障害を示唆する．しかし，多くのものは後遺症なく改善する）.

sev·enth cra·ni·al nerve [CN VII] 第七脳神経. = facial nerve.

Se·ver dis·ease シーバー病（踵骨の骨端症．踵骨後方のアキレス腱付着部の微小骨折が原因と考えられている．使いすぎ障害で，高学年の小児の踵部痛の原因として最も多い）. = calcaneal apophysitis.

se·vere a·cute res·pi·ra·tor·y syn·drome (SARS) 重症急性呼吸器症候群（コロナウイルス(SARS-CoV)によって，強感染症で重症，熱性の呼吸器疾患）.

se·ve·ri·ty of ill·ness 病気の重症度（医療記録から得た臨床データまたは病院の退院/請求書データに基づく患者が呈した病気の程度および疾病のリスク．結果の比較は通常，有意なデータの解釈が確実になされるよう疾病の重症度を基準に解釈される）.

sex (seks). 性（①個体の生殖腺的，形態学的(内部および外部)，染色体やホルモンに関する特徴に関する分析により表現されるような雌雄間を区別する生物学的形質または性状. *cf.* gender. ②生殖または性欲に関連した行為を促す個人における生理的あるいは心理的過程）.

sex as·sign·ment 性指定（間性(両性具有)をもつ新生児の性がいかにして初めに指定されるかについての過程）.

sex cell 性細胞（精子あるいは卵子）. = germ cell.

sex chro·ma·tin 性染色質（通常，分裂間期の核膜のすぐ内側に存在する不活性化X染色体の小さい凝縮された染色質塊．1つの核当たりの性染色質体の数はX染色体の数より1つ少ないので，正常男性はこれをもっておらず，正常の女性は1つの性染色質体塊をもっている．技術的な理由から，標本細胞の約半分が典型的な染色質塊を示すにすぎない. →Lyon hypothesis）. = Barr chromatin body.

sex chro·mo·somes 性染色体（性決定の原因となる染色体の対．ヒトおよびほとんどの動物の性染色体はX, Yとよばれ，雌は2本のX染色体をもち，雄は1本のX染色体と1本のY染色体をもつ）.

sex de·ter·mi·na·tion 性の決定〔法〕（胎児染色体検査による子宮内での胎児性別決定法）.

sex hor·mones 性ホルモン（精巣，卵巣，副腎皮質でつくられるステロイドホルモンの総称名．アンドロゲンやエストロゲンをさす）.

sex-in·flu·enced (seks-in′flū-ĕnst). 性誘導性（同じ遺伝子型でありながら，性によって表現が異なる遺伝疾患を示す用語. →sex-influenced inheritance）.

sex-in·flu·enced in·her·i·tance 従性遺伝（常染色体遺伝であるが，両性間で発現強度が違

S

っている遺伝．例えば男性型禿頭症）．

sex·ism (seks′izm)．性差別（性別を理由に，人に対して別の価値や，不平等な機会を与えたりする態度や習慣）．

sex-lim·it·ed (seks-lim′i-tĕd)．限性の（一方の性にだけ起こることについていう．→sex-limited inheritance）．

sex-lim·it·ed in·her·i·tance 限性遺伝（一方の性にしか発現しない形質の遺伝，例えば精巣性女性化）．

sex link·age, sex-linked 伴性（特性，性染色体またはゴノソムの遺伝．男性はすべての伴性遺伝子をその母親から受け，それをすべて娘に伝えることはできるが，息子に伝えることはできない．劣性の伴性形質は男性に現れることが非常に多い．→sex chromosomes）．

sex-linked char·ac·ter 伴性形質（性染色体上の遺伝子によって決定される遺伝形質．→gene）．

sex-linked in·her·i·tance 伴性遺伝（X あるいは Y 染色体上の突然変異遺伝子による遺伝様式）．

sex·ol·o·gy (seks-ol′ō-jē)．性学（分化，二形性を含む性に関するすべての面，特に性行動に関する科学的な学問）．

sex ra·ti·o 性比（①生活環のある特定の段階．第 1 に妊娠，第 2 に誕生，そして第 3 には誕生から死に至る時期のいずれかにおける男性対女性の比率．②特定の疾患や形質をとる男性対女性の比率）．

sex re·ver·sal, sex re·as·sign·ment 性転換，性徴転換（外科的，薬理学的，精神心理学的手技の組合せによって患者の性同一性が変えられる過程．誕生時に性別が明らかでなかった偽半陰陽者の成長過程でも起こる．当初一方の性で育てられた後に，医学的検査や助言によって他方の性として育てられるようになる）．

sex role 性の役割（毎日の行動で，個人がこれは男性的，それは女性的とステレオタイプに行動する程度．*cf.* gender role）．

sex·tant (seks′tănt)．六分画，セクスタント（歯列の区分法の 1 つで，上下顎の歯列を 6 分割したうちの 1 つ．上顎あるいは下顎の歯は，右側臼歯部，左側臼歯部，および前歯部に区分される）．

sex·tup·let (seks-tŭp′lĕt)．六胎（一度の分娩で六子を得ること）．

sex·u·al (sek′shū-ăl)．***1***〖adj.〗性〔的〕の，性に関する．***2***〖n.〗性対象者（男性または女性にとっての，性的魅力，性的傾向，およびあらゆる意味で性によって認識される人物）．

sex·u·al a·buse →domestic violence.

sex·u·al di·mor·phism 性的二形，雌雄二形（種内における雄と雌の個体間の身体の相違．性的成熟の結果として起こる．二次性徴を含むがそれに限定はされない）．

sex·u·al dis·or·ders 性障害（性活動の亢進を伴う異常性欲行動（パラフィリア）や性欲，性刺激，オルガズムの障害を含む多様な症状をもつ一連の行動的，心理生理的な性的な機能の障害）．

sex·u·al gen·er·a·tion 有性世代（接合または雌雄細胞の結合による生殖．asexual generation の対語）．

sex·u·al in·fan·ti·lism 性的幼稚症（正常な思春期後の二次性徴の発育不全）．

sex·u·al in·ter·course 性交．= coitus.

sex·u·al·i·ty (sek′shū-al′i-tē)．性，性欲，性別（①人間の性的行動やその傾向を総じていったり，性的傾向の強さをいう．②人の性的魅力の度合．③性的機能やその意味合いをもった性質）．

sex·u·al·ly trans·mit·ted dis·ease (STD) 性感染病（性交によってかかる接触感染症．例えば，梅毒，淋病，下疳，性器いぼ，エイズ）．= sexually transmitted infection; venereal disease.

sex·u·al·ly trans·mit·ted in·fec·tion (STI) = sexually transmitted disease.

sex·ual or·i·en·ta·tion 性徴（体型，性的特徴，性的役割，性的優先性などの順位性を含む概念）．

sex·u·al pref·er·ence 性的選択（選んだ相手との生物学的性行為）．

sex·u·al re·pro·duc·tion 有性生殖（雄と雌の配偶子結合により接合体をつくる生殖）．= gamogenesis; syngenesis.

sex·u·al se·lec·tion 雌雄淘汰，雌雄選択，性淘汰（Darwin の説で，雌雄が互いに異性のある種の特徴・形・色・挙動などによって引き付けられる自然界の形態．これによってその種内に固有の特性の変更がもたらされる）．

Sé·zar·y cell セザール（セザリー）細胞（Sézary 症候群の末梢血液中にみられる非定型の単核球．大型の回旋した核をもち細胞質は乏しいが，PAS 陽性の小胞を有する）．

SGA small for gestational age の略．

SGOT serum glutamic-oxaloacetic transaminase の略．

SGPT serum glutamic-pyruvic transaminase の略．

SH sulfhydryl の略．

shad·ow (shad′ō)．***1*** 影（身体による光の遮断で限定される表面部．→density(3)）．***2*** 陰影，影（Jung 派心理学でいう集合的動物本能からなる原型のこと）．***3*** 非有色細胞．= achromocyte.

shad·ow test 検影法．= retinoscopy.

shaft (shaft)．長幹（長骨の骨端間の長い棒状部分）．= diaphysis.

sha·green skin サメ皮様皮膚，粒起革様皮（卵円形の母斑様局面で，正常皮膚色あるいはときに色素沈着を呈し，表面は平滑またはしわっぽく，小児期早期に体幹あるいは下背部に出現する．結節性硬化症の他の徴候とともにみられる場合が少なくない）．

sha·ken ba·by syn·drome (SBS) 揺さぶられっ子症候群（乳児を乱暴に揺することにより，神経学的またはその他外傷性の様々な症状が引き起こされる症候群）．

shak·ra (shahk′ră)．シャクラ（体の状態を示す電磁力を持つと考えられている位置や場所．レイキの施術者により使われる用語）．

shal·low breath·ing 表在呼吸（一回呼吸量が異常に低い呼吸の一型）．

sha·man (shah′măn). シャーマン（先住民（ネイティヴアメリカン，イヌー族）の間で治療師に与えられる名前．その治療法は詠唱や儀式から，薬草の使用にまでわたる）．

shank (shangk). ***1*** 脛，脛骨．***2*** 軸（刃物または機能部分と柄を接続している道具の部分．バーやドリルのような回転具では，つかみの中にはまっている端をいう）．

shap·ing (shāp′ing). 型づくり（オペラント条件付けにおいて，オペラント反応が，その生物のレパートリに含まれていない場合，実験者がその反応を最も頻繁に出現する部分に類別して，それらを増強しながら，より多くのオペラントが実現されるに従い，徐々に継続的に増強を抑えていく過程）．

shared de·ci·sion 意思共有（医療チームのメンバーによって議論され同意された医療の決定．この体制において，決定の責任はチームのメンバー全員が等しく負う）．

shared ep·i·tope = susceptibility cassette.

shared gov·er·nance 権限共有（医療機関の範囲内で，患者のケアのすべての側面に対する責任と説明責任を正看護師が共有する看護モデル）．

sharps (shahrps). シャープス（鋭い，あるいは鋭い部分を生じる可能性がある医療器材．生体有害シャープス・コンテナに入れて処分するべきである．→blood culture; needlestick）．

sharps con·tain·er シャープス・コンテナ（一方向に開く蓋の付いた，シャープスを処分するために使用される耐穿刺性の液漏れ防止済み容器）．

shave bi·op·sy 薄片生検（手術用のメスあるいは剃刀の刃を用いて行う生検法．皮膚より隆起していたりあるいは表皮や真皮の上部に限局した病変，あるいは内部からの病変の突出しているものに対して行われる）．

shears (shērz). 鋏（はさみ）．= scissors.

sheath (shēth). ***1*** 鞘（筋肉，神経，血管をおおっている膜性被包構造．鞘様構造の総称）．= vagina (1). ***2*** 包皮（雄の動物，特にウマの包皮）．***3*** シース（特殊な栓子あるいは切開器具を通したり，血栓塊，組織片，結石などをその中を通して吸引できるように設計された管状器具）．***4*** 頬面管（歯科矯正装置として，通常，大臼歯に用いるチューブ）．

sheath of Schwann シュヴァン鞘．= neurilemma.

Shee·han syn·drome シーハン症候群（分娩後下垂体壊死により発症する下垂体機能低下症．分娩中の低血圧障害による虚血症に起因する）．

sheep·ber·ry (shēp′ber-ē). = black haw.

sheet graft·ing シートグラフト法（皮膚移植の一型で，皮膚の大きな細片をやけどの部分にできるだけ密接して覆う）．

shelf (shelf). 棚，架（解剖学において，棚に似た構造）．

shelf life 有効期間（貯蔵期間中の製品の安定性．化学構造や化学的性質において変化することなく保管できる最大の時間）．

shell (shel). 外皮（外部のおおい）．

shell nail 貝殻爪（気管支拡張症にみられるばち指を伴う爪の異常栄養症で，爪板が過度に縦方向へ弯曲し，爪床とその下の骨が萎縮している爪）．

shell shock シェルショック，砲弾ショック．= battle fatigue.

shel·tered em·ploy·ment 保護雇用（障害のない労働者と統合されない，独立した仕事場での障害を持った人たちのための雇用協定．→supported employment）．

Shen·ton line シェントン線（正常な股関節のX線写真の前後像でみられる閉鎖孔の上縁と大腿骨頸部の内縁によって形成される曲線．股関節脱臼または股関節部骨折のような股関節病変では，この線の連続性を欠く）．

Shep·herd frac·ture シェパード骨折（距骨の外側結節（後方突起）の骨折．三角骨の脱臼と間違いやすい）．

Sher·ring·ton law シェリングトンの法則（脊髄神経後根はすべて皮膚の特定領域，皮膚知覚帯に分布しているが，隣接脊髄節からの線維はその上下に分布している）．

shi·at·su (shē-aht′sū). 指圧（日本のマッサージ技術で，直接的な圧迫，他動的および自動的ストレッチ，およびやさしく揺する動作を利用して，体内エネルギーの流れのバランスを復元する技術）．

Shib·ley sign シブリー徴候（胸部の聴診で，肺硬化部位の上あるいは胸水の上では，イーという発音がアーと聞こえる）．

shield (shēld). 遮へい板（操作者らを放射線から防御する鉛などのシートやブロック）．

shift (shift). ***1*** 移動，偏位，シフト（→deviation）．= change. ***2*** 交替勤務時間，シフト（1日の労働時間を8—12時間単位で従業員に割り当てること．24時間労働の効率を上げるために行う）．

shift to the left 〔核〕左方移動（①循環血液中での幼若細胞の比率の著しい増加．②→maturation index）．

shift to the right 〔核〕右方移動（①末梢血液中の白血球分布で，幼若および未熟型がみられないもの．②→maturation index）．

Shi·ga-Kruse ba·cil·lus 志賀-クルーゼ杆菌．= *Shigella dysenteriae*.

Shi·ga-like tox·in 志賀毒素．= vero cytotoxin.

Shi·ga tox·in 志賀毒素（1型赤痢菌 *Shigella dysenteriae* の産生する外毒素）．

Shi·gel·la (shē-gel′lă). 赤痢菌属（腸内細菌科の非運動性，好気性または通性嫌気性菌で，グラム陰性の莢膜をもたない杆菌である．赤痢を起こす）．

Shi·gel·la boy·di·i ボイド赤痢菌（症状のある患者の糞便中にのみ見出される種．割合は低いが細菌性赤痢にみられる）．

Shi·gel·la dys·en·ter·i·ae 志賀赤痢菌（ヒトやサルに赤痢を起こす種．患者の糞便中にのみ見出される．*Shigella* の標準種）．= Shiga-Kruse bacillus.

Shi·gel·la flex·ner·i フレクスナー赤痢菌（症状のある患者や回復者または保菌者の糞便中

S

に見出される種．流行性赤痢の一般的な原因菌で，ときに幼児胃腸炎の原因にもなる．ときに肛門性交による性的感染がある）．= Flexner bacillus.

Shi·gel·la son·ne·i ソ〔ン〕ネ赤痢菌（軽症赤痢や小児の夏季下痢を起こす種）．= Sonne bacillus.

shig·el·lo·sis（shig′ĕ-lō′sis）．細菌性赤痢（赤痢菌属 *Shigella* の細菌により起こる細菌性赤痢で，しばしば流行性となる．エイズ患者の日和見感染）．

shim·ming pro·cess シミング法（磁場の均一性を最適化する操作）．

shin（shin）．*1* 脛（すね），向脛（むこうずね）．*2* = anterior border of tibia.

shin bone 脛骨．= tibia.

shin·gles（shing′gĕlz）．帯状ヘルペス，帯状疱疹．= herpes zoster.

shin-splints（shin′splints）．非訓練者の過剰練習後の前脛骨筋の硬化と腫脹を伴った圧縮と疼痛．

ship（ship）．舟形構造．

ship·yard eye = epidemic keratoconjunctivitis virus.

shirt-stud ab·scess カフスボタン膿瘍．= collar-button abscess.

shi·ver·ing ther·mo·gen·e·sis 身震い性熱産生（筋肉がブルブル震えて代謝を亢進させることにより熱を産生すること）．

shock（shok）．ショック（①突然の身体的または精神的障害．②重症の外傷または感情障害による深い精神的・身体的抑うつ状態．③循環器系が生命維持に重要な器官の適度な灌流を維持することができなくなる血行力学の重症の障害．出血，脱水などの血液量の減少，心不全，毒血症または敗血症における脈管系の拡張によるものと考えられる．④胸壁に手を当てることにより触知可能な異常に増強した心拍動）．

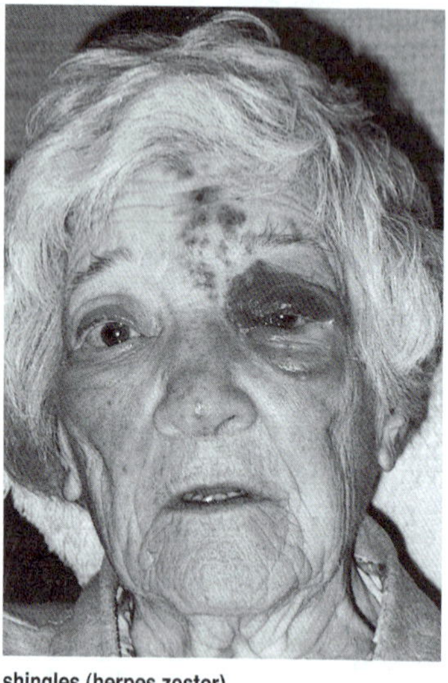

shingles (herpes zoster)

shock lung ショック肺（ショックにおいて，浮腫の進展，灌流障害，肺胞腔の減少によって肺胞の虚脱が起こること）．= pump lung; wet lung (1); white lung (1).

shock ther·a·py, shock treat·ment ショック療法，衝撃療法（→electroshock therapy）．

Shone a·nom·a·ly ショーン奇形（大動脈狭窄．パラシュート形僧帽弁と関連してみられる大動脈下狭窄および左心房の狭窄輪）．

Shone com·plex ショーン複合体（左室流出路障害と大動脈縮搾を伴う僧帽弁の閉塞性病変）．

Shone syn·drome ショーン症候群（弁輪部上部と僧帽弁の腱索部を含む僧帽弁複合体の閉塞性病変で，左室流出路障害と大動脈狭窄を伴う）．

shon·y（shon′ē）．= black haw.

short ab·duc·tor mus·cle of thumb 短母指外転筋．= abductor pollicis brevis muscle.

short ad·duc·tor mus·cle 短内転筋．= adductor brevis muscle.

short bone 短骨（縦横の寸法がほとんど等しい骨．海綿質および骨髄とそれを囲む皮質の層からなる．*cf.* long bone）．

short-bow·el syn·drome 短腸症候群（小腸の大部分を占める疾患や切除の結果生じる吸収消化不全）．= short-gut syndrome.

short cil·i·ar·y nerve 短毛様体神経（毛様体神経節から眼球へ通じるいくつかの神経枝．毛様体筋，虹彩，眼球膜に分布する）．= nervus ciliaris brevis.

short ex·ten·sor mus·cle of great toe〔足の〕短母指伸筋．= extensor hallucis brevis muscle.

short ex·ten·sor mus·cle of thumb 短母指伸筋．= extensor pollicis brevis muscle.

short ex·ten·sor mus·cle of toes〔足の〕短指伸筋．= extensor digitorum brevis muscle.

short flex·or mus·cle of great toe〔足の〕短母指屈筋．= flexor hallucis brevis muscle.

short flex·or mus·cle of lit·tle fin·ger〔手の〕短小指屈筋．= flexor digiti minimi brevis muscle of hand.

short flex·or mus·cle of lit·tle toe〔足の〕短小指屈筋．= flexor digiti minimi brevis muscle of foot.

short flex·or mus·cle of thumb〔手の〕短母指屈筋．= flexor pollicis brevis muscle.

short flex·or mus·cle of toes〔足の〕短指屈筋．= flexor digitorum brevis muscle.

short gas·tric ar·ter·ies 短胃動脈（脾動脈から出て胃脾靭帯を経て大弯沿いに胃底へ走り，大弯部の他の動脈と吻合する 4，5 本の小動脈）．

short gas·tric veins 短胃静脈（胃底および胃壁の左側から流れ出る小静脈で，脾静脈へ注ぐ）．

short-gut syn·drome = short-bowel syndrome.
short gy·ri of in·su·la
short in·cre·ment sen·si·ti·vi·ty in·dex SISI 検査（音圧のわずかな上昇(1dB)を認知できた割合．蝸牛の障害ではこの指数が正常よりも高くなる）．
short pal·mar mus·cle 短掌筋．= palmaris brevis muscle.
short pos·ter·i·or cil·i·ar·y ar·ter·y 短後毛様体動脈（眼動脈からの約 7 本の枝で視神経の周囲を通って眼球にはいり，15—20 本に細分枝して視神経の近くで強膜を貫通し脈絡膜と毛様体に分布する．鋸状縁で網膜中心動脈や長前毛様体動脈と吻合する）．= arteria ciliaris posterior brevis.
short rad·i·al ex·ten·sor mus·cle of wrist 短橈側手根伸筋．= extensor carpi radialis brevis muscle.
short·sight·ed·ness (shōrt-sīt′ĕd-nĕs)．近視．= myopia.
short-term ex·po·sure lim·it 短時間暴露限界（労働者が連続 15 分以内暴露されても，健康または労働能率や安全性に危険がない化学物質の最高濃度）．
short-term mem·o·ry (STM) 短期記憶（認知・記銘された刺激が短期間貯蔵される記憶過程．崩壊は急速に起こり，一般に数秒内であるが，リハーサルを行って，資料を繰り返し短期記憶に循環させることによって保持は無限となる）．
shot-silk ret·i·na 絹糸片網膜（無数の波様の外観をもち，絹の光沢のようにきらきら輝いて反射する．若年者の網膜にときにみられる）．
shot·ty (shot′ē)．鉄砲玉様の（弾丸のように硬い．硬い孤立性小結節からなる．皮膚の上から触れるリンパ節についていう）．
shoul·der (shōl′dĕr)．***1*** 肩（肩甲部の外側部分．肩甲骨がここで鎖骨と上腕骨と結合し，三角筋でおおわれている）．***2*** 肩関節．***3*** ショルダー（歯科において，歯冠外側の窩洞形成における歯肉壁と軸壁の結合により形成される棚）．
shoul·der ap·pre·hen·sion sign 肩関節不安感徴候（上腕外転 90°，最大外旋位にすると前方肩甲上腕関節の不安定性の病歴のある患者では肩関節が脱臼しそうな不安感とそれに抵抗を示すという徴候）．= anterior apprehension test (1).
shoul·der blade = scapula.
shoul·der com·plex 肩関節複合体（①胸鎖関節，肩鎖関節，肩甲上腕関節，肩甲胸郭関節とそれらを動かす筋および結合組織の総称．②肩関節部および胸帯．③= shoulder girdle）．
shoul·der dys·to·ci·a 肩甲難産（児頭娩出後恥骨結合への前左肩甲の嵌入により正常分娩が停止した状態）．
shoul·der gir·dle 上肢帯（後方がつながっていない骨性リングで，上肢を付着させ，これを支持する働きをする．胸骨柄，鎖骨，肩甲骨からなる）．= pectoral girdle; shoulder complex(3).
shoul·der-gir·dle syn·drome 肩〔甲〕帯症候群．= neuralgic amyotrophy.

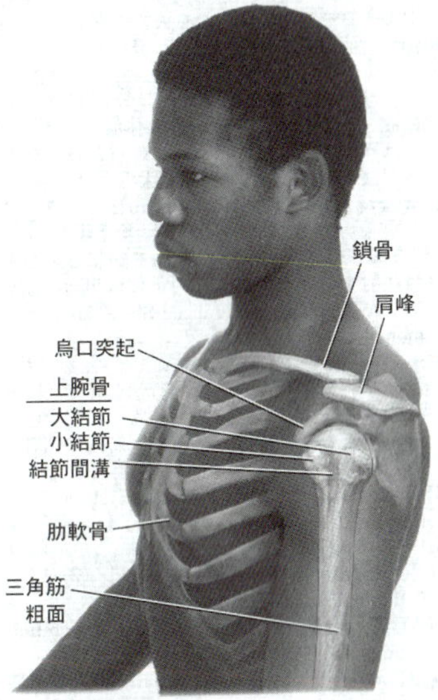
鎖骨
肩峰
烏口突起
上腕骨
大結節
小結節
結節間溝
肋軟骨
三角筋
粗面

shoulder girdle

shoul·der joint 肩関節（上腕骨と肩甲骨関節窩の間の球窩関節）．= humeral joint.
shoul·der pre·sen·ta·tion 肩甲位（肩甲部が先進部となる横位）．
sho·vel-shaped in·ci·sor シャベル型切歯（舌側（まれに唇側）の辺縁隆線が際立っている切歯．アジア系人種でよく発達している）．
show (shō)．前徴，印，様子（①月経の始まりの出血．②分娩開始の徴候．腟からの少量の血

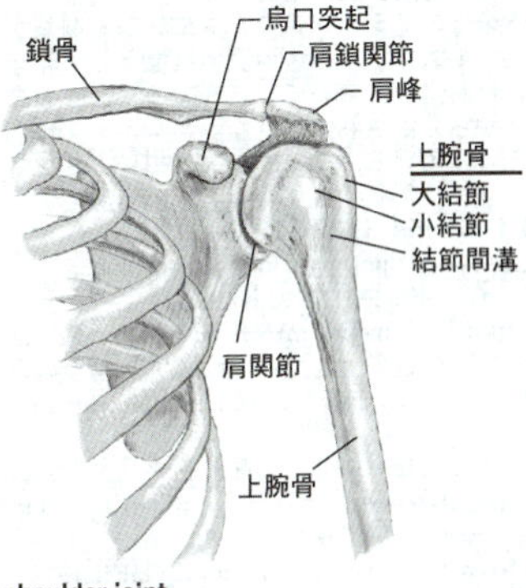
烏口突起
鎖骨
肩鎖関節
肩峰
上腕骨
大結節
小結節
結節間溝
肩関節
上腕骨

shoulder joint

液の混じった粘液の排出が特徴で，これは妊娠中の頸管を満たしていた粘液栓の押出を表す）.

shunt (shŭnt). *1* 〖v.〗 う回する，バイパスする，そらす. *2* 〖n.〗 シャント，短絡，吻合〔術〕，バイパス形成（瘻孔形成または器械装置により，体液を含む他のシステムへの体液のバイパスまたはう回. この名称は一般に起点と終点を含む. 例えば，動静脈，脾腎，脳室大槽. →bypass）.

Shwartz·man phe·nom·e·non シュワルツマン現象（ウサギに少量のリポ多糖類（エンドトキシン）を皮内注射し，24 時間後に 2 回目の静脈注射を行うと，初回注射部位に出血と壊死性病変が現れる. →generalized Shwartzman phenomenon）.

Shy-Dra·ger syn·drome シャイ-ドレーガー症候群（自律神経系を含む進行性疾患で，低血圧，外眼筋不全麻痺，虹彩の萎縮，失禁，無発汗，インポテンツ，振せん，および筋肉の消耗を特徴とする）.

SI International System of Units (Système International d'Unités); sensory integration の略.

Si ケイ素の元素記号.

sI 6-mercaptopurine ribonucleoside（あるいは 6-thioinosine）の略.

SIADH syndrome of inappropriate secretion of antidiuretic hormone の略.

si·al·ad·e·ni·tis (sī′ăl-ad′ĕ-nī′tis). 唾液腺炎. = sialoadenitis.

si·al·a·gogue, si·al·o·gogue (sī-al′ă-gog). *1* 〖adj.〗 唾液促進の. *2* 〖n.〗 催唾薬，唾液分泌促進薬（例えば，抗コリンエステラーゼ薬）.

si·al·ec·ta·sis (sī′ă-lek′tă-sis). 唾液腺拡張〔症〕. = ptyalectasis.

si·al·em·e·sis, si·al·e·me·si·a (sī′al-ĕ-mē′sis, -ĕ-mē′zē-ă). 吐唾〔症〕（唾液の吐出. 多量の唾液分泌による，または唾液を伴った嘔吐）.

si·al·ic (sī-al′ik). 唾液の. = salivary.

si·al·ic ac·ids シアリン酸，シアル酸（ノイラミン酸のエステルまたは *N*- および *O*-アシル誘導体）.

si·al·i·dase (sī-al′i-dās). シアリダーゼ（オリゴ糖類，糖蛋白，糖脂質の 2,3-，2,6-，2,8 結合から末端のアシルノイラミン酸残基を開裂する酵素. ミクソウイルスの表面抗原として存在する. 組織化学において，気管支の粘液腺および小腸から分泌されるようなシアロムチンを取り除くのに用いる. この酵素の欠損によりシアリドーシスになる）.

si·al·i·do·sis (sī-al′i-dō′sis). シアリドーシス. = cherry-red spot myoclonus syndrome.

si·a·line (sī′ă-lēn). = salivary.

si·a·lism, si·a·lis·mus (sī′ă-lizm, -liz′mŭs). 唾液〔分泌〕過多，流ぜん（涎）〔症〕（唾液の過剰な分泌）. = ptyalism; salivation; sialorrhea; sialosis.

sialo-, sial- 唾液あるいは唾液腺を示す連結形.

si·a·lo·ad·e·nec·to·my (sī′ă-lō-ad′ĕ-nek′tō-mē). 唾液腺切除〔術〕.

si·a·lo·ad·e·ni·tis (sī′ă-lō-ad′ĕ-nī′tis). = sialadenitis.

si·a·lo·ad·e·not·o·my (sī′ă-lō-ad′ĕ-not′ō-mē). 唾液腺切開〔術〕.

si·a·lo·an·gi·ec·ta·sis (sī′ă-lō-an′jē-ek′tă-sis). 唾液管拡張〔症〕.

si·a·lo·an·gi·i·tis (sī′ă-lō-an′jē-ī′tis). 唾液管炎.

si·a·lo·cele (sī′ă-lō-sēl). 唾液腺腫瘤. = ranula (2).

si·a·lo·do·chi·tis (sī′ă-lō-dō-kī′tis). 唾液管炎.

si·a·lo·do·cho·plas·ty (sī′ă-lō-dō′kō-plas′tē). 唾液管形成〔術〕（唾液管の修復）.

si·a·log·e·nous (sī′ă-loj′ĕ-nŭs). 流ぜん（涎）性の（唾液を生産することについていう. →sialagogue）.

si·a·lo·gram (sī-al′ō-gram). 唾液腺造影の記録（X 線写真）.

si·a·log·ra·phy (sī′ă-log′ră-fē). 唾液腺造影（撮影）〔法〕（造影剤を唾液管に注入して行う唾液腺と唾液管の X 線検査）.

si·a·lo·lith (sī′ă-lō-lith). 唾石.

si·a·lo·li·thi·a·sis (sī′ă-lō-li-thī′ă-sis). 唾石症（唾石ができること，あるいは存在していること）.

si·a·lo·li·thot·o·my (sī′ă-lō-li-thot′ō-mē). 唾石切開〔術〕（唾石を除くため唾液管または唾液腺を切開すること）.

si·a·lor·rhe·a (sī′ă-lōr-ē′ă). 唾液分泌，流ぜん（涎）〔症〕. = sialism; sialorrhoea.

sialorrhoea [Br.]. = sialorrhea.

si·a·los·che·sis (sī′ă-los′kĕ-sis). 唾液分泌抑制.

si·a·lo·sis (sī′ă-lō′sis). 唾液分泌. = sialism.

si·a·lo·ste·no·sis (sī′ă-lō-stĕ-nō′sis). 唾液管閉塞.

Si·a·mese twins シャム双生児（もともとは 19 世紀に広く公表されたシャム（現在のタイ）の接着双生児（剣状突起結合体）のこと. 以来本語は，接着双生児のすべての型をさす一般名となった）.

sib (sib). 同胞（同じ母親から生まれたすべての兄弟と姉妹）. = sibling.

Si·be·ri·an gin·seng シベリア人参（*Eleutherococcus senticosus*. 血圧を下げ，スタミナを増進するのに有効とされている植物性の生薬. 後者は臨床研究の結果によって否定されている）. = touch-me-not.

sib·i·lant (sib′i-lănt). 歯音の（特徴として，シーッ，ヒューという音を出すラ音の一型についていう）.

sib·i·lant rale ギー音（気管支腔を狭窄している粘性分泌物中を空気が通るために生じる笛声音）.

sib·ling (sib′ling). = sib.

sib·ling ri·val·ry 同胞抗争（子供の間での，特に両親の注目・愛情・尊敬を求める嫉妬的な競争. 広義には，同胞抗争は一生を通じての正常および異常な競争心の一要因である）.

sib·ship (sib′ship). *1* 同胞群（同じ両親をもつ個体間の相互状態）. *2* 兄弟姉妹（一組の親のすべての子孫）.

sib·u·tra·mine (si-byū′tră-mēn). シブトラミ

ン（減量を促す目的で食欲を減退させるために使用されるセロトニンおよびノルアドレナリン再取込み阻害薬）.

sic·ca com·plex 複合乾燥症（目や口などの粘膜の乾燥症で，関節リウマチなどの膠原病を伴わないもの）.

sic·cant (sik′ănt). = siccative. ***1*** 乾燥させる（周囲の物から湿気を除くこと）. ***2*** 1のような性質をもつ物質.

sic·ca·tive (sik′ă-tiv). = siccant.

sick (sik). ***1*** 病気の. ***2*** 吐き気がする. = nauseated.

sick build·ing syn·drome 事務職に多くみられる疲労，頭痛，眼乾燥感，のど・鼻の非特異的症状からなる症候群. 建物内装に使用されている低レベルの物質に暴露されることが原因と考えられる. 症状の大部分は仕事時間以外では軽減する.

sick head·ache = migraine.

sicklaemia [Br.]. = sicklemia.

sick·le cell 鎌状〔赤〕血球，鎌状細胞（鎌状赤血球貧血に特徴的な半月形の異常赤血球. 低酸素圧での溶解度低下を起こす遺伝性ヘモグロビン異常（ヘモグロビン S）の結果生じる. →sicklemia; sickling）. = drepanocyte.

sick·le cell a·ne·mi·a 鎌状赤血球貧血（三日月状または鎌状の赤血球があり，溶血が亢進することを特徴とする常染色体劣性の遺伝性貧血. 原因は第 11 染色体にあるヘモグロビン β 鎖の第 6 番目のアミノ酸置換（グルタミン酸がバリンに）にある. 罹患したホモ接合体の患者は，85—95%がヘモグロビン S となり，重症の貧血となる. 一方ヘテロ接合体の患者は，（鎌状赤血球の特徴をもつといわれているが）40—45%のヘモグロビン S をもち，残りは正常ヘモグロビンである. 酸素分圧が低下すると，異常な β 鎖はポリマーとして凝縮し，このことが赤血球の鎌状の形態変化の原因となる. ホモ接合体の患者は微小血管の閉塞，骨壊死，下腿潰瘍，細菌感染，特に連鎖球菌性肺炎に対する感受性の増大と関連する脾の萎縮などによる激痛が特徴である発作を起こす. アフリカの家系に多く認められる）. = crescent cell anemia; drepanocytic anemia; sickle cell disease.

sick·le cell C dis·ease 鎌状赤血球 C 症（酸素分圧の低下に反応して形成される鎌状の異常な赤血球（ヘモグロビン C と S を含む）によって起こる病気. 貧血，溶血および血管閉塞の発症，慢性下腿潰瘍，骨変形，骨梗塞，脾梗塞などを起こす）.

sick·le cell cri·sis 鎌状赤血球発症（→sickle cell anemia）.

sick·le cell dac·ty·li·tis 鎌状赤血球指炎（鎌状赤血球貧血患者にみられる指趾の有痛性の腫脹）.

sick·le cell dis·ease 鎌状赤血球症. = sickle cell anemia.

sick·le cell he·mo·glo·bin (Hb S) 鎌状赤血球ヘモグロビン. = hemoglobin S.

sick·le cell hep·a·top·a·thy 鎌状赤血球肝障害（鎌状赤血球症の鎌状化プロセスおよびその治療に必要な輸血に直接関連するあらゆる肝障害. 直接の症状は主として血管閉塞によるもので，急性虚血，腐骨化，胆汁うっ滞を含む. 肝炎や肝膿瘍も急性鎌状肝臓発症においてみられる）.

sick·le cell ret·i·nop·a·thy 鎌状赤血球網膜症（網膜静脈の怒張と蛇行，小動脈瘤および網膜出血を特徴とする症状. さらに進んだ段階では，血管新生，硝子体出血，あるいは網膜剥離を起こす）.

sick·le·mi·a (sik-lē′mē-ă). 鎌状赤血球血症（末梢血液中に鎌状赤血球が存在すること. 鎌状赤血球性貧血，鎌状赤血球体質にみられる）. = sicklaemia.

sick·le·wort (sik′ĕl-wōrt). = bugleweed.

sick·ling (sik′ling). 鎌状赤血球化（鎌状赤血球貧血のように，循環中に鎌状赤血球を生成すること）.

sick·ness (sik′nĕs). 病気，疾病. = disease (1).

sick role 病人の役割（医療社会学において，人が病気のときにとることが許されているような行動パターンや役割が，家族内で，あるいは文化的に受け入れられていること. 例えば，学校や仕事を休むことが認められていたり，家族，健康を管理してくれる人やその他の大事な人に対して，言いなりになるような依存的な関係をもったりする）.

SICU surgical intensive care unit の略.

SID source-to-image distance の略.

side chain 側鎖（①ベンゼン環または環式化合物に結合した非環状の原子の鎖. ② α-アミノ酸において，α-カルボキシル基，α-アミノ基，α-炭素，α-炭素に結合した水素以外の原子団）.

side-chain the·o·ry 側鎖説（Ehrlich の仮説. 細胞は毒素の抗原決定基（トキソホア）と結合する表面エキステンションや側鎖（ハプトホア）を含有しており，細胞が刺激を受けるとそのハプトホアが循環系へ遊離され抗体となる. →receptor）.

side ef·fect 副作用（薬剤その他の治療で望ましい治療効果のほかに出る作用. 通常は，好ましくない効果をいうことが多い）.

sidero- 鉄に関する連結形.

sid·er·o·blast (sid′ĕr-ō-blast). シデロブラスト，〔担〕鉄〔赤〕芽球（プルシアンブルー反応で染まるフェリチン顆粒を含む赤芽球）.

sid·er·o·blas·tic a·ne·mi·a, sid·er·o·a·chres·tic a·ne·mi·a 鉄芽球性貧血，鉄利用不能性貧血（骨髄に環状鉄芽球が存在することを特徴とする難治性の貧血）.

sid·er·o·cyte (sid′ĕr-ō-sīt). シデロサイト，担鉄赤血球（遊離鉄顆粒を含む赤血球. 正常胎児の血液中にプルシアンブルー反応により認められる. 赤血球の 0.10—4.5%を構成する）.

sid·er·o·fi·bro·sis (sid′ĕr-ō-fī-brō′sis). 鉄線維症，鉄性線維症（鉄が沈着した小病巣に線維化が伴ったもの）.

sid·er·o·pe·ni·a (sid′ĕr-ō-pē′nē-ă). 鉄欠乏〔症〕（血清鉄が異常に低下していること）.

sid·er·o·pe·nic (sid′ĕr-ō-pē′nik). 鉄欠乏〔症〕の.

sid·er·o·phage (sid′ĕr-ō-fāj). 鉄貪食細胞. = siderophore.

sid·er·o·phil, sid·er·o·phile (sid′ĕr-ō-fil, -fīl). ***1***〘adj.〙鉄親和性の（鉄を吸収することについていう）. = siderophilous. ***2***〘n.〙鉄沈着組織（鉄を含む細胞あるいは組織）.

sid·er·oph·i·lous (sid′ĕr-of′i-lŭs). = siderophil (1).

sid·er·o·phore (sid′ĕr-ō-fōr). ヘモジデリン貪食細胞（ヘモジデリン顆粒を含む大きな単核の食細胞で，左心不全による肺うっ血が長期間持続した患者の喀痰または肺にみられる）. = siderophage.

sid·er·o·sil·i·co·sis (sid′ĕr-ō-sil′i-kō′sis). 鉄珪肺症（鉄含有粉じんにさらされたために起こる珪肺症）. = silicosiderosis.

sid·er·o·sis (sid′ĕr-ō′sis). ***1*** 鉄症（鉄じんがあるために起こるじん肺症の一種）. ***2*** シデローシス，鉄沈着〔症〕（鉄色素の沈着による身体の各部の変色，通常ヘモジデリン沈着症とよばれる）. ***3*** 鉄血症（循環血液中に鉄が過剰にあること）. ***4*** 眼内の鉄の沈着の結果として網膜，水晶体とブドウ膜の変性.

sid·er·ot·ic (sid′ĕr-ot′ik). シデローシスの，鉄沈着〔症〕の（鉄によって着色した，あるいは過剰の鉄分を含む）.

sid·er·o·tic cat·a·ract 鉄沈着性白内障（鉄含有眼内異物からの鉄の沈着によって引き起こされる白内障）.

side·stream aer·o·sol 副流エアロゾル（エアロゾル投与システムで，吸入気流の主流に側管からエアロゾルを添加する）.

SIDS (sidz). sudden infant death syndrome の頭文字.

Sie·gert sign ジーゲルト徴候（Down 症候群において，第五指の終端指節は短くて内側に屈曲している）.

Sie·gle o·to·scope ジーグレ耳鏡（球の付いた耳鏡で，その球により気圧を変えることができ，鼓膜が無傷であれば，観察しながら運動を鼓膜に伝えうる）.

sie·mens (S) (sē′mĕnz). ジーメンス（国際単位系(SI)における電気のコンダクタンスの単位. 1ジーメンスは，1オームの電気抵抗をもつ物体のコンダクタンスで，1ボルトの電圧が加えられているとき1アンペアの電流が流れる. 1 mho に等しい）. = mho.

sie·vert (Sv) (sē′vĕrt). シーベルト（電離放射線の実効線量の国際単位(SI).対象とする放射線の線質，およびその放射線に対する組織の感受性双方で重み付けられたグレイ単位の吸収線量に等しい. ジュール/kg と同等で，1 Sv = 100 rem である. →effective dose）.

sight (sīt). 視覚，視力（→vision）.

sig·ma (sig′mă). ***1*** シグマ（ギリシア語アルファベットの第 18 字 σ, Σ）. ***2*** (σ).反射係数 reflection coefficient，標準偏差 standard deviation，原核生物の RNA 開始因子，表面張力 surface tension の記号. ***3*** (Σ).一連の合計.

sig·moid (sig′moyd). S状の（輪郭が文字のSに似ている，あるいはギリシア文字シグマの一形態に似ている）.

sig·moid ar·ter·ies S状結腸動脈（下腸間膜動脈より起こり，下行結腸，S状結腸に分布する. 左結腸動脈，上直腸動脈と吻合）. = arteriae sigmoideae.

sig·moid co·lon S状結腸（骨盤上口と第三仙骨との間で，S状の曲線を描いて下行する部分. 直腸に連絡する）. = colon sigmoideum.

sig·moid·ec·to·my (sig′moy-dek′tō-mē). S状結腸切除〔術〕（S状結腸の切除）.

sig·moid·i·tis (sig′moy-dī′tis). S状結腸炎（S状結腸の炎症）.

sigmoido-, sigmoid- S状の，通常はS状結腸，を意味する連結形.

sig·moid·o·pex·y (sig-moy′dō-pek-sē). S状結腸固定〔術〕（直腸脱を整復するためS状結腸をしっかりした組織に固定する手術）.

sig·moid·o·proc·tos·to·my (sig-moy′dō-prok-tos′tō-mē). S状結腸直腸吻合〔術〕（S状結腸と直腸間の吻合）. = sigmoidorectostomy.

sig·moid·o·rec·tos·to·my (sig-moy′dō-rek-tos′tō-mē). = sigmoidoproctostomy.

sig·moid·o·scope (sig-moy′dō-skōp). S状結腸鏡（S状結腸腔をみるための内視鏡）.

sig·moid·os·co·py (sig′moy-dos′kŏ-pē). S状結腸鏡検査〔法〕（S状結腸の内部を内視鏡で検査すること）.

sig·moid·os·to·my (sig′moy-dos′tō-mē). S状結腸人工肛門形成〔術〕（S状結腸を開いて人工肛門をつくること）.

sig·moid·ot·o·my (sig′moy-dot′ō-mē). S状結腸切開〔術〕（S状結腸の外科的切開）.

sig·moid si·nus S状静脈洞（側頭骨乳様突起の深部で後頭骨の頸静脈突起の直後にあるS字形の硬膜静脈洞. 横静脈洞とつながり頸静脈孔を通って内頸静脈に注ぐ）.

sig·moid veins S状結腸静脈（S状結腸からの血液を集める. 下腸間膜静脈の数本の枝）.

sign (sīn). ***1*** 徴候（疾病を示唆する何らかの異常所見で，医師が患者を診察して見出しうるもの. 疾病の主観的徴候である〝症状 symptom〟に対し，疾病の客観的症候をいう）. ***2*** 符号（略号あるいは記号）. ***3*** 象徴（心理学において，それを知覚する人間に固有の物や観念をもたらす対象物や人工産物(刺激)）.

sig·nal (sig′năl). シグナル（①ある作用の原因となるもの. ② RNA ポリメラーゼによる転写を変化させる DNA テンプレート配列. ③ DNA あるいは RNA の特定配列を何らかの方法で欠失させたときに観察される最終産物）.

sig·nal lymph node, sig·nal node 警報リンパ節（鎖骨上の，特に左側鎖骨上の硬いリンパ節で，皮膚面から十分触診できる大きさになる. 内臓の悪性腫瘍を推定する証拠として最初に認められることがあるため，このように名付けられた. 悪性腫瘍からの転移を含むことがわかっている警報リンパ節は，ときに古い冠名である Troisier ganglion といわれることもある. →sentinel lymph node）. = jugular gland; Virchow node.

sig·nal:noise ra·ti·o (S:N) 信号雑音比（信号強度におけるランダム変動，あるいは雑音に対する信号の相対強度．多くのイメージング技術や電子装置を評価するために使用される）．

sig·nal-pro·ces·sing cir·cuits 信号処理回路（音響信号の様々な帯域の増幅度を変化させることができる，補聴器内の電気的ハードウェア）．

sig·nal trans·duc·tion in·hib·i·tor (STI) シグナル伝達阻害薬（非癌細胞には無害か比較的小さい損傷しか与えないが，癌細胞の成長や生存にとって不可欠な酵素の作用を阻害する抗癌剤のカテゴリーまたは分類）．

sig·na·ture (sĭg′nă-chŭr)．用法指示（患者に対する指示を含んだ処方の部分）．

Signed Eng·lish サイン〔ド〕イングリッシュ（語義学的英語表現による伝達様式．アメリカ手話の記号はアルファベット順に使われ，追加記号は抑揚調節に使用する．主に6歳以下の小児の教育に用いられる）．

sig·net ring cells 印環細胞．= castration cells.

sign lan·guage 手話言語，手話（難聴の患者が使う手話システム．米式手話言語(ASL)のような真の手話には，形態論，意味論，統語論の完全な表現が備わっている）．

SIH somatotropin release-inhibiting hormone の略．

si·lent (sī′lĕnt)．無症候性の（認められるような徴候や症状を出さない，ある種の疾病や病的変化についていう）．

si·lent ar·e·a 沈黙野（損傷が明確な感覚または運動性症状を引き起こさない大脳または小脳の部位）．

si·lent as·pir·a·tion 無症候性吸引（咳，窒息，血色変化，または呼吸の変化などの臨床症状を伴わずに，声帯よりも下方の気管へ液体あるいは固体の塊りが移動していくこと）．

si·lent my·o·car·di·al in·farc·tion 無症状心筋梗塞（心筋梗塞の症状および徴候をいっさい示さないもの）．

sil·hou·ette sign of Fel·son フェルソンのシルエットサイン（胸部放射線診断上の徴候の1つ．通常の空気–軟部組織境界面が肺の近接部が液体で満たされることにより消失する）．

sil·i·ca (sĭl′ĭ-kă)．シリカ（砂およびガラスの主成分）．= silicon dioxide.

sil·i·cate rest·or·a·tion ケイ酸セメント修復（ケイ酸セメントによる欠損歯質の修復）．

sil·i·ca·to·sis (sĭl′ĭ-kă-tō′sĭs)．= silicosis.

sil·i·con (Si) (sĭl′ĭ-kon)．ケイ素（非常に豊富な非金属元素．原子記号14，原子量28.0855．自然界にシリカやケイ酸塩として存在する．純粋なものは半導体として，また，太陽電池に用いる．哺乳類組織にある，ある種の多糖類構造にも存在する）．

sil·i·con di·ox·ide 二酸化ケイ素．= silica.

sil·i·cone (sĭl′ĭ-kōn)．シリコン（有機酸化ケイ素のポリマーで，重合度によって液体，ゲル，または固体となる．以前，外科的埋入物に，液体を排出する体内チューブに，グリースまたは密封用物質として歯科用印象として，血液採取用ガラス管の内装として，また種々の眼科学的処置にと広い範囲で使用された）．

sil·i·cone di·ode = diode.

sil·i·co·pro·tein·o·sis (sĭl′ĭ-kō-prō′tēn-ō′sĭs)．シリカ蛋白症（X線所見，組織所見は肺胞蛋白症に似ているが，高濃度シリカ粉塵に比較的短時間に暴露することにより惹起される急性肺障害．肺症状は急性発症で，臨床状態はほとんど致命的である）．

sil·i·co·sid·er·o·sis (sĭl′ĭ-kō-sid′ĕr-ō′sĭs)．鉄珪肺〔症〕．= siderosilicosis.

sil·i·co·sis (sĭl′ĭ-kō′sĭs)．珪肺症（ケイ素(シリカ)を含有するじん埃に職業上数年にわたって暴露している間に，それを吸入することが原因で起こるじん肺症の1つ．ゆっくりと進行する肺の線維化がその主な特徴で，拘束性および閉塞性の肺機能障害を引き起こすことがある．また肺結核に罹患しやすくなる）．= silicatosis.

sil·i·co·tu·ber·cu·lo·sis (sĭl′ĭ-kō-tū-bĕr′kyū-lō′sĭs)．珪肺結核〔症〕（肺結核性病変と合併した珪肺症）．

si·lo-fil·ler's lung サイロ作業者肺（サイロに貯蔵したマグサに暴露された個体に，通常1—4時間後に起こる肺水腫で，恐らく二酸化窒素による．閉塞性細気管支炎に進展しうる）．

sil·ver (Ag) (sĭl′vĕr)．銀（ラテン語は argentum．金属元素．原子番号47，原子量107.8682．多くの塩が臨床適用される）．

sil·ver-am·mo·ni·ac sil·ver stain 銀–アンモニア性銀染色〔法〕（先行する間期において活性があるか，または転写活性があった核小体部分の酸性蛋白成分に対する染色．硝酸銀，アンモニア性銀，およびホルマリンを用いる）．

sil·ver-fork frac·ture, sil·ver-fork de·for·mi·ty 〔銀〕フォーク状骨折（変形がフォークに似ている手首の Colles 骨折）．

sil·ver im·preg·na·tion 銀含浸（銀錯体で，正常または病変組織中のレチクリンを検出するのに用いる．また，神経膠，神経細線維，銀親和性細胞や Golgi 装置に対しても用いる）．

sil·ver pro·tein stain 銀蛋白染料（神経線維，神経末端，有べん毛原生動物の染色に用いる銀蛋白複合体．また生体で細網内皮系細胞による貪食を見るのにも用いる）．

Sil·ver·sköld syn·drome シルヴェルフィエルド症候群（骨軟骨ジストロフィの一型で，わずかな椎骨の変化を伴うにすぎないが，四肢の長骨が短小化と弯曲化がみられる）．

sim·i·an vi·rus (SV) シミアンウイルス（サルあるいはサル細胞培養から分離され，種々の科に属している多数のウイルス）．

si·mi·li·a si·mil·i·bus cur·an·tur 毒をもって毒を制す（ホメオパシーによる処方．すなわち，健康人に病的症候を生じさせる薬剤は，病状の発現としての同様の症候を取り除きうるという説．ホメオパシー説の最初の唱道者 Hahnemann の表現は，*similia similibus curentur*（同類で同類をいやさしめよ）である）．

Sim·monds dis·ease ジンモンツ(シモンズ)病（外傷，血管病変，腫瘍による下垂体前葉不全．出産後の低血圧により脳下垂体が虚血をきたし壊死に陥るため，通常，出産後に生じることが多い．臨床的には無力，体重減少，低血圧，甲状腺・副腎・性腺機能低下の症状を特徴とする）．= hypophysial cachexia; pituitary cachexia.

Sim·mons ci·trate me·di·um シモンズクエン酸培地（腸内細菌科の種の識別に用いる鑑別培地．唯一の炭素源としてクエン酸ナトリウムを利用する能力の有無に基づいて分ける）．

Si·mo·nart bands シモナール帯（①= amnionic band. ②唇裂の内・外側間隙の一部をおおう水かき様帯状組織）．

Si·mo·nart lig·a·ments シモナール靱帯. = amnionic band.

Si·mon po·si·tion ジーモン体位（膣検査のための体位で，背臥位で女性の殿部を上げ，大腿および下腿を曲げて大腿を大きく開く）．

sim·ple ab·sence 単純アブ(ブ)サンス，単純欠神（脳波での 3Hz 棘徐波の突発に伴う短時間の意識混濁）. = pure absence.

sim·ple dis·lo·ca·tion 単純脱臼. = closed dislocation.

sim·ple en·do·me·tri·al hy·per·pla·si·a 単純性子宮内膜増殖症（豊富な間質で区分された腺構造をもつ内膜組織の増殖）．

sim·ple ep·i·the·li·um 単層上皮（1 層の細胞からなる）．

sim·ple fis·sion 単数分裂（最初に核が，次いで細胞体が 2 つになる分裂. →binary fission）．

sim·ple frac·ture 単純骨折. = closed fracture.

sim·ple glau·co·ma, glau·co·ma sim·plex 単性緑内障. = open-angle glaucoma.

sim·ple goi·ter 単純性甲状腺腫（甲状腺の腫脹はみられるが甲状腺機能低下または亢進などの機能的影響はない．通常，食事によるヨウ素摂取が不適当なために起こる）．

sim·ple joint 単関節（2 つの骨だけで形成されている関節）．

sim·ple mas·tec·to·my 単純乳房切除〔術〕（乳頭，乳輪，および乳房の大部分の皮膚を含む乳房の切除）．

sim·ple mi·cro·scope, sin·gle mi·cro·scope 単純顕微鏡（単一の拡大レンズからできている顕微鏡）．

sim·ple pho·bi·a 単純恐怖. = specific phobia.

sim·ple pro·tein 単純蛋白（加水分解により α-アミノ酸のみまたはその誘導体を生成する蛋白．例えば，アルブミン，グロブリン，グルテリン，プロラミン，アルブミノイド，ヒストン，プロタミンなど．*cf.* conjugated protein）．

sim·ple squa·mous ep·i·the·li·um 単層扁平上皮（中皮，内皮，肺胞の上皮のように，扁平な鱗状の細胞の単一層からなる上皮）．

Sim·plex·vi·rus (sim′pleks-vī′rŭs). = herpes simplex.

Sim·pli·fied Or·al Hy·giene In·dex (OHI-S) 簡略化口腔清掃指数（歯苔と歯石の量に基づき，口腔清掃の現状を評価する指数）．

Sims po·si·tion シムズ体位（膣検査を容易にするための体位で，患者が下側の腕を後ろにし，上側の大腿を下側の大腿よりも深く曲げて横向きに横たわる）. = lateral recumbent position.

sim·u·la·tion (sim′yū-lā′shŭn). シミュレーション（①別の疾患に似ている疾病あるいは症候，または虚偽障害や詐病のように病気の振りをすることをいう．②放射線治療において，治療部位を定めるために幾何学的に相似の画像をつくる装置あるいはコンピュータを使用すること．③緊急事態を想定して行う訓練．医療機関や軍隊等において，緊急事態に対する備えを評価し，教育を施すために行う）．

si·mul·tan·ag·no·si·a (sī′mŭl-tān′ag-nō′sē-ā). 同時失認，同時認知不能〔症〕（視覚表示で多くの物を認識できないこと．すなわちあるシーンの 1 つの物またはいくつかの要素は認識できるが，ディスプレイ全体は認識できない）．

si·mul·ta·ne·ous com·mu·ni·ca·tion = total communication.

SIMV synchronized intermittent mandatory ventilation の略.

sin·cip·i·tal (sin-sip′i-tăl). 前頭の.

sin·cip·i·tal pre·sen·ta·tion 頭頂位（—cephalic presentation）．

sin·ci·put, pl. **sin·cip·i·ta, sin·ci·puts** (sin′si-pŭt, sin-sip′i-tă, sin′si-pŭts). 前頭（額を含む頭蓋の前半部）．

Sind·bis fe·ver シンドビス熱（ヒトの熱性疾患で，アフリカ，オーストラリアやその他の国でみられ，関節痛，発疹，倦怠感を特徴とする．トガウイルス科のシンドビスウイルスにより起こり，イエカ属 *Culex* のカによって媒介される）．

Sind·bis vi·rus シンドビスウイルス（トガウイルス科 *Alphavirus* 属の標準種で，通常，イエカ属 *Culex* のカによって媒介される．シンドビス熱の病原体）．

Sind·ing-Lar·sen-Jo·hans·son syn·drome シンディング-ラルセン-ヨハンソン症候群（膝蓋骨の遠位端の骨端症）．

sin·ew (sin′yū). 腱. = tendon.

sine wave 正弦波（単振動 1 サイクル分を表す対称波．質量の経時的変位を三角(正弦)関数で表したもの. →pure tone）．

sing·er's no·dules 歌手結節. = vocal nodules.

sin·gle bond 単結合（1 対の電子を共有することから生じる共有結合．例えば $H_3C{-}CH_3$(エタン)）．

sin·gle nu·cle·o·tide pol·y·mor·phisms 単一ヌクレオチド多型（1 つのヌクレオチドの違いによる 2 つの DNA 配列の間の差異で，しばしばチアミンがシトシンに置き換わる．そのような多型性を示す対立遺伝子を持つ場合でも明らかな異常や機能不全を引き起こすことはまれであるが，病原体，毒物，環境要因に対する反応に影響を与え，特定条件に対する身体の感受性を高める可能性がある）．

sin·gle-par·ent fam·i·ly ひとり親家庭（1 人の親のみといっしょに生活する子供のいる家庭）．

sin·gle pho·ton e·mis·sion com·put·ed to·mog·ra·phy (SPECT) シングルフォトンエミッション CT（組織の代謝および生理的機能を断層像として得る方法で，患者に投与された放射性同位元素(RI)から放出される単一エネルギーの光子をとらえ，コンピュータ分析することにより画像がつくられる）．

sin·gle·ton (sing′gĕl-tŏn). 単胎児（単胎で発育する胎児）．

sin·gle vi·al fix·a·tives シングルバイアル固定液（商標登録されている市販品の糞便固定液．この固定液1本で処理した検体で，濃縮，永久塗抹標本作製，いくつかの免疫測定を行うことができる）．

si·nis·ter (si-nis′tĕr). 左の．

sin·is·trad (sin-is′trad). 左方へ．

sin·is·tral (sin′is-trăl). *1*〚adj.〛左側の．*2*〚n.〛左利き（左利きの人）．

sin·is·tral·i·ty (sin′is-tral′i-tē). 左利き．

sinistro- 左，あるいは左方へ，を意味する連結形．

sin·is·tro·car·di·a (sin′is-trō-kahr′dē-ă). 左心症，心左方偏位（正常位置から左側に心臓の位置がずれていること）．

sin·is·tro·ce·re·bral (sin′is-trō-ser′ĕ-brăl). 左脳半球の．

sin·is·tro·gy·ra·tion (sin′is-trō-jī-rā′shŭn). = sinistrotorsion.

sin·is·tro·man·u·al (sin′is-trō-man′yū-ăl). 左手利きの．= left-handed.

sin·is·trop·e·dal (sin′is-trop′ĕ-dăl). 左足利きの（好んで左足を使う人についていう）．= left-footed.

sin·is·tro·tor·sion (sin′is-trō-tōr′shŭn). 左回転，左捻転（左に回転すること，あるいは左にねじれること）．= levorotation (2); levotorsion (1); sinistrogyration.

Sin Nom·bre vi·rus シンノンブルウイルス（ハンタウイルス性肺症候群を起こす北米のハンタウイルス種）．= Four Corners virus.

si·no·pul·mo·nar·y (sī′nō-pul′mŏ-nar-ē). 洞肺の（副鼻腔と肺気道に関する）．

sin·u·al tu·ber·cle 洞性結節（胎児の背壁から尿生殖洞へ突出する中央突起．中腎傍管の融合した尾方端から形成され，子宮と腟の最も初期の徴候である）．= Müller tubercle, sinusal tubercle.

si·nu·a·tri·al (S-A), si·no·a·tri·al (S-A) 洞房の（静脈洞と右心房に関する）．= sinoatrial.

si·nu·a·tri·al block, si·no·a·tri·al block 洞〔房〕ブロック（洞結節由来の興奮が，心房筋に達するまでにブロックされる状態．心電図上はP波の欠落としてみられる）．

si·nu·a·tri·al node, si·no·a·tri·al node 洞房結節（心臓の刺激伝導系の歩調取りとして規則的に活動する特殊な心筋線維の塊．分界溝上端の心外膜の下にある）．

si·nus, pl. **si·nus, si·nus·es** (sī′nŭs, -ĕz). 洞（①普通の脈管壁ではない血液やリンパの通路．妊娠子宮や脳硬膜の血管路など．②骨または組織の空洞・腔所．③血管の拡張部分．④化膿腔に通じるフィステルあるいは路）．

sin·u·sal tu·ber·cle = sinual tubercle.

si·nus ar·rest 洞停止（洞活動の停止．異所性の心房性，房室結節または心室の自動能で，心室は拍動し続けうる）．

si·nus ar·rhyth·mi·a 洞〔性〕不整脈（心拍の不規則性．通常は呼吸活動に連動しており異常ではない）．

si·nus bra·dy·car·di·a 洞〔性〕徐脈（正常な洞ペースメーカに由来する60拍/分以下徐脈）．

si·nus ca·ver·no·sus 海綿静脈洞．= cavernous sinus.

si·nus his·ti·o·cy·to·sis with mas·sive lymph·a·den·op·a·thy 〔広範なリンパ節症を伴う〕洞組織球増殖〔症〕（小児に生じる慢性疾患で，貪食したリンパ球を含むマクロファージと，被膜および被膜周囲の線維症によるリンパ節洞の拡大のために生じた広範な無痛性頸部リンパ節症を特徴とする）．= Rosai-Dorfman disease.

si·nu·si·tis (sī′nŭ-sī′tis). 静脈洞炎，副鼻腔炎（すべての洞の粘膜層の炎症．特に副鼻腔の炎症）．

si·nu·soid (sī′nŭ-soyd). *1*〚adj.〛洞様の．*2*〚n.〛洞様毛細血管（普通の毛細血管よりも径が大きく，かつ不規則な壁の薄い終末部血管．その内皮細胞は大きな孔をもち，基底板は不連続かまたは欠損している）．

si·nu·soi·dal (sī′nŭ-soy′dăl). 洞様毛細血管の．

si·nu·sot·o·my (sī′nŭ-sot′ŏ-mē). 洞切開〔術〕．

si·nus pause 洞停止（規則的な洞調律が自然に止まり，正確な洞性周期ではない周期の休止期がある期間続くこと．→sinus arrest）．

si·nus rhythm 洞調律（洞房結節から伝達される正常心リズム）．

si·nus tach·y·car·di·a 洞〔性〕頻拍（頻脈）（洞結節起因の100拍/分以上の頻拍）．

si·nus of the ve·na ca·va 大静脈洞（大静脈からの血液を受け入れる右心房の一部．分界稜によって心房の他部から区別される）．

si·nus ve·no·sus 静脈洞（胚の心内膜管の尾方端にある腔．ここで胚内および胚外循環弓からの静脈が合流する．発生経過中に，成人解剖で大静脈洞として知られる右心房の部分を形成する．右角が冠状静脈洞を形成する）．

si·nus ve·no·sus scler·ae 強膜静脈洞（眼球の前眼房を取り囲む血管構造で，前眼房水はここから循環血へ戻される）．= circular sinus (3); Schlemm canal.

si op. sit ラテン語 *si opus sit*（必要あれば）の略．

si·phon (sī′fŏn). サイホン，吸引管（2つの異なる長さに曲がった管．大気圧と重力によって容器などから液体を排出するのに用いる）．

si·phon·age (sī′fŏn-ăj). 吸引洗浄〔法〕（サイホンを用いて胃またはその他の腔を空にすること）．

Si·pho·vir·i·dae (sif′ō-vir′i-dē). シフォビラーダ科（細菌ウイルスの一科で，長く非収縮性の尾と等軸あるいは細長い頭を有し，二重鎖DNA (MW 25 − 79 × 10^6) を含む．λテンペレートファージのグループそして恐らく他のグループも含まれるであろう）．

Sip·ple syn·drome シップル症候群（褐色細胞腫，甲状腺髄様癌，副甲状腺腫を伴う症候群．常染色体優性遺伝．第10染色体長腕にあるRET遺伝子の変異による）．

si·re·no·me·li·a (sī′rĕ-nō-mē′lē-ă). 人魚体奇形（奇形学において，足の一部または全体の融合を伴う両脚の結合のこと）．

-sis 作用，過程，状況，または状態を意味する連結形．
SISI small increment sensitivity index の略．
SISI test SISI 検査（閾値より 20 dB 上の音を聞かせた後に，その音より 1 dB 大きな音を 200 msec ずつ繰り返し聞かせる．1 dB の音の大きさの違いを知覚した場合は蝸牛管障害がある）．
sis·mo·ther·a·py（sis-mō-thār′ă-pē）．振動療法．= vibratory massage.
sis·ter（sis′tĕr）．［Br.］．英国およびその連邦国では，ⅰ公立病院，病棟，手術室の主任の肩書，ⅱ民間営業の登録看護師．
Sis·ter Jo·seph nod·ule シスター・ジョセフ結節（臍に転移した腹腔内悪性腫瘍）．
site（sīt）．部位．= situs.
site-spe·cif·ic re·com·bi·na·tion 部位特異的組換え（外来性 DNA が宿主ゲノムの特定部位に組込まれること）．
sito- 食物または穀物に関する連結形．
si·tot·ro·pism, si·to·tax·is（sī-tot′rŏ-pizm, sī′tō-tak′sis）．食物趨向性（生物細胞が食物の方に向かったりあるいは離れたりすること）．
in si·tu 原位置で（本来の中心や位置から出ない位置にあること）．
sit·u·a·tion·al ho·mo·sex·u·al·i·ty = circumstantial homosexuality.
sit·u·a·tion·al psy·cho·sis 状況精神病（素因のある個人において，耐えがたいと思われる状況によって起こる一過性の情動障害）．
in si·tu hy·bri·di·za·tion 原位置ハイブリッド形成（オートラジオグラフィにより細胞 DNA を検出するため核酸プローブをアニールする技術．原位置ハイブリッド形成は DNA フィンガープリンティングにおいて重要な第 1 歩である）．
si·tus（sī′tus）．位置．= site.
si·tus in·ver·sus 逆位（部位あるいは場所の逆転．特に胸部内臓の左右逆転を表す）．
sitz bath 座浴（足を浴槽外に出してはいる会陰部と殿部の入浴）．= hip bath.
sixth cra·ni·al nerve［CN VI］ 第六脳神経．= abducent nerve［CN VI］．
sixth dis·ease 第六病．= exanthema subitum.
sixth-year mo·lar 6 歳臼歯（第一永久大臼歯）．
si·zer（sī′zĕr）．サイザー，腸管内径測定器（様々な直径の，先端が丸い円柱で，腸管の内径を測定するのに使う）．
Sjö·gren syn·drome シェーグレン症候群（乾性角結膜炎，粘膜の乾燥，顔面の末梢血管拡張または紫斑，および両側性耳下腺腫大で，更年期の女性にみられ，しばしば関節リウマチ，Raynaud 現象，う歯を伴う．Mikulicz 病に類似した涙腺および唾液腺の変化がある）．
SK streptokinase の略．
skat·ole（skat′ōl）．スカトール（L-トリプトファンのバクテリア分解により腸内でつくられる．糞便中にあり，特有なにおいを発する原因となる）．
skat·ox·yl（skă-tok′sil）．スカトキシル（スカトールの酸化により腸内でつくられる．体内で硫酸またはグルクロン酸と抱合し，抱合した形で尿中に排泄されるものもある）．
skel·e·tal（skel′ĕ-tăl）．骨格の．
skel·e·tal dys·pla·si·as 骨格異形成〔症〕（多数の骨格異常を有し，ほとんどが小人症を呈する種々の症候群（120 型以上ある）の総称．→ chondrodystrophy）．
skel·e·tal ex·ten·sion 骨格牽引．= skeletal traction.
skel·e·tal mus·cle 骨格筋（肉眼的には一端または両端が体の骨格に結合している横紋筋線維の集束で，体肢筋と体幹筋に分けることもできる．組織学的には，細長く多核で横紋のある骨格筋線維からなり，結合組織，血管，神経とともに存在する．個々の筋線維は細網線維や膠原線維からなる筋内膜で包まれ，さらに筋線維の束は筋周膜といわれる不均一の結合組織で包まれている．筋腱接合部を除いて，筋全体は密な結合組織である筋上膜で包まれている）．
skel·e·tal trac·tion 骨格牽引（長骨の骨折を整復するために，骨に差し込んだ金属釘や鋼線で骨を牽引すること）．= skeletal extension.
skeleto- 骨格を意味する連結形．
skel·e·ton（skel′ĕ-tŏn）．骨格（①脊髄動物の体の骨組み（内骨格）または昆虫の硬い外部被膜（外骨格）．②軟部を破壊し除去した後に残る部分．骨の他に靱帯と軟骨を含む．③体の骨全部を集めたもの．④特定構造物の枠組みを支える働きをする骨ではない剛性または半剛性の構造）．
Skene tu·bule スキーン細管（前立腺の雌性相同構造である胚尿道腺）．
skia- 影を意味する連結形．Radio- が取って代わった．
ski·as·co·py（skī-as′kŏ-pē）．= retinoscopy.
skill（skil）．スキル（①効率的に協調的な方法により，要求や欲望に応じた動作や成果を繰り返し作り出す能力．②練習の結果として開発され

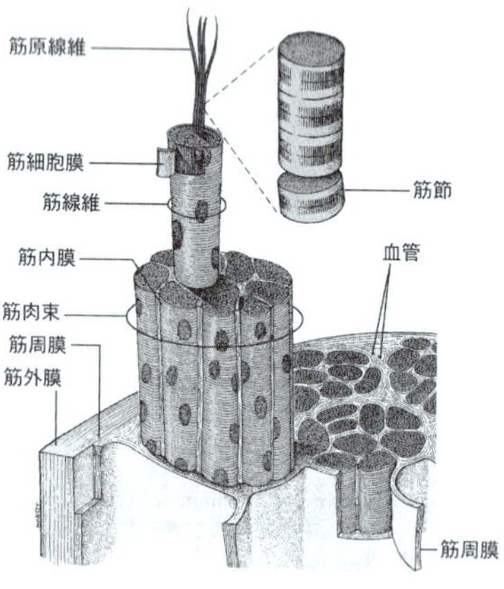
筋原線維
筋細胞膜
筋線維
筋内膜
筋肉束
筋周膜
筋外膜
筋節
血管
筋周膜

skeletal muscle

た運動パターンで，最大限の効率と有効性で実行される．例えばギター演奏やバスケットボールのフリースロー）．

skilled nurs·ing fa·cil·i·ty (SNF) 高度看護施設(SNF)（24 時間の非急性の看護，医療，リハビリテーションケアを提供する看護施設）．

skills val·i·da·tion 技能確認法（健康管理機関が定期的に行う能力確認のためのあらかじめ決められた方法．看護のすべての分野で，全職員について，患者に最適なケアを行うのに必要である実技について行う．筆記と実技試験が行われ，包括的な知識と専門別の技能が評価される）. = competence testing.

skim milk, skimmed milk 脱脂乳，スキムミルク（カゼインを分離したミルクの水性(非クリーム性)部分）．

skin (skin)．皮膚（身体を保護しておおうもので，表皮と真皮とからなる）. = cutis.

skin dose 皮膚線量（皮膚表面が受ける放射線の吸収線量）．

skin·fold mea·sure·ment 皮脂厚測定（カリパスを用いて皮膚のひだの厚さを計ること．身体の脂肪含量を測定するために行う．皮膚のひだの厚さと身体の脂肪含量(体重に対する割合)の関係を示す，年齢別および性別の標準表がある）．

skin ridg·es 皮膚小稜. = epidermal ridges.

skin tag 懸垂線維腫（①表皮と真皮線維血管性組織のポリープ様の増殖．②種々の小さな良性の皮膚病変に対する一般的な用語）. = acrochordon; soft wart.

skin test 皮膚試験（皮膚への抗原(アレルゲン)の塗布または接種により感作(アレルギー)を判定する方法．特異抗体に対する感作(アレルギー)は，一般的に 2 種のうちのどちらかの炎症反応で示される．ⓘ即時型は数分で現れ，末梢血液中の免疫グロブリン(抗体)に依存する．ⓘⓘ遅延型は 12—48 時間で生じ，これら可溶性物質にはよらず，細胞性の応答および浸潤による）. = intradermal test.

skin trac·tion 皮膚牽引（四肢に絆創膏やその他の種類の帯状テープを当てて行う四肢の牽引）．

sko·da·ic res·o·nance スコダ共鳴音（肋膜炎の滲出液の層のちょうど上を打診することにより誘引される，洞上で得られる音よりも音楽的でない特異的な高調音）. = Skoda sign; Skoda tympany.

Sko·da sign スコダ徴候. = skodaic resonance.

Sko·da tym·pa·ny スコダ鼓音. = skodaic resonance.

skull (skŭl)．頭蓋（頭部を形成する骨の集合体．狭義には神経頭蓋，すなわち脳を収容する骨の箱をさし，顔面骨(内臓頭蓋)を含まない）．

skull base sur·ger·y 頭蓋底外科（外科の一専門分野で，頭蓋底またはその内容物の病変またはそれらを含む病変の手術，その手技，進入法全体を示す総称語）．

skull·cap (skŭl′kap)．頭蓋帽. = calvaria.

SL sublingual の略．

slant cul·ture 斜面培養（垂直より斜めに傾けた試験管内で固体化した培地表面での培養．試験管の口径以上の比較的大きい面が得られる）．

SLAP les·ion SLAP 損傷，肩上方関節唇損傷

S

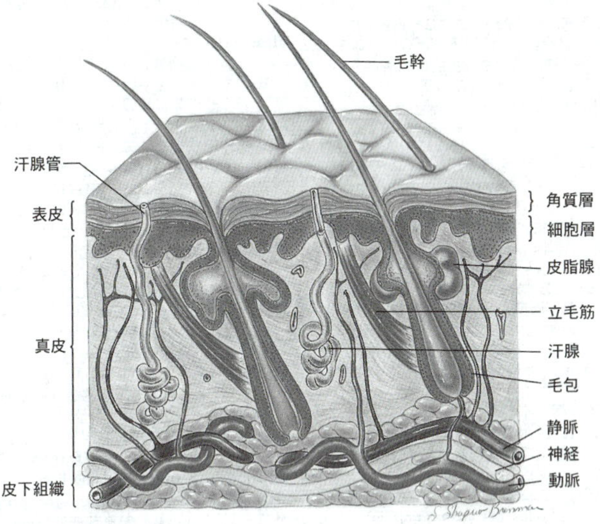
毛幹
汗腺管
表皮
角質層
細胞層
皮脂腺
立毛筋
真皮
汗腺
毛包
静脈
神経
皮下組織
動脈

anatomic structures of skin

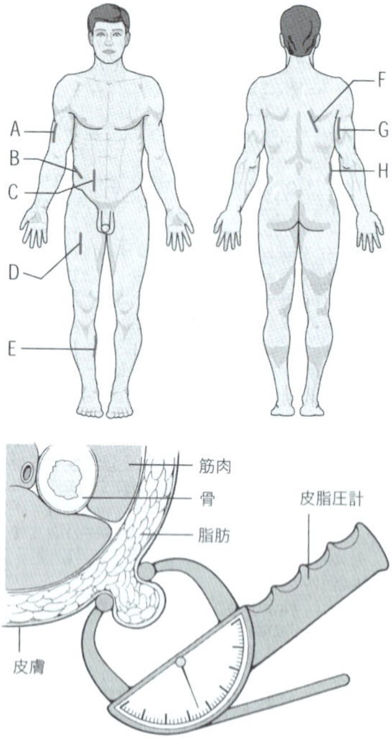
A
B
C
D
E
F
G
H
筋肉
骨
脂肪
皮脂圧計
皮膚

skinfold measurement sites

A：上腕二頭筋，B：腸骨上部，C：腹部，D：大腿部，E：腓腹，F：肩甲下部，G：上腕三頭筋，H：腸骨稜．計測中は皮膚の二層とその下部にある組織が圧迫される．

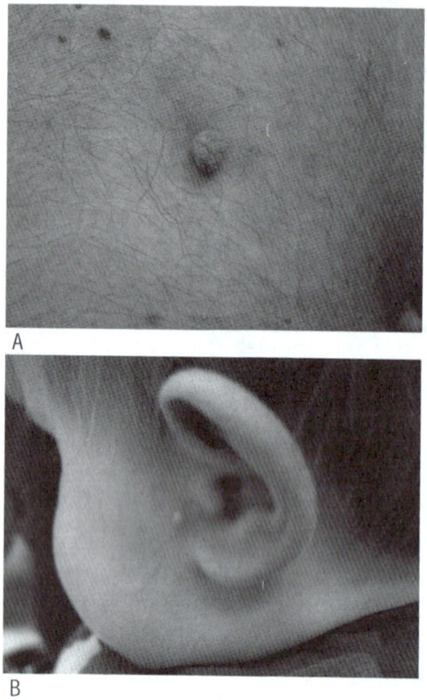
A
B

skin tag

(肩関節唇の上部の外傷性断裂．後部から始まり前部に及ぶ．SLAP は superior labrum, anterior-posterior の頭文字)．

SLE systemic lupus erythematosus の略．

sleep (slēp)．睡眠，眠り（比較的無意識および随意筋が活動しない生理的状態で，周期的に必要になるもの．睡眠段階は深さ(軽・深)，脳波特徴(デルタ波，周期)，生理的特徴(レム，非レム)，解剖学的推定レベル(橋，中脳，菱脳，ロランドなど)により種々に定義される)．

sleep ap·ne·a 睡眠時無呼吸（睡眠中の中枢性および(または)末梢性無呼吸で，頻回の覚醒と，しばしば日中の睡気を伴う)．

sleep def·i·cit 睡眠欠落，睡眠不足（睡眠時間の欠乏または睡眠検査で睡眠段階の 1 つが比較的欠乏していること)．

sleep·ing sick·ness 睡眠病（→Gambian trypanosomiasis; Rhodesian trypanosomiasis)．

sleep pa·ral·y·sis 睡眠麻痺（眠りにつくとき(入眠時睡眠麻痺)または起床時(睡眠覚醒時睡眠麻痺)に起こる随意運動の短い発作性消失．ナルコレプシー四徴の 1 つ)．

slew rate スルーレート（人工ペースメーカの機能において増幅器からの出力電位の最大変化率を示す．ペースメーカによりコントロールされている心機能に影響を与える重要な変数)．

slide (slīd)．スライドガラス（顕微鏡で検査する物体を載せる長方形のガラス板)．

slide tra·che·o·plas·ty スライド式気管形成〔術〕（長い気管狭窄の修復に対して行われる手術．気管壁の前後面を弁状に形成し，これをスライドさせて縫合し気管内腔を再建する)．

slid·ing flap スライド皮弁（弾性のある部より採り，皮膚欠損部に接して遊離端をおおうように皮弁を縦軸方向へのばし，これを被覆する)．

slid·ing her·ni·a 滑脱ヘルニア（腹部臓器がヘルニア嚢の一部をなすもの)．= extrasaccular hernia; slipped hernia.

sli·ding lock 移動性接合部（産科鉗子(Kjelland 鉗子)の鉗子匙を上下に移動させる凹み．鉗子接合部に存在する)．

sling (sling)．三角布（支持包帯またはつり器具．特に首からつり下げ，曲げた前腕を支える輪)．

slipped her·ni·a = sliding hernia.

slip·ping rib car·ti·lage, slip·ping rib 肋軟骨亜脱臼（肋軟骨の連結部における肋骨の不全脱臼で，痛みを生じたり，捻音が聞こえる)．

slit·lamp, slit lamp (slit-lamp, slit lamp)．細隙

灯（平行光線の細いビームと顕微鏡の組み合わせ．眼の検査に使用される）. = biomicroscope; Gullstrand slitlamp.

Slo·cum draw·er test スローカム引き出しテスト（ひざの前内側の回転不安定性（AMRI）と前外側の回転不安定性（ALRI）を評価するため用いられる手技．テストは前方引き出しテストと同じ体位で行われるが，脛骨に前方ストレスを加えながら AMRI では脛骨を外側に 15°，ALRI では内側に 15° 回転させる）.

slough（slŭf）. ***1***〖n.〗脱落組織，かさぶた（生体構造から分離された壊死組織）. ***2***〖v.〗脱落する（生体組織から壊死部分が分離する）.

slow chan·nel-block·ing a·gent スローチャネル遮断薬. = calcium channel blocker.

slow code スロー・コード（蘇生の成功の可能性を減らすため心肺救急に対して意図的に遅い対応をすること）. = man-made death（2）.

slow com·po·nent of ny·stag·mus 眼球振とうの緩速成分（内耳眼球反射での眼球の基本的運動）.

slow-ox·i·da·tive（SO）fi·bers = slow-twitch fibers.

slow-re·act·ing sub·stance（SRS），slow-re·act·ing sub·stance of an·a·phy·lax·is〔アナフィラキシーの〕遅反応性物質（アナフィラキシー性ショックの際に放出される低分子量のロイコトリエンで，ヒスタミンと比較して，その反応性は遅発性で持続性の筋収縮を起こす．エピネフリン以外の抗ヒスタミン薬は本因子の反応に対して無効である．この因子は肥満細胞中にあらかじめ蓄えられているのではなく，（肥満細胞の）顆粒上における抗原抗体反応の結果産生されると考えられている）.

slow re·lease（SR） 持続放出（一斉ではなく，ゆっくりと薬物が循環に広がる薬理的性質を指す一般用語）.

slow-twitch fi·bers 遅筋線維（組織学的に特徴的な骨格筋線維で，主として有酸素エネルギー移送系統を通じてエネルギーを生成する．有酸素活動において選択的に補給される）. = slow-oxidative（SO）fibers; Type I fibers.

slow vi·rus スローウイルス（数か月から数年の長い潜伏期をもって徐々に侵し，しばしば重篤な，および死に至る疾病と病因学的に関連する，ウイルスあるいはウイルス様物質）.

slow-vi·rus dis·ease 遅発〔型〕ウイルス病（①ヒトのクールー，ヒツジのスクラピー，ミンクの伝染性脳症を含む海綿状の脳症の旧称で，現在ではプリオン病とみなされている．②数か月から数年に及ぶ遅発性で進行性の経過をとり，中枢神経系を障害することが多く，最終的には死に至る疾患．麻疹ウイルスによるとみられる亜急性硬化性全脳炎など）.

Slu·der neu·ral·gi·a スラダー神経痛. = sphenopalatine neuralgia.

S&M sadism and masochism の略.

Sm サマリウムの元素記号.

SMA spinal muscular atrophy の略.

small cal·o·rie（cal, c） 小カロリー（水 1 g の温度を 1℃（標準カロリーでは 14.5℃ から 15.5℃ に）上げるのに要するエネルギー量）. = gram calorie.

small car·di·ac vein 小心〔臓〕静脈（右心室の右縁から冠状溝を冠状動脈に伴行し，冠状静脈洞または中心臓静脈へ注ぐ不定の静脈）.

small cell 小細胞（先端の丸い，短かい紡錘形の細胞で，比較的大きな濃染する核をもつ．未分化型気管支癌のうちのいくつかのタイプでしばしばみられる）.

small cell car·ci·no·ma 小細胞癌（①小細胞よりなる未分化癌．②= oat cell carcinoma）.

small·er pec·tor·al mus·cle 小胸筋. = pectoralis minor muscle.

small·er pos·ter·i·or rec·tus mus·cle of head 小後頭直筋. = rectus capitis posterior minor muscle.

small·er pso·as musc·le 小腰筋. = psoas minor muscle.

small for ges·ta·tion·al age（SGA） 出生体重が在胎月齢の 10 パーセンタイルより軽い乳児.

small in·cre·ment sen·si·tiv·i·ty in·dex（SISI） 少加重感受性指数（→SISI test）.

small in·tes·tine 小腸（胃と盲腸または大腸の起始部との間の消化管．十二指腸，空腸，回腸からなる）.

small·pox（smawl′poks）. 痘瘡，天然痘，疱瘡（ポックスウイルス（ポックスウイルス科 *Orthopoxvirus* 属）によって起こる悪寒，高熱などをもって発症する急性発疹性伝染病．発疹が現れる．最初は丘疹性，それが臍窩を有する小水疱に変じ，さらに膿疱に変わる．膿疱は乾燥し痂皮を形成するが，それがはがれた後は皮膚に瘢痕が残る（痘痕）．WHO は 1967 年に世界的なワクチン接種計画を開始し，1975 年以降は実験室内での事故を除いてヒトへの感染例は報告されていない．公的には米国とロシアの 2 か所だけに保管されていることになっているが，他の国の生物兵器工場が所有していることを示す証拠も存在する

small·pox vi·rus = variola virus.

small sci·at·ic nerve = posterior cutaneous nerve of thigh.

smear（smēr）. スミア，塗抹〔標本〕（細胞性または細胞学的塗抹．検査用の薄い標本．通常は，検査前に物質を均一にガラス板に広げ，固定，染色してつくる）.

smear cul·ture 塗抹培養（感染していると思われるものを固体培地上に塗り広げることにより行う培養）.

smeg·ma（smeg′mă）. スメグマ，恥垢（外陰部の湿った部位，特に包皮の裏側に集められた悪臭を有する上皮細胞と皮脂）.

smeg·ma·lith（smeg′mă-lith）. 恥垢石（恥垢の石灰質性硬化）.

smell（smel）. ***1***〖v.〗においをかぐ（嗅覚器官でにおいを感じる）. ***2***〖n.〗嗅覚. = olfaction（1）. ***3***〖n.〗におい. = odor.

Smith frac·ture スミス骨折（逆 Colles 骨折で，橈骨遠位骨折が掌側に転位した骨折）.

Smith-In·di·an op·er·a·tion, Smith op·

S

er·a·tion スミス-インド式手術（白内障嚢内摘出手術）.
Smith-Pe·ter·sen nail スミス-ピーターセン釘（大腿骨頸部骨折の内固定に用いる三翼釘）.
SMO supramalleolar orthotic の略.
smog（smog）. スモッグ，煙霧（煙その他の大気汚染物と霧の混合物から生じる，かすんだ，しばしば強い刺激性を有する大気を特徴とする空気汚染）.
smol·der·ing leu·ke·mi·a くすぶり型白血病. = myelodysplastic syndrome.
smooth di·et 無刺激食（不消化物をほとんど含まない食事. 大腸疾患で主に用いられる）.
smooth mus·cle 平滑筋（内臓，血管，毛包などの筋肉. 平滑筋の伸縮単位である細胞は細長く，通常，中央部に核があり紡錘形をしている. 細胞の長さは20—200 μm で，妊娠中の子宮ではさらに長くなっていることがある. 横紋はないが筋原線維はみられる. 平滑筋線維は細網線維によってまとめられて板状または束になっている. また弾性線維に富むことも多い. →involuntary muscles）.
smudge cells よごれ細胞（染色した塗抹標本あるいは組織切片を作成中に，非常に壊れやすいため一部破損した未成熟白血球. 急性白血病に多くみられる）. = basket cell(2).
SN student nurse の略.
S:N signal : noise ratio の略.
Sn スズの元素記号.
sn- 立体特異性的番号を意味する接頭語. 脂質のグリセリン炭素原子に番号を付ける方法で，位置番号は化学的置換にかかわらず一定であり，系統的番号と逆になる.
SNA State Nurses Association の略.
snail track de·gen·er·a·tion スネイルトラック（蝸牛跡）変性（萎縮性網膜裂孔と関連する周辺部網膜の細かい白点状の弧状線. 註カタツムリがはいまわった跡のような）.
snake·root（snāk′rūt）. ヘビ根. = echinacea.
snake·weed（snāk′wēd）. = bistort.
snap（snap）. 弾撥雑音，弾撥音（カチッという，短く鋭い音. 特に心音についていう）.
snap·ping hip syn·drome 弾撥股症候群（股関節運動時にパチンと音がするような感覚がある症候群. 腸脛靱帯症候群の示標）.
snare（snār）. 係蹄，わな，スネア（ポリープやその他と突起物を，特に腔内の表面から除去するのに用いる器具. 鋼線係蹄で構成され，この係蹄を腫瘍底部の周囲に巻いて徐々に締める）.
Sned·don syn·drome スネドン症候群（広汎性皮膚網状斑を伴う，中等大の血管の非炎症性内膜過形成を特徴とする，原因不明の脳動脈障害）.
sneeze（snēz）. ***1***〘v.〙くしゃみをする（呼吸筋の不随意痙攣性収縮により鼻と口から空気を吐き出す）. ***2***〘n.〙くしゃみ（鼻の粘膜の刺激，またはときに明るい光が眼にはいることにより起こる反射）.
Snel·len E-chart スネレン E 視力表（2 歳を過ぎているが字が読めない子供に有用な直接視力検査用の器材. 裏向けに印刷され回転した状態の文字 E を見せ，指示した文字の方向を示させることによって視力を測定する）.
Snel·len test type スネレン視力表（黒い角形の記号で，遠方視力検査に用いる. 文字は様々な大きさに変化させ，特定の距離で，視角が 5 分になるようにする）.
Snell law スネルの法則. = law of refraction.
SNF skilled nursing facility の略.
sniff test においかぎ試験（横隔膜機能の透視によるテスト. 患者が強くにおいかぎをしたときに片側横隔膜が逆の運動をした場合は，横隔神経麻痺か片側横隔膜の不全麻痺を意味する）.
snore（snōr）. ***1***〘n.〙いびき（睡眠中または昏睡中に，口蓋帆，ときには声帯の振動により生じる粗い，ガラガラした吸気性雑音. →stertor; rhonchus）. ***2***〘v.〙いびきをかく.
snout re·flex 嘴反射（唇の正中線付近を軽く叩打することにより，唇がとがったりすぼんだりすること. 前頭葉機能障害の徴候と考えられている）.
snow blind·ness 雪盲，雪眼炎（紫外線角結膜炎に続発する強度の羞明）.
SNP（snip）. スニップ（single nucleotide polymorphism の頭字語）.
snuff（snŭf）. ***1***〘v.〙鼻呼吸する（鼻から無理に呼吸する）. ***2***〘n.〙嗅ぎたばこ（鼻から吸入したり，歯茎部に用いる細かい粉末状のたばこ）. ***3***〘n.〙嗅剤（吸入法により鼻粘膜に用いる薬の粉末）.
snuff·box（snŭf′boks）. 嗅ぎタバコ入れ（→anatomic snuffbox）.
snuf·fles（snŭf′ĕlz）. スナッフル，鼻性呼吸（特に新生児に多くみられ，ときに先天性梅毒に由来する閉塞性鼻呼吸）.
Sny·der test スナイダー試験（う食の活動性と感受性を測る比色検査. ブドウ糖培地上での，乳酸菌のような酸発生性の口腔内微生物による酸産生率に基づいている. 指示薬としてブロムクレゾールグリーンを用い，これは酸によって緑色から黄色に変わる）.
SOAP（sōp）. *s*ubjective, *o*bjective, *a*ssessment, and *p*lan の頭文字. 追跡記録，評価，計画をまとめるための問題志向型記録で用いられる.
soap（sōp）. 石けん（長鎖脂肪酸のナトリウムまたはカリウム塩(例えばステアリン酸ナトリウム).洗浄用の乳化剤，および丸剤や坐剤をつくるときの賦形剤として用いる）.
So·a·ve op·er·a·tion ソーヴ法（先天性巨大結腸症に対する手術法の 1 つ）.
SOB shortness of breath の略.
so·cial i·so·la·tion 社会的隔離（クライアントが一人でいる状態. 通常他の人に強要されたものと考えられ，否定的なものとしてみられる. 北米看護診断協会承認の看護診断）.
so·cial·i·za·tion（sō′shăl-ī-zā′shŭn）. 社会化（①その社会の価値規範に準拠した態度や対人関係や相互関係を学習していく過程. ②集団療法の場で，ある成員が集団内に影響を及ぼすような参加の仕方を学び取ること）.
so·cial·ized med·i·cine 社会診療（医療の政府機関による体系組織化および統制をいい，開業医はその体系組織に雇われ，サービスに対してはその組織から報酬を受け，一般国民も通常，直接の治療費としてでなく納税の形でその組織に参加する）．

so·cial pho·bi·a 社会恐怖（社交状況または活動状況に対する著しい恐怖の持続的なパターンで，その状況への暴露時またはそれを予期するときに不安またはパニックを生じ，それを当人は不合理または極端と自覚しながらも社会的機能が著しく妨げられる）．

so·cial psy·chi·a·try 社会精神医学（精神障害と治療の文化的・社会学的観点を強調する精神医学的理論と実際へのアプローチ．社会問題への精神医学の適用．→community psychiatry）．

so·cial ser·vi·ces ソーシャルサービス（社会的問題（例えば，家計，健康保険，住まいや雇用）を解決することにおいて，クライアントに対し援助や補助を提供する機関や部門）．

socio- social（社会の，社会的な）の連結形．

so·ci·o·ac·u·sis （sō′sē-ō-ă-kyū′sis）．社会性難聴（音響外傷）（非職業的騒音暴露により生じる聴力低下．ハンティングにおける小銃発射や射撃練習などによる）．

so·ci·o·cen·tric （sō′sē-ō-sen′trik）．向社会性の，外向性の（文化に対して反応するものについていう）．

so·ci·o·gen·e·sis （sō′sē-ō-jen′ĕ-sis）．社会行動因（過去の対人関係の経験から生じる社会的行動の原因）．

so·ci·o·path （sō′sē-ō-path）．社会病質者（反社会的性格異常の持ち主を意味する古語．→antisocial personality disorder; psychopath）．

sock·et （sok′ĕt）．槽，窩，ソケット（①球関節における凹側の関節面．②他の部分が適合する中空または中凹部．例えば眼窩）．

so·di·um（Na） （sō′dē-ŭm）．ナトリウム（金属元素，原子番号 11，原子量 22.989768．空気中または水中で酸化しやすい腐食性のアルカリ金属．ナトリウム塩は自然の生物系で見出され，広く医薬や工業に用いる．ナトリウムイオンは生体内で最も多量に存在する細胞外イオンである）．= natrium.

so·di·um ac·e·tate-a·ce·tic ac·id-form·a·lin fix·a·tive（SAF fix·a·tive） 酢酸ナトリウム酢酸ホルマリン固定液（塗抹の濃縮と染色を後で行うために，糞便標本を固定するため使用される混合物）．

so·di·um bo·rate ホウ酸ナトリウム（ローション，うがい薬，口内洗浄剤として用いる）．

so·di·um-free, salt-free ナトリウム抜きの，無塩の（FDA の規定により，1 食当たり 5 g を超えないナトリウムを含んでいる）．

so·di·um ni·trite 亜硝酸ナトリウム（全身の血圧を下げ，局所血管運動痙攣の治療，特に狭心症と Raynaud 病の場合は，気管と腸の痙攣を緩和し，またシアン中毒では解毒薬として用いる）．

so·di·um phos·phate ^{32}P ^{32}P-リン酸ナトリウム（リン酸酸性ナトリウムとリン酸塩基性ナトリウム溶液の形をもつ陰イオン放射性リン化合物．半減期 14.28 日のベータ線放出体．投与後，最高濃度は急速に増殖中の組織内に現れる．真性赤血球増加症と慢性骨肉腫白血病，骨転移の治療に用いる．→chromic phosphate ^{32}P colloidal suspension）．

so·di·um pol·y·an·e·thole sul·fon·ate（SPS） ポリアネトール硫酸ナトリウム（血液検体に加えられる抗凝固薬）．

so·di·um-po·tas·si·um pump ナトリウム-カリウムポンプ（膜結合性輸送体で，細胞外液に対して高カリウム・低ナトリウム細胞内濃度を維持する．この交換は ATP による細胞性エネルギーの消費により達成される）．

so·di·um pump ナトリウムポンプ（ATP からの代謝エネルギーを用いて，膜を通るナトリウムの能動輸送を行う生物学的機構．ナトリウムポンプは，ときに他の物質の輸送と連結して身体のほとんどの細胞からナトリウムを追い出し，そして尿細管壁のような多細胞の膜を通してナトリウムが移動するのを助ける）．

so·di·um thi·o·sul·fate チオ硫酸ナトリウム（亜硝酸ナトリウムとともに，シアン中毒の解毒薬．プール，浴室の白癬感染症に対する予防薬，および体内の細胞外液量の測定に用いる）．

sod·om·ist, sod·om·ite （sod′ŏ-mist, -mīt）．獣姦者．

sod·o·my （sod′ŏm-ē）．獣姦，ソドミー（社会的に異常とみなされる多くの性行為，特に人と動物の性交（獣姦），口淫，肛門性交についていう．→sodomist）．

soft chan·cre 軟性下疳．= chancroid.

soft corn 軟鶏眼（2 趾の間に生じる圧迫により形成される鶏眼で，表面は浸軟し黄色を呈する）．= heloma molle.

soft di·et 軟らかな食事（普通食で，そしゃくが困難な人のための軟らかな食事．調味料や調理方式に制限はない）．

soft drus·en 軟性ドルーゼン（組織学的には Bruch 膜から網膜色素上皮の局所的漿液性剥離を特徴とし，板金状に黄色病巣として検眼鏡的にみられる浸出性ドルーゼンのタイプ）．

soft pal·ate 軟口蓋（口と口腔咽頭，口腔咽頭

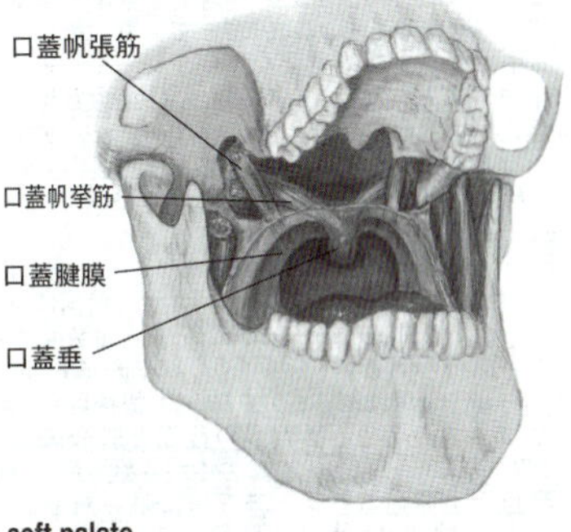
口蓋帆張筋
口蓋帆挙筋
口蓋腱膜
口蓋垂

soft palate

S

と鼻咽頭の間に不完全な中隔を形成する口蓋の後方筋肉部分). = velum palatinum.
soft tis·sue ther·a·py 軟部組織治療（体の軟部組織(例えば筋肉，筋膜)に作用する用手療法).
soft tu·ber·cle 軟〔性〕結節（乾酪壊死を示す結節).
soft ul·cer 軟性下疳. = chancroid.
soft wart 肉様いぼ，軟ゆう. = skin tag.
soil（soyl). 汚物.
sol（sol). ***1*** ゾル（液体中の固体のコロイド状分散. *cf.* gel). ***2*** solution の略.
so·la·nine（sō′lă-nēn). ソラニン（ジャガイモの皮を含む，ナス科植物の一部にみられる毒性アルカロイド. 植物の病気(例えばジャガイモの疫病)が有害なレベルまで濃度を高めることがある).
so·lar chei·li·tis 日光口唇炎（色白の中高年の下口唇の粘膜皮膚境界縁にみられる粘膜の乾燥，萎縮，痂皮，亀裂で，長期間の日光照射による. 組織学的には日光角化症と同様の異型性(前癌性)変化が認められる).
so·lar co·me·do = Favre-Racouchot disease.
so·lar e·las·to·sis 日光弾力線維症（弾力線維症は，組織学的に老年者の日光照射部の皮膚や慢性化学放射線障害を受けた皮膚でみられる).
so·lar plex·us = celiac (nerve) plexus.
so·lar ther·a·py 光線療法. = heliotherapy.
so·lar ur·ti·car·i·a 日光じんま疹（日光にさらされて起こるじんま疹の一型. 受動伝達抗体を有する者とそうでない者とがいる).
sol·a·tion（sol-ā′shŭn). ゾル化（コロイド化学において，ゼラチン溶解によりゲルをゾルに変えること).
sol·der·ing（sod′ĕr-ing). ろう（鑞）着，ろう(鑞)付け（1つの物体を他の物体に接合させる技術で，レーザーなどが利用される).
sole（sōl). 足底，足の裏. = planta.
So·le·nop·sis（sōl-ĕ-nop′sis). ソレノプシス属（fire ants(火蟻)として知られているアリの一属で，局所的ときには全身的な反応を引き起こす疼痛の強い焼けるような刺咬を負わせる).
So·le·nop·sis in·vic·ta red imported fire ant とよばれる種で，南アメリカから米国南東部に移入されて広い地域に広がっており，そこではヒトおよび動物の主要な害虫となっている. たやすくヒトを刺し，刺咬部位には丘疹と痒みを与え，膿胞が生じる. まれではあるが，アナフィラキシーショックを起こし，呼吸器あるいは心臓の停止により死に至ることもある. →*Solenopsis richteri*. = red fire ant.
So·le·nop·sis rich·ter·i black imported fire ant とよばれる種で，南アメリカから米国に移入されたが，*Solenopsis invicta* ほどは分布が広がっていない. →*Solenopsis invicta*. = black fire ant.
so·le·us mus·cle ヒラメ筋（下腿後区浅層の筋の1つ. 起始：腓骨頭の後面と腓骨の上方1/3，脛骨の斜線と内側縁の中央1/3，および膝窩血管上を通る脛骨と腓骨間に張った腱様弓. 停止：踵骨腱(アキレス腱)により，腓腹筋とともに踵骨隆起に付着. 作用：足の底屈. 神経支配：脛骨神経). = musculus soleus.

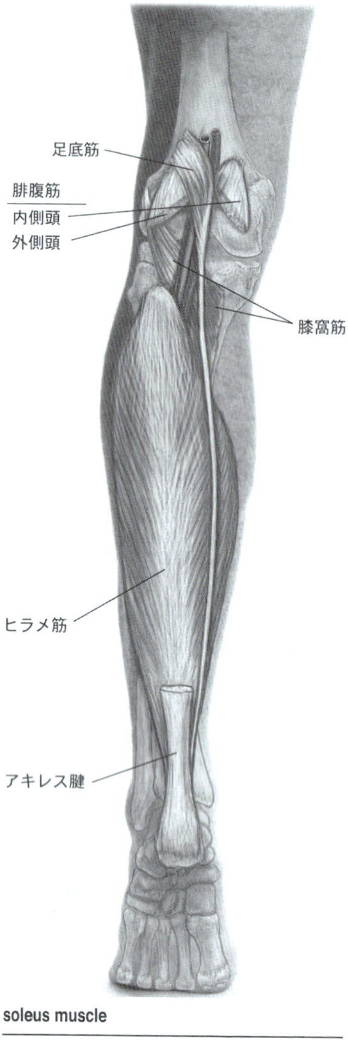
足底筋
腓腹筋
内側頭
外側頭
膝窩筋
ヒラメ筋
アキレス腱

soleus muscle

sol·id（sol′id). ***1***〚adj.〛固形の，固化した，充実した(堅い，密な，液体でない，すき間のない，網状組織でないものについていう). ***2***〚n.〛固体（境界を付けなくても形を保つもの. 流動性がなく気体でも液体でもないもの).
sol·i·tar·y bone cyst 孤立性骨嚢胞(嚢腫)（漿液を含み，結合組織の薄層で包まれた単房性嚢胞．通常，5—25 歳の若年者の長骨の幹中に生じる）. = osteocystoma; unicameral bone cyst.

sol·i·tar·y lym·pha·tic fol·li·cles 孤立リンパ小節（小腸および大腸の粘膜におけるリンパ組織の微小な集まりで，特に盲腸および虫垂に多い）.

sol·i·tar·y tract 孤束（被蓋背側部を縦走する細いが明瞭な線維束．孤束核で囲まれ，閂の下方で左右のものが中心管の背側で交叉し，ある距離上を下り頸髄上部へとはいる．迷走・舌咽・顔面神経の一次知覚線維の一部からなり，孤束の一部の線維は，循環・呼吸・消化器系路壁の伸張受容器と化学容器からくる情報を，残りの部分は舌粘膜の味蕾の受容細胞が発した刺激を伝える線維からなり，孤束核に終わる）.

sol·u·bil·i·ty (sol-yū-bil′i-tē). 溶解度（溶解している性状を示す濃度）.

sol·u·bil·i·ty test 溶解度試験（鎌状赤血球ヘモグロビン（Hb S）のスクリーニング検査．Hb S はジチオナイトにより還元され，濃縮無機緩衝液中では不溶性になる．ジチオナイトを含む緩衝液中に Hb S 血液を加えると溶液は混濁する）.

sol·u·ble (sol′yū-bĕl). 可溶な.

sol·u·ble RNA (sRNA) 溶性 RNA. = transfer RNA.

sol·ute (sol′ūt). 溶質（溶液に溶解した物質）.

so·lu·tion (sō-lū′shŭn). ***1*** 溶体（固体・液体・気体が液体状または非結晶性固体内に，均一な単相を生じたもの. →dispersion; suspension）. ***2*** 溶液（一般的には不揮発性物質の水溶液）. ***3*** 水剤，液剤（薬局方用語．薬局方では不揮発性物質の水溶液は水剤，液剤，または溶剤，揮発性物質の水溶液は常水，不揮発性物質のアルコール溶液はチンキ剤，揮発性物質のアルコール溶液は酒精剤とよばれる）. ***4*** 消散，渙散（分利による疾病の終結）. ***5*** 解離（硬組織の分裂. →solution of contiguity; solution of continuity）.

so·lu·tion of con·ti·gu·i·ty 隣接切離（隣接構造が崩れること．正常に接触している 2 つの部分がずれるか移動すること）.

so·lu·tion of con·ti·nu·i·ty 連続離断（正常に連続している骨または軟部組織の離断，骨折，裂創，または切開による分割）. = dieresis.

sol·vent (sol′vĕnt). 溶媒，溶剤（溶液内に他の物質を含む液体．すなわちその物質を溶解しているもの）.

so·ma (sō′mă). ***1*** 体幹，軀幹（体の軸部，すなわち頭，頸部，体幹，尾部で，四肢は除く）. ***2*** 体，体質（生殖細胞を除く生物全体をさす. →body）. ***3*** 細胞体（神経細胞の細胞体部分をさし，ここから軸索や樹状突起が出る）.

somaesthesia [Br.]. = somesthesia.

so·man (GD) ソマン（第 2 次大戦中にドイツで開発された神経ガス．NATO コードは GD）.

so·mas·the·ni·a (sō′măs-thē′nē-ă). = somatasthenia.

somataesthesia [Br.]. = somatesthesia.

somataesthetic [Br.]. = somatesthetic.

so·ma·tag·no·si·a (sō′mă-tag-nō′zē-ă). 身体失認. = somatotopagnosis.

so·ma·tal·gi·a (sō′mă-tal′jē-ă). 体性痛（①身体の痛み．②器質性の原因による痛み．精神性苦痛，心因性疼痛と対比される）.

so·ma·tas·the·ni·a (sō′mat-as-thē′nē-ă). 身体衰弱（慢性の身体的衰弱および疲労した状態）. = somasthenia.

so·ma·tes·the·si·a (sō′mat-es-thē′zē-ă). 体性感覚（身体の感覚・意識）. = somataesthesia; somesthesia.

so·mat·es·the·tic (sō′mat-es-thet′ik). 体性感覚の. = somataesthetic.

so·mat·ic (sō-mat′ik). ***1*** 身体の，体幹の，軀幹の（体腔壁または身体一般に関する）. = parietal (2). ***2*** 体性の（骨格もしくは骨格筋（随意筋）とその神経支配についていう．内臓もしくは内臓筋（不随意筋）とその自律性神経支配とから区別していう）. = parietal (3). ***3*** 体性の（生殖機能と区別して，栄養機能についていう）.

so·ma·tic ant·i·gen 菌体抗原（べん毛にある抗原（べん毛抗原）や莢膜にある抗原（莢膜抗原）とは対照的に，細菌の細胞壁にある抗原）.

so·mat·ic cell gene ther·a·py 体細胞遺伝子治療（体細胞組織内の欠陥遺伝子の修復あるいは置換）.

so·ma·tic cells 体細胞（生殖細胞以外の生体細胞）.

so·ma·tic cross·ing-o·ver 体細胞交差（体細胞の有糸分裂の際に起こる交差で，減数分裂中の物と対比される）.

so·ma·tic death, sys·tem·ic death 身体死（全身の死．局所死と区別される）.

so·ma·tic de·lu·sion 身体妄想（実際に存在しない病巣や臓器その他の身体部分が変化したと考えてこだわる妄想．ときに心気症と区別できないことがある）.

so·ma·tic mo·tor nu·cle·i 体性運動核（以下のような筋群を支配する運動神経の核の包括名称．舌筋群（舌下神経），外眼筋（外転神経，滑車神経，動眼神経））.

so·ma·tic mu·ta·tion 体細胞〔突然〕変異（一般的な体細胞（生殖細胞に対立するものとして）に生じる突然変異で，このため子孫に変異が伝わらない）.

so·ma·tic mu·ta·tion the·o·ry of can·cer 癌の体細胞突然変異説（癌は（芽細胞に対する）体細胞中の 1 つ以上の突然変異，特に突然変異細胞の増殖増加を伴った非致死的突然変異が原因であるという説）.

so·ma·tic nerve 体性神経（内臓の感覚，不随意運動，分泌に関わる神経から区別して，体壁の感覚，随意運動に関わる神経）.

so·ma·tic pain 体性痛（皮膚，靱帯，筋肉，骨，関節から生じる痛み）.

so·ma·tic re·pro·duc·tion 体細胞生殖（体細胞の分裂または発芽による無性生殖）.

so·ma·tic sen·so·ry cor·tex, so·ma·to·sen·so·ry cor·tex 体性感覚皮質（視床の腹側基底核からの体性感覚放線を受けている大脳皮質の部分．体表面（触角），および筋肉，腱，関節嚢のような深部組織（位置感覚）から発する感覚情報の一次皮質処理を行っている）.

so·ma·tic swal·low 体性えん下（潜在意識下

S

で，人の制御下にあると思われる筋収縮を伴ったえん下のパターン．visceral swallow とは区別される）．

so·ma·ti·za·tion (sō′mat-ī-zā′shŭn)．身体化，具体化（心理的な欲求が身体徴候に現れる過程．→somatization disorder）．

so·ma·ti·za·tion dis·or·der 身体化障害（様々な器官に関係する複雑な身体疾患の病歴や身体症状を認めるにもかかわらず，器質的な背景は見出せないことを主な特徴とする精神障害．→conversion; hysteria; conversion disorder）．

somato-, somat-, somatico- 体，体の，を意味する連結形．

so·ma·to·chrome (sō-mat′ō-krōm)．体染性の，ソマトクロム（豊富な細胞質が核を完全に包んでいるニューロンや神経細胞の群についていう）．

so·ma·to·crin·in (sō′mă-tō-krin′in)．ソマトクリニン（視床下部成長ホルモン放出ホルモン，GHRH）．

so·ma·to·gen·ic (sō′mă-tō-jen′ik)．***1*** 体発達の，体形成の（外力の影響により体幹または体から発生するものについていう）．***2*** 体細胞原性の．

so·ma·to·lib·er·in (sō′mă-tō-lib′ĕr-in)．ソマトリベリン（脳下垂体から出るデカペプチド．ヒトの成長ホルモン(ソマトトロピン)の放出を誘発する．*cf.* bioregulator）．= growth hormone-releasing factor; growth hormone-releasing hormone; somatotropin-releasing factor; somatotropin-releasing hormone.

so·ma·to·mam·mo·tro·pin (sō′mă-tō-mam′ō-trō′pin)．体乳腺発育ホルモン（生物学的特性が成長ホルモンにきわめて類似したペプチドホルモンで，正常胎盤およびある種の新生物により産生される）．

so·ma·to·me·din (sō′mă-tō-mē′din)．ソマトメジン（肝臓で合成され，腎臓内でも合成されるペプチド．DNA, RNA，および蛋白(コンドロムコ蛋白を含む)の合成やムコ多糖類の硫酸化など，骨と軟骨内の同化作用を刺激する能力がある．ソマトメジンの分泌および(または)生物学的活性ソマトトロピンに依存することが知られている）．

so·ma·to·path·ic (sō′mă-tō-path′ik)．身体病の（精神障害と異なり，身体または器質疾患についていう）．

so·ma·to·pause (sō′mă-tō-pawz)．成長ホルモン分泌停止（成長ホルモン-インスリン様成長因子の分泌が加齢とともに減少していく現象）．

so·ma·to·plasm (sō-mat′ō-plazm)．体細胞原形質，体質（生殖細胞以外の，身体の構成にあずかる特殊化したすべての形の原形質の総称）．

so·ma·to·pleure (sō-mat′ō-plūr)．体壁葉（外側中胚葉の壁側層と外胚葉の結合によりつくられた胚層）．

so·ma·to·psy·chic (sō′mă-tō-sī′kik)．***1***〚adj.〛身体精神の（身体と精神との関係に関する）．***2***〚n.〛身体精神学（身体が精神に及ぼす影響を研究する学問．psychosomatic の対語）．

so·ma·to·psy·cho·sis (sō′mă-tō-sī-kō′sis)．身体的精神病（器質疾患に随伴して生じる情動障害）．

so·ma·to·sen·so·ry (sō′mă-tō-sen′sŏr-ē)．体性感覚（視覚などの特定の感覚とは異なり，身体の表面および深部に関連した感覚）．

so·ma·to·sen·so·ry au·ra 体性感覚前兆（局在がはっきりしている感覚異常や腹部身体認知を特徴とするてんかんの前兆．→aura(1)）．

so·ma·to·sex·u·al (sō′mă-tō-sek′shū-ăl)．身体-性的の（性欲に関する身体的側面をいうもので，精神-性的側面とは区別して用いる）．

so·mat·o·sound (sō-mat′ō-sownd)．体性音（他の人はどんな音も聞こえないのに，患者が感じている，さまざまな音量や高さで感知される音．一部の臨床医は耳鳴の二次的症状を主張している）．

so·ma·to·stat·in (sō′mă-tō-stat′in)．ソマトスタチン（下垂体前葉成長ホルモン(ソマトトロピン)の放出を抑制する作用をもつテトラデカペプチド．インスリンやガストリンの分泌をも抑制する．*cf.* bioregulator）．= growth hormone-inhibiting hormone; somatotropin release-inhibiting hormone.

so·ma·to·stat·i·no·ma (sō′mă-tō-stat′i-nō′mă)．ソマトスタチノーマ（膵島のソマトスタチン産生腫瘍）．

so·ma·to·ther·a·py (sō′mă-tō-thār′ă-pē)．身体治療〔法〕（①身体的障害の治療．②精神医学において，化学または物理学的(心理学的に対する)方法を取り入れた種々の治療法）．

so·ma·to·top·ag·no·sis (sō′mă-tō-top′ag-nō′sis)．身体部位失認（自分の身体の各部位が，自分の身体であるか他人の身体であるかを認知できないこと．*cf.* autotopagnosia）．= somatagnosia.

so·ma·to·top·ic (sō′mă-tō-top′ik)．体性局在の．

so·ma·tot·o·py (sō′mă-tot′ŏ-pē)．体性局在（体部の受容器と個々の神経線維を経て大脳皮質の特異的領野に分布するその神経終末との局所的位置関係．神経線維が中枢神経系をのぼるすべての段階において，この位置関係の連続は，脳と脊髄が空間的に決められた単位をもとに機能することを可能にする）．

so·ma·to·tropes (sō-mat′ō-trōps)．ソマトトロピン産生細胞（下垂体好酸性細胞の一種．成長ホルモンを合成する）．

so·ma·to·troph (sō-mat′ō-trōf)．ソマトトロピンを生成する腺下垂体の細胞．

so·ma·to·tro·pic, so·ma·to·tro·phic (sō′mă-tō-trō′pik, -trō′fik)．成長ホルモンの，ソマトトロピンの（身体の成長に刺激を及ぼすものについていう）．

so·ma·to·tro·pin, so·ma·to·tro·pic hor·mone (sō-mat′ō-trō′pin, -trō′pik hōr′mōn)．成長ホルモン，ソマトトロピン（好酸性細胞によりつくられる下垂体前葉の蛋白ホルモン．身体の成長，脂肪動員，グルコース利用の抑制を促進する．過剰になると糖尿病を発生する．ソマトトロピンの欠損症は種々のタイプの小人症を生じる．*cf.* bioregulator）．= growth hormone; pituitary growth hormone.

so·ma·to·tro·pin re·lease-in·hi·bit·ing hor·mone (SIH) ソマトトロピン分泌抑制ホルモン. = somatostatin.

so·ma·to·tro·pin-re·leas·ing fac·tor ソマトトロピン放出因子. = somatoliberin.

so·ma·to·tro·pin-re·leas·ing hor·mone (SRH) ソマトトロピン分泌刺激ホルモン. = somatoliberin.

so·ma·to·type (sō-mat′ō-tīp). 体型 (①個人の体格または体型. ②特定の人格型と関連した体格または体型).

so·mat·o·visc·er·al (sō′mă-tō-vis′ĕr-ăl). 体性内臓の (体内組織や内臓の機能に及ぼす, 体の構造あるいは神経筋骨格系の影響に関する).

so·ma·tro·pin (sō-mat′rō-pin). ソマトロピン (ヒト成長ホルモン製剤. 小児・成人における成長ホルモン分泌不全による成長不全(低身長), 性器発育異常を伴う成長不全(Turner 症候群)および思春期以前の慢性腎不全を伴う成長不全の治療に用いられる).

som·es·the·si·a (sō′mes-thē′zē-ă). = somatesthesia; somaesthesia.

so·mite (sō′mīt). 体節, 原節 (初期胎児の近軸中胚葉に形成される, 対になった分節性の細胞集団. 第 3 週または第 4 週の初めに後脳部に始まって, 尾の方向へ発育して 42 対が形成される).

som·nam·bu·lism (som-nam′byū-lizm). 夢遊〔症〕(①複雑な運動性行為も絡んだ一種の睡眠障害で, 主として夜中の前半の 1/3 くらいまでに起こり, 急性眼球運動睡眠期には起こらないとされている. ②行動が何の目的かを忘れてしまうヒステリーの一型).

som·ni·fa·cient (som′ni-fā′shĕnt). = soporific (1).

som·nif·er·ous (som-nif′ĕr-ŭs). = soporific (1).

som·nil·o·quence, som·nil·o·quism (som-nil′ō-kwĕns, -kwizm). 寝言(ねごと) (①睡眠中にしゃべったり, ぶつぶつ言うこと. ②= somniloquy).

som·nil·o·quy (som-nil′ō-kwē). 催眠談話 (催眠暗示の影響下で話すこと). = somniloquence (2); somniloquism.

som·nip·a·thy (som-nip′ă-thē). 睡眠障害.

som·no·cin·e·ma·tog·ra·phy (som′nō-sin′ĕ-mă-tog′ră-fē). 睡眠シネ撮影〔法〕(睡眠中の動きを記録する方法または技術).

som·no·lence, som·no·len·cy (som′nō-lĕns, -lĕn-sē). ***1*** 傾眠. ***2*** 感覚が鈍くなった状態.

som·no·lent, som·no·les·cent (som′nō-lĕnt, som′nō-les′ĕnt). ***1*** 傾眠の. ***2*** 昏蒙の (不完全睡眠の状態についていう).

So·mog·yi ef·fect, So·mog·yi phe·no·me·non ソモギー効果 (低血糖の症状を現さないか検出できない低血糖に引き続き, 反応性の高血糖が生じてしまう現象. 高血糖があるとインスリンの投与量が増加するので, 糖尿病のコントロールはますます悪化してしまう).

So·mog·yi u·nit ソモギー単位 (Somogyi 法(最も頻繁に用いられる方法)によって分析したときの血清中のアミラーゼ活性値の尺度).

Son·der·mann ca·nal ゾンデルマン管 (Schlemm 洞から前眼房に向かって突出する盲管. 前眼房とは連絡していない).

son·ic (son′ik). 音性の (音の, 音に関する, あるいは音によって起こることについていう. 例えばソニックバイブレーション).

son·i·ca·tion (son′i-kā′shŭn). 音波破砕 (音波エネルギーを用いて生物材料を破砕する操作).

son·i·fi·ca·tion (son′i-fi-kā′shŭn). 音あるいは音波をつくり出すこと.

Son·ne ba·cil·lus ソ〔ン〕ネ杆菌. = *Shigella sonnei*.

son·o·gram (sŏn′ō-gram). ソノグラム, 音波検査図. = ultrasonogram.

son·o·graph (son′ō-graf). ソノグラフ, 音波検査器. = ultrasonograph.

so·nog·ra·pher (sŏ-nog′ră-fĕr). 音波検査者. = ultrasonographer.

so·nog·ra·phy (sŏ-nog′ră-fē). = ultrasonography.

so·no·rous rale ブンブン音 (クークー鳴くような, またはいびきのような音で, 大気管支内の粘性分泌物の突出塊が振動することによってしばしば生じる).

so·por (sō′pŏr). 昏眠 (不自然なまでに深い眠り).

so·po·rif·ic (sop′ŏr-if′ik). ***1*** 〚adj.〛 催眠性の. = somnifacient; somniferous. ***2*** 〚n.〛 催眠薬.

sor·be·fa·cient (sōr′bĕ-fā′shĕnt). ***1*** 〚adj.〛 吸収促進の. ***2*** 〚n.〛 吸収促進薬 (吸収を起こす, または促進する薬剤).

sor·des (sōr′dēz). 煤色苔, 汚物 (慢性衰弱性疾患で, 脱水状態にあるヒトの唇, 歯, 歯肉上の暗褐色または黒みがかった痂皮様のものが積もったもの).

sore (sōr). ***1*** びらん, ただれ, 潰瘍 (創傷, 潰瘍, その他開放皮膚病巣). ***2*** 触痛, 痛み, 圧痛.

sore throat 咽喉炎, 咽喉痛 (えん下時に苦痛や不快感が著しい状態で, 扁桃, 咽頭, 喉頭のいずれかの炎症によると思われる).

So·ret phe·no·me·non ソレー現象 (室温に保たれた長い垂直な管にはいった溶液は, 上部が暖かくなればなるだけ, よりいっそう濃縮される).

sorp·tion (sōrp′shŭn). 吸着, 吸収.

Sors·by mac·u·lar de·gen·er·a·tion ソーズビー黄斑変性. = familial pseudoinflammatory macular degeneration.

Sors·by syn·drome ソーズビー症候群 (先天性黄斑欠損および四肢の先端部のジストロフィ).

So·tos syn·drome ソトス症候群 (知能障害と協調運動障害を伴う小児期の脳性巨人症および全身性の筋肉肥大. 原因は不明).

souf·fle (sū′fĕl). 雑音 (聴診の際に聞こえる緩やかな灌水様の音).

sound (sownd). ***1*** 〚n.〛 音, 音響 (発音体によりつくられる振動で, 空気または他の媒体により伝播され, 内耳より感知される). ***2*** 〚n.〛 ゾンデ,

S

消息子（細長い円筒状で通常，弯曲している金属性の器械．膀胱または他の体腔を探査するため，尿道，食道，または他の管の狭窄を拡大するため，体腔の管腔径を測るため，あるいは体腔内の異物を探索するために用いる）．*3*〚v.〛ゾンデにより体腔を探査または測定する．*4*〚adj.〛健全な，無傷の．

sound field 音場（音波が伝わる場所）. = acoustical surround.

source-to-im·age dis·tance（SID） 線源被写体間距離. = focal-film distance.

South Af·ri·can tick-bite fe·ver 南アフリカダニ熱（南アフリカの発疹チフス様熱病で，斑点熱リケッチア *Rickettsia africae* によって起こる．通常，痂皮を形成し，局所のリンパ節炎，筋強直，および斑状丘疹状発疹を第5病日に認め，しばしば重篤な中枢神経症状を伴う）．

South A·mer·i·can blas·to·my·co·sis 南アメリカブラストミセス症. = paracoccidioidomycosis.

South A·mer·i·can try·pan·o·so·mi·a·sis 南アメリカトリパノソーマ症（*Trypanosoma cruzi*（*Schizotrypanum cruzi*）感染により引き起こされる疾病．ある種のトリアトーマ類サシガメにより媒介される．急性症は年少小児に高頻度に見出され，侵入局所（顔が最も多い）の皮膚の腫脹および局所リンパ節腫大がみられる．慢性症ではいくつかの様相があるが，心筋症が最も普通で，巨大結腸，巨大食道もみられる．自然界の保虫宿主に，イヌ，アルマジロ，げっ歯類，およびその他の家畜や定住性および野生哺乳類がある）. = Chagas disease; Chagas-Cruz disease; Cruz trypanosomiasis.

South·ern blot a·nal·y·sis サザンブロット分析（DNA配列を識別・同定する方法．DNA断片をアガロースゲルで電気泳動して分離した後，ニトロセルロースあるいはナイロン膜上に移行・転写させ，相補的な（ラベルされた）核酸プローブとハイブリダイゼーションさせる）．

south·ern wax myr·tle = bayberry.

sow·ber·ry（sow′ber-ē）. = barberry.

SP sacroposterior position の略.

space（spās）. 腔，隙，空間（①身体の区切られた部分で，表面の区域，組織の一部，腔などをいう．→area; region; zone. ② = diastema）. = spatium.

space main·tain·er 保隙装置（抜歯または歯の早期欠損後に，その空隙の消失や歯の移動を防止するために用いる歯科矯正用器具）．

spac·er（spās′ĕr）. 吸入用スペーサ（定量吸入器のための延長器具．手と呼吸を協調させる必要をなくし，大きなエアロゾル粒子が上気道へ沈着するのを減らすように設計されている）．

Spal·lan·za·ni law スパランツァーニの法則（個体が若いほど細胞の再生力が強い）．

spal·la·tion（spaw-lā′shŭn）. *1* 切断，分断. = fragmentation. *2* 破砕〔反応〕（原子核反応の一種で，原子核が高エネルギー粒子の衝撃を受けて，多数の陽子とアルファ粒子を放出する）．

spal·la·tion pro·duct 分裂産物（原子を破砕する経過中に産生される原子の種類）．

Span·ish in·flu·en·za スペイン〔型〕インフルエンザ（1918—1919年に数波の大流行をきたしたインフルエンザで，その結果世界中で2,000万人以上が死亡した．A型インフルエンザウイルスが原因で，系統発生的解析によればヒトとブタのA型ウイルスに由来することが示唆されている）．

spar·ing ac·tion 節約作用（食物中に必須ではない栄養素があることにより，必須成分の必要性が小さくなること）．

spar·row·grass（spar′ō-gras）. = *Asparagus*.

spasm（spazm）. 痙縮，痙攣（1つ以上の筋群の突然の不随意収縮で，痙攣や拘縮を含む）. = muscle spasm; spasmus.

spasmo- 痙攣を意味する連結形.

spas·mod·ic（spaz-mod′ik）. 痙性の.

spas·mo·dic dys·men·or·rhe·a 痙〔攣〕性月経困難〔症〕（子宮の有痛性痙攣による月経困難症）．

spas·mo·dic dys·phon·i·a 痙攣性発声障害（発声しようとした際に口喉頭内筋の痙攣性収縮が生じるもの．中枢神経系の障害で生じ，内転型と外転型がある．運動性疾患の局所障害の1つである）. = spastic dysphonia.

spas·mol·y·sis（spaz-mol′i-sis）. 鎮痙（痙攣の阻止）．

spas·mo·lyt·ic（spaz′mō-lit′ik）. *1*〚adj.〛鎮痙の．*2*〚n.〛鎮痙薬（平滑筋の痙攣を治療する薬剤）．

spas·mus（spaz′mŭs）. 痙攣，痙縮. = spasm.

spas·mus nu·tans 点頭痙攣（痙縮）（垂直，水平方向や捻れを示す眼振を伴う頭部の動きで，生後6か月—3年の小児にみられる）．

spas·tic（spas′tik）. *1* 緊張過度の. = hypertonic (1). *2* 痙攣の，痙性の.

spas·tic a·ba·si·a 痙性歩行不能〔症〕（歩行しようとすると筋肉が痙性収縮を起こすこと）．

spas·tic col·on 痙攣性結腸. = irritable bowel syndrome.

spas·tic dys·ar·thri·a 痙性構語障害〔症〕（上位運動ニューロンの障害に関連する構語障害で，過剰音および筋肉動作の範囲の制限などを引き起こす．不正確な子音，ピッチの単調さ，および強勢の減少，また努力性の声の質などの特徴がある．→pseudobulbar palsy）．

spas·tic dys·pho·ni·a 痙攣性発声困難. = spasmodic dysphonia.

spas·tic gait 痙性歩行. = hemiplegic gait.

spas·tic hem·i·ple·gi·a 痙性片麻痺（半側麻痺）（侵された側の抗重力筋の緊張が高まる）．

spas·tic il·e·us 痙性イレウス. = dynamic ileus.

spas·tic·i·ty（spas-tis′i-tē）. 痙性，痙縮（腱反射の強調により筋肉の緊張力が増加した状態）．

spa·tial（spā′shăl）. 空間の，〔間〕隙の.

spa·tial an·tic·i·pa·tion 空間予測（行動状況内で環境において何が起きるかを予測する能力．個人が前もって運動を組織し，適切な反応をより速く開始することを可能にする．例えば，テニスの対戦相手が右にスマッシュを打とうとしていることを予測する）．

spa·tial re·la·tion 位置関係（ある対象物と他

の対象物との位置関係).

spa·ti·um, pl. spa·ti·a (spā′shē-ŭm, -shē-ă). 隙. = space.

spat·u·la (spach′ŭ-lă). へら(刃の鋭くないナイフ様の平たい刀で,薬学において,硬膏や軟膏をのばすのに用い,乳棒と乳鉢で賦形剤を混合するのを補助する).

spat·u·late (spach′ŭ-lāt). *1* 〚adj.〛 へらのような(へらのような形をした,扇の形をした). *2* 〚v.〛 へらで操る(へらで操作したり混ぜたりする). *3* 〚v.〛 扇形に切る,外開きに切る(管腔構造物の切断端を縦に切開し,それを扇形に開くこと.通常の横あるいは斜め端々吻合よりも大きい口径の楕円形吻合をつくることが可能になる).

spay (spā). 卵巣切除(動物の卵巣を除去すること).

SPCA serum prothrombin conversion accelerator の略.

speak·er's no·dules = vocal nodules.

speak·ing tube スピーキングチューブ(片端がイヤホン,他端が円錐型になっているチューブ.これを通し,会話を増幅する).

spe·cial a·nat·o·my 解剖学各論(特定の機能に関与する一定の器官または一群の器官についての解剖学.別々の系統を扱う記述解剖学).

spe·cial·ist (spesh′ă-list). 専門医,専門家(ある特殊な専門分野または学問分野に専門的に従事する人).

spe·cial·i·za·tion (spesh′ă-lī-zā′shŭn). *1* 専門化(研究や治療に関して,ある特殊な専門分野または学問分野に限定して専門的に業務を行うこと). *2* 分化. = differentiation(1).

spe·cial sense 特殊感覚(視覚,聴覚,嗅覚,味覚,触覚の五感の1つ).

spe·cial·ty (spesh′ăl-tē). 専門(専門的に専念して従事する医学の特別の学問分野,あるいは科).

spe·cial·ty re·fer·ral cen·ter 専門指定医療センター(傷害の特性や性質によって,特定の身体の系に専門的な内科医療または外傷医療を行う指定医療機関.例えば,手外傷センター,新生児医療センター).

spe·ci·a·tion (spē′shē-ā′shŭn). 種分化(共通の祖先系統から多様な動物あるいは植物の種が形成される進化の過程).

spe·cies, pl. spe·cies (spē′shēz). *1* 種(属と変種または個体との間の生物学的段階(カテゴリー).それらの構造のより本質的な特性において,一般的に相互にきわめて類似しており,実際に繁殖力をもつ子孫を産生する一群の生物). *2* 茶剤(乾燥した生薬の混合物で,粉砕していないが,煎剤または冷浸剤を随時つくるのに便利なように細かく切られている).

spe·cies-spe·cif·ic (spē′shēz spĕ-sif′ik). 種特異的な(当該種の特徴.動物に免疫物質を注入することによってつくられ,その抗原を得た種と同種の動物の細胞,蛋白その他にのみ作用する血清の特徴についていう).

spe·cies-spe·cif·ic ant·i·gen 種〔属〕特異性抗原(1つの種の動物の組織および体液内にある抗原成分.種は,それぞれその抗原成分によって免疫学的に区別される.例えば,ウマの血清アルブミンは,ヒト,イヌ,ヒツジなどのそれとは免疫学的に異なる).

spe·cif·ic (spĕ-sif′ik). *1* 〚adj.〛 種の. *2* 〚adj.〛 特異〔的〕な,特殊な(特定の微生物により起こる個々の感染症についていう). *3* 〚n.〛 特効薬(マラリアに関してはキニンのように,特別な疾患または症候に明確な治療作用をもつ薬剤).

spe·ci·fic ab·sorp·tion co·ef·fi·cient (*a*) 比吸光係数(単位質量濃度(CGS系)の溶液の厚さ1 cmの層を通した際の吸光度. *cf.* molar absorption coefficient). = absorbancy index(1); absorptivity (1); extinction coefficient; specific extinction.

spe·ci·fic ac·tion 特異作用(疾患に対して直接的な影響,特に治療効果をもたらすような薬剤または治療方法の作用).

spe·ci·fic ac·ti·vi·ty *1* 比放射能(元素または化合物の単位質量当たりの放射能). *2* 比活性(酵素に対し,mg蛋白当たりある条件下ある時間で消費される基質(または生成する生成物)の量). *3* 比放射能(特定の放射性核種の,単位質量当たりの放射能).

spe·ci·fic build·ing-re·lat·ed ill·nes·ses 特異性建物関連疾病(苦痛を受けている患者が仕事をしているか居住している建物因子に原因が由来しうる,かなりの同質的臨床徴候を伴った感染性,アレルギー性,および免疫性疾病群. *cf.* nonspecific building-related illnesses).

spe·ci·fic dy·na·mic ac·tion (SDA) 特殊力源作用,特殊動的作用(食物,特に蛋白の消化による熱産生の増加).

spe·ci·fic ex·tinc·tion 比吸光度. = specific absorption coefficient.

spe·ci·fic gra·vi·ty 比重(物体の重さを,それと同体積の標準物質の質量との比で表したもの.通常,液体では蒸留水の重さとの比が用いられる).

spe·ci·fic im·mu·ni·ty 特異免疫(感染作因その他の抗原決定基に刺激され,それに特異的な反応性変化があるような免疫状態. →acquired immunity).

spec·i·fic·i·ty (spes′i-fis′i-tē). 特異性(①単一の原因あるいは特定の結果と不変の関係を有する状態あるいは状況.疾患と病因微生物との関係,ある化学結合に対する反応との関係,抗原に対する抗体あるいはその反対の関係などを表す.②臨床病理学あるいは医学的なスクリーニングにおいて,あるテストが明らかにしようとしているある疾患の陰性症例の比率,つまり偽陽性および真の陰性の総和に対する真の陰性成績の比率をさす. *cf.* sensitivity(2)).

spe·ci·fi·ci·ty of train·ing prin·ci·ple 訓練特殊性原理(運動科学において,特定の運動は,特定の適応力を引き出して,特定の訓練効果をもたらすという概念.この効果は希望する競技に必要な特定の筋肉を訓練することによって,最も効果的にもたらされる).

spe·ci·fic op·son·in 特異オプソニン(特異抗原による刺激に反応して形成される抗体.病気

S

の侵襲あるいは特定の微生物から適当につくられた懸濁液の注射によって生じる).

spe·ci·fic op·tic ro·ta·tion 比旋光度(偏光面が水 1 mL 当たり 1 g 溶けている物質(溶液中の光の行程の長さは1デシメートル)によって旋回される角度. 通常, ナトリウム D 線に相当する光を用いる).

spe·ci·fic par·a·site 特異寄生生物(常に一定の宿主に寄生し, 特に宿主種に適応している寄生生物).

spe·ci·fic pho·bi·a 特定の恐怖(特定の対象や状況に対する著しい恐怖の持続的なパターンで, その状況への暴露時またはそれを予期するときに不安またはパニックを生じ, それを当人は不合理または極端と自覚しながらも社会的機能が著しく妨げる). = simple phobia.

spe·ci·fic re·ac·tion 特異反応(組織の反応能力をすでに変化させたものと同一か, または免疫的に類似する物質によりつくり出された現象).

spec·i·men (spes′i-mĕn). 標本, 被検物, 検体(テストのために採取した少量の材料).

SPECT (spekt). single photon emission computed tomography の略.

spec·ta·cles (spek′tă-kĕlz). 眼鏡(枠に入れたレンズで, 眼にかけて屈折異常を矯正または眼の保護に用いる. 眼鏡はレンズと鼻の上にかかるレンズを接続するブリッジの部分およびレンズを取り囲む縁や枠からなる. 弦は頭の両側から耳へいく部分, 弓は弦の弯曲した部分. 肩はレンズのへりに止められている短い棒で両側で弦に結合している). = eyeglasses; glasses.

spec·tra (spek′tră). spectrum の複数形.

spec·tral (spek′trăl). スペクトルの, 分光の.

spec·trin (spek′trin). スペクトリン(線維状の収縮性蛋白で, アクチンや他の細胞骨格蛋白とともに, 赤血球膜に形態と変形態を与えている網目構造をつくる. スペクトリンの欠損または減少が, 遺伝性球状赤血球症および楕円赤血球症でみられる. 赤血球膜の骨格の主成分).

spectro- スペクトルを意味する連結形.

spec·trom·e·ter (spek-trom′ĕ-tĕr). 分光計, スペクトロメータ(光あるいはその他の電磁放射線の波長またはエネルギーを測定する器械).

spec·trom·e·try (spek-trom′ĕ-trē). 分光〔光度〕法, スペクトロメトリ(光およびその他の電磁波を観測し, その波長を測定する方法).

spec·tro·pho·tom·e·ter (spek′trō-fō-tom′ĕ-tĕr). 分光光度計(物や溶液を透過する光の強度を波長別に測定する器械. 光を吸収する溶液中の物質を定量することができる. また, 波長を選別し測光ができるようにした熱量計をいう).

spec·tro·pho·tom·e·try (spek′trō-fō-tom′ĕ-trē). 分光測光〔法〕(分光光度計による分析).

spec·tro·scope (spek′trŏ-skōp). 分光器(発光体からの光をそのスペクトルに分解し, できたスペクトルを分析するための器械. 光を屈折させるプリズムまたは光の回折のための回折格子, 光線を平行にするための装置, スペクトルを拡大する望遠鏡からなる).

spec·tro·scop·ic (spek′trŏ-skop′ik). 分光器の, 分光器的な.

spec·tros·co·py (spek-tros′kŏ-pē). 分光学(分光器または分光光度計により吸収されたり放射された光のスペクトルの観察と研究).

spec·trum, pl. spec·tra, spec·trums (spek′trŭm, -tră, -trŭmz). スペクトル(①白色光がプリズムまたは回折格子を通過することによりその構成要素の色に分解されるとき現れる色の連続体. そのスペクトルの色を振動数の少ないほうまたは波長の長いほうから並べると, 赤, 橙, 黄, 緑, 青, 藍, 紫となる. ②抗生物質または抗菌物質が作用する病原菌の範囲に対して比喩的な意味で用いる. ③1つの物質による放射または吸収された強度対波長のグラフ. 通常, その物質に特徴的で, 定性分析および定量分析に用いる. ④放射エネルギーをもつ光線が分散や収束を受けるときの波長領域).

spec·u·lum, pl. spec·u·la (spek′yŭ-lŭm, -lă). 鏡(管または腟の口を開いてその内部の検査を容易にする器械).

spec·u·lum for·ceps 鏡用鉗子(鏡を通して用いる細い管状鉗子).

SPEECH1 (spēch). その変異が結合運動障害を引き起こす遺伝子.

speech (spēch). 言語, 発語, 会話(話すこと. 声を使って考えを伝えること).

speech a·ware·ness thresh·old 語音弁別閾値(言葉を聞き取ることのできる最小音量). = speech detection threshold.

speech bulb スピーチバルブ(硬口蓋や軟口蓋の口蓋裂や開孔部を閉鎖したり, 発語に必要な組織の欠損部を補うのに使用するスピーチプロテーゼ).

speech cen·ters 言語中枢(発語機能の中枢となる大脳皮質の領域. 一方は左下前頭回の中にあり, 他方は縁上回, 角回, 第一・第二側頭回中にある. →Broca center; Wernicke center).

speech de·tec·tion thresh·old = speech awareness threshold.

speech ed·i·tor スピーチ・エディター(患者のケアを文書化するために, 音声認識された原稿を編集する医学記録転写士. 職務には口述された医学報告の転記が含まれることもある). = speech recognition medical transcription editor.

speech fre·quen·cies 会話域(話すときに生じる, 聴覚音波の一般的な周波数範囲. 通常, 500—3,000 Hz. →frequency).

speech-lan·guage pa·tho·lo·gist 言語病理学者(音声・発声・言語障害を有する人々の診断, リハビリテーションに関わる開業医).

speech-lan·guage pa·tho·lo·gy = speech pathology.

speech me·cha·ni·sm 構音機構(言語を正常につくり出す, 構音, 発生, 共鳴, 呼吸のための器官を取り巻く末梢構造. →articulation; articulators; phonation; resonance; respiration).

speech pa·tho·lo·gy 言語病理学(機能的, 器質的な言語能力の欠陥や障害を扱う学問). = speech-language pathology.

speech per·cep·tion 言語知覚(主に聴覚キュ

ーから言語音を認識すること).

speech pro·ces·sor スピーチプロセッサー(人工内耳の一部. 会話音を電気信号へ変換する. その信号により第八脳神経の聴神経を刺激する).

speech read·ing 読話〔法〕(聴力障害者が話しかけられている内容を知るために, 話者の表情, 口唇および顎運動, その他の合図を観察すること). = lip reading.

speech re·cep·tion thresh·old 語音聴取閾値(言葉が意味のある文字として認識される音の大きさ. 語音聴力検査で被検者が, 強強格の2音節語のうちの50%を正確に反復できた音の大きさ(dB)).

speech rec·og·ni·tion 音声認識(口述言語を印刷された原稿のフォーマットに移すため一部の医学転写部によって使用されているソフトウエアプログラム. その後原稿は患者のケアの永久記録を作成するため, 医学記録転写士によって編集される). = voice recognition.

speech re·cog·ni·tion med·i·cal tran·scrip·tion ed·i·tor = speech editor.

speed (spēd). 速さ(速度の大きさで, 方向が特定されない. *cf.* velocity).

speed play スピードプレイ. = fartlek training.

Speed test スピード・テスト(上腕二頭筋腱炎の診断に用いる手技. 回外させた腕を前方挙上させると痛みや圧痛が生じる. 医師は片手を結節間溝に置いて, もう一方の手で前方屈曲した腕に抵抗を加える. 陽性の場合は結節間溝上に圧痛があり, 挙上力が低下する).

spell check スペル・チェック(誤った綴りや知らない単語を識別するソフトウエアを使用する作業).

spell·check·er (spel′chek-ĕr). スペル・チェッカー(誤った綴りや知らない単語を識別するソフトウエア. 転記された報告書の正確さを確実にするため, 参照や校正の作業で使用される. → spell check).

Spens syn·drome スペンズ症候群. = Adams-Stokes syndrome.

sperm (spĕrm). 精子(雄性の配偶子または性細胞で, 雄によって伝えられる遺伝情報もち, 随意運動を示し, 卵母細胞とともに接合生殖を行うことができる. ヒトの精子は頭部と尾部からなる. 尾部は頸部, 中片, 主部および終片部に分けられる. 頭部は長さが4—6 μm あり, 幅広い楕円形の扁平体で核をもつ. 尾部の長さは約55 μm).

sperma-, spermato-, spermo- 精液, 精子を意味する連結形.

sper·ma·cyt·ic sem·i·no·ma 精子細胞性精上皮腫(セミノーマ)(比較的緩徐な増殖を示し, 局所浸潤型の精巣腫瘍で, 転移を示さず, 卵巣には対となる腫瘍はない).

sperm-as·ter (spĕrm′as-tĕr). 精子単星(受精卵の細胞中にある星糸を伴った中心体. 貫通した精子によりもち込まれ, 第一卵割の有糸分裂紡錘体を生じる).

sper·mat·ic (spĕr-mat′ik). 精子の, 精液の.

sper·ma·tic cord 精索(精管と, 深鼡径輪からのびて鼡径管を通り陰嚢にはいる諸構造とにより形成されている索). = funiculus spermaticus; testis cords.

sper·ma·tic duct 精管. = ductus deferens.

sper·ma·tid (spĕr′mă-tid). 精子細胞(精子発育の後期における半数体細胞で, 第二精母細胞に由来し, 精子形成過程において精子細胞に進化する).

sper·ma·to·blast (spĕr′mă-tō-blast). 精芽細胞. = spermatogonium.

sper·ma·to·cele (spĕr′mă-tō-sēl). 精液瘤, 精液水瘤(精子のはいっている精巣上体の嚢腫).

sper·ma·to·cide (spĕr′mă-tō-sīd). 殺精〔子〕薬. = spermicide.

sper·ma·to·cy·tal (spĕr′mă-tō-sī′tăl). 精母細胞の.

sper·ma·to·cyte (spĕr-mat′ō-sīt). 精母細胞(精子細胞の母細胞で, 精原細胞から有糸分裂により生じる).

sper·ma·to·cy·to·gen·e·sis (spĕr′mă-tō-sī′tō-jen′ĕ-sis). 精母細胞形成(生成). = spermatogenesis.

sper·ma·to·gen·e·sis (spĕr′mă-tō-jen′ĕ-sis). 精子形成, 精子生成, 精子発生(精原幹細胞が, 分裂し, 精子細胞に分化する全過程をいう. → spermiogenesis). = spermatocytogenesis.

sper·ma·to·gen·ic (spĕr′mă-tō-jen′ik). 精子形成(生成)の, 精子発生の. = spermatopoietic (1).

sper·ma·to·go·ni·um (spĕr′mă-tō-gō′nē-ŭm). 精原細胞, 精祖細胞(生殖細胞から有糸分裂により派生した原始精子細胞. 精原細胞は大きさが数倍に増えてから, 第一精母細胞となる. →spermatid). = spermatoblast.

sper·ma·toid (spĕr′mă-toyd). ***1*** 精子様の, 精虫様の, 精液様の. ***2*** マラリア原虫の雄性世代型すなわち有べん毛型.

sper·ma·tol·y·sis (spĕrm′ă-tol′i-sis). 精子溶解(精子の溶解による破壊).

sper·ma·to·lyt·ic (spĕr′mă-tō-lit′ik). 精子溶解の.

sper·ma·to·poi·et·ic (spĕr′mă-tō-poy-et′ik). ***1*** = spermatogenic. ***2*** 精液分泌の.

sper·ma·tor·rhe·a (spĕr′mă-tōr-ē′ă). 精液漏(オルガスムのない, 精液の不随意排出). = spermatorrhoea.

spermatorrhoea [Br.]. = spermatorrhea.

sper·ma·to·zo·al, sper·ma·to·zo·an (spĕr′mă-tō-zō′ăl, -zō′ăn). 精子の.

sper·ma·tu·ri·a (spĕr′mă-tyūr′ē-ă). 精液尿〔症〕. = semenuria.

sper·mi·a (spĕr′mē-ă). spermium の複数形.

sper·mi·ci·dal (spĕr′mi-sī′dăl). 殺精子の(精子を破壊することについていう).

sper·mi·cide (spĕr′mi-sīd). 殺精〔子〕薬(精子を破壊する薬剤). = spermatocide.

sper·mi·duct (spĕr′mi-dŭkt). ***1*** 精管. = ductus deferens. ***2*** 射精管. = ejaculatory duct.

sper·mi·o·gen·e·sis (spĕr′mē-ō-jen′ĕ-sis). 精子完成(精子形成の区分で, その間に未熟な精子細胞は精子に変化する).

sper·mi·um, pl. **sper·mi·a** (spĕr′mē-ŭm, -ă). 精子（成熟した雄性生殖細胞または精子）.

sper·mo·lith (spĕr′mō-lith). 精管結石.

Sper·moph·il·us (sper-mof′il-us). ジリス属（ジリス類の一属. カリフォルニアジリス *Spermophilus beecheyi*, *Spermophilus grammurus*, ヒメハタリス *S. pygmaeus*, タウンゼンドジリス *Spermophilus townsendi*, およびその他のいくつかの種はペスト菌 *Yersinia pestis* の重要な保菌者として働く）.

sperm track 精子侵入路（受精のときオーシストを囲む透明帯を通って精子が通る経路）.

SPF sun protection factor の略.

sp. gr. specific gravity の略.

sphac·e·late (sfas′ĕ-lāt). 壊死する，壊疽になる.

sphac·e·la·tion (sfas′ĕ-lā′shŭn). ***1*** 壊疽形成，壊死形成. ***2*** 壊死，壊疽.

sphac·el·ism (sfas′ĕ-lizm). 壊疽化，壊死化.

sphac·e·lo·der·ma (sfas′ē-lō-dĕr′mă). 皮膚壊疽.

sphac·e·lous (sfas′ĕ-lŭs). 壊死の，壊疽の.

sphac·e·lus (sfas′ĕ-lŭs). 壊死組織，壊疽組織（壊死物質の塊）.

Sphae·rot·i·lus (sfē-rot′i-lŭs). スフェロティルス属（*Leptothrix* 属と非常に近縁の細菌の一属で，淡水中にみられる. *Sphaerotilus natans* は，特に製紙工場からの廃水など，イオウを含んだ水中で厚い生物膜のマットをつくる）.

sphe·ni·on (sfē′nē-on). スフェニオン（頭頂骨の蝶形骨角の先端. 頭蓋計測点）.

spheno- 楔または楔形の，または蝶形骨に関する連結形.

sphe·no·bas·i·lar (sfē′nō-bas′i-lăr). 蝶形後頭底の（蝶形骨および後頭骨の底突起に関する）. = sphenooccipital.

sphe·no·ceph·a·ly (sfē′nō-sef′ă-lē). 楔状頭（楔状の外見を呈する頭蓋の変形が特徴である）.

sphen·o·eth·moi·dec·to·my (sfē′nō-eth′moyd-ek′tŏ-mē). 蝶形篩骨切除術（蝶形洞と篩骨洞から病的組織を除去する手術）.

sphe·noid (sfē′noyd). ***1*** = sphenoidal. ***2*** = sphenoid bone.

sphe·noi·dal (sfē-noy′dăl). = sphenoid (1). ***1*** 蝶形骨の. ***2*** 楔状の.

sphe·noi·dal an·gle of pa·ri·e·tal bone 頭頂骨蝶形骨角（頭頂骨の前下方のかど）.

sphe·noi·dal con·chae 蝶形骨甲介（円錐形の対になった小骨. 棘は翼状突起内側板に接し，基底は鼻腔の蓋を形成する）.

sphe·noi·dal si·nus 蝶形骨洞（蝶形骨体内にあり上後鼻腔もしくは蝶篩陥凹につながる有対の副鼻腔）.

sphe·noi·dal spine 蝶形骨棘（左右の蝶形骨大翼後部にある下方への突起で，この突起の近くにあるところから名付けられた棘孔の後外側にある. 蝶下顎靱帯の起始をなす）. = alar spine; angular spine; spinous process (2).

sphe·noid bone 蝶形骨（最も不規則な形をした骨で，頭骨の底部を占める. 中央部の体と，6つの突起，すなわち2つの大翼，2つの小翼，2つの翼状突起からなる. 後頭骨，前頭骨，篩骨，鋤骨，側頭骨，頭頂骨，頭頂骨，頬骨，口蓋骨，蝶形骨甲介と関節する）. = sphenoid (2).

sphe·noid crest 蝶形骨稜（蝶形骨の前面中央にある垂直線. 篩骨の垂直板と関節をなす）.

sphe·noid·i·tis (sfē′noy-dī′tis). 蝶形骨洞炎（①蝶形骨洞の炎症. ②蝶形骨の壊死）.

sphe·noi·dot·o·my (sfē′noy-dot′ŏ-mē). 蝶形骨洞切開〔術〕（蝶形骨または蝶形骨洞に対する手術）.

sphe·no·oc·cip·i·tal (sfē′nō-ok-sip′i-tăl). = sphenobasilar.

sphe·no·pal·a·tine ar·ter·y 蝶口蓋動脈（顎動脈の第三部より起こり，鼻腔外側壁と鼻中隔の後部に分布する. 下行口蓋動脈，上唇動脈，眼窩下動脈の枝と吻合）. = arteria sphenopalatina.

sphe·no·pal·a·tine fo·ra·men 蝶口蓋孔（口蓋骨の蝶形骨切痕が蝶形骨と連結することによってできる孔で蝶口蓋動脈や伴走する神経が通過している）. = foramen sphenopalatinum.

sphe·no·pal·a·tine neu·ral·gi·a 蝶口蓋神経痛（顔面の下半分の神経痛で，痛みは鼻根，上顎歯，眼，耳，乳様突起，および後頭に放散する. 副鼻腔の感染で起こる鼻うっ血および鼻漏に合併し，蝶口蓋神経節の病変で起こる. 眼充血と過度の流涙が起こることもある）. = Sluder neuralgia.

sphe·no·pa·ri·e·tal si·nus 蝶形〔骨〕頭頂静脈洞（頭頂骨から発し，蝶形骨稜に沿って走り，海綿静脈洞にはいる有対の硬膜静脈洞）.

sphe·nor·bit·al (sfē-nōr′bi-tăl). 蝶形〔骨〕眼窩の（眼窩と関連する蝶形骨の部分についていう）.

sphe·not·ic (sfē-not′ik). スフェノティック（蝶形骨および耳の骨の枠に関する）.

sphere (sfēr). 球，球体.

spher·ic ab·er·ra·tion 球面収差（球面での屈折によって生じる単色収差で，近軸光線および周辺光線が軸の異なる場所に焦点を結ぶこと）. = dioptric aberration.

spher·ic lens (S) 球面レンズ（すべての屈折面が球状のレンズ）.

sphero- 球状の，または球を意味する連結形.

sphe·ro·cyte (sfēr′ō-sīt). 球状赤血球（小さい球状の赤血球）.

spher·o·cy·tic a·ne·mi·a 球状赤血球性貧血. = hereditary spherocytosis.

sphe·ro·cy·to·sis (sfēr′ō-sī-tō′sis). 球状赤血球症（血液中に球状赤血球が存在すること）.

sphe·roid, sphe·roi·dal (sfēr′oyd, sfēr-oyd′ăl). 球状の.

spher·oid joint 球関節. = ball-and-socket joint.

sphe·ro·pha·ki·a (sfēr′ō-fā′kē-ă). 球状水晶体（先天的両側性視力障害. 水晶体が小さく球形で，不全脱臼を起こしやすい. 独立した異常としても起こるが，Weill-Marchesani 症候群に合併する）.

sphe·rule (sfēr′yūl). 球状体（成熟すると内生胞子を充満する胞子嚢様構造物で，*Coccidioides immitis* が組織中や *in vitro* に産生する）.

sphinc·ter (sfingk′tĕr). 括約筋（管腔または開口部を狭窄する筋．例えば幽門の閉鎖成分(この場合，外層の成分は開大筋である))．= sphincter muscle.

sphinc·ter·al (sfingk′tĕr-ăl). 括約筋の.

sphinc·ter·al·gi·a (sfingk′tĕr-al′jē-ă). 肛門括約筋痛.

sphinc·ter of com·mon bile duct 総胆管括約筋（胆膵管膨大部のすぐ近位側にある総胆管の平滑筋性の括約筋．胆汁の十二指腸への流入を調節している）．= musculus sphincter ductus choledochi.

sphinc·ter·ec·to·my (sfingk′tĕr-ek′tō-mē). 括約筋切除〔術〕（①虹彩の瞳孔縁の部分の切除．②括約筋の切除）.

sphinc·ter of hep·a·to·pan·cre·at·ic am·pul·la 胆膵管膨大部括約筋（胆膵管膨大部の平滑筋性の括約筋）.

sphinc·ter·is·mus (sfingk′tĕr-iz′mŭs). 肛門括約筋攣縮〔症〕（肛門括約筋の痙攣性収縮）.

sphinc·ter·i·tis (sfingk′tĕr-ī′tis). 括約筋炎.

sphinc·ter mus·cle 括約筋．= sphincter.

sphinc·ter mus·cle of pu·pil 瞳孔括約筋．= sphincter pupillae.

sphinct·er mus·cle of u·re·thra 尿道括約筋．= external urethral muscle.

sphinc·ter of Od·di オッディ括約筋（遠位部の膵管および総胆管が一緒に十二指腸にはいる部位で，これらを囲む弁状の筋肉の鞘）.

sphinc·ter of Od·di dys·func·tion オッディ括約筋機能不全（胆管あるいは膵管からの排泄を妨げる Oddi 括約筋の構造的あるいは機能的異常）.

sphinc·ter·ol·y·sis (sfingk-tĕr-ol′i-sis). 虹彩剥離〔術〕（瞳孔縁のみを含む虹彩前癒着で，虹彩を角膜から離す手術）.

sphinc·ter·o·plas·ty (sfingk′tĕr-ō-plas-tē). 括約筋形成〔術〕（括約筋の手術）.

sphinc·ter·ot·o·my (sfingk′tĕr-ot′ŏ-mē). 括約筋切開〔術〕（括約筋の切開または離断）.

sphinc·ter of pan·cre·at·ic duct 膵管括約筋（十二指腸乳頭膨大部のすぐ近位にあたるところにある主膵管の平滑筋性の括約筋）．= musculus sphincter ductus pancreatici.

sphinc·ter pu·pil·lae 瞳孔括約筋（虹彩の瞳孔縁を取り巻く平滑筋の輪）．= musculus sphincter pupillae; sphincter muscle of pupil.

sphinc·ter u·re·thrae 尿道括約筋（起始：恥骨枝．停止：尿道前後の内縫線．作用：尿道隔膜部の狭窄．神経支配：陰部神経）．= musculus sphincter urethrae.

sphinc·ter u·re·thrae ex·tern·us = external urethral muscle.

sphinc·ter vag·i·nae 球海綿体筋．= bulbospongiosus muscle.

sphinc·ter ve·si·cae 膀胱括約筋（膀胱頸部を完全に取り巻いている平滑筋組織で，男性の前立腺部尿道を囲んでその遠位端まで延長している．女性の膀胱の頸部構造とは対比できない．内括約筋は恐らく精液の膀胱逆流を防ぐために存在している）．= musculus sphincter vesicae.

sphin·go·lip·id (sfing′gō-lip′id). スフィンゴリピド（セラミド，セレブロシド，ガングリオシド，およびスフィンゴミエリンのような，長鎖塩基(スフィンゴシン)を含む脂質．神経組織の構成要素）.

sphin·go·lip·i·do·sis, sphin·go·lip·o·dys·tro·phy (sfing′gō-lip′i-dō′sis, sfing′gō-lip′ō-dis′trō-fē). スフィンゴリピドーシス（ガングリオシドーシス，Gaucher 病，および Niemann-Pick 病などのように，スフィンゴリピドの異常代謝による種々の疾病の総称）.

sphin·go·my·e·lin phos·pho·di·es·ter·ase スフィンゴミエリンホスホジエステラーゼ（スフィンゴミエリンを水解して *N*-アシルスフィンゴシン(セラミド)およびホスホコリンとする反応を触媒する酵素．この酵素の欠損により I 型 Niemann-Pick 病になる）.

sphin·go·my·e·lins (sfing′gō-mī′ĕ-linz). スフィンゴミエリン（脳，脊髄，腎臓，および卵黄に存在するリン脂質のグループ．セラミドと結合した，1-ホスホコリン(choline *O*–phosphate)を含む）.

sphin·go·sine (sfing′gō-sēn). スフィンゴシン（スフィンゴリピド中にみられる主要な長鎖の塩基）.

sphyg·mic (sfig′mik). 脈拍の.

sphyg·mic in·ter·val 駆出期（心周期で，半月弁が開き血液が心室から動脈系に駆出されるまでの間）．= ejection period.

sphygmo-, sphygm- 脈拍を表す連結形.

sphyg·mo·chron·o·graph (sfig′mō-kron′ō-graf). 脈波自記器（心臓拍動と脈拍の間の時間関係をグラフで示す一種の脈波計．脈拍とその速度の特徴を記録する装置）.

sphyg·mo·gram (sfig′mō-gram). 脈波曲線（脈波計によりつくられたグラフ曲線）.

sphyg·mo·graph (sfig′mō-graf). 脈波計（1 つのレバーからなる器械で，レバーの短いほうの端が手根の橈骨動脈上に置かれ，長いほうの端は，拍動の衝程が移動する煤紙のリボン上に記録する小ペンを備えている）.

sphyg·mo·graph·ic (sfig′mō-graf′ik). 脈波計の，脈波計による，脈波曲線の.

sphyg·moid (sfig′moyd). 脈波様の.

sphyg·mo·ma·nom·e·ter (sfig′mō-mă-nom′ĕ-tĕr). 血圧計（動脈圧を測定する器具．マンシェット，ゴム球，血圧を示す示表器よりなる）．= sphygmometer.

sphyg·mo·ma·nom·e·try (sfig′mō-mă-nom′ĕ-trē). 血圧測定〔法〕（血圧計を用いて行う血圧の測定）.

sphyg·mom·e·ter (sfig-mom′ĕ-tĕr). = sphygmomanometer.

sphyg·mo·scope (sfig′mō-skōp). スフィグモスコープ（ガラス管中の液体の上昇を光線を鏡に投射することにより，または単に脈圧計のようにレバーを動かすことにより，拍動を目で見えるようにした器具）.

sphyg·mos·co·py (sfig-mos′kŏ-pē). 脈拍視診〔法〕.

spi·ca ban·dage 麦穂包帯（体幹と上腕，体幹

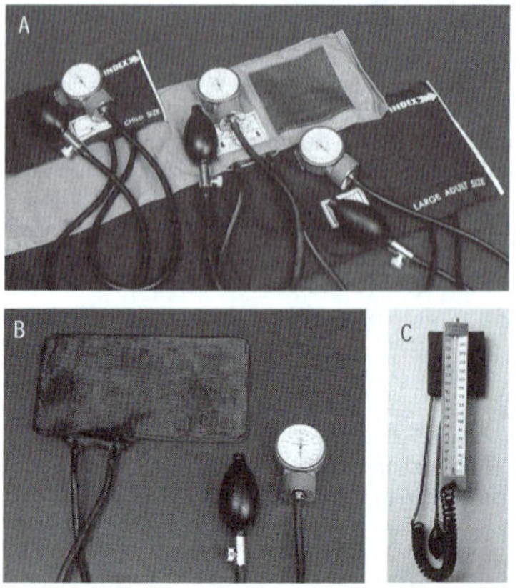
A
B
C

parts of sphygmomanometer
A：カフ，B：アネロイド圧力計，C：水銀柱圧力計

と大腿，あるいは手と指に当てる包帯法．V字状に少しずつ重ねながら巻いていくので，その形がムギの穂に似る）．

spi·ca cast スパイカギプス包帯（股関節と腰部，母指と手関節などのように，大きさが著しく異なる2つの部位にまたがるギプスを巻く場合に，V型にギプスを重ねて巻くギプス包帯）．

spic·u·lar (spik′yū-lăr)．スピクラの，スピクラのある．

spic·ule (spik′yūl)．スピクラ，小棘（小さな針状のもの）．

spi·der (spī′dĕr)．***1*** クモ（真正クモ目(蛛形亜綱)の節足動物．4対の脚，頭胸部と球形で滑らかな腹部，巣を紡ぐ糸を出す紡績腺を特徴とする．毒グモには *Latrodectus mactans*, *Loxosceles reclusus* などがある）．***2*** = spider angioma.

spi·der an·gi·o·ma クモ状血管腫（皮膚の動脈性毛細血管の拡張でクモの足のように毛細血管の枝が放射状配列したもの．疾患特異的ではないが，実質性肝疾患に特徴的である．妊娠時にもみられ，しばしば出産後消失する．またときには正常人にもみられる）．= arterial spider; spider nevus; spider telangiectasia; spider (2); vascular spider.

spi·der-burst (spī′dĕr-bŭrst)．深在性静脈瘤（通常，眼で見え触知できる静脈瘤ではないが，深部の静脈拡張に起因する，脚の皮膚上に放射状に広がる淡赤色の毛細血管線．skyrocket capillary ectasis ともいう）．

spi·der ne·vus クモ状母斑．= spider angioma.

spi·der tel·an·gi·ec·ta·si·a クモ状血管拡張〔症〕．= spider angioma.

Spie·gel·berg cri·te·ri·a シュピーゲルベルク判定基準（卵巣妊娠の診断基準．ⓘ罹患側の卵管が無傷である．ⓘⓘ羊膜が卵巣にある．ⓘⓘⓘ羊膜が，卵巣靱帯によって子宮とつながっている．ⓘⓥ卵巣組織が羊膜壁に存在する）．

Spiel·mey·er a·cute swel·ling シュピールマイアー急性腫脹（神経細胞の変性型で，その中では細胞体とその突起が腫脹し，青く，びまん性に染色される）．

Spi·gel·i·us line スピゲリウス線．= linea semilunaris.

Spi·ge·li·us lobe スピゲリウス葉．= posterior hepatic segment I.

spike (spīk)．***1*** スパイク，棘波（脳波に現れる，3—25ミリ秒間の垂直線の上下のように見える短い電気的事象）．***2*** スパイク（電気泳動においてデンシトメータによるトレーシングでの鋭角の上向きのそり）．

spike-and-wave com·plex スパイク複合波，棘徐波複合（脳波図でみられる全般性同期性パターンで，鋭い形の速波とそれに続く徐波からなる．全般性てんかんの患者で特にみられる）．

spike po·ten·tial 棘波電位（神経の活動電位における主な波．負および正の後電位が後に続く）．

spi·na, gen. & pl. **spi·nae** (spī′nă, -nē)．= vertebral column.

spi·na bi·fi·da 二分脊椎，脊椎披裂（1つまたは複数の椎弓の発生学的癒合不全．神経外胚葉の障害に伴う奇形の程度と型により，いくつかの型に分けられる）．

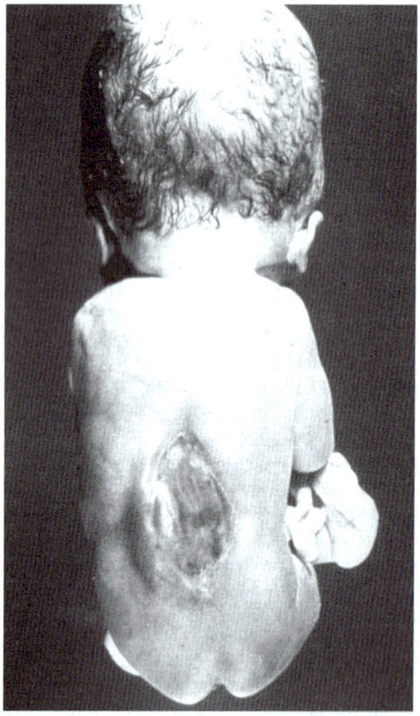

spina bifida with meningomyelocele

spi·na bi·fi·da cys·ti·ca 嚢胞性二分脊椎(骨髄嚢腫(髄膜瘤)，髄膜と脊髄の両方を含む嚢腫(髄膜脊髄瘤)，または脊髄のみ(脊髄瘤)を伴う脊椎披裂).

spi·na bi·fi·da oc·cul·ta 潜在〔性〕二分脊椎(脊椎の欠陥があり，発育上の異常はあるが脊髄または脊髄膜の突出はない二分脊椎).

spi·nal (spī′năl). = rachial; rachidial. ***1*** 棘の，棘状突起の. ***2*** 脊髄の，脊椎の，脊柱の.

spi·nal ad·just·ment 脊椎の調整 (制御された力，方向，てこの作用，振幅，速度を使って，椎骨の骨を動かす特有の動きを使った手技. 通常，カイロプラクターにより行われる). = adjustment(1).

spi·nal an·al·ge·si·a 脊椎無痛〔法〕(→spinal anesthesia).

spi·nal an·es·the·si·a ***1*** 脊椎麻酔〔法〕，脊麻(脊椎クモ膜下腔に局所麻酔薬を注入することにより惹起される感覚脱失). ***2*** 脊髄性感覚(知覚)脱失(消失)，脊髄性知覚麻痺 (脊髄の疾患により生じた感覚消失).

spi·nal a·rach·noid ma·ter 脊髄クモ膜 (脊髄腔内にあるクモ膜で脊髄および脊髄クモ膜下腔を囲む. 上方は大孔からS2の高さまで広がる. 脊髄はL2の高さで終わるので，その下ではクモ膜と軟膜の間が広くなって腰部槽をなし脳脊髄液で満たされ馬尾を下垂している).

spi·nal block 脊髄ブロック (脊髄クモ膜下腔に起こる脳脊髄液の流れの障害. 脊椎麻酔に対して不正確に用いることもある).

spi·nal branch·es 脊髄動脈 (脊髄硬膜・脊髄神経根そしてときには脊髄そのものにも血液を送る以下の動脈からの枝. ⓘ脊椎動脈，ⓘⓘ上行頸動脈，ⓘⓘⓘ後肋間動脈第一-第十一，ⓘⓥ肋下動脈，ⓥ腰動脈背枝，ⓥⓘ腸腰動脈腰枝，ⓥⓘⓘ外側仙骨動脈. すべての脊髄動脈が脊髄神経の前根と後根とに分布し脊髄根動脈に終わるが，一部(第四-第九)は太く前後脊髄動脈と吻合して脊髄区動脈とされている).

spi·nal ca·nal = vertebral canal.

spi·nal col·umn 脊柱. = vertebral column.

spi·nal cord 脊髄 (脳脊髄神経系のうち細長い円柱状の部分，または脊柱管内に含まれる部分). = medulla spinalis.

spi·nal cord con·cus·sion 脊髄振とう〔症〕(脊柱への外傷によって起こる脊髄の損傷で，病変レベル以下の一過性または持続性機能障害を呈する).

spi·nal cur·va·ture 脊柱彎曲 (→kyphosis; lordosis; scoliosis).

spi·nal de·com·pres·sion 脊髄除圧〔術〕(腫瘍，嚢腫，血腫，脱出髄核，膿瘍，または骨により生じた脊髄への圧迫を取り除くこと).

spi·nal dys·ra·phism 脊椎癒合不全 (脊椎骨および脊髄神経索の欠如を伴う先天異常の総称).

spi·nal fu·sion, spine fu·sion 脊椎固定〔術〕(2個以上の脊椎間の骨性強直をつくる手術方法). = spondylosyndesis.

spi·nal gan·gli·on 脊髄神経節 (第一を除く各脊髄分節神経後根の神経節で，末梢軸索枝が混合分節神経の部分になり，中枢軸索枝が，知覚性後根の構成要素として脊髄にはいっている偽単極性第一感覚ニューロンの細胞体を含んでいる).

spi·nal head·ache 脊髄〔麻酔〕性頭痛 (通常，前頭部または後頭部の頭痛で腰椎穿刺後に起こる. 患者が坐位や立位になると悪化し，臥位になると改善する. 穿刺部位からの髄液の漏出による. 髄液圧が低下し，硬膜と脳の血管が引っ張られて起こる). = post-lumbar puncture syndrome.

spi·nal in·sta·bil·i·ty 脊椎不安定性，脊柱不安定性 (脊柱が生理的負荷で正常の形態を維持できないこと. 脊髄や神経根に損傷を起こしたり，疼痛性脊柱変形を起こすことがある).

spi·nal·is ca·pi·tis mus·cle 頭棘筋 (頸棘筋が後頭骨にまでのびたもので，ときに頭半棘筋と癒合することもある). = musculus spinalis capitis.

spi·nal·is cer·vi·cis mus·cle 頸棘筋 (ときに出現するか，または痕跡的にみられる. 起始：第六・第七頸椎の棘突起. 停止：軸椎と第三頸椎の棘突起. 作用：頸椎の伸展. 神経支配：頸神経の後枝). = musculus spinalis cervicis; spinal muscle of neck.

spi·nal·is tho·ra·cis mus·cle 胸棘筋 (起始：上部腰椎と下部2個の胸椎の棘突起. 停止：中部および上部胸椎の棘突起. 作用：脊柱を支え，のばす. 神経支配：胸神経および上部腰神経の後枝). = musculus spinalis thoracis.

spi·nal ma·nip·u·la·tion 脊椎手技療法 (解剖学的限界を越えることなく受動限界域を超えて，超生理的域として知られるところまで，素早く椎骨を動かす手技). = spinal manipulative therapy.

spi·nal ma·nip·u·la·tive ther·a·py = spinal manipulation.

spi·nal mo·tion seg·ment 脊椎運動分節 (2つの隣接した関節接合する椎骨とそれらをつなぐ連結組織から構成された機能単位).

spi·nal mus·cle of neck 頸棘筋. = spinalis cervicis muscle.

spi·nal mus·cu·lar a·tro·phy (SMA) 脊髄性筋萎縮〔症〕(脊髄前角細胞と脳幹運動核が変性する疾患の一群. 筋力低下を呈し，上位運動ニューロンは正常である. Werdnig-Hoffmann 病(SMAI 型)，SMAII 型，Kugelberg-Welander 病(SMAIII 型)を含む. →Fazio-Londe disease).

spi·nal mus·cu·lar a·tro·phy, type I 脊髄性筋萎縮〔症〕I 型 (早期乳児型. 出生時または出生後まもなく発症し，高度の筋力低下と筋萎縮を呈し，2歳まで死亡することが多い. 常染色体劣性遺伝. 第5染色体長腕の運動ニューロン(SMN 1)遺伝子の変異が原因である. ニューロンアポトーシス抑制蛋白(NAIP)の遺伝子も欠損している症例が約半数あり，それが疾患の重症度に影響する). = Hoffmann muscular atrophy.

spi·nal mus·cu·lar a·trophy, type II 脊髄性筋萎縮〔症〕II 型 (重症度が乳児型(SMAI 型)と若年型(SMAIII 型)の中間である型. 近位筋の筋力低下を呈する. 通常，生後3—15か月で発

S

症し青年期まで生存する．常染色体劣性遺伝．第5染色体長腕にある SMN 1 遺伝子の変異が原因である）．

spi·nal mus·cu·lar a·tro·phy, type III 脊髄性筋萎縮〔症〕III 型（小児期から思春期に発症する若年型．主に下肢の近位筋の筋力低下と筋萎縮で発症し，その後に遠位筋も障害される．脊髄前角の運動ニューロンの変性が原因である．常染色体劣性遺伝．第5染色体長腕にある SMN 1 遺伝子の変異が原因である）．

spi·nal nerves 脊髄神経（脊髄から出る神経．31 対あり，それぞれ前根（運動根），後根（知覚根）として脊髄から出る．後根には膨隆部すなわち脊髄神経節がある．2根は椎間孔で合流し混合脊髄神経となるが，すぐに前枝と後枝に分かれる．前枝は体壁の前外側部と四肢に，後枝は固有背筋と背部の皮膚に分布する）. = nervi spinales.

spi·nal pa·ral·y·sis 脊髄麻痺（脊髄の病変による運動力の喪失）．

spi·nal pi·a ma·ter 脊髄軟膜（脊髄を包む軟膜で，歯状靱帯のような特殊なものが備わっている．→pia mater）．

spi·nal re·flex 脊髄反射（脊髄を含む反射弓．→reflex arc）．

spi·nal ste·no·sis 脊柱管狭窄（脊柱管が異常に狭小化した状態で，脊髄が圧迫されることが多い）．

spi·nal tap 脊椎穿刺. = lumbar puncture.

spi·nal veins 脊髄静脈（脊髄からの血液を集める静脈．脊髄の表面で静脈叢を形成し，ここから脊髄根に沿って内椎骨静脈叢に注ぎ，次いでその領域の区静脈すなわち胸郭の後肋間静脈に流入する）．

spi·nate (spīʹnāt)．有棘の，棘状の．

spin den·si·ty スピン密度（単位体積当たりの核双極子数）．

spin·dle (spinʹdĕl)．紡錘〔体〕（解剖学および病理学において，紡錘状の細胞または構造をいう）．

spin·dle cell 紡錘細胞（大脳皮質深層にあるような紡錘状細胞）．

spin·dle cell car·ci·no·ma 紡錘体細胞癌（長くのびた細胞からできている癌腫．未分化の扁平上皮癌であることが多く，肉腫との鑑別が困難なことがある）．

spin·dle cell li·po·ma 紡錘形細胞性脂肪腫（顕微鏡的に非常に特徴ある良性脂肪腫の一型で，脂肪組織に線維芽細胞や膠原線維が浸潤している．通常，年配者の肩または頸部にみられる）．

spine (spīn)．*1* 棘（短くとがったとげ状の骨の突起，棘突起）．*2* = vertebral column. *3* ウマのひづめに付いている横棒または支柱．

spin ech·o スピンエコー〔法〕（T2 緩和信号の回復に対して通常用いられる MR 撮像法で，磁場の不均一が原因で生じる横方向の磁化の損失を補償するために，パルス系列中に 180 度反転パルスを使用する）．

spine of scap·u·la 肩甲棘（肩甲骨の背面上に突出している三角形の骨稜で，僧帽筋と三角筋に起始を与え棘上窩と棘下窩を境している）．

spinn·bar·keit (spinʹbahr-kīt)．牽糸性（排卵期の子宮頸管粘液が糸を引く性質．エストロゲンの作用による）．

spino-, spin- *1* 棘，脊柱を意味する連結形．*2* 棘状の，を意味する連結形．

spi·no·ad·duc·tor re·flex 脊柱内転筋反射（脊柱を叩打することにより生じる大腿内転筋の収縮）. = McCarthy reflexes.

spi·no·bul·bar (spīʹnō-bŭlʹbahr)．脊髄延髄の. = bulbospinal.

spi·no·ce·re·bel·lar a·tax·i·a 脊髄小脳性運動失調，脊髄小脳失調（小児期の中期から後期に発症する最も頻度の高い遺伝性運動失調．四肢の運動失調，眼振，脊柱後側弯，凹足を呈する．主な病理学的変化は脊髄後索にみられる）．

spi·no·cer·e·bel·lum (spīʹnō-serʹĕ-belʹŭm). = paleocerebellum.

spi·no·cu·ne·ate fi·bers 楔状束脊髄線維（頸部・上胸部脊髄の後角細胞から起こり，同側の楔状束を上行して楔状束核に終わる神経線維．シナプス後後柱システムの一部をなす）．

spi·no·gra·cile fi·bers 薄束脊髄線維（下胸部・腰仙骨部脊髄の後角細胞から起こり，同側の薄束を上行して薄束核に終わる神経線維．シナプス後後柱システムの一部をなす）．

spi·no·o·li·var·y tract オリーブ脊髄路（脊髄灰白質から起こり同側を上行して背側および内側副オリーブ核群に終止する多様な線維束の総称）．

spi·nous (spīʹnŭs)．棘状の．

spi·nous lay·er 〔表皮〕有棘層. = stratum spinosum epidermidis.

spi·nous pro·cess *1* 棘突起（椎骨椎弓の中央から後方への突出部分）．*2* = sphenoidal spine.

spi·no·ves·ti·bu·lar tract 脊髄前庭路（腰仙骨レベルの脊髄から起こり，同側を後脊髄小脳路束と密接して上行し，外側前庭核・内側前庭核・脊髄前庭核に終わる線維束．一部は後脊髄小脳路線維の側索かもしれない）．

spi·rad·e·no·ma (spīrʹad-ĕ-nōʹmă)．汗腺〔腺〕腫（汗腺の良性腫瘍）．

spi·ral (spīʹrăl)．*1* 〖adj.〗らせん状の，らせん形の（時計のぜんまいのような渦巻き状の．ワイヤスプリングのように巻きながら上っていくことについていう）．*2* 〖n.〗らせん体（コイル状構造）．

spi·ral ban·dage らせん包帯，傾斜包帯（肢に巻く傾斜包帯で，前に巻いた部分に重ねていく）．

spi·ral ca·nal of coch·le·a 蝸牛らせん管（蝸牛軸を2回半回る骨迷路のらせん管で，棚状構造すなわち骨らせん板により不完全ながら2室に分かれている）. = Corti canal; Rosenthal canal.

spi·ral ca·nal of mo·di·o·lus 蝸牛軸らせん管（蝸牛神経のらせん神経節が存在する蝸牛軸内の間隙）. = canalis spiralis modioli.

spi·ral fold of cys·tic duct 〔胆嚢管〕らせんひだ（胆嚢管上部内の，らせん状に配列した一連の粘膜の半月状のひだ). = plica spiralis ductus cystici.

spi·ral frac·ture らせん骨折 (骨折線がらせん状を呈する骨折).

spi·ral gan·gli·on of co·chle·a らせん神経節 (蝸牛軸のらせん管内にあって蝸牛神経の双極性知覚神経細胞体からなる細長い神経節. 各神経節細胞は, 骨らせん板層間をらせん器へ通っている末梢性神経突起と, 第八神経の下根(蝸牛根)の構成要素として後脳にはいっている中枢性軸索を出している).

spi·ral joint = cochlear joint.

spi·ral lig·a·ment of co·chle·a 蝸牛らせん靱帯 (上腕骨内側縁の遠位部で鋭い稜をなす部分).

spi·ral or·gan らせん器 (蝸牛管底部の基底板上にある高度に分化した上皮の隆起. 数列の円柱状細胞, すなわち Corti 円柱細胞, Hensen 細胞, Claudius 細胞によって支持される1列の内有毛細胞, および3列または4列の外有毛細胞, または Corti 細胞(蝸牛神経によって支配される聴覚受容器)を含む. らせん器は日よけ棚状の蓋膜によって部分的におおわれ, その自由な辺縁部は外有毛細胞の不動線毛がはいっているゲル状物質でおおわれている). = Corti organ.

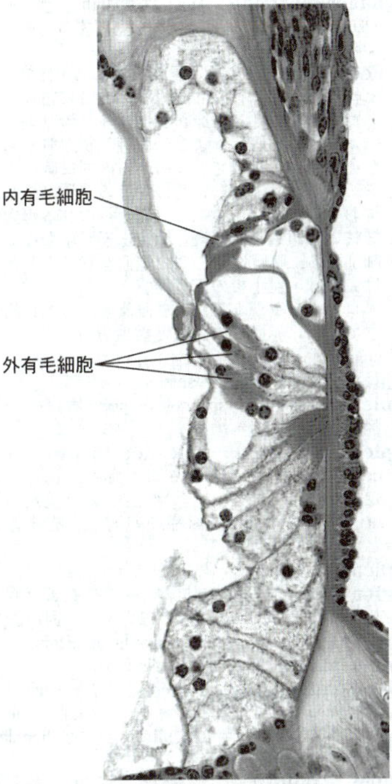
内有毛細胞
外有毛細胞
spiral organ of Corti

spi·ral vein of mo·di·o·lus 蝸牛軸らせん静脈 (蝸牛軸内をらせん状に進む静脈. 迷路静脈と蝸牛小管静脈へ注ぐ).

spi·ril·lar (spī-ril′ăr). らせん菌状の (S 字形をした細菌細胞についていう).

Spi·ril·lum (spī-ril′ŭm). スピリルム属 (大きい, 強固ならせん状のグラム陰性細菌らせん菌科の一属で, 双極べん毛束によって動く).

spi·ril·lum, pl. spi·ril·la (spī-ril′ŭm, -ā). スピリルム (*Spirillum* 属の細菌).

Spi·ril·lum mi·nus 鼡咬熱(鼡毒)の原因となる分類不明な菌種. 本種はこれまで培養がなされていない.

spir·it (spir′it). ***1*** 蒸留酒 (蒸留によって得られるブドウ酒より強いアルコール飲料). ***2*** 蒸留された液体. ***3*** 酒精剤 (揮発物質のアルコール溶液. 香味料としてまたは薬剤として用いる).

spir·it lamp アルコールランプ (アルコールを燃やすランプで, 実験室で主に加熱のために用いる).

spiro-, spir- ***1*** コイルまたはコイル状の, を表す連結形. ***2*** 呼吸することを表す連結形.

spirochaetaemia [Br.]. = spirochetemia.

spi·ro·chet·e·mi·a (spī′rō-kē-tē′mē-ă). スピロヘータ血〔症〕(血中にスピロヘータが存在すること). = spirochaetaemia.

spi·ro·gram (spī′rō-gram). 呼吸曲線, 肺容量曲線 (呼吸運動記録器によって描かれた曲線).

spi·ro·graph (spī′rō-graf). 呼吸運動記録器 (呼吸運動の深さと速度をグラフで示すための装置).

spi·rom·e·ter (spī-rom′ĕ-tĕr). 肺活量計, スパイロメータ (臨床および研究において, 肺によって吸入, 呼出される気流と容積を測定するために用いられる器機で, 肺機能を測定する. 肺機能を測定する最も基本的器機と考えられている).

spi·rom·e·try (spī-rom′ĕ-trē). 肺活量測定〔法〕(肺活量計で肺の測定を行うこと).

spis·si·tude (spis′i-tūd). 濃縮状態 (稠厚になった状態. 蒸発または濃縮によって液体がほとんど固体となった状態).

spit·tle (spit′ĕl). 唾液. = saliva.

Spit·zer the·o·ry シュピッツァー説 (哺乳類の胚の心臓の分化は, 一義的にはより下等な生物の成体の構造形式の発生反復に基づくという解釈).

Spitz ne·vus スピッツ母斑 (良性で, 軽度の色素沈着あるいは赤色の表在性皮膚小腫瘍. 小児に最も好発するが, 成人に起こることもある. 異型性を示しているようにみえる紡錘形, 類上皮性, および多核の細胞からなる).

splanchnaesthesia [Br.]. = splanchnesthesia.

splanchnaesthetic sensibility [Br.]. = splanchnesthetic sensibility.

splanch·nap·o·phys·i·al, splanch·nap·o·phys·e·al (splangk′nap-ō-fiz′ē-ăl). 内臓側骨端の.

splanch·na·poph·y·sis (splangk′nă-pof′i-

S

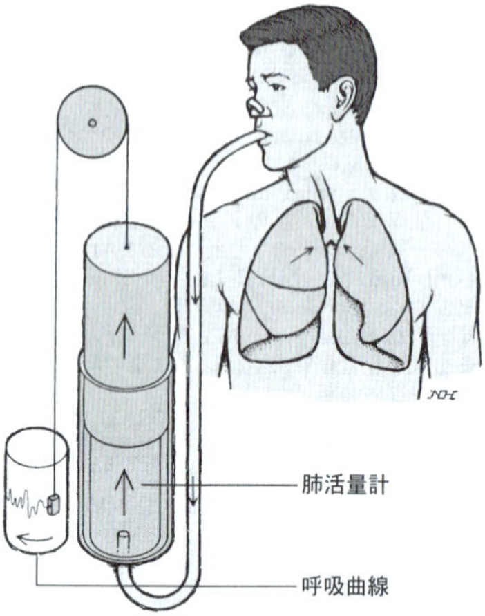
肺活量計
呼吸曲線

spirometry 閉鎖回路肺活量測定の原理.

sis). 内臓側骨端 (代表的な脊椎の骨端で, 神経骨端や突起の反対側にあり, 内臓または消化管の一部の付着部).

splanch·nec·to·pi·a (splangk′nek-tō′pē-ă). 内臓転位〔症〕(内臓のどれかが転位していること).

splanch·nes·the·si·a (splangk′nes-thē′zē-ă). 内臓感覚. = visceral sense; splanchnaesthesia.

splanch·nes·the·tic sen·si·bil·i·ty 内臓感覚. = visceral sense; splanchnaesthetic sensibility.

splanch·nic (splangk′nik). 内臓の. = visceral.

splanch·nic an·es·the·si·a 内臓感覚(知覚)脱失(消失) (内臓神経の支配している内臓腹膜領域の感覚脱失). = visceral anesthesia.

splanch·ni·cec·to·my (splangk′ni-sek′tŏ-mē). 内臓神経切除〔術〕(通常, 腹腔神経節の切除をいう).

splanch·nic gan·gli·on 内臓神経神経節 (大内臓神経の走行中に, しばしば存在する小さな交感神経節).

splanch·nic nerve 内臓神経 (内臓に分布する神経. これに3群あり, 心肺内臓神経は交感神経節後線維を胸部内臓に送り, 腹部骨盤内臓神経は交感神経節前線維を交感神経節に送り, 骨盤内臓神経は副交感神経節前線維を骨盤神経叢に送る).

splanch·ni·cot·o·my (splangk′ni-kot′ŏ-mē). 内臓神経切断〔術〕(高血圧の治療に以前用いられた外科的手術).

splanch·nic wall 胞胚内壁 (内臓壁あるいはそれが形成される臓側板).

splanchno-, splanchn-, splanchni- 内臓を表す連結形. →viscero-.

splanch·no·cele (splangk′nō-sēl). ***1*** 胚, 胎児における原始体腔. ***2*** 内臓ヘルニア (腹部臓器のヘルニア).

splanch·nog·ra·phy (splangk-nog′ră-fē). 内臓学的記述 (内臓に関する論文または記述).

splanch·no·lith (splangk′nō-lith). 内臓結石 (腸の結石).

splanch·no·meg·a·ly (splangk′nō-meg′ă-lē). 内臓巨大〔症〕. = visceromegaly.

splanch·nop·a·thy (splangk-nop′ă-thē). 内臓障害.

splanch·no·pleure (splangk′nō-plūr). 内臓葉 (外側中胚葉の内臓層と内胚葉とを結合して形成される胎芽細胞層).

splanch·nop·to·sis, splanch·nop·to·si·a (splangk′nop-tō′sis, -tō′sē-ă). 内臓下垂〔症〕. = visceroptosis.

splanch·no·scle·ro·sis (splangk′nō-skle-rō′sis). 内臓硬化〔症〕(結合組織の発育過度による硬化).

splanch·no·skel·e·tal (splangk′nō-skel′ĕ-tăl). 内臓骨格の. = visceroskeletal.

splanch·no·skel·e·ton (splangk′nō-skel′ĕ-tŏn). 内臓骨格. = visceroskeleton (2).

splanch·no·tribe (splangk′nō-trīb). 砕腸器 (切除に先立って一時的に腸を閉塞するために用いる, 大きい圧砕止血器に似た器具).

spleen (splēn). 脾臓 (腹腔内の上部左側で, 胃と横隔膜の間に横たわる大きい血管に富んだリンパ性器官. リンパ節および散在性のリンパ組織からなる白脾髄および静脈性洞様血管からなる赤脾髄から構成され, それらの間に脾索がある. 赤脾髄および白脾髄の両者の基質は細網線維および細網細胞である. 嚢からのびる弾力線維柱の骨組みは, 脾臓の構造を不明確な小葉に細別する. 脾臓は幼若期の造血器官であり後には赤血球・血小板の貯蔵器官となる. 多数のマクロファージがあるため, 血液濾過器の作用をして, 老化赤血球の識別と破壊を行う). = lien; splen.

splen (splen). 脾臓. = spleen.

sple·nec·to·my (splē-nek′tŏ-mē). 脾摘出〔術〕, 脾摘.

sple·nec·to·pi·a, sple·nec·to·py (splē′nek-tō′pē-ă, splē-nek′tō-pē). ***1*** 脾転位〔症〕(遊走脾の場合のような, 脾の変位). ***2*** 脾遺残 (通常, 脾臓の部位に脾組織の残屑が存在すること).

splen·ic (splen′ik). 脾〔性〕の. = lienal.

splen·ic ar·ter·y 脾動脈 (腹腔動脈より起こり, 膵枝, 左胃大網動脈, 短胃動脈, 固有脾枝に分枝する). = arteria lienalis; lienal artery.

splen·ic flex·ure = left colic flexure.

splen·ic lymph fol·li·cles 脾リンパ小節 (小動脈枝の側面に付着しているリンパ組織の小さい結節性の塊). = folliculi lymphatici lienales; malpighian bodies.

splen·ic pulp 脾髄 (脾臓のうち細胞の充満した軟らかい部分).

splen·ic si·nus 脾洞 (杆状の細胞で囲まれた広

さ 12—40 μm の延長した静脈路).

splen·ic vein 脾静脈（脾臓の前面の脾門でいくつかの小静脈と短胃静脈，左胃大網静脈との合流によって始まり，脾腎ひだを通って左腎の方へ後走し，膵臓上縁の後方を走り，膵頭と膵体の境にわたって上腸間膜静脈と合流して門脈となる).

sple·ni·tis（splē-nī′tis). 脾炎.

sple·ni·um, pl. sple·ni·a（splē′nē-ŭm, -ă). *1* 包帯，湿布. *2* 膨大（包帯を巻いた形に似た構造).

sple·ni·um cor·po·ris cal·lo·si 脳梁膨大（脳梁の肥厚した後端). = splenium of corpus callosum.

sple·ni·um of cor·pus cal·lo·sum 脳梁膨大（脳梁の肥厚した後端). = splenium corporis callosi.

sple·ni·us ca·pi·tis mus·cle 頭板状筋（後頸部浅層の扁平な筋で，頸板状筋とは停止が頭骨である点で区別する. 起始：下位 4 個の頸椎と上位 3 個の胸椎の棘突起. 停止：乳様突起と後頭骨の上項線の外側半分. 作用：頭部を回旋し，両側が一緒に働くと頭を後方に引く. 神経支配：第二–第八頸神経の後枝). = musculus splenius capitis; splenius muscle of head.

sple·ni·us cer·vi·cis mus·cle 頸板状筋（後頸部浅層の扁平な筋で，頭板状筋とは停止が頸椎である点で区別する. 起始：第三–第五胸椎の棘突起および棘上靱帯. 停止：第一および第二頸椎(第三頸椎までのびることもある)の横突起の後結節. 作用：首の回転. 両側が同時に働くと首をのばす. 神経支配：第五–第八頸神経の後枝). = musculus splenius cervicis; splenius muscle of neck.

sple·ni·us mus·cle of head 頭板状筋. = splenius capitis muscle.

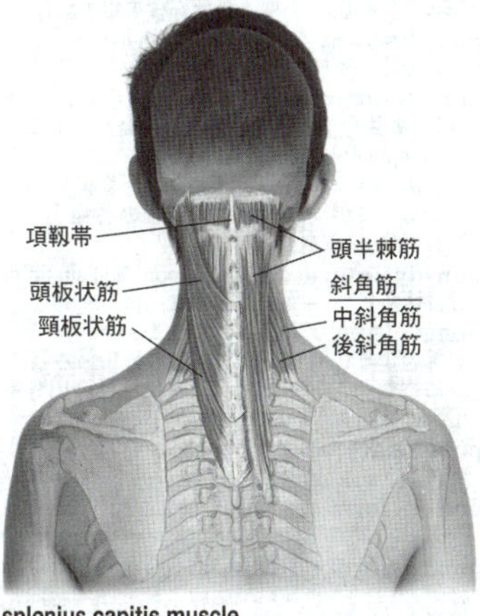
項靱帯
頭板状筋
頸板状筋
頭半棘筋
斜角筋
中斜角筋
後斜角筋

splenius capitis muscle

sple·ni·us mus·cle of neck 頸板状筋. = splenius cervicis muscle.

spleno-, splen- spleen(脾臓)を表す連結形.

sple·no·cele（splē′nō-sēl). *1* = splenoma. *2* 脾ヘルニア.

sple·no·he·pa·to·meg·a·ly, sple·no·he·pa·to·me·ga·li·a（splē′nō-hep′ă-tō-meg′ă-lē, -mĕ-gā′lē-ă). 肝脾腫（脾臓と肝臓の両方の腫脹).

sple·noid（splē′noyd). 脾〔臓〕様の.

sple·no·ma（splē-nō′mă). 脾腫（腫脹した脾臓を表す不適切な一般用語). = splenocele(1).

sple·no·ma·la·ci·a（splē′nō-mă-lā′shē-ă). 脾軟化〔症〕.

sple·no·med·ul·lar·y（splē′nō-med′ŭ-lar-ē). = splenomyelogenous.

sple·no·meg·a·ly, sple·no·me·ga·li·a（splē-nō-meg′ă-lē, -mĕ-gā′lē-ă). 巨脾腫〔症〕（脾臓の腫脹). = megalosplenia.

sple·no·my·e·log·e·nous（splē′nō-mī-ĕ-loj′ĕ-nŭs). 脾骨髄〔性〕の（脾臓および骨髄に源を発する白血病の一型についていう). = splenomedullary.

sple·no·my·e·lo·ma·la·ci·a（splē′nō-mī′ĕ-lō′mă-lā′shē-ă). 脾骨髄軟化〔症〕（脾臓および骨髄の病的軟化).

sple·nop·a·thy（splē-nop′ă-thē). 脾障害（脾臓の疾病の総称).

sple·no·pex·y, sple·no·pex·i·a（splē′nō-pek-sē, -pek′sē-ă). 脾固定〔術〕（変位した脾臓または遊走脾を定位置に縫合する手術). = splenorrhaphy(2).

sple·no·por·tog·ra·phy（splē′nō-pōr-tog′ră-fē). 経脾門脈造影(撮影)〔法〕（門脈循環の脾静脈および門脈本幹の X 線写真を得るために，脾臓に造影剤を導入する方法).

sple·nop·to·sis, sple·nop·to·si·a（splē′nop-tō′sis, -tō′sē-ă). 脾下垂〔症〕（遊走脾のように，脾臓の下方への変位).

sple·no·re·nal lig·a·ment 脾腎ひだ（腹膜大網部のひだで左腎臓前面から脾面に広がっており，後腹壁から脾臓への血管を導いている). = ligamentum splenorenale.

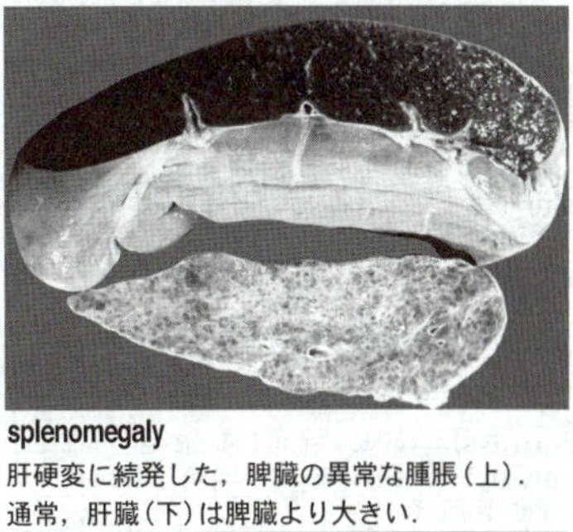

splenomegaly

肝硬変に続発した，脾臓の異常な腫脹(上).
通常，肝臓(下)は脾臓より大きい.

S

sple·no·re·nal shunt 脾静脈腎静脈吻合（脾静脈の左腎静脈への吻合で，通常は門脈圧亢進症を軽減するために行われる端側吻合）.

sple·nor·rha·gi·a (splē′nōr-ā′jē-ā). 脾出血（破裂した脾臓からの出血）.

sple·nor·rha·phy (splē-nōr′ā-fē). ***1*** 脾縫合〔術〕（破裂した脾臓を縫合すること）. ***2*** = splenopexy.

sple·no·sis (splē-nō′sis). 脾症（脾臓破裂の結果，脾臓組織が腹部内に着床し，続いて増殖する状態）.

sple·not·o·my (splē-not′ō-mē). ***1*** 脾解剖〔学〕. ***2*** 脾切開〔術〕（脾臓の外科的手術）.

sple·no·tox·in (splē′nō-tok′sin). 脾毒素（脾臓の細胞に特異的な細胞毒素）.

splic·ing (splīs′ing). スプライシング（① DNA のある分子が他の DNA 分子に付着すること. = gene splicing. ②メッセンジャー RNA プリカーサ(前駆体)からイントロン(介在配列)が除かれ，エキソン同士が再付着あるいはアニーリングすること. = RNA splicing）.

splint (splint). ***1*** 副子（関節の運動を防ぐため，または変位した部位や可動な部位を固定するための装置）. ***2*** 腓骨.

splin·ter hem·or·rhag·es 線状出血（ごく小さな縦の爪下出血. 細菌性心膜炎，旋毛虫症に典型的にみられるが，診断の決め手にはならない）.

split hand = cleft hand.

split pel·vis 分離骨盤（恥骨結合のない骨盤で，骨盤骨は完全にある間隔で分離している. 通常，膀胱外反を伴う）.

split-thick·ness flap 中間層〔皮〕弁，分層皮弁（粘膜と粘膜下層の一部あるいは皮膚と真皮の一部よりなり，骨膜は含まない外科的移植弁）. = partial-thickness flap.

split-thick·ness graft 分層植皮片（皮膚の表層の移植，例えば表皮と真皮の一部あるいは粘膜と粘膜下層の一部）. = partial-thickness graft.

split·ting (split′ing). 分解，分裂（化学において，共有結合の開裂または関与する分子の細分化）.

split·ting of heart sounds 心音の分裂（第1音および第2音(まれには第3音および第4音)の主成分は左右の弁の閉鎖による. 第1音は僧帽弁と三尖弁成分によって構成され，第2音は大動脈弁と肺動脈弁の成分によって構成される. 後者は吸気時肺動脈成分が遅れ，また大動脈成分が早くなるため早く，呼吸に伴って分裂して聞こえるときがある）.

spm 不安定な対立遺伝子の抑制 *sup*pression および突然変異 *m*utation を引き起こす遺伝子の略.

spo·dog·e·nous (spō-doj′ĕ-nŭs). 老廃物性の，残渣の.

spon·dee (spon′dē). 強強格（各音節に同じストレスをもつ2音節語. 言語聴覚検査に用いる）.

spon·dy·lal·gi·a (spond′i-lal′jē-ā). 脊椎痛.

spon·dyl·ar·thri·tis (spon′dil-ahr-thrī′tis). 脊椎〔関節〕炎.

spon·dy·lit·ic (spond′i-lit′ik). 脊椎炎の.

spon·dy·li·tis (spon′di-lī′tis). 脊椎炎.

spon·dy·li·tis de·for·mans 変形性脊椎炎（脊柱を侵す関節炎および変形性骨炎. 靱帯の骨化および椎間関節の骨性強直を伴う. 椎間板の縁への結節性沈着物によって特徴付けられ，硬直を伴った丸みのある脊柱後弯をもたらす）. = Bechterew disease; Strümpell disease(1).

spondylo-, spondyl- 脊椎を表す連結形.

spon·dy·lo·ep·i·phys·i·al dys·pla·si·a 脊柱・骨端異形成〔症〕（脊柱の発育不良を特徴とする. 扁平椎体，骨幹端の化骨遅延，短肢，低身長を呈し，ときには他の奇形を伴う. 常染色体優性・常染色体劣性・X 連鎖劣性遺伝などが報告されている）.

spon·dy·lo·ep·i·phy·si·al dys·pla·si·a con·gen·i·ta (SEDC) 先天性脊椎・骨端異形成症（短肢を伴う低身長，恥骨，大腿，脛骨近位端の化骨遅延，扁平椎体，近視，網膜剥離，口蓋裂を呈する骨異形成. 第12染色体長腕のコラーゲンタイプ II 遺伝子(*COL2A1*)の突然変異による常染色体優性遺伝である）.

spon·dy·lo·e·pi·phy·si·al dys·pla·si·a tar·da 遅発性脊椎骨端異形成〔症〕（遅発性，通常10歳代発症の骨格異形成症で，小人症，扁平椎，股関節の骨端異常，早期発症変形性関節症，および独特の X 線像を特徴とする. 常染色体優性遺伝と X 連鎖劣性遺伝の2型がある）.

spon·dy·lo·lis·the·sis (spon′di-lō-lis-thē′sis). 脊椎すべり症. = anterolisthesis.

spon·dy·lo·lis·thet·ic (spon′di-lō-lis-thet′ik). 脊椎すべり症の.

spon·dy·lo·lis·thet·ic pel·vis 脊椎すべり症骨盤（下部の腰椎体が前方に変位したため骨盤入口が多少閉塞された骨盤）. = Prague pelvis; Rokitansky pelvis.

spon·dy·lol·y·sis (spon′di-lol′i-sis). 脊椎分離〔症〕（椎体の一部分の変性または発生障害）.

spon·dy·lop·a·thy (spon′di-lop′ā-thē). 脊椎障害，脊椎症（脊椎または脊柱疾患の総称）.

spon·dy·lo·py·o·sis (spon′di-lō-pī-ō′sis). 脊椎化膿症（1個以上の椎体の化膿性炎症）.

spon·dy·los·chi·sis (spon′di-los′ki-sis). 脊椎披裂(破裂)，二分脊椎（椎弓の発生学的癒合不全. →spina bifida）.

spon·dy·lo·sis (spon′di-lō′sis). 脊椎症（脊椎の強直. この語は変性性の脊椎の各病変に特定されずにしばしば用いる）.

spon·dy·lo·syn·de·sis (spon′di-lō-sin-dē′sis). 脊椎癒着〔術〕. = spinal fusion.

sponge (spŏnj). 海綿，スポンジ（①ガーゼや調製綿のように液体を吸収するのに用いる吸収材. ②海綿動物門の動物で，その細胞性の内骨格は市販のスポンジの材料となる）.

sponge bath スポンジ沐浴(入浴)（水を含ませたスポンジまたは布で身体を洗う入浴）.

spon·gi·form (spŏn′ji-fōrm). 海綿状の. = spongy.

spon·gi·form en·ceph·a·lop·a·thy 海綿状脳障害(脳症)（神経細胞内と神経膠細胞内に空胞形成を特徴とする脳症）.

spongio- 海綿，海綿様の，海綿状の，を表す連

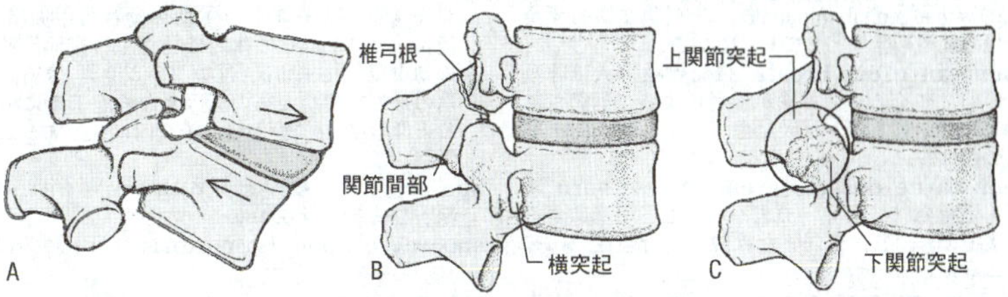
椎弓根
関節間部
横突起
上関節突起
下関節突起
A
B
C

spondylolisthesis
A：腰椎の前方へのすべり．B：関節間部の骨折．C：関節突起の固定．

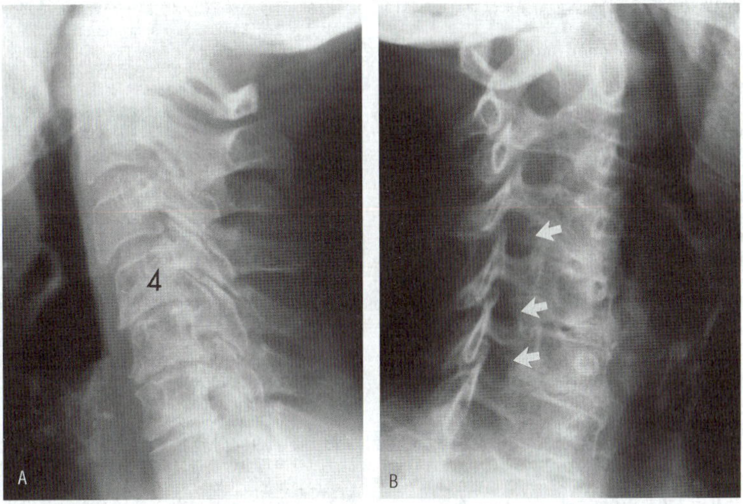
4
A
B

spondylosis A：X線側面像は，頸椎4下の円板スペースが狭小化しているのを示している．
B：X線斜位像は，突起が椎間板孔にさまざまなレベルで侵入しているのを示している．

結形．

spon·gi·o·blast (spŏn′jē-ō-blast)．海綿芽細胞（脳壁または脊髄壁を横切る，すなわち内境界膜から外境界膜までのびる神経上皮の糸状上衣細胞．神経膠細胞と上衣細胞になる．→glioblast)．

spon·gi·o·blas·to·ma (spŏn′jē-ō-blas-tō′mă)．〔神経〕海綿芽細胞腫，海綿芽腫（ヒトの胚の神経管の周囲に正常でみられる胚海綿芽細胞に似た細胞(長く伸び，紡錘型で，ときに多形性で，1つまたは2つの原線維突起をもつ)からなる神経膠腫．比較的ゆっくり成長し，通常，脳幹，視交叉，または漏斗に発生し，近接組織に浸潤し，第3脳室や第4脳室を圧迫する)．

spon·gi·o·cyte (spŏn′jē-ō-sīt)．*1* 神経膠細胞．*2* 束状帯細胞（脂質の小滴を多量に含む副腎の束状帯における細胞．ヘマトキシリンとエオシンで染色すると，空胞化していることがはっきりわかる)．

spon·gi·oid (spŏn′jē-oyd)．= spongy.

spon·gi·ose (spŏn′jē-ōs)．多孔性の，海綿状の．

spon·gi·o·sis (spŏn′jē-ō′sis)．海綿状態（表皮の細胞間の炎症性の浮腫をいう)．

spon·gi·o·si·tis (spŏn′jē-ō-sī′tis)．海綿体炎（海綿体または尿道海綿体の炎症)．

spon·gy (spŏn′jē)．海綿質の，海綿状の（構造または外観が海綿に類似した)．= spongiform; spongioid.

spon·gy bone *1* = substantia spongiosa. *2* 鼻甲介の骨．

spon·gy sub·stance = substantia spongiosa.

spon·ta·ne·ous a·bor·tion 自然流産（人工的誘発によらない流産)．

spon·ta·ne·ous am·pu·ta·tion 自然離断（①= congenital amputation. ②外傷によらず疾患の経過の結果として起こる切断）.

spon·tan·e·ous breath 自発呼吸（人工呼吸の間，タイミングと量が患者によって制御される呼吸．例えば，呼吸は患者によって開始・終了される）.

spon·ta·ne·ous gan·grene of new·born 新生児特発〔性〕壊疽（原因不明の血管閉塞による壊疽で，通常，衰弱または脱水した新生児に起こる）.

spon·ta·ne·ous gen·er·a·tion 偶然発生（生物は非生物が生気を与えられることにより生じうるという誤った概念．→biogenesis）. = heterogenesis（3）.

spon·ta·ne·ous mu·ta·tion 偶発突然変異（変異誘発物質への暴露の結果ではなく，自然に起こる突然変異）.

spon·ta·ne·ous pneu·mo·thor·ax 自然気胸（肺の実質性疾患に付随して起こる気胸で，通常は気腫性嚢胞が破れて起こるか，またはときに肺膿瘍が原因で起こる）.

spon·ta·ne·ous speech 自発語（特別な促しのない発話または構造化されていない面接における発話）.

spon·ta·ne·ous ver·sion 自己回転（子宮筋の自発的な収縮による胎児の回転）.

spoon（spūn）. 匙（さじ）.

spoon nail 匙（さじ）状爪，スプーン〔状〕爪. = koilonychia.

spo·rad·ic（spōr-ad′ik）. ***1*** 散在〔性〕の，散発〔性〕の（動物またはヒトの集団での疾患の起こり方の時間的パターンについていう．疾患はまれにしか起こらず，規則性なしに起こる．→endemic; epidemic; epizootic）. ***2*** 散在〔性〕の，散発〔性〕の（不規則に，偶然に起こる）.

spo·ran·gi·um（spōr-anj′ē-ŭm）. 胞子嚢，芽胞嚢（無性胞子が進行性分割によって生じる真菌内の袋状の構造（細胞））.

spore（spōr）. 胞子，芽胞（①菌類または胞子虫に属する原生動物の無性または有性生殖体．②種子植物よりも組織化が未発達な植物の細胞．③ある種の細菌の抵抗型．④ミクロスポラ類とミキソゾア類でのようなある種の原生動物の著しく分化した生殖体）.

spo·ri·ci·dal（spōr-i-sī′dăl）. 殺胞子〔性〕の.

spo·ri·cide（spōr′i-sīd）. 胞子駆除薬.

spo·rid·i·um, pl. spo·rid·i·a（spōr-id′ē-ŭm, -ă）. 担子胞子，小生子（原生動物の胞子．胎生期の原生動物）.

sporo-, spori-, spor- 胞子，種，を意味する連結形.

spo·ro·ag·glu·ti·na·tion（spōr′ō-ă-glū′ti-nā′shŭn）. 胞子凝集反応（真菌に感染した患者の血液中に，病原菌の胞子を凝集させる特異な凝集素が存在するという事実に基づいた真菌症の診断法）.

spo·ro·blast（spōr′ō-blast）. スポロブラスト（胞子虫に属する原生動物のスポロゾイトが分化する以前のスポロシストの発育初期型．→oocyst; sporocyst（2））.

spo·ro·cyst（spōr′ō-sist）. スポロシスト，スポロキスト，胞子被嚢（①軟体動物の中間宿主，通常，カタツムリの体内で発育する複世代吸虫の幼虫型．→cercaria. ②コクシジウム（家畜，家禽の最も重要な疾病の原因となる胞子虫に属する一群の原生動物）の接合子嚢内に発生する二次嚢胞）.

spo·ro·gen·e·sis（spōr′ō-jen′ĕ-sis）. 伝播生殖，胞子形成. = sporogony.

spo·rog·e·nous（spŏr-oj′ĕ-nŭs）. 伝播生殖の，胞子形成の.

spo·rog·o·ny, spo·rog·e·ny（spŏr-og′ŏ-nē, -oj′ĕ-nē）. スポロゴニー，スポロゾイド形成，伝播生殖（胞子虫類におけるスポロゾイト（胞子小体）形成をいう．胞子母細胞に起こる一連の無性分裂によって接合子嚢中にスポロシストを生じる．胞子小体形成は配偶子が合体して接合子ができた後に起こる）. = sporogenesis.

spor·ont（spōr′ont）. スポロント，接合胞子（球虫類胞子虫の生活環中で接合子嚢内にある接合子段階．これがスポロブラスト（胞子母細胞）を生じ，スポロブラストはスポロシスト（胞子被嚢）をつくる．内部で感染性のスポロゾイト（胞子小体）を生成する）.

Spo·ro·thrix（spōr′ō-thriks）. スポロトリクス属（二相性不完全真菌の一属で，本属の一種 *Sporothrix schenckii* は全世界に分布し，ヒトや動物のスポロトリクス菌症の病原体となる）.

spo·ro·tri·cho·sis（spōr′ō-tri-kō′sis）. スポロトリクス症（慢性の皮膚真菌症で，リンパ行性に拡大し，*Sporotrix schenckii* の接種によって起こる．典型的に組織切片中にみられるのはまれであるが，培養では急速に成長する．播種性に骨関節や肺，中枢神経系へと拡大することもある）. = Schenck disease.

spo·ro·zo·ite（spōr′ō-zō′īt）. スポロゾイト，種虫（スポロゾイト形成において，オーシストの反復分裂に由来する小さな細長い虫体の一型．マラリア原虫の場合には，この虫体型はカの唾液腺に集まり，カの刺咬時に血液中に注入される．原虫は肝細胞（赤外型サイクル）に侵入した後，その子孫であるメロゾイトが赤血球に感染してマラリアの症状を引き起こす）.

sports a·ne·mi·a スポーツ貧血. = exercise-induced anemia.

sports mas·sage, sports·mas·sage スポーツマッサージ（運動競技の助けになることを特に目的としたマッサージ技術の一群．競技前マッサージ，競技後マッサージ，維持・傷害マッサージなどがある）.

sports med·i·cine スポーツ医学（スポーツやレクリエーション活動を行う人々の健康管理に対して全体論的・包括的・学際的手法を用いる医学の一分野）.

sport-spe·ci·fic train·ing = activity grading.

spor·u·lar（spōr′yū-lăr）. 胞子の，芽胞の.

spor·u·la·tion（spōr′yū-lā′shŭn）. 胞子形成，芽胞形成（酵母が減数分裂を行い，その分裂体が胞子被膜でおおわれる過程）.

spor·ule（spōr′yūl）. 小胞子.

spot（spot）. ***1***〖n.〗点，斑点，斑. = macula. ***2***

〚v.〛しみを付ける（膣からごく少量の血液が出る）.

spot map 地点地図，スポット地図（ある特定の属性の人，例えば感染症症例の地理的な場所を示す地図）.

spot·ted fe·ver 斑点熱（斑点熱リケッチア *Rickettsia rickettsii* による発疹熱で，南・北アメリカおよびシベリアにみられる）.

spot·ted this·tle = blessed thistle.

spot test for in·fec·tious mon·o·nu·cle·o·sis 伝染性単核〔球〕症の斑点分析，伝染性単核〔球〕症スポット試験（伝染性単核球症の診断に広く用いるスライド試験．ウマ赤血球(これは異好性抗体を凝集する)を患者血清と混合し，ウシ赤血球の存在下で凝集がみられれば伝染性単核球症と推定診断される）.

spouse a·buse, spous·al a·buse →domestic violence.

Sprague Daw·ley rat スプラーグ・ドーリー・ラット（実験のために使われる一般的な実験動物）.

sprain (sprān). ***1*** 〚n.〛捻挫（関節に異常なまたは過大な力が加わった結果起こった靱帯損傷で，脱臼や骨折は伴わないもの）. ***2*** 〚v.〛〔関節を〕捻挫する.

sprain frac·ture 剥離骨折（隣接骨の小部分が引っ張られて剥離した骨折）.

spray (sprā). スプレー，噴霧（蒸気より粒の大きい細滴状の液体の噴出．細い噴出口から空気と混合した液体を押し出してつくる）.

Spreng·el de·for·mi·ty シュプレンゲル変形（先天性の肩甲骨高位）.

spring con·junc·ti·vi·tis = vernal conjunctivitis.

sprue (sprū). スプルー（①脂肪便を伴う一次腸吸収不良．②歯科において，溶融金属用の孔をつくって型に流し込み鋳造するために用いるワックスまたは金属．またスプルー孔を後で充填する金属）.

SPS sodium polyanethole sulfonate の略.

spud (spŭd). 角膜から異物を除去するために用いる三角形の刃.

spun glass hair ガラス繊維毛. = uncombable hair syndrome.

spur (spŭr). 〔骨〕棘，棘突起. = calcar.

spur cell 有棘細胞（突起をもつ赤血球．5—10個の突起が，細胞表面に様々な長さで不整にある．肝疾患や無βリポ蛋白血症の患者に認められる）.

spur cell a·ne·mi·a 拍車細胞貧血（突起をもつ赤血球で，早期に主に脾臓で破壊される．重篤な肝疾患の患者にみられ，原因は赤血球膜のコレステロール内容の異常である）.

spu·ri·ous (spyūr′ē-ŭs). 偽の，偽性の，仮性の.

spu·ri·ous an·ky·lo·sis 偽強直. = extracapsular ankylosis.

spu·ri·ous par·a·site 擬似寄生生物（他の宿主に寄生している生物をヒトが摂取して，腸管を通過し，糞便中に検出されるもの(例えば，動物の肝臓に存在していた *Capillaria* sp. の虫卵)）.

Spurl·ing test スパーリング検査（頸髄神経根の圧迫をみる検査．患者は頸を伸展し，症状がある側に頸を回転させ頭を側転する．その姿勢で，検者は患者の頭頂部に手をあてて下方へ力を加える．典型的な根性痛が上肢に起こると，この検査は陽性である）.

spu·tum, pl. spu·ta (spyū′tŭm, -tă). 痰（①喀出された物質，特に気道疾患で喀出された粘液や粘液膿性物質. →expectoration (1). ②①のような物質の塊）.

SQ subcutaneous の略.

squa·la·mine lac·tate 乳酸スクアラミン（抗血管新生作用を有し，固形癌の治療に用いられる非細胞毒薬）.

squa·lene (skwā′lēn). スクアレン（ヘキサイソプレノイド炭化水素の一種．コレステロールや他のステロール，トリテルペンの生合成の中間体）.

squa·ma, pl. squa·mae (skwā′mă, -mē). = scale (2); squame. ***1*** 鱗（骨の薄い板）. ***2*** 鱗屑（表皮の鱗屑）.

squa·mate (skwā′māt). = squamous.

squame (skwām). = squama.

squamo- 鱗，鱗状の，を意味する連結形.

squa·mo·pa·ri·e·tal su·ture 鱗状縫合（頭頂骨と側頭骨鱗部の間の連結）.

squa·mo·sa, pl. squa·mo·sae (skwā-mō′să, -sē). 鱗（前頭骨，後頭骨，側頭骨の鱗部，特に側頭骨の鱗部をいう）.

squa·mo·sal (skwā-mō′săl). 側頭鱗の（特に側頭骨の鱗部に関する）.

squa·mous (skwā′mŭs). 鱗〔屑〕状の，鱗の，落屑〔性〕の. = scaly; squamate.

squa·mous cell 扁平上皮細胞.

squa·mous cell car·ci·no·ma 扁平上皮癌，有棘細胞癌（重層扁平上皮由来の悪性新生物であるが，腺上皮，円柱上皮が正常に存在している気管支粘膜のような部位でも生じることがある）.

squa·mous ep·i·the·li·um 扁平上皮（単層の細胞からなる上皮）.

squa·mous met·a·pla·si·a 扁平〔上皮〕化生（腺上皮または粘液上皮が重層扁平上皮に変形すること）. = epidermalization.

squa·mous met·a·pla·si·a of am·ni·on 羊膜の扁平〔上皮〕化生. = amnion nodosum.

squa·mous o·don·to·gen·ic tu·mor 扁平歯原性腫瘍（良性で上皮性の歯原性腫瘍で，Malassez の上皮遺残由来と考えられている．臨床的には，歯根に近接してX線透過性の病変を認める．組織学的には，腫瘍胞巣が，扁平な辺縁細胞で囲まれ，その中に扁平上皮の集団が島状に認められる）.

squa·mous su·ture 鱗状縫合（相対する両方の骨縁が鱗状で互いに重なり合っているような縫合）.

squa·mo·zy·go·mat·ic (skwā′mō-zī′gō-mat′ik). 頬骨鱗の（側頭骨の鱗部および頬骨突起に関する）.

square knot こま結び（二重結び．2度目の輪の両方の端は対称的で，最初の輪の両端のように同一の平面内にある).

squaw root *1* = black cohosh. *2* = blue cohosh.

squint (skwint). 斜視. = strabismus.

squint·ing pa·tel·la 斜視膝蓋（内方へ回転している膝蓋骨).

SR slow release の略.

Sr ストロンチウムの元素記号.

SRH somatotropin-releasing hormone の略.

sRNA soluble RNA の略. →ribonucleic acid.

SRS slow-reacting substance の略.

SRT speech recognition technology の略. → speech recognition; voice recognition.

SSA sulfosalicylic acid の略.

SSD source-to-surface distance の略.

SSNHL sudden sensorineural hearing loss の略.

SSPE subacute sclerosing panencephalitis の略.

SSPL saturation sound pressure level の略.

SSRI selective serotonin reuptake inhibitor の略.

SST serum separator tube の略.

ST scapulothoracic; sacrotransverse の略.

stab cell 杆〔状〕核〔白血〕球. = band cell.

stab cul·ture 穿刺培養（試験管中の固体培地に接種物のついた接種針を突き刺すことによりつくられる培養).

stab drain 刺傷ドレーン（傷の感染を防ぐために，手術部分から離れた部分に穿刺して腔内に挿入したドレーン).

sta·bi·late (stā′bi-lāt). スタビラート，安定系統〔株〕（単一の条件で生存が維持されている生物集団例).

sta·bile (stā′bil). 安定した，固定性の（ⅰ通常の温度などで影響されない血清のある種の成分，ⅱ電流の通過中ある部分で確実に保たれる電極についていう. *cf.* labile).

sta·bil·i·ty (stă-bil′i-tē). 安定性，安定度（安定した状態，または変化に抵抗する状態).

sta·bi·li·za·tion (stā′bi-lī-zā′shŭn). 安定化（①安定状態の達成. ②= denture stability).

sta·bi·li·za·tion ex·er·cise 強化エクササイズ（無痛の体位でバランスや近位部のコントロールを維持する能力を開発するために使われる動作. 例えばエクササイズ・ボールの上に座って痛みを感じない状態で片足を伸ばすこと).

sta·ble (stā′bĕl). 安定した，固定した，変化しにくい（→stabile).

sta·ble i·so·tope 安定同位体（非放射性核種. 放射性崩壊を行わない同位体).

stac·ca·to speech 継続言語（唐突な発声で，各音節が分離して発音される. 特に多発性硬化症でみられる).

staff (staf). *1* スタッフ，職員（従業員のグループ). *2* = director(1).

staff of Aes·cu·la·pi·us エスキュラピウスのつえ（一匹のヘビが巻き付いているつえ. 医術の象徴. 米国医学協会 American Medical Association，王立陸軍軍医団部 Royal Army Medical Corps (Britain)，王立カナダ衛生師団 Royal Canadian Medical Corps の記章. →caduceus).

staff cell 杆〔状〕核〔白血〕球. = band cell.

staff ed·u·ca·tion スタッフ教育（医療チームの看護，医療，その他のメンバーへの教育. 能力を維持し向上させるための知識，スキル，価値観や態度をスタッフが得ることを助けるプロセス).

staff mod·el HMO スタッフ方式 HMO（保健医療を提供する医師グループが HMO に雇用され，月給制で働く制度).

stage (stāj). *1* 病期（病気の過程の一時期. 病気の進展度や，ある特定の病気をもった患者の状態を表す尺度. 例えば悪性腫瘍進展の分布と広がりなど. 病気分類(病気，特に癌の病期を決定すること)をさすこともある. →period). *2* 載物台（顕微鏡の一部で，鏡検するものを載せたスライドを載せるところ). *3* 段階（発達過程における一定の段階，時相，位置など).

stag·es of la·bor →labor.

stag·gered spon·da·ic word test 切断歪語音検査（分裂状に発音された歪語音を用いた中枢聴覚路の(完全性についての)検査).

stag·horn cal·cu·lus 鹿角状結石，サンゴ状結石（腎盂内にみられる結石で，腎盂漏斗と腎杯にのびる数本の枝をもつ).

stag·ing (stāj′ing). 病期分類（①ある疾病または病的過程が，そのたどる道筋のどのあたりにあるか明確に決定・分類すること. ②個々の患

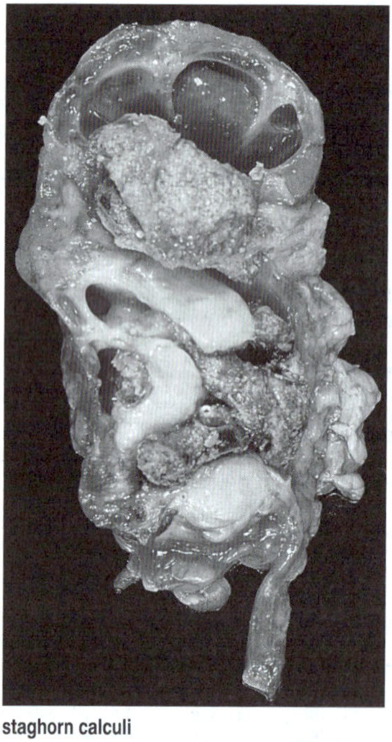

staghorn calculi
水腎症. 拡張した腎杯に円柱状の結石がみられる.

者の病気の程度を明確に決定すること).

stag·nant a·nox·i·a うっ血性無酸素〔症〕(①組織中の酸素の欠如をきたすような重篤なうっ血性低酸素症. ②毛細血管の血流が不十分で酸素交換が低下する状態. ショックや血栓症でみられる).

stag·na·tion (stag-nā′shŭn). 停滞, 貯留, うっ血(受動性うっ血におけるような血管内の血流の遅延または停止. 正常に循環する体液の一部が著明に遅くなるか蓄積すること).

Stahl ear シュタール耳(卵円窩や上部舟状窩が耳輪でおおわれた外耳の奇形. 変質した組織の徴候とみなされていた).

stain (stān). *1* 〘v.〙 変色させる. *2* 〘v.〙 着色する, 染色する. *3* 〘n.〙 変色. *4* 〘n.〙 染料, 染色液, 洗剤(組織学や細菌学の技術に用いるもの). *5* 〘n.〙 染色〔法〕(染料または染料と試薬を配合したものを用いて, 細胞や組織の成分を着色する方法).

stain·ing (stān′ing). *1* 染色〔法〕(染色液を利用すること. →stain). *2* 着色(歯科において, 歯または義歯床の色が変わること).

stair·case (stār′kās). 階段〔現象〕(次から次へ段階的に増加または減少し, 図示すると連続して上昇または下降を示す一連の反応. →treppe).

stair·case phe·no·me·non 階段現象. = treppe.

stal·ag·mom·e·ter (stal′ăg-mom′ĕ-tĕr). 滴数計, 測滴計(一定の液体量について, その滴数を正確に測定する器械で, 表面張力の測定に用いる. 表面張力が小さいほど滴は小さくなるので, 一定の液体量を滴下しきるための滴数が多くなる).

stale·ness (stāl′nĕs). 過剰訓練性疲労. = overtraining syndrome.

stalk (stawk). 茎, 柄(構造物または器官の狭くなった結合部).

stam·mer·ing (stam′ĕr-ing). *1* どもり, 吃(きつ), 構音障害(口ごもりや言葉の繰返し, または特に *l, r, s* などある種の子音の発音不全または置換を特徴とする言語障害). *2* どもりと同様な言語以外の音.

stan·dard at·mos·phere (atm) 標準大気(①平均海面上, 273.15 K における大気圧. 1,013,250 dyn/cm^2 あるいは 101,325 Pa(SI 単位では 101,325 N/m^2)に等しい. 単位記号 Pa はパスカル, N はニュートン. ②海面上の高度の関数としての気圧, 気温およびその他の大気の可変因子の相互関係の標準的表現).

stan·dard bi·car·bon·ate 標準重炭酸イオン濃度(37°C で, 炭酸ガス圧 40 mmHg および酸素圧 100 mmHg 以上で平衡になる全血のサンプルの血漿重炭酸イオン濃度. 異常に高いか低い値はそれぞれ代謝性アルカローシスまたはアシドーシスを示す).

stan·dard of care 標準治療(あらゆる医療従事者が患者の世話をするときに持つことが望まれるスキルやケアの通常のレベル).

stan·dard de·vi·a·tion (*σ*) 標準偏差(①中心的傾向からのばらつきの程度を表す統計的指標. 分布の平均値と個々の値の偏差の自乗を平均したものの平方根. ②頻度分布の性質の記述に用いられる散らばり, またはばらつきの尺度).

stan·dard er·ror of dif·fer·ence 差の標準誤差(2 つの標本平均の差が 0 より大きい差をとる確率の統計的指標の 1 つ).

stan·dard er·ror of mea·sure·ment (SEM) 標準誤差(信頼性に関する誤差に基づいたテスト. 得られたテスト結果と仮説上の真の結果との差. →standard deviation).

stan·dard·i·za·tion (stan′dărd-ī-zā′shŭn). *1* 標定(比較および検査の目的で, 一定の力価の溶液をつくること). *2* 標準化(薬剤その他の製品を型や標準に合わせること). *3* 標準化(2 群以上の集団の比較の際に年齢や他の交絡変数の影響をできるかぎり除去するために用いられる方法).

stan·dard pre·cau·tions 標準的予防策(米国疾病対策予防センターによって定められた感染病と院内感染の予防ガイドライン. 診断や考えられる感染状態にかかわらず, 標準的予防策では, 普遍的予防策と体物質予防策をすべての患者のために組み合わせる. 汗を除く, 体液や分泌物とのすべての接触は, 医療従事者により避けられなければならない).

stan·dard pres·sure 標準圧力(標準状態(STPD)における気体の絶対圧力. すなわち, 760 mmHg, 760 トール, あるいは 101,325 N/m^2 (101,325 Pa). 単位記号 N はニュートン, Pa はパスカル).

stan·dards of nur·sing prac·tice 看護行為基準(満足なケアの規則や定義. 看護のためのガイドライン).

stan·dard so·lu·tion, stan·dard·ized so·lu·tion 標準液(比較または分析の標準として用いられ, 濃度がわかっている液).

stan·dard tem·per·a·ture 標準温度(0°C または 273.15°K).

stan·dard vol·ume 基準容積(標準温度, 標準圧力下の理想気体の量. 約 22.414 L).

Stan·ford-Bi·net in·tel·li·gence scale スタンフォード-ビネー知能スケール(知能測定のための標準化されたテストで, 年齢別正常児童の知能に応じて段階をつけた一連の質問からなり, それらに対する答えが被検者の精神年齢を示す. 最初は児童に用いられたが, 当初の児童に対する基準だけでなく, 成人年齢水準に対して標準化された基準も含まれている). = Binet scale; Binet test.

stan·nous (stan′ŭs). 二価の〔第一〕スズの(特に低原子価のスズと結合しているときにいう).

stan·num (stan′ŭm). スズ. = tin.

sta·pe·dec·to·my (stā′pĕ-dek′tŏ-mē). あぶみ骨摘出〔術〕, あぶみ骨切除〔術〕(あぶみ骨の全部または一部を除去し, 金属製あるいはプラスチック製の人工耳小骨で置換すること. あぶみ骨固着のある耳硬化症による伝音難聴を改善するために用いられる).

sta·pe·di·al (stā-pē′dē-ăl). あぶみ骨の.

sta·pe·di·al re·flex = acoustic reflex.

sta·pe·di·o·te·not·o·my (stā-pē′dē-ō-tĕ-not′

S

ō-mē). あぶみ骨筋腱切開〔術〕(あぶみ骨筋の腱の分離).

sta·pe·di·us mus·cle あぶみ骨筋(耳小骨筋の1つ. 起始:鼓室内の錐体隆起の内壁. 停止:あぶみ骨の頸部. 作用:強すぎる音に対する防御的反応として, あぶみ骨頭を後に引いてあぶみ骨の振動を抑制する. 神経支配:顔面神経). = musculus stapedius.

sta·pe·dot·o·my (stā′pĕ-dot′ō-mē). あぶみ骨底開窓術(耳硬化症における聴力改善のための手術手技. あぶみ骨底に穴をあけ, そこにピストン型の人工耳小骨の一端を置く. 他端をきぬた骨長脚に接着する).

sta·pes, pl. **sta·pes, sta·pe·des** (stā′pēz, stā-pē′dēz). あぶみ骨(3つの耳小骨のうち最小のもの. 底部すなわち足片は前庭(卵形)窓にはまり, 頭部はきぬた骨の長肢の豆状突起と関節で結合する). = stirrup.

sta·pes mo·bi·li·za·tion あぶみ骨可動術(耳硬化症および中耳疾患によってあぶみ骨が不動性になったために起こる伝音難聴を軽減するため, あぶみ骨の足板を再び動くようにする手術).

staph·y·lec·to·my (staf′i-lek′tŏ-mē). 口蓋垂切除〔術〕. = uvulectomy.

staph·yl·e·de·ma (staf′il-ĕ-dē′mă). 口蓋垂水腫, 口蓋垂浮腫. = staphyloedema.

staph·y·line (staf′i-līn). ブドウ房状の. = botryoid.

sta·phyl·i·on (stă-fil′ē-on). スタフィリオン(硬口蓋後縁の中点. 頭蓋計測点).

staphylo-, staphyl- ブドウまたはブドウの房との類似を示す連結形で, 通常, ブドウ球菌または口蓋垂を意味する.

staphylococcaemia [Br.]. = staphylococcemia.

staph·y·lo·coc·cal (staf′i-lō-kok′ăl). ブドウ球菌〔性〕の(ブドウ球菌属 *Staphylococcus* の細菌についていう).

sta·phy·lo·coc·cal ble·pha·ri·tis ブドウ球菌性眼瞼炎(睫毛基部に沿っての固い落屑を特徴とする眼瞼の炎症).

sta·phy·lo·coc·cal en·ter·o·tox·in B ブドウ球菌エンテロトキシンB(黄色ブドウ球菌によって生成され, 一時的な行動不能を誘発する目的で開発された軍用毒素剤. 経口摂取により胃腸症候群を引き起こすが, 吸入後は呼吸作用が中心になる. 米国疾病対策予防センターによってカテゴリーBの生物剤に分類されている).

staph·y·lo·coc·ce·mi·a (staf′i-lō-kok-sē′mē-ă). ブドウ球菌血症(循環血液中にブドウ球菌が存在すること). = staphylococcaemia.

staph·y·lo·coc·ci (staf′i-lō-kok′sī). staphylococcus の複数形.

staph·y·lo·coc·co·sis, pl. **staph·y·lo·coc·co·ses** (staf′i-lō-kok-ō′sis, -sēz). ブドウ球菌感染症(ブドウ球菌属 *Staphylococcus* の細菌による感染症).

Sta·phy·lo·coc·cus, pl. ***Sta·phy·lo·coc·ci*** (staf′i-lō-kok′ŭs, kok′sī). ブドウ球菌属(非運動性, 非胞子形成性で, 好気性または通性嫌気性の小球菌科バクテリアの一属. 球形細胞のグラム陽性菌を含み, 一面以上に分裂して, 不規則菌株群を形成する. コアグラーゼ陽性株は多種の毒素を産生し, 潜在的に病原性で食中毒を起こす. 通常, β-ラクタム系およびマクロライド系抗生物質, テトラサイクリン, ノボビオシン, クロラムフェニコールなどの抗生物質に感受性があるが, ポリミキシン, ポリエンには耐性がある. 温血動物の皮膚, 皮脂腺, 鼻その他の粘膜や種々の食物に見出される. 標準種は *Staphylococcus aureus*).

staph·y·lo·coc·cus, pl. **staph·y·lo·coc·ci** (staf′i-lō-kok′ŭs, kok′sī). ブドウ球菌(ブドウ球菌属 *Staphylococcus* の種を表すのに用いる通称).

Sta·phy·lo·coc·cus au·re·us 黄色ブドウ球菌(特に鼻粘膜と皮膚(毛嚢)にみられる一般的な種. フルンケル, 蜂窩織炎, 膿血症, 肺炎, 骨髄炎, 心内膜炎, 創傷の化膿, 他の感染症, 食中毒を起こす. また熱傷患者に感染症をもたらす. ヒトが主たる保菌宿主である. ブドウ球菌属 *Staphylococcus* の標準種).

Sta·phy·lo·coc·cus sap·ro·phy·ti·cus 尿路感染症の原因となるコアグラーゼ陰性種.

Sta·phy·lo·coc·cus **spe·cies, co·ag·u·lase-neg·a·tive** コアグラーゼ陰性ブドウ球菌(ヒトの皮膚, 呼吸器, 粘膜面の正常菌叢として存在する菌株の一群. 常在菌だが, 院内感染の原因菌として非常に目立ち, 特に静脈カテーテルが留置されている患者で目立つ. 膿瘍を形成し, 副鼻腔炎, 創傷感染, 骨髄炎などいろいろな感染症を起こす菌株もある).

staph·y·lo·der·ma (staf′i-lō-dĕr′mă). ブドウ球菌性膿皮症.

staph·y·lo·der·ma·ti·tis (staf′i-lō-dĕr′mă-tī′tis). ブドウ球菌性皮膚炎.

staph·y·lo·di·al·y·sis (staf′i-lō-dī-al′i-sis). 口蓋垂弛緩. = uvuloptosis.

staphyloedema [Br.]. = staphyledema.

staph·y·lo·ki·nase (staf′i-lō-kī′nās). スタフィロキナーゼ(黄色ブドウ球菌 *Staphylococcus aureus* から単離された微生物性金属結合酵素で, ウロキナーゼやストレプトキナーゼと同様に作用する. プラスミノゲンをプラスミンへ変換できる. ただし Ca^{2+} を必要とする. A, B, C型に分離される).

staph·y·lol·y·sin (staf′i-lol′i-sin). スタフィロリジン(①ブドウ球菌により産生される溶血素. ②ブドウ球菌の溶解を起こす抗体).

staph·y·lo·ma (staf′i-lō′mă). ブドウ〔膜〕腫(ブドウ膜組織を含む角膜, 強膜の突出).

staph·y·lo·ma·tous (staf′i-lō′mă-tŭs). ブドウ〔膜〕腫の.

staph·y·lo·phar·yn·gor·rha·phy (staf′i-lō-far′in-gōr′ă-fē). 口蓋咽頭縫合〔術〕(口蓋垂または軟口蓋と咽頭の欠損の外科的修復). = palatopharyngorrhaphy.

staph·y·lo·plas·ty (staf′i-lō-plas-tē). 口蓋垂形成〔術〕. = palatoplasty.

staph·y·lop·to·sis (staf′i-lop-tō′sis). 口蓋垂下垂〔症〕. = uvuloptosis.

staph·y·lor·rha·phy (staf′i-lōr′ă-fē). 軟口蓋

縫合〔術〕. = palatorrhaphy.

staph·y·lo·tox·in (staf′i-lō-tok′sin). ブドウ球菌毒素（ブドウ球菌属 *Staphylococcus* の菌種が産生する毒素）.

stap·ling (stāp′ling). ステープリング（ステープルを列状あるいは円状に使うことで，例えば，腸管同士といった2つの組織を自動吻合器で吻合すること）.

star (stahr). 星状体，放線体，星芒，星形，星（星状の構造物. →aster; astrosphere; stella; stellula）.

starch (stahrch). デンプン（*α*-1,4 結合をした D-グルコースからなる高分子量多糖類. *β*- ではなく *α*-グルコシド結合が存在する点で，大部分の植物組織に存在するセルロースと異なる. 乾燥熱の作用を受けるとデキストリンに転換し，また，唾液と膵液のアミラーゼとグルコアミラーゼによりデキストリンと D-グルコースに転換する. デンプンは散粉剤，緩和薬，錠剤成分として用いる. 発酵によりアルコール，アセトン，*n*-ブタノール，乳酸，クエン酸，グリセリン，グルコン酸製造の重要な原料となる. 多くの高等植物の主要貯蔵炭水化物）.

star chick·weed = chickweed.

star·flow·er (stahr′flow-ĕr). = borage.

Star·gardt dis·ease シュタルガルト病（萎縮性の斑状病変を伴う黄色斑眼底）.

Star·ling curve スターリング曲線（心拍出量または1回拍出量を平均心房圧または心室拡張末期圧に対して示したグラフ. 静脈還流と心房圧の増大に伴い，拍出量はさらに増大して心臓に負荷をかけるに至り，その後拍出量が減少するがそれまでは比例的に増加する）. = Frank-Starling curve.

Star·ling hy·poth·e·sis スターリング仮説（毛細管を通る総濾過量は，透過膜の静水圧差から透過膜膠質浸透圧差を引いたものに比例するという原理. よく確立されているが，Starling law of the heart と区別するために Starling hypothesis とよばれる）.

Star·ling re·flex スターリング反射（指の手掌側をたたくと指の屈曲を生じること. 足指の Rossolimo 反射に類似）.

star·tle dis·ease 驚愕病. = hyperekplexia.

star·tle ep·i·lep·sy 驚愕てんかん（突然の騒音で誘発されるてんかんの一型）.

star·tle re·flex ***1*** びっくり反射，驚愕反射（空中で短い距離を落下させたとき，または突然の音や揺すぶって驚かしたときの乳児の反射反応（四肢と頸部筋肉の収縮））. = parachute reflex. ***2*** = cochleopalpebral reflex.

star·va·tion di·a·be·tes 飢餓糖尿病（長期の飢餓状態の後に炭水化物やブドウ糖を摂取したときにみられる糖尿. インスリン分泌の低下および（または）糖原生成能力の低下を伴い糖代謝の低下のために起こる）.

starve (stahrv). ***1*** 飢える（食物の欠乏で苦しむ）. ***2*** 飢えさせる，餓死させる（食物を奪って苦しめたり死亡させたりする）. ***3*** 凍死する，の意で以前用いられた.

sta·sis, pl. sta·ses (stā′sis, -ēz). 静止，うっ血，血行静止（血液その他の液体の停滞）.

sta·sis der·ma·ti·tis うっ血（滞）性皮膚炎（静脈の循環障害によって起こる下肢の紅斑と落屑. 通常，高齢女性や深部静脈血栓に続発してみられる）.

sta·sis ec·ze·ma うっ血性湿疹（うっ血が原因または悪化の原因で，下腿に生じる湿疹性発疹）.

stat, STAT (stat). すぐに，ただちに（診断あるいは治療の手順でただちに実行されることについて）.

-stat ある物を変化または運動させないようにした物質を示す接尾語.

state (stāt). 状態.

state-de·pen·dent learn·ing 状態依存性学習（睡眠あるいは覚醒の特定の状態あるいは化学的に変化した状態での学習. そこでは学習した情報が（例えば学習反応の遂行能力で測定される），もともとその学習が行われた状態がつくり出されない限り想起されない）.

state·ment of i·den·ti·ty 名称の表示（食品表示は食品の一般名をはっきりと表示しなければならないという，FDA による命令）.

State Nurs·es As·so·ci·a·tion (SNA) 州看護師協会（州の正看護師の組織. それぞれが全国組織である米国看護師協会の構成組織となる）.

S

sta·tic com·pli·ance 静的コンプライアンス（①安静時において，単位時間あたりの圧力上昇変化に対する膨張する肺の容積変化率. ②静的に決定された圧-容積曲線の勾配）.

stat·ic ex·er·cise 静的エクササイズ（短い時間か，または少なくとも 20 秒くらいまでの間，

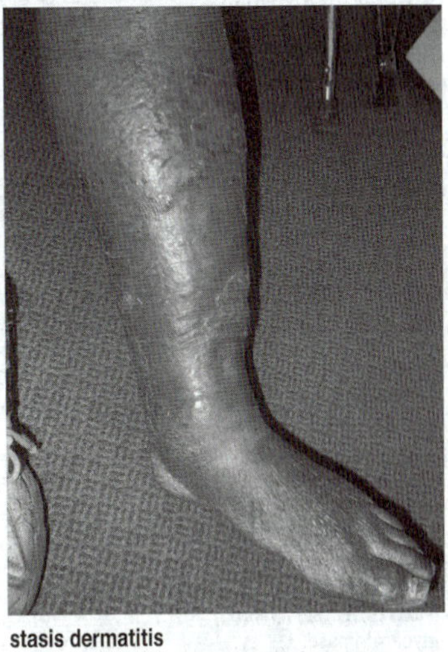

stasis dermatitis

緊張するところまで筋肉を静的にもっていくエクササイズ). = static stretch.

stat·ic re·la·tion 静的関係（2つの部分が動いていないときの関係).

stat·ic stretch = static exercise.

sta·tim (stā′tim). 直ちに.

sta·tis·tics (stă-tis′tiks). ***1*** 統計〔量〕（ある定められたクラスに分類される数値，項目，他の事象の集合であり，経験された事象は確率的なものであると考え，主に確率論に基づく解析(推測)の対象となる). ***2*** 統計学（ランダムな変動を伴うデータを収集，縮約，分析する技術，科学).

stat·o·a·cou·stic (stat′ō-ă-kū′stik). 平衡聴覚〔系〕の（平衡と聴覚に関する). = vestibulocochlear(2).

stat·o·co·ni·a, sing. **stat·o·co·ni·um** (stat′ō-kō′nē-ă, -ŭm). 平衡砂. = statoliths.

stat·o·ki·ne·tic re·flex 平衡運動反射（頸筋と半規管の受容器の刺激により，頭の運動に合わせて手足と眼を動かす).

stat·o·liths (stat′ō-liths). 平衡石，耳石（耳の卵形嚢斑および球形嚢斑のゼラチン状膜に付着する炭酸カルシウムと蛋白の結晶状粒子). = statoconia; otoconia.

stat·ure (stach′ūr). 身長.

sta·tus (stat′ŭs). ***1*** 状態. ***2*** 持続状態，体質.

sta·tus asth·ma·tic·us ぜん息発作重積状態（重症の持続性ぜん息の状態).

sta·tus ep·i·lep·tic·us てんかん重積持続状態，痙攣重積状態（発作を繰り返すか発作が30分以上続くてんかん．痙攣性(強直・間代性)，非痙攣性(アブサンスまたは複雑部分発作)または部分性(持続性部分てんかん)または無症候性(脳波的てんかん重積状態)).

Stauf·fer syn·drome スタウファー症候群（腎細胞癌の患者で，転移がないのに生じる肝機能検査異常．胆汁うっ滞により生じる).

stau·ri·on (stawr′ē-on). スタウリオン（正中縫合と横口蓋縫合の交差点にある頭蓋計測点).

St. Ben·e·dict this·tle = blessed thistle.

STD sexually transmitted disease の略.

stead·y state (s) 定常状態（しばしば下付き文字として表す．①酸化による乳酸の除去と産生が等しく，酸素配給が十分で筋肉の酸素負荷がない状態で，適度の筋肉運動により得られる．②物質の生成と破壊の釣合いがとれ，総量，濃度，圧力，流量が一定に保たれている状態をいう．③酵素反応速度論で，どの酵素反応種(例えば，遊離酵素や酵素基質複合体)の濃度変化速度も生成物の生成速度に比べ，ほとんど0に近い状態のこと).

stead·y-state ex·er·cise, stead·y-rate ex·er·cise 定常状態運動，定常速度運動（運動中の筋肉が必要とするエネルギーと，好気性のATP産生速度をつり合わせた運動).

steal (stēl). 盗血（血液が交互経路または逆行経路を経て流れること).

ste·ap·sin (stē-ap′sin). ステアプシン. = triacylglycerol lipase.

ste·a·rate (stē′ă-rāt). ステアリン酸塩.

Stearns al·co·hol·ic a·men·ti·a スターンズアルコール性アメンチア（一過性のアルコール中毒性精神障害．振せんせん妄に似ているが，持続時間が長く，記憶消失や他の精神障害の程度が強い).

stearo-, stear- 脂肪を意味する連結形. = steato-.

ste·a·ti·tis (stē′ă-tī′tis). 脂肪組織炎（脂肪組織の炎症).

steato- 脂肪を意味する連結形. = stearo-; stear-.

ste·a·to·cys·to·ma (stē′ă-tō-sis-tō′mă). 脂腺嚢腫（壁に皮脂腺細胞を有する嚢腫).

ste·a·tol·y·sis (stē′ă-tol′i-sis). 脂肪融解（消化過程における脂肪の加水分解または乳濁).

ste·a·to·ly·tic (stē′ă-tō-lit′ik). 脂肪融解の.

ste·a·to·ne·cro·sis (stē′ă-tō-nĕ-krō′sis). 脂肪壊死. = fat necrosis.

ste·a·to·py·ga, ste·a·to·py·gi·a (stē′ă-top′i-gă, -ij′ē-ă). 殿部脂肪蓄積.

ste·a·top·y·gous (stē′ă-top′i-gŭs). 殿部脂肪蓄積の.

ste·a·tor·rhe·a (stē′ă-tōr-ē′ă). 脂肪便（消化吸収障害により，糞便に大量の脂肪が混じること．膵疾患や吸収不良症候群で生じる). = steatorrhoea.

steatorrhoea [Br.]. = steatorrhea.

ste·a·to·sis (stē′ă-tō′sis). ***1*** 脂肪症. = adiposis. ***2*** 脂肪変性. = fatty degeneration.

Steell mur·mur スティール雑音. = Graham Steell murmur.

steg·no·sis (steg-nō′sis). 狭窄〔症〕（①分泌または排泄の遮断．② constriction あるいは stenosis のこと).

Stein·berg thumb sign シュタインベルク母指徴候（Marfan 症候群の場合，母指を同じ手の手掌を横切るように置くと，手の尺側面を越えて突出する).

stein·stras·se (stīn′strah-sĕ). 結石道路，シュタインストラッセ（尿路結石に対する体外衝撃波砕石術の副作用の1つで，結石の破片が尿管を閉塞して〝石の道〟を形成する).

Stein test スタイン試験（迷路疾患の場合，患者は目を閉じて片足立ちや，片足跳びができない).

stel·la, pl. **stel·lae** (stel′ă, -ē). 星または星状の構造物.

stel·late (stel′āt). 星状の.

stel·late ab·scess 星状膿瘍（組織球で囲まれた星状の壊死巣．性病性リンパ肉芽腫とネコ引っ掻き熱の腫脹したリンパ節内にみられる).

stel·late block 星状神経ブロック，星状神経遮断（星状神経節付近への局所麻酔薬の注入).

stel·late cell 星細胞（星状細胞または Kupffer 細胞のような星形細胞．多数の微細線維が放射状に伸びている).

stel·late frac·ture 星状骨折（骨折線が中心点から放散している骨折).

stel·late hair 星状毛（先端で幾筋にも裂けている毛).

stel·late re·tic·u·lum 星状網（内・外エナメル上皮間のエナメル器の中心にある液体で満たされた部分に存在する上皮細胞のネットワー

ク).

stel·late veins 星状静脈. = venulae stellatae.

stel·late ven·ules 星状細静脈. = venulae stellatae.

stel·lu·la, pl. stel·lu·lae (stel′yū-lă, -lē). 小星 (小星状のもの).

Stell·wag sign シュテルヴァーク徴候 (Graves 病の場合, まばたきの回数が減少し, まばたきが不完全になる).

stem (stem). 茎, 幹 (植物の茎や幹に似た支持構造).

stem cell 幹細胞 (①あらゆる前駆細胞. ②娘細胞が他の細胞に分化することもありえる細胞).

stem cell fac·tor 幹細胞因子 (造血幹細胞から様々な系統への増殖, 分化を促すサイトカイン).

stem cell leu·ke·mi·a 幹細胞性白血病 (異常細胞がリンパ芽球, 骨髄芽球, 単芽球の前駆細胞であると考えられる白血病の一型). = embryonal leukemia.

ste·ni·on (sten′ē-on). ステニオン (頭蓋の最短横径の一側の末端部で, 側頭骨窩にある. 頭蓋計測点).

steno- 狭いこと, または狭窄を意味する連結形. Eury- の対語.

sten·o·car·dia (sten′ō-kahr′dē-ă). 狭心症. = angina pectoris.

sten·o·ceph·a·lous, sten·o·ce·phal·ic (sten′ō-sef′ă-lŭs, -se-fal′ik). 狭小頭蓋症の, 狭頭症の.

sten·o·ceph·a·ly (sten′ō-sef′ă-lē). 狭小頭蓋症, 狭頭症, 狭窄頭蓋.

sten·o·cho·ri·a (sten′ō-kōr′ē-ă). 狭窄〔症〕(管, 開口部, 特に涙管に異常な収縮があること).

sten·o·pe·ic, sten·o·pa·ic (sten′ō-pē′ik, -pā′ik). 細孔の, 細隙の (細隙眼鏡におけるように, 狭い開口部または細隙を有することを示す).

sten·os·al mur·mur 狭窄性雑音 (圧迫や器質性変化による血管狭窄が原因の動脈雑音).

ste·nosed (sten′ōst). 狭窄した.

sten·os·ing ten·o·syn·o·vi·tis 狭窄性腱鞘炎 (腱と腱鞘の炎症の結果, 腱鞘の拘縮を生じ, 腱の滑走を障害する疾患. ばね指の原因となりうる).

ste·no·sis, pl. ste·no·ses (stĕ-nō′sis, -sēz). 狭窄〔症〕(管あるいは開口部の狭窄, 特に心臓の弁についていう).

sten·o·sto·mi·a (sten′ō-stō′mē-ă). 口腔狭窄.

sten·o·ther·mal (sten′ō-thĕr′măl). 狭温性の (狭い温度範囲で耐熱性であること, わずかな温度変化にしか耐えられないことについていう).

sten·o·thor·ax (sten′ō-thōr′aks). 胸郭狭窄.

ste·not·ic (sten-ot′ik). 狭窄した, 狭窄〔症〕の.

Ste·no·tro·pho·mo·nas (sten′ō-trō-fō-mōn′as). ステノトロフォモナス属 (既して土壌中や水中に生息するグラム陰性菌の細菌属で, ヒトの正常細菌叢には存在しない).

Ste·no·tro·pho·mo·nas mal·to·phi·li·a 角膜炎, 角膜症および結膜炎を起こす日和見感染症的な眼に対する病原細菌. グラム陰性の非芽胞杆菌で, 主要な新生院内感染病原体. ほとんどのペニシリン, セファロスポリン, アミノ配糖体に耐性をもつことなどから, 集中治療室では特に重要なものである. 以前には *Xanthomonas maltophilia* や *Pseudomonas maltophilia* とよばれていた.

Sten·sen duct, Sten·o duct ステンセン管, ステノ管. = parotid duct.

stent (stent). ***1*** ステント (皮膚移植時に身体の開口部または内腔を保持するために用いる用具). ***2*** ステント (管腔構造物の内腔に置いておく細い糸, 棒, あるいはカテーテル. 吻合の間あるいは吻合後の支持のためとか, 手をつけられてはいないが収縮しやすい内腔の交通性を確保するために用いる).

stent·ing (stent′ing). ステント術 (ステント (移植片を支えたり管腔を開けたままにしておく目的で使われる器具または物質) の挿入あるいは装着).

step (step). ステップ, 階段 (①歯科において, そしゃく力により修復(充填)物が移動するのを防ぐため窩洞の主要部分に対して直角に形成された, ハトの尾状または同様の形をした歯の窩洞. ②立体の線, 表面, または組立てにおける階段に似た方向変化).

step-down trans·form·er 降圧変圧器 (X 線管への入力電圧を下げるために放射線医学で使用する装置).

ste·pha·ni·al (stĕ-fā′nē-ăl). ステファニオンの.

ste·pha·ni·on (stĕ-fā′nē-on). ステファニオン (冠状縫合が下側頭骨線と交差する頭蓋計測点).

step·page gait ニワトリ歩行, 鶏歩 (足関節が背屈できないため, 歩行時, 足を前に出す際, 地面に足がひっかからないよう通常よりも足を

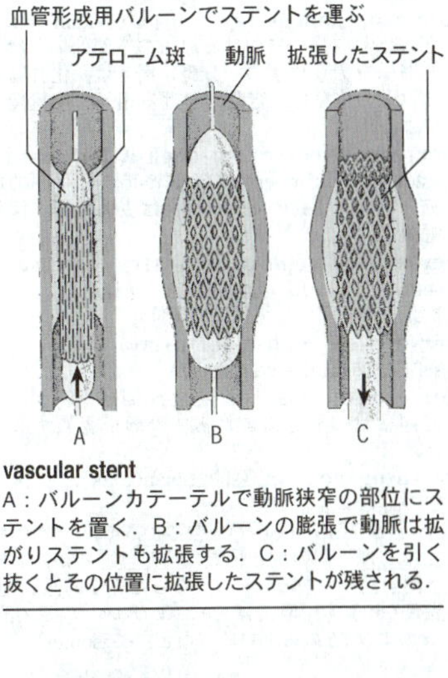
血管形成用バルーンでステントを運ぶ
アテローム斑
動脈
拡張したステント
A
B
C

vascular stent
A：バルーンカテーテルで動脈狭窄の部位にステントを置く. B：バルーンの膨張で動脈は拡がりステントも拡張する. C：バルーンを引く抜くとその位置に拡張したステントが残される.

高く持ち上げる歩行．腓骨神経麻痺や足関節の背屈力低下を生じる疾患にみられる．→high-steppage gait）．

step-up trans·form·er 昇圧変圧器（X 線管への入力電圧を上げるために放射線医学で使用する装置）．

sterco- 糞便に関する連結形．→copro-; scato-.

ster·co·bi·lin (stĕr′kō-bī′lin)．ステルコビリン（糞便内にあるヘモグロビンの褐色の分解生成物．→bilirubinoids）．

ster·co·lith (stĕr′kō-lith)．腸石，腸結石，糞石．= coprolith.

ster·co·ra·ceous, ster·co·ral, ster·co·rous (stĕr′kōr-ā′shŭs, -āl, -ŭs)．糞便の，糞状の，宿便性の．

ster·co·ra·ceous vom·it·ing = fecal vomiting.

ster·co·ral ab·scess 宿便性膿瘍（膿と便の集まった膿瘍）．= fecal abscess.

ster·co·ral ul·cer 宿便性潰瘍（宿便の圧力と刺激による結腸の潰瘍）．

ster·co·ro·ma (stĕr′kōr-ō′mă)．糞塊．= coproma.

ster·cus (stĕr′kŭs)．糞便．= feces.

stereo- (ster′ē-ō)．***1*** 立体または固体状態を意味する連結形．***2*** 三次元を意味する連結形．

ster·e·o·ar·throl·y·sis (ster′ē-ō-ahr-throl′i-sis)．関節受動術（骨性強直症の場合に，可動性の新しい関節をつくること）．

ster·e·o·cam·pim·e·ter (ster′ē-ō-kam-pim′ĕ-tĕr)．立体視野計（僚眼は固視をした状態で中心視野を調べる装置）．

ster·e·o·chem·i·cal (ster′ē-ō-kem′i-kăl)．立体化学の．

ster·e·o·chem·i·cal for·mu·la 立体化学式（原子または原子団の空間における分布を示す化学式）．

ster·e·o·chem·is·try (ster′ē-ō-kem′is-trē)．立体化学（分子における原子の空間的・三次元的関係を扱う化学の一分野．例えば，化合物中の原子の位置は，空間における相互の配置関係による）．

ster·e·o·e·lec·tro·en·ceph·a·log·ra·phy (ster′ē-ō-ĕ-lek′trō-en-sef′ă-log′ră-fē)．3 平面的な脳の電気的活動の記録，例えば表面電極と深部電極を用いる．

ster·e·o·en·ceph·a·lom·e·try (ster′ē-ō-en-sef′ă-lom′ĕ-trē)．定位脳測定，立体脳測定（三次元座標を用いる脳構造の定位）．

ster·e·o·en·ceph·a·lot·o·my (ster′ē-ō-en-sef′ă-lot′ŏ-mē)．= stereotaxy.

ster·e·og·no·sis (ster′ē-og-nō′sis)．立体認知，実体感覚（触覚により物体の形を認識すること）．

ster·e·og·nos·tic (ster′ē-og-nos′tik)．立体認知の，実体感覚の．

ster·e·o·i·so·mer (ster′ē-ō-ī′sō-mĕr)．立体異性体（原子団の数と種類は同じであるが，その空間配置が異なる分子．異なった光学的性質（旋光度）を示す．例えば，D および L のアミノ酸，5α および 5β のステロイドなど．*cf.* isomer）．

ster·e·o·i·so·mer·ic (ster′ē-ō-ī-sō-mer′ik)．立体異性体の．

ster·e·o·i·som·er·ism (ster′ē-ō-ī-som′ĕr-izm)．立体異性（同種の基で空間配置が異なる異性．→stereoisomer）．

ster·e·om·e·try (ster′ē-om′ĕ-trē)．***1*** 体積測定法（固体または容器の立体容量の測定）．***2*** 液体比重測定法．

ster·e·op·a·thy (ster′ē-op′ă-thē)．常同思考（常にもっている固定化した考え）．

ste·re·op·sis (ster′ē-op′sis)．立体視（各々の眼でわずかに異なる像の融合により深度（3 次元像）を知覚すること．→depth perception）．= three-dimensional vision.

ster·e·o·ra·di·og·ra·phy (ster′ē-ō-rā′dē-og′ră-fē)．立体 X 線観察法（X 線管またはフイルムを適切にずらせて撮影した 2 枚組の X 線写真を用意することで三次元像を立体視する方法）．

ster·e·o·scop·ic (ster′ē-ō-skop′ik)．立体鏡の，三次元的に見える．

ster·e·o·scop·ic mi·cro·scope 立体顕微鏡，実体顕微鏡（2 重の接眼レンズと対物レンズをもつ顕微鏡で，光の通路が独立していて三次元の像をつくる）．

ster·e·o·scop·ic vi·sion 立体視（各々の眼でわずかに異なる像の融合像）．

ster·e·os·co·py (ster′ē-os′kŏ-pē)．立体鏡（1 つの物体の 2 枚の画像を合成して，1 枚の画像に立体感をもたせる光学的技法）．

ster·e·o·tac·tic, ster·e·o·tax·ic (ster′ē-ō-tak′tik, -sik)．定位の，定位的な．

ster·e·o·tac·tic bra·chy·ther·a·py 立体的近接照射療法（CT ガイドにより照射部位を決定する放射線療法）．

ster·e·o·tac·tic in·stru·ment, ster·e·o·tax·ic in·stru·ment 定位装置（頭部に取り付け，位置が明らかな大脳内の構造物を用いて脳のある領域を正確に定位するのに用いる装置）．

ster·e·o·tac·tic sur·ger·y, ster·e·o·tax·ic sur·ger·y 定位〔的〕〔脳〕手術．= stereotaxy.

ster·e·o·tax·is (ster′ē-ō-tak′sis)．***1*** 立体配列（三次元的配列）．***2*** 〔接〕触走性，走固性（stereotropism と同義だが，より正確には生体の一部のみでなく生体全体が反応する場合に対して用いる）．***3*** = stereotaxy.

ster·e·o·tax·y (ster′ē-ō-tak′sē)．定位〔脳〕手術（三次元座標を用いて直視できない解剖学的構造物を同定する精密な方法）．= stereoencephalotomy; stereotactic surgery; stereotaxic surgery; stereotaxis (3).

ster·e·o·tro·pic (ster′ē-ō-trō′pik)．〔接〕触走性の．

ster·e·ot·ro·pism (ster′ē-o′trō-pizm)．〔接〕触走性（固体に向かう（**positive stereotropism：**正の接触走性），または固体から離れる（**negative stereotropism：**負の接触走性）動植物の成長または運動．通常，生体全体ではなく生体の一部が反応する場合についていう）．

ster·e·o·ty·py (ster′ē-ō-tī-pē)．常同症（①長期にわたり同一姿態をとること．②ある種の統合失調症にみられるように，ある無意味な動作または運動を絶えず繰り返すこと）．

ste·ric (ster′ik)．立体化学的の，位置的の．

ster·ile (ster′il)．***1*** 生殖不能の，不妊〔症〕の．***2*** 滅菌の，無菌の．

ster·ile cyst 停止性嚢胞（育嚢胞または生活可能な頭節を含まない包虫嚢胞）．

ste·ril·i·ty (stĕr-il′i-tē)．***1*** 生殖不能，不妊〔症〕（一般には受精または生殖不能なこと）．***2*** 滅菌，無菌（すべての微生物が存在しない状態をいう）．

ster·il·i·za·tion (ster′i-lī-zā′shŭn)．***1*** 不妊手術（精管結紮切断手術，部分的卵管切除手術，または去勢手術によってヒトを不妊または生殖不能にさせる行為または過程．囲日本では去勢を除く）．***2*** 滅菌〔法〕，殺菌〔法〕（蒸気(通すか圧力をかける)，化学物質(アルコール，フェノール，重金属，エチレンオキシドガス)，高速電子線照射，熱射，紫外線照射などにより物体内部または周囲の微生物全部を破壊すること）．

ster·il·ize (ster′i-līz)．滅菌する．

ster·il·iz·er (ster′i-lī-zĕr)．滅菌器（ものを無菌にする装置）．

ster·na (stĕr′nă)．sternum の複数形．

ster·nal (stĕr′năl)．胸骨の．

ster·nal an·gle 胸骨角（胸骨柄と胸骨体とが両者の連結部でなす角．肋骨または肋間隙で数えて第 2 番目の肋軟骨の高さに触れる．大動脈弓・気管分岐部・第四と第五椎骨の間の椎間板がこの高さに存在する）．= angulus sterni; Louis angle; Ludwig angle.

ster·nal·gi·a (stĕr-nal′jē-ă)．胸骨痛（胸骨またはその周辺の痛み）．= sternodynia.

ster·na·lis mus·cle 胸骨筋（大胸筋の胸肋部の上を交差し胸骨と平行に走る，通常，発生上出自を同じくする胸鎖乳突筋，腹直筋とつながる．ときに出現する筋）．= musculus sternalis; sternal muscle.

ster·nal line 胸骨線（胸骨の外側縁に沿っておろした垂線）．= linea sternalis.

ster·nal mus·cle 胸骨筋．= sternalis muscle.

ster·nal plane 胸骨面（胸骨の前面によって示される平面）．

ster·nal punc·ture 胸骨穿刺（針を用いて胸骨柄から骨髄を採取すること）．

ster·ne·bra, pl. **ster·ne·brae** (stĕr′nē-bră, -brē)．胸骨分節（胚期の原基胸骨の 4 分節のうちの 1 つで，これが癒合して成体の胸骨が形成される）．

sterno-, stern- 胸骨を意味する連結形．

ster·no·cla·vic·u·lar (stĕr′nō-klă-vik′yū-lăr)．胸鎖の（胸骨と鎖骨に関する）．

ster·no·cla·vic·u·lar an·gle 胸鎖角（胸骨と鎖骨が結合してできる角）．

ster·no·cla·vic·u·lar joint 胸鎖関節（鎖骨の内側端と胸骨柄，第一肋軟骨の間にある関節．関節円板が関節腔を二分している）．

ster·no·clei·do·mas·toid (stĕr′nō-klī′dō-mas′toyd)．胸鎖乳突の（胸骨，鎖骨，乳様突起に関する）．

ster·no·clei·do·mas·toid mus·cle (SCM) 胸鎖乳突筋（前側頸部浅層の筋．起始：胸骨柄の前面と鎖骨の胸骨端．停止：乳様突起と上項線の外側半．作用：頭部を反対側に斜めに回旋する．左右が一緒に働くと，首を曲げ頭をのばす．神経支配：運動は副神経，感覚は頸神経叢）．= musculus sternocleidomastoideus; sternomastoid muscle.

ster·no·clei·do·mas·toid vein 胸鎖乳突筋静脈（胸鎖乳突筋に発し後頭動脈の胸鎖乳突筋枝に伴行し内頸静脈もしくは上甲状腺静脈に流入する静脈）．

ster·no·cos·tal (stĕr′nō-kos′tăl)．胸肋の（胸骨と肋骨に関する）．

ster·no·dyn·i·a (stĕr′nō-din′ē-ă)．= sternalgia.

ster·no·glos·sal (stĕr′nō-glos′ăl)．胸骨舌筋の（胸骨舌骨筋から出て舌骨舌筋にときに合流する筋線維についていう）．

ster·no·hy·oid mus·cle 胸骨舌骨筋（前頸部舌骨下筋の 1 つ．起始：胸骨柄の後面と第一肋軟骨．停止：舌骨体．作用：舌骨を下げる．神経支配：脊髄頸神経わなを介して上位頸神経）．= musculus sternohyoideus.

ster·noid (stĕr′noyd)．胸骨様の．

ster·no·mas·toid mus·cle 胸鎖乳突筋．= sternocleidomastoid muscle.

ster·no·pa·gi·a (stĕr′nō-pā′jē-ă)．胸骨結合奇形（胸骨またはさらに広く胸の腹側壁が結合している奇形．接着双生児にみられる．→conjoined twins）．

ster·no·per·i·car·di·al (stĕr′nō-per′i-kahr′dē-ăl)．胸骨心膜の（胸骨と心膜に関する）．

ster·nos·chi·sis (stĕr-nos′ki-sis)．胸骨裂（先天的な胸骨の分裂）．

ster·no·thy·roid mus·cle 胸骨甲状筋（前頸部舌骨下筋の 1 つ．起始：胸骨柄の後面と第一または第二肋軟骨．停止：甲状軟骨の斜線．作用：喉頭を下方に引く．神経支配：脊髄頸神経わなを介して上位頸神経）．= musculus sternothyroideus.

ster·not·o·my (stĕr-not′ŏ-mē)．胸骨切開〔術〕（胸骨内への切開，または胸骨を通過する切開）．

ster·no·ver·te·bral (stĕr′nō-vĕr′tĕ-brăl)．胸骨脊椎の（胸骨と脊椎に関する．脊椎および胸骨と結合する真肋骨または片側の 7 つの上肋骨をいう）．= vertebrosternal.

Stern pos·ture スターン体位（背臥位で頭をのばし台の端に垂れると，三尖弁閉鎖不全症の場合には，雑音が出現するか，より明瞭になる）．

ster·num, gen. **ster·ni,** pl. **ster·na** (stĕr′nŭm, -nī, -nă)．胸骨（第一から第七肋骨の肋軟骨と鎖骨の軟骨に結合し，胸前壁の中心部を形成する長く平たい骨．体，柄，剣状突起の 3 部分からなる）．= breast bone.

ster·nu·ta·tion (stĕr′nū-tā′shŭn)．くしゃみ．

ster·oid (ster′oyd)．***1*** 〚adj.〛ステロイドの（*cf.* steroids）．= steroidal. ***2*** 〚n.〛ステロイド（ステロール，胆汁酸，強心配糖体，およびビタミン D の前駆物質などの，構造上ステロイド類と関連の深い化合物に対する総称．*cf.* bioregulator）．

ster·oid ac·ne ステロイド痤瘡（ステロイド内服や外用によって生じた毛包炎）．

ster·oi·dal (ster-oy′dăl). = steroid(1).

ster·oid cell tu·mor ステロイド産生腫瘍（ステロイド産生ルテイン細胞類似細胞の組成をもつ卵巣腫瘍の総称．間質性ルテイン腫，Leydig細胞腫，特記されないステロイド細胞腫でホルモン活性があり良・悪性を含む）．

ster·oid hor·mones ステロイドホルモン（ステロイド環系をもつホルモン．例えば，アンドロゲン，エストロゲン，副腎皮質ホルモン）．

ster·oid·o·gen·e·sis (ster-oy′dō-jen′ĕ-sis). ステロイド生成（一般にステロイドホルモンの生物学的合成に関して用いられ，化学実験における合成については用いられない）．

ster·oids (ster′oydz). ステロイド類（多くのホルモン，体成分，薬物を構成し，各々が四環シクロペンタ[*a*]フェナントレン骨格をもつ化学物質の大きな族）．

ster·oid ul·cer ステロイド性潰瘍（長期間にわたるステロイド療法を受けた患者の創傷から生じる潰瘍で，通常，下腿や足にみられる．ステロイドの特性である創治癒阻害効果の結果生じる）．

ster·ol (ster′ol). ステロール，ステリン（OH（アルコール）基をもつステロイド．系統名は，接頭語 hydroxy-，または接尾語 -ol をもつ．例えば cholesterol, ergosterol）．

ster·tor (stĕr′tōr). いびき，ぜん鳴，狭窄音（昏睡状態または深い眠りのときに生じる騒がしい吸気．ときに咽頭または上部気道の閉塞によることがある）．

ster·to·rous (stĕr′tōr-ŭs). いびきの，ぜん鳴の．

stetho-, steth- 胸を表す連結形．

steth·o·go·ni·om·e·ter (steth′ō-gō′nē-om′ĕ-tĕr). 胸部弯曲計（胸郭の弯曲を測定する器械）．

steth·o·scope (steth′ō-skōp). 聴診器（胸部の呼吸音と心音を聞くために，Laënnec によって最初に考案された器具．現在は様々に改良され，身体のあらゆる場所における血管その他の音の聴診に用いられている）．

steth·o·scop·ic (steth′ō-skop′ik). ***1*** 聴診器の，聴診器による．***2*** 聴診法の（胸部の診察についていう）．

ste·thos·co·py (stĕ-thos′kŏ-pē). 聴診法（①直接的または間接的聴診および打診による胸部診察．②聴診器を用いる間接的聴診法）．

steth·o·spasm (steth′ō-spazm). 胸筋痙攣．

Ste·vens-John·son syn·drome スティーヴェンズ-ジョンソン症候群（多型紅斑の水疱型の一型で，粘膜や身体の大部分に広範に生じる．重篤な自覚症状を示し，致命的になることもある）．

Ste·vi·o·si·de·a (stē′vē-ō-sid′ē-ă). ステビオサイド（南米の低木のステビアの葉から作られる栄養補助食品．未承認の食品甘味料として使われる）．

Stew·art-Holmes sign スチュアート-ホームズ徴候（小脳疾患にみられ，受動性抵抗が突然なくなったときに運動を抑制できない徴候）．= rebound phenomenon(1).

Stew·art test スチュアート試験（下肢の主動脈の動脈瘤がある場合に，側副血行量を熱量計で測定する）．

Stew·art-Treves syn·drome スチュアート-トリーヴェス症候群（乳房切除術後のリンパ水腫にかかった腕に生じる血管肉腫）．

sthe·ni·a (sthē′nē-ă). 強壮，亢進，活動（急性活動熱におけるような，活動と外見上の活力の状態）．

sthen·ic (sthen′ik). ***1*** 強壮の，亢進の，活動の（強い跳躍脈，高温，活動性せん妄を伴う熱病についていう）．***2*** 頑丈な（骨格筋の中等度の過発達を特徴とする体型についていう）．

stheno- 強さ，力，能力を表す接頭語．

STI signal transduction inhibitor; sexually transmitted infection の略．

stib·i·al·ism (stib′ē-ăl-izm). アンチモン中毒〔症〕（慢性のアンチモン中毒）．

Stick·ler syn·drome スティックラー症候群．= hereditary progressive arthro-ophthalmopathy.

stick·le·wort (stik′ĕl-wōrt). = agrimony.

stick·y-end·ed DNA 粘着末端 DNA（1つの鎖が末端の1つか両端で他の鎖から突出している（つまり多数の不対塩基をもつ）二本鎖 DNA）．

stiff neck 項〔部〕硬直（首の運動制限を意味する曖昧な語．しばしば筋痙攣により，痛みを伴う）．

stiff-per·son syn·drome 全身硬直症候群（体性筋の多くの連続的な等尺性収縮によって臨床的に現れるまれな疾患．収縮は通常強制的で苦痛を伴い，最も頻繁に体幹筋肉組織に関与するが，四肢筋が関与することもある．この病気は，存在する他の型の抗体の中でも，GABA 合成酵素とグルタミン酸デカルボキシラーゼに対する循環抗体による，自己免疫疾患である）．

stig·ma, pl. stig·mas, stig·ma·ta (stig′mă, -măz, -mă-tă). ***1*** 標徴，徴候，スチグマ（目に見える疾病の徴候）．***2*** = follicular stigma. ***3*** 斑点，スチグマ（皮膚の上の点または傷）．***4*** 小紅斑，スチグマ（転換ヒステリーの徴候と考えられる皮膚の出血斑）．***5*** 眼点（*Euglena viridis* などのクロロフィルをもつ原生動物にみられる橙色の色素をもつ眼点．光のフィルタとして，一定の波長の光を吸収する）．***6*** 汚点（不名誉または不面目の印）．

stig·mal plates 気門板（節足動物の幼虫にみられる，気管系が外に開口する部分．この部位の形態は様々な節足動物の幼虫の同定に用いられる）．

stig·mat·ic (stig-mat′ik). 斑点の，徴候の．

stig·ma·tism (stig′mă-tizm). 標徴存在，斑点症（標徴，斑点をもっている状態）．= stigmatization (1).

stig·ma·ti·za·tion (stig′mă-tī-zā′shŭn). ***1*** 標徴存在，斑点症．= stigmatism. ***2*** スチグマ形成，標徴形成（標徴，特にヒステリー性標徴の形成）．***3*** 否定的に色付けされた特徴，あるいは汚名を着せて人を卑しめること．

stil·bene (stil′bēn). スチルベン（①不飽和炭化水素．スチルベストロールその他の合成エストロゲン化合物の核．②①に基づく化合物の一種）．

stilboestrol (stil-bes′trol). ［Br.］. = diethylstilbestrol.

still·birth (stil′bĭrth). 死産（生存徴候を示さない児を出産すること）.

still·born (stil′bōrn). 死産の（誕生時に死亡している乳児についていう）.

still·born in·fant 死産児（在胎 20 週を超え出生後に生命が存在する徴候を示さない新生児. *cf.* liveborn infant）.

Still dis·ease スティル病（若年性慢性関節炎（以前は若年性関節リウマチとよばれていた）の一型で，関節炎発症の数か月前より高熱，全身症状があることが特徴である）.

still lay·er 緩慢層（毛細管の管壁の内側にある流血層. 血流は遅く，白血球が層壁に沿って流れている. 中心部では血流は速く，赤血球を運搬する）. = Poiseuille space.

Still mur·mur スティル雑音（ブーンという弦音に類似する無害性楽音様雑音で，ほとんどの場合，若年者に起こり，原因は不明だが最終的に消失する）.

stim·u·lant (stim′yū-lănt). ***1*** 〖adj.〗興奮性の，刺激性の. ***2*** 〖n.〗興奮薬，刺激薬（生体活動を増進させたり，心臓の働きを強化したり，活力を増大させたり，幸福感を促進させたりする薬物. 興奮薬はその作用部位に応じて，心臓性，呼吸性，胃性，肝性，中枢性，脊髄性，血管性，性器性などに分類される. →stimulus）. = stimulator.

stim·u·la·tion (stim′yū-lā′shŭn). 刺激〔作用〕（①身体またはその部位，器官を刺激して，その機能活動を増大させること. ②刺激された状態. ③神経生理学において神経や筋肉のような反応構造に対して，刺激の強さが興奮を生むのに十分であるか否かにかかわりなく刺激を与えること. →stimulant）.

stim·u·la·tor (stim′yū-lā-tŏr). 興奮薬，刺激薬，刺激物質. = stimulant(2).

stim·u·lus, pl. stim·u·li (stim′yū-lŭs, -lī). ***1*** 興奮薬，刺激薬. ***2*** 刺激（筋，神経，腺またはその他の興奮性組織に作用(反応)を引き起こすか，あるいは機能，代謝過程に促進作用を起こすもの）.

stim·u·lus con·trol 刺激制御（環境調整のもとで，個人に目的のある行動をもたらすために，条件付けの反射をもたらす方法を用いること）.

stim·u·lus sen·si·tive my·o·clo·nus 刺激感受性ミオクロ〔ー〕ヌス（会話，計算，大きな音，叩打など種々の刺激により誘発される痙縮）.

sting (sting). ***1*** 〖n.〗刺創，刺痛（最も一般的に，六脚類，多足類，蛛形類を含む多種の節足動物に皮膚を刺されることにより生じる鋭い一瞬の痛み. 刺痛感覚はクラゲ，ウニ，海綿，軟体動物，アカエイ，フグ，カナフグ，ナマズなどの有毒な魚類によって生じる. →bites）. ***2*** 〖n.〗刺毛，毒針（刺す動物の有毒器官. キチン性交接棘，骨棘と有毒腺，嚢などからなる）. ***3*** 〖v.〗刺す.

sting·ing cat·er·pil·lar 有針毛虫（イラクサ様の棘や針毛をもち，アレルギー性皮膚炎を起こす. 例えば，イオ蛾，ネコ毛虫）.

stink·ing ben·ja·min = trillium.

stip·pling (stip′ling). ***1*** 斑点（細胞原形質内の遊離好塩基性顆粒の存在により，塩基性染料の作用を受けたときに血球その他の構造に微細な斑点を生じること）. ***2*** スティップリング（付着歯肉にみられるオレンジの皮のような状態. 正常な適応過程の現れで，消失ないし減弱していると歯肉の疾患が疑われる）. ***3*** スティップリング（自然のスティップリングに似せるため義歯床表面をでこぼこにすること）.

Stir·ling mod·i·fi·ca·tion of Gram stain グラム染色のスターリング変法（一種の安定アニリンクリスタルバイオレット染色法）.

stir·rup (stĭr′ŭp). あぶみ骨. = stapes.

stitch (stich). ***1*** 激痛（一瞬の，刺すような鋭い痛み）. ***2*** 一針の縫合〔糸〕. ***3*** = suture(2).

stitch ab·scess 縫合部膿瘍.

St. John's wort セイヨウオトギリソウ（多年生の低木(*Hypericum* 属). 軽度のうつ病に有効な薬草由来の抗うつ薬）.

St. Lou·is en·ceph·a·li·tis vi·rus セントルイス脳炎ウイルス（抗原群 B のアルボウイルス. 通常，ヒトに不顕性感染として存在するが，ときに脳炎を起こす. パナマにいる鳥類と数種のカ，特に *Psorophora* 属から分離されてきた）.

STM short-term memory の略.

sto·chas·tic (stō-kas′tik). 確率的な（ランダムな）.

stock cul·ture 保存培養（微生物を生きた状態で保存することだけを目的として，植え継ぎ(必要ならば新鮮な培地に植え継ぐこと)により保持する微生物の培養）.

Stock·er line ストッカー線（翼状片の頭部の近くの角膜上皮における鉄の沈着による細い線）.

Stock·holm syn·drome ストックホルム症候群（捕虜と捕えた人間との間で生じるある種の絆であり，捕虜は捕えた人間に同一化し，時には共感することさえある）.

stock·ing (stok′ing). ストッキング.

stock·ing an·es·the·si·a 靴下状感覚(知覚)脱失(消失)，靴下状知覚麻痺（下肢遠位部，すなわち足と趾の感覚脱失）.

stock vac·cine 同種菌ワクチン（自己ワクチンに対比して，ある微生物株からつくったワクチン）.

Stof·fel op·er·a·tion シュトッフェル手術（痙性麻痺の治療のため，ある運動神経を切断する方法）.

stoi·chi·ol·o·gy (stoy′kē-ol′-ō-jē). ［Br.］. 要素学（あらゆる学問分野において，要素や原理を扱う研究をいう）.

stoi·chi·o·met·ric (stoy′kē-ō-met′rik). 化学量論に関する.

sto·i·chi·o·met·ric num·ber (ν) 化学量論数（規定された化学反応に含まれる反応物または生成物に関する数）.

stoi·chi·om·e·try (stoy′kē-om′ĕ-trē). 化学量論（化学反応に関与する物質の相対量を決めること. 反応におけるモル比などのように，化学

S

で定比例の法則を扱うこと).

stoke (stōk). ストークス (動粘性率の単位. 粘性率が1ポアズ, 密度が1 g/mL の液体の動粘性率. 10^{-4} m^2/s に等しい).

Stokes-Ad·ams syn·drome ストークス-アダムズ症候群. = Adams-Stokes syndrome.

Stokes am·pu·ta·tion ストークス切断術 (Gritti-Stokes 切断術の変法. 大腿骨の切断線がわずかに高い位置にある).

Stokes law ストークスの法則 (①炎症を起こした漿膜や粘膜上にある筋肉はしばしば麻痺を起こす. ②粘性流体での小球体の落下速度の関係. 高分子の遠心分離に応用. ③蛍光物質により発せられる光の波長は, その蛍光を励起するのに用いられる光線の波長より長い).

sto·ma, pl. sto·mas, sto·ma·ta (stō′mă, -măz, -mă-tă). ***1*** 小孔 (小さい開口部または孔). ***2*** 瘻 (2つの腔や管の間の, あるいは腔や管と体表間の人工的開口部).

sto·ma blast 小孔強風音 (気管孔を通して, 強く呼出することで発生する音).

sto·ma but·ton 瘻孔ボタン (気管の太さの維持または拡張のために, その小孔に挿入したカラー付きの短いプラスチック製チューブ).

stom·ach (stŏm′ăk). 胃 (横隔膜のすぐ下にある, 食道と小腸の間の大きく不規則な洋梨状の袋. 壁は4つの膜または層, すなわち粘膜層, 粘膜下層, 筋層, 腹膜層からなる. 筋層は, 外部を縦に走る線維, 中部を輪走する線維および内層を斜めに走る線維の3層からなる). = gaster; ventriculus(1).

stom·ach ache 胃痛 (通常, 胃または腸に生じる痛み).

stom·ach·al (stŏm′ă-kăl). 胃の.

stom·ach pump 胃洗〔浄〕器 (吸引により胃の内容物を除去する装置).

stom·ach tube 胃管, 胃消息子 (洗浄や食事を与えるために胃に挿入する柔軟な管).

sto·mal (stō′măl). 口の, 小孔の.

sto·mal ul·cer 吻合部潰瘍 (胃空腸吻合術後に, 空腸粘膜の胃と空腸間の開口部(吻合口)付近に生じる腸潰瘍).

sto·ma·ta (stō′mă-tă). stoma の複数形.

sto·ma·tal·gi·a (stō′mă-tal′jē-ă). 口腔痛 (口の中の痛み). = stomatodynia.

sto·ma·ti·tis (stō′mă-tī′tis). 口内炎 (口腔粘膜の炎症).

sto·ma·ti·tis me·di·ca·men·to·sa 薬物性口内炎 (全身性の薬物アレルギーによって口腔粘膜に生じる炎症性病変. 紅斑, 小水疱あるいは水疱, 潰瘍, 血管神経性浮腫などの症状を呈する).

stomato-, stomat-, stom- 口腔を意味する連結形.

sto·ma·to·cy·to·sis (stō′mă-tō-sī-tō′sis). ストマトサイト増加症, 口唇状赤血球症, 有口赤血球症(膨張し, カップ形をした赤血球がみられる先天性の赤血球形態異常であり, 遺伝性溶血性貧血の原因となる. →Rh null syndrome).

sto·ma·to·dyn·i·a (stō′mă-tō-din′ē-ă). = stomatalgia.

sto·ma·tog·nath·ic sys·tem 顎口腔系 (会話と食物の摂取, そしゃく, えん下を含むすべての構造).

sto·ma·to·ma·la·ci·a (stō′mă-tō-mă-lā′shē-ă). 口腔組織軟化 (口腔組織の生理的軟化).

sto·ma·to·my·co·sis (stō′mă-tō-mī-kō′sis). 口腔真菌症 (真菌の存在による口の疾病).

sto·ma·to·ne·cro·sis (stō′mă-tō-nĕ-krō′sis). 口腔壊死. = noma.

sto·ma·top·a·thy (stō′mă-top′ă-thē). 口内病, 口腔病.

sto·ma·to·plas·tic (stō′mă-tō-plas′tik). 口内形成〔術〕の.

sto·ma·to·plas·ty (stō′mă-tō-plas-tē). 口内形成術を表す古語.

sto·ma·tor·rha·gi·a (stō′mă-tōr-ā′jē-ă). 口内出血, 歯肉出血 (歯肉その他の口内部分からの出血).

sto·mo·de·al (stō′mō-dē′ăl). 口陥の, 口窩の.

sto·mo·de·um (stō′mō-dē′ŭm). 口陥, 口道 (①胚の脳の腹側にある中心線上の外胚葉窩. 下顎弓により囲まれる. 頬咽頭膜が消えると, 前腸と連続し, 口を形成する. ②昆虫の消化管の前方部分).

-stomy 人工的または外科的開口部を意味する接尾語. →stomato-.

stone (stōn). ***1*** 結石, 石. = calculus. ***2*** ストーン (英国の人体の重量単位で約 6.3 kg に等しい).

stone heart = ischemic contracture of the left ventricle.

Stook·ey-Scarff op·er·a·tion スツーキー-スカーフ手術 (→third ventriculostomy).

stool (stūl). = movement(2). ***1*** 便通 (便の排出). ***2*** 〔大〕便, 糞〔便〕 (腸の1回の運動で排出される物). = evacuation(2).

stop·ping (stop′ing). ストッピング (歯に貼薬剤を密封するために使用される材料のこと. 註 我が国では, ガッタパーチャ製の充填材を指す).

stop·ping rules 中止基準 (ヒトを対象とした無作為対照試験などの体系的試験において, 試験を中止する条件をあらかじめ明記した規則. 例えば, 一方の治療法が他の治療法より明らかに優れていることがわかった場合や一方の治療法が明らかに有害であることが判明した場合).

stor·age (stōr′ăj). 貯蔵 (記憶過程の3段階の2番目. 第1段階はコード化 encoding で, 第3段階は想起 retrieval. コード化によって登録, 修飾された刺激の保持に関連した精神過程を含む. →memory).

stor·age dis·ease 蓄積症, 沈着症, 貯蔵症 (組織中に特定物質が蓄積される疾病を表す一般名で, 普通は物質の代謝に必要な酵素の先天的欠損によって起こる. 例えば糖原貯蔵症).

STORCH (stōrch). *s*yphilis 梅毒, *t*oxoplasmosis トキソプラスマ症, *o*ther infections 他感染症, *r*ubella 風疹, *c*ytomegalovirus infection サイトメガロウイルス感染, *h*erpes simplex 単純疱疹を意味する頭文字. 先天異常を引き起こす胎児感染.

stor·i·form (stōr′i-fōrm). 花むしろ状（荷車の車輪状に配列した，例えば細長い核をもった紡錘細胞が中心から放射状に並んだ場合など）.

storm (stōrm). 急〔性〕発作〔症状〕, 急発〔症状〕（疾病進行中の症状の悪化または発症）.

STPD 標準状態（気体が標準温度(0°C)，標準圧力(760 mmHg)，乾燥状態にある場合の体積であることを示す記号．この場合，気体1モルは22.4 L）.

stra·bis·mal (stră-biz′măl). 斜視の.

stra·bis·mus (stră-biz′mŭs). 斜視（眼の視軸の平行を明らかに欠くこと）. = crossed eyes; cross-eye; heterotropia; heterotropy; squint(1).

straight gy·rus 直回（大脳半球前頭葉の眼窩面の内側部に沿う回．外側部は嗅溝と隣接する）.

straight sem·i·nif·er·ous tu·bule 直精細管（曲精細管の続きで縦隔にはいって精巣網を形成する直前にまっすぐになる部分）. = vasa recta(2).

straight si·nus 直静脈洞（小脳テントに付着する大脳鎌の後部にある不対の硬膜静脈洞で，大大脳静脈と下矢状静脈洞の合流によって起こり，水平に後方へ走って静脈洞交会に続く）. = tentorial sinus.

strain (strān). ***1*** 〚n.〛 菌株，株，系〔統〕（ある一組の特定の特徴をもつ相同の生物の個体群．微生物学においては，祖先の性質を保持している子孫群をいう．本来の分離株から性質の変化したものは元株の亜株に属するかあるいは新しい株とみなされる）. ***2*** 〚n.〛 組換え生産物の生産を最大限活用するために設計または選択された特異的宿主細胞. ***3*** 〚v.〛 緊張する，努力する，骨折る. ***4*** 〚v.〛 使い過ぎて弱める，過労させる（酷使あるいは不適切な使用によって害する）. ***5*** 〚n.〛 緊張（張り詰める行為）. ***6*** 〚n.〛 過労（緊張や過用による損傷）. ***7*** 〚n.〛 挫傷，ひずみ（筋肉や腱に外力が働いて身体に起こる形態の変化）. ***8*** 〚v.〛 濾過する.

strain-coun·ter·strain (strān-kownt′ĕr-strān). 緊張-抗緊張. = muscle energy technique.

strain frac·ture 裂離骨折（腱，靱帯，関節包に付着している1個の骨が，突然の力によって引き離されるもの）.

strait (strāt). 狭い通路を意味する. ⅰ **inferior strait**（骨盤下口）. ⅱ **superior strait**（骨盤上口）.

strait·jack·et (strāt′jak′ĕt). 拘束服（長い袖の付いたガウン様の上着で，興奮している患者を拘束するために用いる）.

stran·gle (strang′gĕl). 絞扼する，絞殺する（気管を圧迫して十分な空気の通路をふさぐ）.

stran·gu·lat·ed (strang′gyū-lāt-ĕd). 窒息の，嵌頓の，絞扼の，狭窄した（気管支を通る空気の十分な流れを妨げるように狭窄した，あるいは，ヘルニアの症例では静脈還流や生存能を危険にさらすような動脈流を遮断するように狭窄した）.

stran·gu·lat·ed her·ni·a 絞扼性ヘルニア（非還納性のヘルニアで，循環が止まり，早急に手当をしないと壊疽を起こす）.

stran·gu·la·tion (strang′gyū-lā′shŭn). 絞扼，窒息，嵌頓（絞扼，窒息，嵌頓を起こす行為，またはあらゆる意味で窒息，嵌頓，絞扼された状態）.

stran·gu·ry (strang′gyūr-ē). 有痛性排尿困難（排尿に力みを要する排尿困難．尿は間欠的に出て痛みとしぶりを伴う）.

strap (strap). ***1*** 〚n.〛 絆創膏. ***2*** 〚v.〛 絆創膏を貼る.

strap cell 帯状細胞（横紋筋肉腫でみられる幅が一様で細長い腫瘍細胞．横紋のみられることもある）.

stra·ta (strā′tă). stratum の複数形.

strat·i·fi·ca·tion (strat′i-fi-kā′shŭn). 層化，層形成，層別化（年齢や職業群など特定基準によって標本を亜標本に分ける過程またはその結果）.

strat·i·fied (strat′i-fīd). 層別の，重層の，層化の（層の形に配列されたことについていう）.

strat·i·fied ep·i·the·li·um 重層上皮（幾層かの堆積からなり，各層の細胞の大きさと形が異なる上皮．表面にある細胞の型により，例えば，重層扁平上皮，重層円柱上皮，重層線毛円柱上皮のようにさらに特別な名前が与えられる）. = laminated epithelium.

stra·tig·ra·phy (stră-tig′ră-fē). 断層撮影〔法〕. = tomography.

stra·tum, gen. stra·ti, pl. stra·ta (strā′tŭm, -tī, -tă). 層（分化した組織の層のことで，その集積が網膜や皮膚などの所定の構造を形成する. →lamina; layer）.

stra·tum ba·sa·le 基底層（①月経周期中ほとんど変化を受けない子宮内膜の最深層. = basal layer. ②= stratum basale epidermidis）.

stra·tum ba·sa·le ep·i·derm·i·dis〔表皮〕基底層（表皮の中で最も深い層．分裂能を有する幹細胞と固定細胞により構成される）. = stratum basale(2).

stra·tum com·pac·tum 緻密層，細胞層（妊娠子宮の脱落組織の浅在層で，腺間着床組織が優位を占めている）.

stra·tum cor·ne·um ep·i·derm·i·dis〔表皮〕角質層（表皮の外層で，数層の扁平な角化無核細胞からなる）. = corneal layer; horny layer.

stra·tum func·ti·o·na·le 機能層（基底層以外の子宮内膜．以前には月経中に失われるものと信じられていたが，今日では一部分しか崩壊しないといわれている）.

stra·tum lu·ci·dum〔表皮〕淡明層（角質層の最深部にある淡染される角質細胞層．主に手掌や足底の厚い表皮にみられる）. = clear layer of epidermis.

stra·tum spi·no·sum ep·i·derm·i·dis〔表皮〕有棘層（表皮の多角形細胞の層．固定の段階で細胞がちぢみ，また，細胞同士がデスモゾームにより結合するので，とげのある，または，とげだらけの外観をもつ）. = prickle cell layer; spinous layer.

stra·tum spon·gi·o·sum 海綿層（子宮内膜の中層で，主に拡張した腺組織からなる．子宮腔側には緻密層，筋層側には基底層が接する）.

S

Straus sign ストロー徴候（顔面神経麻痺の場合，ピロカルピンの注射をして，患側が他側より遅く発汗すれば，病変は末梢性である）.

straw·ber·ry cer·vix イチゴ状頸管（子宮頸管の斑状紅斑．トリコモナス腟炎に特徴的な所見）.

straw·ber·ry he·man·gi·o·ma イチゴ状血管腫（未熟な毛細血管の過剰増殖により頭部あるいは頸部に発生する血管腫．生下時から生後2—3か月以内にみられ，通常，斑痕を残さずに退縮する．→capillary hemangioma）.

straw·ber·ry ne·vus, straw·ber·ry mark イチゴ状母斑（大きさ，形，および色がイチゴに似ている血管性小母斑（毛細血管性血管腫 capillary hemangioma）．通常，幼児期の初期に自然に消失する．→capillary hemangioma）.

straw·ber·ry tongue イチゴ舌（伸長乳頭が紅点として突起し，その周りに白色の外被をもつ舌．猩紅熱や皮膚粘膜リンパ節症候群の特徴）.

straw itch, straw-bed itch ワラかゆみ〔症〕，ワラぶとんかゆみ〔症〕（ワラぶとんのワラの中に侵入するシラミダニ *Pyemotes ventricosus* によって生じるじんま疹様の発疹）.

stray light 逆光（放射線）（分光光度計の検出部に達する，選別波長以外の波長成分からなる放射エネルギー）.

streak (strēk)．線条，条痕，索（線，線条，条片で，特に，はっきりしないか，きわめて小さいもの）.

streak cul·ture 画線培養（接種物の付着した接種針や接種耳で固体培地表面を軽く掻くことにより行う培養）.

stream·ing move·ment, stream·ing 流動運動（白血球，アメーバ，その他の単細胞生物の原形質に特有の運動型．細胞の表面圧力が最小の点に向かって原形質が流動し，バルーン状の仮足を形成する．その後原形質は細胞内に戻り，仮足の収縮が起こるか，細胞内の原形質全体が仮足内に流入する．このことにより細胞は元の位置から仮足が占めていた場所まで移動する）.

street drug ストリートドラッグ（非医療目的に用いられる法的規制物質．アンフェタミン類，麻酔薬，バルビツレート類，アヘン類，および精神刺激薬で，多くは植物由来である（例えば，*Papaver somniferum*, *Cannibis sativa*, *Amanita pantherina*, *Lophophora williamsii*）．俗語で，アシッド acid（リセルグ酸ジエチルアミド），エンジェルダスト angel dust（フェンシクリジン），コーク coke（コカイン），ドナー downers（バルビツレート），グラス grass（マリファナ），ハッシュ hash（濃縮テトラヒドロカナビノール），マジックマッシュルーム magic mushrooms（プシロシビン），スピード speed（アンフェタミン）とよばれている．1980年代，新しいクラスのドラッグが開発され，そのほとんどは法的規制を逃れることを意図してつくられた精神刺激薬である．また結晶コカイン，コカインの喫煙可能な型は大きな公衆衛生上の問題となっている．米国ではコカイン，マリファナ，およびヘロインのようなドラッグの不正使用があるサイクルで生じている）.

Street·er de·vel·op·men·tal ho·ri·zon(s) ストリーターの発生段階（受精から最初の2か月間におけるヒトの若い胚を，地質学および考古学の術語を借りて Streeter が定義した23の発生段階（ホリゾン）．各ホリゾンは2—3日間からなり，日齢や身体の大きさの定量化からくる不一致を避けるために，固有の解剖学的特徴を強調している）.

street vi·rus 街上ウイルス，街上毒（自然感染した家畜から分離された狂犬病ウイルス）.

strength (strengkth)．***1*** 強さ．***2*** 強度．***3*** 耐久力，抵抗力（物質が，加えられた力に耐え，形を変えたり壊れたりしないこと）.

strength en·du·rance = strength training.

strength train·ing 筋力トレーニング（筋肥大につながる，高レベルの量（ウエイトレジスタンス）を最低限の休息時間で行う一定期間のトレーニング）. = muscular strength training; strength endurance.

streph·o·sym·bo·li·a (stref′ō-sim-bō′lē-ă)．鏡像知覚（①鏡に映る像のように，物体を左右逆に知覚すること．②筆記体あるいは活字体の文字で，例えば，p と d のように上下左右が逆で反転すると同じようなもの．あるいは鏡像関係にあるものなどを識別することが特に困難なこと）.

strep·ta·vi·din (strep-tav′i-din)．ストレプトアビジン（ビオチンに対して強い親和性と特異性を有するために免疫学的試験においてプローブとして用いられる細菌由来の蛋白．ストレプトアビジンは，標的物質に特異的なビオチン化基質と色原体とを架橋するために用いられる）.

strepticaemia [Br.]. = strepticemia.

strep·ti·ce·mi·a (strep′ti-sē′mē-ă). = streptococcemia; strepticaemia.

strepto- 弯曲した，ねじれた，を意味する接頭語（通常，strepto- で始まるような微生物に関する連結形）.

Strep·to·ba·cil·lus (strep′tō-bă-sil′ŭs)．ストレプトバシラス属，連鎖杆菌属（非運動性，無芽胞性，好気性または通性嫌気性の菌の一属で，グラム陰性で，短杆菌から長い杆菌状および球杆菌状の鎖に切れる混合性のフィラメント状のものまで変化する多形態の細胞からなる．標準種は *Streptobacillus moniliformis*. Haverhill 熱および鼡咬熱を起こす）.

streptococcaemia [Br.]. = streptococcemia.

strep·to·coc·cal (strep′tō-kok′ăl)．連鎖球菌性の（連鎖球菌属 *Streptococcus* の細菌についていう）.

strep·to·coc·cal tox·ic shock syn·drome 連鎖球菌中毒性ショック症候群（低血圧と大脳機能不全，腎障害，急性呼吸不全症候群，毒性心筋症や肝不全を示す多臓器障害を特徴とする中毒性症候群．皮膚や軟部組織の連鎖球菌の局所感染によって起こり死亡率は30％と報告されている）.

strep·to·coc·ce·mi·a (strep′tō-kok-sē′mē-ă)．連鎖球菌血症（血液中に連鎖球菌が存在すること）. = strepticemia; streptococcaemia; streptosepticemia.

strep·to·coc·ci (strep′tō-kok′sī). streptococcus の複数形.

strep·to·coc·cic (strep′tō-kok′sik). 連鎖球菌性（連鎖球菌属 *Streptococcus* のいずれかの菌にかかわるか，によって起こる）.

Strep·to·coc·cus (strep′tō-kok′ŭs). 連鎖球菌属（非運動性(若干の例外がある)で，無芽胞性の，好気性から通性嫌気性の菌(乳酸杆菌科).グラム陽性で，対をなしたり短鎖あるいは長鎖を形成したりする球形または卵形の細胞をもつ．一般にヒトその他の動物の口腔・腸管，乳製品その他の食品，発酵植物液中にみられる．病原性の種もある）.

strep·to·coc·cus, pl. **strep·to·coc·ci** (strep′tō-kok′ŭs, -sī). 連鎖球菌（連鎖球菌属 *Streptococcus* に属する菌の総称）.

Strep·to·coc·cus a·gal·ac·ti·ae 乳腺炎のウシの乳汁および組織中に見出される一種．ヒトの種々の感染症，特に泌尿生殖器の感染症に関与するとの報告もある.

strep·to·coc·cus e·ryth·ro·gen·ic tox·in 連鎖球菌発赤毒素（溶原化したA群β型溶血連鎖球菌株の培養濾液．猩紅熱が疑われるヒトの皮膚に接種すると発赤を生じる．猩紅熱回復期に出現する抗体によって中和される）. = erythrogenic toxin.

Strep·to·coc·cus in·ter·me·di·us 連鎖球菌の異種起源株の1つで，一般に口腔あるいは上部気道で認められる．分類は一般に発酵パターン，細胞壁の糖組成の解析，糖利用能のパターンによって決められる.

Strep·to·coc·cus mil·ler·i *Streptococcus intermedius* 群を示すために用いられる用語であり，*Streptococcus intermedius*, *Streptococcus constellatus*, および *Streptococcus anginosus* の3つの異なった連鎖球菌種を含む．これらの菌は人の口腔に認められ，菌血症，心内膜炎を含む種々の感染，あるいは中枢神経系，口腔，胸部の感染に関わっている.

Strep·to·coc·cus mu·tans ヒトおよびある種の動物の虫歯の生起および亜急性心内膜炎に関連している連鎖球菌の細菌種.

Strep·to·coc·cus pneu·mo·ni·ae 肺炎連鎖球菌（グラム陽性の小槍形をした球菌や双球菌の一種で，しばしば連鎖状に出現し，病原型は型特異的な多糖類莢膜に包まれている．これらの肺炎双球菌類は気道の常在菌で，大葉性肺炎の最も普遍的な原因菌である．また髄膜炎，一般的な肺炎，副鼻腔炎，その他の感染症の比較的普通の病原菌である）. = pneumococcus.

Strep·to·coc·cus py·o·ge·nes 化膿〔性〕連鎖球菌（ヒトの口腔，咽喉，気道，炎症性滲出液，血流中に見出される細菌の一種．ときにウシの乳房や，病室，病棟，学校，劇場，その他の公共施設のじん埃中に見出される．膿を産生し，致命的な敗血症を起こす）.

Strep·to·coc·cus vi·ri·dans ヴィリダンス型連鎖球菌. = viridans streptococci.

strep·to·gram·in (strep′tō-gram′in). ストレプトグラミン（嚢胞線維症患者の粘稠な肺分泌物を薄くするために，DNA を分解する合成蛋白）.

strep·to·ki·nase (SK) (strep′tō-kī′nās). ストレプトキナーゼ（プラスミノゲンを分解し，線維素の融解を起こすプラスミンを産生する(スタフィロキナーゼおよびウロキナーゼと同一の活性)溶血性の連鎖球菌から得る細胞外金属結合酵素．血餅除去に用いる）.

strep·to·ly·sin (strep-tol′i-sin). ストレプトリジン，連鎖球菌溶血素（連鎖球菌により産生される溶血素）.

Strep·to·my·ces (strep′tō-mī′sēz). ストレプトミセス属（非運動性，好気性グラム陽性菌(ストレプトミセス科)の一属で，多分枝性の菌糸を出して成長し，分生子が気中菌糸上に鎖状に産生される．数百の種があり，主として非病原性の土壌菌で，動植物に寄生するものもある．多くは抗生物質を産生する．標準種は *Streptomyces albus*）.

streptosepticaemia [Br.]. = streptosepticemia.

strep·to·sep·ti·ce·mi·a (strep′tō-sep′ti-sē′mē-ă). 連鎖球菌性敗血症. = streptococcemia; streptosepticaemia.

strep·to·thri·cho·sis (strep′tō-thri-kō′sis). ストレプトトリックス症. = dermatophilosis.

strep·to·tri·chi·a·sis (strep′tō-tri-kī′ă-sis). = dermatophilosis.

strep·to·tri·cho·sis (strep′tō-tri-kō′sis). ストレプトトリックス症. = dermatophilosis.

stress (stres). ***1*** ストレス，侵襲（正常な生理的平衡(ホメオスタシス)を乱そうとする有害な力，感染および種々の異常状態に対する動物体の反応）. ***2*** 咬合力（歯科において，歯，周組織，および修復物に，咬合の力によって生じる力）. ***3*** 応力（物体あるいは物体の部分の間に加わる力または圧力で，平方メートル当たりのキログラムなどで示される）. ***4*** 応力（レオロジーにおいて，隣接する層へ単位面積当たりに伝えられる物質中の力）. ***5*** ストレス（心理学において，個人に心理学的なひずみ，不均衡をもたらす物理的または心理的刺激．例えば高温，世間からの非難，有害物質，有害な経験など）.

stress-bro·ken con·nec·tor, stress-bro·ken joint = nonrigid connector.

stress frac·ture 圧力骨折. = fatigue fracture.

stres·sor (stres′ŏr). ストレッサー（精神医学で，患者に情動的な苦痛を誘発するような出来事または状況）.

stress re·ac·tion ストレス反応（急性環境性反応．極端な環境変化に関連する急性の情緒反応）. = acute situational reaction.

stress shield·ing 応力遮へい(蔽)（挿入物により正常でみられる骨への応力が取り除かれた結果生じた，骨内の骨減少をいう）.

stress test ストレス試験（運動負荷や薬物負荷により心機能を評価する標準的方法. →graded exercise test; Astrand-Ryhming Cycle Ergometer Test）. = exercise stress test.

stress ul·cer ストレス潰瘍（広範な皮膚の熱傷，頭蓋内病変，身体に重傷を負った人に生じる十二指腸潰瘍）. = Curling ulcer.

stress ur·i·nar·y in·con·ti·nence (SUI)

腹圧性尿失禁（咳，いきみ，急な動作などにより起こる尿失禁）.

stretch·er（strech′ĕr）．担架，ストレッチャー（通常，4 つの柄のついた，枠に張った麻布で，病人や負傷者を運ぶのに用いる担架）.

stretch·ing ex·er·cise ストレッチ運動（能動的，受動的，あるいはパートナーの補助を得て，15—30 秒間筋肉を緊張した状態にもっていくエクササイズ．筋肉や関節に痙攣またはけが，あるいはその両方が起きることを防ぐため，エクササイズの前と後に行われる）.

stretch mark 皮膚線条（萎縮性皮膚線条の俗称）.

stretch pain 伸張痛（経皮経管冠動脈形成術中にバルーンが膨張する間，冠動脈流への動脈血流が減少することにより起きる心筋の痛み）.

stretch re·cep·tors 伸張受容器（伸張に感受性をもつ受容体で，特に Golgi 腱器官および筋紡錘にあり，また，胃，小腸，膀胱などの内臓器官にもみられる）.

stretch re·flex 伸展反射，伸長反射．= myotatic reflex.

stretch test = Bragard sign.

stri·a, gen. & pl. **stri·ae**（strī′ă, -ē）．***1***〔線〕条（組織中にあって，色，構造，陥凹または隆起により区別される縞，帯，線条，線）．= striation (1)．***2*** = striae cutis distensae.

stri·ae a·tro·phi·cae 線状〔皮膚〕萎縮〔症〕，萎縮性皮膚線条．= striae cutis distensae.

stri·ae cu·tis dis·ten·sae 皮膚萎縮線条，萎縮性皮膚線条（しわの寄った帯条の薄い皮膚で，初めは赤いが紫色と白色となる．通常，思春期や，または妊娠中と妊娠後に腹部，殿部，大腿上に現れ，真皮の萎縮や皮膚の伸展過度による．腹水および Cushing 症候群にも合併して生じる）．= lineae atrophicae; linear atrophy; stria (2); striae atrophicae.

stri·ae grav·i·dar·um 妊娠線.

stri·ae of Ret·zi·us レッチウス〔線〕条（エナメル質の成長線で，顕微鏡的に黒い帯状に見える）.

stri·ate（strī′āt）．線条のある，縞のある，横紋のある.

stri·ate bod·y 線条体（尾状核とレンズ核．切片にみられる線条は有髄線維の細い線維束によるものである）．= corpus striatum.

stri·at·ed bor·der 線条縁（長さ約 1 μm の密におおわれた微絨毛からなる小腸の円柱吸収上皮細胞の遊離表面で，平行な線条が見える）.

stri·at·ed duct 横紋管（一部の唾液腺にみられる小葉内管の一種で，分泌物に変化を与える．この部分の基底膜に著明なひだがみられることからこの名が付いた）.

stri·at·ed mus·cle 横紋筋（平滑筋と対照的に太い筋細糸と細い筋細糸とが規則正しく入り組んで現れる横紋をもった骨格筋もしくは随意筋．心筋は随意筋ではないが横紋をもっているので，この名に含まれることも多い）.

stri·ate veins = inferior thalamostriate veins.

stri·a·tion（strī-ā′shŭn）．***1*** 線〔条〕．= stria (1)．***2*** 線紋，条痕，層紋（線条のある外観）．***3*** 線条を付けること，線入れ.

stri·a·to·ni·gral（strī′ā-tō-nī′grăl）．線条体黒質の（線条体から黒質への遠心性結合についていう）.

stri·a·tum（strī-ā′tŭm）．線条（尾状核と被殻との包括名称．両者に淡蒼球を合わせて線条体が形成されている）.

strict i·so·la·tion 厳重隔離（感染力の強い病気にかかった患者に要する隔離）.

stric·ture（strik′shŭr）．狭窄〔症〕（中空の構造の限局性狭小化あるいは狭窄で，通例，瘢痕性拘縮や異常組織の沈積によって起こる．先天性または後天性である．もし後天性であれば，感染，外傷，筋痙攣，機械的・化学的刺激の結果であろう）.

stric·tur·ot·o·my（strik′shŭr-ot′ŏ-mē）．狭窄切開〔術〕.

stri·dor（strī′dŏr）．ぜん鳴，ぜん音（風の吹くような高い調子の騒がしい呼吸．特に気管または喉頭の気道閉塞の徴候）.

strid·u·lous（strij′yū-lŭs）．ぜん鳴の，ぜん音の（キーキー，ギシギシするような音についていう）.

string sign ストリングサイン（小児消化管放射線診断学上の徴候．先天性幽門狭窄でみられる細長くなった幽門管．あるいは，Crohn 病（限局性回腸炎，終末回腸炎）の小腸造影でみられる狭窄部）.

stri·o·la（strī′ō-la）．ストリオーラ（最も長い不動毛と運動毛の向きが変わる，卵形嚢斑の狭い中心部）.

strip（strip）．***1***〖v.〗尿道のような柔軟な管に沿って指を走らせ，その内容物を絞り出す．= milk (4)．***2***〖n.〗静脈抜去〔術〕，ストリップ法（静脈の縦軸における皮下切除．剥離器 stripper によって行う）．***3***〖n.〗細片（かなり長く，幅が一定した狭い片）.

stripe（strīp）．***1*** 縞，横紋，線〔条〕（解剖学において用いる）．***2*** 索状陰影，線状陰影（X 線像において，画像の隣接する部分の濃度と異なる濃度の線状の陰影で，通常は胸膜あるいは腹膜のような平面的な構造物の接線方向の像）.

strip·ping（strip′ing）．除去，剥離（外皮を除去することが多い）.

stro·bi·la, pl. **stro·bi·lae**（strō′bi-lă, -lē）．ストロビラ，片節連体（条虫の頭節と片節のない頸の部分以外の片節のつながりをいう）.

stro·bo·scop·ic mi·cro·scope ストロボスコープ顕微鏡（一定時間間隔で閃光を発する光源をもち，そのため対象物の運動を分析できるようになっている顕微鏡．高速または低速（継時露出）の顕微鏡映画撮影で用いる）.

stro·bos·co·py（strō-bos′kŏ-pē）．ストロボスコピー（断続的に照明を使うことで行われる内視鏡検査．声帯が動く周波数に近い周波数で照明することで，静止しているかのように見える．声帯の構造や動きの分析に有用である）.

stroke（strōk）．***1***〖n.〗脳卒中（脳血流の障害と関連して起こる急性で臨床的な出来事すべてをさし，24 時間以上継続する．→cerebrovascular accident）．= apoplexy．***2***〖n.〗発作（人体に影響を及ぼす有害な電撃放出). ***3***〘n.〙拍動, 脈拍. ***4***〘v.〙なでる, さする (→stroking). ***5***〘n.〙なでつけ, さすり (ものの表面の上を滑らせる動作).

stroke vol·ume 一回拍出量, 心拍血液量 (1回の拍動で心室から拍出される量).

stroke work in·dex 1回仕事量係数(指数) (心臓が1回収縮した際の仕事を表す指標で, 体表面積で補正したもの. 1回拍出量に動脈圧を乗じた値を体表面積で除した値に等しい).

strok·ing (strōk′ing). 愛撫的態度 (発達過程にある人間すべてがもっている, 生体心理学的基本欲求を満たすためのもので, 乳児に対しては非言語的ななでたりする愛育的態度であり, また幼児や成人の場合は自他に対して, 言語的あるいは非言語的に与えられる受容・保証・陽性強化刺激などがそうである. このような愛撫的態度が欠如していたり誤っていると, いろいろな精神病理学的状態が生じてくるとされる).

stro·ma, pl. stro·ma·ta (strō′mă, -mă-tă). ***1*** 支質 (器官, 腺またはその他のものの枠組みで, 通常は結合組織でつくられている. 実質あるいはその部位に特異的で固有なものとは区別される). ***2*** ストロマ, 基質 (葉緑体の水相, すなわち葉緑体基質).

stro·mal (strō′măl). 間質の, 基質の, 支質の (器官または他の構造の基質についていう).

strom·al cor·ne·al dys·tro·phy 角膜実質ジストロフィ (角膜の中層の障害を伴う混濁).

strom·uhr (strōm′ūr). 流量計, 血流計 (血管中を単位時間当たり流れる血液の量を測定するための器具).

Stron·gy·loi·des (stron′ji-loy′dēz). ストロンギロイデス属, 糞線虫属 (小型の寄生線虫の一属で, 通常, 哺乳類(特に反すう類)の小腸に見出される. ヒトの感染は主に糞線虫 *Strongyloides stercoralis* あるいはサル糞線虫 *Strongyloides fuelleborn* によって起こる. 乳児における致死的な感染が, 腹部膨満症 swollen belly disease あるいは腹部膨満症候群 swollen belly syndrome として知られている症状を起こし, これらの乳児に例外なく致死的である著明な腹部腫張を引き起こす).

stron·gy·loi·di·a·sis (stron′ji-loy-dī′ă-sis). 糞線虫症 (処女生殖をする寄生性の雌と考えられている糞線虫属 *Strongyloides* の線虫による土壌を介した感染症. 土壌にはいり込んだ幼虫は4段階の幼虫期を経て自由生活性の成虫に発育するか, 一期と二期の自由生活期段階を経て, 感染性をもつ三期幼虫である円虫型もしくはフィラリア型とよばれる幼虫に発育し, 皮膚に侵入するか飲料水経由で頬粘膜に侵入する. ヒトの重症例あるいは大部分の致死例は自家再感染が原因であるが, これは一般に, ステロイド, ACTH または他の免疫抑制剤による免疫抑制に続発する. また, 自家再感染はエイズ患者にも起こる).

Stron·gy·lus (stron′ji-lŭs). ストロンギルス属, 円虫属 (円虫科円虫亜科の多くの円形線虫の一属. ウマおよび他のウマ科動物に寄生し, ストロンギルス感染症を起こす).

stron·ti·um (Sr) (stron′shē-ŭm). ストロンチウム (金属元素. 原子番号 38, 原子量 87.62. アルカリ土類金属の1つで, 化学的・生物学的性質はカルシウムに類似する. ストロンチウムの各種の塩は陰イオンのために治療に用いる(例えば, 臭化ストロンチウム, ヨウ化ストロンチウム, 乳酸ストロンチウム)).

stroph·u·lus (strof′yū-lŭs). ストロフルス. = miliaria rubra.

struc·tu·ra (strŭk-tūr′ă). = structure.

struc·tur·al (strŭk′shŭr-ăl). 構造の. = anatomic(2).

struc·tur·al for·mu·la 構造式 (原子や原子団の種類と数の他に, 結合を示す式).

struc·tur·al gene 構造遺伝子 (特定の蛋白またはペプチドの遺伝情報をもつ遺伝子).

struc·tur·al i·som·er·ism 構造異性 (組成原子は同じであるが配列が異なる異性).

struc·ture (strŭk′shŭr). = structura. ***1*** 構造, 構成. ***2*** 構造物, 組織 (個々には異なるが, 関連のある部分から構成されているもの). ***3*** 化学構造 (特定の分子内における原子の特異的結合).

struc·tured ab·stract 構造化抄録 (発表された論文の要約で, 特に論文の研究内容についての情報が, 目的, 方法, 主要アウトカム測定法, 結果, 結論などの見出しの下に系統化, 様式化された形態で述べられているものをいう).

stru·ma, pl. stru·mae (strū′mă, -mē). 甲状腺腫. = goiter.

stru·ma o·va·ri·i 卵巣甲状腺腫 (まれな卵巣腫瘍で, 奇形腫と考えられ, その中では他の要素よりも甲状腺組織が大部分を占める. ときに甲状腺機能亢進を伴う).

stru·mec·to·my (strū-mek′tŏ-mē). 甲状腺腫切除〔術〕(甲状腺腫のすべてまたは一部の外科的除去).

stru·mi·form (strū′mi-fōrm). 甲状腺腫状の.

stru·mi·tis (strū-mī′tis). 甲状腺〔腫〕炎 (甲状腺の腫脹を伴う炎症. →thyroiditis).

stru·mous (strū′mŭs). 甲状腺腫の.

Strüm·pell dis·ease シュトリュンペル病 (① = spondylitis deformans. ② = acute epidemic leukoencephalitis).

Strüm·pell phe·nom·e·non シュトリュンペル現象 (母趾の背屈で, ときに足全体に起こることもある. 麻痺側の下肢を膝と腰の屈曲を行いながら体幹に引き寄せたときにみられる).

Strüm·pell re·flex シュトリュンペル反射 (腹部または大腿部をこすると下腿が屈曲し足が内転する).

stru·vite cal·cu·lus スツルバイト結石 (晶質成分がリン酸アンモニウムマグネシウムよりなる尿路結石. 通常, ウレアーゼ産生細菌による尿路感染症に合併して起こる).

strych·nine (strik′nīn). ストリキニン, ストリキニーネ (ストリキニーネノキ *Strychnos nux-vomica* から得られるアルカロイド. 強い苦味をもつ無色結晶. 水にはほとんど不溶. 中枢神経系のあらゆる部分を刺激し, 健胃薬, 解毒薬, および心筋炎の治療に用いた. 抑制性神経伝達物質であるグリシンをブロックするために痙攣発作を起こすことがある．ヒトまたは動物に急性または慢性中毒を起こしうる強力な化学物質）．

strych·nin·ism (strik′nīn-izm)．ストリキニン中毒（慢性ストリキニン中毒で，中枢神経系刺激による症状がみられる．最初の徴候は振せんおよび攣縮で，重症の痙攣および呼吸停止へと進行する）．

Stry·ker frame ストライカー枠（患者を支える枠で，身体の部分を動かすことなく，種々の面に回転することができる）．

ST seg·ment ST 部分（心電図上で QRS 群と T 波の間の部分で J 点が含まれる）．

Stu·art fac·tor, Stu·art-Prow·er fac·tor スチュアート因子. = factor X.

stu·dent nurse (SN) 学生看護師（ある看護師資格が得られる教育を受けている学生．通常，公認ナースまたは付添いナース教育中の学生に用いる）．

Stu·dent *t*-test スチューデント *t* 検定（2 つの母集団平均を違いあるいは等質性を評価するために用いられる統計的有意性検定の方法）．

stud·y (stŭd′ē)．研究，学問（有機体，物体，あるいは現象の研究・詳細な調査・分析）．

stump (stŭmp)．断端（①切断後に残る肢端．②付着していた腫瘍の除去後に残る組織茎）．

stump can·cer 残胃癌（良性疾患に対して胃腸吻合術または胃切除術施行後に発生した胃癌）．

stun·ted (stŭnt′ĕd)．発育不全の（短縮した．成長においてみられるような遅延）．

stu·por (stū′pŏr)．昏迷（環境の刺激に対する反応が著しい減退をみせる意識障害の状態．持続性の刺激だけが，その個人を目覚めさせる）．

stu·por·ous (stū′pŏr-ŭs)．昏迷の．

Sturm co·noid シュツルム円錐体（光学において，球面円柱レンズ結合系を通った後につくられる光線のパターン）．

Sturm·dorf op·er·a·tion シュツルムドルフ手術（子宮頸管内膜を円錐状に切除する方法）．

Sturm in·ter·val シュツルム間隔（球面円柱レンズの組合せにおける前焦線と後焦線の間の距離）．

stut·ter·ing (stŭt′ĕr-ing)．どもり，吃，構音障害（痙性構音障害．発声または構音の障害で，小児から始まるのを特徴とし，口頭による伝達の効果を強く望みすぎることにより起こる．非流暢，ちゅうちょ，言葉の反復，音や音節を長く発音する，不意の発声，途切れ途切れの言葉，繁雑，異常な緊張などのもとでの発声などを特徴としている．→dysfluency）．

stut·ter test スタッタリング検査（滑膜襞症候群を検知するため使われる手技．検査は患者がゆっくりとひざを伸ばし，膝蓋骨を触診して行う．45°—60° の間での引っ掛かる動き，または急激な動きが陽性の反応である）．

sty, stye, pl. sties, styes (stī, stīz)．麦粒腫，ものもらい. = hordeolum.

sty·lette (stī-let′)．スタイレット（①軟性カテーテルのルーメンに挿入され，カテーテルを通す間硬くして成形させる，柔軟性のある金属棒．②細長い探針）. = stylus(3); stilus.

stylo- 茎状の，特に側頭骨の茎状突起に関する接頭語．

sty·lo·glos·sus mus·cle 茎突舌筋（外舌筋の 1 つ．起始：茎状突起の下端．停止：舌の外面と下表面．作用：舌を引き込ませる．神経支配：舌下神経）. = musculus styloglossus.

sty·lo·hy·al (stī′lō-hī′ăl)．茎突舌骨の（側頭骨の茎状突起と舌骨に関する）．

sty·lo·hy·oid mus·cle 茎突舌骨筋（起始：側頭骨の茎状突起．停止：2 本の筋束により顎二腹筋の中間腱の両側で舌骨に付着．作用：舌骨を挙上する．神経支配：顔面神経）. = musculus stylohyoideus.

sty·loid (stī′loyd)．茎状の，茎突状の（くい状のものを表す．数種の細い骨突起についていう）．

sty·loi·di·tis (stī-loyd-ī′tis)．茎状突起炎，茎突炎．

sty·loid pro·cess 茎状突起（→styloid process of radius; styloid process of temporal bone; styloid process of ulna）．

sty·loid pro·cess of ra·di·us 橈骨茎状突起（橈骨遠位端の外側にある厚い先のとがった触察できる突起）．

sty·loid pro·cess of tem·por·al bone 〔側頭骨〕茎状突起（側頭骨錐体部の基底部（鼓室部と連結する）の下面からやや前方に曲がりながら下方にのびる細長い針状の先のとがった突出．茎突舌筋，茎突舌骨筋，茎突咽頭筋，茎突舌骨靱帯，茎突下顎靱帯が付着する）．

sty·loid pro·cess of ul·na 尺骨茎状突起（尺骨頭の内側後面にある円柱状のとがった突起．その先端には手首の橈側側副靱帯が付着する）．

sty·lo·mas·toid ar·ter·y 茎乳突孔動脈（後耳介動脈より起こり，外耳道，乳突蜂巣，半規管，あぶみ骨筋，前庭に分布する．内頸動脈・上行咽頭動脈の鼓室枝，迷路動脈と吻合）. = arteria stylomastoidea.

sty·lo·mas·toid for·a·men 茎乳突孔（茎状突起と乳様突起の間にある側頭骨錐体部下面に開く顔面神経管の外孔．顔面神経と茎乳突動脈を通す）．

sty·lo·mas·toid vein 茎乳突孔静脈（鼓室の血液を集め顔面神経管を横切り茎乳突孔を通って下顎後静脈に流入する静脈）．

sty·lo·pha·ryn·ge·al mus·cle 茎突咽頭筋. = stylopharyngeus muscle.

sty·lo·pha·ryn·ge·us mus·cle 茎突咽頭筋（起始：茎状突起の根元．停止：甲状軟骨と咽頭壁（縦層の一部となる）.作用：咽頭と喉頭を挙上する．神経支配：舌咽神経）. = musculus stylopharyngeus; stylopharyngeal muscle.

sty·lus, sti·lus (stī′lŭs)．***1*** 茎（あらゆる鉛筆状の構造）．***2*** 棒状の薬剤，杆剤（外用の鉛筆状の医薬製剤）．***3*** = stylette.

stype (stīp)．綿球，タンポン．

styp·tic (stip′tik)．***1*** 〚adj.〛 収れん性の，止血性の（収れん作用，または止血作用を有することを示す）．***2*** 〚n.〛 止血薬（出血を止めるために局所に用いる収れん性止血薬）．

sub- 下方の，または正常あるいは基準より劣ることを意味する接頭語．*cf.* hypo-.

sub·a·cro·mi·al bur·sa 肩峰下滑液包（肩峰と肩関節包との間にある滑液包）．

sub·a·cute (sŭb′ă-kyūt′)．亜急性の（急性と慢性の間の領域についていう．中等度の期間，または程度の疾患の経過を示す）．

sub·a·cute bac·ter·i·al en·do·car·di·tis（SBE） 亜急性細菌性心内膜炎（急性細菌性心内膜炎よりは緩徐な心内膜炎．註最近は急性，亜急性の区別をせず，単に細菌性心内膜炎 bacterial endocarditis と総称することが多い）．

sub·a·cute com·bined de·gen·er·a·tion of the spi·nal cord 脊髄亜急性連合変性（脊髄の亜急性または慢性障害．ある種のビタミン B_{12} 欠乏患者に起こり，後柱・側柱の海綿状変性による軽度から中等度の神経膠症を特徴とする）．= Putnam-Dana syndrome; vitamin B_{12} neuropathy.

sub·a·cute gran·u·lom·a·tous thy·roid·i·tis 亜急性肉芽腫性甲状腺炎（円形細胞(通常はリンパ球)の浸潤，甲状腺細胞の閉塞，上皮巨細胞の増殖および再生の組織像のある甲状腺炎．全身の系統性感染の反映であって，真の慢性甲状腺炎ではないとされる）．= de Quervain thyroiditis.

sub·a·cute in·flam·ma·tion 亜急性炎〔症〕（持続期間が急性炎と慢性炎の中間の炎症．亜急性炎は，通常，3，4 週間以上持続する）．

sub·a·cute mi·gra·to·ry pan·nic·u·li·tis 亜急性移動性皮下脂肪〔組〕織炎（何か月もの間，片下肢または両下肢の側面に生じ，形状が変化する非瘢痕性の局面）．

sub·a·cute nec·ro·tiz·ing my·e·li·tis 亜急性壊死性脊髄炎（成人男性における下部脊髄の障害で進行性対麻痺をもたらす）．

sub·a·cute scler·os·ing pan·en·ceph·a·li·tis（SSPE） 亜急性硬化性汎脳炎，亜急性硬化性全脳炎（まれな慢性進行性脳炎で，主に小児と若年成人を侵し，麻疹ウイルスが原因．2 歳以前に最初の麻疹ウイルス感染が起き，数年間の無症状期を経て，徐々に進行性の精神神経荒廃が起こり，人格変化，痙攣，ミオクローヌス，運動失調，光過敏症，眼異常，痙縮，昏睡を呈する．特徴的な周期性活動が脳波でみられ，病理的には大脳皮質に加えて大脳半球と脳幹の両方の白質が障害され，好酸性封入体が，神経細胞とグリア細胞の細胞質・核の中に存在する．3 年以内に通常死亡する）．= Bosin disease; Dawson encephalitis.

sub·a·cute spong·i·form en·ceph·a·lop·a·thy 亜急性海綿状脳障害(脳症)（ヒトおよび動物の中枢神経系を侵す進行性致死性のプリオン病．→Creutzfeldt-Jakob disease; kuru; prion）．

sub·a·or·tic ste·no·sis 大動脈弁下部狭窄〔症〕（線維性組織輪または大動脈弁下の筋性中隔の肥大による左心室出路の先天的狭窄）．

sub·ap·i·cal (sŭb-ap′i-kăl)．先端下の．

sub·a·rach·noid bleed = subarachnoid hemorrhage.

subarachnoid haemorrhage [Br.]. = subarachnoid hemorrhage.

sub·a·rach·noid hem·or·rhage（SaH, SAH） クモ膜下出血（クモ膜下腔の溢血．しばしば，動脈瘤のために起こり，通常は脳脊髄液の経路を通じて広がる）．= subarachnoid bleed; subarachnoid haemorrhage.

sub·a·rach·noid space クモ膜下腔（クモ膜と軟膜の間の空間で，繊細な線維性の柱が縦走し脳脊髄液で満たされている．軟膜は脳および脊髄の表面に直接付着するため，脳表面が深く陥凹する所(大脳皮質の深溝など)ではこの空間は非常に広がる．この広がりを槽とよぶ．脳および脊髄に分布する大血管はすべてクモ膜下腔に浮遊して存在する）．

sub·ar·cu·ate fos·sa 弓下窩（側頭骨錐体部後面にある稜の直下にみられる不規則な陥凹で，内耳道の上外側方にある．胎児では小脳の片葉がここに収まっている．成人では小静脈がこの骨にはいり込んでいる）．

sub·a·tom·ic (sŭb′ă-tom′ik)．放射性原子の（原子内構造(例えば，陽子，電子，中性子)をつくる粒子についていう）．

sub·ax·i·al (sŭb-ak′sē-ăl)．軸下の（身体，またはその一部の軸の下方についていう）．

sub·cal·lo·sal gy·rus 梁下回（終板と(大脳)前交連のすぐ前にある細く垂直の白色帯．名前とは対照的に，皮質回でなく，透明中隔の下面の連続である）．

sub·cap·su·lar cat·a·ract 嚢下白内障（嚢下に混濁が集中した白内障）．

sub·car·ti·lag·i·nous (sŭb′kahr-ti-laj′i-nŭs)．*1* 部分軟骨の．*2* 軟骨下の．

sub·cho·ri·al space, sub·cho·ri·al lake 絨毛膜下腔（絨毛膜板直下の胎盤部分で，不規則な脈管路と連結して周縁静脈洞を形成している）．= subchorial lake.

sub·class (sŭb′klas)．亜綱（生物学的分類において，綱と目との間に用いる区分）．

sub·cla·vi·an ar·ter·y 鎖骨下動脈（右側は腕頭動脈より，左側は大動脈弓より起こり，椎骨動脈，甲状頸動脈，内胸動脈，肋頸動脈，下行肩甲動脈に分枝し，第一肋骨を越えたところで腋窩動脈となる）．= arteria subclavia.

sub·cla·vi·an mus·cle 鎖骨下筋．= subclavius muscle.

sub·cla·vi·an nerve 鎖骨下筋神経（腕神経叢の上神経幹からの枝．鎖骨下筋に分布する）．= nervus subclavius.

sub·cla·vi·an steal 鎖骨下動脈盗血（椎骨動脈起始部に近い鎖骨下動脈の閉塞．椎骨動脈を通る血流が逆行し，したがって，鎖骨下動脈が大脳血を〝盗み〞，大脳血管不全の症状(鎖骨下動脈盗血症候群)を起こし，上肢の激しい使用により著明になる）．

sub·cla·vi·an vein 鎖骨下静脈（第一肋骨の外側縁からの腋窩静脈の直接の続き．両側とも内側方に走り内頸静脈と合流して腕頭静脈となる）．= vena subclavia.

sub·cla·vi·us mus·cle 鎖骨下筋（胸郭体肢筋の1つ．起始：第一肋軟骨．停止：鎖骨肩峰端

S

の下面. 作用：鎖骨の固定または第一肋骨の挙上. 神経支配：腕神経叢からの鎖骨下筋神経). = musculus subclavius; subclavian muscle.

sub·clin·i·cal (sŭb-klin′i-kăl). 無症状の, 潜在性の, 不顕性の, 非顕性の, 準臨床的の（疾患はあるが顕性症状のないことを示す. それは疾患の初期段階のこともある).

sub·clin·i·cal coc·ci·di·oi·do·my·co·sis 無症状コクシジオイデス真菌症（呼吸器症状が軽微で限定的なので医学的注意が向けられないコクシジオイデス真菌症の一型).

sub·clin·i·cal di·a·be·tes 無症状糖尿病（糖尿病の一型で, 妊娠, 極度のストレスなど, 特定の情況下においてのみ臨床的に明らかになる. 患者の中には, やがて, 重篤な糖尿病へと発展するものもある).

sub·con·scious (sŭb-kon′shŭs). ***1*** 下意識の（完全には意識されていないことについていう). ***2*** 潜在意識の（心に浮かんではいるが, 意識的にはまだ認知も実感もされていない観念あるいは印象についていう).

sub·con·scious·ness (sŭb-kon′shŭs-nĕs). ***1*** 下意識（部分的には無意識であること). ***2*** 潜在意識（精神過程が当人の意識的な認知を伴わないで生起している状態).

sub·cor·tex (sŭb-kōr′teks). 皮質下部（大脳皮質下方に位置し, それ自体は皮質のように組織化されていない脳の部分).

sub·cor·ti·cal (sŭb-kōr′ti-kăl). 皮質下の（大脳皮質下についていう).

sub·cor·ti·cal a·pha·si·a 皮質下性失語〔症〕（大脳基底核, 視床, あるいは関連経路の損傷による言語理解や発語の障害. 症状は皮質下損傷と, それに関連する皮質損傷の領域によって異なる).

sub·cost·al ar·ter·y 肋下動脈（胸大動脈より起こり, 第十二肋骨の下方でそれより上方の後肋間動脈と同様の分布をする). = arteria subcostalis.

sub·cost·al mus·cle 肋下筋（内肋間筋と同一方向に走行するが, 1つあるいはそれ以上先の肋骨に付着する. ときに出現する後外側胸壁の筋). = musculus subcostalis.

sub·cost·al nerve 肋下神経（第十二胸神経の前枝. 最下の肋骨の下を上位肋間神経と平行に通り, 腹筋の一部に分布し, 前下腹壁最下部の皮膚と殿部上外側に皮枝を送る). = nervus subcostalis.

sub·cost·al plane 肋下面（左右の第十肋軟骨下縁を通る横断面. 上方の肋下部・上腹部と下方の側腹部・臍部の境界をなす).

sub·crep·i·tant (sŭb-krep′i-tănt). 亜捻髪音の（明白ではないがほとんど捻髪音に近い. ラ音についていう).

sub·cul·ture (sŭb′kŭl-chŭr). ***1*** 〚n.〛 植え継ぎ培養, 二次培養, 継代培養（以前の培養から微生物を新鮮な培地に移して行う培養. 培養が古くなると変性する傾向のある, 特殊な株の寿命を引きのばすために用いる方法). ***2*** 〚v.〛 継代培養する（以前の培養から得た材料で新鮮な培養をつくる).

sub·cu·ta·ne·ous (SQ, SC) 皮下の. = hypodermic.

sub·cu·ta·ne·ous em·phy·se·ma 皮下気腫（皮下組織に空気または気体があるもの). = pneumoderma.

sub·cu·ta·ne·ous fat 皮下脂肪（皮膚の下に直接貯蔵される脂肪. 女性は男性よりもこの脂肪の率が高い).

sub·cu·ta·ne·ous flap 皮下組織弁（上皮を剥脱して受皮部の皮下組織に埋没される有茎弁).

sub·cu·ta·ne·ous in·jec·tion 皮下注射（真皮の下の疎性結合組織に液体を注射すること. 吸収は筋肉内注射より遅い. よく使われる場所にはうでの外側後方部分と腹部が含まれる. 通常 0.5—1 mL のみの液体がこの方法によって投与される).

sub·cu·ta·ne·ous mas·tec·to·my 皮下乳房切除〔術〕（皮膚, 乳頭, 乳輪は温存して行う乳腺組織の切除. 通常, 引き続き充填物の埋め込みを行う).

sub·cu·ta·ne·ous op·er·a·tion 皮下手術（腱の切断のように, メスで小さな孔を開ける以外は皮膚を切開せずに行う方法).

sub·cu·ta·ne·ous te·no·to·my 皮下切腱術（開放的手術を行うことなく, 小さな先のとがった尖刃で皮膚, 皮下組織を通して腱を切る手法).

sub·cu·ta·ne·ous tis·sue 皮下組織（皮膚の下方で深筋膜の浅層にある不規則な疎性結合組織で, 通常は主として脂肪層であるがその中の筋層や線維層を含む. ときにほとんど含まないこともある(例えば耳介, 眼瞼, 陰嚢, 陰茎など)).

sub·cu·ta·ne·ous veins of ab·do·men 腹皮下静脈（腹壁浅層の静脈網で胸腹壁静脈, 浅腹壁静脈, 上腹壁静脈に流入し, 臍傍静脈との交通枝によって門脈大静脈間吻合血管を形成している).

sub·del·toid bur·sa 三角筋下包（三角筋と肩関節包との間にある滑液包で, 肩峰下包と交通することもある).

sub·duce, sub·duct (sŭb-dūs′, -dŭkt′). 引き下げる, 下降する.

sub·du·ral he·ma·to·ma 硬膜下血腫. = subdural hemorrhage.

sub·du·ral hem·or·rhage 硬膜下出血(血腫)（硬膜とクモ膜の間への血液の血管外漏出. 頭部外傷後急性期にも慢性期にもみられ, 慢性硬膜下血腫の周囲に新生されて形成される). = subdural hematoma.

sub·du·ral space 硬膜下腔（当初は硬膜とクモ膜の間の脳脊髄液の満ちた狭い腔所と考えられていたが, 現在では外傷などの病的過程で出現するものとみなされている. 健康な状態ではクモ膜は脳脊髄液圧のため硬膜と軽く接触しており, 硬膜下腔は自然の状態では出現しない).

sub·en·do·car·di·al bran·ches of a·tri·o·ven·tri·cu·lar bun·dles 房室束の心内膜下枝（変化した心筋細胞が織り混ざった線維. 中心部は1, 2個の核を有する顆粒状の原形質, 周辺部には横紋がある. 刺激伝導系の最終枝で心内膜下にみられる．→conducting system of heart)．= Purkinje fibers.

sub·en·do·car·di·al lay·er 心内膜下層（心内膜と心筋層とを連結している疎性結合組織．心室ではこの中を刺激伝導系の線維が走る）．

sub·en·do·the·li·al lay·er 内皮下層（内皮と内弾性板との間にある薄い結合組織層）．

sub·en·do·the·li·um (sŭb′en-dō-thē′lē-ŭm)．内皮下層（動脈内膜の内皮と内弾性膜間の結合組織）．

sub·ep·en·dy·mo·ma (sŭb′ep-en′di-mō′mă)．上衣下腫（境界鮮明で分葉した上衣性結節．第3脳室前部または第4脳室後部にできやすい．剖検時よくみつかる）．

sub·fam·i·ly (sŭb′fam-i-lē)．亜科（生物学的分類において，科と族または科と属との間で用いる区分）．

sub·fer·til·i·ty (sŭb′fĕr-til′i-tē)．生殖能力が正常より劣っていること．

sub·ge·nus (sŭb′jē-nŭs)．亜属（生物学的分類における属と種との間の区分）．

sub·gin·gi·val cur·et·tage 歯肉縁下掻爬〔術〕（歯根膜嚢に生じる歯肉縁下歯石，潰瘍性上皮，および肉芽腫状組織の除去）．

sub·glos·sal (sŭb-glos′ăl)．舌下の．= sublingual.

sub·grun·da·tion (sŭb′grŭn-dā′shŭn)．骨片陥凹（骨折頭蓋骨の一片が他片の下に陥凹すること）．

su·bic·u·lum, pl. **su·bic·u·la** (sŭ-bik′yū-lŭm, -lă)．*1* 支持，支柱．*2* 鉤状回（海馬傍回と海馬の Ammon 角間の移行帯）．

sub·il·i·ac (sŭb-il′ē-ak)．腸骨下部の（①腸骨の下についていう．②腸骨下部に関する）．

sub·il·i·um (sŭb-il′ē-ŭm)．腸骨下部（寛骨臼に関与する腸骨の部分）．

sub·in·fec·tion (sŭb′in-fek′shŭn)．亜感染症（他の感染疾患の流行にさらされて，抵抗できた者に発生する二次感染）．

sub·in·vo·lu·tion (sŭb′in-vŏ-lū′shŭn)．復古不全（産褥子宮の正常復古現象の停止で，子宮は異常に大きいままになっている）．

sub·ja·cent (sŭb-jā′sĕnt)．下の，下にある．

sub·jec·tive (sŭb-jek′tiv)．*1* 自覚的な（本人だけに知覚されるもので，検者には確証し得ないものについていう．したがって，疼痛などは自覚症状とよばれる）．*2* 主観的な（個人の信条や態度によって影響を受ける．*cf.* objective(2)）．

sub·jec·tive as·sess·ment da·ta 主観的アセスメントデータ（現在起こっていることに関して，依頼人が感じ，理解し，解釈していることを示す事実で，依頼人によって示されたもの）．

sub·jec·tive sen·sa·tion 内因感覚（それと立証できるような外部の刺激とは無縁に生じた感覚）．

sub·jec·tive symp·tom 自覚症状（患者だけにわかる症状）．

sub·king·dom (sŭb′king-dŏm)．亜界（生物学的分類において，界と門の間で用いる区分）．

sub·la·tion (sŭb-lā′shŭn)．剥離，剥脱．

sub·le·thal (sŭb-lē′thăl)．致死下の，致死量以下の．

subleukaemic leukaemia [Br.]．= subleukemic leukemia.

sub·leu·ke·mic leu·ke·mi·a 亜白血性白血病（末梢血液中に異常細胞がみられるが，総白血球数は上昇しない白血球の一型）．= subleukaemic leukaemia.

sub·li·mate (sŭb′lim-āt)．*1* 〚v.〛 昇華する．*2* 〚n.〛 昇華物．

sub·li·ma·tion (sŭb′li-mā′shŭn)．昇華（①液体状態を通さないで固形物を気化する過程．②精神分析において，無意識の防衛機制で，受け入れられない本能的行動や願望が，もっと個人的，社会的に受け入れられる経路へ変更されること）．

sub·lim·i·nal (sŭb-lim′i-năl)．閾値下の（感覚知覚が生じる限界以下の，意識の範囲外の，または下意識のことについていう）．

sub·lin·gual (SL) (sŭb-ling′gwăl)．舌下の．= subglossal.

sub·lin·gual ar·ter·y 舌下動脈（舌動脈より起こり，舌下腺，口腔粘膜に分布する．反対側の舌下動脈，おとがい下動脈と吻合）．= arteria sublingualis.

sub·lin·gual cyst 舌下嚢胞（嚢腫）．= ranula(2)．

sub·lin·gual fos·sa 舌下腺窩（下顎体内面にあるおとがい棘の左右両側にある浅い陥凹で，顎舌骨筋線の上方にあり，舌下腺を入れる）．

sub·lin·gual gland 舌下腺（口腔底の舌下にある2つの唾液腺で，舌下腺管より分泌する．ヒトの腺の分泌部は，ほとんど漿液性半月を伴った粘液分泌である）．

sub·lin·gual nerve 舌下部神経（舌神経の枝．舌下腺と口腔底の粘膜に分布）．= nervus sublingualis.

sub·lin·gual vein 舌下静脈（口腔底で舌下動脈に伴行する静脈で舌下神経の外側を通り深舌静脈と合流して舌静脈となるか舌下神経の伴行静脈に合流する）．

sub·lux·a·tion (sŭb′lŭk-sā′shŭn)．亜脱臼，不全脱臼（不完全な脱臼．関係は変化するが，関節面間の接触は残る）．

sub·mam·ma·ry mas·ti·tis 乳腺下乳腺炎（乳腺底部の組織の炎症）．

sub·man·dib·u·lar (sŭb′man-dib′yū-lăr)．下顎骨下の，下顎下の．= inframandibular; submaxillary(2)．

sub·man·dib·u·lar duct 顎下腺管（顎下腺の導管．舌小帯の近くの舌下小丘に開口する）．= Wharton duct.

sub·man·dib·u·lar fos·sa 顎下腺窩（顎舌骨筋線の下方にある下顎体内面の陥凹で，顎下腺を入れる）．

sub·man·dib·u·lar gan·gli·on 顎下神経節（舌神経からつり下がっている小さな副交感神経節．その分泌を促進する節後線維は顎下腺と舌下腺に至り，また節前線維は鼓索神経により上唾液核から出ている）．

sub·man·dib·u·lar gland 顎下腺（頸部の2つの唾液腺で，顎二腹筋の2つの筋腹と，下顎

S

角により囲まれた空間内にある．顎下腺管を通じ分泌する．分泌部は漿液性半月を伴ったものもある．少数の粘液胞があるが主に漿液性である）．= maxillary gland.

sub·man·dib·u·lar tri·an·gle 顎下三角（頸部の筋間隙．下顎骨と顎二腹筋の両腹との間の三角部．顎下腺をおさめる）．= trigonum submandibulare; digastric triangle.

sub·max·il·la (sŭb′mak-sil′ă)．下顎，下顎骨．= mandible.

sub·max·il·lar·y (sŭb-mak′si-lar-ē)．下顎の，下顎骨の（①= mandibular. ②= submandibular）．

sub·max·i·mal ex·er·cise test·ing 最大運動負荷試験（冠動脈疾患に無症候性の患者において，1つないしそれ以上の最大下作業量への心拍反応を測定し，最大酸素摂取量を予測するための測定．→Astrand-Ryhming Cycle Ergometer Test; McMasters cycle test）．

sub·men·tal ar·ter·y おとがい下動脈（顔面動脈より起こり，顎舌骨筋，顎下腺，舌下腺，下唇に分布する．下唇動脈，下歯槽動脈・舌下動脈のおとがい枝と吻合）．= arteria submentalis.

sub·men·tal vein おとがい下静脈（おとがい下にあり舌下静脈と吻合し，前頸静脈と結合して顔面静脈に注ぐ）．= vena submentalis.

sub·mi·cro·scop·ic (sŭb′mī-krŏ-skop′ik)．超顕微鏡的な，限外顕微的な（最も強力な光学顕微鏡下でも見えないほど細かいことについていう）．= ultramicroscopic.

sub·mu·co·sa (sŭb′myū-kō′să)．粘膜下組織（粘膜直下の結合組織層）．= tela submucosa.

sub·mu·co·sal plex·us 粘膜下神経叢（主に上腸間膜動脈神経叢から起こり，腸粘膜下組織内で分枝する，無髄神経線維の神経節を備えた神経叢）．

sub·mu·cous cleft →laryngotracheoesophageal cleft.

sub·mu·cous cleft pa·late 粘膜下口蓋裂．= occult cleft palate.

sub·mu·cous la·ryn·ge·al cleft 粘膜下喉頭裂（→laryngotracheoesophageal cleft）．

sub·na·si·on (sŭb-nā′zē-on)．スブナジオン，スブナザーレ（鼻中隔が上唇の皮膚面に移行する折れ曲がりに当たる点．注日本では Martin にならって subnasale とよばれてきた点）．

sub·nu·cle·us (sŭb-nū′klē-ŭs)．副核．

sub·oc·cip·i·tal mus·cles 後頭下筋（後頭骨直下にある筋の総称．前頭直筋，外側頭直筋，大小後頭直筋，上下頭斜筋がある．後頭下神経によって支配される）．= musculi suboccipitales.

sub·oc·cip·i·tal nerve 後頭下神経（第一頸神経の後枝．後頭下三角を通り，大・小後頭直筋，上・下頭斜筋，側頭直筋，頭半棘筋に枝を送る．第一頸神経は一般には運動性線維のみと考えられているが，実は第二頸神経との交通枝から固有覚線維を受けている）．= nervus suboccipitalis.

sub·oc·cip·i·to·breg·mat·ic di·am·e·ter 小斜径（胎児頭蓋の後頭骨の最後下端と大泉門の中心とを結ぶ径線）．

sub·or·der (sŭb′ōr-dĕr)．亜目（生物学的分類において，目と科の間に用いる区分）．

sub·pap·u·lar (sŭb-pap′yū-lăr)．丘疹様の，亜丘疹の（ごく少数の丘疹が散在している発疹についていう．病変はほんのわずか隆起し，ほとんど斑と変わらない）．

sub·per·i·os·te·al am·pu·ta·tion 骨膜下切断〔術〕（骨膜を骨からはがし，骨切断後にもとへ戻して断端を骨膜弁でおおう）．= periosteoplastic amputation.

sub·phy·lum (sŭb′fī-lŭm)．亜門（生物学的分類において，門と綱との間で用いる区分）．

sub·pu·bic an·gle 恥骨下角（左右の恥骨下枝のなす角．女性では母指と示指とをいっぱいに広げたときの角度にほぼ等しい（約 90°）．男性では示指と中指とをいっぱいに広げたときの角度にほぼ等しい（約 60°）．→pubic arch）．= angulus subpubicus; pubic angle.

sub·scap·u·lar ar·ter·y 肩甲下動脈（腋窩動脈より起こり，肩甲回旋動脈，胸背動脈に分枝する．肩関節，肩甲骨部の筋肉に分布し，頸横動脈，肩甲上動脈，外側胸動脈，肋間動脈の枝と吻合）．= arteria subscapularis.

sub·scap·u·lar fos·sa 肩甲下窩（肩甲下筋が起始する肩甲骨体部の腹側面上の陥凹）．

sub·scap·u·la·ris mus·cle 肩甲下筋（肩関節固有筋で，その腱は回旋筋腱板の形成に加わる．起始：肩甲下窩．停止：上腕骨の小結節．作用：腕の内旋．持続的に収縮すれば上腕骨頭を関節窩に固定できる．神経支配：第五・第六頸神経の腕神経叢後索からの上下肩甲下神経）．= musculus subscapularis; subscapular muscle.

sub·scap·u·lar mus·cle 肩甲下筋．= subscapularis muscle.

sub·scap·u·lar nerves 肩甲下神経（腕神経叢の後幹から出る上下 2 本の枝で肩甲下筋に分布する．下枝はまた大円筋にも分布する）．= nervi subscapulares.

sub·scrip·tion (sŭb-skrip′shŭn)．指定書（署名の前の処方箋の部分．調合の指示がしてあ

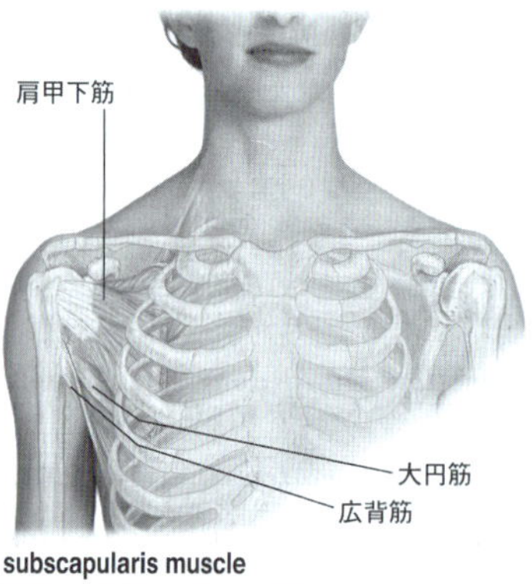

肩甲下筋
大円筋
広背筋

subscapularis muscle

る).

sub·seg·men·tal at·el·ec·ta·sis 亜区域性無気肺（亜区域気管支の閉塞による末梢肺の虚脱で，胸部X線写真上，線状の陰影としてみられる. →Fleischner lines). = platelike atelectasis.

sub·se·ro·sa (sŭb′sēr-ō′să). 漿膜下組織（漿膜下の結合組織層，例えば腹膜や心膜のもの).

sub·si·dence (sŭb′si-dĕns). 沈み込み（人工関節の人工挿入物のような物が骨の中に沈み込むこと).

sub·sid·i·ar·y a·tri·al pace·mak·er 補助的心房調律（心拍動調律をコントロールする第2の刺激発生源であり，洞調律ペースメーカ部位が働かない場合(洞結節不全)に心拍動をコントロールする. 分界稜や下大静脈近傍右心房自由壁に存在する).

sub·spi·na·le (sŭb-spī-nā′lē). スプスピナーレ（頭蓋計測法において，前鼻棘とプロスチオン間の顎前骨の最後部正中点をいう). = point A.

sub·stance (sŭb′stăns). 物質. = substantia; matter.

sub·stance a·buse 物質乱用（社会的，職業的，心理的または身体的な問題を生じるような，薬物，アルコールまたは他の化学物質の不適切な使用).

sub·stance a·buse dis·or·ders 物質乱用障害（中枢神経系機能を損ない，個人ないし社会的機能において重大な責務に直面するような失敗につながる，アルコール，薬物および関連物質の常用と関連する不適応な行動的ないし生物学的変化を認める一群の精神障害).

sub·stance de·pen·dence 物質依存（物質使用あるいは乱用により形成される行動学的，生理学的，認知的症状のパターン. 通常，物質の効果への耐性と物質使用を中断したときに現れる離脱症状により示される).

sub·stance de·pen·dence dis·or·der 物質依存障害（アルコール，薬物，その他の物質使用による耐薬性または離脱症状や薬物を手に入れようとする行動，使用することをやめるのに失敗などの社会的，対人的，職業活動の損失という不適応パターン).

sub·stance P サブスタンスP，P物質（ヒトや種々の動物の神経系と腸に少量，また炎症が起きた組織中に存在する11個のアミノ酸残基(そのカルボキシル基はアミド化されている)からなるペプチド性神経伝達物質の一種. 主に痛覚の伝達に関与しており，平滑筋に作用する(血管拡張，腸収縮)最も強力な化合物の1つ. したがって炎症に重要な働きをすると考えられている).

sub·stan·ti·a, pl. sub·stan·ti·ae (sŭb-stan′shē-ă, -shē-ē). 質. = substance.

sub·stan·ti·a ba·sal·is = basal substantia.

sub·stan·ti·a com·pac·ta 緻密質. = compact bone.

sub·stan·ti·a cor·ti·cal·is 皮質. = cortical bone.

sub·stan·ti·a gri·se·a 灰白質. = gray matter.

sub·stan·ti·a me·dul·la·ris 髄質（①= medulla. ②= medullary substance).

sub·stan·ti·a ni·gra 黒質（横断面では半月形の大細胞塊で，大脳脚の後面を越えて橋の吻方縁から視床下部へと広がっている. 稠密で色の付いた(すなわち，メラニン含有)背側細胞層の稠密部，広範に細胞が広がった腹側部の網状部，小さく不明瞭な外側部，赤核後部とがある. 特に前者は線条体(尾状核と被殻)の方へ突出した多数の細胞を含み，シナプスで伝達物質のドパミンを含有する. ほかの非ドパミン性細胞は視床腹側核の吻方部・上丘の中間層・中脳網様体の一部へ突き出ている. 黒質線条体線維は，塊状の線条体黒質線維系と各種の神経伝達物質，特にガンマアミノ酪酸(GABA)によって互いに連絡しあっている. 視床腹部核・淡蒼球の外層・橋縫線の外側核・中脳の大脳脚橋核から求心性の線維を受け，網様体部から線条体に遠心性線維が出ている黒質はパーキンソン病やHuntington病に伴う代謝障害に関係する).

sub·stan·ti·a spon·gi·o·sa 海綿質（骨梁が三次元的な有孔の網目格子状に配列している骨で，その網目には胎性結合組織または骨髄が充満している). = cancellous bone; spongy bone (1); spongy substance; trabecular bone.

sub·stan·tiv·i·ty (sŭb′stăn-tiv′i-tē). 有効性保持能力（①賦形剤を除いた後も薬効を維持する能力. ②長期間にわたって口内で効果を維持する抗菌剤の能力).

sub·ster·nal goi·ter 胸骨下甲状腺腫（主に峡部下部の甲状腺腫で，触知は困難，ときに不可能である).

sub·sti·tute (sŭb′sti-tūt). 代理〔人〕（①他の代わりをするもの. ②心理学においては，surrogateに同義).

sub·sti·tu·tion (sŭb′sti-tū′shŭn). ***1*** 置換（化学において，化合物中の原子，または基を他の原子，または基と取り替えること). ***2*** 代理形成（精神医学において，受容し難いかあるいは達成し難い目標，対象あるいは感情が，それよりは受容されやすいか達成しやすいものに置き換えられるという無意識的な防衛機序のこと. その過程は昇華に比べて，急激かつ直接的で，あまり複雑ではない).

sub·sti·tu·tion pro·duct 置換産物（分子のなかの原子または基を他の原子または基で置換して得られる物質).

sub·sti·tu·tion ther·a·py 補充療法（特に置き換えが生理的なものではなく，代用物質を用いる場合の置き換え療法).

sub·sti·tu·tion trans·fu·sion 変換輸血，全輸血. = exchange transfusion.

sub·strate (S) (sŭb′strāt). ***1*** 基質（酵素の作用を受けて変化する物質. この反応物質は化学反応で作用を受けると考えられている). ***2*** 培地，培養基（生物が生存，成長する基になるもの. 例えば，微生物や細胞が細胞培地で成長する培養基).

sub·struc·ture (sŭb′strŭk-shŭr). 下部構造（前部または部分的に表面下にある組織または構造).

sub·ta·lar joint 距骨下関節（距骨下面と踵骨後関節面の間の平面関節. 臨床では距踵関節・距踵舟関節によってできる複合関節をよぶのに

S

も用いられる). = talocalcaneal joint.

sub·ten·di·nous bur·sae of gas·troc·ne·mi·us (mus·cle) 腓腹筋腱下包（腓腹筋頭と膝関節包との間にある滑液包で，外側包と内側包(Brodie bursa(1))からなる).

sub·ten·di·nous bur·sa of the tib·i·a·lis an·te·ri·or mus·cle 前脛骨筋腱下包（第一楔状骨の内側面と前脛骨筋の腱との間にある小さな滑液包).

sub·ten·di·nous il·i·ac bur·sa 腸腰筋腱下包（腸腰筋が小転子に停止する部分にある滑液包).

sub·tha·lam·ic (sŭb′thă-lam′ik). 視床下部の，視床腹部の(視床下部，視床下核についていう).

sub·thal·a·mus (sŭb-thal′ă-mŭs). 視床腹部（間脳に属し，背方の視床と腹方の大脳脚の間の楔状の領域で，視床下部の背側半の外方にあり，これとの境は不明確．視床下核，不確帯，Forel 野からなる．外方には翼状に視床網様核に続き，下方は中脳被蓋に移行する).

sub·trac·tion (sŭb-trak′shŭn). サブトラクション，減算（X 線写真またはシンチグラムの画像上の(放射線)不透過性の解剖学的構造物の検出能を向上させるために使用される技法．造影剤や放射性核種を注入する前に得られた画像の反転画像を，注入後の画像から写真技術的または電子工学的に差し引く．主に頭部血管撮影で使われる．→digital subtraction angiography; mask).

sub·tribe (sŭb′trīb). 亜族（生物学的分類において，族と属の間に用いる区分).

sub·un·gual, sub·un·gui·al (sŭb-ŭng′gwăl, -gwē-ăl). 爪下の. = hyponychial(1).

sub·un·gual he·ma·to·ma 爪下血腫（血液が手指や足指の爪の下にたまること．通常，外傷による).

sub·un·gual mel·a·no·ma 爪下黒色腫（爪との境または爪の下の皮膚にできる黒色腫).

sub·u·nit vac·cine サブユニットワクチン（化学的抽出により，ウイルスの核酸を含まず，投与されたウイルスの特異的蛋白質サブユニットのみを含むワクチン．このようなワクチン(例えばインフルエンザワクチン)は，完全な基本的ウイルス粒子を含むワクチンで生じるような副作用が相対的に少ない).

sub·vag·i·nal (sŭb-vaj′i-năl). ***1*** 腟下の. ***2*** 鞘内の（鞘の役をする管状膜の内側にある).

sub·vir·i·on (sŭb-vir′ē-on). サブビリオン（不完全なウイルス粒子).

sub·vo·cal speech 音声下言語（思考と結び付いた言語筋肉のわずかな運動で，声にはならない).

suc·ce·da·ne·ous tooth 代生歯，後継歯（①乳歯が脱落したあとに萌出する永久歯．②永久歯の切歯，犬歯，および小臼歯臼歯).

suc·ci·nyl-CoA (sŭk′sin-il). スクシニル CoA. = succinyl-coenzyme A.

suc·ci·nyl-co·en·zyme A スクシニルコエンチーム A（コハク酸と CoA の縮合物であるトリカルボン酸回路の中間産物とヘムの生合成の前駆物質の 1 つ). = succinyl-CoA.

suc·cor·rhe·a (sŭk′ōr-ē′ă). 体液分泌過多（消化液分泌の異常増加). = succorrhoea.

succorrhoea [Br.]. = succorrhea.

suc·cu·bus (sŭk′yū-bŭs). サキュバス，淫夢女精（睡眠中の男性と性交をすると信じられている魔女．*cf.* incubus).

suc·cus·sion sound 振とう音（空気層の下の液体が振とうされたときの音で，例えば胃拡張や胸膜腔の液体と空気(水気胸)などで発生する).

suck·ing (sŭk′ing). 吸乳（哺乳後に乳児に出現する口のパターン．舌が上下に動くが，下あごは比較的安定していて，唇はしっかりと乳首の周囲をふさいで，ほとんど液体を失わない).

suck·ing blis·ter 吸引水疱（新生児の腕にみられる表在性の水疱性病変．出生前に児が自分で強く吸引しているために起こると考えられている).

suck·ing chest wound = open pneumothorax.

suck·ing wound = open pneumothorax.

suck·ling (sŭk′ling). 哺乳（乳児にみられる初期の口腔摂取パターン．下あごと舌が一体となって上がり，乳首に圧力を加えて液状の栄養分を得る．その後，舌が前後に動き，液を口に流し入れ，嚥下のため口腔後方へと戻す).

su·crase (sū′krās). スクラーゼ. = sucrose α-D-glucohydrolase.

sucrosaemia [Br.]. = sucrosemia.

su·crose (sū′krōs). ショ糖，スクロース（D-グルコースと D-フルクトースでつくられる非還元性二糖類．イネ科サトウキビ *Saccharum officinarum*，数種のモロコシ，アカザ科サトウダイコン *Beta vulgaris* から得られる．薬局でシロップ，糖菓剤の製造に用いる). = saccharose.

su·crose al·pha-D-glu·co·hy·dro·lase スクロース α-D-グルコヒドロラーゼ（イソマルターゼとの複合体として存在し，スクロースとマルトースの両方を加水分解する．腸粘膜に存在する．この酵素の欠損により，スクロースや直鎖 α1,4-グルカンの欠陥消化が起こる). = sucrase.

su·cro·se·mi·a (sū′krō-sē′mē-ă). スクロース血症（血液中にショ糖が存在すること). = sucrosaemia.

su·cro·su·ri·a (sū′krō-syū′rē-ă). スクロース尿症（尿中へのショ糖の排泄).

suc·tion cath·e·ter 吸引カテーテル（上気道，気管，主気管支から，粘液やその他の分泌物を除去するために使用するカテーテル).

suc·tion cur·et·tage 吸引掻爬術（流産法の一形式．必要に応じ子宮口を開大し吸引装置に接続したカニューレで妊娠の内容物を吸引除去する．不全流産での内容除去あるいは妊娠中絶に用いられる). = dilation and suction.

suc·tion drain·age 吸引ドレナージ（排管に取り付けられた吸引装置による空洞の閉鎖ドレナージ).

suc·to·ri·al (sŭk-tōr′ē-ăl). 吸入の（吸う行為についていう．また吸うに適したことを示す).

su·da·men, pl. **su·dam·i·na** (sū-dā′men, -dam′i-nă). 汗疹（汗孔部あるいは表皮内に液体が貯留することによって生じるごく小さい水疱).

su·dam·i·nal (sū-dam′i-năl). 汗疹の.

su·dan·o·phil·ic (sū-dan′ō-fil′ik). スダン好性〔の〕(スダン染料で容易に染まること. 通常, 組織中の脂質を示す).

su·dan·o·pho·bic (sū-dan′ō-fō′bik). スダン嫌性〔の〕(スダン染料または脂溶性染料により組織が染まらないことについていう).

Su·dan vi·rus スーダンウイルス (エボラウイルスの一変種). = Ebola virus Sudan.

Su·dan yel·low スダンイエロー；metadioxyazobenzene(脂肪用の黄色染料).

su·da·tion (sū-dā′shŭn). 発汗. = perspiration (1).

sud·den deaf·ness 突発性難聴 (24 時間以内に発症する高度の感覚性難聴. 通常, 内耳のウイルス感染によると考えられている).

sud·den death 突然死 (①不整脈が原因で突然死をする状態で, 冠動脈狭窄, 冠動脈疾患, 房室結節の内皮腫瘍, あるいは冠動脈の発生異常による. ②発症から 1 時間以内の予期せぬ突然の死. 心不全による死を述べるのに頻用される. →hypertrophic cardiomyopathy).

sud·den in·fant death syn·drome (SIDS) 乳児突然死症候群 (検死解剖, 死因調査, 加療歴を通じて, すべての考えうる原因が除外されたうえでも説明することができない健康にみえる乳児の突然死). = crib death.

sud·den sen·so·ri·neu·ral hear·ing loss (SSNHL) 突発性難聴 (純音聴力検査で少なくとも 3 つの隣接する周波数の聴力に影響を与え, 72 時間以内に発症する急性感音難聴. その急激な発症は恐怖と強い不安との原因となることがある. 突発性難聴の原因は不明(特発性)であるが, 自己免疫疾患, 血管障害, 神経障害, 外傷, 感染症などが原因となることがある).

su·do·mo·tor (sū′dō-mō′tŏr). 発汗刺激性の, 発汗促進の (汗腺を刺激して活動させる自律(交感)神経についていう).

su·dor (sū′dōr). 汗. = perspiration (3).

sudor- 汗, 発汗を表す連結形.

su·dor·al (sū-dōr′ăl). 汗の.

su·do·re·sis (sū′dōr-ē′sis). 多汗症, 発汗過多 (多量に発汗すること).

su·do·rif·er·ous (sū′dōr-if′ĕr-ŭs). 発汗性の, 汗分泌の.

su·do·rif·er·ous ab·scess 汗腺膿瘍 (汗腺に膿が集まっているもの).

su·do·rif·er·ous cyst 発汗性嚢胞 (下方にある Moll 腺の排出管が閉塞して生じた嚢胞). = apocrine hidrocystoma.

su·do·rif·ic (sū′dōr-if′ik). 発汗の.

su·do·rip·a·rous (sū′dōr-ip′ă-rŭs). 汗分泌の.

suf·fo·cate (sŭf′ō-kāt). ***1*** 窒息させる. ***2*** 窒息する (酸素欠乏にかかる. 呼吸ができなくなる).

suf·fo·ca·tion (sŭf′ō-kā′shŭn). 窒息 (仮死を生じること, あるいは仮死の状態).

suf·fo·ca·tive goi·ter 窒息性甲状腺腫 (圧迫により極度の呼吸困難を伴う甲状腺腫).

suf·fu·sion (sŭ-fyū′zhŭn). ***1*** 淮水〔療法〕(液体を身体に注ぐ行為). ***2*** 紅潮 (表面の赤化). ***3*** 充溢 (液体で湿っている状態). ***4*** 溢血. = extravasate(2).

sug·ar (shug′ăr). 砂糖 (糖類 sugars の 1 つ. 製薬用としては compressible sugar と confectioner's sugar. →sugars).

sug·ar-free (shug′ăr-frē′). 無糖の (FDA の指示により, 1 人分の量に 0.5 g を超えない砂糖を含んでいる食品に表示される).

sug·ars (shug′ărz). 糖類 (一般組成$(CH_2O)_n$とその単純誘導体を有する物質(saccharides).環化によって種々の構造が生じる. 糖類は一般に末尾の -ose, または, 非糖質(アグリコン)と結合した場合は -oside または -osyl によって確認できる. 糖類, 特に D-グルコースは自然界の酸化による主なエネルギー源で, 重合形の誘導体(D-グルコサミン, D-グルクロン酸など)とともにムコ蛋白, 細菌細胞壁, 植物構造物質(セルロースなど)の主成分である. 糖類はステロイド(ステロイドグリコシド)やほかのアグリコンと結合して発見されることが多い).

sug·gest·i·bil·i·ty (sŭg-jes′ti-bil′i-tē). 被暗示性 (議論, 命令, 強要などによることなく, 催眠術のように, ある観念が個人の中に誘発されたり, 採り入れられていくような心的過程を生じやすいこと).

sug·gest·i·ble (sŭg-jes′ti-bĕl). 暗示にかかりやすい.

sug·ges·tion (sŭg-jes′chŭn). 暗示 (術者が用いたある言葉や行為によって, 被術者の心の中にある観念を植え付けることで, その結果, 被術者の行為や身体的状況はその植え付けられた観念によって, ある程度左右されるようになる. →autosuggestion).

sug·gil·la·tion (sŭg′ji-lā′shŭn). 皮下溢血, 広汎〔性〕皮下出血, 皮斑 (bruise, livedo を表す現在では用いられない語. →contusion).

SUI stress urinary incontinence の略.

su·i·cide (sū′i-sīd). ***1*** 自殺 (自分の生命を奪う行為). ***2*** 自殺者 (***1*** のような行為を行う者).

sul·cal (sŭl′kăl). 溝の.

sul·cate (sŭl′kāt). 有溝の (しわの寄った, または溝を特徴とするものについていう).

sul·ci par·a·ol·fac·tor·i·i = parolfactory sulci.

sul·cus, gen. & pl. sul·ci (sŭl′kŭs, -sī). 溝 (①脳回と脳回との境界をつくる脳表面上の溝. →fissure. ②細長い溝または軽度の陥凹. →groove. ③口腔または歯の表面の溝または陥凹. ④歯の表面と遊離歯肉との間の間隙. 3 mm 以内であれば健康).

sul·cus ma·tri·cis un·guis 爪床小溝 (爪床にある溝. 爪の外側縁がはいっている皮膚の溝). = groove of nail matrix.

sul·cus sign サルカス徴候 (関節窩上腕関節の下部不安定症を評価するため使われる手技. その際, 牽引力が上腕骨に加えられる. 肩峰突起と上腕頭の間の空間が広がり, へこみが生じた場合は, 陽性のテスト結果が確認される).

sul·cus ter·mi·nal·is 分界溝 (①舌の分界溝. 舌体(口部または水平部)と舌根(咽頭部または垂

直部)とを分ける舌表面上にある，後方に尖端を向けたV形の溝．②右心房の分界溝．原始静脈洞と心房の結合部を示す右心房表面にある溝)．

sul·cus test サルカス試験（肩関節の多方向の不安定性を調べるテスト．患者は坐位で，上腕を下方に牽引する．下方への移動性があれば陽性である)．

sulf-, sulfo- = sulph-; sulpho-. ***1*** この後に付いた化合物に硫黄原子が含まれていることを示す連結形．(sulph-, sulpho- よりも)本つづりのほうが米国化学会で好んで用いられ，USP と NF により承認されているが，BP では承認されていない．***2*** sulfonic acid, sulfonate の連結形．

sul·fa·tase (sŭl′fă-tās)．スルファターゼ（①硫酸エステル(硫酸塩)を加水分解して，対応するアルコールと無機硫酸塩を生成する反応を触媒する(EC 3.1.6)硫酸エステルヒドロラーゼの酵素の俗称．②= arylsulfatase)．= sulphatase.

sul·fa·tides (sŭl′fă-tīdz)．スルファチド（分子の糖部分に1つ以上の硫酸基を有するセレブロシド硫酸エステル)．= sulphatides.

sul·fa·tion (sŭl-fā′shŭn)．硫酸化（既存分子にエステルとして硫酸基を付加すること)．= sulphation.

sulf·he·mo·glo·bin (sŭlf-hē′mō-glō-bin)．スルフヘモグロビン．= sulfmethemoglobin; sulphhaemoglobin.

sulf·he·mo·glo·bi·ne·mi·a (sŭlf-hē′mō-glō′bi-nē′mē-ă)．スルフヘモグロビン血症（血液中のスルフヘモグロビンの存在によって生じる病的状態．著しいチアノーゼが続くが，血球数測定では血液中に特別な異常はみられない．腸から吸収される硫化水素によって生じると考えられる)．= sulphaemoglobinaemia.

sulf·hy·dryl (SH) (sŭlf-hī′dril)．スルフヒドリル；-SH(グルタチオン，システイン，CoA，リポアミド(すべて還元状態)，メルカプタン(R-SH)に含まれる)．= sulph-hydryl.

sul·fide (sŭl′fīd)．硫化物，スルフィド（2価の硫黄を含有する硫黄化合物)．= sulphide.

sul·fite ox·i·dase 亜硫酸オキシダーゼ（酸素と水により無機亜硫酸イオンを硫酸イオンと H_2O_2 を生成する反応を触媒する肝オキシドレダクターゼ(血液蛋白).この酵素の活性の低下はモリブデン補因子欠乏症でみられる)．= sulphite oxidase.

sulf·met·he·mo·glo·bin (sŭlf′met-hē′mō-glō′bin)．スルフメトヘモグロビン（硫酸水素(または硫酸塩)と第二鉄イオンによりメトヘモグロビン内に生成される複合体)．= sulfhemoglobin; sulphaemoglobin; sulphmethaemoglobin.

sul·fo·brom·oph·tha·le·in so·di·um スルホブロモフタレインナトリウム（肝臓から排出されるトリフェニルメタン誘導体．肝機能，特に網内系細胞の検査に用いる)．= bromosulfophthalein; bromsulfophthalein; sulphobromophthalein sodium.

sul·fo·nate (sŭl′fō-nāt)．スルホン酸塩またはエステル．= sulphonate.

sul·fone (sŭl-fōn)．スルホン（一般構造式 R′-SO_2-R″ の化合物)．= sulphone.

sul·fon·ic ac·id スルホン酸（CH 基の水素原子がスルホン酸基 -SO_3H で置換された化合物．一般式は R-SO_3H)．= sulphonic acid.

sul·fo·nyl·u·re·as (sŭl′fō-nil-yūr′ē-ăz)．スルホニル尿素（イソプロピルチオジアジルスルファニルアミドの誘導体．化学的にはスルホンアミドに関連し，血糖降下作用を有する．これに属するものにはアセトヘキサミド，アゼピナミド，クロルプロパミド，フルフェンメプラミド，グリミジン，ヒドロキシヘキサミド，ヘプトラミド，インジラミド，チオヘキサミド，トラザミド，トルブタミドがある)．= sulphonylureas.

sul·fo·sal·i·cyl·ic ac·id (SSA) スルホサリチル酸（アルブミンや第二鉄イオンの臨床検査に用いる物質)．

sul·fo·trans·fer·ase (sŭl′fō-trans′fĕr-ās)．スルホトランスフェラーゼ（3′-ホスホアデニル硫酸塩(活性硫酸塩)の硫酸基を受容体のヒドロキシルに移す反応を触媒する酵素(EC sub-subclass 2.8.2)の一般名)．= sulphotransferase.

sulf·ox·ide (sŭl-fok′sīd)．スルホキシド（ケトンの硫黄同族化合物 R′-SO-R″)．= sulphoxide.

sul·fur (S) (sŭl′fŭr)．硫黄（元素．原子番号16，原子量 32.066．酸素と結合して二酸化硫黄，三酸化硫黄を形成し，水と結合して強酸となる．また，多くの金属や非金属元素と結合して硫化物を形成する．外用で皮膚病の治療に用いられてきた)．= sulphur.

sul·fur 35 硫黄 35（硫黄の放射性同位元素．87.2 日の半減期でベータ線を放出する．システイン，シスチン，メチオニンなどの代謝の研究にトレーサとして用いる．また標識硫酸で，細胞外液容量を測定するのに用いられる)．= sulphur 35.

sul·fur·ic ac·id 硫酸；H_2SO_4(含量 96%の無水の酸で，無色でほぼ無臭の重い油状の腐食性液体．ときに腐食薬として用いる)．= sulphuric acid; oil of vitriol.

sul·fur mus·tard (H) サルファマスタード(第1次大戦で使われ始めた発疱性化学兵器で，マスタードガスともいうが，実際の沸点は 217°C である．NATO コードは H(非精製品)または HD(精製品))．

sul·fur·yl (sŭl′fŭr-il)．スルフリル（2価の SO_2 基)．= sulphuryl.

Sul·ko·witch test サルコウィッチ検査（尿中に排出されたカルシウム量を測定するために使われる手順)．

sulph-, sulpho- [Br.]. = sulf-.

sulphaemoglobin [Br.]. = sulfmethemoglobin.

sulphaemoglobinaemia [Br.]. = sulfhemoglobinemia.

sulphatase [Br.]. = sulfatase.

sulphatides [Br.]. = sulfatides.

sulphation [Br.]. = sulfation.

sulph-haemoglobin [Br.]. = sulfhemoglobin.

sulph-hydryl [Br.]. = sulfhydryl.

sulphide [Br.]. = sulfide.

sulphite oxidase [Br.]. = sulfite oxidase.

sulphmethaemoglobin [Br.]. = sulfmethemoglobin.

sulpho- [Br.]. = sulfo-.
sulphobromophthalein sodium [Br.]. = sulfobromophthalein sodium.
sulphonate [Br.]. = sulfonate.
sulphone [Br.]. = sulfone.
sulphonic [Br.]. = sulfonic acid.
sulphonic acid [Br.]. = sulfonic acid.
sulphonylureas [Br.]. = sulfonylureas.
sulphotransferase [Br.]. = sulfotransferase.
sulphoxide [Br.]. = sulfoxide.
sulphur [Br.]. = sulfur.
sulphur 35 [Br.]. = sulfur 35.
sul·phur·ic a·cid 硫酸. = sulfuric acid.
sulphuryl [Br.]. = sulfuryl.
sum·mat·ing po·ten·tials 加重電位（音刺激に対する Corti 器官の交流電流反応）.
sum·ma·tion (sŭm-ā′shŭn). 加重，総和（多くの類似した神経インパルスまたは刺激の総和）.
sum·ma·tion gal·lop 重合奔馬調律（奔馬調律が第３心音と第４心音の加重によるもの．ときには正常者でも頻脈時に聞かれるが，通常は心筋疾患の徴候である）.
sum·mer di·ar·rhe·a 夏季下痢（暑い気候下，乳児にみられる下痢．通常，赤痢菌属 *Shigella* または *Salmonella* 属の微生物に起因する急性胃腸炎）. = choleraic diarrhea.
Sum·ner sign サムナー徴候（腹筋緊張がわずかに増大する．虫垂炎，腎臓結石，尿路結石，卵巣頸部捻転の初期徴候．左右腸骨窩の軽度圧迫により生じる徴候）.
sump drain 吸引ドレーン，サンプドレーン（外筒の中に吸引ポンプに連結した，より細いチューブがはいっているもので，両チューブには多数の孔が空いていて，吸引チューブを通して液体と空気が排出される）.
sump syn·drome 水ため症候群（総胆管十二指腸側々吻合術の合併症の１つで，下部総胆管がときに憩室として作用し，結果として食物残滓の貯留，感染が生じるもの）.
sun·burn (sŭn′bŭrn). 日焼け（日光の中で通常，波長が 260—320 nm の範囲にある紫外線(UVB)を一定量以上照射させることにより生じる紅斑で，水疱を生じることも生じないこともある）.
sun·down·ing (sŭn′down-ing). 日没現象（昼間には改善あるいは消失しているせん妄が，夕方または夜間になると出現あるいは増悪すること．Alzheimer 病などの痴呆疾患の中等度の段階や進行した段階でよくみられる）.
sun pro·tec·tion fac·tor (SPF) 日光阻止因子（サンスクリーン剤を使用したときとしないときの紅斑を発するのに要する超紫外線の量の割合．有効なサンスクリーン剤は SPF15 以上である）.
sun·screen (sŭn′skrēn). 遮光剤（紫外線より皮膚を保護し，紅斑の発生を防ぐ外用剤．また，この外用剤の使用により日光角化症の発生を減少させ，そして紫外線(UVB)が原因となる皮膚癌およびしわを防ぐことができる）.
sun·stroke, sun stroke (sŭn′strōk). 日射病（太陽光線の過剰の照射による熱射病の一種で，高温と結び付いた化学線の作用によって生じると考えられる．熱射病と同じ症状を示すが，しばしば発熱しない）.
super- 過剰，…の上，優れた，上部を意味する接頭語．しばしばラテン語の *supra-* と同様に用いる．*cf.* hyper-.
su·per·ac·tiv·i·ty (sū′pĕr-ak-tiv′i-tē). 過度活動〔性〕（活動性が異常に高いこと）. = hyperactivity(1).
su·per·a·cute (sū′pĕr-ă-kyūt′). 極急性の，激急性の（病気の経過についてのように，非常に激しい症状や急速な進行を特徴とする）.
su·per·cil·i·ar·y (sū′pĕr-sil′ē-ar-ē). 眉毛の，まゆの.
su·per·cil·i·ar·y arch 眉弓（前頭骨の左右の眼窩上縁にある眉間から外側に出る骨隆起）.
su·per·cil·i·um, pl. su·per·cil·i·a (sū′pĕr-sil′ē-ŭm, -ă). ***1*** 眉，まゆ. = eyebrow. ***2*** 眉毛，まゆげ（眉毛の１本）.
su·per·con·duct·ing mag·net 超伝導(超電導)磁石（金属の電気抵抗が事実上除去されて超伝導状態になる温度まで常に冷却されているコイルをもつ磁石．通常は液体ヘリウムで冷却される）.
su·per·duct (sū′pĕr-dŭkt). 挙揚する，持ち上げる.
su·per·e·go (sū′pĕr-ē′gō). 超自我（精神分析において，Freud 学派の構造論における精神装置の３つの要素の１つ．他の２つは自我とイドである．自我から派生してきたもので，両親のような重要な人物に無意識に幼児期から同一化してきた自我が，これらの人物の価値観や願望，そして社会規範を，自己の規範となる部分として取り入れてきた結果形づくられた，いわゆる〝良心 conscience〟のこと）.
su·per·ex·ci·ta·tion (sū′pĕr-ek′sī-tā′shŭn). 過度興奮（①過度の興奮または刺激的な行為．②過度の興奮あるいは刺激状態）.
su·per·fi·cial (sū′pĕr-fish′ăl). ***1*** 粗雑な，皮相の．***2*** 表面に固有の，または表面に近く位置している．***3*** = superficialis.
su·per·fi·cial bra·chi·al ar·ter·y 浅上腕動脈（不定枝．正中神経より浅層に位置する上腕動脈）.
su·per·fi·cial branch of me·di·al cir·cum·flex fe·mor·al ar·ter·y 内側大腿回旋動脈浅枝（内側大腿回旋動脈の基部から起こり上内側大腿浅層に分布する．浅枝を出した後の内側大腿回旋動脈は深枝となる）.
su·per·fi·cial branch of ra·di·al nerve 橈骨神経の浅枝（腕橈骨筋に覆われた下を手首へと走り，親指，人さし指，中指の背側面近位部，さらに薬指の外側半分と手背の近位部の皮膚へ分布する(深枝のある)最終皮枝）. = ramus superficialis nervi radialis.
su·per·fi·cial branch of ul·nar nerve 尺骨神経の浅枝（小指の掌側と薬指の内側半分，それらの近位にある手のひらの部分，および短掌筋の皮膚に分布する枝）. = ramus superficialis nervi ulnaris.
su·per·fi·cial burn 表在性熱傷（表皮のみが

S

侵され，紅斑および浮腫を起こすが水疱形成のない熱傷）. = first-degree burn.

su·per·fi·cial cer·vi·cal ar·ter·y 浅頸動脈（甲状頸動脈の枝として起こり副神経に伴行して僧帽筋の下方に走る）. = ramus superficialis arteriae transversae colli.

su·per·fi·cial cir·cum·flex i·li·ac ar·ter·y 浅腸骨回旋動脈（大腿動脈より起こり，鼡径リンパ節とその部分の皮膚，縫工筋，大腿筋膜張筋に分布する．深腸骨回旋動脈と吻合）. = arteria circumflexa iliaca superficialis.

su·per·fi·cial dor·sal veins of pe·nis 浅陰茎背静脈（陰茎背を陰茎筋膜の浅層を走る一対の静脈．両側の外陰部静脈の枝）. = vena dorsalis penis superficialis.

su·per·fi·cial ep·i·gas·tric ar·ter·y 浅腹壁動脈（大腿動脈より起こり，鼡径部と下腹部の皮膚に分布する．下腹壁動脈，浅腸骨回旋動脈，外陰部動脈と吻合）. = arteria epigastrica superficialis.

su·per·fi·cial ep·i·gas·tric vein 浅腹壁静脈（前腹壁の下部および内側部の血液を集め，大伏在静脈へ注ぐ）. = vena epigastrica.

su·per·fi·cial fa·sci·a 浅在筋膜（皮下の緩やかな線維性の組織．その網目に脂肪（皮下脂肪層）や筋組織（皮筋）を有する．皮膚血管と皮膚神経を含み，下面で深層の筋膜とつながりをもつ）. = hypodermis; tela subcutanea.

su·per·fi·cial fa·sci·a of per·i·ne·um 浅会陰筋膜（泌尿生殖部の皮下組織の膜で，後方では尿生殖隔膜の縁に，側方では坐骨枝および恥骨下枝に，前方では腹壁に，それぞれ付着する）. = fascia perinei superficialis.

su·per·fi·cial fib·u·lar nerve 浅腓骨神経（総腓骨神経の終末枝の１つで，下腿外側部を下行して長・短腓骨筋に分布した後，中間・内側背側皮神経となって終わる．この皮神経は足背と母指と第二指とを除く足指背面の皮膚に分布する）. = nervus fibularis superficialis; nervus peroneus superficialis; superficial peroneal nerve; musculocutaneous nerve of leg.

su·per·fi·cial flex·or mus·cle of fin·gers 〔手の〕浅指屈筋. = flexor digitorum superficialis muscle.

su·per·fi·cial in·gui·nal ring 浅鼡径輪（精索（女性の場合は子宮円索）あるいは鼡径ヘルニアが，鼡径管から出るのに通る腹壁の外腹斜筋の腱膜にある裂隙状の開口）. = anulus inguinalis superficialis.

su·per·fi·cial in·vest·ing fa·sci·a of per·i·ne·um = perineal fascia.

su·per·fi·ci·a·lis (sū′pĕr-fish′ē-ā′lis). 浅の（特定の点からみて，身体の表面に近い方にある）. = superficial(3).

su·per·fi·cial lin·gu·al mus·cle 上縦舌筋. = superior longitudinal muscle of tongue.

su·per·fi·cial pal·mar ar·ter·i·al arch 浅掌動脈弓（長指屈筋腱の表層で外反した母指の先端から手掌に引いた線のあたりにある手の動脈弓．主として尺骨動脈浅枝の終末枝として形成され，通常，橈骨動脈の浅掌枝と吻合して終わる．総掌側指動脈を出す）. = arcus volaris superficialis.

su·per·fi·cial par·tial-thick·ness burn 浅達性 II 度熱傷（表皮のみにかかわる熱傷）.

su·per·fi·cial per·o·ne·al nerve 浅腓骨神経. = superficial fibular nerve.

su·per·fi·cial re·flex 表在反射（腹壁反射または精巣挙筋反射のように，皮膚刺激により生じる反射の総称）.

su·per·fi·cial tem·por·al ar·ter·y 浅側頭動脈（上顎動脈とともに外頸動脈の終末枝として起こり，顔面横動脈，中側頭動脈，内側前頭脳底動脈，耳下腺枝および前耳介枝，前頭枝，頭頂枝に分枝する）. = arteria temporalis superficialis.

su·per·fi·cial trans·verse per·i·ne·al mus·cle 浅会陰横筋（不定筋．起始：坐骨枝．停止：会陰の中心腱．作用：会陰の中心腱を後ろに引き固定する．神経支配：陰部神経会陰枝）. = musculus transversus perinei superficialis.

su·per·fi·cial vein 皮静脈，浅静脈（皮下組織を走り深静脈へ流入する多数の静脈．四肢において顕著な走系を形成し，通常は動脈に伴行しない）.

su·per·fi·ci·es (sū′pĕr-fish′ē-ēz). 外面（外部表面，面）.

su·per·in·duce (sū′pĕr-in-dūs′). さらに生じさせる（すでに存在しているものに加えて引き起こす）.

su·per·in·fec·tion (sū′pĕr-in-fek′shŭn). 重複感染，重感染（すでに感染している上に，新しく感染が起こること）.

su·per·in·vo·lu·tion (sū′pĕr-in′vō-lū′shŭn). 過剰復古（分娩後に，子宮の大きさが妊娠以前の大きさ以下に極度に萎縮すること）. = hyperinvolution.

su·pe·ri·or (sŭ-pēr′ē-ŏr). ***1*** 上の，上方を向いた．***2*** 上の（人体解剖学において，特定の点からみて頭頂に近い方をいう．inferior の対語）. = cranial(2).

su·pe·ri·or al·ve·o·lar nerves 上歯槽神経（上顎神経もしくはその続きの眼窩下神経の後枝，中枝，前枝の３枝で，上顎骨にはいり，上顎洞粘膜，上顎歯と歯肉に分布する）.

su·pe·ri·or au·ric·u·lar mus·cle 上耳介筋. = auricularis superior muscle.

su·pe·ri·or ba·sal vein 上肺底静脈（各肺の下葉の外側部および前部からの血液を集める総肺底静脈の枝）.

su·pe·ri·or cer·e·bel·lar ar·ter·y 上小脳動脈（脳底動脈より起こり，小脳と脚の上部表面および大部分の小脳核に分布する．後下小脳動脈と吻合して内側枝および外側枝を出す）.

su·pe·ri·or cer·e·bel·lar pe·dun·cle 上小脳脚（歯状核と中位核より起こり第４脳室の外壁に沿って頭方に向かい小脳から出ていく．神経束は脳幹の背面から中脳被蓋へ埋没する．中脳被蓋ではこの線維の多くが大きな上小脳脚の交叉となって交わる．神経束の一部は反対側の赤核に終わるが大部分は頭方に向かい視床の中間腹側核，後外側側核，外側中心核に続く）.

su·pe·ri·or ce·re·bral veins 上大脳静脈（半球皮質の上凸面部の血液を集め上矢状静脈洞へ注ぐ多数(8—10)の静脈．硬膜下腔を通り吻側へ曲がり，鋭い前角をつくって洞にはいる）．= venae superiores cerebri.

su·pe·ri·or cer·vi·cal car·di·ac branch·es of va·gus nerve 迷走神経の上頸心臓枝（最上部の枝で，心臓神経叢に副交感性節前線維を送り，そこから反射性求心性線維を受けとる．頭蓋底に近接したところで分枝する）．

su·pe·ri·or cer·vi·cal car·di·ac nerve 上頸心臓神経（上頸神経節下部から起こる．心肺内臓神経の最上部で下行して迷走神経枝とともに心臓神経叢を形成する）．

su·pe·ri·or cer·vi·cal gan·gli·on 上頸神経節（交感神経幹の最上部にある最も大きい脊椎傍神経節で，内頸動脈と内頸静脈間の頭蓋底付近にある．頭頸部に分布するすべての節後交感性線維はこの神経節内の神経細胞体を発したものである）．

su·pe·ri·or clu·ne·al nerve 上殿皮神経（腰神経後枝の終枝で，殿部の上半分の皮膚に分布する）．= nervi clunium superiores.

su·pe·ri·or con·stric·tor mus·cle of phar·ynx 上咽頭収縮筋（起始：正中翼状板(翼突咽頭部 pterygopharyngeal part)，翼突下顎縫線(頬咽頭部 buccopharyngeal part)，下顎骨の顎舌骨線(顎咽頭部 mylopharyngeal part)，口床粘膜と舌側(舌咽頭部 glossopharyngeal part)．停止：咽頭後壁の咽頭縫線．作用：咽頭の狭窄．神経支配：咽頭神経叢）．= musculus constrictor pharyngis superior.

su·pe·ri·or den·tal arch 上歯列弓（2 個の上顎骨の歯槽部に植立している歯の列で，乳歯なら 10 本，永久歯なら 16 本）．

su·per·i·or ep·i·gas·tric ar·ter·y 上腹壁動脈（内胸動脈の内側終末枝より起こり，腹部筋と皮膚，肝鎌状間膜に分布する．下腹壁動脈と吻合）．

su·pe·ri·or ep·i·gas·tric veins 上腹壁静脈（同名の動脈に伴行し内胸静脈へ注ぐ）．

su·per·i·or e·so·pha·ge·al sphinc·ter 上食道括約筋．= inferior constrictor muscle of pharynx.

su·pe·ri·or ex·ten·sor ret·i·nac·u·lum 〔足の〕上伸筋支帯（伸筋腱を果関節の近位に押さえている靱帯．足の深筋膜の肥厚部と連続している）．

su·pe·ri·or front·al gy·rus 上前頭回（左右の前頭葉の外側面の内側縁を前後に走る広い脳回で，前頭内側面にまで巻き込むようにはいりこんでいる）．

su·pe·ri·or gan·gli·on of glos·so·pha·ryn·ge·al nerve 舌咽神経の上神経節（舌咽神経が頸静脈孔を通過するときにみられる 2 個の神経節のうち，上方の小さいもの）．

su·pe·ri·or gan·gli·on of va·gus nerve 迷走神経の上神経節（頸静脈孔を横切る迷走神経上の小さな知覚神経節）．

su·pe·ri·or ge·mel·lus mus·cle 上双子筋（殿部深層の筋の 1 つ．起始：坐骨棘および小坐骨切痕．停止：内閉鎖筋の腱．神経支配：大腿の外旋）．= musculus gemellus superior.

su·pe·ri·or glu·te·al ar·ter·y 上殿動脈（内腸骨動脈より起こり，殿部に分布する．外側仙骨動脈，下殿動脈，内陰部動脈，深腸骨回旋動脈，外側大腿回旋動脈と吻合）．= arteria glutea superior.

su·pe·ri·or glu·te·al nerve 上殿神経（第四・第五腰神経と第一仙骨神経からなる仙骨神経叢から起こり，中・小殿筋と大腿筋膜張筋(股関節の外転筋と内旋筋)を支配する）．= nervus gluteus superior.

su·pe·ri·or hem·or·rhoid·al ar·ter·y = superior rectal artery.

su·pe·ri·or hy·po·gas·tric (nerve) plex·us 上下腹神経叢（大動脈神経叢の大動脈分岐下方への延長で，第五腰椎をまたいで骨盤にはいり，直腸の左右へ 2 本の下腹神経となって進み下下腹神経叢を形成して骨盤内臓に分布する）．

su·pe·ri·or in·ter·cos·tal ar·ter·y 前肋間動脈，最上肋間動脈．= supreme intercostal artery.

su·pe·ri·or·i·ty com·plex 優越感（代償行為．例えば，劣等感 inferiority complex に付随する攻撃性，自己主張などに対してときに用いる語）．

su·pe·ri·or la·bi·al ar·ter·y 上唇動脈．= superior labial branch of facial artery.

su·pe·ri·or la·bi·al branch of fac·ial ar·ter·y 上唇動脈（顔面動脈より起こり，上唇と，鼻中隔枝により鼻中隔の前部および下部に分布する．反対側の上唇動脈，蝶口蓋動脈と吻合）．= arteria labialis superior; ramus labialis superior arteriae facialis; superior labial artery.

su·pe·ri·or la·bi·al vein 上唇静脈（上口唇から血液を集め顔面静脈へ注ぐ）．

su·pe·ri·or lar·yn·ge·al ar·ter·y 上喉頭動脈（上甲状腺動脈より起こり，喉頭の筋肉と粘膜に分布する．上甲状腺動脈の輪状甲状枝，下喉頭動脈の終末枝と吻合）．= arteria laryngea superior.

su·pe·ri·or la·ryn·ge·al nerve 上喉頭神経（下神経節から起こる迷走神経の枝．甲状軟骨で内枝と外枝に分かれる）．= nervus laryngeus superior.

su·pe·ri·or lim·bic ker·a·to·con·junc·ti·vi·tis 上輪部角結膜炎（上方の強角膜輪部での炎症性浮腫）．

su·pe·ri·or lin·gu·lar ar·ter·y 上舌枝（左肺動脈の肺舌動脈の枝．左肺上葉の上舌区に分布）．= arteria lingularis superior; ramus lingularis superior.

su·pe·ri·or lon·gi·tu·di·nal fa·sci·cu·lus 上縦束（大脳半球の半卵円中心の外側部にある長い連合線維束．前頭葉，後頭葉，および側頭葉を結んでいる．線維束は前頭葉から発し，弁蓋を通り，外側溝の後端に至る．そこで，多くの線維は後頭葉内に放散し，他は下方に転じ，被殻の周囲に向かい，側頭葉の前部へと走る）．= fasciculus longitudinalis superior.

S

su·pe·ri·or long·i·tu·di·nal mus·cle of tongue 上縦舌筋（舌背部の粘膜下を舌根から舌尖に走る内舌筋．作用：舌の上部を短縮する．神経支配：運動は舌下神経，感覚は舌神経）. = musculus longitudinalis superior linguae; superficial lingual muscle.

su·pe·ri·or mac·u·lar ar·te·ri·ole 上黄斑動脈（網膜中心動脈より起こり，黄斑上部に分布する）. = arteriola macularis superior.

su·pe·ri·or med·ul·lar·y ve·lum 上髄帆（2つの上小脳脚の間にあって，第4脳室の上陥凹の被蓋を形成する白質の薄い層）.

su·pe·ri·or mes·en·ter·ic ar·ter·y 上腸間膜動脈（第一腰椎の高さで，腹大動脈の2番目の前臓側枝として起こり，下膵十二指腸動脈，空腸動脈，腸骨動脈，回結腸動脈，虫垂動脈，右結腸動脈，中結腸動脈に分枝する．上膵十二指腸動脈，左結腸動脈と吻合）. = arteria mesenterica superior.

su·pe·ri·or mes·en·ter·ic (nerve) plex·us 上腸間膜動脈神経叢（腹大動脈神経叢の一部で，腸に神経を送り，迷走神経とともに漿膜下，筋層間，および粘膜下神経叢を形成する自律神経叢．この動脈周囲の神経叢は非常に厚いため，超音波検査や他の画像検査で特徴的な血管周囲の〝エリマキ〟様の像を示し，上腸間膜動脈を静脈と区別することができる）.

su·pe·ri·or na·sal con·cha 上鼻甲介（①上方の薄い，海綿状の，曲がった縁をもつ骨板で，篩管迷路の部分．鼻腔の側壁から突出し，上鼻道と蝶篩骨陥凹を分ける．②上記骨板とその肥厚した粘膜骨膜で，中・下鼻甲介よりも血管が少ない）.

su·pe·ri·or na·sal ret·i·nal ar·te·ri·ole 網膜上内側動脈（網膜の上内側部，すなわち上鼻部に至る網膜中心動脈の分枝）.

su·pe·ri·or nu·chal line 上項線（後頭骨の外後頭隆起から後頭側角へ側方にのびる隆線．僧帽筋，胸鎖乳突筋，および頭板状筋が付着する）.

su·pe·ri·or o·blique mus·cle 上斜筋（眼窩の外眼筋の1つ．起始：視神経管の内縁上方．停止：腱が滑車を通過後に後下方と外側に反転して，上直筋と外側直筋間の強膜に付着．作用：眼球を下外側に向ける．内方捻転．神経支配：滑車神経）. = musculus obliquus superior.

su·pe·ri·or o·blique mus·cle of head 上頭斜筋. = obliquus capitis superior muscle.

su·pe·ri·or or·bi·tal fis·sure 上眼窩裂（蝶形骨大翼と小翼の間の裂隙で，中頭蓋窩と眼窩を連絡する．動眼神経，滑車神経，三叉神経の眼分枝，外転神経，上眼静脈が通る）.

su·pe·ri·or pel·vic aper·ture 骨盤上口（前方は両側とも恥骨結合と恥骨稜，側方は分界線，後方は仙骨岬骨が境界をなす小骨盤の上口）.

su·pe·ri·or phren·ic ar·ter·y 上横隔動脈（隔膜のすぐ上位の胸大動脈から分岐する小動脈の組の1つ．分布：隔膜．吻合：筋横隔膜，心膜横隔，下横隔）. = arteria phrenica superior.

su·per·i·or pos·ter·i·or ser·ra·tus mus·cle 上後鋸筋. = serratus posterior superior muscle.

su·pe·ri·or rec·tal ar·ter·y 上直腸動脈（下腸間膜動脈より起こり，直腸上部に分布する．中・下直腸動脈と吻合）. = arteria rectalis superior; superior hemorrhoidal artery.

su·pe·ri·or rec·tus mus·cle 上直筋（眼窩の外眼筋の1つ．起始：総腱輪の上部．停止：眼の強膜上部．作用：眼球を上内側に向ける．内転して内方捻転．神経支配：動眼神経）. = musculus rectus superior.

su·pe·ri·or sag·it·tal si·nus 上矢状静脈洞（矢状溝にある不対の硬膜静脈洞で，盲孔に始まり静脈洞交会に終わり，ここから直静脈洞が出る．上大脳静脈を受け，側方へは大脳裂孔となって続く）.

su·pe·ri·or su·pra·re·nal ar·ter·ies 上副腎動脈，上腎上体動脈（左右の下横隔動脈から出る多数の枝．副腎に分布する）. = arteriae suprarenales superiores.

su·pe·ri·or tem·por·al line 上側頭線（頭頂骨上の2本の曲線のうちの上方の線．側頭筋膜が付着する）.

su·pe·ri·or tem·por·al ret·i·nal ar·te·ri·ole 網膜上外側動脈（黄斑の上外側を通って網膜の上外側部，すなわち上側頭部に血液を供給する網膜中心動脈の枝）.

su·pe·ri·or tem·por·al sul·cus 上側頭溝（上側頭回と中側頭回とを分ける縦溝）.

su·pe·ri·or thal·a·mo·stri·ate vein 上視床線条体静脈（視床と尾状核の間の溝を前方へ走る長い静脈で，付着板におおわれ，外側から数条の横尾状核静脈が流入し，Monro 孔の尾側壁で脈絡叢静脈および透明中隔静脈と合して内大脳静脈となる）.

su·pe·ri·or thor·ac·ic ar·ter·y 最上胸動脈（腋窩動脈から出て上胸部の筋に分布する．鎖骨上動脈，内胸動脈，胸肩峰動脈などと吻合）. = arteria thoracica superior; highest thoracic artery.

su·pe·ri·or thy·roid ar·ter·y 上甲状腺動脈（外頸動脈より起こり，上喉頭動脈，舌骨下枝，胸鎖乳突筋枝，輪状甲状筋枝と2本の終末枝に分枝する）. = arteria thyroidea superior.

su·pe·ri·or ul·nar col·lat·er·al ar·ter·y 上尺側側副動脈（上腕動脈より起こり，肘関節に分布する．尺側反回動脈の後枝，下尺側側副動脈と吻合して肘関節動脈網を形成する）. = arteria collateralis ulnaris superior.

su·pe·ri·or vein of ver·mis 上虫部静脈（小脳上部の血液を集め，虫部の上面を通って内大脳静脈に注ぐ静脈）.

su·pe·ri·or ve·na ca·va 上大静脈（頭・頸・上肢・胸郭の血液を右心房後上部に返す静脈で，上縦隔の中で2つの腕頭静脈が合流して形成される）. = vena cava superior; precava.

su·pe·ri·or ve·na ca·va syn·drome 上大静脈症候群（良性または悪性の病巣による上大静脈またはその主な分枝の閉塞で，顔面・頸部・腕の浮腫と血管の充血，乾性咳，および呼吸困難をもたらす，初期には大きな静脈の分岐部に青みがかった静脈うっ血がみられる．静脈うっ血は徐々に大きさを縮め，側副循環が再びできあがると消失する).

su·pe·ri·or ver·mi·an branch (of su·pe·ri·or ce·re·bel·lar ar·te·ry) 上虫部枝(上小脳動脈の内側枝から出て小脳の虫部葉に分布する).

su·pe·ri·or ves·i·cal ar·ter·y 上膀胱動脈(起源:臍. 分布:膀胱, 尿膜管, 尿管. 吻合, その他の膀胱枝). = arteria vesicalis superior.

su·per·mo·til·i·ty (sū′pĕr-mō-til′i-tē). 過運動性. = hyperkinesis.

su·per·nu·mer·ar·y (sū′pĕr-nū′mĕr-ar-ē). 過剰の(正常な数を超えたものについていう).

su·per·nu·mer·ar·y or·gans 過剰器官(正常な数を超えて存在する器官. 元来恒久的主器官よりも範囲の広い器官形成の場において, 多数の器官形成の中心から発生する. これらの器官は異常ではあっても病気の原因になるとはかぎらない. 主器官を治療するために除去した後, これらが身体の中に残っていると病気が存続することがある. 例えば副脾).

su·per·o·lat·er·al (sū′pĕr-ō-lat′ĕr-ăl). 上外側の(外側で上部にあるものについていう).

su·per·ox·ide (sū′pĕr-oks′īd). スーパーオキシド, 超酸化物(酸素フリーラジカル, O_2^{-}·. 細胞毒性がある).

su·per·ox·ide dis·mu·tase スーパーオキシドジスムターゼ(不均化反応 $2O_2^{-}$·+ $2H^{+}$→H_2O_2+ O_2 を触媒する酸素. SOD の欠損が筋萎縮性側索硬化症でみられる).

su·per·sat·u·rate (sū′pĕr-sach′ŭr-āt). 過飽和にする(固体相の塩と平衡状態にあるときに溶解する量以上の塩, または他の物質を含むようにする. 過飽和溶液は通常, 不安定で過剰の塩または物質が沈殿し, 飽和溶液になりやすい).

su·per·sat·u·rat·ed so·lu·tion 過飽和溶液(溶液が通常, 可溶量より多量の固体を含む液. 溶媒を加熱して物質を加え冷却したときに, 物質が沈殿せずに溶解してつくられる. 通常, 何らかの結晶または固体を加えると, 過剰溶質が沈殿し飽和溶液が残る).

su·per·scrip·tion (sū′pĕr-skrip′shŭn). 処方箋の最初に書く *recipe*(処方せよ)という指示で, 通常℞という記号で表す.

su·per·son·ic (sū′pĕr-son′ik). ***1*** 超音の, 超音速の(音速より速いスピードを特徴とする). ***2*** 超音波の(人が聞き取ることができるレベルより高い振動数をもつ音の振動についていう. → ultrasonic).

su·per·struc·ture (sū′pĕr-strŭk′shŭr). 上部構造, 上層構造(表面より上にある構造).

su·pi·nate (sū′pi-nāt). ***1*** 背〔臥〕位になる. ***2*** 回外運動を行う(前腕または足の回外運動を行う).

su·pi·na·tion (sū′pi-nā′shŭn). ***1*** 背〔臥〕位, 仰臥位(あお向けになった状態). ***2*** 回外〔運動〕.

su·pi·na·tor mus·cle 回外筋(起始:上腕骨の外側上顆, 外側側副靱帯, 輪状靱帯と尺骨の回外筋稜. 停止:橈骨の前面および側面. 作用:前腕の回外運動. 神経支配:橈骨神経(後骨間神経)). = musculus supinator.

su·pine (sū′pīn). ***1*** 背臥の, 仰臥の(上を向いてねた場合の身体をさす. 顔を上方に向けて横たわる). ***2*** 回外の(前腕または足の回外). = dorsal recumbent position.

su·pine po·si·tion 背〔臥〕位, 仰臥位(背を下にして横たわること).

sup·ple·men·tal air 予備呼気量. = expiratory reserve volume.

sup·ple·men·tal groove 補助溝(通常, 三角隆線の両側にみられる曲線状の溝).

sup·ple·men·tal in·sur·ance = Medigap insurance.

sup·port·ed em·ploy·ment 援助付き雇用(障害を持たない労働者との統合を含む, 障害を持つ人の競争的雇用協定. →abduction, sheltered employment).

sup·port·ing cusp 支持咬頭(下側臼歯では頬側咬頭, 上側臼歯では舌側咬頭のこと).

sup·port sys·tem 支援システム(患者が頼りにする援助, 家族, 友人やその他の人たち. 患者に援助を提供する. 家族のための支援システム).

sup·pos·i·to·ry (sŭ-poz′i-tōr-ē). 坐剤(口腔以外の体の開口部(例えば, 直腸, 尿道, 腟)の1つに挿入しやすくした形の小固体で, 室温では固体であるが体温により溶解する. 通常は薬として用いる物質).

sup·pres·sion (sŭ-presh′ŭn). ***1*** 抑制(ある思考を故意に意識しないようにすること. *cf.* repression). ***2*** 停止(尿や胆汁などの流体物の分

S

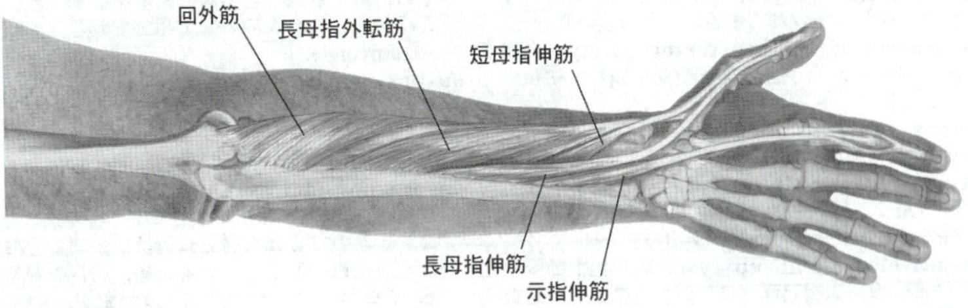

回外筋
長母指外転筋
短母指伸筋
長母指伸筋
示指伸筋

supinator muscle

泌が止まること．*cf.* retention(2))．***3*** 抑止（異常な流出や分泌を止めることで，例えば，出血を食い止めるようなことをいう．→epistasis)．***4*** 抑圧（二次突然変異の結果，染色体上の別の位置に，それ以前に生じた突然変異による表現型変化を取り消し，回復すること)．***5*** 抑制（両眼の網膜対応点に異質図形があるときに，一眼の視機能にかかる抑止)．

sup·pres·sion am·bly·o·pi·a 抑制弱視（両眼からの像が非常に異なり，融像できない場合に，片眼の視覚に中枢性に抑制がかかった状態．ⓘ不鮮明な像が形成された場合(感覚性弱視)．ⓘⓘ両眼に大きな屈折異常の差がある(不同視性弱視)．ⓘⓘⓘ両眼位が異常な場合(斜視性弱視).大部分の抑制弱視では6歳以下で適切な治療が行なわれれば視力は回復する)．

sup·pres·sor mu·ta·tion サプレッサ〔突然〕変異，抑圧遺伝子〔突然〕変異（① tRNAのアンチコドンを変化させる2番目の変異で，ナンセンス(停止)コドンを認識できるようになるために，アミノ酸鎖の合成終了が抑制される．② 1か所の突然変異による効果が他の部位の第2の突然変異によって遮閉されるような遺伝的変化．2つの型が存在し，遺伝子間抑圧(遺伝子間サプレッション．異なる遺伝子間で起こる)と遺伝子内抑圧(遺伝子内サプレッション．同じ遺伝子内で異なった部位で起こる)とがある)．

sup·pu·rate (sŭp′yŭr-āt)．化膿する．

sup·pu·ra·tion (sŭp′yŭr-ā′shŭn)．化膿（膿の形成．→suppurate)．= pyesis; pyogenesis; pyopoiesis; pyosis.

sup·pu·ra·tive (sŭp′yŭr-ă-tiv)．化膿性の．

sup·pur·a·tive ar·thri·tis 化膿性関節炎（細菌感染による関節への化膿性滲出を伴った滑膜の急性炎症)．= purulent synovitis.

sup·pur·a·tive gin·gi·vi·tis 化膿性歯肉炎（歯肉表面からの化膿性滲出液を認める歯肉炎)．

sup·pur·a·tive hy·a·li·tis 化膿性硝子体炎（全眼球炎にみられるように，隣接組織からの滲出による化膿性硝子体液が貯留すること)．

sup·pur·a·tive in·flam·ma·tion = purulent inflammation.

sup·pur·a·tive ne·phri·tis 化膿性腎炎（腎臓での膿瘍形成を伴う巣状糸球体腎炎)．

supra- この後に続く語の示す部分の上の位置を表す接頭語．この意味で，super- と同義．Infra-の対語．

su·pra·bulge (sū′pră-bŭlj)．非添窩部（歯の咬合面に向かって収れんするような歯冠の部分)．

su·pra·cer·vi·cal hys·ter·ec·to·my 子宮腟上部切断術（子宮体部を頸部を残して切除すること)．

su·pra·cho·roid (sū′pră-kōr′oyd)．脈絡膜上の（眼の脈絡膜の外側にある)．

su·pra·cla·vi·cu·lar tri·an·gle 肩甲鎖骨三角（鎖骨，肩甲舌骨筋，胸鎖乳突筋による三角．内部に鎖骨下動脈と静脈がある)．

su·pra·clin·oid an·eu·rysm 床突起上動脈瘤（蝶形骨の前床突起直上に位置する頭蓋内の動脈瘤)．

su·pra·con·dy·lar pro·cess 〔上腕骨〕顆上突起（まれに内側上顆の約5 cm上の上腕骨前内側面から突出する小突起で，線維帯で内側上顆と結合している．こうしてできた顆上窩を上腕動脈と正中神経が通る)．

su·pra·cos·tal (sū′pră-kos′tăl)．肋骨上の．

su·pra·cris·tal (sū′pră-kris′tăl)．稜上の（特に腸骨稜の最高位点を通る平面や線についてよく用いられる)．

su·pra·duc·tion (sū′pră-dŭk′shŭn)．上ひき，上転（一方の眼を上に回転すること)．= sursumduction.

su·pra·du·o·den·al ar·ter·y 十二指腸上動脈（胃十二指腸動脈より起こり，十二指腸の下行部分および膵頭に分布する)．= arteria supraduodenalis.

su·pra·glot·tic air·way 声門上気道（組織を変位させ喉頭域を密閉することで，声門開口部へ呼吸ガスがじゃまされずに通ることを容易にする口腔通路)．

su·pra·glot·tic la·ryn·gec·tomy 声門上喉頭切除術．= partial laryngectomy.

su·pra·glot·tic swal·low 声門上えん下法（えん下時に誤えんを予防する治療技術．えん下の前後に，自発的に声帯ひだを閉じる．患者は息を止め，そのままえん下し，えん下し終わったら息を吸う前に咳をする)．

sup·ra·glot·ti·tis (sū′pră-glot-ī′tis)．声門上炎（声門上部の喉頭組織，特に喉頭蓋における感染性炎症と腫張．喉頭蓋は発赤し，球状に腫れ，上気道狭窄を引き起こす)．

su·pra·lim·i·nal (sū′pră-lim′i-năl)．閾値上の（感知限界以上または意識の範囲以上のことについていう．*cf.* subliminal)．

su·pra·mal·le·o·lar or·thot·ic (SMO) 踝上装具（くるぶしの上までしか伸びない足矯正装具．これで足首と足の複合体を安定化させる)．

su·pra·mar·gin·al gy·rus 縁上回（外側溝(Sylvius溝)の後部辺縁を囲むひだの付いた脳回．角回とともに頭頂葉の下辺縁部をつくる)．

su·pra·mas·toid crest 乳突上稜（側頭骨頬骨突起の後方基部にみられる稜)．

su·pra·max·il·lar·y (sū′pră-mak′si-lar-ē)．上顎骨上の．

su·pra·me·a·tal tri·an·gle おとがい上三角（頬骨弓の根部，骨性外耳道後壁，および両者の端を結ぶ仮想線によってできる三角．道上棘はその前縁を形成し乳突洞の側壁をなすことから，乳様突起手術の案内として用いられる)．= Macewen triangle.

su·pra·men·ta·le (sū′pră-men-tā′lē)．スプラメンターレ（頭蓋計測において，おとがいの上方にあってインフラデンターレとポゴニオンとの間で最もへこんでいる点)．= point B.

su·pra·nor·mal ex·cit·a·bil·i·ty 過剰興奮（心筋活動電位第3相の末期には心筋の興奮を起こさせるのに必要な刺激閾値は拡張期のその他の時期に比べ低下しているため，通常の閾値以下(すなわちより陰性電圧)の刺激が有効となる)．

su·pra·nu·cle·ar (sū′pră-nū′klē-ăr)．核上の

(脊髄神経または脳神経の運動ニューロンの位置より上位のものについていう．核上神経線維が脳幹の運動神経細胞に到達するまでの経路．運動皮質，錐体路または線条体などの運動ニューロン以外の脳構造の破壊または機能障害によって起こる運動障害を表す臨床神経学用語．例えば核上麻痺．これは末梢神経の運動ニューロンまたはその軸索の破壊または機能障害から生じる核麻痺(弛緩性または下位運動ニューロン麻痺)とは区別される)．

su·pra·nu·cle·ar pa·ral·y·sis 核上麻痺（一次運動ニューロンより上の病変による麻痺）．

su·pra·oc·clu·sion (sū′pră-ō-klū′zhŭn)．高位咬合（歯が咬合平面より上方にある咬合関係）．

su·pra·op·tic com·mis·sures 視交叉上交連．= commissurae supraopticae.

su·pra·or·bit·al ar·ter·y 眼窩上動脈（眼動脈より起こり，前頭筋，頭皮に分布する．浅側頭動脈，滑車上動脈の枝と吻合）．= arteria supraorbitalis.

su·pra·or·bit·al fo·ra·men 眼窩上孔（前頭骨眼窩上縁の内側 1/3 の位置にある孔）．= foramen supraorbitale.

su·pra·or·bi·tal groove 眼窩上溝（眉の上部の前頭骨にあるくぼみ）．

su·pra·or·bit·al mar·gin 眼窩上縁（眼窩縁の上半分で，眼窩入口の彎曲した上縁をなし，前頭骨でつくられる）．

su·pra·or·bit·al nerve 眼窩上神経（前頭神経の枝．眼窩上孔あるいは眼窩上切痕から眼窩を出て，数枝に分かれ，額，頭皮，上眼瞼，前頭洞に分布する）．= nervus supraorbitalis.

su·pra·or·bi·tal notch 眼窩上切痕（眼窩縁の内側 1/3 と中間 1/3 の接合点に近い前頭骨の眼窩縁にある溝で，眼窩上神経および動脈が通っている）．

su·pra·or·bit·al vein 眼窩上静脈（頭皮前面からの血液を集め，滑車上静脈と合流して眼角静脈をつくる）．

su·pra·or·bi·to·me·a·tal plane 眼窩上縁外耳道面（眼窩上縁と外耳道上縁とを通る平面．耳眼面と 25—30° 傾いている．眼球への放射線被曝を少なくするために，ルーチンの脳 CT スキャンではこの面に平行に撮影が行われる）．

su·pra·pa·tel·lar bur·sa 膝蓋上包（大腿骨下部と大腿四頭筋腱との間にある大きな滑液包．通常，膝関節腔と交通している）．

su·pra·pu·bic cath·e·ter 恥骨上カテーテル（恥骨よりやや頭側の下腹壁を通して膀胱内に挿入する，排尿のためのカテーテル，尿道損傷，膣手術あるいは長期の膀胱内カテーテル留置などが適応となる）．

su·pra·pu·bic cys·to·to·my 恥骨上膀胱切開〔術〕（恥骨結合上部の切開または穿刺により膀胱を開放する手技）．

su·pra·re·nal (sū′pră-rē′năl)．*1* 腎上の．*2* 副腎の，腎上体の．

su·pra·re·nal cor·tex 副腎皮質（副腎の表層部．外側から球状帯，束状帯，網状帯の 3 層からなる．副腎皮質の細胞からは糖質コルチコイド，電解質コルチコイド，エストロンなど数種類のステロイドホルモンが分泌される）．

su·pra·re·nal gland 腎上体，副腎（左右腎臓上端に位置を占めるほぼ三角形の平たい臓器で横隔膜脚に付着する．内分泌腺の 1 つで，髄質からはエピネフリンとノルエピネフリン，皮質からはコルチゾールとアルドステロンが分泌されている）．= adrenal gland; epinephros; paranephros.

su·pra·re·nal me·dul·la 副腎髄質（副腎の中心部で主として索状の細胞が網状に吻合している部分．細胞中にエピネフリンやノルエピネフリンがあるためクロム親和性を示す）．

su·pra·scap·u·lar ar·ter·y 肩甲上動脈（甲状頸動脈より起こり，鎖骨，肩甲骨，上肢帯筋，肩関節に分布する．頸横動脈，肩甲回旋動脈と吻合）．= arteria suprascapularis; transverse scapular artery.

su·pra·scap·u·lar nerve 肩甲上神経（腕神経叢の上神経幹(第五・第六頸神経根により形成)から起こり，腕神経叢の神経束に平行に下行し肩甲切痕を通過し，棘上筋および棘下筋に枝を出すとともに，肩関節に関節枝を分枝する．この神経は鎖骨中 1/3 の骨折で損傷されやすい．損傷されると肩関節の外旋が不能となり，上肢は内旋する(給仕人肢位)．初期外転力もまた減弱する）．= nervus suprascapularis.

su·pra·scap·u·lar vein 肩甲上静脈（肩甲上動脈に伴う静脈．外頸静脈にはいる）．

su·pra·scler·al (sū′pră-skler′ăl)．強膜上の（強膜の外側についていう．強膜と眼膜間の強膜上または強膜周囲間隙を意味する）．

su·pra·spi·na·tus mus·cle 棘上筋（起始：肩甲骨の肩甲上窩．停止：上腕骨大結節．作用：上腕の外転．神経支配：第五・第六頸神経からの肩甲上神経）．= musculus supraspinatus; supraspinous muscle.

su·pra·spi·nous fos·sa 棘上窩（肩甲棘上方の肩甲骨背面上のくぼみで，棘上筋が起始する）．

su·pra·spi·nous mus·cle = supraspinatus muscle.

su·pra·troch·le·ar ar·ter·y 滑車上動脈（眼動脈より起こり，頭皮前部に分布する．眼窩上動脈の分枝と吻合）．= arteria supratrochlearis; frontal artery.

su·pra·troch·le·ar nerve 滑車上神経（前頭神経の枝．上眼瞼の内側部，額の皮膚中央部，鼻根に分布）．= nervus supratrochlearis.

su·pra·troch·le·ar veins 滑車上静脈（頭皮前部からの血液を集め，眼窩上静脈と合流して眼角静脈をつくる数個の静脈）．

su·pra·vag·i·nal por·tion of cer·vix 子宮頸の膣上部（膣の付着部分の上にある子宮頸の部分）．

su·pra·val·var ste·no·sis 大動脈弁上部狭窄〔症〕（絞輪または架，あるいは上行大動脈の縮窄や形成不全による大動脈弁上部の大動脈の狭窄）．

su·pra·ven·tric·u·lar (sū′pră-ven-trik′yū-lăr)．上室〔性〕の（心室から生じるリズムと異なり，心室に隣接する中心，すなわち心房また

S

は房室結節または房室接合部から生じるリズムに対して用いる).

su·pra·ven·tric·u·lar crest 室上稜（動脈円錐を心臓の右心室の他の部分と分けている内面にある筋層の隆起).

su·pra·ver·sion (sū′pră-vĕr′zhŭn). ***1*** 上転（上方への回転). ***2*** 高位歯（歯科において，咬合平面から咬合方向に挺出した歯の位置. 過蓋咬合). ***3*** 上むき（眼科において，両眼の上方への共同回転).

su·pra·vi·tal stain 超生体染色〔法〕（生体組織を身体から取り出し，細胞を非毒性色素溶液中に入れてその生活過程を観察する).

su·preme in·ter·cos·tal ar·ter·y 最上肋間動脈（肋頸動脈から出て第一および第二肋間にはいり，終末枝である第一・第二肋間動脈に至る動脈. 内胸動脈の前肋間枝と吻合する). = arteria intercostalis suprema; highest intercostal artery; superior intercostal artery.

su·preme na·sal con·cha 最上鼻甲介（鼻側壁の後上部にしばしば存在する小甲介で，最上鼻道をおおう). = concha santorini; Santorini concha.

su·ral (sūr′ăl). 腓腹の，ふくらはぎの.

sur·al ar·ter·y 腓腹動脈（膝窩動脈から出る4，5本の動脈(ときには共通幹となる). 腓腹筋および皮膚に分布し，後脛骨動脈，内側・外側下膝動脈と吻合). = arteria suralis.

sur·al nerve 腓腹神経（脛骨神経から出る内側腓腹皮神経と総腓骨神経の交通枝とが下腿のほぼ中間で結合してできる(変異に富む). 小伏在静脈に伴い外果を回り背外側皮神経として足背に至る). = nervus suralis.

sur·al re·gion 腓腹部，ふくらはぎ（脚の腓腹部. 膝の下方後側の筋の膨らみで，主に腓腹筋とヒラメ筋の筋腹からなる). = calf.

sur·face (sŭr′făs). 表面（固体の外面. ―superficial). = face(2); facies(2).

sur·face-ac·tive (sŭr′făs-ak′tiv). 表面活性の，界面活性の（表面および界面の物理化学的性質を変化させ，界面張力を下げるある種の化学薬品の性質をいう. 通常，親油基と親水基の両方をもつ. →surfactant).

sur·face a·nat·o·my 体表解剖学（体表面の構造，特に深部との関連における研究).

sur·face bi·op·sy 表面生検（へら，綿棒，またはブラシで，皮膚または粘膜の表面から細胞をはがすことによって得られる生検材料).

sur·face coil 表面コイル（高分解磁気共鳴画像を得るために人体局部に直接接触させる検出コイル. 金属の単ループ型が一般的).

sur·face ep·i·the·li·um 胚上皮（①生殖堤をおおう1層の体腔上皮で，腸間膜根の近くで中腎内側縁に形成される. ②卵巣の中皮性被膜).

sur·face mi·cro·sco·py = epiluminescence microscopy.

sur·face ten·sion 表面張力（液体が空気などの気体や固体あるいは別の不混和液体と接するとき，液体表面で起こる分子間の引力の現象. 表面から内側へと液体の分子を凝集する傾向をもつ. ディメンションは mt^{-2}).

sur·face tha·lam·ic veins = venae directae laterales.

sur·fac·tant (sŭr-fak′tănt). ***1*** 界面活性剤（一般には湿潤剤，表面張力抑制剤，洗剤，分散剤，乳剤，第四級アンモニウム消毒薬などとして知られる物質が含まれる). ***2*** サーファクタント，界面活性物質（肺胞表面上の単分子層を形成する表面活性物質. レシチンおよびスフィグモミエリン基を含むリポ蛋白で，表面張力を下げ表面張力と表面領域との関係を変化させることにより肺胞換気量を安定化させる).

sur·geon (sŭr′jŏn). 外科医（手術または処置により疾病や創傷や変形を治療する医師).

sur·geon's knot 外科結び，外科結紮（最初の結び目の輪は2回かける. 2度目の結び目は1回かけるだけで最初の輪のように糸の両端が同一面内に残る本結びで行われる).

sur·gery (sŭr′jĕr-ē). ***1*** 外科〔学〕（物理的手術または処置により，疾病や創傷や変形を治療する医学の一分野). ***2*** 手術〔法〕.

sur·gi·cal (sŭr′ji-kăl). 外科的の，外科手術〔上〕の.

sur·gi·cal ab·do·men = acute abdomen.

sur·gi·cal a·nat·o·my 外科解剖学（外科的診断，解剖，治療に関する応用解剖学).

sur·gi·cal an·es·the·si·a 外科麻酔〔法〕（①手術操作の実施を可能にする目的で適用される麻酔で，産科麻酔，診断麻酔，治療麻酔とは区別される. ②手術に適切な筋弛緩を伴う感覚脱失).

sur·gi·cal di·a·ther·my 外科的ジアテルミー（高周波の電気焼灼器を用いて局所の組織を破壊して行う電気凝固法. 通常，血管を閉塞し止血する目的で用いる).

sur·gi·cal em·phy·se·ma 外科的気腫（手術または外傷によって組織中に取り込まれたガスによって起こる皮下気腫).

sur·gi·cal in·ten·sive care u·nit (SICU) 外科系集中治療室（危篤状態の外科患者のケアを目的とした病棟).

sur·gi·cal mi·cro·scope 外科用顕微鏡（手術で微細な構造物を明瞭に視覚化するのに用いる双眼顕微鏡. 立体型の顕微鏡では，手や足の調節器で操作される電動式ズームレンズが適当な作業距離を提供する. 頭に取り付ける型では接眼レンズを交換して必要な倍率が得られる). = operating microscope.

sur·gi·cal pa·tho·lo·gy 外科病理学（解剖病理学の一分野で，診断の目的や患者の治療のために，生きている患者の組織を取り出して検査する病理学).

sur·gi·cal pros·the·sis 外科的補てつ〔物〕，外科的プロテーゼ（心臓弁，頭蓋板，または人工関節置換などのように外科的操作を行う上での補助または部品としてつくられた装具).

sur·gi·cal rod 外科手術用杆（通常，金属よりなる円筒状の挿入物で，長骨骨折の整復および内固定に用いる. →nail; pin).

sur·gi·cal splint 手術後に組織を新しい位置に保つために用いる装置の一般名.

sur·gi·cal tech·ni·cian = operating room

technician.

sur·gi·cal tech·no·lo·gist = operating room technician.

sur·ro·gate (sŭr′ō-găt). 代理〔人〕(①第三者の代理としての役目を果たす人. 例えばいない両親に代わって，養育やその他の責任を負う親戚など. ②別な人物を思い起こさせるような人のことで，その人のことを，もう1人の人の情緒的代理人という).

sur·ro·gate mo·ther 代理母（他人の夫婦または婦人のために契約により妊娠を代行する女性).

sur·round (sŭr-ownd′). 環境（ミリュー. 周囲の状況).

sur·sum·duc·tion (sŭr′sŭm-dŭk′shŭn). = supraduction.

sur·sum·ver·sion (sŭr′sŭm-vĕr′zhŭn). 両眼上転（両眼を上に回転させること).

sur·veil·lance (sŭr-vā′lăns). サーベイランス(①データの収集，比較，解析，公表のプロセスの総称. ある集団内の疾患の発生を経時的に監視する観察研究の1つの方法. ②完全な正確さよりも実施可能性，均質性，迅速性などの点ですぐれた手法を用いて行われる同時進行的な調査).

sur·vey (sŭr′vā). 調査（①情報は系統的に収集されるものの，実験的方法は用いない研究. ②1つまたは複数の所見をスクリーニングするための包括的な検査または一連の検査. ③ある集団からの標本としての個人に対してなされる一連の質問).

sus·cep·ti·bil·i·ty (sŭ-sep′ti-bil′i-tē). ***1*** 感受性（結核菌 *Mycobacterium tuberculosis*, 高地，気温といった外因から悪い影響を受ける確率). ***2*** 感受性（ある病原微生物がある抗菌剤によって発育を阻止あるいは殺菌される可能性). = sensitivity(4). ***3*** 磁化率（磁気共鳴画像において，肺のように空気と軟部組織といった磁化率の異なる界面がたくさんあると磁場が著しく不均一となり，そのため急速な位相の乱れが起こり，磁気信号が失われる. 海綿質のカルシウム含量の評価に用いる).

su·scep·ti·bi·li·ty cas·sette 感受性カセット（HLA-DRB1の70—74アミノ酸残基に共通な配列で，関節リウマチに関連した対立遺伝子中に見出される. グルタミン[Q]-リジン[K]-アルギニン[R]-アラニン[A]-アラニン[A]かQRRAAのいずれかの配列である. 多種のDRB1対立遺伝子座に存在する. これらの抗原提示分子を形成するα鎖とβ鎖は，谷や雨どいのような立体構造を形成しない. すなわち，抗原はくぼみの底や側面のあたりの凹所に存在するアミノ酸配列を認識して結合し，この複合体は，CD4陽性細胞上のT細胞レセプタとヘテロ3量体を形成する). = rheumatoid pocket; shared epitope.

susp. suspension の略.

sus·pend·ed an·i·ma·tion 仮死状態（呼吸が停止し，死に似た一時的な状態. 動物のある種の冬眠の型，またはバクテリアによる内性胞子の形成についていうこともある).

sus·pen·sion (susp.) (sŭs-pen′shŭn). ***1*** 一時的停止（機能を一時的に中断すること). ***2*** 懸吊，懸垂〔固定〕法（脊椎弯曲の治療や上衣様ギプス包帯を着せる際，支持器につり下げること). ***3*** 固定（臓器の固定. 例えば，子宮を他の支持組織へ固定すること). ***4*** 懸濁（単なる視覚手段で十分みつけられる程度の大きさの，細かく分離された粒子状の固形の液体内分散. もし粒子が小さくて顕微鏡で見られなくても，光を拡散する(Tyndall 現象)のに十分な大きさであれば，それらはいつまでも分散して残り，コロイド懸濁液とよばれる). ***5*** 懸濁剤（経口用または非経口用の賦形剤内に分散している細かく分離された非溶解薬(例えば懸濁液用の粉末)の局方製剤).

sus·pen·soid (sŭs-pen′soyd). 懸濁質（分散粒子が固形で，疎液性または疎水性であり，したがって，粒子と浮いている液体との境界が明確なコロイド溶液).

sus·pen·so·ry (sŭs-pen′sŏr-ē). ***1*** 〚adj.〛懸垂の，提〔靱帯〕の（臓器または他の部分をその位置に保つ靱帯，筋肉その他の構造についていう). ***2*** 〚n.〛懸垂帯（精巣または下垂乳房のような付属部分を支えるのに用いる包帯).

sus·pen·sor·y ban·dage 支持包帯（陰嚢と精巣を支えるための伸張性のある布でできた袋).

sus·pen·sor·y lig·a·ment of ax·il·la 腋窩提靱帯（鎖骨胸筋筋膜に続き，下方で腋窩筋膜に付着する. 腋窩の特徴的なくぼみをつくっている).

sus·pen·sor·y lig·a·ment of eye·ball 眼球懸架靱帯（眼窩内の，眼を支持する眼球被包下方の肥厚. 外側・内側眼窩縁間にのび，外側・内側頬靱帯を含む).

sus·pen·sor·y lig·a·ment of lens = ciliary zonule.

sus·pen·sor·y lig·a·ment of o·va·ry 卵巣提索（卵巣の上極から上方にのびる腹膜帯. 卵巣血管と卵巣神経叢を包有する). = ligamentum suspensorium ovarii.

sus·pen·sor·y lig·a·ments of breast 乳房提靱帯（乳腺をおおう皮膚から乳腺の線維間質までのびている. よく発達した皮膚支帯). = ligamenta suspensoria mammae.

sus·pen·sor·y mus·cle of du·o·de·num 十二指腸提筋（空腸との連結部において，横隔膜の右脚と十二指腸に付着する平滑筋線維組織からなる広く平らな束). = musculus suspensorius duodeni.

su·stained-ac·tion tab·let 持効性錠（初めに薬物の要求量を供給し，その後，希望する時間中その量を維持または繰り返すようにつくられた薬剤). = sustained-release tablet.

su·stained-re·lease tab·let 徐放性錠. = sustained-action tablet.

sus·ten·tac·u·lar (sŭs′ten-tak′yū-lăr). 支柱の，支持の.

sus·ten·tac·u·lum, pl. **sus·ten·tac·u·la** (sŭs′ten-tak′yū-lŭm, -lă). 支柱（他の支えとして働いている構造).

Sut·ton dis·ease サットン病. = aphthae major.

S

Sut·ton·el·la in·dol·o·ge·nes ヒトにおいて眼感染症あるいは心内膜炎(心臓弁があるとき)を引き起こす菌種. = *Kingella indologenes*.

Sut·ton ne·vus サットン母斑. = halo nevus.

Sut·ton ul·cer サットン潰瘍（頬粘膜または性器粘膜の孤立性, 深在性, 有痛性の潰瘍).

su·tu·ra, pl. **su·tu·rae** (sū-tū′ră, -rē). 縫合. = suture(1).

su·tur·al (sū′chŭr-ăl). 縫合の.

su·tur·al bones 縫合骨（頭蓋縫合線に沿ってみられる小さな不規則形の骨で, 特に頭頂骨に関連する). = wormian bones.

su·tur·al lig·a·ment 縫合靱帯（縫合で頭蓋骨を結合する薄い膜).

su·ture (sū′chŭr). = sutura. ***1*** 縫合（線維性連結の一型で, 2つの膜性骨が, 骨膜と連続する線維膜で結合されている). ***2*** 縫合〔術〕（縫うことによって2表面を結合すること). = stitch(3). ***3*** 縫合糸（2表面を結合しておくための材料(絹糸, ワイヤ, 合成繊維など)). ***4*** 外科的縫合でつくられた縫い目.

su·ture ab·scess 縫合糸膿瘍（縫合糸周囲の膿性滲出物).

su·tur·ec·to·my (sū′chŭr-ek′tŏ-mē). 頭蓋縫合切除術.

SV simian virus の略. SV1 のように通し番号がついている.

Sv sievert の略.

Sved·berg of flo·ta·tion スヴェードベリー浮上〔定数〕. = flotation constant.

Sved·berg u·nit (S) スヴェードベリー単位（1×10^{-13} sec の沈降定数).

swab (swahb). スワブ, 綿棒（綿, ガーゼ, そのほか吸収性物質の小さな詰め物が棒または鉗子の先に付いているもの. 表面に貼付したり, 表面からものを取り除くために用いる).

swaged nee·dle スエージド針（使い捨ての手術針で, 生産時に縫り糸素材が取り付けられたもの).

swal·low (swahl′ō). えん(嚥)下する, 飲み込む（口, 咽頭および食道を通して何かを胃に入れる).

swal·low·ing re·flex えん下反射（口蓋, 口峡, 後咽頭壁の刺激により生じるえん下作用(第2段階)). = pharyngeal reflex(1).

swamp fe·ver 沼地熱（①= equine infectious anemia. ②= malaria).

Swan-Ganz cath·e·ter スワン-ガンツカテーテル（細く(5Fr), きわめて柔軟性があり, 血流で方向付けされるカテーテル. バルーンを膨らませることでカテーテルを心臓に通過させ, 肺動脈まで導く. カテーテルを肺動脈の細い分枝に位置させ, バルーンを一時的に膨らませ肺動脈に楔入させればカテーテルの前面で肺動脈楔入圧が計測される). = pulmonary artery catheter.

swan-neck de·form·i·ty スワン-ネック変形（手指の遠位指節間関節の屈曲を伴う近位指節間関節の過伸展を呈する変形).

S wave S波（R波後のQRS群の陰性(下行性)動揺. 同QRS群内のこれに引き続く下行性動揺はS′, S″などとよぶ).

sweat (swet). ***1*** 〚n.〛 汗（特に知覚汗). ***2*** 〚v.〛 発汗する.

sweat gland car·ci·no·ma 汗腺癌（一般に単発性で, 結節性. 皮内および皮下組織に固定し, 長期間にわたりゆっくりと増殖するが, 最後には急激な浸潤増殖, 転移をみせる).

sweat glands 汗腺（皮膚にあるらせん状の腺で, 汗を分泌する).

sweat·ing (swet′ing). 発汗. = perspiration(1).

sweat pore 汗孔（汗腺導管の体表への開口). = pore(2).

Swe·dish mas·sage スウェーデン式マッサージ（軽擦法, じゅうねつ法, 摩擦, 振とう法, たたき法などを行うマッサージ技術. スウェーデン式マッサージの目的は, 血行や組織の柔軟性を改善して, 筋肉の緊張をゆるめ, 副交感神経の反応を引き出すことにある).

Swee·ley-Kli·on·sky dis·ease = Fabry disease.

sweet bay = bay.

sweet broom = butcher's broom.

sweet colts·foot = butterbur.

swell·ing (swel′ing). ***1*** 腫脹, 腫大（例えば, 隆起または腫瘍). ***2*** 隆起, 膨化（胎生学における原基の隆起で, ひだや隆腺, または突起に発達する).

Swift dis·ease スウィフト病. = acrodynia (2).

swim·mer's ear 水泳者耳（外耳道の炎症. しばしば頻回にまたは長時間泳ぐ人に起こる).

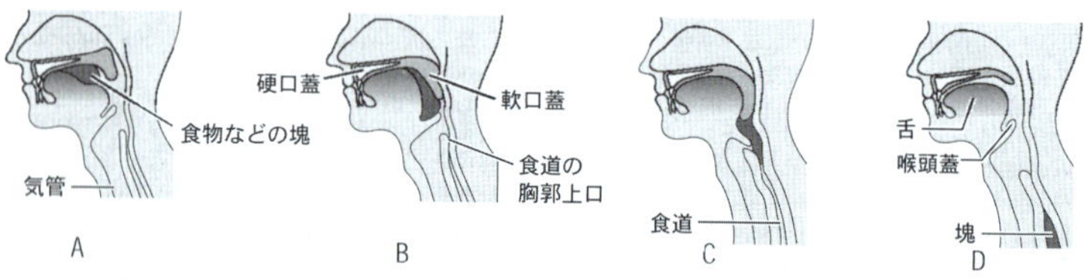
食物などの塊
気管
A
硬口蓋
軟口蓋
食道の
胸郭上口
B
食道
C
舌
喉頭蓋
塊
D

swallowing

A：食物などの塊が押し込まれる. B：鼻咽頭が閉じ, 喉頭が挙上し, 咽頭が拡張して塊を受け入れる. C：咽頭括約筋が収縮して塊を食道に押し込む. 喉頭蓋が気管を閉ざす. D：食道のぜん動収縮により塊が下方移動する.

swim·mer's itch *1* 水泳者かゆみ〔症〕(→seabather's eruption). = cutaneous ancylostomiasis. *2* 沼地皮膚症. = schistosomal dermatitis.

swim·ming pool con·junc·ti·vi·tis プール結膜炎 (プール殺菌塩素, アデノウイルス, まれにクラミジアによる非特異的充血眼).

switch·ing site 切換え部位 (免疫グロブリン産生時のように, 遺伝子切片が他の遺伝子切片と結合する際のDNA配列上の裂断点).

Swy·er-James syn·drome スワイアー-ジェームズ症候群 (①= unilateral lobar emphysema. ②通常, 小児期のアデノウイルス感染に基づく閉塞性細気管支炎による一側肺の透過性亢進で, 肺容量と肺血管の減少を伴う. 中枢性気道閉塞がないのにエアトラッピングがあることで他の原因から鑑別される).

Swy·er syn·drome スワイアー症候群 (内性器異形成, XY女性型).

sy·co·ma (sī-kō′mă). ゆう(疣)腫 (①下垂したイチジク様の増殖物. ②大型の軟らかいいぼ).

sy·co·si·form (sī-kō′si-fōrm). 毛瘡状の, 毛瘡様の.

sy·co·sis (sī-kō′sis). 毛瘡 (膿疱性毛囊炎で, 特に顎ひげの部分のものをいう).

Sy·den·ham cho·re·a シドナム舞踏病 (連鎖球菌感染後数か月して出現する感染後舞踏病で, その後のリウマチ熱を伴う. 舞踏病は四肢遠位筋を侵すのが典型的で, 筋緊張低下と感情不安定を伴う. 数週間から数か月して回復するが, 感染の再発なしに増悪が起こる).

Syl·vest dis·ease シルヴェスト病. = epidemic pleurodynia.

syl·vi·an (sil′vē-ăn). Franciscus Sylvius または Jacobus Sylvius に関する, または両者のいずれかの述べた構造に関する.

sym- →syn-.

sym·bal·lo·phone (sim-bal′ō-fōn). シンバロフォーン (2個のチェストピースの付いた聴診器で, 立体音的効果を生じるようにつくられている).

sym·bi·on, sym·bi·ont (sim′bē-on, -ont). 共生者, 共生体, 共生生物 (共生で他の生物と関係している生物). = mutualist; symbiote.

sym·bi·o·sis (sim′bē-ō′sis). 共生 (①相互利益のため, 2種あるいはそれ以上の種が生物学的に関連をもつこと. *cf.* commensalism; parasitism. ②精神医学において, 母親と幼児, または夫と妻のような2人の間の相互協力または相互依存. この用語はときには2人の間の過度のまたは病的な相互依存を示すのに用いる).

sym·bi·ote (sim′bē-ōt). = symbion.

sym·bi·ot·ic (sim′bē-ot′ik). 共生の.

sym·bleph·a·ron (sim-blef′ă-ron). 瞼球〔間〕癒着〔症〕(一方または両方の眼瞼の眼球への癒着. 一部癒着または完全癒着のことがある. 熱傷または他の外傷によるが, まれに先天性のものもある. →blepharosynechia).

sym·bol·ism (sim′bŏl-izm). *1* 象徴性 (精神分析において, 無意識的な, あるいは抑圧された内容や出来事が, 意識に浮上する際に姿を変えた表象となる過程をいう). *2* 象徴症 (あらゆる出来事が, その個人にとって自分自身の思考の象徴として起こるとみなしてしまう精神状態). *3* 象徴主義 (情緒的生活や体験を抽象的な用語で叙述すること).

sym·bol·i·za·tion (sim′bŏ-lī-zā′shŭn). 象徴化 (ある対象または観念が, 他のものによって表象される無意識的心的機制).

sym·brach·y·dac·ty·ly (sim-brak′i-dak′ti-lē). 癒着短指症 (異常に短い指が近位部位で結合するかまたはみずかき状になっている状態).

Syme am·pu·ta·tion, Syme op·er·a·tion サイム切断術 (足関節における足の切断. 内果と外果を切断し, 皮膚弁を踵の軟部組織でつくる). = Syme operation.

sym·me·tric fe·tal growth re·stric·tion 対称性胎児発育障害 (児頭と体幹の均衡のとれた減少状態. 通常, 体質的なものか早期の子宮内感染による障害が原因となる).

sym·met·ric gan·grene 対称壊疽 (体の両手足が冒される症状. 特に重度の動脈硬化, 心筋梗塞, ボール状弁口血栓の際に見られる).

sym·me·try (sim′ĕ-trē). 対称性 (2肢, 2極, または身体の相対する2側が, 1つの中心点または軸を中心にして形が等しい(類似している)こと).

S

sympath-, sympatheto-, sympathico-, sympatho- 自律神経系の交感神経部分に関する連結形.

sym·pa·thec·to·my (sim′pă-thek′tŏ-mē). 交感神経切除〔術〕, 交感神経節摘出〔術〕(交感神経の切除または1個以上の交感神経節の切除).

sym·pa·thet·ic (sim′pă-thet′ik). *1* 共感の, 同情的の. *2* 交感神経〔性〕の (自律神経系の交感神経部分についていう).

sym·pa·thet·ic a·mine = sympathomimetic amine.

sym·pa·thet·ic gan·gli·a 交感神経節 (自律神経系の神経節で, 胸髄と腰髄上部(T1-L2)の中間外側細胞柱にある節前内臓運動ニューロンから出る遠心性線維を受ける. 交感神経節はその位置により脊椎傍神経節(交感神経幹神経節)と脊椎前神経節(腹腔神経節)とに分類できる. →autonomic division of nervous system).

sym·pa·thet·ic nerve 交感神経.

sym·pa·thet·ic ner·vous sys·tem 交感神経系 (①元来は全自律神経系を表した. ②自律神経系の交感神経部分. →autonomic division of nervous system. *cf.* parasympathetic nervous system).

sym·pa·thet·ic oph·thal·mi·a 交感性眼炎 (他眼への外傷後に起こる免疫性の炎症).

sym·pa·thet·ic re·sponse 交感神経性反応 (恐怖やストレスを感じたときに起きる, 腺, 平滑筋, 心臓組織の作用. *cf.* parasympathetic response).

sym·pa·thet·ic root of pter·y·go·pal·a·tine gang·li·on 蝶口蓋神経節の交感神経根. = deep petrosal nerve.

sym·pa·thet·ic trunk 交感神経幹 (頭蓋骨底から尾骨に至る脊柱の横に沿う2つの長い交感神経索. 灰白交通枝によって各脊髄神経と連絡

し，胸神経と腰神経を結ぶ白交通枝を介して脊髄から神経線維を受ける）. = truncus sympathicus.

sym·pa·thet·ic u·ve·i·tis 交感性ブドウ膜炎（ブドウ膜を障害する片眼の穿孔性外傷によって起こる両側性ブドウ膜の炎症）.

sym·pa·thet·o·blast (sim′pă-thet′ŏ-blast). = sympathoblast.

sym·path·i·co·blast (sim-path′i-kō-blast). = sympathoblast.

sym·path·i·co·lyt·ic (sim-path′i-kō-lit′ik). = sympatholytic.

sym·path·i·co·mi·met·ic (sim-path′i-kō-mi-met′ik). = sympathomimetic.

sym·path·i·co·to·ni·a (sim-path′i-kō-tō′nē-ă). 交感神経緊張〔症〕（交感神経系の緊張増加と血管痙攣および高血圧の著しい傾向がみられる状態. vagotonia（迷走神経緊張症）の対語）.

sym·path·i·co·ton·ic (sim-path′i-kō-ton′ik). 交感神経緊張〔症〕の，交感神経緊張性の.

sym·path·i·co·trip·sy (sim-path′i-kō-trip-sē). 交感神経圧挫〔術〕，交感神経捻除〔術〕.

sym·pa·tho·ad·re·nal (sim′pă-thō-ă-drē′năl). 交感神経副腎の（自律神経系の交感神経部分と，神経節後ニューロンとしての副腎髄質についていう）.

sym·pa·tho·blast (sim′pă-thō-blast). 交感神経芽細胞（神経堤グリアに由来する原始細胞. クロム親和性芽細胞とともに，交感神経芽細胞は副腎髄質および交感神経節の形成にあずかる）. = sympathetoblast; sympathicoblast.

sym·pa·tho·go·ni·a (sim′pă-thō-gō′nē-ă). 交感神経産生細胞，交感神経母細胞（交感神経系の中で完全に未分化な細胞）.

sym·pa·tho·lyt·ic (sim′pă-thō-lit′ik). 交感神経遮断〔性〕の（アドレナリン作用性神経の活性の拮抗または抑制についていう. →adrenergic blocking agent; antiadrenergic）. = sympathicolytic.

sym·pa·tho·mi·met·ic (sim′pă-thō-mi-met′ik). 交感神経〔様〕作用の（→adrenomimetic）. = sympathicomimetic.

sym·pa·tho·mi·met·ic a·mine 交感神経〔様〕作用（作動）アミン（アドレナリン作用性神経活性によるものと同様の反応を誘発する薬物. 例えば，エピネフリン，エフェドリン，イソプロテレノールなど）. = adrenomimetic amine; sympathetic amine.

sym·pa·thy (sim′pă-thē). ***1*** 交感（2 個の臓器，系統，身体の部分間の生理的または病理的相互関係）. ***2*** 共感（集団ヒステリー，または他人のあくびを見て生じるあくびにみられるような精神的接触伝染）. ***3*** 共感（他人の精神的状態および感情的状態に対して敏感に感知または感情的関心を現し，それを分かち合うこと. *cf.* empathy（1））.

sym·pha·lan·gism, sym·pha·lan·gy (sim-fal′ăn-jizm, -jē). ***1*** 指節癒合〔症〕. = syndactyly. ***2*** 手指または足指関節の強直.

sym·phys·i·al, sym·phys·e·al (sim-fiz′ē-ăl). 合生の，縫合した，癒着した，結合の.

sym·phys·i·on (sim-fiz′ē-on). シンフィジオン（頭蓋計測点で，下顎の歯槽突起の最前点）.

sym·phys·i·ot·o·my, sym·phys·e·ot·o·my (sim-fiz′ē-ot′ŏ-mē). 恥骨結合切開〔術〕，骨盤切開〔術〕（狭骨盤の恥骨結合を切断分離し，生胎児の通過に十分なように容積を増すこと）. = pelviotomy（1）; pelvitomy; synchondrotomy.

sym·phy·sis, gen. **sym·phy·ses** (sim′fi-sis, -sēz). ***1*** 〔線維軟骨〕結合（軟骨性結合の一型で，2 骨間の結合が線維軟骨でできている）. ***2*** 2 つの構造の結合，会合点または交連. ***3*** 病的癒合.

sym·phy·sis pu·bis = pubic symphysis.

sym·po·di·a (sim-pō′dē-ă). 合足症（両足結合を特徴とした状態. →sirenomelia）.

sym·port (sim′pōrt). シンポート（2 つの異なった分子またはイオンが共通の輸送機構（シンポータ）によって膜を同一方向へ通過すること. *cf.* antiport; uniport）.

symp·tom (simp′tŏm). 症状（患者が経験する，または病気が示す構造，機能，または感覚における病的徴候または正常からの逸脱. →phenomenon（1）; reflex（1）; sign（1）; syndrome）.

symp·to·mat·ic (simp′tŏ-mat′ik). 症候性の，症状の，症候学の.

symp·to·mat·ic por·phyr·i·a 症候性ポルフィリン症. = porphyria cutanea tarda.

symp·to·mat·ic pru·ri·tus 症候性かゆみ（そう痒）〔症〕（全身疾患の徴候として生じるそう痒）.

symp·to·mat·ic re·ac·tion 症候性反応（本来のものに類似したアレルギー性反応であるが，アレルゲンあるいはアトペンの試験的または治療用の投与量を使用した後に起こる）.

symp·tom·a·tol·o·gy (simp′tŏ-mă-tol′ŏ-jē). ***1*** 症候学，徴候学（疾病の症候，その前兆および発症に関する科学）. ***2*** 総体的症状（徴候）（1 つの疾病における症候の集合）.

symp·to·mat·o·lyt·ic (simp′tŏ-mat′ŏ-lit′ik). 症状寛解〔性〕の（症状を取り除くことについていう）.

symp·tom com·plex ***1*** →syndrome. ***2*** →complex（1）.

symp·to·sis (simp-tō′sis). 漸弱，衰弱（局所的または全身的に身体が衰弱すること）.

syn- ともに，…と，結合した. b, p, ph, m の前では sym- となる. ラテン語の *con-* に相当する.

synaesthesia [Br.]. = synesthesia.

synaesthesialgia [Br.]. = synesthesialgia.

syn·an·a·morph (sin-an′ă-mōrf). シンアナモルフ，共不完全時代（異なった形態で増殖する真菌であるが，種としては同一種）.

syn·apse, pl. **syn·aps·es** (sin′aps, -sēz). シナプス，接合部，接合（神経細胞と他の神経細胞，効果器（筋，腺）細胞，または感覚受容体細胞とその機能的な膜と膜との結合についていう. シナプスは神経興奮の伝達をつかさどり，一般にこん棒状の軸索末端（シナプス前要素）が，シナプスをつくる受容細胞の細胞膜（シナプス後膜）の境界明瞭な斑点に接合している. ほとんどの場合，興奮は化学伝達物質（アセチルコリン，γ-アミノ酪酸，ドパミン，ノルエピネフリン）により伝達され，それらの物質はシナプス前膜と後膜を隔てるシナプス間隙へ放出される．伝導物質はシナプス前要素におけるシナプス小胞の中に量子の形で蓄えられる．他のシナプス伝導では，シナプス前膜から後膜へ，生物電位の直接伝導により行われる）. = synapsis.

syn·ap·sis (si-nap′sis). シナプシス，〔染色体〕対合（減数分裂前期中の相同染色体の対応点が組み合わされること）. = synapse.

syn·ap·tic (si-nap′tik). ***1*** シナプスの，接合部の，接合の. ***2*** シナプシスの，〔染色体〕対合の.

syn·ap·tic cleft シナプス間隙（軸索鞘とシナプス後面の幅約 20 nm の間隙. →synapse）.

syn·ap·tic con·duc·tion シナプス伝導（シナプスを横切る神経インパルスの伝導）.

syn·ap·tic ves·i·cles シナプス小胞（化学的シナプスにおいて，連結部を横切り神経インパルスの伝達を媒介する伝達物質を含み，神経筋連結の前シナプス膜の付近にある小さい(平均直径 30 nm)細胞内の膜に結合した小胞. →synapse）.

syn·ap·ti·ne·mal com·plex 対合期複合体（減数分裂の対合の期間，相同染色体の間に存在する微小構造）.

syn·ap·to·some (si-nap′tō-sōm). シナプトソーム（調節された状態で脳組織をホモジネートすると軸索終末が壊れ，シナプス小胞を含む膜で囲まれた嚢であるシナプトソームが得られる．分離遠心沈殿法や密度勾配遠心沈殿法で，シナプトソームを他の細胞内構造物から分離できる）.

syn·ar·thro·di·a (sin′ahr-thrō′dē-ă). 関節癒合〔症〕. = fibrous joint.

syn·ar·thro·di·al (sin′ahr-thrō′dē-ăl). 関節癒合の（関節癒合症に関する．2 骨間の動かない関節についていう）.

syn·ar·thro·di·al joint ***1*** = fibrous joint. ***2*** = cartilaginous joint.

syn·ar·thro·phy·sis (sin′ahr-thrō-fī′sis). 関節強直〔症〕.

syn·ar·thro·sis, pl. **syn·ar·thro·ses** (sin′ahr-thrō′sis, -sēz). 不動結合（骨格系にみられるまったく動かないかわずかしか動けない結合の仕方をいう．線維性連結，軟骨性連結，骨性連結(骨結合)がある. →joint）.

syn·can·thus (sin-kan′thŭs). 眼角眼球癒着（眼球の眼窩組織への癒着）.

syn·ceph·a·lus (sin-sef′ă-lŭs). 頭部結合体，頭部癒合重複奇形体（頭が 1 つで胴体が 2 つの接着双生児）.

syn·ceph·a·ly (sin-sef′ă-lē). 頭部結合.

syn·chei·ri·a (sin-kī′rē-ă). 両体側知覚〔症〕（身体の一側に加えられた刺激を両側に感じる体側知覚困難症の一型）.

syn·chon·dro·di·al joint 軟骨結合. = synchondrosis.

syn·chon·dro·se·ot·o·my (sin′kon-drō′sē-ot′ŏ-mē). 軟骨結合切開〔術〕（特に仙腸骨靱帯を切開して，恥骨弓を強制的に閉じるものをいう．膀胱外反症の治療で行う）.

syn·chon·dro·sis, pl. **syn·chon·dro·ses** (sin′kon-drō′sis, -sēz). 軟骨結合（軟骨による連結で，硝子軟骨または線維軟骨が 2 つの骨を結合している場合をいう）. = synchondrodial joint.

syn·chon·dro·to·my (sin-kon-drot′ŏ-mē). 軟骨結合切開〔術〕. = symphysiotomy.

syn·chro·ni·a (sin-krō′nē-ă). ***1*** = synchronism. ***2*** 同時性（組織または器官の発生，発達，衰退，機能化が，それぞれ正常な時間経過で生じること. *cf.* heterochronia）.

syn·chron·ic (sin′krō-nik). ある一時点における状態や集団の分布から，ある疾病の自然史を研究することをいう.

syn·chron·ic stud·y 断面研究. = cross-sectional study.

syn·chro·nism (sin′krō-nizm). 同調性，同期性（同時に 2 つ以上の出来事が起こること．同時にある状態）. = synchronia(1).

syn·chro·nized in·ter·mit·tent man·da·tor·y ven·ti·la·tion (SIMV) 同調性間欠的強制換気（患者による自然誘発される間欠的強制換気で，結果として患者の呼吸周期と同調する．患者が呼吸努力をしなければ，機械が自動的にあらかじめ定められた呼吸を提供する. →intermittent mandatory ventilation）.

syn·chro·nous (sin′krō-nŭs). 同調の，同期の（同時に起こることについていう）.

syn·chy·sis (sin′ki-sis). 融解，液化（硝子体の融解に伴う硝子体液の膠原基質の崩壊）.

syn·chy·sis scin·til·lans 閃輝性融解（硝子体液中に浮いているコレステロール結晶により，眼に閃輝点が現れること）.

syn·clit·ic (sin-klit′ik). 正軸進入の，同高定位の.

syn·cli·tism (sin′kli-tizm). 正軸進入，同高定位（胎児の頭の平面と骨盤平面が平行である状態）.

syn·clo·nus (sin′klō-nŭs). いくつかの筋肉の間代性痙攣または振せん.

syn·co·pal (sing′kō-păl). 失神の. = syncopic.

syn·co·pe (sing′kō-pē). 失神（脳血流の低下による意識と姿勢緊張の消失）.

syn·cop·ic (sin-kop′ik). 失神の. = syncopal.

syn·cy·tial (sin-sish′ăl). シンシチウムの，合胞体の.

syn·cy·tial knot 合胞体性結節（妊娠初期において胎盤絨毛における合胞体層核の局所的集合）. = nuclear aggregation.

syn·cy·ti·o·tro·pho·blast (sin-sish′ē-ō-trō′fō-blast). 合胞体層，合胞体栄養細胞層（栄養胚葉の合胞体外層．ヒト絨毛性ゴナドトロピンの合成部位. →trophoblast）. = syntrophoblast.

syn·cy·ti·um, pl. **syn·cy·ti·a** (sin-sish′ē-ŭm, -ă). シンシチウム，合胞体（本来別々の細胞の二次結合により形成される多核原形質塊）.

syn·dac·tyl·i·a, syn·dac·ty·lism (sin′dak-til′ē-ă, sin-dak′ti-lizm). = syndactyly.

syn·dac·ty·lous (sin-dak′ti-lŭs). 合指〔症〕の（癒合した手指または足指をもつことについていう）.

syn·dac·ty·ly (sin-dak′ti-lē). 合指〔症〕（手指

S

または足指が程度の差はあるにせよ癒合することで，軟らかい部分だけでなく骨構造にまで及ぶこともある）. = symphalangism (1); symphalangy (1); syndactylia; syndactylism.

syn·de·sis (sin-dē′sis). = arthrodesis.

syn·des·mec·to·my (sin′dez-mek′tŏ-mē). 靱帯切除〔術〕.

syn·des·mec·to·pi·a (sin′dez-mek-tō′pē-ă). 靱帯転位.

syn·des·mi·tis (sin′dez-mī′tis). 靱帯炎.

syndesmo-, syndesm- 靱帯，靱帯の，を意味する連結形.

syn·des·mo·di·al (sin′dez-mō′dē-ăl). 靱帯結合の. = syndesmotic.

syn·des·mo·pex·y (sin-dez′mō-pek-sē). 靱帯固定〔術〕（2つの靱帯の結合または新しい部分における靱帯の付着）.

syn·des·mo·phyte (sin-dez′mō-fīt). 靱帯骨棘形成（靱帯端にできた骨性異常形成物）.

syn·des·mor·rha·phy (sin′dez-mōr′ă-fē). 靱帯縫合〔術〕.

syn·des·mo·sis, pl. syn·des·mo·ses (sin′dez-mō′sis, -sēz). 靱帯結合（比較的離れた対立面が靱帯により結合されている線維性連結の一型）.

syn·des·mot·ic (sin′dez-mot′ik). 靱帯結合の（靱帯結合についての）. = syndesmodial.

syn·des·mot·o·my (sin′dez-mot′ŏ-mē). 靱帯切開〔術〕（靱帯の外科的切開）.

syn·drome (sin′drōm). 症候群（病的経過に伴った症状や徴候の集合で，病状を構成しているもの. →disease）.

syn·drome of in·ap·pro·pri·ate se·cre·tion of an·ti·di·u·ret·ic hor·mone (SIADH) 抗利尿ホルモン分泌異常症候群（血清低浸透圧および細胞外液量の膨張にもかかわらず起こる，抗利尿ホルモンの持続的分泌）.

syn·drome X X症候群. = metabolic syndrome.

syn·drom·ic (sin-drō′mik). 症候性の.

syn·ech·i·a, pl. syn·ech·i·ae (si-nek′ē-ă, -ē). 癒着，シネキア（あらゆる癒着をいう. 特に虹彩前癒着 anterior synechia または虹彩後癒着 posterior synechia を示す）.

syn·ech·i·ot·o·my (si-nek′ē-ot′ŏ-mē). 癒着剥離〔術〕.

syn·en·ceph·a·lo·cele (sin′en-sef′ă-lō-sēl). 癒着性脳ヘルニア（癒着により整復が妨げられている，頭蓋欠損による脳質の突出）.

syn·er·e·sis (si-ner′ĕ-sis). ***1*** 栓状沈殿，シネレシス，離液，離漿（例えば，血餅などのゲルの収縮で，これにより分散溶媒の一部が絞り出される）. ***2*** ゲルとしての性質を失った硝子体の変性で，硝子体は部分的または完全に液化する.

syn·er·gism (sin′ĕr-jizm). 共力（協力）作用，相乗作用（2つ以上の構造または薬の協力作用または相関作用. または組み合わされる作用が個々の作用よりも大きくなるような生理的な過程. *cf.* antagonism）. = synergy.

syn·er·gist (sin′ĕr-jist). 他の作用を助ける構造，薬物，あるいは生理学的過程. *cf.* antagonist.

syn·er·gis·tic mus·cles 協力筋（同様の作用をもち，相互に協力し合うように働く筋）.

syn·er·gy (sin′ĕr-jē). 共同作用. = synergism.

syn·es·the·si·a (sin′es-thē′zē-ă). 共感覚，共感（刺激が通常の正常な局在の感覚を起こすのに加えて，異なった性質または局在の主観的な感覚を生じる状態. 例えば色聴と色彩味覚）. = synaesthesia.

syn·es·the·si·al·gi·a (sin′es-thē′zē-al′jē-ă). 共感痛（痛みを伴う共感作用）. = synaesthesialgia.

Syn·ga·mus (sin′gă-mŭs). シンガムス属（吸血性のシンガムス科円形気管虫の一属）.

***Syn·ga·mus* la·ryn·ge·us** 咽頭に寄生する開嘴虫属 *Syngamus* の線虫で，発咳，喀血，異物感，息切れを引き起こす.

syn·ga·my (sin′gă-mē). 配偶子接合（受精時の配偶子の接合）.

syn·ge·ne·ic (sin′jĕ-nē′ik). 同系の（遺伝学的に同じであるものについていう）. = isogeneic; isogenic; isologous; isoplastic.

syn·gen·e·sis (sin-jen′ĕ-sis). 有性生殖. = sexual reproduction.

syn·ge·net·ic (sin′jĕ-net′ik). 有性生殖の.

syn·graft (sin′graft). 〔同種〕同族移植片（遺伝学上同一の個人間で移植された組織または器官）. = isogeneic graft; isograft; isologous graft; isoplastic graft.

syn·i·ze·sis (sin′i-zē′sis). ***1***〔瞳孔〕閉鎖（瞳孔の閉鎖または消失）. ***2***〔染色糸〕対合，接合，収縮（通常，対合期の初めに起こる核の片側への染色質の集合）.

syn·kar·y·on (sin-kar′ē-on). 融合核（細胞核融合において2個の前核の融合によりつくられた核）.

syn·ki·ne·sis (sin′ki-nē′sis). 連合運動，共同運動（随意運動に伴う不随意運動. 開いた眼の運動に従う閉じた眼の運動，または他の部分の動きに伴って麻痺した筋肉に起こる運動など）.

syn·ki·net·ic (sin′ki-net′ik). 連合運動の，共同運動の.

syn·o·nych·i·a (sin′ō-nik′ē-ă). 合爪症（指の2つ以上の爪が癒合していること. 合指症でみられる）.

syn·oph·thal·mi·a (sin′of-thal′mē-ă). 単眼症，合眼症. = cyclopia.

syn·or·chi·dism, syn·or·chism (sin-ōr′ki-dizm, sin′ōr-kizm). 精巣（睾丸）癒着〔症〕（腹腔内あるいは陰嚢内での先天的な精巣の融合）.

syn·os·che·os (sin-os′kē-os). 精巣（睾丸）陰嚢癒着（半陰陽奇形である精巣と陰嚢の部分的または完全な癒着）.

syn·os·to·sis (sin′os-tō′sis). 骨癒合症（癒合していない2つの骨の癒合）. = bony ankylosis; true ankylosis.

syn·os·tot·ic (sin′os-tot′ik). 骨癒合の.

sy·no·ti·a (si-nō′shē-ă). 合耳症（耳頭症における耳たぶの癒合または異常な接近）.

syn·o·vec·to·my (sin′ō-vek′tŏ-mē). 滑膜切除〔術〕（関節滑膜の一部または全部の切除）. = villusectomy.

syn·o·vi·a (si-nō′vē-ă). 滑液. = synovial fluid.

syn·o·vi·al (si-nō′vē-ăl). ***1*** 滑液の. ***2*** 滑膜の.
syn·o·vi·al bur·sa 滑液包，滑液嚢（滑液を含む包(嚢)で，腱と(腱がその上で作用する)骨との間や皮下の骨隆起上などの摩擦部位にみられる).
syn·o·vi·al crypt 滑膜陰窩（関節の滑膜憩室).
syn·o·vi·al cyst 滑膜嚢胞. = ganglion(2).
syn·o·vi·al flu·id 滑液（関節，腱鞘または関節嚢の潤滑油としての機能をもつ透明な擬液性液. ムチンを主成分とし，アルブミン，脂肪，表皮，白血球からなる. 血管分布のない関節軟骨に栄養を与える働きもしている). = synovia.
syn·o·vi·al her·ni·a 滑液包ヘルニア，滑液嚢ヘルニア（関節嚢の線維層の切れ目を通る滑膜層のひだの突出).
syn·o·vi·al joint 滑膜性の連結（向かいあった2つの骨が硝子軟骨または線維軟骨におおわれていてその間に腔所があり，滑液を含み，腔所全体を滑膜が包んでいる連結装置で，全体は外側から靱帯や関節包で補強されている. それぞれ相当の可動性をもつ. 註この連結のみを日本では〝関節〟とよぶ). = articulatio; diarthrodial joint; diarthrosis; movable joint.
syn·o·vi·al lig·a·ment 滑膜ひだ（関節内の滑膜のひだ).
syn·o·vi·al mem·brane 滑膜（関節腔の内面に沿って存在する結合組織膜で，滑液を生産する. 骨の関節軟骨の部分を除く全内面をおおっている). = membrana synovialis; synovium.
syn·o·vi·al sheath 滑液鞘（→ synovial sheaths of fingers; synovial sheaths of toes).
syn·o·vi·al sheaths of fin·gers 指の滑膜鞘(指の屈筋腱で囲まれた滑膜鞘で，それぞれ手首の靱帯の隣接した先端から，遠心指節の基まで伸張する).
syn·o·vi·al sheaths of toes 足指の滑液鞘(手の対応する腱鞘に構造が似ている).
syn·o·vi·o·ma (si-nō′vē-ō′mă). 骨膜腫（関節または腱鞘を侵す滑膜に由来する腫瘍).
syn·o·vi·tis (sin′ō-vī′tis). 滑膜炎（滑膜，特に関節の滑膜の炎症. 一般的かつ厳密にいわない場合は関節炎と同じ).
syn·o·vi·tis sic·ca 乾性滑膜炎. = dry synovitis.
syn·o·vi·um (si-nō′vē-ŭm). = synovial membrane.
syn·ten·ic (sin-ten′ik). シンテニーの.
syn·ten·y (sin′tĕ-nē). シンテニー（同一の染色体の1対上または(単相染色体では)，同一の染色体上で存在する2つの遺伝子座(遺伝子ではない)の関係. 分離的関係よりも解剖学的関係).
syn·thase (sin′thās). シンターゼ（逆方向に進むリアーゼ反応(NTP 非依存性)に対して酵素委員会報告で用いる慣用名. →synthetase).
syn·the·sis, pl. **syn·the·ses** (sin′thĕ-sis, -sēz). ***1*** 合成（組立て，結合，構成). ***2*** 合成(化学においては，より単純な化合物または元素の結合により化合物をつくること). ***3*** 合成期(細胞周期の一段階で，細胞分裂にはいる前の準備としてDNAが合成される).
syn·the·sis pe·ri·od S期，合成期（細胞周期の一時期で，DNAとヒストンを合成する. G_1 期と G_2 期の間の時期).
syn·the·size (sin′thĕ-sīz). 合成する.
syn·the·tase (sin′thĕ-tās). シンテターゼ（特定物質の合成を触媒する酵素).
syn·thet·ic (sin-thet′ik). 合成の.
syn·thet·ic dyes 合成染料（元来はコールタール誘導体からつくられた有機染料化合物. 現在はベンゼンおよびその誘導体から合成によりつくられている).
syn·thet·ic sen·tence i·den·ti·fi·ca·tion 合成文同定（中枢の聴覚伝導路の機能検査. あらかじめ決めた10のつじつまの合わない不完全な文を聴かせながら矛盾するメッセージを呈示し同定させる).
syn·ton·ic (sin-ton′ik). 同調性の（同じ気分と気性をもつ. 周囲の環境に対して感情的に高い反応性を有する人格傾向をいう).
syn·tro·pho·blast (sin-trō′fō-blast). 合胞体栄養芽細胞. = syncytiotrophoblast.
syn·tro·pic (sin-trō′pik). 同向性の，併列性の.
syn·tro·py (sin′trō-pē). ***1*** 同向性（2つの疾病を有する際，時に認められる，それらが合一しようとする傾向). ***2*** 同調（他のものと調和した関係をもつ状態). ***3*** 併列構造（解剖学において，例えば，肋骨や椎骨の棘突起などのように同じ方向を向いた多くの類似構造).
syph·i·lid (sif′i-lid). 梅毒疹（二期および三期梅毒疹の数種の皮膚および粘膜の病変を表す歴史的な語. 一般に二期梅毒疹についていう).
syph·i·lis (sif′i-lis). 梅毒（梅毒トレポネーマ *Treponema pallidum* 菌により起こり，直接接触，通常は性交によって伝播される急性および慢性の感染症. 12—30日の潜伏期間後，最初の徴候として下疳が現れ，微熱と他の全身の症状(一期梅毒 *primary syphilis*)，そして粘膜斑点を伴う様々な外見をもつ皮膚発疹が現れる(二期梅毒 *secondary syphilis*).次いで，ゴム腫と細胞浸潤および通常，心臓脈管と中枢神経系の病変により起こる機能異常(三期梅毒 *tertiary syphilis*)が現れる).
syph·i·lit·ic (sif′i-lit′ik). 梅毒性の. = luetic.
sy·phi·lit·ic an·eu·rysm 梅毒性動脈瘤（三期梅毒性大動脈炎の結果，通常，胸部大動脈を侵す動脈瘤).
sy·phi·lit·ic leu·ko·der·ma 梅毒性白斑（二期梅毒のバラ疹の脱色で，主に側頸部に網状の脱色部分と色素沈着部分を残す). = melanoleukoderma colli.
sy·phi·lit·ic ro·se·o·la 梅毒性バラ疹（通常，梅毒の最初の発疹. 初期病変の6—12週後に生じる).
syphilo-, syphil-, syphili- 梅毒を意味する連結形.
syph·i·lo·ma (sif′i-lō′mă). 梅毒腫. = gumma.
syr. ラテン語 *syrupus*（シロップ)の略.
syr·ing·ad·e·no·ma (sir′ing-ad-ĕ-nō′mă). 汗腺腫（分泌細胞に典型的な，腺の分化を示す良性の汗腺腫瘍). = syringoadenoma.
sy·ringe (sir-inj′). 注射器（液体の注入または吸引に用いる器具. 外筒と内筒よりなる).

sy·rin·gec·to·my (sir′in-jek′tŏ-mē). 瘻孔〔壁〕切除〔術〕. = fistulectomy.

sy·rin·gi·tis (sir′in-jī′tis). 耳管炎.

syringo-, syring- 瘻孔を意味する連結形.

sy·rin·go·ad·e·no·ma (si-ring′gō-ad-ĕ-nō′mă). = syringadenoma.

sy·rin·go·bul·bi·a (si-ring′gō-bŭl′bē-ă). 延髄空洞症（脊髄空洞症に類似するもので，脳幹の空洞に液体が充満する）.

sy·rin·go·car·ci·no·ma (si-ring′gō-kahr-si-nō′mă). 汗腺癌（嚢腫性変化(嚢胞癌)を起こす上皮性の悪性新生物を表す現在では用いられない語）.

sy·rin·go·cele (si-ring′gō-sēl). ***1*** = neural canal. ***2*** 脊髄瘤（脊髄内に異所性に空洞をもつ髄膜脊髄瘤）.

sy·rin·go·cys·tad·e·no·ma (si-ring′gō-sis′tad-ĕ-nō′mă). 汗管嚢胞腺腫（良性の汗腺嚢胞腺腫）.

sy·rin·go·cys·to·ma (si-ring′gō-sis-tō′mă). 汗腺嚢腫. = hidrocystoma.

sy·rin·go·ma (sir′ing-gō′mă). 汗管腫，汗腺腫（しばしば多発性であるが，ときに発疹性のもので，非常に小さな丸い嚢腫からなる汗管の良性新生物である）.

sy·rin·go·me·nin·go·cele (si-ring′gō-mĕ-ning′gō-sēl). 空洞状髄膜脱出（脊嚢がほとんど髄質を含まない膜から構成され，脊髄空洞と連結する空洞を囲む二分脊椎）.

sy·rin·go·my·e·li·a (si-ring′gō-mī-ē′lē-ă). 脊髄空洞症（脊髄内の厚い膠細胞による組織で仕切られた細長い空洞の存在で，脈管不全症により生じたものではない．臨床的には痛みと知覚異常がみられ，手の筋萎縮が伴う．手と腕に無痛覚が生じ，温度感覚が失われるが触覚は残る．後に無痛性瘭疽がみられ，下肢の痙性麻痺と腰椎の側弯が起こる．悪性度の低い神経膠星状細胞腫または脊髄の脈管奇形を伴う場合もある）. = hydrosyringomyelia; Morvan disease.

sy·rin·go·my·e·lo·cele (si-ring′gō-mī′ĕ-lō-sēl). 空洞状脊髄脱出（脊椎背側の欠損部から膜と脊髄が脱出することからなる二分脊椎の一型で，脊髄の空洞内の液が増加し，脊髄組織を薄壁嚢内へ膨張させ，これが後脊椎欠損部から脱出膨隆する）.

sy·rin·got·o·my (sir′in-got′ŏ-mē). 瘻孔切開〔術〕. = fistulotomy.

syr·inx, pl. **sy·ring·es** (sir′ingks, si-rin′jēz). ***1*** fistula(瘻孔)の類義語としてまれに用いる. ***2*** 空洞（脳または脊髄内の病的管状腔）. ***3*** 鳥類の気管の下部で，鳴声を出す気管.

syr·up (syr.) (sir′ŭp). ***1*** 糖ミツ；refined molasses(糖の精製後に残る非結晶性サッカリン様溶液). ***2*** シロップ，シラップ（種々の甘い液．様々な比率の糖の水溶液）. ***3*** シロップ剤（通常は白糖であるが，糖の濃い水溶液に薬または芳香物質を溶かしたもの．シロップに薬物が含まれている場合はシロップ剤とよばれる）.

sys·tem (sis′tĕm). 系〔統〕，器官系，システム，体系（①相互に関連し合う半独立性の部分から構成される永続性の複合体．②部分の複合有機体としてみたときの生物．全体の器官．③解剖学的に関連した構造の複合体．例えば脈管系，また機能的になら消化器系. = systema. ④特定のアミノ酸輸送体につけられる1個以上の文字を用いて表す系の表示．N系はナトリウム依存性輸送体で，L-グルタミン，L-アスパラギン，L-ヒスチジンなどのアミノ酸に特異的である．y^+系はカチオン性アミノ酸のナトリウム非依存性輸送体である）.

sys·te·ma (sis-tē′mă). 系（→system; apparatus）. = system(3).

sys·tem·a·tic name 組織名（化学物質名として適用される．組織名は特別に造語または選定された語から構成され，それぞれが正確に定義された化学構造の意味をもつので，その名称から構造を知ることができる）.

sys·te·mat·ic re·view 系統的検査（治療に利用できる最良の根拠を証明するために，初期の研究結果をまとめるプログラム．定量の系統的検査はそれぞれの研究結果を統合するためメタ分析を使用する）.

sys·tem·a·tized de·lu·sion 体系妄想（誤った根拠の上に論理的につくり上げられた妄想．患者の生活において特異な基準となる）.

sys·tem·ic (sis-tem′ik). 全身性の，全身系の.

sys·tem·ic an·a·phy·lax·is 全身アナフィラキシー. = generalized anaphylaxis.

sys·tem·ic cap·il·lar·y leak syn·drome 全身性毛細管漏出症候群（ときおり起こる低血圧，血液濃縮，および低アルブミン血症を示す原因不明のまれな疾患．単クローン性γ-グロブリン血症がしばしば合併する）.

sys·tem·ic cir·cu·la·tion 体循環（全身系の動脈，毛細血管，静脈を経る左心室から右心房までの血液循環）.

sys·tem·ic lu·pus er·y·the·ma·to·sus (SLE) 全身性エリテマトーデス，全身性紅斑性狼瘡（炎症性の結合織疾患の1つで，発熱，脱力感，易疲労性，関節リウマチに似た関節痛や関節炎のほか，顔面，頸部，上肢にびまん性の紅斑性皮膚病変をきたす．これらの皮疹は組織学的に基底層の液状変性と表皮萎縮を示す．このほか，リンパ節腫大，胸膜炎，心膜炎，腎糸球体病変，貧血，高ガンマグロブリン血症，LE細胞テスト陽性，核蛋白・二本鎖DNA・その他の物質に対する血清中の抗体陽性など種々の所見を示す）. = disseminated lupus erythematosus.

sys·tem·ic scler·o·der·ma 全身性強皮症. = scleroderma.

sys·tem·ic vas·cu·lar re·sis·tance 全身血管抵抗（全身を通じての細小動脈の弾性または収縮を示す指標で，血圧を心拍出量で除した値に等しい）.

sys·to·le (sis′tŏ-lē). 〔心〕収縮〔期〕（心臓，特に心室の収縮で，これにより血液が大動脈と肺動脈を通って各々全身循環と肺循環を行う．収縮は聴診で聞くことのできる第1心音，触診可能な心尖拍動，動脈拍により示される）.

sys·tol·ic (sis-tol′ik). 〔心〕収縮期〔性〕の.

sys·tol·ic mur·mur 収縮期雑音（心室収縮期

に聴取される雑音).

sys·tol·ic pres·sure 収縮期血圧(心室の収縮期の,あるいはその結果による心腔内血圧.全心周期中の最高動脈血圧).

sys·tol·ic thrill 収縮期振せん(心室収縮期に前胸部,血管上に感じる振動).

sys·trem·ma (sis-trem′ă).下肢の筋痙攣(収縮筋が硬い球を形成する脚の腓腹の筋痙攣).

T

τ タウ（→tau）.

θ, Θ シータ（→theta）.

T *1* リボチミジン，tension（T＋でその増加を，T－で減少を示す），tera-，トリチウム，トレオニン，トルク，透過率 transmittance の記号．*2* 下付き文字として一回換気量 tidal volume を表す．*3* thoracic vertebrae（T1-T12），tocopherol の略．*4* テスラ（磁場強度の単位）.

T1 縦緩和時間（核磁気共鳴において，縦緩和が63%生じる時間．その値は，磁場の強度と水素原子核の置かれた化学的環境に依存する）.

T2 横緩和時間（核磁気共鳴において，横緩和が63%生じる時間．その値は，磁場の強度と水素原子核の置かれた化学的環境に依存する）.

T 絶対温度 absolute temperature（ケルビン）の記号.

Tm 温度中心点 temperature midpoint（ケルビン），融点 melting point を表す記号.

t metric ton; time の略.

t セ氏温度，トリチウムの記号.

t_m 温度中心点 temperature midpoint（セ氏）の記号.

T-2 my·co·tox·in T-2 真菌毒（トリコシテン真菌毒の一種で，食品危害真菌の中毒に反応する．イエローレインが成分となっていることが明言されている．→primary blast injury）. = secondary blast injury; quaternary blast injury; trichothecene mycotoxin; yellow rain.

TA Terminologia Anatomica の略.

Ta タンタルの元素記号.

tab. tablet の略.

tab·a·nid（tab′ă-nid）．アブ（アブ科に属するものの一般名）.

ta·bes（tā′bēz）．ろう（癆）（進行性の消耗またはるいそう）.

ta·bes·cent（tă-bes′ĕnt）．消耗性の，るいそう性の（ろうの特徴についていう）.

ta·bes dor·sal·is 脊髄ろう. = tabetic neurosyphilis.

ta·bes mes·en·ter·i·ca 腸間膜結核（腸間膜と腹膜後リンパ節の結核）.

ta·bet·ic（tă-bet′ik）．〔脊髄〕ろう（癆）〔性〕の.

ta·bet·ic ar·throp·a·thy 脊髄ろう〔性〕関節症（脊髄ろう（脊髄ろう性神経梅毒）で生じる神経病性関節症．→neuropathic joint）.

ta·bet·ic neu·ro·sy·phi·lis 脊髄ろう性神経梅毒（脊髄，特に腰仙髄の後根が感染の主要部位である神経梅毒の型．運動失調，緊張低下，インポテンス，便秘，低緊張性膀胱，反射消失，Romberg 徴候を呈し，しばしば下肢への電撃痛，内臓クリーゼ，Argyll Robertson 瞳孔，視神経萎縮，Charcot 関節もみられる．髄液は異常であることが多い）. = tabes dorsalis.

ta·bet·i·form（tă-bet′i-fōrm）．〔脊髄〕ろう（癆）様の.

tab·la·ture（tab′lă-chūr）．頭蓋骨が板間層により内外2層に分解されること.

ta·ble（tā′bĕl）．*1* 骨板（板間層によって分離された頭蓋骨の内外板のうちの1つ）．*2* 表（データを整理，対比して，本質的な事実を理解しやすい形で示すもの）.

ta·ble·spoon（tā′bĕl-spūn）．食匙（さじ）（調剤用の大匙で，15 mL に等しい）.

tab·let（tab.）（tab′lĕt）．錠〔剤〕（一定量の薬剤を含む固形製剤で，適当に希釈してつくられる場合と，そのまま希釈しないでつくられる場合とがある．形状，大きさ，および重量はいろいろである．製造法により圧縮錠剤のように分類される）.

ta·boo, ta·bu（tab-ū′）．禁制，タブー（宗教上，儀式上の目的のために禁止されたこと）.

ta·bo·pa·re·sis（tā′bō-păr-ē′sis）．脊髄ろう〔性〕進行麻痺（脊髄ろうと全身麻痺の症状が合併した状態）.

tab·u·lar（tab′yū-lăr）．*1* 平板状の．*2* 表の形に整えられた.

ta·bun（GA） タブン（きわめて有効なコリンエステラーゼ抑制神経ガス．NATO コード GA．→trichothecene mycotoxin）.

tache（tash）．斑，斑点，斑紋（斑のそばかすのような，皮膚または粘膜の限局性の変色）.

tache noire 黒斑（特徴的な病変（フランス語で "black spot" の意味）で，*Rickettsia conorii*，*Orientia tsutsugamushi* のような節足動物咬傷部位から宿主に感染することで形成される．ブートン熱の初期病変）.

ta·chet·ic（tă-ket′ik）．斑状の（青色調の斑あるいは褐色調の斑を特徴とする）.

ta·chom·e·ter（tak-om′ĕ-tĕr）．タコメータ，回転速度計（速度や率を測定する器械．例えば，軸の公転，心拍数（カルジオタコメータ），動脈血流（血流タコメータ），呼吸気流（呼吸タコメータ）など）.

tachy- 急速の意を表す連結形.

tach·y·ar·rhyth·mi·a（tak′ē-ă-ridh′mē-ă）．頻拍性（型）不整脈（心律動障害．便宜上，整・不整にかかわらず理学的所見として心拍数が毎分100を超えるもの）.

tach·y·car·di·a（tak′i-kahr′dē-ă）．〔心〕頻拍，頻脈（心臓の速い律動で，便宜的に毎分100を超えるものについていう）. = tachyrhythmia; tachysystole.

ta·chy·car·di·a-bra·dy·car·di·a syn·drome 頻脈–徐脈症候群（頻脈と徐脈が繰り返し出現する症候群で，洞房伝導，房室伝導の両方に障害がある場合にしばしばみられる）.

tach·y·car·di·ac（tak′i-kahr′dē-ak）．頻拍の，頻脈の.

ta·chy·car·di·a win·dow 頻拍ウインドウ（リエントリー型の発作性頻拍において，発作を誘発しうる最も早い期外収縮と最も遅い期外収縮の間の時間（ウインドウ））.

tach·y·crot·ic（tak′i-krot′ik）．急速脈の.

tach·yp·ne·a（tak′ip-nē′ă）．頻呼吸，呼吸頻数.

= polypnea; tachypnoea.

tachypnoea ［Br.］. = tachypnea.

tach·y·rhyth·mi·a (tak′i-ridh′mē-ă). = tachycardia.

ta·chys·ter·ol (tak-is′tĕr-ol). タキステロール (5,7-ジエン-3β-ステロールの紫外線照射により生成するステロール．還元してその5,7-ジエン(または5,7,22-トリエン)体にすると，抗くる病作用を発現させる).

ta·chy·sys·to·le (tak′i-sis′tō-lē). 急速収縮，速心収縮. = tachycardia.

tach·y·zo·ite (tak′i-zō′īt). タキゾイト (*Toxoplasma gondii* の組織内発育時に急速に増殖する発育型).

tack·ler's ex·o·sto·sis タックラー外骨〔腫〕症 (上腕骨前外側に外傷などの刺激により生じた外骨腫).

tac·ti·cal e·mer·gen·cy med·i·cal ser·vice 戦術的緊急医療 (緊急医療部隊を専門化したもので，法執行活動を支持する).

tac·tile (tak′til). 触覚の，接触の.

tac·tile ag·no·si·a 触覚失認 (皮膚や手の固有感覚の障害がないのに接触によって物体を認識できないこと．反対側の頭頂葉の病変による). = astereognosis.

tac·tile an·es·the·si·a 触覚脱失(消失) (触覚の消失または障害).

tac·tile cor·pus·cle 触覚小体 (多数の卵形の小体で手指・足指の厚い皮膚の真皮乳頭の中にみられるもの．結合組織性の袋の中に楔形の上皮様細胞が積み重なったものの周囲や内部に神経細胞の細い突起が終わっている). = Meissner corpuscle.

tac·tile de·fen·sive·ness 触覚〔性〕防衛性 (総合的な知覚機能障害．触感の刺激に対して過剰反応を起こす).

tac·tile frem·i·tus 触覚振とう音 (声音振せんの間，胸部に当てた手に感じられる振動).

tac·tile im·age 触覚印象 (触覚によって得られる物体像).

tac·tile me·nis·cus 触覚盤 (表皮内の特殊な触覚性の感覚神経終末で，1個の分化した角質細胞の基底部に杯形の表皮内神経軸索が付いている). = Merkel corpuscle; Merkel tactile cell; Merkel tactile disc.

tac·tile pa·pil·la 触乳頭 (触覚細胞または小体をもつ真皮乳頭).

tac·tile stim·u·la·tion 触覚刺激 (嚥下障害の治療において，嚥下の随意的構成要素を喉舌の部分を鈍的消息子で打つことにより，再帰を促進する. →caloric stimulation).

tac·tom·e·ter (tak-tom′ĕ-tĕr). 触覚計. = esthesiometer.

tac·tual (tak′chū-ăl). 触覚の.

TAD transient acantholytic dermatosis の略.

Tae·ni·a (tē′nē-ă). テニア属 (以前は条虫の大部分を含む一属であったが，現在では，草食動物，げっ歯類，その他の食肉類の犠牲となる動物の組織中に見出される嚢虫が食肉類に感染するという経路をもつ種に限られている. →tapeworm. *cf.* tenia(1)).

tae·ni·a (tē′nē-ă). ***1*** ひも (コイル状，ひも状の解剖学的構造. →tenia(1)). ***2*** サナダムシ (条虫類，特に *Taenia* 属の一般名). = tenia(2).

Tae·ni·a sa·gi·na·ta 無鉤条虫，カギナシサナダ (ヒト感染の種．無鉤条虫の幼虫(嚢虫) *Cysticercus bovis* に汚染された牛肉を不十分な調理状態で摂取することによる．英名 beef tapeworm, hookless tapeworm, unarmed tapeworm).

tae·ni·a·sis (tē′nē-ī′ă-sis). 条虫症 (*Taenia* 属の条虫感染症).

Tae·ni·a so·li·um 有鉤条虫，カギサナダ (ヒト感染の種．有鉤条虫の幼虫(嚢虫) *Cysticercus cellulosae* に汚染されたブタ肉を不十分な調理状態で摂取することによる．本虫が寄生するヒトの腸内で虫卵がふ化することにより，ヒトの組織中に嚢虫寄生が成立して，嚢虫症を起こす場合がある．英名 pork tapeworm, armed tapeworm, solitary tapeworm).

tae·ni·id (tē-nē′id). テニア科条虫の一般名.

tae·ni·oid (tē′nē-oyd). テニア属の (*Taenia* 属の種を示す).

Taen·zer stain テンツァー染料 (弾性組織を染色するのに用いるオルセイン溶液).

TAF tumor angiogenic factor の略.

tag (tag). ***1*** 〚v.〛 標識する (→label; tracer). ***2*** 〚n.〛 小さな生成物，ポリープ.

tail (tāl). 尾 (①器管その他の先が細長くなった尾状構造物．②獣医学解剖においては，脊柱の尾端としての付属物．皮膚，毛，羽毛，鱗屑などでおおわれている). = cauda.

tail bud 尾芽，尾方芽，下肢芽. = caudal eminence.

tail fold 尾側ひだ (胚盤の尾方末端の腹側へのひだ).

tail of pan·cre·as 膵尾 (脾腎ひだ内の膵臓の左脚).

Ta·ka·ya·su ar·te·ri·tis 高安動脈炎 (原因不明の動脈炎で，大動脈弓の慢性炎症により線維症と著明な血管の狭窄を伴い，大動脈とその枝の狭窄を起こす．ほとんどの場合女性に起こる. →aortic arch syndrome). = Martorell syndrome; pulseless disease.

ta·lar (tā′lăr). 距骨の.

talc o·per·a·tion タルク手術 (現在では行われない手術で，粉状のケイ酸マグネシウム(タルク)を心外膜に付けて無菌性肉芽腫性心膜炎を起こし，冠状循環と心臓周囲の血管吻合を促進する). = poudrage(2).

tal·co·sis (tal-kō′sis). 滑石沈着症 (珪肺症と関連する肺疾患．ケイ酸と混合した滑石にさらされる労働者にみられる．拘束性または閉塞性の呼吸障害を特徴とする).

tal·i·ped·ic (tal′i-pēd′ik). 内反足の.

tal·i·pes (tal′i-pēz). 弯足 (距骨を含む足の変形の総称).

tal·i·pes cal·ca·ne·o·val·gus 外反踵足 (踵足と外反が併存するもの．足部が背屈し，外がえりし，外転したもの. →talipes equinovarus).

tal·i·pes cal·ca·ne·o·var·us 内反踵足 (踵足と内反が併存するもの．足部が背屈し，内がえりし，内転したもの. →talipes equinovarus).

tal·i·pes cal·ca·ne·us 踵足（腓腹筋のぜい弱化あるいは欠損による変形．その結果，踵骨の軸は地面に対して垂直方向に向かう．灰白髄炎においてしばしばみられる変形）. = calcaneus (2).

tal·i·pes cav·us 凹足（正常の足のアーチが増強したもの）.

tal·i·pes e·qui·no·val·gus 外転(外反)尖足（尖足と外反が併存するもの．足部が底屈し，外がえりし，外転したもの．→talipes equinovarus）. = equinovalgus.

tal·i·pes e·qui·no·var·us 内転(内反)尖足（尖足と内反が併存するもの．足部が底屈し，内がえりし，内転したもの）. = clubfoot; club foot; equinovarus.

tal·i·pes e·qui·nus 尖足（母趾球だけが地面に着くような足の永久的伸展．通常，内転足と併存する）.

tal·i·pes pla·nus 扁平足（縦弓弓が崩されている状態で，全足底が地面につく）. = flatfoot; pes planus.

tal·i·pes val·gus 外転(外反)足（永久的な足の外がえりで，足底の内側部だけが地面に着く．通常，足底弓の崩れと併存する）.

tal·i·pes var·us 内転(内反)足（足の内がえりで，足底の外側部だけが地面に着く．通常，ある程度の尖足と併存し，凹足を伴う場合も多い）.

tall let·ter writ·ing = tall-man letters.

tall-man let·ters トールマンレター（薬物治療において，似たような名称の異なる文字部分を大文字にして目立たせることで医療ミスを防ぐ書き方．例えばセファロスポリンにおいて cefaCLOR, cefAPROxil, cefALEXin 等）. = tall letter writing.

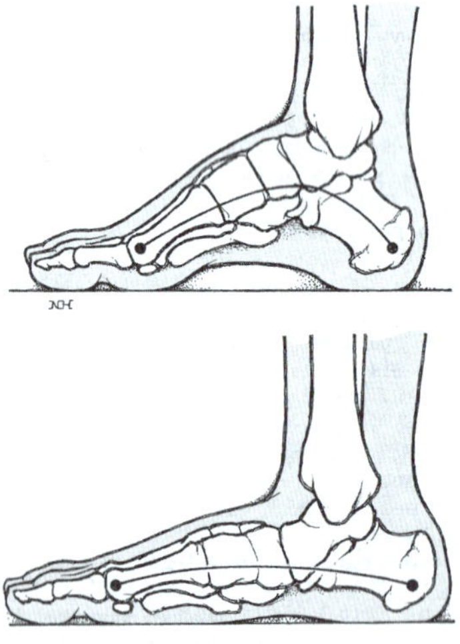

talipes cavus（上）と talipes planus（下）

tall speed·well = black root.

talo- 距骨を意味する連結形.

ta·lo·cal·ca·ne·al joint 距骨下関節. = subtalar joint.

ta·lo·cal·ca·ne·o·na·vic·u·lar joint 距踵舟関節（横足根関節の一部をなすもので，舟状骨および踵骨前部と関節をなす距骨頭によって形成される球窩関節）.

ta·lo·cru·ral (tā′lō-krūr′ăl). 距腿の（距骨および下腿骨に関する．足首関節を意味する）.

ta·lo·cru·ral joint 距腿関節. = ankle joint.

tal·on (tal′ŏn). = hypocone.

tal·o·nid (tal′ŏ-nid). タロニッド，タロニード，タロン（ヒトの臼歯歯冠の遠心部分で，ヒポコニッド(次錐，下顎臼歯の遠心頬側咬頭)，ヒポコヌリッド(次小錐，下顎臼歯の遠心第五咬頭)，およびエントコニッド(内錐，下顎大臼歯の遠心舌側咬頭)からなる）.

ta·lus, gen. ta·li (tā′lŭs, -lī). 距骨（足首の関節をつくるために脛骨および腓骨と関節をなす足の骨）. = ankle bone; ankle (3); astragalus.

Tamm-Hors·fall mu·co·pro·tein タム-ホースフォールムコ蛋白（尿細管細胞よりの分泌により生じる尿円柱の基質部分）.

tam·pon (tam′pon). ***1***〚n.〛タンポン，綿球（綿，ガーゼ，あるいは軟らかい物質を円筒状または球状にしたもの．止血，分泌物の吸収，あるいは移動させた臓器の位置を保つために管や腔内に栓または詰め物として入れる）. ***2***〚v.〛タンポンを挿入する(ガーゼ，綿などを詰め込む).

tam·pon·ade, tam·pon·age (tam′pŏ-nād′, -nazh′). タンポン挿入〔法〕，タンポナーデ.

tan·dem (tan′dĕm). 縦列の（互いに隣接したポリ核酸での同一の配列の多重コピーを述べるときに用いる用語）.

tan·dem Rom·berg = tandem.

tan·gen·ti·al·i·ty (tan-jen′shē-al′i-tē). 脱線思考（思考過程における連合の障害で，観念連合の過程で生じ，話し中に容易に一つの話題から他の話題に脱線する．双極性障害や統合失調症やある種の脳器質障害でみられる．*cf.* circumstantiality）.

tan·gi·ble bo·dy ma·cro·phage タンジブルボディーマクロファージ（リンパ球を貪食するように特殊化されたマクロファージ）.

tang-kuei (tahng-kwā). = Chinese angelica.

Tan·ner growth chart タナーの成長判定図表（性，年齢，成熟段階別に小児の身長，成長曲線，皮下脂肪厚など身体発達の基準分布を示す判定図表）.

Tan·ner stage タナー段階（性毛の発育，男児では外陰部，女児では乳房の発達に基づいたTanner の発育チャートの中の思春期の段階）.

tan·ta·lum (Ta) (tan′tă-lŭm). タンタル（バナジウム族の重金属元素．原子番号 73，原子量 180.9479．腐食しないので，外科用の補てつ物に用いる）.

T ant·i·gens T抗原（アデノウイルスやパポバウイルスなどの DNA 型腫瘍ウイルスによる，

細胞の増殖やトランスフォーメーションに関連している抗原. →β-hemolytic streptococci; tumor antigens).

tan-top tube タントップチューブ（容器がヘパリンナトリウムで処理されたことを示す．鉛の検査に使われる）.

tan·trum (tanʹtrŭm). 立腹，かんしゃく（主に小児に起こる不機嫌の発作）.

TAP ペプチドを細胞質から小胞体内腔へ輸送する蛋白.

tap (tap). ***1*** 〚v.〛 穿刺する（トロカール，カニューレ，中空針，カテーテルを用いて腔内の液体を採り出す）. ***2*** 〚v.〛 打診する（打診法で，または腱反射を引き出すために，指やハンマーのような道具を用いて軽く打つ）. ***3*** 〚n.〛 軽くたたくこと. ***4*** 〚n.〛 森林熱（病因不明の東インド熱）. ***5*** 〚n.〛 タップ（ネジを挿入する前に，骨の穴に溝を切るのに用いる器具）.

ta·per·ing-off (tāʹpĕr-ing-awf). テーパリングオフ. = active recovery.

ta·pe·tum, pl. ta·pe·ta (tă-pēʹtŭm, -tă). ***1*** 内面層（一般には膜性の層や被覆）. ***2*** 壁板（神経解剖学において，側脳室の側頭角様構造の側壁にある線維からなる天蓋で，脳梁に続いている）.

tape·worm (tāpʹwŏrm). 条虫類，サナダムシ（腸寄生性の蠕虫で，その成虫は脊椎動物の小腸にみられる．この用語は一般には条虫綱に属するものに限って用いる．宿主の腸壁に吸着するためのとげや吸着器を様々に備えた頭節と，数個から多数の片節をもつ片節連体(横分体)とからなるが，発生のどの段階においても消化管を欠如する．卵子は適切な中間宿主の腸内にはいってふ化し，六鉤幼虫が腸壁を貫通して特異な幼虫型(例えば，擬嚢尾虫，嚢尾虫，包虫，横分尾虫)へと発育する．この中間宿主が適切な最終宿主に摂取されると，幼虫は成虫へと発育する）.

Ta·pi·a syn·drome タピア症候群（喉頭，口蓋帆，および舌の片側性麻痺で，舌の萎縮を伴う）.

ta·pir mouth バク状口(唇)（口輪筋が弱いため，唇が突出すること．いくつかのジストロフィでみられる）.

ta·pote·ment (tă-pōtʹman[h]). たたき法，叩打法（手の外側で軽くたたくマッサージ法．通常，いくぶん屈曲した指で行う．→percussion）. = tapping(1).

tap·ping (tapʹing). ***1*** 打診〔法〕. = tapotement. ***2*** 穿刺〔術〕. = paracentesis.

TAPVC total anomalous pulmonary venous connection の略. → anomalous pulmonary venous connections, total or partial.

TAPVR total anomalous pulmonary venous return の略. → anomalous pulmonary venous connections, total or partial.

***taq* po·lym·er·ase** Taq ポリメラーゼ（好熱菌 *Thermus aquaticus* から単離された耐熱性 DNA ポリメラーゼ）.

TAR *t*hrombocytopenia と *a*bsent *r*adius の頭文字. →thrombocytopenia-absent radius syndrome.

ta·ran·tu·la (tăr-anchʹū-lă). タランチュラ（オオツチグモ，トリクイグモ，トリグモなどをいう．有毛の大きなクモで非常に有毒であると考えられ，しばしばひどく恐れられるが，通常は咬まれてもハチに刺された程度で比較的害のない生物である）.

Tar·dieu ec·chy·mos·es, Tar·dieu pe·te·chi·ae, Tar·dieu spots タルデュ斑状出血（胸膜下，心膜下の点状または斑状の出血．絞殺その他の方法で窒息させられたヒトの組織にみられる）.

tar·dive (tahrʹdiv). 晩発性の，晩期の.

tar·dive cy·a·no·sis = cyanose tardive.

tar·dive dys·ki·ne·si·a 遅発性ジスキネジア（ある種の神経遮断薬療法，多くは典型的な抗精神病薬療法の遅発性合併症として起こる，しばしば持続性の顔面筋や舌の不随意運動）.

tar·dive dys·to·ni·a →dystonia musculorum deformans.

tar·get (tahrʹgĕt). ***1*** ターゲット，標的（検査の目標または目的として向けられる物体）. ***2*** 視標（眼球計のミーア）. ***3*** = target organ. ***4*** X 線管の陽極(→x-ray).

tar·get cell 標的赤血球，標的細胞（①暗い中心部を明帯が取り囲み，さらにその外側を暗い環が回って，射撃用の標的に似た形をした赤血球．標的細胞貧血や脾摘後にみられる．②組織移植拒絶の際に細胞傷害性 T リンパ球により傷害，溶解される細胞）. = codocyte; leptocyte; Mexican hat cell.

tar·get·ed sur·veil·lance 標的調査（懸念または重要視されそうな特定の事象を，予め見極めて監視すること）.

tar·get gland 標的腺（他の腺の内分泌物，またはその他の刺激により興奮して作用を発動する器官）.

tar·get heart rate 目標心拍数（通常，年齢から予測される最大心拍数の 65—95%，または心臓予備力の 50—85% の範囲内. →training-sensitive zone）.

tar·get heart rate range = training-sensitive zone.

tar·get or·gan 標的器官（ホルモンが作用を及ぼす組織あるいは器官．通常は，ホルモンの受容体に関連のある組織あるいは器官）. = target (3).

tar·get re·sponse 標的反応. = operant.

Tar·lov cyst ターロヴ嚢胞（脊髄下部の基部小根にみられる神経周囲の嚢胞．通常，種々の症状を呈する）.

Tar·ni·er for·ceps タルニエ鉗子（応軸鉗子の一種）.

tar·ry cyst タール嚢胞（タール状または黒色の粘着性状の古い血液の塊または嚢胞．通常は子宮内膜症により生じる）.

tar·sal (tahrʹsăl). 瞼板の，足根〔骨〕の.

tar·sal bones 足根骨（骨格の一分類で，足の甲の 7 つの骨，すなわち距骨，踵骨，舟状骨，3 つの楔状骨，立方骨からなる）.

tar·sal cyst 眼板嚢胞(嚢腫). = chalazion.

tar·sa·le, pl. tar·sa·li·a (tahr-sāʹlē, -lē-ă). 足

T

根骨.

tars·al·gi·a (tahr-sal′jē-ă). 足根痛. = podalgia.

tar·sal glands 瞼板腺（各眼瞼の瞼板に埋没している皮脂腺で，後縁近くの眼瞼端から分泌する．分泌物は眼瞼縁に沿って脂質のバリアを形成する．開瞼状態で漿液性涙液がバリアを越えてあふれ出るのを防ぐ）. = meibomian glands.

tar·sal joints = intertarsal joints.

tar·sal si·nus 足根洞（距骨の溝と踵骨の骨間溝によってつくられる空洞または管で，距踵靱帯が収容されている）.

tar·sec·to·my (tahr-sek′tŏ-mē). 足根骨切除〔術〕，瞼板切除〔術〕（足根や眼瞼の瞼板の一部を切除すること）.

tar·si·tis (tahr-sī′tis). *1* 足根骨炎. *2* 瞼板炎.

tarso-, tars- 足根，瞼板，を意味する連結形.

tar·so·cla·si·a, tar·soc·la·sis (tahr′sō-klā′zē-ă, tahr-sok′lă-sis). 反足治療〔術〕（足根骨骨折用器具を用いて内転尖足を矯正する法）.

tar·so·ma·la·ci·a (tahr′sō-mă-lā′shē-ă). 瞼板軟化〔症〕.

tar·so·meg·a·ly (tahr′sō-meg′ă-lē). 足根骨肥大〔症〕，踵骨肥大〔症〕（足根骨あるいは手根骨の先天的異常発達と過成長）.

tar·so·met·a·tar·sal (TMT) (tahr′sō-met′ă-tahr′săl). 足根中足の（足根骨および中足骨に関する．足根骨と中足骨の間の関節やその靱帯に関する）.

tar·so·met·a·tar·sal joints 足根中足関節（足根骨と中足骨の間の3つの関節で，第一楔状骨と第一中足骨間の内側関節，第二・第三楔状骨と対応する中足骨間の中間関節および立方骨と第四・第五中足骨間の外側関節からなる）.

tar·so·met·a·tar·sal lig·a·ments 足根中足靱帯（足根骨と中足骨を結合する靱帯．背側靱帯，底側靱帯，楔中足骨間靱帯に分けられる）.

tar·so·pha·lan·ge·al (tahr′sō-fă-lan′jē-ăl). 足根指節の（足根骨と足の指節骨に関する）.

tar·sor·rha·phy (tahr-sōr′ă-fē). 瞼板縫合〔術〕（眼瞼裂を短くしたり，角膜炎や眼輪筋の麻痺の場合に角膜を守るために眼瞼の縁を部分的にあるいは完全に縫合する方法）.

tar·sot·o·my (tahr-sot′ŏ-mē). *1* 瞼板切開〔術〕（眼瞼軟骨の切開）. *2* 足根切開〔術〕.

tar·sus, gen. & pl. tar·si (tahr′sŭs, -sī). *1* 足根（骨格系の一部で，足首の7つの骨. →tarsal bones）. *2* 瞼板（眼瞼の縁に硬さと形を与える線維性の板．誤って tarsal cartilage（瞼板軟骨），ciliary cartilage（睫毛軟骨）とされることが多い）.

tar·tar (tahr′tăr). *1* 酒石（主に重酒石酸カリウムからなるブドウ酒樽内部の酒あか）. *2* 歯石（歯肉縁茎およびその下にたまる白色，茶色，または黄茶色の沈着物で，主に有機基質中の水酸化リン灰石）. = dental calculus(2).

tart cell タート細胞（核を飲み込み，その飲み込んだ核の内部構造がそのまま保たれる単核細胞）.

tas·tant (tās′tănt). 味覚物質（味蕾の感覚細胞を刺激する化学物質の総称）.

taste (tāst). *1* 〚v.〛味覚する（味覚系を通して知覚する）. *2* 〚n.〛味（味蕾に適当な刺激を与えることによって生じる感覚）.

taste bud 味蕾，味覚芽（舌の有郭乳頭，茸状乳頭，葉状乳頭の上皮，軟口蓋，喉頭蓋，咽頭後壁にある多数のフラスコ状の細胞巣．味蕾は，支持細胞，味細胞，基底細胞で構成され，その間に知覚神経線維が終末する）.

taste cells 味〔覚〕細胞（味蕾にある濃染性の細胞で，長い微小絨毛がある）. = gustatory cells.

taste hairs 味毛（味蕾の味覚細胞の毛様突起．電子顕微鏡で見ると微絨毛が群生していることがわかる）.

TAT thematic apperception test; turnaround time の略.

tat·too (ta-tū′). *1* 〚n.〛入れ墨，刺青（皮膚に消えない顔料を故意に装飾的に刺入したり，注入したりする，または，偶然の刺入で染色効果となる）. *2* 〚v.〛入れ墨をする. *3* 〚n.〛= amalgam tattoo.

tau (τ) (tow). タウ（①ギリシア語アルファベットの第19字. ②テレ tele，緩和時間 relaxation time を表す記号. ③微小管やその他の細胞骨格に関与する蛋白で，チューブリンの重合を促進したり，微小管の安定化をはかる．Alzheimer 病患者の老人斑にも認められる）.

tau·rine (tawr′īn). *1* 〚n.〛タウリン（アミノスルホン酸で L-システインから合成され，ある胆汁酸塩の合成などの多くの働きをする）. *2* 〚adj.〛雄ウシの.

tau·ro·cho·lic ac·id タウロコール酸（コール酸とタウリンの化合物で，コール酸の COOH 基とタウリンの NH_2 基とが結合して生成する．食肉類にみられる一般的な胆汁酸塩）.

Taus·sig-Bing syn·drome タウシグ-ビング症候群（大動脈の完全転位で，大動脈が高位の心室中隔欠損，右心室肥大，前部の大動脈および後部の肺動脈を伴う左心室にまたがり，左側の肺動脈をもつ右心室から起こる）.

tau·to·mer·ic (taw′tō-mer′ik). *1* 同一部分の. *2* 互変異性の.

tau·to·mer·ic fi·bers 分節線維（脊髄内の神経線維で，それが発出した分節の範囲を超えることのないもの）.

tau·tom·er·ism (taw-tom′ĕr-izm). 互変異性（1つの化合物が，異なる2つの構造型（異性体）で平衡に存在する現象で，通常，水素原子の位置が異なる）.

tax·a (tak′să). taxon の複数形.

tax·ane (taks′ān). タキサン類（セイヨウイチイ *Taxus brevifolius* より抽出または半合成された抗悪性腫瘍剤の総称．パクリタキセル，docetaxel など）.

tax·is (tak′sis). *1* 整復法（術）（整復操作による脱臼やヘルニアの整復）. *2* 分類（系統的分類，規則正しい配列）. *3* 走性（刺激に対する原形質の反応で，それによって動植物が各々の環境に応じて一定方向に運動する．各種の走行は支配する刺激を示す語を taxis の前に付けて明示される．例えば chemotaxis, electrotaxis, thermotaxis）.

tax·on, pl. tax·a (tak′son, -să). 分類群（生物の系統的分類（分類学）における特殊な階級付けあるいは区分けに与えられた名称).

tax·o·nom·ic (tak′sŏ-nōm′ik). 分類学の.

tax·on·o·my (taks-on′ŏ-mē). 分類学 (様々な生命体すなわち生物の系統的分類法. 生物界は類似性の程度あるいは推測上の進化的関係を示すように区分けされる. 高い階級はより包括的で広く, 低い階級はより近縁の種類を含むように狭くなっている. これらの区分は順次, 門, 綱, 目, 科, 属, 種, および亜種(変種)である. 必要な場合にはこれに, 下, 上, あるいは亜, 超の区分けを用い, さらに連(族) tribe, 節 section, 級 level, 群 group などの区分けも用いる).

Tay cher·ry-red spot テイサクランボ赤色斑〔点〕. = cherry-red spot.

Tay·lor dis·ease テーラー病 (原因不明の広汎性皮膚萎縮).

Tay-Sachs dis·ease テイ-サックス病 (ヘキソサミニダーゼA欠乏によるリソソーム蓄積病. 中枢神経細胞と末梢神経細胞にモノシアロガングリオシドが蓄積する. 乳児は聴覚過敏, 被刺激性亢進, 筋緊張低下, 運動技能発達障害を呈する. 黄斑チェリー赤斑を伴う失明と痙攣が1年目にみられる).

TB tuberculosis の口語省略形.

Tb テルビウムの元素記号.

TBI traumatic brain injury の略. →caloric stimulation; contrecoup injury of brain.

T-bind·er (bīn′dĕr). T字〔包〕帯 (直角に交わる2本の布片からなる包帯で, 会陰部などに当てて維持するのに用いる).

TBNA transbronchial needle aspiration の略.

TBV total blood volume(全血液量)の略.

Tc *1* technetium の記号. *2* T cytotoxic cells の略.

TCA cy·cle tricarboxylic acid cycle の略.

^{99m}Tc-DTPA テクネチウム 99m ジエチレントリアミンペンタ酢酸 (腎臓の画像検査や腎機能検査に用いる放射性核種のキレート錯体. また, テクネチウム 99m ペンタテートとして知られている).

T cell T細胞. = T lymphocyte.

T-cell re·cep·tor (TCR) T細胞レセプタ(受容体) (Tリンパ球の膜上の接着分子. MHC分子を介して抗原呈示細胞(APC)に結合した抗原に対してレセプタとして働く. CD3との複合体として示される. MHC限定レセプタ(CD4またはCD8)に非常に近い). = T-lymphocyte antigen receptor.

T-cell rich, B-cell lym·pho·ma Tリンパ球豊富B細胞リンパ腫 (B細胞リンパ腫で細胞の90%がT細胞起源で, 腫瘍性B細胞成分が形成する巨細胞を隠している状態. →adult T-cell lymphoma).

^{99m}Tc-glu·co·hep·ta·nate (glū-cō-hep′tă-nāt). テクネチウム 99m グルコヘプタネート (腎皮質の局所的分布を示し, 分泌処理特性を有する放射性医薬品で, 腎皮質画像あるいはレノグラフィによる腎機能画像に使用される).

TCM traditional Chinese medicine の略.

TCR T-cell receptor の略.

T-cy·to·tox·ic cells (Tc) 細胞傷害性T細胞. = killer cells.

TDD telecommunications device for the deaf の略.

TDEE total daily energy expenditure の略.

TDM therapeutic drug monitoring の略.

TDP ribothymidine 5′-diphosphate(リボチミジン 5′-二リン酸)の略.

TdT terminal deoxynucleotidyl transferase の略.

TE エコー時間 (MRスピンエコーパルス系列においてエコーの発生する時間で, このとき磁化の信号強度を計測する).

Te *1* 電気診断において, tetanic contraction(テタヌス性攣縮)の略. *2* テルルの元素記号.

teach·ing (tēch′ing). 授業 (基本的に同じ学習ニーズのある学習者に対して, 情報を提供したり, 学習者に指導したりする意図的行動. 知識, 技術, 価値観, 態度を維持したり改善したりする).

teach·ing hos·pi·tal 教育病院 (医師, 看護師および関連医療保健従事者のトレーニングのための正式の教育センターとしての機能を兼ねもつ病院).

teach·ing plan 教案 (患者, 家族, コミュニティ, その他の学習者に対して提供された教育概要. 目的, 内容, 教授法, 概算時間, 評価を含む).

Teale am·pu·ta·tion ティール切断術 (①前腕の下半分の切断あるいは大腿の切断. 長い後方の矩形皮膚弁と短い前方の矩形皮膚弁を用いる. ②下肢の切断. 長い前方の矩形皮膚弁と短い後方の矩形皮膚弁を用いる).

team nurs·ing チーム看護 (入院患者に対する看護医療を分散して行う方法. 医療の計画および調整の責任をグループの構成員が分散して負う. チームには登録正看護師および准看護師が含まれることがあるが, ほとんどの場合, チームの指導者は登録看護師).

tear (tār). 断裂, 裂傷 (1つの構造の物質が不連続なこと. *cf.* laceration).

tear (tēr). 涙 (涙腺によって分泌される微量の体液で, それにより結膜と角膜は湿度が保たれる).

tear·drop (tēr′drop). *1* 涙〔滴〕 (涙腺から分泌される液). *2* 涙滴赤血球 (端が一方に絞られた形の, 洋梨形の赤血球).

tear·drop cell 涙滴細胞. = dacryocyte.

tear gas 催涙ガス (アセトン, 臭化ベンゼン, キシロールのようなガスで, 結膜を刺激し大量の流涙を起こす. →lacrimator).

tear·ing (tēr′ing). 流涙. = epiphora.

tear sac 涙嚢. = lacrimal sac.

tear stone 涙〔結〕石. = dacryolith.

tease (tēz). 掻き裂く (鏡検の目的で, 組織を細い針で一部剥離する).

tea·spoon (tē′spūn). 茶匙(さじ) (液体が約5 mLはいる小匙で, 液剤投与時に液剤の量を測るのに用いる).

teat (tēt). *1* 乳首, 乳頭. = nipple. *2* 乳房. = breast. *3* 乳頭. = papilla.

tech-check-tech (tek-chek′tek). テク-チェック-テク (特定の薬物治療において, 訓練された薬剤技師が別の薬剤技師の仕事をチェックするシステム).

T

tech·ne·ti·um (Tc) (tek-nē′shē-ŭm). テクネチウム（原子番号 43，原子量 99 の人工の放射性元素．重陽子をモリブデンに衝突させることで 1937 年につくられた．ウラン 235 の核分裂生成物でもある．体内臓器の画像検査の放射性トレーサとして広く用いられている）．

tech·ne·ti·um 99m テクネチウム 99m（テクネチウムの放射性同位元素．6.01 時間の物理的半減期をもち，実質的には単一エネルギーの 142 keV のガンマ線を放出する核異性体転移によって崩壊する．通常，モリブデン 99 の放射性核種のジェネレータからつくり，放射性医薬品として，脳，耳下腺，甲状腺，肺，血液貯槽，肝臓，脾臓，腎臓，涙液排出器官，骨髄のスキャニングに用いる）．

tech·nic (tek′nik). = technique.

tech·ni·cal com·po·nent 技術的要素（医療情報学において，医師よりも技師が請け負う手順の部分）．

tech·ni·cian (tek-nish′ŭn). 技術者. = technologist.

tech·nique (tek-nēk′). 手術，術式（外科手術，実験，あるいは機械作業を行う方法またはその詳細. →method; operation; modality; procedure). = technic.

tech·nol·o·gist (tek-nol′ō-jist). 技術者（職業，芸術，または科学の分野で，訓練された技術を役立てる者をいう）. = technician.

tech·nol·o·gy (tĕk-nŏl′ŏ-jē). 科学技術，工芸学（職業，芸術，または科学の分野の技術に関する知識やその応用）．

tec·tal (tek′tăl). 蓋の．

tec·to·ceph·a·ly (tek′tō-sef′ă-lē). 舟状頭蓋症，舟状頭症. = scaphocephaly.

tec·ton·ic ker·a·to·plas·ty へい被角膜移植（欠損した角膜組織を取り替えるための角膜移植術）．

tec·to·ri·al (tek-tōr′ē-ăl). 天蓋の（天蓋に関する，その特徴を有する）．

tec·to·ri·al mem·brane of co·chle·ar duct 〔蝸牛管の〕蓋膜（内耳のらせん器の上にある膠様膜）. = membrana tectoria ductus cochlearis; Corti membrane; tectorium (2).

tec·to·ri·um (tek-tōr′ē-ŭm). ***1*** 天蓋（表面をおおう）. ***2*** = tectorial membrane of cochlear duct.

tec·to·spi·nal (tek′tō-spī′năl). 視蓋脊髄の（中脳蓋から脊髄へ下る神経線維についていう）．

tec·tum, pl. tec·ta (tek′tŭm, -tă). 蓋（おおいや屋根になっているもの）．

tec·tum of mid·brain 中脳蓋. = lamina of mesencephalic tectum.

TED hose TED 用脚カバー（下肢の表在静脈を圧迫する弾性ストッキング．血液を腓および大腿の深静脈へう回させる．血栓静脈炎を防止するために，手術後の患者や病気で動けない人に使用する．TED は thromboembolic disease（血栓塞栓症）の略）．

teeth (tēth). tooth の複数形．

teeth·ing (tēdh′ing). 生歯（特に乳歯が萌出すること．この期間の歯肉組織の炎症は一時的に痛みを起こすであろう）．

teg·men, gen. teg·mi·nis, pl. teg·mi·na (teg′men, -mi-nis, -mi-nă). 蓋（ある部分のおおいや屋根をなしているもの）．

teg·men mas·toi·de·um 乳突蓋（乳突蜂巣をおおう骨の板）．

teg·men·tal (teg-men′tăl). 蓋の，被蓋の（被蓋，蓋に関する，の特徴をもつ，の方に位置する，の方を向いている）．

teg·men·tal de·cus·sa·tions 被蓋交叉（ⓘ左右の視蓋脊髄路，視蓋延髄路の背側被蓋交叉（Meynert 交叉または泉門交叉），およびⓘⓘ左右の赤核脊髄路の腹側被蓋交叉（赤核脊髄路交叉または Forel 交叉），の総称で，ⓘⓘⓘともに中脳に位置する）. = decussationes tegmenti.

teg·men·tal nu·cle·i 被蓋核（中脳の下部にある 2 つの小さな円形の神経細胞の総称．すなわち尾側橋被蓋核と吻側橋被蓋核．乳頭体脚と乳頭被蓋路によって乳頭体と関係している）．

teg·men·tal syn·drome 被蓋症候群（通常，中脳被蓋の血管性病変により起こり，対側片麻痺と同側の眼筋不全麻痺を特徴とする）．

teg·men·tum, pl. teg·men·ta (teg-men′tŭm, -tă). ***1*** 被蓋（被蓋構造）. ***2*** 中脳被蓋. = mesencephalic tegmentum.

teg·men tym·pa·ni 鼓室蓋（側頭骨錐体の薄くなった前面で構成される鼓室の天蓋．その前縁は錐体鱗裂にさし込まれるので，これが楔のようになって鱗鼓室裂と錐体鼓室裂とに分けているようにみえる）．

teg·men ven·tric·u·li quar·ti 第 4 脳室蓋（第 4 脳室の上壁．前部は左右の上小脳脚の間を結ぶ上髄帆で，後部は第 4 脳室上皮性脈絡板と下髄帆とで形成されている）．

teg·u·ment (teg′yū-ment). 外皮，被膜，被包. = integument.

teg·u·men·tal, teg·u·men·ta·ry (teg′yū-men′tăl, -tăr-ē). 外皮の，被膜の．

Teich·mann cry·stals タイヒマン結晶（ヘミンの斜方晶系結晶．血液の顕微鏡的検出に用いられる. →hemin）．

tei·cho·ic ac·ids テイコ酸（グラム陽性菌の細胞壁（細胞内にもみられる）を構成する 2 種類の重合体の 1 つ（もう 1 つはムラミン酸またはムコペプチド））．

tei·chop·si·a (tī-kop′sē-ă). 閃輝暗点〔症〕（中世城壁都市の砦に類似したギザギザの閃輝性の視感覚．片頭痛での閃輝性暗点）．

tel-, tele-, telo- 距離，端，一方の端，を意味する連結形．

te·la, gen. & pl. te·lae (tē′lă, -lē). 組織（①薄いクモの巣状構造．②組織，特に繊細なもの）．

te·la cho·roi·de·a of fourth ven·tri·cle 第 4 脳室脈絡組織（第 4 脳室上衣性脈絡板の外面をおおう脳軟膜層）. = tela choroidea ventriculi quarti; tela choroidea inferior.

te·la cho·roi·de·a in·fe·ri·or = tela choroidea of fourth ventricle.

te·la cho·roi·de·a su·pe·ri·or = tela choroidea of third ventricle.

te·la cho·roi·de·a of third ven·tri·cle 第 3

脳室脈絡組織（クモ膜下組織を中に囲み，背側面は脳弓と第3脳室上衣性脈絡板，腹側面は視床との間にある脳軟膜の二重ひだ．各側縁には，側脳室の脈絡裂に向かってのびる脈管辺縁があり，その下面には，第3脳室上衣性脈絡板のひだと小脈管突起による脈絡叢がみられる）. = tela choroidea superior.

te·la cho·roi·de·a ven·tri·cu·li quar·ti 第4脳室脈絡組織. = tela choroidea of fourth ventricle.

te·la cho·roi·de·a ven·tri·cu·li ter·ti·i 第3脳室脈絡組織. = choroid tela of third ventricle.

tel·an·gi·ec·ta·si·a (tel-an′jē-ek-tā′zē-ă). 毛細〔血〕管拡張〔症〕，末梢血管拡張〔症〕（すでに存在する一部の毛細管の拡張）.

tel·an·gi·ec·ta·sis, pl. tel·an·gi·ec·ta·ses (tel-an′jē-ek′tă-sis, -sēz). 毛細管拡張症（拡張した毛細血管か末端動脈からなる病変で，皮膚に最もよくみられる. →telangiectasia）.

tel·an·gi·ec·tat·ic (tel-an′jē-ek-tat′ik). 毛細〔血〕管拡張〔症〕の.

tel·an·gi·ec·tat·ic an·gi·o·ma 毛細血管拡張性血管腫（拡張血管からなる血管腫）.

tel·an·gi·ec·tat·ic fi·bro·ma 末梢血管拡張性線維腫，毛細血管拡張性線維腫（線維組織の良性新生物で，しばしば拡張した大小多数の血管をもつ）. = angiofibroma.

tel·an·gi·ec·tat·ic os·te·o·gen·ic sar·co·ma 末梢血管拡張性骨肉腫（骨原性肉腫のうちの溶骨性嚢腫性骨肉腫で，動脈瘤性の血液で満たされた空隙があり，その壁を類骨を形成する肉腫細胞が裏打ちしている骨肉腫）.

tel·an·gi·ec·tat·ic wart 毛細血管拡張性いぼ. = angiokeratoma.

tel·an·gi·o·sis (tel′an-jē-ō′sis). 毛細血管症（毛細血管および終末細動脈の疾病）.

te·la sub·cu·ta·ne·a 皮下組織. = superficial fascia.

te·la sub·mu·co·sa 粘膜下組織. = submucosa.

tel·e·can·thus (tel′ĕ-kan′thŭs). 眼角隔離症（両眼瞼の内眼角部の距離が広い状態）.

te·le·com·mun·i·ca·tions de·vice for the deaf (TDD, TT) 聴覚障害者用テレコミュニケーション装置（一般の電話線を通して，テキストを伝達したり受信したりする電話の付属品. teletypewriter (TTY), text telephone (TT)とも呼ばれる. →assistive listening device）.

tel·e·di·ag·no·sis (tel′ĕ-dī′ăg-nō′sis). 遠隔診断（遠隔地から送られてきたデータを評価して行う疾病の発見. このためには通常，患者監視装置や，患者とは離れた所にある診断センターへの伝達網が必要となる）.

te·le·graph·ic speech 電文体発話（表出性失語症の典型的な発話様式であり，文章中の主要な単語(通常は名詞)は発音するが，その他の多くの単語を省略する. →agrammatism）.

te·le·health (tel′ĕ helth). 遠隔医療（テレコミュニケーション技術を用いて，遠距離の患者にも医療を提供できるようにしたもの. →informatics）.

te·lem·e·try (tĕ-lem′ĕ-trē). 遠隔測定〔法〕（測定結果を遠隔地に無線で伝送する科学技術. →biotelemetry）.

tel·en·ce·phal·ic (tel′en-se-fal′ik). 終脳の.

tel·en·ceph·al·ic flex·ure 終脳屈（胚前脳部分に現れる弯曲）.

tel·en·ceph·a·lon (tel′en-sef′ă-lon). 終脳（前脳の前方部分で発達して，嗅葉，大脳半球の皮質，皮質下の終脳核，基底核，特に線条体や扁桃体となる）. = endbrain.

te·le·nur·sing (tel′ĕ-nŭrs′ing). 遠隔看護（テレコミュニケーション技術を用いて，遠距離の患者にも看護を提供できるようにしたもの）.

tel·e·o·mi·to·sis (tel′ē-ō-mī-tō′sis). 完全有糸分裂.

tel·e·op·si·a (tel′ē-op′sē-ă). 遠隔視（頭頂側頭領域の障害により対象の距離を判断できなくなること）.

tel·e·or·gan·ic (tel′ē-ōr-gan′ik). 生気ある，活力ある.

te·lep·a·thy (tĕ-lep′ă-thē). テレパシー（正常な感覚以外の方法で思考を伝達したり感得すること）.

te·le·phone ear 電話耳（静電気による音に電話中，さらされることによって生じる騒音性難聴）.

tel·e·ra·di·og·ra·phy (tel′ĕ-rā′dē-og′ră-fē). 遠隔(遠距離)〔X線〕撮影〔法〕（フイルムからX線管球を約2m離すX線撮影法. X線の実質的平行を保つことで，幾何学的ゆがみを最小限に抑えられる. 胸部X線撮影では標準的な撮影法）. = teleroentgenography.

tel·e·ra·di·ol·o·gy (tel′ĕ-rā′dē-ol′ŏ-jē). 遠隔(遠距離)放射線学（モデムで電話線を伝達されたデジタル化診断画像の読影）.

tel·er·gy (tel′ĕr-jē). 自律性，遠隔作動. = automatism.

tel·e·roent·gen·og·ra·phy (tel′ĕ-rent′gen-og′ră-fē). = teleradiography.

tel·e·ther·a·py (tel′ĕ-thār′ă-pē). 遠隔放射線療法（身体から隔った線源により行う放射線治療）.

tel·lu·ric (tĕ-lūr′ik). *1* 地上の. *2* テルルの（特に6価の正原子価をもつ元素テルルについていう）.

tel·lu·ri·um (Te) (tel-ūr′ē-ŭm). テルル（半金属性元素. 原子番号52，原子量127.60. 硫黄族に属する）.

tel·o·den·dron (tel′ō-den′dron). 終末分枝（終末の樹状軸索をさしていう変則的な語）.

tel·o·gen (tel′ō-jen). 休止期（毛周期の休止期）.

tel·o·gen ef·flu·vi·um 休止期脱毛（成長期の毛嚢(毛包)が早期に休止期に変わることによって正常の棍毛が一過性に脱落増加するもの. 難出産，ショック，薬物摂取，経口避妊薬の中止，発熱，著明な体重減少を伴う減量など，種々のストレスの結果生じる. →anagen effluvium）.

tel·o·lec·i·thal (tel′ō-les′i-thăl). 端黄卵の（鳥類やは虫類の卵のように，多くの量の卵黄質

T

が植物極に集まっている卵子についていう).

tel·o·mere (tel′ō-mēr). 末端小粒 (染色体腕の最末端).

tel·o·phase (tel′ō-fāz). 終期 (有糸分裂または減数分裂の最終期で, 染色体の細胞極への移動が完結したときに始まる. 染色体が次第に長くなると同時に, 2 つの娘核の核膜が再構成され, 赤道部の細胞膜が 2 つの娘細胞への分離を完了する).

tem·per (tem′pĕr). ***1*** 気分, 気質, 気性(一般には精神の特徴的あるいは特殊な状態). = temperament(2). ***2*** かんしゃく (焦燥や憤怒を表すこと. →tantrum). ***3*** 鍛練 (焼きもどしや冷却をして, 熱を応用して金属処理すること).

tem·per·a·ment (tem′pĕr-ă-mĕnt). 気質 (①性格あるいは人格の素質をも含めた, その個人特有の心理学的および生物学的形質で, その思考や行動様式および一般的人生観にも影響を及ぼすもの. ②= temper(1)).

tem·per·ance (tem′pĕr-ăns). 中庸, 節制 (すべてにおいて適度であること, 特にアルコール飲料を節制すること).

tem·per·ate (tem′pĕr-ăt). 温和な (いかなる欲望にも耽溺せず, 行動においても自制する).

tem·per·ate bac·te·ri·o·phage テンペレート〔バクテリオ〕ファージ (宿主細菌のゲノムに結合し, 宿主とともに複製するバクテリオファージ. 溶解(その結果として生じる増殖型バクテリオファージの発育)が低頻度で起こり, 細菌溶解および成熟バクテリオファージ放出を生じることがある. それゆえ感受性をもつ細菌株の培養液に移すと, 細菌培養の全体の溶解をも可能である).

tem·per·a·ture (tem′pĕr-ă-chŭr). 温度 (知覚可能な物質の熱の強度. 熱振動による物質を構成する分子の平均運動エネルギー量. →scale).

tem·per·a·ture mid·point (Tm, t_m) 温度中心点 (温度の上昇とともに, 構成重合体(DNA など)の光学的特質(吸収, 回転)として現れる変化の中心点).

tem·plate (tem′plăt). テンプレート (①物の形を決定する型. ② *in vivo* か *in vitro* でつくられる核酸, ポリヌクレオチド, または蛋白の一次構造に関係する核酸またはポリヌクレオチドなどの高分子の特徴的性質を比喩的に示すのに用いる. ③歯科において, 歯の配列の補助に用いる弯曲した, または平らな板. ④歯, 骨, あるいは軟組織の形を標準に合わせるため, それらを透写するのに用いる外形. ⑤抗体グロブリンの特異性を決定する型. ⑥歯の咬合状態を評価するために採得されたワックス印象).

tem·ple (tem′pĕl). ***1*** 側頭, こめかみ (頬骨弓上方の側頭窩領域). ***2*** 眼鏡のつる.

tem·po·la·bile (tem′pō-lā′bīl). 時間的不安定性の (時とともに自然に変化または分解を起こす).

tem·po·ral (tem′pŏr-ăl). ***1*** 時間の, 一時性の. ***2*** 側頭の, こめかみの.

tem·por·al an·tic·i·pa·tion 時間的予測 (バスケットボールの試合で, 審判がボールを上に投げると, 選手がジャンプすることが予測できるように, ある出来事が起こるのを予想すること).

tem·por·al ar·ter·i·tis 側頭動脈炎 (外頸動脈, 特に側頭動脈における, 亜急性の肉芽腫性の動脈炎. 老年者に多くみられ, 体質的症状, 激しい両側頭部の頭痛, それに片眼の突然の視力喪失を含む眼症状などがみられることもある. リウマチ性多発性筋肉痛の症状とほぼ一致する). = cranial arteritis; giant cell arteritis; Horton arteritis.

tem·por·al bone 側頭骨 (頭蓋の底部および側面にある大きな不規則形の骨. 3 部すなわち鱗部, 鼓室部, および岩様部よりなり, 出生時には分離している. 岩様部は前庭蝸牛器官を含む. 蝶形骨, 頭頂骨, 後頭骨, 頬骨と連結し, 下顎骨と関節する). = os temporale.

tem·por·al fos·sa 側頭窩 (側頭線と頬骨弓の間に位置する).

tem·por·a·lis mus·cle 側頭筋 (最上部のそしゃく筋. 起始：側頭窩. 停止：下顎枝前縁および筋突起の先端. 作用：顎を閉じる. 後方のほぼ水平に走る線維は前凸する下顎骨を引き戻すように働く. 神経支配：三叉神経上顎枝の深側頭神経). = musculus temporalis; temporal muscle.

tem·por·al lobe 側頭葉 (長い葉, 皮質外套の主な区分のうち最も下方にあるもので, 大脳半球の腹側面の後方 2/3 を占め, 外側溝裂によりその上方の前頭葉と頭頂葉から分離され, 仮想

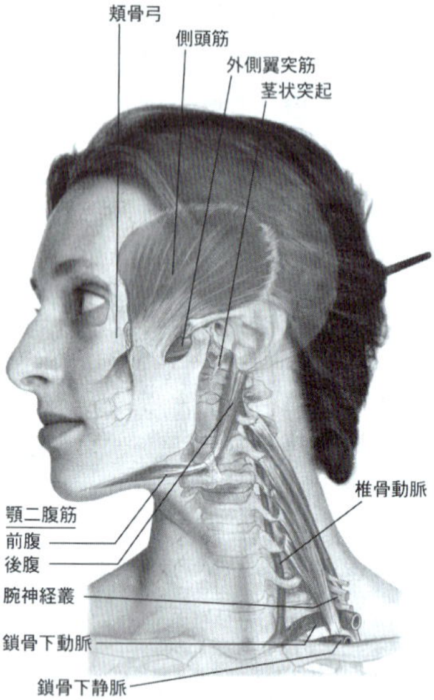
頬骨弓
側頭筋
外側翼突筋
茎状突起
椎骨動脈
顎二腹筋
前腹
後腹
腕神経叢
鎖骨下動脈
鎖骨下静脈

temporalis muscle

上の平面により，後方へ続く後頭葉と任意に境界される．側頭葉は一様でない組成をもち，上側・中側・下側頭回，および外側・内側後頭側頭回よりなる大きな新皮質のほかに，旧皮質(嗅葉)の鉤とその下にある扁桃体および中間皮質の海馬傍回を含む)．= lobus temporalis.

tem·por·al lobe ep·i·lep·sy 側頭葉てんかん(側頭葉から起こる発作をもつ局在関連てんかんで，側頭葉内側から起こることが多い．最も多い病理所見は海馬硬化症である)．

tem·por·al mus·cle 側頭筋．= temporalis muscle.

tem·por·al plane 側頭平面（側頭骨，頭頂骨，蝶形骨の大翼，前頭骨の一部から形成される，下側頭線の頭蓋の側方の多少くぼんだ部位）．

tem·por·al pole of ce·re·brum 大脳の側頭葉極（各大脳半球の側頭葉前端で最も隆起している部分．外側溝のやや下方）．

tem·por·al pro·cess 側頭突起（頬骨の後方への突起で，側頭骨の頬骨突起と連結して頬骨弓を形成している）．

tem·po·rar·y car·ti·lage 一過性軟骨（骨化する軟骨で骨格の一部を形成するもの）．= precursory cartilage.

tem·po·rar·y den·ture 暫間義歯．= interim denture.

tem·po·rar·y par·a·site 一時的寄生生物(偶然に取り込まれ，短期間腸内に生存する生物)．

tem·po·rar·y thresh·old shift 一過性聴力閾値上昇（強大音や持続的な音響にさらされたことにより生じる可逆性聴力低下．同様な原因で生じる不可逆的な永久的聴力閾値上昇に対して用いられる）．

tem·po·rar·y tooth 乳歯，脱落歯．= deciduous tooth.

temporo- 側頭の，を意味する連結形．

tem·po·ro·man·dib·u·lar (tem′pŏr-ō-man-dib′yū-lăr)．側頭下顎の（側頭骨と下顎骨に関する．顎関節についていう）．= temporomaxillary(2).

tem·por·o·man·di·bu·lar dis·or·der 側頭下顎障害（そしゃく系のすべての機能障害を表す包括的な用語．顎関節(TMJ)症候群，筋・筋膜疼痛機能障害症候群，側頭下顎疼痛機能障害症候群などがある）．

tem·por·o·man·di·bu·lar joint (TMJ) 顎関節（下顎骨頭と側頭骨の下顎窩および関節結節の間にある関節）．= mandibular joint.

tem·por·o·man·dib·u·lar joint pain-dys·func·tion syn·drome (TMJ syn·drome) 側頭下顎関節疼痛機能不全症候群．= myofascial pain-dysfunction syndrome.

tem·por·o·man·dib·u·lar nerve = zygomatic nerve.

tem·po·ro·max·il·lar·y (tem′pŏ-rō-mak′si-lar-ē)．*1* 側頭上顎骨の（側頭骨と上顎骨に関する）．*2* = temporomandibular.

tem·por·o·pa·ri·e·ta·lis mus·cle 側頭頭頂筋（帽状腱膜の外側より起こり耳介軟骨に停止する頭蓋表筋の1つ）．= musculus temporoparietalis; temporoparietal muscle.

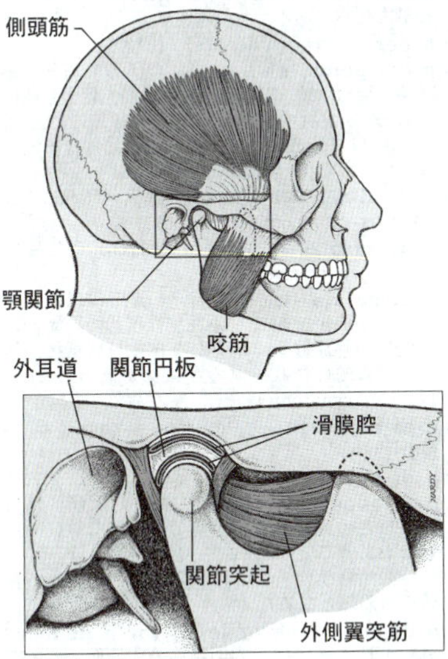
側頭筋
顎関節
咬筋
外耳道
関節円板
滑膜腔
関節突起
外側翼突筋

temporomandibular joint

tem·por·o·pa·ri·e·tal mus·cle 側頭頭頂筋．= temporoparietalis muscle.

tem·por·o·pon·tine fi·bers 側頭葉橋線維（側頭葉の上・中側頭回から起こり，内包のレンズ下脚に伴って大脳脚の外側を下降し橋底の諸核に終わる神経線維）．

tem·po·ro·pon·tine tract 側頭橋〔核〕路（= temporopontine fibers）．

tem·po·sta·bile, tem·po·sta·ble (tem′pō-stā′bīl, -stā′bĕl)．時間的安定性の（時間の経過による自然変化を受けない）．

tem·pus, gen. **tem·po·ris,** pl. **tem·po·ra** (tem′pŭs, -pŏ-ris, -pŏ-ră)．*1* 側頭，こめかみ．*2* 時，時間．= time.

TEMS (temz)．tactical emergency medical service の略．

TEN toxic epidermal necrolysis の略．

te·na·cious (tĕ-nā′shŭs)．頑強な，粘着性の，執着性の強い．

te·nac·u·lum, pl. **te·nac·u·la** (tĕ-nak′yū-lŭm, -lă)．支持鉤（剥離の際に組織を把持したり，つかんだりするための外科の鉗子）．

te·nac·u·lum for·ceps 支持鉤鉗子（かみ合う部分に支持鉤のような鋭利でまっすぐの鉤を有する鉗子）．

te·nal·gi·a (tĕ-nal′jē-ă)．腱痛．= tenodynia; tenontodynia.

ten·der (ten′dĕr)．敏感な，圧痛のある（正常

T

な組織では不快感を覚えないほどの圧迫または接触で痛みのある).

ten·der·ness (ten′dĕr-nĕs). 圧痛.

ten·der point 圧痛点 (4 kg の圧力で痛みを感じる，後頭，頸，肩，胸，肘，殿筋，転子，膝における 18 か所の両側性の特定の領域．18 か所のうち 11 か所が陽性であれば線維筋痛症の診断に用いられる．→fibromyalgia).

ten·di·ni·tis (ten′di-nī′tis). 腱炎. = tendonitis; tenonitis(2); tenontitis; tenositis.

ten·di·no·plas·ty (ten′din-ō-plas-tē). 腱形成〔術〕. = tenontoplasty.

ten·di·no·sis (ten′di-nō′sis). 腱症 (以前損傷した腱が原因で起こる非炎症性疾患で，完治には弱性の膠原線維，わずかな体重負荷抵抗が伴い，将来的に怪我をするリスクが高い．→compartment syndrome).

ten·di·no·su·ture (ten′di-nō-sū′chŭr). = tenorrhaphy.

ten·di·nous (ten′di-nŭs). 腱の.

ten·di·nous arch 腱弓 (①骨または筋に付着する白色の線維性帯状構造で，これで神経や血管をおおうことによって圧迫障害から守っている．②深筋膜の一部の線状肥厚で，他の筋の靱帯の付着部となる).

ten·di·nous arch of le·va·tor a·ni mus·cle 肛門挙筋腱弓 (内閉鎖筋の内側面にある閉鎖筋膜の肥厚した部分．恥骨から弓状をなして後方の坐骨棘にのび，肛門挙筋の一部に起始を与える).

ten·di·nous arch of pel·vic fa·sci·a 骨盤筋膜腱弓 (膀胱(女性では膣)に沿って恥骨体から後方にのび，骨盤臓器を支える靱帯に付着する上骨盤隔膜筋膜の線状の肥厚部).

ten·di·nous cords 腱索. = chordae tendineae of heart.

ten·di·nous syn·o·vi·tis 腱滑膜炎. = tenosynovitis.

ten·do, gen. **ten·di·nis**, pl. **ten·di·nes** (ten′dō, -di-nis, -di-nēz). 腱 (全体的記述および組織学的記述については tendon 参照). = tendon.

tendo- 腱を意味する連結形. →teno-.

ten·do cal·ca·ne·us 踵骨腱 (下腿三頭筋(腓腹筋とヒラメ筋)を踵骨の粗面に付着させる腱). = Achilles tendon; heel tendon.

ten·dol·y·sis (ten-dol′i-sis). 腱癒着剥離〔術〕(腱の癒着を解離すること). = tenolysis.

ten·don (ten′dŏn). 腱 (種々の長さの伸縮性のない線維性のひもあるいは帯で，筋肉の一部を構成し筋腹部分を骨その他の付着対象物に結合している．筋腹の末端部に付いていることもあれば両脇あるいは中心部にあることもあり，長いことも短いこともあり，辺縁部に筋線維が付着していることもある．筋の長さは筋腹だけでなく腱の部分も含めて測定する．腱はきわめて緻密に平行にそろったコラーゲン線維の束からなり細長い線維細胞が縦列をなし基質はきわめて少ない). = sinew; tendo.

ten·don cells 腱細胞 (腱膠原線維間に列をなして並ぶ長くのびた線維芽細胞).

ten·don·i·tis (ten′dŏ-nī′tis). 腱炎. = tendinitis.

ten·don re·ces·sion 腱後転〔術〕(眼筋腱を解剖学的付着部まで手術的に後方へずらすこと).

ten·don re·flex 腱反射 (筋肉の腱を打診することにより筋伸長受容器が刺激される筋伸展反射または深部反射).

ten·do·plas·ty (ten′dō-plas-tē). = tenontoplasty.

ten·do·syn·o·vi·tis (ten′dō-sin′ō-vī′tis). 腱滑膜炎. = tenosynovitis.

ten·dot·o·my (ten-dot′ŏ-mē). = tenotomy.

ten·do·vag·i·nal (ten′dō-vaj′i-năl). 腱鞘の (腱とその鞘に関する).

ten·do·vag·i·ni·tis (ten′dō-vaj-i-nī′tis). 腱鞘炎. = tenosynovitis.

te·nec·to·my (tĕ-nek′tŏ-mē). 腱切除〔術〕. = tenonectomy.

te·nes·mic (tĕ-nez′mik). しぶりの，テネスムスの.

te·nes·mus (tĕ-nez′mŭs). しぶり，テネスムス (便意が高まったり尿意を催す際に生じる，疼痛を伴った尿生殖隔膜の痙攣で，不随意に力んでも便や尿はほとんど出ない).

ten Horn sign テン・ホルン徴候 (右精索を穏やかに牽引することにより生じる疼痛．虫垂炎を示す).

te·ni·a, pl. **te·ni·ae** (tē′nē-ă, -ē). *1* ひも，紐 (解剖学上，ある種の帯状の構造をいう). *2* = taenia(2).

te·ni·a cho·roi·de·a 脈絡ひも (脈絡膜または叢が脳室縁と接している，やや厚くなった線).

te·ni·a·cide (tē′nē-ă-sīd). 条虫殺虫薬，条虫駆除薬.

te·ni·ae co·li 結腸ひも (直腸を除く大腸の縦筋線維が集まってできた 3 つの帯で，mesocolic tenia(間膜ひも), free tenia(自由ひも), omental tenia(大網ひも)と名付けられている．間膜ひもは腸間膜が付着する部位に，自由ひもは間膜ひもの反対側に，大網ひもは大網が横行結腸に付着する部位にある).

ten·i·al (tē′nē-ăl). *1* 条虫の. *2* ひもとよばれる構造の.

te·ni·a·sis (tē-nī′ă-sis). 条虫症 (腸管内に条虫がいる疾患).

te·ni·o·la (tē-nē′ō-lă). 小ひも (細ひもまたは細帯状構造).

ten·nis el·bow テニス肘. = lateral epicondylitis.

ten·nis thumb テニス母指 (長母指屈筋腱の石灰化を伴う腱炎で，テニスなどの場合にみられる摩擦や歪力により生じる．また，母指に繰り返し圧迫や歪力が加わるようなその他の運動でも生じる).

teno-, tenon-, tenont-, tenonto- 腱を意味する連結形. →tendo-.

te·no·de·sis (ten′ŏ-dē′sis). 腱固定〔術〕(ある関節を動かす腱を固定して腱の移動を防止することにより関節を安定化すること).

ten·o·dyn·i·a (ten-ō-din′ē-ă). 腱痛. = tenalgia.

ten·og·ra·phy (tĕn-og-ră′fē). テノグラフィー (腱鞘に造影剤が注入された後に行う腱の X 線

検査).

ten·ol·y·sis (ten-ol′i-sis). 腱剥離〔術〕. = tendolysis.

ten·o·my·o·plas·ty (ten-ō-mī′ō-plas-tē). = tenontomyoplasty.

ten·o·my·ot·o·my (ten-ō-mī-ot′ŏ-mē). 腱筋切除〔術〕. = myotenotomy.

Te·non cap·sule トノン(テノン)嚢. = fascial sheath of eyeball.

ten·o·nec·to·my (ten-ō-nek′tŏ-mē). 腱切除〔術〕. = tenectomy.

ten·o·ni·tis (ten-ō-nī′tis). トノン(テノン)嚢炎(①眼球鞘または強膜外内結合組織の炎症. ②=tendinitis).

ten·on·ti·tis (ten′on-tī′tis). 腱炎. = tendinitis.

te·non·to·dyn·i·a (te-non′tō-din′ē-ă). 腱痛. = tenalgia.

te·non·to·my·o·plas·ty (te-non′tō-mī′ō-plas-tē). 腱筋形成〔術〕(腱形成術と筋形成術の組み合わさったものでヘルニアの根治に用いる). = tenomyoplasty.

te·non·to·plas·ty (te-non′tō-plas-tē). 腱形成〔術〕(腱の修復または形成術). = tendinoplasty; tendoplasty; tenoplasty.

ten·o·phyte (ten′ō-fīt). 腱新生骨(腱の上か腱の中に成長した骨または軟骨).

ten·o·plas·ty (ten′ō-plas-tē). 腱形成〔術〕. = tenontoplasty.

ten·o·re·cep·tor (ten′ō-rē-sep′tŏr). 腱感覚器, 腱受容器(腱の緊張を感知するレセプタ).

te·nor·rha·phy (te-nōr′ă-fē). 腱縫合〔術〕. = tendinosuture; tenosuture.

ten·o·si·tis (ten-ō-sī′tis). = tendinitis.

ten·os·to·sis (ten-os-tō′sis). 腱骨化症.

ten·o·sus·pen·sion (ten′ō-sŭs-pen′shŭn). 腱懸垂法, 腱懸吊(腱を提靱帯として, またときに遊離移植片としてあるいは切り離さないで用いること).

ten·o·su·ture (ten′ō-sū′chūr). = tenorrhaphy.

ten·o·syn·o·vec·to·my (ten′ō-sin-ō-vek′tŏ-mē). 腱鞘切除〔術〕.

ten·o·syn·o·vi·tis (ten′ō-sin-ō-vī′tis). 腱滑膜炎(腱とそれを包む膜の炎症). = tendinous synovitis; tendosynovitis; tendovaginitis; tenovaginitis.

te·not·o·my (te-not′ŏ-mē). 腱切り術, 切腱術, 腱切除〔術〕(内反足や斜視などのように, 先天的または後天的に筋肉が短いことから起こる変形状態の治療のために行われる腱の切断術). = tendotomy.

ten·o·vag·i·ni·tis (ten′ō-vaj-i-nī′tis). 腱鞘炎. = tenosynovitis.

TENS transcutaneous electrical nerve stimulation の略.

ten·seg·ri·ty (ten-seg′ri-tē). テンセグリティ(建築家のバックミンスター・フラーの研究を基にした, 筋肉と骨格の関係の概念. 質量面と運動面から体を安定させ, 効率よく保っている構造(骨や関節)を引っ張っている張力(筋肉, 腱, 靭帯, 帯膜から生じる)に言及したもの).

ten·sion (ten′shŭn). ***1*** ぴんと張ること, 伸張. ***2*** ぴんと張っている状態, 緊張. ***3*** 圧力, 張力(気体, 特に血液のような液体に溶けている気体の分圧). ***4*** 緊張(精神的, 感情的または神経的な緊張. 個人または集団間の緊張関係またはむき出しの敵意).

ten·sion curve 圧力曲線(海綿様骨組織内の小柱が圧力に耐えるために適応して向かう方向).

ten·sion head·ache, ten·sion-type head·ache 緊張性頭痛, 緊張型頭痛(神経の緊張, 不安などに伴う頭痛. しばしば頭皮筋肉の慢性の収縮に関係する). = muscle contraction headache.

ten·sion pneu·mo·per·i·car·di·um 緊張性気心嚢(心嚢腔に陽圧の空気が存在する状態で, 心タンポナーデを起こしうる).

ten·sion su·ture 減張縫合. = retention suture.

ten·sor, pl. **ten·so·res** (ten′sŏr, ten-sō′rēz). 張筋(ある部分を固く緊張させる働きをする筋肉).

ten·sor fas·ci·ae la·tae mus·cle 大腿筋膜張筋(大腿内側区前方にある殿部の筋の1つ. 起始：上前腸骨棘付近. 停止：腸頸靱帯を介して脛骨粗面外側部. 作用：大腿筋膜を緊張させる. 大腿部の屈曲, 外転および内旋. 神経支配：上殿神経). = musculus tensor fasciae latae.

ten·sor mus·cle of soft pal·ate 口蓋帆張筋. = tensor veli palati muscle.

ten·sor mus·cle of tym·pa·nic mem·brane 鼓膜張筋. = tensor tympani muscle.

ten·sor tym·pa·ni mus·cle 鼓膜張筋(耳小骨筋の1つ. 起始：耳管(Eustachio 管)の軟骨部分と骨部の真上の半管壁. 停止：つち骨柄の底部. 作用：つち骨柄を内側に引き, 鼓膜を緊張させて大きな音による過度の振動から守っている. 神経支配：耳神経節を通る三叉神経枝(鼓膜張筋神経)). = musculus tensor tympani; tensor muscle of tympanic membrane.

ten·sor tym·pa·ni re·flex 鼓膜張筋反射(強大音に対して起こる鼓膜張筋の収縮. 中耳のインピーダンスを増加させることで, 強大音への暴露から内耳を保護する).

ten·sor ve·li pa·la·ti mus·cle 口蓋帆張筋(えん下の際, 軟口蓋を緊張させて食塊に押しつけて口咽頭部へと押しやる働きをする筋. 起始：蝶形骨の舟状窩と耳管(Eustachio 管)の軟骨性および膜性部分および蝶形骨棘. 停止：硬口蓋後縁と軟口蓋腱膜. 作用：口蓋帆を緊張させる. 耳管を開いて圧平衡の維持を助ける. 神経支配：耳神経節を通る三叉神経枝(咽頭神経)). = musculus tensor veli palatini; tensor muscle of soft palate.

tent (tent). ***1*** 〚n.〛テント(種々の吸入療法で吸入空気の湿度と酸素濃度を調節するためのおおい). ***2*** 〚n.〛栓塞杆, 綿繖糸(腔や洞を開いた状態に保ったり拡張したりするためにその腔内に挿入される, 通常は吸収性の材料でできた杆). ***3*** 〚v.〛テント(定められた点で, テント状になるように皮膚, 筋膜, あるいは組織の一部を挙上したりつまみ上げたりすること).

ten·ta·cle (ten′tă-kĕl). 触手, 触糸, 触毛(無脊椎動物で, 感じたり, 捕捉したり, 歩行する

T

ための細い突起).

ten·th cra·ni·al nerve [CN X] 第十脳神経. = vagus nerve [CN X].

ten·to·ri·al (ten-tōr′ē-ăl). テントの.

ten·tor·i·al ba·sal branch of in·ter·nal ca·ro·tid ar·ter·y 内頸動脈の基底テント枝(内頸動脈の海綿洞部から出て小脳テント基底部に分布する小枝).

ten·tor·i·al nerve テント神経 (眼神経の頭蓋内部から反回して起こる硬膜枝で, 小脳テントと大脳鎌のテント上部とに分布する). = ramus meningeus recurrens nervi ophthalmici; ramus tentorii; nervus tentorii.

ten·tor·i·al si·nus = straight sinus.

ten·to·ri·um, pl. **ten·to·ri·a** (ten-tōr′ē-ŭm, -ē-ă). テント (膜性のおおいまたは水平の隔膜).

ten·to·ri·um ce·re·bel·li 小脳テント (中脳が貫通する前方中央の開口部を有する後頭蓋窩をおおう硬膜の丈夫な膜で, 小脳テントの上面は正中線で大脳鎌と癒着する. 小脳を大脳後頭葉と側頭葉の基底部から分離する).

TEP tracheoesophageal puncture の略.

tera-(T) ***1*** 10^{12} の意で, 国際単位系(SI)およびメートル法で用いる接頭語. ***2*** 奇形児を意味する連結形. →terato-.

ter·as, pl. **ter·a·ta** (ter′as, -ă-tă). 奇形児 (欠損, 余剰, 位置異常がみられるか, あるいは一見して奇形とわかる部分を有するような受胎).

ter·at·ic (ter-at′ik). 奇形の.

ter·a·tism (ter′ă-tizm). 奇形. = teratosis.

terato- 奇形児を意味する連結形. →tera-(2).

ter·a·to·blas·to·ma (ter′ă-tō-blas-tō′mă). 奇形芽腫 (胎芽組織を含む腫瘍だが, すべての胚芽層が存在しているわけではないという点で, 奇形腫とは異なる).

ter·a·to·car·ci·no·ma (ter′ă-tō-kahr-si-nō′mă). 奇形癌 (①通常, 胎生期癌に随伴して精巣に生じる悪性奇形腫. ②奇形腫に発生する悪性上皮腫).

te·rat·o·gen (ter′ă-tō-jen). 催奇形物質, 催奇物質 (胎児の異常発達を引き起こす薬物またはその他の因子).

ter·a·to·gen·e·sis (ter′ă-tō-jen′ĕ-sis). 奇形発生 (奇形胚の発生の起源あるいは様式. 奇形新生児の発生に認められる発育障害の過程).

ter·a·to·gen·ic, ter·a·to·ge·net·ic (ter′ă-tō-jen′ik, -jĕ-net′ik). 催奇形の, 催奇の, 奇形発生の (①奇形発生についていう. ②胎児の異常発達を生じるものをいう).

ter·a·to·ge·nic·i·ty (ter′ă-tō-jĕ-nis′i-tē). 奇形遺伝性 (催奇形の性質および可能性).

ter·a·toid (ter′ă-toyd). 奇形〔腫〕様の.

ter·a·toid tu·mor 奇形腫. = teratoma.

ter·a·to·log·ic (ter′ă-tō-loj′ik). 奇形学の.

ter·a·tol·o·gy (ter′ă-tol′ō-jē). 奇形学 (奇形の発生, 発達, 解剖, 分類に関する科学の分野. → dysmorphology).

ter·a·to·ma (ter′ă-tō′mă). 奇形腫 (複数組織からなる腫瘍で, その腫瘍が生じる器官には正常では認められない組織を含んでいる. 卵巣に最もよく起こるが, 卵巣の場合は通常, 良性であって, 類皮嚢腫を形成する. 精巣に起こることもあり, 通常は悪性である. 他の部位では, 特に身体の正中線上に起こることがまれにある). = teratoid tumor.

ter·a·tom·a·tous (ter′ă-tō′mă-tŭs). 奇形腫の.

ter·a·to·sis (ter′ă-tō′sis). 奇形. = teratism.

ter·at·o·zo·o·sperm·i·a (ter′ă-tō-zō-ō-spĕrm′ē-ă). 奇形精子症 (精液中に奇形の精子がある状態).

ter·bi·um (Tb) (tĕr′bē-ŭm). テルビウム (原子番号 65, 原子量 158.92534. ランタニドまたは希土類の金属元素).

te·res, gen. **ter·e·tis,** pl. **ter·e·tes** (tĕr′ēz, -ĕ-tis, -ĕ-tēz). 円くて長い (筋および靱帯についていう).

te·res ma·jor mus·cle 大円筋 (肩関節の筋の1つ. 起始 : 肩甲骨の下角と外側縁の下 1/3. 停止 : 上腕骨の結節間溝の内側縁. 作用 : 腕の内転と伸長, および内旋. 神経支配 : 腕神経叢後索すなわち第五・第六頸神経からの肩甲下神経). = musculus teres major.

te·res mi·nor mus·cle 小円筋 (肩関節固有筋でその腱は回旋筋腱板の形成に加わる. 起始 : 肩甲骨外側縁の上 2/3. 停止 : 上腕骨の大結節の下面. 作用 : 腕の内転と外旋. 神経支配 : 第五・第六頸神経からの腋窩神経). = musculus teres minor.

term (tĕrm). ***1*** 限定された期間. ***2*** 語, 名称, 項.

ter·mi·nal (tĕr′mi-năl). ***1*** 〚adj.〛終末の, 末期の. ***2*** 〚adj.〛四肢の, 末端の (例えば, 生体高分子の末端についていう). ***3*** 〚n.〛末端, 終点, 終末, 終端.

ter·mi·nal ar·ter·y 終動脈. = end artery.

ter·mi·nal bar 閉鎖堤, 接合堤 (円柱上皮の頭端で隣接細胞との間にみられるもので, 標本の切断面のいかんによって暗調の点や棒としてみられる).

ter·mi·nal bou·tons, bou·tons ter·mi·naux 終末球, 終末ボタン. = axon terminals.

ter·mi·nal bron·chi·ole 終末細気管支 (無呼吸性の誘導気道の終末部. その内膜は単層円柱または立方上皮で, 粘液杯細胞はない. 大部分の細胞は線毛を有するが, 線毛のない漿液分泌細胞もわずかながらみられる).

ter·mi·nal de·ox·y·nu·cle·o·ti·dyl trans·fer·ase (TdT) ターミナルデオキシヌクレオチジルトランスフェラーゼ (特殊 DNA ポリメラーゼで, 未熟なプレ B, プレ T リンパ系細胞や急性リンパ芽球白血病/リンパ腫細胞で発現する).

ter·mi·nal dis·in·fec·tion 終末消毒〔法〕(患者が死亡するとか感染源でなくなったときなどに感染源を徹底的になくすために行う消毒).

ter·min·al duct car·ci·no·ma 終末管癌. = polymorphous low-grade carcinoma of salivary glands.

ter·mi·nal fi·lum 終糸 (長く細い結合組織性の軟膜線維束で脊髄円錐下端から脊髄硬膜鞘の内面までのびている(終糸の軟膜部, 内終糸 filum terminale internum). 脊髄硬膜鞘から尾骨までのびている頑丈な線維束(終糸の硬膜部, 外終糸 filum terminale externum, 尾骨靱帯 coccygeal ligament)).

ter·mi·nal hair 硬毛, 終毛 (成熟した有色の硬い毛).

ter·mi·nal hinge po·si·tion 終末ちょうつがい位. = centric relation.

ter·mi·nal in·fec·tion 末期感染 (急性感染で, 一般に肺炎性あるいは敗血症性であり, あらゆる疾患の末期にかけて発生し, しばしば死因となる).

ter·mi·nal line 分界線. = linea terminalis.

ter·mi·nal nerves 終神経 (細い叢状の神経線維で, 嗅索に平行にその内側を通る. 末梢は嗅神経として分布し, 中枢は前有孔質にはいる. 自律機能をもつと考えられるが, その正確な性質は不明). = nervi terminales.

ter·mi·nal nu·cle·i 終止核 (脊髄および脳神経の求心性線維が終わる菱脳と脊髄の神経細胞群の総称).

ter·mi·nal sac·cu·lar per·i·od = terminal sac stage of lung development.

ter·mi·nal sac·cules 終末嚢 (呼吸細気管支の末端で壁の薄い肺胞の原基で, 毛細血管と密接な関係をもって発達する).

ter·mi·nal sac stage of lung de·vel·op·ment 肺形成における嚢の最終段階 (多くの嚢形成が起こる最終段階(妊娠 26 週から出産にかけて). 上皮は非常に薄く, 毛細血管が小嚢の上皮被覆との橋渡しをしており, 適切なガス交換を可能にしているため, 早産の場合でも胎児は生存できる). = terminal saccular period.

ter·mi·nal si·nus 終洞 (胚原基内の血管野を囲む静脈).

ter·mi·nal stri·a 分界条 (細い, 稠密な線維の帯で, 扁桃(扁桃体)を視床下部および他の基底前脳部と結び付ける. 扁桃体に起始し, 帯は側脳室の側頭角の天井を尾方に向かう. 尾条核の内側で, 脳室の中央部(または体)の床を前方に進み, 中隔孔に達し, その後壁中を急カーブで下行し, 前交連の前と後を通って視床下部にはいる. 視床下部の内側を尾方に進みながら, 線維帯は, 前および腹側内側の視床下部の核に終わる).

ter·mi·na·tion (tĕr′mi-nā′shŭn). 終末 (特に神経の終末部についていう).

ter·mi·na·tion co·don 終止コドン (トリヌクレオチド配列(UAA, UGA, または UAG)のことで, 翻訳または転写の終止点を規定する. *cf.* amber codon; ochre codon; umber codon). = termination signal.

ter·mi·na·tion sig·nal 終止シグナル. = termination codon.

Ter·mi·no·lo·gi·a An·a·to·mi·ca (TA) 解剖学用語 (解剖学用語体系で, 約 7,500 語を含み, IFAA(国際解剖学会連合)によって改訂され承認されたうえで, 1997 年 8 月にブラジルのサンパウロで公表された).

ter·mi·no·ter·mi·nal a·na·sto·mo·sis 末梢間吻合〔術〕, 終末終末吻合〔術〕(動脈の中心端と静脈の末梢端, または逆に動脈の末梢端と静脈の中心端の吻合).

ter·mi·nus, pl. **ter·mi·ni** (ter′mi-nŭs, -nī). 終末, 終点.

ter·nar·y (tĕr′năr-ē). 三元の, 三重の, 三成分の (3 つの化合物, 元素, 分子類などからなるものをいう).

Ter·ni·dens (tĕr′nĕ-denz). テルニデンス属 (アフリカ, インド, インドネシアの数種のサル類およびアフリカの一部でヒトの腸管に寄生する線虫の属. 2 重の頑丈な剛毛冠によって保護された前方に向いた口腔をもつことで鉤虫とは区別される. 本属線虫は大腸壁に寄生し, そこでシスト様の結節をつくる).

Ter·ni·dens di·mi·nu·tus テルニデンスディミヌトゥス (線虫動物の一種で, 幼虫は土の中で成長する. ヒトに感染すると考えられている. 生活環は知られていない).

ter·pene (tĕr′pēn). テルペン (精油および樹脂に生じる, $C_{10}H_{16}$ の構造をもつ炭化水素の総称).

ter·race (ter′ăs). 多層縫合 (かなりの厚さの組織に及ぶ創を閉じる際, 数層にわたって縫合すること).

Ter·ri·en mar·gin·al de·gen·er·a·tion テリエン辺縁変性 (ペルーシド辺縁角膜変性の一型).

ter·ri·to·ri·al·i·ty (ter′i-tōr-ē-al′i-tē). 縄張り性 (①個々に, または群をなして, 利益や影響のある特定の領域や範囲を守ろうとする傾向. ②個々の動物が自分自身の生息地として定まった場所を明確にし, そこに侵入する同種の動物と戦ってそこから排除しようとする傾向).

ter·ri·to·ri·al ma·trix 〔軟骨〕小腔周囲基質. = cartilage capsule.

Ter·ry syn·drome テリー症候群. = retinopathy of prematurity.

Ter·son syn·drome ターソン症候群 (硝子体, 網膜, 硝子体下の出血で, クモ膜下出血に伴う).

ter·tian (tĕr′shăn). 3 日ごとの (48 時間ごとまたは隔日に起こる発熱についていう).

ter·ti·ar·y al·co·hol 第三級アルコール (3 価の原子団をもつアルコール).

ter·ti·ar·y a·mide →amide.

ter·ti·ar·y a·mine 第三アミン (→amine).

ter·ti·ar·y blast in·ju·ry 爆風による外傷 (建築物やその他の物体が, 突風により爆発する災害が原因で引き起こされる外傷).

ter·ti·ar·y den·tin 第三ぞうげ質 (刺激に反応して形成されるぞうげ質で, 形態学的に不規則である). = irregular dentin; irritation dentin; reparative dentin.

ter·ti·ar·y pre·ven·tive nur·sing 第三次予防看護 (看護介入, または不治の病や怪我を伴う患者に施す治療. 脊髄損傷, 多発性硬化症, 糖尿病, 高血圧症, 緑内障, パーキンソン病がこの予防看護に分類される. 怪我や健康の悪化を防ぐことが, 第三次予防看護の治療目的である).

tes·la (T) (tes′lă). テスラ ($kg·sec^{-2}·A^{-1}$ で

T

表される磁束密度の国際単位(SI). 1 Wb/m^2 に等しい).

tes·sel·lat·ed (tes′ĕ-lāt-ĕd). モザイク状の，碁盤目状の.

tes·sel·lat·ed fun·dus 豹紋状眼底 (濃く色素沈着した脈絡膜が，特に周囲の脈絡膜血管の間に暗い多角形小区の像を与える正常の眼底).

test (test). *1* 〚v.〛 試験する，検査する (試薬を用いて，ある物質の化学的性質を決定する). *2* 〚n.〛 テスト，試験，検査 (特定の疾病の有無や，体液，組織あるいは排出物中に，ある物質があるかないか，また心理的・行動的特徴の有無・程度を決定するための方法. →assay; reaction; reagent; scale; stain). *3* 〚n.〛 試薬. *4* 〚n.〛 殻，外皮. = testa(1).

tes·ta (tes′tă). *1* 殻，外被 (原生動物学においては，通常 test と称する. ある種のアメーバ様原生動物にみられる外膜で，キチン質の基本構造に様々な土壌物質が付着したものからできている(有殻葉状仮足亜綱の殻アメーバ)か，または石灰質，珪質，有機質，あるいは硫酸ストロンチウムの骨格(有孔虫亜綱の肉質虫)からなっている). = test(6). *2* 外種皮 (植物学においては，種子の外側の，ときに唯一の外被膜をいう).

tes·tal·gi·a (tes-tal′jē-ă). 精巣(睾丸)痛. = orchialgia.

test dose 試験用量 (患者が許容できるか確かめるために使用される，微量の薬物を用いた治療).

tes·tec·to·my (tes-tek′tō-mē). 精巣(睾丸)切除〔術〕，去勢. = orchiectomy.

tes·tes (tes′tēz). testis の複数形.

tes·ti·cle (tes′ti-kĕl). 精巣，睾丸. = testis.

tes·tic·u·lar (tes-tik′yū-lăr). 精巣の，睾丸の.

tes·tic·u·lar ar·ter·y 精巣動脈 (大動脈より起こり，尿管枝，精巣挙筋動脈，精巣上体枝に分枝し，精巣，尿管，精巣挙筋，精巣上体に分布する. 腎動脈，下腹壁動脈，精管動脈の枝と吻合). = arteria testicularis.

tes·tic·u·lar cords 精索 (生殖腺索から出ている性索原基).

tes·tic·u·lar fe·mi·ni·za·tion syn·drome 精巣性女性化症候群 (男性仮性半陰陽の一型. 女性の外性器そっくりなのが特徴で，不完全に発達した腟があり，多くは痕跡的な子宮と卵管をもつ. 思春期には女性の体型を示すが，腋毛や恥毛がほとんどあるかないかで，無月経である. 精巣は腹腔内あるいは鼡径管や大陰唇中に存在する. 精巣上体および精管は通常存在する. この症候群が不完全な場合は，性器は両性の特徴をもつ. アンドロゲンとエストロゲンはともに形成されるが，標的組織はアンドロゲンには主として反応しない. 患者は性染色質陰性で，正常な男性の核型をもつ. アンドロゲン受容体蛋白の欠損がある). = complete androgen insensitivity syndrome.

tes·tic·u·lar self-ex·am·i·na·tion (TSE) 精巣自己検査 (精巣に腫瘍や他の異常を検出するための方法).

test·ing (test′ing). →test.

tes·tis, pl. tes·tes (tes′tis, -tēz). 精巣，睾丸 (男性の性腺. 陰嚢腔にある. →appendix of testis). = orchis; didymus; testicle.

tes·tis cords 精巣索. = seminiferous cord.

tes·ti·tis (tes-tī′tis). 精巣炎，睾丸炎. = orchitis.

test meal 試験食 (①分析用の胃内容物を取り出す前に胃液分泌を刺激するために与えられるトーストと紅茶，クラッカーと紅茶，オートミールなどの食事. ②アレルギー反応のように，症状を引き起こす原因と考えられる物質を含んだ食品の摂取).

tes·tos·ter·one (tes-tos′tē-rōn). テストステロン (天然に存在する最も強力なアンドロゲン. 精巣の間質細胞で大量に生成され，恐らく卵巣および副腎皮質でも分泌される. 性機能不全，潜伏精巣，ある種の癌，月経過多などの治療に用いる. *cf.* bioregulator).

tes·to·tox·i·co·sis (tes′tō-tok-si-kō′sis). 精巣中毒症 (思春期早熟に伴って自律的な精巣ホルモンの過剰産生の結果起こる G 蛋白の変異疾患).

test pro·file 検査プロフィール (病院や診療所に患者が入院した際，自動的な方法で通常行われる臨床検査の組合せで，器官系を検査するように設定される).

test so·lu·tion 試験液，被験液 (一定の強度をもち，化学分析や検査に用いる試薬溶液).

test tube 試験管 (一方の端が閉じているガラス管で，尿の検査，化学実験，細菌培養などに用いる).

test-tube ba·by 試験管ベビー (体外受精胚移植で生まれた児の通称で俗語).

test type 視力表 (視力測定用の種々の大きさの文字).

test val·i·da·tion 試験検証 (試験が要求通りに行われているかを確実にするため，情報を集めることを繰り返す処理. 品質管理，能力試験，従業員の適性の証明，器具の調整から成り立つ).

te·tan·ic (te-tan′ik). *1* 〚adj.〛 テタヌス〔性〕の，強直〔性〕の (テタヌスのような，持続的筋収縮に関する). *2* 〚n.〛 強直薬 (ストリキニーネのような，有毒量を与えると緊張性痙攣を起こす薬剤).

te·tan·i·form (te-tan′i-fōrm). = tetanoid(1).

tet·a·nig·e·nous (tet-ă-nij′ĕ-nŭs). テタヌス発生の，破傷風発生の (破傷風またはテタヌス状痙攣を起こすことについていう).

tet·a·nism (tet′ă-nizm). テタニズム. = neonatal tetany.

tet·a·ni·za·tion (tet′ă-nī-zā′shŭn). 強直誘発，強直化 (①筋肉を強縮させる行為. ②テタヌス状痙攣状態).

tet·a·nize (tet′ă-nīz). 強直させる (連続刺激を筋肉に加え，個々の筋肉の反応(収縮)を融合させて持続収縮にする. 筋肉に持続性筋強直を起こす).

tetano-, tetan- テタヌス，テタニーを意味する連結形.

tet·a·node (tet′ă-nōd). 破傷風における非興奮

期の（破傷風における再発性緊張性痙攣の間の静穏期をいう）.

tet·a·noid (tetʹă-noyd). ***1*** テタヌス様の. = tetaniform. ***2*** テタニー様の.

tet·a·no·spas·min (tetʹă-nō-spazʹmin). テタノスパスミン（破傷風菌 *Clostridium tetani* の神経毒. 破傷風特有の自覚・他覚症状を起こす. 主に前角細胞に作用し，痙攣は抑制シナプスの作用によるものと思われる）.

tet·a·nus (tetʹă-nŭs). ***1*** 破傷風，テタヌス，破傷風強直（痛みのある，緊張性筋収縮を特徴とする疾患. 中枢神経系に作用する破傷風菌 *Clostridium tetani* の毒素(テタノスパスミン)を原因とする）. ***2*** 持続性筋強直，テタヌス（一連の非常にすばやい反復神経刺激を与え，個々の筋反応を融合させることにより生じた持続性筋収縮. テタヌス性攣縮を生じる. →emprosthotonos; opisthotonos）.

tet·a·nus ne·o·na·tor·um 新生児破傷風（新生児に起こる破傷風で，通常，臍帯部の切断からの *Clostridium tetani* の感染により起こり，死亡率は60%と高い）.

tet·a·nus tox·in 破傷風毒素（神経作用で熱に不耐性の破傷風菌 *Clostridium tetani* 外毒素で，破傷風を引き起こす. 知られている最も毒性が強い物質で，阻止的に働くシナプス刺激の遮断によって効果を現すようである）.

tet·a·ny (tetʹă-nē). テタニー，強直（筋肉のぴくつき，痙攣，手足痙攣を特徴とする臨床的神経症候群. 重症の場合は喉頭痙攣と痙攣を呈する. これらの所見は中枢と末梢神経系の興奮性を反映している. イオン化カルシウムの血清レベルの低下によるのが普通であるが，まれにマグネシウムの低下による. 過換気，副甲状腺機能低下症，くる病，尿毒症などが原因となる）. = intermittent cramp(1); intermittent tetanus.

tetra- 4を意味する接頭語.

tet·ra·crot·ic (tetʹră-krotʹik). 四重脈の（1周期中に4つの上向波がある脈拍曲線についていう）.

te·trad (tetʹrad). ***1*** 4つ組（例えば Fallot 四徴症のように，4特徴を共通に示す4つの物の集り）. = tetralogy. ***2*** 四価元素，四価の基. ***3*** 四分染色体，四分子（遺伝学においては，減数分裂の際，4つに分裂する2価染色体）.

tet·ra·dac·tyl (tetʹră-dakʹtil). 四指〔症〕の，四趾〔症〕の（手または足の指が4本しかないことについていう）.

tetrahydro- 4個の水素原子が付属していることを意味する接頭語. 例えば，tetrahydrofolate (H_4 folate).

tet·ra·hy·dro·fo·lic ac·id (THFA) テトラヒドロ葉酸（活性補酵素型の葉酸. 1炭素化合物の代謝に関与する）.

te·tral·o·gy (te-tralʹŏ-jē). 4つ組. = tetrad(1).

te·tra·lo·gy of Fal·lot ファロー四徴〔症〕（先天性心疾患の集合で，心室中隔欠損，肺動脈弁狭窄または右室円錐部狭窄，動脈血ばかりでなく静脈血も受けるという大動脈の右室騎乗を含む. 右室肥大は四徴の一部分と考えられているが，これは他の欠損に相対的である）. = Fallot tetrad.

tet·ra·mer·ic, te·tram·er·ous (tetʹră-merʹik, tĕ-tramʹĕ-rŭs). 四分割の，四分裂の，四分節の（4つの部分あるいは4群に配列される部分をもつ，あるいは4つの形態で存在することが可能なことについていう）.

tet·ra·pa·re·sis (tetʹră-pă-rēʹsis). 四肢不全麻痺（四肢すべての筋力低下）. = quadriparesis.

tet·ra·pep·tide (tetʹră-pepʹtīd). テトラペプチド（ペプチド結合をした4つのアミノ酸の化合物）.

tet·ra·ple·gi·a (tetʹră-plēʹjē-ă). 四肢麻痺. = quadriplegia.

tet·ra·ploid (tetʹră-ployd). 四倍体（→ polyploidy）.

tet·ra·sac·cha·ride (tetʹră-sakʹă-rīd). 四糖類（単糖類の4分子を含有する糖. 例えばスタキオース）.

tet·ra·so·mic (tetʹră-sōʹmik). 四染色体の（他のすべての染色体は正常な数だけ存在するのに，1つの染色体が4倍出現するような細胞核についていう）.

tet·ra·va·lent (tetʹră-vāʹlĕnt). 四価の. = quadrivalent.

tet·rose (tetʹrōs). テトロース（主鎖に炭素原子が4つしかない単糖類）.

tet·ter·wort (tetʹĕr-wōrt). = blood root.

text blind·ness, word blind·ness 文字盲. = alexia.

tex·ti·form (teksʹti-fōrm). 網状の，細網状の.

tex·tur·al (teksʹchŭr-ăl). 組織構造〔上〕の.

tex·ture (teksʹchŭr). 組織，構造（組織あるいは器官の組成や構造）.

T

TF tuning fork の略.

Th ***1*** トリウムの元素記号. ***2*** T-helper cells の略.

thal·a·men·ceph·a·lon (thalʹă-men-sefʹă-lon). 視床脳（間脳のうちで視床およびその関連構造からなる部分）.

tha·lam·ic (thă-lamʹik). 視床の.

thal·a·mic pe·dun·cle 視床脚（下視床脚，外側視床脚，および腹側視床脚）.

thalamo-, thalam- 視床を意味する連結形.

thal·a·mo·cor·ti·cal (thalʹă-mō-kōrʹti-kăl). 視床皮質の（視床から大脳皮質への神経線維連絡についていう）.

thal·a·mo·stri·ate veins 視床線条体静脈（→ inferior thalamostriate veins; superior thalamostriate vein）.

thal·a·mot·o·my (thal-ă-motʹŏ-mē). 視床切開〔術〕，視床切断〔術〕（痛み，不随意運動，てんかん，まれには情動障害の除去を目的として，定位脳手術により視床の選定された部分を破壊すること）.

thal·a·mus, pl. thal·a·mi (thalʹă-mŭs, -mī). 視床（間脳の大きなほうの背側部分を形成する灰白質の大きな，卵形の塊で，内包と尾状核の体部および尾部の内側に位置し，その内側面は第3脳室の側壁の背側半分を形成する. 視床の背面は，側脳室の体部(中心部)の床をなす外側三角形と，中間帆におおわれる内側三角形に細分しうる. 尾状核尾部は脳脚後側面の周囲を腹方方向に曲がり外側膝状体に終わる．視床は，解剖学的にも機能的にも別個の多数の細胞群または核からなり，次のように分類される．ⓘ各々が特異的な種類の知覚伝導系を受容し，それぞれを対応する大脳皮質の一次感覚野に投射する感覚中継核（後腹側核，内・外側膝状体）．ⓘⓘ小脳視床線維だけでなく淡蒼球の内側部からの線維を受容し，中心前運動皮質に投射する〝二次〟中継核（中間腹側核，前腹側核）．ⓘⓘⓘ大脳辺縁系と連絡する核．乳頭体視床路を受容し，弓隆回に投射する複合前核．ⓘⓥ各々が連合皮質に広く投射する連合系（背内側核，大視床枕を含む外側核）．ⓥ中心・層内核または〝非特異的〟核（中心正中核，外側中心核，中心傍核，結合核））．

thalassaemia [Br.]. = thalassemia.

thalassaemia minor [Br.]. = thalassemia minor.

thalassanaemia [Br.]. = thalassanemia.

thal·as·se·mi·a, thal·as·sa·ne·mi·a (thal′ă-sē′mē-ă, -ă-să-nē′mē-ă). サラセミア（グロビンのポリペプチド鎖の1つないしはそれ以上の合成障害をきたす遺伝的ヘモグロビン代謝障害をいう．数種の遺伝型があり，該当する臨床像はほとんど血液学的異常を認めないものから重症の致命的貧血まで多様である）. = thalassaemia.

thal·as·se·mi·a ma·jor サラセミアメジャー（サラセミアの遺伝子の1つ，またはHb Lepore遺伝子の1つのホモ接合体による重症貧血症候群．発症は乳児期および小児期．蒼白，黄疸，脱力感，脾腫，心肥大，頭蓋骨の内板および外板の菲薄化，および変形赤血球増加，赤血球大小不同，好塩基性斑点を有する赤血球，標的赤血球，有核赤血球を伴う小球性低色素貧血がみられる．ヘモグロビンの型は多様で，関与している遺伝子により異なる）. = Cooley anemia.

thal·as·se·mi·a mi·nor サラセミアマイナー（サラセミアの遺伝子またはHb Lepore遺伝子のヘテロ接合体．通常，無症状．血液学的には多様で，標的赤血球を伴う例，軽度低色素小球性赤血球を認める例，多少の赤血球増加を伴い軽度のヘモグロビン減少を認める例など，症例によって異なる．ヘモグロビンの型は多様で，関与する遺伝子により異なる）. = thalassaemia minor.

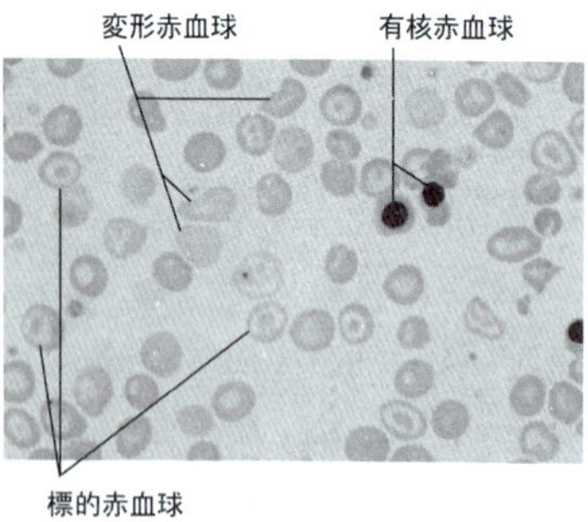
変形赤血球
有核赤血球
標的赤血球

beta-thalassemia major

thal·lic (thal′ik). 葉状性（菌糸（葉体）の隔壁によって隔絶された後に拡張や生長をみずに産生される分生子をさす．親細胞全体が分節分生子となる）.

thal·li·um (Tl) (thal′ē-ŭm). タリウム（白色の金属元素．原子番号81，原子量204.3833．タリウム201（半減期は3.038日）は心筋スキャン検査に用いられる）.

thal·lus (thal′ŭs). 葉状体（根，茎および葉をもたない単体植物あるいは真菌．葉状発育した真菌）.

thanato- 死に関する連結形. →necro-.

than·a·to·bi·o·log·ic (than′ă-tō-bī-ō-loj′ik). 生死の（生死に関する過程についていう）.

than·a·to·gno·mon·ic (than′ă-tog-nō-mon′ik). 死期が迫った（予後が致命的であること．死の接近を意味する）.

than·a·toid (than′ă-toyd). ***1*** 死のような．***2*** 致死の.

than·a·tol·o·gy (than-ă-tol′ō-jē). 死相論（死の研究に関する科学の一分野）.

Thay·er-Mar·tin a·gar セアーマーチン寒天〔培地〕（Mueller-Hinton寒天に熱処理して溶血させたヒツジ赤血球を5%，抗生物質を数種加えたもので，淋菌 *Neisseria gonorrhoeae*，髄膜炎菌 *Neisseria meningitidis* の搬送や1次分離に用いる）.

the·a·ter (thē′ă-tĕr). = theatre. ***1*** 円形臨床講堂（公立病院の手術室または招待客や一般外科医の手術参観が許されている手術室）．***2*** 手術室.

theatre [Br.]. = theater.

the·ca, pl. the·cae (thē′kă, -sē). 〔被〕膜.

the·ca cor·dis 心外膜. = pericardium.

the·ca fol·li·cu·li 卵胞膜（胞状卵胞の膜. →tunica externa）.

the·cal (thē′kăl). 包膜の（鞘，特に腱鞘についていう. →theca）.

the·ci·tis (thē-sī′tis). 腱鞘炎（腱鞘の炎症）.

the·co·ma (thē-kō′mă). 莢膜〔細胞〕腫（卵巣間葉組織から発した腫瘍で，しばしば脂肪小球を含む紡錘状細胞から主に構成される．莢膜腫は，かなりの量のエストロゲンを生成すると考えられる．その結果，思春期前の女子には二次性徴の早期発達を促し，また成人患者では子宮内膜過形成をもたらす）.

The·den me·thod テーデン法（肢全体を巻軸包帯で圧迫して，動脈瘤または大量の血液性滲出を治療する方法）.

The Guide ガイド（理学療法士の間で日常会話的に用いられる時は，「理学療法士診療ガイド」を意味する）.

The Guide to Phy·si·cal Ther·a·pist Prac·tice 理学療法士診療ガイド（アメリカ理学療法士協会がまとめた文書で，理学療法診療の範囲が定義されている．理学療法士が対応する患者や依頼人への診療の手本が定められている）.

Thei·le ca·nal タイレ管. = transverse pericardial sinus.

Thei·ler mouse en·ceph·a·lo·my·e·li·tis vi·rus タイレルマウス脳脊髄炎ウイルス（ピコルナウイルス科 *Cardiovirus* 属のウイルス）.

the·lar·che (thē-lahr′kē). 乳房発育開始（女性の乳房発達の始まり）.

the·le·plas·ty (thē′lē-plas-tē). 乳頭形成〔術〕. = mammillaplasty.

the·li·um, pl. the·li·a (thē′lē-ŭm, -lē-ă). ***1*** 乳頭のような構造. ***2*** 細胞層. ***3*** 乳頭，乳首. = nipple.

thelo-, thel- 乳頭に関する連結形. *cf.* mammil-.

the·lor·rha·gi·a (thē′lō-rā′jē-ă). 乳頭出血，乳房出血.

T-help·er cells (Th) T ヘルパー(ヘルパー T)細胞（免疫反応を調節する種々のサイトカインを分泌するリンパ球サブセット）. = helper cells.

T-help·er sub·set 1 cells ヘルパー T 細胞サブセット 1，ヘルパー T 細胞亜群 1，T_H 1 細胞（$CD4^+$ T 細胞の一種で，インターフェロン γ や IL-2 を分泌し，細胞性免疫に関与する）.

T-help·er sub·set 2 cells ヘルパー T 細胞サブセット 2，ヘルパー T 細胞亜群 2，T_H 2 細胞（$CD4^+$ T 細胞の一種で，IL-4，IL-5，IL-10 を分泌し，免疫グロブリンの産生を促進する）.

the·mat·ic ap·per·cep·tion test (TAT) 主題統覚法（投影法による心理検査. 被検者に一定の，生活場面を描いたあいまいな絵について物語らせ，自己の考え，感情を表出させる）.

the·nar (thē′nahr). ***1*** 〚n.〛 = thenar eminence. ***2*** 〚adj.〛 母指球の（母指の基部に関する，母指基部内の構造全体に関する）.

the·nar em·i·nence 母指球（手掌の外側部の肉塊. 橈骨側手掌. 母指の球）. = thenar(1).

the·o·rem (thē′ŏ-rem). 定理（証明しうる命題. したがって法則または原理として確立しうる. →law; principle; rule）.

the·o·ry (thē′ŏr-ē). 理論，〔学〕説（知られた事実や現象についての理由説明で，真実に至るための研究の基盤となる. →hypothesis; postulate）.

ther·a·peu·tic (thār-ă-pyū′tik). 治療の，治療学の，治療法の.

ther·a·peu·tic a·bor·tion 治療的流産（母体が身体的または精神的に健康でない場合や，奇形児あるいは強姦によりできた胎児が生まれないように，人工的に行う流産）.

ther·a·peu·tic cri·sis 治療的転機（精神医学の治療における，快方あるいは悪化への転機）.

ther·a·peu·tic drug 治療薬（怪我や病気を治療するために使用される医療用薬品(医療薬，処方薬)あるいは一般用医薬品(一般薬，大衆薬)）.

ther·a·peu·tic drug mon·i·tor·ing (TDM) 薬物血中濃度モニタリング（標準範囲の薬の信頼性よりも，特定の患者に対する薬の効果を計る臨床測定. 例えばある高齢者には，自分たちの体重よりも軽い薬を投薬するよう提案する. このような方法は，治療が可能なかぎり的確であるということを確認するものである）.

ther·a·peu·tic in·dex 治療指数（LD_{50} と ED_{50} との比. 薬物の定量比較に用いる）. = therapeutic ratio.

ther·a·peu·tic ma·lar·i·a 治療的マラリア（意図的に移入されたマラリアで，神経梅毒やある種の麻痺性疾患に対して以前用いられた）. = malariotherapy.

ther·a·peu·tic phle·bot·o·my 治療的静脈切開（医学的疾患を治療する目的で採血すること. 例えば真性多血症）.

ther·a·peu·tic ra·di·o·lo·gy 放射線治療学. = radiation oncology.

ther·a·peu·tic range 治療域（望ましい治療効果を達成することが通常期待される用量域または血漿中あるいは血清中濃度域をいう）.

ther·a·peu·tic ra·tio 治癒比. = therapeutic index.

ther·a·peu·tic reg·i·men 治療的養生法（健康管理を促進する行動パターン）.

ther·a·peu·tics (thār-ă-pyū′tiks). 療法，治療（疾病や障害の治療にかかわる医学の実施分野）.

ther·a·peu·tic ul·tra·sound 超音波治療，治療的超音波（超音波の治療的な使用法で，組織を温めるために利用する）.

ther·a·pist (thār′ă-pist). 療法士，テラピスト（専門的にある特定の治療法の訓練を受け，または技能を有する人）.

ther·a·py (thār′ă-pē). 療法，治療（①様々な手法で疾病を治療すること. →therapeutics. ②精神医学と臨床心理学においては，精神療法 psychotherapy の省略形として用いる. →psychotherapy; psychiatry; psychology; psychoanalysis）.

thermaesthesia [Br.]. = thermesthesia.

thermaesthesiometer [Br.]. = thermesthesiometer.

ther·mal (thĕr′măl). 熱性の，熱の，温熱の.

ther·mal an·es·the·si·a, ther·mic an·es·the·si·a 温覚脱失(消失).

ther·mal art·i·fact 温熱アーチファクト，温熱人工産物（標本の採取に使うループ型電気メスなどから発生する熱によって生じる標本組織の微細構造の歪み）.

ther·mal ca·pac·i·ty = heat capacity.

ther·mal·ge·si·a (thĕr′măl-jē′zē-ă). 温熱性痛覚過敏（熱に対する感覚過敏. わずかな熱でも痛みが生じる）.

ther·mal·gi·a (thĕr-mal′jē-ă). 疼痛性熱感（→causalgia）.

ther·mal stim·u·la·tion = caloric stimulation.

thermanaesthesia [Br.]. = thermanesthesia.

ther·mi·o·nic e·mis·sion 熱電子放出（例えば X 線管球の中で，フィラメントを流れる電流でフィラメントが加熱されることによる自由電子の放出）. = Edison effect.

thermo-, therm- 熱に関する連結形.

thermoaesthesia [Br.]. = thermoesthesia.

thermoaesthesiometer [Br.]. = thermoesthesiometer.

thermoanaesthesia [Br.]. = thermoanesthesia.

ther·mo·an·al·ge·si·a (ther′mō-an-ăl-jē′zē-ă). = thermoanesthesia.

ther·mo·an·es·the·si·a, therm·an·al·ge·si·a, therm·an·es·the·si·a (thĕr′mō-an-

T

es-thē′zē-ă, thĕrm′an-ăl-jē′zē-ă, -es-thē′zē-ă). 温覚消失〔症〕, 温熱性無感覚 (温覚・冷熱識別能力の欠如. 温熱変化に対する感覚麻痺). = thermoanaesthesia; thermoanalgesia.

ther·mo·chem·is·try (thĕr′mō-kem′is-trē). 熱化学 (化学作用と熱との相互関係を究める学問).

ther·mo·co·ag·u·la·tion (thĕr′mō-kō-ag′yū-lā′shŭn). 熱凝固〔法〕(組織を熱でゲル化する方法). = endocoagulation.

ther·mo·cou·ple (thĕr′mō-kŭp′ĕl). 熱電対 (わずかな温度変化を測定する道具. 互いに異質な2本の金属線からなり, その一方の接点を一定の低温に保ち, 他方の接点を測定すべき組織または物質中に埋める. 熱電流が流れ, それを電位差計で測定する).

ther·mo·dif·fu·sion (thĕr′mō-di-fyū′zhŭn). 熱拡散 (温度効果のため, 気体, 液体を問わず, 流体が拡散すること).

ther·mo·du·ric (thĕr′mō-dyū′rik). 耐熱性の (高温暴露作用への抵抗. 特に微生物に関して用いる).

ther·mo·dy·nam·ics (thĕr′mō-dī-nam′iks). 熱力学 (①物理化学の一分野, 熱およびエネルギーあるいは力学的作用を含むそれらの一方から他方へのエネルギー変換を扱う. ②熱の流れの研究).

ther·mo·es·the·si·a, therm·es·the·si·a (thĕr′mō-es-thē′zē-ă, thĕrm′es-thē′zē-ă). 温覚 (温度差の識別能力). = thermoaesthesia.

ther·mo·es·the·si·om·e·ter, therm·es·the·si·om·e·ter (thĕr′mō-es-thē-zē-om′ĕ-tĕr, thĕrm′es-thē-zē-om′ĕ-tĕr). 温覚計 (温覚を検査する装置. 温度計を取り付けた金属盤からなり, 利用するときの円盤の正確な温度をとらえる). = thermoaesthesiometer.

ther·mo·ex·ci·to·ry (thĕr′mō-ek-sī′tŏ-rē). 熱興奮〔性〕の, 熱産生刺激〔性〕の (熱発生を刺激することについていう).

ther·mo·gen·e·sis (thĕr-mō-jen′ĕ-sis). 熱発生, 熱産生, 産熱, 高温発生 (熱の産生, 特に体内の熱産生の生理学的過程).

ther·mo·ge·net·ic, ther·mo·gen·ic (thĕr′mō-jĕ-net′ik, -jen′ik). ***1*** 〚adj.〛熱発生の, 高温発生の. ***2*** 〚n.〛熱産生物質. = calorigenic(2).

ther·mo·gram (thĕr′mō-gram). 温度記録〔図〕, サーモグラム, 自記温度図 (①赤外線感覚装置で, 直接接触せずに記録された身体表面の体域体温図. 環境が一定の場合, 放射線, 皮下血流を測定する. ②温度記録計による記録図).

ther·mo·graph (thĕr′mō-graf). 温度記録計, サーモグラフ, 自記温度計 (温度記録を作成する装置).

ther·mog·ra·phy (thĕr-mog′ră-fē). 温度記録〔法〕, 熱像法, サーモグラフィ, 自記温度法 (温度記録図を作成する方法).

ther·mo·in·hib·i·to·ry (thĕr′mō-in-hib′i-tōr-ē). 体温発生抑制の (熱発生を抑制または阻止することについていう).

ther·mo·la·bile (thĕr′mō-lā′bīl). 易熱〔性〕の, 熱不安定の, 不耐熱性の (熱により変化または崩壊しやすいことについていう).

ther·mo·lu·mi·ne·scent do·si·me·ter (TLD) 熱蛍光線量計 (フイルムバッジに似た方法で, フイルムの代わりにフッ化リチウムの結晶を用いて放射線被曝量を記録する. →film badge).

ther·mol·y·sis (thĕr-mol′i-sis). ***1*** 放熱 (蒸発, 放射による体熱の消耗). ***2*** 加熱分解 (熱による化学的分解).

ther·mo·lyt·ic (thĕr′mō-lit′ik). ***1*** 〚adj.〛放熱の. ***2*** 〚n.〛熱散逸促進薬.

ther·mo·mas·sage (thĕr′mō-mă-sahzh′). 温熱マッサージ (熱とマッサージを組み合わせた物理療法).

ther·mom·e·ter (thĕr-mom′ĕ-tĕr). 温度計, 寒暖計, 体温計 (すべての物質の温度を示す装置. 一般に, 水銀のはいった密閉真空の管で, 水銀は熱で膨張し, 冷却で収縮し, それに伴ってその高さが管内を上下する. その高さの変化の正確な度合は目盛りで示される. または, 最近では水銀を使用しないで電子的方法で温度を表示するものもある. →scale).

ther·mo·met·ric (thĕr′mō-met′rik). 温度測定の, 検温の.

ther·mom·e·try (thĕr-mom′ĕ-trē). 温度測定, 検温.

ther·mo·phile, ther·mo·phil (thĕr′mō-fīl, -fil). 高温生物, 好熱生物 (50°C 以上の温度で最もよく成長する生物).

ther·mo·phil·ic (thĕr′mō-fil′ik). 高温体の, 高温性の, 好熱性の.

ther·mo·phore (thĕr′mō-fōr). ***1*** 伝熱装置 (熱をある部分に加えるための装置で, 水加熱器, 温水をコイルに送る管, 温水を加熱器に戻す別の管からなる). ***2*** テルモフォール (一定の塩を入れた平らな袋. しめらせると熱を発する. 湯タンポの代用品).

ther·mo·re·cep·tor (thĕr′mō-rē-sep′tŏr). 温度受容器 (熱を感じる受容器).

ther·mo·reg·u·la·tion (thĕr′mō-reg-yū-lā′shŭn). 温度調節, 体温調節 (定温器によって温度を調節すること).

ther·mo·sta·bile, ther·mo·sta·ble (thĕr′mō-stā′bīl, -stā′bĕl). 耐熱〔性〕の, 熱安定〔性〕の (熱にあってもなかなか変化せず, 破壊しない性質).

ther·mo·ste·re·sis (thĕr′mō-stĕ-rē′sis). 熱剥奪, 熱消失.

ther·mo·tac·tic, ther·mo·tax·ic (thĕr′mō-tak′tik, -tak′sik). 熱走性の.

ther·mo·tax·is (thĕr′mō-tak′sis). 熱走性, 走熱性 (①原形質の熱刺激に対する反応. *cf.* thermotropism. ②体温の調節).

ther·mo·ther·a·py (thĕr′mō-thār′ă-pē). 〔温〕熱療法 (熱を利用して病気を治療すること).

ther·mo·to·nom·e·ter (thĕr′mō-tō-nom′ĕ-tĕr). 熱攣縮計 (熱の影響下における筋肉の攣縮現象の度合いを測定する器具).

ther·mot·ro·pism (thĕr-mot′rō-pizm). 温度屈性 (生物の一部(例えば, 葉や茎)が, ある熱源に向かったり遠ざかったりする運動. *cf.* thermotaxis).

the·ta (θ, θ) シータ（①ギリシア語アルファベットの第8字，θ. ②角度の記号. ③シリーズの8番目. カルボキシル基や他の官能基から8番目の原子に位置する置換基の場所を示す).

the·ta rhythm シータ(θ)律動，シータ(θ)波（脳波上，4—7 Hz の周波数帯にある波形). = theta wave.

the·ta wave シータ(θ)波. = theta rhythm.

THFA tetrahydrofolic acid の略.

thia- 環，鎖の中で炭素が硫黄に置換したことをさす接頭語. *cf.* thio-.

thiaemia [Br.]. = thiemia.

thi·a·min (thī′ă-min). チアミン（牛乳，イースト菌，穀物の胚や殻の中に含有され，人工的に合成もされて，成長に重要である. チアミン欠乏が脚気や Wernicke-Korsakoff 症候群にみられる). = vitamin B_1.

thi·a·min py·ro·phos·phate チアミンピロリン酸（数種の(デ)カルボキシラーゼ，トランスケトラーゼと α-オキソ酸の補酵素).

thi·a·zides (thī′ă-zīdz). benzothiadiazides の口語体.

thi·a·zin (thī′ă-zin). チアジン（メチレンブルー，チオニン，トルイジンブルーなどの生物学的染料の親物質となるもの).

thi·a·zin dyes チアジン染料（結合している N 原子の1つがS原子に置換している点を除きアジン染料に類似する. 多くの生物学上重要な染料，特に血液学の分野で用いる).

thick·ness (thik′nĕs). ***1*** 厚さ（物の長さや幅に対し，厚さまたは深さのこと). ***2*** 層.

Thie·mann syn·drome チーマン症候群（手や足の指節骨骨端の無腐性壊死. 通常，家族性で小児期や青年期に発症し，指の変形を生じる. 手足の指の家族性関節症ともよばれる).

thi·e·mi·a (thī-ē′mē-ă). 硫黄血〔症〕（循環血液中に硫黄が存在すること). = thiaemia.

thi·e·nyl·al·a·nine (thī′ĕ-nil-al′ă-nēn). チエニルアラニン（構造的にフェニルアラニンに類似した化合物で，L-フェニルアラニンを基質とする酵素の競合的阻害によって大腸菌 *Escherichia coli* の成長を抑制するものと考えられる).

Thiersch ca·nal·ic·u·lus ティールシュ小管（新しく形成された修復組織に栄養液を循環させるための細管. 血管新生の前段階となるもの).

thigh (thī). 大腿（下肢のうち股関節部と膝の間の部分をいう).

thigh bone 大腿骨. = femur.

thigmaesthesia [Br.]. = thigmesthesia.

thig·mes·the·si·a (thig-mes-thē′zē-ă). 触覚. = thigmaesthesia.

thig·mo·tax·is (thig-mō-tak′sis). 接触走性，触走性（圧走性の一型. 動植物の原形質が固体に触れると示す反応を意味する. *cf.* thigmotropism).

thig·mot·ro·pism (thig-mot′rō-pizm). 接触屈性，屈触性（葉やつるのように，生物の体部が接触刺激を受けて一定の方向をとる反応. *cf.* thigmotaxis).

think·ing (thingk′ing). 思考.

think·ing through 洞察的思考（自分自身の行動を洞察をもって理解するという心理学的過程).

thin-lay·er chro·ma·to·gra·phy (TLC) 薄層クロマトグラフィ（ガラスまたはプラスチック板上のセルロースあるいは同様の不活性物質の薄膜を用いるクロマトグラフィ).

thin sec·tion, ul·tra·thin sec·tion 薄切片，超薄切片（電子顕微鏡観察用の組織の切片. 標本は基本的には，グルタルアルデヒドおよび(または)四酸化オスミウムで固定し，プラスチック樹脂に包埋し，超ミクロトームでガラスまたはダイヤモンドナイフにより厚さ 0.1 μm 以下の切片とする).

thio- 硫黄がその化合物中の酸素に置換していることを意味する接頭語. *cf.* thia-.

thi·o·ac·id (thī′ō-as′id). チオ酸（1つ以上の酸素原子が，硫黄原子によって置換されている有機酸. 例えばチオ硫酸).

-thioic ac·id –C(S)OH 基，C(O)SH 基，すなわちカルボン酸の硫黄類似体を意味する接尾語.

thi·ol·trans·a·cet·y·lase A チオールトランスアセチラーゼ A. = dihydrolipoamide acetyltransferase.

thi·ol·y·sis (thī-ol′i-sis). チオ開裂（補酵素 A に一部分付加する化学結合の開裂. 加水分解，加リン酸分解の類語).

-thione ケトンの硫黄類似体= C = S をさす接尾語. すなわちチオカルボニル基.

thi·on·ic (thī-on′ik). 硫黄の.

thi·o·nine (thī′ō-nēn). [CI 52000]. チオニン（暗緑色の粉末で，水に溶け紫色溶液になる. 組織学の分野では，その異染性のためにクロマチンやムチンに対する塩基性染料として有用である). = Lauth violet.

thi·o·sul·fate (thī′ō-sŭl′fāt). チオ硫酸塩（チオ硫酸の陰イオン. モリブデン補因子欠損の患者で上昇する). = thiosulphate.

thi·o·sul·fur·ic ac·id チオ硫酸（1酸素原子が1硫黄原子で置換された硫酸). = thiosulphuric acid.

thiosulphate [Br.]. = thiosulfate.

thiosulphuric acid [Br.]. = thiosulfuric acid.

thioxo- チオケトン中の=Sをさす接頭語.

third cra·ni·al nerve [CN III] 第三脳神経. = oculomotor nerve [CN III].

third-de·gree burn III 度熱傷. = full thickness burn.

third-de·gree pro·lapse 第3度子宮脱，完全子宮脱（子宮脱の一つで，腟部が腟口を越えて外に出ている).

third dis·ease 第三病. = rubella.

third heart sound (S_3) 第3心音（拡張早期に起こり急速心室充満期の第I相終期に対応する. 小児や若年者では正常に認められるが他の場合は異常である).

third in·ten·tion 三次的意図（引き続き瘢痕化が起こりながら，怪我で空洞になった部分や肉芽形成による潰瘍をゆっくり塞ぐこと. →first intention; second intention).

third mo·lar tooth 第三大臼歯（上下顎の両側

T

にある8番目の歯で，ヒト歯列中で最後方位にある．一般に17—23歳の間に萌出する．根はしばしば癒合し，溝のみが認められる．前上方に萌出する傾向にあるため，下顎の第三大臼歯はしばしば第二大臼歯の下に埋伏してしまう．1つまたはそれ以上の第三大臼歯の発育不良はよくみられる）. = dens serotinus; wisdom tooth.

third-par·ty ad·mi·ni·stra·tor 第三者管理機関. = third-party payer.

third-par·ty pay·er 第三者支払い機関（第三者(患者)に対して行った保健医療サービスに対して，サービス提供者に報酬を支払う機関または会社）. = third-party administrator.

third per·o·ne·al mus·cle 第三腓骨筋. = fibularis tertius muscle.

third spac·ing サードスペーシング（細胞外液の血管内から他の体の区域への喪失）.

third toe［III］ 足第三指（足の3番目の指）.

third ven·tri·cle 第3脳室（狭く垂直に向いた不規則な四角形の脳室．正中に位置し，終板から後方に向かって中脳水道の上端までのび，脳室の前側角部で左右の側脳室とMonro室間孔によって通じている．その狭い天井は両側の視床ひもの間に張られている脈絡組織によってつくられ，側壁は視床の内側面と，視床下溝より下方では床も含めて視床下部によってつくられている．側方からみて第3脳室はいくつかの陥凹を示す．その床に前方から後方に向かって，ⓘ終板の基部と視束交叉の背面の間に鋭角をなして存在する視交叉陥凹，ⓘⓘ(ヒトの場合は)下垂体茎でなく，漏斗内に腹側にのびる漏斗陥凹，ⓘⓘⓘ脳室への乳頭体の突出によりつくられた乳頭または乳頭下陥凹．また，第3脳室の背側下角では，松果陥凹が松果体茎の中にのびる）. = ventriculus tertius.

third ven·tri·cu·los·to·my 第3脳室造瘻術，第3脳室吻合術（第3脳室から前視交叉槽と脚間槽に，または第3脳室から脚間槽に交通をつける手術．前者はStookey-Scarff手術，後者はDandy手術）.

thirst (thĕrst). 渇，渇き（口と咽頭に不快感を伴う飲水渇望）.

Thi·ry fis·tu·la ティリーフィステル(瘻)（実験的目的で，動物の腸液を採取するための人工瘻．腸のわなは分離されているが，その血管および神経は接続されたままになっており，端々吻合によって腸管の連絡を保った後に分離部分の一端は閉じられ，もう一方は腹部の皮膚に接合している）.

thix·o·la·bile (thik-sō-lā′bīl). チキソトロピーの，揺変性の.

thix·o·tro·pic (thik-sō-trō′pik). チキソトロピーの，揺変性の.

thix·ot·ro·py (thik-sot′rŏ-pē). チキソトロピー，揺変性（振動または剪断力を受けると粘性が減少し，静置すると元の粘性に戻るゲルの性質）.

thix·ot·ro·py (thik-sōt′rō-pē). チキソトロピー，揺変性（振動または剪断力を受けると粘性が減少し，静置すると元の粘性に戻るゲルの性質）.

Tho·go·to·vi·rus·es (thō-gō′tō-vī′rŭs-ĕz). トゴトウイルス（オルソウイルスに類似し，アミノ酸配列にある程度の相同性をもつ分類未定のウイルス群）.

Tho·ma am·pul·la トーマ膨大部（脾臓のさや動脈の先にある動脈性毛細血管における膨大部）.

Tho·ma fix·a·tive トーマ固定液（硝酸の95%アルコール溶液で，組織標本作成の際，骨のカルシウム除去に用いる）.

Tho·ma laws トーマの法則（血管の発達は血管壁に作用する次のような動的な力によって支配される．すなわち血流速度の増大により管径が拡張し，血管壁にかかる外側圧の増大により管壁が厚くなり，終末圧の増大により毛細管が形成される）.

Thom·as splint トーマス副子（股関節部に輪があって，それより足部まで及ぶ長下肢副子．下腿骨骨折の救急時や移送時に下肢を牽引するのに用いる）.

Thom·as test トーマス試験（股関節の屈曲拘縮の有無を調べるための診断手法）.

Thomp·son test トンプソン試験（①淋病の際に，尿を2杯のコップに採取させる．淋菌と淋糸が最初のコップのみにみられる場合は，感染は前部尿道に限られている確率が大である. = two-glass test. ②理学療法においてアキレス腱断裂の検査．患者を膝立ちにさせて腓腹を圧迫したとき，アキレス腱が断裂していると足底屈が起こらない）.

Thom·sen dis·ease トムセン病. = amyotonia congenita.

Thom·son sign トムソン徴候. = Pastia sign.

tho·ra·cal·gi·a (thōr′ă-kal′jē-ă). 胸壁痛，胸郭痛. = thoracodynia.

tho·ra·cen·te·sis (thōr′ă-sen-tē′sis). 胸腔穿刺〔術〕. = pleural tap; pleurocentesis; thoracocentesis.

thor·ac·ic (thōr-as′ik). 胸の，胸郭の.

thor·a·cic a·or·ta 胸大動脈（下行大動脈のうち横隔膜の大動脈裂孔(第十二胸椎の高さ)より上の部分）. = aorta thoracica; thoracic part of aorta.

thor·a·cic cage 胸郭（胸椎，肋骨，肋軟骨，胸骨からなる胸郭の骨格）. = cavea thoracis.

thor·a·cic car·di·ac nerves 胸心臓神経（心肺内臓神経の一部．胸交感神経幹の第二–第五神経節からの枝で，前内側方に向かい心臓神経叢にはいる．心臓への交感性節後線維と心臓からの内臓求心性線維を含む）. = nervi cardiaci thoracici.

thor·a·cic ca·vi·ty 胸腔（胸壁の内部の空間で，下は横隔膜で境され，上は頸部につながる）.

thor·a·cic duct 胸管（体内の最も太いリンパ管で，第二腰椎とほぼ同じ高さにある乳び槽から始まり，腹部は上行して横隔膜の大動脈裂孔を通り抜けて，そこで胸部に移行し，後縦隔を横切って，胸管弓を形成し，左腕頭静脈の起始部の静脈角に注ぐ）.

tho·rac·ic gan·gli·a〔交感神経幹の〕胸神経節

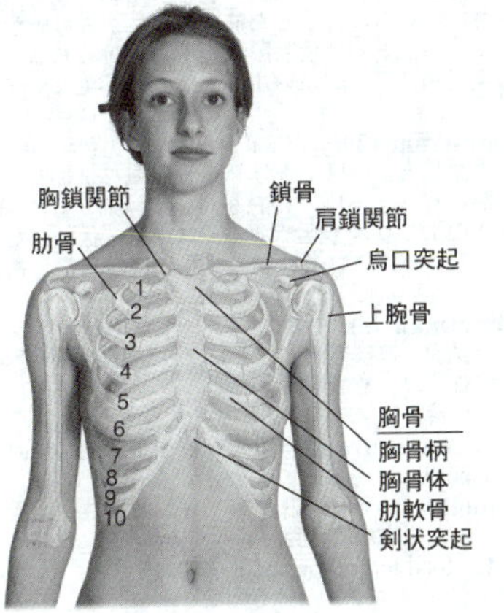
胸鎖関節
鎖骨
肩鎖関節
肋骨
烏口突起
1
2
3
4
5
6
7
8
9
10
上腕骨
胸骨
胸骨柄
胸骨体
肋軟骨
剣状突起

thoracic cage

(左右それぞれ11個または12個の交感神経幹の脊椎傍神経節．各肋骨頭の高さで両側にあり，神経節間枝とともに，胸交感神経幹を構成している)．

thor·a·cic ky·pho·sis 胸部後凸弯曲，胸後弯(脊柱の胸部に正常にみられる前方に凹(後方に凸)の弯曲で，胎児期にみられた一次弯曲が成熟期までそのまま続いたもの)．

thor·a·cic lon·gis·si·mus mus·cle 胸最長筋．= longissimus thoracis muscle.

thor·ac·ic nerves [T1-T12] 胸神経 (運動線維と感覚線維が混合する12対の脊髄神経(T1-T12).胸壁と腹壁の筋および皮膚に分布)．= nervi thoracici.

thor·a·cic out·let com·pres·sion syn·drome = thoracic outlet syndrome.

thor·ac·ic out·let syn·drome (TOS) 胸郭出口症候群 (頸部基部から腋窩の間で血管または神経(腕神経叢)が障害されることに起因する多くの疾患の総称．過去には損傷を起こしうる組織，機構により分類されていた．現在では，障害されているまたはされていると思われる組織に基づき分類され，血管性と神経性の2つの大きなグループに分けられている)．= costoclavicular syndrome; hyperabduction syndrome; thoracic outlet compression syndrome; Wright syndrome.

thor·a·cic part of a·or·ta = thoracic aorta.

thor·a·cic spi·nal nerves 胸神経 (運動線維と感覚線維が混合する12対の脊髄神経．胸壁と腹壁の筋および皮膚に分布)．

thor·a·cic splanch·nic nerves 胸内臓神経(交感神経幹胸部から起こる内臓神経)．

thor·ac·ic splen·o·sis 胸腔脾症 (胸腔内に脾組織のある状態で，胸腔と腹腔の外傷後に摘脾した結果発生する)．

thor·ac·ic ver·te·brae [T1-T12] 胸椎 (肋骨と結合して胸郭を形成する，通常12個の脊柱分節)．= vertebrae thoracicae.

thor·a·cic wall = chest wall.

thoraco-, thorac-, thoracico- 胸郭を意味する連結形．

thor·a·co·ab·dom·i·nal nerves 胸腹神経 (第七-第十一胸椎レベルの脊髄神経(肋間神経)の枝のうち胸壁と腹壁に分布するもの．肋間筋，肋下筋，後鋸筋，外腹斜筋，内腹斜筋，腹直筋，腹横筋を支配し，横隔膜周縁や壁側の胸膜や腹膜に感覚枝を送る)．

thor·a·co·a·cro·mi·al (thōr′ă-kō-ă-krō′mē-ăl)．胸肩峰の (肩峰と胸郭に関する．特に胸肩峰動脈についていう)．= acromiothoracic.

thor·a·co·a·cro·mi·al ar·ter·y 胸肩峰動脈 (腋窩動脈より起こり，肩および胸郭上部の筋肉と皮膚に分布する．最上胸動脈，内胸動脈，外側胸動脈，前・後上腕回旋動脈，肩甲上動脈の枝と吻合)．= arteria thoracoacromialis; acromiothoracic artery.

thor·a·co·a·cro·mi·al vein 胸肩峰静脈 (同名動脈に対応し，ときには橈側皮静脈と合流して腋窩静脈に注ぐ)．

thor·a·co·ce·los·chi·sis (thōr′ă-kō-sē-los′ki-sis)．胸腹壁破裂〔症〕(胸腔と腹腔を包含する体幹の先天的裂溝)．= thoracogastroschisis.

thor·a·co·cen·te·sis (thōr′ă-kō-sen-tē′sis)．= thoracentesis.

thor·a·co·cyl·lo·sis (thōr′ă-kō-si-lō′sis)．胸郭奇形．

thor·a·co·cyr·to·sis (thōr′ă-kō-sĭr-tō′sis)．胸壁異常弯曲，胸部突出．

thor·a·co·dor·sal ar·ter·y 胸背動脈 (肩甲下動脈より起こり，上背部の筋肉に分布する．外側胸動脈の枝と吻合)．= arteria thoracodorsalis.

thor·a·co·dor·sal nerve 胸背神経 (腕神経叢の後神経束から起こり，第六・第七・第八頸神経からの線維を含み広背筋に分布する)．= nervus thoracodorsalis.

thor·a·co·dyn·i·a (thōr′ă-kō-din′ē-ă)．= thoracalgia.

thor·a·co·ep·i·gas·tric vein 胸腹壁静脈 (浅腹壁静脈の領域から出て腋窩静脈または外側胸静脈にはいる2本，ときに1本の静脈で，上大静脈と下大静脈の吻合もしくは側副路をなしている)．

thor·a·co·gas·tros·chi·sis (thōr′ă-kō-gas-tros′ki-sis)．= thoracoceloschisis.

thor·a·co·lum·bar (thōr′ă-kō-lŭm′bahr)．胸腰の (①脊柱の胸部および腰部に関する．②自律神経系の交感神経系の起始に関する．→autonomic division of nervous system)．

thor·a·co·lum·bar fa·sci·a 胸腰筋膜 (内腹斜筋および腹横筋の起始となる筋膜で，後層，中層，前層に分けられる．また後層と中層は脊柱起立筋を包み，中層と前層は腰方形筋を包む)．

thor·a·co·lum·bo·sa·cral or·tho·sis 胸腰仙椎装具 (胸椎上部から骨盤にまたがる体幹に

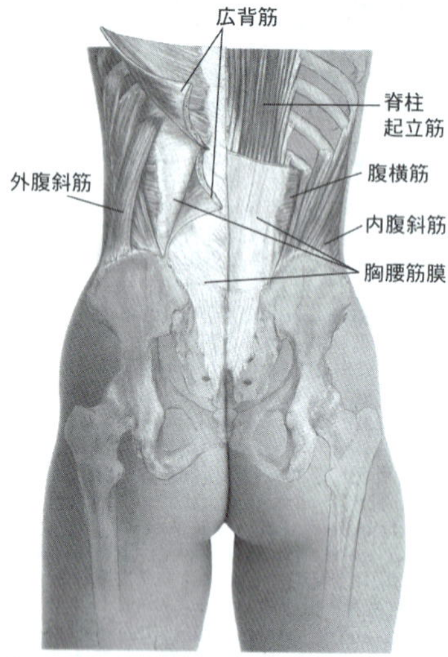
広背筋
脊柱
起立筋
外腹斜筋
腹横筋
内腹斜筋
胸腰筋膜
thoracolumbar fascia

つける外固定具．胸椎を固定する）．

thor·a·col·y·sis (thōr-ă-kol′i-sis)．胸膜剥離〔術〕（胸膜癒着を剥離する法）．

thor·a·com·e·ter (thōr-ă-kom′ĕ-tĕr)．測胸器（胸の周囲と，その呼吸時の変化を測定する装置）．

thor·a·co·my·o·dyn·i·a (thōr′ă-kō-mī-ō-din′ē-ă)．胸筋痛．

thor·a·co·plas·ty (thōr′ă-kō-plas-tē)．胸〔郭〕形成〔術〕（硬化した胸壁を除去することにより胸腔を縮小する手術）．

thor·a·cos·chi·sis (thōr-ă-kos′ki-sis)．胸裂〔症〕，胸郭披裂（胸壁の先天的裂溝で，肺組織の脱漏が起こる）．

tho·ra·co·scope (thō-rak′ō-skōp)．胸腔鏡（胸腔内の構造物を観察するための内視鏡．ときにテレビ映像下になされる）．

thor·a·cos·co·py (thōr-ă-kos′kŏ-pē)．胸腔鏡検査〔法〕（内視鏡を用いて胸腔を検診する法）．

thor·a·co·ste·no·sis (thōr′ă-kō-stĕ-nō′sis)．胸郭狭窄〔症〕．

thor·a·co·ster·no·to·my (thōr′ă-kō-stĕr-not′ŏ-mē)．肋間切開と胸骨横切開を組み合わせた胸部切開．

thor·a·cos·to·my (thōr′ă-kos′tŏ-mē)．胸部造瘻〔術〕，胸部フィステル形成〔術〕（膿胸の排膿のために胸腔に開口部を設けること）．

thor·a·cot·o·my (thōr′ă-kot′ŏ-mē)．開胸〔術〕（胸壁を切開して胸腔に達すること）．= pleurotomy.

tho·rax, gen. **tho·ra·cis,** pl. **tho·ra·ces** (thō′raks, thō-rā′sis, -rā′sēz)．胸郭（首と腹の間にある体幹上部．12の胸椎，12対の肋骨，胸骨，これらに付着した筋肉，筋膜から形成されている．下部は横隔膜で腹部と分けられる．循環器系，呼吸器系の主な器官を収容している）．= chest.

thor·i·um (Th) (thōr′ē-ŭm)．トリウム（放射性金属元素．原子番号90，原子量232.0381．天然に存在する唯一の核種は，半減期 1.4×10^{10} 年のトリウム232である．コロイド状にしたトリウムは，ムコ多糖酸の電子顕微鏡用染色剤として用いる）．

Thor·mäh·len test トルメーレン試験（メラニン試験．被検査液にニトロプルシドナトリウム，苛性カリ，酢酸を加えると，メラニンが存在すれば溶液は濃い青色を呈する）．

Thorn syn·drome ソーン症候群．= salt-losing nephritis.

thought (thawt)．思考（①理論化の能力．②考えの過程または行動．③考えの結果）．

THR total hip replacement の略．

Thr トレオニンまたはその基を示す記号．

thread·ed im·plant 〔スクリュータイプ〕歯根型インプラント（スクリュー状のねじ山を備えたインプラント．あらかじめ雌ねじ切りによりねじ山を付与された骨にねじ込まれる．あるいは，あらかじめ骨に形成された穴に挿入する際にインプラント体自身がねじ切りを行う）．

thread·worm (thred′wŏrm)．線虫（糞線虫属 *Strongyloides* の種に対する一般名．ときに小さな寄生性線虫すべてをさす）．

thread·y pulse 糸様脈（指の下で，細い索または糸のように感じられる小さく細い脈）．

three-di·men·sion·al vis·ion = stereopsis.

three-glass test 三杯試験（尿を3本のオンス試験管に採取して膀胱を空にし，最初と最後の試験管内容物を検査する．最初の試験管には前部尿道の洗出物が含まれ，2本目の試験管には膀胱からの試料が，3本目には後部尿道，前立腺，精嚢から出た物質が含まれる．→Thompson test）．

three-in·ci·sion e·so·pha·gec·to·my 3切開食道切除（開腹，右胸部，頸部切開）．

three-jaw chuck 三指つまみ（生後10—12か月に現れる握りの形で，物をつかむ時，反対の親指と人差し指と中指の指節間関節をわずかに曲げる動き．尺側の指は橈側の手を安定させようとわずかに曲がる）．

thre·o·nine (T, Thr) トレオニン，スレオニン（天然に存在するアミノ酸の1つ．多くの蛋白に含まれ，ヒトやその他の哺乳類に栄養的必須である）．

thresh·old (thresh′ōld)．閾値（①刺激を初めに感じる点．②刺激が知覚される最低の限界値．③組織に興奮を与える最小の刺激．例えば運動性応答を引き出す最小刺激．④= limen）．

thresh·old li·mit val·ue 許容濃度，許容限界値，閾限界値（繰り返し暴露しても，労働者に健康上の悪影響のない化学物質の最高濃度で，米国産業衛生専門者会議 the American Conference of Government Industrial Hygienists で勧告されたもの）．

thresh·old sti·mu·lus 閾値刺激（限界強度の1つ．すなわち興奮を起こすのに十分な強さの刺激．→adequate stimulus）．

thresh·old sub·stance 有閾〔値〕物質（グルコースのように，血漿濃度がその閾値とよばれる一定値を超えたときにのみ尿中に排出される物質）．

thresh·old trait しきい（閾）形質（絶対に明らかな原因でなくて，結果が決定的な値に達するか達しないかでごく自然に区分けされる形質．例えば，胆石は明白な原因あるいはそれ自身グループ分けの証拠を何も示さないような異常なレベルの偶然の因子に由来しているであろう）．

thrill（thril）．振せん（触診で感じうる心臓または血管の雑音を伴う振動．→fremitus）．

thrix（thriks）．毛髪．= hair(2)．

throat（thrōt）．*1* 咽喉，のど．= gullet．*2* 首の前面．*3* のど（空洞部への入口の狭い部分）．

throb（throb）．*1*〘v.〙鼓動する．*2*〘n.〙拍動，脈動．

throm·bas·the·ni·a（throm-bas-thē′nē-ă）．血小板無力症（Glanzmann 血小板無力症独特の血小板の異常）．= thromboasthenia．

throm·bec·to·my（throm-bek′tŏ-mē）．血栓摘出〔術〕．

throm·bi（throm′bī）．thrombus の複数形．

throm·bin（throm′bin）．トロンビン（①出血後，血液中に形成される酵素（蛋白分解酵素）で，L-アルギニンのペプチド（およびアミド，エステル）を加水分解してフィブリノゲンをフィブリンに転化する．第 Xa 因子やその他の蛋白分解酵素がプロトロンビンに作用して形成される．②カルシウム存在下でトロンボプラスチンとの相互作用により，ウシのプロトロンビンから得られる無菌の蛋白性物質．全血，血漿，フィブリノゲン溶液を凝血する．一般外科的・形成外科的処置としてフィブリン泡とともに，または別に毛細管性出血の局所的止血薬に用いる）．= factor IIa．

thrombo-, thromb- 凝塊，凝固，トロンビンを表す連結形．

throm·bo·an·gi·i·tis（throm′bō-an-jē-ī′tis）．血栓〔性〕血管炎，血栓〔性〕脈管炎（血栓症とともに起こる血管内膜の炎症）．

throm·bo·an·gi·i·tis o·bli·ter·ans 閉塞性血栓〔性〕血管炎（中程度の動脈や静脈の壁全層と周辺結合組織の炎症で，特に若年および中年の男性の足に多い．血栓症を併発し，通常は壊疽になる）．

throm·bo·ar·te·ri·tis（throm′bō-ahr-tĕr-ī′tis）．血栓〔性〕動脈炎（血栓形成を伴う動脈の炎症）．

throm·bo·as·the·ni·a（throm′bō-as-thē′nē-ă）．= thrombasthenia．

throm·bo·clas·tic（throm′bō-klas′tik）．= thrombolytic．

throm·bo·cyst, throm·bo·cys·tis（throm′bō-sist, -sis′tis）．血栓嚢腫（血栓を囲む膜状の袋）．

throm·bo·cyte（throm′bō-sīt）．血小板，栓球．= platelet．

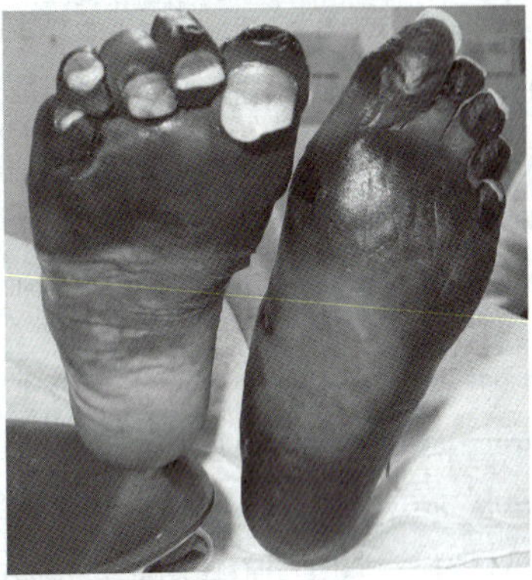

thromboangiitis obliterans

thrombocythaemia［Br.］．= thrombocythemia．

throm·bo·cy·the·mi·a（throm′bō-sī-thē′mē-ă）．血小板血症．= thrombocytosis; thrombocythaemia．

throm·bo·cy·tic ser·ies 栓球系（骨髄内での栓球（血小板）発達の連続した段階にある細胞．例えば，巨核芽球，巨核球，栓球）．

throm·bo·cy·top·a·thy（throm′bō-sī-top′ă-thē）．血小板病（症）（血小板機能障害による凝血機序の障害を表す一般用語）．

throm·bo·cy·to·pe·ni·a（throm′bō-sī-tō-pē′nē-ă）．血小板減少〔症〕，栓球減少〔症〕（循環血液中の血小板数が異常に少ない状態）．= thrombopenia．

throm·bo·cy·to·pe·ni·a-ab·sent ra·di·us syn·drome 血小板減少–橈骨欠損症候群（先天性橈骨欠損と血小板減少を伴う．血小板減少は幼児期に症状を呈するが後に改善する．先天性心疾患や腎奇形をときに伴う．常染色体劣性遺伝）．

throm·bo·cy·to·pe·nic pur·pu·ra → idiopathic thrombocytopenic purpura．

throm·bo·cy·to·poi·e·sis（throm′bō-sī-tō-poy-ē′sis）．血小板新生，血小板形成（血小板，すなわち栓球の形成過程）．

throm·bo·cy·to·sis（throm′bō-sī-tō′sis）．血小板増加症，血小板血症，栓球血症（循環血液中の血小板数の増加）．= thrombocythemia．

throm·bo·e·las·to·gram（throm′bō-ĕ-las′tō-gram）．血栓弾性記録図（血栓弾性記録計による凝固過程の記録）．

throm·bo·e·las·to·graph（throm′bō-ĕ-las′tō-graf）．血栓弾性記録計（凝固の過程における血栓の弾性の変化を記録するための装置）．

throm·bo·em·bo·lism（throm′bō-em′bŏ-lizm）．血栓塞栓症．

throm·bo·end·ar·ter·ec·to·my（throm′bō-end′ahr-tĕr-ek′tŏ-mē）．血栓内膜摘出〔術〕（動脈

T

を切開し，内膜とアテローム様物質を含めて閉塞している血栓を除去し，外膜の内側のきれいで新鮮な内層を残す手術）.

throm·bo·gen·ic (throm′bō-jen′ik). ***1*** トロンボゲンの. ***2*** トロンボゲン形成の（血栓症や血液凝固を引き起こすものについていう）.

throm·boid (throm′boyd). 血栓様の.

throm·bo·ki·nase (throm′bō-kī′nās). トロンボキナーゼ. = thromboplastin.

throm·bo·lym·phan·gi·tis (throm′bō-lim-fan-jī′tis). 血栓性リンパ管炎（リンパ凝塊の形成を伴うリンパ管の炎症）.

throm·bol·y·sis (throm-bol′i-sis). 血栓崩壊（血栓が液体化すなわち溶解すること）.

throm·bo·lyt·ic (throm′bō-lit′ik). 血栓崩壊〔性〕の. = thromboclastic.

throm·bo·ly·tic ther·a·py 血栓溶解療法（心筋梗塞，脳梗塞や末梢動・静脈血栓症の急性虚血を起こす血栓の溶解剤を静脈内投与する治療法. 薬剤として止血や血栓過程に関係する天然に存在するプラスミノゲンを活性化してフィブリンを分解させる. プラスミノゲンは肝臓で生産され，流血中に存在し，血小板，内皮細胞やフィブリンと結合する. 血管損傷部位では血栓を形成し，組織性プラスミノゲン活性化因子(TPA)が内皮細胞で生産され，プラスミノゲンの 560 と 561 番目のアルギニン-バリン結合を加水分解してフィブリンと結合したプラスミノゲンをプラスミンに変える. 血小板凝集と付着に必要な糖蛋白と同様，フィブリン糸を分解して血栓を最終的に溶解させる. 現在用いられている溶解剤は天然の TPA と似た作用を有し，アルテプラーゼは遺伝子組み換え技術によりつくられ，レーテプラーゼも遺伝子技術によりつくられた. ウロキナーゼはヒト培養腎細胞から得られた蛋白であり，ストレプトキナーゼはプラスミノゲンをプラスミンに触媒する β-溶血連鎖球菌の産物であり，アンチストレプラーゼはストレプトキナーゼと結合した不活性なプラスミノゲンを脱アセチル化してプラスミノゲンを不可逆的に活性化する. 後の 2 つは抗原性があり過敏反応を起こしうる. →tissue plasminogen activator）.

throm·bon (throm′bon). トロンボン（循環血小板やそれらの原基である蜂巣状のもの(血小板母細胞，巨核球)の総称）.

throm·bop·a·thy (throm-bop′ā-thē). 血小板障害，トロンボパシー（血小板の数や外見には明らかな異常がないのに，トロンボプラスチン生成障害を起こす血小板疾患に対する非特異的用語）.

throm·bo·pe·ni·a (throm′bō-pē′nē-ā). = thrombocytopenia.

throm·bo·pe·nic pur·pu·ra 血小板減少性紫斑病. = idiopathic thrombocytopenic purpura.

throm·bo·phil·i·a (throm′bō-fil′ē-ā). 血栓形成傾向，栓友病（血栓症を生じやすい造血器系疾患）.

throm·bo·phle·bi·tis (throm′bō-flĕ-bī′tis). 血栓〔性〕静脈炎（血栓形成を伴う静脈の炎症）.

throm·bo·plas·tid (throm′bō-plas′tid). ***1*** 血小板. = platelet. ***2*** 哺乳類以下の血液中の有核紡錘体細胞.

throm·bo·plas·tin (throm′bō-plas′tin). トロンボプラスチン（組織，血小板および白血球中に存在する凝血に必要な物質. カルシウムイオンの存在下で，凝血の重要な一段階であるプロトロンビンからトロンビンへの転化に必要である）. = platelet tissue factor; thrombokinase.

throm·bo·poi·e·sis (throm′bō-poy-ē′sis). 血小板新生，栓球新生（厳密には血液中の凝塊形成過程をさすが，一般的には血小板形成に関して用いる）.

throm·bo·poi·e·tin (throm′bō-poy′ĕ-tin). トロンボポエチン（c-mpl 受容体活性を介して血小板の産生を調整する体液性調節因子として働くサイトカイン）. = megakaryocyte growth and development factor; megapoietin.

throm·bosed (throm′bōst). ***1*** 凝塊した. ***2*** 血栓が形成された（血栓床のある血管についていう）.

throm·bo·sis, pl. throm·bo·ses (throm-bō′sis, -sēz). 血栓症（血栓の形成または存在. 血管内での凝固をいい，その血管の支配領域の組織の梗塞を起こすことがある）.

throm·bo·spon·din-re·lat·ed ad·he·sive pro·tein トロンボスポンジン関連接着蛋白（マラリア原虫におけるスポロゾイト宿主細胞認識に関与する 2 つの蛋白(もう 1 つはスポロゾイト周囲蛋白)のうちの 1 つ）.

throm·bo·sta·sis (throm-bos′tā-sis). うっ血性血栓症（血栓症によって生じる局所循環停止）.

throm·bot·ic (throm-bot′ik). 血栓の.

throm·bot·ic throm·bo·cy·to·pe·nic pur·pu·ra 血栓性血小板減少性紫斑病（多くの器官における細動脈と毛細血管内のフィブリン形成または血小板形成による，中枢神経系症状を伴う紫斑のほかに，様々な症状を示す，急速に死に至るかまたはまれに非常に長引く疾病）.

throm·box·anes (throm-bok′sānz). トロンボキサン類（形式的にはトロンボキサンを基本とし末端 COOH 基をもつエイコサノイドに属する化合物群であるが，生化学的にはプロスタグランジンと関連があり，それから次のような一連の過程を経て生合成される. トロンボキサンは，いわゆる血小板凝集に影響することや含酸素六員環(ピランまたはオキサン)を形成することから命名された. プロスタグランジンのように各トロンボキサン(TX と略す)は，文字(A，B，C など)および構造的特徴を示す下付き数字を付ける）.

throm·bus (throm′bŭs). 血栓（心血管系統の凝塊で，生存中に血液成分から形成される. 閉塞性のこともあり，内腔を閉塞せずに血管または心臓壁に付着することもある）. = blood clot.

through drain·age 貫流ドレナージ（両端が開き，穴の開いた管が腔内を通る排液法. さらに，管を通して溶液を流して腔内を洗浄することもできる）.

through·put (thrū′put). 処理能力（分析機器が一定時間内に処理できる検体数を示す言葉）.

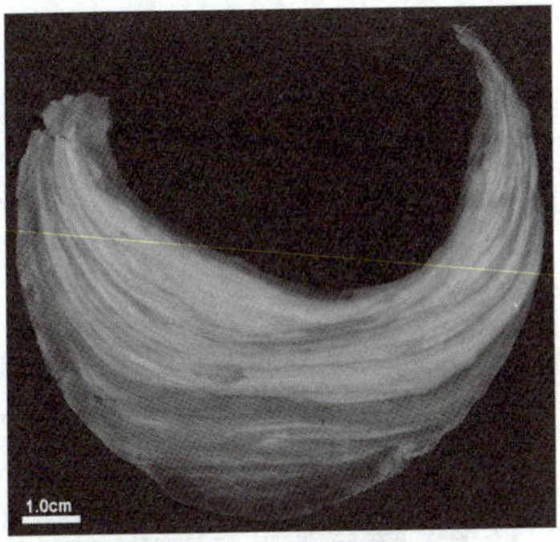

arterial thrombus
大動脈瘤による凝血塊．フィブリンと血小板の線条（Zahn線）がみられる．

thrush (thrŭsh)．鵞口瘡（*Candida albicans* の感染による口腔組織の疾病．多くの場合エイズやその他の免疫不全に陥っている人々が日和見感染として受けやすい）．

thrust (thrŭst)．突き（①不意に前方へ圧力を加えること．②突きによる行為，力，結果）．

thu·li·um (Tm) (thū′lē-ŭm)．ツリウム（ランタニド族の金属元素．原子番号 69，原子量 168.93421）．

thumb (thŭm)．母指（手の橈側の第一指）．= pollex.

thumb for·ceps 母指摂子（母指と示指で使うばね摂子）．

thun·der·clap head·ache 雷鳴頭痛（突然起こる強い非局在性頭痛で，神経学的な異常所見を伴わない．クモ膜下出血，片頭痛，頸動脈または椎骨動脈の解離性動脈瘤，海綿静脈洞血栓症，特発性など種々の原因で起こる）．

thus (thŭs)．乳香．= olibanum.

thy·mec·to·my (thī-mek′tŏ-mē)．胸腺摘出〔術〕，胸腺切除〔術〕．

-thymia 心，魂，感情などに関する接尾語．→ thymo-(2)．

thy·mic (thī′mik)．胸腺の．

thy·mic a·lym·pho·pla·si·a 胸腺リンパ形成不全〔症〕（Hassall 小体の欠如，および胸腺，通常はリンパ節，脾臓，胃腸管のリンパ球欠乏を伴う胸腺形成不全．末梢リンパ球減少症，しばしば低ガンマグロブリン血症，プラスマ細胞の欠損がみられる．胸腺形成不全は乳児初期に呼吸器系感染とともに発症し，数か月以内で死亡する）．

thy·mic cor·pus·cle 胸腺小体（退行変性したリンパ球・好酸球・マクロファージの集塊を同心円状に取り囲むケラチン化し鱗状になった上皮細胞でできた球状小体．胸腺小葉の髄質にみられる）．= Hassall bodies; Hassall concentric corpuscle.

thy·mi·co·lym·phat·ic (thī′mi-kō-lim-fat′ik)．胸腺リンパ体質の（胸腺およびリンパ系に関する）．

thy·mic veins 胸腺静脈（胸腺から出て，左腕頭静脈に注ぐ多数の小静脈）．

thy·mi·dine (dThd) (thī′mi-dēn)．チミジン；1-(2-deoxyribosyl) thymine（DNA の 4 つの主要ヌクレオシドの 1 つ．他の 3 つはデオキシアデノシン，デオキシシチジン，デオキシグアノシン）．= deoxythymidine.

thy·mi·dine 5′-di·phos·phate (dTDP) チミジン 5′-二リン酸（5′位が二リン酸でエステル化されたチミジン）．

thy·mine (thī′mēn)．チミン（チミジル酸および DNA の成分．高ウラシルチミン尿症で上昇する）．

thy·mi·tis (thī-mī′tis)．胸腺炎．

thymo-, thym-, thymi- ***1*** 胸腺を意味する連結形．***2*** 精神，魂，情動との関連を意味する連結形．***3*** いぼ，いぼ状の，を意味する連結形．

thy·mo·cyte (thī′mō-sīt)．胸腺細胞（骨髄や胎児肝臓の幹細胞から発達すると思われる胸腺において発育する細胞で，細胞性(遅延型)反応に作用する胸腺由来のリンパ球(T-リンパ球)の前駆体である）．

thy·mo·gen·ic (thī′mō-jen′ik)．情動性の．

thy·mo·ki·net·ic (thī′mō-ki-net′ik)．胸腺刺激性の．

thy·mo·ma (thī-mō′mă)．胸腺腫（前縦隔にある新生物で胸腺由来のもの．通常は良性で，被膜があることが多い．ときに浸潤性であるが，転移はきわめてまれである）．

thy·mo·pri·val, thy·mo·priv·ic, thy·mo·pri·vous (thī-mō-prī′văl, -priv′ik, -mop′ri-vŭs)．胸腺欠損の（胸腺の早発性萎縮や除去に関する，または特徴とするものについていう）．

thy·mus, pl. **thy·mi, thy·mus·es** (thī′mŭs, -mī, -mŭs-sĕz)．胸腺（上縦隔と頸の下部に位置するリンパ様器官．免疫学的機能の正常な発達に必要な発育初期にみられる構造である．生後すぐに最大比重量になり，青春期に最大絶対重量になり，それから退縮し始める．リンパ様組織は脂肪により置換される．胸腺は，結合組織の被膜により結合された 2 つの不規則な形状の部分からなる．各部は結合組織隔壁によって，小葉に部分的に細分されている．1 つの小葉は，隣接小葉の髄質と連なる内方の髄質と外方の皮質からなる）．= thymus gland.

thy·mus gland 胸腺．= thymus.

thyro-, thyr- 甲状腺を意味する連結形．

thy·ro·a·pla·si·a (thī′rō-ă-plā′zē-ă)．甲状腺無形成〔症〕（甲状腺の先天性欠損や甲状腺分泌物の欠乏の症例にみられる異常）．

thy·ro·ar·y·te·noid (thī′rō-ar-i-tē′noyd)．甲状披裂軟骨の（甲状軟骨および披裂軟骨に関する．→thyroarytenoid muscle）．

thy·ro·ar·y·te·noid mus·cle 甲状披裂筋（喉頭の筋の 1 つ．起始：甲状軟骨の内面．停止：披裂軟骨の筋突起と外面．作用：声帯の緊張を緩め声の調子を下げる．神経支配：反回神経）．= musculus thyroarytenoideus.

thy·ro·car·di·ac dis·ease 甲状腺性心臓病

（甲状腺機能亢進症の結果起こる心臓病）.

thy·ro·cele（thī′rō-sēl）. 甲状腺腫.

thy·ro·cer·vi·cal trunk 甲状頸動脈（鎖骨下動脈から起こる短い動脈幹で，肩甲上動脈を分枝した後（この動脈は鎖骨下動脈から直接起こることもある）上行頸動脈および下甲状腺動脈となって終わる）. = truncus thyrocervicalis.

thy·ro·ep·i·glot·tic（thī′rō-ep-i-glot′ik）. 甲状喉頭蓋の（甲状軟骨と喉頭蓋に関する）.

thy·ro·ep·i·glot·tic mus·cle, thy·ro·ep·i·glot·ti·de·an mus·cle 甲状喉頭蓋筋（起始：甲状披裂筋と共通で，甲状軟骨の内表面. 停止：披裂喉頭蓋ひだと喉頭蓋辺縁. 作用：喉頭蓋底を押さえる. 神経支配：反回神経）. = musculus thyroepiglotticus.

thy·ro·gen·ic, thy·rog·e·nous（thī′rō-jen′ik, -roj′ĕ-nŭs）. 甲状腺由来の.

thy·ro·glob·u·lin（thī′rō-glob′yū-lin）. サイログロブリン（①甲状腺ホルモンの前駆物質を含有する蛋白. 通常，甲状腺濾胞内にコロイド状で貯蔵される. この蛋白のチロシン基がヨード化され，甲状腺ホルモンが合成される. サイログロブリンの代謝異常は甲状腺機能低下症を生じる. ②ブタ *Sus scrofa* の甲状腺より部分精製した物質で，少なくとも0.7%のヨードを含んでいる. 甲状腺機能低下症の治療に甲状腺ホルモンとして用いる. *cf.* bioregulator）.

thy·ro·glos·sal（thī′rō-glos′ăl）. 甲状舌の（甲状腺と舌に関する. 特に胎生期の甲状舌管についていう）.

thy·ro·glos·sal duct 甲状舌管. = His canal.

thy·ro·hy·al（thī′rō-hī′ăl）. 舌骨大角.

thy·ro·hy·oid（thī′rō-hī′oyd）. 甲状舌骨の（甲状軟骨と舌骨に関する. →thyrohyoid muscle）.

thy·ro·hy·oid mus·cle 甲状舌骨筋（胸骨甲状筋の連続のようにみえる前頸部の舌骨下筋群の1つ. 起始：甲状軟骨の斜線. 停止：舌骨体. 作用：舌骨を喉頭に近付ける. 神経支配：舌下神経中を通る上部頸神経）. = musculus thyrohyoideus.

thy·roid（thī′royd）. 甲状の（このような型をした甲状腺，甲状軟骨についていう）.

thy·roid bru·it 甲状腺雑音（活動が亢進した甲状腺上で血流の増加により聞かれる血管音）.

thy·roid car·ti·lage 甲状軟骨（最大の喉頭軟骨. 2個のほぼ四辺形の板が90°—120°の角度で正中部で結合し，その突出部が喉頭隆起（Adam apple）となる）. = cartilago thyroidea.

thy·roid·ec·to·my（thī′roy-dek′tŏ-mē）. 甲状腺摘出〔術〕，甲状腺切除〔術〕.

thy·roid fol·li·cles 甲状腺小胞（上皮で縁どられた甲状腺の小さい球状の小胞成分で，様々な量のコロイドを含んでいる. コロイドは甲状腺ホルモンの前駆体サイログロブリンの貯蔵の役割をしている）. = folliculi glandulae thyroideae.

thy·roid gland 甲状腺（不規則な楕円形嚢胞からなる内分泌腺で，気管上部の前および両側にある. 外側葉が狭い中心部である峡部に接続して馬蹄形をしている. ときには延長した枝である錐体葉が峡部から上方の気管の前に通っている. 外頸および鎖骨下動脈からの枝により血液を受け，その神経は交感神経幹の中頸，頸胸神経節から出ている. 甲状腺ホルモンとカルシトニンを分泌する）.

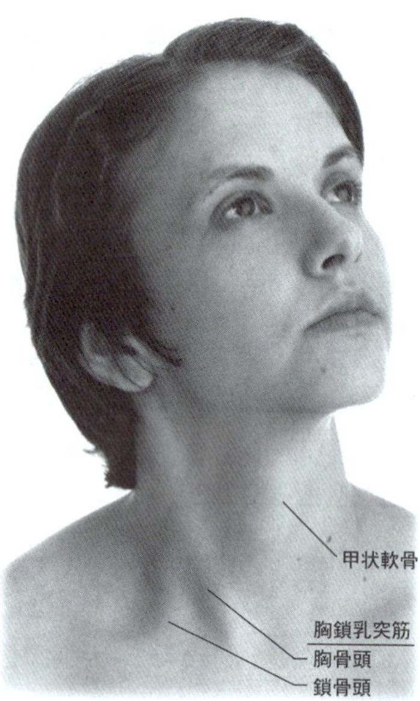
甲状軟骨
胸鎖乳突筋
胸骨頭
鎖骨頭

thyroid

thy·roid i·ma ar·ter·y 最下甲状腺動脈（大動脈弓あるいは腕頭動脈より起こる不定の動脈. 甲状腺右葉，左葉の内側部に分布する）. = arteria thyroidea ima; lowest thyroid artery; Neubauer artery.

thy·roid·i·tis（thī′roy-dī′tis）. 甲状腺炎.

thy·roid oph·thal·mop·a·thy = dysthyroid orbitopathy.

thy·roid-sti·mu·lat·ing hor·mone 甲状腺刺激ホルモン. = thyrotropin.

thy·roid-sti·mu·lat·ing im·mu·no·glob·u·lins（TSI） 甲状腺刺激免疫グロブリン（Graves病でみられる甲状腺中のTSHレセプタに対する抗体. この抗体はBリンパ球で産生され，TSHレセプタを刺激する結果，甲状腺機能亢進症をきたす）.

thy·roid storm = thyrotoxic crisis.

thy·ro·lib·er·in（thī′rō-lib′ĕr-in）. サイロリベリン（視床下部に由来するトリペプチドで，下垂体前葉を刺激して甲状腺刺激ホルモンの分泌を促す）. = thyrotropin-releasing hormone.

thy·ro·meg·a·ly（thī′rō-meg′ă-lē）. 巨甲状腺〔症〕（甲状腺の腫大）.

thy·ro·nine（thī′rō-nēn）. サイロニン（側鎖に

ジフェニルエーテル基をもつアミノ酸．サイロキシンのような蛋白中にヨウ化誘導体(ヨードサイロニン)の型でのみ存在する)．

thy·ro·par·a·thy·roid·ec·to·my (thī′rō-par-ă-thī′roy-dek′tŏ-mē)．甲状腺上皮小体切除〔術〕．

thy·ro·pri·val (thī′rō-prī′văl)．甲状腺欠損の(疾病あるいは甲状腺切除によって生じる甲状腺の機能低下についていう)．

thy·rop·to·sis (thī′rop-tō′sis)．甲状腺下垂〔症〕(甲状腺の下方転位をいう)．

thy·rot·o·my (thī-rot′ŏ-mē)．***1*** 甲状軟骨切開〔術〕．***2*** = laryngofissure.

thy·ro·tox·ic (thī′rō-tok′sik)．甲状腺中毒性の．

thy·ro·tox·ic cri·sis, thy·roid cri·sis 甲状腺クリーゼ，甲状腺急性発症（重篤な甲状腺中毒症の急性増悪．頻脈，嘔気，下痢，発熱，体重減少，激しい精神不穏状態，基礎代謝率の急激な上昇などを呈する．昏睡になり，死亡することもある)．= thyroid storm.

thy·ro·tox·i·co·sis (thī′rō-tok′si-kō′sis)．甲状腺中毒〔症〕（内因性または外因性の甲状腺ホルモン過剰によって生じる状態)．

thy·ro·troph (thī′rō-trōf)．向甲状腺細胞（甲状腺刺激ホルモンを生成する下垂体の前葉細胞)．

thy·ro·tro·phic (thī′rō-trō′fik). = thyrotropic.

thy·rot·ro·phin (thī′rō-trō′fin). = thyrotropin.

thy·ro·trop·ic (thī′rō-trō′pik)．甲状腺刺激の(甲状腺に刺激を与えたり，栄養を与えることについていう). = thyrotrophic.

thy·rot·ro·pin (thī′rō-trō′pin)．甲状腺刺激ホルモン（下垂体前葉で生成される糖蛋白ホルモン．甲状腺の成長と機能を刺激する．甲状腺機能不全症が原発性か二次性かの鑑別診断に用いる)．= thyroid-stimulating hormone; thyrotrophin.

thy·ro·tro·pin-re·leas·ing hor·mone 甲状腺刺激ホルモン放出ホルモン. = thyroliberin.

thy·ro·tro·pin-re·leas·ing hor·mone (TRH) sti·mu·la·tion test 甲状腺刺激ホルモン放出ホルモン試験，TRH 刺激試験（TRH を投与した場合の下垂体反応試験．正常者では下垂体を刺激し，甲状腺刺激ホルモン(TSH，サイロトロピン)が分泌される．甲状腺機能異常が視床下部性か下垂体性かの鑑別に利用される．下垂体性の甲状腺障害の場合には TSH は上昇しないが，視床下部性の病変の場合は上昇する)．

thy·rox·ine, thy·rox·in (thī-rok′sēn, -sin)．サイロキシン，チロキシン（甲状腺に存在する活性ヨウ素化合物で，治療用に結晶型で甲状腺から抽出され，合成もできる．甲状腺機能低下症，クレチン病，粘液水腫の軽減に用いる)．

TI 反転時間，遅延時間（MRI における反転回復法(IR 法)での反転パルスと読み出しパルス間の遅延時間)．

Ti チタンの元素記号．

TIA transient ischemic attack の略．

TIBC total iron-binding capacity の略．

tib·i·a, gen. & pl. **tib·i·ae** (tib′ē-ă, -ē-ē)．脛骨（下腿の 2 つの骨のうち内側にある大きい骨．大腿骨，腓骨，距骨と関節するもの). = shin bone.

tib·i·al (tib′ē-ăl)．脛骨の，脛側の（脛骨についての．脛骨に由来する名称をもつ構造についての．下肢の内側面・脛側面についての)．

tib·i·al col·la·ter·al lig·a·ment 〔膝関節の〕内側側副靱帯. = medial collateral ligament.

tib·i·al·is an·te·ri·or mus·cle 前脛骨筋

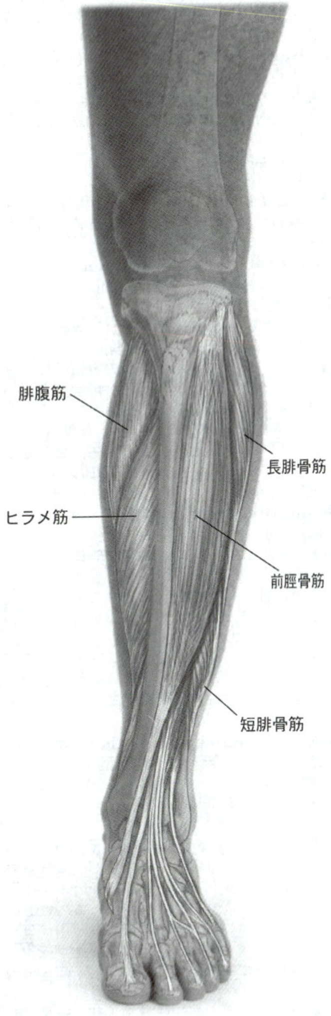
腓腹筋
長腓骨筋
ヒラメ筋
前脛骨筋
短腓骨筋

tibialis anterior muscle

T

(下腿前区内側の筋. 起始：脛骨外側表面の上2/3, 骨間膜, 筋間中隔および表在筋膜. 停止：内側楔状骨, および第一中足骨底. 作用：足の背屈と内反. 運動時の縦足弓, 横足弓の維持にも働く. 神経支配：深腓骨神経).

tib·i·al·is pos·ter·i·or mus·cle 後脛骨筋 (下腿後区深層の筋の1つ. 起始：脛骨のヒラメ筋線と後表面, 内側稜と骨間縁の間の腓骨の頭部と体, および骨間膜の後表面. 停止：舟状骨, 3個の楔状骨, 立方骨, 第二・第三・第四中足骨. 作用：足の底屈および外反. 神経支配：脛骨神経). = musculus tibialis posterior.

tib·i·al nerve 脛骨神経 (坐骨神経の2大分枝の1つ. 脚の背面を下行し, 内側・外側足底神経となって終わる. 膝屈曲筋, 脚後面の筋(足の背屈と内回旋)および足底の筋と脚後面・足底の皮膚に分布). = nervus tibialis.

tib·i·al tor·sion 脛骨捻転 (先天性の脛骨のねじれ).

tib·i·al tu·ber·os·i·ty 脛骨粗面 (脛骨前面上の卵形隆起. その遠位部に膝蓋骨靱帯が付着する).

tib·i·a val·ga 外反脛骨. = genu valgum.

tib·i·a va·ra 内反脛骨. = genu varum.

tibio- 脛骨を意味する連結形.

tib·i·o·fib·u·lar joint 〔近位〕脛腓関節 (脛骨外側顆と腓骨頭の間の平面関節).

tic (tik). チック (ある筋肉の習慣性に繰り返す収縮. 随意的には短時間しか抑制できない型にはまった個人的行動. 例えば, 咳ばらい, 鼻をすする動作, 舌なめずり, 多過ぎるまばたき. ストレスがあると特に強くなる. 異常基質は知られていない. →spasm). = Brissaud disease; habit spasm.

tic dou·lou·reux 疼痛〔性〕チック. = trigeminal neuralgia.

tick (tik). マダニ (マダニ科やヒメダニ科のダニ. ヒト, 家畜, 家禽の重要な害虫である多くの吸血性の種を含む. 伝播する病原菌の数と種類の多さは, 他のすべての節足動物をしのぐと思われる. ずっと小さい真正コナダニ mite と異なる点は, 有棘の口丘と, 第三または第四歩脚の基節の外後方に1対の気門をもつことである. 幼虫(幼ダニ)は6脚で, 脱皮後は8脚の若ダニとなる).

tick-borne en·ceph·a·li·tis East·ern sub·type ダニ媒介脳炎(東洋亜型) (脳炎の重篤な型で, フラビウイルス(フラビウイルス科)により起こり, ダニ(*Ixodes persulcatus* と *I. ricinus*)により媒介される).

tick-borne en·ceph·a·li·tis vi·rus ダニ媒介脳炎ウイルス (中央ヨーロッパ, 東ヨーロッパおよびユーラシアにみられる *Flavivirus* 属のアルボウイルス. 多種の亜型がある. ヒトに2種類の脳炎, すなわちダニ媒介脳炎(中央ヨーロッパ亜型)とダニ媒介脳炎(東欧亜型), を起こす2つの亜型がある. 媒介はマダニ属 *Ixodes* のダニ).

tick fe·ver ダニ熱 (①住血原虫, 細菌, リケッチアあるいはウイルスによって起こるヒトまたは下等動物の感染症で, ダニによって媒介される. ②ダニ媒介性の回帰熱. ③= bovine babesiosis. ④= Rocky Mountain spotted fever. ⑤= Colorado tick fever).

tick pa·ral·y·sis ダニ麻痺 (カクマダニ属 *Dermacentor* とマダニ属 *Ixodes* のダニが, 後頭部または頸上部(ダニはしばしば長髪に隠れている)に持続的に付着することによって起こる上行性弛緩性麻痺).

tick ty·phus チック(大型ダニ)チフス. = boutonneuse fever.

t.i.d. ラテン語 *ter in die* (1日3回)の略.

ti·dal (tī′dăl). 潮汐の, 干満の (交互に昇降を繰り返す潮汐現象またはそれに似た現象についていう).

ti·dal air 一回換気量, 一回呼吸(呼気)量. = tidal volume.

ti·dal drain·age 還流ドレナージ (膀胱のドレナージで, 間欠的に注入, 排液を繰り返す装置).

ti·dal vol·ume 一回換気量, 一回呼吸〔気〕量 (正常呼吸中1回の呼吸で吸入または呼出される空気量). = tidal air.

tide (tīd). 潮, 時機 (上昇と下降, 引き潮と満潮, 増加と減少などが交互に起こることをいう).

Tie·tze syn·drome ティーツェ症候群 (肋軟骨部の炎症, 疼痛性, 圧痛性で非化膿性の腫脹).

Tietz syn·drome ティエッツ症候群 (微小眼炎転写因子遺伝子の変異によって, 少なくとも家系中の複数の家族に起こる白皮症と難聴を主徴とする常染色体優性先天異常).

tight junc·tion 接着結合 (上皮細胞間連結の一様式で, 細胞膜の外葉が癒着して様々な数の平行な紐状線維を形成しており, 大分子, 溶解物, 水などが細胞間の流路を通って失われるのを防いでいる).

tilt·ing disc valve 傾斜ディスク弁 (多彩な心臓弁で, 1つあるいは2つのディスクからなる).

tilt·ing disc valve pros·the·sis 傾斜ディスク弁 (低い縦断面の人工心臓弁で, 心収縮期の間, 開くために傾斜するディスクを使用している).

tilt test 傾斜試験 (頭部を上昇または下降させて体位を傾けて, これに対する応答を測定する. 心臓カテーテル, 心エコー検査, 電気生理的な手段, 心電図あるいは心臓図検査に用いる).

tim·bre (tam′bĕr). 音色 (音質の識別性で, これによって主に倍音の分布に基づいて音源を区別できる).

time (t) (tīm). 時間 (①過去・現在・未来として表現され, 分・時・日・月・年のような単位で測定される事象の関係. ②ある限定された事柄または決定された事柄が完了する一定期間). = tempus(2).

timed spec·i·men 特定時標本 (生物学的標本で, ある日の特定された時間に, または別の事象から一定の間隔を置いてから入手された物. 薬物療法, 血糖値, その他の臨床検査を監視するのに使われる).

time of flight 飛行時間〔法〕 (電子-陽電子対消滅によって生成された光子が検出器に到達する

までの時間．ナノ秒以下の精度で検出器への到達時間の差を測定すれば，対消滅の発生位置が計算で求められる）．

time of flight (TOF) an·gi·og·ra·phy 飛行時間型血管造影（磁気共鳴画像の技術で，流入効果を利用して血管対比を生じさせる）．= TOF sequence.

Time-Line ther·a·py 時間軸療法（陰性の情緒の開放と限界決断の修正のために，解離状態おいて重要な過去の出来事に新しい力を用いて戻るようにクライアントを指示する，神経言語学的プログラム理論に基づいた技法．→dissociation(4)）．

tin (Sn) (tin)．スズ（金属元素．原子番号 50，原子量 118.710）．= stannum.

tinct. tincture（チンキ剤）の略．

tinc·to·ri·al (tingk-tōr′ē-ăl)．染料の，着色の．

tinc·ture (tinct.) (tingk′shŭr)．チンキ〔剤〕（植物あるいは化学物質から製造されるアルコールやアルコール水溶液）．

tin·e·a (tin′ē-ă)．白癬，輪癬（髪，皮膚，爪のケラチン構成物質に生じる真菌感染症（皮膚糸状菌症）．小胞子菌属 *Microsporum*，白癬菌属 *Trichophyton*，表面菌属 *Epidermophyton* の真菌によって起こる）．= ringworm; serpigo(1).

tin·e·a bar·bae 須毛白癬（毛包性感染あるいは肉芽腫性病変として生じる顎ひげの部分の真菌感染．初発病巣は丘疹と膿疱である）．= barber's itch; folliculitis barbae; tinea sycosis.

tin·e·a cap·i·tis 頭部白癬（頭皮の真菌感染症の中の一般的な型で，毛幹もしくは毛幹内に生じ，小胞子菌属 *Microsporum* および白癬菌属 *Trichophyton* の中の種々の真菌が原因となる．最も一般的には小児に生じ，あちこちに種々の大きさの脱毛斑をつくる．この脱毛斑は頭皮表面における毛髪の破壊によって生じる．この他，落屑，黒点，ときに紅斑や膿皮症もみられる）．

tin·e·a circ·i·na·ta 連環状白癬，連圏状白癬．= tinea corporis.

tin·e·a cor·por·is 体部白癬（皮膚糸状菌症の境界明瞭，鱗屑を伴う斑状皮疹で，しばしば環状の病巣を形成し，身体のあらゆる部位に生じる）．= tinea circinata.

tin·e·a crur·is 股部白癬（陰股部の白癬．大腿の内側，会陰部，鼡径部を含む陰股部の渦状癬の一型）．= eczema marginatum; jock itch.

tin·e·a im·bri·ca·ta 渦状癬（多数の同心円をなして重なる鱗屑からなる発疹で，散在性の丘疹落屑性局面を形成する．熱帯地方にみられ，渦状白癬菌 *Trichophyton concentricum* による）．

tin·e·a ker·i·on 炎症性頭部白癬，禿瘡性白癬（頭皮，顎ひげの炎症性真菌感染症，周辺部に膿疱，浸潤巣が著しい．オードアン小胞子菌 *Microsporum audouinii* によるものが多い）．

tin·e·a ped·is 足部白癬，足白癬（足部，主に足趾の間に皮膚糸状菌の一種（通常は白癬菌属 *Trichophyton* や表皮菌属 *Epidermophyton*）が感染してできる．足趾間や足底面に，小水疱，皸屑，鱗屑，浸軟，びらんを生じる．皮膚の他の部位にも感染する）．= athlete's foot.

tin·e·a sy·co·sis 白癬性毛瘡．= tinea barbae.

tin·e·a un·gui·um 爪白癬（皮膚糸状菌による爪の白癬）．

tin·e·a ver·si·col·or でん（癜）風，黒なまず，なまず（体幹の皮膚にできる褐色または茶色の糠状斑．夏の日光を浴びて色が黒くなった皮膚と比べると白くみえることが多い．角質層における癜風菌 *Malassezia furfur* の増殖により生じ，軽度の炎症反応を伴う）．= pityriasis versicolor.

Ti·nel sign ティネル徴候（表在神経部位をたたくと，遠位に放射する痛みまたはヒリヒリした感覚．神経の炎症または過敏性を示唆する）．

tine test 尖叉試験（→tuberculin test）．

tin·ni·tus (tin′i-tŭs)．耳鳴（じめい），響鳴（耳内の雑音（呼び鈴の音，口笛の音，シッという音，うなり，ブーンという音など））．

tip (tip)．尖，先端（①多少とももとがった末端．②同じ構造あるいは別の構造の一端で，分離しているが付着している部位の末端を形成する）．

tip pinch 指尖つまみ（作業療法において，示指と母指の先端の間でつまむこと）．= tip-to-tip pinch.

TIPS (tips)．transjugular intrahepatic portosystemic shunt の頭文字．

tip-to-tip pinch = tip pinch.

tir·ing (tīr′ing)．輪状固定．= cerclage.

TIS tumor in situ の略．癌の病期分類で使われる．

tis·sue (tish′ū)．組織（類似の細胞とその周囲の細胞間物質の集合．身体には 4 つの基本的組織，ⓘ上皮，ⓘⓘ血液・骨・軟骨を含む結合組織，ⓘⓘⓘ筋組織，ⓘⓥ神経組織，がある）．

tis·sue cul·ture 組織培養（身体から切除後の生きている組織を，滅菌栄養培地を入れた容器中で培養すること）．

tis·sue lymph 組織リンパ（真のリンパ．主として組織間隙の液に由来するリンパ．血液性リンパとは異なる）．

tis·sue plas·min·o·gen ac·ti·va·tor (tPA) 組織プラスミノゲン賦活剤（プラスミノゲンからプラスミンへの酵素変換を自然に触媒する血栓崩壊性セリンプロテアーゼ．遺伝子工学により合成された蛋白で，心筋梗塞や脳梗塞に血栓崩壊剤として用いる）．

tis·sue res·pir·a·tion 組織呼吸（血液と組織間のガス交換）．= internal respiration.

tis·sue-spe·ci·fic ant·i·gen 組織特異抗原．= organ-specific antigen.

tis·sue ten·sion 組織間緊張（組織と細胞間の理論上の平衡状態で，それによりある部分の過剰な活動は引っ張ることで抑制される）．

tis·sue throm·bo·plas·tin in·hi·bi·tion time 組織トロンボプラスチン抑制テスト（lupus anticoagulant を検出するためのテスト．インヒビターに対する感度を高めるために希釈したトロンボプラスチンを用いたプロトロンビンテスト）．

ti·ta·ni·um (Ti) (tī-tā′nē-ŭm)．チタン（金属元素．原子番号 22，原子量 47.88．チタンはその比類のない生物適合性の高レベルによって歯科においてインプラントとして用いられる）．

ti·ter (tī′tĕr)．滴定量，〔力〕価，滴定濃度（容量分析の試液の濃度基準．容量分析によって未

T

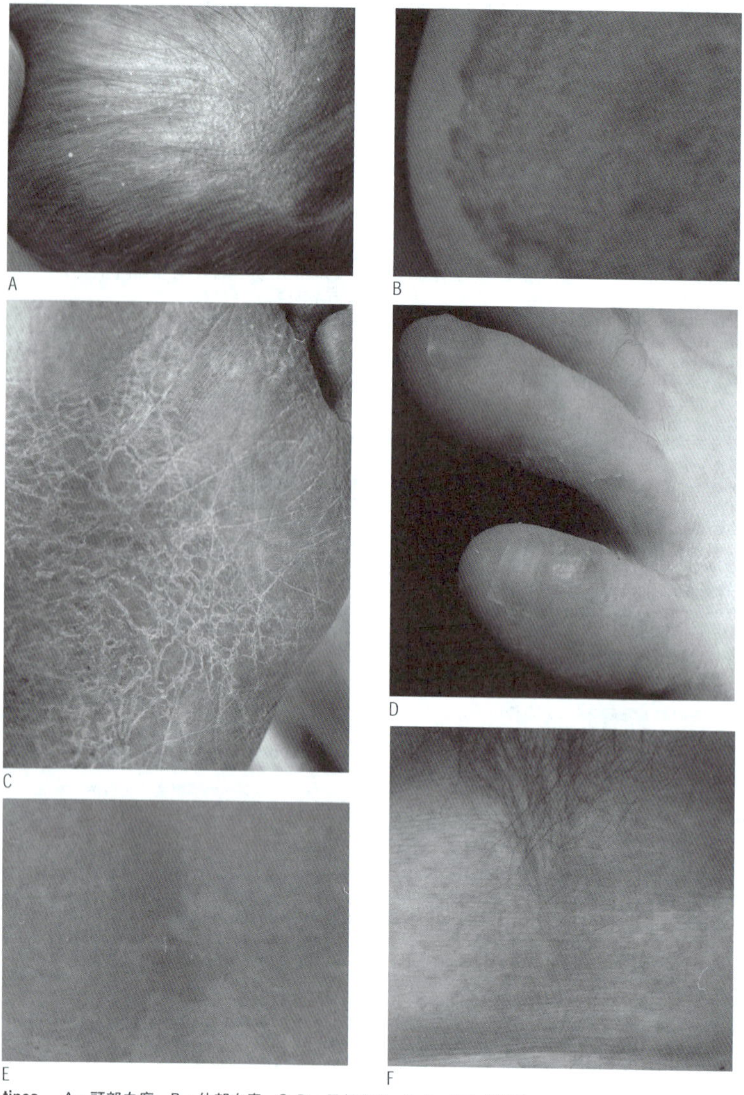
A
B
C
D
E
F

tinea A：頭部白癬，B：体部白癬，C, D：足部白癬，E, F：でん(癜)風

知の量を評価した値). = titre.

ti·trate (tī′trāt). 滴定する (既知の濃度の溶液(滴定液)で終点まで容量分析する).

ti·tra·tion (tī-trā′shŭn). 滴定 (被検液に一定量の基準溶液を加えて行う容量分析).

ti·tra·tion dose 計画的増量 (患者の反応をも

とに持続して薬物用量を調整すること．薬物用量は望ましい臨床効果が認められるまで調整される）．

titre [Br.]. = titer.

tit·u·ba·tion (tit-yū-bā′shŭn). ***1*** よろめき（歩こうとしてよろめくこと）．***2*** 揺動，頭部振せん（小脳に起因する頭部の振せんまたは揺れ）．

Tiz·zo·ni stain ティゾニー染色〔法〕（組織内鉄の証明に用いる染色．組織切片をフェロシアン化カリウム溶液で処理した後，希塩酸塩を作用させると，鉄が存在するときは青色を呈する）．

TKR total knee replacement の略．

Tl タリウムの元素記号．

TLC thin-layer chromatography; total lung capacity の略．

TLD thermoluminescent dosimeter の略．

T lym·pho·cyte T リンパ球（胸腺由来の免疫学的に重要なリンパ球で，細胞性免疫で重要な役割を果たす．T3 表面抗原をもつことが特徴で，機能によってヘルパー T 細胞，サプレッサ T 細胞，細胞傷害性 T 細胞などにさらに細かく分類することができる．→B lymphocyte）. = T cell.

T-lym·pho·cyte ant·i·gen re·cep·tor T リンパ球抗原レセプタ（受容体）. = T-cell receptor.

Tm ***1*** ツリウムの元素記号．***2*** 最大輸送量 transport maximum の記号．

TMA transcription-mediated amplification の略．

TMJ temporomandibular joint の略．

TMJ syn·drome TMJ 症候群（→myofascial pain-dysfunction syndrome）．

TMP ribothymidylic acid; trimethoprim；ときに deoxyribothymidylic acid の略．

TMT tarsometatarsal の略．

T-my·co·plas·ma (mī′kō-plaz′mă)．T-マイコプラスマ. = *Ureaplasma*.

Tn ***1*** ocular tension の記号．***2*** troponin の記号．

TNM tumor-node-metastasis の頭文字．→TNM staging.

TNM stag·ing TNM 分類（悪性腫瘍の臨床的ならびに病理学的な進展度評価法の 1 つで，原発部位における腫瘍のひろがり（T で表し，侵襲の大きさ・深さを示す数字を後に添える），リンパ節や他部位への転移（それぞれ N, M で表し，明らかな転移のないものを 0 とし，ひろがりに応じた数字を添える）の程度により決める．数字は侵された臓器によって決まり，予後や治療法の選択に影響する）．

TNTC too numerous to count の略．多すぎて数えられない状態（離散した物体，通常は尿中の細胞の数が余りにも多く，正確に計数しても仕方がないような所見）をいう．

TO telephone order の略．

to·bac·co-al·co·hol am·bly·o·pi·a タバコ-アルコール弱視（過度のアルコール，喫煙，栄養不良による乳頭黄斑神経線維障害を特徴とする後天性視神経症）．

to·bac·co heart タバコ心（タバコの吸い過ぎによると考えられる不整脈，動悸，ときに疼痛を特徴とする心臓の過敏性）．

to·cain·ide hy·dro·chlor·ide 塩酸トカイニド（経口で使用される抗不整脈薬で，リドカインに類似の作用をもつ．心室性不整脈の治療に使用される）．

toco- 分娩を意味する連結形．

toc·o·dy·na·graph (tō′kō-dī′nă-graf)．陣痛〔記録〕図（子宮の収縮力を記録したもの）．

toc·o·dy·na·mom·e·ter (tō′kō-dī-nă-mom′ĕ-tĕr)．陣痛計（陣痛の強さを測定する器械）．

to·cog·ra·phy (tō-kog′ră-fē)．陣痛記録法（子宮筋収縮を記録する方法）．

to·co·lyt·ic (tō′kō-lit′ik)．早産防止薬（子宮収縮を防止するために使用される薬剤をいう．早期分娩収縮を抑えるためによく用いられる）．

to·coph·er·ol (T) (tō-kof′ĕr-ol)．トコフェロール（①ビタミン E や生物学的活性の有無にかかわらず化学的にビタミン E と関連した化合物に用いる総称的用語．②メチルアルコール含有トコール，メチルアルコール含有トコトリエノールのこと）．

to·co·tri·enes (tō′kō-trī′ēnz)．トコトリエン（ビタミン E の 4 つの型．*α, β, γ, δ*）．

tod·dler's frac·ture よちよち歩き骨折（1—2 歳の小児によくみられる脛骨のらせん骨折）．

Todd pa·ral·y·sis トッド麻痺（てんかんの Jackson 痙攣を起こした四肢に，発作が終わった後に生じる一過性の麻痺．通常，2, 3 日以上続くことはない）. = Todd postepileptic paralysis.

Todd post·e·pi·lep·tic pa·ral·y·sis トッドてんかん後麻痺. = Todd paralysis.

toe (tō)．足指，趾．

toe-drop (tō′drop)．〔下〕垂趾（趾の背屈ができないことで，通常，趾伸筋の麻痺が原因）．

toe·ing out = metatarsus valgus.

toe·nail (tō′nāl)．足指爪，趾爪（→nail）．

TOF se·quence = time of flight (TOF) angiography.

To·ga·vir·i·dae (tō′gă-vir′i-dē)．トガウイルス科（東部ウマ脳炎ウイルス，西部ウマ脳炎ウイルス，ベネズエラウマ脳炎ウイルスを含む *Alphavirus* 属，および風疹ウイルスを含む *Rubivirus* 属の 2 属からなるウイルスの一科）．

to·ga·vi·rus (tō′gă-vī-rŭs)．トガウイルス科ウイルスの総称．

toi·let (toy-let′)．***1*** 清拭（分娩後に体を清潔にすること，あるいは手術後に包帯の使用に備えて傷を清潔にすること）．***2*** 〔窩洞〕清掃（歯科において，窩洞内を清浄化すること．歯に修復物を装着する前に，窩洞内を清掃し，すべての汚染物質を取り除くことをいう）．

Toi·son stain トワソン染料（メチルバイオレット，塩化ナトリウム，硫酸ナトリウム，グリセリンを含む白血球計算用希釈染料．赤血球数の計算用にも用いる）．

Tok·er cell トーカー細胞（正常な乳頭の 10% にみられる明るい細胞質をもつ表皮細胞．これは，ケラチン 7 を含む．Paget 癌の細胞に似ており，細胞学的に鑑別を要する）．

toko- →toco-.

tol·bu·ta·mide test トルブタミド〔負荷〕試験（インスリン産生腫瘍の検出試験．1 g のトルブタミドを静脈注射後，血漿中のインスリンとグルコースを，一定時間ごとに3時間まで測定する．インスリン産生腫瘍患者では，インスリン高反応とグルコース低値が特徴的である）．

Toldt mem·brane トルト膜（腎筋膜の前層）．

tol·er·a·ble up·per in·take lev·el 許容上限摂取量（大部分の年齢層のために確立された，1日に持続しても健康に害がないとされた栄養摂取量の最大水準）．

tol·er·ance (tolʹĕr-ăns). 耐性（①特に連続的露出期間中に，刺激に対して耐える力または感受性をより少なくしうる能力．②毒物の作用に抵抗する力，または薬物を有害な作用を現さないで連続または大量投与させる力）．

tol·er·ance dose 耐量，耐容線量（有害な症状なしで摂取，服用できる薬剤の最大量または受けられる最大の放射線量）．

tol·er·ance li·mits 許容限界（ある検査法の許容できる誤差の限界値．この限界値は，誤差がその検査法の臨床的意義に与える影響と技術水準の両者によって選択されるべきものである）．

tol·er·ant (tolʹĕr-ănt). 耐毒性のある，許容の，耐性の．

tol·er·o·gen·ic (tolʹĕr-ō-jenʹik). 免疫寛容を生じる．

To·lo·sa-Hunt syn·drome トロサ-ハント症候群（特発性の肉芽腫による海綿静脈洞症候群）．

to·lu·i·dine blue stain トルイジンブルー染色（*Pneumocystis jiroveci* の栄養型の染色に用いる）．

To·lu·if·er·a per·e·i·rae = balsam of Peru.

To·ma sign トーマ徴候（炎症性腹水と非炎症性腹水を区別する徴候で，腹膜が炎症状態の場合には，腸間膜は収縮し腸管右側に偏位させる．ゆえに患者が仰臥すると，聴診上右側に鼓腸が起こり左側は濁音を呈する）．

-tome ***1*** 切開器具を意味する接尾語．複合語の最初には，通常，切開される部位名がくる．***2*** 分節，部分，を意味する接尾語．***3*** 断層撮影法を意味する接尾語．***4*** 手術を意味する接尾語．

to·men·tum, to·men·tum ce·re·bri (tō-menʹtŭm, serʹĕ-brī). 大脳血管網（軟膜と大脳皮質との間を走っている多数の小血管）．

Tom·ma·sel·li dis·ease トマセリ病（キニーネ中毒によって起こると考えられる血色素尿症）．

to·mo·gram (tōʹmō-gram). 断層X線図（断層X線撮影器で得られるX線写真）．

to·mo·graph (tōʹmō-graf). 断層X線撮影器（断層撮影法で使用する機械）．

to·mog·ra·phy (tō-mogʹră-fē). 断層撮影法（フイルムカセットを反対に回しながらX線管を直線的あるいは曲線的に動かすことにより，その他のすべての部分がフイルム上で相対的に動くため，抹消されるかまたは像がぼやけて見える）．= planigraphy; planography; stratigraphy.

-tomy 切開手術を意味する接尾語．→-ectomy.

tone (tōn). ***1*** 〖n.〗音，楽音．***2*** 〖n.〗口調（感情を表現する声の特徴）．***3*** 〖n.〗緊張（休止筋肉に存在する緊張力）．***4*** 〖n.〗正常〔状態〕（組織の堅固さ．すべての器官が正常に機能すること）．***5*** 〖v.〗調色する．

tongue (tŭng). 舌（①粘膜でおおわれた筋組織の可動性の塊．口腔を占め，口腔の床部を形成し，後部が咽頭の前部となる．味覚器官をもち，そしゃく，えん下，および構音を助ける．= lingua(1); glossa. ②舌に似た構造．= lingua(2)）．

tongue crib 舌架（口腔悪習慣を矯正する装置．内臓性(幼児性)えん下や舌の突出しを防止し，舌体の形態と機能の成熟を促すために使われる装置）．

tongue mo·bil·i·ty →ankyloglossia.

tongue re·trac·tion 舌後退（口腔運動様式の異常により，舌が後退したり，口の後部に下がったりして，呼吸や吸引が困難になる）．

tongue-swal·low·ing (tŭng swahlʹō-ing). 舌えん(嚥)下，舌沈下（舌が咽頭方向に沈下すること．窒息を起こす）．

tongue thrust 舌刺激（えん下の最初の段階で，舌が切歯あるいは顎堤の間におかれる哺乳えん下の幼児型であり，ときに前歯部の開咬，顎の変形および機能異常がその結果としてみられることがある）．

tongue thrust ther·a·py = myofunctional therapy.

tongue-tie (tŭngʹtī). 舌小帯短縮〔症〕，短舌，小舌．= ankyloglossia.

ton·ic (tonʹik). ***1*** 〖adj.〗持続性の，緊張性の，強直性の（連続性の絶え間ない活動状態についていう．特に筋肉の収縮を意味する）．***2*** 〖adj.〗強壮性の（活気付ける．肉体的または精神的な調子や強さを増大させる）．***3*** 〖n.〗強壮薬（弱化した機能を回復し，活力や安寧感を促進すると言われている治療薬．強壮薬が作用する器官や器官系に従って，心臓・消化器・血液・血管・神経・子宮・全身強壮薬などと限定される）．

ton·ic bite re·flex 緊張性咬反射（口腔運動様式の異常で，物を咬み，その体勢が戻せない時に見られる．顔，頭，首の至る所にしばしば増大した緊張を伴い，それにより筋肉や結合組織が短縮され，顎の全開を妨げる）．

ton·ic con·trac·tion 緊張性収縮（姿勢の維持に要する筋肉の持続性収縮）．

ton·ic con·vul·sion 強直〔性〕痙攣（筋肉収縮が持続する痙攣）．

ton·ic ep·i·lep·sy 強直性てんかん（身体の硬直を伴う発作）．

to·nic·i·ty (tō-nisʹi-tē). ***1*** 緊張〔性〕（組織の正常な張力状態．それによって各部分は形を保たれ，敏活で，また適当な刺激に反応していつでも機能できる状態にある．筋肉の場合には，物理的性質に関するものを超える持続的活動や張力の状態をさす．例えば，伸張に対する積極的抵抗力．骨格筋の場合には，遠心性神経支配による）．= tonus. ***2*** 張度（溶液の浸透圧または張力．通常，血液の浸透圧に関連する．→isotonicity）．

ton·ic neck re·flex 緊張性頸反射（能動的・受動的に頭を回転したり，首を曲げたり伸ばしたりすると，全四肢の位置変化をもたらすような脳幹レベルの反射反応）．

ton·i·co·clon·ic (tonʹi-kō-klonʹik). 強直間代

〔性〕の（強直性，間代性の両方を示す．反復性筋収縮をさす）. = tonoclonic.

ton·ic pu·pil 緊張性瞳孔（遅延，緩徐，持続性の対光，近見縮瞳を伴う瞳孔に対し通常用いられる語．しばしば対光，近見反応解離を伴う．瞳孔活約筋の神経脱や異常な神経再生による．種々の自律神経症ならびに Adie 症候群でみられる）.

ton·ic spa·sm 緊張性痙攣（継続的な不随意筋の収縮）.

ton·ic state 強直状態（持続的に筋が硬く収縮し，弛緩がない状態）.

tono- 調子，緊張，圧力，に関する連結形.

ton·o·clon·ic (ton′ō-klon′ik). = tonicoclonic.

ton·o·clon·ic spa·sm 緊張間代痙攣（筋肉の痙攣性収縮）.

ton·o·fi·bril (ton′ō-fī′bril). 張原線維（上皮細胞の原形質にみられる線維系の１つ. →cytoskeleton）.

ton·o·fil·a·ment (ton′ō-fil′ă-měnt). トノフィラメント（細胞質の構造蛋白で，フィラメントの中間体として知られている層の１つ．その束が張原線維を形成する．トノフィラメントは多数の蛋白または関連のある蛋白やケラチンで構成されている．ほとんどの上皮細胞にみられる）.

ton·o·graph (tō′nō-graf). トノグラフ，張力記録器（眼内圧を記録する器具）.

to·nog·ra·phy (tō-nog′rā-fē). トノグラフィ，張力記録法（記録眼圧計を用いて眼内圧を継続的に測定する法．房水の流出能を決定する）.

to·nom·e·ter (tō-nom′ĕ-tĕr). ***1*** 〘n.〙 圧力計，眼圧計（圧力や張力を測定する器械．特に眼内圧力を測定する器械）. ***2*** 液体張力計（通常，ある定められた温度の下で，液体(血液など)と気体の平衡を保たせるのに用いる容器）.

to·nom·e·try (tō-nom′ĕ-trē). ***1*** 圧力測定〔法〕（脈管内圧，血圧などの一部の圧力を測定する法）. ***2*** 眼圧測定〔法〕（眼内圧を測定する法）.

ton·o·plast (tō′nō-plast). 空胞膜，液胞膜，トノプラスト（細胞内構造や空胞）.

to·no·top·ic (tō-nō-top′ik). 空間的の（聴覚路におけるように種々の周波数を補助する伝導路の空間的配置を示す）.

to·no·tro·pic (tō-nō-trō′pik). 亢張〔力〕の（筋が静止時の長さより短縮することについていう）.

ton·sil (ton′sil). 扁桃（①咽頭のリンパ上皮の輪を形成するリンパ球の上皮内の集簇．②= palatine tonsil）.

ton·sil of ce·re·bel·lum 小脳扁桃（各小脳半球の下面にある円形小葉．内側は小脳虫部垂に続く）. = tonsilla cerebelli.

ton·sil·la, pl. ton·sil·lae (ton-sil′lă, -ē). 扁桃. = palatine tonsil.

ton·sil·la ce·re·bel·li 小脳扁桃. = tonsil of cerebellum.

ton·sil·la lin·gua·lis 舌扁桃. = lingual tonsil.

ton·sil·la pal·a·ti·na 口蓋扁桃. = palatine tonsil.

ton·sil·lar, ton·sil·lar·y (ton′si-lăr, -lar-ē). 扁桃の（扁桃，特に口蓋扁桃についていう）.

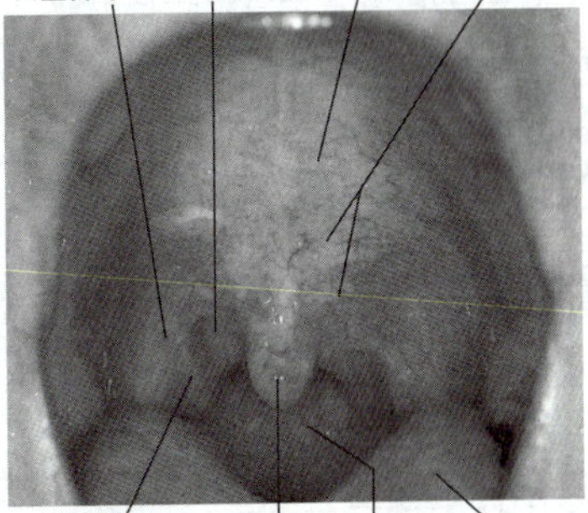
口蓋舌弓
口蓋咽頭弓
硬口蓋
軟口蓋
右扁桃
口蓋垂
咽頭
舌
oral structures

ton·sil·lar crypt 扁桃陰窩（不定数の，深い陥凹で，扁桃小窩で開口する自由面から舌扁桃，口蓋扁桃，耳管扁桃と咽頭扁桃の中にのびている）.

ton·sil·lar fos·sa 扁桃窩（口蓋舌弓と口蓋咽頭弓間の陥凹．口蓋扁桃によって占められる）.

ton·sil·lec·to·my (ton-si-lek′tŏ-mē). 扁桃摘出〔術〕，扁摘（扁桃全体を切除すること）.

ton·sil·li·tis (ton-si-lī′tis). 扁桃炎（扁桃，特に口蓋扁桃の炎症）.

tonsillo- 扁桃を意味する連結形.

ton·sil·lo·lith (ton-sil′ō-lith). 扁桃結石（肥大した扁桃陰窩の石灰性結石）. = tonsilolith.

ton·sil·lot·o·my (ton-si-lot′ŏ-mē). 扁桃切除〔術〕（肥大した口蓋扁桃の一部分を切除すること）.

ton·sil·o·lith (ton-sil′ō-lith). = tonsillolith.

to·nus (tō′nŭs). 緊張，張力，トーヌス. = tonicity(1).

tooth, pl. teeth (tūth, tēth). 歯(上下顎の歯槽内にある硬い円錐形構造の１つ．そしゃく時に用いられ，咬合に関与する．歯は，エネメル質，ぞうげ質，セメント質より構成される体の表層構造物で，ぞうげ質とそれをおおうエナメル質よりなる解剖学的歯冠と，ぞうげ質とそれをおおうセメント質よりなる解剖学的歯根に分けられる．また歯槽内に埋まっている歯根部，歯肉におおわれた歯頸部，口腔内に露出している歯冠部からなる．中心部には歯髄腔があって，細網結合組織(歯随)で満たされており，１つあるいは複数の根尖孔より進入した血管や神経が走行している．20 本の乳歯が生後 6—9 か月から 24 か月の間に萌出し，その後脱落して，5—7 歳から 17—23 歳の間に萌出する 32 本の永久歯に代わる．切歯，犬歯，小臼歯，大臼歯の 4 種類がある）. = dens(1).

tooth·ache (tūth′āk). 歯痛（う食，感染，外傷の結果，歯髄または歯周靱帯が傷害されて生じる歯の痛み）. = dentalgia; odontalgia.

tooth bud 歯蕾（歯を形成する原基構造．エナメル器，歯乳頭，これらを入れる歯嚢からなる）．

tooth germ 歯胚（発育中の歯を構成しているエナメル器と歯乳頭）．

tooth pulp = dental pulp.

tooth sock·et 歯槽（上下顎の歯槽突起にある窩(槽)のことで，この中に各歯が植立して歯周靱帯で固定されている）. = alveolus(4).

topaesthesia [Br.]. = topesthesia.

top·ag·no·sis (top-ag-nō′sis). 局所感覚(知覚)消失，局所触覚消失（触覚の局所認知が不可能であること）. = topoanesthesia.

to·pal·gi·a (tō-pal′jē-ă). 局所疼痛（1か所だけに局在する疼痛．はっきりした器官上の原因がなくても，局所的な痛みを経験するという神経症に起こる症状）．

top-down ap·proach トップダウン式方法（最新式の見方で評価や介入を行うことで，依頼人のニーズが中心となる．いわゆる断片的技能でレベルを評価するのではなく，実践結果を全体的に見ることで，実践や結果に貢献することを目指す）．

top·es·the·si·a (top-es-thē′zē-ă). 局所認知，局所触覚（皮膚のどこかに軽く触れられたとき，その部位を認知できる能力）. = topaesthesia.

to·pha·ceous (tō-fā′shŭs). 堅い，強固な（砂状の，ザラザラした．歯石の特質についていう）．

to·pha·ceous gout 結節性痛風（特に尿酸および尿酸塩の蓄積が痛風結節として発生する痛風の一種）．

to·phi (tō′fī). tophus の複数形．

to·phus, pl. to·phi (tō′fŭs, -fī). ***1*** 痛風結節，痛風灰（→gouty tophus）. ***2*** 唾石，歯石．

top·i·cal (top′i-kăl). 局所〔性〕の，局所的な．

top·i·cal ad·min·i·stra·tion = transdermal.

top·i·cal an·es·the·si·a 表面麻酔〔法〕（局所麻酔薬の溶液，軟膏，ゼリー剤などを直接塗布して得られる結膜，粘膜や皮膚の表面の感覚脱失）．

Top 200 Med·i·ca·tions = Top 200 Prescriptions.

topo-, top- 場所，局所の，を意味する連結形．

topoanaesthesia [Br.]. = topoanesthesia.

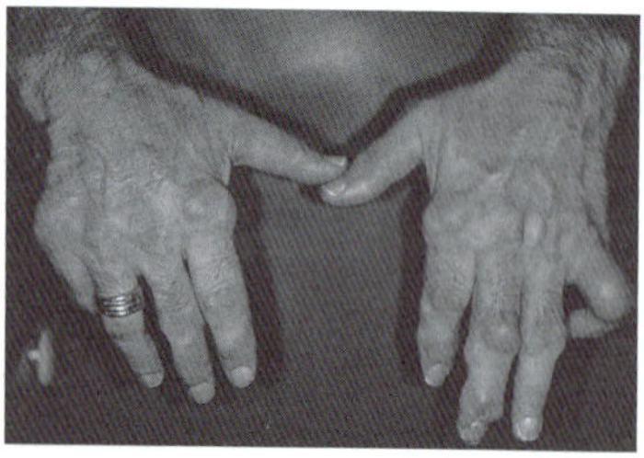

chronic tophaceous gout

top·o·an·es·the·si·a (top′ō-an-es-thē′zē-ă). 局所感覚(知覚)消失，局所触覚消失. = topagnosis; topoanaesthesia.

To·po·gra·fov vi·rus トポグラフォフウイルス（シベリアでみつかったハンタウイルス）．

to·po·gra·phic or·i·en·ta·tion 局所解剖学オリエンテーション（物体や装置の位置や，希望する場所へのルートを決定すること）．

to·pog·ra·phy (tō-pog′ră-fē). 局所解剖学（解剖学において，身体の部分の記述，特に表面から明確に限定された領域に関する記述）．

To·po·lan·ski sign トポランスキー徴候（Graves 病の場合，眼の角膜周囲がうっ血する）．

top·o·nar·co·sis (top′ō-nahr-kō′sis). 局所麻酔（局所皮膚麻酔）．

Top 200 Pre·scrip·tions 処方薬上位 200（前年に調剤された処方薬上位 200．NDC Health が提供し，年 1 回集約される）. = Top 200 Medications.

TORCH syn·drome TORCH 症候群（感染症の一群をいい，臨床症状は類似するが，症状の重さや出現時期は異なる．トキソプラスマ症 *t*oxoplasmosis，その他の感染症 *o*ther infections，風疹 *r*ubella，サイトメガロウイルス感染症 *c*ytomegalovirus infection，単純ヘルペス *h*erpes simplex の頭文字．これらの感染症は潜在する HIV 感染を伴っている可能性もある）．

Torn·waldt ab·scess トルンヴァルト膿瘍（咽頭嚢の慢性感染．症状には，鼻咽頭の分泌物，口臭，咽頭痛，耳管障害，後頭痛，頸部筋痛や硬直がある．→Tornwaldt syndrome）．

Torn·waldt cyst トルンヴァルト嚢胞（咽頭扁桃下端の鼻咽頭腔の後壁にみられる盲嚢．脊索遺残物）. = pharyngeal bursa.

Torn·waldt syn·drome トルンヴァルト症候群（鼻咽頭の分泌物，後頭部痛，および後頸筋の硬直で，咽頭嚢の慢性感染症による口臭をもつ）．

to·ro·vi·rus (tōr′ō-vī′rŭs). コロナウイルス科の一属で，動物の腸管感染症の原因となる．

tor·pid (tōr′pid). 遅鈍な，無力な．

tor·por (tōr′pŏr). 遅鈍，鈍麻（不活動，無気力，緩慢）．

torque (T) (tōrk). ***1*** トルク，ねじりモーメント（回転させる力）. ***2*** トルク（歯科において，歯冠や歯根の移動を生じさせたり，または保つために歯に加えられる回転力）．

torr (tōr). トール. = mmHg.

Tor·re syn·drome トレ症候群（多発性内臓悪性腫瘍を伴う多発性脂腺腫．大腸癌を合併することが多い）．

tor·sade de pointes トルサード・ド・ポワント（〝点のねじれ〟を意味する心室頻脈の一型．ほとんどの場合，投薬によって起こり，QT 時間が延長し，発作直前の心拍が〝短-長-短〟となる特徴を示す．QRS 波はこのとき一連の上向きの波から下向きの波に移行し，両者の間は QRS 波が狭くなる）．

tor·sion (tōr′shŭn). ***1*** 捻転，回転，ねじれ（ある部分が，その長軸の周囲に回旋すること）. ***2*** 出血を止めるために，動脈の切端をねじること．

3 回し運動（眼球をその前後軸を中心に回旋させること. →intorsion; extorsion; dextrotorsion; levotorsion).

tor·sion·al de·for·mi·ty 捻転変形（整形外科学用語. 四肢の長軸面で肢の一部が異常に軸転することにより起こる変形).

tor·sion frac·ture 回旋骨折, 捻転骨折（四肢の捻転によって起こる骨折).

tor·sion spa·sm 捻転痙攣. = dystonia.

tor·si·ver·sion, tor·so·ver·sion (tōr-si-vĕr′zhŭn, tōr-sō-vĕr′zhŭn). 〔歯軸〕捻転（長軸上で回転している状態の歯の不正位置). = torsoclusion(2).

tor·so (tōr′sō). トルソ, 胴（体幹. 頭部および四肢以外の身体部分).

tor·so·clu·sion (tōr′sō-klū-zhŭn). *1* 串針止血〔法〕（動脈と平行した組織に針を掛けてから, それが動脈をちょうど横切るように回転させ, その血管の反対側の組織にその針を掛けて圧迫を行う止血法. 現在では用いられない語). *2* 旋軸咬合. = torsiversion.

tor·ti·col·lar (tōr-ti-kol′ăr). 斜頸の.

tor·ti·col·lis (tōr-ti-kol′is). 斜頸（頸部筋肉の, 主に脊髄副神経で支配されている部分の収縮または短縮. 頭部は一方に傾き, 顎先が反対方向に向くようにいつも回旋した状態にある). = wryneck; wry neck.

tor·tu·ous (tōr′chū-ŭs). 蛇行〔性〕の（多くの弯曲がある, 曲がりやねじれの多いことについていう).

Tor·u·lop·sis (tōr-yū-lop′sis). トルロプシス属（親細胞に幅広く付着している比較的小さな分芽胞子(2—4 nm)のみられる酵母菌の一属. *Torulopsis glabrata* はトルロプシス症の原因菌種で, 通常, 宿主は日和見性感染となる).

tor·u·lop·so·sis (tōr-yū-lop′sō-sis). トルロプシス症（通常, *Torulopsis glabrata* によって引き起こされる日和見感染症で, 重篤な基礎疾患をもつ患者に通常はみられる. 本症の病型には, 気管支肺型, 泌尿生殖器型, 敗血症型がある. → *Torulopsis*).

tor·u·lus, pl. **tor·u·li** (tōr′yū-lŭs, -lī). 小隆起, 乳頭.

to·rus, pl. **to·ri** (tōr′ŭs, -rī). *1* 円環体（円がある弧を基底に回転して形成される幾何学的形態で, 柱の底面にかたどられる凸形のようなもの). *2* 隆起（収縮筋によって生じるような円形の膨らみ). = elevation.

to·rus frac·ture 膨隆骨折（小児に起こる骨が曲がる骨変形. 橈骨または尺骨, あるいは両者に起こる). = buckle fracture.

to·rus man·di·bu·lar·is 下顎隆起（下顎骨の舌側面にみられる外骨症. 通常, 小臼歯部に対峙している).

tor·us pal·a·tin·us 口蓋隆起（硬口蓋の正中に隆起している外骨症).

TOS thoracic outlet syndrome の略.

to·tal a·no·ma·lous pul·mo·nar·y ven·ous re·turn (TAPVR) 全肺静脈還流異常（→anomalous pulmonary venous connections, total or partial).

to·tal a·pha·si·a 全失語〔症〕. = global aphasia.

to·tal bod·y hy·po·ther·mi·a 組織の代謝減少の目的で故意に体全体の体温を低下させること.

to·tal breath·ing cy·cle time 総呼吸周期時間（完全呼吸(吸気と呼気)を行うのに必要な時間. 1 回の呼吸の吸気流の始まりから次の呼吸の吸気流の始まりまでの時間).

to·tal com·mu·ni·ca·tion トータル・コミュニケーション（手話, 指文字, オーラル・コミュニケーションを組み合わせて行う, ろう(聾)の子供の教育のためのアプローチ). = simultaneous communication.

to·tal cri·coid cleft 全輪状軟骨裂（→laryngotracheoesophageal cleft).

to·tal dai·ly en·er·gy ex·pen·di·ture (TDEE) 1 日総エネルギー消費量（1 日のエネルギー消費量. 基礎および睡眠状態(60—75%), 消費した食物の熱発生効果(10%), および身体の活動および回復中に消費されるエネルギー(15—30%)からなる. 臨床的には, 間接熱量測定法で評価される).

to·tal down·time 総休止時間（救急医療において, 心拍停止から緊急治療部に着くまでの継続時間をいう).

to·tal end-di·a·stol·ic di·a·me·ter 全拡張終期径（心室中隔と後壁径を含む, 左室拡張終期径).

to·tal end-sys·tol·ic di·a·me·ter 全収縮末期径（心室中隔および左室後壁厚を含む左室収縮末期径).

to·tal hip re·place·ment (THR) 全臀部置換（損傷した, または病気にかかった関節を完全に取り除き, 人工の装置にして, 機能も取り替える手術).

to·tal hy·per·o·pi·a (Ht) 全遠視（毛様体筋麻痺薬を用いて調節機能を完全に麻痺させた後に測定できる遠視).

to·tal i·ron-bind·ing ca·pac·it·y (TIBC) 全(総)鉄結合能（血清中のトランスフェリン濃度を間接的に測定する方法. 血清試料に鉄を添加してトランスフェリンを飽和する. 過剰の鉄分を除去してから試料の鉄含有量を分析する. これはトランスフェリンと結合しうる鉄の全量を示しており, これにより貧血の識別ができる. 鉄が欠乏すると TIBC 値が高くなり, 鉄が過剰だと TIBC 値が低くなる).

to·tal joint ar·thro·plas·ty 関節全置換〔術〕（両関節面を通常, 金属と高密度合成樹脂で構成された人工材料で置き換える関節形成術).

to·tal knee re·place·ment (TKR) 全膝置換（損傷した, または病気にかかった関節を完全に取り除き, 人工の装置にして, 機能も取り替える手術).

to·tal lung ca·pac·i·ty (TLC) 全肺気量, 総肺気量（最大吸気量と機能的残気量との合計量. すなわち最大吸気後肺に含まれる空気量. 肺活量と残気量の合計にも等しい).

to·tal par·en·ter·al nu·tri·tion (TPN) 完全非経口栄養法, 高カロリー輸液（中心静脈注入その他の非経口的な方法だけで栄養を維持すること. →hyperalimentation).

3-in-1 to·tal par·en·ter·al nu·tri·tion (TPN) 3イン1中心静脈栄養法（3つの栄養素(脂肪, 蛋白質, ブドウ糖)全てを摂取する療法).

to·tal trans·fu·sion = exchange transfusion.

to·ti·po·ten·cy, to·ti·po·tence (tō-ti-pō′ten-sē, tō-tip′ō-tēns). 全能（1つの細胞が, あらゆる型の細胞に分化することができ, その結果, 新しい生物体を形成したり, あるいは生物体の一部を再生することのできる能力).

to·ti·po·tent, to·ti·po·ten·tial (tō-tip′ō-tĕnt, tō′ti-pō-ten′shăl). 全能の.

touch (tŭch). ***1*** 触覚（皮膚や粘膜に軽く接触しても感知しうる感覚). ***2*** 触診, 指診. = palpation (1).

touch-me-not (tŭch′mē-not). = Siberian ginseng.

Tou·pet fun·do·pli·ca·tion トゥーペ胃底ひだ形成〔術〕（部分的後方胃底ひだ形成術. 胃の端は食道に固定される. この方法の変法が腹腔鏡下の胃底ひだ形成で通常用いられる).

Tou·rette dis·ease トゥレット病. = Tourette syndrome.

Tou·rette syn·drome トゥレット症候群（小児期に出現するチック症で, 広汎性の運動チックと発声チックを特徴とする. 強迫的・強制的な行動, 注意力散慢症, その他の精神病的疾患を伴うことがある. 汚言や反響語がまれに出現する. 常染色体劣性遺伝). = Gilles de la Tourette syndrome; Tourette disease.

tour·ni·quet (tūr′ni-kĕt). 止血帯, 駆血器, 圧迫帯（器具を巻き付け, 圧力を加えて末梢部への, または末梢部からの血流を一時的に止める器具).

Tou·ton gi·ant cell ツートン巨細胞（非泡状細胞質の小島の周囲に多数の核が集簇する黄色腫細胞).

To·vell tube トーヴェルチューブ（チューブが圧迫されたりよじれたり鋭角に曲げられた際, 内腔が閉塞するのを防ぐために, 壁に針金をらせん状に埋め込んだ気管内チューブ).

toxaemia [Br.]. →toxemia.

toxaemic [Br.]. = toxemic.

tox·e·mi·a (tok-sē′mē-ă). 毒血症（①ある種の感染症罹患者中にみられる臨床的所見で, 毒素や感染因子によってつくられた他の毒性物質によって起こると考えられる. ②血液中の毒性物質を原因とする臨床症候群. ③妊娠高血圧に関連する俗語(註日本では〝妊娠中毒症〟として標準用語である)). = toxaemia.

tox·e·mic (tok-sē′mik). 毒血〔症〕の. = toxaemic.

tox·ic (tok′sik). ***1*** 有毒な, 毒性の. = poisonous. ***2*** 毒素の.

tox·i·cant (toks′i-kănt). ***1*** 〚adj.〛 毒性の, 有毒な. ***2*** 〚n.〛 毒, 毒薬, 毒物.

tox·ic chem·i·cal a·gent 有毒化学薬品（米国の軍隊用語で, 戦場で死亡, 重傷に至らしめるために作られた戦争用の化学薬品. 肺に損傷を与える薬品(窒息剤), 一般に言う血液剤(青酸化合物), 発疱薬, 神経ガスの大きく4種類に分類される).

tox·ic cir·rho·sis 中毒性肝硬変（鉛や四塩化炭素などの慢性中毒から起こる肝硬変).

tox·ic ep·i·der·mal ne·crol·y·sis (TEN) 中毒性表皮壊死症（皮膚の大部分が表皮壊死を伴う強度な紅斑性となり, II度熱傷のように皮がむける症候群. しばしば弛緩性の水疱を伴う. 薬物過敏症その他の原因で起こる). = Lyell syndrome.

tox·ic goi·ter 中毒性甲状腺腫（分泌過剰を伴う甲状腺腫で, 甲状腺機能亢進症の徴候および症状がみられる).

tox·ic he·mo·glo·bi·nur·i·a 中毒性血色素尿症（ある種の血液疾患あるいは感染症において, 毒物を摂取した後に起こる).

tox·ic·i·ty (tok-sis′i-tē). 毒性, 毒力（有毒である状態).

tox·ic meg·a·co·lon 中毒性巨大結腸〔症〕（急性非閉塞性に拡張した結腸で, 劇症潰瘍性大腸炎および, Crohn 病にみられる).

tox·ic ne·phro·sis 中毒性ネフローゼ（化学的毒物, 敗血症, あるいは細菌性中毒症などによる急性の乏尿性腎不全).

tox·ic neu·ri·tis 中毒性神経炎（内因性または外因性毒素による神経炎).

toxico-, tox-, toxi-, toxo- 毒物, 毒素を意味する連結形.

Tox·i·co·den·dron (tok′si-kō-den′dron). トキシコデンドロン属（有毒植物の一属(ウルシ科)で, ウルシ属 *Rhus* としても知られている果実が平滑で接触性皮膚炎(ウルシ皮膚炎)を起こす化合物のウルシオールを含む葉をもつ. 毒ツタ(キヅタ)(ツタウルシ *Toxicodendron radicans*), 毒オーク(*Toxicodendron diversilobum*), および毒ウルシ(*Toxicodendron vernix*)などの種がある).

tox·i·co·gen·ic (tok′si-kō-jen′ik). ***1*** 毒素産生の. ***2*** 毒素性の（毒が原因となることについていう).

tox·i·co·log·ic (tok′si-kō-loj′ik). 毒物学の.

tox·i·col·o·gist (tok′si-kol′ō-jist). 毒物学者（毒物学の専門的知識を有する人).

tox·i·col·o·gy (tok′si-kol′ō-jē). 毒物学, 中毒学（原因, 化学組成, 作用, 試験, 解毒薬など

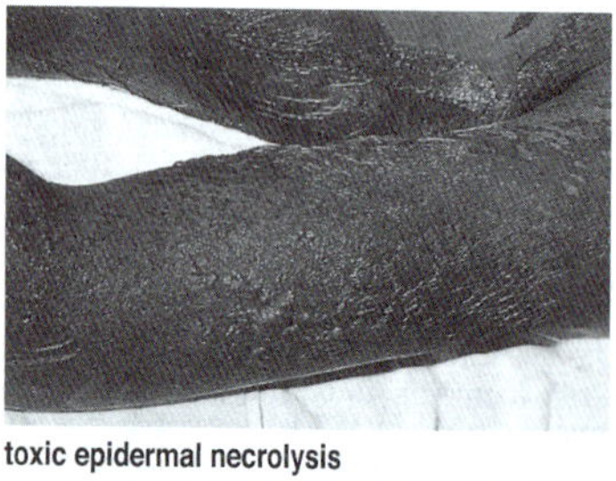

toxic epidermal necrolysis

A
B

C
Toxicodendron
A: poison oak (Eastern), B: poison ivy, C: poison sumac

毒物に関する科学).

tox·i·co·sis (tok′si-kō′sis). 中毒〔症〕(毒に起因する疾病の総称).

tox·ic shock 中毒性ショック (→toxic shock syndrome).

tox·ic shock syn·drome (**TSS**) トキシックショック症候群 (主として月経中婦人の腟内毒素産生ブドウ球菌感染による症候群. 吸収性の強いタンポン使用中に起きやすい. 高熱, 嘔吐, 下痢, 猩紅熱様の皮膚紅斑(後に剥離する), および血圧低下とショックが特徴で, ときとして死に至る. 結膜, 口腔, 咽頭, 腟などの粘膜の充血を伴うことがある).

tox·ic tet·a·nus 中毒性強直. = drug tetanus.

tox·ic u·nit 毒素単位 (以前はモルモットでの最小致死量と同義であったが, 毒素の不安定性のために, 現在では毒素が結合する標準抗毒素量によって測定されている. →L doses; minimal lethal dose). = toxin unit.

tox·i·drome (tok′si-drōm). 中毒症候 (特定の毒物の摂取により引き起こされる一群の徴候と症状).

tox·i·gen·ic (tok′si-jen′ik). = toxinogenic.

tox·in (tok′sin). トキシン, 毒素 (①有害または有毒物質で, ある種の微生物または高等植物や動物類の代謝と成長間に, 細胞や組織の肝要部分, あるいは細胞外生成物(菌体外毒素), または2つの状態の組合せとして形成される. →mid-spectrum agent; biologic-warfare (BW) agent. ② poison の誤称. →toxicant; chemical-warfare (CW) agent).

tox·in·ic (tok-sin′ik). トキシンの, 毒素の.

tox·i·no·gen·ic (tok′si-nō-jen′ik). 毒素原性の, 毒素産生性の (毒素を産生すること. 菌についていう). = toxigenic.

tox·in u·nit 毒素単位. = toxic unit.

tox·o·ca·ri·a·sis (tok′sō-kă-rī′ă-sis). トキソカラ症 (*Toxocara* 属回虫感染症. 主にイヌ回虫 *Toxocara canis* の腸管外移行幼虫が幼虫内臓移行症を引き起こす. 本症に随伴して, 眼に幼虫が侵入することにより, 網膜に孤立性肉芽腫, 末梢炎症, あるいは慢性内眼球炎が引き起こされる).

tox·oid (tok′soyd). トキソイド, 類毒素 (毒素を破壊し, その抗原性, つまり抗毒素抗体産生を刺激して活性免疫状態をつくる性質が残るように(通常はホルムアルデヒドで)処置された毒素).

tox·o·phore (tok′sō-fōr). 毒素族, 担毒体 (毒性成分を有する毒素分子の原子群をいう).

tox·oph·o·rous (tok-sof′ŏr-ŭs). 毒素族の, 担毒体の (毒素分子の毒素族群についていう).

Tox·o·plas·ma gon·di·i トキソプラスマ (世界中に豊富に分布する胞子虫(トキソプラスマ科)の一種で, きわめて多様な脊椎動物種に宿主非特異的に細胞内寄生する. トキソプラスマ *T. gondii* は, ネコや他のネコ科動物中でのみ有性生活環を営み, オーシストを産生する. 広範囲の動物が, オーシストや感染肉の摂取, 臓器移植により感染を受けると増殖型虫体(タキゾイト)および組織シスト(ブラディゾイトを含む)が増殖する. 経胎盤移行により胎内感染を起こす).

tox·o·plas·mo·sis (tok′sō-plaz-mō′sis). トキソプラスマ症 (原虫性寄生虫の *Toxoplasma gondii* による疾患で, ヒツジでは流産, ミンクでは脳炎, ヒトでは種々の症状を起こす. ヒトが胎児期に感染すると, 出生時に小頭症, 幼児期に肝脾腫大を伴う黄疸, 髄膜脳炎, 小児期後期の脈絡網膜炎のような眼障害の遅発性出現をみる. ヒトの出生後の感染は通常, 無症状である. 臨床症状が起こるとすれば, 発熱, リンパ節腫脹, 頭痛, 筋肉痛, 倦怠感であって, 最終的には回復するが, 免疫無防備状態宿主では, しばしば致命的な脳炎が起こる).

tox·o·py·rim·i·dine (tok′sō-pi-rim′i-dēn). トキソピリミジン (チアミナーゼによるチアミン

T

の加水分解から生じる生成物の1つで，尿中に現れる．ピリドキサールの競合的阻害剤）．

tox screen 毒物検査（口語的専門用語で，血流中の薬物やエタノールの存在を調べるために使われる一連の血液検査）．

Toyn·bee ma·neu·ver トインビー法（患者が口を閉じ，鼻を押さえてえん下することにより，耳管を開く動作．→Valsalva maneuver; politzerization）．

Toyn·bee tube トインビー管（ポーリツァー法を行う間，患者の耳から音を聞くための管）．

tPA tissue plasminogen activator の略．

TPN total parenteral nutrition の略．

TPN, TPNH triphosphopyridine nucleotide と，その還元型（酸化型は TPN^+）の略．

TPO treatment, payment, health care operations の略．

TR repetition time の略．

tra·bec·u·la, gen. & pl. **tra·bec·u·lae** (tră-bek′yū-lă, -lē). *1* 小柱（網様構造．構造物を横断する支持線維束．通常，被膜または線維中隔から出てくる）．*2* 小柱（骨の海綿質の小片で，通常，他の小片と連結している）．*3* 腫瘍細胞索（組織病理学において，2つ以上の細胞幅をもった帯状の腫瘍組織）．

tra·bec·u·lae car·ne·ae (of right and left ven·tri·cles) 肉柱（心臓の心室に連なる壁にある筋束）．

tra·bec·u·lar (tră-bek′yū-lăr). 〔小〕柱の（小柱についていう）．

tra·bec·u·lar bone = substantia spongiosa.

tra·bec·u·lar re·tic·u·lum 小柱網，線維柱網（眼球の虹彩角膜角で強膜の静脈洞と前眼房とにはさまれたところにみられる線維網（櫛状靱帯）で線維の間には眼房水が流れることのできる隙間がある．角膜強膜部（強膜に付着する）とブドウ膜部（虹彩に付着する）とに分かれる）．

tra·bec·u·lo·plas·ty (tră-bek′yū-lō-plas-tē). 線維柱帯形成術（緑内障治療においてレーザーを用いての眼の線維柱帯の光凝固）．

tra·bec·u·lot·o·my (tră-bek-yū-lot′ŏ-mē). 線維柱帯切開術（緑内障治療のための強膜静脈洞（Schlemm 管）の手術的切開）．

trace el·e·ments 痕跡元素（体内に微量に存在する元素．その多くは物質代謝において必須であり，必須化合物の生成に必須である．例えば，亜鉛，セレン，バナジウム，ニッケル，マグネシウム，マンガンなど）．

trace min·er·als 微量ミネラル（体に必須のミネラルで，1日に 100 mg の量が必要とされる）．

trac·er (trā′sĕr). トレーサ（①元素または化合物で，通常の元素または化合物と物理的手段（例えば，放射線分析法や質量分析法）で区別できるような原子を含ませたもの．そのため，通常，物質の代謝の追跡に用いられる．②水の流れを追跡するトレーサとして用いる着色物質（例えば染料）．③神経および血管解剖に用いる装置．④一方の顎に付いた描記針と，他方の顎に付けた軌跡板または描記板をもつ機械的装置．下顎運動の方向と範囲の記録に用いる．→tracing(2)）．

tra·che·a, pl. **tra·che·ae** (trā′kē-ă, -kē-ē). 気管（空気の通る管で，喉頭から胸郭の中を第5から第6胸椎の高さまでのびており，ここで分岐して左右の主気管支となる．気管は，膜，輪状靱帯で結び付けられた硝子軟骨輪 16—20 でできている．輪の後部では軟骨が周囲の 1/5 から 1/3 欠落し，膜壁を形成する部分は平滑筋を含む線維膜によってできている．内部の粘膜は粘液杯細胞を伴う多列線毛円柱上皮からなる．多数の小さな粘液腺と漿液腺の混合腺があり，その導管は上皮表面に開いている）．= windpipe.

tra·che·al (trā′kē-ăl). 気管の．

tra·che·al car·ti·lag·es 気管軟骨（気管骨格を形成する 16—20 個の硝子軟骨輪．この軟骨輪は完全な輪をなさず後方の 1/5—1/3 は軟骨を欠く）．= cartilagines tracheales.

tra·che·a·lis mus·cle 気管筋（馬蹄形気管軟骨の後面を結合する線維性膜内にある主として横走する平滑筋線維束）．= musculus trachealis.

tra·che·al tube 気管チューブ（気管内挿管として，気道を確保するために気管内に経鼻的に，経口で，あるいは気管切開を通じて挿入された柔軟性チューブ）．= endotracheal tube.

tra·che·al veins 気管静脈（気管から出発する数本の小静脈で，腕頭静脈または上大静脈に注ぐ）．

tra·che·i·tis (trā-kē-ī′tis). 気管炎（気管内膜の炎症）．= trachitis.

trach·e·lec·to·my (trāk-ĕ-lek′tŏ-mē). 子宮頸部切除〔術〕．= cervicectomy.

trach·e·lism, trach·e·lis·mus (trāk′ĕ-lizm, -liz′mŭs). 頸筋痙攣（頸が後方に曲がること．ときとして，てんかん発作の前徴として現れる）．

trach·e·li·tis (trāk-ĕ-lī′tis). 子宮頸〔部〕炎．= cervicitis.

trachelo-, trachel- 頸を意味する連結形．

trach·e·lo·breg·mat·ic di·a·me·ter 頸大泉門径（大泉門中央部から頸部までの，胎児の頭部の直径）．

trach·e·lo·dyn·i·a (trā′kĕ-lō-din′ē-ă). 頸痛．= cervicodynia.

trach·e·lor·rha·phy (trā′kĕ-lōr′ă-fē). 子宮頸縫合〔術〕（子宮頸部の裂傷を縫合し修復する方法）．= Emmet operation.

trach·e·lot·o·my (trā′kĕ-lot′ŏ-mē). 〔子宮〕頸切開〔術〕．= cervicotomy.

tracheo-, trache- 気管を意味する連結形．

tra·che·o·aer·o·cele (trā′kē-ō-ār′ō-sēl). 気管気腫（気管瘤の拡張によって起こる頸部の空気嚢胞）．

tra·che·o·bron·chi·al (trā′kē-ō-brong′kē-ăl). 気管気管支の（気管と気管支の両方に関する，特にリンパ節についていう）．

tra·che·o·bron·chi·al di·ver·tic·u·lum 気管気管支憩室．= respiratory diverticulum.

tra·che·o·bron·chi·tis (trā′kē-ō-brong-kī′tis). 気管気管支炎（気管および気管支の粘膜の炎症）．

tra·che·o·bron·chos·co·py (trā′kē-ō-brong-kos′kŏ-pē). 気管気管支鏡〔検査〕法（気管と気管支内部の視診）．

tra·che·o·cele (trā′kē-ō-sēl). 気管瘤（気管壁の欠損を通しての粘膜の突出）.

tra·che·o·e·soph·a·ge·al (trā′kē-ō-ē-sof-fā′jē-ăl). 気管食道の（気管と食道に関する）. = tracheo-oesophageal.

tra·che·o·e·soph·a·ge·al fis·tu·la 気管食道瘻（気管と食道の間に連絡する瘻孔交通. しばしば食道閉鎖を合併し，後天的にも生じる. 成人における病因は，気管支食道瘻の場合に類似する）.

tra·che·o·e·soph·a·ge·al folds 気管食堂ひだ（喉頭気管憩室中の対になった縦方向のひだで，連結して気管食堂の隔壁を形成しており，憩室を食道と喉頭気管の管の部分とに分割している）. = transesophageal folds; transesophageal ridges.

tra·che·o·e·so·pha·ge·al punc·ture (TEP), tra·che·o·e·so·pha·ge·al shunt 気管食道穿刺（喉頭切除術を受けた患者に音声機能を回復させるために行う手術術式. 気管食道瘻を造設することによって喉頭切除患者はその気管食道瘻を通じて空気を気管から食道内へ通して音節をはっきりさせて話せるように音が出せる）. = tracheo-oesophageal puncture.

tra·che·o·la·ryn·ge·al (trā′kē-ō-lă-rin′jē-ăl). 気管喉頭の（気管と喉頭に関する）.

tra·che·o·ma·la·ci·a (trā′kē-ō-mă-lā′shē-ă). 気管軟化〔症〕（気管軟骨の軟化）.

tra·che·o·meg·a·ly (trā′kē-ō-meg′ă-lē). 気管肥大症（気管支拡張症のように感染や長期の陽圧換気に基づく異常に拡張した気管）.

tracheo-oesophageal [Br.]. = tracheoesophageal.

tracheo-oesophageal puncture [Br.]. = tracheoesophageal puncture.

tracheo-oesophageal shunt [Br.]. = tracheoesophageal shunt.

tra·che·o·path·i·a, tra·che·op·a·thy (trā′kē-ō-path′ē-ă, -op′ă-thē). 気管病〔症〕（気管の様々な病気）.

tra·che·o·pha·ryn·ge·al (trā′kē-ō-fă-rin′jē-ăl). 気管咽頭の（気管と咽頭の両方に関する. 咽頭下部括約筋から気管へと通じる，ときにみられる筋線維帯についていう）.

tra·che·oph·o·ny (trā′kē-of′ŏ-nē). 気管聴診音（気管上の聴診で聞かれる空洞声音. →bronchophony）.

tra·che·o·plas·ty (trā′kē-ō-plas-tē). 気管形成〔術〕（気管の修復や形成）.

tra·che·or·rha·gi·a (trā′kē-ō-rā′jē-ă). 気管出血（気管粘膜からの出血）.

tra·che·os·chi·sis (trā′kē-os′ki-sis). 気管裂（気管への裂溝）.

tra·che·o·scop·ic (trā′kē-ō-skop′ik). 気管鏡〔検査〕法の.

tra·che·os·co·py (trā′kē-os′kŏ-pē). 気管鏡〔検査〕法（気管内部の視診）.

tra·che·o·ste·no·sis (trā′kē-ō-stĕ-nō′sis). 気管狭窄〔症〕.

tra·che·os·to·my (trā′kē-os′tŏ-mē). 気管開口〔形成〕術，気管切開〔術〕. = tracheotomy.

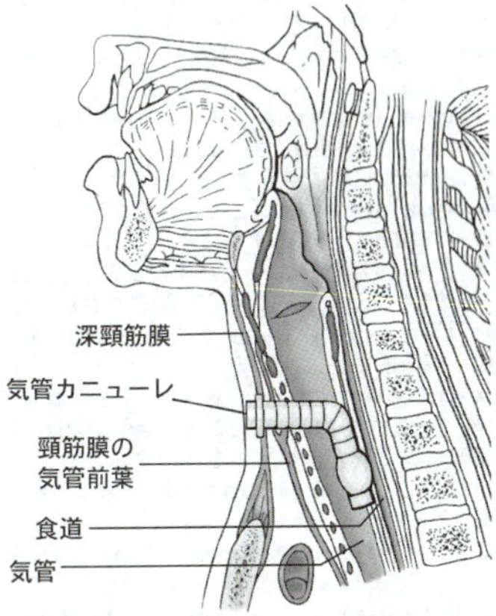
深頸筋膜
気管カニューレ
頸筋膜の
気管前葉
食道
気管
tracheostomy

tra·che·os·to·my tube 気管カニューレ（気管切開術後，開口部を保つために用いる屈曲した管. 金属製またはプラスチック製のものがある）.

tra·che·ot·o·my (trā′kē-ot′ŏ-mē). 気管切開〔術〕（気管の切開を行う手術. 通常一時的に使用する目的で行われる）. = tracheostomy.

tra·che·ot·o·my tube 気管カニューレ. = tracheostomy tube.

Tra·chi·plei·stoph·or·a (trā-kē-plī-stof′ōr-ă). トラキプリストフォーラ属（ヒトに寄生する可能性のある微胞子虫の一属で，免疫抑制を受けているヒトでは筋炎，角結膜炎，副鼻腔炎を起こす）.

tra·chi·tis (trā-kī′tis). = tracheitis.

tra·cho·ma (trā-kō′mă). トラコーマ，トラホーム（微小な灰色または黄色透明の顆粒形成を特徴とする慢性炎症で，*Chlamydia trachomatis* が病因である. 結膜の肥厚を伴う）. = Egyptian ophthalmia; granular ophthalmia.

tra·cho·ma bod·ies トラコーマ〔小〕体（トラコーマの急性期にヒトの結膜上皮細胞内にみられる特有の複雑な細胞形質内形体）.

tra·chom·a·tous (tră-kō′mă-tŭs). トラコーマの，トラコーマにかかった.

tra·chom·a·tous con·junc·ti·vi·tis トラコーマ性結膜炎（結膜濾胞とそれに続く瘢痕形成を特徴とする，トラコーマクラミジア *Chlamydia trachomatis* による結膜の慢性感染症. →trachoma）. = granular conjunctivitis.

tra·chom·a·tous ker·a·ti·tis トラコーマ性角膜炎（→pannus; corneal pannus）.

trac·ing (trās′ing). ***1*** 追跡図（身体や組織の概要や目立った特徴を図示するもの. →curve）. ***2*** 追跡（電気的または機械的事象の図的表示一般をいう）. ***3*** 軌跡（歯科において，先のとがった描記針で描記板上に描いた線のことで，下顎の

T

動きを記録する．描記法には口外法(口腔外で行う)と口内法(口腔内で行う)がある)．

tract (trakt)．路，道（延長した区域．→fascicle)．= tractus.

trac·tion (trak′shŭn)．牽引（①弾力またはばねの力によって引き出す行為，引く行為．②四肢に働いてこれを遠位方向に引く力)．

trac·tion di·ver·tic·u·lum 牽引性憩室（癒着した部分の収縮による牽引力によりできる憩室で，結核性肺門部リンパ節炎あるいは縦隔リンパ節炎により，主に食道遠位部に生じる)．

trac·tion e·pi·phy·sis 腱の付着部位にある骨化の副次的中心.

trac·tot·o·my (trak-tot′ō-mē)．〔神経路〕切路〔術〕(椎弓切除術，開頭術，定位手術により，脳幹および脊髄の神経路を切断すること)．

trac·tus, gen. & pl. trac·tus (trak′tŭs)．路，索，道. = tract.

trac·tus il·i·o·pub·i·cus = iliopubic tract.

trac·tus op·ti·cus 視索. = optic tract.

tra·di·tion·al Chi·nese med·i·cine (TCM) 伝統中国医学（古来からの治療法(約紀元前 200 年に起源)で，道教のバランス，節制，調和の概念がもとになっている．12 の回路網が臓器にライフエネルギー(気)を運ぶ．エネルギー流動のバランス不調和により，病状が表れる．エネルギー回復の技法として，薬草療法，気功，マッサージ，吸い玉療法，鍼治療，指圧などが使われる)．

tra·gal (trā′găl)．耳珠の，耳毛の.

tra·gal la·mi·na 耳珠板（縦に走る曲がった軟骨の板で，外耳道軟骨部の始めの部分を構成する)．

Tra·ger bod·y·work トレガーボディワーク(運動を取り入れた治療法で，静かに揺らすなどして依頼人の体を動かす．リラクセーションの促進，流動性の増進，脳の活性を強化を目的とする)．

tra·gi (trā′jī)．*1* tragus の複数形．*2* 耳毛，みみげ（外耳道入口に成育する毛)．

tra·gi·cus mus·cle 耳珠筋（耳介筋の 1 つで耳珠の外表面上にある垂直筋線維束)．= musculus tragicus; muscle of tragus.

tra·gus, pl. tra·gi (trā′gŭs, -jī)．*1* 耳珠（外耳道の入口の前にあり，外耳道軟骨に続く耳介軟骨の舌状突起)．= hircus(3)．*2* →tragi(2)．

TRAIL 腫瘍壊死因子リガンドファミリーのメンバー，形質転換した様々な細胞株のアポトーシスを誘導する．= apo-2L.

trai·ner (trā′nĕr)．トレーナー（技能の習得または活動の遂行を目指す人に，指導，訓練，是正，または支援を与える人)．

train·ing (trān′ing)．トレーニング，訓練，修練，養成，練習（教育，指導，または訓練の組織化された体系)．

train·ing group 訓練グループ（自己洞察と集団力学の訓練を強調する集団)．

train·ing-sen·si·tive zone トレーニング感受領域（運動心拍数の水準．通常，最大心拍数の 65—95%，心臓予備力の 50—85%で，トレーニングにより有酸素適性を改善するために必要とする範囲をさす．運動心拍数の値が限界値(70%)を下回ると，運動時間を延長している間に，効果が消失してしまう．→target heart rate)．= target heart rate range.

trait (trāt)．特性，特徴，体質，素質，形質（質に関する特徴．量的な特徴に対比した抽象的な特性．形質は量的分析よりも分離になりやすい．表現型の特性であり，遺伝型の特性ではない)．

trance (trans)．トランス（催眠状態，カタレプシー，恍惚におけるような意識の変化した状態)．

tran·quil·iz·er (trang′kwi-lī-zĕr)．トランキライザ，精神安定薬（患者を鎮静あるいは機能低下状態にせずに平穏にすることで落着きを促進する薬物)．

trans. transdermal の略.

trans- *1* 横切って，通って，…を超えて，を意味する接頭語．cis- の対語．*2* 遺伝学において，相同対の相対染色体上の 2 つの遺伝子の位置についていう．*3* 有機化学において，原子が二重結合の炭素原子の反対側に位置している幾何異性をいう．*4* 生化学において，一方の化合物から他方の化合物のその基を転移する酵素名または反応の中で基の名称に付ける接頭語.

trans·a·cet·y·lase (tranz-ă-sēt′i-lās)．トランスアセチラーゼ．= acetyltransferase.

trans·a·cet·y·la·tion (tranz′ă-sēt′i-lā′shŭn)．アセチル基転移（アセチル基(CH_3CO-)の，一方の化合物から他方の化合物への転移．そのような反応は，通常，アセチル CoA 形成を要し，アセチル基がオキザロ酢酸に転移することによりクエン酸を形成するトリカルボン酸回路の開始段階で起こるのはよく知られている)．

trans·ac·tion·al a·nal·y·sis 交流分析，トランスアクショナル分析（個人・集団療法の両方に用いられ，治療の場における人間関係の性質を組織的に理解しようとする精神療法システム．この治療システムには，ⓘ心内現像の構造分析，ⓘⓘ交流分析そのものともいうべき，出席者それぞれにおける現在優勢となっている自我状態(親，子供，成人)の判定，ⓘⓘⓘ相互に演じているゲームとそれによって得られる喜びの同一化を行うゲーム分析，ⓘⓥ患者の情動問題の原因を明らかにする筆記分析，の 4 つの要素が含まれる)．

trans·ac·yl·ase (tranz-as′i-lāz)．= acyltransferase.

trans air·way pres·sure 気道内外圧差（肺内(肺胞)と肺外(胸膜腔)の間の圧勾配)．

trans·al·do·la·tion (tranz′al-dō-lā′shŭn)．アルドール基転移（アルドール基が一方の化合物から他方へ転移する反応．こうした反応は，通常，糖リン酸エステルを必要とし，糖質異化のホスホグルコン酸酸化経路中に存在する)．

trans·am·i·di·na·tion (tranz-am′i-di-nā′shŭn)．アミジン基転移（アミジン基(NH_2C=NH)が一方の化合物から他方へと転移する反応．アミジン供与体は通常，L-アルギニンであり，その反応はクレアチンの生合成の際重要である)．

trans·am·i·nase (tranz-am′i-nās)．= aminotransferase.

trans·am·i·na·tion (tranz′am-i-nā′shŭn). アミノ基転移（アミノ酸と α-ケト酸との反応．この反応でアミノ基は，前者から後者へ転移する）．

trans·bron·chi·al nee·dle as·pir·a·tion (TBNA) 経気管支針吸引（気管支の組織あるいは隣接部位の生検で，気管支鏡から取り入れられた針を用いる．細胞学や組織学で使われている診断法は，胸腔内・呼吸器の病気の研究に生かされる）．

trans·ca·lent (trans-kā′lent). 熱線透過性の．= diathermanous.

trans·car·bam·o·y·las·es (trans-kahr-bam′ō-i-lā-sēz). トランスカルバモイラーゼ．= carbamoyltransferases.

trans·car·box·y·las·es (trans-kahr-boks′i-lās-ēz). トランスカルボキシラーゼ．= carboxyltransferases.

trans·cei·ver (tran-sē′vĕr). トランシーバー（無線周波数を送信したり，磁気共鳴を受信したりするコイル）．

trans·cell·u·lar flu·ids 細胞透過液（細胞内にはなく，細胞壁によって血漿や間質液から分離している液．例えば，脳脊髄液，滑液，胸膜液など）．

trans·cer·vi·cal thy·mec·to·my 頸部切開だけで行う胸腺摘出術．

trans·co·bal·a·mins (trans-kō-bal′ă-minz). トランスコバラミン（〝Rバインダー〟に属する化合物，コバラミン結合蛋白のファミリーに与えられた名称．その欠乏により，血清コバラミン値も低くなり，巨大赤血球性貧血になる）．

trans·co·chle·ar ap·proach 経蝸牛到達法（アプローチ）（蝸牛を経て内耳道に到達する外科的アプローチ）．

trans·cor·ti·cal (trans-kōr′ti-kăl). 皮質間の，超皮質〔性〕の（①脳，卵巣，腎臓などの皮質を横切ってまたは通っているものについていう．②大脳皮質の一方から他方へ，種々の連合路をさす）．

trans·cor·ti·cal a·pha·si·a 超皮質性失語〔症〕（運動言語野と感覚言語野は障害されていないが，残りの大脳半球皮質から孤立している失語．超皮質性感覚性失語と超皮質性運動性失語に分けられる）．

trans·cor·tin (trans-kōr′tin). トランスコルチン（コルチゾンやコルチコステロンと結合する血中 α-グロブリン．血漿成分のコルチコステロイド結合蛋白）．= corticosteroid-binding globulin.

tran·script (trans′kript). 転写物（メッセンジャー RNA (mRNA)，発現生成遺伝子）．

tran·scrip·tase (tran-skrip′tās). トランスクリプターゼ，転写酵素（転写の過程に関係するポリメラーゼ．特に DNA 依存性の RNA ポリメラーゼ）．

tran·scrip·tion (tran-skrip′shŭn). 転写（ある種の核酸の遺伝暗号の情報が，他の種の核酸へ写されること．特に mRNA が RNA ポリメラーゼによって DNA を鋳型とし，塩基酸配列の相補性によって合成される過程をいう）．

tran·scrip·tion-based chain re·ac·tion 転写に基づく連鎖反応（DNA あるいは RNA の標的部分を増幅する技術で，逆転写酵素によりそれぞれの DNA あるいは RNA 標的に対する一重鎖の DNA が合成され，さらに増幅するための鋳型として使用される）．

tran·scrip·tion-me·di·at·ed am·pli·fi·ca·tion TMA 法（増幅をもとにした，核酸配列に似た増幅検査）．

trans·cul·tu·ral nur·sing 異文化看護（社会を構成する人の中で，文化の違いに考慮した看護の提供）．

trans·cu·ta·ne·ous blood gas mo·ni·tor 経皮的血液ガス監視装置（皮膚に小型電極を当てて血液酸素や二酸化炭素圧を測定する装置．経皮的二酸化炭素分力($tcPCO_2$)は全年齢層にわたって動脈血二酸化炭素分圧($PaCO_2$)を比較的正確に反映する．経皮的酸素分力($tcPO_2$)は新生児や幼児では成人より正確である）．

trans·cu·ta·ne·ous e·lec·tri·cal nerve stim·u·la·tion (TENS) 経皮的電気神経刺激，経皮的電気神経刺激術(法)（電気(電流)刺激によって痛みを軽減する方法）．

trans·cy·to·sis (tranz-sī-tō′sis). トランスサイトーシス（経細胞輸送メカニズムのこと．細胞が細胞膜の陥入で細胞外物質を取り込み小胞を形成し(エンドサイトーシス)，その小胞を細胞内で移動させ，逆反応により逆の細胞膜から物質を排出させる(エキソサイトーシス))．= vesicular transport.

trans·der·mal (trans.) (trans-dĕr′mal). 局所投与（軟膏やパッチ形式で皮膚に投薬する際，

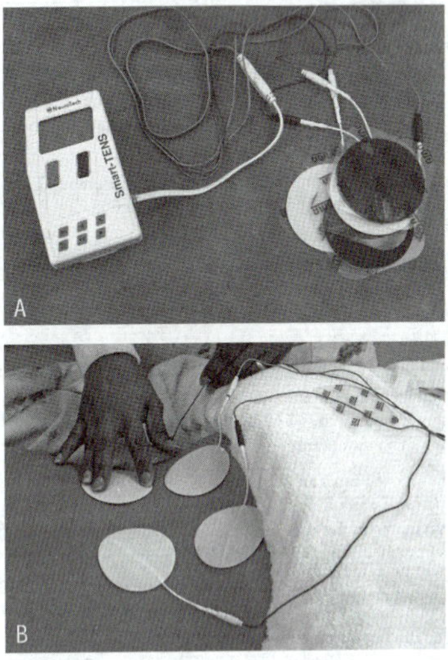
Smart-TENS
A
B

transcutaneous electrical nerve stimulation

T

真皮や皮膚全体に入り込むこと). = topical administration.

trans·dis·cip·li·nar·y (trans-dis′ip-li-nar-ē). 領域融合（いくつかの複合的なサービスを提供することで，二つ，あるいはそれ以上の専門分野が，同時に単一に統合された治療計画に対して働きかけるもの).

trans·duc·er (trans-dū′sĕr). 変換器，トランスデューサ（エネルギーを一方の形から他の形へ変換するよう考案された装置).

trans·du·cer cell 変換器細胞（機械的刺激，熱刺激，光刺激，または化学的刺激に反応し，その細胞に接している感覚ニューロンにシナプス伝達される電気的インパルスを生じる細胞).

trans·duc·tion (trans-dŭk′shŭn). ***1*** 〔形質〕導入（遺伝物質(およびその形質発現)をウイルス感染によって1つのバクテリアから他のバクテリアに移入すること). ***2*** 導入，形質導入（バクテリアの遺伝的組換えの一型). ***3*** エネルギー変換（1つの形態から他の形態へのエネルギーの変換).

tran·sec·tion (tran-sek′shŭn). = transsection. ***1*** 横断面. ***2*** 横断，離断.

trans·es·oph·a·ge·al ech·o·car·di·og·ra·phy 経食道超音波心エコー検査（トランスデューサを用いて施行する心臓図検査). = transoesophageal echocardiography.

trans·e·soph·a·ge·al folds = tracheoesophageal folds.

trans·e·soph·a·ge·al rid·ges = tracheoesophageal folds.

trans fat·ty ac·id トランス脂肪酸（トランス型の一不飽和脂肪酸で，たいてい工業の過程で，高度不飽和の植物性油が水素化することで生産される).

trans·fec·tion (trans-fek′shŭn). トランスフェクション（核酸(レトロウイルス由来のような)を細胞の感染に利用した遺伝子導入法．その結果，トランスフェクションされた細胞でのウイルス複製へと続く).

trans·fer (trans′fĕr). = transmission(1). ***1*** 転移（除去あるいは移動). ***2*** 転嫁，移入（1つの状況での学習が他の場面での学習に影響を与える状態．学習の持ち越し．1つの行動学習が他の学習を促進する際のように，効果がプラスであることもあり，また1つの習慣が後の習慣獲得を妨げる際のように，効果がマイナスであることもある).

trans·fer·as·es (trans′fĕr-ās-ĕz). トランスフェラーゼ，転移酵素（一炭素基，アシル残基，グリコシル残基，アルキルまたはアリル基，窒素含有基，リン含有基，硫黄含有基を転移する酵素).

trans·fer de·vic·es トランスファ装置（閉鎖した状態で，注射器から排出チューブへ血液を流すのに使われる装置の一部．瀉血専門医が針刺し事故を起こす危険性を減らす).

trans·fer·ence (trans-fĕr′ĕns). ***1*** 移転，移動（ある物体を他の場所に移すこと). ***2*** 転移（転換ヒステリーの症例でみられるように，症状が身体の一側から他側へと移動すること). ***3*** 転移（ある人またはある観念についての感情を他の人(観念)へと置き換えること). ***4*** 転移（精神分析において，患者の過去における人物を代表するようになった分析者に対して，感情，思考および願望を投射することについて通常用いる).

trans·fer·ence neu·ro·sis 転移神経症（精神分析において，患者が分析者に対して強い情動的関係をもつような現象).

trans·fer fac·tor 転移因子，伝達因子，トランスファーファクター（①接合性プラスミド，特に薬剤耐性のプラスミドの伝達遺伝子．②遅延型過敏症のヒト白血球から採れる透析性の抽出物で，非感作者の皮膚に注射するとそれに特有な過敏性を付与する．③= elongation factor).

trans·fer for·ceps トランスファ鉗子（無菌の鉗子で，無菌のトレイに品目を加えたり，他の品目を配列したりするのに使われる).

trans·fer·rin (trans-fĕr′in). トランスフェリン（①血漿非ヘム β_1-グロブリンの1つ．1 g 当たり 1.25 μg までの鉄と可逆的に結合でき，そのため鉄輸送蛋白として作用する．②糖蛋白，哺乳類の乳(ラクトフェリン)，卵白(コンアルブミン，オボトランスフェリン)に存在し，鉄(Fe^{3+})を結合し，輸送する).

trans·fer·rin sat·ur·a·tion トランスフェリン飽和度（鉄に結合したトランスフェリン量の計算値(%)．血清鉄および全鉄結合能力を測定して求める．血清鉄/TIBC × 100 =飽和量(%)．この値は貧血を鑑別するのに有用である．低トランスフェリン飽和度は鉄が欠乏することにより起こり，高飽和度は鉄が過剰に存在することにより起こる).

trans·fer RNA (tRNA) トランスファー RNA，転移 RNA（細胞内に存在する少なくとも 20 種類の短鎖 RNA 分子で，各種類は決まった特定のアミノ酸(→aminoacyl-tRNA)と結合することができる．mRNA 分子に沿って特定点(コドン)と結合(塩基配列によって)し，それらの点のアミノアシル残基を運ぶことによって，特定のアミノ酸配列(終局的に染色体中の DNA の一部分によって命令される)とともに蛋白を形成する働きをする). = soluble RNA.

trans·fix·ion (trans-fik′shŭn). 貫通切断（切断技術．ナイフを骨の近くの軟部に通し，次いで筋を内部から外部へと分割する).

trans·fix·ion su·ture 縫合結紮（①結んで，組織表面または小血管からの出血を止める十文字の縫合．②鼻中隔に鼻柱を固定するために用いる縫合).

trans·for·ma·tion (trans-fōr-mā′shŭn). ***1*** 変態. = metamorphosis. ***2*** 変換（軟骨から骨の変換のように，1つの組織から他の組織への変化). ***3*** 変質（金属では，熱処理によって起こる固体状態での相変化と物理的性質の変化). ***4*** 〔形質〕転換（微生物遺伝学において，供与菌に由来し，受容能力のある受容菌に取り囲まれた裸の細胞内 DNA 断片による細菌間の遺伝情報の伝達).

trans·form·ing fac·tor 形質転換因子（細菌の形質転換を左右する DNA).

trans·fuse (trans-fyūz′). 輸液する，移入する，輸注する.

trans·fu·sion (trans-fyū′zhŭn). 輸血（供血者から受血者へ血液を移すこと）.

trans·fu·sion ne·phri·tis 輸血腎炎（不適合血液の輸血によって生じる腎不全および腎尿細管の破損．溶血した赤血球のヘモグロビンが腎尿細管に血球円柱として沈着する）.

trans·gen·e·sis (trans-jen′ĕ-sis). 遺伝子導入（卵子に異なった種の DNA を導入した生殖）.

trans·glot·tic (trans-glot′ik). 経声門型の（声門上部から下部にかけて癌が広がっているときのように声門を垂直に横切っていること）.

trans·he·pat·ic (trans-he-pat′ik). 経肝の（肝臓経由または肝臓内に注射をすること）.

trans·hi·a·tal (trans-hī-ā′tăl). 経裂孔的（裂孔を経ての手術の進入経路についていう）.

trans·hi·a·tal e·soph·a·gec·to·my 経裂孔的食道切除術（上方は頸部切開からそして下方は腹部切開から経裂孔的に行う食道切除）.

tran·si·ent a·can·tho·lyt·ic der·ma·to·sis 一過性棘融解性皮膚症（前胸部に生じるそう痒性丘疹の発疹．発疹は背部および四肢外側にも散在性に生じ，2—3 週から数か月の間持続する．主に 40 歳以上の男性にみられる）. = Grover disease.

trans·i·ent e·voked o·to·a·cous·tic e·mis·sion 〔一過性〕誘発耳音響放射（短時間で消失する耳音響放射）.

tran·si·ent glob·al am·ne·si·a 一過性全健忘（中年ないし初老の人にみられる記憶障害で，数時間持続する健忘のエピソードと当惑を特徴とする．エピソード中は現在および最近の出来事に関する記憶障害が認められるが，意識は清明で，見当識もよく，高次の知的活動も可能であり，神経学的検査も正常である）.

tran·si·ent ho·mo·sex·u·al·i·ty = circumstantial homosexuality.

tran·si·ent hy·po·gam·ma·glob·u·lin·e·mi·a of in·fan·cy 一過性乳児低ガンマグロブリン血症（原発性免疫不全症の一型で，新生児に発症する．リンパ系組織の未発達によるものと考えられている）.

tran·si·ent is·che·mic at·tack (TIA) 一過性脳虚血(乏血)発作（神経学的機能の突然の巣状喪失で，通常，24 時間以内に完全に回復する．頸動脈または椎骨脳底動脈の流域の一部の灌流が短時間低下して起こる）.

trans·i·ent tach·yp·ne·a of the new·born (TTN) 新生児一過性多呼吸（生後数時間にわたってみられる呼吸困難で，通常は 12—24 時間で解消する）.

tran·sil·i·ent (tran-zil′yĕnt). 飛び越すこと．脳中の 1 つの脳回から別の非近接の脳回を通る皮質連合線維についていう.

trans·il·lum·i·na·tion (tranz-i-lū′mi-nā′shŭn). 徹照〔法〕，透視〔法〕（光を組織や体腔に通し，試験する方法）.

tran·si·tion·al cell car·ci·no·ma 移行上皮癌（移行上皮から発する悪性新生物．主に膀胱，尿管，子宮，腎盂に発生する）.

tran·si·tion·al den·ture 移行義歯（永久義歯へ移行させる暫間補てつ物として用いられる部分床義歯で，歯の欠如が増せばこれに人工歯を追加し，抜歯後の組織が回復した後，新しい義歯に交換される．歯列弓から全部の歯が失われたとき，移行義歯は暫間義歯になるといえる）.

tran·si·tion·al ep·i·the·li·um 移行上皮（高度の伸展性をもった偽重層上皮で，表層の大きな倍数体の細胞は弛緩時は立方形であるが，伸展時には幅広い鱗状になる．腎盂，尿管，膀胱にみられる）.

tran·si·tion·al gy·rus 移行回（脳溝の深部で，異なる脳葉間あるいは 2 つの主な脳回を結ぶ小回）.

tran·si·tion·al ob·ject 移行対象（多くの小児が分離に対処するために(通常は一過性の)不在の親の代用として用いられる対象．典型的には，毛布やぬいぐるみ）.

tran·si·tion·al zone 移行圏，移行領域（①前部水晶体上皮細胞が水晶体線維に移行する水晶体の赤道部．②強膜レンズの角膜部と強膜部との間の境界部）.

tran·si·tion·ing (tran-zish′ŏn-ing). 移行（子供あるいは家族をある政府の計画から別の計画へと移動させること．I.D.E.A(個別障害者教育法)で指定された局面で，早期介入，または特殊教育プログラムにおける障害児のためのもの）.

tran·si·tion mu·ta·tion 対〔突然〕変異（1 組の塩基対が他のものと置換されること．すなわちプリン-ピリミジンの配列は変化せずに，1 個のプリンが他のプリンと，1 個のピリミジンが他のピリミジンと置換される 1 対の点突然変異）.

trans·jug·u·lar in·tra·he·pa·tic por·to·sys·tem·ic shunt (TIPS) 経頸静脈性肝内門脈体循環短絡術（門脈圧亢進症を軽減するために行われるインターベンショナルラジオロジー的処置）.

trans·ke·to·la·tion (trans′kē-tō-lā′shŭn). ケトール基転移（ケトール基群が 1 つの化合物から他の化合物へ転移する反応）.

trans·la·by·rin·thine ap·proach 経迷路到達法(アプローチ)（内耳を経て小脳橋角部に到達する外科的アプローチ）.

trans·la·tion (trans-lā′shŭn). ***1*** 翻訳（別の形態に変化または変換すること）. ***2*** 翻訳，トランスレーション（メッセンジャー RNA の塩基配列の指令に従って，リボソームが転移 RNA を介してアミノ酸から固有の蛋白を合成する．複雑な蛋白合成反応の総称）. ***3*** 平行移動，歯体移動（歯科において，歯軸の傾斜を変えないで，歯槽骨を通して歯を移動すること）.

trans·lo·ca·tion (trans-lō-kā′shŭn). ***1*** 転座（異常切断と相互分節の再癒合の結果生じる非相同染色体の 2 つの分節の転位）. ***2*** トランスロケーション（生体膜を横切った代謝産物の輸送）.

trans·lu·cent (trans-lū′sĕnt). 半透明の（光の拡散的透過を許すものについていう）.

trans·me·at·al in·ci·sion 経外耳道切開（後つち骨ひだから 6 時の位置に達する，外耳道後方の皮膚に加える切開．中耳の後方に達するために行う）.

T

trans·meth·y·lase (trans-meth′i-lās). トランスメチラーゼ. = methyltransferase.

trans·meth·y·la·tion (trans′meth-i-lā′shŭn). メチル基転移（メチル基の，1つの化合物から別の化合物への転移）.

trans·mi·gra·tion (trans′mī-grā′shŭn). 移行，遊出（一側から他側への動き. 多くは血管壁を通して血液細胞が通る(漏出)際のように通常，障壁の交差を伴う）.

trans·mis·si·ble (trans-mis′i-bĕl). 送ることのできる（伝播性，感染性または接触感染性疾患のように，ヒトからヒトへと伝播(運搬)されうるものについていう）.

trans·mis·sion (trans-mish′ŭn). ***1*** 伝達. = transfer. ***2*** 伝播，伝染（ヒトからヒトへ疾病が伝達していくこと）. ***3*** 伝達（神経インパルスが，シナプスを越えた側の構造物を刺激または抑制する特異的化学メディエイタによって活性化されて，自律神経系または中枢神経系のシナプスや神経筋接合部のような解剖学的裂溝を越えて通過すること）. ***4*** 透過，伝達，伝送（一般に物質を通してのエネルギーの通過をさす）.

trans·mis·sion-based pre·cau·tions 感染経路別予防策（伝染性の高い病原体が感染するのを防ぐために，米国立疾病防疫センターが確立した測定法. 標準予防策に加え，特別予防策は第二段階として，伝染の潜在的手段(例えば空気媒介，液滴，接触)をもとに決められる）.

trans·mu·ral (trans-myū′răl). 経壁の（身体，嚢胞あるいはすべての空洞構造の壁を通る）.

trans·mu·ral pres·sure 経壁圧（心腔または血管の壁を隔てた圧力. または体腔内と体表面での圧力差）.

trans·mu·ta·tion (trans′myū-tā′shŭn). 変種，変換. = conversion (1).

trans·na·sal fi·ber·op·tic la·ryn·gos·co·py 経鼻的喉頭鏡検査〔法〕（ファイバースコープを鼻を経由して挿入することにより喉頭を観察する喉頭鏡検査法）.

transoesophageal echocardiography [Br.]. = transesophageal echocardiography.

trans·par·ent den·tin 透明ぞうげ質. = sclerotic dentin.

trans·par·ent sep·tum 透明中隔（脳組織の薄板で，神経細胞と多数の神経線維を含み，下方は脳弓柱と脳弓体，上前方は脳梁にはさまれて扁平垂直な薄板状に広がっている. 通常は，向かい合わせに対をなしている2枚が正中面で癒合し，左右の側脳室の前角を隔てる薄い隔壁を形成している. ヒトの10%未満では2つの透明中隔の間に閉鎖され，液体で満たされたスリット状の空間，すなわち透明中隔腔がある. 透明中隔は脳梁と前交連の間隙を通り腹側に向かい，前交連中隔，梁下回に続いている）.

trans·pep·ti·dase (trans-pep′ti-dās). トランスペプチダーゼ（ペプチド転移反応を触媒する酵素）.

trans·pep·ti·da·tion (trans′pep-ti-dā′shŭn). ペプチド転移（1つ以上のアミノ酸が1つのペプチド鎖からトランスペプチダーゼ作用によるように，他のペプチド鎖に転移するか，あるいはバクテリア細胞壁合成におけるように，ペプチド鎖自身に転移する反応）.

trans·phos·pho·ryl·a·tion (trans′fos-fōr-i-lā′shŭn). リン酸基転移（リン酸基が一化合物から他の化合物へと転移する反応. しばしばアデノシン三リン酸(ATP)が関与する）.

tran·spi·ra·tion (trans′pir-ā′shŭn). 蒸散，不感蒸泄，不感発汗（皮膚または粘膜から水蒸気が蒸散すること. →insensible perspiration）.

trans·plant (trans′plant). ***1*** 〚v.〛 移植する（組織移植のように，ある部分を他の部分へ移し換える）. ***2*** 〚n.〛 移植組織，移植片（移植手術に用いる組織や器官. →graft）.

trans·plan·ta·tion (trans′plan-tā′shŭn). 移植〔術〕（ある部位または他の人から採った組織や臓器を，他の部位に植え付けること. →graft）.

trans·port (trans′pōrt). 移送，運搬，輸送（生物学的機能における生化学物質の転移あるいは移動）.

trans·port max·i·mum (Tm) 尿細管最大輸送量（尿細管による物質の分泌または再吸収に関する最大速度）.

trans·port me·di·um 搬送培地（臨床検体を検査のため検査室へ送るのに使う培地）.

trans·pos·a·ble el·e·ment 転移因子（ゲノムのある位置から他の位置に移動し得るDNA配列. 転移という出来事は組換えと複製の両方が関与し，2コピーの移動DNA断片を生みだす. これらのDNA断片の挿入は標的遺伝子の完全な形を壊し，恐らく眠っている遺伝子の活性化，欠失，逆位および様々な染色体異常の原因となる）.

trans·pos·ase (trans-pōz′ās). トランスポザーゼ（DNA部分が転位する際に働く酵素）.

trans·pose (trans-pōz′). 転位する（ある組織や器官を別の組織または器官のある場所に転移すること）.

trans·po·si·tion (trans-pŏ-zish′ŭn). ***1*** 転移（一方から他方への移動）. ***2*** 逆位（身体の正常でない位置または反対側にある状態. 例えば，内臓が正常にみられる側と反対の側にある内臓逆位）. ***3*** 転位（歯列弓内において，正常な配列でない所に歯が位置すること）.

trans·po·si·tion of the great ves·sels 大血管転位〔症〕（先天性の奇形で，大動脈は形態学的な右室から，また肺動脈は形態学的な左室から起始し，その結果2つの分離された平行な循環となる. この状態は生後いくらかの交通が体循環と肺循環にないかぎり致死的で，生命維持のための交通は心房内交通か動脈管による）.

trans·po·son (trans-pō′zon). トランスポゾン（各末端に挿入配列因子の繰返しをもち，同一細菌内の1つのプラスミドから他のプラスミドへ，または細菌の染色体へ，あるいはバクテリオファージへと，移動することのできるDNAの分節）.

trans·pul·mo·nar·y pres·sure 経肺圧（口内の呼吸気圧と肺周囲の胸膜間圧との差）.

trans·res·pir·a·tor·y pres·sure 経呼吸圧（気道，肺，および胸壁を通じての総圧力差. 気道開口部(口)の圧力と体表面の圧力の差(すなわち，気道開口部の圧－体表面の圧)).

trans·sec·tion (trans-sek′shŭn). = transection.

trans·sex·u·al (tran-sek′shū-ăl). ***1*** 〖n.〗 性転換〔者〕(男あるいは女のどちらか1つの性の外性器と二次性徴を有するが，本人の自己性的同一化と心理・社会的構造は異性のものであるような人．形態学的，遺伝学的，生殖腺構造の研究では，生殖器の性と一致していることもあり不一致であることもある)．***2*** 〖adj.〗 性転換〔者〕の (***1*** の性質をもつ人を示す，または ***1*** の性質をもつ人に関する)．***3*** 〖adj.〗 性転換〔手術〕の (異性のそれに似せるために患者の外的性徴を変えるようにする内科的および外科的処置に関する)．

trans·sex·u·al·ism (tran-sek′shū-ă-lizm). ***1*** 性転換状態 (性転換をしている状態)．***2*** 性転換症 (性同一性障害．自分が，本来男性であるならば女性，女性であるならば男性の一員であるという自己認知をもち，自分の解剖学的特徴をその性に身体的にも見合うように変えたいという欲求)．

trans·syn·ap·tic de·gen·er·a·tion 経シナプス変性 (神経細胞とシナプス結合する軸索の損傷後に起こる神経細胞の萎縮．特に外側膝状体で報告されている)．

trans·thor·a·cic e·soph·a·gec·to·my 経胸的食道切除術 (開胸切開による食道切除)．

trans·tho·rac·ic re·sis·tance 経胸壁抵抗 (除細動時，流れの通過に対して起こる胸腔の抵抗)．

trans·tra·che·al ox·y·gen ther·a·py 経気管酸素療法 (第2気管間隙に挿入したカテーテルを通じて酸素を供給する方法)．

tran·su·date (tran′sū-dāt). 漏出液，濾出液 (不均衡な静水圧や浸透圧力により，毛細管壁のような，恐らく正常と思われる膜を通過してきた液体(溶媒と溶質)．二次的濃縮がないかぎり蛋白濃度の低いことが特徴である．*cf.* exudate)．= transudation(2)．

tran·su·da·tion (tran′sū-dā′shŭn). ***1*** 漏出，濾出 (静水圧または浸透圧勾配による，液体または溶質の粘膜通過)．***2*** = transudate.

trans·u·re·ter·o·u·re·ter·os·to·my (trans-yūr′ĕ-tĕr-ō-yŭr′ĕ-tĕr-os′tŏ-mē). 対側尿管尿管吻合〔術〕(一方の尿管の切断端を健常の反対側の尿管へ吻合すること．直接あるいは楕円端側吻合法を用いる．→ureteroureterostomy)．

trans·u·re·thral re·sec·tion 経尿道的切除〔術〕(内視鏡的に前立腺や膀胱の組織を切除する手術．通常，肥大した前立腺組織の除去あるいは膀胱の悪性疾患の治療に適用される)．

trans·va·gi·nal scan·ning 経腟走査法 (探触子を腟内で操作し女性骨盤内を走査する超音波診断法)．

trans·vec·tor (trans-vek′tŏr). 伝播媒介動物 (自身は毒物質を産生しないが，毒物質を媒介する動物．毒物質は，動物(双鞭毛藻類)や植物(藻類)を起源として蓄積されることもある)．

trans·ver·sal·is fa·sci·a 横筋筋膜 (腹膜と腹筋との間にあって腹腔の前外側を包む筋膜)．

trans·verse (trans-vĕrs′). 横径の，横行の，横の (身体または部位の長軸と直行するものについていう)．

trans·verse am·pu·ta·tion 横断切断〔術〕(四肢の切断線が長軸に対して直角に走る切断)．

trans·verse ar·ter·y of neck 頸横動脈. = transverse cervical artery.

trans·verse car·pal lig·a·ment 手根横靱帯 (手根の掌面を横切る強い線維帯で，その下に指の屈筋腱および橈側手根屈筋腱と正中神経を通す．かくて手根管が形成される)．

trans·verse cer·vi·cal ar·ter·y 頸横動脈 (甲状頸動脈より起こり，浅枝(浅頸動脈)，深枝(下行肩甲動脈)に分枝する)．= arteria transversa colli; transverse artery of neck.

trans·verse cer·vi·cal nerve 頸横神経 (頸神経叢の枝で，前頸三角の皮膚に分布)．= nervus transversus colli.

trans·verse cer·vi·cal veins 頸横静脈 (同名動脈に伴う静脈で，外頸静脈またときには鎖骨下静脈に注ぐ)．= transverse veins of neck.

trans·verse co·lon 横行結腸 (左右の結腸曲間の部分．腹部を右から左へ横切っているが多かれ少なかれ中央部が垂れ下がっており，しばしば臍の下方にまで達している)．

trans·ver·sec·to·my (trans′vĕr-sek′tŏ-mē). 横突起切除〔術〕(脊椎の横突起の切除)．

trans·verse di·a·me·ter 横径 (骨盤入口の横径で，分界線間の距離)．

trans·verse fa·cial ar·ter·y 顔面横動脈 (浅側頭動脈より起こり，耳下腺，耳下腺管，咬筋，それをおおう皮膚に分布する．頸動脈からの眼窩下動脈および頬枝，顔面動脈の頬枝・咬筋枝と吻合)．= arteria transversa faciei.

trans·verse fa·cial vein 横顔面静脈 (浅側頭静脈および下顎後静脈の枝で顔面静脈と吻合する)．= transverse vein of face.

trans·verse fis·sure of the right lung 右肺水平裂 (右肺の上葉および中葉を分離する深い溝)．

trans·verse fo·ra·men 横突孔. = vertebroarterial foramen.

trans·verse frac·ture 横骨折 (骨折線が縦方向の骨軸と直角をなす骨折)．

trans·verse her·ma·phro·dit·ism 交差性半陰陽 (外性器は一方の性の特徴を示し，生殖腺は他方の性の特徴を示す偽半陰陽)．

trans·verse hor·i·zon·tal ax·is 水平横走軸 (下顎が回転する際の軸となる，水平面上の仮想線)．

trans·verse lie 横位 (胎児の長軸が母親の長軸を横断しているか，または直角である関係)．

trans·verse lig·a·ment of el·bow 肘横靱帯 (肘頭と鉤状突起を結ぶ靱帯で尺側側副靱帯と入り組んでいる)．

trans·verse lig·a·ment of knee 膝横靱帯 (膝関節の前部で外側・内側半月間を通る横帯)．= ligamentum transversum genus.

trans·verse mus·cle of ab·do·men 腹横筋. = transversus abdominis muscle.

trans·verse mus·cle of chin おとがい横筋. = transversus menti muscle.

T

trans·verse mus·cle of nape 項横筋. = transversus nuchae muscle.

trans·verse mus·cle of tongue 横舌筋（内舌筋の１つで，舌中隔から出て背部と側部に放射状に広がる線維．作用：舌の横幅を小さくする．神経支配：運動は舌下神経，感覚は舌神経）. = musculus transversus linguae.

trans·verse per·i·car·di·al si·nus 心膜横洞（心臓から出ていく大血管の間にある心膜を貫通する通路で，肺静脈幹と上行大動脈の後方，上大静脈の前方，心房の上方にある．発生上，心筒の屈曲と一部は大動静脈の接近によって形成されたもの）. = Theile canal.

trans·verse per·i·ne·al lig·a·ment 会陰横靱帯（会陰膜の肥厚前縁）.

trans·verse plane 横断面（前頭面と矢状面とに直角で身体を横切る面）.

trans·verse pre·sen·ta·tion 横位（胎児が，頭位でも殿位でもなく，子宮の中で産道の軸を横断して横たわっている異常な胎位）.

trans·verse pro·cess 横突起（椎弓の両側で椎弓根と椎弓板の間から突出する骨塊で，付着する筋のてこのように働いている）.

trans·verse rec·tal folds, trans·verse folds of rec·tum 直腸横ひだ（直腸粘膜に水平に走る 3，4 個の半月形のひだ．上直腸横ひだは左側の直腸の起始部の近くにある．中直腸横ひだ(Houston または Kohlrausch のひだ)は右側から肛門の上方約 8 cm のところに突出する．下直腸横ひだは左側から肛門の上方約 5 cm のところに出ている）.

trans·verse re·lax·a·tion 横緩和（核磁気共鳴において，90 度パルスが切られた後の原子核の磁化ベクトルが 90 度方向から(外部)磁場方向へ減衰すること．信号は自由誘導減衰とよばれる．→T2. *cf.* longitudinal relaxation）.

trans·verse rhomb·en·ce·phal·ic flex·ure = pontine flexure.

trans·verse scap·u·lar ar·ter·y = suprascapular artery.

trans·verse sec·tion 横断面（実際にまたは画像技術によって人体，人体の一部分または解剖学的構造物を水平に切った断面．つまり長軸と直交する面．実際の切断は人体の上部と下部を分けるので，解剖学的横断面とは上部下面または下部上面の切断表面の二次元的描像ともいえる．慣例により，医用画像の横断面は，明示されないかぎり前者(上部下面)を表示する）.

trans·verse si·nus 横静脈洞（静脈洞交会の血液を集める一対の硬膜静脈洞で，小脳テントが後頭骨に付着する部位に沿って走り S 状静脈洞に注いで終わる）.

trans·verse tar·sal joint 横足根関節（内側では距骨と舟状骨の間，外側では踵骨と立方骨の間にある関節で，一体となって足の長軸の周りに足先を後部に対して回旋させ，全体として足の内反や外反に協力する）.

trans·verse tem·por·al gy·ri 横側頭回（外側溝(Sylvius 溝)と隣接し，側頭葉の上部表面上を横側頭溝により互いに分離されて横に走る 2，3 個の脳回）.

trans·verse thor·a·co·ster·no·to·my 肋間切開と胸骨横切開を組み合わせた胸部切開.

trans·verse vein of face 顔面横静脈. = transverse facial vein.

trans·verse veins of neck 頸横静脈. = transverse cervical veins.

trans·ver·sion (trans-vĕr′zhŭn). ***1*** トランスバージョン，変異，転換（DNA または RNA 鎖中，変異によってピリミジン塩基がプリン塩基またはその逆の置換を起こす変化のこと）. ***2*** 移転位（歯科において，正常では別の歯が占める位置に他の歯が萌出すること）.

trans·ver·sion mu·ta·tion 転換型〔突然〕変異（対突然変異 transition mutation とは対照的に，プリンとピリミジンとの配列が逆になるような塩基の置換をもつ点突然変異）.

trans·ver·so·spi·nal·is mus·cle 横突棘筋（椎骨横突起に起始をもち，高位の椎骨の棘突起に停止する深背筋群．回転の機能をもち，半棘筋(頭・頸・胸半棘筋)，多裂筋，回旋筋(頸・胸・腰回旋筋)を含む．すべて脊髄神経後枝支配）. = musculus transversospinalis; transversospinal muscle.

trans·ver·so·spi·nal mus·cle 横突棘筋. = transversospinalis muscle.

trans·ver·sus ab·do·mi·nis mus·cle 腹横筋（前外側腹壁の筋のうち最深層のもの．起

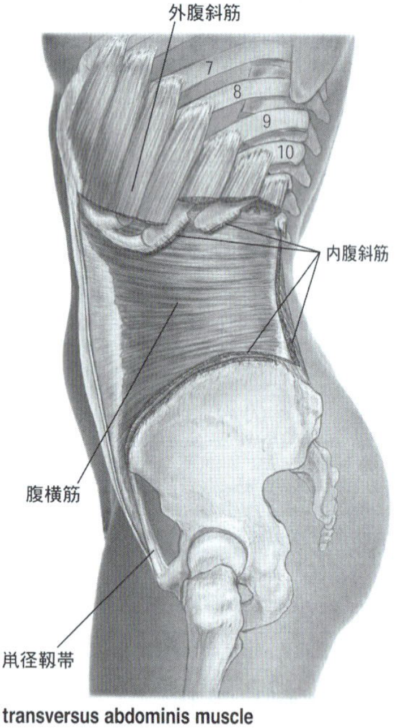
外腹斜筋
7
8
9
10
内腹斜筋
腹横筋
鼡径靭帯

transversus abdominis muscle

始：第七–第十二肋軟骨，腰筋膜，腸骨稜，鼡径靱帯．停止：剣状突起と白線，および鼡径鎌を通じて，恥骨結節・櫛．作用：腹部の内容量を小さくする．体幹を回し屈曲する．神経支配：下位の胸神経）．= musculus transversus abdominis; transverse muscle of abdomen.

trans·ver·sus men·ti mus·cle おとがい横筋（おとがいにある顔面筋．頸部に連続し顎の下と左右を横切って停止する．口角下制筋の不定線維）．= musculus transversus menti; transverse muscle of chin.

trans·ver·sus nu·chae mus·cle 項横筋（僧帽筋と胸鎖乳突筋の腱の間に張る筋でまれに存在する．後耳介筋束と考えられる）．= musculus transversus nuchae; transverse muscle of nape.

trans·ver·sus thor·a·cis mus·cle 胸横筋（胸郭内面の筋．起始：剣状突起内面と胸骨体内面の下部．停止：第二–第六肋軟骨．作用：肋骨を押し下げて胸を狭める．神経支配：肋間神経）．= musculus transversus thoracis.

trans·ves·tism (trans-ves′tizm)．服装倒錯〔症〕，異性変装〔症〕（異性の洋服を着たがったり，着て出歩くこと．特に男性が女性のしぐさをしたり衣装を身に着けること）．= transvestitism.

trans·ves·tite (trans-ves′tīt)．服装倒錯者（服装倒錯を行う人）．

trans·ves·ti·tism (trans-ves′ti-tizm)．= transvestism.

Tran·tas dots トランタス斑点（春季カタルの際に輪部結膜にみられるゼラチン質の灰白赤色，凸凹を有する結節）．

TRAP (trap)．twin reversed arterial perfusion の略．→twin reversed arterial perfusion sequence.

tra·pe·zi·al (tră-pē′zē-ăl)．梯形の．

tra·pe·zi·form (tră-pē′zi-fōrm)．不等辺四辺形の．= trapezoid (1).

tra·pe·zi·um, pl. tra·pe·zi·a, tra·pe·zi·ums (tră-pē′zē-ŭm, -ă, -ŭmz)．***1*** 不等辺四辺形，梯形，台形（2 辺が平行でない 4 辺の幾何学的図形）．***2*** 大菱形骨（手根の遠位列の外側（橈側）の骨．第一・第二中手骨，舟状骨，小菱形骨と関節する）．= os trapezium; greater multangular bone; os multangulum majus; trapezium bone.

tra·pe·zi·um bone 大菱形骨．= trapezium (2).

tra·pe·zi·us (tră-pē′zē-ŭs)．僧帽筋．= trapezius muscle.

tra·pe·zi·us mus·cle 僧帽筋（胸郭体肢筋の 1 つで肩関節の動きに関わる．起始：最上項線の内側部，外後頭隆起，項靱帯，第七頸椎と胸椎の棘突起，これらをつなぐ棘上靱帯．停止：鎖骨の後表面の外側 1/3，肩峰前面，肩甲棘の上縁と内側縁．作用：肩甲骨が固定されているときは筋は部分ごとに別個の働きをする．頸部は肩甲骨を挙上し，胸部は肩甲骨を押し下げ，上部と最上部は同時に働いて関節窩を上に回す．すべての部分が働いた場合や，特に中部が働いたときは肩甲骨を中央に引き寄せる．また頭全体を片側に引くときや後に引くときも働く．神経支配：副神経と頸神経叢）．= musculus trapezius; trapezius.

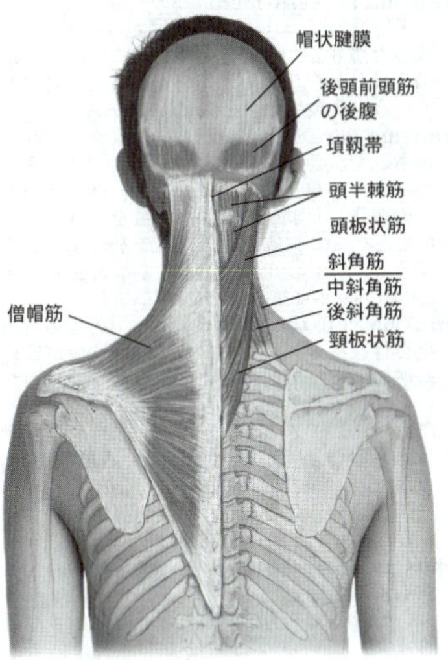
帽状腱膜
後頭前頭筋の後腹
項靱帯
頭半棘筋
頭板状筋
斜角筋
中斜角筋
後斜角筋
頸板状筋
僧帽筋

trapezius muscle

trap·e·zoid (trap′ĕ-zoyd)．台形の（①不等辺四辺形に似た．= trapeziform. ② 1 対の対辺が平行であることを除けば，不等辺四辺形に似た幾何図形．③= trapezoid bone）．

trap·e·zoid bone 小菱形骨（手根の遠位列の骨．第二中手骨，大菱形骨，頭状骨，舟状骨と関節する）．= trapezoid (3).

trap·e·zoid lig·a·ment 菱形靱帯（烏口鎖骨靱帯の外側部分で，鎖骨の菱形靱帯線に付着する）．= ligamentum trapezoideum.

trap·e·zoid line 菱形靱帯線（鎖骨の下面の外側端に近い部分で菱形靱帯が付着する）．

Trapp factor トラップ因子（尿比重の下 2 桁の数字．2 を掛けると固体 1000 あたりの量が出る）．

Trau·be bru·it トラウベ雑音．= gallop.

Trau·be cor·pus·cle トラウベ小体．= achromocyte.

Trau·be dou·ble tone トラウベ重複音（大動脈閉鎖不全症や三尖弁閉鎖不全症の場合に，大腿血管上を聴診して聞こえる重複音）．

Trau·be-He·ring curves, Trau·be-He·ring waves トラウベ–ヘーリング曲線（血圧の緩徐な変動．通常，呼吸周期の数回にわたって起こる．血管運動神経性緊張の変動に関係する．血圧の律動的変動）．

Trau·be sign トラウベ徴候（大動脈閉鎖不全が著明なときに聞かれる動脈（特に大腿動脈上部）で聴取される血管雑音）．

trau·ma, pl. trau·ma·ta, trau·mas (traw′mă, -mă-tă, -măz)．外傷，損傷，傷害（身体的，精神的な傷）．= traumatism.

T

trau·ma as·sess·ment トラウマアセスメント（初期の査定において生命に関わるほどの損傷を負った患者が，治療を受けた後に行われる査定．例えば救急医療隊員が傷害を負った患者に対して行う全身検査）. = secondary survey.

trau·ma care sys·tem 外傷医療システム（整備された救急医療(EMS)のシステムで，重症または多発外傷患者の迅速な評価，外傷センターへの搬送，および最終的な医療を行うことを目的としている．航空医療搬送を利用することもできる．→air medical transport; emergency medical service system; trauma）.

trau·ma cen·ter 外傷センター（外傷患者の治療を行う指定医療施設．全米外科学会が定める基準によって高度が 3 つのレベルに分けられている．レベル I は独立した施設で，外科医，専門医，および支持スタッフが 1 日 24 時間配置され，適切な設備が備えられている施設をいう．レベル II は規模的にはレベル I と同様だが，調査研究は行う必要がなく，救急部に統合されていることもある．→designation）.

trau·ma score 外傷スコア（外傷患者の転帰を予測する手段として，数種の生理学的パラメータを患者に割り当て，その合計を基とした数量的スコア）.

trau·mas·the·ni·a (traw′mas-thē′nē-ă). 外傷性神経衰弱〔症〕（外傷後の神経疲はい）.

trau·ma·ta (traw′mă-tă). trauma の複数形.

trau·mat·ic (traw-mat′ik). 外傷〔性〕の.

trau·mat·ic a·men·or·rhe·a 外傷性無月経（病気や損傷に起因する内膜の瘢痕あるいは頸管狭窄による月経の閉鎖）. = Asherman syndrome.

trau·mat·ic am·ne·si·a 外傷〔性〕健忘（頭部の損傷やアルコール過剰摂取に伴う脳障害ないし，アルコールや他の精神作用薬物の摂取中止により生じる記憶障害．またヒステリーや他の型の解離性障害でみられる記憶障害をさす）.

trau·mat·ic am·pu·ta·tion 外傷性切断〔術〕（事故または非外科的傷害による切断．完全なもの，部分的なもの，あるいは不完全なものがあると考えられる）.

trau·mat·ic an·es·the·si·a 外傷性感覚(知覚)脱失(消失)，外傷性知覚麻痺（神経障害の結果としての感覚消失）.

trau·mat·ic as·phyx·i·a 外傷性仮死（外傷によるチアノーゼ仮死．皮膚と結膜への血液の溢血で，静脈圧の突然の機械的上昇によって生じ，Rumpel-Leede 徴候に類似する．縊死者によくみられ，ときには押しつぶされてできた外傷にもみられる）. = pressure stasis.

trau·mat·ic brain in·jur·y (TBI) 外傷性脳損傷（身体的損傷あるいは外力によって生じた脳の損傷で，変形性でも先天性でもなく，意識の状態を衰えさせたり，変質させたりすることがある．また認知，行動，身体，感情の機能を損なわせることもある）. = acquired brain injury.

trau·mat·ic dis·cop·a·thy 外傷性椎間板症（椎間板またはその周囲の靱帯の亀裂，断裂，分節化を生じる外傷性疾患．その一部が移動して脊髄，神経根，靱帯を圧迫する場合としない場合がある）.

trau·mat·ic en·ceph·a·lop·a·thy 外傷性脳障害(脳症)，外傷性エンセファロパシー（器質的脳損傷に起因する脳障害）.

trau·mat·ic neu·ri·tis 外傷性神経炎（外傷後に生じる神経の病変）.

trau·mat·ic neu·ro·ma 外傷〔性〕神経腫（切断または傷害された神経の近位末端に成長する Schwann 細胞と軸索の新生物ではない増殖性の塊）. = amputation neuroma; false neuroma.

trau·mat·ic neu·ro·sis 外傷〔性〕神経症（事故または外傷後に起こる機能性神経疾患．→posttraumatic stress disorder）.

trau·mat·ic pneu·mo·thor·ax 外傷性気胸（鈍器あるいは貫通性胸部外傷による気胸）.

trau·mat·ic tet·a·nus 外傷性破傷風（創傷の感染に続発する破傷風）.

trau·ma·tism (traw′mă-tizm). = trauma.

traumato-, traumat-, traum- けが，外傷に関する連結形.

trau·mat·o·gen·ic oc·clu·sion 外傷性咬合（歯やその周囲の構造に外傷を与えるような不正咬合）.

trau·ma·top·ne·a (traw′mă-top′nē-ă). 外傷性呼吸困難〔症〕，外傷性気胸（胸壁の外傷部を通して空気が出入りすること）. = traumatopnoea.

traumatopnoea [Br.]. = traumatopnea.

trav·el·er's di·ar·rhe·a 旅行者下痢（突発性の下痢で，腹部痙攣，嘔吐および熱を伴う．旅行者に散発的に起こる．通常，その旅程の第 1 週目に起こり，一般に腸管毒性の大腸菌 *Escherichia coli* の珍しい型に起因する）. = traveller's diarrhoea.

trav·el·ing wave the·or·y トラベリングウェーブ(進行波)理論（音響刺激に対し波動が基底板に生じ蝸牛底(基底回転)から蝸牛頂へ進行するという理論で，一般に認められている．基底板の最大振幅部位は刺激音の周波数に依存し，高温では基底回転の近くに，低温では蝸牛頂の近くに位置する）. = travelling wave theory.

traveller's diarrhoea [Br.]. = traveler's diarrhea.

travelling wave theory [Br.]. = traveling wave theory.

tra·verse (tră-vĕrs′). トラバース（CT 検査で，初期の移動型・回転型 CT 器械でみられるように，ガントリーがスキャン対象を横断して完全な直線移動を行うこと）.

Treach·er Col·lins syn·drome トレチャー・コリンズ症候群（眼窩と頬部に限られる下顎顔面骨形成不全症）.

treat (trēt). 治療する，処置する，処理する（内科的・外科的療法，あるいはその他の手段で疾患を処置する．内科的または外科的に患者を治療する）.

treat·ment (trēt′mĕnt). 治療，療法，処理，処置（患者の内科的または外科的治療．→therapy; therapeutics）.

tre·ble in·crease at low lev·els 高音強調（高い周波数領域の入力レベルが低い場合に利得を徐々に上げる，補聴器の信号処理方法）.

tre·ha·lose (trē-hā′lōs). トレハロース（非還

元性二糖類の1つ．トレハラ中に含まれる．ベニテングダケ *Amanita muscaria* などの真菌中にも見出される．トレハラーゼ欠損症で上昇する）．

Tré·lat stools トレラー便（直腸炎で血液線条のはいった卵白状の便）．

tre·ma·cam·ra (trē′mă-kam′ră)．トレマカムラ（細胞表面の接着分子 ICAM-1の細胞外部分．ライノウイルスが粘膜細胞に付着するのに関与している）．

Trem·a·to·da (trem′ă-tō′dă)．吸虫綱（扁形動物門(扁形虫)の一綱．木の葉状の外形で2つの筋肉性の吸盤をもち，実質組織が体腔を満たした無体腔類が属す．循環系や感覚器官はなく，不完全な消化管がみられる(肛門はない).医学および獣医学上関心がもたれる吸虫類は二世亜綱で，生活環を完遂するためには第一中間宿主である軟体動物中での胚増殖が含まれる．他の目として単世類があり，これは主に魚類の寄生虫で，単一宿主で直接発育する単純な生活環をもつ）．

trem·a·tode, trem·a·toid (trem′ă-tōd, -ă-toyd)．***1*** 〖n.〗吸虫綱に属する吸虫類の一般名．***2*** 〖adj.〗吸虫綱に属する吸虫類についていう．

trem·or (trem′ŏr)．振せん，震え（①反復性でしばしば規則性の震える運動．対立筋群の交代性または同期性の不規則収縮による．通常，不随意性．②物を注視している間に起こる眼球のかすかな動き）．= trepidation(1)．

trem·u·lous (trem′yū-lŭs)．振せん〔性〕の．

trench fe·ver 塹壕熱（まれなリケッチア病で *Bartonella quintana* によって起こりシラミ *Pediculus humanus* によって媒介され，最初第一次大戦の塹壕での戦争状態の際に流行した．突然の悪寒と発熱で発症し，筋肉痛(特に背部と足)，頭痛，全身倦怠感が定型例では5日間続き，再発もみられることを特徴とする）．

trench foot (trench′fut)．= immersion foot.

trench mouth 塹壕口内炎．= necrotizing ulcerative gingivitis.

Tren·del·en·burg op·er·a·tion トレンデレンブルク手術（肺動脈の塞栓切除術）．

Tren·de·len·burg po·si·tion トレンデレンブルク体位（様々な角度に傾斜した手術台での背臥位．骨盤は頭より高くなる．骨盤の手術および手術後，またはショック時に用いる）．

Tren·del·en·burg sign, Tren·del·en·burg gait トレンデレンブルク徴候（種々の股関節疾患(先天性股関節脱臼，股関節外転筋筋力低下，関節リウマチ，変形性関節症など)に伴ってみられる理学所見で，患側で片脚起立すると健側の骨盤が患側より下がる症状．歩行時では患側肢の立脚相で体幹が代償作用として患側に傾く）．

Tren·del·en·burg symp·tom トレンデレンブルク症状（進行性筋ジストロフィのように，殿筋麻痺のためにヨタヨタした歩き方をする）．

Tren·del·en·burg test トレンデレンブルク試験（下肢の静脈弁の試験．静脈が空になるように片足を心臓の高さまで上げ，次に足を急激に下ろす．静脈瘤や弁不全がある場合，静脈が即座に拡張するが，足の周囲に駆血帯を巻くと，これより下部の静脈弁が不全状態でも静脈拡張は妨げられる）．

trend of thought 思考の傾向（特定の感情を伴う特定の考え方を中心にすえるような傾向のある考え）．

treph·i·na·tion, trep·a·na·tion (tref-i-nā′shŭn, trep-ă-nā′shŭn)．穿孔〔術〕，頭蓋開口〔術〕(穿孔器で，頭蓋の円形片(ボタン)を除去すること）．

tre·phine, tre·pan (trē-fīn′, trĕ-pan′)．***1*** 〖n.〗トレフィン，トレパン，穿孔器，穿頭器，管錐（骨，特に頭蓋あるいは角膜のような硬い組織を円盤状に除去するために用いる円筒状または冠状ののこぎり）．***2*** 〖v.〗穿孔する，穿頭する（***1*** を用いて，骨やその他の組織を円盤状に除去する）．

trep·i·dant (trep′i-dănt)．振せん状の．

trep·i·da·ti·o cor·dis 心悸亢進，動悸．= palpitation.

trep·i·da·tion (trep-i-dā′shŭn)．***1*** = tremor. ***2*** 戦慄，恐怖．

Trep·o·ne·ma (trep-ō-nē′mă)．トレポネーマ属（嫌気性細菌(スピロヘータ目)の一属．長さ3—8 μm で，先のとがった規則的または不規則ならせん状だが明らかな原形質構造をもたない細胞からなる．末端線維が存在することがある．Giemsa 染色液または銀染色以外は染色がむずかしい．ヒトや他の動物に病原性および寄生性の種もあり，一般に組織中に局所的病変を起こす）．

Trep·o·ne·ma pal·li·dum 梅毒トレポネーマ（ヒトの梅毒の原因細菌種）．

Trep·o·ne·ma per·te·nu·e フランベジアトレポネーマ（イチゴ腫の原因細菌種．この疾患にかかった患者は梅毒血清反応が陽性になる）．

trep·o·ne·ma·to·sis (trep′ō-nē-mă-tō′sis)．= treponemiasis.

trep·o·neme (trep′ō-nēm)．トレポネーマ（*Treponema* 属に属する種の通称）．

trep·o·ne·mi·a·sis (trep′ō-nē-mī′ă-sis)．トレポネーマ症（*Treponema* 属による感染）．= treponematosis.

trep·o·ne·mi·ci·dal (trep′ō-nē′mi-sī′dăl)．殺トレポネーマ性の（*Treponema* 属のすべての種，通常は梅毒の原因となる梅毒トレポネーマ *T. pallidum* を破壊するものについていう）．= antitreponemal.

tre·pop·ne·a (trē′pop-nē′ă)．片側臥呼吸（①呼吸困難の一種で，側臥位では軽減される．②横向きに寝た時，片方では呼吸が困難だが，もう片方ではそうではない症状で，片側の肺に生じる病または状態と関連がある．→platypnea trepopnoea）．

trepopnoea [Br.]. = trepopnea.

trep·pe (trep′ĕ)．階段現象（心筋の現象．同じ強さの刺激を何回か続けて静態期間後に送ると，初めの数回の痙攣は徐々に振幅(または強度)の増加を示す）．= staircase phenomenon.

Tre·sil·i·an sign トレシリアン徴候（流行性耳下腺炎にみられる耳下腺管開口部の赤色隆起）．

tre·sis (trē′sis). 穿孔. = perforation.
tri- 3を意味する接頭語. *cf.* tris-.
tri·a·ce·tic ac·id 三酢酸（脂肪酸合成過程でアセチル CoA およびマロニル CoA の縮合により形成される）.
tri·ac·yl·glyc·er·ol (trī-as′il-glis′ĕr-ol). トリアシルグリセロール（3つの水酸基の各々が，脂肪(脂肪族)酸でエステル化したグリセロール）. = triglyceride.
tri·ac·yl·glyc·er·ol li·pase トリアシルグリセロールリパーゼ（膵液中の脂肪分解酵素．この酵素はトリアシルグリセロールを加水分解し，ジアシルグリセロールと脂肪酸アニオンを生成する．その肝酵素の欠損により高コレステロール血症や高トリグリセリド血症になる）. = steapsin.
tri·ad (trī′ad). ***1*** 三つ組（共通な何かを有する3つのものの集合）. ***2*** 三つ組（骨格筋線維内の横行細管と，その両側の終槽）. ***3*** 三管. = portal triad. ***4*** 三構造（集団精神療法で投影的に経験される父親・母親・子供の関係）.
tri·age (trē′ahzh). トリアージ，負傷兵の分類（患者の治療優先順位を決めるための医学的ふるい分け．軍隊または民間災害の医療処置をする際に，大量の死傷者を3群に分ける．ⓘ治療しても回復の見込みのない者，ⓘⓘ治療しなくても回復する者，ⓘⓘⓘ治療しなければ救命できないであろう最優先群）.
tri·age tag トリアージタグ（トリアージ(選別)の段階を識別するためのタグまたはその他の手段で，大災害の被災者に割り振られる．救急および生命維持医療に必要な情報が記載されている．→trauma）.
tri·al den·ture 試適用義歯（人工歯をろう上に配列した義歯で，最終的な義歯の完成前に，審美性，咬合などの審査を行う）.
tri·al frame 検眼用眼鏡枠（屈折検査の間，検眼レンズを支えるための，多種多様に調整できる眼鏡の枠）.
tri·al of la·bor af·ter ce·sar·e·an sec·tion 〔帝王切開後〕試験分娩（帝王切開後の妊娠で経腟分娩を試みること．瘢痕からの子宮破裂の危険性がある）.
tri·al lens·es 検眼用レンズ（視力試験用の，一連の円柱および球面レンズ）.
tri·an·gle (trī′ang-gĕl). 三角（解剖学や外科学において，人為的または自然の境界によって示される三角形の領域. →trigonum; region）.
tri·an·gle of aus·cul·ta·tion 聴診三角（僧帽筋下縁，広背筋，肩甲骨の内側縁で境界される空間．ここには筋肉がなく聴診器で呼吸音が明瞭に聞きとれる）.
tri·an·gle of safe·ty 安全三角（心膜が肺でおおわれていない，胸骨下方左縁にある部分で，心嚢内容物を穿刺採取する場合に好んで用いられる部位である）.
tri·an·gu·lar ban·dage 三角巾，三角布（直角三角形に切った布）.
tri·an·gu·lar bone 三角骨. = os trigonum.
tri·ang·u·lar fi·bro·car·til·age com·plex 三角線維軟骨複合体（手首の構造群で，それに付帯する靭帯と共に尺骨手根関節の円盤を構成している）.
tri·an·gu·lar mus·cle ***1*** 三角筋（3つの辺縁をもつ筋）. ***2*** = depressor anguli oris muscle.
tri·an·gu·lar ridge 中心隆線，三角隆線（大臼歯または小臼歯の咬頭の頂から咬合面の中心部へと続く隆起）.
Tri·at·o·ma (trī-ā-tō′mă). サシガメ属（昆虫の一属で，南アメリカトリパノソーマ症原虫 *Trypanosoma cruzi* の重要な媒介昆虫，例えば，*Triatoma dimidiata*, *Triatoma infestans*, *Triatoma maculata* を含む）.
tri·ba·sic (trī-bā′sik). 三塩基性の（滴定可能な，水素3原子をもつ酸の塩基性度3のものについていう）.
tribe (trīb). 族，連（生物学的分類において科と属との間で，ときに応じて用いる区分．しばしば亜科に等しい）.
tri·bra·chi·a (trī-brā′kē-ă). 三腕奇形（接着双生児にみられる状態．2つの身体に腕が3本しかないもの. →conjoined twins）.
TRIC (trik). *tr*achoma and *i*nclusion *c*onjunctivitis(トラコーマおよび封入体結膜炎)の頭文字.
tri·car·box·yl·ic ac·id cy·cle (TCA cy·cle) トリカルボン酸サイクル（酸化的リン酸化と関連して哺乳類の主なエネルギー源であり，糖質・脂肪・蛋白代謝すべての最終過程．オキサロ酢酸に始まりそれに終わる一連の反応で，その間に2個の炭素原子からなる断片が完全に酸化されて二酸化炭素と水になり，12の高エネルギーリン酸結合を生成する．初めに関係する4つの物質，クエン酸，シスアコニット酸，イソクエン酸，オキサロコハク酸がすべてカルボン酸であるためこの名がある．オキサロコハク酸の後は，順にα-ケトグルタル酸，コハク酸，フマル酸，L-リンゴ酸，オキサロ酢酸で，次いでアセチル CoA(脂肪酸分解により生じる)と縮合してクエン酸を再生する）. = citric acid cycle; Krebs cycle.
TRICARE (trī′kār). 米国国防厚生管理本部（政府機関が利用できないときに軍職員や扶養家族に摘要される医療保険で，米国国防総省が提供する．軍事施設，公共医療施設，アメリカ海洋大気圏局の現役・退役職員，現役で亡くなった軍部職員の扶養家族に摘要される．旧称 CHAMPUS/CHAMPVA）.
tri·ceps (trī′seps). 三頭の（特に triceps brachii(上腕三頭の)，triceps surae(下腿三頭の)の2筋についていう. →muscle）.
tri·ceps bra·chi·i mus·cle 上腕三頭筋（上腕後区の筋．起始：長頭は肩甲骨の関節下結節，外側頭は上腕骨後面，大結節下の外側方，内側頭は上腕骨後面で橈骨神経溝の内下方．停止：尺骨肘頭．作用：肘の伸展．神経支配：橈骨神経）. = musculus triceps brachii; triceps muscle of arm.
tri·ceps mus·cle of arm 上腕三頭筋. = triceps brachii muscle.
tri·ceps mus·cle of calf 下腿三頭筋. = triceps surae muscle.
tri·ceps re·flex 〔上腕〕三頭筋反射（前腕を上

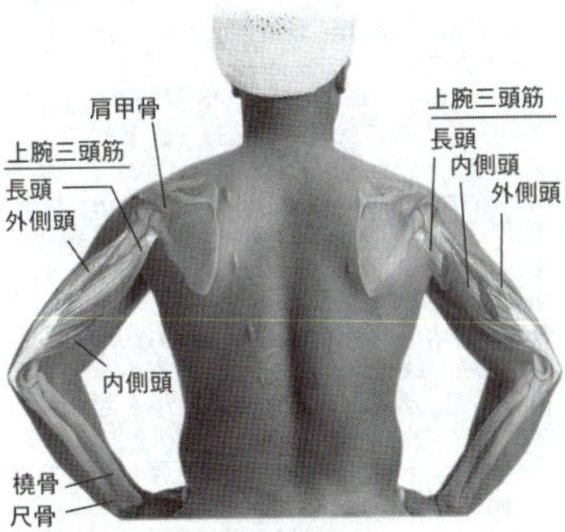
肩甲骨
上腕三頭筋
長頭
外側頭
内側頭
橈骨
尺骨
上腕三頭筋
長頭
内側頭
外側頭
triceps brachii muscle

腕に対して直角に保持しておいて，腱を軽く叩打すると三頭筋が突然収縮すること）．

tri·ceps sur·ae mus·cle 下腿三頭筋（腓腹筋の2腹とヒラメ筋からなる筋群で，1つの筋としてアキレス腱で踵骨隆起に停止する）．= musculus triceps surae; triceps muscle of calf.

tri·ceps sur·ae re·flex 下腿三頭筋反射．= Achilles reflex.

-trichia 毛髪の状態または型をさす連結形．

tri·chi·a·sis (tri-kī′ă-sis)．睫毛乱生〔症〕，さか〔さ〕まつげ（自然の開口部隣接の毛髪が内側に向いて，刺激する状態．例えば，眼瞼の内反(眼瞼内反症)の場合，睫毛が目を刺激する）．

trich·i·lem·mo·ma (trik′i-le-mō′mă)．〔外〕毛根鞘腫（毛嚢(毛包)の外毛根鞘上皮に由来する良性腫瘍．糖原を含む明調な細胞質を有する細胞からなる．多発性外毛根鞘腫は Cowden 病の顔面にみられる）．

tri·chi·na, pl. tri·chi·nae (tri-kī′nă, -nē)．トリキナ（ブタ肉中に見出される感染型の旋毛虫属 *Trichinella* の幼虫）．

Trich·i·nel·la (trik′i-nel′ă)．旋毛虫属（ヒトや肉食動物に旋毛虫症を起こす双器類線虫の一属）．

Trich·i·nel·la pseu·do·spi·ra·lis 小型肉食獣で正常な生活環をもつ線虫種．ヒトは偶発宿主となる．

Trich·i·nel·la spi·ra·lis 旋毛虫（旋毛虫症を引き起こす寄生虫の一種．世界中のほぼあらゆる地域に分布するが，北半球に多い．感染は，被嚢幼虫を含む肉(特にブタ肉であるが，最近ではしばしばクマやセイウチなどの狩猟動物とも結びついている)を生または不十分な調理の状態で摂取することにより生じる．感染した幼虫は成虫になり，約6週間，空腸または回腸に寄生する．雌は胎生で，未発達の幼虫を約 1,500 匹産み出す．幼虫は粘膜深部に産み出され，粘膜下の毛細血管にはいり，肝臓を経て心臓，肺，体循環に運ばれる．最終的に幼虫は毛細血管を破り，筋線維に侵入し，虫体をコイル状に巻き，被嚢する．その結果，強い異常感，痛み，発熱，浮腫，あるいは旋毛虫症に特徴的な好酸球増加症をもたらす．英名 pork worm, trichina worm)．

trich·i·no·sis (trik-i-nō′sis)．旋毛虫症（本症は糸状の寄生虫，旋毛虫 *Trichinella spiralis* の被嚢幼虫を含むブタ肉等を生または不十分な調理の状態で摂取することにより起こる．ヒトの病気の最初の症状は，小腸における寄生虫の成長に伴う腹痛，腹部痙攣，下痢である．一度，幼虫が筋肉組織に移動し，侵入すると，顔面および眼周囲の浮腫，筋痛，発熱，そう痒，じんま疹，結膜炎，心筋炎の徴候などの第2の症状群が現れる）．

tri·chi·no·sis gran·u·lo·ma 旋毛虫肉芽腫（線虫の幼虫が迷入穿通して細胞が死んだことによる病変）．

tri·chi·nous (trik′i-nŭs)．旋毛虫症の，旋毛虫症にかかった．

tri·chi·tis (tri-kī′tis)．毛球炎，毛根炎．

tri·chlo·ride (trī-klōr′īd)．三塩化物（分子中に塩素原子を3個もつ塩化物，例えば PCl_3）．

(2,4,5-tri·chlo·ro·phen·ox·y) a·ce·tic ac·id (2,4,5-トリクロロフェノキシ)酢酸（除草剤と落葉剤が，トリクロロ酢酸と 2,4,5-トリクロロフェノールの濃縮によって合成されたもので，枯葉剤の主成分として使用された）．

tricho-, trich-, trichi- 毛髪または毛髪様構造をさす連結形．

trich·o·be·zoar (trik′ō-bē′zōr)．毛髪〔胃〕石，胃毛球（胃や腸管内の毛髪柱）．= hair ball; pilobezoar.

trich·o·cla·si·a, tri·choc·la·sis (trik-ō-klā′zē-ă, tri-kok′lā-sis)．裂毛症．= trichorrhexis nodosa.

trich·o·dis·co·ma (trik′ō-dis-kō′mă)．毛盤腫（楕円形の毛嚢周囲の中胚葉性奇形腫）．= haarscheibe tumor.

trich·o·ep·i·the·li·o·ma (trik′ō-ep-i-thē-lē-ō′mă)．毛包上皮腫（多発性の良性小結節．主として顔面皮膚に生じ，毛嚢基底細胞に由来し，それが小角質嚢腫を取り囲んでいる）．= Brooke tumor.

trich·o·glos·si·a (trik-ō-glos′ē-ă)．毛舌症．= hairy tongue.

trich·oid (trik′oyd)．毛髪様の，毛に似た．

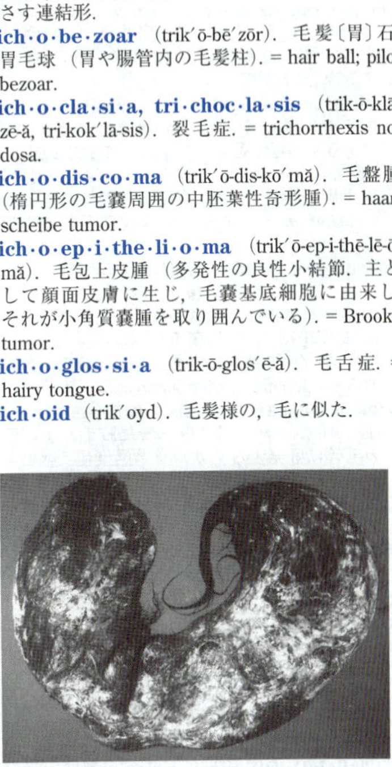
trichobezoar

T

trich·o·lith (trik′ō-lith). 毛〔髪結〕石（毛髪上の結石．砂毛症の病変）．

trich·o·lo·gi·a (trik′ō-lō′jē-ă). 抜毛癖（毛髪を引っ張る神経性の習慣）．

trich·o·meg·a·ly (trik′ō-meg′ă-lē). 長睫毛症（睫毛が先天的に異常に長い状態．小人症に合併する）．

trich·o·mo·na·cide (trik′ō-mō′nă-sīd). トリコモナシド（*Trichomonas* 属の微生物に対し殺菌的に作用する薬物）．

trich·o·mon·ad (trik′ō-mō′nad). トリコモナド（トリコモナス科に属する原生動物の一般名）．

tri·cho·mo·nal va·gi·ni·tis トリコモナス膣炎（トリコモナス鞭毛虫の感染による急性膣炎．この鞭毛虫は組織内部までは侵入しないが，膣，頸部，ときには尿道に強い局部炎症反応を引き起こす．性交渉により伝染する．排泄物が緑色または茶色になって泡立つこと，外陰部のかゆみと刺激，排尿障害などの症状がある）．

Trich·o·mo·nas (trik-ō-mō′năs). トリコモナス属（トリコモナス症を引き起こす寄生鞭毛虫の一属）．

Trich·o·mo·nas te·nax 口腔トリコモナス（ヒトや他の霊長類の口腔中，特に歯石，う歯の欠損部中に片利共生的に生息する種）．

Trich·o·mo·nas va·gi·nal·is 膣トリコモナス（しばしば，女性の膣，尿道(膣トリコモナス症の原因)，あるいは男性の尿道，前立腺に寄生する種(ヒトが唯一の既知宿主)）．

trich·o·mo·ni·a·sis (trik′ō-mō-nī′ă-sis). トリコモナス症（*Trichomonas* 属またはそれに関連のある属の原生動物の感染により生じる疾患）．

trich·o·my·co·sis (trik′ō-mī-kō′sis). 毛髪糸状菌症，毛髪真菌症（*Nocardia* 属または *Corynebacterium* 属によって引き起こされる毛髪疾患）．

tri·cho·my·co·sis ax·il·la·ris 腋窩菌毛〔症〕，腋窩毛髪糸状菌症（腋毛および陰毛の *Corynebacterium* 属の感染症で，毛幹の周りに黄色(黄菌毛)，黒色(黒菌毛)，あるいは紅色(紅菌毛)の塊状物を生じるもの．しばしば無症候性である）．= lepothrix; trichonodosis.

trich·o·no·car·di·o·sis (trik′ō-nō-kahr-dē-ō′sis). 毛髪ノカルジア症（特に腋毛および陰毛の毛幹に好発するノカルジア感染症．感染毛幹の周囲に黄色，赤色，または黒色の塊状物が生じ，そこには原因菌およびしばしば小球菌が存在する．→trichomycosis; trichomycosis axillaris）．

trich·o·no·do·sis (trik′ō-nō-dō′sis). 結毛症．= trichomycosis axillaris.

trich·o·no·sis (trik′ō-nō′sis). = trichopathy.

trich·o·path·ic (trik′ō-path′ik). 毛髪病の．

tri·chop·a·thy (tri-kop′ă-thē). 毛髪病．= trichonosis; trichosis.

tri·choph·a·gy (tri-kof′ă-jē). 食毛〔症〕（毛髪をかむ習慣）．

trich·o·phyt·ic (trik′ō-fit′ik). 白癬〔症〕の．

trich·o·phy·tid (tri-kof′i-tid). 白癬疹（感染部位から離れた部位に起こる発疹で，白癬菌属 *Trichophyton* 感染に対するアレルギー反応の表現）．

trich·o·phy·to·be·zoar (trik′ō-fī-tō-bē′zōr). 毛髪植物胃石（→bezoar）．

Trich·o·phy·ton (tri-kof′i-ton). 白癬菌属（ヒトおよび動物に皮膚糸状菌症を引き起こす病原真菌のうちの一属．毛髪，皮膚，爪を攻撃する）．

Trich·o·phy·ton con·cen·tri·cum 渦状白癬菌（渦状癬の起因菌で，ヒト寄生性真菌の一種．シェーンライン白癬菌 *Trichophyton schoenleinii* に類似する）．

Trich·o·phy·ton men·ta·gro·phy·tes 毛瘡白癬菌（好獣性の小胞子毛外寄生を呈する真菌の種で，被毛，皮膚，爪に感染を起こす．イヌ，ウマ，ウサギ，マウス，ラット，チンチラ，キツネ，ヒト(特に著しい炎症を伴う足白癬と体部白癬)で皮膚糸状菌症の原因となる）．

Trich·o·phy·ton ru·brum 紅色白癬菌（皮膚，特に足白癬や股部白癬，および爪の慢性感染症を引き起こす分布の広い好人性の真菌で，治療抵抗性のものは少ない）．

Trich·o·phy·ton schoen·lei·ni·i シェーンライン白癬菌（ヒトに黄癬を引き起こす好人性皮膚毛内性糸状真菌の一種．毛軸内にトンネルをつくるため，菌糸が退化した後では中は空気の泡だらけになる）．

Trich·o·phy·ton ton·sur·ans 流行性皮膚真菌症を引き起こす好人性毛内真菌の一種．米国では頭部白癬の最も頻度の高い原因菌である．皮膚表面で毛が破折した部位に一致して黒色点(black dot)が形成される．

Trich·o·phy·ton vi·o·la·ce·um 紫色白癬菌（ヒト寄生性真菌の一種．黒斑輪癬あるいは頭皮の黄癬感染症の原因となる）．

trich·o·phy·to·sis (trik′ō-fī-tō′sis). 白癬〔症〕（白癬菌属 *Trichophyton* を原因とする表在性真菌感染症）．

trich·o·pti·lo·sis (tri-kop-ti-lō′sis). 毛髪縦裂〔症〕（毛幹の縦裂状態．羽毛状を呈する）．

trich·or·rhex·is (trik-ō-rek′sis). 裂毛〔症〕（毛髪が切れているか裂けている状態）．

tri·chor·rhex·is in·va·gi·na·ta 重積性裂毛〔症〕．= bamboo hair.

tri·chor·rhex·is no·do·sa 結節性裂毛〔症〕（微小結節が毛幹に形成される先天的または後天的な状態．分裂や切断が完全にあるいは不完全にこの結節や点に生じる）．= clastothrix; trichoclasia; trichoclasis.

tri·chos·chi·sis (tri-kos′ki-sis). 分裂と分断がみられる毛髪．→trichorrhexis.

tri·cho·sis (tri-kō′sis). 毛髪病，異所発毛〔症〕．= trichopathy.

Tri·chos·po·ron (trik′ō-spōr-on). トリコスポロン属（不完全菌類の一属．分節分生子，分芽分生子をもつ分岐有隔菌糸をもつ．これらの微生物はヒトの腸管の正常細菌叢の一部である．バイゲル毛芽胞菌 *Trichosporon beigelii* は白色砂毛症やトリコスポロン症および免疫不全の患者では致死的な真菌血症の原因となる）．

trich·o·sta·sis spi·nu·lo·sa 小棘性束毛〔症〕（毛孔が多数の軟毛を含む角栓でふさがれ，そう痒性丘疹を形成する）．

tri·cho·the·cene my·co·tox·in トリコテシン系マイコトキシン（トリコテシン環(C-9とC-10間の二重結合およびC-12とC-13から生じるエポキシド基)を含む全てのマイコトキシン．異種からの多様な毒素はこの化学成分を含む．環境に対して安定性があり，多臓器効果を引き起こす．その一つであるT-2マイコトキシンは，ベトナム戦争時に東南アジアで報告されている，いわゆるイエローレインの中で，化学兵器として使用されたと言われている）．

trich·o·til·lo·ma·ni·a (trik′ō-til′ō-mā′nē-ă)．抜毛癖，抜毛狂，トリコチロマニー（自分自身の毛を抜く強迫行為）．

tri·chro·mat·ic (trī′krō-mat′ik)．= trichromic．*1* 三色の，三原色の（三原色(赤，青，緑)に関するまたは有することを示す）．*2* 三色識別の，正常色覚の（三原色を知覚可能な，正常色覚をもつことを示す）．

tri·chro·ma·top·si·a (trī′krō-mă-top′sē-ă)．三色型色〔感〕覚（正常色覚．三原色知覚能力）．

tri·chrome stain 三色染料，トリクローム染料（通常，3種類の対照的な色素を用いた混合染料で，結合組織，筋肉，細胞の原形質，核などを明瞭に染め分ける．組織切片は通常，他の色素の処理に先行して鉄ヘマトキシリンで染色される）．

tri·chro·mic (trī-krō′mik)．= trichromatic．

trich·u·ri·a·sis (trik′yū-rī′ă-sis)．鞭虫症（鞭虫属 *Trichuris* の線虫による感染症．ヒト鞭虫 *T. trichiura* のヒト寄生の場合，通常は無症状で末梢血好酸球増加症はみられない．大量の感染では下痢あるいは直腸脱が生じることもある）．

Tri·chur·is (tri-kyūr′is)．鞭虫属（旋毛虫 *Trichinella spiralis* に近縁のファスミドを欠如した線虫の一属．ときに *Trichocephalus* 属と称されるが適当ではない．虫体前半部は細長く，宿主の結腸や大腸粘膜中に縫い込むようにはいっており，虫体後半部は太く，そこに生殖器および虫卵が存在する．本属には約70種あり，すべて哺乳類に寄生する）．

Tri·chur·is su·is ブタ鞭虫（ブタにみられる線虫種．成虫はヒトからも見出されている）．

Tri·chur·is tri·chi·u·ra ヒト鞭虫（ヒトに寄生する鞭虫で，ヒトの鞭虫症の原因となる種．虫体前部3/5は毛状に細く，虫体後部は太い．雌は4—5 cmで雄はそれより短い(らせん状尾部と，1本の外反可能な交接棘を有する)．虫卵は樽状で長径50—56 μm，短径20—22 μm，卵殻は2重で，両極には半透明のノブが存在する．人間が唯一の感受性をもつ宿主で，通常，直接指から口への接触，または子虫形成卵(適度の温度と湿度下において3—6週間で土壌中で発育する．このために分布は主に熱帯である)を含む土壌，水，食物の摂取により感染する．回腸内で虫卵から脱出した幼虫は約1か月で成熟し，回虫 *Ascaris lumbricoides* にみられる腸管外移行を経ず，直接，盲腸に進む．成虫は2—7年寄生する）．

Tri·chur·is vul·pis イヌ鞭虫（イヌにみられる線虫種．ヒトの虫垂から性的に成熟した成虫がみられている）．

tri·cip·i·tal (trī-sip′i-tăl)．三頭性の，三頭筋の．

tri·co·no·dont (trī-kō′nō-dont)．トリコノドント，三錐歯（直線的に並んだ3つの円錐体または咬頭がある歯のこと．3つのうち真中のものが最も大きい）．

tri·corn pro·te·ase トリコーンプロテアーゼ（膜結合性コンパートメントのない生物に見出され，制御下，多角触媒活性を生じさせるモジール型蛋白分解機構のコアを形成する）．

tri·cor·nute (trī-kōr′nūt)．三突起性の（3つの角または突起を有する）．

tri·crot·ic (trī-krot′ik)．三拍脈の，三段脈の（動脈圧走査で3つの波を特徴とする）．

tri·cus·pid, tri·cus·pi·dal, tri·cus·pi·date (trī-kŭs′pid, -kŭs′pi-dăl, -kŭs′pi-dāt)．*1* 三尖の（心臓の三尖弁のように3つの尖端をもつ）．*2* 三咬頭の，三結節の（上顎第二大臼歯が(ときに)，第三大臼歯が(通常)示すような三咬頭または三結節をもつ）．

tri·cus·pid a·tre·si·a 三尖弁閉鎖〔症〕（三尖弁口の先天的欠損）．

tri·cus·pid in·suf·fi·cien·cy 三尖弁閉鎖不全〔症〕（→valvular regurgitation）．

tri·cus·pid mur·mur 三尖弁雑音（三尖弁口で生じる雑音で，閉塞性あるいは逆流性である）．

tri·cus·pid or·i·fice 三尖弁口，右房室口（心臓の右心房から右心室にはいる開口部）．

tri·cus·pid ste·no·sis 三尖弁狭窄〔症〕．

tri·cus·pid valve 三尖弁（心臓の右心房と右心室の間にある口を閉じる弁で，その3つの尖は，前尖，後尖，中隔尖とよばれる）．

tri·den·tate (trī-den′tāt)．三歯の，三叉の，三尖端の．

tri·der·mic (trī-dĕr′mik)．三胚葉性の（胚の3つの一次胚葉(外胚葉，内胚葉，中胚葉)に関する，またはそこから派生したことを示す）．

tri·fa·cial neu·ral·gi·a = trigeminal neuralgia．

tri·fid (trī′fid)．三裂の．

tri·fo·cal lens 三焦点レンズ（遠位，中間，近位の3つの焦点をもつレンズ）．

tri·fur·ca·tion (trī-fŭr-kā′shŭn)．三分枝（①3つの枝に分かれること．②歯根が3つの部分に分かれる部位）．

tri·gas·tric (trī-gas′trik)．三腹筋の（膨大部が3つある．腱性断絶が2か所ある筋についていう）．

tri·gem·i·nal cave 三叉神経腔（側頭骨下方の岩様部先端付近の中頭蓋窩の硬膜にみられる裂け目で，中に三叉神経根と三叉神経節を収めている）．

tri·gem·i·nal gan·gli·on 三叉神経節（三叉神経の大きい扁平な知覚神経節で，中頭蓋窩の正中部分に沿った静脈洞に密接して脳硬膜の三叉神経腔にある）．

tri·gem·i·nal nerve〔CN V〕 三叉神経（第五脳神経(CN V)．顔面の知覚神経とそしゃく筋の運動神経．その核は中脳，橋，延髄から脊髄頸部に及ぶ．知覚根と運動根によって橋外側面から出て，側頭骨の錐体尖で硬膜の三叉神経腔に

T

はいる．そこで知覚根は三叉神経節を形成し，眼神経[CN V1]，上顎神経[CN V2]，下顎神経[CN V3]の3分枝を出す）．= nervus trigeminus [CN V]; fifth cranial nerve [CN V].

tri·gem·i·nal neu·ral·gi·a 三叉神経痛（1本以上の三叉神経枝に起こる激しい発作性疼痛．口内あるいは口付近の発痛帯に触れることによりしばしば引き起こされる）．= Fothergill disease(1); Fothergill neuralgia; prosopalgia; prosoponeuralgia; tic douloureux; trifacial neuralgia.

tri·gem·i·nal pulse 三連脈，三段脈（脈拍が3拍ずつ組になり，3拍ごとに休止期がみられるもの）．= pulsus trigeminus.

tri·gem·i·nal rhi·zot·o·my 三叉神経根切断〔術〕（第五脳神経感覚根の切除または切断で，経側頭下(Frazier-Spiller 手術)，経後頭下(Dandy 手術)，または経テント的に行う）．

tri·gem·i·nal rhythm 三連脈，三段脈（不整脈で，心拍動が3つで1群となり，通常1回の洞収縮後に期外収縮が2回続く）．= trigeminy.

tri·gem·i·ny (trī-jem′i-nē)．三連脈，三段脈．= trigeminal rhythm.

trig·ger (trig′ĕr)．トリガー（ある作用を開始させる，あるいは刺激を与える物質）．

trig·ger ar·e·a 引金野．= trigger point.

trig·ger de·lay トリガ遅延（各電波の後の待ち時間．磁気共鳴画像法において，電波とデータ取得の初期間隔の時間）．

trig·gered ac·tiv·i·ty 誘(激)発活性（再分極後に，活動電位が閾値に達して1つあるいはシリーズをなす心拍動が自然に生じること）．

trig·ger fing·er ばね指（一瞬指の動きが屈曲または伸展位で抑留され，次いでぐいと動く指の疾患．腱が局所的に腫大して，手掌部の滑車での腱の滑走が防げられ起こる）．

trig·ger point 引き金点，発痛点（触れたり圧力を加えると痛みを生じる身体の特有な点または部位）．= trigger area; trigger zone.

trig·ger zone = trigger point.

tri·glyc·er·ide (trī-glis′ĕr-īd)．トリグリセリド．= triacylglycerol.

tri·go·na (trī-gō′nă)．trigonum の複数形．

trig·o·nal (trig′ō-năl)．三角の．

tri·gone (trī′gōn)．***1*** 三角．= trigonum. ***2*** 上顎臼歯の三錐（集合的にとらえた，上顎大臼歯の最初の3つの顕著な咬頭(プロトコーヌス，パラコーヌス，メタコーヌス)）．

tri·gone of blad·der 膀胱三角（左右の尿管と尿道の開口部との間の，膀胱基底部の三角形の平らな部分）．= trigonum vesicae; vesical triangle.

tri·gon·id (trī-gon′id)．下顎臼歯の三錐（下顎大臼歯の最初の3つの顕著な咬頭．→trigone）．

tri·go·ni·tis (trī′gō-nī′tis)．〔膀胱〕三角炎（膀胱の炎症で三角部に生じる）．

trig·o·no·ce·phal·ic (trig′ō-nō-se-fal′ik)．三角頭蓋症の，三角頭症の．

trig·o·no·ceph·a·ly (trig′ō-nō-sef′ă-lē)．三角頭蓋症，三角頭症（頭蓋の形が三角形をなすことを特徴とする奇形．大脳半球圧迫を伴う．一部頭蓋骨の早期癒合症による）．

tri·go·num, pl. tri·go·na (trī-gō′nŭm, -nă)．三角（三角形の部位の総称．→triangle）．= trigone(1).

tri·go·num fem·or·al·e 大腿三角．= femoral triangle.

tri·go·num in·gui·nal·e 鼡径三角．= inguinal triangle.

tri·go·num lum·ba·le 腰三角．= lumbar triangle.

tri·go·num mus·cu·la·re 筋三角，肩甲気管三角．= muscular triangle.

tri·go·num sub·man·dib·u·lar·e 顎下三角．= submandibular triangle.

tri·go·num ves·i·cae 膀胱三角．= trigone of bladder.

tri·hy·dric al·co·hol 三価アルコール（OH 基を3個有するもの．例えばグリセロール）．

tri·labe (trī′lāb)．トリラーブ（膀胱内異物摘出用の三牙状鉗子）．

tri·lam·i·nar (trī-lam′i-năr)．三層の．

tril·li·um (tril′ē-ŭm)．トリリウム属（T. erectum．ユリ科の一種．消毒や収斂効果があるとされる．古くから傷の治療に使用されている）．= beth root; coughroot; jew's harp plant; stinking benjamin.

tri·lo·bate, tri·lobed (trī-lō′bāt, trī′lōbd)．三葉の．

tri·loc·u·lar (trī-lok′yū-lăr)．三室の（空洞や小洞が3つあることについていう）．

tril·o·gy (tril′ō-jē)．三部作（主題が相互に関連している三つの組合せ）．

tril·o·gy of Fal·lot ファロー三徴〔症〕（肺動脈狭窄，心房中隔欠損および右室肥大を伴う先天的欠損の一群）．= Fallot triad.

tri·mes·ter (trī′mes-tĕr)．トリメスター（全妊娠期間の3分の1）．

tri·meth·yl·am·ine (trī-meth′il-am′ēn)．トリメチルアミン（窒素性植物と動物物質の減成生成物，テンサイ糖の残余物やニシン塩水のような窒素を含有する植物性・動物性物質の分解生成物(しばしば腐敗による)．生体では，恐らくコリンの分解により生じる）．

tri·meth·yl·am·i·nu·ri·a (trī-meth′il-am-i-nyūr′ē-ă)．トリメチルアミン尿〔症〕（尿中および汗中にトリメチルアミンの排泄が増加する．独特の不快な魚臭い体臭を伴う）．

tri·nu·cle·o·tide (trī-nū′klē-ō-tīd)．トリヌクレオチド（3つの隣接核酸塩の，遊離した状態，ポリヌクレオチドあるいは核酸分子中での結合．遺伝コードの表現で，特定のアミノ酸を明確化する単位(コドンまたはアンチコドン)と特に関連して用いられる）．

tri·ose (trī′ōs)．三炭糖，トリオース（三炭素単糖類．例えば，グリセルアルデヒド，ジヒドロキシアセトン）．

tri·ose·phos·phate i·som·er·ase トリオースホスフェートイソメラーゼ（D-グリセルアルデヒド-3-リン酸とジヒドロキシアセトンリン酸の可逆的相互変換を触媒する異性化酵素．解糖や糖新生における重要な反応の1つ．この酵素の欠損により溶血性貧血や重篤な神経性欠陥をきたす).

tri·ox·ide (trī-oks′īd). 三酸化物 (3 個の酸素原子を含む分子).

tri·phos·pho·pyr·i·dine nu·cle·o·tide (TPN, TPNH) nicotinamide adenine dinucleotide phosphate の旧名.

Tri·pi·er am·pu·ta·tion トリピエ切断術 (Chopart 切断術の変法. 踵骨の一部も切除する).

trip·le bond 三重結合 (3 対の電子を共有することから生じる共有結合. 例えば HC–CH(アセチレン)).

tri·ple·gi·a (trī-plē′jē-ă). ***1*** 三肢麻痺 (片側の上下肢と反対側の 1 肢の合わせて 3 肢の麻痺). ***2*** 三部麻痺 (上肢 1 肢と下肢 1 肢と顔面の麻痺).

trip·le re·peat dis·or·ders 三塩基反復障害 (遺伝性障害の一群で, 特異な染色体における遺伝子の突然変異が蛋白質の異常な形を引き起こす. グルタミン酸が反復するアミノ酸の長い鎖により, 蛋白質製造が停止される. ハンティントン病, ケネディ病, マカドジョセフ病, 筋強直性ジストロフィ, その他脊髄小脳疾患などがある).

trip·le re·sponse 三重反応, 三相反応 (皮膚を強くこすることにより生じる三相反応. 第 1 相は境界明瞭な紅斑で, 皮膚の一時的な青白化に続いて起こり, 肥満細胞からのヒスタミンの遊離による. 第 2 相は強い発赤の拡大で, 圧力を加えた領域を越えて広がるが, 同一の形状を示し, これは小動脈の拡張による. この第 2 相は軸索反射により伝達されるので軸索性発赤ともよばれる. 第 3 相は初めにこすった場所に線状の膨疹が現れる).

trip·le screen トリプル(3 項目)マーカスクリーニング (母体血清中の α-フェトプロテイン, 絨毛性ゴナドトロピン, 非結合型エストロゲンを測定して胎児異常, 特に 21 トリソミーの相対リスクを評価するスクリーニング法. 妊娠 16—18 週に行う).

trip·let (trip′lĕt). ***1*** 三胎, 三つ児 (同じ分娩で娩出した 3 人の子供). ***2*** トリプレット (平凸レンズ 3 つからなる, 顕微鏡の複合レンズのように 3 つの同様な物の 1 組). ***3*** トリプレット, 三重項. = codon.

trip·le vi·sion 三重視. = triplopia.

trip·loid (trip′loyd). 三倍体の.

trip·loi·dy (trip′loy-dē). 三倍体性 (全細胞中に染色体の一倍体セットが 2 組でなく 3 組存在すること. これは胎児期または新生児期死亡をもたらす).

trip·lo·pi·a (trip-lō′pē-ă). 三重視 (1 つの対象物が 3 つの像に見える視覚障害). = triple vision.

tri·pod (trī′pod). ***1*** 〖adj.〗 三脚の. ***2*** 〖n.〗 三脚台 (三脚または 3 個の支えがある台).

tri·pod frac·ture トライポッド骨折 (頬骨弓, 前頭骨の頬骨突起, 上顎骨の頬骨突起の 3 部分より構成される頬の隆起部における顔面骨折).

tri·que·tral bone 三角骨. = triquetrum; pyramidal bone.

tri·que·trum (trī-kwē′trŭm). 三角骨 (手根の近位列の内側(尺側)の骨で, 月状骨, 豆状骨, 有鉤骨と関節する). = triquetral bone.

tris- 化学において, 続いて別個に結合する 3 つの同じ置換基があることを示す接頭語. *cf.* tri-.

tris·mus (triz′mŭs). 開口障害 (中枢抑制障害による咬筋の持続性収縮. 全身性破傷風の初発症状のことがしばしばある). = lockjaw.

tri·so·mic (trī-sō′mik). 三染色体の.

tri·so·my (trī′sō-mē). 三染色体性, トリソミー (相同染色体の正常の対の代わりに, 1 本の余分な染色体をもつ個体または細胞の状態. ヒトでは 47 本の正常染色体が 1 個の細胞にある状態).

tri·so·my 21 syn·drome 21 トリソミー症候群. = Down syndrome.

tri·splanch·nic (trī-splangk′nik). 三大体腔の (3 つの内臓腔(頭蓋, 胸郭, 腹腔)についていう).

tri·stich·i·a (trī-stik′ē-ă). 三列睫毛症.

tri·sul·cate (trī-sŭl′kāt). 三溝のある.

tri·ta·nom·a·ly (trī-tă-nom′ă-lē). 第三色弱 (青色に対する網膜光感覚色素の不足による部分色覚異常の一型).

trit·an·o·pi·a (trī-tă-nō′pē-ă). 第三色盲 (網膜錐体の青感覚性色素の欠如がある色覚欠損).

trit·i·um (T, *t*) トリチウム. = hydrogen 3.

tri·ton tu·mor トリトン腫瘍 (神経線維腫症でよくみられる横紋筋分化を伴う末梢神経腫瘍).

tri·tu·ber·cu·lar (trī-tū-bĕr′kyū-lăr). 三結節性の, 三咬頭性の (咬合面に三結節または三咬頭をもつ歯を表す. →tricuspid).

trit·u·ra·ble (trit′yū-ră-bĕl). 粉砕されうる.

trit·u·rate (trit′yū-rāt). ***1*** 〖v.〗 完全に粉砕する. ***2*** 〖n.〗 粉砕されたもの.

trit·u·ra·tion (trit-yū-rā′shŭn). すりつぶし, 粉砕, 研和, 摩砕 (①薬剤を微粉末にし, 乳鉢中で乳糖と完全に練り合わせること. ②歯科用アマルガムを, 乳鉢中または機械的方法で乳棒を用い混ぜ合わせること).

tri·va·lence, tri·va·len·cy (trī-vā′lĕns, -lĕn-sē). 三価性, 三原子価性.

tri·va·lent (trī-vā′lĕnt). 三価の, 三原子価の.

triv·i·al name 慣用名 (化学物質の名称. 組織的な意味で用いられている部分がないので, 化学構造を知る手がかりにはならない. このような名称は薬剤, ホルモン, 蛋白, その他の生物学的物質に広くみられ, 一般的に用いられる. 例として, 水, アスピリン, クロロフィル, ヘム, メトトレキセート, 葉酸, カフェイン, サイロキシン, エピネフリン, バルビタールなどがある. さらに化学的に定義された物質に対する共通略語(ACTH, MSH, BAL, DDT)が挙げられる. これらは略語で用いられ, その該当する語は用いられない. 慣用名はしばしば化学化合物に, 化学構造に従って組織名が与えられる前に, 任意に特に自然源から付けられる).

tRNA transfer RNA の略.

tro·car (trō′kahr). トロカール, 套管針 (体腔から液体を抜き取るために, または穿刺術で用いる器具. 金属管(カニューレ)と, その中を通す三角の尖頭をもつ栓子からなり, 体腔に挿入した後この栓子を引き抜く．トロカールという語は通常，栓子を意味し，器具全体はトロカールとカニューレとよぶ）．

tro·chan·ter (trō-kan′tĕr)．転子（大腿骨に近い独立骨格から発達した骨隆起の1つ．ヒトには2つ，ウマには3つある）．

tro·chan·ter·i·an, tro·chan·ter·ic (trō-kan-ter′ē-ăn, -ter′ik)．転子の，大転子の．

tro·chan·ter ma·jor 大転子．= greater trochanter.

tro·che (trō′kē)．トローチ〔剤〕，口内錠（小さい，円盤状または菱形の錠剤で，収れん薬，防腐薬，保護薬を含む凝固泥膏剤からなる．口腔または咽頭の局所治療に，溶けるまで口中に含んで用いる）．= lozenge; pastil (2); pastille (2).

troch·le·a, pl. **troch·le·ae** (trok′lē-ă, -lē-ē)．滑車（①滑車として役立つ構造をしていること．②骨の関節の平滑面．その上を別の関節面が滑る．③前頭骨の鼻棘近くの眼窩内の線維わな．ここを眼球上斜筋の腱が通っている）．

troch·le·ar (trok′lē-ăr)．滑車の（①特に眼の上斜筋滑車についていう．②= trochleiform）．

troch·le·ar nerve [CN IV] 滑車神経（第四脳神経(CN IV)．眼の上斜筋に分布．中脳水道下の中脳を起始とし，その線維は上髄帆で交叉して，上髄帆小帯外側で脳から出る．脳幹背面から出る唯一の脳神経で，そのため頭蓋内部が最も長く，小脳テントの自由縁から硬膜内にはいり後床突起に接して海綿静脈洞の外壁内を通り，上眼窩を通って眼窩にはいる）．= nervus trochlearis; fourth cranial nerve.

tro·chle·ar notch 滑車切痕（尺骨の近位端で，上腕骨の滑車と関節をなす）．

troch·le·ar spine 滑車棘（滑車窩の縁にある骨の小棘．眼球の上斜筋の滑車が付着する）．

troch·le·i·form (trok′lē-i-fōrm)．滑車状の．= trochlear (2).

tro·choid (trō′koyd)．回転する，滑車状の，車輪状の（回転関節または車輪様関節を意味する）．

tro·choid joint 車軸関節．= pivot joint.

Troi·si·er gan·gli·on トロワジェ結節腫（悪性腫瘍の転移の結果，肥大したと思われる鎖骨直上(特に左側)のリンパ節に対して用いられた旧名．このような結節の存在は，原発部位が腹部臓器にあることを示す．→signal lymph node）．

Trom·bic·u·la (trom-bik′yū-lă)．ツツガムシ属（ツツガムシ科の一属．その幼虫(ツツガムシ，アカムシ)はヒトおよび他の動物に有害な虫で，リケッチア疾患を媒介する種を含む）．

trom·bic·u·li·a·sis (trom-bik′yū-lī′ă-sis)．ツツガムシ病（ツツガムシ属 *Trombicula* のダニに寄生された状態）．

trom·bic·u·lid (trom-bik′yū-lid)．ツツガムシダニ類（ツツガムシ科に属するダニの総称）．

Trom·bic·u·li·dae (trom-bik′yū-lī′dē)．ツツガムシ科（小型のダニの一科．その幼虫(アカムシ，収穫ダニ，アキダニ，草原ダニ，ツツガムシ)は脊椎動物に寄生し，その若虫および成虫は，鮮紅色をした自由生活性のダニで，土中の昆虫卵，微生物を常食としている．6脚の幼虫は，辛うじて見える赤色ないし橙色の寄生虫で，数日から1か月間皮膚に付着し，極度に刺激的な反応を生じさせる．東洋では，これらのダニの中でアカツツガムシ属 *Leptotrombidium* のツツガムシが，卵巣経由で次世代へ伝えられる *Rickettsia tsutsugamushi* により生じるツツガムシ病を媒介する）．

Tröm·ner re·flex トレムナー反射（Rossolimo反射の変型．患者の指を軽く曲げておいて，中指または示指先端の手掌面を軽く叩打することにより，指4本と母指が曲がる．軽い痙縮を伴う錐体路病変の際にみられる）．

troph·ec·to·derm (trof-ek′tō-dĕrm)．栄養外胚葉（哺乳類の胚盤胞の最外層の細胞層で，子宮内膜と接触し，胚の栄養摂取の確立に関与する．栄養芽層が分化する細胞層）．

Tro·pher·y·ma whip·pel·i·i Whipple病の原因となるグラム陽性菌で，汚水中にみられる．感染様式は不明．

tro·phe·sic (trō-fē′sik)．神経性栄養障害の．

tro·phe·sy (trō′fē-sē)．神経性栄養障害．

tro·phic (trō′fik)．栄養の（①栄養に関する，栄養に依存することについていう．②神経供給の障害の結果生じる）．

-trophic 栄養に関する接尾連結形．*cf.* -tropic.

tro·phic syn·drome 栄養障害症候群（神経支配除去領域に生じる潰瘍．感覚麻痺した部位を掻破することにより生じることが多い）．

tro·phic ul·cer 栄養〔障害〕性潰瘍（皮膚感覚喪失の結果生じる潰瘍）．

tropho-, troph- 食物または栄養に関する連結形．

tro·pho·blast (trō′fō-blast)．栄養膜，トロホブラスト（胞胚をおおう中外胚葉細胞層で子宮粘膜に侵入し，ここを通して胚が母体から栄養を摂取する．細胞は胚自体の形成にかかわらないが，胎盤形成に機能する．栄養胚葉は，後に脈管中胚葉核を摂取し，次いで絨毛膜として知られる突起を形成する．まもなく，ⅰ合胞体絨毛細胞：多核合胞体細胞塊(シンシチウム)を形成する絨毛外層，およびⅱ栄養膜細胞層：間質に接するそれぞれに細胞膜をもつ絨毛内層，の2層となる）．

tro·pho·blas·tic (trō-fō-blas′tik)．栄養膜の．

tro·pho·blas·tic la·cu·na 栄養膜裂孔（絨毛形成前の絨毛膜の初期栄養膜合胞体層中にある空隙．ヒト胚では，母親の血液が10日目までこの空隙にはいる．絨毛膜が分化するに従い絨毛間の空隙になり，ときに絨毛間裂孔 intervillous lacunae とよばれる）．

tro·pho·blas·tin (trō-fō-blas′tin)．= interferon tau (τ)．

tro·pho·blast in·ter·fer·on 栄養膜インターフェロン．= interferon tau (τ)．

tro·pho·der·ma·to·neu·ro·sis (trō′fō-dĕr′mă-tō-nūr-ō′sis)．栄養性皮膚神経症（神経疾患による皮膚の栄養性変化）．

tro·pho·neu·ro·sis (trō′fō-nūr-ō′sis)．栄養神経症（萎縮，肥大，皮膚発疹のような栄養障害．その部位の神経の疾病，傷害の結果生じる）．

tro·pho·neu·rot·ic (trō′fō-nūr-ot′ik)．栄養神

経症の.

tro·pho·neu·rot·ic lep·ro·sy 栄養神経性らい. = anesthetic leprosy.

tro·pho·plast (trō´fō-plast). 色素体. = plastid (1).

tro·pho·tax·is (trō´fō-tak´sis). 栄養走性. = trophotropism.

tro·pho·tro·pic (trō´fō-trō´pik). 栄養向性の, 向養素性の.

tro·phot·ro·pism (trō-fot´rō-pizm). 栄養向性, 向養素性 (栄養物質に関連した, 生きている細胞の化学走性. 陽性(栄養物質に向かう)と陰性(栄養物質から遠のく)とがある). = trophotaxis.

tro·pho·zo·ite (trō´fō-zō´īt). 栄養型 (マラリアや関連する寄生虫変形体の分裂体のように, ある種の胞子虫類の, アメーバ状で植物性の無性型).

-trophy 食物, 栄養を表す接尾語.

tro·pi·a (trō´pē-ă). 斜視 (眼の異常な偏位. → strabismus).

-tropic 向性, 親和性の意を表す接尾語. *cf.* -trophic.

trop·i·cal ab·scess 熱帯〔性〕膿瘍. = amebic abscess.

trop·i·cal ac·ne 熱帯痤瘡 (体幹全体, 肩, 上肢, 殿部および大腿部に生じる重症型の痤瘡. 高温多湿の気候のもとで生じる).

trop·i·cal a·ne·mi·a 熱帯貧血 (通常, 栄養不足または鉤虫症やその他の寄生生物症により起こり, 熱帯地方の人々によくみられる種々の症候群).

trop·i·cal bu·bo 熱帯〔性〕横痃. = lymphogranuloma venereum.

trop·i·cal di·ar·rhe·a 熱帯下痢. = tropical sprue.

trop·i·cal dis·eas·es 熱帯病 (Chagas 病, リーシュマニア症, らい病, マラリア, オンコセルカ症, 住血吸虫症, 睡眠病, 黄熱病およびその他の熱帯および亜熱帯に存在する感染症と寄生虫症で, しばしば水や媒介動物により伝播される).

trop·i·cal e·o·sin·o·phil·i·a 熱帯性好酸球増加〔症〕(咳やぜん息を伴う好酸球増加症で, ミクロフィラリア血症の症状はない. 潜在性フィラリア感染により起こり, インド, 東南アジアに多くみられる).

trop·i·cal li·chen, li·chen tro·pi·cus 熱帯性苔癬. = miliaria rubra.

trop·i·cal med·i·cine 熱帯医学 (熱帯諸国の, 主として寄生生物による病気を取り扱う医学の分野).

trop·i·cal sore 熱帯潰瘍. = cutaneous leishmaniasis.

trop·i·cal sple·no·meg·a·ly syn·drome 熱帯脾腫症候群. = hyperreactive malarious splenomegaly.

trop·i·cal sprue 熱帯性スプルー (熱帯地方にしばしば腸の感染症や栄養欠乏症に合併して起こるスプルー. 大球性貧血を伴う葉酸欠損症に合併して起こることがしばしばある). = tropical diarrhea.

trop·i·cal ty·phus = tsutsugamushi disease.

trop·i·cal ul·cer 熱帯潰瘍 (①皮膚リーシュマニア症にみられる病変. ②抗酸菌を含む様々な微生物によって起こる熱帯侵食性潰瘍. ナイジェリア北部に多くみられる).

tro·pism (trō´pizm). 向性, 屈性 (光, 熱, その他の刺激などの焦点に向かう(正の屈性 **positive tropism**), または遠ざかる(負の屈性 **negative tropism**)生体の現象. 通常は生体全体としての運動を意味する taxis(走性)と反対に, 生体の一部分のみの運動を意味する).

tro·po·col·la·gen (trō´pō-kol´ă-jen). トロポコラーゲン (三重らせん状連鎖ペプチドからなる膠原線維の基礎単位).

tro·po·my·o·sin (trō´pō-mī´ō-sin). トロポミオシン (筋肉から抽出される線維状の蛋白. しばしば, 軟体動物で多くみられるトロポミオシン A(パラミオシン)と区別するため, トロポミオシン B とよばれる).

tro·po·nin (Tn) (trō´pō-nin). トロポニン (横紋筋に存在する 3 つの蛋白, トロポニン C (TnC), トロポニン I (TnI), トロポニン T (TnT)の複合体で, 筋収縮の主要な制御蛋白. 心筋梗塞を発症後 4 時間以内に TnT の血中レベルは上昇し, 10—14 日間持続する. そのため心筋梗塞の早期診断や血栓溶解療法の効果を評価するのに有用である).

trough lev·el トラフレベル (次の用量が投与される前の薬の最低濃度で, 薬物血中濃度モニタリングにより決定される).

trough sign 溝槽徴候 (肩関節後方脱臼の結果生じた前内側臼唇の欠損).

Trous·seau point トルソー点 (神経痛における脊椎の棘突起にある疼痛点. その下から原因の神経が出る).

Trous·seau sign トルソー徴候 (潜伏テタニーの場合, 圧迫帯や血圧マンシェットで上腕を圧迫した際に, 感覚異常により手首の痙攣が生じ

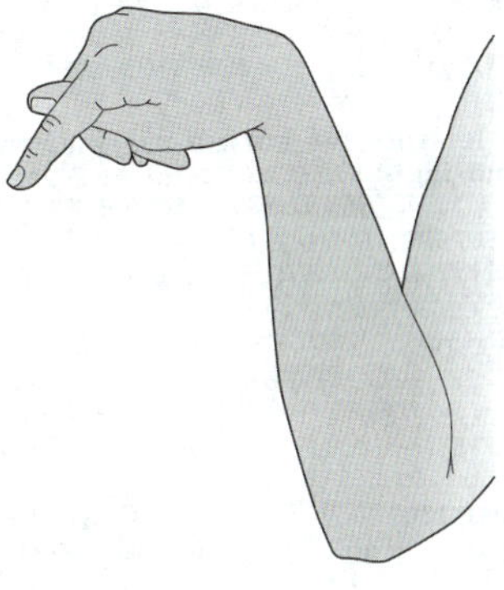

Trousseau sign

T

る).

Trous·seau spot トルソー斑. = meningitic streak.

Trous·seau syn·drome トルソー症候群 (内臓癌による移動性血栓静脈炎).

Trp トリプトファン, トリプトファン基の記号.

true an·ky·lo·sis 真性強直. = synostosis.

true di·ver·tic·u·lum 真性憩室 (突出する壁層をすべて含む憩室).

true lu·men 真腔 (解離性大動脈瘤で実際に血管内皮でおおわれた血流路).

true pre·co·cious pu·ber·ty 真性性早熟症. = hyperovarianism.

true ribs［I-VII］ 真肋 (胸骨と肋軟骨によって直接に関節している, 左右の上方7個の肋骨). = costae verae.

true vo·cal cord 〔真〕声帯. = vocal fold.

trum·pe·ting (trum′pĕt-ing). トランペッティング (長い骨幹端の広がり).

trun·cal (trŭng′kăl). 体幹の, 動脈幹の, 神経幹の.

trun·cate (trŭng′kāt). 長軸に対して直角に切断する. あるいはそのように切断されたように見える.

trun·cus, gen. & pl. **trun·ci** (trungk′ŭs, -kī). 体幹, 幹, リンパ本幹. = trunk.

trun·cus bra·chi·o·ce·pha·li·cus 腕頭動脈. = brachiocephalic trunk.

trun·cus ce·li·a·cus 腹腔動脈. = celiac trunk.

trun·cus cost·o·cer·vi·ca·lis 肋頸動脈. = costocervical trunk.

trun·cus pul·mo·na·lis 肺動脈幹. = pulmonary trunk.

trun·cus sym·path·i·cus 交感神経幹. = sympathetic trunk.

trun·cus thy·ro·cer·vi·cal·is 甲状頸動脈. = thyrocervical trunk.

trun·cus va·ga·lis 迷走神経幹. = vagal trunk.

Tru·ne·cek sign トルネツェク徴候 (大動脈狭搾症のときに胸骨乳突筋の起始部の近くの鎖骨下動脈にふれる脈).

trunk (trŭngk). = truncus. ***1*** 体幹 (頭部と四肢を除く体部). ***2*** 幹 (分枝を出す前の神経や血管の基本幹部). ***3*** リンパ本幹 (リンパ管の太い集合部).

Trus·ler rule for pul·mo·nar·y ar·ter·y band·ing 肺動脈絞扼のためのトラスラーの法則 (バンドの適切な絞め具合のガイダンスを与える方法で, 両方向性短絡の先天性複雑心奇形の絞扼の程度のためにというよりは単純心奇形のために用いる).

truss (trŭs). ヘルニアバンド, 脱腸帯 (還納されたヘルニアの再発あるいはヘルニアの増大を防ぐための装具. 圧迫用のパッドがベルトに付いていて, ずれないようにバネや革帯で固定するようになっている).

try·pan blue トリパンブルー. = Congo blue.

try·pan·o·ci·dal (trī-pan′ō-sī′dăl). 殺(抗)トリパノソーマの.

try·pan·o·cide (trī-pan′ō-sīd). トリパノソーマ撲滅薬, 殺(抗)トリパノソーマ薬.

Try·pan·o·so·ma (trī-pan′ō-sō′mă). トリパノソーマ属 (無性生殖で増殖する2宿主性の寄生鞭毛虫の一属. 多くの脊椎動物の血漿中に寄生し(数種だけが病原性をもつ), 原則として, ヒル, ダニ, 昆虫などの吸血無脊椎動物を中間宿主とする. 主要な病原型はヒトのトリパノソーマ症の原因となりうる).

Try·pan·o·so·ma bru·ce·i gam·bi·en·se ガンビアトリパノソーマ (ヒトにおけるガンビアトリパノソーマ症の原因となる原生動物の亜種. 数種のツェツェバエ, 特に *Glossina palpalis* によって媒介される). = *Trypanosoma gambiense.*

Try·pan·o·so·ma bru·ce·i rho·de·si·en·se ローデシアトリパノソーマ (ローデシアトリパノソーマ症の原因となる原生動物の亜種. 数種のツェツェバエ, ヒトにおいて特に *Glossina morsitans* によって媒介される. 種々の狩猟獣が保虫宿主として働く). = *Trypanosoma rhodesiense.*

Try·pan·o·so·ma cru·zi クルーズトリパノソーマ (南アメリカトリパノソーマ症の原因となる種. 媒介と感染はトリアトーマ類のサシガメにより行われる. サシガメは吸血中に排糞するが, その糞中には病原体が含まれており, 皮膚を掻いたり, 粘膜表面に付着することによってのみ感染するのが一般的である. 血液からトリポマスティゴート型虫体が見出される. 心臓の筋線維, あるいは他の多くの臓器内細胞に寄生する).

Try·pan·o·so·ma gam·bi·en·se = *Trypanosoma brucei gambiense.*

Try·pan·o·so·ma rho·de·si·en·se = *Trypanosoma brucei rhodesiense.*

try·pan·o·some (trī-pan′ō-sōm). トリパノソーマ類 (*Trypanosoma* 属またはトリパノソーマ科のいく種類かの原生動物の一般名).

try·pan·o·so·mi·a·sis (trī-pan′ō-sō-mī′ă-sis). トリパノソーマ症. = trypanosomosis.

try·pan·o·so·mic (trī-pan′ō-sō′mik). トリパノソーマに関連する事柄を意味し, 特にその原生動物の感染についていう.

try·pan·o·so·mid (trī-pan′ō-sō-mid). トリパノソーマ〔病変〕疹 (トリパノソーマ性疾患による免疫学的変化に起因する皮膚病変).

try·pan·o·so·mo·sis (trī-pan′ō-sō-mō′sis). = trypanosomiasis.

tryp·sin (trip′sin). トリプシン (蛋白分解酵素で, エンテロペプチダーゼによってトリプシノゲンから小腸で活性化される. ペプチド, アミド, エステルなどを加水分解するセリン蛋白分解酵素である).

tryp·sin·o·gen, tryp·so·gen (trip-sin′ō-jen, trip′sō-jen). トリプシノ〔ー〕ゲン, トリプソゲン (膵臓から分泌される物質で, エンテロペプチダーゼの作用によりトリプシンに転化される).

tryp·tic (trip′tik). トリプシンの.

tryp·to·phan (Trp, W) トリプトファン (L-異性体は蛋白の構成成分. 栄養学的必須アミノ酸である).

tryp·to·pha·nase (trip′tō-fă-nās). トリプトフ

アナーゼ（①= tryptophan 2,3-dioxygenase. ② L-トリプトファンのインドール，焦性ブドウ酸，アンモニアへの開裂を触媒する細菌中にみられる酵素．リン酸ピリドキサールが補酵素）．

tryp·to·phan 2,3-di·ox·y·gen·ase トリプトファン 2,3-ジオキシゲナーゼ（L-トリプトファンと O_2 から L-*N*-ホルミルキヌレニンを生成する反応を触媒する酸化還元酵素．適応酵素であり，（肝臓中の）そのレベルは副腎ホルモンにより制御されている．トリプトファン異化の一段階であり，またトリプトファンから NAD^+ の合成の一段階である）．= tryptophanase（1）．

tryp·to·pha·nu·ri·a (trip′tō-fă-nyūr′ē-ă)．トリプトファン尿〔症〕（トリプトファンの尿中排出が増大すること）．

TSE testicular self-examination の略．

tset·se (tset′sē, tsē′tsē)．ツェツェバエ（→ *Glossina*）．

TSI thyroid-stimulating immunoglobulins の略．

TSS toxic shock syndrome の略．

TSTA tumor-specific transplantation antigens の略．

tsu·tsu·ga·mu·shi dis·ease ツツガムシ病（*Orientia tsutsugamushi* によって起こり *Trombicula akamushi*, *Trombicula deliensis* によって伝播される急性伝染病．日本の麻収穫地域に起こる疾病で，発熱，リンパ腺肥大痛，生殖器・頸部・腋窩の小さな黒痂皮，大きな赤黒い丘疹などの特徴がある）．= akamushi disease; mite typhus; scrub typhus; tropical typhus.

TT text telephone の略．

t_i:t_{tot} duty cycle の略．

TTA transtracheal aspiration の略．

TTN transient tachypnea of the newborn の略．

T-tube cho·lan·gi·o·gram Tチューブ胆管造影図（手術後に行われる胆汁管の放射線学的検査で，Tチューブを通して造影剤を投与する）．

T tu·bule T系の細管（筋形質から起こり横紋筋の筋原線維を横切るように横走する細管，三つ組の中間の細管である）．

TTY teletypewriter の略．→ telecommunications device for the deaf.

tu·ba, gen. & pl. tu·bae (tū′bă, -bē)．管．= tube.

tu·ba au·di·ti·va 耳管．= pharyngotympanic (auditory) tube.

tu·ba au·di·tor·i·a 耳管．= pharyngotympanic (auditory) tube.

tub·al (tū′băl)．管の（特に卵管についていう）．

tub·al air cells of pharyn·go·tym·pan·ic tube 耳管蜂巣細胞（鼓室と交通する鼓室口近くの耳管下壁にときにみられる小蜂巣細胞）．

tub·al li·ga·tion 卵管結紮（避妊目的で切断・焼灼，プラスチックあるいは金属クレンメで卵管の疎通性を遮断する方法）．

tub·al preg·nan·cy 卵管妊娠（受精卵が卵管内で発育すること）．

tube (tūb)．= tuba. ***1*** 管．***2*** 中空の円筒や管．

tu·bec·to·my (tū-bek′tŏ-mē)．卵管切除〔術〕．= salpingectomy.

tubed flap 管状皮弁（四角形の皮弁として挙上したものの側方両端を縫合して筒状とし，その末梢部を遠隔部位へ移植する皮弁）．= Filatov flap; Filatov-Gillies flap.

tube feed·ing 経管栄養法（経腸路に直接管を通して栄養や液体を与える方法．この投与法は，患者が嚥下不可能な時に使われる）．

tu·ber, pl. tu·ber·a (tū′bĕr, -bĕr-ă)．***1*** 隆起，結節（局所的な隆起）．***2*** 塊茎（例えば，ジャガイモのように短く肥えて太い地下茎）．

tu·ber cin·er·e·um 灰白隆起（尾方は乳頭体，吻方は視神経交叉，両外側は視索で区切られ，腹側は漏斗および脳下垂体柄へとのびる視床下部底の隆起）．

tu·ber·cle (tū′bĕr-kĕl)．***1*** 結節（病理学的にではなく，解剖学的にみられるもの）．= tuberculum（1）．***2*** 隆起（皮膚・粘膜・器官の表面などにみられる輪郭のはっきりした丸い固い高まり）．***3*** 結節（節もしくは靱帯の付着によって少し高まっている骨の表面）．***4*** 隆起（歯科における歯表面上の小さい隆起）．***5*** 結核結節（ヒト結核菌 *Mycobacterium tuberculosis* の感染による肉芽腫病巣．大きさ（0.5—2, 3 mm），組織学的要素の比率においていくぶん異なるものがあり，通常，不規則な形態だが比較的明らかな3つの区域からなる限局性，楕円形の，硬い病巣のものが多い．3つの区域とは以下の区域である．中心壊死巣は初め凝固性で，その後乾酪性になる．中間層は大きい単核食細胞（マクロファージ）が密に集積している．これは上皮細胞に類似して，いくぶん放射状配列（壊死質に関して）をしているため類上皮細胞といわれる．Langhans の多核巨細胞も存在する．外層は多数のリンパ球といくらかの単核細胞，形質細胞からなる．治療が始まった所では，線維組織の第四層が周囲に形成される．他の病因で形態学的には分別不可能な病巣が他の病気でできる場合があり，これを非特異性 nonspecifically という．例えば肉芽腫のようなものがある．しかし tubercle を結核菌による病巣にだけ用い，原因不明のものは epithelioid-cell granulomas（類上皮細胞肉芽腫）という人もいる）．

tu·ber·cle ba·cil·lus 結核菌（①= *Mycobacterium tuberculosis*. ②= *Mycobacterium bovis*. ③= *Mycobacterium avium*）．

tu·ber·cle of rib 肋骨結節（肋骨の後面にあるこぶ状の高まりで，肋骨体と肋骨頭の間にあり，同番号の椎骨の横突起と関節して肋横突関節を形成している）．

tu·ber·cle of tra·pe·zi·um 大菱形骨結節（大菱形骨の隆起線で，橈側手根屈筋腱が通っている溝の橈側境界を形成している）．

tu·ber·cu·la (tū-bĕr′kyū-lă)．tuberculum の複数形．

tu·ber·cu·lar, tu·ber·cu·late, tu·ber·cu·lat·ed (tū-bĕr′kyū-lăr, -lāt, -lāt-ĕd)．結節の（*cf.* tuberculous）．

tu·ber·cu·lid (tū-bĕr′kyū-lid)．結核疹（遠隔部の活動性結核病巣より散布された結核菌抗原に対する過敏性によって起こる，皮膚または粘膜の病変）．

tu·ber·cu·lin (tū-bĕr′kyu-lin)．ツベルクリン

T

(ヒト結核菌 *Mycobacterium tuberculosis* の肉汁培地培養を 100℃ で 1/10 容に濃縮し，濾過したもの．Robert Koch によって結核症の治療用に開発されたが，今日では主に診断試験用に用いられている．初めは Koch の旧ツベルクリン(OT)として知られていたもの)．

tu·ber·cu·lin test ツベルクリン試験（ツベルクリンまたはその精製蛋白誘導体を皮膚に注入する皮膚試験．試験は 48—72 時間に生じる局所の硬結に基づいて判定する)．

tu·ber·cu·li·tis (tū-bĕr-kyū-lī′tis)．結核結節の炎症．

tuberculo-, tubercul- 結節，結核を意味する連結形．

tu·ber·cu·lo·cele (tū-bĕr′kyū-lō-sēl)．精巣(睾丸)結核〔症〕．

tu·ber·cu·lo·fi·broid (tū-bĕr′kyū-lō-fī′broyd)．線維変性を起こした結核（孤立性・限局性で，通常は楕円体で，中程度または高度の硬度をもつ被包化小結節．結核性肉芽腫炎症の病巣が治癒する過程で形成される)．

tu·ber·cu·loid (tū-bĕr′kyū-loyd)．類結核の（結核症あるいは結節に似ていることについていう)．

tu·ber·cu·loid lep·ro·sy 結核様らい（良性の安定した抵抗型で，レプロミン反応は強度に陽性で，病変は境界鮮明な紅斑性，無感覚性，浸潤性の斑紋を呈す)．= nodular leprosy.

tu·ber·cu·lo·ma (tū-bĕr′kyū-lō′mă)．結核腫（局所的結核感染により，通常，肺や脳にある円形の腫瘤状をしているが，非新生物である塊状物)．

tu·ber·cu·lo·sis (TB) (tū-bĕr′kyū-lō′sis)．結核〔症〕（ヒト型結核菌 *Mycobacterium tuberculosis* の存在により生じる特異的疾病．全身のほとんどすべての組織や器官を侵す．肺が最も多い．解剖学的病巣は乾酪壊死を起こすことのある結核結節である．局所症状は患者により異なり，全身症状は，敗血症と同じで，消耗熱，発汗，衰弱などをみる．治療しなければ，しばしば進行性で死亡率が高い．エイズなどの免疫不全患者の日和見感染となる．麻薬や覚醒剤などを静注している者にも発生率が高い)．

tu·ber·cu·lo·sis cu·tis ver·ru·co·sa いぼ状皮膚結核（慢性炎症性の基底部をもち，表面がいぼ状の結核性皮膚病巣．→postmortem wart)．= tuberculous wart.

tu·ber·cu·lo·stat·ic (tū-bĕr′kyū-lō-stat′ik)．結核菌静菌的な（結核菌の発育を抑制する薬についていう)．

tu·ber·cu·lous (tū-bĕr′kyū-lŭs)．結核性の，結核菌による（*cf.* tubercular)．

tu·ber·cu·lous ab·scess 結核〔性〕膿瘍（結核菌による膿瘍)．= cold abscess (2)．

tu·ber·cu·lous en·ter·i·tis 結核性腸炎（腸管の結核症．殺菌していない牛乳を飲んで感染したウシの結核によって生じたり，肺空洞病巣より喀出された結核菌を飲み込むことによって生じることがある．明らかな肺結核を認めずに生じることがある)．

tu·ber·cu·lous men·in·gi·tis 結核性髄膜炎（肉芽腫性炎症を特徴とする脳軟髄膜の炎症．通常，脳基底部に限局し(脳底髄膜炎，内水頭症)，小児の場合は脳室に脊髄液の貯留(急性水頭症)を伴う)．

tu·ber·cu·lous spon·dy·li·tis 結核性脊椎炎，脊椎結核（脊椎の結核感染症で，罹患部位の脊椎の鋭い角形成を伴う)．= Pott disease.

tu·ber·cu·lous wart 結核〔性〕いぼ．= tuberculosis cutis verrucosa.

tu·ber·cu·lum, pl. tu·ber·cu·la (tū-bĕr′kyū-lŭm, -lā)．***1*** 結節．= tubercle (1)．***2*** 隆起（皮膚・粘膜・器官の表面などにみられる輪郭のはっきりした丸い固い高まり)．***3*** 結節（節もしくは靱帯の付着によって少し高まっている骨の表面)．

tu·ber·cu·lum ar·thri·ti·cum 関節炎性結節（①= Heberden nodes. ②関節の中やその周辺にできる痛風性結節)．

tu·ber·cu·lum im·par 不対結節．= median lingual swelling.

tu·ber·os·i·tas (tū′bĕr-os′i-tas)．粗面．= tuberosity.

tu·ber·os·i·ty (tū′bĕr-os′i-tē)．粗面（特に骨面にみられる大きな結節，あるいは丸みのある隆起)．= tuberositas.

tu·ber·os·i·ty of fifth met·a·tar·sal (bone)［V］ 第五中足骨粗面（この骨の底部にある結節で，短腓骨筋腱に付着している後方部)．

tu·ber·ous (tū′bĕr-ŭs)．結節状の，塊茎状の（多数の結節や隆起を有するものについていう)．

tube tooth チューブ〔人工〕歯（人工歯基底部中央から歯の体部に向かって，縦に円筒形の孔がつくられている人工歯．その孔にピンを挿入し，人工歯を義歯床に装置する)．

tubo- 管状の，または管，を意味する連結形．→ salpingo-.

tu·bo·ab·dom·i·nal preg·nan·cy 卵管腹腔妊娠（一部分は卵管内で，他の部分は腹腔内で子宮外妊娠が進行すること)．

tu·bo·o·var·i·an (tū′bō-ō-va′rē-ăn)．卵管卵巣の（卵管と卵巣に関する)．

tu·bo·o·var·i·an ab·scess 卵管卵巣膿瘍（卵管と卵巣を侵す大きな膿瘍で，卵管の化膿性炎症が広がった結果生じる)．

tu·bo·o·var·i·an preg·nan·cy 卵管卵巣妊娠（卵が卵管采と卵巣の両方にまたがって発育すること)．

tu·bo·plas·ty (tū′bō-plas-tē)．卵管形成〔術〕．= salpingoplasty.

tu·bo·re·tic·u·lar struc·ture 網状管構造（滑面小胞体腔中に存在する長さ 20—30 nm の細管．SLE のような結合織疾患や様々な癌，ウイルス感染でみられる)．

tu·bo·tor·sion (tū′bō-tōr-shŭn)．管捻転（卵管のような管状構造のねじれ)．

tu·bo·tym·pan·ic, tu·bo·tym·pa·nal (tū′bō-tim-pan′ik, -tim′pă-năl)．耳管鼓室の（耳管と中耳の鼓室に関する)．

tu·bo·u·ter·ine (tū′bō-yū′tĕr-in)．卵管子宮の（卵管と子宮に関する)．

tu·bu·lar car·ci·no·ma 管状腺癌（高分化型の腺管乳癌で，小さな上皮性腺管の間質への浸潤を伴う）.

tu·bu·lar cyst = tubulocyst.

tu·bu·lar for·ceps 管状鉗子（カニューレその他の管状器具の中を通して用いる細長い鉗子）.

tu·bu·lar gland 管状腺（盲端で終わる1つまたは複数の細管からなる腺）.

tu·bu·lar vi·sion 管状視（穴開き管から見るような視野狭窄）. = tunnel vision.

tu·bule (tū′byūl). 細管，小管. = tubulus.

tu·bu·li (tū′byū-lī). tubulus の複数形.

tu·bu·li con·tor·ti ***1*** 曲尿細管. = convoluted tubule. ***2*** 曲精細管. = seminiferous tubule.

tu·bu·lin (tū′byū-lin). チューブリン（微細小管のサブユニット蛋白. 2つの球状ポリペプチドである. *α*-チューブリンと*β*-チューブリンよりなる二量体である. →dynein）.

tu·bu·li se·mi·ni·fer·i rec·ti 直精細管. = seminiferous tubule.

tu·bu·lo·ac·i·nar gland 細葉性管状腺（分泌部が細長く引きのばされた房状の腺）. = acinotubular gland.

tu·bu·lo·cyst (tū′byū-lō-sist). 管状嚢胞（閉塞細管の拡張によって生じる嚢胞）. = tubular cyst.

tu·bu·lo·glo·mer·u·lar feed·back 尿細管糸球体フィードバック（腎臓における血流コントロール機構で，糸球体濾過率の変化を規定している）.

tu·bu·lo·in·ter·sti·tial ne·phri·tis 尿細管間質性腎炎（腎尿細管や間質組織に形質細胞と単核球の浸潤を伴う腎炎で，ループス腎炎や同種移植拒絶反応およびメチシリン感作においてみられる）.

tu·bu·lor·rhex·is (tū′byū-lō-rek′sis). 尿細管壊死（腎細管の局所分節の上皮の内張りの壊死を特徴とする病理学的過程. 基底膜の局所的破裂や欠如を伴う）.

tu·bu·lus, pl. tu·bu·li (tū′byū-lŭs, -lī). 細管. = tubule.

tu·bus, pl. tu·bi (tū′bŭs, -bī). 管.

tuft·ed cell 房飾細胞（嗅球にある神経細胞の一種で，興奮の伝播方向からみると僧帽細胞と正反対になっている. しかし後者より小型で嗅粘膜寄りに位置している）.

tularaemia [Br.]. = tularemia.

tu·la·re·mi·a (tū-lă-rē′mē-ă). ツラレミア，野兎病（*Francisella tularensis* による疾患. *Chrysops discalis* および他の吸血昆虫に刺されたげっ歯類からヒトに伝播する. 感染動物に咬まれたり，また感染動物の死体を扱うことにより直接感染することもある. 症状は，波状熱やペストと同様で，長期の間欠性または弛張性発熱およびしばしば感染部位近くのリンパ節の腫脹と化膿がみられる. 野兎は主要な保菌宿主である）. = deerfly fever; rabbit fever; tularaemia.

Tul·li·o phe·nom·e·non タリオ現象（内耳の瘻孔症例でよくみられる，強大音刺激により生じる瞬時の回転性めまい. →Hennebert sign）.

Tul·li·o test (stan·dard) トゥリオテスト(標準法)（三半規管の異常を鋭敏に検知するための音響負荷によって誘発する検査. 片側の耳に音響を負荷している間に生じる異常眼球運動を観察する. 標準法は座位で行う. 立位トゥリオテストは立位で行うが，耳石器の機能障害を示唆する体位の動揺が観察できる利点がある）.

tu·me·fac·tion (tū-mĕ-fak′shŭn). 腫脹，腫大（①腫れること. ②= tumescence）.

tu·me·fy (tū′mĕ-fī). 腫脹する，腫脹を引き起こす.

tu·mes·cence (tū-mes′ĕns). 腫脹（腫れてくる，または腫れた状態）. = tumefaction (2); turgescence.

tu·mes·cent (tū-mes′ĕnt). 腫脹〔性〕の，腫大〔性〕の. = turgescent.

tu·me·scent lip·o·suc·tion リドカイン液注入とマイクロカニューレを用いた脂肪吸引術.

tu·mid (tū′mid). 腫脹した（うっ血，水腫，充血による腫れた状態）. = turgid.

tum·my tuck タミータック（abdominoplasty の口語表現）. = abdominoplasty.

tu·mor (tū′mŏr). 腫瘍，腫瘤，腫脹（①腫脹，または腫大の総称. ②= neoplasm. ③ Celsus により発表された4つの炎症症状(腫瘍，熱，疼痛，発赤)の1つ）. = tumour.

tu·mor an·gi·o·gen·ic fac·tor (TAF) 腫瘍脈管形成因子（固形腫瘍より遊離される物質. 腫瘍への新しい血管の形成を誘導する）. = tumour angiogenic factor.

tu·mor an·ti·gens 腫瘍抗原（①腫瘍に関連している抗原，または特定の腫瘍細胞に特異的に発現している抗原. ②腫瘍抗原は，ことに DNA 型腫瘍ウイルスの増殖とトランスフォーメーションに関与している. ウイルスとしてはアデノウイルスやパポバウイルスがある. →T antigens）. = neoantigens; tumour antigens.

tu·mor blush 腫瘍濃染（造影剤の投与による放射線検査における腫瘍の造影効果）. = tumour blush.

tu·mor bur·den 全身腫瘍組織量（悪性疾患の患者の体内にある腫瘍組織の総量）. = tumour burden.

tu·mor·i·ci·dal (tū′mŏr-i-sī′dăl). 殺腫瘍性の（腫瘍を破壊する薬剤についていう）. = tumouricidal.

tu·mor·i·gen·e·sis (tū′mŏr-i-jen′ĕ-sis). 腫瘍形成，腫瘍発生. = tumourigenesis.

tu·mor·i·gen·ic (tū′mŏr-i-jen′ik). 腫瘍形成〔性〕の（腫瘍を引き起こしたり生み出したりすることについていう）. = tumourigenic.

tu·mor mark·er 腫瘍マーカ（腫瘍組織から血流中へと分泌される物質で，血清中に検出された場合，腫瘍の存在を示す）. = tumour marker.

tu·mor ne·cro·sis fac·tor-al·pha (*α*) 腫瘍壊死因子アルファ（広く女性性器上皮で合成される多作用性のサイトカイン）.

tu·mor ne·cro·sis fac·tor-be·ta (*β*) 腫瘍壊死因子ベータ（抗原と接触後，CD4 と CD8 との T 細胞によって産生されるサイトカイン）.

tu·mor in si·tu (TIS) インサイツ腫瘍（病変が生じた場所で局在化し，まだ転移していないもの）.

T

tu·mor-spe·ci·fic trans·plan·ta·tion ant·i·gens (TSTA) 腫瘍特異移植抗原（DNA 腫瘍ウイルスによってトランスフォームした細胞の表層抗原で，特定の腫瘍ウイルスで免疫した動物に，ウイルスによって腫瘍化した細胞を移植したとき，この細胞がウイルスを産生していなくても免疫的拒絶を誘発する）. = tumour-specific transplantation antigens.

tu·mor stage 腫瘍の病期（悪性新生物の原発部位からの広がりの程度. →TNM staging）. = tumour stage.

tu·mor sup·pres·sor gene 腫瘍(癌)抑制遺伝子（①細胞の増殖抑制機能をもつ遺伝子．悪性形質転換を抑制するので，腫瘍抑制遺伝子 antioncogene としても知られている．染色体異常による腫瘍抑制遺伝子の消失により，新形成に対する感受性が高められる．②= antioncogene）. = tumour suppressor gene.

tu·mor vi·rus 腫瘍ウイルス. = oncogenic virus; tumour virus.

tumour [Br.]. = tumor.

tumour angiogenic factor [Br.]. = tumor angiogenic factor.

tumour antigens [Br.]. = tumor antigens.

tumour blush [Br.]. = tumor blush.

tumour burden [Br.]. = tumor burden.

tumouricidal [Br.]. = tumoricidal.

tumourigenesis [Br.]. = tumorigenesis.

tumourigenic [Br.]. = tumorigenic.

tumour marker [Br.]. = tumor marker.

tumour-specific transplantation antigens [Br.]. = tumor-specific transplantation antigens.

tumour stage [Br.]. = tumor stage.

tumour supressor gene [Br.]. = tumor suppressor gene.

tumour virus [Br.]. = tumor virus.

TUNEL (tŭn′ĕl). TUNEL 法（terminal deoxynucleotidyl transferasemediated dUTP-biotin end labeling of fragmented DNA(断片化した DNA のターミナルデオキシヌクレオチジルトランスフェラーゼによる dUTP-ビオチンの末端標識化）の略．アポトーシスが起こっている細胞の核内で DNA 断片化を確認する免疫組織化学法として用いられる）.

Tun·ga pe·ne·trans スナノミ（ノミ目スナノミ科の一種で，通常，chigger flea, sand flea, chigoe, jigger として知られている．微小な雌が皮膚，ときに足指の爪の下に侵入する．卵とともに，エンドウマメほどの大きさに膨張するにつれ，その部位に炎症，痛みを伴う潰瘍が生じる）.

tung·sten (W) (tŭng′stĕn). タングステン（金属元素．原子番号 74，原子量 183.85）. = wolfram; wolframium.

tu·nic (tū′nik). 層，膜（身体の一部をおおう層．特に血管または他の管腔構造の被膜）. = tunica.

tu·ni·ca, pl. **tu·ni·cae** (tū′ni-kă, -kē). 膜，層. = tunic.

tu·ni·ca ad·ven·ti·ti·a 外膜. = adventitia.

tu·ni·ca al·bu·gin·e·a 白膜（構造をおおう濃い白色の膠原被膜）.

tu·ni·ca al·bu·gin·e·a of tes·tis 精巣白膜（精巣の外膜を形成する厚い白色線維膜）.

tu·ni·ca ex·ter·na 外膜（①あらゆる構造体をおおう 2 つ以上の層の最外層．②特に血管やリンパ管の弾性線維性外膜）.

tu·ni·ca in·ti·ma 内膜（血管あるいはリンパ管の最内層．内皮，通常は薄い弾性線維性の内皮下層，および内弾性板または縦線維からなる）.

tu·ni·ca me·di·a 中膜（動脈または他の管腔構造の中膜．通常は筋層）. = media(1).

tu·ni·ca pro·pri·a 固有層（いくつかの部位に共通の腹膜，または他の被膜とは異なる 1 つの部位に特有な被膜）.

tu·ni·ca re·flex·a 反転層（陰嚢を包む精巣血管膜の反転した層）.

tu·ni·ca va·gi·na·lis tes·tis 精巣鞘膜（精巣，精巣上体の漿膜性の鞘．外層の壁側板と内層の臓側板とからなる）.

tu·ni·ca vas·cu·lo·sa 血管膜〔層〕（血管層一般）.

tun·ing curve チューニング曲線（1 つの神経細胞における，種々の周波数に対する聴力閾値強度のグラフ）.

tun·ing fork (TF) 音叉（2 つの先が分かれてとがったフォーク状の，鋼鉄またはマグネシウム合金製の道具．叩くと純音と倍音を生じる．聴力検査と骨伝導検査に使用する）.

tun·nel (tŭn′ĕl). トンネル（伸張した通過路．通常，両端は開いている）.

tun·nel vi·sion トンネル視. = tubular vision.

Tur·ba·trix (tŭr-bā′triks). 酢線虫属（Cephalobidae 科の自由生活性線虫の一属）.

Tur·ba·trix a·ce·ti 古くなった酢や腐った果物および植物にみられる種で，ときとして実験室内の溶液の汚染物質となる. = vinegar eel.

tur·bid (tŭr′bid). 混濁した，混濁状の（溶液中の沈殿物あるいは不溶性物質によるような混濁についていう）.

tur·bi·dim·e·try (tŭr-bi-dim′ĕ-trē). 濁度測定（物質が引き起こす溶液の混濁度または混濁の清澄度によって溶液中の濃度を測定する方法）.

tur·bid·i·ty (tŭr-bid′i-tē). 混濁，濁り，混濁度，濁り度（沈殿物または不溶解物質による混濁あるいは透明度消失性）.

tur·bi·nate, tur·bi·nat·ed (tŭr′bi-nāt, -nāt-ĕd). ***1*** 〖adj.〗渦巻き形の. ***2*** 〖n.〗鼻甲介（鼻甲介骨についていう. →inferior nasal concha; middle nasal concha; superior nasal concha; supreme nasal concha）.

tur·bi·nec·to·my (tŭr′bi-nek′tŏ-mē). 鼻甲介切除〔術〕.

tur·bi·not·o·my (tŭr′bi-not′ŏ-mē). 鼻甲介切開〔術〕.

tur·bu·lent flow 乱流（激しく乱れているガスの流れ．全分子は同一の速度で進行し，流れ抵抗は層流に比較して大きい）.

Türck de·gen·er·a·tion チュルク変性（軸索の損傷部または切断部より遠位の神経線維とその鞘の変性．通常，中枢神経系内の変性をいう）.

turf burn 芝生火傷（深い擦過傷で，皮膚と人工芝の表面との摩擦で起こる）．

turf toe 第一中足指節関節が捻挫して，炎症を起こした趾．

tur·ges·cence (tŭr-jes′ĕns). 膨満状態．= tumescence.

tur·ges·cent (tŭr-jes′ĕnt). 腫脹〔性〕の，腫大〔性〕の．= tumescent.

tur·gid (tŭr′jid). 腫脹した，膨満した．= tumid.

tur·gor (tŭr′gŏr). トルゴール（皮膚の緊張感）．

tu·ris·ta (tū-rēs′tă). トゥリスタ．= Montezuma's revenge.

turn·a·round time (TAT) 報告待ち時間（臨床検査やその他の検査で，依頼から結果の報告までにかかる時間をいう）．

Tur·ner syn·drome ターナー症候群（染色体数が45でX染色体を1本だけもつ症候群．通常，口腔粘膜細胞で性染色質陰性．奇形には，矮小発育，翼状頸，外反射，ハト胸，未熟な性的発育，無月経などが含まれる．卵巣には原始卵胞がなく，線維性線条だけしかない．患者の中には，異なった染色体構成の2種またはそれ以上の細胞系列をもつ染色体モザイクの場合もある．これは動物種では多くみられ，ことにノネズミの雌では性染色体のモザイク状態が正常なのである）．= XO syndrome.

Tur·ner tooth ターナー歯，ターナーの歯（単一の永久歯に生じるエナメル質形成不全．乳歯の感染症によりその直下の後継永久歯の形成不全をきたしたものや，歯の形成期間中における外傷により形成不全をきたしたものをさす）．

turn·o·ver num·ber 代謝回転数（酵素1分子当たり，単位時間に飽和条件下，酵素触媒反応において生成物へ変換する基質分子の数（例えば $k_{cat}=V_{max}/[E_{total}]$））．

tus·sal (tŭs′ăl). = tussive.

tus·sis (tŭs′is). 咳．

tus·sive (tŭs′iv). 咳の．= tussal.

tus·sive frem·i·tus 咳そう振とう音（咳により生じる音声に似た振とう音）．

tus·sive syn·co·pe 咳嗽性失神（激しい咳発作に伴う失神発作．胸腔内圧が持続的に増加し，心臓に戻る静脈血流量が低下して心拍出量が減少する結果発症する．気管支炎を有する男性の喫煙患者にしばしばみられる）．= Charcot vertigo.

Tut·tle proc·to·scope タットル直腸鏡（末端に電灯のついた管状鏡．挿入後内栓子を抜去し，ガラス窓を近位端に挿入し，直腸鏡についているゴム球と管で直腸膨大部を膨らませる）．

TWAR (twahr). = *Chlamydia pneumoniae*.

T wave T波（心電図上の心室再分極を表す波形）．

twelfth cra·ni·al nerve [CN XII] 第十二脳神経．= hypoglossal nerve [CN XII].

twelfth-year mo·lar 12歳臼歯（第二永久大臼歯）．

twice writh·en = bistort.

twi·light state もうろう状態（一種の意識混濁状態で，その間は個人の意志によって行動がなされるわけではなく，また，その間のことに関する記憶は残っていない）．

twin (twin). ***1***〖n.〗双生児，双胎（1回の出産で生まれた2人の子供）．***2***〖adj.〗双生児の．

twinge (twinj). 激痛，刺痛（急激で瞬間的な鋭い痛み）．

twin·ning (twin′ing). 双晶形成（分割により等しい構造を生成すること．分割部位は対称関係をとる傾向がある）．

twin pla·cen·ta 双胎胎盤（双胎妊娠の胎盤．二卵性なら胎盤は分離しているときと融合しているときとがあり，後者の場合2つの羊膜と2つの絨毛膜嚢をもつ(二絨毛膜二羊膜胎盤)．一卵性なら胎盤は双胎が生じた時期に従って，単絨毛膜単羊膜胎盤か単絨毛膜二羊膜胎盤かであり，双胎が非常に早期に起こった場合のみ2つの絨毛膜と2つの羊膜をもつ融合胎盤となる）．

twin re·versed ar·ter·i·al per·fu·sion se·quence 双胎児動脈血逆流症（一卵性双胎の循環異常．胎盤での臍帯血管の動脈-動脈および静脈-静脈吻合で脱酸素血が片側の胎児に還流される．受血胎児は無心児，無脳児になり，供血胎児は心不全のリスクが生じる）．

twin-twin trans·fu·sion 双胎児輸血（双胎の胎盤内の動静脈の直接的な吻合）．

twist·ed hairs 捻転毛症．= pili torti.

twitch (twich). ***1***〖v.〗単収縮する，攣縮する．***2***〖n.〗単収縮，攣縮（筋線維の瞬間的痙攣性収縮）．

two-car·bon frag·ment 二炭素フラグメント（担体として補酵素Aとのトランスアセチル化反応に関与するアセチル基(CH_3CO–)．通常，酢酸塩または酢酸と関係して，そこから誘導されている）．

two-di·men·sion·al ech·o·car·di·og·ra·phy 断層心エコー図法（多数の超音波ビームを直線配列させ，またはトランスデューサを回転させて再構成する）．= real-time echocardiography.

two-di·men·sion-three-di·men·sion phe·nom·e·non 二次元-三次元現象（遠隔内視鏡施行時に，内視鏡が対象物の視野から出たりはいったりする運動のために起こる，二次元像が三次元像にみえる現象）．

two-glass test 二杯〔分尿〕試験．= Thompson test(1).

two-step ex·er·cise test 二階段運動試験（主に冠不全の検査．心電図中のRS-Tの有意な低下は異常と考えられ，冠不全を示唆している）．

two-way cath·e·ter 複筒カテーテル．= double-channel catheter.

ty·ing for·ceps 結紮用摂子（眼科手術，特に糸の結紮に用いられる，偏平で平滑な先端を有する器具）．

ty·lec·to·my (tī-lek′tŏ-mē). 腫瘤切除〔術〕（局所的な腫瘤を外科的に摘出すること．→lumpectomy）．

ty·lo·ma (tī-lō′mă). べんち(胼胝)〔腫〕．= callosity.

ty·lo·sis, pl. ty·lo·ses (tī-lō′sis, -sēz). 肥厚〔化〕，べんち(胼胝)形成．

ty·lot·ic (tī-lot′ik). べんち(胼胝)の，べんち状

T

(性)の.

tym·pa·nal (tim′pă-năl). *1* = tympanic (1). *2* 反響する，共鳴する. *3* = tympanitic (2).

tym·pa·nec·to·my (tim-pă-nek′tō-mē). 鼓膜〔全〕切除〔術〕.

tym·pan·ic (tim-pan′ik). *1* 鼓室の，鼓膜の. = tympanal (1). *2* 共鳴音の. *3* = tympanitic (2).

tym·pan·ic bone = tympanic ring.

tym·pan·ic can·a·lic·u·lus 鼓室神経小管（側頭骨錐体部の下面から始まり，頸静脈管と頸動脈管の間のV字形の骨を通り，鼓室底に達する細管. 舌咽神経の鼓室枝が通る).

tym·pan·ic ca·vi·ty 鼓室（側頭骨中にあって耳小骨を収容する外気とつながった腔所. 粘膜でおおわれ，前方は耳管に，後方は乳突洞や乳頭蜂巣に続いている).

tym·pan·ic gan·gli·on 鼓室神経節（側頭骨錐体部を通過する際，鼓室神経上にみられる小神経節).

tym·pan·ic mem·brane 鼓膜（鼓室の外側壁の大部分を形成し，鼓室と外耳道を分けている薄い緊張性の膜. 外耳と中耳の境界を構成する. 3層構造で外表面は皮膚でおおわれ，内表面は粘膜でおおわれる. 両面とも上皮でおおわれ，緊張部は，外側は放射状に，内側は輪状に走る膠原線維の中間層をもつ). = membrana tympani; drum membrane; drum; drumhead; eardrum; myringa; myrinx.

tym·pan·ic nerve 鼓室神経（舌咽神経の下神経節から出る神経. 鼓室小管を通って鼓室にはいり鼓室神経叢となり，鼓室，乳突蜂巣，耳管の各粘膜に分布する. 副交感性節前線維も鼓室神経を経て，浅小錐体神経を通り耳神経節にはいり節後線維とシナプスした後に耳下腺に分布する). = nervus tympanicus; Andersch nerve.

tym·pan·ic o·pen·ing of au·di·tor·y tube 耳管鼓室口（耳管の鼓室口で，鼓膜張筋半管の下，鼓室の前部にある開口).

tym·pan·ic plex·us 鼓室神経叢（鼓室迷路壁の岬角上にあり，鼓室神経，顔面神経の吻合枝，および内頸動脈神経叢からの交感神経枝によって形成される神経叢. 中耳，乳突蜂巣，耳管に分布し，浅錐体神経を耳神経節に送る).

tym·pan·ic ring 鼓室輪（発生学用語. 胎児軟骨性外耳道の内側端にあるほぼ完全に骨でできた輪で，ここに鼓膜が付着している). = anulus tympanicus; tympanic bone.

tym·pan·ic si·nus 鼓室洞（岬角より後部の鼓室内にあるくぼみ).

tym·pan·ic ther·mom·e·ter 鼓膜温度計（電子温度計で，鼓膜を走査することで温度を計るもの).

tym·pan·ic veins 鼓室静脈（鼓室から出て錐体鼓室裂を鼓索とともに通り，下顎後静脈に注ぐ静脈).

tym·pa·nism (tim′pă-nizm). 鼓脹. = tympanites.

tym·pa·ni·tes (tim-pă-nī′tēz). 鼓脹〔症〕（腸または腹膜内のガスで腹が腫脹すること). = meteorism; tympanism.

tym·pa·nit·ic (tim-pă-nit′ik). *1* 鼓脹の. = tympanous. *2* 鼓音〔性〕の（膨張した腸や大きな肺の空洞上の打診で生じる音の性質についていう). = tympanal (3); tympanic (3).

tym·pa·nit·ic res·o·nance 鼓脹性共鳴音，鼓音. = tympany.

tym·pa·ni·tis (tim-pă-nī′tis). 鼓室炎，中耳炎. = myringitis.

tympano-, tympan-, tympani- 鼓室，または鼓膜，を意味する連結形.

tym·pa·no·cen·te·sis (tim′pă-nō-sen-tē′sis). 鼓室穿刺〔術〕（中耳液を吸引するために針を用いて鼓膜を穿刺すること).

tym·pan·o·gram (tim′pă-nō-gram). ティンパノグラム（外耳道内圧を変化させることにより，中耳構造の硬さやコンプライアンスを示すインピーダンス曲線を描いたもの).

tym·pa·no·mas·toid fis·sure 鼓室乳突裂（側頭骨の鼓室部と乳様突起とを分離している裂溝. 迷走神経脳の耳介枝が通っている).

tym·pa·nom·e·try (tim-pă-nom′ĕ-trē). ティンパノメトリ（様々な気圧における鼓膜のコンプライアンスを測定する手技. 中耳滲出液，耳管機能，中耳炎などの診断に役立つ).

tym·pa·no·plas·ty (tim′pă-nō-plas-tē). 鼓室形成〔術〕（損傷した中耳を手術で矯正すること).

tym·pan·o·scler·o·sis (tim′pan-ō-skler-ō′sis). 鼓室硬化症（中耳腔に密集した結合織を形成するもので，耳小骨が含まれると聴力低下をきたすことが多い).

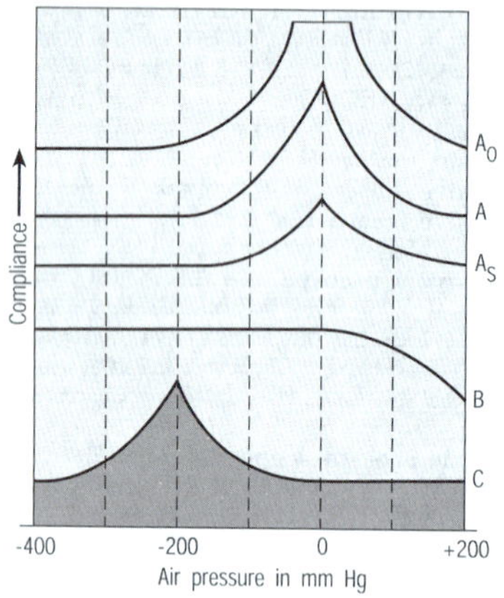

A_O
A
A_S
B
C
Compliance
-400
-200
0
+200
Air pressure in mm Hg

tympanogram

中耳の種々の状態を示す5つのティンパノグラム. A型：正常中耳にみられる. As型：あぶみ骨の可動性と関連する. Ao型：耳小骨連鎖の離断あるいは鼓膜の軟弱性と関連する. B型：中耳の滲出液を示唆する. C型：中耳圧が大気圧以下であることを示唆する.

tym·pan·os·to·my (tim′pan-os′tŏ-mē). 鼓膜切開. = myringotomy.

tym·pan·os·to·my tube 中耳腔換気用チューブ（中耳腔を換気するために鼓膜切開を行った後に，鼓膜を通して挿入された小さいチューブ．滲出性中耳炎でしばしば用いられる）.

tym·pa·not·o·my (tim′pă-not′ŏ-mē). 鼓膜切開〔術〕，鼓膜穿刺. = myringotomy.

tym·pa·nous (tim′pă-nŭs). = tympanitic(1).

tym·pan·o·ves·tib·u·lar coup·ling 鼓膜前庭結合（鼓膜構造(例えば鼓膜，小骨，中耳腔)と前庭の末端臓器との直接的または間接的な結合．前庭の末端臓器に，鼓膜構造から伝わる空気変化や音の振動などの異常反応を引き起こす）.

tym·pa·ny (tim′pă-nē). 鼓脹，鼓音（気胸を伴うこともある膨満した腹または胸郭のように，空気を含む大きな空間を打診することにより得られる低音調，共鳴，鼓音性音）. = tympanitic resonance.

Tyn·dall phe·nom·e·non ティンダル(チンダル)現象（太陽光線によって照らされたときや，照明光線に対して直角にながめたときに，気体または液体中の浮遊粒子が見えること）.

type (tīp). ***1*** 型，類型（通常，型または複合型．その類の他のすべては多少とも密接に似ている．原型，特に類の特質や特徴になる疾患または症候複合をさす. →constitution; habitus; personality). ***2*** 基型（化学において，分子中の原子の配列が，その種類の他の物質を代表すると考えうる物質）. = typus.

Type 1 di·a·be·tes 1型糖尿病（インスリンが完全に欠乏しているため惹起される高血糖を特徴とする病態．生体の免疫機構が膵臓のインスリン産生β細胞を攻撃して破壊することにより生じる．膵臓はインスリンをほとんど，あるいはまったく産生できなくなる．1型糖尿病は若年者に起こりやすいが，成人にも生じうる）. = growth-onset diabetes; juvenile-onset diabetes.

Type 2 di·a·be·tes 2型糖尿病（インスリン欠乏か，または生体がインスリンを効率的に使用できないために生じる高血糖を特徴とする病態．2型糖尿病は，中年や成人に多く生じるが，若年者にも発症しうる）. = maturity-onset diabetes; non-insulin-dependent diabetes mellitus.

type A be·hav·ior, type A per·son·al·i·ty A型行動（攻撃的，野心的，せっかちで，いつも時間に追われているように感じているという特徴を有する行動パターン．A型行動パターンに伴いうる特徴の中でも敵対心が冠状動脈疾患の危険性の増加に関連していることが最近の研究で明らかにされた）.

type B be·hav·ior, type B per·son·al·i·ty B型行動（A型行動の特徴をもたないか，それとは反対の特徴を有する行動パターン）.

type cul·ture 基準培養株（標準として保存収集されている微生物の基準株）.

type I fa·mil·i·al hy·per·lip·o·pro·tein·e·mi·a I型家族性高リポ蛋白血〔症〕，I型家族性リポ蛋白過剰血〔症〕（普通の食事をとっていても，血漿中に大量のカイロミクロンおよびトリグリセリドが存在し，無脂肪食をとるとこれらが消えるのを特徴とする高リポ蛋白血症．腹痛の発作，肝脾腫大，膵炎，発疹性黄色腫を伴う．常染色体劣性遺伝）. = familial fat-induced hyperlipemia; familial hyperchylomicronemia; familial hypertriglyceridemia(1).

Type I fi·bers = slow-twitch fibers.

type II fa·mil·i·al hy·per·lip·o·pro·tein·e·mi·a II型家族性高リポ蛋白血〔症〕，II型家族性リポ蛋白過剰血〔症〕（血漿中のβリポ蛋白，コレステロールの値が増加し，トリグリセリドの値は増加しているか，正常値を示すのを特徴とする高リポ蛋白血症．ホモ接合体は重篤で全身性黄色腫症，若年者では臨床的に明確な動脈硬化症を伴う．欠乏しているものはVLDLのアポ蛋白である）. = familial hypercholesterolemia.

Type II fi·bers = fast-twitch fibers.

type III fa·mil·i·al hy·per·lip·o·pro·tein·e·mi·a III型家族性高リポ蛋白血〔症〕，III型家族性リポ蛋白過剰血〔症〕（血漿中のLDL，βリポ蛋白，プレβリポ蛋白，コレステロール，リン脂質，およびトリグリセリドの値が増加するのを特徴とする高リポ蛋白血症．しばしば発疹性黄色腫症およびアテローム硬化症，特に冠動脈疾患を伴う．生化学的異常はアポリポ蛋白に認められる）. = familial hypercholesterolemia with hyperlipemia.

type IV fa·mil·i·al hy·per·lip·o·pro·tein·e·mi·a IV型家族性高リポ蛋白血〔症〕，IV型家族性リポ蛋白過剰血〔症〕（血漿中のVLDL，プレβリポ蛋白およびトリグリセリドの値が普通食下においても増加するが，βリポ蛋白，コレステロール，リン脂質は正常値を示すもの．耐糖能試験の異常をみたり，虚血性心疾患に罹患しやすくなることがある）. = familial hypertriglyceridemia(2).

type V fa·mil·i·al hy·per·lip·o·pro·tein·e·mi·a V型家族性高リポ蛋白血〔症〕，V型家族性リポ蛋白過剰血〔症〕（血漿中のカイロミクロン，VLDL，プレβリポ蛋白，トリグリセリドの値が増加するのを特徴とする高リポ蛋白血症．腹痛の発作，肝脾腫大，動脈硬化に対する罹患性，耐糖能試験の異常を伴うことがある）.

typh·lec·ta·sis (tif-lek′tă-sis). 盲腸拡張〔症〕，盲腸肥大〔症〕.

typh·lec·to·my (tif-lek′tŏ-mē). 盲腸切除〔術〕. = cecectomy.

typh·len·ter·i·tis (tif′len-tĕr-ī′tis). 盲腸小腸炎. = cecitis.

typh·li·tis (tif-lī′tis). 盲腸炎. = cecitis.

typhlo-, typhl- ***1*** 盲腸を意味する連結形. →ceco-. ***2*** 盲目を意味する連結形.

typh·lo·dic·li·di·tis (tif′lō-dik′li-dī′tis). 回盲弁炎.

typh·lo·en·ter·i·tis (tif′lō-en-tĕr-ī′tis). 回盲炎. = cecitis.

typh·lo·li·thi·a·sis (tif′lō-li-thī′ă-sis). 盲腸結石〔症〕（盲腸内の糞便固結）.

typh·lo·pex·y, typh·lo·pex·i·a (tif′lō-pek-sē, -pek′sē-ă). 盲腸固定〔術〕. = cecopexy.

typh·lor·rha·phy (tif-lōr′ă-fē). 盲腸縫合〔術〕.

T

= cecorrhaphy.

typh·lo·sis (tif-lō′sis). 盲，盲目. = blindness.

typh·los·to·my (tif-los′tō-mē). 盲腸造瘻術，盲腸フィステル形成〔術〕. = cecostomy.

typh·lot·o·my (tif-lot′ō-mē). 盲腸切開〔術〕. = cecotomy.

ty·phoid (tī′foyd). *1* 〚adj.〛 チフス様の（発熱によって昏睡するものについていう）. *2* 〚n.〛 腸チフス. = typhoid fever.

ty·phoid·al (tī-foyd′ăl). 腸チフスの，腸チフス様の.

ty·phoid ba·cil·lus 〔腸〕チフス菌. = *Salmonella typhi.*

ty·phoid fe·ver 腸チフス（チフス菌 *Salmonella typhi* による急性感染症で，第1週における階段状の持続的体温上昇，重篤な肉体的・精神的機能低下，胸部および腹部のバラ疹，鼓腸などを特徴とし，初期に下痢，ときに腸出血や腸穿孔などもみられる．平均病期は4週間であるが，不全型および再発もまれでない．病変は主に小腸のリンパ濾胞（Peyer 斑），腸間膜リンパ節，および脾臓にみられる．感染中に Widal 反応が高値を示し，血液および尿培養が陽性だったのが陰性となる）. = enteric fever(1); typhoid(2).

ty·phous (tī′fŭs). 発疹チフス〔性〕の.

ty·phus (tī′fŭs). 発疹チフス（節足動物によって媒介されるリケッチアが病因の一群の急性感染症，伝染病．流行性発疹チフスと地方病性発疹熱（ネズミ）の主要な2型の発生型がある．jail fever, camp fever, ship fever ともよばれる）. = camp fever(1).

typ·i·cal dru·sen = exudative drusen.

typ·ing (tīp′ing). 型別（型による分類. →type).

ty·pus (tī′pŭs). = type.

Tyr チロシン，チロシル基の記号.

Ty·rode so·lu·tion タイロード〔溶〕液（Locke 液を少し変えたもの．塩化ナトリウム 8 g，塩化カリウム 0.2 g，塩化カルシウム 0.2 g，塩化マグネシウム 0.1 g，リン酸二水素ナトリウム 0.05 g，炭素水素ナトリウム 1 g，D-グルコース 1 g に水を加えて 1,000 mL に希釈したもの．腹膜腔の灌注や実験作業に用いる）.

ty·ro·ke·to·nu·ri·a (tī′rō-kē′tō-nyūr′ē-ă). チロシンケトン尿〔症〕（*p*-ヒドロキシフェニルピルビン酸のような，チロシンのケトン体代謝産物の尿排出）.

ty·ro·ma (tī-rō′mă). 乾酪腫.

ty·ro·sine (Tyr, Y) チロシン（多くの蛋白に存在する *α*-アミノ酸）.

ty·ro·si·nu·ri·a (tī′rō-si-nyūr′ē-ă). チロシン尿〔症〕（尿中にチロシン流出がみられること）.

ty·ro·sy·lu·ri·a (tī′rō-sil-yūr′ē-ă). チロシル尿〔症〕（*p*-ヒドロキシフェニルピルビン酸のようなチロシンのある種の代謝産物の尿中排出が増加すること．チロシン症，壊血病，悪性貧血，その他の疾患に現れる）.

TYSGM-9 me·di·um TYSGM-9 培地（胃ムチン，肉汁，ウシ血清，米デンプンからなる培地．赤痢アメーバ *Entamoeba histolytica* の検出に用いる. →TY1-S-33 medium).

TY1-S-33 me·di·um TY1-S-33 培地（ペプトン，デキストロース，各種ビタミン，ウシ血清からなる培地．赤痢アメーバ *Entamoeba histolytica* の検出に用いる. →TYSGM-9 medium).

U

υ ウプシロン（→upsilon）.

U ***1*** unit の略. ***2*** キロウラン単位，重合体におけるウリジン，ウラシル，および尿濃度 urinary concentration を示す記号. ウランの元素記号. 位置や化学種を示す下付き文字を付す.

U 内部エネルギー internal energy の記号.

UB-92 = CMS-1450.

u·bi·qui·nol (QH₂)（yū′bi-kwi′nol）. ユビキノール（ユビキノンの還元生成物）.

u·bi·qui·none（yū-bi-kwi′nōn）. ユビキノン（マルチプレニル側鎖をもつ 2,3-ジメトキシ-5-メチル-1,4-ベンゾキノン. 電子伝達担体. →coenzyme Q）.

u·biq·ui·tin（yū-bik′kwi-tin）. ユビキチン（高等生物の全細胞で見出された小さな蛋白で，その構造は進化の過程でわずかだけ変化した. そこには少なくとも 2 つの過程がある. ヒストンの修飾と細胞内蛋白分解である）.

u·biq·ui·tin-pro·te·ase path·way ユビキチン-プロテアーゼ経路（小さな蛋白補因子ユビキチンが，蛋白性基質と結合してプロテアーゼによる蛋白分解を触媒する. この経路は高選択性で強く制御を受けており，筋消耗病にみられる蛋白分解に関与する）.

UDP uridine 5′-diphosphate の略.

UDPglu·cose-hex·ose-1-phos·phate u·ri·dyl·yl·trans·fer·ase UDP グルコース-ヘキソース-1-ホスフェートウリジリルトランスフェラーゼ（*α*-D-グルコース 1-リン酸と UDP ガラクトースから UDP グルコースと *α*-D-ガラクトース 1-リン酸が生成する可逆的反応を触媒する酵素）.

UGI upper gastrointestinal series の略.

ul·cer（ŭl′sĕr）. 潰瘍（皮膚または粘膜の病巣で，表層の組織欠損により生じ，通常，炎症を伴う. *cf.* erosion）. = ulcus.

ul·cer·a（ŭl′sĕr-ă）. ulcus の複数形.

ul·cer·ate（ŭl′sĕr-āt）. 潰瘍を起こす，潰瘍化する.

ul·cer·at·ing gran·u·lo·ma of pu·den·da 潰瘍性外陰部肉芽腫. = granuloma inguinale.

ul·cer·a·tion（ŭl-sĕr-ā′shŭn）. ***1*** 潰瘍化，潰瘍形成. ***2*** 潰瘍.

ul·cer·a·tive（ŭl′sĕr-ă-tiv）. 潰瘍〔性〕の（潰瘍に関する，潰瘍によって引き起こされる，潰瘍によって特徴付けられる）.

ul·cer·a·tive co·li·tis 潰瘍性大腸（結腸）炎（原因不明の慢性疾患で，直腸出血，粘液性陰窩膿瘍，炎症性偽ポリープ，腹痛，下痢を伴った結腸と直腸の潰瘍が特徴. しばしば貧血，低蛋白血症，電解質異常を起こすが，腹膜炎，中毒性巨大結腸，癌の合併は比較的少ない）.

ul·cer·a·tive sto·ma·ti·tis 潰瘍性口内炎. = aphtha（2）.

ul·cer·o·mem·bra·nous gin·gi·vi·tis 潰瘍性膜性歯肉炎. = necrotizing ulcerative gingivitis.

ul·cer·ous（ŭl′sĕr-ŭs）. 潰瘍〔性〕の（潰瘍に関する，潰瘍に侵される，潰瘍を含む）.

ul·cus, pl. ul·cer·a（ŭl′kŭs, -sĕr-ă）. 潰瘍. = ulcer.

u·ler·y·the·ma（yū′ler-ith′ĕ-mă）. 瘢痕〔性〕紅斑.

Ull·mann line ウルマン線（脊椎すべり症における変位の線）.

Ull·mann syn·drome ウルマン症候群（多発性動静脈奇形による全身性血管腫症）.

ul·na, gen. & pl. ul·nae（ŭl′nă, -nē）. 尺骨（前腕の 2 つの骨の内側の大きい骨）. = cubitus（2）.

ul·nad（ŭl′nad）. 尺骨の方へ.

ul·nar（ŭl′năr）. 尺骨の，尺側の（尺骨または尺骨にちなむ構造（動脈，神経など）に関する. 上肢の尺側あるいは内側に関する）.

ul·nar ar·ter·y 尺骨動脈（上腕動脈より起こり，尺骨反回動脈，総骨間動脈，掌側・背側手根枝，深掌枝，浅掌動脈弓に分枝する）. = arteria ulnaris.

ul·nar de·vi·a·tion 尺屈（前腕の小指側に向かう手首の動き）.

ul·nar ex·ten·sor mus·cle of wrist 尺側手根伸筋. = extensor carpi ulnaris muscle.

ul·nar flex·ion 屈曲（屈折と合併して起こる手首の屈曲）.

ul·nar flex·or mus·cle of wrist 尺側手根屈筋. = flexor carpi ulnaris muscle.

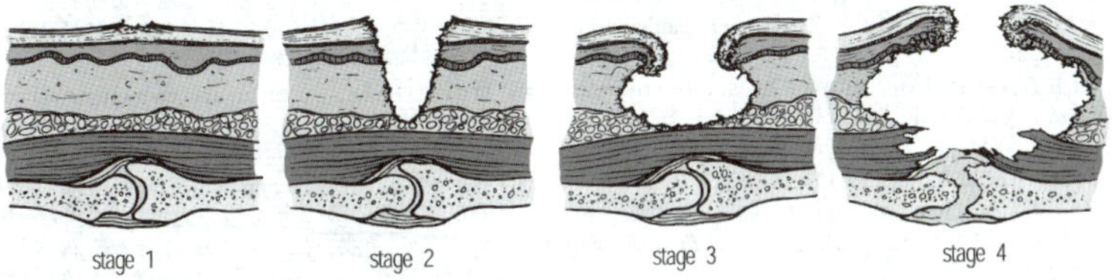

stage 1
stage 2
stage 3
stage 4

decubitus ulcer and ulcer classification

stage 1：炎症で赤くなった表皮，stage 2：表皮の欠失と真皮の損傷，
stage 3：皮下組織への浸潤，stage 4：腱，筋肉，骨への浸潤.

ul·nar head 尺骨頭（大骨から起こる筋頭をいう．*Terminologia Anatomica* では，ⓘ尺側手根屈筋 flexor carpi ulnaris（... musculi flexoris carpi ulnaris），ⓘⓘ円回内筋 pronator teres（... musculi pronatoris teritis），ⓘⓘⓘ尺側手根伸筋 extensor carpi ulnaris（... musculi extensoris carpi ulnaris），にこの名がある）．

ul·nar nerve 尺骨神経（腕神経叢の内側神経束（主に C8–T1）から起こり，上腕を下行し，上腕骨内側上顆の後ろを抜け，前腕の尺骨側を下り，手に至る．前腕で尺側手根屈筋，深指屈筋尺側部，小指球の筋，骨間筋，内側虫様筋，母指内転筋，短母指屈筋深頭，手の固有筋に筋枝を送り，小指・薬指内側とその辺りの手掌の皮膚に知覚枝を送る）．= nervus ulnaris; cubital nerve.

ul·nar nerve com·pres·sion syn·drome 尺骨神経圧迫〔症〕．= cyclist's palsy.

ul·nar re·cur·rent ar·ter·y 尺側反回動脈（尺骨動脈より起こり，前枝，後枝の 2 つの枝が肘関節を前後に分かれて逆行性に内側に向かって通る．上・下尺側側副動脈と吻合して肘関節動脈網に加わる）．

ul·nar veins 尺骨静脈（浅手掌動脈弓から出て橈骨動脈と連結する尺骨動脈の伴行静脈で肘窩の上腕静脈となる）．

ulo-, ule- *1* 瘢痕または瘢痕形成を意味する連結形．*2* 歯肉を意味する連結形．→gingivo-．*3* 渦巻き状の，を意味する連結形．

u·lo·der·ma·ti·tis（yū′lō-dĕr-mă-tī′tis）．瘢痕形成性皮膚炎（組織破壊と瘢痕形成をもたらす皮膚の炎症）．

u·loid（yū′loyd）．*1*〖adj.〗瘢痕様の．*2*〖n.〗偽瘢痕，仮性瘢痕（皮膚深層の変性過程による瘢痕様の病巣）．

ultra- 過剰，誇張，…を超えて，を意味する接頭語．

ul·tra·cen·tri·fuge（ŭl′tră-sen′tri-fyūzh）．超遠心〔分離〕器（大きい分子，例えば蛋白や核酸の分子を，実用的な速度で沈降させる高速度遠心分離器）．

ul·tra·di·an（ŭl-trā′dē-ăn）．超概日性の，ウルトラディアン（24 時間ごとよりも頻繁な周期で生じる生物学的変動またはリズムに関していう．*cf.* circadian; infradian）．

ul·tra·fast Pap·a·ni·co·laou（Pap）stain 超高速パパニコロウ（パップ）染色（改造された染色で，凍結切片がそれほど信頼性・実用性がなく，迅速な決定が必須である状況である時に使用されるのに適している．→Papanicolaou（Pap）stain）．

ul·tra·fil·tra·tion（ŭl′tră-fil-trā′shŭn）．限外濾過〔法〕（コロイド溶液と晶質の分離，またはコロイド混合物中の大きさの異なる粒子の分解をする半透膜または濾紙を用いる濾過）．

ul·tra·li·ga·tion（ŭl′tră-lī-gā′shŭn）．遠隔結紮（分枝が発生する点から離れた場所にある血管の結紮）．

ul·tra·mi·cro·scop·ic（ŭl′tră-mī-krŏ-skop′ik）．超顕微鏡の，限外顕微鏡の．= submicroscopic.

ul·tra·mi·cro·tome（ŭl′tră-mī′krō-tōm）．超ミクロトーム（電子顕微鏡用に厚さ 0.1 μm，またはそれ以下の切片をつくるのに用いるミクロトーム）．

ul·tra·short·wave di·a·ther·my 超短波ジアテルミー（波長が 10 m 以下の短波ジアテルミー）．

ul·tra·son·ic（ŭl′tră-son′ik）．超音波の（音波と同じエネルギー波動であるが，より高い周波数（30,000 Hz 以上）をもつものについていう）．

ul·tra·son·ic lith·o·trip·sy 超音波結石穿孔術（高周波音波により結石を破壊すること）．

ul·tra·son·ic neb·u·liz·er 超音波噴霧器（高周波の電力を用い，トランスデューサにエネルギーを与えて 1,350,000 回/sec 振動させ，噴霧室で水を 0.5—3 μm の大きさに砕く加湿器．吸入療法に用いる）．

ul·tra·son·ics（ŭl′tră-son′iks）．超音波学（超音波の特性と現象などに関する超音波の科学と技術）．

ul·tra·son·o·gram（ŭl′tră-sŏn′ŏ-gram）．超音波記録（超音波検査によって得られる像．→echogram）．= sonogram.

ul·tra·son·o·graph（ŭl′tră-son′ŏ-graf）．超音波検査図，超音波検査像（超音波を使用して画像をつくるために用いるコンピュータ制御の機器）．= sonograph.

ul·tra·so·nog·ra·pher（ŭl′tră-sŏ-nog′ră-fĕr）．超音波検査士（超音波検査を施行し読影する者）．= sonographer.

ul·tra·so·nog·ra·phy（ŭl′tră-sŏ-nog′ră-fē）．超音波検査〔法〕（高周波音波または超音波の反射または透過量を測定して，深部構造の位置観察，測定，または描写を行うこと．音波を反射または吸収する面までの距離のコンピュータ計算に音波ビームの既知の方向を加味することで二次元の画像が得られる．→ultrasound）．= echography; sonography.

ul·tra·sound（ŭl′tră-sownd）．超音波（30,000 Hz 以上の振動数を有する音）．

ul·tra·sound car·di·og·ra·phy 超音波心臓検査〔法〕．= echocardiography.

ul·tra·struc·tur·al a·nat·o·my 超微細構造解剖学（光学顕微鏡では不可視の構造の超顕微鏡的研究）．

ul·tra·vi·o·let（ŭl′tră-vī′ŏ-lĕt）．紫外線〔の〕（可視スペクトルの紫色端よりも高周波数の電磁波の名称）．

ul·tra·vio·let in·dex 紫外線指数（米国国立気象サービスによって色々な地域で毎日発表されるもので，翌日の正午ごろの地表に達する危険な紫外線の量を予報する）．

ul·tra·vi·o·let ker·a·to·con·junc·ti·vi·tis 紫外線角結膜炎（強い紫外線の照射を受けたために起こる急性角結膜炎）．

ul·tra·vi·o·let mi·cro·scope 紫外線顕微鏡（可視スペクトルよりも短い光波，すなわち 400 nm 以下の光波を伝えることのできる石英とホタル石のレンズをもつ顕微鏡．像は写真，蛍光をもった特別のガラス，テレビによって目で見ることができる）．

ul·tra·vi·rus（ŭl′tră-vī′rŭs）．超ウイルス，超微生物．= virus（1）．

um·ber co·don アンバーコドン（終止コドン，UGA．註日本では，amber codon と区別するため〝オパールコドン opal codon〟と称することが多い）．= opal codon.

um·bil·i·cal (ŭm-bil′i-kăl)．臍帯の，臍の．= omphalic.

um·bil·i·cal ar·ter·y 臍動脈（出生前は内腸骨動脈の延長．出生後は膀胱と臍の間で閉塞され，臍動脈索を形成し，内腸骨動脈と膀胱の間に残った部分は形が小さくなり，上膀胱動脈を出す）．= arteria umbilicalis.

um·bil·i·cal cord 臍帯（胚子または胎児と胎盤間を結ぶ明確な帯．出生時には，Wharton ゼリーからなり，その中に臍帯血管がある）．= funiculus umbilicalis; funis (1).

um·bil·i·cal her·ni·a 臍ヘルニア（臍皮下の腹壁を通って腸または大網が脱出しているもの．→omphalocele）．= exomphalos (2); exumbilication (2).

um·bil·i·cal in·tes·ti·nal loop = midgut loop.

um·bil·i·cal ring 臍輪（胎児の臍血管が通る白線内の孔．幼若胚子では比較的恥骨に近いところにあるが，徐々に腹部中央に上昇する．成人では閉じており，その部位は臍によって示されている）．= anulus umbilicalis.

um·bil·i·cal vein 臍静脈．= left umbilical vein.

um·bil·i·cal ves·i·cle 臍嚢（胚盤胞の胚外体腔からつくられる嚢様構造）．= yolk sac.

um·bil·i·cate, um·bil·i·cat·ed (ŭm-bil′i-kāt, -kāt-ĕd)．臍状の，穴状の，くぼみの．

um·bil·i·ca·tion (ŭm-bil′i-kā′shŭn)．*1* 臍形陥凹（点状または臍状の陥凹）．*2* 臍窩形成（丘疹，小水疱，または膿疱尖端にある陥凹形成）．

um·bil·i·cus, pl. um·bil·i·ci (ŭm-bil′i-kŭs, -sī)．臍，へそ（腹壁の中心にあり，臍帯が胎児の中にはいっていた個所を示すくぼみ）．= navel.

um·bo, gen. um·bo·nis, pl. um·bo·nes (ŭm′bō, -bō-nis, -bō-nēz)．臍（①表面から突出した部分．②= umbo of tympanic membrane）．

um·bo of tym·pan·ic mem·brane 鼓膜臍（つち骨柄末端部にある鼓膜内表面の突起．これは外側面から見たときに膜の最もくぼんだ個所に相当し，通常，これを臍とよんでいる）．= umbo (2).

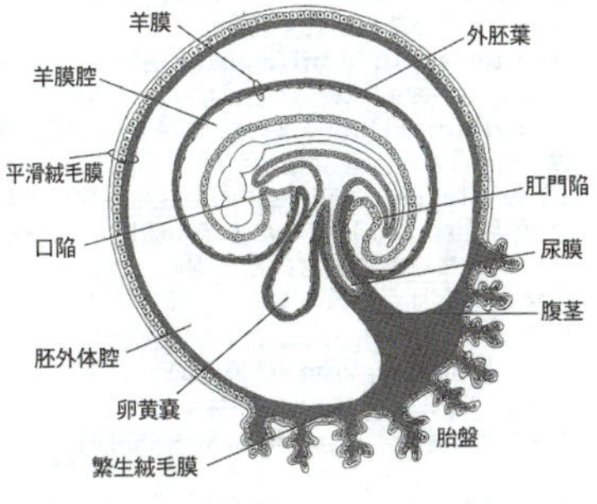

羊膜
外胚葉
羊膜腔
平滑絨毛膜
肛門陥
口陥
尿膜
腹茎
胚外体腔
卵黄嚢
胎盤
繁生絨毛膜

umbilical cord

um·bra (ŭm′bră)．鮮影（放射線医学で，縁が鮮明に写っている映像）．

UMP uridine 5′-monophosphate の略．

un- *1* 否定を意味する接頭語で，ラテン語の *in-*，ギリシア語の *a-*, *an-* と類似の語．*2* 逆転，移動，解放，喪失を意味する接頭語．*3* 激しい行動を表す接頭語．

un·bal·anced trans·lo·ca·tion 不平衡転座（転座染色体をもつ配偶子が，正常配偶子と受精した結果生じる状態．染色体異常にもかかわらず個体が生きているとすれば，個体は染色体を 46 もつが，転座染色体の分節は個体の各細胞で 3 倍体として現れ，部分的または完全な三染色体性の状態が存在することになる）．

un·bund·ling (ŭn-bŭnd′ling)．アンバンドリング（1 つの包括コードが利用可能な場合に，医療サービスに対して複数の CPT コードを使用すること）．

un·cal (ŭngk′ăl)．鉤の．

un·ci (ŭn′sī)．uncus の複数形．

un·ci·form (ŭn′si-fōrm)．= uncinate.

un·ci·form bone 有鉤骨．= hamate bone.

un·ci·form fas·cic·u·lus, un·ci·nate fas·cic·u·lus 鉤状束（大脳の前頭葉と側頭葉を互いに結合している長い連合線維の束．前頭葉の白質を通って，尾方に走り，外側溝の幹の下を腹側に鋭く曲がり，上および中側頭回の皮質前半に扇のように広がる）．

un·ci·nate (ŭn′si-nāt)．= unciform. *1* 鉤状の（鉤線状の，鉤形の）．*2* 鉤の（鉤に関係のある，特に大脳の鉤回，膵臓の鉤突起，椎骨の鉤突起についていう）．

un·ci·nate gy·rus = uncus (2).

un·comb·a·ble hair syn·drome 不櫛梳毛症候群，櫛で梳けない毛症候群（毛髪に生じる遺伝的症候群で，しばしば銀色がかった金髪である．不規則な形の毛幹のため乱れ髪の状態となり，抜いて台の上に置くとよじれている）．= spun glass hair.

un·com·fort·a·ble lev·el 不快レベル（不快を生じる音の大きさ）．

un·com·pen·sat·ed al·ka·lo·sis 非代償性アルカローシス（代償性アルカローシスの代償機能の欠損によって体液 pH が上昇するアルカローシス）．

un·com·pe·ti·tive in·hib·i·tor 非競合的阻害剤（阻害剤のみが酵素-基質複合体と結合する酵素阻害剤の一種）．

un·con·di·tioned re·flex 無条件反射（以前の学習または経験に依存しない本能的反射）．

un·con·di·tioned re·sponse 無条件反応（動物あるいは人がもとからもっている反応様式の一部であり，例えば救助のような反応．*cf.* conditioned response）．

un·con·di·tioned stim·u·lus 無条件刺激（無条件反応を起こす刺激．例えば食物は，空腹な動物の唾液分泌，すなわち無条件反応に対する無条件刺激となる）．

un·con·scious (ŭn-kon′shŭs)．*1* 〚adj.〛無意識

U

の. = insensible(1). *2* 〚n.〛 無意識（精神分析において，本人が気付いていない衝動と感情からなる心的構造）.

un·con·scious·ness (ŭn-kon′shŭs-nĕs). 意識消失（自己と周囲の環境の認識が高度に障害されていることを表す不正確な用語．昏睡または無反応と同義に使われることが多い）.

un·co·ver·te·bral (ŭn-kō-vĕr′tē-brăl). 椎体鉤状突起の.

unc·tion (ŭngk′shŭn). 塗油，軟膏塗擦（軟膏や油を塗布またはすり込むこと）.

unc·tu·ous (ŭngk′shū-ŭs). 油状の，油性の.

un·cus, pl. **un·ci** (ŭng′kŭs, ŭn′sī). 鉤（①鉤形の突起または構造．②海馬傍回の前端で，側頭葉底内側面に鉤でかかったようになっているところ．その前面は嗅皮質に，腹側面は内鼻野にそれぞれ相当する．深部には扁桃体がある. = uncinate gyrus）.

un·der·bite (ŭn′dĕr-bīt). 下顎の発育不全または上顎の過剰発育を意味する非専門用語.

un·der·drive pac·ing アンダードライブペーシング（現在ある頻拍の心拍数よりも低い設定レートで心臓を電気的に刺激することで，心拍間に心室を補えるように設定する．その頻拍を止める目的で，リエントリー回路を断つために行う）.

un·der·nu·tri·tion (ŭn′dĕr-nū-trish′ŭn). 栄養不足（食物の供給量減少または必要な栄養素の消化・吸収・活用ができないために生じる一種の栄養不良）.

un·der·shoot (ŭn′dĕr-shūt). アンダーシュート（最終的定常状態値以下になる一時的な減少で，その値を上昇させていた影響を除去させるように急速に生じる．すなわち逆方向のオーバーシュート）.

un·der·wa·ter seal drain·age 水中密封ドレナージ（助間のカテーテルに結合し，ドレーンを水下に配置する．そこで封が形成され，空気の除去，または膿，血液，その他の液体が排出するために，肺が再び拡張する．その一方で空間に空気が再び入るのを妨げる）.

un·der·wat·er weigh·ing 水中秤量，水中はかり（空気中での体重と水中での体重を測定して身体の体積を求める方法．身体の体積はその体重差(水の密度で補正)に等しい．次に，身体の密度(身体の質量と体積の比)を用いて，身体の脂肪の割合を計算する）. = densitometry; hydrodensitometry; hydrostatic weighing.

un·der·weight (ŭn′dĕr-wāt). 低体重（身長に対する腰囲の比率で，健康だと認められる範囲以下のもの）.

un·de·scend·ed tes·tis 停留精巣(睾丸)，潜伏(潜在)精巣(睾丸)（精巣が陰嚢内に下降し損ねた状態．触知可能のものと不能のものがある）.

un·de·ter·mined ni·tro·gen 非定量窒素（尿素，尿酸，アミノ酸など直接定量できる窒素以外の，血液や尿などの窒素．血液中には 100 mL 当たり約 25 mg 含まれる）.

un·dif·fer·en·ti·at·ed (ŭn′dif-ĕr-en′shē-ā-tĕd). 未分化の（原始的，幼弱，未熟，特異構造や機能を有しない）.

un·dif·fer·en·ti·at·ed type fe·vers 未分化型熱（ヒトに病原性を有する，以前はアルボウイルス群といわれたウイルスのどれかの感染で起こる疾患に付けられた名称で，常にみられる唯一の症状が発熱．発疹，リンパ節腫脹，関節痛が単独で，あるいは組み合わされて出現する．ある種のウイルスは未分化型熱が唯一の症状であるが，他種のウイルスはある人々には未分化型熱しか起こさないが，他の人々には同じ未分化型熱に引き続き二次的症状である出血熱あるいは脳炎を起こす）.

un·du·lant fe·ver 波状熱. = brucellosis.

un·du·late (ŭn′dyū-lāt). 波形の，波状の（不規則な波状の縁をもつこと．細菌集落の形についていう）.

un·du·lat·ing mem·brane, un·du·la·to·ry mem·brane 波動膜（ある種の鞭毛虫類寄生虫(トリパノソーマとトリコモナド)の運動小器官で，限界膜がひれ状に伸びてべん毛鞘を兼ねたもの．波動膜の波状の運動は特徴のある動きを生じる）.

un·du·lat·ing pulse 波状脈（特徴のないまたは力のない波が連続する，緊張力のない脈）.

un·du·li·po·di·um, pl. **un·du·li·po·di·a** (ŭn′dū-li-pō′dē-ŭm, -ă). アンデュリポディウム（多くの真核細胞の柔軟性のある，泡立ってみえる細胞内突起のこと．特徴的な 9 回対称をもつ．周辺に 9 組と中心に 2 組の微小管を配置して，しばしば(9 + 2)対称という．細胞の基底小体(キネトソーム)から成長していて，真核細胞の基本的要素である．繊毛および真核性べん毛((9 + 2)構造をもたない細菌のべん毛ではない)の総称）.

un·e·rup·ted (un′ĕ-rūp′tĕd). 未萌出（歯が口腔をまだ貫通していない状態）.

un·gual (ŭng′gwăl). 爪の. = unguinal.

un·guent (ŭng′gwĕnt). 軟膏. = ointment.

un·gui·nal (ŭng′gwi-năl). = ungual.

un·guis, pl. **un·gues** (ŭng′gwis, -gwēz). 爪. = nail.

uni- 1つ，単一，または対になっていないことを意味する接頭語．ギリシア語の *mono-* に相当する.

u·ni·ax·i·al joint 一軸〔性〕関節，単軸関節（1軸だけを中心として動く関節）.

u·ni·cam·er·al, uni·cam·er·ate (yū′ni-kam′ĕr-ăl, -kam′ĕ-rāt). 単房の. = monolocular.

u·ni·cam·er·al bone cyst 単房性骨嚢胞(嚢腫). = solitary bone cyst.

u·ni·cel·lu·lar (yū′ni-sel′yū-lăr). 単細胞の（原生動物のようにたった 1 個の細胞からなる．このような単細胞生物は他の細胞とは独立して生命活動を行う能力をもつことから，非細胞という語も用いられる）.

u·ni·cel·lu·lar gland 単細胞腺（粘液杯細胞のような単位分泌細胞）.

u·ni·cor·nous (yū′ni-kōr′nŭs). 単角の，一角の.

u·ni·corn u·ter·us 単角子宮（外側の半分だけが存在し，残り半分は発達しないか欠損している子宮).

u·ni·fo·cal (yū′ni-fō′kal). 単巣性 (単一の部位に位置する，または単一の源から起こること．(例; 異所性心拍動)).

u·ni·ger·mi·nal (yū′ni-jĕr′mi-năl). 一胚葉〔性〕の，単胚の (単胚または単卵についていう，例えば一卵性の). = monozygotic; monozygous.

u·ni·glan·du·lar (yū′ni-gland′yū-lăr). 単腺〔性〕の，一腺の．

u·ni·lat·e·ral (yū′ni-lat′ĕ-răl). 片側〔性〕の，一側〔性〕の．

u·ni·lat·e·ral an·es·the·si·a 片側感覚(知覚)脱失(消失)，片側知覚麻痺. = hemianesthesia.

u·ni·lat·e·ral her·maph·ro·dit·ism 一側性半陰陽 (一側にのみ両性の特質が重なる半陰陽，つまり片側に卵巣精巣があり，他の側には卵巣または精巣のいずれかがあるもの).

u·ni·lat·er·al hy·per·lu·cent lung 一側性透過性亢進肺 (一側優位の慢性閉塞性細気管支炎. →unilateral lobar emphysema).

u·ni·lat·e·ral lo·bar em·phy·se·ma 片側性肺葉性気腫 (閉塞性細気管支炎のため，胸部X線写真上，透過性が亢進した肺葉(または肺全体)．エアトラッピングを伴う). = Macleod syndrome; Swyer-James syndrome(1).

u·ni·lo·bar (yū′ni-lō′bahr). 単葉の．

u·ni·lo·cal (yū′ni-lō′kăl). 単一座性 (厳密には，遺伝的構成成分がただ1つの遺伝子座のみによる形質を表現する用語ではあるが，実際的には，1つの遺伝子座からの寄与が非常に大で，データがメンデル遺伝で容易に解釈できるような形質についても用いる).

u·ni·loc·u·lar (yū′ni-lok′yū-lăr). 単房〔性〕の，単室の (脂肪細胞のように1つの室または腔しかない).

u·ni·loc·u·lar cyst 単房性囊胞(囊腫) (単一の囊をもつ囊胞).

u·ni·loc·u·lar joint 単房関節 (関節内円板が不完全であるかまたは欠損している関節．1つの腔のみをもつ関節).

u·ni·mo·lec·u·lar (yū′ni-mŏ-lek′yū-lăr). 一分子の，単分子の．

un·in·hib·i·ted neu·ro·gen·ic blad·der 無抑制性神経因性膀胱〔障害〕 (中枢神経系による利尿筋機能の正常な抑制的調節が障害または未発達なために起こる膀胱機能の先天性または後天性異常).

un·in·ter·rupt·ed su·ture 連続縫合. = continuous suture.

un·ion (yūn′yŭn). ***1*** 結合，融着 (2つ以上の体の接合). ***2*** 癒合 (構造的癒着または傷の端が一緒に成長すること).

u·ni·pen·nate (yū′ni-pen′āt). 単羽状の，半羽状の (①一側に羽をもつ．羽の半分に似た．②筋線維が腱の片側のみから鋭角的にそろって付着しているような筋肉についていう).

u·ni·po·lar (yū′ni-pō′lăr). 単極の，一極の (①一極だけをもつ．枝が一方のみから突出している神経細胞を表す．②細胞の片方の末端にのみある).

u·ni·po·lar leads 単極誘導 (探査電極を心臓近辺の胸部または四肢の1つに置き，もう1つの電極または基準電極を結合電極に取る誘導).

u·ni·po·lar neu·ron 単極ニューロン (発育の過程で2本の極性突起の融合によりできた1本の軸索突起を出す細胞体をもつニューロン．細胞体から離れた様々な地点から，この突起は末梢軸索枝と中枢軸索枝とに分かれ，前者は末梢求心性(感覚)神経線維として外にのび，後者は脊髄または脳幹のニューロンとシナプス結合する).

u·ni·port (yū′ni-pōrt). ユニポート (他の分子またはイオン輸送と既知の連動をしないで，キャリア(輸送担体)機構(ユニポータ)による，ある分子またはイオンの膜輸送. *cf.* antiport; symport).

u·nit (yū′nit). ***1*** 単数 (一，1つ，1人．1人の人または1つの物). ***2*** 単位 (尺度，重さ，その他の基準で，これの倍加または分数により目盛りまたは系がつくられる). ***3*** 単位体，セット (共通の作用または機能により全体として考えられる人または物の集まり). ***4*** = international unit.

u·nit-dose pack·age 単位包装 (大量の薬を小さな使い捨て包装にし，入院中または長期療養施設にいる患者が服用するのを容易にしたもの).

U·ni·ted States A·dopt·ed Names (USAN) USAN評議会が関連製薬会社と協力して採用した(医薬品の)一般名称. USANは1961年6月以降に造語された一般名のみに適用できる．

U·ni·ted States Phar·ma·co·pe·ia (USP) 米国薬局方 (→Pharmacopeia).

U·ni·ted States Pub·lic Health Ser·vice (USPHS) 米国公衆衛生局 (米国保健福祉省の一部門．公衆衛生局長官の指揮下にある医療専門官集団によって業務が行われる．主な業務は科学研究，国内および属島の防疫，国立病院の管理，衛生レポートの出版および統計であり，関連機関には国立衛生研究所 National Institutes of Health や疾病管理予防センター Centers for Disease Control and Prevention などがある).

u·nit mem·brane 単位膜 (形質膜や他の細胞間の膜のもつ3層構造．電子顕微鏡横断切片でみると電顕暗調な2層が，やや明るい層で隔てられている).

u·nit of pen·i·cil·lin (in·ter·na·tion·al) ペニシリン単位(国際単位) (ペニシリンG0.6 μgのペニシリン活性).

u·nit rec·ord ユニット記録，個人別全記録 (1人の患者の過去のすべての医療について，保健医療の全データを1つにまとめた包括的な記録).

u·ni·va·lence, uni·va·len·cy (yū′ni-vā′lĕns, -vā′lĕn-sē). 一価. = monovalence.

u·ni·va·lent (yū′ni-vā′lĕnt). 一価の. = monovalent(1).

u·ni·va·lent an·ti·bod·y 一価抗体 (単一の結合部位を有する不完全な形の抗体．〝Rh＋赤血球〟の場合，このような抗Rh抗体は細胞をおおうが，食塩水中で凝集させることはない．し

U

かし血清中または他の蛋白(アルブミンなど)中で，このようにおおわれた細胞を懸濁すると凝集反応が起こるため，血清凝集素とよばれる). = incomplete antibody(1).

u·ni·ver·sal cuff ユニバーサルカフ (脊髄損傷により，指の屈曲や握力全体に衰弱や欠神が見られる人が一般的に使用する装置．この装置は，小さな握る物に応用されている．例えば鉛筆，歯ブラシ，櫛).

u·ni·ver·sal cu·rette ユニバーサルキュレット (歯の歯冠および歯根より歯石を除去するために用いられる歯周治療用器具．ユニバーサルキュレットの先端はカーブを描いており，断面は半円形である．半円の両端鋭縁部が，どちらも刃部として機能する．多様な歯周治療において最も多用される器具の一つ).

u·ni·ver·sal den·tal no·men·cla·ture ユニバーサル歯式 (①各永久歯に連続する番号を割り当てることによって行う北米式の歯の識別方法．上顎右側の第三大臼歯(1)から始まり，上顎左側の第三大臼歯(16)へと進み，下顎に降りて下顎右側の第三大臼歯(32)で終わる．②永久歯の識別方法に類似した乳歯の識別方法．アルファベットを使う(A から T まで). →F.D.I. dental nomenclature; Palmer dental nomenclature).

u·ni·ver·sal do·nor 万能給血者 (血液型分類で O 型の人．すなわち血球に凝集原 A, B のどちらもない Rh マイナスの人).

U·ni·ver·sal Pre·cau·tions 普遍的予防手段，予防原則 (正式には，Universal Blood and Body Fluid Precautions(普遍的血液および体液予防手段)．1987 年 8 月に米国 CDC(疾病管理予防センター)が(医療現場での HIV 感染予防のための勧告として)公表した一連の予防法指示書とガイドラインで，医療関係者が非経口的，粘膜，および正常の皮膚が血液病原体に暴露されるのを防ぐことを目的としている．1991 年 12 月には，OSHA(米国職業安全保健局)は，〝職業性血液病原体暴露基準〟を公布し，普遍的予防手段と，工学的対策，防御具の設置，バイオハザードに関する基本的表示，労働者に対する普遍的予防対策の強制的な教育，偶発的な非経口暴露事件の管理，および労働者の B 型肝炎に対するワクチンの利用など，医療関係の事業主に対する詳細な責務を課している).

un·my·e·li·nat·ed (ŭn-mī′ĕ-li-nā-tĕd). 無髄の (ミエリン鞘を欠く神経線維(軸索)についていう). = amyelinated; amyelinic.

un·my·e·li·nat·ed fi·bers 無髄〔神経〕線維 (ミエリン鞘のない線維(中枢神経系)，無髄の軸索，末梢神経系では 1 つの Schwann 細胞(Schwann 細胞単位)の中に全長にわたって存在する軸索を意味する．伝導速度が遅い線維). = gray fibers; nonmedullated fibers; Remak fibers.

Un·na dis·ease ウンナ病. = seborrheic dermatitis.

Un·na ne·vus ウンナ母斑 (項部にみられる毛細血管拡張による母斑．項部火焔状母斑の残存型). = erythema nuchae.

Un·na stain ウンナ染料 (①プラズマ細胞用のアルカリ性メチレンブルー染料．②多色化メチレンブルー染料．肥満細胞は赤色に染まる(異染性)).

un·of·fi·cial (ŭn′ō-fish′ăl). 局方外の，非公式の (米国薬局方 United States Pharmacopeia または国民医薬品集 National Formulary に記載されていない薬品を示す).

un·phys·i·o·log·ic (ŭn-fiz′ē-ō-loj′ik). 非生理的な (生体の異常な状態を示す．正常に存在していた物質の量が，異常に身体に生じることについていう).

un·san·i·tar·y (ŭn-san′i-tar-ē). 非衛生的な，健康によくない. = insanitary.

un·sat·ur·at·ed (ŭn-sach′ŭr-āt-ĕd). 不飽和の (①溶媒がさらに多くの溶質を溶かすことができる状態の溶液を示す．②全結合性が満たされているわけではないので，さらに他の原子，基を付加することができる化合物をもさす．③有機化学において，二重結合および(または)三重結合を含む化合物を示す).

un·sat·ur·at·ed fat 不飽和脂肪 (炭素の不飽和結合を多く含む不飽和脂肪酸が豊富な脂肪).

un·sat·ur·at·ed fat·ty ac·id 不飽和脂肪酸 (1 つ以上の二重結合または三重結合を含む炭素鎖をもつ脂肪酸(例えば，1 つの二重結合を有するオレイン酸や 2 つの二重結合を有するリノール酸)．水素と結合できることから不飽和とよばれる).

un·sta·ble an·gi·na 不安定狭心症. = acute coronary syndrome.

un·sta·ble lie 不定胎位 (胎位が横径，縦径に一致しない斜位で分娩前あるいは分娩中にいずれかに変化するもの).

un·stri·at·ed (ŭn-strī′āt-ĕd). 無線条の (線条のないこと，縞のないことについていう．平滑筋すなわち不随意筋の構造についていう).

un·sys·tem·a·tized de·lu·sion 非体系妄想 (明らかに非連続的で関係のない事柄からなる一群の妄想).

Un·ver·richt dis·ease ウンフェルリヒト病 (進行性ミオクローヌスてんかん．変性性灰白質疾患の 1 つで，ミオクローヌス，全身痙攣，進行性の神経減少・知能低下を特徴とする．発症年齢は 8—13 歳．第 21 染色体長腕 22 領域のシスタチン B 遺伝子(CSTB)の変異が原因である).

un·weigh·ted (ŭn-wā′tĕd). 非加重 (一般的には装置を使って抵抗力を加えることで，体重支持を減らす運動形式をいう. →kinematic chain; weight-supported exercise).

UPIN unique provider identification number の略.

UPJ ureteropelvic junction の略.

up·per air·way 上気道 (鼻孔あるいは口腔より喉頭までの呼吸気道の部分).

up·per ex·trem·i·ty 上肢. = upper limb.

up·per gas·tro·in·tes·tin·al (UGI) ser·ies 上部消化管造影 (食道，胃，十二指腸に対する透視方式の X 線検査．造影剤，普通は硫酸バリウムが使われる).

up·per limb 上肢 (肩，上腕，前腕，手根，手). = upper extremity.

up·per res·pir·a·tor·y in·fec·tion (URI) 上気道感染. = cold.

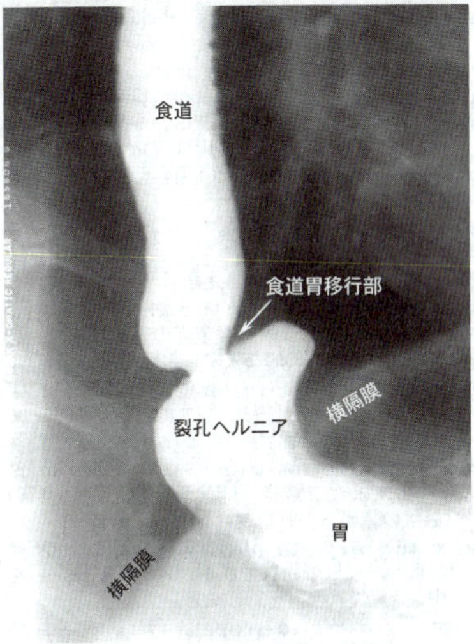
食道
食道胃移行部
横隔膜
裂孔ヘルニア
胃
横隔膜

upper gastrointestinal series
裂孔ヘルニアを示しているX線写真.

up·per res·pir·a·tor·y tract in·fec·tion (URTI) = cold.

up·reg·u·la·tion (ŭp′reg-yū-lā′shŭn). アップレギュレーション（ダウンレギュレーションの逆).

up·reg·u·la·tion-down·reg·u·la·tion hy·poth·e·sis アップレギュレーション/ダウンレギュレーション仮説（うつ病において後シナプスのモノアミン受容体数の増加(アップレギュレーション)が認められ, 抗うつ薬の活性の結果, 効果的に受容体数が減少される(ダウンレギュレーション)ということをうつ病と関連付ける, うつ病の神経化学的理論. →monoamine hypothesis).

up·si·lon (υ) (ŭp′si-lon). ***1*** ウプシロン（ギリシア語アルファベットの 20 番目の文字). ***2*** 運動粘性率 kinematic viscosity の記号.

up·take (ŭp′tāk). 取込み, 摂取（物質, 食物, 鉱物などの組織による吸収, およびその永久的または一時的貯留).

u·ra·chal (yūr′ă-kăl). 尿膜管の.

u·ra·chus (yūr′ă-kŭs). 尿膜管（膀胱尖と臍の間の縮小した尿膜茎の部分. 膀胱臍瘻として存続することもある).

u·ra·cil (U) (yūr′ă-sil). ウラシル（リボ核酸に存在するピリミジン塩基).

uraemia [Br.]. = uremia.

uraemic [Br.]. = uremic.

uraemic coma [Br.]. = uremic coma.

uraemigenic [Br.]. = uremigenic.

u·ra·ni·um (U) (yŭr-ā′nē-ŭm). ウラン（放射性金属元素. 原子番号 92, 原子量 238.0289. 主に歴青ウラン鉱石(ピッチブレンド)に見出される. ウラン 238 とウラン 235 の 2 種類の同位元素がよく知られている(存在比はそれぞれ 99.2745%と 0.720%で, 残りはウラン 234 である). ウラン 235 は自己核分裂連鎖反応を起こすことが示された最初の物質である).

urano-, uranisco- 硬口蓋に関する連結形.

u·ra·no·plas·ty (yūr′ă-nō-plas-tē). 口蓋形成〔術〕. = palatoplasty.

u·ra·nor·rha·phy (yūr′ă-nōr′ă-fē). 口蓋縫合〔術〕. = palatorrhaphy.

u·ra·nos·chi·sis (yūr′ă-nos′ki-sis). 〔硬〕口蓋〔披〕裂（硬口蓋の披裂).

u·ra·no·staph·y·los·chi·sis (yūr′ă-nō-staf′i-los′ki-sis). 軟硬口蓋裂（軟口蓋と硬口蓋の両方の披裂).

u·ra·nyl (yūr′ă-nil). ウラニル（イオン UO_2^{2+}. 酢酸ウラニル $UO_2(CH_3COO)_2$ は電子顕微鏡法で用いられる).

u·rar·thri·tis (yūr′ahr-thrī′tis). 尿酸〔性〕関節炎, 痛風〔性〕関節炎（関節の痛風性炎症).

urataemia [Br.]. = uratemia.

ur·ate (yūr′āt). 尿酸塩.

u·ra·te·mi·a (yūr′ă-tē′mē-ă). 尿酸血〔症〕, 尿酸塩血〔症〕（血液中に尿酸塩, 特に尿酸ナトリウムが存在すること). = urataemia.

ur·ate ox·i·dase 尿酸オキシダーゼ（尿酸を酸化する銅含有酸素依存性酸化還元酵素. 増加した尿酸濃度の臨床診断に用いる). = uricase.

u·ra·to·sis (yūr′ă-tō′sis). 尿酸塩症（血液または組織中に尿酸塩があるために生じる病的状態).

u·ra·tu·ri·a (yūr′ă-tyūr′ē-ă). 尿酸〔塩〕尿（尿中への尿酸塩排泄増加).

Ur·ban op·er·a·tion アーバン手術（拡大根治乳房切断術で, 内胸動脈周囲リンパ節, 胸骨の一部, 肋軟骨などを一塊として切除する).

Urd uridine の略.

ur-de·fens·es (ŭr′dĕ-fens′ĕz). 基本防衛, 原防衛（原始的防衛に対してまれに用いる語).

ure-, urea-, ureo- 尿素, 尿を意味する連結形. →urin-; uro-.

u·re·a (yūr-ē′ă). 尿素（哺乳類の窒素代謝の主終末生成物. Krebs-Henseleit サイクルによって肝臓中に形成される. 健康成人の尿中に 1 日約 32 g(体から排泄される窒素の約 6/7)が排泄される. 腎機能試験の利尿薬として, または局所的に種々の皮膚炎に用いられてきた).

u·re·a clear·ance 尿素クリアランス（尿排泄によってその中から尿素が 1 分間に完全に清浄される血漿量あるいは血液量).

u·re·a cy·cle 尿素回路（主として肝臓内で行われ, 最終的に尿素を生成する一連の化学反応). = Krebs-Henseleit cycle; Krebs ornithine cycle; Krebs urea cycle.

u·re·a frost, u·re·mic frost 尿素霜, 尿毒症性霜（皮膚(特に顔)にみられる, 汗の中に排出された窒素化合物に由来する尿素および尿酸結晶の粉状沈着. 重度尿毒症にみられる).

u·re·a·gen·e·sis (yūr-ē′ă-jen′ĕ-sis). 尿素形成

U

(尿素をつくること，通常，アミノ酸から尿素への代謝をさす). = ureapoiesis.

u·re·a ni·tro·gen 尿素窒素（血液や尿などのような，生物標本中の尿素成分に由来する窒素部分. →blood urea nitrogen).

U·re·a·plas·ma (yūr-ē′ă-plaz-mă). ウレアプラスマ属（微好気性から嫌気性の非運動性細菌（マイコプラスマ科）の一属で，細胞壁をもたない．グラム陰性，主に直径約 0.3 μm の球形または球杆形の要素からなり，しばしば短糸状に発育する．この細菌は尿素を水解してアンモニアを産生し，ヒトの泌尿生殖器と，ときに咽頭と直腸に見出され，男性では，非淋菌性尿道炎や前立腺炎に，また女性では，泌尿生殖器感染や生殖不全に関連する．標準種は *Ureaplasma urealyticum*). = T-mycoplasma.

u·re·a·poi·e·sis (yūr-ē′ă-poy-ē′sis). 尿素生成. = ureagenesis.

u·re·ase (yūr′ē-ās). ウレアーゼ，尿素分解酵素（尿素を加水分解し二酸化炭素とアンモニアを生成する反応を触媒する酵素．抗癌性酵素として用いられる．この酵素は腸内細菌に存在し，哺乳類での尿素から生成するアンモニアのほとんどに寄与する).

u·re·de·ma (yūr′ĕ-dē′mă). 尿〔浸潤〕性水腫（浮腫）（皮下組織への尿の浸潤による水腫). = uroedema.

u·re·i·do·suc·cin·ic ac·id ウレイドコハク酸（ピリミジンの前駆物質). = *N*-carbamoylaspartic acid.

u·rel·co·sis (yūr′el-kō′sis). 尿路潰瘍.

u·re·mi·a (yūr-ē′mē-ă). 尿毒症（①血液中，過剰に尿素と他の窒素性廃棄物があること．②透析で軽減できる重症の持続性腎不全による症候群). = azotemia; uraemia.

u·re·mic (yūr-ē′mik). 尿毒症〔性〕の. = uraemic.

u·re·mic co·ma 尿毒症性昏睡（腎不全によって起こる代謝性脳症). = uraemic coma.

u·re·mi·gen·ic (yūr-ē′mi-jen′ik). ***1*** 尿毒症由来の. ***2*** 尿毒症誘発の. = uraemigenic.

uresiaesthesia [Br.]. = uresiesthesia.

u·re·si·es·the·si·a (yūr-ē′sē-es-thē′zē-ă). 尿意（排尿したいという欲望). = uresiaesthesia; uriesthesia.

u·re·sis (yūr-ē′sis). = urination.

u·re·ter (yūr′ĕ-tĕr). 尿管（腎盂から膀胱へ尿を導く管．腹部と骨盤部からなる．輪層と縦層の平滑筋に囲まれた移行上皮によって裏打ちされ，外部は外膜でおおわれている).

u·re·ter·al (yūr-ē′tĕr-ăl). 尿管の. = ureteric.

u·re·ter·al ec·top·i·a 尿管位置異常（尿管が膀胱内，尿道内，または尿路外の異常な場所に開口する異常).

u·re·ter·al·gi·a (yūr-ē′tĕr-al′jē-ă). 尿管痛.

u·re·ter·al re·im·plan·ta·tion 尿管再移植〔術〕. = ureteroneocystostomy.

u·re·ter·cys·to·scope (yūr-ē′tĕr-sis′tō-skōp). 尿管膀胱鏡. = ureterocystoscope.

u·re·ter·ec·ta·si·a (yūr-ē′tĕr-ek-tā′zē-ă). 尿管拡張〔症〕.

u·re·ter·ec·to·my (yūr-ē′tĕr-ek′tŏ-mē). 尿管切除〔術〕（尿管の一部または全部の切除).

u·re·ter·ic (yūr′ĕ-ter′ik). 尿管の. = ureteral.

u·re·ter·ic bud = metanephric diverticulum.

u·re·ter·ic or·i·fice 尿管口（尿管が膀胱に通じる開口で，膀胱三角の両外側角にあたる．この口が広く開いていると，通常，膀胱尿管逆流現象を示す).

u·re·ter·i·tis (yūr-ē′tĕr-ī′tis). 尿管炎（尿管の炎症).

uretero- 尿管を意味する連結形.

u·re·ter·o·cele (yū-rē′tĕr-ō-sēl). 尿管瘤（膀胱内腔へ突出する尿管終末部の嚢状拡張で，恐らく尿管口の先天的な狭窄に起因する).

u·re·ter·o·ce·lor·ra·phy (yūr-ē′tĕr-ō-sē-lōr′ă-fē). 尿管瘤縫合〔術〕（観血的膀胱切開をして尿管瘤を切除し縫合すること).

u·re·ter·o·co·los·to·my (yūr-ē′tĕr-ō-kō-los′tŏ-mē). 尿管結腸移植〔術〕，尿管結腸吻合〔術〕（尿管の結腸への移植吻合).

u·re·ter·o·cys·to·plas·ty (yūr-ē′tĕr-ō-sist′tō-plas-tē). 尿管膀胱形成術（本来の拡張尿管を用いて膀胱拡張術を行うこと).

u·re·ter·o·cys·to·scope (yūr-ē′tĕr-ō-sis′tŏ-skōp). 尿管膀胱鏡（尿管カテーテルの付いた膀胱鏡．カテーテルは膀胱鏡で尿管口が見えるようになったときに尿管に通す). = uretercystoscope.

u·re·ter·o·cys·tos·to·my (yūr-ē′tĕr-ō-sis-tos′tŏ-mē). 尿管膀胱吻合〔術〕. = ureteroneocystostomy.

u·re·ter·o·en·ter·os·to·my (yūr-ē′tĕr-ō-en′tĕr-os′tŏ-mē). 尿管腸吻合〔術〕（尿管と腸管との開口形成).

u·re·ter·og·ra·phy (yūr-ē′tĕr-og′ră-fē). 尿管造影(撮影)〔法〕（造影剤を直接注入して行う尿管のX線撮影).

u·re·ter·o·il·e·al a·nas·to·mo·sis 尿管回腸吻合〔術〕（尿管と遊離回腸係蹄との吻合. →Bricker operation).

u·re·ter·o·il·e·o·ne·o·cys·tos·to·my (yūr-ē′tĕr-ō-il′ē-ō-nē′ō-sis-tos′tŏ-mē). 尿管回腸〔新〕膀胱吻合〔術〕（一部破壊された尿管の上部を回腸分節に吻合し，その下端を膀胱内へ埋没吻合して連続性を回復すること). = ileal ureter.

u·re·ter·o·il·e·os·to·my (yūr-ē′tĕr-ō-il′ē-os′tŏ-mē). 尿管回腸吻合〔術〕（尿管を遊離した回腸分節に吻合して，その腹壁開口部を通して排液すること).

u·re·ter·o·li·thi·a·sis (yūr-ē′tĕr-ō-li-thī′ă-sis). 尿管結石症（一側または両側の尿管内に結石が形成される，または存在すること. →renal calculus).

u·re·ter·o·li·thot·o·my (yūr-ē′tĕr-ō-li-thot′ŏ-mē). 尿管切石〔術〕，尿管結石切除〔術〕（尿管内にある石の摘出手術).

u·re·ter·ol·y·sis (yūr-ē′tĕr-ol′i-sis). 尿管授動〔術〕（周囲の病変あるいは癒着から尿管を外科的に遊離すること).

u·re·ter·o·ne·o·cys·tos·to·my (yūr-ē′tĕr-ō-nē′ō-sis-tos′tŏ-mē). 尿管膀胱吻合〔術〕（尿管

を膀胱と吻合すること). = ureteral reimplantation; ureterocystostomy.

u·re·ter·o·ne·phrec·to·my (yūr-ē′tĕr-ō-nĕ-frek′tŏ-mē). 尿管腎切除〔術〕. = nephroureterectomy.

u·re·ter·o·pel·vic junc·tion (UPJ) 腎盂尿管移行部 (腎盂から尿管に移行する接合部. 先天的あるいは後天的な閉塞の好発部位).

u·re·ter·o·pel·vic junc·tion ob·struc·tion 腎盂尿管移行部閉塞 (腎臓からの尿の流失障害で, 腎盂尿管移行部における尿流の部分的または間欠的閉塞障害).

u·re·ter·o·plas·ty (yūr-ē′tĕr-ō-plas-tē). 尿管形成〔術〕(尿管の再建手術).

u·re·ter·o·py·e·li·tis (yūr-ē′tĕr-ō-pī′ĕ-lī′tis). 尿管腎盂腎炎 (尿管と腎盂の炎症).

u·re·ter·o·py·e·log·ra·phy (yūr-ē′tĕr-ō-pī′ĕ-log′ră-fē). 尿管腎盂造影(撮影)〔法〕. = pyelography.

u·re·ter·o·py·e·lo·plas·ty (yūr-ē′tĕr-ō-pī′ĕ-lō-plas-tē). 尿管腎盂形成〔術〕(尿管と腎盂の手術による再建術で, 通常は先天性腎尿管接合部閉塞に対して行う).

u·re·ter·o·py·e·los·to·my (yūr-ē′tĕr-ō-pī′ĕ-los′tŏ-mē). 尿管腎盂吻合〔術〕(尿管と腎盂の接合部の形成).

u·re·ter·o·py·o·sis (yūr-ē′tĕr-ō-pī-ō′sis). 尿管化膿症 (尿管内に膿が貯留すること).

u·re·ter·o·re·nal re·flux 尿管腎逆流 (尿管から腎盂への尿の逆流).

u·re·ter·or·rha·gi·a (yūr-ē′tĕr-ō-rā′jē-ă). 尿管出血 (尿管からの出血).

u·re·ter·or·rha·phy (yūr-ē′tĕr-ōr′ă-fē). 尿管縫合〔術〕.

u·re·ter·o·sig·moid·os·to·my (yūr-ē′tĕr-ō-sig′moy-dos′tŏ-mē). 尿管S状結腸吻合〔術〕.

u·re·ter·os·to·my (yūr-ē′tĕr-os′tŏ-mē). 尿管造瘻術, 尿管フィステル形成〔術〕(尿管に外開口部をつくること).

u·re·ter·ot·o·my (yūr-ē′tĕr-ot′ŏ-mē). 尿管切開〔術〕(尿管を切開すること).

u·re·ter·o·u·re·ter·os·to·my (yūr-ē′tĕr-ō-yūr-ē′tĕr-os′tŏ-mē). 尿管尿管吻合〔術〕, 尿管二部吻合〔術〕(2本の尿管間, または同一尿管2か所間の吻合. →transureteroureterostomy).

u·re·ter·o·ves·i·cal junc·tion 尿管膀胱接合部 (尿管が膀胱にはいる部位で, 逆流を防ぐため利尿筋を斜めの角度で通過する. →vesicoureteral reflux).

u·re·ter·o·ves·i·cos·to·my (yūr-ē′tĕr-ō-ves′i-kos′tŏ-mē). 尿管膀胱吻合〔術〕.

u·re·thra (yūr-ē′thră). 尿道 (膀胱から出る管で, 尿を体外に排泄する). = urogenital canal.

urethraemorrhagia [Br.]. = urethremorrhagia.

u·re·thral (yūr-ē′thrăl). 尿道の.

u·re·thral ar·ter·y 尿道動脈 (会陰動脈より起こり, 尿道隔膜部に分布する). = arteria urethralis.

u·re·thral ca·run·cle 尿道小丘 (女性の尿道において, 粘膜から小さい肉片が突出したもので, ときに痛みを伴う).

u·re·thral crest 尿道稜 (尿道の背側壁に縦走する粘膜のひだ).

u·re·thral folds 尿道ひだ (排泄腔ひだより発生. 男性は尿道板が近接し, 癒合し, 尿道海綿体と陰茎の腹側面を形成し, 女性は尿生殖ひだは癒合しないで小陰唇となる). = plicae urethrales; urogenital folds.

u·re·thral·gi·a (yūr′ē-thral′jē-ă). 尿道痛. = urethrodynia.

u·re·thral glands 尿道腺 (→glands of the female urethra; glands of the male urethra).

u·re·thral groove 尿道溝 (胚期の陰茎の腹側表面にある溝. 最終的にはふさがれて尿道陰茎部を形成する). = genital furrow; genital groove.

u·re·thral he·ma·tu·ri·a 尿道性血尿 (出血の部位が尿道にある血尿).

u·re·thral pa·pil·la, pa·pil·la u·re·thra·lis 尿道乳頭 (尿道口を示す腟の前庭にしばしばある小さい突起).

u·re·thral valves 尿道弁 (尿道粘膜のひだ).

u·re·threc·to·my (yūr′ĕ-threk′tŏ-mē). 尿道切除〔術〕(尿道の一部または全部の切除).

u·re·threm·or·rha·gi·a (yūr′ē-threm-ōr-ā′jē-ă). 尿道出血. = urethraemorrhagia; urethrorrhagia.

u·re·thrism, ure·thris·mus (yūr′ĕ-thrizm, -thriz′mŭs). 尿道痙攣 (尿道の過敏性または痙性狭窄). = urethrospasm.

u·re·thri·tis (yūr′ĕ-thrī′tis). 尿道炎.

u·re·thri·tis pet·ri·fi·cans 石化性尿道炎 (通風に由来することもある尿道炎で, 尿道壁に石灰質沈着がある).

urethro-, urethr- 尿道を意味する連結形.

u·re·thro·bul·bar (yūr-ē′thrō-bŭl′bahr). 尿道球の. = bulbourethral.

u·re·thro·cele (yūr-ē′thrō-sēl). 尿道脱, 尿道瘤 (女性尿道の脱出).

u·re·thro·cu·tan·e·ous fis·tu·la 尿道皮膚瘻 (尿道と陰茎皮膚との間の瘻孔. 尿道下裂修復術の合併症の1つとして最も起こりやすい).

u·re·thro·cys·tom·e·try (yūr-ē′thrō-sis-tom′ĕ-trē). 尿道膀胱計検査〔法〕(膀胱と尿道の圧力を同時に測定する方法).

u·re·thro·dyn·i·a (yūr-ē′thrō-din′ē-ă). 尿道痛. = urethralgia.

u·reth·ro·per·i·ne·o·scro·tal (yū-rē′thrō-per′i-nē′ō-skrō′tăl). 尿道会陰陰嚢の (尿道, 会陰, 陰嚢に関する).

u·re·thro·plas·ty (yūr-ē′thrō-plas-tē). 尿道形成〔術〕(尿道の手術による再建).

u·re·thror·rha·gi·a (yūr-ē′thrō-rā′jē-ă). 尿道出血 (尿道からの出血). = urethremorrhagia.

u·re·thror·rha·phy (yūr′ĕ-thrōr′ă-fē). 尿道縫合〔術〕.

u·re·thror·rhe·a (yūr′ĕ-thrō-rē′ă). 尿道漏 (尿道からの正常でない排泄). = urethrorrhoea.

urethrorrhoea [Br.]. = urethrorrhea.

u·re·thro·scope (yūr-ē′thrŏ-skōp). 尿道鏡 (尿道内部を見る器具).

u·re·thro·scop·ic (yūr-ē′thrō-skop′ik). 尿道鏡の, 尿道鏡検査の.

u·re·thros·co·py (yūr′ē-thros′kŏ-pē). 尿道鏡検査〔法〕(尿道鏡による尿道の視診).
u·re·thro·spasm (yūr-ē′thrō-spazm). 尿道痙攣. = urethrism.
u·re·thro·stax·is (yūr-ē′thrō-stak′sis). 尿道血漏(尿道から血液が滲出すること).
u·re·thro·ste·no·sis (yūr-ē′thrō-stě-nō′sis). 尿道狭窄〔症〕.
u·re·thros·to·my (yūr′ē-thros′tŏ-mē). 尿道造瘻術, 尿道フィステル形成〔術〕(尿道と皮膚の間に永久的開口をつくる外科的処置).
u·re·throt·o·my (yūr′ē-throt′ŏ-mē). 尿道切開〔術〕(尿道狭窄の切開手術).
u·re·thro·vag·i·nal fis·tu·la 尿道腟瘻(尿道と腟の間の瘻孔).
u·re·thro·ves·ic·al ang·le 尿道膀胱角(女性の尿道と膀胱後壁の間の角度で, 正常は約90度. この角度が小さくなると膀胱瘤の際, 腹圧性尿失禁を起こしやすくなる).
u·re·thro·ves·i·co·pex·y (yūr-ē′thrō-ves′i-kō-pek-sē). 尿道膀胱固定術(ストレス性尿失禁の矯正のために, 恥骨結合部の後面に尿道と膀胱基部(あるいは前腹壁あるいはCooper靱帯)を外科的に牽引すること).
-uretic 尿を意味する接尾語.
urge in·con·ti·nence, ur·gen·cy in·con·ti·nence 切迫尿失禁(強い尿意を伴う無意識の利尿筋収縮により尿を漏らすこと).
ur·gen·cy (ŭr′jĕn-sē). 尿意促迫(緊迫)(強い排尿への願望).
ur·gent care 緊急治療(突然の病気や怪我で緊急の手当てが必要であるが, 命に危険がない場合に行われる治療).
ur·hi·dro·sis (yūr′hī-drō′sis). = uridrosis.
URI upper respiratory infection の略.
uri-, uric-, urico- 尿酸に関する連結形.
uriaesthesia [Br.]. = uriesthesia.
ur·ic (yūr′ik). 尿の.
ur·ic ac·id 尿酸 ; 2,6,8-trioxypurine(難溶性の白色結晶. 溶液では哺乳類の尿に, 固形では鳥類やは虫類の尿に含まれる. ときに石や結晶のような小塊, 結石のような大きな石に固化することもある. ナトリウムや他の塩基とともに尿酸塩を形成する. 痛風で高値になる).
ur·i·case (yūr′i-kās). ウリカーゼ. = urate oxidase.
ur·i·col·y·sis (yūr′i-kol′i-sis). 尿酸分解.
ur·i·co·lyt·ic (yūr′i-kō-lit′ik). 尿酸分解〔性〕の(尿酸の加水分解に関する, あるいはその結果生じる).
ur·i·co·su·ri·a (yūr′i-kō-syūr′ē-ă). 尿酸尿(尿中に尿酸が過剰に存在すること).
ur·i·dine (Urd) (yūr′i-dēn). ウリジン ; uracil ribonucleoside(RNAの主ヌクレオシドの1つ. ピロリン酸塩(UDP, UDPGなど)として, ウリジンは糖代謝において活性である).
ur·i·dine 5′-di·phos·phate (UDP) ウリジン5′-二リン酸(ウリジンとピロリン酸との縮合生成物).
ur·i·dine 5′-mo·no·phos·phate (UMP) ウリジン5′-一リン酸. = uridylic acid.
ur·i·dine 5′-tri·phos·phate (UTP) ウリジン5′-三リン酸(5′位に三リン酸がエステル化されたウリジン, RNAでウリジル酸残基の中間前駆体).
ur·i·dro·sis (yūr′i-drō′sis). 尿汗〔症〕(汗中への尿素または尿酸の排泄). = urhidrosis.
u·ri·dyl·ic ac·id ウリジル酸(1個以上の糖ヒドロキシル基がリン酸によってエステル化されたウリジン. 他のピリミジンヌクレオチドの生合成の前駆物質である). = uridine 5′-monophosphate.
u·ri·es·the·si·a (yūr′ē-es-thē′zē-ă). = uresiesthesia; uriaesthesia.
urin-, urino- 尿を意味する連結形. →ure-; uro-.
ur·in·al (yūr′in-ăl). 蓄尿器, 蓄尿びん(尿を排泄する容器).
ur·i·nal·y·sis (yūr′in-al′i-sis). 尿検査, 検尿.
ur·i·nar·y (yūr′i-nar-ē). 尿の.
ur·i·nar·y blad·der 膀胱(平滑筋よりなり, 弾性に富む尿の貯留器官). = vesica urinaria; bladder(2).
ur·i·nar·y cal·cu·lus 尿〔結〕石, 尿路結石(腎, 尿管, 膀胱, 尿道内の結石).
ur·i·nar·y ni·tro·gen 尿窒素(尿素, アミノ酸, 尿酸などとして尿中に排出される窒素. 尿窒素1 gは6.25 gの体内蛋白の分解に相当する. →nitrogen equivalent).
ur·i·nar·y sand 尿砂(腎結石症の患者の尿中に排出された多数の小さな結石の粒子. 各粒子は極小のため明らかな症状を示す原因にはならないのが通例であるが, 真の結石症と診断されることもある).
ur·i·nar·y stut·ter·ing 断続放尿, 吃尿(排尿中にしばしば不随意に尿線が中断されること).
u·ri·na·ry sys·tem 泌尿〔器〕系(尿を産出すること, 貯留すること, 排出することに関係するすべての器官で, 腎, 尿管, 膀胱, 尿道が含まれる).
ur·i·nar·y tract 尿路(腎盂から, 尿管, 膀胱, 尿道を通り, 尿道口に至る通路).
ur·i·nar·y tract in·fec·tion (UTI) 尿路感染症(微生物, 多くは細菌が, 尿路に感染すること).
ur·i·nate (yūr′i-nāt). 排尿する, 放尿する. = micturate.
ur·i·na·tion (yūr′i-nā′shŭn). 排尿, 放尿(尿を排泄すること). = miction; micturition(1); uresis.
ur·ine (yūr′in). 尿(腎臓が排泄する液体と溶解物質).
ur·i·nog·e·nous (yūr′i-noj′ĕ-nŭs). = urogenous. *1* 尿産生の, 尿生成の(尿を産生または排泄する). *2* 尿原〔性〕の(尿に由来する).
ur·i·no·ma (yūr′i-nō′mă). 尿瘤(溢流した尿の嚢胞状の集積).
ur·i·nom·e·ter (yūr′i-nom′ĕ-tĕr). 尿比重計(尿の比重を測定する器具).
ur·i·nom·e·try (yūr′i-nom′ĕ-trē). 尿比重測定〔法〕(尿の比重の測定).
ur·i·nos·co·py (yūr′i-nos′kŏ-pē). = uroscopy.

uro- 尿に関する連結形. →ure-; urin-.
ur·o·bi·lin (yūr′ō-bī′lin). ウロビリン（ウロポルフィリンの1つ. 非環式テトラピロール. ヘムの自然分解生成物の1つ. これは尿中の色素で，その酸化段階の違いにより，橙色から赤色に尿を着色させる). = urohematin.
urobilinaemia [Br.]. = urobilinemia.
ur·o·bi·li·ne·mi·a (yūr′ō-bil-i-nē′mē-ă). ウロビリン血〔症〕（血液中にウロビリンが存在すること). = urobilinaemia.
ur·o·bi·lin·o·gen (yūr′ō-bi-lin′ō-jen). ウロビリノーゲン（ウロビリンの前駆物質).
ur·o·bi·li·nur·i·a (yūr′ō-bil′i-nyū′rē-ă). ウロビリン尿〔症〕（主としてヘモグロビンから形成される過剰のウロビリンが尿中に存在すること).
ur·o·can·ate (yūr′ō-kan′āt). ウロカネート（ウロカニン酸の塩またはエステル).
ur·o·can·ate hy·dra·tase ウロカニン酸ヒドラターゼ（水とウロカニン酸より4-イミダゾロン-5-プロピオン酸を生成する反応を触媒する酵素. L-ヒスチジン異化の一段階である. この酵素はウロカニン酸尿症で欠損している).
ur·o·can·ic ac·id ウロカニン酸（L-ヒスチジンの酸化的脱アミノによって生じる酸. 汗に存在する. ウロカニン酸ヒドラターゼ欠乏症例においては高値となる).
u·ro·cele (yūr′ō-sēl). 陰嚢尿腫（陰嚢へ尿が溢出すること).
ur·o·che·si·a (yūr′ō-kē′zē-ă). 肛門排尿（肛門からの尿の排泄).
ur·o·chrome (yūr′ō-krōm). ウロクローム（尿の主色素. ウロビリンと構造不明のペプチドの化合物).
ur·o·dyn·i·a (yūr′ō-din′ē-ă). 排尿痛（排尿時の痛み).
uroedema [Br.]. = uredema.
ur·o·fla·vin (yūr′ō-flā′vin). ウロフラビン（哺乳類の尿と糞便中にみられるリボフラビン異化作用の蛍光生成物またはリボフラビン自体).
ur·o·fol·li·tro·pin (yūr′ō-fol′i-trō′pin). 尿性卵胞性刺激ホルモン（閉経後女性の尿から抽出されるゴナドトロピンの製剤で，ヒト絨毛性ゴナドトロピンとの併用で排卵を誘発させるために用いる. →menotropins).
ur·o·gas·trone (yūr′ō-gas′trōn). ウロガストロン（尿から抽出される蛍光色素. 胃の分泌と運動性の阻害薬. *cf.* enterogastrone; bioregulator).
ur·o·gen·i·tal (yūr′ō-jen′i-tăl). 尿生殖〔器〕の，〔泌〕尿性器の. = genitourinary.
ur·o·gen·i·tal ca·nal 尿生殖道，尿道. = urethra.
ur·o·gen·i·tal di·a·phragm 尿生殖隔膜（左右の坐骨恥骨枝の間に張っている筋と筋膜の3層からなる三角形の膜をさす言葉で尿道括約筋と深会陰横筋を下方の会陰膜と上方の筋膜とが挟んでいるもの).
ur·o·gen·i·tal folds 尿生殖ひだ. = urethral folds.
ur·o·gen·i·tal per·i·to·ne·um 尿生殖腹膜（ひだや陥凹を含めた骨盤内の腹膜の総称). = peritoneum urogenitale.
ur·o·gen·i·tal ridge 〔泌〕尿生殖隆線（胚の背側体壁の背側腸間膜の両側に発生する対になった縦走する隆起. この隆起は最初は成育中の中腎によって，後には中腎と生殖腺によって形成される).
ur·o·gen·i·tal sin·us a·nom·a·ly 泌尿生殖洞の奇型. = hypospadias.
ur·o·gen·i·tal sys·tem 泌尿生殖〔器〕系（生殖や尿の生成および排泄に関与するすべての器官).
ur·og·e·nous (yūr-oj′ĕ-nŭs). = urinogenous.
ur·o·gram (yūr′ō-gram). 尿路造影（撮影）図（尿路造影によって得るX線像).
ur·og·ra·phy (yūr-og′ră-fē). 尿路造影（撮影）〔法〕（尿路の一部（腎，尿管，膀胱）のX線撮影. →pyelography).
ur·o·gra·vim·e·ter (yūr′ō-gră-vim′ĕ-tĕr). 尿比重計. = urinometer.
urohaematin [Br.]. = urobilin.
ur·o·hem·a·tin (yūr′ō-hē′mă-tin). ウロヘマチン. = urobilin; urohaematin.
ur·o·ki·nase (yūr′ō-kī′nās). ウロキナーゼ. = plasminogen activator.
ur·o·li·thi·a·sis (yūr′ō-li-thī′ă-sis). 尿石症（泌尿器系に結石があること).
ur·o·lith·ic (yūr′ō-lith′ik). 尿〔結〕石の.
ur·o·log·ic, ur·o·log·i·cal (yūr′ō-loj′ik, -i-kăl). 泌尿器科学の.
ur·ol·o·gist (yūr-ol′ŏ-jist). 泌尿器科〔専門〕医. = genitourinary surgeon.
ur·ol·o·gy (yūr-ol′ŏ-jē). 泌尿器科学（尿生殖路の疾患の研究，診断，および治療に関する医学の専門分野).
ur·om·e·ter (yūr-om′ĕ-tĕr). = urinometer.
ur·on·cus (yūr-ong′kŭs). 尿嚢腫（尿が限局的に溢出した部分).
ur·o·ne·phro·sis (yūr′ō-nĕ-frō′sis). 尿腎症. = hydronephrosis.
ur·op·a·thy (yūr-op′ă-thē). 尿路疾患（尿路に関係ある障害).
ur·o·phan·ic (yūr′ō-fan′ik). 尿中出現性の（尿中に現れる. 尿中の正常または病的成分についていう).
ur·o·poi·e·sis (yūr′ō-poy-ē′sis). 尿産生（尿の産生あるいは分泌および排出).
ur·o·poi·e·tic (yūr′ō-poy-et′ik). 尿産生の.
ur·o·por·phy·rin (yūr′ō-pōr′fi-rin). ウロポルフィリン（①ポルフィリン尿症において尿中に排泄されるポルフィリン. 例えばウロビリン. ②1位から8位までに4つの酢酸基と4つのプロピオン酸基を有する全ポルフィリンの種名. →porphyrinogens).
ur·o·por·phy·rin·o·gen (yūr′ō-pōr′fir-in′ō-jen). →porphyrinogens.
ur·o·ra·di·ol·o·gy (yūr′ō-rā′dē-ol′ŏ-jē). 泌尿器放射線学（尿路の放射線科学の研究).
ur·os·che·sis (yūr-os′kĕ-sis). ***1*** 尿貯留. ***2*** 尿閉.
ur·o·scop·ic (yūr′ō-skop′ik). 尿検査の.

u·ros·co·py (yūr-os′kŏ-pē). 尿検査（通常は顕微鏡による尿の検査）. = urinoscopy.

ur·o·sep·sis (yūr′ō-sep′sis). 尿路性敗血症（①溢流した尿の感染に由来する敗血症. ②感染尿の閉塞により起こる敗血症）.

ur·os·tom·y (yūr-os′tŏ-mē). 尿路変更術（腹壁を切開し，膀胱から体の外側にある集合器具へと尿を転用させる手術）.

ur·o·the·li·al car·ci·no·ma 尿路上皮癌（移行上皮から発する悪性新生物. 主として膀胱，尿管，あるいは，特によく分化しているものは，腎盂に発生する. しばしば乳頭状を呈する. 異型性の程度に応じて区分される. いわゆる上気道移行上皮癌は，扁平上皮癌に分類するほうがより適当である. 卵巣にもまれにみられる）.

ur·o·the·li·al pap·il·lo·ma 尿道乳頭腫（尿路上皮の良性乳頭状腫瘍）.

ur·o·the·li·um (yūr′ō-thē′lē-ŭm). 尿路上皮（尿路における上皮の配列）.

ur·o·thor·ax (yūr′ō-thōr′aks). 尿胸（胸腔内に尿が存在すること. 通常，複雑な多臓器損傷後に起こる）.

URTI upper respiratory tract infection の略.

ur·ti·cant (ŭr′ti-kănt). じんま疹発生性の，そう痒を起こす.

ur·ti·car·i·a (ŭr′ti-kar′ē-ă). じんま疹（通常，全身性のかゆみのある膨疹からなる発疹. 食物または薬物，感染病巣，物理的因子（熱，寒冷，光，摩擦），精神的刺激に対する過敏性に起因する）. = hives(1); urtication(3).

ur·ti·car·i·a en·de·mi·ca, ur·ti·car·i·a ep·i·dem·i·ca 地方病性じんま疹，流行性じんま疹（ある種の毛虫の刺毛によって起こるじんま疹）.

ur·ti·car·i·al, ur·ti·car·i·ous (ŭr′ti-kar′ē-ăl, -kar′ē-ŭs). じんま疹の.

ur·ti·car·i·a me·di·ca·men·to·sa 薬物〔性〕じんま疹.

ur·ti·car·i·a pig·men·to·sa 色素〔性〕じんま疹（真皮上層の過剰な肥満細胞による皮膚肥満細胞症で，こすると膨疹を生じるような扁平あるいはやや隆起した褐色丘疹を特徴とする慢性の発疹をみる）.

ur·ti·cate (ŭr′ti-kāt). ***1***〖v.〗イラクサで刺す（イラクサ刺激を行う）. ***2***〖adj.〗じんま疹様の（膨疹の存在を特徴とする）.

ur·ti·cat·ing a·gent じんま疹剤（じんま疹を起こさせる，あらゆる毒性の化学兵器剤. 米国の軍事用語では，このような薬剤は発疱薬に分類される）.

ur·ti·ca·tion (ŭr′ti-kā′shŭn). ***1*** じんま疹形成（反対刺激を誘発するためにイラクサでたたくこと. 以前は末梢性麻痺の治療に用いた）. ***2*** 灼熱感（じんま疹によって生じるのに似た，またはイラクサ中毒による灼熱感）. ***3*** じんま疹. = urticaria.

USAN United States Adopted Names（米国公用名，米国承認名）の略.

U.S. De·part·ment of Health and Hu·man Serv·i·ces（HHS） 米国保健社会福祉省（米国医療保険局の“親”にあたり，米国国民の保健福祉に関わる多くのプログラムを管理している）.

U.S. Drug En·force·ment Ad·min·is·tra·tion（DEA） 米国麻薬取締局（米連邦司法局の部署で，規制物質法により違法薬物の流出禁止，それらの販売規制を課している）.

Ush·er syn·drome アッシャー症候群（遺伝的異質性のある常染色体劣性遺伝. 遺伝子連鎖データによって3つの形態に区別される. 1型：感音難聴，前庭機能障害，および色素性網膜炎. 2型・3型：難聴と色素性網膜炎）.

U.S. Na·tion·al Cen·ters for Health Sta·tis·tics（NCHS） 米国国立健康統計センター（米国疾病管理予防センター内の連邦機関で，医療統計の収集，分析，分配を行っている. そのデータベースは米国の医療界全体に由来し，サポートも行っている. 米国国立健康統計センターは，またICD-9-CMのコード番号を保持している.（ICD-10は準備中））.

U.S. Na·tion·al Drug Code（NDC） 米国薬品コード（FDAで認められた薬品や生物を識別するのに使われる標準コード）.

U. S. Na·tion·al In·sti·tutes of Health（NIH） 米国国立衛生研究所（米国保健社会福祉省の内部にあり，医学と行動学の研究を請け負っている）.

USP United States Pharmacopeia の略. ―Pharmacopeia.

USP/DI United States Pharmacopeia/Drug Index の略.

USPHS United States Public Health Service（米国公衆衛生局）の略.

USP u·nit USP単位（米国薬局方 *United States Pharmacopeia* が定義して採用した単位）.

u·su·al in·ter·sti·tial pneu·mo·ni·a of Lie·bow リーボウの通常型間質性肺炎（びまん性肺胞傷害に始まり時間経過は様々だが線維症と蜂巣肺に至る進行性炎症状態. 膠原血管病でよくみられる病態）.

u·ter·ine (yū′tĕr-in). 子宮の.

u·ter·ine ar·ter·y 子宮動脈（内腸骨動脈より起こり，子宮，腟上部，子宮円索，卵管の内側部に分布する. 卵巣動脈，腟動脈，下腹壁動脈と吻合. 妊娠時には胎盤への母体循環血を供給する）. = arteria uterina.

u·ter·ine a·ton·y 子宮弛緩症，弛緩性出血（胎盤娩出後，胎盤剥離面より多量出血を惹起する子宮筋の収縮不全）.

u·ter·ine cal·cu·lus 子宮結石（子宮内の石灰性筋腫）.

u·ter·ine cav·i·ty, cav·i·ty of u·ter·us 子宮腔（子宮の内部にある腔所で，子宮頸管から卵管の開口部まで広がっている）.

u·ter·ine con·trac·tion 子宮収縮（月経，妊娠，分娩に付随する律動性の子宮収縮）.

u·ter·ine glands 子宮〔内膜〕腺（子宮内膜にある多数の管状腺で，月経周期の黄体期にグリコゲンを豊富に含んだ粘液性の分泌物を放出する）.

u·ter·ine os·ti·um of u·ter·ine tubes 卵管

子宮口（卵管の子宮腔への開口）.

u·ter·ine seg·ments 子宮部分，子宮分節（① 下部：子宮の峡部で，その最下端は頸管につながり，妊娠時には拡張して子宮下部になる．② 上部：妊娠子宮体の主要部分で，その収縮が出産時の主要娩出力となる）.

u·ter·ine si·nus 子宮洞（子宮内膜内の小さく不規則な血液路．妊娠時に形成される）.

u·ter·ine souf·fle 子宮雑音（母体の心収縮と同調性の灌水様音で，妊娠子宮の聴診時に聞こえる）.

u·ter·ine tube 卵管（大きく卵管漏斗部でおおわれた卵巣の上または外側端から子宮底へ通じる管．卵子が卵巣から子宮へ送られていく通路をなし，もし卵子が受精していれば子宮に着床する．漏斗部，膨大部，峡部，子宮部からなる）. = salpinx (1); fallopian tube; gonaduct (2); oviduct.

u·ter·ine veins 子宮静脈（子宮静脈叢から出て，広靱帯の一部，さらに腹膜のひだを通って内腸骨静脈に注ぐ各側 2 本ずつの静脈）. = venae uterinae.

utero-, uter- 子宮に関する連結形. →hystero-(1); metr-.

u·ter·o·cys·tos·to·my (yūʹtĕr-ō-sis-tosʹtō-mē). 子宮頸部膀胱吻合〔術〕（子宮頸と膀胱との交通路を形成する手術）.

u·ter·o·fix·a·tion (yūʹtĕr-ō-fik-sāʹshŭn). 子宮固定術. = hysteropexy.

u·ter·o·glob·in (yūʹtĕr-ō-glōʹbin). ウテログロビン（ステロイド誘導性で，進化的保存性が高く，ホモ二量体の分泌蛋白であり，炎症誘発性効果，可溶性リポ蛋白-リパーゼ A_2 の阻害作用，好中球や単球の化学走性など多くの生物活性をもつ．数種の細胞型でのいくつかの仮想的な受容体と結合して細胞外マトリックスの細胞浸潤を阻害する．ウテログロビンは血液や尿そして子宮その他多くの組織に存在するが，腎臓にはない．マウスのウテログロビンはフィブロネクチン(Fn)と結合することによりFnの自己凝集やこれに続く異常な組織沈着(特に糸球体中での)を防いでおり，またマウスの正常な腎機能の維持に不可欠なことが示されている．*cf.* bioregulator）. = bastokinin.

u·ter·o·glob·in-ad·du·cin (yūʹtĕr-ō-glōʹbin ad-dūʹsin). ウテログロビン-アデュシン（腎尿細管細胞にある α/β ヘテロダイマー型蛋白で，アクチン細胞骨格でのチャネル経由のイオン輸送を制御すると考えられている．ある対立遺伝子(アレル)が若干の高血圧患者でみつかり，食塩感受性の本態性高血圧に関連している可能性がある．*cf.* bioregulator）.

u·ter·om·e·ter (yūʹtĕr-omʹĕ-tĕr). 子宮計. = hysterometer.

u·ter·o·pex·y (yūʹtĕr-ō-pek-sē). 子宮固定術. = hysteropexy.

u·ter·o·pla·cen·tal si·nuses 子宮胎盤洞（基底脱落膜への絨毛膜付着部内にある不規則な脈管腔隙）.

u·ter·o·plas·ty (yūʹtĕr-ō-plas-tē). 子宮形成〔術〕（子宮の形成手術）. = hysteroplasty; metroplasty.

u·ter·o·sal·pin·gog·ra·phy (yūʹtĕr-ō-salʹping-gogʹră-fē). 子宮卵管造影(撮影)〔法〕. = hysterosalpingography.

u·ter·o·scope (yūʹtĕr-ō-skōp). 子宮鏡. = hysteroscope.

u·ter·os·co·py (yūʹtĕr-osʹkŏ-pē). 子宮鏡検査〔法〕. = hysteroscopy.

u·ter·ot·o·my (yūʹtĕr-otʹō-mē). 子宮切開〔術〕. = hysterotomy.

u·ter·o·ton·ic (yūʹtĕr-ō-tonʹik). ***1***〖adj.〗子宮緊縮性の（子宮筋肉に緊張を与えることについていう）. ***2***〖n.〗子宮収縮薬，子宮緊縮薬（子宮筋の弛緩を消失させる薬物）.

u·ter·o·tu·bog·ra·phy (yūʹtĕr-ō-tū-bogʹră-fē). 子宮卵管造影(撮影)〔法〕. = hysterosalpingography.

u·ter·o·ves·i·cal lig·a·ment 膀胱子宮ひだ（子宮から膀胱後部へのびる腹膜ひだ）.

u·ter·o·ves·i·cal pouch 膀胱子宮窩.

u·ter·us, pl. u·ter·i (yūʹtĕr-ŭs, -ī). 子宮（受精した卵子が胎児に発達する中空筋肉器官で，主部(体部)と先端に開口部(外子宮口)のある細長い下部(頸部)からなる．外子宮口の反対側の子宮上部の丸くなった部分は底で，その各先端が偶角となり，そこで卵管が子宮と結合し，卵子が卵巣を出た後，そこを通って子宮腔に到達する．子宮は膀胱の上位に位置し，正常子宮の前傾，前屈および基靱帯によって骨盤腔内で受動的に支持される．また骨盤底筋群の緊張および収縮で能動的に支持される）. = metra; womb.

u·ter·us bi·cor·nis bi·col·lis 双頸双角子宮（→bicornate uterus）.

u·ter·us bi·cor·nis u·ni·col·lis 単頸双角子宮（→bicornate uterus）.

u·ter·us di·del·phys 完全重複子宮（頸部と腟を 2 個ずつ有する．中腎傍管の癒合不全に起因する）.

UTI urinary tract infection の略.

UTP uridine 5′-triphosphate の略.

u·tri·cle (yūʹtri-kĕl). 卵形嚢（迷路の前庭中にある 2 つの膜性の袋のうち大きい方で，楕円形の陥凹中にある．ここから半規管が出ている）. = utriculus.

u·tric·u·lar (yū-trikʹyū-lăr). 卵形嚢の.

u·tric·u·lar nerve 卵形嚢神経（卵形嚢膨大部神経枝．卵形嚢斑に分布）. = nervus utricularis.

u·tric·u·li (yū-trikʹyū-lī). utriculus の複数形.

u·tric·u·li·tis (yū-trikʹyū-līʹtis). ***1*** 卵形嚢炎（内耳の炎症）. ***2*** 前立腺小室炎（前立腺小室の炎症）.

u·tric·u·lo·am·pul·lar nerve 卵形嚢膨大部神経（前庭神経の枝．卵形嚢斑に枝を送り(卵形嚢神経)，また前・外側半規管膨大部稜に枝を送る(前膨大部神経，外側膨大部神経)）. = nervus utriculoampullaris.

u·tric·u·lo·sac·cu·lar (ū-trikʹyū-lō-sakʹyū-lăr). 卵形嚢球形嚢の（迷路の卵形嚢と球形嚢に関する，特に両嚢を連結する管についていう）.

u·tric·u·lus (yū-trikʹyū-lŭs). 卵形嚢（→vestib-

U

ular organ). = utricle.

u·tric·u·lus pros·tat·i·cus 前立腺小室. = prostatic utricle.

UV, uv ultraviolet の略.

u·va-ur·si (yū′vă-ŭr′sē). = bearberry.

u·ve·a (yū′vē-ă). ブドウ膜 (眼球の脈絡層, 色素層または中層で, 脈絡膜, 毛様体, 虹彩からなる).

u·ve·al (yū′vē-ăl). ブドウ膜の.

u·ve·it·ic (yū′vē-it′ik). ブドウ膜炎の.

u·ve·i·tis, pl. **u·ve·i·ti·des** (ū-vē-ī′tis, -it′i-dēz). ブドウ膜炎 (ブドウ膜の炎症. 虹彩, 毛様体, 脈絡膜の炎症).

u·ve·o·en·ceph·a·lit·ic syn·drome ブドウ膜脳炎症候群. = Behçet syndrome.

u·ve·o·pa·rot·id fe·ver ブドウ膜耳下腺熱 (耳下腺の慢性肥大およびブドウ膜系の炎症で, 軽度の長期持続性発熱を伴う. 今日では, サルコイドーシスの一型と認められている). = Heerfordt disease.

u·ve·o·scle·ri·tis (yū′vē-ō-skler-ī′tis). ブドウ膜強膜炎 (ブドウ膜から波及した強膜の炎症).

u·vi·form (yū′vi-fōrm). ブドウ状の. = botryoid.

u·vit·ex 2B ユビテックッス 2B (キチンと反応する蛍光染料. 微胞子虫やクリプトスポリジウムの感染の診断に役立つ).

u·vu·la, pl. **u·vu·lae** (yū′vyū-lă, -lē). 垂 (下垂した肉魂. 口蓋垂を連想させる構造).

u·vu·la of blad·der 膀胱垂 (通常, 特に老年者に顕著な膀胱内腔へのわずかな突起で, 尿道口の真後ろにあり, 前立腺中葉の位置を示す).

u·vu·la cer·e·bel·li = uvula of cerebellum.

u·vu·la of cer·e·bel·lum 小脳虫部垂 (小脳虫部上の三角形の隆起で, 錐体の前方の 2 つの扁桃の間にある). = uvula cerebelli; uvula vermis.

u·vu·lar (ū′vyū-lăr). 口蓋垂の.

u·vu·lar mus·cle 口蓋垂筋 (起始 : 後鼻棘. 停止 : 口蓋垂の主要部分をつくる結合組織. 作用 : 口蓋垂を上げる. 神経支配 : 咽頭神経叢). = musculus uvulae; muscle of uvula.

u·vu·la ver·mis 虫部垂. = uvula of cerebellum.

u·vu·lec·to·my (yū′vyū-lek′tŏ-mē). 口蓋垂切除〔術〕. = staphylectomy.

u·vu·li·tis (yū′vyū-lī′tis). 口蓋垂炎 (口蓋垂の炎症).

u·vu·lop·to·sis (yū′vyū-lop-tō′sis). 口蓋垂下垂〔症〕(口蓋垂の弛緩または延長). = staphylodialysis; staphyloptosis.

u·vu·lot·o·my (yū′vyū-lot′ŏ-mē). 口蓋垂切開〔術〕(口蓋垂の何らかの切開術).

U wave U 波 (心電図の T 波後の陽性波. 逆転した T 波に続いて陰性を示す).

V

V *1* vision; volt の略．1，2，3 などの下付き文字を伴い単極心電図誘導を示す略．*2* バナジウムの元素記号．バリン，バリルの記号．容量，体積の記号で，しばしば位置，化学種，状態を示す下付き文字を伴う．

v *1* ガス流量 gas flow の記号で，位置や化学種を示す下付き文字を伴うことが多い．→flow(3)．*2* 換気量の記号で，下付き文字を伴うことが多い．ventilation(3)の項参照．

$\mathring{V}_A$ 肺胞換気量 alveolar ventilation の記号．

V_{max} 最大速度 maximum velocity を表す記号．

V volume の略．

v *1* volt; initial rate velocity; velocity; vel の略．*2* 下付き文字として静脈血 venous blood を示す．

$\bar{v}$ 下付き文字として，混合静脈(肺動脈)血を示す．

V-A, VA ventriculoatrial の略．

vac·ci·nal (vak′si-năl)．接種の，ワクチンの，種痘の．

vac·ci·nate (vak′si-nāt)．予防接種する，種痘する（ワクチンを投与する）．

vac·ci·na·tion (vak′si-nā′shŭn)．ワクチンを接種すること．

vac·cine (vak-sēn′)．ワクチン，痘瘡ワクチン（活性のある免疫学的予防を意図するあらゆる材料，すなわち有毒株の死菌または弱毒化株(変株または変異株)の生菌材料にも用いられる．この材料には微生物，真菌，植物，原生動物，後生動物またはその生産物も含まれる）．

vac·cine lymph, vac·cin·i·a lymph 痘苗（種痘症の痘疱から集められ，痘瘡の能動免疫に用いるリンパ）．

vac·cin·i·a vi·rus ワクシニアウイルス（痘瘡(天然痘)に対してヒトを免疫するために用いられた *Orthopoxvirus* 属のポックスウイルス）．

VACTERL syn·drome VACTERL 症候群（妊娠初期の性ステロイド投与に伴う，脊椎 *v*ertebrae，肛門 *a*nus，心循環系 *c*ardiovascular tree，気管 *t*rachea，食道 *e*sophagus，尿路系 *r*enal system，四肢 *l*imb buds の異常の奇形）．

vac·u·o·lar (vak′yū-ō′lăr)．空胞の，空胞状の．

vac·u·o·late, vac·u·o·lat·ed (vak′yū-ō-lāt, -lāt′ĕd)．空胞のある．

vac·u·o·la·tion, vac·u·o·li·za·tion (vak′yū-ō-lā′shŭn, -lī-zā′shŭn)．*1* 空胞形成．*2* 空胞化．

vac·u·ole (vak′yū-ōl)．*1* 小胞（すべての組織の微小スペース）．*2* 空胞，液胞（細胞実質中の透明な空隙で，ときには退化的特徴を示し，またときには取り込んだ異物を囲み，その異物の消化のための一時的な細胞胃として働く）．

vac·u·tome (vak′yū-tōm)．通常，中間層植皮片を採るために刀を進める前に皮膚を挙上するように吸引する電動式の採皮器具．

va·cu·um (vak′yūm)．真空（物質が存在しない空間．実際には空気やガスを排出した空間を意味する）．

va·cu·um pack tech·nique 真空パック法（孔をあけたプラスチックシートを腸と前腹壁の間に置いて仮に閉腹し，湿ったパッドを当てて吸引カテーテルを創へ入れる．欠損部全体を無孔性プラスチックシートでおおい前腹壁の硬直性を保ちつつ吸引器で腹腔のドレナージを行う）．

VAD vascular access device の略．

vag. vaginal の略．

vag·a·bond's dis·ease 浮浪者病．= parasitic melanoderma.

va·gal (vā′găl)．迷走神経〔性〕の．

va·gal nerve stim·u·la·tion 迷走神経刺激（難治性てんかん患者で用いられる付加的治療法．複雑部分発作または二次性全般化発作で用いられることが多い．前胸壁に植め込まれた刺激装置により，頸部で左迷走神経を 5 分半毎に 30 秒間のバーストで刺激する）．

va·gal trunk 迷走神経幹（前後 2 つの神経束．横隔膜を貫くと食道神経叢となる）．= truncus vagalis.

V agents V-series nerve agents の略．

va·gi (vā′jī)．vagus の複数形．

va·gi·na, gen. & pl. va·gi·nae (vă-jī′nă, -nē)．*1* 鞘．= sheath(1)．*2* 腟（女性の生殖管で，子宮と外陰の間にある）．

va·gi·na ca·rot·i·ca 頸動脈鞘．= carotid sheath.

vag·i·nal (vag.) (vaj′i-năl)．腟の，鞘の．

vag·i·nal ar·ter·y 腟動脈（内腸骨動脈より起こり，腟，膀胱，直腸に分布する．子宮動脈，内陰部動脈と吻合）．= arteria vaginalis.

vag·i·nal a·tre·si·a 腟閉鎖〔症〕，鎖腟（腟の先天的または後天的な開口不全あるいは閉鎖，または腟壁の癒着）．= colpatresia.

vag·i·nal ce·li·ot·o·my 腟式開腹〔術〕（腟を通して腹腔を切開すること）．

vag·i·nal cuff 腟円蓋（子宮摘出の際，腹膜切開が行われる腟膨隆部）．

vag·i·nal gland 腟腺（腟粘膜の粘液腺）．

vag·i·nal hys·ter·ec·to·my 腟式子宮摘出〔術〕（腹壁を切開しないで，腟から子宮を切除する方法）．

vag·i·nal in·tra·epi·the·li·al ne·o·plas·i·a 腟上皮内新生腫瘍（腟上皮に限局した未浸潤の扁平上皮癌(上皮内癌).外陰あるいは頸部上皮内異形と同様 1—3 度あるいは軽度-高度上皮内悪性に細分類される．通常，ヒトパピローマウイルス感染に関連し浸潤癌に進展する可能性がある）．

vag·i·nal nerves 腟神経（子宮腟神経叢から腟へ至る数本の神経）．= nervi vaginales.

vag·i·nal or·i·fice 腟口（腟の最も細い部分で，尿道口の後方の腟前庭に開く）．

vag·i·nal por·tion of cer·vix 子宮頸の腟部（腟内にある子宮頸の部分）．

vag·i·nal pouch = vaginal ring.

vag·i·nal ring 腟内リング（エストロゲン等の

徐放剤を浸み込ませたシリコン製の輪). = vaginal pouch.

vag·i·nal ru·gae 腟粘膜皺 (腟粘膜にある多数の横隆線).

vag·i·nate (vaj′i-nāt). *1* 〖v.〗 鞘で包む, 鞘の中に包み込む. *2* 〖adj.〗 有鞘性の, 鞘で包んだ.

vag·i·nec·to·my (vaj′i-nek′tŏ-mē). 腟切除〔術〕. = colpectomy.

vag·i·nis·mus (vaj′i-niz′mŭs). 腟痙 (疼痛性の腟痙攣で, 性交を妨げる).

vag·i·ni·tis, pl. vag·i·ni·ti·des (vaj′i-nī′tis, -nit′i-dēz). 腟炎, 腱鞘炎, 鞘膜炎.

vagino-, vagin- 腟, 鞘, を意味する連結形. → colpo-.

vag·i·no·cele (vaj′i-nō-sēl). 腟脱. = colpocele (1).

vag·i·no·dyn·i·a (vaj′i-nō-din′ē-ă). 腟痛, 腟痙. = colpodynia.

vag·i·no·fix·a·tion (vaj′i-nō-fik-sā′shŭn). 腟〔壁〕固定〔術〕 (弛緩し, 脱出した腟の腹壁への縫合). = colpopexy; vaginopexy.

vag·i·no·my·co·sis (vaj′i-nō-mī-kō′sis). 腟真菌症 (真菌による腟の感染).

vag·i·nop·a·thy (vaj′i-nop′ă-thē). 腟病〔質〕 (腟のすべての病気の症状).

vag·i·no·per·i·ne·o·plas·ty (vaj′i-nō-per′i-nē′ō-plas-tē). 腟会陰形成〔術〕 (腟と会陰の形成手術). = colpoperineoplasty.

vag·i·no·per·i·ne·or·rha·phy (vaj′i-nō-per′i-nē-ōr′ă-fē). 腟会陰縫合〔術〕 (腟と会陰の裂創の修復). = colpoperineorrhaphy.

vag·i·no·per·i·ne·ot·o·my (vaj′i-nō-per′i-nē-ot′ō-mē). 腟会陰切開〔術〕.

vag·i·no·pex·y (vaj′i-nō-pek-sē). 腟〔腹壁〕固定〔術〕. = vaginofixation.

vag·i·no·plas·ty (vaj′i-nō-plas-tē). 腟形成〔術〕. = colpoplasty.

vag·i·nos·co·py (vaj′i-nos′kŏ-pē). 腟鏡検査〔法〕 (通常, 器具を用いる腟の検鏡検査).

vag·in·o·sis (vaj′i-nō′sis). 腟の病気.

vag·i·not·o·my (vaj′i-not′ŏ-mē). 腟切開〔術〕. = colpotomy.

va·gi·tus u·ter·i·nus 子宮内啼泣, 子宮内呱声 (まだ子宮内にいる胎児の泣き声で, 破膜後に空気が子宮腔にはいった後は可能と思われる).

vago- 迷走神経を意味する連結形.

va·gol·y·sis (vā-gol′i-sis). 迷走神経剥離〔術〕 (迷走神経の手術による破壊).

va·go·lyt·ic (vā′gō-lit′ik). *1* 〖adj.〗 迷走神経剥離の. *2* 〖n.〗 迷走神経抑制薬 (迷走神経に対し抑制効果をもつ治療的あるいは化学的物質). *3* 〖adj.〗 迷走神経抑制〔薬〕の (*2* のような効果をもつ薬剤についていう).

va·go·mi·met·ic (vā′gō-mi-met′ik). 迷走神経〔様〕作用の, 迷走神経模倣性の (迷走神経の遠心性線維の作用を模倣する).

va·got·o·my (vā-got′ŏ-mē). 迷走神経切断〔術〕.

va·go·tro·pic (vā′gō-trō′pik). 迷走神経向性の (迷走神経により引き付けられ, 迷走神経に作用する).

va·go·va·gal (vā′gō-vā′găl). 〔迷走〕迷走神経〔性〕の (求心性および遠心性迷走神経線維がともに活用される過程についていう).

va·grant's dis·ease 浮浪者病. = parasitic melanoderma.

va·gus, gen. & pl. va·gi (vā′gŭs, -jī). 迷走神経. = vagus nerve.

va·gus nerve [CN X] 迷走神経 (第十脳神経 (CN X). 上方の舌咽神経, 下方の副神経の間で, 延髄の外側から多数の小根によって起こる混合神経である. 頸静脈孔より頭蓋を出て下行し, 咽頭, 喉頭, 気管, 肺, 心臓, 左結腸(脾)曲までの胃腸管に分布する). = nervus vagus; pneumogastric nerve; tenth cranial nerve; vagus.

va·gus pulse 迷走脈 (心臓の迷走神経の抑制作用による鈍脈).

Val バリンとバリルを示す記号.

va·lence, va·len·cy (vā′lĕns, -lĕn-sē). 価, 原子価 (1 元素(または基)の 1 原子の結合力で, 水素原子のそれが比較の単位となり, 原子の外殻の電子の数, 価電子の数によって決められる. 例えば, HCl では塩素が 1 価で, H_2O では酸素が 2 価, NH_3では窒素が 3 価である).

Val·en·tine po·si·tion ヴァレンタイン体位 (殿部が屈曲するように 2 重に傾斜した台上での背臥位. 尿道の洗浄を容易にするために用いる).

va·le·ri·an (vă-lēr′ē-ăn). ワレリアナ根, 吉草根 (不安, 不眠, 睡眠障害, 神経疾患による不穏等の治療に用いる薬草).

val·gus (val′gŭs). 外反 (四肢または体幹の中心線から外側に曲がった. ラテン語の語源は内反膝の意だが, 現代の慣用としては, 特に整形外科学において, 外反膝 genu valgum のように, 外反の意味で用いられる).

val·gus lax·i·ty 外反弛緩性 (関節の遠位部分を外方へ動かすと関節の内側で異常にたわむこと).

va·lid·i·ty (vă-lid′i-tē). 妥当性 (テストまたは手続きが測定しようとしているものを実際どの程度よく測定しているかを表す指標).

va·line (Val, V) バリン ; 2-amino-3-methylbutanoic acid (L-異性体はほとんどの蛋白の成分. 栄養学的に必須アミノ酸である).

val·late (val′āt). 有郭の (隆起したもので囲まれている. 例えば茶碗形の, 特に舌乳頭のあるもの(有郭乳頭)についていう. →circumvallate).

val·late pa·pil·la 有郭乳頭 (分界溝の前部, またはそれと平行に列をなす舌背部から生じる 8—10 個の突起. 各乳頭はやや隆起した外壁(郭)をもつ環状の溝(窩)によって囲まれ, 乳頭の側面と外壁の内面には多数の味蕾がある). = papilla vallata; circumvallate papillae; papillae vallatae.

val·lec·u·la, pl. val·lec·u·lae (vă-lek′yū-lă, -lē). 谷 (面をなしているところにある裂け目あるいは陥凹. 特に喉頭蓋と舌根との間にみられる裂け目をいう).

Val·leix points ヴァレー点 (神経経路にある各種の点. 神経痛のとき圧力が加わると痛む. 存在する場所は, ⓘ神経が骨管から現れる点, ⓘⓘ

神経が筋肉あるいは腱膜を突き抜け皮膚に至る点，ⅲ表在神経が加圧が容易な抵抗面にある点，ⅳ神経が1本以上枝を出す点，ⓥ神経が皮膚で終わる点）.

Val·ley fe·ver 渓谷熱（カリフォルニアのサン・ホアキン渓谷や米国南西部でみられる原発性のコクシジオイデス真菌症）. = San Joaquin Valley Fever.

Val·sal·va leak point pres·sure（VLPP） 腹圧漏出時圧（尿失禁が起こりうるほどの腹腔内圧）.

Val·sal·va ma·neu·ver ヴァルサルヴァ(バルサルバ)手技（鼻と口あるいは声門のいずれかで閉塞した気道に向けられる強制呼気努力("ふりしぼる strain")．胸腔内圧の上昇が右心房への静脈還流を妨げるので，この手技は末梢静脈圧を上昇させたときと心臓充満と心拍出量を低下させたときと，息をふりしぼった後の心血管系への影響を調べるために用いられる）.

val·ue (val′yū). 値，価値，数値（ある特異な定量的測定）.

val·va, pl. val·vae (val′vă, -vē). 弁. = valve.

val·val, val·var (val′văl, -văr). 弁の.

val·vate (val′vāt). 弁状の，有弁の. = valvular.

valve (valv). = valva. ***1*** 弁（管または他の中空器官の内張り膜のひだで，流体の逆流を遅延または阻止するのに役立つ）. ***2*** 弁，ひだ（あらゆる弁に似た組織の重複ひだ，またはヒラヒラするもの，また弁に似たもの，弁のように働くもの. →valvule; plica).

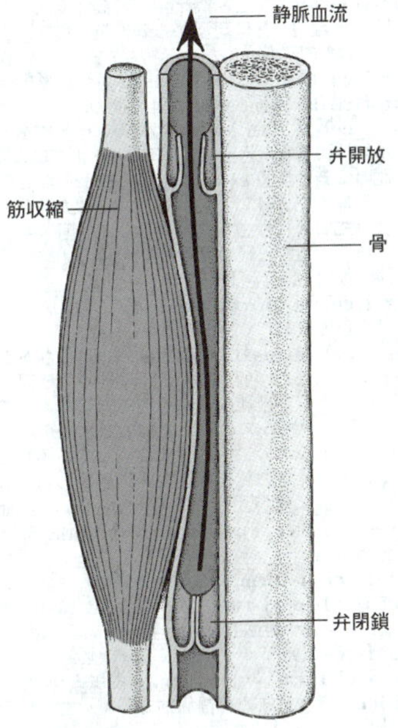
静脈血流
弁開放
筋収縮
骨
弁閉鎖

venous valves

valve of cor·o·nar·y si·nus 冠状静脈弁（冠状静脈洞の右心房への開口部の繊細な心内膜のひだ）.

val·vec·to·my (val-vek′tŏ-mē). 弁切開術（弁を取り除く手術）.

val·vo·plas·ty (val′vō-plas-tē). 弁形成〔術〕（弁狭窄症や弁不全症の治療のために変形した心臓の弁を手術により形成し再建すること）. = valvuloplasty.

val·vot·o·my (val-vot′ŏ-mē). 弁膜切開〔術〕（①閉塞症を軽減するための狭窄化した心臓弁の切開. = valvulotomy. ②弁構造の切開）.

val·vu·la, pl. val·vu·lae (val′vyū-lă, -lē). 弁. = valvule.

val·vu·lar (val′vyū-lăr). 弁の. = valvate.

val·vu·lar en·do·car·di·tis 弁膜性心内膜炎（心内膜に限局した弁の炎症）.

val·vu·lar in·suf·fi·cien·cy 弁閉鎖不全〔症〕. = valvular regurgitation.

val·vu·lar re·gur·gi·ta·tion 弁逆流（1つまたはそれ以上の心臓弁が漏れる状態で，弁がしっかり閉まらず，そのため血液がそこを通って逆流する）. = valvular insufficiency.

val·vule (val′vyūl). 小弁（特に小さい弁）. = valvula.

val·vu·li·tis (val′vyū-lī′tis). 〔心〕弁膜炎（弁，特に心臓弁の炎症）.

val·vu·lo·plas·ty (val′vyū-lō-plas-tē). = valvoplasty.

val·vu·lot·o·my (val′vyū-lot′ŏ-mē). = valvotomy(1).

va·na·di·um（V） (vă-nā′dē-ŭm). バナジウム（金属元素．原子番号 23，原子量 50.9415．生体元素．その欠乏により異常な骨成長になったり，コレステロールやトリアシルグリセロール濃度が上昇する）.

va·na·di·um group バナジウム族（化学的や冶金学的性質においてバナジウムと類似の元素．バナジウム，ニオブ，タンタルの総称）.

van Buch·em syn·drome ファン・ブッヘム症候群（下顎の肥大と骨幹と頭蓋冠の肥厚を特徴とする骨硬化性骨格異形成症で，血清中のアルカリホスファターゼが増加する．常染色体劣性遺伝）.

van·co·my·cin-re·sis·tant en·ter·o·coc·cus（VRE） バンコマイシン耐性腸球菌（腸球菌の系統で，バンコマイシンを伴う治療に抵抗性がある）.

van der Hoev·e syn·drome ファン・デル・フヴェ症候群（骨形成不全症の一型で，あぶみ骨固定により小児期から進行性の伝音性聴力障害が起こる）.

van der Waals forc·es ファン・デル・ワールス力（実在気体と理想気体との性質の差を説明するために，1873 年 van der Waals によって初めて提唱された力．静電気的結合(イオン性の)，共有結合(電子の共有)または水素結合(陽子の共有)よりもむしろ原子または分子間の引力で，一

V

般に双極子や分散効果，π 電子，その他に基づくものとされている．これらの比較的漠然とした力は有機化合物の相互引力に寄与する）．

van Er·men·gen stain ヴァン・エルマンジェン染色〔法〕（氷酢酸，オスミウム酸，タンニン酸，硝酸銀，没食子酸，酢酸カリウムを用いるべん毛染色法）．

van Gie·son stain ヴァン・ギーソン染料（飽和ピクリン酸溶液と酸性フクシンの混合液．コラーゲンの染色に用いる）．

va·nil·lism（vă-nil′izm）．バニラ症，バニラ中毒，バニラ皮膚炎（①皮膚，鼻粘膜，および結膜の過敏症状で，バニラを扱う労働者がときにかかる．②バニラのさやの中に見出される疥癬虫様のダニによる皮膚の侵襲）．

van·il·lyl·man·del·ic ac·id（VMA） バニリルマンデル酸（副腎および交換神経性のカテコールアミンの主な尿中代謝産物．多くクロム親和細胞腫患者で上昇する）．

van·ish·ing lung syn·drome バニシングラング症候群（肺気腫の進行あるいは炎症による肺の急速な嚢胞状破壊により肺の X 線濃度が進行性に低下していく）．

Van Lo·hui·zen syn·drome = cutis marmorata telangiectatica congenita.

van't Hoff e·qua·tion ファント・ホフの式（①希薄溶液の浸透圧に対する式．→van't Hoff law．②どんな反応に対しても d（ln K_{eq}）/d（$1/T$）は $-\Delta H/R$ に等しい．K_{eq}は平衡定数，T は絶対温度，R は普通気体定数，ΔH はエントロピーの変化．すなわち，ln K_{eq}対 $1/T$ のプロットにより ΔH が決定される）．

van't Hoff law ファント・ホフの法則（①立体化学において，1 個以上の多価性原子を有するすべての光学活性物質は，4 つの異なった原子または基と結合し，空間内で左右対称にならないように配列される．②非常に希薄な溶液の溶質による浸透圧は，その溶液と同体積の気体の浸透圧に等しい．すなわち一定温度では希釈溶液の浸透圧は溶質の濃度（モル数）に比例する．すなわち浸透圧 π は，希釈溶液では $\pi = RT\Sigma c_i$ で，R は気体定数，T は絶対温度，c_iは溶液 i のモル濃度である．③化学反応率は，温度が 10°C 上昇するごとに 2—3 倍増大する）．

van't Hoff the·o·ry ファント・ホフ説（希薄溶液中の物質は気体法則に従うという説．*cf.* van't Hoff law）．

va·por（vā′pŏr）. = vapour. ***1*** 蒸気（気体にさらされた固体または液体物質の気相中の分子）．***2*** 発散（液体の細かい粒子の可視的発散物）．***3*** 吸入剤（吸入により投与される医薬品）．

va·por·i·za·tion（vā′pŏr-ī-zā′shŭn）．***1*** 気化，蒸発（固体または液体の気体状態への変化）．***2*** 蒸気療法（蒸気を治療に適用すること）．

va·por·ize（vā′pŏr-īz）．***1*** 気化する（固体や液体を蒸気に変える）．***2*** 蒸気療法をする（蒸気を治療に適用する）．

va·por·iz·er（vā′pŏr-īz-ĕr）．気化器（①医薬液を，接触可能な粘膜へ吸入または適用しやすいように蒸気の状態に変える装置．→nebulizer; atomizer．②液状麻酔薬を蒸発させる装置）．

vapour［Br.］. = vapor.

VAPS volume assured pressure support の略．

Va·quez dis·ease ヴァケー病．= polycythemia vera.

var·i·a·ble（var′ē-ă-bĕl）．***1***〖n.〗変数，変量（不定で，変化しうるまたは変化するもの．定数または常数とは対照をなす）．***2***〖adj.〗変異の，変異する（構造，形態，生理，または行動の型から外れることについていう）．

var·i·ab·le re·sis·tance train·ing 可変抵抗トレーニング（用具を使った抵抗トレーニングで，運動中に増減する筋容量の変化に合わせ，レバーアームやカム，水（油）圧装置，滑車を使って抵抗を変化させて行うトレーニング）．

var·i·ance（var′ē-ăns）．分散（①変化し，隔たり，分離し，偏位した状態あるいはその程度の尺度．②一連の観察値の示すばらつきの尺度．平均からの偏差の 2 乗和をその自由度で除したものとして定義される）．

var·i·ant（var′ē-ănt）．***1*** 変異体（変化しうる物やヒト）．***2*** 変種，変株（変化し，多様性を示し，相似せず，または類型とは異なる傾向をもつもの）．

var·i·ant an·gi·na 異型狭心症（㊟最近では Prinzmetal angina は同義ではなく，variant angina の一部と考えられている）．= Prinzmetal angina.

var·i·ant an·gi·na pec·to·ris 異型狭心症．= Prinzmetal angina.

var·i·a·tion（var′ē-ā′shŭn）．変動，変異，変位，異形（類型，特に親型からの構造，形状，生理，または行動の偏位）．

var·i·ca·tion（var′i-kā′shŭn）．静脈瘤形成．

var·i·ce·al（var′i-sē′ăl）．静脈瘤の．

var·i·cel·la（var′i-sel′ă）．水痘（ヘルペスウイルス科に属する水痘-帯状疱疹ウイルスによる急性の伝染性疾患で，まばらな丘疹からなる発疹，通常は小児だけにみられる．よく似た小水疱と次いで膿疱になるものを特徴とし，種々の段階がある．通常，軽い全身症状もみられる．潜伏期間は約 14—17 日）．= chickenpox.

var·i·cel·la en·ceph·a·li·tis 水痘脳炎（水痘の合併症として起こる脳炎）．

var·i·cel·la-zos·ter vi·rus 水痘-帯状疱疹ウイルス（形態学的に単純疱疹ウイルスと同一で，ヒトの水痘と帯状疱疹の原因となるヘルペスウイルス．ウイルスの初回の感染で水痘が起こる．同一ウイルスの二次的侵入によってあるいは多くの場合長年の無症状期の後の感染の再燃によって，帯状疱疹が起こる）．= chickenpox virus; herpes zoster virus; human herpesvirus 3; Varicellovirus.

var·i·cel·li·form（var′i-sel′i-fōrm）．水痘様の．

Var·i·cel·lo·vi·rus（var′ē-sel′ō-vī′rus）．水痘ウイルス．= varicella-zoster virus.

var·i·ces（var′i-sēz）．varix の複数形．

var·i·ci·form（var-is′i-fōrm）．静脈瘤様の．

varico- 静脈瘤または静脈瘤様腫脹を意味する連結形．

var·i·co·bleph·a·ron（var′i-kō-blef′ă-ron）．眼瞼静脈瘤，眼瞼血管腫（眼瞼の静脈瘤様腫脹）．

var·i·co·cele (var′i-kō-sēl). 精索静脈瘤（内精索静脈の弁不全のため，患者が立位をとると血液が下方へ逆流することから生じる精索静脈の異常に拡張した状態）.

var·i·co·ce·lec·to·my (var′i-kō-sē-lek′tō-mē). 精索静脈瘤切除〔術〕（精索静脈瘤の治療のために静脈瘤を結紮切除し，その周辺の拡張した静脈を結紮する手術）.

var·i·cog·ra·phy (var′i-kog′rā-fē). 静脈瘤造影〔法〕（静脈瘤静脈へ造影剤を注入した後の静脈のX線撮影）.

var·i·com·pha·lus (var′i-kom′fā-lŭs). 臍部静脈瘤（臍部での静脈瘤により形成される腫脹）.

var·i·co·phle·bi·tis (var′i-kō-flē-bī′tis). 静脈瘤性静脈炎.

var·i·cose (var′i-kōs). 静脈瘤の，結節状構造の，静脈怒張の.

var·i·cose an·eu·rysm 静脈瘤性動脈瘤（動脈と静脈の両方に通じる，血液を含む嚢）.

var·i·cose ul·cer 静脈瘤性潰瘍（うっ滞または感染症による，通常は脚の静脈瘤排液部の皮膚表面の消失）. = venous ulcer.

var·i·cose vein 拡張蛇行静脈（静脈の永続的な拡張および蛇行．先天的な不完全弁により，最も一般的には下脚にみられる．長時間立っていなければならない職業の人および妊婦に起こる傾向がある）.

var·i·co·sis, pl. var·i·cos·es (var′i-kō′sis, -sēz). 静脈怒張，静脈瘤〔症〕（静脈の拡張あるいは怒張した状態）.

var·i·cos·i·ty (var′i-kos′i-tē). 静脈瘤様腫脹，結節状構造（静脈瘤あるいは静脈瘤症状）.

var·i·cot·o·my (var′i-kot′ō-mē). 静脈瘤切開〔術〕（皮下切開による静脈瘤に対する手術）.

var·i·cule (var′i-kyūl). 皮膚小静脈瘤（通常，皮膚にみられる小静脈瘤．静脈うっ血，静脈湖，またはより大きい静脈瘤を伴う）.

var·ie·gate por·phyr·i·a 異型ポルフィリン症（腹痛や神経精神異常，光および機械的外傷に対する皮膚の過敏性，およびプロトポルフィリンとコプロポルフィリンの糞便中排泄の増加を特徴とするポルフィリン症．δ-アミノレブリン酸，ポルホビリノーゲン，ポルフィリンの尿中排泄が増加する．プロトポルフィリノーゲン酸化酵素の欠損により生じる）.

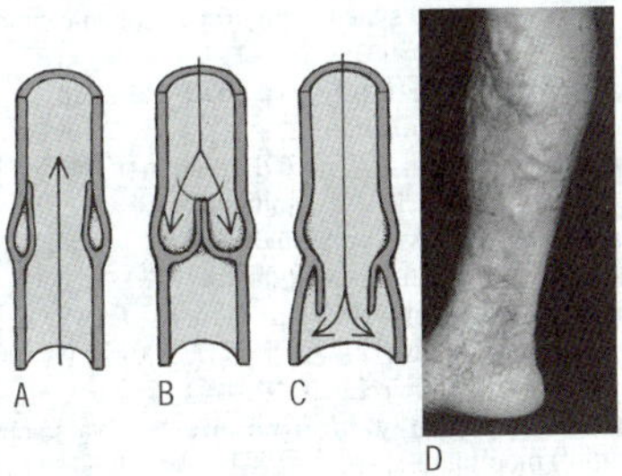

A
B
C
D

varicosis

健康な静脈における弁は，A：血液を心臓方向に流すと同時に，B：逆流しようとする血流を留める．C：拡張した蛇行性静脈における弁ではもはや適切に機能せず，血液が四肢に向かって逆流する．D：拡張蛇行静脈の足の写真.

va·ri·o·la (var-ī′ō-lā). 痘瘡，天然痘. = smallpox.

va·ri·o·la ma·jor 大痘瘡（痘瘡の重症型）.

va·ri·o·la mi·nor 小痘瘡（痘瘡の軽症型）.

va·ri·o·lar (var-ī′ō-lăr). 痘瘡〔性〕の. = variolous.

var·i·o·late (var′ē-ō-lāt). ***1***〖v.〗痘苗を接種する．***2***〖adj.〗痘瘡状の（痘瘡の場合にみられるような，あばたのある，または瘢痕のあることについていう）.

va·ri·o·la vi·rus 痘瘡ウイルス（ヒトの痘瘡の病原体である *Orthopoxvirus* 属のポックスウイルス）. = smallpox virus.

var·i·ol·i·form (var′ē-ō′li-fōrm). = varioloid.

va·ri·o·loid (var-ī′ō-loyd). 痘瘡様の，痘瘡状の. = varioliform.

va·ri·o·lous (var-ī′ō-lŭs). = variolar.

var·ix, pl. va·ri·ces (var′iks, -i-sēz). 静脈瘤（①拡張した静脈．②拡張，および蛇行した静脈，動脈，またはリンパ管）.

var·us (var′ŭs). 内反（四肢または体幹の中心線に向かって内側に曲がった．ラテン語の語源は外反の意だが，現代の慣用としては，特に整形外科学において，内反膝 genu varum のように内反の意味で用いられる）.

va·rus lax·i·ty 内反弛緩性（関節の遠位部分を内方へ動かすと関節の外側で異常にたわむこと）.

VAS visual analogue scale の略.

vas (vas). 脈管，管（血液，リンパ液，乳び，精液のような液体を運ぶ管または導管. →vessel）.

vas- (vas). 脈管，血管に関する連結形. →vasculo-; vaso-.

V

va·sa (vā′sā). vas の複数形.

va·sal (vā′săl). 脈管の，管の.

va·sa lym·phat·ic·a リンパ管. = lymph vessels.

va·sa pre·vi·a 前置血管（胎児頭の前にある臍帯血管．通常，卵膜に付着し内子宮口を横断する）.

va·sa rec·ta ***1*** 直細血管（髄質近接の糸球体からの輸出細動脈から分岐するまっすぐな血管．血管網を形成するが，錐体底部で始まり，髄質を通って各錐体先端へ達し，さらにU字形に逆方向に向きを変えて再び錐体底部に真っすぐに戻る）．***2*** = straight seminiferous tubule.

va·sa va·so·rum 脈管の脈管（比較的太い血管の外膜と中膜に分布する小動脈，およびそれに対応する小静脈）.

vas·cu·lar (vas′kyū-lăr). 脈管の，血管の.

vas·cu·lar ac·cess de·vice (VAD) 血管アクセスデバイス（大静脈または大動脈に管を挿入し，体液や薬物の投与，血圧の監視，採血に主に使用される）.

vas·cu·lar cat·a·ract 欠陥性白内障（変性した水晶体が中胚葉組織と置き換わった先天白内障）.

vas·cu·lar cir·cle of op·tic nerve 視神経血管輪（視神経入口部の周囲にある強膜上の短毛様体動脈の分枝の網）. = Haller circle(1).

vas·cu·lar de·men·ti·a 血管性痴呆（大脳半球の多発性脳梗塞の結果，神経学的局在徴候を伴って知的機能の段階的な低下をきたす）.

vas·cu·lar·i·ty (vas′kyū-lar′i-tē). 血管分布〔像〕（血管の存する状態）.

vas·cu·lar·i·za·tion (vas′kyū-lăr-ī-zā′shŭn). 血管新生（部分的な新生血管の形成）.

vas·cu·lar·ized (vas′kyū-lăr-īzd). 血管化の（新しい血管形成によって血管が分布することについていう）.

vas·cu·lar·ized graft 血管新生化移植片（受容側の血管系が移植片の血管と連結されるようになった移植片の状態）.

vas·cu·lar la·cu·na 血管裂孔（鼡径靱帯の下の空間のうち中央の部分で，大腿へいく脈管が通る．腸恥筋膜弓によって筋裂孔と分けられている）.

vas·cu·lar lam·i·na of cho·roid 脈絡膜血管板（最も大きな血管を含む脈絡膜の外層もしくは浅層）.

vas·cu·lar lei·o·my·o·ma 血管平滑筋腫（明らかに血管の平滑筋から発生し，血管に富む平滑筋腫）.

vas·cu·lar nerve 脈管神経（血管壁に分布する小神経線維）.

vas·cu·lar pol·yp 血管性ポリープ（鼻粘膜の隆起した，または突出した血管腫）.

vas·cu·lar ring 血管輪（先天的に気管と食道を包囲する異常動脈(大動脈弓)．ときに圧迫症状を生じる）.

vas·cu·lar spi·der クモ状血管腫. = spider angioma.

vas·cu·lar sys·tem 脈管系（心血管とリンパ系の集合体）.

vas·cu·lar tu·nic of eye 眼球血管膜（眼球の脈絡層，色素層または中層で脈絡膜，毛様体，虹彩からなる）.

vas·cu·la·ture (vas′kyū-lă-chūr). 脈管構造，血管系（器官の血管網）.

vas·cu·li·tis (vas′kyū-lī′tis). 脈管炎. = angiitis.

vasculo- 血管に関する連結形. →vas-; vaso-.

vas·cu·lo·my·e·li·nop·a·thy (vas′kyū-lō-mī′ĕ-lin-op′ă-thē). 血管ミエリン障害，血管髄鞘障害（小さな脳血管の血管障害とそれに続く血管周囲の脱髄で，循環免疫複合体によると考えられている）.

vas·cu·lop·a·thy (vas′kyū-lop′ă-thē). 血管症（血管の疾患）.

vas def·er·ens, pl. va·sa def·er·en·ti·a = ductus deferens.

va·sec·to·my (vas-ek′tŏ-mē). 精管切除〔術〕（前立腺切除と関連し，または避妊のため行う輸精管部の切除）. = deferentectomy; gonangiectomy.

vas ef·fe·rens, pl. va·sa ef·fer·en·ti·a 輸出管，輸出リンパ管（①ある部分から血液を運び去る静脈．②= efferent glomerular arteriole）.

vas·i·fac·tion (vas′i-fak′shŭn). 血管形成. = angiopoiesis.

vas·i·fac·tive (vas′i-fak′tiv). 血管形成性の. = angiopoietic.

vas·i·form (vas′i-fōrm). 脈管状の（脈管または管状構造の形をした）.

vas·i·tis (vă-sī′tis). 精管炎. = deferentitis.

vaso- 脈管，血管に関する連結形. →vas-; vasculo-.

va·so·ac·tive (vā′sō-ak′tiv). 血管作用性の（血管の緊張および口径に影響する）.

va·so·ac·tive a·mine 血管作用性アミン（ヒスタミンまたはセロトニンのような物質で，アミノ基を有し，血管への作用(血管径あるいは血管透過性を変化させる)により薬理学的に特徴付けられる）.

va·so·ac·tive in·tes·ti·nal pol·y·pep·tide (VIP) 血管作動性腸管ポリペプチド（通常，Langerhans 島の非 β 細胞腫により分泌されるポリペプチドホルモン．VIP はグリコゲン分解を促進し，膵の重炭酸分泌を促進する）.

va·so·con·stric·tion (vā′sō-kŏn-strik′shŭn). ***1*** 血管収縮. ***2*** 血管狭窄（血管が狭くなること）.

va·so·con·stric·tive (vā′sō-kŏn-strik′tiv). ***1*** 〖adj.〗血管収縮〔性〕の（血管が縮小を起こすことについていう）. ***2*** 〖n.〗 = vasoconstrictor(1).

va·so·con·stric·tor (vā′sō-kŏn-strik′tŏr). ***1*** 血管収縮薬（血管の縮小を起こす薬剤）. = vasoconstrictive(2). ***2*** 血管収縮神経（刺激によって血管の収縮を起こす神経）.

va·so·de·pres·sion (vā′sō-dē-presh′ŭn). 血管抑制（血管拡張に伴う血管緊張性の減少と，その結果として生じる血圧の下降）.

va·so·de·pres·sor (vā′sō-dē-pres′ŏr). ***1*** 〖adj.〗血管抑制性の（血管抑制を生じること）. ***2*** 〖n.〗血管抑制薬.

va·so·de·pres·sor syn·co·pe 血管抑圧性失神. = vasovagal syncope; neurocardiogenic syncope.

va·so·dil·a·ta·tion (vā′sō-dil-ă-tā′shŭn). 血管拡張. = vasodilation.

va·so·di·la·tion (vā′sō-dī-lā′shŭn). 血管拡張（血管内腔の拡張）. = vasodilatation.

va·so·di·la·tive (vā′sō-dī-lā′tiv). ***1*** 〖adj.〗血管拡張の. ***2*** 〖n.〗 = vasodilator(1).

va·so·di·la·tor (vā′sō-dī′lā-tŏr). ***1*** 血管拡張薬. = vasodilative(2). ***2*** 血管拡張神経（その刺激が血管の拡張をもたらす神経）.

va·so·ep·i·did·y·mos·to·my (vā′sō-ep′i-did′i-mos′tŏ-mē). 精管精巣上体吻合〔術〕（輸精管の精巣上体への外科的吻合．中部および遠位精巣上体あるいは近位輸精管の高さでの閉塞をバイパスするために行う）.

va·so·for·ma·tion (vā′sō-fōr-mā′shŭn). 血管形成. = angiopoiesis.

va·so·for·ma·tive (vā′sō-fōr′mă-tiv). 血管形成性の，管形成性の. = angiopoietic.

va·so·for·ma·tive cell 脈管形成細胞. = angi-

oblast(1).
va·so·gan·gli·on (vā′sō-gang′glē-ŏn). 血管節，血管網（血管の塊）.
va·sog·ra·phy (vā-sog′rā-fē). 精管造影(撮影)〔法〕(精管のX線撮影．経尿道的または精管切開によって，管腔内に造影剤を注入し，その開存性を判定する).
va·so·hy·per·ton·ic (vā′sō-hī′pĕr-ton′ik). 血管緊張性の（細動脈の張力増加，または血管収縮に関する).
va·so·hy·po·ton·ic (vā′sō-hī′pō-ton′ik). 血管弛緩性の（細動脈の張力減少または血管拡張に関する).
va·so·in·hib·i·tor (vā′sō-in-hib′i-tŏr). 血管抑制因子，血管抑制物質（血管運動神経の機能を制限または抑制する薬剤).
va·so·in·hib·i·to·ry (vā′sō-in-hib′i-tōr-ē). 血管抑制性の（血管運動作用を抑制する).
va·so·li·ga·tion (vā′sō-lī-gā′shŭn). 精管結紮〔法〕(輸精管の結紮．通常，輸精管の分割後に行う).
va·so·mo·tion (vā′sō-mō′shŭn). 血管運動（血管の口径の変化). = angiokinesis.
va·so·mo·tor (vā′sō-mō′tŏr). = angiokinetic. ***1*** 血管運動の（血管の拡張や収縮を起こすことについていう). ***2*** 血管運動神経の.
va·so·mo·tor im·bal·ance 脈管運動失調. = autonomic imbalance.
va·so·mo·tor nerve 血管運動神経（血管の拡張，収縮の働きをする運動性神経).
va·so·mo·tor pa·ral·y·sis 血管運動神経麻痺. = vasoparesis.
va·so·mo·tor rhi·ni·tis 血管〔運動〕神経性鼻炎（感染やアレルギーのない鼻粘膜の充血および鼻漏).
va·so·neu·rop·a·thy (vā′sō-nūr-op′ă-thē). 血管神経障害（神経および血管の両方を含む疾病).
va·so·or·chi·dos·to·my (vā′sō-ōr′ki-dos′tō-mē). 精管精巣吻合術（精巣上体の尿細管または精巣網を，枝分かれした精管の末端と結合させて，中断された輸精経路を再建する手術).
va·so·pa·ral·y·sis (vā′sō-păr-al′i-sis). 血管神経麻痺（血管の麻痺，無緊張症，低張).
va·so·pa·re·sis (vā′sō-păr-ē′sis). 血管神経不全麻痺（血管神経麻痺の軽いもの). = vasomotor paralysis.
va·so·pres·sin (vā′sō-pres′in). バソプレシン（オキシトシンおよびバソトシンに関連したノナペプチド脳下垂体ホルモン．合成的に製造されるか，または健康な家畜の脳下垂体後葉から得られる．薬理学的用量で，本品は平滑筋，特にすべての血管に対して収縮を起こす．大量では脳動脈または冠状動脈の攣縮を起こすことがある．*cf.* bioregulator). = antidiuretic hormone.
va·so·pres·sor (vā′sō-pres′ŏr). ***1*** 〖adj.〗昇圧の，血管収縮の（血管を収縮し，血圧を上昇させる．血圧は特定されていなければ，通常全身動脈圧をさす). ***2*** 〖n.〗昇圧薬，血管収縮薬（***1*** の効果をもつ薬物).
va·so·punc·ture (vā′sō-pŭngk′shŭr). 精管穿刺.
va·so·re·flex (vā′sō-rē′fleks). 血管反射（血管の口径に影響する反射).
va·so·re·lax·a·tion (vā′sō-rē-lak-sā′shŭn, vas-ō). 血管緊張低下（血管壁の緊張の低下).
va·so·sec·tion (vā′sō-sek′shŭn). 精管切断. = vasotomy.
va·so·sen·so·ry (vā′sō-sen′sŏr-ē). ***1*** 血管感覚の（血管における感覚に関する). ***2*** 血管感覚神経の（血管を神経支配する感覚神経線維についていう).
va·so·spasm (vā′sō-spazm). 血管痙攣，血管攣縮（血管の筋肉被膜の攣縮または緊張亢進). = angiospasm.
va·so·spas·tic (vā′sō-spas′tik). 血管痙攣〔性〕の，血管攣縮〔性〕の. = angiospastic.
va·so·stim·u·lant (vā′sō-stim′yū-lănt). ***1*** 〖adj.〗血管刺激〔性〕の（血管運動作用を刺激することについていう). ***2*** 〖n.〗血管刺激薬（血管運動神経に作用を起こさせる薬剤). ***3*** 〖n.〗= vasotonic(2).
va·sos·to·my (vă-sos′tō-mē). 精管造瘻術，精管フィステル形成〔術〕(輸精管への開口設立).
va·sot·o·my (vă-sot′ŏ-mē). 精管切開〔術〕(輸精管の切開または分割). = vasosection.
va·so·to·ni·a (vā′sō-tō′nē-ă). 血管緊張（血管，特に細動脈の緊張状態). = angiotonia.
va·so·ton·ic (vā′sō-ton′ik). ***1*** 〖adj.〗血管緊張性の. ***2*** 〖n.〗血管緊張物質（血管の緊張を増大させる薬剤). = vasostimulant(3).
va·so·troph·ic (vā′sō-trō′fik). 血管栄養の（血管またはリンパ管の栄養についていう).
va·so·tro·pic (vā′sō-trō′pik). 向血管性の（血管に作用する傾向のある).
va·so·va·gal (vā′sō-vā′găl). 血管迷走神経の（迷走神経の血管への作用に関する).
va·so·va·gal syn·co·pe 血管迷走神経性失神. = vasodepressor syncope.
va·so·va·sos·to·my (vā′sō-vă-sos′tŏ-mē). 精管吻合〔術〕(精管切除術を受けた男性の授精能を回復させるために行う精管の外科的吻合).
va·so·ve·sic·u·lec·to·my (vā′sō-vĕ-sik′yū-lek′tŏ-mē). 精管精嚢切除〔術〕(輸精管および貯精嚢の切除).
vas·to·my (vas′tŏ-mē). 精管切断〔術〕(精管の切断．通常は結紮による).
vas·tus in·ter·me·di·us mus·cle 中間広筋（起始：大腿骨体前表面の上部 3/4．停止：大腿四頭筋の共通腱とそれに続く膝蓋靱帯を経て脛骨粗面に停止する．作用：脚をのばす．神経支配：大腿神経). = intermediate vastus muscle.
vas·tus lat·er·a·lis mus·cle 外側広筋（起始：大転子，粗線外側唇．停止：大腿四頭筋の共通腱と膝蓋靱帯を経て脛骨粗面に停止．作用：脚をのばす．神経支配：大腿神経). = lateral vastus muscle.
vas·tus me·di·a·lis mus·cle 内側広筋（起始：粗線内側唇．停止：大腿四頭筋の共通腱と膝蓋靱帯を経て脛骨粗面に停止．作用：脚をのばす．神経支配：大腿神経). = medial vastus muscle.

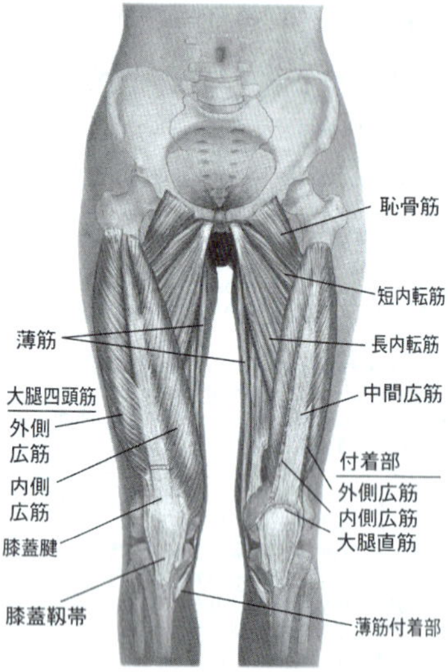
恥骨筋
短内転筋
薄筋
長内転筋
大腿四頭筋
中間広筋
外側
広筋
付着部
内側
広筋
外側広筋
内側広筋
大腿直筋
膝蓋腱
膝蓋靱帯
薄筋付着部

vastus lateralis muscle

vault (vawlt). 円蓋（弓形の屋根または丸天井に似た部分．例えば，咽頭円蓋，鼻咽頭の非筋性部，口蓋，腟円蓋など）．

VBAC vaginal birth after cesarean section（帝王切開後の経腟出産）の略．

$\dot{V}C$ colored vision; vital capacity の略．

$\dot{V}CO_2$ 炭酸ガス放出 carbon dioxide production を示す記号．

V code V コード（医療情報学において，訪問者が病気以外の目的で医療専門家を訪れた場合（健康診断，予防接種，妊娠）に使用されるコード）．

VCUG voiding cystourethrogram の略．

VDRL Venereal Disease Research Laboratories（米国性病研究所）の略．→VDRL test.

VDRL test VDRL 試験（梅毒綿状反応試験．米国公衆衛生局性病研究所 Venereal Disease Research Laboratory of the United States Public Health Service が開発したカルジオリピン-レシチン-コレステロール抗原を用いる）．

vec·tion (vek′shŭn). 病原菌伝播（媒介物によって感染者から非感染者へ病原菌が運ばれること）．

vec·tor (vek′tŏr). ***1*** ベクター，媒介動物，媒介者，媒介体（病原体を脊椎動物間に伝染させる無脊椎動物（例えば，マダニ，その他のダニ，カ，吸血性のハエなど））．***2*** ベクトル（大きさと方向をもち，適当な長さと方向をもつ直線によって表現されるもの（例えば，速度，機械的力，起電力など））．***3*** ベクトル（心電図波形のあらゆる波（通常は QRS 波）の総和電気軸で矢の長さは起電力の大きさに比例し，方向はその向きを示し，矢印の先は電力の正極を表す）．***4*** ベクター（クローン生物作成におけるように，それ自身が増殖能をもち，他の DNA 断片が挿入されて細胞中で自律的に増殖する染色体あるいはプラスミドのような DNA）．***5*** 組換えベクター．= recombinant vector. ***6*** 細菌，酵母，昆虫，あるいは哺乳類細胞系で多量の特定蛋白を産生するのに特に適した組換え DNA システム．

vec·tor-borne in·fec·tion 昆虫ないし動物が媒介体となり伝播する感染症の種類．媒介体は単に感染性因子を受動的に運搬している場合があるが，感染性因子は媒介体において生物学的な発育における時期を経るもので，すなわちヒト宿主と同じく媒介体は感染性因子が生存するのに不可欠である．

vec·tor·car·di·o·gram (vek′tŏr-kahr′dē-ō-gram). ベクトル心電図（ベクトルループの形によって，心臓の刻々の活動電流の大きさおよび方向をグラフで表したもの）．

vec·tor·car·di·og·ra·phy (vek′tŏr-kahr′dē-og′ră-fē). ベクトル心電図〔記録〕法，ベクトルカルジオグラフィ（①心電図の全波形を一定時間間隔で区切った環状（リサージュ）図形よりつくられるベクトル心電図で，2—3 面のスカラー心電図から合成される．②ベクトル心電図の理論と実技）．

vec·tor·i·al (vek-tōr′ē-ăl). ***1*** ベクターの，媒介動物の．***2*** ベクトルの．

veg·an (vē′găn). 厳格菜食主義者（どんな動物も酪農物も食べない菜食主義者．*cf.* vegetarian）．

veg·e·ta·ble (vej′ĕ-tă-bĕl). ***1*** 〖n.〗野菜（特に人が食用とする植物）．***2*** 〖adj.〗植物〔性〕の（動物や鉱物と区別して，植物についていう）．= vegetal (1).

veg·e·ta·ble an·ti·mo·ny = boneset.

veg·e·tal (vej′ĕ-tăl). ***1*** 植物〔性〕の．= vegetable (2). ***2*** 植物機能の，成長現象の（呼吸，代謝，成長，生殖のように，植物および動物に共通な生命に必須な機能を意味する．意識的感覚や精神的機能のような，動物に特有な機能とは区別される）．

veg·e·tal pole, veg·e·ta·tive pole 植物極（卵黄の大部分が集まっている端黄卵の部分）．

veg·e·tar·i·an (vej′ĕ-tar′ē-ăn). 菜食主義者（基本的に動物の肉を避け，植物でつくられた食事のみをとる人．*cf.* vegan）．

veg·e·ta·tion (vej′ĕ-tā′shŭn). ***1*** 植物の成長過程．***2*** 活気のない生活，無為（植物の生活のように不活発で沈滞した状態）．***3*** 病的増殖物（あらゆる余分なできもの）．***4*** ゆうぜい（疣贅）形成（病的心弁膜または弁口に付着した，主として融合した血小板，フィブリン，ときに微生物からなる凝血塊．しばしば，弁，弁口部の感染から始まる）．

veg·e·ta·tive (vej′ĕ-tā-tiv). ***1*** 植物〔性〕の（植物的生活様式にみられるように，不随意的または無意識的に生長したり機能することについていう．特に，重度の頭部外傷や脳疾患後のように，随意的に合目的的な行動はできず，痛み刺激に反射的に反応するだけのような，かなり障害された意識状態を意味する）．***2*** 休止期の（核分裂の過程が静止している場合の細胞，またはその核の時期を意味する）．

veg·e·ta·tive bac·te·ri·o·phage 増殖型〔バクテリオ〕ファージ（バクテリオファージのうち，ウイルスの外殻蛋白の形成の有無にかかわらず，ファージ核酸が細菌の核酸増殖とは関係なく宿主細菌内増殖できるファージ核酸の状態）．

veg·e·ta·tive en·do·car·di·tis, ver·ru·cous en·do·car·di·tis 増殖性心内膜炎，いぼ状心内膜炎（弁膜の潰瘍面に線維素性凝塊（増殖）形成のあるいぼ状心内膜炎）．

veg·e·ta·tive state 植物状態（自己と周囲に対する完全な認知機能の欠如した状態であるが，睡眠覚醒の周期は認められ，視床下部や脳幹の自律神経機能は，部分的または完全に保持されている臨床的な病態で，一過性で回復することもあるが遷延する．外傷性や非外傷性の損傷，代謝性や変性性の疾患，先天奇形など種々の原因があるが，すべて脳を病巣とする）．

ve·hi·cle (vē′i-kĕl)．***1*** 賦形剤（通常は治療効果がないが，薬剤の投与のために量を増す手段として用いられる物質）．***2*** 媒介物，媒体（病原体が感染宿主から感染可能宿主へと通過する非生物物質（例えば，食物，牛乳，塵埃，衣類，道具）．結果的に重要な感染源となる）．

veil (vāl)．***1*** = velum(1)．***2*** ベール．= caul(1)．

Veil·lo·nel·la (vā′yō-nel′ă)．ベイヨネラ属（非運動性・無芽胞性・嫌気性細菌（ベイヨネラ科）の一属．短鎖の双球菌状および塊状で存在する小さいグラム陰性球菌．これらの微生物はヒトおよび他の動物の口腔，腸管，および気道に寄生する）．

vein (vān)．静脈（心臓へ血液を運ぶ血管．肺静脈を除くすべての静脈は，暗色の，酸素の少ない血液を運ぶ）．= vena.

vein of bulb of pe·nis 陰茎静脈（尿道球からの血液を集め内陰部静脈に導く静脈）．

vein of co·chle·ar can·a·lic·u·lus 蝸牛小管静脈（蝸牛の基底回転，球形嚢，卵形嚢の一部からの血液を集める静脈．蝸牛小管を通る外リンパ管（蝸牛水道）に伴行して頸静脈上球へ注ぐ）．

vein of pter·y·goid ca·nal 翼突管静脈（神経および動脈とともに翼突管を通り咽頭静脈叢へ注ぐ静脈）．

veins of kid·ney 腎臓の静脈（腎臓の血液を集める腎静脈．腎内で動脈と平行に走り，小葉間静脈，弓状静脈，および葉間静脈からなる）．

veins of knee 膝静脈（膝動脈に伴行する静脈．膝の周囲の構造から血液を集め，膝窩静脈にはいる）．

veins of tem·po·ro·man·dib·u·lar joint 顎関節静脈（顎関節から下顎後静脈に注ぐ数本の静脈）．

vein strip·ping 静脈抜去，ストリッピング（静脈瘤の症状を緩和させるための手術法）．

veins of ver·te·bral col·umn 脊柱の静脈（内外椎骨静脈叢，椎骨底静脈，前後脊髄静脈の総称）．

vein of ves·tib·u·lar aq·ue·duct 前庭小管静脈（内リンパ節に伴行する小静脈．迷路前庭部の大部分の血液を集め下錐体静脈洞に注いで終わる）．

vein of ves·tib·u·lar bulb 前庭球静脈．

ve·la (vē′lă)．velum の複数形．

ve·la·men, pl. **ve·lam·i·na** (vĕ-lā′men, -lam′i-nă)．被膜，卵膜．= velum(1)．

vel·a·men·tous (vel′ă-men′tŭs)．被模様の（シーツあるいはベールのように，膜をおおったように広がっている）．

ve·lar (vē′lăr)．帆の，膜の（帆，特に口蓋帆に関する）．

vel·lus (vel′ŭs)．***1*** うぶ毛，軟毛（身体の大部分をおおっている細い非色素性の毛）．***2*** 細毛（外観が白毛状または軟毛状のもの）．

ve·loc·i·ty (v) (vĕ-los′i-tē)．速度（運動の大きさ．特に，指定された方向へ単位時間に移動した距離あるいは変化した量）．

vel·o·pha·ryn·ge·al (vē′lō-făr-in′jē-ăl)．口蓋帆咽頭の（軟口蓋（口蓋帆）および咽頭壁に関する）．

vel·o·pha·ryn·ge·al in·suf·fi·cien·cy 口蓋帆咽頭不全（軟口蓋あるいは咽頭の上収縮筋の構造上または機能上の欠陥により口蓋帆を閉じられないもの）．

Vel·peau ban·dage ヴェルポー包帯（胸壁に腕を固定するのに用いる包帯法．前腕は胸部の前で，斜めに交差させて上方に固定する）．

Vel·peau her·ni·a ヴェルポーヘルニア（腸が血管の前にある大腿ヘルニア）．

ve·lum, pl. **ve·la** (vē′lŭm, -lă)．***1*** 帆（ベールまたはカーテン様の構造）．= veil(1); velamen. ***2*** = caul(1)．***3*** = greater omentum. ***4*** 被膜（漿膜，または膜性の鞘または外被）．

ve·lum pa·la·ti·num 口蓋帆．= soft palate.

ve·na, gen. & pl. **ve·nae** (vē′nă, -nē)．静脈．= vein.

ve·na ca·va su·per·i·or 上大静脈．= superior vena cava.

ve·na·ca·vog·ra·phy (vē′nă-kā-vog′ră-fē)．大静脈造影（撮影）図（大静脈の血管造影）．= cavography.

ve·na cen·tral·is glan·du·lae su·pra·re·na·lis 〔副腎の〕中心静脈．= central vein of suprarenal gland.

ve·na cen·tra·lis ret·i·nae 網膜中心静脈．= central vein of retina.

ve·na ceph·al·ic·a ac·ces·sor·i·a 副橈側皮静脈．= accessory cephalic vein.

ve·na dor·sa·lis pe·nis su·per·fi·ci·a·lis = superficial dorsal veins of penis.

ve·na dor·sa·lis pro·fun·da cli·tor·i·dis = deep dorsal vein of clitoris.

ve·na dor·sa·lis pro·fun·da pe·nis = deep dorsal vein of penis.

ve·nae bra·chi·o·ceph·a·li·cae 腕頭静脈．= brachiocephalic veins.

ve·nae com·i·tan·tes 伴行静脈（動脈の拍動が静脈の帰還流を助けるほど，動脈と密着して伴行する 1 対以上の静脈）．

ve·nae di·rec·tae la·ter·al·es 外側直静脈

(視床上部の上衣下を横走し内大脳静脈に注ぐ静脈). = surface thalamic veins.

ve·nae in·ter·cos·ta·les = posterior intercostal veins.

ve·nae in·ter·nae cer·e·bri = internal cerebral veins.

ve·na ep·i·gas·tri·ca = superficial epigastric vein.

ve·nae pro·fun·dae cer·e·bri = deep cerebral veins.

ve·nae su·pe·ri·o·res ce·re·bri = superior cerebral veins.

ve·nae u·ter·i·nae 子宮静脈. = uterine veins.

ve·na fem·o·ral·is 大腿静脈. = femoral vein.

ve·na hem·i·a·zy·gos ac·ces·sor·i·a 副半奇静脈. = accessory hemiazygos vein.

ve·na il·i·o·lum·ba·lis 腸腰静脈. = iliolumbar vein.

ve·na por·tae he·pa·tis 門脈. = portal vein.

ve·na sub·clav·i·a 鎖骨下静脈. = subclavian vein.

ve·na sub·men·tal·is おとがい下静脈. = submental vein.

ve·na um·bil·i·cal·is 臍静脈. = left umbilical vein.

ve·na ver·te·bral·is ac·ces·sor·i·a 副椎骨静脈. = accessory vertebral vein.

vene- ***1*** 静脈, 静脈の, を意味する連結形. →veno-. ***2*** 毒を意味する連結形.

ve·nec·ta·si·a (vē′nek-tā′zē-ă). 静脈拡張〔症〕. = phlebectasia.

ve·nec·to·my (vē-nek′tŏ-mē). 静脈切除〔術〕. = phlebectomy.

ve·neer (vĕ-nēr′). ***1*** ベニア (一般材料をおおう薄い菲膜). ***2*** 前装, 被覆 (歯科において, 金属冠または天然歯の表面に接着し, それをおおう歯に近い色調の材料の薄層. 一般的には, ポーセレンまたは複合樹脂を用いる).

ven·e·na·tion (ven′ĕ-nā′shŭn). 毒創 (刺創あるいは咬創からの中毒).

ven·e·nous (ven′ĕ-nŭs). 毒性の. = poisonous.

ve·ne·re·al (vĕ-nēr′ē-ăl). 性病の (性交に関する, または性交に起因する).

ve·ne·re·al bu·bo 性病性横痃 (性行為感染症, 特に軟性下疳に合併する鼡径部の腫脹した腺).

ve·ne·re·al dis·ease 性病. = sexually transmitted disease.

ve·ne·re·al ul·cer 性病性潰瘍. = chancroid.

ve·ne·re·al wart 性病いぼ. = condyloma acuminatum.

ven·e·sec·tion (ven′ĕ-sek′shŭn). 静脈切開, しゃ(瀉)血. = phlebotomy.

Ven·e·zue·lan hem·or·rhag·ic fe·ver ベネズエラ出血熱 (ベネズエラの Guanarito ウイルスによって起こる熱性疾患. 頭痛, 関節痛, 咽頭炎, 白血球減少, 血小板減少, 出血が特徴である).

ven·i·punc·ture (ven′i-pŭngk′shŭr). 静脈穿刺 (主に採血したり, 溶液を注入する目的で行う静脈の穿刺).

veno-, veni- 静脈を意味する連結形. →vene-(1).

ve·no·gram (vē′nō-gram). ***1*** 静脈造影(撮影)図, 静脈造影(撮影)像. ***2*** = phlebogram.

ve·nog·ra·phy (vē-nog′ră-fē). 静脈造影(撮影)〔法〕(造影剤を注入し, 静脈を X 線像にすること). = phlebography(2).

ven·om (ven′ŏm). 毒物, 毒液 (ヘビ, クモ, サソリなどから分泌される有毒な液).

ve·no·mo·tor (vē′nō-mō′tŏr). 静脈運動の (静脈の口径に変化をもたらすことについていう).

ve·no·oc·clu·sive dis·ease of the liv·er 肝静脈閉塞病 (ジャマイカの小児に発見された肝静脈小根の閉塞性静脈内膜炎で, 茶低木林の毒性植物を摂取して起こる. 腹水症を起こして硬変症になることもある).

ve·no·scle·ro·sis (vē′nō-skler-ō′sis). 静脈硬化〔症〕. = phlebosclerosis.

ve·nos·i·ty (vē-nos′i-tē). ***1*** 静脈の 1 つの状態で, 動脈からの血液が静脈内にうっ血している状態. ***2*** 静脈血あるいは低酸素状態の動脈血が酸素化されていない状態.

ve·no·spasm (vē′nō-spasm). 静脈攣縮 (静脈が突然収縮すること).

ve·nos·ta·sis (vē′nō-stā′sis). 静脈うっ血, 静脈血うっ滞. = phlebostasis.

ve·nos·to·my (vē-nos′tŏ-mē). 静脈吻合〔術〕. = cutdown.

ve·not·o·my (vē-not′ŏ-mē). 静脈切開〔術〕. = phlebotomy.

ve·nous (vē′nŭs). 静脈〔性〕の (単一または複数の静脈に関する).

ve·nous ad·mix·ture 静脈〔血〕混合 (換気血流不適合によって引き起こされる動脈血と不飽和血の肺循環における混合(灌流は十分であるが換気が減少した状態)).

ve·nous an·gi·o·ma 静脈性血管腫 (異常静脈で構成される血管腫瘍). = venous malformation.

ve·nous an·gle 静脈角 (①内頸静脈の鎖骨下静脈の合流点のこと. 左の静脈角には外頸静脈, 内頸静脈, 左右の椎骨静脈, 胸管が流入し, 右の静脈角には右リンパ本管が流入する. ②神経放射線学において, 通常, Monro 室間孔の後縁で内大脳静脈と視床線条体静脈が合流する角).

ve·nous blood 静脈血 (肺を除く種々の組織の毛細血管を通過してきた血液で, 静脈, 右心室, および肺動脈にみられる. 酸素の含有量が少ないので一般に暗赤色を呈する).

ve·nous cap·il·lar·y 静脈性毛細血管 (静脈へ開通している毛細血管).

ve·nous hum 静脈コマ音 (頸静脈に生じる短いまたは連続性の雑音. 特に, 動脈管開存の連続性雑音と間違いやすい).

ve·nous hy·per·e·mi·a 静脈性充血. = passive hyperemia.

ve·nous in·suf·fi·cien·cy 静脈不全 (ある部分から静脈血を完全に排液できないもの. 浮腫や皮膚病が生じる).

ve·nous mal·for·ma·tion 静脈奇形. = venous angioma.

ve·nous pulse 静脈拍動 (静脈, 特に内頸静脈に生じる拍動).

ve·nous re·turn 静脈還流（大静脈と冠静脈洞を通って心臓に戻る血液）.

ve·nous si·nus·es = dural venous sinuses.

ve·nous star 静脈星（皮膚の拡張静脈が形成する小型の赤色結節．静脈圧増加によって生じる）.

ve·nous ul·cer 静脈性潰瘍. = varicose ulcer.

ve·no·ve·nos·to·my (vē′nō-vē-nos′tŏ-mē). 静脈静脈吻合〔術〕（2つの静脈間に吻合をつくること）. = phlebophlebostomy.

vent (vent). 孔，口（空洞または管の開口．特に肛門などのように空洞の内容物が排出される開口部）.

ven·ter (ven′tĕr). ***1*** 腹. = abdomen. ***2*** 筋腹. = belly(2). ***3*** 体腔（身体内部の大きな空洞）. ***4*** 子宮.

ven·ti·late (ven′ti-lāt). 換気する，通気する（肺毛細血管の血液に空気または酸素を与える）. = air(2).

ven·ti·la·tion (ven′ti-lā′shŭn). 換気，通気（①ある空間内の空気またはその他の気体を新しく入れ換えること．②肺への気体の吸入および呼出運動. = respiration(2). ③($\dot{V}$)．生理学において，呼吸時の肺と大気間の呼吸気変化. →respiration).

ven·ti·la·tion:per·fu·sion ra·ti·o ($\dot{V}_A$:$\dot{Q}$) 換気血流比（肺のあらゆる部分で，肺胞の毛細血管に同時に流れる血液に対する肺胞換気の比率．換気と潅流が，組織の単位量または時間ごとに見られ，無効になると単位は血液1リットルごとのガスになる）.

ven·ti·la·tion-per·fu·sion scan 肺換気-血流スキャン（放射性同位元素(RI)を吸入させ，次いで他種のRIを静脈注射する，肺栓塞の診断に有効な肺の機能検査法．各々の薬剤の肺内における拡散と血流分布がシンチグラムとして記録される）.

ven·til·a·tor (ven′til-ā-tŏr). 人工呼吸器.

ven·til·a·to·ry thresh·old 換気性作業閾値，換気閾値（運動の激しさを増していくと，分時換気量と酸素消費量の直線関係が崩れる．この点の運動強度をいう）.

ven·trad (ven′trad). 腹側へ（dorsadの対語）.

ven·tral (ven′trăl). 腹側の，腹面の，腹の（①腹，腹部に関する．②= anterior(1). ③獣医解剖学において，動物の下方表面．ある組織の位置を他に対比して示すのによく用いる．すなわち身体の下方表面に近い方に位置している）.

ven·tral ap·ron pre·puce 腹側エプロン包皮（尿道上裂の患者にみられる未完成の包皮．囲エプロンのようにみえる過剰な包皮のこと）.

ven·tral horn = anterior horn.

ven·tral plate = floor plate.

ven·tral root 前根（脊髄神経運動根）.

ven·tral tha·lam·ic pe·dun·cle 腹側視床脚（視床の腹側，外側，および前縁から出て内包および放線冠の一部分に連絡する大きな線維束で，視床腹側核を大脳皮質の中心前回および中心後回に相互的に連結している線維を含む）.

ven·tri·cle (ven′tri-kĕl). 室，心室，脳室（脳または心臓などに正常に存在する空洞）. = ventriculus(2).

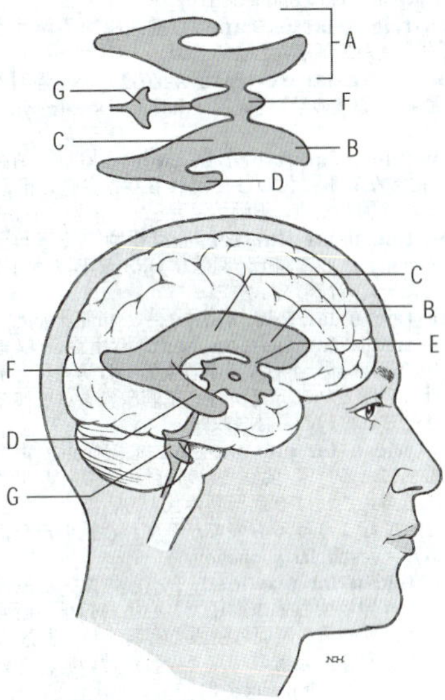
A
G
F
C
B
D
C
B
E
F
D
G

ventricles of the brain
上から見た図および側面図．
A：左脳室，B：右側脳室の前角，C：右側脳室の中心部，D：右側脳室の後角，E：室間孔，F：第3脳室，G：第4脳室

ven·tric·u·lar (ven-trik′yū-lăr). 心室の，脳室の.

ven·tric·u·lar af·ter·load 心室後負荷（駆出期に心室が収縮している間，打ち勝たなくてはならない血行力学的および機械的力の合計）.

ven·tric·u·lar ar·ter·ies 心室動脈（左右の冠状動脈の枝で，心室の筋に分布する）. = arteriae ventriculares.

ven·tric·u·lar as·sist de·vice 心室補助装置（左心室(LVAD)あるいは右心室(RVAD)のポンプ機能を援助，置換するための様々な力学的な装置．ポンプの流入端は心室に，流出端は大動脈(LVAD)または肺動脈(RVAD)に接続する．心筋梗塞または心臓手術の後，患者の損害を受けた心臓の筋肉の回復のための時間を与えるために，心拍出量の大部分またはすべては装置を通り導かれる．また，提供された心臓が手にはいるまで，心臓が回復しない患者を支えるための〝移植へのブリッジ〟として使われる）.

ven·tric·u·lar band of lar·ynx 喉頭の室ひだ. = vestibular fold.

ven·tric·u·lar com·plex 心室波形（心電図上各心拍の連続したQRS-T波形）.

ven·tric·u·lar con·duc·tion 心室伝導. = intraventricular conduction.

ven·tric·u·lar es·cape 心室逸脱（異所性心室病巣が歩調取りとなる逸脱）.

ven·tric·u·lar ex·tra·sys·to·le 心室性期外収縮（心室の早期収縮）. = infranodal extrasystole.

ven·tric·u·lar fi·bril·la·tion 心室〔性〕細動（正常な収縮に代わって現れる，心室筋の粗い，または細かく速い細動性運動）.

ven·tric·u·lar flut·ter 心室粗動（心室頻脈の一型で，心電図上，明確な QRS や T 波が消失した一定の波形を示す）.

ven·tric·u·lar fold 室ひだ. = vestibular fold.

ven·tric·u·lar fu·sion beat 心室融合収縮（心室が一部分下行する洞性あるいは房室接合部性の刺激と一部分異所性心室刺激によって興奮させられて起こる融合収縮）.

ven·tric·u·lar pho·na·tion 心室発声（声帯の上にある，室（前庭）襞の振動により作り出される声．これは声帯振動の代わり，または付加として起こりうるもので，かすれた低い声を作る）. = vestibular phonation.

ven·tric·u·lar pre·load 心室前負荷（心室壁を引き伸ばす収縮末期圧で，心室筋線維の断面積当たりのその瞬間の壁張力と関連して表され，これは収縮開始前の時点での貫壁性の圧力と釣合っている）. = preload (2).

ven·tric·u·lar re·duc·tion sur·ger·y 心室縮小手術. = left ventricular volume reduction surgery.

ven·tric·u·lar rhythm = idioventricular rhythm.

ven·tric·u·lar sep·tal de·fect (VSD) 心室中隔欠損〔症〕（心室間の（膜性部あるいは筋性部）中隔の先天的欠損．通常，室間孔を閉じるらせん状中隔の閉鎖不全に由来する）.

ven·tric·u·lar stand·still 心室停止（心室収縮の停止．心電図の心室群の欠如が特徴）.

ven·tric·u·lar tach·y·car·di·a 心室〔性〕頻拍（頻脈）（心室の異所性始点で起こる 100 拍/分以上の発作性頻拍）.

ven·tric·u·li·tis (ven-trik′yū-lī′tis). 脳室炎.

ventriculo- 室を意味する連結形.

ven·tric·u·lo·a·tri·al (V-A, VA) 室房の（心室と心房の両者，特に電気伝導経路が心室から心房に逆行性に順次伝導する場合）.

ven·tric·u·lo·a·tri·al shunt 脳室心房シャント（水頭症治療の外科手術法．側脳室に排液管を埋め込み過剰な脳脊髄液を右の心房に排出する）. = ventriculoatriostomy.

ven·tric·u·lo·a·tri·os·to·my (ven-trik′yū-lō-ā′trē-os′tŏ-mē). = ventriculoatrial shunt.

ven·tric·u·lo·cis·ter·nos·to·my (ven-trik′yū-lō-sis′tĕr-nos′tŏ-mē). 脳室大槽吻合〔術〕（脳室と大槽間の人工的な短絡造設術. →shunt (2)）.

ven·tric·u·log·ra·phy (ven-trik′yū-log′ră-fē). ***1*** 脳室造影（撮影）〔法〕（造影剤を注入して，脳室系を X 線像として描出すること）. ***2*** 心室機能造影（放射性同位元素（RI）あるいは X 線造影剤を経静脈的に投与した後，その心内分布を記録することにより心室収縮機能を描出する方法）.

ven·tric·u·lo·mas·toid·os·to·my (ven-trik′yū-lō-mast′oyd-os′tŏ-mē). 脳室乳突造瘻術，脳室乳突フィステル形成〔術〕（水頭症を治療するためにポリエチレンチューブを用いて，側脳室と乳突洞間を連結させる手術. →shunt (2)）.

ven·tric·u·lo·nec·tor (ven-trik′yū-lō-nek′tŏr). = atrioventricular bundle.

ven·tric·u·lo·per·i·to·ne·al shunt 脳室腹腔シャント（水頭症治療の外科手術法．側脳室に排液管を埋め込み過剰な脳脊髄液を腹腔に排出する）. = ventriculoperitoneostomy.

ven·tric·u·lo·per·i·to·ne·os·to·my (ven-trik′yū-lō-per′i-tō-nē-os′tŏ-mē). = ventriculoperitoneal shunt.

ven·tric·u·lo·plas·ty (ven-trik′yū-lō-plas-tē). 心室形成〔術〕（心室の欠陥を修復する外科的手段）.

ven·tric·u·lo·punc·ture (ven-trik′yū-lō-pŭngk′shūr). 脳室穿刺（針を脳室に挿入すること）.

ven·tric·u·los·co·py (ven-trik′yū-los′kŏ-pē). 脳室鏡検査〔法〕，脳室内視法（内視鏡を用いる脳室の直接検査）.

ven·tric·u·los·to·my (ven-trik′yū-los′tŏ-mē). 脳室吻合術（脳室に開口部を設けることで，通常，水頭症を寛解させるために第 3 脳室底を通してクモ膜下腔に交通をつける. →shunt (2)）.

ven·tric·u·lo·sub·a·rach·noid (ven-trik′yū-lō-sŭb′ă-rak′noyd). 脳室クモ膜下の（脳脊髄液のはいった空間についていう）.

ven·tric·u·lot·o·my (ven-trik′yū-lot′ŏ-mē). 脳室（心室）切開〔術〕（脳室（心室）に切開をいれること）.

ven·tric·u·lus, pl. ven·tric·u·li (ven-trik′yū-lŭs, -lī). ***1*** 胃. = stomach. ***2*** 室. = ventricle.

ven·tri·cu·lus ter·ti·us 第 3 脳室. = third ventricle.

ven·tri·duc·tion (ven′tri-dŭk′shŭn). 導腹（腹部あるいは腹壁のほうに引き寄せること）.

ventro- 腹部の，を意味する連結形.

ven·tros·co·py (ven-tros′kŏ-pē). 腹腔鏡検査〔法〕. = peritoneoscopy.

ven·trot·o·my (ven-trot′ŏ-mē). 開腹〔術〕，腹腔切開〔術〕. = celiotomy.

Ven·tu·ri mask ヴェンツーリマスク（正確な量の酸素投与が可能な酸素供給システム）.

ven·u·la, pl. ven·u·lae (ven′yū-lă, -lē). 細静脈，小静脈. = venule.

ven·u·lae stel·la·tae 星状細静脈（腎皮質にある星状の小静脈群）. = stellate veins; stellate venules.

ven·u·lar (ven′yū-lăr). 細静脈の，小静脈の.

ven·ule (ven′yūl). 細静脈，小静脈（毛細血管につながる静脈の小枝）. = capillary vein; venula.

ver·bal a·prax·i·a 言語失行〔症〕，発語失行〔症〕（→apraxia; oral apraxia; developmental apraxia of speech）. = apraxia of speech.

ver·bal au·top·sy 言語剖検，言葉による検死（死亡者について，その死亡の経過や死亡直前の状況を話すことができる家族やその他の人に質問することで，可能なかぎり多くの情報を得る方法．主として発展途上国や剖検ができない場面や状況で用いられる）．

ver·bal dys·prax·i·a = apraxia of speech.

ver·ba·tim trans·crip·tion 逐語的トランスクリプション（医学記録転写士が行う業務として多くはないが，口述と全く同じように筆記すること．話し言葉の書き取り）．

ver·big·er·a·tion (vĕr-bij′ĕr-ā′shŭn).〔反復〕語唱（意味のない言葉または文章を絶えず繰り返すこと．統合失調症でみられる）. = cataphasia.

verge (vĕrj). 端，辺縁.

ver·gence (vĕr′jĕns). よせ運動（輻輳，開散におけるように，固視線が平行でない非共同性眼球運動）.

Ver·hoeff e·las·tic tis·sue stain ヴァーヘフ弾性組織染色〔法〕（ヘマトキシリン，塩化第二鉄，Lugol ヨード溶液の混合液を用いた組織染色法．必要に応じてエオシンまたは van Gieson 染色液で対比染色を行ってもよい．弾性線維と核は黒青色か黒色に，膠原物質や他の成分は桃色から赤色の様々な色調に染まる）.

vermi- 虫，虫様の，を意味する連結形.

ver·mi·ci·dal (vĕr′mi-sī′dăl). 殺寄生虫〔性〕の，駆虫〔性〕の（駆虫を意味し，特に腸内寄生虫の駆虫についていう）.

ver·mi·cide (vĕr′mi-sīd). 殺寄生虫薬，駆虫薬（腸内寄生虫の駆虫薬）.

ver·mic·u·lar (vĕr-mik′yū-lăr). 虫の，虫様の.

ver·mic·u·lar move·ment ぜん動運動. = peristalsis.

ver·mic·u·lar pulse 虫様脈（指に虫のような感覚を与える小さな速脈）.

ver·mic·u·la·tion (vĕr-mik′yū-lā′shŭn). 蠕虫運動，ぜん動.

ver·mic·u·lose, ver·mic·u·lous (vĕr-mik′yū-lōs, -lŭs). ***1*** 寄生虫感染の. ***2*** 虫状の（→vermiform）.

ver·mi·form (vĕr′mi-fōrm). 虫様の（虫の形をした，虫に似た，特に盲腸の虫様突起についていう. →lumbricoid）.

ver·mi·form ap·pen·dix 虫垂（盲腸からのびる線形虫様の腸憩室．先端は盲端に終わる）. = appendix vermiformis.

ver·mil·ion bor·der 赤唇縁，赤唇（上下両口唇の赤色の縁で，口腔内口唇粘膜の外縁（湿線）で始まって外部に広がり，口腔外口唇皮膚移行部までのびる．角化層の薄い重層扁平上皮に血管乳頭が深くくい込み，これが表皮を透けて見えて典型的な赤唇を形成する）.

ver·mil·ion·ec·to·my (vĕr-mil′yŏn-ek′tŏ-mē). 唇紅部切除〔術〕.

ver·min (vĕr′min). 外寄生虫，寄生動物，害虫（シラミやナンキンムシなどの寄生昆虫）.

ver·mi·na·tion (vĕr′mi-nā′shŭn). ***1*** 寄生虫発生. ***2*** 寄生虫感染.

ver·mi·nous (vĕr′mi-nŭs). 寄生虫〔性〕の.

ver·mis, pl. ver·mes (vĕr′mis, -mēz). ***1*** 虫，蠕虫（蠕虫に似た構造あるいは部分をもつあらゆるもの）. ***2*** 小脳虫部（2つの小脳半球間の狭い帯状の部分．半球の上部表面の上に突出している部分は superior vermis（上虫部）とよばれる．2つの半球の間に沈み，小脳谷を形成している下方の部分は inferior vermis（下虫部）という）.

ver·nal con·junc·ti·vi·tis 春季結膜炎，春季カタル（羞明と激しいそう痒感を伴う慢性の両側性結膜炎．季節的に温暖気候時に再発する．特徴は，眼瞼型では上眼瞼結膜の丸石様乳頭，眼球型では角膜縁に隣接したゼラチン様結節）. = spring conjunctivitis.

Ver·net syn·drome ヴェルネー症候群（後頭蓋窩内にある舌咽神経，迷走神経，副頭蓋神経の麻痺が特徴．ほとんどの場合は頭部損傷による）.

ver·nix (vĕr′niks). ワニス，ニス. = dental varnish.

ver·nix ca·se·o·sa 胎脂（落屑上皮細胞，うぶ毛，皮脂質からなる胎児の皮膚をおおう脂肪物質）.

ve·ro cy·to·tox·in ベロ毒素（出血性大腸炎や溶血性尿毒性症候群を引き起こすと考えられている腸出血性大腸菌 *Escherichia coli* の細胞毒素）. = Shigalike toxin.

ve·ron·i·ca (vĕr-on′i-kă). = black root.

ver·ru·ca, pl. ver·ru·cae (vĕr-ū′kă, -kē). ゆうぜい（疣贅），いぼ（表皮の胚芽層，顆粒層，および角質層の肥厚を伴う真皮乳頭の限局性肥大を特徴とする肉色の増殖．乳頭腫ウイルスによって起こる．この名称はまた，非ウイルス性の表皮性いぼ状腫瘍にも適用される．*cf.* verruga peruana）. = verruga; wart.

ver·ru·ca nec·ro·ge·ni·ca 死毒性ゆうぜい. = postmortem wart.

ver·ru·ca per·u·an·a, ver·ru·ca pe·ru·vi·an·a ペルーいぼ病. = verruga peruana.

ver·ru·ca pla·na 扁平ゆうぜい（滑らかな，平らで肉色をした小さないぼで，群れをなして発生し，特に青年の顔面にみられる．しばしば手に，ヒト乳頭腫ウイルス（主に3型と10型）による尋常性ゆうぜいをもつ）. = flat wart.

ver·ru·ca plan·tar·is 足底ゆうぜい. = plantar wart.

ver·ru·ci·form (vĕr-ū′si-fōrm). いぼ状の.

ver·ru·cose (vĕr-ū′kōs). いぼ状の（いぼに似た，いぼ状隆起を意味する）.

ver·ru·cous he·man·gi·o·ma ゆうぜい（疣贅）状血管腫（異常毛細血管や異常リンパ管を含む皮膚血管の奇形に対する不適切な語）.

ver·ru·cous ne·vus ゆうぜい（疣贅）状母斑，いぼ状母斑（出生時あるいは小児期早期に現れる皮膚色あるいはそれよりやや色が黒いゆうぜい様，しばしば線状の母斑，大きさや位置，数などは多様である）.

ver·ru·cous xan·tho·ma いぼ状黄色腫（口粘膜と皮膚の乳頭腫の一種で，扁平上皮が大型泡沫状の組織球が集簇した結合組織乳頭をおおっている）.

ver·ru·ga (vĕr-ū′gă). ゆうぜい（疣贅），いぼ. = verruca.

ver·ru·ga per·u·an·a ペルーいぼ病（バルト

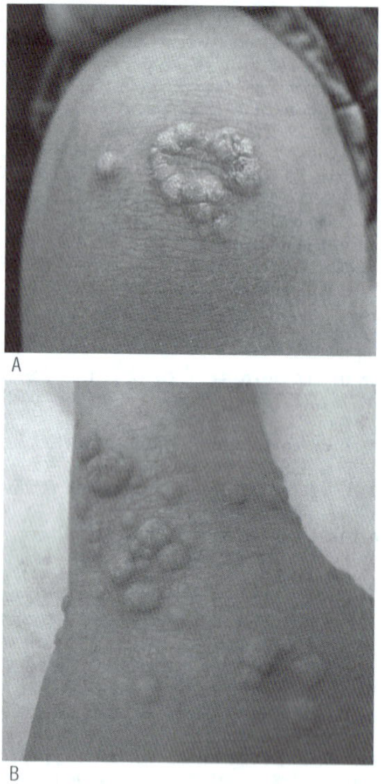

A

B

verruca A：膝，B：手首．

ネラ症の後期・皮疹期，粟粒大から種々の大きさにわたる柔らかな円錐形または有茎性血管性丘疹により特徴付けられる．皮膚または粘膜のいたる所に出現し，数か月後，瘢痕を残さず，消退する．*cf.* Oroya fever）. = Peruvian wart; verruca peruana; verruca peruviana.

ver·sion (ver′zhŭn). ***1*** 傾（器官全体が，それ自身は曲がらずに傾くような子宮の傾き．傾きの種には，前傾，後傾，側傾がある）．***2*** 回転〔術〕（自然に，または用手的操作で子宮内の胎児の位置が変化すること）．***3*** 傾斜. = inclination. ***4*** 両眼共同運動（同一方向への両眼共同運動．この運動には，右向き，左向き，上向き，下向きがある）.

ver·te·bra, gen. & pl. **ver·te·brae** (vĕr′tĕ-bră, -brē). 椎骨，椎（脊柱の分節．ヒトの場合は7個の頸椎，12個の胸椎，5個の腰椎，5個の仙椎(1つの仙骨に融合)と4個の尾椎(1つの尾骨に融合)の33個からなる）.

ver·te·bra C1 = atlas.

ver·te·bra C2 = axis(5).

ver·te·bra den·ta·ta = axis(5).

ver·te·brae cer·vic·al·es ［C1-C7］ 頸椎. = cervical vertebrae.

ver·te·brae coc·cyg·e·ae ［Co1-Co4］ 尾椎. = coccygeal vertebrae Co1–Co4.

ver·te·brae lum·ba·les ［L1-L5］ 腰椎. = lumbar vertebrae［L1–L5］.

ver·te·brae sac·ra·les ［S1-S5］ 仙椎. = sacral vertebrae［S1–S5］.

ver·te·brae tho·ra·ci·cae 胸椎. = thoracic vertebrae［T1–T12］.

ver·te·bral (vĕr′tĕ-brăl). 〔脊〕椎骨の（1つまたは複数の椎骨に関する）.

ver·te·bral arch 椎弓（椎体から後方に突出した突起で椎孔を囲む．1対の椎弓根と椎弓板からなる．棘突起，横突起，関節突起がこの弓から出る．静脈弓とそれを包む黄色靱帯とで脊柱管の後壁が形成されている）. = neural arch.

ver·te·bral ar·ter·y 椎骨動脈（鎖骨下動脈の最初の枝．便宜的に次の4部に区別される．ⓘ第六頸椎横突孔にはいるまでの椎前部．ⓘⓘ頸椎の横突孔を次々と通過して上行する頸部．ⓘⓘⓘ環椎の後弓に沿って回り込んでいる(環椎(後頭下))部．ⓘⓥ頭蓋腔内にはいり左右合流して脳底動脈となるまでの頭蓋内部）. = arteria vertebralis.

ver·te·bral bod·y 椎体（脊柱管の前方にある椎骨の主たる部分で，椎弓と区別される．［"centrum" という語は，椎体の同義語としてしばしば誤って用いられている．発生学的には椎体には神経弓が含まれ，centrumは椎体よりも小さい部分をいう．㊟centrumは椎体中心とするのがふさわしい］）.

ver·te·bral ca·nal 脊柱管（脊髄，脊髄膜，および関連組織を入れる管．関節により結合した一連の椎骨の椎孔によってつくられる）. = canalis vertebralis; spinal canal.

ver·te·bral col·umn 脊柱（頭蓋骨から尾骨まで延長している脊椎の連続で，脊髄を支え，可動性のある骨の枠を形成している）. = columna vertebralis; backbone; rachis; spina; spinal column; spine(2).

ver·te·bral fo·ra·men 椎孔（椎弓が椎体に連結されることにより形成された孔．椎骨が連結してできた脊柱では椎孔も連続して脊柱管となる）.

ver·te·bral for·mu·la 脊椎式（脊柱の各部における脊椎数を示す式．ヒトでは，C(頸椎)が7，T(胸椎)が12，L(腰椎)が5，S(仙椎)が5，Co(尾椎)が4で，計33である）.

ver·te·bral nerve 椎骨動脈神経（頸胸神経節から出る枝．軸椎あるいは環椎の高さまで椎骨動脈に沿い上行し，頸神経と髄膜に枝を出す）. = nervus vertebralis.

ver·te·bral ribs = floating ribs［XI–XII］.

ver·te·bral sub·lux·a·tion com·plex 脊椎亜脱臼複合体（神経，筋，靱帯，血管，結合組織における病的変化の複合的相互作用を取り込んだ脊椎可動部分の機能不全(亜脱臼)の理論モデル）.

ver·te·bral vein 椎骨静脈（上位の6頸椎の横突孔を通り，椎骨動脈の周囲の静脈叢をつくる

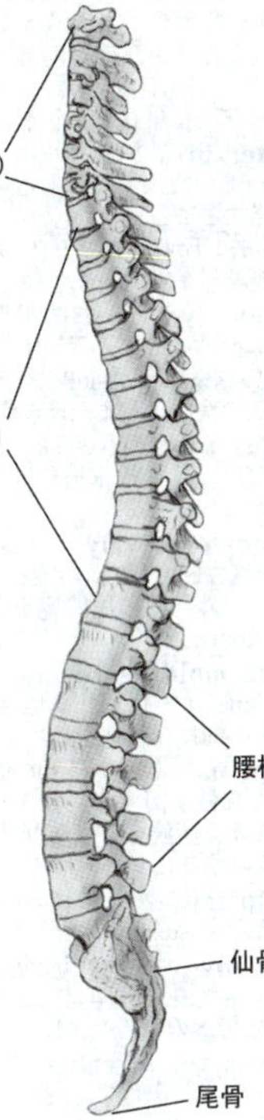
頸椎 (C1-C7)
胸椎 (T1-T12)
腰椎 (L1-L5)
仙骨
尾骨

vertebral column

枝(交通枝)からなる静脈．1本になって腕頭静脈に注ぐ)．

ver·te·bra pla·na 扁平椎（椎体が薄い円板になる脊椎炎)．

Ver·te·bra·ta (vĕr′tĕ-brā′tă)．脊椎動物亜門（脊索動物門の主要な一亜門で，軟骨または骨性脊柱におおわれた背部の中空神経索をもつ動物からなる．魚類，両生類，は虫類，鳥類，哺乳類を含む)．

ver·te·brate (vĕr′tĕ-brāt)．*1* 〚adj.〛脊柱をもつ．*2* 〚n.〛脊椎動物（脊椎をもつ動物)．

ver·te·brat·ed cath·e·ter 椎骨状カテーテル（鎖の輪のように各々動かすことのできるいくつかの部分からなるカテーテル)．

ver·te·brec·to·my (vĕr′tĕ-brek′tŏ-mē)．脊椎切除〔術〕．

vertebro- 椎骨を意味する連結形．

ver·te·bro·ar·te·ri·al fo·ra·men = transverse foramen.

ver·te·bro·chon·dral (vĕr′tĕ-brō-kon′drăl)．脊椎肋軟骨の（3つの仮肋(第八，第九，第十)を意味し，一方の端で椎骨と，もう一方の端で肋軟骨と結合する．この軟骨は直接には胸骨とは結合しない)．= vertebrocostal(2)．

ver·te·bro·cos·tal (vĕr′tĕ-brō-kos′tăl)．*1* = costovertebral. *2* = vertebrochondral.

ver·te·bro·cos·tal tri·gone 椎肋三角，腰肋三角（横隔膜の腰椎部の肋骨部の間で外側腰肋弓靱帯の上方にある三角形の領域．筋線維を欠いており，上は胸膜，下は腹膜でおおわれる)．

ver·te·bro·ster·nal (vĕr′tĕ-brō-stĕr′năl)．= sternovertebral.

ver·tex, pl. ver·ti·ces (vĕr′teks, -ti-sēz)．頂，頭頂（①頭蓋計測における頭蓋の最高点．②産科において，先端に小泉門をもつ，頸眉間と両頭頂骨径により仕切られた胎児の頭の一部)．

ver·tex pre·sen·ta·tion 頭位（→ cephalic presentation)．

ver·ti·cal (vĕr′ti-kăl)．*1* 頂の（頂または頭頂に関する)．*2* 垂直の．*3* 垂直の（解剖学的位置において身体を長軸方向に通過する面または線についていう)．

ver·ti·cal band·ed gas·tro·plas·ty 垂直帯胃形成〔術〕（垂直方向の縫合線によって上部に胃嚢が形成された病的肥満治療のための胃形成術．拡張を防止するために，その出口で主胃嚢内へつけられたバンドを備えている)．

ver·ti·cal growth phase メラノーマ細胞が表皮から真皮，さらには皮下脂肪織にまで進行，浸潤すること．そしてそこから転移を生じる．

ver·ti·cal heart 垂直心（漠然と心臓の電気軸が約+ 90° を示すときの心臓)．

ver·ti·cal in·te·gra·tion 垂直的統合（プライマリケア，専門的ケア，入院などを提供するシステムで，必要であれば学際的，専門的協力を得る)．

ver·ti·cal lam·in·ar flow hood 垂直層流式フード（空気がフィルターを通して垂直に押し上げることで，使用者が有害な道具にさらされるのことから守るようにした層流フード)．

ver·ti·cal mus·cle of tongue 垂直舌筋（舌背腱膜から下表面舌腱膜へ垂直に走る筋線維からなる内舌筋．作用：舌の上下径を小さくする，すなわち舌を平らにする．神経支配：運動は舌下神経，感覚は舌神経)．= musculus verticalis linguae.

ver·ti·cal nys·tag·mus 垂直眼振（眼の上下振動)．

ver·ti·cal o·ver·lap 垂直被蓋（①相対する臼歯が中心咬合で接する際，垂直方向において上顎歯が下顎歯を越えていること．②歯がその対合歯を垂直方向において被蓋する距離．③歯の切端が中心咬合ですれ違う場合の上顎切歯と下顎切歯の関係)．= overbite.

ver·ti·cal stra·bis·mus 上下斜視（一方の眼が上方に偏位(strabismus sursum vergens)するか下方に偏位(strabismus deorsum vergens)するもの)．

ver·ti·cal trans·mis·sion 垂直伝播（①細胞の染色体に組み込まれた状態のウイルスゲノムが，細胞の染色体とともに親から子へ伝播されること．例えば，RNA 腫瘍ウイルス．②病原体一般では，個体からその子孫へ，すなわちある

V

世代から次の世代へ伝播すること．*cf.* horizontal transmission）．

ver·ti·cil (vĕr′ti-sil)．輪生，環生（類似部分がいくつもの同一軸から放射状に広がっていること）．= vortex(1); whorl(4)．

ver·ti·cil·late (vĕr-tis′i-lāt)．渦巻き状の，輪生の．

ver·tig·i·nous (vĕr-tij′i-nŭs)．めまいの（めまいに関する，めまいに苦しむことについていう）．

ver·ti·go (vĕr′ti-gō)．***1*** めまい(眩暈)（自分自身または外部の物体が回転またはぐるぐると動いているという感覚．めまいは，その人自身が回転している(自身性めまい)か，その人の周りを物がある面で回転している(周囲性めまい)といった，はっきりした感覚を意味する）．***2*** めまい感（一般用語として，不正確に用いられる）．

ver·y hea·vy work 極重仕事量（物を動かすためのに，身体が要求する力の行使レベルで，100 ポンド力までの一過性，50 ポンド力までの頻繁性，20 ポンド力までの持久性とされる）．

ver·y low birth weight (**VLBW**) 極低出生体重（出生時の体重が 1500 g 以下の乳児．子宮内胎児の発育が障害された，未熟児で生まれたなど，様々な理由が考えられる）．

ver·y-low-cal·or·ie di·ets (**VLCD**) 極低カロリーダイエット（治療的ダイエットで，病的肥満のケースに減量のために行われ，1 日のエネルギー摂取量は 800 kcal 以下とされている）．

ver·y low so·di·um 極低量ナトリウムの（FDA の規定により，一食分に対してナトリウムが 35 mg を超えないように表示されている製品）．

ve·si·ca, gen. & pl. **ve·si·cae** (ves′i-kă, -kē)．嚢（①= bladder．②正常に，あるいは疾病のために，漿液を貯留してできた空洞または袋）．

ve·si·ca bil·i·ar·is 胆嚢．= gallbladder．

ves·i·cal (ves′i-kăl)．膀胱の（嚢，通常は膀胱についていう）．

ves·i·cal cal·cu·lus 膀胱結石（膀胱内に生じる，またはとどまる尿結石）．

ves·i·cal di·ver·tic·u·lum 膀胱憩室（膀胱壁の憩室．真性と偽性がある）．

ves·i·cal he·ma·tu·ri·a 膀胱性血尿（出血の部位が膀胱にある血尿）．

ves·i·cal tri·an·gle 膀胱三角．= trigone of bladder．

ves·i·cal veins 膀胱静脈（膀胱静脈叢からの血液を集める静脈．内腸骨静脈にはいる）．

ves·i·cant (ves′i-kănt)．発疱薬，引赤薬（小水疱を生じさせる薬剤）．

ve·si·ca pros·tat·i·ca = prostatic utricle．

ves·i·ca·ting a·gent 発疱剤（毒性の化学兵器で，小胞や水疱を生じさせる．発疱剤はマスタードガス，ナイトロジェンマスタード，ルイサイト(L)が含まれる．ホスゲンオキシム(CX)は専門的には発疱剤というよりじんま疹剤であるが，時折，発疱剤に分類される）．

ves·i·ca·tion (ves′i-kā′shŭn)．= vesiculation (1)．

ve·si·ca u·ri·na·ri·a 膀胱．= urinary bladder．

ves·i·cle (ves′i-kĕl)．***1*** = vesicula．***2*** 小疱，小嚢，小水疱，小疱疹（液体がはいっている皮膚の小さい(直径 1.0 cm 以下)限局性の隆起．→ bleb; blister; bulla）．***3*** 小胞，小嚢，分泌小胞，頂嚢（液体または気体を含む小さい嚢）．

ves·i·cle her·ni·a 膀胱ヘルニア（腹壁を通って膀胱の一部が突出する，あるいは鼡径管や陰嚢内へ突出すること）．

vesico-, vesic- 膀胱，嚢，小嚢，小胞，小水疱を意味する連結形．→vesiculo-．

ves·i·co·cele (ves′i-kō-sēl)．膀胱ヘルニア，膀胱瘤．= cystocele．

ves·i·coc·ly·sis (ves′i-kok′li-sis)．膀胱洗浄〔法〕（膀胱の洗い出しまたは洗浄）．

ves·i·co·pus·tu·lar (ves′i-kō-pŭs′chū-lăr)．膿疱性水疱性の（膿疱性水疱に属する）．= vesiculopustular(1)．

ves·i·co·rec·tos·to·my (ves′i-kō-rek-tos′tŏ-mē)．膀胱直腸吻合〔術〕（後膀胱壁と直腸の吻合によって，外科的に尿路変更をすること）．= cystorectostomy．

ves·i·co·sig·moid·os·to·my (ves′i-kō-sig′moyd-os′tŏ-mē)．膀胱 S 状結腸吻合〔術〕（膀胱と S 状結腸の間に連結部を形成する手術）．

ves·i·co·spi·nal (ves′i-kō-spī′năl)．膀胱脊髄の（膀胱と脊髄に関する．脊髄の第二腰椎と第二仙椎にある，膀胱の貯留と排出を調節する神経機構を意味する）．

ves·i·cos·to·my (ves′i-kos′tŏ-mē)．膀胱瘻術，膀胱造瘻術．= cystostomy．

ves·i·cot·o·my (ves′i-kot′ŏ-mē)．= cystotomy．

ve·sic·o·ur·e·ter·al re·flux 膀胱尿管逆流（膀胱から尿管への尿の逆流）．

ve·sic·o·ur·e·ter·al valve 膀胱尿管弁（膀胱壁内尿管の開口機構で，通常，尿の逆流を防ぐ）．

ve·sic·o·u·ter·ine fis·tu·la 膀胱子宮瘻（膀胱と子宮の間の瘻孔）．

ve·sic·u·la, gen. & pl. **ve·sic·u·lae** (vĕ-sik′yū-lă, -lē)．嚢（小嚢または嚢胞様の構造）．= vesicle(1)．

ve·sic·u·lar (vĕ-sik′yū-lăr)．***1*** 小胞の，小嚢の，小水疱の．***2*** 小胞性の，小嚢性の，小水疱性の．= vesiculate(2); vesiculous．

ve·sic·u·lar ap·pen·dage of ep·o·oph·o·ron 卵巣上体胞状垂（小さな液体で満たされた嚢胞で，細長い柄が卵管の糸状突起状の末端に付着している．胚的中腎管の残遺物の痕跡）．= morgagnian cyst．

ve·sic·u·lar mur·mur 肺胞音，気胞音．= vesicular respiration．

ve·sic·u·lar o·var·i·an fol·li·cle 胞状卵胞（卵母細胞が完全に発育した卵胞で，細胞外糖蛋白層(透明層)で被覆され，1 から数層の液相で卵胞細胞から分離される．卵胞膜は外卵胞膜および内卵胞膜に発育する）．= antral follicle; graafian follicle; secondary follicle．

ve·sic·u·lar res·o·nance 肺胞性共鳴音（正常な肺の上を打診することによって得られる音）．

ve·sic·u·lar res·pi·ra·tion 小胞性呼吸，肺

胞性呼吸（正常な肺の聴診により聞こえる呼吸音）. = vesicular murmur.

ve·sic·u·lar trans·port 小胞輸送. = transcytosis.

ve·sic·u·late (vĕ-sik′yū-lāt). *1*〘v.〙小胞を形成する. *2*〘adj.〙= vesicular(2).

ve·sic·u·la·tion (vĕ-sik′yū-lā′shŭn). *1* 小胞形成. = blistering; vesication. *2* = inflation. *3* 水疱発生（多くの小胞や水疱があること）.

ve·sic·u·lec·to·my (vĕ-sik′yū-lek′tŏ-mē). 精嚢摘出〔術〕, 精嚢切除〔術〕（両側精嚢の一部または全部の切除）.

ve·sic·u·li·form (vĕ-sik′yū-li-fōrm). 小胞状の, 小嚢状の, 小水疱状の.

ve·sic·u·li·tis (vĕ-sik′yū-lī′tis). 精嚢炎, 小胞炎（すべての小胞の炎症, 特に精嚢の炎症）.

vesiculo- 小胞, 水疱を表す連結形.

ve·sic·u·lo·cav·er·nous (vĕ-sik′yū-lō-kav′ĕr-nŭs). *1* 小胞空洞音〔性〕の（小胞性の性質と空洞性の性質をもつ聴診音についていう）. *2* ある種の腫瘍における構造.

ve·sic·u·log·ra·phy (vĕ-sik′yū-log′ră-fē). 精嚢造影(撮影)〔法〕（精嚢の X 線造影検査）.

ve·sic·u·lo·pap·u·lar (vĕ-sik′yū-lō-pap′yū-lăr). 〔小〕水疱丘疹性の（ⓘ小水疱と丘疹の両方を併せてさす場合, ⓘⓘ小水疱と丘疹の両方が混じって存在する状態をさす場合, ⓘⓘⓘ丘疹が浮腫性になり, 水様内容物を貯留して小水疱になりかけた状態をさす場合がある）.

ve·sic·u·lo·pros·ta·ti·tis (vĕ-sik′yū-lō-pros′tă-tī′tis). 膀胱前立腺炎（膀胱と前立腺の炎症）.

ve·sic·u·lo·pus·tu·lar (vĕ-sik′yū-lō-pŭs′chū-lăr). *1* = vesicopustular. *2*〔小〕水疱膿疱性の（小水疱と膿疱が混じった発疹についていう）.

ve·sic·u·lot·o·my (vĕ-sik′yū-lot′ŏ-mē). 精嚢切開〔術〕.

ve·sic·u·lo·tu·bu·lar (vĕ-sik′yū-lō-tū′byū-lăr). 肺胞気管〔性〕の（肺胞音と気管音の両方の性質をもつ聴診音についていう. *cf.* vesiculotympanic）.

ve·sic·u·lo·tym·pan·ic (vĕ-sik′yū-lō-tim-pan′ik). 肺胞鼓音〔性〕の（肺胞音と鼓音の両方の性質をもつ打診音についていう. *cf.* vesiculotubular）.

ve·sic·u·lo·tym·pa·nit·ic res·o·nance 肺胞鼓音状共鳴音（肺気腫の場合の打診により得られる特異的な, 一部鼓脹性, 一部小泡性の音）.

ve·sic·u·lous (vĕ-sik′yū-lŭs). = vesicular(2).

ves·sel (ves′ĕl). 〔脈〕管（流体, 特に液体を運ぶ管. →vas).

ves·tib·u·la (ves-tib′yū-lă). vestibulum の複数形.

ves·tib·u·lar (ves-tib′yū-lăr). *1* 前庭の（前庭, 特に耳の前庭に関する）. *2* 頭部の位置および動きについて内耳の受容器からの刺激で判断すること.

ves·tib·u·lar ca·nal = scala vestibuli.

ves·tib·u·lar crest, crest of ves·ti·bule 前庭稜（迷路前庭の内壁上の斜走する稜. 上後方にて球形嚢陥凹と境界する）.

ves·tib·u·lar fold 室ひだ（咽頭腔を仕切るように甲状軟骨角から披裂軟骨に張っている左右一対の室靱帯をおおう粘膜のひだで, 両者の間が喉頭前庭裂(偽声門)で喉頭前庭の上限をなしている）. = plica vestibularis; false vocal cord; ventricular band of larynx; ventricular fold.

ves·tib·u·lar gan·gli·on 前庭神経節（内耳道底で第八脳神経の前庭神経上に膨隆を形成している平衡覚を伝達する双極性神経細胞体の集り. 狭い峡部で結合されている上部と下部とからなる）.

ves·tib·u·lar hy·per·a·cu·sis 前庭アブミ骨筋（鼻の感覚異常で, 前庭での不快感から起こる. 例えばめまい, 不均衡, 吐き気. 変化した特別な前庭の標的細胞と関係があり, それによって, それらは圧力変化や音に対する受容力を持つ）.

ves·tib·u·lar mech·a·no·re·cep·tors 前庭機械受容器（半円形の管と耳石器官(胞嚢と小嚢)が器官の変換機となって, 特定の身体要因(例えば角加速度や直線加速度)に反応する）.

ves·tib·u·lar mem·brane 前庭階壁（蝸牛管と前庭階を分ける膜. 管に向いた微小絨毛のある扁平上皮細胞および基底膜と階に向いた薄い結合組織層からなる）. = Reissner membrane.

ves·tib·u·lar nerve 前庭神経（内耳神経[CN VIII]のうち前庭根より末梢の部分. 半規管膨大部・球形嚢斑・卵形嚢斑の有毛細胞に終わる神経や前庭神経節の双極細胞の突起からなる）.

ves·tib·u·lar nerve sec·tion 前庭神経節(その側から完全に前庭のインプットを除去するために, 内耳神経[CN III]の前庭部分を切断する手術).

ves·tib·u·lar neu·rec·to·my 前庭神経切断術（第八脳神経の前庭枝を切断する手術）.

ves·tib·u·lar neu·ron·i·tis 前庭ニューロン炎（強いめまいの突発する発作で, 難聴や耳鳴は伴わない. 若年成人, 中年成人を侵し, しばしば非特異的上気道感染に引き続いて起こる. 片側の迷路機能障害による）. = Gerlier disease.

ves·tib·u·lar nu·cle·i 前庭神経核（後脳外側の菱形窩底にある 4 つの主要な核からなる神経細胞群. すなわち下前庭核, 内側前庭核(Schwalbe 核), 外側前庭核(Deiters 核), 上前庭核(Bechterew 核)である. 下前庭核には大きな細胞からなる大細胞部または F 群が尾方にある. 中間の大きさの神経細胞が外側前庭核の外側部にあって貧細胞部または I 群といわれる. 前庭神経からの入力線維を受けており, 室頂核および小脳の片葉小節葉と相互に結合し, また, 内側縦束を経て, 外転神経核, 滑車神経核と動眼神経核, 脊髄の前角へ線維を出す. 前庭神経外側核は前庭脊髄路を介して, 脊髄の前角へ同側性に線維を出す）.

ves·tib·u·lar nys·tag·mus 前庭〔性〕眼振（回転・直線運動, 熱, 圧迫, あるいは電気などの迷路への生理的刺激によって起こる眼振. 迷路障害によっても起こる）. = labyrinthine nystagmus.

ves·tib·u·lar oc·u·lar re·flex = vestibuloocular reflex.

ves·tib·u·lar or·gan 前庭迷路（膜迷路のうち平衡感覚にかかわる部分で前庭神経が分布する（もう１つの聴覚にかかわる部分は蝸牛迷路）.骨半規管内部と骨迷路の前庭部にあり球形嚢，卵形嚢，半規管，連嚢管，外リンパ管からなる）.

ves·tib·u·lar pho·na·tion = ventricular phonation.

ves·tib·u·lar schwan·no·ma 前庭神経鞘腫（Schwann 細胞由来の，良性ではあるが生命に危険を及ぼす腫瘍で，通常，第八脳神経の前庭神経から発生する．早期には，聴力低下，耳鳴，前庭機能障害を引き起こす．後には，小脳，脳幹，他の脳神経症状が出現し頭蓋内圧亢進が起こる）.

ves·tib·u·lar veins 前庭静脈（球形嚢および卵形嚢からの血液を集める静脈．迷路静脈と前庭小管静脈両方の枝）.

ves·ti·bule (ves′ti-byūl)．前庭（①管の入口にある小腔または空隙．②特に後部は半規管と，前部は蝸牛と連結する骨迷路の中心にある多少楕円形をした空洞）. = vestibulum.

ves·ti·bule of nose 鼻前庭（鼻腔の前部で，軟骨で囲まれる）.

ves·ti·bule of va·gi·na 腟前庭（小陰唇の間の陰核亀頭の後ろの空間で，腟，尿道，および大前庭腺が開口する）.

vestibulo- 前庭を意味する連結形.

ves·tib·u·lo·co·chle·ar (ves-tib′yū-lō-kok′lē-ăr)．***1*** 前庭蝸牛の（前庭と蝸牛に関する）．***2*** 平衡聴覚の. = statoacoustic.

ves·tib·u·lo·coch·le·ar nerve [CN VIII] 内耳神経（第八脳神経[CN VIII]．膜迷路の受容器細胞を支配する複合知覚神経．解剖学的，機能的に明確な２部分，前庭神経，蝸牛神経から構成されており中枢のそれぞれ異なったところと連絡している）. = nervus vestibulocochlearis [CN VIII]; acoustic nerve; eighth cranial nerve [CN VIII].

ves·tib·u·lo·coch·le·ar nu·cle·i 内耳神経核（脳幹にあり前庭神経核と蝸牛神経核の両者を一緒にした名称．第八脳神経の入力線維を受けている）.

ves·tib·u·lo·oc·u·lar re·flex (VOR) 前庭眼反射（臨床検査での眼振のように，外眼筋運動系での前庭系支配に関する一般的な用語）. = vestibular ocular reflex.

ves·tib·u·lop·a·thy (ves-tib′yū-lŏp′ă-thē)．前庭障害（前庭器官のいかなる異常をも含む．Ménie`re 病など）.

ves·tib·u·lo·plas·ty (ves-tib′yū-lō-plas-tē)．口腔前庭形成〔術〕（顎の頬側，唇側，および舌側部に付着する筋を下げることにより歯槽隆線の修復を行う一連の外科的過程）.

ves·tib·u·lo·spi·nal re·flex 前庭脊髄反射（体位に対する前庭刺激の影響）.

ves·tib·u·lot·o·my (ves-tib′yū-lot′ŏ-mē)．前庭切開〔術〕（迷路の前庭を開く手術）.

ves·tib·u·lum, pl. **ves·tib·u·la** (ves-tib′yū-lŭm, -lă)．前庭. = vestibule.

ves·tige (ves′tij)．痕跡〔部〕（形跡．原基構造．胚子または胎児に実際に生じた構造の退化した名残り）.

ves·tig·i·al (ves-tij′ē-ăl)．痕跡の.

ves·tig·i·al or·gan 痕跡器官（下等動物では機能している構造あるいは器官に相当するヒトにおける不完全構造）.

vet·e·rin·ar·i·an (vet′ĕr-in-ar′ē-ăn)．獣医〔師〕（獣医学において学位をもっている人．獣医学に従事する免許を受けている人. →veterinary）.

vet·e·rin·ar·y (vet′ĕr-in-ar-ē)．獣医学の（動物の病気に関する）.

vet·e·rin·ar·y med·i·cine 獣医学（ヒト以外のあらゆる動物の健康と疾病状態に関する医学の分野）.

vet·e·rin·ar·y tech·ni·cian spec·ial·ist (VTS) 特別動物看護師（獣医技術の専門分野について，さらに進んだ学校教育を受け，資格認定を受けた動物看護師．特別動物看護師の英語名の頭文字 VTS の後に，〝emergency and critical care（救命救急）〟というように専門分野を丸かっこ内に入れて表記する）.

VHDL very high density lipoprotein の略. →lipoprotein.

vi·a·bil·i·ty (vī′ă-bil′i-tē)．成育可能，生活〔能〕力（子宮外で独立して成育しうる能力．生活する能力．通常は体重が 500 g および妊娠 20 週に達した胎児を表す．註日本では 22 週以降の胎児）.

vi·a·ble (vī′ă-bĕl)．生活可能な，成育可能な，生存可能な（子宮外で独立して生活できる胎児についていう）.

vi·bra·ting line 振動線（可動組織と不動組織の境界を示し，口蓋の後方部を横切る仮想線）.

vi·bra·tion (vī-brā′shŭn)．振とう法，バイブレーション（マッサージにおける動作の１群で，種々の構造の細かなまたは粗大な律動性振動を伴う．圧迫や牽引を伴うものと伴わないものがある）.

vi·bra·to·ry mas·sage 振動マッサージ（軟らかく軽くたたくことのできる機器を用いて，皮膚表面を敏速に軽くたたくこと）. = seismotherapy; sismotherapy; vibrotherapeutics.

Vib·ri·o (vib′rē-ō)．ビブリオ属（単一に存在することが多いが互いに結合して S 字状またはらせん状になることのある，短く(0.5—3.0 μm)曲がったまたは直線状の杆菌で，運動性（まれには非運動性），無芽胞性，好気性から通性嫌気性のラセン菌科細菌の一属．これらの微生物の中には，海水中，淡水中，および土壌中に存在する腐生菌もある．他は寄生体または病原菌．標準種は *Vibrio cholerae*）.

vib·ri·o (vib′rē-ō)．ビブリオ菌（*Vibrio* 属に含まれる菌）.

Vib·ri·o al·gi·no·lyt·i·cus 外創や外耳の感染および免疫不全や熱傷の患者の菌血症に関連した細菌種.

Vib·ri·o cho·ler·ae コレラ菌（可溶性外毒素を産生する細菌種で，ヒトのコレラの原因菌．*Vibrio* 属の標準種）. = comma bacillus.

Vib·ri·o fe·tus *Campylobacter fetus* の旧名.

Vib·ri·o flu·vi·al·is ヒトの下痢症に関連する

Aeromonas 属の菌株に類似の細菌種.

Vib·ri·o fur·nis·si·i 下痢症や胃腸炎の発現に関連した *Vibrio fluvialis* に類似のガス産生性の細菌.

Vib·ri·o mi·mi·cus *Vibrio cholerae* に類似のスクロース陰性の細菌株で，下痢症のヒトの糞便およびヒトの耳道感染から分離される.

Vib·ri·o pa·ra·hae·mo·ly·ti·cus 通常，汚染した魚貝類を食べることにより胃腸炎と血液性の下痢を引き起こす海産のビブリオ菌.

vib·ri·o·sis, pl. **vib·ri·o·ses** (vib′rē-ō′sis, -sēz). ビブリオ症（*Vibrio* 属の細菌によって起こる感染症).

vi·bri·o·stat·ic (vib′rē-ō-stat′ik). ビブリオ静止性の（O/129 がビブリオ菌種の成長を抑制する能力についていう．薬の影響を受けやすいビブリオ菌種と，近縁の耐性種とを識別するのに有用).

Vib·ri·o vul·nif·i·cus 免疫障害を有する患者に皮膚病変を起こす可能性のある菌種．通常，汚染したカキからの創傷感染が原因となる.

vi·bris·sa, gen. & pl. **vi·bris·sae** (vī-bris′ă, -ē). 鼻毛，はなげ（鼻孔または鼻前庭内に生える毛).

vi·bro·car·di·o·gram (vī′brō-kahr′dē-ō-gram). 振動心電図（心周期の血液動態によって生じる胸の振動の描画記録．これによって，等容性収縮と放出時間が間接的に外部から測定される).

vi·bro·ther·a·peu·tics (vī′brō-thār′ă-pū-tiks). 振動療法. = vibratory massage.

vi·car·i·ous (vī-kar′ē-ŭs). 代償〔性〕の（代理をする．正常な場所以外の部位に起こることについていう).

vi·car·i·ous hy·per·tro·phy 代償性肥大（ある器官の不全に続いて起こる他の器官の肥大で，両器官が機能的に関連していることにより生じる．例えば，甲状腺の破壊による下垂体の腫脹).

vi·car·i·ous men·stru·a·tion 代償〔性〕月経（正常月経の起こるべきときに，子宮粘膜以外の部位から起こる出血).

vi·cious cir·cle 悪循環（①2つの異なった疾患や徴候，または一次および二次疾患の相互増強作用．②胃腸吻合後，食物が逆ぜん動活動により腸係蹄を経て人工孔から幽門口を通り，再び胃にはいること，またはその逆).

vi·cious un·ion 不整癒合，変形癒合（骨折両端が変形または彎曲して癒合していること．しばしば癒合不全と混同される).

vid·e·o·end·o·scope (vid′ē-ō-end′ō-skōp). ビデオ内視鏡（ビデオカメラを組み込んだ内視鏡).

vid·e·o·en·dos·co·py (vid′ē-ō-en-dos′kŏ-pē). ビデオ内視鏡検査（ビデオカメラを組み込んだ器械による内視鏡検査).

Vi·er·ra sign ヴィエラ徴候（ブラジル天疱瘡における爪の黄色化と穿孔).

Vieth-Mül·ler cir·cle ヴィース-ミュラー円（両眼の視中心を通る幾何円で，同一円周上に存在し，固視点に隣接する．理論的には対応する網膜上に結ぶ).

view (vyū). 投影法（X 線撮影においては身体の部分の標準的撮影法).

vig·i·lam·bu·lism (vij-i-lam′byū-lizm). 覚醒遊行症（自分の周囲に関しては無意識で自動症を伴う状態を表す古語．夢遊症に似ているが覚醒時に現れる).

vil·li (vil′ī). villus の複数形.

vil·lo·ma (vil-ō′mă). 絨毛腫. = papilloma.

vil·lose (vil′ōs). = villous(2).

vil·lo·si·tis (vil′ō-sī′tis). 絨毛組織炎（胎盤の絨毛表面の炎症).

vil·los·i·ty (vi-los′i-tē). 絨毛性，絨毛の多い状態.

vil·lous (vil′ŭs). ***1*** 絨毛の. ***2*** 絨毛性の，絨毛状の（絨毛でおおわれた). = villose.

vil·lous ad·e·no·ma 絨毛腺腫（しばしば孤立性無茎性の大腸粘膜腫瘍としてみられ，形は大きいことが多い．しかし消化管のどの部位にも生じうる．細かい血管突出をおおうムチン上皮からなり，しばしば悪性変化をきたす). = papillary adenoma of large intestine.

vil·lous car·ci·no·ma 絨毛状癌（癌の一型で，その中に腫瘍性上皮組織からなる乳頭状の突起物が多数充満しているもの).

vil·lous chor·i·on 絨毛膜有毛部（絨毛膜の一部で，絨毛が残存し，胎児側胎盤を形成する). = bushy chorion; chorion frondosum.

vil·lous ten·o·syn·o·vi·tis 絨毛性腱滑膜炎（色素性絨毛結節性滑膜炎に似ているが，関節滑膜中よりも関節周囲の軟組織中に生じる．通常は手に発症する). = pigmented villonodular tenosynovitis.

vil·lus, pl. **vil·li** (vil′ŭs, -ī). ***1*** 絨毛（特に粘膜の表面からの突起．この突起が小さく細胞表面から出ている場合は微絨毛とよばれる). ***2*** 絨毛状突起（表皮内水疱または裂隙内に突出する延長した真皮乳頭. →festooning).

vil·lus·ec·to·my (vil′ŭs-ek′tŏ-mē). 滑膜絨毛切除〔術〕. = synovectomy.

vi·men·tin (vī-men′tin). ビメンチン（他のサブユニットと共重合して間葉系細胞の中間フィラメント細胞骨格を形成する主要なポリペプチド．ある種の細胞の内部構造を維持する役目をしている可能性がある).

Vin·cent an·gi·na ヴァンサンアンギナ（紡錘菌属やスピロヘータ属の微生物に起因する扁桃と咽頭の軟部組織を侵す潰瘍性感染．通常，壊死性潰瘍性菌肉炎を伴い，水癌に進行する可能性もある．窒息発作や敗血症で死亡することもある. →noma).

Vin·cent ba·cil·lus ヴァンサン杆菌. = *Fusobacterium nucleatum*.

Vin·cent dis·ease ヴァンサン病. = necrotizing ulcerative gingivitis.

Vin·cent in·fec·tion ヴァンサン感染. = necrotizing ulcerative gingivitis.

Vin·cent spi·ril·lum ヴァンサンスピリルム（Vincent 杆菌と関連して見出されるスピリルムあるいはスピロヘータ．しばしば *Fusobacterium nucleatum* が単離される唯一の杆菌である).

Vin·cent ton·sil·li·tis ヴァンサン扁桃炎（主に口蓋扁桃に限定されるアンギナ．Vincent 細菌（杆菌，らせん菌）によって起こる）．

vin·cu·la of ten·dons 腱のひも（手足の指の各屈筋腱から指節間関節包および指節にのびる線維状の帯．これらは小血管を腱に伝達する）．

vin·cu·lum, pl. vin·cu·la (ving′kyū-lŭm, -lă). ひも（小帯または靱帯）．

vin·e·gar (vin′ĕ-găr). 酢剤，す(酢)（ワイン，リンゴ酒，麦芽などからつくられる純粋でない希酢酸）．

vin·e·gar eel = *Turbatrix aceti*.

vi·nyl (vī′nil). ビニル（炭化水素基 CH_2= CH-）. = ethenyl.

vi·o·let (vī′ō-lĕt). 紫色（可視スペクトルの 450 nm より短い波長で生じる色）．

VIP vasoactive intestinal polypeptide の略．

VIP·o·ma (vi-pō′mă). ビポーマ（内分泌腫瘍で，通常は膵臓に起源し，血管作用性腸管性ポリペプチドを産生する．この物質は強度の心血管および電解質変化を起こし，血管拡張性，低血圧，水様性下痢，低カリウム血症，および脱水をきたすものと信じられている）．

Vi·pond sign ヴィポン徴候（各種の小児発疹の潜伏期に起こる全身性リンパ節腫大．感染にさらされたことがわかっている場合には早期診断に役立つ徴候となる）．

viraemia [Br.]. = viremia.

vi·ral (vī′răl). ウイルス〔性〕の（ウイルス性肺炎のように，ウイルスに関連する）．

vi·ral dys·en·ter·y ウイルス性赤痢（ウイルス感染により発現する激しい水性下痢）．

vi·ral en·ve·lope ウイルスエンベロープ（ある種のウイルスで，ヌクレオカプシドを取り巻く外側の構造）．

vi·ral he·mag·glu·ti·na·tion ウイルス〔赤〕血球凝集〔反応〕（他の点では関係のない広範囲なウイルスの中のいくつかによる，浮遊している赤血球の非免疫性凝集をいう．通常，ウイルス粒子自身によるが，ウイルス増殖時の産生物（例えばサブユニット）による凝集もあり，凝集する赤血球の種はウイルスの種類により異なる）．

vi·ral hep·a·ti·tis ウイルス性肝炎（①免疫学的に無関係な少なくとも 7 つのウイルス（A 型肝炎ウイルス，B 型肝炎ウイルス，C 型肝炎ウイルス，D 型肝炎ウイルス，E 型肝炎ウイルス，G 型肝炎ウイルス，TT ウイルス）のいずれか 1 つにより生じる肝炎．F 型肝炎ウイルスの存在は確認されていない．② EB ウイルス，サイトメガロウイルスなどのウイルス感染で生じる肝炎）．

vi·ral hep·a·ti·tis type A A 型ウイルス性肝炎（潜伏期の短い（通常は 15—50 日）ウイルス性肝炎．ピコルナウイルス科の A 型ウイルスによって起こる．しばしば便から口を経て伝播される．症状のないものから軽症，重症，ときには死亡に至るまで様々である．特発的な流行が起こり，学齢児や若い成人によく起こる．リンパ球，形質細胞の浸潤を伴って，門脈域の肝細胞の壊死が顕著で，黄疸は共通の症状である）. = hepatitis A.

vi·ral hep·a·ti·tis type B B 型ウイルス性肝炎（潜伏期の長い（通常は 50—160 日）ウイルス性肝炎．B 型肝炎ウイルスにより起こるが，このウイルスは，通常，感染血液または感染血液成分の注射によって，あるいは単に汚染された注射器，ランセット，その他の器具を使用することによって，あるいは性交渉によって伝播される．A 型肝炎（伝染性肝炎）よりも死亡率は高く，急性または慢性の肝疾患に進行する可能性も大きい）. = hepatitis B.

vi·ral hep·a·ti·tis type C C 型ウイルス性肝炎（非 A・非 B (NANB) 型輸血後肝炎の主な原因で，フラビウイルス科に分類される RNA ウイルスにより引き起こされる．潜伏期は 6—8 週で，75％の感染者は臨床症状を呈さず慢性持続性肝炎に移行する．これらの患者は高頻度で慢性肝疾患を発症し，肝硬変に進行し，肝細胞癌を生じる可能性がある）．

vi·ral hep·a·ti·tis type D D 型ウイルス性肝炎（不完全 RNA ウイルスであるデルタ型肝炎ウイルスによって生じる急性あるいは慢性肝炎．急性型には次の 2 種がある．ⅰB 型肝炎ウイルスとデルタ型肝炎ウイルスとの共感染により生じる急性肝炎．ⅱB 型肝炎ウイルスキャリアにデルタ型肝炎ウイルスが重感染して生じる肝炎）. = delta hepatitis.

vi·ral hep·a·ti·tis type E E 型ウイルス性肝炎（被殻を有さない一本鎖，プラス鎖の直径 27—34 nm の RNA ウイルスによって生じる肝炎で，ウイルスは他の肝炎とは無関係でカルシウイルス科に属する．主にアジア，アフリカ，南米で生じる経口感染，水系感染，流行性非 A・非 B 型肝炎の主な原因）．

vi·ral ker·a·to·con·junc·ti·vi·tis = epidemic keratoconjunctivitis.

vi·ral load ウイルス量（血漿中のウイルスの RNA 量のことで，逆転写 PCR による標的増幅法や分岐 DNA 法による信号増幅などの様々な方法によって測定する．検出感度は方法によって変わるので，異なった方法による検査の結果は一致しない）．

vi·ral spong·i·form en·ceph·a·lop·a·thy 〝ウイルス性〟海綿状脳症（樹状突起，軸策，神経細胞体の進行性空胞形成．徐々にウイルス感染することにより起こる）．

vi·ral tro·pism ウイルス親和性（特別な宿主組織に対するウイルスの特異性で，部分的にはウイルスの表面構造と宿主の細胞表層受容体との相互関係によって決定される）．

Vir·chow node フィルヒョー結節. = signal lymph node.

Vir·chow psam·mo·ma フィルヒョー砂腫，フィルヒョープサモーム. = psammomatous meningioma.

vi·re·mi·a (vī-rē′mē-ă). ウイルス血症（血流中にウイルスが存在すること）. = viraemia.

vir·gin (vĭr′jin). ***1*** 〖n.〗 処女（性交の経験がない人）. ***2*** 〖adj.〗 処女の，純潔の. = virginal(2).

vir·gin·al (vĭr′ji-năl). 処女の（① virgin（処女）に関する．②= virgin(2)）．

vir·gin·i·ty (vĭr-jin′i-tē). 処女性．

-viridae ウイルス科を表す接尾語.

vir·i·dans strep·to·coc·ci ヴィリダンス型連鎖球菌（特別な1つの種ではなく，むしろα型溶血連鎖球菌群全体に用いる名称．ヴィリダンス型連鎖球菌はヒトの口内，小腸，ウマの小腸，牛乳や牛糞，ミルク製品から分離される）. = *Streptococcus viridans*.

vir·ile (vir′il). ***1*** 男性の，雄性の. ***2*** 男性的な. ***3*** 男性体質の.

vir·i·les·cence (vir′i-les′ĕns). 男性化，雄性化（女性が男性の特徴を見かけ上もつことを表す語）.

vir·il·ism (vir′i-lizm). 男性化（女児，女性，または思春期前の男性が，成熟した男性の身体的特徴を生じること．出生時に存在するものと生後早い時期に現れるものがある．通常は生殖腺または副腎皮質の機能亢進，またはアンドロゲン治療により起こる）.

vi·ril·i·ty (vir-il′i-tē). 生殖能力，男盛り（男らしい状態）.

vir·il·i·za·tion (vir′i-lī-zā′shŭn). 男性化.

vir·il·iz·ing (vir′i-līz-ing). 男性化作用のある.

-virinae ウイルス亜科を表す接尾語.

vi·ri·on (vī′rē-on). ビリオン（構造的に完全で感染力のある完全ウイルス粒子）.

vi·rol·o·gist (vī-rol′ŏ-jist). ウイルス学者（ウイルス学の専門家）.

vi·rol·o·gy (vī-rol′ŏ-jē). ウイルス学（ウイルスとウイルス疾患の学問）.

vir·tu·al en·dos·co·py 仮想内視鏡像（コンピュータ連動断層撮影(CT)のデータを，内視鏡検査で得られるのと同じ情報が得られるように，三次元再構築したもの）.

vi·ru·ci·dal (vī′rŭ-sī′dăl). 殺ウイルス〔性〕の，ウイルス破壊性の.

vi·ru·cide (vī′rŭ-sīd). 抗ウイルス薬（ウイルス感染に対して活性をもつ薬）.

vir·u·lence (vir′yū-lĕns). ビルレンス，毒力，毒性（病原体の病気を起こす強さ．免疫検査により測定できるような感染を受けた者の総数に対する明らかな感染の成立をみた者の数の比として数量的に表される）.

vir·u·lent (vir′yū-lĕnt). 有毒の，毒性の，ビルレント（猛毒の．顕著な病原性をもつ微生物についていう）.

vir·u·lent bac·ter·i·o·phage ビルレント〔バクテリオ〕ファージ，溶菌性〔バクテリオ〕ファージ（感染した細菌を溶解するバクテリオファージ）.

vir·u·lif·er·ous (vir′yū-lif′ĕr-ŭs). ウイルス運搬性の.

vir·u·ri·a (vīr-yūr′ē-ă). 尿中にウイルスが存在すること.

vi·rus, pl. vi·rus·es (vī′rŭs, -ĕz). ***1*** 〚n.〛〔濾過性〕ウイルス（大部分の細菌を通さないような目の細かいフィルタを，ほとんど例外なく通過できて，通常，光学顕微鏡ではみることができず，独立した代謝を行わず，しかも生きた細胞を離れては成長や増殖のできない，一群の感染因子に対する用語．原核生物的な遺伝様式をもつが，細菌とは他のいくつかの点ではっきり異なっている．完全な粒子は通常DNAかRNAのどちらか一方を含み，両方は含まない．そして通常，核酸を保護する蛋白殻すなわちカプシドにおおわれている．大きさは15 nmから数百nmに及ぶ．ウイルスは，ウイルス粒子の特徴だけでなく，伝播の様式，宿主範囲，症状学，その他の要因によって分類されている）. = ultravirus. ***2*** 〚adj.〛ウイルス〔性〕の（ウイルスに関する，ウイルスによって生じる．例えばvirus diseaseのようにいう）.

-virus ウイルス属を表す接尾語.

vi·rus·oid (vī′rŭs-oyd). ウイルソイド，ビルソイド（ビロイドに類似しているが，より大型の環状あるいは線状のRNA区分とカプシドをもつ植物病原体）.

vi·rus shed·ding ウイルスの出芽（感染している宿主からいずれかの経路でウイルスが排出されること．感染や疾患の病態によって排出の経路と期間は異なっている）.

vi·rus-trans·formed cell ウイルス性トランスフォーム細胞（ウイルス感染によって遺伝的に癌細胞に変化した細胞で，この変化は代々娘細胞に伝えられる．RNA腫瘍ウイルスの感染の場合には，細胞は溶解されることなく高濃度にウイルスを産生し続ける．DNA腫瘍ウイルス感染細胞では(細胞の腫瘍化，その他の変化とともに)腫瘍関連抗原を発現させるが，ウイルス産生はまれ）.

vis·cer·a (vis′ĕr-ă). viscusの複数形. = vitals.

vis·cer·ad (vis′ĕr-ad). 内臓方向へ.

vis·cer·al (vis′ĕr-ăl). 内臓の. = splanchnic.

visceral anaesthesia [Br.]. = visceral anesthesia.

vis·cer·al an·es·the·si·a = splanchnic anesthesia; visceral anaesthesia.

vis·cer·al cleft 内臓裂，〔広義の〕鰓裂（胚における2つの鰓(内臓)弓間の裂）.

vis·cer·al fasc·i·a 内臓筋膜（結合組織線維性の薄い膜で，各種臓器や腺をいくつも包み込んだり分離したりしている膜．Terminologia Anatomicaではsuperficial fascia(浅筋膜)，deep fascia(深筋膜)は国際的に多義で使用が薦められないので，前者の代わりにはsubcutaneous tissue(皮下組織)を，後者の代わりにはmuscular fascia(筋の筋膜)およびvisceral fasciaの使用を薦めている）.

vis·cer·al·gi·a (vis′ĕr-al′jē-ă). 内臓痛，臓器痛.

vis·cer·al lay·er 臓側板（包または嚢の内層で包み込まれている構造の表面をおおっており，外層と向きあっている．薄く繊細で遊離してはみえず，内部構造物の最表層部のようにみえる）. = lamina visceralis.

vis·cer·al lay·er of se·rous per·i·car·di·um 心膜臓側板（直接心臓に接している，漿膜性心膜の内層）.

vis·cer·al leish·ma·ni·a·sis 内臓リーシュマニア症（病原体は*Leishmania donovani*で，*Phlebotomus*属または*Lutzomyia*属のサシチョウバエの刺咬により伝播される．この原虫はマクロファージの中で発育増殖し，最終的に細胞を破壊すると放出されたアマスティゴート型虫体は他のマクロファージに侵入する．骨髄中のマクロファージの増殖は，赤血球および骨髄球系細胞を押し出して白血球減少と貧血をもたらす．リンパ節腫大を伴う脾腫，肝腫が特徴である．発熱，疲労，倦怠，二次感染も起こす）．= kala azar.

vis·cer·al lymph nodes〔腹部〕内臓リンパ節（腹部骨盤部内臓からのリンパを集めるリンパ節群）．

vis·cer·al pain 内臓痛（胸腔または腹腔にある器官の損傷や病気が原因で起こる痛み）．

vis·cer·al sense 内臓〔感〕覚（内臓の存在を感知すること）．= splanchnesthesia; splanchnesthetic sensibility.

vis·cer·al swal·low 内臓性えん下（幼児や舌痛のある人にみられる未熟なえん下パターンで，腸にみられるぜん動波様の筋収縮に似ている．成人の成熟したえん下はより随意的で，したがって体性的である）．

viscero- 内臓を意味する連結形．→splanchno-.

vis·cer·o·cra·ni·um (vis′ĕr-ō-krā′nē-ŭm)．内臓頭蓋，顔面頭蓋（頭蓋のうち胎性咽頭弓に由来する部分をいう．顔面骨格の顔面骨を含む）．

vis·cer·o·gen·ic (vis′ĕr-ō-jen′ik)．内臓起源の（様々な感覚およびその他の反射についていう）．

vis·cer·o·in·hib·i·tor·y (vis′ĕr-ō-in-hib′i-tōr-ē)．内臓運動抑制の（内臓の機能的活動力を制限あるいは停止することについていう）．

vis·cer·o·meg·a·ly (vis′ĕr-ō-meg′ă-lē)．内臓巨大症（臓器の異常肥大で，巨人症や他の疾患によくみられる）．= organomegaly; splanchnomegaly.

vis·cer·o·mo·tor (vis′ĕr-ō-mō′tŏr)．***1*** 内臓運動〔神経〕の（内臓，特に腸を神経支配する自律神経についていう）．***2*** 内臓運動の（内臓と関係がある運動についていう．また内臓疾患の場合，腹壁の反射筋収縮をさす）．

vis·cer·o·pleu·ral (vis′ĕr-ō-plūr′ăl)．内臓胸膜の（胸膜と胸部内臓に関する）．= pleurovisceral.

vis·cer·op·to·sis, vis·cer·op·to·si·a (vis′ĕr-op-tō′sis, -tō′sē-ă)．内臓下垂〔症〕（内臓が正常位置より下にあること）．= splanchnoptosis; splanchnoptosia.

vis·cer·o·sen·sor·y (vis′ĕr-ō-sen′sŏr-ē)．内臓感覚の（内部器官の感覚神経支配に関する）．

vis·cer·o·skel·e·tal (vis′ĕr-ō-skel′ĕ-tăl)．内臓骨格の．= splanchnoskeletal.

vis·cer·o·skel·e·ton (vis′ĕr-ō-skel′ĕ-tŏn)．内臓骨格（①ある器官における骨形成．気管，気管支の軟骨輪も含める解剖学者もいる．②肋骨，胸骨，骨盤，頭骨前部など内臓を保護している骨格．= splanchnoskeleton）．

vis·cer·o·so·mat·ic (vis′ĕr-ō-sō-mat′ik)．内臓身体の．

vis·cer·o·troph·ic (vis′ĕr-ō-trō′fik)．内臓栄養の（内臓の状態により左右される栄養上の変化に関する）．

vis·cer·o·trop·ic (vis′ĕr-ō-trō′pik)．内臓向性の（内臓に作用することについていう）．

vis·cid (vis′id)．粘着性の，粘質の．

vis·cid·i·ty (vi-sid′i-tē)．粘着性，粘質性．

visc·o·can·nu·los·to·my (visk′ō-kan′yū-los′tō-mē)．ビスコカナロストミー（緑内障の治療法で，房水の流水経路を開けるために粘弾物質が使用される）．

vis·cos·i·ty (vis-kos′i-tē)．粘〔稠〕度，粘性，粘性率（一般に，分子凝集力の結果として，物質が流動や形態変化に抵抗すること．ずれ力に起因する液体の流動抵抗として液体に最もしばしば用いる）．

vis·cous (vis′kŭs)．粘着性の，粘っこい（高い粘性を特徴とすることについていう）．

vis·cus, pl. vis·cer·a (vis′kŭs, vis′ĕr-ă)．内臓（消化器，呼吸器，泌尿生殖器，内分泌系，および脾臓，心臓，大血管．内臓学において，研究される有腔性・多層壁性の器官）．

vis·i·ble spec·trum 可視スペクトル（電磁照射の可視部分で，極端赤色 7606 Å(760.6 nm)から極端紫色 3934 Å(393.4 nm)まで）．

vi·sion (vizh′ŭn)．視覚，視力（見る行為．→sight）．

vis·u·al (vizh′ū-ăl)．***1*** 視覚の，視力の．***2*** 視覚型の（聴覚よりも視覚によってより能率よく学び記憶する人についていう）．

vis·u·al a·cu·i·ty 視力（種々の大きさの文字やイメージを認知することで，通常は Snellen 視標を用いて測定する）．

vis·u·al ag·no·si·a 視覚失認（視覚情報から物体の認識ができなくなった状態．通常は両側の頭頂後頭葉病変によって生じる）．

vis·u·al a·lex·i·a →alexia.

vis·u·al an·a·logue scale (VAS) 評点尺度法（図表による尺度で，患者の痛みやうつ，あるいは測定不可能な状態や条件を数量化するのに役立つ）．

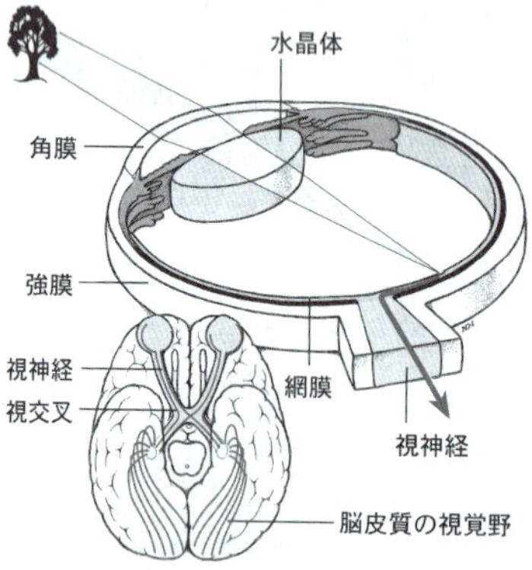
水晶体
角膜
強膜
視神経
視交叉
網膜
視神経
脳皮質の視覚野

vision
光線は角膜を透過し水晶体により網膜上に焦点を結ぶ．この情報は網膜内の細胞，次いで視神経を介して脳皮質の視覚野に伝えられる．

vis·u·al an·gle 視角（見る物体の周辺部から引かれた線が網膜で出合うときできる角）.

vis·u·al a·pha·si·a 視覚性失語〔症〕（①= alexia. ②誤って anomia（名称失語症）の同義語として用いられる）.

vis·u·al ar·e·a 視覚野. = visual cortex.

vis·u·al au·ra 視覚前兆（閃光や閃輝暗点など，形になっているものも形になっていないものもある視覚の錯覚や幻覚を特徴とするてんかんの前兆. →aura(1)）.

vis·u·al ax·is 視線（見ている対象から，瞳孔の中心を通って網膜の黄斑へのびる直線）.

vis·u·al clo·sure 視覚性閉合（閉鎖）（不完全な視覚的提示から形態や対象を同定すること）.

vis·u·al con·fron·ta·tion = confrontation test.

vis·u·al cor·tex 視覚皮質（後頭葉の全表面を占有している大脳皮質の部分で，Brodmann 第 17—第 19 野にあたる. 第 17 野（Gennari 線条のために有線皮質 striate cortex ともよばれる）は，一次視覚皮質で，視床の外側膝状体から視放線を受けている. この周囲の第 18 野（有線傍皮質または有線傍野）および第 19 野（有線周皮質または有線周野）は，その後の視覚情報処理の段階に関与すると思われ，ともに二次視覚皮質ともいわれる）. = visual area.

vis·u·al dis·crim·i·na·tion 視覚識別（対象を認識，同一性，複製および分類するためにその特異的形態を検出する能力を必要とする視覚的能力の一般的用語）.

vis·u·al e·voked po·ten·tial 視覚誘発電位（1/4 秒間隔での閃光によって網膜を刺激して，頭皮の後頭部から記録される電位変化で，通常，コンピュータで加算平均される）.

vis·u·al field（F） 視野（眼を動かすことなしに一眼で同時に見える領域. 通例，眼から 330 mm 離れた位置の弧（球状視野計）によって測定する）.

vis·u·al fix·a·tion 視覚性固視（静止している物質を注視し続けられる視覚能力）.

vis·u·al in·at·ten·tion 視覚不注意（同様の刺激が視野の対称部位にも同時に加えられ，それが認知されたときに，視野にある刺激を認知できない）.

vis·u·al in·spec·tion with a·cet·ic ac·id 酢酸を用いた視診. = acetowhitening.

vis·u·al-kin·et·ic dis·soc·i·a·tion 視覚運動解離（個人の内的体験から共感覚を取り除く神経言語学的プログラムの過程. →neurolinguistic programming）.

vis·u·al mem·or·y 視覚記憶（刺激がなくなっても残っている視覚の記憶）.

vis·u·al-mo·tor con·trol 視覚運動コントロール（視覚情報を利用して，スムーズで共働性および細密な動きができること）. = eye-hand coordination; visual motor coordination.

vis·u·al mo·tor co·or·di·na·tion = visual-motor control.

vis·u·al ne·glect 視覚無視，視覚否認（身体の関連する側の空間に起こる視覚刺激に対して不注意であること）.

vis·u·al or·i·en·ta·tion 視覚的見当識（対象物の環境における位置および対象物の相互関係，対象物とそれを見る人の関係を認識すること）.

vis·u·al pig·ments 視覚色素（視覚過程を起こす網膜の錐体と杆体の光学色素）.

vis·u·al pur·ple = rhodopsin.

vis·u·al re·cep·tor cells 視〔覚〕受容〔器〕細胞（網膜の杆状体・錐状体細胞）.

vis·u·al ver·ti·go 視性めまい（視性刺激に誘発される）.

vis·u·al vi·o·let 視紫. = iodopsin.

vis·u·og·no·sis (vizh′ū-og-nō′sis). 視像判断，視覚認識（視覚映像を認識し理解すること）.

vis·u·o·mo·tor (vizh′ū-ō-mō′tŏr). 視覚運動の（視覚情報を物理的運動と同調させる能力についていう. 例えば，自動車の運転）.

vis·u·o·sen·sor·y (vizh′ū-ō-sen′sŏr-ē). 視覚〔感覚〕の（視覚刺激の認識についていう）.

vis·u·o·spa·tial (viz′ū-ō-spā′shăl). 視覚空間の（仕事を覚え行ううえで，視覚表示と空間関係を理解し概念化する能力についていう）.

vit·al (vī′tăl). 生体の，生命の，生活の.

vit·al ca·pac·i·ty（VC） 肺活量（最大吸気後に肺から排出される最大空気量）. = respiratory capacity.

vit·al in·dex 出産死亡率（ある集団の一定期間内における出産と死亡の比）.

vit·al·i·ty (vī-tal′i-tē). 生命力，活力.

vit·al·i·ty test 歯髄生死試験（歯髄の健康状態を知るために用いる温熱的・電気的試験法）. = pulp test.

vit·a·lom·e·ter (vī′tă-lom′ĕ-tĕr). 電気歯髄診断器（電気を用いて歯髄の生死を判定する装置）.

vit·al pulp 生活歯髄（正常または病的状態の生活組織からなる歯髄で，電気刺激および冷熱に反応する）.

vit·al red［CI 23570］. バイタルレッド（スルホン酸化ジアゾ色素の三ナトリウム塩. 生体染色に用いる）.

vit·als (vī′tălz). = viscera.

vit·al signs 生命徴候（体温，脈拍，呼吸数，血圧の測定. 全身状態と呼吸循環系の指標）.

vit·al stain 生体染色〔法〕（生きている細胞や細胞の部分に用いる染色）.

vit·al sta·tis·tics 人口動態統計（出生，結婚，離婚，別居，死亡に関する公的な登録数を基にして系統的に作表された情報. そのようなデータに関する統計の分野）.

vi·ta·mer (vī′tă-mĕr). ビタマー（体内でビタミンの固有機能を果たしうる 2 個以上の類似化合物. 例えば，ナイアシンやナイアシンアミド）.

vit·a·min (vīt′ă-min). ビタミン（天然食品中に微量存在する一群の有機物質. 正常な物質代謝に必須であり，食物中にこれが欠乏すると欠乏症が起こることがある）.

vit·a·min A ビタミン A（①プロビタミン A カロチノイドを除く β-イオノン誘導体. 定性的にレチノールの生物学的作用を有する. 欠乏によりロドプシン産生と再合成が阻害され，そのため夜盲を起こす．また，上皮細胞の角化を生じさせ，臨床的には眼球乾燥症，角化，感染感受性増加，成長遅延を起こす．②最初のビタミンAと呼ばれた物質は現在レチノールとして知られている）．

vit·a·min A_1 ac·id ビタミンA_1酸. = retinoic acid.

vit·a·min A_2 ビタミンA_2（脂肪を溶解できるビタミンで，主に淡水魚の肝臓に含まれ，ビタミンAの約40%の生物活動を行う．→leukoplakia）．

vit·a·min B ビタミンB（最初は1つのビタミンと考えられていた一群の水溶性物質）．

vit·a·min B_1 ビタミンB_1. = thiamin.

vit·a·min B_2 ビタミンB_2. = riboflavin.

vit·a·min B_6 ビタミンB_6（ピリドキシンと関連化合物(ピリドキサール，ピリドキサミン)）．

vit·a·min B_{12} ビタミンB_{12}（シアノコブ(III)アラミンの生物学的活性を示す化合物の一般名．生理活性ビタミンB_{12}補酵素はメチルコバラミンとデオキシアデノシンコバラミン．ビタミンB_{12}の欠乏は巨赤芽球性貧血を起こし，しばしば，ある種のメチルマロン酸尿症でみられる．→pernicious anemia）．

vit·a·min B_{12} neu·rop·a·thy ビタミンB_{12}ニューロパシー(神経障害). = subacute combined degeneration of the spinal cord.

vit·a·min B com·plex ビタミンB複合体（ビタミンB，通常B_1(チアミン)，B_2(リボフラミン)，B_3(ニコチンアミド)とB_6(ピリドキシン)の混合物を含む製剤をさして用いる薬学上の語）．

vit·a·min C ビタミンC. = ascorbic acid.

vit·a·min D ビタミンD（エルゴカルシフェロールあるいはコレカルシフェロールの生物学的作用を示すすべてのステロイドの一般名．カルシウムとリンの適正利用を促進し，骨・歯形成とともに幼児の成長を助ける）．

vit·a·min D_2 ビタミンD_2. = ergocalciferol.

vit·a·min D_3 ビタミンD_3. = cholecalciferol.

vit·a·min D-bind·ing pro·tein ビタミンD結合蛋白（ビタミンDが結合した血漿蛋白質）．

vit·a·min D milk ビタミンD乳（1クォート当たり400USP単位のビタミンDを含有するように，ビタミンDを添加した牛乳）．

vit·a·min D-re·sis·tant rick·ets ビタミンD抵抗性くる病（低リン血症性の骨軟化症が特徴的な障害群．遺伝性の腎尿細管障害やビタミンDの代謝異常が起こる患者もいる）．

vit·a·min E ビタミンE（α-トコフェロールの生物学的活性を有するトコールとトコトリエノールの誘導体の一般名．各種の油(麦芽，綿実，ヤシ，米)および穀類全粒の中に含まれ，不けん化成分．動物組織(肝臓，膵臓，心臓)やレタスにも含有する．欠乏により雌ラットの胎子の吸収あるいは流産，雄ラットの生殖不能を起こす）．

vit·a·min K ビタミンK（フィロキノンの生物学的活性を有する化合物の一般名．ムラサキウマゴヤシ，ブタ肝臓，魚粉，植物油にみられる脂溶性で熱安定性のある化合物．プロトロンビンの正常量形成に必須である）．

vit·a·min K_1, vit·a·min K_1(20) ビタミンK_1，ビタミンK_1(20). = phylloquinone.

vit·a·min K_2, vit·a·min K_2(30) ビタミンK_2，ビタミンK_2(30). = menaquinone-6.

vi·tel·li·form ret·i·nal dys·tro·phy 卵黄様網膜変性. = Best disease.

vi·tel·line (vī-tel′ēn). 卵黄の．

vi·tel·line pole 卵黄極（卵の植物極）．

vi·tel·lo·in·tes·ti·nal cyst 卵黄嚢性嚢胞(嚢腫)（乳児の臍管に生じる小さな赤色の無柄定着または有柄の腫瘍．卵黄管の一部片の遺存により起こる）．

vi·tel·lus (vī-tel′ŭs). 卵黄. = yolk(1).

vit·i·a·tion (vish′ē-ā′shŭn). 無効化（有用性を損なう，または効果を減じること）．

vit·i·lig·i·nes (vit′i-lij′i-nēz). vitiligoの複数形．

vit·i·lig·i·nous (vit′i-lij′i-nŭs). 白斑の．

vit·i·lig·i·nous chor·oid·i·tis = bird shot retinochoroiditis.

vit·i·li·go, pl. **vit·i·lig·i·nes** (vit′i-lī′gō, -lij′i-nēz). 白斑（正常皮膚が色素を失って白色斑となった状態をいい，大きさは様々である．疾患部の毛髪は通常，白色である．表皮内メラノサイトは自己免疫機序によって脱色素斑部では完全に失われている）．

vi·trec·to·my (vi-trek′tŏ-mē). 硝子体切除〔術〕（吸引や切断による硝子体の除去と生食水や他の溶液の置換が同時に行える装置を用いた硝子体の除去法）．

vit·re·i·tis (vit′rē-ī′tis). 硝子体炎（硝子体の炎症）. = hyalitis.

vitreo- 硝子体を意味する連結形．

vit·re·o·den·tin (vit′rē-ō-den′tin). 硝子状ぞうげ質（特にぜい弱な性質をもつぞうげ質）．

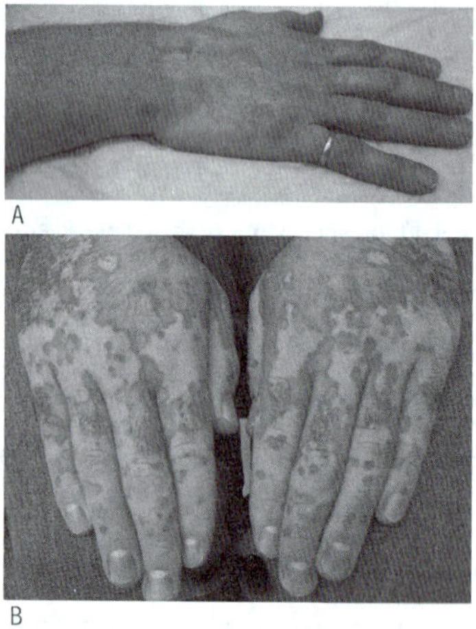
A
B
vitiligo

vit·re·o·ret·i·nal (vit′rē-ō-ret′i-năl). 硝子体網膜の（網膜と硝子体に関する）.

vit·re·o·tap·e·to·ret·i·nal dys·tro·phy 硝子体壁板網膜ジストロフィ（網膜の色素性変性，脈絡膜萎縮，硝子体変性，夜盲を伴う常染色体劣性遺伝の両眼性の周辺部や中心部の網膜分離症）. = Favre dystrophy.

vit·re·ous (vit′rē-ŭs). ***1***〖adj.〗ガラス状の，ガラス様の. ***2***〖n.〗硝子体. = vitreous body.

vit·re·ous bod·y 硝子体（水晶体の後ろの眼球内部を満たしている透明なゼリー状物質．その網目の中に水様の液体(硝子体液)を含む繊細な線維網工(硝子体支質)からなる）. = corpus vitreum; hyaloid body; vitreous(2); vitreum.

vit·re·ous de·tach·ment 硝子体剥離（末梢部硝子体と網膜との間の剥離）.

vit·re·ous her·ni·a 硝子体ヘルニア（硝子体の前房への脱出．水晶体腔から水晶体を除去あるいは置換したときに起こることがある）.

vit·re·ous hu·mor 硝子体液（硝子体の液体成分．しばしば誤って硝子体 vitreus body と硝子体液を同じものとみなしてしまう）.

vit·re·ous la·mel·la = lamina basalis choroideae.

vit·re·ous mem·brane ***1*** = posterior limiting layer of cornea. ***2*** 硝子体膜（硝子体の皮質にある細かい膠質線維の圧縮されたもの．以前は硝子体の周辺で被膜を形成するとされていた）. ***3*** = lamina basalis choroideae.

vit·re·um (vit′rē-ŭm). 硝子体. = vitreous body.

vit·ri·fi·ca·tion (vit′ri-fi-kā′shŭn). 透化（歯科用のポーセレン(フリット)を熱と融解により，ガラス状にすること）.

vit·ro·nec·tin (vit′rō-nek′tin). ビトロネクチン（組織損傷部位における炎症性ならびに修復反応に関与する血漿糖蛋白）.

Vit·ta·for·ma (vit′ă-fōr′mă). ビタフォルマ属（微胞子虫類の一属で，ヒトに感染して免疫応答性がある場合は角膜炎を，免疫無防備状態では播種性の感染を引き起こす．以前は *Nosema* 属に入れられていた）.

vi·vax ma·lar·i·a 三日熱〔マラリア〕（典型的には48時間ごと，すなわち隔日(発作日を第1日目と数えれば3日目ごと)に発作が起こるマラリアによる発熱．発熱は赤血球からのメロゾイトの放出およびその新しい赤血球への侵入により引き起こされる）. = benign tertian fever.

vivi- 生きていることを意味する連結形.

viv·i·fi·ca·tion (viv′i-fi-kā′shŭn). = revivification(2).

vi·vip·a·rous (vī-vip′ă-rŭs). 胎生の（卵生と区別して，生存している仔を産むことについていう）.

viv·i·sec·tion (viv′i-sek′shŭn). 生体解剖，生体実験（生きている動物を動物実験のために切開する手術．さらに広い意味で，しばしば動物実験のあらゆるものをさす）.

viv·i·sec·tion·ist, viv·i·sec·tor (viv′i-sek′shŭn-ist, -sek′tŏr). 生体解剖施行者.

viz. すなわち. →editing.

VLBW very low birth weight の略.

VLCD very-low-calorie diets の略.

VLDL very low-density lipoprotein の略. →lipoprotein.

VLPP Valsalva leak point pressure の略.

VMA vanillylmandelic acid の略.

VO vocal order(口頭指示)の略.

$\mathring{V}O_{2max}$ = maximal oxygen consumption.

$\mathring{V}O_2$ 酸素消費量 oxygen consumption を示す記号.

vo·cal (vō′kăl). 声の，音声の（声あるいは発声器官についていう）.

vo·cal fold 声帯ひだ（甲状軟骨板間の角から披裂軟骨の声帯突起まで，咽頭の片方の壁に添ってのびる粘膜のひだの鋭い辺縁．声帯ひだは発声に関する器官）. = plica vocalis; true vocal cord.

vo·cal frem·i·tus 声音振とう音（話し声によって胸壁に生じる振とう音）.

vo·cal fry ボーカルフライ（不自然に低音を発声することにより，低音がポンとかカチカチと聞こえること）. = glottalization.

vo·ca·lis mus·cle 声帯筋（喉頭の固有筋で，甲状披裂筋の最内側細線維多数が声帯靱帯外面に直接付着したもの．起始：2枚の甲状軟骨板間にある陥凹部．停止：披裂軟骨の声帯突起と声帯靱帯．作用：声帯を短くしたり弛緩させたりする．神経支配：反回神経）. = musculus vocalis; vocal muscle.

vo·cal lig·a·ment 声帯靱帯（両側で甲状軟骨から披裂軟骨の声帯突起へのびる帯．喉頭の弾性円錐の肥厚した自由上縁）. = ligamentum vocale.

vo·cal mus·cle 声帯筋. = vocalis muscle.

vo·cal nod·ules 声帯結節（声帯ひだにできる限局性・両側性の，小さなビーズ状腫脹．声を使いすぎるとできる）. = singer's nodules; speaker's nodules.

vo·cal pro·cess of ar·y·te·noid car·ti·lage 披裂軟骨の声帯突起（披裂軟骨前端の下端で声帯が付着している）.

vo·cal res·o·nance (VR) 声帯共鳴音（胸の聴診により聞かれる音声）.

vo·cal spec·trum 音声範囲（音声の周波数と音量の範囲）.

vo·cal tract 声道（(咽頭，口腔，鼻腔，副鼻腔を含んだ)声帯上方の気道で，声質に関与する）.

vo·ca·tion·al re·ha·bil·i·ta·tion 職業リハビリテーション（1973年の米国リハビリテーション条例の下，州職業リハビリテーション局により管理されているプログラム．障害を持つ人の仕事を確保，再確保，または維持する手助けをすることが目的）.

Vo·gel law フォーゲル(ボーゲル)の法則（ある表現型がメンデル遺伝の種々の様式で伝達された場合，優性は最も無害な表現型で，劣性は最も有害で，X連鎖はその中間の表現型である）.

$\mathring{V}O_2$ HR (ox·y·gen pulse) oxygen pulse の略.

voice (voys). 音声，声（喉頭と上気道を通って出ていく空気によって起こる声帯の振動によってつくられる音．このとき声帯粘膜は接近する）.

voice fa·tigue syn·drome 音声疲労症候群（晩夕になるにつれ声が弱くなったり出なくなっ

V

たりするもの．長時間声を使ったり大きな声を出すなど，声を乱用することにより起こる）．

voice pros·the·sis ボイスプロテーゼ（声の音源を生成するために使われるあらゆる装置．たいてい，喉頭摘出術や気管切開術を受けた患者が使用する）．

voice rec·og·ni·tion = speech recognition.

void (voyd)．排尿する，排泄する（排泄物を出す）．

voi·ding cys·to·gram 排尿時膀胱尿道造影図．= cystourethrogram.

voi·ding cys·to·u·reth·ro·gram (VCUG) 排泄性膀胱尿道造影像（排尿中に膀胱と尿道を造影剤で満たし尿道を描出するX線像）．= micturating cystourethrogram.

vo·la (vō´lă)．手掌，足底（手のひらまたは足の裏）．

vo·lar (vō´lăr)．手掌の，掌側の，足底の，底側の．

vo·lar in·ter·os·se·ous ar·ter·y 掌側骨間動脈．= anterior interosseous artery.

vo·lar plate 掌側板（丈夫な靭帯の帯域で，II-V指の近接した指節間関節の手掌側面にかけて位置しており，過伸展に抵抗が働く．怪我や病気による掌側板の破裂で，過伸展が反復され，スワンネック変形を生じることもある）．

vol·a·tile (vol´ă-til)．***1*** 揮発性の（速やかに蒸発する傾向のある）．***2*** 激しやすい，爆発しそうな，変わりやすい．

vol·a·tile oil 揮発油（油状の粘性と感触をもつ物質．植物由来でその植物の香りや味の源である物質(精油)を含む．脂肪油とは対照的に，揮発油は空気にさらされると蒸発し，蒸留できる）．= ethereal oil.

vol·a·til·i·za·tion (vol´ă-til-ī-zā´shŭn)．揮発．= evaporation.

vo·li·tion (vō-lish´ŭn)．意欲，意志（何かの行為を実行するか，またはその実行を止めようとする意識的な衝動．自発的な行為のこと）．

vo·li·tion·al (vō-lish´ŭn-ăl)．意志〔的〕の，随意の．

vo·li·tion·al trem·or 随意振せん（①強い意思の力で抑制できる振せん．②= intention tremor）．

Volk·mann chei·li·tis フォルクマン口唇炎．= cheilitis glandularis.

Volk·mann con·trac·ture フォルクマン拘縮（コンパートメント症候群で起こる不可逆的な筋組織壊死に帰因する虚血性の拘縮で，典型的には前腕屈筋を含む）．

Volk·mann spoon フォルクマン匙（腐食した骨または他の病気の組織を掻爬する鋭匙）．

vol·ley (vol´ē)．斉射（神経線維あるいは筋線維に人工的刺激を与えると同時に誘発される一群の同時性インパルス）．

volt (v, V) ボルト（起電力の単位．1ボルトの起電力は，抵抗が1オームの回路に1アンペアの電流を流す．ジュール/クーロンに等しい）．

vol·tage (vōl´tăj)．電圧量，ボルト数（起電力．ボルトで表される電圧あるいは電位）．

volt·am·pere (vōlt´am´pēr)．ボルトアンペア（電力の単位．1ボルトと1アンペアの積．1ワット，1/1000キロワットに等しい）．

volt·me·ter (vōlt´mē-tĕr)．電圧計（起電力あるいは電位差を測定する装置）．

Vol·to·li·ni dis·ease ヴォルトリーニ病（迷路の感染性疾患．幼児の場合には髄膜炎になる）．

vol·ume (V, *V*) 体積，容積，容量（物質が占有する空間．通常，立方ミリメートル，立方センチメートル，リットルなどで表す．→capacity; water）．

vol·ume as·sured pres·sure sup·port (VAPS) 1回換気量保証プレッシャー・サポート（人工呼吸器の型）．

vol·ume at ATPS ATP体積（環境(A)温度(T)(室温)，大気圧(P)における，水蒸気飽和(S)ガスの体積）．

vol·ume at BTPS BTPS体積（37°C(身体(B)の温度(T))，環境大気圧(P)における，水蒸気飽和(S)ガスの体積）．

vol·ume at STPD STPD体積（0°Cの標準(S)温度(T)，760 mmHgの大気圧(P)，および乾燥(D)状態におけるガスの体積）．

vol·ume coil ボリュームコイル（多くの患者からのシグナルを送ったり受けたりする装置）．

vol·ume-con·trolled ven·ti·la·tion 従量式換気法（機械換気(呼吸)の1つの方法で，人工呼吸器はあらかじめ設定された容量の波形を送る．その結果として生まれる気道圧の波形は，気流の波形の型，および呼吸器系の抵抗およびコンプライアンスに依存する）．

vol·ume in·dex 容積指数，体積指数（赤血球の相対的な大きさ(すなわち体積)を表すもので，次のごとく求められる．正常値に対する百分率で表したヘマトクリット値÷正常値に対する百分率で表した赤血球数=容積指数）．

vol·u·met·ric (vol´yū-met´rik)．容積測定の．

vol·u·met·ric a·nal·y·sis 容量分析（秤量された標準試薬の溶液を，分析される物質の既知容積の溶液へ，反応がちょうど終了するまで漸次添加して行う定量分析．試液と未知検体間の反応の化学量論的性質に依存する）．

vol·u·met·ric so·lu·tion (VS) 容量液，滴定液（測って確定した溶質を混ぜることによってつくった液）．

vol·ume ven·til·a·tor 容量型人工呼吸器（あらかじめ設定された容量の吸入気を肺に送り込む装置）．

vol·un·tar·y (vol´ŭn-tar-ē)．随意の，任意の，自発的の（強制的にではなく意志に従ってかかわる，あるいは働くことについていう）．

vol·un·tar·y mus·cle 随意筋（意志によって調節できる筋．心筋を除くすべての横紋筋は随意筋である）．

vo·lute (vō-lūt´)．回転した，巻いた．

vol·vu·lus (vol´vyū-lŭs)．軸捻，腸捻転（腸がねじれて，閉塞を起こすこと．放置しておくと，ねじれた腸が血行障害を起こす可能性がある）．

vo·mer, gen. vo·mer·is (vō´mĕr, -mĕr-is)．鋤骨（梯形の扁平骨で，鼻中隔の下部と後部を形成する．蝶形骨，篩骨，両上顎骨，両口蓋骨と関節する）.

vo·mer·ine (vō′mĕr-ēn). 鋤骨の.

vo·mer·o·na·sal car·ti·lage, vo·mer·ine car·ti·lage 鋤鼻軟骨（軟骨性鼻中隔と鋤骨との間で下方にある幅の狭い軟骨）. = cartilago vomeronasalis.

vom·it (vom′it). ***1***〖v.〗吐く（胃から口を通して物を出す）. ***2***〖n.〗吐物，嘔吐物（胃から吐き出された物）. = vomitus.

vom·i·ting (vom′it-ing). 嘔吐（胃から食道と口を通して逆行性に物を吐き出すこと）. = emesis (1); regurgitation (2).

vom·i·ting a·gent 嘔吐剤（催涙剤で，かつ眼や上気道を刺激し嘔吐を誘発する. →Adamsite）.

vom·i·ting of preg·nan·cy 妊娠嘔吐，つわり（妊娠初期に起こる嘔吐）.

vom·i·ting re·flex 嘔吐反射（多くの刺激，特に口峡部分への刺激によって生じる嘔吐（胃の噴門括約筋と喉頭筋の弛緩を伴う腹筋収縮））. = pharyngeal reflex (2).

vom·i·tu·ri·tion (vom′i-tyūr-ish′ŭn). 悪心，吐き気，空嘔，頻回嘔吐. = retching.

vom·i·tus (vom′i-tŭs). 吐物. = vomit (2).

von Gier·ke dis·ease フォン・ギールケ病. = glycogenosis type 1.

von Grae·fe sign フォン・グレーフェ徴候. = Graefe sign.

von Spee curve フォン・シュペー彎曲. = curve of Spee.

von Wil·le·brand dis·ease ヴォン・ヴィレブランド（フォン・ヴィレブランド）病（出血性素因. 特徴は，主に粘膜からの出血傾向，出血時間延長，正常血小板数，正常血餅退縮，第VIIIR因子の不完全な種々の程度の欠損であり，血小板の形態的異常を伴うこともある. 常染色体優性遺伝で，遺伝子の表現率は低く，表現度も様々である. 第12染色体短腕のvon Willebrand遺伝子（VWF）の突然変異による. タイプIIIのvon Willebrand病は第VIIIR因子の量の著明な減少を伴う重症な疾患である. この疾患の劣性遺伝形式のものがあり，優性遺伝形式としての同一遺伝子座上の変異を示す注目すべき特性を有している）.

VOR vestibuloocular reflexの略.

vor·tex, pl. vor·ti·ces (vōr′teks, -ti-sēz). ***1*** = verticil. ***2*** 渦. = whorl (5). ***3*** = vortex lentis.

vor·tex cor·ne·al dys·tro·phy 渦状角膜ジストロフィ（角膜上皮細胞への異常な色素沈着の渦巻き状パターン，Fabry病でみられ，ある種の薬剤（クロロキン，クロルプロマジン，およびアミオダロン）への反応としてみられる）.

vor·tex of heart 心渦（心尖にある筋線維のらせん状の配列）. = whorl (2).

vor·tex len·tis 水晶体星（眼の水晶体表面にみえる星状形の1つ）. = vortex (3).

vor·tex veins 渦静脈（毛様体および毛様体動脈に伴行する静脈による血管層から出る通常4本の静脈で上下眼静脈に流入する）. = vorticose veins.

vor·ti·cose veins 渦静脈. = vortex veins.

Vos·si·us len·tic·u·lar ring ヴォッシウス水晶体輪（眼の打撲傷の後に前水晶体嚢にみられる輪状混濁. 色素と血液による）.

vox·el (vok′sel). ボクセル（容積要素の最小単位. これは，CTまたはMR再構成の基本的単位であり，CTまたはMR像の表示では画素（ピクセル）として表される）.

voy·eur (vwah-yur′). 窃視者.

voy·eur·ism (vwah′yur-izm). 窃視〔症〕（他人の裸体や性器，あるいは他の人間の色情行為を見て性的快感を得る習慣）. = scopophilia.

V-pat·tern es·o·tro·pi·a V型内斜視（上方視よりも下方視で偏位が大きい内斜視）.

V-pat·tern ex·o·tro·pi·a V外斜視（下方視よりも上方視で偏位が大きい外斜視）.

$\dot{V}_A$:$\dot{Q}$ ventilation:perfusion ratioの記号.

VR vocal resonanceの略.

VRE vancomycin-resistant enterococcusの略.

VS volumetric solutionの略.

VSD ventricular septal defectの略.

V-se·ries nerve a·gents V神経ガス（残留性神経ガスで第二次世界大戦後に作られ，NATOから指定されたコードはVから始まる. 最もよく知られているこの種の薬剤はVXである）.

VTS veterinary technician specialistの略.

vul·ga·ris (vul-gā′ris). 尋常〔性〕の，普通の.

vul·ner·a·bil·i·ty (vŭl′nĕr-ă-bil′i-tē). 脆弱性，易傷性（傷害に対して弱いこと）.

vul·ner·a·ble phase 受攻期（異所性の刺激が障害を受けた心房または心室に粗動・細動のような反復性の興奮を起こしうる心周期の時相）.

Vul·pi·an at·ro·phy ビュルピャン萎縮（肩から始まる進行性脊髄性筋萎縮）.

vul·sel·la, vul·sel·lum (vŭl-sel′ă, -lŭm). = vulsella forceps.

vul·sel·la for·ceps, vul·sel·lum for·ceps 有鉤鉗子（各葉の先端に鉤の付いた鉗子）. = vulsella; vulsellum.

vul·va, pl. vul·vae (vŭl′vă, -vē). 外陰〔部〕，陰門（女性の外部生殖器. 恥丘，大・小陰唇，陰核，腟前庭，腟前庭腺，尿道口，腟口からなる）.

vul·var, vul·val (vŭl′văr, -văl). 外陰〔部〕の.

vul·var dys·tro·phy 外陰ジストロフィ（→dystrophy）.

vul·var in·tra·epi·the·li·al ne·o·pla·si·a 外陰上皮内新生腫瘍（外陰上皮に限局した扁平上皮の前癌性変化. 腟，頸部上皮内異形と同様，1—3度，軽度–高度悪性に細分類される. 通常，ヒトパピローマウイルスに関連し浸潤癌に進展する可能性がある）.

vul·var leu·ko·pla·ki·a 外陰白斑症（前癌性の状態で，上皮組織において白い斑点の肥厚化が起こる）.

vul·vec·to·my (vŭl-vek′tō-mē). 外陰切除〔術〕（部分的，完全，あるいは根治的な外陰の切除）.

vul·vi·tis (vŭl-vī′tis). 外陰炎（外陰部の炎症）.

vulvo- 外陰を意味する連結形.

vul·vo·vag·i·ni·tis (vŭl′vō-vaj-i-nī′tis). 外陰〔部〕腟炎（外陰と腟両方の炎症）.

V wave V波（心房またはそれに流入する静脈の記録にみられる大きな圧の波. 正常では静脈還流のために生じるが，記録を行っている心房の先の心室から房室弁を通って血液が逆流する場合には，非常に大きくなる).

VX 第2次大戦中に英国で合成され，その後米国で開発された強毒性，持続性の神経ガスのNATOコード．一般的な化学名はない．→ chemical-warfare (CW) agent; nerve agent.

V-Y plas·ty V-Y形成術 (V字型に作成された皮弁が前進することでY字形になり，余剰の長さを得る外科的方法).

W

W タングステンの元素記号．ワット，トリプトファンの記号．

Waar·den·burg syn·drome ワールデンブルヒ症候群（内眼角の外側偏位，広い鼻根部，虹彩異色，蝸牛ろう，白髪前髪，眉毛叢生を特徴とする感覚聴覚障害）．

Wa·chen·dorf mem·brane ヴァッヘンドルフ膜（①＝pupillary membrane. ②＝cell membrane）．

waist（wāst）．腰（肋骨と骨盤の間の胴の部分）．

waist:hip ra·ti·o ウエスト・ヒップ比（ウエスト周をヒップ周で割ったもの．腹部(内臓)の肥満の指標となり，体脂肪の全割合とは無関係に，健康面のリスクをはかる指標となる．女性では0.80，男性では0.95を超えると，肥満度指数を調整した後でも死の危険性が増加する）．

Wal·den·ström mac·ro·glob·u·lin·e·mi·a ヴァルデンストレームマクロ(大)グロブリン血〔症〕（中年後期に起こるマクログロブリン血症で，骨髄でのリンパ球系の異型細胞の増殖，貧血，血沈の亢進，約19 S単位のγ-グロブリンまたはβ_2-グロブリンのピークが狭い高グロブリン血症を特徴とする．脾臓，肝臓，リンパ節がしばしば腫脹し，紫斑，粘膜出血がよくみられる）．

Wal·dey·er sheath ヴァルダイアー(ワルダイエル)鞘(層)（膀胱壁とその中を斜走する尿管の壁内部分との間の管状部分．実際は層面であって，立体的な空間ではない）．

Wal·dron test ウォルドロンテスト（膝蓋大腿関節の受動的伸張の際，または膝蓋軟骨軟化症時の膝の屈曲の際に起こる捻髪音）．

walk（wawk）．***1***〚v.〛歩く．***2***〚n.〛歩行（→gait）．

walk·er（wawk′ĕr）．歩行器．

Walk·er chart ウォーカー図表（胎児と胎盤との相対寸法を図に表したもの）．

walk·ing（wawk′ing）．歩行，ウォーキング（歩みにおける連続的移動ないし前進の特徴．→gait）．

walk·ing wound·ed 歩行可能な負傷者（救急治療部にいるが歩行可能で，命にかかわる怪我や症状がない患者の分類）．

walk out re·ceipt ウォークアウトレシート（治療等が終了した後，患者や介護者がもらう印刷された報告書）．

walk-through an·gi·na 通過性狭心症（歩行などの動作を続けても狭心症の痛みが軽減するような場合）．

wall（wawl）．壁（胸腔や腹腔などの腔を取り囲む部分，または細胞あるいは形態単位をおおう部分）．＝paries.

wal·ler·i·an（waw-ler′ē-ăn）．A.V. Wallerに関する，または彼の記した．

wal·ler·i·an de·gen·er·a·tion ウォーラー変性（末梢神経線維と細胞体の連絡が局所病変により遮断されたときに，末梢神経線維(軸索と髄鞘)の遠位部に起こる変性変化）．＝orthograde degeneration; secondary degeneration.

wall-eye（wawl′ī）．外斜視．＝exotropia.

wall-eyed bi·lat·er·al in·ter·nu·cle·ar oph·thal·mo·ple·gi·a（**WEBINO**）外斜視性両眼性核間眼球麻痺（外斜視に合併する核間眼球運動麻痺）．

Walsh pro·ce·dure ウォルシュ手技（解剖学的な(神経保存の)根治的後恥骨前立腺摘出術）．

Wal·thard cell rest ヴァルタルト細胞遺残（子宮管あるいは卵巣の腹膜中に存在する上皮細胞の巣．新生物としてはBrenner腫瘍の成分の1つを含む可能性がある）．

Wal·ther di·la·tor ヴァルター拡張器（女性の尿道拡張に用いられる軽く弯曲した拡張器）．

Wal·ther ducts ヴァルター管．＝minor sublingual ducts.

Wal·ther gan·gli·on ヴァルター神経節．＝ganglion impar.

waltzed flap ワルツ皮弁．＝caterpillar flap.

wan·der·ing（wahn′dĕr-ing）．遊走〔性〕の（動き回ること，固定していないこと，異常な自動性についていう）．

wan·der·ing ab·scess 遊走膿瘍．＝perforating abscess.

wan·der·ing cell 遊走細胞．＝ameboid cell.

wan·der·ing goi·ter 遊走甲状腺腫．＝diving goiter.

wan·der·ing kid·ney ＝floating kidney.

wan·der·ing pace·mak·er 遊走性ペースメーカ（通常，洞結節と房室結節の間で，1心拍ごとに歩調取りの位置が変わる心臓リズムの障害．多くの場合心電図の同一記録中で上向きと下向きのP波が徐々に連続する）．

Wang·i·el·la（wang′gē-el′ă）．真菌のうち黒色を呈する菌の一属．*Wangiella dermatitidis*はクロモブラストミコーシスの原因菌である．

War·burg ap·pa·ra·tus ヴァルブルク装置（密封したフラスコ内の酸素吸収により起こる気圧の変動を圧力計で測定して，培養組織片の酸素消費量を測定する装置）．

War·burg the·o·ry ヴァルブルク説（癌は細胞の呼吸機序が回復不能の損傷を受けて発生する．これが好気性・嫌気性ともに解糖代謝増加を伴う選択的細胞増殖をもたらす）．

ward（wōrd）．病棟，病室（多くのベッドをもつ病院の共同大病室．→unit）．

Ward·rop meth·od ウォードロップ法（嚢の上で，いくらか距離をおいて動脈を結紮する動脈瘤の治療法．嚢と結紮の間の1つ以上の動脈の分枝をそのままにしておく）．

Ward tri·an·gle ウォード三角（X線や標本の肉眼所見でも認められる，大腿骨頸部の骨梁の粗な部分）．

warm-up（wōrm-ŭp）．ウォーミングアップ（徐々に活動量を増やして筋肉の温度および心拍数を上げ，より激しい運動に備えるプログラム）．

warm-up phe·nom·e·non ウォーミングアップ現象（筋の繰返し運動により筋の筋緊張が漸次減少すること）.

war neu·ro·sis 戦争神経症（戦争状態によって誘発される緊張状態または精神障害. →battle fatigue; posttraumatic stress disorder）. = battle neurosis.

wart（wōrt）. いぼ，ゆうぜい（疣贅）. = verruca.

War·ten·berg symp·tom ヴァルテンベルク症状（① pyramid sign（錐体路徴候）に反して 4 本の指を曲げようとすると母指が屈曲すること. ②脳腫瘍における鼻尖および鼻孔の強度のそう痒症）.

wash（wawsh）. 洗浄，洗浄液，洗剤（ある部分をきれいにしたり洗浄するのに用いる液体）.

wash-out（wawsh′owt）. 洗浄（特定の物質を除去する（洗い流す）方法）.

was·tage（wās′tāj）. 消耗，損耗（減衰，損失，または減少すること）.

wast·ing（wāst′ing）. ***1***〚n.〛るいそう. = emaciation. ***2***〚adj.〛るいそうの（るいそうを特徴とする疾患を示す）.

wast·ing syn·drome るいそう症候群（HIV 感染患者にみられる進行性の不随意の体重減少. 食事の経口摂取不足，代謝状態の変化，吸収不良などのいくつかの因子が単独で，あるいは組み合わさって生じるものと考えられる. ベースラインの体重から 10%以上の著明な不随意の体重減少に加えて，少なくとも 1 日 2 回以上の排便が 30 日以上続いている下痢，あるいは慢性の脱力と 30 日以上にわたる間欠的あるいは持続的なはっきりした発熱が存在し，癌，結核，クリプトスポリジウム症，その他の特定の腸炎のような所見を説明しうるような HIV 感染以外の疾患が同時に存在しないものと定義される）. = HIV wasting syndrome.

wa·ter（H_2O）（waw′tĕr）. 水，常水（① H_2O. 透明な無味無臭の液体. 32°F（0°C，0°R）で固化し，212°F（100°C，80°R）で沸騰する. すべての動植物組織中に存在し，他のどの液体よりも多くの物質を溶解する. →volume. ②尿の婉曲語句. ③（特に指示のないかぎり）揮発性油，または他の芳香性あるいは揮発性物質の透明な飽和水溶液である薬局方製剤. 蒸留または溶解（かくはんとその後の濾過）操作を含む過程によって調製される）.

wa·ter of crys·tal·li·za·tion 結晶水（ある種の塩と結合し，結晶形におけるそれらの塩の配列に必要な組成水. 例えば $CuSO_4 \cdot 5H_2O$）.

wa·ter·fall（waw′tĕr-fawl）. 滝〔現象〕（血管を虚脱しようとする側圧が，静脈圧をはるかに超える血管床における血液の状態を表すのに用いる語. 血流は静脈圧に関係なく，動脈圧が側圧を超える場合にのみ流れる）.

wa·ter-ham·mer pulse 水槌脈（大動脈弁閉鎖不全症の特徴である，力強いがすぐに消失するインパルスをもつ脈. →Corrigan sign; Corrigan pulse）. = cannonball pulse.

Wa·ter·house-Frid·er·ich·sen syn·drome ウォーターハウス-フリーデリックセン症候群（主に 10 歳以下の髄膜炎菌血症の小児に発症する. 吐き気，下痢，広範な紫斑，チアノーゼ，強直間代性痙攣，循環性虚脱，および通常は髄膜炎や副腎への出血を特徴とする）.

wa·ter for in·jec·tion 注射用蒸留水（非経口用製剤を調製するために蒸留によって精製した水）.

wa·ter in·tox·i·ca·tion 水中毒（水を体内に入れすぎたために生じる代謝性の脳障害）.

wa·ter itch 水かゆみ〔症〕（①= cutaneous ancylostomiasis. ②= schistosomal dermatitis）.

wa·ter of me·tab·o·lism 代謝水（食物の水素の酸化によって生体内に形成される水. 脂肪の代謝の場合，最大量（脂肪 100 g について約 117 g の水）が生成される）.

wa·ter plan·tain = alisma.

wa·ters（waw′tĕrz）. 羊水（amniotic fluid の口語）.

wa·ter sham·rock = bog bean.

wa·ter·shed（waw′tĕr-shed）. 分水界（①血管床の最も末梢にある辺縁の血流域. ②背臥位において，腰椎の隆起部と骨盤の辺縁からなる腹腔内の傾斜した部位. 腹腔内の滲出液がこの傾斜に沿って流れて貯留する）.

wa·ter·shed in·farc·tion 分水界梗塞（主な大脳動脈の分布が合流または重複している領域における皮質梗塞）.

Wa·ters op·er·a·tion ウォーターズ手術（膀胱上部から腹膜外に達する腹膜外帝王切開の 1 つ）.

Wa·ters pro·jec·tion 頭蓋の後前方向撮影法で眼窩外耳道線（OM 線）に対して 37° の角度をつけ，眼窩と上顎洞を投影する.

wa·ter-trap stom·ach トラップ胃，水止胃（胃肝靱帯によって支えられた幽門出口が，正常位置ではあるが比較的高位にある下垂し拡張した胃）.

Wat·son-Crick he·lix ワトソン-クリックらせん（DNA の 2 本の鎖（ストランド）がなすらせん構造. 2 本の鎖はその長さの全域にわたって対側との相互の塩基を結ぶ水素結合によって間隔が保たれている. Watson-Crick 塩基対 Watson-Crick base pairing とよばれている. →base pair）. = DNA helix; double helix.

watt（W）（waht）. ワット（電力の国際単位系（SI）の組立単位. 記号 W. 電流が 1 アンペアで電圧が 1 ボルトのときに得られるパワー. 1 ワットは 1 ジュール（10^7 エルグ）毎秒，または 1 ボルトアンペアに等しい）.

wave（wāv）. ***1*** 波動（固体，液体を問わず，弾性体中の粒子の運動. それによって上昇と下降，または粗と密の交互の一連の進行が生じる）. ***2*** 波（指で感じとるか，または脈波図で示される脈の増加）. ***3*** 波（時間とともに繰り返し変化するエネルギー準位における変化の完全な周期. 心電図と脳波では波は本質的に電圧時間図である. →rhythm）.

wave·form（wāv′fōrm）. 波形（脈波形. 例えば動脈圧や，偏移波形. または特定の負荷条件下のオシロスコープ上にペースメーカ波形として示される）.

wave·length（λ）（wāv′length）. 波長（波（正

弦曲線状)上の一点から同じ相の点までの距離，例えば，頂上から頂上または谷から谷).

wax (waks). ろう(蝋) (①濃厚で粘質の物質. 室温で柔軟性をもち，ハチが巣をつくるために分泌する物質. ②動物，植物，鉱物由来の密ろうに似た物理的性状を有する物質(室温で固形の油類，脂質，または脂肪). →cerumen. ③1価アルコールまたは2価アルコール(脂肪族または環式の)を有する，室温で固形の，高分子量脂肪酸のエステル. しばしば遊離脂肪酸が混入している).

wax·ber·ry (waks′ber-ē). = bayberry.

wax·ing, wax·ing-up (waks′ing, -ŭp′). ろう引き，ワックスアップ，歯肉形成 (ろう型の形成. 一般に，歯冠修復において，金属で鋳造する前にろうで歯冠の形態をつくること).

wax·y cast ろう様円柱 (腎疾患の尿中にみられる尿円柱の一種).

wax·y de·gen·er·a·tion ろう様変性 (① = amyloid degeneration. ② = Zenker degeneration).

wax·y kid·ney ろう様腎. = amyloid kidney.

wax·y spleen ろう様脾 (脾臓の類デンプン症).

way·thorn (wā′thōrn). = buckthorn.

Wb ウェーバーの記号.

WBC white blood cell の略.

WC workers' compensation の略.

WDLL well-differentiated lymphocytic lymphoma の略.

weak·ness (wēk′nĕs). 弱さ，脱力，衰弱，虚弱 (①力や能力のないこと. ②正常に活動できないこと).

wean (wēn). 離乳させる.

wean·ing (wēn′ing). ***1*** 離乳 (母乳を恒久的に切り離し，その他の食物で栄養を与え始めること). ***2*** 離脱 (患者を生命維持装置あるいは他の治療状態への依存状態から徐々に切り離していくこと).

wea·pons of mass de·struc·tion (WMD) 大量破壊兵器 (①建物，施設，設備を広範囲に渡って破壊できる兵器. こうした兵器は，分裂や融合を取り入れた高性能爆薬や核爆弾を含む. ②法律用語では高性能爆弾，核爆弾を指す他，まぎらわしくも生物兵器，化学兵器，放射点源など非破壊的な特別殺傷兵器も含む. →mass-casual weapons).

wear-and-tear pig·ment 消耗色素 (リソソームの消化の残渣として，老化または萎縮細胞に蓄積するリポフスチン).

web (web). みずかき，網，膜 (空間を橋渡しする組織あるいは膜. →tela).

webbed fin·gers みずかき指 (2本以上の指が融合して，共通の皮膚でおおわれている).

webbed neck 翼状頸 (鎖骨から頭部にまでのびた皮膚の外側のひだによる幅の広い頸. しかし，筋肉や骨やその他の構造物は含まない. Turner 症候群と Noonan 症候群にみられる).

web·bing (web′ing). みずかき形成 (隣接構造が正常ではみられないほど幅広い組織の帯状物によって結合される先天的な状態).

we·ber (Wb) (vā′bĕr). ウェーバー (磁束の国際単位系(SI). ボルト・秒(V·s)に相当する).

Web·er-Chris·tian dis·ease ウェーバー-クリスチャン病. = relapsing febrile nodular nonsuppurative panniculitis.

We·ber-Cock·ayne syn·drome ウェーバー-コケーン症候群 (手足のみが侵される表皮水疱症の一型. *cf.* epidermolysis bullosa).

We·ber-Fech·ner law ヴェーバー-フェヒナーの法則 (刺激の強さが等比級数的に増大するとき，感覚の強さは等差級数的に変化する. 連続した刺激が与えられ，各刺激がちょうど知覚しうる感覚の強さを生じるように刺激の強さが調整されるならば，各刺激の強さは一定の比率で先に起こった刺激と異なる). = Fechner-Weber law; Weber law.

We·ber law ヴェーバーの法則. = Weber-Fechner law.

We·ber par·a·dox ヴェーバーパラドックス (筋に収縮力よりも大きな力がかかると，筋が伸長する).

We·ber stain ウェーバー染色〔法〕(微胞子虫の芽胞を染めるためのトリクローム染色変法. 糞便材料に使うトリクローム染色の10倍の濃度のクロモトロープ2Rを用い，対比染色にはファストグリーンを使う).

We·ber syn·drome ウェーバー症候群 (中脳被蓋部病変で，同側の動眼神経不全麻痺と反対側の肢，顔，舌の麻痺を特徴とする).

We·ber test for hear·ing ヴェーバー聴覚試験 (頭，顔の正中線上の1点に音叉を当て，骨伝導でどちらの耳に音がよく聞こえるかを確かめる. 伝音器官(中耳)の機構に欠陥があればよく聞こえたほうの耳に障害がある(陽性試験). 感音難聴が他側にある場合は，よく聞こえたほうの耳が正常である(陰性試験)).

We·ber tri·an·gle ヴェーバー三角 (足底の第一・第五中足骨頭と踵の足底面の中央とで示される部分).

WEBINO (web-ē′nō). wall-eyed bilateral internuclear ophthalmoplegia の頭文字.

Wechs·ler in·tel·li·gence scales ウェックスラー知能スケール (就学前児(Wechsler 就学前および小学児知能スケール)，児童(Wechsler 児童知能スケール)および成人(Wechsler 成人知能スケール，Wechsler 知能スケールに代わるもの)の全般的知能の測定のための標準化された検査法. 改訂が行われている).

wedge-and-groove joint 夾結合 (1つの骨の鋭い縁が，もう1つの骨縁の裂溝中のはいり込んでいる線維性結合で，鋤骨が蝶形骨吻と結び付いているところなどにみられる). = schindylesis; wedge-and-groove suture.

wedge-and-groove su·ture = wedge-and-groove joint.

wedge bone = intermediate cuneiform bone; lateral cuneiform bone; medial cuneiform bone.

wedge frac·ture 楔状骨折 (椎体前方部分の圧迫骨折で，その結果前方が後方より低くなって楔状になる).

wedge pres·sure 楔入圧 (細いカテーテルを血管内に進めていき，小血管を完全に閉塞したり，または小さいカフを膨らませて動脈側からの圧を遮断したときに得られる血管内圧の値．一般に肺(肺動脈)内でおおよその左房圧を測定するのに用いる)．

wedge re·sec·tion 楔〔状〕切除〔術〕(卵巣を楔状に部分切除すること．多嚢胞性卵巣症候群などの，卵巣が原因となる男性化障害の治療に用いる)．

Weeks ba·cil·lus ウィークス杆菌．= *Haemophilus influenzae.*

Week·sel·la (wēk-selʹă)．ウェクセラ属 (非酸化性，好気性のグラム陰性杆菌の一属)．

Week·sel·la zo·o·hel·cum イヌやネコによる咬傷や引っ掻き傷によって感染を引き起こす菌種．

We·ge·ner gran·u·lo·ma·to·sis ヴェーゲナー肉芽腫症 (主に30代および40代の人に起こる疾病．化膿性鼻漏，鼻閉，ときに耳漏，喀血，肺浸潤，肺空洞形成，および発熱を伴う上気道の壊死性肉芽腫と潰瘍の形成を特徴とする．眼球突出，喉頭および咽頭の潰瘍，糸球体腎炎も起こることがある．小血管を侵す血管炎が基礎病態で，これは免疫障害による可能性がある)．

Wei·gert i·o·dine so·lu·tion ヴァイゲルトヨウ素〔溶〕液 (ヨウ素-ヨウ化カリウム混合物で，ある種の細菌や真菌に取り込まれたクリスタルバイオレットおよびメチルバイオレット変性試験として用いる)．

Wei·gert i·ron he·ma·tox·y·lin stain ヴァイゲルト鉄ヘマトキシリン染料 (核の染料で，ヘマトキシリン，塩化第二鉄，塩酸を含む．van Gieson 染料と併用する．特に結合組織成分または切片にした赤痢アメーバ *Entamoeba histolytica* の染色に用いる)．

Wei·gert law ヴァイゲルトの法則 (有機物ではある部分や構成要素が消失または破壊されると，再生あるいは修復または両方の過程で代償的に組織が置換されたり過剰に再生される．例えば，骨折した骨が治癒するときには仮骨が形成される)．

Wei·gert stain for *Ac·ti·no·my·ces* 放線菌のヴァイゲルト染色〔法〕(暗赤色のオルセリンのアルコール溶液に浸し，クリスタルバイオレット溶液で染色する方法)．

Wei·gert stain for e·las·tin エラスチンのヴァイゲルト染料 (フクシンとレゾルシンと塩化第二鉄を含む染料．弾性線維は暗青色に染まる)．

Wei·gert stain for fi·brin フィブリン(線維素)のヴァイゲルト染色〔法〕(アニリン-クリスタルバイオレットおよびヨウ素-ヨウ化カリウムの溶液で処理し，アニリン油とキシレンで脱色する．フィブリンは暗青色に染色される)．

Wei·gert stain for my·e·lin ミエリンのヴァイゲルト染色〔法〕(塩化第二鉄とヘマトキシリンを用いる染色法．ミエリンは濃青色に染色され，変性部分は淡黄色に染色される)．

Wei·gert stain for neu·rog·li·a 神経膠のヴァイゲルト染色〔法〕(複雑な処理を行う．最終的処理はフィブリンの染色と同様の処理である．神経膠や核は青色に染まる)．

weight (wāt)．重量，重さ (国際的に 9.80665 m/sec^2 と定められている重力加速度と物質量との積)．

weight-bear·ing ex·er·cise 荷重負荷運動 (筋肉や骨に負荷をかける運動で，それによって筋肉の質量や骨の強さを増加させる)．

weight-car·ry·ing test = repetitive lifting test.

weight-sup·por·ted ex·er·cise 体重支持下運動 (体重を人為的に支えて行う運動(例えば，固定自転車などを用いる))．= non-weight-bearing exercise.

Weil dis·ease ヴァイル(ワイル)病 (一般に *Leptospira interrogans* の血清グループである *L. icterohaemorrhagiae* によって起こるレプトスピラ症の一型．感染ラットの尿に接触して感染する．臨床的には，発熱，黄疸，筋肉痛，結膜充血，蛋白尿を特徴とし，血清中に凝集素が現れる)．

Weil-Fe·lix test, Weil-Fe·lix re·ac·tion ヴァイル(ワイル)-フェリックス反応 (*Proteus vulgaris* の X 菌株と患者血清との凝集反応によってリケッチア症の有無，種類を調べる検査)．

Weill-Mar·che·sa·ni syn·drome ヴァイル-マルケサーニ症候群 (水晶体偏位(異常に丸く小さい水晶体)，低い身長，短指．常染色体劣性遺伝)．

Wein·berg re·ac·tion ヴァインベルク反応 (包虫症の存在をみる補体結合試験)．

Weiss sign ヴァイス徴候．= Chvostek sign.

Welch ba·cil·lus ウェルチ(ウェルシュ)杆菌．= *Clostridium perfringens.*

well-ba·by vis·it 優良乳児訪問 (特定年齢の乳児のための定期的健康維持検査)．

well-dif·fer·en·ti·at·ed lym·pho·cyt·ic lym·pho·ma (WDLL) 分化型リンパ性リンパ腫 (本疾患では末梢血液中でリンパ球が増加していないという点を除けば基本的には慢性リンパ性白血病と同じ疾患である．リンパ節は腫大し，他のリンパ組織や骨髄も小リンパ球の浸潤がみられる)．

well·ness (welʹnĕs)．ウエルネス，健全 (健康は単に病気がないということでなく，その人の肉体的および精神的な能力を最大限発揮することという考え方に基づく生命および個人的な衛生に関する哲学．それは積極的態度，フィットネス訓練，低脂肪高繊維食，および非健康的生活習慣(喫煙，薬物，およびアルコールの乱用，過食)の排除によって達成される)．

welt (welt)．みみずばれ，笞痕．= wheal.

Wenc·ke·bach block ウェンケバッハブロック (心内(多くの場合房室結節の)刺激伝導(減衰伝導)が徐々に遅延するブロック)．

Wenc·ke·bach pe·ri·od ウェンケバッハ周期 (房室ブロックにより拍動の脱落をきたす心電図上の一連の心周期．先行する心周期では P-R 間隔が徐々に長くなるのがみられる．脱落拍動に続く P-R 間隔は再び短くなる)．

Werl·hof dis·ease ヴェルルホフ病 (idiopathic thrombocytopenic purpura に対して以前用いられた語)．

Wer·ner syn·drome ヴェルナー症候群 (加齢

変化を早期に生じる疾患で，皮膚の強皮症様変化，両側性若年性白内障，早老，性機能低下，糖尿病などを含む．常染色体劣性遺伝の遺伝形式をとり，第8染色体短腕上のヘリカーゼ蛋白をコードするWRN遺伝子の突然変異による）．

Wer·nic·ke a·pha·si·a ヴェルニッケ失語〔症〕，〔皮質〕知覚性失語〔症〕．= receptive aphasia.

Wer·nic·ke cen·ter ヴェルニッケ中枢（筋道の通った叙述的な会話を理解し，かつ述べるのに不可欠と考えられる大脳皮質部位．左大脳半球側溝近くの頭頂・側頭葉の大きな部位を包含し，Brodmann第40・第39・第22野にほぼ対応する）．= sensory speech center.

Wer·nic·ke-Kor·sa·koff en·ceph·a·lop·a·thy ヴェルニッケ-コルサコフ脳障害(脳症)，ヴェルニッケ-コルサコフエンセファロパシー（→Wernicke syndrome; Korsakoff syndrome）．

Wer·nic·ke-Kor·sa·koff syn·drome ヴェルニッケ-コルサコフ症候群（Wernicke症候群とKorsakoff症候群が同時に存在する）．

Wer·nic·ke re·ac·tion ヴェルニッケ反応（視索傷害による半盲症にみられる反応．光が網膜の盲側にはいるときは対光反射が欠除し，光が感覚をもつ側にはいるときには対光反射が保持される．この所見は明るい光では眼内散乱光が網膜の半分にも作用するため，明るい光のもとではみられない）．

Wer·nic·ke syn·drome ヴェルニッケ症候群（眼球運動の障害，瞳孔変化，眼振，および振せんを伴う失調症を特徴とする．主としてチアミン欠乏のために慢性アルコール中毒にしばしばみられる症状．器質中毒精神病もしばしば関連してみつかる．Korsakoff症候群もしばしば合併する．脳のいくつかの部位にみられる特徴的細胞性病態）．

Wert·heim op·er·a·tion ヴェルトハイム手術（子宮癌の根治手術で，膣はできるかぎり切除し，リンパ節も切除する）．

West·berg space ヴェストベルク腔(隙)（心膜に包まれた大動脈の起点を取り囲む腔）．

Wes·ter·gren meth·od ヴェステルグレン(ウェスターグレン)法（血液中の赤血球沈降速度の測定法．静脈血をクエン酸ナトリウムの水溶液と混ぜ，これを長さ200 mmの標準ピペットの0目盛りまで満たし，まっすぐに立てる．赤血球の降下を1時間後にmm単位で観察する．男性の正常値は0—15 mm(平均4 mm)，女性は0—20 mm(平均5 mm)である）．

Wes·ter·mark sign ウェスターマーク徴候（胸部X線写真上，肺塞栓による肺乏血のため肺紋理が減少すること）．

Wes·tern blot, Wes·tern blot·ting ウエスタンブロット，ウエスタンブロッティング．= Western blot analysis.

Wes·tern blot a·nal·y·sis ウエスタンブロット分析（ポリアクリルアミド電気泳動によって分離された蛋白をニトロセルロースあるいはナイロン膜へ移行・転写させた後，それと特異的な抗体との複合体中の二次蛋白にラベルされていることで検出される．→immunoblot）．= Western blot; Western blotting.

Wes·tern blot test ウエスタンブロット法（蛋白の同定に使用する血清電気泳動分析法）．

West·ern colts·foot = butterbur.

Wes·tern e·quine en·ceph·a·lo·my·e·li·tis 西部ウマ脳脊髄炎（米国西部，南アメリカの一部でみられるウマの脳脊髄炎で，カによって伝播され，西部ウマ脳脊髄炎ウイルス(トガウイルス科の*Alphavirus*属の一種)によって起こる．感染は東部ウマ脳脊髄炎と類似しているが，より軽症である．ヒトにおける感染は概して不顕性であるが，中枢神経系が侵されて死亡した例もある）．

West·gard rules 系統的・非系統的なエラーを検出できる品質管理プロトコル．このプロトコルには規則12s，13s，22s，R4s，41s，10xなどがある．

West Nile fe·ver 西ナイル熱（西ナイルウイルスWest Nile *virus*による発熱性疾患．蚊によって媒介され，軽症では発熱，頭痛，筋痛が数日間続く．重症の場合は脳炎，異常高熱，痙攣，麻痺，昏睡が数週間続き，障害が残ることもある）．

West Nile vir·us ウエスト(西)ナイルウイルス（アフリカ，西アジア，中東でみられるフラビウイルスで，1999年以降は米国でも報告されている．ウエストナイル熱は通常不顕性に終わるが，致死的な脳炎や髄膜炎を発症する可能性もある）．

West·phal pu·pil·lar·y re·flex ヴェストファル瞳孔反射．= eye-closure pupil reaction.

West·phal sign ヴェストファル徴候．= Erb-Westphal sign.

West·phal-Strüm·pell dis·ease ヴェストファル-シュトリュンペル病．= Wilson disease(1).

West syn·drome ウェスト症候群（点頭痙攣，精神運動の発達遅滞，およびヒプサルスミアを特徴とする乳児のエンセファロパシー）．

wet-bulb ther·mom·et·er 湿球温度計（大気温度計の1つで，液球は湿ったガーゼで包まれている．高い相対湿度の場合はほとんど蒸発冷却が起こらず，表示度数は乾球温時計と同じである．乾燥した日では湿らせた測定球からかなりの蒸発が起こり，乾球と湿球温度計の表示度数の差が最大となる）．

wet gan·grene 湿性壊疽（細菌作用による腐敗を伴った四肢の虚血性壊死で，壊死部に隣接した蜂巣炎を生じる）．= moist gangrene.

wet lung, white lung ***1*** = shock lung. ***2*** = adult respiratory distress syndrome.

wet nurse 乳母（自分の子供ではない子供に授乳する女性）．

wet-tech·nique lip·o·suc·tion 希釈したエピネフリン液を皮下注入して行う脂肪吸引術．

wet-to-dry dres·sing 湿-乾包帯（生理食塩水で湿らせて用い，乾いてから除去する包帯）．

WF Working Formulation for Clinical Usageの略．

Whar·ton duct ホウォートン管．= submandibular duct.

Whar·ton jel·ly ホウォートンゼリー（臍帯の粘性結合組織）．

wheal (wēl). 膨疹，じんま疹（限局性，一過性の皮膚の浮腫による丘疹や不規則な局面で，じんま疹様病変として生じ，軽度発赤を伴い，しばしば大きさと形を変えて周囲に拡大する．通常，激しいそう痒を伴う．皮内注射や試験，あるいはアレルゲンとなる物質に暴露されることにより，過敏性のある人に起こる）．= hives(2); welt.

wheal-and-er·y·the·ma re·ac·tion 膨疹-紅斑反応（皮膚試験 skin test の際観察される特徴的な即時型反応．抗原（アレルゲン）注射後 10—15 分以内に，不整形，蒼白で隆起した膨疹が出現し，その周囲に紅斑（潮紅）を伴う）．= wheal-and-flare reaction.

wheal-and-flare re·ac·tion 膨疹・潮紅反応．= wheal-and-erythema reaction.

Wheat·stone bridge ホウィートストーン（ホイートストーン）ブリッジ（電気抵抗を測定する装置．4 個の抵抗器を接続し四角形の 4 辺，または〝腕〟を形成する．その対角点を形成する接続点の 1 組に電圧を与え，他方の対角点の間の電圧を，検流計などで測定する．測定電圧が 0 のときにブリッジは〝平衡〟しており，そのとき，接続されている 2 組の抵抗の比は等しくなる）．

wheeze (wēz). ***1***〚v.〛ゼイゼイ（ハアハア）と息をする（苦しげに騒々しく呼吸する）．***2***〚n.〛ぜん鳴（息を吐く際に咽頭，声門，または狭窄気管気管支を通る空気によってつくられるゼイゼイハアハアという音（笛声，呻軋音など））．

whiff test 臭気テスト（腟細菌症の腟分泌物に KOH を滴下して魚臭様の臭気を検出するテスト）．

whip·lash (wip′lash). むち打ち（→whiplash injury）．

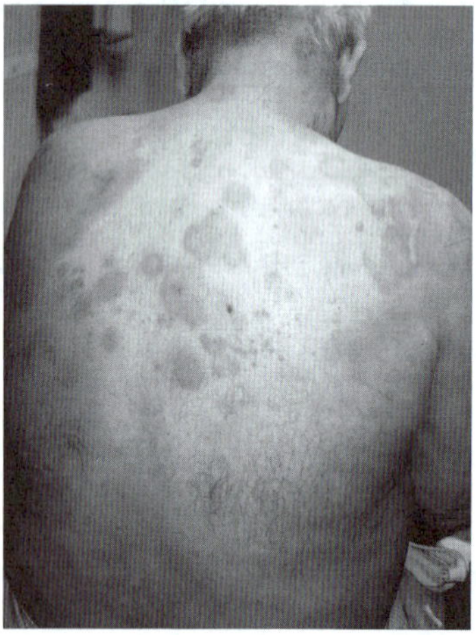

wheal

whip·lash in·ju·ry むち打ち損傷（傷害）（頸部の突発的屈曲-伸展損傷に対する一般用語．交通事故などでみられ，骨折，亜脱臼，脳振とうなども含まれる）．= acceleration-deceleration injury.

whip·lash ret·i·nop·a·thy むち打ち網膜症（突然の加速/減速障害により生じる網膜傷害）．

Whip·ple dis·ease ホウィップル病（脂肪便を特徴とするまれな病気．しばしばリンパ節腫脹，関節炎，発熱，咳を伴う．空腸粘膜固有層に多数の〝泡沫状〟マクロファージがみられる．*Tropheryma whippleii* により惹起される）．

Whip·ple op·er·a·tion ホウィップル手術．= pancreatoduodenectomy.

whis·tle·blo·wing (wis′ĕl-blōw′ing). 内部告発（雇用主の法的違反を従業員が報告すること．→standard precautions）．

Whit·a·ker test ウイタカー試験（圧流試験．上部尿路からの流出障害を示す）．

white (wīt). 白，白色（スペクトルを構成する全光線の混合によってもたらされる色．白墨や雪の色）．= albicans(1).

white birch = birch.

white blood cell (WBC) 白血球．= leukocyte.

white coat hy·per·ten·sion 白衣高血圧（24 時間血圧測定の血圧を超えて，しばしば，または連続して臨床の場で血圧値が高くなること）．= office hypertension.

white cor·pus·cle 白血球．

white fi·ber 白筋線維（①哺乳類の白筋の筋線維で，赤筋線維よりも直径が太く，ミオグロビン，筋形質，ミトコンドリアが少なく，より迅速に収縮する．②= collagen fiber）．

white gan·grene 白色壊疽（灰白色の腐肉形成を伴った部分壊死）．

white graft 白色〔拒絶〕移植片，白色拒絶〔反応〕（同種皮膚移植片の急性拒絶反応で，血管新生は起こらない）．

white·head (wīt′hed). ***1*** = milium. ***2*** 白色面皰．= closed comedo.

White·head op·er·a·tion ホワイトヘッド手術（痔核（静脈叢）の上下を輪状に切開して痔核切除を行った後，直腸下部粘膜と肛門管の皮膚を縫合する手術法）．

white in·farct 白色梗塞（①= anemic infarct. ②胎盤において，絨毛の虚血性壊死を伴う絨毛間線維素）．

white lim·bal gir·dle of Vogt フォークトの白色輪部帯（40 歳以上の患者にしばしばみられる周辺部角膜での対称性弧状黄白色沈着物）．

white line 白線（①= linea alba. ②手指の爪で皮膚に線を付けた後 30—60 秒で現れ，数分続く蒼白の線条で，動脈圧の減少徴候とされる．= Sergent white line）．

white line of a·nal ca·nal 肛門管白線（外肛門括約筋の皮下部と内肛門括約筋の下縁との間の間隙の高さでみられる，櫛状線の下方の肛門管粘膜の青みを帯びたピンクの波状の細い帯で，触察できるといわれている）．

white mat·ter 白質（多くは神経線維からなり，神経細胞体あるいは樹枝状の突起をほとんど，あるいはまったく含まない脳と脊髄の部位). = alba; white substance.

white mus·cle 白筋(主として白色の大型線維からなるすばやく収縮する筋で，赤筋に比べてミオグロビンもミトコンドリアも少ない．速い収縮に関わる).

whit·en·ing (wīt′ĕn-ing). ホワイトニング(歯の研磨剤で，歯科漂白料を用いて白くさせるもの).

white noise 白色雑音(広周波数帯域の様々な周波数からなる複合音．しばしば，聴力検査の際，非検側耳のマスキングに用いられる).

white pi·e·dra 白色砂毛〔症〕(頭部だけでなく，顎ひげ，口ひげおよび生殖器部に起こる．バイゲル毛芽胞菌 *Trichosporon beigelii* によって起こり，南アメリカ，ヨーロッパ，日本にみられる．軟らかい，粘滑性の，白色から明るい茶色の結節が毛髪上と毛髪内にできるのが特徴).

white pulp 白〔色〕脾髄(脾小節と他のリンパ節の集合からなる脾の部分).

white sub·stance 白質. = white matter.

white-top tube ホワイトトップチューブ(容器内にエチレンジアミン四酢酸や特別なポリエステルの材料が含まれていることを意味する．分子テスト(すなわち，PCR)のため血漿採取をする際に使われる).

whit·low (wit′lō). 瘭疽. = felon.

Whit·man frame ホウィットマン枠(Bradford 枠に似ているが，各側が弯曲している枠).

WHO World Health Organization(世界保健機関)の略.

whole blood 全血(選ばれた供血者から，厳格な無菌的処置で採取した血液．抗凝固薬としてクエン酸イオンまたはヘパリンを含む．血液補充に用いる).

whole-bod·y coun·ter 全身カウンター(遮へいと計測とからなり，通常，1 個以上の検出器をもち，種々の γ 線放射核種の全身負荷を評価するために設計されたもの).

whole grains 全粒穀物(栄養素が含まれている外層部分を取り除く前の穀物).

whoop (hūp). フープ(百日咳で喉頭(声門)の攣縮のために生じる咳発作が終わるときの大きな高音の吸気).

whoo·ping cough 百日咳. = pertussis.

WHO probe = World Health Organization probe.

whorl (wŏrl). ***1*** らせん(耳の蝸牛管の回転). ***2*** 心渦. = vortex of heart. ***3*** 鼻甲介の弯曲. ***4*** 輪生. = verticil. ***5*** 渦巻き(旋回またはねじれを示しながら放射状に成長する毛の部分. →hair whorls). = vortex(2). ***6*** 渦状紋(Galton 指紋分類法に含まれる，特色ある型の 1 つ).

whorled (wŏrld). 渦巻きのある，輪生の(→turbinate; verticillate).

whor·tle·ber·ry (wŏr′tĕl-ber-ē). = bilberry.

Wick·ham stri·a ウィッカム線条(扁平苔癬の丘疹の表面に網状に配列した細い白みがかった線条).

wide·band (wīd-band). 広範囲周波数帯(狭い周波数帯に対しての広い周波数帯のこと).

wide dy·na·mic range com·pres·sion 広域ダイナミックレンジ圧縮(入力レベルが低い周波数領域の増幅を上げる補聴器回路).

Wil·brand knee 上耳側視野領域の下鼻側で対側の視索 optic tract に至る前の反対側後部視神経 optic nerve[CN II]への入口部である前部視交叉 optic chiasm で交差する視神経線維束．近年の研究では網膜変性によるアーチファクトであって正常な解剖では存在しないとされる.

Wil·der·muth ear ヴィルデルムート耳(耳輪が後反し，対耳輪が異常に大きい耳).

Wil·der sign ワイルダー徴候(Graves 病の場合にみられ，眼球が外転から内転に変化するとき，または逆の場合，わずかに攣縮を起こす).

Wil·der stain for re·tic·u·lum ワイルダー細網〔線維〕染色〔法〕(銀を浸透した染色法で，細網は黒色の識別が明瞭な線維として観察され，珠状をなすこともなく，背景も比較的明瞭である).

Wilde tri·an·gle ワイルド三角. = light reflex (3).

wild go·bo = burdock.

wild type 野生型(ある遺伝子座において考えられるすべての遺伝子，表現型，遺伝子型の中で圧倒的高頻度に観察される型．したがって有害ではないと考えられる).

Wil·kie ar·ter·y ウィルキー動脈(右結腸動脈がときに十二指腸を横切る場合をいう).

Wil·liams-Beu·ren syn·drome = Williams syndrome.

Wil·liams stain ウィリアムズ染色〔法〕(Negri 小体用の染色．ピクリン酸，フクシン，メチレンブルーを用いる．Negri 小体は紅色に，顆粒および神経細胞は青色に，赤血球は帯黄色に染まる).

Wil·liams syn·drome ウィリアムズ症候群(浅い眼窩の鼻梁，眉間の発赤，星状の紅彩，頬骨の低形成を伴った前傾外鼻孔の小さい鼻，弁上部大動脈弁狭窄，低カルシウム血症，軽度の精神遅滞，多重人格を特徴とする疾患．常染色体優性遺伝で，これは近傍の遺伝子が削除され第 7 染色体長腕で突然変異した 1 つの遺伝子はエラスチン遺伝子になる). = elfin facies syndrome; Williams-Beuren syndrome.

Wil·lis cords ウィリス帯(上矢状静脈洞を横切るいくつかの線維帯).

Wil·lis·ton law ウィリストンの法則(脊椎動物が高等になるほど頭蓋骨の数は少ない).

Wilms tu·mor ウィルムス腫〔瘍〕(幼児の悪性腎腫瘍．小紡錘細胞，細管を含めた様々な型の組織，ときとして胎児糸球体に似た構造，横紋筋，軟骨などからなる．しばしば常染色体優性に遺伝する). = nephroblastoma.

Wil·son block ウィルソンブロック(右脚ブロックの最も一般的なもので，第 I 誘導において，高振幅で幅の狭い R 波とそれに続く低振幅で幅の広い S 波を特徴とする).

Wil·son dis·ease ウィルソン病(①銅の代謝性疾患で，肝硬変，大脳基底核変性，神経症状，角膜辺縁の緑色ないし黄褐色の色素沈着を特徴とする．血漿セルロプラスミンおよび銅の濃度が減少し，銅の尿中排泄は増加する．肝・脳・

腎・レンズ核の銅含量が異常に高いがシトクロム酸化酵素は減少している．常染色体劣性遺伝．第 13 染色体長腕の銅輸送 ATPase 遺伝子(ATP7B)の変異による．→Kayser-Fleischer ring. = hepatolenticular degeneration (2); Westphal-Strümpell disease. ②= exfoliative dermatitis)．

Wil·son meth·od ウィルソン法（便中の寄生虫卵を集めるための単純食塩浮遊法．→flotation method)．= Hung method.

Wil·son mus·cle ウィルソン筋．= external urethral muscle.

Winck·el dis·ease = epidemic hemoglobinuria.

wind·burn (wind′bŭrn)．風焼け，風傷（風にさらされて生じる顔面の紅斑)．

wind·chill in·dex 風冷気インデックス（冷傷を生じる環境ポテンシャルの尺度．周辺環境気温および風速に基づいて測定する)．

win·dow (win′dō)．窓．= fenestra.

wind·pipe (wind′pīp)．気管．= trachea.

wind-suck·ing (wind′sŭk-ing)．さくへき(齰癖)（さくへき crib-biting のより重症型で，えん下によって異常かつ強制的に空気がのみこまれる．→aerophagia)．

wing (wing)．= ala (1)．***1*** 羽（鳥の付属肢の前肢)．***2*** 翼（解剖学において翼状の構造)．

Win·gate test ウィンゲート試験（アームクランク(腕回し)またはレッグサイクル(自転車こぎ)のエルゴメータで行う 30 秒間の全力運動中の最大有酸素性出力についての試験．即時(ATP-PCRATP および PCr)および短期(解糖作用)のエネルギー系の最大出力の測定)．

wing-beat·ing tre·mor 羽ばたき振せん（四肢を伸ばしたとき，最も顕著になる荒い，不規則な振せん．鳥が羽ばたくような振せんで，肩を外転させた位置での腕の上下運動による Wilson 病で最もよくみられる)．

winged cath·e·ter 翼付カテーテル（膀胱内に保持するために，突出部の両側に小さな弁のついた軟らかいゴムのカテーテル)．

winged in·fu·sion kit 翼状注入キット（優れたゲージの針で，処理するためにしなやかなゴムの翼が 2 つついており，ハブの代わりにアダプター付の短いプラスチックの部品がついている．特に幼児の点滴や静脈切開に使用される．静脈穿刺の際，注射器や排泄チューブにおいて使用される．バタフライニードルともいう)．

winged scap·u·la 翼状肩甲〔骨〕〔症〕（肩甲骨の内縁が胸郭から離れて突き出ている状態．肩甲骨が外に回るので，その突起は後方および外方に向いている．ふつう前鋸筋の麻痺によって起こる)．= scapula alata.

wing of nose 鼻翼，こばな．= ala of nose.

Wi·ni·war·ter-Man·teuf·fel-Buer·ger dis·ease = Buerger disease.

wink (wingk)．瞬目（眼を急速に閉じたり開いたりすること．涙が結膜上に広がり，結膜を湿らせるための不随意行為)．

wink re·flex 瞬目反射（種々の刺激により生じる眼瞼の反射的閉鎖に対する総称)．

Win·ter·bot·tom sign ウインターボトム徴候（アフリカトリパノソーマ症の病初期の特徴である後頸部リンパ節の腫脹．感染しているが症状発現前の人が流行地から移動してくるのを調査したり管理するのに有用)．

Win·ter·nitz sound ヴィンテルニッツゾンデ（2 重の水流を通すカテーテルで，その中では設定した適切な温度の水で循環する)．

wire (wīr)．ワイヤ，針金，鋼線（柔軟性のある細い金属棒)．

wir·ing (wīr′ing)．結紮法（ワイヤにより骨折骨の両端を締結固定すること)．

Wir·sung ca·nal, Wir·sung duct ヴィルズング管．= pancreatic duct.

wir·y (wīr′ē)．針金様の（針金の感じに似た，糸状で硬いことを表す．種々の脈についていう)．

wir·y pulse 針金様脈（小さく，細く，圧縮不可能な脈)．

wis·dom tooth 智歯．= third molar tooth.

Wis·sler-Fan·co·ni syn·drome = Wissler syndrome.

Wis·sler sub·sep·sis al·ler·gi·ca = Wissler syndrome.

Wis·sler syn·drome ヴィスラー症候群（断続的に起こる高熱，顔面・胸部・四肢に不規則に再発する斑状・斑状丘疹状皮疹，白血球増多症，関節痛，ときに好酸球増多症，赤沈亢進．小児期と青年期に好発するが他の年代にも発症する)．= Wissler subsepsis allergica; Wissler-Fanconi syndrome.

witch's milk 奇乳，魔乳（生後 3—4 日の両性の新生児の乳腺にときにみられる初乳様分泌物で，1，2 週間続く．出生前の母親の内分泌刺激による)．

with·draw·al (with-draw′ăl)．***1*** 撤退（除去または後退の行為)．***2*** 離脱症状，退薬症状，禁断症状（習慣性薬物の使用を急速にやめることによって生じる精神および(または)身体症候群)．***3*** 停止，中止（禁断を避けるために薬物を中止する治療過程)．***4*** 引きこもり（統合失調症とうつ病にみられる行動のパターンで，対人接触と社会的関与からの病的後退と自己没入を特徴とする)．***5*** = coitus interruptus.

with·draw·al symp·toms 離脱症状，退薬症状，禁断症状（嗜癖患者が嗜癖物の常用量を得られないときに起こる一群の病的症状で，興奮性と被刺激性の増加を示す)．

with·draw·al syn·drome 離脱症候群（それまで常用していた精神作用物質の摂取の中止ないし摂取量の減少により生じる症候群．用いている精神作用物質により症候群の病像は様々であるが，共通の症状として，不安，落ち着きのなさ，易刺激性，不眠，注意障害が認められる)．

WLU workload unit の略．

WMD weapons of mass destruction の略．

wob·ble (wob′ĕl)．ウォブル，ゆらぎ（分子生物学において，アンチコドンの 5′末端の塩基と，それと対の塩基間(コドンの 3′部位)の通常と異なる対合のこと)．

wolf bane = arnica.

Wolfe graft ウルフ移植〔片〕（全層皮膚移植片で，皮下脂肪は含まない)．

wolff·i·an (vōlf′ē-ăn). Kaspar Wolff に関する，または彼の記した．

wolff·i·an body ヴォルフ体. = mesonephros.

wolff·i·an cyst ヴォルフ〔管〕嚢胞(嚢腫)（中腎構造より生じ，子宮の広靱帯の中にみられる嚢腫）.

wolff·i·an duct ヴォルフ管. = mesonephric duct.

wolff·i·an rest ヴォルフ〔管〕遺残（女性の生殖管中の中腎管の残遺物．卵巣上体縦管嚢腫のような嚢腫をもたらす）.

Wolff law ヴォルフの法則（骨の形態と機能または骨の機能のみが変化すると，常にその内部構造に明確な変化が生じ，続いて外形が変化する．これらの変化は通常，体重負荷の変化に反応して変化する）.

Wolff-Par·kin·son-White syn·drome ウルフ(ウォルフ)-パーキンソン-ホワイト症候群（発作性頻脈をときに伴う心電図のパターン．緩やかな初期要素(デルタ波)をもつ延長した QRS 群と短い P-R 間隔(0.1 秒またはそれ以下，ときに正常)からなる）. = preexcitation syndrome.

wolf·ram, wolf·ram·i·um (wulf′răm, -ram′ē-ŭm). ウォルフラム，ウォルフラミウム. = tungsten.

Wolf·ram syndrome ウォルフラム症候群（尿崩症，真性糖尿病，眼萎縮，難聴からなる症候群．第 4 染色体短腕の遺伝的異常．常染色体劣性遺伝）.

Wol·las·ton dou·blet ウラストン接合(二重)レンズ（色収差を是正するために顕微鏡の接眼部に用いる 2 個の平凹レンズを組み合わせたもの）.

Wol·man dis·ease ウォルマン病. = cholesterol ester storage disease.

Wol·man xan·tho·ma·to·sis ウォルマンのキサントマトーシス. = cholesterol ester storage disease.

womb (wūm). 子宮. = uterus.

Wood glass ウッドガラス（ニッケル酸化物を含むガラスで，Wood 灯に使われる）.

Wood lamp ウッドランプ（約 3,660 Å の最大波長をもつ光だけ通過させる酸化ニッケルフィルタ付きの紫外線ランプ．オードアン小胞子菌 *Microsporum audouinii*, イヌ小胞子菌 *M. canis*, 歪曲小胞子菌 *M. distortum*, または鉄銹色小胞子菌 *M. ferrugineum* に感染した毛髪を蛍光によって検出するのに用いる．それらは緑黄色の蛍光を発する）.

Wood light ウッド光〔線〕（Wood 灯により生じた紫外線）.

wood sour = barberry.

word deaf·ness 言語ろう. = auditory aphasia.

word sal·ad 言葉のサラダ（ある種の統合失調症患者が発する無意味で無関係な語の寄せ集め）.

work (wŏrk). 作業（成果を得るためになされる身体的または精神的努力）.

work·a·hol·ic (wŏrk′a-hol′ik). ワーカホリック（たとえ家族の責任，社会生活，健康を犠牲にまでしても強迫的に仕事を必要とする人）.

work of breath·ing 呼吸作業量（呼吸作業を達成するのに必要なエネルギーの全消費量．肺の圧力に肺の容積変化を乗じるか，または呼吸によって消費される酸素量(呼吸による基礎代謝を超える酸素使用量)から計算できる）.

Work-Ca·pac·i·ty E·val·u·a·tion = functional capacity evaluation.

work con·di·tion·ing 労働調整（仕事や雇用配置の要求を機能させることに焦点を当てた治療プログラムで，体力，持久力，柔軟性，協調性などの身体的状態の基礎要素を総合的に組み入れている．産業治療プログラムの要素は，労働訓練プログラムの前段階として提供される．急性治療や基礎リハビリ治療が完了した後に行われる）.

work·ers' com·pen·sa·tion (WC) 労災保険（米国の産業・労働時に生じた傷害のための社会保険制度で，州単位で取り決められている．労働者のための補償と呼ばれることもある）.

work·ers' com·pen·sa·tion law 労災保険法（米国法令では，雇用者は，労働で怪我をした従業員に給付金を払う，治療を受けさせる，あるいは仕事の途中，仕事が原因で亡くなった被扶養者に対して給付金を支払う責務があることが定められている）.

work hard·en·ing 労働訓練（集学的プログラムで，実際の仕事は怪我をした労働者のリハビリのために行われる．先任者が再び職場に戻れることに焦点を置いている．→work conditioning）.

Work·ing Form·u·la·tion for Clin·ic·al Us·age (WF) 臨床実用分類（1982 年に国立癌研究所により提唱された悪性リンパ腫の分類．様々なリンパ腫の臨床所見と組織病理学所見の相関性に基づいており，臨床的に広く用いられている）.

work·ing out 解除形成，心的加工（精神分析において，患者の生活史と精神力動が暴露される治療過程における状態）.

work·ing side 作業側（歯科において，そしゃく作業中に下顎が動く方向の側方歯群．*cf.* balancing side）.

work·ing through 徹底操作，反復工作（精神分析において，葛藤，または問題点について反復的に様々な検討を通じて付加的な洞察および人格変化を得る過程．自由連想と，抵抗，解釈および徹底操作との相互作用が本過程の基本的な側面を構成する）.

work·load u·nit (WLU) 仕事負荷量単位（生産性を計算するために使用する仕事量の単位．保健医療機関では，費用を計算できる処置あるいは患者の受診回数を使用することがある）.

World Health Or·gan·i·za·tion (WHO) 世界保健機関（国連の一機関で，国際的な健康問題の解決に取り組む）.

World Health Or·gan·i·za·tion probe 世界保健機構測定器（世界保健機構による歯周測定器で，歯周査定のための歯周検診と記録(PSR)制度に使用される．測定器には，測定チップから 3.5—5 ミリの位置に色つきのバンド(参考記号と呼ばれる)がついている．この色つきの参考記号は，歯科患者の PSE 検査の際に使用される）. = WHO probe.

worm (wŏrm). *1* 虫様構造（解剖学において，虫に似た構造のこと．例えば小脳の正中部）．*2* 蠕虫（無脊椎動物群，すなわち以前の蠕虫亜界(分類学的には使われなくなった集合体用語)の構成員を示すのに用いていた語．現在では，環形動物門(有体節あるいは真正蠕虫類)，線形動物門(円虫類)，扁形動物門(扁虫類)の諸門の構成員を示すのに通常用いる．重要な種としては，メジナ虫 *Dracunculus medinensis* (dragon worm, guinea worm, Medina worm, serpent worm)，蟯虫 *Enterobius vermicularis* (seat worm, pinworm)，ロア虫 *Loa loa* (African eye worm)，鎖状鉤頭虫 *Moniliformis* (鉤頭虫門，thorny-headed worms)，マンソン眼虫 *Oxyspirura mansoni* (Manson eye worm)，舌虫類 *Pentastomida* (tongue worm)，円虫類 *Strongylus* (palisade worm)，テラジア類 *Thelazia* (eye worm)，旋毛虫 *Trichinella spiralis* (pork worm, trichina worm)が含まれる）．

wor·mi·an (wŏrm′ē-ăn). Ole Worm に関する，または彼の記した．

wor·mi·an bones ウォーム骨. = sutural bones.

worm·wood (wŏrm′wud). ニガヨモギ. = absinthe.

Worth am·bly·o·scope ワース弱視鏡（最初の弱視鏡．手持ち型で，輻輳から開散まで，どの方向にも回転できる，角度付きの鏡筒から構成されている）．

Woulfe bot·tle ウルフびん（2，3 個の頸部をもつびんで，管でつなぎ，気体の操作(洗浄，乾燥，吸収など)に用いる）．

wound (wūnd). 創傷（①体組織の損傷で，特に物理的外力によって起こるもの．組織の連続性の離断を伴う．②外科的切開）．

wound clip 創クリップ（皮膚切開を外科的に接合するための金属製の留め金または器具）．

wound i·so·la·tion 創傷隔離（患者に開放創がある場合，医療従事者を守るために行われる隔離．skin isolation ともいう）．

wo·ven bone 網状骨（基質の膠原線維が網状に不規則に配列されている，胎児の骨格の特徴をなす骨組織）. = nonlamellar bone; reticulated bone.

W-plas·ty (plas′tē). W 形成〔術〕（直線の創の瘢痕収縮を予防するためにとられる手術．創縁は W 字形あるいは W 字の連続形に切られ，ジグザグに縫い閉じられる）．

Wright stain ライト染料（標本染色用の多色化メチレンブルーのエオシン塩の混合物．血液スミアの染色に用いる）．

Wright syn·drome ライト症候群. = thoracic outlet syndrome.

Wright ver·sion ライト回転〔術〕（肩甲位に用いられる頭位回転術で，肩を上に押し上げている間にもう一方の手で殿部を子宮中心に向かって動かす．その後，頭部を骨盤内に誘導する）．

Wris·berg nerve ヴリスベルク神経. = medial cutaneous nerve of forearm.

wrist (rist). 手根，手首（手根骨と靱帯からなる手の近位部分）. = carpus(1).

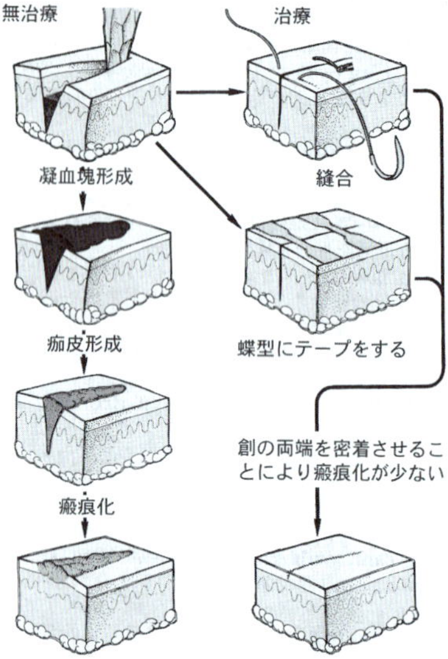
無治療
治療
凝血塊形成
縫合
痂皮形成
蝶型にテープをする
創の両端を密着させることにより瘢痕化が少ない
瘢痕化

wound healing

wrist-drop (rist drop). 〔下〕垂手（橈骨神経障害によって最も頻繁に起こる手根と手指の伸筋の麻痺）. = drop hand.

wrist-hand or·tho·sis 手関節指装具（指から，手関節，前腕遠位部にまたがる装具．ある程度の手の麻痺に対して指の屈曲・伸展を行わせるために用いる）．

wrist joint 橈骨手根関節（関節円板と橈骨末端と豆状骨を除く手根骨の近位列との間の関節）. = carpal joints(2); radiocarpal joint.

wrist sign 手首徴候（Marfan 症候群の場合，手首を反対側の手でつかむと明らかに親指と第五指が重なり合う）．

write off 償却（患者の契約的交渉や他の理由により，支払額を患者の勘定残高から差し引くこと）．

writ·ing (rīt′ing). 記述（①首尾一貫した言葉で，目に見え明瞭な文体で手紙を作成する行為．②そのような行為によって書かれた物）．

writ·ing hand 書字手（振せん麻痺にみられる，指がペンを握る形に固定された筋肉の収縮）．

wry·neck, wry neck (rī-nek′, rī nek). 斜頸. = torticollis.

Wu·cher·e·ri·a (vū-kĕr-ē′rē-ă). ブケレリア属（糸状虫の一属(糸状虫上科，オンコセルカ科)．特徴はその成虫が主としてリンパ管に寄生し，多数の胚すなわちミクロフィラリアを生じ，それが血液中を循環する(ミクロフィラリア血症)ことである．しばしば末梢血液中に規則的な時間間隔で出現する．この感染(ブケレリア症ある

いはフィラリア症)の極端な病像は象皮症あるいは硬皮症である).

Wu·cher·e·ri·a ban·crof·ti バンクロフト糸状虫（カ，特にネッタイイエカ *Culex quinquefasciatus* や *Aedes pseudoscutellaris* によってヒト(明らかに唯一の固有宿主)に伝播されるが，地理的な区域によって，それぞれイエカ属 *Culex*, ヤブカ属 *Aedes*, ハマダラカ属 *Anopheles*, マンソニア属 *Mansonia* に属する数種のカによって伝播される．成虫は白色で 40—100 mm の類円柱形の糸状をなす．ミクロフィラリアは被鞘し，虫体前端は丸く，後端は先細りとなり，核のない尾部をもつ．成虫は，大リンパ節(例えば，四肢(特に下肢)，乳房，精索，腹膜後腔組織)，リンパ節洞に寄生し，ときとしてリンパ流の一時的閉塞や軽度または中等度の炎症を起こす).

wu·cher·e·ri·a·sis (vū′kĕr-ē-rī′ă-sis). 〔バンクロフト〕糸状虫症（*Wuchereria* 属糸状虫の感染症. →filariasis).

Wy·burn-Ma·son syn·drome ワイバーン-メーソン症候群（大脳皮質の脳動静脈奇形, 網膜動静脈奇形と顔面母斑よりなる，通常，精神発達遅延を伴う).

W

X

X リアクタンス；xanthosine; ハロゲン元素；不特定のアミノ酸の記号.

xanthaemia [Br.]. = xanthemia.

xan·the·las·ma (zan-thĕ-laz′mă). = xanthelasma palpebrarum.

xan·the·las·ma pal·pe·bra·rum 眼瞼黄色板症（眼瞼や内眥部に生じる軟らかい黄橙色の局面で，最も一般的な黄色腫の型である．特に若年成人の場合，LDL(低密度リポ蛋白)に関連しているらしい）. = xanthelasma.

xan·the·mi·a (zan-thē′mē-ă). 黄色血〔症〕. = carotenemia; xanthaemia.

xan·thene dye キサンチン染料（キサンチン誘導体．ピロニン，ローダミン，フルオレセインなど）.

xan·thic (zan′thik). ***1*** 黄色の，帯黄色の. ***2*** キサンチンの.

xan·thine (zan′thēn). キサンチン（尿酸の前駆物質であるグアニンとヒポキサンチンの酸化生成物．多くの臓器と尿中に発生し，尿結石を形成することがある）.

xan·thism (zan′thizm). 黄色色素異常症（黒人の色素異常症．赤色または黄赤色の毛髪，銅赤色の皮膚，および，しばしば淡い虹彩色素を特徴とする）.

xantho-, xanth- 黄色，帯黄色を意味する連結形.

xan·tho·chro·mat·ic (zan′thō-krō-mat′ik). 黄色調の，黄変〔染〕性の. = xanthochromic.

xan·tho·chro·mi·a (zan′thō-krō′mē-ă). キサントクロミー，皮膚黄変症（皮膚に黄色斑が発生することで，黄色腫に似るが小結節や板状構造はない）. = xanthoderma(1).

xan·tho·chro·mic (zan′thō-krō′mik). = xanthochromatic.

xan·tho·der·ma (zan′thō-dĕr′mă). 皮膚黄変（①= xanthochromia. ②皮膚の黄色着色）.

xan·tho·gran·u·lo·ma (zan′thō-gran′yū-lō′mă). 黄色肉芽腫（脂質マクロファージによる後腹膜組織の特有の浸潤．女性により多く発生する）.

xan·tho·ma (zan-thō′mă). 黄色腫，キサントーマ（特に皮膚の黄色の小結節または斑で，脂質を貪食した組織球からなる）.

xan·tho·ma dis·sem·i·na·tum 播種性黄色腫（成人にまれに起こる良性の正脂血性の疾患で，体表屈曲部に非X組織球で構成される融合性の皮膚黄色腫を生じ，しばしば軽度の尿崩症を伴う）.

xan·tho·ma mul·ti·plex 多発性黄色腫. = xanthomatosis.

xan·tho·ma pla·num 扁平黄色腫（真皮内に黄色平板状あるいは微小な直方形に触知するのを特徴とする黄色腫の一型．正脂血症あるいは高脂血症の II_a もしくはIII型に伴う）.

xan·tho·ma·to·sis (zan′thō-mă-tō′sis). 黄色腫症（特に肘と膝に生じる広範な黄色腫で，ときに粘膜も侵し，代謝障害と関連することもある）. = lipid granulomatosis; lipoid granulomatosis; xanthoma multiplex.

xan·tho·ma·to·sis bul·bi 角膜脂肪変性（外傷後の角膜の潰瘍性脂肪変性）.

xan·tho·ma·tous (zan-thō′mă-tŭs). 黄色腫〔性〕の.

xan·tho·ma tu·ber·o·sum 結節性黄色腫，単純性結節性黄色腫（家族性II型およびときにIII型の高脂血症に伴う黄色腫症）.

xan·tho·phyll (zan′thō-fil). キサントフィル，葉黄素（カロチンの酸化誘導体．黄色植物色素．卵黄中黄体にも存在する）. = lutein(2).

xan·thop·si·a (zan-thop′sē-ă). 黄〔色〕視〔症〕（すべての物体が黄色に見える状態．ピクリン酸

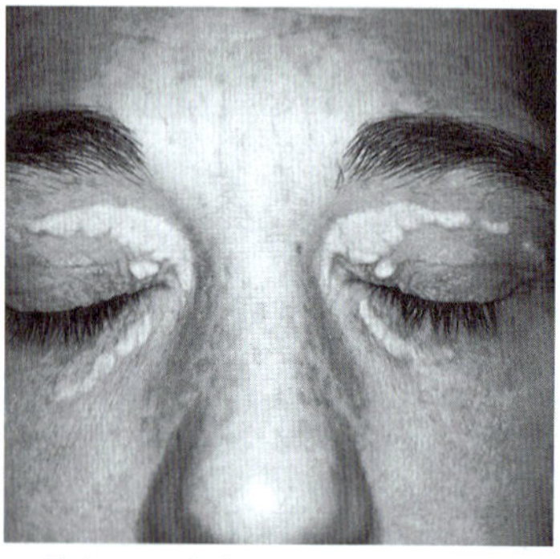

xanthelasma palpebrarum

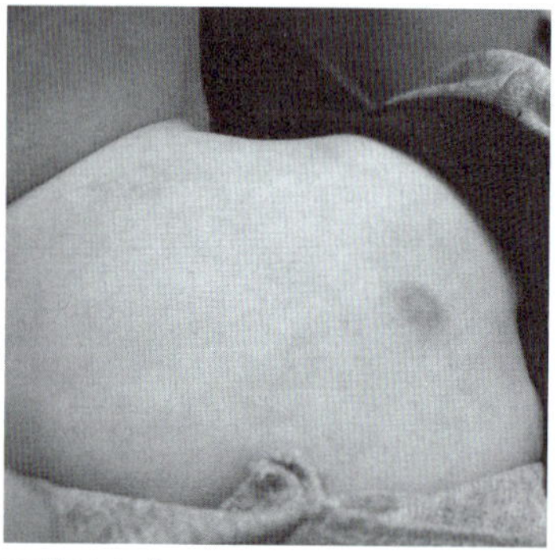

xanthogranuloma

中毒サントニン中毒，黄疸，ジギタリス中毒に発生する）．

xan·tho·sine (X, Xao) キサントシン（グアノシンの脱アミノ生成物（$-NH_2$ を O が置換する））．

xan·tho·sis (zan-thō′sis)．黄変（変性組織の帯黄変色．特に悪性腫瘍にみられる）．

Xao キサントシンの記号．

X chro·mo·some, Y chro·mo·some X 染色体，Y 染色体（→sex chromosomes）．

Xe キセノンの元素記号．

xe·nic cul·ture 宿主性培養，混合培養（未知の微生物と一緒に培養された寄生性微生物）．

xeno- 奇妙な，異物，寄生虫を示す連結形．→hetero-; allo-.

xen·o·bi·ot·ic (zen′ō-bī-ot′ik)．生体異物（薬理学的，内分泌学的，または毒物学的に活性な物質であり，内因的には産生されず，したがって生体にとっては異物である）．

xen·o·di·ag·no·sis (zen′ō-dī′ăg-nō′sis)．外因診断法（①ヒトの *Trypanosoma cruzi* 感染症（Chagas 病）の急性期または早期の診断法．研究室で飼育された未感染のサシガメ属 *Triatoma* の昆虫に擬似患者の組織を吸血させ，一定期間飼育後，サシガメの腸内容物中のトリパノソーマを顕微鏡で検査する．②同様な生物学的診断法で，問題とする微生物を増殖させることのできる未感染の正常な宿主動物を実験的に暴露することに基づく方法．これにより簡単にかつ確実に検出できる）．

xen·o·ge·ne·ic (zen′ō-jĕ-nē′ik)．組織移植片に関して異種の（特に提供側と被移植側が広くかけ離れた種に属する場合をいう）．= xenogenic (2); xenogenous (2).

xen·o·gen·ic (zen′ō-jen′ik)．***1*** 外因性の（生体外から，または生体内に導入された異物から発生する）．= xenogenous (1)．***2*** = xenogeneic.

xe·nog·e·nous (zĕ-noj′ĕ-nŭs)．***1*** = xenogenic (1)．***2*** = xenogeneic.

xen·o·graft (zen′ō-graft)．異種移植〔片〕（動物間における他の種からの組織移植）．= heterograft; heterologous graft.

xe·non (Xe) (zē′non)．キセノン（気体元素．原子番号 54，原子量 131.29．乾燥した大気中に微少の割合（0.087 ppm）で存在する．70 vol.％の濃度で全身麻酔を引き起こす）．

xe·non 133 キセノン 133（キセノンの放射性同位元素．81 keV のガンマ線を放出し，5.243 日の物理学的半減期をもつ．肺機能と臓器血流の検査に用いる）．

xen·o·par·a·site (zen′ō-par′ă-sīt)．異物化寄生体（宿主側の抵抗が弱まったため，病原性を発揮するようになった寄生生物）．

xen·o·pho·bi·a (zen′ō-fō′bē-ă)．他人恐怖〔症〕（他人あるいは見知らぬ人，外国人に対する病的な恐れ）．

Xen·op·syl·la (zen′op-sil′ă)．ネズミノミ属（ラットに寄生し，腺ペストの媒介に関与するノミの一属．インド（ケオプス）ネズミノミ *Xenopsylla cheopis* はペスト菌 *Yersinia pestis* の強力な媒介動物の役をする．*Xenopsylla astia* と *Xenopsylla braziliensis* もペストの強力な媒介動物である）．

xen·o·tro·pic vi·rus 異種栄養性ウイルス（自然宿主には疾病を引き起こさないで，宿主とは別の種から由来した組織培養細胞中でのみ複製するレトロウイルス）．

xero- 乾燥を意味する連結形．

xe·ro·chi·li·a (zēr′ō-kī′lē-ă)．口唇乾燥〔症〕．

xe·ro·der·ma (zēr′ō-dĕr′mă)．乾皮症，乾燥皮膚（角質層の軽度の肥厚と，発汗の減少，風，低湿度による皮膚角質層の水分含有量の減少による皮膚の過剰乾燥を特徴とする軽症型の魚鱗癬．老化，アトピー性皮膚炎，ビタミン A 欠乏症に伴ってみられる）．

xe·ro·der·ma pig·men·to·sum 色素性乾皮症（小児期に発生する露出部皮膚の発疹．特徴は，乳児期に重症の日焼けを起こす日光過敏があり，そばかすに似た多数の色素斑の増加と，より大きな萎縮性病変で，それは終局的には拡張した毛細血管に取り囲まれた光沢ある白色皮膚菲薄化と，若年期に悪性変化をきたす多発性日光角化症とをもたらす．重度な眼科的，神経学的異常もみられる）．

xe·ro·ma (zēr-ō′mă)．= xerophthalmia.

xer·oph·thal·mi·a (zēr′of-thal′mē-ă)．眼球乾燥〔症〕，乾燥眼（結膜と角膜の極度の乾燥で，光沢を失い，角化する．局部疾患またはビタミン A の全身欠乏による）．= xeroma.

xe·ro·sis (zēr-ō′sis)．乾燥〔症〕，乾皮症（皮膚

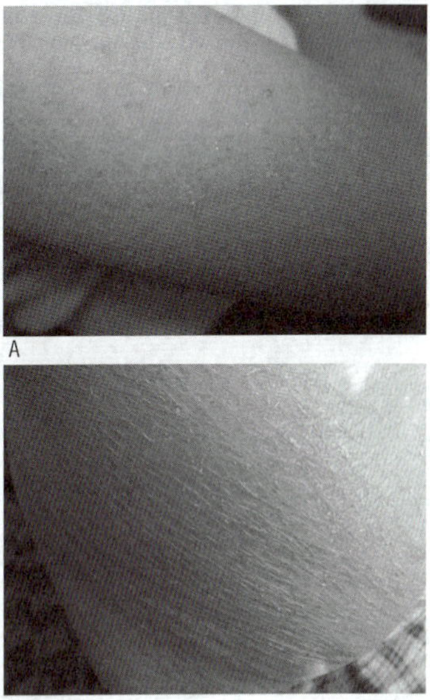

A

B

xerosis

(乾皮症), 結膜(眼球乾燥), または粘膜の病的乾燥).

xe·ro·sto·mi·a (zēr′ō-stō′mē-ă). 口内乾燥〔症〕(病因は様々だが, 唾液分泌の阻害, 減少または無唾液症による口の乾燥).

xe·rot·ic (zēr-ot′ik). 乾燥した, 乾燥症にかかった.

X-in·ac·ti·va·tion (in-ak′ti-vā′shŭn). X染色体不活性化. = lyonization.

xiph·i·ster·nal (zif′i-stĕr′năl). 剣状突起の.

xiph·i·ster·num (zif′i-stĕr′nŭm). 剣状突起. = xiphoid process.

xipho-, xiph-, xiphi- 剣状の, 通常は剣状突起, を意味する連結形.

xi·phoid (zī′foyd). 剣状の (特に剣状突起についていう). = ensiform.

xi·phoid car·ti·lage = xiphoid process.

xi·phoid·i·tis (zī′foyd-ī′tis). 剣状突起炎 (胸骨の剣状突起の炎症).

xi·phoid pro·cess 剣状突起 (胸骨下端の軟骨). = processus xiphoideus; ensiform process; xiphisternum; xiphoid cartilage.

xi·phoid pro·cess of ster·num 胸骨の剣状突起 (胸骨の低末部分の軟骨).

X-linked (lingkt). X〔染色体〕連鎖 (X染色体上にある遺伝子に関与していること. 通常よく誤って同義語的に用いられるのは〝性染色体連鎖 sex-linked〟で, これはY連鎖の形質も包含する).

X-linked gene X〔染色体〕連鎖遺伝子 (X染色体上にある遺伝子).

X-linked hy·po·gam·ma·glob·u·lin·e·mi·a, X-linked in·fan·tile hy·po·gam·ma·glob·u·lin·e·mi·a X連鎖低(無)ガンマグロブリン血症, ブルトン型無ガンマグロブリン血症 (循環血液中のBリンパ球の減少あるいは欠如により免疫グロブリンの減少を生じる先天性, 原発性の免疫不全症. 母体移行免疫消失後に顕在化する化膿性細菌(特に肺炎球菌)への易感染性を呈する).

X-linked lym·pho·pro·lif·er·a·tive syn·drome X連鎖リンパ増殖症候群 (X染色体長腕上の1A蛋白SH2ドメイン(SH2D1A)遺伝子に変異をきたして起こる免疫不全とリンパ増殖を呈する疾患. X連鎖劣性. Epstein-Barrウイルスへの細胞性・液性の免疫反応欠如を特徴とする. 劇症性伝染性単核球症, 悪性B細胞, 低ガンマグロブリン血症も生じる). = Duncan disease.

X-linked re·ces·sive bul·bo·spi·nal neur·on·op·a·thy X連鎖劣性球脊髄ニューロン障害. = Kennedy disease.

XO syn·drome XO症候群. = Turner syndrome.

X-pat·tern es·o·tro·pi·a X型内斜視 (上方視, 下方視の両方で, 正注視からの偏位が減少すること).

X-pat·tern ex·o·tro·pi·a X外斜視 (上方視, 下方視の両方で, 正注視からの偏位が大きくなること).

x-ray (rā). ***1*** X線 (高真空管から放出される電離性電磁放射線で, 熱陰極からの電子流がターゲット陽極に衝突して内殻軌道電子の励起が起こるために発生する). = roentgen ray. ***2*** X線 (他の過程, 例えば原子核の崩壊とその後の過程などにより, 原子の内殻軌道電子が励起することで発生する電離性電磁放射線). ***3*** = roentgen ray.

x-ray mi·cro·scope X線顕微鏡 (エネルギー源としてX線を用いることによって像が得られる顕微鏡. この像は非常に細かい粒子のフイルムに記録され, 映写によって拡大される. フイルムを使えば, かなり高倍率で光学顕微鏡で検査できる).

XXY syn·drome XXY症候群. = Klinefelter syndrome.

xy·lose (zī′lōs). キシロース (リボースの異性体であるアルドペントース. 天然に存在する炭水化物, 例えば, 木の線維中の物質の発酵または水解により得られる).

xy·lu·lose (zī′lyū-lōs). キシルロース; *threo*-pentulose(2-ケトペントース. L-キシルロースは真性ペントース尿症の尿に出る. グルクロン酸経路の中間体でもある).

xys·ma (zis′mă). 下痢便偽膜 (糞便中に排泄される膜状小片).

XYY syn·drome XYY症候群 (染色体数47の染色体異常で, Y染色体が過剰である. 高身長, 攻撃性, 多動性, 精神遅滞, にきびがみられる).

Y

Y イットリウムの元素記号．チロシン，ピリミジンヌクレオシドの記号．

y^{+} →system(5)．

YAG (yag)．yttrium-aluminum-garnet(イットリウム-アルミニウム-ガーネット)の略．

Yan·kau·er suc·tion cath·e·ter ヤンカー吸引カテーテル（精密なカテーテルの型）．

yaw (yaw)．フランベジア，イチゴ腫（イチゴ腫の発疹の個々の病巣）．

yawn (yawn)．***1***〚v.〛あくびする．***2***〚n.〛あくび（通常は呼息を伴う無意識の開口．出血後などの意識もうろうや生命力低下の徴候と考えられているが，暗示によっても生じる）．

yaws (yawz)．フランベジア，イチゴ腫（フランベジアトレポネーマ *Treponema pertenue* によって起こる伝染性熱帯病．四肢に，痂皮の付着した肉芽腫性潰瘍の発生をみるのが特徴．骨に現れることもあるが，梅毒とは異なり，中枢神経系や心血管系は侵さない）．= boubas; bubas; frambesia; granuloma tropicum; pian; rupia(2)．

Yb イッテルビウムの元素記号．

Y car·ti·lage, Y-shaped car·ti·lage Y字軟骨（腸骨，坐骨，恥骨を連結する軟骨で，寛骨臼にみられるY字形の軟骨）．

years of po·ten·tial life lost 種々の疾病と致死力が社会に与える相対的なインパクト指標．若年死亡がなかったと仮定したときに，その人々が生きたであろう期間(年)を推定することにより計算される．

yeast (yēst)．酵母，イースト（サッカロミセス科 Saccharomycetaceae の真菌類を表す一般名．糖を含む基質(例えば果実)や，土壌，動物の排出物，草木の栄養性部分などに広く分布している．炭水化物を発酵させる能力のため，ある種のものは醸造業やパン製造業にとって重要となっている）．

yel·low a·tro·phy of the liv·er 黄色肝萎縮（→acute yellow atrophy of the liver）．

yel·low and black-top tube イエローブラックトップチューブ（マイコバクテリア，真菌，無酢酸透析に使用される）．

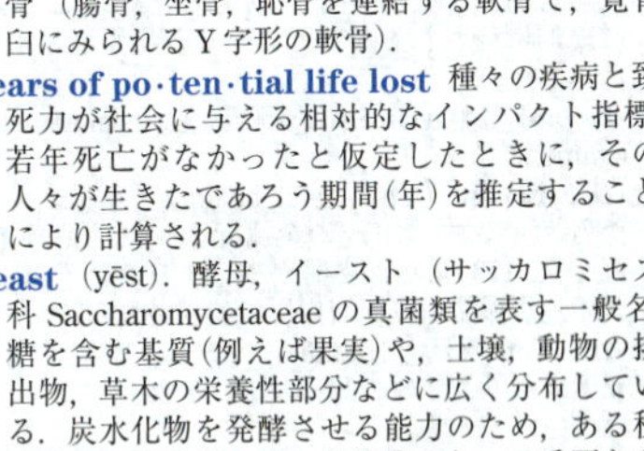

Yankauer suction catheter

yel·low car·ti·lage = elastic cartilage.

yel·low fe·ver 黄熱（カ媒介性のウイルス性肝炎で，フラビウイルス科の黄熱ウイルスによる．都市部では，ネッタイシマカ *Aedes aegypti* によって媒介されるが，農村，密林や森林地帯では，樹木に生息する哺乳類から *Haemagogus* 種群のカによって媒介される．臨床的には，発熱，徐脈，蛋白尿，黄疸，顔面の充血，および出血，特に吐血を特徴とする．治癒すれば，再感染に対する免疫が賦与される）．

yel·low fi·bers = elastic fibers.

yel·low gin·seng = blue cohosh.

yel·low hep·a·ti·za·tion 黄色肝変（肝変の最終期で，滲出物が膿状を呈する）．

yel·low lead·er = *Astragalus.*

yel·low paint = goldenseal.

yel·low puc·coon = goldenseal.

yel·low rain イエローレイン（ベトナム戦争時に東南アジアで報告されている様々な色の煙，霧，粉末で，T-2マイコトキシンが含まれていたとか，単にミツバチの花粉だったとか，様々なことが言われている）．

yel·low-top tube イエロートップチューブ（容器がアクディームで処理されたことを示し，フローサイトメトリーや組織適合検査のような特別な検査のために，全血が採取される時に使われる）．

yer·ba ma·té イェルバマテ（Ilex paraguariensis．南米の一般的な飲み物で，この薬草を注入することで，鎮痛薬，抗うつ薬，瀉下薬，利尿薬の効果があると言われている．ドイツでは刺激薬として使用が認められている．長期的に消費すると副作用として，肝毒性，神経過敏，易刺激性，神経障害，癌の危険の増加がみられる）．= Bartholomew's tea; gaucho tea; yi-yi.

Yer·ga·son test ヤーガソンテスト（上腕二頭筋腱炎の診断手技．肘を90°屈曲位で患者に前腕回内位から回外，肘屈曲，肩外旋を指示し，検者がこれらの動きに抵抗して関節を伸展させようとする．これにより結節間溝に疼痛が誘発されたり溝で腱の弾発音が生じれば，本テスト陽性である）．

Yer·sin·i·a (yĕr-sin′ē-ă)．エルジニア属（グラム陰性，無莢膜性の卵形から杆状の細胞をもつ，運動性および非運動性の無芽胞性細菌(腸内細菌科)の一属．これらの微生物はヒトやその他の動物に寄生する．標準種は *Yersinia pestis*）．

Yer·sin·i·a en·ter·o·col·i·tic·a ヒトにエルジニア症を起こす細菌の一種．発病の有無を問わず，ヒトをはじめ動物の糞便およびリンパ節，あるいは糞便に汚染されたと思われる物質中に見出される種．

Yer·sin·i·a pes·tis ペスト菌（ヒト，げっ歯類，および他の哺乳類にペストを起こす細菌種．ネズミノミ属 *Xenopsylla* ネズミノミによってラットからラット，ラットからヒトに伝播される．

Yersinia 属の標準種). = Kitasato bacillus.

Yer·sin·i·a pseu·do·tu·ber·cu·lo·sis 偽結核エルジニア菌（鳥類，げっ歯類，まれにヒトに偽結核症を起こす細菌種). = *Pasteurella pseudotuberculosis.*

yer·sin·i·o·sis (yĕr-sin′ē-ō′sis). エルジニア症（*Yersinia enterocolitica* によるありふれたヒトの感染性疾患で，下痢，腸炎，偽性虫垂炎，回腸炎，結節性紅斑，およびときに敗血症あるいは急性関節炎を特徴とする).

yield (yēld). 収量，収率（生成した量の総量．しばしば，原料の百分率で計量する．例えば，酵素精製における収率は精製の最後の段階で得られた酵素活性単位を出発原料で得られた全単位で除した値に等しい).

yin/yang (yin-yang). 陰/陽（伝統的中国医学において，対立する概念であるが相補的な力(例えば温/冷，硬/軟)で，健康維持の根底にあると考えられている.).

yi-yi (yē-yē). = yerba maté.

-yl ある物質が H 原子または OH 基を失うことにより生成する基であることを示す化学的接尾語．例えば，前者では alkyl, methyl, phenyl，後者では acyl, acetyl, carbamoyl.

-ylene 2 価の炭化水素基または二重結合をもつことを表す化学的接尾語．例えば，前者では methylene, $-CH_2-$，後者では ethylene, $CH_2=CH_2$.

Y-link·age (lingk′āj). Y 連鎖（遺伝因子(遺伝子)が Y 染色体にある状態．この考えは X 連鎖と類似しているが，Y 染色体はキアズマ形成や組換えには関係していないので，通常用いられる連鎖法による解析はできない).

Y-linked gene Y 連鎖遺伝子（Y 染色体上にある遺伝子). = holandric gene.

yoke (yōk). ヨーク，隆起. = jugum(1).

yolk (yōk). ***1*** 卵黄（胚の栄養物として卵の中にある栄養物質の 1 つ．鳥類の卵の中に特に豊富に，顕著に存在する). = vitellus. ***2*** 羊毛脂（羊毛内にある脂肪物質．抽出，精製するとラノリンになる).

yolk mem·brane 卵黄膜. = membrana vitellina.

yolk sac 卵黄嚢. = umbilical vesicle.

yolk stalk 卵黄茎. = omphaloenteric duct.

Yorke au·to·lyt·ic re·ac·tion ヨルケ自己溶解反応（発作性血色素尿症のテスト．血清を冷凍庫に入れて 5—7 分間 0°C に赤血球とともに 1 時間保ってから，37°C の培養器に入れる．このとき反応が陽性の場合には溶血が起こる．この血清を 1°C で 1 時間放置後，赤血球とともに培養器に入れた場合，ほとんど溶血は起こらない).

Young-Helm·holtz the·o·ry of col·or vi·sion ヤング–ヘルムホルツ色覚説（網膜中には色知覚の 3 組の要素があり，赤色，緑色，青色の 3 色にそれぞれ対応する．他の色の知覚は以上の組の要素の組合せによる．上記の組の要素のいずれか 1 つが欠如すると，色の知覚不能やその色が構成部分である他の色の誤知覚が生じるという説).

Young mo·du·lus ヤング率（弾性係数の 1 つ．加えられた力の方向に垂直な物体の断面の単位面積当たりの力の大きさを，その方向に生じた長さの変化で除したもの).

yo-yo di·et ヨーヨーダイエット（個人が体重を減らし，減った分がまた増えるということが，周期的に行われること．ヨーヨー症候群とも呼ばれる).

Y-shaped lig·a·ment Y 形靱帯. = iliofemoral ligament.

yt·ter·bi·um (Yb) (i-tĕr′bē-ŭm). イッテルビウム（ランタニド族の金属元素．原子番号 70，原子量 173.04．半減期が 32.03 日の ^{169}Yb は，大槽造影撮影や脳断層撮影に使用される).

yt·tri·um (Y) (it′rē-ŭm). イットリウム（金属元素．原子番号 39，原子量 88.90585).

Z

Z benzyloxycarbonyl の略．グルタミン酸，グルタミン，ペプチドの酸加水分解によってグルタミン酸を生成する物質のいずれかのアミノ酸を示す記号．カルボベンゾキシ基の記号．

z zepto- の略．

Zahn in·farct ツァーン梗塞（肝臓の偽性梗塞で，実質の萎縮を伴うが壊死は起こしていないうっ血領域からなる．門脈の分枝の閉塞によるもの）．

Za·ire vi·rus ザイールウイルス（エボラウイルスの一変種）．= Ebola virus Zaire.

Zar·it bur·den in·ter·view ザリット負荷面接（Alzheimer 病患者の家族や介護者のストレスのレベルを評価するのに用いられる面接方法）．

Za·va·nel·li ma·neu·ver ザバネリーの手技．= cephalic replacement.

Z band = Z line.

Z-DNA Z 型 DNA（DNA の一型で，らせんが左巻きで全体の外観は長く伸びて細い）．

ZDV zidovudine の略．

ZEEP (zēp)．zero end-expiratory pressure の略．

Zeis glands ツァイス腺（睫毛囊に開く皮脂腺）．

Zeit·geist (zīt′gīst)．時代精神（心理学における用語で，その時代の文化，芸術，科学の中にいつでもみられる世論の動向，思潮，目立たない影響，疑問をもたれない仮定をいい，個人もこの時代精神に貫かれ，影響を受けている）．

Zen·ker de·gen·er·a·tion ツェンカー変性（重篤な感染において起こる，骨格筋の重篤なヒアリン変性または壊死の一形態）．= waxy degeneration(2)．

Zen·ker di·ver·tic·u·lum ツェンカー憩室．= pharyngoesophageal diverticulum.

Zen·ker fix·a·tive ツェンカー固定液（塩化水銀(昇汞)，重クロム酸カリウム，硫酸ナトリウム，氷酢酸，および水よりなる迅速固定液で，三重染色に有用である．重クロム酸カリウムを除くための洗浄と塩化水銀を除くためのヨウ素液処理を必要とする．24 時間以上固定液につけておくと組織がもろくなる傾向がある）．

Zen·ker pa·ral·y·sis ツェンカー麻痺（外膝窩神経の領域の感覚異常と麻痺）．

zep·to-(z) ゼプト（10^{-21} の分量単位を表すために SI やメートル法で用いられる接頭語）．

ze·ro (zēr′ō)．零，零点（①大きさのないこと，または無を意味する数字の 0．②温度測定においては目盛りの数字が 2 方向に分かれる点．セ氏および Réaumur 目盛りで 0 は蒸留水の氷点を表す．カ氏目盛りでは水の氷点から 32° 低い温度）．

ze·ro end-ex·pi·ra·to·ry pres·sure (ZEEP) 呼気終末平圧〔換気〕（呼気終末気道内圧が大気圧に等しい状態）．

ze·ta (zāt′ă)．ゼータ（①ギリシア語アルファベットの第 6 字 ζ．②化学では系列の 6 番目を表す．例えば，官能基から第 6 番目の炭素．③界面動電位の記号）．

ze·ta·crit (zā′tă-krit)．ゼータクリット（毛細管に入れた血液を垂直面内で遠心し，赤血球の集密と分散を繰り返すことができるようにして得られた充塡赤血球量．通常のヘマトクリット値とともに測定してゼータ沈降比 zeta sedimentation ratio を求める）．

ze·ta sed·i·men·ta·tion ra·ti·o ゼータ沈降比（ゼータクリットに対するヘマトクリットの比．正常値は 0.41 から 0.54(41―54%)．赤血球沈降速度(ESR)の鋭敏な指標で，貧血の影響を受けない）．

Z fil·a·ment Z フィラメント（横紋筋の Z 線にあってジクザクに走っている線維で，アクチンフィラメントが付着している）．

Zick·el nail ジッケルネイル（大腿骨転子下骨折の固定のために使用される整形外科固定具）．

zi·dov·u·dine (ZDV) ジドブジン（HIV ウイルスの複製を阻害するチミジン類似化合物．エイズの治療に用いる）．

Ziehl stain チール染料（フェノールと塩基性フクシン含有の石炭酸フクシン溶液で，細菌や細胞核の染色に用いる）．

Zie·mann dot チーマン斑点（四日熱マラリアで赤血球内にみられる細かい斑点）．

zig·zag plas·ty = Z-plasty.

Zim·mer·lin at·ro·phy チンメルリン萎縮（萎縮が上半身に始まる遺伝性進行性筋萎縮の一種）．

zinc (zingk)．亜鉛（金属元素．原子番号 30，原子量 65.39．必須生体成分．亜鉛を含む塩の多くは薬品として用いる．多くの蛋白の補助因子）．

zinc 65 亜鉛 65（亜鉛の放射性同位元素．半減期 243.8 日で主に K 電子捕捉により崩壊．亜鉛代謝の研究にトレーサとして用いる）．

zinc sul·fate flo·ta·tion con·cen·tra·tion 硫酸亜鉛浮遊濃縮法（飽和硫酸亜鉛を用い，比重の違いを利用して寄生虫要素を糞便より分離する方法．ほとんどの寄生虫囊胞，接合子囊，芽胞，卵，幼虫が遠沈後の表面の薄層中にみられる）．

Zinn zon·ule チン小帯．= ciliary zonule.

zir·co·ni·um (Zr) (zĭr-kō′nē-ŭm)．ジルコニウム（金属元素．原子番号 40，原子量 91.224．自然界に広く存在するが，1 か所に多量に発見されたことはない）．

Z line Z 線(帯)（横紋筋の筋原線維の I 帯を 2 分する境界の線で，両側の筋節のアクチンフィラメントの付着場所である）．= Z band.

zm zeptometer(ゼプトメートル)の略．註メートルの補助単位で 10^{-21} メートルを表す．Z が大文字の場合はゼダメートルで，10^{21} メートルのことである．ym(ヨクメートル)は 10^{-24} メートル，Ym(ヨタメートル)は 10^{24} メートルを表す．

zo·ac·an·tho·sis (zō′ak-ăn-thō′sis)．動物毛性表皮肥厚〔症〕（ヒトの皮膚に下等動物の毛，剛毛，刺毛などが刺入されて生じる皮疹）．

zo·an·throp·ic (zō′ăn-throp′ik). 獣化妄想の.
zo·an·thro·py (zō-an′thrŏ-pē). 獣化妄想（イヌのような，動物であるという妄想）.
Zol·lin·ger-El·li·son syn·drome ゾリンジャー-エリソン症候群（胃液分泌過多を伴う消化性潰瘍と膵臓のガストリン産生腫瘍を伴う．ときに家族性多内分泌腺腫症を合併する）.
Zöll·ner lines ツェルナー線（視覚の錯覚を調べるために工夫された図．一般的なものは斜めに並列した多数の短い線と交差した2組の平行線からなる．平行線は，収束，または発散しているように見える）.
zo·na, pl. zo·nae (zō′nă, -nē). ***1*** 帯. = zone. ***2*** 帯状疱疹，帯状ヘルペス. = herpes zoster.
zo·na ar·cu·a·ta 弓状帯. = arcuate zone.
zonaesthesia [Br.]. = zonesthesia.
zo·na fasc·i·cu·la·ta 束状帯（副腎皮質の球状帯と網状帯の間にある放射状配列をした細胞索の層で，コーチゾルとデヒドロエピアンドロステロンを分泌する）.
zo·na glo·mer·u·lo·sa 球状帯（副腎皮質の外層で，被膜の直下にあり，アルドステロンを分泌する）.
zo·nal ne·cro·sis 区域壊死（解剖学上の1つの区域に限って侵される壊死．ことに肝小葉の門脈路か肝静脈のどちらかの近位部に現れる）.
zo·na oph·thal·mic·a 眼性帯状疱疹，眼性帯状ヘルペス（眼神経が分布する部分の帯状疱疹）.
zo·na or·bi·cu·la·ris 〔股関節の〕輪帯（大腿骨頸部を囲む股関節の関節胞の線維）.
zo·na pec·ti·na·ta 櫛状帯. = pectinate zone.
zo·na pel·lu·cid·a 透明帯（卵母細胞周囲の糖蛋白に富んだ細胞外被覆物で，卵母細胞の微小絨毛，胞状卵胞の細胞突起を含む．光学顕微鏡では均一透明にみえる）. = pellucid zone.
zo·na re·tic·u·la·ris 網状帯（副腎皮質の内層で，細胞索が網状に吻合している）.
zo·na tec·ta = arcuate zone.
zone (zōn). 帯（外部・内部・縦走・横走のいずれを問わず何かを囲む構造またはベルト状の構造. →area; band; region; space; spot）. = zona(1).
zone of e·quiv·a·lence 最適値（抗体や抗原濃度が格子形成に最適時の，沈降素または凝集曲線の一部）.
zone of in·hi·bi·tion 阻止地帯（抗菌ディスク周辺のバクテリアが増殖しない領域）.
zo·nes·the·si·a (zōn′es-thē′zē-ă). 帯状感，絞扼感，緊括感（ひもが体に巻き付き締め付けられるような感覚）. = girdle sensation; zonaesthesia.
zo·nif·u·gal (zō-nif′yū-găl). 域外指向性の，圏内から離れる（ある領域から外に向かって進む．病巣部分に初めて刺激が加えられて，それが感覚の正常な部分に伝達されていくときの，感覚の変化した部分を示すような状態）.
zon·ing (zōn′ing). 帯形成（梅毒の診断で用いる血清試験にときに観察される現象．梅毒の疑いのあるごく少量の血清で強い反応が起こる．この反応は高い抗体価によるものと思われる）.
zo·nip·e·tal (zō-nip′ĕ-tăl). 域内指向性の，圏内にはいる（外部からある領域方向に，または中にはいる．刺激が正常な部分から始まり，病巣部分に伝達される場合の変化した感覚領域を描き出すときのような状態）.
zo·nog·ra·phy (zō-nog′ră-fē). 狭角断層撮影法（比較的厚い焦点平面をもつ断層撮影法の一種．特に腎の断層撮影に用いる）.
zo·nu·la, pl. zo·nu·lae (zōn′yū-lă, -lē). 小帯. = zonule.
zo·nu·la cil·i·ar·is 毛様〔体〕小帯. = ciliary zonule.
zo·nu·lar (zō′nyū-lăr). 小帯の.
zo·nu·lar cat·a·ract 層間白内障. = lamellar cataract.
zo·nu·lar spac·es 小帯隙（眼の水晶体の赤道部にある毛様小体の線維間の隙）.
zo·nule (zō′nyūl). 小帯. = zonula.
zo·nu·li·tis (zō′nyū-lī′tis). 毛様小帯炎（毛様小帯または水晶体の懸垂靱帯の炎症と思われる）.
zo·nu·lol·y·sis, zo·nu·ly·sis (zō′nyū-lol′i-sis, -nyū-lī′sis). 毛様小帯溶解（白内障の外科的除去を行いやすくするための，酵素（α-キモトリプシン）による毛様小帯の融解）. = Barraquer method.
zoo-, zo- 動物または動物の生活を意味する連結形.
zoo blot a·nal·y·sis ズーブロット分析（Southern ブロット分析を使って1つの種から得た核酸プローブが他種の DNA 断片とハイブリダイズすることができるかを検査する方法）.
zo·o·e·ras·ti·a (zō′ō-ĕ-ras′tē-ă). 獣姦. = bestiality.
zo·o·graft (zō′ō-graft). 移植用動物組織片，動物移植片（ヒトの移植のために動物から取った組織片）.
zo·o·graft·ing (zō′ō-graft′ing). = zooplasty.
zo·oid (zō′oyd). ***1*** 〚adj.〛 動物様の（動物に類似している，あるいは動物様の外観をもつ生物または物体）. ***2*** 〚n.〛 卵子や精子，あるいは条虫類の体節のような，独立して存在または運動することが可能な動物細胞. ***3*** 〚n.〛 個虫（サンゴのような，群体を形成する無脊椎動物の個体）.
zo·o·lag·ni·a (zō′ō-lag′nē-ă). 動物性愛〔症〕（動物に対する性的愛着）.
zo·o·no·sis (zō′ō-nō′sis). 人獣共通伝染病，ゾーノーシス（ヒトと他の動物が共有する伝染病または侵襲疾患. →anthropozoonosis; metazoonosis; saprozoonosis）.
zo·o·not·ic cu·ta·ne·ous leish·ma·ni·a·sis 動物寄生虫皮膚リーシュマニア症（リーシュマニアに感染したげっ歯類，特にリスより感染したヒトの例が地方に分布していることを特徴とする皮膚リーシュマニア症の一型．2—4か月の潜伏期ののち，2—8か月の経過で治癒する湿潤した壊死性の潰瘍を伴った，急速に広がる，炎症の強い真皮病変が特徴）.
zo·o·not·ic po·ten·tial 人獣共通感染能（ヒト以下の動物の感染症で，ヒトに感染する能力）.
zo·o·par·a·site (zō′ō-par′ă-sīt). 動物性寄生体

(寄生体として存在する動物).

zo·o·phil·ic (zō′ō-fil′ik). 動物好性の（ヒトより動物宿主を好む寄生生物についていう).

zo·oph·i·lism (zō-of′i-lizm). 動物愛，動物愛玩（動物に対する過度の愛情).

zo·o·pho·bi·a (zō′ō-fō′bē-ă). 動物恐怖〔症〕（動物に対する病的な恐れ).

zo·o·plas·ty (zō′ō-plas-tē). 動物皮膚移植〔法〕（動物からヒトへ組織を移植すること). = zoografting.

zo·o·tox·in (zō′ō-tok′sin). 動物〔性〕毒素（バクテリア毒素抗原に類似する活性をもつ物質で，ある種の動物の体液中にみられる．蛇毒，毒性昆虫の分泌液，ウナギの血液に含まれる).

zos·ter (zos′tĕr). 帯状疱疹，帯状ヘルペス. = herpes zoster.

zos·ter·oid (zos′tĕr-oyd). 帯状疱疹状(様)の，帯状ヘルペス状(様)の.

Z-plas·ty (plas′tē). Z 形成〔術〕（瘢痕拘縮のある組織間を延長する，あるいは緊張の方向を 90° 回すための手術．Z 字形の中央の線を緊張や収縮の最も強い線に沿ってつくり，三角形の片を 2 つの両端の反対側まで持ち上げて置き換える). = zigzag plasty.

Z-pro·tein (prō′tēn). Z 蛋白（脂肪酸の細胞内移動に関与する脂肪酸結合蛋白). = fatty acid-binding protein.

Zr ジルコニウムの元素記号.

Zsig·mon·dy den·tal no·men·cla·ture チグマンディー歯式. = Palmer dental nomenclature.

Z-track meth·od Z トラック法（筋肉注射の方法で，注射された薬品が皮膚表面に逆流するのを防ぐ．注射の時，皮膚を片側に押し，その場所に固定させる．針を抜いた時，皮膚は元の位置に戻される).

Zuc·ker·kan·dl bod·ies ツッカーカンドル〔小〕体. = paraaortic bodies.

zwit·ter hy·poth·e·sis 両性分子(例えばアミノ酸)が等電点において，等数の正電荷および負電荷を生じ，両性イオンになるという説.

zwit·ter·i·ons (zvit′ĕr-ī′onz). 両性イオン（→ zwitter hypothesis). = dipolar ions.

zy·gal (zī′găl). ザイゴンの，軛状の，H 字形の.

zy·ga·po·phy·si·al joint = facet joint.

zyg·a·poph·y·sis, zyg·a·poph·y·ses, pl. **zyg·a·poph·y·ses** (zī′gă-pof′i-sis, -sēz, -sēz). = articular process.

zygo-, zyg- 関節を意味する連結形.

zy·go·ma (zī-gō′mă). ***1*** 頬骨. = zygomatic bone. ***2*** = zygomatic arch.

zy·go·mat·ic (zī′gō-mat′ik). 頬骨の.

zy·go·mat·ic arch 頬骨弓（頬骨の側頭突起が側頭骨の頬骨突起と結合して，形成する弓). = zygoma(2).

zy·go·mat·ic bone 頬骨（頬の隆起を形成する四辺形の骨．前頭骨，蝶形骨，側頭骨，上顎骨と関節する). = os zygomaticum; jugal bone; mala (2); malar bone; zygoma(1).

zy·go·mat·ic nerve 頬骨神経（下眼窩裂にある上顎神経[CN V2]の枝．下眼窩裂を通過し，2本の感覚枝，頬骨側頭枝，頬骨顔面枝を出して側頭部と頬骨部の皮膚に分布するとともに，涙腺神経の交通枝となる). = nervus zygomaticus; temporomandibular nerve.

zy·go·mat·i·co·au·ric·u·lar·is (zī′gō-măt′i-kō-awr-ik′yū-lar′is). = auricularis anterior muscle.

zy·go·mat·i·co·fa·cial fo·ra·men 頬骨顔面孔（頬骨顔面神経を通す眼窩縁下の頬骨外面上の孔). = foramen zygomaticofaciale.

zy·go·mat·i·co·or·bi·tal ar·ter·y 頬骨眼窩動脈（起源：浅側頭からで，中側頭からのときもある．分布：眼輪筋と眼窩の一部．吻合：眼部の涙腺や眼瞼の支脈). = arteria zygomatico-orbitalis.

zy·go·mat·i·co·or·bi·tal fo·ra·men 頬骨眼窩孔（頬骨顔面神経と頬骨側頭神経を通す管の頬骨眼窩面上の共通孔．ときにはこれらの各管が眼窩面上に別個の孔をもつ). = foramen zygomaticoorbitale.

zy·go·mat·i·co·tem·po·ral fo·ra·men 頬骨側頭孔（頬骨側頭面上の孔で，頬骨側頭骨神経を通す管の孔). = foramen zygomaticotemporale.

zy·go·mat·ic pro·cess of max·il·la 上顎骨頬骨突起（上顎から出る粗な突起で，頬骨と連結する).

zy·go·mat·i·cus ma·jor mus·cle 大頬骨筋（前頬部の顔面筋で上唇まで伸びている．起始：側頭頬骨縫線前部の頬骨．停止：口角の筋．作用：上唇を上側方に引く．神経支配：顔面神経). = musculus zygomaticus major; greater zygomatic muscle; musculus zygomaticus.

zy·go·mat·i·cus mi·nor mus·cle 小頬骨筋（前頬部の顔面筋で上唇まで伸びている．起始：頬骨上顎縫線後部の頬骨．停止：上唇の口輪筋．作用：上唇を上方・外方に引く．神経支配：顔面神経). = musculus zygomaticus minor; caput zygomaticum quadrati labii superioris; lesser zygo-

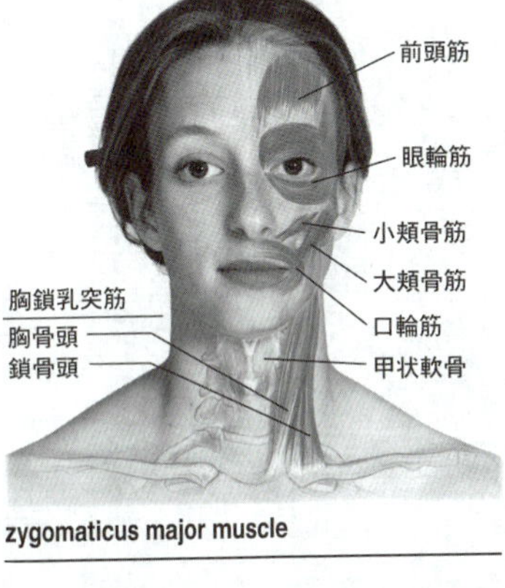
前頭筋
眼輪筋
小頬骨筋
大頬骨筋
口輪筋
甲状軟骨
胸鎖乳突筋
胸骨頭
鎖骨頭

zygomaticus major muscle

matic muscle.

zy·go·max·il·la·re (zī′gō-mak′si-lar-ē). チゴマキシラーレ（頭蓋計測学上の点で，頬骨上顎縫合の外表面での最下点）. = zygomaxillary point.

zy·go·max·il·la·ry point 頬骨と上顎骨に関係した点. = zygomaxillare.

Zy·go·my·ce·tes (zī′gō-mī-sē′tēz). 接合菌綱（接合胞子を形成する有性生殖と，胞子嚢柄または分生子器とよばれる非運動性胞子により無性生殖を行うことが特徴の真菌類の一綱）.

zy·go·my·co·sis (zī′gō-mī-kō′sis). 接合真菌症（ムコール菌症とエントモフトラ症を含む広範な語. 一般に培養ができず，臨床的な全体像がはっきりしない場合に用いられる）. = mucormycosis; phycomycosis.

zy·gon (zī′gon). ザイゴン（軛状裂溝分枝を結合する短いかんぬき）.

zy·go·ne·ma (zī′gō-nē′mă). = zygotene.

zy·go·sis (zī-gō′sis). 接合生殖（真の接合あるいは2個の単細胞生物の有性結合をいう. 本質的には2つの細胞の核が融合することにより成立する）.

zy·gos·i·ty (zī-gos′i-tē). 接合生殖性（個体が由来する接合体の性質. 例えば，その場合遺伝的に同一であるが，1個の接合体の分裂から分かれたか（一卵性），あるいは2個の別個の受精卵（二卵性）からかということ）.

zy·gote (zī′gōt). 接合体，接合子（①精子と卵子の結合の結果生じる二倍体細胞. *cf.* conceptus. ②受精卵から発生する個体）.

zy·go·tene (zī′gō-tēn). 合糸期（相同染色体の点対合に対する正確な点が決まり始める減数分裂の前期段階）. = zygonema.

zy·got·ic (zī-got′ik). 接合体の，接合子の，接合生殖の.

zymo-, zym- 発酵または酵素を意味する連結形.

zy·mo·deme (zī′mō-dēm). ザイモデーム（アイソザイムパターンのこと. アイソザイムの電気泳動によって同定される）.

zy·mo·gen (zī′mō-jen). チモーゲン，酵素原. = proenzyme.

zy·mo·gen·e·sis (zī′mō-jen′ĕ-sis). 酵素発生（前酵素（酵素原）の活性酵素への変化）.

zy·mo·gen·ic (zī′mō-jen′ik). ***1*** チモーゲンの，酵素原の. ***2*** 酵素発生の.

zy·mo·gen·ic cell 酵素原細胞（酵素を分泌する細胞. 特に胃腺あるいは膵臓の腺房細胞の主細胞）. = peptic cell.

和 英 索 引

索　引　凡　例

◇ 本文中の見出し語から，約 40,000 語を抽出し，英語に対応させ，和英辞典として活用できるようにした。

◇ 索引は五十音順に配列した。

◇ 2 通りに読めるものは両方の読みから検索できるようにした。

《例》頭蓋→トウガイ
　　　　　ズガイ

◇〔　〕内の語は省略してもよいことを意味し，配列上は無視した。ただし冒頭に〔　〕がある場合は両方から検索できるようにした。

《例》転移〔性〕膿瘍→テンイノウヨウ
　　〔酵素〕活性→コウソカッセイ
　　　　　　　　カッセイ

◇（　）内の語は直前の語と取り替え可能を意味し，配列上は無視した。原則的に直前の語は（　）内の語より優位を示すが，同等の場合は便宜上統一した。頻出のものを以下に示すので検索する際の参考にされたい。複合語については，その構成上の個々の語を検索することにより，便宜上統一された語を見出すことが可能である。

感覚（知覚）　　撮影（造影）
感染（伝染）　　消失（脱失）
水腫（浮腫）　　片側（半側）
先端（肢端）

◇ 接頭語として付く記号・数字は配列のうえでは無視する。ただし，用語の成立に欠かせないものはこれに従わない。

《例》5-アミノイミダゾールリボース 5′-ホスフェート
　　　→アミノイミダゾールリボースホスフェート
　　Q 熱→キュウネツ

ア

アーヴァイン-ガス症候群 Irvine-Gass syndrome ……648
アーガイル・ロバートソン瞳孔 Argyll Robertson pupil ……95
アーチファクト artifact ……104
アーディー症候群 Adie syndrome ……27
アーティチョーク artichoke ……103
アーノルドの咳反射 Arnold reflex ……96
アーバン手術 Urban operation ……1249
アーベックの法則 Abegg rule ……4
アーミテージ-ドールモデル Armitage-Doll model ……95
アール〔溶〕液 Earle solution ……374
RS ウイルス respiratory syncytial virus (RSV) ……1042
RS ウイルス免疫グロブリン静注剤 respiratory syncytial virus immune globulin intravenous (RSV-IGIV) ……1042
Rh 因子 Rh factor ……1051
Rh 陰性症候群 Rh null syndrome ……1053
RN アーゼ P RNase P ……1058
RNA ウイルス RNA virus ……1058
RNA 腫瘍ウイルス RNA tumor viruses ……1058
RF パルス radiofrequency ……1020
R 蛋白質 R-protein ……1062
R 波 R wave ……1065
R バンディング染色〔法〕 R-banding stain ……1026
アイエルザ症候群 Ayerza syndrome ……128
アイカップ eye cup ……437
合釘 post ……962
アイケン法 Eicken method ……381
I 細胞 I cell ……600
アイザックス症候群 Isaacs syndrome ……648
ICAO 標準気圧 ICAO standard atmosphere ……600
ICU 精神病 ICU psychosis ……601
合決 rabbeting ……1017
アイゼンメンガー症候群 Eisenmenger syndrome ……381
アイゼンメンガー複合体 Eisenmenger complex ……381
アイソエンザイム isoenzyme ……650
アイソザイム isozyme ……652
アイソセンター isocenter ……650
アイソタイプ isotype ……652
アイソトープ isotope ……652
アイソレット isolette ……651
I 帯 I band ……600
アイヒホルスト小体 Eichhorst corpuscles ……381
アイブス疾患 Ives disease ……653
愛撫的態度 stroking ……1149
愛糞 coprolagnia ……285
アインシュタイン einstein ……381
アイントーフェン三角 Einthoven triangle ……381
アイントーフェンの法則 Einthoven law ……381
アイントホーフェン三角 Einthoven triangle ……381
アイントホーフェンの法則 Einthoven law ……381
アヴェリス症候群 Avellis syndrome ……125
アウエル〔小〕体 Auer bodies ……119
アウエンブルッガー徴候 Auenbrugger sign ……119
アヴォガドロ数 Avogadro number (N_A, lambda) ……126
アヴォガドロの法則 Avogadro law ……126
アウスピッツ血露現象 Auspitz sign ……120
アウトカム管理 outcomes management ……877
アウベルト現象 Aubert phenomenon ……117
アウマダ-デル・カスティーヨ症候群 Ahumada-del Castillo syndrome ……36
アウリクラーレ auriculare ……119
アウリクラーレ軸 biauricular axis ……149
アエロモナス菌 aeromonad ……32
アオルトグラフィ aortography ……85
亜科 subfamily ……1153
亜界 subkingdom ……1153
赤首症候群 red neck syndrome (RNS) ……1031
赤,白,青徴候 red, white, and blue sign ……1032
アガスタケ agastache ……34
赤栓管(単色) red-top tube (plain) ……1031
アカツツガムシ *Leptotrombidium akamushi* ……691
アガラクシア agalactia ……34
アカラシア achalasia ……11
アカンセスセジア acanthesthesia ……7
亜感染症 subinfection ……1153
アカンチオン acanthion ……7
アカントアメーバ症 acanthamebiasis ……7
アカントアメーバ培地 *Acanthamoeba* medium ……7
阿魏(あぎ) asafoetida ……105
アキソノグラフィ axonography ……128
亜急性移動性皮下脂肪〔組〕織炎 subacute migratory panniculitis ……1151
亜急性壊死性脊髄炎 subacute necrotizing myelitis ……1151
亜急性炎〔症〕 subacute inflammation ……1151
亜急性海綿状脳症 subacute spongiform encephalopathy ……1151
亜急性硬化性全脳炎 subacute sclerosing panencephalitis (SSPE) ……1151
亜急性細菌性心内膜炎 subacute bacterial endocarditis (SBE) ……1151
亜急性肉芽腫性甲状腺炎 subacute granulomatous thyroiditis ……1151
アキレス腱滑液包炎 achillobursitis ……11
アキレス腱切り〔術〕 achillotomy ……11
アキレス腱痛〔症〕 achillodynia ……11
アキレス把握テスト Achilles squeeze test ……11
アキレス〔腱〕反射 Achilles reflex ……11
亜区域性無気肺 subsegmental atelectasis ……1155
悪疫 pestilence ……922
悪疫 plague ……943
悪液質 cachexia ……188
悪臭 cacosmia ……188
悪臭の fetid ……450
悪循環 vicious circle ……1275
悪性〔度〕 malignancy ……727
悪性異常角化症 malignant dyskeratosis ……727
悪性横痃 malignant bubo ……727
悪性嘔吐 pernicious vomiting ……920
悪性外耳道炎 malignant external otitis ……727
悪性肝〔細胞〕癌 malignant hepatoma ……727
悪性高血圧〔症〕 malignant hypertension ……727
悪性高熱 malignant hyperthermia ……727
悪性黒子 lentigo maligna ……689
悪性腫瘍 malignant tumor ……727
悪性腎硬化〔症〕 malignant nephrosclerosis ……727
悪性水腫菌 *Clostridium septicum* ……253
悪性線維性組織球腫 malignant fibrous histiocytoma ……727
悪性組織球増殖〔症〕 malignant histiocytosis ……727
悪性度分類 grade ……513
悪性貧血 pernicious anemia ……920
悪性ヘパトーム malignant hepatoma ……727
悪性三日熱〔マラリア〕 malignant tertian malaria ……727
悪性毛様体上皮腫 malignant ciliary epithelioma ……727
悪性リンパ腫 malignant lymphoma ……727
アクセサリー分子 accessory molecules ……8
アクセプタ acceptor ……8
アクセルレータ accelerator ……7
アクソネーム axoneme ……127
悪玉コレステロール bad cholesterol ……132
アクチナイド actinides ……17
アクチノミセス症 actinomycosis ……18
アクチビン activin ……19
アクチン actin ……17
アクチンフィラメント actin filament ……17
アクティグラフィー actigraphy ……17
アクトミオシン actomyosin ……20
あくび yawn ……1299
悪筆 cacography ……188
悪味 cacogeusia ……188
悪夢 incubus ……613
悪夢 nightmare ……833
アクメンチン acumentin ……20
アクリジンオレンジ acridine orange ……15
悪霊憑依 cacodemonomania ……188
握力計 dynamometer ……369
アクリル樹脂床 acrylic resin base ……17
アクリルレジン床 acrylic resin base ……17

アグレカン aggrecan 35
アグレトープ agretope 36
アクロシン acrosin 17
アクロソーム acrosome 17
アクロブラスト acroblast 15
あけぼの現象 dawn phenomenon 317
顎 jaw 654
亜綱 subclass 1151
アコーディオン様移植片 accordion graft 9
アゴニー agony 35
アゴニスト agonist 35
アコニット aconite 14
麻 cannabis 195
あざ birthmark 157
痣 blotch 164
アザラシ肢症 phocomelia 929
アザラシ状奇形 phocomelia 929
亜酸化窒素 nitrous oxide 835
足 foot 469
味 taste 1180
アジア風邪 Asian flu 107
脚カバー hose 571
足首-上腕血圧比 ankle-brachial index (ABI) 71
足第二指 second toe [II] 1086
足第三指 third toe [III] 1196
足第四指 fourth toe [IV] 473
アシドーシス acidosis 13
アシドフィルス菌 *Lactobacillus acidophilus* 674
足の裏 sole 1114
〔足の〕下伸筋支帯 inferior extensor retinaculum 618
足の関節 joints of foot 656
〔足の〕弓状動脈 arcuate artery of foot (inconstant) 93
足の甲 instep 627
足の後部 hindfoot 563
足の指放線 digital rays of foot 347
〔足の〕舟状骨 navicular bone 815
足の小指外転筋 abductor digiti minimi muscle of foot 3
〔足の〕上伸筋支帯 superior extensor retinaculum 1161
〔足の〕伸筋支帯 retinacula of extensor muscles 1046
足の短指屈筋 flexor digitorum brevis muscle 461
足の短指伸筋 extensor digitorum brevis muscle 432
足の短小指屈筋 flexor digiti minimi brevis muscle of foot 461
足の短母指屈筋 flexor hallucis brevis muscle 462
足の短母指伸筋 extensor hallucis brevis muscle 432
足の中間 midfoot 771
足の虫様筋 lumbrical muscles of foot 713
足の長指屈筋 flexor digitorum longus muscle 462
足の長指伸筋 extensor digitorum longus muscle 432
足の長母指屈筋 flexor hallucis longus muscle 462
足の長母指伸筋 extensor hallucis longus muscle 432
足の背側骨間筋 dorsal interossei (interosseous muscles) of foot 361
足の背側指神経 dorsal digital nerves of foot 360
〔足の〕母指 hallux 530
足の母指外転筋 abductor hallucis muscle 3
足の母指内転筋 adductor hallucis muscle 23
足白癬 tinea pedis 1205
アジポキニン〔ホルモン〕 adipokinin 27
唖者 mute 801
アシュハースト分類 Ashhurst classification 107
アジュバント adjuvant 28
足指 toe 1207
アシュワース・スケール Ashworth scale 107
アシュワガンダ ashwagandha 107
亜硝酸 nitrous acid 835
亜硝酸塩尿〔症〕 nitrituria 834
亜硝酸ナトリウム sodium nitrite 1113
アショフ結節 Aschoff node 106
アショフ体 Aschoff bodies 106
アシル CoA acyl-CoA 22
アシル CoA デヒドロゲナーゼ acyl-CoA dehydrogenase (NADPH) 22
アシル担体蛋白 acyl carrier protein (ACP) 22
アシルトランスフェラーゼ acyltransferase 22
アズール azure 128
アズールの爪半月 azure lunules of nails 128
アスコーリ試験 Ascoli test 106
アスコーリ反応 Ascoli reaction 106
アスコルビン酸 ascorbic acid 106
アスコルビン酸オキシダーゼ ascorbate oxidase 106
アスタチン astatine (At) 109
アステリオン asterion 109
アステリクシス asterixis 109
アストランド-ライミング自転車エルゴメーター試験 Astrand-Ryhming Cycle Ergometer Test 110
アスパラギン酸 aspartic acid (Asp) 107
アスパラギン酸アミノトランスフェラーゼ aspartate aminotransferase (AST) 107
アスベスト asbestos 105
アスベスト小体 asbestos bodies 105
アスペルガー障害 Asperger disorder 107
アスペルギルス腫 aspergilloma 107
アスペルギルス症 aspergillosis 107
アスペルギローム aspergilloma 107
アズレジン azuresin 128
アスレチックトレーナー athletic trainer 112
アスレチックトレーニング athletic training 113
汗 perspiration 921
汗 sweat 1168
アセザー三角 Assézat triangle 108
アセタール acetal 10
アセチラーゼ acetylase 10
アセチル acetyl (Ac) 10
アセチル化 acetylation 10
アセチル基転移 transacetylation 1216
アセチル CoA acetyl-CoA 10
アセチル CoA アセチルトランスフェラーゼ acetyl-CoA acetyltransferase 10
アセチル CoA リガーゼ acetyl-CoA ligase 10
アセチルコリン acetylcholine (ACh) 10
アセチルコリンエステラーゼ acetylcholinesterase (AChE) 10
N-アセチルシステイン *N*-acetylcysteine 810
アセチルトランスフェラーゼ acetyltransferase 11
アセテート acetate 10
アセトアセチル CoA acetoacetyl-CoA 10
アセトアルデヒド acetaldehyde 10
アセト酢酸 acetoacetic acid 10
アセトン acetone 10
アセトン血〔症〕 acetonemia 10
アセトン尿〔症〕 acetonuria 10
アセリ腺 Aselli gland 106
アゾール azole 128
亜属 subgenus 1153
亜族 subtribe 1156
アゾ蛋白 azoprotein 128
亜脱臼 subluxation 1153
アタッチメント attachment 116
あたま caput 197
あたま head 534
アダムサイト Adamsite (DM) 23
アダムズ-ストークス症候群 Adams-Stokes syndrome 23
アダンソン分類〔法〕 adansonian classification 23
アチーブメント試験 achievement test 11
圧 pressure 975
圧維持換気法 pressure support ventilation (PSV) 976
軋音 crepitation 296
悪化 deterioration 337
圧覚 pressure sense 976
圧覚計 baresthesiometer 135
圧覚失認 baragnosis 135
圧覚点 pressure point 976
悪気 damp 316
圧痕 impression 610
圧痕水腫 pitting edema 940
圧搾 compression 271
圧搾 expression 431
圧挫症候群 crush syndrome 301
アッシャー症候群 Ascher syndrome 106
アッシャー症候群 Usher syndrome 1254
圧縮 compression 271
圧縮 condensation 273
圧縮筋 compressor 271

圧縮制限 compression limiting …… 271
圧縮容量 compressible volume …… 271
圧出 expression …… 431
圧出 pulsion …… 1005
圧出〔性〕憩室 pulsion diverticulum …… 1005
アッシュマン現象 Ashman phenomenon …… 107
圧受容器 baroreceptor …… 136
圧制御換気法 pressure controlled ventilation …… 976
圧制御逆比換気 pressure-controlled inverse ratio ventilation (PCIRV) …… 976
圧制御従量式換気 pressure-regulated volume control (PRVC) …… 976
圧走性 barotaxis …… 136
圧注器 douche …… 362
圧調節器 barostat …… 136
圧痛 tenderness …… 1186
圧痛計 algesiometer …… 41
圧痛点 tender point …… 1186
圧抵器 depressor …… 332
圧排法 exclusion …… 426
圧迫 oppression …… 863
圧迫 pressure …… 975
圧迫ガーゼ compress …… 271
圧迫器 compressor …… 271
圧迫骨折 compression fracture …… 271
圧迫性神経障害 compression neuropathy …… 271
圧迫性足部丘疹 piezogenic pedal papule …… 937
圧迫性脱毛〔症〕 pressure alopecia …… 976
圧迫性チアノーゼ compression cyanosis …… 271
圧迫性ニューロパシー compression neuropathy …… 271
圧迫性麻痺 compression paralysis …… 271
圧迫帯 tourniquet …… 1212
圧迫プレート compression plate …… 271
圧迫包帯 pressure dressing …… 976
圧迫麻痺 pressure paralysis …… 976
圧迫療法 compression therapy …… 271
圧波形 pressure waveform …… 976
圧反射 baroreflex …… 136
アップレギュレーション upregulation …… 1249
アップレギュレーション/ダウンレギュレーション仮説 upregulation-downregulation hypothesis …… 1249
圧平 applanation …… 91
圧平眼圧計 applanation tonometer …… 91
圧平眼圧測定〔法〕 applanometry …… 91
圧平衡チューブ pressure equalization (PE) tube …… 976
アッベーエストランダー法 Abbe-Estlander operation …… 2
アッベ唇〔皮〕弁 Abbe flap …… 2
圧脈拍微分 pressure pulse differentiation …… 976
圧-容積指数 pressure-volume index …… 976
圧力 pressure …… 975
圧力 tension …… 1187
圧力曲線 tension curve …… 1187
圧力計 manometer …… 731
圧力計 tonometer …… 1209
圧力骨折 stress fracture …… 1147
圧力障害 barotrauma …… 136
圧力測定〔法〕 tonometry …… 1209
圧力分散エアマットレス alternating pressure air mattress …… 47
アディポカイン adipokines …… 27
アディポネクチン adiponectin …… 27
アテトーシス athetosis …… 112
アデニル adenyl …… 26
アデニル酸 adenylic acid …… 26
アデニル酸キナーゼ adenylate kinase …… 26
アデニル酸シクラーゼ adenylate cyclase …… 26
アデニレート adenylate …… 26
アデニン adenine (A, Ade) …… 24
アデノイド adenoids …… 25
アデノイド咽頭炎 adenoiditis …… 25
アデノイド顔〔貌〕 adenoid facies …… 25
アデノイド口蓋扁桃摘出〔術〕 adenotonsillectomy …… 26
アデノイド切除〔術〕 adenoidectomy …… 25
アデノイド扁桃炎 adenoiditis …… 25
アデノウイルス adenovirus …… 26
アデノーマ adenoma …… 25
アデノシン adenosine (Ado) …… 26
アデノシン一リン酸 adenosine monophosphate (AMP) …… 26
アデノシン 5′-三リン酸 adenosine 5′-triphosphate (ATP) …… 26
アデノシン 5′-二リン酸 adenosine 5′-diphosphate (ADP) …… 26
アデノシン 3′,5′-サイクリック一リン酸 adenosine 3′,5′-cyclic monophosphate (cAMP) …… 26
アデノシントリホスファターゼ adenosine triphosphatase (ATPase) …… 26
アデノシン二リン酸 adenosine diphosphate …… 26
アデノシンホスフェート adenosine phosphate …… 26
アデノパシー adenopathy …… 26
アテローム atheroma …… 112
アテローム〔性動脈〕硬化〔症〕 atherosclerosis …… 112
アテローム塞栓症 atheroembolism …… 111
アテローム発生 atherogenesis …… 112
アテローム変性 atheromatous degeneration …… 112
アテローム変性症 atheromatosis …… 112
後味 aftertaste …… 33
アトキンスダイエット Atkins diet …… 113
後産 afterbirth …… 33
後産 secundines …… 1087
アドソン試験 Adson test …… 30
アドソン摂子 Adson forceps …… 30
アトニー atony …… 113
アトピー atopy …… 114
アトピー性白内障 atopic cataract …… 113
アトピー〔性〕皮膚炎 atopic dermatitis …… 113
アトペン atopen …… 113
アトラクチン attractin …… 117
アドレシン addressin …… 23
アドレスリガンド addressin ligands …… 23
アドレナリン作動遮断 adrenergic blockade …… 29
アドレナリン作動性受容体 adrenergic receptors …… 29
アドレナリン作動性線維 adrenergic fibers …… 29
アドレナリン作動性ニューロン遮断薬 adrenergic neuronal blocking agent …… 29
アドレナリン作用性気管支拡張薬 adrenergic bronchodilators …… 29
アドレナリン遮断 adrenergic blockade …… 29
アドレナリン遮断薬 adrenergic blocking agent …… 29
アドレノコルチコトロピン adrenocorticotropin …… 29
アドレノトロピン adrenotropin …… 30
アナトキシン anatoxin …… 62
アナフィラキシー anaphylaxis …… 61
アナフィラキシー好酸球遊走因子 eosinophil chemotactic factor of anaphylaxis …… 405
アナフィラキシーショック anaphylactic shock …… 61
アナフィラキシー発現 anaphylactogenesis …… 61
アナフィラキシー様紫斑病 anaphylactoid purpura …… 61
アナフィラクトゲン anaphylactogen …… 61
アナフィラトキシン anaphylatoxin …… 61
アナボリックステロイド anabolic steroid …… 59
アニール anneal …… 72
アニオンギャップ anion gap …… 70
アニマ anima …… 70
アニムス animus …… 70
アニリド anilide …… 70
アニリン aniline …… 70
アニリン中毒〔症〕 anilism …… 70
アネルギー anergy …… 65
アネル法 Anel method …… 64
アノマー anomer …… 72
アノミー anomie …… 72
アパタイト apatite …… 86
亜白血性白血病 subleukemic leukemia …… 1153
アバットメント abutment …… 6
アビー皮弁 Abbe flap …… 2
アピール appeal …… 90
アビディティ avidity …… 126
アヒル歩行 duck waddle …… 366
アフェレーシス apheresis …… 87
アフォーダンス affordance …… 33
アプガースコア Apgar score …… 87
アブサン absinthe …… 5
アブサンス absence …… 5
アブサンス発作 absence seizure …… 5
アブスコパル abscopal …… 5

アブスコパル効果 abscopal effect …… 5
アフタ aphtha …… 87
アフターローディング放射線治療 afterloading radiation …… 33
アフタ症 aphthosis …… 88
アフタ性口内炎 aphthous stomatitis …… 88
アブフラクション abfraction …… 4
あぶみ骨 stapes …… 1136
あぶみ骨 stirrup …… 1143
あぶみ骨可動術 stapes mobilization …… 1136
あぶみ骨筋 stapedius muscle …… 1136
あぶみ骨筋腱切開〔術〕 stapediotenotomy …… 1135
あぶみ骨筋神経 nerve to stapedius muscle …… 821
あぶみ骨切除〔術〕 stapedectomy …… 1135
あぶみ骨底 base of stapes …… 139
あぶみ骨底開窓術 stapedotomy …… 1136
あぶみ骨摘出〔術〕 stapedectomy …… 1135
アフリカダニ熱 African tick-bite fever …… 33
アフリカトリパノソーマ症 African trypanosomiasis …… 33
アプロソディ aprosody …… 91
アペール症候群 Apert syndrome …… 87
アペキシフィケーション apexification …… 87
アペキソゲネーシス apexogenesis …… 87
アベル-ケンダル法 Abell-Kendall method …… 4
アヘン〔製〕剤 opiate …… 863
アヘン剤受容体 opiate receptors …… 863
アヘンチンキ laudanum …… 684
アヘン誘導体 opiate …… 863
アポクリン apocrine …… 89
アポクリン化生 apocrine metaplasia …… 89
アポクリン癌 apocrine carcinoma …… 89
アポクリン色汗症 apocrine chromhidrosis …… 89
アポクリン腺 apocrine gland …… 89
アポクロマート対物レンズ apochromatic objective …… 89
アポ酵素 apoenzyme …… 89
アポ蛋白 apoprotein …… 90
アボット動脈 Abbott artery …… 2
アボット法 Abbott method …… 2
アボット胞子染色〔法〕 Abbott stain for spores …… 2
アポトーシス apoptosis …… 90
アポフェリチン apoferritin …… 90
アポ抑制体 aporepressor …… 90
アポリプレッサ aporepressor …… 90
アポリポ蛋白 apolipoprotein …… 90
アマルガム amalgam …… 49
アマルガム色素沈着 amalgam tattoo …… 49
アミグダリン amygdalin …… 57
アミジン amidine …… 53
アミジン基転移 transamidination …… 1216
アミダーゼ amidase …… 53
アミド amide …… 53
アミドヒドロラーゼ amidohydrolase …… 53
アミド分解 deamidation …… 317
アミノアシラーゼ aminoacylase …… 54
アミノアシル aminoacyl (AA, aa) …… 54
アミノ基転移 transamination …… 1217
アミノ基転移酵素 aminotransferase …… 54
アミノ酸 amino acid (AA, aa) …… 54
アミノ酸オキシダーゼ amino acid oxidase …… 54
アミノ酸血〔症〕 aminoacidemia …… 54
アミノ酸デヒドロゲナーゼ amino acid dehydrogenase …… 54
アミノトランスフェラーゼ aminotransferase …… 54
アミノ分解 aminolysis …… 54
アミノペプチダーゼ aminopeptidase …… 54
アミノ末端基 amino-terminal …… 54
アミラーゼ amylase …… 57
アミラーゼ過剰血〔症〕 hyperamylasemia …… 582
アミラーゼ:クレアチニン・クリアランス比 amylase: creatinine clearance ratio …… 57
アミラーゼ尿〔症〕 amylasuria …… 57
アミリン amylin …… 57
アミル amyl …… 57
アミロイド amyloid …… 58
アミロイドーシス amyloidosis …… 58
アミロイド腎 amyloid kidney …… 58
アミロイド〔小〕体 corpus amylaceum …… 288
アミロイド変性 amyloid degeneration …… 58
アミロース amylose …… 58
アミロペクチン amylopectin …… 58
アミン amine …… 53
アミン酸尿〔症〕 aminoaciduria …… 54
アミン尿〔症〕 aminuria …… 54
アムスラー図表 Amsler chart …… 57
アムセルの診断基準 Amsel criteria …… 57
アメーバ ameba …… 51
アメーバ〔性肉芽〕腫 ameboma …… 51
アメーバ症 amebiasis …… 51
〔体内寄生性〕アメーバ症 entamebiasis …… 400
アメーバ性大腸炎 amebic colitis …… 51
アメーバ性肉芽腫 amebic granuloma …… 51
アメーバ性膿瘍 amebic abscess …… 51
アメーバ赤痢 amebic dysentery …… 51
アメーバ尿〔症〕 ameburia …… 51
アメーバ様運動 ameboid movement …… 51
アメーバ様細胞 amebocyte …… 51
アメーバ様細胞 ameboid cell …… 51
アメリカ医師会 American Medical Association (AMA) …… 52
アメリカイヌカクマダニ *Dermacentor variabilis* …… 333
アメリカ看護学会 American Academy of Nursing (AAN) …… 52
アメリカ看護師協会 American Nurses Association (ANA) …… 53
アメリカ看護師認証機構 American Nurses Credentialing Center (ANCC) …… 53
アメリカ看護大学協会 American Association of Colleges of Nursing …… 52
アメリカキララマダニ Lone Star tick …… 709
アメリカ鉤虫症 necatoriasis …… 815
アメリカ手話 American Sign Language (ASL) …… 53
アメリカ食品医薬品局 Food and Drug Administration (F.D.A., FDA) …… 468
アメリカ麻酔科医協会患者分類区分 American Society of Anesthesiologists (ASA) Patient Classification Status …… 53
アメロジェニン amelogenin …… 51
アメンチア amentia …… 52
亜目 suborder …… 1154
亜門 subphylum …… 1154
アユルヴェーダ医学 Ayurvedic medicine …… 128
アラキドン酸 arachidonic acid …… 92
アラジル症候群 Alagille syndrome …… 38
アラニル alanyl …… 38
アラニン alanine (A, Ala) …… 38
アラニンアミノトランスフェラーゼ alanine aminotransferase (ALT) …… 38
アラニン-グルコースサイクル alanine-glucose cycle …… 38
アランソン切断術 Alanson amputation …… 38
アラントイン尿〔症〕 allantoinuria …… 43
アリール aryl …… 105
アリールスルファターゼ arylsulfatase …… 105
アリカント aliquant …… 42
アリコート aliquot …… 42
アリザリン alizarin …… 42
アリス鉗子 Allis forceps …… 44
アリストテレス異常 Aristotle anomaly …… 95
アリストテレス法 aristotelian method …… 95
亜硫酸オキシダーゼ sulfite oxidase …… 1158
アルガ鉗子 Arruga forceps …… 97
アルカネット alkanet …… 42
アルカプトン尿〔症〕 alcaptonuria …… 39
アルカリ血〔症〕 alkalemia …… 42
アルカリ食 alkaline-ash diet …… 42
アルカリ性時機 alkaline tide …… 42
アルカリ大便菌 *Alcaligenes faecalis* …… 39
アルカリ度 alkalinity …… 42
アルカリ土類 alkaline earth elements …… 42
アルカリ尿〔症〕 alkalinuria …… 42
アルカリホスファターゼ alkaline phosphatase …… 42
アルカリ予備 alkali reserve …… 42
アルカロイド alkaloid …… 42
アルカローシス alkalosis …… 42
アルカン alkane …… 42
アルギナーゼ arginase …… 95
アルギニノコハク酸 argininosuccinic acid …… 95
アルギニノコハク酸尿症 argininosuccinic aciduria …… 95
アルギニン arginine …… 95

アルギニンバソプレシン arginine vasopressin (AVP) ……95
アルキル alkyl ……42
アルキル化 alkylation ……43
アルケニル alkenyl ……42
アルケン alkene ……42
アルコール alcohol ……39
アルコール-グリセリン固定液 alcohol-glycerin fixative ……40
アルコール健忘症候群 alcohol amnestic syndrome ……39
アルコール症 alcoholism ……40
アルコール性肝炎 alcoholic hepatitis ……40
アルコール性肝硬変 alcoholic cirrhosis ……40
アルコール中毒〔症〕 alcoholism ……40
アルコール中毒者救済協会 Alcoholics Anonymous (AA, aa) ……40
アルコールデヒドロゲナーゼ alcohol dehydrogenase (ADH) ……39
アルコール分解 alcoholysis ……40
アルコールランプ spirit lamp ……1127
アルゴンレーザー argon laser ……95
アルストレーム症候群 Alström syndrome ……47
アルダー異常 Alder anomaly ……40
アルツハイマー硬化〔症〕 Alzheimer sclerosis ……49
アルツハイマー病 Alzheimer disease ……49
アルデヒド aldehyde ……40
アルドース aldose ……40
アルドール基転移 transaldolation ……1216
アルドステロン aldosterone ……40
アルドステロン拮抗薬 aldosterone antagonist ……40
アルドステロン症 aldosteronism ……40
アルドペントース aldopentose ……40
アルトマイアー手術 Altemeier operation ……47
アルトマン固定液 Altmann fixative ……47
アルトマン手術 Hartmann operation ……533
アルトマン嚢 Hartmann pouch ……533
アルネート指数 Arneth index ……96
アルノルト-キアーリ奇形 Arnold-Chiari malformation ……96
アルノルト〔小〕体 Arnold body ……96
アルバラン試験 Albarran test ……38
アルビーニ小〔結〕節 Albini nodules ……39
αアドレナリン作動性受容体 alpha (α)-adrenergic receptors ……45
α-アドレナリン遮断薬 alpha (α)-adrenergic blocking agent ……45
α-アミノ酸 alpha (α)-amino acid ……46
α_1-アンチキモトリプシン alpha (α)$_1$-antichymotrypsin ……46
α_1-アンチトリプシン欠損症 alpha (α)$_1$-antitrypsin deficiency ……46
α_1-リポ蛋白 alpha-1(α_1)-lipoprotein ……46
α運動ニューロン alpha (α) motor neuron ……46
アルファ角 alpha (α) angle ……46
α型溶血連鎖球菌 alpha (α)-hemolytic streptococci ……46
アルファ顆粒 alpha (α) granule ……46
α-グルコシダーゼ阻害薬 α-glucosidase inhibitor ……504
アルファ(α)抗トリプシン欠乏症脂肪織炎 alpha (α)$_1$ antitrypsin deficiency panniculitis ……46
アルファ(α)鎖 alpha (α) chain ……46
アルファ細胞 alpha (α) cells ……46
αサラセミア alpha (α) thalassemia ……46
アルファ線維 alpha (α) fibers ……46
α波 alpha (α) rhythm ……46
α波 alpha (α) wave ……46
α-フェトプロテイン検査 alfa fetaprotein test (AFP) ……41
アルファリノレン酸 alpha (α)-linolenic acid ……46
α粒子 alpha (α) particle ……46
アルブミノイド albuminoid ……39
アルブミン albumin ……39
アルブミン/グロブリン比 albumin:globulin ratio ……39
アルブミン尿〔症〕 albuminuria ……39
アルベルト病 Albert disease ……39
アルベルト縫合 Albert suture ……39
アルボウイルス arbovirus ……93
アルポート症候群 Alport syndrome ……46
アルミニウム肺〔症〕 aluminosis ……47
アルルト手術 Arlt operation ……95
アレー点 Hallé point ……529
アレーニウス-マドセン説 Arrhenius-Madsen theory ……96
アレキサンダー難聴 Alexander hearing impairment ……40
アレクサンダーテクニック Alexander technique ……41
アレクサンダーの法則 Alexander law ……40
アレグザンダー病 Alexander disease ……40
アレッポ腫 Aleppo boil ……40
アレルギー allergy ……43
アレルギー学 allergology ……43
アレルギー患者のあいさつ allergic salute ……43
アレルギー〔性〕結膜炎 allergic conjunctivitis ……43
アレルギー性湿疹 allergic eczema ……43
アレルギー性紫斑病 allergic purpura ……43
アレルギー性接触皮膚炎 allergic contact dermatitis ……43
アレルギー性鼻炎 allergic rhinitis ……43
アレルギー専門医 allergist ……43
アレルギー〔性〕反応 allergic reaction ……43
アレルゲン allergen ……43
アレルゲンエキス allergenic extract ……43
アレロタクシス allelotaxis ……43
アレン試験 Allen test ……43
アレン認知レベルテスト Allen Cognitive Level Screen ……43
アロクスール血〔症〕 alloxuremia ……45
アロクスール尿〔症〕 alloxuria ……45
アロステリズム allosterism ……44
アロステリック部位 allosteric site ……44
アロタイプ allotype ……45
アロトープ allotope ……44
アロパシー allopathy ……44
アロプラスト alloplast ……44
アロマセラピー aromatherapy ……96
鞍 saddle ……1067
鞍 sella ……1089
アンアーバー病気分類 Ann Arbor staging system ……72
鞍隔膜 diaphragma sellae ……342
鞍関節 saddle joint ……1068
アンギオソーム angiosome ……68
アンギオテンシノゲン angiotensinogen ……69
アンギオテンシン angiotensin ……68
アンギオテンシン受容体 angiotensin receptors ……69
アンギオテンシン受容体遮断薬 angiotensin receptor blocker ……69
アンギオテンシンII angiotensin II ……68
アンギオテンシンII受容体遮断薬 angiotensin II receptor blocker (ARB) ……69
アンギオテンシン変換酵素阻害薬 angiotensin-converting enzyme (ACE) inhibitor ……68
アンギナ angina ……66
アンギナ性猩紅熱 anginose scarlatina ……67
アングル不正咬合分類〔法〕 Angle classification of malocclusion ……69
暗号化 encryption ……394
暗黒期 eclipse period ……376
暗細胞 dark cells ……316
暗示 suggestion ……1157
アンジェルッチ症候群 Angelucci syndrome ……66
暗視野顕微鏡 dark-field microscope ……316
暗順応 dark adaptation ……316
暗順応眼 dark-adapted eye ……316
鞍状頭 clinocephaly ……251
暗所恐怖〔症〕 nyctophobia ……846
暗所視 scotopic vision ……1082
暗所嗜好 nyctophilia ……846
安静 rest ……1043
安静腔隙 freeway space ……475
安静〔位〕空隙 interocclusal distance ……636
安静呼吸 eupnea ……424
安静時一回換気量 resting tidal volume ……1043
安静肢位保持用スプリント resting hand splint ……1043
安静時エネルギー消費量 resting energy expenditure (REE) 1043
安静時振せん resting tremor ……1043
安静時代謝率 resting metabolic rate (RMR) ……1043
安全限界 margin of safety ……733
安全三角 triangle of safety ……1226
安全〔な〕性行為 safe sex ……1068
安全レンズ safety lens ……1068
安息香 benzoin ……146
アンダーソンカクマダニ *Dermacentor andersoni* ……333
アンダーソン副子 Anderson splint ……63
アンチオキシダント antioxidant ……82
アンチゲノム antigenome ……80

アンチコドン anticodon ……79
アンチトリプシン antitrypsin ……83
アンチプロトロンビン antiprothrombin ……82
アンチホルモン antihormone ……81
アンチモン中毒〔症〕stibialism ……1142
安定化 stabilization ……1134
安定系統〔株〕stabilate ……1134
安定度 constancy ……279
安定度 stability ……1134
安定同位体 stable isotope ……1134
アンティルス法 Antyllus method ……84
アンデスウイルス Andes virus ……63
〔視野〕暗点 scotoma ……1082
〔中心〕暗点計 scotometer ……1082
暗点〔視野〕計測〔法〕scotometry ……1082
暗点視野計 scotometer ……1082
アンドロゲン androgen ……63
アンドロゲン結合蛋白 androgen binding protein (ABP) ……63
アンドロスタン androstane ……64
アンドロスタンジオール androstanediol ……64
アンドロスタンジオン androstanedione ……64
アンドロステノール androstenol ……64
アンドロステロン androsterone ……64
アンドロステン androstene ……64
アンドロステンジオール androstenediol ……64
アンドロステンジオン androstenedione ……64
アントン症候群 Anton syndrome ……83
アンバーコドン amber codon ……50
アンバーコドン umber codon ……1245
アンバー撮影法 advanced multiple-beam equalization radiography (AMBER) ……31
暗発色菌 scotochromogenic ……1082
鞍鼻 saddle nose ……1068
アンビヴァレンス ambivalence ……50
アンヒドラーゼ anhydrase ……70
アンビュバッグ Ambu bag ……50
按撫〔法〕effleurage ……379
アンプル〔剤〕ampule ……56
アンボセプタ amboceptor ……50
按摩 foulage ……472
アンモニア血〔症〕ammonemia ……54
アンモニア尿〔症〕ammoniuria ……54
アンモニアリアーゼ ammonia-lyase ……54
アンモニウム ammonium ……54
アンモノリシス ammonolysis ……54
アンモン角 cornu ammonis ……286
安楽死 euthanasia ……424
安楽死 mercy killing ……755
アンレップ現象 Anrep phenomenon ……73

イ

胃 gaster ……488
胃 stomach ……1144
E 型ウイルス性肝炎 viral hepatitis type E ……1276
E 型肝炎 hepatitis E ……552
E 型肝炎ウイルス hepatitis E virus (HEV) ……552
イーグル基礎培地 Eagle basal medium ……374
イーグル最小必須培地 Eagle minimum essential medium ……374
イースト yeast ……1299
E セレクチン E selectin ……419
胃胃吻合 gastroanastomosis ……489
e-ヘルス e-health ……380
イールズ病 Eales disease ……374
E-ロゼット試験 E-rosette test ……414
委員会認可 board certification ……165
異栄養〔症〕dystrophy ……373
イエーガー視力表 Jaeger test types ……654
胃液検査 gastric analysis ……488
胃液分泌過多〔症〕gastrorrhea ……490
胃液漏 gastrorrhea ……490
イェルバマテ yerba maté ……1299
イエロートップチューブ yellow-top tube ……1299
イエローブラックトップチューブ yellow and black-top tube ……1299
イエローレイン yellow rain ……1299
胃炎 gastritis ……488
胃円蓋 fornix of stomach ……472
イエンドラッシク操作 Jendrassik maneuver ……655
硫黄血〔症〕thiemia ……1195
イオノフォア ionophore ……646
イオノン ionone ……646
イオプロミド iopromide ……646
イオン ion ……645
イオン化 ionization ……645
イオン強度 ionic strength (I) ……645
イオン交換 ion exchange ……645
イオン交換クロマトグラフィ ion-exchange chromatography ……645
イオン浸透療法 iontophoresis ……646
イオンチャネル疾患 ion channel disorders ……645
イオン電気導入〔法〕iontophoresis ……646
異化〔作用〕catabolism ……208
胃回腸炎 gastroileitis ……489
胃回腸反射 gastroileac reflex ……489
胃回腸吻合〔術〕gastroileostomy ……489
異化遺伝子活性化蛋白 cap ……195
胃潰瘍 gastric ulcer ……488
医学 medicine ……745
医学記録 medical record ……744
医学記録転写士 medical transcriptionist ……744
医学言語の専門家 medical language specialist (MLS) ……744
医学研修生 intern ……633
胃拡張 gastrectasis ……488
医学的見地からの分析 medicalization ……744
医学的心理学 medical psychology ……744
医学的モデル medical model ……744
医学評論家 medical review officer (MRO) ……744
医学問題表題集 Medical Subject Headings (MeSH) ……744
異化亢進 hypercatabolism ……582
胃下垂〔症〕gastroptosis ……490
鋳型 matrix ……736
鋳型 mold ……778
異化代謝産物 catabolite ……208
胃カメラ photogastroscope ……932
胃管 stomach tube ……1144
異感覚〔症〕dysesthesia ……370
異汗症 dyshidrosis ……370
胃間膜 mesogastrium ……757
域外値 outlier ……877
息切れスケール dyspnea scale ……372
閾限界値 threshold limit value ……1198
息こらえ試験 breath-holding test ……174
閾値 limes ……700
閾値 threshold ……1198
閾値刺激 threshold stimulus ……1199
息づまり chokes ……233
行き止まり宿主 dead-end host ……317
胃鏡 gastroscope ……490
胃鏡検査〔法〕gastroscopy ……490
胃狭窄 gastrostenosis ……490
胃巨大〔症〕gastromegaly ……490
胃筋電計 electrogastrograph ……384
胃筋電図 electrogastrogram ……384
胃筋電図記録〔法〕electrogastrography ……384
胃空腸吻合〔術〕gastrojejunostomy ……490
胃痙 gastrospasm ……490
異形 variation ……1260
〔同種〕異系移植片 allograft ……44
異形学 dysmorphology ……371
異形吸虫症 heterophyiasis ……559
異型狭心症 variant angina pectoris ……1260
異形歯 heterodont ……558
異型色素性母斑 dysplastic melanotic nevi ……372
異形症 allomorphism ……44
異形症 dysmorphism ……371
異形成〔症〕dysplasia ……372
胃形成〔術〕gastroplasty ……490
異形成 heteroplasia ……559

異型性脂肪腫 atypical lipoma …… 117
異形成母斑症候群 dysplastic nevus syndrome …… 372
異型接合 heterogamy …… 558
異型接合〔性〕 heterozygosity …… 560
異型接合体 heterozygote …… 560
〔良・悪性不明の〕異型腺細胞 atypical glandular cells of undetermined significance (AGUS, AGCUS) …… 117
異型内膜上皮増殖症 atypical endometrial hyperplasia …… 117
異型肺炎 atypical pneumonia …… 117
異形配偶 anisogamy …… 71
〔良・悪性不明の〕異型扁平上皮細胞 atypical squamous cells of undetermined significance (ASCUS) …… 117
異型ポルフィリン症 variegate porphyria …… 1261
胃痙攣 gastrospasm …… 490
異血圧〔症〕 dysarteriotony …… 369
胃結腸炎 gastrocolitis …… 489
胃結腸吻合 gastrocolostomy …… 489
医原性感染 iatrogenic transmission …… 600
医原性気胸 iatrogenic pneumothorax …… 600
医原性糖尿病 iatrogenic diabetes mellitus …… 600
移行 transitioning …… 1219
移行 transmigration …… 1220
移行回 transitional gyrus …… 1219
移行義歯 transitional denture …… 1219
移行圏 transitional zone …… 1219
移行上皮 transitional epithelium …… 1219
移行上皮癌 transitional cell carcinoma …… 1219
移行性幼虫 larva migrans …… 679
移行対象 transitional object …… 1219
移行領域 transitional zone …… 1219
異語症 heterolalia …… 558
胃〔腹壁〕固定〔術〕 gastropexy …… 490
異混和症 dyscrasia …… 370
異作動 dysergia …… 370
遺残 rest …… 1043
遺残 retention …… 1044
胃酸過多 acid indigestion …… 13
胃酸過多〔症〕 hyperchylia …… 582
胃酸性歯牙酸蝕症 perimolysis …… 915
胃酸正常 euchlorhydria …… 423
医師 doctor …… 358
医師 physician …… 934
意志 animus …… 70
意志 volition …… 1282
維持 maintenance …… 725
維持 retention …… 1044
意識 consciousness …… 278
意識下鎮静法 conscious sedation …… 278
意識消失 unconsciousness …… 1246
意識水準 level of consciousness …… 696
異色素性ブドウ膜炎 heterochromic uveitis …… 558
意思共有 shared decision …… 1099
意識レベル level of consciousness …… 696
意志決定樹図 decision tree …… 319
異視症 heterometropia …… 559
意志障害 dysbulia …… 369
医師助手 physician assistant …… 934
異時性 heterochronia …… 558
維持装置 maintainer …… 725
維持装置 retainer …… 1044
胃疾患 gastropathy …… 490
異質形成 heteromorphosis …… 559
異質性 heterogeneity …… 558
異質染色質 heterochromatin …… 558
異質同形 allomerism …… 44
異質二倍体 allodiploid …… 44
異質倍数性 alloploidy …… 44
異質〔多〕倍数性 allopolyploidy …… 44
異質倍数体 alloploid …… 44
異質〔多〕倍数体 allopolyploid …… 44
意志薄弱 dysbulia …… 369
石原試験 Ishihara test …… 649
医師幇助自殺 physician-assisted suicide …… 934
異尺性自己調節 heterometric autoregulation …… 559
異種移植〔片〕 heterograft …… 558
異種移植〔片〕 xenograft …… 1297
胃周囲炎 perigastritis …… 915
胃十二指腸炎 gastroduodenitis …… 489
胃十二指腸鏡検査〔法〕 gastroduodenoscopy …… 489
胃十二指腸動脈 gastroduodenal artery …… 489
胃十二指腸吻合〔術〕 gastroduodenostomy …… 489
異種栄養性ウイルス xenotropic virus …… 1297
異種感覚 heteresthesia …… 557
異種寄生 heterecism …… 557
異種凝集素 heteroagglutinin …… 557
萎縮〔症〕 atrophy …… 116
萎縮腎 contracted kidney …… 282
萎縮性胃炎 atrophic gastritis …… 116
萎縮性角結膜炎 atopic keratoconjunctivitis …… 114
萎縮性陥凹 atrophic excavation …… 116
萎縮性脱毛〔症〕 pseudopelade …… 996
萎縮性腟炎 atrophic vaginitis …… 116
萎縮性鼻炎 atrophic rhinitis …… 116
萎縮性皮膚疾患 atrophodermatosis …… 116
萎縮性皮膚線条 striae cutis distensae …… 1148
萎縮性皮膚病 atrophodermatosis …… 116
萎縮線条 lineae atrophicae …… 701
萎縮斑 macula atrophica …… 724
異種抗原 heterogenetic antigen …… 558
異種抗体 heteroantibody …… 557
異種交配 intercross …… 630
異種細胞親和抗体 heterocytotropic antibody …… 558
異種刺激 heterologous stimulus …… 558
異種受容体 heteroreceptor …… 559
異種組織形成 heterometaplasia …… 559
異種組織腫瘍 heterologous tumor …… 558
胃出血 gastrorrhagia …… 490
異種皮質 allocortex …… 44
異種溶解 heterolysis …… 558
異所〔症〕 dystopia …… 372
異常 aberration …… 4
異常〔性〕 abnormality …… 4
異常 anomaly …… 72
異常音 abnormal tone …… 4
胃小窩 alveolus …… 49
異常回転 malrotation …… 729
異常角化〔症〕 dyskeratosis …… 370
異常感覚 dysesthesia …… 370
異常ガンマグロブリン血〔症〕 dysgammaglobulinemia …… 370
異常機能活動 parafunction …… 894
異常 QRS 群 anomalous complex …… 72
異常嗅覚 cacosmia …… 188
異常凝縮 heteropyknosis …… 559
異常緊張 hypersthenia …… 589
異常形態学 dysmorphology …… 371
異常形態発生 dysmorphogenesis …… 371
異常血色素症 hemoglobinopathy …… 547
異常口渇 paradipsia …… 894
異常行動 deviant behavior …… 339
異常興奮 hypersthenia …… 589
異常色素沈着 chromatism …… 240
異常者 deviant …… 339
異常性感〔症〕 dyspareunia …… 371
異常早期興奮 preexcitation …… 972
胃消息子 stomach tube …… 1144
異常組織発生 histopathogenesis …… 566
〔異常〕体位眼振 positional nystagmus …… 962
異常蛋白 pathologic proteins …… 904
異常蛋白血〔症〕 dysproteinemia …… 372
〔異常〕低圧〔病〕 hypobarism …… 591
異常フィブリノ〔ー〕ゲン血〔症〕 dysfibrinogenemia …… 370
異常分娩 dystocia …… 372
異常ヘモグロビン症 hemoglobinopathy …… 547
〔皮膚〕異常変色 dyschromia …… 370
異常味覚 cacogeusia …… 188
異症療法 allopathy …… 44
異所感覚 allachesthesia …… 43
移植 graft …… 513
移植〔術〕 grafting …… 513
異色〔症〕 heterochromia …… 558
移植 implantation …… 610
異食〔症〕 pica …… 936

移植〔術〕 transplantation …… 1220
移植後リンパ球増殖症 posttransplant lymphoproliferative disease …… 967
異食作用 heterophagy …… 559
移植組織 transplant …… 1220
胃食道炎 gastroesophagitis …… 489
胃食道逆流 esophageal reflux …… 419
胃食道逆流性疾患 gastroesophageal reflux disease（GERD） 489
胃食道ヘルニア gastroesophageal hernia …… 489
移植片 graft …… 513
移植片 implant …… 610
移植片 transplant …… 1220
移植用動物組織片 zoograft …… 1302
異所性 heterotopia …… 559
異所性化骨 parosteosis …… 900
異所性肝吸虫症 ectopic schistosomiasis …… 378
異所性甲状腺腫 aberrant goiter …… 4
異所性骨 ectopic bone …… 377
異所性骨化 heterotopic ossification …… 559
異所性収縮 ectopic beat …… 377
異所性精巣 ectopic testis …… 378
異所性爪甲〔症〕 onychoheterotopia …… 860
異所性中枢 ectopic focus …… 377
異所性同時妊娠 heterotropic pregnancies …… 560
異所性尿管瘤 ectopic ureterocele …… 378
異所性頻拍 ectopic tachycardia …… 378
異触覚〔症〕 dysaphia …… 369
異所〔性〕妊娠 ectopic pregnancy …… 378
異数性 aneuploidy …… 66
異数性 heteroploidy …… 559
胃ステープリング gastric stapling …… 488
イスラエル放線菌 *Actinomyces israelii* …… 18
異性 isomerism …… 651
異性愛 heterosexuality …… 559
異性愛者 heterosexual …… 559
異性化 isomerization …… 651
異性重亜硫酸試験 metabisulfite test …… 759
異〔常〕成熟 dysmaturity …… 371
異性体 isomer …… 651
胃性テタニー gastric tetany …… 488
異性変装〔症〕 transvestism …… 1223
胃性めまい gastric vertigo …… 488
胃石 bezoar …… 149
胃石 gastrolith …… 490
胃石症 gastrolithiasis …… 490
胃切除〔術〕 gastrectomy …… 488
胃切除後症候群 postgastrectomy syndrome …… 966
胃腺 gastric glands …… 488
胃線維炎 linitis …… 702
胃腺炎 gastradenitis …… 488
胃洗〔浄〕器 stomach pump …… 1144
胃洗浄 gastric lavage …… 488
異染〔色〕性 metachromasia …… 760
異染性白質萎縮〔症〕 metachromatic leukodystrophy …… 760
異染染色〔法〕 metachromatic stain …… 760
異染〔小〕体 metachromatic bodies …… 760
胃ぜん動 peristole …… 918
イソアミラーゼ isoamylase …… 649
位相 phase …… 926
移送 transport …… 1220
位相画像 phase image …… 926
位相差顕微鏡 phase microscope …… 926
胃造襞術 gastroplication …… 490
移送用自動人工呼吸器 automatic transport ventilator …… 122
胃造瘻〔術〕 gastrostomy …… 490
イソエンザイム isoenzyme …… 650
イソクエン酸 isocitric acid …… 650
イソクエン酸デヒドロゲナーゼ isocitrate dehydrogenase …… 650
胃組織炎 linitis …… 702
イソシトレート isocitrate …… 650
イソスポーラ症 isosporiasis …… 652
イソフラボン isoflavones …… 650
イソプレノイド isoprenoids …… 652
イソプレン isoprene …… 652
イソマルトース isomaltose …… 651
イソメラーゼ isomerase …… 651
イソロイシン isoleucine（I） …… 651
依存〔症〕 dependence …… 331
依存性 dependence …… 331
依存性人格 dependent personality …… 331
依存的看護活動 dependent nursing actions …… 331
依存的抑うつ〔症〕 anaclitic depression …… 59
胃体 body of stomach …… 165
胃大腸反射 gastrocolic reflex …… 489
胃大網動脈 gastroepiploic arteries …… 489
胃大網動脈 gastroomental arteries …… 490
委託 referral …… 1032
イタチササゲ中毒 lathyrism …… 684
痛み ache …… 11
痛み sore …… 1117
位置 locus …… 708
位置 position …… 962
位置異常 malposition …… 729
位置エネルギー potential energy …… 969
位置確認 localization …… 707
I 型家族性高リポ蛋白血〔症〕 type I familial hyperlipoproteinemia …… 1241
1 型糖尿病 Type 1 diabetes …… 1241
位置関係 spatial relation …… 1118
一原子価 monovalence …… 783
市子 psychic …… 998
位置効果 position effect …… 962
イチゴ腫 pian …… 936
イチゴ腫 yaw …… 1299
一語症 monophasia …… 782
イチゴ状頸管 strawberry cervix …… 1146
イチゴ状血管腫 strawberry hemangioma …… 1146
イチゴ状母斑 strawberry nevus …… 1146
イチゴ舌 strawberry tongue …… 1146
イチゴツナギ皮膚炎 meadow dermatitis …… 739
一次過程 primary process …… 978
一次看護 primary nursing …… 978
一次気管支芽 primary bronchial buds …… 978
一軸〔性〕関節 uniaxial joint …… 1246
一次結核〔症〕 primary tuberculosis …… 979
一次疾患 primary disease …… 978
一次ずれ primary deviation …… 978
一次性月経困難〔症〕 primary dysmenorrhea …… 978
一次性構音障害 primary stuttering …… 979
一次性消化 primary digestion …… 978
一次性徴 primary sex characters …… 979
一次性副腎皮質不全 primary adrenocortical insufficiency …… 977
一次性利得 primary gain …… 978
一次〔的〕治癒 healing by first intention …… 535
一時的寄生生物 temporary parasite …… 1185
一時的ダイエット fad diet …… 440
一時的停止 suspension（susp.） …… 1167
一次肺小葉 primary pulmonary lobule …… 979
一次不分離 primary nondisjunction …… 978
一次偏位 primary deviation …… 978
一次麻酔薬 primary anesthetic …… 977
一宿主性 monogenesis …… 781
一次癒合 first intention …… 457
一次卵胞 primary ovarian follicle …… 978
一次卵母細胞 primary oocyte …… 978
一次リソソーム primary lysosomes …… 978
一心拍酸素消費量 oxygen pulse（$\dot{V}O_2$ HR） …… 881
一染色体性 monosomy …… 782
I 相遮断 phase I block …… 926
一炭素単位 one-carbon fragment …… 859
一動作最大値 one-repetition maximum（1-RM） …… 859
I 度星状細胞腫 grade I astrocytoma …… 513
I 度熱傷 first-degree burn …… 457
1 日総エネルギー消費量 total daily energy expenditure（TDEE） …… 1211
一部分 aliquot …… 42
胃腸炎 gastroenteritis …… 489
胃腸下垂〔症〕 gastroenteroptosis …… 489
胃腸管 gastrointestinal（GI）tract …… 490
胃腸形成〔術〕 gastroenteroplasty …… 489
胃腸結腸炎 gastroenterocolitis …… 489
胃腸切開〔術〕 gastroenterotomy …… 489

胃腸反射 enterogastric reflex …… 402
胃腸病 gastroenteropathy …… 489
胃腸病学 gastroenterology …… 489
胃腸病専門医 gastroenterologist …… 489
胃腸吻合〔術〕 gastroenterostomy …… 489
一羊膜〔一卵〕性双生児 monoamniotic twins …… 780
一卵〔性〕双生児 monozygotic twins …… 783
異痛〔症〕 allodynia …… 44
胃痛 stomach ache …… 1144
一価 monovalence …… 783
一価アルコール monohydric alcohol …… 781
一回換気量 tidal volume …… 1204
1回換気量保証プレッシャー・サポート volume assured pressure support (VAPS) …… 1282
一回呼吸〔気〕量 tidal volume …… 1204
1回仕事量係数 stroke work index …… 1149
一回拍出量 stroke volume …… 1149
1回分 draft …… 363
一角妊娠 cornual pregnancy …… 286
一価元素 monad …… 779
一価抗体 univalent antibody …… 1247
一過性棘融解性皮膚症 transient acantholytic dermatosis …… 1219
一過性黒内障 amaurosis fugax …… 49
一過性全健忘 transient global amnesia …… 1219
一過性聴力閾値上昇 temporary threshold shift …… 1185
一過性軟骨 temporary cartilage …… 1185
一過性乳児低ガンマグロブリン血症 transient hypogammaglobulinemia of infancy …… 1219
一過性脳虚血発作 transient ischemic attack (TIA) …… 1219
〔一過性〕誘発耳音響放射 transient evoked otoacoustic emission …… 1219
一価不飽和脂肪酸 monounsaturated fat …… 783
一貫性の原則 consistency principle …… 279
一期梅毒 primary syphilis …… 979
溢血点 petechiae …… 922
一酸化炭素 carbon monoxide (CO) …… 199
一酸化炭素中毒 carbon monoxide poisoning …… 199
一酸化炭素ヘモグロビン carboxyhemoglobin …… 199
一酸化炭素ヘモグロビン血〔症〕 carboxyhemoglobinemia …… 199
一酸化窒素 nitric oxide (NO) …… 834
逸散度 fugacity (f) …… 478
一肢欠損症 monoamelia …… 780
溢出 extravasation …… 436
溢出物 extravasate …… 436
一色性 monochromatism …… 781
一側心臓症 hemicardia …… 543
一側性透過性亢進肺 unilateral hyperlucent lung …… 1247
一側性半陰陽 unilateral hermaphroditism …… 1247
一側優位 laterality …… 683
逸脱 deviance …… 339
逸脱 deviation …… 339
逸脱 escape …… 419
一致 concordance …… 272
五つ児 quintuplet …… 1016
一頭二顔体 janiceps …… 654
一般医 generalist …… 493
一般医療 general practice …… 493
一般化 generalization …… 493
一般感覚 panesthesia …… 890
一般感覚異常 paracenesthesia …… 893
一般総合医 family practice physician …… 443
一般病棟看護師 general duty nurse …… 493
一般名 generic name …… 493
一般用医薬品 over the counter (OTC) …… 878
胃底 fundus of stomach …… 480
イディオグラム idiogram …… 602
イディオ・サヴァン idiot-savant …… 602
イディオタイプ idiotype …… 602
イディオタイプ抗体 idiotypic antibody …… 602
胃底ひだ形成〔術〕 fundoplication …… 480
イデオロギー ideology …… 601
移転 eventration …… 425
移転 transference …… 1218
遺伝 heredity …… 554
遺伝 inheritance …… 624
遺伝暗号 genetic code …… 494
移転位 transversion …… 1222
遺伝医学 medical genetics …… 744
遺伝因子 gene …… 492
遺伝疫学 genetic epidemiology …… 494
遺伝学 genetics …… 494
遺伝学カウンセリング genetic counseling …… 494
遺伝学者 geneticist …… 494
遺伝〔的〕形質 inheritance …… 624
遺伝形質 inherited character …… 624
遺伝形質 inherited trait …… 624
遺伝子 gene …… 492
遺伝子カウンセラー genetic counselor …… 494
遺伝子型 genotype …… 495
遺伝子型模写 genocopy …… 495
遺伝子組み換え食品 genetically modified food …… 494
〔遺伝子〕交差 crossing-over …… 299
遺伝子地図 genetic map …… 494
遺伝子治療 gene therapy …… 493
遺伝子導入 transgenesis …… 1219
遺伝子毒性 genotoxic …… 495
遺伝子の増幅 genetic amplification …… 494
遺伝子発現 gene expression …… 492
遺伝子ファミリー gene family …… 492
遺伝種 genospecies …… 495
遺伝上の女性 genetic female …… 494
遺伝子量補償 gene dosage compensation …… 492
遺伝性球状赤血球症 hereditary spherocytosis …… 554
遺伝性疾患 inherited disorder …… 624
遺伝性小脳性運動失調 hereditary cerebellar ataxia …… 554
遺伝性進行性関節眼障害 hereditary progressive arthroophthalmopathy …… 554
遺伝性脊髄性運動失調 hereditary spinal ataxia …… 554
遺伝性致死〔性〕疾患 genetic lethal …… 494
遺伝性難聴 hereditary hearing impairment …… 554
遺伝性ばち指〔形成〕 hereditary clubbing …… 554
遺伝性皮膚症 genodermatosis …… 495
遺伝性非ポリポーシス性大腸直腸癌 hereditary nonpolyposis colorectal cancer …… 554
遺伝性良性毛細管拡張症 hereditary benign telangiectasia …… 554
遺伝〔的〕体質 inheritance …… 624
遺伝的荷重 genetic load …… 494
遺伝的関連 genetic association …… 494
遺伝的決定基 genetic determinant …… 494
遺伝的適合性 genetic fitness …… 494
遺伝的特質 genetics …… 494
遺伝病 genetic disorder …… 494
遺伝標識 marker …… 733
遺伝マーカ genetic marker …… 494
遺伝薬理学 pharmacogenetics …… 925
遺伝率 heritability …… 554
意図 intention …… 629
イド id …… 601
医道 medical ethics …… 744
〔染色分体〕移動 metakinesis …… 760
移動 migration …… 771
移動 shift …… 1099
移動 transference …… 1218
移動期 diakinesis …… 341
移動性接合部 sliding lock …… 1110
伊藤母斑 Ito nevus …… 653
胃動脈 gastric arteries …… 488
意図痙攣 intention spasm …… 629
糸巻き形歪〔像〕 pincushion distortion …… 939
糸様脈 thready pulse …… 1198
胃内圧測定〔法〕 gastrotonometry …… 490
胃内空気貯留痛 aerogastralgia …… 32
胃内消化 gastric digestion …… 488
イニオン inion …… 624
移入 transfer …… 1218
遺尿〔症〕 enuresis …… 404
イヌ恐怖〔症〕 cynophobia …… 309
イヌ鉤虫 *Ancylostoma caninum* …… 63
イヌ条虫 *Dipylidium caninum* …… 351
イヌ条虫症 dipylidiasis …… 351
イヌ小胞子菌 *Microsporum canis* …… 769
イヌハッカ catnip …… 210

イヌ鞭虫 *Trichuris vulpis* 1229
イヌ様頭蓋 cynocephaly 309
イヌリン inulin (In) 643
イヌリンクリアランス inulin clearance 643
イネホオズキ nightshade 833
胃粘液漏 gastromyxorrhea 490
胃粘膜皺 rugae of stomach 1064
イノサミン inosamine 626
イノシトール inositol 626
イノシトール血〔症〕 inosemia 626
イノシトール尿〔症〕 inosituria 626
胃の斜線維 oblique fibers of muscular layer of stomach 848
イノシン inosine (I, Ino) 626
イノシン5′-三リン酸 inosine 5′-triphosphate (ITP) 626
イノシン酸 inosinic acid 626
異倍数性 heteroploidy 559
胃バイパス gastric bypass 488
胃半切除〔術〕 hemigastrectomy 544
いびき snore 1112
いびき stertor 1142
胃ひだ形成術 gastroplication 490
胃病 gastropathy 490
胃フィステル gastric fistula 488
胃フィステル形成〔術〕 gastrostomy 490
イプシロン波 epsilon wave 412
胃不全麻痺 gastroparesis 490
異物 foreign body 470
異物化寄生体 xenoparasite 1297
異物〔使用〕角膜移植〔術〕 allokeratoplasty 44
異物嗜好 parorexia 900
異物肉芽腫 foreign body granuloma 470
異文化看護 transcultural nursing 1217
胃分析 gastric analysis 488
胃壁軟化〔症〕 gastromalacia 490
胃壁〔破〕裂〔症〕 gastroschisis 490
胃ヘルニア gastrocele 489
いぼ verruca 1269
いぼ wart 1286
胃縫合〔術〕 gastrorrhaphy 490
イボールルイス食道切除 Ivor Lewis esophagectomy 653
いぼ状黄色腫 verrucous xanthoma 1269
いぼ状心内膜炎 vegetative endocarditis 1265
いぼ状皮膚結核 tuberculosis cutis verrucosa 1236
いぼ状母斑 verrucous nevus 1269
イポデート ipodate 646
胃麻痺 gastroparalysis 490
イミダゾール imidazole 605
イミタンス immittance 606
イミド imide 605
イミノ酸 imino acids 605
医務室 infirmary 620
イムノゲン immunogen 608
イムノソルベント immunosorbent 609
イムノフィリン immunophilin 608
イムノブラスト immunoblast 607
イムノラジオメトリックアッセイ immunoradiometric assay 608
イムラック脂肪パッド Imlach fat-pad 606
イメージアンプリファイアー image amplifier 605
胃毛球 trichobezoar 1227
異毛症 heterotrichosis 559
鋳物 cast 208
イモムシ皮弁 caterpillar flap 210
イヤープラグ earplug 375
医薬品 drug 364
医薬品規制調和国際会議 International Conference on Harmonization (ICH) 635
医薬品注解 *Dispensatory* 354
医薬品の臨床試験の実施に関する基準 Good Clinical Practices (GCP) 511
イヤモールド earmold 375
胃癒着剥離〔術〕 gastrolysis 490
意欲 volition 1282
意欲錯誤 parabulia 893
胃抑制性ポリペプチド gastric inhibitory polypeptide (GIP) 488
入口 inlet 625
入口 iter 653
イリザロフ法 Ilizarov technique 604
医療 care 204
医療 medicine 745
医療格差 health disparities 535
医療過誤 malpractice 729
医療監視者 medical director 744
医療企画官 Care Coordinator 204
医療供与者 caregiver 204
医療記録 medical record 744
医療助手 medical assistant 744
医療制度 health care system 535
医療提供者の識別番号 provider identification number (PIN) 992
医療転写の外部委託 outsourced transcription 878
医療伝達表 disposition 354
医療の代理意思決定 health care proxy 535
医療配給 health care rationing 535
医療ミス medical error 744
イレウス ileus 603
入れ墨 tattoo 1180
胃瘻 gastric fistula 488
胃瘻洗浄 gastrostolavage 490
胃瘻造設〔術〕 gastrostomy 490
色消し achromatism 12
色消し対物レンズ achromatic objective 12
色消しレンズ achromatic lens 12
色失認〔症〕 color agnosia 263
色収差 chromatic aberration 239
色収差矯正 achromatism 12
陰圧換気法 negative pressure ventilation 817
陰イオン anion (A^-) 70
陰イオン交換 anion exchange 70
陰イオン交換樹脂 anion-exchange resin 70
陰影 shadow 1098
陰影欠損 filling defect 455
陰窩 crypt 302
陰窩炎 cryptitis 302
陰核 clitoris 251
陰核炎 clitoriditis 251
陰核海綿体 corpus cavernosum clitoridis 288
陰核海綿体神経 cavernous nerves of clitoris 211
陰核亀頭 glans of clitoris 499
陰核脚 crus of clitoris 301
陰核巨大〔症〕 clitoromegaly 251
〔有痛性〕陰核持続勃起〔症〕 clitorism 251
陰核小帯 frenulum of clitoris 475
陰核深静脈 deep veins of clitoris 322
陰核深動脈 deep artery of clitoris 321
陰核切除〔術〕 clitoridectomy 251
陰核背神経 dorsal nerve of clitoris 361
陰核背動脈 dorsal artery of clitoris 360
陰核包皮 prepuce of clitoris 975
陰窩切除〔術〕 cryptectomy 302
陰窩膿瘍 crypt abscesses 302
インキュベータ incubator 613
陰極 cathode (C) 210
陰茎 penis 910
陰茎海綿体 corpus cavernosum penis 288
陰茎海綿体静脈 cavernous veins of penis 212
陰茎海綿体神経 cavernous nerves of penis 211
陰茎亀頭 glans penis 499
陰茎脚 crus of penis 301
陰茎強直〔症〕 priapism 977
陰茎形成〔術〕 phalloplasty 924
陰茎根 root of penis 1060
陰茎静脈 vein of bulb of penis 1265
陰茎深静脈 deep vein of penis 322
陰茎深動脈 deep artery of penis 321
陰茎切開〔術〕 phallotomy 924
陰茎中隔 septum penis 1094
陰茎動脈 arteries of penis 101
〔陰茎の〕亀頭頸 neck of glans 815
陰茎背神経 dorsal nerve of penis 361
陰茎背動脈 dorsal artery of penis 360
陰茎プロテーゼ penile prosthesis 910
陰茎縫線 penile raphe 910

陰茎裂 penischisis …… 910
陰茎弯曲勃起 phallocampsis …… 924
インゲルフィンガー規定 Ingelfinger rule …… 623
咽喉 gullet …… 521
咽喉 throat …… 1199
咽喉痛 sore throat …… 1117
咽喉頭切除〔術〕 laryngopharyngectomy …… 680
インサイツ腫瘍 tumor in situ (TIS) …… 1237
飲細胞 pinocyte …… 939
飲細胞運動 pinocytosis …… 939
飲作用 pinocytosis …… 939
飲作用胞 pinosome …… 939
〔作用〕因子 agent …… 34
因子 factor …… 439
インジカン汗〔症〕 indicanidrosis …… 614
インジカン尿〔症〕 indicanuria …… 614
インジケーター indicator …… 614
飲酒癖 dipsomania …… 350
印象 impression …… 610
印象用トレー impression tray …… 610
飲食物 ingesta …… 623
陰唇小帯 fourchette …… 472
陰唇ヘルニア cremnocele …… 296
陰唇ヘルニア labial hernia …… 672
因数 factor …… 439
インストルメンテーション instrumentation …… 628
インスリノーマ insulinoma …… 628
インスリン insulin …… 628
インスリン依存性糖尿病 insulin-dependent diabetes mellitus …… 628
インスリン炎 insulitis …… 629
インスリン血症 insulinemia …… 628
インスリン受容体基質-1 insulin receptor substrate-1 (IRS-1) 628
インスリンショック insulin shock …… 629
インスリン生成 insulinogenesis …… 628
インスリン抵抗性 insulin resistance …… 629
インスリン非依存性糖尿病 non-insulin-dependent diabetes mellitus …… 838
インスリンポンプ insulin pump …… 628
インスリン様活性 insulinlike activity (ILA) …… 628
インスリン様成長因子 insulinlike growth factors (IGF) …… 628
陰性呼気終圧 negative end-expiratory pressure (NEEP) …… 817
陰性症状 negative symptom …… 817
陰性染色〔法〕 negative stain …… 817
陰性像 cold nodule …… 260
陰性的中率 negative predictive value …… 817
引赤薬 rubefacient …… 1063
引赤薬 vesicant …… 1272
隠足症 cryptopodia …… 303
インターバルトレーニング interval training …… 638
インターフェース interface …… 631
インターフェロン interferon (IFN) …… 631
インターロイキン interleukin (IL) …… 631
インターン intern …… 633
インダクタンス inductance …… 615
いんちき医者 charlatan …… 227
いんちき医術 charlatanism …… 227
インデックス index …… 614
インデューサ inducer …… 615
陰電子 negatron …… 817
咽頭 pharynx …… 926
咽頭炎 pharyngitis …… 926
咽頭器官 pharyngeal apparatus …… 925
咽頭気管多重バルーンシステム pharyngeal tracheal multiple balloon system …… 926
咽頭弓動脈 pharyngeal arch arteries …… 925
咽頭鏡 pharyngoscope …… 926
咽頭鏡検査〔法〕 pharyngoscopy …… 926
咽頭狭窄〔症〕 pharyngostenosis …… 926
咽頭筋 musculi laryngis …… 795
咽頭形成〔術〕 pharyngoplasty …… 926
咽頭痙攣 pharyngismus …… 926
咽頭結石 pharyngolith …… 926
咽頭結膜熱 pharyngoconjunctival fever …… 926
咽頭溝 pharyngeal groove …… 925
咽頭喉頭炎 laryngopharyngitis …… 680
咽頭喉頭炎 pharyngolaryngitis …… 926
咽頭喉頭部 laryngopharynx …… 680
咽頭後部 retropharynx …… 1048
咽頭鰓溝 pharyngeal cleft …… 925
〔翼口蓋神経節の〕咽頭枝 pharyngeal nerve …… 925
咽頭糸状菌症 pharyngomycosis …… 926
咽頭小嚢 sacculus laryngis …… 1066
咽頭静脈 pharyngeal veins …… 926
咽頭食道憩室 pharyngoesophageal diverticulum …… 926
咽頭切除〔術〕 pharyngectomy …… 926
咽頭洗浄剤 gargle …… 487
咽頭脱 pharyngocele …… 926
咽頭嚢 pharyngeal bursa …… 925
咽頭反射 gag reflex …… 483
咽頭反射 pharyngeal reflex …… 925
咽頭ヘルニア pharyngocele …… 926
咽頭弁 pharyngeal flap …… 925
咽頭扁桃 pharyngeal tonsil …… 925
咽頭扁桃切除〔術〕 adenoidectomy …… 25
咽頭麻痺 pharyngoplegia …… 926
インドール indole …… 615
インドール酢酸尿〔症〕 indolaceturia …… 615
インドール酸 indolic acids …… 615
インドキシル indoxyl …… 615
インドキシル尿〔症〕 indoxyluria …… 615
インドシアニングリーン indocyanine green …… 615
イントネーション intonation …… 640
イントロン intron …… 643
院内医療文書作成 in-house medical transcription …… 624
引熱薬 calefacient …… 191
陰嚢 scrotum …… 1082
陰嚢炎 oscheitis …… 871
陰嚢炎 scrotitis …… 1082
陰嚢形成〔術〕 scrotoplasty …… 1082
陰嚢水瘤 oscheohydrocele …… 871
陰嚢切除〔術〕 scrotectomy …… 1082
陰嚢象皮病 elephantiasis scroti …… 387
陰嚢中隔 scrotal septum …… 1082
陰嚢尿腫 urocele …… 1253
陰嚢尿道下裂 scrotal hypospadias …… 1082
陰嚢ヘルニア scrotal hernia …… 1082
陰嚢縫線 scrotal raphe …… 1082
インパクトファクター impact factor …… 609
インパルス impulse …… 610
インピーダンス impedance …… 609
インピーダンス整合 impedance matching …… 609
インピンジメント試験 impingement test …… 609
インピンジメント症候群 impingement syndrome …… 609
インピンジメント徴候 impingement sign …… 609
陰部 pubes …… 1001
インフォームドコンセント informed consent …… 621
陰部神経 pudendal nerve …… 1002
陰部神経管 pudendal canal …… 1002
陰部神経小体 genital corpuscles …… 495
陰部大腿神経 genitofemoral nerve …… 495
陰部ヘルペス genital herpes …… 495
陰部疱疹 genital herpes …… 495
インプライドコンセント implied consent …… 610
インプラント implant …… 610
インプラントデンチャー implant denture …… 610
インフルエンザ influenza …… 621
インフルエンザ菌 *Haemophilus influenzae* …… 527
インフルエンザ肺炎 influenzal pneumonia …… 621
隠蔽 concealment …… 272
隠ぺい masking …… 734
隠ぺい screen …… 1082
隠ぺい記憶 screen memory …… 1082
インペチゴ impetigo …… 609
インポテンス impotence …… 610
淫夢女精 succubus …… 1156
陰毛 pubes …… 1001
陰門 vulva …… 1283
陰/陽 yin/yang …… 1300
韻律学 prosody …… 987
引力 attraction …… 117
インレー inlay …… 625

陰裂 pudendal cleft ……… 1002

ウ

ヴァーヘフ弾性組織染色〔法〕 Verhoeff elastic tissue stain … 1269
ヴァイゲルト鉄ヘマトキシリン染料 Weigert iron hematoxylin stain ……… 1288
ヴァイゲルトの法則 Weigert law ……… 1288
ヴァイゲルトヨウ素〔溶〕液 Weigert iodine solution ……… 1288
ヴァイル病 Weil disease ……… 1288
ヴァイル-フェリックス反応 Weil-Felix test ……… 1288
ヴァイル-マルケサーニ症候群 Weill-Marchesani syndrome 1288
ヴァインベルク反応 Weinberg reaction ……… 1288
ヴァルサルヴァ手技 Valsalva maneuver ……… 1259
ヴァルター拡張器 Walther dilator ……… 1285
ヴァルダイアー鞘 Waldeyer sheath ……… 1285
ヴァルタルト細胞遺残 Walthard cell rest ……… 1285
ヴァルデンストレーム大グロブリン血〔症〕 Waldenström macroglobulinemia ……… 1285
ヴァルテンベルク症状 Wartenberg symptom ……… 1286
ヴァルブルク説 Warburg theory ……… 1285
ヴァルブルク装置 Warburg apparatus ……… 1285
ヴァレー点 Valleix points ……… 1258
ヴァレンタイン体位 Valentine position ……… 1258
ヴァン・エルマンジェン染色〔法〕 van Ermengen stain ……… 1260
ヴァン・ギーソン染料 van Gieson stain ……… 1260
ヴァンサンアンギナ Vincent angina ……… 1275
ヴァンサン杆菌 Vincent bacillus ……… 1275
ヴァンサン扁桃炎 Vincent tonsillitis ……… 1276
右位 dextroposition ……… 339
ヴィース-ミュラー円 Vieth-Müller circle ……… 1275
ヴィエラ徴候 Vierra sign ……… 1275
Vコード V code ……… 1264
初産 primiparity ……… 979
右胃症 dextrogastria ……… 339
右胃静脈 right gastric vein ……… 1056
V神経ガス V-series nerve agents ……… 1283
ヴィスラー症候群 Wissler syndrome ……… 1292
ウイタカー試験 Whitaker test ……… 1290
ウィッカム線条 Wickham stria ……… 1291
右胃動脈 right gastric artery ……… 1056
ヴィポン徴候 Vipond sign ……… 1276
ウィリアムズ症候群 Williams syndrome ……… 1291
ウィリアムズ染色〔法〕 Williams stain ……… 1291
ウィリス帯 Willis cords ……… 1291
ウィリストンの法則 Williston law ……… 1291
ヴィリダンス型連鎖球菌 *Streptococcus viridans* ……… 1147
ウィルキー動脈 Wilkie artery ……… 1291
ウイルス virus ……… 1277
ウイルスエンベロープ viral envelope ……… 1276
ウイルス学 virology ……… 1277
ウイルス学者 virologist ……… 1277
ウイルス〔赤〕血球凝集〔反応〕 viral hemagglutination ……… 1276
ウイルス血症 viremia ……… 1276
ウイルス親和性 viral tropism ……… 1276
ウイルス性肝炎 viral hepatitis ……… 1276
ウイルス性赤痢 viral dysentery ……… 1276
ウイルス性トランスフォーム細胞 virus-transformed cell … 1277
ウイルスの出芽 virus shedding ……… 1277
ウイルス量 viral load ……… 1276
ウイルソイド virusoid ……… 1277
ウィルソン筋 Wilson muscle ……… 1292
ウィルソンの彎曲 curve of Wilson ……… 306
ウィルソン病 Wilson disease ……… 1291
ウィルソンブロック Wilson block ……… 1291
ウィルソン法 Wilson method ……… 1292
ヴィルデルムート耳 Wildermuth ear ……… 1291
ウィルムス腫〔瘍〕 Wilms tumor ……… 1291
ウィンゲート試験 Wingate test ……… 1292
ウインターボトム徴候 Winterbottom sign ……… 1292
ウィンデミア夫人症候群 Lady Windermere syndrome ……… 675
ヴィンテルニッツゾンデ Winternitz sound ……… 1292
ヴェーゲナー肉芽腫症 Wegener granulomatosis ……… 1288
ウェーバー-クリスチャン病 Weber-Christian disease ……… 1287
ウェーバー-コケーン症候群 Weber-Cockayne syndrome … 1287
ヴェーバー三角 Weber triangle ……… 1287
ウェーバー症候群 Weber syndrome ……… 1287
ウェーバー染色〔法〕 Weber stain ……… 1287
ヴェーバー聴覚試験 Weber test for hearing ……… 1287
ヴェーバーパラドックス Weber paradox ……… 1287
ヴェーバー-フェヒナーの法則 Weber-Fechner law ……… 1287
植込み剤 pellet ……… 908
植込み縫合 implanted suture ……… 610
ウェスターグレン法 Westergren method ……… 1289
ウェスターマーク徴候 Westermark sign ……… 1289
ウエスタンブロット分析 Western blot analysis ……… 1289
ウエスタンブロット法 Western blot test ……… 1289
ヴェステルグレン法 Westergren method ……… 1289
ウェスト症候群 West syndrome ……… 1289
ウエストナイルウイルス West Nile virus ……… 1289
ウエスト・ヒップ比 waist:hip ratio ……… 1285
ヴェストベルク腔 Westberg space ……… 1289
植え継ぎ培養 subculture ……… 1152
ウェックスラー知能スケール Wechsler intelligence scales … 1287
上ひき supraduction ……… 1164
ウェルチ菌 *Clostridium perfringens* ……… 253
ウェルチ菌アイオータ毒素 *Clostridium perfringens* iota toxin 253
ウェルチ菌アルファ毒素 *Clostridium perfringens* alpha toxin 253
ウェルチ菌イプシロン毒素 *Clostridium perfringens* epsilon toxin ……… 253
ウェルチ菌ベータ毒素 *Clostridium perfringens* beta toxin ……… 253
ヴェルトハイム手術 Wertheim operation ……… 1289
ヴェルナー症候群 Werner syndrome ……… 1288
ヴェルニッケ-コルサコフ症候群 Wernicke-Korsakoff syndrome ……… 1289
ヴェルニッケ症候群 Wernicke syndrome ……… 1289
ヴェルニッケ中枢 Wernicke center ……… 1289
ヴェルニッケ反応 Wernicke reaction ……… 1289
ヴェルネー症候群 Vernet syndrome ……… 1269
ヴェルポーヘルニア Velpeau hernia ……… 1265
ヴェルポー包帯 Velpeau bandage ……… 1265
迂遠 circumstantiality ……… 246
ウェンケバッハ周期 Wenckebach period ……… 1288
ウェンケバッハブロック Wenckebach block ……… 1288
ヴェンツーリマスク Venturi mask ……… 1268
ウォーカー図表 Walker chart ……… 1285
ウォーターズ手術 Waters operation ……… 1286
ウォーターハウス-フリーデリックセン症候群 Waterhouse-Friderichsen syndrome ……… 1286
ウォード三角 Ward triangle ……… 1285
ウォードロップ法 Wardrop method ……… 1285
ウォーミングアップ warm-up ……… 1285
ウォーミングアップ現象 warm-up phenomenon ……… 1286
ウォーラー変性 wallerian degeneration ……… 1285
ヴォッシウス水晶体輪 Vossius lenticular ring ……… 1283
うおのめ clavus ……… 248
うおのめ corn ……… 286
うおのめ切開〔術〕 helotomy ……… 540
ウォブル wobble ……… 1292
ウォルシュ手技 Walsh procedure ……… 1285
ウオルシュの神経血管束 neurovascular bundle of Walsh ……… 830
ヴォルトリーニ病 Voltolini disease ……… 1282
ウォルドロンテスト Waldron test ……… 1285
ヴォルフ〔管〕遺残 wolffian rest ……… 1293
ヴォルフ〔管〕囊胞 wolffian cyst ……… 1293
ヴォルフの法則 Wolff law ……… 1293
ウォルフラム症候群 Wolfram syndrome ……… 1293
ウォルマン病 Wolman disease ……… 1293
ヴォン・ヴィレブランド病 von Willebrand disease ……… 1283
うがい薬 mouthwash ……… 787
右下行肺動脈 right descending pulmonary artery (RDPA) … 1056
右肝管 right hepatic duct ……… 1056
右冠状動脈 right coronary artery ……… 1056
右胸心 dextrocardia ……… 339
右傾 dextroversion ……… 340
右結腸曲 right colic flexure ……… 1056
右結腸動脈 right colic artery ……… 1056
受身アナフィラキシー passive anaphylaxis ……… 902

受身〔赤〕血球凝集〔反応〕 passive hemagglutination ………… 902
迂言 circumlocution ………… 246
烏口肩峰靱帯 coracoacromial ligament ………… 285
烏口鎖骨靱帯 coracoclavicular ligament ………… 285
烏口突起 coracoid process ………… 285
烏口突起切除〔術〕 coronoidectomy ………… 287
烏口腕筋 coracobrachialis muscle ………… 285
右・左冠動脈の心室中隔枝 interventricular septal branches of left-right coronary artery ………… 638
右左シャント right-to-left shunt ………… 1057
ウシ〔型〕結核菌 *Mycobacterium bovis* ………… 801
ウシ血清アルブミン bovine serum albumin (BSA) ………… 169
右室不全 right ventricular failure ………… 1057
ウシ肺疫菌様微生物 pleuropneumonialike organisms (PPLO) ………… 948
ウシ放線菌 *Actinomyces bovis* ………… 18
う食 caries ………… 204
う食 decay ………… 318
う食学 cariology ………… 204
う食原性 cariogenicity ………… 204
う食発生 cariogenesis ………… 204
ウシ流産菌 *Brucella abortus* ………… 180
右心 right heart ………… 1056
右心耳 right auricle ………… 1056
右心室 right ventricle ………… 1057
右心バイパス right heart bypass ………… 1056
右心房 right atrium of heart ………… 1056
うずくまり歩行 crouch gait ………… 300
渦巻き whorl ………… 1291
うずまき管 cochlea ………… 257
右旋 dextrogyration ………… 339
右旋斜位 dextrotorsion ………… 340
うそ発見器 lie detector ………… 697
打ち切り censoring ………… 216
内ひき adduction ………… 23
内巻き involution ………… 644
内回し斜位 incyclophoria ………… 613
内回しひき incycloduction ………… 613
〔航空〕宇宙医学 aerospace medicine ………… 32
うっ血 congestion ………… 276
うっ血 hemostasis ………… 550
うっ血 stagnation ………… 1135
うっ血 stasis ………… 1137
うっ血除去薬 decongestant ………… 320
うっ血性巨脾〔症〕 congestive splenomegaly ………… 277
うっ血性血栓症 thrombostasis ………… 1200
うっ血性湿疹 stasis eczema ………… 1137
うっ血性皮膚炎 stasis dermatitis ………… 1137
うっ血性無酸素〔症〕 stagnant anoxia ………… 1135
うっ積 engorgement ………… 400
うっ滞 retention ………… 1044
うっ滞性皮膚炎 stasis dermatitis ………… 1137
ウッドガラス Wood glass ………… 1293
ウッド光〔線〕 Wood light ………… 1293
ウッドランプ Wood lamp ………… 1293
うつ病 depression ………… 332
うつ病 melancholia ………… 748
腕 arm ………… 95
腕 brachium ………… 171
腕エルゴメーター arm-crank ergometer ………… 95
腕付きブジー elbowed bougie ………… 382
腕落下テスト drop arm test ………… 364
ウテログロビン uteroglobin ………… 1255
ウテログロビン-アデュシン uteroglobin-adducin ………… 1255
うとうと状態 drowsiness ………… 364
うなじ nape ………… 811
うなずき nutans ………… 845
うなり声 grunt ………… 520
乳母 wet nurse ………… 1289
右肺水平裂 transverse fissure of the right lung ………… 1221
右肺動脈 right pulmonary artery ………… 1056
右肺の奇静脈葉 azygos lobe of right lung ………… 128
うぶ毛 vellus ………… 1265
右偏 dextroposition ………… 339
〔核〕右方移動 shift to the right ………… 1099
右方回旋 dextrotorsion ………… 340
右房室口 tricuspid orifice ………… 1229
右方捻転 dextrotorsion ………… 340
防已(ウマノスズクサ) *Aristolochia fangchi* ………… 95
膿 pus ………… 1007
〔肝臓の〕右葉 right lobe of liver ………… 1056
ウラシル uracil (U) ………… 1249
ウラストン接合レンズ Wollaston doublet ………… 1293
ウラニル uranyl ………… 1249
ウリカーゼ uricase ………… 1252
ウリザネ条虫 *Dipylidium caninum* ………… 351
ウリザネ条虫症 dipylidiasis ………… 351
ウリジル酸 uridylic acid ………… 1252
ウリジン uridine (Urd) ………… 1252
ウリジン 5′-二リン酸 uridine 5′-diphosphate (UDP) ………… 1252
ウリジン 5′-三リン酸 uridine 5′-triphosphate (UTP) ………… 1252
右リンパ本幹 right lymphatic duct ………… 1056
ウルトラディアン ultradian ………… 1244
ウルフ移植〔片〕 Wolfe graft ………… 1292
ウルフ-パーキンソン-ホワイト症候群 Wolff-Parkinson-White syndrome ………… 1293
ウルフびん Woulfe bottle ………… 1294
ウルマン症候群 Ullmann syndrome ………… 1243
ウルマン線 Ullmann line ………… 1243
ウレアーゼ urease ………… 1250
ウレイドコハク酸 ureidosuccinic acid ………… 1250
ウロガストロン urogastrone ………… 1253
ウロカニン酸 urocanic acid ………… 1253
ウロカニン酸ヒドラターゼ urocanate hydratase ………… 1253
ウロカネート urocanate ………… 1253
ウロキナーゼ urokinase ………… 1253
ウロクローム urochrome ………… 1253
鱗 squama ………… 1133
ウロビリノーゲン urobilinogen ………… 1253
ウロビリン urobilin ………… 1253
ウロビリン血〔症〕 urobilinemia ………… 1253
ウロビリン尿〔症〕 urobilinuria ………… 1253
ウロフラビン uroflavin ………… 1253
ウロポルフィリン uroporphyrin ………… 1253
上むき supraversion ………… 1166
暈 areola ………… 94
暈状母斑 halo nevus ………… 530
暈徴候 halo sign ………… 530
運動 movement ………… 787
運動異常〔症〕 dyskinesia ………… 371
運動異常症候群 dyskinesia syndrome ………… 371
運動エネルギー kinetic energy ………… 666
運動〔感〕覚 kinesthesia ………… 666
運動〔感〕覚 kinesthetic sense ………… 666
運動学 kinematics ………… 666
運動学 kinesiology ………… 666
運動学 kinetics ………… 666
運動学習 motor learning ………… 786
運動〔感〕覚消失 akinesthesia ………… 38
運動〔感〕覚消失 kinanesthesia ………… 666
運動〔感〕覚脱失 kinanesthesia ………… 666
運動学的連鎖 kinematic chain ………… 666
運動過剰〔症〕 hyperkinesis ………… 585
運動過剰血〔症〕 hyperkinemia ………… 585
運動過多性構語障害〔症〕 hyperkinetic dysarthria ………… 585
運動型の人 motile ………… 786
運動感覚計 kinesthesiometer ………… 666
運動緩徐 bradykinesia ………… 172
運動機能亢進〔症〕 hyperanakinesia ………… 582
運動記録器 kymograph ………… 671
運動記録図 kymogram ………… 671
運動系 movement system ………… 787
運動亢進 hyperponesis ………… 588
運動後過剰酸素摂取量 excess postexercise oxygen consumption (EPOC) ………… 426
運動錯誤 parakinesia ………… 895
運動時間 movement time ………… 787
運動失行〔症〕 motor apraxia ………… 786
運動失調 ataxia ………… 111
〔歩行性〕運動失調 motor ataxia ………… 786
運動終板 motor endplate ………… 786
運動昇圧反射 exercise pressor reflex ………… 427

運動障害 dyskinesia 371
運動処方 exercise prescription 427
運動処方実践 exercise capacity 427
〔自動〕運動性 motility 786
運動性学習 motor learning 786
運動制御 motor control 786
運動性言語野障害 motor speech disorder 786
運動性失語症 aphemia 87
運動性神経 motor nerve 786
運動性低血圧 exertional hypotension 427
運動性無月経症 athletic amenorrhea 112
運動生理学 exercise physiology 427
運動〔神経〕線維 motor fibers 786
運動選手食欲不振 anorexia athletica 73
運動選手性心 athlete's heart 112
運動像 motor image 786
運動耐容能 exercise tolerance 427
運動耐容能 functional capacity 479
運動耐容能評価 functional capacity evaluation (FCE) 479
運動単位 motor unit 786
運動中枢損傷性てんかん focal epilepsy 466
運動低下〔症〕 hypokinesis 594
運動定量計 kinesimeter 666
運動点 motor point 786
運動ニューロン motor neuron 786
運動ニューロン疾患 motor neuron disease 786
運動粘性率 kinematic viscosity (ν, υ) 666
〔同〕運動反復〔症〕 palikinesia 886
運動皮質 motor cortex 786
運動負荷 RI 心血管造影 exercise radionuclide angiocardiography 427
運動負荷試験 exercise stress test 427
運動負荷放射線核種心血管造影 exercise radionuclide angiocardiography 427
運動不能〔症〕 akinesia 37
運動分解 movement decomposition 787
運動分節 motion segment 786
運動麻痺 motor paralysis 786
運動免疫学 exercise immunology 427
運動〔線〕毛 kinocilium 667
運動野 motor area 786
運動誘発性アナフィラキシー exercise-induced anaphylaxis 427
運動誘発性じんま疹 exercise-induced urticaria 427
運動誘発性貧血 exercise-induced anemia 427
運動誘発ぜん息 exercise-induced asthma (EIA) 427
運動療法 kinesitherapy 666
運動連鎖 kinetic chain exercise 666
ウンナ染料 Unna stain 1248
ウンナ母斑 Unna nevus 1248
運搬 transport 1220
運搬角 carrying angle 207
ウンフェルリヒト病 Unverricht disease 1248
雲霧法 fogging 467
雲母症 micatosis 765

エ

エアーアブレーション air abrasion 36
エアーベッド air-fluidized bed 37
エアトラッピング airtrapping 37
エアブロンコグラム air bronchogram 37
エアリーディスク Airy disc 37
エアロゾル aerosol 32
エアロビクス aerobics 32
エアロン徴候 Aaron sign 1
永久歯 permanent tooth 920
永久歯列 permanent dentition 919
永久的聴力閾値上昇 permanent threshold shift 919
永久塗抹染色標本検査 permanent stained smear examination 919
英国熱量単位 British thermal unit (BTU) 176
英国ロック English lock 400
エイコサノイド eicosanoids 381
嬰児殺し infanticide 616
エイズ AIDS 36
エイズいかさま医療 AIDS quackery 36
エイズ関連複合体 AIDS-related complex (ARC) 36
衛生 hygiene 581
衛生〔学〕 hygiene 581
衛生 sanitation 1071
衛生化 sanitization 1071
衛生仮説 hygiene hypothesis 581
衛生技師 sanitarian 1071
衛生士 hygienist 581
衛星膿瘍 satellite abscess 1072
衛星病変 satellitosis 1072
鋭尖触知感覚 acmesthesia 14
鋭匙 osteotrite 876
鋭敏度 sensitivity 1091
鋭脈 pulsus celer 1005
エイムス試験 Ames test 53
栄養 gavage 491
栄養 nutrition 846
栄養一日量 daily value (DV) 315
栄養外胚葉 trophectoderm 1232
栄養学 nutrition 846
栄養型 trophozoite 1233
栄養価のあるおしゃぶり nutritive sucking 846
栄養価のないおしゃぶり行動 nonnutritive sucking 838
栄養管 feeding tube 447
栄養管 nutrient canal 846
栄養孔 nutrient foramen 846
栄養向性 trophotropism 1233
栄養士 dietitian 345
栄養失調〔症〕 dystrophy 373
栄養失調 malnutrition 728
栄養障害症候群 trophic syndrome 1232
栄養状態 nutriture 846
栄養神経症 trophoneurosis 1232
栄養〔障害〕性潰瘍 trophic ulcer 1232
栄養性皮膚神経症 trophodermatoneurosis 1232
栄養素 nutrient 845
栄養素要求株 auxotroph 125
栄養動脈 nutrient artery 845
栄養評価 nutritional assessment 846
栄養不足 undernutrition 1246
栄養不良 oligotrophia 857
〔栄〕養分 nutrient 845
栄養〔的〕平衡 nutritive equilibrium 846
栄養法 alimentation 42
栄養補給 feeding 447
栄養補助食品 nutraceutical 845
栄養膜 trophoblast 1232
栄養膜細胞層 cytotrophoblast 314
栄養膜裂孔 trophoblastic lacuna 1232
栄養良好 eutrophia 424
エイリアシング aliasing 41
鋭利感覚 acmesthesia 14
会陰 perineum 916
会陰横靱帯 transverse perineal ligament 1222
会陰筋膜 perineal fascia 916
会陰形成〔術〕 perineoplasty 916
会陰神経 perineal nerves 916
会陰切開〔術〕 episiotomy 410
会陰切開〔術〕 perineal section 916
会陰切開〔術〕 perineotomy 916
会陰造瘻術 perineostomy 916
会陰動脈 perineal artery 916
会陰ヘルニア perineal hernia 916
会陰ヘルニア perineocele 916
会陰縫合〔術〕 perineorrhaphy 916
会陰縫線 perineal raphe 916
会陰縫線 perineum 916
会陰膜 perineal membrane 916
エヴァンズ症候群 Evans syndrome 424
AH 間隔 AH interval 36
AN 間隔 AN interval 70
ALT:AST 比 ALT:AST ratio 47

A 外斜視 A-pattern exotropia …… 86
A 型ウイルス性肝炎 viral hepatitis type A …… 1276
A 型肝炎ウイルス hepatitis A virus (HAV) …… 551
A 型行動 type A behavior …… 1241
A 型内斜視 A-pattern esotropia …… 86
A 型ボツリヌス毒素 botulinum toxin type A …… 169
A 群 β 溶血性連鎖球菌(GAS)壊死性筋膜炎 group A streptococcal (GAS) necrotizing fasciitis …… 520
a-c 間隔 a-c interval …… 14
ACTH 産生腺腫 ACTH-producing adenoma …… 17
ACTH 分泌刺激因子 adrenocorticotropic releasing factor …… 29
エージェンティック agentic …… 34
エージェント 15 Agent 15 …… 34
エージング・レポート aging report …… 35
AZ 染色のハイデンハイン改良 Heidenhain modification of Mallory-Azan stain …… 538
A 帯 A band …… 1
A/T クローニング A/T cloning …… 111
ATP アーゼ adenosine triphosphatase (ATPase) …… 26
ATP 体積 volume at ATPS …… 1282
ATP-PCr 系エネルギーシステム ATP-PCr energy system …… 115
エーテル ether …… 422
エーデル-プストウブジー Eder-Pustow bougie …… 378
ABR 聴力検査 auditory brainstem response audiometry …… 118
ABO 型新生児溶血性疾患 ABO hemolytic disease of the newborn (HDN) …… 4
AV 間隔 AV interval …… 126
エーブラムズ心臓反射 Abrams heart reflex …… 5
エーベルト線 Eberth lines …… 375
A モード A-mode …… 55
エーラース-ダンロス症候群 Ehlers-Danlos syndrome …… 380
エールリッヒ現象 Ehrlich phenomenon …… 381
エールリッヒ三酸染色〔法〕 Ehrlich triacid stain …… 381
エールリッヒ三重染料 Ehrlich triple stain …… 381
エールリッヒ酸性ヘマトキシリン染色 Ehrlich acid hematoxylin stain …… 380
エールリッヒ説 Ehrlich theory …… 381
エールリッヒ内〔小〕体 Ehrlich inner body …… 380
エールリッヒのアニリンクリスタル紫染色 Ehrlich aniline crystal violet stain …… 380
エールリッヒベンズアルデヒド反応 Ehrlich benzaldehyde reaction …… 380
エールリヒア症 ehrlichiosis …… 380
エーレット現象 Ehret phenomenon …… 380
エーロゾル〔剤〕 aerosol …… 32
エーロゾル発生器 aerosol generator …… 32
会厭軟骨炎 epiglottitis …… 409
エオシン eosin …… 405
エオシン-メチレンブルー寒天〔培地〕 eosin-methylene blue agar …… 405
エオシン y eosin y …… 406
エカルディ症候群 Aicardi syndrome …… 36
液 humor …… 575
液 juice …… 657
液 liquor …… 705
液-液クロマトグラフィ liquid-liquid chromatography …… 705
腋窩 axilla …… 127
腋窩 axillary cavity …… 127
液化 liquefaction …… 704
液化 synchysis …… 1171
液化壊死 liquefactive necrosis …… 704
腋窩開胸〔術〕 axillary thoracotomy …… 127
腋窩菌毛〔症〕 trichomycosis axillaris …… 1228
疫学 epidemiology …… 407
疫学遺伝学 epidemiologic genetics …… 407
疫学者 epidemiologist …… 407
液化剤 liquefacient …… 704
腋窩静脈 axillary vein …… 127
腋窩神経 axillary nerve …… 127
腋窩中線 midaxillary line …… 770
腋窩提靱帯 suspensory ligament of axilla …… 1167
腋窩動脈 axillary artery …… 127
腋窩毛髪糸状菌症 trichomycosis axillaris …… 1228
腋窩リンパ節 axillary lymph nodes …… 127
液剤 solution …… 1115
エキシマレーザー excimer laser …… 426
腋臭 hircus …… 564
液浸 immersion …… 606
液浸系対物レンズ immersion objective …… 606
エキス extract …… 435
エキス extractives …… 435
エキスカベータ excavator …… 425
エキソガミー exogamy …… 429
エキソサイトーシス exocytosis …… 428
エキソヌクレアーゼ exonuclease …… 429
エキソペプチダーゼ exopeptidase …… 429
エキソン exon …… 429
液体 liquid …… 705
液体 liquor …… 705
液体凝固点測定 cryoscopy …… 302
液体シンチレータ liquid scintillator …… 705
液体張力計 tonometer …… 1209
液体排泄過多 colliquation …… 262
〔液体〕比重計 hydrometer …… 579
液体比重測定法 stereometry …… 1140
エキナセア echinacea …… 375
エキノコックス症 echinococcosis …… 376
液胞 vacuole …… 1257
液胞膜 tonoplast …… 1209
腋毛 axillary hair …… 127
腋毛 hircus …… 564
液量オンス fluidounce …… 464
液量ドラム fluidram …… 464
エクオリン aequorin …… 31
エクササイズエコノミー exercise economy …… 427
エクササイズハイ exercise high …… 427
エクスターン extern …… 433
エクスタシー ecstasy …… 377
エクステンダー extender …… 431
エクトロメリア ectromelia …… 378
えくぼ dimple …… 348
えくぼ症状 dimpling …… 349
エクリプス期 eclipse period …… 376
エクリン汗孔腫 eccrine poroma …… 375
エクリン汗腺 eccrine gland …… 375
エコー echo …… 376
エコーグラム echogram …… 376
エコートレイン echo train …… 376
エコープラナー〔法〕 echo planar …… 376
エコタクシス ecotaxis …… 377
エコトロピックウイルス ecotropic virus …… 377
壊死化 sphacelism …… 1122
壊死形成 sphacelation …… 1122
壊死後性肝硬変 postnecrotic cirrhosis …… 967
壊死歯髄 necrotic pulp …… 816
壊死性炎〔症〕 necrotic inflammation …… 816
壊死性潰瘍性歯肉炎 necrotizing ulcerative gingivitis (NUG) …… 816
壊死性角膜炎 necrotizing keratitis …… 816
壊死性クモ咬傷 necrotic arachnidism …… 816
壊死性細動脈炎 necrotizing arteriolitis …… 816
壊死性腸炎 necrotizing enterocolitis …… 816
壊死巣分離 sequestration …… 1094
壊死組織 sphacelus …… 1122
壊死組織除去〔術〕 necrotomy …… 816
壊死組織切除〔法〕 débridement …… 318
エジプト住血吸虫症 schistosomiasis haematobium …… 1077
壊死片 sequestrum …… 1094
SAF 固定液 SAF fixative …… 1068
S 期 synthesis period …… 1173
エスキュラピウスのつえ staff of Aesculapius …… 1134
S 状結腸 sigmoid colon …… 1104
S 状結腸炎 sigmoiditis …… 1104
S 状結腸間膜 mesosigmoid …… 758
S 状結腸間膜炎 mesosigmoiditis …… 758
S 状結腸間膜固定〔術〕 mesosigmoidopexy …… 758
S 状結腸鏡 sigmoidoscope …… 1104
S 状結腸鏡検査〔法〕 sigmoidoscopy …… 1104
S 状結腸固定〔術〕 sigmoidopexy …… 1104
S 状結腸周囲炎 perisigmoiditis …… 918
S 状結腸静脈 sigmoid veins …… 1104
S 状結腸人工肛門形成〔術〕 sigmoidostomy …… 1104
S 状結腸切開〔術〕 sigmoidotomy …… 1104

S 状結腸切除〔術〕 sigmoidectomy …… 1104
S 状結腸直腸吻合〔術〕 sigmoidoproctostomy …… 1104
S 状結腸動脈 sigmoid arteries …… 1104
S 状静脈洞 sigmoid sinus …… 1104
STPD 体積 volume at STPD …… 1282
ST 部分 ST segment …… 1150
エステラーゼ esterase …… 421
エステル ester …… 421
エステル化 esterification …… 421
エステル分解酵素 esterase …… 421
エストラジオール estradiol …… 421
エストランデル手術 Estlander operation …… 421
エストリオール estriol …… 421
エストロゲン estrogen …… 421
エストロゲン受容体 estrogen receptor …… 422
エストロゲン補充療法 estrogen replacement therapy (ERT) 422
エストロン estrone …… 422
S 波 S wave …… 1168
壊疽 gangrene …… 486
壊疽 sphacelation …… 1122
壊疽化 sphacelism …… 1122
壊疽形成 sphacelation …… 1122
壊疽性口内炎 gangrenous stomatitis …… 487
壊疽性腸炎 enteritis necroticans …… 401
壊疽性天疱瘡 pemphigus gangrenosus …… 909
壊疽性膿皮症 pyoderma gangrenosum …… 1010
壊疽組織 sphacelus …… 1122
枝 branch …… 173
枝 ramus …… 1023
エタノール検査 ethanol test …… 422
エタンジニトリル ethanedinitrile …… 422
エチリジン ethylidyne …… 423
エチル ethyl (Et) …… 422
エチルジクロロアルシン ethyldichloroarsine …… 423
エチレート ethylate …… 422
エチレンジアミン四酢酸 ethylenediaminetetraacetic acid (EDTA) …… 423
エッグクラスター egg cluster …… 380
XXY 症候群 XXY syndrome …… 1298
XO 症候群 XO syndrome …… 1298
X 外斜視 X-pattern exotropia …… 1298
X 型内斜視 X-pattern esotropia …… 1298
X 症候群 syndrome X …… 1172
X 線 x-ray …… 1298
X 線解剖学 radiologic anatomy …… 1021
X 線〔医〕学 roentgenology …… 1059
X 線技術者 radiologic technologist …… 1021
X 線蛍光撮影〔法〕 photofluorography …… 932
X 線顕微鏡 x-ray microscope …… 1298
X 線骨盤測定〔法〕 radiopelvimetry …… 1021
X 線撮影〔法〕 radiography …… 1020
X 線撮影技師 radiographer …… 1020
X 線写真 radiograph …… 1020
X 線写真アーチファクト radiographic artifact …… 1020
X 線写真コントラスト radiographic contrast …… 1020
X 線写真濃度 radiographic density …… 1020
X 線専門家 roentgenologist …… 1059
X 線像のゆがみ radiologic distortion …… 1021
〔X 線〕透視装置 fluoroscope …… 465
X 線不透過 radiopacity …… 1021
X〔染色体〕連鎖 X-linked …… 1298
X〔染色体〕連鎖遺伝子 X-linked gene …… 1298
X 連鎖低ガンマグロブリン血症 X-linked hypogammaglobulinemia …… 1298
X 連鎖無ガンマグロブリン血症 X-linked hypogammaglobulinemia …… 1298
X 連鎖リンパ増殖症候群 X-linked lymphoproliferative syndrome …… 1298
XYY 症候群 XYY syndrome …… 1298
エックフィステル Eck fistula …… 376
エック瘻 Eck fistula …… 376
HIV 例外主義 HIV exceptionalism …… 566
HAART 療法 highly active antiretroviral therapy (HAART) …… 562
HMG-CoA 還元酵素阻害薬 HMG CoA-reductase inhibitors …… 567
HLA タイピング HLA typing …… 566
HLA 複合体 HLA complex …… 566
H 凝集素 H agglutinin …… 528
H 抗原 H antigen …… 532
H 鎖 heavy chain …… 537
H 鎖病 heavy chain disease …… 537
HC 発煙 HC smoke …… 534
H 帯 H band …… 534
HB_e抗原 hepatitis B e antigen (HBe, HB_eAg) …… 552
HB_s抗原 hepatitis B surface antigen (HB_sAg) …… 552
HB_c抗原 hepatitis B core antigen (HB_cAb, HB_cAg) …… 552
HV 間隔 HV interval …… 576
H-Y 抗原 H-Y antigen …… 577
エディピズム oedipism …… 854
エディプス期 oedipal phase …… 854
エディプス・コンプレックス Oedipus complex …… 854
エトキシ ethoxy …… 422
エドワーズ・コレット分類 Edwards-Collet classification …… 379
エナメリン enamelins …… 393
エナメル芽細胞 ameloblast …… 51
エナメル芽細胞層 ameloblastic layer …… 51
エナメル冠 enamel cap …… 393
エナメル陥凹 enamel crypt …… 393
エナメル器 enamel organ …… 393
エナメル原基 enamel germ …… 393
エナメル質 enamel …… 393
エナメル質形成 amelogenesis …… 51
エナメル質形成不全〔症〕 enamel hypoplasia …… 393
エナメル質石灰化不全〔症〕 enamel hypocalcification …… 393
エナメル腫 enameloma …… 393
エナメル上皮歯牙腫 ameloblastic odontoma …… 51
エナメル上皮腫 ameloblastoma …… 51
エナメル上皮線維腫 ameloblastic fibroma …… 51
エナメル上皮線維肉腫 ameloblastic fibrosarcoma …… 51
エナメル上皮肉腫 ameloblastic sarcoma …… 51
エナメルセメント境 cementoenamel junction (CEJ) …… 216
エナメル膜 enamel membrane …… 393
エニシダ broom …… 180
NADH デヒドロゲナーゼ NADH dehydrogenase …… 810
NNN 培地 NNN medium …… 835
NK 細胞 natural killer (NK) cells …… 814
NK 細胞白血病 natural killer cell leukemia …… 814
Nd: YAG レーザー Nd:YAG laser …… 815
NPH インスリン NPH insulin …… 841
N-末端 N terminus …… 842
NYHA の心機能分類 New York Heart Association classification …… 832
エネルギー energy (E) …… 400
エネルギー均衡方程式 energy balance equation …… 400
エネルギーサブトラクション energy subtraction …… 400
エネルギー出納方程式 energy balance equation …… 400
エネルギー変換 transduction …… 1218
エノイル enoyl …… 400
エノール enol …… 400
エノラーゼ enolase …… 400
エパソーテ epizote …… 411
エバルト徴候 Ewart sign …… 425
エバルト法 Ewart procedure …… 425
エバンスブルー Evans blue …… 424
エピアンドロステロン epiandrosterone …… 406
エピスタシス epistasis …… 411
エピソード episode …… 410
エピソードケア episode of care …… 410
エピソード性高血圧 episodic hypertension …… 411
エピソーム episome …… 411
エピデルモイド epidermoid …… 408
エビデンスに基づいた医学 evidence-based medicine …… 425
エビデンスに基づく診療 evidence-based practice …… 425
エピトープ epitope …… 411
エピネフリン epinephrine …… 410
エピマー epimer …… 410
エピメラーゼ epimerase …… 410
エピルミネセンスマイクロスコープ epiluminescence microscopy …… 409
エファプス ephapse …… 406
エプーリス epulis …… 412
FAA 固定液 alcohol, formalin, and acetic acid (AFA) fixative …… 40
Fab フラグメント Fab fragment …… 438

〔急性白血病の〕FAB 分類システム French-American-British classification system (FAB) ………… 475
エフェクター effector ………… 379
ff 波 f wave ………… 482
F 型肝炎 hepatitis F ………… 552
Fc フラグメント Fc fragment ………… 446
エブスタイン奇形 Ebstein anomaly ………… 375
エプスタイン真珠 Epstein pearls ………… 412
エブスタイン徴候 Ebstein sign ………… 375
エプスタイン徴候 Epstein sign ………… 412
エプスタイン-バーウイルス Epstein-Barr virus (EBV) ………… 412
FDI 歯式 F.D.I. dental nomenclature ………… 446
F 波 F waves ………… 482
FPS 単位 foot-pound-second unit ………… 469
fps 単位系 foot-pound-second system (FPS, fps) ………… 469
F プラスミド F plasmid ………… 473
エポキシ epoxy ………… 412
エボラウイルス Ebola virus ………… 375
エマナチオン emanation ………… 389
エマルジョン emulsion ………… 393
M:E 比 M:E ratio ………… 754
M 殻 M shell ………… 787
M 線 M line ………… 777
M.D.アンダーソン体系 M.D. Anderson system ………… 739
M モード M-mode ………… 777
エメット針 Emmet needle ………… 391
エヤン〔溶〕液 Hayem solution ………… 534
エライジン eleidin ………… 387
エラウニン elaunin ………… 382
エラスターゼ elastase ………… 382
エラスタンス elastance ………… 381
エラスチン elastin ………… 382
エラスチンのヴァイゲルト染料 Weigert stain for elastin ………… 1288
エラストイド変性 elastoid degeneration ………… 382
エランコ蛍光染色〔法〕 Eranko fluorescence stain ………… 413
エリー徴候 Ely sign ………… 388
エリオット手術 Elliot operation ………… 388
エリオット体位 Elliot position ………… 388
エリオットの法則 Elliott law ………… 388
エリキシル〔剤〕 elixir (elix.) ………… 388
エリスロポ〔イ〕エチン erythropoietin ………… 418
エリテマトーデス lupus erythematosus (LE, L.E.) ………… 716
エリトロフィル erythrophil ………… 418
エリトロポイエチン erythropoietin ………… 418
LE 細胞試験 LE cell test ………… 686
L 殻 L shell ………… 712
エルグ erg ………… 413
L-グリセリン酸尿〔症〕 L-glyceric aciduria ………… 506
エルゴカルシフェロール ergocalciferol ………… 413
エルゴグラフ ergograph ………… 414
エルゴステロール ergosterol ………… 414
L 鎖 light chain ………… 700
L 鎖関連性アミロイドーシス light chain-related amyloidosis 700
LCAT 欠損〔症〕 LCAT deficiency ………… 685
エルジニア症 yersiniosis ………… 1300
エルシュニッヒ斑〔点〕 Elschnig spots ………… 388
エルステッド oersted ………… 854
エルスバーグ症候群 Elsberg syndrome ………… 388
L セレクチン L selectin ………… 712
エルプ-ヴェストファル徴候 Erb-Westphal sign ………… 413
エルプ点 Erb point ………… 413
エルプ麻痺 Erb palsy ………… 413
エルレンマイアーフラスコ Erlenmeyer flask ………… 414
エレクトラ・コンプレックス Electra complex ………… 383
エレクトロフェログラム electropherogram ………… 387
エレクトロレチノグラム electroretinogram (ERG) ………… 387
エレクトロンボルト electron-volt (EV, ev) ………… 386
エレッサー皮弁 Eloesser flap ………… 388
エロス eros ………… 414
エロンゲーション elongation ………… 388
円 circle ………… 245
縁 border ………… 168
縁 margin ………… 732
縁 rim ………… 1057
塩 salt (sal) ………… 1070
遠位指節間関節 distal interphalangeal joints (DIP) ………… 355
遠位肢・中間肢短縮症 acromesomelia ………… 16
遠位小腸閉塞症候群 distal intestinal obstructive syndrome ………… 355
遠位中間肢短縮性小人症 acromesomelic dwarfism ………… 16
遠位脾静脈腎静脈吻合 distal splenorenal shunt ………… 355
演繹法 deduction ………… 321
円蓋 fornix ………… 471
円蓋 vault ………… 1264
円回内筋 pronator teres muscle ………… 985
遠隔医療 telehealth ………… 1183
遠隔看護 telenursing ………… 1183
遠隔教育 distance education ………… 355
遠隔結紮 ultraligation ………… 1244
遠隔〔X 線〕撮影〔法〕 teleradiography ………… 1183
遠隔視 teleopsia ………… 1183
遠隔診断 telediagnosis ………… 1183
遠隔装填式近接照射療法 remote afterloading brachytherapy 1037
遠隔測定〔法〕 telemetry ………… 1183
遠隔皮弁 distant flap ………… 355
遠隔放射線学 teleradiology ………… 1183
遠隔放射線療法 teletherapy ………… 1183
塩化シアン cyanogen chloride (CK) ………… 308
塩化水素 hydrogen chloride ………… 579
塩化ドキサクリウム doxacurium chloride ………… 363
塩化物尿〔症〕 chloruresis ………… 232
塩化プラリドキシム pralidoxime chloride ………… 970
沿岸細胞 littoral cell ………… 706
遠肝性 hepatofugal ………… 552
円環体 torus ………… 1211
塩基 base ………… 138
塩基過剰 base excess ………… 139
塩基欠乏 base deficit ………… 139
塩基性 basicity ………… 139
塩基性赤血球 basoerythrocyte ………… 140
塩基性赤血球増加〔症〕 basoerythrocytosis ………… 140
塩基性染料 basic dyes ………… 139
塩基性染料 basic stain ………… 139
塩基性フクシン basic fuchsin ………… 139
塩基性フクシン-メチレンブルー染色〔法〕 basic fuchsin-methylene blue stain ………… 139
塩基対 base pair ………… 139
塩基度 basicity ………… 139
円鋸歯状赤血球 crenocyte ………… 296
遠距離〔X 線〕撮影〔法〕 teleradiography ………… 1183
遠距離放射線学 teleradiology ………… 1183
〔遠近〕調節反射 accommodation reflex ………… 9
遠近縫合 far-and-near suture ………… 443
エングラム engram ………… 400
エングラム形成 engraphia ………… 400
円形後部円錐角膜 circumscribed posterior keratoconus ………… 246
円形脱毛〔症〕 alopecia areata ………… 45
円型無気肺 rounded atelectasis ………… 1062
円形臨床講堂 theater ………… 1192
えん下困難 dysphagia ………… 371
えん下障害 dysphagia ………… 371
えん下性失神 deglutition syncope ………… 323
えん下のファイバー内視鏡検査 fiberoptic endoscopic examination of swallowing (FEES) ………… 451
えん下〔性〕肺炎 aspiration pneumonia ………… 108
えん下反射 swallowing reflex ………… 1168
えん下不能 aglutition ………… 35
えん下不能〔症〕 aphagia ………… 87
円骨 humpback ………… 575
塩酸 hydrochloric acid (HCl) ………… 578
塩酸欠乏〔症〕 achlorhydria ………… 11
塩酸コカイン cocaine hydrochloride ………… 256
演算子 operator ………… 862
塩酸トカイニド tocainide hydrochloride ………… 1207
遠視 hyperopia (H) ………… 586
エンジェルマン症候群 Angelman syndrome ………… 66
遠紫外 far ultraviolet ………… 444
遠視性単乱視 hyperopic astigmatism ………… 586
炎症 inflammation ………… 620
縁上回 supramarginal gyrus ………… 1164
炎症性偽腫瘍 inflammatory pseudotumor ………… 621
炎症性硬結 poroma ………… 960
炎症性線状疣状表皮母斑 inflammatory linear verrucous

epidermal nevus ······ 620
炎症性腸疾患 inflammatory bowel disease (IBD) ······ 620
炎症性頭部白癬 tinea kerion ······ 1205
炎症性乳癌 inflammatory carcinoma ······ 620
炎症性乳頭状過形成〔症〕 inflammatory papillary hyperplasia 621
炎症性変化 reactive changes ······ 1026
炎症性リウマチ inflammatory rheumatism ······ 621
炎症リンパ inflammatory lymph ······ 620
援助付き雇用 supported employment ······ 1163
遠心〔分離〕機 centrifuge ······ 218
遠心頬側咬合面 distobuccoocclusal ······ 355
遠心隅角 distal angle ······ 355
遠心咬合 distal occlusion ······ 355
〔下顎〕遠心咬合 distoclusion ······ 356
遠心性環状紅斑 erythema anulare centrifugum ······ 415
遠心性筋収縮 eccentric contraction ······ 375
遠心性神経 efferent nerve ······ 379
遠心性肥大 eccentric hypertrophy ······ 375
遠心端 distal end ······ 355
遠心沈殿器 sedimentator ······ 1087
遠心沈殿法 centrifugation ······ 218
遠心転位 distoversion ······ 356
円刃刀 scalpel ······ 1074
遠心法 centrifugation ······ 218
円錐〔体〕 cone ······ 274
円錐 conus ······ 283
延髄 medulla oblongata ······ 745
円錐角膜 conic cornea ······ 277
円錐角膜 keratoconus ······ 663
〔延髄〕弓状核 arcuate nuclei ······ 93
延髄空洞症 syringobulbia ······ 1174
円錐小体 conoid ······ 278
円錐靱帯結節 conoid tubercle ······ 278
円錐水晶体 lenticonus ······ 689
〔延髄〕錐体 pyramid of medulla oblongata ······ 1011
〔延髄〕錐体 pyramis medullae oblongatae ······ 1011
円錐切除〔術〕 conization ······ 277
円錐〔状〕体 conoid ······ 278
円錐乳頭 conic papillae ······ 277
延髄麻痺 bulbar paralysis ······ 183
延髄盲孔 foramen cecum medullae oblongatae ······ 469
塩析 salting out ······ 1070
遠赤外 far infrared ······ 443
塩素イオン移動 chloride shift ······ 232
塩素ざ瘡 chloracne ······ 232
塩素処理 chlorination ······ 232
塩素族 chlorine group ······ 232
円柱 cast ······ 208
円柱 cylinder (C) ······ 309
円柱腫 cylindroma ······ 309
円柱腫様癌 cylindromatous carcinoma ······ 309
円柱上皮 columnar epithelium ······ 265
円柱尿〔症〕 cylindruria ······ 309
円柱レンズ cylindric lens (C) ······ 309
延長 extension ······ 431
延長因子 elongation factor ······ 388
延長ブリッジ cantilever bridge ······ 195
遠沈 centrifugation ······ 218
エンテロガストロン enterogastrone ······ 402
エンテロトキシン enterotoxin ······ 403
エンテロペプチダーゼ enteropeptidase ······ 403
遠点 far point ······ 443
援動〔術〕 mobilization ······ 777
遠藤寒天〔培地〕 Endo agar ······ 395
エンドガミー endogamy ······ 396
エンドグリン endoglin ······ 396
エンドサイトーシス endocytosis ······ 396
エンドサック endosac ······ 398
エンドヌクレアーゼ endonuclease ······ 398
エントブラスト entoblast ······ 404
エンドペプチダーゼ endopeptidase ······ 398
エントミオン entomion ······ 404
エンドメトリオーシス endometriosis ······ 397
エントモフトラ症 entomophthoramycosis ······ 404
エントラップメント神経障害 entrapment neuropathy ······ 404
エンドルフィン endorphin ······ 398
エントロピー entropy (*S*) ······ 404
円背 kyphosis ······ 671
〔食〕塩排泄 saluresis ······ 1070
燕麦細胞 oat cell ······ 847
燕麦細胞癌 oat cell carcinoma ······ 847
エンパシー empathy ······ 391
エンハンサー enhancer ······ 400
円板状エリテマトーデス discoid lupus erythematosus ······ 352
円板状角膜炎 disciform keratitis ······ 352
円盤状腎 disc kidney ······ 352
円板状胎盤 discoplacenta ······ 352
円板状変性 disciform degeneration ······ 352
円盤腎 pancake kidney ······ 888
エンブデン-マイアーホフ経路 Embden-Meyerhof pathway ·· 389
塩分消耗 salt wasting ······ 1070
エンベール徴候 Hennebert sign ······ 550
エンベロープ envelope ······ 404
円偏光二色性 circular dichroism (CD) ······ 245
煙霧 smog ······ 1112
煙霧発生器 aerosol generator ······ 32
塩類しゃ下薬 salt (sal) ······ 1070
塩類喪失性腎炎 salt-losing nephritis ······ 1070

オ

尾 cauda ······ 210
尾 tail ······ 1177
オイグリセミック euglycemic ······ 423
オイグロブリン euglobulin ······ 423
オイディオマイシン oidiomycin ······ 855
横位 transverse lie ······ 1221
横位 transverse presentation ······ 1222
凹窩 dellen ······ 325
黄化 etiolation ······ 423
凹窩 hollow ······ 567
横隔胸膜筋膜 phrenicopleural fascia ······ 933
横隔結腸ひだ phrenicocolic ligament ······ 933
横隔神経 phrenic nerve ······ 933
横隔神経圧挫〔術〕 phreniclasia ······ 933
横隔神経圧挫〔術〕 phrenicotripsy ······ 933
横隔神経節 phrenic ganglia ······ 933
横隔神経切除〔術〕 phrenicectomy ······ 933
横隔神経電気刺激呼吸 electrophrenic respiration ······ 387
横隔神経捻除〔術〕 phrenicoexeresis ······ 933
横隔神経の横隔腹枝 phrenicoabdominal branches of phrenic nerve ······ 933
横隔痛 phrenalgia ······ 933
横隔膜 diaphragm ······ 342
横隔膜 midriff ······ 771
横隔膜下垂〔症〕 phrenoptosia ······ 933
横隔膜脚 crura of the diaphragm ······ 301
横隔膜逆運動現象 paradoxic diaphragm phenomenon ······ 894
横隔膜弛緩〔症〕 eventration of the diaphragm ······ 425
横隔膜性脱出〔症〕 eventration of the diaphragm ······ 425
横隔膜粗動 diaphragmatic flutter ······ 342
横隔膜ヘルニア diaphragmatic hernia ······ 342
横隔膜麻痺 phrenoplegia ······ 933
横顔面静脈 transverse facial vein ······ 1221
扇形心エコー図法 sector echocardiography ······ 1087
応急処置 first aid ······ 457
横筋筋膜 transversalis fascia ······ 1221
黄菌毛〔症〕 lepothrix ······ 690
横径 transverse diameter ······ 1221
応形機能 molding ······ 778
横痃 bubo ······ 181
横行結腸 transverse colon ······ 1221
横骨折 transverse fracture ······ 1221
黄〔色〕視〔症〕 xanthopsia ······ 1296
応軸鉗子 axis-traction forceps ······ 127
横収差 lateral aberration ······ 682
応需型ペースメーカ demand pacemaker ······ 326
横静脈洞 transverse sinus ······ 1222

黄色アスペルギルス *Aspergillus flavus* …… 107
黄色肝萎縮 yellow atrophy of the liver …… 1299
黄色肝変 yellow hepatization …… 1299
黄色血〔症〕 xanthemia …… 1296
黄色色素異常症 xanthism …… 1296
黄色腫 xanthoma …… 1296
黄色腫症 xanthomatosis …… 1296
黄色蛋白 flavoprotein …… 460
黄色肉芽腫 xanthogranuloma …… 1296
黄色ブドウ球菌 *Staphylococcus aureus* …… 1136
横舌筋 transverse muscle of tongue …… 1222
黄癬 favus …… 446
黄癬疹 favid …… 446
凹足 talipes cavus …… 1178
横側頭回 transverse temporal gyri …… 1222
横足根関節 transverse tarsal joint …… 1222
黄体 corpus luteum …… 288
黄体化 luteinization …… 716
黄体化閉鎖卵胞 luteinized unruptured follicle …… 716
黄体化ホルモン/卵胞刺激ホルモン放出因子 luteinizing hormone/follicle-stimulating hormone-releasing factor …… 716
黄体期 luteal phase …… 716
黄体形成 luteinization …… 716
黄体細胞 luteal cell …… 716
黄体刺激ホルモン prolactin (PRL) …… 984
黄体腫 luteoma …… 716
黄体膿胞 corpus luteum cyst …… 288
黄体ホルモン progesterone …… 983
黄体融解 luteolysis …… 716
黄疸 icterus …… 601
黄疸 jaundice …… 654
横断 transection …… 1218
黄疸出血性熱 icterohemorrhagic fever …… 601
黄疸性肝炎 icterohepatitis …… 601
横断切断〔術〕 transverse amputation …… 1221
横断像 axial …… 126
横断面 transection …… 1218
横断面 transverse plane …… 1222
横断面 transverse section …… 1222
嘔吐 barf …… 135
嘔吐 vomiting …… 1283
応答 response …… 1043
嘔吐剤 vomiting agent …… 1283
横突間筋 intertransverse muscles …… 638
横突間靱帯 intertransverse ligament …… 638
横突起 transverse process …… 1222
横突起切除〔術〕 transversectomy …… 1221
横突棘筋 transversospinalis muscle …… 1222
横突孔 transverse foramen …… 1221
凹凸レンズ concavoconvex lens …… 272
凹凸レンズ convexoconcave lens …… 284
嘔吐反射 vomiting reflex …… 1283
黄熱 yellow fever …… 1299
黄斑 macula of retina …… 724
黄斑 macula retinae …… 724
黄斑症 maculopathy …… 724
黄斑障害 maculopathy …… 724
黄斑動脈 macular arteries …… 724
黄斑変性 macular degeneration …… 724
黄斑変性 macular dystrophy …… 724
凹部 crevice …… 297
黄変 xanthosis …… 1297
オウム嘴状断裂 parrot beak tear …… 901
オウム熱 parrot fever …… 901
オウム病 psittacosis …… 997
オウム病クラミジア *Chlamydia psittaci* …… 231
横紋 stripe …… 1148
横紋管 striated duct …… 1148
横紋筋 striated muscle …… 1148
横紋筋芽細胞 rhabdomyoblast …… 1050
横紋筋腫 rhabdomyoma …… 1050
横紋筋肉腫 rhabdomyosarcoma …… 1050
横紋筋融解〔症〕 rhabdomyolysis …… 1050
応用運動学 applied kinesiology …… 91
応力 stress …… 1147
応力遮へい stress shielding …… 1147
応力遮蔽 stress shielding …… 1147
凹〔面〕レンズ concave lens …… 272
オーエン線 Owen lines …… 879
オーカーコドン ochre codon …… 852
O殻 O shell …… 871
大型ダニチフス tick typhus …… 1204
オーガナイザー organizer …… 867
オオカミ憑き lycanthropy …… 717
オーキネート ookinete …… 860
O脚 bowleg …… 170
O凝集素 O agglutinin …… 847
オークターロニー法 Ouchterlony technique …… 877
オーケールンド変形 Akerlund deformity …… 37
O抗原 O antigen …… 847
オージオグラム audiogram …… 118
オージオメータ audiometer …… 118
オージオメトリ〔ー〕 audiometry …… 118
オースティン・フリント現象 Austin Flint phenomenon …… 120
オースティン・ムーア式人工骨頭 Austin Moore prosthesis … 120
オースラー結節 Osler node …… 871
オータコイド autocoid …… 121
オーダリ orderly …… 867
オートガミー autogamy …… 121
オートクライン autocrine …… 121
オートクライン仮説 autocrine hypothesis …… 121
オートクレーブ autoclave …… 121
オートラジオグラフィ autoradiography …… 124
オーバー〔レイ〕デンチャー overlay denture …… 879
オーバートレーニング症候群 overtraining syndrome …… 879
オーバーバイト overbite …… 878
大原病 Ohara disease …… 855
オーファンウイルス orphan viruses …… 869
オーファンレセプタ orphan receptor …… 869
オーベル試験 Ober test …… 847
オームの法則 Ohm law …… 855
オーメン症候群 Omenn syndrome …… 857
オールドフィールド症候群 Oldfield syndrome …… 855
オールブライト遺伝性骨形成異常〔症〕 Albright hereditary osteodystrophy …… 39
オールブライト症候群 Albright syndrome …… 39
オーレム自己介護理論 Orem self-care deficit theory …… 867
オーレン病 Owren disease …… 879
オーロチオグルコース aurothioglucose …… 119
オーングレン線 Ohngren line …… 855
悪寒 ague …… 36
悪寒 chill …… 231
悪寒期 cold stage …… 260
置き換え displacement …… 354
オキサジン染料 oxazin dyes …… 880
オキサゾリジノン類 oxazolidinones …… 880
オキサノグラフィ auxanography …… 125
オキサリル尿素 oxalylurea …… 880
オキサロコハク酸 oxalosuccinic acid …… 880
オキサロ酢酸 oxaloacetic acid …… 880
オキシゲナーゼ oxygenase …… 881
オキシダーゼ oxidase …… 880
オキシタラン oxytalan …… 882
オキシトシン oxytocin …… 882
オキシトシン負荷試験 oxytocin challenge test …… 882
オキシドレダクターゼ oxidoreductase …… 880
オキシヘモグロビン oxyhemoglobin …… 881
オキシヘモグロビン解離曲線 oxyhemoglobin dissociation curve …… 881
オキシミオグロビン oxymyoglobin (MbO_2) …… 881
オキシム oxime …… 880
オキシメトリー oximetry …… 880
荻野-クナウスの学説 Ogino-Knaus rule …… 855
オグストン線 Ogston line …… 855
オクタフルオロプロパン octafluoropropane …… 852
小口病 Oguchi disease …… 855
おくび belching …… 144
おくび eructation …… 415
奥行覚 depth perception …… 332
オグラ手術 Ogura operation …… 855
オクラトキシン ochratoxin …… 852
オクラトキシンA ochratoxin A …… 852

オクロノーシス ochronosis 852
オクロバクトラム属 *Ochrobactrum* 852
汚言 coprolalia 285
汚溝 cloaca 251
押出し反応 extrusion reflex 436
汚食症 coprophagia 285
オジルヴィ症候群 Ogilvie syndrome 855
オシロメータ oscillometer 871
悪心 nausea 814
悪心 vomiturition 1283
雄 male 727
オズグッド-シュラッター病 Osgood-Schlatter disease 871
オステオパシー osteopathy 875
オステオプロテゲリン osteoprotegerin 875
オステオペニア osteopenia 875
オステオポイキリー osteopoikilosis 875
オステオポローシス osteoporosis 875
オステオン osteon 874
オストミー ostomy 876
オストワルド溶解度係数 Ostwald solubility coefficient（λ, lambda） 876
オスミウム酸 osmic acid 871
オスミン酸 osmic acid 871
オセオムチン osseomucin 872
汚染 contamination 280
汚染 pollution 954
汚染爆弾 dirty bomb 351
汚染物質 pollutant 954
汚染量 immission 606
悪阻 emesis gravidarum 391
悪阻 hyperemesis 583
悪阻 pernicious vomiting 920
オゾン ozone 882
汚濁物質 pollutant 954
おたふくかぜ epidemic parotiditis 407
おたふくかぜ mumps 793
オチョアの法則 Ochoa law 852
オツェーナ ozena 882
オッカムのかみそり Occam's razor 850
オッセオインテグレーション osseointegration 872
オッディ括約筋 sphincter of Oddi 1123
オッディ括約筋機能不全 sphincter of Oddi dysfunction 1123
オッド od 853
オット病 Otto disease 877
オッペンハイム反射 Oppenheim reflex 863
汚点 stigma 1142
音 sound 1117
音 tone 1208
おとがい chin 231
おとがい mentum 754
おとがい横筋 transverse muscle of chin 1221
おとがい横筋 transversus menti muscle 1223
おとがい下静脈 submental vein 1154
おとがい下動脈 submental artery 1154
おとがい棘 mental spine 754
おとがい筋 mentalis muscle 753
おとがい形成〔術〕 genioplasty 494
おとがい形成〔術〕 mentoplasty 754
おとがい結合 mandibular symphysis 730
おとがい結合 mental symphysis 754
おとがい孔 mental foramen 753
おとがい上三角 suprameatal triangle 1164
おとがい神経 mental nerve 754
おとがい舌筋 genioglossus 494
おとがい舌筋 genioglossus muscle 494
おとがい舌骨筋 geniohyoid muscle 494
おとがい動脈 mental artery 753
男嫌い misandry 774
男盛り virility 1277
男の尿道腺 glands of the male urethra 499
男結び granny knot 514
音写真〔法〕 phonophotography 929
オトスコープ otoscope 877
オトミコーシス otomycosis 877
おとり細胞 decoy cell 320
オドントグリフィックス odontoglyphics 853
オナガザルヘルペスウイルス cercopithecrine herpesvirus 221
オナニー masturbation 736
オパール様ぞうげ質 opalescent dentin 861
帯 band 134
帯 cingulum 245
帯 cord 285
帯 girdle 499
帯 zone 1302
オピオイド opioid 863
オピオイド〔受容体〕拮抗薬 opioid antagonist 863
オピオメラノコルチン opiomelanocortin 863
オピスチオン opisthion 863
オフィス高血圧 office hypertension 854
オフィスラボ physician office laboratory（POL） 934
オプシノゲン opsinogen 863
オフジ病 Ofuji disease 855
オプシン opsin 863
オプソニン opsonin 864
オプソニン作用 opsonization 864
オプソニン指数 opsonic index 863
オプソニン〔指数〕測定〔法〕 opsonometry 864
汚物 soil 1114
汚物 sordes 1117
オプトメータ optometer 865
オプトメトリー optometry 865
オブリーク oblique section 848
オフリオン ophryon 862
オペラント operant 862
オベリオン obelion 847
オベルジェ血液型 Auberger blood group 117
オペレーション・レストア・トラスト Operation Restore Trust（ORT） 862
オペレータ operator 862
オペレータ遺伝子 operator gene 862
オボアルブミン ovalbumin 878
オマハ方式 Omaha system 857
おむつ皮膚炎 diaper dermatitis 342
オメガ酸化説 omega-oxidation theory 857
ω-3 脂肪酸 omega（ω）-3 fatty acids 857
オメガ 6 脂肪酸 omega-6 fatty acid（ω） 857
オメガ 9 脂肪酸 omega-9 fatty acid（ω） 857
思い出しバイアス recall bias 1027
親世代 parental generation（P_1） 899
おやゆび hallux 530
おやゆび pollex 954
おり cage 189
オリエ移植〔片〕 Ollier graft 857
オリエ説 Ollier theory 857
オリーブ olive 857
オリーブ脊髄路 spinoolivary tract 1126
折り重ね overlap 879
オリゴ oligo 856
オリゴ-α-1,6-グルコシダーゼ oligo-α1,6-glucosidase 856
オリゴクローナルバンド oligoclonal band 856
オリゴ糖 oligosaccharide 857
オリゴヌクレオチド oligonucleotide 857
オリゴペプチド oligopeptide 857
オリゴマー形成 oligomerization 857
折りたたみ眼内レンズ foldable intraocular lens 467
折りたたみナイフ〔様〕痙攣 clasp-knife spasticity 248
オルガズム orgasm 868
オルセイン orcein 866
オルソスコープ orthoscope 870
オルソミクソウイルス科 Orthomyxoviridae 870
オルテガ神経膠染色〔法〕 Hortega neuroglia stain 571
オルト固定液 Orth fixative 869
オルト染色〔法〕 Orth stain 870
オルトラニー手技 Ortolani maneuver 870
オルトラニサイン Ortolani sign 870
オルニチン ornithine（Orn） 868
オルニチン尿 ornithinuria 869
オルニトーシス ornithosis 869
オルビターレ orbitale 866
オルムステッド症候群 Olmsted syndrome 857
オルリスタット orlistat 868
オレイン酸剤 oleate 855

オレキシン orexin …… 867
オレストラ olestra …… 855
オレンジウッド orange wood …… 865
オレンジトップ・チューブ orange-top tube …… 865
悪露 lochia …… 708
悪露過多 lochiorrhea …… 708
オロソムコイド orosomucoid …… 869
悪露滞留 lochiometra …… 708
オロチジン orotidine (O, Ord) …… 869
オロチン酸 orotic acid (Oro) …… 869
オロポーチ熱 Oropouche fever …… 869
オロヤ熱 Oroya fever …… 869
音圧レベル依存性周波数特性変化 level-dependent frequency response …… 696
オンオフ現象 on-off phenomenon …… 859
温覚 thermoesthesia …… 1194
温覚計 thermoesthesiometer …… 1194
温覚消失 thermal anesthesia …… 1193
温覚消失〔症〕 thermoanesthesia …… 1193
音楽療法 music therapy …… 800
音響 sound …… 1117
音響外傷性難聴 acoustic traumatic hearing loss …… 15
音響学 acoustics …… 15
音響性耳小骨筋反射域値 acoustic reflex threshold (ART) …… 15
音曲線 phonogram …… 929
オングストローム〔単位〕 Ångström unit (Å) …… 69
オングストロームの法則 Ångström law …… 69
温血動物 hematotherma …… 543
オンコジーン oncogene …… 858
オンコセルカ腫瘤 onchocercoma …… 858
音叉 tuning fork (TF) …… 1238
音視〔症〕 phonopsia …… 929
温湿布 hot compress …… 572
音写真〔法〕 phonophotography …… 929
音〔覚〕受容器 phonoreceptor …… 929
音場 sound field …… 1118
音色 timbre …… 1204
温浸法 infusion …… 623
オンス ounce …… 877
温水浴槽病 hot tub disease …… 572
温水浴槽毛嚢炎 hot tub folliculitis …… 572
音声 voice …… 1281
音声医学 phoniatrics …… 929
音声学 phonetics …… 929
音声下言語 subvocal speech …… 1156
音性筋間代 phonomyoclonus …… 929
音声均衡 phonetic balance …… 929
音声計 phonometer …… 929
音声衰弱〔症〕 phonasthenia …… 929
音声治療学 phoniatrics …… 929
音声認識 speech recognition …… 1121
音声範囲 vocal spectrum …… 1281
音声疲労症候群 voice fatigue syndrome …… 1281
音素 phoneme …… 929
音痴 amusia …… 57
音調障害 dysprosody …… 372
温度 temperature …… 1184
温度眼振 caloric nystagmus …… 192
温度記録〔法〕 thermography …… 1194
温度記録計 thermograph …… 1194
温度屈性 thermotropism …… 1194
温度計 thermometer …… 1194
濃度-時間積 concentration-time product (Ct) …… 272
温度〔眼振〕試験 caloric test …… 192
温度受容器 thermoreceptor …… 1194
温度測定 thermometry …… 1194
温度中心点 temperature midpoint (Tm, t_m) …… 1184
温度調節 thermoregulation …… 1194
女嫌い misogyny …… 774
女の尿道腺 glands of the female urethra …… 499
温熱アーチファクト thermal artifact …… 1193
温熱人工産物 thermal artifact …… 1193
温熱性痛覚過敏 thermalgesia …… 1193
温熱性無感覚 thermoanesthesia …… 1193
温熱マッサージ thermomassage …… 1194
〔温〕熱療法 thermotherapy …… 1194
音波検査器 sonograph …… 1117
音波検査者 sonographer …… 1117
音波検査図 sonogram …… 1117
音波破砕 sonication …… 1117

カ

窩 cavity …… 212
窩 fossa …… 472
窩 pouch …… 969
窩 socket …… 1113
顆 condyle …… 274
科 family …… 443
華 flowers …… 464
果 malleolus …… 728
蚊 mosquito …… 785
架 shelf …… 1099
〔力〕価 titer …… 1205
価 valence …… 1258
カーク切断術 Kirk amputation …… 667
ガーゴイリズム gargoylism …… 487
ガーゼ absorbent gauze …… 6
ガーゼ gauze …… 491
ガーゼタンポン Mikulicz drain …… 771
ガーゼ付絆創膏 adhesive bandage …… 27
加圧型人工呼吸器 pressure ventilator …… 976
加圧逆転 pressure reversal …… 976
加圧〔蒸気〕滅菌器 autoclave …… 121
カーデン切断術 Carden amputation …… 200
ガード gastroesophageal reflux disease (GERD) …… 489
ガードナーウェルス鉗子 Gardner-Wells tongs …… 487
ガートナー管嚢胞 Gartner duct cyst …… 487
ガードナー症候群 Gardner syndrome …… 487
ガートナー〔管〕嚢胞 Gartner cyst …… 487
ガーノー・ド・ムーゼー・ポイント Guéneau de Mussey point …… 521
カーノハン切痕 Kernohan notch …… 664
カーハルトのノッチ Carhart notch …… 204
カーペンター症候群 Carpenter syndrome …… 206
ガーランド三角 Garland triangle …… 487
カーリー・クームス雑音 Carey Coombs murmur …… 204
カーリーのB線 Kerley B lines …… 664
カーリング潰瘍 Curling ulcer …… 305
カーリンシスル carline thistle …… 205
カールス曲線 Carus curve …… 207
カーレン管 Carlen tube …… 205
回 convolution …… 284
回 gyrus …… 524
塊 mass …… 734
臥位 decubitus …… 320
外陰〔部〕 vulva …… 1283
外陰異形成 genital ambiguity …… 495
外陰萎縮症 kraurosis vulvae …… 670
外陰会陰縫合〔術〕 episioperineorrhaphy …… 410
外陰炎 vulvitis …… 1283
外陰かゆみ〔症〕 pruritus vulvae …… 993
外因感覚 objective sensation …… 847
外陰狭窄〔症〕 episiostenosis …… 410
外因系凝固経路 extrinsic coagulation pathway …… 436
外陰形成〔術〕 episioplasty …… 410
外因子 extrinsic factor …… 436
外陰ジストロフィ vulvar dystrophy …… 1283
外陰上皮内新生腫瘍 vulvar intraepithelial neoplasia …… 1283
外因診断法 xenodiagnosis …… 1297
外因性アレルギー性肺胞炎 extrinsic allergic alveolitis …… 436
外因性うつ病 exogenous depression …… 429
外因性緩衝剤 exogenous buffer …… 429
外因性感染 exogenous infection …… 429
外因性高グリセリド血〔症〕 exogenous hyperglyceridemia …… 429
外因性発熱物質 exogenous pyrogens …… 429
外因性肥満 exogenous obesity …… 429
外陰切除〔術〕 vulvectomy …… 1283

外陰そう痒〔症〕 pruritus vulvae …… 993
外陰〔部〕腟炎 vulvovaginitis …… 1283
外陰白斑症 vulvar leukoplakia …… 1283
外陰部 pudendum …… 1002
外陰部静脈 external pudendal veins …… 434
外陰部動脈 external pudendal arteries …… 434
外陰閉鎖 infibulation …… 620
外陰縫合〔術〕 episiorrhaphy …… 410
下位運動ニューロン lower motor neuron …… 711
外果 lateral malleolus …… 683
ガイガー・ミューラー計数管 Geiger-Mueller Counter …… 491
回外〔運動〕 supination …… 1163
回外筋 supinator muscle …… 1163
外回旋 restitution …… 1043
外回転〔術〕 external cephalic version …… 434
貝殻爪 shell nail …… 1099
外観 aspect …… 107
外眼角耳道面 canthomeatal plane …… 195
〔外〕眼角切除〔術〕 canthectomy …… 195
開眼器 eye speculum …… 437
外眼筋 extraocular muscles …… 436
外眼筋麻痺 ophthalmoplegia externa …… 863
快感減退 hyphedonia …… 590
外眼疾患 external ophthalmopathy …… 434
快感消失〔症〕 anhedonia …… 70
快感帯 comfort zone …… 265
回帰 palindromia …… 886
回帰 recidivation …… 1028
回帰 recurrence …… 1030
回帰 regression …… 1034
回帰 relapse …… 1035
外〔部〕寄生生物 ectoparasite …… 377
外寄生虫 vermin …… 1269
回帰熱 relapsing fever …… 1036
回帰分析 regression analysis …… 1034
懐郷 nostalgia …… 841
開胸〔術〕 thoracotomy …… 1198
開業 practice …… 970
開業医 practitioner …… 970
開胸心マッサージ open chest massage …… 861
塊茎 tuber …… 1235
外形 contour …… 282
外頸動脈 external carotid artery …… 433
外頸動脈神経 external carotid nerves …… 434
外結合線 external conjugate …… 434
回結腸炎 ileocolitis …… 603
回結腸動脈 ileocolic artery …… 603
壊血病 scurvy …… 1083
ガイゲル反射 Geigel reflex …… 491
外牽引 external traction …… 434
開瞼器 eye speculum …… 437
外原腸胚 exogastrula …… 429
開咬 apertognathia …… 87
開口 aperture …… 87
開口〔部〕 opening …… 861
開口〔部〕 orifice …… 868
外向〔性〕 extroversion …… 436
開口器 gag …… 483
開口期の分娩停止 arrest of active phase dystocia …… 96
外抗原 ectoantigen …… 377
開口障害 lockjaw …… 708
開口障害 trismus …… 1231
外向性 extrovert …… 436
〔細胞〕外酵素 extracellular enzyme …… 435
外後頭稜 external occipital crest …… 434
外肛門括約筋 external anal sphincter muscle …… 433
外呼吸 external respiration …… 434
介護サービス企画 care plan …… 204
介護生活 assisted living …… 108
外骨格 exoskeleton …… 429
外骨〔腫〕症 exostosis …… 429
外固定 external fixation …… 434
カイザー-フライシャー輪 Kayser-Fleischer ring …… 662
介在性成長 interstitial growth …… 637
介在層板 interstitial lamella …… 638
介在導管 intercalated ducts …… 630
介在ニューロン interneurons …… 636
介在ニューロン internuncial neuron …… 636
介在板 intercalated disc …… 630
開鎖運動 open-chain movement …… 861
開散 divergence …… 356
開散不全 divergence insufficiency …… 356
開散不全麻痺 divergence paresis …… 357
開示 disclosure …… 352
外耳 external ear …… 434
開始因子 initiation factor (IF) …… 625
外耳炎 otitis externa …… 876
下意識 subconsciousness …… 1152
〔外〕子宮口 external os of uterus …… 434
外耳孔 opening of external acoustic meatus …… 861
開始コドン initiating codon …… 624
開始コドン initiation codon …… 625
カイ2乗検定 chi-square (χ^2) test …… 231
開始点 initiation …… 624
外耳道 external acoustic meatus …… 433
外耳道腺 glandulae ceruminosae …… 499
外斜位 exophoria …… 429
解釈 interpretation …… 637
外斜視 exotropia …… 430
外斜視性両眼性核間眼球麻痺 wall-eyed bilateral internuclear ophthalmoplegia (WEBINO) …… 1285
解重合 depolymerization …… 332
解重合酵素 depolymerase …… 332
外種皮 testa …… 1190
外受容器 exteroceptor …… 435
外傷 injury …… 625
外鞘 intussuscipiens …… 643
外傷 lesion …… 691
外傷 trauma …… 1223
外傷医療システム trauma care system …… 1224
街上ウイルス street virus …… 1146
外傷影響 noci-influence …… 836
外上顆痛 epicondylalgia …… 406
外傷〔性〕健忘 traumatic amnesia …… 1224
外傷後症候群 posttraumatic syndrome …… 967
外傷後せん妄 posttraumatic delirium …… 967
外傷後痴呆 posttraumatic dementia …… 967
外傷後てんかん posttraumatic epilepsy …… 967
外傷後のめまい posttraumatic vertigo …… 967
外傷〔性〕神経腫 traumatic neuroma …… 1224
外傷〔性〕神経症 traumatic neurosis …… 1224
外傷スコア trauma score …… 1224
外傷性仮死 traumatic asphyxia …… 1224
外傷性感覚消失 traumatic anesthesia …… 1224
外傷性気胸 traumatic pneumothorax …… 1224
外傷性気胸 traumatopnea …… 1224
外傷性咬合 traumatogenic occlusion …… 1224
外傷性呼吸困難〔症〕 traumatopnea …… 1224
外傷性神経炎 traumatic neuritis …… 1224
外傷性神経衰弱〔症〕 traumasthenia …… 1224
外傷性切断〔術〕 traumatic amputation …… 1224
外傷性知覚麻痺 traumatic anesthesia …… 1224
外傷性脳症 traumatic encephalopathy …… 1224
外傷性脳損傷 traumatic brain injury (TBI) …… 1224
外傷性破傷風 traumatic tetanus …… 1224
外傷性無月経 traumatic amenorrhea …… 1224
外傷センター trauma center …… 1224
外傷性椎間板症 traumatic discopathy …… 1224
灰色肝変 gray hepatization …… 517
灰色白内障 gray cataract …… 517
外植片 explant …… 431
解除形成 working out …… 1293
解除反応 abreaction …… 5
開心術 open heart surgery …… 861
海水着型母斑 bathing trunk nevus …… 141
海水浴発疹 seabather's eruption …… 1083
下位性 hypostasis …… 596
外性器 external genitalia …… 434
外性器形成不全 ambiguous external genitalia …… 50
外脊椎管内出血 hematorrhachis externa …… 542
回折 diffraction …… 345
回折暈計 halometer …… 530

カイゼルリング固定 Kaiserling fixative ……… 660
回旋 rotation ……… 1061
疥癬 mange ……… 730
疥癬 scabies ……… 1073
改善 improvement ……… 610
外旋 external rotation ……… 434
外線維 exogenous fibers ……… 429
回旋眼振 rotatory nystagmus ……… 1061
回旋筋 rotatores muscles ……… 1061
回旋筋腱板 rotator cuff of shoulder ……… 1061
回旋骨折 torsion fracture ……… 1211
回旋斜位 cyclophoria ……… 308
外旋斜位 excyclophoria ……… 427
疥癬性潰瘍 psorelcosis ……… 997
回旋側弯〔症〕 rotoscoliosis ……… 1062
疥癬虫 *Sarcoptes scabiei* ……… 1072
疥癬虫撲滅薬 scabicide ……… 1073
疥癬トンネル cuniculus ……… 305
開窓 fenestration ……… 448
階層 hierarchy ……… 561
外相 external phase ……… 434
開創器 retractor ……… 1047
〔開〕創鉤 retractor ……… 1047
咳そう振とう音 tussive fremitus ……… 1239
咳嗽性失神 tussive syncope ……… 1239
回想療法 reminiscence therapy ……… 1037
解像力 definition ……… 323
外側縁 lateral border ……… 682
外側弓状靱帯 lateral arcuate ligaments ……… 682
外側〔前〕胸筋神経 lateral anterior thoracic nerve ……… 682
外側胸筋神経 lateral pectoral nerve ……… 683
外側胸動脈 lateral thoracic artery ……… 683
外側楔状骨 lateral cuneiform bone ……… 682
外側瞼板棚状法 lateral tarsal strip procedure ……… 683
〔大脳〕外側溝 lateral cerebral sulcus ……… 682
外側広筋 lateral vastus muscle ……… 683
外側後頭動脈 lateral occipital artery ……… 683
外側後鼻動脈 posterior lateral nasal arteries ……… 965
外側鎖骨上神経 lateral supraclavicular nerve ……… 683
外側膝状体 lateral geniculate body ……… 683
蟹足腫 keloid ……… 662
外側縦条 lateral longitudinal stria ……… 683
外側舌芽 lateral lingual bud ……… 683
外側舌隆起 lateral lingual swelling ……… 683
外側仙骨静脈 lateral sacral veins ……… 683
外側仙骨動脈 lateral sacral arteries ……… 683
外側前腕皮神経 lateral cutaneous nerve of forearm ……… 682
外側足底神経 lateral plantar nerve ……… 683
外側足底動脈 lateral plantar artery ……… 683
外側大腿回旋動脈 lateral circumflex femoral artery ……… 682
外側大腿皮神経 lateral femoral cutaneous nerve ……… 682
外側直筋 lateral rectus muscle ……… 683
外側頭直筋 rectus capitis lateralis muscle ……… 1029
外側肺底区 lateral basal (bronchopulmonary) segment [S IX] ……… 682
外側板 lateral plate ……… 683
外側半月 lateral meniscus ……… 683
外側皮質脊髄路 lateral corticospinal tract (LCST) ……… 682
外側ひだ lateral folds ……… 683
外側鼻軟骨 lateral cartilage of nose ……… 682
外側偏位 laterotrusion ……… 684
外側翼突筋 lateral pterygoid muscle ……… 683
外側輪状披裂筋 lateral cricoarytenoid muscle ……… 682
開存性 patency ……… 903
開存性卵円孔 patent foramen ovale ……… 903
解体 dissection ……… 354
解体型統合失調症 disorganized schizophrenia ……… 354
開大筋 dilator muscle ……… 348
介達骨折 indirect fracture ……… 614
階段〔現象〕 staircase ……… 1135
階段現象 treppe ……… 1225
階段標準 scale ……… 1074
回虫 *Ascaris lumbricoides* ……… 105
回虫 roundworm ……… 1062
害虫 vermin ……… 1269
回虫駆除薬 lumbricide ……… 714
回虫駆虫薬 ascaricide ……… 105
回虫症 ascariasis ……… 105
回虫症 lumbricosis ……… 714
回腸 ileum ……… 603
回腸S状結腸吻合〔術〕 ileosigmoidostomy ……… 603
回腸炎 ileitis ……… 603
回腸回腸吻合〔術〕 ileoileostomy ……… 603
回腸間膜 mesoileum ……… 758
回腸憩室 ileal diverticulum ……… 603
回腸結腸吻合〔術〕 ileocolostomy ……… 603
回腸口 ileal orifice ……… 603
回腸口小帯 frenulum of ileal orifice ……… 475
回腸固定〔術〕 ileopexy ……… 603
回腸静脈 ileal veins ……… 603
回腸切開〔術〕 ileotomy ……… 603
回腸切除〔術〕 ileectomy ……… 603
回腸造瘻〔術〕 ileostomy ……… 603
開張足 metatarsus latus ……… 762
開張中足〔症〕 metatarsus latus ……… 762
回腸直腸吻合〔術〕 ileoproctostomy ……… 603
階調度 gradient ……… 513
回腸動脈 ileal arteries ……… 603
回腸の偽性憩室 false diverticulum ……… 441
回腸フィステル形成〔術〕 ileostomy ……… 603
回腸縫合〔術〕 ileorrhaphy ……… 603
回腸盲腸吻合〔術〕 ileocecostomy ……… 603
開通器 pathfinder ……… 903
開通性 patency ……… 903
外的病原因子 agent ……… 34
回転 rotation ……… 1061
回転 torsion ……… 1210
回転〔術〕 version ……… 1270
外転 abduction ……… 3
外転〔症〕 eversion ……… 425
外転位 abduction ……… 3
回転異常 dysversion ……… 373
回転異常腎 malrotation of the kidney ……… 729
外転型痙攣性発声障害 abductor spasmodic dysphonia ……… 4
回転眼振 rotational nystagmus ……… 1061
回転球状電極 rollerball electrode ……… 1060
外転筋 abductor ……… 3
回転斜位 cyclophoria ……… 308
回転斜視 cyclotropia ……… 309
外転神経 abducent nerve [CN VI] ……… 3
回転性咀嚼 rotary chewing ……… 1061
外転尖足 talipes equinovalgus ……… 1178
外転足 talipes valgus ……… 1178
回転速度計 tachometer ……… 1176
回転〔型〕陽極 rotating anode ……… 1061
開頭〔術〕 craniotomy ……… 295
解糖〔作用〕 glycolysis ……… 507
外筒 intussuscipiens ……… 643
外套 pallium ……… 886
解糖系阻害剤 antiglycolytic agent ……… 81
ガイドライン guideline ……… 521
ガイドワイヤ guidewire ……… 521
回内〔運動〕 pronation ……… 985
回内筋 pronator ……… 985
回内筋症候群 pronator syndrome ……… 985
回内筋症候群 pronator teres syndrome ……… 986
外軟骨腫 ecchondroma ……… 375
カイ2乗検定 chi-square (χ^2) test ……… 231
介入 intervention ……… 638
介入アプローチ intervention approach ……… 638
介入再調査 intervention review ……… 638
介入実践 intervention implementation ……… 638
外尿道括約筋 external urethral sphincter muscle ……… 435
外尿道口 external urethral orifice ……… 434
〔外〕尿道口切開〔術〕 meatotomy ……… 740
概念 concept ……… 272
概念形成 concept formation ……… 272
概念作用 conception ……… 272
海馬 hippocampus ……… 564
外胚葉 ectoderm ……… 377
外胚葉型 ectomorph ……… 377
外胚葉割球 ectomere ……… 377

灰白異栄養〔症〕 poliodystrophy ……… 953
灰白質 gray matter ……… 517
灰白色硬化 gray induration ……… 517
灰白色変性 gray degeneration ……… 517
灰白髄炎 poliomyelitis ……… 953
灰白髄炎ウイルスワクチン poliovirus vaccine ……… 954
灰白髄炎後症候群 postpolio syndrome (PPS) ……… 967
灰白脊髄障害 poliomyelopathy ……… 954
灰白層 indusium griseum ……… 616
灰白柱 gray columns ……… 517
灰白脳炎 polioencephalitis ……… 953
灰白脳症 polioencephalopathy ……… 953
灰白脳髄膜脊髄炎 polioencephalomeningomyelitis ……… 953
灰白脳脊髄炎 poliomyeloencephalitis ……… 954
灰白隆起 tuber cinereum ……… 1235
外麦粒腫 hordeolum externum ……… 571
海馬溝 hippocampal sulcus ……… 564
海馬采 fimbria hippocampi ……… 456
海馬足 foot of hippocampus ……… 469
海馬傍回 parahippocampal gyrus ……… 894
外反〔症〕 ectropion ……… 378
外反〔症〕 exstrophy ……… 431
外反 extorsion ……… 435
外反 valgus ……… 1258
外反脛骨 tibia valga ……… 1204
外反股 coxa valga ……… 293
外反弛緩性 valgus laxity ……… 1258
外反膝 genu valgum ……… 496
外反膝 knock-knee ……… 668
外反踵足 talipes calcaneovalgus ……… 1177
外反尖足 talipes equinovalgus ……… 1178
外反足 talipes valgus ……… 1178
外反肘 cubitus valgus ……… 303
外反中足骨 metatarsus valgus ……… 762
外反母趾 hallux valgus ……… 530
外皮 integument ……… 629
外被 pellicle ……… 908
〔血管〕外皮〔細胞〕 perithelium ……… 918
外皮 shell ……… 1099
外被 testa ……… 1190
外鼻 external nose ……… 434
外皮寄生動物 epizoon ……… 411
外鼻孔 nostril ……… 841
外鼻静脈 external nasal veins ……… 434
開鼻性 hypernasality ……… 586
回避性人格 avoidant personality ……… 126
外鼻前弯〔症〕 rhinokyphosis ……… 1052
開腹〔術〕 celiotomy ……… 214
開腹〔術〕 laparotomy ……… 678
回復 redintegration ……… 1031
回復 revivification ……… 1049
開腹〔術〕 ventrotomy ……… 1268
回復期 convalescence ……… 283
回復期患者 convalescent ……… 283
外腹斜筋 external oblique muscle ……… 434
開腹術 peritoneotomy ……… 919
開腹パッド laparotomy pad ……… 678
外部精度管理試料 proficiency samples ……… 982
外部潜伏期 extrinsic incubation period ……… 436
外分泌腺 exocrine gland ……… 428
外閉鎖筋 obturator externus muscle ……… 849
開弁期弾撥音 opening snap ……… 861
解剖 anatomy ……… 62
解剖 dissection ……… 354
外包 external capsule ……… 433
開放回路窒素洗い出し open-circuit nitrogen wash-out ……… 861
開放回路法 open-circuit method ……… 861
解剖学 anatomy ……… 62
解剖学者 anatomist ……… 62
解剖学的結合線 anatomic conjugate ……… 62
解剖学的構造 anatomy ……… 62
解剖学的死腔 anatomic dead space ……… 62
解剖学的人工歯 anatomic tooth ……… 62
解剖学的性交不能症 anatomic impotence ……… 62
解剖学的体位 anatomic position ……… 62
解剖学用語 Terminologia Anatomica (TA) ……… 1189
開放〔隅〕角緑内障 open-angle glaucoma ……… 861
開放〔性〕気胸 open pneumothorax ……… 861
開放技術 open skill ……… 862
開放経路呼吸測定法 open-circuit spirometry ……… 861
開放骨折 compound fracture ……… 270
開放骨折 open fracture ……… 861
開放式肺活量測定法 open-circuit spirometry ……… 861
開放式病院 open hospital ……… 861
開放性結核 open tuberculosis ……… 862
開放性脱臼 open dislocation ……… 861
開放切断 open amputation ……… 861
開放創 open wound ……… 862
解剖的嗅ぎタバコ入れ anatomic snuffbox ……… 62
開放滴下麻酔〔法〕 open drop anesthesia ……… 861
解剖〔学〕的歯冠 anatomic crown ……… 62
開放〔性〕頭部外傷 open head injury ……… 861
開放ドレナージ open drainage ……… 861
解放反応 abreaction ……… 5
解剖病理学 anatomic pathology ……… 62
開放面ぽう open comedo ……… 861
外翻 extroversion ……… 436
外膜 adventitia ……… 31
外膜 tunica adventitia ……… 1238
〔蝸牛管の〕蓋膜 tectorial membrane of cochlear duct ……… 1182
界面 interface ……… 631
海綿 sponge ……… 1130
外面 superficies ……… 1160
海綿芽細胞 spongioblast ……… 1131
〔神経〕海綿芽細胞腫 spongioblastoma ……… 1131
海綿芽腫 spongioblastoma ……… 1131
界面活性剤 surfactant ……… 1166
界面活性物質 surfactant ……… 1166
海綿間静脈洞 intercavernous sinuses ……… 630
海綿骨組織 cancellous tissue ……… 194
海綿質 substantia spongiosa ……… 1155
海綿質脱落膜 decidua spongiosa ……… 319
海綿腫 cavernoma ……… 211
海綿状血管腫 cavernous angioma ……… 211
海綿状血管腫 cavernous hemangioma ……… 211
海綿状態 spongiosis ……… 1131
海綿状脳症 spongiform encephalopathy ……… 1130
海綿静脈洞 cavernous sinus ……… 211
海綿層 stratum spongiosum ……… 1145
海綿体炎 cavernitis ……… 211
海綿体炎 spongiositis ……… 1131
海綿様血管腫 cavernous angioma ……… 211
海綿様骨腫 osteoma spongiosum ……… 874
怪網 rete mirabile ……… 1044
〔外〕毛根鞘腫 trichilemmoma ……… 1227
回盲吻合〔術〕 ileocecostomy ……… 603
回盲弁 ileocecal valve ……… 603
回盲弁炎 typhlodicliditis ……… 1241
潰瘍 sore ……… 1117
潰瘍 ulcer ……… 1243
概要 profile ……… 982
概要 schema ……… 1076
潰瘍形成 ulceration ……… 1243
潰瘍性大腸炎 ulcerative colitis ……… 1243
外来〔通院〕医療 ambulatory care ……… 50
外来環境 ambulatory setting ……… 51
外来患者 outpatient ……… 878
外来患者分類 Ambulatory Patient Group ……… 51
外来支払い分類 Ambulatory Payment Classification (APC) ……… 51
外来診療科 outpatient department (OPD) ……… 878
外来診療室 dispensary ……… 354
外来性括約筋 extrinsic sphincter ……… 436
解離 detachment ……… 337
解離 dissociation ……… 355
解離〔性〕眼振 dissociated nystagmus ……… 355
解離症候群 dissociation syndrome ……… 355
解離性感覚消失 dissociated anesthesia ……… 354
解離性垂直偏位 dissociated vertical deviation ……… 355
解離性水平偏位 dissociated horizontal deviation ……… 355
解離性同一性障害 dissociative identity disorder ……… 355
解離性動脈瘤 dissecting aneurysm ……… 354
解離性蜂巣炎 dissecting cellulitis ……… 354

解離反応 dissociative reaction …… 355
解離麻酔〔法〕 dissociative anesthesia …… 355
外リンパ perilymph …… 915
外リンパ液ガッシャー perilymphatic gusher …… 915
外リンパ管 perilymphatic duct …… 915
外リンパ腔 perilymphatic space …… 915
外リンパ瘻 perilymphatic fistula …… 915
開裂 cleavage …… 249
回路 circuit …… 245
回路 cycle …… 308
外瘻 external fistula …… 434
外肋間筋 external intercostal muscle …… 434
カイロプラクティック chiropractic …… 231
カイロプラクティック技法 chiropractic technique …… 231
カイロミクロン chylomicron …… 243
カイロミクロン血〔症〕 chylomicronemia …… 243
会話域 speech frequencies …… 1120
カイン・コンプレックス Cain complex …… 189
下咽頭 hypopharynx …… 595
ガウアーズ症候群 Gowers syndrome …… 512
カウザルギー causalgia …… 211
ガウス徴候 Gauss sign …… 491
カウデン病 Cowden disease …… 293
カウドリーA型封入〔小〕体 Cowdry type A inclusion bodies 293
カウドリーB型封入〔小〕体 Cowdry type B inclusion bodies 293
カウパー腺炎 cowperitis …… 293
カウパー〔腺〕嚢胞 Cowper cyst …… 293
カウンセリング counseling …… 291
カウンターショック countershock …… 292
カウンターパルセイション counterpulsation …… 292
過運動性 supermotility …… 1163
過栄養 hyperalimentation …… 582
蛙足体位 frog leg position …… 476
下縁 inferior border …… 618
窩縁隅角 cavosurface angle …… 212
過塩酸〔症〕 hyperchlorhydria …… 582
火炎状母斑 nevus flammeus …… 831
顔 face …… 438
下横隔動脈 inferior phrenic artery …… 619
下黄斑動脈 inferior macular arteriole …… 619
香り odor …… 854
下オリーブ核 inferior olivary nucleus …… 619
カオリン凝固時間 kaolin clotting time (KCT) …… 660
カオリン塵肺症 kaolinosis …… 660
顆窩 condylar fossa …… 274
下外斜位 hypoexophoria …… 593
過外転症候群 hyperabduction syndrome …… 581
化学 chemistry …… 228
科学 science …… 1079
下顎 submaxilla …… 1154
〔下顎〕遠心咬合 distoclusion …… 356
下顎窩 mandibular fossa …… 730
下顎角 angle of mandible …… 69
化学覚 chemical senses …… 228
下顎角前切痕 antegonial notch …… 74
下顎眼瞼異常運動症候群 jaw-winking syndrome …… 655
〔下〕顎顔面骨形成不全〔症〕 mandibulofacial dysostosis …… 730
下顎臼歯の三錐 trigonid …… 1230
下顎挙上 jaw thrust …… 655
下顎挙上方 modified jaw thrust …… 777
下顎孔 mandibular foramen …… 730
下顎後静脈 retromandibular vein …… 1048
化学構造 structure …… 1149
下顎後退 jaw retraction …… 655
下顎後退 retrusion …… 1049
下顎骨 mandible …… 730
下顎骨 submaxilla …… 1154
〔下顎骨の〕関節突起 condylar process of mandible …… 274
下顎肢端形成不全〔症〕 mandibuloacral dysplasia …… 730
化学シフト chemical shift …… 228
化学者 chemist …… 228
化学周期表 periodic table …… 916
化学修復 chemical repair …… 228
化学受容 chemoreception …… 229
化学受容器 chemoreceptor …… 229
化学抄録サービス Chemical Abstracts Service (CAS) …… 228
下顎神経 mandibular nerve〔CN V3〕 …… 730
化学性腹膜炎 chemical peritonitis …… 228
下顎漸次的変化 jaw gradation …… 655
化学線療法 actinotherapy …… 18
化学走性 chemotaxis …… 229
科学測定法 scientometrics …… 1079
下顎短小〔症〕 brachygnathia …… 171
化学的エネルギー chemical energy …… 228
化学的外科〔治療〕 chemosurgery …… 229
化学的解毒薬 chemical antidote …… 228
化学的作用 chemistry …… 228
化学的自己栄養体 chemoautotroph …… 228
化学的焼灼薬 chemocautery …… 228
化学的髄核融解〔術〕 chemonucleolysis …… 228
化学的性質 chemistry …… 228
化学的独立栄養体 chemoautotroph …… 228
化学的妊娠 chemical pregnancy …… 228
化学的表皮剥離〔法〕 chemexfoliation …… 228
化学的腐食薬 chemocautery …… 228
科学的理論 scientific theory …… 1079
化学ドット温度計 chemical dot thermometer …… 228
下顎軟骨 mandibular cartilage …… 730
化学発光 chemiluminescence …… 228
下顎反射 jaw reflex …… 655
化学反応 chemoresponse …… 229
化学〔性〕皮膚炎 chemical dermatitis …… 228
化学物質管理計画 chemical hygiene plan …… 228
化学物質頻回暴露感度 multiple chemical sensitivity (MCS) …… 791
化学兵器剤 chemical-warfare (CW) agent …… 228
化学ポテンシャル chemical potential …… 228
化学誘引物質 chemoattractant …… 228
化学〔的〕予防〔法〕 chemoprophylaxis …… 229
下顎隆起 torus mandibularis …… 1211
化学療法 chemotherapy …… 229
化学療法指数 chemotherapeutic index …… 229
化学療法抵抗性 chemoresistance …… 229
化学量論 stoichiometry …… 1143
化学量論数 stoichiometric number (ν) …… 1143
下角輪状筋 ceratocricoid muscle …… 220
下顎リンパ節 mandibular lymph node …… 730
踵 calx …… 192
下下腹神経叢 inferior hypogastric (nerve) plexus …… 618
顆管 condylar canal …… 274
下眼窩裂 inferior orbital fissure …… 619
過換気 hyperventilation …… 590
過換気テタニー hyperventilation tetany …… 590
下眼瞼動脈弓 inferior palpebral (arterial) arch …… 619
過〔剰〕感作 hypersensitization …… 589
顆〔状〕関節 condylarthrosis …… 274
鉤 clasp …… 248
鉤 hook …… 570
かき集め raking …… 1022
カキ殻状乾癬 rupia …… 1065
〔梅毒性〕カキ殻疹 rupia …… 1065
夏季下痢 summer diarrhea …… 1159
カギサナダ *Taenia solium* …… 1177
仮義歯 interim denture …… 631
嗅ぎタバコ入れ snuffbox …… 1112
鉤爪足 clawfoot …… 248
下気道 lower airway …… 711
カギナシサナダ *Taenia saginata* …… 1177
加虐性愛 sadism …… 1068
加虐性愛者 sadist …… 1068
可逆性原理 reversibility principle …… 1049
可逆性石灰〔沈着〕症 reversible calcinosis …… 1049
蝸牛 cochlea …… 257
芽球 blast cell …… 160
芽球 gemmule …… 492
蝸牛異形成 cochlear dysplasia …… 257
蝸牛炎 cochleitis …… 257
芽球化 blastogenesis …… 160
蝸牛核 nuclei cochleares …… 842
蝸牛管 cochlear canal …… 257
蝸牛管 cochlear duct …… 257
蝸牛眼瞼反射 cochleopalpebral reflex …… 257
蝸牛孔 helicotrema …… 539

蝸牛向性 cochleotopic 257
蝸牛削開 cochlear drill-out 257
蝸牛軸 modiolus 778
蝸牛軸底 base of modiolus of cochlea 139
蝸牛軸らせん管 spiral canal of modiolus 1126
蝸牛軸らせん静脈 spiral vein of modiolus 1127
蝸牛小管 cochlear canaliculus 257
蝸牛小管静脈 vein of cochlear canaliculus 1265
蝸牛神経 cochlear nerve 257
蝸牛窓 fenestra cochleae 448
蝸牛マイクロフォン電位 cochlear microphonic 257
蝸牛〔有〕毛細胞 cochlear hair cells 257
蝸牛野 cochlear area 257
蝸牛らせん管 spiral canal of cochlea 1126
蝸牛らせん靱帯 spiral ligament of cochlea 1127
蝸牛漏斗 infundibulum 622
下丘腕 brachium of inferior colliculus 171
過強陣痛 hypertonic labor 589
角 angle 69
角 angulus 70
角 cornu 286
角 horn 571
下区 inferior segment 620
〔腱〕画 intersection 637
核 nucleus 843
殻 testa 1190
核 RNA nuclear RNA (nRNA) 842
額位 brow presentation 180
核医学 nuclear medicine 842
核医学技術者 nuclear medicine technologist 842
核異常 dyskaryosis 370
核異性体 isomer 651
窩腔 cavitas 212
角運動量 angular momentum 69
拡延 dilation 348
拡延 distention 355
拡延 irradiation 647
核黄疸 kernicterus 664
楽音 tone 1208
角〔質〕化 keratinization 662
角回 angular gyrus 69
角回動脈 artery of angular gyrus 102
角化棘細胞腫 keratoacanthoma 663
角化血管腫症 angiokeratosis 67
角化〔性〕痤瘡 acne keratosa 14
顎下三角 submandibular triangle 1154
角化腫 keratoma 663
角化症 keratosis 664
顎下神経節 submandibular ganglion 1153
顎下腺 submandibular gland 1153
顎下腺窩 submandibular fossa 1153
顎下腺管 submandibular duct 1153
核家族 nuclear family 842
核型 karyotype 661
角化嚢胞 keratocyst 663
顎間距離 interarch distance 630
核間性眼筋麻痺 internuclear ophthalmoplegia (INO) 636
顎関節 mandibular joint 730
顎関節 temporomandibular joint (TMJ) 1185
顎関節静脈 veins of temporomandibular joint 1265
〔下〕顎顔面骨形成不全〔症〕 mandibulofacial dysostosis 730
〔上〕顎顔面の maxillofacial 738
顎弓 mandibular arch 730
核凝縮 karyopyknosis 661
角強膜 corneosclera 286
〔屈曲〕角形成 angulation 70
核形成 karyomorphism 661
核形成 nucleation 842
顎形成〔術〕 gnathoplasty 508
核形態 karyomorphism 661
角結膜炎 keratoconjunctivitis 663
顎口腔系 stomatognathic system 1144
核合体 karyogamy 661
顎後退 retrognathism 1048
顎骨切開〔術〕 maxillotomy 738
〔顎骨〕中心性骨形成性線維腫 central ossifying fibroma 217
顎骨発育不全 dysgnathia 370
核:細胞質比 nuclear:cytoplasmic (N:C) ratio 842
拡散〔性〕 diffusion 346
核酸 nucleic acid 842
核酸塩 nucleate 842
核酸系逆転写酵素阻害薬 nucleoside reverse transcriptase inhibitors (NRTIs) 843
拡散係数 diffusion coefficient 346
拡散呼吸 diffusion respiration 346
拡散性興奮薬 diffusible stimulant 346
拡散性低酸素〔症〕 diffusion hypoxia 346
拡散性無酸素〔症〕 diffusion anoxia 346
拡散能〔力〕 diffusing capacity 346
拡散量 diffusing capacity 346
核子 nucleon 843
額嘴 rostellum 1061
学士看護師 graduate nurse (GN) 513
核磁気共鳴 nuclear magnetic resonance (NMR) 842
顎指数 gnathic index 508
角質 cuticle 307
核質 karyoplast 661
角質 keratin 662
核質 nucleoplasm 843
角質欠如 akeratosis 37
角質性腫瘍 keratoma 663
角質生成 keratinization 662
角質層 corneal layer 286
角質増殖〔症〕 hyperkeratosis 585
角質嚢腫 keratinous cyst 662
角質皮膚炎 keratodermatitis 663
角質分解酵素 keratinases 662
角質溶解 keratolysis 663
核種 nuclide 844
核周囲部 perikaryon 915
学習障害 learning disability 686
学習性無力 learned helplessness 686
学習への準備 readiness to learn 1027
喀出 expectoration 430
核小体 nucleolus 843
核小体糸 nucleolonema 843
核上麻痺 supranuclear paralysis 1165
顎静脈 maxillary vein 738
角状彎曲 angular curvature 69
核心温度 core temperature 286
核心血管撮影 radionuclide angiocardiography 1021
覚醒 emergence 390
覚醒維持試検査 maintenance of wakefulness test (MWT) 726
隔世遺伝 atavism 111
隔世遺伝 reversion 1049
核性因子 κB nuclear factor-κB 842
核性眼筋麻痺 nuclear ophthalmoplegia 842
学生看護師 student nurse (SN) 1150
覚醒〔時〕幻覚 hypnopompic hallucination 591
覚醒指数 arousal index 96
覚醒疾患 arousal disorder 96
覚醒しない昏睡〔状態〕 irreversible coma 648
覚醒指標 arousal index 96
郭清術 radical dissection 1019
顎正常 eugnathia 423
覚醒障害 arousal disorder 96
拡声聴診器 phonendoscope 929
核性白内障 nuclear cataract 842
覚醒無感覚 narcohypnia 811
覚醒遊行症 vigilambulism 1275
隔絶 isolate 651
〔学〕説 theory 1193
顎舌骨筋 mylohyoid muscle 805
顎舌骨筋神経 mylohyoid nerve 805
顎舌骨筋動脈 mylohyoid artery 805
核染色〔法〕 nuclear stain 842
顎前突〔症〕 prognathism 983
画線培養 streak culture 1146
拡大 dilation 348
拡大 enlargement 400
拡大 expansion 430
拡大 flare 459

〔発赤〕拡大 flare ……… 459
拡大医療行為者 physician extender ……… 934
拡大Ｘ線撮影 magnification radiography ……… 725
拡大鏡 loupe ……… 711
拡大胸腺摘出〔術〕 extended thymectomy ……… 431
拡大筋 dilator ……… 348
拡大縦隔鏡検査〔法〕 extended mediastinoscopy ……… 431
核大小不同 anisokaryosis ……… 71
拡大身体障害状態スケール expanded disability status scale (EDSS) ……… 430
拡大腟鏡診 colposcopy ……… 264
拡大乳房切除〔術〕 extended radical mastectomy ……… 431
拡大能 power ……… 969
顎体部 capitulum ……… 196
拡大法 dilation ……… 348
核蛋白 nucleoprotein ……… 843
角柱 prism ……… 980
拡張 dilation ……… 348
拡張 distention ……… 355
拡張〔症〕 ectasia ……… 377
拡張型心筋症 dilated cardiomyopathy ……… 348
拡張看護施設 extended-care facility ……… 431
拡張期 diastole ……… 343
拡張器 dilator ……… 348
〔心〕拡張期延長 bradydiastole ……… 172
拡張期血圧 diastolic blood pressure ……… 343
拡張期雑音 diastolic murmur (DM) ……… 343
拡張期充満 diastolic filling ……… 343
拡張期振せん diastolic thrill ……… 343
拡張機能 lusitropy ……… 716
拡張初期奔馬調律 protodiastolic gallop ……… 991
拡張性 lusitropic ……… 716
拡張性〔肺〕気腫 ectatic emphysema ……… 377
拡張性ステント expandable stent ……… 430
拡張前期 prediastole ……… 972
拡張蛇行静脈 varicose vein ……… 1261
拡張法 dilation ……… 348
拡張末期容量 end diastolic volume (EDV) ……… 395
拡張薬 dilator ……… 348
過屈曲 hyperflexion ……… 584
過屈曲涙滴骨折 flexion-teardrop fracture ……… 461
格闘咬傷 fight bite ……… 454
顎動脈 maxillary artery ……… 737
獲得 acquisition ……… 15
獲得形質 acquired character ……… 15
核毒素 nucleotoxin ……… 843
獲得皮膜 dental acquired pellicle ……… 328
獲得免疫 acquired immunity ……… 15
角度計 goniometer ……… 511
核内倍加 endoreduplication ……… 398
顎二腹筋 digastric muscle ……… 346
確認 identification ……… 601
確認バイアス ascertainment bias ……… 106
核濃縮〔症〕 pyknosis ……… 1009
核発生 karyogenesis ……… 661
隔板 diaphragm ……… 342
角皮 keratoderma ……… 663
角皮症 keratoderma ……… 663
核封入体 nuclear inclusion bodies ……… 842
画分 compartment ……… 268
核分裂 fission ……… 458
核分裂生成元素 fission product ……… 458
隔壁 septum ……… 1093
〔眼窩〕隔壁前蜂巣炎 preseptal cellulitis ……… 975
核崩壊 karyorrhexis ……… 661
核崩壊 nucleorrhexis ……… 843
核包膜 nuclear envelope ……… 842
角膜 cornea ……… 286
隔膜 diaphragma ……… 342
核膜 nuclear membrane ……… 842
角膜移植〔術〕 keratoplasty ……… 664
角膜炎 keratitis ……… 663
角膜縁 limbus of cornea ……… 700
角膜拡張症 keratoectasia ……… 663
角膜環 arcus cornealis ……… 94
角膜間隙 corneal space ……… 286
角膜鏡 keratoscope ……… 664
角膜鏡検査〔法〕 keratoscopy ……… 664
角膜矯正〔術〕 orthokeratology ……… 869
角膜強膜炎 keratoscleritis ……… 664
角膜曲率形成〔術〕 keratomileusis ……… 663
角膜曲率測定〔法〕 keratometry ……… 663
角膜〔曲率〕計 keratometer ……… 663
角膜削り術 keratoleptynsis ……… 663
角膜検影法 keratoscopy ……… 664
角膜溝状ジストロフィ gutter dystrophy of cornea ……… 522
角膜後面沈着物 keratic precipitates ……… 662
角膜実質炎 interstitial keratitis ……… 638
角膜実質細胞 keratocyte ……… 663
角膜実質ジストロフィ stromal corneal dystrophy ……… 1149
角膜脂肪変性 xanthomatosis bulbi ……… 1296
角膜周囲切開 peritomy ……… 918
角膜皺皮〔症〕 rhytidosis ……… 1053
角膜症 keratopathy ……… 663
角膜小体 corneal corpuscles ……… 286
角膜上皮形成術 keratoepithelioplasty ……… 663
角膜上皮ジストロフィ dystrophia epithelialis corneae ……… 373
〔角膜〕上皮性ジストロフィ epithelial dystrophy ……… 411
角膜切開〔術〕 keratotomy ……… 664
角膜切開刀 keratome ……… 663
角膜切除〔術〕 keratectomy ……… 662
角膜内挿入体 intracorneal implants ……… 640
角膜内皮変性 endothelial dystrophy of cornea ……… 399
角膜軟化〔症〕 keratomalacia ……… 663
〔角膜の〕後境界板 posterior limiting layer of cornea ……… 965
角膜の後弾性層 posterior elastic lamina of cornea ……… 964
〔角膜の〕前境界板 anterior limiting layer of cornea ……… 76
角膜の前弾性層 anterior elastic lamina of cornea ……… 75
角膜白色混濁 keratoleukoma ……… 663
角膜白濁 nebula ……… 815
角膜白斑 keratoleukoma ……… 663
〔角膜〕白斑 leukoma ……… 694
角膜白斑 wall-eye ……… 1285
角膜破裂 keratorhexis ……… 664
角膜斑 macula corneae ……… 724
角膜反射 corneal reflex ……… 286
角膜パンヌス corneal pannus ……… 286
角膜乱視 corneal astigmatism ……… 286
角膜瘤 keratocele ……… 663
学名 nomenclature ……… 837
核融合 karyogamy ……… 661
核溶解 karyolysis ……… 661
隔離 isolation ……… 651
隔離 quarantine ……… 1015
隔離 segregation ……… 1088
顎力学 gnathodynamics ……… 508
隔離症 hypertelorism ……… 589
確率 probability ……… 980
学力指数 achievement quotient ……… 11
顎力測定計 gnathodynamometer ……… 508
かくれ精巣 peeping testis ……… 907
家系 kindred ……… 666
家系学 genealogy ……… 492
下頸心臓神経 inferior cervical cardiac nerve ……… 618
家系図 pedigree ……… 907
家系スクリーニング familial screening ……… 442
過形成 hyperplasia ……… 587
過形成性ポリープ hyperplastic polyp ……… 588
家系分析 pedigree analysis ……… 907
可欠アミノ酸 nonessential amino acids ……… 837
かご cage ……… 189
過誤 error ……… 415
下降 descent ……… 336
加工 elaboration ……… 381
下降感 lightening ……… 700
架工義歯 bridge ……… 175
下行脚三隆起 catatricrotism ……… 209
下行脚重複隆起 catadicrotism ……… 208
下行脚隆起 catacrotism ……… 208
下後鋸筋 inferior posterior serratus muscle ……… 619
下後鋸筋 serratus posterior inferior muscle ……… 1096
下行結腸 descending colon ……… 336

下行口蓋動脈 descending palatine artery 336
過好酸球増加〔症〕 hypereosinophilia 583
架工歯 pontic 959
下行膝動脈 descending genicular artery 336
下甲状腺動脈 inferior thyroid artery 620
鵞口瘡 thrush 1201
鵞口瘡カンジダ *Candida albicans* 194
過高体温 hyperpyrexia 588
化合物 compound 270
下行変性 descending degeneration 336
カゴー耳 Cagot ear 189
過誤芽腫 hamartoblastoma 530
過呼吸 hyperpnea 588
かご細胞 basket cell 140
下鼓室 hypotympanum 598
下鼓室切開〔術〕 hypotympanotomy 598
過誤腫 hamartoma 530
過誤組織 hamartia 530
仮骨 callus 192
仮根 rhizoid 1052
花采 festoon 449
芽細胞 blast cell 160
カザニアン手術 Kazanjian operation 662
カサバッハ-メリット症候群 Kasabach-Merritt syndrome 661
かさぶた crust 301
かさぶた incrustation 613
かさぶた scab 1073
かさぶた slough 1111
カサルネックレス Casal necklace 207
過酸〔症〕 hyperacidity 581
過〔酸素〕酸 peracid 911
過酸化物 peroxide 920
過酸基塩 persalt 920
仮死 asphyxia 107
下肢 lower limb 711
下肢芽 tail bud 1177
下視床脚 inferior thalamic peduncle 620
菓子状腎 cake kidney 189
下視床線条体静脈 inferior thalamostriate veins 620
仮死状態 suspended animation 1167
可視スペクトル visible spectrum 1278
下歯槽神経 inferior alveolar nerve 618
下歯槽動脈 inferior alveolar artery 618
下肢帯 pelvic girdle 908
加湿器 humidifier 575
過失脱漏保険 errors and omissions insurance 415
下肢の筋痙攣 systremma 1175
下肢の屈筋支帯 flexor retinaculum of lower limb 463
カ氏目盛り Fahrenheit scale 440
下斜位 hypophoria 595
下斜筋 inferior oblique muscle 619
下尺側側副動脈 inferior ulnar collateral artery 620
下斜視 hypotropia 598
芽〔細胞〕腫 blastoma 160
加重 summation 1159
下縦舌筋 inferior lingual muscle 619
下縦舌筋 inferior longitudinal muscle of tongue 619
下縦束 inferior longitudinal fasciculus 619
加重電位 summating potentials 1159
荷重負荷運動 weight-bearing exercise 1288
過熟 postmature 966
過熟白内障 hypermature cataract 586
仮晶 crystalloid 303
渦状角膜ジストロフィ vortex corneal dystrophy 1283
過剰器官 supernumerary organs 1163
過剰駆動 overdrive 879
過剰訓練症候群 overtraining syndrome 879
過少月経 hypomenorrhea 594
過少月経 oligomenorrhea 857
過剰興奮 supranormal excitability 1164
過剰骨化〔症〕 pleonosteosis 947
過剰修正 overcorrection 878
渦状癬 tinea imbricata 1205
踝上装具 supramalleolar orthotic (SMO) 1164
過剰窒素平衡 positive nitrogen balance 962
〔上腕骨〕顆上突起 supracondylar process 1164
下小脳脚 inferior cerebellar peduncle 618
渦状白癬菌 *Trichophyton concentricum* 1228
過剰不安障害 overanxious disorder 878
過剰復古 superinvolution 1160
渦静脈 vortex veins 1283
渦静脈 vorticose veins 1283
渦状紋 whorl 1291
過食症 bulimia 183
下唇下制筋 depressor labii inferioris muscle 332
〔足の〕下伸筋支帯 inferior extensor retinaculum 618
下腎区 inferior renal segment 620
〔迷走神経の〕下神経節 inferior ganglion of vagus nerve 618
下唇症 hypostomia 597
下唇小帯 frenulum of lower lip 475
下腎上体動脈 inferior suprarenal artery 620
下唇静脈 inferior labial vein 619
果靱帯切開術 malleotomy 728
過伸展 hyperextension 583
過伸展-過屈曲損傷 hyperextension-hyperflexion injury 583
下唇動脈 inferior labial artery 618
下垂 descent 336
下垂〔症〕 ptosis 1001
〔下〕垂趾 toe-drop 1207
〔下〕垂手 wrist-drop 1294
下膵十二指腸動脈 inferior pancreaticoduodenal artery 619
〔下〕垂足 footdrop 469
〔脳〕下垂体 hypophysis 595
下垂体 pituitary gland 940
下垂体異所症 pituitary dystopia 940
〔脳〕下垂体炎 adenohypophysitis 25
下垂体炎 hypophysitis 595
下垂体窩 hypophysial fossa 595
下垂体憩室 pituitary diverticulum 940
下垂体〔機能〕亢進〔症〕 hyperpituitarism 587
下垂体細胞 pituicyte 940
下垂体細胞腫 pituicytoma 940
下垂体〔機能〕障害 pituitarism 940
下垂体除去性悪液質 cachexia hypophyseopriva 188
下垂体神経葉 nervous lobe of hypophysis 822
下垂体性憩室 hypophysial diverticulum 595
下垂体性小人〔症〕 pituitary dwarfism 940
下垂体性粘液水腫 pituitary myxedema 940
下垂体切除〔術〕 hypophysectomy 595
下垂体-蝶形骨症候群 hypophysiosphenoidal syndrome 595
下垂体〔機能〕低下〔症〕 hypopituitarism 595
〔下垂体の〕後葉 posterior lobe of hypophysis 965
〔下垂体の〕前葉 anterior lobe of hypophysis 76
下垂体〔機能〕不全〔症〕 hypopituitarism 595
下垂体柄 pituitary stalk 940
下髄帆 inferior medullary velum 619
加水分解 hydrolysis 579
加水分解酵素 hydrolases 579
加水分解産物 hydrolysate 579
ガス壊疽 gas gangrene 488
ガスクロマトグラフィ gas chromatography 488
ガス体 atmosphere 113
ガス中毒 gassing 488
ガス注入〔法〕 insufflation 628
カステン蛍光パス染色 Kasten fluorescent periodic acid-Schiff stain 661
カステン蛍光フォイルゲン染色〔法〕 Kasten fluorescent Feulgen stain 661
カステンの蛍光シッフ試薬 Kasten fluorescent Schiff reagents 661
ガストリノーマ gastrinoma 488
ガストリン gastrins 488
ガス膿瘍 gas abscess 487
ガス腹膜炎 gas peritonitis 488
カスプリッジ cusp ridge 306
ガスマスク gas mask 488
ガスリー試験 Guthrie test 522
かぜ〔ひき〕 cold 260
化生 metaplasia 762
芽生 gemmation 492
仮性球麻痺 pseudobulbar palsy 993
下制筋 depressor 332

化製処理 food rendering 469
仮性心室瘤 false aneurysm 441
化生性癌 metaplastic carcinoma 762
芽生生殖 blastogenesis 160
化生性貧血 metaplastic anemia 762
仮性痴呆 pseudodementia 994
仮性瘢痕 uloid 1244
家政婦膝 housemaid's knee 572
カゼイン casein 208
化石化 petrifaction 922
化石〔胎〕児 lithopedion 705
風恐怖〔症〕 anemophobia 65
仮説 hypothesis 597
仮説 postulate 968
下舌枝 inferior lingular artery 619
顆切除〔術〕 condylectomy 274
風焼け windburn 1292
過染色性 hyperchromatism 582
下前腸骨棘 anterior inferior iliac spine 76
画素 pixel 941
仮像 false image 441
画像化 imaging 605
〔画像〕再構成 reconstruction 1028
下双子筋 inferior gemellus muscle 618
仮想内視鏡像 virtual endoscopy 1277
家族 family 443
鵞足 pes anserinus 922
鵞足滑液包炎 anserine bursitis 74
家族看護 family nursing 443
加速器 accelerator 7
家族集積性 familial aggregation 442
加速障害 acceleration injury 7
家族性アミノ配糖体聴器毒性 familial aminoglycoside ototoxicity 442
家族性アミロイド神経障害 familial amyloid neuropathy 442
家族性偽炎症性黄斑変性 familial pseudoinflammatory macular degeneration 442
家族性血球貪食性リンパ組織球症 familial hemophagocytic lymphohistiocytosis (FMLH) 442
家族性甲状腺腫 familial goiter 442
家族性高リポ蛋白血〔症〕 familial hyperlipoproteinemia 442
家族性黒内障性認知症 amaurotic familial idiocy 49
家族性周期性〔四肢〕麻痺 familial periodic paralysis 442
家族性自律神経障害 familial dysautonomia 442
家族性腺腫性ポリポ〔ー〕シス familial adenomatous polyposis (FAP) 442
加速性の高血圧 accelerated hypertension 7
家族性肥大型心筋症 familial hypertrophic cardiomyopathy 442
家族性非溶血性黄疸 familial nonhemolytic jaundice 442
家族性部分性リポジストロフィ familial partial lipodystrophy 442
家族性発作性多漿膜炎 familial paroxysmal polyserositis 442
加速装置 accelerator 7
家族中心の看護 family-centered care 443
下側頭溝 inferior temporal sulcus 620
下側頭線 inferior temporal line 620
鵞足包 anserine bursa 74
加速歩行 festinating gait 449
家族療法 family therapy 443
家族歴 family history 443
カソケロウイルス Kasokero virus 661
〔可〕塑性 plasticity 946
カソニ抗原 Casoni antigen 208
可塑物 plastic 946
型 mold 778
型 pattern 905
型 type 1241
肩 shoulder 1101
カタール katal (kat) 661
下腿 crus 301
芽体 blastema 160
下腿アンギナ angina cruris 67
下腿骨間神経 crural interosseous nerve 301
過大〔大腿〕骨頭 coxa magna 293
下腿三頭筋 triceps surae muscle 1227
過体重 overweight 879
下大静脈 inferior vena cava (IVC) 620
下腿切断 B-K amputation 158
下大脳静脈 inferior cerebral veins 618
過多月経 hypermenorrhea 586
片こと lalling 675
硬さ rigidity 1057
カタスタルシス catastalsis 209
形 form 471
型づくり shaping 1099
カタトニー catatonia 209
カタプレキシー cataplexy 209
型別 typing 1242
カダベリン cadaverine 188
カタボライト〔遺伝子〕活性化蛋白質 catabolite (gene) activator protein (CAP) 208
偏り bias 149
カタラーゼ catalase 209
カタル catarrh 209
カタルシス catharsis 210
カタル性胃炎 catarrhal gastritis 209
カタレプシー catalepsy 209
過蛋白症 hyperproteosis 588
カチオン cation 210
下腸間膜動脈 inferior mesenteric artery 619
下腸間膜動脈神経叢 inferior mesenteric (nerve) plexus 619
下直筋 inferior rectus muscle 619
下直腸神経 inferior anal nerves 618
下直腸神経 inferior rectal nerves 619
下直腸動脈 inferior rectal artery 619
滑液 synovial fluid 1173
滑液鞘 synovial sheath 1173
滑液嚢 synovial bursa 1173
滑液嚢炎 bursitis 186
滑液嚢滑膜炎 bursal synovitis 186
滑液嚢腫 ganglion cyst 486
滑液嚢傍炎 parasynovitis 898
滑液包 synovial bursa 1173
滑液包炎 bursitis 186
滑液包結石 bursolith 186
滑液包疾患 bursopathy 186
滑液包切除〔術〕 bursectomy 186
滑液包ヘルニア synovial hernia 1173
滑液包傍炎 parasynovitis 898
カツオノエボシ *Physalia physalis* 934
活気 animation 70
活気 animus 70
割球 blastomere 160
褐麴病菌 *Aspergillus flavus* 107
割腔 blastocele 160
脚気 beriberi 146
喀血 hemoptysis 548
藿香 agastache 34
学校恐怖〔症〕 school phobia 1078
滑車 pulley 1002
滑車 trochlea 1232
ガッシャー gusher 522
滑車下神経 infratrochlear nerve 622
滑車棘 trochlear spine 1232
滑車上静脈 supratrochlear veins 1165
滑車上神経 supratrochlear nerve 1165
滑車上動脈 supratrochlear artery 1165
滑車神経 trochlear nerve [CN IV] 1232
滑車切痕 trochlear notch 1232
渇酒癖 dipsomania 350
褐色細胞腫 melanocytoma 748
褐色細胞腫 pheochromocytoma 927
褐色脂肪 brown fat 180
褐色白内障 brunnescent cataract 181
褐色斑 chloasma 232
活性 activity 19
活性化 activation 19
活性化エネルギー activation energy 19
活性化剤 activator 19
活性化部分トロンボプラスチン時間 activated partial thromboplastin time (aPTT) 19
活性凝固時間 activated clotting time (ACT) 19

活性炭 activated charcoal ······ 19
活性度 activity ······ 19
活性度係数 activity coefficient (γ) ······ 20
活性部位 active site ······ 19
活性メチル active methyl ······ 19
活性薬 activator ······ 19
活性リプレッサ active repressor ······ 19
滑性ワイヤ glidewire ······ 501
滑石沈着症 talcosis ······ 1177
割線 cleavage ······ 249
割線 cleavage lines ······ 249
ガッタ gutta (gt) ······ 522
合体期 pachytene ······ 884
滑脱ヘルニア sliding hernia ······ 1110
ガッタパーチャ gutta-percha ······ 522
ガッタパーチャポイント gutta-percha points ······ 522
合致率 concordance rate ······ 272
カッツインデックス Katz index ······ 661
活動 activity ······ 19
葛藤 conflict ······ 275
活動化 activation ······ 19
活動機能 action ······ 18
活動グループ activity group ······ 20
活動需要 activity demands ······ 20
活動性慢性肝炎 active chronic hepatitis ······ 19
活動〔度〕調節 activity adaptation ······ 20
活動電位 action potential ······ 18
活動電流 action current ······ 18
活動統合 activity synthesis ······ 20
活動の評価 activity grading ······ 20
活動の領域 area of occupation ······ 94
活動パターン分析 activity pattern analysis ······ 20
活動分析 activity analysis ······ 20
活動免疫 active immunity ······ 19
カットグット〔剤〕catgut ······ 210
カットポイント cutpoint ······ 307
ガットマン尺度 Guttman scale ······ 523
ガットマンスケール Guttman scale ······ 523
カッパ角 kappa angle ······ 661
合併症 complication ······ 270
滑膜 synovial membrane ······ 1173
滑膜陰窩 synovial crypt ······ 1173
滑膜炎 osteosynovitis ······ 876
滑膜炎 synovitis ······ 1173
滑膜性の連結 synovial joint ······ 1173
滑膜切除〔術〕synovectomy ······ 1172
滑膜ひだ synovial ligament ······ 1173
滑面小胞体 agranular endoplasmic reticulum ······ 35
括約筋 constrictor ······ 279
括約筋 sphincter muscle ······ 1123
括約筋炎 sphincteritis ······ 1123
括約筋形成〔術〕sphincteroplasty ······ 1123
括約筋切除〔術〕sphincterectomy ······ 1123
克山病 Keshan disease ······ 664
活力 vitality ······ 1279
仮定 assumption ······ 109
仮定 postulate ······ 968
過程 intention ······ 629
過程 process ······ 981
家庭医 generalist ······ 493
家庭医学 family medicine ······ 443
家庭医療 family practice ······ 443
仮定的平均生物 hypothetic mean organism (HMO) ······ 597
過程同意 process consent ······ 981
家庭内暴力 domestic violence ······ 359
カテーテル catheter ······ 210
カテーテル塞栓 catheter embolus ······ 210
カテーテル法 catheterization ······ 210
カテクシス cathexis ······ 210
過テクネチウム酸〔イオン〕pertechnetate ······ 921
カテコールアミン catecholamines ······ 210
カテコールオキシダーゼ(二量体) catechol oxidase (dimerizing) ······ 210
カテゴリゼーション categorization ······ 210
可撤性部分床義歯 removable partial denture ······ 1037
カテニン catenin ······ 210
下転 infraversion ······ 622
下殿神経 inferior gluteal nerve ······ 618
蝸電図 electrocochleogram ······ 383
蝸電図検査〔法〕electrocochleography ······ 383
下殿動脈 inferior gluteal artery ······ 618
下殿皮神経 inferior cluneal nerves ······ 618
果糖 fructose ······ 477
果糖 fruit sugar ······ 478
窩洞 cavity ······ 212
可動域 range of motion (ROM) ······ 1024
可動化 mobilization ······ 777
果糖血〔症〕fructosemia ······ 478
窩洞歯面隅角 cavosurface angle ······ 212
下頭斜筋 inferior oblique muscle of head ······ 619
下頭斜筋 obliquus capitis inferior muscle ······ 848
下橈尺関節 distal radioulnar joint ······ 355
可動端 mobile end ······ 777
果糖尿〔症〕fructosuria ······ 478
寡糖類 oligosaccharide ······ 857
過度活動〔性〕superactivity ······ 1159
可読性 readability ······ 1027
家兎継代 lapinization ······ 678
過度後傾 hyperkyphotic ······ 585
過度後傾症 hyperkyphosis ······ 585
過度咬合 hyperfunctional occlusion ······ 584
過度興奮 superexcitation ······ 1159
過度色素沈着 hyperchromatism ······ 582
過度前弯 hyperlordotic ······ 585
顆〔状〕突起切開〔術〕condylotomy ······ 274
カドヘリン cadherin ······ 188
金網副子 ladder splint ······ 675
下内斜位 hypoesophoria ······ 593
神奈川現象 Kanagawa phenomenon ······ 660
カナディアン分類 Canadian classification ······ 193
カニッァロ反応 Cannizzaro reaction ······ 195
カニューレ cannula ······ 195
カニューレ挿入 cannulation ······ 195
カニューレ抜去 decannulation ······ 318
下尿生殖隔膜筋膜 perineal membrane ······ 916
加熱分解 thermolysis ······ 1194
化膿 purulence ······ 1007
化膿 pyopoiesis ······ 1010
化膿 suppuration ······ 1164
化膿〔性〕炎症 purulent inflammation ······ 1007
化膿球菌 pyococcus ······ 1010
化膿性炎 purulent inflammation ······ 1007
化膿性眼炎 purulent ophthalmia ······ 1007
化膿性関節炎 suppurative arthritis ······ 1164
化膿性胸膜炎 purulent pleurisy ······ 1007
化膿性筋炎 pyomyositis ······ 1010
化膿性梗塞 septic infarct ······ 1093
化膿性子宮炎 pyometritis ······ 1010
化膿性歯肉炎 suppurative gingivitis ······ 1164
化膿性硝子体炎 suppurative hyalitis ······ 1164
化膿性腎炎 pyonephritis ······ 1010
化膿性腎炎 suppurative nephritis ······ 1164
化膿性腎結石〔症〕pyonephrolithiasis ······ 1010
可能性診断 potential diagnosis ······ 969
化膿性心膜炎 pyopericarditis ······ 1010
化膿性肉芽腫 pyogenic granuloma ······ 1010
化膿性腹膜炎 pyoperitonitis ······ 1010
化膿性卵管炎 pyosalpingitis ······ 1011
化膿性卵管卵巣炎 pyosalpingo-oophoritis ······ 1011
化膿〔性〕連鎖球菌 *Streptococcus pyogenes* ······ 1147
カバ kava ······ 661
カハール核 Cajal nucleus ······ 189
下肺底静脈 inferior basal vein ······ 618
カハル星状細胞染色〔法〕Cajal astrocyte stain ······ 189
過反応性マラリア性脾腫 hyperreactive malarious splenomegaly ······ 588
痂皮 crust ······ 301
痂皮 incrustation ······ 613
痂皮 scab ······ 1073
カビ mold ······ 778
痂皮形成 incrustation ······ 613
下鼻甲介 inferior nasal concha ······ 619

下腓骨筋支帯 inferior fibular retinaculum 618
カピラリア肉芽腫 capillaria granuloma 196
過敏 irritation 648
過敏症 anaphylaxis 61
過敏症 erethism 413
過敏症 hypersensitivity 589
過敏症様紫斑病 anaphylactoid purpura 61
過敏性腸症候群 irritable bowel syndrome (IBS) 648
過敏性肺〔臓〕炎 hypersensitivity pneumonitis 589
過敏性反応 id reaction 602
過敏膀胱 neurogenic bladder 826
過敏膀胱 neuropathic bladder 828
株 strain 1145
カフェイン caffeine 189
カフェイン中毒〔症〕 caffeinism 189
カフェオレ斑 café au lait spot 189
過負荷原理 overload principle 879
下腹神経 hypogastric nerve 593
下副腎動脈 inferior suprarenal artery 620
下腹壁静脈 inferior epigastric vein 618
カプグラ症候群 Capgras syndrome 196
下腹裂 hypogastroschisis 593
下部構造 substructure 1155
カプサイシン capsaicin 197
カプシド capsid 197
下部食道括約筋 lower esophageal sphincter (LES) 711
カプセル鉗子 capsule forceps 197
カプノグラフ capnograph 197
カプノグラム capnogram 196
寡婦のこぶ dowager hump 363
カプノメータ capnometer 197
カフ膨張高血圧 cuff-inflation hypertension 304
カフマシーン inexsufflator 616
カプラン-マイヤー解析 Kaplan-Meier analysis 660
カプラン-マイヤー法 Kaplan-Meier estimate 660
カプリル酸 caprylic acid 197
カプレット couplet 292
カプロイル caproyl 197
過プロラクチン血症 hyperprolactinemia 588
花粉 pollen 954
過分極 hyperpolarization 588
花粉症 pollinosis 954
壁 wall 1285
貨幣状湿疹 nummular eczema 844
可変型子宮鏡 flexible hysteroscope 461
可変スプライシング alternative splicing 47
可変抵抗トレーニング variable resistance training 1260
芽胞 spore 1132
芽胞形成 sporulation 1132
下膀胱動脈 inferior vesical artery 620
下方制御 downregulation 363
下方増殖 downgrowth 363
過膨張 hyperinflation 584
芽胞嚢 sporangium 1132
過飽和溶液 supersaturated solution 1163
カポジ水痘様発疹症 Kaposi varicelliform eruption 660
カポジ肉腫 Kaposi sarcoma 660
鎌 falx 441
カマー分類〔法〕 Cummer classification 304
構え set 1097
ガマ腫 ranula 1024
鎌状〔赤〕血球 sickle cell 1103
〔仙結節靱帯の〕鎌状靱帯 falciform ligament 440
鎌状赤血球化 sickling 1103
鎌状赤血球形成試験 metabisulfite test 759
鎌状赤血球血症 sicklemia 1103
鎌状赤血球C症 sickle cell C disease 1103
鎌状赤血球貧血 sickle cell anemia 1103
鎌状赤血球ヘモグロビン sickle cell hemoglobin (Hb S) 1103
鎌状赤血球網膜症 sickle cell retinopathy 1103
鎌状突起 falciform process 440
鎌状突起 processus falciformis 981
ガマ皮〔症〕 phrynoderma 933
夏眠 estivation 421
ガムナ病 Gamna disease 485
仮面状顔〔貌〕 masklike face 734
仮面状顔貌 mask 734
仮面様顔〔貌〕 masklike face 734
カモメ雑音 seagull murmur 1083
かゆみ itch 653
かゆみ itching 653
かゆみ〔症〕 pruritus 993
かゆみ止め antipruritic 82
下腰三角 inferior lumbar triangle 619
カラアザール kala azar 660
ガラヴァルダン現象 Gallavardin phenomenon 484
カラーボタン膿瘍 collar-button abscess 261
空嘔吐 dry vomiting 365
ガラクトース galactose (Gal) 483
ガラクトース-1-リン酸 galactose-1-phosphate 483
ガラクトース血〔症〕 galactosemia 483
ガラクトース尿〔症〕 galactosuria 484
ガラクトース白内障 galactose cataract 483
ガラクトキナーゼ galactokinase 483
ガラクトサミン galactosamine 483
ガラクトシド galactoside 483
ガラクトシル galactosyl 484
カラシ mustard 800
ガラス圧診〔法〕 diascopy 343
ガラス圧診器 diascope 343
ガラス貪食〔症〕 hyalophagia 577
体 body 165
体 corpus 288
カラベリ結節 Carabelli cusp 198
カラム column 265
カラムクロマトグラフィ column chromatography 265
カランダー切断術 Callander amputation 191
ガラン反射 Galant reflex 484
カリウム血〔症〕 kalemia 660
カリウム欠乏 kaliopenia 660
カリウム尿 kaluresis 660
カリウム保持性利尿薬 potassium-sparing diuretics 969
カリエス caries 204
ガリエルペッサリー Gariel pessary 487
カリオガミー karyogamy 661
カリオサイト karyocyte 661
カリオソーム karyosome 661
カリオファージ karyophage 661
カリクレイン kallikrein 660
カリフォルニアウイルス California virus 191
カリフラワー耳 cauliflower ear 211
顆粒 granule 514
顆粒化 granulation 514
顆粒〔性白血〕球 granular leukocyte 514
顆粒球 granulocyte 515
顆粒球系 granulocytic series 515
顆粒球形成 granulopoiesis 516
顆粒球減少〔症〕 agranulocytosis 35
顆粒球減少〔症〕 granulocytopenia 515
顆粒球コロニー刺激因子 granulocyte colony-stimulating factor (G-CSF) 515
顆粒球性肉腫 granulocytic sarcoma 515
顆粒球性白血病 granulocytic leukemia 515
顆粒球増加症 granulocytosis 515
顆粒球マクロファージコロニー刺激因子 granulocyte-macrophage colony-stimulating factor (GM-CSF) 515
顆粒剤 granule 514
顆粒剤 pellet 908
顆粒細胞 granule cells 515
顆粒細胞腫 granular cell tumor 514
顆粒質〔分粒〕 granulomere 516
顆粒症 granulosis 516
顆粒状角膜ジストロフィ granular corneal dystrophy 514
顆粒除去〔法〕 grattage 517
顆粒性皮質 koniocortex 669
過流涎 hypersalivation 589
顆粒体 microsome 769
顆粒皮質 granular cortex 514
顆粒部 pars granulosa 901
顆粒膜細胞 granulosa cell 516
顆粒膜細胞腫 granulosa cell tumor 516
加リン酸分解 phosphorolysis 931

過類骨症 hyperosteoidosis 587
カルヴァロ徴候 Carvallo sign 207
カル-エクスナー〔小〕体 Call-Exner bodies 192
カルシウム過剰血〔症〕 hypercalcemia 582
カルシウム基 calcium group 191
カルシウム再沈着 recalcification 1027
カルシウム除去 decalcification 318
カルシウム親和性 calciphilia 190
カルシウムチャネル遮断薬 calcium channel blocker 191
カルシウム沈着 calcification 190
カルシウム尿〔症〕 calciuria 191
カルシウムポンプ calcium pump 191
カルジオグラフィ cardiography 202
カルジオタコメータ cardiotachometer 203
カルジオバージョン cardioversion 204
カルジオリピン cardiolipin 202
カルシジオール calcidiol 190
カルシトニン calcitonin 190
カルシトニン遺伝子関連ペプチド calcitonin gene-related peptide (CGRP) 190
カルシニューリン calcineurin 190
カルシフィラキシー calciphylaxis 190
カルタゲナー症候群 Kartagener syndrome 661
カルチノイド carcinoid tumor 199
カルチノイド症候群 carcinoid syndrome 199
カルテ chart 227
カルニチン carnitine 205
カルネット徴候 Carnett sign 205
カルノフスキーの基準 Karnofsky scale 661
カルノワ固定液 Carnoy fixative 205
カルバミノ化合物 carbamino compound 198
カルバミノヘモグロビン carbaminohemoglobin 198
カルバミン酸 carbamic acid 198
カルバモイル carbamoyl 198
カルバモイルトランスフェラーゼ carbamoyltransferases 198
カルブンケル carbuncle 199
カルブンケル症 carbunculosis 199
カルボーネン法 Karvonen method 661
カルボキシペプチダーゼ carboxypeptidase 199
カルボキシラーゼ carboxylase 199
カルボキシル carboxyl 199
カルボキシル化 carboxylation 199
カルボキシル基分解酵素 decarboxylase 318
カルボキシルトランスフェラーゼ carboxyltransferases 199
カルボニル carbonyl 199
カルマン徴候 Carman sign 205
カルメット-ゲラン杆菌 bacille Calmette-Guérin (BCG) 129
カルモジュリン calmodulin 192
ガレアッチ骨折 Galeazzi fracture 484
加齢 aging 35
加齢性黄斑変性 age-related macular degeneration 34
加齢によるアミロイドーシス amyloidosis of aging 58
ガレー骨髄炎 Garré osteomyelitis 487
カレル療法 Carrel treatment 206
ガレン製薬 galenicals 484
ガレン大大脳静脈 great cerebral vein of Galen 518
カレン徴候 Cullen sign 304
過労 strain 1145
カローリ〔滑液〕包 Calori bursa 192
カローン chalone 225
仮肋 false ribs 441
下肋部 hypochondriac region 592
カロチノイド carotenoids 205
カロチン carotene 205
カロチン血〔症〕 carotenemia 205
カロリー calorie 192
カロリーメータ calorimeter 192
カロリ病 Caroli disease 205
カワカワ kava 661
渇き thirst 1196
川崎病 Kawasaki disease 661
革袋状胃 leather-bottle stomach 686
管 canal 193
管 duct 366
管 tube 1235
環 circle 245
環 collar 261
環 ring 1057
冠 corona 286
冠 crown 300
肝〔臓〕 liver 706
幹 stem 1139
幹 trunk 1234
癌 cancer (CA, Ca) 194
癌〔腫〕 carcinoma (CA, Ca) 199
眼圧 ocular tension (Tn) 852
緩圧型連結装置 nonrigid connector 838
眼圧計 tonometer 1209
眼圧測定〔法〕 tonometry 1209
顔位 face presentation 438
肝萎縮 hepatatrophia 551
簡易知能検査 Mini-Mental State Examination 773
癌遺伝子 oncogene 858
肝胃吻合〔術〕 hepaticogastrostomy 551
姦淫 fornication 471
眼咽頭筋ジストロフィ oculopharyngeal dystrophy 853
〔小〕管炎 canaliculitis 193
肝炎 hepatitis 551
眼〔結膜〕炎 ophthalmia 862
肝円索 round ligament of liver 1062
肝円索裂 fissure of round ligament of liver 458
陥凹 concavity 272
陥凹 depression 332
陥凹 excavation 425
陥凹 hollow 567
陥凹 impression 610
陥凹 recess 1028
陥凹形成 dimpling 349
陥凹形成 foveation 473
陥凹性角質溶解 pitted keratolysis 940
感音難聴 sensorineural deafness 1092
感音難聴 sensorineural hearing loss 1092
肝窩 hepatic diverticulum 551
眼窩 orbit 866
寛解 remission 1037
眼科医 oculist 852
眼科医 ophthalmologist 862
〔血〕管外遊出 extravasation 436
〔血〕管外遊出物 extravasate 436
眼窩縁 orbital margin 866
眼窩回 orbital gyri 866
眼窩下管 infraorbital canal 621
眼窩下筋 levator labii superioris muscle 695
眼科学 ophthalmology 862
〔眼窩〕隔壁前蜂巣炎 preseptal cellulitis 975
眼窩下孔 infraorbital foramen 622
眼窩下神経 infraorbital nerve 622
眼窩下神経外鼻枝 external nasal branches of infraorbital nerve 434
眼窩下動脈 infraorbital artery 621
眼窩筋 orbitalis muscle 866
眼窩筋 orbital muscle 866
間隔 interval 638
感覚 esthesia 421
感覚 sensation 1091
感覚 sense 1091
眼角 canthus 195
感覚意識 sensory awareness 1092
感覚異常〔症〕 paresthesia 899
感覚異常性手痛 cheiralgia paresthetica 227
感覚運動野 sensorimotor area 1092
眼角炎 canthitis 195
感覚温度 effective temperature 379
感覚解離 dissociation sensibility 355
眼角隔離症 telecanthus 1183
感覚過程 sensory processing 1092
眼角眼球癒着 syncanthus 1171
感覚器 sense organs 1091
感覚器 sensorium 1092
眼角筋 levator labii superioris alaeque nasi muscle 695
眼角形成〔術〕 canthoplasty 195
感覚幻想 sensory phantom 1092

感覚遮断 sensory deprivation …… 1092
感覚障害性神経症 aesthesioneurosis …… 32
感覚消失 anesthesia …… 65
感覚消失らい anesthetic leprosy …… 66
感覚上皮 neuroepithelium …… 826
眼角静脈 angular vein …… 70
感覚処理 sensory processing …… 1092
感覚神経 sensory nerve …… 1092
感覚神経症 esthesioneurosis …… 421
感覚神経中枢 sensorium …… 1092
感覚性失語〔症〕 sensory aphasia …… 1092
感覚性神経障害 aesthesioneurosis …… 32
感覚性てんかん sensory epilepsy …… 1092
感覚性難聴 sensory hearing impairment …… 1092
感覚生理学 esthesiophysiology …… 421
眼角切開〔術〕 canthotomy …… 195
〔外〕眼角切除〔術〕 canthectomy …… 195
感覚像 sensory image …… 1092
感覚体側逆転 allocheiria …… 44
感覚調整 sensory modulation …… 1092
感覚統合 sensory integration (SI) …… 1092
感覚統合機能障害 sensory integrative dysfunction …… 1092
眼角動脈 angular artery …… 69
感覚登録 sensory registration …… 1092
感覚ニューロン障害 sensory neuronopathy …… 1092
感覚能 sensibility …… 1091
感覚発生 esthesiogenesis …… 421
感覚皮質 sensory cortex …… 1092
感覚部位失認 atopognosia …… 114
〔感覚〕分析部 analyzer …… 61
感覚防衛 sensory defensiveness …… 1092
眼角縫合〔術〕 canthorrhaphy …… 195
感覚麻痺 sensory paralysis …… 1092
感覚明瞭度レベル sensory acuity level …… 1092
感覚レベル sensation level …… 1091
癌家系 cancer family …… 194
眼窩骨膜 periorbit …… 917
眼窩疾患 orbitopathy …… 866
眼窩上縁 supraorbital margin …… 1165
眼窩上縁外耳道面 supraorbitomeatal plane …… 1165
眼窩上孔 supraorbital foramen …… 1165
眼窩上溝 supraorbital groove …… 1165
眼窩上静脈 supraorbital vein …… 1165
眼窩上神経 supraorbital nerve …… 1165
眼窩上切痕 supraorbital notch …… 1165
眼窩上動脈 supraorbital artery …… 1165
眼窩切開〔術〕 orbitotomy …… 866
眼窩造影法 orbitography …… 866
感覚不一致 sensory conflict …… 1092
眼窩突起 orbital process …… 866
眼窩内圧計 orbitonometer …… 866
眼窩内圧測定〔法〕 orbitonometry …… 866
眼窩内容除去〔術〕 orbital exenteration …… 866
眼窩平面 orbital plane …… 866
眼窩蜂巣炎 orbital cellulitis …… 866
肝鎌状間膜 falciform ligament of liver …… 440
肝管 hepatic duct …… 551
宦官〔患者〕 eunuch …… 423
肝〔細胞〕癌 hepatoma …… 553
肝管空腸吻合〔術〕 hepatocholangiojejunostomy …… 552
肝管結石砕石術 hepaticolithotomy …… 551
肝管結石破砕術 hepaticolithotripsy …… 551
汗管腫 syringoma …… 1174
肝管切開〔術〕 hepaticotomy …… 551
肝管総胆管切開〔術〕 hepaticodochotomy …… 551
肝管造瘻術 hepaticostomy …… 551
汗管嚢胞腺腫 syringocystadenoma …… 1174
宦官様巨人症 eunuchoid gigantism …… 423
寒気 chill …… 231
間期 interphase …… 636
換気 ventilation …… 1267
換気閾値 ventilatory threshold …… 1267
喚起因子 evocator …… 425
含気化 pneumatization …… 950
換気過少 hypoventilation …… 598
換気血流比 ventilation:perfusion ratio $(\dot{V}_A:\dot{Q})$ …… 1267
換気亢進 hyperventilation …… 590
含気骨 pneumatic bone …… 950
喚起作用 evocation …… 425
含気腫瘍 physocele …… 935
換気性作業閾値 ventilatory threshold …… 1267
含気性腹膜炎 pneumoperitonitis …… 951
含気ヘルニア嚢 physocele …… 935
含気蜂巣 air cells …… 37
眼球 bulb of eye …… 183
眼球 eyeball …… 437
顔弓 face-bow …… 438
眼球運動記録法 oculography …… 852
眼球回旋 cycloduction …… 308
眼球乾燥〔症〕 xerophthalmia …… 1297
眼球陥入 enophthalmos …… 400
眼球陥没 enophthalmos …… 400
癌救急 oncologic emergencies …… 859
眼球クローヌス opsoclonus …… 863
眼球血管膜 vascular tunic of eye …… 1262
眼球懸架靱帯 suspensory ligament of eyeball …… 1167
〔眼球〕斜位 heterophoria …… 559
眼球出血 hemophthalmia …… 548
眼球鞘 fascial sheath of eyeball …… 444
眼球振とうの緩速成分 slow component of nystagmus …… 1111
眼球振とうの急速成分 fast component of nystagmus …… 444
眼球正位 orthophoria …… 870
肝吸虫 *Clonorchis sinensis* …… 252
肝吸虫症 clonorchiasis …… 252
眼球電位図 electrooculogram …… 387
眼球突出〔症〕 exophthalmos …… 429
眼球突出〔測定〕計 exophthalmometer …… 429
眼球突出性眼筋麻痺 exophthalmic ophthalmoplegia …… 429
眼球突出性甲状腺腫 exophthalmic goiter …… 429
眼球内容除去〔術〕 evisceration …… 425
眼球軟化〔症〕 ophthalmomalacia …… 863
環境 environment …… 404
環境 milieu …… 772
眼鏡 glasses …… 500
眼鏡 spectacles …… 1120
環境医学 environmental medicine …… 404
眼鏡士 optician …… 864
環境心理学 environmental psychology …… 404
環境性同性愛 circumstantial homosexuality …… 246
環境走性 ecotaxis …… 377
癌恐怖〔症〕 cancerophobia …… 194
環境療法 milieu therapy …… 772
換気予備力 breathing reserve …… 174
眼筋計 optomyometer …… 865
杆菌症 bacillosis …… 129
杆菌状バルトネラ *Bartonella bacilliformis* …… 137
杆菌性血管腫症状 bacillary angiomatosis …… 129
眼筋麻痺 ophthalmoplegia …… 863
管腔 lumen …… 714
管腔の直径 caliber …… 191
ガングリオシド ganglioside …… 486
ガングリオシドーシス gangliosidosis …… 486
ガングリオン ganglion …… 485
肝憩室 hepatic diverticulum …… 551
肝頸静脈逆流 hepatojugular reflux …… 552
管形成〔術〕 meatoplasty …… 740
関係性 relationship …… 1036
眼計測計 optometer …… 865
環形ナイフ ring-knife …… 1057
関係念慮 idea of reference …… 601
間隙 crevice …… 297
間隙 gap …… 487
間欠期 interval …… 638
間欠訓練 interval training …… 638
間欠性糖尿病 diabetes intermittens …… 340
間欠性パーカッション換気法 intermittent percussive ventilation (IPV) …… 633
間欠性爆発性障害 intermittent explosive disorder …… 633
肝結石 hepatolith …… 553
眼結石 ophthalmolith …… 862
肝結石症 hepatolithiasis …… 553
肝結石摘出〔術〕 hepatolithectomy …… 553

間欠的加圧 intermittent compression …… 633
間欠的強制換気 intermittent mandatory ventilation (IMV) …… 633
間欠的陽圧呼吸 intermittent positive pressure breathing (IPPB) …… 633
間欠〔性〕跛行 intermittent claudication …… 633
緩下薬 laxative …… 685
還元 reduction …… 1031
眼瞼 eyelid …… 437
癌原遺伝子 protooncogene …… 991
眼瞼炎 blepharitis …… 161
眼瞼黄色板症 xanthelasma palpebrarum …… 1296
眼瞼角結膜炎 blepharokeratoconjunctivitis …… 161
眼瞼拡張症 euryblepharon …… 424
眼瞼下垂 blepharoptosis …… 161
眼瞼形成〔術〕 blepharoplasty …… 161
眼瞼痙攣 blepharospasm …… 161
眼瞼血管腫 varicoblepharon …… 1260
眼瞼欠損 blepharocoloboma …… 161
眼瞼結膜炎 blepharoconjunctivitis …… 161
還元酵素 reductase …… 1031
肝〔臓〕検査 hepatoscopy …… 553
還元剤 reductant …… 1031
眼瞼静脈 palpebral veins …… 888
眼瞼静脈瘤 varicoblepharon …… 1260
眼瞼贅皮 epiblepharon …… 406
眼瞼切除〔術〕 blepharectomy …… 161
眼瞼腺炎 blepharadenitis …… 161
眼瞼腺腫 blepharoadenoma …… 161
眼瞼動脈 palpebral arteries …… 888
〔眼瞼〕内反 entropion …… 404
眼瞼皮下出血 black eye …… 159
眼瞼皮膚弛緩〔症〕 blepharochalasis …… 161
眼瞼浮腫 blepharedema …… 161
還元分裂 meiosis …… 747
還元ヘモグロビン reduced hemoglobin …… 1031
眼瞼癒着 ankyloblepharon …… 71
眼瞼癒着 blepharosynechia …… 161
眼瞼裂 rima palpebrarum …… 1057
看護 nursing …… 844
汗孔 sweat pore …… 1168
汗孔角化〔症〕 porokeratosis …… 960
癌抗原 125 試験 cancer antigen 125 (CA-125) test …… 194
嵌合細網細胞 interdigitating reticulum cell …… 631
〔汗〕孔腫 poroma …… 960
汗孔周囲炎 periporitis …… 918
嵌合ひだ interdigitation …… 631
肝硬変〔症〕 cirrhosis …… 246
看護介入 nursing intervention …… 845
看護介入の分類 Nursing Interventions Classification (NIC) …… 845
看護学士 Bachelor of Science degree in Nursing (BSN) …… 129
看護過程 nursing process …… 845
看護監査 nursing audit …… 844
看護教育プログラム nursing education program …… 845
肝黒色症 hepatomelanosis …… 553
韓国手指鍼療法 Korean hand acupuncture …… 670
看護計画 nursing care plan …… 844
看護行為基準 standards of nursing practice …… 1135
看護師 nurse …… 844
看護施設 nursing facility …… 845
看護実習法 nurse practice act …… 844
看護師麻酔士 nurse anesthetist …… 844
看護修士 Master of Science in Nursing (MSN) …… 735
看護準学士 Associate Degree in Nursing (ADN) …… 108
看護情報科学 nursing informatics …… 845
看護診断 nursing diagnosis …… 845
看護成果の分類 Nursing Outcomes Classification (NOC) …… 845
寛骨 hip bone …… 563
寛骨臼 acetabulum …… 10
寛骨臼窩 acetabular fossa …… 10
寛骨臼形成〔術〕 acetabuloplasty …… 10
寛骨臼切除〔術〕 acetabulectomy …… 10
肝固定〔術〕 hepatopexy …… 553
看護の概念的枠組み nursing conceptual framework …… 845
看護の最小データ Nursing Minimum Data Set (NMDS) …… 845
看護病歴 nursing history …… 845
看護プロセス nursing process …… 845
看護モデル nursing model …… 845
看護理論 nursing theory …… 845
看護歴 nursing history …… 845
感作 sensitization …… 1091
ガンザー症候群 Ganser syndrome …… 487
寒剤 refrigerant …… 1033
〔小〕丸剤 granule …… 514
丸剤 pill …… 938
肝臍ヘルニア hepatomphalocele …… 553
肝〔実質〕細胞 hepatocyte …… 552
間〔質〕細胞 interstitial cells …… 637
幹細胞 stem cell …… 1139
幹細胞因子 stem cell factor …… 1139
肝細胞性黄疸 hepatocellular jaundice …… 552
幹細胞性白血病 stem cell leukemia …… 1139
肝細胞腺腫 hepatic adenoma …… 551
肝細胞溶解素 hepatolysin …… 553
感作抗原 sensitized antigen …… 1092
感作細胞 sensitized cell …… 1092
肝撮影〔法〕 hepatography …… 552
間擦疹 intertrigo …… 638
間擦疹型乾癬 flexural psoriasis …… 463
鉗子 clamp …… 247
監視 monitoring …… 780
鉗子圧迫 forcipressure …… 470
環式化合物 cyclic compound …… 308
環軸関節の atlantoaxial …… 113
眼糸状菌症 ophthalmomycosis …… 863
肝ジストマ *Clonorchis sinensis* …… 252
肝ジストマ症 clonorchiasis …… 252
含歯性嚢胞 dentigerous cyst …… 329
監視装置 monitor …… 780
カンジダアルビカンス *Candida albicans* …… 194
カンジダ血〔症〕 candidemia …… 194
カンジダ症 candidiasis …… 194
カンジダ疹 moniliid …… 780
間質液 interstitial fluid …… 637
間質〔性〕炎〔症〕 interstitial inflammation …… 637
間質核 interstitial nucleus …… 638
冠〔状〕〔動脈〕疾患集中治療〔病棟〕 coronary care unit (CCU) …… 287
乾湿球湿度測定〔法〕 psychrometry …… 1000
間質性胃炎 interstitial gastritis …… 637
間質性気腫 interstitial emphysema …… 637
間質性疾患 interstitial disease …… 637
間質性腎炎 interstitial nephritis …… 638
間質性神経炎 interstitial neuritis …… 638
間質成長 interstitial growth …… 637
間質性肺炎 interstitial pneumonia …… 638
間質性肺気腫 pulmonary interstitial emphysema (PIE) …… 1003
間質性膀胱炎 interstitial cystitis …… 637
〔卵管〕間質妊娠 interstitial pregnancy …… 638
間質部妊娠 intramural pregnancy …… 641
〔鼡径〕間質ヘルニア interstitial hernia …… 637
鉗子分娩 forceps delivery …… 470
乾屍法 mummification …… 793
患者 patient …… 904
患者管理 care …… 204
患者教育 patient education …… 904
かんしゃく temper …… 1184
患者の権利章典 Patient's Bill of Rights …… 904
患者満足度 patient satisfaction …… 904
肝腫〔大〕 hepatomegaly …… 553
癌腫 cancer (CA, Ca) …… 194
肝〔性口〕臭 fetor hepaticus …… 450
肝周囲炎 perihepatitis …… 915
肝〔管〕十二指腸吻合〔術〕 hepaticoduodenostomy …… 551
癌腫症 carcinomatosis …… 200
感受性 sensitivity …… 1091
感受性 susceptibility …… 1167
感受性低下 hyposensitivity …… 596
〔刺激〕感受性鈍麻 dyserethism …… 370
干渉 interference …… 631
感情 affection …… 33
感情 emotion …… 391
眼症 ophthalmopathy …… 863

感情移入 empathy …… 391
肝障害 hepatopathy …… 553
眼障害 ophthalmopathy …… 863
杆状核〔白血〕球 band cell …… 134
管状鉗子 tubular forceps …… 1237
環状関節 cyclarthrosis …… 308
杆状球 band cell …… 134
感情減退症 hypothymia …… 597
冠状溝 coronary groove …… 287
緩衝剤 buffer …… 182
管状視 tubular vision …… 1237
感情障害 emotional disorder …… 391
冠状静脈洞 coronary sinus …… 287
冠状静脈弁 valve of coronary sinus …… 1259
感情精神病 affective psychosis …… 33
環状切除〔術〕 circumcision …… 246
環状切断〔術〕 circular amputation …… 245
管状腺 tubular gland …… 1237
管状腺癌 tubular carcinoma …… 1237
環状染色体 ring chromosome …… 1057
環状層板 circumferential lamella …… 246
杆状体顆粒 rod granule …… 1059
環状胎盤 anular placenta …… 84
緩衝値 buffer value …… 182
干渉電流 interferential current (IFC) …… 631
冠状動脈 coronary arteries …… 287
冠状動脈炎 coronaritis …… 287
感情鈍麻 apathy …… 86
感情鈍麻 blunted affect …… 164
管状嚢胞 tubulocyst …… 1237
冠状白内障 coronary cataract …… 287
管状皮弁 tubed flap …… 1235
環状ブドウ〔膜〕腫 anular staphyloma …… 84
冠状縫合 coronal suture …… 287
肝静脈 hepatic veins …… 551
肝静脈閉塞病 venoocclusive disease of the liver …… 1266
環状面 circumference (c) …… 246
肝小葉 hepatic lobule …… 551
肝小葉間静脈 interlobular veins of liver …… 632
嵌植義歯 implant denture …… 610
〔緩〕徐呼吸 bradypnea …… 172
眼白子〔症〕 ocular albinism …… 852
汗疹 miliaria …… 772
汗疹 sudamen …… 1156
眼振 nystagmus …… 846
眼振計 nystagmograph …… 846
眼神経 ophthalmic nerve [CN V1] …… 862
〔交感神経〕幹神経節 ganglia of sympathetic trunk …… 485
肝腎障害症候群 hepatorenal syndrome …… 553
肝腎症候群 hepatorenal syndrome …… 553
眼〔球〕振とう nystagmus …… 846
眼振〔記録〕法 nystagmography …… 846
関心領域 region of interest …… 1034
眼水 ocular humor …… 852
含水炭素 carbohydrates (CHO) …… 198
関数 function …… 479
巻数 linking number (*L*) …… 702
慣性 inertia …… 616
感〔受〕性 sensibility …… 1091
感性 sensitivity …… 1091
環生 verticil …… 1272
乾性壊疽 dry gangrene …… 365
肝性黄疸 hepatogenous jaundice …… 552
乾性咳嗽 dry cough …… 365
寒性潰瘍 cold ulcer …… 260
乾性角結膜炎 keratoconjunctivitis sicca …… 663
乾性滑膜炎 dry synovitis …… 365
乾性関節 dry joint …… 365
乾性胸膜炎 dry pleurisy …… 365
乾性喉頭炎 laryngitis sicca …… 680
肝性昏睡 hepatic coma …… 551
乾性脂漏〔症〕 seborrhea sicca …… 1083
眼性帯状ヘルペス zona ophthalmica …… 1302
眼性帯状疱疹 zona ophthalmica …… 1302
肝性毒血症 hepatotoxemia …… 553
寒性膿瘍 cold abscess …… 260
乾性膿瘍 dry abscess …… 365
眼精疲労 asthenopia …… 109
肝性ポルフィリン症 hepatic porphyria …… 551
乾性ラ音 dry rale …… 365
関節 articulation …… 104
関節 joint …… 656
関節安定性 joint stability …… 656
関節異常 dysarthrosis …… 369
関節運動学 arthrokinematics …… 103
関節炎 arthritis …… 103
関節炎性偽〔性〕進行麻痺 arthritic general pseudoparalysis …… 102
関節炎性結節 tuberculum arthriticum …… 1236
関節円板 articular disc …… 104
関節窩 glenoid fossa …… 500
肝切開〔術〕 hepatotomy …… 553
関節〔包〕外靱帯 extracapsular ligaments …… 435
関節外切断〔術〕 amputation in continuity …… 57
関節解離〔術〕 arthrolysis …… 103
関節滑膜炎 arthrosynovitis …… 103
関節可動域運動 range-of-motion (ROM) exercise …… 1024
関節化膿症 arthropyosis …… 103
関節眼症 arthroophthalmopathy …… 103
関節間部 pars interarticularis …… 901
関節奇形 dysarthrosis …… 369
関節気腫 pneumarthrosis …… 949
関節鏡 arthroscope …… 103
関節鏡検査〔法〕 arthroscopy …… 103
関節強直〔症〕 synarthrophysis …… 1171
関節強直砕き〔術〕 arthroclasia …… 103
関節筋 articular muscle …… 104
関節筋肉神経障害症候群 arthromyoneuropathy syndrome …… 103
関節空気注入〔法〕 hydropneumogony …… 580
間接クームス試験 indirect Coombs test …… 614
間接蛍光抗体法 indirect immunofluorescence …… 614
関節形成〔術〕 arthroplasty …… 103
関節形成不全〔症〕 arthrodysplasia …… 103
関節血症 hemarthrosis …… 541
関節硬化〔症〕 arthrosclerosis …… 103
間接高周波療法 fulguration …… 478
関節拘縮〔症〕 arthrogryposis …… 103
間接喉頭鏡検査〔法〕 indirect laryngoscopy …… 614
関節固定〔術〕 arthrodesis …… 103
関節撮影 arthrogram …… 103
関節撮影〔法〕 arthrography …… 103
〔蛍光〕間接撮影〔法〕 fluorography …… 465
間接視 indirect vision …… 615
関節脂肪組織炎 lipoarthritis …… 703
関節周囲炎 periarthritis …… 914
関節周囲膿瘍 periarticular abscess …… 914
関節周縁線維軟骨 circumferential fibrocartilage …… 246
関節腫脹 arthrocele …… 103
関節受動術 stereoarthrolysis …… 1140
肝切除〔術〕 hepatectomy …… 551
関節症 arthropathy …… 103
関節症 arthrosis …… 103
関節上腕靱帯 glenohumeral ligaments …… 500
関節神経 articular nerve …… 104
関節神経小体 articular corpuscles …… 104
関節滲出液 joint effusion …… 656
関節唇切除〔術〕 cheilectomy …… 227
関節水腫 hydrarthrosis …… 577
関節切開〔術〕 arthrotomy …… 103
関節切除〔術〕 arthrectomy …… 102
関節穿刺 arthrocentesis …… 103
関節全置換〔術〕 total joint arthroplasty …… 1211
関節造影 arthrogram …… 103
関節造影〔法〕 arthrography …… 103
関節層板 articular lamella …… 104
関節測定〔法〕 arthrometry …… 103
間接測熱 indirect calorimetry …… 614
間接打診〔法〕 mediate percussion …… 744
間接聴診〔法〕 mediate auscultation …… 743
関節痛 arthralgia …… 102
関節突起 articular process …… 104
関節内骨折 intraarticular fracture …… 640
関節〔包〕内靱帯 intracapsular ligaments …… 640

カ

関節軟骨 articular cartilage 104
関節軟骨炎 arthrochondritis 103
間接熱量測定〔法〕 indirect calorimetry 614
関節膿症 pyarthrosis 1007
関節嚢内骨折 intracapsular fracture 640
関節剥離〔術〕 arthrolysis 103
関節半月 semilunar cartilage 1090
間接〔反応型〕ビリルビン indirect reacting bilirubin 614
関節部骨髄炎 medulloarthritis 746
関節包 articular capsule 103
〔関節〕包外強直 extracapsular ankylosis 435
関節包形成術 capsuloplasty 197
関節包靱帯 capsular ligament 197
関節包内骨折 intracapsular fracture 640
関節包パターン capsular pattern 197
関節摩擦音 crepitation 296
関節面掻爬 arthroxesis 103
間接輸血 indirect transfusion 614
関節癒合〔症〕 synarthrodia 1171
関節リウマチ rheumatoid arthritis (RA) 1051
〔関節〕リウマチ小〔結〕節 rheumatoid nodules 1051
関節離開 disarticulation 351
関節離断〔術〕 disarticulation 351
関節瘤 arthrocele 103
感染 contagion 280
感染 infection 617
乾癬 psoriasis 997
汗腺 sweat glands 1168
完全〔性〕 integrity 629
眼閃 phosphene 930
汗腺炎 hidradenitis 561
完全外耳道挿入型補聴器 completely in the canal (CIC) hearing aid 269
汗腺癌 sweat gland carcinoma 1168
汗腺癌 syringocarcinoma 1174
完全期 perfect stage 913
完全去勢〔術〕 emasculation 389
感染経路別予防策 transmission-based precautions 1220
〔完〕全血球算定 complete blood count (CBC) 269
完全抗原 complete antigen 269
完全抗体 complete antibody 269
完全骨折 complete fracture 269
汗腺腫 hidradenoma 561
汗〔腺〕腺腫 spiradenoma 1126
汗腺腫 syringadenoma 1173
汗腺腫 syringoma 1174
完全主義性格 perfectionistic personality 913
感染症 infectious disease 617
完全真菌 perfect fungus 912
〔接触〕感染性 contagiousness 280
感染性 infectiousness 617
感染性 infectivity 618
完全性 competence 268
感染性肝炎ウイルス infectious hepatitis virus 617
乾癬性関節炎 psoriatic arthritis 997
感染性クリスタリン角膜症 infectious crystalline keratopathy 617
感染性結晶状角膜症 infectious crystalline keratopathy 617
乾癬性紅皮症 erythroderma psoriaticum 417
感染性心内膜炎 infectious endocarditis 617
感染性腺熱 infectious mononucleosis 617
感染性単核球症 infectious mononucleosis 617
感染性流産 infected abortion 617
感染性良性リンパ節疾患 infectious mononucleosis 617
〔完〕全脱毛〔症〕 alopecia totalis 45
完全重複子宮 uterus didelphys 1255
感染伝播パラメータ infection transmission parameter 617
完全〔形質〕導入 complete transduction 270
完全乳突削開術 complete mastoidectomy 269
汗腺嚢腫 hidrocystoma 561
汗腺嚢腫 syringocystoma 1174
汗腺膿瘍 hidradenitis suppurativa 561
汗腺膿瘍 sudoriferous abscess 1157
完全非経口栄養法 total parenteral nutrition (TPN) 1211
感染病原体 contagium 280
完全フィステル complete fistula 269
完全ヘルニア complete hernia 269
肝腺房 liver acinus 706
感染防御 phylaxis 933
〔感染〕防御試験 protection test 989
完全房室ブロック complete A-V block 269
感染免疫 infection immunity 617
完全有糸分裂 teleomitosis 1183
感染量 infective dose 617
完全瘻 complete fistula 269
乾燥 desiccation 336
乾燥〔症〕 xerosis 1297
肝造影〔法〕 hepatography 552
肝臓学 hepatology 553
乾燥眼 xerophthalmia 1297
乾燥剤 desiccant 336
肝臓紫斑病 peliosis hepatis 907
肝臓胆管造瘻術 hepatocholangiostomy 552
肝臓毒素 hepatotoxin 553
乾燥皮膚 xeroderma 1297
含そう薬 gargle 487
含そう薬 mouthwash 787
観測者間誤差 interobserver error 636
観測者内誤差 intraobserver error 641
杆〔状〕体 rod 1059
間代 clonus 252
癌帯 cancer cord 194
眼帯 eye patching 437
間代痙攣 clonic spasm 252
間代〔性〕痙攣〔症〕 clonism 252
癌胎児抗原 carcinoembryonic antigen (CEA) 199
間代状態 clonic state 252
間代性 clonicity 252
間代性筋痙攣 myoclonia 805
間代性痙攣 clonic convulsion 252
肝胆管炎 hepatocholangitis 552
寒暖計 thermometer 1194
肝胆道性肝炎 hepatobiliary hepatitis 552
感知性蒸散 sensible perspiration 1091
感知性発汗 sensible perspiration 1091
灌注 douche 362
灌注〔法〕 irrigation 648
灌注器 douche 362
浣腸 enema 399
ガン徴候 Gunn sign 522
肝腸〔管〕吻合〔術〕 hepaticoenterostomy 551
癌治療認定看護師 oncology certified nurse (OCN) 859
癌治療看護団体 Oncology Nursing Society (ONS) 859
環椎 atlas 113
環椎後弓 posterior arch of atlas 963
貫通静脈 perforating veins 913
貫通切断 transfixion 1218
貫通線維 perforating fibers 913
貫通動脈 perforating arteries 913
眼底 fundus of eye 480
眼底血圧計 ophthalmodynamometer 862
眼底血圧測定〔法〕 ophthalmodynamometry 862
眼ディスメトリア ocular dysmetria 852
カンデラ candela 194
寒天 agar 34
感電 electric shock 383
眼点 stigma 1142
管電圧最高値 kilovolt peak (kVp) 666
眼電図 electrooculogram 387
眼電図記録〔法〕 electrooculography (EOG) 387
感度 sensibility 1091
感度 sensitivity 1091
眼動脈 ophthalmic artery 862
冠〔状〕動脈血栓症 coronary thrombosis 287
冠〔状〕動脈疾患 coronary artery disease (CAD) 287
冠動脈造影 coronary angiography 287
冠〔状〕動脈バイパス coronary artery bypass 287
冠動脈バイパス術 coronary artery bypass graft (CABG) 287
冠〔状〕動脈閉塞〔症〕 coronary occlusion 287
ガントリー gantry 487
嵌頓 strangulation 1145
嵌頓胎児 impacted fetus 609

嵌頓包茎 paraphimosis 896
眼内圧 intraocular pressure (IOP) 641
眼内炎 endophthalmitis 398
眼内上皮増殖 epithelial downgrowth 411
眼内閃光 phosphene 930
〔試験〕管内で in vitro 644
眼内レンズ intraocular lens (IOL) 641
カンナビノイド cannabinoids 195
癌肉腫 carcinosarcoma 200
癌肉腫 sarcocarcinoma 1071
感入 empathy 391
嵌入〔機序〕 engagement 400
間入〔性期外収縮〕 intercadence 630
陥入 invagination 644
嵌入骨折 impacted fracture 609
間入性期外収縮 interpolated extrasystole 637
嵌入爪〔甲〕 ingrown nail 623
嵌入胎盤 placenta increta 942
陥入部 intussusceptum 643
閂 obex 847
観念 idea 601
観念化 ideation 601
観念化 intellectualization 629
観念形態 ideology 601
観念失行〔症〕 ideokinetic apraxia 601
管捻転 tubotorsion 1236
観念複合体 complex 270
観念奔逸 flight of ideas 463
間脳 diencephalon 344
感応 induction 615
還納 reduction 1031
還納 reposition 1039
官能基 function 479
還納器 repositor 1039
還納性ヘルニア reducible hernia 1031
ガンの交叉所見 Gunn crossing sign 522
癌の体細胞突然変異説 somatic mutation theory of cancer 1115
眼杯 optic cup 864
肝〔臓〕破裂 hepatorrhexis 553
肝斑 chloasma 232
眼瘢痕性類天疱瘡 ocular cicatricial pemphigoid 852
ガン斑点 Gunn dots 522
緩〔聴性誘発〕反応 late auditory-evoked response 681
ガンビアトリパノソーマ *Trypanosoma brucei gambiense* 1234
ガンビアトリパノソーマ症 Gambian trypanosomiasis 484
肝脾炎 hepatosplenitis 553
肝脾撮影〔法〕 hepatosplenography 553
肝脾腫 splenohepatomegaly 1129
肝脾腫大〔症〕 hepatosplenomegaly 553
乾皮症 xeroderma 1297
乾皮症 xerosis 1297
肝脾障害 hepatosplenopathy 553
肝脾造影〔法〕 hepatosplenography 553
冠不全 coronary failure 287
冠〔状〕〔動脈〕不全 coronary insufficiency 287
眼部帯状ヘルペス herpes zoster ophthalmicus 556
眼部帯状疱疹 herpes zoster ophthalmicus 556
乾物屋かゆみ〔症〕 grocer's itch 519
乾ブドウゼリー様血餅 currant jelly clot 305
カンプトテシン camptothecin 193
管壁血栓 parietal thrombus 899
鑑別 differentiation 345
鑑別診断 differential diagnosis 345
肝ヘルニア hepatocele 552
肝変 hepatization 552
感冒 cold 260
眼胞 ophthalmic vesicle 862
眼房 aqueous chambers 92
顔貌 face 438
漢方医 herbalist 553
肝縫合〔術〕 hepatorrhaphy 553
汗疱状白癬 athlete's foot 112
〔眼〕房水 aqueous humor 92
γ-アミノ酪酸 gamma (γ)-aminobutyric acid (GABA) 485
γ運動ニューロン gamma motor neuron 485
ガンマ角 gamma angle 485
ガンマカメラ gamma camera 485
間膜 ligament 697
ガンマ線 gamma ray 485
ガンマ線維 gamma fibers 485
ガンマナイフ gamma knife 485
γ-ヒドロキシ酪酸 gamma (γ)-hydroxybutyrate (GHB) 485
γ-ブチロラクトン gamma-butyrolactone (GBL) 485
緩慢層 still layer 1143
冠名 eponym 412
顔面横静脈 transverse vein of face 1222
顔面横動脈 transverse facial artery 1221
顔面筋痙攣 facial tic 439
顔面形成術 facioplasty 439
顔面痙攣 facial spasm 439
顔面紅痛症 erythroprosopalgia 418
顔面骨 facial bones 438
顔面静脈 facial vein 439
顔面脂漏〔症〕 seborrhea faciei 1083
顔面神経 facial nerve [CN VII] 438
顔面神経窩アプローチ facial recess approach 439
顔面神経管 facial canal 438
顔面神経麻痺 facial palsy 438
顔面神経麻痺 facial paralysis 439
顔面潮紅 hot flash 572
顔面頭蓋 viscerocranium 1278
顔面動脈 arteria facialis 98
顔面動脈 facial artery 438
顔面播種状粟粒性狼瘡 lupus miliaris disseminatus faciei 716
顔面半側麻痺 facial hemiplegia 438
顔面部 regions of face 1034
顔面片麻痺 facial hemiplegia 438
顔面包帯 mask 734
顔面裂 prosoposchisis 988
冠毛 crest 297
ガンモパシー gammopathy 485
肝門 porta hepatis 961
肝門部空腸吻合〔術〕 portoenterostomy 961
丸薬丸め振せん pill-rolling tremor 938
換喩症 metonymy 764
間葉 mesenchyme 756
間葉腫 mesenchymoma 756
眼幼虫徘徊性肉芽腫 ocular larva migrans granuloma 852
寛容度 latitude 684
慣用名 trivial name 1231
癌抑制遺伝子 antioncogene 82
癌抑制遺伝子 tumor suppressor gene 1238
乾酪壊死 caseous necrosis 208
乾酪化 caseation 207
乾酪腫 tyroma 1242
乾酪性骨炎 caseous osteitis 208
乾酪素 casein 208
乾酪変性 caseation 207
管理 control 282
管理 governance 512
管理 management 730
管理医療 managed care 730
〔精度〕管理図 quality control chart 1015
管理の連鎖(CoC 認証) chain of custody 225
簡略化口腔清掃指数 Simplified Oral Hygiene Index (OHI-S) 1106
簡略新薬申請 abbreviated new drug application 2
灌流 perfusion 913
還流 reflux 1033
貫流ドレナージ through drainage 1200
還流ドレナージ tidal drainage 1204
含量 content 280
眼輪筋 orbicularis oculi muscle 865
寒冷運動〔学〕 cryokinetics 302
寒冷凝集素 cold agglutinin 260
寒冷凝集反応 cold agglutination 260
寒冷グロブリン cryoglobulins 302
寒冷グロブリン血〔症〕 cryoglobulinemia 302
寒冷式円錐切除〔術〕 cold knife conization 260
寒冷症 cryopathy 302
寒冷じんま疹 cold urticaria 260
寒冷線維素原 cryofibrinogen 302
寒冷線維素原血症 cryofibrinogenemia 302

カ

寒冷蛋白〔質〕 cryoprotein 302
寒冷沈降物 cryoprecipitate 302
寒冷痛 cryalgesia 302
〔寒〕冷痛 psychroalgia 1000
寒冷フィブリノ〔ー〕ゲン血症 cryofibrinogenemia 302
寒冷腐食器 cryocautery 302
寒冷麻酔 cryoanesthesia 302
寒冷誘発血管拡張 cold-induced vasodilation 260
寒冷療法 cryotherapy 302
関連 association 108
関連〔性〕感覚 referred sensation 1032
肝レンズ核変性〔症〕 hepatolenticular degeneration 552
関連性 relationship 1036
関連痛 referred pain 1032
関連痛の法則 law of referred pain 685
関連保健専門家 allied health professional 44
緩和 relaxation 1036
緩和医療 comfort measures only 265
緩和時間 relaxation time (τ) 1036
緩和薬 emollient 391

キ

器 apparatus 90
基 group 520
基 radical 1019
期 phase 926
キアーリ症候群 Chiari syndrome 230
キアーリ-フロンメル症候群 Chiari-Frommel syndrome 230
キアーリ網 Chiari net 230
偽悪性腫瘍 pseudomalignancy 995
気圧 atmosphere 113
気圧 barometric pressure (P_b) 136
気圧拡張器 pneumatic dilator 950
気圧計 barometer 136
気圧障害 barotrauma 136
気圧性外傷 barotrauma 136
気圧性中耳炎 barotitis media 136
気圧性副鼻腔炎 barosinusitis 136
気圧療法 aeropiesotherapy 32
キー・イン・ロック法 key-in-lock maneuver 665
ギー音 sibilant rale 1102
奇異呼吸 paradoxic respiration 894
奇異性収縮 paradoxic contraction 894
奇異声帯動作 paradoxic vocal cord movement 894
キーセルバッハ野 Kiesselbach area 665
奇異瞳孔反射 paradoxic pupillary reflex 894
奇異反射 paradoxic reflex 894
ギームザ染料 Giemsa stain 498
キームス chyme 243
キームス化 chymopoiesis 243
キーラン鉗子 Kjelland forceps 667
キールナン腔 Kiernan space 665
キール分類 Kiel classification 665
キーン手術 Keen operation 662
キーンズ・セイアー症候群 Kearns-Sayre syndrome 662
偽陰性 false negative 441
偽陰性反応 false-negative reaction 441
偽陰性率 false-negative rate 441
キーンベック脱臼 Kienböck dislocation 665
キーンベック病 Kienböck disease 665
気-液クロマトグラフィ gas-liquid chromatography (GLC) 488
偽〔性〕延髄麻痺 pseudobulbar paralysis 993
偽〔性〕円柱 false cast 441
既往〔抗体〕性反応 anamnestic reaction 61
偽〔性〕黄疸 pseudoicterus 995
既往歴 anamnesis 61
記憶 memory 751
記憶減退 hypomnesia 594
記憶痕跡 engram 400
記憶錯誤 paramnesia 896
記憶錯誤 retrospective falsification 1048
記憶術 mnemonics 777
記憶喪失 amnesia 54
記憶T細胞 memory T cells 751
記憶B細胞 memory B cells 751
気化 evaporation 424
気化 vaporization 1260
飢餓 hunger 575
器械 appliance 91
器械 instrument 627
機械換気 mechanical ventilation 740
機械効率 mechanical efficiency 740
期外収縮 extrasystole 436
期外収縮後休止 postextrasystolic pause 966
期外収縮後T波 postextrasystolic T wave 966
器械使用 instrumentation 628
幾何異性 geometric isomerism 496
機械性月経困難〔症〕 mechanical dysmenorrhea 740
機械的イレウス mechanical ileus 740
機械的解毒薬 mechanical antidote 740
機械的雑音 machinery murmur 722
機械的受容器 mechanoreceptor 740
機械的ベクター mechanical vector 740
機械電気変換 mechanoelectric transduction 740
危害分析重要管理点方式 Hazard Analysis Critical Control Point (HACCP) 534
器械分娩 instrumental labor 627
機械様雑音 machinery murmur 722
幾何学的感覚 geometric sense 496
気化器 vaporizer 1260
規格化 normalization 840
飢餓収縮 hunger contractions 575
希ガス noble gases 835
飢餓〔性〕衰弱 inanition 611
飢餓糖尿病 starvation diabetes 1137
気化熱 heat of evaporation 537
幾何平均 geometric mean 496
器官 organ 867
期間 period 916
気管 trachea 1214
気管 windpipe 1292
気管炎 tracheitis 1214
偽感覚 pseudesthesia 993
気管カニューレ tracheostomy tube 1215
気管気管支炎 tracheobronchitis 1214
気管気管支鏡〔検査〕法 tracheobronchoscopy 1214
気管気管支憩室 tracheobronchial diverticulum 1214
気管気腫 tracheoaerocele 1214
気管狭窄〔症〕 tracheostenosis 1215
気管鏡〔検査〕法 tracheoscopy 1215
気管筋 trachealis muscle 1214
器官形成 organogenesis 868
気管形成〔術〕 tracheoplasty 1215
偽〔性〕眼瞼下垂〔症〕 pseudoptosis 996
気管支 bronchus 179
気管支炎 bronchitis 178
気管支芽 bronchial buds 177
気管支拡張〔症〕 bronchiectasis 177
気管支拡張 bronchodilation 178
気管支拡張薬 bronchodilator 178
気管支鏡 bronchoscope 179
気管支胸腔瘻 bronchopleural fistula (BPF) 179
気管支鏡検査〔法〕 bronchoscopy 179
気管支狭窄〔症〕 bronchial stenosis 177
気管支狭窄 bronchostenosis 179
気管支形成〔術〕 bronchoplasty 179
気管支痙攣 bronchospasm 179
気管支結石 broncholith 178
気管支結石症 broncholithiasis 178
気管支原性癌 bronchogenic carcinoma 178
気管支呼吸計 bronchospirometer 179
〔左右別〕気管支呼吸測定器 bronchospirometer 179
気管支撮影〔法〕 bronchography 178
気管支撮影図 bronchogram 178
気管支周囲炎 peribronchitis 914
気管支収縮 bronchoconstriction 178
気管支収縮薬 bronchoconstrictor 178

気管支静脈 bronchial veins …… 177
気管支食道鏡検査〔法〕 bronchoesophagoscopy …… 178
気管支真菌症 bronchomycosis …… 178
気管支声 bronchophony …… 179
気管支性嚢胞 bronchogenic cyst …… 178
気管支切開〔術〕 bronchotomy …… 179
気管支腺 bronchial glands …… 177
気管支ぜん息 bronchial asthma …… 177
気管支造影〔法〕 bronchography …… 178
気管支造瘻術 bronchostomy …… 179
気管支中心性肉芽腫症 bronchocentric granulomatosis …… 178
気管支動脈撮影 bronchial arteriography …… 177
気管支内挿管 endobronchial tube …… 395
気管支軟化〔症〕 bronchomalacia …… 178
気管支粘液腺腺腫 bronchial mucous gland adenoma …… 177
気管支肺異形成 bronchopulmonary dysplasia …… 179
気管支肺炎 bronchopneumonia …… 179
気管支肺機能測定 bronchospirometry …… 179
気管支肺区域 bronchopulmonary segment …… 179
気管支肺形成異常 bronchopulmonary dysplasia …… 179
気管支敗血症菌 *Bordetella bronchiseptica* …… 168
気管支肺分離片形成〔症〕 bronchopulmonary sequestration …… 179
気管支肺胞液 bronchoalveolar fluid …… 178
気管支肺胞洗浄 bronchoalveolar lavage (BAL) …… 178
〔左右別〕気管支肺容量測定〔法〕 bronchospirography …… 179
気管支肺リンパ節 bronchopulmonary lymph nodes …… 179
気管支ファイバースコープ bronchofiberscope …… 178
気管支ヘルニア bronchocele …… 178
気管支縫合〔術〕 bronchorrhaphy …… 179
気管支誘発 bronchial provocation …… 177
気管出血 tracheorrhagia …… 1215
気管静脈 tracheal veins …… 1214
気管食道穿刺 tracheoesophageal puncture (TEP) …… 1215
気管食道ひだ tracheoesophageal folds …… 1215
気管食道瘻 tracheoesophageal fistula …… 1215
気管支瘤 bronchocele …… 178
気管支漏 bronchorrhea …… 179
偽関節 faulty union …… 446
偽関節 pseudarthrosis …… 993
気管切開〔術〕 tracheotomy …… 1215
気関節造影 arthropneumoradiography …… 103
基関節反射 basal joint reflex …… 137
気管チューブ tracheal tube …… 1214
気管聴診音 tracheophony …… 1215
器官特異性抗原 organ-specific antigen …… 868
気管内挿管 endotracheal intubation …… 399
気管内麻酔〔法〕 endotracheal anesthesia …… 399
気管軟化〔症〕 tracheomalacia …… 1215
気管軟骨 tracheal cartilages …… 1214
器官培養 organ culture …… 867
器官発生 organogenesis …… 868
気管肥大症 tracheomegaly …… 1215
気管病〔症〕 tracheopathia …… 1215
機関免許交付 institutional licensure …… 627
気管瘤 tracheocele …… 1215
気管裂 tracheoschisis …… 1215
機器 instrument …… 627
偽記憶症候群 false memory syndrome …… 441
利き眼 dominant eye …… 359
偽嗅 pseudosmia …… 996
偽〔性〕球麻痺 pseudobulbar palsy …… 993
気胸〔症〕 pneumothorax …… 951
気胸膜炎 pneumopleuritis …… 951
器具 appliance …… 91
器具 instrument …… 627
偽腔 false lumen …… 441
菊座 rosette …… 1061
器具使用 instrumentation …… 628
菊地病 Kikuchi disease …… 665
木靴心 coeur en sabot …… 259
ギグリのこぎり Gigli saw …… 498
偽〔性〕クループ pseudocroup …… 994
偽グレーフェ現象 pseudo-Graefe phenomenon …… 994
キクロプス症 cyclopia …… 309
奇形 abnormality …… 4
奇形 anomaly …… 72
奇形 deformity …… 323
奇形 malformation …… 727
奇形 teratosis …… 1188
基型 type …… 1241
奇形遺伝性 teratogenicity …… 1188
奇形学 teratology …… 1188
奇形芽腫 teratoblastoma …… 1188
奇形癌 teratocarcinoma …… 1188
奇形児 teras …… 1188
奇形腫 organoid tumor …… 868
奇形腫 teratoid tumor …… 1188
奇形腫 teratoma …… 1188
奇形症候群 anomalad …… 72
奇形精子症 teratozoospermia …… 1188
奇形赤血球 poikilocyte …… 952
奇形赤血球〔症〕 poikilocytosis …… 952
奇形動脈 arteria lusoria …… 99
奇形発生 teratogenesis …… 1188
偽〔性〕下疳 pseudochancre …… 993
偽結核エルジニア菌 *Yersinia pseudotuberculosis* …… 1300
偽〔性〕月経 pseudomenstruation …… 995
偽血小板 pseudoplatelet …… 996
偽〔性〕血尿 pseudohematuria …… 994
危険 risk …… 1058
起源 derivation …… 333
危険限界 critical limit …… 298
偽腱索 false chordae tendineae …… 441
危険臓器 critical organ …… 298
危険度 risk …… 1058
機構 mechanism …… 740
機構 organization …… 867
偽高カリウム血症 pseudohyperkalemia …… 994
起交感眼 exciting eye …… 426
気候馴化 acclimatization …… 9
偽〔性〕骨折 pseudofracture …… 994
偽骨軟化症性骨盤 pseudoosteomalacic pelvis …… 995
偽コリンエステラーゼ pseudocholinesterase …… 994
基剤 base …… 138
起座呼吸 orthopnea …… 870
ギ酸 formic acid …… 471
キサンチン xanthine …… 1296
キサンチン染料 xanthene dye …… 1296
キサントーマ xanthoma …… 1296
キサントクロミー xanthochromia …… 1296
キサントシン xanthosine (X, Xao) …… 1297
キサントフィル xanthophyll …… 1296
揮散力 fugacity (f) …… 478
奇肢〔症〕 ectromelia …… 378
起子 levator …… 695
起始 origin …… 868
義歯 denture …… 330
義歯 prosthesis …… 989
義歯安定性 denture stability …… 330
起始核 nuclei of origin …… 842
擬似寄生生物 spurious parasite …… 1133
奇肢症 peromelia …… 920
義歯床 denture base …… 330
〔義歯〕床縁 denture border …… 330
偽シスト pseudocyst …… 994
義肢装具士 certified prosthetist (CP) …… 223
基質 framework …… 474
基質 ground substance …… 520
基質 matrix …… 736
基質 substrate (S) …… 1155
気質 temper …… 1184
器質化 organization …… 867
基質結石 matrix calculus …… 737
偽〔性〕失書〔症〕 pseudagraphia …… 993
器質性拘縮 organic contracture …… 867
器質性雑音 organic murmur …… 867
器質性疾患 organic disease …… 867
器質〔性〕精神病 anergasia …… 65
器質性精神障害 organic mental disorder …… 867
器質性難聴 organic hearing impairment …… 867
器質性めまい organic vertigo …… 867
器質〔性〕脳症候群 organic brain syndrome (OBS) …… 867

キ

器質〔性〕妄想 organic delusions 867
偽〔性〕ジフテリア pseudodiphtheria 994
希釈溶液 dilution 348
希釈ラッセルクサリヘビ毒検査 dilute Russell viper venom test (DRVVT) 348
偽斜視 pseudostrabismus 996
気腫 emphysema 392
気腫 pneumatosis 950
気縦隔症 pneumomediastinum 951
気腫性腹膜炎 pneumoperitonitis 951
気腫肺減量術 lung volume reduction surgery 714
偽腫瘍 pseudotumor 996
基準化 normalization 840
基準準拠検査 norm-referenced 840
基準身体力学フレーム biomechanical frame of reference 154
基準培養株 type culture 1241
基準範囲 reference range 1032
基準面 datum plane 317
基準容積 standard volume 1135
気症 pneumatosis 950
基条 costa 290
擬症 mimesis 773
偽〔性〕猩紅熱 pseudoscarlatina 996
希少疾患 orphan disease 869
偽〔性〕上皮小体機能低下〔症〕 pseudohypoparathyroidism 995
奇静脈 azygos vein 128
奇静脈撮影〔法〕 azygography 128
偽〔性〕書字不能〔症〕 pseudagraphia 993
キシルロース xylulose 1298
キシロース xylose 1298
気心〔症〕 pneumatocardia 950
擬人化 anthropomorphism 78
偽〔性〕神経節 pseudoganglion 994
偽〔性〕新生物 pseudoneoplasm 995
基靱帯 cardinal ligament 201
気心膜症 pneumopericardium 951
偽〔性〕水腫 pseudoedema 994
基数 radix 1022
奇性 azygos 128
規制 control 282
機制 mechanism 740
寄生 metabiosis 759
寄生 parasitism 897
偽性結合線 false conjugate 441
偽〔性〕精神病 pseudomania 995
寄生生物 parasite 897
寄生生物学 parasitology 897
寄生生物学者 parasitologist 897
寄生生物向性 parasitotropism 897
寄生生物症 parasitosis 897
寄生生物親和性 parasitotropism 897
寄生体 parasite 897
寄生虫および寄生虫卵検査 ova and parasite examination 878
寄生虫学 parasitology 897
寄生虫学者 parasitologist 897
寄生虫感染 vermination 1269
寄生虫血〔症〕 parasitemia 897
寄生虫性黒皮症 parasitic melanoderma 897
寄生虫性嚢胞 parasitic cyst 897
寄生虫吐出 helminthemesis 540
寄生虫発生 vermination 1269
寄生動物 vermin 1269
偽性パーキンソン症 pseudoparkinsonism 996
既成ビタミンA preformed Vitamin A 972
偽性副甲状腺機能亢進症 pseudohyperparathyroidism 994
規制物質 controlled substance 283
偽性便秘 pseudocoprostasis 994
偽性無月経 cryptomenorrhea 303
軌跡 tracing 1215
気脊柱〔症〕 pneumorrhachis 951
基節骨短屈指症 brachybasocamptodactyly 171
基節骨短縮〔症〕 brachybasophalangia 171
季節性感情障害 seasonal affective disorder (SAD) 1083
基線 baseline 139
〔光〕輝線 intercalated disc 630
偽〔性〕潜在睾丸〔症〕 pseudocryptorchism 994
基礎 base 138
基礎 foundation 472
蟻走感 formication 471
偽足 pseudopodium 996
基礎床 baseplate 139
基礎的状態 basal state 138
基礎麻酔〔法〕 basal anesthesia 137
既存状態 preexisting condition 972
気体 gas 487
奇胎 mole 778
気体眼窩撮影〔法〕 pneumo-orbitography 951
気体関節撮影〔法〕 pneumarthrography 949
気体交換指標 gas exchange index 488
気体腎盂撮影〔法〕 pneumopyelography 951
気体脊髄撮影〔法〕 pneumomyelography 951
気体注入撮影〔法〕 pneumography 951
気体定量 gasometry 488
偽〔性〕大動脈縮窄〔症〕 pseudocoarctation 994
偽胎盤 placenta spuria 942
気体膀胱撮影〔法〕 pneumocystography 950
偽対立性 pseudoallelism 993
偽痴呆 pseudodementia 994
キチン〔質〕 chitin 231
吃 dysphemia 371
吃 stammering 1135
吃 stuttering 1150
偽〔性〕対麻痺 pseudoparaplegia 996
偽痛風 pseudogout 994
喫煙量 pack years 884
拮抗〔作用〕 antagonism 74
拮抗筋 antagonistic muscles 74
拮抗質 antagonist 74
拮抗〔運動〕反復 diadochokinesia 341
拮抗〔運動〕反復不能〔症〕 adiadochokinesis 27
拮抗物質 antagonist 74
拮抗薬 antagonist 74
キッシュ反射 Kisch reflex 667
キッシング涙点 kissing puncta 667
キット kyte 671
吃尿 urinary stuttering 1252
基底 base 138
基底 basis 140
規定 regulation 1034
規定液 normal solution 840
基底核 basal ganglia 137
基底細胞 basal cell 137
基底細胞癌 basal cell carcinoma 137
基底細胞母斑 basal cell nevus 137
基底細胞母斑症候群 basal cell nevus syndrome 137
基底質 basal substantia 138
基底状態 ground state 520
基底線状ドルーゼン basal linear drusen 138
基底層 basal layer 138
基底層 stratum basale 1145
基底層ドルーゼン basal laminar drusen 138
基底〔小〕体 basal body 137
基底脱落膜 decidua basalis 319
基底椎骨 basilar vertebra 140
偽〔性〕低ナトリウム血症 pseudohyponatremia 995
規定濃度 normal concentration (N) 839
基底部マッサージ fundal massage 480
基底膜 basement membrane 139
基底有棘細胞癌 basosquamous carcinoma 141
起点 origin 868
基電流 rheobase 1050
起電力 electromotive force (EMF) 386
企図 intention 629
輝度 luminance 714
亀頭 glans 499
気頭〔症〕 pneumocephalus 950
気導 air conduction 37
気道 airway 37
気道 respiratory tract 1043
気道圧解除換気法 airway pressure release ventilation (APRV) 37
亀頭炎 balanitis 133

気道解剖学 airway anatomy ……37
亀頭冠 corona of glans penis ……286
気動眼圧計 pneumatic tonometer ……950
気道管理 airway management ……37
〔陰茎の〕亀頭頸 neck of glans ……815
亀頭形成術 balanoplasty ……133
〔上〕気道硬化〔症〕 respiratory scleroma ……1042
気道損傷 inhalation injury ……624
気道抵抗 airway resistance ……37
気道内外圧差 trans airway pressure ……1216
気道熱傷 inhalation injury ……624
気道閉塞 airway obstruction ……37
亀頭包皮炎 balanoposthitis ……133
偽〔性〕動脈瘤 false aneurysm ……441
企図痙攣 intention spasm ……629
企図振せん intention tremor ……629
希突起〔神経〕膠細胞 oligodendrocyte ……856
希突起〔神経〕膠細胞 oligodendroglia ……856
希突起〔神経〕膠腫 oligodendroglioma ……856
希土類 rare earths ……1025
キナーゼ kinase ……666
キニーネ quinine ……1016
キニノーゲン kininogen ……667
偽〔性〕乳頭水腫 pseudopapilledema ……995
気尿〔症〕 pneumaturia ……950
キニン kinin ……667
偽妊娠 false pregnancy ……441
偽妊娠 pseudopregnancy ……996
きぬた骨 anvil ……84
きぬた骨 incus ……613
きぬた骨切除〔術〕 incudectomy ……613
キヌレニン kynurenine ……671
キヌレン酸 kynurenic acid ……671
キネトプラスト kinetoplast ……667
偽〔性〕粘液腫 pseudomyxoma ……995
機能 function ……479
機能 mechanism ……740
気脳〔症〕 pneumocephalus ……950
機能解剖学 functional anatomy ……479
機能解離 diaschisis ……343
技能確認法 skills validation ……1109
機能基 moiety ……778
機能咬合 functional occlusion ……479
機能亢進 hyperergasia ……583
機能効率 functional efficiency ……479
機能試験 functional test ……480
偽脳腫瘍 pseudotumor cerebri ……996
機能障害 dysfunction ……370
機能障害 functional disorder ……479
機能性うっ血 functional congestion ……479
機能性雑音 functional murmur ……479
機能性子宮出血 menometrorrhagia ……752
機能性食品 functional food ……479
機能性性交不能症 functional impotence ……479
機能性難聴 pseudohypoacusis ……995
機能線維 functional fiber ……479
機能層 stratum functionale ……1145
機能喪失 functio laesa ……479
機能低下 hypofunction ……593
機能的遺伝学 functional genomics ……479
機能的活動〔度〕 functional activity ……479
機能的去勢 functional castration ……479
機能的筋訓練法 myofunctional therapy ……806
機能的行動〔度〕 functional activity ……479
機能的残気量 functional residual capacity (FRC) ……480
機能的自立度評価法 functional independence measure (FIM) ……479
機能性手先位置 functional hand position ……479
機能的電気刺激 functional electric stimulation (FES) ……479
機能的内視鏡〔的〕副鼻腔手術 functional endoscopic sinus surgery (FESS) ……479
機能的脳神経外科 functional neurosurgery ……479
機能的副子 functional splint ……480
機能不全 dysfunction ……370
機能不全 hypofunction ……593
〔機能〕不全〔症〕 incompetence ……612
〔機能〕不全〔症〕 insufficiency ……628
機能不全 malfunction ……727
偽〔性〕嚢胞 pseudocyst ……994
機能盲 functional blindness ……479
キノコ状増殖 fungosity ……480
キノコ中毒 mushroom poisoning ……800
キノコ中毒 mycetism ……801
キノロン類 quinolones ……1016
希薄化 rarefaction ……1025
〔希薄〕血液膿 sanies ……1071
偽剥脱性緑内障 pseudoexfoliative glaucoma ……994
騎馬骨 rider's bone ……1055
揮発 volatilization ……1282
希発月経 oligomenorrhea ……857
揮発油 volatile oil ……1282
偽半陰陽 pseudohermaphroditism ……994
偽半陰陽者 pseudohermaphrodite ……994
偽瘢痕 uloid ……1244
偽〔性〕反応 pseudoreaction ……996
偽〔性〕肥大 pseudohypertrophy ……995
忌避薬 repellent ……1038
偽〔性〕貧血 pseudoanemia ……993
気腹〔症〕 pneumoperitoneum ……951
基部構造 pes ……922
偽〔性〕浮腫 pseudoedema ……994
ギプス装具 cast brace ……208
ギブズの定理 Gibbs theorem ……498
ギプス包帯 cast ……208
ギプス包帯 plaster bandage ……946
偽〔性〕不全麻痺 pseudoparesis ……996
ギブソン雑音 Gibson murmur ……498
ギブソン帯 Gibson bandage ……498
偽〔性〕舞踏病 pseudochorea ……994
ギブニー固定包帯 Gibney fixation bandage ……498
ギブニーブーツ Gibney boot ……498
気分 mood ……783
気分 temper ……1184
気分調和性の幻覚 mood-congruent hallucination ……783
気分沈滞 hypothymia ……597
気分不調和性の幻覚 mood-incongruent hallucination ……783
気分変調 dysthymia ……372
気分変調性障害 dysthymic disorder ……372
気分変動 mood swing ……783
擬娩 couvade ……292
気胞化 pneumatization ……950
気泡型加湿器 bubble-through humidifier ……181
偽縫合 false suture ……441
偽ポリープ pseudopolyp ……996
基本型 prototype ……991
基本顆粒 elementary granule ……387
基本周波数 fundamental frequency (F0) ……480
基本診断 principal diagnosis ……979
基本単位 base units ……139
基本的救命 basic life support ……139
基本的人格型 basic personality type ……139
基本的日常生活動作 basic activities of daily living (BADL) ……139
基本防衛 ur-defenses ……1249
基本粒子 elementary particle ……387
偽膜 false membrane ……441
偽膜〔性〕気管支炎 pseudomembranous bronchitis ……995
偽膜性胃炎 pseudomembranous gastritis ……995
偽膜性炎〔症〕 pseudomembranous inflammation ……995
偽膜性腸炎 pseudomembranous enterocolitis ……995
偽〔性〕麻痺 pseudoparalysis ……995
偽〔性〕味覚 pseudogeusia ……994
気密耳鏡検査法 pneumatic otoscopy ……950
奇脈 paradoxic pulse ……894
帰無仮説 null hypothesis ……844
記銘 encoding ……394
記銘 retention ……1044
キメラ chimera ……231
起毛 piloerection ……938
偽〔性〕毛嚢炎 pseudofolliculitis ……994
キモグラフィ kymography ……671
キモシン chymosin ……243
キモトリプシノ〔ー〕ゲン chymotrypsinogen ……243

キモトリプシン chymotrypsin 243
気門板 stigmal plates 1142
脚 leg 688
脚 peduncle 907
偽薬 placebo 941
逆位 inversion 644
逆位 transposition 1220
逆エック瘻 reverse Eck fistula 1049
逆隔離 reverse isolation 1049
脚間窩 interpeduncular fossa 636
脚間核 interpeduncular nucleus 636
逆２乗の法則 inverse square law 644
逆吸気 back-extrapolation 130
逆狭心症 angina inversa 67
逆縮窄〔症〕 reversed coarctation 1049
逆症療法 allopathy 44
逆浸透 reverse osmosis 1049
逆生 inversion 644
逆説 paradox 894
脚切開〔術〕 pedunculotomy 907
逆説睡眠 paradoxic sleep 894
脚切断〔術〕 pedunculotomy 907
逆説的効果 paradoxic effect 894
逆説瞳孔反射 paradoxic pupillary reflex 894
逆説反射 paradoxic reflex 894
逆ぜん動 antiperistalsis 82
逆ぜん動 reversed peristalsis 1049
虐待 abuse 6
逆転 reversal 1049
逆転移 countertransference 292
逆転受身〔赤〕血球凝集〔反応〕 reverse passive hemagglutination 1049
逆転写酵素ポリメラーゼ連鎖反応 reverse transcriptase polymerase chain reaction（RT-PCR） 1049
逆投影〔法〕 backprojection 130
逆瞳孔ブロック reverse pupillary block 1049
逆瞳孔閉鎖 reverse pupillary block 1049
逆トランスクリプターゼ reverse transcriptase 1049
脚発生 pedicellation 907
脚ブロック bundle-branch block 184
逆分化 dedifferentiation 321
逆流 backflow 130
逆流 reflux 1033
逆流 regurgitation 1035
逆流性雑音 regurgitant murmur 1035
逆流性食道炎 reflux esophagitis 1033
逆流性中耳炎 reflux otitis media 1033
ギャスケル鉗子 Gaskell clamp 488
客観的評価データ objective assessment data 847
逆光 stray light 1146
逆向〔性〕健忘〔症〕 retrograde amnesia 1048
逆行〔性〕室房伝導 retrograde VA conduction 1048
逆行性黄疸 regurgitation jaundice 1035
逆行性期外収縮 return extrasystole 1049
逆行性月経 retrograde menstruation 1048
逆行性射精 retrograde ejaculation 1048
逆行性収縮 retrograde beat 1048
逆行性尿路造影術 retrograde urography 1048
逆行性ヘルニア retrograde hernia 1048
逆行性膀胱尿道造影像 retrograde cystourethrogram 1048
逆行〔性〕塞栓症 retrograde embolism 1048
逆行〔性〕ブロック retrograde block 1048
ギャップ現象 gap phenomenon 487
ギャップジャンクション gap junction 487
キャナヴァン病 Canavan disease 194
キャノン点 Cannon point 195
キャプラン症候群 Caplan syndrome 196
キャボット環状体 Cabot ring bodies 188
キャリアスクリーニング carrier screening 207
ギャリー移植片 Gallie transplant 484
キャリブレータ calibrator 191
キャルキンズ徴候 Calkins sign 191
ギャレゴ鑑別溶液 Gallego differentiating solution 484
ギャント鉗子 Gant clamp 487
キャンピロバクター症 campylobacteriosis 193
キャンプストッキング Camp stockings 192
QRS 群 QRS complex 1013
QR 間隔 QR interval 1013
Q 角 Q-angle 1013
Q-スイッチレーザー Q-switched laser 1013
キュー〔ド〕スピーチ cued speech 304
QT 延長症候群 long QT syndromes 710
Q-T 間隔 Q-T interval 1013
キューネ現象 Kühne phenomenon 671
キューネ線維 Kühne fiber 671
Q 熱 Q fever 1013
キューネ板 Kühne plate 671
キューネメチレンブルー Kühne methylene blue 671
Q 波 Q wave 1016
Q バンディング〔染色法〕 Q-banding stain 1013
キューピッド弓 Cupid's bow 305
キューレット curette 305
弓 arcade 93
弓 arch 93
球 ball 133
球 bulb 183
灸〔療法〕 moxibustion 787
キュヴィエ静脈 Cuvier veins 307
吸引〔術〕 aspiration 108
吸引カテーテル suction catheter 1156
吸引管 siphon 1107
吸引器 aspirator 108
吸引器 evacuator 424
吸引水疱 sucking blister 1156
吸引生検 aspiration biopsy 108
吸引性肺炎 aspiration pneumonia 108
吸引洗浄〔法〕 siphonage 1107
吸引掻爬術 suction curettage 1156
吸引脱脂〔術〕 liposuctioning 704
吸引ドレーン sump drain 1159
吸引ドレナージ suction drainage 1156
球海綿体筋 bulbocavernosus muscle 183
球海綿体筋 bulbospongiosus muscle 183
弓下窩 subarcuate fossa 1151
吸角 cup 305
嗅覚 olfaction 855
嗅覚 smell 1111
嗅覚異常 dysosmia 371
嗅覚学 osmics 871
嗅覚過敏 hyperosmia 586
嗅覚減退 hyposmia 596
嗅覚錯誤 parosmia 900
嗅覚作用 olfaction 855
求核〔性〕試薬 nucleophil 843
嗅覚消失 anosmia 73
嗅覚神経 olfactory nerve〔CN I〕 856
嗅覚前兆 olfactory aura 856
嗅覚脱失 olfactory agnosia 855
嗅覚不全〔症〕 dysosmia 371
吸角法 cupping 305
牛眼 buphthalmia 184
球杆菌 coccobacillus 256
牛眼紅斑 bull's eye rash 184
求肝性 hepatopetal 553
球関節 ball-and-socket joint 133
球関節 enarthrosis 393
球関節 spheroid joint 1122
球間ぞうげ質 interglobular dentin 631
吸気 inspired gas（I） 627
吸気・呼気時間比逆転換気 inverse ratio ventilation（IRV） 644
吸気性ぜん鳴 inspiratory stridor 627
吸気反応型酸素供給装置 demand oxygen delivery device 326
嗅球 olfactory bulb 856
救急医療 emergency medicine 391
救急医療サービスシステム emergency medical service system（EMSS） 390
救急看護師 emergency nurse practitioner（ENP） 391
救急救命士（基礎） emergency medical technician-basic（EMT-B） 390
救急救命士（中級） emergency medical technician-intermediate（EMT-I） 390
救急原則 emergency doctrine 390

救急車 ambulance …… 50
救急手術 emergency surgery …… 391
救急蘇生〔法〕 resuscitation …… 1044
救急隊 emergency medical services (EMS) …… 390
救急部 emergency department …… 390
空気流動ベッド air-fluidized bed …… 37
牛頸 bull neck …… 183
球形円錐水晶体 lentiglobus …… 689
球形嚢 saccule …… 1066
球形嚢 sacculus …… 1066
球形嚢神経 saccular nerve …… 1066
球形嚢斑 macula of saccule …… 724
給血者 donor …… 359
嗅溝 olfactory sulcus …… 856
吸光度 absorbance (*A*, A) …… 6
臼後歯 distomolar …… 356
球後視神経炎 retrobulbar neuritis …… 1047
球後麻酔 retrobulbar anesthesia …… 1047
嗅剤 snuff …… 1112
臼歯 molar …… 778
休止期 telogen …… 1183
休止期脱毛 telogen effluvium …… 1183
臼歯後豊隆 retromolar pad …… 1048
休止シグナル pause signal …… 905
旧視床 paleothalamus …… 886
吸湿濃縮加湿器 hygroscopic condenser humidifier …… 581
球腫 glomus tumor …… 502
吸収 absorption …… 6
吸収 insorption …… 627
吸収 resorption …… 1041
吸収器 evacuator …… 424
吸収係数 absorption coefficient …… 6
吸収剤 absorbent …… 6
吸収スペクトル absorption spectrum …… 6
吸収性ゼラチン膜 absorbable gelatin film …… 6
吸収性縫合材 absorbable suture …… 6
吸収線 absorption lines …… 6
吸収線量 absorbed dose …… 6
吸収促進薬 sorbefacient …… 1117
吸収測定法 absorptiometry …… 6
吸収度 absorbance (*A*, A) …… 6
吸収不良 malabsorption …… 726
吸収不良症候群 malabsorption syndrome …… 726
嗅〔覚〕受容器 osmoreceptor …… 871
嗅〔覚〕受容〔器〕細胞 olfactory receptor cells …… 856
球状温度計 bulb thermometer …… 183
〔延髄〕弓状核 arcuate nuclei …… 93
臼状関節 cotyloid joint …… 291
〔腎臓の〕弓状静脈 arcuate veins of kidney …… 94
球状心 round heart …… 1062
球状水晶体 spherophakia …… 1122
球状赤血球 spherocyte …… 1122
球状赤血球症 spherocytosis …… 1122
弓状線維 arcuate fibers …… 93
弓状帯 arcuate zone …… 94
球状体 spherule …… 1122
球状帯細胞 glomerulosa cell …… 502
〔足の〕弓状動脈 arcuate artery of foot (inconstant) …… 93
旧小脳 paleocerebellum …… 886
嗅上皮 olfactory epithelium …… 856
丘疹 papule …… 892
丘疹 pimple …… 938
牛心 ox heart …… 880
嗅神経 nervi olfactorii …… 821
嗅神経孔 olfactory foramen …… 856
丘疹形成 papulation …… 892
丘疹症 papulosis …… 892
丘疹状結核疹 papular tuberculid …… 892
丘疹状じんま疹 papular urticaria …… 892
丘疹性壊疽性結核疹 papulonecrotic tuberculid …… 892
求心性筋収縮 concentric contraction …… 272
丘疹性痤瘡 acne papulosa …… 14
求心性神経 afferent nerve …… 33
求心性線維 afferent fibers …… 33
求心性肥大 concentric hypertrophy …… 272
求心路遮断 deafferentation …… 317
吸水 imbibition …… 605
急性医療病院 acute care hospital …… 20
急性ウイルス結膜炎 acute viral conjunctivitis …… 22
急性運動性軸索性神経障害 acute motor axonal neuropathy …… 21
急性影響 acute effects …… 21
急性壊死性潰瘍性歯肉炎 acute necrotizing ulcerative gingivitis (ANUG) …… 21
急性壊死性出血性脳脊髄炎 acute necrotizing hemorrhagic encephalomyelitis …… 21
急性壊死性脳炎 acute necrotizing encephalitis …… 21
急性炎症性脱髄性多発根神経障害 acute inflammatory demyelinating polyradiculoneuropathy …… 21
急性延髄灰白髄炎 acute bulbar poliomyelitis …… 20
急性黄色肝萎縮 acute yellow atrophy of the liver …… 22
急性加圧三徴 acute compression triad …… 20
急性灰白髄炎 acute anterior poliomyelitis …… 20
急性感覚運動性軸索性神経障害 acute sensory-motor axonal neuropathy …… 22
急性間欠性ポルフィリン症 intermittent acute porphyria (IAP) …… 633
急性冠症候群 acute coronary syndrome (ACS) …… 20
急性感染症 acute infection …… 21
急性期反応 acute phase reaction …… 22
急性虚血性脳卒中 acute ischemic stroke (AIS) …… 21
急性広汎性肝壊死 acute massive liver necrosis …… 21
急性後部多発性斑状網膜色素上皮症 acute posterior multifocal placoid pigment epitheliopathy (APMPPE) …… 21
急性呼吸不全 acute respiratory failure (ARF) …… 22
急性孤立性心筋炎 acute isolated myocarditis …… 21
急性疾患 acute disease …… 20
急性出血性結膜炎 acute hemorrhagic conjunctivitis …… 21
急性出血性膵炎 acute hemorrhagic pancreatitis …… 21
急性上行性麻痺 acute ascending paralysis …… 20
急性腎不全 acute renal failure (ARF) …… 22
急性膵炎 acute pancreatitis …… 22
急性脊髄前角炎 acute anterior poliomyelitis …… 20
急性前骨髄球性白血病 acute promyelocytic leukemia …… 22
急性粟粒結核〔症〕 acute tuberculosis …… 22
急性電撃性髄膜炎菌血症 acute fulminating meningococcemia …… 21
急性特発性多発〔性〕神経炎 acute idiopathic polyneuritis …… 21
急性肺損傷 acute lung injury …… 21
急性肺胞炎 acute pulmonary alveolitis …… 22
急性播種性脳脊髄炎 acute disseminated encephalomyelitis …… 21
急性鼻炎 acute rhinitis …… 22
急性腹症 acute abdomen …… 20
急性副腎皮質不全 acute adrenocortical insufficiency …… 20
急性マラリア acute malaria …… 21
急性網膜壊死 acute retinal necrosis (ARN) …… 22
急性流行性筋炎 epidemic myositis …… 407
急性流行〔性〕白質脳炎 acute epidemic leukoencephalitis …… 21
球脊髄炎 bulbar myelitis …… 183
嗅腺 olfactory glands …… 856
旧線条体 paleostriatum …… 886
吸蔵 occlusion …… 851
吸息 breath …… 174
吸息 inhalation …… 624
吸息 inspiration …… 627
急速眼球運動睡眠 rapid eye movement sleep …… 1025
急速収縮 tachysystole …… 1177
休息痛 rest pain …… 1043
球体 sphere …… 1122
吸着 adsorption …… 30
吸着剤 adsorbent …… 30
吸着薬 adsorbent …… 30
吸虫類 fluke …… 464
求電子〔体〕 electrophil …… 387
嗅電図 electroolfactogram (EOG) …… 387
球頭ブジー bulbous bougie …… 183
吸入 aspiration …… 108
吸入〔法〕 inhalation …… 624
吸乳 sucking …… 1156
吸入剤 inhalant …… 624
吸入剤 vapor …… 1260
牛乳菜食主義者 lactovegetarian …… 675
吸入麻酔〔法〕 inhalation anesthesia …… 624

キ

吸入麻酔器 inhaler …… 624
吸入麻酔薬 inhalation anesthetic …… 624
吸入薬 inhalation …… 624
吸入療法 inhalation therapy …… 624
牛乳療法 galactotherapy …… 484
嗅脳 rhinencephalon …… 1051
嗅脳溝 rhinal sulcus …… 1051
嗅脳室 rhinocele …… 1052
9の法則 rule of nines …… 1064
窮迫 distress …… 356
急発〔症状〕 storm …… 1145
鳩尾形緩圧型アバットメント dovetail stress-broken abutment …… 363
旧皮質 paleocortex …… 886
嗅ヘルニア rhinocele …… 1052
嗅傍溝 parolfactory sulci …… 900
急〔性〕発作〔症状〕 storm …… 1145
嗅膜 olfactory membrane …… 856
球麻痺 bulbar palsy …… 183
球麻痺 bulbar paralysis …… 183
休眠 diapause …… 342
球面収差 spheric aberration …… 1122
球面レンズ spheric lens (S) …… 1122
休薬期間 drug holiday …… 365
弓隆回 fornicate gyrus …… 471
球レンズ収差 coma …… 265
ギュブレル症候群 Gubler syndrome …… 521
キュリー curie (c, C, Ci) …… 305
キュルスタイナー管 Kürsteiner canals …… 671
距 calcar …… 190
胸〔部〕 breast …… 173
胸〔部〕 chest …… 229
頬 cheek …… 227
橋 pons …… 959
共圧陣痛 bearing-down pain …… 143
共アルコール症〔者〕 coalcoholic …… 255
共アルコール中毒 coalcoholism …… 255
教案 teaching plan …… 1181
教育 education …… 379
教育病院 teaching hospital …… 1181
共役眼球運動 conjugate deviation of the eyes …… 277
共役偏視 conjugate deviation of the eyes …… 277
頬〔部〕炎 melitis …… 750
橋延髄溝 pontomedullary groove …… 959
胸横筋 transversus thoracis muscle …… 1223
強化 enhancement …… 400
強化 reinforcement …… 1035
境界 boundaries …… 169
凝塊 clot …… 253
凝塊 coagulation …… 255
仰臥位 supination …… 1163
仰臥位 supine position …… 1163
境界悪性卵巣腫瘍 borderline ovarian tumor …… 168
境界〔性〕人格障害 borderline personality disorder …… 168
境界母斑 junction nevus …… 658
強化エクササイズ stabilization exercise …… 1134
橋核 pontine nuclei …… 959
胸郭 thorax …… 1198
頬顎異常矯正学 orthognathia …… 869
驚愕過剰〔症〕 hyperekplexia …… 583
胸郭奇形 thoracocyllosis …… 1197
胸郭狭窄 stenothorax …… 1139
胸郭狭窄〔症〕 thoracostenosis …… 1198
狭角断層撮影法 zonography …… 1302
胸郭中央位心臓 mesocardia …… 757
胸郭痛 thoracalgia …… 1196
胸郭出口症候群 thoracic outlet syndrome (TOS) …… 1197
驚愕てんかん startle epilepsy …… 1137
驚愕反射 startle reflex …… 1137
胸郭披裂 thoracoschisis …… 1198
強化〔因〕子 reinforcer …… 1035
恐火症 pyrophobia …… 1012
共感 sympathy …… 1170
胸管 thoracic duct …… 1196
共感覚 synesthesia …… 1172
胸管弓 arch of thoracic duct …… 93
共感痛 synesthesialgia …… 1172
狂気 insanity …… 626
共起刺激分子 costimulatory molecule …… 290
橋脚歯 abutment …… 6
狂牛病 bovine spongiform encephalopathy …… 169
胸棘筋 spinalis thoracis muscle …… 1125
頬筋 buccinator muscle …… 182
胸筋痙攣 stethospasm …… 1142
胸筋静脈 pectoral veins …… 906
胸筋痛 thoracomyodynia …… 1198
胸筋部 pectoral region …… 906
胸腔 thoracic cavity …… 1196
胸腔外気道閉塞 extrathoracic airway obstruction …… 436
胸腔鏡 thoracoscope …… 1198
胸腔鏡検査〔法〕 thoracoscopy …… 1198
胸腔結石 pleurolith …… 948
胸腔静脈シャント pleurovenous shunt …… 948
胸腔穿刺〔術〕 thoracentesis …… 1196
胸腔チューブ chest tube …… 230
胸腔内気道閉塞 intrathoracic airway obstruction …… 641
胸腔脾症 thoracic splenosis …… 1197
胸腔腹腔シャント pleuroperitoneal shunt …… 948
橋屈 pontine flexure …… 959
鏡径 aperture …… 87
胸〔郭〕形成〔術〕 thoracoplasty …… 1198
凝結 coagulation …… 255
凝結 condensation …… 273
凝結 flocculation …… 463
凝血塊 clot …… 253
凝血塊 coagulation …… 255
夾結合 wedge-and-groove joint …… 1287
供血者 donor …… 359
凝血薬 coagulant …… 255
恐犬症 cynophobia …… 309
狂犬病 rabies …… 1017
狂犬病ウイルス rabies virus …… 1017
胸肩峰静脈 thoracoacromial vein …… 1197
胸肩峰動脈 acromiothoracic artery …… 17
胸肩峰動脈 thoracoacromial artery …… 1197
凝固 coagulation …… 255
凝固 freezing …… 475
凝固因子 clotting factor …… 253
恐慌 panic …… 890
強剛 rigidity …… 1057
競合 rivalry …… 1058
恐慌性障害 panic disorder …… 890
凝膠体 jelly …… 655
競合的阻害 competitive inhibition …… 268
恐慌発作 panic attack …… 890
胸後弯 thoracic kyphosis …… 1197
凝固壊死 coagulation necrosis …… 255
凝固共通系路 common pathway of coagulation …… 266
〔血液〕凝固剤 coagulant …… 255
凝固時間 coagulation time …… 255
凝固障害 coagulopathy …… 255
胸骨 breast bone …… 174
胸骨 sternum …… 1141
頬骨 zygomatic bone …… 1303
胸骨角 sternal angle …… 1141
胸骨下甲状腺腫 substernal goiter …… 1155
頬骨眼窩孔 zygomaticoorbital foramen …… 1303
頬骨眼窩動脈 zygomaticoorbital artery …… 1303
頬骨顔面孔 zygomaticofacial foramen …… 1303
頬骨弓 zygomatic arch …… 1303
胸骨筋 sternalis muscle …… 1141
胸骨結合奇形 sternopagia …… 1141
胸骨甲状筋 sternothyroid muscle …… 1141
頬骨周囲ワイヤリング circumzygomatic wiring …… 246
頬骨神経 zygomatic nerve …… 1303
胸骨切開〔術〕 sternotomy …… 1141
胸骨舌骨筋 sternohyoid muscle …… 1141
胸骨線 sternal line …… 1141
胸骨穿刺 sternal puncture …… 1141
頬骨側頭孔 zygomaticotemporal foramen …… 1303
胸骨痛 sternalgia …… 1141
胸骨軟骨整復〔術〕 chondrosternoplasty …… 237

狭骨盤 contracted pelvis 282
胸骨分節 sternebra 1141
胸骨柄 manubrium of sternum 731
胸骨柄体軟骨結合 manubriosternal joint 731
胸骨面 sternal plane 1141
胸骨裂 sternoschisis 1141
凝固点降下 freezing point depression 475
凝固物 concretion 273
〔血液〕凝固薬 coagulant 255
胸最長筋 longissimus thoracis muscle 709
胸最長筋 thoracic longissimus muscle 1197
胸鎖角 sternoclavicular angle 1141
胸鎖関節 sternoclavicular joint 1141
狭窄 arctation 93
狭窄 constriction 279
狭窄〔症〕 stenosis 1139
狭窄〔症〕 stricture 1148
狭窄音 stertor 1142
狭窄感 constriction 279
狭窄性腱鞘炎 stenosing tenosynovitis 1139
狭窄性細気管支炎 constrictive bronchiolitis 279
狭窄性雑音 stenosal murmur 1139
狭窄切開〔術〕 stricturotomy 1148
狭窄頭蓋 stenocephaly 1139
夾雑物 contaminant 280
胸鎖乳突筋 sternocleidomastoid muscle (SCM) 1141
胸鎖乳突筋静脈 sternocleidomastoid vein 1141
凝視 gaze 491
強指症 sclerodactyly 1080
頬耳症 melotia 750
凝視点 point of fixation 952
凝集〔作用〕 agglutination 34
凝集 aggregation 35
凝集 clumping 254
凝集 flocculation 463
凝集原 agglutinogen 35
共重合体 copolymer 284
凝集素 agglutinin 34
橋縦束 longitudinal pontine fibers 710
凝集反応 agglutination 34
凝集物 aggregate 35
凝集力 cohesion 260
共晶〔型〕合金 eutectic alloy 424
共焦点顕微鏡 confocal microscope 275
狭小頭蓋症 craniostenosis 295
狭小頭蓋症 stenocephaly 1139
橋小脳路線維 pontocerebellar fibers 959
共振 resonance 1041
頬神経 buccal nerve 182
胸神経 thoracic nerves〔T1-T12〕 1197
胸神経 thoracic spinal nerves 1197
狭心症 angina pectoris 67
狭心症尺度 angina scale 67
胸心臓神経 thoracic cardiac nerves 1196
胸水 pleural effusion 948
偽羊水 false waters 441
恐水病 hydrophobia 580
強制 compulsion 271
胸声 pectoriloquy 906
共生 probiosis 980
共生 symbiosis 1169
偽陽性 false positive 441
強制栄養 forced feeding 470
強制拡張 divulsion 357
強制呼吸 mandatory breath 730
矯正士 certified orthotist (CO) 223
矯正歯科医 orthodontist 869
共生者 symbion 1169
偽陽性者 false positive 441
強制収縮 forced beat 470
矯正精神医学 orthopsychiatry 870
共生生物 symbion 1169
偽陽性反応 false-positive reaction 441
偽陽性率 false-positive rate 441
頬腺 buccal glands 182
胸腺 thymus 1201
胸腺炎 thymitis 1201
胸腺細胞 thymocyte 1201
胸腺腫 thymoma 1201
恐尖症 belonephobia 144
胸腺小体 thymic corpuscle 1201
胸腺静脈 thymic veins 1201
胸腺切除〔術〕 thymectomy 1201
胸腺摘出〔術〕 thymectomy 1201
胸腺リンパ形成不全〔症〕 thymic alymphoplasia 1201
強壮 sthenia 1142
鏡像細胞 mirror-image cell 774
鏡像性言語 mirror speech 774
鏡像知覚 strephosymbolia 1146
強壮薬 euphoriant 424
強壮薬 restorative 1043
強壮薬 tonic 1208
頬側転位 buccoversion 182
共存症 comorbidity 267
狭帯域 narrowband 811
胸大動脈 thoracic aorta 1196
凝着剤 agglutinant 34
ぎょう虫 oxyurid 882
ぎょう虫 pinworm 940
ぎょう虫駆除薬 oxyuricide 882
ぎょう虫症 enterobiasis 401
ぎょう虫症 oxyuriasis 882
共調 coordination 284
協調 coordination 284
協調不能 incoordination 613
共調〔運動〕不能 incoordination 613
強直〔症〕 ankylosis 72
強直 tetany 1191
強直化 tetanization 1190
強直〔性〕痙攣 tonic convulsion 1208
強直状態 tonic state 1209
強直性脊椎炎 ankylosing spondylitis 72
強直性てんかん tonic epilepsy 1208
強直性発作 opisthotonos 863
共直線性 colinearity 261
強直母趾 hallux rigidus 530
強直薬 tetanic 1190
強直誘発 tetanization 1190
胸椎 thoracic vertebrae〔T1-T12〕 1197
胸痛 pectoralgia 906
共通抗原 common antigen 266
強度 intensity 629
強度 strength 1146
狭頭〔症〕 craniostenosis 295
共同因子 cofactor 259
協同運動 associated movement 108
共同運動 synkinesis 1172
共同運動障害 dyssynergia 372
共同運動消失 asynergy 110
共同運動不能〔症〕 asynergy 110
協働活動 collaborative actions 261
共同眼球運動 conjugate deviation of the eyes 277
共同眼振 conjugate nystagmus 277
共同凝集素 coagglutinin 255
協働筋 congener 275
共同斜視 comitant strabismus 265
協同収縮 cocontraction 258
共同順応 coadaptation 255
狭頭症 stenocephaly 1139
共同偏視 conjugate deviation of the eyes 277
頬動脈 buccal artery 182
強度画像 magnitude image 725
強度変調放射線治療 intensity modulated radiation therapy (IMRT) 629
胸内筋膜 endothoracic fascia 399
胸内臓神経 thoracic splanchnic nerves 1197
胸背神経 thoracodorsal nerve 1197
胸背動脈 thoracodorsal artery 1197
強迫〔行為〕 compulsion 271
強迫〔観念〕 obsession 848
強迫観念 compulsive idea 271
強迫性障害 obsessive-compulsive disorder (OCD) 848

強迫性人格 compulsive personality …… 271
胸半棘筋 semispinalis thoracis muscle …… 1090
強皮症 pachyderma …… 883
強皮症 scleroderma …… 1080
強皮症心臓 scleroderma heart …… 1080
恐猫〔症〕 ailurophobia …… 36
恐怖 fear …… 446
恐怖〔症〕 phobia …… 929
恐怖 trepidation …… 1225
胸部 regions of chest …… 1034
胸部 X 線写真 chest film …… 229
共不完全時代 synanamorph …… 1170
胸腹弓 abdominothoracic arch …… 3
胸腹神経 thoracoabdominal nerves …… 1197
胸腹壁静脈 thoracoepigastric vein …… 1197
胸腹壁破裂〔症〕 thoracoceloschisis …… 1197
胸部後凸弯曲 thoracic kyphosis …… 1197
恐怖症恐怖 phobophobia …… 929
胸部振とう音 fremitus pectoralis …… 475
峡部切除〔術〕 isthmectomy …… 652
胸部造瘻〔術〕 thoracostomy …… 1198
共沸〔混合〕物 azeotrope …… 128
胸部突出 thoracocyrtosis …… 1197
胸部フィステル形成〔術〕 thoracostomy …… 1198
胸部誘導 chest leads …… 229
胸部誘導 precordial leads …… 971
胸部理学療法 chest physical therapy（CPT, chest P.T.） …… 230
胸部弯曲計 stethogoniometer …… 1142
恐糞〔症〕 coprophobia …… 285
胸壁 chest wall …… 230
胸壁異常弯曲 thoracocyrtosis …… 1197
胸壁結合奇形体 ectopagus …… 377
胸壁コンプライアンス chest wall compliance …… 230
胸壁痛 thoracalgia …… 1196
胸峰 carina …… 204
胸膜 pleura …… 948
強膜 sclera …… 1080
胸膜液 pleural fluid …… 948
胸膜炎 pleurisy …… 948
強膜炎 scleritis …… 1080
強膜外隙 episcleral space …… 410
強膜拡張 sclerectasia …… 1080
強膜角膜 sclerocornea …… 1080
強膜角膜炎 sclerokeratitis …… 1080
強膜角膜虹彩炎 sclerokeratoiritis …… 1080
強膜褐色板 lamina fusca of sclera …… 676
胸膜肝炎 pleurohepatitis …… 948
胸膜腔 pleural cavity …… 948
胸膜腔洗浄 pleuroclysis …… 948
胸膜腔造影検査〔法〕 pleurography …… 948
強膜溝 scleral sulcus …… 1080
莢膜抗原 capsular antigen …… 197
強膜虹彩炎 scleroiritis …… 1080
強膜篩板 lamina cribrosa sclerae …… 676
莢膜〔細胞〕腫 thecoma …… 1192
強膜上静脈 episcleral veins …… 410
強膜上動脈 episcleral artery …… 410
強膜静脈 scleral veins …… 1080
強膜静脈洞 scleral venous sinus …… 1080
胸膜食道筋 pleuroesophageal muscle …… 948
強膜浸湿 sclerophthalmia …… 1081
胸膜〔摩擦〕振とう音 pleural fremitus …… 948
胸膜心膜炎 pleuropericarditis …… 948
胸膜切開〔術〕 pleurotomy …… 948
強膜切開〔術〕 sclerotomy …… 1081
胸膜切除〔術〕 pleurectomy …… 948
強膜切除〔術〕 sclerectomy …… 1080
胸膜痛 pleurodynia …… 948
強膜〔切開〕刀 sclerotome …… 1081
強膜軟化〔症〕 scleromalacia …… 1081
胸膜肺切除〔術〕 pleuropneumonectomy …… 948
胸膜剥離〔術〕 pleurolysis …… 948
胸膜剥離〔術〕 thoracolysis …… 1198
強膜膨出 sclerectasia …… 1080
胸膜摩擦音 pleuritic rub …… 948
強膜脈絡膜炎 sclerochoroiditis …… 1080
胸膜癒着〔術〕 pleurodesis …… 948
矯味矯臭薬 corrective …… 288
共鳴 resonance …… 1041
響鳴 tinnitus …… 1205
共鳴音 resonance …… 1041
共鳴亢進 hyperresonance …… 588
共鳴周波数 resonant frequency …… 1041
頬面管 sheath …… 1099
共役 coupling …… 292
共役因子 coupling factors …… 292
共役孔 conjugate foramen …… 277
共役酸-塩基対 conjugate acid-base pair …… 277
共役点 conjugate point …… 277
共役二重結合 conjugated double bonds …… 277
共輸送 cotransport …… 291
鏡用鉗子 speculum forceps …… 1120
胸腰筋膜 thoracolumbar fascia …… 1197
胸腰仙椎装具 thoracolumbosacral orthosis …… 1197
供与体 donor …… 359
協力筋 congener …… 275
協力筋 synergistic muscles …… 1172
協力作用 synergism …… 1172
胸裂 schistothorax …… 1077
胸裂〔症〕 thoracoschisis …… 1198
行列 matrix …… 736
許可 allowance …… 45
許可 authorization …… 120
巨核芽球 megakaryoblast …… 747
巨核球 megakaryocyte …… 747
〔骨髄〕巨核球性白血病 megakaryocytic leukemia …… 747
虚偽 falsification …… 441
虚偽性障害 factitious disorder …… 439
挙筋 levator …… 695
曲 flexure …… 463
極 pole …… 953
棘 spine …… 1126
〔骨〕棘 spur …… 1133
極位眼振 end-positional nystagmus …… 399
棘下窩 infraspinous fossa …… 622
棘下筋 infraspinatus muscle …… 622
棘下筋腱下包 infraspinatus bursa …… 622
棘感覚 acanthesthesia …… 7
棘間筋 interspinales muscles …… 637
極期 climax …… 250
極期 fastigium …… 444
棘孔 foramen spinosum …… 469
局在失認 atopognosia …… 114
局在症状 localizing symptom …… 707
局在認知不能〔症〕 atopognosia …… 114
極細胞 polar body …… 953
棘細胞腫 acanthoma …… 7
棘細胞離開 acantholysis …… 7
局所アナフィラキシー local anaphylaxis …… 707
棘上筋 supraspinatus muscle …… 1165
偽〔性〕翼状片 pseudopterygium …… 996
局所解剖学 regional anatomy …… 1034
局所解剖学 topography …… 1210
局所解剖学オリエンテーション topographic orientation …… 1210
局所仮死 local asphyxia …… 707
局所感覚消失 topagnosis …… 1210
局所感覚消失 topoanesthesia …… 1210
局所〔壊〕死 local death …… 707
局所触覚 topesthesia …… 1210
〔局所〕浸潤麻酔〔法〕 infiltration anesthesia …… 620
局所性興奮薬 local stimulant …… 708
局所性損傷 focal injury …… 466
局所低体温法 regional hypothermia …… 1034
局所疼痛 topalgia …… 1210
局所投与 transdermal（trans.） …… 1217
局所認知 topesthesia …… 1210
棘徐波複合 spike-and-wave complex …… 1124
局所反応 focal reaction …… 466
局所皮弁 local flap …… 707
局所麻酔〔法〕 local anesthesia …… 707
局所麻酔〔法〕 regional anesthesia …… 1034
局所麻酔 toponarcosis …… 1210

局所免疫 local immunity …… 707
極性 polarity …… 953
曲精細管 convoluted seminiferous tubule …… 284
極性治療 polarity therapy …… 953
曲線 curve …… 305
極体 polar body …… 953
〔椎骨の〕棘突起 acantha …… 7
棘突起 spinous process …… 1126
曲尿細管 convoluted tubule …… 284
棘波 spike …… 1124
極白内障 polar cataract …… 953
棘波電位 spike potential …… 1124
極微操作 micromanipulation …… 768
局部〔床〕義歯 partial denture …… 901
局部舞踏病 monochorea …… 780
〔薬〕局方注解 *Dispensatory* …… 354
局面 plaque …… 944
曲面性近視 curvature myopia …… 305
棘融解 acantholysis …… 7
曲率収差 curvature aberration …… 305
極量 maximal dose …… 738
虚血 ischemia …… 648
虚血壊死 avascular necrosis …… 125
虚血性壊死 ischemic necrosis …… 648
虚血性心疾患 ischemic heart disease …… 648
虚血性低酸素〔症〕 ischemic hypoxia …… 648
虚言〔症〕 pseudologia …… 995
巨口〔症〕 macrostomia …… 724
魚口 fishmouth …… 458
挙睾筋動脈 arteria cremasterica …… 97
巨合指症 megalosyndactyly …… 747
巨甲状腺〔症〕 thyromegaly …… 1202
距骨 ankle bone …… 71
距骨 talus …… 1178
距骨下関節 subtalar joint …… 1155
距骨切除〔術〕 astragalectomy …… 110
巨細胞 giant cell …… 497
巨細胞癌 giant cell carcinoma …… 498
巨細胞性線維腫 giant cell fibroma …… 498
巨細胞性肺炎 giant cell pneumonia …… 498
巨細胞性封入体病 cytomegalic inclusion disease …… 313
巨細胞多形〔性〕神経膠芽腫 giant cell glioblastoma multiforme …… 498
巨細胞肉芽腫 giant cell granuloma …… 498
巨指〔症〕 dactylomegaly …… 315
巨指〔症〕 megadactyly …… 746
鋸子 saw …… 1073
巨耳〔症〕 macrotia …… 724
鋸歯形成 serration …… 1095
虚弱 impotence …… 610
虚弱 infirmity …… 620
虚弱 weakness …… 1287
虚弱高齢者 frail elder …… 474
挙上 lift …… 697
鋸状縁 ora serrata retinae …… 865
距踵舟関節 talocalcaneonavicular joint …… 1178
鋸〔歯〕状縫合 dentate suture …… 329
鋸状縫合 serrate suture …… 1095
巨人症 gigantism …… 498
巨人症 macrosomia …… 724
去勢 castration …… 208
去勢〔術〕 castration …… 208
去勢 gonadectomy …… 510
去勢 testectomy …… 1190
虚性暗点 negative scotoma …… 817
去勢コンプレックス castration complex …… 208
去勢細胞 castration cells …… 208
去勢男性 eunuch …… 423
虚性調節 negative accommodation …… 817
虚性輻輳 negative convergence …… 817
巨〔大〕赤芽球 megaloblast …… 747
巨赤芽球性貧血 megaloblastic anemia …… 747
巨舌〔症〕 macroglossia …… 723
拒絶〔症〕 negativism …… 817
拒絶〔反応〕 rejection …… 1035
巨〔大〕赤血球 megalocyte …… 747
巨爪〔症〕 onychauxis …… 860
巨足〔症〕 macropodia …… 723
寄与体 donor …… 359
巨大胃症 megalogastria …… 747
巨大陰茎 macropenis …… 723
巨大角膜 macrocornea …… 722
巨大眼球 megalophthalmos …… 747
〔距腿関節の〕天井 plafond …… 942
距腿関節部 ankle …… 71
巨大結腸 megacolon …… 746
巨大コンジローム giant condyloma …… 498
巨大軸索神経障害 giant axonal neuropathy …… 497
巨大歯型 macrodontia …… 723
巨大食道 megaesophagus …… 746
巨大じんま疹 giant urticaria …… 498
巨大腺腫 macroadenoma …… 722
巨大腸〔症〕 megaloenteron …… 747
巨大直腸 megarectum …… 747
巨大乳頭性結膜炎 giant papillary conjunctivitis …… 498
巨大乳房〔症〕 macromastia …… 723
巨大脳髄症 macrencephaly …… 722
巨大バクテリア megabacterium …… 746
巨大鼻 macrorhinia …… 723
巨大膀胱 megacystis …… 746
巨大膀胱 megalocystis …… 747
巨大膀胱症候群 megacystic syndrome …… 746
虚脱 collapse …… 261
虚脱 prostration …… 989
去痰薬 expectorant …… 430
魚〔肉〕中毒〔症〕 ichthyism …… 600
魚肉中毒 ichthyotoxism …… 600
巨〔大〕乳房 gigantomastia …… 498
巨脳症 macrencephaly …… 722
巨〔大〕脳〔髄〕症 megaloencephaly …… 747
巨〔大〕脳髄 megaloencephalon …… 747
拒否 rejection …… 1035
拒否〔反応〕 rejection …… 1035
巨脾腫〔症〕 splenomegaly …… 1129
巨鼻症 macrorhinia …… 723
拒否操作 denial management …… 327
虚無主義 nihilism …… 833
虚無妄想 nihilism …… 833
許容限界 tolerance limits …… 1208
許容限界値 threshold limit value …… 1198
許容上限摂取量 tolerable upper intake level …… 1208
許容濃度 threshold limit value …… 1198
許容量 allowance …… 45
距離 distance …… 355
魚鱗癬 ichthyosis …… 600
ギヨン管 Guyon canal …… 523
ギヨン管症候群 Guyon tunnel syndrome …… 523
ギヨン切断術 Guyon amputation …… 523
ギヨン徴候 Guyon sign …… 523
キライディーティ症候群 Chilaiditi syndrome …… 230
キラー細胞 killer cells …… 665
偽落屑症候群 pseudoexfoliation syndrome …… 994
キラリティ chirality …… 231
ギラン-バレー症候群 Guillain-Barré syndrome …… 521
ギリアム手術 Gilliam operation …… 498
キリアン三角 Killian triangle …… 666
キリアン手術 Killian operation …… 666
キリアン束 Killian bundle …… 666
ギリース手術 Gillies operation …… 498
切換え部位 switching site …… 1169
切り傷 incised wound …… 612
起立困難 dysstasia …… 372
起立性うっ血 orthostatic congestion …… 870
起立性失神 postural syncope …… 968
起立性調節障害 orthostatic intolerance …… 870
起立性低血圧〔症〕 orthostatic hypotension …… 870
起立性デコンデショニング orthostatic deconditioning …… 870
起立不能〔症〕 astasia …… 109
〔起立〕歩行恐怖〔症〕 basiphobia …… 140
起立歩行不能〔症〕 astasia-abasia …… 109
気瘤 aerocele …… 32
気瘤 pneumatocele …… 950

気瘤 pneumonocele 951
寄留性 domiciliated 359
偽〔性〕リンパ腫 pseudolymphoma 995
偽〔性〕類円柱〔体〕 pseudocylindroid 994
キルシュナー鋼線 Kirschner wire 667
キレート chelate 227
キレート化 chelation 227
ギレスピー症候群 Gillespie syndrome 498
亀裂 rhagades 1050
亀裂骨折 fissured fracture 458
亀裂歯症候群 cracked tooth syndrome 294
亀裂舌 fissured tongue 458
偽連珠毛 pseudomonilethrix 995
記録 record 1029
記録 registration 1034
偽〔性〕ロゼット pseudorosette 996
疑惑病 folie du doute 467
金 aurum 119
筋 muscle 794
筋 musculus 795
銀-アンモニア性銀染色〔法〕 silver-ammoniac silver stain 1105
近位 juxtaposition 659
近位運動失調 proximoataxia 992
筋異栄養〔症〕 myodystrophy 806
近位筋筋緊張性筋障害 proximal myotonic myopathy (PROMM) 992
〔近位〕脛腓関節 tibiofibular joint 1204
近位指節間関節 proximal interphalangeal joints (PIP) 992
近位四節短縮性点状軟骨形成不全症 rhizomelic chondrodysplasia punctata 1052
筋萎縮〔症〕 amyotrophy 59
筋萎縮 muscular atrophy 795
筋萎縮〔性〕側索硬化〔症〕 amyotrophic lateral sclerosis (ALS) 59
近位深鼡径リンパ節 proximal deep inguinal lymph node 992
均一系 homogeneous system 569
〔近位〕脾静脈腎静脈吻合 proximal splenorenal shunt 992
筋運動痛 kinesalgia 666
筋運動描記法 myography 807
筋栄養 myotrophy 808
筋壊死 myonecrosis 807
筋エネルギーテクニック muscle energy technique (MET) 794
筋炎 myositis 808
筋横隔静脈 musculophrenic veins 795
筋横隔動脈 musculophrenic artery 795
筋外膜 epimysium 410
筋外膜切開〔術〕 epimysiotomy 410
筋覚 kinesthesia 666
筋〔感〕覚 myesthesia 805
〔真〕菌学 mycology 802
筋学 myology 807
筋覚計 kinesthesiometer 666
〔真〕菌学者 mycologist 802
筋〔感〕覚消失 amyoesthesia 58
筋芽細胞 myoblast 805
筋芽細胞 sarcoblast 1071
筋芽細胞腫 myoblastoma 805
菌株 strain 1145
筋管 myotube 808
銀含浸 silver impregnation 1105
筋間代 myoclonus 806
筋間中隔 intermuscular septum 633
禁忌 contraindication 282
筋機能療法 myofunctional therapy 806
菌球 fungus ball 480
緊急外傷評価 rapid trauma assessment 1025
緊急説 emergency theory 391
緊急治療 urgent care 1252
緊急内科評価 rapid medical assessment 1025
緊急避難ピル morning after pill 784
緊急〔蘇生〕用〔器材〕カート crash cart 295
筋強直性痙攣 myotonus 808
筋〔肉〕切り術 myotomy 808
筋緊張 myotony 808
筋緊張〔症〕 paramyotonia 896
筋緊張異常 dysmyotonia 371
筋緊張過度 hypermyotonia 586
筋緊張性軟骨形成異常〔症〕 myotonic chondrodystrophy 808
筋緊張低下児 floppy infant 463
筋緊張低下児症候群 floppy infant syndrome 463
筋緊張度 muscle tone 794
筋緊張反応 myotonic response 808
筋筋膜疼痛〔機能障害〕症候群 myofascial pain-dysfunction syndrome 806
筋クロ〔ー〕ヌス myoclonus 806
筋系 musculature 795
筋形質 sarcoplasm 1072
筋形成〔術〕 myoplasty 808
筋形成不全〔症〕 amyoplasia 58
筋痙攣 muscle spasm 794
筋痙攣 myospasm 808
菌血〔症〕 bacillemia 129
菌血〔症〕 bacteremia 130
筋血清 muscle serum 794
筋腱筋炎 myotenositis 808
筋原細胞 myoblast 805
筋原細胞腫 myoblastoma 805
筋減少〔症〕 sarcopenia 1072
筋腱切開〔術〕 myotenotomy 808
筋原線維 myofibril 806
菌甲 scutulum 1083
筋硬化〔症〕 myosclerosis 808
近交系 inbred 611
筋黒色症 myomelanosis 807
筋細管〔系〕 sarcotubules 1072
筋細合組織炎 myofibrositis 806
筋細線維 myofibril 806
筋細胞 myocyte 806
筋細胞腫 myocytoma 806
筋細胞膜 sarcolemma 1072
筋細胞融解 myocytolysis 806
筋三角 muscular triangle 795
菌糸 hypha 590
菌糸〔体〕 mycelium 801
筋糸 myoneme 807
近視 myopia 807
近視 shortsightedness 1101
筋弛緩〔症〕 hypomyotonia 594
筋耳管管 musculotubal canal 795
筋弛緩薬 muscular relaxant 795
筋持久力 muscular endurance 795
筋ジストロフィ muscular dystrophy 795
筋ジストロフィ myodystrophy 806
近視性単乱視 myopic astigmatism 807
近視性半月 myopic crescent 807
均質放射線 homogeneous radiation 569
筋脂肪腫 myolipoma 807
筋脂肪変性 myodemia 806
菌腫 mycetoma 801
筋腫 myoma 807
筋周囲炎 perimyositis 915
筋収縮計 myometer 807
筋収縮遅滞 myobradia 805
筋周膜 perimysium 915
筋周膜炎 perimysiitis 915
筋腫核出〔術〕 myomectomy 807
筋腫摘出〔術〕 myomectomy 807
銀〔皮〕症 argyria 95
筋障害 myopathy 807
筋上節 epimere 410
菌状息肉腫 mycosis fungoides 802
筋上皮 myoepithelium 806
筋上皮腫 myoepithelioma 806
筋小胞体 sarcoplasmic reticulum 1072
近心隅角 mesial angle 756
近心咬合 mesial occlusion 756
近心咬合 mesiocclusion 756
近親交配 inbreeding 611
近親相姦 incest 611
筋伸張 myotasis 808
近心転位 mesioversion 757
筋伸展収縮 myotatic contraction 808

筋伸展被刺激性 myotatic irritability …… 808
銀親和細胞 argentaffin cell …… 94
筋水腫 myoedema …… 806
禁制 taboo …… 1176
筋性運動失調〔症〕 amyotaxy …… 58
〔動眼〕筋性眼精疲労 muscular asthenopia …… 794
筋〔肉〕静止不能〔症〕 amyostasia …… 58
筋性尿意促迫 motor urgency …… 786
近赤外光 near infrared …… 815
近紫外光 near ultraviolet …… 815
近接 contiguity …… 281
筋節 myomere …… 807
筋節 myotome …… 808
筋節 sarcomere …… 1072
筋切開刀 myotome …… 808
筋切除〔術〕 myectomy …… 803
近接照射療法 brachytherapy …… 171
近節短縮 rhizomelia …… 1052
近節短縮性点状軟骨形成異常〔症〕 rhizomelic chondrodysplasia punctata …… 1052
近節短縮性点状軟骨形成不全症 rhizomelic chondrodysplasia punctata …… 1052
筋線維 muscle fiber …… 794
筋線維芽細胞 myofibroblast …… 806
筋〔細胞〕線維質 myoplasm …… 808
筋線維腫 myofibroma …… 806
筋線維症 myofibrosis …… 806
筋線維膜炎 myofibrositis …… 806
筋層 muscular coat …… 795
筋層 muscularis …… 795
筋層間神経叢 myenteric plexus …… 805
金属 metal …… 760
金属結合酵素 metalloenzyme …… 761
金属結合蛋白 metalloprotein …… 761
金属〔蒸気〕熱 brass founder's fever …… 173
金属板 plate …… 946
金属ポルフィリン metalloporphyrin …… 761
筋組織 muscular tissue …… 795
菌苔 bacterial plaque …… 131
菌体抗原 somatic antigen …… 1115
筋脱 myocele …… 805
禁断 abstinence …… 6
〔筋〕単収縮 myopalmus …… 807
禁断症状 withdrawal symptoms …… 1292
銀蛋白染料 silver protein stain …… 1105
筋断裂 myorrhexis …… 808
近置 approximation …… 91
巾着縫合 purse-string suture …… 1007
巾着縫合器 purse-string instrument …… 1007
緊張 strain …… 1145
緊張 tension …… 1187
緊張 tone …… 1208
緊張〔性〕 tonicity …… 1208
緊張型統合失調症 catatonic schizophrenia …… 209
緊張間代痙攣 tonoclonic spasm …… 1209
緊張減退〔症〕 atony …… 113
緊張亢進 hypertonia …… 589
緊張性気心嚢 tension pneumopericardium …… 1187
緊張性頸反射 tonic neck reflex …… 1208
緊張性痙攣 tonic spasm …… 1209
緊張性硬直 catatonic rigidity …… 209
緊張性咬反射 tonic bite reflex …… 1208
緊張性昏迷 catatonia …… 209
緊張性収縮 tonic contraction …… 1208
緊張性頭痛 tension headache …… 1187
緊張性瞳孔 tonic pupil …… 1209
緊張低下 hypotonia …… 598
緊張病 catatonia …… 209
緊張変動 heterotonia …… 559
筋張力障害 myodystony …… 806
筋張力反射 myotactic reflex …… 808
銀沈着症 argyria …… 95
筋〔肉〕痛 myalgia …… 801
近点 near point …… 815
筋電図検査〔法〕 electromyography …… 386
筋電図バイオフィードバック EMG biofeedback …… 391
均等狭窄骨盤 pelvis justo minor …… 909
均等膨大骨盤 pelvis justo major …… 909
筋突起 coronoid process …… 287
筋内膜 endomysium …… 398
筋軟化〔症〕 myomalacia …… 807
筋肉 muscle …… 794
筋肉温存開胸〔術〕 muscle-sparing thoracotomy …… 794
筋肉解剖 myotomy …… 808
筋肉硬直 charley horse …… 227
筋肉骨化〔症〕 sarcostosis …… 1072
筋肉質 muscularity …… 795
筋肉腫 myosarcoma …… 808
筋肉鞘 epimysium …… 410
筋肉鞘切開〔術〕 epimysiotomy …… 410
筋肉組織 flesh …… 460
筋肉注射 intramuscular injection (IMI) …… 641
筋肉疲労 muscle fatigue …… 794
緊縛 constriction …… 279
筋発育過度 hypermyotrophy …… 586
筋発生 myogenesis …… 806
筋波動〔症〕 myokymia …… 807
筋板 myotome …… 808
〔筋〕反射 jerk …… 655
金皮症 chrysiasis …… 243
筋皮神経 musculocutaneous nerve …… 795
筋フィラメント myofilaments …… 806
〔銀〕フォーク状骨折 silver-fork fracture …… 1105
筋腹 belly …… 144
筋不全麻痺 myoparesis …… 807
筋ヘルニア myocele …… 805
筋変性 myolysis …… 807
筋縫合〔術〕 myorrhaphy …… 808
筋紡錘 muscle spindle …… 794
筋紡錘 neuromuscular spindle …… 828
筋蜂巣炎 myocellulitis …… 805
筋膜 fascia …… 444
菌膜 pellicle …… 908
筋膜移植片 fascia graft …… 444
筋膜炎 fasciitis …… 444
筋膜形成〔術〕 fascioplasty …… 444
筋膜固定術 fasciodesis …… 444
筋膜切除〔術〕 fasciectomy …… 444
筋膜縫合〔術〕 fasciorrhaphy …… 444
筋麻痺 myoparalysis …… 807
筋無緊張〔症〕 amyotonia …… 58
筋無力〔症〕 amyosthenia …… 58
筋無力症 myalgic asthenia …… 801
筋無力症 myasthenia …… 801
筋無力症顔〔貌〕 myasthenic facies …… 801
筋無力症症候群 myasthenic syndrome …… 801
キンメルスティール-ウィルソン症候群 Kimmelstiel-Wilson syndrome …… 666
筋様細胞 myoid cells …… 807
筋様細胞 peritubular contractile cells …… 919
禁欲 abstinence …… 6
筋律動性線維性収縮 palmus …… 887
金療法 chrysotherapy …… 243
筋力 muscular power …… 795
筋力 strength …… 1146
筋力計 dynamometer …… 369
筋力トレーニング strength training …… 1146
筋攣縮描画器 myokinesimeter …… 807
筋ろう様変性 myocerosis …… 805

ク

区 area (a) …… 94
区 field …… 454
区〔域〕 segment …… 1087
グアナリトウイルス Guanarito virus …… 520
グアニル酸 guanylic acid (GMP) …… 521
グアニン guanine (G) …… 521

ク

グアニンデアミナーゼ guanine deaminase ……521
グアノシン guanosine（G, Guo）……521
グアノシン 5′-三リン酸 guanosine 5′-triphosphate（GTP）…521
区域壊死 zonal necrosis ……1302
クインケ疾患 Quincke disease ……1016
腔 cave ……211
腔 cavity ……212
腔 space ……1118
クヴェーム抗原 Kveim antigen ……671
クヴェーム試験 Kveim test ……671
クヴェッケンステット-スツーキー試験 Queckenstedt-Stookey test ……1016
クヴォステク徴候 Chvostek sign ……243
空回腸炎 ileojejunitis ……603
空回腸炎 jejunoileitis ……655
空回腸静脈 jejunal and ileal veins ……655
空回腸吻合〔術〕jejunoileostomy ……655
〔前房〕隅角鏡 gonioscope ……511
隅角鏡検査〔法〕gonioscopy ……511
隅角後退 angle recession ……69
隅角切開〔術〕goniotomy ……511
隅角穿刺〔術〕goniopuncture ……511
隅角癒着 goniosynechia ……511
空間予測 spatial anticipation ……1118
空気えん下〔症〕aerophagia ……32
空気飢餓〔感〕air hunger ……37
空気球 aerosphere ……32
空気恐怖〔症〕aerophobia ……32
空気向性 aerotropism ……32
空気塞栓症 air embolism ……37
空気塞栓症 chokes ……233
空気チューブ pneumatic tube ……950
空気治療 aerotherapy ……32
空気伝導 air conduction ……37
空気伝搬感染 airborne infection ……36
空気とらえこみ airtrapping ……37
空気副子 air splint ……37
空気力学 aerodynamics ……32
空気力学的質量中央値 mass median aerodynamic diameter（MMAD）……735
空気力学理論 aerodynamic theory ……32
空結腸吻合〔術〕jejunocolostomy ……655
空港マラリア airport malaria ……37
〔空〕壷音性共鳴音 amphoric resonance ……56
空壷音性ラ音 amphoric rale ……56
偶数エコーリフェージング even echo rephasing ……424
偶生寄生生物 incidental parasite ……612
腔洗浄 retrojection ……1048
偶然発生 abiogenesis ……4
偶然発生 spontaneous generation ……1132
空想虚言〔症〕pseudologia phantastica ……995
空腸 jejunum ……655
空腸炎 jejunitis ……655
空腸回腸バイパス jejunoileal bypass ……655
空腸間膜 mesojejunum ……758
空腸空腸吻合〔術〕jejunojejunostomy ……655
空腸形成〔術〕jejunoplasty ……655
空腸周囲炎 perijejunitis ……915
空腸切除〔術〕jejunectomy ……655
空腸動脈 jejunal arteries ……655
空調肺 air-conditioner lung ……37
空腸フィステル形成〔術〕jejunostomy ……655
空洞 syrinx ……1174
空洞音 caverniloquy ……211
空洞化 cavitation ……212
空洞形成 cavitation ……212
空洞形成 porosis ……960
空洞現象 cavitation ……212
空洞状髄膜脱出 syringomeningocele ……1174
空洞状脊髄脱出 syringomyelocele ……1174
空洞性ラ音 cavernous rale ……211
腔内放射線治療 intracavitary radiation therapy ……640
クーナンドディップ Cournand dip ……292
クーパー精巣 Cooper testis ……284
クーパー腺炎 cowperitis ……293
クーバード couvade ……292
クーパー〔腺〕嚢胞 Cowper cyst ……293
クーパーヘルニア Cooper hernia ……284
クーパーヘルニア刀 Cooper herniotome ……284
クーパーランド人工喉頭 Cooper-Rand artificial larynx ……284
偶発腫 incidentaloma ……612
偶発症候 accident ……9
偶発性低体温 accidental hypothermia ……9
偶発的ハエウジ症 accidental myiasis ……9
偶発突然変異 spontaneous mutation ……1132
空腹時血漿グルコース fasting plasma glucose（FPG）……444
空腹時血糖〔値〕fasting blood sugar ……444
空腹痛 hunger pain ……575
〔細胞内〕空胞 physalis ……934
空胞 vacuole ……1257
空胞化 vacuolation ……1257
空胞形成 vacuolation ……1257
空胞細胞症 koilocytosis ……669
空胞膜 tonoplast ……1209
クームス血清 Coombs serum ……284
クームス試験 Coombs test ……284
クーメル頻拍症 Coumel tachycardia ……291
クールー kuru ……671
クールダウン cool down ……284
グールド縫合 Gould suture ……512
グーレーカテーテル Gouley catheter ……512
クヴレール子宮 Couvelaire uterus ……293
クーロメトリ coulometry ……291
クーロン coulomb（C, Q）……291
クーロンの法則 Coulomb law ……291
クーント腔 Kuhnt spaces ……671
クエリー熱 query fever ……1016
クエン酸 citric acid ……247
クエンチング quenching ……1016
クオリティオブライフ quality of life（Q.O.L.）……1015
区画 compartment ……268
〔肺〕区間静脈 intersegmental vein ……637
釘 nail ……810
釘 pin ……938
駆血 avascularization ……125
駆血器 tourniquet ……1212
楔状骨折 wedge fracture ……1287
駆散薬 repellent ……1038
くしゃみ sneeze ……1112
くしゃみ sternutation ……1141
くしゃみ反射 nasal reflex ……812
駆出 ejection ……381
駆出期 ejection period ……381
駆出期 sphygmic interval ……1123
駆出性雑音 ejection murmur ……381
駆出率 ejection fraction（EF）……381
具象的思考 concrete thinking ……272
駆除薬 ascaricide ……105
クスマウル呼吸 Kussmaul respiration ……671
クスマウル徴候 Kussmaul sign ……671
薬 drug ……364
薬指 ring finger ……1057
管 canal ……193
管 duct ……366
管 tube ……1235
具体化 somatization ……1116
口 aperture ……87
口 mouth ……787
口 opening ……861
口 orifice ……868
口すぼめ呼吸 pursed-lip breathing ……1007
唇 labium ……672
唇 labrum ……673
唇 lip ……702
駆虫薬 anthelmintic ……77
駆虫薬 parasiticide ……897
駆虫薬 vermicide ……1269
苦痛・快感原則 pain-pleasure principle ……885
苦痛嗜愛 algophilia ……41
屈曲 curve ……305
屈曲 flexion ……461
屈曲 incurvation ……613

屈曲 ulnar flexion …… 1243
〔屈曲〕角形成 angulation …… 70
屈曲骨折 bend fracture …… 145
屈曲骨折 bending fracture …… 145
屈曲伸展損傷 flexion-extension injury …… 461
屈曲母趾 hallux flexus …… 530
屈筋 flexor …… 461
屈筋反射 flexor reflex …… 462
クック鏡 Cooke speculum …… 284
屈光性 phototropism …… 933
屈指〔症〕 camptodactyly …… 192
屈肢〔症〕 camptomelia …… 193
靴下状感覚消失 stocking anesthesia …… 1143
靴修繕工縫合 cobbler's suture …… 256
屈触性 thigmotropism …… 1195
クッシング潰瘍 Cushing ulcer …… 306
クッシング症候群 Cushing syndrome …… 306
クッシング神経腫 Cushing neuroma …… 306
クッシング病 Cushing disease …… 306
クッシング縫合 Cushing suture …… 306
屈性 tropism …… 1233
屈折 anaclasis …… 59
屈折 refraction …… 1033
屈折異常〔症〕 ametropia …… 53
屈折矯正 refraction …… 1033
屈折矯正角膜形成術 refractive keratoplasty …… 1033
屈折矯正角膜切開 refractive keratotomy …… 1033
屈折矯正士 refractionist …… 1033
屈折計 refractometer …… 1033
屈折係数性近視 index myopia …… 614
屈折性遠視 curvature hyperopia …… 305
屈折の法則 law of refraction …… 685
屈折判定〔法〕 refractometry …… 1033
屈折〔左右〕不同〔症〕 anisometropia …… 71
屈折率 refractive index (*n*) …… 1033
屈折率測定〔法〕 refractometry …… 1033
屈折率測定器 refractometer …… 1033
グッセンバウアー縫合 Gussenbauer suture …… 522
グッデル徴候 Goodell sign …… 511
グッドイナフ-ハリス人物画テスト Goodenough-Harris drawing test …… 511
グッドパスチャー症候群 Goodpasture syndrome …… 512
グッドパスチャー染色〔法〕 Goodpasture stain …… 512
クップファー細胞 Kupffer cells …… 671
屈流性 rheotropism …… 1050
グデナフ人物描画試験 Goodenough draw-a-man test …… 511
駆動 driving …… 364
区内気管支 intrasegmental bronchi …… 641
グナチオン gnathion …… 508
ぐにゃぐにゃ児 floppy infant …… 463
ぐにゃぐにゃ児症候群 floppy infant syndrome …… 463
クニリングス cunnilingus …… 305
くび cervix …… 224
くび neck …… 815
首筋 crest …… 297
駆風薬 carminative …… 205
区分 compartment …… 268
区分 portion …… 961
クベイム抗原 Kveim antigen …… 671
クベイム試験 Kveim test …… 671
区別 differentiation …… 345
くぼみ pitting …… 940
クマコケモモ bearberry …… 142
組合せ assortment …… 109
組換え recombination …… 1028
組換え型 recombinant …… 1028
組換え DNA recombinant DNA …… 1028
組換えベクター recombinant vector …… 1028
組込み integration …… 629
クモ恐怖〔症〕 arachnephobia …… 92
クモ咬刺症 arachnidism …… 92
クモ状血管腫 spider angioma …… 1124
クモ状血管腫 vascular spider …… 1262
クモ状母斑 spider nevus …… 1124
クモ膜 arachnoid mater …… 92
クモ膜炎 arachnitis …… 92
クモ膜炎 arachnoiditis …… 92
クモ膜下腔 subarachnoid space …… 1151
クモ膜下出血 subarachnoid hemorrhage (SaH, SAH) …… 1151
クモ膜顆粒 arachnoid granulations …… 92
クモ膜顆粒小窩 granular pits …… 514
クモ膜絨毛 arachnoid villi …… 92
クモ膜嚢胞 arachnoid cyst …… 92
クモ指〔症〕 arachnodactyly …… 92
クライアント中心療法 client-centered therapy …… 250
クライストロン klystron …… 668
クライハウアー-ベトケ法 Kleihauer-Betke technique …… 667
クライル鉗子 Crile clamp …… 298
グラインディング grinding …… 519
クラインハウアー染料 Kleihauer stain …… 667
クラインフェルター症候群 Klinefelter syndrome …… 667
クラウゼ終末小体 Krause end bulb …… 670
クラウディウス細胞 Claudius cells …… 248
クラーク徴候 Clarke sign …… 247
クラーク母斑 Clark nevus …… 248
クラークレベル Clark level …… 248
グラスアイオノマーセメント glass ionomer cement …… 500
クラスI抗原 class I antigens …… 248
クラスI分子 class I molecule …… 248
クラスII抗原 class II antigens …… 248
クラスII分子 class II molecule …… 248
クラスIII抗原 class III antigens …… 248
クラスカル・ワリス検定 Kruskal-Wallis statistical test …… 670
クラスケ手術 Kraske operation …… 670
グラスゴー昏睡尺度 Glasgow Coma Scale …… 500
グラスゴー徴候 Glasgow sign …… 500
クラスプ clasp …… 248
グラセー現象 Grasset phenomenon …… 517
グラセー徴候 Grasset sign …… 517
クラックコカイン crack cocaine …… 294
クラックベイビー crack baby …… 294
クラッチフィード鉗子 Crutchfield tongs …… 301
グラッフィウイルス Graffi virus …… 513
グラデニーゴ症候群 Gradenigo syndrome …… 513
クラド点 Clado point …… 247
クラバット包帯 cravat bandage …… 295
グラハム・スティール雑音 Graham Steell murmur …… 513
グラフト graft …… 513
クラブドラッグ club drug …… 253
クラプトン線 Clapton line …… 247
グラベラ glabella …… 499
クラミジア症 chlamydiosis …… 232
クラミジア肺炎病原体 *Chlamydia pneumoniae* …… 231
グラム-クロモトロープ染色〔法〕 Gram-chromotrope stain …… 514
クラムシェル切開 clamshell incision …… 247
クラムシェル装具 clam-shell brace …… 247
グラム染色〔法〕 Gram stain …… 514
グラム当量 gram equivalent …… 514
グラム分子 gram-molecule …… 514
グラムヨウ素 Gram iodine …… 514
クランダル症候群 Crandall syndrome …… 294
グランツマン血小板無力症 Glanzmann thrombasthenia …… 499
クランピング clumping …… 254
クランプ clamp …… 247
グランフェルト三角 Grynfeltt triangle …… 520
クランプ鉗子 clamp forceps …… 247
クランプトン試験 Crampton test …… 294
グリア芽細胞 glioblast …… 501
グリア細胞 glia cells …… 500
グリア細胞 gliacyte …… 500
グリアジン gliadin …… 500
グリア線維酸性蛋白 glial fibrillary acidic protein …… 501
グリオーシス gliosis …… 501
グリオーム glioma …… 501
クリオグロブリン cryoglobulins …… 302
クリオグロブリン血〔症〕 cryoglobulinemia …… 302
グリージンガー徴候 Griesinger sign …… 519
グリージンガー病 Griesinger disease …… 519
クリーゼ crisis …… 298
グリーソンの異型度分類 Gleason tumor grade …… 500
グリーソンの腫瘍分類 Gleason tumor grade …… 500
クリオ蛋白〔質〕 cryoprotein …… 302

クリオフィブリノ〔ー〕ゲン cryofibrinogen 302
クリーヴス・ポジション Cleaves position 249
グリーントップ・チューブ green-top tube 518
グリーンフィールドフィルタ Greenfield filter 518
繰返し reduplication 1032
繰返し時間 repetition time (TR) 1038
クリグラー-ナジャー症候群 Crigler-Najjar syndrome 298
グリコールアルデヒド glycolaldehyde 507
グリコール酸 glycolic acid 507
グリコール酸尿〔症〕 glycolic aciduria 507
グリコカリックス glycocalyx 506
グリコ〔ー〕ゲン glycogen 506
グリコ〔ー〕ゲン顆粒 glycogen granule 506
グリココール酸 glycocholic acid 506
繰越し汚染 carry-over 207
グリコシド glycoside 507
グリコシル glycosyl 508
グリコシル化ヘモグロビン glycosylated hemoglobin 508
グリコシルトランスフェラーゼ glycosyltransferase 508
グリコスフィンゴリピド glycosphingolipid 507
グリコペプチド glycopeptide 507
グリコリル glycolyl 507
グリシル glycyl (Gly) 508
グリシン glycine (G, Gly) 506
グリシンアミジノトランスフェラーゼ glycine amidinotransferase 506
グリシン尿〔症〕 glycinuria 506
クリスタリン crystallin 303
グリセオフルビン griseofulvin 519
グリセリダーゼ glyceridases 506
グリセリド glyceride 506
グリセリル glyceryl 506
グリセリン酸 glyceric acid 506
グリセルアルデヒド glyceraldehyde 506
グリセロール glycerol 506
グリセロール〔脱水〕試験 glycerol dehydration test 506
グリソン肝硬変 Glisson cirrhosis 501
グリソン鞘 Glisson capsule 501
グリッティ-ストークス切断術 Gritti-Stokes amputation 519
グリッドレー真菌染色〔法〕 Gridley stain for fungi 519
グリッドレー染色〔法〕 Gridley stain 519
クリップ鉗子 clip forceps 251
クリティカルパスウェイ critical pathway 298
クリニカルエンドポイント clinical end point 250
クリニカルパス clinical path 250
クリノファージ crinophagy 298
クリプトクローム cryptochrome 302
クリプトコックス症 cryptococcosis 302
クリプトスポリジウム症 cryptosporidiosis 303
クリプトンレーザー krypton laser 670
クリペル-フェーユ症候群 Klippel-Feil syndrome 668
クリムスキー試験 Krimsky test 670
クリュヴェーリエ-バウムガルテン徴候 Cruveilhier-Baumgarten sign 301
クリングル kringle 670
クルーケンベルク腫〔瘍〕 Krukenberg tumor 670
クルーケンベルク切断術 Krukenberg amputation 670
クルーケンベルク紡錘 Krukenberg spindle 670
クルー細胞 clue cell 254
クルーズトリパノソーマ *Trypanosoma cruzi* 1234
クルーゼブラシ Kruse brush 670
グルーナート岬 Grunert spur 520
グルーバー法 Gruber method 520
クループ croup 300
グループ医療 group medicine 520
クループ関連ウイルス croup-associated virus 300
クループ性肺炎 lobar pneumonia 707
グループ方式 HMO group model HMO 520
クルヴォワジェ胆嚢 Courvoisier gallbladder 292
クルヴォワジェの法則 Courvoisier law 292
グルカゴノーマ glucagonoma 503
グルカゴン glucagon 503
グルカゴン様インスリン親和性ペプチド glucagonlike insulinotropic peptide (GLIP) 503
グルカゴン様ペプチド glucagonlike peptide (GLP-1) 503
グルカン glucan 503
グルクロニド glucuronide 504
グルクロン酸 glucuronic acid 504
グルコース glucose 504
グルコースオキシダーゼ法 glucose oxidase method 504
グルコース最大輸送量 glucose transport maximum 504
グルコース新生 gluconeogenesis 503
グルコース 6-リン酸 glucose 6-phosphate 504
グルコース-6-リン酸デヒドロゲナーゼ欠損症 glucose-6-phosphate dehydrogenase (G6PD) deficiency 504
グルコキナーゼ glucokinase 503
グルココルチコイド glucocorticoid 503
グルコサン glucosan 504
グルコシダーゼ glucosidases 504
グルコシダーゼ阻害薬 glucosidase inhibitors 504
グルコシド glucoside 504
グルコシノレーツ glucosinolates 504
グルコシルセラミド glucosylceramide 504
グルコシルトランスフェラーゼ glucosyltransferase 504
グルコピラノース glucopyranose 504
グルコフラノース glucofuranose 503
グルコン酸 gluconic acid 503
クルシュマンらせん体 Curschmann spiral 305
クルゾン症候群 Crouzon syndrome 300
グルタチオン glutathione (GSH) 505
グルタミナーゼ glutaminase 505
グルタミニル glutaminyl (Glx, Gln, Q) 505
グルタミル glutamyl (Glx, E, Glu) 505
グルタミン glutamine (Gln, Q) 505
グルタミン酸 glutamic acid (E, Glu) 504
グルタミン酸一ナトリウム monosodium glutamate (MSG) 782
グルタモイル glutamoyl 505
グルタルアルデヒド glutaraldehyde 505
グルタル酸 glutaric acid 505
クルック顆粒 Crooke granules 299
クルックスガラス Crookes glass 299
クルックヒアリン変化 Crooke hyaline change 299
クルッケンベルグ腫〔瘍〕 Krukenberg tumor 670
クルッケンベルグ切断術 Krukenberg amputation 670
クルッケンベルグ紡錘 Krukenberg spindle 670
グルテン gluten 505
グルテン運動失調 gluten ataxia 505
クルドスコープ culdoscope 304
クルドスコピー culdoscopy 304
クルナンディップ Cournand dip 292
くる病 rachitis 1017
くる病 rickets 1055
くる病骨盤 beaked pelvis 142
くる病骨盤 rachitic pelvis 1017
くる病じゅず rachitic rosary 1017
くるぶし malleolus 728
車酔い car sickness 207
クルンプケ麻痺 Klumpke palsy 668
クレアチナーゼ creatinase 295
クレアチニナーゼ creatininase 296
クレアチニン creatinine (Cr) 296
クレアチニンクリアランス creatinine clearance 296
クレアチン creatine 295
クレアチンキナーゼ creatine kinase (CK) 295
クレアチンキナーゼイソエンザイム creatine kinase isoenzymes 295
クレアチン血〔症〕 creatinemia 296
クレアチン尿〔症〕 creatinuria 296
クレアチンモノハイドレート creatine monohydrate 296
グレイ gray (Gy) 517
グレーアム・スティール雑音 Graham Steell murmur 513
グレーアムの法則 Graham law 513
グレーヴス眼症 Graves ophthalmopathy 517
グレーヴス視神経症 Graves optic neuropathy 517
グレーヴズ病 Graves disease 517
クレイガーテスト Kleiger test 667
クレイグ検査 Craig test 294
グレーグ頭蓋多合指症候群 Greig cephalopolysyndactyly syndrome 519
グレイ症候群 gray syndrome 517
グレースケール超音波検査〔法〕 gray-scale ultrasonography 517
グレー・ターナー徴候 Grey Turner sign 519

グレイトップ・チューブ gray-top tube ……… 517
クレーニッヒ階段 Krönig steps ……… 670
クレーニッヒのエリア Krönig area ……… 670
グレーノー角膜ジストロフィ Groenouw corneal dystrophy ‥ 519
グレーフェ手術 Graefe operation ……… 513
グレーフェ徴候 Graefe sign ……… 513
グレーフェ刀 Graefe knife ……… 513
クレーム・スクラバー claim scrubber ……… 247
グレーン grain ……… 513
グレーンジャー線 Granger line ……… 514
クレシルバイオレット染色〔法〕 cresyl echt violet stain ……… 297
クレゾール赤 cresol red ……… 297
クレッセント狭心症 crescendo angina ……… 296
クレデー法 Credé method ……… 296
グレリン ghrelin ……… 497
グレン手術 Glenn operation ……… 500
グレンツ線 grenz ray ……… 519
クロイツフェルト-ヤコブ病 Creutzfeldt-Jakob disease (CJD) ……… 297
クローデーヴィス開口器 Crowe-Davis mouth gag ……… 300
クロード症候群 Claude syndrome ……… 248
クローニング cloning ……… 252
クローニングベクター cloning vector ……… 252
クローヌス clonus ……… 252
クローネッカー染色〔液〕 Kronecker stain ……… 670
クロウメモドキ buckthorn ……… 182
クローン clone ……… 251
クローン生物形成 cloning ……… 252
クローン選択説 clonal selection theory ……… 251
クロケー結節 node of Cloquet ……… 836
クロケーヘルニア Cloquet hernia ……… 252
クロゴケグモ black widow spider ……… 159
グロスウイルス Gross virus ……… 519
クロス型補聴器 contralateral routing of signals ……… 282
クロスセクショナル研究 cross-sectional study ……… 300
クロステーパー cross-taper ……… 300
クロステーブルラテラル撮影 cross-table lateral projection ‥ 300
クロスハイブリダイゼーション cross-hybridization ……… 299
クロスマッチ試験 cross-matching ……… 300
クロスレベルバイアス cross-level bias ……… 300
グロッコ三角 Grocco triangle ……… 519
グロッコ徴候 Grocco sign ……… 519
クロット clot ……… 253
クロット coagulation ……… 255
クロナキシー chronaxie ……… 241
黒なまず tinea versicolor ……… 1205
グロビン globin ……… 501
グロブリン globulin ……… 501
グロブリン尿〔症〕 globulinuria ……… 501
グロボシド globoside ……… 501
グロボトリアオシルセラミド globotriaosylceramide ……… 501
クロマトグラフィ chromatography ……… 240
クロム親和細胞 chromaffin cell ……… 239
クロム親和〔性〕細胞 pheochromocyte ……… 927
クロム親和〔性〕細胞腫 pheochromocytoma ……… 927
クロム親和性細胞腫 chromaffinoma ……… 239
クロム親和性組織 chromaffin tissue ……… 239
グロムス血管腫 glomangioma ……… 502
グロムス血管症 glomangiosis ……… 502
グロムス腫瘍 glomus tumor ……… 502
クロモソームバンド chromosome band ……… 241
クロモブラスト chromoblast ……… 240
クロモブラストミコーシス chromoblastomycosis ……… 240
クロモン cromone ……… 299
クロラムフェニコール chloramphenicol ……… 232
クロラムフェニコールアセチルトランスフェラーゼ chloramphenicol acetyl transferase (CAT) ……… 232
クロロアセトフェノン chloroacetophenone ……… 232
クロロパーチャ法 chloropercha method ……… 232
クロロフィル chlorophyll ……… 232
o-クロロベンジリデンマロノニトリル *o*-chlorobenzylidene malononitrile ……… 852
クロロホルム中毒 chloroformism ……… 232
クワシオルコル kwashiorkor ……… 671
クワント徴候 Quant sign ……… 1015
群 group ……… 520
燻煙剤 fumigant ……… 479
群凝集素 group agglutinin ……… 520
群凝集反応 group agglutination ……… 520
群抗原 group antigens ……… 520
燻蒸 fumigation ……… 479
燻蒸剤 fumigant ……… 479
群発 burst ……… 186
群発性頭痛 cluster headache ……… 254
群〔居〕本能 herd instinct ……… 554
皸裂 rhagades ……… 1050
訓練 training ……… 1216
訓練グループ training group ……… 1216
訓練特殊性原理 specificity of training principle ……… 1119

ケ

毛 hair ……… 528
ケア供与者 caregiver ……… 204
ケアタン-アール法 Keating-Hart method ……… 662
ケアリー・クームズ雑音 Carey Coombs murmur ……… 204
頸 cervix ……… 224
頸〔部〕 neck ……… 815
〔直〕径 diameter ……… 342
茎 pedicle ……… 907
茎 stalk ……… 1135
茎 stem ……… 1139
系〔統〕 strain ……… 1145
系〔統〕 system ……… 1174
ゲイ gay ……… 491
経胃栄養 gastric feeding ……… 488
ゲイ〔溶〕液 Gey solution ……… 497
頸横静脈 transverse cervical veins ……… 1221
頸横神経 transverse cervical nerve ……… 1221
頸横動脈 transverse cervical artery ……… 1221
経外耳道切開 transmeatal incision ……… 1219
経蝸牛アプローチ transcochlear approach ……… 1217
経蝸牛到達法 transcochlear approach ……… 1217
計画 schema ……… 1076
計画的増量 titration dose ……… 1206
鶏冠 crista galli ……… 298
鶏眼 clavus ……… 248
鶏眼 corn ……… 286
経管栄養法 tube feeding ……… 1235
頸管成熟度 effacement ……… 379
鶏眼切開〔術〕 helotomy ……… 540
頸管造影法 cervicography ……… 224
頸眼聴覚症候群 cervicooculoacoustic syndrome ……… 224
〔子宮〕頸管妊娠 cervical pregnancy ……… 224
頸管傍組織 paracervix ……… 893
頸管無力症 incompetent cervical os ……… 613
計器 gauge ……… 491
経気管酸素療法 transtracheal oxygen therapy ……… 1221
経気管支針吸引 transbronchial needle aspiration (TBNA) ‥ 1217
頸胸神経節 cervicothoracic ganglion ……… 224
頸胸椎装具 cervicothoracic orthosis ……… 224
経胸的食道切除術 transthoracic esophagectomy ……… 1221
経胸壁抵抗 transthoracic resistance ……… 1221
頸棘筋 spinalis cervicis muscle ……… 1125
頸筋痙攣 trachelism ……… 1214
頸屈 cervical flexure ……… 223
経頸静脈性肝内門脈体循環短絡術 transjugular intrahepatic portosystemic shunt (TIPS) ……… 1219
頸〔管〕形成〔術〕 cervicoplasty ……… 224
経穴 acupuncture points ……… 20
軽減感 lightening ……… 700
経験主義者 empiric ……… 392
経験的危険度 empiric risk ……… 392
経験的治療 empiric treatment ……… 392
経験的ホロプター empiric horopter ……… 392
経験〔的〕療法 empiric treatment ……… 392
傾向 determination ……… 338
蛍光 fluorescence ……… 465

蛍光イムノアッセイ fluoroimmunoassay …… 465
〔蛍光〕間接撮影〔法〕 fluorography …… 465
蛍光計 fluorometer …… 465
頸後痙縮 retrocollic spasm …… 1047
蛍光原位置ハイブリッド形成 fluorescent in situ hybridization (FISH) …… 465
蛍光顕微鏡検査〔法〕 fluorescence microscopy …… 465
蛍光抗体法 fluorescent antibody technique …… 465
蛍光抗体法 immunofluorescence …… 607
蛍光細胞分析分離装置 fluorescence-activated cell sorter (FACS) …… 465
蛍光色素 fluorochrome …… 465
〔経口〕摂取 ingestion …… 623
蛍光染色 fluorescent stain …… 465
蛍光体 phosphor …… 930
蛍光倍増管 image amplifier …… 605
蛍光板 fluorescent screen …… 465
蛍光比色法 fluorometry …… 465
経口避妊薬 birth control pill …… 156
経口避妊薬 oral contraceptive (OC) …… 865
蛍光標識抗トレポネーマ抗体吸収試験 fluorescent treponemal antibody-absorption test …… 465
経呼吸圧 transrespiratory pressure …… 1220
警告反応 alarm reaction …… 38
頸鼓小管動脈 caroticotympanic arteries (of internal carotid artery) …… 205
脛骨 shank …… 1099
脛骨 tibia …… 1203
脛骨神経 tibial nerve …… 1204
脛骨前縁 anterior border of tibia …… 74
脛骨前区画症候群 anterior tibial compartment syndrome …… 77
脛骨粗面 tibial tuberosity …… 1204
脛骨捻転 tibial torsion …… 1204
軽鎖 light chain …… 700
頸最長筋 longissimus cervicis muscle …… 709
軽擦〔法〕 effleurage …… 379
経産 parity …… 900
計算図表 nomogram …… 837
ケイ酸セメント修復 silicate restoration …… 1105
経産婦 multipara …… 791
経産婦 para …… 893
計算不全 dyscalculia …… 369
計算不能〔症〕 acalculia …… 6
傾軸進入 obliquity …… 848
経時腫瘍学 chronooncology …… 242
形質 character …… 226
憩室 diverticulum …… 357
形質 trait …… 1216
憩室炎 diverticulitis …… 357
形質芽球 plasmablast …… 944
形質細胞 plasma cell …… 944
形質細胞 plasmacyte …… 944
形質細胞骨髄腫 plasma cell myeloma …… 944
形質細胞腫 plasmacytoma …… 944
形質細胞性白血病 plasma cell leukemia …… 944
形質細胞増加症 plasmacytosis …… 944
形質細胞〔性〕乳腺炎 plasma cell mastitis …… 944
形質細胞崩壊 plasmorrhexis …… 945
憩室周囲炎 peridiverticulitis …… 915
憩室腫瘍 diverticuloma …… 357
憩室症 diverticulosis …… 357
憩室切除〔術〕 diverticulectomy …… 357
〔形質〕転換 transformation …… 1218
形質転換因子 transforming factor …… 1218
〔形質〕導入 transduction …… 1218
〔原〕形質膜 plasma membrane …… 945
経時的研究 diachronic study …… 341
経シナプス変性 transsynaptic degeneration …… 1221
傾斜 inclination …… 612
傾斜試験 tilt test …… 1204
傾斜磁場エコー gradient echo …… 513
傾斜ディスク弁 tilting disc valve …… 1204
傾斜包帯 oblique bandage …… 848
傾斜包帯 spiral bandage …… 1126
痙縮 contracture …… 282
痙縮 spasm …… 1118
痙縮 spasticity …… 1118
形象 figure …… 454
痙笑 risus caninus …… 1058
形状 form …… 471
鶏脂様血餅 chicken fat clot …… 230
軽症コレラ cholerine …… 235
軽症産褥熱 milk fever …… 772
〔側頭骨〕茎状突起 styloid process of temporal bone …… 1150
茎状突起炎 styloiditis …… 1150
頸静脈 jugular …… 657
頸静脈窩 jugular fossa …… 657
頸静脈グロムス腫瘍 glomus jugulare tumor …… 502
頸静脈肩甲舌骨筋リンパ節 juguloomohyoid lymph node …… 657
頸静脈孔 jugular foramen …… 657
頸静脈糸球 jugular glomus …… 657
頸静脈神経 jugular nerve …… 657
頸静脈神経 nervus jugularis …… 823
経静脈性胆管撮影〔法〕 intravenous cholangiography …… 642
経静脈的尿路撮影〔法〕 intravenous urography …… 642
経静脈内局所麻酔〔法〕 intravenous regional anesthesia …… 642
頸静脈二腹筋リンパ節 jugulodigastric lymph node …… 657
頸静脈波 jugular pulse …… 657
軽症痒疹 prurigo mitis …… 992
経食道超音波心エコー検査 transesophageal echocardiography …… 1218
頸神経叢 cervical plexus …… 224
頸神経わな cervical loop …… 224
係数 coefficient …… 259
計数器 counter …… 291
形成 formation …… 471
痙性 spasticity …… 1118
形成異常〔症〕 dysplasia …… 372
形成異常〔症〕 dystrophy …… 373
形成過程 morphosis …… 785
形成外科〔学〕 plastic surgery …… 946
痙〔攣〕性月経困難〔症〕 spasmodic dysmenorrhea …… 1118
痙性構語障害〔症〕 spastic dysarthria …… 1118
形成性 plasticity …… 946
形成性胃線維炎 linitis plastica …… 702
形成体 organizer …… 867
痙性半側麻痺 spastic hemiplegia …… 1118
形成不全〔症〕 aplasia …… 89
形成不全 hypoplasia …… 595
形成不全体質 hypoplasia …… 595
形成不全〔性〕リンパ aplastic lymph …… 89
痙性片麻痺 spastic hemiplegia …… 1118
痙性歩行不能〔症〕 spastic abasia …… 1118
〔子宮〕頸切開〔術〕 trachelotomy …… 1214
経線 meridian …… 755
経線収差 meridional aberration …… 755
〔毛様体筋の〕経線状線維 meridional fibers of ciliary muscle …… 755
頸前弯 cervical lordosis …… 224
珪藻土 diatomaceous earth …… 343
継続教育 continuing education …… 281
継続教育ユニット continuing education units …… 281
継続言語 staccato speech …… 1134
継続的品質改善 continuous quality improvement …… 281
継続評価 ongoing assessment …… 859
軽打按摩〔法〕 percussion …… 912
形態 figure …… 454
形態 form …… 471
形態 gestalt …… 497
形態学 morphology …… 785
形態形成 morphogenesis …… 785
形態形成運動 morphogenetic movement …… 785
頸大泉門径 trachelobregmatic diameter …… 1214
形態の恒常性 form constancy …… 471
継代培養 subculture …… 1152
形態発生 morphogenesis …… 785
形態発生 morphosis …… 785
経腟走査法 transvaginal scanning …… 1221
経腸栄養 enteral feeding …… 401
経腸栄養法 enteral nutrition …… 401
頸長筋 longus colli muscle …… 710
経腸高栄養療法 enteral hyperalimentation …… 401
ゲイ腸症候群 gay bowel syndrome …… 491

頸腸肋筋 iliocostalis cervicis muscle ······ 604
頸椎 cervical vertebrae〔C1-C7〕······ 224
頸椎圧迫テスト cervical compression test ······ 223
頸椎固定器具 halo vest ······ 530
頸椎装具 cervical orthosis ······ 224
頸椎保護帯 cervical collar ······ 223
係蹄 ansa ······ 73
係蹄 loop ······ 710
係蹄正中傍裂 ansoparamedian fissure ······ 74
系統的検査 systematic review ······ 1174
系統発生 phylogenesis ······ 933
系統発生 phylogeny ······ 934
頸動脈圧痛 carotodynia ······ 206
頸動脈海綿静脈洞瘻 carotid-cavernous fistula ······ 205
頸動脈管 carotid canal ······ 205
頸動脈球切除〔術〕glomectomy ······ 502
頸動脈雑音 carotid bruit ······ 205
頸動脈三角 carotid triangle ······ 206
頸動脈鞘 carotid sheath ······ 205
頸動脈小体 carotid body ······ 205
頸動脈神経節 carotid ganglion ······ 205
頸動脈洞 carotid sinus ······ 205
頸動脈洞症候群 carotid sinus syndrome ······ 206
頸動脈洞性失神 carotid sinus syncope ······ 205
頸動脈洞反射 carotid sinus reflex ······ 205
頸動脈波 carotid pulse ······ 205
茎突咽頭筋 stylopharyngeus muscle ······ 1150
茎突舌筋 styloglossus muscle ······ 1150
茎突舌骨筋 stylohyoid muscle ······ 1150
茎乳突孔 stylomastoid foramen ······ 1150
茎乳突孔静脈 stylomastoid vein ······ 1150
茎乳突孔動脈 stylomastoid artery ······ 1150
経尿道的切除〔術〕transurethral resection ······ 1221
経妊婦 multigravida ······ 790
経肺圧 transpulmonary pressure ······ 1220
珪肺結核〔症〕silicotuberculosis ······ 1105
珪肺症 silicosis ······ 1105
茎発生 pedicellation ······ 907
頸半棘筋 semispinalis cervicis muscle ······ 1090
頸板状筋 splenius cervicis muscle ······ 1129
経鼻胃管 nasogastric tube ······ 812
〔近位〕脛腓関節 tibiofibular joint ······ 1204
経皮気管〔静脈カテーテル〕換気 percutaneous transtracheal ventilation ······ 912
経皮空腸瘻チューブ J-tube ······ 657
経皮経肝胆管撮影〔法〕percutaneous transhepatic cholangiography (PTHC) ······ 912
経皮経管動脈形成〔術〕percutaneous transluminal angioplasty (PTA) ······ 912
経皮的冠動脈インターベンション percutaneous coronary intervention (PCI) ······ 912
経皮的血液ガス監視装置 transcutaneous blood gas monitor 1217
経鼻的喉頭鏡検査〔法〕transnasal fiberoptic laryngoscopy ··· 1220
経皮的電気神経刺激 transcutaneous electrical nerve stimulation (TENS) ······ 1217
経皮的内視鏡下胃瘻造設術 percutaneous endoscopic gastrostomy (PEG) ······ 912
経皮内視鏡的胃瘻チューブ percutaneous endoscopic gastrostomy tube (PEG tube) ······ 912
頸部上皮内癌 cervical intraepithelial neoplasia (CIN) ······ 224
頸部深部感染 deep neck infection ······ 321
頸部前凸弯曲 cervical lordosis ······ 224
頸部椎間板症候群 cervical disc syndrome ······ 223
経壁圧 transmural pressure ······ 1220
鶏歩 steppage gait ······ 1139
警棒骨折 nightstick fracture ······ 833
警報リンパ節 signal lymph node ······ 1104
傾眠 somnolence ······ 1117
刑務所医学 desmoteric medicine ······ 337
経迷路アプローチ translabyrinthine approach ······ 1219
経迷路到達法 translabyrinthine approach ······ 1219
契約的精神医学 contractual psychiatry ······ 282
経絡 meridian ······ 755
係留線維 anchoring fibrils ······ 62
稽留分娩 missed labor ······ 774
稽留脈 plateau pulse ······ 946
稽留流産 missed abortion ······ 774
ゲイ-リュサックの式 Gay-Lussac equation ······ 491
計量 dosage ······ 361
計量生物学 biometry ······ 154
系列 series ······ 1094
経裂孔的 transhiatal ······ 1219
経裂孔的食道切除術 transhiatal esophagectomy ······ 1219
系列スキル serial skill ······ 1094
痙攣 convulsion ······ 284
痙攣 cramp ······ 294
痙攣 paroxysm ······ 900
痙攣 seizure ······ 1088
痙攣 spasm ······ 1118
痙攣重積状態 status epilepticus ······ 1138
痙攣性発声障害 spasmodic dysphonia ······ 1118
経路 pathway ······ 904
頸肋 cervical rib ······ 224
頸肋症候群 cervical rib syndrome ······ 224
ケーゲル練習法 Kegel exercises ······ 662
ゲーゲンハルテン gegenhalten ······ 491
ケージ cage ······ 189
ゲージ gauge ······ 491
ケース・リザーブ case reserve ······ 208
KTP レーザー KTP laser ······ 670
ゲートキーパー gatekeeper ······ 491
ケーラー病 Köhler disease ······ 669
ケーランド鉗子 Kjelland forceps ······ 667
ケール徴候 Kehr sign ······ 662
ゲールドナー病 Gairdner disease ······ 483
ゲオトリクム症 geotrichosis ······ 496
外科〔学〕surgery ······ 1166
外科医 surgeon ······ 1166
外科解剖学 surgical anatomy ······ 1166
外科系集中治療室 surgical intensive care unit (SICU) ······ 1166
外科結紮 surgeon's knot ······ 1166
外科手術用杆 surgical rod ······ 1166
外科的気腫 surgical emphysema ······ 1166
外科的ジアテルミー surgical diathermy ······ 1166
外科的補てつ〔物〕surgical prosthesis ······ 1166
外科病理学 surgical pathology ······ 1166
外科麻酔〔法〕surgical anesthesia ······ 1166
外科結び surgeon's knot ······ 1166
外科用顕微鏡 surgical microscope ······ 1166
外科用綿撒糸 pledget ······ 947
下疳 cancrum ······ 194
下疳 chancre ······ 226
隙 space ······ 1118
激越性うつ病 agitated depression ······ 35
激症痤瘡 acne fulminans ······ 14
激痛 megalgia ······ 747
激痛 stitch ······ 1143
激痛 twinge ······ 1239
激発活性 triggered activity ······ 1230
隙風恐怖〔症〕anemophobia ······ 65
下剤 cathartic ······ 210
下剤 purgative ······ 1006
ゲシュタルト療法 gestalt therapy ······ 497
ゲシュタルト理論 gestaltism ······ 497
化粧品 cosmetics ······ 290
化粧品痤瘡 acne cosmetica ······ 14
ケジラミ寄生症 pediculosis pubis ······ 907
ゲスタ〔ー〕ゲン gestagen ······ 497
ケステンバウム値 Kestenbaum number ······ 664
ケステンバウム徴候 Kestenbaum sign ······ 664
ケステンバウム法 Kestenbaum procedure ······ 664
ゲセル式就学前テスト Gesell Preschool Test ······ 497
ケタール ketal ······ 664
血圧 blood pressure ······ 163
血圧計 sphygmomanometer ······ 1123
血圧時間指数 pressure time index (PTI) ······ 976
血圧測定〔法〕sphygmomanometry ······ 1123
血圧不同 anisopiesis ······ 71
血液 blood ······ 162
血液栄養素 hemotroph ······ 550
血液学 hematology ······ 541
血液学者 hematologist ······ 541

血液過少〔症〕 oligemia ……… 856
血液ガス blood gases ……… 163
血液ガス分析 blood gas analysis ……… 163
血液型 blood type ……… 163
血液型亜型 serovar ……… 1095
血液型群 blood group ……… 163
血液型抗原 blood group antigen ……… 163
血液型判定 blood grouping ……… 163
血液感染性病原体 bloodborne pathogens (BBP) ……… 162
血液灌流 hemoperfusion ……… 548
血液灌流 hemophoresis ……… 548
血液希釈 hemodilution ……… 546
〔血液〕凝固剤 coagulant ……… 255
〔血液〕凝固薬 coagulant ……… 255
血液胸腺関門 blood-thymus barrier ……… 163
血液銀行 blood bank ……… 162
血液空気関門 blood-air barrier ……… 162
血液結石 hemolith ……… 547
血液検査 blood work ……… 164
血液減少〔症〕 oligemia ……… 856
血液剤 blood agent ……… 162
血液細胞 hemocyte ……… 546
血液細胞腫 hemocytoma ……… 546
血液酸素測定法 hemoximetry ……… 550
血液色素 hemachrome ……… 540
血液疾患 blood dyscrasia ……… 163
血液疾患 hemopathy ……… 548
血液診断〔法〕 hemodiagnosis ……… 546
血液組織芽細胞 hemohistioblast ……… 547
血液脱出 exemia ……… 427
血液蛋白 hemoprotein ……… 548
血液沈降素 hemoprecipitin ……… 548
血液透析 hemodialysis ……… 546
血液透析器 hemodialyzer ……… 546
血液透析濾過 hemodiafiltration ……… 546
血液ドーピング blood doping ……… 163
血液毒 hemotoxin ……… 550
血液尿素窒素 blood urea nitrogen (BUN) ……… 163
〔希薄〕血液膿 sanies ……… 1071
血液脳関門 blood-brain barrier (BBB) ……… 162
血液濃縮 hemoconcentration ……… 545
血液脳脊髄液関門 blood-cerebrospinal fluid barrier ……… 162
血液培養 blood culture ……… 162
血液病 hemopathy ……… 548
血液病学 hematology ……… 541
血液病専門医 hematologist ……… 541
血液病理学 hematopathology ……… 542
血液プール像 blood pool imaging ……… 163
血液分析 hemanalysis ……… 540
血液崩壊 lysemia ……… 721
血液房水関門 blood-aqueous barrier ……… 162
〔循環〕血液量過多〔症〕 hypervolemia ……… 590
〔循環〕血液量減少 hypovolemia ……… 598
血液療法 hemotherapy ……… 550
血液リンパ hemolymph ……… 547
血液レオロジー hemorheology ……… 548
血液濾過 hemofiltration ……… 546
血塊 clot ……… 253
血塊 coagulation ……… 255
血芽球症 hemoblastosis ……… 545
結核〔症〕 tuberculosis (TB) ……… 1236
結核〔性〕いぼ tuberculous wart ……… 1236
結核菌 tubercle bacillus ……… 1235
結核結節 tubercle ……… 1235
結核結節の炎症 tuberculitis ……… 1236
結核腫 tuberculoma ……… 1236
結核疹 tuberculid ……… 1235
結核性髄膜炎 tuberculous meningitis ……… 1236
結核性脊椎炎 tuberculous spondylitis ……… 1236
結核性腸炎 tuberculous enteritis ……… 1236
結核〔性〕膿瘍 tuberculous abscess ……… 1236
結核様らい tuberculoid leprosy ……… 1236
血管 blood vessel ……… 163
欠陥 defect ……… 322
欠陥 impairment ……… 609
血管アクセスデバイス vascular access device (VAD) ……… 1261
血管暗点 angioscotoma ……… 68
血管暗点計測〔法〕 angioscotometry ……… 68
血管異栄養〔症〕 angiodystrophy ……… 67
血管異形成 angiodysplasia ……… 67
血管運動 vasomotion ……… 1263
血管運動神経 vasomotor nerve ……… 1263
血管運動神経麻痺 vasomotor paralysis ……… 1263
血管炎 angiitis ……… 66
血管音図法 phonoangiography ……… 929
血管外液 extravascular fluid ……… 436
〔血管〕外皮〔細胞〕 perithelium ……… 918
血管外遊出 diapedesis ……… 342
〔血〕管外遊出 extravasation ……… 436
〔血〕管外遊出物 extravasate ……… 436
血管拡張〔症〕 angiectasia ……… 66
血管拡張〔症〕 hemangiectasis ……… 540
血管拡張 vasodilation ……… 1262
血管拡張神経 vasodilator ……… 1262
血管拡張薬 vasodilator ……… 1262
血管芽細胞 angioblast ……… 67
血管芽細胞 hemangioblast ……… 540
血管芽〔細胞〕腫 angioblastoma ……… 67
血管芽〔細胞〕腫 hemangioblastoma ……… 540
血管狭窄〔症〕 angiostenosis ……… 68
血管狭窄 vasoconstriction ……… 1262
血管緊張 vasotonia ……… 1263
血管緊張低下 vasorelaxation ……… 1263
血管緊張物質 vasotonic ……… 1263
血管系 vasculature ……… 1262
血管形成〔術〕 angioplasty ……… 68
血管形成異常 angiodysplasia ……… 67
血管形成〔術〕用バルーン angioplasty balloon ……… 68
血管痙攣 angiospasm ……… 68
血管痙攣 vasospasm ……… 1263
血管結石 angiolith ……… 68
血管顕微鏡検査〔法〕 angioscopy ……… 68
血管再生 revascularization ……… 1049
血管撮影〔法〕 angiography ……… 67
血管撮影図 angiogram ……… 67
血管作動性腸管ポリペプチド vasoactive intestinal polypeptide (VIP) ……… 1262
血管作用性アミン vasoactive amine ……… 1262
血管刺激薬 vasostimulant ……… 1263
血管ジストロフィ angiodystrophy ……… 67
血管写〔像〕 angiogram ……… 67
血管写 angiography ……… 67
血管腫 angioma ……… 68
血管腫 birthmark ……… 157
血管腫 hemangioma ……… 540
血管周囲交感神経切除〔術〕 periarterial sympathectomy ……… 913
血管周囲細胞 pericyte ……… 914
血管周囲細胞腫 hemangiopericytoma ……… 540
血管収縮 vasoconstriction ……… 1262
血管収縮神経 vasoconstrictor ……… 1262
血管収縮薬 vasoconstrictor ……… 1262
血管収縮薬 vasopressor ……… 1263
血管腫症 angiomatosis ……… 68
血管腫症 hemangiomatosis ……… 540
血汗症 hematidrosis ……… 541
血管症 vasculopathy ……… 1262
血管障害 angiopathy ……… 68
血管神経膠腫 angioglioma ……… 67
血管神経障害 vasoneuropathy ……… 1263
血管神経性環状紅斑 erythema anulare ……… 415
血管〔運動〕神経性鼻炎 vasomotor rhinitis ……… 1263
血管神経切除〔術〕 angioneurectomy ……… 68
血管神経不全麻痺 vasoparesis ……… 1263
血管神経麻痺 vasoparalysis ……… 1263
血管心〔臓〕シネ撮影〔法〕 cineangiocardiography ……… 245
血管新生 vascularization ……… 1262
血管新生因子 angiogenesis factor ……… 67
血管新生化移植片 vascularized graft ……… 1262
血管心臓撮影〔法〕 angiocardiography ……… 67
血管心臓障害 angiocardiopathy ……… 67
血管心臓造影〔法〕 angiocardiography ……… 67
血管髄鞘障害 vasculomyelinopathy ……… 1262

血管性水腫 angioedema 67
血管性痴呆 vascular dementia 1262
欠陥性白内障 vascular cataract 1262
血管性浮腫 angioedema 67
血管性ポリープ vascular polyp 1262
血管節 vasoganglion 1263
血管切開〔術〕 angiotomy 69
血管切開 cutdown 307
血管線維腫 angiofibroma 67
血管線維腫 hemangiofibroma 540
血管線維症 angiofibrosis 67
血管線維増殖〔症〕 angiofibrosis 67
血管造影〔法〕 angiography 67
血管造影図 angiogram 67
血管造影的 angiographic 67
血管造影用カテーテル angiography catheter 67
血管走行異常 angiectopia 66
血管退化 angiolysis 68
血管点 punctum vasculosum 1005
血管転位〔症〕 angiectopia 66
血管内液 intravascular fluid 642
〔血管〕内カテーテル intracatheter 640
血管内結紮〔術〕 intravascular ligature 642
血管内視鏡 angioscopy 68
血管内皮芽細胞腫 hemangioendothelioblastoma 540
血管内皮細胞腫症 angioendotheliomatosis 67
血管内皮腫 hemangioendothelioma 540
血管内膜炎 endangiitis 395
血管肉腫 angiosarcoma 68
血管肉腫 hemangiosarcoma 541
血管粘液腫 angiomyxoma 68
血管反射 vasoreflex 1263
血管分布〔像〕 vascularity 1262
血管平滑筋腫 vascular leiomyoma 1262
血管母斑症 angiophacomatosis 68
血管膜〔層〕 tunica vasculosa 1238
血管ミエリン障害 vasculomyelinopathy 1262
血管迷走神経性失神 vasovagal syncope 1263
血管網 vasoganglion 1263
血管抑圧性失神 vasodepressor syncope 1262
血管抑制 vasodepression 1262
血管抑制物質 vasoinhibitor 1263
血管抑制薬 vasodepressor 1262
血管輪 vascular ring 1262
血管リンパ管腫 hematolymphangioma 541
血管類狼瘡 angiolupoid 68
血管裂孔 vascular lacuna 1262
血管攣縮 vasospasm 1263
血気胸 hemopneumothorax 548
〔血〕球 corpuscle 288
血球 hemocyte 546
血球アフェレーシス cytapheresis 312
血球影 ghost cell 497
血球芽細胞 hematoblast 541
〔赤〕血球吸着〔現象〕 hemadsorption 540
〔赤〕血球凝集〔反応〕 hemagglutination 540
〔赤〕血球凝集素 hemagglutinin 540
血球計 hemocytometer 546
血球計算〔法〕 cytometry 313
血球計算〔法〕 hemocytometry 546
血球計算器 cytometer 313
血球計算盤 counting chamber 292
血球計算板 hemocytometer 546
血球減少〔症〕 cytopenia 313
血球減少症 hypocythemia 592
血球算定〔法〕 blood count 162
血球始原細胞 hemocytoblast 546
血球製剤 packed cells 884
血球正常〔状態〕 normocytosis 840
血球貪食細胞 hemophagocyte 548
血球破壊 hemocytotripsis 546
〔赤〕血球崩壊 hemocatheresis 545
血球崩壊 hemoclasis 545
血球崩壊 hemocytolysis 546
血胸 hemothorax 550
月経 menses 753
月経 menstruation 753
月経 period 916
月経過少〔症〕 hypomenorrhea 594
月経過多 epimenorrhagia 409
月経過多〔症〕 hypermenorrhea 586
月経過多 menorrhagia 752
月経困難〔症〕 dysmenorrhea 371
月経周期 menstrual cycle 753
月経周期性気胸 catamenial pneumothorax 209
月経前期 premenstruum 974
月経前緊張症 premenstrual tension 974
月経前〔緊張〕症候群 premenstrual syndrome (PMS) 974
月経前不快気分障害 premenstrual dysphoric disorder (PMDD) 974
月経脱落膜 decidua menstrualis 319
〔月経〕中間痛 intermenstrual pain 633
月経痛 menorrhalgia 752
月経年齢 menacme 751
月経不順 paramenia 895
月経付随症状 molimen 779
月経閉止〔期〕 menopause 752
月経閉止 menoschesis 752
月経ヘルペス herpes menstrualis 556
月経モリミナ menstrual molimina 753
結合 attachment 116
結合 bond 166
結合 connection 278
結合 joint 656
結合 linkage 702
〔線維軟骨〕結合 symphysis 1170
血行 circulation 245
結合運動障害 dyspraxia 372
結合エネルギー binding energy 152
結合径 conjugata 277
結合剤 binder 152
結合剤 coupling agent 292
結合性 affinity 33
血行性転移 hematogenous metastasis 541
結合節 copula 285
結合組織 connective tissue 278
結合組織炎 fibrositis 453
結合組織炎性頭痛 fibrositic headache 453
結合組織形成性小細胞腫瘍 desmoplastic small cell tumor 337
結合組織腫瘍 connective tumor 278
結合組織病 connective-tissue disease 278
結合軟骨 connecting cartilage 278
結合ハプテン conjugated hapten 277
血行力学 hemodynamics 546
結合緑内障 combined glaucoma 265
結婚嫌い misogamy 774
結紮 knot 668
結紮 ligation 699
結紮〔糸〕 ligature 699
結紮法 wiring 1292
結紮用摂子 tying forceps 1239
欠指〔症〕 ectrodactyly 378
欠肢〔症〕 ectromelia 378
欠指・外胚葉異形成・裂隙(EEC)症候群 ectrodactyly-ectodermal dysplasia-clefting syndrome 378
血色素 hemoglobin (Hgb, Hb) 546
血色素血〔症〕 hemoglobinemia 546
血色素減少〔症〕 hypochromia 592
血色素増加〔症〕 hyperchromia 582
血色素尿〔症〕 hemoglobinuria 547
血色素尿性ネフローゼ hemoglobinuric nephrosis 547
血色素溶解 hemoglobinolysis 547
〔染色体〕欠失 deletion 325
〔皮下〕血腫 ecchymoma 375
血腫 hematocele 541
血腫 hematoma 542
欠手欠足症 acheiropody 11
欠手症 acheiria 11
血漿 blood plasma 163
結晶 crystal 303
血漿 plasma 944
結晶化 crystallization 303

ケ

結晶核 nidus …… 833
結晶腔 drusen …… 365
月状骨 lunate bone …… 714
血漿コリンエラステーゼ plasma cholinesterase …… 944
血漿瀉血 plasmapheresis …… 945
結晶水 water of crystallization …… 1286
血漿蛋白 plasma proteins …… 945
結晶尿 crystalluria …… 303
血小板 platelet …… 946
血小板 thrombocyte …… 1199
血小板凝集因子 platelet-aggregating factor (PAF) …… 946
血小板凝集作用 platelet aggregation …… 946
血小板形成 thrombocytopoiesis …… 1199
血小板血症 thrombocythemia …… 1199
血小板血症 thrombocytosis …… 1199
血小板減少〔症〕 thrombocytopenia …… 1199
血小板減少-橈骨欠損症候群 thrombocytopenia-absent radius syndrome …… 1199
血漿搬出 plasmapheresis …… 945
血小板症 thrombocytopathy …… 1199
血小板障害 thrombopathy …… 1200
血小板新生 thrombocytopoiesis …… 1199
血小板新生 thrombopoiesis …… 1200
血小板増加症 thrombocytosis …… 1199
血小板第 3 因子 platelet factor (PF) 3 …… 946
血小板第 4 因子 platelet factor (PF) 4 …… 946
血小板中和法 platelet neutralization procedure (PNP) …… 946
血小板非減少性紫斑病 nonthrombocytopenic purpura …… 839
血小板病 thrombocytopathy …… 1199
血小板フェレーシス plateletpheresis …… 946
血小板無力症 thrombasthenia …… 1199
血漿フィブロネクチン plasma fibronectin …… 944
結晶分画 blood plasma fractions …… 163
血漿レニン活性 plasma renin activity (PRA) …… 945
欠神 absence …… 5
血塵増加〔症〕 hemoconiosis …… 545
欠神発作 absence seizure …… 5
血清 serum …… 1096
血清アルブミン serum albumin …… 1096
血清疫学 seroepidemiology …… 1094
血精液症 hemospermia …… 550
血精液症 hematospermia …… 543
血精液瘤 hematospermatocele …… 542
血清学 serology …… 1095
血清肝炎ウイルス serum hepatitis virus …… 1096
血清凝集素 serum agglutinin …… 1096
血清群 serogroup …… 1094
血清検査 serologic test …… 1094
血清遮断解離後現象 declamping phenomenon …… 319
血清ショック serum shock …… 1097
血清腎炎 serum nephritis …… 1096
血清〔学的〕診断〔法〕 serodiagnosis …… 1094
血性水疱 blood blister …… 162
血清接種 serovaccination …… 1095
血清促進性グロブリン serum accelerator globulin …… 1096
血性胆汁〔症〕 hemobilia …… 545
血清病 serum sickness …… 1097
血性腹水 hemorrhagic ascites …… 549
血清分離管 serum separator tube (SST) …… 1097
血清ムコイド seromucoid …… 1095
血性流涙 dacryohemorrhea …… 315
血清療法 serotherapy …… 1095
結石 calculus …… 191
結石 concretion …… 273
結石 stone …… 1144
結石形成 lithogenesis …… 705
結石症 calculosis …… 191
結石症 lithiasis …… 705
結石性腎炎 lithonephritis …… 705
結石生成 lithogenesis …… 705
結石摘出〔術〕 lithectomy …… 705
結石道路 steinstrasse …… 1138
結石溶解 litholysis …… 705
結石溶解薬 lithotriptic …… 706
結節 knot …… 668
結節 node …… 836
結節 tubercle …… 1235
結節型リンパ腫 nodular lymphoma …… 836
〔結〕節間〔部〕 internode …… 636
結節間滑液鞘 intertubercular sheath …… 638
結節間溝 intertubercular groove …… 638
結節形成 nodosity …… 836
結節腫 ganglion …… 485
結節腫切開〔術〕 ganglionostomy …… 486
結節症 nodosity …… 836
結節状構造 varicosity …… 1261
結節状隆起 nodosity …… 836
結節性アミロイドーシス nodular amyloidosis …… 836
結節性黄色腫 xanthoma tuberosum …… 1296
結節性峡部卵管炎 salpingitis isthmica nodosa …… 1069
結節性紅斑 erythema nodosum …… 416
結節性多発〔性〕動脈炎 polyarteritis nodosa …… 954
結節性痛風 tophaceous gout …… 1210
結節性痒疹 prurigo nodularis …… 993
結節性羊膜 amnion nodosum …… 55
結節性裂毛〔症〕 trichorrhexis nodosa …… 1228
結節縫合 interrupted suture …… 637
結節らい nodular leprosy …… 836
結節〔性〕リウマチ nodose rheumatism …… 836
血栓 thrombus …… 1200
血栓形成傾向 thrombophilia …… 1200
血栓〔性〕血管炎 thromboangiitis …… 1199
血栓症 thrombosis …… 1200
血栓〔性〕静脈炎 thrombophlebitis …… 1200
血栓性血小板減少性紫斑病 thrombotic thrombocytopenic purpura …… 1200
血栓性門脈炎 pylethrombophlebitis …… 1009
血栓性リンパ管炎 thrombolymphangitis …… 1200
血栓塞栓症 thromboembolism …… 1199
血栓弾性記録計 thromboelastograph …… 1199
血栓摘出〔術〕 thrombectomy …… 1199
血栓〔性〕動脈炎 thromboarteritis …… 1199
血栓内膜摘出〔術〕 thromboendarterectomy …… 1199
血栓嚢腫 thrombocyst …… 1199
楔前部 precuneus …… 971
血栓崩壊 thrombolysis …… 1200
血栓〔性〕脈管炎 thromboangiitis …… 1199
血栓溶解療法 thrombolytic therapy …… 1200
血族 consanguinity …… 278
血族 kinship …… 667
欠足〔症〕 ectropody …… 378
欠足症 apodia …… 89
欠損〔症〕 coloboma …… 262
欠損〔症〕 defect …… 322
欠損〔症〕 deficiency …… 323
欠損 deficit …… 323
欠損 failure …… 440
欠損ウイルス defective virus …… 322
欠損〔バクテリオ〕ファージ defective bacteriophage …… 322
血体 corpus hemorrhagicum …… 288
血体腔 hemocele …… 545
血中マグネシウム減少〔症〕 hypomagnesemia …… 594
結腸 colon …… 263
結腸 S 状結腸吻合〔術〕 colosigmoidostomy …… 263
結腸炎 colitis …… 261
結腸下垂〔症〕 coloptosis …… 263
結腸間膜 mesocolon …… 757
結腸間膜固定〔術〕 mesocolopexy …… 757
結腸間膜ひだ形成〔術〕 mesocoloplication …… 757
結腸鏡 colonoscope …… 263
結腸鏡検査〔法〕 colonoscopy …… 263
結腸結腸吻合〔術〕 colocolostomy …… 262
結腸黒色症 melanosis coli …… 748
結腸固定術 colopexy …… 263
結腸周囲炎 paracolitis …… 893
結腸周囲炎 pericolitis …… 914
結腸切開〔術〕 colotomy …… 264
結腸切除〔術〕 colectomy …… 260
結腸穿刺 colocentesis …… 262
結腸穿刺 colopuncture …… 263
結腸全摘出〔術〕 pancolectomy …… 888
結腸造襞〔術〕 coloplication …… 263

結腸造瘻〔術〕 colostomy ……… 263
結腸直腸炎 coloproctitis ……… 263
結腸直腸吻合〔術〕 coloproctostomy ……… 263
結腸粘膜炎 endocolitis ……… 396
結腸半〔側〕切除〔術〕 hemicolectomy ……… 544
結腸ひも teniae coli ……… 1186
結腸フィステル形成〔術〕 colostomy ……… 263
結腸〔間〕吻合〔術〕 colocolostomy ……… 262
結腸辺縁動脈 marginal artery of colon ……… 732
結腸傍結合組織炎 paracolitis ……… 893
結腸縫合〔術〕 colorrhaphy ……… 263
結腸メラノーシス melanosis coli ……… 748
結腸漏 colorrhagia ……… 263
結腸瘻バッグ colostomy bag ……… 263
血沈 erythrocyte sedimentation rate (ESR) ……… 417
決定 decision ……… 319
決定 determination ……… 338
決定基 determinant ……… 337
決定〔因〕子 determinant ……… 337
決定論 determinism ……… 338
血鉄症 hemosiderosis ……… 549
血洞 hematocele ……… 541
血糖 blood sugar ……… 163
血糖〔症〕 glycemia ……… 506
血糖降下薬 hypoglycemic agent ……… 594
血道骨起 hemapophysis ……… 541
血糖上昇指数 glycemic index ……… 506
楔入圧 wedge pressure ……… 1287
血尿 hematuria ……… 543
血膿胸 pyohemothorax ……… 1010
楔部 cuneus ……… 305
血餅 blood clot ……… 162
血餅 clot ……… 253
血便排泄 hematochezia ……… 541
欠乏〔症〕 deficiency ……… 323
欠乏 deficit ……… 323
欠乏〔性〕疾患 deficiency disease ……… 323
欠乏症状 deficiency symptom ……… 323
結膜 conjunctiva ……… 278
結膜炎 conjunctivitis ……… 278
結膜形成〔術〕 conjunctivoplasty ……… 278
結膜弛緩症 conjunctivochalasis ……… 278
結膜静脈 conjunctival veins ……… 229
結膜水腫 chemosis ……… 278
結膜嚢 conjunctival sac ……… 278
結膜嚢 saccus conjunctivalis ……… 1066
結膜半月ひだ semilunar conjunctival fold ……… 1090
結膜反射 conjunctival reflex ……… 278
結膜浮腫 chemosis ……… 229
結膜輪 conjunctival ring ……… 278
結膜輪状切除〔術〕 peritectomy ……… 918
血友病 hemophilia ……… 548
血友病者 bleeder ……… 161
血友病者 hemophiliac ……… 548
月曜熱 Monday fever ……… 779
欠落 lacuna ……… 675
欠落 omission ……… 858
血流〔量〕 bloodstream ……… 163
血流計 stromuhr ……… 1149
血流遮断 hemostasis ……… 550
血流速度計 dromograph ……… 364
欠裂 coloboma ……… 262
ケトアシドーシス ketoacidosis ……… 664
ケトーシス ketosis ……… 665
ケトース ketose ……… 665
ケトール ketol ……… 665
ケトール基 ketole group ……… 665
ケトール基転移 transketolation ……… 1219
解毒 detoxication ……… 338
解毒 elimination ……… 388
解毒薬 antidote ……… 79
ケト酸 keto acid ……… 664
ケト酸尿〔症〕 ketoaciduria ……… 664
ケトヘキソース ketohexose ……… 665
ケトヘプトース ketoheptose ……… 665
ケトン ketone ……… 665
ケトン血〔症〕 ketonemia ……… 665
ケトン産生食 ketogenic diet ……… 665
ケトン症 ketosis ……… 665
ケトン体 ketone body ……… 665
ケトン体生成 ketogenesis ……… 665
ケトン尿〔症〕 ketonuria ……… 665
ケトン誘発食 ketogenic diet ……… 665
ケニー-キャフェイ症候群 Kenny-Caffey syndrome ……… 662
ゲニオン genion ……… 494
解熱薬 antipyretic ……… 82
解熱薬 febrifuge ……… 446
解熱浴 antipyretic bath ……… 82
ケネディ症候群 Kennedy syndrome ……… 662
ケネディ病 Kennedy disease ……… 662
ゲノコピー genocopy ……… 495
ケノサイト cenocyte ……… 216
ゲノミクス genomics ……… 495
ゲノム genome ……… 495
ゲノムクローン genomic clone ……… 495
ゲノム刷り込み genomic imprinting ……… 495
ゲノム地図 genome map ……… 495
仮病 malingering ……… 727
仮病 pathomimesis ……… 904
仮病者 malingerer ……… 727
ケブネル現象 Koebner phenomenon ……… 669
ケモカイン chemokines ……… 228
ケモキネシス chemokinesis ……… 228
ケラタン硫酸 keratan sulfate ……… 662
ケラチナーゼ keratinases ……… 662
ケラチノサイト keratinocyte ……… 662
ケラチノソーム keratinosome ……… 662
ケラチン keratin ……… 662
ケラチン真珠 keratin pearl ……… 662
ケラトサイト keratocyte ……… 663
ケラトヒアリン keratohyalin ……… 663
ケラトファキア keratophakia ……… 663
ケラトレプティンシス keratoleptynsis ……… 663
ゲラン骨折 Guerin fracture ……… 521
ケランデル徴候 Kerandel sign ……… 662
下痢 diarrhea ……… 343
下痢 Montezuma's revenge ……… 783
ケリー肛門鏡 Kelly rectal speculum ……… 662
ケリー手術 Kelly operation ……… 662
下痢便偽膜 xysma ……… 1298
ゲル gel ……… 492
ケルヴィン温度目盛り Kelvin scale ……… 662
ゲル化 gelation ……… 492
ゲル拡散沈降試験 gel diffusion precipitin tests ……… 492
ケルカリア cercaria ……… 220
ゲルトナー圧力計 Gartner tonometer ……… 487
ゲルトナー法 Gartner method ……… 487
ケルニヒ徴候 Kernig sign ……… 664
ケルビム症 cherubism ……… 229
ケルビン温度目盛り Kelvin scale ……… 662
ケロイド keloid ……… 662
ケロイド形成〔術〕 keloplasty ……… 662
ケロイド痤瘡 keloid acne ……… 662
ケロイド症 keloidosis ……… 662
腱 sinew ……… 1106
腱 tendon ……… 1186
減圧〔術〕 decompression ……… 320
減圧 depression ……… 332
減圧開頭〔術〕 cerebral decompression ……… 222
減圧〔神経〕線維 depressor fibers ……… 332
減圧痛 bends ……… 145
権威性人格 authoritarian personality ……… 120
原位置ハイブリッド形成 in situ hybridization ……… 1108
権威的存在者 authority figure ……… 120
牽引 attraction ……… 117
牽引〔法〕 extension ……… 431
牽引 traction ……… 1216
牽引子 retractor ……… 1047
牽引性憩室 traction diverticulum ……… 1216
眩暈感 dizziness ……… 357
幻影 phantasm ……… 924
検影法 retinoscopy ……… 1047

ケ

検影法 shadow test …… 1098
原栄養株 prototroph …… 991
原栄養菌 prototroph …… 991
原栄養生物〔性〕 prototroph …… 991
腱炎 tendinitis …… 1186
腱炎 tendonitis …… 1186
瞼縁肥厚症 pachyblepharon …… 883
嫌悪 repulsion …… 1039
嫌悪療法 aversion therapy …… 125
検温 thermometry …… 1194
けん化 saponification …… 1071
限界 limes …… 700
限界 limit …… 700
限界運動 border movement …… 168
限界感 end-feel …… 395
限界〔弱〕打診〔法〕 orthopercussion …… 870
原外胚葉 ectoblast …… 377
限外濾過〔法〕 ultrafiltration …… 1244
幻覚 hallucination …… 529
厳格菜食主義者 vegan …… 1264
幻覚症 hallucinosis …… 530
原核生物 prokaryote …… 984
幻覚発動薬 psychedelic …… 998
幻覚〔誘発〕薬 hallucinogen …… 530
幻覚連鎖 phantasmagoria …… 924
腱滑膜炎 tendosynovitis …… 1186
腱滑膜炎 tenosynovitis …… 1187
検眼 optometry …… 865
腱感覚器 tenoreceptor …… 1187
検眼鏡 ophthalmoscope …… 863
検眼鏡検査〔法〕 ophthalmoscopy …… 863
検眼士 optometrist …… 865
肩関節 shoulder …… 1101
肩関節 shoulder joint …… 1101
肩関節窩唇 glenoid labrum …… 500
肩関節不安感徴候 shoulder apprehension sign …… 1101
肩関節複合体 shoulder complex …… 1101
腱間膜 mesotendineum …… 758
腱間膜 mesotendon …… 758
検眼用眼鏡枠 trial frame …… 1226
検眼用レンズ trial lenses …… 1226
原基 anlage …… 72
原基 germ …… 496
原基 placode …… 942
原基 primordium …… 979
原基痕跡 rudiment …… 1063
嫌気生活 anaerobiosis …… 60
嫌気性換気性作業閾値 anaerobic ventilatory threshold …… 59
嫌気性菌 anaerobe …… 59
嫌気性呼吸 anaerobic respiration …… 59
嫌気性生物 anaerobe …… 59
嫌気性能力 anaerobic capacity …… 59
研究 research …… 1039
研究 study …… 1150
腱弓 tendinous arch …… 1186
幻嗅 pseudosmia …… 996
研究所 laboratory …… 672
研究所調査委員会 Institutional Review Board (IRB) …… 627
研究新薬 investigational new drug (IND) …… 644
瞼球〔間〕癒着〔症〕 symblepharon …… 1169
限局化 localization …… 707
限局痙攣 monospasm …… 782
限局性強皮症 morphea …… 784
限局性心外膜炎 epistenocardiac pericarditis …… 411
限局性石灰〔沈着〕症 calcinosis circumscripta …… 190
限局性腸炎 regional enteritis …… 1034
限局性粘液水腫 circumscribed myxedema …… 246
腱切り術 tenotomy …… 1187
腱筋切除〔術〕 tenomyotomy …… 1187
原型 archetype …… 93
原型 pattern …… 905
原型 prototype …… 991
原形質 protoplasm …… 991
原形質性星状膠細胞 protoplasmic astrocyte …… 991
原形質分離 plasmolysis …… 945
原形質分裂 plasmoschisis …… 945
〔原〕形質膜 plasma membrane …… 945
腱形成〔術〕 tenontoplasty …… 1187
腱形成〔術〕 tenoplasty …… 1187
減形成 hypogenesis …… 593
減形成体質 hypoplasia …… 595
検血 hematometry …… 542
腱懸垂法 tenosuspension …… 1187
腱懸吊 tenosuspension …… 1187
言語 language …… 677
言語 speech …… 1120
原口 blastopore …… 160
肩甲位 shoulder presentation …… 1101
現行医療用語辞典 Current Procedural Terminology (CPT) …… 305
肩甲回旋動脈 circumflex scapular artery …… 246
肩甲下窩 subscapular fossa …… 1154
肩甲下筋 subscapularis muscle …… 1154
肩甲下神経 subscapular nerves …… 1154
肩甲下動脈 subscapular artery …… 1154
健康関連 QOL health-related quality of life (H.R.Q.O.L.) …… 536
健康関連体力〔適性〕 health-related physical fitness …… 535
健康教育 health education …… 535
肩甲胸郭関節 scapulothoracic joint …… 1075
肩甲挙筋 levator scapulae muscle …… 696
肩甲棘 spine of scapula …… 1126
健康記録 health record …… 535
原光景 primal scene …… 977
肩甲骨 scapula …… 1075
肩甲骨外転 scapular abduction …… 1075
肩甲〔骨〕固定〔術〕 scapulopexy …… 1075
肩甲鎖骨三角 supraclavicular triangle …… 1164
検光子 analyzer …… 61
肩甲上静脈 suprascapular vein …… 1165
肩甲上神経 suprascapular nerve …… 1165
健康状態 health status …… 536
肩甲上動脈 suprascapular artery …… 1165
肩甲上腕リズム scapulohumeral rhythm …… 1075
肩甲舌骨筋 omohyoid muscle …… 858
肩甲〔骨〕切除〔術〕 scapulectomy …… 1075
健康増進 health promotion …… 535
懸鉤双胎 locked twins …… 708
健康相談所 dispensary …… 354
肩甲帯離断〔術〕 forequarter amputation …… 471
腱後転〔術〕 tendon recession …… 1186
肩甲難産 shoulder dystocia …… 1101
肩甲背神経 dorsal scapular nerve …… 361
肩甲背動脈 dorsal scapular artery …… 361
健康への逃避 flight into health …… 463
健康保険 health insurance …… 535
健康保持機関 health maintenance organization (HMO) …… 535
健康保養地 sanitarium …… 1071
健康リスク評価 health risk appraisal …… 536
健康リテラシー health literacy …… 535
肩甲肋骨症候群 scapulocostal syndrome …… 1075
言語緩慢 bradyarthria …… 171
言語錯誤 paralalia …… 895
言語失行〔症〕 verbal apraxia …… 1268
言語新作 neologism …… 818
言語知覚 speech perception …… 1120
言語中枢 speech centers …… 1120
腱骨化症 tenostosis …… 1187
腱固定〔術〕 tenodesis …… 1186
言語発達遅滞 language delay …… 677
言語反復〔症〕 paliphrasia …… 886
言語病理学 speech pathology …… 1120
言語病理学者 speech-language pathologist …… 1120
言語剖検 verbal autopsy …… 1268
言語麻痺 logoplegia …… 709
検査〔法〕 examination …… 425
検査 test …… 1190
顕在遠視 manifest hyperopia …… 731
顕在性異型接合体 manifesting heterozygote …… 731
顕在内容 manifest content …… 731
腱細胞 tendon cells …… 1186
肩鎖関節 acromioclavicular joint (AC joint) …… 16
腱索 tendinous cords …… 1186
検査室 laboratory …… 672

検査室診断 laboratory diagnosis …… 672
検査情報管理システム laboratory information system …… 672
検察医 coroner …… 287
検査プロフィール test profile …… 1190
〔検査〕報酬 reward …… 1049
減算 subtraction …… 1156
検死 autopsy …… 124
犬歯 canine tooth …… 195
検死医 coroner …… 287
検死医 medical examiner (ME) …… 744
顕示液 disclosing solution …… 352
原子価 valence …… 1258
原始〔性〕感覚 protopathic sensibility …… 991
嫌色素性腺腫 chromophobe adenoma …… 241
原子吸収分光測光〔法〕 atomic absorption spectrophotometry …… 113
原始結節 primitive node …… 979
原始溝 primitive groove …… 979
犬歯後部乳頭 retrocuspid papilla …… 1047
減指骨症 hypophalangism …… 595
原子質量数 atomic mass number …… 113
原子質量単位 atomic mass unit (amu) …… 113
牽糸性 spinnbarkeit …… 1126
原子生殖茎 phallus …… 924
原始生殖索 primordial sex cords …… 979
原始線条 primitive streak …… 979
腱支帯 retinaculum tendinum …… 1046
原始腸管 primitive gut …… 979
原始腸管 primordial gut …… 979
原疾患 primary disease …… 978
現実感消失 derealization …… 332
現実原則 reality principle …… 1027
現実検討 reality testing …… 1027
原子番号 atomic number (Z) …… 113
原始反射 primitive reflex …… 979
絹糸片網膜 shot-silk retina …… 1101
厳重隔離 strict isolation …… 1148
腱周膜 peritendineum …… 918
牽出〔術〕 extraction …… 435
検出感度 analytic sensitivity …… 61
検出器 detector …… 337
検出コイル detector coil …… 337
腱受容器 tenoreceptor …… 1187
腱症 tendinosis …… 1186
現象 phenomenon …… 927
腱鞘炎 tendovaginitis …… 1186
腱鞘炎 tenovaginitis …… 1187
腱鞘巨細胞腫 giant cell tumor of tendon sheath …… 498
腱鞘切除〔術〕 tenosynovectomy …… 1187
剣状突起 xiphoid process …… 1298
剣状突起炎 xiphoiditis …… 1298
肩上方関節唇損傷 SLAP lesion …… 1109
腱上膜 epitendineum …… 411
減色性 hypochromatism …… 592
原始卵胞 primordial ovarian follicle …… 979
原子量 atomic weight (AW, at. wt.) …… 113
検診 examination …… 425
腱新生骨 tenophyte …… 1187
減衰 attenuation …… 117
原錐茎状突起 protostylid …… 991
減衰作用 attenuation …… 117
懸垂線維腫 skin tag …… 1109
懸垂帯 suspensory …… 1167
懸垂〔固定〕法 suspension (susp.) …… 1167
減衰理論 decay theory …… 318
減数分裂 meiosis …… 747
ゲンズレン徴候 Gaenslen sign …… 483
限性遺伝 sex-limited inheritance …… 1098
原生生物 protist …… 991
原生ぞうげ質 primary dentin …… 978
顕性同性愛 overt homosexuality …… 879
原生動物 protozoan …… 991
原生動物学 protozoology …… 991
原生動物〔感染〕症 protozoiasis …… 991
原脊椎 protovertebra …… 991
原節 somite …… 1117
腱切除〔術〕 tenectomy …… 1186
腱切除〔術〕 tenotomy …… 1187
健全 sanity …… 1071
健全 wellness …… 1288
原線維 fibril …… 451
原線維形式 fibrillation …… 451
原線維性 fibrillation …… 451
原線維発生 fibrillogenesis …… 451
元素 element …… 387
幻想 phantasm …… 924
現像剤 developer …… 338
減速〔度〕 deceleration …… 319
原則 principle …… 979
減速率 deceleration …… 319
減損 detrition …… 338
倦怠 lassitude …… 681
倦怠〔感〕 malaise …… 726
検体 specimen …… 1120
肩〔甲〕帯症候群 shoulder-girdle syndrome …… 1101
懸濁剤 suspension (susp.) …… 1167
懸濁質 suspensoid …… 1167
ゲンチアナバイオレット gentian violet …… 495
ゲンチオビオース gentiobiose …… 495
原虫 protozoan …… 991
原虫学 protozoology …… 991
原虫症 protozoiasis …… 991
懸吊 suspension (susp.) …… 1167
原腸 primordial gut …… 979
原腸形成 gastrulation …… 490
原腸胚 gastrula …… 490
肩痛 omalgia …… 857
検定 assay …… 108
限定決断 limiting decision …… 701
限定構造基 restitope …… 1043
検定物質 calibrator …… 191
限度 limes …… 700
限度 limit …… 700
見当識 orientation …… 868
見当識障害 disorientation …… 354
拳闘酔態症候群 punchdrunk syndrome …… 1005
減毒 attenuation …… 117
ケント束 Kent bundle …… 662
検尿 urinalysis …… 1252
減捻 derotation …… 336
腱のひも vincula of tendons …… 1276
原発〔性〕出血 primary hemorrhage …… 978
原発性アミロイドーシス primary amyloidosis …… 977
原発性アルドステロン症 primary aldosteronism …… 977
原発性異型肺炎 primary atypical pneumonia …… 977
原発性進行性失語症 primary progressive aphasia (PPA) …… 978
原発性側索硬化症 primary lateral sclerosis …… 978
原発性非定型性肺炎 primary atypical pneumonia …… 977
原発性ヘモクロマトーシス primary hemochromatosis …… 978
原発性ヘルペス〔性〕口内炎 primary herpetic stomatitis …… 978
原発性無気肺 primary atelectasis …… 977
原発〔性〕無月経 primary amenorrhea …… 977
瞼板 tarsus …… 1180
瞼板炎 tarsitis …… 1180
腱反射 tendon reflex …… 1186
瞼板切開〔術〕 tarsotomy …… 1180
瞼板切除〔術〕 tarsectomy …… 1180
瞼板腺 tarsal glands …… 1180
瞼板軟化〔症〕 tarsomalacia …… 1180
瞼板縫合〔術〕 tarsorrhaphy …… 1180
検鼻〔法〕 rhinoscopy …… 1052
顕微〔鏡〕映画撮影〔法〕 microcinematography …… 766
顕微解剖 microdissection …… 767
顕微解剖学 microscopic anatomy …… 769
顕微鏡 microscope …… 769
顕微鏡検査〔法〕 microscopy …… 769
顕微鏡写真 photomicrograph …… 932
顕微鏡写真撮影〔法〕 photomicrography …… 932
顕微鏡的多発血管炎 microscopic polyangiitis …… 769
顕微手術 microsurgery …… 769
顕微〔鏡〕切片作成法 microtomy …… 769
顕微操作 micromanipulation …… 768

ケ

瞼鼻ひだ epicanthal fold …… 406
顕微病理学 micropathology …… 768
顕微分光計 microspectroscope …… 769
顕微分光測光〔法〕 microspectrophotometry …… 769
現病歴 history of present illness (HPI) …… 566
ケンプエコー Kemp echo …… 662
ケンプ耳音響放射 Kemp echo …… 662
腱付着部症 enthesopathy …… 404
健忘〔症〕 amnesia …… 54
肩峰 acromion …… 17
原防衛 ur-defenses …… 1249
肩峰下滑液包 subacromial bursa …… 1151
肩峰角 acromial angle …… 16
腱縫合〔術〕 tenorrhaphy …… 1187
健忘症患者 amnesiac …… 54
健忘症候群 amnestic syndrome …… 55
腱傍〔結合〕組織 paratenon …… 898
研磨器 burnisher …… 186
腱膜 aponeurosis …… 90
腱膜 lacertus …… 673
腱膜炎 aponeurositis …… 90
腱膜性眼瞼下垂 aponeurotic ptosis …… 90
腱膜性線維腫 aponeurotic fibroma …… 90
腱膜切除〔術〕 aponeurectomy …… 90
腱膜瘤 bunion …… 184
腱膜瘤切除〔術〕 bunionectomy …… 184
研磨剤 abrasive …… 5
腱癒着剥離〔術〕 tendolysis …… 1186
原理 principle …… 979
検流計 galvanometer …… 484
減量手術 debulking operation …… 318
減量症 hypovolia …… 598
検量線 calibration curve …… 191
瞼裂縮小 blepharophimosis …… 161
瞼裂斑 pinguecula …… 939
言論統制法 gag rule …… 483
研和 trituration …… 1231

コ

弧 arc …… 93
弧 arcade …… 93
語 term …… 1188
コアグラーゼ陰性ブドウ球菌 *Staphylococcus* species, coagulase-negative …… 1136
こい口 carp mouth …… 206
コイル状動脈 gomitoli …… 509
孔 aperture …… 87
孔 foramen …… 469
孔 pore …… 960
鉤 clasp …… 248
綱 class …… 248
溝 groove …… 519
項〔部〕 nape …… 811
抗 Rh 免疫グロブリン Rh-immune globulin (RhIG) …… 1051
口愛 orality …… 865
口愛期 oral phase …… 865
高 IgE 症候群 hyperimmunoglobulin E syndrome …… 584
高 IgM 症候群 hyper-IgM syndrome …… 584
高圧浣腸 high enema …… 561
高圧酸素 hyperbaric oxygen …… 582
高圧酸素療法 hyperbaric oxygen therapy …… 582
高圧室 hyperbaric chamber …… 582
高圧症 hyperbarism …… 582
降圧変圧器 step-down transformer …… 1139
降圧薬 depressor …… 332
抗アドレナリン薬 adrenergic blocking agent …… 29
高アミラーゼ血〔症〕 hyperamylasemia …… 582
抗アメーバ薬 amebicide …… 51
高アルドステロン症 hyperaldosteronism …… 581
行為 action …… 18
行為 performance …… 913
行為 play …… 947
後位 retroposition …… 1048
行為化 acting out …… 17
高位浣腸法 enteroclysis …… 402
広域抗生物質 broad-spectrum antibiotic …… 176
広域〔抗菌〕スペクトル broad spectrum …… 176
広域ダイナミックレンジ圧縮 wide dynamic range compression …… 1291
高位咬合 supraocclusion …… 1165
行為構成要素 performance components …… 913
高位歯 supraversion …… 1166
後遺症 sequela …… 1094
行為障害 conduct disorder …… 273
抗イディオタイプ〔抗体〕 antiidiotype antibody …… 81
後胃動脈 posterior gastric artery …… 964
行為文脈 performance context …… 913
行為領域 performance areas …… 913
口淫 fellatio …… 447
後陰唇交連 posterior labial commissure …… 965
後陰唇静脈 posterior labial veins …… 965
後陰唇神経 posterior labial nerves …… 965
高インスリン血〔症〕 hyperinsulinism …… 585
抗ウイルス蛋白 antiviral protein (AVP) …… 83
抗ウイルス薬 virucide …… 1277
抗う蝕性 cariostatic …… 204
抗うつ薬 antidepressant …… 79
高栄養療法 hyperalimentation …… 582
後 S 状静脈洞到達法 retrosigmoid approach …… 1048
抗エストロゲン antiestrogen …… 80
〔抗〕HB_s抗体 anti-HB_s …… 81
〔抗〕HB_c抗体 anti-HB_c …… 81
高エネルギー化合物 high-energy compounds …… 561
高エネルギーリン酸塩 high-energy phosphates …… 562
抗 MAG 抗体 anti-MAG antibody …… 81
好塩基球 basophil …… 140
好塩基球 basophilic leukocyte …… 141
好塩基球減少〔症〕 basophilic leukopenia …… 141
好塩基球性白血病 basophilic leukemia …… 141
好塩基球増加〔症〕 basophilia …… 140
好塩基〔性〕細胞 basophil …… 140
好塩基性赤血球症 basophilia …… 140
好塩基性腺腫 basophil adenoma …… 140
好塩菌 halophil …… 530
抗炎症薬 antiphlogistic …… 82
高塩素血〔症〕 hyperchloremia …… 582
項横筋 transversus nuchae muscle …… 1223
構音 articulation …… 104
恒温器 incubator …… 613
構音器官 articulators …… 104
構音機構 speech mechanism …… 1120
高音強調 treble increase at low levels …… 1224
構音障害 articulation disorder …… 104
構音障害 dysarthria …… 369
構音障害 stammering …… 1135
構音障害 stuttering …… 1150
高温生物 thermophile …… 1194
恒温槽 bath …… 141
高温発生 thermogenesis …… 1194
硬化 consolidation …… 279
硬化 hardening …… 532
硬化〔症〕 sclerosis …… 1081
効果 effect …… 379
効果 effectiveness …… 379
甲介 concha …… 272
口蓋 palate …… 885
口蓋 palatum …… 886
口蓋咽頭弓 palatopharyngeal arch …… 885
口蓋咽頭筋 palatopharyngeus muscle …… 885
口蓋咽頭縫合〔術〕 staphylopharyngorrhaphy …… 1136
口蓋炎 palatitis …… 885
口蓋棘 palatine spines …… 885
口蓋形成〔術〕 palatoplasty …… 886
口蓋形成〔術〕 uranoplasty …… 1249
抗壊血病薬 antiscorbutic …… 83
口蓋腱膜 palatine aponeurosis …… 885
口蓋骨 palatine bone …… 885

口蓋静脈 palatine vein …… 885
口蓋垂 palatine uvula …… 885
口蓋垂炎 uvulitis …… 1256
口蓋垂下垂〔症〕 uvuloptosis …… 1256
口蓋垂筋 uvular muscle …… 1256
口蓋垂水腫 staphyledema …… 1136
口蓋垂切開〔術〕 uvulotomy …… 1256
口蓋垂切除〔術〕 staphylectomy …… 1136
口蓋垂切除〔術〕 uvulectomy …… 1256
口蓋垂浮腫 staphyledema …… 1136
口蓋舌弓 palatoglossal arch …… 885
口蓋舌筋 palatoglossus muscle …… 885
後外側溝 posterolateral sulcus …… 966
後外側束 dorsolateral fasciculus …… 361
口蓋張筋神経 nerve of tensor veli palatini muscle …… 821
口蓋突起 palatine process …… 885
口蓋帆 velum palatinum …… 1265
口蓋帆咽頭不全 velopharyngeal insufficiency …… 1265
口蓋帆挙筋 levator veli palatini muscle …… 696
口蓋反射 palatal reflex …… 885
口蓋帆張筋 tensor veli palati muscle …… 1187
口蓋扁桃 palatine tonsil …… 885
口蓋縫合〔術〕 palatorrhaphy …… 886
口蓋縫合〔術〕 uranorrhaphy …… 1249
口蓋縫線 palatine raphe …… 885
口蓋隆起 torus palatinus …… 1211
口蓋稜 crest of palatine bone …… 297
口蓋裂 cleft palate …… 249
口蓋〔披〕裂 palatoschisis …… 886
〔硬〕口蓋〔披〕裂 uranoschisis …… 1249
光化学触媒 photocatalyst …… 931
効果器 effector …… 379
硬化狭窄〔症〕 sclerostenosis …… 1081
後角 posterior horn …… 964
岬角 promontory …… 985
光学 optics …… 864
光学異性 optic isomerism …… 864
口角炎 angular cheilitis …… 69
口角下制筋 depressor anguli oris muscle …… 332
光学活性 optic activity …… 864
口角挙筋 levator anguli oris muscle …… 695
口角口唇炎 angular cheilosis …… 69
抗核抗体 antinuclear antibody (ANA) …… 82
光学収差 optic aberration …… 864
口角症 cheilosis …… 227
甲角素 chitin …… 231
硬化鼓膜切除〔術〕 sclerectomy …… 1080
硬化剤 sclerosant …… 1081
硬化症 scleroma …… 1080
後下小脳動脈 posterior inferior cerebellar artery …… 964
硬化性萎縮性苔癬 lichen sclerosus et atrophicus …… 697
硬化性角膜炎 sclerosing keratitis …… 1081
硬化性血管腫 sclerosing hemangioma …… 1081
硬化性骨炎 sclerosing osteitis …… 1081
硬化性セメント質腫瘤 sclerotic cemental mass …… 1081
硬化性卵巣炎 sclero-oophoritis …… 1081
硬化〔性〕腺疾患 sclerosing adenosis …… 1081
硬化ぞうげ質 sclerotic dentin …… 1081
絞括 reefing …… 1032
口渇療法 dipsotherapy …… 350
効果的識閾濃度 effective Ct_{50} (ECt_{50}) …… 379
高可動性膝蓋骨 hypermobile patella …… 586
後下鼻神経 posterior inferior nasal nerves …… 964
高カリウム血〔症〕 hyperkalemia …… 585
高カリウム血性周期性〔四肢〕麻痺 hyperkalemic periodic paralysis …… 585
硬化療法 sclerotherapy …… 1081
高カルシウム血〔症〕 hypercalcemia …… 582
高カルシウム尿〔症〕 hypercalciuria …… 582
高カロリー輸液 total parenteral nutrition (TPN) …… 1211
交換 exchange …… 426
交換 exfoliation …… 427
口陥 stomodeum …… 1144
交感 sympathy …… 1170
睾丸 orchis …… 867
睾丸 testicle …… 1190
睾丸 testis …… 1190
強姦 rape …… 1024
睾丸陰嚢癒着 synoscheos …… 1172
睾丸炎 orchitis …… 867
睾丸過剰〔症〕 polyorchism …… 957
後肝区 posterior hepatic segment I …… 964
後眼腔 postremal chamber of eyeball …… 967
睾丸形成〔術〕 orchioplasty …… 867
睾丸計測器 orchidometer …… 866
睾丸結核〔症〕 tuberculocele …… 1236
睾丸固定〔術〕 orchiopexy …… 867
合眼症 synophthalmia …… 1172
交感神経 sympathetic nerve …… 1169
交感神経圧挫〔術〕 sympathicotripsy …… 1170
交感神経芽細胞 sympathoblast …… 1170
交感神経幹 sympathetic trunk …… 1169
交感神経緊張〔症〕 sympathicotonia …… 1170
交感神経系 sympathetic nervous system …… 1169
交感神経〔様〕作動アミン sympathomimetic amine …… 1170
交感神経産生細胞 sympathogonia …… 1170
交感神経性反応 sympathetic response …… 1169
交感神経節 sympathetic ganglia …… 1169
交感神経切除〔術〕 sympathectomy …… 1169
交感神経節摘出〔術〕 sympathectomy …… 1169
交感神経捻除〔術〕 sympathicotripsy …… 1170
交感神経母細胞 sympathogonia …… 1170
睾丸垂 appendix of testis …… 91
交感性眼炎 sympathetic ophthalmia …… 1169
交感性ブドウ膜炎 sympathetic uveitis …… 1170
睾丸切開〔術〕 orchiotomy …… 867
睾丸切除〔術〕 testectomy …… 1190
睾丸痛 orchialgia …… 866
睾丸摘除〔術〕 orchiectomy …… 866
睾丸導帯 gubernaculum testis …… 521
後眼部 posterior segment of eyeball …… 965
睾丸副睾丸炎 orchiepididymitis …… 866
睾丸ヘルニア様脱出 orchiocele …… 866
後眼房 posterior chamber of eyeball …… 963
高ガンマグロブリン血〔症〕 hypergammaglobulinemia …… 584
高ガンマグロブリン血症 gammopathy …… 485
交換輸血 exchange transfusion …… 426
睾丸癒着〔症〕 synorchidism …… 1172
後期 anaphase …… 61
硬起声 glottal attack …… 503
好気生活 aerobiosis …… 32
好気性システム aerobic system …… 32
好気性生物 aerobe …… 31
好気性生物 aerophil …… 32
抗寄生虫剤 enterocidal …… 402
〔光〕輝線 intercalated disc …… 630
後期ダンピング症候群 late dumping syndrome …… 681
抗基底膜型糸球体腎炎 anti-basement membrane glomerulonephritis …… 78
抗基底膜抗体 anti-basement membrane antibody …… 78
抗基底膜抗体〔性〕腎炎 anti-basement membrane nephritis …… 78
恒久軟骨 permanent cartilage …… 919
口峡 fauces …… 446
〔角膜の〕後境界板 posterior limiting layer of cornea …… 965
光凝固〔術〕 photocoagulation …… 931
抗〔血液〕凝固薬 anticoagulant …… 79
抗凝集素 antiagglutinin …… 78
口峡部麻痺 isthmoparalysis …… 652
後強膜炎 posterior scleritis …… 965
後極ブドウ〔膜〕腫 posterior staphyloma …… 966
咬筋 masseter muscle …… 735
合金 alloy …… 45
咬筋神経 masseteric nerve …… 735
咬筋動脈 masseteric artery …… 734
抗菌薬起因性腸炎 antibiotic-associated enterocolitis …… 79
抗菌薬の限界点 antimicrobial breakpoint …… 82
口腔 oral cavity …… 865
航空医学 aviation medicine …… 126
口腔咽頭部 oropharynx …… 869
〔航空〕宇宙医学 aerospace medicine …… 32
口腔衛生 oral hygiene …… 865
口腔顎顔面外科 oral and maxillofacial surgery …… 865

航空患者移送 air medical transport ……37
口腔気管チューブ orotracheal tube ……869
口腔狭窄 stenostomia ……1139
口腔外科 oral surgery ……865
口腔外科医 oral surgeon ……865
口腔真菌症 stomatomycosis ……1144
航空性歯痛 aerodontalgia ……32
口腔生物学 oral biology ……865
口腔前庭 oral vestibule ……865
口腔前庭形成〔術〕 vestibuloplasty ……1274
口腔組織軟化 stomatomalacia ……1144
航空〔性〕中耳炎 aerotitis media ……32
口腔痛 stomatalgia ……1144
口腔トリコモナス *Trichomonas tenax* ……1228
口腔病 stomatopathy ……1144
口腔病理学 oral pathology ……865
航空〔性〕副鼻腔炎 aerosinusitis ……32
口腔〔内〕麻酔〔法〕 intraoral anesthesia ……641
航空酔い air sickness ……37
航空力学 aerodynamics ……32
後屈 recurvation ……1030
後屈 retrocession ……1047
後屈〔症〕 retroflexion ……1047
高グリシン血〔症〕 hyperglycinemia ……584
高グリシン尿〔症〕 hyperglycinuria ……584
高グリセリド血〔症〕 hyperglyceridemia ……584
抗くる病浴 antirachitic bath ……83
抗グロブリン antiglobulin ……81
高グロブリン血〔症〕 hyperglobulinemia ……584
抗グロブリン試験 antiglobulin test ……81
行軍血色素尿症 march hemoglobinuria ……732
行軍骨折 march fracture ……732
口径 aperture ……87
後傾〔症〕 retroversion ……1048
後傾位 counternutation ……292
硬鶏眼 hard corn ……532
広頸筋 platysma muscle ……947
〔子宮〕後傾後屈〔症〕 retroversioflexion ……1048
後脛骨筋 tibialis posterior muscle ……1204
後脛骨動脈 posterior tibial artery ……966
抗痙攣薬 anticonvulsant ……79
攻撃〔性〕 aggression ……35
硬結 induration ……616
高血圧〔症〕 hypertension (HTN) ……589
高血圧患者 hypertensive ……589
高血圧性赤血球増加〔症〕 polycythemia hypertonica ……955
高血圧性動脈硬化〔症〕 hypertensive arteriosclerosis ……589
高血圧性動脈症 hypertensive arteriopathy ……589
高血圧〔性〕網膜症 hypertensive retinopathy ……589
抗〔赤〕血球凝集素 antihemagglutinin ……81
高血色素血〔症〕 hyperhemoglobinemia ……584
抗血小板剤 antiplatelet agent ……82
抗血清 antiserum ……83
硬結性紅斑 erythema induratum ……415
硬結性痤瘡 acne indurata ……14
抗結石薬 antilithic ……81
硬〔性〕結節 hard tubercle ……533
高血糖〔症〕 hyperglycemia ……584
高血糖性非ケトン性昏睡 hyperosmolar (hyperglycemic) nonketotic coma ……586
高血糖傾向 glycophilia ……507
高血糖〔症〕性糖尿 hyperglycosuria ……584
抗血友病A因子 antihemophilic factor A (AHF) ……81
高ケトン血〔症〕 hyperketonemia ……585
高ケトン尿〔症〕 hyperketonuria ……585
抗原 antigen (Ag) ……80
膠原 collagen ……261
膠原化 collagenization ……261
抗原過剰 antigen excess ……80
抗原感受性細胞 antigen-sensitive cell ……80
抗原血〔症〕 antigenemia ……80
膠原血管病 collagen disease ……261
抗原決定基 antigenic determinant ……80
抗原-抗体反応 antigen-antibody reaction ……80
抗原性 antigenicity ……80
抗原性補強剤 adjuvant ……28
膠原線維 collagen fiber ……261
膠原前線維 precollagenous fibers ……971
抗原単位 antigen unit ……81
抗原提示細胞 antigen-presenting cell (APC) ……80
後検鼻〔法〕 posterior rhinoscopy ……965
膠原病 collagen disease ……261
抗原不連続変異 antigenic shift ……80
抗原ペプチド antigen peptides ……80
抗原連続変異 antigenic drift ……80
交互 alternation ……47
硬膏〔剤〕 plaster ……946
咬合 articulation ……104
咬合 occlusion ……851
硬口蓋 hard palate ……532
〔硬〕口蓋〔披〕裂 uranoschisis ……1249
咬合器 articulator ……104
咬合局面 facet ……438
抗高血圧〔症〕薬 antihypertensive ……81
咬合床 biteplate ……158
向甲状腺細胞 thyrotroph ……1203
咬合小面 facet ……438
光合成 photosynthesis ……933
抗酵素〔抗体〕 antienzyme ……80
抗抗体 antiantibody ……78
抗好中球細胞質抗体 antineutrophil cytoplasmic antibody (ANCA) ……82
咬合調整 occlusal adjustment ……851
咬合調整 occlusal equilibration ……851
後交通動脈 posterior communicating artery ……963
抗抗毒素 antiantitoxin ……78
咬合不正 malinterdigitation ……727
咬合不調和 occlusal imbalance ……851
咬合分析 occlusal analysis ……851
咬合法 occlusal film ……851
咬合面小窩 pit ……940
咬合力 occlusal force ……851
〔大脳の〕後交連 posterior cerebral commissure ……963
後交連核 nucleus of posterior commissure ……843
咬合彎曲 curve of occlusion ……305
交互作用 interaction ……629
構語障害 alalia ……38
構語障害 anarthria ……62
構語障害 dysarthria ……369
交互性周期長 cycle length alternans ……308
後骨間神経 posterior interosseous nerve ……964
後骨間動脈 posterior interosseous artery ……964
後骨髄球 metamyelocyte ……761
構語不全 idioglossia ……602
交互脈 alternation ……47
交互脈 pulsus alternans ……1005
交互輸送 antiport ……82
抗コリンエステラーゼ anticholinesterase (AChE) ……79
抗コリン作用(作動)性中毒症候群 anticholinergic toxidrome ……79
高コルチコイド〔症〕 hypercorticoidism ……583
高コレステロール血〔症〕 hypercholesterolemia ……582
後根 dorsal root ……361
交叉 chiasm ……230
〔遺伝子〕交叉 crossing-over ……299
虹彩 iris ……647
汞剤 mercurial ……754
合剤 mixture ……776
虹彩移動〔術〕 iridesis ……646
虹彩炎 iritis ……647
虹彩角膜角 iridocorneal angle ……646
虹彩角膜内皮症候群 iridocorneal endothelial syndrome ……646
虹彩強膜切開〔術〕 iridosclerotomy ……647
虹彩形成〔術〕 coreoplasty ……286
虹彩結合〔術〕 iridesis ……646
虹彩結紮〔術〕 iridesis ……646
虹彩欠損〔症〕 iridocoloboma ……646
虹彩症 iridopathy ……647
虹彩小窩 iris pit ……647
虹彩状紅斑 erythema iris ……416
虹彩振とう iridodonesis ……647
虹彩スパーテル iris spatula ……647
虹彩切開〔術〕 iridotomy ……647

虹彩切除〔術〕 iridectomy …… 646
虹彩脱 iridoptosis …… 647
虹彩脱出症 iridoptosis …… 647
虹彩断裂〔術〕 iridorrhexis …… 647
後細動脈 metarteriole …… 762
虹彩内縁剥離〔術〕 iridomesodialysis …… 647
虹彩軟化〔症〕 iridomalacia …… 647
虹彩嚢摘出〔術〕 iridocystectomy …… 646
虹彩嚢胞 iridocele …… 646
虹彩剥離〔術〕 sphincterolysis …… 1123
虹彩はめ込み〔術〕 iridencleisis …… 646
虹彩分離症 iridoschisis …… 647
虹彩ヘルペス herpes iris …… 556
〔神経〕膠細胞 glia cells …… 500
〔神経〕膠細胞 gliacyte …… 500
虹彩疱疹 herpes iris …… 556
虹彩〔括約筋〕麻痺 iridoplegia …… 647
虹彩脈絡膜炎 iridochoroiditis …… 646
後催眠暗示 posthypnotic suggestion …… 966
虹彩毛様体炎 iridocyclitis …… 646
虹彩毛様体切除〔術〕 iridocyclectomy …… 646
虹彩毛様体脈絡膜炎 iridocyclochoroiditis …… 646
虹彩離断 iridodialysis …… 647
虹彩離断〔術〕 iridorrhexis …… 647
虹彩裂離 iridoavulsion …… 646
高サイロキシン血〔症〕 hyperthyroxinemia …… 589
交差感染 cross-infection …… 299
交叉筋 cruciate muscle …… 301
絞窄 constriction …… 279
後索 posterior funiculus …… 964
絞窄感 constriction …… 279
交差研究 cross-over study …… 300
交叉咬合 cross-bite …… 299
交叉咬合〔配列〕用人工歯 cross-bite tooth …… 299
後鎖骨上神経 posterior supraclavicular nerve …… 966
交差〔適合〕試験〔法〕 cross-matching …… 300
交差性伸筋反射 crossed extension reflex …… 299
交差性塞栓症 crossed embolism …… 299
交差性半陰陽 transverse hermaphroditism …… 1221
交差耐性 cross-tolerance …… 300
交雑 cross …… 299
交差反射 crossed reflex …… 299
交差反応 cross-reaction …… 300
交差反応抗体 cross-reacting antibody …… 300
交差皮弁 cross-flap …… 299
交差複視 crossed diplopia …… 299
交差励起 cross-excitation …… 299
抗酸化剤 antioxidant …… 82
抗酸化物質 antioxidant …… 82
好酸球 eosinophilic leukocyte …… 405
好酸球カチオン性蛋白 eosinophil cationic protein (ECP) …… 405
好酸球減少〔症〕 eosinopenia …… 405
好酸球減少〔症〕 eosinophilic leukopenia …… 406
好酸球性膿疱性毛包炎 eosinophilic pustular folliculitis …… 406
好酸球性肺炎 eosinophilic pneumonia …… 406
好酸球性白血病 eosinophilic leukemia …… 405
好酸球増加〔症〕 eosinophilia …… 405
好酸球増加〔症〕 eosinophilic leukocytosis …… 406
好酸球増多-筋痛症候群 eosinophilia-myalgia syndrome …… 405
好酸球増多症候群 hypereosinophilic syndrome …… 583
好酸球〔性〕肉芽腫 eosinophilic granuloma …… 405
好酸球尿症 eosinophiluria …… 406
抗酸菌染色変法 modified acid-fast stain …… 777
好酸性細胞 oxyphil cell …… 881
好酸性腺腫 acidophil adenoma …… 13
好酸性微生物 acidophil …… 13
高酸素〔症〕 hyperoxia …… 587
高酸素化 hyperoxygenized …… 587
高山病 altitude sickness …… 47
高山病 mountain sickness …… 787
光子 photon (γ) …… 932
光視〔症〕 photopsia …… 932
合指〔症〕 syndactyly …… 1171
後耳介筋 auricularis posterior muscle …… 119
後耳介筋 posterior auricular muscle …… 963
後耳介神経 posterior auricular nerve …… 963
後耳介動脈 posterior auricular artery …… 963
公式 formula …… 471
厚糸期 pachytene …… 884
合糸期 zygotene …… 1304
高色〔素〕性貧血 hyperchromic anemia …… 582
好色素性 chromophil …… 240
好色素性 chromophilia …… 241
好色素性腺腫 chromophil adenoma …… 241
高脂〔肪〕血〔症〕 hyperlipemia …… 585
高脂血症治療薬 antihyperlipidemic …… 81
光子検出器 photodetector …… 931
格子構造 cancellus …… 194
後篩骨神経 posterior ethmoidal nerve …… 964
後篩骨動脈 posterior ethmoidal artery …… 964
虹視症 glaucomatous halo …… 500
合耳症 synotia …… 1172
格子状角膜異栄養〔症〕 reticular dystrophy of cornea …… 1045
格子状角膜ジストロフィ reticular dystrophy of cornea …… 1045
後矢状径 posterior sagittal diameter …… 965
抗ジスキネシア薬 antidyskinetic agent …… 80
高歯性 hypsodont …… 598
膠質 colloid …… 262
鉱質 mineral …… 773
後室間動脈 posterior interventricular artery …… 964
鉱質コルチコイド mineralocorticoid …… 773
膠質浴 colloid bath …… 262
後斜角筋 posterior scalene muscle …… 965
後斜角筋 scalenus posterior muscle …… 1074
〔汗〕孔腫 poroma …… 960
硬腫 scleroma …… 1080
口臭 halitosis …… 529
公衆衛生 public health …… 1001
高シュウ酸尿〔症〕 hyperoxaluria …… 587
抗終止 antitermination …… 83
後十字靱帯 posterior cruciate ligament …… 964
後十字靱帯のテスト posterior drawer test …… 964
高周波 radiofrequency …… 1020
高周波換気法 high-frequency ventilation (HFV) …… 562
高周波数難聴 high-frequency hearing impairment …… 562
高周波電流 high-frequency current …… 562
高周波パルス radiofrequency …… 1020
高周波療法 fulguration …… 478
拘縮 contracture …… 282
絞縮輪 constriction ring …… 279
絞首骨折 hangman's fracture …… 531
後出血 secondary hemorrhage …… 1085
口述による認知 oral awareness …… 865
口述筆記 dictation …… 344
抗腫瘍性抗生物質 antineoplastic antibiotic …… 82
高純度爆薬 high-grade explosive …… 562
咬傷 bite …… 157
咬傷 bites …… 158
鉤状回 subiculum …… 1153
甲状頸動脈 thyrocervical trunk …… 1202
甲状喉頭蓋筋 thyroepiglottic muscle …… 1202
溝状骨折 gutter fracture …… 522
鉤状指 dactylogryposis …… 315
後上歯槽動脈 posterior superior alveolar artery …… 966
恒常性 homeostasis …… 568
甲状舌管 thyroglossal duct …… 1202
甲状舌骨筋 thyrohyoid muscle …… 1202
甲状腺 thyroid gland …… 1202
甲状腺〔腫〕炎 strumitis …… 1149
甲状腺炎 thyroiditis …… 1202
甲状腺下垂〔症〕 thyroptosis …… 1203
甲状腺機能異常眼窩症 dysthyroid orbitopathy …… 372
甲状腺機能亢進〔症〕 hyperthyroidism …… 589
甲状腺急性発症 thyrotoxic crisis …… 1203
甲状腺挙筋 levator muscle of thyroid gland …… 695
甲状腺挙筋 musculus levator glandulae thyroideae …… 797
甲状腺クリーゼ thyrotoxic crisis …… 1203
甲状腺膠質 colloid …… 262
甲状腺コロイド colloid …… 262
甲状腺雑音 thyroid bruit …… 1202
甲状腺刺激ホルモン thyrotropin …… 1203
甲状腺刺激ホルモン放出ホルモン試験 thyrotropin-releasing

コ

hormone (TRH) stimulation test ……… 1203
甲状腺刺激免疫グロブリン thyroid-stimulating immunoglobulins (TSI) ……… 1202
甲状腺腫 goiter ……… 508
甲状腺腫 thyrocele ……… 1202
甲状腺周囲炎 perithyroiditis ……… 918
甲状腺腫切除〔術〕 strumectomy ……… 1149
甲状腺上皮小体切除〔術〕 thyroparathyroidectomy ……… 1203
甲状腺小胞 thyroid follicles ……… 1202
甲状腺錐体葉 pyramidal lobe of thyroid gland ……… 1011
甲状腺髄様癌 medullary carcinoma of thyroid ……… 746
甲状腺性心臓病 thyrocardiac disease ……… 1201
甲状腺切除〔術〕 thyroidectomy ……… 1202
甲状腺切除性悪液質 cachexia thyropriva ……… 188
甲状腺中毒〔症〕 thyrotoxicosis ……… 1203
甲状腺〔機能〕低下〔症〕 hypothyroidism ……… 597
甲状腺摘出〔術〕 thyroidectomy ……… 1202
甲状腺〔機能〕不全〔症〕 hypothyroidism ……… 597
甲状腺ホルモン検査 parathyroid hormone test ……… 898
甲状腺無形成〔症〕 thyroaplasia ……… 1201
鉤状束 unciform fasciculus ……… 1245
後焦点 posterior focal point ……… 964
鉤状突起 coronoid process ……… 287
甲状軟骨 thyroid cartilage ……… 1202
甲状軟骨切開〔術〕 thyrotomy ……… 1203
甲状披裂筋 thyroarytenoid muscle ……… 1201
後上腕回旋動脈 posterior circumflex humeral artery ……… 963
高所恐怖〔症〕 acrophobia ……… 17
紅色陰癬 erythrasma ……… 416
紅色汗疹 miliaria rubra ……… 772
紅色白癬菌 *Trichophyton rubrum* ……… 1228
紅色肥厚〔症〕 erythroplasia ……… 418
口唇 labrum ……… 673
紅疹 rubedo ……… 1063
亢進 sthenia ……… 1142
後腎 metanephros ……… 761
口唇炎 cheilitis ……… 227
口唇外反 cheilectropion ……… 227
後腎芽体 metanephrogenic blastema ……… 761
後腎管 metanephric duct ……… 761
口唇乾燥〔症〕 xerochilia ……… 1297
後腎憩室 metanephric diverticulum ……… 761
口唇形成〔術〕 labioplasty ……… 672
口唇軸 modiolus labii ……… 778
口唇症 cheilosis ……… 227
口唇状赤血球症 stomatocytosis ……… 1144
〔口〕唇切開〔術〕 cheilotomy ……… 227
項靱帯 nuchal ligament ……… 842
後腎中胚葉組織塊 metanephric mass of mesoderm ……… 761
後陣痛 afterpains ……… 33
高浸透圧〔症〕 hyperosmolality ……… 586
高浸透圧〔症〕 hyperosmolarity ……… 586
高浸透圧性非ケトン性昏睡 hyperosmolar (hyperglycemic) nonketotic coma ……… 586
高浸透性 hypertonicity ……… 589
口唇反射 lip reflex ……… 704
口唇肥厚〔症〕 pachycheilia ……… 883
口唇舞踏病 labiochorea ……… 672
〔口〕唇縫合〔術〕 cheilorrhaphy ……… 227
光錐 light reflex ……… 700
光錐 pyramid of light ……… 1011
降生 cataplasia ……… 209
構成 organization ……… 867
向性 tropism ……… 1233
合成 synthesis ……… 1173
合成異型接合体 compound heterozygote ……… 271
合成期 synthesis period ……… 1173
較正曲線 calibration curve ……… 191
光性駆動 photic driving ……… 931
高精細画像 high-definition imaging (HDI) ……… 561
好青細胞 cyanophil ……… 308
抗生作用 antibiosis ……… 78
構成失行 constructional apraxia ……… 279
較正周期 calibration interval ……… 191
抗精神病薬 antipsychotic ……… 82
抗精神病薬 antipsychotic agent ……… 82
抗精神病薬 neuroleptic ……… 827
向精神薬 psychopharmaceuticals ……… 999
好青成分 cyanophil ……… 308
硬性腺炎 scleradenitis ……… 1080
合成染料 synthetic dyes ……… 1173
構成体 formation ……… 471
硬性ドルーゼン hard drusen ……… 532
高性能液体クロマトグラフィ high-performance liquid chromatography (HPLC) ……… 562
構成物 frame ……… 474
抗生物質 antibiotic ……… 78
抗生物質感受性 antibiotic susceptibility ……… 79
抗生物質除去装置 antibiotic removal device (ARD) ……… 79
抗生物質投与後強化 postantibiotic leukocyte enhancement (PALE) ……… 962
抗生物質投与後効果 postantibiotic effect (PAE) ……… 962
抗生物質ボンディング antibiotic bonding ……… 79
合成文同定 synthetic sentence identification ……… 1173
後脊髄小脳路 posterior spinocerebellar tract ……… 965
後脊髄動脈 posterior spinal artery ……… 965
交接 copulation ……… 285
硬節 scleromere ……… 1081
硬節 sclerotome ……… 1081
高摂取結節 hot nodule ……… 572
厚舌症 pachyglossia ……… 883
光線 light ……… 699
光線 ray ……… 1026
鋼線 wire ……… 1292
高線維 high-fiber ……… 562
高繊維食 high-fiber diet ……… 562
抗線維素溶解剤 antifibrinolytic ……… 80
光線〔性〕角化症 actinic keratosis ……… 17
光線眼症 photophthalmia ……… 932
後染色 counterstain ……… 292
〔鉱〕泉水 mineral water ……… 773
好染性 chromophil ……… 240
光線性てんかん photogenic epilepsy ……… 932
光線聴診器 photostethoscope ……… 933
光線熱分解 photothermolysis ……… 933
光線皮膚炎 photodermatitis ……… 931
後前方向撮影 PA projection ……… 892
光線療法 light therapy ……… 700
光線療法 phototherapy ……… 933
光線療法 solar therapy ……… 1114
高線量率近接照射療法 high-dose-rate brachytherapy ……… 561
酵素 enzyme ……… 405
溝創 gutter wound ……… 523
香草 herb ……… 553
構造 configuration ……… 275
構造 constitution ……… 279
構造 structure ……… 1149
構造 texture ……… 1191
構造異性 structural isomerism ……… 1149
構造遺伝子 structural gene ……… 1149
抗躁うつ病薬 mood stabilizing agent ……… 783
構造式 structural formula ……… 1149
合爪症 synonychia ……… 1172
溝槽徴候 trough sign ……… 1233
構造物 structure ……… 1149
酵素〔化〕学 enzymology ……… 405
〔酵素〕活性 activity ……… 19
梗塞 infarct ……… 617
梗塞 infarction ……… 617
拘束 restraint ……… 1043
拘束 restriction ……… 1044
高速血流信号損失 high velocity signal loss ……… 563
梗塞周囲ブロック periinfarction block ……… 915
合足症 sympodia ……… 1170
拘束性換気障害 restrictive ventilatory defect ……… 1044
梗塞性心外膜炎 constrictive pericarditis ……… 279
梗塞性心嚢炎 constrictive pericarditis ……… 279
後側頭葉動脈 posterior temporal branch of middle cerebral artery ……… 966
後足部外反 hindfoot valgus ……… 563
拘束服 straitjacket ……… 1145
後足部内反 hindfoot varus ……… 563

後側方開胸〔術〕 posterolateral thoracotomy ········ 966
〔脊柱〕後側弯〔症〕 kyphoscoliosis ········ 671
酵素結合イムノソルベント検定法 enzyme-linked immunosorbent assay (ELISA) ········ 405
酵素原 zymogen ········ 1304
酵素原細胞 zymogenic cell ········ 1304
酵素増幅免疫測定法 enzyme-multiplied immunoassay technique (EMIT) ········ 405
酵素阻害薬 antienzyme ········ 80
酵素電気泳動法 multilocus enzyme electrophoresis (MLEE) 791
酵素発生 zymogenesis ········ 1304
酵素病 enzymopathy ········ 405
酵素分解 enzymolysis ········ 405
酵素免疫測定法 enzyme-linked immunosorbent assay (ELISA) ········ 405
酵素免疫法 enzyme immunoassay (EIA) ········ 405
酵素溶解 enzymolysis ········ 405
酵素抑制薬 antienzyme ········ 80
交代 alternation ········ 47
抗体 antibody (Ab) ········ 79
後退 regression ········ 1034
後退 retraction ········ 1047
後退 retrocession ········ 1047
高体温 hyperthermia ········ 589
後退顎 retrognathism ········ 1048
抗体過剰 antibody excess ········ 79
交代勤務時間 shift ········ 1099
後退咬合 retrusive occlusion ········ 1049
交代遮へい試験 alternate cover test ········ 47
交代振せん alternating tremor ········ 47
抗体スクリーニング antibody screen ········ 79
交代性無呼吸 Cheyne-Stokes respiration ········ 230
後大腿皮神経 posterior cutaneous nerve of thigh ········ 964
後大腿皮神経 posterior femoral cutaneous nerve ········ 964
後大脳動脈 posterior cerebral artery ········ 963
交代浴 contrast bath ········ 282
叩打法 tapotement ········ 1179
高炭酸ガス〔症〕 hypercapnia ········ 582
硬蛋白〔質〕 scleroprotein ········ 1081
高蛋白食 high-protein diet ········ 562
構築 organization ········ 867
〔高〕窒素血〔症〕 azotemia ········ 128
高地脳浮腫 high altitude cerebral edema ········ 561
高地肺水腫 high altitude pulmonary edema ········ 561
膠着 agglutination ········ 34
膠着〔反応〕 conglutination ········ 277
鉤虫 hookworm ········ 570
後柱 posterior column ········ 963
好中球 neutrophil ········ 831
好中〔性白血〕球 neutrophilic leukocyte ········ 831
好中球減少〔症〕 neutropenia ········ 830
好中球増加〔症〕 neutrophilia ········ 831
好中球走性 neutrotaxis ········ 831
鉤虫症 ancylostomiasis ········ 63
好中性 neutrophil ········ 831
鉤虫病 hookworm disease ········ 570
後腸 hindgut ········ 563
高張 hypertonia ········ 589
紅潮 suffusion ········ 1157
高張食塩水 hypertonic saline ········ 589
高張性 hypertonicity ········ 589
腔腸動物 coelenterate ········ 259
高張尿〔症〕 hypersthenuria ········ 589
硬直 rigidity ········ 1057
硬直 rigor ········ 1057
交通 anastomosis ········ 62
交通 communication ········ 267
光痛〔症〕 photalgia ········ 931
交通枝 communicating branch ········ 267
交通枝切断〔術〕 ramisection ········ 1023
交通性水頭〔症〕 communicating hydrocephalus ········ 267
交通動脈 communicating artery ········ 267
工程技術 process skills ········ 981
後定常状態 post-steady state ········ 967
公定処方 official formula ········ 855
高鉄血〔症〕 hyperferremia ········ 583
光点 radiant ········ 1018
後転 recession ········ 1028
後転 retrodeviation ········ 1047
後転 retrodisplacement ········ 1047
高電圧電気刺激療法 high volt electrical stimulation (HVES) 563
後電位 afterpotential ········ 33
抗てんかん薬 antiepileptic ········ 80
後天性高リポ蛋白血〔症〕 acquired hyperlipoproteinemia ········ 15
後天性母斑 acquired nevus ········ 15
後天性免疫不全症候群 acquired immunodeficiency syndrome ········ 15
後天免疫 acquired immunity ········ 15
光度 luminous intensity (I) ········ 714
咬頭 cusp ········ 306
喉頭 larynx ········ 680
後頭 occiput ········ 851
行動遺伝学 behavioral genetics ········ 144
喉頭咽頭筋 laryngopharyngeus ········ 680
喉頭〔下〕咽頭摘出〔術〕 laryngopharyngectomy ········ 680
喉頭炎 laryngitis ········ 680
喉頭横隔膜症 laryngeal web ········ 679
後頭顆 occipital condyle ········ 850
行動化 acting out ········ 17
喉頭蓋 epiglottis ········ 409
喉頭蓋炎 epiglottitis ········ 409
後頭蓋窩到達法 posterior fossa approach ········ 964
喉頭開口〔術〕 laryngostomy ········ 680
喉頭蓋切除〔術〕 epiglottidectomy ········ 409
喉頭開窓〔術〕 laryngostomy ········ 680
喉頭蓋軟骨 epiglottic cartilage ········ 409
喉頭科学 laryngology ········ 680
行動科学 behavioral sciences ········ 144
後頭下筋 suboccipital muscles ········ 1154
喉頭学 laryngology ········ 680
後頭下神経 suboccipital nerve ········ 1154
喉頭下垂〔症〕 laryngoptosis ········ 680
咬頭嵌合 intercuspation ········ 630
咬頭嵌合 interdigitation ········ 631
喉頭気管炎 laryngotracheitis ········ 680
喉頭気管管 laryngotracheal tube ········ 680
喉頭気管形成〔術〕 laryngotracheoplasty ········ 680
喉頭〔気管〕気管支炎 laryngotracheobronchitis ········ 680
喉頭気管食道裂 laryngotracheoesophageal cleft ········ 680
喉頭気腫 laryngocele ········ 680
喉頭鏡 laryngoscope ········ 680
喉頭鏡検査〔法〕 laryngoscopy ········ 680
喉頭狭窄〔症〕 laryngeal stenosis ········ 679
喉頭狭窄 laryngostenosis ········ 680
喉頭強皮症 pachyderma laryngis ········ 883
喉頭筋 muscles of larynx ········ 794
喉頭形成〔術〕 laryngoplasty ········ 680
喉頭痙攣 laryngospasm ········ 680
高銅血〔症〕 hypercupremia ········ 583
行動減退 hypopraxia ········ 596
咬頭高 cusp height ········ 306
喉頭硬皮症 pachyderma laryngis ········ 883
後頭骨 occipital bone ········ 850
後頭骨環椎癒合 occipitalization ········ 850
喉頭室 laryngeal ventricle ········ 679
喉頭室脱 Morgagni prolapse ········ 784
喉頭室脱出症 Morgagni prolapse ········ 784
喉頭室嚢胞 laryngocele ········ 680
喉頭室翻転 Morgagni prolapse ········ 784
行動主義 behaviorism ········ 144
行動主義者 behaviorist ········ 144
行動障害 behavior disorder ········ 144
喉頭小嚢 saccule of larynx ········ 1066
後頭静脈 occipital vein ········ 850
後頭静脈洞 occipital sinus ········ 850
行動心理学 behavioral psychology ········ 144
喉頭性失神 laryngeal syncope ········ 679
喉頭切開〔術〕 laryngofissure ········ 680
喉頭切開〔術〕 laryngotomy ········ 680
喉頭切除〔術〕 laryngectomy ········ 679
〔喉頭〕前庭裂 rima vestibuli ········ 1057
後頭前頭筋 occipitofrontalis muscle ········ 850

コ

行動的イムノゲン behavioral immunogen 144
喉頭摘出〔術〕 laryngectomy 679
行動的病因 behavioral pathogen 144
行動統合 activity synthesis 20
後頭動脈 occipital artery 850
喉頭軟化症 laryngomalacia 680
喉頭乳頭腫症 laryngeal papillomatosis 679
行動パターン分析 activity pattern analysis 20
喉頭病学 laryngology 680
行動不能〔症〕 apraxia 91
喉頭部分切除〔術〕 partial laryngectomy 901
行動分析 activity analysis 20
喉頭ヘルニア laryngocele 680
行動変容 behavior modification 144
喉頭マスク laryngeal mask 679
喉頭麻痺 laryngoparalysis 680
行動薬理学 ethopharmacology 422
後頭葉 occipital lobe of cerebrum 850
後頭葉静脈 occipital cerebral veins 850
後頭葉静脈 occipital vein 850
後頭葉てんかん occipital lobe epilepsy 850
喉頭隆起 laryngeal prominence 679
行動流行 behavioral epidemic 144
咬頭隆線 cusp ridge 306
行動療法 behavior therapy 144
高度看護施設 skilled nursing facility (SNF) 1109
光毒症 phototoxicity 933
抗毒素 antitoxin 83
抗〔蛇〕毒素 antivenin 83
抗毒素単位 antitoxin unit 83
高度口渇 dipsesis 350
高度地方流行病 hyperendemic disease 583
高トリグリセリド血症 hypertriglyceridemia 589
抗トリパノソーマ薬 trypanocide 1234
抗トリプシン antitrypsin 83
高トロンビン血〔症〕 hyperthrombinemia 589
〔歯肉〕口内炎 gingivostomatitis 499
口内炎 stomatitis 1144
口内カメラ intraoral camera 641
口内乾燥〔症〕 xerostomia 1298
口内出血 stomatorrhagia 1144
口内錠 troche 1232
口内焼灼感症候群 burning mouth syndrome 185
高内皮性後毛細管小静脈 high endothelial postcapillary venules 561
口内病 stomatopathy 1144
高ナトリウム血〔症〕 hypernatremia 586
高ナトリウム血性脳症 hypernatremic encephalopathy 586
硬軟〔髄〕膜炎 pachyleptomeningitis 883
光二色性 dichroism 344
高乳状脂粒血〔症〕 hyperchylomicronemia 583
〔リン〕光尿〔症〕 photuria 933
高尿酸尿〔症〕 hyperlithuria 585
高尿糖〔症〕 hyperglycosuria 584
公認〔正〕看護助産師 certified nurse-midwife 223
公認呼吸療法士 registered respiratory therapist (RRT) 1034
後認知 afterperception 33
高熱 hyperthermia 589
好熱生物 thermophile 1194
後捻角 angle of retroversion 69
更年期 climacteric 250
高年初産〔妊〕婦 elderly primigravida 382
効能 efficacy 379
後脳 metencephalon 763
孔脳〔症〕 porencephaly 960
孔脳炎 porencephalitis 960
荒廃 deterioration 337
交配 mating 736
勾配 gradient 513
広背筋 latissimus dorsi muscle 684
勾配試験 ramp test 1023
勾配増幅器 gradient amplifier 513
後白質脳症症候群 posterior leukoencephalopathy syndrome 965
後発医薬品 generic drug 493
抗発癌性 anticarcinogenic 79
後発くる病 adult rickets 30
高バリン血〔症〕 hypervalinemia 590
紅斑 erythema 415
紅斑 rubedo 1063
後反 retroversion 1048
広範囲周波数帯 wideband 1291
紅斑角皮症 erythrokeratodermia 417
紅板症 erythroplakia 418
広汎性シュワルツマン現象 generalized Shwartzman phenomenon 493
広汎性損傷 diffuse injuries 346
紅斑性天疱瘡 pemphigus erythematosus 909
紅斑性狼瘡 lupus erythematosus (LE, L.E.) 716
広汎性ろう様脾 diffuse waxy spleen 346
広汎発達障害 pervasive developmental disorder 922
〔皮膚〕紅斑〔線〕量 erythema dose 415
交尾 coitus 260
抗B型肝炎免疫グロブリン hepatitis B immune globulin (HBIG) 552
後鼻棘 posterior nasal spine 965
後鼻孔 choana 232
高比重リポ蛋白コレステロール high density lipoprotein-cholesterol (HDL-C) 561
紅皮症 erythroderma 417
硬皮症 pachyderma 883
硬皮症 scleroderma 1080
肛尾神経 anococcygeal nerve 72
抗ヒスタミン薬 antihistamines 81
抗ヒスタミン薬 antihistaminic 81
肛皮線 linea anocutanea 701
抗ビタミン antivitamin 83
抗ヒトグロブリン血清 antihuman globulin 81
好病症 nosophilia 841
高ビリルビン血〔症〕 hyperbilirubinemia 582
後鼻漏 postnasal drip (PND) 967
高頻度振動換気法 high frequency oscillation (HFO) 562
高頻度〔形質〕導入 high-frequency transduction 562
高頻度パーカッション換気法 high frequency percussive ventilation (HFPV) 562
高頻度陽圧換気法 high frequency positive pressure ventilation (HFPPV) 562
高ファウラー位 high Fowler position 562
抗不安薬 antianxiety agent 78
抗不安薬 anxiolytic 85
後部一次硝子体過形成遺残 persistent posterior hyperplastic primary vitreous 921
高フェニルアラニン血症 hyperphenylalaninemia 587
後負荷 afterload 33
後部角膜ジストロフィ posterior corneal dystrophy 963
光不活化 photoinactivation 932
後部眼瞼炎 posterior blepharitis 963
後腹腔気腹〔症〕 pneumoretroperitoneum 951
後腹膜炎 retroperitonitis 1048
後腹膜線維症 retroperitoneal fibrosis 1048
項部硬直 nuchal rigidity 842
後不正軸進入 posterior asynclitism 963
後不正軸定位 posterior asynclitism 963
後部胎生環 posterior embryotoxon 964
後部多形性角膜ジストロフィ posterior polymorphous corneal dystrophy 965
鉱物質除去 demineralization 326
後部尿道弁 posterior urethral valves 966
抗プラスミン antiplasmin 82
項部菱形皮膚 cutis rhomboidalis nuchae 307
高プレβリポ蛋白血〔症〕 hyperprebetalipoproteinemia 588
高プロインスリン血症 hyperproinsulinemia 588
高プロリン血〔症〕 hyperprolinemia 588
好糞〔症〕 coprophilia 285
〔異常〕興奮 erethism 413
興奮 excitation 426
興奮 excitement 426
高分解能CT high-resolution computed tomography (HRCT) 562
高分子 macromolecule 723
高分子量キニノーゲン high molecular weight kininogen (HMWK) 562
興奮性 excitability 426
興奮性シナプス後電位 excitatory postsynaptic potential 426

興奮の法則 law of excitation ……685
興奮波 excitation wave ……426
興奮反射神経 excitoreflex nerve ……426
興奮薬 stimulant ……1143
興奮薬 stimulator ……1143
興奮薬 stimulus ……1143
硬壁小体 sclerotic bodies ……1081
高ペプシン〔症〕 hyperpepsinia ……587
高ヘモグロビン血〔症〕 hyperhemoglobinemia ……584
抗変異原 antimutagen ……82
酵母 yeast ……1299
後方圧 back pressure ……130
口防衛性 oral defensiveness ……865
後方落ち込みテスト posterior sag test ……965
後方散乱 backscatter ……130
後方歯 posterior tooth ……966
後方腎摘出〔術〕 posterior nephrectomy ……965
後方心不全 backward heart failure ……130
合胞体 syncytium ……1171
合胞体栄養芽細胞 syntrophoblast ……1173
合胞体栄養細胞層 syncytiotrophoblast ……1171
合胞体性結節 syncytial knot ……1171
合胞体層 syncytiotrophoblast ……1171
後方突進 retropulsion ……1048
後方歩行器 posterior walker ……966
酵母菌類似菌症 geotrichosis ……496
抗補体 anticomplement ……79
抗ホルモン antihormone ……81
硬膜 dura mater ……368
硬〔髄〕膜炎 pachymeningitis ……883
硬膜外腔 epidural cavity ……408
硬膜外出血 extradural hemorrhage ……435
硬膜外層炎 peripachymeningitis ……917
硬膜外注射 epidural injection ……408
硬膜外ブロック epidural block ……408
硬膜外麻酔〔法〕 epidural anesthesia ……408
硬膜海綿静脈洞瘻 dural cavernous sinus fistula ……368
硬膜下腔 subdural space ……1152
硬膜下血腫 subdural hemorrhage ……1152
硬膜下出血 subdural hemorrhage ……1152
硬膜鞘 dural sheath ……368
硬〔髄〕膜障害 pachymeningopathy ……883
硬膜上腔 epidural cavity ……408
硬膜静脈 meningeal veins ……751
硬膜静脈洞 dural venous sinuses ……368
高マグネシウム血症 hypermagnesemia ……585
抗マラリア薬 antimalarials ……81
硬脈 hard pulse ……533
後迷路性難聴 retrocochlear hearing loss ……1047
項面 nuchal plane ……842
咬耗〔症〕 attrition ……117
硬毛 terminal hair ……1189
剛毛 seta ……1097
後毛細管小静脈 postcapillary venules ……963
項目表 inventory ……644
項目別マネージメント component management ……270
肛門 anus ……84
肛門愛 anality ……60
肛門愛期 anal phase ……60
肛門S状結腸鏡検査〔法〕 anosigmoidoscopy ……73
肛門縁 anal verge ……61
肛門窩 proctodeum ……981
肛門開口〔術〕 proctotresia ……982
肛門括約筋痛 sphincteralgia ……1123
肛門括約筋麻痺 proctoparalysis ……981
肛門括約筋麻痺 proctoplegia ……981
肛門括約筋攣縮〔症〕 sphincterismus ……1123
肛門管 anal canal ……60
肛門管 anal ducts ……60
肛門陥 proctodeum ……981
肛門管上皮 anoderm ……72
肛門管白線 white line of anal canal ……1290
肛門鏡 anoscope ……73
肛門挙筋 levator ani muscle ……695
肛門挙筋腱弓 tendinous arch of levator ani muscle ……1186
肛門形成〔術〕 anoplasty ……73
肛門形成〔術〕 proctoplasty ……981
肛門痙攣 proctospasm ……982
肛門櫛 anal pecten ……60
肛門櫛炎 pectenitis ……905
肛門櫛症 pectenosis ……906
肛門周囲炎 periproctitis ……918
肛門周囲腺 circumanal glands ……246
肛門周囲膿瘍 perianal abscess ……913
肛門性器縫線 anogenital raphe ……72
肛門性交 pederasty ……906
肛門接吻 anilingus ……70
肛門そう痒〔症〕 pruritus ani ……993
肛門脱 proctoptosia ……982
肛門脱出症 proctoptosia ……982
肛門柱 anal columns ……60
肛門洞 anal sinuses ……60
肛門道 proctodeum ……981
肛門粘液漏 proctorrhea ……982
肛門排尿 urochesia ……1253
肛門板 anal plate ……60
肛門反射 anal reflex ……60
肛門尾骨神経 anococcygeal nerve ……72
肛門尾骨靱帯 anococcygeal body ……72
肛門病学 proctology ……981
肛門病専門医 proctologist ……981
肛門フィステル anal fistula ……60
肛門閉鎖〔症〕 anal atresia ……60
肛門縫合〔術〕 proctorrhaphy ……982
肛門裂傷 anal fissure ……60
絞扼 strangulation ……1145
絞扼感 zonesthesia ……1302
絞扼性ヘルニア strangulated hernia ……1145
絞扼反射 gag reflex ……483
絞扼輪 constriction ring ……279
抗有糸分裂薬 antimitotic ……82
〔下垂体の〕後葉 posterior lobe of hypophysis ……965
抗溶解素 antilysin ……81
膠様癌 colloid carcinoma ……262
抗溶血素 antihemolysin ……81
膠様質 gelatinous substance ……492
後羊水 hindwater ……563
向養素性 trophotropism ……1233
膠様滴状角膜ジストロフィ gelatinous droplike corneal dystrophy ……492
膠様稗粒腫 colloid milium ……262
膠様変性 colloid degeneration ……262
咬翼X線写真 bitewing radiograph ……158
咬翼付きフイルム bitewing film ……158
抗らい菌薬 leprostatic ……690
離開骨折 diastatic fracture ……343
高リシン尿〔症〕 hyperlysinuria ……585
効率 efficiency ……379
抗利尿 antidiuresis ……79
抗利尿ホルモン分泌異常症候群 syndrome of inappropriate secretion of antidiuretic hormone (SIADH) ……1172
抗利尿薬 antidiuretic ……79
高リポ蛋白血〔症〕 hyperlipoproteinemia ……585
交流 alternating current (AC, ac, a.c.) ……47
合流 confluence ……275
交流分析 transactional analysis ……1216
光量子 photon (γ) ……932
効力 potency ……969
合理療法 rational therapy ……1026
口輪筋 orbicularis oris muscle ……865
高リン酸塩尿〔症〕 hyperphosphaturia ……587
抗リン脂質抗体症候群 antiphospholipid antibody syndrome (aPLS, APS) ……82
後輪状披裂筋 posterior cricoarytenoid muscle ……964
抗リンパ〔球〕血清 antilymphocyte serum (ALS) ……81
硬〔性〕リンパ節炎 scleradenitis ……1080
後涙嚢稜 posterior lacrimal crest ……965
好冷菌 psychrophile ……1000
高齢者うつ尺度 Geriatric Depression Scale (GDS) ……496
高齢者虐待 elder abuse ……382
高齢者向けフードガイドピラミッド Food Guide Pyramid for the Elderly ……469

口裂 rima oris 1057
交連 commissure 266
拘攣 contracture 282
交連切開〔術〕 commissurotomy 266
交連線維 commissural fibers 266
抗ロイコトリエン薬 antileukotriene 81
後肋間動脈 posterior intercostal arteries 3-11 964
後肋骨吻合 postcostal anastomosis 963
〔脊柱〕後弯 kyphosis 671
〔脊柱〕後弯〔性〕骨盤 kyphotic pelvis 671
声 voice 1281
コーガン眼球運動失行 Cogan oculomotor apraxia 259
ゴーク gork 512
ゴーシェ細胞 Gaucher cells 491
ゴーシェ病 Gaucher disease 491
コーシャ〔ー〕 kosher 670
ゴースト ghost cell 497
コーディネーター coordinator 284
コード・オレンジ code orange 258
コード化 coding 259
コード化 encoding 394
コートジボアールウイルス Cote-d'Ivoire virus 291
コード・パープル code purple 258
コード配列 coding sequence 259
コード・ブラック code black 258
コード・ブルー code blue 258
コード・リンケージ code linkage 258
コード・レッド code red 258
コーナータンポン Corner tampon 286
コーバー反応 Kober reaction 669
コーヒー冠動脈 cafe coronary 189
コープ鉗子 Cope clamp 284
コーベルト〔細〕管 Kobelt tubules 669
コーリサイクル Cori cycle 286
ゴーリン徴候 Gorlin sign 512
コール酸 cholic acid 235
ゴール志向運動 goal-oriented movements 508
コールドウェル-モロイ分類〔法〕 Caldwell-Moloy classification 191
コールドウェル-リュック手術 Caldwell-Luc operation 191
ゴールドスタイン趾徴候 Goldstein toe sign 509
ゴールドトップチューブ gold-top tube 509
コールドノジュール cold nodule 260
ゴールドブラット高血圧〔症〕 Goldblatt hypertension 508
ゴールドブラット腎 Goldblatt kidney 508
ゴールドマン眼圧計 Goldmann tonometer 509
ゴールドマン-ファーヴル症候群 Goldmann-Favre syndrome 509
ゴールトン指紋分類〔法〕 Galton system of classification of fingerprints 484
ゴールトンの法則 Galton law 484
ゴールトン笛 Galton whistle 484
コーレス骨折 Colles fracture 262
鼓音 tympanitic resonance 1240
鼓音 tympany 1241
ゴーン結節 Ghon tubercle 497
〔空〕壺音性共鳴音 amphoric resonance 56
語音聴取閾値 speech reception threshold 1121
語音弁別閾値 speech awareness threshold 1120
語音弁別能 discrimination score 353
コカイン cocaine 256
コカイン・ノーズ cocaine nose 256
コカインベイビー cocaine baby 256
股関節 coxa 293
股関節 hip joint 564
股関節結核 coxotuberculosis 293
股関節痛 coxalgia 293
股関節痛 coxodynia 293
股関節部骨折 hip fracture 564
呼気 exhalation 428
呼気 expired gas 431
呼気 halitus 529
呼気アルコール技能者 breath alcohol technician (BAT) 174
呼気検査 breath test 174
小刻み歩行 brachybasia 171
呼気終末平圧〔換気〕 zero end-expiratory pressure (ZEEP) 1301
呼気終末陽圧 positive end-expiratory pressure (PEEP) 962
呼気性狭窄音 expiratory stridor 431
呼気性ぜん鳴 expiratory stridor 431
顧客中心接近法 client-centered approach 250
呼吸 breath 174
呼吸 breathing 174
呼吸 respiration 1041
呼吸運動記録器 spirograph 1127
呼吸運動遅滞 lagging 675
呼吸音 breath sounds 174
呼吸音 respiratory sounds 1042
呼吸隔離 respiratory isolation 1042
呼吸活性化定量噴霧式吸入器 breath activated metered dose inhaler (BAMDI) 174
呼吸緩徐 bradypnea 172
呼吸管理 respiratory care 1042
呼吸器・腸内・オーファンウイルス respiratory enteric orphan virus 1042
呼吸休止 respiratory pause 1042
呼吸曲線 pneumogram 950
呼吸曲線 spirogram 1127
呼吸気流計 pneumotachograph 951
呼吸〔曲線〕記録〔法〕 pneumography 951
呼吸ケア実施士 respiratory care practitioner (RCP) 1042
呼吸計 respirometer 1043
呼吸憩室 respiratory diverticulum 1042
股臼形成〔術〕 acetabuloplasty 10
呼吸ゲーティング respiratory gating 1042
呼吸交換率 respiratory exchange ratio 1042
呼吸亢進 hyperpnea 588
呼吸酵素 respiratory enzyme 1042
呼吸困難 dyspnea 372
呼吸コンプライアンス respiratory compliance 1042
呼吸細気管支 respiratory bronchioles 1042
呼吸作業量 work of breathing 1293
呼吸色素 respiratory pigments 1042
呼吸商 respiratory quotient (RQ) 1042
呼吸小葉 primary pulmonary lobule 979
呼吸数 respiration rate 1041
呼吸数 respiratory rate 1042
呼吸性アシドーシス respiratory acidosis 1041
呼吸性アルカローシス respiratory alkalosis 1041
股臼切除〔術〕 acetabulectomy 10
呼吸タコメータ pneumotachograph 951
呼吸中枢 respiratory center 1042
呼吸治療士 respiratory therapist 1043
呼吸低下 hypopnea 596
呼吸停止 respiratory pause 1042
呼吸バッグ breathing bag 174
呼吸評価 respiratory assessment 1041
呼吸頻度 respiratory frequency (f) 1042
呼吸不全 respiratory failure 1042
呼吸プレチスモグラフィー respiratory inductance plethysmography (RIP) 1042
呼吸用マスク respirator 1041
呼吸容量 respiratory capacity 1042
呼吸力学 pneumodynamics 950
呼吸流量計 pneumotachograph 951
呼吸療法 respiratory therapy 1043
黒球温度計 black globe thermometer 159
黒血画像 black blood imaging 159
国際看護師協会 International Council of Nurses (ICN) 635
国際看護連盟 National League of Nursing (NLN) 813
国際感度指数 international sensitivity index (ISI) 636
国際疾病分類 International Classification of Diseases (ICD) 635
国際障害機能喪失身体障害分類 International Classification of Impairments, Disabilities and Handicaps 635
国際助産師連盟 International Confederation of Midwives (ICM) 635
国際生活機能分類 International Classification of Functioning, Disability, and Health 635
国際赤十字社 International Red Cross Society 635
国際単位系 International System of Units (SI) 636
国際標準比 international normalized ratio (INR) 635
国際プライマリケア疾病分類 International Classification of Health Problems in Primary Care 635

コクサッキーウイルス coxsackievirus …… 293
コクサッキー脳炎 Coxsackie encephalitis …… 293
黒子 lentigo …… 689
コクシジウム coccidium …… 256
コクシジウム症 coccidiosis …… 256
コクシジオイデス腫 coccidioidoma …… 256
コクシジオイデス真菌症 coccidioidomycosis …… 256
コクシジオイドーム coccidioidoma …… 256
黒子症 lentiginosis …… 689
黒質 nigra …… 833
黒質 substantia nigra …… 1155
黒死病 black death …… 159
極重仕事量 very heavy work …… 1272
黒色〔舌〕 black tongue …… 159
黒色癌 melanotic carcinoma …… 749
黒色菌糸症 phaeohyphomycosis …… 923
黒色砂毛〔症〕 black Piedra …… 159
黒色色素 pigmentum nigrum …… 937
黒色腫 melanoma …… 748
黒色腫症 melanomatosis …… 748
黒色症 melanosis …… 748
黒色真菌 dematiaceous fungi …… 326
黒色尿〔症〕 melanuria …… 749
黒色肺 black lung …… 159
黒色白内障 black cataract …… 159
黒色皮膚炎 melanodermatitis …… 748
黒色表皮腫 acanthosis nigricans …… 7
黒色表皮〔肥厚〕症 acanthosis nigricans …… 7
黒水熱 blackwater fever …… 159
黒〔色〕舌 lingua nigra …… 702
黒〔色〕舌 melanoglossia …… 748
黒線 linea nigra …… 701
黒爪〔症〕 melanonychia …… 748
極超短波 microwaves …… 769
極低カロリーダイエット very-low-calorie diets (VLCD) …… 1272
極低出生体重 very low birth weight (VLBW) …… 1272
黒内障 amaurosis …… 49
黒内障性猫眼 amaurotic cat eye …… 49
黒内障瞳孔 amaurotic pupil …… 50
黒斑 tache noire …… 1176
黒斑症 melanoplakia …… 748
語句反復症 choreophrasia …… 238
黒皮症 melanoderma …… 748
黒皮症 melasma …… 749
黒変症 nigrities …… 833
国民医薬品集 National Formulary …… 813
黒毛舌 black tongue …… 159
黒毛舌 lingua nigra …… 702
コクラン共同計画 Cochrane collaboration …… 258
鼓形空隙 embrasure …… 389
コケーン症候群 Cockayne syndrome …… 258
後光効果 halo effect …… 530
ココスキン染色〔法〕 Kokoskin stain …… 669
誤差 error …… 415
鼓索神経 chorda tympani …… 237
枯死 apoptosis …… 90
固視 fixation …… 458
腰 waist …… 1285
固視線 line of fixation …… 701
鼓室 tympanic cavity …… 1240
鼓室炎 tympanitis …… 1240
鼓室階 scala tympani …… 1073
鼓室蓋 tegmen tympani …… 1182
鼓室〔型〕グロムス腫瘍 glomus tympanicum tumor …… 502
鼓室形成〔術〕 tympanoplasty …… 1240
鼓室硬化症 tympanosclerosis …… 1240
鼓室上陥凹 epitympanic recess …… 411
鼓室静脈 tympanic veins …… 1240
鼓室神経 tympanic nerve …… 1240
鼓室神経小管 tympanic canaliculus …… 1240
鼓室神経節 tympanic ganglion …… 1240
鼓室神経叢 tympanic plexus …… 1240
鼓室穿刺〔術〕 tympanocentesis …… 1240
鼓室洞 tympanic sinus …… 1240
鼓室内出血 hemotympanum …… 550
鼓室乳突裂 tympanomastoid fissure …… 1240
鼓室部 pars tympanica …… 901
鼓室輪 tympanic ring …… 1240
固執 perseveration …… 921
固執 persistence …… 921
固縮 rigidity …… 1057
呼出 exhalation …… 428
〔反復〕語唱 verbigeration …… 1269
弧状角膜切開 arcuate keratotomy …… 93
固視抑制 fixation suppression …… 458
誤診 misdiagnosis …… 774
個人化 individuation …… 615
個人空間 personal space …… 921
個人差 personal equation …… 921
個人心理学 individual psychology …… 615
個人的特質 idiosyncrasy …… 602
個人別全記録 unit record …… 1247
ゴスラン骨折 Gosselin fracture …… 512
個性化 individuation …… 615
弧線 archwire …… 93
枯草熱 hay fever …… 534
呼息 exhalation …… 428
孤束 solitary tract …… 1115
孤束核 nucleus tractus solitarii …… 844
コタール症候群 Cotard syndrome …… 291
固体 solid …… 1114
五胎 quintuplet …… 1016
個体化 individuation …… 615
個体化野 individuation field …… 615
個体心理学 individual psychology …… 615
個体発生 ontogeny …… 860
個体発生異常 dysontogenesis …… 371
誇大妄想 delusion of grandeur …… 326
誇大妄想 megalomania …… 747
誇大妄想者 megalomaniac …… 747
5 大要素論 five-element theory …… 458
五炭糖 pentose …… 910
五炭糖尿〔症〕 pentosuria …… 910
コチニール cochineal …… 257
固着 fixation …… 458
固着観念 idee fixe …… 601
固着骨盤 frozen pelvis …… 477
個虫 zooid …… 1302
鼓脹 bloat …… 162
鼓腸 flatulence …… 460
鼓脹 inflation …… 621
鼓脹 meteorism …… 763
鼓脹 tympanism …… 1240
鼓脹〔症〕 tympanites …… 1240
鼓脹 tympany …… 1241
鼓脹性共鳴音 tympanitic resonance …… 1240
骨 bone …… 166
骨異栄養〔症〕 osteodystrophia …… 873
骨異形成〔症〕 osteodysplasty …… 873
骨移植 bone implant …… 167
骨運動学 osteokinematics …… 874
骨壊死 osteonecrosis …… 875
骨炎 osteitis …… 872
骨化 ossificans …… 872
骨化 ossification …… 872
骨塊固定〔術〕 bone block fusion …… 167
骨外生 ectostosis …… 378
骨化過剰〔症〕 hyperostosis …… 587
骨学 osteology …… 874
骨格 skeleton …… 1108
骨格異形成〔症〕 skeletal dysplasias …… 1108
骨格筋 skeletal muscle …… 1108
骨格筋ポンプ cardiomyoplasty …… 202
骨格牽引 skeletal traction …… 1108
骨芽細胞 osteoblast …… 873
骨芽細胞腫 osteoblastoma …… 873
骨化症 osteosis …… 875
骨化性筋炎 myositis ossificans …… 808
骨芽体 scleroblastema …… 1080
骨化点 point of ossification …… 953
骨化頭蓋 osteocranium …… 873
骨化膿 ostempyesis …… 872

骨化の中心 center of ossification …… 216
骨化の中心 point of ossification …… 953
骨幹 diaphysis …… 342
骨間筋 interosseous muscles …… 636
骨鉗子 bone forceps …… 167
骨鉗子 rongeur …… 1060
骨関節症 osteoarthropathy …… 872
骨幹端 metaphysis …… 762
骨幹端異形成 metaphysial dysplasia …… 762
骨幹端性骨形成不全〔症〕 metaphysial dysostosis …… 761
骨幹部切除〔術〕 diaphysectomy …… 342
骨起骨折 apophysial fracture …… 90
骨基質 bone matrix …… 167
骨柩 involucrum …… 644
骨棘 bone spur …… 167
骨棘 osteophyte …… 875
〔骨〕棘 spur …… 1133
骨巨細胞腫 giant cell tumor of bone …… 498
骨巨細胞腫 osteoclastoma …… 873
骨切り術 osteotomy …… 876
骨切りのみ osteotome …… 876
コック嚢 Kock pouch …… 669
骨形成 ossification …… 872
骨形成 osteogenesis …… 874
骨形成〔術〕 osteoplasty …… 875
骨形成異常〔症〕 osteodystrophy …… 873
骨形成原 osteogen …… 874
骨形成性線維 osteogenetic fibers …… 874
骨形成層 osteogenetic layer …… 874
骨形成不全〔症〕 dysosteogenesis …… 371
骨形成不全〔症〕 dysostosis …… 371
骨形成不全〔症〕 osteogenesis imperfecta（OI） …… 874
骨形成用骨弁 osteoplastic bone flap …… 875
骨結合 osseointegration …… 872
骨血栓症 osteothrombosis …… 876
骨減少〔症〕 osteopenia …… 875
骨原性肉腫 osteogenic sarcoma …… 874
骨硬化〔症〕 osteosclerosis …… 875
骨口蓋 bony palate …… 167
骨骨膜炎 osteoperiostitis …… 875
骨細管 bone canaliculus …… 167
骨再生 osteoanagenesis …… 872
骨細胞 osteocyte …… 873
骨ジストロフィ osteodystrophia …… 873
骨質吸収 deossification …… 330
ゴッジャ徴候 Goggia sign …… 508
骨腫 osteoma …… 874
骨充血 ostemia …… 872
骨症 osteopathy …… 875
骨小窩 osseous lacuna …… 872
骨障害 osteopathy …… 875
骨小洞 geode …… 496
骨静脈炎 osteophlebitis …… 875
骨神経手背枝 dorsal branch of ulnar nerve …… 360
骨髄 bone marrow …… 167
骨髄 marrow …… 733
骨髄異形成〔症〕 osteomyelodysplasia …… 874
骨髄異形成症 myelodysplasia …… 804
骨髄異形成症候群 myelodysplastic syndrome …… 804
骨髄移植 bone and marrow transplantation（BMT） …… 167
骨髄炎 myelitis …… 803
骨髄炎 osteomyelitis …… 874
骨髄芽球 myeloblast …… 803
骨髄芽球血症 myeloblastemia …… 803
骨髄芽球腫 myeloblastoma …… 803
骨髄芽球症 myeloblastosis …… 803
骨髄芽球性白血病 myeloblastic leukemia …… 803
骨髄芽細胞 myeloblast …… 803
骨髄芽細胞 myeloplast …… 804
骨髄〔様〕化生 myeloid metaplasia …… 804
骨髄-間葉性結合 marrow-mesenchyme connections …… 733
骨髄機能抑制 myelosuppression …… 805
骨髄球 myelocyte …… 803
骨髄球血症 myelocythemia …… 803
骨髄球腫 myelocytoma …… 804
骨髄球腫症 myelocytomatosis …… 804
骨髄球増加〔症〕 myelocytosis …… 804
骨髄巨核球 megakaryocyte …… 747
〔骨髄〕巨核球性白血病 megakaryocytic leukemia …… 747
骨髄腔 medullary cavity …… 746
〔骨〕髄腔 medullary space …… 746
骨髄形成 myelogenesis …… 804
骨髄形成異常〔症〕 osteomyelodysplasia …… 874
骨髄原発性肉腫 Ewing tumor …… 425
骨髄硬化〔症〕 myelosclerosis …… 805
骨髄採取 bone marrow harvest …… 167
骨髄脂肪腫 myelolipoma …… 804
骨髄腫 myeloma …… 804
骨髄腫〔症〕 myelomatosis …… 804
骨髄症 myelopathy …… 804
骨髄症 myelosis …… 805
骨髄障害 myelopathy …… 804
骨髄性系 myeloid series …… 804
骨髄性白血病 myelocytic leukemia …… 804
骨髄線維症 myelofibrosis …… 804
骨髄造血 myelopoiesis …… 804
骨髄増殖性症候群 myeloproliferative syndromes …… 805
骨髄組織 myeloid tissue …… 804
骨髄組織過形成 myeloidosis …… 804
骨髄内出血 hematosteon …… 543
骨髄発生 myelopoiesis …… 804
骨髄母細胞 myelogone …… 804
骨髄輸液 intramedullary transfusion …… 641
骨髄癆 myelophthisis …… 804
骨スキャン bone scan …… 167
骨ずれ olisthy …… 857
骨性強直 bony ankylosis …… 167
骨性制動術 bone block …… 167
骨性癒着 dental ankylosis …… 328
骨折 fracture …… 473
骨石灰質脱失 deossification …… 330
骨折観血的整復〔法〕 open reduction of fractures …… 861
骨接合〔術〕 osteosynthesis …… 876
骨切除〔術〕 ostectomy …… 872
骨切除開頭〔術〕 craniectomy …… 294
骨折水疱 fracture blister …… 473
骨折非観血的整復〔法〕 closed reduction of fractures …… 252
骨線維腫 osteofibroma …… 874
骨線維症 osteofibrosis …… 874
骨栓移植 dowel graft …… 363
骨増殖体 osteophyte …… 875
骨組織 osseous tissue …… 872
骨粗鬆症 osteoporosis …… 875
骨端 apophysis …… 90
骨端 epiphysis …… 410
骨単位 osteon …… 874
骨端炎 epiphysitis …… 410
骨端炎 osteochondritis …… 873
骨端骨折 epiphysial fracture …… 410
骨端症 apophysitis …… 90
骨端症 osteochondrosis …… 873
骨端線 epiphysial line …… 410
骨端線 linea epiphysialis …… 701
骨端軟骨 cartilago epiphysialis …… 207
骨端軟骨 epiphysial cartilage …… 410
骨端軟骨〔板〕 epiphysial plate …… 410
骨端部成長停止 epiphysial arrest …… 410
骨端〔線〕離開 epiphysiolysis …… 410
骨痛 ostealgia …… 872
骨伝導 bone conduction …… 167
骨刀 osteotome …… 876
骨導 bone conduction …… 167
骨頭間静脈 intercapitular veins …… 630
〔骨〕突起 apophysis …… 90
コッドマン三角 Codman triangle …… 259
コッドマン腫〔瘍〕 Codman tumor …… 259
骨内注射 intraosseous injection …… 641
骨内膜 endosteum …… 399
骨内膜炎 endosteitis …… 399
骨内膜腫 endosteoma …… 399
骨軟化〔症〕骨盤 osteomalacic pelvis …… 874
骨軟化症 osteomalacia …… 874

骨軟骨炎 osteochondritis 873
骨軟骨骨折 osteochondral fracture 873
骨軟骨ジストロフィ chondroosteodystrophy 237
骨軟骨腫 osteochondroma 873
骨軟骨症 osteochondrosis 873
骨軟骨肉腫 osteochondrosarcoma 873
骨肉腫 osteosarcoma 875
骨発育不全〔症〕 anostosis 73
骨発生 osteogenesis 874
骨盤 pelvis 909
骨板 table 1176
骨盤入口部 conjugate of pelvic inlet 277
骨盤回転〔術〕 pelvic version 909
骨盤隔膜 pelvic diaphragm 908
骨盤下口 inferior pelvic aperture 619
骨半規管 bony semicircular canals 167
骨盤極 pelvic pole 909
骨盤筋膜 pelvic fascia 908
骨盤筋膜腱弓 tendinous arch of pelvic fascia 1186
骨盤腔 pelvic cavity 908
骨盤腔鏡〔検査〕法 culdoscopy 304
骨盤計 pelvimeter 909
骨盤傾斜調整 pelvic tilt 909
骨盤形成〔術〕 pelvioplasty 909
骨盤計測〔法〕 pelvimetry 909
骨盤軸 pelvic axis 908
骨盤児頭計測〔法〕 pelvicephalometry 908
骨盤斜位像 Judet view 657
骨盤上口 superior pelvic aperture 1162
骨盤神経節 pelvic ganglia 908
骨盤切開〔術〕 symphysiotomy 1170
骨盤臓器固定〔術〕 pelvifixation 909
骨盤椎骨角 pelvivertebral angle 909
骨盤内臓神経 pelvic splanchnic nerves 909
骨盤の径線 conjugate 277
骨盤腹膜炎 pelvic inflammatory disease (PID) 908
骨盤腹膜炎 pelvic peritonitis 909
骨盤ポインター hip pointer 564
骨肥大〔症〕 osteoectasia 874
コッヒャー切開〔術〕 Kocher incision 669
コッヒャー徴候 Kocher sign 669
コップ症候群 Cobb syndrome 256
コップ法 Cobb method 256
コッヘル切開〔術〕 Kocher incision 669
コッヘル徴候 Kocher sign 669
骨弁 bone flap 167
骨辺縁 lipping 704
骨片陥凹 subgrundation 1153
骨縫合〔術〕 osteorrhaphy 875
骨放射線壊死 osteoradionecrosis 875
骨放射線学 osteoradiology 875
骨傍症 parosteosis 900
骨膨大部 bony ampullae of semicircular canals 167
骨包虫性嚢胞 osseous hydatid cyst 872
コッホ仮説 Koch postulate 669
コッホ杆菌 Koch bacillus 669
コッホ現象 Koch phenomenon 669
コッホ三角 Koch triangle 669
コッホの旧ツベルクリン Koch old tuberculin 669
骨膜 periosteum 917
骨膜移植 periosteal graft 917
骨膜芽 periosteal bud 917
骨膜下インプラント endosteal implants 398
骨膜下切断〔術〕 subperiosteal amputation 1154
骨膜起子 periosteal elevator 917
骨膜形成〔性〕切断〔術〕 periosteoplastic amputation 917
骨膜骨髄炎 periosteomyelitis 917
骨膜腫 periosteoma 917
骨膜腫 synovioma 1173
骨膜症 periosteosis 917
骨膜切開〔術〕 periosteotomy 917
骨膜剥離器 raspatory 1025
骨膜剥離子 scalprum 1074
骨密度 bone density 167
骨〔塩量〕密度 bone mineral density (BMD) 167
骨迷路 bony labyrinth 167
骨癒合症 synostosis 1172
骨溶解 osteolysis 874
骨様ぞうげ質 osteodentin 873
骨らせん板 osseous spiral lamina 872
骨離開 osteodiastasis 873
骨鑢子 osteotribe 876
固定〔法〕 anchorage 62
固定 fixation 458
固定 fixing 459
固定 hardening 532
固定 immobilization 606
固定〔術〕 pexis 922
固定 retention 1044
固定ウイルス fixed virus 459
固定液 fixative 458
固定観念 fixed idea 459
固定器 braces 170
固定器 fixator 458
固定筋 fixator muscle 459
固定剤 fixative 458
固定性橋義歯 fixed partial denture 459
固定装置 retainer 1044
固定端 fixed end 459
固定瞳孔 fixed pupil 459
固定毒 fixed virus 459
固定副子 anchor splint 62
固定マクロファージ fixed macrophage 459
固定薬疹 fixed drug eruption 459
固定レート〔型〕ペースメーカ fixed-rate pacemaker 459
古典的片頭痛 classic migraine 248
古典的脈絡膜血管新生 classic choroidal neovascularization 248
誤投与 misadministration 774
言葉漏れ logorrhea 709
子供嫌い misopedia 774
コドン codon 259
ゴナドクリン gonadocrins 510
ゴナドトロピン gonadotropin 510
ゴナドトロピン過剰性類宦官症 hypergonadotropic eunuchoidism 584
ゴナドトロピン放出因子 gonadotropin-releasing factor 511
ゴナドリベリン gonadoliberin 510
ゴナドレリン gonadorelin hydrochloride 510
ゴニオスコープ gonioscope 511
ゴニオスコピー gonioscopy 511
ゴニオメータ goniometer 511
ゴニオン gonion 511
コネキシン 26 connexin 26 278
コネル縫合 Connell suture 278
こばな ala of nose 38
こばな wing of nose 1292
コバラミン cobalamin 255
ゴパラン症候群 Gopalan syndrome 512
コバルト cobalt (Co) 255
小人 dwarf 368
小人症 dwarfism 368
こぶ hump 575
こぶ kyphos 671
股部白癬 tinea cruris 1205
こぶ様腫脹 bouton 169
コプリック斑〔点〕 Koplik spots 669
コプリン copuline 285
コプロポルフィリン coproporphyrin 285
コプロポルフィリン症 coproporphyria 285
コペーの法則 Coppet law 284
個別化 individuation 615
コヘリン coherin 260
互変異性 tautomerism 1180
コホート cohort 260
コポリマー 1 copolymer-1 284
鼓膜 eardrum 374
鼓膜 tympanic membrane 1240
鼓膜あぶみ骨固定〔術〕 myringostapediopexy 809
鼓膜炎 myringitis 809
鼓膜温度計 tympanic thermometer 1240
鼓膜形成〔術〕 myringoplasty 809
鼓膜硬化症 myringosclerosis 809

鼓膜臍 umbo of tympanic membrane ……1245
鼓膜切開〔術〕 myringotomy ……809
鼓膜切開 tympanostomy ……1241
鼓膜切開〔術〕 tympanotomy ……1241
鼓膜切除〔術〕 myringectomy ……809
鼓膜〔全〕切除〔術〕 tympanectomy ……1240
鼓膜穿刺〔術〕 myringotomy ……809
鼓膜穿刺 tympanotomy ……1241
鼓膜前庭結合 tympanovestibular coupling ……1241
鼓膜張筋 tensor tympani muscle ……1187
鼓膜張筋神経 nerve of tensor tympani muscle ……821
鼓膜張筋反射 tensor tympani reflex ……1187
コマ収差 coma aberration ……265
小股歩行 brachybasia ……171
こま結び square knot ……1133
コマレル憩室 Kommerell diverticulum ……669
コマンド手術 commando procedure ……265
混み合い現象 crowding phenomenon ……300
コミュニケーション具 communication board ……267
コミュニケーション障害 communication disorder ……267
コミュニケーション装置 communication board ……267
コミュニティ精神保健センター community mental health center ……267
ゴム球注射器 rubber-bulb syringe ……1063
ゴム腫 gumma ……521
ゴム製カテーテル Nelaton catheter ……818
腓 calf ……191
こめかみ temple ……1184
米デンプン rice starch ……1055
コメド comedo ……265
コメド癌 comedocarcinoma ……265
コメド母斑 nevus comedonicus ……831
ゴモリ一段法三色染色〔法〕 Gomori one-step trichrome stain 510
子守女肘 nursemaid's elbow ……844
コモリ徴候 Comolli sign ……267
ゴモリ鍍銀染色〔法〕 Gomori silver impregnation stain ……510
ゴモリのアルデヒドフクシン染色〔法〕 Gomori aldehyde fuchsin stain ……509
ゴモリのクロムミョウバンヘマトキシリン-フロキシン染色〔法〕 Gomori chrome alum hematoxylin-phloxine stain ……510
ゴモリのメテナミン-銀染色〔法〕 Gomori methenamine-silver stain ……510
ゴモリ非特異的アルカリ〔性〕ホスファターゼ染色〔法〕 Gomori nonspecific alkaline phosphatase stain ……510
ゴモリ非特異的酸〔性〕ホスファターゼ染色〔法〕 Gomori nonspecific acid phosphatase stain ……510
顧問医 consulting staff ……279
固有括約筋 intrinsic sphincter ……643
固有感覚 proprioception ……987
固有肝動脈 hepatic artery proper ……551
固有宿主 definitive host ……323
固有受容感覚 proprioceptive sensibility ……987
固有受容器 proprioceptor ……987
固有受容機構 proprioceptive mechanism ……987
固有受容神経筋促進法 proprioceptive neuromuscular facilitation (PNF) ……987
固有受容体 proprioceptor ……987
固有掌側指動脈 proper palmar digital artery ……986
固有層 tunica propria ……1238
固有束 ground bundles ……519
語用論 pragmatics ……970
コラーゲナーゼ collagenase ……261
コラーゲン collagen ……261
コラーゲン蓄積大腸炎 collagenous colitis ……261
コラーゲン注射 collagen injection ……261
コリエ徴候 Collier sign ……262
コリーサイクル Cori cycle ……286
コリーズ骨折 Colles fracture ……262
コリガン徴候 Corrigan sign ……288
コリシン colicin ……261
コリス-ニッセン胃底ひだ形成〔術〕 Collis-Nissen fundoplication ……262
孤立 isolate ……651
孤立性骨嚢胞 solitary bone cyst ……1114
孤立性蛋白尿 isolated proteinuria ……651
孤立リンパ小節 solitary lymphatic follicles ……1115
コリプレッサ corepressor ……286
コリメータ collimator ……262
コリン choline ……235
コリン corrin ……288
コリンアセチルトランスフェラーゼ choline acetyltransferase ……235
コリンエステラーゼ cholinesterase (ChE) ……236
コリンエステラーゼ阻害薬 cholinesterase inhibitor ……236
コリンキナーゼ choline kinase ……235
コリン作動遮断 cholinergic blockade ……235
コリン作動性受容体 cholinergic receptors ……236
コリン作動性中毒症 cholinergic toxidrome ……236
コリン作用遮断 cholinergic blockade ……235
コリン作動性線維 cholinergic fibers ……236
コリン遮断 cholinergic blockade ……235
コリン性じんま疹 cholinergic urticaria ……236
コリン性線維 cholinergic fibers ……236
コルヴィザール顔〔貌〕 Corvisart facies ……290
コルサコフ症候群 Korsakoff syndrome ……670
ゴルジI型ニューロン Golgi type I neuron ……509
ゴルジオスミウム重クロム酸固定液 Golgi osmiobichromate fixative ……509
ゴルジ腱紡錘 Golgi tendon organ (GTO) ……509
ゴルジ腱紡錘反射 Golgi tendon organ reflex ……509
ゴルジ細胞 Golgi cells ……509
ゴルジ染色〔法〕 Golgi stain ……509
ゴルジ装置 Golgi apparatus ……509
ゴルジII型ニューロン Golgi type II neuron ……509
ゴルジ-マツォーニ小体 Golgi-Mazzoni corpuscle ……509
コルチ器 organ of Corti ……867
コルチ弓 Corti arch ……289
コルチコイド corticoid ……289
コルチコステロイド corticosteroid ……289
コルチコトロピン様中葉ペプチド corticotropinlike intermediate-lobe peptide (CLIP) ……289
コルチコトロフ corticotroph ……289
コルチ細胞 cell of Corti ……214
コルチゾン cortisone ……289
コルチトンネル Corti tunnel ……290
コルチリンパ液 cortilymph ……289
ゴルトシャイダー試験 Goldscheider test ……509
コルドトミー cordotomy ……285
ゴルトマン圧平眼圧計 Goldmann applanation tonometer ……509
コルポスコープ colposcope ……264
コルポスコピー colposcopy ……264
コルマン拡張器 Kollmann dilator ……669
コレイン酸 choleic acids ……234
コレカルシフェロール cholecalciferol ……233
コレシストキニン cholecystokinin (CCK) ……234
コレステリン血〔症〕 cholesteremia ……235
コレステリン腫 cholesteatoma ……235
コレステリン肉芽腫 cholesterol granuloma ……235
コレステロール cholesterol ……235
コレステロールエステル貯蔵病 cholesterol ester storage disease ……235
コレステロール血〔症〕 cholesteremia ……235
コレステロール血症 cholesterolemia ……235
コレステロール塞栓症 cholesterol embolism ……235
コレステロール沈着〔症〕 cholesterolosis ……235
コレステロール添加抗原 cholesterinized antigen ……235
コレステロール尿〔症〕 cholesteroluria ……235
コレセプター coreceptor ……286
コレラ cholera ……235
コレラ菌 *Vibrio cholerae* ……1274
コレラ性下痢 choleraic diarrhea ……235
コロイド colloid ……262
コロイド甲状腺腫 colloid goiter ……262
コロイド状ゲル colloidal gel ……262
コロイド浸透圧 oncotic pressure ……859
コロイド分散 dispersion ……354
コロイド変性 colloid degeneration ……262
コロイド溶液 colloidal solution ……262
コロトコフ音 Korotkoff sounds ……670
コロトコフ試験 Korotkoff test ……670
コロナウイルス coronavirus ……287
コロニー colony ……263

コロニー形成単位 colony-forming unit (CFU) ··· 263
コロニー計測 colony count ··· 263
コロニー刺激因子 colony-stimulating factors (CSF) ··· 263
コロハ種子 fenugreek ··· 448
コロボーム coloboma ··· 262
コロラドダニ熱 Colorado tick fever ··· 263
コロラドダニ熱ウイルス Colorado tick fever virus ··· 263
根 root ··· 1060
コンカナバリンA concanavalin A (conA, con A) ··· 272
根間空隙 interradicular space ··· 637
根管針 broach ··· 176
根拠に基づいた医療 evidence-based medicine ··· 425
根拠に基づく診療 evidence-based practice ··· 425
根切り術 rhizotomy ··· 1053
混淆 contamination ··· 280
混合 mixture ··· 776
混合家族 blended family ··· 161
混合型白血病 mixed leukemia ··· 776
混合凝集反応 mixed agglutination reaction ··· 776
混合結合組織病 mixed connective-tissue disease ··· 776
混合呼気 mixed expired gas ··· 776
混合腫瘍 mixed tumor ··· 776
混合神経 mixed nerve ··· 776
混合性失語〔症〕 mixed aphasia ··· 776
混合性難聴 mixed hearing loss ··· 776
混合腺 mixed gland ··· 776
混合腺 seromucous gland ··· 1095
混合培養 xenic culture ··· 1297
混合物 admixture ··· 28
混合物 mixture ··· 776
混合法 combined methods ··· 265
混合麻痺 mixed paralysis ··· 776
混合乱視 mixed astigmatism ··· 776
混合リンパ球培養 mixed lymphocyte culture (MLC) ··· 776
コンゴー好染血管障害 congophilic angiopathy ··· 277
コンゴーレッド Congo red ··· 277
コンゴブルー Congo blue ··· 277
コンサルタント consultant ··· 279
根糸 radicular fila ··· 1019
紺青反応 Berlin blue reaction ··· 146
コンジローム condyloma ··· 274
昏睡 coma ··· 265
昏睡尺度 coma scale ··· 265
痕跡 impression ··· 610
痕跡〔部〕 vestige ··· 1274
痕跡器官 rudimentum ··· 1063
痕跡器官 vestigial organ ··· 1274
痕跡元素 trace elements ··· 1214
〔歯〕根切除〔術〕 root resection ··· 1060
根尖感染 apical infection ··· 88
根尖周囲X線写真 periapical radiograph ··· 913
根尖周囲掻爬〔術〕 periapical curettage ··· 913
根尖性セメント質異形成症 periapical cemental dysplasia ··· 913
根尖切除〔術〕 apicoectomy ··· 88
根尖切除〔術〕 apicotomy ··· 88
根尖投影法 periapical film ··· 913
根足〔虫〕上綱 Rhizopoda ··· 1052
混唾 inviscation ··· 644
混濁 opacity ··· 861
混濁 turbidity ··· 1238
混濁化 opacification ··· 861
混濁形成 opacification ··· 861
混濁腫脹 cloudy swelling ··· 253
コンダクタンス conductance ··· 273
混濁度 turbidity ··· 1238
コンタクトレンズ contact lens ··· 280
根治的外陰切除 radical vulvectomy ··· 1019
根治的頸部郭清術 radical neck dissection ··· 1019
コンティーグ地図 contig map ··· 281
コンテナ container ··· 280
コンデンサ condenser ··· 273
混同失調症 confusion-ataxia syndrome ··· 275
コンドーム condom ··· 273
コントラスト感度試験 contrast sensitivity testing ··· 282
コンドレオン手術 Kondoleon operation ··· 669
コンドロイチン chondroitin ··· 237
コンドロネクチン chondronectin ··· 237
困難 distress ··· 356
混入マスク entrainment mask ··· 404
コンバターゼ convertase ··· 284
コンバルチン convertin ··· 284
コンビー徴候 Comby sign ··· 265
コンピュータ患者記録 computer-based patient record (CPR) ··· 271
コンピュータ軸位断層撮影法 computed axial tomography (CAT) ··· 271
コンピュータ連動断層撮影 computed tomography (CT) ··· 271
コンフォメーション conformation ··· 275
根部歯髄 root pulp ··· 1060
コンプトン効果 Compton effect ··· 271
コンプライアンス compliance ··· 270
コンプライアンス計画 compliance plan ··· 270
コンプレックス complex ··· 270
金米糖状赤血球 crenocyte ··· 296
ゴンペルツの法則 Gompertz law ··· 510
コンポマー compomer ··· 270
昏眠 sopor ··· 1117
昏迷 stupor ··· 1150
根面う食指数 root caries index ··· 1060
棍〔状〕毛 club hair ··· 253
コンラーディ線 Conradi line ··· 278
コンラーディ-ヒューネルマン症候群 Conradi-Hunermann syndrome ··· 278
混乱 derangement ··· 332

サ

差 difference ··· 345
座 locus ··· 708
サーキットトレーニング circuit resistance training (CRT) ··· 245
サートウエル潜伏期モデル Sartwell incubation model ··· 1072
サードスペーシング third spacing ··· 1196
サーファクタント surfactant ··· 1166
サーベイランス surveillance ··· 1167
サーベル鞘脛骨 saber tibia ··· 1066
サーモグラフィ thermography ··· 1194
再移植〔術〕 reimplantation ··· 1035
再移植〔術〕 replantation ··· 1039
再移植片 replant ··· 1039
ザイールウイルス Zaire virus ··· 1301
催淫薬 aphrodisiac ··· 87
臍暈 areola umbilici ··· 94
鰓運動核 branchiomotor nuclei ··· 173
細運動神経 fine motor coordination (FMC) ··· 456
臍炎 omphalitis ··· 858
臍潰瘍 omphalelcosis ··· 858
再学習 relearning ··· 1036
臍窩形成 umbilication ··· 1245
最下甲状腺動脈 lowest thyroid artery ··· 711
最下甲状腺動脈 thyroid ima artery ··· 1202
最下内臓神経 lowest splanchnic nerve ··· 711
細管 tubule ··· 1237
細管作用 capillarity ··· 196
再感染 reinfection ··· 1035
鰓器官 branchial apparatus ··· 173
細気管支 bronchiole ··· 178
細気管支炎 bronchiolitis ··· 178
細気管支拡張〔症〕 bronchiolectasis ··· 178
細気管支癌 bronchiolar carcinoma ··· 177
細気管支狭窄 bronchiostenosis ··· 178
細気管支周囲炎 peribronchiolitis ··· 914
催奇形物質 teratogen ··· 1188
催奇物質 teratogen ··· 1188
鰓弓 branchial arch ··· 173
鰓弓 pharyngeal arch ··· 925
再狭窄 restenosis ··· 1043
細菌 bacterium ··· 131
細菌ウイルス bacterial virus ··· 131

サ

細菌オプソニン bacteriopsonin …… 131
細菌外毒素 extracellular toxin …… 435
細菌学 bacteriology …… 131
細菌感染 bacterial infection …… 131
細菌莢膜 bacterial capsule …… 130
細菌固定 bacteriopexy …… 131
細菌症 bacteriosis …… 131
細菌〔性皮〕疹 bacterid …… 131
細菌性凝集反応 bacteriogenic agglutination …… 131
細菌性食中毒 bacterial food poisoning …… 131
細菌性心内膜炎 bacterial endocarditis …… 131
細菌性赤痢 shigellosis …… 1100
細菌性腟炎 bacterial vaginosis …… 131
細菌成長検査法 auxanography …… 125
細菌成長検査用平板培養 auxanogram …… 125
細菌性動脈内膜炎 bacterial endarteritis …… 131
細菌〔性〕赤痢 bacillary dysentery …… 129
細菌戦争 biowarfare …… 156
細菌戦争物質 biologic-warfare (BW) agent …… 154
〔細菌〕体外毒素 exotoxin …… 429
細菌耐性記録 antibiogram …… 78
細菌テロ bioterrorism …… 155
細菌転位 bacterial translocation …… 131
細菌内毒素 intracellular toxin …… 640
細菌尿〔症〕 bacilluria …… 130
細菌尿〔症〕 bacteriuria …… 131
サイクリストの乳首 cyclist's nipples …… 308
サイクリスト麻痺 cyclist's palsy …… 308
サイクリン D cyclin D …… 308
サイクロトロン cyclotron …… 309
臍形陥凹 umbilication …… 1245
再形成 reconstitution …… 1028
細隙結合 gap junction …… 487
細隙灯 slitlamp …… 1110
細血管異常性溶血性貧血 microangiopathic hemolytic anemia …… 766
細血管撮影〔法〕 microangiography …… 766
再結合 recombination …… 1028
臍〔帯〕血瘤 hematomphalocele …… 542
再建 repair …… 1038
再現 recurrence …… 1030
再現 replicate …… 1039
再現 reproduction …… 1039
再建手術 reconstructive surgery …… 1029
再現性 reproducibility …… 1039
鰓溝 branchial cleft …… 173
細孔 osculum …… 871
〔画像〕再構成 reconstruction …… 1028
最高速度 maximum velocity (V_{max}) …… 738
再構築 remodeling …… 1037
再呼吸 rebreathing …… 1027
再呼吸法 rebreathing technique …… 1027
再呼吸麻酔〔法〕 rebreathing anesthesia …… 1027
再呼吸量 rebreathing volume …… 1027
砕骨器 osteoclast …… 873
再骨折 refracture …… 1033
サイコドラマ psychodrama …… 998
ザイゴン zygon …… 1304
歳差運動 precession …… 971
細糸 filamentum …… 454
細糸 microfilament …… 767
細糸〔期〕 leptotene …… 690
彩視症 chromatopsia …… 240
彩視症 pseudochromesthesia …… 994
再〔神経〕支配 reinnervation …… 1035
採取 collection …… 262
最終産物 endproduct …… 399
採取順序 order of draw …… 867
臍出血 omphalorrhagia …… 858
最小 minim …… 773
最小感染量 minimal infecting dose (MID) …… 773
最上胸動脈 highest thoracic artery …… 562
最上胸動脈 superior thoracic artery …… 1162
細小血管症 microangiopathy …… 766
細小血管障害 microangiopathy …… 766
最小骨盤面 pelvic plane of least dimensions …… 909
最小錯乱円 least confusion circle …… 686
最小斜角筋 scalenus minimus muscle …… 1074
最小致死量 minimal lethal dose (MLD, mld) …… 773
最小データセット minimum data set (MDS) …… 773
最小反応量 minimal reacting dose (MRD, mrd) …… 773
最上鼻甲介 supreme nasal concha …… 1166
左胃静脈 left gastric vein …… 687
臍静脈 umbilical vein …… 1245
細静脈 venule …… 1268
臍静脈炎 omphalophlebitis …… 858
最小有効量 minimal dose …… 773
最小量 minimal dose …… 773
最上肋間静脈 highest intercostal vein …… 562
最上肋間動脈 highest intercostal artery …… 562
最上肋間動脈 superior intercostal artery …… 1161
最上肋間動脈 supreme intercostal artery …… 1166
菜食主義者 vegetarian …… 1264
細針生検 fine needle biopsy …… 456
再水化 rehydration …… 1035
再水和 rehydration …… 1035
再生 regeneration …… 1033
再生芽 blastema …… 160
再生細胞 renewing cell …… 1038
鰓性耳腎症候群 branchiootorenal syndrome …… 173
再生性ポリープ regenerative polyp …… 1034
再生不良性貧血 aplastic anemia …… 89
砕石位 lithotomy position …… 706
砕石器 lithotrite …… 706
砕石鏡法 lithotriptoscopy …… 706
砕石術 lithotripsy …… 706
砕石術用有溝導子 gorget …… 512
細切〔除去〕〔術〕 morcellation …… 784
再石灰化 remineralization …… 1037
細切採取法 punch biopsy …… 1005
臍切除〔術〕 omphalectomy …… 858
細切腎摘出術 morcellated nephrectomy …… 784
細線維 microfibril …… 767
再造形 remodeling …… 1037
再疎通 recanalization …… 1027
臍帯 umbilical cord …… 1245
最大 maximum …… 738
最大運動負荷試験 submaximal exercise testing …… 1154
臍帯栄養児 omphalosite …… 858
臍帯炎 funisitis …… 481
最大換気〔量〕 maximum voluntary ventilation (MVV) …… 738
最大吸気圧 maximum inspiratory pressure (MIP) …… 738
最大許容線量 maximum permissible dose (MPD) …… 738
臍帯血 cord blood …… 285
最大限の随意収縮 maximum voluntary contraction (MVC) … 738
臍帯巻絡 nuchal cord …… 842
最大呼気圧 maximum expiratory pressure (MEP) …… 738
最大呼吸速度 peak expiratory flow rate (PEFR) …… 905
最大呼気流量計 peak flowmeter …… 905
最大骨盤面 pelvic plane of greatest dimensions …… 909
最大酸素消費量 maximal oxygen consumption …… 738
最大出力 maximum power output …… 738
最大出力音圧レベル saturation sound pressure level (SSPL) 1073
臍帯切断〔術〕 omphalotomy …… 858
臍帯穿刺 cordocentesis …… 285
臍帯脱出〔症〕 prolapse of umbilical cord …… 984
最大値投影法 maximum intensity projection (MIP) …… 738
最大拍動点 point of maximal impulse …… 952
最大反復回数 repetition maximum (RM) …… 1038
臍帯付着ひだ mesocord …… 757
最大豊隆線 height of contour …… 538
左胃大網動脈 arteria gastroomentalis sinistra …… 98
左胃大網動脈 left gastroepiploic artery …… 687
左胃大網動脈 left gastroomental artery …… 687
最大量 maximal dose …… 738
在胎齢 gestational age …… 497
在宅維持援助 home maintenance assistance …… 568
在宅医療 home health care …… 568
催唾薬 salivant …… 1069
催唾薬 sialagogue …… 1102
細胆管 cholangiole …… 233
細胆管炎 cholangiolitis …… 233

細胆管炎性肝炎 cholangiolitic hepatitis ······ 233
再注輸 refusion ······ 1033
臍腸間膜憩室 Meckel diverticulum ······ 740
砕腸器 splanchnotribe ······ 1128
〔最長〕寿命 longevity ······ 709
最低閉塞量 minimal occluding volume (MOV) ······ 773
最低補助 minimum assistance ······ 773
最低漏洩技術 minimum leak technique (MLT) ······ 773
最適値 zone of equivalence ······ 1302
最適ピッチ optimal pitch ······ 864
最適量 optimal dose ······ 864
ザイデル暗点 Seidel scotoma ······ 1088
ザイデル徴候 Seidel sign ······ 1088
細動 fibrillation ······ 451
再統一 redintegration ······ 1031
再統合 reintegration ······ 1035
細動脈 arteriole ······ 101
左胃動脈 left gastric artery ······ 687
臍動脈 umbilical artery ······ 1245
細動脈壊死 arteriolonecrosis ······ 101
細動脈炎 arteriolitis ······ 101
細動脈硬化〔症〕 arteriolosclerosis ······ 102
細動脈性腎硬化〔症〕 arteriolar nephrosclerosis ······ 101
細動脈網 arteriolar network ······ 101
サイトカイン cytokine ······ 312
サイトケラチン cytokeratin ······ 312
サイトソーム cytosome ······ 314
サイトゾル cytosol ······ 314
サイトメガロウイルス cytomegalovirus (CMV) ······ 313
サイト〔フォト〕メトリ cytophotometry ······ 313
〔催〕吐薬 emetic ······ 391
催吐薬 nauseant ······ 814
サイトリソソーム cytolysosome ······ 313
最内肋間筋 innermost intercostal muscle ······ 625
再入 reentry ······ 1032
再入現象 reentry phenomenon ······ 1032
催乳薬 galactagogue ······ 483
〔病状〕再燃 exacerbation ······ 425
再燃 recrudescence ······ 1029
再燃性結核 reactivation tuberculosis ······ 1026
臍嚢 umbilical vesicle ······ 1245
再発 palindromia ······ 886
再発 recurrence ······ 1030
再発 relapse ······ 1035
再発危険性 recurrence risk ······ 1030
再発性壊死性粘膜腺周囲炎 periadenitis mucosa necrotica recurrens ······ 913
再発性呼吸器パピローマ症 recurrent respiratory papillomatosis ······ 1030
〔小児期の〕再発性指線維腫 recurring digital fibroma of childhood ······ 1030
再発性多発性軟骨炎 relapsing polychondritis ······ 1036
再発性熱性結節性非化膿性脂肪〔組〕織炎 relapsing febrile nodular nonsuppurative panniculitis ······ 1035
再発性ヘルペス〔性〕口内炎 recurrent herpetic stomatitis ······ 1030
臍破裂 omphalorrhexis ······ 858
再犯性 recidivation ······ 1028
採皮刀 dermatome ······ 334
最頻値 mode ······ 777
臍部静脈瘤 varicomphalus ······ 1261
催不整脈作用 prorhythmic effects ······ 987
細分 fragmentation ······ 474
再分極 repolarization ······ 1039
臍ヘルニア omphalocele ······ 858
臍ヘルニア paromphalocele ······ 900
臍ヘルニア umbilical hernia ······ 1245
細片 strip ······ 1148
細片骨折 comminuted fracture ······ 266
細胞 cell ······ 214
細胞遺伝学 cytogenetics ······ 312
細胞遺伝学者 cytogeneticist ······ 312
細胞栄養層細胞 cytotrophoblastic cells ······ 314
細胞壊死 necrocytosis ······ 815
細胞外液 extracellular fluid (ECF) ······ 435
細胞外酵素 ectoenzyme ······ 377
〔細胞〕外酵素 extracellular enzyme ······ 435
細胞化学〔反応〕 cytochemistry ······ 312
細胞学 cytology ······ 312
細胞核学 karyology ······ 661
細胞学者 cytologist ······ 312
細胞学的塗抹〔標本〕 cytologic smear ······ 312
細胞化生 cytometaplasia ······ 313
細胞株 cell line ······ 214
細胞間橋 desmosome ······ 337
細胞間橋 intercellular bridges ······ 630
細胞間小管 intercellular canaliculus ······ 630
細胞系〔統〕 cell line ······ 214
細胞形質 cytoplasm ······ 313
細胞形態学 cytomorphology ······ 313
細胞原形質 cytoplast ······ 313
細胞検査士 cytotechnologist ······ 314
細胞減少療法 cytoreductive therapy ······ 313
細胞向性 cytotropism ······ 314
細胞構築 cytoarchitecture ······ 312
細胞光度測定法 cytophotometry ······ 313
細胞骨格 cytoskeleton ······ 313
細胞質 cytoplasm ······ 313
細胞質 perikaryon ······ 915
細胞質遺伝 cytoplasmic inheritance ······ 313
細胞質ゾル cytosol ······ 314
細胞質体 cytoplast ······ 313
細胞質体 cytosome ······ 314
細胞質内精子注入法 intracytoplasmic sperm injection ······ 641
細胞質〔内〕封入体 cytoplasmic inclusion bodies ······ 313
細胞質分裂 cytokinesis ······ 312
細胞周期 cell cycle ······ 214
細胞障害 cytopathy ······ 313
細胞傷害 cytotoxicity ······ 314
細胞傷害性反応 cytotoxic reaction ······ 314
〔細胞〕小器官 organelle ······ 867
臍傍静脈 paraumbilical veins ······ 898
細胞食作用 cytophagy ······ 313
細胞診〔断学〕 cytodiagnosis ······ 312
細胞浸潤 cellular infiltration ······ 215
細胞親和性抗体 cytotropic antibody ······ 314
細胞〔充実〕性 cellularity ······ 215
細胞性生殖 cytogenic reproduction ······ 312
細胞性塞栓 cytostasis ······ 314
細胞整復 cytothesis ······ 314
細胞性免疫 cell-mediated immunity (CMI) ······ 214
細胞切断 merotomy ······ 755
細胞接着分子 cell adhesion molecule (CAM) ······ 214
細胞巣 cell nest ······ 214
細胞層 stratum compactum ······ 1145
細胞層 thelium ······ 1193
細胞増加〔症〕 cytosis ······ 313
〔髄液〕細胞増加〔症〕 pleocytosis ······ 947
細胞走性 cytotaxis ······ 314
細胞体 cell body ······ 214
細胞中心体 cytocentrum ······ 312
細胞透過液 transcellular fluids ······ 1217
細胞-動脈血酸素較差 alveolar-arterial oxygen difference ······ 48
細胞毒〔性〕 cytotoxin ······ 314
細胞毒性 cytotoxicity ······ 314
細胞内液 intracellular fluid (ICF) ······ 640
細胞内〔分泌〕細管 intracellular canaliculus ······ 640
細胞内糖減少〔症〕 cytoglucopenia ······ 312
細胞内毒素 intracellular toxin ······ 640
細胞尿〔症〕 cyturia ······ 314
細胞嚢 saccule ······ 1066
細胞媒介性免疫 cell-mediated immunity (CMI) ······ 214
細胞媒介反応 cell-mediated reaction ······ 214
細胞培養 cell culture ······ 214
細胞破壊 cytoclasis ······ 312
細胞破壊薬 cytocide ······ 312
細胞発生 cytogenesis ······ 312
細胞病理学 cellular pathology ······ 215
細胞病理学 cytopathology ······ 313
細胞病理学者 cytopathologist ······ 313
細胞病理学的 cytopathologic ······ 313
細胞封入体 cell inclusions ······ 214
細胞復位 cytothesis ······ 314

細胞壁 cell wall ……215
細胞壁喪失細菌 cell wall-defective bacteria ……215
細胞変性ウイルス cytopathogenic virus ……313
細胞変態 cytomorphosis ……313
細胞崩壊 cytolysis ……313
細胞防御 cytophylaxis ……313
細胞膜 cell membrane ……214
細胞面間管 interfacial canals ……631
細胞融合 cell fusion ……214
細胞溶解〔反応〕 cytolysis ……313
細胞溶解素 cytolysin ……312
サイホン siphon ……1107
座位マッサージ seated massage ……1083
催眠 hypnogenesis ……591
催眠〔状態〕 hypnosis ……591
催眠下指示 hypnotic suggestion ……591
催眠術 hypnotism ……591
催眠術者 hypnotist ……591
催眠談話 somniloquy ……1117
催眠的トランス hypnotic trance ……591
催眠〔性〕点 hypnogenic spot ……591
催眠分析 hypnoanalysis ……591
催眠法 hypnotism ……591
催眠薬 hypnagogue ……590
催眠薬 hypnogenic ……591
催眠薬 hypnotic ……591
催眠薬 soporific ……1117
催眠〔術〕療法 hypnotherapy ……591
サイム切断術 Syme amputation ……1169
細毛 vellus ……1265
細網化 reticulation ……1045
細網症 reticulosis ……1045
細網線維 reticular fibers ……1045
細網組織 reticular tissue ……1045
細網組織球腫 reticulohistiocytoma ……1045
細網内〔皮〕細胞 reticuloendothelium ……1045
細網内皮〔増殖〕症 reticulosis ……1045
細葉 acinus ……14
細葉炎 acinitis ……13
細葉状腺 acinous gland ……13
細葉性管状腺 tubuloacinar gland ……1237
サイリウム psyllium ……1000
〔細〕粒子 grain ……513
臍輪 umbilical ring ……1245
臍リンパ液漏 omphalorrhea ……858
催涙ガス tear gas ……1181
催涙薬 lacrimator ……674
鰓裂 branchial cleft ……173
〔広義の〕鰓裂 visceral cleft ……1277
サイロキシン thyroxine ……1203
サイログロブリン thyroglobulin ……1202
サイロ作業者肺 silo-filler's lung ……1105
サイロニン thyronine ……1202
サイロリベリン thyroliberin ……1202
サイン〔ド〕イングリッシュ Signed English ……1105
魚中毒 ichthyotoxism ……600
さか〔さ〕まつげ trichiasis ……1227
逆むけ hangnail ……531
左肝管 left hepatic duct ……687
左冠状動脈 left coronary artery ……687
左冠状動脈の回旋枝 circumflex branch of left coronary artery ……246
左冠状動脈の前室間動脈 anterior interventricular branch of left coronary artery ……76
詐欺 fraud ……474
サキシトキシン saxitoxin ……1073
サキュバス succubus ……1156
作業記録器 ergograph ……414
作業所 laboratory ……672
左胸心 levocardia ……696
作業側 working side ……1293
作業療法 occupational therapy ……851
索 cord ……285
索 ligament ……697
索 streak ……1146
索移植片 cable graft ……188
錯角化〔症〕 parakeratosis ……895
錯誤 falsification ……441
錯語〔症〕 paraphasia ……896
錯行〔症〕 parapraxia ……896
削合 grinding ……519
削合〔術〕 grinding-in ……519
酢剤 vinegar ……1276
酢酸グアニジン *N*-メチルトランスフェラーゼ guanidinoacetate *N*-methyltransferase ……521
酢酸ナトリウム酢酸ホルマリン固定液 sodium acetate-acetic acid-formalin fixative (SAF fixative) ……1113
酢酸白化 acetowhitening ……10
作詩法 prosody ……987
索条 funis ……481
索状陰影 stripe ……1148
索状組織 chordee ……238
索状体 restiform body ……1043
索状物 chordee ……238
錯体 complex ……270
錯聴〔症〕 paracusis ……893
錯痛覚〔症〕 paralgesia ……895
錯読〔症〕 paralexia ……895
搾乳器 breast pump ……174
搾乳ポンプ breast pump ……174
錯文法 paragrammatism ……894
齰癖 crib-biting ……297
齰癖 wind-sucking ……1292
錯眠 parasomnia ……897
錯名〔症〕 paranomia ……896
錯乱〔状態〕 confusion ……275
サクランボ赤色斑〔点〕 cherry-red spot ……229
サクランボ赤色斑〔点〕ミオクローヌス症候群 cherry-red spot myoclonus syndrome ……229
錯論理〔症〕 paralogia ……895
作話〔症〕 confabulation ……275
左結腸曲 left colic flexure ……687
左結腸動脈 left colic artery ……687
鎖肛 anal atresia ……60
鎖骨 clavicle ……248
坐骨 ischial bone ……648
坐骨海綿体筋 ischiocavernous muscle ……649
鎖骨下窩 infraclavicular fossa ……621
鎖骨下筋 subclavius muscle ……1151
鎖骨下筋神経 subclavian nerve ……1151
鎖骨下静脈 subclavian vein ……1151
坐骨滑液包炎 ischial bursitis ……648
鎖骨下動脈 subclavian artery ……1151
鎖骨下動脈盗血 subclavian steal ……1151
鎖骨下わな ansa subclavia ……74
坐骨棘 ischial spine ……648
坐骨結節 ischial tuberosity ……648
坐骨孔 sciatic foramen ……1079
鎖骨呼吸法 clavicular respiration ……248
坐骨神経 sciatic nerve ……1079
坐骨神経痛 sciatica ……1079
坐骨神経伴行動脈 artery to sciatic nerve ……102
鎖骨切断術 cleidotomy ……249
鎖骨中線 midclavicular line ……770
坐骨突起炎 ischionitis ……649
坐骨〔孔〕ヘルニア ischiatic hernia ……649
坐骨ヘルニア sciatic hernia ……1079
サゴ脾 sago spleen ……1068
佐剤 adjuvant ……28
坐剤 suppository ……1163
左臍静脈 left umbilical vein ……687
座作業 sedentary work ……1087
サザンブロット分析 Southern blot analysis ……1118
匙 spoon ……1132
サジオモダカ alisma ……42
サシガメ類 assassin bug ……108
匙状爪 koilonychia ……669
匙状爪 spoon nail ……1132
左室不全 left ventricular failure ……688
左室容積削減手術 left ventricular volume reduction surgery ……688
さし縫い縫合 mattress suture ……737
砂腫状体 corpora arenacea ……287

砂腫体 psammoma bodies ………… 993
挫傷 bruise ………… 181
挫傷 contuse ………… 283
挫傷 contusion ………… 283
挫傷 strain ………… 1145
左心 left heart ………… 687
左心室 left ventricle ………… 687
左心室縁動脈 left marginal artery ………… 687
左心室駆出時間 left ventricular ejection time（LVET） ………… 687
左心室後静脈 posterior vein of left ventricle ………… 966
左心症 sinistrocardia ………… 1107
左心バイパス left heart bypass ………… 687
左心房 left atrium of heart ………… 686
左心房斜静脈 oblique vein of left atrium ………… 848
左心補助装置 left-ventricular assist device ………… 687
左旋 levorotation ………… 696
痤瘡 acne ………… 14
痤瘡ケロイド acne keloid ………… 14
鎖膣 vaginal atresia ………… 1257
殺アメーバ薬 amebicide ………… 51
雑音 bruit ………… 181
雑音 murmur ………… 793
雑音 noise ………… 837
雑音 souffle ………… 1117
殺疥癬虫薬 scabicide ………… 1073
錯覚 illusion ………… 605
擦過傷 abrasion ………… 5
擦過創 excoriation ………… 426
擦過標本 scraping ………… 1082
サッカリド saccharides ………… 1066
サッカロース saccharose ………… 1066
殺寄生生物薬 parasiticide ………… 897
殺寄生虫薬 parasiticide ………… 897
殺寄生虫薬 vermicide ………… 1269
殺菌 disinfection ………… 353
殺菌〔法〕 sterilization ………… 1141
殺菌素 bactericidin ………… 131
殺菌素 bacteriocidin ………… 131
殺菌保証牛乳 certified pasteurized milk ………… 223
殺菌薬 germicide ………… 496
殺菌薬 microbicide ………… 766
撮空模床 floccillation ………… 463
擦剤 liniment ………… 702
刷子縁 brush border ………… 181
雑種 hybrid ………… 577
雑種形成 hybridization ………… 577
雑種世代 filial generation（F） ………… 455
殺シラミ薬 pediculicide ………… 907
殺真菌薬 fungicide ………… 480
殺生物質 biocide ………… 153
殺精〔子〕薬 spermicide ………… 1121
雑性乱視 mixed astigmatism ………… 776
擦創 excoriation ………… 426
殺蚤薬 pulicicide ………… 1002
殺鼡薬 rodenticide ………… 1059
殺ダニ薬 miticide ………… 775
殺虫薬 insecticide ………… 626
殺虫薬 pesticide ………… 922
ザットラーベール Sattler veil ………… 1072
殺トリパノソーマ薬 trypanocide ………… 1234
サットン潰瘍 Sutton ulcer ………… 1168
殺蚊薬 culicide ………… 304
刷毛生検 brush biopsy ………… 181
サディスト sadist ………… 1068
サディズム sadism ………… 1068
作動遺伝子 operator gene ………… 862
サトウキビ肺症 bagassosis ………… 132
作動筋 agonist ………… 35
作動不全 dysergia ………… 370
作動薬 agent ………… 34
作動薬 agonist ………… 35
サドマゾヒズム sadomasochism ………… 1068
サドルバック毛虫 saddleback caterpillar ………… 1068
サドルブロック麻酔〔法〕 saddle block anesthesia ………… 1068
サドル麻酔〔法〕 saddle block anesthesia ………… 1068
サナダムシ taenia ………… 1177
サナダムシ tapeworm ………… 1179
サナトリウム sanatorium ………… 1070
左捻転 sinistrotorsion ………… 1107
差の標準誤差 standard error of difference ………… 1135
左肺動脈 left pulmonary artery ………… 687
サバ中毒 scombroid poisoning ………… 1081
サビアウイルス Sabia virus ………… 1066
さび色痰 rusty sputum ………… 1065
詐病 malingering ………… 727
詐病 pathomimesis ………… 904
詐病者 malingerer ………… 727
サブスタンスP substance P ………… 1155
サブトラクション subtraction ………… 1156
サブビリオン subvirion ………… 1156
サブユニットワクチン subunit vaccine ………… 1156
サプレッサ〔突然〕変異 suppressor mutation ………… 1164
サブロー寒天〔培地〕 Sabouraud agar ………… 1066
サブロー錠剤 Sabouraud pastilles ………… 1066
サブローデキストロース寒天〔培地〕 Sabouraud dextrose agar ………… 1066
差分フィールド診断 differential field diagnosis ………… 345
〔核〕左方移動 shift to the left ………… 1099
左方回旋 levotorsion ………… 696
左房室口 mitral orifice ………… 776
左方偏視 levoversion ………… 696
サポニン saponins ………… 1071
サムター症候群 Samter syndrome ………… 1070
サムナー徴候 Sumner sign ………… 1159
サメ皮様皮膚 shagreen skin ………… 1098
挫滅 detrition ………… 338
挫滅組織切除〔法〕 debridement ………… 318
砂毛〔症〕 piedra ………… 937
左右識別 right-left discrimination ………… 1056
左右短絡 left-to-right shunt ………… 687
左右不同 asymmetry ………… 110
〔左右〕不同脈 pulsus differens ………… 1005
左右別肺機能検査 bronchospirometry ………… 179
作用 action ………… 18
作用 function ………… 479
〔肝臓の〕左葉 lobus hepatis sinister ………… 707
作用持続時間 duration of action ………… 368
作用物質 reactant ………… 1026
作用薬 agent ………… 34
作用薬 agonist ………… 35
座浴 sitz bath ………… 1108
サラー胸骨穿刺針 Salah sternal puncture needle ………… 1068
サラセミア thalassemia ………… 1192
サラセミアマイナー thalassemia minor ………… 1192
サラセミアメジャー thalassemia major ………… 1192
サリチル酸 salicylic acid ………… 1068
サリチル酸〔塩〕中毒 salicylism ………… 1068
ザリット負荷面接 Zarit burden interview ………… 1301
サリン sarin（GB） ………… 1072
サルカス試験 sulcus test ………… 1158
サルカス徴候 sulcus sign ………… 1157
サルグラモスチン sargramostim ………… 1072
サルコイド sarcoid ………… 1071
サルコイドーシス sarcoidosis ………… 1071
サルコイド様肉芽腫 sarcoidal granuloma ………… 1071
サルコウィッチ検査 Sulkowitch test ………… 1158
ザルツマン結節状角膜変性 Salzmann nodular corneal degeneration ………… 1070
サル痘 monkeypox ………… 780
サルモネラ症 salmonellosis ………… 1069
酸 acid ………… 13
残胃癌 stump cancer ………… 1150
残遺統合失調症 residual schizophrenia ………… 1040
酸塩基調節 acid-base regulation ………… 13
三塩基反復障害 triple repeat disorders ………… 1231
酸塩基平衡 acid-base balance ………… 13
残音 aftersound ………… 33
酸化〔作用〕 oxidation ………… 880
参加 participation ………… 901
三価アルコール trihydric alcohol ………… 1230
産科医 obstetrician ………… 848
産科医の手 accoucheur's hand ………… 9

産科学 obstetrics (OB) …… 848
酸化還元 oxidation-reduction …… 880
酸化還元 redox …… 1031
産科鉗子 obstetric forceps …… 848
〔膀胱〕三角炎 trigonitis …… 1230
三角巾 triangular bandage …… 1226
三角布 sling …… 1110
三角筋 deltoid muscle …… 326
三角筋 triangular muscle …… 1226
三角筋下包 subdeltoid bursa …… 1152
三角骨 triangular bone …… 1226
三角骨 triquetral bone …… 1231
三角骨 triquetrum …… 1231
三角靱帯 deltoid ligament …… 326
三角線維軟骨複合体 triangular fibrocartilage complex …… 1226
三角粗面 deltoid tuberosity …… 326
三角頭蓋症 trigonocephaly …… 1230
三角頭症 trigonocephaly …… 1230
酸化血色素 oxyhemoglobin …… 881
酸化酵素 oxidase …… 880
酸化剤 oxidant …… 880
三価性 trivalence …… 1231
酸化的リン酸化〔反応〕 oxidative phosphorylation …… 880
酸化物 oxide …… 880
産科用腹帯 obstetric binder …… 848
残感覚 aftersensation …… 33
暫間義歯 interim denture …… 631
三脚台 tripod …… 1231
産業衛生 industrial hygiene …… 616
産業病 industrial disease …… 616
残気量 residual volume (RV) …… 1040
三腔心 cor triloculare …… 290
酸血症 acidemia …… 13
三原子価性 trivalence …… 1231
塹壕熱 trench fever …… 1225
3項目マーカスクリーニング triple screen …… 1231
サンゴ状結石 staghorn calculus …… 1134
産後精神病 postpartum psychosis …… 967
産後抑うつ postpartum blues …… 967
残渣 residue …… 1040
残渣 residuum …… 1040
散剤 abstract …… 6
散剤 powder …… 969
散剤散布〔法〕 poudrage …… 969
三酢酸 triacetic acid …… 1226
三叉神経 trigeminal nerve [CN V] …… 1229
三叉神経腔 trigeminal cave …… 1229
三叉神経根切断〔術〕 trigeminal rhizotomy …… 1230
三叉神経節 trigeminal ganglion …… 1229
三叉神経痛 trigeminal neuralgia …… 1230
産児制限 birth control …… 156
産児制限 contraception …… 282
三次〔的〕治癒 healing by third intention …… 535
産児調節 birth control …… 156
三指つまみ three-jaw chuck …… 1198
三次的意図 third intention …… 1195
三肢麻痺 triplegia …… 1231
三重結合 triple bond …… 1231
三重視 triplopia …… 1231
三重水素 hydrogen 3 (^3H) …… 578
三重反応 triple response …… 1231
算術平均 arithmetic mean …… 95
産床子かん puerperal eclampsia …… 1002
参照試験所 reference laboratory …… 1032
参照値 reference values …… 1032
三焦点レンズ trifocal lens …… 1229
産褥 puerperium …… 1002
三色型色〔感〕覚 trichromatopsia …… 1229
産褥子かん puerperal eclampsia …… 1002
産褥子宮弛緩症 postpartum atony …… 967
産褥性敗血症 puerperal septicemia …… 1002
三色染料 trichrome stain …… 1229
産褥熱 metria …… 764
産褥熱 puerperal fever …… 1002
産褥〔性〕破傷風 puerperal tetanus …… 1002
〔産〕褥婦 puerpera …… 1002
三心腔二心室〔症〕 cor triloculare biventriculare …… 290
三錐歯 triconodont …… 1229
酸性化血清試験 acidified serum test …… 13
酸性細胞 acid cell …… 13
酸性時機 acid tide …… 13
酸性食 acid-ash diet …… 13
酸性染料 acidic dyes …… 13
酸性染料 acid stain …… 13
酸性度 acidity …… 13
酸性尿〔症〕 aciduria …… 13
酸性フクシン acid fuchsin …… 13
酸性物質 acid …… 13
酸性ホスファターゼ acid phosphatase …… 13
残屑 debris …… 318
3切開食道切除 three-incision esophagectomy …… 1198
三染色体性 trisomy …… 1231
三尖弁 tricuspid valve …… 1229
三尖弁狭窄〔症〕 tricuspid stenosis …… 1229
三尖弁口 tricuspid orifice …… 1229
三尖弁雑音 tricuspid murmur …… 1229
三尖弁閉鎖〔症〕 tricuspid atresia …… 1229
三尖弁閉鎖不全〔症〕 tricuspid insufficiency …… 1229
残像 afterimage …… 33
三相反応 triple response …… 1231
酸素還元酵素 oxidoreductase …… 880
酸素含量 oxygen content …… 881
酸素希釈法 oxygen dilution method …… 881
酸素欠乏〔症〕 anoxia …… 73
酸素欠乏 oxygen deficit …… 881
酸素消費量 oxygen consumption ($\dot{V}O_2$) …… 881
酸素増感比 oxygen enhancement ratio (OER) …… 881
酸素測定〔法〕 oximetry …… 880
酸素脱飽和 oxygen desaturation …… 881
酸素抽出 oxygen extraction …… 881
酸素中毒 oxygen toxicity …… 881
酸素毒性 oxygen toxicity …… 881
酸素濃縮器 oxygen concentrator …… 881
酸素濃度計 oximeter …… 880
酸素パルス oxygen pulse ($\dot{V}O_2$ HR) …… 881
酸素付加 oxygenation …… 881
酸素負債 oxygen debt …… 881
酸素フリーラジカル oxygen-derived free radicals …… 881
酸素飽和度 oxygen saturation (SaO_2) …… 881
酸素飽和度検査 oxygen saturation test (SaO_2 test) …… 881
サンソム徴候 Sansom sign …… 1071
酸素容量 oxygen capacity …… 881
酸素療法 oxygen therapy …… 881
三胎 triplet …… 1231
散大筋 dilator muscle …… 348
三炭糖 triose …… 1230
三段脈 trigeminal pulse …… 1230
三段脈 trigeminal rhythm …… 1230
サンティーニ有響音 Santini booming sound …… 1071
サンドイッチ世代 sandwich generation …… 1070
産道 birth canal …… 156
散瞳 mydriasis …… 803
〔上腕〕三頭筋反射 triceps reflex …… 1226
III度星状細胞腫 grade III astrocytoma …… 513
III度熱傷 third-degree burn …… 1195
ザントホフ病 Sandhoff disease …… 1070
サントリーニ静脈叢 Santorini plexus …… 1071
残尿 residual urine …… 1040
産熱 thermogenesis …… 1194
産婆 midwife …… 771
三杯試験 three-glass test …… 1198
三倍体性 triploidy …… 1231
散布 dispersion …… 354
散布 inspersion …… 627
サンフィリポ症候群 Sanfilippo syndrome …… 1070
残物 rest …… 1043
サンプドレーン sump drain …… 1159
三部麻痺 triplegia …… 1231
サン・ホアキン渓谷熱 San Joaquin Valley Fever …… 1071
三房心 cor triatriatum …… 290
残余 rest …… 1043
散乱 distraction …… 356

散乱 scatter ··· 1076
散乱線 scatter ··· 1076
散乱線 scattered radiation ··· 1076
散乱放射線 scattered radiation ··· 1076
産瘤 caput succedaneum ··· 198
残留性物質汚染 residual dose contamination ··· 1040
残留膿瘍 residual abscess ··· 1040
残留物 residue ··· 1040
残留物 residuum ··· 1040
三稜鏡 prism ··· 980
三列睫毛症 tristichia ··· 1231
三連脈 pulsus trigeminus ··· 1005
三連脈 trigeminal pulse ··· 1230
三連脈 trigeminal rhythm ··· 1230
三腕奇形 tribrachia ··· 1226

シ

死 death ··· 318
肢 limb ··· 700
痔〔核〕 hemorrhoids ··· 549
痔〔核〕 pile ··· 937
ジアセチルモノキシム diacetylmonoxime ··· 341
指圧 acupressure ··· 20
指圧 shiatsu ··· 1099
指圧法 pointillage ··· 952
〔脊柱〕指圧療法 chiropractic ··· 231
ジアテルミー diathermy ··· 343
シアノコバラミン cyanocobalamin ··· 307
シアリダーゼ sialidase ··· 1102
シアリン酸 sialic acids ··· 1102
シアル酸 sialic acids ··· 1102
ジアルジア鞭毛虫症 giardiasis ··· 498
シアン cyanogen ··· 308
シアンカ症候群 Cianca syndrome ··· 244
シアンメトヘモグロビン cyanmethemoglobin ··· 307
自慰 masturbation ··· 736
CIC 型補聴器 completely in the canal (CIC) hearing aid ··· 269
G-アクチン G-actin ··· 483
G_1期 gap 1 ··· 487
CA-19-9 抗原 CA-19-9 antigen ··· 188
CA-15-3 抗原 CA-15-3 antigen ··· 188
CA-125 抗原 CA-125 antigen ··· 188
G_{M1}ガングリオシドーシス G_{M1} gangliosidosis ··· 497
GMS 染色〔法〕 Gomori methenamine-silver stain ··· 510
G_{M2}ガングリオシドーシス G_{M2} gangliosidosis ··· 497
CO_2アナライザ CO_2 analyzer ··· 255
CO_2産生量 carbon dioxide production ($\dot{V}CO_2$) ··· 198
C 型ウイルス性肝炎 viral hepatitis type C ··· 1276
C 型肝炎 hepatitis C ··· 552
G 型肝炎 hepatitis G ··· 552
C 型肝炎ウイルス hepatitis C virus (HCV) ··· 552
G 型肝炎ウイルス hepatitis G virus (HGV) ··· 552
シークエンスラダー sequence ladder ··· 1094
ジーグレ耳鏡 Siegle otoscope ··· 1104
G 系列神経ガス G-series nerve agents ··· 520
ジーゲルト徴候 Siegert sign ··· 1104
G 細胞 G cells ··· 491
自慰死 autoerotic death ··· 121
CGS 単位 centimeter-gram-second unit (CGS, cgs) ··· 217
CGS 単位系 centimeter-gram-second system (CGS, cgs) ··· 216
肢異常 dysmelia ··· 371
C 線維 C fibers ··· 225
シータ波 theta rhythm ··· 1195
シータ波 theta wave ··· 1195
シータ律動 theta rhythm ··· 1195
G 蛋白病 G protein diseases ··· 512
CD 抗原 cluster of differentiation (CD) antigen ··· 254
CT 骨盤計測 CT pelvimetry ··· 303
CDC 生物兵器病原体カテゴリー CDC categories of biologic agents ··· 212
CD4/CD8 比 CD4:CD8 count ··· 213
シートグラフト法 sheet grafting ··· 1099
G_2期 gap 2 ··· 487
シーバー病 Sever disease ··· 1097
シーハン症候群 Sheehan syndrome ··· 1099
C バンディング染色〔法〕 C-banding stain ··· 212
G バンディング染色〔法〕 G-banding stain ··· 491
C 反応性蛋白 C-reactive protein (CRP) ··· 295
GB ウイルス GB viruses ··· 491
シーベルト sievert (Sv) ··· 1104
C 末端 C terminus ··· 303
C 目盛り centigrade (C) ··· 216
ジーメンス siemens (S) ··· 1104
ジーモン体位 Simon position ··· 1106
ジーリーのこぎり Gigli saw ··· 498
JH ウイルス JH virus ··· 656
シェーエ法 Chayes method ··· 227
シェーグレン症候群 Sjogren syndrome ··· 1108
J 鎖 J chain ··· 655
シェーデ法 Schede method ··· 1076
J 点 J point ··· 657
ジェーンウェー胃瘻造設(術) Janeway gastrostomy ··· 654
ジェーンウェー病変 Janeway lesion ··· 654
シェーンライン白癬菌 *Trichophyton schoenleinii* ··· 1228
ジエチルスチルベストロール diethylstilbestrol (DES) ··· 345
ジェット噴霧器 jet nebulizer ··· 655
シェパード骨折 Shepherd fracture ··· 1099
ジェファーソン骨折 Jefferson fracture ··· 655
シェファー反射 Schaffer reflex ··· 1076
ジェリー縫合 Gely suture ··· 492
ジェリコ腫 date boil ··· 316
シェリングトンの法則 Sherrington law ··· 1099
ジェロータ法 Gerota method ··· 497
指炎 dactylitis ··· 315
枝炎 ramitis ··· 1023
耳炎 otitis ··· 876
支援コミュニケーション facilitated communication ··· 439
ジェンコル中毒 djenkol poisoning ··· 357
耳炎性膿瘍 otitic abscess ··· 876
シェントン線 Shenton line ··· 1099
ジェンナー染料 Jenner stain ··· 655
ジオキシゲナーゼ dioxygenase ··· 349
ジオプトリ diopter (D, Δ, δ) ··· 349
耳音響放射 otoacoustic emission (OAE) ··· 876
自音共鳴 autophony ··· 124
肢芽 limb bud ··· 700
耳窩 auditory pits ··· 118
自我 ego ··· 380
自家アレルギー autoallergy ··· 120
歯科医 dental surgeon ··· 329
歯科医 dentist ··· 330
視界 field of view (FOV) ··· 454
耳介 auricle ··· 119
耳科医 otologist ··· 877
耳介血腫 auricle hematoma ··· 119
耳介結節 auricular tubercle ··· 119
自解酵素 autolytic enzyme ··· 122
耳介後ひだ retroauricular fold ··· 1047
耳介後部切開 postauricular incision ··· 962
耳介後リンパ節 retroauricular lymph node ··· 1047
自我異質性同性愛 ego-dystonic homosexuality ··· 380
自家移植〔術〕 autotransplantation ··· 125
自家移植片 autograft ··· 121
耳介錐体筋 pyramidal auricular muscle ··· 1011
紫外線角結膜炎 ultraviolet keratoconjunctivitis ··· 1244
紫外線顕微鏡 ultraviolet microscope ··· 1244
紫外線指数 ultraviolet index ··· 1244
紫外線療法 actinotherapy ··· 18
耳介側頭神経 auriculotemporal nerve ··· 119
耳介軟骨 auricular cartilage ··· 119
耳海綿化症 otospongiosis ··· 877
歯科インプラント dental implants ··· 328
歯科衛生士 dental hygienist ··· 328
歯科鋭匙(キュレット) dental curette ··· 328
歯科解剖学 dental anatomy ··· 328
耳科学 otology ··· 877
自家角膜移植〔術〕 autokeratoplasty ··· 122

自家感染 autoinfection ··· 121
歯科矯正医 orthotist ··· 870
歯科矯正学 orthodontics ··· 869
歯科矯正学 orthotics ··· 870
自家強聴 autophony ··· 124
視覚 sight ··· 1104
視覚 vision ··· 1278
視角 visual angle ··· 1279
歯〔科〕学 dentistry ··· 330
歯〔科〕学 odontology ··· 853
視覚運動解離 visual-kinetic dissociation ··· 1279
視覚運動コントロール visual-motor control ··· 1279
視覚記憶 visual memory ··· 1279
視覚色素 visual pigments ··· 1279
視覚識別 visual discrimination ··· 1279
視覚失認 visual agnosia ··· 1278
視覚手話法 manual visual method ··· 731
自覚症状 subjective symptom ··· 1153
四角小葉 quadrangular lobule ··· 1013
視覚性運動失調 optic ataxia ··· 864
視覚性共感覚 photism ··· 931
視覚性固視 visual fixation ··· 1279
視覚性失語〔症〕 visual aphasia ··· 1279
視覚性閉鎖 visual closure ··· 1279
痔核切除〔術〕 hemorrhoidectomy ··· 549
視覚前兆 visual aura ··· 1279
視覚像 optic image ··· 864
自覚的運動強度 rate of perceived exertion (RPE) ··· 1025
視覚的見当識 visual orientation ··· 1279
視覚認識 visuognosis ··· 1279
視覚皮質 visual cortex ··· 1279
視覚否認 visual neglect ··· 1279
視覚不注意 visual inattention ··· 1279
視覚無視 visual neglect ··· 1279
視覚誘発電位 visual evoked potential ··· 1279
歯牙形成 odontogenesis ··· 853
歯牙形成不全〔症〕 odontodysplasia ··· 853
自家血清 autoserum ··· 124
歯科公衆衛生学 dental public health ··· 329
歯牙細胞腫 odontoblastoma ··· 853
自家細胞毒素 autocytotoxin ··· 121
歯科疾患 odontopathy ··· 853
歯牙腫 odontoma ··· 853
自家〔移植〕術 autoplasty ··· 124
耳過剰〔症〕 polyotia ··· 957
自家消化 autodigestion ··· 121
指過剰症 polydactyly ··· 955
歯科助手 dental assistant ··· 328
歯科人類学 dental anthropology ··· 328
自家生殖 autogamy ··· 121
志賀赤痢菌 *Shigella dysenteriae* ··· 1099
耳下切痕 parotid notch ··· 900
自家接種 autoinoculation ··· 122
耳下腺 parotid gland ··· 900
耳下腺炎 mumps ··· 793
耳下腺炎 parotiditis ··· 900
耳下腺管 parotid duct ··· 900
耳下腺静脈 parotid veins ··· 900
耳下腺摘出〔術〕 parotidectomy ··· 900
耳下腺乳頭 parotid papilla ··· 900
自家中毒 autointoxication ··· 122
自家中毒素 autointoxicant ··· 122
自家注入 autoinfusion ··· 122
脂褐素 lipofuscin ··· 703
脂褐素〔沈着〕症 lipofuscinosis ··· 703
自我同一性 ego identity ··· 380
志賀毒素 Shiga toxin ··· 1099
歯牙発生 odontogenesis ··· 853
歯科病歴 dental history ··· 328
歯科法医学 forensic dentistry ··· 470
歯科補てつ学 prosthodontics ··· 989
歯科命名法 odontonomy ··· 853
自家融解 autolysis ··· 122
自家融解 autophagy ··· 124
自家輸血〔法〕 autotransfusion ··· 125
自家溶血 autohemolysis ··· 121
自家〔赤血球〕溶血素 autohemolysin ··· 121
歯科用注射器 dental syringe ··· 329
歯科用内視鏡 dental endoscope ··· 328
歯科用バーニッシュ dental varnish ··· 329
自家預血 autologous donation ··· 122
歯科予防〔法〕 dental prophylaxis ··· 329
自我理想 ego ideal ··· 380
磁化率 susceptibility ··· 1167
ジカルボン酸サイクル dicarboxylic acid cycle ··· 344
自家ワクチン autogenous vaccine ··· 121
弛緩 chalasia ··· 225
歯冠 crown ··· 300
子癇 eclampsia ··· 376
歯間 interdentium ··· 631
死姦 necrophilia ··· 816
弛緩 relaxation ··· 1036
耳管 auditory tube ··· 119
耳管 pharyngotympanic (auditory) tube ··· 926
耳管咽頭筋 salpingopharyngeus muscle ··· 1069
耳管咽頭口 pharyngeal opening of auditory tube ··· 925
耳管炎 salpingitis ··· 1069
耳管炎 syringitis ··· 1174
耳管開大筋 dilator tubae muscle ··· 348
歯間管 interdental canals ··· 630
弛緩期 diastole ··· 343
弛緩〔薬〕逆転 relaxant reversal ··· 1036
耳管峡 isthmus of auditory tube ··· 652
歯間腔 interproximal space ··· 637
歯冠形態修正 odontoplasty ··· 853
耳眼瞼反射 auropalpebral reflex ··· 119
耳管鼓室口 tympanic opening of auditory tube ··· 1240
時間軸療法 Time-Line therapy ··· 1205
時間失見当〔識〕 dischronation ··· 352
歯冠周囲炎 operculitis ··· 862
歯冠周囲炎 pericoronitis ··· 914
弛緩状態 flaccidity ··· 459
弛緩性 flaccidity ··· 459
弛緩性 laxity ··· 685
弛緩性構語障害〔症〕 flaccid dysarthria ··· 459
弛緩性出血 uterine atony ··· 1254
弛緩性皮膚 cutis laxa ··· 307
時間生物学 chronobiology ··· 242
耳管腺 mucous glands of auditory tube ··· 789
耳眼線 infraorbitomeatal line ··· 622
子癇前症 preeclampsia (PE) ··· 972
歯間中隔 interdental septum ··· 630
時間的予測 temporal anticipation ··· 1184
歯間乳頭 interdental papilla ··· 630
耳管半管 canal for pharyngotympanic tube ··· 194
指間部 interdigit ··· 631
歯間副子 interdental splint ··· 630
弛緩不能症 achalasia ··· 11
弛緩縫合 relaxation suture ··· 1036
弛緩膀胱〔障害〕 atonic bladder ··· 113
耳管蜂巣細胞 tubal air cells of pharyngotympanic tube ··· 1235
耳眼面 orbitomeatal plane ··· 866
弛緩薬 relaxant ··· 1036
弛緩薬拮抗 relaxant reversal ··· 1036
式 formula ··· 471
色暗点 color scotoma ··· 263
閾形質 threshold trait ··· 1199
自記温度計 thermograph ··· 1194
自記温度図 thermogram ··· 1194
自記温度法 thermography ··· 1194
磁気回転比 gyromagnetic ratio ··· 523
色覚 colored vision (VC) ··· 263
色覚検査表 color chart ··· 263
色覚失認〔症〕 color agnosia ··· 263
色感覚 chromesthesia ··· 240
色汗症 chromhidrosis ··· 240
自記寒暖計 self-registering thermometer ··· 1089
磁気共鳴画像法 magnetic resonance imaging (MRI) ··· 725
色原体 chromogen ··· 240
色彩恐怖〔症〕 chromophobia ··· 241
色彩味覚 color taste ··· 263
色彩療法 chromotherapy ··· 241

色弱 dyschromatopsia 370
色情狂 erotomania 414
色情恐怖〔症〕 erotophobia 415
色素 dye 368
色素 pigment 937
色素芽細胞 chromoblast 240
色素過剰〔症〕 hyperpigmentation 587
色素形成 chromogenesis 240
色素形成細菌 chromogen 240
色素原 chromogen 240
色素嫌性 chromophobia 241
色素嫌性細胞 chromophobe cell 241
色素嫌性腺腫 chromophobe adenoma 241
色素細胞 chromatophore 240
色素散乱症候群 pigment dispersion syndrome 937
色素試験第 I 法 primary dye test 978
色素試験第 II 法 secondary dye test 1085
色素〔性〕じんま疹 urticaria pigmentosa 1254
色素親和性 chromophil 240
色素性乾皮症 xeroderma pigmentosum 1297
色素性絨毛結節性滑膜炎 pigmented villonodular synovitis 937
色素性母斑 mole 778
色素性母斑 nevus pigmentosus 831
色素性網膜炎 retinitis pigmentosa 1046
色素体 chromatophore 240
色素体 plastid 946
色素脱失 achromia 12
色素脱失 depigmentation 331
色素脱失 hypopigmentation 595
色素沈着 pigmentation 937
色素沈着異常 dyspigmentation 371
色素膀胱鏡検査〔法〕 cystochromoscopy 311
色素溶解素 pigmentolysin 937
色素類脂質 lipochrome 703
ジギタリス化 digitalization 347
ジギタリス飽和 digitalization 347
色聴 color hearing 263
識別 discrimination 353
識別子 identifier 601
識別刺激 discriminant stimulus 352
磁気歩行 magnetic gait 725
色盲 color blindness 263
糸球 glomerulus 502
糸球 glomus 502
子宮 uterus 1255
子宮 womb 1293
子宮アトニー metratonia 764
子宮萎縮 metratrophy 764
子宮〔筋層〕炎 metritis 764
子宮円索 round ligament of uterus 1062
子宮円索動脈 artery of round ligament of uterus 102
子宮外膜 perimetrium 915
子宮間膜 mesometrium 758
持久期 endurance phase 399
子宮鏡 hysteroscope 599
子宮鏡 uteroscope 1255
子宮鏡検査〔法〕 hysteroscopy 599
子宮狭窄 metrostenosis 765
子宮筋腫 hysteromyoma 599
子宮筋腫切開〔術〕 hysteromyotomy 599
子宮筋層 myometrium 807
子宮筋層炎 myometritis 807
子宮腔 uterine cavity 1254
子宮頸 cervix of uterus 224
子宮計 hysterometer 599
子宮頸〔管〕炎 cervicitis 224
子宮頸管 cervical canal 223
子宮頸管切開〔術〕 hysterotrachelotomy 599
〔子宮〕頸管妊娠 cervical pregnancy 224
子宮形成〔術〕 uteroplasty 1255
〔子宮〕頸切開〔術〕 trachelotomy 1214
子宮頸〔管〕腺 cervical glands 224
子宮頸内膜 endocervix 395
子宮頸内膜炎 endocervicitis 395
子宮頸部形成〔術〕 hysterotracheloplasty 599
子宮頸部切除〔術〕 hysterotrachelectomy 599
子宮頸部切除〔術〕 trachelectomy 1214
子宮頸部縫合〔術〕 hysterotrachelorrhaphy 599
子宮頸部膀胱吻合〔術〕 uterocystostomy 1255
子宮頸縫合〔術〕 trachelorrhaphy 1214
子宮痙攣 hysterospasm 599
子宮血腫 hematometra 542
子宮結石 uterine calculus 1254
〔外〕子宮口 external os of uterus 434
子宮口拡張〔法〕 hystereurysis 598
子宮広間膜 broad ligament of the uterus 176
子宮広間膜 ligamentum latum uteri 699
子宮広間膜〔内〕妊娠 intraligamentary pregnancy 641
〔子宮〕後傾後屈〔症〕 retroversioflexion 1048
子宮口縫合〔術〕 hysterocleisis 599
子宮鼓脹〔症〕 physometra 935
子宮固定〔術〕 hysteropexy 599
子宮固定術 uteropexy 1255
子宮索固定〔術〕 ligamentopexis 699
子宮雑音 uterine souffle 1255
子宮弛緩〔症〕 metratonia 764
子宮弛緩症 uterine atony 1254
子宮疾患 hysteropathy 599
子宮実質炎 myometritis 807
子宮周囲炎 perimetritis 915
子宮収縮 uterine contraction 1254
子宮収縮描写〔法〕 hysterography 599
子宮収縮描写図 hysterogram 599
子宮収縮薬 uterotonic 1255
子宮出血 metrorrhagia 765
子宮小丘 caruncle 207
子宮静脈 uterine veins 1255
子宮静脈炎 metrophlebitis 765
持久性 endurance 399
子宮切開〔術〕 hysterotomy 599
子宮〔内膜〕腺 uterine glands 1254
子宮線維腫 metrofibroma 764
子宮全摘術 panhysterectomy 890
子宮造影〔法〕 hysterography 599
四丘体 quadrigeminum 1015
糸球体 glomerulus 502
糸球体炎 glomerulitis 502
糸球体間質 mesangium 756
糸球体硬化症 glomerulosclerosis 502
糸球体症 glomerulopathy 502
糸球体腎炎 glomerulonephritis 502
四丘体動脈 collicular artery 262
糸球体嚢 glomerular capsule 502
糸球体嚢胞 glomerular cyst 502
子宮胎盤洞 uteroplacental sinuses 1255
子宮体部吊上術 colposuspension 264
糸球体輸出細動脈 efferent glomerular arteriole 379
糸球体輸入細動脈 afferent glomerular arteriole 33
糸球体濾過率 glomerular filtration rate (GFR) 502
子宮脱 prolapse of uterus 984
子宮腟上部切断術 supracervical hysterectomy 1164
子宮痛 hysteralgia 598
子宮痛 metralgia 764
子宮痛 metrodynia 764
子宮底 fundus of uterus 480
子宮摘出〔術〕 hysterectomy 598
子宮洞 uterine sinus 1255
磁気誘導加速器 betatron 149
子宮動脈 uterine artery 1254
子宮内〔避妊〕器具 intrauterine device (IUD) 642
子宮内呱声 vagitus uterinus 1258
子宮内骨折 intrauterine fracture 642
子宮内受精法 intrauterine insemination (IUI) 642
子宮内切除鏡電極 resectoscope electrode 1040
子宮内啼泣 vagitus uterinus 1258
子宮内反〔症〕 inversion of the uterus 644
子宮内膜 endometrium 397
子宮内膜炎 endometritis 397
子宮内膜炎 endomyometritis 398
子宮内膜間質部肉腫 endometrial stromal sarcoma 397
子宮内膜腫 endometrioma 397
子宮内膜症 endometriosis 397

〔頸管拡張〕子宮内膜掻爬術 dilation and curettage (D & C) 348
子宮内容除去術 dilation and evacuation (D & E) 348
子宮膿気症 pyophysometra 1010
子宮剥離〔術〕 hysterolysis 599
子宮破裂 hysterorrhexis 599
子宮腹膜炎 metroperitonitis 765
子宮部分 uterine segments 1255
子宮分節 uterine segments 1255
子宮閉鎖〔症〕 hysteratresia 598
子宮ヘルニア hysterocele 599
子宮縫合〔術〕 hysterorrhaphy 599
子宮傍〔結合〕組織 parametrium 895
子宮傍〔結合〕組織炎 parametritis 895
子宮麻痺 metroparalysis 764
子宮卵管炎 metrosalpingitis 765
子宮卵管開口〔術〕 hysterosalpingostomy 599
子宮卵管撮影〔法〕 hysterosalpingography 599
子宮卵管撮影〔法〕 uterosalpingography 1255
子宮卵管切除〔術〕 hysterosalpingectomy 599
子宮卵管卵巣摘出術 hysterosalpingooophorectomy 599
子宮卵巣摘除〔術〕 hystero-oophorectomy 599
子宮瘤 hysterocele 599
子宮留気水症 pneumohydrometra 951
子宮留血症 hematometra 542
子宮留水症 hydrometra 579
子宮留膿症 pyometra 1010
子宮リンパ管炎 metrolymphangitis 764
子宮漏 metrorrhea 765
子宮漏血 metrostaxis 765
耳鏡 otoscope 877
耳鏡検査〔法〕 otoscopy 877
糸筋 myoneme 807
軸 axis (ax) 127
軸位断像 axial image 126
死腔 dead space 317
軸角 axial angle 126
軸荷重 axial loading 126
軸骨格 axial skeleton 126
軸索 axon 127
軸索原形質 axoplasm 128
軸索原形質輸送 axoplasmic transport 128
軸索終末 axon terminals 128
軸索鞘 axolemma 127
軸索小丘 axon hillock 128
軸索側枝 paraxon 898
軸索断裂〔症〕 axonotmesis 128
軸索融解 axolysis 127
軸糸 axial filament 126
軸糸 axoneme 127
軸〔索〕漿 axoplasm 128
軸〔索〕漿輸送 axoplasmic transport 128
軸性遠視 axial hyperopia 126
軸線 axis (ax) 127
軸柱 columella 265
軸椎 axis (ax) 127
軸椎 epistropheus 411
シグナル伝達阻害薬 signal transduction inhibitor (STI) 1105
軸捻 volvulus 1282
軸板 axial plate 126
シクラーゼ cyclase 308
軸流 axial current 126
シクロサリン cyclosarin 309
シクロピロックスオラミン ciclopiroxolamine 244
シクロペプチド cyclopeptide 308
シクロホラーゼ cyclophorases 308
ジクロロ-ジフェニル-トリクロロエタン dichloro-diphenyl-trichloroethane (DDT) 344
歯頸縁 gingival margin 499
耳形成〔術〕 otoplasty 877
肢形成不全〔症〕 hypomelia 594
歯頸線 cervical line 224
歯隙 diastema 343
刺激 irritation 648
刺激〔作用〕 stimulation 1143
刺激 stimulus 1143
刺激感受性ミオクロ〔ー〕ヌス stimulus sensitive myoclonus 1143
刺激原 irritant 648
刺激神経 excitor nerve 426
刺激制御 stimulus control 1143
刺激性接触皮膚炎 irritant contact dermatitis 648
刺激性線維腫 irritation fibroma 648
刺激物 irritant 648
刺激薬 irritant 648
刺激薬 stimulant 1143
刺激薬 stimulator 1143
止血 hemostasis 550
止血鉗子 hemostat 550
止血鉗子 hemostatic forceps 550
耳穴式補聴器 in-the-ear hearing aid 639
脂〔肪〕血症 lipemia 702
止血小鉗子 serrefine 1096
指結節 knuckle pads 669
指欠損 hypodactyly 592
止血帯 tourniquet 1212
止血物質 hemostat 550
止血薬 styptic 1150
止血用発条鉗子 bulldog forceps 183
ジケトピペラジン diketopiperazines 348
ジケトン diketone 348
試験液 test solution 1190
試験管 test tube 1190
試験管ベビー test-tube baby 1190
試験検証 test validation 1190
始原細菌 archaebacteria 93
試験室 laboratory 672
試験食 test meal 1190
歯原性角化嚢胞 odontogenic keratocyst 853
歯原性嚢胞 odontogenic cyst 853
自原性抑制 autogenic inhibition 121
〔帝王切開後〕試験分娩 trial of labor after cesarean section 1226
試験用量 test dose 1190
自己 self 1089
自己愛 narcissism 811
自己アレルギー autoallergy 120
自己暗示 autosuggestion 125
自己移植 autologous transplantation 122
自己移植〔術〕 autotransplantation 125
自己移植片 autograft 121
志向 animus 70
歯垢 bacterial plaque 131
試行 conation 272
施行 operation 862
耳垢 cerumen 223
耳硬化〔症〕 otosclerosis 877
耳甲介 concha of ear 272
思考過程 ideation 601
視〔神経〕交叉 optic chiasm 864
視〔神経〕交叉 optic decussation 864
視紅再生 rhodogenesis 1053
視交叉上交連 commissurae supraopticae 266
自咬症 autophagia 124
思考障害 dyslogia 371
持効性錠 sustained-action tablet 1167
歯垢染色剤 disclosing agent 352
指向反射 orienting reflex 868
耳垢分泌過剰 ceruminosis 223
視紅防御 rhodophylaxis 1053
耳垢溶解薬 ceruminolytic 223
自己栄養 autotrophic 125
自己栄養体 autotroph 125
自己回転 spontaneous version 1132
自己概念 self-concept 1089
自己角膜移植〔術〕 autokeratoplasty 122
自己感染 autoinfection 121
自己感応係数 inductance 615
自己帰罪欲 pseudomania 995
自己凝集〔反応〕 autoagglutination 120
自己凝集素 autoagglutinin 120
自己血球凝集 autohemagglutination 121
自己血清 autoserum 124
自己抗原 autoantigen 120
自己抗体 autoantibody 120

死後硬直 postmortem rigidity ……… 967
自己細胞毒素 autocytotoxin ……… 121
自己酸化 autooxidation ……… 124
自己受容体 autoreceptor ……… 124
自己消化 autodigestion ……… 121
自己消化 autolysis ……… 122
自己消化物 autolysate ……… 122
自己消耗 autophagia ……… 124
自己植皮片 autodermic graft ……… 121
自己身体部位失認 autotopagnosia ……… 125
自己制御 self-control ……… 1089
自己生殖 autogamy ……… 121
自己赤血球感作症候群 autoerythrocyte sensitization syndrome ……… 121
自己接種 autoinoculation ……… 122
自己中毒 autointoxication ……… 122
自己中毒素 autointoxicant ……… 122
自己調節 autoregulation ……… 124
指骨 bones of digits ……… 167
篩骨 ethmoid bone ……… 422
篩骨炎 ethmoiditis ……… 422
篩骨孔 ethmoid foramen ……… 422
篩骨甲介 ethmoturbinals ……… 422
篩骨篩板 cribriform plate of ethmoid bone ……… 297
篩骨静脈 ethmoid veins ……… 422
篩骨切除〔術〕 ethmoidectomy ……… 422
篩骨洞炎 ethmoiditis ……… 422
篩骨洞開放術 ethmoidectomy ……… 422
篩骨蜂巣炎 ethmoiditis ……… 422
篩骨蜂巣開放術 ethmoidectomy ……… 422
篩骨迷路 ethmoid labyrinth ……… 422
篩骨稜 ethmoid crest ……… 422
篩骨漏斗 ethmoid infundibulum ……… 422
自己洞察 self-awareness ……… 1089
自己同種溶解素 autoisolysin ……… 122
仕事負荷量単位 workload unit (WLU) ……… 1293
仕事率 power ……… 969
仕事量増加扶助 ergogenic aid ……… 414
自己破壊 autoclasis ……… 121
死後皮斑 postmortem livedo ……… 967
自己複製 autoreproduction ……… 124
自己分解 autolysis ……… 122
自己分解物 autolysate ……… 122
死後分娩 postmortem delivery ……… 966
自己返血 autoinfusion ……… 122
自己崩壊 autoclasis ……… 121
自己免疫 autoimmune ……… 121
自己免疫 autoimmunity ……… 121
自己免疫化 autoimmunization ……… 121
自己免疫疾患 autoimmune disease ……… 121
自己免疫性血球減少症 autoimmunocytopenia ……… 121
自己免疫性溶血性貧血 autoimmune hemolytic anemia ……… 121
自己優越性 egomania ……… 380
自己融解 autolysis ……… 122
自己融解酵素 autolytic enzyme ……… 122
自己有効感 self-efficacy ……… 1089
自己輸血〔法〕 autotransfusion ……… 125
自己輸血法 autologous transfusion ……… 122
自己陽圧呼気終末圧 auto-positive-end-expiratory-pressure (auto-PEEP) ……… 124
自己溶解 autolysis ……… 122
自己溶解素 autolysin ……… 122
自己溶解物 autolysate ……… 122
自己溶血 autohemolysis ……… 121
自己〔赤血球〕溶血素 autohemolysin ……… 121
自己ワクチン autogenous vaccine ……… 121
歯根 root of tooth ……… 1060
歯根型インプラント root-form implant ……… 1060
〔スクリュータイプ〕歯根型インプラント threaded implant 1198
歯根管 root canal of tooth ……… 1060
歯根歯髄 root pulp ……… 1060
歯根周囲組織破壊 perirhizoclasia ……… 918
歯根切除〔術〕 root amputation ……… 1060
〔歯〕根切除〔術〕 root resection ……… 1060
歯根尖孔 apical foramen of tooth ……… 88
歯根肉芽腫 periapical granuloma ……… 913
歯根嚢胞 apical periodontal cyst ……… 88
歯根膜 periodontium ……… 917
歯根膜炎 periodontitis ……… 917
歯根膜線維 desmodentium ……… 337
視差 parallax ……… 895
視索 optic tract ……… 864
自作言語 idioglossia ……… 602
自作言語 idiolalia ……… 602
視差試験 parallax test ……… 895
自殺 suicide ……… 1157
自殺者 suicide ……… 1157
時差ぼけ jet lag ……… 655
死産 stillbirth ……… 1143
死産児 stillborn infant ……… 1143
四肢 limb ……… 700
視紫 visual violet ……… 1279
指示 indication ……… 614
支持 subiculum ……… 1153
示指 index finger ……… 614
獅子顔 leontiasis ……… 690
四肢過剰発育 acrometagenesis ……… 16
四肢感覚性認識欠如 acroagnosis ……… 15
四肢感覚認知 acrognosis ……… 16
獅子顔貌 leonine facies ……… 690
歯式 dental formula ……… 328
四肢奇形 cacomelia ……… 188
指趾奇形 perodactyly ……… 920
時識障害 dischronation ……… 352
支持基底面 base of support (BOS) ……… 139
四肢近位短縮性小人症 rhizomelic dwarfism ……… 1052
視軸 optic axis ……… 864
視軸測定器 haploscope ……… 532
支持鉤 tenaculum ……… 1185
支持鉤鉗子 tenaculum forceps ……… 1185
支持構造 foundation ……… 472
支持咬頭 supporting cusp ……… 1163
指示順守度 adherence ……… 26
示指伸筋 extensor indicis muscle ……… 432
支持帯 binder ……… 152
支持台 fulcrum ……… 478
四肢体感 acrognosis ……… 16
四肢短小型小人症 micromelic dwarfism ……… 768
脂質 lipid ……… 702
支質 stroma ……… 1149
痔疾 hemorrhoids ……… 549
四肢痛 melalgia ……… 748
脂質親和体 lipophil ……… 704
事実推定則 res ipsa loquitur ……… 1040
脂質生成 lipogenesis ……… 703
脂質代謝異常 dyslipidemia ……… 371
〔手〕指失認 finger agnosia ……… 456
示指橈側動脈 radial index artery ……… 1018
示指橈側動脈 radialis indicis artery ……… 1018
指趾肥厚 pachydactyly ……… 883
四肢不全麻痺 tetraparesis ……… 1191
四肢不同 anisomelia ……… 71
支持プレート buttress plate ……… 186
刺糸胞 nematocyst ……… 818
支持包帯 suspensory bandage ……… 1167
四肢麻痺 quadriplegia (quad) ……… 1015
四肢麻痺 tetraplegia ……… 1191
獅子面 leonine facies ……… 690
獅子面〔症〕 leontiasis ……… 690
指示薬 indicator ……… 614
磁石歩行 magnetic gait ……… 725
耳珠 tragus ……… 1216
歯周炎 periodontitis ……… 917
歯周指数 Periodontal Index (PI) ……… 916
歯周靱帯 periodontal ligament ……… 916
歯周スクーリングと記録 Periodontal Screening and Recording (PSR) ……… 917
歯周組織 periodontium ……… 917
歯周組織崩壊症 periodontoclasia ……… 917
歯周治療必要度指数 Community Periodontal Index of Treatment Needs (CPITN) ……… 267
四肢誘導 limb lead ……… 700

歯周病学 periodontics ……917
歯周病専門歯科医 periodontist ……917
歯周ポケット periodontal pocket ……917
耳珠筋 tragicus muscle ……1216
耳珠板 tragal lamina ……1216
視〔覚〕受容〔器〕細胞 visual receptor cells ……1279
視準 collimation ……262
思春期 puberty ……1001
思春期 pubescence ……1001
思春期早発症 precocious puberty ……971
思春期遅発症 delayed puberty ……325
思春期変声障害 puberphonia ……1001
刺傷 bite ……157
刺傷 bites ……158
死傷 casualty ……208
視床 thalamus ……1191
篩状 cribration ……297
事象 event ……425
歯状回 dentate gyrus ……329
視床外側核 dorsal nucleus of thalamus ……361
視床下部 hypothalamus ……597
視床下部-下垂体-副腎系 hypothalamic-pituitary-adrenal axis (HPA axis) ……597
視床脚 thalamic peduncle ……1191
糸状菌 mold ……778
糸状菌疹 mycid ……801
視床後部 metathalamus ……762
耳小骨 auditory ossicles ……118
耳〔軟骨〕上骨核 epiotic center ……410
耳小骨筋 muscles of auditory ossicles ……794
耳小骨切開〔術〕 ossiculotomy ……872
耳小骨切除〔術〕 ossiculectomy ……872
耳小骨摘出〔術〕 ossiculectomy ……872
耳小骨剥離〔術〕 ossiculotomy ……872
耳小骨連鎖再建 ossicular reconstruction ……872
紙状〔胎〕児 fetus papyraceus ……450
矢状軸 sagittal axis ……1068
死傷者 casualty ……208
視床上部 epithalamus ……411
視床髄条 medullary stria of thalamus ……746
視床髄板 medullary laminae of thalamus ……746
視床切開〔術〕 thalamotomy ……1191
視床切断〔術〕 thalamotomy ……1191
視床前核 anterior nuclei of thalamus ……76
視床線条体静脈 thalamostriate veins ……1191
糸状虫 filaria ……455
〔バンクロフト〕糸状虫症 wuchereriasis ……1295
視床枕 pulvinar ……1005
矢状頭顔面指数 basilar index ……140
指状突起 digitation ……347
指状突起 interdigitation ……631
指状突起鉗合 interdigitation ……631
刺傷ドレーン stab drain ……1134
糸状乳頭 filiform papillae ……455
茸状乳頭 fungiform papillae ……480
視床脳 thalamencephalon ……1191
篩状斑 macula cribrosa ……724
視床腹部 subthalamus ……1156
糸状ブジー filiform bougie ……455
矢状縫合 sagittal suture ……1068
矢状面 sagittal plane ……1068
自食作用胞 cytolysosome ……313
自食症 autophagia ……124
紫色白癬菌 *Trichophyton violaceum* ……1228
自触反応 autocatalysis ……120
指針 guideline ……521
指診 touch ……1212
耳心 auricula atrii ……119
持針器 needle-holder ……817
〔総〕指伸筋 extensor digitorum muscle ……432
耳真菌症 otomycosis ……877
視神経 optic nerve〔CN II〕 ……864
視神経炎 optic neuritis ……864
視神経円板 optic disc ……864
視神経管 optic canal ……864
視神経血管輪 vascular circle of optic nerve ……1262
視神経硬膜 dural sheath ……368
視神経脊髄炎 neuromyelitis optica ……828
耳神経節 otic ganglion ……876
視神経網膜炎 neuroretinitis ……829
刺鍼術 acupuncture ……20
歯髄 dental pulp ……329
歯髄炎 pulpitis ……1004
歯髄腔 pulp cavity ……1004
歯髄結石 denticle ……329
歯髄結石 endolith ……396
歯髄結石 pulp stone ……1004
歯髄生死試験 vitality test ……1279
歯髄切断〔法〕 pulpotomy ……1004
歯髄ポリープ hyperplastic pulpitis ……588
指数 index ……614
指数 quotient ……1016
次数 order ……867
歯数不足〔症〕 hypodontia ……593
ジスエルギー dysergia ……370
ジスキネジー dyskinesia ……371
ジスケラトーマ dyskeratoma ……370
ジスコイド discoid ……352
シスター・ジョセフ結節 Sister Joseph nodule ……1108
シスタチオニン cystathionine ……310
シスタチオニンγ-リアーゼ cystathionine gamma (γ)-lyase ……310
シスチン cystine ……310
シスチン血〔症〕 cystinemia ……310
シスチン結石 cystine calculus ……310
シスチン尿〔症〕 cystinuria ……310
システイン cysteine (C, Cys) ……310
システイン酸 cysteic acid ……310
ジステンパー distemper ……355
ジストニア反応 dystonic reaction ……372
ジストニー dystonia ……372
ジストロフィ dystrophy ……373
ジストロフィ性石灰化 dystrophic calcification ……373
ジストロフィン dystrophin ……373
シストロン cistron ……247
沈み込み subsidence ……1155
ジスムターゼ dismutase ……354
ジスルフィド結合 disulfide bond ……356
姿勢 position ……962
姿勢 posture ……968
自制 continence ……281
雌性化 feminization ……447
姿勢感覚 posture sense ……968
自生観念 autochthonous ideas ……120
自声強聴 autophony ……124
死精子〔症〕 necrospermia ……816
私生児 illegitimate ……605
示性式 rational formula ……1026
姿勢収縮 postural contraction ……968
歯性神経痛 odontoneuralgia ……853
耳性髄膜炎 otitic meningitis ……876
自生体 autosite ……125
耳性脳炎 otoencephalitis ……877
姿勢配列 postural alignment ……968
雌性発生 gynogenesis ……523
姿勢ヘネバートテスト postural Hennebert test ……968
視性めまい ocular vertigo ……852
視性めまい visual vertigo ……1279
歯石 dental calculus ……328
歯石 tartar ……1180
耳石 statoliths ……1138
耳石器 otolithic organs ……877
耳石クリーゼ otolithic crisis ……877
耳・脊椎・巨大骨端異形成症 otospondylomegaepiphysial dysplasia ……877
耳石発症 otolithic crisis ……877
歯石発生 calculogenesis ……191
肢節 limb ……700
指節間関節 interphalangeal joints of hand ……636
指節骨 phalanx ……924
指節骨短縮〔症〕 brachyphalangia ……171
〔肢〕切断患者 amputee ……57
指節癒合〔症〕 symphalangism ……1170

死戦 agony ……35
〔皮〕脂腺 sebaceous glands ……1083
視線 visual axis ……1279
自然気胸 spontaneous pneumothorax ……1132
視線恐怖〔症〕 scopophobia ……1082
歯尖腔 apical space ……88
事前決定 predetermination ……971
事前指示〔書〕 advance directive ……31
脂腺上皮腫 sebaceous epithelioma ……1083
脂腺腺腫 sebaceous adenoma ……1083
死前喘鳴 death rattle ……318
指尖つまみ tip pinch ……1205
自然淘汰 natural selection ……814
脂腺嚢腫 steatocystoma ……1138
自然分娩 natural childbirth ……814
自然免疫 natural immunity ……814
自然離断 spontaneous amputation ……1132
自然流産 spontaneous abortion ……1131
自然療法 naturopathy ……814
自然療法医 naturopath ……814
自然療法医療 naturopathic medicine ……814
刺爪 ingrown nail ……623
刺創 puncture wound ……1005
刺創 sting ……1143
歯槽 alveolus ……49
歯槽 tooth socket ……1210
歯槽〔骨〕炎 alveolitis ……49
〔上顎骨の〕歯槽管 alveolar canals of maxilla ……48
歯槽形成〔術〕 alveoloplasty ……49
歯槽骨切除〔術〕 alveolectomy ……48
歯槽歯肉 alveolar gingiva ……48
歯槽整形 alveoloplasty ……49
歯槽切開〔術〕 alveolotomy ……49
歯槽痛 alveoalgia ……47
歯槽突起 alveolar process ……48
歯槽内注射 intraalveolar injection ……640
歯槽膿瘍 alveolar abscess ……48
歯槽膿瘍 gumboil ……521
視像判断 visuognosis ……1279
歯槽崩壊 alveoloclasia ……49
死相論 thanatology ……1192
持続 duration ……368
持続耳音響放射 continuous otoacoustic emission ……281
持続自発性喚起法 continuous spontaneous ventilation (CSV) ……281
四足伸筋反射 quadripedal extensor reflex ……1015
持続性筋強直 tetanus ……1191
持続性テタニー duration tetany ……368
持続性慢性肝炎 persistent chronic hepatitis ……921
持続性薬剤 persistent agent ……921
持続的訓練 continuous training ……281
持続的静静脈血液透析 continuous venovenous hemodialysis (CVVHD) ……281
持続的静静脈血液濾過 continuous venovenous hemofiltration (CVVH) ……281
持続的他動運動装置 continuous passive motion machine (CPM machine) ……281
持続的動静脈血液濾過 continuous arteriovenous hemofiltration (CAVH) ……281
持続的陽圧換気 continuous positive pressure ventilation (CPPV) ……281
〔有痛性〕持続勃起〔症〕 priapism ……977
持続陽圧気道圧 continuous positive airway pressure (CPAP) ……281
シゾゴニー schizogony ……1077
子孫 progeny ……982
シゾント schizont ……1077
舌 lingua ……701
舌 tongue ……1208
死体 corpse ……287
歯苔 dental plaque ……329
歯帯 gubernaculum dentis ……521
四胎 quadruplet ……1015
支帯 retinaculum ……1046
死体〔性〕愛 necrophilia ……816
自体愛 autoerotism ……121
歯体移動 translation ……1219
死体解剖 necrotomy ……816
死体狂 necromania ……816
死体恐怖〔症〕 necrophobia ……816
肢帯筋ジストロフィ limb-girdle muscular dystrophy ……700
死体硬直 rigor mortis ……1057
耳帯状疱疹 herpes zoster oticus ……556
支台装置 retainer ……1044
シダ試験 fern test ……449
シダ状結晶形成 ferning ……449
シダ状構造 arborization ……93
羊歯状構造 arborization ……93
耳朶ひだ ear lobe crease ……374
下向き infraversion ……622
肢端異常感覚 acroparesthesia ……17
肢端運動失調 acroataxia ……15
肢端角化症 acrokeratosis ……16
肢端過剰発育 acrometagenesis ……16
肢端筋緊張〔症〕 acromyotonia ……17
肢端硬化〔症〕 acrosclerosis ……17
肢端紅痛症 erythromelalgia ……418
肢端骨溶解症 acroosteolysis ……17
肢端失認 acroagnosis ……15
肢端チアノーゼ acrocyanosis ……16
肢端知覚過敏 acroesthesia ……16
肢端知覚麻痺 acroanesthesia ……15
肢端疼痛〔症〕 acrodynia ……16
肢端疼痛〔症〕 acromelalgia ……16
肢端膿疱症 acropustulosis ……17
肢端皮膚炎 acrodermatitis ……16
肢端皮膚病 acrodermatosis ……16
時値 chronaxie ……241
シチジル酸 cytidylic acid ……312
シチジン cytidine (C, Cyd) ……312
シチジン 5′-二リン酸 cytidine 5′-diphosphate (CDP) ……312
シチジン 5′-三リン酸 cytidine 5′-triphosphate (CTP) ……312
支柱 columella ……265
仔虫 larva ……679
支柱 subiculum ……1153
支柱 sustentaculum ……1167
試聴 audition ……118
弛張 remittance ……1037
耳聴管 otoscope ……877
室 chamber ……225
室 ventricle ……1267
質 quality ……1015
膝位 knee presentation ……668
肢痛 melagra ……748
刺痛 sting ……1143
歯痛 toothache ……1209
耳痛 otalgia ……876
耳痛 otodynia ……877
膝横靱帯 transverse ligament of knee ……1221
失音楽〔症〕 amusia ……57
膝窩 popliteal fossa ……959
膝蓋下脂肪体 infrapatellar fat pad ……622
膝蓋高位〔症〕 patella alta ……903
膝蓋骨 kneecap ……668
膝蓋骨 patella ……903
膝蓋骨切除〔術〕 patellectomy ……903
膝蓋骨不安感徴候 patellar apprehension sign ……903
膝蓋上包 suprapatellar bursa ……1165
膝蓋靱帯 patellar ligament ……903
膝蓋前皮下包 prepatellar bursa ……974
膝蓋大腿関節 patellofemoral joint ……903
膝蓋大腿症候群 patellofemoral syndrome ……903
膝蓋跳動 ballotable patella ……134
膝蓋跳動 floating patella ……463
膝蓋低位〔症〕 patella baja ……903
膝蓋軟骨軟化〔症〕 chondromalacia patellae ……237
膝蓋〔腱〕反射 patellar reflex ……903
膝窩筋 popliteus muscle ……960
膝窩筋溝 popliteal groove ……960
膝窩腱 hamstring ……531
膝窩静脈 popliteal vein ……960
失活歯 devital tooth ……339

失活歯髄 dead pulp ……… 317
膝窩動脈 popliteal artery ……… 959
膝窩脈拍 popliteal pulse ……… 960
疾患 affection ……… 33
疾患 disease ……… 353
疾患 disorder ……… 354
疾患 illness ……… 605
疾患 malady ……… 726
疾患隠ぺい dissimulation ……… 354
室間孔 interventricular foramen ……… 638
疾患修飾抗リウマチ薬 disease-modifying antirheumatic drugs (DMARD) ……… 353
失感情症 alexithymia ……… 41
疾患性聴力障害 nosoacusis ……… 841
膝関節 knee joint ……… 668
膝関節炎 gonarthritis ……… 511
膝関節筋 articularis genus muscle ……… 104
膝関節切開〔術〕 gonarthrotomy ……… 511
〔膝関節〕半月〔板〕炎 meniscitis ……… 752
〔膝関節〕半月〔板〕切除〔術〕 meniscectomy ……… 752
〔膝関節〕半月軟骨炎 meniscitis ……… 752
膝関節複合体 knee complex ……… 668
疾患の決定要因 disease determinants ……… 353
疾患への逃避 flight into disease ……… 463
湿-乾包帯 wet-to-dry dressing ……… 1289
湿球温度計 wet-bulb thermometer ……… 1289
膝胸位 knee-chest position ……… 668
失禁 incontinence ……… 613
シック試験 Schick test ……… 1076
膝屈曲筋 hamstring ……… 531
湿気 damp ……… 316
ジッケルネイル Zickel nail ……… 1301
実験 experiment ……… 430
実験医学 experimental medicine ……… 430
〔目標〕実験群 experimental group ……… 430
実験計画 experimental design ……… 430
実験誤差 experimental error ……… 430
実験式 empiric formula ……… 392
実験室 laboratory ……… 672
実験者効果 experimenter effects ……… 430
実験〔室〕助手 laboratorian ……… 672
実験心理学 experimental psychology ……… 430
失見当〔識〕 disorientation ……… 354
失語〔症〕 aphasia ……… 87
失語〔症〕 dysphasia ……… 371
失語〔症〕 logaphasia ……… 709
失行〔症〕 apraxia ……… 91
実行 implementation ……… 610
実効温度 effective temperature ……… 379
失構語〔症〕 anarthria ……… 62
実効浸透圧 effective osmotic pressure ……… 379
実効線量 effective dose (ED) ……… 379
失語学 aphasiology ……… 87
失語学者 aphasiologist ……… 87
失語専門家 aphasiologist ……… 87
実在意識性 reality awareness ……… 1027
失算〔症〕 acalculia ……… 6
失算〔症〕 anarithmia ……… 62
失算〔症〕 dyscalculia ……… 369
実質 parenchyma ……… 898
実質炎 parenchymatitis ……… 898
実質性甲状腺腫 parenchymatous goiter ……… 898
実質性神経炎 parenchymatous neuritis ……… 899
実質内出血 parenchymatous hemorrhage ……… 899
湿潤封入検査法 direct wet mount examination ……… 351
失書〔症〕 agraphia ……… 36
櫛状筋 pectinate muscles ……… 906
櫛状線 pectinate line ……… 906
膝状体 geniculate body ……… 494
櫛状帯 pectinate zone ……… 906
失象徴 asymbolia ……… 110
膝静脈 veins of knee ……… 1265
室上稜 supraventricular crest ……… 1166
湿疹 eczema ……… 378
失神 syncope ……… 1171
膝神経節 geniculate ganglion ……… 494
膝神経痛 geniculate neuralgia ……… 494
湿疹様感染性皮膚炎 infectious eczematoid dermatitis ……… 617
失声〔症〕 aphonia ……… 87
実性暗点 positive scotoma ……… 962
湿性壊疽 wet gangrene ……… 1289
湿性咳嗽 productive cough ……… 982
実性調節 positive accommodation ……… 962
実性輻輳 positive convergence ……… 962
湿性ラ音 moist rale ……… 778
実践哲学 pragmatism ……… 970
実体感覚 stereognosis ……… 1140
実体顕微鏡 stereoscopic microscope ……… 1140
膝肘位 knee-elbow position ……… 668
室頂 fastigium ……… 444
失調 ataxia ……… 111
失調 collapse ……… 261
失調〔症〕 dystonia ……… 372
失調〔症〕 incontinence ……… 613
室頂核 fastigial nucleus ……… 444
失調〔性〕失語〔症〕 ataxiaphasia ……… 111
失調〔性〕失発語〔症〕 ataxiophemia ……… 111
失調性構語障害〔症〕 ataxic dysarthria ……… 111
失調性歩行不能〔症〕 atactic abasia ……… 111
湿度 humidity ……… 575
失読〔症〕 alexia ……… 41
失読症 dyslexia ……… 371
膝〔蓋〕内転筋反射 patelloadductor reflex ……… 903
失認 agnosia ……… 35
室ひだ vestibular fold ……… 1273
湿布 poultice ……… 969
湿布 splenium ……… 1129
シッフ試薬 Schiff reagent ……… 1076
シップル症候群 Sipple syndrome ……… 1107
失文法〔症〕 agrammatism ……… 35
疾病 disease ……… 353
疾病 illness ……… 605
疾病 malady ……… 726
疾病 sickness ……… 1103
疾病狂 nosomania ……… 841
疾病恐怖〔症〕 nosophobia ……… 841
疾病失認 anosognosia ……… 73
疾病生物力学 pathobiomechanics ……… 904
疾病素質 predisposition ……… 972
疾病分類学 nosology ……… 841
疾病モデル pathologic model ……… 904
疾病予防管理センター Centers for Disease Control and Prevention (CDC) ……… 216
失明 blindness ……… 161
失名詞〔症〕 anomic aphasia ……… 72
質問プローブ(調査) Q-probes ……… 1013
実用主義 pragmatism ……… 970
失立〔症〕 astasia ……… 109
失立失歩〔症〕 astasia-abasia ……… 109
失立発作 astatic seizure ……… 109
質量 mass ……… 734
質量スペクトル mass spectrum ……… 735
失連句〔症〕 aphrasia ……… 87
指定 designation ……… 337
歯堤嚢胞 dentinal lamina cyst ……… 329
試適用義歯 trial denture ……… 1226
ジテルペン diterpenes ……… 356
シデローシス siderosis ……… 1104
シデロサイト siderocyte ……… 1103
シデロブラスト sideroblast ……… 1103
支点 fulcrum ……… 478
磁電管 magnetron ……… 725
自転車に乗る人の乳首 cyclist's nipples ……… 308
自転車乗り麻痺 cyclist's palsy ……… 308
児頭圧迫刺激法 fetal scalp stimulation ……… 450
指導医 board eligible ……… 165
自動運動 exercise ……… 427
〔自動〕運動性 motility ……… 786
自動運動発作 automotor seizure ……… 123
耳頭蓋 otocranium ……… 877
自動可動域 active range of motion (AROM) ……… 19
視〔線運〕動〔性〕眼振 optokinetic nystagmus ……… 865

児童虐待 child abuse ……… 230
四頭筋 quadriceps (quad) ……… 1014
〔電子〕自動血球計数器 electronic cell counter ……… 386
自動言語 automatic speech ……… 122
児頭骨盤計測〔法〕 cephalopelvimetry ……… 220
児頭骨盤不均衡 cephalopelvic disproportion (CPT) ……… 220
自動酸化 autooxidation ……… 124
自動式体外式除細動器 automatic external defibrillator (AED) ……… 122
自動〔性〕収縮 automatic beat ……… 122
耳頭症 otocephaly ……… 877
自動症 automatism ……… 122
自動制御学 cybernetics ……… 308
児童精神医学 child psychiatry ……… 231
耳道腺 ceruminous glands ……… 223
自動前休止 preautomatic pause ……… 970
自動体外式除細動器 automated external defibrillator (AED) 122
自動調剤機 automated dispensing machine ……… 122
自動聴性脳幹反応 automatic auditory brainstem response (ABR) ……… 122
自動白血球分類器 automated differential leukocyte counter ·· 122
自動反響言語 autoecholalia ……… 121
自動表層角膜切除 automated lamellar keratectomy ……… 122
自動利得調節 automatic gain control (AGC) ……… 122
四糖類 tetrasaccharide ……… 1191
自動露光計 phototimer ……… 933
児頭彎曲 cephalic curve ……… 219
死〔体〕毒 ptomaine ……… 1001
耳毒性 ototoxicity ……… 877
死毒性いぼ postmortem wart ……… 967
シトクロム cytochrome ……… 312
シトクロム P450 系 cytochrome P-450 system ……… 312
シトシン cytosine (Cyt) ……… 313
歯突起 dens ……… 327
シドナム舞踏病 Sydenham chorea ……… 1169
ジドブジン zidovudine (ZDV) ……… 1301
シトルリン citrulline ……… 247
シトルリン尿〔症〕 citrullinuria ……… 247
歯内歯 dens in dente ……… 327
歯内治療学 endodontics ……… 396
歯内療法学 endodontics ……… 396
シナプシス synapsis ……… 1171
シナプス synapse ……… 1170
シナプス間隙 synaptic cleft ……… 1171
シナプス後膜 postsynaptic membrane ……… 967
シナプス小胞 synaptic vesicles ……… 1171
シナプス前膜 presynaptic membrane ……… 976
シナプス伝導 synaptic conduction ……… 1171
シナプトソーム synaptosome ……… 1171
歯肉 gingiva ……… 498
歯肉アメーバ *Entamoeba gingivalis* ……… 400
歯肉縁 gingival line ……… 499
歯肉縁 gingival margin ……… 499
歯肉炎 gingivitis ……… 499
歯肉縁下掻爬〔術〕 subgingival curettage ……… 1153
歯肉形成〔術〕 gingivoplasty ……… 499
歯肉形成 waxing ……… 1287
歯肉溝 gingival sulcus ……… 499
〔歯肉〕口内炎 gingivostomatitis ……… 499
歯肉出血 stomatorrhagia ……… 1144
歯肉舌炎 gingivoglossitis ……… 499
歯肉切除〔術〕 gingivectomy ……… 499
歯肉線 gingival line ……… 499
歯肉膿瘍 gingival abscess ……… 498
歯肉膿瘍 parulis ……… 902
歯肉剥離掻爬手術 flap operation ……… 459
歯肉マッサージ gingival massage ……… 499
ジニトロフェニルヒドラジン試験 dinitrophenylhydrazine test ……… 349
歯乳頭 dental bulb ……… 328
歯乳頭 dental papilla ……… 329
屎尿 excrement ……… 426
シネラジオグラフィ cineradiography ……… 245
歯〔小〕嚢 dental follicle ……… 328
歯嚢 dental sac ……… 329
視嚢 optic capsule ……… 864
耳嚢 auditory capsule ……… 118
耳嚢 otic capsule ……… 876
子嚢菌綱 Ascomycetes ……… 106
死の本能 death instinct ……… 318
歯胚 tooth germ ……… 1210
支配観念 dominant idea ……… 359
歯胚〔芽〕洞 dental crypt ……… 328
自発運動抑制 hypoactivity ……… 591
自発語 spontaneous speech ……… 1132
自発呼吸 spontaneous breath ……… 1132
自発性異種凝集素 idioheteroagglutinin ……… 602
自発性異種溶解素 idioheterolysin ……… 602
自発性同種凝集素 idioisoagglutinin ……… 602
自発性同種溶解素 idioisolysin ……… 602
自発性溶解素 idiolysin ……… 602
自発的入院 informal admission ……… 621
芝生火傷 turf burn ……… 1239
死斑 livor ……… 706
紫斑 purpura ……… 1006
児斑 mongolian spot ……… 780
紫斑病 peliosis ……… 907
紫斑病 purpura ……… 1006
市販薬 nonprescription drug ……… 838
市販薬 over-the-counter medication ……… 879
耳鼻咽喉科医 otolaryngologist ……… 877
耳鼻咽喉科学 otolaryngology ……… 877
耳鼻咽喉科学 otorhinolaryngology ……… 877
ジヒドロウリジン dihydrouridine ……… 347
ジヒドロオロテート dihydro-orotate ……… 347
ジヒドロキシアセトン dihydroxyacetone ……… 347
ジヒドロプテロイン酸 dihydropteroic acid ……… 347
ジヒドロリポアミドアセチルトランスフェラーゼ dihydrolipoamide acetyltransferase ……… 347
指皮膚肥厚〔症〕 pachydermodactyly ……… 883
指標 index ……… 614
指標 indication ……… 614
指標 parameter ……… 895
耳病 otopathy ……… 877
指標基準 guideline ……… 521
しびれ〔感〕 numbness ……… 844
しびれ obdormition ……… 847
しびれたおとがい症候群 numb chin syndrome ……… 844
ジブカイン・ナンバー・テスト dibucaine number test (DN) ……… 344
指腹つまみ palmar pinch ……… 887
眥部形成〔術〕 canthoplasty ……… 195
眥部切開〔術〕 canthotomy ……… 195
四分染色体 tetrad ……… 1191
指不足〔症〕 oligodactyly ……… 856
ジフテリア diphtheria ……… 349
ジフテリア菌 *Corynebacterium diphtheriae* ……… 290
ジフテリア・破傷風・百日咳三種混合ワクチン diphtheria toxoid, tetanus toxoid, and pertussis vaccine ……… 349
ジフテリア膜 diphtheritic membrane ……… 350
シブトラミン sibutramine ……… 1102
肢部分欠損〔症〕 meromelia ……… 755
しぶり tenesmus ……… 1186
シブリー徴候 Shibley sign ……… 1099
四分円〔部分〕 quadrant (quad) ……… 1013
自閉〔症〕 autism ……… 120
自閉症スペクトラム障害 autistic spectrum disorder ……… 120
嗜癖 addiction ……… 23
嗜癖 habit ……… 525
嗜癖重症度指標 addiction severity index (ASI) ……… 23
死別反応 bereavement ……… 146
ジペプチジルトランスフェラーゼ dipeptidyl transferase ……… 349
ジペプチジルペプチダーゼ dipeptidyl peptidase ……… 349
ジペプチダーゼ dipeptidase ……… 349
ジペプチド dipeptide ……… 349
刺胞 nematocyst ……… 818
死亡 death ……… 318
脂肪 fat ……… 445
脂肪異栄養〔症〕 lipodystrophy ……… 703
脂肪〔組織〕壊死 fat necrosis ……… 445
脂肪窩 adipose fossae ……… 27
脂肪塊 fat mass ……… 445

脂肪芽細胞 lipoblast …… 703
脂肪芽細胞腫 lipoblastoma …… 703
脂肪芽細胞腫症 lipoblastomatosis …… 703
脂肪過剰〔症〕 hyperadiposis …… 581
脂肪過剰血〔症〕 hyperlipemia …… 585
脂肪過多〔症〕 adiposis …… 28
脂肪肝 fatty liver …… 445
脂肪肝防止 lipotropy …… 704
脂肪吸引〔法〕 liposuction …… 704
死亡狂 necromania …… 816
脂肪欠乏症 lipopenia …… 704
脂肪細胞 fat cell …… 445
脂肪細胞注入法 lipoinjection …… 703
脂肪細胞理論 fat cell theory …… 445
脂肪酸 fatty acid …… 445
脂肪酸酸化サイクル fatty acid oxidation cycle …… 445
脂肪腫 lipoma …… 703
脂肪腫症 lipomatosis …… 704
脂肪腫浸潤 lipomatous infiltration …… 704
脂肪症 adiposis …… 28
脂肪症 liposis …… 704
脂肪症 steatosis …… 1138
脂肪除去身体質量 fat-free body mass (FFM) …… 445
脂肪心 fatty heart …… 445
脂肪腎 fatty kidney …… 445
脂肪浸潤 adipose infiltration …… 27
脂肪浸潤 fatty infiltration …… 445
司法心理学 forensic psychology …… 471
脂肪親和性 lipotropy …… 704
脂肪〔性〕水腫 lipedema …… 702
脂肪髄膜瘤 lipomeningocele …… 704
脂肪性眼瞼下垂 blepharoptosis adiposa …… 161
脂肪性肝硬変 fatty cirrhosis …… 445
脂肪性器性ジストロフィ dystrophia adiposogenitalis …… 372
司法精神医学 forensic psychiatry …… 470
脂肪摂取細胞 fat-storing cell …… 445
視放線 optic radiation …… 864
脂肪線維腫 lipofibroma …… 703
脂肪増加症 lipotrophy …… 704
脂肪層切除 panniculectomy …… 890
脂肪族系酸 aliphatic acids …… 42
脂肪塞栓症 fat embolism …… 445
脂肪組織 adipose tissue (AT) …… 27
脂肪組織萎縮〔症〕 lipoatrophy …… 703
脂肪組織炎 steatitis …… 1138
脂肪組織切除〔術〕 lipectomy …… 702
脂肪動員ホルモン adipokinin …… 27
死亡統計学 necrology …… 816
脂肪貪食 lipophagy …… 704
脂肪貪食細胞 lipophage …… 704
脂肪肉芽腫 lipogranuloma …… 703
脂肪肉芽腫症 lipogranulomatosis …… 703
脂肪肉腫 liposarcoma …… 704
脂肪尿〔症〕 lipuria …… 704
脂肪肺炎 lipid pneumonia …… 703
脂肪パッド fat-pad …… 445
脂肪〔性〕浮腫 lipedema …… 702
脂肪分解 lipolysis …… 703
脂肪分解酵素 lipase …… 702
脂肪便 steatorrhea …… 1138
脂肪変性 fatty degeneration …… 445
脂肪変性 fatty metamorphosis …… 445
脂肪変性 steatosis …… 1138
脂肪油 fatty oil …… 446
脂肪融解 steatolysis …… 1138
死亡率 death rate …… 318
死亡率 mortality …… 785
脂肪類皮腫 lipodermoid …… 703
脂肪ワクチン lipovaccine …… 704
絞り collimator …… 262
しみ freckles …… 474
シミアンウイルス simian virus (SV) …… 1105
シミター徴候 scimitar sign …… 1079
嗜眠 lethargy …… 692
シミング法 shimming process …… 1100
嗜眠状態 drowsiness …… 364
シムズ体位 Sims position …… 1106
耳鳴 tinnitus …… 1205
ジメチルスルホキシド dimethyl sulfoxide (DMSO) …… 348
刺毛 sting …… 1143
耳毛 tragi …… 1216
耳毛菌症 otomucormycosis …… 877
霜状分枝血管炎 frosted branch angiitis …… 477
シモナール帯 Simonart bands …… 1106
しもやけ chilblain …… 230
指紋 fingerprint …… 457
シモンズクエン酸培地 Simmons citrate medium …… 1106
視野 visual field (F) …… 1279
ジャーヴィック型人工心臓 Jarvik artificial heart …… 654
ジャーカット細胞 Jurkat cells …… 658
ジャーゴン jargon …… 654
ジャージー指 jersey finger …… 655
シャープス sharps …… 1099
シャープス・コンテナ sharps container …… 1099
シャーマン shaman …… 1099
ジャーマンスコア Jarman score …… 654
〔視野〕暗点 scotoma …… 1082
〔眼球〕斜位 heterophoria …… 559
斜位 oblique lie …… 848
斜位 oblique presentation …… 848
シャイエ症候群 Scheie syndrome …… 1076
シャイ-ドレーガー症候群 Shy-Drager syndrome …… 1102
シャイナー実験 Scheiner experiment …… 1076
シャイベ型難聴 Scheibe hearing impairment …… 1076
シャウディン固定液 Schaudinn fixative …… 1076
社会化 socialization …… 1112
社会恐怖 social phobia …… 1113
社会行動因 sociogenesis …… 1113
社会診療 socialized medicine …… 1112
社会性音響外傷 socioacusis …… 1113
社会精神医学 social psychiatry …… 1113
社会性難聴 socioacusis …… 1113
社会的隔離 social isolation …… 1112
社会的不利 handicap …… 531
社会病質者 sociopath …… 1113
社会復帰 rehabilitation …… 1035
斜角筋 scalene muscles …… 1074
斜角筋〔筋〕切り術 scalenotomy …… 1074
斜角筋切開〔術〕 scalenotomy …… 1074
斜角筋切除〔術〕 scalenectomy …… 1074
試薬 reagent …… 1027
試薬 test …… 1190
弱視 amblyopia …… 50
弱視鏡 amblyoscope …… 50
弱視惹起期間 amblyogenic period …… 50
弱視惹起性 amblyogenic …… 50
〔虚〕弱質 infirmity …… 620
ジャクスタクリン juxtacrine …… 658
尺側手根屈筋 ulnar flexor muscle of wrist …… 1243
尺側手根伸筋 ulnar extensor muscle of wrist …… 1243
尺側正中皮静脈 intermediate basilic vein …… 632
尺側反回動脈 recurrent ulnar artery …… 1030
尺側反回動脈 ulnar recurrent artery …… 1244
尺側皮静脈 basilic vein …… 140
ジャクソン徴候 Jackson sign …… 654
ジャクソンの法則 Jackson law …… 654
ジャクソンの法則 Jackson rule …… 654
ジャクソン発作 jacksonian seizure …… 654
ジャクソン膜 Jackson membrane …… 654
尺度 index …… 614
弱毒〔化〕ウイルス attenuated virus …… 117
弱毒化 attenuation …… 117
灼熱感 urtication …… 1254
若年性関節リウマチ juvenile arthritis …… 658
若年性骨軟化症 infantile osteomalacia …… 617
若年性歯周炎 juvenile periodontitis …… 658
若年性脊髄性筋萎縮〔症〕 juvenile spinal muscular atrophy …… 658
若年性足底皮膚症 juvenile plantar dermatosis …… 658
若年性糖尿病 juvenile diabetes …… 658
若年性白内障 juvenile cataract …… 658
若年ミオクローヌスてんかん juvenile myoclonic epilepsy …… 658
瀉下 catharsis …… 210

瀉下 purgation ……1006
〔平面〕視野計 campimeter ……192
〔周辺〕視野計 perimeter ……915
斜径 oblique diameter ……848
斜頸 torticollis ……1211
斜頸 wryneck ……1294
瀉血 bloodletting ……163
瀉血 exsanguination ……431
瀉血 phlebotomy ……928
瀉血士 phlebotomist ……928
瀉下薬 cathartic ……210
瀉下薬 evacuant ……424
瀉下薬 purgative ……1006
瀉下薬 purge ……1006
遮光剤 sunscreen ……1159
斜骨折 oblique fracture ……848
斜視 lazy eye ……685
斜視 strabismus ……1145
斜視 tropia ……1233
車軸関節 pivot joint ……941
車軸関節 trochoid joint ……1232
斜視膝蓋 squinting patella ……1134
斜視偏位測定計 deviometer ……339
射出 emission ……391
瀉出 evacuation ……424
射精 ejaculation ……381
射精管 ejaculatory duct ……381
射精遅延 bradyspermatism ……172
射精不能〔症〕 aspermia ……107
射線 ray ……1026
射創 gunshot wound (GSW) ……522
斜走切断〔術〕 oblique amputation ……848
斜走隆線 oblique ridge ……848
視野測定〔法〕 perimetry ……915
斜台 clivus ……251
遮断 block ……162
遮断 blockade ……162
遮断 obliteration ……848
遮断活動 blocking activity ……162
遮断抗体 blocking antibody ……162
遮断物 blocker ……162
斜断面 oblique section ……848
遮断薬 blocker ……162
遮断薬 blocking agent ……162
尺屈 ulnar deviation ……1243
ジャックポット症候群 jackpot syndrome ……654
しゃっくり hiccup ……561
尺骨 ulna ……1243
尺骨茎状突起 styloid process of ulna ……1150
尺骨鉤状突起 coronoid process of ulna ……287
尺骨静脈 ulnar veins ……1244
尺骨神経 ulnar nerve ……1244
尺骨頭 ulnar head ……1244
尺骨動脈 ulnar artery ……1243
尺骨の端 funny bone ……481
シャッツキー輪 Schatzki ring ……1076
斜頭蓋症 plagiocephaly ……943
斜頭症 plagiocephaly ……943
ジャネー検査 Janet test ……654
シャピーロ徴候 Schapiro sign ……1076
シャプー結節 Chaput tubercle ……226
遮へい masking ……734
遮へい板 shield ……1099
遮へい-非遮へい試験 cover-uncover test ……293
シャベル型切歯 shovel-shaped incisor ……1101
シャベル作業者骨折 clay shoveler's fracture ……249
シャム双生児 Siamese twins ……1102
斜面 bevel ……149
斜面培養 slant culture ……1109
シャルガフの法則 Chargaff rule ……226
シャルコー間欠熱 Charcot intermittent fever ……226
シャルコー狭心症 Charcot angina ……226
シャルコー三徴 Charcot triad ……226
シャルコー歩行 Charcot gait ……226
シャルコー-ライデン結晶 Charcot-Leyden crystals ……226
シャルツェ模型 Schultze phantom ……1078
シャルルの法則 Charles law ……227
ジャンク DNA junk DNA ……658
シャンデリア徴候 chandelier sign ……226
シャント shunt ……1102
シャンピー固定液 Champy fixative ……226
種 species ……1119
ジューエットネイル(釘) Jewett nail ……656
ジュース療法 juice therapy ……657
シュードアレシェリア症 pseudallescheriasis ……993
シュードモナス pseudomonad ……995
シューヒャルト手術 Schuchardt operation ……1078
周 circumference (c) ……246
シュヴァルツ徴候 Schwartze sign ……1079
シュヴァン細胞 Schwann cells ……1078
シュヴァン〔細胞〕症 schwannosis ……1078
縦位 longitudinal lie ……709
獣医〔師〕 veterinarian ……1274
獣医学 veterinary medicine ……1274
周囲浸潤麻酔〔法〕 field block ……454
自由エネルギー free energy (F, *F*) ……475
重荷 fardel ……443
集塊 clumping ……254
集塊 conglomerate ……277
周界 perimeter ……915
縦解離 longitudinal dissociation ……709
縦隔 mediastinal space ……743
縦隔 mediastinum ……743
縦隔炎 mediastinitis ……743
縦隔気腫 mediastinal emphysema ……743
縦隔鏡 mediastinoscope ……743
縦隔鏡検査〔法〕 mediastinoscopy ……743
縦隔撮影〔法〕 mediastinography ……743
縦隔出血 hemomediastinum ……548
縦隔静脈 mediastinal veins ……743
縦隔心膜炎 mediastinopericarditis ……743
縦隔切開〔術〕 mediastinotomy ……743
縦隔線維症 mediastinal fibrosis ……743
縦隔造影〔法〕 mediastinography ……743
周郭胎盤 placenta circumvallata ……942
就下性拡張〔症〕 hypostatic ectasia ……597
就下性水腫 dependent edema ……331
就下性肺炎 hypostatic pneumonia ……597
獣化妄想 zoanthropy ……1302
習慣 habit ……525
習慣〔性〕 habituation ……525
獣姦 bestiality ……147
獣姦 sodomy ……1113
獣姦者 sodomist ……1113
臭汗症 bromidrosis ……176
習慣性咳 habit cough ……525
重感染 superinfection ……1160
習慣〔性〕流産 habitual abortion ……525
臭気 odor ……854
周期 cycle ……308
周期 period ……916
終期 telophase ……1184
周期性 periodicity ……916
周期性好中球減少〔症〕 periodic neutropenia ……916
周期性疾患 periodic disease ……916
周期性不整脈 allorhythmia ……44
周期性〔四肢〕麻痺 periodic paralysis ……916
臭気テスト whiff test ……1290
周期変動 chronotropism ……242
皺筋 corrugator ……289
舟形構造 ship ……1100
充血 congestion ……276
充血 engorgement ……400
充血 hyperemia ……583
住血寄生虫 hemoparasite ……548
住血吸虫 schistosome ……1077
住血吸虫症 schistosomiasis ……1077
住血吸虫性皮膚炎 schistosomal dermatitis ……1077
住血糸状虫症 filariasis ……455
住血性寄生虫 hemozoon ……550
住血鞭毛虫類 hemoflagellate ……546
住血胞子虫類 Haemosporina ……528

シ

銃剣状鉗子 bayonet forceps …… 142
銃剣状並置 bayonet apposition …… 142
銃剣状毛 bayonet hair …… 142
集合 conglomerate …… 277
集合 convergence …… 283
重合〔作用〕 polymerization …… 956
集光鏡 condenser …… 273
重合酵素 polymerase …… 956
集合性歯牙腫 compound odontoma …… 271
集合体 aggregate …… 35
重合体 polymer …… 956
集合胆管 biliary ductules …… 151
重合奔馬調律 summation gallop …… 1159
集合無意識 collective unconscious …… 262
集光レンズ condenser …… 273
醜語症 coprolalia …… 285
縦骨折 longitudinal fracture …… 709
収差 aberration …… 4
重鎖 heavy chain …… 537
重細胞性〔神経膠〕星状細胞腫 pilocytic astrocytoma …… 938
シュウ酸 oxalic acid …… 880
シュウ酸塩血〔症〕 oxalemia …… 880
シュウ酸塩結石 oxalate calculus …… 880
シュウ酸塩尿 oxaluria …… 880
周産期医学 perinatal medicine …… 916
周産期学 perinatology …… 916
周産期死亡率 natimortality …… 813
終糸 terminal filum …… 1188
終止核 terminal nuclei …… 1189
十字形吻合 cruciate anastomosis …… 301
終止コドン termination codon …… 1189
十字靱帯 cruciate ligaments …… 301
重視双生児 conjoined twins …… 277
自由歯肉 free gingiva …… 475
自由〔神経〕終末 free nerve endings …… 475
収縮 arctation …… 93
収縮 constriction …… 279
収縮 contraction (C) …… 282
〔心〕収縮〔期〕 systole …… 1174
収縮期血圧 systolic pressure …… 1175
収縮期雑音 systolic murmur …… 1174
収縮期振せん systolic thrill …… 1175
収縮筋 constrictor …… 279
収縮性 contractility …… 282
収縮前期 presystole …… 976
収縮前期雑音 presystolic murmur …… 976
収縮前期奔馬調律 presystolic gallop …… 976
収縮末期容量 end systolic volume (ESV) …… 399
重症黄疸 icterus gravis …… 601
舟状窩 scapha …… 1074
重症急性呼吸器症候群 severe acute respiratory syndrome (SARS) …… 1097
重症筋無力症 myasthenia gravis …… 801
舟状肩甲〔骨〕〔症〕 scaphoid scapula …… 1074
〔足の〕舟状骨 navicular bone …… 815
〔手の〕舟状骨 scaphoid (bone) …… 1074
重症度 acuity …… 20
舟状頭 scaphocephaly …… 1074
舟状頭蓋症 scaphocephalism …… 1074
舟状頭症 scaphocephalism …… 1074
舟状腹 scaphoid abdomen …… 1074
銃床変形 gunstock deformity …… 522
修飾 modification …… 777
修飾物質 modifier …… 778
重心 center of gravity (COG) …… 216
囚人医学 desmoteric medicine …… 337
終神経 terminal nerves …… 1189
縦靱帯 longitudinal ligament …… 710
重水素 deuterium …… 338
重水素 hydrogen 2(^{2}H) …… 578
習性 behavior …… 143
従性遺伝 sex-influenced inheritance …… 1097
周生期死亡率 natimortality …… 813
重積〔症〕 intussusception …… 643
重積〔症〕 invagination …… 644
重染 double stain …… 362
雌雄選択 sexual selection …… 1098
愁訴 complaint …… 268
銃創 gunshot wound (GSW) …… 522
重層上皮 stratified epithelium …… 1145
収束 convergence …… 283
従属栄養体 heterotroph …… 560
収束進化 convergent evolution …… 283
集簇性痤瘡 acne conglobata …… 14
臭素疹 bromoderma …… 176
終端 terminal …… 1188
集団遺伝学 population genetics …… 960
集団感知 quorum sensing …… 1016
集団作用の原則 mass action principle …… 734
集団ぜん動 mass peristalsis …… 735
集団治療 group therapy …… 520
集団ヒステリー mass hysteria …… 735
縦断面 longitudinal section …… 710
集団免疫 herd immunity …… 554
縦断裂 longitudinal tear …… 710
集中実施法 massed practice …… 734
集中治療室 intensive care unit (ICU) …… 629
終点 end point …… 399
終点 terminal …… 1188
充填 filling …… 455
充填移植〔片〕 inlay graft …… 625
充填器 plugger …… 949
重点的医学的評価 focused medical assessment …… 467
重点的外傷評価 focused trauma assessment …… 467
重点的病歴および身体的検査 focused history and physical examination …… 466
自由度 degrees of freedom …… 323
終洞 terminal sinus …… 1189
雌雄淘汰 sexual selection …… 1098
終動脈 end artery …… 395
習得 acquisition …… 15
柔軟性 flexibility …… 461
柔軟性 plasticity …… 946
雌雄二形 sexual dimorphism …… 1098
12 歳臼歯 twelfth-year molar …… 1239
十二指腸 duodenum …… 367
十二指腸炎 duodenitis …… 367
十二指腸開口〔術〕 duodenostomy …… 367
十二指腸間膜 mesoduodenum …… 757
十二指腸球部 duodenal cap …… 367
十二指腸鏡検査〔法〕 duodenoscopy …… 367
十二指腸空腸曲 duodenojejunal flexure …… 367
十二指腸空腸吻合〔術〕 duodenojejunostomy …… 367
十二指腸後動脈 retroduodenal artery …… 1047
十二指腸周囲炎 periduodenitis …… 915
十二指腸小腸吻合〔術〕 duodenoenterostomy …… 367
十二指腸上動脈 supraduodenal artery …… 1164
十二指腸切開〔術〕 duodenotomy …… 367
十二指腸切除〔術〕 duodenectomy …… 367
十二指腸腺 duodenal glands …… 367
十二指腸総胆管炎 duodenocholangitis …… 367
十二指腸総胆管切開〔術〕 duodenocholedochotomy …… 367
十二指腸造瘻〔術〕 duodenostomy …… 367
十二指腸胆嚢吻合〔術〕 duodenocholecystostomy …… 367
十二指腸提筋 suspensory muscle of duodenum …… 1167
十二指腸〔癒着〕剥離〔術〕 duodenolysis …… 367
十二指腸縫合〔術〕 duodenorrhaphy …… 367
十二指腸膨大部 duodenal ampulla …… 367
終脳 telencephalon …… 1183
終脳異形成 cerebral dysplasia …… 222
終脳屈 telencephalic flexure …… 1183
重拍〔脈〕波 dicrotic wave …… 344
重拍脈 dicrotic pulse …… 344
重拍脈 dicrotism …… 344
周波数 frequency (ν) …… 476
周波数エンコード frequency encoding …… 476
周波数情報付加 frequency encoding …… 476
終板 endplate …… 399
周皮 pellicle …… 908
周皮〔細胞〕 perithelium …… 918
臭鼻〔症〕 ozena …… 882
皺眉筋 corrugator supercilii muscle …… 289

周皮細胞 pericyte ………… 914
皺皮症 rhytidosis ………… 1053
皺皮切除〔術〕 rhytidectomy ………… 1053
修復 repair ………… 1038
修復 restoration ………… 1043
修復性肉芽腫 reparative granuloma ………… 1038
周辺暗点 peripheral scotoma ………… 918
周辺視〔覚〕 peripheral vision ………… 918
〔周辺〕視野計 perimeter ………… 915
周辺視力 peripheral vision ………… 918
周辺性化骨性線維腫 peripheral ossifying fibroma ………… 918
周膜性神経炎 adventitial neuritis ………… 31
終末 ending ………… 395
終末 terminal ………… 1188
終末 termination ………… 1189
終末器 end organ ………… 398
終末ケア end-of-life care ………… 396
終末細気管支 terminal bronchiole ………… 1188
終末終末吻合〔術〕 terminoterminal anastomosis ………… 1189
終末小体 end bulb ………… 395
終末小体 end organ ………… 398
終末消毒〔法〕 terminal disinfection ………… 1188
終末神経線維鞘 epilemma ………… 409
終末嚢 terminal saccules ………… 1189
終末分枝 telodendron ………… 1183
終毛 terminal hair ………… 1189
絨毛 villus ………… 1275
絨毛癌 choriocarcinoma ………… 238
絨毛間腔 intervillous spaces ………… 639
絨毛間裂孔 intervillous lacuna ………… 639
睫毛挙上 browlift ………… 180
絨毛血管腫 chorioangioma ………… 238
絨毛血管腫 chorioangiosis ………… 238
絨毛状癌 villous carcinoma ………… 1275
絨毛状突起 villus ………… 1275
絨毛上皮腫 choriocarcinoma ………… 238
絨毛性 villosity ………… 1275
絨毛生検 chorionic villus sampling (CVS) ………… 239
絨毛性腱滑膜炎 villous tenosynovitis ………… 1275
絨毛性ゴナドトロピン chorionic gonadotropin ………… 238
絨毛性絨毛膜 bushy chorion ………… 186
絨毛腺腫 chorioadenoma ………… 238
絨毛腺腫 villous adenoma ………… 1275
絨毛組織炎 villositis ………… 1275
絨毛膜 chorion ………… 238
絨毛膜下腔 subchorial space ………… 1151
絨毛膜腔 chorionic cavity ………… 238
絨毛膜血腫性胎盤 hemochorial placenta ………… 545
絨毛膜絨毛 chorionic villi ………… 239
絨毛膜絨毛採取〔法〕 chorionic villus sampling (CVS) ………… 239
絨毛膜有毛部 villous chorion ………… 1275
絨毛羊膜炎 chorioamnionitis ………… 238
雌雄モザイク gynandromorphism ………… 523
自由誘導減衰 free induction decay (FID) ………… 475
重要管理点 critical control point ………… 298
集落 colony ………… 263
収量 yield ………… 1300
重量 weight ………… 1288
重量圧感喪失 baragnosis ………… 135
重量オスモル濃度 osmolality ………… 871
重量感覚喪失 abarognosis ………… 1
従量式換気法 volume-controlled ventilation ………… 1282
重量認知 barognosis ………… 136
重量モル濃度 molality ………… 778
重力式注射器 fountain syringe ………… 472
重力ドレナージ〔法〕 dependent drainage ………… 331
自由連想 free association ………… 474
収れん薬 astringent ………… 110
手運動〔感〕覚 cheirokinesthesia ………… 227
手関節指装具 wrist-hand orthosis ………… 1294
主観的アセスメントデータ subjective assessment data ………… 1153
手技 maneuver ………… 730
手技 procedure ………… 980
手技セラピスト certified hand therapist (CHT) ………… 223
主凝集素 major agglutinin ………… 726
縮合 condensation ………… 273
縮窄〔症〕 arctation ………… 93
縮窄〔症〕 coarctation ………… 255
縮鎖酵素 debranching enzymes ………… 318
宿主 host ………… 572
粥腫 atheroma ………… 112
宿主細胞 host cell ………… 572
宿主性培養 xenic culture ………… 1297
粥腫切除術 atherectomy ………… 111
粥腫塞栓症 atheroembolism ………… 111
粥腫発生 atherogenesis ………… 112
縮小奇形 reduction deformity ………… 1031
粥状硬化〔症〕 atherosclerosis ………… 112
縮小術 reduction ………… 1031
縮瞳 miosis ………… 774
縮瞳薬 miotic ………… 774
宿便 coprostasis ………… 285
宿便性潰瘍 stercoral ulcer ………… 1140
宿便性膿瘍 stercoral abscess ………… 1140
宿便中毒 scatemia ………… 1075
手〔指〕形成〔術〕 cheiroplasty ………… 227
手綱 habenula ………… 525
受攻期 vulnerable phase ………… 1283
手根 carpus ………… 206
手根 wrist ………… 1294
手根横靱帯 transverse carpal ligament ………… 1221
手根管 carpal tunnel ………… 206
手根間関節 intercarpal joints ………… 630
手根管症候群 carpal tunnel syndrome ………… 206
手根間靱帯 intercarpal ligaments ………… 630
手根骨 carpal bones ………… 206
手根骨切除〔術〕 carpectomy ………… 206
手根中手関節 carpometacarpal joints ………… 206
酒皶 rosacea ………… 1060
主細胞 chief cell ………… 230
酒皶鼻 rhinophyma ………… 1052
種子 seed ………… 1087
樹脂 resin ………… 1040
主治医 attending physician ………… 116
種子骨 sesamoid bone ………… 1097
手指骨底 base of phalanx of hand ………… 139
主視軸 principal optic axis ………… 979
〔手〕指失認 finger agnosia ………… 456
樹枝状角膜炎 dendriform keratitis ………… 327
樹枝状角膜潰瘍 dendritic corneal ulcer ………… 327
樹枝状結晶 dendrite ………… 327
手指綴字法 fingerspelling ………… 457
〔喉頭の〕種子軟骨 sesamoid cartilage of cricopharyngeal ligament ………… 1097
手術 operation ………… 862
手術〔法〕 surgery ………… 1166
手術室 theater ………… 1192
手術室看護師 scrub nurse ………… 1083
手術室助手 operating room technician ………… 862
手掌 palm ………… 886
手掌型乾癬 palmar psoriasis ………… 887
手掌紅斑 palmar erythema ………… 887
樹状細胞 dendritic cell ………… 327
主症状 cardinal symptom ………… 201
手掌つかみ palmar grasp ………… 887
手掌動脈弓 palmar arch ………… 886
樹状突起 dendrite ………… 327
樹状突起棘 dendritic spines ………… 327
手掌反射 palmar reflex ………… 887
棕状ひだ palmate folds ………… 887
主静脈 cardinal veins ………… 201
じゅず rosary ………… 1060
受精 fertilization ………… 449
授精 insemination ………… 626
酒精剤 spirit ………… 1127
受精能 fertility ………… 449
受精能獲得 capacitation ………… 195
受精能獲得抑制 decapacitation ………… 318
受精齢 conceptual age ………… 272
受精齢 fertilization age ………… 449
酒石 tartar ………… 1180
主訴 chief complaint (cc, c.c., CC) ………… 230

手足痙攣 carpopedal spasm ········ 206
シュタール耳 Stahl ear ········ 1135
腫大 swelling ········ 1168
受胎 conception ········ 272
受胎 embryogeny ········ 389
主題統覚法 thematic apperception test (TAT) ········ 1193
受胎能 fertility ········ 449
シュタインストラッセ steinstrasse ········ 1138
シュタインベルク母指徴候 Steinberg thumb sign ········ 1138
シュタルガルト病 Stargardt disease ········ 1137
手段 medium ········ 745
手段的日常生活動作 instrumental activities of daily living (IADL) ········ 627
種虫 sporozoite ········ 1132
腫脹 boil ········ 166
腫脹 enlargement ········ 400
腫脹 swelling ········ 1168
腫脹減退 detumescence ········ 338
出芽 bud ········ 182
出血 hemorrhage ········ 548
出血黄体 corpus hemorrhagicum ········ 288
出血時間 bleeding time ········ 161
出血性血管炎 hemorrhagic endovasculitis ········ 549
出血性梗塞 hemorrhagic infarct ········ 549
出血性子宮症 metropathia hemorrhagica ········ 764
出血性猩紅熱 scarlatina hemorrhagica ········ 1075
出血性ショック hemorrhagic shock ········ 549
出血性脊髄穿孔症 hematomyelopore ········ 542
出血性素因者 bleeder ········ 161
出血性大腸炎 hemorrhagic colitis ········ 549
出血性囊胞 hemorrhagic cyst ········ 549
出血性ペスト hemorrhagic plague ········ 549
出血性膀胱炎 hemorrhagic cystitis ········ 549
出血性麻疹 hemorrhagic measles ········ 549
出血性メトロパチー metropathia hemorrhagica ········ 764
出血素 hemorrhagins ········ 549
出血熱 hemorrhagic fever ········ 549
出現 eruption ········ 415
出産 birth ········ 156
出産 childbirth ········ 230
出産 delivery ········ 325
出産歯 natal tooth ········ 813
出産時外傷 birth trauma ········ 157
出産死亡率 vital index ········ 1279
術式 technique ········ 1182
術者 operator ········ 862
出生率 birthrate ········ 157
出生 childbirth ········ 230
出生時欠損 birth defect ········ 156
出生時体重 birth weight ········ 157
出生前〔胎児〕診断 prenatal diagnosis ········ 974
出生率 natality ········ 813
術中温熱療法 intraoperative hyperthermia ········ 641
術中照射治療 intraoperative radiation therapy (IORT) ········ 641
シュツルム円錐体 Sturm conoid ········ 1150
シュツルム間隔 Sturm interval ········ 1150
シュツルムドルフ手術 Sturmdorf operation ········ 1150
シュテルヴァーク徴候 Stellwag sign ········ 1139
受動運動 passive movement ········ 902
受動拡散 passive diffusion ········ 902
主動筋 agonist ········ 35
受動〔性〕血餅 passive clot ········ 902
受動攻撃性人格 passive-aggressive personality ········ 902
種痘状水疱症 hydroa vacciniforme ········ 578
受動性 passivism ········ 902
受動性うっ血 passive congestion ········ 902
受動性充血 passive hyperemia ········ 902
受動的無気肺 passive atelectasis ········ 902
受動免疫 passive immunity ········ 902
種痘様水疱症 hydroa vacciniforme ········ 578
種〔属〕特異性抗原 species-specific antigen ········ 1119
シュトッフェル手術 Stoffel operation ········ 1143
シュトリュンペル現象 Strumpell phenomenon ········ 1149
シュトリュンペル反射 Strumpell reflex ········ 1149
シュナイダー 1 級症状 Schneider first-rank symptoms ········ 1078
シュナイダーカルミン Schneider carmine ········ 1078
シュナイダーの中心性クリスタリン角膜ジストロフィ central crystalline corneal dystrophy of Snyder ········ 217
シュニッツラー症候群 Schnitzler syndrome ········ 1078
授乳期 lactation ········ 674
授乳性無月経 lactation amenorrhea ········ 674
授乳熱 milk fever ········ 772
主任看護師 charge nurse ········ 226
手背部 opisthenar ········ 863
シュピーゲルベルク判定基準 Spiegelberg criteria ········ 1124
シュピールマイアー急性腫脹 Spielmeyer acute swelling ········ 1124
守秘義務 confidentiality ········ 275
守秘権 confidentiality ········ 275
シュピッツァー説 Spitzer theory ········ 1127
主婦湿疹 housewives' eczema ········ 572
シュフナー斑点 Schuffner dots ········ 1078
シュプレンゲル変形 Sprengel deformity ········ 1133
種分化 speciation ········ 1119
ジュベール症候群 Joubert syndrome ········ 657
シュペー彎曲 curve of Spee ········ 305
手放線 hand rays ········ 531
シュミーデル吻合 Schmidel anastomoses ········ 1078
シュミット症候群 Schmidt syndrome ········ 1078
シュミット-ランテルマン切痕 Schmidt-Lanterman incisures 1078
〔最長〕寿命 longevity ········ 709
手無感覚〔症〕 acheiria ········ 11
須毛白癬 tinea barbae ········ 1205
シュモルル結節 Schmorl nodule ········ 1078
シュモルル第二鉄フェリシアニド還元染色〔法〕 Schmorl ferric-ferricyanide reduction stain ········ 1078
シュモルルのピクロチオニン染色〔法〕 Schmorl picrothionin stain ········ 1078
腫瘍 tumor ········ 1237
腫瘍遺伝子学者 oncologist ········ 859
腫瘍ウイルス oncogenic virus ········ 859
腫瘍ウイルス tumor virus ········ 1238
腫瘍壊死因子アルファ tumor necrosis factor-alpha (α) ········ 1237
腫瘍壊死因子ベータ tumor necrosis factor-beta (β) ········ 1237
腫瘍学 oncology ········ 859
受容器 receptor ········ 1028
腫瘍形成 oncogenesis ········ 859
腫瘍形成 tumorigenesis ········ 1237
腫瘍抗原 tumor antigens ········ 1237
腫瘍細胞 oncocyte ········ 858
腫瘍細胞索 trabecula ········ 1214
受容失語〔症〕 receptive aphasia ········ 1027
腫瘍症 oncosis ········ 859
腫瘍随伴性天疱瘡 paraneoplastic pemphigus ········ 896
腫瘍随伴病変 paraneoplasia ········ 896
主要組織適合遺伝子複合体 major histocompatibility complex (MHC) ········ 726
受容体 acceptor ········ 8
受容体 receptor ········ 1028
腫瘍胎児抗原 oncofetal antigens ········ 858
腫瘍胎児性 oncofetal ········ 858
腫瘍胎児マーカ oncofetal marker ········ 858
受容〔体〕蛋白 receptor protein ········ 1028
主要点 cardinal points ········ 201
腫瘍特異移植抗原 tumor-specific transplantation antigens (TSTA) ········ 1238
腫瘍濃染 tumor blush ········ 1237
受容能力 competence ········ 268
腫瘍の病期 tumor stage ········ 1238
腫瘍発生 tumorigenesis ········ 1237
腫瘍崩壊 oncolysis ········ 859
腫瘍マーカ tumor marker ········ 1237
主要ミネラル major minerals ········ 726
腫瘍脈管形成因子 tumor angiogenic factor (TAF) ········ 1237
腫瘍抑制遺伝子 tumor suppressor gene ········ 1238
シュラー現象 Schuller phenomenon ········ 1078
主流エアロゾル mainstream aerosol ········ 725
腫瘤切除〔術〕 tylectomy ········ 1239
主力筋 prime movers ········ 979
シュルツェ機転 Schultze mechanism ········ 1078
シュルツェ胎盤 Schultze placenta ········ 1078
シュルツェ徴候 Schultze sign ········ 1078
シュルツ-カールトン反応 Schultz-Charlton reaction ········ 1078

シュレーダー手術 Schroeder operation ……1078
手話 sign language ……1105
手話英語 manual English ……731
シュワルツマン現象 Shwartzman phenomenon ……1102
シュワルベ線 Schwalbe line ……1078
純音 pure tone ……1006
純音オージオグラム pure tone audiogram ……1006
純音聴力図 pure tone audiogram ……1006
純音平均値 pure tone average ……1006
循環 circulation ……245
循環 rotation ……1061
循環運動 circumduction ……246
循環気質性人格 cyclothymic personality ……309
循環吸収式麻酔〔法〕 circle absorption anesthesia ……245
〔循環〕血液量過多〔症〕 hypervolemia ……590
〔循環〕血液量減少 hypovolemia ……598
循環血液量減少性ショック hypovolemic shock ……598
准看護師 practical nurse ……970
循環病 cyclothymic disorder ……309
春季結膜炎 vernal conjunctivitis ……1269
純嫌気性生物 obligate anaerobe ……847
順行性尿路造影術 antegrade urography ……74
順行〔性〕ブロック anterograde block ……77
純粋アブサンス pure absence ……1006
純粋欠神 pure absence ……1006
純粋自律神経不全〔症〕 pure autonomic failure ……1006
順ぜん動〔性〕吻合〔術〕 isoperistaltic anastomosis ……651
順応 accommodation ……9
順応 adaptation ……23
〔明暗〕順応計 adaptometer ……23
順応障害 maladjustment ……726
順応性肥大 adaptive hypertrophy ……23
純培養 pure culture ……1006
準備投薬 premedication ……974
瞬目 blink ……161
瞬目 nictitation ……833
瞬目 wink ……1292
瞬目反射 wink reflex ……1292
瞬目反応 blink response ……162
準優性 quasidominance ……1016
準連続発振レーザー quasi-continuous wave laser ……1015
除圧〔術〕 decompression ……320
ショイエルマン病 Scheuermann disease ……1076
子葉 cotyledon ……291
踵 calx ……192
商 quotient ……1016
鞘 sheath ……1099
娘〔核種〕 daughter ……317
錠〔剤〕 tablet (tab.) ……1176
昇圧塩基 pressor base ……975
昇圧神経 pressor nerve ……975
昇圧〔神経〕線維 pressor fibers ……975
昇圧変圧器 step-up transformer ……1140
昇圧薬 vasopressor ……1263
上衣 ependyma ……406
上位〔性〕 epistasis ……411
〔脳室〕上衣炎 ependymitis ……406
〔脳室〕上衣芽細胞 ependymoblast ……406
上衣下腫 subependymoma ……1153
小域 areola ……94
〔脳室〕上衣細胞 ependymal cell ……406
〔脳室〕上衣細胞 ependymocyte ……406
〔脳室〕上衣〔細胞〕腫 ependymoma ……406
小胃症 microgastria ……767
常位胎盤早期剥離 abruptio placentae ……5
常位胎盤早剥 abruptio placentae ……5
上衣板 roof plate ……1060
上胃部 epigastric region ……408
上胃部 epigastrium ……408
小陰茎〔症〕 micropenis ……768
小陰唇 labium minus ……672
小陰唇 nympha ……846
小陰唇炎 nymphitis ……846
小陰唇腫脹 nymphoncus ……846
小陰唇切開〔術〕 nymphotomy ……846
小陰唇切除〔術〕 nymphectomy ……846
小陰唇の小帯 frenulum of the labia minora ……475
上咽頭 epipharynx ……410
上咽頭奇形腫 hairy polyp ……529
上咽頭収縮筋 superior constrictor muscle of pharynx ……1161
漿液 serum ……1096
漿液〔性〕炎症 serous inflammation ……1095
漿液細胞 serous cell ……1095
漿液腫 seroma ……1095
漿液滲出 exoserosis ……429
漿液性 serosity ……1095
漿液性炎 serous inflammation ……1095
漿液性滑膜炎 serous synovitis ……1095
漿液性耳炎 serous otitis ……1095
漿液性髄膜炎 serous meningitis ……1095
漿液性嚢腫 serous cyst ……1095
漿液性嚢胞 serous cyst ……1095
漿液腺 serous gland ……1095
漿液線維素性胸膜炎 serofibrinous pleurisy ……1094
漿液膿 seropus ……1095
〔義歯〕床縁 denture border ……330
消炎 resolution ……1041
小円筋 teres minor muscle ……1188
消炎薬 antiphlogistic ……82
上横隔動脈 superior phrenic artery ……1162
小凹点 dimple ……348
上黄斑動脈 superior macular arteriole ……1162
常温重合レジン autopolymer resin ……124
晶化 crystallization ……303
消化 digestion ……347
焼痂 eschar ……419
小窩 fossette ……472
小窩 pit ……940
昇華 sublimation ……1153
浄化〔法〕 catharsis ……210
上顆 epicondyle ……406
障害 affection ……33
障害 derangement ……332
障害 disability ……351
障害 disorder ……354
障害 disturbance ……356
障害 impairment ……609
傷害 injury ……625
傷害 insult ……629
傷害 trauma ……1223
小開胸〔術〕 minithoracotomy ……774
上外斜位 hyperexophoria ……583
自〔己〕溶解素 autocytolysin ……121
障害調整生存年数 disability-adjusted life years (DALYs) ……351
生涯発達 life-span development ……697
小開腹不妊手術 minilaparotomy ……773
障害マネジメント介入チーム disability management intervention team (DMIT) ……351
上顆炎 epicondylitis ……406
小下顎症 microgenia ……767
消化管 digestive tract ……347
消化管 gut ……522
消化管運動 enterokinesis ……402
消化管間質腫瘍 gastrointestinal stromal tumor ……490
消化管関連リンパ系組織 gut-associated lymphoid tissue ……522
消化管自律神経腫瘍 gastrointestinal autonomic nerve tumor ……490
消化管性肉芽腫 *Enterobius* granuloma ……401
小角 corniculum ……286
小核 micronucleus ……768
小核 paranucleus ……896
上顎間縫合 intermaxillary suture ……632
上顎臼歯の三錐 trigone ……1230
上顎骨 maxilla ……737
上顎骨頬骨突起 zygomatic process of maxilla ……1303
上顎骨水平骨折 horizontal maxillary fracture ……571
〔上顎骨の〕歯槽管 alveolar canals of maxilla ……48
娘核種 daughter isotope ……317
小顎症 micrognathia ……767
上顎神経 maxillary nerve〔CN V2〕 ……737
上顎洞 maxillary sinus ……738
上顎洞鏡 antroscope ……84
上顎洞鏡検査〔法〕 antroscopy ……84

上顎洞部分切除〔術〕 antrectomy …… 83
上顎突起 maxillary process …… 738
小角軟骨 corniculate cartilage …… 286
小角膜〔症〕 microcornea …… 767
消化〔器〕系 digestive system …… 347
松果茎 pineal stalk …… 939
〔消化酵素〕分泌欠乏〔症〕 achylia …… 12
消化障害 indigestion …… 614
漿果状動脈瘤 berry aneurysm …… 147
消化性潰瘍 peptic ulcer …… 910
消化性食道炎 reflux esophagitis …… 1033
焼痂切開〔術〕 escharotomy …… 419
松果体 pineal body …… 939
松果体芽 pineal bud …… 939
松果体芽〔細胞〕腫 pineoblastoma …… 939
松果体細胞 pinealocyte …… 939
松果体腫 pinealoma …… 939
松果体切除〔術〕 pinealectomy …… 939
小〔分〕割球 micromere …… 768
上下腹神経叢 superior hypogastric (nerve) plexus …… 1161
消化物 digest …… 346
昇華物 sublimate …… 1153
消化不良 dyspepsia …… 371
消化不良 indigestion …… 614
消化不良性下痢 lienteric diarrhea …… 697
消化薬 digestant …… 347
消化良好 eupepsia …… 423
小カロリー small calorie (cal, c) …… 1111
小管 canaliculus …… 193
小管 ductule …… 366
小管 tubule …… 1237
〔小〕管炎 canaliculitis …… 193
上眼窩裂 superior orbital fissure …… 1162
小眼球〔症〕 microphthalmos …… 768
小管形成 canaliculization …… 193
小眼瞼〔症〕 microblepharon …… 766
上眼瞼挙筋 elevator muscle of upper eyelid …… 388
上眼瞼被覆症 eyelid imbrication …… 437
上眼瞼麻痺 blepharoplegia …… 161
〔小〕丸剤 granule …… 514
小丸剤 pellet …… 908
小肝症 microhepatia …… 768
小関節面 facet …… 438
焼還灯 annealing lamp …… 72
正気 lucidity …… 712
正気 sanity …… 1071
笑気 laughing gas …… 684
笑気 nitrous oxide …… 835
蒸気 vapor …… 1260
〔細胞〕小器官 organelle …… 867
上気道 upper airway …… 1248
上気道感染 upper respiratory infection (URI) …… 1248
〔上〕気道硬化〔症〕 respiratory scleroma …… 1042
〔胸膜下〕小気疱 bleb …… 161
昇脚脈 anacrotic pulse …… 59
小丘 caruncle …… 207
小丘 colliculus …… 262
小球 globule …… 501
上級外傷生命支持 Advanced Trauma Life Support (ATLS) …… 31
小臼歯 bicuspid tooth …… 150
小臼歯 premolar tooth …… 974
小〔赤血〕球症 microcythemia …… 767
小球状赤血球症 microspherocytosis …… 769
上級診療看護師 advanced practice nurse …… 31
小球性低色素性貧血 microcytic hypochromic anemia …… 767
小球性貧血 microcytic anemia …… 767
上丘腕 brachium of superior colliculus …… 171
小胸筋 pectoralis minor muscle …… 906
小胸筋 smaller pectoral muscle …… 1111
小頬骨筋 lesser zygomatic muscle …… 692
小頬骨筋 zygomaticus minor muscle …… 1303
状況精神病 situational psychosis …… 1108
上強膜 episclera …… 410
上強膜炎 episcleritis …… 410
小棘 spicule …… 1124
小棘性束毛〔症〕 trichostasis spinulosa …… 1228
蒸気療法 vaporization …… 1260
笑筋 risorius muscle …… 1058
小腔 loculus …… 708
〔軟骨〕小腔周囲基質 territorial matrix …… 1189
小グリア細胞 microglia …… 767
小グリア細胞 microgliacyte …… 767
上頸神経節 superior cervical ganglion …… 1161
上頸心臓神経 superior cervical cardiac nerve …… 1161
小隙 areola …… 94
衝撃療法 shock therapy …… 1100
上下斜視 vertical strabismus …… 1271
小血管瘤 microaneurysm …… 766
小結石 microlith …… 768
小結節形成 nodulation …… 836
小結腸 microcolon …… 766
条件刺激 conditioned stimulus …… 273
条件付け conditioning …… 273
条件的嫌気性生物 facultative anaerobe …… 440
条件反射 conditioned reflex (Cr) …… 273
条件反応 conditioned response …… 273
児様語 lalling …… 675
小孔 osculum …… 871
小孔 stoma …… 1144
消光 quenching …… 1016
常衡 avoirdupois …… 126
上行咽頭動脈 ascending pharyngeal artery …… 106
小口蓋管 lesser palatine canals …… 691
小口蓋孔 lesser palatine foramina …… 691
小口蓋神経 lesser palatine nerves …… 691
小口蓋動脈 lesser palatine artery …… 691
症候学 symptomatology …… 1170
上行脚三隆起 anatricrotism …… 62
上行脚二重脈 anacrotic pulse …… 59
上行脚隆起 anacrotism …… 59
小孔強風音 stoma blast …… 1144
上後鋸筋 serratus posterior superior muscle …… 1096
上後鋸筋 superior posterior serratus muscle …… 1162
症候群 syndrome …… 1172
小孔形成 porosis …… 960
上行頸動脈 ascending cervical artery …… 106
上行結腸 ascending colon …… 106
上行口蓋動脈 ascending palatine artery …… 106
小〔神経〕膠細胞 microglia …… 767
小〔細胞〕膠細胞 microgliacyte …… 767
小好酸球 microxyphil …… 769
〔回結腸動脈の〕上行枝 ascending artery …… 105
小口症 microstomia …… 769
上甲状腺動脈 superior thyroid artery …… 1162
症候性そう痒〔症〕 symptomatic pruritus …… 1170
症候性脱毛〔症〕 alopecia symptomatica …… 45
症候性反応 symptomatic reaction …… 1170
上項線 superior nuchal line …… 1162
上行大動脈 ascending aorta …… 105
上後腸骨棘 posterior superior iliac spine (PSIS) …… 966
小後頭神経 lesser occipital nerve …… 691
上喉頭神経 superior laryngeal nerve …… 1161
小後頭直筋 smaller posterior rectus muscle of head …… 1111
上喉頭動脈 superior laryngeal artery …… 1161
猩紅熱 scarlatina …… 1075
猩紅熱 scarlet fever …… 1075
小紅斑 stigma …… 1142
上行変性 ascending degeneration …… 106
上行腰静脈 ascending lumbar vein …… 106
上鼓室開放〔術〕 atticotomy …… 117
冗語〔挿入〕症 embololalia …… 389
小骨 bonelet …… 167
小骨 ossicle …… 872
踵骨 calcaneus …… 189
踵骨棘 calcaneal spur …… 189
踵骨棘 heel spur …… 538
踵骨腱 tendo calcaneus …… 1186
踵骨腱の滑液包 bursa of tendo calcaneus …… 186
踵骨骨端炎 calcaneoapophysitis …… 189
踵骨枝 rami calcanei …… 1022
小骨髄芽球 micromyeloblast …… 768
小骨髄芽球性白血病 micromyeloblastic leukemia …… 768

踵骨痛 painful heel ……… 885
踵骨動脈 calcaneal arteries ……… 189
小骨盤 lesser pelvis ……… 692
踵骨肥大〔症〕 tarsomegaly ……… 1180
踵骨膨隆 prominent heel ……… 985
踵骨隆起 calcaneal tuberosity ……… 189
小根 radicle ……… 1019
条痕 streak ……… 1146
条痕 striation ……… 1148
漿剤 mucilage ……… 788
小細胞 small cell ……… 1111
娘細胞 daughter cell ……… 317
小細胞癌 small cell carcinoma ……… 1111
消散 lysis ……… 721
硝酸 nitric acid ……… 834
消散 resolution ……… 1041
消散 solution ……… 1115
蒸散 perspiration ……… 921
蒸散 transpiration ……… 1220
紙様〔胎〕児 fetus papyraceus ……… 450
小肢〔症〕 micromelia ……… 768
小枝 ramulus ……… 1023
上肢 upper limb ……… 1248
上耳介筋 auricularis superior muscle ……… 119
上耳介筋 superior auricular muscle ……… 1160
小指球 hypothenar ……… 597
小指球 hypothenar eminence ……… 597
上肢巻絡 nuchal arm ……… 842
床支持組織 denture foundation ……… 330
硝子質 hyalin ……… 576
硝子質化 hyalinization ……… 576
小指症 microdactyly ……… 767
小歯症 microdontia ……… 767
小視症 micropsia ……… 768
小耳症 microtia ……… 769
上矢状静脈洞 superior sagittal sinus ……… 1162
上視床線条体静脈 superior thalamostriate vein ……… 1162
硝子状ぞうげ質 vitreodentin ……… 1280
小歯状突起 denticle ……… 329
小指伸筋 extensor digiti minimi muscle ……… 432
上歯槽神経 superior alveolar nerves ……… 1160
硝子体 vitreous body ……… 1281
硝子体 vitreum ……… 1281
上肢帯 pectoral girdle ……… 906
上肢帯 shoulder girdle ……… 1101
硝子体液 vitreous humor ……… 1281
硝子体炎 vitreitis ……… 1280
硝子体窩 hyaloid fossa ……… 577
硝子体眼房 posterior segment of eyeball ……… 965
硝子体眼房 postremal chamber of eyeball ……… 967
硝子体切除〔術〕 vitrectomy ……… 1280
硝子体動脈 hyaloid artery ……… 577
硝子体剥離 vitreous detachment ……… 1281
硝子体壁板網膜ジストロフィ vitreotapetoretinal dystrophy 1281
硝子体ヘルニア vitreous hernia ……… 1281
硝子体膜 vitreous membrane ……… 1281
小指対立筋 opponens digiti minimi muscle ……… 863
晶質 crystalloid ……… 303
硝子軟骨 hyaline cartilage ……… 576
硝子膜 glassy membrane ……… 500
硝子膜 hyaline membrane ……… 576
照射 irradiation ……… 647
照射 radiation ……… 1018
上斜位 hyperphoria ……… 587
上斜筋 superior oblique muscle ……… 1162
上尺側側副動脈 superior ulnar collateral artery ……… 1162
焼灼法 cauterization ……… 211
焼灼法 cautery ……… 211
小斜径 suboccipitobregmatic diameter ……… 1154
上斜視 hypertropia ……… 590
照射線量 exposure dose ……… 431
常習者 recidivist ……… 1028
常習性 recidivism ……… 1028
上縦舌筋 superficial lingual muscle ……… 1160
上縦束 superior longitudinal fasciculus ……… 1161
小手症 microcheiria ……… 766
成就年齢 achievement age ……… 11
照準 collimation ……… 262
照準器 collimator ……… 262
症状 symptom ……… 1170
床上安静 bed rest ……… 143
症状軽減 decrudescence ……… 320
上昇時間 rise time ……… 1058
上小脳脚 superior cerebellar peduncle ……… 1160
上小脳脚交叉 decussation of superior cerebellar peduncles … 320
上小脳動脈 superior cerebellar artery ……… 1160
症状の評価 review of symptoms (ROS) ……… 1049
〔症状〕発現 manifestation ……… 731
小静脈 venule ……… 1268
小食細胞 microphage ……… 768
上歯列弓 superior dental arch ……… 1161
小人 dwarf ……… 368
上唇挙筋 levator labii superioris muscle ……… 695
〔足の〕上伸筋支帯 superior extensor retinaculum ……… 1161
小心症 microcardia ……… 766
小唇症 microcheilia ……… 766
小人症 dwarfism ……… 368
上腎上体動脈 superior suprarenal arteries ……… 1162
小心〔臓〕静脈 small cardiac vein ……… 1111
上唇静脈 superior labial vein ……… 1161
上唇動脈 superior labial artery ……… 1161
上唇鼻翼挙筋 levator labii superioris alaeque nasi muscle ……… 695
上唇方形筋 quadratus labii superioris muscle ……… 1014
消衰 extinction ……… 435
小錐体神経 lesser petrosal nerve ……… 692
小錐体神経 lesser superficial petrosal nerve ……… 692
小錐体神経管裂孔 hiatus of canal of lesser petrosal nerve ……… 561
小水滴感染 droplet infection ……… 364
上髄帆 superior medullary velum ……… 1162
小水胞 bleb ……… 161
小水疱 phlyctenula ……… 929
小水疱 vesicle ……… 1272
少数杆菌性 paucibacillary ……… 905
小星 stellula ……… 1139
娘星 daughter star ……… 317
小生活圏 biotope ……… 155
小性器症 microgenitalism ……… 767
小生子 sporidium ……… 1132
小生殖母細胞 microgametocyte ……… 767
脂溶性ビタミン fat-soluble vitamins ……… 445
小赤芽球 microblast ……… 766
小脊髄症 micromyelia ……… 768
掌蹠膿疱症状 pustulosis palmaris et plantaris ……… 1007
小〔結〕節 nodule ……… 836
小節 nodulus ……… 836
小舌 lingula ……… 702
蒸泄 evaporation ……… 424
小切開不妊手術 minilaparotomy ……… 773
小舌下腺管 minor sublingual ducts ……… 774
小赤血球 microcyte ……… 767
焼石膏 plaster of Paris ……… 946
上舌枝 superior lingular artery ……… 1161
小舌症 microglossia ……… 767
小腺 glandule ……… 499
〔微〕小穿刺 micropuncture ……… 769
常染色体 autosome ……… 125
常染色体遺伝子 autosomal gene ……… 125
小線束 beamlet ……… 142
上前腸骨棘 anterior superior iliac spine (ASIS) ……… 77
小前庭腺 lesser vestibular glands ……… 692
上前頭回 superior frontal gyrus ……… 1161
上層構造 superstructure ……… 1163
上双子筋 superior gemellus muscle ……… 1161
小爪症 micronychia ……… 768
上爪皮 eponychium ……… 412
上爪皮炎 eponychia ……… 412
小束 fasciola ……… 444
小足 pedicel ……… 906
踵足 talipes calcaneus ……… 1178
掌側骨間筋 palmar interosseous muscle ……… 887
掌側骨間動脈 volar interosseous artery ……… 1282
消息子 bougie ……… 169

消息子 probe 980
消息子 sound 1117
消息子拡張〔法〕 bougienage 169
消息子注射器 probe syringe 980
掌側尺骨手根靱帯 palmar ulnocarpal ligament 887
〔橈骨動脈〕掌側手根枝 palmar carpal branch of radial artery 887
〔尺骨動脈〕掌側手根枝 palmar carpal branch of ulnar artery 887
小足症 micropodia 768
掌側中手動脈 palmar interosseous artery 887
掌側中手動脈 palmar metacarpal artery 887
上側頭溝 superior temporal sulcus 1162
掌側橈骨手根靱帯 palmar radiocarpal ligament 887
上側頭線 superior temporal line 1162
掌側板 volar plate 1282
小体 corpuscle 288
状態 state 1137
状態 status 1138
状態依存性学習 state-dependent learning 1137
上体起こしテスト curl-up test 305
小帯隙 zonular spaces 1302
上大静脈 superior vena cava 1162
上大静脈症候群 superior vena cava syndrome 1162
小帯切除〔術〕 frenectomy 475
小帯切除術 frenuloplasty 475
上大脳静脈 superior cerebral veins 1161
小唾液腺 minor salivary glands 774
小柱 trabecula 1214
条虫 cestode 225
静注 intravenous push (IVP) 642
条虫駆除薬 teniacide 1186
条虫殺虫薬 teniacide 1186
条虫症 teniasis 1186
上虫部静脈 superior vein of vermis 1162
小柱網 trabecular reticulum 1214
条虫類 tapeworm 1179
情緒 emotion 391
小腸 small intestine 1111
象徴化 symbolization 1169
上腸間膜動脈 superior mesenteric artery 1162
上腸間膜動脈神経叢 superior mesenteric (nerve) plexus 1162
象徴欠如 amimia 53
小腸結腸吻合〔術〕 enterocolostomy 402
象徴主義 symbolism 1169
象徴性 symbolism 1169
小腸造影 radiologic enteroclysis 1021
小腸粘膜炎 mucoenteritis 788
象徴不能〔症〕 asymbolia 110
小腸膀胱形成〔術〕 ileocystoplasty 603
上直筋 superior rectus muscle 1162
上直腸動脈 superior rectal artery 1162
小滴 droplet 364
焦点 focal point 466
焦点 focal spot 466
焦点 focus 466
上転 supraduction 1164
上転 supraversion 1166
焦点距離 focal distance 466
小殿筋 gluteus minimus muscle 505
小転子 lesser trochanter 692
上殿神経 superior gluteal nerve 1161
焦点深度 focal depth 466
焦点損傷 focal injury 466
焦点てんかん focal epilepsy 466
上殿動脈 superior gluteal artery 1161
上殿皮神経 superior cluneal nerve 1161
焦点フイルム距離 focal-film distance (FFD) 466
小頭 capitellum 196
小頭 capitulum 196
小島 islet 649
少糖 oligosaccharide 857
小刀 scalpel 1074
衝動 drive 364
晶洞 drusen 365
衝動 impulse 610
衝動 impulsion 610
情動 affect 33
情動 affection 33
情動 emotion 391
小頭蓋症 microcephaly 766
小瞳孔〔症〕 microcoria 767
情動洪水法 flooding 463
常同思考 stereopathy 1140
上頭斜筋 obliquus capitis superior muscle 848
上橈尺関節 proximal radioulnar joint 992
小頭症 leptocephaly 690
小頭症 microcephaly 766
小頭症 nanocephaly 811
常同症 stereotypy 1140
情動障害 affective disorder 33
情動障害 emotional disorder 391
衝動性 saccade 1066
衝動性眼球運動 saccadic movement 1066
情動精神病 affective psychosis 33
小痘瘡 variola minor 1261
衝動調節障害 impulse control disorder 610
衝動的強迫観念 impulsive obsession 611
情動的性格 affective personality 33
情動剥奪 emotional deprivation 391
小動脈 arteriole 101
小動脈瘤 microaneurysm 766
消毒〔法〕 disinfection 353
消毒薬 disinfectant 353
ジヨードチロシン diiodotyrosine (DIT) 348
床突起 clinoid process 251
床突起上動脈瘤 supraclinoid aneurysm 1164
上内斜位 hyperesophoria 583
小内臓神経 lesser splanchnic nerve 692
小内転筋 adductor minimus muscle 24
小児〔性〕愛 pedophilia 907
小児科医 pediatrician 906
小児科学 pediatrics 906
小児科集中治療室 pediatric intensive care unit (PICU) 906
小児期 childhood 230
小児期アブサンスてんかん childhood absence epilepsy 230
小児虐待 child abuse 230
小児〔笛声〕喉頭痙攣 laryngismus stridulus 679
小児歯科〔学〕 pediatric dentistry 906
小児歯科〔学〕 pedodontics 907
小児歯科医 pedodontist 907
小児性欲 infantile sexuality 617
小児二次救命処置 pediatric advanced life support (PALS) 906
小児バラ疹 exanthema subitum 425
小児バラ疹 roseola infantilis 1061
小児斑 mongolian spot 780
漿尿膜 chorioallantois 238
少年犯罪者 juvenile offender 658
少年非行 juvenile delinquency 658
少年野球肘 Little League elbow 706
小脳 cerebellum 221
樟脳 gum camphor 521
小嚢 sacculation 1066
小嚢 vesicle 1272
小脳回 microgyria 767
小脳鎌 falcula 441
小脳脚 cerebellar peduncle 221
小脳橋角 cerebellopontine angle 221
小嚢形成 sacculation 1066
小脳欠損 notanencephalia 841
小脳溝 cerebellar fissure 221
小脳歯状核 dentate nucleus of cerebellum 329
小嚢腫 microcyst 767
小脳〔髄〕症 micrencephaly 765
小嚢性動脈瘤 saccular aneurysm 1066
小脳性歩行 cerebellar gait 221
小脳第一裂 primary fissure of cerebellum 978
小脳虫部 vermis 1269
小脳虫部垂 uvula of cerebellum 1256
小脳虫部錐体 pyramid of vermis 1011
小脳テント tentorium cerebelli 1188
〔小脳の〕水平裂 horizontal fissure of cerebellum 571
小脳半球 cerebellar hemisphere 221
小脳半球 hemisphere of cerebellum HII-HX 545

小脳半球 hemispherium ･･････ 545
小脳皮質 cerebellar cortex ･･････ 221
小脳扁桃 tonsil of cerebellum ･･････ 1209
小膿疱 pimple ･･････ 938
小脳鎌 falcula ･･････ 441
小脳鎌 falx cerebelli ･･････ 441
ショーバー試験 Schober test ･･････ 1078
小杯 caliculus ･･････ 191
小配偶子 microgamete ･･････ 767
上肺底静脈 superior basal vein ･･････ 1160
乗馬骨 rider's bone ･･････ 1055
蒸発 evaporation ･･････ 424
蒸発 exhalation ･･････ 428
蒸発 vaporization ･･････ 1260
蒸発熱 heat of evaporation ･･････ 537
蒸発物 exhalation ･･････ 428
小板 platelet ･･････ 946
消費 consumption ･･････ 279
小皮 cuticle ･･････ 307
小皮 cuticula ･･････ 307
小皮 pellicle ･･････ 908
小脾〔症〕 microsplenia ･･････ 769
上皮 epithelium ･･････ 411
上皮下方増殖 epithelial downgrowth ･･････ 411
上皮形成 epithelialization ･･････ 411
上鼻甲介 superior nasal concha ･･････ 1162
上皮腫 epithelioma ･･････ 411
上皮症 epitheliopathy ･･････ 411
上皮小体 parathyroid gland ･･････ 898
上皮小体機能低下〔症〕 hypoparathyroidism ･･････ 595
上皮小体〔機能〕亢進〔症〕 hyperparathyroidism ･･････ 587
上皮小体除去テタニー parathyroid tetany ･･････ 898
上皮小体切除〔術〕 parathyroidectomy ･･････ 898
上皮小体摘出〔術〕 parathyroidectomy ･･････ 898
上皮真珠 epithelial pearl ･･････ 411
小ヒステリー〔発作〕 minor hysteria ･･････ 774
消費性凝固障害 consumption coagulopathy ･･････ 279
〔角膜〕上皮性ジストロフィ epithelial dystrophy ･･････ 411
上皮成長因子受容体 epidermal growth factor receptor (EGFR) ･･････ 407
上皮性卵細胞 follicular cell ･･････ 468
上皮栓子 epithelial plug ･･････ 411
上皮内癌 carcinoma in situ (CIS) ･･････ 200
上皮内高度扁平上皮異型 high-grade squamous intraepithelial lesion (HSIL, HGSIL) ･･････ 562
上皮内低悪性度扁平上皮異型 low-grade squamous intraepithelial lesion (LGSIL, LSIL) ･･････ 711
上皮板 epithelial lamina ･･････ 411
上皮膜抗原 epithelial membrane antigen (EMA) ･･････ 411
小ひも teniola ･･････ 1186
小鼻翼軟骨 lesser alar cartilages ･･････ 691
商品名 proprietary name ･･････ 987
上副腎動脈 superior suprarenal arteries ･･････ 1162
小副腎皮質刺激ホルモン little adrenocorticotropic hormone (ACTH) ･･････ 706
上腹部 epigastrium ･･････ 408
上腹部痛 epigastralgia ･･････ 408
上腹壁静脈 superior epigastric veins ･･････ 1161
上腹壁動脈 superior epigastric artery ･･････ 1161
上腹壁ヘルニア epigastric hernia ･･････ 408
上部構造 superstructure ･･････ 1163
上部消化管造影 upper gastrointestinal (UGI) series ･･････ 1248
小フリクテン phlyctenula ･･････ 929
上分節 epimere ･･････ 410
障壁 barrier ･･････ 136
小弁 valvule ･･････ 1259
小胞 follicle ･･････ 467
小胞 folliculus ･･････ 468
小胞 vacuole ･･････ 1257
小胞 vesicle ･･････ 1272
小房 cellule ･･････ 215
娘〔嚢〕胞 daughter cyst ･･････ 317
小胞炎 acinitis ･･････ 13
小胞炎 vesiculitis ･･････ 1273
情報科学 informatics ･･････ 621
小胞形成 loculation ･･････ 708
小胞形成 vesiculation ･･････ 1273
小房形成 loculation ･･････ 708
上膀胱動脈 superior vesical artery ･･････ 1163
小胞子 sporule ･･････ 1132
小胞症 folliculosis ･･････ 468
小胞性呼吸 vesicular respiration ･･････ 1272
小胞体 endoplasmic reticulum (ER) ･･････ 398
小房体 loculation ･･････ 708
情報理論 information theory ･･････ 621
漿膜 membrana serosa ･･････ 750
漿膜 serosa ･･････ 1095
漿膜 serous membrane ･･････ 1095
漿膜炎 serositis ･･････ 1095
漿膜下組織 subserosa ･･････ 1155
漿膜ひだ serous ligament ･･････ 1095
賞味 degustation ･･････ 323
正味酸素消費率 net oxygen consumption ･･････ 824
正味蛋白質利用率 net protein utilization (NPU) ･･････ 824
静脈 vein ･･････ 1265
静脈〔血〕圧計 phlebomanometer ･･････ 928
静脈うっ血 venostasis ･･････ 1266
静脈うっ滞 phlebostasis ･･････ 928
静脈炎 phlebitis ･･････ 928
静脈角 venous angle ･･････ 1266
静脈拡張〔症〕 venectasia ･･････ 1266
静脈管 ductus venosus ･･････ 366
静脈管索裂 fissure of ligamentum venosum ･･････ 458
静脈還流 venous return ･･････ 1267
静脈間隆起 intervenous tubercle ･･････ 638
静脈狭窄〔症〕 phlebostenosis ･･････ 928
静脈攣縮 venospasm ･･････ 1266
静脈形成〔術〕 phleboplasty ･･････ 928
静脈血 venous blood ･･････ 1266
静脈血うっ滞 venostasis ･･････ 1266
静脈血うっ滞法 phlebostasis ･･････ 928
静脈結石 phlebolith ･･････ 928
静脈結石症 phlebolithiasis ･･････ 928
静脈血栓症 phlebothrombosis ･･････ 928
静脈硬化〔症〕 phlebosclerosis ･･････ 928
静脈コマ音 venous hum ･･････ 1266
静脈〔血〕混合 venous admixture ･･････ 1266
静脈撮影〔法〕 venography ･･････ 1266
静脈撮影像 venogram ･･････ 1266
静脈周囲炎 periphlebitis ･･････ 918
小脈症 microsphygmy ･･････ 769
静脈静脈吻合〔術〕 venovenostomy ･･････ 1267
静脈図 phlebogram ･･････ 928
静脈星 venous star ･･････ 1267
静脈性血管腫 venous angioma ･･････ 1266
静脈性毛細血管 venous capillary ･･････ 1266
静脈切開 phlebotomy ･･････ 928
静脈切開〔術〕 venotomy ･･････ 1266
静脈切除〔術〕 phlebectomy ･･････ 928
静脈切除〔術〕 venectomy ･･････ 1266
静脈穿刺 venipuncture ･･････ 1266
静脈造影〔法〕 venography ･･････ 1266
静脈造影図 venogram ･･････ 1266
静脈注射 intravenous injection (IVI) ･･････ 642
静脈〔内〕注射 phleboclysis ･･････ 928
静脈中膜炎 mesophlebitis ･･････ 758
静脈洞 sinus venosus ･･････ 1107
静脈洞炎 sinusitis ･･････ 1107
静脈怒張 varicosis ･･････ 1261
静脈内カテーテル intravenous catheter ･･････ 642
静脈内滴注〔法〕 intravenous drip ･･････ 642
静脈内ボーラス intravenous bolus ･･････ 642
静脈内膜炎 endophlebitis ･･････ 398
静脈拍動 venous pulse ･･････ 1266
静脈波計 phlebograph ･･････ 928
静脈抜去〔術〕 strip ･･････ 1148
静脈抜去 vein stripping ･･････ 1265
静脈波描画法 phlebography ･･････ 928
静脈不全 venous insufficiency ･･････ 1266
静脈縫合〔術〕 phleborrhaphy ･･････ 928
静脈〔内〕麻酔〔法〕 intravenous anesthesia ･･････ 642
静脈瘤〔症〕 varicosis ･･････ 1261

静脈瘤 varix 1261
静脈瘤形成 varication 1260
静脈瘤状動脈瘤 cirsoid aneurysm 247
静脈瘤性潰瘍 varicose ulcer 1261
静脈瘤性静脈炎 varicophlebitis 1261
静脈瘤性動脈瘤 varicose aneurysm 1261
静脈瘤切開〔術〕 varicotomy 1261
静脈瘤造影〔法〕 varicography 1261
静脈瘤様腫脹 varicosity 1261
消耗 consumption 279
消耗 exhaustion 428
小網 lesser omentum 691
小網 reticulum 1045
消耗 wastage 1286
消耗色素 wear-and-tear pigment 1287
消耗症 marasmus 732
睫毛腺 ciliary glands 244
睫毛脱落症 milphosis 773
睫毛多列症 polystichia 958
睫毛徴候 eyelash sign 437
睫毛乱生〔症〕 trichiasis 1227
生薬 galenicals 484
生薬学 pharmacognosy 925
小葉 lobe 707
小葉 lobule 707
小葉間気腫 interlobular emphysema 632
小葉間胸膜炎 interlobular pleurisy 632
小葉間導管 interlobular duct 632
小葉間動脈 cortical radiate arteries 289
小腰筋 psoas minor muscle 997
小腰筋 smaller psoas muscle 1111
常用者 addict 23
小葉中心性肺気腫 centrilobular emphysema 218
小葉内管 intralobular duct 641
小卵 ovule 879
蒸留 distillation 355
小隆起 torulus 1211
蒸留酒 spirit 1127
小菱形筋 lesser rhomboid muscle 692
小菱形筋 rhomboid minor muscle 1053
小菱形骨 trapezoid bone 1223
少量注入 fractional injection 473
上輪部角結膜炎 superior limbic keratoconjunctivitis 1161
症例 case 207
症例検討会 grand rounds 514
症例定義 case definition 208
症例マネージメント case management 208
小裂 fissula 458
小裂 rimula 1057
小裂孔 lacunule 675
抄録 abstract 6
小弯 lesser curvature of stomach 691
上腕 arm 95
上腕 brachium 171
上腕筋 brachialis muscle 170
上腕骨 humerus 575
上腕骨栄養動脈 nutrient arteries of humerus 845
上腕骨外側上顆 lateral epicondyle of humerus 682
〔上腕骨〕顆上突起 supracondylar process 1164
上腕骨小結節 lesser tubercle of the humerus 692
上腕骨小頭 capitulum of humerus 196
上腕骨内側上顆 medial epicondyle of humerus 741
上腕三頭筋 triceps brachii muscle 1226
〔上腕〕三頭筋反射 triceps reflex 1226
小腕症 microbrachia 766
上腕静脈 brachial veins 170
上腕深動脈 profunda brachii artery 982
上腕切断 A-E amputation 31
上腕痛 brachialgia 170
上腕動脈 arteria brachialis 97
上腕動脈 brachial artery 170
上腕二頭筋 biceps brachii muscle 149
上腕脈 brachial pulse 170
ショーン奇形 Shone anomaly 1100
ショーン症候群 Shone syndrome 1100
ジョーンズ骨折 Jones fracture 657
ジョーンズ式腱移行術 Jones transfer 657
ジョーンズ分類 Jones criteria 657
ショーン複合体 Shone complex 1100
除外 exclusion 426
除外食 elimination diet 388
除外〔的〕診断 diagnosis by exclusion 341
初回通過代謝 first-pass metabolism 457
除感作 desensitization 336
初期〔包括〕医療 primary care 978
初感染結核〔症〕 primary tuberculosis 979
初期結核〔症〕 primary tuberculosis 979
初期妊娠中絶 dilation and extraction 348
初期熱 initial heat 624
初期梅毒 primary syphilis 979
初期評価 initial assessment 624
初期変化群 primary complex 978
初期免疫反応 primary immune response 978
除去 elimination 388
除去 excision 426
除去 stripping 1148
初期予防看護 primary preventive nursing 978
除去率 extraction coefficient 435
除去率 extraction ratio (E) 435
食〔物〕 diet 345
食塩 salt (sal) 1070
食塩水 saline 1068
食塩水 saline solution 1068
食塩水浣腸 analeptic enema 60
〔食〕塩排泄 saluresis 1070
職業 occupation 851
職業科学 occupational science 851
職業規範 professional code 982
職業性神経症 cramp 294
職業性難聴 occupational hearing loss 851
職業病 occupational disease 851
職業リハビリテーション vocational rehabilitation 1281
触空間閾値測定〔法〕 esthesiometry 421
食原虫細胞 protozoophage 991
色光線療法 chromotherapy 241
〔貪〕食細胞 phagocyte 923
食細胞指数 phagocytic index 923
食細胞崩壊 phagocytolysis 924
食匙 tablespoon 1176
食〔菌〕作用 phagocytosis 924
〔着〕色視〔症〕 chromatopsia 240
触糸 tentacle 1187
食事 diet 345
食事 meal 739
食事許容度 dietary allowances 345
食事性高インスリン症 alimentary hyperinsulinism 41
食事性五炭糖尿〔症〕 alimentary pentosuria 41
食事性脂〔肪〕血症 alimentary lipemia 41
食事性線維 dietary fiber 345
食事性糖尿 alimentary glycosuria 41
食事性ペントース尿〔症〕 alimentary pentosuria 41
食事性無月経 dietary amenorrhea 345
食事摂取基準 Dietary Reference Intake (DRI) 345
食事品質指数 diet quality index 345
触手 tentacle 1187
食事葉酸当量 dietary folate equivalent (DFE) 345
食事療法学 dietetics 345
触診 manipulation 731
触診〔法〕 palpation 887
触診的打診〔法〕 palpatory percussion 888
直接クームス試験 Coombs direct test 284
褥瘡 bedsore 143
褥瘡 decubitus 320
〔接〕触走性 stereotaxis 1140
〔接〕触走性 stereotropism 1140
触走性 thigmotaxis 1195
褥瘡性潰瘍 decubitus ulcer 320
食中毒 food poisoning 469
食中毒性無白症 alimentary toxic aleukia (ATA) toxicosis 41
触痛 sore 1117
食道 esophagus 420
食道アカラシア esophageal achalasia 419

食道胃移行部 esophagogastric junction ……… 420
食道胃十二指腸鏡検査 esophagogastroduodenoscopy (EGD) ……… 420
食道胃切除〔術〕 esophagogastrectomy ……… 420
食道胃チューブエアウェイ esophageal gastric tube airway (EGTA) ……… 419
食道胃吻合〔術〕 esophagogastrostomy ……… 420
食道炎 esophagitis ……… 420
食道音声 esophageal speech ……… 419
食道拡張〔症〕 esophagectasis ……… 419
食道下垂〔症〕 esophagoptosis ……… 420
食道逆流 esophageal reflux ……… 419
食道〔直達〕鏡 esophagoscope ……… 420
食道鏡検査〔法〕 esophagoscopy ……… 420
食道狭窄 esophagostenosis ……… 420
食道筋切開〔術〕 esophagomyotomy ……… 420
食道形成〔術〕 esophagoplasty ……… 420
食道痙攣 esophagism ……… 419
食道痙攣 esophagospasm ……… 420
食道枝 esophageal arteries ……… 419
食道周囲炎 periesophagitis ……… 915
食道十二指腸吻合〔術〕 esophagoduodenostomy ……… 420
食道小腸吻合〔術〕 esophagoenterostomy ……… 420
食道静脈 esophageal veins ……… 419
食道静脈瘤 esophageal varices ……… 419
食道神経叢 esophageal nervous plexus ……… 419
食道切開〔術〕 esophagotomy ……… 420
食道切除〔術〕 esophagectomy ……… 419
食道造影 barium swallow ……… 135
食道造影法 esophagography ……… 420
食道造瘻術 esophagostomy ……… 420
食道軟化〔症〕 esophagomalacia ……… 420
食道ひだ形成〔術〕 esophagoplication ……… 420
食道フィステル形成〔術〕 esophagostomy ……… 420
食道噴門形成〔術〕 esophagocardioplasty ……… 420
食道噴門結合部 cardioesophageal junction ……… 201
食道閉鎖〔症〕 esophageal atresia ……… 419
食道ヘルニア esophagocele ……… 420
食道傍リンパ節 juxtaesophageal pulmonary lymph nodes ……… 658
食道誘導 esophageal lead ……… 419
食道裂孔 esophageal hiatus ……… 419
食道瘻造設術 esophagostomy ……… 420
触乳頭 tactile papilla ……… 1177
触媒 catalyst ……… 209
触媒作用〔法〕 catalysis ……… 209
食品交換表 food exchange list ……… 468
食品混入異物 food adulterant ……… 468
食品表示 food label ……… 469
食品レンダリング food rendering ……… 469
植物エストロゲン phytoestrogens ……… 936
植物化学物質 phytochemical ……… 935
植物極 vegetal pole ……… 1264
植物状態 vegetative state ……… 1265
植物ステロール phytosterols ……… 936
植物性胃石 phytobezoar ……… 935
植物性凝集素 phytoagglutinin ……… 935
植物性〔赤〕血球凝集素 phytohemagglutinin (PHA) ……… 936
植物性光線皮膚炎 phytophotodermatitis ……… 936
植物相 flora ……… 464
植物毒素 phytotoxin ……… 936
植物療法 phytomedicine ……… 936
食胞 phagosome ……… 924
食胞融解小体 phagolysosome ……… 924
触毛 tentacle ……… 1187
食毛〔症〕 trichophagy ……… 1228
食物 food ……… 468
食物 nourishment ……… 841
食物過敏症 food hypersensitivity reaction ……… 469
食物趨向性 sitotropism ……… 1108
食物摂取 ingestion ……… 623
食物必要量 food requirements ……… 469
食物不耐性 food intolerance ……… 469
食欲 appetite ……… 91
食欲倒錯 parorexia ……… 900
食欲不振 anorexia ……… 73
食欲不振 dysorexia ……… 371
食欲不振 inappetence ……… 611
食欲抑制物 anorexiant ……… 73
食欲抑制薬 anorectic ……… 73
食料安定供給 food security ……… 469
初経 menarche ……… 751
助言 counseling ……… 291
蹠行〔性〕 plantigrade ……… 944
助酵素 coenzyme ……… 259
〔緩〕徐呼吸 bradypnea ……… 172
鋤骨 vomer ……… 1282
除細動 defibrillation ……… 322
除細動器 defibrillator ……… 322
助産学 midwifery ……… 771
助産師 midwife ……… 771
助産術 midwifery ……… 771
初産婦 primipara ……… 979
ショシェ徴候 Chaussier sign ……… 227
女児割礼 female circumcision ……… 447
書字錯誤 paragraphia ……… 894
女子色情〔症〕 nymphomania ……… 846
書字手 writing hand ……… 1294
除湿機 dehumidifier ……… 323
女子同性愛 lesbianism ……… 691
女子同性愛 sapphism ……… 1071
女子同性愛者 lesbian ……… 691
書字不能〔症〕 agraphia ……… 36
書字もれ graphorrhea ……… 516
処女 virgin ……… 1276
女子用カテーテル female catheter ……… 447
助色団 auxochrome ……… 125
助触媒 promoter ……… 985
処女性 virginity ……… 1276
処女生殖 parthenogenesis ……… 901
処女膜 hymen ……… 581
処女膜炎 hymenitis ……… 581
処女膜切開〔術〕 hymenotomy ……… 581
処女膜切除〔術〕 hymenectomy ……… 581
ショズコ反射 Chodzko reflex ……… 232
除勢 emasculation ……… 389
女性 female ……… 447
女性運動選手の三徴候 female athlete triad ……… 447
女性化 effemination ……… 379
女性化 feminization ……… 447
女性型骨盤 gynecoid pelvis ……… 523
女性型脱毛〔症〕 female pattern alopecia ……… 447
女性化乳房 gynecomastia ……… 523
女性器形成術 gynoplasty ……… 523
女性偽半陰陽 female pseudohermaphroditism ……… 447
女性恐怖〔症〕 gynephobia ……… 523
女性コンプレックス femininity complex ……… 447
女性性器 muliebria ……… 790
女性生殖器系 female genital system ……… 447
女性尿道海綿体 corpus spongiosum urethrae muliebris ……… 288
女性半陰陽 gynandrism ……… 523
女性半陰陽者 gynandroid ……… 523
女性用コンドーム female condom ……… 447
女性様肥満 gynecoid obesity ……… 523
除染 decontamination ……… 320
除草剤 herbicide ……… 553
所属医員 attending staff ……… 116
処置 procedure ……… 980
処置 treatment ……… 1224
処置の拒否 refusal of procedure ……… 1033
触覚〔学〕 haptics ……… 532
触覚 thigmesthesia ……… 1195
触覚 touch ……… 1212
触覚印象 tactile image ……… 1177
触覚過敏 hyperaphia ……… 582
触覚計 esthesiometer ……… 421
触覚計 tactometer ……… 1177
触覚錯誤〔症〕 paraphia ……… 896
触覚刺激 tactile stimulation ……… 1177
触覚失認 tactile agnosia ……… 1177
触覚消失〔症〕 anaphia ……… 61
触覚消失 tactile anesthesia ……… 1177
触覚小体 tactile corpuscle ……… 1177

触覚振とう音 tactile fremitus 1177
触覚脱失〔症〕 anaphia 61
触覚脱失 tactile anesthesia 1177
触覚鈍麻 amblyaphia 50
触覚盤 tactile meniscus 1177
触覚不全 dysaphia 369
触覚〔性〕防衛性 tactile defensiveness 1177
触感 palpation 887
ショック shock 1100
ショック肺 shock lung 1100
ショックパンツ pneumatic antishock garment 949
ショック療法 shock therapy 1100
ショ糖 saccharose 1066
ショ糖 sucrose 1156
初動負荷法 ballistic resistance training 133
初乳 colostrum 263
初乳漏出〔症〕 colostrorrhea 263
初妊婦 primigravida 979
除脳〔術〕 decerebration 319
除脳硬直 decerebrate rigidity 319
ショパール切断術 Chopart amputation 237
除皮質硬直 decorticate rigidity 320
鋤鼻軟骨 vomeronasal cartilage 1283
ジョフロア徴候 Joffroy sign 656
ジョフロア反射 Joffroy reflex 656
ジョベール・ド・ランバル縫合 Jobert de Lamballe suture 656
助変数 parameter 895
処方 prescription 975
処方集 formulary 471
処方箋 formula 471
処方箋 prescription 975
処方箋 recipe (Rx) 1028
処方箋調剤 prescription 975
徐脈 bradycardia 172
徐脈型不整脈 bradyarrhythmia 171
処理 treatment 1224
初老 presenility 975
初老期痴呆 presenile dementia 975
歯蕾 tooth bud 1210
シラー試験 Schiller test 1076
ジラール試薬 Girard reagent 499
しらが canities 195
白子〔症〕 albinism 39
白子 albino 39
シラミ louse 711
シラミ寄生症 pediculation 907
シラミ寄生症 pediculosis 907
紫藍色硬化 cyanotic induration 308
しり breech 174
しり buttocks 186
しり nates 813
シリカ silica 1105
シリカ蛋白症 silicoproteinosis 1105
シリコン silicone 1105
自立した未成年 emancipated minor 389
自律神経核 autonomic visceral motor nuclei 124
自律神経系 autonomic division of nervous system 123
自律神経系 autonomic nervous system (ANS) 124
自律神経失調〔症〕 autonomic imbalance 124
自律神経障害 dysautonomia 369
自律神経節 autonomic ganglia 124
自律神経叢 autonomic plexuses 124
自律神経反射障害 autonomic dysreflexia 124
自律神経不全 dysautonomia 369
自律神経発作 autonomic seizure 124
自律性 autonomy 124
自立生活 independent living 613
自律性神経因性膀胱〔障害〕 autonomic neurogenic bladder 124
自律〔神経〕叢神経節 ganglia of autonomic plexuses 485
自立的看護行動 independent nursing actions 614
自立度医療評価 independent medical evaluation (IME) 614
私立病院 private hospital 980
自留カテーテル self-retaining catheter 1089
糸粒体 mitochondrion 775
試料 sample 1070
視力 sight 1104
視力 vision 1278
視力検査表 chart 227
視力喪失 anopsia 73
視力表 test type 1190
視力補充角膜移植 optic keratoplasty 864
耳輪 helix 539
シリング血球算定〔法〕 Schilling blood count 1076
シリング試験 Schilling test 1076
シルヴェルフィエルド症候群 Silversköld syndrome 1105
印 inscription 626
シルダー病 Schilder disease 1076
ジル・ド・ラ・ツレット症候群 Gilles de la Tourette syndrome 498
歯列 dentition 330
歯列弓 dental arch 328
歯列不正 malalignment 726
死ろう adipocere 27
脂漏〔症〕 seborrhea 1083
痔瘻 anal fistula 60
耳漏 otorrhea 877
耳瘻孔 preauricular sinus 970
脂漏性角化症 seborrheic keratosis 1084
脂漏性眼瞼炎 seborrheic blepharitis 1083
脂漏性皮膚炎 seborrheic dermatitis 1083
白黒まだらの皮膚 piebald skin 937
シロップ syrup (syr.) 1174
シロネズミ albino rats 39
しわ crease 295
しわ rugosity 1064
磁歪型超音波スケーラー magnetostrictive ultrasonic device 725
しわ切除〔術〕 rhytidectomy 1053
しわより rhytidosis 1053
心〔臓〕 heart 536
腎〔臓〕 kidney 665
仁 nucleolus 843
じん埃線維症 coniofibrosis 277
シンアナモルフ synanamorph 1170
腎アミロイドーシス renal amyloidosis 1037
腎閾値 renal threshold 1038
人為選択 artificial selection 105
心因 psychogenesis 998
深陰核背静脈 deep dorsal vein of clitoris 321
深陰茎背静脈 deep dorsal vein of penis 321
心因性嘔吐 psychogenic vomiting 998
心因性疼痛 psychogenic pain 998
心因性疼痛障害 psychogenic pain disorder 998
心因性難聴 pseudohypoacusis 995
心因性難聴 psychogenic deafness 998
腎盂 renal pelvis 1037
腎盂炎 pyelitis 1008
腎盂拡張〔症〕 pyelectasis 1008
腎盂鏡 nephroscope 820
腎盂鏡検査〔法〕 pyeloscopy 1008
腎盂形成〔術〕 pelvioplasty 909
腎盂形成〔術〕 pyeloplasty 1008
腎盂静脈逆流 pyelovenous backflow 1008
腎盂腎炎 pyelonephritis 1008
腎盂切開〔術〕 pyelotomy 1008
腎盂切石〔術〕 pelvilithotomy 909
腎盂切石〔術〕 pyelolithotomy 1008
腎盂〔X線〕像 pyelogram 1008
腎盂造瘻術 pyelostomy 1008
腎盂〔X線〕透視〔法〕 pyelofluoroscopy 1008
腎盂尿管移行部 ureteropelvic junction (UPJ) 1251
腎盂尿管移行部閉塞 ureteropelvic junction obstruction 1251
腎盂尿管拡張〔症〕 pyeloureterectasis 1008
腎盂尿管撮影〔法〕 pyelography 1008
腎盂尿管〔X線〕撮影〔法〕 pyeloureterography 1008
腎盂尿管造影〔法〕 pyelography 1008
腎盂尿管〔X線〕造影〔法〕 pyeloureterography 1008
腎盂フィステル形成〔術〕 pyelostomy 1008
腎盂膀胱炎 pyelocystitis 1008
腎盂漏斗 infundibulum 622
心運動記録器 myocardiograph 805
深会陰横筋 deep transverse perineal muscle 322
浸液 dip 349

親液〔性〕物質 lyophil ………… 720
心エコー検査〔法〕 echocardiography ………… 376
伸延 distraction ………… 356
唇縁 lip ………… 702
腎炎 nephritis ………… 819
腎炎原性 nephritogenic ………… 819
伸延骨形成〔術〕 distraction osteogenesis ………… 356
腎炎症候群 nephritic syndrome ………… 819
心横隔膜角 cardiophrenic angle ………… 203
唇音 labial ………… 672
心音カテーテル phonocatheter ………… 929
心音計 phonocardiograph ………… 929
心音図検査〔法〕 phonocardiography ………… 929
心音の分裂 splitting of heart sounds ………… 1130
進化 evolution ………… 425
心渦 vortex of heart ………… 1283
浸解 maceration ………… 722
侵害受容器 nociceptor ………… 836
侵害受容刺激 nociceptive stimulus ………… 836
侵害知覚 nociperception ………… 836
唇外反 eclabium ………… 376
侵害防衛機構 nocifensor ………… 836
心外膜炎 pericarditis ………… 914
心外膜学 pericardiology ………… 914
心外膜雑音 pericardial murmur ………… 914
進化学的適性 evolutionary fitness ………… 425
人格 personality ………… 921
人格形成 personality formation ………… 921
真核細胞 eukaryote ………… 423
人格障害 personality disorder ………… 921
真核生物 eukaryote ………… 423
真核生物上界 Eukaryotae ………… 423
〔心〕拡張期延長 bradydiastole ………… 172
人格方程式 personal equation ………… 921
腎芽細胞腫 nephroblastoma ………… 819
腎下垂〔症〕 nephroptosis ………… 820
心活動促進剤 cardioaccelerator ………… 201
心〔臓〕カテーテル intracardiac catheter ………… 640
心窩部 epigastrium ………… 408
心窩部痛 epigastralgia ………… 408
浸管 permeation ………… 920
新関節〔症〕 nearthrosis ………… 815
心間膜 mesocardium ………… 757
深顔面静脈 deep facial vein ………… 321
新規患者 new patient ………… 832
心悸亢進 palpitation ………… 888
心悸亢進 trepidatio cordis ………… 1225
心気症 hypochondriasis ………… 592
心気症患者 hypochondriac ………… 592
心気症質〔者〕 hypochondriac ………… 592
心気性うつ病 hypochondriacal melancholia ………… 592
深吸気量 inspiratory capacity ………… 627
腎弓状動脈 arcuate arteries of kidney ………… 93
心胸郭比 cardiothoracic ratio ………… 203
心胸〔郭〕係数 cardiothoracic ratio ………… 203
心筋 cardiac muscle ………… 201
伸筋 extensor ………… 432
真菌 fungus ………… 480
真菌 mycete ………… 801
心筋炎 myocarditis ………… 805
〔真〕菌学 mycology ………… 802
〔真〕菌学者 mycologist ………… 802
真菌感染症 fungal infection ………… 480
真菌血症 fungemia ………… 480
心筋梗塞 myocardial infarction (MI) ………… 805
伸筋支帯 extensor retinaculum ………… 433
心筋脂肪症 cardiomyoliposis ………… 202
真菌腫 eumycetoma ………… 423
心筋症 cardiomyopathy ………… 202
真菌症 mycosis ………… 802
心筋障害 myocardiopathy ………… 805
心筋心膜炎 myopericarditis ………… 807
真菌性動脈瘤 mycotic aneurysm ………… 803
心筋切開後心外膜炎 postpericardiotomy pericarditis ………… 967
心筋層 myocardium ………… 805
心筋内膜炎 myoendocarditis ………… 806
真菌ファージ mycophage ………… 802
心筋縫合〔術〕 cardiorrhaphy ………… 203
心筋保護下の心停止 cardioplegic arrest ………… 203
腎筋膜 renal fascia ………… 1037
心筋抑制因子 myocardial depressant factor (MDF) ………… 805
真腔 true lumen ………… 1234
真空パック法 vacuum pack technique ………… 1257
心腔リモデリング heart chamber remodeling ………… 536
腎区動脈 segmental arteries of kidney ………… 1087
シングルバイアル固定液 single vial fixatives ………… 1107
シングルフォトンエミッション CT single photon emission computed tomography (SPECT) ………… 1106
神経 nerve ………… 820
神経因性膀胱〔障害〕 neurogenic bladder ………… 826
神経ウイルス neurovirus ………… 830
神経植込み〔術〕 neurotization ………… 830
神経栄養 neurotrophy ………… 830
神経栄養性角膜炎 neurotrophic keratitis ………… 830
神経炎 neuritis ………… 825
神経科医 neurologist ………… 827
神経外胚葉 neuroectoderm ………… 826
神経解剖学 neuroanatomy ………… 825
〔神経〕海綿芽細胞腫 spongioblastoma ………… 1131
神経化学 neurochemistry ………… 825
神経科学 neuroscience ………… 829
神経学 neurology ………… 827
神経学者 neurologist ………… 827
神経芽細胞 neuroblast ………… 825
神経芽〔細胞〕腫 neuroblastoma ………… 825
神経下垂体 neurohypophysis ………… 827
神経眼科学 neuroophthalmology ………… 828
神経管欠損 neural tube defect ………… 825
〔神経管の〕基板 basal lamina of neural tube ………… 137
〔神経管の〕基板 basal plate of neural tube ………… 138
〔神経管の〕翼板 alar lamina of neural tube ………… 38
〔神経管の〕翼板 alar plate of neural tube ………… 38
神経弓棘 neural spine ………… 825
神経筋遮断 myoneural blockade ………… 807
神経筋遮断 neuromuscular blockade ………… 827
神経筋遮断薬 neuromuscular blocking agent ………… 828
神経筋障害 neuromyopathy ………… 828
神経筋接合部 myoneural junction ………… 807
神経筋セラピー neuromuscular therapy (NMT) ………… 828
神経筋単位 myotome ………… 808
神経緊張薬 neurotonic ………… 830
神経筋電図検査〔法〕 electroneuromyography ………… 386
神経筋肉剥離〔術〕 neurosarcocleisis ………… 829
〔深〕頸筋膜 (deep) cervical fascia ………… 321
神経〔管〕腔 neural canal ………… 824
神経系 nervous system ………… 822
神経形質 neuroplasm ………… 829
神経形成術 neuroplasty ………… 829
〔脳〕神経外科〔学〕 neurosurgery ………… 829
〔脳〕神経外科医 neurosurgeon ………… 829
神経減圧〔術〕 nerve decompression ………… 821
神経言語学 neurolinguistics ………… 827
神経言語学的プログラミング neurolinguistic programming ‥ 827
神経原性骨折 neurogenic fracture ………… 826
神経原性ショック neurogenic shock ………… 826
神経原性跛行 neurogenic claudication ………… 826
〔神経〕膠 glia ………… 500
神経膠 neuroglia ………… 826
神経溝 neural groove ………… 824
神経孔 neuropore ………… 829
神経膠芽細胞 glioblast ………… 501
〔神経〕膠細胞 glia cells ………… 500
〔神経〕膠細胞 gliacyte ………… 500
神経膠細胞 neurogliacyte ………… 826
神経膠細胞 spongiocyte ………… 1131
神経膠細胞集合 satellitosis ………… 1072
神経膠腫 glioma ………… 501
神経膠腫症 gliomatosis ………… 501
神経膠症 gliosis ………… 501
神経膠神経腫 glioneuroma ………… 501
神経向性 neurotropy ………… 830
〔神経膠〕星状芽細胞 astroblast ………… 110

シ

〔神経膠〕星状芽細胞腫 astroblastoma …… 110
〔神経膠〕星状細胞 astrocyte …… 110
〔神経膠〕星状細胞腫 astrocytoma …… 110
神経膠肉腫 gliosarcoma …… 501
神経膠のヴァイゲルト染色〔法〕 Weigert stain for neuroglia 1288
神経根障害 radiculopathy …… 1019
神経根神経障害 radiculoneuropathy …… 1019
神経根神経節炎 radiculoganglionitis …… 1019
神経根髄膜脊髄炎 rhizomeningomyelitis …… 1052
神経根切断〔術〕 rhizotomy …… 1053
神経根痛 radicular pain …… 1019
神経剤 nerve agent …… 821
神経細管 neurotubule …… 830
神経再生 neuranagenesis …… 825
神経再生 neurotization …… 830
神経細線維 neurofibril …… 826
神経細胞 neurocyte …… 825
神経細胞形質 perikaryon …… 915
神経細胞腫 neurocytoma …… 826
神経細胞障害 neuronopathy …… 828
神経細胞侵食 neuronophagia …… 828
神経細胞溶解 neurocytolysis …… 826
神経細胞溶解素 neurocytolysin …… 825
神経挫砕術 neurotripsy …… 830
神経サルコイドーシス neurosarcoidosis …… 829
神経糸 neurofilament …… 826
神経耳科学 neurootology …… 828
神経弛緩薬 neuroleptic …… 827
神経弛緩薬〔性〕悪性症候群 neuroleptic malignant syndrome 827
神経軸索再生 neurocladism …… 825
神経質 nervousness …… 822
神経支配 innervation …… 625
神経遮断麻酔〔法〕 nerve block anesthesia …… 821
神経遮断麻酔〔法〕 neuroleptanalgesia …… 827
神経遮断麻酔〔法〕 neuroleptanesthesia …… 827
神経腫 neuroma …… 827
神経周囲麻酔〔法〕 perineural anesthesia …… 916
神経周膜 perineurium …… 916
神経周膜炎 perineuritis …… 916
神経腫症 neuromatosis …… 827
神経腫瘍学 neurooncology …… 828
神経症 neurosis …… 829
神経障害 neuropathy …… 829
神経障害性関節症 neuropathic arthropathy …… 828
神経障害性関節症 neuropathic joint …… 828
神経鞘腫 schwannoma …… 1078
神経鞘粘液腫 neurothekeoma …… 830
神経上膜 epineurium …… 410
深頸静脈 deep cervical vein …… 321
神経食細胞 neuronophage …… 828
神経伸張術 neurectasis …… 825
神経新分枝形成 neurocladism …… 825
神経心理学的障害 neuropsychological disorder …… 829
神経親和性 neurotropy …… 830
神経衰弱 enervation …… 400
神経衰弱 nervous breakdown …… 822
神経衰弱〔症〕 neurasthenia …… 825
心係数 cardiac index …… 201
新形成 neoplasia …… 819
神経性栄養障害 trophesy …… 1232
神経性下垂体芽 neurohypophysial bud …… 827
神経性下垂体憩室 neurohypophysial diverticulum …… 827
神経性関節症 neuroarthropathy …… 825
神経性消化不良 nervous indigestion …… 822
神経性食欲不振 anorexia nervosa …… 73
神経精神医学 neuropsychiatry …… 829
神経精神病質 neuropsychopathy …… 829
神経性大食症 bulimia nervosa …… 183
神経性難聴 neural hearing loss …… 824
神経性尿意促迫 sensory urgency …… 1092
腎形成不全 renal hypoplasia …… 1037
神経性膀胱 nervous bladder …… 822
神経性無食欲 anorexia nervosa …… 73
神経生理学 neurophysiology …… 829
神経脊髄炎 neuromyelitis …… 828
神経節 ganglion …… 485
神経節炎 ganglionitis …… 486
神経節芽細胞 ganglioblast …… 485
〔神経〕節芽細胞腫 ganglioneuroblastoma …… 486
神経節膠腫 ganglioglioma …… 485
神経節細胞 gangliocyte …… 485
神経節細胞 ganglion cell …… 486
神経節細胞欠損 aganglionosis …… 34
神経節細胞減少〔症〕 hypoganglionosis …… 593
〔神経〕節細胞腫 gangliocytoma …… 485
〔神経〕節細胞腫 ganglioneuroma …… 486
〔神経〕節遮断 ganglionic blockade …… 486
〔神経〕節遮断薬 ganglionic blocking agent …… 486
神経節遮断薬 ganglioplegic …… 486
神経節腫 ganglioma …… 485
神経切除〔術〕 neurectomy …… 825
〔神経〕節神経腫 ganglioneuroma …… 486
神経節切除〔術〕 ganglionectomy …… 486
神経切断〔術〕 neurectomy …… 825
神経切断〔術〕 neurotomy …… 830
神経節溶解 gangliolysis …… 485
神経セラピー neural therapy …… 825
〔神経〕線維索移植〔片〕 funicular graft …… 480
神経線維腫 neurofibroma …… 826
神経線維腫症 neurofibromatosis …… 826
神経線維鞘 neurilemma …… 825
〔神経〕線維束移植〔片〕 fascicular graft …… 444
神経線維遊離術 hersage …… 557
神経叢 nerve plexus …… 821
神経叢炎 plexitis …… 948
神経叢障害 plexopathy …… 948
神経組織学 neurohistology …… 826
神経単位 neuron …… 828
神経断裂〔症〕 neurotmesis …… 830
神経中膜炎 mesoneuritis …… 758
神経腸管嚢胞 neurenteric cysts …… 825
神経調節物質 neuroregulator …… 829
神経鎮静薬 nervine …… 821
神経痛 neuralgia …… 824
神経痛性筋萎縮〔症〕 neuralgic amyotrophy …… 824
神経堤 neural crest …… 824
神経堤症 neurocristopathy …… 825
神経堤障害 neurocristopathy …… 825
神経堤症候群 neural crest syndrome …… 824
神経転位〔症〕 neurectopia …… 825
神経伝達物質 neurotransmitter …… 830
神経伝導 nerve conduction …… 821
神経毒 neurotoxin …… 830
神経内分泌学 neuroendocrinology …… 826
神経内膜 endoneurium …… 398
神経軟化 neuromalacia …… 827
神経捻除 nerve avulsion …… 821
神経捻除〔術〕 neurexeresis …… 825
神経のアセスメント（判定） neurologic assessment …… 827
神経脳脊髄障害 neuroencephalomyelopathy …… 826
神経胚 neurula …… 830
神経胚形成 neurulation …… 830
神経梅毒 neurosyphilis …… 829
神経剥離〔術〕 neurolysis …… 827
神経発育因子 nerve growth factor (NGF) …… 821
神経抜去〔術〕 neurexeresis …… 825
神経発生 neurogenesis …… 826
神経発達〔学的〕治療法 neurodevelopmental treatment (NDT) …… 826
神経板 neural plate …… 825
神経ひだ neural folds …… 824
神経皮膚炎 neurodermatitis …… 826
神経病因 neuropathogenesis …… 829
神経病発生 neuropathogenesis …… 829
神経病理学 neuropathology …… 829
神経フィラメント neurofilament …… 826
神経ブロック nerve block …… 821
神経ブロック麻酔〔法〕 nerve block anesthesia …… 821
神経吻合術 neuroanastomosis …… 825
神経分節 neuromere …… 827
神経分泌 neurosecretion …… 829
神経ペプチド neuropeptide …… 829

神経ペプチドY neuropeptide Y (NPY) ………… 829
神経縫合〔術〕 neurorrhaphy ………… 829
神経放射線学 neuroradiology ………… 829
神経母斑 neuronevus ………… 828
神経ホルモン neurohormone ………… 827
神経麻痺 neuroparalysis ………… 828
神経麻痺性角膜炎 neuroparalytic keratopathy ………… 828
神経網 neuropil ………… 829
神経網膜 neural retina ………… 825
神経薬理学 neuropharmacology ………… 829
神経溶解 neurolysis ………… 827
神経溶解素 neurolysin ………… 827
神経裂離 nerve avulsion ………… 821
〔神経路〕切路〔術〕 tractotomy ………… 1216
神経ワクチン neurovaccine ………… 830
腎結核〔症〕 nephrophthisis ………… 820
腎結核〔症〕 nephrotuberculosis ………… 820
腎血管性高血圧〔症〕 renovascular hypertension ………… 1038
心血管変動 cardiovascular drift ………… 203
腎結石 renal calculus ………… 1037
心原性ショック cardiogenic shock ………… 201
腎硬化〔症〕 nephrosclerosis ………… 820
人工角膜移植〔術〕 keratoprosthesis ………… 664
人工換気 artificial ventilation ………… 105
人工器官 prosthesis ………… 989
人工気胸 artificial pneumothorax ………… 104
人工強直 artificial ankylosis ………… 104
人工喉頭 artificial larynx ………… 104
人工肛門形成〔術〕 colostomy ………… 263
人工肛門形成〔術〕 proctostomy ………… 982
人工呼吸 artificial respiration ………… 104
人工呼吸 artificial ventilation ………… 105
人工呼吸器 respirator ………… 1041
人工呼吸方法 mode of ventilation ………… 777
信号雑音比 signal:noise ratio (S:N) ………… 1104
人工産物 artifact ………… 104
人工脂肪 fat substitutes ………… 445
人工授精 artificial insemination ………… 104
人工腎〔臓〕 artificial kidney ………… 104
人工腎臓 kidney machine ………… 665
人工心臓 artificial heart ………… 104
人工心肺 heart-lung machine ………… 537
人工心肺〔装置〕 pump-oxygenator ………… 1005
進行性延髄麻痺 progressive bulbar paralysis ………… 983
進行性球麻痺 progressive bulbar paralysis ………… 983
進行性染色〔法〕 progressive staining ………… 983
進行性多病巣性白質脳症 progressive multifocal leukoencephalopathy (PML) ………… 983
進行性白内障 progressive cataract ………… 983
進行性網膜外層壊死 progressive outer retinal necrosis (PORN) ………… 983
人工〔補〕装具 prosthesis ………… 989
人口統計学 demography ………… 327
人口動態統計 vital statistics ………… 1279
人工内耳 cochlear implant ………… 257
人工妊娠中絶 elective abortion ………… 383
人工破水 amniotomy ………… 55
人工破膜 artificial membrane rupture ………… 104
進行波理論 traveling wave theory ………… 1224
唇紅部切除〔術〕 vermilionectomy ………… 1269
人工ペースメーカ artificial pacemaker ………… 104
人工放射能 artificial radioactivity ………… 104
進行麻痺 paresis ………… 899
進行流産 inevitable abortion ………… 616
人工流産 feticide ………… 450
人工流産 induced abortion ………… 615
人工流産施行者 abortionist ………… 5
深刻化 aggravation ………… 35
腎固定〔術〕 nephropexy ………… 820
審査 audit ………… 118
診査〔法〕 examination ………… 425
診査 exploration ………… 431
浸剤 infusion ………… 623
深在筋膜 deep fascia ………… 321
真再生 epimorphosis ………… 410
深在性エリテマトーデス lupus erythematosus profundus ………… 716
深在性静脈瘤 spider-burst ………… 1124
腎細胞溶解 nephrolysis ………… 820
診察 examination ………… 425
腎撮影〔法〕 nephrography ………… 819
腎撮影〔法〕 renography ………… 1038
心雑音 cardiac murmur ………… 201
心雑音 cardiac souffle ………… 201
心雑音 heart murmur ………… 537
診察記録 encounter form ………… 394
心左方偏位 sinistrocardia ………… 1107
診査料 reward ………… 1049
心耳 atrial auricle ………… 115
心耳 auricles of atria ………… 119
深耳介動脈 deep auricular artery ………… 321
心軸 mandrel ………… 730
深指屈筋 flexor digitorum profundus muscle ………… 462
新視床 neothalamus ………… 819
シンシチウム syncytium ………… 1171
心室 ventricle ………… 1267
心室逸脱 ventricular escape ………… 1268
心室期外収縮 premature ventricular contraction (PVC) ………… 974
心室機能造影 ventriculography ………… 1268
心室形成〔術〕 ventriculoplasty ………… 1268
心室後負荷 ventricular afterload ………… 1267
心室固有調律 idioventricular rhythm ………… 602
心室〔性〕細動 ventricular fibrillation ………… 1268
心室性期外収縮 ventricular extrasystole ………… 1268
心室切開〔術〕 ventriculotomy ………… 1268
心室前負荷 ventricular preload ………… 1268
心室粗動 ventricular flutter ………… 1268
心室中隔 interventricular septum ………… 638
心室中隔欠損〔症〕 ventricular septal defect (VSD) ………… 1268
心室停止 ventricular standstill ………… 1268
心室動脈 ventricular arteries ………… 1267
心室内伝導 intraventricular conduction ………… 642
心室内ブロック intraventricular block ………… 642
心室波形 ventricular complex ………… 1267
心室発声 ventricular phonation ………… 1268
心室〔性〕頻拍 ventricular tachycardia ………… 1268
心室補助装置 ventricular assist device ………… 1267
心室融合収縮 ventricular fusion beat ………… 1268
シンシナティ脳卒中スケール Cincinnati stroke scale ………… 245
腎腫 nephroma ………… 820
侵襲 invasion ………… 644
腎周囲炎 perinephritis ………… 916
腎周囲組織 perinephrium ………… 916
心〔臓〕周期 cardiac cycle ………… 200
心周期の等尺期 isometric period of cardiac cycle ………… 651
人獣共通感染能 zoonotic potential ………… 1302
人獣共通伝染病 zoonosis ………… 1302
〔心〕収縮〔期〕 systole ………… 1174
心収縮正常 eusystole ………… 424
侵襲的治療 invasive procedure ………… 644
人種差別 racism ………… 1017
真珠腫 cholesteatoma ………… 235
人種集団 ethnic group ………… 422
人種中心主義 ethnocentrism ………… 422
滲出 effusion ………… 379
滲出 exudation ………… 437
浸出 leaching ………… 685
滲出液 effusion ………… 379
滲出液 exudate ………… 437
滲出〔性〕炎〔症〕 exudative inflammation ………… 437
伸出筋 protractor ………… 992
滲出性関節液嚢炎 serosynovitis ………… 1095
滲出性胸膜炎 pleurisy with effusion ………… 948
浸出性ドルーゼン exudative drusen ………… 437
滲出性嚢胞 exudation cyst ………… 437
滲出性網膜炎 exudative retinitis ………… 437
滲出物 exudate ………… 437
浸潤 infiltration ………… 620
浸潤 invasion ………… 644
浸潤癌 invasive carcinoma ………… 644
浸潤性血管粘液腫 aggressive angiomyxoma ………… 35
浸潤物 infiltration ………… 620
〔局所〕浸潤麻酔〔法〕 infiltration anesthesia ………… 620

シ

浸潤野 involved field ……… 644
心象 imagery ……… 605
腎症 nephropathia ……… 820
腎症 nephropathy ……… 820
針状灌水浴 needle bath ……… 816
尋常性痤瘡 acne vulgaris ……… 14
尋常性狼瘡 lupus vulgaris ……… 716
腎小体 renal corpuscle ……… 1037
腎上体 suprarenal gland ……… 1165
尋常〔性〕天疱瘡 pemphigus vulgaris ……… 909
深掌動脈弓 arcus palmaris profundus ……… 94
新小脳 neocerebellum ……… 818
腎静脈 renal veins ……… 1038
腎小葉間静脈 interlobular veins of kidney ……… 632
深所恐怖〔症〕 bathophobia ……… 141
侵食 erosion ……… 414
侵食性潰瘍 phagedenic ulcer ……… 923
心身医学 psychosomatic medicine ……… 999
新神経再生 neoneurotization ……… 819
腎神経節 renal ganglia ……… 1037
腎神経叢 renal (nerve) plexus ……… 1037
心身障害 psychosomatic disorder ……… 999
信心療法 faith healing ……… 440
親水コロイド hydrocolloid ……… 578
腎髄質 renal medulla ……… 1037
親水性 hydrophilia ……… 580
浸水足 immersion foot ……… 606
腎錐体 renal pyramid ……… 1037
深錐体神経 deep petrosal nerve ……… 321
浸水負傷 immersion injury ……… 606
心性 mentality ……… 754
新生 neogenesis ……… 818
腎性くる病 renal rickets ……… 1038
真性グロブリン euglobulin ……… 423
真性憩室 true diverticulum ……… 1234
新生血管形成 neovascularization ……… 819
腎性血尿 renal hematuria ……… 1037
腎性高血圧〔症〕 renal hypertension ……… 1037
腎性骨形成異常〔症〕 renal osteodystrophy ……… 1037
腎性骨ジストロフィ renal osteodystrophy ……… 1037
新生児一過性多呼吸 transient tachypnea of the newborn (TTN) ……… 1219
新生児科医 neonatologist ……… 819
新生児学 neonatology ……… 819
新生児仮死 asphyxia neonatorum ……… 108
新生児肝炎 neonatal hepatitis ……… 818
新生児眼炎 ophthalmia neonatorum ……… 862
新生児期 infancy ……… 616
新生児期 neonatal period ……… 819
新生児期黄疸 icterus neonatorum ……… 601
新生児高ビリルビン血症 neonatal hyperbilirubinemia ……… 818
新生児呼吸窮迫症候群 respiratory distress syndrome of the newborn ……… 1042
新生児死亡 neonatal death ……… 818
新生児死亡率 neonatal mortality rate ……… 819
新生児集中治療室 neonatal intensive care unit (NICU) ……… 819
新生児出血〔性〕疾患 hemorrhagic disease of the newborn ……… 549
新生児診断 neonatal diagnosis ……… 818
新生児水疱性膿痂疹 bullous impetigo of newborn ……… 184
新生児中毒性紅斑 erythema toxicum neonatorum ……… 416
新生児テタニー neonatal tetany ……… 819
新生児頭部皮膚炎 cradle cap ……… 294
新生児特発〔性〕壊疽 spontaneous gangrene of newborn ……… 1132
新生児剥脱性皮膚炎 dermatitis exfoliativa infantum ……… 333
新生児破傷風 tetanus neonatorum ……… 1191
新生児皮膚硬化〔症〕 sclerema neonatorum ……… 1080
新生児ヘルペス neonatal herpes ……… 818
新生児疱疹 neonatal herpes ……… 818
真性腫瘍 blastoma ……… 160
真性焼灼器 actual cautery ……… 20
新生赤血球増加〔症〕 erythroneocytosis ……… 418
真性赤血球増加〔症〕 polycythemia vera ……… 955
真正染色質 euchromatin ……… 423
真性多血症 polycythemia vera ……… 955
腎性糖尿 renal glycosuria ……… 1037
〔真性〕糖尿病 diabetes mellitus (DM) ……… 340
〔真性〕軟骨腫 enchondroma ……… 394
〔真性〕軟骨腫症 enchondromatosis ……… 394
新生物 neoplasm ……… 819
新生物随伴症候群 paraneoplastic syndrome ……… 896
新生物傍脳脊髄症 paraneoplastic encephalomyelopathy ……… 896
真正ペプチド eupeptide ……… 423
腎〔原〕性尿崩症 nephrogenic diabetes insipidus ……… 819
腎石 renal calculus ……… 1037
腎石切り術 nephrolithotomy ……… 820
腎石症 nephrolithiasis ……… 820
〔口〕唇切開〔術〕 cheilotomy ……… 227
腎石灰〔症〕 nephrocalcinosis ……… 819
腎切開〔術〕 nephrotomy ……… 820
腎石灰沈着〔症〕 nephrocalcinosis ……… 819
腎節腔 nephrocele ……… 819
唇切除〔術〕 cheilectomy ……… 227
腎切除〔術〕 nephrectomy ……… 819
腎切石〔術〕 nephrolithotomy ……… 820
浸染 imbibition ……… 605
振せん thrill ……… 1199
振せん tremor ……… 1225
振せん運動 flap ……… 459
新線条体 neostriatum ……… 819
振せん性歩行不能〔症〕 abasia trepidans ……… 1
振せんせん妄 delirium tremens (DTs) ……… 325
心選択性 cardioselectivity ……… 203
腎仙痛 renal colic ……… 1037
心尖拍動 apex beat ……… 87
心尖拍動 apical pulse ……… 88
心尖部心臓図 apexcardiography ……… 87
振せん麻痺 parkinsonism ……… 900
心像 mental image ……… 753
心臓アセスメント cardiac assessment ……… 200
心臓右位 dextroposition of the heart ……… 339
心臓右偏 dextroposition of the heart ……… 339
心臓運動性 cardiomotility ……… 202
腎造影〔法〕 nephrography ……… 819
腎造影〔法〕 renography ……… 1038
心臓炎 carditis ……… 204
腎臓潰瘍 nephrelcosis ……… 819
心臓〔病〕学 cardiology ……… 202
心臓拡張〔症〕 cardiectasia ……… 201
心臓拡張〔症〕 ectasia cordis ……… 377
心臓下垂〔症〕 cardioptosia ……… 203
心臓キモグラフィ cardiokymography ……… 202
心臓形骨盤 cordate pelvis ……… 285
心臓形子宮 cordiform uterus ……… 285
心臓ゲーティング cardiac gating ……… 200
腎臓血管造影法 renal angiography ……… 1037
心臓減圧〔術〕 cardiac decompression ……… 200
心臓刺激伝導系 conducting system of heart ……… 273
心臓障害 cardiopathy ……… 203
心臓神経症 cardiac neurosis ……… 201
心臓神経症 phrenocardia ……… 933
心臓神経節 cardiac ganglia ……… 200
心臓神経叢 cardiac plexus ……… 201
心臓震盪 commotio cordis ……… 267
心臓心膜固定〔術〕 cardiopericardiopexy ……… 203
心臓〔性〕水腫 cardiac edema ……… 200
心臓性肝硬変 cardiac cirrhosis ……… 200
心臓性ショック cardiogenic shock ……… 201
心臓切開〔術〕 cardiotomy ……… 203
心臓〔性〕ぜん息 cardiac asthma ……… 200
深層層状角膜内皮移植術 deep lamellar endothelial keratoplasty (DLEK) ……… 321
心臓促進神経 cardioaccelerator ……… 201
心臓組織球 cardiac histiocyte ……… 201
心臓大網固定〔術〕 cardioomentopexy ……… 203
心臓転位 ectocardia ……… 377
心臓転位〔症〕 ectopia cordis ……… 377
心臓軟化〔症〕 cardiomalacia ……… 202
腎臓嚢胞炎 nephrocystitis ……… 819
〔腎臓の〕弓状静脈 arcuate veins of kidney ……… 94
心臓の線維輪 right and left fibrous rings of heart ……… 1056
心臓の電気的交代 electrical alternation of heart ……… 383
心臓の法則 law of the heart ……… 685

心臓破裂 cardiorrhexis 203
心臓肥大 cardiomegaly 202
腎臓病学 nephrology 820
心臓病恐怖〔症〕 cardiophobia 203
心臓病専門医 cardiologist 202
心臓〔性〕浮腫 cardiac edema 200
心臓ヘルニア cardiocele 201
心臓偏位 ectocardia 377
心臓弁不全 cardiac valvular incompetence 201
心臓弁膜炎 cardiovalvulitis 203
心臓弁膜尖 cusp 306
心臓縫合〔術〕 cardiorrhaphy 203
心臓麻痺 cardioplegia 203
心臓力学 cardiodynamics 201
心臓リハビリテーション cardiac rehabilitation 201
腎造ろう術 nephrostomy 820
唇側傾斜 labioclination 672
迅速スミア fast smear 445
唇側前庭 labial vestibule 672
深足底動脈 deep plantar artery 322
〔深〕足底動脈弓 deep plantar (arterial) arch 322
唇側転位 labioplacement 672
唇側転位 labioversion 672
深側頭神経 deep temporal nerves 322
深側頭動脈 deep temporal artery 322
迅速塗抹〔標本〕 fast smear 445
迅速なシーケンス挿管 rapid sequence intubation (RSI) 1025
唇側副子 labial splint 672
深鼡径輪 deep inguinal ring 321
身体 body 165
靱帯 ligament 697
身体イメージ異常 body image disturbance 165
靱帯炎 desmitis 337
靱帯炎 syndesmitis 1172
身体化 somatization 1116
身体化障害 somatization disorder 1116
身体活動 physical activity 934
身体活動ピラミッド physical activity pyramid 934
身体計測 anthropometrics 78
人体計測〔法〕 anthropometry 78
靱帯結合 syndesmosis 1172
身体言語 body language 165
身体構成組織 body composition 165
靱帯骨棘形成 syndesmophyte 1172
靱帯固定〔術〕 syndesmopexy 1172
身体コンディショニング physical conditioning 934
身体死 somatic death 1115
身体失認 somatagnosia 1115
身体醜形障害 body dysmorphic disorder 165
身体準備状況アンケート Physical Readiness Questionnaire (PAR-Q) 934
身体障害者教育法 Individuals with Disabilities Education Act (IDEA) 615
身体衰弱 somatasthenia 1115
身体図式 body image 165
身体図式 body scheme 165
身体精神学 somatopsychic 1116
靱帯切開〔術〕 syndesmotomy 1172
靱帯切除〔術〕 syndesmectomy 1172
身体治療〔法〕 somatotherapy 1116
身体的精神病 somatopsychosis 1116
身体的徴候 physical sign 934
靱帯転位 syndesmectopia 1172
身体内部損傷 internal injury 634
人体熱量計 human calorimeter 573
深大脳静脈 deep cerebral veins 321
靱帯病 desmopathy 337
身体部位失認 somatotopagnosis 1116
身体負荷量 body burden 165
靱帯付着部症 enthesopathy 404
靱帯縫合〔術〕 syndesmorrhaphy 1172
靱帯膜 peridesmium 915
靱帯膜炎 peridesmitis 915
身体密度 body density 165
身体妄想 somatic delusion 1115
身体力学 body mechanics 165
人体レントゲン当量 roentgen-equivalent-man (rem) 1059
心濁音界 area of cardiac dullness 94
腎脱 nephrocele 819
深達性 II 度熱傷 deep partial-thickness burn 321
診断 diagnosis 341
診断医 diagnostician 341
診断医 medical examiner (ME) 744
診断鋭敏度 diagnostic sensitivity 341
診断過剰 diagnostic overkill 341
診断起因説 diagnosogenic theory 341
診断基準 criterion 298
診断コード diagnosis code 341
診断指標 defining characteristics 323
腎断層撮影〔法〕 nephrotomography 820
診断特異性 diagnostic specificity 341
診療不可書 nonavailability statement 837
診断別分類 diagnosis-related group (DRG) 341
心〔臓〕タンポナーデ cardiac tamponade 201
診断用超音波 diagnostic ultrasound 341
人畜伝染病 anthropozoonosis 78
シンチグラフィ scintigraphy 1079
シンチスキャン scintiscan 1079
シンチ大槽撮影〔法〕 scinticisternography 1079
シンチフォトグラフィ scintiphotography 1079
人中 philtrum 928
腎柱 renal columns 1037
伸張 expansion 430
伸張 tension 1187
身長 stature 1138
深腸骨回旋動脈 deep circumflex iliac artery 321
伸張受容器 stretch receptors 1148
伸張性筋感応 myotatic irritability 808
伸張痛 stretch pain 1148
真直緊張 orthotonos 870
シンチレーション scintillation 1079
シンチレーション計数器 scintillation counter 1079
シンチレータ scintillator 1079
〔分娩〕陣痛 labor pains 673
陣痛記録法 tocography 1207
陣痛計 parturiometer 902
陣痛計 tocodynamometer 1207
陣痛増強 augmented labor 119
心底 base of heart 139
心〔拍〕停止 cardiac arrest (CA) 200
心〔動〕停止 cardiac standstill 201
心停止法 cardioplegia 203
シンディング-ラルセン-ヨハンソン症候群 Sinding-Larsen-Johansson syndrome 1106
心的外傷 psychic trauma 998
心的外傷後ストレス障害 posttraumatic stress disorder (PTSD) 967
心的加工 working out 1293
腎摘出〔術〕 nephrectomy 819
伸展 dilation 348
伸展 extension 431
進展 evolution 425
心電計 electrocardiograph 383
親電子〔体〕 electrophil 387
心電図 electrocardiogram (ECG, EKG) 383
心電図検査〔法〕 electrocardiography 383
心電図上の協調変化 concordant changes electrocardiogram 272
心電図上の非協調性変化 discordant changes electrocardiogram 352
伸展性 compliance 270
深度 depth 332
振とう〔症〕 concussion 273
浸透〔現象〕 osmosis 871
浸透 percolation 911
震動 concussion 273
振動 oscillation 871
腎洞 renal sinus 1038
浸透圧 osmotic pressure (π) 872
浸透圧計 osmometer 871
浸透圧受容器 osmoreceptor 871
浸透圧ぜい弱性 osmotic fragility 872
浸透圧性利尿薬 osmotic diuretics 871

シ

浸透圧測定〔法〕 osmometry ………… 871
浸透圧モル osmole ………… 871
振盪音 fremitus ………… 475
振とう音 succussion sound ………… 1156
振動〔感〕覚 pallesthesia ………… 886
振動覚消失〔症〕 apallesthesia ………… 86
振動覚消失〔症〕 pallanesthesia ………… 886
唇動記録器 labiograph ………… 672
振動計 oscillometer ………… 871
振動視 oscillating vision ………… 871
振動視 oscillopsia ………… 871
振動心電図 vibrocardiogram ………… 1275
浸透性 permeability ………… 920
振動線 vibrating line ………… 1274
振動測定〔法〕 oscillometry ………… 871
浸透度 penetrance ………… 910
振とう法 vibration ………… 1274
振動マッサージ vibratory massage ………… 1274
腎動脈 renal artery ………… 1037
腎毒性 nephrotoxicity ………… 820
腎〔細胞〕毒素 nephrotoxin ………… 820
シンドビスウイルス Sindbis virus ………… 1106
シンドビス熱 Sindbis fever ………… 1106
心内腱索 chordae tendineae of heart ………… 237
心内膜 endocardium ………… 395
心内膜液浸出 pericardial effusion ………… 914
心内膜炎 endocarditis ………… 395
心内膜下層 subendocardial layer ………… 1153
心内膜心筋炎 endomyocarditis ………… 398
心内膜心筋線維症 endomyocardial fibrosis ………… 398
心内膜心膜炎 endopericarditis ………… 398
心内膜心膜心筋炎 endoperimyocarditis ………… 398
心内膜筒 endocardial heart tube ………… 395
浸軟 maceration ………… 722
侵入 invasion ………… 644
侵入 irruption ………… 648
進入機序 engagement ………… 400
進入口 portal of entry ………… 961
腎乳頭 renal papilla ………… 1037
腎尿管切除〔術〕 nephroureterectomy ………… 820
腎尿管膀胱切除〔術〕 nephroureterocystectomy ………… 820
心嚢 pericardial cavity ………… 914
心嚢開窓〔術〕 pericardiostomy ………… 914
腎膿腫 pyonephrosis ………… 1010
心嚢切開〔術〕 pericardiotomy ………… 914
心嚢切除術 pericardiectomy ………… 914
心嚢造瘻術 pericardiostomy ………… 914
心嚢蓄膿 pyopericardium ………… 1010
心臓内注射 intracardial injection ………… 640
腎〔臓〕嚢胞形成 nephrocystosis ………… 819
心嚢縫合〔術〕 pericardiorrhaphy ………… 914
シンノンブルウイルス Sin Nombre virus ………… 1107
腎杯 calyx ………… 192
じん肺〔症〕 coniosis ………… 277
じん肺〔症〕 pneumoconiosis ………… 950
心肺運動負荷試験 cardiopulmonary exercise test (CPX) ………… 203
腎杯拡張〔症〕 caliectasis ………… 191
腎杯憩室 calyceal diverticulum ………… 192
腎杯形成術 calioplasty ………… 191
心肺性雑音 cardiopulmonary murmur ………… 203
腎杯切開〔術〕 calicotomy ………… 191
心肺蘇生術 cardiopulmonary resuscitation (CPR) ………… 203
心肺内臓神経 cardiopulmonary splanchnic nerves ………… 203
心肺バイパス cardiopulmonary bypass ………… 203
腎杯縫縮術 caliorrhaphy ………… 191
心拍 heartbeat ………… 536
心拍曲線 cardiogram ………… 202
心拍記録〔法〕 cardiography ………… 202
心拍記録器 cardiograph ………… 202
心拍血液量 stroke volume ………… 1149
心拍出量 cardiac output (CO) ………… 201
心拍数 heart rate ………… 537
心拍数予備能 heart rate reserve ………… 537
心拍静止期 diastasis ………… 343
心拍促進線維 accelerator fibers ………… 8
心拍動 heartbeat ………… 536
心拍動曲線 cardiogram ………… 202
心拍動記録〔法〕 cardiography ………… 202
心拍動記録器 cardiograph ………… 202
腎剥離〔術〕 nephrolysis ………… 820
腎盤 renal pelvis ………… 1037
腎盤漏斗 infundibulum ………… 622
真皮 dermis ………… 335
深腓骨神経 deep fibular nerve ………… 321
深腓骨神経 deep peroneal nerve ………… 321
新皮質 neocortex ………… 818
塵皮質 koniocortex ………… 669
腎皮質 renal cortex ………… 1037
腎皮質小葉 cortical lobules of kidney ………… 289
〔腎皮質小葉〕曲部 convoluted part of kidney lobule ………… 284
真皮節 dermatome ………… 334
腎肥大〔症〕 nephromegaly ………… 820
腎肥大〔症〕 renomegaly ………… 1038
真皮内母斑 intradermal nevus ………… 641
真皮乳頭 dermal papillae ………… 333
腎被膜 fibrous capsule of kidney ………… 453
〔心〕頻拍 tachycardia ………… 1176
シンフィジオン symphysion ………… 1170
腎フィステル形成〔術〕 nephrostomy ………… 820
深部感覚 bathyesthesia ………… 141
深部感覚過敏 bathyhyperesthesia ………… 141
深部感覚減退 bathyhypesthesia ………… 141
深部感覚消失 bathyanesthesia ………… 141
深部静脈血栓症 deep venous thrombosis (DVT) ………… 322
心不全 cardiac insufficiency ………… 201
心不全 heart failure ………… 537
腎不全 renal failure ………… 1037
心不全細胞 heart failure cell ………… 537
深部組織マッサージ deep tissue massage ………… 322
深部反射 deep reflex ………… 322
心壁血栓 mural thrombus ………… 793
腎ヘルニア nephrocele ………… 819
心変換 cardiovert ………… 204
〔心〕弁膜炎 valvulitis ………… 1259
心房 atrium of heart ………… 116
心房解離 atrial dissociation ………… 115
心房隔開口〔術〕 atrioseptostomy ………… 115
心房隔切開〔術〕 atrioseptostomy ………… 115
心房間伝導時間 intraatrial conduction time ………… 640
〔口〕唇縫合〔術〕 cheilorrhaphy ………… 227
新膀胱 neobladder ………… 818
心房〔性〕細動 atrial fibrillation ………… 115
心放射図 radiocardiogram ………… 1020
心房性期外収縮 atrial extrasystole ………… 115
心房性期外収縮 premature atrial contraction (PAC) ………… 973
心房性増圧反射 auriculopressor reflex ………… 119
心房性補充拍動 atrial capture beat ………… 115
心房粗動 atrial flutter ………… 115
腎縫着〔術〕 nephrorrhaphy ………… 820
心房中隔 interatrial septum ………… 630
心房中隔開口〔術〕 atrial septostomy ………… 115
心房中隔形成〔術〕 atrioseptoplasty ………… 115
心房中隔欠損〔症〕 atrial septal defect (ASD) ………… 115
心房中隔切開〔術〕 atrial septostomy ………… 115
心房停止 atrial standstill ………… 115
心房動脈 atrial arteries ………… 115
心房内伝導 intraatrial conduction ………… 640
心房内伝導時間 intraatrial conduction time ………… 640
心房内ブロック intraatrial block ………… 640
心房波形 atrial complex ………… 115
心房肥大〔症〕 atriomegaly ………… 115
心房融合収縮 atrial fusion beat ………… 115
シンポート symport ………… 1170
新補助療法 neoadjuvant ………… 818
心膜 heart sac ………… 537
心膜 pericardium ………… 914
心膜炎 pericarditis ………… 914
心膜横隔静脈 pericardiacophrenic veins ………… 914
心膜横隔動脈 pericardiacophrenic artery ………… 914
心膜横洞 transverse pericardial sinus ………… 1222
心膜気腫 pneumopericardium ………… 951
心膜腔 pericardial cavity ………… 914

心膜腔穿刺〔術〕 pericardicentesis ……… 914
心膜血気腫 hemopneumopericardium ……… 548
心膜血腫 hemopericardium ……… 548
心膜静脈 pericardial veins ……… 914
心膜振とう音 pericardial fremitus ……… 914
心膜水気腫 hydropneumopericardium ……… 580
心膜水腫 hydropericardium ……… 579
心膜切開〔術〕 pericardiotomy ……… 914
心膜切開後症候群 postpericardiotomy syndrome ……… 967
心膜切除術 pericardiectomy ……… 914
心膜臓側板 visceral layer of serous pericardium ……… 1277
心膜の癒着 pericardial symphysis ……… 914
心膜腹膜腔管 pericardioperitoneal canal ……… 914
心膜縫合〔術〕 pericardiorrhaphy ……… 914
心膜癒着 accretio cordis ……… 9
心膜癒着 concretio cordis ……… 273
じんま疹 urticaria ……… 1254
じんま疹 urtication ……… 1254
じんま疹 wheal ……… 1290
じんま疹剤 urticating agent ……… 1254
心〔臓〕マッサージ heart massage ……… 537
心脈波計 cardiosphygmograph ……… 203
新脈管形成 angiogenesis ……… 67
心癒着 accretio cordis ……… 9
腎葉間静脈 interlobar veins of kidney ……… 632
心〔臓〕予備力 cardiac reserve ……… 201
信頼性 reliability ……… 1036
信頼調査 credentialing ……… 296
信頼度 reliability ……… 1036
心理学 psychology ……… 999
心理学者 psychologist ……… 999
心理劇 psychodrama ……… 998
心理言語学 psycholinguistics ……… 999
心理測定〔学〕 psychometry ……… 999
心律動異常 cardiac dysrhythmia ……… 200
診療 practice ……… 970
診療ガイドライン clinical practice guidelines ……… 251
診療拠点 place of service (POS) ……… 942
診療記録 medical record ……… 744
診療指針 practice guidelines ……… 970
診療所 dispensary ……… 354
〔付属〕診療所 infirmary ……… 620
診療所内検査室 physician office laboratory (POL) ……… 934
診療報酬のアサインメント assignment of benefits ……… 108
心理療法 psychotherapy ……… 1000
人類遺伝学 human genetics ……… 573
人類学 anthropology ……… 78
人類生態学 human ecology ……… 573
唇裂 cleft lip ……… 249
腎ろう nephrophthisis ……… 820
腎ろう造影 nephrostogram ……… 820
腎瘻チューブ nephrostomy tube ……… 820
真肋 true ribs [I-VII] ……… 1234
親和性 affinity ……… 33
親和力 chemical attraction ……… 228

ス

酢 vinegar ……… 1276
垂 appendix ……… 91
膵 pancreas ……… 888
髄〔質〕 pulp ……… 1004
随意運動 autokinesia ……… 122
随意筋 voluntary muscle ……… 1282
随意振せん volitional tremor ……… 1282
膵胃吻合〔術〕 pancreatogastrostomy ……… 889
〔髄液〕細胞増加〔症〕 pleocytosis ……… 947
膵液消化 pancreatic digestion ……… 889
髄液糖過剰〔症〕 hyperglycorrhachia ……… 584
髄液糖減少〔症〕 hypoglycorrhachia ……… 594
髄液〔性〕鼻漏 cerebrospinal fluid rhinorrhea ……… 222
膵〔臓〕炎 pancreatitis ……… 889
膵芽 pancreatic buds ……… 889
髄外原性線維 exogenous fibers ……… 429
水解小体 lysosome ……… 721
髄角 pulp horn ……… 1004
髄芽〔細胞〕腫 medulloblastoma ……… 746
水管 aqueduct ……… 92
膵管 pancreatic duct ……… 889
水癌 noma ……… 837
膵管括約筋 sphincter of pancreatic duct ……… 1123
水気胸 hydropneumothorax ……… 580
水気症 hydropneumatosis ……… 580
膵機能減退 hypopancreatism ……… 595
水気腹膜 hydropneumoperitoneum ……… 580
水胸〔症〕 hydrothorax ……… 580
水銀剤 mercurial ……… 754
水筋腫 hydromyoma ……… 579
水銀中毒 mercury poisoning ……… 754
〔骨〕髄腔 medullary space ……… 746
髄腔 pulp chamber ……… 1004
膵空腸吻合〔術〕 pancreatojejunostomy ……… 889
水屈性 hydrotropism ……… 580
膵頸 neck of pancreas ……… 815
水血症 hydremia ……… 578
水睾丸瘤 hydrosarcocele ……… 580
水剤 solution ……… 1115
膵〔臓〕撮影 pancreatography ……… 889
水酸化酵素 hydroxylases ……… 581
水酸化リン灰石 hydroxyapatite ……… 580
〔下〕垂趾 toe-drop ……… 1207
水止胃 water-trap stomach ……… 1286
髄質 medulla ……… 745
髄質 medullary substance ……… 746
髄質化 medullization ……… 746
髄質化 pulpifaction ……… 1004
髄質海綿腎 medullary sponge kidney ……… 746
膵疾患 pancreatopathy ……… 889
髄質切除〔術〕 medullectomy ……… 746
衰弱 marasmus ……… 732
衰弱 symptosis ……… 1170
衰弱 weakness ……… 1287
水腫 edema ……… 378
膵腫〔脹〕 pancreatomegaly ……… 889
〔下〕垂手 wrist-drop ……… 1294
膵周囲炎 peripancreatitis ……… 917
膵十二指腸静脈 pancreaticoduodenal veins ……… 889
膵〔頭〕十二指腸切除〔術〕 pancreatoduodenectomy ……… 889
膵十二指腸吻合〔術〕 pancreatoduodenostomy ……… 889
水腫性硬化〔症〕 scleredema ……… 1080
水準 level ……… 696
水準基標 benchmarking ……… 145
水症 hydrops ……… 580
髄鞘芽細胞 lemmoblast ……… 689
髄鞘球 myelocyte ……… 803
髄鞘形成 myelination ……… 803
髄鞘細胞 lemmocyte ……… 689
髄鞘消失 amyelination ……… 57
推奨食事許容量 recommended dietary allowance (RDA) ……… 1028
髄鞘節 internodal segment ……… 636
水晶体 lens ……… 689
錐状体 cone ……… 274
水晶体アナフィラキシー phacoanaphylaxis ……… 923
水晶体および瞳孔偏位 ectopia lentis et pupillae ……… 377
錐状体顆粒 cone granule ……… 275
水晶体吸引 phacoerysis ……… 923
水晶体鏡 phacoscope ……… 923
水晶体形態性緑内障 phacomorphic glaucoma ……… 923
水晶体後線維増殖〔症〕 retrolental fibroplasia ……… 1048
錐状体細胞 cone cell ……… 274
水晶体腫 phacoma ……… 923
水晶体小窩 lens pits ……… 689
水晶体星 vortex lentis ……… 1283
水晶体星芒 lens stars ……… 689
水晶体切開 phacolysis ……… 923
水晶体切除術 lensectomy ……… 689
水晶体超音波吸引〔術〕 phacoemulsification ……… 923
水晶体転位〔症〕 ectopia lentis ……… 377

ス

水晶体転位 phacocele ……… 923
水晶体軟化 phacomalacia ……… 923
水晶体嚢 capsule of lens ……… 197
水晶体嚢 lens capsule ……… 689
水晶体嚢拡張リング capsular tension ring ……… 197
水晶体嚢白内障 capsular cataract ……… 197
〔水晶体〕破嚢〔術〕 capsulorrhexis ……… 197
水晶体偏位 ectopia lentis ……… 377
水晶体包 capsule of lens ……… 197
水晶体胞 lens vesicle ……… 689
水晶体包〔被膜〕切開刀 cystotome ……… 311
水晶体放線 radii of lens ……… 1019
水晶体融解 phacolysis ……… 923
水晶体乱視 lenticular astigmatism ……… 689
髄鞘脱落 demyelination ……… 327
水小頭〔症〕 hydromicrocephaly ……… 579
水晶嚢皮質白内障 capsulolenticular cataract ……… 197
髄〔様〕上皮腫 medulloepithelioma ……… 746
膵静脈 pancreatic veins ……… 889
水腎〔症〕 hydronephrosis ……… 579
膵腎症候群 pancreatorenal syndrome ……… 889
水腎杯〔症〕 hydrocalycosis ……… 578
水心膜炎 hydropericarditis ……… 579
水髄膜瘤 hydromeningocele ……… 579
水性懸濁剤 mixture ……… 776
水性そう痒〔症〕 aquagenic pruritus ……… 92
水精巣瘤 hydrosarcocele ……… 580
水〔様〕性胆汁分泌 hydrocholeresis ……… 578
膵石 pancreatic calculus ……… 889
膵石症 pancreatolithiasis ……… 889
水脊髄〔症〕 hydromyelia ……… 579
水脊髄瘤 hydromyelocele ……… 579
膵石切開〔術〕 pancreatolithotomy ……… 889
髄節 myelomere ……… 804
膵切開〔術〕 pancreatotomy ……… 889
膵切除〔術〕 pancreatectomy ……… 888
膵前動脈 prepancreatic artery ……… 974
水素 hydrogen (H) ……… 578
水素イオン hydrogen ion (H^+) ……… 579
水素イオン指数 hydrogen exponent ……… 579
水相 aqueous phase ……… 92
膵臓 pancreas ……… 888
吹送麻酔〔法〕 insufflation anesthesia ……… 628
水素化物 hydride ……… 578
水素供与体 hydrogen donor ……… 579
〔下〕垂足 footdrop ……… 469
水素結合 hydrogen bond ……… 579
膵組織崩壊 pancreatolysis ……… 889
水素指数 pH ……… 923
水素添加〔作用〕 hydrogenation ……… 579
水素ポンプ hydrogen pump ……… 579
水素輸送 hydrogen transport ……… 579
衰退 deterioration ……… 337
錐体 pyramid ……… 1011
錐体 pyramis ……… 1011
錐体外路運動系 extrapyramidal motor system ……… 436
錐体外路系疾患 extrapyramidal disease ……… 436
錐体外路性ジスキネジー extrapyramidal dyskinesia ……… 436
錐体-杆体網膜ジストロフィ cone-rod retinal dystrophy ……… 275
錐体筋 pyramidalis muscle ……… 1011
錐体交叉 pyramidal decussation ……… 1011
錐体後頭裂 petrooccipital fissure ……… 922
錐体鼓室裂 petrotympanic fissure ……… 922
錐体細胞 pyramidal cells ……… 1011
錐体状骨折 pyramidal fracture ……… 1011
錐体状白内障 pyramidal cataract ……… 1011
錐体尖炎 petrositis ……… 922
錐体尖化膿症 petrositis ……… 922
錐体尖〔端〕削開〔術〕 apicectomy ……… 88
錐体放線 pyramidal radiation ……… 1011
錐体隆起 eminentia pyramidalis ……… 391
錐体路 pyramidal tract ……… 1011
錐体路〔障害〕徴候 pyramid sign ……… 1011
水治〔療〕法 hydrotherapy ……… 580
水中秤量 underwater weighing ……… 1246
水中密封ドレナージ underwater seal drainage ……… 1246
垂直眼振 vertical nystagmus ……… 1271
垂直心 vertical heart ……… 1271
垂直舌筋 vertical muscle of tongue ……… 1271
垂直線外回転 off-vertical rotation ……… 855
垂直層流式フード vertical laminar flow hood ……… 1271
垂直帯胃形成〔術〕 vertical banded gastroplasty ……… 1271
垂直的統合 vertical integration ……… 1271
垂直伝播 vertical transmission ……… 1271
垂直被蓋 vertical overlap ……… 1271
水槌脈 water-hammer pulse ……… 1286
推定エネルギー必要量 estimated energy requirement (EER) ……… 421
推定眼ヒストプラスマ症 presumed ocular histoplasmosis ……… 976
推定値 estimate ……… 421
推定平均必要量 estimated average requirement (EAR) ……… 421
水頭〔症〕 hydrocephalus ……… 578
水痘 varicella ……… 1260
水道 aqueduct ……… 92
〔膵〕島細胞 islet cell ……… 649
水痘-帯状疱疹ウイルス varicella-zoster virus ……… 1260
水痘脳炎 varicella encephalitis ……… 1260
錘内〔筋〕線維 intrafusal fibers ……… 641
水尿管〔症〕 hydroureter ……… 580
髄脳 myelencephalon ……… 803
水嚢腫 hydrocyst ……… 578
水膿腎〔症〕 hydropyonephrosis ……… 580
膵嚢胞十二指腸瘻造設術 pancreatic cystoduodenostomy ……… 889
膵嚢胞性線維症 cystic fibrosis ……… 310
随伴症状 accessory symptom ……… 9
膵尾 tail of pancreas ……… 1177
膵尾動脈 artery of the pancreatic tail ……… 102
水分過剰 hyperhydration ……… 584
水分均衡 isorrhea ……… 652
水分減少症 hypohydration ……… 594
水分補給 hydration ……… 578
水平横走軸 transverse horizontal axis ……… 1221
水平心 horizontal heart ……… 571
水平層流フード horizontal laminar flow hood ……… 571
水平断裂 horizontal tear ……… 571
水平伝播 horizontal transmission ……… 571
水平被蓋 horizontal overlap ……… 571
水平面 horizontal plane ……… 571
〔小脳の〕水平裂 horizontal fissure of cerebellum ……… 571
水疱 blister ……… 162
水疱 bulla ……… 183
水泡音 rale ……… 1022
水泡音 rhonchus ……… 1053
水疱型先天性魚鱗癬様紅皮症 bullous congenital ichthyosiform erythroderma ……… 183
水疱症 hydroa ……… 578
水泡振とう音 rhonchal fremitus ……… 1053
水疱性角膜症 bullous keratopathy ……… 184
水疱性先天性魚鱗癬様紅皮症 bullous congenital ichthyosiform erythroderma ……… 183
水疱性類天疱瘡 bullous pemphigoid ……… 184
髄放線 medullary ray ……… 746
水胞体 hydatid ……… 577
水疱発生 vesiculation ……… 1273
髄膜 meninx ……… 752
髄膜炎 meningitis ……… 752
髄膜炎菌 meningococcus ……… 752
髄膜炎菌 *Neisseria meningitidis* ……… 817
髄膜炎菌血〔症〕 meningococcemia ……… 752
髄膜炎菌性〔脳脊〕髄膜炎 meningococcal meningitis ……… 752
髄膜炎線条 meningitic streak ……… 752
髄膜腫 meningioma ……… 751
髄膜出血 meningorrhagia ……… 752
髄膜症 meningism ……… 752
髄膜神経根炎 meningoradiculitis ……… 752
髄膜脊髄炎 meningomyelitis ……… 752
髄膜脊髄瘤 meningomyelocele ……… 752
髄膜組織球 meningocyte ……… 752
髄膜脳炎 meningoencephalitis ……… 752
髄膜脳症 meningoencephalopathy ……… 752
髄膜脳脊髄炎 meningoencephalomyelitis ……… 752
髄膜脳瘤 meningoencephalocele ……… 752

髄膜ヘルニア meningocele ········· 752
髄膜縫合〔術〕 meningeorrhaphy ········· 751
髄膜瘤 meningocele ········· 752
睡眠 sleep ········· 1110
睡眠異常〔症〕 dyssomnia ········· 372
睡眠覚醒判定装置 actigraphy ········· 17
睡眠過剰 hypersomnia ········· 589
睡眠欠落 sleep deficit ········· 1110
睡眠シネ撮影〔法〕 somnocinematography ········· 1117
睡眠時ひきつけ hypnagogic startle ········· 590
睡眠時無呼吸 sleep apnea ········· 1110
睡眠障害 somnipathy ········· 1117
睡眠障害の国際分類 International Classification of Sleep Disorders (ICSD) ········· 635
睡眠病 sleeping sickness ········· 1110
睡眠不全 dyssomnia ········· 372
睡眠不足 sleep deficit ········· 1110
睡眠不足症候群 insufficient sleep syndrome ········· 628
睡眠発作 narcolepsy ········· 811
睡眠ポリグラフ polysomnogram ········· 958
睡眠麻痺 sleep paralysis ········· 1110
睡眠療法 hypnotherapy ········· 591
水無脳症 hydranencephaly ········· 577
髄様癌 medullary carcinoma ········· 746
髄様骨腫 osteoma medullare ········· 874
水様尿 albiduria ········· 39
水瘤 hydrocele ········· 578
水瘤切除〔術〕 hydrocelectomy ········· 578
水和 hydration ········· 578
スウェーデン式マッサージ Swedish massage ········· 1168
スヴェードベリー単位 Svedberg unit (S) ········· 1168
スーダンウイルス Sudan virus ········· 1157
スーパーオキシド superoxide ········· 1163
スーパーオキシドジスムターゼ superoxide dismutase ········· 1163
ズーブロット分析 zoo blot analysis ········· 1302
スエージド針 swaged needle ········· 1168
頭蓋底 external base of skull ········· 433
頭蓋内圧高進 intracranial hypertension (ICH) ········· 640
スカトール skatole ········· 1108
スカトキシル skatoxyl ········· 1108
スカベンジャーレセプタ scavenger receptor ········· 1076
図柄と地面 figure and ground ········· 454
スカルパ筋膜 Scarpa fascia ········· 1075
スカルパ法 Scarpa method ········· 1075
スカンツォーニ操作 Scanzoni maneuver ········· 1074
スキーン細管 Skene tubule ········· 1108
スキムミルク skim milk ········· 1109
スキャニング scanning ········· 1074
スキャノグラム scanogram ········· 1074
スキャプション scaption ········· 1075
スキャン〔法〕 scanning ········· 1074
スキル skill ········· 1108
スクール・ナース・プラクティショナー school nurse practitioner ········· 1078
スクシニルコエンチームA succinyl-coenzyme A ········· 1156
スクラッチ試験 scratch test ········· 1082
スクリーニング screening ········· 1082
スクリーニング試験 screening test ········· 1082
スクループル scruple ········· 1083
スクルテーツス体位 Scultetus position ········· 1083
スクルテーツス包帯 Scultetus bandage ········· 1083
スクロース sucrose ········· 1156
スクロースα-D-グルコヒドロラーゼ sucrose alpha-D-glucohydrolase ········· 1156
スクロース血症 sucrosemia ········· 1156
スクロース尿症 sucrosuria ········· 1156
スケーリング scaling ········· 1074
スコダ共鳴音 skodaic resonance ········· 1109
スコッチテリア〔像〕 scotty dog ········· 1082
スコット手術 Scott operation ········· 1082
スコトプシン scotopsin ········· 1082
スターリング仮説 Starling hypothesis ········· 1137
スターリング曲線 Starling curve ········· 1137
スターリング反射 Starling reflex ········· 1137
スターンズアルコール性アメンチア Stearns alcoholic amentia ········· 1138
スターン体位 Stern posture ········· 1141
スタイレット stylette ········· 1150
スタイン試験 Stein test ········· 1138
スタウファー症候群 Stauffer syndrome ········· 1138
スタウリオン staurion ········· 1138
スタッタリング検査 stutter test ········· 1150
スタッフ教育 staff education ········· 1134
スタビラート stabilate ········· 1134
スタフィリオン staphylion ········· 1136
スタフィロキナーゼ staphylokinase ········· 1136
スタフィロリジン staphylolysin ········· 1136
スタンフォード-ビネー知能スケール Stanford-Binet intelligence scale ········· 1135
スチグマ stigma ········· 1142
スチグマ形成 stigmatization ········· 1142
スチュアート試験 Stewart test ········· 1142
スチュアート-トリーヴェス症候群 Stewart-Treves syndrome ········· 1142
スチュアート-ホームズ徴候 Stewart-Holmes sign ········· 1142
スチューデント*t*検定 Student *t*-test ········· 1150
スチルベン stilbene ········· 1142
頭痛 cephalalgia ········· 219
頭痛 cephalodynia ········· 220
頭痛 headache (HA) ········· 534
スツルバイト結石 struvite calculus ········· 1149
スティーヴェンズ-ジョンソン症候群 Stevens-Johnson syndrome ········· 1142
スティル雑音 Still murmur ········· 1143
スティル病 Still disease ········· 1143
ステープリング stapling ········· 1137
ステニオン stenion ········· 1139
ステビオサイド Steviosidea ········· 1142
ステファニオン stephanion ········· 1139
ステリン sterol ········· 1142
ステルコビリン stercobilin ········· 1140
ステロイド steroid ········· 1141
ステロイド痤瘡 steroid acne ········· 1141
ステロイド産生腫瘍 steroid cell tumor ········· 1142
ステロイド性潰瘍 steroid ulcer ········· 1142
ステロイド生成 steroidogenesis ········· 1142
ステロイドホルモン steroid hormones ········· 1142
ステロイド類 steroids ········· 1142
ステロール sterol ········· 1142
ステント stent ········· 1139
ステント術 stenting ········· 1139
ストークス stoke ········· 1144
ストークス切断術 Stokes amputation ········· 1144
ストークスの法則 Stokes law ········· 1144
ストッカー線 Stocker line ········· 1143
ストッキング stocking ········· 1143
ストックホルム症候群 Stockholm syndrome ········· 1143
ストマトサイト増加症 stomatocytosis ········· 1144
ストライカー枠 Stryker frame ········· 1150
ストリオーラ striola ········· 1148
ストリーターの発生段階 Streeter developmental horizon (s) ········· 1146
ストリートドラッグ street drug ········· 1146
ストリキニーネ strychnine ········· 1149
ストリキニン strychnine ········· 1149
ストリキニン中毒 strychninism ········· 1150
ストリッピング vein stripping ········· 1265
ストリップ法 strip ········· 1148
ストリングサイン string sign ········· 1148
ストレス stress ········· 1147
ストレス潰瘍 stress ulcer ········· 1147
ストレス試験 stress test ········· 1147
ストレス反応 stress reaction ········· 1147
ストレッサー stressor ········· 1147
ストレッチ運動 stretching exercise ········· 1148
ストレッチャー stretcher ········· 1148
ストレプトアビジン streptavidin ········· 1146
ストレプトキナーゼ streptokinase (SK) ········· 1147
ストレプトグラミン streptogramin ········· 1147
ストレプトリジン streptolysin ········· 1147
ストロー徴候 Straus sign ········· 1146
ストロビラ strobila ········· 1148

ストロボスコープ顕微鏡 stroboscopic microscope ……1148
ストロボスコピー stroboscopy ……1148
ストロマ stroma ……1149
スナイダー試験 Snyder test ……1112
砂時計胃 hourglass stomach ……572
砂時計形雑音 hourglass murmur ……572
砂時計〔状〕収縮 hourglass contraction ……572
スナノミ jigger ……656
スナノミ *Tunga penetrans* ……1238
脛 shank ……1099
スネイルトラック変性 snail track degeneration ……1112
スネドン症候群 Sneddon syndrome ……1112
スネレン視力表 Snellen test type ……1112
スネレンE視力表 Snellen E-chart ……1112
スパーリング検査 Spurling test ……1133
スパイカギプス包帯 spica cast ……1124
スパイク spike ……1124
スパイク複合波 spike-and-wave complex ……1124
スパイロメータ spirometer ……1127
スパランツァーニの法則 Spallanzani law ……1118
スピーキングチューブ speaking tube ……1119
スピーチバルブ speech bulb ……1120
スピーチプロセッサー speech processor ……1121
スピード・テスト Speed test ……1121
スピクラ spicule ……1124
スピッツ母斑 Spitz nevus ……1127
ズビニ鉤虫 *Ancylostoma duodenale* ……63
図表 chart ……227
スピリルム spirillum ……1127
スピロヘータ血〔症〕 spirochetemia ……1127
スピンエコー〔法〕 spin echo ……1126
スピン密度 spin density ……1126
スフィグモスコープ sphygmoscope ……1123
スフィンゴシン sphingosine ……1123
スフィンゴミエリン sphingomyelins ……1123
スフィンゴミエリンホスホジエステラーゼ sphingomyelin phosphodiesterase ……1123
スフィンゴリピド sphingolipid ……1123
スフィンゴリピドーシス sphingolipidosis ……1123
スプーン〔状〕爪 spoon nail ……1132
スフェニオン sphenion ……1122
スフェノティック sphenotic ……1122
スブスピナーレ subspinale ……1155
スブナザーレ subnasion ……1154
スプライシング splicing ……1130
スプラーグ・ドーリー・ラット Sprague Dawley rat ……1133
スプラメンターレ supramentale ……1164
スプルー celiac disease ……213
スプルー sprue ……1133
スプレー spray ……1133
スペイン〔型〕インフルエンザ Spanish influenza ……1118
スペクトリン spectrin ……1120
スペクトル spectrum ……1120
スペクトロメータ spectrometer ……1120
スペクトロメトリ spectrometry ……1120
スポーツ医学 sports medicine ……1132
スポーツマッサージ sports massage ……1132
スポット地図 spot map ……1133
スポロキスト sporocyst ……1132
スポロゴニー sporogony ……1132
スポロシスト sporocyst ……1132
スポロゾイト sporozoite ……1132
スポロゾイド形成 sporogony ……1132
スポロゾイド周囲蛋白 circumsporozoite protein ……246
スポロトリクス症 sporotrichosis ……1132
スポロブラスト sporoblast ……1132
スポロント sporont ……1132
スポンジ入浴 sponge bath ……1130
炭 charcoal ……226
スミア smear ……1111
住み込み医師 house physician ……572
スミス-インド式手術 Smith-Indian operation ……1112
スミス骨折 Smith fracture ……1111
スミス-ピーターセン釘 Smith-Petersen nail ……1112
スメグマ smegma ……1111
スモッグ smog ……1112
スライド式気管形成〔術〕 slide tracheoplasty ……1110
スライド皮弁 sliding flap ……1110
スリガラス像 ground-glass pattern ……519
すりガラス(様陰影) ground glass ……519
すり傷 excoriation ……426
刷り込み imprinting ……610
すりつぶし trituration ……1231
スルーレート slew rate ……1110
スルファターゼ sulfatase ……1158
スルファチド sulfatides ……1158
スルフィド sulfide ……1158
スルフヒドリル sulfhydryl (SH) ……1158
スルフヘモグロビン血症 sulfhemoglobinemia ……1158
スルフメトヘモグロビン sulfmethemoglobin ……1158
スルフリル sulfuryl ……1158
スルホキシド sulfoxide ……1158
スルホサリチル酸 sulfosalicylic acid (SSA) ……1158
スルホトランスフェラーゼ sulfotransferase ……1158
スルホニル尿素 sulfonylureas ……1158
スルホブロモフタレインナトリウム sulfobromophthalein sodium ……1158
スルホン sulfone ……1158
スルホン酸 sulfonic acid ……1158
スレオニン threonine (T, Thr) ……1198
スローウイルス slow virus ……1111
スローカム引き出しテスト Slocum drawer test ……1111
スロー・コード slow code ……1111
スワイアー-ジェームズ症候群 Swyer-James syndrome ……1169
スワイアー症候群 Swyer syndrome ……1169
スワブ swab ……1168
スワン-ガンツカテーテル Swan-Ganz catheter ……1168
スワン-ネック変形 swan-neck deformity ……1168

セ

背 dorsum ……361
セアーマーチン寒天〔培地〕 Thayer-Martin agar ……1192
性 gender ……492
性 sex ……1097
性 sexuality ……1098
聖アントニー熱 Saint Anthony fire ……1068
正イオン cation ……210
正位型尿管瘤 orthotopic ureterocele ……870
成育可能 viability ……1274
正位性尿管瘤 orthotopic ureterocele ……870
制淫薬 anaphrodisiac ……61
精液 semen ……1089
精液 seminal fluid ……1090
精液顆粒 seminal granule ……1090
精液検査 semen analysis ……1089
精液湖 seminal lake ……1090
精液水瘤 spermatocele ……1121
〔精液〕早漏 premature ejaculation ……973
精液注入 insemination ……626
精液尿〔症〕 semenuria ……1089
精液尿〔症〕 spermaturia ……1121
精液瘤 gonocele ……511
精液瘤 spermatocele ……1121
精液漏 spermatorrhea ……1121
正円孔 foramen rotundum ……469
声音異常 heterophonia ……559
声音振とう音 vocal fremitus ……1281
成果 outcomes ……877
生化学 biochemistry ……153
生化学的〔効果〕修飾 biochemical modulation ……153
性格 character ……226
性学 sexology ……1098
性格異常 character disorder ……226
性格神経症 character neurosis ……226
正確度 accuracy ……9
精確度 precision ……971
精芽細胞 spermatoblast ……1121

星芽腫 astroblastoma …… 110
生下〔時〕体重 birth weight …… 157
生活 life …… 697
生活規則 regimen …… 1034
生活困窮者健康保険制度 Medicaid …… 744
生活歯髄 vital pulp …… 1279
生活上のストレス life stress …… 697
生活上の出来事 life events …… 697
生活の質 quality of life (Q.O.L.) …… 1015
生活〔能〕力 viability …… 1274
制汗 hidroschesis …… 561
精管 gonaduct …… 511
精管 seminal duct …… 1090
精管 spermatic duct …… 1121
精管炎 deferentitis …… 322
精管炎 vasitis …… 1262
精管結紮〔法〕 vasoligation …… 1263
精管結石 spermolith …… 1122
精管撮影〔法〕 vasography …… 1263
精管精索切除〔術〕 angioneurectomy …… 68
精管精巣上体吻合〔術〕 vasoepididymostomy …… 1262
精管精巣吻合術 vasoorchidostomy …… 1263
精管精嚢切除〔術〕 vasovesiculectomy …… 1263
精管切開〔術〕 vasotomy …… 1263
精管切除〔術〕 vasectomy …… 1262
精管切断〔術〕 vastomy …… 1263
精管穿刺 vasopuncture …… 1263
性感染病 sexually transmitted disease (STD) …… 1098
精管造影〔法〕 vasography …… 1263
性感〔発生〕帯 erogenous zone …… 414
精管動脈 artery to ductus deferens …… 102
精管フィステル形成〔術〕 vasostomy …… 1263
精管吻合〔術〕 vasovasostomy …… 1263
精管膨大部 ampulla of ductus deferens …… 56
制汗薬 antiperspirant …… 82
生気 animation …… 70
生気 animus …… 70
性器 genitals …… 495
正規化 normalization …… 840
性器期 genital phase …… 495
性器自己検診法 genital self-examination …… 495
性器性欲 genitality …… 495
性機能亢進〔症〕 hypergonadism …… 584
性機能障害 psychosexual dysfunction …… 999
性器発育異常 gonadal dysgenesis …… 510
性器発育過度 hypergenitalism …… 584
性器発育不全〔症〕 hypogenitalism …… 593
性器発育不全奇形 agenosomia …… 34
正規分布 normal distribution …… 840
精丘 seminal colliculus …… 1090
精丘炎 colliculitis …… 262
正球性貧血 normocytic anemia …… 840
精丘切除〔術〕 colliculectomy …… 262
制御 control …… 282
正極 anode …… 72
制御の部位 locus of control …… 708
〔性器〕露出症者 exhibitionist …… 428
性器矮小症 microgenitalism …… 767
成形 molding …… 778
整形外科 orthopaedic surgery …… 870
整形外科〔学〕 orthopedics …… 870
生検 biopsy …… 154
制限エンドヌクレアーゼ restriction endonuclease …… 1044
生検鉗子 bioptome …… 155
制限酵素断片長多型 restriction fragment length polymorphism (RFLP) …… 1044
制限酵素認識部位 restriction site …… 1044
精原細胞 spermatogonium …… 1121
制限部位多型性 restriction-site polymorphism …… 1044
性交 coitus …… 260
性交 sexual intercourse …… 1098
性交因子 copuline …… 285
性交後〔精子疎通性〕検査 postcoital test …… 963
性交頭痛 coital headache …… 260
生合成 biosynthesis …… 155
性交疼痛〔症〕 dyspareunia …… 371
整骨医 osteopathic physician …… 875
整骨治療学 osteopathy …… 875
製剤学 pharmaceutics …… 924
精細管 seminiferous tubule …… 1090
製剤室 laboratory …… 672
性細胞 sex cell …… 1097
星細胞 stellate cell …… 1138
星〔状膠〕細胞腫 astrocytoma …… 110
性差医療 gender-specific medicine …… 492
性索 germinal cords …… 496
精索 spermatic cord …… 1121
精索 testicular cords …… 1190
精索炎 funiculitis …… 481
精索固定〔術〕 funiculopexy …… 481
精索周囲炎 perispermatitis …… 918
精索静脈瘤 varicocele …… 1261
精索静脈瘤切除〔術〕 varicocelectomy …… 1261
精索突起 funicular process …… 481
静座不能 akathisia …… 37
性差別 sexism …… 1098
生産児 liveborn infant …… 706
制酸薬 antacid …… 74
制止 arrest …… 96
制止 inhibition …… 624
青〔色〕視〔症〕 cyanopsia …… 308
生歯 dentition …… 330
正〔常〕視 emmetropia …… 391
生歯 odontiasis …… 853
静止 rest …… 1043
静止 stasis …… 1137
精子 spermium …… 1122
生歯 teething …… 1182
生歯異常 dysodontiasis …… 371
精子過少〔症〕 oligospermia …… 857
精子過少〔症〕 oligozoospermia …… 857
精子過多〔症〕 polyspermia …… 958
正視眼 emmetropia …… 391
精子完成 spermiogenesis …… 1121
清拭 bed bath …… 143
正色〔素〕性貧血 normochromic anemia …… 840
正色素性 normochromia …… 840
正軸進入 synclitism …… 1171
精子形成 spermatogenesis …… 1121
精子減少〔症〕 oligospermia …… 857
精子減少〔症〕 oligozoospermia …… 857
製紙工場作業者病 paper mill worker's disease …… 891
生歯困難 dysodontiasis …… 371
精子細胞 spermatid …… 1121
精子細胞性精上皮腫 spermacytic seminoma …… 1121
精子細胞性セミノーマ spermacytic seminoma …… 1121
精子死滅〔症〕 necrospermia …… 816
精子侵入路 sperm track …… 1122
精子生成 spermatogenesis …… 1121
精子先端形成体 acroblast …… 15
精子単星 sperm-aster …… 1121
精子貯蔵所 reservoir of sperms …… 1040
性指定 sex assignment …… 1097
静止肺 quiet lung …… 1016
精子発生 spermatogenesis …… 1121
生歯不全 maleruption …… 727
精子無力〔症〕 asthenospermia …… 109
精子無力症 asthenozoospermia …… 109
ぜい弱X症候群 fragile X syndrome (FMR1) …… 474
ぜい弱X染色体 fragile X chromosome …… 473
ぜい弱性 fragility …… 474
脆弱性 vulnerability …… 1283
ぜい弱性試験 fragility test …… 474
ぜい弱部 fragile site …… 473
成熟 maturation …… 737
成熟 maturity …… 737
成熟血球状態 orthocytosis …… 869
成熟指数 maturation index …… 737
成熟停止 maturation arrest …… 737
成熟白内障 mature cataract …… 737
成熟〔バクテリオ〕ファージ mature bacteriophage …… 737
成熟分裂 meiosis …… 747

成熟抑制 maturation arrest …… 737
成熟卵 ootid …… 861
正常〔状態〕 tone …… 1208
正常圧水頭〔症〕 normal pressure hydrocephalus …… 840
正常オプソニン normal opsonin …… 840
精子溶解 spermatolysis …… 1121
性障害 sexual disorders …… 1098
正常角化 orthokeratosis …… 869
〔神経膠〕星状芽細胞 astroblast …… 110
正常芽細胞 normoblast …… 840
〔神経膠〕星状芽細胞腫 astroblastoma …… 110
正常カリウム血 normokalemia …… 840
正常カリウム血性周期性〔四肢〕麻痺 normokalemic periodic paralysis …… 840
星状球 astrosphere …… 110
正常形成〔性〕リンパ euplastic lymph …… 424
正常血液量 normovolemia …… 840
正常血清 normal serum …… 840
正常血糖 euglycemia …… 423
正常行為 eupraxia …… 424
正常咬合 neutral occlusion …… 830
正常咬合 normal occlusion …… 840
星状〔神経〕膠細胞 astrocyte …… 110
正常抗体 normal antibody …… 839
正常抗毒素 normal antitoxin …… 839
正常呼吸 eupnea …… 424
星状骨折 stellate fracture …… 1138
正常細菌叢 normal flora …… 840
星状細静脈 stellate venules …… 1139
星状細静脈 venulae stellatae …… 1268
〔神経膠〕星状細胞 astrocyte …… 110
〔神経膠〕星状細胞腫 astrocytoma …… 110
星状神経遮断 stellate block …… 1138
星状神経ブロック stellate block …… 1138
星状体 aster …… 109
星状体 asteroid body …… 109
星状体 star …… 1137
正常値 normal values …… 840
星状膿瘍 stellate abscess …… 1138
正常白血球増加〔症〕 hyperorthocytosis …… 586
精上皮 seminiferous epithelium …… 1090
精上皮腫 seminoma …… 1090
正常ヒト血漿 normal human plasma …… 840
正常ヒト血清アルブミン normal human serum albumin …… 840
正常百分率性白血球減少〔症〕 hypoorthocytosis …… 595
星状毛 stellate hair …… 1138
星状網 stellate reticulum …… 1138
青色〔斑〕 macula cerulea …… 724
生殖 propagation …… 986
生殖 reproduction …… 1039
清拭 toilet …… 1207
青色縁 blue line …… 164
青色円蓋嚢胞 blue dome cyst …… 164
生殖核 micronucleus …… 768
青色仮死 asphyxia livida …… 107
生殖管 genital tract …… 495
生殖管 gonophore …… 511
生殖器 genitals …… 495
生殖器発育不全 gonadal dysgenesis …… 510
生殖溝 genital furrow …… 495
青色ゴムまり様母斑 blue rubber-bleb nevi …… 164
生殖細胞系 germ line …… 496
生殖索 genital cord …… 495
生殖索 gonadal cords …… 510
青色児 blue baby …… 164
生殖周期 reproductive cycle …… 1039
生殖腺 gonad …… 510
生殖腺切除〔術〕 gonadectomy …… 510
生殖腺病 gonadopathy …… 510
生殖体 gamete …… 484
生殖体撲滅薬 gametocide …… 484
生殖堤 gonadal ridge …… 510
青色膿 blue pus …… 164
生殖能〔力〕 fecundity …… 447
生殖能力 virility …… 1277
青色白内障 blue cataract …… 164
青色白内障 cerulean cataract …… 223
青色皮斑 livedo …… 706
青色皮斑狼瘡 lupus livedo …… 716
生殖不能 sterility …… 1141
生殖母細胞 gametocyte …… 484
青色母斑 blue nevus …… 164
生食物摂取 omophagia …… 858
精神 anima …… 70
精神 animus …… 70
精神〔力〕 mind …… 773
精神安定薬 ataractic …… 111
精神安定薬 tranquilizer …… 1216
精神〔科〕医 psychiatrist …… 998
精神医学 psychiatry …… 998
精神医学専門医 psychiatrist …… 998
精神異常 alienation …… 41
精神異常作用薬 psychotomimetic …… 1000
精神異常証明 certification …… 223
精神異常発現薬 psychotomimetic …… 1000
精神運動 psychokinesis …… 999
精神運動てんかん psychomotor epilepsy …… 999
精神衛生 mental health …… 753
精神衛生〔学〕 mental hygiene …… 753
〔精神〕活動消失 anergasia …… 65
精神科リハビリテーション psychiatric rehabilitation …… 998
精神機能亢進 hypernoia …… 586
成人偽肥大性筋ジストロフィ adult pseudohypertrophic muscular dystrophy …… 30
精神外科 psychosurgery …… 1000
成人後天性トキソプラスマ症 acquired toxoplasmosis in adults …… 15
成人呼吸促進症候群 adult respiratory distress syndrome (ARDS) …… 30
精神錯乱 insanity …… 626
精神作用 psychogenesis …… 998
精神刺激薬 psychostimulant …… 1000
精神失調 psychataxia …… 997
精神遮断薬 neuroleptic …… 827
精神障害 insanity …… 626
精神障害 mental disorder …… 753
精神障害の診断と統計の手引き *Diagnostic and Statistical Manual of Mental Disorders* (DSM) …… 341
精神状態 mental status (MS) …… 754
精神身体医学 psychosomatic medicine …… 999
精神診断 psychodiagnosis …… 998
精神診断学 psychodiagnosis …… 998
精神性機能障害 psychosexual dysfunction …… 999
成人性くる病 adult rickets …… 30
精神・性的発達 psychosexual development …… 999
成人性乳糖分解酵素欠損症 adult lactase deficiency …… 30
精神生物学 psychobiology …… 998
精神生理学 psychophysiology …… 999
精神生理的障害 psychosomatic disorder …… 999
精神測定〔学〕 psychometry …… 999
精神測定学的特性 psychometric properties …… 999
精神遅滞 mental retardation …… 754
成人聴覚障害インベントリー Hearing Handicap Inventory for the Elderly (HHIE-S) …… 536
成人T細胞リンパ腫 adult T-cell lymphoma (ATL) …… 30
精神的暗点 mental scotoma …… 754
精神的外傷 psychic trauma …… 998
精神疼痛 psychalgia …… 997
成人として扱われる未成年者 mature minor …… 737
精神年齢 mental age (MA) …… 753
成人発症型卵黄様黄斑ジストロフィ adult-onset foveomacular vitelliform dystrophy …… 30
精神発生学 psychogenesis …… 998
精神病 insanity …… 626
精神病 mental disease …… 753
精神病 mental illness …… 753
精神病 psychosis …… 999
精神病院収容 certification …… 223
精神病質 psychopath …… 999
精神病理学 psychopathology …… 999
精神物理学 psychophysics …… 999
精神分析〔学〕 psychoanalysis …… 998

精神分析専門医 psychoanalyst ……… 998
精神分析的精神医学 psychoanalytic psychiatry ……… 998
精神保健 mental health ……… 753
精神薬理学 psychopharmacology ……… 999
精神力学 psychodynamics ……… 998
精神療法 psychotherapy ……… 1000
精神療法士 psychotherapist ……… 1000
正赤芽球 normoblast ……… 840
正赤血球 normocyte ……… 840
正赤血球症 normocytosis ……… 840
性腺 gonad ……… 510
性腺芽腫 gonadoblastoma ……… 510
性腺機能低下症 hypogonadism ……… 594
性腺刺激細胞 gonadotroph ……… 510
性腺刺激ホルモン gonadotropin ……… 510
性染色質 sex chromatin ……… 1097
性染色体 sex chromosomes ……… 1097
性腺摘出 gonadectomy ……… 510
精巣 orchis ……… 867
精巣 testicle ……… 1190
精巣 testis ……… 1190
精巣陰嚢癒着 synoscheos ……… 1172
精巣炎 orchitis ……… 867
精巣下降 descensus testis ……… 336
精巣過剰〔症〕 polyorchism ……… 957
精巣間膜 mesorchium ……… 758
精巣挙筋 cremaster muscle ……… 296
精巣挙筋 musculus cremaster ……… 796
精巣挙筋動脈 cremasteric artery ……… 296
精巣挙筋反射 cremasteric reflex ……… 296
精巣形成〔術〕 orchioplasty ……… 867
精巣計測器 orchidometer ……… 866
精巣結核〔症〕 tuberculocele ……… 1236
精巣固定〔術〕 orchiopexy ……… 867
精巣自己検査 testicular self-examination (TSE) ……… 1190
精巣周囲炎 periorchitis ……… 917
精巣縦隔 mediastinum testis ……… 743
精巣障害 orchiopathy ……… 867
精巣上体 epididymis ……… 408
精巣上体炎 epididymitis ……… 408
精巣上体間膜 mesoepididymis ……… 757
精巣上体形成〔術〕 epididymoplasty ……… 408
精巣上体小葉 lobules of epididymis ……… 707
精巣上体精管切除〔術〕 epididymovasectomy ……… 408
精巣上体精管吻合〔術〕 epididymovasostomy ……… 408
精巣上体切開〔術〕 epididymotomy ……… 408
精巣上体切除〔術〕 epididymectomy ……… 408
精巣鞘膜 tunica vaginalis testis ……… 1238
精巣鞘膜炎 peridìdymitis ……… 915
精巣垂 appendix of testis ……… 91
精巣性女性化症候群 testicular feminization syndrome ……… 1190
精巣精巣上体炎 epididymo-orchitis ……… 408
精巣精巣上体炎 orchiepididymitis ……… 866
精巣切開〔術〕 orchiotomy ……… 867
精巣切除〔術〕 testectomy ……… 1190
精巣中毒症 testotoxicosis ……… 1190
精巣痛 orchialgia ……… 866
精巣摘除〔術〕 orchiectomy ……… 866
精巣導帯 gubernaculum testis ……… 521
精巣動脈 testicular artery ……… 1190
精巣白膜 tunica albuginea of testis ……… 1238
精巣ヘルニア様脱出 orchiocele ……… 866
精巣傍体 paradidymis ……… 894
精巣網 rete testis ……… 1044
精巣輸出管 efferent ductules of testis ……… 379
精巣癒着〔症〕 synorchidism ……… 1172
精祖細胞 spermatogonium ……… 1121
生体 organism ……… 867
生体異物 xenobiotic ……… 1297
生体エネルギー学論 bioenergetics ……… 153
声帯炎 chorditis ……… 238
生体遠隔測定〔法〕 biotelemetry ……… 155
生体解剖 vivisection ……… 1281
生体解剖施行者 vivisectionist ……… 1281
生態化学 ecologic chemistry ……… 376
生態学 ecology ……… 376
生態学的研究 ecologic study ……… 376
生態学的地位 niche ……… 832
生体機能学 biodynamics ……… 153
生体鏡検〔法〕 biomicroscopy ……… 154
生体鏡検査〔法〕 biomicroscopy ……… 154
声帯共鳴音 vocal resonance (VR) ……… 1281
声帯筋 vocalis muscle ……… 1281
生態系 ecosystem ……… 377
声帯結節 vocal nodules ……… 1281
生体顕微鏡検査〔法〕 biomicroscopy ……… 154
声帯固定〔術〕 cordopexy ……… 285
生体材料 biomaterial ……… 154
生体実験 vivisection ……… 1281
声帯靱帯 vocal ligament ……… 1281
声帯切除〔術〕 cordectomy ……… 285
生体染色〔法〕 intravital stain ……… 642
生体染色〔法〕 vital stain ……… 1279
生体組織検査〔法〕 biopsy ……… 154
生体電気 bioelectricity ……… 153
生体電気学的インピーダンス分析 bioelectrical impedance analysis (BIA) ……… 153
生体毒素 biotoxin ……… 155
生体毒物学 biotoxicology ……… 155
生体内コレラ溶菌現象 Pfeiffer phenomenon ……… 923
生体内変化 biotransformation ……… 155
声帯ひだ vocal fold ……… 1281
生体分光鏡検査〔法〕 biospectroscopy ……… 155
生体分光〔光度〕法 biospectrometry ……… 155
生体膜 biomembrane ……… 154
生体力学 biodynamics ……… 153
生体力学 biomechanics ……… 154
生体力学的理論 biomechanical frame of reference ……… 154
成虫 imago ……… 605
正中会陰切開術 midline episiotomy ……… 771
正中固定術 medialization ……… 742
正中歯 mesiodens ……… 757
正中神経 median nerve ……… 743
正中神経伴行動脈 comitant artery of median nerve ……… 265
正中〔線〕脊髄切開〔術〕 midline myelotomy ……… 771
正中舌隆起 median lingual swelling ……… 743
正中仙骨静脈 median sacral vein ……… 743
正中仙骨稜 median sacral crest ……… 743
正中断〔面〕 median section ……… 743
正中動脈 median artery ……… 742
正中〔矢状〕面 median plane ……… 743
正中菱形舌炎 median rhomboid glossitis ……… 743
成長 growth ……… 520
性徴 sexual orientation ……… 1098
清澄化因子 clearing factors ……… 249
成長期 anagen ……… 60
成長期脱毛状態 anagen effluvium ……… 60
成長障害 failure to thrive ……… 440
成長速度 growth rate ……… 520
生長調整物質 bioregulator ……… 155
成長痛 growing pains ……… 520
性徴転換 sex reversal ……… 1098
成長ホルモン growth hormone (GH) ……… 520
成長ホルモン somatotropin ……… 1116
成長ホルモン産生線腫 growth hormone-producing adenoma 520
成長ホルモン分泌停止 somatopause ……… 1116
整調リズム eurhythmia ……… 424
静的エクササイズ static exercise ……… 1137
静的関係 static relation ……… 1138
静的コンプライアンス static compliance ……… 1137
性的選択 sexual preference ……… 1098
性的早熟症 precocious puberty ……… 971
性的二形 sexual dimorphism ……… 1098
性的役割 gender role ……… 492
性的幼稚症 sexual infantilism ……… 1098
性転換 sex reversal ……… 1098
性転換〔者〕 transsexual ……… 1221
性転換症 transsexualism ……… 1221
性転換状態 transsexualism ……… 1221
精度 effectiveness ……… 379
精度 precision ……… 971
声道 vocal tract ……… 1281

性同一性 gender identity …… 492
性倒錯 erotopathy …… 414
青銅色糖尿病 bronze diabetes …… 179
性淘汰 sexual selection …… 1098
制動放射 Bremsstrahlung radiation …… 175
精度管理 quality control（QC） …… 1015
精度管理試験 proficiency testing …… 982
制吐薬 antiemetic …… 80
青年 adolescent …… 28
生年月日 date of birth（DOB） …… 316
青年期 adolescence …… 28
青年期医学 adolescent medicine …… 28
成年性水腫性硬化〔症〕 scleredema adultorum …… 1080
精嚢 gonecyst …… 511
精嚢 seminal vesicle …… 1090
精嚢炎 vesiculitis …… 1273
精嚢撮影〔法〕 vesiculography …… 1273
精嚢切開〔術〕 vesiculotomy …… 1273
精嚢切除〔術〕 vesiculectomy …… 1273
性の決定〔法〕 sex determination …… 1097
生の本能 life instinct …… 697
性の役割 sex role …… 1098
正倍数性 euploidy …… 424
セイバリーブジー Savary bougies …… 1073
青斑核 nucleus caeruleus …… 843
性比 sex ratio …… 1098
性病 venereal disease …… 1266
性病性横痃 venereal bubo …… 1266
性病性リンパ肉芽腫 lymphogranuloma venereum …… 720
製品安全データシート Material Safety Data Sheet（MSDS） ·· 736
整復 reduction …… 1031
整復器 repositor …… 1039
整復法 taxis …… 1180
生物 organism …… 867
生物医学工学 biomedical engineering …… 154
生物医学的モデル biomedical model …… 154
生物汚染度 bioburden …… 153
生物音響学 bioacoustics …… 152
生物学 biology …… 154
生物学者 biologist …… 154
生物学的検定法 biotest …… 155
生物学的効果比 relative biologic effectiveness …… 1036
生物学的災害 biohazard …… 153
生物学的指示薬 biologic indicator …… 154
生物学的制御 biologic control …… 153
生物学的抽出 biologic sampling …… 154
生物学的半減期 biologic half-life …… 154
生物学的ベクター biologic vector …… 154
生物学的利用能 bioavailability …… 152
生物活性 bioactivity …… 152
生物系 biosystem …… 155
生物型 biotype …… 156
生物圏 biosphere …… 155
生物〔学的〕検定〔法〕 bioassay …… 152
生物工学 bionics …… 154
生物交換 bioconversion …… 153
生物進化論 biologic evolution …… 154
生物製剤 biological …… 153
生物精神社会的モデル biopsychosocial model …… 155
生物相 biota …… 155
生物測定学者 biometrician …… 154
生物測定器 bioinstrument …… 153
生物帯 biome …… 154
生物体量 biomass …… 154
生物的安全性 biologic safety hood …… 154
生物的効果線量 biologically effective dose（BED） …… 153
生物適合性 biocompatibility …… 153
生物的潜在能力 biopotentiality …… 154
生物的反応修飾物質 biologic response modifier …… 154
生物テレメトリ biotelemetry …… 155
生物統計学 biostatistics …… 155
生物動力学 biokinetics …… 153
生物発生 biogenesis …… 153
生物物理学 biophysics …… 154
生物分解 biolysis …… 154
生物薬剤学 biopharmaceutics …… 154
生物力学 biodynamics …… 153
成分 component …… 270
成分 moiety …… 778
成分 principle …… 979
製粉工ぜん息 miller's asthma …… 772
性別 sexuality …… 1098
星芒状硝子体症 asteroid hyalosis …… 109
精母細胞 spermatocyte …… 1121
性ホルモン sex hormones …… 1097
清明 lucidity …… 712
生命情報科学 bioinformatics …… 153
生命徴候 vital signs …… 1279
生命表 life table …… 697
生命本能 life instinct …… 697
生命力 animus …… 70
生命力 vitality …… 1279
生命倫理 bioethics …… 153
声門 glottis …… 503
声門炎 glottitis …… 503
声門痙攣 laryngismus …… 679
声門痙攣 laryngospasm …… 680
声門上炎 supraglottitis …… 1164
声門上えん下法 supraglottic swallow …… 1164
声門上気道 supraglottic airway …… 1164
声門裂 rima glottidis …… 1057
精油 essential oil …… 421
性誘導性 sex-influenced …… 1097
セイヨウオトギリソウ St. John's wort …… 1143
西洋ワサビペルオキシダーゼ horseradish peroxidases …… 571
性欲 libido …… 697
性欲 sexuality …… 1098
性欲過剰 hypersexual …… 589
性欲促進薬 aphrodisiac …… 87
性欲倒錯 paraphilia …… 896
性欲抑制薬 anaphrodisiac …… 61
生卵器 oogonium …… 860
正乱視 regular astigmatism …… 1034
青藍色状態 lividity …… 706
青藍色斑 livor …… 706
生理学 physiology …… 935
生理学者 physiologist …… 935
生理学的括約筋 physiologic sphincter …… 935
生理学的死腔 physiologic dead space …… 935
生理食塩水 normal saline（NS）solution …… 840
生理食塩水 physiologic saline …… 935
生理食塩水凝集素 saline agglutinin …… 1068
生理〔的〕単位 physiologic unit …… 935
生理痛 menstrual cramps …… 753
生理的安静位 physiologic rest position …… 935
生理的暗点 physiologic scotoma …… 935
生理的解毒薬 physiologic antidote …… 935
生理的咬合 physiologic occlusion …… 935
生理的収縮輪 physiologic retraction ring …… 935
生理的組織変性 necrobiosis …… 815
生理的白血球増加〔症〕 physiologic leukocytosis …… 935
生理的肥大 physiologic hypertrophy …… 935
生理的欲求 physiologic drives …… 935
青窿嚢胞 blue dome cyst …… 164
清涼剤 refrigerant …… 1033
生理用ナプキン sanitary napkin …… 1071
正リン酸 orthophosphoric acid …… 870
セイント三徴 Saint triad …… 1068
ゼーセルポケット Seessel pocket …… 1087
ゼータクリット zetacrit …… 1301
ゼータ沈降比 zeta sedimentation ratio …… 1301
ゼーミッシュ潰瘍 Saemisch ulcer …… 1068
ゼーミッシュ切開〔術〕 Saemisch section …… 1068
ゼーリヒミュラー徴候 Seelig-Müller sign …… 1087
世界保健機関 World Health Organization（WHO） …… 1293
世界保健機構測定器 World Health Organization probe …… 1293
セカンドルック手術 second-look operation …… 1086
咳 cough …… 291
石英 quartz …… 1015
石化 petrifaction …… 922
赤外型 exoerythrocytic stage …… 428
赤外線顕微鏡 infrared microscope …… 622

赤芽球 erythroblast ………… 416
赤芽球血病 erythroblastemia ………… 416
赤芽球減少〔症〕 erythroblastopenia ………… 416
赤芽球症 erythroblastosis ………… 416
赤芽球増殖性プロトポルフィリン症 erythropoietic protoporphyria ………… 418
赤核 red nucleus ………… 1031
赤核脊髄路交叉 rubrospinal decussation ………… 1063
赤筋 red muscle ………… 1031
脊索 notochord ………… 841
脊索骨格 chordoskeleton ………… 238
脊索腫 chordoma ………… 238
脊索動物 chordate ………… 237
赤〔色〕視〔症〕 erythropsia ………… 419
石児 lithopedion ………… 705
赤色盲 protanopia ………… 989
〔沈殿〕析出 precipitation ………… 971
石〔粉〕症 chalicosis ………… 225
赤色肝変 red hepatization ………… 1031
赤色硬化 red induration ………… 1031
赤色歯 erythrodontia ………… 417
赤唇 prolabium ………… 984
赤唇 vermilion border ………… 1269
赤唇縁 vermilion border ………… 1269
脊髄 spinal cord ………… 1125
脊髄亜急性連合変性 subacute combined degeneration of the spinal cord ………… 1151
脊髄炎 myelitis ………… 803
脊髄円錐 medullary cone ………… 746
脊髄空洞症 syringomyelia ………… 1174
脊髄クモ膜 spinal arachnoid mater ………… 1125
脊髄形成異常〔症〕 myelodysplasia ………… 804
脊髄形成不全 myelatelia ………… 803
脊髄硬膜糸 filum of spinal dura mater ………… 456
脊髄根痛 radiculalgia ………… 1019
脊髄撮影〔法〕 myelography ………… 804
脊髄〔内〕出血 hematomyelia ………… 542
脊髄出血 myelorrhagia ………… 805
脊髄除圧〔術〕 spinal decompression ………… 1125
脊髄症 myelopathy ………… 804
脊髄症 myelosis ………… 805
脊髄障害 myelopathy ………… 804
脊髄小脳失調 spinocerebellar ataxia ………… 1126
脊髄小脳性運動失調 spinocerebellar ataxia ………… 1126
脊髄静脈 spinal veins ………… 1126
脊髄神経 spinal nerves ………… 1126
脊髄神経後根切断〔術〕 posterior rhizotomy ………… 965
脊髄神経後枝 posterior ramus of spinal nerve ………… 965
脊髄神経根炎 myeloradiculitis ………… 805
脊髄神経根形成障害 myeloradiculodysplasia ………… 805
脊髄神経根障害 myeloradiculopathy ………… 805
脊髄神経節 spinal ganglion ………… 1125
脊髄神経わな loops of spinal nerves ………… 710
脊髄振とう〔症〕 spinal cord concussion ………… 1125
脊髄髄質動脈 medullary spinal arteries ………… 746
脊髄性感覚消失 spinal anesthesia ………… 1125
脊髄性筋萎縮〔症〕 spinal muscular atrophy (SMA) ………… 1125
脊髄〔麻酔〕性頭痛 spinal headache ………… 1125
脊髄性知覚消失 spinal anesthesia ………… 1125
脊髄正中離開〔症〕 diastematomyelia ………… 343
脊髄切開〔術〕 myelotomy ………… 805
脊髄切断〔術〕 cordotomy ………… 285
脊髄前庭路 spinovestibular tract ………… 1126
脊髄造影〔法〕 myelography ………… 804
脊髄中心症候群 central cord syndrome ………… 217
脊髄動脈 spinal branches ………… 1125
脊髄軟化〔症〕 myelomalacia ………… 804
脊髄軟膜 spinal pia mater ………… 1126
脊髄嚢髄膜ヘルニア myelocystomeningocele ………… 803
脊髄嚢髄膜瘤 myelocystomeningocele ………… 803
脊髄嚢ヘルニア myelocystocele ………… 803
脊髄嚢胞 myelocyst ………… 803
脊髄嚢瘤 myelocystocele ………… 803
脊髄半月 crescent ………… 296
脊髄反射 spinal reflex ………… 1126
脊髄ブロック spinal block ………… 1125
脊髄分節 segments of spinal cord〔C1-Co〕 ………… 1088
脊髄ヘルニア myelocele ………… 803
脊髄縫合〔術〕 myelorrhaphy ………… 805
脊髄麻痺 spinal paralysis ………… 1126
脊髄瘤 myelocele ………… 803
脊髄瘤 syringocele ………… 1174
脊髄ろう myelophthisis ………… 804
脊髄ろう〔性〕関節症 tabetic arthropathy ………… 1176
脊髄ろう〔性〕進行麻痺 taboparesis ………… 1176
脊髄ろう性神経梅毒 tabetic neurosyphilis ………… 1176
脊髄ろうのアバディ徴候 Abadie sign of tabes dorsalis ………… 1
石炭酸尿〔症〕 carboluria ………… 198
脊柱 spinal column ………… 1125
脊柱管 vertebral canal ………… 1270
脊柱管狭窄 spinal stenosis ………… 1126
脊柱起立筋 erector spinae muscles ………… 413
〔脊柱〕後側弯〔症〕 kyphoscoliosis ………… 671
〔脊柱〕後弯 kyphosis ………… 671
〔脊柱〕後弯〔性〕骨盤 kyphotic pelvis ………… 671
脊柱・骨端異形成〔症〕 spondyloepiphysial dysplasia ………… 1130
〔脊柱〕指圧療法 chiropractic ………… 231
脊柱指圧療法士 chiropractor ………… 231
脊柱前側弯〔症〕 lordoscoliosis ………… 711
〔脊柱〕前弯〔症〕 lordosis ………… 711
脊柱前弯過度 hyperlordosis ………… 585
〔脊柱〕側弯〔症〕 scoliosis ………… 1081
脊柱側弯性骨盤 scoliotic pelvis ………… 1081
脊柱痛 rachialgia ………… 1017
脊柱内転筋反射 spinoadductor reflex ………… 1126
脊柱描画器 rachigraph ………… 1017
脊柱不安定性 spinal instability ………… 1125
脊柱弯曲 spinal curvature ………… 1125
脊柱弯曲矯正〔法〕 rachilysis ………… 1017
脊柱弯曲計 rachiometer ………… 1017
赤沈 erythrocyte sedimentation rate (ESR) ………… 417
脊椎亜脱臼複合体 vertebral subluxation complex ………… 1270
脊椎運動分節 spinal motion segment ………… 1125
脊椎〔関節〕炎 spondylarthritis ………… 1130
脊椎炎 spondylitis ………… 1130
脊椎化膿症 spondylopyosis ………… 1130
脊椎関節突起切除〔術〕 facetectomy ………… 438
脊椎管内出血 hematorrhachis ………… 542
脊椎管癒合異常 rachischisis ………… 1017
脊椎結核 tuberculous spondylitis ………… 1236
脊椎後方すべり症 retrospondylolisthesis ………… 1048
脊椎固定〔術〕 spinal fusion ………… 1125
脊椎式 vertebral formula ………… 1270
脊椎周囲炎 perispondylitis ………… 918
脊椎手技療法 spinal manipulation ………… 1125
脊椎症 spondylopathy ………… 1130
脊椎症 spondylosis ………… 1130
脊椎障害 spondylopathy ………… 1130
脊椎すべり症骨盤 spondylolisthetic pelvis ………… 1130
脊椎切除〔術〕 vertebrectomy ………… 1271
脊椎穿刺 spinal tap ………… 1126
脊椎前神経節 prevertebral ganglia ………… 977
脊椎痛 spondylalgia ………… 1130
脊椎動物 vertebrate ………… 1271
脊椎の調整 spinal adjustment ………… 1125
脊椎破裂 spondyloschisis ………… 1130
脊椎非脊椎動物間人獣伝染病 metazoonosis ………… 763
脊椎披裂 rachischisis ………… 1017
脊椎披裂 spina bifida ………… 1124
脊椎披裂 spondyloschisis ………… 1130
脊椎不安定性 spinal instability ………… 1125
脊椎分離〔症〕 spondylolysis ………… 1130
脊椎傍神経節 paravertebral ganglia ………… 898
脊椎麻酔〔法〕 spinal anesthesia ………… 1125
脊椎無痛〔法〕 spinal analgesia ………… 1125
脊椎癒合不全 spinal dysraphism ………… 1125
脊椎癒着〔術〕 spondylosyndesis ………… 1130
赤道板 equatorial plate ………… 412
赤道ブドウ〔膜〕腫 equatorial staphyloma ………… 412
赤道面 equatorial plane ………… 412
咳止め antitussive ………… 83
赤尿症 erythruria ………… 419

赤白血症 erythroleukosis …… 418
赤白血病 erythroleukemia …… 418
赤髪症 erythrism …… 416
咳反射 cough reflex …… 291
赤〔色〕脾髄 red pulp …… 1031
赤面 blush …… 164
赤痢 dysentery …… 370
赤痢アメーバ *Entamoeba histolytIca* …… 400
斥力 repulsion …… 1039
セクスタント sextant …… 1098
セクタスキャン sector scan …… 1087
セクレターゼ secretase …… 1086
セクレチン secretin …… 1086
セクレチン原 prosecretin …… 987
セクロピン cecropins …… 213
セコイア症 sequoiosis …… 1094
セザリー細胞 Sézary cell …… 1098
セ氏目盛り Celsius scale …… 215
セシル手術 Cecil operation …… 213
セスキ水和物 sesquihydrates …… 1097
セスタン-シュネー症候群 Cestan-Chenais syndrome …… 225
世代 generation …… 493
世代交代 digenesis …… 346
世代交代 heterogenesis …… 558
セチル cetyl …… 225
癤 boil …… 166
癤 furuncle …… 481
節 node …… 836
〔学〕説 theory …… 1193
舌 lingua …… 701
舌 tongue …… 1208
舌咽呼吸 glossopharyngeal breathing …… 502
舌咽神経 glossopharyngeal nerve〔CN IX〕 …… 502
舌運動緩徐 bradyglossia …… 172
舌炎 glossitis …… 502
舌嚥下 tongue-swallowing …… 1208
舌下 hypoglottis …… 593
舌下 ranula …… 1024
舌架 tongue crib …… 1208
切開〔術〕 discission …… 352
切開 dissection …… 354
切開〔術〕 incision …… 612
切開〔術〕 section …… 1087
石灰 lime …… 700
石灰塩尿〔症〕 calcariuria …… 190
石灰化 calcification …… 190
石灰化歯原性嚢胞 calcifying odontogenic cyst …… 190
石灰〔性〕滑液包炎 calcific bursitis …… 190
石灰症 calcicosis …… 190
石灰〔沈着〕症 calcinosis …… 190
石灰小球 calcospherite …… 191
石灰小体 calcareous corpuscles …… 190
切開生検 incision biopsy …… 612
石灰性腱炎 calcific tendinitis …… 190
切開創ヘルニア incisional hernia …… 612
石灰変性 calcareous degeneration …… 190
切開面 section …… 1087
〔神経〕節芽細胞腫 ganglioneuroblastoma …… 486
節芽〔細胞〕腫 ganglioneuroblastoma …… 486
舌下静脈 sublingual vein …… 1153
舌下神経 hypoglossal nerve〔CN XII〕 …… 593
舌下神経核 hypoglossal nucleus …… 593
舌下神経管 hypoglossal canal …… 593
石化性尿道炎 urethritis petrificans …… 1251
舌下腺 sublingual gland …… 1153
舌下腺窩 sublingual fossa …… 1153
切割〔術〕 discission …… 352
切割 needling …… 817
舌下動脈 sublingual artery …… 1153
舌下部神経 sublingual nerve …… 1153
〔結〕節間〔部〕 internode …… 636
雪眼炎 snow blindness …… 1112
接眼鏡 eyepiece …… 437
接眼レンズ eyepiece …… 437
接眼レンズ ocular …… 852
舌弓 hyoid arch …… 581
積極的回復 active recovery …… 19
接近 approach …… 91
接近 contiguity …… 281
接近の法則 law of contiguity …… 685
舌クリップ lingual crib …… 701
舌形成〔術〕 glossoplasty …… 503
舌痙攣 glossospasm …… 503
赤血球 erythrocyte …… 417
赤血球 red blood cell (rbc, RBC) …… 1030
赤血球円柱 red blood cell cast …… 1031
赤血球外期 exoerythrocytic stage …… 428
〔赤〕血球吸着〔現象〕 hemadsorption …… 540
〔赤〕血球凝集〔反応〕 hemagglutination …… 540
〔赤〕血球凝集素 hemagglutinin …… 540
赤血球凝集素プロテアーゼ hemagglutinin-protease (HA-P) 540
赤血球系 erythrocytic series …… 417
赤血球系 erythron …… 418
赤血球形成不全 anerythroplasia …… 65
赤血球恒数 erythrocyte indices …… 417
赤血球数 red blood cell count …… 1031
赤血球増加〔症〕 erythrocytosis …… 417
赤血球増加〔症〕 hypercythemia …… 583
赤血球増加〔症〕 polycythemia …… 955
赤血球断片化 erythrocytoschisis …… 417
赤血球沈降速度 erythrocyte sedimentation rate (ESR) …… 417
赤血球動態学 erythrokinetics …… 418
赤血球貪食 erythrophagia …… 418
赤血球貪食 erythrophagocytosis …… 418
赤血球破壊 hemocytocatheresis …… 546
赤血球〔大小〕不同〔症〕 anisocytosis …… 71
赤血球崩壊 erythroclasis …… 417
赤血球崩壊 erythrocytorrhexis …… 417
〔赤〕血球崩壊 hemocatheresis …… 545
赤血症性骨髄症 erythremic myelosis …… 416
切腱術 tenotomy …… 1187
接合 coaptation …… 255
接合 conjugation …… 277
接合 copulation …… 285
接合 synapse …… 1170
接合位 open-packed position …… 861
接合個体 conjugant …… 277
接合子 zygote …… 1304
接合子嚢 oocyst …… 860
石膏状小胞子菌 *Microsporum gypseum* …… 769
接合真菌症 zygomycosis …… 1304
接合生殖 zygosis …… 1304
接合生殖性 zygosity …… 1304
接合性プラスミド conjugative plasmid …… 278
接合体 conjugant …… 277
接合体 zygote …… 1304
舌後退 tongue retraction …… 1208
接合堤 terminal bar …… 1188
石工肺 mason's lung …… 734
接合部 junction …… 658
接合部 juncture …… 658
接合部 synapse …… 1170
接合部期外収縮 premature junctional contraction (PJC) …… 973
接合副子 coaptation splint …… 255
接合部〔性〕調律 junctional rhythm …… 658
接合部〔性〕頻拍症 junctional tachycardia …… 658
接合部母斑 junction nevus …… 658
接合胞子 sporont …… 1132
接合レンズ doublet …… 362
舌骨 hyoid bone …… 581
切骨器 gouge …… 512
舌骨後包 retrohyoid bursa …… 1048
舌骨舌筋 hyoglossus muscle …… 581
節骨切除〔術〕 phalangectomy …… 924
舌骨舌膜 hyoglossal membrane …… 581
舌骨体 body of hyoid bone …… 165
舌骨大角 thyrohyal …… 1202
切痕 incisure …… 612
切痕 notch …… 841
舌根 root of tongue …… 1060
舌根甲状腺腫 lingual goiter …… 701
〔神経〕節細胞腫 gangliocytoma …… 485

〔神経〕節細胞腫 ganglioneuroma …… 486
摂子 forceps …… 470
切歯 incisor tooth …… 612
窃視〔症〕 voyeurism …… 1283
切歯管 incisive canal …… 612
切歯管嚢胞 incisive canal cyst …… 612
舌刺激 tongue thrust …… 1208
切歯孔 incisive foramen …… 612
切歯骨 incisive bone …… 612
窃視者 voyeur …… 1283
舌疾患 glossopathy …… 502
切歯乳頭 incisive papilla …… 612
〔神経〕節遮断 ganglionic blockade …… 486
〔神経〕節遮断薬 ganglionic blocking agent …… 486
〔経口〕摂取 ingestion …… 623
接種〔法〕 inoculation …… 626
摂取 intake …… 629
摂取 uptake …… 1249
接種感受性 inoculability …… 626
摂取許容量 acceptable intake (AI) …… 8
癤腫症 furunculosis …… 481
接種物 inoculum …… 626
接種予防効果 peltation …… 908
切除 abscission …… 5
切除〔術〕 excision …… 426
切除〔術〕 resection …… 1040
癤〔多発〕症 furunculosis …… 481
舌状回 lingual gyrus …… 701
舌焼灼感症候群 burning tongue syndrome …… 185
舌小帯 frenulum of tongue …… 475
舌小帯切開〔術〕 frenotomy …… 475
舌小帯切断〔術〕 frenotomy …… 475
舌小帯短縮〔症〕 ankyloglossia …… 71
舌小胞 lingual follicles …… 701
舌静脈 lingual vein …… 702
〔肺〕舌状葉切除〔術〕 lingulectomy …… 702
接触 application …… 91
接触 contact …… 279
接触 contiguity …… 281
節食 diet …… 345
絶食 abrosia …… 5
接触潰瘍 contact ulcer …… 280
接触隔離 contact isolation …… 280
接触型子宮鏡 contact hysteroscope …… 280
接触〔皮膚炎〕型皮膚炎 contact-type dermatitis …… 280
〔接触〕感染 contagion …… 280
〔接触〕感染性 contagiousness …… 280
接触屈性 thigmotropism …… 1195
接触原 contactant …… 279
接触〔性〕口唇炎 contact cheilitis …… 279
接触者 contact …… 279
窃触症 frotteurism …… 477
摂食障害 eating disorders …… 375
〔接〕触走性 stereotaxis …… 1140
〔接〕触走性 stereotropism …… 1140
接触走性 thigmotaxis …… 1195
接触阻止〔現象〕 contact inhibition …… 280
接触痛 haphalgesia …… 532
摂食てんかん eating epilepsy …… 375
接触伝染病 contagious disease …… 280
接触皮膚炎 contact dermatitis …… 280
接触物 contactant …… 279
摂食不能〔症〕 aphagia …… 87
接触予防 contact precautions …… 280
切除生検 excision biopsy …… 426
切除用内視鏡 resectoscope …… 1040
切歯路角 incisal guide angle …… 612
舌神経 lingual nerve …… 702
〔神経〕節神経腫 ganglioneuroma …… 486
舌深静脈 deep lingual vein …… 321
舌深動脈 deep lingual artery …… 321
節制 continence …… 281
摂生 regimen …… 1034
節制 temperance …… 1184
舌正中溝 median groove of tongue …… 742
切石位 lithotomy position …… 706
切石術 lithotomy …… 706
舌切開〔術〕 glossotomy …… 503
舌切除〔術〕 glossectomy …… 502
舌尖部 proglossis …… 983
切創 incised wound …… 612
接続 connection …… 278
舌側咬合 linguoclusion …… 702
舌側歯肉 lingual gingiva …… 701
舌側転位 linguoversion …… 702
節足動物 arthropod …… 103
節足動物症 arthropodiasis …… 103
舌側バー lingual bar …… 701
舌側フレンジ lingual flange …… 701
舌側レスト lingual rest …… 702
切胎〔術〕 embryotomy …… 390
絶対遠視 absolute hyperopia …… 5
絶対温度 absolute temperature (T) …… 5
絶対酸素吸収率 absolute rate oxygen uptake …… 5
絶対湿度 absolute humidity …… 5
絶対耐久性 absolute endurance …… 5
絶対単位 absolute unit …… 5
絶対不応期 absolute refractory period …… 5
絶対零度 absolute zero …… 6
舌脱 glossocele …… 502
切断 abscission …… 5
切断 amputation …… 57
切断 fragmentation …… 474
切断 section …… 1087
〔肢〕切断患者 amputee …… 57
切断術 amputation …… 57
切断神経腫 amputation neuroma …… 57
切断歪語音検査 staggered spondaic word test …… 1134
切断法 amputation …… 57
接着ガーゼ包帯 adhesive bandage …… 27
接着吸収包帯 adhesive absorbent dressing …… 27
接着結合 tight junction …… 1204
接着剤 adhesive …… 27
接着双生児 conjoined twins …… 277
接着斑 desmosome …… 337
接着分子 adhesion molecules …… 27
舌沈下 tongue-swallowing …… 1208
舌痛 glossalgia …… 502
舌痛 glossodynia …… 502
切点 cutpoint …… 307
節点 nodal point …… 836
〔窃〕盗癖 kleptomania …… 667
〔窃〕盗癖者 kleptomaniac …… 667
舌動脈 lingual artery …… 701
Z形成〔術〕 Z-plasty …… 1303
Z線 Z line …… 1301
Z蛋白 Z-protein …… 1303
Zトラック法 Z-track method …… 1303
Zフィラメント Z filament …… 1301
舌内注射 intralingual injection …… 641
舌乳頭 lingual papilla …… 702
舌乳頭炎 linguopapillitis …… 702
舌粘膜 periglottis …… 915
切迫尿失禁 urge incontinence …… 1252
舌半切除〔術〕 hemiglossectomy …… 544
舌病 glossopathy …… 502
切片 section …… 1087
舌扁桃 lingual tonsil …… 702
切片標本 section …… 1087
舌縫合〔術〕 glossorrhaphy …… 503
雪盲 snow blindness …… 1112
節約作用 sparing action …… 1118
舌癒着症 ankyloglossia …… 71
舌裂 schistoglossia …… 1076
セドキサントロン三塩酸塩 sedoxantrone trihydrochloride …… 1087
セネステシア cenesthesia …… 216
セノサイト cenocyte …… 216
背乗り mount …… 787
セミコン酸カルミン染色〔法〕 Semichon acid carmine stain …… 1089
セミノーマ seminoma …… 1090
セメント cement …… 215
セメント芽細胞 cementoblast …… 215

セ

セメント芽細胞 cementocyte ………… 216
セメント芽細胞腫 cementoblastoma ………… 215
セメント骨化性線維腫 cementoossifying fibroma ………… 216
セメント質 cementum ………… 216
セメント質腫 cementoma ………… 216
セメント質増殖〔症〕 excementosis ………… 426
セメント質破壊症 cementoclasia ………… 215
セメント質肥大 hypercementosis ………… 582
セメント質崩壊症 cementoclasia ………… 215
セメント線 cement line ………… 215
セメントぞうげ境 cementodentinal junction ………… 216
セメント病 cement disease ………… 215
セメント粒 cementicle ………… 215
ゼラチン gelatin ………… 492
ゼラニウム cranesbill ………… 294
セラミダーゼ ceramidase ………… 220
セラミド ceramide ………… 220
競合結合測定〔法〕 competitive binding assay ………… 268
セリアック病 celiac disease ………… 213
ゼリー jelly ………… 655
セリック手技 Sellick maneuver ………… 1089
セリン serine (S, Ser) ………… 1094
セルクラージュ cerclage ………… 221
セルコシスチス cercocystis ………… 221
セルディンガー法 Seldinger technique ………… 1088
セルトーリ間質細胞腫 Sertoli-stromal cell tumor ………… 1096
セルトーリ細胞 Sertoli cells ………… 1096
セルトーリ細胞腫〔瘍〕 Sertoli cell tumor ………… 1096
セルトーリ細胞唯一症候群 Sertoli-cell-only syndrome ………… 1096
セルトーリ-ライディッヒ細胞腫 Sertoli-Leydig cell tumor ………… 1096
セルフコントロール self-control ………… 1089
セルフマネジメント・プログラム self-management program ………… 1089
セルラーゼ cellulase ………… 215
セルレイン cerulein ………… 223
セルロース cellulose ………… 215
セルロプラスミン ceruloplasmin ………… 223
セレクチン selectin ………… 1088
セレスの遺残 rest of Serres ………… 1044
セレノシスチン selenocysteine ………… 1088
セレノチアミン selenothiamine ………… 1089
セレブロシド cerebroside ………… 222
セレン板 selenium plate ………… 1088
セロコンバージョン seroconversion ………… 1094
セロトニン serotonin ………… 1095
尖 apex ………… 87
尖 cusp ………… 306
尖 tip ………… 1205
腺 gland ………… 499
栓 plug ………… 949
線 line ………… 701
線〔条〕 striation ………… 1148
線〔条〕 stripe ………… 1148
線維 fiber ………… 450
線維芽細胞 fibroblast ………… 452
線維筋炎 fibromyositis ………… 453
線維筋腫 fibromyoma ………… 453
線維筋腫切除〔術〕 fibromyectomy ………… 453
線維筋痛症 fibromyalgia ………… 453
線維形成 desmoplasia ………… 337
線維形成性〔硬化性〕毛包上皮腫 desmoplastic trichoepithelioma ………… 337
線維結節 fibrous tubercle ………… 453
線維細胞性 fibrocellular ………… 452
〔神経〕線維索移植〔片〕 funicular graft ………… 480
前意識 preconscious ………… 971
線維脂肪腫 fibrolipoma ………… 452
線維腫 fibroma ………… 452
線維腫症 fibromatosis ………… 452
線維腫様結節 fibromatoid ………… 452
線維症 fibrosis ………… 453
線維神経腫 fibroneuroma ………… 453
線維診断法 inoscopy ………… 626
線維性強直 fibrous ankylosis ………… 453
線維性筋炎 myositis fibrosa ………… 808
線維性甲状腺腫 fibrous goiter ………… 453
線維性骨異形成 fibrous dysplasia of bone ………… 453
線維性収縮 fibrillary contractions ………… 451
線維性心膜炎 fibrinous pericarditis ………… 452
線維性〔神経膠〕星状細胞 fibrillary astrocyte ………… 451
線維性大腸症 fibrosing colonopathy ………… 453
線維性白内障 fibroid cataract ………… 452
線維性皮質〔骨〕欠損〔症〕 fibrous cortical defect ………… 453
線維性被膜 fibrous capsule ………… 453
線維性変性 fibrous degeneration ………… 453
線維性癒合 fibrous union ………… 454
線維性連結 fibrous joint ………… 453
線維腺腫 fibroadenoma ………… 452
線維素 fibrin ………… 451
線維増殖〔症〕 fibroplasia ………… 453
線維増多 fibrosis ………… 453
線維層板肝細胞癌 fibrolamellar liver cell carcinoma ………… 452
線維素〔性〕炎〔症〕 fibrinous inflammation ………… 452
線維素〔性〕気管支炎 fibrinous bronchitis ………… 452
〔神経〕線維束移植〔片〕 fascicular graft ………… 444
〔線維〕束〔性〕収縮 fasciculation ………… 444
線維束変性 fascicular degeneration ………… 444
〔線維〕束〔性〕攣縮 fasciculation ………… 444
線維素形成 fibrinogenesis ………… 451
線維素原 fibrinogen ………… 451
線維素原減少〔症〕 fibrinogenopenia ………… 451
線維素原溶解〔現象〕 fibrinogenolysis ………… 451
線維組織 fibrous tissue ………… 453
線維組織炎 initis ………… 625
線維素除去 defibrination ………… 322
線維素生成 fibrinogenesis ………… 451
線維素性ポリープ fibrinous polyp ………… 452
線維素尿〔症〕 fibrinuria ………… 452
線維素のヴァイゲルト染色〔法〕 Weigert stain for fibrin ………… 1288
線維素膿性 fibrinopurulent ………… 452
線維素ペプチド fibrinopeptide ………… 452
線維素溶解〔現象〕 fibrinolysis ………… 452
線維素溶解酵素 fibrinolysin ………… 452
線維素溶解性紫斑病 fibrinolytic purpura ………… 452
線維素様変性 fibrinoid degeneration ………… 451
線維柱帯形成術 trabeculoplasty ………… 1214
線維柱帯切開術 trabeculotomy ………… 1214
線維軟骨 fibrocartilage ………… 452
線維軟骨炎 fibrochondritis ………… 452
〔線維軟骨〕結合 symphysis ………… 1170
線維軟骨腫 fibrochondroma ………… 452
線維肉腫 fibrosarcoma ………… 453
線維乳頭腫 fibropapilloma ………… 453
線維粘液腫 fibromyxoma ………… 453
線維嚢腫 fibrocystoma ………… 452
線維〔性〕嚢胞 fibrocyst ………… 452
線維平滑筋腫 fibroleiomyoma ………… 452
前位縫合 advancement ………… 31
〔関節包の〕線維膜 fibrous articular capsule ………… 453
線維様変性 fibrous degeneration ………… 453
線維輪 anulus fibrosus ………… 84
線維攣縮 fibrillation ………… 451
浅陰茎背静脈 superficial dorsal veins of penis ………… 1160
前陰唇静脈 anterior labial veins ………… 76
前烏口骨 precoracoid ………… 971
鮮影 umbra ………… 1245
尖鋭恐怖〔症〕 belonephobia ………… 144
鮮鋭度 conspicuity ………… 279
浅会陰横筋 superficial transverse perineal muscle ………… 1160
浅会陰筋膜 superficial fascia of perineum ………… 1160
前腋窩線 anterior axillary line ………… 74
線エネルギー付与 linear energy transfer (LET) ………… 701
腺炎 adenitis ………… 24
尖〔端〕炎 apicitis ………… 88
全遠視 total hyperopia (Ht) ………… 1211
遷延性植物状態 persistent vegetative state (PVS) ………… 921
遷延癒合 delayed union ………… 325
ぜん音 stridor ………… 1148
ゼンガー手術 Saenger operation ………… 1068
ゼンガー徴候 Saenger sign ………… 1068
穿開〔術〕 paracentesis ………… 893
前概念期 preconceptual stage ………… 971

腺窩炎 cryptitis ……… 302
線角 line angle ……… 701
尖角 point angle ……… 952
前角 anterior horn ……… 76
前核 pronucleus ……… 986
前拡張期 prediastole ……… 972
全拡張終期径 total end-diastolic diameter ……… 1211
腺窩結石 cryptolith ……… 303
腺芽細胞 adenoblast ……… 24
前下小脳動脈 anterior inferior cerebellar artery ……… 76
腺癌 adenocarcinoma ……… 24
前癌 precancer ……… 970
全感覚 panesthesia ……… 890
前癌状態 precancer ……… 970
潜函病 decompression sickness ……… 320
潜函病 dysbarism ……… 369
前眼部 anterior ocular segment ……… 76
前眼房 anterior chamber of eyeball ……… 74
洗眼薬 collyrium ……… 262
前期 prophase ……… 986
前戯 foreplay ……… 471
閃輝暗点 fortification spectrum ……… 472
閃輝暗点 scintillating scotoma ……… 1079
閃輝暗点〔症〕 teichopsia ……… 1182
閃輝性融解 synchysis scintillans ……… 1171
前期破水 premature rupture of membranes (PROM) ……… 974
栓球 thrombocyte ……… 1199
前弓緊張 emprosthotonos ……… 392
栓球系 thrombocytic series ……… 1199
栓球血症 thrombocytosis ……… 1199
栓球減少〔症〕 thrombocytopenia ……… 1199
栓球新生 thrombopoiesis ……… 1200
〔角膜の〕前境界板 anterior limiting layer of cornea ……… 76
前境界輪 anterior limiting ring ……… 76
前胸部 precordia ……… 971
前強膜炎 anterior scleritis ……… 77
前鋸筋 serratus anterior muscle ……… 1095
腺棘細胞腫 adenoacanthoma ……… 24
仙棘靱帯 sacrospinous ligament ……… 1067
仙棘靱帯固定法 sacrospinous vaginal vault suspension procedure ……… 1067
前極ブドウ〔膜〕腫 anterior staphyloma ……… 77
全去〔勢〕術 emasculation ……… 389
前巨赤芽球 promegaloblast ……… 985
腺筋腫 adenomyoma ……… 25
腺筋症 adenomyosis ……… 25
前駆症〔状〕 prodrome ……… 982
前駆陣痛 false labor ……… 441
前駆陣痛 prodromal labor ……… 982
セングズターケン-ブレークモアー管 Sengstaken-Blakemore tube ……… 1091
前駆体 antecedent ……… 74
前駆体 precursor ……… 971
前駆体ホルモン prehormone ……… 972
前屈 anteflexion ……… 74
前屈症 camptocormia ……… 192
前駆賦活体 proactivator ……… 980
前駆物質 antecedent ……… 74
前駆物質 precursor ……… 971
前傾 anteversion ……… 77
前脛骨筋 tibialis anterior muscle ……… 1203
前脛骨筋腱下包 subtendinous bursa of the tibialis anterior muscle ……… 1156
前脛骨筋膜筋 anterior tibiofascial muscle ……… 77
前脛骨動脈 anterior tibial artery ……… 77
前脛骨熱 pretibial fever ……… 976
尖圭コンジローム condyloma acuminatum ……… 274
浅頸動脈 superficial cervical artery ……… 1160
前傾歩行 frontal gait ……… 477
潜血 occult blood ……… 851
全血 whole blood ……… 1291
〔完〕全血球算定 complete blood count (CBC) ……… 269
潜血試験 Hemoccult test ……… 545
仙結節靱帯 sacrotuberous ligament ……… 1067
〔仙結節靱帯の〕鎌状靱帯 falciform ligament ……… 440
潜原性敗血症 cryptogenic septicemia ……… 303
前検鼻〔法〕 anterior rhinoscopy ……… 77
先行 anticipation ……… 79
閃光 flash ……… 459
閃光〔感覚〕 phosphene ……… 930
穿孔 perforation ……… 913
穿孔〔術〕 trephination ……… 1225
閃光暗点 scintillating scotoma ……… 1079
穿孔器 trephine ……… 1225
前高血圧症 prehypertension ……… 973
前膠原質 procollagen ……… 981
前向〔性〕健忘〔症〕 anterograde amnesia ……… 77
前・後根動脈 anterior and posterior radicular arteries ……… 76
穿孔術 fenestration ……… 448
穿孔性潰瘍 perforated ulcer ……… 913
前酵素 proenzyme ……… 982
穿孔創 perforating wound ……… 913
前交通動脈 anterior communicating artery ……… 75
旋光度 optic rotation ……… 864
前喉頭蓋腔 preepiglottic space ……… 972
穿孔〔性〕膿瘍 perforating abscess ……… 913
旋光分散 optic rotatory dispersion ……… 864
閃光盲 flash blindness ……… 460
前交連 anterior commissure ……… 75
仙後弯 sacral kyphosis ……… 1067
前後径 occipitofrontal diameter ……… 850
仙骨 sacrum ……… 1067
仙骨横位 sacrotransverse (ST) position ……… 1067
前骨芽細胞 osteoprogenitor cell ……… 875
仙骨管 sacral canal ……… 1067
前骨間神経 anterior interosseous nerve ……… 76
前骨間動脈 anterior interosseous artery ……… 76
仙骨孔 sacral foramen ……… 1067
仙骨神経 sacral nerves [S1-S5] ……… 1067
仙骨神経叢 sacral plexus ……… 1067
前骨髄芽球 premyeloblast ……… 974
前骨髄球 promyelocyte ……… 985
前骨髄細胞 promyelocyte ……… 985
仙骨切除〔術〕 sacrectomy ……… 1067
仙骨前筋膜 presacral fascia ……… 975
仙骨前交感神経切除〔術〕 presacral neurectomy ……… 975
仙骨腟固定法 sacrocolpopexy procedure ……… 1067
仙骨〔部〕痛 sacralgia ……… 1067
仙骨内臓神経 sacral splanchnic nerves ……… 1067
仙骨部後凸弯曲 sacral kyphosis ……… 1067
仙骨麻酔〔法〕 caudal anesthesia ……… 211
仙骨稜 sacral crest ……… 1067
前根 ventral root ……… 1267
洗〔浄〕剤 detergent ……… 337
潜在意識 subconsciousness ……… 1152
潜在学習 latent learning ……… 681
潜在期 prepatent period ……… 974
浅在筋膜 superficial fascia ……… 1160
全採血 exsanguination ……… 431
潜在睾丸 undescended testis ……… 1246
潜在性アレルギー latent allergy ……… 681
潜在性ウイルス masked virus ……… 734
潜在性口蓋裂 occult cleft palate ……… 851
潜在性口渇 hypodipsia ……… 593
潜在性痛風 latent gout ……… 681
潜在性膜蛋白 latent membrane protein ……… 681
潜在性脈絡膜血管新生 occult choroidal neovascularization ……… 851
潜在的感作 covert sensitization ……… 293
潜在内容 latent content ……… 681
潜在〔性〕二分脊椎 spina bifida occulta ……… 1125
潜在能〔力〕 potency ……… 969
潜在保因者 latent carrier ……… 681
前索 anterior funiculus ……… 75
尖叉試験 tine test ……… 1205
穿刺 centesis ……… 216
穿刺 needling ……… 817
穿刺〔術〕 paracentesis ……… 893
穿刺 puncture ……… 1005
栓子 plug ……… 949
前歯 anterior tooth ……… 77
全耳炎 panotitis ……… 891
前耳介筋 anterior auricular muscle ……… 74

前耳介筋 auricularis anterior muscle …… 119
前耳介神経 anterior auricular nerves …… 74
全色盲 achromatopsia …… 12
全色盲 monochromatism …… 781
浅指屈筋 flexor digitorum superficialis muscle …… 462
前篩骨神経 anterior ethmoidal nerve …… 75
前篩骨動脈 anterior ethmoidal artery …… 75
前室間動脈 anterior interventricular artery …… 76
線質係数 quality factor …… 1015
全失語〔症〕 global aphasia …… 501
穿刺培養 stab culture …… 1134
腺脂肪腫 adenolipoma …… 25
腺脂肪腫症 adenolipomatosis …… 25
前斜角筋 anterior scalene muscle …… 77
前斜角筋 scalenus anterior muscle …… 1074
漸弱 symptosis …… 1170
腺腫 adenoma …… 25
腺周囲炎 periadenitis …… 913
前縦隔鏡検査〔法〕 anterior mediastinoscopy …… 76
専修看護師 practical nurse …… 970
前十字靱帯 anterior cruciate ligament …… 75
前収縮期 presystole …… 976
前収縮期雑音 presystolic murmur …… 976
前収縮期振せん presystolic thrill …… 976
前収縮期奔馬調律 presystolic gallop …… 976
全収縮〔期〕雑音 pansystolic murmur …… 891
全収縮末期径 total end-systolic diameter …… 1211
前十二指腸 protoduodenum …… 991
腺腫症 adenomatosis …… 25
腺腫性甲状腺腫 adenomatous goiter …… 25
腺腫脹〔症〕 hyperadenosis …… 581
戦術的緊急医療 tactical emergency medical service …… 1177
腺腫様ポリープ adenomatous polyp …… 25
腺症 adenopathy …… 26
洗浄 ablution …… 4
洗浄 irrigation …… 648
洗浄 lavage …… 684
洗浄 lavation …… 684
線条 streak …… 1146
線状〔皮膚〕萎縮〔症〕 striae atrophicae …… 1148
線状陰影 stripe …… 1148
線条縁 striated border …… 1148
前消化 predigestion …… 972
栓状核 emboliform nucleus …… 389
線状強皮症 linear scleroderma …… 701
線状骨折 linear fracture …… 701
清浄採取 clean catch …… 249
栓状歯 pegged tooth …… 907
前上歯槽動脈 anterior superior alveolar artery …… 77
線状出血 splinter hemorrhages …… 1130
線条体 striate body …… 1148
線状苔癬 lichen striatus …… 697
栓状沈殿 syneresis …… 1172
前焦点 anterior focal point …… 75
全焦点レンズ omnifocal lens …… 858
浅掌動脈弓 superficial palmar arterial arch …… 1160
前床突起 anterior clinoid process …… 75
腺上皮 glandular epithelium …… 499
浅静脈 superficial vein …… 1160
前哨リンパ節 sentinel gland …… 1093
前哨リンパ節生検 sentinel node biopsy …… 1093
前上腕回旋動脈 anterior circumflex humeral artery …… 75
浅上腕動脈 superficial brachial artery …… 1159
染色〔法〕 staining …… 1135
染色液 stain …… 1135
染色強化剤 accentuator …… 8
染色糸 axoneme …… 127
染色糸 chromonema …… 240
染色質 chromatin …… 240
染色質過多 hyperchromatism …… 582
染色質体 chromatin body …… 240
染色質溶解 chromatolysis …… 240
染色小粒 chromomere …… 240
染色体 chromosome …… 241
染色体異常 chromosome aberration …… 241
染色体ウォーキング chromosome walking …… 241
染色体外遺伝 extrachromosomal inheritance …… 435
染色体形質 chromosomal trait …… 241
染色体欠失 chromosomal deletion …… 241
染色体減数 reduction of chromosomes …… 1031
染色体縞 chromosome band …… 241
染色体症候群 chromosomal syndrome …… 241
染色体地図 chromosomal map …… 241
染色体重複 duplication of chromosomes …… 367
染色体破損症候群 chromosomal instability syndromes …… 241
染色体不安定症候群 chromosomal instability syndromes …… 241
染色体不安定部 fragile site …… 473
染色体付随体 chromosome satellite …… 241
染色体分離 disjunction …… 353
染色体マッピング chromosome mapping …… 241
染色体領域 chromosomal region …… 241
染色中心 karyosome …… 661
染色分体 chromatid …… 240
染色法 banding …… 134
前唇 prolabium …… 984
前腎 pronephros …… 986
全身アナフィラキシー generalized anaphylaxis …… 493
全身化 generalization …… 493
全身カウンター whole-body counter …… 1291
前進形成 prosoplasia …… 987
全身血管抵抗 systemic vascular resistance …… 1174
全身硬直症候群 stiff-person syndrome …… 1142
全身腫瘍組織量 tumor burden …… 1237
全身症状 constitutional symptom …… 279
全身症状 general symptom …… 493
全身水腫 anasarca …… 62
全身性エリテマトーデス systemic lupus erythematosus (SLE) …… 1174
全身性強直・間代発作 generalized tonic-clonic seizure …… 493
全身性興奮薬 general stimulant …… 493
全身性シュワルツマン現象 generalized Shwartzman phenomenon …… 493
全身性脱毛〔症〕 alopecia universalis …… 45
全身性毛細管漏出症候群 systemic capillary leak syndrome …… 1174
全身痛 pantalgia …… 891
先進部 presentation …… 975
全身浮腫 anasarca …… 62
全身不全麻痺 paresis …… 899
前進弁 advancement flap …… 31
全身麻酔〔法〕 general anesthesia …… 493
全身麻酔薬 general anesthetic …… 493
全身免疫 general immunity …… 493
〔鉱〕泉水 mineral water …… 773
潜水反応 diving reflex …… 357
潜水夫甲状腺腫 diving goiter …… 357
線スペクトル line spectrum …… 701
腺性下垂体 adenohypophysis …… 25
腺性下垂体嚢 adenohypophysial pouch …… 25
腺性口唇炎 cheilitis glandularis …… 227
前正赤芽球 pronormoblast …… 986
腺性膀胱炎 cystitis glandularis …… 311
前赤芽球 prorubricyte …… 987
前脊髄小脳路 anterior spinocerebellar tract …… 77
前脊髄動脈 anterior spinal artery …… 77
全脊椎裂 holorachischisis …… 568
腺節 adenomere …… 25
前赤血球 proerythrocyte …… 982
腺切除〔術〕 adenectomy …… 24
前舌腺 anterior lingual gland …… 76
腺線維腫 adenofibroma …… 25
前先体顆粒 proacrosomal granules …… 980
前前庭動脈 anterior vestibular artery …… 77
前前頭野 prefrontal area …… 972
全前脳症 holoprosencephaly …… 568
先祖 progenitor …… 982
潜像 latent image …… 681
漸増 recruitment …… 1029
全層植皮 full-thickness graft …… 478
戦争神経症 battle fatigue …… 141
戦争神経症 war neurosis …… 1286
漸増性心雑音 crescendo murmur …… 296
前走性てんかん procursive epilepsy …… 982

漸増抵抗運動 progressive-resistance exercise (PRE) ………… 983
全層皮膚移植片 full-thickness graft ………… 478
先祖返り atavism ………… 111
先祖返り reversion ………… 1049
線束 beam ………… 142
尖足 footdrop ………… 469
尖足 talipes equinus ………… 1178
ぜん息 asthma ………… 109
栓塞杆 tent ………… 1187
栓塞子 obturator ………… 849
浅側頭動脈 superficial temporal artery ………… 1160
前足部 forefoot ………… 470
ぜん息発作重積状態 status asthmaticus ………… 1138
浅鼡径輪 superficial inguinal ring ………… 1160
センター・オブ・エクセレンス center of excellence ………… 216
先体〔帽〕 acrosomal cap ………… 17
先体 acrosome ………… 17
先体顆粒 acrosomal granule ………… 17
先体小胞 acrosomal vesicle ………… 17
前大腿皮神経 anterior femoral cutaneous nerves ………… 75
前大脳静脈 anterior cerebral vein ………… 74
前大脳動脈 anterior cerebral artery ………… 74
全体論 holism ………… 567
全体論的医学 holistic medicine ………… 567
選択 selection ………… 1088
選択係数 selection coefficient (*s*) ………… 1088
選択染色〔法〕 selective stain ………… 1088
選択的エストロゲン受容体モデュレータ selective estrogen receptor modulator (SERM) ………… 1088
選択的スプライシング alternative splicing ………… 47
選択的セロトニン再取り込み阻害剤 selective serotonin reuptake inhibitor (SSRI) ………… 1088
選択的ノルエピネフリン再取り込み阻害剤 selective norepinephrine reuptake inhibitor ………… 1088
選択的無言〔症〕 elective mutism ………… 383
浅達性 II 度熱傷 superficial partial-thickness burn ………… 1160
〔完〕全脱毛〔症〕 alopecia totalis ………… 45
善玉コレステロール good cholesterol ………… 511
先端 tip ………… 1205
先端異常感覚 acroparesthesia ………… 17
先端運動失調 acroataxia ………… 15
前単球 premonocyte ………… 974
先端巨大症 acromegaly ………… 16
先端筋緊張〔症〕 acromyotonia ………… 17
先端硬化〔症〕 acrosclerosis ………… 17
先端紅痛症 erythromelalgia ………… 418
先端骨溶解症 acroosteolysis ………… 17
先端失認 acroagnosis ………… 15
先端チアノーゼ acrocyanosis ………… 16
先端知覚過敏 acroesthesia ………… 16
先端知覚麻痺 acroanesthesia ………… 15
尖短頭〔症〕 acrobrachycephaly ………… 15
先端疼痛〔症〕 acrodynia ………… 16
先端疼痛〔症〕 acromelalgia ………… 16
先端膿疱症 acropustulosis ………… 17
先端皮膚炎 acrodermatitis ………… 16
先端皮膚病 acrodermatosis ………… 16
前置血管 vasa previa ………… 1261
前地帯 prozone ………… 992
前置胎盤 placenta previa ………… 942
センチネラ・テスト Centinela test ………… 217
センチネル垂 sentinel tag ………… 1093
センチネルリンパ節 sentinel lymph node ………… 1093
センチポアズ centipoise ………… 217
線虫 nematode ………… 818
線虫 threadworm ………… 1198
前柱 anterior column ………… 75
蠕虫 helminth ………… 539
蠕虫 vermis ………… 1269
蠕虫 worm ………… 1294
蠕虫運動 vermiculation ………… 1269
前中期 prometaphase ………… 985
蠕虫腫 helminthoma ………… 540
線虫症 nematodiasis ………… 818
前中心子 procentriole ………… 980
蠕虫病 helminthiasis ………… 540
前兆 aura ………… 119
前腸 foregut ………… 470
前徴 prodrome ………… 982
全腸炎 coloenteritis ………… 262
仙腸関節 sacroiliac joint ………… 1067
浅腸骨回旋動脈 superficial circumflex iliac artery ………… 1160
船長主義 captain of the ship doctrine ………… 197
仙椎 sacral vertebrae〔S1-S5〕 ………… 1067
前椎骨静脈 anterior vertebral vein ………… 77
仙痛 colic ………… 260
穿通創 penetrating wound ………… 910
前提 propositus ………… 987
前庭 vestibule ………… 1274
前庭 vestibulum ………… 1274
前庭アブミ骨筋 vestibular hyperacusis ………… 1273
前庭階 scala vestibuli ………… 1073
前庭階壁 vestibular membrane ………… 1273
前庭〔性〕眼振 vestibular nystagmus ………… 1273
前庭眼反射 vestibuloocular reflex (VOR) ………… 1274
前庭機械受容器 vestibular mechanoreceptors ………… 1273
前庭球 bulb of vestibule ………… 183
前庭球静脈 vein of vestibular bulb ………… 1265
前庭障害 vestibulopathy ………… 1274
前庭小管静脈 vein of vestibular aqueduct ………… 1265
前定常状態 pre-steady state ………… 976
前庭静脈 vestibular veins ………… 1274
前庭神経 vestibular nerve ………… 1273
前庭神経核 vestibular nuclei ………… 1273
前庭神経鞘腫 vestibular schwannoma ………… 1274
前庭神経節 vestibular ganglion ………… 1273
前庭神経節 vestibular nerve section ………… 1273
前庭神経切断術 vestibular neurectomy ………… 1273
前庭脊髄反射 vestibulospinal reflex ………… 1274
前庭切開〔術〕 vestibulotomy ………… 1274
前庭窓 fenestra vestibuli ………… 448
前庭窓後小窩 fossula post fenestram ………… 472
前庭ニューロン炎 vestibular neuronitis ………… 1273
前庭迷路 vestibular organ ………… 1274
前庭稜 vestibular crest ………… 1273
全摘除術 radical dissection ………… 1019
全鉄結合能 total iron-binding capacity (TIBC) ………… 1211
腺転位〔症〕 adenectopia ………… 24
前電位 prepotential ………… 974
先天異常 congenital anomaly ………… 275
先天異常 malformation ………… 727
先天〔性〕眼振 congenital nystagmus ………… 276
先天〔性〕筋緊張〔症〕 congenital paramyotonia ………… 276
先天〔性〕筋無緊張〔症〕 amyotonia congenita ………… 59
先天性遺伝性内皮ジストロフィ congenital hereditary endothelial dystrophy ………… 276
先天性横隔膜ヘルニア congenital diaphragmatic hernia ………… 275
先天性巨大結腸〔症〕 congenital megacolon ………… 276
先天性魚鱗癬様紅皮症 congenital ichthyosiform erythroderma ………… 276
先天性形成欠損 ectrogeny ………… 378
先天性血管拡張性大理石様皮斑 cutis marmorata telangiectatica congenita ………… 307
先天性甲状腺機能低下症 congenital hypothyroidism ………… 276
先天性股関節異形成 congenital hip dysplasia ………… 276
先天性骨形成不全症 osteogenesis imperfecta congenita ………… 874
先天性赤芽球ろう congenital hypoplastic anemia ………… 276
先天性脊椎・骨端異形成症 spondyloepiphysial dysplasia congenita (SEDC) ………… 1130
先天性石灰化軟骨異形成〔症〕 chondrodysplasia calcificans congenita ………… 236
先天性切断 congenital amputation ………… 275
先天性ぜん音 congenital stridor ………… 276
先天性全脂肪異栄養〔症〕 congenital total lipodystrophy ………… 276
先天性造血性ポルフィリン症 congenital erythropoietic porphyria ………… 275
先天性代謝異常症 inborn errors of metabolism ………… 611
先天性脱毛〔症〕 alopecia adnata ………… 45
先天性脱毛〔症〕 alopecia congenitalis ………… 45
先天性多発性関節拘縮〔症〕 arthrogryposis multiplex congenita ………… 103
先天性男性化副腎過形成 congenital virilizing adrenal

セ

hyperplasia ……… 276
先天性低形成貧血 congenital hypoplastic anemia ……… 276
先天性瞳孔転位〔症〕 ectopia pupillae congenita ……… 377
先天性トキソプラスマ症 congenital toxoplasmosis ……… 276
先天性ハインツ小体溶血性貧血 congenital Heinz body hemolytic anemia ……… 275
先天性弁 congenital valve ……… 276
先天性母斑 congenital nevus ……… 276
先天性無線維素原血〔症〕 congenital afibrinogenemia ……… 275
先天性無フィブリノ〔ー〕ゲン血〔症〕 congenital afibrinogenemia ……… 275
先天性無包皮〔症〕 aposthia ……… 90
先天性溶血性貧血 congenital hemolytic anemia ……… 276
先天〔性〕の色覚異常 daltonism ……… 315
先天梅毒 congenital syphilis ……… 276
先天〔性〕パラミオトニア congenital paramyotonia ……… 276
全臀部置換 total hip replacement (THR) ……… 1211
先天免疫 innate immunity ……… 625
尖頭 cusp ……… 306
前頭 forehead ……… 470
ぜん動 peristalsis ……… 918
ぜん動 vermiculation ……… 1269
全洞炎 pansinusitis ……… 891
ぜん動緩徐 bradystalsis ……… 172
穿頭器 trephine ……… 1225
前頭筋 frontal belly of occipitofrontalis muscle ……… 477
前頭形成〔術〕 metopoplasty ……… 764
尖頭合指症 acrocephalosyndactyly ……… 16
ぜん動亢進 hyperperistalsis ……… 587
前頭骨 frontal bone ……… 477
尖頭症 oxycephaly ……… 880
前頭神経 frontal nerve ……… 477
前頭直筋 rectus capitis anterior muscle ……… 1029
前頭洞 frontal sinus ……… 477
前頭洞骨形成充填術 osteoplastic obliteration of the frontal sinus ……… 875
前糖尿病 prediabetes ……… 972
前頭皮質 frontal cortex ……… 477
前頭縫合 frontal suture ……… 477
前頭縫合 metopic suture ……… 764
前頭面 coronal plane ……… 286
前投薬 premedication ……… 974
前頭葉機能低下 hypofrontality ……… 593
前頭葉てんかん frontal lobe epilepsy ……… 477
前頭稜 frontal crest ……… 477
前突 protraction ……… 991
前突 protrusion ……… 992
前突歯 buck tooth ……… 182
セントラド centrad ……… 217
セントルイス脳炎ウイルス St. Louis encephalitis virus ……… 1143
腺軟化症 adenomalacia ……… 25
前軟骨 precartilage ……… 970
腺肉腫 adenosarcoma ……… 26
洗脳 brainwashing ……… 173
前脳 forebrain ……… 470
前脳 prosencephalon ……… 987
全能 totipotency ……… 1212
全脳炎 panencephalitis ……… 890
腺嚢腫 adenocystoma ……… 25
全肺気量 total lung capacity (TLC) ……… 1211
全肺静脈還流異常 total anomalous pulmonary venous return (TAPVR) ……… 1211
前肺底区動脈 anterior basal segmental artery ……… 74
専売薬 proprietary medicine ……… 987
前反膝 genu recurvatum ……… 496
全般性不安障害 generalized anxiety disorder ……… 493
前鼻棘 anterior nasal spine ……… 76
前鼻棘外耳孔線 acanthomeatal line ……… 7
浅腓骨神経 superficial fibular nerve ……… 1160
浅腓骨神経 superficial peroneal nerve ……… 1160
全膝置換 total knee replacement (TKR) ……… 1211
腺病性苔癬 lichen scrofulosorum ……… 697
前部一次硝子体過形成遺残 persistent anterior hyperplastic primary vitreous ……… 921
前負荷 preload ……… 973
前部角膜ジストロフィ anterior corneal dystrophy ……… 75
尖腹 protuberant abdomen ……… 992
潜伏〔期〕 incubation ……… 613
潜伏 latency ……… 681
潜伏遠視 latent hyperopia ……… 681
潜伏眼振 latent nystagmus ……… 682
潜伏期 incubation period ……… 613
潜伏期 latency ……… 681
潜伏期 latency phase ……… 681
潜伏睾丸 undescended testis ……… 1246
潜伏時 latent period ……… 682
潜伏性アレルギー latent allergy ……… 681
潜伏性反射 latent reflex ……… 682
潜伏統合失調症 latent schizophrenia ……… 682
全副鼻腔炎 pansinusitis ……… 891
浅腹壁静脈 superficial epigastric vein ……… 1160
浅腹壁動脈 superficial epigastric artery ……… 1160
全部床義歯 complete denture ……… 269
腺フレグモーネ adenocellulitis ……… 25
腺分泌細胞 adenocyte ……… 25
全分泌腺 holocrine gland ……… 568
腺ペスト bubonic plague ……… 182
選別試験 screening test ……… 1082
前扁桃体 anterior amygdaloid area ……… 74
腺胞 alveolus ……… 49
腺房 acinus ……… 14
前方開胸〔術〕 anterior thoracotomy ……… 77
腺胞管 alveolar duct ……… 48
〔前房〕隅角鏡 gonioscope ……… 511
前方咬合 protrusive occlusion ……… 992
腺房細胞 acinar cell ……… 13
腺房細胞腺癌 acinic cell adenocarcinoma ……… 13
前房出血 hyphema ……… 590
前方心不全 forward heart failure ……… 472
前方すべり anterolisthesis ……… 77
腺蜂巣炎 adenocellulitis ……… 25
前房蓄膿 hypopyon ……… 596
前方突進 propulsion ……… 987
前方反張 emprosthotonos ……… 392
前方引き出しテスト anterior drawer test ……… 75
前方不安感試験 anterior apprehension test ……… 74
腺膜 glandilemma ……… 499
ぜん鳴 stridor ……… 1148
ぜん鳴 wheeze ……… 1290
ぜん鳴痙攣 laryngismus stridulus ……… 679
ぜん鳴性喉頭炎 laryngitis stridulosa ……… 680
線毛 cilium ……… 245
せん妄 delirium ……… 325
線毛運動 ciliary movement ……… 244
線毛上皮 ciliated epithelium ……… 244
旋毛虫 *Trichinella spiralis* ……… 1227
旋毛虫症 trichinosis ……… 1227
旋毛虫肉芽腫 trichinosis granuloma ……… 1227
前毛様体動脈 anterior ciliary artery ……… 75
泉門 fontanelle ……… 468
泉門 fonticulus ……… 468
専門 specialty ……… 1119
線紋 striation ……… 1148
専門医 specialist ……… 1119
専門化 specialization ……… 1119
専門家用語 jargon ……… 654
線毛機能不全 ciliary dyscinesis ……… 244
泉門交叉 fountain decussation ……… 472
専門能力 occupational performance ……… 851
専門要素 professional component ……… 982
前有孔質動脈 anterior perforating arteries ……… 76
前誘発 preinduction ……… 973
栓友病 thrombophilia ……… 1200
全輸血 substitution transfusion ……… 1155
線溶〔現象〕 fibrinogenolysis ……… 451
〔下垂体の〕前葉 anterior lobe of hypophysis ……… 76
腺様化 adenization ……… 24
線溶亢進 hyperfibrinolysis ……… 584
線〔維素〕溶〔解〕酵素 plasmin ……… 945
腺様歯原性腫瘍 adenomatoid odontogenic tumor ……… 25
前羊水 forewaters ……… 471
腺様嚢胞癌 adenoid cystic carcinoma ……… 25

戦慄 trepidation 1225
前立腺 prostate 988
前立腺液 prostatic fluid 988
前立腺炎 prostatitis 988
前立腺管 prostatic ductules 988
前立腺癌 carcinoma of the prostate 200
前立腺挙筋 levator prostatae muscle 696
前立腺結石 prostatic calculus 988
前立腺症 prostatism 988
前立腺小室 prostatic utricle 988
前立腺上皮内腫瘍 prostatic intraepithelial neoplasia (PIN) 988
前立腺精嚢炎 prostatovesiculitis 989
前立腺精嚢切除〔術〕 prostatovesiculectomy 988
前立腺切開〔術〕 prostatotomy 988
前立腺切除〔術〕 prostatectomy 988
前立腺切石〔術〕 prostatolithotomy 988
前立腺洞 prostatic sinus 988
前立腺特異抗原 prostate-specific antigen (PSA) 988
前立腺特異抗原進行速度 PSA velocity 993
前立腺肥大 prostatomegaly 988
前立腺膀胱炎 prostatocystitis 988
前立腺マッサージ prostatic massage 988
前立腺漏 prostatorrhea 988
染料 dye 368
染料 stain 1135
線量計 dosimeter 362
線量計 radiometer 1021
線量計測〔法〕 dosimetry 362
染料索引 Colour Index (CI) 264
線量測定〔法〕 dosimetry 362
線量等価限界値 dose equivalent limits 362
線量当量 dose equivalent 362
線量率 dose rate 362
前涙嚢稜 anterior lacrimal crest 76
全例解析 intention-to-treat analysis 629
前肋間静脈 anterior intercostal veins 76
前肋間動脈 anterior intercostal arteries 76
前肋間動脈 superior intercostal artery 1161
前肋骨吻合 precostal anastomosis 971
前腕 antebrachium 74
前腕 forearm 470
〔脊柱〕前弯〔症〕 lordosis 711
前弯位 lordotic position 711
前弯痙攣 emprosthotonos 392
前腕骨間膜 interosseous membrane of forearm 636
前腕正中皮静脈 median antebrachial vein 742
前腕切断 below elbow (BE) amputation 144

ソ

添い寝 cosleeping 290
素因 diathesis 343
素因 predisposition 972
叢 bouquet 169
叢 plexus 948
槽 cistern 247
層 coat 255
層 layer 685
相 phase 926
像 image 605
増悪 exacerbation 425
爪異栄養〔症〕 onychodystrophy 860
爪〔周〕囲炎 paronychia 900
爪萎縮 onychatrophia 860
増員生殖 schizogony 1077
躁うつ病 manic-depressive psychosis 731
躁うつ病患者 manic-depressive 730
造影剤 contrast medium 282
造影前単純像 scout film 1082
爪炎 onychia 860
蒼鉛縁 bismuth line 157
創縁新生 revivification 1049
騒音公害 noise pollution 837
騒音耳痛 odynacusis 854
騒音性難聴 noise-induced hearing loss 837
騒音の許容値 damage risk criteria 316
痩果 achene 11
層化 stratification 1145
双顆関節 bicondylar joint 150
総蝸牛動脈 common cochlear artery 266
爪郭 nail fold 810
爪郭炎 paronychia 900
双角子宮 bicornate uterus 150
爪下血腫 subungual hematoma 1156
相加効果 additive effect 23
爪下黒色腫 subungual melanoma 1156
爪過剰〔症〕 polyonychia 957
走化性 chemotaxis 229
爪下皮 hyponychium 595
挿管〔法〕 intubation 643
相関 relationship 1036
総肝管 common hepatic duct 266
双杆菌 diplobacillus 350
双眼顕微鏡 binocular microscope 152
層間ゼリー interlaminar jelly 631
槽間中隔 interalveolar septum 630
総肝動脈 common hepatic artery 266
爪嵌入症 ingrown nail 623
層間白内障 lamellar cataract 676
相関免疫 premunition 974
総顔面静脈 common facial vein 266
想起 recall 1027
想起 retrieval 1047
早期介入 early intervention 374
臓器向性 organotropism 868
早期興奮症候群 preexcitation syndrome 972
早期〔産〕児 preterm infant 976
総義歯 complete denture 269
走気性 aerotaxis 32
早期接触 prematurity 974
早期退院 early discharge 374
臓器痛 visceralgia 1277
臓器特異性抗原 organ-specific antigen 868
早期梅毒 primary syphilis 979
臓器培養 organ culture 867
早期分娩 premature labor 973
早期発作 prolepsis 984
双球菌 diplococcus 350
総休止時間 total downtime 1211
増強 enhancement 400
増強 increment 613
増強 reinforcement 1035
増強型狭心症 crescendo angina 296
双極細胞 bipolar cell 156
双極子 dipole 350
双極子イオン dipolar ions 350
双極性障害 bipolar disorder 156
双極ニューロン bipolar neuron 156
双極誘導 bipolar lead 156
装具 appliance 91
装具 brace 170
装具 orthosis 870
〔補〕装具学 prosthetics 989
創クリップ wound clip 1294
爪〔甲〕形成〔術〕 onychoplasty 860
層形成 stratification 1145
双頸双角子宮 uterus bicornis bicollis 1255
総頸動脈 common carotid artery 266
双茎皮弁 bipedicle flap 156
ぞうげエナメル境 dentinoenamel junction (DEJ) 330
象牙海岸ウイルス Côte-d'Ivoire virus 291
ぞうげ芽細胞 odontoblast 853
ぞうげ芽細胞腫 odontoblastoma 853
ぞうげ芽細胞層 odontoblastic layer 853
ぞうげ細管 dentinal canals 329
ぞうげ細管鞘 dentinal sheath 330
ぞうげ質 dentin 329
ぞうげ質異形成 dentin dysplasia 330

ぞうげ質炎 eburnitis ……375
ぞうげ質化 eburnation ……375
ぞうげ質形成 dentinogenesis ……330
ぞうげ質形成 eburnation ……375
ぞうげ質形成不全〔症〕 dentinogenesis imperfecta ……330
ぞうげ質痛 dentinalgia ……329
ぞうげ〔質〕腫 dentinoma ……330
ぞうげ前質 predentin ……971
造血 hemopoiesis ……548
造血異常 dyshematopoiesis ……370
造血器内溶血過度 plasmotropism ……945
造血系 hematopoietic system ……542
増血性増殖因子 hematopoietic growth factor (HGF) ……542
造血性ポルフィリン症 erythropoietic porphyria ……418
造血腺 hematopoietic gland ……542
造血薬 hematinic ……541
ぞうげ〔質〕粒 denticle ……329
造語〔症〕 neologism ……818
爪〔甲〕硬化〔症〕 scleronychia ……1081
双合回転〔術〕 bimanual version ……152
総合患者割合 case mix ……208
爪甲欠損〔症〕 anonychia ……72
総合〔臨床〕診療所 polyclinic ……955
爪甲層状分裂〔症〕 onychoschizia ……860
総合的視覚能力 gross visual skills ……519
爪甲破壊〔症〕 onychoclasis ……860
爪甲引抜き癖 onychotillomania ……860
爪〔甲〕鉤彎症 onychogryposis ……860
相互関係 reciprocity ……1028
総呼吸周期時間 total breathing cycle time ……1211
相互作用 interaction ……629
総骨間動脈 common interosseous artery ……266
相互転座 reciprocal translocation ……1028
相互歩行矯正装具 reciprocal gait orthotic (RGO) ……1028
相互優性遺伝 codominant inheritance ……259
相互輸血 reciprocal transfusion ……1028
爪痕 excoriation ……426
爪根 root of nail ……1060
操作 maneuver ……730
操作 operation ……862
走査 scanning ……1074
双細菌 diplobacteria ……350
走査式均等濃度X線撮影法 scanning equalization radiography ……1074
走査〔型〕電子顕微鏡 scanning electron microscope ……1074
早産 premature birth ……973
早産 premature labor ……973
早産での破水 preterm membrane rupture ……976
早産防止薬 tocolytic ……1207
挿耳型補聴器 in-the-canal hearing aid ……639
双糸期 diplotene ……350
双子筋 gemellus ……492
〔総〕指伸筋 extensor digitorum muscle ……432
爪ジストロフィ dystrophia unguium ……373
爪ジストロフィ onychodystrophy ……860
桑実状臼歯 mulberry molar ……789
桑実胚 morula ……785
桑実胚形成 morulation ……785
相似物 analog ……60
爪腫 onychoma ……860
爪〔甲〕縦裂〔症〕 onychorrhexis ……860
双手回転〔術〕 bimanual version ……152
早熟 precocity ……971
早熟 prematurity ……974
爪床 nail bed ……810
爪床 nail matrix ……810
創傷 wound ……1294
爪床溢血 hyponychon ……595
巣状壊死 focal necrosis ……466
爪床縁 eponychium ……412
爪障害 onychopathy ……860
創傷隔離 wound isolation ……1294
双晶形成 twinning ……1239
層状血餅 laminated clot ……676
相乗作用 potentiation ……969
相乗作用 synergism ……1172
巣状糸球体腎炎 focal glomerulonephritis ……466
爪床小溝 groove of nail matrix ……519
爪床小稜 crests of nail matrix ……297
叢状神経線維腫 plexiform neurofibroma ……948
増殖性網膜症 proliferative retinopathy ……985
総掌側指神経 common palmar digital nerve ……266
総掌側指動脈 common palmar digital artery ……266
巣状分節状糸球体硬化症 focal segmental glomerulosclerosis ……466
総称名 generic name ……493
増殖 growth ……520
増殖 hyperplasia ……587
増殖 increase ……613
増殖 proliferation ……985
増殖型〔バクテリオ〕ファージ vegetative bacteriophage ……1265
増殖細胞核抗原 proliferating cell nuclear antigen ……985
増殖性炎〔症〕 hyperplastic inflammation ……587
増殖性炎〔症〕 proliferative inflammation ……985
増殖性歯髄炎 hyperplastic pulpitis ……588
増殖性歯肉炎 hyperplastic gingivitis ……587
増殖性心内膜炎 vegetative endocarditis ……1265
増殖性動脈内膜炎 endarteritis proliferans ……395
増殖性分裂 multiplicative division ……793
増殖性網膜炎 retinitis proliferans ……1046
増殖速度 growth rate ……520
爪〔甲〕真菌症 onychomycosis ……860
双心子 diplosome ……350
挿針止血〔法〕 retroclusion ……1047
双心電図 bicardiogram ……149
走水性 hydrotaxis ……580
双星 amphiaster ……56
叢生 crowding ……300
双生 gemination ……492
走性 taxis ……1180
双生児 twin ……1239
爪切開〔術〕 onychotomy ……860
爪切除〔術〕 onychectomy ……860
叢切除〔術〕 plexectomy ……948
想像妊娠 pseudocyesis ……994
臓側板 visceral layer ……1277
相続物件 inheritance ……624
双胎 twin ……1239
増大 augmentation ……119
増大 enhancement ……400
増大 increase ……613
相対価値基準 relative value scale (RVS) ……1036
相対価値単位 relative value unit (RVU) ……1036
相対湿度 relative humidity ……1036
双胎児動脈血逆流症 twin reversed arterial perfusion sequence ……1239
双胎児輸血 twin-twin transfusion ……1239
造袋術 marsupialization ……733
双胎胎盤 twin placenta ……1239
相対調節 relative accommodation ……1036
総体的症状 symptomatology ……1170
相対的赤血球増加〔症〕 relative polycythemia ……1036
総体的徴候 symptomatology ……1170
相対的特異性 relative specificity ……1036
相対的白血球増加〔症〕 relative leukocytosis ……1036
爪〔甲〕脱落〔症〕 onychomadesis ……860
相談 counseling ……291
総胆管 common bile duct ……266
総胆管括約筋 sphincter of common bile duct ……1123
総胆管空腸吻合〔術〕 choledochojejunostomy ……234
総胆管形成〔術〕 choledochoplasty ……234
総胆管結石症 choledocholithiasis ……234
総胆管結石切開〔術〕 choledocholithotomy ……234
総胆管十二指腸吻合〔術〕 choledochoduodenostomy ……234
総胆管切除〔術〕 choledochectomy ……234
総胆管切石〔術〕 choledocholithotomy ……234
総胆管造瘻〔術〕 choledochostomy ……234
総胆管腸管吻合〔術〕 choledochoenterostomy ……234
総胆管嚢胞 choledochal cyst ……234
総胆管フィステル形成〔術〕 choledochostomy ……234
総胆管縫合〔術〕 choledochorrhaphy ……234
相談役 consultant ……279

装置 apparatus ……90
装置 device ……339
造腟術 colpopoiesis ……264
装着 insertion ……627
早朝嘔吐 morning sickness ……784
総腸骨動脈 common iliac artery ……266
爪痛 onychalgia ……860
総底側指神経 common plantar digital nerves ……266
総鉄結合能 total iron-binding capacity (TIBC) ……1211
走電性 electrotaxis ……387
相同組換え homologous recombination ……569
双頭歯 bicuspid ……150
相同刺激 homologous stimulus ……569
相動性咬合行動 phasic bite pattern ……926
相同染色体 homologous chromosomes ……569
双頭肋骨 bicipital rib ……150
爪〔甲〕軟化〔症〕 onychomalacia ……860
挿入 insertion ……627
挿入 intromission ……643
挿入 packing ……884
挿入医療 episode of care ……410
挿入器 packer ……884
挿入導管 intercalated ducts ……630
挿入突然変異 insertional mutagenesis ……627
挿入配列 insertion sequences ……627
走熱性 thermotaxis ……1194
掻爬〔術〕 curettage ……305
総肺気量 total lung capacity (TLC) ……1211
〔総〕排出腔 cloaca ……251
総排出腔遺残 persistent cloaca ……921
〔総〕排泄腔 cloaca ……251
総排泄腔癌 cloacogenic carcinoma ……251
総肺底静脈 common basal vein ……266
掻爬器 curette ……305
蒼白 pallor ……886
爪白癬 tinea unguium ……1205
爪〔甲〕白斑〔症〕 leukonychia ……694
爪〔甲〕剥離症 onycholysis ……860
爪〔甲〕〔層状〕剥離症 schizonychia ……1077
掻爬試験 scratch test ……1082
早発射精 premature ejaculation ……973
早発閉経 premature menopause ……973
層板 lamella ……676
爪板 nail plate ……810
相反矯正力 reciprocal forces ……1028
爪半月 lunule of nail ……716
層板骨 lamellar bone ……676
層板小体 lamellated corpuscles ……676
爪肥厚〔症〕 pachyonychia ……884
総腓骨神経 common fibular nerve ……266
造鼻術 rhinoplasty ……1052
象鼻〔奇形〕症 rhinocephaly ……1052
爪〔甲〕肥大〔症〕 hyperonychia ……586
象皮病 elephantiasis ……387
象皮病様熱 elephantoid fever ……388
躁病 mania ……730
増幅 amplification ……56
増幅器 amplifier ……56
増幅率 gain ……483
爪部脈波描写器 onychograph ……860
増分 increment ……613
爪分裂〔症〕 schizonychia ……1077
層別化 stratification ……1145
相補〔性〕 complementation ……269
相貌 physiognomy ……935
相貌学 physiognomy ……935
僧帽筋 trapezius muscle ……1223
相貌失認 prosopagnosia ……987
僧帽弁 mitral valve ……776
僧帽弁逸脱〔症〕 mitral valve prolapse (MVP) ……776
僧帽弁逆流 mitral regurgitation ……776
僧帽弁狭窄〔症〕 mitral stenosis (MS) ……776
僧帽弁口 mitral orifice ……776
僧帽弁勾配 mitral gradient ……776
僧帽弁交連切開〔術〕 mitral commissurotomy ……776
僧帽弁雑音 mitral murmur ……776
僧帽弁閉鎖症 mitral atresia ……776
僧帽弁閉鎖不全〔症〕 mitral insufficiency ……776
僧帽弁変化 mitralization ……776
相補性 complementarity ……269
相補 DNA complementary DNA (cDNA) ……269
そう痒 itching ……653
そう痒〔症〕 pruritus ……993
相利共生 mutualism ……801
爪〔甲〕離床症 onycholysis ……860
層流 laminar flow ……676
造粒 granulation ……514
藻類 algae ……41
ソウルウイルス Seoul virus ……1093
〔精液〕早漏 premature ejaculation ……973
早老 presenility ……975
早老〔症〕 progeria ……982
総和 summation ……1159
疎液〔性〕物質 lyophobe ……720
疎遠 alienation ……41
ソーヴ法 Soave operation ……1112
ソーシャルサービス social services ……1113
ソーズビー症候群 Sorsby syndrome ……1117
ソールター成長線 Salter incremental lines ……1070
粗化 rarefaction ……1025
阻害 inhibition ……624
阻害薬 inhibitor ……624
疎隔 alienation ……41
束 bundle ……184
束 fascicle ……444
属 genus ……496
族 group ……520
足位 footling presentation ……469
足位回転〔術〕 podalic version ……952
足位内回転術 internal podalic version ……634
足位分娩 footling ……469
即応チーム rapid response team ……1025
側臥位 lateral position ……683
足関節 ankle joint ……71
足関節炎 podarthritis ……952
足機械療法 podomechanotherapy ……952
足弓 arch of foot ……93
測胸器 thoracometer ……1198
足菌腫 mycetoma ……801
足筋力計 pododynamometer ……952
即ケア検査 point of care testing ……952
側傾 lateroversion ……684
束形成 fasciculation ……444
側鎖 side chain ……1103
側索 lateral funiculus ……683
側鎖説 side-chain theory ……1103
足指 toe ……1207
即時〔型〕アレルギー immediate allergy ……606
即時義歯 immediate denture ……606
足指骨底 base of phalanx of foot ……139
即時消毒〔法〕 concurrent disinfection ……273
足指爪 toenail ……1207
足指内反 intoe ……640
足指の滑液鞘 synovial sheaths of toes ……1173
即時〔型〕反応 immediate reaction ……606
〔線維〕束〔性〕収縮 fasciculation ……444
束状帯 zona fasciculata ……1302
束状帯細胞 spongiocyte ……1131
束状配列 fasciculation ……444
足踵部 heel pad ……538
促進 reinforcement ……1035
促進因子 accelerator ……7
促進型心室固有調律 accelerated idioventricular rhythm ……7
促進型接合部調律 accelerated junctional rhythm ……7
促進神経 accelerator nerves ……8
促進性グロブリン accelerator globulin (AcG, ac-g) ……8
促進物質 accelerator ……7
促進物質 promoting agent ……985
側性 laterality ……683
続成作用 diagenesis ……341
即席調合 extemporaneous compounding ……431
塞栓 embolus ……389

ソ

塞栓形成 embolization ……389
塞栓術 embolotherapy ……389
塞栓症 embolism ……389
塞栓症防止ストッキング antiembolism stockings ……80
塞栓切除〔術〕 embolectomy ……389
塞栓摘出〔術〕 embolectomy ……389
側柱 lateral column ……682
速中性子照射療法 fast-neutron radiation therapy ……444
促通 canalization ……194
促通 facilitation ……439
足痛 podalgia ……952
足痛治療医 podiatrist ……952
測定 determination ……338
測定 measurement ……740
足底 planta ……943
足底 sole ……1114
足底いぼ plantar wart ……944
測定過大〔症〕 hypermetria ……586
足底間隙 plantar space ……944
測定器 scale ……1074
足底弓 plantar arch ……943
足底筋 plantaris muscle ……943
足底筋膜 plantar fascia ……943
足底筋膜炎 plantar fasciitis ……943
〔足〕底屈 plantarflexion ……943
測定減少〔症〕 hypometria ……594
測定尺度 scale ……1074
測定障害 dysmetria ……371
測定正常 eumetria ……423
足底線維腫症 plantar fibromatosis ……943
足底像 podogram ……952
足底痛 plantalgia ……943
〔深〕足底動脈弓 deep plantar (arterial) arch ……322
足底動脈弓 plantar arch ……943
足底反射 plantar reflex ……943
足底方形筋 quadratus plantae muscle ……1014
足底ゆうぜい verruca plantaris ……1269
測滴計 stalagmometer ……1135
速度 rate ……1025
速度 velocity (v) ……1265
側頭 temple ……1184
側頭窩 temporal fossa ……1184
側頭下アプローチ infratemporal approach ……622
側頭下窩 infratemporal fossa ……622
側頭下顎関節疼痛機能不全症候群 temporomandibular joint pain-dysfunction syndrome (TMJ syndrome) ……1185
側頭下顎障害 temporomandibular disorder ……1185
側頭下到達法 infratemporal approach ……622
側頭下稜 infratemporal crest ……622
側頭橋〔核〕路 temporopontine tract ……1185
側頭筋 temporalis muscle ……1184
側頭筋 temporal muscle ……1185
側頭骨 temporal bone ……1184
〔側頭骨〕茎状突起 styloid process of temporal bone ……1150
側頭骨錐体部 petrous part of temporal bone ……922
側頭頭頂筋 temporoparietalis muscle ……1185
側頭動脈炎 temporal arteritis ……1184
側頭突起 temporal process ……1185
側頭平面 temporal plane ……1185
側頭葉 temporal lobe ……1184
側頭葉橋線維 temporopontine fibers ……1185
側頭葉極動脈 polar temporal artery ……953
側頭葉てんかん temporal lobe epilepsy ……1185
速度定数 rate constants (k) ……1025
速度論 kinetics ……666
測熱 calorimetry ……192
側脳室 lateral ventricle ……684
足背動脈 dorsalis pedis artery ……361
足背動脈拍動 dorsalis pedis pulse ……361
続発 sequence ……1094
続発疾患 secondary disease ……1085
続発症 deuteropathy ……338
続発症 sequela ……1094
続発性アミロイドーシス secondary amyloidosis ……1085
続発性アルドステロン症 secondary aldosteronism ……1085
続発性痛風 secondary gout ……1085
続発性脳炎 secondary encephalitis ……1085
続発性白内障 secondary cataract ……1085
続発性ヘモクロマトーシス secondary hemochromatosis ……1085
続発性無気肺 secondary atelectasis ……1085
続発〔性〕腹腔妊娠 secondary abdominal pregnancy ……1084
続発〔性〕無月経 secondary amenorrhea ……1085
続発緑内障 secondary glaucoma ……1085
側反 lateroversion ……684
側半陰陽 lateral hermaphroditism ……683
足病学 podiatry ……952
側腹 latus ……684
側腹 loin ……709
側腹位 flank position ……459
側副血管 collateral vessel ……262
側副溝 collateral sulcus ……262
側副枝 collateral ……261
側副循環 collateral circulation ……261
側腹切開 flank incision ……459
側腹切開〔術〕 laparotomy ……678
側副動脈 collateral artery ……261
側副路 bypass ……187
足部痛風 podagra ……952
足部白癬 tinea pedis ……1205
足部浮腫 podedema ……952
側方運動 lateroduction ……684
側方屈曲 lateroflexion ……684
足放線 foot rays ……469
側方捻転 laterotorsion ……684
側方偏位 laterodeviation ……684
側方偏視 lateroduction ……684
束密度 flux ……466
速脈 pulsus celer ……1005
属名 generic name ……493
側面像 lateral ……682
足様構造 pes ……922
粟粒結核 miliary tuberculosis ……772
粟粒疹 miliaria ……772
粟粒〔性〕塞栓症 miliary embolism ……772
粟粒熱 miliary fever ……772
粟粒膿瘍 miliary abscess ……772
粟粒パターン miliary pattern ……772
足力測定器 pedodynamometer ……907
〔線維〕束〔性〕攣縮 fasciculation ……444
速話症 agitophasia ……35
速話症 cluttering ……254
〔脊柱〕側弯〔症〕 scoliosis ……1081
側弯屈 lateroversion ……684
鼡径鎌 falx inguinalis ……442
鼡径鎌 inguinal falx ……623
鼡径管 inguinal canal ……623
〔鼡径〕間質ヘルニア interstitial hernia ……637
鼡径三角 inguinal triangle ……623
鼡径三角 inguinal trigone ……624
鼡径靱帯 inguinal ligament ……623
鼡径部 groin ……519
鼡径部 inguinal region ……623
鼡径部肉芽腫 granuloma inguinale ……515
鼡径ヘルニア inguinal hernia ……623
鼡径鎌 inguinal falx ……623
底 basis ……140
鼡咬熱 rat-bite fever ……1025
阻止 arrest ……96
阻止 inhibition ……624
組織 organization ……867
組織 structure ……1149
組織 texture ……1191
組織 tissue ……1205
組織移植 implantation ……610
組織学 histology ……565
組織学者 histologist ……565
組織学的調節 histologic accommodation ……565
組織芽細胞 histioblast ……565
組織褐変症 ochronosis ……852
組織間緊張 tissue tension ……1205
組織球 histiocyte ……565
組織球腫 histiocytoma ……565

組織球症 histiocytosis …… 565
組織球増殖〔症〕 histiocytosis …… 565
組織球様らい histoid leprosy …… 565
組織欠損性小眼球症 colobomatous microphthalmia …… 262
組織呼吸 tissue respiration …… 1205
組織再生誘導法 guided tissue regeneration …… 521
組織腫 histoma …… 566
組織生理学 histophysiology …… 566
組織中毒性無酸素〔症〕 histotoxic anoxia …… 566
組織適合試験 histocompatibility testing …… 565
組織適合性 histocompatibility …… 565
組織適合性複合体 histocompatibility complex …… 565
組織特異抗原 tissue-specific antigen …… 1205
組織トロンボプラスチン抑制テスト tissue thromboplastin inhibition time …… 1205
組織内照射 interstitial therapy …… 638
組織内治療 interstitial therapy …… 638
組織内放射線治療 interstitial radiation therapy …… 638
組織培養 tissue culture …… 1205
組織発生 histogenesis …… 565
組織病理学 histopathology …… 566
組織不適合性 histoincompatibility …… 565
組織プラスミノゲン賦活剤 tissue plasminogen activator (tPA) …… 1205
組織分化 histodifferentiation …… 565
組織分解 histolysis …… 566
組織弁 flap …… 459
組織崩壊 historrhexis …… 566
組織融解 histolysis …… 566
組織リンパ tissue lymph …… 1205
阻止地帯 zone of inhibition …… 1302
素質 anlage …… 72
素質 constitution …… 279
素質 trait …… 1216
粗質物 roughage …… 1062
咀嚼 chewing …… 230
そしゃく mastication …… 735
そしゃく流涙反射 lacrimogustatory reflex …… 674
そしゃく力 force of mastication …… 470
疎水親和性 lipotropy …… 704
蘇生 anabiosis …… 59
組成 constitution …… 279
蘇生〔法〕 resuscitation …… 1044
蘇生 revivification …… 1049
疎性結合組織 areolar tissue …… 94
蘇生細胞 anabiotic cell …… 59
蘇生薬 analeptic …… 60
粗線 linea aspera …… 701
粗大運動技術(機能) gross motor skills …… 519
疎通 canalization …… 194
疎通性 rapport …… 1025
測角器 goniometer …… 511
速筋線維 fast-twitch fibers …… 445
側屈 lateroflexion …… 684
足根 tarsus …… 1180
足根間関節 intertarsal joints …… 638
足根関節 ankle …… 71
足根骨 tarsal bones …… 1179
足根骨 tarsale …… 1179
足根骨炎 tarsitis …… 1180
足根骨切除〔術〕 tarsectomy …… 1180
足根骨肥大〔症〕 tarsomegaly …… 1180
足根中足関節 tarsometatarsal joints …… 1180
足根中足靱帯 tarsometatarsal ligaments …… 1180
足根痛 tarsalgia …… 1180
足根洞 tarsal sinus …… 1180
粗動 flutter …… 466
そとくるぶし lateral malleolus …… 683
ソトス症候群 Sotos syndrome …… 1117
外ひき abduction …… 3
外回し斜位 excyclophoria …… 427
ソドミー sodomy …… 1113
ソ〔ン〕ネ赤痢菌 *Shigella sonnei* …… 1100
ソノグラフ sonograph …… 1117
そばかす freckles …… 474
ソマトクリニン somatocrinin …… 1116
ソマトクロム somatochrome …… 1116
ソマトスタチノーマ somatostatinoma …… 1116
ソマトスタチン somatostatin …… 1116
ソマトトロピン somatotropin …… 1116
ソマトトロピン産生細胞 somatotropes …… 1116
ソマトトロピン分泌刺激ホルモン somatotropin-releasing hormone (SRH) …… 1117
ソマトトロピン分泌抑制ホルモン somatotropin release-inhibiting hormone (SIH) …… 1117
ソマトメジン somatomedin …… 1116
ソマトリベリン somatoliberin …… 1116
ソマトロピン somatropin …… 1117
ソマン soman (GD) …… 1115
粗面 tuberosity …… 1236
粗面小胞体 granular endoplasmic reticulum …… 514
ソモギー単位 Somogyi unit …… 1117
ソラニン solanine …… 1114
ソラマメ中毒〔症〕 favism …… 446
ゾリンジャー-エリソン症候群 Zollinger-Ellison syndrome …… 1302
ゾル sol …… 1114
ゾル化 solation …… 1114
ソルター・ハリス骨折 Salter-Harris fracture …… 1070
ソレー現象 Soret phenomenon …… 1117
尊厳死 death with dignity …… 318
尊厳死 living will …… 706
損傷 injury …… 625
損傷 lesion …… 691
損傷 trauma …… 1223
ゾンデ probe …… 980
ゾンデ sound …… 1117
ゾンデルマン管 Sondermann canal …… 1117
孫〔嚢〕胞 granddaughter cyst …… 514
損耗 wastage …… 1286

タ

ダーウィン進化 darwinian evolution …… 316
ダーウィン反射 darwinian reflex …… 316
ダークグリーン栓管 dark green top tube …… 316
ターソン症候群 Terson syndrome …… 1189
タート細胞 tart cell …… 1180
ターナー歯 Turner tooth …… 1239
ターナー症候群 Turner syndrome …… 1239
ターナーの歯 Turner tooth …… 1239
ターミナルデオキシヌクレオチジルトランスフェラーゼ terminal deoxynucleotidyl transferase (TdT) …… 1188
タール嚢胞 tarry cyst …… 1179
ターロヴ嚢胞 Tarlov cyst …… 1179
体 body …… 165
体 corpus …… 288
帯 band …… 134
帯 cord …… 285
帯 girdle …… 499
帯 zone …… 1302
堆〔対〕 pile …… 937
ダイアグラム diagram …… 341
ダイアナ・コンプレックス Diana complex …… 342
大アフタ aphthae major …… 88
体位 position …… 962
体位 posture …… 968
胎位 presentation …… 975
胎位異常 malpresentation …… 729
〔異常〕体位眼振 positional nystagmus …… 962
胎域 embryonal area …… 390
帯域幅 bandwidth …… 134
体位性失神 postural syncope …… 968
体位性脱酸素現象 orthodeoxia …… 869
体位性めまい postural vertigo …… 968
第 I 因子 factor I …… 439
第一咽頭弓軟骨 first pharyngeal arch cartilage …… 457
第一永久大臼歯 first molar …… 457
第一応答者 first responder …… 457

第1音 first heart sound (S_1) ……457
第一色盲 protanopia ……989
第一次骨化の中心 primary ossification center ……978
第一次免疫反応 primary immune response ……978
第一若虫 protonymph ……991
第一生歯 primary tooth ……979
〔第一〕精母細胞 primary spermatocyte ……979
第一大臼歯 first molar ……457
第一爆発外傷 primary blast injury ……978
第一級アルコール primary alcohol ……977
第一種の過誤 error of the first kind ……415
体位動揺反応 postural sway response ……968
体位ドレナージ postural drainage ……968
体位配列 postural alignment ……968
退院計画 discharge planning ……352
退院時診断 discharge diagnosis ……352
大陰唇 labium majus ……672
体液 humor ……575
体液過剰〔症〕 plethora ……947
体液性調節因子 humoral regulator ……575
体液バランスチャート fluid balance chart ……464
体液分泌過多 succorrhea ……1156
体液〔性〕免疫 humoral immunity ……575
大S状結腸〔症〕 macrosigmoid ……724
大円筋 teres major muscle ……1188
対応 correspondence ……288
対応群 matched groups ……736
大横径 biparietal diameter ……156
大往生 euthanasia ……424
ダイオード diode ……349
ダイオキシン dioxin ……349
体温計 clinical thermometer ……251
体温計 thermometer ……1194
体温調節 thermoregulation ……1194
退化 degeneration ……323
退化 retrogression ……1048
胎芽 embryo ……389
体外移植組織 explant ……431
体外受精 in vitro fertilization (IVF) ……644
胎外受精 in vitro fertilization (IVF) ……644
体外循環 extracorporeal circulation ……435
大外傷 macrotrauma ……724
体外衝撃波砕石術 extracorporeal shock wave lithotripsy (ESWL) ……435
〔細菌〕体外毒素 exotoxin ……429
体外膜性酸素付加 extracorporeal-membrane oxygenation (ECMO) ……435
大核 macronucleus ……723
対角結合線 diagonal conjugate ……341
大角舌筋 ceratoglossus ……220
胎芽組織化 embryonization ……390
胎芽毒性 embryotoxicity ……390
大カロリー large calorie (C) ……679
帯環 band ……134
体感 cenesthesia ……216
体幹 trunk ……1234
大顔〔症〕 macroprosopia ……723
体幹骨格 axial skeleton ……126
体幹分裂奇形 schistocormia ……1076
大気汚染 air pollution ……37
待機手術 elective surgery ……383
耐久医療機器 durable medical equipment (DME) ……368
第IX因子 factor IX ……440
大臼歯 molar tooth ……778
大球症 macrocythemia ……723
大球性貧血 macrocytic anemia ……723
耐久力 strength ……1146
大胸筋 greater pectoral muscle ……518
大胸筋 pectoralis major muscle ……906
大頬骨筋 greater zygomatic muscle ……518
大頬骨筋 zygomaticus major muscle ……1303
待期療法 palliative treatment ……886
体腔 body cavity ……165
体腔 venter ……1267
大グリア細胞 astroglia ……110
大グロブリン血〔症〕 macroglobulinemia ……723
〔白〕帯下 leukorrhea ……695
体形 body habitus ……165
体型 habitus ……525
体型 physique ……935
体型 somatotype ……1117
体系 system ……1174
退形成 anaplasia ……61
体型測定 morphometry ……785
体系妄想 systematized delusion ……1174
大血管転位〔症〕 transposition of the great vessels ……1220
大結腸〔症〕 macrocolon ……722
体験 experience ……430
体験前兆 experiential aura ……430
第V因子 factor V ……439
対抗〔作用〕 antagonism ……74
胎向 position ……962
退行 regression ……1034
退行 retrogression ……1048
大〔後頭〕孔 great foramen ……518
大口〔症〕 macrostomia ……724
胎向異常 malpresentation ……729
大口蓋管 greater palatine canal ……518
大口蓋孔 greater palatine foramen ……518
大口蓋神経 greater palatine nerve ……518
生体工学 bionics ……154
退行期 catagen ……209
退行期うつ病 involutional depression ……644
退行期うつ病 involutional melancholia ……644
対向機構 countercurrent mechanism ……292
退行期メランコリー involutional melancholia ……644
対抗筋 antagonistic muscles ……74
大膠細胞 astroglia ……110
大膠細胞 macroglia ……723
退行性染色〔法〕 regressive staining ……1034
対向切開 counteropening ……292
対抗転移 countertransference ……292
大後頭神経 greater occipital nerve ……518
対光反射〔反応〕 light reflex ……700
退行変性 retroplasia ……1048
対向免疫電気泳動〔法〕 counterimmunoelectrophoresis ……292
対向輸送 countertransport ……292
対向流 countercurrent flow ……292
太鼓状血管雑音 bruit de tambour ……181
第五中足骨粗面 tuberosity of fifth metatarsal (bone) [V] ……1236
大骨髄芽球 macromyeloblast ……723
大骨盤 greater pelvis ……518
〔太鼓〕撥指 clubbed digit ……253
〔太鼓〕撥指 clubbed fingers ……253
〔太鼓〕撥指形成 clubbing ……253
体細胞 somatic cells ……1115
体細胞遺伝子治療 somatic cell gene therapy ……1115
大細胞型リンパ腫 large cell lymphoma ……679
大細胞癌 large cell carcinoma ……679
体細胞原形質 somatoplasm ……1116
体細胞交差 somatic crossing-over ……1115
体細胞生殖 somatic reproduction ……1115
体細胞〔突然〕変異 somatic mutation ……1115
対座検査 confrontation test ……275
大鎖骨上窩 greater supraclavicular fossa ……518
第III因子 factor III ……439
第三級アルコール tertiary alcohol ……1189
第三色弱 tritanomaly ……1231
第三色盲 tritanopia ……1231
第三次予防看護 tertiary preventive nursing ……1189
第3心音 third heart sound (S_3) ……1195
第三ぞうげ質 tertiary dentin ……1189
第三大臼歯 third molar tooth ……1195
第3脳室 third ventricle ……1196
第3脳室造瘻術 third ventriculostomy ……1196
第3脳室吻合術 third ventriculostomy ……1196
第3脳室脈絡組織 tela choroidea of third ventricle ……1182
第三脳神経 third cranial nerve [CN III] ……1195
第三腓骨筋 fibularis tertius muscle ……454
第三腓骨筋 peroneus tertius muscle ……920
第三腓骨筋 third peroneal muscle ……1196
体肢 membrum ……751

胎脂 vernix caseosa ……1269
胎児 fetus ……450
大肢〔症〕 macromelia ……723
大耳〔症〕 macrotia ……724
胎児アルコール症候群 fetal alcohol syndrome (FAS) ……449
胎児医学 fetal medicine ……449
大耳介神経 great auricular nerve ……517
胎児学 fetology ……450
胎児側胎盤 fetal part of placenta ……450
太糸期 pachytene ……884
胎児吸引症候群 fetal aspiration syndrome ……449
胎児鏡 fetoscope ……450
体肢筋 appendicular muscle ……90
体軸筋 axial muscle ……126
胎児グロブリン fetoglobulins ……450
胎児計測 fetometry ……450
体肢骨格 appendicular skeleton ……91
胎児殺し feticide ……450
胎児困難状態 nonreassuring fetal status ……838
胎児雑音 fetal souffle ……450
胎児死亡 fetal death ……449
胎児障害 embryopathy ……390
胎児心音 embryocardia ……389
胎児心拍数 fetal heart rate (FHR) ……449
胎児心拍数陣痛図 cardiotocography (CTG) ……203
胎児水腫 fetal hydrops ……449
胎児性アルコール兆候 fetal alcohol effects (FAE) ……449
胎児性横紋筋肉腫 embryonal rhabdomyosarcomas ……390
胎児性難産 fetal dystocia ……449
胎児性白内障 embryopathic cataract ……390
胎児赤芽球症 erythroblastosis fetalis ……416
胎児切断〔術〕 embryotomy ……390
胎児蛋白 fetoglobulins ……450
胎児〔性〕蛋白 fetoprotein ……450
胎児調律 embryocardia ……389
対質 antimere ……81
体質 constitution ……279
体質 habitus ……525
体質 status ……1138
体質 trait ……1216
体質反応 constitutional reaction ……279
胎児内視鏡検査 fetoscopy ……450
〔胎児〕排出機序 disengagement ……353
胎児発育遅延 fetal growth restriction ……449
胎児病 fetopathy ……450
胎児表皮 periderm ……915
体脂肪 body fat ……165
〔物質〕代謝 metabolism ……759
代謝回転数 turnover number ……1239
代謝拮抗物質 antimetabolite ……82
代謝拮抗薬 antimetabolite ……82
大斜径 occipitomental diameter ……850
代謝経路 metabolic pathway ……759
代謝亢進 hypermetabolism ……586
代謝産物 metabolite ……759
代謝受容体 metaboreceptors ……760
代謝症候群 metabolic syndrome ……759
代謝水 water of metabolism ……1286
代謝性アシドーシス metabolic acidosis ……759
代謝性アルカローシス metabolic alkalosis ……759
代謝性肝硬変 metabolic cirrhosis ……759
代謝性昏睡 metabolic coma ……759
代謝性脳症 metabolic encephalopathy ……759
代謝低下 hypometabolism ……594
代謝当量 metabolic equivalent (MET) ……759
代謝バースト metabolic burst ……759
対珠 antitragus ……83
大手〔症〕 macrocheiria ……722
第 X 因子 factor X ……440
第 Xa 因子 factor Xa ……440
第 XI 因子 factor XI ……440
第 XII 因子 factor XII ……440
第 XIII 因子 factor XIII ……440
体重支持下運動 weight-supported exercise ……1288
対珠筋 antitragicus muscle ……83
退縮 involution ……644
退縮 recession ……1028
退縮 retraction ……1047
対宿主性移植片反応 graft-versus-host reaction (GVHR) ……513
対宿主性移植片病 graft-versus-host disease (GVHD) ……513
胎盾 embryonic shield ……390
体循環 systemic circulation ……1174
対照 control ……282
対象 object ……847
代償 compensation ……268
代償運動 compensatory movement ……268
対称壊疽 symmetric gangrene ……1169
帯状回 cingulate gyrus ……245
帯状回切開〔術〕 cingulotomy ……245
大上顎〔症〕 macrognathia ……723
帯状角膜症 band-shaped keratopathy ……134
代償過度 overcompensation ……878
帯状感 girdle sensation ……499
帯状感 zonesthesia ……1302
対象関係 object relationship ……847
対照群 control group ……283
代償〔性〕月経 vicarious menstruation ……1275
帯状溝 cingulate sulcus ……245
帯状細胞 strap cell ……1145
対照実験 control experiment ……283
代償〔性〕循環 compensatory circulation ……268
代償障害 decompensation ……320
対称性 symmetry ……1169
代償性アシドーシス compensated acidosis ……268
代償性アルカローシス compensated alkalosis ……268
代償性休止期 compensatory pause ……268
代償性赤血球増加〔症〕 compensatory polycythemia ……268
対称性胎児発育障害 symmetric fetal growth restriction ……1169
代償性肥大 vicarious hypertrophy ……1275
対象選択 object choice ……847
帯状束 cingulum ……245
対掌体 antipode ……82
帯状知覚消失 girdle anesthesia ……499
代償〔性〕肥大 compensatory hypertrophy ……268
代償不全 decompensation ……320
対称部分 antimere ……81
帯状ヘルペス herpes zoster ……556
帯状ヘルペス shingles ……1100
帯状ヘルペス zoster ……1303
代償補充性肥大 complementary hypertrophy ……269
大静脈 cava ……211
大静脈炎 cavitis ……212
大静脈造影図 venacavography ……1265
大静脈洞 sinus of the vena cava ……1107
大静脈肺動脈吻合 cavopulmonary anastomosis ……212
代償療法 replacement therapy ……1039
帯状感覚消失 girdle anesthesia ……499
大食細胞 macrophage ……723
大食性 polyphagia ……957
胎児リズム embryocardia ……389
対診 consultation ……279
大唇〔症〕 macrocheilia ……722
大心臓静脈 great cardiac vein ……518
大錐体神経 greater petrosal nerve ……518
大膵動脈 greater pancreatic artery ……518
退生 anaplasia ……61
態勢 attitude ……117
耐性 resistance ……1040
耐性 tolerance ……1208
体性運動核 somatic motor nuclei ……1115
体性えん下 somatic swallow ……1115
体性音 somatosound ……1116
胎生学 embryology ……390
胎生学者 embryologist ……390
胎生環 embryotoxon ……390
体性感覚 somatesthesia ……1115
体性感覚前兆 somatosensory aura ……1116
体性感覚皮質 somatic sensory cortex ……1115
胎生期癌 embryonal carcinoma ……390
大性器症 macrogenitosomia ……723
体性局在 somatotopy ……1116
退生細胞 anaplastic cell ……62

タ

体性神経 somatic nerve ……1115
大正赤芽球 macronormoblast ……723
胎生爪皮 eponychium ……412
体性痛 somatalgia ……1115
体性痛 somatic pain ……1115
耐性転移因子 resistance-transfer factor ……1041
耐性デンプン resistant starch ……1041
〔胎性〕皮節 dermatomere ……334
耐性プラスミド resistance plasmids ……1040
体積 volume (V, *V*) ……1282
大赤芽球 macroblast ……722
体積〔変動〕記録器 plethysmograph ……947
体積〔変動〕記録法 plethysmography ……947
体積指数 volume index ……1282
大脊髄根動脈 great segmental medullary artery ……518
体積〔変動〕測定法 plethysmometry ……948
体積測定法 stereometry ……1140
体節 metamere ……761
体節 somite ……1117
苔舌 coated tongue ……255
大舌下腺管 major sublingual duct ……726
体節腔 myocele ……805
体節形成 merogenesis ……755
大赤血球 macrocyte ……723
大赤血球症 macrocythemia ……723
体節制 metamerism ……761
体節性神経系 metameric nervous system ……761
体節性脊髄動脈 segmental medullary arteries ……1088
苔癬 lichen ……697
苔癬化 lichenification ……697
大前庭腺 greater vestibular gland ……518
苔癬様角化症 lichenoid keratosis ……697
苔癬様皮膚症 lichenoid dermatosis ……697
大爪〔症〕 macronychia ……723
大槽撮影〔法〕 cisternography ……247
大槽穿刺 cisternal puncture ……247
大槽造影〔法〕 cisternography ……247
体側感覚消失 acheiria ……11
対側骨折 contrafissura ……282
体側知覚困難〔症〕 dyscheiria ……369
対側尿管尿管吻合〔術〕 transureteroureterostomy ……1221
対側片麻痺 contralateral hemiplegia ……282
大腿 femur ……448
大腿 thigh ……1195
代替医療 alternative medicine ……47
大腿栄養動脈 femoral nutrient artery ……448
大腿管 femoral canal ……447
大腿筋膜 deep fascia of thigh ……321
大腿骨 femur ……448
大腿骨外側顆 lateral condyle of femur ……682
大腿骨前捻 femoral anteversion ……447
大腿骨頭靱帯 ligament of head of femur ……699
大腿骨内側顆 medial condyle of femur ……741
大腿三角 femoral triangle ……448
大腿四頭筋 musculus quadriceps femoris ……798
大腿鞘 femoral sheath ……448
大腿静脈 femoral vein ……448
大腿神経 femoral nerve ……448
大腿深静脈 deep femoral vein ……321
大腿深動脈 deep artery of thigh ……321
大腿深動脈 profunda femoris artery ……982
大腿切断 A-K amputation ……37
大腿直筋 rectus femoris muscle ……1030
大腿痛 meralgia ……754
大腿動脈 femoral artery ……447
大腿動脈拍動 femoral pulse ……448
大腿二頭筋 biceps femoris muscle ……149
大腿の後区画 posterior compartment of thigh ……963
大腿ヘルニア femoral hernia ……447
大腿方形筋 quadratus femoris muscle ……1014
代替レベルのケア alternate level of care ……47
大唾液腺 major salivary glands ……726
大多分葉核球 macropolycyte ……723
大単球 macromonocyte ……723
大腸 large intestine ……679
大腸アメーバ *Entamoeba coli* ……400
大腸炎 colitis ……261
大腸菌 *Escherichia coli* ……419
大腸菌型細菌 coliform bacilli ……261
大腸菌症 colibacillosis ……260
大腸菌ファージ coliphage ……261
大腸憩室 diverticula of colon ……357
大腸粘膜炎 endocolitis ……396
大腸バランチジウム *Balantidium coli* ……133
大殿筋 gluteus maximus muscle ……505
大殿筋の坐骨包 sciatic bursa of gluteus maximus ……1079
大殿筋〔麻痺〕歩行 gluteus maximus gait ……505
多遺伝子 polygene ……956
大転子 greater trochanter ……518
態度 attitude ……117
態度 behavior ……143
大頭蓋 macrocranium ……722
胎動感 quickening ……1016
大痘瘡 variola major ……1261
耐糖能試験 glucose tolerance test (GTT) ……504
大動脈 aorta ……85
大動脈エコー検査〔法〕 echoaortography ……376
大動脈炎 aortitis ……85
大動脈弓 aortic arch ……85
大動脈球 aortic bulb ……85
大動脈弓症候群 aortic arch syndrome ……85
大動脈狭窄〔症〕 aortic stenosis ……85
大動脈胸部 pars thoracica aortae ……901
大動脈形成術 aortoplasty ……85
大動脈口 aortic orifice ……85
大動脈硬化〔症〕 aortosclerosis ……85
大動脈撮影〔法〕 aortography ……85
大動脈撮影図 aortogram ……85
大動脈周囲炎 periaortitis ……913
大動脈縮窄症 aortic coarctation ……85
大動脈障害 aortopathy ……85
大動脈上行部 pars ascendens aortae ……901
大動脈腎動脈バイパス aortorenal bypass ……85
大動脈切開〔術〕 aortotomy ……85
大動脈切痕 aortic notch ……85
大動脈前庭 aortic vestibule ……85
大動脈中膜炎 mesaortitis ……756
大動脈腸骨動脈バイパス aortoiliac bypass ……85
大動脈腸骨動脈閉塞性疾患 aortoiliac occlusive disease ……85
大動脈痛 aortalgia ……85
大動脈洞 aortic sinus ……85
大動脈内バルーンポンプ intraaortic balloon pump ……640
大動脈内膜炎 endaortitis ……395
大動脈乳首 aortic nipple ……85
大動脈腹部 pars abdominalis aortae ……901
大動脈弁 aortic valve ……85
大動脈弁下部狭窄〔症〕 subaortic stenosis ……1151
大動脈弁逆流 aortic regurgitation ……85
大動脈弁雑音 aortic murmur ……85
大動脈弁上部狭窄〔症〕 supravalvar stenosis ……1165
大動脈弁閉鎖〔症〕 aortic atresia ……85
大動脈弁閉鎖不全〔症〕 aortic insufficiency ……85
大動脈弁輪拡張症 anuloaortic ectasia ……84
大動脈縫合 aortorrhaphy ……85
大動脈傍体 paraaortic bodies ……893
大動脈裂孔 aortic hiatus ……85
〔体内〕移植 implantation ……610
〔体内寄生性〕アメーバ症 entamebiasis ……400
体内骨格 endoskeleton ……398
胎内死亡 fetal wastage ……450
体内受精 in vivo fertilization (IVF) ……644
大内臓神経 greater splanchnic nerve ……518
大内転筋 adductor magnus muscle ……24
大内転筋 great adductor muscle ……517
第 VII 因子 factor VII ……439
ダイナミック・アセスメント dynamic assessment ……368
第二胃 reticulum ……1045
第 II 因子 factor II ……439
第二咽頭弓軟骨 second pharyngeal arch cartilage ……1086
第 2 音 second heart sound (S_2) ……1086
第二級アルコール secondary alcohol ……1085
第 2 呼吸 second wind ……1086

第二鼓膜 secondary tympanic membrane …… 1086
第二次骨化の中心 secondary center of ossification …… 1085
第二次骨化の中心 secondary ossification center …… 1085
第二若虫 deutonymph …… 338
第二種の過誤 error of the second kind …… 415
第二精母細胞 secondary spermatocyte …… 1086
第二ぞうげ質 secondary dentin …… 1085
第二大臼歯 second molar …… 1086
体乳腺発育ホルモン somatomammotropin …… 1116
ダイニン dynein …… 369
胎嚢 gestational sac …… 497
大脳 cerebrum …… 223
〔大脳〕外側溝 lateral cerebral sulcus …… 682
大脳鎌 falx cerebri …… 441
大脳機能局在 cerebral localization …… 222
大脳脚 cerebral peduncle …… 222
大脳脚切断術 pedunculotomy …… 907
大脳局在 cerebral localization …… 222
大脳局所診断 cerebral localization …… 222
大脳血管網 tomentum …… 1208
大脳指数 cerebral index …… 222
大脳〔髄〕症 macrencephaly …… 722
大脳除去 decerebration …… 319
大脳髄質動脈 medullary arteries of brain …… 745
大脳切開〔術〕 cerebrotomy …… 223
大脳前頭葉 frontal lobe of cerebrum …… 477
大脳動脈輪 arterial circle of cerebrum …… 99
〔大脳の〕後交連 posterior cerebral commissure …… 963
大脳の後頭極 occipital pole of cerebrum …… 850
大脳の前頭極 frontal pole of cerebrum …… 477
大脳の側頭葉極 temporal pole of cerebrum …… 1185
大脳半球 cerebral hemisphere …… 222
大脳半球 hemispherium …… 545
大脳皮質 cerebral cortex …… 221
〔大脳〕皮質基底核変性〔症〕 corticobasal degeneration …… 289
〔大脳〕辺縁系 limbic system …… 700
大脳優位 cerebral dominance …… 222
胎嚢輪 gestational ring …… 497
大脳鎌 falx cerebri …… 441
大配偶子 female …… 447
大配偶子 macrogamete …… 723
大配偶子母細胞 macrogametocyte …… 723
第 VIII 因子 factor VIII …… 440
対バリスム paraballism …… 893
胎盤 placenta …… 941
胎盤炎 placentitis …… 942
胎盤形成 placentation …… 942
胎盤子宮部 pars uterina placentae …… 901
胎盤循環 placental circulation …… 942
胎盤早期剥離 placental abruption …… 942
胎盤の母胎部 maternal part of placenta …… 736
胎盤付着様式 placentation …… 942
胎盤分葉 cotyledon …… 291
胎盤娩出 afterbirth …… 33
胎盤娩出異常 placental dystocia …… 942
胎盤膜 placental membrane …… 942
胎盤輸血症候群 placental transfusion syndrome …… 942
対比染色 counterstain …… 292
対比染料 contrast stain …… 282
タイヒマン結晶 Teichmann crystals …… 1182
体表解剖学 surface anatomy …… 1166
体表寄生動物 epizoon …… 411
体表面積 body surface area (BSA) …… 165
対比浴 contrast bath …… 282
大鼻翼軟骨 greater alar cartilage …… 518
体幅 antimere …… 81
体幅 homotype …… 570
体物質隔離 body substance isolation …… 165
体部白癬 tinea corporis …… 1205
大分子型副腎皮質刺激ホルモン big adrenocorticotropic hormone (ACTH) …… 151
体壁撮影〔法〕 parietography …… 899
体壁フィステル parietal fistula …… 899
体壁葉 somatopleure …… 1116
体壁瘻 parietal fistula …… 899
胎便 meconium …… 741
〔大〕便 feces …… 446
〔大〕便 stool …… 1144
大便失禁 encopresis …… 394
胎便性イレウス meconium ileus …… 741
胎便性腹膜炎 meconium peritonitis …… 741
胎便栓 meconium plug …… 741
胎胞 forewaters …… 471
大発作 grand mal …… 514
大麻 cannabis …… 195
大麻 hashish …… 533
ダイマー dimer …… 348
大麻中毒〔症〕 cannabism …… 195
怠慢 negligence …… 817
胎毛 lanugo …… 677
大網 caul …… 211
大網 greater omentum …… 518
大網移植〔片〕 omental graft …… 858
大網炎 omentitis …… 858
大網形成〔術〕 omentoplasty …… 858
大網固定〔術〕 omentopexy …… 858
大網性クッシング病 Cushing disease of the omentum …… 306
大網切除〔術〕 omentectomy …… 858
大網弁 omental flap …… 857
大網縫合〔術〕 omentorrhaphy …… 858
退薬症状 withdrawal symptoms …… 1292
ダイヤモンド TYM 培地 Diamond TYM medium …… 342
大腰筋 greater psoas muscle …… 518
大腰筋 psoas major muscle …… 997
大葉性肺炎 lobar pneumonia …… 707
耐容線量 tolerance dose …… 1208
代用唾液 saliva substitute …… 1069
太陽灯 heat lamp …… 537
耐用人数 carrying capacity …… 207
第 IV 因子 factor IV …… 439
第 4 音 fourth heart sound (S_4) …… 472
第 4 回旋 restitution …… 1043
第 4 脳室 fourth ventricle …… 473
第 4 脳室蓋 tegmen ventriculi quarti …… 1182
第 4 脳室外側口 lateral aperture of fourth ventricle …… 682
第 4 脳室髄条 medullary striae of fourth ventricle …… 746
第 4 脳室正中口 median aperture of fourth ventricle …… 742
第四腰神経 fourth lumbar nerve [L4] …… 473
代理 proxy …… 992
代理〔人〕 substitute …… 1155
代理〔人〕 surrogate …… 1167
代理形成 substitution …… 1155
大理石骨病 osteopetrosis …… 875
大理石様皮膚 cutis marmorata …… 307
対立遺伝子 allele …… 43
対立遺伝子 allelic gene …… 43
代理母 surrogate mother …… 1167
代理ミュンヒハウゼン症候群 Munchhausen syndrome by proxy …… 793
大略 profile …… 982
対流 convection …… 283
対流熱 convective heat …… 283
耐量 tolerance dose …… 1208
大菱形筋 greater rhomboid muscle …… 518
大菱形筋 rhomboid major muscle …… 1053
大菱形骨 trapezium bone …… 1223
大菱形骨結節 tubercle of trapezium …… 1235
大量殺傷 mass-casualty incident …… 734
大量殺傷兵器 mass-casualty weapons (MCW) …… 734
大量投与 megadose …… 746
大量破壊兵器 weapons of mass destruction (WMD) …… 1287
体力良好 physical fitness …… 934
対輪 anthelix …… 77
対輪 antihelix …… 81
大裂孔 lacuna magna …… 675
タイレルマウス脳脊髄炎ウイルス Theiler mouse encephalomyelitis virus …… 1193
タイロード〔溶〕液 Tyrode solution …… 1242
大彎 greater curvature of stomach …… 518
ダイン dyne …… 369
打印器移植〔片〕 punch grafts …… 1005
多陰茎体症 penes …… 910

タ

多因子性遺伝 multifactorial inheritance …… 790
第IX因子複合体 factor IX complex …… 440
タウシグ-ビング症候群 Taussig-Bing syndrome …… 1180
ダウネー細胞 Downey cell …… 363
ダウノルビシン daunorubicin …… 317
タウリン taurine …… 1180
タウロコール酸 taurocholic acid …… 1180
ダウングロース downgrowth …… 363
ダウンコード down code …… 363
ダウン症候群 Down syndrome …… 363
ダウンズ分析 Downs analysis …… 363
唾液 saliva …… 1068
唾液過少〔症〕 oligoptyalism …… 857
唾液〔分泌〕過多 salivation …… 1069
唾液〔分泌〕過多 sialism …… 1102
唾液管炎 sialoangiitis …… 1102
唾液管炎 sialodochitis …… 1102
唾液管拡張〔症〕 sialoangiectasis …… 1102
唾液管形成〔術〕 sialodochoplasty …… 1102
唾液管閉塞 sialostenosis …… 1102
唾液消化 salivary digestion …… 1069
唾液腺 salivary gland …… 1069
唾液腺炎 sialadenitis …… 1102
唾液腺拡張〔症〕 sialectasis …… 1102
唾液腺撮影〔法〕 sialography …… 1102
唾液腺切開〔術〕 sialoadenotomy …… 1102
唾液腺切除〔術〕 sialoadenectomy …… 1102
唾液腺の多型性低異型度癌 polymorphous low-grade carcinoma of salivary glands …… 956
唾液腺の明細胞癌 clear cell carcinoma of salivary glands …… 249
唾液腺フィステル salivary fistula …… 1069
唾液腺瘻 salivary fistula …… 1069
唾液嚢腫 ptyalocele …… 1001
唾液分泌 sialorrhea …… 1102
唾液分泌減退 hyposalivation …… 596
唾液分泌促進薬 sialagogue …… 1102
唾液分泌抑制 sialoschesis …… 1102
楕円関節 condylar joint …… 274
楕円関節 ellipsoid joint …… 388
楕円状切断〔術〕 elliptic amputation …… 388
楕円赤血球 elliptocyte …… 388
楕円赤血球症 elliptocytosis …… 388
楕円赤血球症 ovalocytosis …… 878
多価アレルギー polyvalent allergy …… 958
多価陰イオン polyanion …… 954
他覚症状 objective symptom …… 847
多核体 cenocyte …… 216
多価血清 polyvalent serum …… 958
多価抗体 multivalent …… 793
多芽細胞 polyblast …… 954
多渇症 polydipsia …… 955
多価不飽和脂質 polyunsaturated fat …… 958
高安動脈炎 Takayasu arteritis …… 1177
多価ワクチン polyvalent vaccine …… 958
高笑い cachinnation …… 188
多汗〔症〕 hidrosis …… 561
多汗症 sudoresis …… 1157
多感染 multiinfection …… 790
多間代痙攣 polyclonia …… 955
多関門集積スキャン multiple-gated acquisition scan (MUGA) …… 791
滝〔現象〕 waterfall …… 1286
タキサン類 taxane …… 1180
タキステロール tachysterol …… 1177
タキゾイト tachyzoite …… 1177
多極細胞 multipolar cell …… 793
多局性 multilocal …… 791
多極ニューロン multipolar neuron …… 793
多〔発性〕筋痛 polymyalgia …… 956
濁度測定 turbidimetry …… 1238
ダグラス窩鏡 culdoscope …… 304
ダグラス窩形成〔術〕 culdoplasty …… 304
ダグラス窩検鏡法 culdoscopy …… 304
ダグラス窩穿刺〔術〕 culdocentesis …… 304
ダグラスバッグ Douglas bag …… 362
多型遺伝子マーカ polymorphic genetic marker …… 956
多形核〔白血〕球 polymorphonuclear leukocyte …… 956
多形〔性〕グリア芽〔細胞〕腫 glioblastoma multiforme …… 501
多形現象 pleomorphism …… 947
多型現象 polymorphism …… 956
多形〔性〕〔神経〕膠芽〔細胞〕腫 glioblastoma multiforme …… 501
多形光線疹 polymorphous light eruption …… 956
多形〔性〕紅斑 erythema multiforme …… 416
多形質発現性 pleiotropic …… 947
多型性 polymorphism …… 956
多系統萎縮〔症〕 multiple system atrophy …… 792
多形肉芽腫 granuloma multiforme …… 515
多形日光疹 polymorphous light eruption …… 956
多形皮膚萎縮症 poikiloderma …… 952
多血〔症〕 plethora …… 947
多血〔症〕 repletion …… 1039
多血症 hypervolemia …… 590
多血症 polycythemia …… 955
多結節性甲状腺腫 multinodular goiter …… 791
竹様脊柱 bamboo spine …… 134
多源性心房頻拍 atrial chaotic tachycardia …… 115
多幸〔症〕 euphoria …… 424
多幸感 euphoria …… 424
多合指症 polysyndactyly …… 958
多合趾症 polysyndactyly …… 958
蛇行状脱毛〔症〕 ophiasis …… 862
蛇行性血管腫 angioma serpiginosum …… 68
多咬頭歯 multicuspidate …… 790
多項目マーカスクリーニング multiple marker screen …… 791
ダ・コスタ症候群 d'Acosta syndrome …… 315
タコメータ tachometer …… 1176
多剤耐性微生物 multidrug-resistant organisms …… 790
多座位配列タイピング multilocus sequence typing (MLST) 791
多剤〔併用〕療法 polypharmacy …… 957
多視〔症〕 multiple vision …… 793
多指〔症〕 polydactyly …… 955
多肢〔症〕 polymelia …… 956
多視〔症〕 polyopia …… 957
多耳〔症〕 polyotia …… 957
多自我状態 multiple ego states …… 791
多色素血〔症〕 polychromemia …… 955
多軸〔性〕関節 multiaxial joint …… 790
多刺ツベルクリン試験 multiple puncture tuberculin test …… 792
多重人格 multiple personality …… 792
多重染料 multiple stain …… 792
多重断層撮影 polytomography …… 958
多指癒着短指症 polysymbrachydactyly …… 958
多焦点レンズ multifocal lens …… 790
多漿膜炎 polyserositis …… 958
多食〔症〕 polyphagia …… 957
多色放射線 polychromatic radiation …… 955
打診〔法〕 percussion …… 912
打診音減弱 hypophonesis …… 595
打診音増強 hyperphonesis …… 587
打診槌 percussor …… 912
打診槌 plessor …… 947
打診板 plessimeter …… 947
多数睡眠潜時検査 multiple sleep latency test (MLST) …… 792
惰性時間 inertia time …… 616
多精子受精 polyspermy …… 958
多精子症 polyspermia …… 958
多精子進入 polyspermy …… 958
多精巣〔症〕 polyorchism …… 957
唾石 sialolith …… 1102
唾石 tophus …… 1210
唾石症 sialolithiasis …… 1102
唾石切開〔術〕 sialolithotomy …… 1102
多節〔症〕 polymeria …… 956
多染色体性 polysomy …… 958
多染性 polychromatophilia …… 955
多染性細胞 polychromatophil …… 955
多染〔性〕赤血球 polychromatic cell …… 955
多相系 heterogeneous system …… 558
多爪症 polyonychia …… 957
多層縫合 terrace …… 1189
堕胎 criminal abortion …… 298
他体愛 alloerotism …… 44

多〔形〕態性 pleomorphism ···· 947
多体重複奇形 polysomia ···· 958
多胎妊娠 multiple pregnancy ···· 792
たたき法 tapotement ···· 1179
たたみ込み reefing ···· 1032
たたみ込み肺症候群 folded-lung syndrome ···· 467
たたり curse ···· 305
ただれ sore ···· 1117
多段階運動試験 graded exercise test (GXT) ···· 513
多段脈症 polycrotism ···· 955
立会い医 consultant ···· 279
立会い診察 consultation ···· 279
脱 prolapse ···· 984
脱アミド deamidation ···· 317
脱アミノ〔作用〕 deamination ···· 318
脱アミノ酵素 deaminases ···· 317
脱アルコール dealcoholization ···· 317
脱灰 decalcification ···· 318
脱カルボキシル decarboxylation ···· 318
脱感作 desensitization ···· 336
脱鉗子現象 declamping phenomenon ···· 319
脱感受性 desensitization ···· 336
脱臼 dislocations ···· 353
脱臼 luxation ···· 717
脱臼骨折 dislocation fracture ···· 353
脱臼骨折 fracture dislocation ···· 473
タックラー外骨〔腫〕症 tackler's exostosis ···· 1177
ダックワース現象 Duckworth phenomenon ···· 366
脱肛 hedrocele ···· 538
脱肛 proctoptosia ···· 982
脱コレステロール〔療法〕 decholesterolization ···· 319
脱施設化 deinstitutionalization ···· 324
脱脂乳 skim milk ···· 1109
奪取 deprivation ···· 332
脱臭剤 deodorant ···· 330
脱出 ectopia ···· 377
脱出 hernia ···· 554
脱出症 prolapse ···· 984
脱出椎間板 herniated disc ···· 555
脱色 depigmentation ···· 331
脱神経 denervation ···· 327
脱髄 demyelination ···· 327
脱水〔症〕 dehydration ···· 324
脱水 exsiccation ···· 431
脱水酵素 anhydrase ···· 70
脱髄疾患 demyelinating disease ···· 327
脱水素 dehydrogenation ···· 324
達成範囲 coverage ···· 293
達成率 achievement quotient ···· 11
脱線維素 defibrination ···· 322
脱線思考 tangentiality ···· 1178
脱炭酸 decarboxylation ···· 318
脱炭酸酵素 decarboxylase ···· 318
脱腸帯 truss ···· 1234
脱手袋損傷 degloving injury ···· 323
脱動脈血化 dearterialization ···· 318
タットル直腸鏡 Tuttle proctoscope ···· 1239
ダットン症 Dutton disease ···· 368
脱嚢 excystation ···· 427
脱皮 exfoliation ···· 427
タップ tap ···· 1179
脱糞 dejection ···· 324
脱分化 anaplasia ···· 61
脱分化 dedifferentiation ···· 321
脱分極 depolarization ···· 331
脱分極〔性〕遮断 depolarizing block ···· 332
脱飽和 desaturation ···· 336
脱毛〔症〕 alopecia ···· 45
脱毛 epilation ···· 409
脱毛性毛包炎 folliculitis decalvans ···· 468
脱毛薬 depilatory ···· 331
脱毛薬 epilatory ···· 409
脱落 deciduation ···· 319
脱落 defluxion ···· 323
脱落歯 avulsed tooth ···· 126
脱落細胞診断法 exfoliative cytology ···· 427
脱落歯 deciduous tooth ···· 319
脱落歯 temporary tooth ···· 1185
脱落組織 slough ···· 1111
脱落膜 decidua ···· 319
脱落膜 deciduous membrane ···· 319
脱落膜炎 deciduitis ···· 319
脱落膜細胞 decidual cell ···· 319
脱落膜腫 deciduoma ···· 319
脱硫 desulphurization ···· 337
脱硫化水素酵素 desulfhydrases ···· 337
脱力 weakness ···· 1287
脱力発作 cataplexy ···· 209
脱漏〔性〕健忘〔症〕 lacunar amnesia ···· 675
縦緩和 longitudinal relaxation ···· 710
縦結び granny knot ···· 514
多動 hyperactivity ···· 581
多動 hyperkinesis ···· 585
多瞳〔孔〕〔症〕 polycoria ···· 955
他動運動 exercise ···· 427
他動運動 passive movement ···· 902
多洞炎 polysinusitis ···· 958
他動可動域 passive range of motion (PROM) ···· 902
多動症候群 hyperkinetic syndrome ···· 585
妥当性 validity ···· 1258
他動的体運動 exercise ···· 427
多糖類 polysaccharide ···· 958
多糖類結合型ワクチン polysaccharide conjugated vaccine ···· 958
タナー段階 Tanner stage ···· 1178
タナーの成長判定図表 Tanner growth chart ···· 1178
ダニ acarid ···· 7
ダニ mite ···· 775
ダニ恐怖〔症〕 acarophobia ···· 7
ダニ駆除薬 acaricide ···· 7
ダニ症 acariasis ···· 7
ダニ症 mange ···· 730
ダニ熱 tick fever ···· 1204
ダニ媒介脳炎ウイルス tick-borne encephalitis virus ···· 1204
ダニ媒介脳炎(東洋亜型) tick-borne encephalitis Eastern subtype ···· 1204
ダニ皮膚炎 acarodermatitis ···· 7
ダニ麻痺 tick paralysis ···· 1204
多乳頭〔症〕 polythelia ···· 958
多乳房〔症〕 polymastia ···· 956
多尿〔症〕 polyuria ···· 958
ダニ類 acarine ···· 7
他人恐怖〔症〕 xenophobia ···· 1297
多嚢胞肝 polycystic liver ···· 955
多嚢胞性卵巣 polycystic ovary ···· 955
多嚢胞性卵巣症候群 polycystic ovary syndrome ···· 955
タバコ-アルコール弱視 tobacco-alcohol amblyopia ···· 1207
タバコ心 tobacco heart ···· 1207
多発異形成 polydysplasia ···· 955
多発〔性〕関節炎 polyarthritis ···· 954
多発〔性〕筋炎 multiple myositis ···· 792
多発〔性〕筋炎 polymyositis ···· 956
多発形成障害 polydysplasia ···· 955
多発〔性〕血管炎 polyangiitis ···· 954
多発腱炎 polytendinitis ···· 958
多発〔性〕硬化〔症〕 multiple sclerosis (MS) ···· 792
多発〔性〕骨髄腫 multiple myeloma ···· 791
多発〔性〕骨折 multiple fracture ···· 791
多発〔神経〕根障害 polyradiculopathy ···· 958
多発〔神経〕根神経障害 polyradiculoneuropathy ···· 958
多発〔性〕腫瘍症 polyoncosis ···· 957
多発〔性〕神経炎 multiple neuritis ···· 792
多発〔性〕神経根炎 polyradiculitis ···· 958
多発神経根筋障害 polyradiculomyopathy ···· 958
多発〔性〕神経障害 polyneuropathy ···· 957
多発〔性〕神経痛 polyneuralgia ···· 957
多発性憩室症 diverticulosis ···· 357
多発性骨端骨異形成〔症〕 multiple epiphysial dysplasia (EDM) ···· 791
多発性漿膜炎 polyserositis ···· 958
多発性腸ポリポ〔ー〕シス multiple intestinal polyposis ···· 791
多発性内分泌機能低下症候群 multiple endocrine deficiency syndrome ···· 791

タ

多発性内分泌腫瘍 multiple endocrine neoplasia (MEN) 791
多発性内分泌腺症 polyendocrinopathy 955
多発性軟骨炎 polychondritis 955
多発性粘膜神経腫症候群 multiple mucosal neuroma syndrome 791
多発性嚢胞腎 polycystic kidney 955
多発性ミオクロ〔ー〕ヌス myoclonus multiplex 806
多発腺炎 polyadenitis 954
多発腺症 polyadenopathy 954
多発〔性〕動脈炎 polyarteritis 954
多発〔性〕ニューロパシー polyneuropathy 957
タピア症候群 Tapia syndrome 1179
多脾症 polysplenia 958
ダファーノ染色〔法〕 Da Fano stain 315
タブー taboo 1176
多副鼻洞炎 polysinusitis 958
W形成〔術〕 W-plasty 1294
ダブルクラッシュ症候群 double crush syndrome 362
タブン tabun (GA) 1176
多分割照射法 hyperfractionated radiation 584
多分裂 multiple fission 791
多弁〔症〕 polyphrasia 957
多胞性胸水 loculated pleural effusion 708
多房〔性〕嚢胞 multilocular cyst 791
打撲傷 bruise 181
打撲傷 contusion 283
卵 egg 379
タマゴテングタケ *Amanita phalloides* 49
卵・酪農・菜食主義者 ovolactovegetarian 879
魂 anima 70
魂 animus 70
ダミアナ damiana 316
タミータック tummy tuck 1237
タム-ホースフォールムコ蛋白 Tamm-Horsfall mucoprotein 1178
多面〔発現〕作用 pleiotropy 947
多面性遺伝子 pleiotropic gene 947
多面発現 pleiotropy 947
多面発現性 pleiotropic 947
〔男性型〕多毛〔症〕 hirsutism 564
多毛〔症〕 hypertrichosis 589
〔救急時の〕多様移送 diversion 357
多用途〔記録〕計 polygraph 956
ダラム管 Durham tube 368
ダラムの法則 Durham rule 368
多卵性 polyovular 957
ダリエ徴候 Darier sign 316
タリオ現象 Tullio phenomenon 1237
他律性 heteronomy 559
多量栄養素許容分布域 acceptable macronutrient distribution range (AMDR) 8
多量養素 macronutrient 723
多涙〔症〕 dacryorrhea 315
樽形ひずみ〔像〕 barrel distortion 136
樽形歪〔像〕 barrel distortion 136
樽状胸 barrel chest 136
ダルセー合金 d'Arcet metal 316
タルデュ斑状出血 Tardieu ecchymoses 1179
タルニエ鉗子 Tarnier forceps 1179
ダルリンプル徴候 Dalrymple sign 315
多裂筋 multifidus muscle 790
多列上皮 pseudostratified epithelium 996
ダローレッド Darrow red 316
タロニッド talonid 1178
たわみ arcuation 94
痰 expectoration 430
痰 sputum 1133
単アテトーシス monathetosis 779
単位 unit 1247
短胃静脈 short gastric veins 1100
単為生殖 parthenogenesis 901
単一器官指向 allelotaxis 43
単一狂 monomania 782
単一座性 unilocal 1247
単一疾患 monopathy 782
単一宿主性培養 monoxenic culture 783
単一性爆発性障害 isolated explosive disorder 651
単一層 monolayers 781
単一ヌクレオチド多型 single nucleotide polymorphisms 1106
単一部疾患 monopathy 782
短胃動脈 short gastric arteries 1100
単位包装 unit-dose package 1247
単位膜 unit membrane 1247
担架 litter 706
担架 stretcher 1148
〔島〕短回 short gyri of insula 1101
段階 grade 513
段階 phase 926
段階 stage 1134
段階的アクティビティー(治療) graded activity 513
単芽球 monoblast 780
単核細胞 monocyte 781
単核細胞症 mononucleosis 782
単角子宮 unicorn uterus 1246
単核食細胞系 mononuclear phagocyte system 782
短下肢装具 ankle-foot orthotic (AFO) 71
炭化水素 hydrocarbon 578
胆管 bile duct 151
胆管胃吻合〔術〕 cholangiogastrostomy 233
胆管炎 cholangitis 233
胆管炎 choledochitis 234
単感覚異常〔症〕 monoparesthesia 782
胆管拡張〔症〕 cholangiectasis 233
ダンカン型胎盤娩出 Duncan placenta 367
胆管癌 cholangiocarcinoma 233
弾丸鉗子 bullet forceps 183
ダンカン機転 Duncan mechanism 367
単眼固視症候群 monofixation syndrome 781
胆管撮影〔法〕 cholangiography 233
胆管腫 cholangioma 233
胆管周囲炎 pericholangitis 914
単眼症 cyclopia 309
単眼症 monophthalmos 782
単眼症 synophthalmia 1172
単関節 simple joint 1106
単関節炎 monarthritis 779
胆管切開〔術〕 cholangiotomy 233
胆管線維症 cholangiofibrosis 233
胆管造影〔法〕 cholangiography 233
胆管造影検査 operative cholangiography 862
胆管造瘻〔術〕 cholangiostomy 233
胆管腸管吻合〔術〕 cholangioenterostomy 233
単眼内旋運動 incycloduction 613
胆管フィステル形成〔術〕 cholangiostomy 233
単眼複視 monocular diplopia 781
短期記憶 short-term memory (STM) 1101
単球 monocyte 781
単球化学誘引物質 monocyte chemoattractant protein 781
単球減少〔症〕 monocytopenia 781
単球性白血病 monocytic leukemia 781
単球増加〔症〕 monocytosis 781
単球様細胞 monocytoid cell 781
単極焼灼器 monopolar cautery 782
単極ニューロン unipolar neuron 1247
単極誘導 unipolar leads 1247
単筋炎 monomyositis 782
単筋麻痺 monomyoplegia 782
単躯二頭体 monosomia 782
単〔一〕クローン性免疫グロブリン monoclonal immunoglobulin 781
短頸〔症〕 brevicollis 175
短径骨盤 brachypellic pelvis 171
単頸双角子宮 uterus bicornis unicollis 1255
単痙攣 monospasm 782
胆血〔症〕 cholemia 234
単結合 single bond 1106
短合指〔趾〕〔症〕 brachysyndactyly 171
短後毛様体動脈 short posterior ciliary artery 1101
単語症 monophasia 782
短骨 short bone 1100
単婚 monogamy 781
男根期 phallic phase 924
胆細管炎 cholangiolitis 233

胆細管炎肝硬変 cholangiolitic cirrhosis ……… 233
胆細管炎〔性〕肝硬変 cholangiolitic cirrhosis ……… 233
段彩地図 choroplethic map ……… 239
単細胞生物 monad ……… 779
単細胞腺 unicellular gland ……… 1246
探索子 searcher ……… 1083
炭酸ガスサイクル carbon dioxide cycle ……… 198
炭酸ガス測定 capnometry ……… 197
炭酸ガス分析器 CO_2 analyzer ……… 255
炭酸ガスメータ capnometer ……… 197
炭酸欠乏〔症〕acapnia ……… 7
炭酸水素イオン bicarbonate ……… 149
炭酸正常状態 normocapnia ……… 840
短指〔症〕brachydactyly ……… 171
短肢〔症〕brachymelia ……… 171
短時間暴露限界 short-term exposure limit ……… 1101
担子器 basidium ……… 140
単軸関節 uniaxial joint ……… 1246
〔足の〕短指屈筋 short flexor muscle of toes ……… 1100
男子色情症 satyriasis ……… 1073
単指症 monodactyly ……… 781
〔足の〕短指伸筋 short extensor muscle of toes ……… 1100
タンジブルボディーマクロファージ tangible body macrophage ……… 1178
担子胞子 sporidium ……… 1132
胆汁 bile ……… 151
胆汁うっ滞 cholestasia ……… 235
胆汁うっ滞性黄疸 cholestatic jaundice ……… 235
胆汁嘔吐〔症〕cholemesis ……… 234
胆汁〔分泌〕過多〔症〕hypercholia ……… 582
胆汁血〔症〕cholemia ……… 234
胆汁欠乏〔症〕acholia ……… 12
胆汁酸 bile acids ……… 151
胆汁産生 biligenesis ……… 151
胆汁色素 bile pigments ……… 151
単収縮 jerk ……… 655
〔筋〕単収縮 myopalmus ……… 807
単収縮 twitch ……… 1239
胆汁性肝硬変 biliary cirrhosis ……… 151
胆汁正常 eucholia ……… 423
胆汁性髄液 bilirachia ……… 151
胆汁生成 cholanopoiesis ……… 233
胆汁生成 cholepoiesis ……… 235
胆汁尿〔症〕biliuria ……… 152
胆汁濃縮〔症〕pachycholia ……… 883
胆汁排出物質 cholagogue ……… 233
胆汁分泌 choleresis ……… 235
胆汁分泌〔促進〕薬 cholagogue ……… 233
胆汁分泌〔促進〕薬 choleretic ……… 235
単絨毛膜二羊膜胎盤 monochorionic diamnionic placenta ……… 780
短縮 foreshortening ……… 471
短縮術 retrenchment ……… 1047
単純アブサンス simple absence ……… 1106
単純顕微鏡 simple microscope ……… 1106
単純写真 plain film ……… 943
単純性結節性黄色腫 xanthoma tuberosum ……… 1296
単純性甲状腺腫 simple goiter ……… 1106
単純性子宮内膜増殖症 simple endometrial hyperplasia ……… 1106
単純性紫斑病 purpura simplex ……… 1007
単純性痒疹 prurigo simplex ……… 993
単純蛋白 simple protein ……… 1106
単純乳房切除〔術〕simple mastectomy ……… 1106
単純ヘルペス herpes simplex ……… 556
単純ヘルペス検査 herpes simplex test ……… 556
単純ヘルペス脳炎 herpes simplex encephalitis ……… 556
単純疱疹 herpes simplex ……… 556
単純疱疹ウイルス herpes simplex virus (HSV) ……… 556
短掌筋 palmaris brevis muscle ……… 887
短掌筋 short palmar muscle ……… 1101
〔手の〕短小指屈筋 short flexor muscle of little finger ……… 1100
〔足の〕短小指屈筋 short flexor muscle of little toe ……… 1100
誕生日規則 birthday rule ……… 156
単色収差 monochromatic aberration ……… 780
単色性 monochromatism ……… 781
単色放射線 monochromatic radiation ……… 781
男女同権主義者 feminist ……… 447
ダンシル dansyl (dns, DNS) ……… 316
短唇〔症〕brachycheilia ……… 171
探針 explorer ……… 431
探針 probe ……… 980
単神経炎 mononeuritis ……… 782
単神経障害 mononeuropathy ……… 782
単神経痛 mononeuralgia ……… 782
単心房 common atrium ……… 266
断髄〔法〕pulpotomy ……… 1004
炭水化物 carbohydrates (CHO) ……… 198
炭水化物尿〔症〕carbohydraturia ……… 198
炭水化物負荷 carbohydrate loading ……… 198
胆膵管膨大部 hepatopancreatic ampulla ……… 553
胆膵管膨大部括約筋 sphincter of hepatopancreatic ampulla 1123
単数分裂 simple fission ……… 1106
ダンス徴候 Dance sign ……… 316
単星 monaster ……… 779
弾性 elasticity ……… 382
男性化〔徴候〕masculinization ……… 734
男性化 virilescence ……… 1277
男性化 virilism ……… 1277
男性化 virilization ……… 1277
男性型骨盤 android pelvis ……… 64
男性型骨盤 masculine pelvis ……… 733
男性型脱毛〔症〕male pattern alopecia ……… 727
〔男性型〕多毛〔症〕hirsutism ……… 564
男性恐怖〔症〕androphobia ……… 64
男性更年期 andropause ……… 64
弾性材料 elastic ……… 382
男性疾患 andropathy ……… 64
単性生殖 monogenesis ……… 781
男性生殖器系 male genital system ……… 727
単性世代 monogenesis ……… 781
弾性線維 elastic fibers ……… 382
弾性線維〔性〕仮〔性〕黄色腫 pseudoxanthoma elasticum ……… 996
弾性線維腫 elastofibroma ……… 382
単精巣症 monorchism ……… 782
弾性層板 elastic lamella ……… 382
弾性組織 elastic tissue ……… 382
男性特徴 masculinity ……… 734
弾性軟骨 elastic cartilage ……… 382
〔卵巣〕男性胚〔細胞〕腫 arrhenoblastoma ……… 96
〔卵巣〕男性胚〔細胞〕腫 gynandroblastoma ……… 523
単精発生 merogony ……… 755
〔動脈の〕弾性板 elastic laminae of arteries ……… 382
弾性包帯 elastic bandage ……… 382
男性ホルモン androgen ……… 63
男性ホルモン産生細胞腫 androblastoma ……… 63
男性ホルモン性脱毛〔症〕androgenic alopecia ……… 63
男性ホルモン不応症候群 androgen resistance syndromes ……… 63
弾性膜 elastic membrane ……… 382
弾性網 elastic lamella ……… 382
男性様肥満 android obesity ……… 63
胆石 gallstone ……… 484
探石子 searcher ……… 1083
胆石症 cholecystolithiasis ……… 234
胆石症 cholelithiasis ……… 234
胆石仙痛 biliary colic ……… 151
胆石摘除〔術〕cholelithotomy ……… 234
断節 mutilation ……… 801
単節条虫亜綱 Cestodaria ……… 225
断節性角皮症 mutilating keratoderma ……… 801
単染色体 monad ……… 779
炭疽 anthrax ……… 78
単層 monolayers ……… 781
断層X線撮影器 tomograph ……… 1208
淡蒼球 globus pallidus ……… 502
淡蒼球 pallidum ……… 886
淡蒼球切開〔術〕pallidotomy ……… 886
淡蒼球切除〔術〕pallidectomy ……… 886
淡蒼球わな切開〔術〕pallidoansotomy ……… 886
断層撮影〔法〕planigraphy ……… 943
断層撮影〔法〕stratigraphy ……… 1145
断層撮影装置 laminagraph ……… 676
断層撮影法 laminography ……… 676
断層撮影法 tomography ……… 1208

タ

短爪症 brachyonychia ……… 171
単層上皮 simple epithelium ……… 1106
断層心エコー図法 two-dimensional echocardiography ……… 1239
単層扁平上皮 simple squamous epithelium ……… 1106
単足症 monopodia ……… 782
断続性言語 scanning speech ……… 1074
断続縫合 interrupted suture ……… 637
断続放尿 urinary stuttering ……… 1252
炭素サイクル carbon dioxide cycle ……… 198
炭素質 carbonaceous ……… 198
担体 carrier ……… 206
単胎児 singleton ……… 1106
断端 stump ……… 1150
端端吻合 end-to-end anastomosis ……… 399
探知器 locator ……… 708
短腸症候群 short-bowel syndrome ……… 1100
単調体温 monothermia ……… 783
ダンディ-ウォーカー症候群 Dandy-Walker syndrome ……… 316
ダンディ手術 Dandy operation ……… 316
〔担〕鉄〔赤〕芽球 sideroblast ……… 1103
担鉄赤血球 siderocyte ……… 1103
単殿位 frank breech presentation ……… 474
短頭〔症〕 brachycephaly ……… 171
断頭〔術〕 decapitation ……… 318
短頭蓋〔症〕 brachycephaly ……… 171
胆道鏡検査法 cholangioscopy ……… 233
胆道膵管撮影〔法〕 cholangiopancreatography ……… 233
胆道膵管造影〔法〕 cholangiopancreatography ……… 233
短橈側手根伸筋 extensor carpi radialis brevis muscle ……… 432
短橈側手根伸筋 short radial extensor muscle of wrist ……… 1101
胆道閉鎖〔症〕 biliary atresia ……… 151
単糖類 monosaccharide ……… 782
丹毒 erysipelas ……… 415
担毒体 toxophore ……… 1213
タントップチューブ tan-top tube ……… 1179
短内転筋 short adductor muscle ……… 1100
断熱 adiabatic ……… 27
胆嚢 cholecystis ……… 233
胆嚢 gallbladder ……… 484
胆嚢胃吻合〔術〕 cholecystogastrostomy ……… 233
胆嚢炎 cholecystitis ……… 233
胆嚢窩 fossa for gallbladder ……… 472
胆嚢回腸吻合〔術〕 cholecystoileostomy ……… 234
胆嚢管 cystic duct ……… 310
〔胆嚢管〕らせんひだ spiral fold of cystic duct ……… 1126
胆嚢空腸吻合〔術〕 cholecystojejunostomy ……… 234
胆嚢固定〔術〕 cholecystopexy ……… 234
胆嚢固定〔術〕 cystopexy ……… 311
胆嚢撮影〔法〕 cholecystography ……… 234
胆嚢疾患 cholecystopathy ……… 234
胆嚢写 cholecystography ……… 234
胆嚢十二指腸ひだ cystoduodenal ligament ……… 311
胆嚢十二指腸吻合〔術〕 cholecystoduodenostomy ……… 233
胆嚢静脈 cystic veins ……… 310
胆嚢切開〔術〕 cholecystotomy ……… 234
胆嚢切開〔術〕 cystotomy ……… 311
胆嚢切開刀 cystotome ……… 311
胆嚢切除〔術〕 cholecystectomy ……… 233
胆嚢切除〔術〕 cystectomy ……… 310
胆嚢造影〔法〕 cholecystography ……… 234
胆嚢造瘻〔術〕 cholecystostomy ……… 234
胆嚢大腸吻合〔術〕 cholecystocolostomy ……… 233
胆嚢超音波検査〔法〕 cholecystosonography ……… 234
胆嚢腸管吻合〔術〕 cholecystenterostomy ……… 233
胆嚢底 fundus of gallbladder ……… 480
胆嚢摘出〔術〕 cholecystectomy ……… 233
胆嚢動脈 cystic artery ……… 310
胆嚢フィステル形成〔術〕 cholecystostomy ……… 234
胆嚢縫合〔術〕 cholecystorrhaphy ……… 234
胆嚢リンパ節 cystic lymph node ……… 310
蛋白〔質〕 protein ……… 989
蛋白過剰血〔症〕 hyperproteinemia ……… 588
蛋白効率 protein efficiency ratio (PER) ……… 989
蛋白脂質 proteolipids ……… 990
蛋白質代謝回転 protein turnover ……… 990
蛋白質分解酵素 proteolytic enzymes ……… 990
蛋白症 proteinosis ……… 990
蛋白喪失性腸症 protein-losing enteropathy ……… 990
蛋白代謝 protein metabolism ……… 990
蛋白同化ステロイド anabolic steroid ……… 59
蛋白尿〔症〕 albuminuria ……… 39
蛋白尿 proteinuria ……… 990
蛋白熱量栄養障害 protein energy malnutrition (PEM) ……… 989
蛋白分解 proteolysis ……… 990
蛋白〔質〕分解酵素 protease ……… 989
単拍脈 monocrotic pulse ……… 781
単拍脈 monocrotism ……… 781
蛋白流動食 liquid protein diet ……… 705
弾撥音 snap ……… 1112
弾撥股症候群 snapping hip syndrome ……… 1112
弾撥雑音 snap ……… 1112
ダンピング症候群 dumping syndrome ……… 367
ダンフォース徴候 Danforth sign ……… 316
単不全麻痺 monoparesis ……… 782
炭粉珪肺〔症〕 anthracosilicosis ……… 78
炭粉症 anthracosis ……… 78
断片 fragment ……… 474
単房関節 unilocular joint ……… 1247
単胞状腺 saccular gland ……… 1066
単房性嚢胞 unilocular cyst ……… 1247
短母指外転筋 abductor pollicis brevis muscle ……… 3
短母指外転筋 short abductor muscle of thumb ……… 1100
〔足の〕短母指屈筋 short flexor muscle of great toe ……… 1100
〔手の〕短母指屈筋 short flexor muscle of thumb ……… 1100
短母指伸筋 extensor pollicis brevis muscle ……… 433
〔足の〕短母指伸筋 short extensor muscle of great toe ……… 1100
タンポナーデ tamponade ……… 1178
タンポン tampon ……… 1178
タンポン挿入〔法〕 tamponade ……… 1178
単麻痺 monoplegia ……… 782
〔表皮〕淡明層 clear layer of epidermis ……… 249
断面 cross-section ……… 300
断面研究 synchronic study ……… 1171
断面積 cross-section ……… 300
短毛様体神経 short ciliary nerve ……… 1100
短絡 shunt ……… 1102
単離 isolation ……… 651
単量体 monomer ……… 782
弾力線維腫 elastoma ……… 382
弾力線維症 elastosis ……… 382
弾力素 elastin ……… 382
弾力包帯 elastic bandage ……… 382
断裂 rupture ……… 1065
断裂 tear ……… 1181
鍛練 temper ……… 1184
談話困難 dyslogia ……… 371

チ

チアジン thiazin ……… 1195
チアジン染料 thiazin dyes ……… 1195
チアノーゼ cyanosis ……… 308
チアミン thiamin ……… 1195
チアミンピロリン酸 thiamin pyrophosphate ……… 1195
地域医学 community medicine ……… 267
地域医療 community medicine ……… 267
地域医療再検討方策 Local Medical Review Policy (LMRP) ……… 708
地域看護 community health nursing ……… 267
地域看護 parish nursing ……… 899
地域〔社会〕基盤〔型〕診療 community-based practice (CBP) ……… 267
地域高齢者福祉局 area agency on aging (AAA) ……… 94
地域社会 community ……… 267
地域心理学 community psychology ……… 267
地域精神医学 community psychiatry ……… 267
地域精神保健センター community mental health center ……… 267
地域相関研究 ecologic study ……… 376
チーズ作業者肺 cheese worker's lung ……… 227
チーマン症候群 Thiemann syndrome ……… 1195

チーマン斑点 Ziemann dot 1301
チーム看護 team nursing 1181
チール染料 Ziehl stain 1301
チェーン-ストークス呼吸 Cheyne-Stokes respiration 230
チェーンバーレン鉗子 Chamberlen forceps 225
チェーンバリン線 Chamberlain line 225
チェディアック-東症候群 Chédiak-Higashi syndrome 227
チエニルアラニン thienylalanine 1195
チェルニー縫合 Czerny suture 314
チェルニー-ランベール縫合 Czerny-Lembert suture 314
遅延 delay 324
遅延 retardation 1044
遅延〔型〕アレルギー delayed allergy 324
遅延移植 delayed graft 325
遅延聴覚フィードバック delayed auditory feedback (DAF) 324
遅延〔型〕反応 delayed reaction 325
遅延皮弁 delayed flap 325
遷延分娩 dysfunctional labor 370
チオ開裂 thiolysis 1195
チオ酸 thioacid 1195
チオニン thionine 1195
チオ硫酸 thiosulfuric acid 1195
チオ硫酸ナトリウム sodium thiosulfate 1113
知覚 esthesia 421
知覚 perception 911
知覚 sense 1091
知覚意識 sensory awareness 1092
知覚異常性大腿神経痛 meralgia paraesthetica 754
知覚運動麻痺 anesthekinesia 65
知覚鋭敏 acroesthesia 16
知覚過程 perceptual processing 911
知覚過敏 hyperesthesia 583
知覚計 esthesiometer 421
知覚減退 hypesthesia 590
知覚消失 anesthesia 65
知覚処理 perceptual processing 911
知覚神経 sensory nerve 1092
知覚神経細胞障害 sensory neuronopathy 1092
知覚神経節 sensory ganglion 1092
知覚性運動評価 rating of perceived exertion 1025
知覚生理学 esthesiophysiology 421
知覚測定〔法〕 esthesiometry 421
知覚脱失らい anesthetic leprosy 66
知覚遅鈍 bradyesthesia 172
知覚的狭窄化 perceptual narrowing 911
知覚能 sensibility 1091
知覚表象 percept 911
知覚不全 dysesthesia 370
知覚麻痺 anesthesia 65
知覚力 perceptivity 911
力 force (F, *F*) 470
置換 displacement 354
置換 substitution 1155
置換産物 substitution product 1155
置換前操作 back table procedure 130
置換組織 replant 1039
置換療法 replacement therapy 1039
チキソトロピー thixotropy 1196
恥丘 mons pubis 783
地球温暖化 global warming 501
遅筋線維 slow-twitch fibers 1111
逐語的トランスクリプション verbatim transcription 1269
逐次刺激方式 continuous interleaved sampling 281
逐次切断〔術〕 consecutive amputation 278
竹状毛 bamboo hair 134
蓄積効果 cumulative effect 304
蓄積症 storage disease 1144
蓄積注射 depot injection 332
蓄電器 capacitor 196
蓄尿びん urinal 1252
蓄膿〔症〕 empyema 392
乳首 teat 1181
チクル chicle 230
チクングニア熱 chikungunya 230
治験薬 investigational new drug (IND) 644
遅語〔症〕 bradyarthria 171
恥垢 smegma 1111
恥垢石 smegmalith 1111
治効量 curative dose (CD) 305
恥骨 pubic bone 1001
恥骨 pubis 1001
恥骨下角 subpubic angle 1154
恥骨下枝 inferior pubic ramus 619
恥骨間円板 interpubic disc 637
恥骨弓 pubic arch 1001
恥骨弓靱帯 inferior pubic ligament 619
恥骨筋 pectineus muscle 906
恥骨結合 pubic symphysis 1001
恥骨結合切開〔術〕 symphysiotomy 1170
恥骨結節 pubic tubercle 1001
恥骨後隙 retropubic space 1048
恥骨骨炎 osteitis pubis 872
恥骨櫛 pecten pubis 906
恥骨櫛状靱帯 ligamentum pectineale 699
恥骨櫛靱帯 pectineal ligament 906
恥骨上カテーテル suprapubic catheter 1165
恥骨上膀胱切開〔術〕 suprapubic cystotomy 1165
恥骨切開〔術〕 pubiotomy 1001
恥骨前立腺筋 puboprostatic muscle 1001
恥骨腟筋 pubovaginalis muscle 1001
恥骨腟筋 pubovaginal muscle 1001
恥骨直腸筋 puborectalis muscle 1001
恥骨尾骨筋 pubococcygeus muscle 1001
恥骨部 pubic region 1001
恥骨膀胱筋 pubovesicalis muscle 1002
恥骨稜 pubic crest 1001
チゴマキシラーレ zygomaxillare 1304
智歯 wisdom tooth 1292
致死遺伝子 lethal gene 692
致死因子 lethal factor 692
致死性正中肉芽腫 midline lethal granuloma 771
致死〔突然〕変異 lethal mutation 692
致死率 case fatality rate 208
致死量 lethal dose (LD) 692
地図関数 mapping function 732
地図状角膜炎 geographic keratitis 496
地図状網膜萎縮 geographic retinal atrophy 496
地図〔状〕舌 geographic tongue 496
知性 intelligence 629
知性化 intellectualization 629
遅滞 retardation 1044
乳 milk 772
乳さがし反射 rooting reflex 1060
地中海紅斑熱 Mediterranean erythematous fever 745
地中海食 Mediterranean diet 745
地中海斑熱 Mediterranean spotted fever 745
地中海発疹熱 Mediterranean exanthematous fever 745
縮れ毛病 kinky-hair disease 667
腟 vagina 1257
腟陰門乾燥症 colpoxerosis 264
腟会陰形成〔術〕 colpoperineoplasty 264
腟会陰形成〔術〕 vaginoperineoplasty 1258
腟会陰切開〔術〕 vaginoperineotomy 1258
腟会陰縫合〔術〕 colpoperineorrhaphy 264
腟会陰縫合〔術〕 vaginoperineorrhaphy 1258
腟炎 vaginitis 1258
腟円蓋 vaginal cuff 1257
腟外射精 onanism 858
腟拡張〔症〕 colpectasis 264
窒化物形成 nitridation 834
腟鏡 colposcope 264
腟鏡検査〔法〕 vaginoscopy 1258
腟狭窄 colpostenosis 264
腟狭窄切開〔術〕 colpostenotomy 264
チック tic 1204
チックチフス tick typhus 1204
腟痙 colpospasm 264
腟痙 vaginismus 1258
腟痙 vaginodynia 1258
腟形成〔術〕 colpoplasty 264
腟形成 colpopoiesis 264
腟形成〔術〕 vaginoplasty 1258

チ

膣顕微鏡診 colpomicroscopy 264
膣口 vaginal orifice 1257
膣〔壁〕固定〔術〕 colpopexy 264
膣〔壁〕固定〔術〕 vaginofixation 1258
膣〔腹壁〕固定〔術〕 vaginopexy 1258
膣式開腹〔術〕 vaginal celiotomy 1257
膣式子宮摘出〔術〕 vaginal hysterectomy 1257
膣子宮血腫 hematocolpometra 541
膣子宮留血症 hematocolpometra 541
膣子宮留水症 hydrometrocolpos 579
膣周囲炎 perivaginitis 919
膣上皮内新生腫瘍 vaginal intraepithelial neoplasia 1257
膣真菌症 vaginomycosis 1258
膣神経 vaginal nerves 1257
膣切開〔術〕 colpotomy 264
膣切開〔術〕 vaginotomy 1258
膣切除〔術〕 colpectomy 264
膣切除〔術〕 vaginectomy 1258
膣腺 vaginal gland 1257
膣前庭 vestibule of vagina 1274
膣前庭窩 fossa of vestibule of vagina 472
膣前庭球動脈 artery of bulb of vestibule 102
窒素過剰血〔症〕 azotemia 128
窒息 asphyxia 107
窒息 asphyxiation 108
窒息 choking 233
窒息 suffocation 1157
窒息性胸郭異形成 asphyxiating thoracic dystrophy 108
窒息性胸郭形成異常 asphyxiating thoracic dystrophy 108
窒息性甲状腺腫 suffocative goiter 1157
〔高〕窒素血〔症〕 azotemia 128
窒素減少尿〔症〕 hypoazoturia 591
窒素サイクル nitrogen cycle 834
窒素出納 nitrogen balance 834
窒素性ナルコーシス nitrogen narcosis 835
窒素族 nitrogen group 834
窒素〔排泄〕遅延時間 nitrogen lag 834
窒素当量 nitrogen equivalent 834
窒素尿〔症〕 azoturia 128
窒素分配 nitrogen partition 835
窒素分布 nitrogen partition 835
膣脱〔症〕 colpoptosis 264
膣断裂 colporrhexis 264
膣痛 colpodynia 264
膣痛 vaginodynia 1258
膣動脈 vaginal artery 1257
膣トリコモナス *Trichomonas vaginalis* 1228
膣内線源 ovoids 879
膣内リング vaginal ring 1257
膣粘膜皺 vaginal rugae 1258
膣膿瘤 pyocolpos 1010
膣排気音 flatus vaginalis 460
膣病〔質〕 vaginopathy 1258
チップ移植〔片〕 chip graft 231
チップシリンジ chip syringe 231
膣閉鎖〔症〕 colpatresia 264
膣閉鎖〔術〕 colpocleisis 264
膣閉鎖〔症〕 vaginal atresia 1257
膣壁縫合〔術〕 colporrhaphy 264
膣壁縫縮〔術〕 colporrhaphy 264
膣ヘルニア colpocele 264
膣膀胱形成〔術〕 colpocystoplasty 264
膣傍〔結合〕組織炎 paravaginitis 898
膣留血症 hematocolpos 541
膣留水症 hydrocolpocele 578
膣留膿症 pyocolpos 1010
地点地図 spot map 1133
チトクロム P450 系 cytochrome P-450 system 312
遅鈍 opacity 861
遅鈍 torpor 1210
遅尿 opsiuria 863
知能 intelligence 629
知能指数 intelligence quotient (IQ) 629
知能年齢 mental age (MA) 753
遅発〔型〕ウイルス病 slow-virus disease 1111
遅発効果 late effect 681
遅発性筋痛 delayed onset muscle soreness (DOMS) 325
遅発性骨形成不全症 osteogenesis imperfecta tarda 874
遅発性ジスキネジア tardive dyskinesia 1179
遅発性脊椎骨端異形成〔症〕 spondyloepiphysial dysplasia tarda 1130
遅発性チアノーゼ cyanose tardive 308
〔アナフィラキシーの〕遅反応性物質 slow-reacting substance (SRS) 1111
恥部 pubes 1001
乳房 breast 173
乳房 mamma 729
〔腸〕チフス菌 *Salmonella typhi* 1069
チフス・パラチフス様熱病 parenteric fever 899
地方病性じんま疹 urticaria endemica 1254
地方病の安定 endemic stability 395
地方保険適用範囲規定 local coverage determination (LCD) 707
チミジン thymidine (dThd) 1201
チミジン 5′-二リン酸 thymidine 5′-diphosphate (dTDP) 1201
緻密骨 compact bone 267
緻密質 substantia compacta 1155
緻密層 stratum compactum 1145
緻密斑 macula densa 724
遅脈 pulsus tardus 1005
チミン thymine 1201
致命率 fatality rate 445
恥毛 pubes 1001
チモーゲン zymogen 1304
チャーグ・ストラウス疾患 Churg-Strauss disease 243
CHARGE 症候群 CHARGE complex 226
チャーターズ法 Charter method 227
チャート議論(論争) chart war 227
チャイニーズハムスター卵巣細胞 Chinese hamster ovary cells 231
チャイルド・プルーフ childproof 231
着床 implantation 610
〔卵〕着床 nidation 833
着床剥離 denidation 327
着色 staining 1135
〔着〕色視〔症〕 chromatopsia 240
着色尿〔症〕 chromaturia 240
チャクラ chakra 225
茶剤 species 1119
茶匙 teaspoon 1181
チャッチョ染色〔法〕 Ciaccio stain 244
チャドウィック徴候 Chadwick sign 225
チャドック徴候 Chaddock sign 225
チャパラル chapparal 226
チャンドラー症候群 Chandler syndrome 226
治癒 cure 305
治癒 healing 535
チューニング曲線 tuning curve 1238
チューブ〔人工〕歯 tube tooth 1236
チューブリン tubulin 1237
注意欠陥過活動性障害 attention deficit hyperactivity disorder (ADHD) 117
注意欠陥障害 attention deficit disorder (ADD) 117
注意持続期間 attention span 117
中咽頭収縮筋 middle constrictor muscle of pharynx 770
中央手掌間隙 central palmar space 217
肘横靱帯 transverse ligament of elbow 1221
中央体 midbody 770
中央値 median 742
中黄斑細動脈 middle macular arteriole 770
中殿皮神経 medial cluneal nerves 741
中温菌 mesophil 758
中外胚葉 mesectoderm 756
仲介輸送 mediated transport 744
中隔 septulum 1093
中隔 septum 1093
中隔開口〔術〕 septostomy 1093
中隔後鼻動脈 posterior septal artery of nose 965
中隔視覚異形成症 septooptic dysplasia 1093
中隔子宮 septate uterus 1093
〔鼻〕中隔切除〔術〕 septectomy 1093
中型リンパ球 mesolymphocyte 758
中割球 mesomere 758

中割球小人症 mesomelic dwarfism … 758
中間 intermediate … 632
中間〔期〕interval … 638
中間外側核 intermediolateral nucleus … 633
中間期 interkinesis … 631
中間楔状骨 intermediate cuneiform bone … 633
中間ケア施設 intermediate care facility (ICF) … 632
中間形質 intermediate trait … 633
中間広筋 intermediate vastus muscle … 633
中間鎖骨上神経 intermediate supraclavicular nerve … 633
中間宿主 intermediate host … 633
中間心 intermediate heart … 633
中間神経 intermediary nerve … 632
中間神経 intermediate nerve … 633
中間スペクトル薬 mid-spectrum agent … 771
肘関節 cubital joint … 303
肘関節 elbow joint … 382
肘関節動脈網 articular vascular network of elbow … 104
中間仙骨稜 intermediate sacral crest … 633
中間層〔皮〕弁 split-thickness flap … 1130
中間体 intermediate … 632
〔月経〕中間痛 intermenstrual pain … 633
中間痛 mittelschmerz … 776
中間内側核 intermediomedial nucleus … 633
中間尿検体 midstream urine specimen (MCUS) … 771
〔聴性〕中間〔潜時〕反応 middle latency response … 770
中間寮 halfway house … 529
〔分裂〕中期 metaphase … 761
肘筋 anconeus muscle … 63
中空陰極ランプ hollow-cathode lamp … 567
中頸神経節 middle cervical ganglion … 770
中結腸動脈 middle colic artery … 770
中検鼻〔法〕median rhinoscopy … 743
中硬膜静脈 middle meningeal veins … 770
中鼓室 mesotympanum … 759
注視 gaze … 491
中止 withdrawal … 1292
中耳 middle ear … 770
中耳アテレクターシス atelectasis of middle ear … 111
中耳炎 otitis media (OM) … 876
中耳炎 tympanitis … 1240
注視眼振 fixation nystagmus … 458
中止基準 stopping rules … 1144
中耳腔換気用チューブ tympanostomy tube … 1241
中耳貯留液 middle-ear effusion … 770
中膝動脈 middle genicular artery … 770
注視点 point of fixation … 952
注射 injection … 625
中斜角筋 scalenus medius muscle … 1074
注射器 syringe … 1173
注射剤 injection … 625
注射薬物使用者 injection drug user (IDU) … 625
注射用蒸留水 water for injection … 1286
中手 metacarpus … 760
中手間関節 intermetacarpal joint … 633
中手骨 metacarpal bones [I-V] … 760
中手骨切除〔術〕metacarpectomy … 760
中手指骨短縮〔症〕brachymetacarpia … 171
中手指節関節 knuckle … 669
中手指節関節 metacarpophalangeal joint … 760
抽出 abstraction … 6
抽出 exhaustion … 428
抽出 extraction … 435
抽出器 extractor … 435
抽出バイアス sampling bias … 1070
抽出物 extract … 435
抽出物 extractives … 435
抽象 abstraction … 6
抽象的思考 abstract thinking … 6
中小脳脚 middle cerebellar peduncle … 770
中心 center … 216
中腎 mesonephros … 758
中腎 middle kidney … 770
中心暗点 central scotoma … 217
〔中心〕暗点計 scotometer … 1082
中心位 centric relation … 218
中心壊死 central necrosis … 217
中腎横隔膜靱帯 diaphragmatic ligament of the mesonephros … 342
中心回 central gyri … 217
中心化現象 centralization phenomenon … 217
中腎管 mesonephric duct … 758
中心球 centrosphere … 219
中心溝 central sulcus … 217
中心後回 postcentral gyrus … 963
中心後溝 postcentral sulcus … 963
中心咬合 centric occlusion … 218
中心後野 postcentral area … 963
中心視〔覚〕central vision … 218
中心小体 centriole … 218
中腎上体動脈 middle suprarenal artery … 771
〔肝臓の〕中心静脈 central veins of liver … 217
〔副腎の〕中心静脈 central vein of suprarenal gland … 217
中心静脈圧 central venous pressure (CVP) … 218
中心静脈カテーテル central venous catheter … 217
中心視力 central vision … 218
中心性骨炎 central osteitis … 217
〔顎骨〕中心性骨形成性線維腫 central ossifying fibroma … 217
中心性脊髄症候群 central cord syndrome … 217
中心正中核 centromedian nucleus … 218
中心性輪紋状脈絡膜ジストロフィ central areolar choroidal dystrophy … 217
中心切断〔術〕central amputation … 217
中心前回 precentral gyrus … 970
中心前溝 precentral sulcus … 970
中心前野 precentral area … 970
中心臓静脈 middle cardiac vein … 770
中心体 centrosome … 219
中心体 microcentrum … 766
中腎堤 mesonephric fold … 758
中腎傍管 paramesonephric duct … 895
中心傍溝 paracentral fissure … 893
中心紡錘体 central spindle … 217
中心融合 centric fusion … 218
中心粒 centriole … 218
中腎隆線 mesonephric ridge … 758
虫垂 vermiform appendix … 1269
虫垂炎 appendicitis … 90
虫垂炎膿瘍 appendiceal abscess … 90
虫垂間膜 mesoappendix … 757
虫垂結石 appendicolithiasis … 90
虫垂周囲炎 periappendicitis … 913
虫垂静脈 appendicular vein … 91
虫垂切除〔術〕appendectomy … 90
虫垂造瘻術 appendicostomy … 90
虫垂動脈 appendicular artery … 90
虫垂内結石 appendicolith … 90
虫垂剥離〔術〕appendicolysis … 90
虫垂フィステル形成術 appendicostomy … 90
中枢 center … 216
中数 median … 742
中枢神経系 central nervous system (CNS) … 217
中枢神経刺激薬 analeptic … 60
中枢性運動 centrokinesia … 218
中枢性麻痺 central paralysis … 217
中枢性無呼吸 central apnea … 217
中枢〔性〕聴覚障害 central deafness … 217
中枢聴覚神経系 central auditory nervous system (CANS) … 217
中枢パターン発生器 central pattern generator … 217
中性咬合 neutroclusion … 830
中性脂肪 neutral fat … 830
中性親和〔性〕neutrophil … 831
中性染料 neutral stain … 830
肘正中皮静脈 median cubital vein … 742
抽石〔術〕litholapaxy … 705
中絶 abortion … 5
中節骨短縮〔症〕brachymesophalangia … 171
中絶性交 coitus interruptus … 260
中絶性交 onanism … 858
鋳造 molding … 778
鋳造物 cast … 208
中足 metatarsus … 762
中足間関節 intermetatarsal joint … 633

中足間骨 os intermetatarseum …… 871
中足骨 metatarsal (bones) [I-V] …… 762
中足骨切除〔術〕 metatarsectomy …… 762
中足骨短縮〔症〕 brachymetatarsia …… 171
中足骨痛〔症〕 metatarsalgia …… 762
中足指節関節 metatarsophalangeal joints …… 762
中側頭静脈 middle temporal vein …… 771
中足動脈 metatarsal artery …… 762
中側副動脈 medial collateral artery …… 741
中大脳動脈 middle cerebral artery …… 770
〔排尿〕躊躇 hesitancy …… 557
注腸 enema …… 399
中腸 midgut …… 771
注腸二重造影 air contrast enema …… 37
中腸ループ midgut loop …… 771
中直腸動脈 middle rectal artery …… 771
中直腸リンパ節 middle rectal lymph node …… 771
中殿筋 gluteus medius muscle …… 505
中殿筋〔麻痺〕歩行 gluteus medius gait …… 505
中殿皮神経 nervi clunium medii …… 821
肘頭 olecranon …… 855
中頭蓋窩アプローチ middle fossa approach …… 770
中頭蓋窩到達法 middle fossa approach …… 770
肘頭滑液嚢炎 miner's elbow …… 773
中毒 poisoning …… 953
中毒〔症〕 toxicosis …… 1213
中毒学 toxicology …… 1212
中毒症候 toxidrome …… 1213
中毒性肝硬変 toxic cirrhosis …… 1212
中毒性巨大結腸〔症〕 toxic megacolon …… 1212
中毒性血色素尿症 toxic hemoglobinuria …… 1212
中毒性甲状腺腫 toxic goiter …… 1212
中毒性紅斑 erythema toxicum …… 416
中毒性神経炎 toxic neuritis …… 1212
中毒性ネフローゼ toxic nephrosis …… 1212
中毒性表皮壊死症 toxic epidermal necrolysis (TEN) …… 1212
注入 clysis …… 254
注入 infusion …… 623
注入 injection …… 625
注入器 insufflator …… 628
注入-吸引ドレナージ infusion-aspiration drainage …… 623
注入浴 douche bath …… 362
注入量 immission …… 606
中年 middle adult …… 770
中年 midlife …… 771
中年の危機 midlife crisis …… 771
中脳 mesencephalon …… 756
中脳 midbrain …… 770
中脳炎 mesencephalitis …… 756
中脳蓋板 lamina of mesencephalic tectum …… 676
中脳屈 cephalic flexure …… 219
中脳水道 cerebral aqueduct …… 221
中脳切開〔術〕 mesencephalotomy …… 756
中脳被蓋 mesencephalic tegmentum …… 756
中背曲 dorsal flexure …… 361
中胚葉 mesoblast …… 757
中胚葉 mesoderm …… 757
中胚葉外側板 hypomere …… 594
中胚葉芽細胞 mesoblastema …… 757
中胚葉型 mesomorph …… 758
中胚葉型 mesomorph …… 758
中皮 mesothelium …… 759
中鼻甲介 middle nasal concha …… 770
中皮腫 mesothelioma …… 758
肘部管症候群 cubital tunnel syndrome …… 303
中副腎動脈 middle suprarenal artery …… 771
虫部垂 uvula vermis …… 1256
中部動原体染色体 metacentric chromosome …… 760
中分節 mesomere …… 758
中膜 tunica media …… 1238
中膜壊死 medionecrosis …… 745
昼盲〔症〕 hemeralopia …… 543
中庸 temperance …… 1184
虫様構造 worm …… 1294
虫様脈 vermicular pulse …… 1269
中立突然変異 neutral mutation …… 830
〔虫〕齢 instar …… 627
中和 neutralization …… 830
中和 saturation …… 1073
中和抗体 neutralizing antibody …… 830
中和試験 neutralization test …… 830
中和試験 protection test …… 989
中和プレート neutralization plate …… 830
治癒比 therapeutic ratio …… 1193
治癒量 curative dose (CD) …… 305
チュルク変性 Türck degeneration …… 1238
腸 bowel …… 169
腸〔管〕 intestine …… 639
頂 vertex …… 1271
腸炎 enteritis …… 401
腸炎 enterocolitis …… 402
腸炎菌 *Salmonella enterica* serovar *enteritidis* …… 1069
超遠心〔分離〕器 ultracentrifuge …… 1244
腸音 bowel sounds …… 169
超音波 ultrasound …… 1244
超音波泳動法 phonophoresis …… 929
超音波学 ultrasonics …… 1244
超音波記録 ultrasonogram …… 1244
超音波結石穿孔術 ultrasonic lithotripsy …… 1244
超音波検査〔法〕 ultrasonography …… 1244
超音波検査士 ultrasonographer …… 1244
超音波心臓検査〔法〕 echocardiography …… 376
超音波心臓検査〔法〕 ultrasound cardiography …… 1244
超音波像 echogram …… 376
超音波大動脈検査〔法〕 echoaortography …… 376
超音波治療 therapeutic ultrasound …… 1193
超音波ドップラー法 Doppler echocardiography …… 360
超音波ドップラー法 Doppler ultrasonography …… 360
超音波脳検査〔法〕 echoencephalography …… 376
超音波噴霧器 ultrasonic nebulizer …… 1244
潮解 deliquescence …… 325
〔島〕長回 long gyrus of insula …… 709
聴覚 audition …… 118
聴覚 hearing …… 536
聴覚異常 dysacusis …… 369
聴覚型の人 auditive …… 118
聴覚過敏 hyperacusis …… 581
聴覚〔機能〕訓練士 audiologist …… 118
聴覚減痛法 audioanalgesia …… 117
聴覚口話法 oral auditory method …… 865
聴覚刺激試験 acoustic stimulation test …… 15
聴覚失認 auditory agnosia …… 118
聴覚障害 hearing impairment …… 536
聴覚障害 paracusis …… 893
聴覚障害者用テレコミュニケーション装置 telecommunications device for the deaf (TDD, TT) …… 1183
聴覚障害者用補助具 assistive listening device (ALD) …… 108
聴覚消失〔症〕 deafness …… 317
聴覚消失症 anacusis …… 59
聴覚処理障害 auditory processing disorder …… 118
聴覚性錯覚 paracusis …… 893
聴覚性失語〔症〕 auditory aphasia …… 118
聴覚前兆 auditory aura …… 118
聴覚統合訓練 auditory integration training (AIT) …… 118
聴覚反射 acoustic reflex …… 15
聴覚反射 auditory reflex …… 119
聴覚皮質 auditory cortex …… 118
聴覚不全 dysacusis …… 369
聴覚プロテーゼ auditory prosthesis …… 118
聴覚〔性〕防衛性 auditory defensiveness …… 118
聴覚保護計画 Hearing Conservation Program …… 536
聴覚マッサージ auditory massage …… 118
聴覚野 auditory area …… 118
聴覚リハビリテーション aural rehabilitation …… 119
長下肢装具 knee-ankle-foot orthosis …… 668
腸下垂〔症〕 enteroptosis …… 403
長幹 shaft …… 1098
腸肝炎 enterohepatitis …… 402
超感覚的知覚 extrasensory perception (ESP) …… 436
腸管凝集性大腸菌 enteroaggregative *Escherichia coli* …… 401
腸管筋層 myenteron …… 805
腸肝循環 enterohepatic circulation …… 402

超感染 hyperinfection ……… 584
腸管内吸虫 intestinal fluke ……… 639
腸管内径測定器 sizer ……… 1108
腸管閉鎖〔術〕 enterocleisis ……… 402
腸肝ヘルニア enterohepatocele ……… 402
腸間膜 mesenterium ……… 756
腸間膜 mesentery ……… 756
腸間膜炎 mesenteritis ……… 756
腸間膜結核 tabes mesenterica ……… 1176
腸間膜固定〔術〕 mesenteriopexy ……… 756
腸間膜軸捻転 mesenteroaxial volvulus ……… 756
腸間膜静脈下大静脈吻合〔術〕 mesocaval shunt ……… 757
腸間膜成襞〔術〕 mesenteriplication ……… 756
腸間膜ひだ形成〔術〕 mesenteriplication ……… 756
腸間膜縫合〔術〕 mesenteriorrhaphy ……… 756
腸管流感 intestinal flu ……… 639
長期記憶 long-term memory (LTM) ……… 710
聴器毒性 ototoxicity ……… 877
腸狭窄 enterostenosis ……… 403
長胸神経 long thoracic nerve ……… 710
長胸神経 nervus thoracicus longus ……… 823
腸〔骨〕棘面 interspinal plane ……… 637
鳥距溝 calcarine sulcus ……… 190
張筋 tensor ……… 1187
蝶形陰影 butterfly pattern ……… 186
蝶形紅斑 butterfly ……… 186
蝶形骨 sphenoid bone ……… 1122
蝶形骨棘 sphenoidal spine ……… 1122
蝶形骨甲介 sphenoidal conchae ……… 1122
蝶形骨小翼 lesser wing of sphenoid bone ……… 692
蝶形骨大翼 greater wing of sphenoid bone ……… 518
蝶形骨洞 sphenoidal sinus ……… 1122
蝶形骨洞炎 sphenoiditis ……… 1122
蝶形骨洞切開〔術〕 sphenoidotomy ……… 1122
長径骨盤 dolichopellic pelvis ……… 359
蝶形骨稜 sphenoid crest ……… 1122
蝶形篩骨切除術 sphenoethmoidectomy ……… 1122
腸脛靱帯 iliotibial tract ……… 604
腸脛靱帯症候群 iliotibial band syndrome ……… 604
腸脛靱帯摩擦症候群 iliotibial band friction syndrome ……… 604
蝶形〔骨〕頭頂静脈洞 sphenoparietal sinus ……… 1122
蝶形物 butterfly ……… 186
腸痙攣 enterospasm ……… 403
腸結核 enteric tuberculosis ……… 401
腸結石 stercolith ……… 1140
腸結節虫症 esophagostomiasis ……… 420
張原線維 tonofibril ……… 1209
潮紅 flush ……… 466
潮紅 rubor ……… 1063
徴候 phenomenon ……… 927
徴候 sign ……… 1104
徴候 stigma ……… 1142
蝶口蓋孔 sphenopalatine foramen ……… 1122
蝶口蓋神経痛 sphenopalatine neuralgia ……… 1122
蝶口蓋動脈 sphenopalatine artery ……… 1122
徴候学 symptomatology ……… 1170
超高速パパニコロウ(パップ)染色 ultrafast Papanicolaou (Pap) stain ……… 1244
超高熱 hyperpyrexia ……… 588
長後毛様体動脈 arteriae ciliares posteriores longae ……… 98
長後毛様体動脈 long posterior ciliary arteries ……… 710
調光レンズ photochromic lens ……… 931
腸骨 iliac bone ……… 603
腸骨 ilium ……… 604
長骨 long bone ……… 709
腸骨下部 subilium ……… 1153
腸骨下腹神経 iliohypogastric nerve ……… 604
腸骨筋 iliacus muscle ……… 603
腸骨鼡径神経 ilioinguinal nerve ……… 604
腸骨大腿靱帯 iliofemoral ligament ……… 604
腸骨転子靱帯 iliotrochanteric ligament ……… 604
腸骨尾骨筋 iliococcygeus muscle ……… 604
腸骨部結腸 iliac colon ……… 603
腸骨稜 iliac crest ……… 603
腸固定〔術〕 enteropexy ……… 403
調査 survey ……… 1167
超酸化物 superoxide ……… 1163
調子 pitch ……… 940
超自我 superego ……… 1159
長時間作用型甲状腺刺激物質 long-acting thyroid stimulator (LATS) ……… 709
〔足の〕長指屈筋 long flexor muscle of toes ……… 709
〔足の〕長指伸筋 long extensor muscle of toes ……… 709
長日周期 infradian rhythm ……… 621
長寿 longevity ……… 709
腸周囲炎 perienteritis ……… 915
腸絨毛 intestinal villi ……… 639
長寿食 macrobiotic diet ……… 722
腸出血 enterorrhagia ……… 403
腸出血性大腸菌 enterohemorrhagic *Escherichia coli* (EHEC) ……… 402
聴〔覚〕受容〔器〕細胞 auditory receptor cells ……… 119
腸症 enteropathy ……… 403
腸消化不良 intestinal dyspepsia ……… 639
長掌筋 long palmar muscle ……… 710
長掌筋 palmaris longus muscle ……… 887
頂踵長 crown-heel length (CHL) ……… 300
腸漿膜炎 exenteritis ……… 427
長睫毛症 trichomegaly ……… 1228
聴診〔法〕 auscultation ……… 119
聴診音減弱 hypophonesis ……… 595
聴診間隙 auscultatory gap ……… 120
聴診器 stethoscope ……… 1142
腸真菌症 enteromycosis ……… 402
聴神経障害 auditory neuropathy ……… 118
聴診交代 auscultatory alternans ……… 119
聴診三角 triangle of auscultation ……… 1226
聴診的打診〔法〕 auscultatory percussion ……… 120
腸侵入性大腸菌 enteroinvasive *Escherichia coli* (EIEC) ……… 402
聴診法 stethoscopy ……… 1142
超心理学 parapsychology ……… 897
調整 adjustment ……… 28
調整 regulation ……… 1034
聴性行動反応 behavioral observation audiometry ……… 144
腸性肢端皮膚炎 acrodermatitis enteropathica ……… 16
超生体染色〔法〕 supravital stain ……… 1166
腸性チアノーゼ enterogenous cyanosis ……… 402
〔聴性〕中間〔潜時〕反応 middle latency response ……… 770
腸性中毒 scatemia ……… 1075
腸性毒血症 enterotoxemia ……… 403
聴性脳幹反応 auditory brainstem response (ABR) ……… 118
聴性脳幹反応聴力検査 auditory brainstem response audiometry ……… 118
腸性嚢胞 enterogenous cyst ……… 402
腸性敗血症 enterosepsis ……… 403
聴性皮質反応聴力検査 cortical audiometry ……… 289
腸〔結〕石 coprolith ……… 285
腸〔結〕石 enterolith ……… 402
腸石 stercolith ……… 1140
腸石症 enterolithiasis ……… 402
調節 accommodation ……… 9
調節 adaptation ……… 23
調節 control ……… 282
調節 regulation ……… 1034
調節域 range of accommodation ……… 1024
調節遺伝子 regulator gene ……… 1034
調節因子 modulator ……… 778
調節因子 regulator ……… 1034
調節塩基配列 regulatory sequence ……… 1035
腸切開〔術〕 enterotomy ……… 403
調節機械換気 controlled mechanical ventilation ……… 283
調節機械呼吸 controlled mechanical ventilation ……… 283
腸切除〔術〕 enterectomy ……… 401
調節障害 regulatory disorder ……… 1035
調節性眼精疲労 accommodative asthenopia ……… 9
調節性抵抗 accommodating resistance ……… 9
調節性輻輳対調節比 accommodative convergence accommodation ratio (AC:A) ……… 9
調節注射器 control syringe ……… 283
調節幅 amplitude of accommodation ……… 56
〔遠近〕調節反射 accommodation reflex ……… 9
調節不全 accommodative insufficiency ……… 9

調節物質 pacemaker 883
調節麻痺 cycloplegia 309
調節弯曲 compensating curve 268
腸線 catgut 210
腸腺 intestinal glands 639
腸穿刺〔術〕 enterocentesis 402
朝鮮出血熱 Korean hemorrhagic fever 670
腸疝痛 intestinal colic 639
鳥巣 nidus avis 833
腸造瘻術 enterostomy 403
超多胎妊娠 higher order pregnancy 562
超短波ジアテルミー ultrashortwave diathermy 1244
腸恥筋膜弓 iliopectineal arch 604
腸恥靱帯 iliopubic tract 604
腸チフス typhoid fever 1242
〔腸〕チフス菌 *Salmonella typhi* 1069
腸チフス様熱病 entericoid fever 401
腸腸吻合〔術〕 enteroenterostomy 402
腸痛 enteralgia 401
ちょうつがい関節 ginglymus 499
ちょうつがい関節 hinge joint 563
ちょうつがい皮弁 hinged flap 563
ちょうつがい部位 hinge region 563
頂点後方屈曲角形成 apex posterior angulation 87
頂点前方屈曲角形成 apex anterior angulation 87
超伝導磁石 superconducting magnet 1159
張度 tonicity 1208
長橈側手根伸筋 extensor carpi radialis longus muscle 432
腸動脈 intestinal arteries 639
腸毒性大腸菌 enterotoxigenic *Escherichia coli* (ETEC) 403
腸毒素 enterotoxin 403
腹内圧 intraabdominal pressure 640
腸内ガス intestinal gas 639
腸内寄生性動物 enterozoon 403
腸内細菌叢 intestinal flora 639
腸内消化 intestinal digestion 639
長内転筋 adductor longus muscle 24
長内転筋 long adductor muscle 709
腸内分泌細胞 enteroendocrine cells 402
腸内分離 enteric isolation 401
腸内容うっ滞 enterostasis 403
腸熱 enteric fever 401
腸捻転 volvulus 1282
頂嚢 vesicle 1272
聴能学 audiology 118
腸嚢胞 enterocyst 402
超薄切片 thin section 1195
長腓骨筋 fibularis longus muscle 454
長腓骨筋 long fibular muscle 709
長腓骨筋 long peroneal muscle 710
長腓骨筋 peroneus longus muscle 920
超微細構造解剖学 ultrastructural anatomy 1244
超皮質性失語〔症〕 transcortical aphasia 1217
腸病学 enterology 402
腸病原性大腸菌 enteropathogenic *Escherichia coli* (EPEC) 403
腸病原体 enteropathogen 403
腸フィステル intestinal fistula 639
重複 duplication 367
重複 reduplication 1032
重複感覚 polyesthesia 955
重複観察 replication 1039
重複感染 superinfection 1160
重複奇形〔形成〕 diplogenesis 350
重複寄生 hyperparasitism 587
重複組み doublet 362
重複決定 overdetermination 879
重複肢〔症〕 dimelia 348
重複子宮 duplex uterus 367
重複試験 replication 1039
重複実験 replication 1039
重複〔性〕腫瘍症 polyoncosis 957
重複腎 duplex kidney 367
重複切痕 dicrotic notch 344
重複体 diplopagus 350
重複瞳孔〔症〕 diplocoria 350
重複妊娠 combined pregnancy 265
腸閉鎖 intestinal atresia 639
腸閉塞〔症〕 ileus 603
腸壁嚢胞状気腫 pneumatosis cystoides intestinalis 950
腸壁ヘルニア parietal hernia 899
腸ヘルニア enterocele 402
腸縫合〔術〕 enterorrhaphy 403
腸膀胱ヘルニア enterocystocele 402
聴放線 acoustic radiation 15
聴放線 radiatio acustica 1018
長母指外転筋 abductor pollicis longus muscle 3
長母指外転筋 long abductor muscle of thumb 709
〔足の〕長母指屈筋 long flexor muscle of great toe 709
〔手の〕長母指屈筋 long flexor muscle of thumb 709
長母指伸筋 extensor pollicis longus muscle 433
長母指伸筋 long extensor muscle of thumb 709
超ミクロトーム ultramicrotome 1244
長命 longevity 709
聴毛 auditory hairs 118
頂盲端 cupular cecum of the cochlear duct 305
長毛様体神経 long ciliary nerve 709
聴野 auditory field 118
跳躍 saltation 1070
跳躍者病 jumping disease 657
跳躍進化 saltatory evolution 1070
跳躍性痙縮 saltatory spasm 1070
跳躍〔性〕伝導 saltatory conduction 1070
跳躍皮弁 jump flap 657
超優性 overdominance 879
腸癒着剥離〔術〕 enterolysis 402
腸腰筋 iliopsoas muscle 604
腸腰筋腱下包 subtendinous iliac bursa 1156
腸腰静脈 iliolumbar vein 604
腸溶性錠剤 enteric-coated tablet 401
腸腰動脈 iliolumbar artery 604
調律 rhythm 1053
腸瘤 enterocele 402
聴力 hearing 536
張力 tension 1187
張力 tonus 1209
張力記録器 tonograph 1209
張力記録法 tonography 1209
聴力計 audiometer 118
聴力検査 audiometry 118
聴力障害 hypacusis 581
聴力図 audiogram 118
聴力損失 hearing impairment 536
聴力不全 dysacusis 369
鳥類病 ornithosis 869
腸瘻 intestinal fistula 639
腸瘻造設〔術〕 enterostomy 403
腸肋筋 iliocostalis muscle 604
長肋骨挙筋 long levatores costarum muscles 710
調和性異常対応 harmonious retinal correspondence 533
調和性交代 concordant alternans 272
調和性交代 concordant alternation 272
調和接合 harmonic suture 533
調和平均 harmonic mean 533
直回 straight gyrus 1145
直細血管 vasa recta 1261
直視下生検 open biopsy 861
直静脈洞 straight sinus 1145
直精細管 straight seminiferous tubule 1145
直接医療管理 direct medical control 351
直接蛍光抗体法 direct immunofluorescence 351
直接高周波療法 fulguration 478
直接喉頭鏡検査〔法〕 direct laryngoscopy 351
直接視 direct vision 351
直接測熱 direct calorimetry 351
直接打診〔法〕 immediate percussion 606
直接聴診〔法〕 immediate auscultation 606
直接熱量測定〔法〕 direct calorimetry 351
直接熱量測定法 Benedict-Roth spirometer 145
直接皮弁 direct flap 351
直接〔反応型〕ビリルビン direct reacting bilirubin 351
直接輸血 direct transfusion 351
直線加速器 linear accelerator 701

直線性 linearity …… 701
直線増幅 linear amplification …… 701
直線縫合 plane suture …… 943
直像検眼鏡 direct ophthalmoscope …… 351
直達鏡 endoscope …… 398
直達検査〔法〕 endoscopy …… 398
直達骨折 direct fracture …… 351
直腸 rectum …… 1029
直腸Ｓ状結腸〔接合部〕 rectosigmoid …… 1029
直腸Ｓ状結腸炎 proctosigmoiditis …… 982
直腸Ｓ状結腸鏡検査〔法〕 proctosigmoidoscopy …… 982
直腸Ｓ状結腸切除〔術〕 proctosigmoidectomy …… 982
直腸炎 proctitis …… 981
直腸横ひだ transverse rectal folds …… 1222
直腸開口〔術〕 proctotresia …… 982
直腸灌注 proctoclysis …… 981
直腸貫通法 endorectal pull-through procedure …… 398
直腸間膜 mesorectum …… 758
直腸鏡 proctoscope …… 982
直腸鏡検査〔法〕 proctoscopy …… 982
直腸形成〔術〕 proctoplasty …… 981
直腸痙攣 proctospasm …… 982
直腸結腸鏡検査〔法〕 proctocolonoscopy …… 981
直腸結腸切除〔術〕 proctocolectomy …… 981
直腸固定〔術〕 proctopexy …… 981
直腸子宮窩 rectouterine pouch …… 1029
直腸子宮筋 rectouterine muscle …… 1029
直腸子宮ひだ sacrouterine fold …… 1067
直腸切開〔術〕 proctotomy …… 982
直腸〔肛門〕切開〔術〕 rectotomy …… 1029
直腸切除〔術〕 proctectomy …… 981
直腸造瘻術 proctostomy …… 982
直腸脱 proctocele …… 981
直腸脱 proctoptosia …… 982
直腸腟形成〔術〕 proctocolpoplasty …… 981
直腸腟中隔 rectovaginal septum …… 1029
直腸〔神経〕痛 proctalgia …… 981
直腸尿道筋 rectourethralis muscle …… 1029
〔直腸の〕仙骨曲 sacral flexure of rectum …… 1067
直腸尾骨筋 rectococcygeus muscle …… 1029
直腸尾骨固定〔術〕 proctococcypexy …… 981
直腸病学 proctology …… 981
直腸病専門医 proctologist …… 981
直腸フィステル形成〔術〕 proctostomy …… 982
直腸ヘルニア hedrocele …… 538
直腸弁切開〔術〕 proctovalvotomy …… 982
直腸縫合〔術〕 proctorrhaphy …… 982
直腸膀胱窩 rectovesical pouch …… 1029
直腸膀胱筋 rectovesicalis muscle …… 1029
直腸膀胱形成〔術〕 proctocystoplasty …… 981
直腸膀胱切開〔術〕 proctocystotomy …… 981
直腸膀胱中隔 rectovesical septum …… 1029
直腸膨大部 rectal ampulla …… 1029
直腸麻酔〔法〕 rectal anesthesia …… 1029
直腸瘤 rectocele …… 1029
直腸瘻造設〔術〕 rectostomy …… 1029
直立性舞踏病 orthochorea …… 869
直立歩行位 orthograde …… 869
直流 direct current (DC) …… 351
チョコレート嚢胞 chocolate cyst …… 232
貯蔵 storage …… 1144
貯蔵所 reservoir …… 1040
貯蔵症 storage disease …… 1144
貯蔵槽性酸素維持装置 reservoir oxygen-conserving device …… 1040
直観期 intuitive stage …… 643
〔直〕径 diameter …… 342
直交Ｘ線写真 orthogonal radiographs …… 869
貯留 pool …… 959
貯留 retention …… 1044
貯留 stagnation …… 1135
貯留性心外膜炎 pericarditis with effusion …… 914
貯留性心嚢炎 pericarditis with effusion …… 914
貯留性嚢胞 retention cyst …… 1044
散らし薬 repellent …… 1038
地理情報システム geographic information system …… 496
治療 cure …… 305
治療 therapeutics …… 1193
治療 therapy …… 1193
治療 treatment …… 1224
治療域 therapeutic range …… 1193
治療開始日 date of service (DOS) …… 317
治療後の病的状態 posttreatment morbidity …… 967
治療指数 therapeutic index …… 1193
治療食 diet …… 345
治療線量 curative dose (CD) …… 305
治療的静脈切開 therapeutic phlebotomy …… 1193
治療的超音波 therapeutic ultrasound …… 1193
治療的転機 therapeutic crisis …… 1193
治療的マラリア therapeutic malaria …… 1193
治療的養生法 therapeutic regimen …… 1193
治療的流産 therapeutic abortion …… 1193
治療前状態 pretreatment morbidity …… 977
治療薬 drug …… 364
治療薬 remedy …… 1037
治療薬 therapeutic drug …… 1193
知力 mind …… 773
チロキシン thyroxine …… 1203
チロシル尿〔症〕 tyrosyluria …… 1242
チロシン tyrosine (Tyr, Y) …… 1242
チロシンケトン尿〔症〕 tyroketonuria …… 1242
チロシン尿〔症〕 tyrosinuria …… 1242
沈下 depression …… 332
鎮咳薬 antitussive …… 83
沈下〔性〕うっ血 hypostatic congestion …… 596
沈下性潰瘍 gravitational ulcer …… 517
沈下性肺炎 hypostatic pneumonia …… 597
チンキ〔剤〕 tincture (tinct.) …… 1205
鎮痙 spasmolysis …… 1118
鎮痙薬 anticonvulsant …… 79
鎮痙薬 antispasmodic …… 83
鎮痙薬 spasmolytic …… 1118
沈降〔反応〕 precipitation …… 971
沈降 sedimentation …… 1087
沈降係数 sedimentation constant …… 1087
沈降原 precipitinogen …… 971
沈降素 precipitin …… 971
沈降速度 sedimentation rate (sed. rate) …… 1087
沈降速度計 sedimentometer …… 1087
沈降定数 sedimentation constant …… 1087
沈降反応 precipitin test …… 971
沈降物 precipitate …… 971
沈降率 sedimentation rate (sed. rate) …… 1087
沈渣 hypostasis …… 596
沈渣 sediment …… 1087
鎮静 sedation …… 1087
鎮静剤 nervine …… 821
鎮静薬 balm …… 134
鎮静薬 sedative …… 1087
チンダル現象 Tyndall phenomenon …… 1241
沈着症 storage disease …… 1144
沈着物 precipitate …… 971
鎮痛歩行 antalgic gait …… 74
鎮痛薬 analgesic …… 60
鎮痛薬 anodyne …… 72
沈殿〔物〕 precipitate …… 971
沈殿 sedimentation …… 1087
沈殿剤 precipitant …… 971
〔沈殿〕析出 precipitation …… 971
鎮吐薬 antiemetic …… 80
チンメルリン萎縮 Zimmerlin atrophy …… 1301
沈黙野 silent area …… 1105

ツ

ツァーン梗塞 Zahn infarct …… 1301
ツァイス腺 Zeis glands …… 1301
椎 vertebra …… 1270
椎間円板 intervertebral disc …… 638

ツ

対感覚消失 paranesthesia ……… 896
椎間孔 intervertebral foramen ……… 638
椎間静脈 intervertebral vein ……… 639
椎間板炎 discitis ……… 352
椎間板疾患 discopathy ……… 352
椎間板症 discopathy ……… 352
椎間板症候群 disc syndrome ……… 353
椎間板切除〔術〕 discectomy ……… 352
椎間板線維輪 anulus fibrosus of intervertebral disc ……… 84
椎間板ヘルニア disc herniation ……… 352
椎弓 vertebral arch ……… 1270
椎弓根のアーチ pedicle arch of vertebra ……… 907
椎弓切開〔術〕 laminotomy ……… 676
椎弓切除〔術〕 laminectomy ……… 676
椎弓板 lamina of vertebral arch ……… 676
椎孔 vertebral foramen ……… 1270
〔染色体〕対合 synapsis ……… 1171
〔染色糸〕対合 synizesis ……… 1172
対合期複合体 synaptinemal complex ……… 1171
椎骨 vertebra ……… 1270
椎骨状カテーテル vertebrated catheter ……… 1271
椎骨静脈 vertebral vein ……… 1270
椎骨動脈 vertebral artery ……… 1270
椎骨動脈神経 vertebral nerve ……… 1270
椎骨副棘突起 anapophysis ……… 62
追従ブジー following bougie ……… 468
追跡 tracing ……… 1215
追跡研究 diachronic study ……… 341
追跡図 tracing ……… 1215
対切開 counterincision ……… 292
追想 recall ……… 1027
追想錯誤 retrospective falsification ……… 1048
椎体 vertebral body ……… 1270
椎体間 interbody ……… 630
対知覚消失 paranesthesia ……… 896
椎板尾部 scleromere ……… 1081
対〔突然〕変異 transition mutation ……… 1219
対麻痺 paraplegia ……… 896
墜落恐怖〔症〕 bathophobia ……… 141
墜落分娩 precipitate labor ……… 971
椎肋三角 vertebrocostal trigone ……… 1271
通院手術 ambulatory surgery ……… 51
痛覚 algesthesia ……… 41
痛覚 nociperception ……… 836
痛覚異常〔症〕 paralgesia ……… 895
痛覚過敏 algesthesia ……… 41
痛覚過敏 hyperalgesia ……… 582
痛覚計 algesiometer ……… 41
痛覚消失〔症〕 analgesia ……… 60
痛覚脱失〔症〕 analgesia ……… 60
痛覚鈍麻 hypalgesia ……… 581
通過性狭心症 walk-through angina ……… 1285
通気 draft ……… 363
通気〔法〕 insufflation ……… 628
通気 ventilation ……… 1267
通気充填 aeration ……… 31
通時的 diachronic ……… 341
通常補助 moderate assistance ……… 777
通性寄生生物 facultative parasite ……… 440
通性共生細菌 cenosite ……… 216
通性嫌気性菌 facultative anaerobe ……… 440
通性嫌気性生物 facultative anaerobe ……… 440
ツートン巨細胞 Touton giant cell ……… 1212
通風 draft ……… 363
痛風 gout ……… 512
痛風灰 gouty tophus ……… 512
痛風灰 tophus ……… 1210
痛風〔性〕関節炎 gouty arthritis ……… 512
痛風〔性〕関節炎 urarthritis ……… 1249
痛風結節 gouty tophus ……… 512
痛風結節 tophus ……… 1210
通門機序 gating mechanism ……… 491
通路 iter ……… 653
ツェツェバエ tsetse ……… 1235
ツェルナー線 Zöllner lines ……… 1302
ツェンカー固定液 Zenker fixative ……… 1301
ツェンカー麻痺 Zenker paralysis ……… 1301
使いすぎ症候群 overuse syndrome ……… 879
付添看護師 practical nurse ……… 970
付添看護師 private duty nurse ……… 980
ツザペク溶液寒天〔培地〕 Czapek solution agar ……… 314
つち骨 malleus ……… 728
つち骨条 malleolar stria ……… 728
つち骨切開〔術〕 malleotomy ……… 728
つち骨ひだ mallear folds ……… 728
つち骨柄 manubrium of malleus ……… 731
槌状足指 hammer toe ……… 531
槌指 mallet finger ……… 728
ツツガムシ chigger ……… 230
ツツガムシダニ類 trombiculid ……… 1232
ツツガムシ病 trombiculiasis ……… 1232
ツツガムシ病 tsutsugamushi disease ……… 1235
翼 wing ……… 1292
つぶやき mussitation ……… 800
ツベルクリン tuberculin ……… 1235
ツベルクリン試験 tuberculin test ……… 1236
つぼ acupuncture points ……… 20
つぼ lagena ……… 675
蕾 bud ……… 182
つまみ pinch ……… 939
爪 nail ……… 810
爪かみ onychophagy ……… 860
爪切除〔術〕 onychectomy ……… 860
爪の点状凹窩 nail pits ……… 810
爪白癬 tinea unguium ……… 1205
詰め物 packing ……… 884
ツラレミア tularemia ……… 1237
釣合い equilibrium ……… 413
蔓状静脈叢 pampiniform plexus ……… 888
蔓状動脈瘤 cirsoid aneurysm ……… 247
つわり morning sickness ……… 784
つわり vomiting of pregnancy ……… 1283

テ

手 hand ……… 531
出会い集団 encounter group ……… 394
手足口病 hand-foot-and-mouth disease ……… 531
手足痙攣 carpopedal spasm ……… 206
デアシラーゼ deacylase ……… 317
デアミナーゼ deaminases ……… 317
手洗い看護師 scrub nurse ……… 1083
底 basis ……… 140
底 fundus ……… 480
ディアシーシス diaschisis ……… 343
〔異常〕低圧〔病〕 hypobarism ……… 591
低圧病 hypobaropathy ……… 591
低アドレナリン症 hypoadrenalism ……… 591
低アルドステロン尿症 hypoaldosteronuria ……… 591
低アルブミン血〔症〕 hypoalbuminemia ……… 591
定位 localization ……… 707
TRH 刺激試験 thyrotropin-releasing hormone (TRH) stimulation test ……… 1203
DES 被災女児 DES daughter ……… 336
DEF う食指数 DEF caries index ……… 322
TED 用脚カバー TED hose ……… 1182
定位異常 dysstasia ……… 372
ディーヴァー切開〔術〕 Deaver incision ……… 318
Taq ポリメラーゼ *taq* polymerase ……… 1179
DNA-RNA 雑種 DNA-RNA hybrid ……… 358
DNA-RNA ハイブリッド DNA-RNA hybrid ……… 358
DNA ウイルス DNA virus ……… 358
DNA 多型性 DNA polymorphism ……… 358
DNA フィンガープリンティング DNA fingerprinting ……… 357
DNA マーカ DNA markers ……… 358
DNA マイクロ・アレイ DNA microarray ……… 358
TNM 分類 TNM staging ……… 1207
TMA 法 transcription-mediated amplification ……… 1217

DMF う食指数 DMF caries index …… 357
DOT ラベル DOT label …… 362
D 型ウイルス性肝炎 viral hepatitis type D …… 1276
D 型肝炎ウイルス hepatitis D virus …… 552
D-グルコース D-glucose (G, Glc) …… 504
T 抗原 T antigens …… 1178
低位咬合 infraclusion …… 621
T 細胞 T cell …… 1181
T 細胞受容体 T-cell receptor (TCR) …… 1181
低位歯 abstraction …… 6
T 字〔包〕帯 T-binder …… 1181
定位〔脳〕手術 stereotaxy …… 1140
定位装置 stereotactic instrument …… 1140
D ゾーン検査 D-zone test …… 373
D ダイマー D-dimer …… 317
T チューブ胆管造影図 T-tube cholangiogram …… 1235
ティーツェ症候群 Tietze syndrome …… 1204
ディーテルレ染色〔法〕 Dieterle stain …… 345
定位脳測定 stereoencephalometry …… 1140
T 波 T wave …… 1239
定位反射 orienting reflex …… 868
T ヘルパー細胞 T-helper cells (Th) …… 1193
T リンパ球 T lymphocyte …… 1207
T リンパ球豊富 B 細胞リンパ腫 T-cell rich, B-cell lymphoma 1181
ティールシュ小管 Thiersch canaliculus …… 1195
ティール切断術 Teale amputation …… 1181
TY1-S-33 培地 TY1-S-33 medium …… 1242
TYSGM-9 培地 TYSGM-9 medium …… 1242
低飲症 hypoposia …… 596
ディーンフッ素症指数 Dean fluorosis index …… 318
低運動性構語障害 hypokinetic dysarthria …… 594
低エコー hypoechoic …… 593
ティエッツ症候群 Tietz syndrome …… 1204
ディエトルクリーゼ Dietl crisis …… 345
低塩酸〔症〕 hypochlorhydria …… 592
低塩酸塩尿症 hypochloruria …… 592
低塩食 low-salt diet …… 712
低塩素血〔症〕 hypochloremia …… 592
帝王切開〔術〕 cesarean section …… 224
〔帝王切開後〕試験分娩 trial of labor after cesarean section …… 1226
低温圧搾法 cold pressing …… 260
低温運動〔学〕 cryokinetics …… 302
低温感受性酵素 cold-sensitive enzyme …… 260
低音強調 base increase at low levels …… 139
低温殺菌〔法〕 pasteurization …… 903
低音障害型難聴 low-tone hearing loss …… 712
低温度 cold …… 260
低温保存法 cryopreservation …… 302
低温療法 refrigeration …… 1033
低下 depression …… 332
低可動性膝蓋骨 hypomobile patella …… 594
低カリウム血〔症〕 hypokalemia …… 594
低カリウム血性周期性〔四肢〕麻痺 hypokalemic periodic paralysis …… 594
低カルシウム血〔症〕 hypocalcemia …… 592
低カロリー low calorie …… 711
低眼圧緑内障 low-tension glaucoma …… 712
低ガンマグロブリン血〔症〕 dysgammaglobulinemia …… 370
低ガンマグロブリン血〔症〕 hypogammaglobulinemia …… 593
〔異常〕低気圧病 hypobarism …… 591
提供者 provider …… 992
〔足〕底屈 plantarflexion …… 943
梯形 trapezium …… 1223
低形成貧血 hypoplastic anemia …… 596
定型的〔根治的〕乳房切除〔術〕 radical mastectomy …… 1019
低経皮的末梢神経電気刺激 low TENS …… 712
締結〔法〕 cerclage …… 221
低血圧〔症〕 hypotension …… 597
低血圧〔症〕 hypotonia …… 598
低血糖〔症〕 hypoglycemia …… 593
低血糖性昏睡 hypoglycemic coma …… 594
抵抗〔性〕 resistance …… 1040
抵抗寒暖計 resistance thermometer …… 1040
抵抗力 resistance …… 1040
抵抗力 strength …… 1146
テイコ酸 teichoic acids …… 1182
低コレステリン血〔症〕 hypocholesterolemia …… 592
低コレステロール low cholesterol …… 711
低コレステロール血〔症〕 hypocholesterolemia …… 592
テイ-サックス病 Tay-Sachs disease …… 1181
低酸〔症〕 hypoacidity …… 591
低酸素〔症〕 hypoxia …… 598
低酸素血〔症〕 hypoxemia …… 598
低酸素性低酸素〔症〕 hypoxic hypoxia …… 598
低酸素性ネフローゼ hypoxic nephrosis …… 598
停止 arrest …… 96
停止 suppression …… 1163
停止 withdrawal …… 1292
デイシート daysheet …… 317
定式記号 conventional signs …… 283
低色〔素〕性貧血 hypochromic anemia …… 592
低色素性 hypochromatism …… 592
停止シグナル arrest signal …… 96
停止性嚢胞 sterile cyst …… 1141
低脂肪 low fat …… 711
挺出 extrusion …… 436
低出生体重 low birth weight (LBW) …… 711
ディ・ジョージ症候群 DiGeorge syndrome …… 346
定常状態 steady state (s) …… 1138
定常状態運動 steady-state exercise …… 1138
定常性 constancy …… 279
定常速度運動 steady-state exercise …… 1138
低浸透圧造影剤 low osmolar contrast agent …… 712
定数 constant …… 279
ディスク disk …… 353
ディスク電気泳動 disc electrophoresis …… 352
ディスメトリア dysmetria …… 371
訂正アミノ酸価蛋白質消化率 protein digestibility corrected amino acid score (PDCAAS) …… 989
定性分析 qualitative analysis …… 1015
低石灰化 hypocalcification …… 592
低摂取結節 cold nodule …… 260
ディセトープ desetope …… 336
底側骨間筋 plantar interosseous muscle …… 943
底側踵舟靱帯 plantar calcaneonavicular ligament …… 943
底側中足動脈 plantar metatarsal artery …… 943
ティゾニー染色〔法〕 Tizzoni stain …… 1207
低ソマトトロピン症 hyposomatotropism …… 596
停滞 retention …… 1044
停滞 stagnation …… 1135
低体温〔症〕 hypothermia …… 597
低体重 underweight …… 1246
低炭酸〔症〕 hypocapnia …… 592
低蛋白血〔症〕 hypoproteinemia …… 596
定着患者 established patient …… 421
定着観念 idée fixe …… 601
低張 hypotonia …… 598
低張圧 hypotonicity …… 598
低張食塩水 hypotonic saline …… 598
低張尿〔症〕 hyposthenuria …… 597
ディック試験 Dick test …… 344
ディックス-ホールパイク操作 Dix-Hallpike maneuver …… 357
ディットリッヒ栓子 Dittrich plug …… 356
ディップ dip …… 349
ディップスティック試験紙 dipstick …… 350
低鉄血症 hypoferremia …… 593
程度 point …… 952
低銅血症 hypocupremia …… 592
低度爆発物 low-grade explosive …… 711
低トリグリセリド血症 hypotriglyceridemia …… 598
低トロンビン血〔症〕 hypothrombinemia …… 597
低ナトリウム low sodium …… 712
低ナトリウム血〔症〕 hyponatremia …… 595
低軟骨形成症 hypochondroplasia …… 592
低尿酸血〔症〕 hypouricemia …… 598
低尿酸尿〔症〕 hypouricuria …… 598
ティネル徴候 Tinel sign …… 1205
底板 floor plate …… 463
低比重リポ蛋白コレステロール low density lipoprotein-cholesterol (LDL-C) …… 711
ディピリディウム症 dipylidiasis …… 351
低頻度〔形質〕導入 low-frequency transduction …… 711

低フィブリノ〔ー〕ゲン血〔症〕 hypofibrinogenemia 593
ディフェンシン defensins 322
低プリン食 low-purine diet 712
ディプロテン期 diplotene 350
低プロトロンビン血〔症〕 hypoprothrombinemia 596
ディプロネマ diplonema 350
低分割照射法 hypofractionated radiation 593
低分子量蛋白質 low molecular weight protein 711
低分子量ヘパリン low molecular weight heparin (LMWH) 711
〔動脈解離の〕ディベーキー分類 DeBakey classification of aortic dissection 318
低ベータリポ蛋白血症 hypobetalipoproteinemia 592
堤防細胞 littoral cell 706
低ホスファターゼ血〔症〕 hypophosphatasia 595
低マグネシウム血〔症〕 hypomagnesemia 594
ディマンド〔型〕ペースメーカ demand pacemaker 326
低脈拍症 hyposphygmia 596
定命説 determinism 338
定理 theorem 1193
ティリーフィステル Thiry fistula 1196
ティリー瘻 Thiry fistula 1196
低リポ蛋白血〔症〕 hypolipoproteinemia 594
停留 retention 1044
停留性黄疸 retention jaundice 1044
停留性嘔吐 retention vomiting 1044
停留精巣 undescended testis 1246
定量〔法〕 assay 108
定量 determination 338
定量 quantum 1015
定量吸入器 metered-dose inhaler (MDI) 763
定量分析 quantitative analysis 1015
低リン酸〔塩〕血〔症〕 hypophosphatemia 595
低リン酸〔塩〕尿症 hypophosphaturia 595
低レニン血症 hyporeninemia 596
ディレプティック発作 dileptic seizure 348
ティンパノグラム tympanogram 1240
ティンパノメトリ tympanometry 1240
手運動〔感〕覚 cheirokinesthesia 227
デーヴィス移植片 Davis graft 317
データ data 316
データ辞典 data dictionary 316
データ集 data dictionary 316
データベース database 316
デーデルライン杆菌 Döderlein bacillus 358
テーデン法 Theden method 1192
デーヒオ試験 Dehio test 323
デービスのエネルギー変換バッテリーモデル Davis battery model of transduction 317
テーラー病 Taylor disease 1181
デーン染色〔法〕 Dane stain 316
デーン粒子 Dane particles 316
デオキシアデニル酸 deoxyadenylic acid (dAMP) 330
デオキシアデノシン deoxyadenosine (dA, dAdo) 330
デオキシグアニル酸 deoxyguanylic acid (dGMP) 331
デオキシグアノシン deoxyguanosine 331
デオキシコール酸 deoxycholic acid 330
デオキシコルチコステロン deoxycorticosterone 330
デオキシシチジール酸 deoxycytidylic acid (dCMP) 331
デオキシシチジン deoxycytidine 330
デオキシチミジル酸 deoxythymidylic acid (dTMP) 331
デオキシ糖類 deoxy sugar 331
デオキシヘモグロビン deoxyhemoglobin 331
デオキシリボース deoxyribose 331
デオキシリボ核酸 deoxyribonucleic acid (DNA) 331
デオキシリボ核蛋白〔質〕 deoxyribonucleoprotein 331
デオキシリボヌクレアーゼ deoxyribonuclease (DNase) 331
デオキシリボヌクレオシド deoxyribonucleoside 331
デオキシリボヌクレオチド deoxyribonucleotide 331
デガランタ染色 de Galantha stain 323
デカルボキシラーゼ decarboxylase 318
手関節指装具 wrist-hand orthosis 1294
滴 drop 364
滴 gutta (gt) 522
敵意 animus 70
適応 adaptation 23
適応 adjustment 28
適応〔症〕 indication 614
適応外使用 off-label indication 855
適応行動評価尺度 adaptive behavior scales 23
適応障害 adjustment disorder 28
適応障害 maladjustment 726
適応性熱産生 adaptive thermogenesis 23
適応度 fitness 458
適温 normothermia 840
適格性 competent 268
滴下出血 apostaxis 90
適合 fit 458
適合刺激 adequate stimulus 26
溺死 drowning 364
摘出〔術〕 enucleation 404
摘出 evulsion 425
摘出〔術〕 extraction 435
摘出器 extractor 435
滴状角膜症 keratopathia guttata 663
滴数計 stalagmometer 1135
デキストラーゼ dextrase 339
デキストラナーゼ dextranase 339
デキストリナーゼ dextrinase 339
デキストリン形成 dextrinosis 339
デキストリンデキストラナーゼ dextrin dextranase 339
デキストリン尿〔症〕 dextrinuria 339
適性〔性〕 competence 268
適正 fitness 458
適性検査 aptitude test 92
摘石術 lithectomy 705
出来高払い保健医療費 fee-for-service 447
的中度 predictive value 972
滴定 titration 1206
滴定液 volumetric solution (VS) 1282
滴定濃度 titer 1205
滴定量 titer 1205
適当刺激 adequate stimulus 26
摘便 disimpaction 353
適用 indication 614
適用対象事業者 covered entity 293
〔適〕用量 dose 362
出口 outlet 877
テク-チェック-テク tech-check-tech 1181
出口鉗子分娩 outlet forceps delivery 877
出口の法則 rule of outlet 1064
手首 wrist 1294
デクビタス像 decubitus projection 320
デクビタスフイルム decubitus film 320
手首徴候 wrist sign 1294
デグロービング degloving 323
梃子 elevator 388
デジェリーヌ手現象 Dejerine hand phenomenon 324
デジェリーヌ徴候 Dejerine sign 324
デシジョントゥリー decision tree 319
デジタルX線撮影法 digital radiography 347
デジタルサブトラクションアンギオグラフィ digital subtraction angiography (DSA) 347
デジタルシクテーション digital dictation 347
デジタル体温計 digital thermometer 347
デジタル補聴器 digital hearing aid 347
デジタルラジオグラフィ digital radiography 347
デシベル decibel (dB) 319
手順コード procedure code 980
テスト test 1190
テストステロン testosterone 1190
デスフルラン desflurane 336
デスミン desmin 337
デスメ〔ー〕膜炎 descemetitis 336
デスメ膜前角膜ジストロフィ pre-Descemet corneal dystrophy 971
デスメ膜剥離角膜内皮移植術 Descemet stripping endothelial keratoplasty (DSEK) 336
デスメ〔ー〕瘤 descemetocele 336
デスモイド desmoid 337
デスモソーム desmosome 337
デスモプレシン desmopressin 337
デスルフヒドラーゼ desulfhydrases 337

デソー包帯 Desault bandage ············ 336
テタニー tetany ············ 1191
テタヌス tetanus ············ 1191
テタノスパスミン tetanospasmin ············ 1191
〔担〕鉄〔赤〕芽球 sideroblast ············ 1103
鉄芽球性貧血 sideroblastic anemia ············ 1103
鉄過剰負荷 iron overload ············ 647
鉄珪肺症 siderosilicosis ············ 1104
鉄結合能 iron binding capacity ············ 647
鉄血症 siderosis ············ 1104
鉄欠乏〔症〕 sideropenia ············ 1103
鉄欠乏性貧血 iron deficiency anemia ············ 647
鉄症 siderosis ············ 1104
徹照〔法〕 diaphanoscopy ············ 342
徹照〔法〕 transillumination ············ 1219
徹照器 diaphanoscope ············ 342
徹照〔診断〕法 diaphanoscopy ············ 342
鉄性線維症 siderofibrosis ············ 1103
鉄線維症 siderofibrosis ············ 1103
撤退 withdrawal ············ 1292
鉄代謝 iron metabolism ············ 647
鉄蛋白 ferroproteins ············ 449
鉄蓄積病 iron-storage disease ············ 647
鉄中毒 iron poisoning ············ 647
鉄沈着 ferrugination ············ 449
鉄沈着性白内障 siderotic cataract ············ 1104
鉄沈着線 iron line ············ 647
鉄沈着組織 siderophil ············ 1104
鉄沈着病 iron-storage disease ············ 647
手続き記憶 procedural memory ············ 980
徹底操作 working through ············ 1293
デッドアーム症候群 dead arm syndrome ············ 317
鉄動態 ferrokinetics ············ 449
鉄の肺 iron lung ············ 647
鉄のやすり屑 iron filings ············ 647
鉄利用不能性貧血 sideroblastic anemia ············ 1103
テトラヒドロ葉酸 tetrahydrofolic acid (THFA) ············ 1191
テトラペプチド tetrapeptide ············ 1191
デトリタス detritus ············ 338
テトロース tetrose ············ 1191
デニー-モルガン皺襞 Dennie-Morgan fold ············ 327
テニス肘 tennis elbow ············ 1186
デニス-ブラウン嚢 Denis Browne pouch ············ 327
デニス-ブラウン副子 Denis Browne splint ············ 327
テニス母指 tennis thumb ············ 1186
テネスムス tenesmus ············ 1186
手の関節 joints of hand ············ 656
テノグラフィー tenography ············ 1186
手の指放線 digital rays of hand ············ 347
〔手の〕舟状骨 scaphoid (bone) ············ 1074
手の小指外転筋 abductor digiti minimi muscle of hand ············ 3
〔手の〕浅指屈筋 superficial flexor muscle of fingers ············ 1160
手の短小指屈筋 flexor digiti minimi brevis muscle of hand ···· 461
〔手の〕短小指屈筋 short flexor muscle of little finger ············ 1100
手の短母指屈筋 flexor pollicis brevis muscle ············ 462
手の虫様筋 lumbrical muscles of hand ············ 714
手の長母指屈筋 flexor pollicis longus muscle ············ 462
手の背側骨間筋 dorsal interossei (interosseous muscles) of hand ············ 361
てのひら palm ············ 886
手の母指内転筋 adductor pollicis muscle ············ 24
テノン嚢炎 tenonitis ············ 1187
デヒドラターゼ dehydratase ············ 323
デヒドロエピアンドロステロン dehydroepiandrosterone (DHEA) ············ 324
デヒドロゲナーゼ dehydrogenase ············ 324
手袋状感覚消失 glove anesthesia ············ 503
手袋製造人縫合 glover's suture ············ 503
デブランチングエンザイム debranching enzymes ············ 318
デブリドマン débridement ············ 318
デポリメラーゼ depolymerase ············ 332
デマル鉤 Desmarres retractor ············ 337
手無感覚〔症〕 acheiria ············ 11
手文字 handshapes ············ 531
デューガズ試験 Dugas test ············ 366
デューク活動状態指標 Duke activity status index ············ 366
デュークス分類〔法〕 Dukes classification ············ 367
デューク法 Duke test ············ 367
デューティサイクル duty cycle (t_i:t_{tot}) ············ 368
デュールセン切開〔術〕 Dührssen incisions ············ 366
デュクレー菌 *Haemophilus ducreyi* ············ 527
デュシェーヌジストロフィ Duchenne dystrophy ············ 366
デュシェーヌ徴候 Duchenne sign ············ 366
デュピュイ-デュタン手術 Dupuy-Dutemps operation ············ 367
デュピュイトラン拘縮 Dupuytren contracture ············ 367
デュピュイトラン骨折 Dupuytren fracture ············ 368
デュピュイトラン止血帯 Dupuytren tourniquet ············ 368
デュピュイトラン水瘤 Dupuytren hydrocele ············ 368
デュピュイトラン切断術 Dupuytren amputation ············ 367
デュピュイトラン徴候 Dupuytren sign ············ 368
デュピュイトラン縫合 Dupuytren suture ············ 368
デュベルネ骨折 Duverney fracture ············ 368
デュボイス〔公〕式 DuBois formula ············ 366
デュボヴィッツスコア Dubowitz score ············ 366
デュボワ〔公〕式 DuBois formula ············ 366
デュボワ膿瘍 Dubois abscesses ············ 366
デュモンパリエペッサリー Dumontpallier pessary ············ 367
デュルク結節 Dürck nodes ············ 368
デュレー出血 Duret hemorrhage ············ 368
デュレー病変 Duret lesion ············ 368
デュロジェ雑音 Duroziez murmur ············ 368
デュロジェ病 Duroziez disease ············ 368
デラフィールド〔染色〕液 Delafield fluid ············ 324
デラフィールドヘマトキシリン Delafield hematoxylin ············ 324
テリエン辺縁変性 Terrien marginal degeneration ············ 1189
デリー腫 date boil ············ 316
δ-アミノ酪酸アミノトランスフェラーゼ delta (δ)-aminobutyric acid aminotransferase ············ 325
δ-アミノレブリン酸 delta (δ)-aminolevulinic acid (ALA) ···· 325
デルタ顆粒 delta granule ············ 325
デルタ肝炎ウイルス hepatitis D virus ············ 552
デルタ検査 delta test ············ 326
デルタ細胞 delta cell ············ 325
デルタ線維 delta fibers ············ 325
デルタチェック delta check ············ 325
デルタ波 delta rhythm ············ 326
デルタ波 delta wave ············ 326
デルタビリルビン delta bilirubin ············ 325
デルタ律動 delta rhythm ············ 326
テルニデンスデミヌトゥス *Ternidens diminutus* ············ 1189
デルフィのリンパ節 delphian node ············ 325
デルベー徴候 Delbet sign ············ 325
テルペン terpene ············ 1189
デルマトーム dermatome ············ 334
デルマトフィルス症 dermatophilosis ············ 334
テルモフォール thermophore ············ 1194
テレパシー telepathy ············ 1183
デロルメ手術 Delorme operation ············ 325
点 point ············ 952
点 spot ············ 1132
殿〔部〕 breech ············ 174
電圧計 voltmeter ············ 1282
電圧量 voltage ············ 1282
転位〔症〕 ectopia ············ 377
転移〔増殖〕 innidiation ············ 626
転位 inversion ············ 644
転移 metastasis ············ 762
転移 transfer ············ 1218
転移 transference ············ 1218
転移 transposition ············ 1220
殿位 breech presentation ············ 174
電位〔差〕 potential ············ 969
転移 RNA transfer RNA (tRNA) ············ 1218
転移因子 transfer factor ············ 1218
転移因子 transposable element ············ 1220
電位計 electrometer ············ 386
転位酵素 mutase ············ 800
転移酵素 transferases ············ 1218
転位骨折 displaced fracture ············ 354
転移神経症 transference neurosis ············ 1218
電位図 electrogram ············ 385
転移性石灰化 metastatic calcification ············ 762

転移〔性〕膿瘍 metastatic abscess 762
転位皮弁 rotation flap 1061
伝音難聴 conductive deafness 273
伝音難聴 conductive hearing impairment 273
伝音難聴 conductive hearing loss 273
転化 inversion 644
転嫁 transfer 1218
展開 development 338
展開 expansion 430
天蓋 tectorium 1182
電〔気分〕解〔法〕 electrolysis 385
展開剤 developer 338
電解質 electrolyte 385
点角 point angle 952
転化糖 invert sugar 644
添窩部〔領域〕 infrabulge 621
添加物 additive 23
癲癇 epilepsy 409
転換 conversion 283
転換 reversion 1049
転換 transversion 1222
〔形質〕転換 transformation 1218
点眼〔法〕 instillation 627
転換型〔突然〕変異 transversion mutation 1222
転換器 nosepiece 841
点眼剤 ophthalmic solution 862
てんかん重積持続状態 status epilepticus 1138
てんかん性狂暴 furor epilepticus 481
てんかん性痙縮 epileptic spasm 409
転換性障害 conversion disorder 283
てんかん発生帯 epileptogenic zone 409
転換ヒステリー conversion hysteria 283
転換舞踏病 conversion chorea 283
電気泳動 electrophoresis 387
電気泳動図 electropherogram 387
電気化学療法 electrochemotherapy (ECT) 383
電気眼球図 electrooculogram 387
電気眼球図記録〔法〕 electrooculography (EOG) 387
電気乾固〔法〕 electrodesiccation 384
電気眼振記録〔法〕 electronystagmography (ENG) 387
電気乾燥〔法〕 electrodesiccation 384
電気機械解離 electromechanical dissociation 386
電気機械収縮 electromechanical systole 386
電気凝固〔法〕 electrocoagulation 383
電気緊張 electrotonus 387
電気グロトグラフ electroglottograph 384
電気痙攣療法 electroconvulsive therapy (ECT, ECVT) 383
電気外科 electrosurgery 387
電気軸 electrical axis 383
電気軸偏位 axis deviation 127
電気止血〔法〕 electrohemostasis 385
電気刺鍼術 electroacupuncture 383
電気歯髄診断器 vitalometer 1279
電気収縮性 electrocontractility 383
電気焼灼 electrocauterization 383
電気〔的〕除細動 cardioversion 204
電気ショック electric shock 383
電気ショック electroshock 387
電気ショック療法 electroshock therapy (EST) 387
電気診断〔法〕 electrodiagnosis 384
電気診断医学 electrodiagnostic medicine 384
電気浸透 electroendosmosis 384
電気振動マッサージ electrovibratory massage 387
電気水圧衝撃波砕石術 electrohydraulic shock wave lithotripsy (ESWL) 385
電気切断 electroscission 387
電気穿孔療法 electroporation therapy (EPT) 387
電気走性 electrotaxis 387
電気治療学 electrotherapeutics 387
電気的運動性 electromotility 386
電気的拡張期 electrical diastole 383
電気的交代 electrical alternans 383
電気的収縮期 electrical systole 383
電気的不全 electrical failure 383
電気透析 electrodialysis 384
電気〔的〕除細動器 cardioverter 204
電気熱傷 electrical burn 383
電気脳沈黙 electrocerebral silence (ECS) 383
電気皮膚反応 galvanic skin response (GSR) 484
電気麻酔〔法〕 electroanesthesia 383
電気麻酔〔法〕 electronarcosis 386
電気無痛〔法〕 electroanalgesia 383
電気メス electrocautery 383
電気免疫拡散法 electroimmunodiffusion 385
電極 electrode 383
電極カテーテル焼灼法 electrode catheter ablation 383
電気療法 electrotherapeutics 387
殿筋炎 glutitis 505
殿筋粗面 gluteal tuberosity 505
デング熱 dengue 327
デング熱ウイルス dengue virus 327
転形 modulation 778
電撃 electric shock 383
電撃性紫斑病 purpura fulminans 1006
殿溝 gluteal fold 505
転座 translocation 1219
転子 trochanter 1232
電子 electron (β −) 386
電子カルテ electronic medical record (EMR) 386
転子間骨折 intertrochanteric fracture 638
転子間線 intertrochanteric line 638
転子間稜 intertrochanteric crest 638
電子顕微鏡 electron microscope 386
電子細胞計数器 electronic cell counter 386
〔電子〕自動血球計数器 electronic cell counter 386
電子スピン共鳴 electron spin resonance (ESR) 386
電子伝達 electron transport 386
デンシトメータ densitometer 328
デンシトメトリー densitometry 328
天使の翼 angel wing 66
電磁波受容体 radioreceptor 1022
電子ビーム断層撮影法 electron beam tomography (EBT) 386
電磁放射線 electromagnetic radiation 386
電子放射線撮影〔法〕 electron radiography 386
電子ボルト electron-volt (EV, ev) 386
転写 transcription 1217
転写酵素 transcriptase 1217
転写に基づく連鎖反応 transcription-based chain reaction 1217
転写物 transcript 1217
〔距腿関節の〕天井 plafond 942
点状痤瘡 acne punctata 14
点状出血 petechiae 922
点状出血 petechial hemorrhage 922
点状硝子体症 punctate hyalosis 1005
点食 pitting 940
テンセグリティ tensegrity 1187
伝染 contagion 280
伝染 infection 617
伝染 transmission 1220
伝染性 communicability 267
〔接触〕伝染性 contagiousness 280
伝染性紅斑 erythema infectiosum 416
伝染性腺熱 infectious mononucleosis 617
伝染性多発〔性〕関節炎 epidemic polyarthritis 407
伝染性単核球症 infectious mononucleosis 617
伝染性単核〔球〕症スポット試験 spot test for infectious mononucleosis 1133
伝染性軟属腫 molluscum contagiosum 779
伝染性軟属腫ウイルス Molluscipoxvirus 779
伝染性良性リンパ節疾患 infectious mononucleosis 617
伝染病 communicable disease 267
伝染病 epidemic disease 407
伝染病原体 contagium 280
伝送 transmission 1220
填塞 condensation 273
填塞 packing 884
電堆 pile 937
伝達 transmission 1220
伝達因子 transfer factor 1218
伝達方法 mode of transmission 777
伝達麻酔〔法〕 conduction anesthesia 273
テンツァー染料 Taenzer stain 1177

デンティンブリッジ dentine bridge ……… 330
点滴〔注入〕〔法〕 drip ……… 364
点滴静注 intravenous drip ……… 642
点滴注入〔法〕 instillation ……… 627
転々反側 jactitation ……… 654
点頭 nutation ……… 845
伝導 conduction ……… 273
伝導 conductivity ……… 273
点頭痙縮 spasmus nutans ……… 1118
点頭痙攣 nodding spasm ……… 836
点頭痙攣 spasmus nutans ……… 1118
〔電〕導子 electrode ……… 383
転導性 distractibility ……… 356
伝導性 conductivity ……… 273
伝導性失語〔症〕 conduction aphasia ……… 273
伝統中国医学 traditional Chinese medicine (TCM) ……… 1216
伝導熱 conductive heat ……… 273
伝導麻酔〔法〕 conduction anesthesia ……… 273
テント神経 tentorial nerve ……… 1188
伝熱装置 thermophore ……… 1194
天然染料 natural dye ……… 814
天然痘 smallpox ……… 1111
天然痘 variola ……… 1261
伝播 propagation ……… 986
伝播 transmission ……… 1220
デンバー発達スクリーニング試験 Denver Developmental Screening Test (DDS) ……… 330
伝播生殖 sporogenesis ……… 1132
伝播生殖 sporogony ……… 1132
伝播媒介動物 transvector ……… 1221
てんびん balance ……… 133
殿部 buttocks ……… 186
殿部 nates ……… 813
癜風 tinea versicolor ……… 1205
癜風菌 *Malassezia furfur* ……… 726
殿部脂肪蓄積 steatopyga ……… 1138
添付文書 package insert ……… 884
テンプレート template ……… 1184
デンプン starch ……… 1137
デンプン形成 amylogenesis ……… 57
デンプン尿〔症〕 amylosuria ……… 58
デンプン不消化便 amylorrhea ……… 58
デンプン分解 amylolysis ……… 58
デンプン様〔小〕体 corpus amylaceum ……… 288
デンプン様変性 amyloid degeneration ……… 58
テンペレート〔バクテリオ〕ファージ temperate bacteriophage ……… 1184
点〔突然〕変異 point mutation ……… 952
天疱瘡 pemphigus ……… 909
テン・ホルン徴候 ten Horn sign ……… 1186
電離 ionization ……… 645
電離箱 ionization chamber ……… 646
電離放射線 ionizing radiation ……… 646
電流 current ……… 305
電流計 ammeter (am) ……… 54
点流行 point epidemic ……… 952
電量分析 coulometry ……… 291
電歪型超音波スケーラー piezoelectric ultrasonic device ……… 937
電話耳 telephone ear ……… 1183

ト

度 degree ……… 323
ドイツコミッションE Commission E ……… 266
ドイル手術 Doyle operation ……… 363
トイレトレーニング bowel training ……… 169
トインビー管 Toynbee tube ……… 1214
トインビー法 Toynbee maneuver ……… 1214
頭〔部〕 head ……… 534
洞 antrum ……… 84
洞 cave ……… 211
洞 cavern ……… 211
洞 cavernous space ……… 212
洞 sinus ……… 1107
胴 torso ……… 1211
等圧線 isobar ……… 650
頭位 cephalic presentation ……… 220
頭位 vertex presentation ……… 1271
同意 agreement ……… 36
頭位回転〔術〕 cephalic version ……… 220
糖衣肝 frosted liver ……… 477
頭位眼振 positional nystagmus ……… 962
同位元素 isotope ……… 652
同位酵素 isoenzyme ……… 650
同位酵素 isozyme ……… 652
同位体 isotope ……… 652
同一〔性〕 identity ……… 601
同一化 identification ……… 601
同一視 identification ……… 601
同一性危機 identity crisis ……… 601
同一性障害 identity disorder ……… 601
同遺伝子型個体群 biotype ……… 156
頭位変換眼振 positional nystagmus ……… 962
頭位めまい症 positional vertigo ……… 962
動因 drive ……… 364
動員 mobilization ……… 777
トゥーペ胃底ひだ形成〔術〕 Toupet fundoplication ……… 1212
ドゥーラ doula ……… 363
等運動性訓練 isokinetic exercise ……… 651
〔同〕運動反復〔症〕 palikinesia ……… 886
投影 projection ……… 984
投影血管像 projection angiogram ……… 984
投影同一視 projective identification ……… 984
投影法 projection ……… 984
糖液漏 glycorrhea ……… 507
ド・ヴェッケル鋏 de Wecker scissors ……… 339
等価 equivalence ……… 413
糖化 glycosylation ……… 508
透過〔物〕 permeate ……… 920
透過 permeation ……… 920
透過 transmission ……… 1220
透化 vitrification ……… 1281
同化〔作用〕 anabolism ……… 59
同化〔作用〕 assimilation ……… 108
同価 equivalence ……… 413
島回 insular gyri ……… 628
頭蓋 cranium ……… 295
頭蓋 skull ……… 1109
頭蓋圧出骨折 expressed skull fracture ……… 431
頭蓋咽頭腫 craniopharyngioma ……… 295
頭蓋開口〔術〕 trephination ……… 1225
頭蓋冠 calvaria ……… 192
頭蓋陥没骨折 depressed skull fracture ……… 332
頭蓋顔面分離骨折 craniofacial dysjunction fracture ……… 295
頭蓋〔骨〕局部切除〔術〕 craniectomy ……… 294
頭蓋腔 cranial cavity ……… 294
頭蓋形成術 cranioplasty ……… 295
頭蓋計測 cephalometrics ……… 220
頭蓋計測学 cephalometrics ……… 220
頭蓋計測器 cephalometer ……… 220
頭蓋計測点 craniometric points ……… 295
頭蓋計測法 cephalometrics ……… 220
頭蓋骨 cranial bones ……… 294
頭蓋骨硬化〔症〕 craniosclerosis ……… 295
頭蓋骨耳部 otocranium ……… 877
頭蓋骨症 craniopathy ……… 295
頭蓋骨障害 craniopathy ……… 295
頭蓋骨軟化〔症〕 craniomalacia ……… 295
頭蓋骨膜 pericranium ……… 914
頭蓋骨膜炎 pericranitis ……… 914
頭蓋骨癒合〔症〕 craniosynostosis ……… 295
頭蓋正中離開 diastematocrania ……… 343
頭蓋脊椎披裂 craniorrhachischisis ……… 295
頭蓋〔骨〕切除術 craniectomy ……… 294
頭蓋仙骨治療 craniosacral therapy (CST) ……… 295
頭蓋穿刺 cephalocentesis ……… 220
頭蓋穿刺 craniopuncture ……… 295
頭蓋椎部 cranial vertebra ……… 294

ト

頭蓋底 base of skull 139
頭蓋底外科 skull base surgery 1109
頭蓋底軸 basicranial axis 139
頭蓋底部脳瘤 basal encephalocele 137
頭蓋内圧 intracranial pressure (ICP) 640
頭蓋内気腫 pneumocranium 950
頭蓋内血腫 hematocephaly 541
頭蓋内出血 intracranial hemorrhage 640
頭蓋内動脈瘤 intracranial aneurysm 640
頭蓋の縫合 cranial sutures 294
頭外被 epicranium 406
頭蓋肥厚〔症〕 pachycephaly 883
頭蓋表筋 epicranius muscle 406
頭蓋有窓症 craniofenestria 295
頭蓋〔披〕裂 cranioschisis 295
頭蓋裂孔症 craniolacunia 295
頭蓋ろう craniotabes 295
統覚 apperception 91
透過係数 permeability coefficient 920
透過酵素 permease 920
同化産物 anabolite 59
透過性 permeability 920
透過性亢進 hyperlucent 585
透過性亢進肺 hyperlucent lung 585
透過定数 permeability constant 920
等価物 equivalent 413
套管 cannula 195
導管 conduit 274
導管 excretory duct 427
〔動眼〕筋性眼精疲労 muscular asthenopia 794
動眼限界 oculogyria 852
套管針 trocar 1231
動眼神経 oculomotor nerve〔CN III〕 852
動眼神経核 oculomotor nucleus 853
動機 motive 786
動悸 palpitation 888
同期性 synchronism 1171
同期性核心血管撮影 gated radionuclide angiocardiography 491
動機付け motivation 786
動機づけ肺活量計 incentive spirometer 611
等吸収点 isosbestic point 652
頭極 cephalic pole 220
頭棘筋 spinalis capitis muscle 1125
頭屈 cephalic flexure 219
橈屈 radial flexion 1018
同屈折 isometropia 651
統計〔量〕 statistics 1138
同型 isomorphism 651
〔同種〕同系移植片 isograft 650
統計学 statistics 1138
同系交配 inbreeding 611
同形歯 homodont 569
同〔質〕形成 homeoplasia 568
動形成切断〔術〕 cineplastic amputation 245
同型接合体 homozygote 570
同形配偶 isogamy 650
同形配偶子 isogamete 650
頭顎不全 derencephaly 332
道化胎児 harlequin fetus 533
盗血 steal 1138
凍結乾燥 freeze-drying 475
凍結乾燥〔法〕 lyophilization 720
凍結外科〔学〕 cryosurgery 302
凍結剤 cryogen 302
頭血腫 cephalhematoma 219
凍結切片 frozen section 477
凍結探針 cryoprobe 302
凍結抽出 cryoextraction 302
糖欠乏〔症〕 glycopenia 507
頭血瘤 cephalhematocele 219
糖原 glycogen 506
島限 limen insulae 700
糖原形成 glycogenesis 506
糖原〔貯蔵〕症 glycogenosis 507
動原体 centromere 218
動原体 kinetochore 667
糖原病 glycogenosis 507
糖原分解 glycogenolysis 507
糖原分解過度 hyperglycogenolysis 584
統合 integration 629
瞳孔 pupil (p) 1005
瞳孔異常 dyscoria 370
統合医療 integrative medicine 629
瞳孔括約筋 sphincter muscle of pupil 1123
瞳孔〔間〕距離 pupillary distance 1006
瞳孔計 pupillometer 1006
瞳孔形成〔術〕 coreoplasty 286
瞳孔形成〔術〕 iridotomy 647
瞳孔散大 mydriasis 803
瞳孔散大筋 dilator pupillae muscle 348
統合失調症 schizophrenia 1077
統合失調症型人格障害 schizotypal personality disorder 1077
統合失調-情動精神病 schizoaffective psychosis 1077
統合障害 asyndesis 110
同向性 syntropy 1173
瞳孔整復〔術〕 corepraxy 286
瞳孔測定 pupillometry 1006
瞳孔中心距離計 pupillostatometer 1006
同高定位 synclitism 1171
瞳孔等大 isocoria 650
瞳孔動揺 hippus 564
瞳孔反射 pupillary reflex 1006
瞳孔反応 pupil reaction 1006
瞳孔-皮膚反射 pupillary-skin reflex 1006
瞳孔〔左右〕不同〔症〕 anisocoria 71
瞳孔ブロック pupillary block 1006
瞳孔閉鎖 pupillary block 1006
〔瞳孔〕閉鎖 synizesis 1172
瞳孔変位 corectopia 286
瞳孔膜 membrana pupillaris 750
瞳孔膜 pupillary membrane 1006
橈骨 radius 1022
橈骨管症候群 radial tunnel syndrome 1018
橈骨茎状突起 styloid process of radius 1150
橈骨手根関節 radiocarpal joint 1020
橈骨手根関節 wrist joint 1294
橈骨静脈 radial veins 1018
橈骨神経 radial nerve 1018
橈骨神経の深枝 deep branch of radial nerve 321
橈骨神経の浅枝 superficial branch of radial nerve 1159
橈骨神経麻痺 musculospiral paralysis 795
橈骨粗面 radial tuberosity 1018
橈骨頭 radial head 1018
橈骨動脈 radial artery 1018
〔橈骨動脈〕掌側手根枝 palmar carpal branch of radial artery 887
橈骨動脈波 radial pulse 1018
〔橈骨動脈〕背側手根枝 dorsal carpal branch of radial artery 360
痘痕 pit 940
痘痕 pockmark 952
糖剤 confection 275
頭最長筋 longissimus capitis muscle 709
〔膵〕島細胞 islet cell 649
動作開始 onset of action 859
洞察 insight 627
洞察的思考 thinking through 1195
同産児 litter 706
逃散能 fugacity (f) 478
透視〔法〕 diaphanoscopy 342
透視〔法〕 transillumination 1219
導子 director 351
〔電〕導子 electrode 383
同時感染 coinfection 260
頭字語 acronym 17
頭字語 initialism 624
糖脂質 glucolipids 503
糖脂質 glycolipid 507
同時失認 simultanagnosia 1106
同時収縮 cocontraction 258
頭指数 cephalic index 219
同時性 synchronia 1171
〔X 線〕透視装置 fluoroscope 465
等時値性 isochronia 650

糖質 carbohydrates (CHO) ········ 198
同質異形 allotropism ········ 45
同質異像仮晶 allomorphism ········ 44
糖質コルチコイド glucocorticoid ········ 503
同質二像 dimorphism ········ 348
同時認知不能〔症〕 simultanagnosia ········ 1106
投射〔角〕 incidence ········ 611
投射 projection ········ 984
投射〔性〕感覚 referred sensation ········ 1032
等尺性運動 isometric exercise ········ 651
同尺性自己調節 homeometric autoregulation ········ 568
等尺性収縮 isometric contraction ········ 651
投射線維 projection fibers ········ 984
投射路 projection ········ 984
導手 conductor ········ 273
同種 congener ········ 275
〔同種〕異系移植片 allograft ········ 44
同種移植〔術〕 allotransplantation ········ 44
同種移植〔術〕 homoplasty ········ 570
同種〔組織〕移植〔術〕 homoplasty ········ 570
同種移植拒絶 allograft rejection ········ 44
同種移植片 allograft ········ 44
同重体 isobar ········ 650
同種凝集原 isoagglutinogen ········ 649
同種凝集現象 isoagglutination ········ 649
同種凝集素 isoagglutinin ········ 649
同種菌ワクチン stock vaccine ········ 1143
同種〔移殖〕形成〔術〕 alloplasty ········ 44
同種形成〔術〕 homoplasty ········ 570
同種血球凝集素 isohemagglutinin ········ 650
同種〔異系〕抗原 alloantigen ········ 44
同種抗原 isoantigen ········ 650
同種〔異系〕抗体 alloantibody ········ 44
同種抗体 isoantibody ········ 650
同種細胞親和抗体 homocytotropic antibody ········ 569
同種細胞溶解素 isocytolysin ········ 650
同種組織腫瘍 homologous tumor ········ 569
同種沈降素 isoprecipitin ········ 652
導出静脈 emissary vein ········ 391
〔同種〕同系移植片 isograft ········ 650
〔同種〕同族移植片 syngraft ········ 1172
同種毒療法 isopathy ········ 651
同種発生 homogenesis ········ 569
同種皮質 isocortex ········ 650
同種免疫 isoimmunization ········ 651
同種溶解〔現象〕 isolysis ········ 651
同種溶解素 isolysin ········ 651
動受容器 gravireceptor ········ 517
同種溶血 homolysis ········ 569
同種溶血〔現象〕 isohemolysis ········ 651
同種溶血〔現象〕 isolysis ········ 651
同種溶血現象 isoerythrolysis ········ 650
同種溶血素 homolysin ········ 569
同種溶血素 isohemolysin ········ 651
同種溶血素 isolysin ········ 651
ドゥジュリーヌ-ソッタ病 Dejerine-Sottas disease ········ 324
凍傷 frostbite ········ 477
豆状骨 pisiform bone ········ 940
豆状突起 lenticular process of incus ········ 689
島状皮弁 island flap ········ 649
動静脈血酸素較差 arteriovenous oxygen difference ········ 102
動静脈血炭酸ガス較差 arteriovenous carbon dioxide difference ········ 102
動静脈シャント arteriovenous shunt ········ 102
動静脈吻合 arteriovenous anastomosis (ava) ········ 102
動静脈瘤 arteriovenous aneurysm ········ 102
動静脈瘻 arteriovenous fistula ········ 102
洞〔性〕徐脈 sinus bradycardia ········ 1107
痘疹 pock ········ 952
痘疹 pox ········ 969
同心円層板 concentric lamella ········ 272
同人口統計地図 isodemographic map ········ 650
糖新生 gluconeogenesis ········ 503
糖〔質〕新生 glyconeogenesis ········ 507
等浸透圧〔性〕 isotonia ········ 652
等浸透圧〔性〕 isotonicity ········ 652
糖親和性因子 glycotropic factor ········ 508
糖髄液〔症〕 glycorrhachia ········ 507
陶酔薬 euphoriant ········ 424
頭水瘤 cephalhydrocele ········ 219
頭声 falsetto ········ 441
同性愛 homosexuality ········ 570
同性愛恐怖 homophobia ········ 570
同性愛者 gay ········ 491
同性愛者 homosexual ········ 570
同性愛者同士の性交渉 homosexual intercourse ········ 570
同性愛パニック homosexual panic ········ 570
統制医療 managed care ········ 730
洞性結節 sinual tubercle ········ 1107
糖生成 glucogenesis ········ 503
糖生成 glycogenesis ········ 506
透析 dialysis ········ 341
透析脳症症候群 dialysis encephalopathy syndrome ········ 341
透析物 dialysate ········ 341
透析膜 dialyzer ········ 342
頭節 scolex ········ 1081
洞切開〔術〕 antrotomy ········ 84
洞切開〔術〕 sinusotomy ········ 1107
導線 lead ········ 685
洞洗浄 antral lavage ········ 83
等線量 isodose ········ 650
凍瘡 chilblain ········ 230
痘瘡 smallpox ········ 1111
痘瘡 variola ········ 1261
痘瘡ウイルス variola virus ········ 1261
倒像検眼鏡 indirect ophthalmoscope ········ 614
痘瘡状痤瘡 acne varioliformis ········ 14
凍瘡状狼瘡 lupus pernio ········ 716
逃走-闘争反応 flight-or-fight response ········ 463
痘瘡リケッチア *Rickettsia akari* ········ 1055
痘瘡ワクチン vaccine ········ 1257
同族 consanguinity ········ 278
〔同種〕同族移植片 syngraft ········ 1172
橈側指つかみ radial-digital grasp ········ 1018
橈側手根屈筋 flexor carpi radialis muscle ········ 461
橈側手根屈筋 radial flexor muscle of wrist ········ 1018
橈側手掌つかみ radial-palmar grasp ········ 1018
橈側正中皮静脈 intermediate cephalic vein ········ 633
等速成長 isauxesis ········ 648
橈側側副動脈 radial collateral artery ········ 1018
橈側反回動脈 radial recurrent artery ········ 1018
同側〔性〕半盲 homonymous hemianopia ········ 570
橈側皮静脈 cephalic vein ········ 220
橈側偏位 radial deviation ········ 1018
〔広範なリンパ節症を伴う〕洞組織球増殖〔症〕 sinus histiocytosis with massive lymphadenopathy ········ 1107
同組織新生 homeoplasia ········ 568
同素体 allotrope ········ 44
同素体 allotropism ········ 45
淘汰 selection ········ 1088
導体 conductor ········ 273
導帯 gubernaculum ········ 521
動態 kinetics ········ 666
動態記録〔法〕 kymography ········ 671
糖代謝 saccharometabolism ········ 1066
糖唾液〔症〕 glycosialia ········ 507
糖唾液分泌 glycosialorrhea ········ 507
〔島〕短回 short gyri of insula ········ 1101
等炭酸ガス〔血症〕 isocapnia ········ 650
糖蛋白〔質〕 glycoprotein ········ 507
倒置 inversion ········ 644
同中性子体 isotone ········ 652
頭頂 centriciput ········ 218
等張〔性〕 isotonia ········ 652
等張〔性〕 isotonicity ········ 652
頭頂 vertex ········ 1271
同調 syntropy ········ 1173
頭頂位 sincipital presentation ········ 1106
〔島〕長回 long gyrus of insula ········ 709
頭頂間溝 intraparietal sulcus ········ 641
頭長筋 longus capitis muscle ········ 710
頭頂孔 parietal foramen ········ 899

頭頂後頭溝 parietooccipital sulcus ……… 899
頭頂骨 parietal bone ……… 899
頭頂骨蝶形骨角 sphenoidal angle of parietal bone ……… 1122
同調性 synchronism ……… 1171
同調性間欠的強制換気 synchronized intermittent mandatory ventilation (SIMV) ……… 1171
等張性収縮 isotonic contraction ……… 652
等張尿 isosthenuria ……… 652
頭頂葉 parietal lobe of cerebrum ……… 899
洞調律 sinus rhythm ……… 1107
疼痛 ache ……… 11
疼痛 pain ……… 885
疼痛恐怖〔症〕 algophobia ……… 41
疼痛-痙攣-疼痛サイクル pain-spasm-pain cycle ……… 885
疼痛性愛 algolagnia ……… 41
疼痛性ジスキネジー dyskinesia algera ……… 371
疼痛性痛覚消失〔症〕 analgesia dolorosa ……… 60
疼痛性熱感 thermalgia ……… 1193
疼痛性無痛覚〔症〕 analgesia dolorosa ……… 60
疼痛測定〔法〕 dolorimetry ……… 359
疼痛〔性〕チック tic douloureux ……… 1204
洞停止 sinus arrest ……… 1107
洞停止 sinus pause ……… 1107
動的一定外抵抗訓練 dynamic constant external resistance training ……… 369
動的屈折 dynamic refraction ……… 369
動的コンプライアンス dynamic compliance ……… 369
動的姿勢図検査〔法〕 dynamic posturography ……… 369
動的重心計検査〔法〕 dynamic posturography ……… 369
〔力〕動的心理学 dynamic psychology ……… 369
動的肺過膨張 dynamic hyperinflation ……… 369
動的バランス dynamic balance ……… 369
動的副子 dynamic splint ……… 369
動的歩行指標 dynamic gait index (DGI) ……… 369
等電位線 isoelectric line ……… 650
等電期 isoelectric period ……… 650
頭殿長 crown-rump length (Cr, CRL) ……… 300
等電点 isoelectric point (pI) ……… 650
等瞳 isocoria ……… 650
同等者検閲 peer review ……… 907
道徳律 beneficence ……… 145
導入 induction ……… 615
導入 transduction ……… 1218
〔形質〕導入 transduction ……… 1218
導入器 introducer ……… 643
投入量 immission ……… 606
糖尿 glucosuria ……… 504
糖尿 glycosuria ……… 508
糖尿病 diabetes ……… 340
〔真性〕糖尿病 diabetes mellitus (DM) ……… 340
糖尿病学 diabetology ……… 341
糖尿病患者 diabetic ……… 340
糖尿病〔性〕昏睡 diabetic coma ……… 340
糖尿病食 diabetic diet ……… 340
糖尿病〔性〕神経障害 diabetic neuropathy ……… 340
糖尿病性アシドーシス diabetic acidosis ……… 340
糖尿病性筋萎縮〔症〕 diabetic amyotrophy ……… 340
糖尿病性ケトアシドーシス diabetic ketoacidosis (DKA) ……… 340
糖尿病性虹彩ルベオーシス rubeosis iridis diabetica ……… 1063
糖尿病性糸球体硬化症 diabetic glomerulosclerosis ……… 340
糖尿病性腎症 diabetic nephropathy ……… 340
糖尿病性足感染症 diabetic foot infection ……… 340
糖尿病〔昏睡〕性大呼吸 Kussmaul respiration ……… 671
糖尿病性皮膚症 diabetic dermopathy ……… 340
糖尿病性皮膚障害 diabetic dermopathy ……… 340
糖尿病性リポイド類壊死〔症〕 necrobiosis lipoidica ……… 815
糖尿病前症 prediabetes ……… 972
糖尿病〔性〕ニューロパシー diabetic neuropathy ……… 340
糖尿病〔性〕網膜症 diabetic retinopathy ……… 341
動粘度 kinematic viscosity (ν, υ) ……… 666
等濃度 isodense ……… 650
等濃度点 isosbestic point ……… 652
糖排泄 glycorrhea ……… 507
頭髪 scalp hair ……… 1074
頭半棘筋 semispinalis capitis muscle ……… 1090
頭板状筋 splenius capitis muscle ……… 1129
頭皮 scalp ……… 1074
頭尾軸 cephalocaudal axis ……… 220
等皮質 isocortex ……… 650
頭皮の毛髪腫瘍 pilar tumor of scalp ……… 937
痘苗 vaccine lymph ……… 1257
洞〔性〕頻拍 sinus tachycardia ……… 1107
洞フィステル形成〔術〕 antrostomy ……… 84
頭部回転痙攣 gyrospasm ……… 524
頭部還納術 cephalic replacement ……… 220
頭部巨大〔症〕 cephalomegaly ……… 220
導腹 ventriduction ……… 1268
同腹子 litter ……… 706
頭部計測〔法〕 cephalometry ……… 220
頭部結合 syncephaly ……… 1171
頭部結合体 syncephalus ……… 1171
頭部後屈下顎挙上法 head-tilt/chin-lift maneuver ……… 534
頭部振せん titubation ……… 1207
頭部水腫 cephaledema ……… 219
洞〔性〕不整脈 sinus arrhythmia ……… 1107
頭部前極 antinion ……… 82
動物愛 zoophilism ……… 1303
動物寄生虫皮膚リーシュマニア症 zoonotic cutaneous leishmaniasis ……… 1302
動物恐怖〔症〕 zoophobia ……… 1303
動物極 animal pole ……… 70
動物磁気 mesmerism ……… 757
動物性愛〔症〕 zoolagnia ……… 1302
動物性寄生体 zooparasite ……… 1302
動物相 fauna ……… 446
動物電気 mesmerism ……… 757
動物伝染病学 epizootiology ……… 411
動物〔性〕毒素 zootoxin ……… 1303
動物皮膚移植〔法〕 zooplasty ……… 1303
動物毛性表皮肥厚〔症〕 zoacanthosis ……… 1301
動物モデル animal model ……… 70
動物流行病学 epizootiology ……… 411
頭部白癬 tinea capitis ……… 1205
頭部白癬原因菌 *Microsporum audouini* ……… 769
頭部破傷風 cephalic tetanus ……… 220
頭部浮腫 cephaledema ……… 219
頭部癒合重複奇形体 syncephalus ……… 1171
頭部落下試験 head-dropping test ……… 534
洞〔房〕ブロック sinuatrial block ……… 1107
同分異性体 metamer ……… 761
糖分計 glucometer ……… 503
〔窃〕盗癖 kleptomania ……… 667
〔窃〕盗癖者 kleptomaniac ……… 667
逃亡 flight ……… 463
同胞 sib ……… 1102
同胞群 sibship ……… 1102
洞房結節 sinuatrial node ……… 1107
同胞抗争 sibling rivalry ……… 1102
ドゥホット線 Duhot line ……… 366
糖ミツ syrup (syr.) ……… 1174
動脈 arteria ……… 97
動脈 artery ……… 102
動脈圧上昇 arteriopressor ……… 102
動脈炎 arteritis ……… 102
動脈円錐 arterial cone ……… 99
動脈解離 aortic dissection ……… 85
動脈管 arterial canal ……… 98
動脈管 arterial duct ……… 99
動脈管遺残 persistent truncus arteriosus ……… 921
動脈鉗子 arterial forceps ……… 99
動脈管動脈瘤 ductal aneurysm ……… 366
動脈狭窄 arteriostenosis ……… 102
動脈形成〔術〕 arterioplasty ……… 102
動脈痙攣 arteriospasm ……… 102
動脈経路 arterial line ……… 99
動脈血 arterial blood ……… 98
動脈血液化 hematosis ……… 542
動脈結石 arteriolith ……… 101
動脈硬化〔症〕 arterial sclerosis ……… 99
動脈硬化〔症〕 arteriosclerosis ……… 102
動脈硬化性動脈瘤 arteriosclerotic aneurysm ……… 102
動脈撮影〔法〕 arteriography ……… 101

動脈撮影図 arteriogram …… 101
動脈写 arteriography …… 101
動脈周囲炎 periarteritis …… 913
動脈周囲神経叢 periarterial plexus …… 913
動脈症 arteriopathy …… 102
動脈性腎硬化〔症〕 arterial nephrosclerosis …… 99
動脈性毛細管 arterial capillary …… 99
動脈切開〔術〕 arteriotomy …… 102
動脈切除〔術〕 arteriectomy …… 100
動脈造影〔法〕 arteriography …… 101
動脈中膜炎 mesarteritis …… 756
動脈内血圧 arterial tension …… 99
動脈内膜炎 endarteritis …… 395
動脈〔血管〕内膜切除〔術〕 endarterectomy …… 395
〔動脈の〕弾性板 elastic laminae of arteries …… 382
動脈の弾性膜 elastic layers of arteries …… 382
動脈閉塞症 arterial occlusive disease …… 99
動脈縫合 arteriorrhaphy …… 102
動脈毛細血管の arteriocapillary …… 101
動脈ライン arterial line …… 99
動脈瘤 aneurysm …… 66
動脈瘤形成術 aneurysmorrhaphy …… 66
動脈瘤〔性〕雑音 aneurysmal bruit …… 66
動脈瘤性骨嚢胞 aneurysmal bone cyst …… 66
動脈瘤性静脈瘤 aneurysmal varix …… 66
動脈瘤整復〔術〕 aneurysmoplasty …… 66
動脈瘤切開〔術〕 aneurysmotomy …… 66
動脈瘤切除〔術〕 aneurysmectomy …… 66
動脈瘤造影 aneurysmograph …… 66
動脈瘤縫縮術 aneurysmorrhaphy …… 66
動脈〔破〕裂 arteriorrhexis …… 102
冬眠腺腫 hibernoma …… 561
透明化 rarefaction …… 1025
透明質〔分粒〕 hyalomere …… 577
透明質 hyalosome …… 577
同名像 homonymous images …… 570
透明帯 zona pellucida …… 1302
透明中隔 transparent septum …… 1220
透明中隔腔 cavity of septum pellucidum …… 212
投薬 dosage …… 361
投薬〔法〕 medication …… 744
投薬中止試験 discontinuation test …… 352
投薬調整 medication reconciliation …… 744
投薬ミス medication error …… 744
投薬量判定 dosage …… 361
動揺 deflection …… 323
動揺関節 flail joint …… 459
動揺胸郭 flail chest …… 459
動揺視 oscillating vision …… 871
動揺視 oscillopsia …… 871
動揺病 kinesia …… 666
動揺病 motion sickness …… 786
洞様毛細血管 sinusoid …… 1107
投与量 dose …… 362
投与量と無関係の副作用 non-dose-related adverse effect …… 837
トゥリオテスト Tullio test (standard) …… 1237
動力学 dynamics …… 369
頭瘤 cephalocele …… 220
当量 equivalence …… 413
当量 equivalent …… 413
同僚検閲 peer review …… 907
同僚者評価機関 peer-review organization (PRO) …… 907
動力源 mover …… 787
動力発生 dynamogenesis …… 369
糖類 saccharides …… 1066
糖類 sugars …… 1157
同類 congener …… 275
ドゥルロフォイ病変 Dieulafoy lesion …… 345
トゥレット症候群 Tourette syndrome …… 1212
登録〔機関〕 registry …… 1034
登録〔正〕看護師 registered nurse (RN, R.N.) …… 1034
同腕染色体 isochromosome …… 650
ドー胃底ひだ形成〔術〕 Dor fundoplication …… 360
トーカー細胞 Toker cell …… 1207
ドーセットの卵培地 Dorset culture egg medium …… 361
TORCH 症候群 TORCH syndrome …… 1210
ドーナトｰラントシュタイナー現象 Donath-Landsteiner phenomenon …… 359
トーヌス tonus …… 1209
ドーピング doping …… 360
トーマ固定液 Thoma fixative …… 1196
トーマス試験 Thomas test …… 1196
トーマス副子 Thomas splint …… 1196
トーマ徴候 Toma sign …… 1208
トーマの法則 Thoma laws …… 1196
トーマ膨大部 Thoma ampulla …… 1196
トール torr …… 1210
ドールトンの法則 Dalton law …… 315
トールマンレター tall-man letters …… 1178
ドーレンドルフ徴候 Dorendorf sign …… 360
トガウイルス科 Togaviridae …… 1207
トキシックショック症候群 toxic shock syndrome (TSS) …… 1213
トキシン toxin …… 1213
トキソイド toxoid …… 1213
トキソカラ症 toxocariasis …… 1213
トキソピリミジン toxopyrimidine …… 1213
トキソプラスマ *Toxoplasma gondii* …… 1213
トキソプラスマ症 toxoplasmosis …… 1213
毒 poison …… 953
毒 toxicant …… 1212
特異オプソニン specific opsonin …… 1119
特異寄生生物 specific parasite …… 1120
特異作用 specific action …… 1119
特異性 specificity …… 1119
特異性建物関連疾病 specific building-related illnesses …… 1119
特異体質 idiosyncrasy …… 602
特異的過敏性 pathoclisis …… 904
特異反応 specific reaction …… 1120
特異免疫 specific immunity …… 1119
毒液 venom …… 1266
毒血症 toxemia …… 1212
読語障害 dyslexia …… 371
読字錯誤 paralexia …… 895
読字障害 dyslexia …… 371
特殊感覚 special sense …… 1119
特殊動的作用 specific dynamic action (SDA) …… 1119
特殊用語 jargon …… 654
特殊力源作用 specific dynamic action (SDA) …… 1119
読書緩徐 bradylexia …… 172
読書療法 bibliotherapy …… 149
特性 trait …… 1216
毒性 toxicity …… 1212
毒性 virulence …… 1277
特性 X 線 characteristic radiation …… 226
独善性 egomania …… 380
毒素 toxin …… 1213
禿瘡 kerion …… 664
毒創 venenation …… 1266
禿瘡性白癬 tinea kerion …… 1205
毒素族 toxophore …… 1213
毒素単位 toxic unit …… 1213
毒素量 L doses …… 685
特徴 trait …… 1216
特徴群 characterizing group …… 226
特徴〔的〕周波数 characteristic frequency …… 226
特徴的症状 pathognomonic symptom …… 904
特定時標本 timed specimen …… 1204
特定の恐怖 specific phobia …… 1120
毒の投与 poisoning …… 953
特発〔性〕疾患 idiopathy …… 602
特発症 idiopathy …… 602
特発〔性〕神経痛 idiopathic neuralgia …… 602
特発性感染 cryptogenic infection …… 303
特発性血小板減少性紫斑病 idiopathic thrombocytopenic purpura (ITP) …… 602
特発性刺痛性頭痛 idiopathic stabbing headache …… 602
特発性声門下狭窄〔症〕 idiopathic subglottic stenosis …… 602
特発性肺線維症 idiopathic pulmonary fibrosis (IPF) …… 602
特発性肥厚性大動脈弁下部狭窄〔症〕 idiopathic hypertrophic subaortic stenosis …… 602
禿髪性毛包炎 folliculitis decalvans …… 468
毒針 sting …… 1143

毒物 poison ……… 953
毒物 toxicant ……… 1212
毒物 venom ……… 1266
毒物学 toxicology ……… 1212
毒物学者 toxicologist ……… 1212
毒物検査 tox screen ……… 1214
毒物注入 envenomation ……… 404
特別使用 application ……… 91
特別動物看護師 veterinary technician specialist (VTS) ……… 1274
匿名性 anonymity ……… 72
毒薬 poison ……… 953
毒薬 toxicant ……… 1212
独立栄養 autotrophic ……… 125
独立栄養体 autotroph ……… 125
独立診療団体 independent practice association ……… 614
独立〔組合せ〕の法則 law of independent assortment ……… 685
独立肺換気 independent lung ventilation (ILV) ……… 614
独立変数 independent variable ……… 614
毒力 toxicity ……… 1212
毒力 virulence ……… 1277
読話〔法〕 speech reading ……… 1121
時計生物学 chronobiology ……… 242
吐血 hematemesis ……… 541
ド・ケルヴァン腱鞘炎 de Quervain tenosynovitis ……… 332
ド・ケルヴァン骨折 de Quervain fracture ……… 332
ド・ケルヴァン病 de Quervain disease ……… 332
塗膏 inunction ……… 643
トコジラミ bug ……… 183
とこずれ bedsore ……… 143
とこずれ decubitus ……… 320
トゴトウイルス Thogotoviruses ……… 1196
トコトリエン tocotrienes ……… 1207
トコフェロール tocopherol (T) ……… 1207
床屋の毛巣嚢腫 barber's pilonidal sinus ……… 135
トコン ipecacuanha ……… 646
塗擦 inunction ……… 643
閉込め症候群 locked-in syndrome ……… 708
吐しゃ薬 emetocathartic ……… 391
吐瀉薬 emetocathartic ……… 391
徒手筋力検査 manual muscle testing (MMT) ……… 731
徒手体操 calisthenics ……… 191
吐出 regurgitation ……… 1035
徒手療法 manual therapy ……… 731
土壌 earth ……… 375
土食症 geophagia ……… 496
兎唇 cleft lip ……… 249
度数 frequency (ν) ……… 476
ドソー包帯 Desault bandage ……… 336
吐唾〔症〕 sialemesis ……… 1102
吐胆〔症〕 cholemesis ……… 234
土着感染 autochthonous infection ……… 120
読解 reading ……… 1027
〔骨〕突起 apophysis ……… 90
突起 process ……… 981
突起物 prong ……… 986
特許強制実施許諾 compulsory licensing ……… 271
特許薬 patent medicine ……… 903
特効薬 specific ……… 1119
突出〔物〕 excrescence ……… 426
突出 extrusion ……… 436
突出 projection ……… 984
突出 protrusion ……… 992
突出耳 outstanding ear ……… 878
突出痛 breakthrough pain ……… 173
突進 pulsion ……… 1005
突然死 sudden death ……… 1157
〔突然〕変異 mutation ……… 800
突然変異遺伝子 mutant gene ……… 800
突然変異原 mutagen ……… 800
〔突然〕変異体 mutant ……… 800
突然変異単位 muton ……… 801
〔突然〕変異誘発 mutagenesis ……… 800
〔突然〕変異誘発物質 mutagen ……… 800
突然変異率 mutation rate ……… 801
トッド麻痺 Todd paralysis ……… 1207
突発疹 exanthema subitum ……… 425
突発性疼痛 pang ……… 890
突発性難聴 sudden deafness ……… 1157
突発性難聴 sudden sensorineural hearing loss (SSNHL) ……… 1157
特発性バラ疹 roseola idiopathica ……… 1061
突発性発疹 exanthema subitum ……… 425
突風 blast wind ……… 161
ドップラー〔装置〕 Doppler ……… 360
ドップラーカラー血流〔画像〕 Doppler color flow ……… 360
ドップラー効果 Doppler effect ……… 360
ドップラーシフト Doppler shift ……… 360
凸〔面〕レンズ convex lens ……… 284
届出疾患 notifiable disease ……… 841
ドナー donor ……… 359
ドナス-ランドシュタイナー抗体 Donath-Landsteiner antibody ……… 359
トネリコ葉斑 ash-leaf macule ……… 107
ドノヴァン〔小〕体 Donovan bodies ……… 359
吐膿症 pyemesis ……… 1009
トノグラフ tonograph ……… 1209
トノグラフィ tonography ……… 1209
トノフィラメント tonofilament ……… 1209
トノプラスト tonoplast ……… 1209
ドノンヴィーエ筋膜 Denonvilliers fascia ……… 327
トノン嚢炎 tenonitis ……… 1187
ドパ dopa ……… 360
ドパミン dopamine (DM) ……… 360
跳び跳び伝導 saltatory conduction ……… 1070
塗布器 applicator ……… 91
塗布具 applicator ……… 91
塗布剤 liniment ……… 702
吐物 vomit ……… 1283
ドブラヴァ-ベオグラードウイルス Dobrava-Belgrade virus ……… 358
兎糞 scybalum ……… 1083
吐糞症 fecal vomiting ……… 446
トポグラフォフウイルス Topografov virus ……… 1210
トポランスキー徴候 Topolanski sign ……… 1210
トマセリ病 Tommaselli disease ……… 1208
塗抹〔標本〕 smear ……… 1111
塗抹培養 smear culture ……… 1111
ドメイン domain ……… 359
留め針 pin ……… 938
共振れ resonance ……… 1041
どもり dysphemia ……… 371
どもり stammering ……… 1135
どもり stuttering ……… 1150
〔催〕吐薬 emetic ……… 391
塗油 unction ……… 1246
トライポッド骨折 tripod fracture ……… 1231
トラウベ徴候 Traube sign ……… 1223
トラウベ重複音 Traube double tone ……… 1223
トラウベ-ヘーリング曲線 Traube-Hering curves ……… 1223
トラウマアセスメント trauma assessment ……… 1224
トラコーマ trachoma ……… 1215
トラコーマクラミジア *Chlamydia trachomatis* ……… 232
トラコーマ性角膜炎 trachomatous keratitis ……… 1215
トラコーマ性結膜炎 trachomatous conjunctivitis ……… 1215
トラコーマ〔小〕体 trachoma bodies ……… 1215
トラップ胃 water-trap stomach ……… 1286
トラップ因子 Trapp factor ……… 1223
トラバース traverse ……… 1224
トラフレベル trough level ……… 1233
トラベリングウェーブ理論 traveling wave theory ……… 1224
トラホーム trachoma ……… 1215
ドラマンド徴候 Drummond sign ……… 365
ドラム dram (dr) ……… 363
トランキライザ tranquilizer ……… 1216
トランスアクショナル分析 transactional analysis ……… 1216
トランスカルボキシラーゼ transcarboxylases ……… 1217
トランスクリプターゼ transcriptase ……… 1217
トランスコバラミン transcobalamins ……… 1217
トランスコルチン transcortin ……… 1217
トランスサイトーシス transcytosis ……… 1217
トランス脂肪酸 trans fatty acid ……… 1218
トランスデューサ transducer ……… 1218
トランスバージョン transversion ……… 1222
トランスファー RNA transfer RNA (tRNA) ……… 1218

トランスファーファクター transfer factor ……1218
トランスファ鉗子 transfer forceps ……1218
トランスファ装置 transfer devices ……1218
トランスフェラーゼ transferases ……1218
トランスフェリン transferrin ……1218
トランスフェリン飽和度 transferrin saturation ……1218
トランスペプチダーゼ transpeptidase ……1220
トランスポザーゼ transposase ……1220
トランスポゾン transposon ……1220
トランタス斑点 Trantas dots ……1223
トランペッティング trumpeting ……1234
トリアージ triage ……1226
トリアージタグ triage tag ……1226
トリアシルグリセロール triacylglycerol ……1226
トリアシルグリセロールリパーゼ triacylglycerol lipase ……1226
取り扱い〔法〕 handling ……531
取り入れ introject ……643
トリインフルエンザ avian influenza ……125
トリオース triose ……1230
トリオースホスフェートイソメラーゼ triosephosphate isomerase ……1230
ドリオピテクス型 *Dryopithecus* pattern ……365
トリガー trigger ……1230
トリガ遅延 trigger delay ……1230
トリカブト monkshood ……780
トリカルボン酸サイクル tricarboxylic acid cycle (TCA cycle) ……1226
トリキナ trichina ……1227
トリクローム染色変法 modified trichrome stain ……778
トリクローム染料 trichrome stain ……1229
トリ〔型〕結核菌 *Mycobacterium avium* ……801
トリ〔型〕結核菌群 *Mycobacterium avium-intracellulare* complex (MAIC) ……801
ドリコール dolichol ……358
トリコーンプロテアーゼ tricorn protease ……1229
トリコチロマニー trichotillomania ……1229
トリコテシン系マイコトキシン trichothecene mycotoxin ……1229
トリコノドント triconodont ……1229
取込み introjection ……643
取込み uptake ……1249
トリコモナシド trichomonacide ……1228
トリコモナス症 trichomoniasis ……1228
トリコモナス腟炎 trichomonal vaginitis ……1228
トリコモナド trichomonad ……1228
鳥飼育者肺 bird-breeder's lung ……156
トリ神経リンパ腫症ウイルス avian neurolymphomatosis virus ……126
トリソミー trisomy ……1231
ドリップス分類 Dripps classification ……364
トリトン腫瘍 triton tumor ……1231
トリヌクレオチド trinucleotide ……1230
鳥肌 cutis anserina ……307
鳥肌 horripilation ……571
トリパノソーマ症 trypanosomiasis ……1234
トリパノソーマ〔病変〕疹 trypanosomid ……1234
トリパノソーマ撲滅薬 trypanocide ……1234
トリパノソーマ類 trypanosome ……1234
トリパンブルー trypan blue ……1234
トリピエ切断術 Tripier amputation ……1231
トリプシノ〔ー〕ゲン trypsinogen ……1234
トリプシン trypsin ……1234
トリプソゲン trypsinogen ……1234
トリプトファナーゼ tryptophanase ……1234
トリプトファン tryptophan (Trp, W) ……1234
トリプトファン 2,3-ジオキシゲナーゼ tryptophan 2,3-dioxygenase ……1235
トリプトファン尿〔症〕 tryptophanuria ……1235
トリプルマーカスクリーニング triple screen ……1231
トリプレット triplet ……1231
トリメスター trimester ……1230
トリメチルアミン trimethylamine ……1230
トリメチルアミン尿〔症〕 trimethylaminuria ……1230
度量衡学 metrology ……764
努力呼気時間 forced expiratory time (FET) ……470
努力呼気流量 forced expiratory flow (FEF) ……470
努力呼気量 forced expiratory volume (FEV) ……470
努力的機能 molimen ……779
努力肺活量 forced vital capacity (FVC) ……470
トリラーブ trilabe ……1230
ドリンカー呼吸器 Drinker respirator ……364
ドル dol ……358
ドルーゼン drusen ……365
土類 earth ……375
トルイジンブルー染色 toluidine blue stain ……1208
トルク torque (T) ……1210
トルコ鞍 sella turcica ……1089
トルゴール turgor ……1239
トルサード・ド・ポワント torsade de pointes ……1210
トルソー症候群 Trousseau syndrome ……1234
トルソー徴候 Trousseau sign ……1233
トルソー点 Trousseau point ……1233
トルト膜 Toldt membrane ……1208
トルネツェク徴候 Trunecek sign ……1234
トルブタミド〔負荷〕試験 tolbutamide test ……1207
トルメーレン試験 Thormählen test ……1198
トルロプシス症 torulopsosis ……1211
トルンヴァルト症候群 Tornwaldt syndrome ……1210
トルンヴァルト嚢胞 Tornwaldt cyst ……1210
トルンヴァルト膿瘍 Tornwaldt abscess ……1210
トレーサ tracer ……1214
トレーナー trainer ……1216
トレーニング training ……1216
トレーニング感受領域 training-sensitive zone ……1216
ドレーパーの法則 Draper law ……363
ドレーン drain ……363
トレガーボディワーク Trager bodywork ……1216
トレ症候群 Torre syndrome ……1210
トレシリアン徴候 Tresilian sign ……1225
ドレスラー収縮 Dressler beat ……364
ドレスラー症候群 Dressler syndrome ……364
トレチャー・コリンズ症候群 Treacher Collins syndrome ……1224
ドレナージ drainage ……363
ドレナージ管 drainage tube ……363
トレハロース trehalose ……1224
トレパン trephine ……1225
トレフィン trephine ……1225
トレポネーマ treponeme ……1225
トレポネーマ症 treponemiasis ……1225
トレマカムラ tremacamra ……1225
トレムナー反射 Trömner reflex ……1232
トレラー便 Trélat stools ……1225
ドレロ管 Dorello canal ……360
トレンデレンブルク試験 Trendelenburg test ……1225
トレンデレンブルク手術 Trendelenburg operation ……1225
トレンデレンブルク症状 Trendelenburg symptom ……1225
トレンデレンブルク体位 Trendelenburg position ……1225
トレンデレンブルク徴候 Trendelenburg sign ……1225
トローチ〔剤〕 troche ……1232
トロカール trocar ……1231
トロサ-ハント症候群 Tolosa-Hunt syndrome ……1208
ドロップアタック drop attack ……364
トロポコラーゲン tropocollagen ……1233
トロポニン troponin (Tn) ……1233
トロホブラスト trophoblast ……1232
トロポミオシン tropomyosin ……1233
トロワジェ結節腫 Troisier ganglion ……1232
トロンビン thrombin ……1199
トロンボキサン類 thromboxanes ……1200
トロンボキナーゼ thrombokinase ……1200
トロンボスポンジン関連接着蛋白 thrombospondin-related adhesive protein ……1200
トロンボパシー thrombopathy ……1200
トロンボプラスチン thromboplastin ……1200
トロンボポエチン thrombopoietin ……1200
トロンボン thrombon ……1200
ドワイエール隆起 Doyère eminence ……363
ドワイヤー式骨切り術 Dwyer osteotomy ……368
トワソン染料 Toison stain ……1207
呑気〔症〕 aerophagia ……32
頓挫収縮 aborted systole ……4
豚脂 adeps ……26
〔貪〕食細胞 phagocyte ……923

ト

貪食作用〔能〕 phagocytosis ……… 924
貪食性肺胞細胞 phagocytic pneumonocyte ……… 923
遁走 fugue ……… 478
どんちゃん騒ぎ binge, binging ……… 152
ドンデルスの法則 Donders law ……… 359
トンネル視 tunnel vision ……… 1238
ドン・ファン Don Juan ……… 359
頓服水剤 potion ……… 969
頓服水剤の一服量 haustus (h) ……… 533
トンプソン試験 Thompson test ……… 1196
鈍麻 torpor ……… 1210

ナ

ナーゲル試験 Nagel test ……… 810
ナーシング施設 nursing facility ……… 845
ナーシングホーム nursing home ……… 845
ナースプラクティショナー nurse practitioner (NP) ……… 844
ナーボト囊胞 nabothian cyst ……… 810
ナーリング knurling ……… 669
内圧性憩室 pulsion diverticulum ……… 1005
内因感覚 subjective sensation ……… 1153
内因感染 endogenous infection ……… 396
内因系凝固経路 intrinsic coagulation pathway ……… 643
内〔性〕因子 intrinsic factor (IF) ……… 643
内因性うつ病 endogenous depression ……… 396
内因性括約筋不全 intrinsic sphincter deficiency (ISD) ……… 643
内因性高グリセリド血〔症〕 endogenous hyperglyceridemia … 396
内因性ぜん息 intrinsic asthma ……… 642
内因性中毒 endointoxication ……… 396
内因性発熱物質 endogenous pyrogen (EP) ……… 396
内陰部静脈 internal pudendal vein ……… 635
内陰部動脈 internal pudendal artery ……… 635
内科医 internist ……… 636
内科医 physician ……… 934
内回旋筋 intortor ……… 640
内回旋筋 invertor ……… 644
内回転〔術〕 internal cephalic version ……… 634
内科学 internal medicine (IM) ……… 634
内科学 medicine ……… 745
内科集中治療室 medical intensive care unit (MICU) ……… 744
〔血管〕内カテーテル intracatheter ……… 640
内科的ジアテルミー medical diathermy ……… 744
内管 intussusceptum ……… 643
内眼筋麻痺 ophthalmoplegia interna ……… 863
内眼疾患 internal ophthalmopathy ……… 634
内陥ポケット retraction pockets ……… 1047
ナイキストの定理 Nyquist theorem ……… 846
内輝性暗点 fortification spectrum ……… 472
内〔部〕寄生性生物 endoparasite ……… 398
内胸動脈の前肋間枝 rami intercostales anteriores arteriae thoracicae internae ……… 1023
内曲 inflection ……… 621
内腔 lumen ……… 714
内腔超音波検査 endosonoscopy ……… 398
内屈 incurvation ……… 613
内屈 introflection ……… 643
内頸静脈 internal jugular vein ……… 634
内頸動脈 internal carotid artery ……… 634
内頸動脈神経 internal carotid nerve ……… 634
内頸動脈錐体部 petrous part of internal carotid artery ……… 922
内牽引 internal traction ……… 635
内腱鞘 endotendineum ……… 399
内向〔性〕 introversion ……… 643
内攻 retrocession ……… 1047
内向型 introvert ……… 643
内後頭稜 internal occipital crest ……… 634
内光法 flash method ……… 460
内呼吸 internal respiration ……… 635
内骨格 endoskeleton ……… 398
内骨〔腔〕症 enostosis ……… 400
内固定 internal fixation ……… 634
内在化 internalization ……… 634
内在性同性愛恐怖 internalized homophobia ……… 634
内在反射 intrinsic reflex ……… 643
内耳 internal ear ……… 634
内耳炎 otitis interna ……… 876
内視鏡 endoscope ……… 398
内視鏡 fiberscope ……… 451
内視鏡医 endoscopist ……… 398
内視鏡下膣式子宮全摘出術 laparoscopic-assisted vaginal hysterectomy ……… 678
内視鏡検査〔法〕 endoscopy ……… 398
内視鏡生検 endoscopic biopsy ……… 398
内視鏡的逆行性胆道膵管撮影〔法〕 endoscopic retrograde cholangiopancreatography (ERCP) ……… 398
内視鏡的逆行性胆道膵管造影〔法〕 endoscopic retrograde cholangiopancreatography (ERCP) ……… 398
内視鏡的仙骨子宮神経切除 laparoscopic uterosacral nerve ablation ……… 678
内視鏡バイオプシー endoscopic biopsy ……… 398
内耳孔 opening of internal acoustic meatus ……… 861
内耳神経 vestibulocochlear nerve [CN VIII] ……… 1274
内耳神経核 vestibulocochlear nuclei ……… 1274
内質 endoplasm ……… 398
内耳道 acoustic meatus ……… 14
内斜位 esophoria ……… 420
内斜視 esotropia ……… 420
内出血 internal hemorrhage ……… 634
内受容器 interoceptor ……… 636
内耳瘻孔 labyrinthine fistula ……… 673
内疹 enanthem ……… 393
ナイシン nisin ……… 834
内省 introspection ……… 643
内生胞子 endospore ……… 398
ナイセリア類 neisseria ……… 817
内旋 incycloduction ……… 613
内旋 inflare ……… 621
内旋斜位 incyclophoria ……… 613
内旋斜視 incyclotropia ……… 613
内相 internal phase ……… 634
内臓 viscus ……… 1278
内臓〔感〕覚 visceral sense ……… 1278
内臓学的記述 splanchnography ……… 1128
内臓下垂〔症〕 splanchnoptosis ……… 1128
内臓下垂〔症〕 visceroptosis ……… 1278
内臓感覚 splanchnesthetic sensibility ……… 1128
内臓感覚消失 splanchnic anesthesia ……… 1128
内臓逆位〔症〕 heterotaxia ……… 559
内臓逆位随伴〔性〕右胸心 dextrocardia with situs inversus ……… 339
内臓巨大〔症〕 splanchnomegaly ……… 1128
内臓巨大症 visceromegaly ……… 1278
内臓筋膜 visceral fascia ……… 1277
内臓結石 splanchnolith ……… 1128
内臓硬化〔症〕 splanchnosclerosis ……… 1128
内臓骨格 splanchnoskeleton ……… 1128
内臓骨格 visceroskeleton ……… 1278
内臓周囲炎 perisplanchnitis ……… 918
内臓周囲炎 perivisceritis ……… 919
内臓障害 splanchnopathy ……… 1128
内臓除去〔術〕 exenteration ……… 427
内臓神経 splanchnic nerve ……… 1128
内臓神経神経節 splanchnic ganglion ……… 1128
内臓神経切除〔術〕 splanchnicectomy ……… 1128
内臓性えん下 visceral swallow ……… 1278
内臓性発疹 enanthesis ……… 393
内臓側骨端 splanchnapophysis ……… 1127
内臓脱出〔症〕 eventration ……… 425
内臓知覚消失 splanchnic anesthesia ……… 1128
内臓痛 visceralgia ……… 1277
内臓痛 visceral pain ……… 1278
内臓転位〔症〕 splanchnectopia ……… 1128
内臓頭蓋 viscerocranium ……… 1278
内臓突出〔症〕 eventration ……… 425
内臓ヘルニア splanchnocele ……… 1128
内臓葉 splanchnopleure ……… 1128
内臓リーシュマニア症 visceral leishmaniasis ……… 1277
〔腹部〕内臓リンパ節 visceral lymph nodes ……… 1278

内臓裂 visceral cleft 1277
内側下腿皮枝 medial cutaneous nerve of leg 741
内側弓状靱帯 medial arcuate ligaments 741
内側胸筋神経 medial pectoral nerve 742
内側楔状骨 medial cuneiform bone 741
内側広筋 medial vastus muscle 742
内側広筋 vastus medialis muscle 1263
内側後頭動脈 medial occipital artery 742
内側鎖骨上神経 medial supraclavicular nerve 742
内側膝状体 medial geniculate body 741
内側縦束 medial longitudinal fasciculus (MLF) 742
内側上腕皮神経 medial brachial cutaneous nerve 741
内側靱帯 medial ligament 742
内側前脳束 medial forebrain bundle 741
内側前腕皮神経 medial antebrachial cutaneous nerve 741
内側足底神経 medial plantar nerve 742
内側足底動脈 medial plantar artery 742
内側足背皮神経 dorsal medial cutaneous nerve 361
内側足背皮神経 medial dorsal cutaneous nerve 741
内側側副靱帯 medial collateral ligament 741
内側大腿回旋動脈 medial circumflex femoral artery 741
内側直筋 medial rectus muscle 742
内側半月 medial meniscus 742
内側翼突筋 internal pterygoid muscle 635
内側翼突筋 medial pterygoid muscle 742
内大脳静脈 internal cerebral veins 634
内腸骨静脈 internal iliac vein 634
内腸骨動脈 internal iliac artery 634
内的表出 internal representation 635
内転 adduction 23
内転位 adduction 23
内転型痙攣性発声障害 adductor spasmodic dysphonia 24
内転筋 adductor 23
内転筋管 adductor canal 23
内転筋結節 adductor tubercle of femur 24
内転尖足 talipes equinovarus 1178
内転足 talipes varus 1178
内頭蓋底 internal base of skull 634
ナイトガード night guard 833
内毒〔素〕血症 endotoxemia 399
内毒素 endotoxin 399
内毒素中毒〔症〕 endotoxicosis 399
ナイトロジェンマスタード nitrogen mustards (HN) 835
内軟骨腫 enchondroma 394
内軟骨腫症 enchondromatosis 394
内尿道口 internal urethral orifice 635
内破 implosion 610
内胚葉 endoblast 395
内胚葉 endoderm 396
内胚葉型 endomorph 397
内胚葉嚢腫 endodermal cyst 396
内反 entropion 404
〔眼瞼〕内反 entropion 404
内反〔症〕 inversion 644
内反 varus 1261
内反脛骨 tibia vara 1204
内反股 coxa vara 293
内反歯 dens in dente 327
内反弛緩性 varus laxity 1261
内反膝 bowleg 170
内反膝 genu varum 496
内反手 clubhand 254
内反踵足 talipes calcaneovarus 1177
内反尖足 talipes equinovarus 1178
内反足 clubfoot 253
内反足 talipes varus 1178
内反肘 cubitus varus 303
内反中足〔症〕 metatarsus varus 762
内反母趾 hallux varus 530
内皮 endothelium 399
内皮下層 subendothelial layer 1153
内皮下層 subendothelium 1153
内皮血腫性胎盤 hemoendothelial placenta 546
内皮細胞 endodermal cells 396
内皮細胞 endothelial cell 399
内皮腫 endothelioma 399
内皮症 endotheliosis 399
内フィステル internal fistula 634
内部エネルギー internal energy (U, *U*) 634
内部回転 internal rotation 635
内部監査 internal audit 634
内部寄生動物 entozoon 404
内副子 contact splint 280
内腹斜筋 internal oblique muscle 634
内部線量 internal dose 634
内部倍数性 endopolyploidy 398
内部描写 internal representation 635
内分泌 incretion 613
内分泌医 endocrinologist 396
内分泌学 endocrinology 396
内分泌学者 endocrinologist 396
内分泌系 endocrine system 396
内分泌障害 endocrinopathy 396
内分泌腺 endocrine glands 396
内分泌物 endocrine 396
内分泌物 incretion 613
内閉鎖筋 internal obturator muscle 634
内閉鎖筋 obturator internus muscle 849
内閉性 dereism 332
内ヘルニア entocele 404
内包 internal capsule 634
内方捻転 intorsion 640
内方発育毛 ingrown hair 623
内翻 introversion 643
内翻位 entypy 404
内膜 tunica intima 1238
内膜増殖症 endometrial hyperplasia 397
内膜剥離術 endometrial ablation 397
内面層 tapetum 1179
内網膜 entoretina 404
内容 content 280
内容〔物〕 content 280
内容除去〔術〕 exenteration 427
内容分析 content analysis 281
内リンパ endolymph 396
内リンパ管 endolymphatic duct 397
内リンパ腔電位 endocochlear potential 396
内リンパ憩室 endolymphatic diverticulum 396
内リンパ水腫 endolymphatic hydrops 397
内リンパ嚢 endolymphatic sac 397
内リンパ嚢開放術 endolymphatic shunt operation 397
内リンパ嚢手術 endolymphatic sac surgery 397
内リンパ付属器 endolymphatic appendage 396
内瘻 internal fistula 634
内肋間筋 internal intercostal muscle 634
内弯 inflection 621
内弯症 inflection 621
長さ length 689
中西染色〔法〕 Nakanishi stain 810
流れ flow 464
「投げ出し」防止法 antidumping law 80
ナジオン nasion 812
ナタール潰瘍 Natal sore 813
ナチュラルキラー細胞 natural killer (NK) cells 814
ナックルパッド knuckle pads 669
ナツシロギク feverfew 450
ナッセの法則 Nasse law 813
ナツメヤシ腫 date boil 316
NATO コード NATO code 814
ナトリウム-カリウムポンプ sodium-potassium pump 1113
ナトリウム血〔症〕 natremia 814
ナトリウム排泄増加 natriuresis 814
ナトリウム排泄増加薬 natriuretic 814
ナトリウムポンプ sodium pump 1113
ナビゲーターエコー navigator echo 815
ナフジガー手術 Naffziger operation 810
ナフトールイエローS naphthol yellow S 811
ナボット嚢胞 nabothian cyst 810
なまず tinea versicolor 1205
鉛中毒 lead poisoning 685
鉛中毒 plumbism 949
鉛脳症 lead encephalopathy 685

鉛脳障害 lead encephalopathy 685
波 wave 1286
涙 tear 1181
ナルコーシス narcosis 811
ナルコレプシー narcolepsy 811
ナルシシスム narcissism 811
慣れ habituation 525
縄編み針 double pointed needle 362
縄張り性 territoriality 1189
軟化〔症〕 malacia 726
軟塊化 pulpifaction 1004
南京虫 bedbug 143
軟鶏眼 soft corn 1113
軟〔性〕結節 soft tubercle 1114
軟膏〔剤〕 ointment 855
軟膏〔剤〕 salve 1070
軟口蓋 soft palate 1113
軟口蓋挙上装置 palatal lift 885
軟口蓋麻痺 palatoplegia 886
軟硬口蓋裂 uranostaphyloschisis 1249
軟膏塗擦 unction 1246
軟骨 cartilage 207
軟骨異栄養症 chondrodystrophy 236
軟骨異形成〔症〕 chondrodysplasia 236
軟骨炎 chondritis 236
軟骨化 chondrification 236
軟骨外生 ectostosis 378
軟骨外胚葉性異形成 chondroectodermal dysplasia 237
軟骨芽細胞 chondroblast 236
軟骨芽細胞腫 chondroblastoma 236
軟骨化中心 chondrification center 236
軟骨基質 cartilage matrix 207
軟骨吸収細胞 chondroclast 236
軟骨形成 chondrogenesis 237
軟骨形成異常〔症〕 chondrodystrophy 236
軟骨形成異常性小人症 chondrodystrophic dwarfism 236
軟骨形成不全〔症〕 chondrodysplasia 236
軟骨形成不全症 achondroplasia 12
軟骨結合 synchondrodial joint 1171
軟骨結合 synchondrosis 1171
軟骨結合切開〔術〕 synchondroseotomy 1171
軟骨結合切開〔術〕 synchondrotomy 1171
軟骨骨折 chondral fracture 236
軟骨細胞 chondrocyte 236
軟骨疾患 chondropathy 237
軟骨腫 chondroma 237
軟骨腫〔症〕 chondromatosis 237
〔真性〕軟骨腫 enchondroma 394
〔真性〕軟骨腫症 enchondromatosis 394
軟骨小窩 cartilage space 207
軟骨小腔 cartilage lacuna 207
〔軟骨〕小腔周囲基質 territorial matrix 1189
軟骨小結節 Schmorl nodule 1078
軟骨〔内〕性骨 endochondral bone 396
軟骨整復術 chondroplasty 237
軟骨性連結 cartilaginous joint 207
軟骨切開〔術〕 chondrotomy 237
軟骨石灰化〔症〕 chondrocalcinosis 236
軟骨切除〔術〕 chondrectomy 236
軟骨粗化 chondroporosis 237
軟骨粗鬆症 chondroporosis 237
軟骨椎体 chondromere 237
軟骨頭蓋 chondrocranium 236
軟骨内骨化 endochondral ossification 396
軟骨軟化〔症〕 chondromalacia 237
軟骨肉腫 chondrosarcoma 237
軟骨粘液線維腫 chondromyxoid fibroma 237
軟骨発育不全〔症〕 dyschondrogenesis 370
軟骨包 cartilage capsule 207
軟骨膜 perichondrium 914
軟骨膜炎 perichondritis 914
軟骨膜骨 perichondral bone 914
軟骨無形成症 achondroplasia 12
軟骨無発生症 achondrogenesis 12
軟骨毛髪形成不全〔症〕 cartilage-hair hypoplasia 207
軟骨融解 chondrolysis 237
軟骨様組織 chondroid tissue 237
軟骨瘤 chondrophyte 237
難産 dystocia 372
軟髄膜 leptomeninges 690
軟性下疳 chancroid 226
軟性下疳菌 *Haemophilus ducreyi* 527
軟性ドルーゼン soft drusen 1113
軟性内視鏡 flexible endoscope 461
ナンセンス nonsense 839
ナンセンスコドン nonsense triplet 839
ナンセンストリプレット nonsense triplet 839
軟属腫 molluscum 779
難聴 deafness 317
難聴 hearing impairment 536
軟部組織治療 soft tissue therapy 1114
軟部肥厚症 pachysomia 884
軟膜 buffy coat 182
〔広義の〕軟膜 leptomeninges 690
軟膜 pia mater 936
軟膜炎 leptomeningitis 690
軟毛 pubescence 1001
軟毛 vellus 1265
軟疣 molluscum 779

ニ

ニアーのインピジメント徴候 Neer impingement sign 817
ニータブーフ膜 Nitabuch membrane 834
ニードルレスシステム needleless system 817
ニーマン-ピック病 Niemann-Pick C1 disease（NPC） 833
ニーマン病脾腫 Niemann splenomegaly 833
二陰茎体 diphallus 349
二円盤状胎盤 bidiscoidal placenta 150
におい odor 854
におい smell 1111
においかぎ試験 sniff test 1112
二価〔性〕 bivalence 158
二価アルコール dihydric alcohol 347
二階段運動試験 two-step exercise test 1239
二核アメーバ *Dientamoeba fragilis* 344
二核アメーバ症 dientamoebiasis 344
二価元素 dyad 368
二果骨折 bimalleolar fracture 152
二価染色体 bivalent 158
二価染色体 bivalent chromosome 158
II 型家族性高リポ蛋白血〔症〕 type II familial hyperlipoproteinemia 1241
2 型糖尿病 Type 2 diabetes 1241
にがよもぎ協会 Hemlock Society 545
二管腔カテーテル double-channel catheter 362
二基質-二産物反応 bi bi reaction 149
二期梅毒 secondary syphilis 1086
ニキビダニ症 demodicosis 327
ニキフォーロフ法 Nikiforoff method 833
握りこぶし徴候 clenched fist sign 249
握り反射 grasping reflex 516
二腔心 cor biloculare 285
肉眼解剖学 gross anatomy 519
肉眼〔的〕検査 macroscopy 723
肉芽 granulation 514
肉芽 proud flesh 992
肉芽化 granulation 514
肉芽腫 granuloma 515
肉芽腫〔性〕炎症 granulomatous inflammation 516
肉芽腫症 granulomatosis 515
肉芽腫性結腸炎 granulomatous colitis 515
肉芽腫性口唇炎 cheilitis granulomatosa 227
肉芽腫性大腸炎 granulomatous colitis 515
肉芽腫性脳脊髄炎 granulomatous encephalomyelitis 516
肉芽性炎 granulomatous inflammation 516
肉芽組織 granulation tissue 514
肉腫 sarcoma 1072

肉腫症 sarcomatosis 1072
肉体 body 165
肉体的要求度 physical demand level 934
肉柱 trabeculae carneae (of right and left ventricles) 1214
ニクバエ flesh fly 460
ニグロシン nigrosin 833
2形質性 biphenotypy 156
二形性 dimorphism 348
二型性 dimorphism 348
二原子価 bivalence 158
二元説 dualism 366
二項式 binomial 152
二項分布 binomial distribution 152
ニコチン nicotine 832
ニコチンアミド nicotinamide 832
ニコチンアミドアデニンジヌクレオチド nicotinamide adenine dinucleotide (NAD) 832
ニコチンアミドアデニンジヌクレオチドリン酸 nicotinamide adenine dinucleotide phosphate (NADP) 832
ニコチンアミドモノヌクレオチド nicotinamide mononucleotide (NMN) 832
ニコチン酸 nicotinic acid 833
濁り turbidity 1238
濁り度 turbidity 1238
ニコル莢膜染色〔法〕 Nicolle stain for capsules 832
ニコルスキー徴候 Nikolsky sign 833
二酸化炭素 carbon dioxide (CO_2) 198
二酸化炭素結合能 carbon dioxide combining power 198
二次過程 secondary process 1086
二次気管支芽 secondary bronchial buds 1085
二指奇形 didactylism 344
二次救命処置 advanced cardiac life support (ACLS) 30
二軸〔性〕関節 biaxial joint 149
二次元-三次元現象 two-dimension-three-dimension phenomenon 1239
二次口蓋 secondary palate 1086
二指症 bidactyly 150
二次〔性〕障害 deuteropathy 338
二次ずれ secondary deviation 1085
二次性結核 secondary tuberculosis 1086
二次性月経困難〔症〕 secondary dysmenorrhea 1085
二次性構音障害 secondary stuttering 1086
二次性高血圧 secondary hypertension 1085
二次性消化 secondary digestion 1085
二次性痴呆 secondary dementia 1085
二次性徴 secondary sex characters 1086
二次性副腎皮質不全 secondary adrenocortical insufficiency 1084
二次性分利 epicrisis 406
二次性欲求 secondary drives 1085
二次性利得 secondary gain 1085
二次〔的〕治癒 healing by second intention 535
二次治癒 second intention 1086
二次的爆傷 secondary blast injury 1085
西ナイルウイルス West Nile virus 1289
西ナイル熱 West Nile fever 1289
二次培養 subculture 1152
二次不分離 secondary nondisjunction 1085
二次偏位 secondary deviation 1085
二次放射線 secondary radiation 1086
二次飽和 secondary saturation 1086
二次麻酔薬 secondary anesthetic 1085
二次免疫応答 secondary immune response 1085
二重 duplication 367
二重頤 buccula 182
二重異型接合体 diheterozygote 347
21トリソミー症候群 trisomy 21 syndrome 1231
二重エネルギーX線吸収測定法 dual-energy x-ray absorptiometry (DEXA) 365
二重エネルギーX線吸収法 dual x-ray absorptiometry (DXA) 366
二重管カテーテル double-channel catheter 362
二重期 diplotene 350
二重結合 double bond 362
二重項 doublet 362
二重視 ambiopia 50
二重視 diplopia 350
二重上転麻痺 double elevator palsy 362
二重焦点レンズ bifocal lens 150
二重人格 dual personality 366
二重声 diplophonia 350
二重制御型人工呼吸 dual-controlled ventilation 365
二重積 double product 362
二重脊髄〔症〕 diplomyelia 350
二重染料 double stain 362
二重造影注腸 double contrast enema 362
二重聴 diplacusis 350
二重標識水 doubly labeled water 362
二重マスク試験 double-masked experiment 362
二重マスク法 double blind experiment 362
二重脈 bigeminal pulse 151
二重脈 dicrotic pulse 344
二重盲検試験 double-masked experiment 362
二重盲検法 double blind experiment 362
二絨毛膜二羊膜胎盤 dichorionic diamnionic placenta 344
二重らせん糸 dispireme 354
二重リングサイン double ring sign 362
二重レンズ doublet 362
二色型色覚 dichromatism 344
二色性 dichromatism 344
二次予防看護 secondary preventive nursing 1086
二次卵母細胞 secondary oocyte 1085
二次リソソーム secondary lysosomes 1085
二心室症 biventriculare 158
二進数 binary digit 152
二心臓体 diplocardia 350
二数字並記法歯式 F.D.I. dental nomenclature 446
二精子受精 dispermy 354
II相遮断 phase II block 926
二炭素フラグメント two-carbon fragment 1239
二段歩行 double step gait 362
二段脈 bigeminal pulse 151
二段脈 bigeminal rhythm 151
二段脈 bigeminy 151
2段脈の法則 rule of bigeminy 1064
日常生活動作 activities of daily living (ADL) 19
日常生活動作スケール activities of daily living scale 19
日常生活動作目盛り activities of daily living scale 19
日没現象 sundowning 1159
ニック法 Nick procedure 832
日光〔性〕角化症 actinic keratosis 17
日光口唇炎 solar cheilitis 1114
日光じんま疹 solar urticaria 1114
日光性脳炎 heliencephalitis 539
日光阻止因子 sun protection factor (SPF) 1159
日光弾力線維症 solar elastosis 1114
日光肉芽腫 actinic granuloma 17
日光〔浴〕療法 heliotherapy 539
日射病 sunstroke 1159
ニッスル染色〔法〕 Nissl stain 834
ニッスル物質 Nissl substance 834
ニッセン胃底ひだ形成〔術〕 Nissen fundoplication 834
ニッチ niche 832
ニット nit 834
二頭筋反射 biceps reflex 149
二糖類 disaccharide 351
II度星状細胞腫 grade II astrocytoma 513
II度熱傷 second-degree burn 1086
ニトリル nitrile 834
ニトリル nitryl 835
ニトロゲナーゼ nitrogenase 834
ニトロサミン nitrosamines 835
ニトロシル nitrosyl 835
ニトロ染料 nitro dyes 834
ニトロフラントイン nitrofurantoin 834
ニトロプルシド試験 nitroprusside test 835
二の腕 brachium 171
ニパーウイルス Nipah virus 833
二杯〔分尿〕試験 two-glass test 1239
二倍性 diploidy 350
二倍体 diploid 350
ニブ nib 832
二腹筋 digastric muscle 346

二腹筋窩 digastric fossa ··· 346
二分喉頭蓋 bifid epiglottis ··· 150
二分脊椎 spina bifida ··· 1124
二分脊椎 spondyloschisis ··· 1130
二分染色体 dyad ··· 368
二分頭蓋 cranioschisis ··· 295
二分裂 binary fission ··· 152
二弁切断〔術〕 double flap amputation ··· 362
二房関節 bilocular joint ··· 152
二峰性脈 bisferious pulse ··· 157
二峰性脈 pulsus bisferiens ··· 1005
日本紅斑熱 Japanese spotted fever ··· 654
日本住血吸虫 *Schistosoma japonicum* ··· 1077
日本住血吸虫症 schistosomiasis japonica ··· 1077
日本脳炎 Japanese B encephalitis ··· 654
日本脳炎B型ウイルス Japanese B encephalitis virus ··· 654
二名法 binomial ··· 152
2名法 binomial nomenclature ··· 152
ニューカッスル病 Newcastle disease ··· 831
ニューカマー固定液 Newcomer fixative ··· 831
ニュートリゲノミクス nutrigenomics ··· 846
ニュートロン neutron ··· 830
ニュートン newton ··· 832
ニュートン円板 Newton disc ··· 832
ニュートンの法則 Newton law ··· 832
ニュートン万有引力定数 newtonian constant of gravitation (G) ··· 832
ニューハンプシャー法〔則〕 New Hampshire rule ··· 831
ニューモシスティスジロベチー *Pneumocystis jiroveci* ··· 950
ニューモシスティスジロベチー肺炎 *Pneumocystis jiroveci* pneumonia ··· 950
ニューヨークウイルス New York virus ··· 832
ニューヨーク心臓協会の心機能分類 New York Heart Association classification ··· 832
ニューラプラクシー neurapraxia ··· 825
ニューログラム neurogram ··· 826
ニューロテンシン neurotensin ··· 829
ニューロパシー neuropathy ··· 829
ニューロフィシン neurophysins ··· 829
ニューロミオパシー neuromyopathy ··· 828
ニューロン neuron ··· 828
ニューロン炎 neuronitis ··· 828
ニューロン障害 neuronopathy ··· 828
ニューロン特異性エノラーゼ neuron-specific enolase ··· 828
入院 hospitalization ··· 572
入院受け入れ医師 admitting physician ··· 28
入院患者 inpatient ··· 626
入院患者に対するマナー bedside manner ··· 143
入院記録 hospital record ··· 572
入院時診断 admitting diagnosis ··· 28
乳痂 cradle cap ··· 294
乳痂 crusta lactea ··· 301
乳化剤 emulsifier ··· 393
乳管 galactophore ··· 483
乳管 lactiferous ducts ··· 674
乳癌 carcinoma of the breast ··· 200
乳管炎 galactophoritis ··· 483
乳管拡張〔症〕 mammary duct ectasia ··· 729
乳管洞 lactiferous sinus ··· 674
乳球 globule ··· 501
乳香 olibanum ··· 856
乳剤 cream ··· 295
乳剤 emulsion ··· 393
乳剤 milk ··· 772
乳酸 lactic acid ··· 674
乳酸塩閾値 lactate threshold ··· 674
乳酸加リンゲル〔溶〕液 lactated Ringer solution ··· 674
乳酸血〔症〕 lactic acidemia ··· 674
乳酸スクアラミン squalamine lactate ··· 1133
乳酸性作業閾値 lactate threshold ··· 674
乳酸デヒドロゲナーゼ lactate dehydrogenase (LDH) ··· 674
乳酸デヒドロゲナーゼウイルス lactate dehydrogenase virus 674
乳酸パラドックス lactate paradox ··· 674
乳脂 cream ··· 295
乳歯 deciduous tooth ··· 319
乳歯 milk tooth ··· 772
乳歯 temporary tooth ··· 1185
乳児 baby ··· 129
乳児 infant ··· 616
乳児壊疽性皮膚炎 dermatitis gangrenosa infantum ··· 333
乳児壊血病 infantile scurvy ··· 617
乳児型神経軸索ジストロフィ infantile neuroaxonal dystrophy ··· 617
乳児期 infancy ··· 616
乳児期甲状腺機能低下症 infantile hypothyroidism ··· 617
乳児黒色神経外胚葉腫 melanotic neuroectodermal tumor of infancy ··· 749
乳児骨軟化症 infantile osteomalacia ··· 617
乳児肢端膿疱症 infantile acropustulosis ··· 616
乳児湿疹 infantile eczema ··· 616
乳児脂肪 baby fat ··· 129
乳児死亡率 infant mortality rate ··· 617
乳児進行性脳灰白異栄養〔症〕 poliodystrophia cerebri progressiva infantilis ··· 953
乳児脊髄性筋萎縮〔症〕 infantile spinal muscular atrophy ··· 617
乳児先端膿疱症 infantile acropustulosis ··· 616
乳児突然死症候群 sudden infant death syndrome (SIDS) ··· 1157
乳児剥脱性皮膚炎 dermatitis exfoliativa infantum ··· 333
乳児発達についてのベイリー尺度 Bayley scale of infant development ··· 142
入射〔角〕 incidence ··· 611
入射光点 incident point ··· 612
乳汁 milk ··· 772
乳汁〔分泌〕過少 hypogalactia ··· 593
乳汁〔分泌〕過少〔症〕 oligogalactia ··· 856
乳汁〔分泌〕過多〔症〕 hypergalactosis ··· 584
乳汁過多〔症〕 polygalactia ··· 956
乳汁形成 galactosis ··· 484
乳汁〔分泌〕減少 hypogalactia ··· 593
乳汁産生 galactopoiesis ··· 483
乳汁産生 lactogenesis ··· 674
乳汁分泌 lactation ··· 674
乳汁分泌欠如 agalactia ··· 34
乳汁分泌不全 agalactorrhea ··· 34
乳汁漏出〔症〕 galactorrhea ··· 483
乳状液 milk ··· 772
乳児良性ミオクロ〔ー〕ヌス benign infantile myoclonus ··· 145
乳腺 mammary gland ··· 729
乳腺萎縮 mastatrophy ··· 735
乳腺炎 mastadenitis ··· 735
乳腺炎 mastitis ··· 735
乳腺下乳腺炎 submammary mastitis ··· 1153
乳腺腫 mastadenoma ··· 735
乳腺出血 mastorrhagia ··· 736
乳腺症 mastopathy ··· 736
乳腺髄様癌 medullary carcinoma of breast ··· 746
乳腺線維嚢胞症 fibrocystic breast disease ··· 452
乳腺堤 mammary crest ··· 729
乳腺嚢胞 galactocele ··· 483
乳腺肥大 hypermastia ··· 585
乳濁液 emulsion ··· 393
乳濁質 emulsoid ··· 393
乳糖 lactose ··· 675
乳糖 milk sugar ··· 772
乳頭 mammilla ··· 729
乳頭 nipple ··· 834
乳頭 papilla ··· 891
乳頭炎 mammillitis ··· 729
乳頭炎 papillitis ··· 892
乳頭下層血管網 rete subpapillare ··· 1044
乳頭管 papillary ducts ··· 892
乳頭〔状〕癌 papillocarcinoma ··· 892
乳頭嵌凹比 cup:disc ratio ··· 305
乳頭間隆起 rete ridge ··· 1044
乳頭筋 papillary muscle ··· 892
乳頭形成〔術〕 mammillaplasty ··· 729
乳頭腫 papilloma ··· 892
乳頭腫症 papillomatosis ··· 892
乳頭出血 thelorrhagia ··· 1193
乳頭状癌 papillary carcinoma ··· 891
乳頭状汗腺腫 papillary hidradenoma ··· 892
乳頭状状態 mammillation ··· 729

乳頭状腺癌 papillary adenocarcinoma …… 891
乳頭状突起 mammillation …… 729
乳頭状囊〔胞〕状腺腫 papillary cystic adenoma …… 891
乳頭水腫 papilledema …… 892
乳頭切開〔術〕 papillotomy …… 892
乳頭切除〔術〕 papillectomy …… 892
乳頭線 mammillary line …… 729
乳頭腺囊腫 papilloadenocystoma …… 892
乳頭体 corpus mammillare …… 288
乳頭体 mammillary body …… 729
乳糖尿〔症〕 lactosuria …… 675
乳頭浮腫 papilledema …… 892
乳糖不耐症 lactose intolerance …… 675
乳頭帽 nipple shield …… 834
乳頭網膜炎 papilloretinitis …… 892
乳頭網膜炎 retinopapillitis …… 1047
乳頭隣接脈絡網膜炎 retinochoroiditis juxtapapillaris …… 1046
乳〔様〕突炎 mastoiditis …… 736
乳突蓋 tegmen mastoideum …… 1182
乳〔様〕突開放術 mastoidectomy …… 736
乳〔様〕突起炎 mastoiditis …… 736
乳〔様〕突起開放術 mastoidectomy …… 736
乳〔様〕突起洞 mastoid antrum …… 736
乳突孔 mastoid foramen …… 736
乳〔様〕突削開術 mastoidectomy …… 736
乳突小管 mastoid canaliculus …… 736
乳突上稜 supramastoid crest …… 1164
乳突切除〔術〕 mastoidectomy …… 736
乳〔様〕突洞 mastoid antrum …… 736
乳突洞開口〔術〕 antrostomy …… 84
乳突洞削開〔術〕 antrotomy …… 84
乳突板 mastoid cortex …… 736
乳突蜂巣 mastoid air cells …… 736
乳熱 milk fever …… 772
乳白色ぞうげ質 opalescent dentin …… 861
乳鉢 mortar …… 785
乳皮 cream …… 295
乳び chyle …… 243
乳び化 chylopoiesis …… 243
乳び管 lacteal …… 674
乳び管腫 chylangioma …… 243
乳び気胸〔症〕 chylopneumothorax …… 243
乳び胸〔症〕 chylothorax …… 243
乳び腔 lacteal …… 674
乳び血〔症〕 chylemia …… 243
乳び血〔症〕 chylomicronemia …… 243
乳び血尿 hematochyluria …… 541
乳び欠乏〔症〕 achylia …… 12
乳び縦隔症 chylomediastinum …… 243
乳び心膜〔症〕 chylopericardium …… 243
乳び性陰嚢水瘤 chylocele …… 243
乳び生成 chylopoiesis …… 243
乳び生成機能 chylosis …… 243
乳び性腹水 chylous ascites …… 243
乳び尿〔症〕 chyluria …… 243
乳び瘻 chyle fistula …… 243
乳房 breast …… 173
乳棒 pestle …… 922
乳房X線像 mammogram …… 729
乳房炎 mastitis …… 735
乳房外パジェット病 extramammary Paget disease …… 436
乳房下垂〔症〕 mastoptosis …… 736
乳房下部の折り目 inframammary fold (IMF) …… 621
乳房形成〔術〕 mammoplasty …… 729
乳房形成用異物 breast implant …… 174
乳房固定〔術〕 mastopexy …… 736
乳房再建〔術〕 reconstructive mammaplasty …… 1028
乳房撮影〔法〕 mammography …… 729
乳房自己診断 breast self-examination (BSE) …… 174
乳房縮小形成〔術〕 reduction mammaplasty …… 1032
乳房腫脹 mastoncus …… 736
乳房出血 thelorrhagia …… 1193
乳房成形術 mastoplasty …… 736
乳房切開〔術〕 mastotomy …… 736
乳房切除〔術〕 mastectomy …… 735
乳房造影図 mammogram …… 729
乳房増大〔術〕 augmentation mammaplasty …… 119
乳房痛 mastodynia …… 736
乳房提靱帯 suspensory ligaments of breast …… 1167
乳房発育開始 thelarche …… 1193
乳房肥大 mastoplasia …… 736
乳房不同 anisomastia …… 71
乳房矮小〔症〕 hypomastia …… 594
入眠〔時〕幻覚 hypnagogic hallucination …… 590
乳幼児特発性高カルシウム血〔症〕 idiopathic hypercalcemia of infants …… 602
乳幼児突発性危急事態 apparent life-threatening event (ALTE) …… 90
乳様突起 mastoid process …… 736
入浴そう痒〔症〕 bath pruritus …… 141
乳瘤 galactocele …… 483
乳輪 areola of breast …… 94
乳輪静脈叢 areolar venous plexus …… 94
乳輪腺 areolar glands …… 94
乳房腫脹 breast engorgement …… 174
乳房囊胞病 cystic disease of the breast …… 310
尿 urine …… 1252
尿意 micturition …… 770
尿意 uresiesthesia …… 1250
尿意緊迫 urgency …… 1252
尿意促迫 urgency …… 1252
尿カテーテル検体 catheter specimen of urine (CSU) …… 210
尿管 ureter …… 1250
尿汗〔症〕 uridrosis …… 1252
尿管位置異常 ureteral ectopia …… 1250
尿管炎 ureteritis …… 1250
尿管回腸吻合〔術〕 ureteroileal anastomosis …… 1250
尿管回腸吻合〔術〕 ureteroileostomy …… 1250
尿管回腸〔新〕膀胱吻合〔術〕 ureteroileoneocystostomy …… 1250
尿管拡張〔症〕 ureterectasia …… 1250
〔分別〕尿管カテーテル検査 differential ureteral catheterization test …… 345
尿管化膿症 ureteropyosis …… 1251
尿管間ひだ interureteric fold …… 638
尿管形成〔術〕 ureteroplasty …… 1251
尿管結石症 ureterolithiasis …… 1250
尿管結石切除〔術〕 ureterolithotomy …… 1250
尿管結腸移植〔術〕 ureterocolostomy …… 1250
尿管結腸吻合〔術〕 ureterocolostomy …… 1250
尿管口 ureteric orifice …… 1250
尿管撮影〔法〕 ureterography …… 1250
尿管周囲炎 periureteritis …… 919
尿管出血 ureterorrhagia …… 1251
尿管授動〔術〕 ureterolysis …… 1250
尿管腎盂形成〔術〕 ureteropyeloplasty …… 1251
尿管腎盂撮影〔法〕 ureteropyelography …… 1251
尿管腎盂腎炎 ureteropyelitis …… 1251
尿管腎盂吻合〔術〕 ureteropyelostomy …… 1251
尿管腎逆流 ureterorenal reflux …… 1251
尿管切開〔術〕 ureterotomy …… 1251
尿管切除〔術〕 ureterectomy …… 1250
尿管切石〔術〕 ureterolithotomy …… 1250
尿管造影〔法〕 ureterography …… 1250
尿管造瘻術 ureterostomy …… 1251
尿管蓄膿 pyoureter …… 1011
尿管腸吻合〔術〕 ureteroenterostomy …… 1250
尿管痛 ureteralgia …… 1250
尿管二部吻合〔術〕 ureteroureterostomy …… 1251
尿管尿管吻合〔術〕 ureteroureterostomy …… 1251
尿管フィステル形成〔術〕 ureterostomy …… 1251
尿管縫合〔術〕 ureterorrhaphy …… 1251
尿管膀胱鏡 ureterocystoscope …… 1250
尿管膀胱形成術 ureterocystoplasty …… 1250
尿管膀胱接合部 ureterovesical junction …… 1251
尿管膀胱吻合〔術〕 ureterocystostomy …… 1250
尿管膀胱吻合〔術〕 ureteroneocystostomy …… 1250
尿管膀胱吻合〔術〕 ureterovesicostomy …… 1251
尿管瘤 ureterocele …… 1250
尿管瘤縫合〔術〕 ureterocelorraphy …… 1250
尿胸 urothorax …… 1254
尿検査 urinalysis …… 1252
尿検査 uroscopy …… 1254

尿砂 gravel ……517
尿砂 urinary sand ……1252
尿細管壊死 tubulorrhexis ……1237
尿細管間質性腎炎 tubulointerstitial nephritis ……1237
尿細管最大輸送量 transport maximum (Tm) ……1220
尿細管糸球体フィードバック tubuloglomerular feedback ……1237
尿細管性アシドーシス renal tubular acidosis ……1038
尿細管わな nephronic loop ……820
尿酸 uric acid ……1252
尿酸塩血〔症〕 uratemia ……1249
尿酸塩症 uratosis ……1249
尿酸オキシダーゼ urate oxidase ……1249
尿酸過剰血〔症〕 hyperuricemia ……590
尿酸〔性〕関節炎 urarthritis ……1249
尿酸血〔症〕 uratemia ……1249
尿産生 uropoiesis ……1253
尿酸〔塩〕尿 uraturia ……1249
尿酸尿 uricosuria ……1252
尿酸分解 uricolysis ……1252
尿生殖隔膜 urogenital diaphragm ……1253
尿生殖道 urogenital canal ……1253
尿生殖ひだ urogenital folds ……1253
尿生殖腹膜 urogenital peritoneum ……1253
〔泌〕尿生殖隆線 urogenital ridge ……1253
尿〔浸潤〕性水腫 uredema ……1250
二様性胎盤 bilobate placenta ……152
二葉性の経胸腔除細動 biphasic transthoracic defibrillation ……156
尿〔浸潤〕性浮腫 uredema ……1250
尿性卵胞性刺激ホルモン urofollitropin ……1253
尿〔結〕石 urinary calculus ……1252
尿石症 urolithiasis ……1253
尿素 urea ……1249
尿素回路 urea cycle ……1249
尿素クリアランス urea clearance ……1249
尿素形成 ureagenesis ……1249
尿素生成 ureapoiesis ……1250
尿素霜 urea frost ……1249
尿素窒素 urea nitrogen ……1250
尿窒素 urinary nitrogen ……1252
尿貯留 uroschesis ……1253
尿道 urethra ……1251
尿道 urogenital canal ……1253
尿道炎 urethritis ……1251
尿道海綿体 corpus spongiosum penis ……288
尿道拡張器 divulsor ……357
尿道括約筋 sphincter muscle of urethra ……1123
尿道下裂 hypospadias ……596
尿道球 bulb of penis ……183
尿道球炎 bulbitis ……183
尿道球腺 bulbourethral gland ……183
尿道球動脈 artery of bulb of penis ……102
尿道鏡 urethroscope ……1251
尿道鏡検査〔法〕 urethroscopy ……1252
尿道狭窄〔症〕 urethrostenosis ……1252
尿道形成〔術〕 urethroplasty ……1251
尿道痙攣 urethrism ……1251
尿道痙攣 urethrospasm ……1252
尿道血漏 urethrostaxis ……1252
尿道溝 urethral groove ……1251
尿道口鏡検査〔法〕 meatoscopy ……740
〔外〕尿道口切開〔術〕 meatotomy ……740
尿道口縫合〔術〕 meatorrhaphy ……740
尿道索 chordee ……238
尿道周囲炎 periurethritis ……919
尿道舟状窩 navicular fossa of urethra ……815
尿道出血 urethremorrhagia ……1251
尿道出血 urethrorrhagia ……1251
尿道小丘 urethral caruncle ……1251
尿道上裂 epispadias ……411
尿道性血尿 urethral hematuria ……1251
尿道切開〔術〕 urethrotomy ……1252
尿道切除〔術〕 urethrectomy ……1251
尿道腺 urethral glands ……1251
尿道造瘻術 urethrostomy ……1252
尿道脱 urethrocele ……1251
尿道膣瘻 urethrovaginal fistula ……1252
尿道痛 urethralgia ……1251
尿道動脈 urethral artery ……1251
尿道乳頭 urethral papilla ……1251
尿道乳頭腫 urothelial papilloma ……1254
尿道ひだ urethral folds ……1251
尿道皮膚瘻 urethrocutaneous fistula ……1251
尿道フィステル形成〔術〕 urethrostomy ……1252
尿道弁 urethral valves ……1251
尿道傍管 paraurethral ducts ……898
尿道縫合〔術〕 urethrorrhaphy ……1251
尿道膀胱角 urethrovesical angle ……1252
尿道膀胱計検査〔法〕 urethrocystometry ……1251
尿道膀胱固定術 urethrovesicopexy ……1252
尿道瘤 urethrocele ……1251
尿道稜 urethral crest ……1251
尿道漏 urethrorrhea ……1251
尿毒症 uremia ……1250
尿毒症性昏睡 uremic coma ……1250
尿毒症性霜 urea frost ……1249
尿嚢 allantois ……43
尿嚢腫 uroncus ……1253
尿嚢絨毛膜 allantochorion ……43
尿嚢柄 allantoic stalk ……43
尿比重計 urinometer ……1252
尿比重測定〔法〕 urinometry ……1252
尿閉 anuresis ……84
尿閉 ischuria ……649
尿閉 uroschesis ……1253
尿崩症 diabetes insipidus (DI) ……340
尿膜 allantois ……43
尿膜管 urachus ……1249
尿膜管膿瘍 pyourachus ……1011
尿膜腔液 allantoic fluid ……43
尿膜血管癒合双生児 allantoidoangiopagous twins ……43
尿膜嚢胞 allantoic vesicle ……43
尿膜柄 allantoic stalk ……43
尿瘤 urinoma ……1252
尿量減少〔症〕 oliguria ……857
尿路 urinary tract ……1252
尿路感染症 urinary tract infection (UTI) ……1252
尿路結石 urinary calculus ……1252
尿路撮影〔法〕 urography ……1253
尿路疾患 uropathy ……1253
尿路上皮 urothelium ……1254
尿路上皮癌 urothelial carcinoma ……1254
尿路性敗血症 urosepsis ……1254
尿路造影〔法〕 urography ……1253
尿路変更術 urostomy ……1254
二卵〔性〕双生児 dizygotic twins ……357
二卵〔性〕双胎 dizygotic twins ……357
二量体 dimer ……348
二裂舌 bifid tongue ……150
2レベル陽圧気道圧法 bilevel positive airway pressure (BiPAP) ……151
二連脈 bigeminal rhythm ……151
二連脈 bigeminy ……151
二連脈 pulsus bigeminus ……1005
ニワトリ歩行 high-steppage gait ……563
ニワトリ歩行 steppage gait ……1139
任意寄生生物 facultative parasite ……440
任意交配 random mating ……1024
認可 certification ……223
人形の頭手技 doll's head maneuver ……359
人形の眼徴候 doll's eye sign ……359
人魚体奇形 sirenomelia ……1107
人間化 anthropomorphism ……78
人間嫌い misanthropy ……774
人間行為の関係論 ecology of human performance ……376
人間工学 ergonomics ……414
人間工学的職業評価 ergonomic job evaluation ……414
認識 cognition ……259
認識因子 recognition factors ……1028
認識向上 performance intensity ……913
認識左右差係数 cognitive laterality quotient ……259
認識左右差指数 cognitive laterality quotient ……259
認識〔力〕障害 dysgnosia ……370

認証人工呼吸療法士 Certified Respiratory Therapist (CRT) ‥ 223
認証標準物質 certified reference material (CRM) ………… 223
妊娠 pregnancy ……… 972
妊娠嘔吐 vomiting of pregnancy ……… 1283
妊娠悪阻 hyperemesis gravidarum ……… 583
妊娠回数 gravidity ……… 517
妊娠子宮 gravid uterus ……… 517
妊娠水腫 gestational edema ……… 497
妊娠性肝内胆汁うっ滞 intrahepatic cholestasis of pregnancy 641
妊娠性高血圧 gestational hypertension ……… 497
妊娠性黒皮症 melasma gravidarum ……… 749
妊娠性そう痒症 pruritus gravidarum ……… 993
妊娠性そう痒性丘疹 pruritic urticarial papules and plaques of pregnancy (PUPPP) ……… 993
妊娠性蛋白尿 gestational proteinuria ……… 497
妊娠線 striae gravidarum ……… 1148
妊娠中毒〔症〕 gestosis ……… 497
妊娠糖尿病 gestational diabetes mellitus (GDM) ……… 497
妊娠に伴う母体の徴候 presumptive signs of pregnancy ……… 976
妊娠の遺残分 retained products of conception ……… 1044
妊娠浮腫 gestational edema ……… 497
妊娠-分娩 child-bearing ……… 230
妊娠〔性〕ヘルペス herpes gestationis ……… 556
妊娠〔性〕疱疹 herpes gestationis ……… 556
妊娠誘発性高血圧 pregnancy-induced hypertension ……… 972
妊娠陽性徴候 positive signs of pregnancy ……… 962
妊娠を強く疑わせる徴候 probable signs of pregnancy ……… 980
人相 physiognomy ……… 935
人相学 physiognomy ……… 935
認知 cognition ……… 259
認知 percept ……… 911
認知 perception ……… 911
認知行動療法 cognitive behavioral therapy (CBT) ……… 259
認知障害症候群 impaired cognition syndrome ……… 609
認知の不協和 cognitive dissonance ……… 259
認知発達 cognitive development ……… 259
認知不能〔症〕 agnosia ……… 35
認知療法 cognitive therapy ……… 259
認定 accreditation ……… 9
ニンヒドリン ninhydrin ……… 833
ニンヒドリン反応 ninhydrin reaction ……… 833
妊婦 gravida ……… 517
任務志向防護態勢 mission-oriented protective posture (MOPP) ……… 774
妊孕期 fertile period ……… 449

ヌ

ヌークレオン nucleon ……… 843
ヌードセン仮説 Knudsen hypothesis ……… 669
ヌーナン症候群 Noonan syndrome ……… 839
糠 bran ……… 173
ヌカカ midge ……… 771
ヌクレアーゼ nuclease ……… 842
ヌクレオカプシド nucleocapsid ……… 843
ヌクレオシダーゼ nucleosidases ……… 843
ヌクレオシド nucleoside ……… 843
ヌクレオソーム nucleosome ……… 843
ヌクレオチジルトランスフェラーゼ nucleotidyltransferases 843
ヌクレオチダーゼ nucleotidases ……… 843
ヌクレオチド nucleotide ……… 843
ヌクレオヒストン nucleohistone ……… 843
沼地熱 mud fever ……… 789
沼地熱 swamp fever ……… 1168
ヌル細胞 null cells ……… 844

ネ

ネアーの緩衝メチレンブルー染色〔法〕 Nair buffered methylene blue stain ……… 810
寝汗 night sweats ……… 833
ネイマン-ピアソン検定 Neyman-Pearson test ……… 832
音色 timbre ……… 1204
ネーゲリ症候群 Naegeli syndrome ……… 810
ネーゲレ骨盤 Nägele pelvis ……… 810
ネーゲレの法則 Nägele rule ……… 810
ネーゲレ不正軸進入 Nägele obliquity ……… 810
ネーパー neper ……… 819
ネーバー式ポケット探針 Naber probe ……… 810
ネオプトリン neopterin ……… 819
ネオプレンスリーブ neoprene sleeve ……… 819
ネガティブエネルギーバランス negative energy balance ……… 817
ネガティブ窒素バランス negative nitrogen balance ……… 817
ネキシン nexins ……… 832
ネクサス nexus ……… 832
ネグリ〔小〕体 Negri bodies ……… 817
ネコ感染性貧血 feline infectious anemia (FIA) ……… 447
ネコ恐怖〔症〕 ailurophobia ……… 36
ネコ鉤虫 *Ancylostoma tubaeforme* ……… 63
ねこ背 humpback ……… 575
寝言 somniloquence ……… 1117
ねごと somniloquence ……… 1117
ネコ鳴き症候群 cri-du-chat syndrome ……… 298
ネコ引っ掻き病 catscratch disease (CSD) ……… 210
ネザートン症候群 Netherton syndrome ……… 824
ねじりモーメント torque (T) ……… 1210
ねじれ kink ……… 667
ねじれ torsion ……… 1210
ねじれ角 angle of torsion ……… 69
ネズミ歯摂子 mouse-tooth forceps ……… 787
ネズミチフス菌 *Salmonella enterica* serovar *typhimurium* ……… 1069
熱 fever ……… 450
熱 heat ……… 537
熱〔分〕解 pyrolysis ……… 1012
熱化学 thermochemistry ……… 1194
熱拡散 thermodiffusion ……… 1194
熱感 heat ……… 537
熱感覚 caumesthesia ……… 211
熱感覚過敏〔症〕 hyperthermalgesia ……… 589
熱眼振 caloric nystagmus ……… 192
熱関数量 enthalpy (*H*) ……… 403
熱凝固〔法〕 thermocoagulation ……… 1194
熱狂者 frenetic ……… 475
ネックレス necklace ……… 815
熱蛍光線量計 thermoluminescent dosimeter (TLD) ……… 1194
熱痙攣 heat cramps ……… 537
熱〔性〕紅斑 erythema caloricum ……… 415
熱散逸促進薬 thermolytic ……… 1194
熱産生 thermogenesis ……… 1194
熱産生物質 calorigenic ……… 192
熱射病 heatstroke ……… 537
捏揉運動 malaxation ……… 726
熱傷 burn ……… 185
熱傷 scald ……… 1073
熱傷口腔症候群 scalded mouth syndrome ……… 1073
熱消失 thermosteresis ……… 1194
熱ストレスインデックス heat stress index ……… 537
〔有〕熱性痙攣 febrile convulsion ……… 446
熱性せん妄 febrile delirium ……… 446
熱線流量計 hot-wire flow-measuring device ……… 572
熱走性 thermotaxis ……… 1194
熱像法 thermography ……… 1194
熱帯医学 tropical medicine ……… 1233
熱帯潰瘍 tropical ulcer ……… 1233
熱帯痤瘡 tropical acne ……… 1233
熱帯性好酸球増加〔症〕 tropical eosinophilia ……… 1233
熱帯性スプルー tropical sprue ……… 1233

熱帯性苔癬 tropical lichen 1233
熱帯熱マラリア falciparum malaria 441
熱帯熱マラリア原虫 *Plasmodium falciparum* 945
熱帯白斑性皮膚病 pinta 940
熱帯病 tropical diseases 1233
熱帯貧血 tropical anemia 1233
熱電子放出 thermionic emission 1193
熱電対 thermocouple 1194
熱剥奪 thermosteresis 1194
熱発生 thermogenesis 1194
熱ばて heat exhaustion 537
熱容量 heat capacity 537
熱力学 thermodynamics 1194
熱力関数 entropy (*S*) 404
熱量 calorie 192
熱量計 calorimeter 192
熱量刺激 caloric stimulation 192
熱量測定〔法〕 calorimetry 192
〔温〕熱療法 thermotherapy 1194
熱攣縮計 thermotonometer 1194
ネドクロミル nedocromil 816
ネプチューン帯 Neptune girdle 820
ネブライザ nebulizer 815
ネフローゼ nephrosis 820
ネフローゼ症候群 nephrotic syndrome 820
ネフログラム nephrogram 819
ネフロトモグラム nephrotomogram 820
ネフロパシー nephropathy 820
ネフロン nephron 820
ネフロンループ nephron loop 820
眠り sleep 1110
ネラトンカテーテル Nélaton catheter 818
ネラトン線 Nélaton line 818
ネリー徴候 Néri sign 820
練り粉化 levigation 696
ネルソン症候群 Nelson syndrome 818
ネルボン酸 nervonic acid 822
ネルンスト式 Nernst equation 820
粘液 mucus 789
粘液細胞 mucous cell 789
粘液細胞 myxocyte 809
粘液質 phlegm 928
粘液脂肪腫 myxolipoma 809
粘液腫 myxoma 809
粘液腫症 myxomatosis 809
粘液漿液性細胞 mucoserous cells 789
粘液水腫 myxedema 809
粘液水腫性苔癬 lichen myxedematosus 697
粘液性癌腫 mucinous carcinoma 788
粘液性結腸炎 mucous colitis 789
粘液生成 myxopoiesis 809
粘液性大腸炎 mucous colitis 789
粘液性膜性腸炎 mucomembranous enteritis 788
粘液腺 mucous gland 789
粘液栓 mucous plug 789
粘液線維腫 myxofibroma 809
粘液線維肉腫 myxofibrosarcoma 809
粘液腺腫 myxadenoma 809
粘液線毛輸送 mucociliary transport 788
粘液軟骨腫 myxochondroma 809
粘液軟骨線維肉腫 myxochondrofibrosarcoma 809
粘液肉腫 myxosarcoma 809
粘液乳頭型脳室上衣腫 myxopapillary ependymoma 809
粘液乳頭腫 myxopapilloma 809
粘液嚢腫 mucocele 788
粘液嚢腫 mucous cyst 789
粘液嚢胞 mucous cyst 789
粘液表層 mucus blanket 789
粘液分泌過多 phlegm 928
粘液分泌欠乏 amyxorrhea 59
粘液分泌欠乏〔症〕 myxasthenia 809
粘液分泌減退 hypomyxia 595
粘液様結合組織 mucous connective tissue 789
粘液瘤 mucocele 788
唸音 hum 573
粘滑薬 demulcent 327
粘滑薬 mucilage 788
捻挫 distortion 356
捻挫 sprain 1133
捻除 avulsion 126
燃焼 combustion 265
粘性率 viscosity 1278
粘素原 mucinogen 788
粘〔性〕蛋白 mucoprotein 789
粘着 adhesion 27
粘着性 adherence 26
粘着性 viscidity 1278
粘着末端 DNA sticky-ended DNA 1142
捻転 torsion 1210
〔歯軸〕捻転 torsiversion 1211
捻転胃虫症 hemonchiasis 548
捻転角 angle of torsion 69
捻転骨折 torsion fracture 1211
捻転変形 torsional deformity 1211
捻転毛 pili torti 938
粘〔稠〕度 viscosity 1278
捻髪音 crepitant rale 296
捻髪音 crepitation 296
粘膜 mucosa 789
粘膜下神経叢 submucosal plexus 1154
粘膜下組織 submucosa 1154
粘膜下組織 tela submucosa 1183
粘膜関連リンパ組織 mucosa-associated lymphoid tissue (MALT) 789
粘膜筋板 muscularis mucosae 795
粘膜骨膜 mucoperiosteum 788
粘膜固有層 lamina propria 676
粘膜疹 enanthem 393
粘膜線毛クリアランス率 mucociliary clearance rate 788
粘膜線毛清浄能 mucociliary clearance 788
粘膜抜去術 mucosectomy 789
粘膜波動 mucosal wave 789
粘膜皮膚移行部 mucocutaneous junction 788
念力 psychokinesis 999
年齢 age 34
年齢差別 ageism 34

ノ

ノイサー顆粒 Neusser granule 830
ノイバウアー動脈 Neubauer artery 824
ノイフェルト莢膜膨化 Neufeld capsular swelling 824
ノイマンの法則 Neumann law 824
ノイラミン酸 neuraminic acid 825
ノイローゼ neurosis 829
脳 brain 172
嚢 capsule 197
嚢 cistern 247
嚢 cyst 310
嚢 pouch 969
嚢 sac 1066
脳萎縮 encephalatrophy 393
脳エコー検査〔法〕 echoencephalography 376
脳炎 encephalitis 393
脳回過剰 polygyria 956
脳回欠損 agyria 36
脳回切除〔術〕 gyrectomy 523
脳回肥厚〔症〕 pachygyria 883
脳回裂隙症 schizogyria 1077
膿痂疹 impetigo 609
〔脳〕下垂体 hypophysis 595
〔脳〕下垂体炎 adenohypophysitis 25
脳下垂体性巨人症 pituitary gigantism 940
脳下垂体前葉向性腺ホルモン anterior pituitary gonadotropin 76
嚢下白内障 subcapsular cataract 1151
脳幹 brainstem 172
脳幹インプラント brainstem implant 172

脳幹神経節 basal ganglia ……… 137
脳幹聴性誘発電位 brainstem auditory evoked potential ……… 172
膿気肝炎 pyopneumohepatitis ……… 1010
膿気胸 pyopneumothorax ……… 1010
膿気心膜症 pyopneumopericardium ……… 1010
膿気性胆嚢炎 pyopneumocholecystitis ……… 1010
膿気性腹膜炎 pyopneumoperitonitis ……… 1010
膿気腹腔 pyopneumoperitoneum ……… 1010
脳弓 fornix ……… 471
脳弓脚 crus fornicis ……… 301
脳弓柱 column of fornix ……… 265
膿胸 empyema ……… 392
膿胸 pyothorax ……… 1011
脳空洞症 porencephaly ……… 960
脳クモ膜 cranial arachnoid mater ……… 294
膿形成 pyopoiesis ……… 1010
脳計測器 encephalometer ……… 394
膿血〔症〕 pyemia ……… 1009
脳血管疾患治療法 cerebral revascularization ……… 222
脳血管障害 cerebrovascular accident（CVA） ……… 223
膿血症性膿瘍 pyemic abscess ……… 1009
膿血症〔性〕塞栓症 pyemic embolism ……… 1009
脳減圧法 cerebral decompression ……… 222
脳硬化〔症〕 cerebrosclerosis ……… 222
脳硬膜 endocranium ……… 396
脳砂 corpora arenacea ……… 287
脳撮影図 encephalogram ……… 394
脳作用 cerebration ……… 222
脳死 brain death ……… 172
脳死 cerebral death ……… 222
脳室 ventricle ……… 1267
脳室炎 ventriculitis ……… 1268
脳室鏡検査〔法〕 ventriculoscopy ……… 1268
脳室撮影〔法〕 ventriculography ……… 1268
脳室周囲器官群 circumventricular organs ……… 246
〔脳室〕上衣炎 ependymitis ……… 406
〔脳室〕上衣芽細胞 ependymoblast ……… 406
〔脳室〕上衣細胞 ependymal cell ……… 406
〔脳室〕上衣細胞 ependymocyte ……… 406
〔脳室〕上衣〔細胞〕腫 ependymoma ……… 406
脳室心房シャント ventriculoatrial shunt ……… 1268
脳室水腫性軟〔髄〕膜脱出 hydrencephalomeningocele ……… 578
脳室水腫性脳脱出 hydrencephalocele ……… 578
脳室切開〔術〕 ventriculotomy ……… 1268
脳室穿刺 ventriculopuncture ……… 1268
脳室造影〔法〕 ventriculography ……… 1268
脳室大槽吻合〔術〕 ventriculocisternostomy ……… 1268
脳室蓄膿症 pyocephalus ……… 1009
脳室内視法 ventriculoscopy ……… 1268
脳室内出血 intraventricular hemorrhage（IVH） ……… 642
脳室乳突造瘻術 ventriculomastoidostomy ……… 1268
脳室乳突フィステル形成〔術〕 ventriculomastoidostomy ……… 1268
脳室腹腔シャント ventriculoperitoneal shunt ……… 1268
脳室吻合術 ventriculostomy ……… 1268
嚢腫 cyst ……… 310
嚢腫 cystoma ……… 311
脳周囲炎 periencephalitis ……… 915
膿汁嘔吐 pyemesis ……… 1009
濃縮 concentration（c） ……… 272
濃縮化 inspissation ……… 627
濃縮状態 spissitude ……… 1127
濃縮装置 concentrator ……… 272
嚢腫性甲状腺腫 cystic goiter ……… 310
嚢腫性痤瘡 cystic acne ……… 310
脳腫脹 brain swelling ……… 173
脳出血 cerebral hemorrhage ……… 222
嚢腫〔状〕肉腫 cystosarcoma ……… 311
脳腫瘤 encephaloma ……… 394
脳症 encephalopathy ……… 394
脳障害 encephalopathy ……… 394
膿漿〔液〕漏 ichorrhea ……… 600
膿疹 empyesis ……… 392
膿腎〔症〕 pyonephrosis ……… 1010
脳心筋炎 encephalomyocarditis ……… 394
脳心筋炎ウイルス encephalomyocarditis virus ……… 394
脳神経 cranial nerves ……… 294
脳神経 nervi craniales ……… 821
〔脳〕神経外科〔学〕 neurosurgery ……… 829
〔脳〕神経外科医 neurosurgeon ……… 829
脳振とう〔症〕 brain concussion ……… 172
脳振とう後症候群 postconcussion syndrome ……… 963
膿心膜〔症〕 pyopericardium ……… 1010
脳水腫 cerebral edema ……… 222
脳髄様腫瘍 encephaloma ……… 394
脳性巨人症 cerebral gigantism ……… 222
膿性腎盂拡張〔症〕 pyopyelectasis ……… 1011
脳性〔小児〕麻痺 cerebral palsy ……… 222
脳石 encephalolith ……… 394
脳脊髄液 cerebrospinal fluid（CSF） ……… 222
脳脊髄液圧 cerebrospinal pressure ……… 222
脳脊髄炎 encephalomyelitis ……… 394
脳脊髄幹 neuraxis ……… 825
脳脊髄軸 cerebrospinal axis ……… 222
脳脊髄障害 encephalomyelopathy ……… 394
脳脊髄神経根障害 encephalomyeloradiculopathy ……… 394
脳脊髄神経障害 encephalomyeloneuropathy ……… 394
脳脊髄神経節 craniospinal sensory ganglia ……… 295
脳脊髄膜炎 cerebrospinal meningitis ……… 222
脳脊髄瘤 encephalomyelocele ……… 394
嚢切開〔術〕 capsulotomy ……… 197
脳切開〔術〕 encephalotomy ……… 394
濃染 blush ……… 164
濃染顆粒 dense bodies ……… 328
脳穿刺 cephalocentesis ……… 220
脳仙髄治療 craniosacral therapy（CST） ……… 295
膿瘡 ecthyma ……… 377
脳造影図 encephalogram ……… 394
脳相反応 cephalic phase response ……… 219
脳卒中 stroke ……… 1148
脳脱 exencephaly ……… 427
脳脱出症 exencephaly ……… 427
嚢〔尾〕虫 cysticercus ……… 310
嚢〔尾〕虫 measles ……… 740
嚢虫症 cysticercosis ……… 310
脳腸相関 brain-gut axis ……… 172
脳底髄膜炎 basilar meningitis ……… 140
脳底動脈 basilar artery ……… 140
濃度 concentration（c） ……… 272
濃度 density ……… 328
能動〔性〕アナフィラキシー active anaphylaxis ……… 19
脳頭蓋 neurocranium ……… 825
膿頭症 pyocephalus ……… 1009
能動性うっ血 active congestion ……… 19
能動性充血 active hyperemia ……… 19
能動的充血 active hyperemia ……… 19
能動免疫 active immunity ……… 19
能動輸送 active transport ……… 19
濃度計 densitometer ……… 328
脳内インプラント brain implant ……… 172
脳内血腫 intracerebral hematoma ……… 640
脳軟化〔症〕 encephalomalacia ……… 394
脳軟膜 cranial pia mater ……… 294
膿尿 pyuria ……… 1012
脳のアミロイドアンギオパチー cerebral amyloid angiopathy ……… 221
膿嚢 pocket ……… 952
脳嚢胞〔症〕 perencephaly ……… 912
膿嚢胞 pyocyst ……… 1010
脳の直撃損傷 coup injury of brain ……… 292
脳の反衝損傷 contrecoup injury of brain ……… 282
脳波 brain wave ……… 173
嚢胚 gastrula ……… 490
嚢胚形成 gastrulation ……… 490
膿敗血症 septicopyemia ……… 1093
脳波計 electroencephalograph ……… 384
脳波検査〔法〕 electroencephalography（EEG） ……… 384
脳波分析器 analyzer ……… 61
脳波律動異常 electroencephalographic dysrhythmia ……… 384
膿皮症 pyoderma ……… 1010
脳浮腫 cerebral edema ……… 222
農夫肺 farmer's lung ……… 443
脳ヘルニア cerebral hernia ……… 222

脳ヘルニア encephalocele …… 393
脳ヘルニア exencephaly …… 427
膿便 pyochezia …… 1010
膿疱 bouton …… 169
脳胞 cerebral vesicle …… 222
嚢胞 cyst …… 310
膿疱 pustule …… 1007
嚢胞癌 cystocarcinoma …… 311
膿疱形成 pustulation …… 1007
嚢縫合〔術〕 capsulorrhaphy …… 197
嚢胞十二指腸吻合術 cystoduodenostomy …… 311
膿疱症 pustulosis …… 1007
膿疱疹 empyesis …… 392
膿疱性痤瘡 acne pustulosa …… 14
嚢胞性線維症 cystic fibrosis …… 310
嚢胞性線維症膜コンダクタンス制御因子 cystic fibrosis transmembrane regulator (CFTR) …… 310
嚢胞性線維性骨炎 osteitis fibrosa cystica …… 872
嚢胞性二分脊椎 spina bifida cystica …… 1125
嚢胞性肺気腫 bullous emphysema …… 184
膿疱性皮膚炎 kallak …… 660
嚢胞性膀胱炎 cystitis cystica …… 311
嚢胞切除〔術〕 cystectomy …… 310
嚢胞線維腫 cystofibroma …… 311
嚢胞腺癌 cystadenocarcinoma …… 310
嚢胞腺腫 cystadenoma …… 310
嚢胞様黄斑症 cystoid maculopathy …… 311
膿盆 emesis basin …… 391
農薬 pesticide …… 922
農薬中毒 herbicide poisoning …… 553
膿瘍 abscess …… 5
膿様流涙 dacryopyorrhea …… 315
膿瘤 pocket …… 952
膿瘤 pyocele …… 1009
脳梁 corpus callosum …… 288
脳梁放線 radiation of corpus callosum …… 1018
脳梁膨大 splenium of corpus callosum …… 1129
能力 abilities …… 4
〔受容〕能力 competence …… 268
脳裂 encephaloschisis …… 394
膿漏 blennorrhea …… 161
膿漏〔症〕 pyorrhea …… 1011
膿漏性角皮症 keratoderma blennorrhagicum …… 663
脳露出症 hyperencephaly …… 583
ノーヴィ菌 *Clostridium novyi* …… 253
ノーヴィ-マックニール血液寒天〔培地〕 Novy and MacNeal blood agar …… 841
ノーウォークウイルス Norwalk virus …… 841
ノーウッド手術 Norwood operation …… 841
ノータ染色〔法〕 Nauta stain …… 814
ノートナーゲル症候群 Nothnagel syndrome …… 841
ノートン手術 Norton operation …… 841
ノーブル染色〔法〕 Noble stain …… 835
ノーブル体位 Noble position …… 835
ノーベリウム nobelium (No) …… 835
ノカルジア症 nocardiosis …… 836
ノカルジア類 nocardia …… 835
のこぎり状形態 serration …… 1095
ノザンブロット分析 Northern blot analysis …… 841
ノセボ nocebo …… 836
ノックアウト knockout …… 668
ノックアウトマウス knockout mouse …… 668
ノット法 Knott technique …… 668
のど throat …… 1199
ノトバイオロジー gnotobiology …… 508
ノトビオタ gnotobiota …… 508
のぼせ hot flash …… 572
飲み込み細胞 pinocyte …… 939
ノモグラム nomogram …… 837
ノリエ病 Norrie disease …… 840
乗換え crossing-over …… 299
ノリス小体 Norris corpuscle …… 840
乗物酔い motion sickness …… 786
ノルアドレナリン noradrenaline …… 839
ノルエピネフリン norepinephrine …… 839
ノルロイシン norleucine …… 839
のろい curse …… 305
ノンオキシノール9 nonoxynol 9 …… 838
ノンレム睡眠 nonrapid eye movement sleep (NREM) …… 838

ハ

歯 dens …… 327
歯 tooth …… 1209
バー bar …… 135
バー bur …… 184
バー burr …… 186
バーカン手術 Barkan operation …… 135
バーカン膜 Barkan membrane …… 135
バーキットリンパ腫 Burkitt lymphoma …… 184
パーキンソン顔〔貌〕 Parkinson facies …… 900
パーキンソン症候群 parkinsonism …… 900
パーキンソン〔病〕性構語障害〔症〕 parkinsonian dysarthria …… 900
把握 prehension …… 972
パークス・ウェーバー症候群 Parkes Weber syndrome …… 900
バーグ染色〔法〕 Berg stain …… 146
パーク動脈瘤 Park aneurysm …… 900
把握反射 grasping reflex …… 516
バーグマン徴候 Bergman sign …… 146
バークマン反射 Barkman reflex …… 136
パーゲンシュテッヒャー輪 Pagenstecher circle …… 884
パーゲンステッケル輪 Pagenstecher circle …… 884
パーコレーション percolation …… 911
バージー分類 Bergey classification …… 146
バージャー徴候 Buerger sign …… 182
バース症候群 Barth syndrome …… 136
バースト burst …… 186
パース病 Paas disease …… 883
ハーゼの法則 Haase rule …… 525
バーセル・セルフケア指標 Barthel Self-Care Index …… 136
パーソナリティ personality …… 921
パーソナリティプロフィール personality profile …… 921
バーター症候群 Bartter syndrome …… 137
ハーディ-ヴァインベルクの法則 Hardy-Weinberg law …… 533
ハーディ-ランド-リッター試験 Hardy-Rand-Ritter test …… 533
ハーディ-ワインベルクの法則 Hardy-Weinberg law …… 533
バート症候群 Bart syndrome …… 137
バードショット脈絡網膜炎 bird shot retinochoroiditis …… 156
ハートナップ病 Hartnup disease …… 533
バートン鉗子 Barton forceps …… 137
バートン骨折 Barton fracture …… 137
バートン線 Burton line …… 186
バートン包帯 Barton bandage …… 136
バーナード-キャノンホメオスタシス Bernard-Cannon homeostasis …… 146
バーニッシング burnishing …… 186
パーヌム野 Panum area …… 891
バーネーズスポンジ Bernays sponge …… 146
ハーバー症候群 Haber syndrome …… 525
ハーブ herb …… 553
ハーフウェイハウス halfway house …… 529
パーフォリン perforin …… 913
ハーブティ herb tea …… 553
ハーベスト harvest …… 533
バーマフォレストウイルス Barmah Forest virus …… 136
パーミアーゼ permease …… 920
ハーラー症候群 Hurler syndrome …… 576
バーラーヌイ温度〔眼振〕試験 Bárány caloric test …… 135
バーラーヌイ徴候 Bárány sign …… 135
バール bar …… 135
パール指数 Pearl index …… 905
パーレベル par level (PAR) …… 900
バーロー手技 Barlow maneuver …… 136
パーン paan …… 883
バーンズ曲線 Barnes curve …… 136
バーンズ帯 Barnes zone …… 136
バーンスタイン試験 Bernstein test …… 147
ハーンニウム hahnium …… 528

バーンハイム症候群 Bernheim syndrome …… 146
胚 embryo …… 389
肺 lung …… 714
パイアー斑 Peyer patches …… 923
配位 orientation …… 868
背〔臥〕位 supination …… 1163
背〔臥〕位 supine position …… 1163
胚域 germinal area …… 496
配位子 ligand …… 699
灰色文献 gray literature …… 517
胚栄養 embryotroph …… 390
胚栄養 embryotrophy …… 390
排液〔法〕 drainage …… 363
排液管 drain …… 363
排液管 drainage tube …… 363
ハイエム〔溶〕液 Hayem solution …… 534
パイエル斑 Peyer patches …… 923
肺炎 pneumonia …… 951
肺〔臓〕炎 pneumonitis …… 951
肺炎桿菌 *Klebsiella pneumoniae* …… 667
肺炎球菌血症 pneumococcemia …… 950
肺炎球菌尿症 pneumococcosuria …… 950
肺炎マイコプラスマ *Mycoplasma pneumoniae* …… 802
肺炎連鎖球菌 *Streptococcus pneumoniae* …… 1147
バイオアッセイ bioassay …… 152
バイオインフォマティクス bioinformatics …… 153
バイオーム biome …… 154
バイオサイバネティクス biocybernetics …… 153
バイオセイフティー biosafety …… 155
バイオタイプ biotype …… 156
バイオニクス bionics …… 154
バイオフィードバック biofeedback …… 153
バイオフィールド医療 biofield medicine …… 153
バイオフイルム biofilm …… 153
バイオプシー biopsy …… 154
バイオフラボノイド bioflavonoid (vitamin P) …… 153
バイオマス biomass …… 154
バイオマテリアル biomaterial …… 154
バイオリズム biorhythm …… 155
胚芽 embryo …… 389
胚芽 germ …… 496
胚外腔体膜 exocelomic membrane …… 428
媒介体 vector …… 1264
胚外体腔 extraembryonic celom …… 435
媒介動物 vector …… 1264
媒介物 fomes …… 468
媒介物 vehicle …… 1265
徘徊癖 dromomania …… 364
媒介変数 parameter …… 895
肺過誤腫 pulmonary hamartoma …… 1003
倍加時間 doubling time …… 362
胚芽腫 embryonal tumor …… 390
胚芽〔細胞〕腫 hepatoblastoma …… 552
倍加線量 doubling dose …… 362
肺活量 vital capacity (VC) …… 1279
肺活量計 spirometer …… 1127
肺活量測定〔法〕 spirometry …… 1127
肺換気〔量〕 pulmonary ventilation …… 1004
肺換気-血流スキャン ventilation-perfusion scan …… 1267
肺間膜 ligamentum pulmonale …… 699
肺間膜 pulmonary ligament …… 1003
排気 evacuation …… 424
肺機能技士 pulmonary function technologist …… 1003
肺機能検査 pulmonary function test (PFT) …… 1003
肺吸虫肉芽腫 *Paragonimus* granuloma …… 894
胚局在 germinal localization …… 496
肺虚脱 pulmonary collapse …… 1003
配偶子 gamete …… 484
配偶子形成 gametogenesis …… 484
配偶子接合 syngamy …… 1172
配偶子発生 gametogenesis …… 484
背屈 dorsiflexion …… 361
バイクローナリティ biclonality …… 150
胚形成 embryogenesis …… 389
胚形成 embryogeny …… 389
杯形成 cupping …… 305
杯形成 saucerization …… 1073
杯形生検鉗子 cup biopsy forceps …… 305
肺血管抵抗 pulmonary vascular resistance …… 1004
敗血症 ichorrhemia …… 600
敗血症 sepsis …… 1093
敗血症 septicemia …… 1093
敗血症 septic fever …… 1093
敗血症症候群 sepsis syndrome …… 1093
敗血症性静脈炎 septic phlebitis …… 1093
敗血症性ショック septic shock …… 1093
胚結節 embryoblast …… 389
敗血〔性〕流産 septic abortion …… 1093
配合禁忌 incompatibility …… 612
肺高血圧〔症〕 pulmonary hypertension …… 1003
肺好酸球症 pulmonary eosinophilia …… 1003
肺固定〔術〕 pneumonopexy …… 951
肺根 root of lung …… 1060
肺コンプライアンス lung compliance …… 714
肺剤 pulmonary agent …… 1002
胚〔芽〕細胞 germinal cell …… 496
杯細胞 goblet cell …… 508
胚細胞腫 germinoma …… 496
肺細葉 pulmonary acinus …… 1002
胚子 embryo …… 389
胚子極 embryonic pole …… 390
胚子形成 embryony …… 390
媒質 medium …… 745
肺実質炎 pneumonitis …… 951
廃疾者 invalid …… 644
排出 excretion …… 426
排出 extrusion …… 436
排出 exudation …… 437
排出管 excretory duct …… 427
〔胎児〕排出機序 disengagement …… 353
〔総〕排出腔 cloaca …… 251
排出口 outlet …… 877
排出腺 excretory gland …… 427
排出線量値 monitor unit (MU) …… 780
排出物 excrement …… 426
排出物 excretion …… 426
排出量 output …… 878
肺循環 pulmonary circulation …… 1003
排除 elimination …… 388
排除 exclusion …… 426
排除 rejection …… 1035
胚障害 embryopathy …… 390
賠償神経症 compensation neurosis …… 268
胚上皮 germinal epithelium …… 496
胚上皮 surface epithelium …… 1166
〔総または部分〕肺静脈結合異常症 anomalous pulmonary venous connections, total or partial …… 72
煤色苔 sordes …… 1117
肺神経叢 pulmonary plexus …… 1003
肺浸潤 infiltrate …… 620
肺水腫 pulmonary edema …… 1003
倍数性 ploidy …… 949
倍数性 polyploidy …… 957
バイスペクトラル指数 bispectral index …… 157
媒精 insemination …… 626
肺性雑音 pulmonary murmur …… 1003
肺成熟障害症候群 pulmonary dysmaturity syndrome …… 1003
肺性心 cor pulmonale …… 287
肺石症 pneumolithiasis …… 951
排泄〔物〕 discharge (DC) …… 352
排泄 elimination …… 388
排泄 excretion …… 426
肺切開〔術〕 pneumonotomy …… 951
〔総〕排泄腔 cloaca …… 251
排泄腔膜 cloacal membrane …… 251
排泄減退 hypoeccrisis …… 593
肺切除〔術〕 pneumonectomy …… 951
〔肺〕舌状葉切除〔術〕 lingulectomy …… 702
排泄性尿路撮影〔法〕 intravenous urography …… 642
排泄性尿路造影〔法〕 intravenous urography …… 642
排泄性膀胱尿道造影像 voiding cystourethrogram (VCUG) …… 1282
肺舌動脈 arteria lingularis …… 99

排泄トレーニング bowel training …… 169
排泄物 dejection …… 324
排泄物 excrement …… 426
排泄物 excretion …… 426
排泄薬 evacuant …… 424
媒染剤 mordant …… 784
肺穿刺〔術〕 pneumonocentesis …… 951
肺腺腫症 pulmonary adenomatosis …… 1002
肺洗浄 pulmonary toilet …… 1003
肺尖剥離〔術〕 apicolysis …… 88
肺尖部肺炎 apex pneumonia …… 87
肺尖帽 apical cap …… 88
背側中足動脈 dorsal metatarsal artery …… 361
背側肩甲静脈 dorsal scapular vein …… 361
背側肩甲動脈 dorsal scapular artery …… 361
背側視床下部 dorsal hypothalamic area …… 361
背側指神経 dorsal digital nerves of hand …… 360
背側指動脈 dorsal digital artery …… 360
〔橈骨動脈〕背側手根枝 dorsal carpal branch of radial artery …… 360
〔尺骨動脈〕背側手根枝 dorsal carpal branch of ulnar artery …… 360
背側手根動脈網 dorsal carpal arterial arch …… 360
背側手根動脈網 dorsal carpal network …… 360
肺〔動脈〕塞栓症 pulmonary embolism (PE) …… 1003
背側中手動脈 dorsal metacarpal artery …… 361
背側頭蓋の欠損 notancephalia …… 841
背側橈骨手根靱帯 dorsal radiocarpal ligament …… 361
胚組織化 embryonization …… 390
媒体 medium …… 745
媒体 vehicle …… 1265
バイタルレッド vital red …… 1279
培地 culture medium …… 304
培地 medium …… 745
培地 substrate (S) …… 1155
肺虫 lungworms …… 714
背〔部〕痛 backache …… 130
背痛 dorsalgia …… 361
肺底 base of lung …… 139
肺底 basis pulmonis …… 140
ハイディンガーブラシ Haidinger brushes …… 528
ハイテク医学 high-tech medicine …… 563
ハイデンハインのアザン染色〔法〕 Heidenhain Azan stain …… 538
ハイデンハイン嚢 Heidenhain pouch …… 538
ハイデンハインの鉄ヘマトキシリン染色〔法〕 Heidenhain iron hematoxylin stain …… 538
ハイデンハインの法則 Heidenhain law …… 538
バイト bite …… 157
配糖体 glucoside …… 504
配糖体 glycoside …… 507
肺動脈 pulmonary artery …… 1002
肺動脈幹 pulmonary trunk …… 1004
肺動脈幹 truncus pulmonalis …… 1234
肺動脈幹口 opening of pulmonary trunk …… 861
肺動脈絞扼のためのトラスラーの法則 Trusler rule for pulmonary artery banding …… 1234
肺動脈閉鎖〔症〕 pulmonary artery atresia …… 1002
肺動脈弁 pulmonary valve …… 1004
肺動脈弁狭窄〔症〕 pulmonary stenosis …… 1003
肺動脈弁閉鎖不全〔症〕 pulmonary insufficiency …… 1003
梅毒 lues …… 712
梅毒 syphilis …… 1173
梅毒腫 syphiloma …… 1173
梅毒疹 syphilid …… 1173
〔梅毒性〕カキ殻疹 rupia …… 1065
梅毒性顔貌 luetic mask …… 712
梅毒性ゴム腫 gumma …… 521
梅毒性動脈瘤 syphilitic aneurysm …… 1173
梅毒性白斑 syphilitic leukoderma …… 1173
梅毒性バラ疹 syphilitic roseola …… 1173
梅毒トレポネーマ *Treponema pallidum* …… 1225
ハイド症候群 Heyde syndrome …… 560
バイトブロック bite block …… 158
胚内体腔 intraembryonic celom …… 641
排尿 micturition …… 770
排尿 urination …… 1252
排尿緩慢 bradyuria …… 172
排尿筋 detrusor …… 338
排尿訓練 bladder training …… 159
排尿困難 dysuria …… 373
排尿障害 dysuria …… 373
排尿痛 urodynia …… 1253
排尿反射 micturition reflex …… 770
排膿〔法〕 drainage …… 363
排膿管 drainage tube …… 363
背脳ヘルニア notencephalocele …… 841
肺嚢胞切除術 bullectomy …… 183
肺の褐色硬化 brown induration of the lung …… 180
パイパー鉗子 Piper forceps …… 940
バイパス bypass …… 187
バイパス形成 shunt …… 1102
胚〔子〕発生 blastogenesis …… 160
肺発生の肺胞期 alveolar period of lung development …… 48
肺発達における細管状期 canalicular stage of lung development …… 193
胚盤 blastodisc …… 160
胚盤 germinal disc …… 496
背板副子 backboard splint …… 130
胚盤胞 blastocyst …… 160
胚盤葉 blastoderm …… 160
胚盤葉上層 epiblast …… 406
胚〔子〕部 embryonal area …… 390
背部 regions of back …… 1034
バイフェノタイプ biphenotypy …… 156
肺副雑音 adventitious lung sounds …… 31
背腹方向に dorsoventrad …… 361
肺浮腫 pulmonary edema …… 1003
拝物 fetish …… 450
背部痛 dorsalgia …… 361
ハイブリダイゼーション hybridization …… 577
ハイブリッド hybrid …… 577
ハイブリッド・キャプチャー法 hybrid capture …… 577
ハイブリッド形成 hybridization …… 577
ハイブリドーマ hybridoma …… 577
肺ブレブ pulmonary bleb …… 1002
肺分化の偽腺期 pseudoglandular stage of lung development 994
肺ペスト pneumonic plague …… 951
肺ヘルニア pneumonocele …… 951
排便 defecation …… 322
排便 dejection …… 324
排便障害 dyschezia …… 370
排便造影 defecography …… 322
肺胞 air vesicles …… 37
肺胞 alveolus …… 49
肺胞 pulmonary alveoli …… 1002
肺胞炎 alveolitis …… 49
肺胞管 alveolar duct …… 48
肺胞管 ductulus alveolaris …… 366
肺胞換気〔量〕 alveolar ventilation ($\dot{V}_A$) …… 48
肺胞間中隔 interalveolar septum …… 630
肺胞気 alveolar gas …… 48
肺胞空気方程式 alveolar air equation …… 48
肺胞血管膜 alveolocapillary membrane …… 49
肺胞孔 alveolar pores …… 48
肺縫合〔術〕 pneumonorrhaphy …… 951
肺胞鼓音状共鳴音 vesiculotympanitic resonance …… 1273
肺胞細胞 alveolar cell …… 48
肺胞細胞 pneumonocyte …… 951
肺胞細胞癌 alveolar cell carcinoma …… 48
肺胞死腔 alveolar dead space …… 48
肺胞性共鳴音 vesicular resonance …… 1272
肺胞性呼吸 vesicular respiration …… 1272
肺胞性肺嚢胞 bleb …… 161
肺胞蛋白症 pulmonary alveolar proteinosis …… 1002
肺胞-動脈血間酸素分圧差 A-aO_2 difference …… 1
肺胞嚢 alveolar sac …… 48
肺胞嚢 sacculus alveolaris …… 1066
肺胞微石症 pulmonary alveolar microlithiasis …… 1002
肺胞マクロファージ alveolar macrophage …… 48
肺胞毛細管膜 alveolar-capillary membrane …… 48
肺胞毛細血管ブロック alveolocapillary block …… 49
肺胞漏斗 infundibulum …… 622
ハイポモルフ hypomorph …… 594
胚膜 fetal membrane …… 449

ハイムリッチ操作 Heimlich maneuver …… 538
肺毛細管楔入圧 pulmonary capillary wedge pressure (PCWP) …… 1002
ハイモー洞 antrum of Highmore …… 84
売薬 nostrum …… 841
売薬 patent medicine …… 903
バイヤルジェ線 Baillarger lines …… 132
バイユウウイルス Bayou virus …… 142
培養 culture …… 304
培養 incubation …… 613
肺葉芽 pulmonary lobar buds …… 1003
培養基 culture medium …… 304
培養器 incubator …… 613
培養基 substrate (S) …… 1155
肺容量曲線 spirogram …… 1127
排卵 ovulation …… 879
排卵性出血 oophorrhagia …… 861
ハイリスク因子保有者 high-risk register (HRR) …… 563
ハイリスク新生児 high-risk infant …… 562
倍率 magnification …… 725
排臨 crowning …… 300
パイル pile …… 937
パイル鉗子 Payr clamp …… 905
パイル徴候 Payr sign …… 905
ハイルブロンナー大腿 Heilbronner thigh …… 538
配列 alignment …… 41
配列 schema …… 1076
配列 series …… 1094
配列曲線 alignment curve …… 41
ハインツ〔小〕体 Heinz bodies …… 538
パイント pint …… 939
バウアー-カービー試験 Bauer-Kirby test …… 142
バウアー症候群 Bauer syndrome …… 142
ハヴァース管 haversian canals …… 534
ハヴァース腔 haversian spaces …… 534
ハヴァース隙 haversian spaces …… 534
バウアーのクロム酸ロイコフクシン染色〔法〕 Bauer chromic acid leucofuchsin stain …… 141
ハウエル-ジョリー〔小〕体 Howell-Jolly bodies …… 572
ハウシップ凹窩 Howship lacunae …… 572
バウディッチの法則 Bowditch law …… 169
バウムガルテン静脈 Baumgarten veins …… 142
パウリの排他原理 Pauli exclusion principle …… 905
ハウリング auditory feedback …… 118
ハエウジ病 myiasis …… 805
ハエ幼虫症 myiasis …… 805
破壊性絨毛腺腫 chorioadenoma destruens …… 238
破壊赤血球血症 rhestocythemia …… 1050
破格 anomaly …… 72
破瓜病 hebephrenia …… 537
はかり balance …… 133
吐き気 nausea …… 814
吐き気 vomiturition …… 1283
歯ぎしり bruxism …… 181
パキテン期 pachytene …… 884
吐き戻し regurgitation …… 1035
波及感覚 referred sensation …… 1032
バ行発音過多症 betacism …… 147
破局反応 catastrophic reaction …… 209
歯切れ articulation …… 104
白衣高血圧 white coat hypertension …… 1290
白芽球 leukoblast …… 693
白芽球症 leukoblastosis …… 693
白芽細胞 leukoblast …… 693
麦芽糖 maltose …… 729
歯茎音 alveolar consonant …… 48
薄筋 gracilis muscle …… 513
白筋 white muscle …… 1291
白筋線維 white fiber …… 1290
博士 doctor …… 358
白質 white matter …… 1290
白質 white substance …… 1291
白質ジストロフィ leukodystrophy …… 694
白質脊髄症 leukomyelopathy …… 694
白質切断〔術〕 leukotomy …… 695
白質脳炎 leukoencephalitis …… 694
白質脳症 leukoencephalopathy …… 694
爆灼熱量計 bomb calorimeter …… 166
拍車細胞貧血 spur cell anemia …… 1133
拍出 ejection …… 381
拍出量 output …… 878
瀑状胃 cascade stomach …… 207
バク状口 tapir mouth …… 1179
バク状唇 tapir mouth …… 1179
薄小葉 gracile lobule …… 512
白色〔拒絶〕移植片 white graft …… 1290
白色壊疽 white gangrene …… 1290
白色拒絶〔反応〕 white graft …… 1290
白色梗塞 white infarct …… 1290
白色雑音 white noise …… 1291
白色砂毛〔症〕 white piedra …… 1291
白色水腫 leukoedema …… 694
白色瞳孔 leukocoria …… 693
白色尿 albiduria …… 39
白色ひこう疹 pityriasis alba …… 941
麦穂包帯 spica bandage …… 1123
白赤芽球症 leukoerythroblastosis …… 694
薄切片 thin section …… 1195
白癬 ringworm …… 1057
白癬 tinea …… 1205
白癬〔症〕 trichophytosis …… 1228
白線 white line …… 1290
白癬疹 trichophytid …… 1228
白癬性毛瘡 tinea sycosis …… 1205
薄層クロマトグラフィ thin-layer chromatography (TLC) …… 1195
薄束 gracile fasciculus …… 512
薄束核 gracile nucleus …… 512
薄束脊髄線維 spinogracile fibers …… 1126
白体 corpus albicans …… 288
〔白〕帯下 leukorrhea …… 695
剥脱 abrasion …… 5
剥脱 exfoliation …… 427
剥脱 sublation …… 1153
剥脱性胃炎 exfoliative gastritis …… 428
剥脱性乾癬 exfoliative psoriasis …… 428
剥脱性皮膚炎 exfoliative dermatitis …… 427
剥脱繊毛細胞 ciliocytophthoria …… 244
バグダット腫 bouton de Baghdad …… 169
バクテリア bacterium …… 131
バクテリオシン bacteriocins …… 131
バクテリオシン産生プラスミド bacteriocinogenic plasmids 131
〔バクテリオ〕ファージ bacteriophage …… 131
白糖 saccharose …… 1066
拍動 beat …… 143
拍動 pulsation …… 1004
拍動 stroke …… 1148
白内障 cataract …… 209
白内障圧下法 reclination …… 1028
白髪〔症〕 canities …… 195
白斑 leukoderma …… 694
〔角膜〕白斑 leukoma …… 694
白斑 leukopathia …… 694
白斑 vitiligo …… 1280
薄板 scute …… 1083
薄板 scutum …… 1083
白斑黒皮症 melanoleukoderma …… 748
白斑症 leukoplakia …… 695
剥皮 decortication …… 320
薄皮 pellicle …… 908
白皮症 albinism …… 39
白皮症 leukopathia …… 694
白〔色〕脾髄 white pulp …… 1291
爆風 blast wave …… 161
爆風損傷 blast injury …… 160
薄片生検 shave biopsy …… 1099
白膜 albuginea …… 39
薄膜 film …… 455
薄膜 pellicle …… 908
白膜 tunica albuginea …… 1238
白毛〔症〕 canities …… 195
白毛〔症〕 poliosis …… 954
白毛症 leukotrichia …… 695

ハ

剥離 ablation …… 4
剥離 abrasion …… 5
剥離 abruption …… 5
剥離 avulsion …… 126
剥離 desquamation …… 337
剥離 detachment …… 337
剥離 stripping …… 1148
剥離 sublation …… 1153
剥離骨折 avulsion fracture …… 126
剥離骨折 sprain fracture …… 1133
剥離創 avulsed wound …… 126
麦粒鉗子 dressing forceps …… 364
麦粒腫 hordeolum …… 571
麦粒腫 sty …… 1150
歯車様硬直 cogwheel rigidity …… 260
歯車様呼吸 cogwheel respiration …… 260
ハグルンド病 Haglund disease …… 528
暴露 exposure …… 431
刷毛 brush …… 181
波形 waveform …… 1286
波形形成 scalloping …… 1074
バケツ柄状断裂 bucket-handle tear …… 182
箱 case …… 207
羽子板状胎盤 battledore placenta …… 141
跛行 claudication …… 248
跛行 limp …… 701
破骨細胞 osteoclast …… 873
破骨細胞活性化因子 osteoclast activating factor …… 873
爬骨子 rugine …… 1064
バザード操作 Buzzard maneuver …… 187
破砕〔反応〕 spallation …… 1118
鋏 scissors …… 1080
はさみ込みつかみ pincer grasp …… 938
はさみ歩行 scissors gait …… 1080
把持 grasp …… 516
パジェット細胞 Paget cell …… 884
パジェット病 Paget disease …… 885
パジェット〔病〕様細胞 pagetoid cells …… 885
バジオン basion …… 140
バジオンブレグマ軸 basibregmatic axis …… 139
はしか measles …… 740
はしか morbilli …… 784
はしか rubeola …… 1063
はしかウイルス measles virus …… 740
破歯細胞 odontoclast …… 853
ハシシュ hashish …… 533
播種性黄色腫 xanthoma disseminatum …… 1296
播種性血管内凝固症候群 disseminated intravascular coagulation (DIC) …… 354
播種性コクシジオイデス真菌症 disseminated coccidioidomycosis …… 354
播種性腹膜平滑筋腫 leiomyomatosis peritonealis disseminata …… 688
破傷 laceration …… 673
波状ぜん動 diastalsis …… 343
波状熱 undulant fever …… 1246
破傷風 tetanus …… 1191
破傷風強直 tetanus …… 1191
破傷風菌 *Clostridium tetani* …… 253
破傷風毒素 tetanus toxin …… 1191
波状脈 undulating pulse …… 1246
場所符号化 place coding …… 941
パション試験 Pachon test …… 883
パション法 Pachon method …… 883
柱 column …… 265
柱 pillar …… 938
バシリン bacillin …… 129
バジル basil …… 140
破水 amniorrhexis …… 55
破水 membrane rupture …… 750
パスカル pascal (Pa) …… 902
パスカルの法則 Pascal law …… 902
パスツール効果 Pasteur effect …… 902
パスツレラ pasteurella …… 903
パスツレラ症 pasteurellosis …… 903
パスティア徴候 Pastia sign …… 903
パステル剤 pastille …… 903
はずみ momentum …… 779
派生物 derivative …… 333
バゼット〔公〕式 Bazett formula …… 142
破セメント細胞 cementoclast …… 215
バソプレシン vasopressin …… 1263
ハダーアップ歯式 Haderup dental nomenclature …… 525
バターバー butterbur …… 186
パターン pattern …… 905
パターン感受性てんかん pattern-sensitive epilepsy …… 905
パターン把握 grasp pattern …… 516
パターン歪像弱視 pattern distortion amblyopia …… 905
パターン網膜ジストロフィ pattern retinal dystrophy …… 905
裸のウイルス naked virus …… 811
蜂花粉 bee pollen …… 143
8字〔形〕包帯 figure-of-8 bandage …… 454
蜂毒療法 apiotherapy …… 88
〔太鼓〕撥指 clubbed digit …… 253
〔太鼓〕撥指 clubbed fingers …… 253
〔太鼓〕撥指形成 clubbing …… 253
波長 wavelength (λ) …… 1286
発育 development …… 338
発育 growth …… 520
発育解剖学 developmental anatomy …… 338
発育過度 postmature …… 966
発育過度性肥大 hypergenesis …… 584
発育障害 developmental disability (DD) …… 338
発育線 developmental grooves …… 338
発育的股関節異形成 developmental hip dysplasia …… 338
発育不全〔症〕 aplasia …… 89
発育不全 ateliosis …… 111
発育不全 dysgenesis …… 370
発育不全〔症〕 hypogenesis …… 593
発育不全 hypoplasia …… 595
発芽 gemmation …… 492
麦角 ergot …… 414
麦角中毒 ergotism …… 414
麦角中毒 ergot poisoning …… 414
ハッカ脳 menthol …… 754
バッカル発語 buccal speech …… 182
発癌〔現象〕 carcinogenesis …… 199
発汗 hidropoiesis …… 561
発汗 perspiration …… 921
発汗 sweating …… 1168
抜管〔法〕 extubation …… 436
発汗異常〔症〕 dyshidrosis …… 370
発汗過多 sudoresis …… 1157
発汗減少〔症〕 hypohidrosis …… 594
発汗障害 dyshidrosis …… 370
発汗正常 eudiaphoresis …… 423
発汗性嚢胞 sudoriferous cyst …… 1157
発癌物質 carcinogen …… 199
発癌補助作用 promotion …… 985
発癌補助物質 cocarcinogen …… 256
発汗薬 diaphoretic …… 342
バッキー絞り Bucky diaphragm …… 182
抜去 evulsion …… 425
パッキング packing …… 884
白金耳 loop …… 710
バッグ bag …… 132
バックグラウンド放射線 background radiation …… 130
バック牽引〔装置〕 Buck extension …… 182
ハックスリー層 Huxley layer …… 576
バックトラッキング backtracking …… 130
バッグ-バルブ-マスク器具 bag-valve-mask device …… 132
バッグ-マスク器具 bag-valve-mask device …… 132
パッケージ package …… 884
白血球エステラーゼ試験 leukocyte esterase test (LET) …… 694
白血球 leukocyte …… 693
白血球 white blood cell (WBC) …… 1290
白血球 white corpuscle …… 1290
白血球芽細胞 leukoblast …… 693
白血球芽細胞 leukocytoblast …… 694
白血球凝集素 leukoagglutinin …… 693
白血球減少〔症〕 leukopenia …… 695
白血球減少指数 leukopenic index …… 695

白血球減少性白血病 leukopenic leukemia …… 695
白血球殺滅素 leukocidin …… 693
白血球産生 leukopoiesis …… 695
白血球生成 leukocytogenesis …… 694
白血球生成 leukocytopoiesis …… 694
白血球接着不全 leukocyte adhesion deficiency (LAD) …… 694
白血球増加〔症〕 hyperleukocytosis …… 585
白血球増加〔症〕 leukocytosis …… 694
白血球走性 leukocytotaxia …… 694
白血球毒素 leukocytotoxin …… 694
白血球尿〔症〕 leukocyturia …… 694
白血球破砕性血管炎 leukocytoclastic vasculitis …… 694
白血球搬出〔法〕 leukapheresis …… 693
白血球崩壊 leukocytoclasis …… 694
白血球遊出 leukocytoplania …… 694
白血球溶解 leukocytolysis …… 694
白血球溶解素 leukocytolysin …… 694
白血球漏出 leukopedesis …… 694
白血症 leukosis …… 695
白血病 leukemia …… 693
白血病性皮疹 leukemid …… 693
白血病〔性〕網膜症 leukemic retinopathy …… 693
白血病誘発 leukemogenesis …… 693
白血病誘発物質 leukemogen …… 693
白血病抑制因子 leukemia inhibitory factor …… 693
撥下法 reclination …… 1028
〔症状〕発現 manifestation …… 731
発現ベクター expression vector …… 431
発語 speech …… 1120
発酵 fermentation …… 448
発光 luminescence …… 714
発光原子団 luminophore …… 714
発光団 luminophore …… 714
発語器官失行〔症〕 oral apraxia …… 865
発語失行〔症〕 verbal apraxia …… 1268
発語障害 allolalia …… 44
発語〔器官〕麻痺 laloplegia …… 675
パッサファント隆線 Passavant ridge …… 902
発散 divergence …… 356
発散 emanation …… 389
発散 exhalation …… 428
発散 vapor …… 1260
抜歯〔術〕 exodontia …… 428
抜歯〔術〕 extraction …… 435
抜歯 odontectomy …… 853
バッシーニヘルニア縫縮術 Bassini herniorrhaphy …… 141
抜歯鉗子 dental forceps …… 328
抜歯専門医 exodontist …… 428
パッシーミューアバルブ措置 Passy-Muir valve …… 902
発射 discharge (DC) …… 352
発情〔現象〕 estrus …… 422
発情間期 diestrus …… 345
発情期 estrus …… 422
発情休止期 anestrus …… 66
発情後期 metestrus …… 763
発情後期 postestrus …… 966
発情周期 estrous cycle …… 422
発情静止期 diestrus …… 345
発情前期 proestrus …… 982
発情中間期 diestrus …… 345
発色団 chromophore …… 241
抜髄〔法〕 pulpectomy …… 1004
抜髄針 broach …… 176
発生 development …… 338
発生 genesis …… 493
発生 occurrence …… 851
発声 phonation …… 929
発生異常 developmental anomaly …… 338
発声異常 phonopathy …… 929
発生学 embryology …… 390
発生学者 embryologist …… 390
発声困難 dysphonia …… 371
発声障害 dysphonia …… 371
発生心理学 genetic psychology …… 494
発生数 incidence …… 611
発生の重要点 critical point of development …… 298
ハッソンカニューレ Hasson cannula …… 533
発達 development …… 338
発達心理学 developmental psychology …… 339
発達心理学 genetic psychology …… 494
発達性発語障害 developmental apraxia of speech (DAS) …… 338
発達遅延 developmental delay …… 338
発達年齢 developmental age (DA) …… 338
発達領域 developmental domains …… 338
バッチ式分析装置 batch analyzer …… 141
パッチ試験 patch test …… 903
バッチフラワーレメディ Bach flower remedies …… 129
ハッチンソン顔〔貌〕 Hutchinson facies …… 576
ハッチンソン骨折 Hutchinson fracture …… 576
ハッチンソン三徴 Hutchinson triad …… 576
ハッチンソン歯 Hutchinson teeth …… 576
ハッチンソン瞳孔 Hutchinson pupil …… 576
ハッチンソン半月状切痕 Hutchinson crescentic notch …… 576
発痛点 trigger point …… 1230
バッテリー battery …… 141
発電機 generator …… 493
バッテン病 Batten disease …… 141
パッド pad …… 884
発動機 mover …… 787
パッド-パッドピンチ pad-to-pad pinch …… 884
バットル切開 Battle incision …… 141
バットル徴候 Battle sign …… 141
発熱 pyrexia …… 1011
発熱因子 pyrogen …… 1012
発熱間欠期 apyrexia …… 92
発熱物質 pyrogen …… 1012
発病率 attack rate …… 116
パップ〔剤〕 poultice …… 969
ハップマップ HapMap …… 532
パッペンハイマー体 Pappenheimer bodies …… 892
発泡塩 effervescent salts …… 379
発疱剤 vesicating agent …… 1272
発疱薬 vesicant …… 1272
抜毛 epilation …… 409
抜毛狂 trichotillomania …… 1229
抜毛癖 trichologia …… 1228
抜毛癖 trichotillomania …… 1229
馬蹄形脳半球癒着 cyclencephaly …… 308
馬蹄型瘻 horseshoe fistula …… 571
馬蹄腎 horseshoe kidney …… 571
パテルギー pathergy …… 903
波動 wave …… 1286
波動膜 undulating membrane …… 1246
鳩胸 pigeon chest …… 937
パトリック試験 Patrick test …… 904
バトル切開 Battle incision …… 141
鼻 nose …… 841
ハナー潰瘍 Hunner ulcer …… 575
パナー病 Panner disease …… 890
鼻かぜ head cold …… 534
鼻カニューラ nasal cannula …… 811
はなげ vibrissa …… 1275
鼻声 rhinolalia …… 1052
バナナ徴候 banana sign …… 134
バニオン bunion …… 184
バニオン切除〔術〕 bunionectomy …… 184
バニシングラング症候群 vanishing lung syndrome …… 1260
パニック panic …… 890
パニック発作 panic attack …… 890
バニッシャー burnisher …… 186
バニラ症 vanillism …… 1260
バニラ中毒 vanillism …… 1260
バニラ皮膚炎 vanillism …… 1260
バニリルマンデル酸 vanillylmandelic acid (VMA) …… 1260
パニング panning …… 890
羽 wing …… 1292
跳ね返り〔現象〕 rebound phenomenon …… 1027
ばね指 trigger finger …… 1230
バネル縫合 Bunnell suture …… 184
〔水晶体〕破嚢〔術〕 capsulorrhexis …… 197
ハノヴァー管 Hannover canal …… 532
パノラマX線写真 panoramic x-ray film …… 891

ハ

パノラマX線像 panoramic radiograph ……… 891
歯の隆線 dental ridge ……… 329
パパーフォーニア puberphonia ……… 1001
母親殺し matricide ……… 736
母親殺人者 matricide ……… 736
羽ばたき振せん asterixis ……… 109
羽ばたき振せん flapping tremor ……… 459
羽ばたき振せん wing-beating tremor ……… 1292
パパニコラウ検査 Papanicolaou (Pap) test ……… 891
パパニコラウ・スメア試験 Papanicolaou (Pap) smear ……… 891
パパニコラウ染色 Papanicolaou (Pap) stain ……… 891
馬尾 cauda equina ……… 210
馬尾症候群 cauda equina syndrome ……… 210
バビット babbit ……… 129
バビンスキー症候群 Babinski syndrome ……… 129
バビンスキー徴候 Babinski sign ……… 129
ハブ hub ……… 573
パフ platelet-aggregating factor (PAF) ……… 946
バフィコート buffy coat ……… 182
バフィコート凝集 buffy coat concentration ……… 183
ハフキンワクチン Haffkine vaccine ……… 528
ハフ咳 huff coughing ……… 573
ハプテン hapten ……… 532
ハプトグロビン haptoglobin ……… 532
パブラム pablum ……… 883
ハプロイド haploid ……… 532
ハプロスコープ haploscope ……… 532
ハプロタイプ haplotype ……… 532
ハプロプロテイン haploprotein ……… 532
バベース結節 Babès nodes ……… 129
バベシア症 babesiosis ……… 129
破片 debris ……… 318
破片 fragment ……… 474
パポバウイルス papovavirus ……… 892
破膜 amniorrhexis ……… 55
破膜器 amniotome ……… 55
ハマン雑音 Hamman murmur ……… 530
ハマン症候群 Hamman syndrome ……… 531
ハマン徴候 Hamman sign ……… 530
歯みがき剤 dentifrice ……… 329
ハミルトンうつ病評価尺度 Hamilton depression rating scale ……… 530
ハミルトン不安評価尺度 Hamilton anxiety rating scale ……… 530
バヤール眼底血圧計 Bailliart ophthalmodynamometer ……… 132
早口症 cluttering ……… 254
速さ speed ……… 1121
腹 abdomen ……… 2
腹当て dinner pad ……… 349
p-アミノ安息香酸 *p*-aminobenzoic acid (PABA) ……… 888
パラアミロイドーシス paramyloidosis ……… 896
パラアルデヒド paraldehyde ……… 895
バラ色ひこう疹 pityriasis rosea ……… 941
パラインフルエンザウイルス parainfluenza viruses ……… 895
ハラー弓 Haller arches ……… 529
パラカゼイン paracasein ……… 893
パラガングリオーマ paraganglioma ……… 894
パラガングリオン paraganglion ……… 894
パラクソン paraxon ……… 898
パラクリン paracrine ……… 893
パラコーヌス paracone ……… 893
パラコクシジオイジン paracoccidioidin ……… 893
パラコクシジオイドミコーシス paracoccidioidomycosis ……… 893
パラコニッド paraconid ……… 893
パラコレラ paracholera ……… 893
パラサイコロジー parapsychology ……… 897
パラシュート僧帽弁 parachute mitral valve ……… 893
バラ疹 roseola ……… 1061
バラ疹 rose spots ……… 1061
バラ疹 scarlet rash ……… 1075
パラタクシックな歪曲 parataxic distortion ……… 898
原田症候群 Harada syndrome ……… 532
原田-森濾紙培養法 Harada-Mori filter paper strip culture ……… 532
パラチフス熱 paratyphoid fever ……… 898
パラチフスA菌 *Salmonella enterica* serovar *paratyphi A* ……… 1069
パラチフスB菌 *Salmonella enterica* serovar *paratyphi B* ……… 1069
パラトープ paratope ……… 898
パラドックス paradox ……… 894
パラネオプラスティック脳脊髄症 paraneoplastic encephalomyelopathy ……… 896
パラノイア paranoia ……… 896
パラビオーゼ parabiosis ……… 893
パラファンクション parafunction ……… 894
パラフィリア paraphilia ……… 896
パラフィン腫 paraffinoma ……… 894
パラフィン誘発技術 paraffin bait technique ……… 894
パラフィン浴 paraffin bath ……… 894
パラプロテイン paraprotein ……… 897
パラプロテイン血〔症〕 paraproteinemia ……… 897
パラホルモン parahormone ……… 894
バラマス卵黄水加培地 Balamuth aqueous egg yolk infusion medium ……… 132
パラミオトニア paramyotonia ……… 896
パラメータ parameter ……… 895
ハラル halal, halāl, halaal ……… 529
パラローザニリン pararosanilin ……… 897
バランス balance ……… 133
バランス食 balanced diet ……… 133
バランス徴候 Ballance sign ……… 133
バランスのとれた食事 balanced diet ……… 133
バランス麻酔〔法〕 balanced anesthesia ……… 133
バランタイン病 Ballantyne disease ……… 133
バランチジウム症 balantidiasis ……… 133
鍼 acupuncture ……… 20
梁 beam ……… 142
針 needle ……… 816
バリ flash ……… 459
バリア barrier ……… 136
バリア保護 barrier protection ……… 136
バリウム検査 modified barium swallow ……… 777
バリウム注腸 barium enema (BE) ……… 135
針金 wire ……… 1292
針金様脈 wiry pulse ……… 1292
針刺し傷 needlestick ……… 817
ハリス-ベネディクト算定式 Harris-Benedict equation ……… 533
ハリスヘマトキシリン Harris hematoxylin ……… 533
バリスム〔ス〕 ballismus ……… 133
針生検 needle biopsy ……… 816
ハリソン溝 Harrison groove ……… 533
パリノー結膜炎 Parinaud conjunctivitis ……… 899
パリノー結膜腺症候群 Parinaud oculoglandular syndrome ……… 899
パリノー症候群 Parinaud syndrome ……… 899
針の目瞳孔 pinhole pupil ……… 939
針バイオプシー needle biopsy ……… 816
はり麻酔〔法〕 acupuncture anesthesia ……… 20
バリン valine (Val, V) ……… 1258
バリント症候群 Balint syndrome ……… 133
パリンドローム palindrome ……… 886
ハリントンロッド Harrington rods ……… 533
パルーリス parulis ……… 902
バルーン balloon ……… 133
バルーン血管形成術 balloon angioplasty ……… 134
バルーン〔による〕中隔開口〔術〕 balloon septostomy ……… 134
バルーン付きカテーテル balloon-tip catheter ……… 134
バルカン手術 Barkan operation ……… 135
バルカン膜 Barkan membrane ……… 135
バルカン枠 Balkan frame ……… 133
ハルグレン症候群 Hallgren syndrome ……… 529
バルサルバ手技 Valsalva maneuver ……… 1259
ハル三徴 Hull triad ……… 573
パルスオキシメータ pulse oximeter ……… 1005
パルスシーケンス pulse sequence ……… 1005
ハルステッド手術 Halsted operation ……… 530
ハルステッドの法則 Halsted law ……… 530
ハルステッド縫合 Halsted suture ……… 530
パルス波高分析器 pulse height analyzer ……… 1004
パルス発生器 pulse generator ……… 1004
パルスフィールドゲル電気泳動 pulse-field gel electrophoresis ……… 1004
パルスレーザー pulsed laser ……… 1004
パルトグラム partogram ……… 902
バルトネラ症 bartonellosis ……… 137
バルトヘルニア Barth hernia ……… 136

ハルトマン〔有窓〕鋭匙 Hartmann curette ……… 533
ハルトマン手術 Hartmann operation ……… 533
バルトリン管 Bartholin duct ……… 136
バルトリン腺炎 bartholinitis ……… 136
バルトリン〔腺〕嚢胞 Bartholin cyst ……… 136
バルトリン〔腺〕嚢胞切除〔術〕 Bartholin cystectomy ……… 136
バルトリン〔腺〕膿瘍 Bartholin abscess ……… 136
バルビツレート barbiturate ……… 135
バルビツレート中毒〔症〕 barbiturism ……… 135
パルボウイルス B19 Parvovirus B19 ……… 902
バルボタージ barbotage ……… 135
パルマー歯式 Palmer dental nomenclature ……… 887
パルミトレイン酸 palmitoleic acid ……… 887
ハレーション halation ……… 529
バレー徴候 Barré sign ……… 136
パレー縫合 Paré suture ……… 899
破裂 rhegma ……… 1050
破裂 rupture ……… 1065
バレット症候群 Barrett syndrome ……… 136
バレット上皮 Barrett epithelium ……… 136
バレット食道 Barrett syndrome ……… 136
バレット食道腺癌 adenocarcinoma in Barrett esophagus ……… 25
バレルひずみ〔像〕 barrel distortion ……… 136
バレル歪〔像〕 barrel distortion ……… 136
ハレルフォルデン-シュパッツ症候群 Hallervorden-Spatz syndrome ……… 529
パロー病 Parrot disease ……… 901
ハローベスト halo vest ……… 530
ハロゲン halogen ……… 530
ハロゲン化物 halide ……… 529
ハロゲン皮膚症 halogenoderma ……… 530
バロットマン ballottement ……… 134
斑〔点〕 macule ……… 724
斑 patch ……… 903
斑 plaque ……… 944
斑 spot ……… 1132
範囲 range ……… 1024
汎萎縮〔症〕 panatrophy ……… 888
半陰陽 hermaphroditism ……… 554
半陰陽者 hermaphrodite ……… 554
半陰陽性卵巣腫瘍 gynandroblastoma ……… 523
半影 penumbra ……… 910
半横臥 semirecumbent ……… 1090
汎化 generalization ……… 493
バンカート病変 Bankart lesion ……… 135
反回神経 recurrent laryngeal nerve ……… 1030
半開放麻酔 semiopen anesthesia ……… 1090
半顎症 hemignathia ……… 544
汎拡張期の holodiastolic ……… 568
汎下垂体機能低下〔症〕 panhypopituitarism (PHP) ……… 890
半価層 half-value layer (HVL) ……… 529
反感 antipathy ……… 82
反感 repulsion ……… 1039
半管 semicanal ……… 1089
半管 semicanalis ……… 1089
板間静脈 diploic vein ……… 350
汎関節炎 panarthritis ……… 888
半規管 semicircular ducts ……… 1089
半奇静脈 hemiazygos vein ……… 543
晩期生歯 delayed dentition ……… 325
晩期生歯 retarded dentition ……… 1044
半球 hemisphere ……… 545
斑〔点状〕丘疹 maculopapule ……… 724
反響 echo ……… 376
反響 resonance ……… 1041
反響音声 echolalia ……… 376
半胸郭 hemithorax ……… 545
反響〔言〕語 echolalia ……… 376
汎凝集素 panagglutinins ……… 888
反響症 echopathy ……… 376
反響動作〔症〕 echopraxia ……… 376
汎恐怖〔症〕 polyphobia ……… 957
反響様複聴 echoacousia ……… 376
半極性結合 semipolar bond ……… 1090
反曲胎盤 placenta reflexa ……… 942
ハンクス〔溶〕液 Hanks solution ……… 531
反屈 deflection ……… 323
反屈 retroflexion ……… 1047
反屈位 deflection ……… 323
反屈位 deflexion ……… 323
パンクレアチン pancreatin ……… 889
パンクレリパーゼ pancrelipase ……… 889
バンクロフトサイン Bancroft sign ……… 134
バンクロフト糸状虫 *Wuchereria bancrofti* ……… 1295
〔バンクロフト〕糸状虫症 wuchereriasis ……… 1295
半径 radius ……… 1022
半月〔体〕 demilune ……… 326
半月 lunula ……… 714
半月 lunule ……… 714
半月〔板〕 meniscus ……… 752
〔膝関節〕半月〔板〕炎 meniscitis ……… 752
汎血管炎 panangiitis ……… 888
汎血球減少〔症〕 pancytopenia ……… 890
半月形 crescent ……… 296
〔膝関節〕半月〔板〕切除〔術〕 meniscectomy ……… 752
半月線 semilunar line ……… 1090
半月体 malarial crescent ……… 726
〔膝関節〕半月軟骨炎 meniscitis ……… 752
半月弁 semilunar valve ……… 1090
半月弁結節 nodule of semilunar valve ……… 836
半月裂孔 semilunar hiatus ……… 1090
半減期 half-life ……… 529
半減期 half-time ……… 529
半腱様筋 semitendinosus muscle ……… 1091
半溝 semisulcus ……… 1090
伴行 comes ……… 265
番号 number ……… 844
伴行静脈 venae comitantes ……… 1265
反抗挑戦性障害 oppositional defiant disorder ……… 863
パンコースト症候群 Pancoast syndrome ……… 888
ハンコック切断術 Hancock amputation ……… 531
汎骨髄症 panmyelosis ……… 890
汎骨髄癆 panmyelophthisis ……… 890
バンコマイシン耐性腸球菌 vancomycin-resistant enterococcus (VRE) ……… 1259
瘢痕 cicatrix ……… 244
瘢痕 scar ……… 1075
瘢痕化 cicatrization ……… 244
瘢痕癌 scar carcinoma ……… 1075
瘢痕形成 cicatrization ……… 244
瘢痕形成〔術〕 keloplasty ……… 662
瘢痕形成性皮膚炎 ulodermatitis ……… 1244
瘢痕〔性〕紅斑 ulerythema ……… 1243
瘢痕周辺性気腫 paracicatricial emphysema ……… 893
瘢痕性脱毛〔症〕 scarring alopecia ……… 1075
瘢痕性類天疱瘡 cicatricial pemphigoid ……… 244
瘢痕切除〔術〕 cicatrectomy ……… 244
半截術 morcellation operation ……… 784
犯罪心理学 criminal psychology ……… 298
犯罪流産 criminal abortion ……… 298
汎視性傾斜 pantoscopic tilt ……… 891
反射 anaclasis ……… 59
〔筋〕反射 jerk ……… 655
反射 reflex ……… 1032
反射〔現象〕 reflex ……… 1032
反射異常〔症〕 parareflexia ……… 897
反社会的人格異常 antisocial personality disorder ……… 83
反射器 reflector ……… 1032
反射弓 reflex arc ……… 1032
反射鏡 mirror ……… 774
反射鏡 reflector ……… 1032
反射計 reflexometer ……… 1033
反射係数 reflection coefficient (σ) ……… 1032
反射亢進 hyperreflexia ……… 588
反射障害 dysreflexia ……… 372
反射消失 areflexia ……… 94
反射症状 reflex symptom ……… 1033
反射性交感神経性ジストロフィ reflex sympathetic dystrophy (RSD) ……… 1033
反射性〔尿〕失禁 reflex incontinence ……… 1032
反射性神経因性膀胱〔障害〕 reflex neurogenic bladder ……… 1032
反射性咳 reflex cough ……… 1032

ハ

反射体 reflector ······ 1032
反射つかみ reflexive squeeze grasp ······ 1032
反射低下 hyporeflexia ······ 596
反射〔性〕てんかん reflex epilepsy ······ 1032
反射描画器 reflexograph ······ 1033
反射抑制 reflex inhibition ······ 1032
反射率型分光測光法 reflectance spectrophotometry ······ 1032
汎収縮〔期〕雑音 pansystolic murmur ······ 891
斑状アミロイドーシス macular amyloidosis ······ 724
斑状角膜ジストロフィ macular corneal dystrophy ······ 724
斑状強皮症 morphea ······ 784
反衝骨折 contrecoup fracture ······ 282
斑状歯 mottled enamel ······ 786
斑状出血 ecchymosis ······ 375
斑状出血性顔貌 ecchymotic mask ······ 375
反衝損傷による骨折 fracture by contrecoup ······ 473
斑状皮膚萎縮〔症〕 anetoderma ······ 66
汎漿膜炎 polyserositis ······ 958
汎小葉性肺気腫 panlobular emphysema ······ 890
板状鱗屑 scale ······ 1074
繁殖 proliferation ······ 985
繁殖 propagation ······ 986
繁殖 reproduction ······ 1039
繁殖可能性 fertility ······ 449
繁殖力 fecundity ······ 447
汎心炎 pancarditis ······ 888
半睡状態 dysnystaxis ······ 371
半垂直心 semivertical heart ······ 1091
半水平心 semihorizontal heart ······ 1089
半数 moiety ······ 778
反すう regurgitation ······ 1035
半数致死量 lethal Ct_{50}(LCt_{50}) ······ 692
半数不能量 incapacitating Ct_{50}(ICt_{50}) ······ 611
伴性 sex linkage ······ 1098
伴性遺伝 sex-linked inheritance ······ 1098
伴性形質 sex-linked character ······ 1098
繁生絨毛膜 frondosum ······ 477
半接合 hemizygosity ······ 545
半接合体 hemizygote ······ 545
半接着斑 hemidesmosomes ······ 544
絆創膏 strap ······ 1145
半総動脈幹症 hemitruncus ······ 545
搬送培地 transport medium ······ 1220
半側アテトーシス hemiathetosis ······ 543
半側異栄養症 hemidystrophy ······ 544
半側萎縮 hemiatrophy ······ 543
半側感覚消失 hemianesthesia ······ 543
半側感覚鈍麻 hemihypesthesia ······ 544
半側奇肢症 hemiectromelia ······ 544
半側嗅覚麻痺 hemianosmia ······ 543
半側緊張亢進 hemihypertonia ······ 544
半側緊張低下 hemihypotonia ······ 544
半側空間無視の評価方法 behavioral inattention test (BIT) ······ 144
半側痙攣 hemispasm ······ 545
半側欠肢症 hemiectromelia ······ 544
半側喉頭切除〔術〕 hemilaryngectomy ······ 544
半側骨盤切除〔術〕 hemipelvectomy ······ 544
半側失行〔症〕 hemiapraxia ······ 543
半側〔運動〕失調〔症〕 hemiataxia ······ 543
半側視野欠損 hemianopia ······ 543
半側収縮 hemisystole ······ 545
半側舌炎 hemiglossitis ······ 544
半側知覚過敏 hemihyperesthesia ······ 544
半側知覚不全 hemidysesthesia ······ 544
反足治療〔術〕 tarsoclasia ······ 1180
半側椎弓切除〔術〕 hemilaminectomy ······ 544
半側椎骨 hemivertebra ······ 545
半側痛覚消失 hemianalgesia ······ 543
半側痛覚鈍麻 hemihypalgesia ······ 544
半側発汗 hemidiaphoresis ······ 544
半側バリスム hemiballismus ······ 543
半側肥大〔症〕 hemihypertrophy ······ 544
半側不全麻痺 hemiparesis ······ 544
半側舞踏病 hemichorea ······ 544
半側麻痺 hemiplegia ······ 545
半側麻痺歩行 hemiplegic gait ······ 545
半側味覚消失 hemiageusia ······ 543
汎存種 cosmopolitan ······ 290
ハンター手術 Hunter operation ······ 575
ハンター症候群 Hunter syndrome ······ 575
ハンター-トンプソン小人症 Hunter-Thompson dwarfism ······ 575
反対牽引〔法〕 countertraction ······ 292
反対刺激 counterirritation ······ 292
反対刺激薬 counterirritant ······ 292
ハンタウイルス肺症候群 Hantavirus pulmonary syndrome ······ 532
パンタロンヘルニア pantaloon hernia ······ 891
判断 judgment ······ 657
パンチ生検 punch biopsy ······ 1005
パンチバイオプシー punch biopsy ······ 1005
反跳〔現象〕 rebound phenomenon ······ 1027
反跳圧痛 rebound tenderness ······ 1027
反張膝 genu recurvatum ······ 496
半椎体 hemicentrum ······ 544
半椎体 pleurocentrum ······ 948
判定 decision ······ 319
判定基準 criterion ······ 298
ハンディキャップ handicap ······ 531
バンディング banding ······ 134
ハンティングトン舞踏病 Huntington chorea ······ 575
バンデージコンタクトレンズ bandage contact lens ······ 134
汎適応症候群 general adaptation syndrome ······ 493
汎適応反応 general adaptation reaction ······ 493
斑点 blemish ······ 161
斑点 blotch ······ 164
斑点 macula ······ 724
斑点 spot ······ 1132
斑点 stigma ······ 1142
斑点 stippling ······ 1143
斑点形成 mottling ······ 787
斑点症 stigmatism ······ 1142
斑点症 stigmatization ······ 1142
反転靱帯 reflected inguinal ligament ······ 1032
反転層 tunica reflexa ······ 1238
斑点熱 spotted fever ······ 1133
斑点熱リケッチア *Rickettsia rickettsii* ······ 1055
半頭蓋症 hemicephalia ······ 544
反動形成 reaction formation ······ 1026
半頭症 hemicephalia ······ 544
反動痛 rebound tenderness ······ 1027
半頭肥大症 hemicraniosis ······ 544
ハンドオーバーマウス法 hand-over-mouth exercise (H.O.M.E.) ······ 531
ハント逆現象 Hunt paradoxic phenomenon ······ 576
ハンド-シュラー-クリスチャン病 Hand-Schüller-Christian disease ······ 531
ハント症候群 Hunt syndrome ······ 576
バンド撤去 debanding ······ 318
パントテン酸 pantothenic acid ······ 891
バンド幅 bandwidth ······ 134
パントモグラフィ pantomography ······ 891
ハンドリング handling ······ 531
バンドルド・コード bundled code ······ 184
パントン-ヴァレンタイン・ロイコシジン Panton-Valentine leukocidin ······ 891
パンヌス pannus ······ 890
反応〔性〕 competence ······ 268
反応 reaction ······ 1026
反応 response ······ 1043
汎脳炎 panencephalitis ······ 890
反応開始 initiation ······ 624
反応緩徐症 apathism ······ 86
反応機構 mechanism ······ 740
万能給血者 universal donor ······ 1248
反応経過 reactivity ······ 1027
反応時間 reaction time ······ 1026
反応性 reactivity ······ 1027
反応性充血 reactive hyperemia ······ 1026
反応性低血糖 reactive hypoglycemia ······ 1027
反応性変化 reactive changes ······ 1026
反応性抑うつ reactive depression ······ 1026
反応能 competence ······ 268
反応バイアス response bias ······ 1043

反応物 reactant ··· 1026
万能膀胱尿道鏡 panendoscope ··· 890
万能薬 panacea ··· 888
板〔層〕の炎症 laminitis ··· 676
反発 repulsion ··· 1039
汎発性黒子症 generalized lentiginosis ··· 493
汎発性石灰〔沈着〕症 calcinosis universalis ··· 190
汎発性特発性骨増殖症 diffuse idiopathic skeletal hyperostosis ··· 346
晩発性皮膚ポルフィリン症 porphyria cutanea tarda ··· 961
汎発性皮膚リーシュマニア症 diffuse cutaneous leishmaniasis ··· 346
汎発性扁平黄色腫症 generalized plane xanthomatosis ··· 493
汎発流行〔病〕 pandemic ··· 890
半々爪 half-and-half nail ··· 529
半フォーラー体位 semi-Fowler position ··· 1089
反復〔症〕 perseveration ··· 921
反復 recurrence ··· 1030
反復 replicate ··· 1039
反復強迫 repetition-compulsion ··· 1038
反復工作 working through ··· 1293
〔反復〕語唱 verbigeration ··· 1269
反復視 palinopsia ··· 886
反復説 recapitulation theory ··· 1027
反復調律 allorhythmia ··· 44
汎副鼻腔炎 pansinusitis ··· 891
反復持ち上げテスト repetitive lifting test ··· 1038
反復リズム allorhythmia ··· 44
反復流産 recurrent abortion ··· 1030
汎ぶどう膜炎 panuveitis ··· 891
ハンプトンハンプ Hampton hump ··· 531
ハンブルゲルの法則 Hamburger law ··· 530
半閉鎖麻酔 semiclosed anesthesia ··· 1089
判別検査 screening ··· 1082
バンベルガー徴候 Bamberger sign ··· 134
半膜様筋 semimembranosus muscle ··· 1090
半膜様筋〔の滑液〕包 semimembranous bursa ··· 1090
ハンマン雑音 Hamman murmur ··· 530
ハンマン症候群 Hamman syndrome ··· 531
ハンマン徴候 Hamman sign ··· 530
半無脳症 hemianencephaly ··· 543
ハンメルシュラーク法 Hammerschlag method ··· 531
汎免疫〔性〕 panimmunity ··· 890
半盲 hemianopia ··· 543
斑紋 macule ··· 724
斑紋らい macular leprosy ··· 724
パン屋かゆみ〔症〕 baker's itch ··· 132
反流性黄疸 regurgitation jaundice ··· 1035
半量 moiety ··· 778
半籠手包帯 demigauntlet bandage ··· 326
バンワース症候群 Bannwarth syndrome ··· 135

ヒ

比 rate ··· 1025
比 ratio ··· 1026
ピアス body piercing ··· 165
ピアノ鍵盤徴候 piano key sign ··· 936
火蟻 fire ant ··· 457
ヒアリン hyalin ··· 576
ヒアリン〔質〕化 hyalinization ··· 576
ヒアリングプロテクター hearing protector ··· 536
ヒアリン形質 hyaloplasm ··· 577
ヒアリン結節 hyaline tubercle ··· 576
ヒアリン症 hyalinosis ··· 576
ヒアリン体 hyaline bodies ··· 576
ヒアリン尿〔症〕 hyalinuria ··· 576
ヒアリン変性 hyaline degeneration ··· 576
ヒアルロン酸 hyaluronic acid ··· 577
ヒアロゲン hyalogens ··· 577
被暗示性 suggestibility ··· 1157
PR 間隔 PR interval ··· 979
BRCA1 遺伝子 BRCA1 gene ··· 173
BRCA2 遺伝子 BRCA2 gene ··· 173
PR 部分 PR segment ··· 992
Bi 抗原 Bi antigen ··· 149
ビーヴォー徴候 Beevor sign ··· 143
PA 間隔 PA interval ··· 885
PAP 法 PAP technique ··· 892
PSA 進行速度 PSA velocity ··· 993
ビーカー状細胞 beaker cell ··· 142
B 型インフルエンザワクチン *Haemophilus influenzae* type B vaccine ··· 528
B 型ウイルス性肝炎 viral hepatitis type B ··· 1276
B 型肝炎 e 抗原 hepatitis B e antigen (HBe, HB_eAg) ··· 552
B 型肝炎ウイルス hepatitis B virus (HBV) ··· 552
B 型肝炎コア抗原 hepatitis B core antigen (HB_cAb, HB_cAg) 552
B 型肝炎表面抗原 hepatitis B surface antigen (HB_sAg) ··· 552
B 型行動 type B behavior ··· 1241
ピーク peak ··· 905
ピーク・トラフ標本 peak and trough specimens ··· 905
ピークレベル peak level ··· 905
B 鎖 B chain ··· 142
B 細胞 B cells ··· 142
B 細胞共受容体 B-cell co-receptor ··· 142
B 細胞レセプタ B-cell receptors ··· 142
脾遺残 splenectopia ··· 1128
BCR/ABL 遺伝子 BCR/ABL gene ··· 142
PJ 間隔 PJ interval ··· 941
B19 ウイルス B19 virus ··· 187
P セレクチン P selectin ··· 993
B 線維 B fibers ··· 149
ピーダーセン鏡 Pederson speculum ··· 906
BTPS 体積 volume at BTPS ··· 1282
ビーディング beading ··· 142
P-糖蛋白 P-glycoprotein ··· 923
ピートル徴候 Pitres sign ··· 940
ヒーニー手術 Heaney operation ··· 536
P 波 P wave ··· 1007
ビーバーメソッド Beaver method ··· 143
PVA 固定 PVA fixative ··· 1007
P 物質 substance P ··· 1155
ビーム beam ··· 142
B モード B-mode ··· 164
B リンパ球 B lymphocyte ··· 164
ビール酵母 brewer's yeast ··· 175
ビールショースキー染色〔法〕 Bielschowsky stain ··· 150
ビールショースキー徴候 Bielschowsky sign ··· 150
ビールショースキー病 Bielschowsky disease ··· 150
ビール切断術 Bier amputation ··· 150
ビールブロック麻酔 Bier block anesthesia ··· 150
ビール法 Bier method ··· 150
鼻咽腔癌 nasopharyngeal carcinoma ··· 813
鼻咽喉ファイバースコープ nasopharyngolaryngoscope ··· 813
鼻咽頭 nasopharynx ··· 813
鼻咽頭鏡検査 nasopharyngoscopy ··· 813
鼻咽頭喉頭鏡 nasopharyngolaryngoscope ··· 813
鼻咽頭培養 nasopharyngeal culture ··· 813
鼻咽頭リーシュマニア症 espundia ··· 420
ビウレット biuret ··· 158
ビウレット反応 biuret reaction ··· 158
非運動活動による熱産生 nonexercise-activity thermogenesis (NEAT) ··· 837
非永続的薬品 nonpersistent agent ··· 838
非 A-E 型肝炎 non-A-E hepatitis ··· 837
非 A・非 B 型肝炎 non-A, non-B hepatitis (NANB) ··· 837
ピエール・ロバン症候群 Pierre Robin syndrome ··· 937
ピエゾ式超音波スケーラー piezoelectric ultrasonic device ··· 937
ビエルナツキー徴候 Biernacki sign ··· 150
ビエルム暗点 Bjerrum scotoma ··· 158
脾炎 splenitis ··· 1129
鼻炎 rhinitis ··· 1052
ビオヴァル biovar ··· 156
ビオー呼吸 Biot respiration ··· 155
ビオーの呼吸サイン Biot breathing sign ··· 155
ビオシチン biocytin ··· 153
ビオタ biota ··· 155
ビオチン biotin ··· 155

ヒ

ビオチン様物質 biotinides …… 155
ビオトープ biotope …… 155
ビオニック bionic …… 154
鼻音症 rhinolalia …… 1052
鼻窩 nasal pits …… 812
尾芽 tail bud …… 1177
被蓋 tegmentum …… 1182
鼻科医 rhinologist …… 1052
被蓋核 tegmental nuclei …… 1182
非開胸心マッサージ closed chest massage …… 252
被蓋咬合 overbite …… 878
被蓋交叉 decussationes tegmenti …… 320
被蓋症候群 tegmental syndrome …… 1182
非外傷性縫合糸 atraumatic suture …… 115
脾解剖〔学〕 splenotomy …… 1130
脾外膜炎 episplenitis …… 411
被害妄想 delusion of persecution …… 326
日帰り手術 same-day surgery …… 1070
日帰り静脈切除術 ambulatory phlebectomy …… 51
鼻科学 rhinology …… 1052
ひかがみ popliteal fossa …… 959
皮下気腫 subcutaneous emphysema …… 1152
皮角 cutaneous horn …… 306
被殻 putamen …… 1007
美学 esthetics …… 421
比較暗点 relative scotoma …… 1036
比較解剖学 comparative anatomy …… 268
被角血管腫 angiokeratoma …… 67
非核酸系逆転写酵素阻害薬 nonnucleoside reverse transcriptase inhibitors (NNRTIs) …… 838
比較病理学 comparative pathology …… 268
〔皮下〕血腫 ecchymoma …… 375
皮下脂肪 subcutaneous fat …… 1152
皮下脂肪〔組〕織炎 panniculitis …… 890
皮下脂肪性ヘルニア pannicular hernia …… 890
非加重 unweighted …… 1248
皮下手術 subcutaneous operation …… 1152
脾下垂〔症〕 splenoptosis …… 1129
皮下切腱術 subcutaneous tenotomy …… 1152
鼻科専門医 rhinologist …… 1052
皮下組織 subcutaneous tissue …… 1152
皮下組織 tela subcutanea …… 1183
皮下組織弁 subcutaneous flap …… 1152
皮下注射 hypodermic injection …… 593
皮下注射 subcutaneous injection …… 1152
皮下注射型投与 hypodermic implantation …… 593
皮下注射器 hypodermic syringe …… 593
皮下注射用錠剤 hypodermic tablet …… 593
皮下注入 hypodermoclysis …… 593
比活性 specific activity …… 1119
非可動化 immobilization …… 606
皮下乳房切除〔術〕 subcutaneous mastectomy …… 1152
光 light …… 699
光回復 photoreactivation …… 932
光加齢 photoaging …… 931
光感作 photosensitization …… 932
光凝固〔術〕 photocoagulation …… 931
光凝固装置 photocoagulator …… 931
光恐怖〔症〕 photophobia …… 932
光屈性 phototropism …… 933
光屈折学 dioptrics …… 349
光駆動 photic driving …… 931
光受容器 photoreceptor …… 932
光受容細胞 photoreceptor cells …… 932
光受容体 photoreceptor …… 932
光触媒 photocatalyst …… 931
光性くしゃみ photoptarmosis …… 932
光走性 phototaxis …… 933
光貼付試験 photo-patch test …… 932
光治療的角膜切除 phototherapeutic keratectomy (PTK) …… 933
光剥離 photoablation …… 931
光反応 photoreaction …… 932
光ファイバー fiberoptics …… 451
光分解 photolysis …… 932
光放射線 photoradiation …… 932
光ミオクロ〔ー〕ヌス photomyoclonus …… 932
光網膜炎 photoretinitis …… 932
光網膜症 photoretinopathy …… 932
光力学増感作用 photodynamic sensitization …… 932
非緩圧型連結装置 rigid connector …… 1057
非陥凹性浮腫 nonpitting edema …… 838
非観血手術 bloodless operation …… 163
非観血的手術 closed surgery …… 252
非環式化合物 acyclic compound …… 22
非感受性 insusceptibility …… 629
非還納性ヘルニア irreducible hernia …… 647
鼻気圧学 rhinomanometry …… 1052
鼻気圧計 rhinomanometer …… 1052
鼻気圧測定〔法〕 rhinomanometry …… 1052
引き金点 trigger point …… 1230
鼻気管チューブ nasotracheal tube …… 813
引きこもり withdrawal …… 1292
引きずり歩行 drag-to gait …… 363
引出し症状 drawer sign …… 363
ひきつり笑い risus caninus …… 1058
脾機能亢進〔症〕 hypersplenism …… 589
非機能性〔不正〕咬合 afunctional occlusion …… 34
脾機能低下症 hyposplenism …… 596
被虐愛 masochism …… 734
被虐性人格 masochistic personality …… 734
備給 cathexis …… 210
眉弓 superciliary arch …… 1159
比吸光係数 specific absorption coefficient (a) …… 1119
鼻鏡 rhinoscope …… 1052
鼻鏡検査〔法〕 rhinoscopy …… 1052
非競合的阻害 noncompetitive inhibition …… 837
非競合的阻害剤 uncompetitive inhibitor …… 1245
火恐怖〔症〕 pyrophobia …… 1012
非共有結合 noncovalent bond …… 837
〔前頭骨の〕鼻棘 nasal spine of frontal bone …… 812
鼻棘 nasal spines …… 812
鼻棘頭蓋底軸 basifacial axis …… 140
ひき割り meal …… 739
皮筋 cutaneous muscle …… 307
鼻筋 nasalis muscle …… 812
非均質放射線 heterogeneous radiation …… 558
鼻腔 nasal cavity …… 811
鼻腔狭窄〔症〕 rhinostenosis …… 1052
鼻腔閉鎖〔症〕 rhinocleisis …… 1052
鼻腔放射 nasal emission …… 812
ピクセル pixel …… 941
ピクノーゼ pyknosis …… 1009
ピクノメータ pyknometer …… 1009
ピグミー pygmy …… 1009
ヒグローマ hygroma …… 581
ピクロカルミン染色剤 picrocarmine stain …… 937
ピクロカルミン染色末 picrocarmine stain …… 937
非クロム親和性傍神経節腫 chemodectoma …… 228
非クロム親和性傍神経節腫症 chemodectomatosis …… 228
非経口栄養法 parenteral nutrition (PN) …… 899
鼻形成〔術〕 rhinoplasty …… 1052
鼻限 limen nasi …… 700
被験液 test solution …… 1190
非現実性 dereism …… 332
被検体 analyte …… 61
被検物 specimen …… 1120
飛行 flight …… 463
肥厚 hypertrophy …… 590
肥厚〔化〕 tylosis …… 1239
鼻硬化〔症〕 rhinoscleroma …… 1052
鼻甲介 turbinate …… 1238
鼻甲介海綿叢 cavernous plexus of conchae …… 211
鼻口蓋神経 nasopalatine nerve …… 813
鼻甲介切開〔術〕 turbinotomy …… 1238
鼻甲介切除〔術〕 turbinectomy …… 1238
肥厚期 diakinesis …… 341
微好気性菌 microaerophil …… 765
飛行機副子 airplane splint …… 37
飛行時間〔法〕 time of flight …… 1204
飛行時間型血管造影 time of flight (TOF) angiography …… 1205
粃糠疹 pityriasis …… 941
鼻口唇形成〔術〕 rhinocheiloplasty …… 1052

肥厚性胸膜炎 pachypleuritis 884
肥厚性骨膜炎 pachyperiostitis 884
肥厚性鞘膜炎 pachyvaginalitis 884
粃糠性脱毛〔症〕 alopecia pityrodes 45
肥厚性腟炎 pachyvaginitis 884
肥厚性鼻炎 hypertrophic rhinitis 590
肥厚性腹膜炎 pachyperitonitis 884
肥厚性幽門狭窄〔症〕 hypertrophic pyloric stenosis 590
肥厚性卵管卵巣炎 pachysalpingo-ovaritis 884
鼻腔バルーンタンポナーデ nasal balloon tamponade 811
庇護喉頭反射 protective laryngeal reflex 989
腓骨 fibula 454
腓骨 splint 1130
尾骨 coccyx 257
鼻骨 os nasale 872
腓骨栄養動脈 nutrient artery of fibula 845
鼻骨壊死 rhinonecrosis 1052
鼻骨間縫合 internasal suture 635
尾骨筋 coccygeus muscle 256
腓骨筋萎縮〔症〕 peroneal muscular atrophy 920
腓骨筋支帯 peroneal retinaculum 920
尾骨小体 coccygeal body 256
腓骨静脈 fibular veins 454
腓骨静脈 peroneal veins 920
尾骨神経 coccygeal nerve〔Co〕 256
尾骨神経叢 coccygeal plexus 256
脾骨髄軟化〔症〕 splenomyelomalacia 1129
尾骨切開〔術〕 coccygotomy 257
尾骨切除〔術〕 coccygectomy 256
尾骨痛 coccygodynia 257
腓骨頭 head of fibula 534
尾骨洞 coccygeal sinus 256
腓骨動脈 fibular artery 454
腓骨動脈 peroneal artery 920
脾固定〔術〕 splenopexy 1129
非孤立性蛋白尿 nonisolated proteinuria 838
ピコリン酸クロム chromium picolinate 240
鼻根筋 procerus muscle 980
膝 geniculum 494
膝 knee 668
微細屈折計 microrefractometer 769
非再呼吸麻酔〔法〕 nonrebreathing anesthesia 838
微細線維 filamentum 454
微細動脈瘤 microaneurysm 766
微細物恐怖〔症〕 acarophobia 7
膝上切断 A-K amputation 37
膝屈曲歩行 crouch gait 300
膝下切断 B-K amputation 158
膝の動脈 genicular arteries 494
膝ロッキング locked knee 708
皮脂 sebum 1084
肘 elbow 382
皮脂厚測定 skinfold measurement 1109
肘上切断 A-E amputation 31
非視覚的網膜 nonvisual retina 839
鼻耳管炎 rhinosalpingitis 1052
被刺激性 irritability 648
皮脂欠乏〔症〕 asteatosis 109
鼻糸状菌症 rhinomycosis 1052
皮脂石 sebolith 1083
〔皮〕脂腺 sebaceous glands 1083
皮脂腺結石 sebolith 1083
皮質 cortex 289
皮質 cortical substance 289
皮質下性失語〔症〕 subcortical aphasia 1152
皮質下部 subcortex 1152
〔大脳〕皮質基底核変性〔症〕 corticobasal degeneration 289
皮質骨 cortical bone 289
皮質索 cortical cords 289
皮質索 gonadal cords 510
皮質除去 decortication 320
皮質性難聴 cortical deafness 289
皮質電図 electrocorticogram 383
皮質動脈 cortical arteries 289
皮質脳波検査〔法〕 electrocorticography 383
皮質部白内障 cortical cataract 289
皮質放線状動脈 cortical radiate arteries 289
皮質盲 cortical blindness 289
皮質ろう cortical deafness 289
皮脂嚢腫 pilar cyst 937
皮脂嚢腫 sebaceous cyst 1083
皮脂嚢胞 pilar cyst 937
皮脂嚢胞 sebaceous cyst 1083
微弱陣痛 hypotonic labor 598
ビシャ膜 Bichat membrane 149
ビシャ裂 Bichat fissure 149
比重 specific gravity 1119
脾周囲炎 perisplenitis 918
〔液体〕比重計 hydrometer 579
比重濃縮法 gravity concentration 517
微〔小〕絨毛 microvillus 769
びじゅく chyme 243
びじゅく形成 chymopoiesis 243
脾出血 splenorrhagia 1130
鼻出血 epistaxis 411
非種特異化 despeciation 337
脾症 splenosis 1130
鼻症 rhinopathy 1052
脾障害 splenopathy 1129
微小外傷 microtrauma 769
尾状核 caudate nucleus 211
鼻上顎洞炎 rhinoantritis 1052
微小管 microtubule 769
微小眼炎転写因子遺伝子 microophthalmia transcription factor gene 768
微小凝集塊 microaggregate 765
微小血管症 microangiopathy 766
微小血管障害 microangiopathy 766
微小循環 microcirculation 766
微小浸潤 microinvasion 768
微小切開 microincision 768
微小石灰化 microcalcifications 766
〔微〕小穿刺 micropuncture 769
微小体積〔変動〕記録法 microplethysmography 768
微小聴診器 microstethoscope 769
微小転移巣 micrometastasis 768
尾状突起 caudate process 211
微小乳腺腺症 microglandular adenosis 767
微小膿瘍 microabscess 765
微小吻合〔術〕 microanastomosis 766
微小縫合糸 microsuture 769
脾静脈 splenic vein 1129
皮静脈 superficial vein 1160
〔近位〕脾静脈腎静脈吻合 proximal splenorenal shunt 992
脾静脈腎静脈吻合 splenorenal shunt 1130
尾状葉 caudate lobe 211
比色計 colorimeter 263
比色定量 colorimetry 263
ビショップ指数 Bishop score 157
ビショップスフィグモスコープ Bishop sphygmoscope 157
ビショフ脊髄切開〔術〕 Bischof myelotomy 157
皮疹 eruption 415
皮疹 exanthema 425
皮疹 rash 1025
皮神経 cutaneous nerve 307
非侵襲的陽圧換気法 noninvasive positive pressure ventilation (NIPPV) 838
ピジン手話英語 Pidgin Sign English (PSE) 937
非浸透性 nonpenetrance 838
非侵入性形質 nonpenetrant trait 838
脾腎ひだ splenorenal ligament 1129
鼻唇リンパ節 nasolabial lymph node 812
脾髄 splenic pulp 1128
ビスコカナロストミー viscocannulostomy 1278
ヒス染色〔法〕 Hiss stain 564
ヒス束 His bundle 564
ヒス束心電図 His bundle electrogram (HBE) 564
ヒスタミン histamine 564
ヒスタミン血〔症〕 histaminemia 564
ヒスタミン試験 histamine test 565
ヒスタミン尿〔症〕 histaminuria 565
ヒスタミン放出因子 histamine-releasing factor 565

ヒ

ヒスタロッグ試験 Histalog test ……… 564
ヒスチオサイトーシスX histiocytosis X ……… 565
ヒスチジン histidine（His, H）……… 565
ヒスチジンアンモニアリアーゼ histidine ammonia-lyase ……… 565
ヒスチジンデカルボキシラーゼ histidine decarboxylase ……… 565
ヒスチジン尿〔症〕histidinuria ……… 565
ヒステリー hysteria ……… 599
ヒステリー球 globus hystericus ……… 502
ヒステリー〔性〕失声〔症〕hysteric aphonia ……… 599
ヒステリー性運動失調〔症〕hysteric ataxia ……… 599
ヒステリー性カタレプシー hysterocatalepsy ……… 599
ヒステリー性関節 hysteric joint ……… 599
ヒステリー性痙攣 hysteric convulsion ……… 599
ヒステリー性精神病 hysteric psychosis ……… 599
ヒステリー性舞踏病 hysteric chorea ……… 599
ヒステリーてんかん hysteroepilepsy ……… 599
ヒステリー発作 hysterics ……… 599
ヒステリー盲 hysteric blindness ……… 599
ヒステリー様痙攣 hysteric convulsion ……… 599
ヒステリシス hysteresis ……… 598
非ステロイド性抗炎症薬 nonsteroidal antiinflammatory drug（NSAID）……… 839
ヒステロスコープ hysteroscope ……… 599
ビストート bistort ……… 157
ヒストグラム histogram ……… 565
ヒストトープ histotope ……… 566
ヒストプラスマ腫 histoplasmoma ……… 566
ヒストプラスマ症 histoplasmosis ……… 566
ヒストプラスミン histoplasmin ……… 566
ヒストモナス症 histomoniasis ……… 566
ヒストリチクス菌 *Clostridium histolyticum* ……… 253
ヒストン histone ……… 566
ヒストン塩基 hexone bases ……… 560
ヒストン尿〔症〕histonuria ……… 566
ビスホスホネート bisphosphonates ……… 157
ビスマス中毒症 bismuthosis ……… 157
ビスマスライン bismuth line ……… 157
ひずみ asymmetry ……… 110
ひずみ distortion ……… 356
歪成分耳音響放射 distortion-product otoacoustic emission ……… 356
ビスムチル bismuthyl ……… 157
ヒス〔氏〕ライン His line ……… 564
鼻性呼吸 snuffles ……… 1112
非正視 ametropia ……… 53
鼻性反射 nasal reflex ……… 812
微生物 germ ……… 496
微生物 microbe ……… 766
微生物 microorganism ……… 768
微生物学 microbiology ……… 766
微生物学者 microbiologist ……… 766
微生物叢 flora ……… 464
鼻石 rhinolith ……… 1052
微石症 microlithiasis ……… 768
鼻石症 rhinolithiasis ……… 1052
〔胎性〕皮節 dermatomere ……… 334
脾切開〔術〕splenotomy ……… 1130
鼻切開〔術〕rhinotomy ……… 1052
非接合性プラスミド nonconjugative plasmid ……… 837
比旋光度 specific optic rotation ……… 1120
非染色性 achromatic ……… 12
ヒゼンダニ *Sarcoptes scabiei* ……… 1072
ヒゼンダニ類 sarcoptid ……… 1072
非穿通創 nonpenetrating wound ……… 838
鼻前庭 vestibule of nose ……… 1274
鼻前頭静脈 nasofrontal vein ……… 812
非専売名 nonproprietary name ……… 838
鼻前弯〔症〕rhinokyphosis ……… 1052
被層 covering ……… 293
脾臓 lien ……… 697
脾臓 spleen ……… 1128
脾臓アミラーゼ pancreatic amylase ……… 889
腓側足根腱鞘 fibular tarsal tendinous sheaths ……… 454
尾側ひだ tail fold ……… 1177
ヒ素剤 arsenical ……… 97
ひだ crease ……… 295
ひだ fold ……… 467
ひだ plica ……… 949
ひだ reduplication ……… 1032
額 forehead ……… 470
肥大 hypertrophy ……… 590
肥大型心筋症 hypertrophic cardiomyopathy ……… 590
非体系妄想 unsystematized delusion ……… 1248
非対称 asymmetry ……… 110
非代償性アルカローシス uncompensated alkalosis ……… 1245
非対称性胎児発育遅延 asymmetric fetal growth restriction ……… 110
非対称なコリメーション asymmetric collimation ……… 110
肥大性肺性骨関節症 hypertrophic pulmonary osteoarthropathy ……… 590
比濁〔法〕nephelometry ……… 819
ひだ形成 plication ……… 949
ひだ切開〔術〕plicotomy ……… 949
非脱分極〔性〕遮断 nondepolarizing block ……… 837
ビタマー vitamer ……… 1279
ビタミン vitamin ……… 1279
ビタミン過剰〔症〕hypervitaminosis ……… 590
ビタミンK非存在下誘導蛋白 protein induced by vitamin K absence（PIVKA）……… 989
ビタミン欠乏症 avitaminosis ……… 126
ビタミン大量療法 megavitamin therapy ……… 747
ビタミンD乳 vitamin D milk ……… 1280
ビタミンB_2欠乏〔症〕ariboflavinosis ……… 95
ビタミンB複合体 vitamin B complex ……… 1280
ビタミン不足症 hypovitaminosis ……… 598
ビタミンD結合蛋白 vitamin D-binding protein ……… 1280
ビタミンD抵抗性くる病 vitamin D-resistant rickets ……… 1280
左胃静脈 left gastric vein ……… 687
左胃大網動脈 left gastroepiploic artery ……… 687
左胃大網動脈 left gastroomental artery ……… 687
左胃動脈 left gastric artery ……… 687
左回転 levoversion ……… 696
左回転 sinistrotorsion ……… 1107
左肝管 left hepatic duct ……… 687
左冠状動脈 left coronary artery ……… 687
左利き sinistral ……… 1107
左利き sinistrality ……… 1107
左結腸曲 left colic flexure ……… 687
左結腸動脈 left colic artery ……… 687
左臍静脈 left umbilical vein ……… 687
左捻転 sinistrotorsion ……… 1107
左肺動脈 left pulmonary artery ……… 687
左ひき運動 levoduction ……… 696
悲嘆 grief ……… 519
ヒダントイン hydantoin ……… 577
非蛋白性窒素 nonprotein nitrogen（NPN）……… 838
非致死化学薬品 nonlethal agent ……… 838
尾虫 cercaria ……… 220
鼻中隔 nasal septum ……… 812
鼻中隔下制筋 depressor muscle of septum ……… 332
鼻中隔形成〔術〕septoplasty ……… 1093
〔鼻〕中隔切除〔術〕septectomy ……… 1093
鼻中隔造鼻〔術〕septorhinoplasty ……… 1093
鼻中隔軟骨 nasal septal cartilage ……… 812
非中毒性甲状腺腫 nontoxic goiter ……… 839
尾椎 coccygeal vertebrae Co1-Co4 ……… 256
鼻痛 rhinalgia ……… 1051
鼻痛 rhinodynia ……… 1052
ビツォーツェロ赤血球 Bizzozero red cells ……… 158
ヒス管 His canal ……… 564
ピッキーニ症候群 Picchini syndrome ……… 936
ピック萎縮 Pick atrophy ……… 936
ピックウィック症候群 pickwickian syndrome ……… 936
ピック細胞 Pick cell ……… 936
ピック〔小〕体 Pick bodies ……… 936
ピッグテールカテーテル pigtail catheter ……… 937
ピック病 Pick disease ……… 936
ピッグベル pigbel ……… 937
びっくり反射 startle reflex ……… 1137
ピックレス図 Pickles chart ……… 936
日付 date ……… 316
必須アミノ酸 essential amino acids ……… 420
必須栄養素 essential nutrient ……… 421
必須脂肪酸 essential fatty acid（EFA）……… 421

筆跡覚消失 graphanesthesia …… 516
筆尖 calamus scriptorius …… 189
ピッチ pitch …… 940
ピッチいぼ pitch wart …… 940
ヒッチハイカー母指 hitchhiker thumb …… 566
ピッツバーグ肺炎 Pittsburgh pneumonia …… 940
ビットルフ反応 Bittorf reaction …… 158
筆毛動脈 penicillus …… 910
ビデ bidet …… 150
非定型抗酸菌 atypical mycobacteria …… 117
非定型抗精神病薬 atypical antipsychotic agent …… 117
非定型性麻疹 atypical measles …… 117
非定型的乳房切除〔術〕 modified radical mastectomy …… 778
非定型肺炎 atypical pneumonia …… 117
非定型ミコバクテリア atypical mycobacteria …… 117
否定妄想 delusion of negation …… 326
非定量窒素 undetermined nitrogen …… 1246
ビデオ内視鏡 videoendoscope …… 1275
ビデオ内視鏡検査 videoendoscopy …… 1275
脾摘 splenectomy …… 1128
脾摘出〔術〕 splenectomy …… 1128
脾転位〔症〕 splenectopia …… 1128
非電解質 nonelectrolyte …… 837
非添窩部 suprabulge …… 1164
ヒト *Homo sapiens* …… 570
ヒトインスリン human insulin …… 574
脾洞 splenic sinus …… 1128
鼻道 nasal meatus …… 812
非同意患者 involuntary patient …… 644
鼻洞炎 nasosinusitis …… 813
非透過性 opacity …… 861
被動性アナフィラキシー passive anaphylaxis …… 902
脾動脈 lienal artery …… 697
脾動脈 splenic artery …… 1128
ビトー斑〔点〕 Bitot spots …… 158
ヒト顆粒球性エールリヒア症 human granulocytic ehrlichiosis (HGE) …… 574
ヒト・ガンマグロブリン human gamma globulin …… 573
被毒 poisoning …… 953
非特異性建物関連疾病 nonspecific building-related illnesses 839
非特異蛋白 nonspecific protein …… 839
非特異免疫 natural immunity …… 814
脾毒素 splenotoxin …… 1130
ヒト〔型〕結核菌 *Mycobacterium tuberculosis* …… 802
ヒト血漿蛋白分画 human plasma protein fraction …… 574
ヒトゲノム解析機構 Human Genome Organization (HUGO) …… 573
ヒトゲノム計画 Human Genome Project …… 573
ヒト抗血友病因子 human antihemophilic factor …… 573
ヒト好酸球性腸炎 human eosinophilic enteritis …… 573
ヒト咬傷 human bite …… 573
ひとさしゆび index finger …… 614
ヒト絨毛性ゴナドトロピン human chorionic gonadotropin (hCG) …… 573
ヒト胎盤性乳汁分泌促進因子 human placental lactogen …… 574
ヒト胎盤性ラクトゲン human placental lactogen …… 574
尾突起 caudal eminence …… 211
一つ目奇形 cyclopia …… 309
ヒトTリンパ球指向性/T細胞白血球ウイルス human T-cell lymphoma/leukemia virus (HTLV) …… 574
ヒトディプロイドセルワクチン human diploid cell vaccine …… 573
ヒトにおけるメンデル遺伝 Mendelian Inheritance in Man (MIM) …… 751
ヒト乳頭腫ウイルス human papillomavirus (HPV) …… 574
ヒトの伝染性疾患のコントロールマニュアル *Control of Communicable Diseases Manual* (CCDM) …… 283
ヒト白血球抗原 human leukocyte antigen …… 574
一針の縫合〔糸〕 stitch …… 1143
ヒト閉経期尿性ゴナドトロピン human menopausal gonadotropin …… 574
ヒトヘルペスウイルス1 human herpesvirus 1 …… 574
ヒト鞭虫 *Trichuris trichiura* …… 1229
ヒト免疫不全ウイルス human immunodeficiency virus (HIV) …… 574
ヒドラスチス goldenseal …… 509
ヒドラターゼ hydratase …… 578
ひとり親家庭 single-parent family …… 1106
ヒドロキシフェニル尿〔症〕 hydroxyphenyluria …… 581
ヒドロキシラーゼ hydroxylases …… 581
ヒドロキシル hydroxyl …… 581
ヒドロキソコバラミン hydroxocobalamin …… 580
ヒドロゲナーゼ hydrogenase …… 578
ヒドロゲル hydrogel …… 578
ヒドロコルチゾン hydrocortisone …… 578
ビトロネクチン vitronectin …… 1281
ヒドロラーゼ hydrolases …… 579
ヒドロリアーゼ hydro-lyases …… 579
ピナール操作 Pinard maneuver …… 938
皮内注射 intradermal injection …… 641
皮内反応 intracutaneous reaction …… 641
鼻内麻酔〔法〕 intranasal anesthesia …… 641
脾軟化〔症〕 splenomalacia …… 1129
鼻軟骨 nasal cartilage …… 811
ビニール封筒培養 plastic envelope culture …… 946
ビニール袋培養 pouch culture …… 969
泌尿器科〔専門〕医 urologist …… 1253
泌尿器科学 urology …… 1253
泌尿器放射線学 uroradiology …… 1253
泌尿〔器〕系 urinary system …… 1252
泌尿生殖〔器〕系 urogenital system …… 1253
〔泌〕尿生殖隆線 urogenital ridge …… 1253
避妊 contraception …… 282
否認 denial …… 327
避妊器具 contraceptive device …… 282
避妊ペッサリー diaphragm …… 342
避妊薬 contraceptive …… 282
避妊用スポンジ contraceptive sponge …… 282
ビネースケール Binet scale …… 152
ビネー年齢 Binet age …… 152
非熱帯性スプルー nontropical sprue …… 839
ひねり歩き helicopod gait …… 539
ピネル方式 Pinel system …… 939
被嚢結石 encysted calculus …… 394
被嚢幼虫 metacercaria …… 760
ピノソーム pinosome …… 939
疲はい exhaustion …… 428
疲はい prostration …… 989
非配偶体 agamete …… 34
鼻背動脈 dorsal nasal artery …… 361
菲薄赤血球症 leptocytosis …… 690
被ばく線量 exposed dose …… 431
非白血性白血病 aleukemic leukemia …… 40
非白血病 aleukemia …… 40
批判的思考 critical thinking …… 299
批判的評価 critical appraisal …… 298
皮斑様皮膚炎 livedoid dermatitis …… 706
非病原菌 saprophyte …… 1071
皮膚 cutis …… 307
皮膚 skin …… 1109
皮膚萎縮〔症〕 atrophoderma …… 116
皮膚萎縮線条 striae cutis distensae …… 1148
〔皮膚〕異常変色 dyschromia …… 370
皮膚移植〔片〕 dermal graft …… 333
皮膚壊疽 sphaceloderma …… 1122
皮膚炎 dermatitis …… 333
皮膚炎誘発性毛虫 dermatitis-causing caterpillar …… 333
皮膚黄変 xanthoderma …… 1296
皮膚黄変症 xanthochromia …… 1296
皮膚科医 dermatologist …… 334
皮膚科学 dermatology …… 334
皮膚角質層炎 keratodermatitis …… 663
皮膚芽細胞 dermoblast …… 336
皮膚カロチン症 carotenoderma …… 205
皮膚カロチン症 carotenosis cutis …… 205
皮膚巨大〔症〕 dermatomegaly …… 334
皮膚筋炎 dermatomyositis …… 334
皮膚筋腫 dermatomyoma …… 334
被覆 crowning …… 300
被覆 epiboly …… 406
腓腹筋 gastrocnemius muscle …… 489
腓腹筋腱下包 subtendinous bursae of gastrocnemius (muscle) …… 1156

ヒ

腓腹神経 sural nerve 1166
腓腹動脈 sural artery 1166
鼻副鼻腔炎 nasosinusitis 813
鼻副鼻腔炎 rhinosinusitis 1052
腓腹部 sural region 1166
皮膚〔表面〕形成〔術〕 dermatoplasty 335
皮膚結核 cutaneous tuberculosis 307
皮膚血管炎 cutaneous vasculitis 307
皮膚牽引 skin traction 1109
皮膚硬化〔症〕 sclerema 1080
皮膚紅色チアノーゼ〔症〕 erythrocyanosis 417
皮膚鉤虫症 cutaneous ancylostomiasis 306
皮膚紅痛症 erythralgia 416
皮膚紅痛症 erythromelalgia 418
〔皮膚〕紅斑〔線〕量 erythema dose 415
皮膚骨格 exoskeleton 429
皮膚骨腫 osteoma cutis 874
皮膚採取器 dermatome 334
皮膚擦傷法 dermabrasion 333
皮膚弛緩〔症〕 dermatochalasis 334
皮膚弛緩〔症〕 dermatolysis 334
皮膚試験 skin test 1109
皮膚糸状菌 dermatophyte 334
皮膚糸状菌症 dermatophytosis 335
皮膚糸状菌疹 dermatophytid 335
皮膚支帯 retinaculum cutis 1046
皮膚支帯 retinaculum of skin 1046
皮膚腫 dermatoma 334
鼻浮腫 rhinedema 1051
皮膚腫瘍 ecphyma 377
皮膚症 dermatopathy 334
皮膚症 dermatosis 335
皮膚障害 dermatopathy 334
皮膚小静脈瘤 varicule 1261
皮膚小稜 epidermal ridges 407
皮膚小稜 skin ridges 1109
皮膚色異常 dyschromia 370
皮膚真菌症 dermatomycosis 334
皮膚神経腫 neuroma cutis 827
皮膚神経症 dermatoneurosis 334
皮膚節 dermatome 334
皮膚線維腫 dermatofibroma 334
皮膚線条 stretch mark 1148
皮膚全層熱傷 full thickness burn 478
皮膚腺病 scrofuloderma 1082
皮膚線量 skin dose 1109
皮膚知覚帯 dermatome 334
皮膚潮紅 rubedo 1063
皮膚潮紅 rubeosis 1063
皮膚電気反応聴力検査 electrodermal audiometry 383
皮膚洞 dermal sinus 333
皮膚軟化薬 emollient 391
皮膚粘膜リーシュマニア症 mucocutaneous leishmaniasis 788
ヒプノゾイト hypnozoite 591
皮膚発育不全〔症〕 adermogenesis 26
皮膚白血病 leukemia cutis 693
皮膚反応 cutireaction 307
皮膚病学者 dermatologist 334
皮膚描記症 dermatographism 334
皮膚病治療 dermatotherapy 335
皮膚病理学 dermatopathology 334
皮膚付属器 appendages of skin 90
皮膚平滑筋腫 leiomyoma cutis 688
皮膚変色 parachroma 893
皮膚防御 dermatophylaxis 334
皮膚発赤 rubefaction 1063
〔皮膚〕毛細管血圧計 ochrometer 852
皮膚紋画症 dermatographism 334
皮膚紋理 dermatoglyphics 334
皮膚紋理学 dermatoglyphics 334
皮膚幼虫移行症 cutaneous larva migrans 306
ビブリオ菌 vibrio 1274
皮膚リーシュマニア症 cutaneous leishmaniasis 306
皮膚リーシュマニア肉芽腫 cutaneous leishmaniasis granuloma 307
ビブリオ症 vibriosis 1275
皮膚良性リンパ細胞腫 benign lymphocytoma cutis 145
非ふるえ性熱産生〔性〕 nonshivering thermogenesis 839
飛蚊症 muscae volitantes 794
被分析者 analysand 61
非分泌者 nonsecretor 838
非閉塞性黄疸 nonobstructive jaundice 838
ピペット pipette 940
ヒペルエルギー hyperergia 583
脾ヘルニア splenocele 1129
皮〔膚〕弁 flap 459
微片 mote 785
皮弁切断〔術〕 flap amputation 459
被包 encapsulation 393
被包 epiboly 406
被包 integument 629
被包 tegument 1182
鼻胞 nasal capsule 811
尾方芽 tail bud 1177
非包含椎間板ヘルニア noncontained disc herniation 837
脾縫合〔術〕 splenorrhaphy 1130
比放射能 specific activity 1119
被包脱落膜 decidua capsularis 319
ビポーマ VIPoma 1276
ヒポキサンチン hypoxanthine 598
ヒポクラテス顔〔貌〕 hippocratic facies 564
ヒポクラテス指 hippocratic fingers 564
ヒポクラテス死相 hippocratic facies 564
ヒポクラテス振水音 hippocratic succussion sound 564
ヒポクラテス爪 hippocratic nails 564
ヒポクラテスの宣詞 Hippocratic Oath 564
ヒポコーン hypocone 592
ヒポコニッド hypoconid 592
ヒポコヌリッド hypoconulid 592
ヒポコンドリー性メランコリー hypochondriacal melancholia 592
非ホジキンリンパ腫 non-Hodgkin lymphoma 838
被膜 capsule 197
被膜 coat 255
被膜 covering 293
被膜 film 455
被膜 mantle 731
被膜 tegument 1182
被膜炎 capsulitis 197
被膜剥離〔術〕 decapsulation 318
被膜剥離〔術〕 decortication 320
ヒマシ油 castor oil 208
飛沫感染 droplet infection 364
飛沫予防策 droplet precautions 364
肥満〔症〕 adiposis 28
肥満〔症〕 obesity 847
肥満学 bariatrics 135
肥満型 endomorph 397
肥満恐怖症 baryophobia 137
肥満細胞 mast cell 735
肥満細胞腫 mastocytoma 735
肥満細胞症 mastocytosis 735
肥満手術 bariatric surgery 135
びまん性軸索損傷 diffuse axonal injury 346
びまん性層状角膜炎 diffuse lamellar keratitis (DLK) 346
びまん性損傷 diffuse injuries 346
びまん性膿瘍 diffuse abscess 346
びまん性皮膚肥満細胞症 diffuse cutaneous mastocytosis 346
びまん性閉塞性〔肺〕気腫 diffuse obstructive emphysema 346
びまん性片側性亜急性神経網膜炎 diffuse unilateral subacute neuroretinitis (DUSN) 346
びまん性レヴィー小体病 diffuse Lewy body disease 346
肥満低換気症候群 obesity-hypoventilation syndrome 847
秘密薬 nostrum 841
非メディケア参加医師 nonparticipating physician 838
ピメリン酸 pimelic acid 938
非免疫血清 nonimmune serum 838
ビメンチン vimentin 1275
紐 tenia 1186
鼻毛 vibrissa 1275
眉毛〔部皮膚〕炎 ophritis 862
眉毛下制筋 depressor supercilii muscle 332

眉毛〔部〕痙攣 ophryosis 862
鼻毛様体神経 nasociliary nerve 812
媚薬 philtrum 928
百日咳 pertussis 921
百日咳菌 *Bordetella pertussis* 168
日焼け sunburn 1159
ヒューター操作 Hueter maneuver 573
ビューレン症候群 Beuren syndrome 149
非有窓鉗子 nonfenestrated forceps 837
ピュエストー手術 Puestow procedure 1002
ビュスケー病 Busquet disease 186
ヒュッケル則 Hückel rule 573
ヒュフナー式 Hüfner equation 573
ヒュルトレ細胞腫 Hürthle cell tumor 576
ヒュルトレ細胞腺腫 Hürthle cell adenoma 576
ビュルピャン萎縮 Vulpian atrophy 1283
尾葉 cercus 221
病院 hospital 572
病院 infirmary 620
病因 etiology 423
病因〔論〕 pathogenesis 904
病院医師 hospitalist 572
病因学 etiology 423
病院情報システム hospital information system 572
病院調査委員会 Institutional Review Board (IRB) 627
病院調剤室 dispensary 354
病因論 etiology 423
評価 assessment 108
評価 evaluating 424
評価 evaluation 424
評価と管理 evaluation and management (E/M) 424
描記 registration 1034
病気 disease 353
病気 sickness 1103
病期 stage 1134
病気の重症度 severity of illness 1097
病期分類 staging 1134
表〔現〕型模写 phenocopy 926
美容外科〔学〕 cosmetic surgery 290
氷結 freezing 475
非溶血性黄疸 nonhemolytic jaundice 837
表現 expression 431
病原〔論〕 pathogenesis 904
表現型 phenotype 927
病原菌伝播 vection 1264
表現錯誤 paramimia 896
病原性 pathogenicity 904
病原性咬合 pathogenic occlusion 904
病原体 pathogen 904
表現値 phenotypic value 927
病後歴 catamnesis 209
表在呼吸 shallow breathing 1098
表在性熱傷 superficial burn 1159
表在反射 superficial reflex 1160
標識 label 672
標識 marker 733
病識 insight 627
病室 ward 1285
描写 registration 1034
病弱者 invalid 644
美容術 cosmesis 290
美容術 facioplasty 439
表出〔性〕失語〔症〕 expressive aphasia 431
表出性言語障害 expressive language disorder 431
標準圧力 standard pressure 1135
標準液 standard solution 1135
標準温度 standard temperature 1135
標準化 standardization 1135
標準型 model 777
標準誤差 standard error of measurement (SEM) 1135
標準重炭酸イオン濃度 standard bicarbonate 1135
標準診療 clinical path 250
標準大気 standard atmosphere (atm) 1135
標準治療 standard of care 1135
標準的予防策 standard precautions 1135
標準物質 calibrator 191
標準偏差 standard deviation (σ) 1135
表象 idea 601
表情 expression 431
〔病状〕再燃 exacerbation 425
瘭疽 felon 447
病訴 complaint 268
病巣 focus 466
病巣 lesion 691
病巣中核 nidus 833
病巣反応 focal reaction 466
費用対効果 cost-effectiveness 290
病態失認てんかん anosognosic epilepsy 73
病態生理学 pathophysiology 904
病態モデル pathologic model 904
表徴 expression 431
標徴 stigma 1142
標徴形成 stigmatization 1142
標徴存在 stigmatism 1142
標徴存在 stigmatization 1142
標定 standardization 1135
鋲釘肝 hobnail liver 567
標的 target 1179
病的カルシウム沈着 pathologic calcification 904
病的感受性 heteropathy 559
標的器官 target organ 1179
病的吸収 pathologic absorption 904
病的虚言〔症〕 pseudomania 995
病的近視 pathologic myopia 904
病的骨折 pathologic fracture 904
標的細胞 target cell 1179
病的収縮輪 pathologic retraction ring 904
病的状態 morbidity 784
病的石灰化 pathologic calcification 904
標的赤血球 target cell 1179
標的腺 target gland 1179
病的増殖物 excrescence 426
病的増殖物 vegetation 1264
病的組織結合 aclasis 14
標的調査 targeted surveillance 1179
病的肥満 morbid obesity 784
病的癒合 symphysis 1170
評点 score 1082
評点尺度法 visual analogue scale (VAS) 1278
〔結〕氷点測定 cryoscopy 302
病棟 ward 1285
病棟医 house officer 572
病棟医 house staff 572
病人の役割 sick role 1103
皮様嚢腫 dermoid cyst 336
表皮 cuticle 307
表皮 epidermis 408
表皮異形成 epidermodysplasia 408
表皮壊死症 necrolysis 816
表皮炎 epidermitis 408
〔表皮〕角質層 stratum corneum epidermidis 1145
表皮向性 epidermotropism 408
表皮水疱症 epidermolysis bullosa 408
〔表皮〕淡明層 clear layer of epidermis 249
〔表皮〕淡明層 stratum lucidum 1145
表皮内悪性黒色腫 melanoma in situ 748
表皮嚢胞 epidermal cyst 407
表皮剥脱 abrasion 5
表皮剥脱 denudation 330
表皮剥脱材 abrasive 5
表皮剥離 epidermolysis 408
表皮剥離 keratolysis 663
表皮発育異常〔症〕 epidermodysplasia 408
表皮肥厚〔症〕 acanthosis 7
表皮メラニン単位 epidermal-melanin unit 407
〔表皮〕有棘層 stratum spinosum epidermidis 1145
病部転位 metathesis 762
病変 lesion 691
標本 sample 1070
標本 specimen 1120
標本抽出 sampling 1070
表面 surface 1166

表面寄生植物 exophyte ……… 429
表面コイル surface coil ……… 1166
表面抗原分類 2 cluster of differentiation 2(CD2) ……… 254
表面抗原分類 3 cluster of differentiation 3(CD3) ……… 254
表面抗原分類 4 cluster of differentiation 4(CD4) ……… 254
表面抗原分類 8 cluster of differentiation 8(CD8) ……… 254
表面生検 surface biopsy ……… 1166
表面張力 surface tension ……… 1166
表面麻酔〔法〕 topical anesthesia ……… 1210
豹紋状眼底 tessellated fundus ……… 1190
病理解剖学 pathologic anatomy ……… 904
病理学 pathology ……… 904
病理学者 pathologist ……… 904
病理生物学 pathobiology ……… 903
病歴 anamnesis ……… 61
病歴 case history ……… 208
病歴 history ……… 566
鼻翼 ala of nose ……… 38
鼻翼 wing of nose ……… 1292
非抑制性インスリン様活性 nonsuppressible insulinlike activity ……… 839
平爪 nail ……… 810
ピラノース pyranose ……… 1011
ヒラメ筋 soleus muscle ……… 1114
びらん erosion ……… 414
びらん sore ……… 1117
ビリオン virion ……… 1277
ピリジニウム pyridinium ……… 1011
ピリジノリン pyridinoline ……… 1011
ピリ線毛 pilus ……… 938
ピリドキサミン pyridoxamine ……… 1012
ピリドキサル 5′-リン酸 pyridoxal 5′-phosphate ……… 1012
ピリドキシン pyridoxine ……… 1012
ピリドスチグミン塩化物 pyridostigmine chloride ……… 1011
ピリドスチグミン臭化物 pyridostigmine bromide (PB) ……… 1011
ビリベルジン biliverdin ……… 152
ピリミジン pyrimidine ……… 1012
鼻瘤 rhinophyma ……… 1052
微粒子 particle ……… 902
稗粒腫 milium ……… 772
非流暢 disfluency ……… 353
鼻梁 bridge ……… 175
鼻稜 nasal crest ……… 812
微量化学 microchemistry ……… 766
微量呼吸計 microrespirometer ……… 769
非利用性貧血 achrestic anemia ……… 12
微量注射器 microsyringe ……… 769
微量透析法 microdialysis ……… 767
微量ミネラル trace minerals ……… 1214
微量養分 micronutrients ……… 768
ビリルビノイド bilirubinoids ……… 151
ビリルビン血〔症〕 bilirubinemia ……… 151
ビリルビン尿〔症〕 bilirubinuria ……… 152
ビリルビン脳症 bilirubin encephalopathy ……… 151
ピリン pyrin ……… 1012
ビリング法 Billings method ……… 152
脾リンパ小節 splenic lymph follicles ……… 1128
ヒル leech ……… 686
鼻涙管 nasolacrimal canal ……… 812
鼻涙管 nasolacrimal duct ……… 812
鼻涙管ひだ lacrimal fold ……… 673
ピルケー試験 Pirquet test ……… 940
ヒル-サックス病変 Hill-Sachs lesion ……… 563
ヒル式 Hill equation ……… 563
ヒル手術 Hill operation ……… 563
ヒルシュベルク試験 Hirschberg test ……… 564
ヒルシュベルク法 Hirschberg method ……… 564
ビルショースキー試験 Bielschowsky test ……… 150
ヒルジン hirudin ……… 564
ビルソイド virusoid ……… 1277
ビル操作 Bill maneuver ……… 152
ヒル徴候 Hill sign ……… 563
ヒルトルわな Hyrtl loop ……… 598
ヒルトンの法則 Hilton law ……… 563
ヒルトン法 Hilton method ……… 563
ヒルの因果関係の判定基準 Hill criteria of evidence ……… 563
ビルハルツ住血吸虫 *Schistosoma haematobium* ……… 1077
ビルハルツ〔住血吸虫〕性赤痢 bilharzial dysentery ……… 151
ピルビン酸 pyruvic acid ……… 1012
ピルビン酸キナーゼ pyruvate kinase (PK) ……… 1012
ビルベリー bilberry ……… 151
ヒル撲滅薬 hirudicide ……… 564
ビルレンス virulence ……… 1277
ビルレント virulent ……… 1277
ビルレント〔バクテリオ〕ファージ virulent bacteriophage … 1277
ビルロートⅠ法手術 Billroth operation I ……… 152
ビルロートⅡ法手術 Billroth operation II ……… 152
ビルロート病 Billroth disease ……… 152
比例補助換気法 proportional assist ventilation (PAV) ……… 987
鰭条 crest ……… 297
披裂 dehiscence ……… 323
披裂〔軟骨〕炎 arytenoiditis ……… 105
披裂関節脱臼 arytenoid dislocation ……… 105
披裂間ひだ interarytenoid fold ……… 630
披裂喉頭蓋筋 aryepiglottic muscle ……… 105
披裂喉頭蓋ひだ aryepiglottic fold ……… 105
披裂軟骨 arytenoid cartilage ……… 105
披裂軟骨固定〔術〕 arytenoidopexy ……… 105
披裂軟骨切除〔術〕 arytenoidectomy ……… 105
披裂軟骨の声帯突起 vocal process of arytenoid cartilage ……… 1281
疲労 fatigue ……… 445
疲労 lassitude ……… 681
鼻漏 rhinorrhea ……… 1052
疲労骨折 fatigue fracture ……… 445
疲労状態 fatigue state ……… 445
疲労性 fatigability ……… 445
疲労熱 fatigue fever ……… 445
ピロール pyrrole ……… 1012
ピロカルピンイオン泳動発汗塩化物テスト pilocarpine iontophoresis sweat chloride test ……… 938
ピログロブリン pyroglobulins ……… 1012
ピロゴッフ切断術 Pirogoff amputation ……… 940
ピロニン pyronin ……… 1012
広場恐怖〔症〕 agoraphobia ……… 35
ピロホスファターゼ pyrophosphatase ……… 1012
ピロリジン pyrrolidine ……… 1012
ピロリン酸塩 pyrophosphate (PP) ……… 1012
びん bottle ……… 169
びん flask ……… 460
ピンクトップチューブ pink-top tube ……… 939
ビング反射 Bing reflex ……… 152
貧血 anemia ……… 64
貧血暈 anemic halo ……… 65
貧血性梗塞 anemic infarct ……… 65
貧血性雑音 anemic murmur ……… 65
貧血性低酸素〔症〕 anemic hypoxia ……… 65
貧血性無酸素〔症〕 anemic anoxia ……… 64
頻呼吸 tachypnea ……… 1176
品質指標 quality indicators ……… 1015
瀕死のもがき floccillation ……… 463
便乗 phoresis ……… 929
敏捷性 agility ……… 35
ビンスヴァンガー病 Binswanger disease ……… 152
ピンス症候群 Pins syndrome ……… 939
ピンチ移植片 pinch graft ……… 939
頻度 frequency (ν) ……… 476
〔心〕頻拍 tachycardia ……… 1176
頻拍ウインドウ tachycardia window ……… 1176
頻拍型不整脈 tachyarrhythmia ……… 1176
頻発月経 epimenorrhea ……… 410
頻発月経 polymenorrhea ……… 956
頻脈 tachycardia ……… 1176
頻脈-徐脈症候群 tachycardia-bradycardia syndrome ……… 1176
貧毛〔症〕 hypotrichosis ……… 598
ビンロウ betel palm (nut) ……… 149

フ

ファーヴル-ラクショ病 Favre-Racouchot disease ………… 446
ファーガソン切開〔術〕 Fergusson incision ………… 448
ファーガソン反射 Ferguson reflex ………… 448
〔バクテリオ〕ファージ bacteriophage ………… 131
ファージ型 phagotype ………… 924
ファー試験 Farr test ………… 444
ファーデン縫合糸 Faden suture ………… 440
ファーの法則 Farr laws ………… 443
ファーマシューティカルケア pharmaceutical care ………… 924
ファール病 Fahr disease ………… 440
ファーレン手技 Phalen maneuver ………… 924
ファイアウォール firewall ………… 457
ファイス線 Feiss line ………… 447
ファイバースコープ fiberscope ………… 451
ファインゴールド食餌療法 Feingold diet ………… 447
ファインゴールド理論 Feingold theory ………… 447
ファウラー検査 Fowler test ………… 473
ファウラー体位 Fowler position ………… 473
ファゴサイトーシス phagocytosis ………… 924
ファゴシチン phagocytin ………… 924
ファゴリソソーム phagolysosome ………… 924
ファスリガンド Fas ligand ………… 444
ファチオ-ロンデ病 Fazio-Londe disease ………… 446
ファブリー病 Fabry disease ………… 438
ファベラ fabella ………… 438
ファラッド farad (F) ………… 443
ファラデー効果 Faraday effect ………… 443
ファラデーの法則 Faraday laws ………… 443
ファラブェフ切断術 Farabeuf amputation ………… 443
ファラブフ三角 Farabeuf triangle ………… 443
ファラブフ切断術 Farabeuf amputation ………… 443
ファラント封入液 Farrant mounting fluid ………… 443
ファルセット falsetto ………… 441
ファルセット変移 mutational falsetto ………… 801
ファルトレクトレーニング fartlek training ………… 444
ファロイジン phalloidin ………… 924
ファロー三徴〔症〕 trilogy of Fallot ………… 1230
ファロー四徴〔症〕 tetralogy of Fallot ………… 1191
不安 anxiety ………… 84
ファンクショナルリーチ functional reach ………… 479
ファンクショナルリーチテスト functional reach test (FRT) 479
ファンコーニ症候群 Fanconi syndrome ………… 443
ファンコーニ貧血 Fanconi anemia ………… 443
不安障害 anxiety disorders ………… 84
不安神経症 anxiety neurosis ………… 84
不安性ヒステリー anxiety hysteria ………… 84
不安定 insecurity ………… 626
不安定型糖尿病 brittle diabetes ………… 176
不安定狭心症 unstable angina ………… 1248
不安定性 instability ………… 627
不安定性 lability ………… 672
ファン・デル・フヴェ症候群 van der Hoeve syndrome ………… 1259
ファン・デル・ワールス力 van der Waals forces ………… 1259
ファント・ホフ説 van't Hoff theory ………… 1260
ファント・ホフの式 van't Hoff equation ………… 1260
ファント・ホフの法則 van't Hoff law ………… 1260
ファントム phantom ………… 924
ファントム腫瘤 phantom tumor ………… 924
不安反応 anxiety reaction ………… 85
ファン・ブッヘム症候群 van Buchem syndrome ………… 1259
部位 region ………… 1034
部位 site ………… 1108
フィードバック feedback ………… 447
フィードバック機構 feedback mechanism ………… 447
フィードバック抑制 feedback inhibition ………… 447
フィールド迅速染色〔法〕 Field rapid stain ………… 454
フィールド長 field size ………… 454
フィールドテスト field test ………… 454
負イオン anion (A^-) ………… 70
V外斜視 V-pattern exotropia ………… 1283
V型内斜視 V-pattern esotropia ………… 1283
フィコール-ハイパーク法 Ficoll-Hypaque technique ………… 454
フィコミコーシス phycomycosis ………… 933
部位錯誤〔症〕 allachesthesia ………… 43
フィジック嚢 Physick pouches ………… 934
フィステル fistula ………… 458
フィゾスチグミン physostigmine ………… 935
フィック軸 axes of Fick ………… 126
フィックの拡散法則 Fick laws of diffusion ………… 454
フィック法 Fick method ………… 454
フィッシャー症候群 Fisher syndrome ………… 458
フィッシャーの直接確率検定 Fisher exact test ………… 458
フィッシュバーグ濃縮試験 Fishberg concentration test ………… 458
不一致 discordance ………… 352
フィットテスト fit testing ………… 458
VDRL試験 VDRL test ………… 1264
フィトアグルチニン phytoagglutinin ………… 935
フィトール phytol ………… 936
部位特異性キューレット(鋭匙) area-specific curettes ………… 94
部位特異的組換え site-specific recombination ………… 1108
フィトヘマグルチニン phytohemagglutinin (PHA) ………… 936
フィトマイトジェン phytomitogen ………… 936
フィニー手術 Finney operation ………… 457
V波 V wave ………… 1283
フィブリノイド fibrinoid ………… 451
フィブリノイド変性 fibrinoid degeneration ………… 451
フィブリノ〔ー〕ゲン fibrinogen ………… 451
フィブリノ〔ー〕ゲン過剰血〔症〕 hyperfibrinogenemia ………… 584
フィブリノ〔ー〕ゲン減少〔症〕 fibrinogenopenia ………… 451
フィブリノ〔ー〕ゲン溶解〔現象〕 fibrinogenolysis ………… 451
フィブリノペプチド fibrinopeptide ………… 452
フィブリノリジン fibrinolysin ………… 452
フィブリン fibrin ………… 451
フィブリン形成 fibrinogenesis ………… 451
フィブリン結石 fibrin calculus ………… 451
フィブリン生成 fibrinogenesis ………… 451
フィブリン尿〔症〕 fibrinuria ………… 452
フィブリンのヴァイゲルト染色〔法〕 Weigert stain for fibrin 1288
フィブリン膿性 fibrinopurulent ………… 452
フィブリン・フィブリノーゲン分解産物 fibrin/fibrinogen degradation products ………… 451
フィブリン溶解〔現象〕 fibrinolysis ………… 452
フィブリン溶解酵素 fibrinolysin ………… 452
フィブロネクチン fibronectin ………… 453
フィラデルフィア首輪 Philadelphia collar ………… 928
フィラデルフィア染色体 Philadelphia chromosome ………… 928
フィラメント filament ………… 454
フィラリア filaria ………… 455
フィラリア症 filariasis ………… 455
フィラリア撲滅薬 filaricide ………… 455
フィリップスカテーテル Phillips catheter ………… 928
フィリップソン反射 Phillipson reflex ………… 928
フィルタ filter ………… 455
フイルム film ………… 455
フイルム濃度計 densitometer ………… 328
フイルムバッジ film badge ………… 455
フイルムレスX線写真 filmless radiography ………… 455
フィロキノン phylloquinone ………… 933
V-Y形成術 V-Y plasty ………… 1284
フィンガープリント fingerprint ………… 457
フィンケルスタイン試験 Finkelstein test ………… 457
フィンチャンバーテスト Finn Chamber test ………… 457
フーヴァー徴候 Hoover signs ………… 570
風傷 windburn ………… 1292
風疹 rubella ………… 1063
風疹ウイルス rubella virus ………… 1063
風疹抗体試験 rubella titer ………… 1063
風疹赤血球凝集阻止試験 rubella hemagglutination inhibition (HI) test ………… 1063
風水 feng shui ………… 448
風船ガム皮膚炎 bubble gum dermatitis ………… 181
フード hood ………… 570
フードガイドピラミッド Food Guide Pyramid ………… 469
風土病 endemic disease ………… 395
ブートン熱 boutonneuse fever ………… 169

封入 inclusion …… 612
封入体 inclusion …… 612
封入〔小〕体 inclusion bodies …… 612
封入体〔性〕結膜炎 inclusion conjunctivitis …… 612
風媒性注意 airborne precautions …… 36
フープ whoop …… 1291
ブーフヴァルト萎縮 Buchwald atrophy …… 182
プーマラウイルス Puumala virus …… 1007
フーリエ解析 Fourier analysis …… 472
フーリエ変換 Fourier transform …… 472
プール結膜炎 swimming pool conjunctivitis …… 1169
プール現象 Pool phenomenon …… 959
ブールハーフェ症候群 Boerhaave syndrome …… 165
風冷気インデックス windchill index …… 1292
ブーロヴ液 Burow solution …… 186
ブーロヴ三角 Burow triangle …… 186
フェイスボー face-bow …… 438
フェザーエッジ feather edge …… 446
フェストーニング festooning …… 449
フェチシズム fetishism …… 450
フェトプロテイン fetoprotein …… 450
フェナセツール酸 phenaceturic acid …… 926
フェニル phenyl (Ph, ϕ) …… 927
フェニルアラニン phenylalanine (F) …… 927
フェニルアラニン 4-モノオキシゲナーゼ phenylalanine 4-monooxygenase …… 927
フェニルケトン尿〔症〕 phenylketonuria (PKU) …… 927
フェニル酢酸 phenylacetic acid …… 927
フェニルジクロロアルシン phenyldichloroarsine (PD) …… 927
フェニルチオヒダントイン phenylthiohydantoin …… 927
フェニル乳酸 phenyllactic acid …… 927
フェニルヒドラジン溶血 phenylhydrazine hemolysis …… 927
フェニルピルビン酸 phenylpyruvic acid …… 927
フェノール尿〔症〕 phenoluria …… 927
フェミスター骨移植 Phemister graft …… 926
フェミニスト feminist …… 447
フェラチオ fellatio …… 447
フェラン迷管 Ferrein vasa aberrantia …… 449
フェリー線 Ferry line …… 449
フェリチン ferritin …… 449
フェルスターブドウ膜炎 Förster uveitis …… 472
フェルソンのシルエットサイン silhouette sign of Felson …… 1105
フェルデンクライス法 Feldenkrais method …… 447
フェレーシス pheresis …… 927
フェレドキシン ferredoxins …… 449
フェロモン pheromones …… 927
フォイルゲン細胞解析法 Feulgen cytometry …… 450
フォヴィル症候群 Foville syndrome …… 473
不応期 refractory period …… 1033
不応状態 refractory state …… 1033
不応性 adiaphoria …… 27
不応性貧血 refractory anemia …… 1033
フォーカスグループ focus group …… 467
〔銀〕フォーク状骨折 silver-fork fracture …… 1105
フォークトの白色輪部帯 white limbal girdle of Vogt …… 1290
フォーゲルの法則 Vogel law …… 1281
フォーダイス角化血管腫 Fordyce angiokeratoma …… 470
フォーダイス斑〔点〕 Fordyce spots …… 470
フォーニオ〔溶〕液 Fonio solution …… 468
フォーマッド腎 Formad kidney …… 471
フォーミン formin …… 471
フォーリーカテーテル Foley catheter …… 467
フォガーティカテーテル Fogarty catheter …… 467
フォコメリー phocomelia …… 929
フォザーギル徴候 Fothergill sign …… 472
フォトアブレーション photoablation …… 931
フォノミオクローヌス phonomyoclonus …… 929
フォリトロピン放出ホルモン follitropin-releasing hormone (FRH) …… 468
フォリスタチン follistatin …… 468
フォリン酸 folinic acid …… 467
フォリン反応 Folin reaction …… 467
フォルクマン拘縮 Volkmann contracture …… 1282
フォルクマン匙 Volkmann spoon …… 1282
フォルスコリン forskolin …… 472
フォルダブル眼内レンズ foldable intraocular lens …… 467
フォルマント formant …… 471
フォルモールゲル化試験 formol-gel test …… 471
フォレル交叉 Forel decussation …… 470
フォローアップ follow-up …… 468
フォン・ヴィレブランド病 von Willebrand disease …… 1283
不穏下肢症候群 restless legs syndrome (RLS) …… 1043
付加 apposition …… 91
負荷 debt …… 318
負荷 load …… 706
負荷 loading …… 707
不快気分 dysphoria …… 371
不快レベル loudness discomfort level …… 711
不快レベル uncomfortable level …… 1245
不可逆性歯髄炎 irreversible pulpitis …… 648
付加形成 epimorphosis …… 410
負荷試験食 challenge diet …… 225
付加成長 appositional growth …… 91
賦活 activation …… 19
不活性ガス inert gases …… 616
不活性リプレッサ inactive repressor …… 611
賦活体 activator …… 19
賦活物質 activator …… 19
負荷投与量 loading dose …… 707
ふ化フラスコ hatching flask …… 533
負荷変位手技 load-and-shift maneuver …… 706
付加療法 adjuvant …… 28
不感症 frigidity …… 476
不感〔性〕蒸散 insensible perspiration …… 627
不感蒸泄 transpiration …… 1220
不完全期 imperfect stage …… 609
不完全菌 deuteromycetes …… 338
不完全菌類 Fungi Imperfecti …… 480
不完全型 forme fruste …… 471
不完全抗体 incomplete antibody …… 613
不完全真菌 imperfect fungus …… 609
不完全蛋白質 incomplete protein …… 613
不感〔性〕発汗 insensible perspiration …… 627
不感発汗 transpiration …… 1220
不規則応答 hunting response …… 575
不規則形骨 irregular bone …… 647
不規則性脈波 irregular pulse …… 648
吹き抜け骨折 blow-out fracture …… 164
不朽化 immortalization …… 606
浮球感 ballottement …… 134
浮球法 ballottement …… 134
不協和 dissonance …… 355
不均衡 disequilibrium …… 353
不均衡 disproportion …… 354
不均質性 heterogeneity …… 558
不均等 imbalance …… 605
腹 abdomen …… 2
腹〔部〕 belly …… 144
不具 dysmorphism …… 371
腹圧 abdominal pressure …… 2
腹圧性尿失禁 stress urinary incontinence (SUI) …… 1147
腹圧漏出時圧 Valsalva leak point pressure (VLPP) …… 1259
複異型接合体 doubly heterozygous …… 362
副咽頭腔膿瘍 parapharyngeal abscess …… 896
腹会陰式直腸切断術 abdominoperineal resection …… 3
副横隔神経 accessory phrenic nerves …… 8
腹横筋 transversus abdominis muscle …… 1222
復温 rewarming …… 1049
腹外側筋節 hypomere …… 594
副核 paranucleus …… 896
副核 subnucleus …… 1154
副角妊娠 cornual pregnancy …… 286
副眼器 accessory organs of the eye …… 8
副眼瞼 epiblepharon …… 406
副基体 parabasal body …… 893
副凝集素 minor agglutinin …… 774
復極 depolarization …… 331
腹腔 abdominal cavity …… 2
腹腔外筋膜 extraperitoneal fascia …… 436
腹腔鏡 laparoscope …… 678
腹腔鏡下結紮 laparoscopic knot …… 678
腹腔鏡下腎摘出術 laparoscopic nephrectomy …… 678

腹腔鏡下胆嚢摘出術 laparoscopic cholecystotomy …… 678
腹腔鏡検査〔法〕 laparoscopy …… 678
腹腔鏡検査〔法〕 peritoneoscopy …… 919
腹腔鏡検査〔法〕 ventroscopy …… 1268
腹腔四分円 abdominal quadrant …… 2
腹腔漿膜炎 endoperitonitis …… 398
腹腔静脈シャント〔術〕 peritoneovenous shunt …… 919
腹腔神経節 celiac ganglia …… 214
腹腔神経叢 celiac (nerve) plexus …… 214
腹腔神経叢 celiac plexus …… 214
腹腔神経叢反射 celiac plexus reflex …… 214
腹腔診断 abdominal assessment …… 2
腹腔〔内〕精巣 abdominal testis …… 2
腹腔切開〔術〕 ventrotomy …… 1268
腹腔穿刺 abdominocentesis …… 2
腹腔穿刺 celiocentesis …… 214
腹腔蓄膿 pyoperitoneum …… 1010
腹腔動脈 celiac artery …… 213
腹腔動脈 celiac trunk …… 214
腹腔内灌注〔法〕 peritoneoclysis …… 918
腹腔内出血 hemoperitoneum …… 548
腹腔内送気 peritoneal insufflation …… 918
腹腔内注射 intraperitoneal injection …… 641
腹腔妊娠 abdominal gestation …… 2
腹腔妊娠 abdominal pregnancy …… 2
腹腔〔動脈〕リンパ節 celiac lymph nodes …… 214
複屈折 double refraction …… 362
複クローン性 biclonal …… 150
副血行性充血 collateral hyperemia …… 261
副現象 epiphenomenon …… 410
複合〔体〕 complex …… 270
複合移植〔片〕 composite graft …… 270
複合化 compounding …… 271
複合学習過程 complex learning processes …… 270
複合活動電位 compound action potential …… 270
副睾丸 epididymis …… 408
副交感神経 parasympathetic nerve …… 897
副交感神経系 parasympathetic nervous system …… 897
副交感神経作動薬 parasympathomimetic drug …… 898
副交感神経節 parasympathetic ganglia …… 897
副交感神経反応 parasympathetic response …… 897
複合関節 compound joint …… 271
複合乾燥症 sicca complex …… 1103
副行循環 collateral circulation …… 261
副甲状腺 parathyroid gland …… 898
副甲状腺機能低下〔症〕 hypoparathyroidism …… 595
副甲状腺〔機能〕亢進〔症〕 hyperparathyroidism …… 587
副甲状腺ホルモン parathyroid hormone (PTH) …… 898
副甲状腺ホルモン関連ペプチド parathyroid hormone-related peptide (PTHrP) …… 898
複合性動脈瘤 compound aneurysm …… 270
複合腺 compound gland …… 271
複合体 complex …… 270
複合胎位 compound presentation …… 271
複合蛋白 conjugated protein …… 277
複合糖質 glycoconjugates …… 506
複合〔性〕内膜増殖症 complex endometrial hyperplasia …… 270
複合皮弁 composite flap …… 270
複合〔型〕免疫欠損 combined immunodeficiency …… 265
副〔血〕行路 bypass …… 187
腹骨盤腔 abdominopelvic cavity …… 3
伏在神経 saphenous nerve …… 1071
伏在裂孔 saphenous opening …… 1071
複雑運動発作 complex motor seizure …… 270
複雑音 complex sound …… 270
複雑骨折 complex fracture …… 270
複雑骨折 complicated fracture …… 270
複雑性胸水 complex pleural effusion …… 270
複雑性歯牙腫 complex odontoma …… 270
複雑部分発作 complex partial seizure …… 270
複雑誘発てんかん complex precipitated epilepsy …… 270
副作用 side effect …… 1103
複糸 diplonema …… 350
複視 ambiopia …… 50
複視 diplopia …… 350
複視 double vision …… 362
複視 multiple vision …… 793
副子 splint …… 1130
複糸期 diplotene …… 350
複式顕微鏡 compound microscope …… 271
腹式呼吸 abdominal respiration …… 2
腹式子宮切開〔術〕 abdominal hysterotomy …… 2
腹式子宮摘出〔術〕 abdominal hysterectomy …… 2
複式超音波検査法 duplex ultrasonography …… 367
副収縮 parasystole …… 898
副腎 adrenal …… 28
副腎 adrenal gland …… 28
副腎 suprarenal gland …… 1165
副腎アンドロゲン刺激性ホルモン adrenal androgen-stimulating hormone (AASH) …… 28
副腎炎 adrenalitis …… 28
副腎過形成 adenomegaly …… 25
副腎機能欠如〔症〕 anadrenalism …… 59
副腎機能停止 adrenopause …… 30
副神経 nervus accessorius〔CN XI〕 …… 822
副神経延髄根 cranial root of accessory nerve …… 294
副神経幹内枝 internal branch of trunk of accessory nerve …… 634
フクシン好性顆粒 fuchsinophil granule …… 478
副腎疾患 adrenalopathy …… 28
副腎腫脹 adrenomegaly …… 29
フクシン親和性細胞 fuchsinophil …… 478
副腎髄質 suprarenal medulla …… 1165
副腎髄質ホルモン adrenomedullary hormones …… 29
副腎性器症候群 adrenogenital syndrome …… 29
副腎性高血圧〔症〕 adrenal hypertension …… 28
副腎脊髄神経障害 adrenomyeloneuropathy …… 29
副腎切除後症候群 postadrenalectomy syndrome …… 962
副靱帯 accessory ligaments …… 8
副腎摘出〔術〕 adrenalectomy …… 28
副腎摘出後症候群 postadrenalectomy syndrome …… 962
副腎脳白質ジストロフィ adrenoleukodystrophy (ALD) …… 29
〔副腎の〕中心静脈 central vein of suprarenal gland …… 217
副腎皮質 suprarenal cortex …… 1165
副腎皮質亢進症 hypercortisonism …… 583
副腎皮質細胞癌 adrenal cortical carcinoma …… 28
副腎皮質刺激ホルモン adrenocorticotropic hormone (ACTH) …… 29
副腎皮質刺激ホルモン放出ホルモン corticotropin-releasing hormone (CRH) …… 289
副腎皮質徴候発現 adrenarche …… 29
副腎皮質不全 adrenocortical insufficiency …… 29
副腎皮質ホルモン cortical hormones …… 289
腹水 ascites …… 106
副膵管 accessory pancreatic duct …… 8
複数宿主性寄生生物 heteroxenous parasite …… 560
複製 replicate …… 1039
複製 replication …… 1039
複性遠視性乱視 compound hyperopic astigmatism …… 271
複製開始点 replicator …… 1039
複性近視性乱視 compound myopic astigmatism …… 271
複製型 replicative form …… 1039
副声門腔 paraglottic space …… 894
複世代性寄生生物 heterogenetic parasite …… 558
複舌〔症〕 diglossia …… 347
副切開 counterincision …… 292
副腺 accessory gland …… 8
輻輳 convergence …… 283
複相〔体〕 diploid …… 350
輻輳角 angle of convergence …… 69
輻輳過度 convergence excess …… 283
複相性寄生生物 heterogenetic parasite …… 558
服装倒錯〔症〕 transvestism …… 1223
服装倒錯者 transvestite …… 1223
輻輳内斜視 convergent strabismus …… 283
輻輳不全 convergence insufficiency …… 283
腹側エプロン包皮 ventral apron prepuce …… 1267
腹側視床脚 ventral thalamic peduncle …… 1267
副組織適合性複合体 minor histocompatibility complex …… 774
複体奇形 diplosomia …… 350
腹大動脈 abdominal aorta …… 2
複聴 diplacusis …… 350
副調律 pararrhythmia …… 897

フ

腹直筋 rectus abdominis muscle …… 1029
副椎骨静脈 accessory vertebral vein …… 9
副摘 adrenalectomy …… 28
覆罩 cap …… 195
副橈側皮静脈 accessory cephalic vein …… 8
副乳 accessory nipple …… 8
副半奇静脈 accessory hemiazygos vein …… 8
副脾 accessory spleen …… 8
腹皮下静脈 subcutaneous veins of abdomen …… 1152
副鼻腔 paranasal sinuses …… 896
副鼻腔炎 sinusitis …… 1107
腹部アンギナ abdominal angina …… 2
腹部炎症 celitis …… 214
副副腎 accessory suprarenal …… 9
副副腎 adrenal rest …… 29
腹部前兆 abdominal aura …… 2
腹部大動脈 aorta abdominalis …… 85
〔腹部〕内臓リンパ節 visceral lymph nodes …… 1278
腹部ヘルニア abdominal hernia …… 2
腹部ヘルニア laparocele …… 678
腹部膨隆 gastromegaly …… 490
複分裂 multiple fission …… 791
副閉鎖動脈 accessory obturator artery …… 8
腹壁形成〔術〕 abdominoplasty …… 3
腹壁脂肪切除 apronectomy …… 91
腹壁破裂 gastroschisis …… 490
腹壁反射 abdominal reflex …… 2
腹壁防御 abdominal guarding …… 2
腹壁縫合 celiorrhaphy …… 214
腹壁縫合〔術〕 laparorrhaphy …… 678
腹壁リンパ節 parietal lymph nodes …… 899
腹膜 peritoneum …… 919
腹膜炎 peritonitis …… 919
腹膜下筋膜 fascia subperitonealis …… 444
腹膜偽〔性〕粘液腫 pseudomyxoma peritonei …… 995
腹膜腔 peritoneal cavity …… 918
腹膜形成〔術〕 peritoneoplasty …… 919
腹膜後炎 retroperitonitis …… 1048
腹膜後腔 retroperitoneum …… 1048
腹膜後隙 retroperitoneal space …… 1048
腹膜固定〔術〕 peritoneopexy …… 919
腹膜垂 omental appendices …… 857
腹膜切開〔術〕 peritoneotomy …… 919
腹膜中皮炎 endoperitonitis …… 398
腹膜透析 peritoneal dialysis (PD) …… 918
腹膜の鞘状突起 processus vaginalis of peritoneum …… 981
腹鳴 borborygmus …… 168
〔服〕用量 dose …… 362
ふくらはぎ calf …… 191
副流エアロゾル sidestream aerosol …… 1104
袋 bag …… 132
袋 bladder …… 159
ふけ dander …… 316
ふけ dandruff …… 316
賦形剤 excipient …… 426
賦形剤 vehicle …… 1265
賦形薬 diluent …… 348
不潔恐怖〔症〕 mysophobia …… 809
不潔嗜好 mysophilia …… 809
不顕性骨折 occult fracture …… 851
不顕性膜蛋白 latent membrane protein …… 681
符号 sign …… 1104
符号化 coding …… 259
フコース fucose …… 478
腐骨 sequestrum …… 1094
腐骨形成 sequestration …… 1094
腐骨切除〔術〕 sequestrectomy …… 1094
腐骨摘出〔術〕 necrotomy …… 816
腐骨摘出〔術〕 sequestrectomy …… 1094
浮渣 epistasis …… 411
ふさ fimbria …… 456
ブサカ結節 Busacca nodules …… 186
ブジー bougie …… 169
ブシー現象 psi phenomenon …… 996
ブジー挿入 bougienage …… 169
ブジー挿入術 bougienage …… 169
ブジー挿入法 bougienage …… 169
フシェ染色〔法〕 Fouchet stain …… 472
不思議の国のアリス症候群 Alice in Wonderland syndrome …… 41
不櫛梳毛症候群 uncombable hair syndrome …… 1245
ブシャール結節 Bouchard node …… 169
ブシャール病 Bouchard disease …… 169
浮腫 edema …… 378
ブシュ管 Bouchut tube …… 169
浮腫性硬化〔症〕 scleredema …… 1080
不純粗動 impure flutter …… 611
不純物 adulterant …… 30
不純物 contaminant …… 280
不純物混和 adulteration …… 30
不消化下痢 lientery …… 697
不消化食料 roughage …… 1062
浮上定数 flotation constant (S_f) …… 464
負傷兵の分類 triage …… 1226
浮上法 flotation …… 464
腐食 cauterization …… 211
腐食剤 corrosive …… 289
腐食剤 erosive …… 414
腐食薬 caustic …… 211
婦人科医 gynecologist …… 523
婦人科学 gynecology (GYN) …… 523
婦人科診査 gynecologic examination …… 523
不随意筋 involuntary muscles …… 644
付随寄生生物 incidental parasite …… 612
付随体 satellite …… 1072
プステル pustule …… 1007
麩 bran …… 173
腐生菌 saprogen …… 1071
腐生菌 saprophyte …… 1071
不正咬合 abnormal occlusion …… 4
不正咬合 malocclusion …… 728
不正子宮出血 metrorrhagia …… 765
不正軸進入 asynclitism …… 110
不正軸進入 obliquity …… 848
不正軸定位 asynclitism …… 110
腐生人獣共通感染症 saprozoonosis …… 1071
腐生生物 saprobe …… 1071
不正治療 malpractice …… 729
不整脈 arrhythmia …… 96
不整脈 cardiac dysrhythmia …… 200
不正乱視 irregular astigmatism …… 647
プセウドモナス pseudomonad …… 995
浮選 flotation …… 464
不全 failure …… 440
〔機能〕不全〔症〕 incompetence …… 612
〔機能〕不全〔症〕 insufficiency …… 628
不全意識混濁 cataphora …… 209
不全角化 parakeratosis …… 895
不穿孔 imperforation …… 609
不〔完〕全骨折 incomplete fracture …… 613
不全〔形質〕導入 abortive transduction …… 5
不全収縮〔期〕 asystole …… 111
不染色性 achromia …… 12
不染色性細胞 achromatophil …… 12
不全足位 incomplete foot presentation …… 613
不全脱臼 subluxation …… 1153
不全対麻痺 paraparesis …… 896
不全対麻痺患者 paraparetic …… 896
付箋付け記録 flagging reports …… 459
不全麻痺 paresis …… 899
不全流産 incomplete abortion …… 613
不全リンパ球症候群 bare lymphocyte syndrome …… 135
プソイドウリジン pseudouridine(ψ, Q) …… 996
不足 deficit …… 323
付属器 adnexa …… 28
付属器 appendage …… 90
付属器腺腫 adnexal adenoma …… 28
〔付属〕診療所 infirmary …… 620
付属物 appendage …… 90
不耐〔性〕 intolerance …… 640
付帯徴候 epiphenomenon …… 410
ブタコレラ菌 *Salmonella enterica* serovar *choleraesuis* …… 1069
ブタノイル butanoyl …… 186

ブタ鞭虫 *Trichuris suis* …… 1229
ブタ流産菌 *Brucella suis* …… 180
ブタン butane …… 186
縁 border …… 168
縁 rim …… 1057
ブチオニンスルホキシミン buthionine sulfoximine …… 186
ブチヘルニア Petit hernia …… 922
ブチヘルニア切開〔術〕 Petit herniotomy …… 922
付着 apposition …… 91
付着筋膜 fascia adherens …… 444
付着歯肉 attached gingiva …… 116
付着上皮 junctional epithelium …… 658
付着成長 accretion …… 9
付着成長 accretionary growth …… 9
付着物 accretion …… 9
付着力 adhesion …… 27
不注意 negligence …… 817
不調和 dissonance …… 355
不調和性交代 discordant alternation …… 352
不調和性網膜異常対応 dysharmonious retinal correspondence …… 370
ブチル butyl …… 186
不対 azygos …… 128
不対神経節 ganglion impar …… 486
普通片頭痛 common migraine …… 266
フッ〔素〕化歯 fluoridated tooth …… 465
フッ化物 fluoride …… 465
フッ化物処理 fluoridization …… 465
フッ化物数 fluoride number …… 465
復帰〔突然〕変異 reversion …… 1049
復帰〔突然〕変異体 revertant …… 1049
腹筋 core …… 286
フックス欠損〔症〕 Fuchs coloboma …… 478
フックス岬 Fuchs spur …… 478
フックス黒色斑 Fuchs black spot …… 478
フックス症候群 Fuchs syndrome …… 478
フックス上皮ジストロフィ Fuchs epithelial dystrophy …… 478
フックス腺腫 Fuchs adenoma …… 478
フックス内皮ジストロフィ Fuchs endothelial dystrophy …… 478
フックの法則 Hooke law …… 570
復古 involution …… 644
仏古 buchu …… 182
復古不全 subinvolution …… 1153
〔作用〕物質 agent …… 34
物質 material …… 736
物質依存 substance dependence …… 1155
物質依存障害 substance dependence disorder …… 1155
物質合成代謝 anabolism …… 59
〔物質〕代謝 metabolism …… 759
物質乱用 substance abuse …… 1155
物質乱用障害 substance abuse disorders …… 1155
物神 fetish …… 450
フッ素イオン fluoride …… 465
フッ素化 fluoridation …… 465
フッ素〔中毒〕症 fluorosis …… 466
フッ素処理 fluoridization …… 465
フッ素沈着〔症〕 fluorosis …… 466
フッ素添加 fluoridation …… 465
フッ素リン灰石 fluorapatite …… 465
物体の永続性 object permanence …… 847
フッチャー線 Futcher line …… 482
プッティ-プラット手術 Putti-Platt operation …… 1007
フット・レチクリン透浸染色〔法〕 Foot reticulin impregnation stain …… 469
物理学 physics …… 935
物理的因子 physical agent …… 934
物理的外因 physical agent …… 934
物理的地図 physical map …… 934
物療医学 physical medicine …… 934
物理療法 physiotherapy …… 935
物理療法医 physiatrist …… 934
物理療法医学 physical medicine …… 934
不定胎位 unstable lie …… 1248
プティヘルニア Petit hernia …… 922
プティヘルニア切開〔術〕 Petit herniotomy …… 922
不適合〔性〕 incompatibility …… 612
不適性人格 inadequate personality …… 611
不適正服用量 improper dose quantity …… 610
不適当刺激 inadequate stimulus …… 611
プテリオン pterion …… 1000
不動〔化〕 immobilization …… 606
舞踏 dance …… 316
舞踏 saltation …… 1070
不透過性 opacity …… 861
ブドウ球菌 staphylococcus …… 1136
ブドウ球菌エンテロトキシンB staphylococcal enterotoxin B …… 1136
ブドウ球菌感染症 staphylococcosis …… 1136
ブドウ球菌血症 staphylococcemia …… 1136
ブドウ球菌性眼瞼炎 staphylococcal blepharitis …… 1136
ブドウ球菌性膿皮症 staphyloderma …… 1136
ブドウ球菌性皮膚炎 staphylodermatitis …… 1136
ブドウ球菌属 *Staphylococcus* …… 1136
不動結合 synarthrosis …… 1171
不同視 anisometropia …… 71
不等指症 anisodactyly …… 71
ブドウ〔膜〕腫 staphyloma …… 1136
ブドウ酒研究 enology …… 400
ブドウ状肉腫 botryoid sarcoma …… 169
不動性 immobility …… 606
不等像〔視〕〔症〕 aniseikonia …… 71
不同像症 anisometropia …… 71
不同調節 anisoaccommodation …… 71
ブドウ糖依存性インスリン分泌刺激ポリペプチド glucose-dependent insulinotropic polypeptide …… 504
ブドウ糖負荷試験 glucose tolerance test (GTT) …… 504
不等皮質 allocortex …… 44
舞踏病 chorea …… 238
舞踏病アテトーシス choreoathetosis …… 238
舞踏病〔性〕運動 choreic movement …… 238
舞踏病痙攣様運動 ballismus …… 133
舞踏病性歩行不能〔症〕 choreic abasia …… 238
ブドウ房状腺 racemose gland …… 1017
ブドウ膜 uvea …… 1256
ブドウ膜炎 uveitis …… 1256
ブドウ膜外反〔症〕 ectropion uveae …… 378
ブドウ膜強膜炎 uveoscleritis …… 1256
ブドウ膜耳下腺熱 uveoparotid fever …… 1256
ブドウ膜脳炎症候群 uveoencephalitic syndrome …… 1256
〔左右〕不同脈 anisosphygmia …… 71
〔左右〕不同脈 pulsus differens …… 1005
不透明 opacity …… 861
不透明化 opacification …… 861
〔不特定〕末梢T細胞リンパ腫 peripheral T-cell lymphoma, unspecified …… 918
プトマイン ptomaine …… 1001
プトレシン putrescine …… 1007
ふとんとじ縫合 mattress suture …… 737
船酔い seasickness …… 1083
不妊〔性〕 infertility …… 620
不妊〔症〕 sterility …… 1141
不妊手術 sterilization …… 1141
不妊症 infertility …… 620
不稔〔形質〕導入 abortive transduction …… 5
不能〔症〕 impotence …… 610
不能量 incapacitating dose …… 611
負の塩基過剰 negative base excess …… 817
腐敗 decomposition …… 320
腐敗 putrefaction …… 1007
腐敗 putrescence …… 1007
腐敗 rot …… 1061
腐敗菌 saprogen …… 1071
腐敗性梗塞 septic infarct …… 1093
不発〔形質〕導入 abortive transduction …… 5
プファイファー現象 Pfeiffer phenomenon …… 923
プファイファー症候群 Pfeiffer syndrome …… 923
プファンネンシュティール切開〔術〕 Pfannenstiel incision …… 923
プフトラー-スウェットの基底膜染色 Puchtler-Sweat stain for basement membranes …… 1002
プフトラー-スウェットのヘモグロビン-ヘモジデリン染色〔法〕 Puchtler-Sweat stain for hemoglobin and hemosiderin 1002
部分 moiety …… 778

部分 portion 961
部分〔床〕義歯 partial denture 901
部分抗原 partial antigen 901
部分小人症 meromicrosomia 755
部分左心室心筋切除術 partial left ventriculectomy 901
部分小人症 meromicrosomia 755
部分小体症 meromicrosomia 755
部分切腱術 graduated tenotomy 513
部分接合体 merozygote 755
部分切除 segmentectomy 1088
部分的嗅覚消失 merosmia 755
部分的再呼吸マスク partial rebreathing mask 901
部分的無嗅覚〔症〕 merosmia 755
〔部分的〕盲腸切除〔術〕 cecectomy 213
部分トロンボプラスチン時間 partial thromboplastin time (PTT) 901
部分半盲 sectoranopia 1087
部分標本 aliquot 42
部分分泌腺 merocrine gland 755
部分発作 partial seizure 901
〔染色体〕不分離 nondisjunction 837
不平衡転座 unbalanced translocation 1245
普遍化 generalization 493
普遍種 cosmopolitan 290
普遍的無意識 collective unconscious 262
普遍的予防手段 Universal Precautions 1248
不飽和脂肪 unsaturated fat 1248
不飽和脂肪酸 unsaturated fatty acid 1248
フマル酸 fumaric acid 479
フマル酸ヒドラターゼ fumarate hydratase 478
不眠 agrypnia 36
不眠〔症〕 insomnia 627
不眠症患者 insomniac 627
ブムケ瞳孔 Bumke pupil 184
不明熱 fever of unknown origin (FUO) 450
ブユ gnat 508
フュージン fusin 481
浮遊軟骨 floating cartilage 463
浮遊法 flotation method 464
浮遊肋 floating ribs [XI-XII] 463
不溶性線維 insoluble fiber 627
扶養能〔力〕 carrying capacity 207
ブヨルンスタッド症候群 Björnstad syndrome 158
ブラ bulla 183
ブライアント牽引 Bryant traction 181
ブライアント三角 Bryant triangle 181
ブライアント線 Bryant line 181
ブライアント徴候 Bryant sign 181
プライオメトリックトレーニング plyometric training 949
フライ音 glottal fry 503
フライシャー輪 Fleischer ring 460
フライシュナー線 Fleischner lines 460
プライス-ジョーンズ曲線 Price-Jones curve 977
ブライトブラッドイメージ bright blood imaging 175
フライバーグ病 Freiberg disease 475
プライバシー privacy 980
プライバシーの侵害 invasion of privacy 644
プライマリケア primary care 978
プライマリケア医師 primary care physician 978
プライミング priming 979
フライ毛 Frey hairs 476
ブラウン運動 brownian movement 180
ブラウン-セカール症候群 Brown-Séquard syndrome 180
ブラウント病 Blount disease 164
ブラウン吻合〔術〕 Braun anastomosis 173
フラウンホーファー線 Fraunhofer line 474
プラーダー-ヴィリ症候群 Prader-Willi syndrome 970
フラー土 fuller's earth 478
プラガー plugger 949
ブラガード徴候 Bragard sign 172
フラグ flag 459
プラ〔ー〕ク plaque 944
ブラクストン・ヒックス徴候 Braxton Hicks sign 173
フラクタル fractals 473
ブラグデンの法則 Blagden law 159
フラグメント fragment 474
プラコード placode 942
ブラシ brush 181
ブラシカテーテル brush catheter 181
ブラジキニン bradykinin 172
ブラシ生検 brush biopsy 181
ブラシュコの線 lines of Blaschko 701
ブラジル鉤虫 *Ancylostoma braziliense* 63
フラスコ flask 460
プラスチック plastic 946
プラスチド plastid 946
ブラスドール法 Brasdor method 173
ブラストミセス症 blastomycosis 160
フラストレーション frustration 478
プラスマ plasma 944
プラスマキニン plasmakinins 944
プラスマクリット plasmacrit 944
プラスマクリット試験 plasmacrit test 944
プラスマ細胞 plasma cell 944
プラスマ細胞 plasmacyte 944
プラスマ細胞骨髄腫 plasma cell myeloma 944
プラスマ細胞腫 plasmacytoma 944
プラスマ細胞増加症 plasmacytosis 944
プラスマフェレーシス plasmapheresis 945
プラスマロゲン plasmalogens 944
プラスミド plasmid 945
プラスミノゲンアクチベーター阻害薬-1 plasminogen activator inhibitor-1 (PAI-1) 945
プラスミノゲン plasminogen 945
プラスミノゲン活性化因子 plasminogen activator 945
プラスミン plasmin 945
プラスモガミー plasmogamy 945
プラスモスキシス plasmoschisis 945
プラスモリシス plasmolysis 945
プラスモン plasmon 945
プラセボ placebo 941
ブラゼルトンの新生児行動評価法 Brazelton Neonatal Behavioral Assessment Scale 173
フラタウの法則 Flatau law 460
ブラックアウト blackout 159
ブラッククリークカナルウイルス Black Creek Canal virus 159
フラックス flux 466
ブラック分類〔法〕 Black classification 159
ブラックベリー母指 Blackberry Thumb 158
ブラックホー black haw 159
ブラック・トップ・チューブ black-top tube 159
フラッシュバック flashback 460
ブラッシュフィールド斑〔点〕 Brushfield spots 181
フラッター flutter device 466
プラット症状 Pratt symptom 970
ブラッドルート blood root 163
ブラディゾイト bradyzoite 172
フラ-2 fura-2 481
プラニグラフィ planigraphy 943
フラノース furanose 481
プラハ操作 Prague maneuver 970
ブラハト操作 Bracht maneuver 171
フラビン flavin 460
フラビンアデニンジヌクレオチド flavin adenine dinucleotide (FAD) 460
フラビン蛋白 flavoprotein 460
フラビンモノヌクレオチド flavin mononucleotide (FMN) 460
プラフォン plafond 942
フラボ酵素 flavoenzyme 460
プラマー-ヴィンソン症候群 Plummer-Vinson syndrome 949
ブラロック-タウシグ手術 Blalock-Taussig operation 159
ブラロック-タウシグ短絡〔術〕 Blalock-Taussig shunt 160
ふ卵 incubation 613
プラン plan 943
ブランヴィル耳 Blainville ears 159
ふ卵器 incubator 613
プランク定数 Planck constant (h) 943
フランクフォルト水平面 Frankfort horizontal plane 474
フランケ針 Francke needle 474
〔急性白血病の〕フランス-米国-英国分類システム French-American-British classification system (FAB) 475
フランソワの中心性混濁性角膜ジストロフィ central cloudy

corneal dystrophy of François ……… 217
ブラント-アンドリューズ操作 Brandt-Andrews maneuver … 173
ブランハム徴候 Branham sign ……… 173
フランベジア yaw ……… 1299
フランベジアトレポネーマ *Treponema pertenue* ……… 1225
プリアピスム priapism ……… 977
プリー pulley ……… 1002
フリーズフラクチャー法 freeze fracture ……… 475
フリードマン曲線 Friedman curve ……… 476
フリートライヒ運動失調 Friedreich ataxia ……… 476
フリートライヒ徴候 Friedreich sign ……… 476
フリートレンダー肺炎 Friedländer pneumonia ……… 476
フリーラジカル free radical ……… 475
フリーリンガ輪 Flieringa ring ……… 463
プリオン prion ……… 979
プリオン蛋白 prion protein ……… 979
フリクテン phlyctena ……… 929
フリクテン症 phlyctenulosis ……… 929
フリクテン性角膜炎 phlyctenular keratitis ……… 929
ブリケ運動失調 Briquet ataxia ……… 176
ブリケー病 Briquet disease ……… 176
ブリケ症候群 Briquet syndrome ……… 176
ブリケ病 Briquet disease ……… 176
振子様眼振 pendular nystagmus ……… 910
プリズムジオプトリー prism diopter (δ) ……… 980
プリズムバー prism bar ……… 980
プリズム棒 prism bar ……… 980
ブリソー反射 Brissaud reflex ……… 176
ブリッカー手術 Bricker operation ……… 175
ブリッグ試験 Brigg test ……… 175
ブリッジ bridge ……… 175
フリット frit ……… 476
フリップ角 flip angle ……… 463
フリノデルマ phrynoderma ……… 933
不良核形成 dyskaryosis ……… 370
ブリル-ジンサー病 Brill-Zinsser disease ……… 176
プリン purine ……… 1006
フリンジ fringe ……… 476
プリンズメタル型狭心症 Prinzmetal angina ……… 979
フリンダース島紅斑熱 Flinders Island spotted fever ……… 463
プリンツメタル型狭心症 Prinzmetal angina ……… 979
フリント弧 Flint arcade ……… 463
フリント雑音 Flint murmur ……… 463
ブルーアー梗塞 Brewer infarct ……… 175
ブルークロス・ブルーシールド Blue Cross-Blue Shield (BCBS) ……… 164
ブルース試験 Bruce protocol ……… 180
ブルーフラッグ blue flag ……… 164
ブルーベリーマフィン児 blueberry muffin baby ……… 164
ブルーム症候群 Bloom syndrome ……… 164
ブルーリ潰瘍 Buruli ulcer ……… 186
フルイドオンス fluidounce ……… 464
フルイドドラム fluidram ……… 464
震え tremor ……… 1225
フルオレセイン fluorescein ……… 465
フルオレセインイソチオシアネート fluorescein isothiocyanate (FITC) ……… 465
フルオレセイン滴下試験 fluorescein instillation test ……… 465
フルオロフォトメトリ fluorophotometry ……… 465
ブルガリア菌 *Lactobacillus bulgaricus* ……… 674
プルキンエ現象 Purkinje phenomenon ……… 1006
プルキンエ細胞 Purkinje cells ……… 1006
プルキンエ細胞層 Purkinje cell layer ……… 1006
プルキンエ-サンソン像 Purkinje-Sanson images ……… 1006
プルキンエ線維 Purkinje fibers ……… 1006
プルキンエ像 Purkinje figures ……… 1006
プルキンエ〔線維〕網 Purkinje network ……… 1006
ブルグ糸状虫症 Brug filariasis ……… 180
フルクトース fructose ……… 477
フルクトース尿〔症〕 fructosuria ……… 478
フルクトキナーゼ fructokinase ……… 477
フルクトシド fructoside ……… 478
フルクトフラノース fructofuranose ……… 477
ブルゲル三角 Burger triangle ……… 184
プルシアンブルー Prussian blue ……… 993
ブルジンスキー徴候 Brudzinski sign ……… 180
ブルセラ症 brucellosis ……… 180
プルチャーの網膜症 Purtscher retinopathy ……… 1007
ブルック病 Bruck disease ……… 180
ブルドッグ鉗子 bulldog forceps ……… 183
ブルドン計器 Bourdon gauge ……… 169
ブルトン無ガンマグロブリン血症 Bruton agammaglobulinemia ……… 181
プルフリッヒ現象 Pulfrich phenomenon ……… 1002
プルマン法 Purmann method ……… 1006
フルンケル furuncle ……… 481
フルンケル〔多発〕症 furunculosis ……… 481
ブルンス運動失調 Bruns ataxia ……… 181
ブルンス眼振 Bruns nystagmus ……… 181
ブルンストローム運動治療 Brunnstrom movement therapy ……… 181
ブルンストローム法 Brunnstrom method ……… 181
ブルンベルク徴候 Blumberg sign ……… 164
ブルン膜 Brunn membrane ……… 181
ブレア-ブラウン移植〔片〕 Blair-Brown graft ……… 159
フレーカ枕副子 Frejka pillow splint ……… 475
ブレーキ薬 brake drug ……… 173
ブレイクポイント breakpoint ……… 173
フレーザー症候群 Fraser syndrome ……… 474
フレージャー針 Frazier needle ……… 474
フレームワーク領域 framework region ……… 474
フレーリッヒ小人症 Fröhlich dwarfism ……… 476
プレオキシゲネーション preoxygenation ……… 974
プレオサイトーシス pleocytosis ……… 947
プレオナズム pleonasm ……… 947
プレカリクレイン prekallikrein ……… 973
フレクスナー赤痢菌 *Shigella flexneri* ……… 1099
プレグナン pregnane ……… 972
プレグナンジオール pregnanediol ……… 972
プレグナンジオン pregnanedione ……… 972
プレグナントリオール pregnanetriol ……… 972
ブレグマ bregma ……… 175
フレグモーネ cellulitis ……… 215
ブレス braces ……… 170
フレスネルプリズム Fresnel prism ……… 476
ブレスロー厚さ Breslow thickness ……… 175
ブレスロー法 Breslow method ……… 175
プレチスモグラフィ plethysmography ……… 947
プレチスモメトリ plethysmometry ……… 948
フレッシュニング freshening ……… 476
フレッティング fretting ……… 476
フレデリクソン分類 Fredrickson classification ……… 474
プレデンチン predentin ……… 971
プレバイオティクス prebiotics ……… 970
ブレブ bleb ……… 161
プレプ prep ……… 974
プレホスピタル医療提供者 prehospital provider ……… 972
プレホスピタル管理報告 prehospital care report ……… 972
プレホスピタル処置 prehospital care ……… 972
ブレボトキシン brevetoxin ……… 175
プレホルモン prehormone ……… 972
フレミング固定液 Flemming fixative ……… 460
プレメディケイション premedication ……… 974
ブレロック-タウシグ手術 Blalock-Taussig operation ……… 159
ブレロック-タウシグ短絡〔術〕 Blalock-Taussig shunt ……… 160
フレンジ flange ……… 459
ブレンステッド塩基 Brønsted base ……… 179
ブレンステッド酸 Brønsted acid ……… 179
ブレンステッド説 Brønsted theory ……… 179
〔構造〕不連続性 asynechia ……… 110
フレンチスケール French scale (Fr) ……… 475
フレンツェル雑音 Fräntzel murmur ……… 474
プレンティスの法則 Prentice rule ……… 974
ブレンナー腫〔瘍〕 Brenner tumor ……… 175
フレンミング三重染料 Flemming triple stain ……… 460
プロアクチベータ proactivator ……… 980
ブロイス奇胎 Breus mole ……… 175
フロイト説 Freud theory ……… 476
フロイトの誤り freudian slip ……… 476
フロイト派精神分析〔学〕 freudian psychoanalysis ……… 476
プロインスリン proinsulin ……… 984
フロイント完全アジュバント Freund complete adjuvant ……… 476
フロイント奇形 Freund anomaly ……… 476

フ

フロイント手術 Freund operation …… 476
フロイント不完全アジュバント Freund incomplete adjuvant 476
プロウイルス provirus …… 992
ブローカ角度 Broca angle …… 176
フローサイトメトリ flow cytometry …… 464
フローダイアグラム flow diagram …… 464
ブローチ broach …… 176
ブローディー膿瘍 Brodie abscess …… 176
ブローディー膝 Brodie knee …… 176
ブローディー病 Brodie disease …… 176
ブロードベント検査 Broadbent test …… 176
ブロードベント徴候 Broadbent sign …… 176
ブロードベントの法則 Broadbent law …… 176
ブロードマン野 Brodmann areas …… 176
プローブ probe …… 980
ブローボトル blow-bottles …… 164
フロウボリュームループ検査 flow-volume loop studies …… 464
フローラ flora …… 464
プロエストロゲン proestrogen …… 982
プロオピオメラノコルチン proopiomelanocortin (POMC) …… 986
ブロ〔ー〕カ運動野 Broca motor areas …… 176
ブロカ視軸平面 Broca visual plane …… 176
プロガストリン progastrin …… 982
ブロカ中枢 Broca center …… 176
プロカプシド procapsid …… 980
プロカルボキシペプチダーゼ procarboxypeptidase …… 980
プロキモシン prochymosin …… 981
フロキュレーション flocculation …… 463
プログラミング可能補聴器 programmable hearing aid …… 983
プロゲスチン progestin …… 983
プロゲステロン progesterone …… 983
プロゲステロン受容体 progesterone receptor …… 983
プロゲステロン負荷試験 progesterone challenge test …… 983
プロゲストゲン progestogen …… 983
プロ酵素 proenzyme …… 982
プロコラーゲン procollagen …… 981
プロスタン酸 prostanoic acid …… 988
プロスチオン prosthion …… 989
フロスト縫合糸 Frost suture …… 477
プロセクター prosector …… 987
プロセクレチン prosecretin …… 987
プロセシング processing …… 981
フロタージュ frottage …… 477
プロタミン protamine …… 989
ブロック block …… 162
プロット plot …… 949
プロテアーゼ protease …… 989
プロテアーゼ阻害剤 antiprotease …… 82
プロテアーゼ阻害薬 protease inhibitor …… 989
プロテアソーム阻害薬 proteasome inhibitor …… 989
プロテインS protein S …… 990
プロテインキナーゼC protein kinase C …… 990
プロテウス症候群 Proteus syndrome …… 990
プロテーゼ prosthesis …… 989
プロテオース proteose …… 990
プロテオグリカン proteoglycans …… 990
プロテオグリカン集合体 proteoglycan aggregate …… 990
プロテオソーム proteosome …… 990
プロテオリピド proteolipids …… 990
プロト癌遺伝子 protooncogene …… 991
プロトコーン protocone …… 991
プロトコニッド protoconid …… 991
プロトコル protocol …… 991
プロトスタイリッド protostylid …… 991
プロトプラスト protoplast …… 991
プロトポルフィリン症 protoporphyria …… 991
プロドラッグ prodrug …… 982
プロトロンビナーゼ prothrombinase …… 990
プロトロンビン prothrombin …… 990
プロトロンビン時間 prothrombin time (PT) …… 990
プロトロンビン試験 prothrombin test …… 990
プロトロンビンフラグメント1.2 prothrombin fragment 1.2 (F1.2) …… 990
プロトンポンプ proton pump …… 991
プロトンポンプ阻害薬 proton pump inhibitor …… 991
プロトン密度強調 proton-density weighting …… 991
プロナザーレ pronasion …… 985
プロナジオン pronasion …… 985
プロパージン properdin …… 986
プロパージン因子A properdin factor A …… 986
プロパージン因子B properdin factor B …… 986
プロパージン系 properdin system …… 986
プロバイダー provider …… 992
プロパン propane …… 986
プロピオン酸 propionic acid …… 987
プロビタミン provitamin …… 992
プロピル propyl (Pr) …… 987
プロピルアルコール propyl alcohol …… 987
プロピレン propylene …… 987
プロ〔バクテリオ〕ファージ probacteriophage …… 980
プロフィール profile …… 982
プロフェータの法則 Profeta law …… 982
プロ副甲状腺ホルモン proparathyroid hormone …… 986
プロホルモン prohormone …… 984
プロマスティゴート promastigote …… 985
フロマン徴候 Froment sign …… 477
ブロム疹 bromoderma …… 176
ブロム-シンガー弁 Blom-Singer valve …… 162
ブロムフェノール試験 bromphenol test …… 177
プロモータ promoter …… 985
プロモーター promoting agent …… 985
ブロモベンジルシアン化物 bromobenzylcyanide …… 176
プロラクチン prolactin (PRL) …… 984
プロラクチン産生腺腫 prolactin-producing adenoma …… 984
プロラクチン・成長ホルモン産生細胞腺腫 mammosomatotroph cell adenoma …… 729
プロラクトスタチン prolactostatin …… 984
プロラクトリベリン prolactoliberin …… 984
フロリジン糖尿 phlorizin glycosuria …… 929
プロリル prolyl …… 985
プロリルジペプチダーゼ prolyl dipeptidase …… 985
プロリン proline (Pro) …… 985
プロリンイミノペプチダーゼ proline iminopeptidase …… 985
プロリンジペプチダーゼ proline dipeptidase …… 985
フロワン症候群 Froin syndrome …… 476
ブロンコスパイログラフィ bronchospirography …… 179
ブロンコスパイロメトリ bronchospirometry …… 179
ブロンプトンカクテル Brompton cocktail …… 177
不和合〔性〕 incompatibility …… 612
不和合性 incompatibility …… 612
ブワン固定液 Bouin fixative …… 169
糞〔便〕 feces …… 446
糞〔便〕 stool …… 1144
分圧 partial pressure …… 901
分位点 quantile …… 1015
文化 culture …… 304
分化 differentiation …… 345
分解 analysis …… 61
分解 decomposition …… 320
分解 degradation …… 323
分解 splitting …… 1130
分界溝 sulcus terminalis …… 1157
分解産物 cleavage product …… 249
分界条 terminal stria …… 1189
分界線 terminal line …… 1189
分解能 resolution …… 1041
分解能 resolving power …… 1041
分化型リンパ性リンパ腫 well-differentiated lymphocytic lymphoma (WDLL) …… 1288
分画 fraction …… 473
分画線 line of demarcation …… 701
分割 cleavage …… 249
分割 dieresis …… 344
分割球 blastomere …… 160
分割腔 blastocele …… 160
分割法 fractionation …… 473
分割量 divided dose …… 357
文化的多様性 cultural diversity …… 304
文化的適応 acculturation …… 9
文化能力 cultural competence …… 304
分芽分生子 Blastoconidium …… 160
分岐 bifurcation …… 151

分岐 ramification …… 1023
分岐点 breakpoint …… 173
分岐部 furcation …… 481
分極 polarization …… 953
文献 literature …… 705
吻合 anastomosis …… 62
吻合〔術〕 anastomosis …… 62
吻合〔術〕 shunt …… 1102
分光学 spectroscopy …… 1120
分光器 spectroscope …… 1120
分光計 spectrometer …… 1120
分光光度計 spectrophotometer …… 1120
吻合枝 anastomotic branch …… 62
吻合性潰瘍 anastomotic ulcer …… 62
分光測光〔法〕 spectrophotometry …… 1120
吻合部潰瘍 stomal ulcer …… 1144
分光〔光度〕法 spectrometry …… 1120
粉砕 comminution …… 266
粉砕 trituration …… 1231
粉剤 powder …… 969
粉砕骨折 comminuted fracture …… 266
分散 dispersion …… 354
分散 variance …… 1260
分散学習 distributed practice …… 356
分散度 dispersion …… 354
分散媒 dispersion medium …… 354
分散分析 analysis of variance (ANOVA) …… 61
分枝 bifurcation …… 151
分枝 branching …… 173
分枝 ramification …… 1023
分子 molecule …… 779
分子疫学 molecular epidemiology …… 779
分子吸光係数 molar absorption coefficient (ε) …… 778
分枝グリコ〔ー〕ゲン蓄積症 brancher glycogen storage disease …… 173
分枝形成 branching …… 173
分時呼吸量 respiratory minute volume …… 1042
分子生物学 molecular biology …… 779
分時拍出量 minute volume …… 774
分子病 molecular disease …… 779
分枝ブロック divisional block …… 357
糞脂肪試験 fecal fat test …… 446
糞腫 coproma …… 285
噴出性嘔吐 projectile vomiting …… 984
分子量 molecular weight (mol wt, MW) …… 779
分水界 watershed …… 1286
分水界梗塞 watershed infarction …… 1286
糞石 coprolith …… 285
糞石 enterolith …… 402
糞石 fecalith …… 446
分析 analysis …… 61
分析〔法〕 assay …… 108
分析器 analyzer …… 61
分析者 analyst …… 61
分析精度 analytic sensitivity …… 61
分析特異性 analytic specificity …… 61
分節 segment …… 1087
分節核〔白血〕球 segmented cell …… 1088
分節言語 scanning speech …… 1074
分節〔性〕骨折 segmental fracture …… 1087
分節性感覚消失 segmental anesthesia …… 1087
分節性神経炎 segmental neuritis …… 1088
分節線維 tautomeric fibers …… 1180
分節発生 merogenesis …… 755
分絶部分 exclave …… 426
分染 differentiation …… 345
糞線虫症 strongyloidiasis …… 1149
ブンゼンバーナー Bunsen burner …… 184
分染法 banding …… 134
ブンゼン溶解度係数 Bunsen solubility coefficient (alpha) …… 184
分層植皮片 split-thickness graft …… 1130
分層熱傷 partial-thickness burn …… 901
分層皮弁 split-thickness flap …… 1130
分断 fragmentation …… 474
分断 spallation …… 1118
糞尿〔症〕 fecaluria …… 446
分配クロマトグラフィ partition chromatography …… 902
分泌〔物〕 discharge (DC) …… 352
分泌 secretion …… 1086
〔消化酵素〕分泌欠乏〔症〕 achylia …… 12
分泌者 secretor …… 1087
分泌小胞 vesicle …… 1272
分泌神経 secretory nerve …… 1087
分泌性乳癌 secretory carcinoma …… 1087
分泌促進物質 secretagogue …… 1086
分泌促進薬 secretagogue …… 1086
分泌物 secreta …… 1086
分泌物 secretion …… 1086
分布 distribution …… 356
分布域 range …… 1024
ブンブン音 sonorous rale …… 1117
分別 fractionation …… 473
〔分別〕尿管カテーテル検査 differential ureteral catheterization test …… 345
糞便 dejection …… 324
糞便 stercus …… 1140
分娩 birth …… 156
分娩 childbirth …… 230
分娩 delivery …… 325
分娩 labor …… 672
分娩下イレウス ileus subparta …… 603
糞便学 scatology …… 1076
分娩経過 birthing …… 157
分娩経過図表 partogram …… 902
糞便検査 fecal examination …… 446
糞便検査〔法〕 scatoscopy …… 1076
糞便抗体 coproantibodies …… 284
分娩後出血 postpartum hemorrhage …… 967
分娩時外傷 birth trauma …… 157
分娩時出血 intrapartum hemorrhage …… 641
分娩陣痛 active labor …… 19
〔分娩〕陣痛 labor pains …… 673
分娩遷延 bradytocia …… 172
分娩センター birthing center …… 157
分娩促進 oxytocia …… 882
分娩立ち会い labor coach …… 672
分娩停止 arrested labor …… 96
分娩停止 arrest of labor …… 96
分娩の異常 complicated labor …… 270
糞便濃縮法 fecal concentration …… 446
分娩麻痺 birth palsy …… 157
分娩麻痺 obstetric palsy …… 848
分娩誘導 induction of labor …… 616
粉末 powder …… 969
噴霧 spray …… 1133
噴霧器 atomizer …… 113
噴霧器 nebulizer …… 815
フンメルシャイム手術 Hummelsheim operation …… 575
フンメルシャイム法 Hummelsheim procedure …… 575
噴門 cardia …… 200
噴門形成〔術〕 cardioplasty …… 203
噴門痙攣 cardiochalasia …… 201
噴門口 cardiac orifice …… 201
噴門上部 epicardia …… 406
噴門切開〔術〕 cardiotomy …… 203
噴門切痕 cardiac notch …… 201
噴門腺 cardiac gland …… 200
噴門側胃切除〔術〕 fundusectomy …… 480
噴門部括約筋 cardiac sphincter …… 201
噴門無弛緩〔症〕 cardiochalasia …… 201
噴門幽門吻合〔術〕 gastrogastrostomy …… 489
ブンヤウイルス脳炎 bunyavirus encephalitis …… 184
分葉核〔白血〕球 segmented cell …… 1088
分葉球 segmented cell …… 1088
分葉〔核〕好中球 segmented neutrophil …… 1088
分容積 partial volume …… 901
分利 crisis …… 298
分離 detachment …… 337
分離 dialysis …… 341
分離 dieresis …… 344
分離 disaggregation …… 351
分離 disjunction …… 353

フ

分離 dissociation 355
分離 isolation 651
分離 scission 1080
分離 segregation 1088
分離運動 dissociation movement 355
分離型分析装置 discrete analyzer 352
分離菌 isolate 651
分離骨盤 split pelvis 1130
分離腫 choristoma 239
分離スキル discrete skill 352
分離組織 chorista 239
分離体 chorista 239
分離の法則 law of segregation 685
分離比 segregation ratio 1088
分離比分析 segregation analysis 1088
分離不安 separation anxiety 1093
分離片 sequestrum 1094
分類 categorization 210
分類〔法〕 classification 248
分類学 taxonomy 1181
分類群 taxon 1180
分類形質 categoric trait 210
分裂 division 357
分裂 fission 458
分裂 scission 1080
分裂 splitting 1130
〔細胞〕分裂間期 interphase 636
分裂産物 spallation product 1118
分裂小体 merozoite 755
分裂生殖 schizogenesis 1077
分裂舌 bifid tongue 150
分裂赤血球増加〔症〕 schistocytosis 1076
分裂接合体 cleaving zygote 249
〔有糸〕分裂促進剤 mitogen 775
分裂速度 mitotic rate 775
分裂体 schizont 1077
〔分裂〕中期 metaphase 761
分裂紡錘体 cleavage spindle 249

ヘ

ヘアリーセル hairy cell 529
ヘアリーセル白血病 hairy cell leukemia 529
平凹レンズ planoconcave lens 943
平滑筋 smooth muscle 1112
平滑筋腫 leiomyoma 688
平滑筋腫〔症〕 leiomyomatosis 688
平滑筋性括約筋 lissosphincter 705
平滑筋肉腫 leiomyosarcoma 688
平滑皮膚 leiodermia 688
平滑末端 DNA blunt-ended DNA 164
平均 average 125
平均カロリー mean calorie 739
平均 QRS 軸 mean QRS axis 740
平均寿命 mean life 740
平均赤血球ヘモグロビン濃度 mean corpuscular hemoglobin concentration (MCHC) 740
平均赤血球ヘモグロビン量 mean corpuscular hemoglobin (MCH) 740
平均赤血球容積 mean corpuscular volume (MCV) 740
平均値 mean 739
閉経〔期〕 menopause 752
ヘイ検査 Hay test 534
閉瞼瞳孔反応 eye-closure pupil reaction 437
平衡 balance 133
平衡 equilibration 412
平衡〔状態〕 equilibrium 413
並行遊び parallel play 895
平衡圧 plateau pressure 946
平衡異常 disequilibrium 353
平行移動 translation 1219
平衡運動反射 statokinetic reflex 1138
平衡〔感〕覚 sense of equilibrium 1091
閉合原則 closure principle 253
平衡咬合 balanced occlusion 133
平衡砂 otoliths 877
平衡砂 statoconia 1138
平衡石 statoliths 1138
平行接合 parasynapsis 898
平衡側 balancing side 133
平衡側顆頭 balancing side condyle 133
平衡多型現象 balanced polymorphism 133
平衡転座 balanced translocation 133
平衡透析〔法〕 equilibrium dialysis 413
米国医学研究所 Institute of Medicine (IOM) 627
米国看護学生連盟 National Student Nurses Association 814
米国公衆衛生局 United States Public Health Service (USPHS) 1247
米国国立衛生研究所 U.S. National Institutes of Health (NIH) 1254
米国国立健康統計センター U.S. National Centers for Health Statistics (NCHS) 1254
米国手話アルファベット American Manual Alphabet 52
米国准看護師国家試験 National Council Licensure Examination-Practical Nurse (NCLEX-PN) 813
米国正看護師国家試験 National Council Licensure Examination-Registered Nurse (NCLEX-RN) 813
米国保健医療財務局 Centers for Medicare and Medicaid Services (CMS) 216
米国保健社会福祉省 U.S. Department of Health and Human Services (HHS) 1254
米国麻薬取締局 U.S. Drug Enforcement Administration (DEA) 1254
米国薬品コード U.S. National Drug Code (NDC) 1254
米国薬局方 United States Pharmacopeia (USP) 1247
米国立医学図書館 National Library of Medicine (NLM) 813
閉鎖〔症〕 atresia 115
閉鎖 closure 253
閉鎖 synizesis 1172
〔瞳孔〕閉鎖 synizesis 1172
閉鎖回路呼吸測定法 closed-circuit spirometry 252
閉鎖回路ヘリウム希釈法 closed-circuit helium dilution 252
閉鎖管 obturator canal 849
閉鎖孔 obturator 849
閉鎖孔 obturator foramen 849
閉鎖孔ヘルニア obturator hernia 849
閉鎖骨折 closed fracture 252
閉鎖式肺活量測定法 closed-circuit spirometry 252
閉鎖式病院 closed hospital 252
閉鎖循環式麻酔〔法〕 closed anesthesia 252
閉鎖循環法 closed-circuit method 252
閉鎖神経 obturator nerve 849
閉鎖性血栓 obstructive thrombus 849
閉鎖性髄膜炎 occlusive meningitis 851
閉鎖性頭部外傷 closed head injury 252
閉鎖脱臼 closed dislocation 252
閉鎖腸係蹄閉塞 closed loop obstruction 252
閉鎖堤 terminal bar 1188
閉鎖的運動 closed-chain movement 252
閉鎖的技能 closed skill 252
閉鎖動脈 obturator artery 849
閉鎖ドレナージ closed drainage 252
閉鎖包帯 occlusive dressing 851
閉鎖膜 obturator 849
閉鎖膜 obturator membrane 849
閉鎖面ぽう closed comedo 252
閉鎖容積 closing volume 253
閉鎖卵胞 atretic follicle 115
閉鎖稜 obturator crest 849
閉所恐怖〔症〕 claustrophobia 248
ベイズの定理 Bayes theorem 142
ヘイ切断術 Hey amputation 560
閉塞 obliteration 848
閉塞〔症〕 obstruction 849
閉塞 obturation 849
閉塞 occlusion 851
閉塞隅角緑内障 angle-closure glaucoma 69
閉塞静脈 obturator vein 850

閉塞性イレウス occlusive ileus …… 851
閉塞性黄疸 obstructive jaundice …… 849
閉塞性換気障害 obstructive ventilatory defect …… 849
閉塞性気管支炎 obliterative bronchitis …… 848
閉塞性血栓 obstructive thrombus …… 849
閉塞性血栓〔性〕血管炎 thromboangiitis obliterans …… 1199
閉塞性雑音 obstructive murmur …… 849
閉塞性心外膜炎 obliterative pericarditis …… 848
閉塞性心膜炎 pericarditis obliterans …… 914
閉塞性水頭〔症〕 obstructive hydrocephalus …… 849
閉塞性睡眠時無呼吸 obstructive sleep apnea (OSA) …… 849
閉塞性線維性細気管支炎 bronchiolitis fibrosa obliterans …… 178
閉塞性塞栓症 obturating embolism …… 849
閉塞性動脈硬化〔症〕 arteriosclerosis obliterans …… 102
閉塞性動脈内膜炎 endarteritis obliterans …… 395
閉塞性尿路疾患 obstructive uropathy …… 849
閉塞性無呼吸 obstructive apnea …… 849
並体結合 parabiosis …… 893
平坦な情動 flat affect …… 460
平坦皮弁 flat flap …… 460
並置 apposition …… 91
並置縫合 apposition suture …… 91
平凸レンズ planoconvex lens …… 943
平板 plate …… 946
平板縫合 button suture …… 186
閉鼻声 hyponasality …… 595
閉弁期弾撥音 closing snap …… 253
平面 plane …… 943
平面関節 arthrodia …… 103
平面関節 plane joint …… 943
〔平面〕視野計 campimeter …… 192
ベイラム bayberry …… 142
併列構造 syntropy …… 1173
ペイン手術 Payne operation …… 905
ベインブリッジ反射 Bainbridge reflex …… 132
ベーアー説 Baeyer theory …… 132
ヘーアー-ピューデンズ弁 Heyer-Pudenz valve …… 560
ベーアの法則 Baer law …… 132
ヘーヴァヒル熱 Haverhill fever …… 534
ベーカー酸〔性〕ヘマテイン Baker acid hematein …… 132
ヘーガース結節 Haygarth nodes …… 534
ベーカー嚢胞 Baker cyst …… 132
ベーカーのピリジン抽出 Baker pyridine extraction …… 132
ヘーガル拡張器 Hegar dilators …… 538
ヘーガル徴候 Hegar sign …… 538
ベーコン肛門鏡 Bacon anoscope …… 130
ペーシングカテーテル pacing catheter …… 884
ベースジャンピング BASE jumping …… 139
ベースステーション base station …… 139
ペースメーカ pacemaker …… 883
ペースメーカー・ルール pacemaker rule …… 883
ペースメーカ症候群 pacemaker syndrome …… 883
ペースメーカ追従細胞 pacefollower …… 883
ペースメーカ導線 pacemaker lead …… 883
βアドレナリン作動性受容体 beta (β)-adrenergic receptors …… 147
β-アドレナリン遮断薬 beta (β)-adrenergic blocking agent …… 147
β_{1E}グロブリン beta $(\beta)_{1E}$ globulin …… 148
β_{1F}グロブリン beta $(\beta)_{1F}$ globulin …… 148
β_{1C}グロブリン beta $(\beta)_{1C}$ globulin …… 148
β_1-リポ蛋白 beta-one (β_1)-lipoprotein …… 148
β型溶血連鎖球菌 beta (β)-hemolytic streptococci …… 148
β-ガラクトシダーゼ beta (β)-galactosidase …… 148
ベータ顆粒 beta granule …… 148
ベータカロチン beta (β) carotene …… 147
β-カロチン 15,15′-ジオキシゲナーゼ beta (β)-carotene 15,15′-dioxygenase …… 147
ベータ細胞 beta (β) cells …… 147
βサラセミア beta (β) thalassemia …… 148
ベータ酸化 beta (β)-oxidation …… 148
β^-線 electron (β −) …… 386
ベータ線維 beta (β) fibers …… 147
β-D-ガラクトシダーゼ beta (β)-D-galactosidase …… 148
β-D-グルクロニダーゼ beta (β)-D-glucuronidase …… 148
β-*d*-グルクロニダーゼ欠損症 beta (β)-*d*-glucuronidase deficiency …… 148
ベータテスト beta testing …… 148
β-δサラセミア beta-delta (β-δ) thalassemia …… 147
ベータトロン betatron …… 149
ベータ波 beta (β) rhythm …… 148
ベータ波 beta (β) wave …… 149
β-ヒト絨毛性性腺刺激ホルモン beta (β)-human chorionic gonadotropin …… 148
β-フルクトフラノシダーゼ beta (β)-fructofuranosidase …… 147
β-ラクタマーゼ beta (β)-lactamase …… 148
β-ラクタマーゼ阻害薬 beta (β)-lactamase inhibitors …… 148
β-ラクタム beta (β)-lactam …… 148
βラクタム系抗生物質 beta (β)-lactam antibiotics …… 148
ベータ律動 beta (β) rhythm …… 148
ベータ粒子 beta (β) particle …… 148
ベーチェット症候群 Behçet syndrome …… 144
ペーテルス卵子 Peters ovum …… 922
ヘーノホ-シェーンライン紫斑病 Henoch-Schönlein purpura …… 550
ヘーバーデン結節 Heberden nodes …… 538
ヘーフリック限度 Hayflick limit …… 534
ベーマーヘマトキシリン Boehmer hematoxylin …… 165
ヘーリング色覚説 Hering theory of color vision …… 554
ヘーリング試験 Hering test …… 554
ベーリングの法則 Behring law …… 144
ヘーリング-ブロイアー反射 Hering-Breuer reflex …… 554
ベール症候群 Behr syndrome …… 144
ヘールのコロイド鉄染色〔法〕 Hale colloidal iron stain …… 529
ベールの法則 Baer law …… 132
ベールの法則 Beer law …… 143
ベールマン濃縮法 Baermann concentration …… 132
ペーロー胸郭 Peyrot thorax …… 923
ペーロニー病 Peyronie disease …… 923
ベーンブリッジ反射 Bainbridge reflex …… 132
ヘガール拡張器 Hegar dilators …… 538
ヘガール徴候 Hegar sign …… 538
壁 wall …… 1285
壁在血栓 parietal thrombus …… 899
壁在血栓症 mural thrombosis …… 793
壁細胞 parietal cell …… 899
ヘキサン hexane …… 560
ヘキシトール hexitol …… 560
ヘキシル hexyl …… 560
壁〔性〕心内膜炎 mural endocarditis …… 793
ヘキスロース hexulose …… 560
壁性血栓 mural thrombus …… 793
ヘキソース hexose …… 560
ヘキソースアミン hexosamine …… 560
ヘキソースホスファターゼ hexose phosphatase …… 560
ヘキソキナーゼ hexokinase …… 560
ヘキソキナーゼ法 hexokinase method …… 560
壁側胸膜 parietal pleura …… 899
壁側脱落膜 decidua parietalis …… 319
ヘキソサミニダーゼ hexosaminidase …… 560
ヘキソサミン hexosamine …… 560
ヘキソサン hexosans …… 560
ヘキソン塩基 hexone bases …… 560
壁内血腫 intramural hematoma …… 641
壁内滲出液 insudate …… 628
壁内着床 interstitial implant …… 637
壁内妊娠 intramural pregnancy …… 641
壁板 tapetum …… 1179
ベクター vector …… 1264
ヘクトメートル hectometer …… 538
ベクトル vector …… 1264
ベクトル心電図 vectorcardiogram …… 1264
ベクラールヘルニア Béclard hernia …… 143
ヘグリン異常 Hegglin anomaly …… 538
ヘグリン症候群 Hegglin syndrome …… 538
ベクレル becquerel …… 143
ヘジタント hesitant …… 557
ペスト plague …… 943
ベストカルミン染色〔法〕 Best carmine stain …… 147
ペスト菌 *Yersinia pestis* …… 1299
ベスト病 Best disease …… 147
ベスニエ痒疹 Besnier prurigo …… 147
ヘスの法則 Hess law …… 557
ヘルスケアプロキシー health care proxy …… 535
ベセスダ単位 Bethesda unit …… 149

ベセスダ分類 Bethesda system …… 149
臍 navel …… 814
臍 umbilicus …… 1245
ベゾアール bezoar …… 149
ベタイン betaine …… 148
ベタイン化合物〔類〕 betaine …… 148
ベッカー筋ジストロフィ Becker muscular dystrophy …… 143
ベッカーのスピロヘータ染色〔法〕 Becker stain for spirochetes …… 143
ベッカー病 Becker disease …… 143
ベッカー母斑 Becker nevus …… 143
ベックウィズ-ヴィーデマン症候群 Beckwith-Wiedemann syndrome …… 143
ベックうつ病評価尺度 Beck Depression Inventory (BDI) …… 143
ベック-ドロボーラフ-ロッケ卵血清培地 Boeck and Drbohlav Locke-egg-serum medium …… 165
ベック法 Beck method …… 143
ベックマン装置 Beckmann apparatus …… 143
ペッサリー pessary …… 922
ヘッセルバッハヘルニア Hesselbach hernia …… 557
ペッツヴァル表面 Petzval surface …… 922
ベッツ細胞 Betz cells …… 149
ベッド bed …… 143
ヘッド帯 Head lines …… 534
ベッド内死亡症候群 dead-in-bed syndrome …… 317
ベットヒャー結晶 Böttcher crystals …… 169
ベットヒャー細胞 Böttcher cells …… 169
ヘッド野 Head areas …… 534
ヘテロキサンチン heteroxanthine …… 560
ヘテロキネシス heterokinesis …… 558
ヘテロクロマチン heterochromatin …… 558
ヘテロ抗血清 heteroantiserum …… 557
ヘテロゴニー生活環 heterogonic life cycle …… 558
ヘテロ受容体 heteroreceptor …… 559
ヘテロセクシズム heterosexism …… 559
ヘテロピクノーシス heteropyknosis …… 559
ベトケ-クライハウアー試験 Betke-Kleihauer test …… 149
ベドナルアフタ Bednar aphthae …… 143
ベトニー betony …… 149
ペドメータ pedometer …… 907
ペトリ皿培養 Petri dish culture …… 922
ベニア veneer …… 1266
ベニエ痒疹 Besnier prurigo …… 147
ペニシリウム症 penicilliosis …… 910
ペニシリン単位(国際単位) unit of penicillin (international) 1247
ベニテングタケ *Amanita muscaria* …… 49
ベネズエラ出血熱 Venezuelan hemorrhagic fever …… 1266
ベネット運動 Bennett movement …… 145
ベネット骨折 Bennett fracture …… 145
ベネディクト試験 Benedict test …… 145
ベネディクト症候群 Benedikt syndrome …… 145
ベネデック反射 Benedek reflex …… 145
ヘノッホ-シェーンライン紫斑病 Henoch-Schönlein purpura 550
ヘバーデン結節 Heberden nodes …… 538
ヘパトーム hepatoma …… 553
ヘパトパシー hepatopathy …… 553
へばり prostration …… 989
ヘパリン heparin …… 550
ヘパリンロック heparin lock …… 551
ベビー・ドウ法 Baby Doe law …… 129
ベヒテレフ徴候 Bechterew sign …… 143
ベヒテレフ-メンデル反射 Bechterew-Mendel reflex …… 143
ペプシノゲン pepsinogen …… 910
ペプシン pepsin …… 910
ペプチジルジペプチダーゼA peptidyl dipeptidase A …… 911
ペプチダーゼ peptidase …… 910
ペプチド peptide …… 911
ペプチドイド peptidoid …… 911
ペプチドグリカン peptidoglycan …… 911
ペプチド結合 peptide bond …… 911
ペプチド抗生物質 peptide antibiotic …… 911
ペプチド転移 transpeptidation …… 1220
ペプチドYY peptide YY …… 911
ヘプトース heptose …… 553
ペプトン peptone …… 911
ペプトン化 peptonization …… 911
ペプトン分解 peptolysis …… 911
ヘブラ痒疹 Hebra prurigo …… 538
ペプロス peplos …… 910
ペプロマー peplomer …… 910
ベベル bevel …… 149
ヘマグルチニンプロテアーゼ hemagglutinin-protease (HA-P) …… 540
ヘマクローム hemachrome …… 540
ヘマチン hematin …… 541
ヘマチン血症 hematinemia …… 541
ヘマテイン hematein …… 541
ヘマトイジン hematoidin …… 541
ヘマトキシリン hematoxylin …… 543
ヘマトキシリン-エオシン染色〔法〕 hematoxylin and eosin stain …… 543
ヘマトクリット hematocrit (Hct) …… 541
ヘマトフィリナ類 haematophilina …… 526
ヘマトポルフィリン hematoporphyrin …… 542
ヘマラム hemalum …… 540
ヘミアセタール hemiacetal …… 543
ヘミケタール hemiketal …… 544
ヘミコルポレクトミー hemicorporectomy …… 544
ヘミ接合体 hemizygote …… 545
ヘミセルロース hemicellulose …… 543
ヘミブロック hemiblock …… 543
ヘミン hemin …… 544
ヘム heme …… 543
ヘムエリトリン hemerythrin …… 543
ヘム蛋白 heme protein …… 543
ヘモグラム hemogram …… 547
ヘモグロビノメトリー hemoglobinometry …… 547
ヘモグロビン hemoglobin (Hgb, Hb) …… 546
ヘモグロビン血〔症〕 hemoglobinemia …… 546
ヘモグロビン測定法 hemoglobinometry …… 547
ヘモグロビン尿〔症〕 hemoglobinuria …… 547
ヘモグロビン尿性ネフローゼ hemoglobinuric nephrosis …… 547
ヘモグロビンバート hemoglobin Bart …… 546
ヘモグロビン溶解 hemoglobinolysis …… 547
ヘモクロマトーシス hemochromatosis …… 545
ヘモクロモゲン hemochromogen …… 545
ヘモシアニン hemocyanin …… 545
ヘモジデリン hemosiderin …… 549
ヘモジデリン沈着〔症〕 hemosiderosis …… 549
ヘモジデリン貪食細胞 siderophore …… 1104
ヘモシトブラスト hemocytoblast …… 546
ヘモネクチン hemonectin …… 548
ヘモフィルスインフルエンザタイプb *Haemophilus influenzae* type B …… 528
ヘモフスシン hemofuscin …… 546
ヘモペキシン hemopexin …… 548
ヘモンクス症 hemonchiasis …… 548
ヘヤピン状血管 hairpin vessels …… 529
へら spatula …… 1119
ベラール動脈瘤 Bérard aneurysm …… 146
ヘラーワーク Hellerwork …… 539
ペラグラ pellagra …… 907
ベラドンナ *Atropa belladonna* …… 116
ベラドンナ belladonna …… 144
ヘリウム希釈法 helium dilution method …… 539
ヘリウム療法 helium therapy …… 539
ヘリー固定液 Helly fixative …… 539
ペリオダイゼイション periodization …… 916
ヘリオックス heliox …… 539
ペリクロム perichrome …… 914
ヘリコバクターピロリ *Helicobacter pylori* …… 539
ペリナトロジスト perinatologist …… 916
ベリリウム症 berylliosis …… 147
ヘリング神経 Hering nerve …… 554
ヘリングの法則 Hering law …… 554
ヘリンの法則 Hellin law …… 539
ベル bel …… 144
ペルーいぼ病 verruga peruana …… 1269
ペルーシド辺縁角膜変性 pellucid marginal corneal degeneration …… 908
ペルートカ症候群 Peroutka syndrome …… 920
ペルーバルサム balsam of Peru …… 134

ペル-エプスタイン熱 Pel-Ebstein fever ……… 907
ペルオキシソーム peroxisome ……… 920
ペルオキシダーゼ peroxidases ……… 920
ペルオキシル peroxyl ……… 920
ベルガー腔 Berger space ……… 146
ペルカゴム gutta (gt) ……… 522
ヘルクスハイマー反応 Herxheimer reaction ……… 557
ベルク・バランス尺度 Berg Balance Scale (BBS) ……… 146
ベル現象 Bell phenomenon ……… 144
ベルゴニー・トリボンドウの法則 law of Bergonié and Tribondeau ……… 685
ペル酸 peracid ……… 911
ヘルスケア共同製作コードシステム Healthcare Common Procedure Coding System (HCPCS) ……… 535
ヘルスプロモーション health promotion ……… 535
ベルセー胃底ひだ形成〔術〕 Belsey fundoplication ……… 144
ペルソナ persona ……… 921
ペルタクチン pertactin ……… 921
ヘルツ hertz (Hz) ……… 557
ペルティク憩室 Pertik diverticulum ……… 921
ペルテス試験 Perthes test ……… 921
ヘルトヴィヒ鞘 Hertwig sheath ……… 557
ベルトレーの法則 Berthollet law ……… 147
ベルナン症候群 Bernheim syndrome ……… 146
ヘルニア hernia ……… 554
ヘルニア形成 herniation ……… 555
ヘルニア切開〔術〕 herniotomy ……… 555
ヘルニア刀 hernia knife ……… 554
ヘルニア刀 herniotome ……… 555
ヘルニア嚢 hernial sac ……… 554
ヘルニアバンド truss ……… 1234
ヘルニア縫縮〔術〕 herniorrhaphy ……… 555
ヘルニア輪縫合〔術〕 anulorrhaphy ……… 84
ベルヌーイの法則 Bernoulli law ……… 146
ベルヌーイ分布 Bernoulli distribution ……… 146
ベルの法則 Bell law ……… 144
ヘルパーウイルス helper virus ……… 540
ヘルパーT細胞 T-helper cells (Th) ……… 1193
ヘルパンギナ herpangina ……… 555
ヘルプ症候群 HELPP syndrome ……… 540
ヘルペス herpes ……… 555
ヘルペスウイルス herpesvirus ……… 556
ヘルペス性角膜炎 herpetic keratitis ……… 557
ヘルペス性湿疹 eczema herpeticum ……… 378
ヘルペス様口内炎 herpetiform aphthae ……… 557
ベル麻痺 Bell palsy ……… 144
ヘルマン固定液 Hermann fixative ……… 554
ヘルマン症候群 Herrmann syndrome ……… 557
ヘルムホルツエネルギー Helmholtz energy (A) ……… 539
ベルリン水腫 Berlin edema ……… 146
ベルリンブルー Berlin blue ……… 146
ベルロック皮膚炎 berloque dermatitis ……… 146
ベルンハルト徴候 Bernhardt sign ……… 146
ペレグリーニ病 Pellegrini disease ……… 908
ペレット剤 pellet ……… 908
ヘロイン heroin (H) ……… 555
ベロ毒素 vero cytotoxin ……… 1269
〔大〕便 stool ……… 1144
弁 flap ……… 459
弁 valve ……… 1259
偏位 deviation ……… 339
偏位 malposition ……… 729
偏位 shift ……… 1099
変位 ectopia ……… 377
変位 variation ……… 1260
〔染色体〕変位 metakinesis ……… 760
〔一時〕変異 modification ……… 777
〔突然〕変異 mutation ……… 800
変異原性因子 mutagen ……… 800
変異性紅斑角皮症 erythrokeratodermia variabilis ……… 418
変異性ポリメラーゼ連鎖反応 error-prone polymerase chain reaction (PCR) ……… 415
〔突然〕変異体 mutant ……… 800
変異体 variant ……… 1260
〔突然〕変異誘発 mutagenesis ……… 800
〔突然〕変異誘発物質 mutagen ……… 800
辺縁 verge ……… 1269
〔大脳〕辺縁系 limbic system ……… 700
辺縁形成〔術〕 marginoplasty ……… 733
辺縁趨向 margination ……… 733
辺縁性胎盤 placenta marginata ……… 942
辺縁層リンパ腫 marginal zone lymphoma ……… 733
辺縁帯 marginal zone ……… 733
辺縁脱毛〔症〕 alopecia marginalis ……… 45
辺縁隆線 marginal ridge ……… 732
変化 change ……… 226
弁蓋 operculum ……… 862
偏角 declination ……… 320
変換 conversion ……… 283
変換 transformation ……… 1218
変換 transmutation ……… 1220
変換運動 diadochokinesia ……… 341
変換運動障害 adiadochokinesis ……… 27
変換器 transducer ……… 1218
変換器細胞 transducer cell ……… 1218
変換熱 conversive heat ……… 283
変換輸血 substitution transfusion ……… 1155
弁逆流 valvular regurgitation ……… 1259
変形 abnormality ……… 4
変形 deformation ……… 323
変形 deformity ……… 323
変形 distortion ……… 356
変形骨化 metaplastic ossification ……… 762
変形視〔症〕 metamorphopsia ……… 761
弁形成〔術〕 valvoplasty ……… 1259
変形性関節症 osteoarthritis ……… 872
変形性筋失調〔症〕 dystonia musculorum deformans ……… 372
変形性脊椎炎 spondylitis deformans ……… 1130
変形赤芽球 poikiloblast ……… 952
変形赤血球 poikilocyte ……… 952
変形赤血球症 poikilocytosis ……… 952
扁形動物 platyhelminth ……… 947
変形癒合 vicious union ……… 1275
返血〔法〕 autotransfusion ……… 125
偏光 polarization ……… 953
偏光 polarized light ……… 953
偏差 deviation ……… 339
娩産 disengagement ……… 353
偏視 deviation ……… 339
変視症 metamorphopsia ……… 761
変時性 chronotropism ……… 242
変質 degeneration ……… 323
変質 deterioration ……… 337
変質 transformation ……… 1218
偏執狂 monomania ……… 782
偏執狂 paranoia ……… 896
偏執性人格 paranoid personality ……… 896
変種 transmutation ……… 1220
変種 variant ……… 1260
娩出〔陣〕痛 bearing-down pain ……… 143
娩出〔陣〕痛 expulsive pains ……… 431
変色 metachromatism ……… 760
ベンジリデン benzylidene ……… 146
ベンジルオキシカルボニル benzyloxycarbonyl (Z) ……… 146
偏心角 angle of eccentricity ……… 69
偏心咬合 eccentric occlusion ……… 375
変数 variable ……… 1260
ベンス・ジョーンズ蛋白 Bence Jones proteins ……… 144
ベンス・ジョーンズ蛋白尿 Bence Jones proteinuria ……… 144
ベンス・ジョーンズ反応 Bence Jones reaction ……… 144
ベンズチアジド benzthiazide ……… 146
片頭痛 migraine ……… 771
片頭痛 migraine headache ……… 771
片頭痛関連性前庭障害 migraine-related vestibulopathy ……… 771
変性 degeneration ……… 323
変性 denaturation ……… 327
偏性寄生生物 obligate parasite ……… 847
偏性嫌気性菌 obligate anaerobe ……… 847
偏性嫌気性生物 obligate anaerobe ……… 847
偏性好気性菌 obligate aerobe ……… 847
変性性椎間板症 degenerative disc disease ……… 323
変性反応 reaction of degeneration (DR) ……… 1026

ヘ

片節 proglottid ……… 983
弁切開術 valvectomy ……… 1259
片節連体 strobila ……… 1148
ベンゼン環 benzene ring ……… 146
ヘンゼン細胞 Hensen cell ……… 550
ベンゾイル benzoyl ……… 146
片側アテトーシス hemiathetosis ……… 543
片側異栄養症 hemidystrophy ……… 544
片側萎縮 hemiatrophy ……… 543
片側臥呼吸 trepopnea ……… 1225
片側感覚消失 hemianesthesia ……… 543
片側感覚鈍麻 hemihypesthesia ……… 544
片側顔面痙攣 hemifacial spasm ……… 544
片側奇肢症 hemiectromelia ……… 544
片側嗅覚麻痺 hemianosmia ……… 543
片側緊張亢進 hemihypertonia ……… 544
片側緊張低下 hemihypotonia ……… 544
片側痙攣 hemispasm ……… 545
片側欠肢症 hemiectromelia ……… 544
片側喉頭切除〔術〕 hemilaryngectomy ……… 544
片側骨盤切除〔術〕 hemipelvectomy ……… 544
片側失行〔症〕 hemiapraxia ……… 543
片側〔運動〕失調〔症〕 hemiataxia ……… 543
片側視野欠損 hemianopia ……… 543
片側収縮 hemisystole ……… 545
片側心臓 hemicardia ……… 543
片側心臓症 hemicardia ……… 543
片側頭痛 hemicephalalgia ……… 544
片側性肺葉性気腫 unilateral lobar emphysema ……… 1247
片側性母斑 nevus unius lateris ……… 831
片側舌炎 hemiglossitis ……… 544
片側知覚過敏 hemihyperesthesia ……… 544
片側知覚不全 hemidysesthesia ……… 544
片側椎弓切除〔術〕 hemilaminectomy ……… 544
片側痛覚消失 hemianalgesia ……… 543
片側痛覚鈍麻 hemihypalgesia ……… 544
片側発汗 hemidiaphoresis ……… 544
片側バリスム hemiballismus ……… 543
片側肥大〔症〕 hemihypertrophy ……… 544
片側不全麻痺 hemiparesis ……… 544
片側舞踏病 hemichorea ……… 544
片側味覚消失 hemiageusia ……… 543
ベンゾサイアジアザイド benzothiadiazides ……… 146
ベンソン病 Benson disease ……… 145
鞭打 flagellation ……… 459
ベンダーゲシュタルト検査 Bender gestalt test ……… 145
ヘンダーソン-ハッセルバルヒ式 Henderson-Hasselbalch equation ……… 550
変態 metamorphosis ……… 761
変態 transformation ……… 1218
変態性欲 erotopathy ……… 414
胼胝 callosity ……… 192
胼胝〔腫〕 tyloma ……… 1239
胼胝形成 tylosis ……… 1239
ベンチマーク benchmarking ……… 145
扁虫 flatworm ……… 460
鞭虫症 trichuriasis ……… 1229
変調 modulation ……… 778
ベンチロミド検査 bentiromide test ……… 145
便通 dejection ……… 324
便通 stool ……… 1144
便通薬 cathartic ……… 210
扁摘 tonsillectomy ……… 1209
返転 reversion ……… 1049
扁桃 amygdala ……… 57
扁桃 tonsil ……… 1209
変動 drift ……… 364
変動 variation ……… 1260
扁桃陰窩 tonsillar crypt ……… 1209
扁桃炎 tonsillitis ……… 1209
扁桃窩 tonsillar fossa ……… 1209
変動係数 coefficient of variation (CV) ……… 259
扁桃結石 tonsillolith ……… 1209
扁桃周囲炎 peritonsillitis ……… 919
扁桃周囲膿瘍 peritonsillar abscess ……… 919
扁桃切除〔術〕 tonsillotomy ……… 1209
扁桃体 amygdaloid body ……… 57
扁桃摘出〔術〕 tonsillectomy ……… 1209
ペントース pentose ……… 910
ペントース尿〔症〕 pentosuria ……… 910
ペントースリン酸経路 pentose phosphate pathway ……… 910
ペンドレッド症候群 Pendred syndrome ……… 909
変敗 deterioration ……… 337
便秘〔症〕 constipation ……… 279
便秘 coprostasis ……… 285
便秘 obstipation ……… 849
扁平いぼ flat wart ……… 460
扁平黄色腫 xanthoma planum ……… 1296
扁平外反 planovalgus ……… 943
扁平角膜 cornea plana ……… 286
扁平〔上皮〕化生 squamous metaplasia ……… 1133
扁平胸 flat chest ……… 460
扁平呼吸 platypnea ……… 947
扁平骨 flat bone ……… 460
扁平骨盤 flat pelvis ……… 460
扁平骨盤 platypellic pelvis ……… 947
扁平骨盤 platypelloid pelvis ……… 947
扁平コンジローム condyloma latum ……… 274
扁平コンジローム flat condyloma ……… 460
扁平歯原性腫瘍 squamous odontogenic tumor ……… 1133
扁平上皮 squamous epithelium ……… 1133
扁平上皮癌 squamous cell carcinoma ……… 1133
扁平上皮細胞 squamous cell ……… 1133
扁平足 flatfoot ……… 460
扁平足 talipes planus ……… 1178
扁平苔癬 lichen planus ……… 697
扁平椎 platyspondylia ……… 947
扁平椎 vertebra plana ……… 1271
扁平頭蓋症 platycephaly ……… 947
扁平頭蓋底 platybasia ……… 946
扁平頭症 platycephaly ……… 947
扁平部炎 pars-planitis ……… 901
扁平母斑 nevus spilus ……… 831
扁平ゆうぜい verruca plana ……… 1269
弁別 discrimination ……… 353
弁別域 difference limen ……… 345
弁別刺激 discriminant stimulus ……… 352
ベンホルトのコンゴーレッド染色〔法〕 Bennhold Congo red stain ……… 145
〔心〕弁膜炎 valvulitis ……… 1259
弁膜性心内膜炎 valvular endocarditis ……… 1259
弁膜切開〔術〕 valvotomy ……… 1259
片麻痺 hemiplegia ……… 545
片麻痺歩行 hemiplegic gait ……… 545
べん毛 flagellum ……… 459
べん毛抗原 flagellar antigen ……… 459
鞭毛虫 mastigote ……… 735
鞭毛虫症 flagellosis ……… 459
べん毛発生 flagellation ……… 459
片葉 flocculus ……… 463
ヘンリー henry (H) ……… 550
ヘンリーの法則 Henry law ……… 550
片利共生 commensalism ……… 265
変量 variable ……… 1260
ヘンレ腺 Henle glands ……… 550
ヘンレ層 Henle layer ……… 550
ヘンレ反応 Henle reaction ……… 550
ペンローズドレーン Penrose drain ……… 910

ホ

ポアズ poise ……… 953
ホイートストーンブリッジ Wheatstone bridge ……… 1290
ポイキロデルマ poikiloderma ……… 952
保育 incubation ……… 613
保育 nursing ……… 844
保育器 incubator ……… 613
ボイスプロテーゼ voice prosthesis ……… 1282

母イチゴ腫 mother yaw ……786
ボイド赤痢菌 *Shigella boydii* ……1099
ボイドの交通貫通静脈 Boyd communicating perforation vein ……170
ホイブナー動脈炎 Heubner arteritis ……560
ホイヘンスの原理 Huygens principle ……576
ボイルの法則 Boyle law ……170
補因子 cofactor ……259
ポイント・オブ・ケア検査 point of care testing ……952
包 bursa ……186
包 capsule ……197
包 envelope ……404
包 sac ……1066
房 atrium ……116
房 chamber ……225
帽 cap ……195
〔小〕房 loculus ……708
ボウイ *Aristolochia fangchi* ……95
ボヴィー Bovie ……169
ホウィートストーンブリッジ Wheatstone bridge ……1290
法医学 forensic medicine ……470
傍異種皮膚 juxtallocortex ……659
ホウィットマン枠 Whitman frame ……1291
ホウィップル病 Whipple disease ……1290
方位分解能 azimuth resolution ……128
防衛 defense ……322
防衛機制 defense mechanism ……322
防衛性 defensiveness ……322
包炎 capsulitis ……197
ホウォートンゼリー Wharton jelly ……1289
膨化 imbibition ……605
膨化 swelling ……1168
崩壊 collapse ……261
崩壊 decay ……318
崩壊 disintegration ……353
崩壊 lysis ……721
〔関節〕包外強直 extracapsular ankylosis ……435
崩壊定数 decay constant ……318
〔放射性〕崩壊定数 radioactive constant (λ, lambda) ……1019
崩壊理論 decay theory ……318
放火狂 pyromania ……1012
蜂窩織像 honeycomb pattern ……570
乏渇感〔症〕 oligodipsia ……856
防カビ薬 fungicide ……480
放火癖 pyromania ……1012
防火壁 firewall ……457
方眼紙 grid ……519
包含椎間板ヘルニア contained disc herniation ……280
膨起 haustrum ……533
傍気管支リンパ組織 bronchus-associated lymphoid tissue (BALT) ……179
膨起形成 haustration ……533
防御 defense ……322
防御 guarding ……521
〔感染〕防御試験 protection test ……989
包茎 phimosis ……928
傍系遺伝 collateral inheritance ……261
方形回内筋 pronator quadratus muscle ……985
方形葉 quadrate lobe ……1014
放血 exsanguination ……431
乏血 ischemia ……648
乏血〔症〕 oligemia ……856
乏血壊死 avascular necrosis ……125
乏血性壊死 ischemic necrosis ……648
方言 dialect ……341
剖検 autopsy ……124
方向 lie ……697
抱合 conjugation ……277
縫合〔術〕 suture ……1168
膀胱 bladder ……159
膀胱 urinary bladder ……1252
芳香アンモニア精 aromatic ammonia spirit ……96
膀胱S状結腸吻合〔術〕 vesicosigmoidostomy ……1272
膀胱炎 cystitis ……311
膀胱外反〔症〕 exstrophy of the bladder ……431
膀胱拡張 cystectasia ……310
膀胱下垂 cystoptosis ……311
膀胱括約筋 sphincter vesicae ……1123
膀胱鏡 cystoscope ……311
膀胱鏡検査〔法〕 cystoscopy ……311
縫工筋 sartorius muscle ……1072
膀胱計 cystometer ……311
膀胱頸 neck of urinary bladder ……815
膀胱憩室 vesical diverticulum ……1272
膀胱形成〔術〕 cystoplasty ……311
縫合結紮 transfixion suture ……1218
膀胱結石 vesical calculus ……1272
膀胱結石症 cystolithiasis ……311
膀胱結石切除〔術〕 cystolithotomy ……311
縫合骨 sutural bones ……1168
膀胱固定〔術〕 cystopexy ……311
膀胱砕石術 cystolitholapaxy ……311
膀胱〔X線〕撮影〔法〕 cystography ……311
膀胱三角 vesical triangle ……1272
〔膀胱〕三角炎 trigonitis ……1230
縫合糸 suture ……1168
膀胱耳 bladder ear ……159
膀胱子宮ひだ uterovesical ligament ……1255
膀胱子宮瘻 vesicouterine fistula ……1272
縫合糸膿瘍 suture abscess ……1168
膀胱周囲炎 epicystitis ……406
膀胱周囲炎 pericystitis ……914
膀胱静脈 vesical veins ……1272
膀胱腎盂腎炎 cystopyelonephritis ……311
縫合靱帯 sutural ligament ……1168
膀胱垂 uvula of bladder ……1256
方向性冠〔状〕動脈粥腫切除術 directional atherectomy (DCA) ……351
膀胱性血尿 vesical hematuria ……1272
方向性の減弱 directional weakness ……351
膀胱切開〔術〕 cystectomy ……310
膀胱切開〔術〕 cystotomy ……311
膀胱切開刀 cystotome ……311
包交摂子 dressing forceps ……364
膀胱洗浄〔法〕 vesicoclysis ……1272
膀胱前立腺炎 vesiculoprostatitis ……1273
膀胱〔X線〕造影〔法〕 cystography ……311
膀胱造影像 cystogram ……311
膀胱造瘻術 vesicostomy ……1272
芳香族 aromatic series ……96
芳香族D-アミノ酸デカルボキシラーゼ aromatic D-amino acid decarboxylase ……96
芳香族化 aromatization ……96
膀胱直腸吻合〔術〕 vesicorectostomy ……1272
膀胱痛 cystalgia ……310
膀胱底 fundus of urinary bladder ……480
膀胱内圧測定〔法〕 cystometry ……311
膀胱内圧測定図 cystometrogram ……311
膀胱尿管炎 cystoureteritis ……311
膀胱尿管逆流 vesicoureteral reflux ……1272
膀胱尿管造影〔法〕 cystoureterography ……312
膀胱尿管弁 vesicoureteral valve ……1272
膀胱尿道炎 cystourethritis ……312
膀胱尿道鏡 cystopanendoscopy ……311
膀胱尿道鏡 cystourethroscope ……312
膀胱尿道造影〔法〕 cystourethrography ……312
膀胱尿道造影図 cystourethrogram ……312
膀胱膿漏 cystorrhea ……311
縫合部膿瘍 stitch abscess ……1143
膀胱ヘルニア cystocele ……311
膀胱ヘルニア vesicle hernia ……1272
膀胱ヘルニア vesicocele ……1272
膀胱傍結合組織炎 paracystitis ……893
膀胱縫合〔術〕 cystorrhaphy ……311
膀胱麻痺 cystoplegia ……311
芳香薬 aromatic ……96
芳香油 essential oil ……421
方向優位性 directional preponderance ……351
〔縫合〕離開 diastasis ……343
膀胱瘤 vesicocele ……1272
膀胱瘻術 vesicostomy ……1272
膀胱瘻設置術 cystostomy ……311

報告バイアス reporting bias …… 1039
報告待ち時間 turnaround time (TAT) …… 1239
傍骨症 parosteosis …… 900
傍臍瘤腫 paromphalocele …… 900
放散 exhalation …… 428
ホウ酸ナトリウム sodium borate …… 1113
胞子 spore …… 1132
乏趾〔症〕oligodactyly …… 856
法歯学 forensic dentistry …… 470
法歯学者 forensic odontologist …… 470
傍糸球体顆粒 juxtaglomerular granules …… 659
傍糸球体細胞 juxtaglomerular cells …… 659
傍糸球体細胞腫瘍 juxtaglomerular cell tumor …… 659
胞子凝集反応 sporoagglutination …… 1132
胞子駆除薬 sporicide …… 1132
胞子形成 sporogenesis …… 1132
胞子形成 sporulation …… 1132
帽子状包帯 capeline bandage …… 196
房室解離 atrioventricular dissociation …… 116
房室管 atrioventricular canal …… 115
房室管隆起 atrioventricular canal cushions …… 115
房室結合部〔性〕調律 atrioventricular junctional rhythm …… 116
房室結節 atrioventricular node (AV node) …… 116
房室結節枝 atrioventricular nodal branches …… 116
房室結節性期外収縮 atrioventricular nodal extrasystole …… 116
房室結節性二段脈 atrioventricular junctional bigeminy …… 116
房室差 AV difference …… 125
房室性期外収縮 atrioventricular extrasystole …… 116
房室接合部 AV junction …… 126
房室束 atrioventricular bundle …… 115
房室中隔 atrioventricular septum …… 116
房室伝導 atrioventricular conduction …… 115
房室ブロック atrioventricular block …… 115
房室弁 atrioventricular valves …… 116
胞子嚢 sporangium …… 1132
胞子被嚢 sporocyst …… 1132
放射 radiation …… 1018
放射化 activation …… 19
放射化学 radiochemistry …… 1020
放射計 radiometer …… 1021
放射状角膜切開 radial keratotomy …… 1018
放射性核種 radionuclide …… 1021
放射性核種駆出率 radionuclide ejection fraction …… 1021
放射性受容体 radioreceptor …… 1022
放射性同位元素 radioactive isotope …… 1020
放射性同位元素 radioisotope …… 1021
放射性病変 radiolesion …… 1021
〔放射性〕崩壊定数 radioactive constant (λ, lambda) …… 1019
放射性免疫測定法 radioimmunosorbent test (RIST) …… 1020
放射性免疫沈降法 radioimmunoprecipitation (RIP) …… 1020
放射性薬品 radiopharmaceutical …… 1021
放射性有害記号 radioactive hazard symbol …… 1019
放射線 ray …… 1026
放射線医薬品〔性〕滑膜切除術 radiopharmaceutical synovectomy …… 1021
放射線映画撮影〔法〕radiocinematography …… 1020
放射線壊死 radiation necrosis …… 1019
放射線壊死 radionecrosis …… 1021
放射線科医 radiologist …… 1021
放射線科医 roentgenologist …… 1059
放射線化学療法 chemoradiotherapy …… 229
放射線〔医〕学 radiology …… 1021
放射線学 roentgenology …… 1059
放射線学者 roentgenologist …… 1059
放射線感受性 radiosensitivity …… 1022
放射線許容量 radiation tolerance dose …… 1019
放射線原う食 radiation caries …… 1018
放射線宿酔 radiation sickness …… 1019
放射線腫瘍学 radiation oncology …… 1019
放射線症候群 radiation syndrome …… 1019
放射線神経炎 radioneuritis …… 1021
放射線診断〔法〕radiodiagnosis …… 1020
放射線生物学 radiation biology …… 1018
放射線生物学 radiobiology …… 1020
放射線治療 radiation therapy …… 1019
放射線治療 radiotherapy …… 1022
放射線治療医 radiotherapist …… 1022
放射線治療学 radiotherapeutics …… 1022
放射線透過性 radiability …… 1018
放射線毒血症 radiotoxemia …… 1022
放射線熱傷 radiation burn …… 1018
放射線濃度 radiodensity …… 1020
放射線皮膚炎 radiation dermatitis …… 1018
放射線皮膚炎 radiodermatitis …… 1020
放射線皮膚症 radiation dermatosis …… 1019
放射線病理学 radiopathology …… 1021
放射線不透過 radiopacity …… 1021
放射線防護剤 radioprotectant …… 1022
放射線免疫 radioimmunity …… 1020
放射能壊変速度 activity …… 19
放射〔性同位元素標識〕免疫拡散〔法〕radioimmunodiffusion 1020
放射〔性同位元素標識〕免疫測定〔法〕radioimmunoassay (RIA) …… 1020
放射〔性同位元素標識〕免疫電気泳動〔法〕radioimmunoelectrophoresis …… 1020
放射リガンド radioligand …… 1021
放出〔物〕discharge (DC) …… 352
放出 elimination …… 388
放出 exudation …… 437
萌出 eruption …… 415
膨出 evagination …… 424
放出因子 releasing factors …… 1036
萌出遅延 delayed dentition …… 325
萌出遅延 retarded dentition …… 1044
膨潤 imbibition …… 605
胞状奇胎 hydatidiform mole …… 577
帽状腱膜 epicranial aponeurosis …… 406
胞状腺 alveolar gland …… 48
胞状軟部肉腫 alveolar soft part sarcoma …… 48
胞状卵胞 vesicular ovarian follicle …… 1272
房飾細胞 tufted cell …… 1237
疱疹 blister …… 162
疱疹 herpes …… 555
膨疹 wheal …… 1290
疱疹ウイルス herpesvirus …… 556
傍神経節 paraganglion …… 894
傍神経節腫 paraganglioma …… 894
膨疹-紅斑反応 wheal-and-erythema reaction …… 1290
房心細胞 centroacinar cell …… 218
疱疹状膿痂疹 impetigo herpetiformis …… 609
疱疹状皮膚炎 dermatitis herpetiformis …… 333
疱疹性角膜炎 herpetic keratitis …… 557
疱疹性湿疹 eczema herpeticum …… 378
疱疹性瘭疽 herpetic whitlow …… 557
〔眼〕房水 aqueous humor …… 92
紡錘〔体〕spindle …… 1126
紡錘形細胞性脂肪腫 spindle cell lipoma …… 1126
紡錘細胞 spindle cell …… 1126
紡錘状回 fusiform gyrus …… 481
紡錘状動脈瘤 fusiform aneurysm …… 481
〔有糸分裂〕紡錘体 mitotic spindle …… 776
紡錘体細胞癌 spindle cell carcinoma …… 1126
傍正中切開〔術〕paramedian incision …… 895
傍声門腔 paraglottic space …… 894
紡績工癌 mule-spinner's cancer …… 789
宝石商摂子 jeweler's forceps …… 656
包切開〔術〕capsulotomy …… 197
包接体 clathrate …… 248
放線 radiatio …… 1018
縫線 raphe …… 1024
縫線核 raphe nuclei …… 1024
放線冠 radiate crown …… 1018
放線菌腫 actinomycetoma …… 18
放線菌腫 actinomycoma …… 18
放線菌症 actinomycosis …… 18
放線菌のヴァイゲルト染色〔法〕Weigert stain for *Actinomyces* …… 1288
放線菌類 actinomycetes …… 18
放線状肋骨頭靱帯 radiate ligament of head of rib …… 1018
放線体 star …… 1137
蜂巣 cellula …… 214
疱瘡 smallpox …… 1111

蜂巣炎 cellulitis ……… 215
蜂巣炎性膿瘍 phlegmonous abscess ……… 929
蜂巣肺 honeycomb lung ……… 570
法則 law ……… 685
法則 rule ……… 1064
包帯 bandage ……… 134
包帯 dressing ……… 364
膨大〔部〕 ampulla ……… 56
膨大 enlargement ……… 400
包帯剤 dressing ……… 364
膨大細胞 oncocyte ……… 858
〔膜〕膨大部 ampulla of the semicircular ducts ……… 57
膨大部炎 ampullitis ……… 57
膨大部妊娠 ampullar pregnancy ……… 57
膨大部稜 ampullary crest ……… 57
砲弾ショック shell shock ……… 1099
包虫腫 hydatidoma ……… 577
胞虫症 cysticercosis ……… 310
包虫症 hydatid disease ……… 577
包虫症 hydatidosis ……… 577
包虫性陰嚢腫 hydatidocele ……… 577
包虫嚢振せん hydatid thrill ……… 577
包虫嚢胞 hydatid cyst ……… 577
包虫嚢胞切開〔術〕 hydatidostomy ……… 577
膨張 expansion ……… 430
膨張 inflation ……… 621
膨張圧 oncotic pressure ……… 859
膨張反応 quellung reaction ……… 1016
方程式 equation ……… 412
法的盲 legal blindness ……… 688
放電 discharge (DC) ……… 352
暴動鎮圧剤 riot-control agent ……… 1058
乏突起〔神経〕膠細胞 oligodendrocyte ……… 856
乏突起〔神経〕膠細胞 oligodendroglia ……… 856
乏突起〔神経〕膠腫 oligodendroglioma ……… 856
包内腔 capsular space ……… 197
包入物 enclave ……… 394
放尿 urination ……… 1252
乏尿〔症〕 oliguria ……… 857
放熱 thermolysis ……… 1194
包嚢脱出 excystation ……… 427
胞胚 blastula ……… 161
胞胚腔 blastocele ……… 160
胞胚体壁 parietal wall ……… 899
胞胚内壁 splanchnic wall ……… 1128
胞胚葉 blastoderm ……… 160
放発 irradiation ……… 647
放屁 flatus ……… 460
包皮 prepuce ……… 975
包皮 sheath ……… 1099
包皮炎 posthitis ……… 966
包皮形成〔術〕 posthioplasty ……… 966
包皮小帯 frenulum of prepuce ……… 475
包皮石 preputial calculus ……… 975
包皮切開〔術〕 preputiotomy ……… 975
包皮腺 preputial glands ……… 975
防腐〔法〕 antisepsis ……… 83
防腐ガーゼ antiseptic gauze ……… 83
傍腹膜膀胱ヘルニア paraperitoneal hernia ……… 896
防腐薬 antiseptic ……… 83
防腐薬 preservative ……… 975
方法 manner ……… 731
方法 method ……… 764
方法 procedure ……… 980
方法学 methodology ……… 764
包縫合〔術〕 capsulorrhaphy ……… 197
方法論 methodology ……… 764
泡沫細胞 foam cells ……… 466
泡沫状ウイルス foamy viruses ……… 466
膨満 distention ……… 355
膨満 flatulence ……… 460
膨満状態 turgescence ……… 1239
膨隆骨折 torus fracture ……… 1211
放浪癖 dromomania ……… 364
傍濾胞細胞 parafollicular cells ……… 894
飽和 satiation ……… 1072
飽和 saturation ……… 1073
飽和指数 saturation index ……… 1073
飽和脂肪 saturated fat ……… 1073
飽和脂肪酸 saturated fatty acid ……… 1073
飽和色 saturated color ……… 1073
飽和度 saturation ……… 1073
飽和溶液 saturated solution (sat. sol., sat. soln.) ……… 1073
ボーア原子 Bohr atom ……… 166
ボーア効果 Bohr effect ……… 166
ボーア式 Bohr equation ……… 166
ボーア〔の量子〕論 Bohr theory ……… 166
ボーイー染色〔法〕 Bowie stain ……… 170
ボーエン病 Bowen disease ……… 170
ボーエン様丘疹症 bowenoid papulosis ……… 170
ポーカー脊椎 poker spine ……… 953
ボーカルフライ vocal fry ……… 1281
ホーグランド徴候 Hoagland sign ……… 567
ボーゲルの法則 Vogel law ……… 1281
ボーズマン手術 Bozeman operation ……… 170
ボーズマン体位 Bozeman position ……… 170
ボーズマン-フリッチュカテーテル Bozeman-Fritsch catheter ……… 170
ホースラディシュペルオキシダーゼ horseradish peroxidases ……… 571
ボー線 Beau lines ……… 143
ボーディッチの法則 Bowditch law ……… 169
ホーナー歯 Horner teeth ……… 571
ボーバス体操 Bobath method of exercise ……… 165
ボーバス法 Bobath technique ……… 165
ホーフマイスター手術 Hofmeister operation ……… 567
ボーマン消息子 Bowman probe ……… 170
ホーマンズ徴候 Homans sign ……… 568
ホームズ染色〔法〕 Holmes stain ……… 567
ホームレス homeless person ……… 568
ボーラー母指 bowler's thumb ……… 170
ボーラス bolus ……… 166
ポーランド症候群 Poland syndrome ……… 953
ポーリツァー嚢 Politzer bag ……… 954
ポーリツァー法 politzerization ……… 954
ポーリツァー法 Politzer method ……… 954
ポーリャ胃切除〔術〕 Pólya gastrectomy ……… 954
ボールク-ウェア・トレッドミル・プロトコール Balke-Ware treadmill protocol ……… 133
ボール手術 Ball operation ……… 134
ボール状・ソケット状アバットメント ball-and-socket abutment ……… 133
ホールデーン効果 Haldane effect ……… 529
ホールトハウスヘルニア Holthouse hernia ……… 568
ホールパイク手技(操作) Hallpike maneuver ……… 529
ボール弁 ball valve ……… 134
ポーワッサン脳炎 Powassan encephalitis ……… 969
保温 incubation ……… 613
ボーン小〔結〕節 Bohn nodule ……… 166
捕獲 capture ……… 197
補完保険 Medigap insurance ……… 745
保菌者 carrier ……… 206
ボクサー骨折 boxer's fracture ……… 170
ボクセル voxel ……… 1283
ボクセル内ディフェージング intravoxel dephasing ……… 642
北米看護診断協会 North American Nursing Diagnosis Association (NANDA) ……… 841
ホグベン数 Hogben number ……… 567
ほくろ lentigo ……… 689
母型 matrix ……… 736
保隙装置 space maintainer ……… 1118
ポケット線量計 pocket dosimeter ……… 952
補欠分子族〔団〕 prosthetic group ……… 989
保健 health ……… 535
保険 insurance ……… 629
保健医療機関資格承認合同委員会 Joint Commission on Accreditation of Healthcare Organizations (JCAHO) ……… 656
保健医療財政局 Health Care Financing Administration (HCFA) ……… 535
〔保健医療〕仲介者 encounter ……… 394
保健医療提供者 health care provider ……… 535
保険契約者 policyholder ……… 953

ホ

保健士 hygienist 581
保健資源サービス局 Health Resources and Services Administration (HRSA) 536
保健情報科学 health informatics 535
保健情報管理 health information management (HIM) 535
保健情報システム health information system 535
歩行 ambulation 50
歩行 gait 483
歩行 walk 1285
歩行 walking 1285
歩行可能な負傷者 walking wounded 1285
〔起立〕歩行恐怖〔症〕 basiphobia 140
歩行障害 dysbasia 369
〔歩行性〕運動失調 motor ataxia 786
補酵素 coenzyme 259
補酵素 A coenzyme A (CoA) 259
補酵素 Q coenzyme Q (Q) 259
歩行不全 dysbasia 369
歩行不能〔症〕 abasia 1
保護監督 custody 306
保護健康情報 protected health information (PHI) 989
保護雇用 sheltered employment 1099
保護者 guardian 521
保護体 protector 989
ポゴニオン pogonion 952
保護標本ブラシ protected specimen brush (PSB) 989
ホコリタケ症 lycoperdonosis 717
母細胞 metrocyte 764
母細胞 mother cell 785
保持 retention 1044
〔足の〕母指 hallux 530
〔手の〕母指 pollex 954
母指 thumb 1201
母子医学 maternal-fetal medicine 736
母指化 pollicization 954
母指球 thenar eminence 1193
ホジキン肉腫 Hodgkin sarcoma 567
ホジキン病 Hodgkin disease 567
母指形成〔術〕 pollicization 954
母指主動脈 princeps pollicis artery 979
母指摂子 thumb forceps 1201
母指対立筋 opponens pollicis muscle 863
母趾痛 hallux dolorosus 530
母児同室 rooming-in 1060
保持縫合 retention suture 1044
補充収縮 escape beat 419
母集団 population 960
補充調律 escape rhythm 419
補充療法 substitution therapy 1155
ホジュソン病 Hodgson disease 567
補助因子 cofactor 259
補償〔作用〕 compensation 268
歩哨痔核 sentinel pile 1093
歩哨事象 sentinel event 1093
歩哨堆 sentinel pile 1093
保証人 guarantor 521
補助換気 assisted ventilation 108
補助孔 ancillary ports 63
補助溝 supplemental groove 1163
補助呼吸〔法〕 assisted respiration 108
補助呼吸 assisted ventilation 108
補助サービス ancillary services 63
補助受容体 coreceptor 286
補助靱帯 accessory ligaments 8
補助代替コミュニケーション augmentative and alternative communication (AAC) 119
補助-調節換気 assist-control ventilation 108
補助的心房調律 subsidiary atrial pacemaker 1155
補助的能力 auxiliary 125
補助的療法 adjunctive therapy 28
補助薬 adjuvant 28
補助療法 adjuvant 28
保身医学 defensive medicine 322
歩数計 pedometer 907
ホスゲン phosgene 930
ホスゲンオキシム phosgene oxime 930
ホスピス hospice 571
ホスピタル・ベッド症候群 hospital bed syndrome 572
ホスファターゼ phosphatase 930
ホスファチジングリセロール phosphatidylglycerol 930
ホスホアミダーゼ phosphoamidase 930
ホスホアミド phosphoamides 930
ホスホエノールピルビン酸 phosphoenolpyruvic acid 930
ホスホグリセリド類 phosphoglycerides 930
ホスホクレアチン phosphocreatine (PCr) 930
ホスホジエステラーゼ phosphodiesterases 930
ホスホムターゼ phosphomutase 930
ホスホリパーゼ phospholipase 930
ホスホリラーゼ phosphorylase 931
ホスホリラーゼホスファターゼ phosphorylase phosphatase 931
母性 maternicity 736
母性 maternity 736
〔補〕装具学 prosthetics 989
捕捉 capture 197
保続 perseveration 921
保続〔症〕 perseveration 921
母組織 placode 942
保存修復学 restorative dentistry 1043
保存的 conservative 279
保存的頸部郭清術 functional neck dissection 479
保存的根治的乳突削開術 modified radical mastoidectomy 778
保存培養 stock culture 1143
保存薬 preservative 975
補体 complement 268
母体 mother 785
補体化学走性因子 complement chemotactic factor 269
母体合併症 maternal morbidity 736
補体経路 complement pathways 269
補体結合 complement fixation 269
補体結合抗体 complement-fixing antibody 269
補体結合試験 complement-fixation test 269
補体結合測定〔法〕 complement binding assay 269
母体死亡率 maternal death rate 736
母体性難産 maternal dystocia 736
補体成分 component of complement (C) 270
補体単位 complement unit 269
母体罹病 maternal morbidity 736
ボタロ孔 Botallo foramen 169
ボタン穴 buttonhole 186
ボタン穴変形 boutonnière deformity 169
ボダンスキー単位 Bodansky unit 165
ポタン徴候 Potain sign 968
ボタン縫合 button suture 186
補聴器 hearing aid 536
歩調取り pacemaker 883
勃起 erection 413
勃起障害 erectile dysfunction 413
勃起神経 nervi erigentes 821
勃起組織 erectile tissue 413
ポックスウイルス poxvirus 969
発作 attack 116
発作 fit 458
発作 ictus 601
発作 insult 629
発作 paroxysm 900
発作 seizure 1088
発作性寒冷ヘモグロビン尿症 paroxysmal cold hemoglobinuria (PCH) 900
発作性夜間血色素尿症 paroxysmal nocturnal hemoglobinemia 901
発作性夜間血色素尿症 paroxysmal nocturnal hemoglobinuria (PNH) 901
発作性夜間呼吸困難 paroxysmal nocturnal dyspnea (PND) 901
発作〔性〕頻拍 paroxysmal tachycardia 901
ホッジペッサリー Hodge pessary 567
発疹 eruption 415
発疹 exanthema 425
発疹 rash 1025
発疹状黄色腫 eruptive xanthoma 415
発疹チフス epidemic typhus 407
発疹チフス typhus 1242
発疹チフスリケッチア *Rickettsia prowazekii* 1055

発疹熱 murine typhus ······ 793
発赤 rubor ······ 1063
〔発赤〕拡大 flare ······ 459
発赤毒素 erythrogenic toxin ······ 417
発赤薬 rubefacient ······ 1063
ポッター症候群 Potter syndrome ······ 969
発端者 proband ······ 980
発端者 propositus ······ 987
ボッツォロ徴候 Bozzolo sign ······ 170
ポッツ鉗子 Potts clamp ······ 969
ポッツ手術 Potts operation ······ 969
ポット骨折 Pott fracture ······ 969
ホットスポット hot spot ······ 572
ポット対麻痺 Pott paraplegia ······ 969
ポット膿瘍 Pott abscess ······ 969
ホッファ手術 Hoffa operation ······ 567
ホップマン乳頭腫 Hopmann papilloma ······ 571
ボツリスム botulism ······ 169
ボツリヌス菌 *Clostridium botulinum* ······ 253
ボツリヌス中毒 botulism ······ 169
ボツリヌス毒素 botulinum toxin ······ 169
保定 retention ······ 1044
保定装置 retainer ······ 1044
ボディマス指数 body mass index (BMI) ······ 165
ボディワーク bodywork ······ 165
補てつ prosthesis ······ 989
補てつ〔学〕 prosthetics ······ 989
補てつ外科医 prosthetist ······ 989
補てつ歯科医 prosthetist ······ 989
補てつ専門歯科医 prosthodontist ······ 989
ポテンシャル potential ······ 969
ポテンシャルエネルギー potential energy ······ 969
ポテンシャル視力測定計 potential acuity meter (PAM) ······ 969
ホドスコープ hodoscope ······ 567
ポトリエ微小膿瘍 Pautrier microabscess ······ 905
ボドロック手術 Baudelocque operation ······ 141
ボニエ症候群 Bonnier syndrome ······ 167
哺乳 nursing ······ 844
哺乳 suckling ······ 1156
母乳異常 galactacrasia ······ 483
骨 bone ······ 166
骨 os ······ 871
ボネー嚢 Bonnet capsule ······ 167
骨砕き術 osteoclasis ······ 873
炎細胞 flame cell ······ 459
母斑 birthmark ······ 157
母斑 mole ······ 778
母斑 nevus ······ 831
母斑細胞 nevus cell ······ 831
母斑症 phacomatosis ······ 923
ホプキンスの杆状レンズ硬性鏡 Hopkins rod-lens telescope ·· 570
ホブネイル細胞 hobnail cell ······ 567
ホフマン現象 Hoffmann phenomenon ······ 567
ホフマン徴候 Hoffmann sign ······ 567
頬 bucca ······ 182
頬 cheek ······ 227
母〔嚢〕胞 mother cyst ······ 786
ホボーケン小〔結〕節 Hoboken nodules ······ 567
ホボーケン弁 Hoboken valves ······ 567
ポマード痤瘡 pomade acne ······ 958
ホムンクルス homunculus ······ 570
ボメー目盛り Baumé scale ······ 142
ホメオスタシス homeostasis ······ 568
ホメオパシー homeopathy ······ 568
ホメオパシスト homeopathist ······ 568
ポメロイ手術 Pomeroy operation ······ 959
ホモガミー homogamy ······ 569
ホモカルノシン homocarnosine ······ 569
ホモカルノシン症 homocarnosinosis ······ 569
ホモゲネシス homogenesis ······ 569
ホモゲンチシン酸 homogentisic acid ······ 569
ホモゴニー生活環 homogonic life cycle ······ 569
ホモシスチン homocystine ······ 569
ホモシスチン血症 homocystinemia ······ 569
ホモシステイン homocysteine ······ 569
ホモシトルリン尿症 homocitrullinuria ······ 569
ホモジニアスエンザイムイムノアッセイ enzyme-multiplied immunoassay technique (EMIT) ······ 405
ホモ接合性 homozygosity ······ 570
ホモ接合体 homozygote ······ 570
ホモバニリン酸 homovanillic acid (HVA) ······ 570
ホモビオチン homobiotin ······ 569
保有者 carrier ······ 206
保有宿主 reservoir host ······ 1040
補抑制物質 corepressor ······ 286
ポリアクリルアミドゲル電気泳動 polyacrylamide gel electrophoresis (PAGE) ······ 954
ポリアネトール硫酸ナトリウム sodium polyanethole sulfonate (SPS) ······ 1113
ポリアミン poly (amine) ······ 954
ポリエン酸 polyenoic acids ······ 955
ポリオ poliomyelitis ······ 953
ポリオウイルス poliomyelitis virus ······ 954
ポリオウイルスワクチン poliovirus vaccine ······ 954
ポリオ後症候群 postpolio syndrome (PPS) ······ 967
ポリオジストロフィ poliodystrophy ······ 953
ポリープ polyp ······ 957
ポリープ症 polyposis ······ 958
ポリープ切除〔術〕 polypectomy ······ 957
ポリープ様脱落膜 decidua polyposa ······ 319
ポリグラフ polygraph ······ 956
ポリクローナルガンモパシー polyclonal gammopathy ······ 955
ポリクローナル高ガンマグロブリン血症 polyclonal gammopathy ······ 955
ポリサッカリド polysaccharide ······ 958
ポリジーン polygene ······ 956
ホリスティックケア holistic care ······ 567
ポリスマン policeman ······ 953
ホリトロピン follitropin ······ 468
ポリヌクレオチダーゼ polynucleotidase ······ 957
ポリヌクレオチド polynucleotide ······ 957
補リパーゼ colipase ······ 261
ポリフェノール polyphenols ······ 957
ポリブラスト polyblast ······ 954
ポリペプチド polypeptide ······ 957
ホリベリン folliberin ······ 467
ポリポ〔ー〕シス polyposis ······ 958
ポリマー polymer ······ 956
ポリメラーゼ polymerase ······ 956
ポリメラーゼ連鎖反応 nested polymerase chain reaction (PCR) ······ 824
ポリメラーゼ連鎖反応 polymerase chain reaction (PCR) ······ 956
ボリュームコイル volume coil ······ 1282
保留性交 coitus reservatus ······ 260
ポリリボソーム polyribosomes ······ 958
ホルター監視 Holter monitor ······ 568
ボルト volt (v, V) ······ 1282
ボルト数 voltage ······ 1282
ホルナー症候群 Horner syndrome ······ 571
ホルナー瞳孔 Horner pupil ······ 571
ホルナー-トランタス斑 Horner-Trantas dots ······ 571
ポルフィリノーゲン porphyrinogens ······ 961
ポルフィリン porphyrins ······ 961
ポルフィリン症 porphyria ······ 961
ポルフィリン尿〔症〕 porphyrinuria ······ 961
ポルホビリノーゲン porphobilinogen (PBG) ······ 960
ポルホビリン porphobilin ······ 960
ホルマミダーゼ formamidase ······ 471
ホルマリン-エーテル沈殿濃縮法 formalin-ether sedimentation concentration ······ 471
ホルマリン，エチルアルコール，酢酸固定液 alcohol, formalin, and acetic acid (AFA) fixative ······ 40
ホルマリン-エチル酢酸沈殿濃縮法 formalin-ethyl acetate sedimentation concentration ······ 471
ホルマリン色素 formalin pigment ······ 471
ホルミル formyl (f) ······ 471
ホルムイミノグルタミン酸 formiminoglutamic acid (FIGLU) ······ 471
ホルムグレン試験 Holmgren wool test ······ 567
ホルモン hormone ······ 571
ホルモン性歯肉炎 hormonal gingivitis ······ 571
ホルモン生成 hormonogenesis ······ 571

ホ

ホルモン補充療法 hormone replacement therapy (HRT) …… 571
ボレーゲージ Boley gauge …… 166
ほれ薬 philtrum …… 928
ボレックアメーバ *Entamoeba polecki* …… 401
ボレリア症 borreliosis …… 168
ボレルブルー染色〔法〕 Borrel blue stain …… 168
ホレンホースト斑 Hollenhorst plaques …… 567
ホログラム hologram …… 568
ホロクリン腺 holocrine gland …… 568
ホロ酵素 holoenzyme …… 568
ボワイエ嚢胞 Boyer cyst …… 170
ホワイトトップチューブ white-top tube …… 1291
ホワイトニング whitening …… 1291
ホワイトヘッド手術 Whitehead operation …… 1290
ポワセイユの粘性率 Poiseuille viscosity coefficient …… 953
ポワセイユの法則 Poiseuille law …… 953
ホン phon …… 929
香港〔型〕インフルエンザ Hong Kong influenza …… 570
ポンソーデキシリジン ponceau de xylidine …… 959
本態性環境不寛容状態 idiopathic environmental intolerance (IEI) …… 602
本態性血小板減少〔症〕 essential thrombocytopenia …… 421
本態性高血圧〔症〕 essential hypertension …… 421
本態性振せん essential tremor …… 421
本態性そう痒〔症〕 essential pruritus …… 421
本態性毛細管拡張〔症〕 essential telangiectasia …… 421
ポンティック pontic …… 959
ポンド pound …… 969
本能 instinct …… 627
奔馬〔性〕調律 gallop …… 484
ポンピング pumping …… 1005
ポンプ pump …… 1005
ボンフェローニ t 検定 Bonferroni *t*-test …… 167
ボンフェローニ法 Bonferroni method …… 167
ボンブカロリーメータ bomb calorimeter …… 166
ボンベ cylinder (C) …… 309
ボンベイ血液型 Bombay blood type …… 166
ボンヘファー徴候 Bonhoeffer sign …… 167
翻訳 translation …… 1219

マ

マーカ marker …… 733
マーカ形質 marker trait …… 733
マーク mark …… 733
マーク 1 神経ガス解毒剤キット Mark 1 kit …… 733
マーティン包帯 Martin bandage …… 733
マーデルング頸 Madelung neck …… 724
マーデルング変形 Madelung deformity …… 724
マーフィ徴候 Murphy sign …… 793
マーフィボタン Murphy button …… 793
マイアーのヘマラム染色〔法〕 Mayer hemalum stain …… 738
マイエンブルク複合体 Meyenburg complex …… 765
マイクロアストラップ法 micro-Astrup method …… 766
マイクロキメラ microchimerism …… 766
マイクロサージェリー microsurgery …… 769
マイクロ写真 microphotograph …… 768
マイクロ電流 microcurrent …… 767
マイクロトーム microtome …… 769
マイクロドリップ microdrip …… 767
マイクロ波 microwaves …… 769
マイコウイルス mycovirus …… 803
マイコトキシン mycotoxin …… 803
マイコトキシン症 mycotoxicosis …… 803
マイコファージ mycophage …… 802
マイコプラスマ mycoplasma …… 802
マイトジェン mitogen …… 775
毎日熱〔マラリア〕 quotidian malaria …… 1016
マイネルト細胞 Meynert cells …… 765
埋伏骨片除去 disimpaction …… 353
埋伏歯 impacted tooth …… 609
埋伏縫合 buried suture …… 184
マイボーム腺 meibomian glands …… 747
マイボーム腺炎 meibomitis …… 747
埋没皮弁 buried flap …… 184
埋没物 implant …… 610
埋没縫合 buried suture …… 184
マイヤー線 Meyer line …… 765
マイルズ手術 Miles operation …… 772
マウス・ツー・マウス人工呼吸〔法〕 mouth-to-mouth respiration …… 787
マウス・ツー・マウス人工呼吸法 mouth-to-mouth resuscitation …… 787
マウラー斑点 Maurer dots …… 737
麻黄 ephedra …… 406
巻軸包帯 roller bandage …… 1060
マキシモフ骨髄染色〔法〕 Maximow stain for bone marrow …… 738
巻き添え溶解 bystander lysis …… 187
巻きたばこ式ドレーン cigarette drain …… 244
巻包帯 roller bandage …… 1060
マキューエン徴候 Macewen sign …… 722
マギル鉗子 Magill forceps …… 725
膜 coat …… 255
膜 envelope …… 404
膜 membrane …… 750
マクヴェー手術 McVay operation …… 739
膜学 hymenology …… 581
膜拡大説 membrane expansion theory …… 750
マクグーン法 McGoon technique …… 739
膜性骨 membrane bone …… 750
膜性骨化 membranous ossification …… 751
膜性骨癒合 meningosis …… 752
膜性糸球体腎炎 membranous glomerulonephritis …… 751
膜性増殖性糸球体腎炎 membranoproliferative glomerulonephritis …… 750
膜性頭蓋 desmocranium …… 337
膜電位 membrane potential …… 750
マクドナルド操作 McDonald maneuver …… 739
マグネットホスピタル magnet hospital …… 725
マグネトロン magnetron …… 725
マクネマー検定 McNemar test …… 739
マクノーテンの法則 M'Naghten rule …… 777
〔膜〕膨大部 ampulla of the semicircular ducts …… 57
膜膨大部 membranous ampullae of the semicircular ducts …… 750
マクマリー試験 McMurray test …… 739
膜迷路 membranous labyrinth …… 751
膜様月経困難〔症〕 membranous dysmenorrhea …… 751
膜様喉頭炎 membranous laryngitis …… 751
膜様胎盤 placenta membranacea …… 942
膜様白内障 membranous cataract …… 750
枕副子 pillow splint …… 938
マクロアデノーマ macroadenoma …… 722
マクロアミラーゼ macroamylase …… 722
マクロアミラーゼ血〔症〕 macroamylasemia …… 722
マクロクリオグロブリン血〔症〕 macrocryoglobulinemia …… 722
マクログロブリン血〔症〕 macroglobulinemia …… 723
マクロ元素 macroelements …… 723
マクロファージ macrophage …… 723
マクロファージコロニー刺激因子 macrophage colony-stimulating factor (M-CSF) …… 723
マクロライド macrolide …… 723
摩擦 friction …… 476
摩擦 frottage …… 477
摩擦 rub …… 1063
摩擦音 fricative …… 476
摩擦音 friction sound …… 476
摩擦力 friction …… 476
麻疹 measles …… 740
麻疹 rubeola …… 1063
麻疹ウイルス measles virus …… 740
麻酔〔法〕 anesthesia …… 65
麻酔〔法〕 anesthetization …… 66
麻酔〔法〕 narcosis …… 811
麻酔科医 anesthesiologist …… 65
麻酔学 anesthesiology …… 65
麻酔ガス anesthetic gas …… 65
麻酔看護師 nurse anesthetist …… 844
麻酔記録 anesthesia record …… 65

麻酔催眠 narcohypnosis …… 811
麻酔士 anesthetist …… 66
麻酔施行 anesthetization …… 66
麻酔指数 anesthetic index …… 65
麻酔手 anesthetist …… 66
麻酔深度 anesthetic depth …… 65
麻酔の吸着説 adsorption theory of narcosis …… 30
麻酔のリポイド説 lipoid theory of narcosis …… 703
麻酔分析 narcoanalysis …… 811
麻酔薬 anesthetic …… 65
麻酔薬 narcotic …… 811
麻酔療法 narcotherapy …… 811
マスキング・ジレンマ masking dilemma …… 734
マスキング・レベル差 masking level difference …… 734
マスク処理 masking …… 734
マスタードガス mustard gas …… 800
マスタード手術 Mustard operation …… 800
マスト細胞 mast cell …… 735
マズラミコーシス maduromycosis …… 725
マスロー階層 Maslow hierarchy …… 734
マゾヒスト masochist …… 734
マゾヒスム masochism …… 734
摩損性 abrasiveness …… 5
マダニ ixodid …… 653
マダニ tick …… 1204
マダニ症 ixodiasis …… 653
まだら症 piebaldness …… 937
まだら睫毛 piebald eyelash …… 937
マチャド-ジョセフ病 Machado-Joseph disease …… 722
マッカーシー反射 McCarthy reflexes …… 739
末期 end stage …… 399
マッキアヴェロ染色〔法〕 Macchiavello stain …… 722
末期医療ケア end-of-life care …… 396
末期感染 terminal infection …… 1189
マッキューン-オールブライト症候群 McCune-Albright syndrome …… 739
マックコール腟円蓋形成法 McCall culdoplasty procedure …… 739
マックニール四色血液染色〔法〕 MacNeal tetrachrome blood stain …… 722
マックバーニー切開〔術〕 McBurney incision …… 739
マックバーニー徴候 McBurney sign …… 739
マックバーニー点 McBurney point …… 739
マックロバーツ法 McRoberts maneuver …… 739
まつげ cilium …… 245
まつげ eyelash …… 437
マッケアリー-カウフマン溶液 McCarey-Kaufmann media …… 739
マッケンジー切断術 Mackenzie amputation …… 722
マッコンキー寒天〔培地〕 MacConkey agar …… 722
マッサージ療法 massage therapy …… 734
マッサージ療法 massotherapy …… 735
末梢 periphery …… 918
末梢間吻合〔術〕 terminoterminal anastomosis …… 1189
末梢血管拡張〔症〕 telangiectasia …… 1183
末梢血管拡張性骨肉腫 telangiectatic osteogenic sarcoma …… 1183
末梢血管拡張性線維腫 telangiectatic fibroma …… 1183
末梢血管疾患 peripheral vascular disease (PVD) …… 918
末梢神経系 peripheral nervous system (PNS) …… 918
末梢性無呼吸 obstructive apnea …… 849
末梢挿入中心静脈カテーテル peripherally inserted central catheter (PICC) …… 917
〔不特定〕末梢T細胞リンパ腫 peripheral T-cell lymphoma, unspecified …… 918
末梢抵抗 peripheral resistance …… 918
末梢動脈疾患 peripheral arterial disease …… 917
末節骨短縮〔症〕 brachytelephalangia …… 171
マッソン銀親和性染色〔法〕 Masson argentaffin stain …… 735
マッソン三色染料 Masson trichrome stain …… 735
マッソン-フォンターナのアンモニア銀染色〔法〕 Masson-Fontana ammoniac silver stain …… 735
末端 ending …… 395
末端 terminal …… 1188
末端小粒 telomere …… 1184
末端動原体型染色体 acrocentric chromosome …… 16
末端肥大症 acromegaly …… 16
末端部 end-piece …… 399
マッド・ハッター症候群 Mad Hatter syndrome …… 724
マッハ効果 Mach effect …… 722
マッハ帯 Mach band …… 722
松葉づえ crutch …… 301
松ヤニ rosin …… 1061
マドックス杆 Maddox rod …… 724
マトリックス matrix …… 736
マトリックスバンド matrix band …… 737
マトリックスメタロプロテアーゼ matrix metalloproteinase 737
マニャン徴候 Magnan sign …… 725
マニャントロンボーン運動 Magnan trombone movement …… 725
魔乳 witch's milk …… 1292
マネージメント management …… 730
マノメータ manometer …… 731
マノメトリ manometry …… 731
まばたき nictitation …… 833
麻痺 numbness …… 844
麻痺 palsy …… 888
〔完全〕麻痺 paralysis …… 895
麻痺性イレウス adynamic ileus …… 31
麻痺性イレウス paralytic ileus …… 895
麻痺性失禁 paralytic incontinence …… 895
麻痺〔性〕認知症 paralytic dementia …… 895
麻痺薬 paralyzant …… 895
まぶた palpebra …… 888
マフッチ症候群 Maffucci syndrome …… 725
摩滅 attrition …… 117
磨耗 abrasion …… 5
摩耗 attrition …… 117
磨耗 detrition …… 338
麻薬 narcotic …… 811
麻薬逆転 narcotic reversal …… 811
麻薬遮断 narcotic blockade …… 811
眉 eyebrow …… 437
眉 supercilium …… 1159
マラコプラキア malacoplakia …… 726
マラセー上皮遺残 Malassez epithelial rests …… 726
マラニョン徴候 Marañón sign …… 732
マラリア malaria …… 726
マラリア原虫 *Plasmodium* …… 945
マラリア後神経学的症候群 postmalaria neurologic syndrome …… 966
マリオット実験 Mariotte experiment …… 733
マリーバレー脳炎 Murray Valley encephalitis …… 794
マリネスコ浮腫状手 Marinesco succulent hand …… 733
マリファナ marijuana …… 733
マリョット実験 Mariotte experiment …… 733
マリョン病 Marion disease …… 733
マリン-レンハルト症候群 Marine-Lenhart syndrome …… 733
マルキアファーヴァ-ビニャーミ病 Marchiafava-Bignami disease …… 732
マルキ固定液 Marchi fixative …… 732
マルキス試薬 Marquis reagent …… 733
マルキ染色〔法〕 Marchi stain …… 732
マルキ反応 Marchi reaction …… 732
マルゲーニュ脱臼 Malgaigne luxation …… 727
マルゲーニュヘルニア Malgaigne hernia …… 727
マル〔公〕式 Mall formula …… 728
マルジョラン潰瘍 Marjolin ulcer …… 733
マルタ十字 Maltese cross …… 729
マルタ熱菌 *Brucella melitensis* …… 180
マルチ〔フォーマット〕カメラ multiformat camera …… 790
マルチプレックスPCR法 multiplex PCR …… 793
マルティノッティ細胞 Martinotti cell …… 733
マルティン管 Martin tube …… 733
マルテジャーニ漏斗 Martegiani funnel …… 733
マルデモラド mal de morado …… 727
マルトース maltose …… 729
マルピーギ小孔 malpighian stigmas …… 729
マルピーギ層 malpighian stratum …… 729
マルピーギ嚢 malpighian capsule …… 728
マルピーギ被膜 malpighian capsule …… 728
マルヒャント副腎 Marchand adrenal …… 732
マルヒャント遊走細胞 Marchand wandering cell …… 732
マルブルクウイルス Marburg virus …… 732
マルブルク病 Marburg disease …… 732
マレーの法則 Marey law …… 732

マレット趾 mallet toe ……… 728
マロニル CoA malonyl-CoA ……… 728
マロリー-ヴァイス症候群 Mallory-Weiss syndrome ……… 728
マロリー血褐素染色〔法〕 Mallory stain for hemofuchsin ……… 728
マロリー膠原線維染色〔法〕 Mallory collagen stain ……… 728
マロリー三色染色〔法〕 Mallory trichrome stain ……… 728
マロリー〔小〕体 Mallory bodies ……… 728
マロリーのアニリンブルー染色〔法〕 Mallory aniline blue stain ……… 728
マロリーのフロキシン染色〔法〕 Mallory phloxine stain ……… 728
マロリーのヨード染色〔法〕 Mallory iodine stain ……… 728
マロリー放線菌染色〔法〕 Mallory stain for actinomyces ……… 728
マロン酸 malonic acid ……… 728
マロンジアルデヒド修飾低密度リポ蛋白 malondialdehyde-modified low-density lipoprotein (LDL) ……… 728
回し運動 torsion ……… 1210
満月状顔〔貌〕 moon face ……… 783
マンコプフ徴候 Mannkopf sign ……… 731
慢性 chronicity ……… 242
慢性萎縮性甲状腺炎 chronic atrophic thyroiditis ……… 241
慢性萎縮性肢端皮膚炎 acrodermatitis chronica atrophicans ……… 16
慢性炎〔症〕 chronic inflammation ……… 242
慢性潰瘍 chronic ulcer ……… 242
慢性看護 chronic care ……… 241
慢性間質性耳管炎 chronic interstitial salpingitis ……… 242
慢性間質性卵管炎 chronic interstitial salpingitis ……… 242
慢性感染症 chronic infection ……… 242
慢性気管支炎 chronic bronchitis ……… 241
慢性高山病 chronic mountain sickness ……… 242
慢性後部喉頭炎 chronic posterior laryngitis ……… 242
慢性骨髄性白血病 chronic myelocytic leukemia ……… 242
慢性再発性膵炎 chronic relapsing pancreatitis ……… 242
慢性山岳病 chronic mountain sickness ……… 242
慢性子宮症 metropathy ……… 765
慢性疾患 chronic disease ……… 242
慢性臭素中毒 bromism ……… 176
慢性ショック chronic shock ……… 242
慢性進行性外眼筋麻痺症 chronic progressive external ophthalmoplegia ……… 242
慢性線維性膵炎 chronic fibrosing pancreatitis ……… 242
慢性肉芽腫症 chronic granulomatous disease ……… 242
慢性剥離性歯肉炎 chronic desquamative gingivitis ……… 241
慢性疲労症候群 chronic fatigue syndrome ……… 242
慢性副腎皮質不全 chronic adrenocortical insufficiency ……… 241
慢性ブロム中毒 bromism ……… 176
慢性閉塞性肺疾患 chronic obstructive pulmonary disease (COPD) ……… 242
慢性マラリア chronic malaria ……… 242
慢性山酔い chronic mountain sickness ……… 242
慢性遊走性紅斑 erythema chronicum migrans ……… 415
慢性涙嚢炎 dacryoblennorrhea ……… 315
マンソン住血吸虫 *Schistosoma mansoni* ……… 1077
マンソン住血吸虫症 schistosomiasis mansoni ……… 1077
マンソン徴候 Munson sign ……… 793
マンチェスター手術 Manchester operation ……… 730
マンチング munching ……… 793
マントー試験 Mantoux test ……… 731
マンドリン〔線〕 mandrin ……… 730
マントル細胞リンパ腫 mantle cell lymphoma ……… 731
マントル放射線治療 mantle radiotherapy ……… 731
マンドレール mandrel ……… 730
マンノース mannose ……… 731
マンノース結合蛋白 mannose-binding protein ……… 731
マンのメチルブルー-エオシン染色〔法〕 Mann methyl blue-eosin stain ……… 731
マンモグラフィ mammography ……… 729
マンロー点 Munro point ……… 793
マンロー微小膿瘍 Munro microabscess ……… 793

ミ

ミーシャー管 Miescher tube ……… 771
ミーシャー弾力線維腫 Miescher elastoma ……… 771
ミーズ線 Mees line ……… 746
ミイラ化 mummification ……… 793
ミエリン myelin ……… 803
ミエリン形成減少〔症〕 hypomyelination ……… 594
ミエリン鞘 myelin sheath ……… 803
ミエリンのヴァイゲルト染色〔法〕 Weigert stain for myelin 1288
ミエリン溶解 myelinolysis ……… 803
ミエログラフィ〔ー〕 myelography ……… 804
ミエロサイト myelocyte ……… 803
ミエロパシー myelopathy ……… 804
ミエロブラスト myeloblast ……… 803
ミオキミア myokymia ……… 807
ミオグラフ myograph ……… 807
ミオクローヌス失立てんかん myoclonic astatic epilepsy ……… 805
ミオクローヌス性小脳性共同運動障害 dyssynergia cerebellaris myoclonica ……… 372
ミオクローヌスてんかん myoclonus epilepsy ……… 806
ミオクロ〔ー〕ヌス myoclonus ……… 806
ミオグロビン myoglobin (MbO_2, Mb) ……… 806
ミオグロビン尿〔症〕 myoglobinuria ……… 806
ミオグロブリン myoglobulin ……… 806
ミオグロブリン尿〔症〕 myoglobulinuria ……… 806
ミオシン myosin ……… 808
ミオシンフィラメント myosin filament ……… 808
ミオスフィグミア miosphygmia ……… 774
ミオトニー myotonia ……… 808
ミオパシー myopathy ……… 807
ミカエリス定数 Michaelis constant ……… 765
ミカエリス-メンテン仮説 Michaelis-Menten hypothesis ……… 765
味覚 degustation ……… 323
味覚 gustation ……… 522
味覚異常 dysgeusia ……… 370
味覚芽 taste bud ……… 1180
味覚過敏 hypergeusia ……… 584
味覚減退 hypogeusia ……… 593
味覚失認〔症〕 gustatory agnosia ……… 522
味覚性多汗症 gustatory hyperhidrosis ……… 522
味覚前兆 gustatory aura ……… 522
味覚鈍麻 amblygeustia ……… 50
味覚鼻漏 gustatory rhinorrhea ……… 522
味覚不全 dysgeusia ……… 370
味覚物質 tastant ……… 1180
三日月〔形〕徴候 crescent sign ……… 296
幹 stem ……… 1139
幹 trunk ……… 1234
右胃静脈 right gastric vein ……… 1056
右胃動脈 right gastric artery ……… 1056
右下行肺動脈 right descending pulmonary artery (RDPA) ……… 1056
右肝管 right hepatic duct ……… 1056
右冠状動脈 right coronary artery ……… 1056
右利き dextrality ……… 339
右結腸曲 right colic flexure ……… 1056
右結腸動脈 right colic artery ……… 1056
右肺水平裂 transverse fissure of the right lung ……… 1221
右肺動脈 right pulmonary artery ……… 1056
右肺の奇静脈葉 azygos lobe of right lung ……… 128
右向き運動 dextroversion ……… 340
右リンパ本幹 right lymphatic duct ……… 1056
ミクリッチ手術 Mikulicz operation ……… 772
ミクリッチ症候群 Mikulicz syndrome ……… 772
ミクリッチドレーン Mikulicz drain ……… 771
ミクリッチ病 Mikulicz disease ……… 771
ミクロアデノーマ microadenoma ……… 765
ミクロアルブミン尿 microalbuminuria ……… 766
ミクロコッカス micrococcus ……… 766
ミクロソーム microsome ……… 769
ミクロソームエタノール酸化系 microsomal ethanol-oxidizing system (MEOS) ……… 769
ミクロトーム microtome ……… 769
ミクロファージ microphage ……… 768
ミクロフィラリア microfilaria ……… 767
ミクロフィラリア血症 microfilaremia ……… 767
ミクロプレチスモグラフィ microplethysmography ……… 768
ミクロヘマトクリット濃度 microhematocrit concentration ……… 768
眉間 glabella ……… 499

ミコバクテリア mycobacteria ……801
ミコバクテリア症 mycobacteriosis ……801
味〔覚〕細胞 taste cells ……1180
未〔経〕産 nulliparity ……844
未産婦 nullipara ……844
短い爪 brachyonychia ……171
未熟産 premature delivery ……973
未熟白内障 immature cataract ……606
未熟〔児〕網膜症 retinopathy of prematurity ……1047
みじん mote ……785
水尾現象 Mitsuo phenomenon ……776
みずおち epigastric fossa ……408
みずかき web ……1287
みずかき形成 webbing ……1287
みずかき指 webbed fingers ……1287
水恐怖〔症〕 aquaphobia ……92
ミスセンス〔突然〕変異 missense mutation ……774
水ため症候群 sump syndrome ……1159
水中毒 water intoxication ……1286
みずむし athlete's foot ……112
溝 groove ……519
溝 sulcus ……1157
ミツガシワ bog bean ……165
三日熱〔マラリア〕 vivax malaria ……1281
三日熱マラリア原虫 *Plasmodium vivax* ……945
三つ組 triad ……1226
三つ児 triplet ……1231
ミッシェル型奇形 Michel malformation ……765
ミッシェル岬 Michel spur ……765
ミッチェル法 Mitchell procedure ……774
ミッチェル療法 Mitchell treatment ……774
密着位 close-packed position ……253
ミッテンドルフ点 Mittendorf dot ……776
密度 density ……328
密度計 densitometer ……328
密閉恐怖〔症〕 clithrophobia ……251
ミトゲン mitogen ……775
ミトコンドリア mitochondrion ……775
ミトコンドリア染色体 mitochondrial chromosome ……775
ミトコンドリアバイオジェネシス mitochondrial biogenesis 775
ミトコンドリア病 mitochondrial disorders ……775
ミトコンドリア膜 mitochondrial membrane ……775
ミトリダート法 mithridatism ……775
みなし児製品 orphan products ……869
水俣病 Minamata disease ……773
南アフリカダニ熱 South African tick-bite fever ……1118
南アメリカトリパノソーマ症 South American trypanosomiasis ……1118
ミニム minim ……773
未妊婦 nulligravida ……844
ミネラルコルチコイド mineralocorticoid ……773
ミヒャエーリス定数 Michaelis constant ……765
ミヒャエーリス-メンテン仮説 Michaelis-Menten hypothesis ……765
身震い性熱産生 shivering thermogenesis ……1100
未分化型熱 undifferentiated type fevers ……1246
未分化型リンパ性リンパ腫 poorly differentiated lymphocytic lymphoma (PDLL) ……959
未分化細胞 anaplastic cell ……62
未分化生殖腺 indifferent gonad ……614
未分化組織 indifferent tissue ……614
未分化胚芽細胞 blastocyte ……160
未分化胚細胞腫 dysgerminoma ……370
ミベリ被角血管腫 Mibelli angiokeratoma ……765
未萌出 unerupted ……1246
耳 ear ……374
耳垢 cerumen ……223
耳掛け型補聴器 behind-the-ear hearing aid ……144
耳ケカビ症 otomucormycosis ……877
耳栓 earpiece ……375
耳栓 hearing protector ……536
味毛 taste hairs ……1180
脈 pulse ……1004
脈〔管〕 vessel ……1273
脈圧 pulse pressure ……1005
脈管炎 angiitis ……66
脈管学 angiology ……68
脈管拡張〔症〕 angiectasia ……66
脈管弓突起 hemapophysis ……541
脈管系 vascular system ……1262
脈管形成 angiopoiesis ……68
脈管構造 vasculature ……1262
脈管再生 revascularization ……1049
脈管遮断 devascularization ……338
脈管周囲炎 periangitis ……913
脈管周囲被膜 fibrous capsule of liver ……453
脈管障害 angiopathy ……68
脈管神経 vascular nerve ……1262
脈管内膜炎 intimitis ……640
脈管の脈管 vasa vasorum ……1261
脈管縫合〔術〕 angiorrhaphy ……68
脈〔拍〕欠損 pulse deficit ……1004
脈動 pulsation ……1004
脈動 throb ……1199
脈波 pulse wave ……1005
脈波曲線 sphygmogram ……1123
脈拍 pulse ……1004
脈拍 stroke ……1148
脈拍緩徐 bradysphygmia ……172
脈拍結代 pulse deficit ……1004
脈拍視診〔法〕 sphygmoscopy ……1123
脈拍触知不能 acrotism ……17
脈拍数 pulse rate ……1005
脈波計 sphygmograph ……1123
脈波自記器 sphygmochronograph ……1123
脈波持続時間 pulse wave duration ……1005
脈波様の sphygmoid ……1123
脈絡血管腫 chorioangioma ……238
脈絡糸球 choroid glomus ……239
脈絡髄膜炎 choriomeningitis ……238
脈絡叢 choroid plexus ……239
脈絡ひも tenia choroidea ……1186
脈絡膜 choroid ……239
脈絡膜炎 choroiditis ……239
脈絡膜血管板 vascular lamina of choroid ……1262
脈絡膜視神経炎 neurochoroiditis ……825
脈絡膜症 choroidopathy ……239
脈絡膜新生血管 choroidal neovascularization ……239
〔脈絡膜の〕基底板 basal layer of choroid ……138
脈絡膜ヘルニア choriocele ……238
脈絡膜毛様体炎 choroidocyclitis ……239
脈絡毛細管板 choriocapillary layer ……238
脈絡網膜炎 retinochoroiditis ……1046
脈絡網膜神経炎 neurochorioretinitis ……825
ミュージシャン用耳栓 musician's earplugs ……800
ミュートン muton ……801
ミュールズ手術 Mules operation ……789
ミュセー徴候 Musset sign ……800
ミュラー結節 Müller tubercle ……790
ミュラー固定液 Müller fixative ……790
ミュラー手技 Müller maneuver ……790
ミュラー阻害物質 müllerian inhibiting substance ……790
ミュラー徴候 Müller sign ……790
ミュラー電子眼圧計 Mueller electronic tonometer ……789
ミュラーの法則 Müller law ……790
ミュラー-ヒントン培地 Mueller-Hinton medium ……789
ミュルケ線 Muehrcke line ……789
ミュンヒハウゼン症候群 Munchhausen syndrome ……793
味蕾 taste bud ……1180
ミラー-アボット管 Miller-Abbott tube ……772
ミラー化学細菌説 Miller chemicoparasitic theory ……772
ミリアチット miryachit ……774
ミリアンペア milliampere (ma, mA) ……772
ミリグラム当量 milliequivalent (mEq, meq) ……773
ミリッシ症候群 Mirizzi syndrome ……774
ミリュー milieu ……772
ミルキング milking ……772
ミルク・アルカリ症候群 milk-alkali syndrome ……772
ミルクマン症候群 Milkman syndrome ……772
ミルメシア myrmecia ……809
ミルロイ病 Milroy disease ……773
民間療法 folk medicine ……467

ミ

ム

無αリポ蛋白血〔症〕 analphalipoproteinemia ……60
無アルブミン血〔症〕 analbuminemia ……60
無為 abulia ……6
無意識 unconscious ……1245
ムーア稲妻線条〔症〕 Moore lightning streaks ……783
ムーア法 Moore method ……783
ムーフ杆菌 Much bacillus ……788
ムーン大臼歯 Moon molars ……783
無栄養症 atrophy ……116
無黄疸性ウイルス性肝炎 anicteric viral hepatitis ……70
無オルガスム〔症〕 anorgasmy ……73
無快感〔症〕 anhedonia ……70
無開口 imperforation ……609
無害性雑音 innocent murmur ……626
無顎〔症〕 agnathia ……35
無核細胞 akaryocyte ……37
むかつき retching ……1044
無顆粒〔白血〕球 agranulocyte ……35
無〔発〕汗〔症〕 anhidrosis ……70
無管 ductless ……366
無感化 hardening ……532
無感覚〔症〕 anesthesia ……65
無感覚 numbness ……844
無感覚 obdormition ……847
無眼球〔症〕 anophthalmia ……73
無感情 athymia ……113
無顔症 aprosopia ……92
無関心 apathy ……86
無ガンマグロブリン血〔症〕 agammaglobulinemia ……34
無機栄養 autotrophic ……125
無機栄養体 autotroph ……125
無機栄養微生物 chemoautotroph ……228
無機化学 inorganic chemistry ……626
無機化合物 inorganic compound ……626
無機酸 inorganic acid ……626
無機質 mineral ……773
無機質脱落 demineralization ……326
無機正リン酸塩 inorganic orthophosphate (P_i, P_1) ……626
無機能性〔不正〕咬合 afunctional occlusion ……34
無気肺 atelectasis ……111
無嗅覚〔症〕 anosmia ……73
無胸骨〔症〕 asternia ……109
無響室 anechoic chamber ……64
無胸腺症 athymia ……113
無菌 asepsis ……106
無菌 sterility ……1141
無菌壊死 aseptic necrosis ……107
無筋〔感〕覚〔症〕 amyoesthesia ……58
無菌間欠導尿法 clean intermittent bladder catheterization ……249
無菌実験台 laminar flow hood ……676
無菌手術 aseptic surgery ……107
無菌操作 aseptic technique ……107
無緊張〔症〕 atony ……113
無緊張性性交不能症 atonic impotence ……113
無菌動物学 gnotobiology ……508
無グルテン食 gluten-free diet ……505
無形成〔症〕 aplasia ……89
無形成貧血 aplastic anemia ……89
無形部 pars amorpha ……901
無血管化 avascularization ……125
無月経 amenorrhea ……51
無月経-乳汁漏出症候群 amenorrhea-galactorrhea syndrome ……52
無限遠点 infinite distance ……620
夢幻症 oneirism ……859
夢幻状態 dreamy state ……363
ムコイド mucoid ……788
ムコイド変性 mucoid degeneration ……788
無口〔症〕 astomia ……110
無効化 vitiation ……1280
無睾丸〔症〕 anorchism ……73
無孔肛門 imperforate anus ……609
無虹彩〔症〕 aniridia ……71
無虹彩〔症〕 irideremia ……646
無甲状腺〔症〕 athyroidism ……113
無鉤条虫 *Taenia saginata* ……1177
無構造 amorphia ……56
無喉頭発声 alaryngeal speech ……38
無肛門症 aproctia ……91
ムコール〔菌〕症 phycomycosis ……933
無呼吸 apnea ……89
無呼吸-寡呼吸指数 apnea-hypopnea index (AHI) ……89
無呼吸〔性〕休止 apneic pause ……89
無呼吸症 apneusis ……89
無呼吸〔性〕停止 apneic pause ……89
ムコ多糖〔体〕症 mucopolysaccharidosis ……789
ムコ多糖〔体〕沈着〔症〕 mucopolysaccharidosis ……789
ムコ多糖〔体〕尿 mucopolysacchariduria ……789
ムコ多糖類 mucopolysaccharide ……789
ムコ蛋白 mucoprotein ……789
無言〔症〕 mutism ……801
無作為化 randomization ……1024
無作為抽出 random sampling ……1024
無作為標本 random specimen ……1024
無酸〔症〕 anacidity ……59
無酸症 achlorhydria ……11
無酸素〔症〕 anoxia ……73
無酸素血〔症〕 anoxemia ……73
無酸素性作業閾値 anaerobic threshold ……59
無酸素性パワー anaerobic power ……59
無酸素性無酸素〔症〕 anoxic anoxia ……73
無歯〔症〕 anodontia ……72
無指〔症〕 aphalangia ……87
無趾〔症〕 aphalangia ……87
無視 neglect ……817
無耳〔症〕 anotia ……73
ムシカルミン mucicarmine ……788
無子宮〔症〕 ametria ……53
虫食いエナメル質 mottled enamel ……786
無軸索 amacrine ……49
虫下し anthelmintic ……77
無軸皮弁 random pattern flap ……1024
無刺激食 bland diet ……160
無刺激食 smooth diet ……1112
無指合指症 ectrosyndactyly ……378
無指症 adactyly ……22
無肢症 amelia ……51
虫歯 caries ……204
無糸分裂 amitosis ……54
ムシヘマテイン mucihematein ……788
無収差レンズ aplanatic lens ……89
無償かつ適切な公教育 free appropriate public education ……474
無条件刺激 unconditioned stimulus ……1245
無条件反射 unconditioned reflex ……1245
無条件反応 unconditioned response ……1245
無症候性吸引 silent aspiration ……1105
無症状コクシジオイデス真菌症 subclinical coccidioidomycosis ……1152
無症状心筋梗塞 silent myocardial infarction ……1105
無症状糖尿病 subclinical diabetes ……1152
無色 achromatism ……12
無〔摂〕食〔症〕 aphagia ……87
無色収差 achromatism ……12
無色赤血球 achromocyte ……12
無色尿〔症〕 achromaturia ……12
無食欲 anorexia ……73
無所属実地医家団体 independent practice association ……614
無触覚〔症〕 anaphia ……61
無心症 acardia ……7
無水晶体〔症〕 aphakia ……87
無水晶体眼 aphakic eye ……87
無髄〔神経〕線維 unmyelinated fibers ……1248
無水物 anhydride ……70
ムスカリン muscarine ……794
無頭痛性片頭痛 acephalgic migraine ……9
結び目 knot ……668

無性 asexuality …… 107
無精液〔症〕 aspermia …… 107
無生活力 abiotrophy …… 4
無性器〔症〕 agenitalism …… 34
無精子〔症〕 azoospermia …… 128
無性性小人症 asexual dwarfism …… 107
無性生殖 asexual reproduction …… 107
無性生殖 monogenesis …… 781
無性世代 asexual generation …… 107
無精巣〔症〕 anorchism …… 73
無性欲 asexuality …… 107
無脊髄〔症〕 amyelia …… 57
無脊椎動物 invertebrate …… 644
無舌閉口体 aglossostomia …… 35
無線維素原血〔症〕 afibrinogenemia …… 33
無ぜん動 aperistalsis …… 87
無爪〔症〕 anonychia …… 72
無窓毛細血管 continuous capillary …… 281
ムターゼ mutase …… 800
無唾液〔症〕 asialism …… 107
無胆汁〔症〕 acholia …… 12
無胆汁色素尿〔症〕 acholuria …… 12
無胆汁尿性黄疸 acholuric jaundice …… 12
むち打ち whiplash …… 1290
むち打ち傷害 whiplash injury …… 1290
むち打ち網膜症 whiplash retinopathy …… 1290
無秩序律動 chaotic rhythm …… 226
ムチナーゼ mucinase …… 788
ムチン mucin …… 788
ムチン沈着症 mucinosis …… 788
無痛〔法〕 analgesia …… 60
無痛〔性〕横痃 indolent bubo …… 615
無痛覚〔症〕 analgesia …… 60
無定位〔症〕 astasia …… 109
無定位運動症 athetosis …… 112
無定形〔性〕 amorphia …… 56
無定形シリコン amorphous silicon …… 56
無定形体 amorph …… 56
ムテイン mutein …… 801
無頭蓋症 acrania …… 15
無瞳孔〔症〕 acorea …… 14
無頭症 acephaly …… 10
無頭症 acrania …… 15
無糖尿 aglycosuria …… 35
無頭の胎児 acephalus …… 10
無頭無胸症 acephalothoracia …… 10
無動無言〔症〕 akinetic mutism …… 38
無頭無手症 acephalocheiria …… 9
無頭無心症 acephalocardia …… 9
無頭無足症 acephalopodia …… 10
無頭無胴症 acephalogasteria …… 9
無頭有口症 acephalostomia …… 10
無頭類 Acrania …… 15
無毒化 detoxication …… 338
無乳頭〔症〕 athelia …… 111
無乳房〔症〕 amastia …… 49
無尿〔症〕 anuria …… 84
むね breast …… 173
無熱 apyrexia …… 92
胸焼け heartburn …… 536
胸焼け pyrosis …… 1012
無脳回〔症〕 agyria …… 36
無脳症 anencephaly …… 65
無脳症 meroencephaly …… 755
無脳症胎児 anencephalus …… 65
無能力 incompetence …… 612
無肺〔症〕 apneumia …… 89
無排卵 anovulation …… 73
無排卵性月経 anovular menstruation …… 73
無発育 agenesis …… 34
無白血球症 aleukocytosis …… 40
無白血症 aleukia …… 40
無白血性白血病 aleukemic leukemia …… 40
無白血病 aleukemia …… 40
無発情期 anestrus …… 66
無反射〔症〕 areflexia …… 94
無脾〔症〕 alienia …… 41
無脾〔症〕 asplenia …… 108
無鼻〔症〕 arhinia …… 95
無皮膚〔症〕 adermia …… 26
無表情 amimia …… 53
無フィブリノ〔ー〕ゲン血〔症〕 afibrinogenemia …… 33
無β-リポ蛋白血症 abetalipoproteinemia …… 4
無弁切断〔術〕 flapless amputation …… 459
無膀胱症 acystia …… 22
夢魔 incubus …… 613
無味覚〔症〕 ageusia …… 34
無脈〔状態〕 acrotism …… 17
無毛〔症〕 atrichia …… 115
夢遊〔症〕 somnambulism …… 1117
無遊離塩酸症 achlorhydria …… 11
無葉緑素性 achlorophyllous …… 12
無抑制性神経因性膀胱〔障害〕 uninhibited neurogenic bladder …… 1247
ムラサキバレンギク *Echinacea purpurea* …… 376
無力〔症〕 asthenia …… 109
無力 impotence …… 610
無力化 disablement …… 351
無力化剤 incapacitating chemical agent …… 611
無リンパ球症 alymphocytosis …… 49
群れ herd …… 553
無腕〔症〕 abrachia …… 5
無腕無頭〔症〕 abrachiocephaly …… 5
ムンプス mumps …… 793

メ

眼 eye …… 437
眼 oculus …… 853
〔明暗〕順応計 adaptometer …… 23
迷〔路状試験〕管 labyrinth …… 673
メイグス症候群 Meigs syndrome …… 747
明細胞 clear cell …… 249
明順応 light adaptation …… 699
明順応眼 light-adapted eye …… 699
名称 term …… 1188
名称強迫 onomatomania …… 859
名称恐怖〔症〕 onomatophobia …… 859
名称失語〔症〕 anomic aphasia …… 72
名称の表示 statement of identity …… 1137
明所視 photopia …… 932
明所視 photopic vision …… 932
名祖 eponym …… 412
名祖 eponymic …… 412
瞑想 meditation …… 745
迷走神経 vagus nerve［CN X］ …… 1258
迷走神経幹 vagal trunk …… 1257
迷走神経刺激 vagal nerve stimulation …… 1257
迷走神経切断〔術〕 vagotomy …… 1258
迷走神経背側核 dorsal nucleus of vagus nerve …… 361
迷走神経剥離〔術〕 vagolysis …… 1258
迷走神経抑制薬 vagolytic …… 1258
迷走性 ambiguity …… 50
迷走脈 vagus pulse …… 1258
命題的言語 propositional speech …… 987
酩酊 drunkenness …… 365
酩酊 inebriation …… 616
酩酊薬 inebriant …… 616
迷入 aberration …… 4
メイノード因子 Mayneord factor …… 738
メイ-ホワイト症候群 May-White syndrome …… 739
命名強迫 onomatomania …… 859
命名法 nomenclature …… 837
メイヨー盤 Mayo stand …… 739
明瞭度 acuity …… 20
命令幻覚 command hallucination …… 265
迷路 labyrinth …… 673
迷路炎 labyrinthitis …… 673

迷路〔性〕眼振 labyrinthine nystagmus …… 673
迷路機能不全 labyrinthine dysfunction …… 673
迷路周囲炎 perilabyrinthitis …… 915
迷路静脈 labyrinthine veins …… 673
迷路性立直り反射 labyrinthine righting reflexes …… 673
迷路切開〔術〕 labyrinthotomy …… 673
迷路切除〔術〕 labyrinthectomy …… 673
迷路摘出〔術〕 labyrinthectomy …… 673
迷路動脈 labyrinthine artery …… 673
迷路反射 labyrinthine reflex …… 673
迷路麻酔検査 labyrinthine anesthesia test …… 673
メーオー手術 Mayo operation …… 738
メーオー-ロブソン体位 Mayo-Robson position …… 738
メーオー-ロブソン点 Mayo-Robson point …… 738
メージュ病 Meige disease …… 747
メートル法 metric system …… 764
メービウス症候群 Möbius syndrome …… 777
メービウス徴候 Möbius sign …… 777
メーヨー手術 Mayo operation …… 738
メーヨー-ロブソン体位 Mayo-Robson position …… 738
メーヨー-ロブソン点 Mayo-Robson point …… 738
メガサイクル megacycle …… 746
メカノエレクトリック変換 mechanoelectric transduction …… 740
メグズ症候群 Meigs syndrome …… 747
メサンギウム mesangium …… 756
メサンギウム増殖性糸球体腎炎 mesangial proliferative glomerulonephritis …… 756
メサンギウム増殖性腎炎 mesangial nephritis …… 755
メジナ虫症 dracunculiasis …… 363
メジャーアフタ aphthae major …… 88
メス knife …… 668
メス scalpel …… 1074
メスカリン mescaline …… 756
メズサ〔の〕頭 caput medusae …… 198
メスメリズム mesmerism …… 757
メソグリア mesoglia …… 758
メソソーム mesosome …… 758
メゾヌーブ骨折 Maisonneuve fracture …… 726
メソビラン mesobilane …… 757
メソビリルビン mesobilirubin …… 757
メソポルフィリン mesoporphyrins …… 758
メタアナリシス metaanalysis …… 759
メタクロマジー metachromasia …… 760
メタクロマチック染色〔法〕 metachromatic stain …… 760
メタ言語学 metalinguistics …… 761
メタコーヌス metacone …… 760
メタコニッド metaconid …… 760
メタ細動脈 metarteriole …… 762
メタ心理学 metapsychology …… 762
メタセルカリア metacercaria …… 760
メタネフリン metanephrine …… 761
メタバイスルファイト試験 metabisulfite test …… 759
メタヘルペス性角膜炎 metaherpetic keratitis …… 760
メタボリックシンドローム metabolic syndrome …… 759
メタマー metamer …… 761
メタロチオネイン metallothionein …… 761
メタロプロテアーゼ metalloproteinase …… 761
メタン methane …… 763
メタン産生菌 methanogen …… 763
メチオニン methionine …… 764
メチシリンナトリウム methicillin sodium …… 763
メチニコフ説 Metchnikoff theory …… 763
メチルアルコール methyl alcohol …… 764
メチル化 methylation …… 764
メチル基転移 transmethylation …… 1220
メチルグリーン methyl green …… 764
メチルジクロロアルシン methyldichloroarsine (MD) …… 764
メチルトランスフェラーゼ methyltransferase …… 764
メチルペントース methylpentose …… 764
メチレン基 methylene …… 764
メチレンブルー methylene blue …… 764
メチロール methylol …… 764
滅菌 sterility …… 1141
滅菌〔法〕 sterilization …… 1141
滅菌ガーゼ aseptic gauze …… 107
滅菌器 sterilizer …… 1141
滅菌包帯 antiseptic dressing …… 83
メッケル憩室 Meckel diverticulum …… 740
メッケルスキャン Meckel scan …… 740
メッセンジャーRNA messenger RNA (mRNA) …… 759
メディエーター複合体 mediator complex …… 744
メディケア Medicare …… 744
メディケイド Medicaid …… 744
メテナミン銀染色 methenamine silver stain …… 763
メテニエル徴候 Metenier sign …… 763
メドーズ症候群 Meadows syndrome …… 739
メトキシル methoxyl …… 764
メトヘムアルブミン methemalbumin …… 763
メトヘムアルブミン血症 methemalbuminemia …… 763
メトヘモグロビン methemoglobin (metHb) …… 763
メトヘモグロビン血症 methemoglobinemia …… 763
メトヘモグロビン尿性 methemoglobinuria …… 763
メトミオグロビン metmyoglobin (metMb) …… 764
メトロパチー metropathy …… 765
メナキノン-6 menaquinone-6 (MK-6) …… 751
メニエール病 Ménière disease …… 751
メニスク〔ス〕レンズ meniscus lens …… 752
メネトリエ病 Ménétrier disease …… 751
メノトロピン menotropins …… 752
眩暈 vertigo …… 1272
めまい感 dizziness …… 357
目盛り scale …… 1074
目安量 adequate intake (AI) …… 26
メラトニン melatonin …… 750
メラニン melanin …… 748
メラニン芽細胞 melanoblast …… 748
メラニン〔形成〕細胞 melanocyte …… 748
メラニン細胞刺激ホルモン melanotropin …… 749
メラニン細胞刺激ホルモン産生細胞 melanotroph …… 749
メラニン産生 melanogenesis …… 748
メラニン沈着 melanism …… 748
メラニン保有細胞 melanophore …… 748
メラノアカントーマ melanoacanthoma …… 748
メラノーシス melanosis …… 748
メラノーマ melanoma …… 748
メラノゲン melanogen …… 748
メラノサイト melanocyte …… 748
メラノスタチン melanostatin …… 749
メラノソーム melanosome …… 749
メラノトロピン melanotropin …… 749
メラノファージ melanophage …… 748
メラノリベリン melanoliberin …… 748
メランコリー melancholia …… 748
メランコリック melancholic …… 748
メルカプタン mercaptan …… 754
メルカプツール酸 mercapturic acid …… 754
メルケル細胞癌 Merkel cell carcinoma …… 755
メルシェゾンデ Mercier sound …… 754
メルツァーの法則 Meltzer law …… 750
メルナー試験 Mörner test …… 784
メルニック-ニドルズ骨異形成〔症〕 Melnick-Needles osteodysplasty …… 750
メレトヤ症候群 Meretoja syndrome …… 755
メレナ melena …… 750
メレニー潰瘍 Meleney ulcer …… 750
メレンディーノ法 Merendino technique …… 755
メロクリン腺 merocrine gland …… 755
メロゴニー merogony …… 755
メロザイゴート merozygote …… 755
メロゾイト merozoite …… 755
メロゾイト産生 merogony …… 755
メロミオシン meromyosin …… 755
メロレオストーシス melorheostosis …… 750
免疫〔性〕 immunity …… 607
免疫 immunization …… 607
免疫遺伝学 immunogenetics …… 608
免疫応答 immune response …… 606
免疫応答遺伝子群 immune response genes …… 607
免疫応答性 immunocompetent …… 607
免疫芽球 immunoblast …… 607
免疫学 immunology …… 608
免疫拡散〔法〕 immunodiffusion …… 607

免疫学者 immunologist ········· 608
免疫学的監視 immunosurveillance ········· 609
免疫学的寛容 immunologic tolerance ········· 608
免疫学的寛容域 privileged site ········· 980
免疫学的寛容部位 privileged site ········· 980
免疫学的検定〔法〕 immunoassay ········· 607
免疫学的聖域 privileged site ········· 980
免疫学的妊娠試験 immunologic pregnancy test ········· 608
免疫芽細胞 immunoblast ········· 607
免疫監視機構 immune surveillance ········· 607
免疫機構 immune system ········· 607
免疫吸着 immune adsorption ········· 606
免疫吸着剤 immunosorbent ········· 609
免疫グロブリン immunoglobulin (Ig) ········· 608
免疫グロブリン生成不全も共存する細胞性免疫不全 cellular immunodeficiency with abnormal immunoglobulin synthesis ········· 215
免疫グロブリンドメイン immunoglobulin domains ········· 608
免疫蛍光検査〔法〕 immunofluorescence ········· 607
免疫蛍光染色〔法〕 immunofluorescent stain ········· 608
免疫蛍光発色検査法 chemiluminescence immunoassay ········· 228
免疫血清 immune serum ········· 607
免疫欠損 immunodeficiency ········· 607
免疫〔抗〕原性 immunogenicity ········· 608
免疫コングルチニン immunoconglutinin ········· 607
免疫細胞学 immunocytochemistry ········· 607
免疫処置 immunization ········· 607
免疫接着 immune adherence ········· 606
免疫増強 immunoenhancement ········· 607
免疫増強 immunopotentiation ········· 608
免疫増強物質 immunopotentiator ········· 608
免疫増殖疾患 immunoproliferative disorders ········· 608
免疫促進物質 immunoenhancer ········· 607
免疫測定〔法〕 immunoassay ········· 607
免疫組織化学 immunohistochemistry ········· 608
免疫組織接着 immunocytoadherence ········· 607
免疫担当細胞 immunocyte ········· 607
免疫調節 immunomodulatory ········· 608
免疫低下宿主 immunocompromised host ········· 607
免疫的機序 immunologic mechanism ········· 608
免疫電気泳動〔法〕 immunoelectrophoresis ········· 607
免疫電気泳動法 electroimmunodiffusion ········· 385
免疫電顕法 immune electron microscopy ········· 606
免疫電子顕微鏡法 immune electron microscopy ········· 606
免疫能 immunocompetence ········· 607
免疫能力 immunologic competence ········· 608
免疫反応 immune reaction ········· 606
免疫反応性 immunoreactive ········· 609
免疫複合体 immune complex ········· 606
免疫複合体病 immune complex disease ········· 606
免疫不全 immunodeficient ········· 607
免疫不全疾病 immunodeficiency disease ········· 607
免疫ブロット法 immunoblot ········· 607
免疫ペルオキシダーゼ法 immunoperoxidase technique ········· 608
免疫法 immunization ········· 607
免疫麻痺 immune paralysis ········· 606
免疫無防備状態 immunocompromised ········· 607
免疫輸血 immunotransfusion ········· 609
免疫抑制 immunosuppression ········· 609
免疫抑制性 immunosuppressive ········· 609
免疫抑制薬 immunosuppressant ········· 609
免疫抑制療法 immunosuppressive therapy ········· 609
免疫療法 immunotherapy ········· 609
綿花肺 byssinosis ········· 187
面関節 facet joint ········· 438
綿球 stype ········· 1150
綿球 tampon ········· 1178
免許准看護師 licensed practical nurse (LPN) ········· 697
メンゲペッサリー Menge pessary ········· 751
メンケベルク動脈硬化〔症〕 Mönckeberg arteriosclerosis ········· 779
綿撒糸 tent ········· 1187
綿状沈降物 flocculus ········· 463
綿〔花〕状白斑 cotton-wool patches ········· 291
綿状反応 flocculation ········· 463
綿線維塞栓症 cotton-fiber embolism ········· 291
綿線維沈着〔症〕 byssinosis ········· 187
メンデル遺伝 mendelian inheritance ········· 751
メンデル足背反射 Mendel instep reflex ········· 751
メンデルソン法 Mendelsohn maneuver ········· 751
メンデレーエフの法則 Mendeléeff law ········· 751
メントール menthol ········· 754
メントン menton ········· 754
綿肺〔症〕 byssinosis ········· 187
綿棒 swab ········· 1168
面皰 comedo ········· 265
面皰 pimple ········· 938
面皰癌 comedocarcinoma ········· 265
面ぽう母斑 nevus comedonicus ········· 831

モ

盲 blindness ········· 161
網 net ········· 824
網 network ········· 824
網 web ········· 1287
毛渦 hair whorls ········· 529
毛外菌 ectothrix ········· 378
盲管 cul-de-sac ········· 304
毛〔細〕管炎 capillaritis ········· 196
毛〔細〕管現象 capillarity ········· 196
毛球 bulb of hair ········· 183
毛球炎 trichitis ········· 1227
盲係蹄症候群 blind loop syndrome ········· 161
猛撃矯正〔法〕 brisement forcé ········· 176
毛孔拡大腫 dilated pore ········· 348
毛孔性紅色ひこう疹 pityriasis rubra pilaris ········· 941
蒙古斑 mongolian spot ········· 780
毛根 hair root ········· 529
毛根炎 trichitis ········· 1227
毛根鞘 root sheath ········· 1060
〔外〕毛根鞘腫 trichilemmoma ········· 1227
毛細管 capillary ········· 196
毛細管引力 capillary attraction ········· 196
毛細〔血〕管拡張〔症〕 telangiectasia ········· 1183
毛細管拡張症 telangiectasis ········· 1183
毛細〔血〕管拡張性運動失調 ataxia telangiectasia ········· 111
毛細〔血〕管拡張様神経腫 neuroma telangiectodes ········· 827
〔皮膚〕毛細管血圧計 ochrometer ········· 852
毛細〔血〕管湖 capillary lake ········· 196
毛細〔血〕管充満 capillary filling ········· 196
毛細〔血〕管症 capillaropathy ········· 196
毛細〔血〕管障害 capillaropathy ········· 196
毛細管ドレナージ capillary drainage ········· 196
毛細血管 blood capillary ········· 162
毛細血管拡張性いぼ telangiectatic wart ········· 1183
毛細血管拡張性血管腫 telangiectatic angioma ········· 1183
毛細血管拡張性線維腫 telangiectatic fibroma ········· 1183
毛細血管床 capillary bed ········· 196
毛細血管症 telangiosis ········· 1183
毛細血管小動脈 capillary arteriole ········· 196
毛細血管性血管腫 capillary hemangioma ········· 196
毛細血管のぜい弱性 capillary fragility ········· 196
毛細胆管 biliary canaliculus ········· 151
〔有〕毛細胞 hair cell ········· 529
毛細リンパ管 lymph capillary ········· 718
毛質〔性上皮〕腫 pilomatrixoma ········· 938
毛十字 cruces pilorum ········· 301
網状移植〔片〕 mesh graft ········· 756
網状管構造 tuboreticular structure ········· 1236
網状骨 woven bone ········· 1294
網状瘢痕〔性〕紅斑性毛包炎 folliculitis ulerythematosa reticulata ········· 468
網状皮斑 livedo reticularis ········· 706
網状変性 reticular degeneration ········· 1045
網状膜 reticular membrane ········· 1045
毛髄 pith ········· 940
毛髄質 medulla of hair shaft ········· 745
毛〔髪結〕石 tricholith ········· 1228

毛舌 hairy tongue …… 529
網赤血球産生指数 reticulocyte production index (RPI) …… 1045
網〔状〕赤血球 reticulocyte …… 1045
網〔状〕赤血球減少〔症〕 reticulocytopenia …… 1045
網〔状〕赤血球増加〔症〕 reticulocytosis …… 1045
毛腺 pileous gland …… 937
毛尖〔毛髪〕分裂〔症〕 schizotrichia …… 1077
妄想 delusion …… 326
毛瘡 sycosis …… 1169
妄想型統合失調症 paranoid schizophrenia …… 896
妄想症 paranoia …… 896
毛巣嚢胞 pilonidal sinus …… 938
毛瘡白癬菌 *Trichophyton mentagrophytes* …… 1228
毛帯 lemniscus …… 689
毛帯交叉 decussation of medial lemniscus …… 320
盲端 cecum …… 213
毛端分裂 distrix …… 356
毛注入〔術〕 pilojection …… 938
盲腸 cecum …… 213
盲腸S状結腸吻合〔術〕 cecosigmoidostomy …… 213
盲腸炎 cecitis …… 213
盲腸炎 typhlitis …… 1241
盲腸拡張〔症〕 typhlectasis …… 1241
盲腸間膜 mesocecum …… 757
盲腸結石〔症〕 typhlolithiasis …… 1241
盲腸結腸吻合〔術〕 cecocolostomy …… 213
盲腸固定〔術〕 cecopexy …… 213
盲腸固定〔術〕 typhlopexy …… 1241
盲腸切開〔術〕 cecotomy …… 213
盲腸切開〔術〕 typhlotomy …… 1242
盲腸造襞〔術〕 cecoplication …… 213
盲腸造瘻術 typhlostomy …… 1242
盲腸肥大〔症〕 typhlectasis …… 1241
盲腸フィステル形成〔術〕 cecostomy …… 213
盲腸フィステル形成〔術〕 typhlostomy …… 1242
盲腸縫合〔術〕 cecorrhaphy …… 213
盲腸縫縮〔術〕 cecoplication …… 213
盲腸瘻造設術 cecostomy …… 213
盲点 blind spot …… 161
盲点 punctum cecum …… 1005
網電図 electroretinogram (ERG) …… 387
盲点中心暗点 cecocentral scotoma …… 213
毛内菌 endothrix …… 399
網内細胞 reticuloendothelium …… 1045
毛乳頭 hair papilla …… 529
毛乳頭 papilla pili …… 891
盲嚢 cul-de-sac …… 304
毛嚢 folliculus pili …… 468
網嚢 omental bursa …… 857
毛嚢炎 folliculitis …… 468
網嚢孔 epiploic foramen …… 410
網嚢孔 omental foramen …… 858
盲嚢症候群 blind loop syndrome …… 161
毛髪 thrix …… 1199
毛髪移植 hair-transplant …… 529
毛髪糸状菌症 trichomycosis …… 1228
毛髪縦裂〔症〕 trichoptilosis …… 1228
毛髪状白斑 hairy leukoplakia …… 529
毛髪植物胃石 trichophytobezoar …… 1228
毛髪真菌症 trichomycosis …… 1228
毛髪〔胃〕石 trichobezoar …… 1227
毛髪ノカルジア症 trichonocardiosis …… 1228
毛髪病 trichopathy …… 1228
毛髪様骨折 hairline fracture …… 529
盲斑 blind spot …… 161
毛盤腫 trichodiscoma …… 1227
毛筆状体 penicillus …… 910
盲フィステル blind fistula …… 161
毛包 folliculus pili …… 468
毛包 hair follicle …… 529
毛包炎 folliculitis …… 468
毛包腫 folliculoma …… 468
毛包周囲炎 perifolliculitis …… 915
毛包症 folliculosis …… 468
毛包上皮腫 trichoepithelioma …… 1227
毛包性角化症 keratosis follicularis …… 664
網膜 retina …… 1045
網膜異常対応 anomalous retinal correspondence …… 72
網膜炎 retinitis …… 1046
網膜黄斑ジストロフィ macular retinal dystrophy …… 724
網膜下外側動脈 inferior temporal retinal arteriole …… 620
網膜芽〔細胞〕腫 retinoblastoma …… 1046
網膜血管狭窄 nicking …… 832
網膜色素上皮層 pigmented layer of retina …… 937
網膜色素線条〔症〕 angioid streaks …… 67
網膜色素変性症 retinitis pigmentosa …… 1046
網膜脂〔肪〕血症 lipemia retinalis …… 702
網膜順応 retinal adaptation …… 1046
網膜症 retinopathy …… 1047
網膜上外側動脈 superior temporal retinal arteriole …… 1162
網膜上内側動脈 superior nasal retinal arteriole …… 1162
網膜振とう症 commotio retinae …… 267
網膜錐体 cone …… 274
網膜中心窩 central retinal fovea …… 217
網膜中心動脈 central retinal artery …… 217
網膜電位図 electroretinogram (ERG) …… 387
網膜電図検査〔法〕 electroretinography …… 387
〔視野〕網膜の等感度線 isopter …… 652
網膜剥離 retinal detachment …… 1046
網膜復位術 retinopexy …… 1047
網膜分離〔症〕 retinoschisis …… 1047
網膜離断 dialysis retinae …… 341
網膜裂 retinal fissure …… 1046
網脈絡膜症 chorioretinopathy …… 239
盲目挿管 blind intubation …… 161
毛様細胞 hairy cell …… 529
網様質 reticular substance …… 1045
毛様〔体〕小帯 ciliary zonule …… 244
毛様小帯炎 zonulitis …… 1302
毛様小帯溶解 zonulolysis …… 1302
毛様脊髄中枢 ciliospinal center …… 244
毛様体 ciliary body …… 244
網様体 reticular formation …… 1045
毛様体炎 cyclitis …… 308
毛様体解離〔術〕 cyclodialysis …… 308
毛様体基底板 basal lamina of ciliary body …… 137
毛様体筋 ciliary muscle …… 244
毛様体筋麻痺 cycloplegia …… 309
毛様体筋麻痺薬 cycloplegic …… 309
毛様体ジアテルミー cyclodiathermy …… 308
毛様体静脈 ciliary veins …… 244
毛様体神経節 ciliary ganglion …… 244
網様体脊髄路 reticulospinal tract …… 1045
毛様体切開〔術〕 cyclotomy …… 309
毛様体切除〔術〕 cyclectomy …… 308
毛様体突起 ciliary process …… 244
毛様体剥離〔術〕 cyclodialysis …… 308
毛様体光凝固〔術〕 cyclophotocoagulation …… 309
網様体賦活系 reticular activating system (RAS) …… 1044
毛様体脈絡膜炎 cyclochoroiditis …… 308
毛様体領域 ciliary zone …… 244
毛様体輪 ciliary ring …… 244
毛様体冷凍療法 cyclocryotherapy …… 308
盲瘻 blind fistula …… 161
もうろう状態 twilight state …… 1239
もうろく dotage …… 362
モーガンレンズ Morgan lens …… 784
モーズ化学的新鮮組織切除法 Mohs fresh tissue chemosurgery technique …… 778
モース氏手術 Mohs chemosurgery …… 778
モートン趾 Morton toe …… 785
モートン症候群 Morton syndrome …… 785
モートン神経腫 Morton neuroma …… 785
モートン神経痛 Morton neuralgia …… 785
モービッツブロック Mobitz block …… 777
モーリーのコロイド鉄染色〔法〕 Mowry colloidal iron stain …… 787
モールド mold …… 778
モーレン潰瘍 Mooren ulcer …… 783
藻菌症 phycomycosis …… 933
木契 orange wood …… 865
木炭 charcoal …… 226
目的 objective …… 847

目標基準準拠 criterion-referenced ······ 298
〔目標〕実験群 experimental group ······ 430
目標心拍数 target heart rate ······ 1179
沐浴 ablution ······ 4
沐浴 bath ······ 141
目録 inventory ······ 644
模型 cast ······ 208
模型 model ······ 777
モコラウイルス Mokola virus ······ 778
モザイク現象 mosaicism ······ 785
モザイク式遺伝 mosaic inheritance ······ 785
モザイクパターン mosaic pattern ······ 785
モザイク様足底いぼ mosaic wart ······ 785
文字逆転症 reversal ······ 1049
モジュレーション modulation ······ 778
モス管 Moss tube ······ 785
モスラー徴候 Mosler sign ······ 785
モッソ血圧計 Mosso sphygmomanometer ······ 785
モッソ作業記録器 Mosso ergograph ······ 785
モテー手術 Motais operation ······ 785
モデリング modeling ······ 777
モデル model ······ 777
戻し交配 backcross ······ 130
モナーコヴ症候群 Monakow syndrome ······ 779
モニター monitor ······ 780
モニタリング monitoring ······ 780
モノアミド monoamide ······ 780
モノアミン monoamine ······ 780
モノアミンオキシダーゼ阻害薬 monoamine oxidase inhibitor (MAOI) ······ 780
モノオキシゲナーゼ monooxygenases ······ 782
モノクローナル抗体 monoclonal antibody ······ 781
モノソミー monosomy ······ 782
モノニューロパシー mononeuropathy ······ 782
モノマー monomer ······ 782
モノマニー monomania ······ 782
ものもらい sty ······ 1150
モラル moral ······ 783
モラレー髄膜炎 Mollaret meningitis ······ 779
モリソー操作 Mauriceau maneuver ······ 737
モリブデンX線管 molybdenum target tube ······ 779
モリミナ molimen ······ 779
モリャック症候群 Mauriac syndrome ······ 737
モルガーニ腺 Morgagni glands ······ 784
モルガニー球 Morgagni globules ······ 784
モルガニー孔ヘルニア Morgagni foramen hernia ······ 784
モルガニー症候群 Morgagni syndrome ······ 784
モルガニー脱出症 Morgagni prolapse ······ 784
モルガニー白内障 Morgagni cataract ······ 784
モルガン morgan ······ 784
モル吸光係数 molar absorption coefficient (ε) ······ 778
モルグ morgue ······ 784
モル旋光度 molecular rotation ······ 779
モル濃度 molar ······ 778
モル濃度 molarity (M) ······ 778
モルヒネ morphine ······ 785
モルフィン morphine ······ 785
モレル耳 Morel ear ······ 784
モロニーウイルス Moloney virus ······ 779
モロニー試験 Moloney test ······ 779
門炎 hilitis ······ 563
〔侵入〕門戸 portal ······ 961
モンゴメリーテープ Montgomery tapes ······ 783
門細胞 hilus cells ······ 563
門小葉 portal lobule of liver ······ 961
問題志向型記録 problem-oriented medical record (POR, POMR) ······ 980
門調節説 gate-control theory ······ 491
モンディーニ型内耳異形成 Mondini dysplasia ······ 780
モンディーニ型難聴 Mondini hearing impairment ······ 780
モンデグリーン症候群 Mondegreen syndrome ······ 779
モンテジア骨折 Monteggia fracture ······ 783
モンテッジャ骨折 Monteggia fracture ······ 783
モンテビデオ単位 Montevideo unit ······ 783
モンドール病 Mondor disease ······ 780
モントゴメリー結節 Montgomery tubercles ······ 783
門脈 portal vein ······ 961
門脈 vena portae hepatis ······ 1266
門脈圧亢進〔症〕 portal hypertension ······ 961
門脈炎 pylephlebitis ······ 1009
門脈海綿状変化 cavernous transformation of portal vein ······ 212
門脈下垂体循環 portal hypophysial circulation ······ 961
門脈管 portal canals ······ 961
門脈系 portal system ······ 961
門脈血栓〔症〕 pylethrombosis ······ 1009
門脈撮影〔法〕 portography ······ 962
門脈三管 portal triad ······ 961
門脈周囲炎 peripylephlebitis ······ 918
門脈循環 portal circulation ······ 961
門脈造影〔法〕 portography ······ 962
門脈体循環性脳症 portal-systemic encephalopathy ······ 961
門脈大静脈シャント portacaval shunt ······ 961
門脈大静脈吻合〔術〕 portacaval shunt ······ 961
モンロー法則 Monro doctrine ······ 783

ヤ

ヤーガソンテスト Yergason test ······ 1299
ヤーヌスグリーンB Janus green B ······ 654
ヤーヌス体 janiceps ······ 654
ヤーネの溶血斑形成法 Jerne plaque assay ······ 655
ヤーンケ症候群 Jahnke syndrome ······ 654
ヤヴォルスキー〔小〕体 Jaworski bodies ······ 655
夜間遺尿症 nocturnal enuresis ······ 836
夜間視力 night vision ······ 833
夜間多尿〔症〕 nocturia ······ 836
夜間痛 nyctalgia ······ 846
夜間の酸素療法試験 nocturnal oxygen therapy trial (NOTT) 836
夜間頻尿〔症〕 nocturia ······ 836
夜間ミオクロ〔ー〕ヌス nocturnal myoclonus ······ 836
焼入れ quenching ······ 1016
ヤギ気管支声 egobronchophony ······ 380
ヤギ声 egophony ······ 380
野牛頸 buffalo neck ······ 182
野球指 baseball finger ······ 138
夜驚〔症〕 night terrors ······ 833
夜驚〔症〕 pavor nocturnus ······ 905
薬学 pharmacy ······ 925
薬学学士 Bachelor of Pharmacy (Phar.B.) ······ 129
薬学博士 Doctor of Pharmacy (Phar.D.) ······ 358
薬剤 drug ······ 364
薬剤 medication ······ 744
薬剤 medicine ······ 745
薬剤疫学 pharmacoepidemiology ······ 925
薬剤学 pharmaceutics ······ 924
薬剤技術師 pharmacy technician ······ 925
薬剤師 chemist ······ 228
薬剤師 pharmacist ······ 924
薬剤耐性 drug resistance ······ 365
薬剤抵抗性高血圧 drug-resistant hypertension ······ 365
薬剤溶出冠動脈ステント drug-eluting coronary stent ······ 364
薬剤利用審査 drug utilization review ······ 365
薬疹 drug eruption ······ 364
薬草 herb ······ 553
薬草風呂 herb bath ······ 553
薬草療法 herbal therapy ······ 553
薬品使用評価 drug use review ······ 365
薬物 medication ······ 744
薬物学 pharmacology ······ 925
薬物過剰摂取 drug overdose (OD) ······ 365
薬物間相互作用 drug interactions ······ 365
薬物経済学 pharmacoeconomics ······ 925
薬物血中濃度モニタリング therapeutic drug monitoring (TDM) ······ 1193
薬物診断学 pharmacodiagnosis ······ 924
薬物〔性〕じんま疹 urticaria medicamentosa ······ 1254
薬物性強直 drug tetanus ······ 365
薬物性口内炎 stomatitis medicamentosa ······ 1144

ヤ

薬物性痤瘡 acne medicamentosa 14
薬物〔性〕精神病 drug psychosis 365
薬物性脱毛〔症〕 alopecia medicamentosa 45
薬物速度論 pharmacokinetics 925
薬物適用 medication 744
薬物動態〔学〕 pharmacokinetics 925
薬物動態学 pharmakinetics 925
薬物動力学 pharmacokinetics 925
薬物〔性〕皮膚炎 dermatitis medicamentosa 333
薬物有害反応 adverse drug reaction (ADR) 31
薬物乱用 drug abuse 364
薬物療法 pharmacotherapy 925
薬名分量 inscription 626
薬用式重量 apothecaries' weight 90
薬理遺伝学 pharmacogenetics 925
薬理学 pharmacodynamics 924
薬理学 pharmacology 925
薬理学者 pharmacologist 925
薬力学 pharmacodynamics 924
薬理的ストレステスト pharmacologic stress test 925
薬量学 posology 962
役割 role 1060
役割演技〔法〕 role-playing 1060
ヤコブソン反射 Jacobson reflex 654
やせ emaciation 389
野生型 wild type 1291
薬局 pharmacy 925
薬局テクニシャン Certified Pharmacy Technician (CPhT) 223
薬局方 Pharmacopeia 925
〔薬〕局方注解 *Dispensatory* 354
薬局方のゲル pharmacopeial gel 925
やっとこ状爪 pincer nail 938
野兎病 tularemia 1237
野兎病菌 *Francisella tularensis* 474
柳葉刀 bistoury 157
夜尿〔症〕 bed-wetting 143
夜盲〔症〕 nyctalopia 846
ヤンカー吸引カテーテル Yankauer suction catheter 1299
ヤング-ヘルムホルツ色覚説 Young-Helmholtz theory of color vision 1300
ヤング率 Young modulus 1300
ヤンゼン手術 Jansen operation 654

ユ

ユーアルト徴候 Ewart sign 425
ユーアルト法 Ewart procedure 425
ユーイング腫〔瘍〕 Ewing tumor 425
ユーイング徴候 Ewing sign 425
USP 単位 USP unit 1254
U 字縫合 mattress suture 737
UDP グルコース-ヘキソース-1-ホスフェートウリジリルトランスフェラーゼ UDPglucose-hexose-1-phosphate uridylyltransferase 1243
U 波 U wave 1256
ユーリオン euryon 424
優位 dominance 359
有意運動性失行〔症〕 ideokinetic apraxia 601
優位性 preponderance 974
優位〔大脳〕半球 dominant hemisphere 359
誘引 attraction 117
優越感 superiority complex 1161
有縁性紅斑 erythema marginatum 416
融解 colliquation 262
融解 fusion 481
融解 liquefaction 704
融解 melt 750
融解 resolution 1041
融解曲線分析 melting-curve analysis 750
有害効果 noci-influence 836
融解剤 liquefacient 704
有害事象 adverse event 31
有害事不実行 nonmaleficence 838
有害反応 adverse reaction 31
有郭乳頭 vallate papilla 1258
有機栄養体 chemoorganotroph 228
有機化学 organic chemistry 867
有機化合物 organic compound 867
有機ゲル organogel 868
有気呼吸 aerobic respiration 32
有機酸 organic acid 867
有機食品 organic food 867
有機水銀化合物 organomercurial 868
有機体 organism 867
有機粉塵中毒症候群 organic dust toxic syndrome (ODTS) 867
優境学 euthenics 424
有棘細胞 prickle cell 977
有棘細胞 spur cell 1133
有棘細胞癌 squamous cell carcinoma 1133
有棘赤血球 acanthocyte 7
有棘赤血球増加〔症〕 acanthocytosis 7
〔表皮〕有棘層 stratum spinosum epidermidis 1145
有棘層肥厚 acanthosis 7
遊戯療法 play therapy 947
有機リン化合物 organophosphorous compounds 868
有機リン酸類 organophosphates 868
有茎皮弁 pedicle flap 907
融合 fusion 481
融合核 synkaryon 1172
有鉤鉗子 mouse-tooth forceps 787
有鉤鉗子 vulsella forceps 1283
有効結合線 effective conjugate 379
有鉤骨 hamate bone 530
融合歯 fused teeth 481
融合収縮 fusion beat 482
有鉤条虫 *Taenia solium* 1177
融合腎 fused kidney 481
有効腎血漿流量 effective renal plasma flow (ERPF) 379
有効腎血流量 effective renal blood flow (ERBF) 379
有効成分 active ingredient 19
有効成分 active principle 19
有効性保持能力 substantivity 1155
有鉤摂子 mouse-tooth forceps 787
有溝ゾンデ conductor 273
融合蛋白質 fusion protein 482
有効度 effectiveness 379
有効量 effective dose (ED) 379
融剤 flux 466
有資格産業看護師 Certified Occupational Health Nurse (COHN) 223
有軸皮弁 axial pattern flap 126
有糸分裂 mitosis 775
有糸〔核〕分裂像 mitotic figure 775
〔有糸〕分裂促進剤 mitogen 775
〔有糸分裂〕紡錘体 mitotic spindle 776
有糸分裂誘発 mitogenesis 775
疣腫 sycoma 1169
遊出 emigration 391
遊出 infiltration 620
遊出 transmigration 1220
有色細胞 chromocyte 240
有針毛虫 stinging caterpillar 1143
有髄化 myelination 803
有水晶体眼 phakic eye 924
優性 dominance 359
疣贅 verruca 1269
疣贅 verruga 1269
疣贅 wart 1286
優性遺伝 dominant inheritance 359
優性遺伝性視神経萎縮 dominant optic atrophy 359
雄性化 virilescence 1277
優生学 eugenics 423
優性形質 dominance of traits 359
優性形質 dominant character 359
優性形質 dominant trait 359
疣贅形成 vegetation 1264
疣贅状血管腫 verrucous hemangioma 1269
疣贅状母斑 verrucous nevus 1269

有性生殖 sexual reproduction ……1098
有性生殖 syngenesis ……1172
有性世代 sexual generation ……1098
優勢素質 dominant trait ……359
優勢な特性 dominant trait ……359
優先医療提供者機関 preferred provider organization (PPO) 972
優先診断ひな型 preferred practice pattern ……972
有窓 fenestration ……448
融像 fusion ……481
有窓鋭匙 curette ……305
遊走甲状腺腫 wandering goiter ……1285
遊走腎 floating kidney ……463
遊走性ペースメーカ wandering pacemaker ……1285
有窓胎盤 placenta fenestrata ……942
遊走脾 floating spleen ……463
有窓膜 fenestrated membrane ……448
有窓毛細血管 fenestrated capillary ……448
有足突起 podocyte ……952
誘致 induction ……615
融着 union ……1247
有痛〔性〕感覚消失 anesthesia dolorosa ……65
有痛弧徴候 painful arc sign ……885
〔有痛性〕陰核持続勃起〔症〕 clitorism ……251
〔有痛性〕持続勃起〔症〕 priapism ……977
有痛性排尿困難 strangury ……1145
有痛〔性〕知覚消失 anesthesia dolorosa ……65
有痛〔性〕知覚脱失 anesthesia dolorosa ……65
有痛〔性〕知覚麻痺 anesthesia dolorosa ……65
融点 melting point (Tm) ……750
誘導 derivation ……333
誘導 induction ……615
誘導イメージ療法 guided imagery ……521
誘導期 induction period ……616
誘導酵素 induced enzyme ……615
有頭骨 capitate bone ……196
誘導刺激 counterirritation ……292
誘導刺激薬 counterirritant ……292
誘導針 introducer ……643
誘導装置 guide ……521
誘導体 derivative ……333
誘導物質 inducer ……615
誘導物質 inductor ……616
有毒化学薬品 toxic chemical agent ……1212
有毒ガス damp ……316
〔有〕熱性痙攣 febrile convulsion ……446
誘発 induction ……615
誘発因子 inducer ……615
誘発活性 triggered activity ……1230
誘発眼振 postrotary nystagmus ……967
誘発耳音響放射 evoked otoacoustic emission ……425
〔一過性〕誘発耳音響放射 transient evoked otoacoustic emission ……1219
誘発反応 evoked response ……425
有病率 prevalence ……977
有病割合 prevalence ……977
有〔閾値〕物質 threshold substance ……1199
〔有〕毛細胞 hair cell ……529
有毛母斑 nevus pilosus ……831
幽門 pylorus ……1009
幽門括約筋 pyloric sphincter ……1009
幽門管 pyloric canal ……1009
幽門狭窄 pyloric constriction ……1009
幽門狭窄〔症〕 pyloric stenosis ……1009
幽門狭窄〔症〕 pyloristenosis ……1009
幽門筋層切開〔術〕 pyloromyotomy ……1009
幽門形成〔術〕 pyloroplasty ……1009
幽門痙攣〔症〕 pylorospasm ……1009
幽門口 pyloric orifice ……1009
幽門十二指腸炎 pyloroduodenitis ……1009
幽門切開〔術〕 pylorotomy ……1009
幽門切除〔術〕 pylorectomy ……1009
幽門腺 pyloric glands ……1009
幽門前静脈 prepyloric vein ……975
幽門造瘻術 pylorostomy ……1009
幽門洞 pyloric antrum ……1009
幽門洞十二指腸切除〔術〕 antroduodenectomy ……84
幽門洞切除〔術〕 antrectomy ……83
幽門フィステル形成〔術〕 pylorostomy ……1009
幽門輪温存膵〔頭〕十二指腸切除〔術〕 pylorus-preserving pancreaticoduodenectomy ……1009
遊離 disengagement ……353
遊離移植〔片〕 free graft ……475
遊離基 free radical ……475
遊離体 loose bodies ……710
遊離端ブリッジ cantilever bridge ……195
遊離皮弁 free flap ……475
遊離マクロファージ free macrophage ……475
優良乳児訪問 well-baby visit ……1288
幽霊細胞 ghost cell ……497
輸液 infusion ……623
ユガーレ jugale ……657
ゆがみ distortion ……356
ゆがみ収差 distortion aberration ……356
輸血 transfusion ……1219
輸血腎炎 transfusion nephritis ……1219
輸血治療 component therapy ……270
癒合 adhesion ……27
癒合 fusion ……481
癒合 knitting ……668
癒合 union ……1247
癒合骨盤 assimilation pelvis ……108
癒合不全 dysraphism ……372
癒合不全 faulty union ……446
揺さぶられっ子症候群 shaken baby syndrome (SBS) ……1098
油酸剤 oleate ……855
輸出管 efferent vessel ……379
輸出リンパ管 efferent vessel ……379
輸精索 seminiferous cords ……1090
油性脂漏〔症〕 seborrhea oleosa ……1083
油性停留浣腸 oil retention enema ……855
輸送 transport ……1220
癒着 adhesion ……27
癒着 concrescence ……272
癒着 conglutination ……277
癒着性炎〔症〕 adhesive inflammation ……27
癒着性関節包炎 adhesive capsulitis ……27
癒着性心膜炎 adhesive pericarditis ……27
癒着性中耳炎 adhesive otitis ……27
癒着性脳ヘルニア synencephalocele ……1172
癒着性腹膜炎 adhesive peritonitis ……27
癒着切断 adhesiolysis ……27
癒着切離 adhesiolysis ……27
癒着切離〔術〕 adhesiotomy ……27
癒着胎盤 placenta accreta ……942
癒着短指症 symbrachydactyly ……1169
癒着〔性〕腟炎 adhesive vaginitis ……27
癒着剥離〔術〕 adhesiotomy ……27
癒着剥離 lysis of adhesions ……721
癒着剥離〔術〕 synechiotomy ……1172
ユニバーサルカフ universal cuff ……1248
ユニバーサルキュレット universal curette ……1248
ユニバーサル歯式 universal dental nomenclature ……1248
輸入管 afferent vessel ……33
輸入リンパ管 afferent lymphatic ……33
指 digit ……347
指 finger ……456
指あんま pointillage ……952
ユビキチン ubiquitin ……1243
ユビキチン-プロテアーゼ経路 ubiquitin-protease pathway ……1243
ユビキノール ubiquinol (QH_2) ……1243
ユビキノン ubiquinone ……1243
指欠損症 dactylolysis ……315
ユビテックッス 2B uvitex 2B ……1256
指の永久屈曲 dactylocampsis ……315
指の滑膜鞘 synovial sheaths of fingers ……1173
指の〔屈曲〕ひだ digital crease ……347
指鼻試験 finger-nose test ……457
指皮膚肥厚〔症〕 pachydermodactyly ……883
指指試験 finger-to-finger test ……457
指彎曲〔症〕 dactylogryposis ……315
弓なり緊張 opisthotonos ……863
夢解釈診断法 oneiroscopy ……859

ゆらぎ wobble …… 1292
ゆるみの肢位 loose-packed position …… 710
ユング派精神分析〔学〕 jungian psychoanalysis …… 658

ヨ

癰 carbuncle …… 199
陽圧換気 positive pressure ventilation (PPV) …… 962
陽イオン cation …… 210
陽イオン交換 cation exchange …… 210
陽イオン交換樹脂 cation-exchange resin …… 210
養育 nursing …… 844
要因 factor …… 439
陽陰圧呼吸 positive-negative pressure breathing …… 962
要因分析 factorial experiments …… 440
溶液 liquor …… 705
溶液 solution …… 1115
葉炎 lobitis …… 707
葉黄素 xanthophyll …… 1296
溶解 decomposition …… 320
〔細胞〕溶解〔現象〕 lysis …… 721
溶解産物 lysate …… 721
溶解素 lysin …… 721
溶解素原 lysinogen …… 721
溶解度 solubility …… 1115
溶解度試験 solubility test …… 1115
ヨウ化物 iodide …… 644
葉間炎 interlobitis …… 632
葉間胸膜炎 interlobular pleurisy …… 632
葉間導管 interlobar duct …… 632
葉間動脈 interlobular arteries …… 632
容器 case …… 207
容器 cell …… 214
要求量 demand …… 326
陽極 anode …… 72
葉切り〔術〕 lobotomy …… 707
溶菌 bacteriolysis …… 131
溶菌作用 bacteriolysis …… 131
溶菌素 bacteriolysin …… 131
溶菌素酵素 lysokinase …… 721
腰筋膿瘍 psoas abscess …… 997
溶菌反応 bacteriolysis …… 131
溶菌性〔バクテリオ〕ファージ virulent bacteriophage …… 1277
溶血 hemolysis …… 547
溶血〔反応〕 hemolysis …… 547
溶血 lake …… 675
溶血 lysemia …… 721
溶血血液 hemolysate …… 547
溶血性黄疸 hemolytic jaundice …… 547
溶血性巨脾〔症〕 hemolytic splenomegaly …… 547
溶血性尿毒症症候群 hemolytic uremic syndrome …… 547
溶血性貧血 hemolytic anemia …… 547
溶血素 hemolysin …… 547
溶血素原 hemolysinogen …… 547
溶血素単位 hemolysin unit …… 547
溶血単位 hemolysin unit …… 547
溶原 lysogen …… 721
溶原菌 lysogenic bacterium …… 721
溶原性 lysogenicity …… 721
溶原性 lysogeny …… 721
溶剤 solvent …… 1115
葉酸 folic acid …… 467
腰三角 inferior lumbar triangle …… 619
腰三角 lumbar triangle …… 713
葉酸拮抗薬 folic acid antagonist …… 467
陽子 proton …… 991
様式 form …… 471
様式 method …… 764
幼児自閉〔症〕 infantile autism …… 616
溶質 solute …… 1115
陽子密度強調 proton-density weighting …… 991
養子免疫療法 adoptive immunotherapy …… 28
幼若化 blastogenesis …… 160
幼若型骨盤 juvenile pelvis …… 658
幼若血球 neocyte …… 818
幼若白血球増加〔症〕 hyperneocytosis …… 586
用手呼吸 manual ventilation …… 731
溶出 elution …… 388
溶出液 eluate …… 388
溶出剤 eluent …… 388
癰症 carbunculosis …… 199
養生 regimen …… 1034
葉状性 thallic …… 1192
葉状体 thallus …… 1192
葉状乳頭 foliate papillae …… 467
養生法 regimen …… 1034
腰静脈 lumbar vein …… 713
痒疹 prurigo …… 992
腰神経 lumbar nerves [L1-L5] …… 713
腰神経節 lumbar ganglia …… 713
腰神経叢 lumbar plexus …… 713
羊水 amnionic fluid …… 55
羊水過少 anhydramnios …… 70
羊水過少〔症〕 oligoamnios …… 856
羊水過少〔症〕 oligohydramnios …… 856
羊水過多〔症〕 hydramnios …… 577
羊水過多〔症〕 polyhydramnios …… 956
羊水吸引 meconium aspiration …… 741
羊水鏡 amnioscope …… 55
羊水鏡〔検査〕法 amnioscopy …… 55
羊水腔 amnionic cavity …… 55
羊水指数 amnionic fluid index …… 55
羊水症候群 amnionic fluid syndrome …… 55
羊水穿刺 amniocentesis …… 55
羊水塞栓症 amnionic fluid embolism …… 55
羊水補充療法 amnioinfusion …… 55
羊水漏 amniorrhea …… 55
幼生 larva …… 679
妖精症 leprechaunism …… 690
陽性症状 positive symptom …… 962
陽性染色〔法〕 positive stain …… 962
陽性像 hot nodule …… 572
陽性的中率 positive predictive value …… 962
容積 volume (V, V) …… 1282
容積指数 volume index …… 1282
溶石薬 lithotriptic …… 706
葉切除〔術〕 lobectomy …… 707
葉切断〔術〕 lobotomy …… 707
腰前弯 lumbar lordosis …… 713
要素 element …… 387
要素 factor …… 439
要素学 stoichiology …… 1143
ヨウ素還元滴定 iodometry …… 645
要素幻聴 acousma …… 14
ヨウ素親和体 iodinophil …… 645
ヨウ素(^{131}I)摂取試験 ^{131}I uptake test …… 653
ヨウ素中毒 iodism …… 645
ヨウ素滴定 iodometry …… 645
ヨウ素添加塩 iodized salt …… 645
ヨウ素尿症 ioduria …… 645
ヨウ素(^{125}I)標識血清アルブミン iodinated ^{125}I serum albumin …… 645
溶体 solution …… 1115
幼ダニ larva …… 679
幼稚症 infantilism …… 617
幼虫 larva …… 679
幼虫移行症 larva migrans …… 679
幼虫撲滅薬 larvicide …… 679
腰腸肋筋 iliocostalis lumborum muscle …… 604
腰腸肋筋 lumbar iliocostal muscle …… 713
腰椎 lumbar vertebrae [L1-L5] …… 713
腰椎化 lumbarization …… 713
腰椎穿刺 lumbar puncture …… 713
腰椎前弯 lumbar flexure …… 713
腰痛〔症〕 lumbago …… 713
葉摘〔手術〕 lobectomy …… 707
陽電子 positron (β^+) …… 962
陽電子断層撮影法 positron emission tomography (PET) …… 962

揺動 titubation 1207
腰動脈 lumbar artery 713
ヨード欠乏症 iodine deficiency disorder 645
ヨード好性 iodophilia 645
ヨード痤瘡 iodide acne 644
ヨード親和性 iodophilia 645
ヨード性皮疹 iododerma 645
ヨード染色〔法〕 iodine stain 645
ヨード中毒 iodism 645
ヨードバセドウ病 Jod-Basedow phenomenon 656
ヨードフォア iodophor 645
ヨードプシン iodopsin 645
ヨードホルムガーゼ iodoform gauze 645
ヨードメトリー iodometry 645
ヨード療法 iodotherapy 645
腰内臓神経 lumbar splanchnic nerves 713
溶媒 solvent 1115
用品 armamentarium 95
腰部前凸弯曲 lumbar lordosis 713
〔栄〕養分 nutrient 845
腰ヘルニア lumbar hernia 713
揺変性 thixotropy 1196
容貌 aspect 107
腰方形筋 quadratus lumborum muscle 1014
用法指示 signature 1105
羊膜 amnion 55
羊膜 bag of waters 132
羊膜炎 amnionitis 55
羊膜形成 amniogenesis 55
羊膜鉤 amniohook 55
羊膜腫 amnioma 55
羊膜切開〔術〕 amniotomy 55
羊膜切開器 amniotome 55
羊膜帯 amnionic band 55
羊膜破裂 amniorrhexis 55
羊毛脂 adeps lanae 26
羊毛脂 lanolin 677
羊毛脂 yolk 1300
ヨーヨーダイエット yo-yo diet 1300
溶離 elution 388
溶離液 eluate 388
溶離液 eluent 388
容量 capacity 196
容量 content 280
〔服〕用量 dose 362
容量 load 706
容量液 volumetric solution (VS) 1282
容量オスモル濃度 osmolarity 871
容量型人工呼吸器 volume ventilator 1282
用量決定 dosage 361
用量作用関係 dose-response relationship 362
容量分析 volumetric analysis 1282
葉緑素 chlorophyll 232
腰リンパ管叢 lumbar plexus 713
腰肋 lumbar rib 713
腰肋三角 vertebrocostal trigone 1271
腰肋靱帯 lumbocostal ligament 713
腰肋腹三角 lumbocostoabdominal triangle 713
ヨカスタ・コンプレックス Jocasta complex 656
予期 anticipation 79
善きサマリア人の法 Good Samaritan legislation 512
予期的行動 anticipatory behavior 79
翼 ala 38
抑圧 repression 1039
抑圧 suppression 1163
抑圧遺伝子〔突然〕変異 suppressor mutation 1164
抑うつ blues 164
抑うつ〔症〕 depression 332
翼口蓋神経 nervi pterygopalatini 821
翼口蓋神経節 pterygopalatine ganglion 1000
抑止 suppression 1163
抑止テスト break test 173
翼状頸 webbed neck 1287
翼状肩甲〔骨〕〔症〕 winged scapula 1292
翼状針 butterfly needle 186
翼状注入キット winged infusion kit 1292
翼状突起 pterygoid process 1000
翼状片 pterygium 1000
抑制 inhibition 624
抑制 repression 1039
抑制 restraint 1043
抑制遺伝子 repressor gene 1039
抑制因子 inhibitor 624
抑制解除 derepression 332
抑制酵素 repressible enzyme 1039
抑制〔因〕子 repressor 1039
抑制弱視 suppression amblyopia 1164
抑制神経 inhibitor 624
抑制神経 inhibitory nerve 624
抑制性シナプス後電位 inhibitory postsynaptic potential 624
抑制〔性〕線維 inhibitory fibers 624
抑制体 inhibitor 624
抑制的強迫観念 inhibitory obsession 624
抑制物質 inhibitor 624
抑制薬 depressant 332
抑制薬 depressor 332
抑制薬 inhibitor 624
翼付カテーテル winged catheter 1292
欲動 drive 364
翼突管 pterygoid canal 1000
翼突管静脈 vein of pterygoid canal 1265
翼突管神経 nerve of pterygoid canal 821
翼突管動脈 artery of pterygoid canal 102
翼突筋神経 pterygoid nerve 1000
翼突硬膜動脈 pterygomeningeal artery 1000
〔神経管の〕翼板 alar lamina of neural tube 38
〔神経管の〕翼板 alar plate of neural tube 38
欲望欠如 inappetence 611
浴療学 balneology 134
浴療療法 balneotherapy 134
予後 prognosis 983
横緩和 transverse relaxation 1222
予後診断医 prognostician 983
予後徴候 prognostic 983
横つまみ lateral pinch 683
よこね bubo 181
よごれ細胞 smudge cells 1112
四次的爆風損傷 quaternary blast injury 1016
予成ぞうげ質 predentin 971
よせ運動 vergence 1269
予測価 predictive value 972
予知 precognition 971
よちよち歩き骨折 toddler's fracture 1207
四日熱〔マラリア〕 malariae malaria 726
四日熱マラリア原虫 *Plasmodium malariae* 945
欲求 appetite 91
欲求 drive 364
欲求 impulse 610
欲求不満 frustration 478
4つ組 tetrad 1191
四つ児 quadruplet 1015
予定日超過妊娠 postdate pregnancy 963
夜なき pavor nocturnus 905
予備 reserve 1040
予備吸気量 inspiratory reserve volume (IRV) 627
予備呼気量 expiratory reserve volume (ERV) 430
予備力 reserve force 1040
予防〔法〕 prophylaxis 987
予防医学 preventive medicine 977
予防看護 preventive nursing 977
予防原則 Universal Precautions 1248
予防歯〔科〕学 preventive dentistry 977
予防的治療 prophylactic treatment 987
予防薬 prophylactic 986
予防療法 prophylactic treatment 987
読み書き能力 literacy 705
読み過ごし readthrough 1027
読み分け困難 crowding phenomenon 300
ヨルケ自己溶解反応 Yorke autolytic reaction 1300
よろめき titubation 1207
四塩基の quadribasic 1014
四価元素 tetrad 1191

IV 型家族性高リポ蛋白血〔症〕 type IV familial hyperlipoproteinemia ……1241
四段脈 quadrigeminal rhythm ……1015
四点歩行 four-point gait ……472
IV 度星状細胞腫 grade IV astrocytoma ……513
四倍体 tetraploid ……1191
四分子 tetrad ……1191
四連脈 quadrigeminal rhythm ……1015

ラ

らい〔病〕 leprosy ……690
ライアン染色〔法〕 Ryan stain ……1065
ライオニゼーション lyonization ……720
らい隔離病院 leprosarium ……690
らい患者 leper ……690
癲癇発作 fit ……458
らい球 globi ……501
らい菌 *Mycobacterium leprae* ……802
ライサイセン筋 Reisseisen muscles ……1035
らい腫 leproma ……690
ライシュ管 Ruysch tube ……1065
らい腫らい lepromatous leprosy ……690
ライ症候群 Reye syndrome ……1049
らい疹 leprid ……690
ライス-ビュックラース角膜ジストロフィ Reis-Bücklers corneal dystrophy ……1035
ライソザイム lysozyme ……721
ライソソーム lysosome ……721
ライソソーム病 lysosomal disease ……721
ライター症候群 Reiter syndrome ……1035
ライディール-ウォーカー係数 Rideal-Walker coefficient ……1055
ライディヒ細胞 Leydig cells ……696
ライディヒ細胞機能低下〔症〕 hypoleydigism ……594
ライディヒ細胞腫〔瘍〕 Leydig cell tumor ……696
ライデン神経炎 Leyden neuritis ……696
ライト回転〔術〕 Wright version ……1294
ライトグリーントップチューブ light green-top tube ……700
ライト脂肪量 light fat (lite) ……700
ライト染料 Wright stain ……1294
ライトブルートップチューブ light blue-top tube ……699
ライノウイルス Rhinovirus ……1052
ライフェンスタイン症候群 Reifenstein syndrome ……1035
ライフスタイル lifestyle ……697
ライヘルト軟骨 Reichert cartilage ……1035
ライヘル-ポーリャ胃手術 Reichel-Pólya stomach procedure 1035
ライム果 lime ……700
ライム関節炎 Lyme arthritis ……717
ライム病 Lyme disease ……717
雷鳴恐怖〔症〕 brontophobia ……179
雷鳴頭痛 thunderclap headache ……1201
ライル管 Ryle tube ……1065
ラインケ腔 Reinke space ……1035
ラヴィボンド角 Lovibond angle ……711
ラウス関連ウイルス Rous-associated virus (RAV) ……1062
ラウス肉腫ウイルス Rous sarcoma virus (RSV) ……1062
ラウラー管 Laurer canal ……684
ラウルの法則 Raoult law ……1024
ラーソン-ヨハンソン病 Larson-Johansson disease ……679
ラエネック肝硬変 Laënnec cirrhosis ……675
ラ音 rale ……1022
ラ音 rhonchus ……1053
ラ音振とう音 rhonchal fremitus ……1053
ラクヴェアーのアルコール性ヒアリン染色〔法〕 laquer stain for alcoholic hyalin ……679
ラクーン眼 raccoon eyes ……1017
酪酸 butyric acid ……186
烙刺法 ignipuncture ……603
落屑 desquamation ……337
落屑 exfoliation ……427
落屑性紅皮症 erythroderma desquamativum ……417
ラクターゼ lactase ……674
ラクタム lactam ……674
ラクトアシドーシス lactacidosis ……674
ラクトース lactose ……675
ラクトグロブリン lactoglobulin ……674
ラクトゲン lactogen ……674
ラクトフェノール-コットンブルー染色 lactophenol cotton blue stain ……675
ラクトフェリン lactoferrin ……674
ラクトン lactone ……674
酪農・卵・菜食主義者 lacto-ovovegetarian ……675
落陽現象 setting sun sign ……1097
落葉状天疱瘡 pemphigus foliaceus ……909
ラケット形切断〔術〕 racket amputation ……1017
ラジアン radian (rad) ……1018
ラジオアイソトープ radioactive isotope ……1020
ラジオアイソトープ radioisotope ……1021
ラジオイムノアッセイ radioimmunoassay (RIA) ……1020
ラジオカルジオグラム radiocardiogram ……1020
ラジオ〔無線〕周波 radiofrequency ……1020
ラジオテルミー radiothermy ……1022
ラジオメータ radiometer ……1021
ラジカル radical ……1019
裸出 denudation ……330
ラステリー手術 Rastelli operation ……1025
ラスト〔法〕 radioallergosorbent test (RAST) ……1020
ラスムッセン動脈瘤 Rasmussen aneurysm ……1025
ラスムッセン脳炎 Rasmussen encephalitis ……1025
ラゼーグ症候群 Lasègue syndrome ……680
ラゼーグ徴候 Lasègue sign ……680
ラセマーゼ racemase ……1017
ラセミ化 racemization ……1017
ラセミ化合物 racemate ……1017
ラセミ体 raceme ……1017
らせん helix ……539
らせん whorl ……1291
らせん関節 cochlear joint ……257
らせん器 spiral organ ……1127
らせん骨折 spiral fracture ……1127
らせん神経節 spiral ganglion of cochlea ……1127
らせん体 spiral ……1126
〔胆嚢管〕らせんひだ spiral fold of cystic duct ……1126
らせん包帯 spiral bandage ……1126
ラチリスム lathyrism ……684
ラックマン試験 Lachman test ……673
ラッコ帝王切開〔術〕 Latzko cesarean section ……684
ラッサ熱 Lassa fever ……681
ラッシュカゼイン血清水解物培地 Lash casein hydrolysate-serum medium ……681
ラッシュ手術 Lash operation ……681
ラッセルクサリヘビ毒 Russell viper venom ……1065
ラッセルクサリヘビ毒凝固時間 Russell viper venom clotting time ……1065
ラッセル牽引 Russell traction ……1065
ラッセル蛇毒 Russell viper venom ……1065
ラッセル症候群 Russell syndrome ……1065
ラッセル〔小〕体 Russell bodies ……1065
ラッセル徴候 Russell sign ……1065
ラッセルペリオドンタルインデックス Russell Periodontal Index ……1065
ラッド手術 Ladd operation ……675
ラッド帯 Ladd band ……675
ラディノウイルス Rhadinovirus ……1050
ラテックス latex ……684
ラテックスアレルギー latex allergy ……684
ラテックス過敏症 latex sensitivity ……684
ラテロトルージョン laterotrusion ……684
ラド rad ……1017
ラトケ裂溝嚢胞 Rathke cleft cyst ……1025
ラド症候群 Rud syndrome ……1063
ラヌラ ranula ……1024
ラノリン lanolin ……677
ラバーショッド鉗子 rubber-shod clamp ……1063
ラパロスコピー laparoscopy ……678
ラピックの法則 Lapicque law ……678
ラフォラ〔小〕体 Lafora body ……675
ラフト過マンガン酸カリウム固定液 Luft potassium

permanganate fixative ……… 712
ラプラース鉗子 Laplace forceps ……… 678
ラプラースの法則 Laplace law ……… 678
ラベンダートップチューブ lavender-top tube ……… 684
ラポール rapport ……… 1025
ラポポート試験 Rapoport test ……… 1025
ラポポルト-ロイベリングシャント(短絡) Rapoport-Leubering shunt ……… 1021
ラマーズ法 Lamaze method ……… 675
ラムダ〔状〕縫合 lambdoid suture ……… 676
ラムヒョード指標歯 Ramfjord Index Teeth ……… 1022
ラムルス ramulus ……… 1023
ラメラ lamella ……… 676
ラメリポディウム lamellipodium ……… 676
ラレー切断術 Larrey amputation ……… 679
ラ・レーチェ・リーグ La Leche League International (LLLI) ……… 675
ラロキシフェン raloxifene ……… 1022
ラロケジア lalochezia ……… 675
ラロワイエーヌ手術 Laroyenne operation ……… 679
ラロン型小人症 Laron-type dwarfism ……… 679
卵 egg ……… 379
卵 ovule ……… 879
ランヴィエ絞輪 Ranvier node ……… 1024
卵円窩 fossa ovalis ……… 472
卵円孔 foramen ovale ……… 469
卵円状切断〔術〕 oval amputation ……… 878
卵円窓前小裂 fissula ante fenestram ……… 458
卵黄 vitellus ……… 1280
卵黄 yolk ……… 1300
卵黄極 vitelline pole ……… 1280
卵黄茎 yolk stalk ……… 1300
卵黄質 deutoplasm ……… 338
卵黄嚢 yolk sac ……… 1300
卵黄嚢性嚢胞 vitellointestinal cyst ……… 1280
卵黄胚 lecithoblast ……… 686
卵黄膜 yolk membrane ……… 1300
卵黄様網膜変性 vitelliform retinal dystrophy ……… 1280
卵殻状石灰化 eggshell calcification ……… 380
ランカスター赤緑試験 Lancaster red-green test ……… 677
卵割 cleavage ……… 249
卵割 cleavage division ……… 249
卵割球 blastomere ……… 160
卵管 uterine tube ……… 1255
卵管炎 salpingitis ……… 1069
卵管開口術 salpingoneostomy ……… 1069
卵管開口術 salpingostomy ……… 1069
卵管外膜 perisalpinx ……… 918
卵管外膜炎 perisalpingitis ……… 918
〔卵管〕間質妊娠 interstitial pregnancy ……… 638
卵管間膜 mesosalpinx ……… 758
卵管鏡 salpingoscope ……… 1069
卵管筋層 myosalpinx ……… 808
卵管形成〔術〕 salpingoplasty ……… 1069
卵管結紮 tubal ligation ……… 1235
卵管血腫 hematosalpinx ……… 542
卵管固定〔術〕 salpingopexy ……… 1069
卵管采 fimbriae of uterine tube ……… 456
卵管采ヘルニア fimbriocele ……… 456
卵管撮影〔法〕 salpingography ……… 1069
卵管子宮口 uterine ostium of uterine tubes ……… 1254
卵管周囲炎 perisalpingitis ……… 918
卵管切開〔術〕 salpingotomy ……… 1069
卵管切除〔術〕 tubectomy ……… 1235
卵管造影〔法〕 salpingography ……… 1069
卵管通水法 hydrotubation ……… 580
卵管摘除〔術〕 salpingectomy ……… 1069
卵管内配偶子移植法 gamete intrafallopian transfer (GIFT) … 484
卵管内膜炎 endosalpingitis ……… 398
卵管妊娠 tubal pregnancy ……… 1235
卵管膿気腫 physopyosalpinx ……… 935
卵管剥離〔術〕 salpingolysis ……… 1069
卵管腹腔口 abdominal ostium of uterine tube ……… 2
卵管腹腔妊娠 tuboabdominal pregnancy ……… 1236
卵管腹膜炎 salpingoperitonitis ……… 1069
卵管ヘルニア salpingocele ……… 1069
卵管縫合〔術〕 salpingorrhaphy ……… 1069
卵管膨大部 ampulla of uterine tube ……… 57
卵管卵巣炎 salpingo-oophoritis ……… 1069
卵管卵巣摘出〔術〕 salpingo-oophorectomy ……… 1069
卵管卵巣摘除〔術〕 salpingo-oophorectomy ……… 1069
卵管卵巣妊娠 tuboovarian pregnancy ……… 1236
卵管卵巣膿瘍 tuboovarian abscess ……… 1236
卵管卵巣ヘルニア salpingo-oophorocele ……… 1069
卵管留血症 hematosalpinx ……… 542
卵管留水症 hydrosalpinx ……… 580
卵管留膿症 pyosalpinx ……… 1011
卵管漏斗 infundibulum of uterine tube ……… 622
ランキン鉗子 Rankin clamp ……… 1024
ラングハンス細胞 Langhans cells ……… 677
卵形嚢 utricle ……… 1255
卵形嚢 utriculus ……… 1255
卵形嚢炎 utriculitis ……… 1255
卵形嚢神経 utricular nerve ……… 1255
卵形嚢斑 macula of utricle ……… 724
卵形嚢膨大部神経 utriculoampullar nerve ……… 1255
卵形マラリア原虫 *Plasmodium ovale* ……… 945
ランゲルハンス細胞 Langerhans cells ……… 677
ランゲルハンス細胞組織球増殖症 Langerhans cell histiocytosis ……… 677
ランゲルハンス島 islets of Langerhans ……… 649
ランゲルハンス島細胞腫瘍 islet cell tumor ……… 649
卵原細胞 oogonium ……… 860
ランゲンドルフ法 Langendorff method ……… 677
ランゲンベック三角 Langenbeck triangle ……… 677
卵細胞 oocyte ……… 860
卵細胞膜 oolemma ……… 860
乱視 astigmatism ……… 110
卵子 egg ……… 379
卵子 ovum ……… 879
乱刺〔法〕 scarification ……… 1075
卵子形成 oogenesis ……… 860
乱視測定〔法〕 astigmatometry ……… 110
卵〔細胞〕質 ooplasm ……… 861
卵子発生 oogenesis ……… 860
卵子分裂 ookinesis ……… 860
藍色細菌 blue-green bacteria ……… 164
濫書症 graphorrhea ……… 516
ランスフィールド分類〔法〕 Lancefield classification ……… 677
藍青 blue ……… 164
乱切〔法〕 scarification ……… 1075
乱切器 scarificator ……… 1075
ランセット lancet ……… 677
乱切刀 lancet ……… 677
卵巣 ovarium ……… 878
卵巣 ovary ……… 878
卵巣炎 oophoritis ……… 860
卵巣窩 ovarian fossa ……… 878
卵巣癌 ovarian cancer ……… 878
卵巣間膜 mesovarium ……… 759
卵巣機能亢進〔症〕 hyperovarianism ……… 587
卵巣形成〔術〕 oophoroplasty ……… 861
卵巣睾丸 ovotestis ……… 879
卵巣甲状腺腫 struma ovarii ……… 1149
卵巣固定〔術〕 oophoropexy ……… 861
卵巣周囲炎 perioophoritis ……… 917
卵巣周期 ovarian cycle ……… 878
卵巣上体胞状垂 vesicular appendage of epoophoron ……… 1272
卵巣精巣 ovotestis ……… 879
卵巣切開〔術〕 ovariotomy ……… 878
卵巣切除 spay ……… 1119
卵巣穿刺〔術〕 ovariocentesis ……… 878
卵巣造瘻術 ovariostomy ……… 878
〔卵巣〕男性胚〔細胞〕腫 arrhenoblastoma ……… 96
〔卵巣〕男性胚〔細胞〕腫 gynandroblastoma ……… 523
卵巣痛 oophoralgia ……… 860
卵巣痛 ovarialgia ……… 878
卵巣提索 suspensory ligament of ovary ……… 1167
卵巣摘出〔術〕 ovariectomy ……… 878
卵巣動脈 ovarian artery ……… 878
卵巣妊娠 ovarian pregnancy ……… 878
卵巣膿 pyoovarium ……… 1010

ラ

卵巣嚢腫 ovarian cyst ……… 878
卵巣嚢腫形成 oophorocystosis ……… 860
卵巣嚢腫切除〔術〕 oophorocystectomy ……… 860
卵巣嚢胞 ovarian cyst ……… 878
卵巣破裂 ovariorrhexis ……… 878
卵巣皮質 cortex of ovary ……… 289
卵巣ヘルニア ovariocele ……… 878
卵巣傍体 paroophoron ……… 900
卵巣網 rete ovarii ……… 1044
藍藻様小体 cyanobacteriumlike bodies ……… 307
卵巣卵管炎 oophorosalpingitis ……… 861
卵巣卵管炎 ovariosalpingitis ……… 878
卵巣卵管周囲炎 perioophorosalpingitis ……… 917
卵巣卵管摘除〔術〕 oophorosalpingectomy ……… 861
卵巣卵管摘除〔術〕 ovariosalpingectomy ……… 878
卵巣瘤 ovariocele ……… 878
卵巣留水症 hydrovarium ……… 580
ランソホフ徴候 Ransohoff sign ……… 1024
ランタニド lanthanides ……… 677
ランダム化 randomization ……… 1024
ランダム増幅多型 DNA random amplified polymorphic DNA (RAPD) ……… 1024
ランダム抽出 random sampling ……… 1024
ランダム排泄標本 random voided specimen ……… 1024
ランダル斑 Randall plaques ……… 1024
ランチージ徴候 Lancisi sign ……… 677
ランチョロサンゼルス友達レベル認知機能尺度 Rancho Los Amigos Levels of Cognitive Functioning Scale ……… 1024
ランドウ反射 Landau reflex ……… 677
ランドー-クレッフナー症候群 Landau-Kleffner syndrome ……… 677
ランド・ブローダー図表 Lund-Browder chart ……… 714
ランドルフィ徴候 Landolfi sign ……… 677
ランナーズハイ runner's high ……… 1064
ランナーズ膝 runner's knee ……… 1064
ランナー膀胱 runner's bladder ……… 1064
ランナウェイペースメーカ runaway pacemaker ……… 1064
ランバートの法則 Lambert law ……… 676
卵白アルブミン ovalbumin ……… 878
ランブールの過ヨウ素酸-クロムメテナミン-銀染色〔法〕 Rambourg periodic acid-chromic methenamine-silver stain 1022
ランブールのクロム酸-リンタングステン酸染色〔法〕 Rambourg chromic acid-phosphotungstic acid stain ……… 1022
ランブリヌーディ手術 Lambrinudi operation ……… 676
ランブル鞭毛虫症 giardiasis ……… 498
ランベール縫合 Lembert suture ……… 689
ランペクトミー lumpectomy ……… 714
卵片発生 merogony ……… 755
卵胞 ovarian follicle ……… 878
卵胞莢膜増殖〔症〕 hyperthecosis ……… 589
卵胞刺激ホルモン follicle-stimulating hormone ……… 468
卵胞ホルモン estrogen ……… 421
卵胞膜 theca folliculi ……… 1192
卵胞裂孔 follicular stigma ……… 468
卵膜 egg membrane ……… 380
卵膜 velamen ……… 1265
卵膜剥離 membrane stripping ……… 750
乱用 abuse ……… 6
乱流 turbulent flow ……… 1238

リ

リアーゼ lyase ……… 717
リアクタンス reactance (X) ……… 1026
リア〔ー〕・コンプレックス Lear complex ……… 685
リアノジン受容体 ryanodine receptor ……… 1065
リアル分類 REAL classification ……… 1027
リヴァーズカクテル Rivers cocktail ……… 1058
リヴィヌス管 Rivinus canals ……… 1058
リウマチ rheumatism ……… 1050
リウマチ因子 rheumatoid factors ……… 1051
リウマチ〔病〕学 rheumatology ……… 1051
リウマチ学者 rheumatologist ……… 1051
〔関節〕リウマチ小〔結〕節 rheumatoid nodules ……… 1051
リウマチ疹 rheumatid ……… 1050
リウマチ〔性〕心疾患 rheumatic heart disease ……… 1050
リウマチ性心内膜炎 rheumatic endocarditis ……… 1050
リウマチ性動脈炎 rheumatic arteritis ……… 1050
リウマチ熱 rheumatic fever ……… 1050
リウマチ肺炎 rheumatic pneumonia ……… 1050
離液 syneresis ……… 1172
リエントリー reentry ……… 1032
リエントリー機構 reentrant mechanism ……… 1032
リーガー症候群 Rieger syndrome ……… 1056
リーガ-フェーデ病 Riga-Fede disease ……… 1056
リーゲル脈 Riegel pulse ……… 1056
リーシス lysis ……… 721
リーシュマニア leishmania ……… 688
リーシュマニア症 leishmaniasis ……… 688
リーシュマン染色〔法〕 Leishman stain ……… 689
リーシュマン-ドノヴァン〔小〕体 Leishman-Donovan body ……… 688
リース撮影法 Rhese projection ……… 1050
リーダー細胞 Rieder cells ……… 1056
リーダー細胞性白血病 Rieder cell leukemia ……… 1055
リーダーリンパ球 Rieder lymphocyte ……… 1056
リーデル甲状腺炎 Riedel thyroiditis ……… 1055
リード基線 Reid base line ……… 1035
リード-スターンバーグ細胞 Reed-Sternberg cell ……… 1032
リード-フロストモデル Reed-Frost model ……… 1032
リービッヒ説 Liebig theory ……… 697
リー病 Leigh disease ……… 688
リーベルマイスターの法則 Liebermeister rule ……… 697
リーボウの通常型間質性肺炎 usual interstitial pneumonia of Liebow ……… 1254
リーマー reamer ……… 1027
リール黒皮症 Riehl melanosis ……… 1056
リールメラノーシス Riehl melanosis ……… 1056
リガーゼ ligase ……… 699
リガーゼ連鎖反応 ligase chain reaction ……… 699
リカート尺度 Likert scale ……… 700
離解 ablation ……… 4
離開 dehiscence ……… 323
〔縫合〕離開 diastasis ……… 343
離解 disaggregation ……… 351
理学的アレルギー physical allergy ……… 934
理学的診断 physical diagnosis ……… 934
理学的徴候 physical sign ……… 934
理学療法 physical therapy (PT) ……… 934
理学療法 physiotherapy ……… 935
理学療法アシスタント physical therapist assistant (PTA) ……… 934
理学療法医 physiatrist ……… 934
理学療法士 physical therapist ……… 934
理学療法士 physiotherapist ……… 935
理学療法士診療ガイド *The Guide to Physical Therapist Practice* ……… 1192
理学療法博士 Doctor of Physical Therapy (D.P.T.) ……… 358
リガチャー ligature ……… 699
リガンド ligand ……… 699
リガンド結合部位 ligand-binding site ……… 699
罹患率 morbidity ……… 784
罹患率 morbidity rate ……… 784
〔力〕価 titer ……… 1205
力学 dynamics ……… 369
力学 mechanics ……… 740
力学的イレウス dynamic ileus ……… 369
力学的受容器 mechanoreceptor ……… 740
力動〔論〕 dynamics ……… 369
〔力〕動的心理学 dynamic psychology ……… 369
力量記録器 dynamograph ……… 369
力量計 dynamometer ……… 369
リクター症候群 Richter syndrome ……… 1055
リグニン lignin ……… 700
リクライニング位置 reclining position ……… 1028
リケッチア症 rickettsiosis ……… 1055
リケッチア痘 rickettsialpox ……… 1055
リコペン lycopene ……… 717
リコペン血〔症〕 lycopenemia ……… 717
リサーチ research ……… 1039
離漿 syneresis ……… 1172

梨状筋 piriformis muscle ········ 940
梨状筋滑液包 bursa of piriformis ········ 186
梨状細胞層 piriform neuron layer ········ 940
リシン ricin ········ 1055
リジン lysine (k, Lys) ········ 721
リシン過剰血〔症〕 hyperlysinemia ········ 585
リシン血〔症〕 lysinemia ········ 721
離人症 depersonalization ········ 331
リシン尿〔症〕 lysinuria ········ 721
リスクアセスメント risk assessment ········ 1058
リスター法 Lister method ········ 705
リスティング省略眼 Listing reduced eye ········ 705
リスティングの法則 Listing law ········ 705
リステリア症 listeriosis ········ 705
リスト list ········ 705
リスフラン切断術 Lisfranc amputation ········ 705
リスフラン損傷 Lisfranc injury ········ 705
リスプロインスリン lispro insulin ········ 705
リズム rhythm ········ 1053
リズム法 rhythm method ········ 1053
リスレー回転プリズム Risley rotary prism ········ 1058
離層 delamination ········ 324
裏装剤 intermediate ········ 632
リソース・ユーティライゼーション・グループ Resource Utilization Group (RUG) ········ 1041
リソソーム lysosome ········ 721
リソソーム病 lysosomal disease ········ 721
リゾチーム lysozyme ········ 721
離脱 abstinence ········ 6
離脱 weaning ········ 1287
離脱症候群 withdrawal syndrome ········ 1292
離脱症状 withdrawal symptoms ········ 1292
離断 transection ········ 1218
離断性骨軟骨炎 osteochondritis dissecans ········ 873
利胆薬 cholagogue ········ 233
率 coefficient ········ 259
率 rate ········ 1025
リッコの法則 Ricco law ········ 1055
リッシュ結節 Lisch nodule ········ 705
リッター開放強直 Ritter opening tetanus ········ 1058
リッター病 Ritter disease ········ 1058
立体異性 stereoisomerism ········ 1140
立体異性体 stereoisomer ········ 1140
立体X線観察法 stereoradiography ········ 1140
立体化学 stereochemistry ········ 1140
立体化学式 stereochemical formula ········ 1140
立体鏡 stereoscopy ········ 1140
立体顕微鏡 stereoscopic microscope ········ 1140
立体視 stereoscopic vision ········ 1140
立体視野計 stereocampimeter ········ 1140
立体的近接照射療法 stereotactic brachytherapy ········ 1140
立体認知 stereognosis ········ 1140
立体脳測定 stereoencephalometry ········ 1140
立体配座 conformation ········ 275
立体配置 configuration ········ 275
立体配列 stereotaxis ········ 1140
リッツマン不正軸進入 Litzmann obliquity ········ 706
律動 rhythm ········ 1053
律動異常 dysrhythmia ········ 372
律動眼振 jerk nystagmus ········ 655
律動様小波 oscillatory potential ········ 871
リットゲン操作 Ritgen maneuver ········ 1058
立腹 tantrum ········ 1179
リップマン-コブ法 Lippman-Cobb method ········ 704
立方骨 cuboid bone ········ 304
立方上皮 cuboidal epithelium ········ 304
立毛 piloerection ········ 938
立毛筋 arrector muscle of hair ········ 96
立毛筋 erector muscles of hairs ········ 413
立毛〔筋〕反射 pilomotor reflex ········ 938
リテラシー literacy ········ 705
リデル手術 Ridell operation ········ 1055
リドック現象 Riddoch phenomenon ········ 1055
リトマス litmus ········ 706
リトラクションポケット retraction pockets ········ 1047
リトルヘルニア Littré hernia ········ 706
リトルリーグ肩 Little League shoulder ········ 706
リニアアクセルレータ linear accelerator ········ 701
リニメント〔剤〕 liniment ········ 702
離乳 weaning ········ 1287
利尿 diuresis ········ 356
利尿筋修正術 detrusorrhaphy ········ 338
利尿薬 diuretic ········ 356
リパーゼ lipase ········ 702
リハ施設資格承認委員会 Commission on Accreditation of Rehabilitation Facilities (C.A.R.F.) ········ 266
リハビリテーション rehabilitation ········ 1035
離被架 cradle ········ 294
リビド〔ー〕 libido ········ 697
リピドーシス lipidosis ········ 703
罹病率 morbidity rate ········ 784
リビングウィル living will ········ 706
リプシュタイン手術 Ripstein operation ········ 1058
リフトバレーウイルス Rift Valley virus ········ 1056
リブマン-サックス心内膜炎 Libman-Sacks endocarditis ········ 697
リフレクソロジー reflexology ········ 1033
リフレクタンス reflectance ········ 1032
リプレッサ repressor ········ 1039
リポイド血症 lipoidemia ········ 703
リポイド〔沈着〕症 lipoidosis ········ 703
リポイド性肉芽腫 lipoid granuloma ········ 703
リポイドネフローゼ lipoid nephrosis ········ 703
リポイド類壊死〔症〕 necrobiosis lipoidica ········ 815
リボース ribose (rib) ········ 1054
リボース-5-リン酸 ribose-5-phosphate ········ 1054
リボース-5-リン酸イソメラーゼ ribose-5-phosphate isomerase ········ 1055
リボース尿〔症〕 ribosuria ········ 1055
リポー徴候 Ripault sign ········ 1058
リボ核酸 ribonucleic acid (RNA) ········ 1054
リボ核蛋白 ribonucleoprotein (RNP) ········ 1054
リポキシゲナーゼ lipoxygenase ········ 704
リポクリット lipocrit ········ 703
リポクロム lipochrome ········ 703
リポジストロフィ lipodystrophy ········ 703
リボシル ribosyl ········ 1055
リボソーム ribosome ········ 1055
リボソームRNA ribosomal RNA ········ 1055
リポ多糖体 lipopolysaccharide ········ 704
リポ多糖類 lipopolysaccharide ········ 704
リポ蛋白 lipoprotein ········ 704
リポ蛋白質 α lipoprotein (alpha) [α] ········ 704
リポ蛋白リパーゼ lipoprotein lipase ········ 704
リボチミジル酸 ribothymidylic acid (rTMP, TMP) ········ 1055
リボチミジン ribothymidine (T) ········ 1055
リボットの記憶法則 Ribot law of memory ········ 1055
リポトロピン lipotropin ········ 704
リボヌクレアーゼ ribonuclease (RNase) ········ 1054
リボヌクレアーゼ α RNase-α ········ 1058
リボヌクレアーゼP RNase P ········ 1058
リボヌクレアーゼH ribonuclease H ········ 1054
リボヌクレオシド ribonucleoside ········ 1054
リボヌクレオチド ribonucleotide ········ 1054
リポフスチン lipofuscin ········ 703
リポフスチン〔沈着〕症 lipofuscinosis ········ 703
リボフラビン riboflavin ········ 1054
リボフラビン欠乏〔症〕 ariboflavinosis ········ 95
リボフラビン欠乏症 hyporiboflavinosis ········ 596
リポプロテインリパーゼ lipoprotein lipase ········ 704
リポリーシス lipolysis ········ 703
リポワクチン lipovaccine ········ 704
リモデリング remodeling ········ 1037
流エキス剤 fluid extract ········ 464
硫化水素血〔症〕 hydrothionemia ········ 580
硫化水素尿〔症〕 hydrothionuria ········ 580
流感 influenza ········ 621
隆起 boss ········ 168
隆起 eminence ········ 391
隆起 prominence ········ 985
隆起 protuberance ········ 992
粒起革様皮 shagreen skin ········ 1098
流行 epidemic ········ 407

流行性 epidemicity ……… 407
流向性 rheotropism ……… 1050
流行性胃腸炎ウイルス epidemic gastroenteritis virus ……… 407
流行性角結膜炎 epidemic keratoconjunctivitis ……… 407
流行性角結膜炎ウイルス epidemic keratoconjunctivitis virus 407
流行性感冒 influenza ……… 621
流行性胸膜痛 epidemic pleurodynia ……… 407
流行性胸膜痛ウイルス epidemic pleurodynia virus ……… 407
流行性筋炎 epidemic myositis ……… 407
流行性筋〔肉〕痛 epidemic myalgia ……… 407
流行性血色素尿症 epidemic hemoglobinuria ……… 407
流行性耳下腺炎 epidemic parotiditis ……… 407
流行性耳下腺炎ウイルス mumps virus ……… 793
流行性耳下腺炎性(ムンプス)精巣炎 mumps orchitis ……… 793
流行性耳下腺炎皮膚試験抗原 mumps skin test antigen ……… 793
流行性出血熱 epidemic hemorrhagic fever ……… 407
流行性神経筋無力症 epidemic neuromyasthenia ……… 407
流行性じんま疹 urticaria endemica ……… 1254
流行性多発〔性〕関節炎 epidemic polyarthritis ……… 407
流行性発疹チフス epidemic typhus ……… 407
流行病 epidemic disease ……… 407
流行病学 epidemiology ……… 407
竜骨 carina ……… 204
竜骨状腹 carinate abdomen ……… 204
硫酸 sulfuric acid ……… 1158
流産 abortion ……… 5
流産 miscarriage ……… 774
硫酸亜鉛浮遊濃縮法 zinc sulfate flotation concentration ……… 1301
硫酸化 sulfation ……… 1158
流産児 abortus ……… 5
硫酸デキストロアンフェタミン dextroamphetamine sulfate 339
硫酸モルヒネ morphine sulfate (MS) ……… 785
流産誘発剤 abortion pill ……… 5
粒子 particle ……… 902
粒子状磨耗破片 particulate wear debris ……… 902
粒子放射線 corpuscular radiation ……… 288
瘤腫 phyma ……… 934
瘤腫症 phymatosis ……… 934
流出 defluvium ……… 323
流出 defluxion ……… 323
流出 emission ……… 391
留出液 distillate ……… 355
留出物 distillate ……… 355
隆線 ridge ……… 1055
流ぜん〔症〕 sialism ……… 1102
流ぜん〔症〕 sialorrhea ……… 1102
流線状過骨症 rheostosis ……… 1050
流走性 rheotaxis ……… 1050
流速 flux ……… 466
流速計 flowmeter ……… 464
流体 fluid ……… 464
流体 liquor ……… 705
流体測定〔法〕 rheometry ……… 1050
流体力学理論 hydrodynamic theory ……… 578
留置カテーテル indwelling catheter (IDC) ……… 616
流暢 fluency ……… 464
流暢障害 dysfluency ……… 370
流動 current ……… 305
流動 drift ……… 364
流動細胞光度測定法 flow cytometry ……… 464
流動細胞測光法 flow cytometry ……… 464
流動幼虫 larva currens ……… 679
流入 afflux ……… 33
流量 flow ……… 464
流量計 flowmeter ……… 464
流量計 stromuhr ……… 1149
流涙〔症〕 epiphora ……… 410
流涙 lacrimation ……… 674
流漏 epiphora ……… 410
リュタンバッシェ症候群 Lutembacher syndrome ……… 716
リュッケウイルス Lucké virus ……… 712
流量制御型人工呼吸器 flow-controlled ventilator ……… 464
量 quantity ……… 1015
量 rate ……… 1025
稜 ridge ……… 1055
領域 domain ……… 359
領域 field ……… 454
領域 region ……… 1034
領域融合 transdisciplinary ……… 1218
両栄養性ウイルス amphotropic virus ……… 56
両凹〔面〕レンズ biconcave lens ……… 150
梁下回 subcallosal gyrus ……… 1151
両価性 ambivalence ……… 50
両眼隔離〔症〕 ocular hypertelorism ……… 852
両眼共同運動 version ……… 1270
両眼視 binocular vision ……… 152
両眼上転 sursumversion ……… 1167
両眼視力 binocular vision ……… 152
両極回転〔術〕 bimanual version ……… 152
両極細胞 bipolar cell ……… 156
両極性焼灼器 bipolar cautery ……… 156
両極端指数 extremal quotient ……… 436
両極端比 extremal quotient ……… 436
菱形窩 rhomboid fossa ……… 1053
菱形靱帯 ligamentum trapezoideum ……… 699
菱形靱帯 trapezoid ligament ……… 1223
菱形靱帯線 trapezoid line ……… 1223
菱形洞 rhomboidal sinus ……… 1053
療護 custodial care ……… 306
良好 fitness ……… 458
両向型 ambivert ……… 50
量子 quantum ……… 1015
両耳間 interaural ……… 630
両耳間減衰 interaural attenuation ……… 630
量子収量 quantum yield (ϕ) ……… 1015
両耳同時刺激 diotic ……… 349
両耳複聴 binaural diplacusis ……… 152
両受体 amboceptor ……… 50
量子論 quantum theory ……… 1015
両唇音 bilabial ……… 151
両星 amphiaster ……… 56
両性 amphoterism ……… 56
両性イオン zwitterions ……… 1303
良性高血圧〔症〕 benign hypertension ……… 145
良性腫瘍 benign tumor ……… 145
良性前立腺増殖症 benign prostatic hyperplasia (BPH) ……… 145
良性体液性高カルシウム血症 humoral hypercalcemia of benignancy ……… 575
良性テタニー benign tetanus ……… 145
良性頭位めまい症 benign positional vertigo ……… 145
良性頭位眩暈症 benign positional vertigo ……… 145
良性発作性頭位めまい症 benign paroxysmal positional vertigo ……… 145
良性発作性頭位眩暈症 benign paroxysmal positional vertigo 145
良性労作性頭痛 benign exertional headache ……… 145
両染性細胞 amphophil ……… 56
両側運動失調〔症〕 diataxia ……… 343
両側顔面筋麻痺 prosopodiplegia ……… 988
両側性安定状態 parastasis ……… 897
両側整合 bilateral coordination ……… 151
両側性半陰陽 bilateral hermaphroditism ……… 151
両側肺炎 double pneumonia ……… 362
両側範囲 bilateral reach ……… 151
両側無味覚〔症〕 ambageusia ……… 50
両体側知覚〔症〕 syncheiria ……… 1171
両端針縫合糸 doubly armed suture ……… 362
両手利き ambidexterity ……… 50
両凸〔面〕レンズ biconvex lens ……… 150
菱脳 rhombencephalon ……… 1053
菱脳蓋 rhombencephalic tegmentum ……… 1053
菱脳峡 rhombencephalic isthmus ……… 1053
両能性 bipotentiality ……… 156
療法 therapeutics ……… 1193
療法 therapy ……… 1193
療法 treatment ……… 1224
両方向性心室性頻脈 bidirectional ventricular tachycardia ……… 150
療法士 therapist ……… 1193
両〔側〕麻痺 diplegia ……… 350
両面フィステル amphibolic fistula ……… 56
両面瘻 amphibolic fistula ……… 56
療養所 sanatorium ……… 1070
緑〔色〕視〔症〕 chloropsia ……… 232

緑色盲 deuteranopia 338
緑色腫 chloroma 232
緑内障 glaucoma 500
緑内障性陥凹 glaucomatous cup 500
緑内障性白内障 glaucomatous cataract 500
緑内障輪 glaucomatous halo 500
旅行医療専門家 emporiatrics 392
旅行者下痢 traveler's diarrhea 1224
リョラン吻合 Riolan anastomosis 1058
リヨンラット Lyon rat 720
リリー第一鉄染色〔法〕 Lillie ferrous iron stain 700
リリーのアズール-エオシン染色〔法〕 Lillie azure-eosin stain 700
リリーのアロクローム結合組織染色〔法〕 Lillie allochrome connective tissue stain 700
リリー硫酸ナイルブルー染色〔法〕 Lillie sulfuric acid Nile blue stain 700
リロケーション試験 relocation test 1036
理論 theory 1193
輪 circle 245
輪 halo 530
輪 loop 710
リン phosphorus 931
リン〔骨〕壊死 phosphonecrosis 930
リンカー linker 702
リンガー〔溶〕液 Ringer solution 1057
臨界温度 critical temperature 299
リン灰石 apatite 86
リン灰石結石 apatite calculus 86
臨界ミセル濃度 critical micelle concentration (cmc) 298
輪郭 contour 282
輪郭状紅斑 erythema marginatum 416
リン化物 phosphide 930
リンガルバー lingual bar 701
輪姦 gang rape 486
輪間節 internodal segment 636
淋菌 gonococcus 511
淋菌 *Neisseria gonorrhoeae* 817
リンキング数 linking number (*L*) 702
淋菌性眼炎 gonorrheal ophthalmia 511
淋菌性関節炎 gonococcal arthritis 511
淋菌性結膜炎 gonococcal conjunctivitis 511
淋菌敗血症 gonococcemia 511
鱗茎 bulb 183
リンケージ linkage 702
リンゲル〔溶〕液 Ringer solution 1057
リン光 phosphorescence 930
リン光体 phosphor 930
〔リン〕光尿〔症〕 photuria 933
リンゴ酸 malic acid 727
リンゴ酸デヒドロゲナーゼ malate dehydrogenase 726
リンゴゼリー小結節 apple jelly nodules 91
リン酸 phosphoric acid 931
リン酸塩血〔症〕 phosphatemia 930
リン酸塩尿〔症〕 phosphaturia 930
リン酸化〔反応〕 phosphorylation 931
リン酸〔塩〕過剰血〔症〕 hyperphosphatemia 587
リン酸基転移 transphosphorylation 1220
リン酸ダイヤベーテス phosphate diabetes 930
リン脂質 phospholipid 930
淋疾 gonorrhea 511
輪状暗点 anular scotoma 84
輪状暗点 ring scotoma 1057
臨床医学 clinical medicine 250
臨床遺伝学 clinical genetics 250
臨床陰性率 clinical specificity 251
輪状咽頭アカラシア cricopharyngeal achalasia 297
臨床家 clinician 251
臨床解剖学 clinical anatomy 250
輪状角膜ジストロフィ ringlike corneal dystrophy 1057
輪状狭窄〔症〕 anular stricture 84
輪状強膜炎 anular scleritis 84
輪状形成〔術〕 anuloplasty 84
臨床経路 clinical pathway 250
臨床検査改善法 Clinical Laboratory Improvement Act (CLIA) 250
輪状虹彩癒着 anular synechia 84
輪状甲状筋 cricothyroid muscle 297
輪状甲状筋 musculus cricothyroideus 796
輪状甲状靭帯穿刺 needle cricothyrotomy 817
輪状甲状膜切開〔術〕 cricothyrotomy 297
臨床歯冠 clinical crown 250
臨床歯根 radix clinica dentis 1022
輪状脂質 anular lipid 84
臨床指標 clinical indicator 250
鱗状重層〔術〕 imbrication 605
輪状静脈洞 circular sinus 245
輪状靭帯 anular ligament 84
臨床診断 clinical diagnosis 250
臨床心理学 clinical psychology 251
臨床専門看護師 clinical nurse specialist 250
輪状胎盤 anular placenta 84
臨床的アタッチメントレベル clinical attachment level 250
臨床的アタッチメントロス clinical attachment loss 250
臨床的感度 clinical sensitivity 251
臨床的嫌疑 clinical suspicion 251
臨床的健康状態 clinical fitness 250
臨床的歯根 clinical root of tooth 251
臨床的致死〔性〕疾患 clinical lethal 250
輪状軟骨 cricoid cartilage 297
輪状軟骨切開〔術〕 cricotomy 297
輪状軟骨分割術 cricoid split operation 297
輪状脳半球癒着奇形 cyclencephaly 308
輪状膿瘍 ring abscess 1057
輪状白内障 anular cataract 84
臨床判断 clinical judgment 250
〔小腸の〕輪状ひだ circular folds of small intestine 245
臨床病理学 clinical pathology 250
鱗状縫合 squamoparietal suture 1133
鱗状縫合 squamous suture 1133
臨床薬剤師 clinical pharmacist 251
輪生 whorl 1291
隣接 contiguity 281
鱗屑 scale 1074
隣接間隙 interproximal space 637
隣接切離 solution of contiguity 1115
隣接縫合 approximation suture 91
輪癬 tinea 1205
リンタングステン酸 phosphotungstic acid (PTA) 931
リンタングステン酸ヘマトキシリン phosphotungstic acid hematoxylin (PTAH) 931
リン蛋白 phosphoprotein 930
リンチ症候群 Lynch syndrome 720
リン中毒 phosphorism 931
リン糖酸 phosphosugar 931
リンドナー〔小〕体 Lindner bodies 701
リンネ試験 Rinne test 1057
リンパ lymph 717
リンパうっ滞 lymphostasis 720
リンパ運動 lymphokinesis 720
リンパ芽球 lymphoblast 719
リンパ芽球腫 lymphoblastoma 719
リンパ芽球症 lymphoblastosis 719
リンパ芽球性白血病 lymphoblastic leukemia 719
リンパ芽球性リンパ腫 lymphoblastic lymphoma 719
リンパ管 lymphoduct 719
リンパ管 lymph vessels 720
リンパ管炎 lymphangitis 718
リンパ管学 lymphangiology 717
リンパ管拡張〔症〕 lymphangiectasis 717
リンパ管拡張 lymphorrhoid 720
リンパ管形成〔術〕 lymphangioplasty 718
リンパ管撮影〔法〕 lymphangiography 717
リンパ管撮影〔法〕 lymphography 720
リンパ管腫 lymphangioma 718
リンパ管周囲炎 perilymphangitis 915
リンパ管症 lymphopathy 720
リンパ管静脈炎 lymphangiophlebitis 718
リンパ管切開〔術〕 lymphangiotomy 718
リンパ管切除〔術〕 lymphangiectomy 717
リンパ管叢 lymphatic plexus 718
リンパ管造影〔法〕 lymphangiography 717
リンパ管造影〔法〕 lymphography 720

リンパ管造瘻術 lymphaticostomy …… 718
リンパ管肉腫 lymphangiosarcoma …… 718
リンパ球 lymph corpuscle …… 718
リンパ球 lymphocyte …… 719
リンパ球系 lymphocytic series …… 719
リンパ球血症 lymphemia …… 718
リンパ球減少〔症〕 lymphopenia …… 720
リンパ球混合培養試験 mixed lymphocyte culture test …… 776
リンパ球産生 lymphocytopoiesis …… 719
リンパ球産生 lymphopoiesis …… 720
リンパ球除去 lymphocytapheresis …… 719
リンパ球性下垂体炎 lymphocytic hypophysitis …… 719
リンパ球性腺下垂体炎 lymphocytic adenohypophysitis …… 719
リンパ球性脈絡髄膜炎 lymphocytic choriomeningitis …… 719
リンパ球増加〔症〕 lymphocytosis …… 719
リンパ球毒性 lymphotoxicity …… 720
リンパ球脈絡髄膜炎ウイルス lymphocytic choriomeningitis virus …… 719
リンパ形質細胞疾患 lymphoplasmacellular disorders …… 720
リンパ形成不全〔症〕 alymphoplasia …… 49
リンパ血漿除去 lymphoplasmapheresis …… 720
リンパ行性転移 lymphogenous metastasis …… 719
リンパ細胞腫 lymphocytoma …… 719
リンパ腫 lymphoma …… 720
リンパ腫症 lymphomatosis …… 720
リンパ腫様ポリポ〔ー〕シス lymphomatoid polyposis …… 720
リンパ循環 lymphokinesis …… 720
リンパ小節 lymph follicle …… 718
リンパ上皮腫 lymphoepithelioma …… 719
リンパ水腫 lymphedema …… 718
リンパ性細網内皮症 lymphoreticulosis …… 720
リンパ性粘液腫 lymphomyxoma …… 720
リンパ性白血病 lymphemia …… 718
リンパ性白血病 lymphocytic leukemia …… 719
リンパ性フィラリア性肉芽腫 lymphatic filariasis granuloma 718
リンパ性網内症 lymphoreticulosis …… 720
リンパ節 lymph node …… 718
リンパ節炎 lymphadenitis …… 717
リンパ節腫脹〔症〕 lymphadenopathy …… 717
リンパ節症 lymphadenopathy …… 717
リンパ節症 lymphadenosis …… 717
リンパ節切除〔術〕 lymphadenectomy …… 717
リンパ節切除〔術〕 lymphoidectomy …… 720
リンパ節造影〔法〕 lymphadenography …… 717
リンパ節透過因子 lymph node permeability factor (LNPF) …… 718
〔リンパ節の〕髄質 medulla of lymph node …… 745
リンパ組織 lymphatic tissue …… 718
リンパ組織球増多〔症〕 lymphohistiocytosis …… 720
リンパ洞 lymphatic sinus …… 718
リンパ肉芽腫 lymphogranuloma …… 719
リンパ浮腫 lymphedema …… 718
リンパ本幹 lymphatic duct …… 718
リンパ流出 lymphorrhea …… 720
リンパ漏 lymphorrhea …… 720
淋病 gonorrhea …… 511
リンホカイン lymphokine …… 720
リンホトキシン lymphotoxin …… 720
倫理学 ethics …… 422
倫理調査委員会 Institutional Review Board (IRB) …… 627

ル

ルアー・アダプター Luer adapter …… 712
ルーアー注射器 Luer syringe …… 712
ルアー注射器 Luer syringe …… 712
ルーエマン紫 Ruhemann purple …… 1064
ルートヴィヒ神経節 Ludwig ganglion …… 712
ルーバルシュ結晶 Lubarsch crystals …… 712
ループス腎炎 lupus nephritis …… 716
ループス性抗凝固因子 lupus anticoagulant …… 716
ループス帯試験 lupus band test …… 716
ループ切除 loop excision …… 710
ループ利尿薬 loop diuretic …… 710
ルーペ loupe …… 711
ルーヘマン紫 Ruhemann purple …… 1064
ルー法 Roux method …… 1062
ルーメン lumen …… 714
ルーY吻合〔術〕 Roux-en-Y anastomosis …… 1062
類 group …… 520
類アナフィラキシー性ショック anaphylactoid shock …… 61
類アルブミン albuminoid …… 39
涙液分泌 lacrimation …… 674
類壊死〔症〕 bionecrosis …… 154
類壊死〔症〕 necrobiosis …… 815
類エプーリス epuloid …… 412
類縁 relationship …… 1036
類音連合 clang association …… 247
類角化疹 keratoid exanthema …… 663
類宦官症 eunuchoidism …… 423
類癌腫 carcinoid tumor …… 199
類乾癬 parapsoriasis …… 897
涙管閉鎖〔症〕 dacryostenosis …… 315
涙器 lacrimal apparatus …… 673
涙丘 lacrimal caruncle …… 673
類筋 myoid …… 807
類型 type …… 1241
類腱腫 desmoid …… 337
類腱線維腫 desmoplastic fibroma …… 337
涙湖 lacrimal lake …… 673
涙骨 lacrimal bone …… 673
類骨骨腫 osteoid osteoma …… 874
類骨腫 osteomatoid …… 874
ルイサイト Lewisite (L) …… 696
類似化合物 analog …… 60
類脂〔質〕血症 lipoidemia …… 703
類脂〔質〕〔沈着〕症 lipoidosis …… 703
類似体 analog …… 60
類歯肉腫 epuloid …… 412
類似物 analog …… 60
類ジフテリア菌 diphtheroid …… 350
涙小管 lacrimal canaliculus …… 673
類晶質 crystalloid …… 303
類症の法則 law of similars …… 685
類上皮細胞 epithelioid cell …… 411
類似療法 homeotherapy …… 568
類人猿 anthropoid …… 78
類人猿型骨盤 anthropoid pelvis …… 78
類水頭〔症〕 hydrocephaloid …… 578
ルイス塩基 Lewis base …… 696
ルイス酸 Lewis acid …… 696
涙〔結〕石 dacryolith …… 315
涙〔結〕石 tear stone …… 1181
累積外傷性障害 cumulative trauma disorder (CTD) …… 304
涙〔結〕石症 dacryolithiasis …… 315
涙腺 lacrimal gland …… 673
類線維素 fibrinoid …… 451
涙腺窩 lacrimal fossa …… 673
類腺腫瘍 adenomatoid tumor …… 25
涙腺静脈 lacrimal vein …… 674
涙腺神経 lacrimal nerve …… 673
涙腺動脈 lacrimal artery …… 673
涙腺嚢腫 dacryops …… 315
るいそう emaciation …… 389
るいそう症候群 wasting syndrome …… 1286
類苔癬 lichenoid …… 697
類丹毒 erysipeloid …… 415
涙滴赤血球 dacryocyte …… 315
涙点 lacrimal punctum …… 673
類天疱瘡 pemphigoid …… 909
涙道切開〔術〕 lacrimotomy …… 674
類毒素 toxoid …… 1213
類内膜 endometrioid …… 397
類内膜癌 endometrioid carcinoma …… 397
類内膜腫瘍 endometrioid tumor …… 397
類軟骨 chondroid …… 237
類肉腫 sarcoid …… 1071
類肉腫症 sarcoidosis …… 1071
涙乳頭 lacrimal papilla …… 673

類粘液変性 mucoid degeneration ……… 788
涙嚢 lacrimal sac ……… 673
涙嚢 tear sac ……… 1181
涙嚢切開〔術〕 dacryocystotomy ……… 315
涙嚢切除〔術〕 dacryocystectomy ……… 315
涙嚢痛 dacryocystalgia ……… 315
涙嚢鼻腔吻合〔術〕 dacryocystorhinostomy ……… 315
涙嚢ヘルニア dacryocystocele ……… 315
類嚢胞 cystoid ……… 311
涙嚢漏 dacryoblennorrhea ……… 315
類白血病反応 leukemoid reaction ……… 693
類皮腫 dermoid ……… 336
類鼻疽菌 *Burkholderia pseudomallei* ……… 184
類皮嚢腫 dermoid cyst ……… 336
類表皮癌 epidermoid carcinoma ……… 408
類表皮嚢腫 epidermoid cyst ……… 408
類別 classification ……… 248
類別交配 assortative mating ……… 109
類メラニン melanoid ……… 748
ルイヨウボタン blue cohosh ……… 164
涙流過多 dacryorrhea ……… 315
類リンパ球 lymph corpuscle ……… 718
ルヴェルダン針 Reverdin needle ……… 1049
ルクソールファストブルー Luxol fast blue ……… 717
ルゴー固定液 Regaud fixative ……… 1033
ルゴールヨウ素溶液 Lugol iodine solution ……… 712
ルジェ球 Rouget bulb ……… 1062
ルシオらい Lucio leprosy ……… 712
ルジャーンドル徴候 Legendre sign ……… 688
ル・シャトリエの法則 Le Chatelier law ……… 686
ルスト現象 Lust phenomenon ……… 716
ルスト現象 Rust phenomenon ……… 1065
ルタンバッシャー症候群 Lutembacher syndrome ……… 716
ルテイン lutein ……… 716
ルテイン細胞 luteal cell ……… 716
ルデー耳鳴 Leudet tinnitus ……… 692
ルテオトロピン luteotropin ……… 717
ルド症候群 Rud syndrome ……… 1063
ルトロピン lutropin ……… 717
ルニョンのI群ミコバクテリア Runyon group I mycobacteria ……… 1065
ルニョン分類 Runyon classification ……… 1064
ルネーグル症候群 Lenègre syndrome ……… 689
ルビーレンズ Hruby lens ……… 573
ルビジウム rubidium ……… 1063
ルビドマイシン rubidomycin ……… 1063
ルフィーニ小体 Ruffini corpuscle ……… 1064
ル・フォール切断術 Le Fort amputation ……… 686
ルフト病 Luft disease ……… 712
ルブナーの成長の法則 Rubner laws of growth ……… 1063
ルブラウイルス Rubulavirus ……… 1063
ルブレドキシン rubredoxins ……… 1063
ルベオーシス rubeosis ……… 1063
ルポイド肝炎 lupoid hepatitis ……… 716
ルミネセンス luminescence ……… 714
ルミロドプシン lumirhodopsin ……… 714
ルリーシュ症候群 Leriche syndrome ……… 691
ルリー徴候 Leri sign ……… 691
ルリベリン luliberin ……… 712

レ

霊安室 morgue ……… 784
レーヴェンタル反応 Loewenthal reaction ……… 708
レーヴェンベルク鉗子 Löwenberg forceps ……… 711
冷温交互試験 bithermal caloric test ……… 158
例外記録方法 charting by exception ……… 227
冷覚過敏 hypercryesthesia ……… 583
冷〔感〕覚消失〔症〕 cryanesthesia ……… 302
励起状態 excited state ……… 426
冷却機 condenser ……… 273
冷却消息子 psychrophore ……… 1000
励起レーザー pumped laser ……… 1005
冷血動物 haematocrya ……… 526
冷光 luminescence ……… 714
レーザー laser ……… 680
レーザー角膜上皮形成術 laser-assisted epithelial keratoplasty ……… 680
レーザー角膜内切削形成〔術〕 laser-assisted in situ keratomileusis (LASIK) ……… 681
レーザー光治療的角膜切除 phototherapeutic keratectomy (PTK) ……… 933
冷浸 maceration ……… 722
レーダー傍三叉神経症候群 Raeder paratrigeminal syndrome ……… 1022
霊長類 primate ……… 979
〔寒〕冷痛 psychroalgia ……… 1000
零点 zero ……… 1301
冷凍 freezing ……… 475
冷凍 refrigeration ……… 1033
冷凍外科〔学〕 cryosurgery ……… 302
冷凍固定〔法〕 cryopexy ……… 302
冷凍腐食器 cryocautery ……… 302
冷凍腐食剤 cryocautery ……… 302
冷凍麻酔 cryoanesthesia ……… 302
冷凍融解 cryolysis ……… 302
レーニー小体 Rainey corpuscles ……… 1022
冷膿瘍 cold abscess ……… 260
レイノー現象 Raynaud phenomenon ……… 1026
レイノー症候群 Raynaud syndrome ……… 1026
レーバー遺伝性視神経萎縮 Leber hereditary optic atrophy ……… 686
レーバー先天性黒内障 Leber congenital amaurosis ……… 686
レーバー特発性星状網膜症 Leber idiopathic stellate retinopathy ……… 686
レーバンド症候群 Laband syndrome ……… 672
レーブ脱落膜腫 Loeb deciduoma ……… 708
レーマック徴候 Remak sign ……… 1037
レーマック反射 Remak reflex ……… 1036
レールミット徴候 Lhermitte sign ……… 696
レーン帯 Lane band ……… 677
レヴィン管 Levin tube ……… 696
レヴ症候群 Lev syndrome ……… 696
レヴレー鉗子 Levret forceps ……… 696
LEOPARD 症候群 LEOPARD syndrome ……… 690
レオポルド操作 Leopold maneuvers ……… 690
レオロジー rheology ……… 1050
レカミエ手術 Récamier operation ……… 1027
暦年齢 chronologic age (CA) ……… 242
レギュロン regulon ……… 1035
レクチン lectin ……… 686
レクチン経路分子 lectin pathway molecule ……… 686
レクチン糖質組織化学 lectin glycohistochemistry ……… 686
レクルートメント recruitment ……… 1029
レザバー reservoir ……… 1040
レジオネラ症 Legionnaires' disease ……… 688
レジスタンストレーニング resistance training ……… 1041
レシチナーゼ lecithinase ……… 686
レシチン lecithin ……… 686
レシチン：スフィンゴミエリン比 lecithin:sphingomyelin ratio ……… 686
レジデント resident ……… 1040
レシピエント recipient ……… 1028
レジン resin ……… 1040
レジンセメント resin cement ……… 1040
レスキュー rescue ……… 1039
レスキュー薬 rescue medication ……… 1039
レストンウイルス Reston virus ……… 1043
レスパイトケア respite care ……… 1043
レスビアン lesbian ……… 691
レスラー-ドレスラー〔型〕心筋梗塞 Roesler-Dressler infarct 1059
レダクターゼ reductase ……… 1031
レチクリン reticulin ……… 1045
レチナール retinal ……… 1046
レチナールアルデヒド retinaldehyde ……… 1046
レチナール〔デヒド〕イソメラーゼ retinal isomerase ……… 1046
レチニルエステル retinyl esters ……… 1047
レチネン retinene ……… 1046
レチノイド retinoids ……… 1046

レチノイドXレセプタ retinoid X receptor ……1046
レチノイン酸レセプタ retinoic acid receptor ……1046
レチノール retinol ……1046
レチノール活性当量 retinol activity equivalents (RAE) ……1046
レチノール結合蛋白 retinol-binding protein (RBP) ……1047
レチノールデヒドロゲナーゼ retinol dehydrogenase ……1047
レチノスコープ retinoscope ……1047
レチン酸 retinoic acid ……1046
列 column ……265
列 series ……1094
裂 crack ……294
裂 fissure ……458
裂 gap ……487
劣化 deterioration ……337
裂開 dehiscence ……323
裂開 divulsion ……357
レッグ-カルヴェ-ペルテス病 Legg-Calvé-Perthes disease ……688
裂隙羊膜 schizamnion ……1077
裂肛 anal fissure ……60
裂溝 cleft ……249
裂溝 fissure ……458
裂孔 hiatus ……561
裂孔原性網膜剥離 rhegmatogenous retinal detachment ……1050
裂孔靱帯 lacunar ligament ……675
裂溝性足蹠角皮症 keratoderma plantare sulcatum ……663
裂孔ヘルニア hiatal hernia ……561
レッサー三角 Lesser triangle ……692
裂軸索 schizaxon ……1077
裂手 cleft hand ……249
レッシュ-ナイハン症候群 Lesch-Nyhan syndrome ……691
裂傷 laceration ……673
裂傷 rupture ……1065
裂傷 tear ……1181
劣性遺伝 recessive inheritance ……1028
劣性形質 recessive character ……1028
劣性形質 recessive trait ……1028
裂創 laceration ……673
裂爪症 schizonychia ……1077
レッチウス〔線〕条 striae of Retzius ……1148
レッチング retching ……1044
劣等感 inferiority complex ……618
裂頭条虫症 diphyllobothriasis ……350
レット症候群 Rett syndrome ……1049
裂肉歯 carnassial tooth ……205
裂腹奇形 schistocelia ……1076
裂片 scissura ……1080
裂毛〔症〕 trichorrhexis ……1228
裂離骨折 strain fracture ……1145
レテラー-ジーヴェ病 Letterer-Siwe disease ……692
レドックス redox ……1031
レトリル laetrile ……675
レトロポゾン retroposon ……1048
レナートリンパ腫 Lennert lymphoma ……689
レニン renin ……1038
レニン-アンギオテンシン-アルドステロン系 renin-angiotensin-aldosterone system ……1038
レネ鼻側階段 Rønne nasal step ……1060
レノグラム renogram ……1038
レノックス-ガストー症候群 Lennox-Gastaut syndrome ……689
レファレンス値 reference values ……1032
レフサム病 Refsum disease ……1033
レプチラーゼ reptilase ……1039
レプチン leptin ……690
レプトスピラ性黄疸 leptospiral jaundice ……690
レプトスピラ尿症 leptospiruria ……690
レプトテン〔期〕 leptotene ……690
レフラー症候群 Löffler syndrome ……708
レフラー心内膜炎 Löffler endocarditis ……708
レプリカーゼ replicase ……1039
レプリコン replicon ……1039
レプロミン lepromin ……690
レプロミン試験 lepromin test ……690
レボドパ levodopa (L-dopa) ……696
レマーク徴候 Remak sign ……1037
レマーク反射 Remak reflex ……1036
レム roentgen-equivalent-man (rem) ……1059
REM 眼球運動 rapid eye movements (REM) ……1025
レム睡眠 rapid eye movement sleep ……1025
レモン徴候 lemon sign ……689
レルモワイエ症候群 Lermoyez syndrome ……691
恋愛妄想性障害 erotomanic disorder ……414
連環状白癬 tinea circinata ……1205
連結 attachment ……116
連結 connection ……278
連結 coupling ……292
連結 joint ……656
連結 junction ……658
連結 juncture ……658
連結子 connector ……278
連合 association ……108
連合遊び associative play ……109
連合運動 associated movement ……108
連合運動 synkinesis ……1172
連合弛緩 loose associations ……710
連合弛緩 loosening of associations ……710
連合線維 association fibers ……109
連合反応 associated reaction ……108
連合皮質 association cortex ……109
連合吻合 conjoined anastomosis ……277
連鎖 chain ……225
連鎖 linkage ……702
連鎖 sequence ……1094
錬剤 mass ……734
連鎖〔感染〕間隔 serial interval ……1094
連鎖球菌 streptococcus ……1147
連鎖球菌血症 streptococcemia ……1146
連鎖球菌性 streptococcic ……1147
連鎖球菌性敗血症 streptosepticemia ……1147
連鎖球菌中毒性ショック症候群 streptococcal toxic shock syndrome ……1146
連鎖球菌発赤毒素 streptococcus erythrogenic toxin ……1147
連鎖球菌溶血素 streptolysin ……1147
連鎖反射 chain reflex ……225
連鎖反応 chain reaction ……225
連鎖不平衡 linkage disequilibrium ……702
連鎖マーカ linkage marker ……702
攣縮 contraction (C) ……282
攣縮 twitch ……1239
連珠毛 monilethrix ……780
レンショウ細胞 Renshaw cell ……1038
鎌状赤血球肝障害 sickle cell hepatopathy ……1103
レンズ glasses ……500
レンズ lens ……689
レンズ核 lenticular nucleus ……689
レンズ核内側髄板 medial medullary lamina of lentiform nucleus ……742
レンズ核わな lenticular loop ……689
連銭形成 rouleaux formation ……1062
連銭痰 nummular sputum ……844
連想 association ……108
連想検査 association test ……109
連続〔性〕 continuity ……281
連続希釈溶液 serial dilution ……1094
連続携行式腹膜灌流 continuous ambulatory peritoneal dialysis (CAPD) ……281
連続鉤維持装置 continuous bar retainer ……281
連続作業単位 run ……1064
連続撮影法 serial radiography ……1094
連続スキル continuous skill ……281
連続性雑音 continuous murmur ……281
連続性周期的腹膜透析 continuous cyclic peritoneal dialysis (CCPD) ……281
連続切片 serial section ……1094
連続纏絡縫合 blanket suture ……160
連続バー維持装置 continuous bar retainer ……281
連続抜歯法 serial extraction ……1094
連続波レーザー continuous wave laser ……282
連続フロー型分析装置 continuous flow analyzer ……281
連続吻合 sequential anastomosis ……1094
連続縫合 continuous suture ……281
連続縫合 uninterrupted suture ……1247
連続毛細血管 continuous capillary ……281

連続離断 solution of continuity ……1115
レントゲン roentgen (r, R) ……1059
レントゲン学 roentgenology ……1059
レンドラムのフロキシン-タルトラジン染色〔法〕 Lendrum phloxine-tartrazine stain ……689
レンニン rennin ……1038
レンペニング症候群 Renpenning syndrome ……1038
連絡 communication ……267
連絡網 network ……824
練和 malaxation ……726

ロ

路 path ……903
路 tract ……1216
ロア糸状虫 *Loa loa* ……707
ロア糸状虫症 loiasis ……709
ロイコキニナーゼ leukokininase ……694
ロイコタキシン leukotaxine ……695
ロイコチジン leukocidin ……693
ロイコトキシン leukotoxin ……695
ロイコトリエン leukotrienes (LT) ……695
ロイシン leucine ……692
ロイシン尿〔症〕 leucinuria ……692
ロイヤルブルートップチューブ royal blue-top tube ……1062
聾 anacusis ……59
聾 deafmutism ……317
聾 deafness ……317
瘻〔孔〕 fistula ……458
瘻 stoma ……1144
癆 tabes ……1176
蝋 wax ……1287
ローウェンスタイン作業療法認知テスト Loewenstein Occupational Therapy Cognitive Assessment (LOTCA) ……708
ローウェンスタイン製法 Löwenstein process ……711
老化 aging ……35
老化 senescence ……1091
老化 senility ……1091
老眼 presbyopia (Pr) ……975
ローガン弓 Logan bow ……708
瘻管形成 fistulation ……458
狼狂 lycanthropy ……717
ろう屈症 cerea flexibilitas ……221
ろう屈症 flexibilitas cerea ……460
瘻孔形成 fistulation ……458
瘻孔切開〔術〕 fistulotomy ……458
瘻孔切開〔術〕 syringotomy ……1174
瘻孔切除〔術〕 fistulectomy ……458
瘻孔〔壁〕切除〔術〕 syringectomy ……1174
瘻孔ボタン stoma button ……1144
老視 presbyopia (Pr) ……975
漏出 defluxion ……323
漏出 diapiresis ……343
漏出 exsorption ……431
漏出 transudation ……1221
漏出液 transudate ……1221
漏出分泌腺 merocrine gland ……755
籠手包帯 gauntlet bandage ……491
籠状核 basket nucleus ……140
ローション剤 lotion ……711
老人医学 geriatrics ……496
老人環 arcus senilis ……94
老人環 gerontoxon ……497
老人〔性〕局面 senile plaque ……1091
ロヴシング徴候 Rovsing sign ……1062
老人歯学 dental geriatrics ……328
老人〔性〕振せん senile tremor ……1091
老人性アミロイドーシス senile amyloidosis ……1091
老人性血管腫 senile hemangioma ……1091
老人性黒子 senile lentigo ……1091
老人性黒皮症 senile melanoderma ……1091
老人性紫斑病 purpura senilis ……1007
老人性精神病 senile psychosis ……1091
老人性そう痒〔症〕 pruritus senilis ……993
老人性腟炎 senile vaginitis ……1091
老人性動脈硬化〔症〕 senile arteriosclerosis ……1091
老人性難聴 presbyacusis ……975
老人性難聴 presbycusis ……975
老人性平衡障害 presbyastasis ……975
老人性網膜分離〔症〕 senile retinoschisis ……1091
老人認知症 senile dementia ……1091
老人〔性〕白内障 senile cataract ……1091
老人〔性〕斑 senile plaque ……1091
老人〔性〕皮膚 geroderma ……496
老衰 insenescence ……626
漏水症 hydrorrhea ……580
ローズ体位 Rose position ……1061
ローズベンガル rose bengal ……1060
ローゼンタール脳底静脈 basal vein of Rosenthal ……138
ローゼンバッハ徴候 Rosenbach sign ……1061
ローゼンバッハの法則 Rosenbach law ……1060
狼瘡 lupus ……716
狼瘡様毛瘡 lupoid sycosis ……716
ローター症候群 Rotor syndrome ……1062
ローターマーゼ rotamase ……1061
ロータマー rotamer ……1061
鑞着 soldering ……1114
鑞付け soldering ……1114
ローテーターカフ rotator cuff of shoulder ……1061
ローデシアトリパノソーマ *Trypanosoma brucei rhodesiense* 1234
ローデシアトリパノソーマ症 Rhodesian trypanosomiasis ……1053
漏斗 funnel ……481
漏斗 infundibulum ……622
漏斗胸 pectus excavatum ……906
漏斗茎 infundibular stem ……622
漏斗骨盤 funnel-shaped pelvis ……481
漏斗腫 infundibuloma ……622
漏斗状プロット法 funnel plot ……481
ロート斑〔点〕 Roth spot ……1062
漏斗部切除〔術〕 infundibulectomy ……622
漏斗部毛包炎 infundibulofolliculitis ……622
漏斗胸 funnel chest ……481
ロートムント症候群 Rothmund syndrome ……1062
老年医学 geriatrics ……496
老年医学 gerontology ……497
老年歯学 dental geriatrics ……328
老年〔性〕振せん senile tremor ……1091
老年性アミロイドーシス senile amyloidosis ……1091
老年性血管腫 senile hemangioma ……1091
老年性黒子 senile lentigo ……1091
老年性黒皮症 senile melanoderma ……1091
老年性紫斑病 purpura senilis ……1007
老年性精神病 senile psychosis ……1091
老年性そう痒〔症〕 pruritus senilis ……993
老年性腟炎 senile vaginitis ……1091
老年性動脈硬化〔症〕 senile arteriosclerosis ……1091
老年性難聴 presbyacusis ……975
老年性難聴 presbycusis ……975
老年性網膜分離〔症〕 senile retinoschisis ……1091
老年認知症 senile dementia ……1091
老年〔性〕白内障 senile cataract ……1091
老年〔性〕皮膚 geroderma ……496
ろう引き waxing ……1287
ローフ症候群 Roaf syndrome ……1059
ろう文化 deaf culture ……317
ローベラ Ro spatula ……1061
ろう様円柱 waxy cast ……1287
ろう様可撓性 flexibilitas cerea ……460
ろう様腎 waxy kidney ……1287
ろう様脾 waxy spleen ……1287
ろう様変性 waxy degeneration ……1287
ローランド溝 Rolando fissure ……1059
ローランド骨折 Rolando fracture ……1060
ローランドてんかん rolandic epilepsy ……1059
ロールシャッハ試験 Rorschach test ……1060
ロールプレイング role-playing ……1060
老齢化 aging ……35
老齢化 senescence ……1091

ローレンス-ムーン症候群 Laurence-Moon syndrome ……… 684
濾液 filtrate ……… 455
濾過 filtration ……… 455
濾過器 filter ……… 455
濾過係数 filtration coefficient ……… 456
濾過式呼吸用保護具 air-purifying respirator ……… 37
濾過手術 filtering operation ……… 455
濾過板 filter ……… 455
濾過胞 filtering bleb ……… 455
濾過率 filtration fraction (FF) ……… 456
ロキタンスキーヘルニア Rokitansky hernia ……… 1059
肋腋窩静脈 costoaxillary vein ……… 290
肋横突靱帯 costotransverse ligament ……… 291
肋胸骨形成〔術〕 costosternoplasty ……… 291
肋頸動脈 costocervical trunk ……… 290
肋頸動脈 truncus costocervicalis ……… 1234
6歳臼歯 sixth-year molar ……… 1108
肋鎖靱帯 costoclavicular ligament ……… 291
六指症 hexadactyly ……… 560
ロクソスセレス症 loxoscelism ……… 712
六胎 sextuplet ……… 1098
六炭糖 hexose ……… 560
肋椎角 costovertebral angle ……… 291
肋軟骨 costal cartilage ……… 290
肋軟骨亜脱臼 slipping rib cartilage ……… 1110
肋軟骨炎 costochondritis ……… 290
六倍数性 hexaploidy ……… 560
六分画 sextant ……… 1098
六量体 hexamer ……… 560
ロシアン電流 Russian current ……… 1065
ロジェ雑音 Roger murmur ……… 1059
ロジェ病 Roger disease ……… 1059
ロジェヘルニア Laugier hernia ……… 684
濾紙クロマトグラフィ paper chromatography ……… 891
ロジャー-アンダーソンピン固定装置 Roger Anderson pin fixation appliance ……… 1059
ロジャーズ血圧計 Rogers sphygmomanometer ……… 1059
露出 denudation ……… 330
濾出 transudation ……… 1221
濾出液 transudate ……… 1221
露出症 exhibitionism ……… 428
〔性器〕露出症者 exhibitionist ……… 428
露出性角膜炎 exposure keratitis ……… 431
ロシュミット数 Loschmidt number ……… 711
ロジン rosin ……… 1061
ロス川ウイルス Ross River virus ……… 1061
ロス手術 Ross procedure ……… 1061
ロゼット rosette ……… 1061
ロゼンジ lozenge (loz.) ……… 712
肋下筋 subcostal muscle ……… 1152
鹿角状結石 staghorn calculus ……… 1134
六価元素 hexad ……… 560
肋下神経 subcostal nerve ……… 1152
肋下動脈 subcostal artery ……… 1152
肋下面 subcostal plane ……… 1152
肋間隙 intercostal space ……… 630
肋間静脈 posterior intercostal veins ……… 964
肋間上腕神経 intercostobrachial nerves ……… 630
肋間神経 intercostal nerves ……… 630
肋間膜 intercostal membranes ……… 630
ロッキー山〔紅斑〕熱 Rocky Mountain spotted fever ……… 1059
ロッキング・ナイフ rocker knife ……… 1059
ロック〔溶〕液 Locke solution ……… 708
肋骨 costa ……… 290
肋骨[I-XII] rib [I-XII] ……… 1054
肋骨横隔膜角 costophrenic angle ……… 291
肋骨横突起切除〔術〕 costotransversectomy ……… 291
肋骨角 costal angle ……… 290
肋骨弓 costal arch ……… 290
肋骨挙筋 elevator muscle of rib ……… 388
肋骨結節 tubercle of rib ……… 1235
肋骨鎖骨症候群 costoclavicular syndrome ……… 291
肋骨切開〔術〕 costotomy ……… 291
肋骨切除〔術〕 costectomy ……… 290
肋骨痛 costalgia ……… 290
肋骨頭稜 crest of head of rib ……… 297
肋骨突起 pleurapophysis ……… 948
ロッソリーモ反射 Rossolimo reflex ……… 1061
ロッチ徴候 Rotch sign ……… 1062
ロッド値 lod score ……… 708
ロトトーム rototome ……… 1062
ロドプシン rhodopsin ……… 1053
ロバートソン転座 robertsonian translocation ……… 1059
ロビノー症候群 Robinow syndrome ……… 1059
ロビンソン係数 Robinson index ……… 1059
ロベクトミー lobectomy ……… 707
濾胞形成の誘導 induction of folliculogenesis ……… 616
濾胞症 folliculosis ……… 468
濾胞状癌 follicular carcinoma ……… 468
濾胞状膀胱炎 follicular cystitis ……… 468
濾胞性甲状腺腫 follicular goiter ……… 468
濾胞性嚢胞 follicular cyst ……… 468
濾胞性リンパ腫 follicular lymphoma ……… 468
ロボトミー lobotomy ……… 707
ロマニャ徴候 Romaña sign ……… 1060
ロマノフスキー血液染色〔法〕 Romanowsky blood stain ……… 1060
ロムスチン lomustine ……… 709
ロレット支質 Rollet stroma ……… 1060
ロングマイアー手術 Longmire operation ……… 710
ロンバルド反射 Lombard reflex ……… 709
ロンベルク徴候 Romberg sign ……… 1060

ワ

輪 circle ……… 245
輪 halo ……… 530
輪 loop ……… 710
輪 ring ……… 1057
歪曲 distortion ……… 356
歪曲収差 distortion ……… 356
Y字軟骨 Y cartilage ……… 1299
矮小体型 hypomorph ……… 594
淮水〔療法〕 suffusion ……… 1157
ワイバーン-メーソン症候群 Wyburn-Mason syndrome ……… 1295
ワイルダー細網〔線維〕染色〔法〕 Wilder stain for reticulum ……… 1291
ワイルダー徴候 Wilder sign ……… 1291
ワイル病 Weil disease ……… 1288
ワイル-フェリックス反応 Weil-Felix test ……… 1288
Y連鎖 Y-linkage ……… 1300
Y連鎖遺伝子 Y-linked gene ……… 1300
ワーカホリック workaholic ……… 1293
ワース弱視鏡 Worth amblyoscope ……… 1294
ワールデンブルヒ症候群 Waardenburg syndrome ……… 1285
若木骨折 greenstick fracture ……… 518
わきのした axilla ……… 127
わきばら latus ……… 684
枠 frame ……… 474
ワクシニアウイルス vaccinia virus ……… 1257
ワクチン vaccine ……… 1257
ワクチン後脳脊髄炎 postvaccinal encephalomyelitis ……… 968
鷲手 clawhand ……… 248
ワシ手 clawhand ……… 248
話声位 habitual pitch ……… 525
ワックスアップ waxing ……… 1287
ワット watt (W) ……… 1286
ワトソン-クリックらせん Watson-Crick helix ……… 1286
輪止め縫合 locking suture ……… 708
わな ansa ……… 73
わな loop ……… 710
ワニ口鉗子 alligator forceps ……… 44
ワニの涙症候群 crocodile tears syndrome ……… 299
ワラかゆみ〔症〕 straw itch ……… 1146
ワラぶとんかゆみ〔症〕 straw itch ……… 1146
割合 rate ……… 1025
割合 ratio ……… 1026
ワルダイエル鞘 Waldeyer sheath ……… 1285
ワルダイエル層 Waldeyer sheath ……… 1285
ワレリアナ根 valerian ……… 1258

岸戦争症候群 Gulf War syndrome ……… 521
曲 arcuation ……… 94
曲 axioversion ……… 127
曲 curvature ……… 305
曲 curve ……… 305
曲 flexure ……… 463
曲骨折 bowing fracture ……… 170
曲歯 dilaceration ……… 348
曲性近視 curvature myopia ……… 305
指〔症〕 clinodactyly ……… 251
尺関節 humeroulnar joint ……… 575
手 clubhand ……… 254
神経叢 brachial plexus ……… 170
腕神経叢損傷 brachial plexus injury ……… 170
弯足 pes ……… 922
弯足 talipes ……… 1177
腕頭 brachiocephalic ……… 171
腕橈関節 humeroradial joint ……… 575
腕橈骨筋 brachioradialis muscle ……… 171
腕橈骨筋 musculus brachioradialis ……… 796
腕頭静脈 brachiocephalic veins ……… 171
腕頭動脈 brachiocephalic arterial trunk ……… 171
腕頭動脈 brachiocephalic trunk ……… 171
腕頭動脈 truncus brachiocephalicus ……… 1234
腕頭動脈炎 brachiocephalic arteritis ……… 171
腕頭動脈蛇行症 buckled innominate artery ……… 182

コ・メディカル版 ステッドマン医学辞典

1998年 2月10日 第1版第1刷発行（ナース版）
2003年10月10日 第2版第1刷発行（ナース版）
2010年 4月10日 第1版第1刷発行

■編　集　コ・メディカル版 ステッドマン医学辞典
編集委員会

■発行者　浅原実郎

■発行所　株式会社メジカルビュー社
〒162－0845　東京都新宿区市谷本村町2－30
電話　03(5228)2050(代表)
ホームページ http://www.medicalview.co.jp/

営業部　FAX 03(5228)2059
E-mail eigyo@medicalview.co.jp

編集部　FAX 03(5228)2062
E-mail ed@medicalview.co.jp

■印刷所　株式会社 加藤文明社

ISBN 978-4-7583-0033-9 C3547